CB070659

# Medicina Ambulatorial

M489 Medicina ambulatorial : condutas de atenção primária baseadas em evidências / Organizadores, Bruce B. Duncan ... [et al.]. – 5. ed. – Porto Alegre : Artmed, 2022.
2 v. (xxxi, 973 p. ; xxxi, 2250 p.) : il. color. ; 28 cm.

ISBN 978-65-5882-042-0 (obra compl.). – ISBN 978-65-5882-044-4 (v. 1). – ISBN 978-65-5882-045-1 (v. 2)

1. Medicina. 2. Medicina de família e comunidade. 3. Saúde pública. 4. Atenção primária à saúde. I. Duncan, Bruce B. II. Schmidt, Maria Inês. III. Giugliani, Elsa R. J. IV. Duncan, Michael Schmidt. V. Giugliani, Camila.

CDU 614

Catalogação na publicação: Karin Lorien Menoncin – CRB 10/2147

Bruce B. Duncan
Maria Inês Schmidt
Elsa R. J. Giugliani
Michael Schmidt Duncan
Camila Giugliani

# Medicina Ambulatorial

Condutas de Atenção Primária
Baseadas em Evidências

**5ª EDIÇÃO**

**2**

artmed

Porto Alegre
2022

© Grupo A Educação S.A., 2022.

Gerente editorial: *Letícia Bispo de Lima*

**Colaboraram nesta edição:**

Preparação de originais: *Caroline Castilhos Melo, Sandra da Câmara Godoy, Heloísa Stefan*

Leitura final: *Caroline Castilhos Melo, Sandra da Câmara Godoy, Giovana Roza*

Capa e projeto gráfico do miolo: *Paola Manica | Brand&Book*

Editoração: *Clic Editoração Eletrônica Ltda.*

Tradução: *André Garcia Islabão (Figura 44.5, Figura 101.1, Figura 173.2, Figura 183.7, Apêndice 2)*

Ilustrações: *Gilnei Cunha (Figura 82.1, Figuras 83.1 a 6, Figura 84.1, Figura 84.3, Figura 87.2, Figura 182.2, Figuras 183.3, 4, 6 e 7, Figuras 190.2-6 e 8-10, Figuras 189.1-3 e 5-15, Figuras 191.1, 3-5, 7, 8 e 10-12)*

---

**Nota**

A medicina é uma ciência em constante evolução. À medida que novas pesquisas e a experiência clínica ampliam o nosso conhecimento, são necessárias modificações no tratamento e na farmacoterapia. Os autores desta obra consultaram as fontes consideradas confiáveis, em um esforço para oferecer informações completas e, geralmente, de acordo com os padrões aceitos à época da publicação. Entretanto, tendo em vista a possibilidade de falha humana ou de alterações nas ciências médicas, os leitores devem confirmar estas informações com outras fontes. Por exemplo, e em particular, os leitores são aconselhados a conferir a bula de qualquer medicamento que pretendam administrar, para se certificar de que a informação contida neste livro está correta e de que não houve alteração na dose recomendada nem nas contraindicações para o seu uso. Essa recomendação é particularmente importante em relação a medicamentos novos ou raramente usados.

---

Reservados todos os direitos de publicação ao GRUPO A EDUCAÇÃO S.A.
(Artmed é um selo editorial do GRUPO A EDUCAÇÃO S.A.)
Rua Ernesto Alves, 150 – Bairro Floresta
90220-190 – Porto Alegre – RS
Fone: (51) 3027-7000

SAC 0800 703 3444 – www.grupoa.com.br

É proibida a duplicação ou reprodução deste volume, no todo ou em parte, sob quaisquer formas ou por quaisquer meios (eletrônico, mecânico, gravação, fotocópia, distribuição na Web e outros), sem permissão expressa da Editora.

IMPRESSO NO BRASIL
*PRINTED IN BRAZIL*

# Autores e Coordenadores

**Bruce B. Duncan**  Internista. Professor titular do Departamento de Medicina Social da Faculdade de Medicina da Universidade Federal do Rio Grande do Sul (FAMED/UFRGS). Docente permanente do Programa de Pós-graduação (PPG) em Epidemiologia da UFRGS. Especialista em Medicina Interna e Medicina Preventiva pela North Carolina Memorial Hospital. Master in Public Health (MPH) pela Johns Hopkins University School of Public Health. PhD (Clínica Médica) pela UFRGS.

**Maria Inês Schmidt**  Endocrinologista. Professora titular do Departamento de Medicina Social da FAMED/UFRGS. Docente permanente do PPG em Epidemiologia da UFRGS. Especialista em Endocrinologia pela Irmandade da Santa Casa de Misericórdia de Porto Alegre (ISCMPA). MPH pela University of North Carolina. PhD pela University of North Carolina.

**Elsa R. J. Giugliani**  Pediatra. Professora titular do Departamento de Pediatria da FAMED/UFRGS. Mestra e Doutora em Pediatria pela Faculdade de Medicina de Ribeirão Preto da Universidade de São Paulo (FMRP/USP).

**Michael Schmidt Duncan**  Médico de família e comunidade. Assessor técnico da Superintendência de Atenção Primária da Secretaria Municipal de Saúde do Rio de Janeiro (SMS/RJ). Mestrado Profissional em Saúde da Família pelo ProfSaúde/Universidade do Estado do Rio de Janeiro (UERJ).

**Camila Giugliani**  Médica de família e comunidade. Professora associada de Medicina Social da FAMED/UFRGS. Doutora em Epidemiologia pela UFRGS.

---

**A. Carlile H. Lavor**  Médico sanitarista. Ex-professor da Universidade de Brasília (UnB). Coordenador da Fundação Oswaldo Cruz (FIOCRUZ) Ceará.

**Adamastor Humberto Pereira**  Cirurgião vascular. Professor titular do Departamento de Cirurgia da UFRGS. Chefe do Serviço de Cirurgia Vascular do Hospital de Clínicas de Porto Alegre (HCPA). Especialista em Cirurgia Endovascular pela UFRGS. Mestre em Ciências em Gastroenterologia e Hepatologia pela UFRGS. Doutor em Medicina pela Universidade Federal de São Paulo (UNIFESP).

**Adão Machado**  Pediatra. Coordenador da Comissão de Controle de Infecção do Hospital Padre Jeremias, Cachoeirinha. Especialista em Medicina Intensiva Pediátrica pelo HCPA/Associação Médica Brasileira (AMB). Mestre em Pediatria pela UFRGS.

**Adelson Guaraci Jantsch**  Médico de família e comunidade. Mestre em Saúde Pública pela UERJ. Doutorado em Saúde Pública pela UERJ.

**Adriana Oliveira Guilarde**  Infectologista. Professora associada da Universidade Federal de Goiás (UFG). Mestre em Epidemiologia pela UFG. Doutora em Medicina Tropical pela UFG.

**Adriane Vienel Fagundes**  Cirurgiã dentista especialista em Saúde da Família e em Periodontia. Mestranda em Clínica Odontológica pela UFRGS.

**Adriani Oliveira Galão**  Ginecologista e obstetra. Professora associada do Departamento de Ginecologia e Obstetrícia da FAMED/UFRGS. Diretora geral do Hospital Materno Infantil Presidente Vargas (HMIPV). Especialista em Gestão de Operações para a Saúde pela Engenharia de Produção da UFRGS. Mestre em Medicina e Ciências da Saúde pela Pontifícia Universidade Católica do Rio Grande do Sul (PUCRS). Doutora em Clínica Médica e Ciências da Saúde pela PUCRS.

**Airton Tetelbom Stein**  Médico de família e comunidade. Professor titular de Saúde Coletiva da Universidade Federal de Ciências da Saúde de Porto Alegre (UFCSPA). Médico de família do Grupo Hospitalar Conceição (GHC). Especialista em Medicina de Família e Comunidade pela Secretaria de Saúde e do Meio Ambiente do Rio Grande do Sul (SSMA-RS). Mestre em Community Health for Developing Countries pela London School of Hygiene and Tropical Medicine. Doutor em Ciências Médicas pela UFRGS.

**Alceu Migliavacca**  Cirurgião. Professor de Medicina da UFRGS. Especialista em Cirurgia Geral e Oncológica pela UFRGS.

**Alessandra E. Dantas**  Fisioterapeuta. Pós-Graduação em Osteopatia pela Escola de Osteopatia de Madrid.

**Alessandro Bersch Osvaldt**  Médico. Professor adjunto do Departamento de Cirurgia da FAMED/UFRGS. Especialista em Cirurgia do Aparelho Digestivo – Grupo de Pâncreas e Vias Biliares pelo Serviço de Cirurgia do Aparelho Digestivo do HCPA. Mestre e Doutor em Ciências Cirúrgicas pela UFRGS.

**Alexandre Araujo Pereira**  Cirurgião vascular. Médico contratado do HCPA. Coordenador do Ambulatório de Doenças Arteriais do Hospital Moinhos de Vento (HMV). Especialista em Cirurgia Vascular e Endovascular pela Sociedade Brasileira de Angiologia e de Cirurgia Vascular (SBACV).

**Alexandre de Araujo**  Gastroenterologista e hepatologista. Membro da Equipe de Hepatologia e Transplante Hepático do HCPA. Mestre e Doutor em Hepatologia pela UFRGS.

**Alexandre Estevam Montenegro Diniz**  Estudante Medicina do 10º semestre.

**Alfeu Roberto Rombaldi**  Cardiologista e clínico da Maternidade do Hospital Nossa Senhora da Conceição (HNSC)/GHC. Especialista em Cardiologia pelo HNSC/GHC.

## Autores e Coordenadores

**Alfredo de Oliveira Neto** Médico de família e comunidade. Professor adjunto no Departamento de Medicina em Atenção Primária à Saúde da Faculdade de Medicina da Universidade Federal do Rio de Janeiro (UFRJ). Mestre em Saúde Coletiva pelo Instituto de Medicina Social Hésio Cordeiro (IMS)/UERJ. Doutor em Saúde Coletiva pelo IMS/UERJ.

**Alice de M. Zelmanowicz** Oncologista. Professora adjunta do Departamento de Saúde Coletiva da UFCSPA. Especialista em Oncologia Clínica pela PUCRS. Mestra em Ciências Médicas pela UFRGS. Doutora em Epidemiologia pela UFRGS.

**Aline Camargo Fischer** Dermatologista. Especialista em Pele, Cabelos e Unhas pelo HCPA.

**Aloyzio Achutti** Internista e cardiologista. Especialista em Medicina Interna e em Cardiologia pela FAMED/UFRGS.

**Amanda Ramos da Cunha** Cirurgiã-dentista. Especialista em Saúde Coletiva pelo GHC. Mestra em Saúde Coletiva pela UFRGS. Doutoranda em Saúde Bucal Coletiva na UFRGS.

**Ana Cláudia Magnus Martins** Médica. Especialista em Medicina de Família e Comunidade pelo GHC. Pós-Graduação em Dor e Cuidados Paliativos pelo HCPA. Pós-Graduação em Cuidados Paliativos pelo Instituto Cicely Saunders, King's College London. Mestra em Epidemiologia pela UFRGS.

**Ana Elisa Kiszewski Bau** Dermatologista. Professora associada de Dermatologia da UFCSPA. Especialista em Dermatologia Pediátrica pela Universidad Nacional Autónoma de México (UNAM). Mestra em Ciências Médicas pela UNAM e pela UFRGS. Doutora em Patologia pela UFCSPA.

**Ana Laura Grossi de Oliveira** Nutricionista com experiência em Vigilância Alimentar e Nutricional da Prefeitura Municipal de Coronel Fabriciano. Professora de graduação e pós-graduação em disciplinas da área de saúde. Especialista em Ciências Biológicas pela Universidade Federal de Ouro Preto. Mestra em Ciência de Alimentos pela Universidade Federal de Minas Gerais (UFMG). Doutoranda em Ciências da Saúde: Infectologia e Medicina Tropical pela UFMG.

**Ana Lenise Favaretto** Dermatologista. Médica da Clínica Ponzio. Especialista em Dermatologia pela ISCMPA. Mestra em Epidemiologia pela UFRGS. MBA Executivo em Gerenciamento de Projetos pela Fundação Getúlio Vargas.

**Ana Luiza Maia** Professora titular de Endocrinologia da UFRGS.

**Ana Marli C. Sartori** Infectologista. Professora associada do Departamento de Moléstias Infecciosas e Parasitárias da Faculdade de Medicina da Universidade de São Paulo (FMUSP). Especialista em Moléstias Infecciosas e Parasitárias pela FMUSP. Mestra e Doutora em Moléstias Infecciosas e Parasitárias pela FMUSP. Livre-docente em Moléstias Infeciosas e Parasitárias pela FMUSP.

**Ana Paula Andreotti Amorim** Médica de família e comunidade. Médica de Ensino e Pesquisa do Programa de Atenção Primária à Saúde da FMUSP.

**Ana Paula Pfitscher Cavalheiro** Internista e infectologista. Referência técnica em HIV, Tuberculose e Hepatites Virais pelo Médicos Sem Fronteiras, Londres. Mestra em Ciências em Saúde Global pela Karolinska Institutet, Estocolmo, Suécia.

**Analuiza Camozzato** Psiquiatra. Professora associada da UFCSPA. Especialista em Psiquiatria pela UFCSPA. Mestra e Doutora em Clínica Médica pela UFRGS.

**Andre Avelino Costa Beber** Dermatologista. Professor adjunto de Dermatologia da Universidade Federal de Santa Maria (UFSM). Mestre em Ciências Médicas pela UFRGS.

**Andre Feldman** Cardiologista/terapia intensiva. Professor pleno da Pós-Graduação de Cardiologia da USP/Instituto Dante Pazzanese de Cardiologia (IDPC). Coordenador da Regional SP da Cardiologia da Rede D'OR Hospital São Luiz. Doutor em Ciências Médicas pela USP/IDPC.

**André Klafke** Médico de família e comunidade. Preceptor do Programa de Residência Médica (PRM) em Medicina de Família e Comunidade e professor do PPG em Avaliação de Tecnologias para o SUS do GHC. Mestre e Doutor em Epidemiologia pela UFRGS.

**André Luís Marques da Silveira** Médico clínico do Serviço de Atenção Domiciliar, Programa Melhor em Casa, na Associação Hospitalar Vila Nova.

**Andre T. Brunetto** Oncologista. Coordenador de pesquisa. Especialista em Câncer de Próstata. Mestre em Oncologia Básica, Clínica e Radioterapia pela Universidade de Londres.

**Andrew Haines** General Practitioner. Professor of Environmental Change and Public Health and former Director, London School of Hygiene and Topical Medicine. Honorary Consultant in Public Health, Public Health England. MD in Epidemiology pela University of London.

**Angela Jacob Reichelt** Endocrinologista. Médica contratada do HCPA. Doutorado em Clínica Médica pela UFRGS.

**Angela M. V. Tavares** Educadora física. Professora universitária da Faculdade de Ciências da Saúde Moinhos de Vento. Especialista em Ciências do Esporte pela Escola de Educação Física, Fisioterapia e Dança (ESEFID)/UFRGS. Mestra em Fisiologia pelo Instituto de Ciências Básicas da Saúde (ICBS) da UFRGS. Doutora em Ciências Cardiovasculares pela FAMED/UFRGS.

**Anibal Faúndes** Médico. Pesquisador sênior. Especialista em Obstetrícia.

**Anne Orgler Sordi** Psiquiatra. Chefe da Unidade de Psiquiatria de Adição e preceptora do Programa de Residência em Psiquiatria e Psiquiatria da Adição do HCPA. Especialista em Psicoterapia de Orientação Analítica pelo Centro de Estudos Luís Guedes (CELG)/HCPA. Doutora pelo PPG em Psiquiatria e Ciências do Comportamento da UFRGS.

**Antônio Carlos Pinto Oliveira** Cirurgião plástico. Médico concursado do Serviço de Cirurgia Plástica. Responsável pela equipe de Cirurgia Estética do HCPA. Especialista em Cirurgia Plástica pela Sociedade Brasileira de Cirurgia Plástica (SBCP). Mestre em Cirurgia pela UFRGS. Membro titular da SBCP.

**Antônio de Barros Lopes** Gastroenterologista. Médico do Serviço de Gastroenterologia do HCPA. Mestre e Doutor em Ciências em Gastroenterologia e Hepatologia pela UFRGS.

**Antonio Luiz Pinho Ribeiro** Cardiologista. Professor titular do Departamento de Clínica Médica da Faculdade de Medicina da UFMG. Doutor em Medicina pela UFMG.

**Ari Ojeda Ocampo Moré** Médico especialista em Acupuntura e em Clínica Médica. Supervisor do PRM em Acupuntura do Hospital Universitário da Universidade Federal de Santa Catarina (UFSC). Mestre em Neurociências pela UFSC. Doutor em Saúde Coletiva pela UFSC.

**Ari Timerman** Cardiologista. Diretor da Divisão Clínica do IDPC/USP. Especialista em Emergências e Terapia Intensiva pelo IDPC/USP. Doutor em Cardiologia pela FMUSP.

**Ariel Azambuja Gomes de Freitas** Pediatra geral da UFRGS. Mestre em Pediatria pela UFRGS. Ex-professor assistente de Pediatria da UFRGS.

**Aristides V. Cordioli** Psiquiatra. Professor aposentado da FAMED/UFRGS. Especialista e Mestre em Psiquiatria pela UFRGS. Doutor em Ciências Médicas: Psiquiatria pela UFRGS.

**Bárbara Stelzer Lupi** Internista e médica de família e comunidade.

## Autores e Coordenadores

**Beatriz Graeff Santos Seligman** Internista. Professora associada do Departamento de Medicina Interna da FAMED/UFRGS. Chefe de equipe de Medicina Interna do HCPA. Especialista em Medicina Interna pelo HCPA e em Nefrologia pela UFRGS. Mestra em Clínica Médica pela UFRGS. Doutora em Cardiologia pela UFRGS.

**Beatriz Stela Gomes de Souza Pitombeira** Hematologista. Médica do Serviço de Transplante de Medula Óssea do Hospital Universitário Walter Cantídio (HUWC)/Universidade Federal do Ceará (UFC). Especialista em Transplante de Medula Óssea pelo HCPA. Mestra em Ciências Médicas pela UFRGS.

**Beatriz Vailati** Ginecologista e obstetra do HCPA. Mestra em Medicina do Programa de Clínica Médica pela UFRGS.

**Berenice Dias Ramos** Otorrinopediatra e foniatra. Preceptora da Residência Médica na Área de Otorrinolaringologia Pediátrica e Foniatria do Serviço de Otorrinolaringologia e Cirurgia de Cabeça e Pescoço do Hospital São Lucas (HSL)/PUCRS. Mestra em Otorrinolaringologia pela UNIFESP. *Fellow* em Foniatria pela DERDIC/PUCSP.

**Betine Pinto Moehlecke Iser** Pesquisadora e professora universitária. Professora do PPG em Ciências da Saúde da Universidade do Sul de Santa Catarina. Especialista em Saúde Bucal Coletiva pela Escola de Saúde Pública do RS. Mestra e Doutora em Epidemiologia pela UFRGS. Egressa do Programa de Treinamento em Epidemiologia Aplicada aos Serviços do SUS da Secretaria de Vigilância em Saúde (SVS)/MS.

**Blanca Elena Rios Gomes Bica** Professora associada de Reumatologia da Faculdade de Medicina da UFRJ. Chefe do Serviço de Reumatologia do Hospital Universitário Clementino Fraga Filho da UFRJ. Especialista em Reumatologia pela Sociedade Brasileira de Reumatologia (SBR) e AMB. Mestra em Pediatria pela UFRJ. Doutora em Química Biológica pela UFRJ. Ex-presidente da Sociedade de Reumatologia do Rio de Janeiro.

**Boaventura Antonio dos Santos** Pediatra. Professor associado de Pediatria (aposentado) da UFRGS. Especialista em Pediatria pela UFRGS. Doutor em Pediatria pela UFRGS.

**Brasil Silva Neto** Urologista. Professor associado do Departamento de Urologia da FAMED/UFRGS/ HCPA. Mestre e Doutor em Medicina: Ciências Cirúrgicas pela UFRGS. Research associate, Lahey Clinic Medical Center Boston, EUA.

**Brendha Silva Givisiez** Médica de família e comunidade do Serviço de Saúde Comunitária (SSC) do GHC. Especialista em Preceptoria em Medicina de Família e Comunidade pela UNA-SUS/UFSCPA.

**Bruno Alves Brandão** Médico de família e comunidade. Preceptor do Programa de Residência em Medicina de Família e Comunidade da SMS/RJ. Mestre em Saúde Pública pela Escola Nacional de Saúde Pública Sergio Arouca (ENSP)/FIOCRUZ.

**Caio César Bezerra da Silva** Médico de família e comunidade.

**Camila Furtado de Souza** Médica de família e comunidade. Professora do Curso de Medicina da Universidade do Vale do Taquari (UNIVATES). Mestra e Doutora em Ciências Médicas: Endocrinologia pela UFRGS.

**Caren Serra Bavaresco** Dentista do SSC do GHC. Professora do Curso de Odontologia da Universidade Luterana do Brasil (ULBRA), RS. Especialista em Saúde Pública pela e em Disfunção Temporomandibular pela Associação Brasileira de Odontologia (ABO-RS) e em Acupuntura pela Associação Brasileira de Acupuntura (ABA). Mestra e Doutora em Ciências Biológicas: Bioquímica pela UFRGS. Pós-doutorado em Ciências Médicas pela UFRGS. Pós-Doutoranda em Odontologia pela UFMG.

**Carisi Anne Polanczyk** Cardiologista. Professora associada de Medicina Interna da UFRGS. Chefe do Serviço de Cardiologia do HMV. Mestra e Doutora em Cardiologia pela UFRGS.

**Carla Baumvol Berger** Médica de família e comunidade na Unidade Básica de Saúde do GHC. Especialista em Gestão e Saúde Pública pela UFRGS. Mestra em Avaliação em Tecnologias para o SUS pelo GHC.

**Carla da Cruz Teixeira** Médica de família e comunidade.

**Carla Di Giorgio** Nefrologista e intensivista pediátrica. Nefrologista pediátrica do HCPA.

**Carla Gottgtroy** Médica. Especialista em Reumatologia pelo Hospital Federal dos Servidores do Estado do Rio de Janeiro.

**Carla Maria De Martini Vanin** Ginecologista e obstetra. Coordenadora da Comissão de Residência Médica da UFCSPA/ISCMPA. Professora de Ginecologia da UFCSPA. Chefe do Serviço de Ginecologia e Obstetrícia da ISCMPA. Mestra pela Universidade de Toronto, Canadá. Doutorado sanduíche pela Universidade de Toronto, Canadá, e UFRGS.

**Carlo Henning** Ortopedista e traumatologista. Médico contratado do HCPA. Especialista em Cirurgia de Tornozelo e Pé pelo HCPA. Mestre em Cirurgia pela UFRGS. Membro titular da Sociedade Brasileira de Ortopedia e Traumatologia. Membro titular da Associação Brasileira de Medicina e Cirurgia do Tornozelo e Pé.

**Carlo Roberto Hackmann da Cunha** Médico de família e comunidade. Mestre em Epidemiologia pela UFRGS.

**Carlos Augusto Bastos de Souza** Ginecologista e obstetra. Médico do HCPA. Mestre e Doutor em Ciências Médicas pela UFRGS. Pós-doutorado em Ginecologia Minimamente Invasiva e Endometriose.

**Carlos Augusto Mello da Silva** Médico pediatria. Médico do Centro de Informação Toxicológica do Centro Estadual de Vigilância em Saúde da Secretaria Estadual da Saúde de Porto Alegre, RS. Área de atuação em Toxicologia Médica. Especialização em Toxicologia Aplicada pela PUCRS. Presidente do Departamento Científico de Toxicologia e Saúde Ambiental da Sociedade Brasileira de Pediatria (SBP).

**Carlos Graeff-Teixeira** Médico especialista em Medicina Tropical. Professor titular da PUCRS. Especialista em Medicina Interna pela HCPA. Mestre em Doenças Infecciosas pela UFRJ. Doutor em Medicina Tropical pelo Instituto Oswaldo Cruz.

**Carlos Magno C. B. Fortaleza** Médico especialista em Infectologia pela Universidade Estadual de Campinas (UNICAMP). Doutor em Clínica Médica pela UNICAMP. Professor livre-docente da Faculdade de Medicina de Botucatu, Universidade Estadual Paulista (UNESP).

**Carlos R. M. Rieder** Neurologista. Professor adjunto Neurologia da UFCSPA. Especialista em Neurologia pelo HCPA. Mestre em Ciências Médicas pela UFRGS. Doutor em Clinical Neuroscience, Birmingham University, England.

**Carmen Luiza C. Fernandes** Médica de família e comunidade. Terapeuta de Família e Casal do Instituto da Família de Porto Alegre (INFAPA). Coordenadora do Programa de Residência em Medicina de Família e Comunidade do GHC. Mestra em Epidemiologia pela UFRGS.

**Carmita H. N. Abdo** Psiquiatra. Professora associada do Departamento de Psiquiatria da FMUSP. Coordenadora do Programa de Estudos em Sexualidade (ProSex) do Instituto de Psiquiatria do HCFMUSP. Doutora e livre-docente em Psiquiatria pela FMUSP.

**Carolina Leão Oderich** Ginecologista e obstetra. Professora adjunta do Curso de Medicina da Universidade Federal da Integração Latino-americana (UNILA). Preceptora da Residência Médica em

Ginecologia e Obstetrícia do Município de Foz do Iguaçu. Mestra e Doutora em Ciências Médicas pela UFRGS.

**Carolina Machado Torres** Neurologista. Contratada do HCPA. Especialista em Epileptologia pelo HSL da PUCRS. Mestra e Doutora em Ciências Médicas pela UFRGS.

**Carolina Soares da Silva** Gastroenterologista pediátrica. Médica do Serviço de Gastroenterologia Pediátrica do Hospital da Criança Santo Antônio da ISCMPA. Especialista em Pediatria e Gastroenterologia Pediátrica pela UFCSPA. Mestra em Pediatria pela UFCSPA.

**Caroline Martins José dos Santos** Cirurgiã-dentista. Analista técnica de Políticas Sociais da Secretaria de Atenção Primária à Saúde/Ministério da Saúde (MS). Especialista em Saúde da Família e Gestão da Atenção Básica pela ENSP/FIOCRUZ. Mestra em Saúde Coletiva pela UnB.

**Cassia Kirsch Lanes** Médica de família e comunidade. Professora da Faculdade de Medicina da UNESA. Especialista em Medicina de Família e Comunidade pelo HMV.

**Charles Lubianca Kohem** Médico reumatologista do HCPA. Professor adjunto de Medicina Interna da UFRGS. *Fellow* em Reumatologia pela UT Southwestern Medical School, EUA. Mestre e Doutor em Ciências Médicas pela UFRGS.

**Christian Kieling** Psiquiatra. Professor de Psiquiatria da Infância e da Adolescência da UFRGS. Especialista em Psiquiatria da Infância e da Adolescência pelo HCPA. Mestre e Doutor em Ciências Médicas: Psiquiatria pela UFRGS.

**Cinthia Fonseca O'Keeffe** Infectologista. Atua no Serviço de Controle de Infecção Hospitalar da Associação Educadora São Carlos (AESC) do Hospital Santa Luzia.

**Ciro Paz Portinho** Cirurgião plástico e craniomaxilofacial. Professor adjunto do Departamento de Cirurgia da FAMED/UFRGS. Mestre e Doutor em Ciências Cirúrgicas pela FAMED/UFRGS. Membro titular da SBCP e da Associação Brasileira de Cirurgia Crânio-Maxilo-Facial (ABCCMF).

**Clarissa Giaretta Oleksinski** Infectologista. Coordenadora do Serviço de Controle de Infecção do Hospital de Clínicas de Passo Fundo.

**Claudia Regina Lindgren Alves** Pediatra. Professora associada do Departamento de Pediatria da Faculdade de Medicina da UFMG. Doutora em Ciências da Saúde.

**Claunara Schilling Mendonça** Médica de Família e Comunidade do GHC. Professora da FAMED/UFRGS. Doutora em Epidemiologia pela UFRGS.

**Cleber Dario Pinto Kruel** Médico. Professor titular de Cirurgia Geral do Departamento de Cirurgia da FAMED/UFRGS. Pós-doutor pela Università degli Studi di Milano, IT. Doutor em Cirurgia Gastroenterológica pela Escola Paulista de Medicina (EPM)/UNIFESP.

**Cleber Rosito Pinto Kruel** Cirurgião do aparelho digestivo. Professor adjunto Departamento de Cirurgia da UFRGS. Mestre e Doutor em Cirurgia pela UFRGS.

**Clécio Homrich da Silva** Pediatra. Professor associado do Departamento de Pediatria da UFRGS. Especialista em Saúde Pública pela Escola de Saúde Pública do Rio Grande do Sul/FIOCRUZ. Mestre em Pediatria pela UFRGS. Doutor em Saúde da Criança e do Adolescente pela UFRGS. Pós-doutorado em Global Child Health no Sick Kids Hospital, Toronto Canadá.

**Cor Jesus Fernandes Fontes** Infectologista. Professor da Faculdade de Medicina da Universidade Federal de Mato Grosso (UFMT). Especialista em Clínica Médica, Infectologia e Medicina de Família e Comunidade pela UFMT. Mestre e Doutor em Medicina Tropical pela UFMG.

**Cristiana M. Toscano** Infectologista e epidemiologista. Professora associada de Saúde Coletiva do Instituto de Patologia Tropical e Saúde Pública da UFG. Especialista em Economia da Saúde e Epidemiologia de Campo pela Universidade de York, UK, e CDC, EUA. Mestra em Doenças Infecciosas e Parasitárias pela USP. Doutora em Epidemiologia pela UFRGS. Pós-doutorado em Avaliação de Tecnologias de Saúde pela UFRGS.

**Cristine Kloeckner Kraemer** Dermatologista. Especialista em Dermatologia pela Sociedade Brasileira de Dermatologia (SBD). Mestra em Medicina: Ciências Médicas pela UFRGS.

**Daniel Almeida Gonçalves** Médico de família e comunidade. Mestre em Psiquiatria pela UNIFESP. Doutor em Saúde Coletiva pela UNIFESP.

**Daniel C. Damin** Coloproctologista. Mestre e Doutor em Gastroenterologia pela UFRGS. Pós-doutorado pela Universidade de Miami, EUA.

**Daniel Costi Simões** Médico.

**Daniela Riva Knauth** Antropóloga. Professora titular do Departamento de Medicina Social da FAMED/UFRGS. Mestra em Antropologia Social pela UFRGS. Doutora em Etnologia e Antropologia pela Ecole des Hautes Etudes en Sciences Sociales, Paris.

**Daniele Walter Duarte** Cirurgiã plástica. Mestra em Epidemiologia pela UFRGS. Doutora em Ciências Cirúrgicas pela UFRGS.

**Danilo Blank** Pediatra. Professor titular de Pediatria da UFRGS. Especialista em Pediatria e Adolescência pela UFRGS. Doutor em Saúde da Criança e do Adolescente pela UFRGS.

**Danilo C. Berton** Pneumologista. Professor adjunto de Medicina Interna da FAMED/UFRGS. Mestre em Ciências Pneumológicas pela UFRGS. Doutor em Medicina: Pneumologia pela UNIFESP.

**Danilo de Paula Santos** Estudante de Medicina da UFRGS. Doutorando do PPG em Epidemiologia da UFRGS.

**Danise Senna Oliveira** Infectologista. Professora adjunta de Infectologia da Universidade Federal de Pelotas (UFPEL). Doutora em Doenças Infecciosas e Parasitárias pela USP.

**Danyella da Silva Barreto** Médica de família e comunidade. Professora adjunta do Departamento de Promoção à Saúde da Universidade Federal da Paraíba e Centro Universitário João Pessoa (UNIPÊ). Especialista em Terapia Familiar e de Casal pelo INFAPA. Mestra em Psicologia pela Universidade do Vale do Rio dos Sinos (UNISINOS).

**Déa Suzana M. Gaio** Ginecologista e obstetra. Especialista em Ginecologia e Obstetrícia pela UFRGS. Mestra em Clínica Médica pela UFRGS.

**Denise Aerts** Médica. Especialista em Medicina de Família e Comunidade pela SSMA-RS. Mestra e Doutora em Clínica Médica: Epidemiologia pela UFRGS.

**Denise Rotta Ruttkay Pereira** Otorrinolaringologista. Mestra em Pediatria pela UFRGS. Doutoranda em Pediatria pela UFRGS.

**Denise Vieira de Oliveira** Infectologista. Médica do Hospital Giselda Trigueiro (HGT). Especialista em Infectologia pelo HGT.

**Diego Espinheira da Costa Bomfim** Médico de família e comunidade. Professor auxiliar do Internato de Saúde Mental da Universidade Federal do Recôncavo da Bahia. Supervisor e preceptor da Residência de Medicina de Família e Comunidade da Secretaria Municipal de Saúde de Salvador. Mestre em History of Science Technology and Medicine pela University of Manchester.

**Dinarte Ballester** Psiquiatra. Professor adjunto de Psiquiatria da UFPEL. Mestre em Clínica Médica pela UFRGS. Doutor em Psiquiatria e Psicologia Médica pela UNIFESP.

**Diogo Luis Scalco** Médico de família e comunidade. Médico e preceptor da Residência de Medicina de Família e Comunidade da Secretaria Municipal de Saúde de Florianópolis. Mestre em Epidemiologia pela UFPEL.

**Dolores Noronha Galdeano** Médica.

**Eberhart Portocarrero-Gross** Médico de família e comunidade. Preceptor da Residência de Medicina de Família e Comunidade da SMS/RJ. Especialista em Medicina de Família e Comunidade pela ENSP/FIOCRUZ.

**Eduardo de Araujo-Silva** Clínico geral da UFRGS. Mestre em Saúde Coletiva: Epidemiologia pela UFMT. Doutorando em Epidemiologia pela UFRGS.

**Eduardo de Oliveira Fernandes** Internista. Supervisor da Residência de Medicina Interna do GHC. Especialista em Clínica Médica pela UFRGS e em Medicina Intensiva pela Associação de Medicina Intensiva Brasileira. Doutor em Ciências Pneumológicas pela UFRGS. *Fellow* do American College of Physicians.

**Eduardo Henrique Portz** Médico de família e comunidade. Preceptor de Medicina de Família e Comunidade da UNIVATES.

**Eduardo I. Gus** Cirurgião plástico e de queimados pediátrico da Divisão de Cirurgia Plástica e Reconstrutiva no The Hospital for Sick Children, Toronto, Canada. Professor assistente do Departamento de Cirurgia da Universidade de Toronto. Project Investigator, SickKids Research Institute.

**Eduardo Macário** Farmacêutico. Sanitarista do MS. Especialista em Medicina Preventiva e Social pelo Centro de Pesquisas Aggeu Magalhães (CPqAM)/FIOCRUZ, Pernambuco. Mestre em Saúde Pública pelo CPqAM/FIOCRUZ, Pernambuco. Doutor em Epidemiologia pela UFRGS. Egresso do Programa de Treinamento em Epidemiologia Aplicada aos Serviços do SUS (EpiSUS), do MS e do Centers for Disease Control and Prevention (CDC), EUA.

**Eduardo Pandolfi Passos** Ginecologista e obstetra. Professor titular de Ginecologia e Obstetrícia da UFRGS. Chefe do Setor de Reprodução Assistida do HCPA/UFRGS. Chefe do Serviço de Fertilidade e Reprodução Assistida do HMV. Doutor e livre-docente em Ginecologia pela UNIFESP.

**Eliana de Andrade Trotta**[†] Pediatra intensivista. Chefe da UTI Pediátrica do HCPA. Professora associada Doutora do Departamento de Pediatria da FAMED/UFRGS.

**Eliana Lúcia Tomaz do Nascimento** Infectologista. Professora associada do Departamento de Infectologia da Universidade Federal do Rio Grande do Norte (UFRN). Mestra em Bioquímica pela UFRN. Doutora em Ciências da Saúde pela UFRN.

**Elisabeth Araujo** Otorrinolaringologista. Especialista em Rinologia pela UFRGS. Mestra e Doutora em Medicina pela UFRGS.

**Elisabeth Meyer** Psicóloga. Terapeuta cognitivo-comportamental pelo Instituto Porto Alegre da Igreja Metodista (IPA). Mestra e Doutora em Psiquiatria pela UFRGS.

**Elisabeth Susana Wartchow** Médica de família e comunidade do SSC do GHC. Especialista em Terapia de Família. Especialista em Violência Doméstica pelo Centro de Estudos, Atendimento e Pesquisa da Infância e da Adolescência (CEAPIA) e Laboratório de Estudos da Criança (LACRI)/USP.

**Elise Botteselle de Oliveira** Médica de família e comunidade. Teleconsultora. Auditora do TelessaúdeRS/UFRGS. Mestra em Epidemiologia pela UFRGS.

**Elvino Barros** Nefrologista. Professor titular da FAMED/UFRGS. Especialista em Nefrologia pela Sociedade Brasileira de Nefrologia. Mestre em Nefrologia pela UFRGS. Doutor em Nefrologia pela UNIFESP.

**Elza Daniel de Mello** Pediatra. Professora associada de Pediatria da UFRGS. Especialista em Gastropediatra e Nutrologia pela SBP. Mestra em Medicina: Pediatria pela UFRGS. Doutora em Saúde da Criança e do Adolescente pela UFRGS.

**Emilio Hideyuki Moriguchi** Geriatra. Professor do Departamento de Medicina Interna da UFRGS. Doutor em Medicina: Geriatria pela Universidade de Tokai, Japão. Pós-doutorado em Metabolismo de Lipoproteínas e Doenças Ateroscleróticas pela Wake Forest University School of Medicine, EUA. Fellow in Geriatrics Medicine & Gerontology pela Wake Forest University School of Medicine, EUA.

**Enrique Falceto de Barros** Médico. Professor da Universidade de Caxias do Sul (UCS). Especialista em Medicina de Família e Comunidade pelo GHC. Mestre em Educação em Ciências pela UFRGS. Chair of the WONCA Working Party on the Environment.

**Erno Harzheim** Médico de família e comunidade. Professor associado da FAMED/UFRGS. Especialista em Medicina de Família e Comunidade pelo GHC. Doutor em Saúde Pública e Medicina Preventiva pela Universidade de Alicante, España.

**Estefania Inez Wittke** Cardiologista. Médica do Serviço de Cardiologia do HNSC. Professora do PPG do Mestrado Profissional do GHC. Preceptora da Residência em Clínica Médica do Hospital Ernesto Dornelles. Especialista em Medicina Interna e Cardiologia pelo HNSC. Mestra e Doutora em Cardiologia e Ciências Cardiovasculares pela UFRGS.

**Ethel Leonor Noia Maciel** Enfermeira. Professora associada do Departamento de Enfermagem do Centro de Ciências da Saúde (CCS) da Universidade Federal do Espírito Santo (UFES). Doutora em Saúde Coletiva pela UERJ.

**Eugênio Vilaça Mendes** Consultor em Saúde Pública. Especialista em Planejamento de Saúde pela ENSP/FIOCRUZ. Doutor em Odontologia pela Faculdade de Odontologia da UFMG.

**Eunice Beatriz Martin Chaves** Ginecologista e obstetra. Médica contratada do HCPA. Mestra e Doutora em Clínica Médica pela UFRGS.

**Ewerton Cousin** Epidemiologista. Mestre em Saúde Pública pela Universidade Federal do Rio Grande (FURG). Doutor em Epidemiologia pela UFRGS. Pós-doutorando no Institute for Health Metrics and Evaluation (IHME-UW).

**Fabiana Bazanella de Oliveira** Dermatologista. Atua em clínica privada. Mestra em Patologia pela UFCSPA. Doutoranda em Patologia pela UFCSPA.

**Fábio Duarte Schwalm** Médico de Família e Comunidade na cidade de Barão, RS. Professor de APS da UCS. Mestre em Tecnologias para o SUS pelo GHC.

**Fábio Fernandes Dantas Filho** Médico do trabalho. Chefe do Serviço de Medicina Ocupacional do HCPA. Professor de Medicina. Coordenador da Disciplina de Saúde do Trabalhador da UNISINOS. Professor dos Cursos de Especialização em Medicina do Trabalho da UFRGS e da UNIFOR. Especialista em Medicina do Trabalho pela UFRGS. Mestre e doutorando pela UFRGS. MBA em Gestão Estratégia de Pessoas pela FGV.

**Fábio Morato de Castilho** Cardiologista. Professor adjunto do Departamento de Clínica Médica da UFMG. Especialista em Cardiologia pelo Hospital das Clínicas da UFMG. Mestre e Doutor em Saúde do Adulto pela UFMG.

**Fábio Silva Leal** Oncologista clínico.

**Felipe Gutiérrez Carvalho** Psiquiatra. Especialista em Medicina do Sono pelo HCPA. Mestre pelo PPG em Ciências Médicas: Psiquiatria da UFRGS. Doutorando no PPG em Psiquiatria e Ciências do Comportamento da UFRGS.

## Autores e Coordenadores

**Felix Henrique Paim Kessler** Psiquiatra. Professor adjunto do Departamento de Psiquiatria e Medicina Legal da UFRGS. Coordenador do Núcleo de Pesquisa Clínico-biológica do Centro de Pesquisa em Álcool e Drogas (CPAD) do HCPA/UFRGS. Doutor em Psiquiatria e Ciências do Comportamento pela UFRGS. Presidente do CELG/HCPA.

**Fernanda Lucia Capitanio Baeza** Psiquiatra contratada do HCPA. Especialista em Psicoterapia pelo CELG/HCPA. Doutora em Psiquiatria e Ciências do Comportamento pela UFRGS.

**Fernando Suassuna** Médico. Especialista em Infectologia e Alergologia. Especialista em Metodologia de Pesquisa na área de Saúde pela UFRN. Mestre em Medicina Tropical pela Universidade Federal de Pernambuco.

**Fernando Herz Wolff** Gastroenterologista. Professor do PPG em Gastroenterologia e Hepatologia da FAMED/UFRGS. Chefe do Serviço de Gastroenterologia do HMV. Especialista em Endoscopia Digestiva pela Sociedade Brasileira de Endoscopia Digestiva (SOBED). Doutor em Ciências Médicas pela UFRGS. Pós-Doutor em Epidemiologia e Pós-Doutor em Avaliação de Tecnologias em Saúde pela UFRGS.

**Fernando Freitas** Ginecologista e obstetra. Professor de Ginecologia e Obstetrícia (aposentado) da UFRGS. Especialista em Assistência Obstétrica, Ginecologia Endócrina e Infertilidade pela UFRGS. Mestre em Medicina pela UFRGS. Doutor em Ginecologia pela UNESP.

**Fernando Procianoy** Oftalmologista. Professor adjunto de Oftalmologia da FAMED/UFRGS. Coordenador *fellowship* Oculoplástica do HCPA. *Fellowship* em Oculoplástica: Cirurgia de Pálpebras, Órbita e Vias Lacrimais pelo HCFMRP/USP. Doutor em Ciências Médicas pela USP/RP.

**Fernando S. Thomé** Nefrologista. Professor adjunto de Medicina Interna da FAMED/UFRGS. Doutor em Nefrologia pela UFRGS.

**Flavia Kessler Borges** Médica. Professora assistente do Departamento de Medicina da McMaster University, Hamilton, Canadá. Especialista em Medicina Interna. Especialista em Medicina Perioperatória pela McMaster University. Mestra em Ciências Médicas pela UFRGS. Doutora em Cardiologia pela UFRGS. Pós-doutorado pela McMaster University.

**Flávio Danni Fuchs** Cardiologista. Professor titular da UFRGS. Mestre e Doutor em Medicina: Cardiologia pela UFRGS.

**Flávio Dias Silva** Médico. Professor da Universidade Federal do Tocantins. Especialista em Psiquiatria pelo Instituto Abuchaim e em Medicina de Família e Comunidade pelo GHC. Mestre em Ensino de Ciências da Saúde pela UNIFESP.

**Flavio Pechansky** Psiquiatra. Professor titular de Psiquiatria do HCPA e da UFRGS. Chefe do Serviço de Psiquiatria de Adição do HCPA. Diretor do CPAD do HCPA/UFRGS. Especialista em Dependência Química pela UFRGS e Johns Hopkins School of Public Health. Mestre e Doutor em Clínica Médica pela UFRGS.

**Francisco Arsego de Oliveira** Médico de família e comunidade. Professor do Departamento de Medicina Social da UFRGS. Especialista em Medicina de Família e Comunidade pelo Centro de Saúde-Escola Murialdo. Mestre em Antropologia Social pela UFRGS.

**Francisco de Souza Silva** Médico de família e comunidade. Residente de Medicina Paliativa no GHC.

**Frederico A. D. Kliemann**† Neurologista. Professor adjunto de Neurologia (aposentado) do Departamento de Medicina Interna da FAMED/UFRGS. Especialista pelo Institute of Neurology, London University.

**Gabriel Alves Ferreira** Médico.

**Gabriela de Moraes Costa** Psiquiatra clínica e forense. Professora de Psiquiatria da Universidade Federal de Santa Maria (UFSM). Professora do Curso de Medicina da Universidade Franciscana (UFN). Mestra em Farmacologia pela UFSM. Doutoranda em Farmacologia pela UFSM.

**Gabriela Wünsch Lopes** Estudante de Medicina na UFRGS. Aluna de Doutorado do PPG em Epidemiologia da UFRGS.

**Geisa Fregona** Enfermeira do Serviço de Referência em Tuberculose do Estado do Espírito Santo no Hospital Universitário Cassiano Antonio Moraes (HUCAM) da UFES. Mestra e Doutora em Saúde Coletiva pela UFES.

**Gerson Junqueira Júnior** Cirurgião geral e do aparelho digestivo. Diretor clínico do Hospital Mãe de Deus. Mestre em Cirurgia pela UFRGS. Doutor em Pneumologia pela UFRGS. Ex-presidente da Sociedade de Cirurgia Geral do Rio Grande do Sul. Ex-mestre do Capítulo-RS do Colégio Brasileiro de Cirurgiões (CBC).

**Gilberto Bueno Fischer** Pneumopediatra. Professor titular de Pediatria da UFCSPA. Chefe do Serviço de Pneumopediatria do Hospital da Criança Santo Antonio. Especialista em Pneumopediatria pela UFCSPA. Doutor em Pneumologia pela UFRGS.

**Gilberto Schwartsmann** Oncologista. Professor titular da FAMED/UFRGS. Especialista em Oncologia pela Middlesex Hospital University College Royal Marsden Hospital.

**Giovana Fontes Rosin** Ginecologista e obstetra. Especialista em Patologia do Trato Genital Inferior pelo HCPA.

**Giovanni Abrahão Salum Júnior** Psiquiatra. Professor adjunto no Departamento de Psiquiatria e Medicina Legal da FAMED/UFRGS. Doutor e Pós-doutor em Psiquiatria e Ciências do Comportamento pela UFRGS com período sanduíche no National Institute of Mental Health (NIMH).

**Gisele Gus Manfro** Psiquiatra. Professora associada do Departamento de Psiquiatria e Medicina Legal da UFRGS. Coordenadora do Ambulatório de Ansiedade do HCPA. Doutorado em Ciências Biológicas: Bioquímica pela UFRGS.

**Gisele Alsina Nader Bastos** Médica. Professora associada do Departamento de Saúde Coletiva da UFCSPA. Superintendente assistencial da ISCMPA. Especialista em Medicina de Família e Comunidade pelo GHC. Mestre em Epidemiologia pela UFPEL. Doutora em Epidemiologia pela UFRGS. *Fellowship* na Universidade de Oxford. Green Belt em Value Based Health Care.

**Gloria Jancowski Boff** Toxicologista. Representante do Conselho Federal de Medicina Veterinária no Fórum dos Conselhos Federais das Áreas da Saúde. Especialista em Toxicologia Aplicada pela PUCRS. Doutora em Toxicologia pela Universidade de León, Espanha. Pós-doutorado em Toxicologia pela UFRGS.

**Guilherme Behrend Silva Ribeiro** Urologista. Teleconsultor em Urologia do Hospital Sírio-Libanês. Mestre em Medicina: Ciências Cirúrgicas pela UFRGS.

**Guilherme Nabuco Machado** Médico de família e comunidade. Preceptor da Residência da Secretaria de Estado de Saúde do Distrito Federal (SESDF). Mestre em Saúde da Família pela Fundação de Ensino e Pesquisa em Ciências da Saúde (FEPECS).

**Guilherme S. Mazzini** Cirurgião do aparelho digestivo. Especialista em Cirurgia Digestiva e Bariátrica pelo HCPA. Doutor em Cirurgia pela UFRGS. Pós-doutorado em Cirurgia Bariátrica e Metabólica pela Virginia Commonwealth University.

**Gustavo Cartaxo de Lima Gössling** Internista e oncologista. Médico do Núcleo Interno de Regulação do HNSC/GHC.

**Gustavo Faulhaber** Hematologista. Professor adjunto Departamento de Medicina Interna da UFRGS.

**Helena Ayako Sueno Goldani** Gastroenterologista pediátrica. Professora associada do Departamento de Pediatria da FAMED/UFRGS. Doutora em Pediatria pela FMRP/USP.

**Helena Mocelin**  Pneumologista pediátrica. Professora adjunta de Pediatria da UFCSPA. Especialista em Pneumologia Pediátrica pela UFCSPA. Mestra em Pediatria pela UFRGS. Doutora em Medicina: Pneumologia pela UFRGS.

**Helena Schmid**  Endocrinologista. Professora titular de Endocrinologia e Medicina Interna da UFCSPA/UFRGS. Especialista em Endocrinologia e Metabologia pelo HCPA/UFRGS. Mestra em Clínica Médica pela USP. Doutora em Medicina pela USP.

**Helena von Eye Corleta**  Ginecologista e obstetra. Professora titular de Ginecologia e Obstetrícia da FAMED/UFRGS. Especialista em Reprodução Humana pela Universidade Ludwig Maximilian (LMU), Munique, Alemanha. Mestra em Tocoginecologia pela FMRP/USP. Doutora em Medicina: Reprodução Humana pela LMU, Munique, Alemanha.

**Henrique Rasia Bosi**  Cirurgião geral e do aparelho digestivo. Preceptor da Residência Médica em Cirurgia Geral do Hospital Geral de Caxias do Sul (HGCS). Mestrando do PPG em Medicina: Ciências Cirúrgicas da UFRGS.

**Hudson Pabst**  Médico de família e comunidade.

**Humberto Antonio Ponzio**  Dermatologista. Professor associado de Dermatologia (aposentado) do Departamento de Medicina Interna da FAMED/UFRGS. Especialista em Dermatologia pela UFRGS/ISCMPA. Mestre em Ciências pela FAMED/UFRGS. Doutor em Ciências: Dermatologia pela USP.

**Humberto Moreira Palma**  Ortopedista e traumatologista do Hospital Universitário de Santa Maria (HUSM). Chefe da Divisão Médica, diretor técnico e chefe do Serviço de Ortopedia e Traumatologia do HUSM. Especialista em Cirurgia do Joelho pelo HCPA. Mestre em Cirurgia pela UFRGS.

**Iara Marques de Medeiros**  Infectologista. Professora associada do Departamento de Infectologia do Instituto de Medicina Tropical da UFRN. Especialista em Infectologia pela UFRN. Mestra e Doutora em Doenças Infecciosas pela UNIFESP.

**Igor Thiago Queiroz**  Infectologista. Professor DNS III de Medicina da Universidade Potiguar (UnP). Especialista em Doenças Tropicais e Hepatites Virais pelo HGT. Doutor em Doenças Infecciosas e Parasitárias pela USP.

**Ilóite M. Scheibel**  Reumatologista pediátrica. Preceptora em Reumatologia Pediátrica do Hospital Criança Conceição (HCC)/GHC. Especialista em Reumatologia Pediátrica pela UNIFESP. Mestra e Doutora em Ciências da Saúde: Pediatria pela UFRGS.

**Inara Bernardi Bagesteiro**  Farmacêutica. Consultora técnica da nota DEZ Assessoria e Consultoria Farmacêutica. Especialista em Administração e Planejamento pela ULBRA.

**Ingrid Hartmann**  Psiquiatra. Especialista em Dependência Química pela Unidade de Pesquisa em Álcool e Drogas (UNIAD)/UNIFESP. Doutora em Psiquiatria e Ciências do Comportamento pela UFRGS.

**Isabel Cristina Amaral de Almeida**  Ginecologista e obstetra. Coordenadora do Serviço de Fertilidade e Reprodução Assistida do HMV.

**Jacson Venancio de Barros**  Engenheiro eletrônico. Mestre em Medicina: Medicina Preventiva pela USP. Pós-graduando senso estrito (Doutorado) no Departamento de Informática Médica da FMUSP.

**Janete Shatkoski Bandeira**  Acupunturiatra. Médica do Ambulatório de Dor e Acupuntura do Município de Porto Alegre. Certificado de Atuação na Dor pela AMB. Mestra em Ciências Médicas pela UFRGS.

**Janete Vettorazzi**  Ginecologista e obstetra. Professora da Graduação e da Pós-graduação do Departamento de Ginecologia e Obstetrícia da FAMED/UFRGS. Especialista em Gestação de Alto Risco pelo HCPA. Mestra e Doutora pelo PPG em Medicina: Ciências Médicas da UFRGS. Pós-doutorado pelo PPG em Medicina: Ciências Médicas da UFRGS.

**Janini Cristina Paiz**  Enfermeira de Estratégia de Saúde da Família. Enfermeira de saúde da família e comunidade do GHC. Especialista em Saúde Pública pela UFRGS. Mestra em Epidemiologia pela UFRGS. Doutoranda em Epidemiologia na UFRGS.

**Jaqueline Neves Lubianca**  Ginecologista e obstetra. Professora associada de Ginecologia e Obstetrícia da FAMED/UFRGS. Professora do PPG em Ginecologia e Obstetrícia da UFRGS. *Fellowship* em Ginecologia Infanto-juvenil pelo Children's Hospital, Boston, MA. Mestra e Doutora em Ciências Médicas pela UFRGS. Membro da Comissão Nacional Especializada em Anticoncepção da Federação Brasileira das Associações de Ginecologia e Obstetrícia (FEBRASGO).

**Jean Carlos de Matos**  Ginecologista e obstetra. Médico contratado do HCPA e do HMIPV. Especialista em Ginecologia e Obstetrícia pela UFRGS. Título de Especialista em Patologia do Trato Genital Inferior e Colposcopia pela Associação Brasileira de Patologia do Trato Genital Inferior e Colposcopia (ABPTGIC).

**Jeferson K. de Oliveira**  Cirurgião do Serviço de Cirurgia Geral do HCPA. Formação em Cirurgia Onco-dermatológica. Especialista em Cirurgia Geral e do Aparelho Digestivo pelo HSL/PUCRS. Mestre em Medicina e Ciências de Saúde pela PUCRS. Membro do Grupo Brasileiro de Melanoma. Membro do CBC.

**Jessé Reis Alves**  Médico do Núcleo de Medicina do Viajante do Instituto de Infectologia Emílio Ribas. Mestre em Doenças Infecciosas pela UNIFESP. Doutor em Medicina pela UNIFESP.

**João Batista Torres**  Toxicologista e clínico geral. Especialista em Medicina do Trabalho pela UFRGS e em Toxicologia Clínica pela PUCRS.

**João Eduardo Marten Teixeira**  Fisiatra e acupunturista. Supervisor do PRM R3 em Dor/Acupuntura no Hospital Universitário da UFSC/Rede Ebserh. Diretor de Ensino da MyomedBR.

**João Henrique Godinho Kolling**  Médico de família e comunidade. Atuação profissional na UBS Santa Cecília/HCPA, Unidade Iguatemi/HMV e saúde suplementar da Kolling Clínica da Família. Especialista em Administração em Saúde pelo PRM em Medicina de Família e Comunidade do HCPA. Mestre em Epidemiologia pela UFRGS. Presidente da Associação Gaúcha de Medicina de Família e Comunidade (2019-2024).

**João Victor Bohn de A. Alves**  Médico de família e comunidade. Coordenador técnico do Programa de Residência em Medicina de Família e Comunidade da SMS/RJ. Mestrando em Saúde Pública pela ENSP/FIOCRUZ, Rio de Janeiro.

**João Werner Falk**  Médico de família e comunidade. Professor titular da FAMED/UFRGS. Especialista em Medicina de Família e Comunidade pelo Centro de Saúde-Escola Murialdo. Mestre em Clínica Médica pela UFRGS. Doutor em Ciências Médicas pela UFRGS. Ex-presidente da Sociedade Brasileira de Medicina de Família e Comunidade (SBMFC).

**Joel Lavinsky**  Otorrinolaringologista. Professor do Pós-graduação em Cirurgia da UFRGS. Preceptor de Otologia e Neurotologia da UFCSPA/ISCMPA. Especialista em Otologia, Neurotologia e Cirurgia da Base do Crânio pela University of Southern California. Mestre e Doutor em Cirurgia pela UFRGS. Pós-doutorado no Keck School of Medicine.

**Joelza Mesquita Andrade Pires**  Pediatra. Especialista em Pediatria pela SBP e AMB e Especialista em Violência Doméstica Contra Criança e Adolescente pela USP. Mestra em Ciências Médicas: Pediatria pela UFRGS. Doutor em Saúde da Criança e do Adolescente pela UFRGS. Ex-professora de Medicina da Ulbra.

## Autores e Coordenadores

**Jorge Béria** Médico psicoterapeuta. Professor titular de Epidemiologia (aposentado) da UFPEL. Especialista em Saúde Pública pela ENSP. Mestre em Saúde Comunitária pela Universidade de Londres. Doutor em Medicina: Clínica Médica pela UFRGS. Capacitação Docente em Medicina de Família pela Universidade Nacional Autônoma do México.

**Jorge Esteves** Oftalmologista. Professor ajunto IV da UFRGS. Mestre e Doutor em Medicina pela UFRGS. Atualmente atua em Clínica Médica Privada.

**Jorge Pinto Ribeiro**[†] Cardiologista da Universidade de Harvard. Professor associado da FAMED/UFRGS. Chefe da Unidade de Hemodinâmica do HCPA. Chefe do Serviço de Cardiologia do HMV. Doutor pela Universidade de Boston. Livre-docente da USP.

**José Alberto Rodrigues Pedroso** Nefrologista do HCPA e do Hospital de Pronto Socorro (HPS) de Porto Alegre. Ex-professor adjunto de Nefrologia, Semiologia e Clínica Médica da UFRJ e da Estácio de Sá, RJ. Especialista em Toxicologia Aplicada pela PUCRS. Mestre em Biologia Celular e Molecular pela PUCRS. Doutor em Transplante de Órgãos pela Università Cattolica del Sacro Cuore, Roma, Itália.

**José Augusto Bragatti** Neurologista e eletroencefalografista. Chefe da Unidade de Neurofisiologia Clínica do HCPA. Especialista em Neurologia pela Academia Brasileira de Neurologia e em Neurofisiologia Clínica pela Sociedade Brasileira de Neurofisiologia Clínica. Mestre e Doutor em Ciências Médicas pela UFRGS.

**José Carlos Prado Junior** Médico de família e comunidade. Gerente de Medicina de Família do Hospital Sírio Libanês. Médico de Família da PUCPR. Mestre em Saúde Pública: Epidemiologia pela UFSC. Doutor em Saúde Coletiva: Epidemiologia pela UFRJ.

**José Faibes Lubianca Neto** Otorrinolaringologista. Professor associado da Disciplina de Otorrinolaringologia do Departamento de Clínica Cirúrgica da UFCSPA. Chefe do Serviço de Otorrinolaringologia da ISCMPA. *Fellowship* em Otorrinolaringologia Pediátrica no Massachusetts Eye & Ear Infirmary pela Harvard Medical School, Boston, EUA. Mestre e Doutor em Medicina pelo PPG em Ciências Médicas da UFRGS.

**José Geraldo Lopes Ramos** Ginecologista e obstetra. Professor titular de Ginecologia e Obstetrícia do Departamento de Ginecologia e Obstetrícia da UFRGS e do HCPA. Especialista em Ginecologia e Obstetrícia pelo HCPA. Mestre em Clínica Médica: Nefrologia pela UFRGS. Doutor em Ciências Médicas pela UFRGS.

**José Miguel Dora** Endocrinologista. Professor adjunto da FAMED/UFRGS. Doutor em Endocrinologia pela UFRGS.

**José Ricardo Guimarães** Cirurgião geral. Mestre em Gastroenterologia pela UFRGS.

**Juarez Cunha** Pediatra. Médico da Vigilância em Saúde da Secretaria Municipal de Saúde de Porto Alegre. Especialista em Pediatria e em Intensivismo Pediátrico pela UFRGS/HCPA.

**Juliana de Oliveira** Pediatra. Professora auxiliar de Medicina da UNISINOS. Mestra em Epidemiologia pela UFRGS.

**Juliana Dias Pereira dos Santos** Médica de família e comunidade. Especialista em Saúde da Família e em Gestão Clínica pela UFMG. Mestra em Epidemiologia pela UFRGS.

**Juliano Soares Rabello Moreira** Médico de família e comunidade. Professor adjunto da UNIVATES. Especialista em Medicina de Família e Comunidade pelo GHC. Mestre em Endocrinologia pelo HCPA.

**Julio Cesar Razera** Médico clínico. Especialista em Gastroenterologia, Hepatologia e Endoscopia Digestiva pela UFCSPA/ISCMPA. Mestrando em Hepatologia pela UFCSPA.

**Justino A. C. Noble** Médico. Especialista em Medicina de Família e Comunidade pela AMB/SBMFC. Pós-graduação em Saúde da Família pela UFCSPA. Pós-graduação em Geriatria Clínica e Preventiva pela PUCRS.

**Karen Gomes d'Ávila** Médica do trabalho e médica de família e comunidade. Chefe da Unidade de Medicina do Trabalho do HCPA. Preceptora da Residência Médica em Medicina do Trabalho do HCPA. Pós-Graduação em Medicina do Trabalho pela UFRGS. Especialista pela Associação Nacional de Medicina do Trabalho (ANAMT). Mestranda em Pneumologia pela UFRGS.

**Karen Oppermann** Ginecologista. Professora titular de Ginecologia e Obstetrícia da Universidade de Passo Fundo (UPF). Mestra e Doutora em Medicina pela UFRGS.

**Karine Margarites Lima**[†] Médica de família e comunidade. Pesquisadora associada do Instituto de Avaliação de Tecnologia em Saúde (IATS) e do Telessaúde-RS. Mestra em Epidemiologia pela UFRGS.

**Karla Simônia de Pádua** Bióloga. Profissional de Pesquisa do Centro de Atenção Integral à Saúde da Mulher da UNICAMP. Pesquisadora do Centro de Pesquisas em Saúde Reprodutiva de Campinas. Mestra em Tocoginecologia pela Faculdade de Ciências Médicas da UNICAMP. Doutoranda em Ciências da Saúde pelo Departamento de Tocoginecologia da UNICAMP.

**Kelin Cristine Martin** Neurologista. Especialista em Neurofisiologia Clínica pelo HCPA.

**Laureen Engel** Médica de família e comunidade. Especialista em Medicina de Família e Comunidade pela HCPA.

**Lavinia Schuler-Faccini** Médica geneticista. Especialista em Genética Médica pela Sociedade Brasileira de Genética Médica.

**Leandro Totti Cavazzola** Cirurgião geral e do aparelho digestivo. Professor adjunto do Departamento de Cirurgia da UFRGS. Titular e Especialista em Cirurgia Geral e Cirurgia do Aparelho Digestivo pelo CBC e Colégio Brasileiro de Cirurgia Digestiva (CBCD). Mestre e Doutor em Cirurgia pela UFRGS. Pós-Doutorado em Cirurgia Minimamente Invasiva pela Case Western Reserve University, Cleveland, Ohio, EUA.

**Lenildo de Moura** Enfermeiro. Especialista em Doenças Crônicas Não Transmissíveis e Saúde Mental pela Organização Pan Americana de Saúde/Organização Mundial da Saúde. Egresso do EpiSUS, do MS e do CDC, EUA. Mestre e Doutor em Epidemiologia pela UFRGS.

**Leonardo Botelho** Anestesiologista. Especialista em Dor pelo HCPA. Doutor em Ciências Médicas pela UFRGS.

**Leonardo Evangelista da Silveira** Psiquiatra. Preceptor da Residência Médica da UFCSPA. *Clinical fellow* pela Mood Disorders Centre, University of British Columbia, Canada. Doutor em Psiquiatria pela UFRGS.

**Leonardo Vieira Targa** Médico de família e comunidade. Professor assistente de Atenção Primária à Saúde e do Internato Rural de Medicina de Família e Comunidade da UCS. Mestre em Antropologia Social pela UFRGS. Doutorando em Educação em Ciências pela UFRGS. Editor regional da Rural and Remote Health.

**Letícia Brandeburski Loss** Dermatologista.

**Letícia Pargendler Peres** Dermatologista. Mestra em Ciências Cirúrgicas pela UFRGS.

**Letícia Renck Bimbi** Médica de família e comunidade. Preceptora do Programa de Residência em Medicina de Família e Comunidade da SMS/RJ. Clínica da Família Maria do Socorro, Rocinha.

**Letícia Schwerz Weinert** Endocrinologista. Professora do Curso de Medicina da Universidade Católica de Pelotas (UCPEL). Endocrinologista do Hospital da Escola da UFPEL. Especialista em

Endocrinologia da Gestação pela UFRGS. Doutora em Endocrinologista pela UFRGS.

**Lia Pinheiro Dantas** Dermatologista. Preceptora do Ambulatório de Dermatologia do HCPA. Mestra em Ciências Médicas pela UFRGS.

**Lilian Day Hagel** Médica de adolescentes/hebiatra. Médica da Clínica para Adolescentes do Serviço de Pediatria do HCPA. Preceptora do PRM em Pediatria do HCC/GHC. Coordenadora do Serviço de Adolescentes do HNSC/GHC. Título de Especialista em Pediatria, com área de atuação em Adolescência. Mestra em Pediatria pela UFRGS.

**Liliane Diefenthaeler Herter** Ginecologista. Professora associada de Ginecologia da UFCSPA. Especialista em Ginecologista Infanto-juvenil pela Federação Internacional de Ginecologia Infanto-juvenil (FIGIJ). Mestra e Doutora em Ciências Médicas pela UFRGS. Membro da Comissão Nacional Especializada da FEBRASGO de Ginecologia Infanto-juvenil e da Associação Brasileira de Obstetrícia e Ginecologia da Infância e Adolescência (SOGIA-BR).

**Lisia von Diemen** Médica. Professora adjunta de Psiquiatria da UFRGS. Especialista em Psiquiatra pelo HCPA. Mestra em Psiquiatria pela UFRGS. Doutora em Psiquiatria e Ciências do Comportamento pela UFRGS.

**Lucas Alexandre Pedebos** Enfermeiro. Cientista de dados da Prefeitura Municipal de Florianópolis. Especialista em Informática em Saúde pela UNIFESP. Mestre em Saúde Coletiva pela UFSC.

**Lucas Gurgel Tiso** Médico de família e comunidade. Coordenador clínico na Amparo Saúde.

**Lucas Samuel Perinazzo Pauvels** Dermatologista.

**Lucia Campos Pellanda** Médica. Professora do Departamento de Saúde Coletiva e Reitora da UFCSPA. Especialista em Pediatria pela UFRGS e em Cardiologia Pediátrica pelo IC/FUC. Mestra e Doutora em Cardiologia pelo IC/FUC. MBA em Gestão da Atenção Primária à Saúde pela Cambridge Health Alliance/FELUMA.

**Lúcia Miranda Monteiro dos Santos** Anestesiologista. Atua com Clínica de Dor e Cuidados Paliativos no HCPA. Especialista em Tratamento de Dor e Cuidados Paliativos pelo HCPA. Mestra em Neurociências pela UFRGS.

**Luciano Paludo Marcelino** Cirurgião geral e do aparelho digestivo. Mestrando do PPG em Ciências Cirúrgicas da UFRGS.

**Lucio Bakos** Dermatologista. Professor titular de Dermatologia da UFRGS/HCPA. Especialista em Dermatologia pela SBD. Mestre e Doutor em Medicina: Dermatologia pela UFRJ. *Post* Graduate Student, Cambridge University, UK. Visiting Research Fellow, London School of Hygiene and Tropical Medicine.

**Lúcio R. Requião-Moura** Nefrologista. Professor adjunto da Disciplina de Nefrologia da UNIFESP. Nefrologista do Programa de Transplante do Hospital Israelita Albert Einstein. Mestre e Doutor em Nefrologia pela UNIFESP.

**Luis Antonio Abreu de Moraes Neto** Ginecologista, obstetra e mastologista. Oncomastologista do HMV. Especialista em Mastologia pela Sociedade Brasileira de Mastologia (SBM).

**Luis E. Rohde** Cardiologista. Professor associado de Medicina Interna da FAMED/UFRGS. Cardiologista do Programa de Insuficiência Cardíaca Avançada do Serviço de Cardiologia do HCPA. Professor do PPG em Cardiologia e Ciências Cardiovasculares da UFRGS.

**Luís Fernando Tófoli** Psiquiatra. Professor de Psiquiatria da FCM da UNICAMP. Especialista em Educação para as Profissões da Saúde pela UFC. Doutor em Medicina: Psiquiatria pela FMUSP.

**Luisa Campos Caldeira Brant** Cardiologista. Professora adjunta de Clínica Médica da Faculdade de Medicina da UFMG. Mestra e Doutora em Ciências Aplicadas à Saúde do Adulto pela UFMG.

**Luiz Fernando Bopp Muller** Dermatologista do HCPA. Professor da FAMED/UFRGS.

**Luiz Fernando Chazan** Psiquiatra e psicanalista. Professor adjunto de Saúde Mental e Psicologia Médica da FCM da UERJ. Especialista em Terapia de Grupo pela Sociedade Psicanalítica Gradiva (SPAG), RJ, e em Terapia de Família pela Núcleo-Pesquisa, RJ. Mestre em Medicina pela FCM da UERJ. Doutor em Ciências pela FCM da UERJ.

**Luiz Lavinsky** Otorrinolaringologista. Professor titular da FAMED/UFRGS. Especialista em Otorrinolaringologia pela Universidad del Salvador, Buenos Aires. Mestre em Otorrinolaringologia pela PUCRJ. Doutor em Otorrinolaringologia pela UNIFESP. Pós-doutorado pela UNIFESP.

**Luíza Emília Bezerra de Medeiros** Médica de família e comunidade. Médica teleconsultora do TelessaúdeRS/UFRGS.

**Luíza Guazzelli Pezzali** Ginecologista e obstetra. Cursando ano adicional de residência de Ginecologia e Obstetrícia, com enfoque em Ginecologia Endócrina.

**Magda Blessmann Weber** Dermatologista. Professora adjunta IV de Dermatologia da UFCSPA. Mestra e Doutora em Pediatria: Dermatologia pela UFRGS.

**Magda Moura de Almeida** Médica de família e comunidade. Professora do Departamento de Saúde Comunitária da UFC. Especialista em Educação para as Profissões da Saúde pela UFC. Mestra em Saúde Pública pela UFC. Doutora em Ciências pela UNICAMP.

**Maicon Falavigna** Internista. Mestre e Doutor em Epidemiologia pela UFRGS.

**Maira Caleffi** Mastologista. Chefe do Serviço de Mastologia do HMV. Presidente voluntária da Federação Brasileira de Instituições Filantrópicas de Apoio à Saúde da Mama (FEMAMA) e Instituto da Mama do Rio Grande do Sul (IMAMA). Líder do Comitê Executivo da City Cancer Challenge Foundation em Porto Alegre.

**Manuella Edler Zandoná** Neurologista. Especialista em Distúrbios do Movimento.

**Mara Rúbia André Alves de Lima** Pneumologista. Professora responsável pela Pneumologia do Departamento de Clínica Médica da UFCSPA. Especialista em Pneumologia pela UFCSPA-Pavilhão Pereira Filho/Sociedade Brasileira de Pneumologia e Tisiologia (SBPT). Especialista em Mídias na Educação pelo Centro Interdisciplinar de Novas Tecnologias na Educação (CINTED)/UFRGS, MEC. Mestra em Pneumologia pela UFRGS. Doutora em Pneumologia pela UFRGS/University of Toronto.

**Marcel de Almeida Dornelles** Médico clínico.

**Marcelo Basso Gazzana** Pneumologista, internista e intensivista. Chefe do Serviço de Pneumologia e Cirurgia Torácica do HMV. Médico e supervisor do PRM do Serviço de Pneumologia do HCPA. Professor do PPG em Ciências Pneumológicas da UFRGS. Mestre e Doutor pelo PPG em Ciências Pneumológicas da UFRGS.

**Marcelo Demarzo** Médico de família e comunidade. Professor livre-docente de Medicina Preventiva Clínica da EPM/UNIFESP. Especialista em *Mindfulness* e Promoção da Saúde pela Universidade de Zaragoza, Espanha. Doutor em Patologia pela FMRP/USP. *Senior fellow* do International Primary Care Research Leadership Programme, Department of Primary Care Health Sciences, University of Oxford.

**Marcelo Garcia Kolling** Médico de família e comunidade. Mestrado Profissional em Epidemiologia pela UFRGS.

**Marcelo Pio de Almeida Fleck** Psiquiatria. Professor titular do Departamento de Psiquiatria e Medicina Legal da UFRGS. Especialista em Psiquiatria pela UFRGS. Mestre e Doutor em Clínica Médica pela UFRGS. Pós-Doutorado na Universidade McGill, Canadá.

**Marcelo Rodrigues Gonçalves** Médico de família e comunidade. Professor adjunto do Departamento de Medicina Social da UFRGS. Chefe do Serviço de Atenção Primária à Saúde do HCPA. Vice-coordenador do TelessaúdeRS/UFRGS. Especialista em Medicina de Família e Comunidade pelo SSC do GHC. Mestre e Doutor em Epidemiologia pela UFRGS.

**Marcelo Vieira de Lima** Médico do trabalho. Assistente técnico em perícias médicas judiciais e palestrante de Saúde e Segurança no Trabalho. Professor de Pós-graduação em Direito Trabalhista, Previdenciário e Acidentário. Especialista em Medicina do Trabalho pela Faculdade de Medicina de São José do Rio Preto (FAMERP).

**Marcia Kauer-Sant'Anna** Psiquiatra. Supervisora do PRM em Psiquiatria do HCPA. Professora adjunta do Departamento de Psiquiatria e Medicina Legal e do PPG em Ciências Médicas: Psiquiatria da UFRGS. Doutora em Bioquímica. Pós-doutora em Transtornos do Humor.

**Márcia Paczko Bozko** Dermatologista.

**Márcia Zampese** Dermatologista. Preceptora da Residência Médica em Dermatologia do HCPA. Médica da FAMED/UFRGS. Dermatologista pela UNICAMP e SBD.

**Marcos Adams Goldraich** Médico de família e comunidade. Preceptor do Programa de Residência de Medicina de Família e Comunidade da SMS/RJ.

**Marcos Paulo Veloso Correia** Reumatologista. Especialista em Medicina de Família e Comunidade pela SBMFC e Área de Atuação em Dor pela SBR e AMB. Professor adjunto de Reumatologia da Universidade Estácio de Sá (UNESA), RJ. Coordenador do Grupo de Trabalho em Dor da SBMFC. Mestrado em Saúde da Família pela UERJ/PROFSAUDE. Membro da Comissão de Dor, Fibromialgia e Outras Síndromes de Partes Moles da SBR.

**Marcos Vinícios Razera** Pediatra e pneumologista infantil. Professor do Curso de Medicina da UCPEL. Membro do Comitê de Toxicologia e Saúde Ambiental da Sociedade de Pediatra do Rio Grande do Sul (SPRS).

**Marcus Vinicius Martins Collares** Cirurgião plástico craniomaxilofacial. Professor associado de Cirurgia da UFRGS. Doutor em Cirurgia pela Universidade de Barcelona.

**Maria Aparecida de Faria Grossi** Dermatologista. Professora de Dermatologia da Faculdade da Saúde e Ecologia Humana (FASEH). Professora de Dermatologia do Centro de Medicina Especializada, Pesquisa e Ensino (CEMEPE). Especialista e Mestra em Dermatologia pela UFMG. Doutora em Infectologia e Medicina Tropical pela UFMG.

**Maria Aparecida Teixeira Lustosa** Infectologista. Especialização em Medicina Tropical pela Universidade Federal do Triângulo Mineiro (UFTM). Mestra em Medicina Tropical pela UnB.

**Maria Carolina Widholzer Rey** Dermatologista. Especialista em Dermatologia pela SBD. Mestra em Patologia pela UFCSPA.

**Maria Celeste Osorio Wender** Ginecologista.

**Maria Conceição Oliveira Costa** Pediatra. Professora titular pleno da Universidade Estadual de Feira de Santana (UEFS). Coordenadora do Núcleo de Estudos e Pesquisa na Infância e Adolescência (NNEPA) da UEFS. Especialista em Pediatria e Medicina do Adolescente pela SBP. Mestra e Doutora em Medicina e Saúde pela EPM/UNIFESP. Pós-doutorado na Universidade de Quebec em Montreal (UQAM).

**Maria Cristina Barcellos-Anselmi** Ginecologista e mastologista. Médica do Serviço de Ginecologia da ISCMPA. Especialista em Ginecologia Oncológica pela UFCSPA. Qualificação em Colposcopia pela ABPTGIC. Atuação em Histeroscopia pela FEBRASGO. Mestra em Patologia pela UFCSPA.

**Maria da Silva Pitombeira** Hematologista. Professora emérita de Clínica Médica da UFC. Doutora em Ciências: Fisiologia pela USP.

**Maria de Fátima M. P. Leite** Cardiopediatria. Especialista em Cardiologia Pediátrica e Fetal pelo Instituto Fernandes Figueira (IFF) da FIOCRUZ. Mestra em Cardiologia pela FCM da UERJ. Doutorado em Ciências da Saúde pelo IC/FUC.

**Maria Eugênia Bresolin Pinto** Médica de família e comunidade. Professora adjunta de Medicina de Família e Comunidade da UFCSPA. Especialista em Medicina do Esporte pela UFRGS. Mestra e Doutora em Epidemiologia pela UFRGS.

**Maria Helena da Silva Pitombeira Rigatto** Infectologista. Professora da Escola de Medicina da PUCRS e do Pós-graduação em Ciências Médicas da UFRGS. Mestra e Doutora em Ciências Médicas pela UFRGS.

**Maria Helena P. P. Oliveira** Psiquiatra e psiquiatra da infância e adolescência. Preceptora do PRM em Medicina de Família e Comunidade da Secretaria de Saúde do Distrito Federal. Mestra em Saúde Mental na Atenção Primária pela Universidade NOVA de Lisboa.

**Maria Idalice Silva Barbosa** Psicóloga. Atuação profissional na Área da Saúde da Secretaria Municipal de Saúde de Caucaia, Ceará. Especialista em Educação Biocêntrica pela Universidade do Vale do Acaraú (UVA). Mestra em Educação pela UFC. Doutora em Saúde Coletiva pela UFC. Pós-doutoranda em Saúde da Família pela FIOCRUZ Ceará.

**Maria José Timbó** Sanitarista. Médica de família e comunidade da Secretaria Municipal de Saúde do Município de Eusébio, Ceará. Especialista em Epidemiologia pela UFC. Especialização em Medicina do Trabalho pela Faculdade de Medicina de Itajubá (FMIT). Mestra em Saúde Pública pela UFC.

**Maria Laura da Costa Louzada** Nutricionista. Professora da USP. Doutora em Nutrição em Saúde Pública pela USP.

**Maria Lúcia da Rocha Oppermann** Obstetra e ginecologista. Professora associada do Departamento de Ginecologia e Obstetrícia da UFRGS. Especialista em Ginecologista e Obstetrícia pelo HCPA. Mestra em Ciências da Saúde pela UFRGS. Doutora em Epidemiologia pela UFRGS.

**Maria Lucrécia Scherer Zavaschi** Psiquiatra. Professora aposentada da UFRGS. Especialista em Psiquiatria da Infância e da Adolescência pela UFRGS. Mestra e Doutora em Ciências Médicas: Psiquiatria pela UFRGS.

**Maria Luisa Aronis** Infectologista. Médica contratada do Serviço de Infectologia e preceptora da Residência de Infectologia do HNSC/GHC.

**Maria Paz Hidalgo** Psiquiatra. Professora do Departamento de Psiquiatria e Medicina Legal da UFRGS.

**Maria Teresa Vieira Sanseverino** Médica geneticista. Professora adjunta da Escola de Medicina da PUCRS. Médica do Serviço de Genética Médica do HCPA.

**Mariana Vargas Furtado** Cardiologista. Médica rotineira da Unidade de Tratamento Intensivo Cardiovascular do HCPA. Pesquisadora do IATS. Mestra e Doutora em Cardiologia pela UFRGS.

**Mariane Marmontel** Ginecologista e obstetra. Coordenadora do Grupo Multidisciplinar para Atendimento das Vítimas de Violência Sexual do HCPA. Médica da Emergência Ginecológica do HCPA.

**Mariele Bressan** Otorrinolaringologista. Mestranda em Ciências Cirúrgicas pela UFRGS.

**Marina da Silva Netto** Psiquiatra. Psiquiatria da Infância e Adolescência pelo HNSC.

**Mário Sérgio Trindade Borges da Costa** Cirurgião geral. Mestre em Gastroenterologia pela UFRGS. Membro titular do CBCD.

**Marta Heloisa Lopes** Infectologista. Professora associada do Departamento de Moléstias Infecciosas e Parasitárias da FMUSP. Mestra e Doutora em Doenças Infecciosas e Parasitárias pela FMUSP.

**Martha Farias Collares** Médica de família e comunidade, psiquiatra e terapeuta de família e casal. Médica do SSC do GHC.

**Matheus Roriz** Neurologista e geriatra do HCPA. Professor da FAMED/UFRGS. PhD/Doutor em Neuroscience pela Kyoto University Graduate School of Medicine, Japão. Pós-doutor em Neurodegenerative Diseases pela University of Toronto, Canadá. *Fellow* em Demências pela Harvard University. Presidente do Instituto Alzheimer e Parkinson (IAP).

**Matheus Truccolo Michalczuk** Gastroenterologista. Médico do Serviço de Gastroenterologia do HCPA. Mestre em Ciências Médicas: Gastroenterologia e Hepatologia pela UFRGS.

**Maurício Pimentel** Médico eletrofisiologista cardíaco. Professor do PPG em Ciências da Saúde: Cardiologia e Ciências Cardiovasculares da UFRGS. Doutor em Cardiologia pela UFRGS.

**Maurício Schreiner Miura** Otorrinolaringologista. Coordenador do Programa de Implante Coclear do Complexo Hospitalar da ISCMPA. Doutor em Ciências Médicas pela FAMED/UFRGS. Pós-doutorado em Otorrinopediatria pela SUNY Downstate Medical Center.

**Mauro Soibelman** Internista. Médico perito do Ministério Público do Trabalho. Especialista em Medicina Interna e em Medicina do Trabalho pela UFRGS. Mestre em Clínica Médica pela UFRGS.

**Mayara Floss** Médica de família e comunidade. Especialista em Medicina de Família e Comunidade pelo GHC.

**Melina N. de Castro** Psiquiatra contratada do Serviço de Psiquiatria de Adição do HCPA. Especialista em Psiquiatria da Infância e Adolescência e Terapia de Família pelo HCPA e INFAPA.

**Melissa Mascheretti**[†] Infectologista da Divisão de Zoonoses do Centro de Vigilância Epidemiológica Alexandre Vranjac da Secretaria de Estado da Saúde de São Paulo.

**Michele Possamai** Médica de família e comunidade.

**Michelle Lavinsky Wolff** Otorrinolaringologista. Professora adjunta de Otorrinolaringologia da FAMED/UFRGS. Mestra em Medicina: Ciências Cirúrgicas pela UFRGS. Doutora em Epidemiologia pela UFRGS.

**Michelle Menon Miyake** Otorrinolaringologista. Rhinology Research Fellow na Massachussets Eye and Ear Infirmary, Harvard Medical School.

**Milton Humberto Schanes dos Santos** Internista e geriatra. Médico clínico da Divisão de Promoção de Saúde do Departamento de Atenção à Saúde da UFRGS e da Emergência Adulto do HCPA. Especialização em Gestão da Atenção à Saúde da Pessoa Idosa pela ENSP/FIOCRUZ. Mestrado Profissional em Ensino na Saúde pela FAMED/UFRGS.

**Mirela Jobim de Azevedo**[†] Professora titular do Departamento de Medicina Interna da FAMED/UFRGS. Médica do Serviço de Endocrinologia do HCPA. Chefe do Serviço de Nutrologia do HCPA. Doutora em Clínica Médica pela UFRGS. Livre-docente em Endocrinologia da EPM/UNIFESP.

**Míria Campos Lavor**[†] Sanitarista. Graduada em Serviço Social pela UFC. Especialista em Saúde Pública pela FIOCRUZ Ceará.

**Moacir Assein Arús**[†] Professor adjunto de Medicina Legal e Deontologia Médica da FAMED/UFRGS.

**Moacyr Saffer** Professor da UFCSPA. Professor de Otorrinolaringologia da UFRGS. Membro titular da Academia Sul-Rio-Grandense de Medicina. Membro do Conselho e Representante da Associação Interamericana de Otorrinolaringologia Pediátrica (IAPO) do Brasil.

**Moisés Vieira Nunes** Médico de família e comunidade. Preceptor do PRM em Medicina de Família e Comunidade da SMS/RJ. Mestre em Saúde Pública pela UFRJ.

**Mona Lúcia Dall'Agno** Médica ginecologista e obstetra titulada pela FEBRASGO. Professora da Unidade de Ensino Tocoginecológica do Curso de Medicina da UCS. Pesquisadora do Grupo de Pesquisa Climatério e Menopausa do HCPA/UFRGS. Mestra em Ciências da Saúde: Ginecologia e Obstetrícia pela UFRGS.

**Monica Aidar Menon Miyake** Otorrinolaringologista e alergologista. Doutora em Ciências Médicas pelo Departamento de Otorrinolaringologia da FMUSP.

**Murilo Foppa** Cardiologista. Professor do PPG em Ciências Cardiovasculares da UFRGS. Doutor em Cardiologia pela UFRGS. Pós-doutor pela Harvard Medical School, Boston, EUA.

**Naly Soares de Almeida** Psiquiatra especialista pela UFRJ.

**Natan Pereira Gosmann** Psiquiatra. Pesquisador do Programa de Transtornos de Ansiedade (PROTAN) e da Seção de Afeto Negativo e Processos Sociais (SANPS) do HCPA. Doutorando do PPG em Psiquiatria da UFRGS.

**Nelson Telichevesky** Oftalmologista. Ex-instrutor de Ensino em Oftalmologia da ISCMPA. Pós-graduação em Saúde da Família pela Universidade La Salle. Pós-graduação em Auditoria Médica pelo Instituto de Administração Hospitalar e Ciências da Saúde (IACHS). Ex-auditor da UNIMED Porto Alegre. Ex-chefe de Plantão do HPS de Porto Alegre.

**Ney Bragança Gyrão** Médico de família e comunidade. Preceptor da Residência Médica em Medicina de Família e Comunidade do GHC.

**Nicolino César Rosito** Cirurgião pediátrico. Professor adjunto de Cirurgia Pediátrica da UFCSPA. Coordenador do Centro de Aperfeiçoamento em Urologia Pediátrica do HCPA/UFRGS. Especialista em Cirurgia Pediátrica pela Associação Brasileira de Cirurgia Pediátrica (CIPE). Mestre em Cirurgia Pediátrica pela UFRGS. Doutor em Medicina pela UFRGS. Pós-doutor em Cirurgia.

**Nilma Lazara de Almeida Cruz** Pediatra. Professora assistente de Pediatria da UEFS. Mestra em Saúde Coletiva pela UEFS. Doutora em Família na Sociedade Contemporânea pela Universidade Católica do Salvador (UCSAL).

**Olga Garcia Falceto** Psiquiatra de crianças e adolescentes. Docente convidada da FAMED/UFRGS. Coordenadora de Ensino do Instituto da Família. Especialista em Psiquiatria pelo Albert Einstein Medical Center, Philadelphia, EUA. Especialista em Psiquiatria da Infância e Adolescência e Terapia Familiar pela PCGC da Pennsylvania University, EUA. Mestra em Clínica Médica pela FAMED/UFRGS e em Terapia Familiar pela Accademia di Psicoterapia Familiar de Roma, Italia. Doutora em Clínica Médica pela FAMED/UFRGS.

**Otávio Pereira D'Avila** Cirurgião-dentista. Professor adjunto do Departamento de Odontologia Social e Preventiva pela Faculdade de Odontologia da UFPEL. Especialista em Saúde Pública pela UFPEL. Mestre e Doutor em Odontologia: Saúde Bucal Coletiva pela UFRGS.

**Pablo de Lannoy Stürmer** Médico de família e comunidade.

**Paola Bell Felix de Oliveira** Psiquiatra.

**Patricia Constante Jaime** Nutricionista sanitarista. Professora associada de Nutrição em Saúde Pública da Faculdade de Saúde Pública da USP. Especialista em Nutrição Hospitalar pelo HCFMUSP.

Mestra e Doutora em Saúde Pública pela Faculdade de Saúde Pública da USP.

**Patricia Ferreira Abreu** Nefrologista. Preceptora da Residência em Nefrologia da Disciplina de Nefrologia da UNIFESP. Mestra e Doutora em Nefrologia pela UNIFESP.

**Patrícia Lichtenfels** Internista e médica de família e comunidade. Médica da Unidade de Saúde Barão de Bagé do SSC e preceptora do PRM em Medicina de Família e Comunidade do GHC. Mestra e Doutora em Educação pela UFRGS.

**Patricia Sampaio Chueiri** Médica de família e comunidade. Professora e pesquisadora da Faculdade Israelita de Ciências da Saúde Albert Einstein. Hubert H. Humphrey Fellowship Program pela Emory University. Mestra e Doutora em Epidemiologia pela UFRGS.

**Patrícia Telló Dürks** Obstetra. Especialista em Medicina Fetal pelo HNSC/GHC. Pós-Graduanda em Fetal Medicine na Foundation Latin America (FMF-LA) e CETRUS. Membro titular em Ginecologia e Obstetrícia da FEBRASGO com habilitação em Medicina Fetal pela AMB e FEBRASGO.

**Paulo de Tarso Roth Dalcin** Pneumologista. Professor titular do Departamento de Medicina Interna da UFRGS. Especialista em Pneumologia pelo Serviço de Pneumologia do HCPA. Mestre e Doutor em Medicina: Pneumologia pela UFRGS.

**Paulo H. F. Bertolucci** Neurologista. Professor titular de Neurologia da EPM/UNIFESP. Mestre e Doutor em Neurologia pela UNIFESP. Pós-doutorado em Neuroquímica pela Universidade de Londres.

**Paulo José Zimermann Teixeira** Pneumologista. Professor associado do Departamento de Clínica Médica da UFCSPA. Doutor em Medicina: Pneumologia pela UFRGS.

**Paulo Marostica** Pneumologista pediátrico. Professor titular de Pediatria da FAMED/UFRGS. Chefe da Unidade de Pneumologia Infantil do HCPA. Especialista em Pneumologia Pediátrica pelo HCPA. Doutor em Medicina: Pneumologia pela UFRGS. Pós-doutor em Pneumologia Pediátrica pela Indiana University.

**Paulo Naud** Professor titular aposentado do Departamento de Ginecologia e Obstetrícia da Famed/UFRGS. Mestre e Doutor em Medicina: Ciências Médicas pela UFRGS.

**Paulo Sandler**[†] Cirurgião geral. Professor adjunto do Departamento de Cirurgia da UFRGS. Membro do Grupo de Cirurgia Geral do HCPA.

**Pedro Beria** Psiquiatra. Especialista em Terapia Cognitivo-comportamental pelo Beck Institute, EUA. Mestre em Psiquiatria e Ciências do Comportamento pela UFRGS. Professor da Faculdade de Medicina da Universidade FEEVALE.

**Pedro Domingues Goi** Psiquiatra. Médico e preceptor do PRM em Psiquiatria do HCPA/UFRGS. Preceptor do PRM em Psiquiatria do HMIPV. Docente do Mestrado Profissional em Saúde Mental e Transtornos Aditivos do HCPA. Mestre e Doutor em Psiquiatria e Ciências do Comportamento pela UFRGS.

**Pedro Fernando da Costa Vasconcelos** Médico. Professor do Departamento de Patologia da Universidade do Estado do Pará. *Fellow* Internacional da American Society of Tropical Medicine and Hygiene. Doutor em Medicina e Saúde pela UFBA. Pós-doutorado pela University of Texas Medical Branch, Galveston, EUA. Ex-diretor do Instituto Evandro Chagas. Membro titular da Academia Brasileira de Ciências.

**Pedro Glusman Knijnik** Médico. Residente de Cirurgia Geral do HCPA.

**Pedro H. Braga** Médico de família e comunidade. Professor e preceptor do Internato da Faculdade de Medicina da UNESA. Mestrando em Saúde Pública da FIOCRUZ.

**Pedro Mario Pan** Médico. Professor adjunto do Departamento de Psiquiatria da EPM/UNIFESP. Vice-coordenador da coorte Brazilian High Risk Cohort Study (BHRCS) do Instituto Nacional da Psiquiatria do Desenvolvimento (INPD). Mestre e Doutor em Psiquiatria e Psicologia Médica pelo Departamento de Psiquiatria da EPM/UNIFESP. Doutor em Psiquiatria Translacional do Desenvolvimento pelo Programa Tripartite de Pós-graduação em Psiquiatria do Desenvolvimento das Universidades UNIFESP/USP.

**Pedro Marques da Rosa** Médico.

**Pedro Schestatsky** Neurologista. Ex-professor da FAMED/UFRGS. Mestre e Doutor em Ciências Médicas da UFRGS. Pós-doutorado por Harvard.

**Rafael Aguiar Maciel** Infectologista. Mestre em Ciências Médicas pela UFRGS.

**Rafael Mendonça da Silva Chakr** Reumatologista. Médico do HCPA. Professor adjunto de Reumatologia da FAMED/UFRGS.

**Rafael Selbach Scheffel** Endocrinologista. Professor adjunto do Departamento de Farmacologia da UFRGS. Médico da Unidade de Tireoide do HCPA. Especialista em Endocrinologia e Metabologia pelo HCPA. Doutor em Endocrinologia pela UFRGS.

**Raphael Lacerda Barbosa** Médico de família e comunidade e paliativista. Especialista em Preceptoria pela UFCSPA. Médico do Serviço de Dor e Cuidados Paliativos do GHC.

**Raphaella Migliavacca** Otorrinolaringologista do HMV. Médica contratada e assistente da Residência Médica do HCPA. Especialista em Rinologia e Cirurgia Plástica Facial pelo HCPA. Mestra pelo PPG de Ciências Cirúrgicas da UFRGS. Doutoranda do PPG de Pneumologia da UFRGS.

**Raquel Meira Franca** Psicóloga. Referência técnica do Núcleo de Apoio à Saúde da Família da Prefeitura de Belo Horizonte. Especialista em Psicologia Clínica e em Neuropsicologia pela Faculdadade de Estudos Administrativos de Minas Gerais (FEAD-MG) e FCM de Minas Gerais.

**Rebeca Mathias de Queiroz Ribeiro** Médica. Especialista em Medicina de Família e Comunidade pela Secretaria de Saúde de São Bernardo do Campo.

**Regina Elizabeth Müller** Pediatra. Avaliadora médica internacional de Acreditação em Serviços de Saúde pela Joint Commission International (JCI). Especialista em Cardiologia Pediátrica pelo Instituto do Coração de Munique, Alemanha. Mestra e Doutora em Ciências da Saúde pela FIOCRUZ. Doutorado em Medicina pela Universidade de Ludwig-Maximilian, Munique, Alemanha.

**Renan Rangel Bonamigo** Médico. Professor associado da FAMED/UFRGS. Integrante do Serviço de Dermatologia do HCPA. Chefe do Serviço de Dermatologia da ISCMPA e do Ambulatório de Dermatologia Sanitária do Estado do Rio Grande do Sul. Mestre e Doutor em Ciências Médicas pela UFRGS. Titular da SBD.

**Renata Carneiro Vieira** Médica de família e comunidade. Especialista em Gestão em Saúde pela UERJ. Especialista em Atenção Domiciliar pela UFSC. Especialista em Sexologia Clínica pelo Hospital Pérola Byington. Especialista em Saúde da Família pela UNIFESP.

**Renata Chaves** Médica de família e comunidade. Médica da SMS/RJ. Professora da UNESA, RJ. Especialista em Medicina de Família e Comunidade pelo GHC.

**Renata Rosa de Carvalho** Médica de família e comunidade. Teleconsultora de Medicina do TelessaúdeRS/UFRGS.

**Renata Ullmann de Brito Neves** Pneumologista do HNSC/GHC e Prefeitura Municipal de Porto Alegre. Especialista em Clínica Médica/Pneumologia pela UFCSPA/ISCMPA.

**Renato Cony Seródio** Médico de família. Superintendente de Atenção Primária da SMS/RJ.

**Renato De Ávila Kfouri** Pediatra infectologista. Presidente do Departamento de Imunizações da SBP.

**Renato George Eick** Nefrologista do Serviço de Nefrologia do HMV. Chefe do Serviço de Nefrologia do IC/FUC. Preceptor da Residência Médica em Nefrologia do HMV.

**Renato Gorga Bandeira de Mello** Geriatra. Professor adjunto do Departamento de Medicina Interna da FAMED/UFRGS. Professor do PPG em Endocrinologia da UFRGS. Preceptor dos PRMs de Clínica Médica e de Geriatria da UFRGS/HCPA. Especialista em Geriatria pelo HSL/PUCRS. Doutor em Cardiologia e Ciências Cardiovasculares pela UFRGS. Diretor científico da Sociedade Brasileira de Geriatria e Gerontologia (SBGG) (2018-2020).

**Renato M. Caminha** Psicólogo. Diretor de ensino do InTCC – Ensino, Pesquisa e Atendimento Individual e Familiar, Brasil.

**Renato Marchiori Bakos** Dermatologista. Professor adjunto de Dermatologia da UFRGS. Chefe do Serviço de Dermatologia do HCPA. Mestre e Doutor em Ciências Médicas pela UFRGS. *Fellow* em Oncodermatologia pela Universidade Ludwig-Maximilian, Munique, Alemanha.

**Ricardo A. Arnt** Cirurgião plástico do HPS de Porto Alegre.

**Ricardo André Vaz** Reumatologista. Especialista em Clínica Médica pela UERJ. Especialista em Reumatologia pelo Hospital Federal dos Servidores.

**Ricardo Becker Feijó** Pediatra. Professor associado de Pediatria da FAMED/UFRGS. Chefe da Unidade de Adolescentes do HCPA. Especialista em Pediatria e Hebiatria pela UFRGS. Mestre e Doutor em Clínica Médica pela UFRGS.

**Ricardo Francalacci Savaris** Ginecologista e obstetra. Professor titular do Departamento de Ginecologia e Obstetrícia da FAMED/UFRGS. Especialista em Ginecologia e Obstetrícia pelo HSL/PUCRS. Mestre em Reproductive Biology pela Universidade de Edimburgo, UK. Doutor em Clínica Médica pela UFRGS. Pós-doutorado na UCSF (2008) e na UNC-Chapel Hill (2013).

**Ricardo Kuchenbecker** Internista. Mestre em Epidemiologia pela UFPEL. Doutor em Epidemiologia pela UFRGS.

**Ricardo Moacir Silva** Oncologista. Especialista em Oncologia pela ISCMPA.

**Rinaldo de Angeli Pinto** Cirurgião plástico. Professor adjunto do Departamento de Cirurgia da FAMED/UFRGS. Ex-chefe do Serviço de Cirurgia Plástica do HCPA. Membro titular da SBCP.

**Rita Helena Borret** Médica de família e comunidade. Médica da Estratégia Saúde da Família da SMS/RJ. Especialista em Gênero e Sexualidade pelo Centro Latino-Americano em Sexualidade e Direitos Humanos (CLAM)/IMS/UERJ. Mestra em Saúde Coletiva: Atenção Primária à Saúde pela UFRJ.

**Roberta Rigo Dalla Corte** Geriatra. Professora adjunta do Departamento de Medicina Interna da UFRGS. Especialista em Medicina Interna e Geriatria pela USP/SBGG. Mestra em Clínica Médica pela USP. Doutora em Medicina pela PUCRS. Área de atuação em Dor pela AMB.

**Roberto Fábio Lehmkuhl** Médico e analista junguiano (psicoterapeuta). Atua em consultório particular (clínica e psicoterapia), clínicas geriátricas e como consultor em gestão em saúde (UNIMED POA, SESI) pela UFSC. Especialista em Medicina de Família e Comunidade pelo GHC. Especialista em Psicologia Analítica pela Associação Junguiana do Brasil, International Association for Analytical Psychology.

**Roberto Mário Issler** Pediatra. Professor associado de Pediatria da FAMED/UFRGS. Título de Especialista pela SBP. Mestre e Doutor em Saúde da Criança e do Adolescente pela UFRGS. Consultor com Certificação Internacional em Lactação pelo IBCLC.

**Roberto Nunes Umpierre** Médico de família e comunidade. Professor adjunto de Medicina de Família e Comunidade da FAMED/UFRGS. Coordenador geral do TelessaúdeRS/UFRGS. Especialista em Saúde Pública pela UFRGS. Mestre em Epidemiologia pela UFRGS. Doutorando em Ciências Médicas pela UFRGS.

**Rodolfo Souza da Silva** Médico de família e comunidade. Especialista em Saúde da Família pela UFCSPA. Mestre em Epidemiologia pela UFRGS.

**Rodrigo Caprio Leite de Castro** Médico de família e comunidade. Professor adjunto do Departamento de Medicina Social da FAMED/UFRGS. Mestre e Doutor em Epidemiologia pela UFRGS.

**Rodrigo Rizek Schultz** Neurologista. Professor titular de Neurologia da Universidade Santo Amaro (UNISA). Especialista em Neurologia Cognitiva e do Envelhecimento pela UNIFESP. Mestre em Neurologia pela UNIFESP. Doutor em Medicina pela UNIFESP.

**Roger dos Santos Rosa** Médico. Professor associado do Departamento de Medicina Social da FAMED/UFRGS. Consultor da OPAS/OMS para o projeto UrbanHeart e Governança em Porto Alegre. Professor dos PPGs em Saúde Coletiva e em Ensino na Saúde da UFRGS. Especialista em Medicina Preventiva e Social pelo HCPA e em Saúde Pública pela ENSP. Mestre em Administração pela UFRGS. Doutor em Epidemiologia pela UFRGS.

**Rogério Friedman** Endocrinologista. Professor titular do Departamento de Medicina Interna da FAMED/UFRGS. Médico do Serviço de Endocrinologia do HCPA. Especialista em Endocrinologia e Metabologia pela Sociedade Brasileira de Endocrinologia e Metabologia (SBEM)/AMB. Mestre e Doutor em Medicina: Clínica Médica pela UFRGS. Senior Research Associate, Metabolic Medicine, Guy's Hospital, Reino Unido.

**Rosane Brondani** Neurologista. Especialista em Neurologia Vascular pelo HCPA. Mestra e Doutora em Ciências Médicas pela UFRGS.

**Rosangela Amaral de Almeida** Psiquiatra. Atua em consultório particular. Plantonista do Plantão de Emergência em Saúde Mental do Pronto Atendimento Cruzeiro do Sul da Secretaria Municipal de Saúde de Porto Alegre. Especialista em Psiquiatria e Saúde Mental Coletiva pela Associação Encarnacion Blaya/Clínica Pinel e Centro de Saúde-Escola Murialdo. Mestra em Educação pela UFRGS.

**Sandra Fayet Lorenzon** Psiquiatra de crianças, adolescentes e adultos. Especialista em Psiquiatria e em Psiquiatria da Infância e Adolescência pela AMB/ABP. Mestra em Clínica Médica pela UFRGS.

**Sandra Fortes** Psiquiatra. Professora associada de Saúde Mental e Psicologia Médica da FCM da UERJ. Especialista em Psiquiatra pelo IPUB/UFRJ. Mestra em Psiquiatria pelo IPUB/UFRJ. Doutora em Saúde Coletiva/Epidemiologia pelo IMS/UERJ.

**Sandra Helena Machado** Professora adjunta do Departamento de Pediatria da FAMED/UFRGS. Coordenadora da Residência Médica de Reumatologia Pediátrica do HCPA. Especialista em Reumatologia Pediátrica pela AMB. Doutora em Saúde da Criança e do Adolescente pela UFRGS.

**Sandra Scalco** Ginecologista, obstetra e sexóloga. Preceptora e coordenadora do Serviço de Atenção Integral em Saúde Sexual (SAISS) do HMIPV. Especialista em Ginecologia e Obstetrícia (TEGO) pelo HMIPV. Especialista em Sexologia pela Associação Brasileira de Estudos em Sexualidade Humana (SBRASH)/FEBRASGO. Mestra em Saúde Coletiva: Saúde Mental pela ULBRA. Doutora em Epidemiologia pela UFRGS.

**Sergio Antonio Sirena** Médico de família e comunidade. Coordenador de Pesquisa da Gerência de Ensino e Pesquisa do GHC. Professor do Curso de Medicina da UCS. Membro da Coordenação e do Corpo Docente do Mestrado Profissional em Avaliação de Tecnologias em Saúde do GHC. Especialista em Medicina de Família e Comunidade pelo SSC do GHC. Doutor em Medicina: Geriatria e Gerontologia pela PUCRS.

**Sergio Gabriel Silva de Barros** Professor titular da UFRGS. Mestre e Doutor em Medicina Interna e Gastroenterologia pela UFRGS.

**Sergio Henrique Prezzi** Internista, cardiologista, nefrologista e intensivista. Preceptor dos PRMs de Medicina Interna do GHC e do HCPA. Especialista em Nefrologia, Cardiologia e Terapia Intensiva pelo GHC e pelo HCPA.

**Sérgio Ivan Torres Dornelles** Dermatologista. Mestre em Ciências Médicas pela UFRGS.

**Sérgio Martins-Costa** Ginecologista e obstetra. Professor titular de Ginecologia e Obstetrícia da FAMED/UFRGS. Especialista em Ginecologia e Obstetrícia pela FEBRASGO e pela UFCSPA. Mestre em Nefrologia pela UFRGS. Doutor em Medicina: Gestação de Alto Risco pela UFRGS.

**Sérgio Moreira Espinosa**[†] Ginecologista e obstetra. Chefe do Setor de Gravidez de Alto Risco e Medicina Fetal do HNSC/GHC. Preceptor do PRM em Ginecologia e Obstetrícia do GHC. Médico ecografista do IC/FUC.

**Sergio Roberto Canarim Danesi** Ortopedista pediátrico do HCPA e médico traumatologista do Hospital Cristo Redentor. Especialista em Ortopedia Pediátrica pelo HCPA/UFRGS.

**Sheila Ouriques Martins** Neurologista. Professora da FAMED/UFRGS. Especialista em Neurologia pelo HCPA. Mestra em Ciências Médicas pela UFRGS. Doutora em Neurologia pela UNIFESP.

**Sibele Klitzke** Médica instrutora da Residência Médica em Ginecologia e Obstetrícia, vinculada à UFCSPA. Especialista em Ginecologia Oncológica e Endoscopia Ginecológica. Mestra em Ginecologia e Obstetrícia pela UFRGS.

**Silvana Ferreira Bento** Letras. Profissional de Pesquisa do Centro de Atenção Integral à Saúde da Mulher (CAISM) da UNICAMP. Pesquisadora do Centro de Pesquisas em Saúde Sexual e Reprodutiva (CEMICAMP). Mestra e Doutora em Ciências da Saúde pelo Programa de Pós-graduação em Tocoginecologia da Faculdade de Ciências Médicas da UNICAMP.

**Silvia Bassani Schuch-Goi** Psiquiatra. Chefe do Serviço de Psiquiatria do HMIPV. Especialista em Psicoterapia de Orientação Analítica pelo CELG/HCPA. Doutora em Psiquiatria e Ciências do Comportamento pela UFRGS.

**Silvia Figueiredo Costa** Professora associada do Departamento de Moléstias Infecciosas e Parasitárias da FMUSP. Coordenadora do Grupo de Infecção em Pacientes Imunodeprimidos do HCFMUSP.

**Silvia Takeda** Médica de família e comunidade. Especialista em Epidemiologia, Planejamento e Avaliação de Serviços de Atenção Primária à Saúde pelo SSC do GHC. Mestra em Ciências pela UFPEL.

**Simone Hauck** Psiquiatra. Professora adjunta do Departamento de Psiquiatria e Medicina Legal da UFRGS. Preceptora da Residência em Psiquiatria do HCPA. Presidente do CELG/HCPA. Especialista em Psicoterapia pelo CELG/HCPA. Mestra e Doutora em Psiquiatria pela UFRGS.

**Solange Garcia Accetta** Ginecologista e obstetra. Professora adjunta do Departamento de Ginecologia e Obstetrícia da FAMED/UFRGS. Coordenadora do Setor de Ginecologia Infantopuberal do HCPA. Especialista em Ginecologia Infantojuvenil pela Sociedad Argentina de Ginecología Infanto Juvenil. Mestra e Doutora em Medicina: Clínica Médica pela UFRGS.

**Sonia Isoyama Venancio** Pediatra. Pesquisadora do Instituto de Saúde da Secretaria de Estado da Saúde de São Paulo. Doutora em Saúde Pública.

**Sotero Serrate Mengue** Farmacêutico. Professor titular da UFRGS. Doutor em Ciências Farmacêuticas pela UFRGS.

**Stefania Teche** Psiquiatria. Contratada do Serviço de Psiquiatria do HCPA. Psicoterapeuta de Orientação Analítica da UFRGS. Mestra em Ciências do Comportamento e Psiquiatria pela UFRGS. Doutoranda do PPG em Psiquiatria e Ciências do Comportamento da UFRGS. Membro candidata da SPPA.

**Suzana Arenhart Pessini** Ginecologista. Área de atuação em Ginecologia Oncológica. Professora adjunta de Ginecologia da FAMED/UFRGS. Mestra em Ciências Médicas pela UFCSPA. Doutora em Patologia pela UFCSPA.

**Tadeu Assis Guerra** Médico. Residente do Serviço de Psiquiatria do HCPA.

**Tainá de Freitas Calvette** Médica acupunturiatra. Médica assistente de Clínica Privada. Especialista em Acupuntura Médica pelo Centro de Estudos de Acupuntura (CESAC) do Colégio Médico Brasileiro de Acupuntura (CMBA). Pós-Graduação em Dor pelo Hospital Israelita Albert Einstein (HIAE), SP. Especialização em Saúde da Família pela UERJ.

**Tânia do Socorro Souza Chaves** Docente da FAMED/UFPA. Docente do Curso de Medicina do Centro Universitário do Estado do Pará (CESUPA). Pesquisadora em Saúde Pública do Instituto Evandro Chagas. Vice-coordenadora e docente do PPG em Epidemiologia e Vigilância em Saúde do Instituto Evandro Chagas/SVS/MS. Especialista em Doenças Infecciosas e Parasitárias pelo Instituto de Infectologia Emílio Ribas. Mestre e Doutora em Ciências pelo Departamento de Doenças Infecciosas e Parasitárias da FMUSP.

**Tania Ferreira Cestari** Dermatologista. Professora titular do Departamento de Medicina Interna: Dermatologia da FAMED/UFRGS. Especialista em Dermatologia pela UFRGS. Mestra e Doutora em Dermatologia pela UFRJ.

**Tania Weber Furlanetto** Endocrinologista e internista. Professora permanente do PPG em Ciências Médicas da UFRGS. Especialista e Mestra em Endocrinologia pela PUCRJ. Doutora em Endocrinologia pela UNIFESP. Pós-doutorado no Center for Endocrinology, Metabolism and Molecular Medicine, Northwestern University, Chicago, Il, USA.

**Thaís Leite Secchi** Neurologista. *Fellow* em Neurologia Vascular pelo HCPA. Mestranda em Ciências Médicas da UFRGS.

**Thaís Soares Ferreira** Médica. Doutoranda do PPG em Epidemiologia da UFRGS.

**Thaíse Bernardo da Silva** Especialista em Saúde Pública pela UFRGS.

**Themis Reverbel da Silveira** Hepatologista pediátrica. Professora da UFCSPA. Especialista em Gastroenterologia pela UFCSPA/ISCMPA. Mestra em Gastroenterologia pela UFRGS. Doutora em Genética e Biologia Molecular pela UFRGS. Pós-doutorado em Hepatologia Pediátrica.

**Thiago Campos** Médico. Especialista em Medicina de Família e Comunidade pela Secretaria Municipal de Saúde de Florianópolis. Mestrando em Saúde Pública pela ENSP da Universidade NOVA de Lisboa.

**Thiago Casarin Hartmann** Psiquiatra. Contratado do Serviço de Psiquiatria da Adição do HCPA. Mestre em Ciências da Saúde pela UFCSPA.

**Thiago Cherem Morelli** Médico de família e comunidade.

**Thiago Gomes da Trindade** Médico de família e comunidade. Professor adjunto de Medicina de Família e Comunidade da UFRN e da UnP. Professor adjunto visitante da Universidade de Toronto. Especialista em Terapia Familiar e de Casal pela INFAPA. Mestre e Doutor em Epidemiologia pela UFRGS.

**Tiago Selbach Garcia** Ginecologista e obstetra. Médico contratado da Equipe de Ginecologia Oncológica e Patologia Cervical do HCPA. Especialista em Ginecologia Oncológica pelo HCPA. Mestre em Ciências Médicas pela UFRGS.

**Valdério V. Dettoni** Pneumologista. Professor adjunto do Departamento de Clínica Médica do CCS da UFES. Especialista em Pneumologia pelo Instituto Tisiologia e Pneumologia da UFRJ. Mestre em Doenças Infecciosas pelo Núcleo de Doenças Infecciosas da UFES.

**Valentino Magno** Ginecologista. Professor adjunto de Ginecologia da UFRGS. Especialista em Ginecologia Oncológica pelo HCPA. Mestre e Doutor em Medicina pela UFRGS.

**Vanessa Santos Cunha** Dermatologista. Atua em consultório privado. Preceptora da Residência Médica de Dermatologia da PUCRS. Mestra e Doutora em Ciências Médicas pela UFRGS.

**Wanderson Kleber de Oliveira** Enfermeiro epidemiologista. Especialista em Atividades Hospitalares pelo Hospital das Forças Armadas do Ministério da Defesa (HFA/MD). Especialização em Epidemiologia Aplicada aos Serviços do SUS (EpiSUS), do MS e CDC, EUA. Especialização em Geoprocessamento pela UnB. Especialização em Gestão em Saúde pela Johns Hopkins Bloomberg School of Public Health. Mestre e Doutor em Epidemiologia pela UFRGS.

**William Brasil de Souza** Médico.

**William Jones Dartora** Enfermeiro. Colaborador do HMV. Instrutor de ACLS da American Heart Association. Pesquisador no Projeto ELSA-Brasil. Mestre em Epidemiologia pela UFRGS. Doutorando em Epidemiologia pela UFRGS.

**Wolnei Caumo** Anestesiologia. Professor titular na área de Anestesiologia e Dor do Departamento de Cirurgia da FAMED/UFRGS. Título de área de atuação em Dor. Especialista em Anestesiologia pelo HCPA. Mestre e Doutor em Clínica Médica pela UFRGS.

# Dedicatória e Agradecimentos

*Esta 5ª edição, mais uma vez, é dedicada à atuação incansável dos profissionais da Atenção Primária à Saúde no Brasil. Seu trabalho atesta que, apesar das turbulências políticas que ameaçam o SUS, estão na direção certa, fortalecendo a crença de que saúde para todos é possível.*

*A 1ª edição deste livro foi dedicada aos nossos filhos, dentre eles Michael e Camila, que desde a 4ª edição compartilham conosco a organização do livro. Assim como esta obra, a família também cresceu. Dedicamos esta edição aos nossos netos e filhos: Benjamin e Rebecca (filhos de Michael e netos de Bruce e Maria Inês); Tomé, Franco e Romeo (filhos de Camila e netos de Elsa); e Maya e Gael (netos de Elsa).*

Inicialmente, é preciso reconhecer a participação qualificada dos mais de 400 autores, engajados na meta de produzir recomendações práticas, atualizadas e exequíveis. Destacamos também o trabalho e a competência de todos os coordenadores de seção que atuaram desde o planejamento até a revisão, reformulação e conclusão dos capítulos envolvidos.

Esta 5ª edição conta com maior participação de médicos de família e comunidade, o que atesta seu engajamento com a produção de conhecimento clínico em uma especialidade crescente no País. Sua participação contribuiu para que os conteúdos apresentados fossem mais adequados à realidade e ao cotidiano do trabalho na rede de atenção primária. Dentre eles, alguns atuaram como novos coordenadores de seções: Elise Botteselle de Oliveira, Marcelo Rodrigues Gonçalves, Renata Rosa de Carvalho e Rodolfo Souza da Silva (todos da equipe do TelessaúdeRS); e Camila Furtado de Souza, Gisele Alsina Nader Bastos, Guilherme Nabuco Machado, João Victor Bohn Alves, Patricia Sampaio Chueiri, Pedro H. Braga e Renato Cony Seródio.

Cabe destacar também a incorporação de três novos coordenadores de outras especialidades que agregaram valor a esta edição. Muito obrigado a Marcos Paulo Veloso Correia, Maria Helena P.P. Oliveira e Silvia Figueiredo Costa.

Um destaque especial na preparação e revisão dos capítulos foi a atuação da equipe para avaliar as evidências que apoiam as milhares de condutas apresentadas: André Luis Marques da Silveira (o recordista em número de condutas avaliadas), Aline Baldigen, Bruna Cristine Chwal, Camila Furtado de Souza, Danilo de Paula Santos, Daissy Liliana Mora Cuervo, Eduardo de Araujo Silva, Elise Botteselle de Oliveira, Fabiana Bazanella de Oliveira, Fernando Galvão Junior, Gabriela Wunsch Lopes, George Mantese, Jerônimo De Conto Oliveira, Juliana Dias de Mello, Justino Afonso Cuadro Noble, Luiz Otávio Mezzomo Rovaris, Luíza Emília Bezerra de Medeiros, Mariana Soares Carlucci, Marcos Vinícius Ambrosini Mendonça, Maurício Godinho Kolling, Milena Rodrigues Agostinho Rech, Renata Rosa de Carvalho, Sergio Angelo Rojas Espinoza, Sofia Giustia Alves e Thaís Soares Ferreira. Foi ideia da Thaís o uso de ferramenta que agilizou a apresentação das evidências para as condutas em avaliação aos autores, tornando o processo mais ágil. A todos o nosso agradecimento – e em especial a Elise Botteselle de Oliveira, que juntou boa parte da equipe e supervisionou várias das avaliações efetuadas.

Contamos mais uma vez com o apoio de Luísia Alves na organização das referências bibliográficas, desta vez junto com Karin Lorien Menoncin, da Artmed. Contribuíram também nessa etapa Gabriela Feiden e Silvana Lima. Muito obrigado!

Queremos reconhecer ainda o papel da equipe Artmed/Grupo A desde a 1ª edição deste livro, com destaque nesta 5ª edição para Letícia Bispo e Michele Petró Kuhn, por sua habilidosa coordenação e para Caroline Castilhos Melo, Sandra da Câmara Godoy e Heloísa Stefan pela criteriosa revisão editorial. Há mais de 30 anos, o Sr. Henrique Kiperman abraçou a proposta do livro. Ao longo das cinco edições acompanhamos sua liderança e a de seus filhos, Celso e Adriane Kiperman, no crescimento da Artmed Editora, hoje Grupo A, parte da empresa +A Educação.

Por fim, queremos agradecer nossos colegas, amigos, alunos, residentes e familiares pela compreensão e apoio durante a preparação deste livro em plena pandemia de Covid-19, sem os quais não teria sido possível dedicar o tempo exigido para este projeto.

**Bruce B. Duncan**
**Maria Inês Schmidt**
**Elsa R. J. Giugliani**
**Michael Schmidt Duncan**
**Camila Giugliani**

# Apresentação

A ciência, a solidariedade e a democracia são pilares essenciais para a promoção da saúde. Este livro fortalece o primeiro deles, trazendo uma contribuição importante para a medicina brasileira.

Reúne o rigor acadêmico da Pós-Graduação em Epidemiologia da Universidade Federal do Rio Grande do Sul (UFRGS) com a competência de centenas de profissionais dedicados à medicina ambulatorial, disseminados por todo o Brasil.

Na década de 1940, principalmente no Hospital dos Servidores do Estado, no Rio de Janeiro, e no Hospital das Clínicas da Faculdade de Medicina da Universidade de São Paulo (FMUSP), em São Paulo, iniciou-se a formação sistematizada dos especialistas necessários para o atendimento hospitalar. A partir daqueles centros, constituíram-se novos núcleos formadores por todas as regiões, alcançando-se um alto nível de desempenho profissional, que acompanhou o desenvolvimento científico e tecnológico internacional.

A formação de especialistas para o atendimento ambulatorial, especialmente para a Medicina de Família e Comunidade, anteriormente designada de Medicina Geral e Comunitária, não se desenvolveu do mesmo modo. Algumas experiências importantes nesta área, nas décadas de 1960 e 1970, foram frustradas, como a do Curso Experimental da FMUSP no Centro de Saúde do Butantã, a Unidade Integrada de Saúde de Sobradinho do Curso de Medicina da Universidade de Brasília, e o Instituto de Medicina Preventiva da Universidade Federal do Ceará.

As universidades brasileiras perderam um tempo precioso exatamente no momento em que a medicina ambulatorial e a promoção da saúde ganhavam um grande impulso nos serviços de assistência à saúde no mundo. Os resultados das pesquisas em epidemiologia das doenças do coração, realizadas em Framingham, e a evidência da relação entre o fumo e o câncer de pulmão, pelos médicos britânicos, são exemplos dos progressos daquela época.

A redemocratização e o nascimento do Sistema Único de Saúde (SUS) deram a oportunidade para a recuperação do tempo perdido.

A Medicina de Família e Comunidade cresceu rapidamente dentro das Equipes da Saúde da Família, iniciadas em 1994, estimuladas pelo Ministério da Saúde e pelas Secretarias Estaduais e Municipais de Saúde. A grande aceitação e a necessidade desse trabalho atraíram, nesses 27 anos, mais de 40 mil médicos para a nova atividade, criando um imenso desafio para sua qualificação.

A necessidade da especialização desses médicos se torna uma exigência, para que alcancem o nível de desempenho técnico e científico esperado. Uma das dificuldades é completar a sua formação quando já estão no exercício da sua profissão, espalhados nos mais de cinco mil municípios brasileiros, das áreas rurais mais remotas às grandes metrópoles. Outra dificuldade é a definição da abrangência da sua atuação, porquanto sua prática não nasceu nos centros universitários, mas nas mais diversas situações do território nacional.

Esta obra, desde a 1ª edição organizada pelos professores Bruce B. Duncan, Maria Inês Schmidt e Elsa R. J. Giugliani – e desde a 4ª edição, também pelos médicos de família Camila Giugliani e Michael Schmidt Duncan –, é uma das respostas mais importantes ao desafio colocado para as universidades, oferecendo, em um livro, o embasamento científico necessário para o fortalecimento e a evolução da atenção primária. Eles contam com três balizas para delimitação dos temas tratados: as doenças mais comuns da população brasileira, identificadas pela epidemiologia, as mais recentes conquistas das ciências da saúde para o enfrentamento dessas doenças e a experiência dos que vivem o dia a dia da clínica.

Aumentam os idosos, e também a demanda para o atendimento aos seus problemas de saúde. As doenças crônicas, próprias da idade, ganham mais importância, exigindo o diagnóstico e o tratamento de longo prazo. Ao mesmo tempo, multiplicam-se as possibilidades para o seu controle e para a sua prevenção, abrindo um largo campo para a promoção da saúde. Os problemas de saúde mental também crescem no ambulatório, apresentados sob a forma do sofrimento individual e familiar, da violência, do abuso das drogas e dos acidentes. Junto com a consolidação da carga das doenças crônicas, surge a Covid-19 como problema emergente que desafia o mundo, impondo rápida aceleração na produção de novos conhecimentos.

A experiência dos autores dos capítulos, que estão na linha de frente do atendimento ambulatorial, traz uma contribuição especial, no sentido de apontar a viabilidade das propostas apresentadas no livro. Muitos autores vêm de Programas de Residência em Medicina de Família e Comunidade, em que os gaúchos se destacam. Faz parte de sua atuação as visitas domiciliares e a abordagem comunitária, quando têm a chance de melhor analisar os fatores que desencadeiam as doenças, e os que podem ajudar na sua recuperação, a partir de uma perspectiva ampla, que permite o entendimento dos determinantes sociais da saúde.

Do equilíbrio entre as necessidades apontadas pela ciência e a realidade do contato com os pacientes e as suas famílias surge a riqueza das orientações apresentadas nos capítulos que se seguem. O acúmulo da experiência, continuamente enriquecida com os 30 anos das edições anteriores, eleva o padrão deste livro, destacando-o como um componente especial para a qualificação médica.

A experiência internacional nos mostra que não é possível chegarmos a um bom nível de assistência de saúde sem que as especialidades básicas assumam um papel destacado na medicina. A eficácia do hospital aumenta diariamente, e cobra o custo do investimento na alta tecnologia. Por outro lado, a medicina ambulatorial alarga o seu campo de ação no tratamento e, especialmente, no acompanhamento das doenças crônicas. O acúmulo de conhecimentos da patogenia facilita o diagnóstico precoce e o seu controle.

O longo seguimento do indivíduo pela Equipe da Saúde da Família facilita esse diagnóstico, reduzindo o seu custo, exigindo, porém, o seguro preparo clínico do profissional.

As ferramentas disponíveis neste livro, para os médicos que trabalham no SUS ou na medicina privada, trazem um alento para os que acreditam na construção de um sistema de saúde mais efetivo.

**A. Carlile H. Lavor**
Médico sanitarista
Ex-professor da Universidade de Brasília (UnB)
Coordenador da FIOCRUZ Ceará

# Prefácio

Desde o lançamento da 1ª edição do *Medicina ambulatorial*, há cerca de 30 anos, a saúde da população brasileira mudou. A mortalidade infantil caiu mais de 70%, e a expectativa de vida ao nascer da população aumentou 8 anos. Mudanças no perfil demográfico, epidemiológico e nutricional da população brasileira desviaram a carga de morbidade e mortalidade das doenças infecciosas e dos problemas materno-infantis para as doenças crônicas não transmissíveis, hoje responsáveis por 84% da morbidade e 71% da carga total de doença. O serviço público de APS deixou de ser um lugar para atender mulheres em idade fértil e suas crianças, dispensar anti-hipertensivos e fornecer atestados médicos.

*Medicina ambulatorial* acompanhou essas mudanças. No lançamento da 1ª edição (1991), o SUS estava nascendo, e a Atenção Primária à Saude (APS) era precária. Quem lutava para fazer dela um dos eixos básicos do SUS era, muitas vezes, acuado e desmoralizado. Preparar um livro para esta APS pouco definida e valorizada foi um desafio. Mas nos momentos de lançamento da 2ª (1996) e 3ª (2004) edições, o contexto já tinha mudado. Assistia-se à criação do Programa Saúde da Família (PSF) e depois a Estratégia Saúde da Família (ESF), com fortalecimento progressivo da APS no SUS. Na 4ª edição (2013), o livro já pôde ser direcionado para uma realidade concreta de uma APS estabelecida em um SUS maduro, com um modelo de cuidado mais abrangente e complexo.

Agora, no lançamento desta 5ª edição, o sucesso da ESF é reconhecido internacionalmente. Avaliações publicadas em revistas de alto impacto demonstram sua efetividade na promoção da saúde e no cuidado das pessoas. O modelo de APS brasileiro, inspirado nas obras de Barbara Starfield, coloca as equipes de atenção primária no centro do cuidado. Mais de 40.000 equipes de APS estão em ação no SUS. Em paralelo a seu crescimento, a APS ganhou apoios profissional e acadêmico. A Sociedade Brasileira de Medicina de Família e Comunidade fincou suas raízes, cresceu e é hoje uma das principais sociedades médicas do País. Setores e departamentos de Medicina de Família e Comunidade/Atenção Primária foram estabelecidos em faculdades de medicina nas diversas regiões do País. Programas de residência em Medicina de Família e Comunidade se multiplicaram, contribuindo para qualificar as equipes de APS. Programas consolidados e de excelência de nível internacional da pós-graduação brasileira criaram linhas de pesquisa voltadas para a APS. Grandes projetos de telessaúde e de educação a distância foram fomentados para apoiar os cuidados na APS do SUS.

Foi notória, também, a difusão dos fundamentos de epidemiologia clínica desde a 1ª edição deste livro, hoje compondo a grade curricular de cursos de graduação na saúde. O paradigma da medicina baseada em evidências vem apoiando largamente a ações clínicas no País. Assim, a decisão de fundamentar com evidências as condutas clínicas nas várias edições deste livro foi acertada e segue contribuindo para a construção da atual APS brasileira baseada em evidências.

A globalização de conhecimentos e as tecnologias de informação ampliaram a capacidade de buscar evidências para encontrar soluções criativas e lograr maior resolutividade e efetividade. Ferramentas para essa prática, como metanálises que sintetizam dados de vários estudos e diretrizes clínicas, estão amplamente disponíveis. Compêndios de sumários eletrônicos como DynaMed e UpToDate, que fornecem evidências atualizadas, são cada vez mais utilizados. Se na 1ª edição as fontes principais de informação médica eram livros especializados, frequentemente de edições antigas, hoje, com alguns cliques no computador ou celular, resumos de qualquer tópico podem ser acessados.

Esta 5ª edição insere-se nesse novo ecossistema de publicações: introduzimos ao longo do livro links (QR codes* na versão impressa) para acesso imediato a documentos, fotos, vídeos, calculadoras clínicas, questionários e escalas de utilidade clínica. Para aqueles que gostam da versão impressa, o livro está divido em dois volumes, facilitando o manuseio. E a versão digital, em epub, também estará disponível, para que o leitor possa escolher aquela que melhor se adapta ao seu dia a dia.

As mudanças nas condições de saúde da população brasileira e no SUS, salientadas acima, fizeram o livro crescer e se qualificar para a realidade brasileira atual. De um texto cuja 1ª edição circulava predominantemente no Rio Grande do Sul, a obra conquistou leitores em todo o Brasil. Na 3ª edição, 30.000 exemplares foram disponibilizados pelo Ministério da Saúde para as equipes do Programa de Saúde da Família. Das 495 páginas da 1ª edição, alcançou 2.000 páginas na 4ª edição, abrangendo novos tópicos como obesidade, doença renal crônica e demência, inimagináveis como

---

*Os links eletrônicos externos são responsabilidade dos respectivos proprietários quanto a permanecerem disponíveis.

relevantes para um serviço público de atenção primária em 1990. Também na 4ª edição, a abordagem "baseada em evidências" se fortaleceu, e o padrão do GRADE Working Group para informar a confiança sobre o potencial benefício das condutas apresentadas foi adotado.

Nesta 5ª edição mantivemos o uso da proposta GRADE para graduação de evidências, e tomamos a decisão de não explicitar graus de recomendações para as condutas considerando a diversidade de contextos no qual o livro é utilizado. Apresentamos, contudo – quando possível e relevante –, as bases para essas recomendações, notadamente sobre os potenciais benefícios de condutas (p.ex., número necessário tratar e tamanho do efeito). A definição das medidas utilizadas e o significado dos níveis de evidência são apresentados na segunda capa do livro. Um apêndice *online*, disponível no hotsite do livro (https://paginas.grupoa.com.br/medicina-ambulatorial5ed), descreve o processo utilizado na revisão das evidências, cujo objetivo principal foi garantir uma revisão ampla das condutas disponíveis para prevenção e tratamento das condições abordadas em cada capítulo.

Alguns avanços nesta 5ª edição merecem destaque, entre eles, a maior participação de médicos com formação específica em Medicina de Família e Comunidade. Dois especialistas em Medicina de Família e Comunidade, Michael Schmidt Duncan e Camila Giugliani, já parte do grupo de organizadores na 4ª edição, intensificaram sua participação nesta 5ª edição. Suas experiências, ideias e sugestões nortearam a elaboração do livro. Cresceu o número de médicos de família entre autores e coordenadores de seção.

Alguns capítulos novos foram inseridos e uma seção foi reestruturada, passando o livro de 195 para 198 capítulos. Destacamos aqui a adição de dois capítulos de grande atualidade – Doença pelo Coronavírus 2019 (Covid-19) e Saúde Planetária e o Imperativo da Ação Climática para Proteger a Saúde. A seção de Problemas Musculoesqueléticos ficou mais ampla, intitulando-se agora Dor e Cuidados Paliativos. Para tanto, foram inseridos novos capítulos baseados em quadro conceitual atual sobre a fisiopatologia da dor, em especial de dor crônica, um problema que cresce em importância na prática clínica. Todos os capítulos presentes na edição anterior foram atualizados e alguns foram reformulados.

Mantém-se como o original da 1ª edição o icônico capítulo *in memoriam* de Kurt Kloetzel, cujos conceitos, como a demora permitida, continuam relevantes.

Embora o foco deste livro hoje seja a realidade concreta no SUS, a 5ª edição mantém seu olhar para o clínico que pratica medicina ambulatorial fora da esfera governamental. Estima-se que, em 2021, mais de 45 milhões de brasileiros são usuários de planos privados de saúde, e milhões adicionais por planos de saúde de entidades públicas fora do SUS. Serviços estruturados de APS na saúde suplementar estão se expandindo, geralmente envolvendo médicos de família e comunidade, dada a efetividade dessa forma de prestação de serviços e a evidente redução de custos. Além disso, o livro será útil para médicos de diferentes especialidades que lidam no dia a dia com problemas clínicos comuns, mas fora do escopo do seu treinamento, e que assumem, muitas vezes, o papel de médico de linha de frente para seus pacientes.

Não podemos deixar de frisar que esta edição foi preparada, fundamentalmente, durante a epidemia de Covid-19. A todos, profissionais de saúde e de apoio, que acharam algum tempo para contribuir para a produção do livro, deixamos aqui o nosso mais profundo reconhecimento. Ficou a tristeza sobre as pessoas perdidas pela Covid-19, mas cresceu a esperança de que tenhamos aprendido sobre a vulnerabilidade de nossa saúde planetária.

Juntos à nossa equipe de apoio e às centenas de autores, expressamos nosso desejo sincero de que o livro facilite e qualifique o trabalho dos leitores. Para os três de nós que iniciaram o *Medicina ambulatorial* antes mesmo do SUS nascer, é uma satisfação ver a construção sólida atual da APS no Brasil, grande em extensão, equitativa na sua atuação e cada vez mais efetiva na promoção, prevenção e tratamento de doenças. Nosso engajamento no livro visando qualificar esta parte central do SUS trouxe um sentido especial a nossas vidas profissionais.

**Bruce B. Duncan**
**Maria Inês Schmidt**
**Elsa R. J. Giugliani**
**Michael Schmidt Duncan**
**Camila Giugliani**

# Sumário

**Apresentação**
*A. Carlile H. Lavor*

## Volume 1

### Seção I  Atenção Primária à Saúde no Brasil
*Coordenadores: Bruce B. Duncan, Maria Inês Schmidt*

1. Saúde da População Brasileira  **2**
   *Bruce B. Duncan, Maria Inês Schmidt, Ewerton Cousin, Eduardo Macário, Wanderson Kleber de Oliveira*
2. O Sistema de Saúde no Brasil  **13**
   *João Werner Falk, Roger dos Santos Rosa*
3. A Organização de Serviços de Atenção Primária à Saúde  **21**
   *Silvia Takeda*
4. Estratégia Saúde da Família  **34**
   *Erno Harzheim, Claunara Schilling Mendonça, Caroline Martins José dos Santos, Otávio Pereira D'Avila*
5. A Prática de Medicina Rural  **44**
   *Leonardo Vieira Targa, Magda Moura de Almeida*
6. Saúde Planetária e o Imperativo da Ação Climática para Proteger a Saúde  **52**
   *Enrique Falceto de Barros, Mayara Floss, Andrew Haines*

### Seção II  Ferramentas para a Prática Clínica na Atenção Primária à Saúde
*Coordenador: Michael Schmidt Duncan*

7. Prática da Medicina Ambulatorial Baseada em Evidências  **58**
   *Bruce B. Duncan, Maria Inês Schmidt, Maicon Falavigna*
8. Conceitos de Epidemiologia Clínica para a Tomada de Decisões Clínicas na Atenção Primária  **67**
   *Maria Inês Schmidt, Ricardo Kuchenbecker, Bruce B. Duncan*
9. Saúde Pública Baseada em Evidências  **78**
   *Maria Inês Schmidt, Bruce B. Duncan*
10. O Diagnóstico Clínico: Estratégia e Táticas  **85**
    *Kurt Kloetzel[†]*
11. Método Clínico Centrado na Pessoa  **94**
    *Marcelo Garcia Kolling*
12. Modelo de Consulta e Habilidades de Comunicação  **102**
    *Eberhart Portocarrero-Gross*
13. Agentes Comunitários de Saúde  **112**
    *Camila Giugliani, A. Carlile H. Lavor, Míria Campos Lavor[†], Maria Idalice Silva Barbosa, Thaíse Bernardo da Silva*
14. Prescrição de Medicamentos e Adesão aos Tratamentos  **129**
    *Jorge Béria, Pedro Beria, Sotero Serrate Mengue*
15. Registros Médicos, Certificados e Atestados  **138**
    *Marcelo Vieira de Lima, Lucia Campos Pellanda, Moacir Assein Arús[†]*
16. Informação, Prontuário Eletrônico e Telemedicina em APS  **147**
    *Erno Harzheim, Lucas Alexandre Pedebos, Jacson Venancio de Barros*
17. A Atenção às Condições Crônicas  **156**
    *Eugênio Vilaça Mendes*
18. Antropologia e Atenção Primária à Saúde  **162**
    *Daniela Riva Knauth, Francisco Arsego de Oliveira, Rodrigo Caprio Leite de Castro*
19. Atendimento ao Trabalhador na Atenção Primária  **167**
    *Fábio Fernandes Dantas Filho, Karen Gomes d'Ávila*
20. Abordagem Familiar  **181**
    *Carmen Luiza C. Fernandes, Olga Garcia Falceto, Brendha Silva Givisiez, Elisabeth Susana Wartchow*
21. Abordagem Integral da Sexualidade e Cuidados Específicos da População LGBTI+  **195**
    *Ana Paula Andreotti Amorim, Renata Carneiro Vieira, Rita Helena Borret, Thiago Campos, Thiago Cherem Morelli*
22. Abordagem da Morte e do Luto  **210**
    *Martha Farias Collares, Patrícia Lichtenfels, Milton Humberto Schanes dos Santos*

### Seção III  Promoção da Saúde do Adulto e Prevenção de Doenças Crônicas
*Coordenadores: Maria Inês Schmidt, Bruce B. Duncan*

23. Estratégias Preventivas para as Doenças Crônicas Não Transmissíveis  **224**
    *Betine Pinto Moehlecke Iser, Lenildo de Moura, Bruce B. Duncan, Maria Inês Schmidt*
24. Abordagem para Mudança de Estilo de Vida  **234**
    *Elisabeth Meyer, Pedro Marques da Rosa*
25. Alimentação Saudável do Adulto  **242**
    *Maria Laura da Costa Louzada, Patricia Constante Jaime*
26. Promoção da Atividade Física  **250**
    *Maria Eugênia Bresolin Pinto, Angela M. V. Tavares, Marcelo Demarzo*
27. Tabagismo  **265**
    *Juliana Dias Pereira dos Santos, Aloyzio Achutti, Thaís Soares Ferreira, Raquel Meira Franca*
28. Problemas Relacionados ao Consumo de Álcool  **276**
    *Mauro Soibelman, Paola Bell Felix de Oliveira, Lisia von Diemen*
29. Obesidade: Prevenção e Tratamento  **288**
    *Gabriela Wünsch Lopes, Michael Schmidt Duncan, Bruce B. Duncan, Maria Inês Schmidt*
30. Prevenção do Diabetes Tipo 2  **309**
    *Maria Inês Schmidt, Bruce B. Duncan*
31. Prevenção Clínica das Doenças Cardiovasculares  **315**
    *Bruce B. Duncan, Karine Margarites Lima[†], Carisi Anne Polanczyk*
32. Hipertensão Arterial Sistêmica  **331**
    *Flávio Danni Fuchs*
33. Rastreamento de Adultos para Tratamento Preventivo  **346**
    *Airton Tetelbom Stein, Daniel Costi Simões, Alice de M. Zelmanowicz, Maicon Falavigna*

### Seção IV  Doenças Crônicas Não Transmissíveis
*Coordenadores: Michael Schmidt Duncan, Marcelo Rodrigues Gonçalves, Patricia Sampaio Chueiri*

34. Cuidados Longitudinais e Integrais a Pessoas com Condições Crônicas  **358**
    *Michael Schmidt Duncan, Marcos Adams Goldraich, Patricia Sampaio Chueiri*
35. Diabetes Melito: Diagnóstico, Classificação e Avaliação para Manejo Clínico  **371**
    *Danilo de Paula Santos, Michael Schmidt Duncan, Bruce B. Duncan, Maria Inês Schmidt*

36 Diabetes Melito: Cuidado Longitudinal  **379**
*Maria Inês Schmidt, Michael Schmidt Duncan, Bruce B. Duncan*

37 Cardiopatia Isquêmica  **408**
*Carisi Anne Polanczyk, Mariana Vargas Furtado, Jorge Pinto Ribeiro†*

38 Insuficiência Cardíaca  **419**
*Murilo Foppa, Luis E. Rohde, Michael Schmidt Duncan*

39 Arritmias Cardíacas  **435**
*Maurício Pimentel, Carisi Anne Polanczyk, Luis E. Rohde*

40 Doenças do Sistema Arterial Periférico  **445**
*Adamastor Humberto Pereira, Alexandre Araujo Pereira, Renata Rosa De Carvalho*

41 Doenças Venosas dos Membros Inferiores  **453**
*Adamastor Humberto Pereira, Alexandre Araujo Pereira, Renata Rosa De Carvalho*

42 Manejo Ambulatorial do Paciente Anticoagulado  **460**
*Marcelo Basso Gazzana*

43 Doença Renal Crônica  **480**
*Patricia Ferreira Abreu, Maria Inês Schmidt, Bruce B. Duncan, Lúcio R. Requião-Moura*

44 Asma  **491**
*Paulo de Tarso Roth Dalcin, Gilberto Bueno Fischer, Helena Mocelin*

45 Doença Pulmonar Obstrutiva Crônica  **516**
*Mara Rúbia André Alves de Lima, Danilo C. Berton, José Carlos Prado Junior*

46 Câncer  **531**
*Gustavo Cartaxo de Lima Gössling, Fábio Silva Leal, Andre T. Brunetto, Gilberto Schwartsmann*

47 Doenças da Tireoide  **554**
*José Miguel Dora, Rafael Selbach Scheffel, Ana Luiza Maia*

48 Epilepsia  **566**
*José Augusto Bragatti, Carolina Machado Torres, Kelin Cristine Martin, Frederico A. D. Kliemann†*

## Seção V  Atenção à Saúde do Idoso
*Coordenadores: Michael Schmidt Duncan, Bruce B. Duncan*

49 O Cuidado do Paciente Idoso  **580**
*Milton Humberto Schanes dos Santos, Patrícia Lichtenfels, Michele Possamai, Eduardo de Oliveira Fernandes*

50 Avaliação Multidimensional do Idoso  **591**
*Sergio Antonio Sirena, Roberta Rigo Dalla Corte, Renato Gorga Bandeira de Mello, Emilio Hideyuki Moriguchi*

51 Osteoporose  **600**
*Juliano Soares Rabello Moreira, Eduardo Henrique Portz*

52 Doença de Parkinson  **609**
*Manuella Edler Zandoná, Pedro Schestatsky, Carlos R. M. Rieder*

53 Síndromes Demenciais e Comprometimento Cognitivo Leve  **617**
*Matheus Roriz, Rodrigo Rizek Schultz, Justino A. C. Noble, Paulo H. F. Bertolucci*

54 Doenças Cerebrovasculares  **639**
*Rosane Brondani, Sheila Ouriques Martins, Matheus Roriz, Thaís Leite Secchi*

## Seção VI  Sinais, Sintomas e Alterações Laboratoriais Comuns
*Coordenadores: João Victor Bohn de A. Alves, Pedro H. Braga, Renato Cony Seródio*

55 O Raciocínio Clínico na Atenção Primária à Saúde  **656**
*Moisés Vieira Nunes, Adelson Guaraci Jantsch*

56 Alterações do Sono  **665**
*Gabriela de Moraes Costa, Leonardo Evangelista da Silveira, Felipe Gutiérrez Carvalho, Maria Paz Hidalgo, Analuiza Camozzato*

57 Vertigens e Tonturas  **680**
*Joel Lavinsky, Michelle Lavinsky Wolff, Luiz Lavinsky, Diogo Luis Scalco, Mariele Bressan*

58 Avaliação da Tosse Subaguda e Crônica  **690**
*Pablo de Lannoy Stürmer, Roberto Fábio Lehmkuhl, Cassia Kirsch Lanes*

59 Dispneia  **696**
*Thiago Gomes da Trindade, André Luís Marques da Silveira, Marcelo Rodrigues Gonçalves*

60 Dor Torácica  **703**
*Carisi Anne Polanczyk*

61 Sopros Cardíacos  **713**
*Lucia Campos Pellanda, William Brasil de Souza, Aloyzio Achutti, Flavia Kessler Borges*

62 Avaliação Inicial da Dor Abdominal Aguda  **721**
*Luciano Paludo Marcelino, Alessandro Bersch Osvaldt, Mário Sérgio Trindade Borges da Costa*

63 Dispepsia e Refluxo  **729**
*Antônio de Barros Lopes, Enrique Falceto de Barros, Laureen Engel, Sergio Gabriel Silva de Barros*

64 Náusea e Vômitos  **741**
*Tainá de Freitas Calvette, Cassia Kirsch Lanes, Carlo Roberto Hackmann da Cunha*

65 Icterícia, Alteração de Transaminases e Outras Manifestações de Problemas Hepáticos Comuns  **750**
*Fernando Herz Wolff, Rodrigo Caprio Leite de Castro, Matheus Truccolo Michalczuk, Alexandre de Araujo*

66 Problemas Digestivos Baixos  **763**
*Carla Baumvol Berger, Dolores Noronha Galdeano, Francisco de Souza Silva, Lucas Gurgel Tiso*

67 Avaliação do Edema em Membros Inferiores  **772**
*Beatriz Graeff Santos Seligman*

68 Febre em Adultos  **776**
*Flavia Kessler Borges, Gustavo Faulhaber, Tania Weber Furlanetto, Sergio Henrique Prezzi*

69 Avaliação de Linfadenopatias  **781**
*Marcos Adams Goldraich, Renata Chaves, Hudson Pabst, Michael Schmidt Duncan*

70 Cansaço ou Fadiga  **790**
*André Klafke, Danyella da Silva Barreto, Michael Schmidt Duncan*

71 Perda de Peso Involuntária  **796**
*Rogério Friedman, Mirela Jobim de Azevedo†*

72 Anemias no Adulto  **800**
*Marcelo Rodrigues Gonçalves, Maria da Silva Pitombeira, Beatriz Stela Gomes de Souza Pitombeira*

## Seção VII  Problemas de Olho, Ouvido, Nariz, Boca e Garganta
*Coordenadoras: Michelle Lavinsky Wolff, Camila Furtado de Souza*

73 Olho Vermelho  **818**
*Jorge Esteves, Nelson Telichevesky, Eduardo de Araujo-Silva, Camila Furtado de Souza*

74 Alteração da Visão  **822**
*Jorge Esteves, Nelson Telichevesky, Diogo Luis Scalco*

75 Outras Patologias Oculares  **826**
*Fernando Procianoy*

76 Epistaxe  **830**
*Elisabeth Araujo, Raphaella Migliavacca, Denise Rotta Ruttkay Pereira*

77 Rinite  **837**
*Michelle Menon Miyake, Monica Aidar Menon Miyake, Elisabeth Araujo*

78 Rinossinusite  **847**
*Michelle Menon Miyake, Elisabeth Araujo*

79 Otite Média  **855**
*Boaventura Antonio dos Santos, Berenice Dias Ramos*

80 Otite Externa  **865**
*José Faibes Lubianca Neto, Maurício Schreiner Miura, Moacyr Saffer*

81 Dor de Garganta  **872**
*Boaventura Antonio dos Santos, Elsa R. J. Giugliani, Adão Machado*

82 Problemas da Cavidade Oral  **879**
*Adriane Vienel Fagundes, Amanda Ramos da Cunha, Caren Serra Bavaresco, Diogo Luis Scalco*

## Seção VIII  Problemas e Procedimentos Cirúrgicos
*Coordenadores: Alessandro Bersch Osvaldt, Rodolfo Souza da Silva*

83 Anestesia Regional  **896**
*Gerson Junqueira Júnior, Lúcia Miranda Monteiro dos Santos*

84 Ferimentos Cutâneos  **901**
*Marcus Vinicius Martins Collares, Ciro Paz Portinho, Antônio Carlos Pinto Oliveira, Daniele Walter Duarte, Rinaldo de Angeli Pinto*

85 Cirurgia da Unha  **914**
*Henrique Rasia Bosi, Guilherme S. Mazzini, Cleber Dario Pinto Kruel, Cleber Rosito Pinto Kruel*

86 Infecções Não Traumáticas de Tecidos Moles  **919**
*Jeferson K. de Oliveira, Guilherme S. Mazzini, Paulo Sandler†, Leandro Totti Cavazzola*

87 Pequenos Procedimentos em Atenção Primária  923
*Roberto Nunes Umpierre*

88 Queimaduras  927
*Eduardo I. Gus, Ricardo A. Arnt*

89 Hérnias da Parede Abdominal  937
*Henrique Rasia Bosi, Leandro Totti Cavazzola, José Ricardo Guimarães, Alceu Migliavacca*

90 Problemas Urológicos Comuns  942
*Pedro Glusman Knijnik, Guilherme Behrend Silva Ribeiro, Brasil Silva Neto*

91 Problemas Orificiais  959
*Daniel C. Damin*

92 Traumatismo Musculoesquelético  965
*Carlo Henning, Humberto Moreira Palma*

**Apêndice 1** Eletrocardiograma: Interpretação, Principais Alterações e Uso na Prática Ambulatorial  A1-1
*Fábio Morato de Castilho, Luisa Campos Caldeira Brant, Antonio Luiz Pinho Ribeiro*

**Índice**  I-1

# Volume 2

## Seção IX  Atenção à Saúde da Criança e do Adolescente
*Coordenadores: Elsa R. J. Giugliani, André Klafke*

93 Puericultura: Do Nascimento à Adolescência  976
*Danilo Blank*

94 Promoção do Desenvolvimento da Criança  994
*Sonia Isoyama Venancio, Claudia Regina Lindgren Alves*

95 Promoção da Saúde Mental na Primeira Infância  1008
*Maria Lucrécia Scherer Zavaschi, Sandra Fayet Lorenzon, Marina da Silva Netto*

96 Promoção da Segurança da Criança e do Adolescente  1022
*Danilo Blank*

97 Acompanhamento do Crescimento da Criança  1032
*Denise Aerts, Elsa R. J. Giugliani*

98 Práticas Alimentares Saudáveis na Infância  1041
*Elsa R. J. Giugliani*

99 Aleitamento Materno: Aspectos Gerais  1054
*Elsa R. J. Giugliani*

100 Aleitamento Materno: Principais Dificuldades e Seu Manejo  1075
*Elsa R. J. Giugliani*

101 Déficit de Crescimento  1088
*Elsa R. J. Giugliani, Denise Aerts*

102 Deficiência de Ferro e Anemia em Crianças  1097
*Elsa R. J. Giugliani, Denise Aerts, André Klafke*

103 Problemas Comuns nos Primeiros Meses de Vida  1107
*Roberto Mário Issler, Ariel Azambuja Gomes de Freitas, Nicolino César Rosito*

104 Excesso de Peso em Crianças  1123
*Elza Daniel de Mello*

105 Febre em Crianças  1129
*Luíza Emília Bezerra de Medeiros, Danilo Blank, Eliana de Andrade Trotta†, Juliana de Oliveira*

106 Acompanhamento de Saúde do Adolescente  1139
*Carla Baumvol Berger, Bárbara Stelzer Lupi, Carla da Cruz Teixeira, Raphael Lacerda Barbosa*

107 Problemas Comuns de Saúde na Adolescência  1148
*Ricardo Becker Feijó, Maria Conceição Oliveira Costa, Lilian Day Hagel, Nilma Lazara de Almeida Cruz*

108 Atendimento Ginecológico na Infância e Adolescência  1161
*Solange Garcia Accetta, Liliane Diefenthaeler Herter*

109 Atenção à Saúde da Criança e do Adolescente em Situação de Violência  1173
*Joelza Mesquita Andrade Pires*

## Seção X  Atenção à Saúde da Mulher
*Coordenadoras: Camila Giugliani, Suzana Arenhart Pessini, Gisele Alsina Nader Bastos*

110 Acompanhamento de Saúde da Mulher na Atenção Primária  1190
*Suzana Arenhart Pessini, Adriani Oliveira Galão, Maria Cristina Barcellos-Anselmi, Carla Maria De Martini Vanin*

111 Planejamento Reprodutivo  1201
*Jaqueline Neves Lubianca, Karen Oppermann, Luíza Guazzelli Pezzali*

112 Infertilidade  1219
*Eduardo Pandolfi Passos, Fernando Freitas, Isabel Cristina Amaral de Almeida*

113 Acompanhamento de Saúde da Gestante e da Puérpera  1223
*Déa Suzana M. Gaio, Martha Farias Collares, Janini Cristina Paiz*

114 Atenção à Gestante com Problema Crônico de Saúde  1246
*Sérgio Moreira Espinosa†, Patrícia Telló Dürks, Estefania Inez Wittke, Alfeu Roberto Rombaldi*

115 Hipertensão Arterial na Gestação  1260
*José Geraldo Lopes Ramos, Sérgio Martins-Costa, Janete Vettorazzi*

116 Diabetes na Gestação  1267
*Maria Lúcia da Rocha Oppermann, Angela Jacob Reichelt, Letícia Schwerz Weinert, Maria Inês Schmidt*

117 Infecções na Gestação  1277
*Sérgio Martins-Costa, José Geraldo Lopes Ramos, Janete Vettorazzi, Beatriz Vailati*

118 Infecção pelo HIV em Gestantes  1291
*Eunice Beatriz Martin Chaves, Paulo Naud*

119 Medicamentos e Outras Exposições na Gestação e na Lactação  1297
*Lavinia Schuler-Faccini, Maria Teresa Vieira Sanseverino, Camila Giugliani*

120 Abortamento  1304
*Anibal Faúndes, Karla Simônia de Pádua, Silvana Ferreira Bento*

121 Doenças da Mama  1314
*Maira Caleffi, Luis Antonio Abreu de Moraes Neto*

122 Amenorreia  1323
*Helena von Eye Corleta, Helena Schmid*

123 Sangramento Uterino Anormal  1330
*Suzana Arenhart Pessini, Sibele Klitzke*

124 Secreção Vaginal e Prurido Vulvar  1339
*Paulo Naud, Jean Carlos de Matos, Valentino Magno*

125 Dor Pélvica  1346
*Paulo Naud, Valentino Magno, Jean Carlos de Matos, Carlos Augusto Bastos de Souza*

126 Câncer Genital Feminino e Lesões Precursoras  1353
*Suzana Arenhart Pessini, Valentino Magno*

127 Climatério  1367
*Maria Celeste Osorio Wender, Solange Garcia Accetta, Carolina Leão Oderich, Mona Lúcia Dall´Agno*

128 Atenção à Saúde da Mulher em Situação de Violência  1378
*Beatriz Vailati, Mariane Marmontel, Simone Hauck, Sandra Scalco, Stefania Teche*

## Seção XI  Problemas de Pele
*Coordenadores: Renan Rangel Bonamigo, Diogo Luis Scalco*

129 O Exame da Pele  1392
*Ana Elisa Kiszewski Bau, Renan Rangel Bonamigo*

130 Abordagem Diagnóstica das Lesões de Pele  1398
*Diogo Luis Scalco, Vanessa Santos Cunha*

131 Fundamentos de Terapêutica Tópica  1402
*Sérgio Ivan Torres Dornelles, Inara Bernardi Bagesteiro, Letícia Pargendler Peres, Marcel de Almeida Dornelles*

132 Dermatoses Eritematoescamosas  1411
*Humberto Antonio Ponzio, Ana Lenise Favaretto, Márcia Paczko Bozko*

133 Eczemas e Reações Cutâneas Medicamentosas  1420
*Magda Blessmann Weber, Renan Rangel Bonamigo, Fabiana Bazanella de Oliveira*

134 Prurido e Lesões Papulosas e Nodulares  1433
*Márcia Zampese, Lucas Samuel Perinazzo Pauvels, Andre Avelino Costa Beber*

135 Ressecamento da Pele e Sudorese Excessiva  1453
*Maria Carolina Widholzer Rey*

136 Manchas  1459
*Tania Ferreira Cestari, Aline Camargo Fischer, Lia Pinheiro Dantas*

137 Reações Actínicas 1467
Tania Ferreira Cestari, Cristine Kloeckner Kraemer, Lia Pinheiro Dantas

138 Tumores Benignos e Cistos Cutâneos 1472
Renato Marchiori Bakos

139 Cânceres da Pele 1477
Lucio Bakos, Renato Marchiori Bakos

140 Piodermites 1484
Luiz Fernando Bopp Muller, Letícia Brandeburski Loss, Fabiana Bazanella de Oliveira

141 Infecções pelo Herpesvírus e pelo Vírus Varicela-Zóster 1489
Márcia Paczko Bozko, Ana Lenise Favaretto, Humberto Antonio Ponzio

142 Micoses Superficiais 1495
Ana Lenise Favaretto, Humberto Antonio Ponzio

143 Zoodermatoses 1500
Lucio Bakos, Renato Marchiori Bakos, Elise Botteselle De Oliveira

## Seção XII  Problemas Infecciosos
*Coordenadoras: Cristiana M. Toscano, Silvia Figueiredo Costa, Elise Botteselle de Oliveira, Camila Giugliani*

144 Doenças Transmissíveis: Condutas Preventivas na Comunidade 1508
Cristiana M. Toscano, Maria Aparecida Teixeira Lustosa

145 Controle de Infecções Relacionadas à Assistência à Saúde 1525
Carlos Magno C. B. Fortaleza

146 Imunizações 1535
Juarez Cunha, Ricardo Becker Feijó

147 Doença Febril Exantemática 1553
Cristiana M. Toscano, Renato de Ávila Kfouri

148 Diarreia Aguda na Criança 1569
Helena Ayako Sueno Goldani, Clécio Homrich da Silva

149 Infecção Respiratória Aguda na Criança 1581
Clécio Homrich da Silva, Paulo Marostica

150 Infecções de Trato Respiratório em Adultos 1597
Paulo José Zimermann Teixeira, Renata Ullmann de Brito Neves

151 Tuberculose 1608
Ethel Leonor Noia Maciel, Geisa Fregona, Valdério V. Dettoni

152 Doença pelo Coronavírus 2019 (Covid-19) 1632
Ana Cláudia Magnus Martins, Elise Botteselle de Oliveira, Luíza Emília Bezerra de Medeiros

153 Febre Reumática e Prevenção de Endocardite Infecciosa 1662
Aloyzio Achutti, Carisi Anne Polanczyk, Maria de Fátima M. P. Leite, Regina Elizabeth Müller

154 Infecção do Trato Urinário 1674
Elvino Barros, Carla Di Giorgio, Renato George Eick, Fernando S. Thomé

155 Infecções Sexualmente Transmissíveis: Abordagem Sindrômica 1689
Ricardo Francalacci Savaris, Valentino Magno, Giovana Fontes Rosin, Elise Botteselle de Oliveira, Tiago Selbach Garcia

156 Infecção pelo HIV em Adultos 1705
Rafael Aguiar Maciel, Marcelo Rodrigues Gonçalves, Maria Helena da Silva Pitombeira Rigatto

157 Hepatites Virais 1718
Themis Reverbel da Silveira, Carolina Soares da Silva

158 Parasitoses Intestinais 1736
Iara Marques de Medeiros, Denise Vieira de Oliveira, Eliana Lúcia Tomaz do Nascimento

159 Parasitoses Teciduais 1749
Iara Marques de Medeiros, Eliana Lúcia Tomaz do Nascimento, Denise Vieira de Oliveira

160 Leishmaniose 1762
Ana Paula Pfitscher Cavalheiro, Maria Luisa Aronis

161 Doença de Chagas 1770
Cinthia Fonseca O'Keeffe, Clarissa Giaretta Oleksinski, Carlos Graeff-Teixeira

162 Dengue, Zika e Chikungunya 1776
Adriana Oliveira Guilarde, Maria José Timbó

163 Malária 1784
Cor Jesus Fernandes Fontes

164 Febre Amarela 1798
Pedro Fernando da Costa Vasconcelos, Marta Heloisa Lopes, Cristiana M. Toscano

165 Hanseníase 1809
Ana Laura Grossi de Oliveira, Maria Aparecida de Faria Grossi

166 Leptospirose 1822
Fernando Suassuna, Igor Thiago Queiroz, Alexandre Estevam Montenegro Diniz

167 Raiva 1831
Danise Senna Oliveira, Ana Marli C. Sartori

168 Saúde do Viajante 1837
Maria Helena da Silva Pitombeira Rigatto, Tânia do Socorro Souza Chaves, Jessé Reis Alves, Melissa Mascheretti[†]

## Seção XIII  Saúde Mental
*Coordenadores: Maria Helena P. P. Oliveira, Guilherme Nabuco Machado*

169 Avaliação de Problemas de Saúde Mental na Atenção Primária 1846
Guilherme Nabuco Machado, Maria Helena P. P. Oliveira, Diego Espinheira da Costa Bomfim

170 Transtornos Relacionados à Ansiedade 1858
Giovanni Abrahão Salum Júnior, Natan Pereira Gosmann, Aristides V. Cordioli, Gisele Gus Manfro

171 Depressão 1881
Fernanda Lucia Capitanio Baeza, Tadeu Assis Guerra, Marcelo Pio de Almeida Fleck

172 Transtorno do Humor Bipolar 1895
Pedro Domingues Goi, Silvia Bassani Schuch-Goi, Marcia Kauer-Sant'Anna

173 Psicoses 1908
Maria Helena P. P. Oliveira, Guilherme Nabuco Machado

174 Abordando os Sintomas Físicos de Difícil Caracterização 1919
Sandra Fortes, Daniel Almeida Gonçalves, Naly Soares de Almeida, Luís Fernando Tófoli, Luiz Fernando Chazan

175 Abordagem da Sexualidade e de suas Alterações 1931
Carmita H. N. Abdo

176 Drogas: Uso, Uso Nocivo e Dependência 1948
Ingrid Hartmann, Anne Orgler Sordi, Melina N. de Castro, Pedro Domingues Goi, Thiago Casarin Hartmann

177 Abordagem da Saúde Mental na Infância 1960
Michael Schmidt Duncan, Guilherme Nabuco Machado, Maria Helena P. P. Oliveira, Flávio Dias Silva, Renato M. Caminha

178 Transtornos Relacionados a Dificuldades de Aprendizagem e Problemas Associados à Agressividade 1977
Maria Helena P. P. Oliveira, Guilherme Nabuco Machado

179 Problemas de Saúde Mental em Adolescentes e Adultos Jovens 1990
Christian Kieling, Pedro Mario Pan, Marcelo Rodrigues Gonçalves

180 Intervenções Psicossociais na Atenção Primária à Saúde 1997
Daniel Almeida Gonçalves, Dinarte Ballester, Luiz Fernando Chazan, Naly Soares de Almeida, Sandra Fortes

## Seção XIV  Dor e Cuidados Paliativos
*Coordenador: Marcos Paulo Veloso Correia*

181 Abordagem Geral da Dor 2006
Marcos Paulo Veloso Correia, Michael Schmidt Duncan

182 Dor Crônica e Sensibilização Central 2020
Wolnei Caumo

183 Dor Miofascial e Outras Dores Mecânicas 2032
Marcos Paulo Veloso Correia

184 Oligoartrites e Poliartrites 2044
Blanca Elena Rios Gomes Bica, Carla Gottgtroy

185 Osteoartrite 2054
Carla Gottgtroy, Ricardo André Vaz

186 Gota e Outras Monoartrites 2064
João Henrique Godinho Kolling, Rafael Mendonça da Silva Chakr, Charles Lubianca Kohem

187 Cefaleia 2073
Rodrigo Caprio Leite de Castro, Martha Farias Collares

188 Cervicalgia 2092
Janete Shatkoski Bandeira, Leonardo Botelho

189 Lombalgia 2103
Alessandra E. Dantas, Bruno Alves Brandão, Letícia Renck Bimbi, Marcos Paulo Veloso Correia

190 Dor em Ombro e Membro Superior 2123
Ari Ojeda Ocampo Moré, João Eduardo Marten Teixeira

191 Dor em Membros Inferiores 2146
Alfredo de Oliveira Neto, Caio César Bezerra da Silva, Marcos Paulo Veloso Correia, Rebeca Mathias de Queiroz Ribeiro

**192** Problemas Musculoesqueléticos em Crianças e Adolescentes **2170**
*Sandra Helena Machado, Ilóite M. Scheibel, Sergio Roberto Canarim Danesi*

**193** Cuidados Paliativos **2182**
*Ricardo Moacir Silva, Patrícia Lichtenfels, Milton Humberto Schanes dos Santos, Gabriel Alves Ferreira, Ana Cláudia Magnus Martins*

## Seção XV  Situações de Emergência
*Coordenadora: Renata Rosa de Carvalho*

**194** Papel da Atenção Primária à Saúde em Urgências e Emergências **2200**
*Fábio Duarte Schwalm, Rosangela Amaral de Almeida, Ney Bragança Gyrão*

**195** Acidentes por Animais Peçonhentos **2214**
*João Batista Torres, José Alberto Rodrigues Pedroso, Gloria Jancowski Boff*

**196** Envenenamentos Agudos **2228**
*José Alberto Rodrigues Pedroso, Julio Cesar Razera, João Batista Torres, Gloria Jancowski Boff*

**197** Ressuscitação Cardiopulmonar **2241**
*Ari Timerman, Andre Feldman, William Jones Dartora*

**198** Antídotos e Antagonistas em Intoxicações Exógenas **2246**
*Carlos Augusto Mello da Silva, Julio Cesar Razera, Marcos Vinícios Razera*

**Apêndice 2**  Tabelas de Valores de Pressão Arterial em Crianças e Adolescentes  **A2-1**

**Apêndice 3**  Uso de Medicamentos na Gestação e na Lactação  **A3-1**
*Maria Teresa Vieira Sanseverino, Lavinia Schuler-Faccini, Camila Giugliani*

**Índice**  **I-1**

# SEÇÃO IX

**Coordenadores:** *Elsa R. J. Giugliani*
*André Klafke*

# Atenção à Saúde da Criança e do Adolescente

93. Puericultura: Do Nascimento à Adolescência .................................................. 976
    *Danilo Blank*

94. Promoção do Desenvolvimento da Criança .................................................... 994
    *Sonia Isoyama Venancio, Claudia Regina Lindgren Alves*

95. Promoção da Saúde Mental na Primeira Infância ......................................... 1008
    *Maria Lucrécia Scherer Zavaschi, Sandra Fayet Lorenzon, Marina da Silva Netto*

96. Promoção da Segurança da Criança e do Adolescente ................................. 1022
    *Danilo Blank*

97. Acompanhamento do Crescimento da Criança ............................................. 1032
    *Denise Aerts, Elsa R. J. Giugliani*

98. Práticas Alimentares Saudáveis na Infância .................................................. 1041
    *Elsa R. J. Giugliani*

99. Aleitamento Materno: Aspectos Gerais ........................................................ 1054
    *Elsa R. J. Giugliani*

100. Aleitamento Materno: Principais Dificuldades e Seu Manejo ...................... 1075
     *Elsa R. J. Giugliani*

101. Déficit de Crescimento ................................................................................. 1088
     *Elsa R. J. Giugliani, Denise Aerts*

102. Deficiência de Ferro e Anemia em Crianças ................................................ 1097
     *Elsa R. J. Giugliani, Denise Aerts, André Klafke*

103. Problemas Comuns nos Primeiros Meses de Vida ....................................... 1107
     *Roberto Mário Issler, Ariel Azambuja Gomes de Freitas, Nicolino César Rosito*

104. Excesso de Peso em Crianças ....................................................................... 1123
     *Elza Daniel de Mello*

105. Febre em Crianças ........................................................................................ 1129
     *Luíza Emília Bezerra de Medeiros, Danilo Blank, Eliana de Andrade Trotta[†], Juliana de Oliveira*

106. Acompanhamento de Saúde do Adolescente ............................................. 1139
     *Carla Baumvol Berger, Bárbara Stelzer Lupi, Carla da Cruz Teixeira, Raphael Lacerda Barbosa*

107. Problemas Comuns de Saúde na Adolescência ........................................... 1148
     *Ricardo Becker Feijó, Maria Conceição Oliveira Costa, Lilian Day Hagel, Nilma Lazara de Almeida Cruz*

108. Atendimento Ginecológico na Infância e Adolescência ............................. 1161
     *Solange Garcia Accetta, Liliane Diefenthaeler Herter*

109. Atenção à Saúde da Criança e do Adolescente em Situação de Violência ....... 1173
     *Joelza Mesquita Andrade Pires*

# Capítulo 93
## PUERICULTURA: DO NASCIMENTO À ADOLESCÊNCIA

Danilo Blank

## A PUERICULTURA NA ERA DA SAÚDE COLABORATIVA

Acompanhamento de saúde de crianças e jovens, supervisão de saúde, cuidados com a criança saudável e puericultura são termos que se referem a um mesmo constructo: o complexo de ações promotoras de saúde exercidas contínua e globalmente com foco na criança (mas contemplando sua família e sua comunidade), da gestação ao fim da adolescência, visando propiciar-lhe o melhor nível de desenvolvimento físico, emocional, intelectual, moral e social e capacitá-la a uma vida mais longa, produtiva e completa.[1-4] Essas ações se destacam dos chamados cuidados primários de saúde, por não terem como focos precípuos o diagnóstico e o tratamento de doenças agudas ou crônicas, mas a promoção da saúde e a prevenção de doenças, por meio de práticas definidas, como apreciação de fatores individuais e ambientais de proteção e de ameaça à saúde, monitoramento do crescimento e do desenvolvimento, imunizações, testes de triagem, orientação antecipatória (acerca de inúmeros condicionantes da saúde, como nutrição, hábitos de vida, disciplina e segurança) e aspectos selecionados do exame físico.[5-10] Além do âmbito clínico, esses serviços preventivos são hoje considerados uma prioridade de saúde pública; com base nisso, o Centers for Disease Control and Prevention dos Estados Unidos lançou uma série periódica de relatórios que examinam criticamente sua utilização real, com o objetivo de fornecer aos profissionais de saúde e à comunidade informações apoiadas em evidências científicas que contribuam para o aumento de sua efetividade.[11]

Em um plano conceitual, cabe destacar que a puericultura contemporânea, apropriada pela pediatria há mais de um século, transformou gradativamente o que eram técnicas de higiene passadas de mãe para filha – logo, repletas de mitos e tabus – em uma ciência verdadeira.[5,7,12,13] Hoje, a puericultura expande seus domínios a partir dos cuidados clínicos preventivos primários e secundários – intervenções que respectivamente impedem a ocorrência de doenças e atenuam sua progressão ou impacto –, confundindo a fronteira com a chamada pediatria comunitária, ao considerar fortemente os determinantes sociais da saúde, as sindemias e a perspectiva da equidade.[14,15] Nesse sentido, a recomendação atual de consenso é que todo profissional de saúde se engaje também nas ações comunitárias de promoção da saúde.[16,17]

Por outro lado, a puericultura pauta-se pelas noções modernas de saúde colaborativa – o compartilhamento de poderes com as pessoas e suas circunstâncias, sob forma de informação, engajamento e responsabilidade – e prevenção quaternária, que contempla tanto proteger o indivíduo da hipermedicalização, como filtrar, debulhar e propagar o conhecimento.[18-23]

## FUNDAMENTOS

As estratégias atuais de acompanhamento da saúde têm sido norteadas por cinco fatores contemporâneos: o olhar ecológico, tendo o indivíduo e sua família como centro de atenção, mas com percepção da diversidade de contextos sociais;[24-26] a afirmação da medicina baseada em evidências, incluindo sua difusão pela internet;[5,27-29] a primazia logística dos cuidados coordenados, no âmbito do chamado domicílio "médico";[30-32] a continuidade dos cuidados, orientada pelas etapas do desenvolvimento, bem como por fatores de risco e resiliência;[2,33] e a prática da saúde colaborativa, incluindo decisões compartilhadas.[21,34,35]

### Olhar ecológico e equidade

No mundo moderno, a diversidade constitui um desafio permanente para os profissionais de saúde que lidam com crianças e suas famílias.[36-38] Por um lado, deparam-se com situações familiares diversas: mãe/pai solteiro, trabalhando fora o dia todo ou desempregado; adoção em várias formas; crianças na rua ou obrigadas a trabalhar e ficar fora da escola; famílias com valores, crenças ou costumes diferentes dos padrões usuais; imigrantes; além de condições variadas de pobreza. Por outro lado, constatam as fortes pressões que o meio ambiente exerce sobre a família: influência negativa da mídia, principalmente da televisão; violência urbana e riscos do trânsito; exposição ao fumo, ao álcool e a outras drogas; comportamento sexual inseguro e cada vez mais precoce. Entretanto, uma das linhas mestras da puericultura atual é que todas as crianças e jovens – assim como suas famílias – têm que receber atendimento de modo equânime.[19,39] Para tanto, é essencial assumir a perspectiva da chamada pediatria contextual, segundo a qual o clínico não toma mais o pulso somente da criança, mas da casa, da escola e da comunidade; é necessário centrar o atendimento na família e estabelecer parcerias efetivas fora do consultório. Embora a ênfase deste capítulo esteja na atuação clínica primária do médico e da equipe de saúde, sempre que possível é ressaltado o papel das atividades comunitárias: ações baseadas em escolas, associações de bairros, igrejas ou centros de saúde podem ter tanta ou mais importância do que o trabalho clínico.[36,40-42]

### Percepção crítica das evidências científicas que alicerçam ações preventivas

Várias instituições acadêmicas (p. ex., U.S. Preventive Services Task Force [USPSTF],[43] Cochrane Public Health Group,[44] Canadian Task Force on Preventive Health Care)[45] dedicam-se a estabelecer, por meio de revisões sistemáticas da literatura, quais são os procedimentos clínicos que têm embasamento científico suficiente para justificar sua inclusão em um protocolo de supervisão de saúde. Por essas fontes, o profissional de saúde tem acesso fácil a uma enorme quantidade de informações confiáveis e de aplicabilidade quase imediata. Outros grupos (p. ex., Bright Futures/American Academy of Pediatrics [AAP],[8] Healthy People 2020,[46] International Union for Health Promotion and Education [IUHPE],[47] Institute for Clinical Systems Improvement [ICSI],[48] Guide to Clinical Preventive Services,[49] Rourke Baby Record[50]) filtram e sintetizam esse mar de informação em protocolos objetivos – aí, sim – com aplicabilidade direta. Entretanto, as discordâncias não são poucas; é essencial que o clínico empregue seu juízo crítico e adapte as condutas às necessidades da sua população-alvo.[5,28] As recomendações contidas neste capítulo procuram equilibrar essas inconsistências, utilizando, com frequência, as opiniões de especialistas na área.

## Do domicílio "médico" aos cuidados coordenados

Os cuidados de saúde ideais de crianças e jovens – com evidências de custo-efetividade em relação a atendimentos em serviços de pronto atendimento – são fornecidos no chamado domicílio médico, cujo conceito engloba um local definido de referência, de acesso fácil, com equipe conhecida de profissionais, capaz de dar atenção abrangente, constante, afetiva e centrada na família, respeitando o seu contexto cultural, mas sobretudo integrada com os recursos da comunidade.[32,51,52]

As aspas colocadas no adjetivo "médico" enfatizam que se trata da atenção à saúde como um todo, não apenas do médico, ainda que a este seja muitas vezes atribuído o papel central.[42] O modelo proposto hoje pelos especialistas é o de cuidados coordenados, baseado no atendimento da família e que abrange a comunicação efetiva dentro dos sistemas de atenção à saúde e responsabilidades compartilhadas com outros serviços da comunidade, com um sistema de informação eletrônico acessível a todos os profissionais e pacientes.[9,23,31]

Bright Futures, a iniciativa mais ambiciosa de promoção da saúde de crianças e jovens, sugere que a puericultura se baseie na integração efetiva de uma "conexão vertical" – todos os profissionais e pessoal auxiliar do serviço de saúde – com uma "conexão horizontal" – os programas comunitários de creches, escolas, associações de bairro, igrejas e serviços de saúde pública.[8,25] Nesse modelo, cabe aos integrantes mais capacitados de qualquer um dos eixos zelar pelo domínio do programa de promoção da saúde por todos os profissionais envolvidos, pela uniformidade dos padrões de evidência científica e pelo uso racional dos recursos humanos e materiais.[1]

## Continuidade e seus fatores

Dois dos pilares do modelo de domicílio médico – a familiaridade com a equipe de saúde e os cuidados permanentes ao longo do desenvolvimento da criança – pressupõem o reconhecimento dos pontos de transição e adaptação dessa trajetória, que devem servir de base para personalizar a frequência de atendimento, de acordo com as necessidades diferentes de cada família, sob a perspectiva de curso de vida, a partir de um protocolo mínimo de consultas.[2,53,54] Para isso,

um dos melhores modelos é o dos momentos decisivos (touchpoints) de Brazelton, que descreve janelas de oportunidade para intervenção preventiva junto às famílias.[33] Contudo, ainda que esses momentos pareçam ser universais, é essencial considerar a sua modulação pelo complexo socioecológico resumido na TABELA 93.1.[49,55,56]

Há evidências convincentes de que a criança sem necessidades especiais de atenção – a chamada *well-child* dos protocolos de língua inglesa – pode ter somente três consultas de supervisão no primeiro ano de vida, sem detrimento à sua saúde.[5] A identificação e o registro efetivo do diagnóstico de saúde, mediante o equilíbrio dos fatores de proteção e risco mostrados na TABELA 93.1, podem indicar um protocolo de acompanhamento abreviado. Contudo, todos os protocolos de puericultura publicados – que não são documentos científicos, mas opções arbitrárias – tendem a preconizar coberturas mais completas, que acabam por exceder a capacidade dos serviços de saúde.[25,28,57] Por exemplo, a Caderneta da Criança do Ministério da Saúde do Brasil recomenda nove consultas de acompanhamento da saúde nos 2 primeiros anos de vida,[58] em sintonia com o Rourke Baby Record,[50]

**TABELA 93.1** → Alguns determinantes socioecológicos de saúde/doença em crianças e jovens

| | FATORES DE PROTEÇÃO | FATORES DE RISCO |
|---|---|---|
| **Atributos do indivíduo** | → Genética favorável<br>→ Desenvolvimento adequado, inteligência alta<br>→ Temperamento fácil<br>→ Autoestima alta<br>→ Autocontrole<br>→ Habilidade para resolver problemas<br>→ Habilidade de planejamento<br>→ Capacidade de exprimir sentimentos | → Doença hereditária, doença crônica<br>→ Déficit de desenvolvimento, inteligência baixa<br>→ Temperamento difícil<br>→ Autoestima baixa<br>→ Deficiência física<br>→ Dieta inadequada, sedentarismo<br>→ Consumo de álcool, tabaco, outras drogas<br>→ Má higiene pessoal<br>→ HIV-positivo |
| **Atributos do microssistema** | → Bom padrão socioeconômico<br>→ Hábitos de vida saudáveis<br>→ Família estável<br>→ Modelos competentes<br>→ Religiosidade | → Pobreza, situação de rua<br>→ Doença/perda de um dos pais<br>→ Eventos estressantes<br>→ Discórdia entre os pais<br>→ Falta de afeto<br>→ Falta de segurança doméstica<br>→ Violência doméstica<br>→ Exposição ao fumo<br>→ História familiar de cardiopatia |
| **Atributos do mesossistema** | → Apoio social na vizinhança<br>→ Vizinhança com bons recursos | → Isolamento social<br>→ *Bullying*<br>→ Racismo |
| **Atributos do exossistema** | → Segurança pública<br>→ Escolas de qualidade<br>→ Programas de saúde escolar<br>→ Acesso a bons cuidados de saúde | → Violência urbana<br>→ Trânsito violento<br>→ Escolas deficientes<br>→ Falta de acesso a cuidados de saúde |
| **Atributos do macrossistema** | → Desenvolvimento econômico<br>→ Desenvolvimento social<br>→ Políticas públicas de saúde e educação | → Subdesenvolvimento<br>→ Governo inoperante<br>→ Desastres naturais |

Fonte: Adaptada de U.S. Department of Health & Human Services,[49] Amerijckx e colaboradores,[55] Halpern.[56]

enquanto a AAP preconiza 11[10] e a Sociedade Brasileira de Pediatria (SBP), 12.[59] De toda forma, há consenso entre essas recomendações que abrangem toda a faixa pediátrica, do nascimento ao fim da adolescência, de que existe uma relação entre a continuidade de atendimento e o ritmo de desenvolvimento da criança, sugerindo um número maior de consultas nas fases com mais pontos de transição.[54,60]

A iniciativa Healthy People, do governo dos Estados Unidos, que se apoia em metas realistas para indicadores de saúde selecionados para definir a continuidade da atenção à saúde, é digna de consideração. A TABELA 93.2 mostra os 12 tópicos que regem essa estratégia, com os seus 26 indicadores principais e respectivas metas que foram estabelecidas para o ano de 2020, com destaque ao fato de que pelo menos metade deles têm interesse específico para a pediatria.[46]

## Saúde colaborativa

O empoderamento da pessoa cuja saúde está em questão, dividindo informações e responsabilidades com os profissionais de saúde quanto às melhores ações clínicas, de acordo com suas circunstâncias, necessidades e preferências, tem sido cada vez mais reconhecido no âmbito da atenção primária,[21,34,35] também com respeito ao direito de opinião da criança.[61] Tratava-se de um modelo teórico até há pouco, mas já há evidências de que esse sistema tem efeitos positivos mensuráveis nos desfechos em saúde.[62] Assim, a tendência forte e atual é sugerir que todo indivíduo seja informado acerca dos procedimentos preventivos com benefícios claros – incluindo uma discussão sobre danos potenciais, dúvidas e alternativas – e apoiado pelo sistema de saúde na decisão conjunta sobre o que é melhor para si e/ou sua família, guardados os imperativos de saúde pública, como a imunização contra doenças infectocontagiosas ou o controle do acesso a armas de fogo na comunidade.[21,23,34,63,64]

## PRÁTICA: DIAGNÓSTICO DE SAÚDE ACURADO E FLEXIBILIDADE

A flexibilização das ações de acompanhamento de saúde pautada pelos fundamentos referidos depende, em primeiro lugar, de um diagnóstico criterioso dos fatores de risco e resiliência, centrado na família. Certas circunstâncias familiares, ligadas à presença de trunfos específicos e/ou menos de fatores de risco à saúde, orientam a quantidade e as características das consultas de puericultura, com a devida responsabilidade da família em questão.[1,23]

As consultas mais producentes costumam ser aquelas baseadas nas questões levantadas pela família ou pela própria criança ou adolescente, mas, sempre que o profissional de saúde achar que pode haver informações adicionais relevantes, além daquelas habitualmente obtidas na anamnese, deve lançar mão de perguntas facilitadoras específicas, abertas, que costumam estimular as pessoas a exporem sentimentos negativos ou problemas previamente não percebidos como úteis. Batizadas de perguntas-gatilho por Robert Haggerty e Morris Green,[65] idealizadores dessa estratégia, são apresentadas na iniciativa Bright Futures sob a forma de centenas de sugestões, cuidadosamente distribuídas em subtópicos de orientação antecipatória, em cada uma das 32 consultas previstas do pré-natal aos 21 anos.[8]

Alguns exemplos de perguntas-gatilho de natureza geral são: "Que preocupações você gostaria de me contar hoje?"; "Ocorreu alguma mudança importante na família, desde a nossa última consulta?"; "Como vocês estão se dando na

**TABELA 93.2** → Principais indicadores de saúde e metas para 2020, segundo a iniciativa Healthy People

| TÓPICOS | INDICADORES | METAS[†] |
|---|---|---|
| Acesso a serviços de saúde | Pessoas com convênio de saúde* | 100% |
| | Pessoas com provedor de atenção primária à saúde* | 83,9% |
| Serviços clínicos preventivos | Triagem de câncer colorretal em adultos | 70,5% |
| | Adultos hipertensos sob controle | 61,2% |
| | Diabéticos com hemoglobina glicada > 9% | 16,2% |
| | Crianças que receberam todas as doses recomendadas entre 19 e 35 meses das vacinas contra difteria, tétano, pertússis, pólio, sarampo, rubéola, caxumba, varicela, bactéria *Haemophilus influenzae* tipo b (Hib), hepatite B e pneumococo* | 80% |
| Qualidade do ambiente | Índice de qualidade do ar > 100 (nº de dias, em bilhões, ponderado pela população) | 7,639 |
| | Crianças de 3 a 11 anos expostas ao fumo passivo* | 47% |
| Lesões não intencionais e violência | Mortes por causas externas* | 53,7/100.000 |
| | Homicídios* | 5,5/100.000 |
| Saúde materno-infantil | Mortalidade infantil* | 6/1.000 |
| | Prematuros entre os nascidos vivos* | 9,4% |
| Saúde mental | Suicídio | 10,2/100.000 |
| | Adolescentes com episódio de depressão maior no último ano* | 7,5% |
| Nutrição e atividade física | Adultos com atividade física adequada | 20,1% |
| | Adultos obesos | 30,5% |
| | Crianças e adolescentes obesos* | 14,5% |
| | Ingestão diária média adequada de vegetais (xícara-equivalente) | 1,16/1.000 kcal |
| Saúde bucal | Consultas com dentista no ano anterior | 49% |
| Saúde sexual e reprodutiva | Mulheres sexualmente ativas com atenção à saúde reprodutiva* | 86,5% |
| | Pessoas soropositivas para HIV com conhecimento de seu estado | 90% |
| Determinantes sociais | Conclusão do ensino médio sem atraso* | 87% |
| Álcool e outras drogas | Adolescentes que usaram álcool ou drogas no último mês* | 12,8% |
| | Bebedeiras em adultos no último mês | 24,2% |
| Tabaco | Adultos fumantes | 12% |
| | Adolescentes que fumaram no último mês* | 16% |

*Os indicadores assinalados com asterisco têm importância específica para crianças e adolescentes.
[†]As metas para 2020 foram determinadas pelo Department of Health and Human Services dos Estados Unidos para o seu país e são apresentadas apenas como referências acerca dos indicadores principais de saúde a serem considerados na atenção à saúde individual e/ou coletiva das pessoas. Todos os indicadores devem ser cotejados com dados da realidade brasileira, sobretudo os de acesso à saúde e determinantes sociais.
Fonte: Adaptada de U.S. Department of Health & Human Services.[49]

família?"; "Como está a comunicação na família?"; "O que vocês fazem como família?"; "O que vocês gostam mais no Fulano?"; "O que o Fulano tem feito de novo?"; "Existe algo no comportamento do Fulano que os preocupa?".

Algumas perguntas-gatilho mais diretas são: "Quanto você bebia antes de engravidar e depois?"; "Vocês acham que o cigarro, a bebida ou alguma droga é problema para alguém na família?"; "Qual foi o maior período que o seu bebê dormiu de uma só vez?"; "Como o seu filho se comporta perto de outras crianças?"; "Vocês têm uma arma em casa? Ela está trancada?"; "Quais são os programas de TV a que o seu filho assiste? Quantas horas por dia ele passa defronte a uma tela, seja TV ou computador?"; "Que tipo de protetor solar você usa no seu filho?"; "Alguém fuma em casa ou no carro? Quem?"; "Você já esteve em uma relação em que foi ferido, maltratado ou ameaçado?"; "Quais são os seus interesses fora da escola? Quais são suas responsabilidades dentro de casa? Quem são os adultos importantes na sua vida?"; "Você já praticou sexo? Consentido? Pressionado? Se já pratica sexo, como você está se protegendo de infecções sexualmente transmissíveis e gravidez?".

Além do diagnóstico de saúde e/ou de seus determinantes socioambientais, especialistas que propõem um redesenho das práticas clínicas que as torne capazes de dar conta de todas as recomendações de procedimentos sugerem a adoção de ferramentas inovadoras para otimizar os cuidados – muitas já testadas em estudos –, como protocolos estruturados de triagem para necessidades sociais relacionadas à saúde e experiências adversas na infância, ferramentas de saúde digital (a chamada e-Saúde) e o trabalho efetivo de equipes multiprofissionais.[9,12,66]

## RECOMENDAÇÕES DE PROCEDIMENTOS CLÍNICOS

As diretrizes para cuidados de saúde preventivos que são formuladas por organizações como o Ministério da Saúde do Brasil, por meio da Secretaria de Atenção Primária à Saúde, ou a mais organizada e exemplar delas, a iniciativa Bright Futures, costumam incorporar recomendações baseadas em opiniões de especialistas, sob a influência de tradição, política ou considerações econômicas. Como essas diretrizes são sabidamente mais fracas do ponto de vista do suporte efetivo da base da literatura acadêmica, é fundamental que toda seleção de quais procedimentos devem ser integrados à prática clínica de um médico ou equipe de saúde em particular leve em conta primariamente o embasamento científico, à luz do balanço entre custo e benefício, em uma atitude ética e humanista.[7]

A título de referência básica, a **TABELA 93.3** sintetiza as recomendações de procedimentos clínicos preventivos apoiados em evidências científicas da USPSTF, um dos trabalhos mais organizados e consistentes

**TABELA 93.3** → Recomendações da U. S. Preventive Services Task Force (USPSTF) para serviços preventivos para crianças e adolescentes

| RECOMENDAÇÃO | GRAU* |
|---|---|
| Imunização contra doenças infecciosas | A (recém-nascidos, crianças e adolescentes)[†] |
| Conjuntivite gonocócica (medicação preventiva) | A (recém-nascidos) |
| Hipotireoidismo congênito (triagem) | A (recém-nascidos) |
| Fenilcetonúria (triagem) | A (recém-nascidos) |
| Anemia falciforme (triagem) | A (recém-nascidos) |
| HIV (triagem) | A (adolescentes ≥ 15 anos) |
|  | A (adolescentes de alto risco < 15 anos) |
| Sífilis (triagem) | A (adolescentes de alto risco) |
| Surdez (triagem) | B (recém-nascidos) |
| Aleitamento materno (aconselhamento comportamental) | B (recém-nascidos e adolescentes grávidas) |
| Anemia ferropriva (medicação preventiva) | B (lactentes de alto risco) |
|  | I (lactentes de risco médio) |
| Distúrbio de visão (triagem) | B (crianças entre 3 e 5 anos) |
|  | I (crianças < 3 anos) |
| Cárie dentária (medicação preventiva) | B (lactentes e crianças ≤ 5 anos) |
| Obesidade (triagem) | B (crianças ≥ 6 anos e adolescentes) |
| Uso de tabaco (intervenção comportamental) | B (crianças e adolescentes) |
| Câncer de pele (aconselhamento comportamental) | B (adolescentes) |
| Hepatite B (triagem) | B (adolescentes de alto risco) |
| Infecções sexualmente transmissíveis (aconselhamento comportamental) | B (adolescentes sexualmente ativos) |
| Clamídia e gonorreia (triagem) | B (meninas adolescentes sexualmente ativas) |
|  | I (meninos adolescentes) |
| Depressão (triagem) | B (adolescentes) |
|  | I (crianças) |
| Displasia de desenvolvimento do quadril (triagem) | I (lactentes) |
| Hiperbilirrubinemia (triagem) | I (lactentes) |
| Anemia ferropriva (triagem) | I (lactentes) |
| Cárie dentária (triagem) | I (lactentes e crianças ≤ 5 anos) |
| Atraso da fala e linguagem (triagem) | I (crianças) |
| Maus-tratos (intervenção comportamental) | I (crianças) |
| Hipertensão primária (triagem) | I (crianças e adolescentes) |
| Distúrbios dos lipídeos (triagem) | I (crianças e adolescentes) |
| Uso de drogas ilícitas ou automedicação (aconselhamento comportamental) | I (crianças e adolescentes) |
| Abuso de álcool (triagem e aconselhamento comportamental) | I (adolescentes) |
| Risco de suicídio (triagem) | I (adolescentes) |
| Escoliose idiopática (triagem) | I (adolescentes) |
| Intoxicação por chumbo (triagem) | I (crianças com alto risco) |
|  | D (crianças com risco médio) |
| Câncer de colo do útero (triagem) | D (meninas adolescentes) |
| Câncer de testículo (triagem) | D (meninos adolescentes) |
| Herpes simples genital (triagem) | D (adolescentes) |

*Recomendações de graus A e B: discutir e oferecer como prioridade. Recomendações de grau D: desencorajar, exceto em caso de situações especiais. Recomendações de grau I: ajudar os pacientes a entender a falta de certeza quanto ao benefício.

[†]A imunização contra doenças infecciosas recebeu, da USPSTF, recomendação de grau A em edições passadas de seu *Guide to Clinical Preventive Services*. A partir de 2014, a USPSTF não quer duplicar investimentos significativos de recursos e sugere seguir as recomendações do Advisory Committee on Immunization Practices (ACIP) dos Centers for Disease Control and Prevention (CDC) – ver http://www.cdc.gov/vaccines/.

Fonte: Melnyk e colaboradores,[13] LeFevre e colaboradores.[67]

nessa área, em ordem decrescente de prioridade. As recomendações de graus A e B se referem a procedimentos que devem ser oferecidos e aplicados a todas as crianças, sendo os de grau A praticamente obrigatórios. O grau I se refere a procedimentos cuja evidência de efetividade é incerta e podem ser oferecidos e aplicados mediante julgamento compartilhado com os pacientes e responsáveis. O grau D se refere a procedimentos contraindicados, por levarem potencialmente a mais danos do que benefícios. Em vista do aprimoramento permanente das recomendações apoiadas em evidências científicas, é altamente recomendável que todo profissional de saúde engajado em ações de puericultura acompanhe as atualizações do Portal da USPSTF.[43,67]

A TABELA 93.4 é uma tentativa de síntese das recomendações para cuidados de saúde preventivos baseada no calendário de procedimentos de puericultura da SBP, nas diretrizes do Ministério da Saúde e no protocolo da iniciativa Bright Futures. Nas linhas da tabela, estão dispostos os procedimentos preventivos ou doenças a serem triadas, obedecendo a uma ordem decrescente de prioridade com referência nas recomendações da USPSTF. Nas colunas, estão as faixas de idade, do pré-natal até o fim da adolescência, evitando vincular muitos dos procedimentos a consultas específicas, tendo em vista o princípio de flexibilidade, já discutido anteriormente. Algumas considerações sobre os principais procedimentos recomendados ou contraindicados são apresentadas a seguir.

## Consulta pré-natal

O acompanhamento de saúde da criança deve começar com a consulta pré-natal, que deve ser realizada, sempre que possível, com ambos os pais.[68] Seus objetivos principais são: estabelecer uma relação producente com a família, antes do parto; avaliar a família, discutindo expectativas, necessidades, preocupações e fatores de risco; detectar problemas médicos gestacionais; responder às perguntas dos pais (especialmente válido para primeiras gestações, gestações complicadas, mães solteiras, casos de adoção); e iniciar a orientação preventiva (com ênfase na amamentação, primeiros cuidados com o recém-nascido, segurança e apego).[68]

## Frequência das consultas de puericultura

O número ideal de consultas de puericultura nunca foi estabelecido e talvez nunca seja, em virtude das dificuldades técnicas e éticas em realizar estudos controlados com grandes grupos de crianças por longo tempo, privando muitas de ações preventivas comprovadamente efetivas.[1]

Entre as entidades que sugerem calendários, a AAP, por meio da iniciativa Bright Futures, tem aumentado o número de consultas a cada revisão de suas recomendações; a mais recente, de 2019, recomenda 31 consultas da primeira semana de vida até os 21 anos.[10] A SBP, desde 2010, recomenda 31 consultas de puericultura da primeira semana de vida até os 19 anos.[59]

A conclusão é que a equipe de saúde planeje não um calendário de consultas de puericultura, mas um programa de aplicação de procedimentos preventivos que melhor se adapte às prioridades ditadas pelo contexto socioambiental de cada criança.[69]

## História

A coleta de dados de história e a orientação antecipatória encabeçam a lista de procedimentos porque a base da puericultura é a competência em revelar preocupações dos pacientes e cuidadores e orientar segundo as prioridades particulares e aquelas ditadas pelas diretrizes de especialistas. Assim, fazer perguntas abertas acerca das condições socioambientais das famílias e indivíduos que são alvo dos cuidados, assim como inquirir criteriosamente sobre a história inicial ou dos intervalos entre consultas, constituem procedimentos essenciais em todos os encontros clínicos, pois, embora não haja estudos documentando sua efetividade como teste de triagem de problemas específicos, consolidam a relação médico-família e possibilitam o diagnóstico de saúde necessário para compartilhar decisões.[6,8,34,70] Nessa tarefa, é extremamente útil que o arsenal de perguntas-gatilho da iniciativa Bright Futures esteja disponível em seu guia de bolso.[8] (Ver QR code.)

Em entrevistas com adolescentes, pelo menos uma parte da conversa deve ser feita sem a presença dos pais, assegurando uma relação de privacidade e confiança, que permita a discussão de tópicos mais sensíveis, desde o uso dos meios de comunicação, até drogas e homossexualidade[71] (ver Capítulo Acompanhamento de Saúde do Adolescente).

Em vista da relevância dos fatores de risco para diferentes agravos à saúde, é recomendável que cada profissional tente desenvolver um método sistemático para a sua avaliação.[46,72]

Também é muito útil que se tenha à mão listas das já referidas perguntas facilitadoras, capazes de introduzir as questões mais pertinentes a cada faixa de idade: nutrição, eliminações, padrão de sono, tópicos de comportamento, adaptação e rendimento escolar, segurança, comportamentos de risco, contato com álcool, tabaco e outras drogas, etc.

## Exame físico

Há evidências convincentes de que a ênfase dada à repetição de exames físicos completos constitui um desperdício de tempo útil do médico, em vista da dificuldade técnica da execução consistente de todos os seus componentes, do número insignificante de diagnósticos novos a partir da primeira avaliação completa e da falta de intervenções efetivas nos positivos verdadeiros.[73–75] Logo, a realização compulsória do exame físico em todas as consultas não se apoia em evidências científicas, embora muitos protocolos a recomendem em bases empíricas, enfatizando a utilização de tecnologias mais precisas.[10,76]

Protocolos apoiados em revisões mais criteriosas recomendam a utilização mais efetiva do tempo, enfocando certos aspectos particulares do exame físico, de acordo com a idade,[50,73] como nos exemplos a seguir.

**TABELA 93.4** → Esquema tentativo de procedimentos clínicos no acompanhamento de saúde da criança e do adolescente

| DOENÇAS E PROCEDIMENTOS | PRÉ-NATAL | PRIMEIRA SEMANA | LACTENTE (IDADES SUGERIDAS PARA AS CONSULTAS) 1M, 2M, 4M, 6M, 9M, 12M, 15M, 18M | PRÉ-ESCOLAR (CONSULTAS ANUAIS) 2A, 3A, 4A, 5A | ESCOLAR (CONSULTAS ANUAIS) 6A, 7A, 8A, 9A, 10A | ADOLESCENTE (CONSULTAS ANUAIS ATÉ OS 21 ANOS) 11A–21A |
|---|---|---|---|---|---|---|
| História | | Avaliar em todas as consultas: preocupações dos pais; revisar em todas as consultas: determinantes socioambientais da saúde e doença, estilos de vida; registrar no prontuário médico | | | | |
| Orientação antecipatória | Orientar pais/cuidadores em todas as consultas, conforme prioridades gerais e particulares. Considerar recomendações prioritárias da TABELA 93.3 | | | | | Orientar adolescente em separado e pais/cuidadores em todas as consultas, conforme prioridades gerais e particulares; considerar a TABELA 93.3 |
| Crescimento e triagem de obesidade | | Peso, estatura, índice de massa corporal e perímetro cefálico: registrar nas curvas de referência (atenção aos comentários do texto sobre frequência e técnica das aferições) | | Peso, estatura e índice de massa corporal: aferir, registrar nas curvas de referência e discutir com o paciente/família | | |
| Desenvolvimento | | Triagem – Vigilância – Triagem | | Vigilância dos marcos de desenvolvimento | Triagem aos 24 ou 30 meses e vigilância em todas as consultas, com ênfase no desempenho escolar a partir da idade escolar | |
| Comportamento | Avaliar em todas as consultas, com foco na adaptação social/emocional da criança e no contexto da família e do exossistema; considerar determinantes socioambientais da saúde e doença | | | | | |
| Imunizações | Discutir calendário. Aplicar (difteria, tétano e coqueluche tipo adulto) | Verificar registro de vacinas aplicadas, encaminhar para aplicação de doses indicadas ou em atraso e recomendar fortemente o seguimento do calendário vacinal do Ministério da Saúde e, se possível, o da Sociedade Brasileira de Pediatria | | | | |
| Conjuntivite gonocócica | | Medicação preventiva | | | | |
| Anemia ferropriva | | Triagem | Suplementação de ferro | | | |
| Cárie dentária | | Triagem e orientação sobre dieta não cariogênica e cuidados preventivos | Orientação sobre dentifrício fluoretado e aplicação de verniz com flúor a partir da erupção do primeiro dente | | | |
| Neonatal† | | ●—————● | | | | |
| Audição | | Triagem universal | Monitorar aquisição da fala | Avaliação da fala (alto risco) | Audiometria (alto risco) | Triagem em adolescentes de alto risco |
| Visão | | Reflexo vermelho | Teste para estrabismo | Teste de acuidade visual aos 3 anos | Teste de acuidade visual aos 11 anos | |
| Clamídia e gonococo | | | | | | Triagem anual em meninas sexualmente ativas |
| HIV | | | Triagem de uso de tabaco e/ou exposição ambiental ao tabaco, orientação sobre estratégias de não iniciação ou cessação do tabagismo | | | Triagem universal (uma vez a partir dos 15 anos). Repetir anualmente em adolescentes de alto risco |
| Sífilis | | | | | | Triagem em adolescentes de alto risco |
| Hepatite B | | | | | | Triagem em adolescentes de alto risco |
| Tabagismo | | | | | | Triagem a partir dos 12 anos |
| Depressão | | | | | | Triagem a partir dos 12 anos |
| Assentos de automóvel | | Triagem e orientação sobre assento de segurança para automóvel, virado para trás pelo menos até os 2 anos de idade | | Assento de segurança virado para a frente | Assento de elevação até 1,45 m de estatura | Triagem e orientação sobre uso de cinto de segurança a partir de 1,45m de estatura, no banco traseiro até os 13 anos |
| Hiperbilirrubinemia | | Triagem | | | | |
| Displasia do quadril | | Ortolani e Barlow | Avaliação em lactentes de alto risco | | | |
| Hipertensão | | | | | Consensos de especialistas recomendam a aferição da pressão arterial nas consultas de rotina | Obrigatória a partir dos 18 anos |
| Violência doméstica | | Triagem e orientação preventiva | | | | |
| Lesões domésticas e recreativas | | Triagem e orientação preventiva | | | | |
| Dislipidemia | | | | Triagem a partir dos 2 anos, se houver fatores de risco | Triagem universal entre 9 e 11 anos, segundo consensos de especialistas | Triagem se houver fatores de risco — Triagem universal |
| Exposição ao chumbo | | | | Triagem em situações de alto risco, 1 a 5 anos | | |

Significados das setas: realizar procedimento em todas as consultas →; realizar na primeira oportunidade ↔; faixa recomendada para a realização ●—●.
*Procedimentos prioritários de triagem; benefício líquido moderado a substancial.
†Procedimentos de triagem com benefício incerto, segundo as evidências científicas.
‡Triagem sanguínea: hipotireoidismo congênito, fenilcetonúria, hemoglobinopatias + recomendações legais (no Brasil, o teste do pezinho). Triagem de cardiopatia congênita por meio de oximetria de pulso.
a, anos; m, meses.
Fonte: Adaptada da American Academy of Pediatrics,[10] Agency for Healthcare Research and Quality,[49] Wilkinson e colaboradores.[70]

Há recomendações empíricas de que se façam a ausculta cardíaca e a palpação de pulsos no mínimo três vezes no primeiro semestre de vida, repetindo no fim do primeiro ano, na idade pré-escolar, na entrada da escola e no início da adolescência, pois são procedimentos simples, que constituem um teste de triagem sensível e específico para cardiopatias congênitas.[8]

A triagem da displasia evolutiva do quadril se baseia em testes clínicos específicos (Barlow e Ortolani, nos primeiros 10 dias, e abdução das pernas, até a criança caminhar), geralmente recomendados em todas as consultas do primeiro ano de vida – ainda que sem apoio em evidências científicas –, uma vez que o diagnóstico precoce permite a recuperação total da criança. Não há indicação de realização de ultrassonografia para triagem.[73,74]

A USPSTF não encontrou evidências conclusivas para a triagem regular da hipertensão arterial antes dos 18 anos de idade, mas está em processo de reavaliação dessa recomendação, em função da posição oficial da iniciativa Bright Futures.[77] Esta, por sua vez, com base em evidências moderadas, recomenda que a pressão arterial de crianças assintomáticas seja aferida anualmente a partir dos 3 anos de idade; para crianças com obesidade, doença renal, diabetes, obstrução ou coarctação do arco aórtico ou em uso de medicações que elevem a pressão arterial, recomenda a aferição em todas as consultas; abaixo de 3 anos, somente em condições de risco aumentado de hipertensão, como prematuridade ou baixo peso ao nascer, cuidados intensivos neonatais, cardiopatia, infecção urinária recorrente, doenças renais, malformações urológicas, história familiar de doença renal congênita, transplante, neoplasia, doenças sistêmicas ou uso de drogas que elevem a pressão arterial, hipertensão intracraniana.[78] Deve-se prestar atenção ao equipamento, à técnica e ao ambiente e utilizar as tabelas de referência.[78] A SBP segue a iniciativa Bright Futures em suas recomendações.[79]

A triagem rotineira para escoliose em adolescentes costuma ter um número excessivo de falso-positivos e encaminhamentos desnecessários; as evidências atuais são insuficientes para que se recomende ou contraindique a triagem rotineira de escoliose em adolescentes.[80] Porém, em vista da facilidade de execução, a iniciativa Bright Futures recomenda incluí-la nas consultas anuais dos adolescentes.[8]

Não há evidências que apoiem o exame clínico ou o ensino rotineiro do autoexame dos testículos, para a detecção precoce de tumores.[81]

Há evidências suficientes para contraindicar o exame físico das mamas como teste de triagem para o câncer de mama em adolescentes.[8,73]

## Orientação antecipatória

A maioria dos pais espera receber da equipe de saúde o que julgam ser um aconselhamento abalizado sobre desenvolvimento, comportamento, disciplina, segurança e diversas questões próprias de cada idade.[58,82–84] A intervenção clínica que tenta corresponder a essa expectativa, a orientação antecipatória – como se convencionou chamá-la, há mais de 70 anos[85] –, tornou-se um componente fundamental da puericultura, ainda que haja poucas certezas e muitas indefinições sobre sua efetividade.[5,28,86] Contudo, há evidências de que pouquíssimos tópicos sobre os quais os pais gostariam de saber mais (como choro, padrões de sono, disciplina e treinamento esfincteriano) costumam ser abordados de modo consistente nas consultas de puericultura.[81,86,87] Alternativas realistas para mudar esse quadro são a integração de condutas educativas em rotinas clínicas multiprofissionais e a organização de cursos de orientação aos pais, com reuniões coordenadas por vários membros da equipe de saúde, fora do horário normal das consultas médicas. Para a efetividade desse trabalho, têm se mostrado úteis o uso de material audiovisual, a entrega de orientações impressas às famílias ou, mais recentemente, a divulgação de orientações pela internet ou mensagens por meio de *smartphone*.[88–92]

A **TABELA 93.5** mostra os principais tópicos nas áreas de higiene física, adaptação psicossocial e segurança, que, de acordo com protocolos publicados, têm prioridade para serem discutidos com os pais, crianças ou adolescentes em um sistema adequado de promoção de saúde.[8,93] Deve servir de guia para todo profissional de saúde envolvido em serviços de puericultura. É importante ressaltar que cada tópico é pertinente não só à idade em que aparece na tabela, mas ao longo das faixas etárias subsequentes, de modo que se recomendam reforços, sempre que o tempo permitir. A discussão mais aprofundada de todos os itens enumerados foge ao escopo deste texto. Para tanto, ver os capítulos desta obra que abordam aspectos de desenvolvimento, psicossociais e alimentares, entre outros. Além disso, a iniciativa Bright Futures apresenta abordagens bem fundamentadas e completas da orientação antecipatória.[8]

A efetividade da orientação antecipatória já foi documentada nos seguintes casos: utilização mais adequada de técnicas de promoção da disciplina, maior discussão de problemas de comportamento com o médico, melhora de habilidades sociais e desenvolvimento mental da criança, aumento do contato positivo entre pais e crianças, melhora da interação mãe-filho, melhora do manejo de crianças com temperamento difícil, manejo efetivo de problemas de sono, tratamento racional da febre, melhora nos cuidados com os dentes, colocação de bebês para dormir em posição de supinação, facilitação da alfabetização por meio da leitura para os filhos, incorporação de hábitos alimentares saudáveis, promoção da amamentação e orientação sobre infecções sexualmente transmissíveis para adolescentes sexualmente ativos.[73–75,82,94–97]

Existem boas evidências científicas de que a inclusão de orientação sobre os riscos de traumas por causas externas – os chamados acidentes e violências – inerentes a cada etapa do desenvolvimento é capaz de melhorar o conhecimento dos pais e a adoção de medidas de segurança.[98–100] Quanto às injúrias não intencionais, recomenda-se que o profissional de saúde evite abordagens genéricas e oriente sobre as técnicas de prevenção de cada tipo específico, enfatizando aos pais a maior eficácia das medidas de proteção passiva, mais duradouras, que tornem o microambiente "à prova de acidentes" e protejam a criança independentemente de ações específicas suas. O aconselhamento preventivo quanto aos

**TABELA 93.5** → Tópicos prioritários para orientação antecipatória*

| | GERAL | SOCIAL | SEGURANÇA |
|---|---|---|---|
| Pré-natal | → Orientação sobre riscos do ambiente<br>→ Tabagismo, álcool e outras drogas<br>→ Atitudes e preparo para a amamentação<br>→ Cuidados com o recém-nascido | → Bibliografia para pais<br>→ Mudanças esperadas no contexto familiar<br>→ Esquema de apoio familiar<br>→ Atitudes regressivas de irmãos | → Assento de segurança no automóvel<br>→ Segurança do berço (sono seguro) e banho<br>→ Preparação para emergências/reanimação<br>→ Remover armas de fogo do domicílio |
| 1ª semana até 1 m* | → Competências do recém-nascido e cuidados<br>→ Avaliar e discutir choro, sono, amamentação, fome, nutrição, eliminações, vômitos, constipação<br>→ Orientar sobre vacinas, vitaminas A e D e ferro | → Apoio familiar/fatores de proteção/saídas<br>→ Temperamento e dificuldades de adaptação<br>→ Papel da mãe e do pai<br>→ Dormir no quarto dos pais | → Assento de segurança no automóvel<br>→ Asfixia/corpo estranho/sono/intermação<br>→ Temperatura do banho, queimaduras<br>→ Administração segura de medicamentos |
| 2 m | → Amamentação exclusiva<br>→ Orientação sobre sólidos (contraindicar) | → Manhas; sorriso, estimulação | → Assento de segurança no automóvel<br>→ Riscos da movimentação e quedas |
| 4 m | → Frequência de infecções respiratórias<br>→ Discutir e retardar introdução de sólidos | → Manter no quarto dos pais<br>→ Relacionamento com pai (além da mãe) e irmãos | → Uso do bebê-conforto<br>→ Aspiração de corpo estranho/afogamento |
| 6 m | → Oferta gradativa de alimentação variada<br>→ Reforçar exposição a tabaco e drogas<br>→ Cuidados com os dentes/proteção contra raios UV<br>→ Orientação esfíncteres (não treinar) | → Reforçar apoio familiar<br>→ Medo de estranhos, separação/choro noturno<br>→ Ler para a criança<br>→ Riscos do uso de telas e meios eletrônicos | → Movimentação/quedas/aspiração<br>→ Reforçar orientação sobre assento de segurança no automóvel e armas de fogo<br>→ Não chacoalhar o bebê |
| 9 m | → Diminuição do ritmo do apetite e crescimento<br>→ Não usar açúcares e evitar sucos de fruta<br>→ Padrão de sono instável | → Necessidade de afeto<br>→ Disciplina<br>→ Comunicação interativa | → Quedas/envenenamento/queimaduras<br>→ Riscos da cozinha<br>→ Afogamento |
| 12 m | → Higiene do corpo e dental/revisar vacinação<br>→ Alimentação saudável/alimentar-se sozinho<br>→ Brinquedos apropriados para a idade<br>→ Linguagem/palavras com nexo | → Negativismo/limites/rotinas familiares<br>→ Curiosidade/exploração<br>→ Riscos de exposição excessiva a telas<br>→ Orientação sobre escola infantil/reforçar leitura | → Quedas/envenenamento/choque elétrico<br>→ Mordidas de animais<br>→ Automóvel: manter assento virado para trás<br>→ Orientação sobre aulas de natação |
| 15 m | → Vida ao ar livre/proteção contra raios UV<br>→ Rotina de sono/sonambulismo/repouso | → Temperamento/crises de birra<br>→ Disciplina (contraindicar punição física)<br>→ Habilidades de comunicação/linguagem | → Uso de cinto de segurança pelos adultos<br>→ Revisar checagem da segurança da casa<br>→ Quedas/afogamento/queimaduras |
| 18 m | → Treinamento de esfíncteres<br>→ Fala correta/desenvolvimento social<br>→ Orientar sobre fumo passivo | → Boas maneiras/sociabilidade<br>→ Telas (restringir o uso) + exposição à TV<br>→ Reação a irmão menor | → Manter assento de segurança de costas<br>→ Contraindicar armas em casa<br>→ Escadas/envenenamento |
| 2 a | → Alimentação saudável: consumo de frutas, vegetais, grãos integrais e alimentos com pouca gordura<br>→ Linguagem interativa/promover leitura | → Necessidade de amigos da mesma idade, compartilhar brinquedos<br>→ Reforçar limites, adaptação a rotinas | → Abre portas, escala/riscos com escadas<br>→ Afogamento/uso de boia<br>→ Riscos em parques/queimaduras |
| 3 a | → Dieta mínima prudente/atividade física<br>→ Reforçar promoção da leitura<br>→ Treinamento de esfíncteres | → Desenvolvimento social/pré-escola<br>→ Reforçar rotinas familiares<br>→ Masturbação/educação sexual | → Triciclo, brinquedos/quedas/afogamento<br>→ Reforçar segurança com armas de fogo<br>→ Automóvel: transição para cadeirinha |
| 4 a | → Alimentação saudável e atividade física: reforço<br>→ Televisão, violência/limites do tempo de tela<br>→ Fumo passivo: reforçar | → Ansiedade da escola<br>→ Atividades comunitárias<br>→ Enurese | → Fogo, fósforos/segurança com animais<br>→ Segurança fora de casa, parques<br>→ Automóvel/segurança do pedestre |
| 5-6 a | → Higiene do corpo e dos dentes<br>→ Vida ao ar livre, sol<br>→ Reforçar atividade física e alimentação saudável<br>→ Linguagem de adulto | → Mudanças de humor/autoestima<br>→ Responsabilidade/ética nas relações<br>→ Exposição à violência/controle da raiva<br>→ Adaptação à escola/amizades | → Quedas em atividades físicas/esportes<br>→ Automóvel: manter cadeirinha<br>→ Bicicleta<br>→ Segurança do pedestre |
| 7-8 a | → Desenvolvimento de saúde mental<br>→ Esportes<br>→ Reforçar atividade física, alimentação saudável e telas | → Adaptação escolar, independência, regras<br>→ Resolução de conflitos; dinheiro, mesada<br>→ Educação sexual | → Automóvel: transição para *booster*<br>→ Segurança do pedestre<br>→ Armas de fogo; natação |
| 9-10 a | → Puberdade/estirão da estatura<br>→ Orientação sobre menarca e ejaculação<br>→ Reforçar atividade física, alimentação saudável e telas | → Sociabilidade, autoestima/violência<br>→ Problemas escolares, comportamento<br>→ Segurança sexual | → Automóvel: manter *booster*, banco traseiro<br>→ Segurança do pedestre<br>→ Armas de fogo; natação |
| 11-14 a | → Imagem corporal, nutrição alimentação saudável/sono<br>→ Atividade física/recreação/tempo de tela<br>→ Trauma acústico | → Relação com a família e pares/*bullying*<br>→ Depressão; atividade social; namoro/sexo seguro<br>→ Álcool, tabaco e outras drogas | → Bicicleta, *skate*, patins, patinete/esportes<br>→ Armas de fogo e violência interpessoal<br>→ Cinto de segurança; banco traseiro/pedestre |
| 15-17 a | → Imagem corporal, alimentação saudável/sono<br>→ Atividade física/recreação<br>→ Tempo de tela/leitura e comunicação | → Conexões com a comunidade<br>→ Estresse/tomadas de decisões/autoestima<br>→ Álcool, tabaco e outras drogas/sexo seguro | → Armas de fogo e violência interpessoal<br>→ Álcool e trânsito; cinto de segurança/pedestre<br>→ Capacete de ciclista, patinete, motociclista |
| 18-21 a | → Alimentação saudável/atividade física/gravidez<br>→ Transição para cuidados de saúde do adulto<br>→ Álcool, tabaco, drogas lícitas e ilícitas | → Profissão, dinheiro, independência, limites/família<br>→ Estresse/tomadas de decisões/autoestima<br>→ Bem-estar emocional/sexualidade/sexo seguro | → Habilitação, segurança do motorista e passageiros<br>→ Capacete de ciclista, patinete, motociclista<br>→ Armas de fogo e violência interpessoal e urbana |

*Lembrar que todos os tópicos são pertinentes não só à idade em que aparecem na tabela, mas ao longo das faixas etárias subsequentes, de modo que se recomendam reforços, sempre que o tempo permita, abrangendo as orientações de consultas passadas recentes.
a, anos; m, meses.
Fonte: Adaptada de Hagan e colaboradores.[8]

riscos de injúrias no trânsito, principalmente uso de dispositivos restritivos de segurança, como cadeirinhas e assentos reposicionadores do cinto, devem ser sempre enfatizados por terem evidência mais forte de custo-benefício positivo.[101] A USPSTF decidiu não mais atualizar sua recomendação de 2007 acerca desses dispositivos, que concluía que as evidências então atuais eram insuficientes para avaliar os benefícios adicionais do aconselhamento no âmbito da atenção primária para melhorar os índices de uso adequado, além da eficácia da legislação e das intervenções baseadas na comunidade. Todavia, sugeria que, caso o clínico optasse pelo aconselhamento, os pacientes deveriam entender a incerteza de seu custo-benefício, mas que seus danos potenciais estimados seriam mínimos.[102] É importante ressaltar que a prevenção de traumatismos em passageiros de veículos automotores tem papel singular entre as ações de puericultura, que é o único dos inúmeros tópicos de orientação antecipatória que é recomendado pela iniciativa Bright Futures para ser incluído em todas as consultas de supervisão de saúde, do pré-natal até o fim da adolescência.[8]

Em relação aos agravos por violência, incluindo todas as formas de abuso, homicídio e autoagressões, especialistas propõem ações multifacetadas com base comunitária, como as orientadas pela estratégia INSPIRE, da Organização Mundial da Saúde (OMS).[103]

## Monitoração do crescimento e obesidade

A colocação sistemática de dados antropométricos em curvas padronizadas é historicamente consagrada como um indicador do estado de saúde da criança.[104,105] Embora seja pobre o fundamento científico do valor da monitoração do crescimento como teste de triagem,[106–109] há evidências clássicas de que seja útil na educação e/ou tranquilização dos pais.[110,111] Todos os protocolos baseados em consensos recomendam realização seriada de três procedimentos complementares: a aferição de medidas antropométricas (ou cálculo de índice antropométrico), a plotagem dos valores em curvas padronizadas de referência e a discussão de cada curva com os pacientes/cuidadores. As medidas/índices antropométricos são: o peso, o comprimento, o índice de massa corporal e o perímetro cefálico, até os 2 anos de idade; e o peso, a altura e o índice de massa corporal a partir dessa idade, até o fim da adolescência.[8,10,58,112] Quanto à monitoração do índice de massa corporal, a corrente epidemia global de obesidade levou à classificação desse procedimento como um teste de triagem com benefícios apoiados em evidências.[113] As curvas de crescimento da OMS, adotadas como padrão referencial para crianças e adolescentes,[114,115] são discutidas no Capítulo Acompanhamento do Crescimento da Criança.

Técnicas adequadas e precisas são essenciais para monitorar o crescimento sem erros de interpretação: os instrumentos têm que ser bem calibrados; pesar a criança sem roupas ou com o mínimo de roupas leves; aferir a estatura e o perímetro cefálico com cuidado; traçar as curvas com linhas retas unindo os pontos; os pontos devem ser pequenos (e não bolotas), feitos com lápis com ponta fina; e utilizar as curvas da OMS.[104,106,116,117] Especialistas recomendam que, com o emprego generalizado de registros eletrônicos no âmbito da atenção primária – como o software "e-SUS Atenção Básica", cuja versão 3.2.14 inclui a funcionalidade de registro de medições no módulo de acompanhamento de puericultura[118] –, os profissionais de saúde deem preferência a esse tipo de instrumento, muito mais preciso que os tradicionais gráficos impressos.[105,119]

Embora a monitoração do crescimento seja uma tradição quase religiosa da prática pediátrica, não há evidências científicas fortes de que tenha benefícios em si, como procedimento sistemático em todas as consultas.[108] É importante lembrar que o crescimento de um indivíduo é um processo descontínuo, com alternância de saltos e repousos, que é frequentemente mal interpretado em vista de oscilações transitórias das medidas antropométricas plotadas nas curvas padronizadas, alisadas por procedimentos matemáticos.[109,116] Por isso, especialistas alertam que o excessivo apego à plotagem dos dados nas curvas a intervalos muito pequenos, comumente com frequência mensal, pode desviar a atenção de outras tarefas relevantes de educação e procedimentos de triagem.[109]

## Desenvolvimento

Testes formais para detecção de problemas de desenvolvimento costumam ter baixo valor preditivo – mesmo quando aplicados por pessoal treinado –, alta incidência de falso-positivos, podendo causar ansiedade desnecessária; além da carência de evidências sobre os benefícios reais do diagnóstico precoce.[70,120,121] Por outro lado, a simples avaliação clínica do desenvolvimento – com base nos marcos tradicionalmente descritos em todo livro-texto de pediatria – detecta menos da metade das crianças com retardos.[122]

Apesar disso, é consenso entre os especialistas que a triagem de problemas de desenvolvimento é tarefa precípua do "domicílio médico" e que o diagnóstico e intervenção precoces contribuem para modificar os desfechos.[123–125] Assim, ainda que não haja evidências conclusivas sobre a frequência das ações de monitoração do desenvolvimento, todos os protocolos preconizam a busca ativa de preocupações dos pais acerca do desenvolvimento dos filhos, a identificação de fatores de risco para retardos, a avaliação objetiva de habilidades (motoras, cognitivas, de comunicação e de interação social) e o registro sequencial dessas informações em todas as consultas de acompanhamento de saúde[10,71,123,126] (ver Capítulo Promoção do Desenvolvimento da Criança).

A **TABELA 93.4** acompanha a recomendação da iniciativa Bright Futures de monitorar sistematicamente os marcos de desenvolvimento e aplicar testes formais de triagem de problemas de desenvolvimento em todas as crianças aparentemente normais, nas consultas de 9, 18 e 30 meses de idade; a partir da idade escolar, recomenda-se avaliar o desempenho acadêmico.[8,123]

A SBP publicou o *Manual de pediatria do desenvolvimento e comportamento*, que apresenta uma descrição dos principais testes passíveis de aplicação na atenção primária.[127] Além disso, há uma tendência corrente de valorizar testes baseados em informações objetivas dos pais/cuidadores, como o *Parents' Evaluation of Developmental Status*

(PEDS), pela alta sensibilidade e especificidade e pela praticidade.[122] A Seção de Pediatria do Desenvolvimento e Comportamento da AAP organizou um Portal especialmente dedicado aos testes de triagem, com todas as informações relevantes para implementação no âmbito do atendimento primário.

A partir dos 8 anos de idade, recomenda-se começar a avaliação clínica da maturação sexual[128] (ver Capítulo Acompanhamento de Saúde do Adolescente).

## Comportamento e autismo

Não há evidências robustas que indiquem a aplicação de procedimentos de triagem específicos ou que documentem a eficácia dos métodos de tratamento dos distúrbios de comportamento, particularmente quanto aos transtornos do espectro autista, em crianças e jovens essencialmente saudáveis.[129,130] Entretanto, especialistas têm recomendado a triagem universal do autismo, com base na ideia de que a intervenção precoce, sobretudo por meio de terapias comportamentais com base em ações comunitárias, seja capaz de reduzir as deficiências de comunicação ao longo da vida[71,129,131,132] (ver Capítulo Promoção do Desenvolvimento da Criança). A iniciativa Bright Futures recomenda o emprego de um teste de triagem específico nas consultas de puericultura aos 18 e aos 24 meses e, para tanto, indica os principais instrumentos validados.[133,134]

Por outro lado, é consenso que o emprego de perguntas específicas sobre o comportamento da criança ou jovem, selecionadas com critério, aumenta o número de problemas identificados e discutidos nas consultas, sem aumentar significativamente o tempo.[8] A coluna do meio da TABELA 93.5 lista os principais tópicos na área do comportamento a serem considerados nas diferentes fases do desenvolvimento. É importante ressaltar que as ações de orientação antecipatória se associem a estratégias de diagnóstico contextual, com foco sobre temperamento, suas variações e influência no comportamento.[135–137]

## Imunização contra doenças infectocontagiosas

A imunização contra doenças transmissíveis é um dos poucos componentes do acompanhamento de saúde cuja eficácia está clara e amplamente documentada, há muitos anos.[49,70] A aplicação de todas as vacinas do Programa Nacional de Imunizações do Ministério da Saúde é procedimento obrigatório.[138]

Quanto às vacinas de eficácia já amplamente comprovada em outros países, porém não incluídas no calendário oficial do governo, é recomendável adicioná-las, caso a família possa arcar com os custos. Assim, se possível, aplicar as vacinas meningocócica ACWY (conjugada), meningocócica B recombinante, contra *influenza* (anualmente acima dos 6 anos, idade a partir da qual não há cobertura pelo calendário oficial) e contra dengue (para crianças e adolescentes a partir de 9 anos que sejam soropositivos).[139]

Para uma discussão mais detalhada sobre as normas de imunização, ver Capítulo Imunizações.

## Conjuntivite gonocócica

A profilaxia medicamentosa tópica da oftalmia gonocócica neonatal tem embasamento científico forte e está indicada a todo recém-nascido, mediante a instilação de nitrato de prata ou unguento com antimicrobiano.[140]

## Anemia por deficiência de ferro

Não há, até o momento, estudos com delineamento adequado para avaliar a eficácia ou efetividade da triagem de anemia em crianças assintomáticas. A USPSTF não achou evidências suficientes para recomendar ou contraindicar a triagem rotineira de lactentes assintomáticos entre 6 e 12 meses, mas recomenda a administração preventiva de ferro a crianças com fatores de risco como prematuridade e/ou baixo peso ao nascer, exposição ao chumbo, uso de leite de vaca integral no primeiro ano de vida, alimentação complementar pobre em ferro, pobreza e déficit de crescimento.[141] A iniciativa Bright Futures recomenda triagem universal no fim do primeiro ano de vida, composta pela dosagem de hemoglobina sérica e busca dos fatores de risco citados. Além disso, recomenda para as crianças de risco a triagem periódica a partir dos 4 meses e anualmente até os 5 anos; para crianças com alimentação vegetariana, na idade escolar; e para meninas adolescentes com perdas menstruais excessivas ou dieta pobre em ferro.[134,142]

No Brasil, o Programa Nacional de Suplementação de Ferro recomenda suplementação a todas as crianças de 6 a 24 meses, iniciando aos 30 dias de vida em crianças de baixo peso ao nascer e pré-termo. Se essa orientação fosse efetivamente seguida, não haveria necessidade de triagem universal.[143] Para mais detalhes, ver Capítulo Deficiência de Ferro e Anemia em Crianças.

## Prevenção de cárie dentária

A responsabilidade pelo cuidado inicial dos dentes tem que ser assumida pela equipe responsável pela puericultura, uma vez que o número de consultas de saúde geral nos primeiros anos é muito superior ao das consultas com dentistas.[144–146]

Embora a efetividade da orientação sobre saúde bucal careça de embasamento científico, consensos de especialistas recomendam aconselhar a família, a partir das consultas pré-natais, acerca de redução das bactérias cariogênicas – por meio de dieta livre de açúcares e escovação adequada com dentifrício fluorado –, fazer o registro de fatores de risco para cárie (baixo nível socioeducacional, história prévia de cárie na família ou na criança, açúcar na dieta no primeiro ano de vida, aquisição precoce de *Streptococcus mutans*, falta de acesso a atendimento dentário, baixo peso ao nascer), estimular a amamentação exclusiva no primeiro semestre de vida e complementada por 2 anos ou mais e desestimular o uso de mamadeiras e chupetas.[144,145,147]

A escovação dos dentes deve ser recomendada a partir da erupção do primeiro dente, com escova macia e dentifrício fluorado. A concentração de flúor do creme dental deve ser de 1.000 mg/dL e a quantidade colocada na escova deve ser apenas um esfregaço nos dois primeiros anos de vida e do tamanho de uma ervilha dos 2 aos 6 anos. Especialistas também recomendam a aplicação de verniz fluorado a partir da erupção dos primeiros dentes.[134,148–150]

O encaminhamento ao dentista deve ser feito no máximo 6 meses depois da erupção do primeiro dente ou aos 12 meses de idade.[144,146]

## Procedimentos de triagem prioritários

Os procedimentos listados na TABELA 93.4 sob a classificação de triagem prioritária são aqueles que utilizam testes laboratoriais ou instrumentos específicos e cujo benefício líquido, segundo a USPSTF, é moderado a substancial, de modo que sua realização é mais fortemente recomendada; diferentemente daqueles com benefício incerto, que só devem ser fornecidos mediante julgamento compartilhado com as famílias, depois de pesar criteriosamente os custos e benefícios.[43] Incluem a triagem neonatal metabólica, de cardiopatias, surdez e reflexo vermelho; triagem de surdez e de distúrbios da visão em idades indicadas; triagem de depressão e de infecção por clamídia, vírus da imunodeficiência humana (HIV, do inglês *human immunodeficiency virus*) e hepatite B, em adolescentes; e triagem de tabagismo, exposição ao tabaco e uso de dispositivos de segurança para automóvel, em todas as idades.

### Triagem neonatal

Todo recém-nascido deve ter amostra de sangue colhida para a triagem de fenilcetonúria, hipotireoidismo e hemoglobinopatias; tratam-se dos poucos procedimentos cujo benefícios são considerados substanciais pela USPSTF.[43] Não há evidências científicas suficientes para a recomendação do uso universal de outros testes de triagem metabólica neonatal, mas o Programa Nacional de Triagem Neonatal brasileiro inclui fibrose cística, hiperplasia suprarrenal congênita e deficiência de biotinidase.[151] Protocolos ampliados, de acordo com prioridades definidas pelos órgãos de saúde pública local, sugerem o painel básico do American College of Medical Genetics, que inclui, além do protocolo brasileiro oficial, a triagem de galactosemia clássica, doença do xarope de bordo, homocistinúria, citrulinemia, acidemia argininosuccínica, tirosinemia tipo I, deficiências de acil-CoA desidrogenase, deficiência proteica trifuncional, defeito de captação da carnitina e vários distúrbios do metabolismo de ácidos orgânicos.[152] A colheita do sangue deve ser feita a partir de 24 horas de vida, até o sétimo dia, preferencialmente entre o terceiro e o quinto dia; caso a amostra seja retirada antes das primeiras 24 horas, o teste deve ser repetido até a terceira semana de vida.[153]

A triagem universal de surdez no período neonatal tem embasamento científico suficiente. No Brasil, é obrigatória por lei a realização gratuita do exame de emissões otoacústicas evocadas (teste da orelhinha) em todos os hospitais e maternidades.[154,155]

O Grupo de Trabalho de Prevenção da Cegueira Infantil da SBP recomenda realizar o teste do reflexo vermelho (teste do olhinho) antes da alta da maternidade e repeti-lo na primeira consulta de puericultura, aos 2, 6, 9 e 12 meses de vida.[156]

A triagem de cardiopatias é feita por meio de oximetria de pulso, depois das primeiras 24 horas de vida.[157]

### Audição

Além do período neonatal, só se recomenda outra testagem audiológica formal em crianças com um ou mais fatores de risco para surdez, como preocupação dos cuidadores com a audição, fala ou desenvolvimento; história familiar de surdez infantil; atendimento em centro de terapia intensiva neonatal, oxigenação por membrana extracorpórea, ventilação assistida, uso de medicações ototóxicas ou diuréticos de alça, hiperbilirrubinemia em nível de exsanguinotransfusão; infecção perinatal congênita por toxoplasmose, rubéola, sífilis, citomegalovírus, herpes ou HIV; malformações anatômicas na cabeça e no pescoço; síndrome genética associada a surdez ou a sinais físicos sugestivos; doença neurodegenerativa; infecção pós-natal associada a surdez, incluindo meningite viral ou bacteriana; traumatismo craniano; quimioterapia; otite média recorrente ou persistente por pelo menos 3 meses.[158]

Até o fim da adolescência, a monitoração da aquisição da fala é um procedimento que se impõe pela simplicidade, ainda que não existam evidências empíricas da efetividade da detecção precoce de comprometimento auditivo em crianças assintomáticas.[159] A iniciativa Bright Futures recomenda a realização de audiometria com altas frequências a partir da idade escolar, especialmente em casos de exposição a ruído excessivo.[134,160]

### Visão

A efetividade dos testes de triagem da visão tem sido muito debatida, mas o consenso de especialistas é de que a identificação de estrabismo, ambliopia e cataratas seja buscada a partir do período neonatal e regularmente nas consultas de puericultura.[134,161] A USPSTF recomenda triagem para ambliopia, anisometropia e estrabismo, por meio do teste do reflexo luminoso de Hirschberg e de testes de cobertura, acuidade visual e estereoacuidade, para todas as crianças entre 3 e 5 anos de idade.[162] A partir dos 3 anos e no início da adolescência, está indicada a triagem da acuidade visual por meio de tabelas de optótipos – ou, se houver disponibilidade, dispositivos eletrônicos –, com encaminhamento de crianças de 3 a 5 anos com acuidade inferior a 20/40 ou diferença de duas linhas entre os olhos e de crianças de 6 anos ou mais com acuidade inferior a 20/30 ou diferença de duas linhas entre os olhos.[161,163]

### Infecções sexualmente transmissíveis

O aconselhamento comportamental intensivo acerca da prevenção contra infecções transmitidas por sexo, independentemente de procedimentos de triagem, é fortemente recomendado pelo Ministério da Saúde, pela AAP e pela USPSTF para todos os adolescentes sexualmente ativos, incluindo estratégias de adiamento da iniciação sexual.[164–166]

A triagem universal de infecção por HIV, uma vez a partir dos 15 anos, é consenso entre os especialistas, mas está indicada a partir do início da adolescência em casos de alto risco (usuários de drogas injetáveis, homossexuais do sexo masculino, sexo não protegido, parceiros sexuais HIV-positivo ou usuários de drogas injetáveis, prostituição e diagnóstico de doenças transmitidas sexualmente), que devem ser submetidos à triagem anual.[165,167] O Ministério da Saúde recomenda a triagem anual para HIV e sífilis em todos os adolescentes, preferencialmente com teste rápido. Todavia, embora enfatize que os dois principais fatores de risco para infecções transmitidas por sexo são práticas sexuais sem uso de preservativos e idade mais baixa, a discussão do risco é inconsistente.[166] Quanto à triagem de sífilis fora da gestação, a AAP e a USPSTF só a recomendam para jovens com os comportamentos supracitados como de alto risco.[168,169]

Em relação às demais infecções não virais, AAP e USPSTF recomendam a triagem anual para clamídia e gonorreia em mulheres sexualmente ativas com 24 anos ou menos. Porém, as evidências atuais são insuficientes para propor a triagem universal em homens, exceto homossexuais e/ou comportamento de risco e/ou exposição a um parceiro infectado nos últimos 2 meses.[170]

A triagem para a infecção pelo vírus da hepatite B é recomendação de consenso em adolescentes com alto risco, como homossexuais do sexo masculino, contatos domiciliares e parceiros sexuais de pessoas HBsAg-positivas, pacientes em hemodiálise, imunossuprimidos e HIV-positivo.[171]

A USPSTF contraindica a triagem sorológica de rotina para a infecção pelo vírus do herpes simples genital em adolescentes e adultos assintomáticos, incluindo as grávidas.[172]

### Tabaco, álcool e outras drogas

Há evidências científicas que apoiam a triagem repetida do uso e/ou exposição ambiental ao tabaco, a partir das consultas pré-natais até o fim da adolescência, além de intervenções educativas acerca de estratégias de não iniciação ou cessação do tabagismo, tanto para pais como filhos.[173,174]

Quanto a ações preventivas do uso abusivo de outras drogas, particularmente por adolescentes, não existe um consenso. A USPSTF não considera as evidências atuais suficientes para avaliar o equilíbrio entre benefícios e prejuízos de intervenções comportamentais para prevenir ou reduzir o uso de álcool e de drogas ilícitas ou farmacêuticas em crianças e adolescentes, no âmbito da atenção primária.[175,176] Já a AAP, além de enfatizar a importância de incluir na orientação antecipatória mensagens claras contra o uso de álcool por adolescentes e adultos jovens com menos de 21 anos, avalia que os resultados emergentes dos estudos disponíveis constituem base suficiente para a incorporação das práticas do modelo SBIRT (do inglês, *screening, brief intervention, and/or referral to treatment* [triagem, intervenção breve e/ou encaminhamento para tratar]) na rotina do atendimento de adolescentes, mesmo com pequenas reduções no uso de substâncias.[177,178] Para a triagem do uso abusivo de bebidas alcoólicas, recomenda técnicas objetivas validadas, como o CRAFFT (do inglês, *car, relax, alone, friends, forget, trouble* [carro, relaxar, sozinho, amigos, esquecer, problemas]).[179,180]

### Depressão

A iniciativa Bright Futures, apoiada em evidências analisadas pela USPSTF, recomenda a triagem universal de adolescentes de 12 a 18 anos de idade para depressão maior, desde que tenham acesso a diagnóstico, tratamento e acompanhamento adequados.[134,181] Como não há evidências que permitam recomendar a frequência dos testes de triagem, sugere aplicá-los de modo oportunista, já que adolescentes não costumam ser assíduos nas consultas de acompanhamento de saúde. Os testes de triagem considerados mais sensíveis e específicos são o *Patient Health Questionnaire for Adolescents* (PHQ-A)[182] e o *Beck Depression Inventory for Primary Care Version* (BDI-PC).[183]

### Dispositivos de retenção para a segurança de passageiros de veículos automotores

Por fim, a triagem rotineira acerca do uso de assentos de segurança de automóvel – ou cintos de segurança, para adolescentes –, acompanhada de orientação acerca dos tipos apropriados ao tamanho da criança, está incluída entre os procedimentos prioritários, em vista do grande impacto dos traumas no trânsito na mortalidade de crianças e jovens. Apesar do consenso científico de que as estratégias de proteção passiva são muito mais efetivas na prevenção de injúrias – no caso específico da proteção de passageiros de veículos automotores, implementada por meio de legislação apoiada por fiscalização severa, associada a ações educativas no âmbito da atenção primária à saúde –, os especialistas em segurança são unânimes em recomendar que a triagem sobre o uso dos assentos específicos para cada idade sejam incluída como parte integrante dos cuidados de rotina de crianças e adolescentes saudáveis.[99,184]

## Procedimentos de triagem não prioritários

A **TABELA 93.4** ressalta alguns procedimentos de triagem cuja indicação é controversa e/ou cujo benefício é incerto, de acordo com as evidências científicas, mas que são frequentemente incluídos em protocolos de puericultura baseados em opiniões de especialistas. Cabem comentários acerca de alguns que não foram abordados anteriormente nas seções sobre orientação antecipatória e exame físico, mas que são percebidos por profissionais e famílias como ações preventivas válidas.

### Exames de fezes, urina e sangue

É sempre importante frisar junto aos profissionais de saúde que não há nenhuma evidência, mesmo empírica, de que a realização rotineira de exames de fezes e urina – assim como quaisquer exames de sangue, além dos já discutidos anteriormente – em crianças e jovens assintomáticos, no âmbito da atenção primária, tenha algum benefício para a sua saúde.[185-187] Ao contrário, testes laboratoriais solicitados sem indicação clínica ou sob pressão dos pacientes/famílias costumam gerar uma quantidade excessiva de resultados falso-positivos e danos ponderáveis, além de onerar o sistema de saúde e as famílias.[188-190]

A AAP, que no passado recomendava a realização de exame qualitativo de urina e testes rápidos para triagem de bacteriúria assintomática, com bases empíricas, retirou essa recomendação do seu protocolo de puericultura há muitos anos.[7,8]

Quanto aos exames parasitológicos de fezes, sempre foram indicados somente com base em sintomas sugestivos de parasitoses, como diarreia ou dor abdominal.[191] A OMS preconiza a quimioterapia preventiva (desverminação) anual, sem a realização prévia de exames, como intervenção de saúde pública – não para indivíduos, mas para toda a população de crianças de 12 a 59 meses – apenas em áreas onde a prevalência de qualquer geo-helmintíase (ascaridíase, tricuríase, ancilostomíase, necatoríase) é 20%, o que hoje não é o caso de grande parte das regiões brasileiras.[192-197]

### Dislipidemia

A USPSTF não achou evidências suficientes para recomendar ou contraindicar a triagem rotineira de distúrbios dos lipídeos em crianças e adolescentes com idade < 20 anos.[198] A AAP endossa a recomendação do National Heart, Lung e Blood Institute de triagem universal por meio de um perfil lipídico (colesterol total, lipoproteínas de baixa e alta densidades, triglicerídeos), em jejum, antes da adolescência (9 a 11 anos) e novamente após a puberdade (17 a 21 anos). Além disso, recomenda triagem seletiva a partir dos 2 anos de idade em crianças ou adolescentes com obesidade (índice de massa corporal ≥ 2 escores z), hipertensão, diabetes, tabagismo ou história familiar positiva para dislipidemia ou doença cardiovascular precoce (55 anos para homens e 65 anos para mulheres).[199]

### Intoxicação por chumbo

A exposição ao chumbo ainda é comum, especialmente entre as crianças que vivem em situação de pobreza, mas as recomendações sobre sua triagem são conflitantes em vista de não haver evidências de que intervenções para reduzir níveis sanguíneos de chumbo em crianças assintomáticas tragam benefícios no neurodesenvolvimento.[134,200]

A USPSTF concluiu que as evidências atuais são insuficientes para avaliar o equilíbrio entre benefícios e prejuízos da triagem de níveis elevados de plumbemia em crianças assintomáticas.[201] Já a AAP recomenda a triagem com base nos requisitos federais, estaduais e locais: em crianças de 12 a 24 meses de idade que vivem em áreas de alto risco (comunidades com ≥ 25% das moradias construídas antes de 1960 ou prevalência ≥ 5% de plumbemia ≥ 5 μg/dL), podendo as dosagens ser repetidas até os 5 anos em crianças com contato identificado com fontes de chumbo ou que moram em uma casa construída antes de 1960, em mau estado de conservação ou reformada nos últimos 6 meses; ou em crianças imigrantes, refugiadas ou adotadas do estrangeiro.[202]

No Brasil, o Ministério da Saúde desenvolve ações de vigilância de populações expostas ao chumbo em diversas frentes, por meio da Vigilância em Saúde de Populações Expostas a Contaminantes Químicos (Vigipeq), mas não há recomendações acerca de monitoração de plumbemia em crianças.[203]

### Câncer de colo do útero

A triagem do câncer do colo do útero por meio do teste de Papanicolaou, que pode ser encarado como um exame laboratorial, só está indicada a partir dos 21 anos de idade, em virtude do caráter autorresolutivo da grande maioria das displasias do colo do útero em adolescentes, a fim de evitar diagnósticos excessivos, com tratamentos desnecessários e suas implicações emocionais, econômicas e em gestações futuras.[204,205] Em vista disso, a iniciativa Bright Futures excluiu, de seu protocolo, a sua prévia recomendação de exames pélvicos anuais em adolescentes sexualmente ativas antes dos 21 anos de idade.[10,134] No Brasil, o Ministério da Saúde recomenda a realização de exame citopatológico de colo do útero a partir dos 25 anos.[206]

### Câncer de pele

A USPSTF recomenda orientar adolescentes, crianças e pais de crianças pequenas de pele clara sobre como minimizar a exposição à radiação ultravioleta a partir dos 6 meses de idade, para reduzir o risco de câncer de pele. As orientações sugeridas incluem o uso de filtro solar de amplo espectro com fator de proteção solar ≥ 15; uso de chapéus, óculos de sol ou roupas de proteção solar; evitar a exposição ao sol; procurar sombra no período das 10 às 16 horas; e evitar bronzeamento artificial. Por outro lado, a USPSTF concluiu que as evidências atuais são insuficientes para avaliar o equilíbrio entre benefícios e prejuízos da orientação de adolescentes e adultos jovens sobre o autoexame da pele como estratégia para prevenir o câncer de pele.[207]

## REFERÊNCIAS

1. Blank D. A puericultura hoje: um enfoque apoiado em evidências. J Pediatr (Rio J). 2003;79(Supl 1):S13-22.
2. Schor EL. Rethinking Well-Child Care. Pediatrics. 2004;114(1):210-6.
3. Kuo AA, Inkelas M, Lotstein DS, Samson KM, Schor EL, Halfon N. Rethinking Well-Child Care in the United States: An International Comparison. Pediatrics. 2006;118(4):1692-702.
4. Balog EK, Hanson JL, Blaschke GS. Teaching the essentials of "well-child care": inspiring proficiency and passion. Pediatrics. 2014;134(2):206-9.
5. Dinkevich E, Hupert J, Moyer VA. Evidence based well child care. BMJ. 2001;323(7317):846-9.
6. Riley M, Locke AB, Skye EP. Health Maintenance in School-aged Children: Part I. History, Physical Examination, Screening, and Immunizations. Am Fam Physician. 2011;83(6):683-8.
7. Grossman DC, Kemper AR. Confronting the Need for Evidence Regarding Prevention. Pediatrics. 2016;137(2).
8. Hagan Jr JF, Shaw JS, Duncan PM, eds. Bright Futures: Guidelines for Health Supervision of Infants, Children, and Adolescents [Internet]. 4th ed. Elk Grove Village: American Academy of Pediatrics; 2017[capturado em: 01 dez. 2019]. Disponível em: https://brightfutures.aap.org/materials-and-tools/guidelines-and-pocket-guide/Pages/default.aspx.
9. Freeman BK, Coker TR. Six Questions for Well-Child Care Redesign. Acad Pediatr. 2018;18(6):609-19.
10. American Academy of Pediatrics, Committee on Practice and Ambulatory Medicine, Bright Futures Periodicity Schedule Workgroup. 2019 Recommendations for Preventive Pediatric Health Care. Pediatrics. 2019;143(3):e20183971.

11. Yeung LF, Shapira SK, Coates RJ, Shaw FE, Moore CA, Boyle CA, et al. Rationale for Periodic Reporting on the Use of Selected Clinical Preventive Services to Improve the Health of Infants, Children, and Adolescents – United States. MMWR. 2014;63(2):3-13.
12. Schor EL. Improving pediatric preventive care. Acad Pediatr. 2009;9(3):133-5.
13. Melnyk BM, Grossman DC, Chou R, Mabry-Hernandez I, Nicholson W, DeWitt TG, et al. USPSTF Perspective on Evidence-Based Preventive Recommendations for Children. Pediatrics. 2012;130(2):e399-e407.
14. Fouad MN, Oates GR, Scarinci IC, Demark-Wahnefried W, Hamby BW, Bateman LB, et al. Advancing the Science of Health Disparities Through Research on the Social Determinants of Health. Am J Prev Med. 2017;52(1 Suppl 1):S1-S4.
15. Singer M, Bulled N, Ostrach B, Mendenhall E. Syndemics and the biosocial conception of health. Lancet. 2017;389(10072):941-50.
16. Palfrey JS. Transforming child health care. Pediatrics. 2013;132(6):1123-4
17. Community Preventive Services Task Force. Guide to Community Preventive Services (The Community Guide) [Internet]. Atlanta: CPSTF; 2019 [capturado em 6 ago. 2019]. Disponível em: https://www.thecommunityguide.org/.
18. Starfield B, Hyde J, Gérvas J, Heath I. The concept of prevention: a good idea gone astray? J Epidemiol Community Health. 2008;62(7):580-3.
19. Starfield B. The hidden inequity in health care. Int J Equity Health. 2011;2011(10):15.
20. Welch HG, Schwartz L, Woloshin S. Overdiagnosed: making people sick in the pursuit of health. Boston: Beacon Press; 2011.
21. Millenson ML. When "patient centred" is no longer enough: the challenge of collaborative health. BMJ. 2017;358:j3048.
22. Pellin PP, Rosa RS. Prevenção quaternária – conceito, importância e seu papel na educação profissional. Saberes Plurais. 2018;2(3):9-22.
23. Schor EL. Ten Essential Characteristics of Care Coordination. JAMA Pediatr. 2019;173(1):5-.
24. Starfield B. New paradigms for quality in primary care. Br J Gen Pract. 2001;51(465):303-9.
25. Hoekelman R. Commentary: Pre-Primary Care Pediatrics. Pediatrics. 2005;115(Supplement 3):1148-9.
26. Hagan Jr JF, Shaw JS, Duncan PM. What Is Bright Futures? In: Hagan Jr JF, Shaw JS, Duncan PM, editors. Bright Futures: Guidelines for Health Supervision of Infants, Children, and Adolescents [Internet]. 4th ed. Elk Grove Village: American Academy of Pediatrics; 2017 [capturado em 06 ago. 2019]. Disponível em: https://brightfutures.aap.org/Bright%20Futures%20Documents/BF4_Introduction.pdf.
27. Juneau CE, Jones CM, McQueen DV, Potvin L. Evidence-based health promotion: an emerging field. Global Health Prom. 2011;18(1):79-89.
28. Moyer VA, Butler M. Gaps in the Evidence for Well-Child Care: A Challenge to Our Profession. Pediatrics. 2004;114(6):1511-21.
29. Lieu TA, Freed GL. Unbounded – Parent-Physician Communication in the Era of Portal Messaging. JAMA Pediatr. 2019;173(9):811-2.
30. Fuentes M, Coker TR. Social Complexity as a Special Health Care Need in the Medical Home Model. Pediatrics. 2018;142(6):e20182594.
31. American Academy of Pediatrics Council on Children with Disabilities and Medical Home Implementation Project Advisory Committee. Patient- and Family-Centered Care Coordination: A Framework for Integrating Care for Children and Youth Across Multiple Systems. Pediatrics. 2014;133(5):e1451-e60.
32. American Academy of Pediatrics. National Resource Center for Patient/Family-Centered Medical Home [Internet]. Itasca: American Academy of Pediatrics; 2019 [capturado em 01 ago. 2019]. Disponível em: http://www.medicalhomeinfo.app.org/.
33. Brazelton TB, Sparrow JD. Touchpoints – Birth to three – Your child's emotional and behavioral development. Cambridge: Da Capo Lifelong Books; 2006.
34. Sheridan SL, Harris RP, Woolf SH. Shared decision making about screening and chemoprevention: A suggested approach from the U.S. Preventive Services Task Force. Am J Prev Med. 2004;26(1):56-66.
35. Murray E, Charles C, Gafni A. Shared decision-making in primary care: Tailoring the Charles et al. model to fit the context of general practice. Patient Educ Couns. 2006;62(2):205-11.
36. Green M. No child is an island – Contextual pediatrics and the "new" health supervision. Pediatr Clin North Am. 1995;42:79-87.
37. Committee on Psychosocial Aspects of Child and Family Health. The New Morbidity Revisited: A Renewed Commitment to the Psychosocial Aspects of Pediatric Care. Pediatrics. 2001;108(5):1227-30.
38. Krist AH, Davidson KW, Ngo-Metzger Q. What Evidence Do We Need Before Recommending Routine Screening for Social Determinants of Health? Am Fam Physician. 2019;99(10):602-5.
39. Raphael JL. Differences to Determinants: Elevating the Discourse on Health Disparities. Pediatrics. 2011;127(5):e1333-e4.
40. Kemper KJ. Holistic Pediatrics = Good Medicine. Pediatrics. 2000;105(Suppl 2):214-8.
41. Blank D. Controle de injúrias sob a ótica da pediatria contextual. J Pediatr (Rio J). 2005;81(5 Supl):S123-36.
42. American Academy of Pediatrics, Committee on Pediatric Workforce. Pediatric Primary Health Care. Pediatrics. 2011;127(2):397.
43. Agency for Healthcare Research and Quality (US). U.S. Preventive Services Task Force [Internet]. Rockville: Agency for Healthcare Research and Quality; 2019 [capturado em 01 ago. 2019]. Disponível em: http://www.uspreventiveservicestaskforce.org/.
44. The Victorian Health Promotion Foundation. Cochrane Public Health [Internet]. Carlton: The Cochrane Collaboration; 2019 [capturado em 1 ago. 2019]. Disponível em: http://ph.cochrane.org/.
45. Canadian Task Force on Preventive Health Care [Internet]. Canadian Task Force on Preventive Health Care. Ottawa: CTFPHC; 2019 [capturado em 1 ago. 2019]. Disponível em: http://www.canadiantaskforce.ca.
46. Department of Health & Human Services (US). Healthy People 2020 [Internet]. Washington: U.S. Department of Health & Human Services; 2019 [capturado em 01 ago. 2019]. Disponível em: https://www.healthypeople.gov.
47. International Union for Health Promotion and Education [Internet]. Saint-Denis Cedex: IUHPE; 2011 [capturado em 01 ago. 2019]. Disponível em: http://www.iuhpe.org/.
48. Institute for Clinical Systems Improvement. Institute for Clinical Systems Improvement [Internet]. Bloomington: ICSI; 2019 [capturado em 1 ago. 2019]. Disponível em: http://www.icsi.org/.
49. Agency for Healthcare Research and Quality. Guide to Clinical Preventive Services, 2014 [Internet]. Rockville: AHRQ; 2014 [capturado em 14 jul. 2019]. Disponível em: https://www.ahrq.gov/professionals/clinicians-providers/guidelines-recommendations/guide/index.html.
50. Rourke Baby Record, Evidence-based infant/child health maintenance guide. St. John's: Can. Rourke Baby Record; 2017 [capturado em 01 ago. 2019]. Disponível em: http://www.rourkebabyrecord.ca/.
51. Strickland BB, Jones JR, Ghandour RM, Kogan MD, Newacheck PW. The Medical Home: Health Care Access and Impact for Children and Youth in the United States. Pediatrics. 2011;127(4):604-11.
52. Cooley WC, McAllister JW, Sherrieb K, Kuhlthau K. Improved Outcomes Associated With Medical Home Implementation in Pediatric Primary Care. Pediatrics. 2009;124(1):358-64.
53. Bedingfield B. Pediatric Health Maintenance in the 21st Century: A View From the Trenches. Pediatrics. 2006;118(4):1734-7.
54. Simon JL, Daelmans B, Boschi-Pinto C, Aboubaker S, Were W. Child health guidelines in the era of sustainable development goals. BMJ. 2018;362:bmj.k3151.

55. Amerijckx G, Humblet PC. Child well-being: What does it mean? Child Soc. 2014;28(5):404-15.

56. Halpern R. A criança vulnerável: o papel dos fatores de risco e proteção na determinação do desenvolvimento da criança. In: Halpern R, editor. Manual de Pediatria do Desenvolvimento e Comportamento. Barueri: Manole; 2015. p. 59-71

57. Tanner JL, Stein MT, Olson LM, Frintner MP, Radecki L. Reflections on Well-Child Care Practice: A National Study of Pediatric Clinicians. Pediatrics. 2009;124(3):849-57.

58. Brasil. Ministério da saúde. Saúde da Criança: o que é, cuidados, políticas, vacinação, aleitamento [Internet]. Brasília: Ministério da Saúde; 2019 [capturado em 3 ago. 2019]. Disponível em: http://www.saude.gov.br/saude-de-a-z/crianca#caderneta.

59. Associação Médica Brasileira, Câmara Técnica Permanente CBHPM. Ata da Câmara Técnica Permanente CBHPM AMB – Atendimento Ambulatorial de Puericultura [Internet]. São Paulo: Associação Médica Brasileira; 2010 [capturado em 04 ago. 2019]. Disponível em: http://www.sbp.com.br/pdfs/Ata-AMB.pdf.

60. Hagan Jr JF, Duncan PM. Maximizing Children's Health. Screening, Anticipatory Guidance, and Counseling. In: Kliegman RM, Stanton BF, St. Geme III JW, Schor NF, Behrman RE, editors. Nelson Textbook of Pediatrics. 20th ed. Philadelphia: Elsevier; 2016. p. 37-40.

61. Gabe J, Olumide G, Bury M. "It takes three to tango": a framework for understanding patient partnership in paediatric clinics. Soc Sci Med. 2004;59(5):1071-9.

62. Légaré F, Adekpedjou R, Stacey D, Turcotte S, Kryworuchko J, Graham ID, et al. Interventions for increasing the use of shared decision making by healthcare professionals. Cochrane Database of Systematic Reviews. 2018;7(CD006732).

63. Galea S. Making the case for a world without guns. The Lancet Public Health. 2019;4(6):e266-e7.

64. van den Hoven M. Why One Should Do One's Bit: Thinking about Free Riding in the Context of Public Health Ethics. Public Health Ethics. 2012;5(2):154-60.

65. Green M, Haggerty RJ, Weitzman ML. Ambulatory Pediatrics. Philadelphia: WB Saunders; 1999.

66. Coker TR, Windon A, Moreno C, Schuster MA, Chung PJ. Well-Child Care Clinical Practice Redesign for Young Children: A Systematic Review of Strategies and Tools. Pediatrics. 2013;131(Suppl 1):S5-S25.

67. LeFevre M, Bibbins-Domingo K, Siu A. Fourth Annual Report to Congress on High-Priority Evidence Gaps for Clinical Preventive Services [Internet]. Rockville: U.S. Preventive Services Task Force; 2014 [capturado em 20 ago. 2019]. Disponível em: http://bit.ly/USPTF_4report.

68. Cohen GJ, Committee on Psychosocial Aspects of Child Family Health. The Prenatal Visit. Pediatrics. 2009;124(4):1227-32.

69. Escobar AMU, Grisi SJFE. 21st century well-child care. Rev Assoc Med Bras. 2016;62(6):479-81.

70. Waksman RD, Blank D. Diagnóstico e orientação sobre segurança na consulta pediátrica. In: Silva LR, editor. Diagnóstico em Pediatria. Rio de Janeiro: Guanabara Koogan; 2009. p. 1098-107.

71. Michaud PA, Baltag V. Core competencies in adolescent health and development for primary care providers [Internet]. Geneva: WHO Press; 2015 [capturado em 4 ago. 2019]. Disponível em: http://www.who.int/maternal_child_adolescent/documents/core_competencies/en/.

72. Haggerty RJ. Risks and protective factors in childhood illness. In: Green M, Haggerty RJ, Weitzman M, editors. Ambulatory pediatrics. 5th ed. Philadelphia: WB Saunders; 1999. p.6-8.

73. Wilkinson J, Bass C, Diem S, Gravley A, Harvey L, Maciosek M, et al. Preventive Services for Children and Adolescents [Internet]. Bloomington: Institute for Clinical Systems Improvement, 2013 [capturado em 19 dez. 2019]. Disponível em: http://portaldeboaspraticas.iff.fiocruz.br/wp-content/uploads/2019/10/70e7f62cd-55f475bb5f0f7593384dfc73aff.pdf.

74. Rourke L, Leduc D, Constantin E, Carsley S, Rourke J. Update on well-baby and well-child care from 0 to 5 years. Can Fam Physician. 2010;56(12):1285-90.

75. Dinkevich E, Ozuah PO. Well-Child Care: Effectiveness of Current Recommendations. Clin Pediatr (Phila). 2002;41(4):211-7.

76. Nelson WG, Rosen A, Pronovost PJ. Reengineering the Physical Examination for the New Millennium? JAMA. 2016;315(22):2391-2.

77. U.S. Preventive Services Task Force. Blood Pressure in Children and Adolescents (Hypertension): Screening. Rockville: Agency for Healthcare Research and Quality; 2013 [capturado em 06 ago.2019]. Disponível em: https://www.uspreventiveservicestaskforce.org/Page/Document/UpdateSummaryFinal/blood-pressure-in-children-and-adolescents-hypertension-screening?ds=1&s=blood%20pressure%20child.

78. Flynn JT, Kaelber DC, Baker-Smith CM, Blowey D, Carroll AE, Daniels SR, et al. Clinical Practice Guideline for Screening and Management of High Blood Pressure in Children and Adolescents. Pediatrics. 2017;140(3):e20171904.

79. Sociedade Brasileira de Pediatria, Departamento Científico de Nefrologia. Hipertensão arterial na infância e adolescência [Internet]. Rio de Janeiro: SBP, 2019 [capturado em 31 ago. 2019]. Disponível em: https://www.sbp.com.br/index.php?eID=cw_filedownload&file=430.

80. U.S. Preventive Services Task Force. Adolescent Idiopathic Scoliosis: Screening [Internet]. Rockville: Agency for Healthcare Research and Quality; 2018 [capturado em 6 ago. 2019]. Disponível em: https://www.uspreventiveservicestaskforce.org/Page/Document/UpdateSummaryFinal/adolescent-idiopathic-scoliosis-screening1?ds=1&s=scoliosis.

81. U.S. Preventive Services Task Force. Testicular Cancer: Screening [Internet]. Rockville: Agency for Healthcare Research and Quality; 2011 [capturado em 6 ago. 2019]. Disponível em: https://www.uspreventiveservicestaskforce.org/Page/Document/UpdateSummaryFinal/testicular-cancer-screening?ds=1&s=testicular.

82. Nevin JE, Witt DK. Well child and preventive care. Prim Care. 2002;29(3):543-55.

83. Brosco JP. Weight Charts and Well-Child Care: How the Pediatrician Became the Expert in Child Health. Arch Pediatr Adolesc Med. 2001;155(12):1385-9.

84. Schuster MA, Duan N, Regalado M, Klein DJ. Anticipatory Guidance: What Information Do Parents Receive? What Information Do They Want? Arch Pediatr Adolesc Med. 2000;154(12):1191-8.

85. Olmsted RW, Svibergson RI, Kleeman JA. The value of rooming-in experience in pediatric training. Pediatrics. 1949;3(5):617-21.

86. Norlin C, Crawford MA, Bell CT, Sheng X, Stein MT. Delivery of Well-Child Care: A Look Inside the Door. Acad Pediatr. 2011;11(1):18-26.

87. Olson LM, Inkelas M, Halfon N, Schuster MA, O'Connor KG, Mistry R. Overview of the Content of Health Supervision for Young Children: Reports From Parents and Pediatricians. Pediatrics. 2004;113(Suppl 5):1907-16.

88. Glascoe FP, Trimm F. Brief Approaches to Developmental-Behavioral Promotion in Primary Care: Updates on Methods and Technology. Pediatrics. 2014;133(5):884-97.

89. Garg P, Eastwood J, Liaw S-T, Jalaludin B, Grace R. A case study of well child care visits at general practices in a region of disadvantage in Sydney. PloS one. 2018;13(10):e0205235.

90. Callejas E, Byrne S, Rodrigo MJ. 'Gaining health and wellbeing from birth to three': a web-based positive parenting programme for primary care settings. Early Child Development and Care. 2018;188(11):1553-66.

91. Singh A, Wilkinson S, Braganza S. Smartphones and Pediatric Apps to Mobilize the Medical Home. J Pediatr. 2014;165(3):606-10.

92. Erkoboni D, Radesky J. The Elephant in the Examination Room: Addressing Parent and Child Mobile Device Use as a Teachable Moment. J Pediatr. 2018;198:5-6.

93. Rourke L, Godwin M, Rourke J, Pearce S, Bean J. The Rourke Baby Record Infant/Child Maintenance Guide: do doctors use it, do they find it useful, and does using it improve their well-baby visit records? BMC Fam Pract. 2009;10(1):28

94. Regalado M, Halfon N. Primary Care Services Promoting Optimal Child Development From Birth to Age 3 Years: Review of the Literature. Arch Pediatr Adolesc Med. 2001;155(12):1311-22.

95. Nelson CS, Wissow LS, Cheng TL. Effectiveness of anticipatory guidance: recent developments. Curr Opin Pediatr. 2003;15(6):630-5.

96. Task Force on Sudden Infant Death Syndrome. The Changing Concept of Sudden Infant Death Syndrome: Diagnostic Coding Shifts, Controversies Regarding the Sleeping Environment, and New Variables to Consider in Reducing Risk. Pediatrics. 2005;116(5):1245-55.

97. LeFevre ML, on behalf of the U.S. Preventive Services Task Force. Behavioral Counseling Interventions to Prevent Sexually Transmitted Infections: U.S. Preventive Services Task Force Recommendation StatementBehavioral Counseling Interventions to Prevent STIs. Ann Intern Med. 2014;161(12):894-901.

98. Gardner HG, American Academy of Pediatrics Committee on Injury, Violence, and Poison Prevention. Office-Based Counseling for Unintentional Injury Prevention. Pediatrics. 2007;119(1):202-6.

99. Zonfrillo MR, Gittelman MA, Quinlan KP, Pomerantz WJ. Outcomes after injury prevention counselling in a paediatric office setting: a 25-year review. BMJ Paediatr Open. 2018;2(1):e000300.

100. McDonald EM, Mack K, Shields WC, Lee RP, Gielen AC. Primary Care Opportunities to Prevent Unintentional Home Injuries: A Focus on Children and Older Adults. Am J Lifestyle Med. 2018;12(2):96-106.

101. Durbin DR, Hoffman BD, Council on Injury Violence Poison Prevention. Child Passenger Safety – Technical Report. Pediatrics. 2018;142(5):e20182461.

102. U.S. Preventive Services Task Force. Counseling about Proper Use of Motor Vehicle Occupant Restraints and Avoidance of Alcohol Use while Driving: U.S. Preventive Services Task Force Recommendation Statement. Ann Intern Med. 2007;147(3):187-93.

103. World Health Organization. INSPIRE: seven strategies for ending violence against children [Internet]. WHO: Geneva; 2016 [capturado em 6 ago. 2019]. Disponível em: http://www.who.int/violence_injury_prevention/violence/inspire/en/.

104. WHO Expert Committee on Physical Status. Physical status: the use and interpretation of anthropometry [Internet]. Technical Report Series 854. Geneva: WHO; 1995 [capturado em 6 ago. 2019]. Disponível em: http://whqlibdoc.who.int/trs/WHO_TRS_854.pdf.

105. Saari A. Modern methods for auxological screening of growth disorders in children [Internet]. [Dissertation in Health Science]. Kuopio: University of Eastern Finland; 2015 [capturado em 6 ago. 2019]. Disponível em: http://urn.fi/URN:ISBN:978-952-61-1723-2.

106. Garner P, Panpanich R, Logan S. Is routine growth monitoring effective? A systematic review of trials. Arch Dis Child. 2000;82(3):197-201.

107. Ross A, English M. Early infant growth monitoring – time well spent? Trop Med Int Health. 2005;10(5):404-11.

108. Hall DMB. Growth monitoring. Arch Dis Child. 2000;82(1):10-5.

109. van Dommelen P, van Buuren S. Methods to obtain referral criteria in growth monitoring. Stat Methods Med Res. 2014;23(4):369-89.

110. Morley D. Growth monitoring. Arch Dis Child. 2001;84(1):89.

111. Davies DP, Williams T. Is weighing babies in clinics worth while? Br Med J (Clin Res Ed). 1983;286(6368):860-3.

112. Aris IM, Rifas-Shiman SL, Li L-J, Yang S, Belfort MB, Thompson J, et al. Association of Weight for Length vs Body Mass Index During the First 2 Years of Life With Cardiometabolic Risk in Early Adolescence. JAMA Netw Open. 2018;1(5):e182460-e.

113. U.S. Preventive Services Task Force. Screening for Obesity in Children and Adolescents: US Preventive Services Task Force Recommendation Statement. JAMA. 2017;317(23):2417-26.

114. de Onis M. Growth Monitoring. In: Caballero B, editor. Encyclopedia of Human Nutrition. 3rd ed. Waltham: Academic Press; 2013. p. 408-16.

115. World Health Organization. The WHO Child Growth Standards [Internet]. Geneva: WHO; 2006 [capturado em 28 ago. 2019]. Disponível em: https://www.who.int/childgrowth/en/.

116. Weintraub B. Growth. Pediatr Rev. 2011;32(9):404-6.

117. Wright CM. The use and interpretation of growth charts. Current Paediatrics. 2002;12(4):279-82.

118. Brasil, Ministério da Saúde, Secretaria de Atenção Primária à Saúde. e-SUS Atenção Básica [Internet]. Brasília. Ministério da Saúde; 2019 [capturado em 28 ago. 2019]. Disponível em: http://aps.saude.gov.br/ape/esus/download.

119. Sankilampi U, Saari A, Laine T, Miettinen PJ, Dunkel L. Use of Electronic Health Records for Automated Screening of Growth Disorders in Primary Care. JAMA. 2013;310(10):1071-2.

120. U. S. Preventive Services Task Force. Final Recommendation Statement: Speech and Language Delay and Disorders in Children Age 5 and Younger: Screening [Internet]. Rockville: Agency for Healthcare Research and Quality; 2015 [capturado em 28 ago. 2019]. Disponível em: https://www.uspreventiveservicestaskforce.org/Page/Document/RecommendationStatementFinal/speech-and-language-delay-and-disorders-in-children-age-5-and-younger-screening.

121. Urkin J, Bar-David Y, Porter B. Should We Consider Alternatives to Universal Well-Child Behavioral-Developmental Screening? Front Pediatr. 2015;3(21):1-6.

122. Glascoe FP, Robertshaw NS. Five reasons to screen well for developmental and behavioral problems [Internet]. Contemporary Pediatrics. 2007 [capturado em 31 ago. 2019]. Disponível em: https://www.contemporarypediatrics.com/pediatrics/five-reasons-screen-well-developmental-and-behavioral-problems.

123. Council on Children With Disabilities, Section on Developmental Behavioral Pediatrics, Bright Futures Steering Committee, Medical Home Initiatives for Children With Special Needs Project Advisory Committee. Identifying Infants and Young Children With Developmental Disorders in the Medical Home: An Algorithm for Developmental Surveillance and Screening. Reaffirmed August 2014. Pediatrics. 2006;118(1):405-20.

124. Scharf RJ, Scharf GJ, Stroustrup A. Developmental Milestones. Pediatr Rev. 2016;37(1):25-38.

125. Coelho R, Ferreira JP, Sukiennik R, Halpern R. Child development in primary care: a surveillance proposal. J Pediatr (Rio J). 2016;92:505-11.

126. Brasil. Ministério da Saúde. Secretaria de Atenção à Saúde. Departamento de Atenção Básica. Saúde da criança: crescimento e desenvolvimento [Internet]. Brasília: Ministério da Saúde; 2012 [capturado em 31 ago. 2019]. Disponível em: http://bvsms.saude.gov.br/bvs/publicacoes/saude_crianca_crescimento_desenvolvimento.pdf.

127. Sukiennik R, Coelho R, Halpern R. Triagem e vigilância dos transtornos do desenvolvimento e comportamento na infância. In: Halpern R, editor. Manual de Pediatria do Desenvolvimento e Comportamento. Barueri: Manole; 2015. p. 105-22.

128. Bordini B, Rosenfield RL. Normal Pubertal Development: Part II: Clinical Aspects of Puberty. Pediatr Rev. 2011;32(7):281-92.

129. Zwaigenbaum L, Penner M. Autism spectrum disorder: advances in diagnosis and evaluation. BMJ. 2018;361:k1674.

130. Siu AL, and the US Preventive Services Task Force. Screening for Autism Spectrum Disorder in Young Children: US Preventive Services Task Force Recommendation Statement. JAMA. 2016;315(7):691-6.

131. Johnson CP, Myers SM, and the Council on Children With Disabilities. Identification and Evaluation of Children With Autism Spectrum Disorders. Pediatrics. 2007;120(5):1183-215.

132. Al-Qabandi M, Gorter JW, Rosenbaum P. Early Autism Detection: Are We Ready for Routine Screening? Pediatrics. 2011;128(1):e211-e7.

133. Zwaigenbaum L, Bauman ML, Fein D, Pierce K, Buie T, Davis PA, et al. Early Screening of Autism Spectrum Disorder: Recommendations for Practice and Research. Pediatrics. 2015;136(Suppl 1):S41-S59.

134. Hagan Jr JF, Shaw JS, Duncan PM, eds. Bright Futures Evidence and Rationale, Health Supervision Visits. In: Bright Futures: Guidelines for Health Supervision of Infants, Children, and Adolescents [Internet]. Elk Grove Village: American Academy of Pediatrics; 2017 [capturado em 21 ago. 2019]. Disponível em: https://brightfutures.aap.org/Bright%20Futures%20Documents/BF4_Evidence_Rationale.pdf.

135. Carey WB. Teaching Parents About Infant Temperament. Pediatrics. 1998;102(Suppl E1):1311-6.

136. Carey WB. Rapid, Competent, and Inexpensive Developmental-Behavioral Screening Is Possible. Pediatrics. 2002;109(2):316-7.

137. Weitzman C, Wegner L. Promoting Optimal Development: Screening for Behavioral and Emotional Problems. Pediatrics. 2015;135(2):384-95.

138. Brasil, Ministério da Saúde. Orientações sobre Vacinação [Internet]. Brasília: Ministério da Saúde; 2019 [capturado em 5 ago. 2019]. Disponível em: http://www.saude.gov.br/saude-de-a-z/vacinacao/orientacoes-sobre-vacinacao.

139. Sociedade Brasileira de Pediatria. Calendário de Vacinação da SBP 2019 [Internet]. Rio de Janeiro: SBP; 2019 [capturado em 5 ago. 2019]. Disponível em: https://www.sbp.com.br/fileadmin/user_upload/21273m-DocCient-Calendario_Vacinacao_2019-ok1.pdf.

140. US Preventive Services Task Force. Ocular Prophylaxis for Gonococcal Ophthalmia Neonatorum: US Preventive Services Task Force Reaffirmation. JAMA. 2019;321(4):394-8.

141. US Preventive Services Task Force. Screening for Iron Deficiency Anemia in Young Children: USPSTF Recommendation Statement [Internet]. Rockville: USPSTF; 2015 [capturado em 04 ago. 2019]. Disponível em: https://www.uspreventiveservicestaskforce.org/Page/Document/UpdateSummaryFinal/iron-deficiency-anemia-in-young-children-screening?ds=1&s=iron%20deficiency.

142. Baker RD, Greer FR, AAP Committee on Nutrition. Diagnosis and Prevention of Iron Deficiency and Iron-Deficiency Anemia in Infants and Young Children (0–3 Years of Age). Pediatrics. 2010;126(5):1040-50.

143. Brasil. Ministério da Saúde. Secretaria de Atenção à Saúde. Departamento de Atenção Básica. Programa Nacional de Suplementação de Ferro: manual de condutas gerais [Internet]. Brasília: Ministério da Saúde; 2013 [capturado em 31 ago. 2019]. Disponível em: http://bvsms.saude.gov.br/bvs/publicacoes/manual_suplementacao_ferro_condutas_gerais.pdf.

144. American Academy of Pediatrics, Section on Oral Health. Maintaining and Improving the Oral Health of Young Children. Pediatrics. 2014;134(6):1224-9.

145. Dalal M, Clark M, Quiñonez RB. How to integrate oral health into pediatric primary care: Part 1. Contemp Pediatr. 2019;36(1).

146. Brasil. Ministério da Saúde. Secretaria de Atenção à Saúde. Departamento de Atenção Básica. A saúde bucal no Sistema Único de Saúde [Internet]. Brasília: Ministério da Saúde; 2018 [capturado em 31 ago. 2019]. Disponível em: http://bvsms.saude.gov.br/bvs/publicacoes/saude_bucal_sistema_unico_saude.pdf.

147. Milgrom PM, Cunha-Cruz J. Are Tooth Decay Prevention Visits in Primary Care Before Age 2 Years Effective? JAMA Pediatr. 2017;171(4):321-2.

148. Moyer VA. Prevention of Dental Caries in Children From Birth Through Age 5 Years: US Preventive Services Task Force Recommendation Statement. Pediatrics. 2014;133(5):1102-11.

149. Clark MB, Slayton RL, AAP Section on Oral Health. Fluoride Use in Caries Prevention in the Primary Care Setting. Pediatrics. 2014;134(3):626-33.

150. Dalal M, Clark M, Quiñonez RB. Pediatric oral health: Fluoride use recommendations. Contemp Pediatr. 2019;36(2).

151. Brasil., Ministério da Saúde. Programa Nacional de Triagem Neonatal [Internet]. Brasília. Ministério da Saúde; 2019 [capturado em 31 ago. 2019]. Disponível em: http://saude.gov.br/acoes-e-programas/programa-nacional-da-triagem-neonatal.

152. Boyle CA, Bocchini JA, Kelly J. Reflections on 50 Years of Newborn Screening. Pediatrics. 2014;133(6):961-3.

153. Newborn Screening Authoring Committee. Newborn Screening Expands: Recommendations for Pediatricians and Medical Homes Implications for the System. Pediatrics. 2008;121:192-217.

154. Yoshinaga-Itano C, Sedey AL, Wiggin M, Chung W. Early Hearing Detection and Vocabulary of Children With Hearing Loss. Pediatrics. 2017;140(2):e20162964.

155. Brasil, Presidência da República, Casa Civil. Lei nº 12.303. Dispõe sobre a obrigatoriedade de realização do exame denominado Emissões Otoacústicas Evocadas [Internet]. Brasília: Casa Civil; 2010 [capturado em 31 ago. 2019]. Disponível em: http://www.planalto.gov.br/ccivil_03/_Ato2007-2010/2010/Lei/L12303.htm.

156. Ejzenbaum F, Grupo de Trabalho em Oftalmologia Pediátrica. Teste do Reflexo Vermelho [Internet]. 2018 [capturado em 17 dez. 2019]. Disponível em: https://www.sbp.com.br/fileadmin/user_upload/_20958d-DC_No1_set_2018-_Teste_do_reflexo_vermelho.pdf.

157. Kemper AR, Hudak ML. Revisiting the Approach to Newborn Screening for Critical Congenital Heart Disease. Pediatrics. 2018;141(5):e20180576.

158. Harlor ADB, Bower C, AAP Committee on Practice and Ambulatory Medicine, Section on Otolaryngology – Head and Neck Surgery. Hearing Assessment in Infants and Children: Recommendations Beyond Neonatal Screening. Pediatrics. 2009;124(4):1252-63.

159. Nelson HD, Bougatsos C, Nygren P. Universal Newborn Hearing Screening: Systematic Review to Update the 2001 US Preventive Services Task Force Recommendation. Pediatrics. 2008;122(1):e266-e76.

160. Sekhar DL. Adolescent Hearing Loss: Rising or Not, It Remains a Concern. Pediatrics. 2017;140(6):e20173084.

161. Loh AR, Chiang MF. Pediatric Vision Screening. Pediatr Rev. 2018;39(5):225-34.

162. U. S. Preventive Services Task Force. Vision Screening in Children Aged 6 Months to 5 Years: US Preventive Services Task Force Recommendation Statement. JAMA. 2017;318(9):836-44.

163. Donahue SP, Baker CN. Procedures for the Evaluation of the Visual System by Pediatricians. Pediatrics. 2016;137(1):e20153597.

164. U. S. Preventive Services Task Force. Final Recommendation Statement: Sexually Transmitted Infections: Behavioral Counseling [Internet]. Rockville: Agency for Healthcare Research and Quality; 2014 [capturado em 31 ago. 2019]. Disponível em: https://www.uspreventiveservicestaskforce.org/Page/Document/RecommendationStatementFinal/sexually-transmitted-infections-behavioral-counseling1.

165. American Academy of Pediatrcs, Committee on Pediatric AIDS. Adolescents and HIV Infection: The Pediatrician's Role in Promoting Routine Testing. Pediatrics. 2016;138(2):e20161650.

166. Brasil, Ministério da Saúde, Secretaria de Vigilância em Saúde, Departamento de Doenças de Condições Crônicas e Infecções Sexualmente Transmissíveis. Protocolo Clínico e Diretrizes Terapêuticas para Atenção Integral às Pessoas com Infecções Sexualmente Transmissíveis [Internet]. Brasília: Ministério da Saúde; 2019 [capturado em 31 ago. 2019]. Disponível em: http://www.aids.gov.br/system/tdf/pub/2016/57800/pcdt_ist_fnal_24_06_2019_web.pdf?file=1&type=node&id=57800&force=1.

167. US Preventive Services Task Force. Screening for HIV Infection: US Preventive Services Task Force Recommendation Statement. JAMA. 2019;321(23):2326-36.

168. Murray PJ, AAP Committee on Adolescence. Screening for Nonviral Sexually Transmitted Infections in Adolescents and Young Adults. Pediatrics. 2014;134(1):e302-e11.

169. U. S. Preventive Services Task Force. Screening for Syphilis Infection in Nonpregnant Adults and Adolescents: US Preventive Services Task Force Recommendation Statement. JAMA. 2016;315(21):2321-7.

170. U. S. Preventive Services Task Force. Final Recommendation Statement: Chlamydia and Gonorrhea: Screening [Internet]. Rockville, MD. Agency for Healthcare Research and Quality; 2014 [capturado em 31 ago. 2019]. Disponível em: https://www.uspreventiveservicestaskforce.org/Page/Document/RecommendationStatementFinal/chlamydia-and-gonorrhea-screening.

171. U.S. Preventive Services Task Force. Final Recommendation Statement: Hepatitis B Virus Infection: Screening [Internet]. Rockville, MD. Agency for Healthcare Research and Quality 2014 [capturado em 31 ago. 2019]. Disponível em: https://www.uspreventiveservicestaskforce.org/Page/Document/RecommendationStatementFinal/hepatitis-b-virus-infection-screening-2014.

172. U. S. Preventive Services Task Force. Serologic Screening for Genital Herpes Infection: US Preventive Services Task Force Recommendation Statement. JAMA. 2016;316(23):2525-30.

173. Farber HJ, Walley SC, Groner JA, Nelson KE, AAP Section on Tobacco Control. Clinical Practice Policy to Protect Children From Tobacco, Nicotine, and Tobacco Smoke. Pediatrics. 2015;136(5):1008-17.

174. U.S. Preventive Services Task Force. Final Recommendation Statement: Tobacco Use in Children and Adolescents: Primary Care Interventions [Internet]. Rockville, MD. . Agency for Healthcare Research and Quality; 2013 [capturado em 31 ago. 2019]. Disponível em: https://www.uspreventiveservicestaskforce.org/Page/Document/RecommendationStatementFinal/tobacco-use-in-children-and-adolescents-primary-care-interventions.

175. Moyer VA, U. S. Preventive Services Task Force. Primary Care Behavioral Interventions to Reduce Illicit Drug and Nonmedical Pharmaceutical Use in Children and Adolescents: U.S. Preventive Services Task Force Recommendation. Ann Intern Med. 2014;160(9):634-9.

176. U. S. Preventive Services Task Force. Screening and Behavioral Counseling Interventions to Reduce Unhealthy Alcohol Use in Adolescents and Adults: US Preventive Services Task Force Recommendation Statement. JAMA. 2018;320(18):1899-909.

177. Levy SJL, Williams JF, AAP Committee on Substance Use Prevention. Substance Use Screening, Brief Intervention, and Referral to Treatment. Pediatrics. 2016;138(1):e20161210.

178. Quigley J, AAP Committee on Substance Use and Prevention. Alcohol Use by Youth. Pediatrics. 2019;144(1):e20191356.

179. Shenoi RP, Linakis JG, Bromberg JR, Casper TC, Richards R, Mello MJ, et al. Predictive Validity of the CRAFFT for Substance Use Disorder. Pediatrics. 2019;144(2):e20183415.

180. Knight JR, Sherritt L, Harris SK, Gates EC, Chang G. Validity of Brief Alcohol Screening Tests Among Adolescents: A Comparison of the AUDIT, POSIT, CAGE, and CRAFFT. Alcohol Clin Exper Res. 2003;27(1):67-73.

181. Siu AL, U.S. Preventive Services Task Force. Screening for Depression in Children and Adolescents: U.S. Preventive Services Task Force Recommendation Statement. Ann Intern Med. 2016;164(5):360-6.

182. Johnson JG, Harris ES, Spitzer RL, Williams JBW. The patient health questionnaire for adolescents: Validation of an instrument for the assessment of mental disorders among adolescent primary care patients. J Adolesc Health. 2002;30(3):196-204.

183. Winter LB, Steer RA, Jones-Hicks L, Beck AT. Screening for major depression disorders in adolescent medical outpatients with the Beck Depression Inventory for Primary Care. J Adolesc Health. 1999;24(6):389-94.

184. Durbin DR, Hoffman BD, Council on Injury Violence Poison Prevention. Child Passenger Safety – Position Statement. Pediatrics. 2018;142(5):e20182460.

185. Brasil. Ministério da Saúde. Secretaria de Atenção à Saúde. Departamento de Atenção Básica. Rastreamento [Internet]. Brasília: Ministério da Saúde; 2010 [capturado em 31 ago. 2019]. Disponível em: http://189.28.128.100/dab/docs/publicacoes/cadernos_ab/abcad29.pdf.

186. Tabas GH, Vanek MS. Is 'routine' laboratory testing a thing of the past? Postgrad Med. 1999;105(3):213-20.

187. Faulkner A, Reidy M, McGowan J. Should we abandon routine blood tests? BMJ. 2017;357:j2091.

188. Harris RP, Sheridan SL, Lewis CL, Barclay C, Vu MB, Kistler CE, et al. The Harms of Screening: A Proposed Taxonomy and Application to Lung Cancer Screening. JAMA Intern Med. 2014;174(2 286).

189. Shaked M, Levkovich I, Adar T, Peri A, Liviatan N. Perspective of healthy asymptomatic patients requesting general blood tests from their physicians: a qualitative study. BMC Fam Pract. 2019;20(1):51.

190. Dickinson JA, Pimlott N, Grad R, Singh H, Szafran O, Wilson BJ, et al. Screening: when things go wrong. Can Fam Physician. 2018;64(7):502-8.

191. Weatherhead JE, Hotez PJ, Mejia R. The Global State of Helminth Control and Elimination in Children. Pediatr Clin North Am. 2017;64(4):867-77.

192. World Health Organization. Preventive chemotherapy to control soil-transmitted helminth infections in at-risk population groups [Internet]. Geneva: WHO; 2017 [capturado em 31 ago. 2019]. Disponível em: https://www.who.int/nutrition/publications/guidelines/deworming/en/.

193. Barbosa JA, Alvim MM, Oliveira MM, Siqueira RA, Dias TR, Garcia PG. Análise do perfil socioeconômico e da prevalência de enteroparasitoses em crianças com idade escolar em um município de Minas Gerais. HU Revista. 2017;43(3):391-7.

194. Goes GC, Gonçalves KCC, Sudre AP, Mattos DPBG, Brener B, Cruz PB, et al. Frequency of enteroparasitoses in preschool children attending daycare centers: a survey applying parasitological and immunological methods. Rev Patol Trop. 2019;48(2):121-33.

195. Dantas SH, Chaves MF, Souza SA, Silva AB, Freitas FIS, Cavalcante UMB, et al. Perfil socioeconômico e qualidade de vida dos pacientes com protozooses intestinais. Saúde (Sta Maria). 2019;45(2):1-18.

196. Pereira GLT, Ribeiro CA, Costa IO, Silva JNC, Calado LSO, Nunes BRM, et al. Prevalência de infecções parasitárias intestinais oriundas de crianças residentes em áreas periféricas, município de Juazeiro do Norte – Ceará. Rev Interfaces. 2017;5(14):21-7.

197. Zanotto M, Cavagnolli NI, Breda JC, Spada PDS, Bortolini GV, Rodrigues AD. Prevalence of intestinal parasites and socioeconomic evaluation of a country town in the serra gaucha region, Rio Grande do Sul, Brazil. Rev Patol Trop. 2018;47(1):19-30.

198. US Preventive Services Task Force. Screening for Lipid Disorders in Children and Adolescents: US Preventive Services Task Force Recommendation Statement. JAMA. 2016;316(6):625-33.

199. Expert Panel on Integrated Guidelines for Cardiovascular Health and Risk Reduction in Children and Adolescents. Summary Report. Pediatrics. 2011;128(Suppl 5):S213-S56.

200. Brown CM, Samaan ZM, Glance A, Haering A, Steele B, Newman N. Standardizing Clinical Response to Results of Lead Screening: A Quality Improvement Study. Pediatrics. 2019;143(6):e20183085.

201. U. S. Preventive Services Task Force. Screening for Elevated Blood Lead Levels in Children and Pregnant Women: US Preventive Services Task Force Recommendation Statement. JAMA. 2019;321(15):1502-9.

202. Lanphear BP, AAP Council on Environmental Health Executive Committee. Prevention of Childhood Lead Toxicity. Pediatrics. 2016;138(1):e20161493.

203. Brasil, Ministério da Saúde. Vigilância em Saúde de Populações Expostas a Contaminantes Químicos [Internet]. Brasília: Ministério da Saúde; 2019 [capturado em 31 ago. 2019]. Disponível em: http://www.saude.gov.br/vigilancia-em-saude/vigilancia-ambiental/vigipeq.

204. ACOG Practice Bulletin No. 109: Cervical Cytology Screening. Obstet Gynecol. 2009;114(6):1409-20.
205. US Preventive Services Task Force. Screening for Cervical Cancer: US Preventive Services Task Force Recommendation Statement. JAMA. 2018;320(7):674-86.
206. Ministério da Saúde, Instituto Nacional de Câncer. Diretrizes brasileiras para o rastreamento do câncer do colo do útero [Internet]. Rio de Janeiro: INCA; 2011 [capturado em 20 ago. 2019]. Disponível em: http://bvsms.saude.gov.br/bvs/publicacoes/inca/rastreamento_cancer_colo_utero.pdf.
207. US Preventive Services Task Force. Behavioral Counseling to Prevent Skin Cancer: US Preventive Services Task Force Recommendation Statement. JAMA. 2018;319(11):1134-42.

## LEITURAS RECOMENDADAS

Hagan Jr JF, Shaw JS, Duncan PM, eds. Bright Futures: Guidelines for Health Supervision of Infants, Children, and Adolescents. 4th ed. Elk Grove Village: American Academy of Pediatrics; 2017. Texto completo gratuitamente disponível em: https://brightfutures.aap.org/materials-and-tools/guidelines-and-pocket-guide/Pages/default.aspx.
*Publicação da iniciativa Bright Futures, abrangente, minuciosa e amparada em evidências científicas, na qual um grupo de especialistas descreve os procedimentos detalhados de promoção de saúde a serem executados em cada uma das consultas do protocolo de puericultura recomendado pela American Academy of Pediatrics. Leitura obrigatória para pediatras e médicos de família. Texto completo gratuito on-line.*

Agency for Healthcare Research and Quality. Guide to Clinical Preventive Services, 2014. Rockville, MD: Agency for Healthcare Research and Quality; 2014. Texto completo gratuitamente disponível em: https://www.ahrq.gov/professionals/clinicians-providers/guidelines-recommendations/guide/index.html.
*Recomendações da U.S. Preventive Services Task Force (USPSTF) para triagem, aconselhamento e prevenção, fonte de apoio essencial para todo profissional de saúde nas decisões clínicas sobre serviços preventivos.*

Blank D. A puericultura hoje: um enfoque apoiado em evidências. J Pediatr (Rio J). 2003;79(Supl 1):S13-22. Disponível em: http://www.scielo.br/pdf/jped/v79s1/v79s1a03.pdf.
*Artigo de revisão sobre a puericultura, com avaliação crítica dos procedimentos clínicos sugeridos na literatura.*

Brazelton TB, Sparrow JD. Touchpoints – Birth to three – Your child's emotional and behavioral development. 2 ed. Cambridge: Da Capo Lifelong Books; 2006.
Brazelton TB, Sparrow JD. Touchpoints – Three to six – Your child's emotional and behavioral development. Cambridge: Da Capo Lifelong Books; 2001.
*Leitura altamente aconselhável para pediatras e pais; descrição clara das influências do temperamento no desenvolvimento e no comportamento da criança; boa base para orientação preventiva.*

Bright Futures. Disponível em: http://brightfutures.aap.org/.
*Projeto abrangente, minucioso e amparado em evidências científicas, no qual um grupo de especialistas descreve os procedimentos detalhados de promoção de saúde a serem executados em cada uma das consultas do protocolo de puericultura recomendado pela American Academy of Pediatrics. Leitura obrigatória para pediatras e médicos de família.*

Canadian Task Force on Preventive Health Care. Disponível em: http://www.canadiantaskforce.ca.
*Organização originalmente responsável pela estratégia de recomendações de procedimentos clínicos apoiados em evidências científicas.*

U.S. Preventive Services Task Force. Disponível em: http://www.uspreventiveservicestaskforce.org/.
*Iniciativa governamental estadunidense devotada a avaliar as bases científicas para recomendar ou contraindicar procedimentos clínicos preventivos.*

# Capítulo 94
# PROMOÇÃO DO DESENVOLVIMENTO DA CRIANÇA

Sonia Isoyama Venancio
Claudia Regina Lindgren Alves

O desenvolvimento infantil é um processo de maturação que depende da interação das crianças com o ambiente, sobretudo com outras pessoas, o que resulta em uma progressão ordenada de aptidões perceptivas, motoras, cognitivas, linguísticas, socioemocionais e autorreguladoras.[1]

As evidências da neurociência mostram que o cérebro se desenvolve mais rapidamente na primeira infância, quando ocorre a multiplicação de neurônios, organização das conexões neurais (sinapses) e o processo de mielinização, responsável pela melhora da velocidade de comunicação das redes neurais. É também na primeira infância que a plasticidade cerebral – capacidade de os neurônios se adaptarem em resposta às necessidades do meio ambiente – é mais intensa.[2]

**As teorias sobre o desenvolvimento infantil destacam que a arquitetura do cérebro depende das influências mútuas da genética, do ambiente e da experiência das crianças, especialmente nos primeiros anos de vida.**

A genética fornece um plano básico para o desenvolvimento do cérebro, como um arquiteto faz um plano para construir uma casa. O ambiente no qual o cérebro começa a se desenvolver pode influenciar profundamente sua arquitetura inicial; assim, desde o período intrauterino é necessário garantir um ambiente saudável, abundante em nutrientes e livre de toxinas (como álcool e tabaco). A experiência refere-se à interação da criança com seu ambiente, que inicia antes mesmo do nascimento, quando o feto sente e responde ao ambiente do útero. O ambiente torna-se cada vez mais importante após o nascimento, quando desempenha um papel fundamental, moldando a arquitetura dos circuitos neurais.[3]

Os modelos teóricos destacam especialmente a importância das interações recíprocas entre a criança e seus pais e outros cuidadores (*serve and return*, ou jogos de ação e reação). As crianças naturalmente buscam interação por meio de balbucios, expressões faciais e gestos, e os adultos tendem a responder com o mesmo tipo de vocalização e gestos. Na ausência dessas respostas, a arquitetura do cérebro pode não se formar adequadamente.[4]

Uma das tarefas mais importantes e desafiadoras dos primeiros anos da infância é o desenvolvimento das habilidades que permitam à criança focar em diversos fluxos de informação ao mesmo tempo, monitorar erros, tomar decisões baseadas nas informações presentes, revisar planos quando necessário e resistir ao instinto de frustração que leva a decisões precipitadas. Esse mecanismo de controle do cérebro é chamado de habilidades de função executiva, que são fundamentais para criar uma base para o desenvolvimento precoce tanto das capacidades cognitivas quanto sociais.[5]

Um corpo extenso e crescente de pesquisas mostra também os múltiplos elos entre a exposição a adversidades durante os primeiros anos de vida e as consequências na vida adulta, e como o equilíbrio fisiológico do corpo pode ser quebrado sob condições crônicas de estresse, ao que os autores chamam de "estresse tóxico". Indivíduos que relatam mais experiências adversas durante a infância têm maior risco de doenças cardiovasculares, doenças pulmonares crônicas, distúrbios psiquiátricos, gravidez na adolescência, obesidade e inatividade física, uso de tabaco, alcoolismo e abuso de drogas.[6]

## DESENVOLVIMENTO NA PRIMEIRA INFÂNCIA COMO PRIORIDADE

Apesar das evidências sobre a importância dos primeiros anos de vida, estimativas baseadas na pobreza extrema e baixa estatura revelam que 249 milhões de crianças com idade < 5 anos, nos países de baixa e média renda (43% de crianças em 2010), correm o risco de não atingir o seu potencial de desenvolvimento.[7]

Algumas iniciativas globais têm sido lançadas para apoiar a formulação de políticas voltadas à primeira infância. Em 2008, emergiu o conceito dos primeiros mil dias – período que vai da concepção até o fim do segundo ano de vida da criança –, com grande ênfase à nutrição.[8,9] Em 2013, esse conceito foi revisitado, apontando-se que o adequado desenvolvimento do feto e da criança associado à boa nutrição trariam benefícios durante todo o ciclo de vida do ser humano.[10]

A importância do desenvolvimento na primeira infância foi universalmente reconhecida nos Objetivos de Desenvolvimento Sustentável (ODS), visando reduzir as desigualdades socioeconômicas e melhorar as condições de saúde e educação.[11]

A Série de 2016 do periódico *The Lancet* enfatiza que um mau começo na vida pode levar a problemas de saúde, nutrição e aprendizagem, resultando em baixos salários na vida adulta, tensões sociais e impacto nas futuras gerações. Os indivíduos afetados poderão sofrer uma perda de, aproximadamente, um quarto do rendimento médio anual na idade adulta, enquanto os países podem perder até duas vezes a sua despesa atual do produto interno bruto com saúde e educação. Enfatiza-se, ainda, a "promoção de cuidados", especialmente das crianças com idade < 3 anos, bem como as intervenções multissetoriais, a começar pela saúde, para que possam chegar a um grande número de famílias e crianças pequenas.[12]

> O desenvolvimento saudável depende da promoção de cuidados que garantam saúde, nutrição, relações responsivas e seguras e oportunidade de aprendizagem desde o início da vida.

O Nurturing Care Framework (FIGURA 94.1) fornece um roteiro de ação sobre como o desenvolvimento da primeira infância se desdobra e como pode ser melhorado por políticas e intervenções.[13]

Verifica-se que o número de países com políticas multissetoriais para o desenvolvimento na primeira infância aumentou de 7, em 2000, para 68, em 2014, dos quais 45% eram países de baixa e média renda.[13] Acompanhando a tendência mundial, cresce no Brasil o interesse pela promoção do desenvolvimento na primeira infância, por meio da implantação de programas federais, como o Brasil Carinhoso e o Criança Feliz, que, até 2018, envolvia cerca de 2 mil municípios, além de outras iniciativas estaduais e locais.[14,15]

A promoção do desenvolvimento infantil também foi enfatizada na Política Nacional de Atenção Integral à Saúde da Criança (PNAISC), publicada em 2015. Em seu terceiro eixo estratégico de ação, a PNAISC ressalta a importância da vigilância e do estímulo do pleno crescimento e desenvolvimento da criança, em especial do desenvolvimento na primeira infância, pela atenção primária à saúde (APS), conforme as orientações da Caderneta da Criança, incluindo ações de apoio às famílias para o fortalecimento de vínculos familiares.[16,17]

Outro passo importante para o fortalecimento dessa agenda foi a instituição do Marco Legal da Primeira Infância, que estabelece princípios e diretrizes para a formulação e a implementação de políticas públicas para a primeira infância em atenção à especificidade e à relevância dos primeiros anos de vida no desenvolvimento infantil e no desenvolvimento do ser humano. O direito de brincar, de ser cuidado por profissionais qualificados em primeira infância, de ser prioridade nas políticas públicas, o direito de ter mãe, pai e/ou cuidador em casa nos primeiros meses, com licença-maternidade e licença-paternidade, e o direito de receber

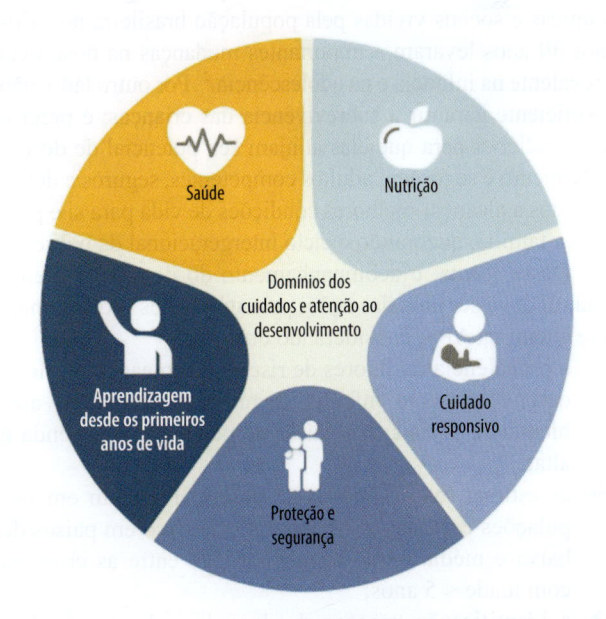

FIGURA 94.1 → Domínios dos cuidados e atenção ao desenvolvimento necessários para que as crianças desenvolvam todo o seu potencial.
Fonte: World Health Organization.[13]

cuidados médicos de qualidade são alguns aspectos enfatizados nessa lei.[18]

No entanto, uma importante lacuna é a pouca informação sobre o desenvolvimento infantil no País. Os inquéritos nacionais de base populacional sobre a saúde infantil não incluem questões sobre o desenvolvimento infantil, assim como os sistemas de informação do Sistema Único de Saúde (SUS). As informações disponíveis são provenientes de pesquisas locais. Dados de dois estudos de coorte no município de Pelotas, no estado do Rio Grande do Sul (RS), apontaram 34% de crianças com suspeita de atraso no desenvolvimento infantil em 1993 e 21,4% em 2004.[19,20] Ainda no RS, estudo realizado no município de Canoas identificou 27% de crianças com suspeita de alteração no desenvolvimento.[21] No âmbito de serviços de saúde, em um ambulatório de puericultura que atende população de baixa renda no município de São Paulo, no Estado de São Paulo, foram identificadas 28,6% de crianças com suspeito de atraso no desenvolvimento infantil.[22] Dois estudos realizados com crianças matriculadas em creches na região Nordeste mostraram prevalências ainda maiores de suspeita de problemas: 43,6% em Feira de Santana, no Estado da Bahia, e 52,7% em João Pessoa, no Estado da Paraíba.[23,24] Verifica-se, portanto, que as pesquisas disponíveis expressam realidades locorregionais, foram realizadas em serviços de saúde ou creches e utilizam diferentes instrumentos de avaliação, o que dificulta a comparabilidade dos resultados.

## PAPEL DA ATENÇÃO PRIMÁRIA À SAÚDE

Entre outros fatores, a atuação dos profissionais de saúde sobre condições de saúde prevalentes resultou em importante redução da mortalidade infantil, da desnutrição e das internações por diarreia e pneumonia, não só no Brasil, mas também em vários países do mundo. As mudanças demográficas, econômicas e sociais vividas pela população brasileira nos últimos 30 anos levaram a importantes mudanças na nosologia prevalente na infância e na adolescência.[25] Por outro lado, não é suficiente garantir a sobrevivência das crianças; é preciso dar condições para que elas atinjam seu potencial de desenvolvimento e se tornem adultos competentes, seguros e determinados a alcançar melhores condições de vida para si e para toda a família, quebrando o ciclo intergeracional da pobreza.

Dessa forma, o acompanhamento do desenvolvimento infantil deve ser uma das ações prioritárias dos profissionais que atuam na APS, considerando que:
→ a prevalência de fatores de risco que ameaçam o pleno desenvolvimento infantil, sejam eles biológicos, ambientais e sociais, em países de baixa e média renda é alta;[7,10]
→ as estimativas de atrasos de desenvolvimento em populações expostas a esses fatores de risco em países de baixa e média renda chegam a 43% entre as crianças com idade < 5 anos;[7]
→ a identificação precoce de desordens do desenvolvimento é o primeiro passo para que as crianças tenham acesso aos serviços de apoio diagnóstico e a intervenções precoces;[26,27]
→ a intervenção precoce nas crianças com suspeita de atraso de desenvolvimento pode reduzir os prejuízos em curto e longo prazos;[28,29]
→ a orientação antecipada dos pais contribui para a promoção do desenvolvimento saudável e bem-estar da família;[27]
→ a APS tem papel fundamental na coordenação, na continuidade e na integralidade do cuidado.[14,16,17,30]

A seguir, são apresentadas orientações que podem nortear a promoção do desenvolvimento infantil, por meio do acompanhamento nos serviços de saúde, a fim de garantir orientação aos cuidadores, detecção precoce de problemas e acesso a intervenções em tempo oportuno.

## VIGILÂNCIA, TRIAGEM E AVALIAÇÃO DO DESENVOLVIMENTO INFANTIL

A detecção precoce de possíveis atrasos no desenvolvimento deve ser um dos principais objetivos do acompanhamento da criança na APS.[16] Pensando no desafio de incluir o acompanhamento do desenvolvimento infantil na rotina das equipes, é importante identificar qual é a abordagem mais recomendada em cada caso. Basicamente, há três tipos de abordagens do desenvolvimento infantil: a vigilância (ou monitoramento), a triagem de casos suspeitos de atrasos e a avaliação diagnóstica das alterações do desenvolvimento.[31,32]

> A escolha da melhor abordagem para o acompanhamento do desenvolvimento infantil deve considerar, além dos objetivos assistenciais, as habilidades dos profissionais, a disponibilidade de instrumentos e ferramentas, a organização dos serviços e as características da população assistida.[13]

A vigilância/monitoramento do desenvolvimento deve ser realizada em todos os atendimentos de rotina para todas as crianças e por todos os profissionais envolvidos. Deve ser um processo flexível, contínuo e longitudinal, com o objetivo de identificar crianças em risco de alterações de desenvolvimento, ouvir as preocupações dos pais e de outros cuidadores e atuar sobre os fatores que dificultam ou favorecem o desenvolvimento da criança.[16,27,31]

A vigilância baseia-se em quatro elementos principais: observação do comportamento e do desenvolvimento da criança; valorização da opinião e das preocupações dos pais; identificação de fatores de risco e registro dessas informações, de modo a permitir o cuidado compartilhado com outros profissionais; e continuidade do cuidado. O comportamento/desenvolvimento da criança pode ser observado durante o próprio atendimento, procurando verificar se os marcos esperados para a idade estão presentes e se são comparáveis aos de crianças da mesma idade de sua comunidade. O relato das habilidades da criança observadas em casa pelos pais também deve ser valorizado. Para que o profissional tenha uma visão global do desenvolvimento da criança, é importante observar marcos dos domínios motores grosso e fino, da linguagem e do comportamento pessoal-social, pois é possível que atrasos aconteçam em apenas um dos domínios.[30,31,33]

De maneira geral, a vigilância do desenvolvimento pode ser feita sem o auxílio de instrumentos específicos, desde que o profissional tenha familiaridade com o assunto e seja sempre ele mesmo a fazer o acompanhamento da criança. No entanto, isso nem sempre é possível, levando à descontinuidade do acompanhamento e a uma dificuldade de detectar precocemente os atrasos. Além disso, o ritmo e a velocidade de desenvolvimento são características pessoais e muito variáveis, dificultando as avaliações subjetivas do processo de desenvolvimento. Nesse sentido, o Ministério da Saúde propõe que a vigilância do desenvolvimento de crianças de até 6 anos de idade seja feita pelo instrumento disponível na Caderneta da Criança, e permite que seja preenchido por todos os profissionais de saúde e pelas famílias.[16,34]

Se a criança não apresenta fatores de risco e não há preocupação dos pais/cuidadores e profissionais quanto ao seu desenvolvimento, o acompanhamento pode basear-se apenas nas ações de vigilância, com apoio e orientação antecipada aos pais quanto à estimulação da criança em cada idade. Na presença de preocupações dos pais/cuidadores e/ou dos profissionais e/ou fatores de risco, deve ser utilizado um instrumento de triagem para a detecção de problemas no desenvolvimento, que seja breve e de baixo custo, mas que seja padronizado e validado para a idade da criança e características da população em que o profissional atua.[16,26] A American Academy of Pediatrics (AAP) recomenda que todas as crianças sejam avaliadas com um instrumento de triagem do desenvolvimento aos 9, 18 e 24 ou 30 meses e com um instrumento de triagem de transtornos do espectro autista (TEAs) aos 18 e 24 meses.[27] O objetivo dos instrumentos de triagem é identificar crianças com suspeita de atraso do desenvolvimento ou que estão em risco de desenvolver desordens, possibilitando a intervenção e o diagnóstico precoces. É importante que os testes de triagem sejam repetidos em diferentes ocasiões e realizados por profissionais de saúde para aumentar sua acurácia.[31]

Há inúmeras opções de testes de triagem, que devem ser escolhidos em função dos objetivos do profissional, da validade para a população avaliada, da disponibilidade e viabilidade de aplicação do teste em cada contexto e das habilidades do profissional em aplicar os testes. Os testes de triagem podem ser domínio-específicos (p. ex., para problemas de linguagem ou problemas motores) ou multidimensionais (abordam vários domínios) e podem ser baseados no relato dos pais ou depender da observação direta pelos profissionais.[7,27,31] Pensando na viabilidade de realização da triagem de atrasos de desenvolvimento no contexto da APS, os testes do tipo múltiplos domínios e baseados no relato dos pais são os mais recomendados, por serem mais rápidos e permitirem uma visão mais geral da criança, possibilitando o aprofundamento posterior em determinadas áreas, se necessário.[35]

Vale lembrar que a triagem de TEAs aos 18 e 24 meses é recomendada com instrumento específico para esse fim, mesmo que algumas alterações sugestivas de TEA possam emergir nos testes de múltiplos domínios.[27,36] Entre os instrumentos de rastreamento/triagem de indicadores dos TEAs adaptados e validados no Brasil, apenas a *Modified Checklist for Autism in Toddlers* (M-Chat) é de uso livre. O M-Chat pode ser aplicado por qualquer profissional de saúde e consiste em um questionário com 23 perguntas para pais de crianças de 18 a 24 meses, com respostas "sim" ou "não", que indicam a presença de comportamentos conhecidos como sinais precoces de TEA. Inclui itens relacionados aos interesses da criança no engajamento social; à habilidade de manter o contato visual; à imitação; à brincadeira repetitiva e de "faz de conta"; e ao uso do contato visual e de gestos para direcionar a atenção social do parceiro ou para pedir ajuda.[37-39] A escolha de testes de triagem também deve levar em conta o nível de risco para atraso de desenvolvimento das crianças atendidas em determinado contexto.[35,40] Em geral, quanto menor o risco da população, maior deve ser a sensibilidade e a especificidade do teste, visando reduzir o número de casos falso-positivos e falso-negativos.[35,40] A **TABELA 94.1** apresenta alguns fatores que podem ser usados

**TABELA 94.1** → Fatores de risco biológicos e ambientais para atraso do desenvolvimento

| BAIXO RISCO | MÉDIO RISCO | ALTO RISCO |
| --- | --- | --- |
| → Acompanhamento de saúde rotineiro | → Acompanhamento de saúde intermitente | → Ausência de acompanhamento de saúde |
| → Acompanhamento pré-natal adequado | → Acompanhamento pré-natal irregular | → Ausência de acompanhamento pré-natal |
| → Recém-nascido a termo | → Exposição ao tabaco durante o pré-natal | → Recém-nascido pré-termo (< 37 semanas) |
| → Peso de nascimento adequado | → Problemas de crescimento e de alimentação | → Baixo peso ao nascimento (< 2.500 g) |
| → Crescimento adequado | → Múltiplos cuidadores | → Microcefalia ao nascimento ou crescimento inadequado do perímetro cefálico ou alterações do sistema nervoso central |
| → Pais saudáveis | → Estresse parental | → Infecções ou malformações congênitas |
| → Ausência de problemas de desenvolvimento na família | → Pai ou mãe solo | → Egresso de unidade de terapia intensiva neonatal |
| → Família funcional | → Pais adolescentes | → Exposição a álcool e/ou drogas durante a gravidez |
| | → Pais com baixa escolaridade | → Alterações fenotípicas (≥ 3) |
| | → Gravidez indesejada ou tentativa de abortamento | → Doenças crônicas ou triagem neonatal positiva |
| | → História de morte de criança com idade < 5 anos na família | → Doenças graves, como meningite, traumatismo cranioencefálico, convulsões ou epilepsia |
| | → Consanguinidade dos pais | → Pobreza acentuada e beneficiários do Programa Bolsa-Família |
| | → Primeira gravidez | → Adoção |
| | → Ausência de apoio social/familiar | → Depressão, doenças mentais ou abuso de substâncias pelos pais |
| | | → História familiar de problemas de desenvolvimento |
| | | → Famílias disfuncionais e violência intrafamiliar |

Fonte: Adaptada de Drotar,[39] PNAISC,[16] Figueiras.[26]

para determinar o nível de risco de cada criança e contribuir na escolha do teste de triagem. A identificação desses fatores faz parte da etapa de vigilância e deve ser feita para todas as crianças desde o nascimento.[16,26,35,40]

As crianças com triagem positiva para transtornos gerais ou específicos do desenvolvimento devem passar para a etapa diagnóstica para confirmação da suspeita de atraso do desenvolvimento e definição etiológica, sem, contudo, retardar o início da estimulação, que deve ser o mais precoce possível. Essa etapa é chamada de avaliação do desenvolvimento e é realizada na atenção secundária, por profissionais especializados em transtornos do desenvolvimento. Os testes diagnósticos, em geral, são longos e caros, e demandam *kits* de materiais específicos e treinamento dos profissionais para sua aplicação, tornando-os, muitas vezes, inacessíveis aos profissionais da APS.[27,31,40,41]

Dependendo do tipo de alteração detectada nos testes de triagem e da disponibilidade de recursos da rede assistencial, as crianças com suspeita de atraso podem ser encaminhadas para outras especialidades médicas, como neuropediatria e psiquiatria infantil, ou para outros profissionais de saúde, como fonoaudiólogos, psicólogos, fisioterapeutas, entre outros. No entanto, esses fluxos ainda não estão bem estabelecidos e a rede de atenção à saúde da criança ainda precisa ser mais bem estruturada para dar sequência ao processo diagnóstico para as crianças com suspeita de atraso do desenvolvimento. Independentemente da decisão tomada, é imperativo reforçar as orientações sobre estimulação para os pais/cuidadores e o início imediato de intervenções de estimulação com profissionais da área de reabilitação.

A **TABELA 94.2** resume as características das abordagens de vigilância, triagem e avaliação do desenvolvimento infantil.[31,35,42]

A **FIGURA 94.2** orienta os passos para o acompanhamento do desenvolvimento infantil pelos profissionais de saúde.[32,43]

## INSTRUMENTO DE VIGILÂNCIA DO DESENVOLVIMENTO INFANTIL DA CADERNETA DA CRIANÇA

A Caderneta da Criança é o documento oficial para a vigilância do desenvolvimento de crianças no Brasil, conforme preconizado no terceiro eixo da PNAISC.[16,17] Deve ser utilizada em todos os atendimentos, seja para registro de informações obtidas pelos profissionais, seja para consulta dos eventos relevantes para a saúde da criança, ou ainda para orientação e diálogo com as famílias. No que diz respeito à promoção do desenvolvimento infantil, a Caderneta traz um rico conteúdo sobre estimulação e prevenção de acidentes de acordo com a faixa etária da criança, que deve ser apresentado e discutido com as famílias nas consultas de rotina da criança.

Uma pesquisa qualiquantitativa que analisou o uso e a percepção dos profissionais de saúde sobre a Caderneta em oito cidades das cinco regiões do Brasil, envolvendo mais de 2 mil crianças com média de idade de 20 meses,[44,45] mostrou que cerca de 87% das mães tinham lido a Caderneta e indicaram o conteúdo relacionado à estimulação do desenvolvimento como a preferida por elas. Paradoxalmente, a análise do preenchimento das Cadernetas mostrou que menos de 10% delas tinha pelo menos um registro sobre o desenvolvimento da criança. Os autores concluem que, apesar da expansão do conteúdo, o uso da Caderneta da Criança enquanto instrumento de vigilância da saúde ainda está aquém de seu potencial, especialmente em relação ao desenvolvimento infantil.

O Instrumento de Vigilância do Desenvolvimento de crianças de 0 a 6 anos disponível na Caderneta da Criança foi inspirado na estratégia AIDPI (Atenção Integrada às Doenças Prevalentes na Infância)[26] e segue a lógica das ações: perguntar, examinar, pesquisar, registrar, classificar e decidir **(FIGURA 94.3)**.

A vigilância do desenvolvimento deve ser iniciada no primeiro contato dos profissionais com a família, preferencialmente durante a gestação, com a identificação de fatores de risco ambientais e biológicos (ver **TABELA 94.1**) e a valorização da opinião dos pais sobre o desenvolvimento da criança. Esses aspectos devem ser abordados ao longo de todo o acompanhamento rotineiro da criança.

> **A sensibilidade dos pais às alterações do desenvolvimento de seus filhos é alta e a existência de preocupações dos pais em qualquer atendimento indica a necessidade de aplicação de um teste de triagem para confirmação da suspeita de atrasos do desenvolvimento.**

O próximo passo consiste em examinar a criança em busca de alterações fenotípicas que possam estar associadas a alterações do desenvolvimento. Segundo o Instrumento de Vigilância do Desenvolvimento Infantil da Caderneta da Criança, a presença de três ou mais das seguintes alterações fenotípicas indicam a necessidade de avaliação do desenvolvimento por especialistas: fenda palpebral oblíqua, olhos muito afastados, implantação baixa de orelhas, lábio leporino, fenda palatina, pescoço curto e/ou largo, prega palmar única, 5º dedo da mão curto e recurvado.[16,26]

O perímetro cefálico (PC) também deve ser verificado e registrado no gráfico próprio em todos os atendimentos até os 2 anos de idade. Medidas abaixo de −2 no escore z (microcefalia) ou acima de +2 no escore z (macrocefalia) para a idade podem indicar condições como craniossinostose, parada de crescimento do cérebro, hidrocefalia, hemorragias, tumores do sistema nervoso central e outras afecções do sistema nervoso central, que podem comprometer o desenvolvimento da criança. Nessas situações, a criança deve ser encaminhada ao neuropediatra para avaliação especializada. Nem sempre as alterações de PC estão associadas a problemas de desenvolvimento, mas, por si só, constituem sinais de alerta que merecem esclarecimento e aumento da vigilância das condições de saúde da criança. É importante considerar a idade gestacional ao nascimento para a escolha do gráfico de PC, devendo ser utilizada a curva para crianças pré-termo do projeto Intergrowth-21st.[46] Além disso, deve-se analisar a constância na trajetória de crescimento do PC e a proporção do PC em relação aos outros índices antropométricos. Mudanças no ritmo de crescimento do PC ou

**TABELA 94.2** → Características da vigilância, triagem e avaliação do desenvolvimento infantil

|  | VIGILÂNCIA DO DESENVOLVIMENTO | TRIAGEM DE ALTERAÇÕES NO DESENVOLVIMENTO | AVALIAÇÃO DIAGNÓSTICA DO DESENVOLVIMENTO |
|---|---|---|---|
| Quem? | Pais, cuidadores, profissionais de saúde e educação | Profissionais de saúde | Profissionais especialistas (neuropediatras, psiquiatras infantis, psicólogos, fonoaudiólogos, etc.) |
| O quê? | Observação do desenvolvimento da criança | Verificação da aquisição dos marcos do desenvolvimento | Diagnóstico de transtornos do desenvolvimento e sua etiologia |
| Quando? | Toda consulta de rotina | → Sempre que houver preocupações dos pais ou dos profissionais<br>→ Para todas as crianças aos 9, 18 e 24 ou 30 meses | Sempre que houver suspeita de alterações do desenvolvimento |
| Por quê? | → Ouvir preocupações dos pais<br>→ Identificar fatores de risco e alterações no desenvolvimento<br>→ Atuar sobre os fatores de risco<br>→ Orientar estimulação adequada para cada fase | → Identificar crianças com suspeita de alterações do desenvolvimento<br>→ Decidir se a criança precisa de avaliação diagnóstica<br>→ Indicar estimulação precoce | → Confirmar a suspeita de alterações<br>→ Identificar a etiologia e condições subjacentes<br>→ Indicar intervenções específicas |
| Como? | Acompanhamento longitudinal e contínuo, utilizando listas de marcos de desenvolvimento | Usando um teste de triagem estruturado e validado | Usando exame clínico, relato dos pais e testes observacionais estruturados e validados para diagnóstico de alterações do desenvolvimento |

Fonte: Adaptada de Centers for Disease Control and Prevention[41] e Voigt.[31]

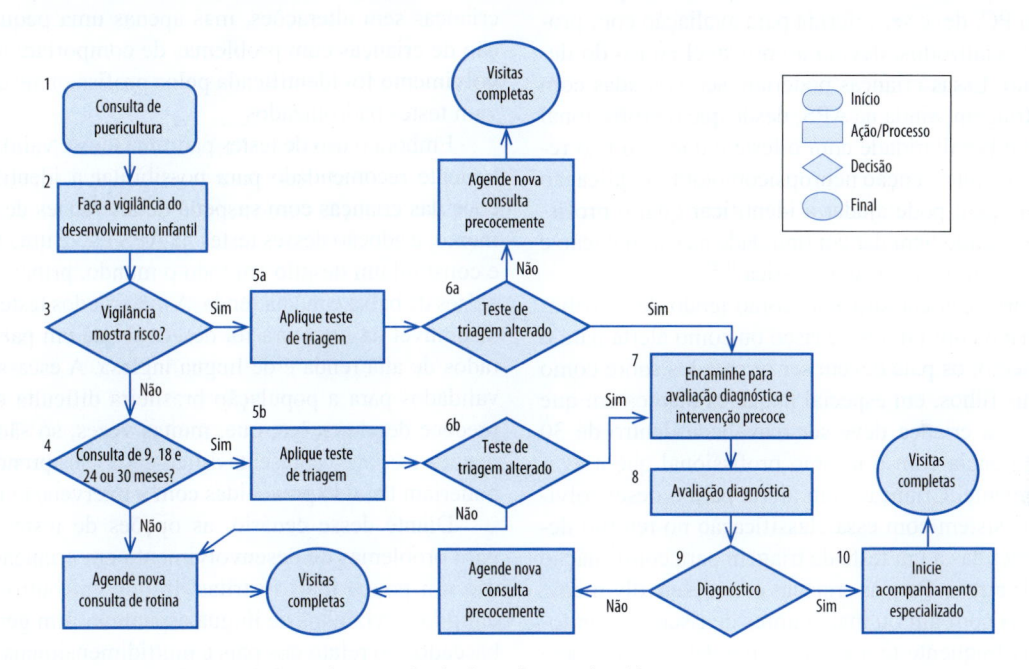

**FIGURA 94.2** → Passos para o acompanhamento do desenvolvimento infantil pelos profissionais de saúde.
Fonte: Council on Children With Disabilities;[32] e Sheldrick e colaboradores.[43]

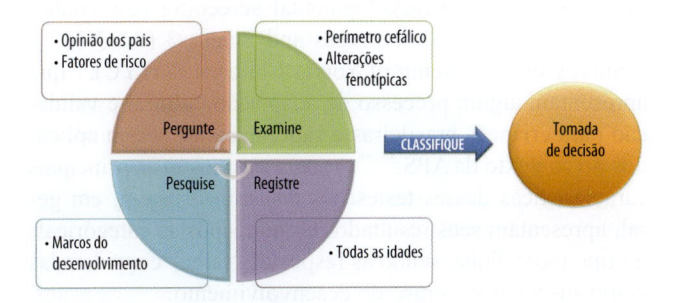

**FIGURA 94.3** → Funcionamento do Instrumento de Vigilância do Desenvolvimento da Caderneta da Criança.
Fonte: Figueiras e colaboradores.[26]

desproporção acentuada entre as curvas de PC e peso/altura também devem ser consideradas sinais de alerta.[16,26]

Na pesquisa dos marcos do desenvolvimento, o Instrumento de Vigilância da Caderneta traz, na primeira coluna, uma lista de itens a serem observados, na segunda coluna traz explicações de como verificar a aquisição desses marcos e, nas colunas subsequentes, as idades em que os marcos devem estar presentes. Para cada idade, o número de marcos varia de 4 a 8 e são observados marcos dos domínios motores grosso e fino, linguagem e interação pessoal-social. A área sombreada abaixo das idades da criança indica a faixa habitual para aquisição de cada habilidade. O profissional deve perguntar aos pais/cuidadores ou observar todos os marcos sombreados para a faixa etária da criança e registrar de acordo com a legenda do instrumento (P, marco presente; A, marco ausente; NV, não verificado) (FIGURA 94.4). Caso a criança não realize algum dos marcos esperados na idade-limite para a sua aquisição, o profissional também deverá avaliar os marcos da faixa etária anterior. Se a criança deixar de realizar um ou mais marcos da faixa anterior, deverá ser referida imediatamente para avaliação diagnóstica, devido ao provável atraso no desenvolvimento. Vale ressaltar que o registro dessas informações é essencial para que a Caderneta cumpra seu papel de comunicação com a família e com os demais profissionais.[16,26]

Os próximos passos são a classificação do desenvolvimento da criança com base nas informações obtidas nas etapas anteriores e a tomada de decisão para cada caso. A FIGURA 94.5 mostra as três classificações possíveis e as condutas indicadas em cada uma delas.

De acordo com o Instrumento de Vigilância da Caderneta, a criança que não adquiriu um ou mais marcos da faixa etária anterior, ou tem três ou mais alterações fenotípicas ou alterações do PC, deve ser referida para avaliação com profissionais especializados, devido ao provável atraso do desenvolvimento. Essas crianças poderiam ser avaliadas com um teste de triagem, ainda na APS, desde que o profissional tenha acesso e familiaridade com o teste e que isso não retarde o início da intervenção neuropsicomotora. A aplicação do teste de triagem pode ajudar a identificar qual o profissional mais indicado para dar continuidade na estimulação e para prosseguir com a etapa diagnóstica.[16,26]

Para as crianças classificadas como tendo desenvolvimento adequado com fatores de risco ou como alerta para o desenvolvimento, os pais devem ser orientados sobre como estimular seus filhos, em especial naqueles marcos em que houve falha, e a criança deve ser reavaliada dentro de 30 dias, de preferência com o mesmo profissional que a avaliou anteriormente. Crianças com alerta para o desenvolvimento que persistem com essa classificação no retorno devem ser submetidas a um teste de triagem para confirmação da suspeita de atraso. Para as crianças com desenvolvimento adequado, mas com um ou mais fatores de risco, o monitoramento mais frequente tem por objetivo detectar precocemente qualquer alteração, já que estão expostas a condições que podem comprometer seu desenvolvimento, e também aumentar as oportunidades de fortalecimento do vínculo da família com o profissional e de fornecimento de orientações sobre a estimulação e cuidados com a criança e de discussão de estratégias para redução dos fatores de risco e potencialização dos fatores protetivos.[16,26,27]

As famílias cujas crianças estão se desenvolvendo satisfatoriamente devem ser elogiadas e orientadas a continuar estimulando seus filhos e a manter acompanhamento de acordo com o calendário habitual para cada faixa etária.

Em todas as situações, o profissional deve reconhecer e respeitar as questões culturais que norteiam a forma de cuidar de cada família, discutindo opções de cuidado e estimulação compatíveis com cada contexto e apoiando as famílias em suas decisões. Cabe ao profissional resgatar o protagonismo da Caderneta na mediação de sua relação com as famílias e como importante instrumento de educação para a saúde.

## TESTES DE TRIAGEM

Os testes de triagem estão indicados quando existem preocupações dos pais, cuidadores ou profissionais durante o processo de vigilância e nas idades específicas de 9, 18 e 24 ou 30 meses, conforme recomendação da AAP.[27,31]

Uma revisão sistemática sobre a identificação de problemas de desenvolvimento e comportamento na APS[47] analisou a acurácia dos profissionais de saúde em detectar clinicamente alterações do desenvolvimento e do comportamento quando comparada aos resultados de testes de triagem. A sensibilidade dos profissionais variou de 14 a 54% e a especificidade, de 69 a 100%, sendo que parte dessa variação pode ser explicada pela prevalência de alterações de comportamento e desenvolvimento na população estudada. A AAP recomenda que os testes de triagem tenham sensibilidade e especificidade acima de 70%. De acordo com esses critérios, a triagem clínica apresentou boa especificidade, isto é, foi capaz de identificar corretamente a maioria das crianças sem alterações, mas apenas uma pequena proporção de crianças com problemas de comportamento e desenvolvimento foi identificada pelos profissionais que não usavam testes padronizados.

Embora o uso de testes padronizados e validados seja altamente recomendado para possibilitar a identificação precoce das crianças com suspeita de alterações de desenvolvimento, a adoção desses testes na APS não é uma tarefa trivial e constitui um desafio em todo o mundo, principalmente nos países de baixa e média renda. A maioria dos testes de triagem disponível na literatura foi desenvolvida em países considerados de alta renda e de língua inglesa. A escassez de testes validados para a população brasileira dificulta o dignóstico precoce de alterações, que, muitas vezes, só são percebidas quando a criança apresenta dificuldades de aprendizagem que poderiam ter sido prevenidas com a intervenção precoce.[35,41]

Diante desse cenário, as opções de testes de triagem para problemas de desenvolvimento em crianças brasileiras são um pouco mais restritas do que em outros países, incluindo os vizinhos de língua espanhola. Em geral, os testes baseados no relato dos pais e multidimensionais são os mais adequados para o uso na APS.[33,35,39,40] Questões como tempo de aplicação, necessidade de treinamento e custos com aquisição de formulários e kits de materiais também devem ser levados em conta na escolha dos testes. Neste capítulo, são discutidos o Denver Developmental Screening Test, conhecido como Denver II,[48] o Ages and Stages 3 (ASQ-3)[49] e o Survey of Well-Being of Young Children (SWYC),[50] que apresentam algum processo de adaptação cultural e validação para crianças brasileiras e são viáveis de serem aplicados no contexto da APS.[51–56] A TABELA 94.3 mostra as principais características desses testes. Os testes de triagem, em geral, apresentam seus resultados como respostas categóricas, do tipo passa/falha, sendo as respostas "falha" consideradas como suspeitas de atraso do desenvolvimento.

O teste Denver II é um dos mais usados no mundo inteiro e foi um dos pioneiros entre os testes de triagem de atrasos no desenvolvimento infantil.[48,51,56,57] É um teste considerado misto, pois apresenta itens que precisam ser observados

# INSTRUMENTO DE VIGILÂNCIA DO DESENVOLVIMENTO DE CRIANÇAS DE ZERO A 12 MESES

Registre na escala: P = marco presente  A = marco ausente  NV = marco não verificado

| Marcos do desenvolvimento | Como pesquisar | 1 | 2 | 3 | 4 | 5 | 6 | 7 | 8 | 9 | 10 | 11 | 12 |
|---|---|---|---|---|---|---|---|---|---|---|---|---|---|
| Postura: barriga para cima, pernas e braços fletidos, cabeça lateralizada | Deite a criança em superfície plana, de costas; observe se seus braços e pernas ficam flexionados e sua cabeça lateralizada. | | | | | | | | | | | | |
| Observa um rosto | Posicione seu rosto a aproximadamente 30 cm acima do rosto da criança e observe se ela olha para você, de forma evidente. | | | | | | | | | | | | |
| Reage ao som | Bata palma ou balance um chocalho a cerca de 30 cm de cada orelha da criança e observe se ela reage com movimentos nos olhos ou mudança da expressão facial. | | | | | | | | | | | | |
| Eleva a cabeça | Posicione a criança de bruço e observe se ela levanta a cabeça, levantando (afastando) o queixo da superfície, sem se virar para um dos lados. | | | | | | | | | | | | |
| Sorriso social quando estimulada | Sorria e converse com a criança; não lhe faça cócegas ou toque sua face. Observe se ela responde com um sorriso. | | | | | | | | | | | | |
| Abre as mãos | Observe se em alguns momentos a criança abre as mãos espontaneamente. | | | | | | | | | | | | |
| Emite sons | Observe se a criança emite algum som que não seja choro. Caso não seja observado, pergunte ao acompanhante se ela faz em casa. | | | | | | | | | | | | |
| Movimenta ativamente os membros | Observe se a criança movimenta ativamente os membros superiores e inferiores. | | | | | | | | | | | | |
| Resposta ativa ao contato social | Fique à frente do bebê e converse com ele. Observe se ele responde com sorriso e emissão de sons como se estivesse "conversando" com você. Pode pedir que a mãe/cuidador o faça. | | | | | | | | | | | | |
| Segura objetos | Ofereça um objeto tocando no dorso da mão ou dedos da criança. Esta deverá abrir as mãos e segurar o objeto pelo menos por alguns segundos. | | | | | | | | | | | | |
| Emite sons | Fique à frente da criança e converse com ela. Observe se ela emite sons (gugu, eeee etc.). | | | | | | | | | | | | |
| De bruço, levanta a cabeça, apoiando-se nos antebraços | Coloque a criança de bruço, numa superfície firme. Chame sua atenção à frente com objetos ou seu rosto e observe se ela levanta a cabeça apoiando-se nos antebraços. | | | | | | | | | | | | |
| Busca ativa de objetos | Coloque um objeto ao alcance da criança (sobre a mesa ou na palma de sua mão), chamando sua atenção para o mesmo. Observe se ela tenta alcançá-lo. | | | | | | | | | | | | |
| Leva objetos à boca | Coloque um objeto na mão da criança e observe se ela o leva à boca. | | | | | | | | | | | | |
| Localiza o som | Faça um barulho suave (sino, chocalho etc.), próximo à orelha da criança e observe se ela vira a cabeça em direção ao objeto que produziu o som. Repita no lado oposto. | | | | | | | | | | | | |
| Muda de posição ativamente (rola) | Coloque a criança em superfície plana de barriga para cima. Incentive-a a virar para a posição de bruço. | | | | | | | | | | | | |
| Brinca de esconde-achou | Coloque-se à frente da criança e brinque de aparecer e desaparecer, atrás de um pano ou de outra pessoa. Observe se a criança faz movimentos para procurá-lo quando desaparece, como tentar puxar o pano ou olhar atrás da outra pessoa. | | | | | | | | | | | | |
| Transfere objetos de uma mão para a outra | Ofereça um objeto para a criança segurar. Observe se ela o transfere de uma mão para outra. Se não fizer, ofereça outro objeto e observe se ela transfere o primeiro para a outra mão. | | | | | | | | | | | | |
| Duplica sílabas | Observe se a criança fala "papa", "dada", "mama". Se não o fizer, pergunte à mãe/cuidador se ela o faz em casa. | | | | | | | | | | | | |
| Senta-se sem apoio | Coloque a criança numa superfície firme, ofereça-lhe um objeto para ela segurar e observe se ela fica sentada sem o apoio das mãos para equilibrar-se. | | | | | | | | | | | | |
| Imita gestos | Faça algum gesto conhecido pela criança como bater palmas ou dar tchau e observe se ela o imita. Caso ela não o faça, peça à mãe/cuidador para estimulá-la. | | | | | | | | | | | | |
| Faz pinça | Coloque próximo à criança uma jujuba ou uma bolinha de papel. Chame a atenção da criança para que ela a pegue. Observe se, ao pegá-la, ela usa o movimento de pinça, com qualquer parte do polegar associado ao indicador. | | | | | | | | | | | | |
| Produz "jargão" | Observe se a criança produz uma conversação incompreensível consigo mesma, com você ou com a mãe/cuidador (jargão). Caso não seja possível observar, pergunte se ela o faz em casa. | | | | | | | | | | | | |
| Anda com apoio | Observe se a criança consegue dar alguns passos com apoio. | | | | | | | | | | | | |

Nota: As áreas amarelas indicam as faixas de idade em que é esperado que a criança desenvolva as habilidades testadas.

**FIGURA 94.4** → Instrumento de Vigilância do Desenvolvimento da Caderneta da Criança.

Fonte: Adaptação da tabela contida no Manual de Crescimento do Ministério da Saúde/2002 por Amira Figueiras, Ricardo Halpern e Rosânia Araújo.

| DADOS DE AVALIAÇÃO | CLASSIFICAÇÃO | CONDUTA |
|---|---|---|
| Perímetro cefálico < −2Z escores ou > +2Z escores; ou Presença de 3 ou mais alterações fenotípicas*; ou Ausência de 1 ou mais reflexos/posturas/habilidades para a faixa etária anterior (se a criança estiver na faixa de 0 a 1 mês, considere a ausência de 1 ou mais reflexos/posturas/habilidades para a sua faixa etária suficiente para esta classificação). | PROVÁVEL ATRASO NO DESENVOLVIMENTO | → Acionar a rede de atenção especializada para avaliação do desenvolvimento. |
| Ausência de 1 ou mais reflexos/posturas/habilidades para a sua faixa etária (de 1 mês a 6 anos). ou Todos os reflexos/posturas/habilidades para a sua faixa etária estão presentes, mas existe 1 ou mais fatores de risco. | ALERTA PARA O DESENVOLVIMENTO | → Orientar a mãe/ cuidador sobre a estimulação da criança. → Marcar consulta de retorno em 30 dias. Informar a mãe/cuidador sobre os sinais de alerta para retornar antes de 30 dias. |
| Todos os reflexos/posturas/habilidades presentes para a sua faixa etária. | DESENVOLVIMENTO ADEQUADO | → Elogiar a mãe/cuidador. → Orientar a mãe/cuidador para que continue estimulando a criança. → Retornar para acompanhamento conforme a rotina do serviço de saúde. → Informar a mãe/cuidador sobre os sinais de alerta para retornar antes. |

**FIGURA 94.5** → Orientações para tomada de decisão conforme as classificações do Instrumento de Vigilância do Desenvolvimento da Caderneta da Criança.
\* Exemplos de alterações fenotípicas mais frequentes: fenda palpebral oblíqua, implantação baixa de orelhas, lábio leporino, fenda palatina, pescoço curto e/ou largo, prega palmar única e quinto dedo da mão curto e recurvado.

habilidades que estão totalmente à esquerda da linha traçada para a idade da criança que está sendo avaliada indica suspeita de atraso do desenvolvimento, pois 90% das crianças da mesma idade já possuem aquela habilidade. A suspeita de atraso também se aplica quando a criança apresenta dois ou mais alertas, isto é, falha ou recusa em demonstrar uma habilidade da área sombreada do item (entre os percentis 75 e 90). O desenvolvimento é considerado típico se a criança demonstra todas as habilidades esperadas para a idade ou, no máximo, um alerta. O manual do teste recomenda que as crianças que se recusam a realizar as tarefas e as consideradas suspeitas de atraso do desenvolvimento sejam novamente testadas em 1 a 2 semanas. Caso persistam os resultados, a criança deverá ser encaminhada para avaliação diagnóstica e iniciada a estimulação global do desenvolvimento.

O Denver II tem sido criticado por diversos autores, principalmente devido a fragilidades no processo de validação e qualidade das propriedades psicométricas, tanto da versão original quanto da versão brasileira.[58,59] A principal crítica diz respeito ao excesso de falso-positivos, o que gera encaminhamentos desnecessários e dispendiosos, além de estresse emocional para a família. No entanto, os autores do Denver II ponderam que é praticamente impossível estimar a validade de um teste que avalia o desenvolvimento globalmente comparando-o com testes específicos para determinados domínios, e que a decisão de encaminhar ou não uma criança para avaliação diagnóstica deve basear-se não apenas no resultado do teste, mas também no conjunto de informações clínicas e epidemiológicas advindas do processo de vigilância.[58]

No contexto da APS, crianças com suspeita de atraso do desenvolvimento podem se beneficiar da discussão de sua condição nas reuniões de matriciamento com os profissionais dos Núcleos de Apoio à Saúde da Família (NASFs) e demais membros da equipe no sentido de otimizar o uso dos recursos locais e racionalizar o encaminhamento para outros pontos da rede de atenção, sem, contudo, retardar o início das intervenções multidisciplinares.

O teste ASQ-3 também é amplamente utilizado no mundo inteiro, tanto para pesquisa quanto na clínica.[49] A versão brasileira é chamada ASQ-BR;[52,55] ele é baseado no relato dos pais e aborda os domínios motor grosso e motor fino, comunicação, resolução de problemas e pessoal-social de crianças dos 4 aos 60 meses de idade. Cada domínio é composto por seis questões, cujas respostas podem ser "sim" (10 pontos), "às vezes" (5 pontos) e "ainda não" (0 ponto). Alguns itens são ilustrados, visando facilitar a

diretamente com a criança, usando um *kit* de materiais, e outros que podem ser relatados pelos pais. O formulário é organizado por domínios (motor grosso, motor fino, linguagem e pessoal-social) e pode ser usado com crianças até os 6 anos. O examinador deve identificar a idade da criança na linha horizontal inferior e traçar uma linha vertical que cruza todos os domínios. Para cada item, são indicadas as idades correspondentes aos percentis 25, 75 e 90. A área entre os percentis 25 e 75 corresponde ao período esperado para aquisição daquela habilidade. A área entre os percentis 75 e 90 corresponde aos alertas, uma vez que a maioria das crianças já possui aquela habilidade naquela idade. A falha em uma ou mais

**TABELA 94.3** → Características dos testes de triagem e diagnóstico que avaliam atrasos do desenvolvimento

| | CUSTO | TEMPO DE APLICAÇÃO | IDADE | SENSIBILIDADE | ESPECIFICIDADE | ÚLTIMA ATUALIZAÇÃO |
|---|---|---|---|---|---|---|
| Bayley III | US$ 1.125 | 30-90 min | 1 a 42 meses | "Padrão-ouro" | "Padrão-ouro" | 2006 |
| Denver II | US$ 114 | 20 min | 2 semanas a 6 anos | 6-83% | 43-80% | 1992 |
| Ages and Stages Questionnaire (ASQ-3) | US$ 199 | 13-20 min | 4 meses a 5 anos | 38-90% | 81-90% | 2009 |
| Survey of Well-Being of Young Children (SWYC) | Gratuito | 15 min | 2 meses a 5 anos | 34% (Bayley)* 58% (ASQ)* | 85,7% (Bayley)* 92% (ASQ)* | 2013 |

*Dados com crianças brasileiras nascidas pré-termo entre 4 e 24 meses.
Fonte: Siqueira.[57]

compreensão dos cuidadores. O examinador deve somar os pontos atribuídos aos itens de cada domínio e verificar na tabela de referência se a pontuação obtida indica que o desenvolvimento da criança está dentro do esperado, se a criança precisa de mais estímulos (limítrofe) ou se a criança precisa de uma avaliação mais aprofundada de seu desenvolvimento (suspeita de atraso). Os pontos de corte variam de domínio para domínio e para cada faixa etária.

Apesar de apresentar vantagens, como facilidade de aplicação e interpretação, ser baseado no relato dos pais e possuir propriedades psicométricas aceitáveis na versão brasileira, há também críticas relacionadas ao baixo poder de discriminação em crianças com idade < 30 meses e ao fato de ainda não haver valores de referência para crianças brasileiras.[52,55,60]

Mais recentemente, pesquisadores do Floating Hospital for Children da Tufts Medical School (Boston, Massachussets) criaram o SWYC com o objetivo de disponibilizar o acesso livre a uma ferramenta para abordagem integral do desenvolvimento, comportamento e fatores de risco no ambiente familiar, que pudesse ser usada tanto para vigilância como para triagem de alterações e riscos em crianças com idade < 60 meses.[50] A versão para o português brasileiro está disponível desde 2014 no Portal do SWYC, e os estudos preliminares indicam propriedades psicométricas aceitáveis, embora os dados normativos para crianças brasileiras ainda não tenham sido publicados.[53,54] O SWYC é um dos instrumentos de triagem indicados pela AAP na última edição do *Bright Futures: Guidelines for Health Supervision of Infants, Children, and Adolescents*, assim como o ASQ-3.[61]

O SWYC pode ser preenchido pelos pais, por educadores e profissionais de saúde, diretamente, mediante entrevista, ou a distância, por telefone ou computador. O teste possui um conjunto de questionários específicos para cada cada faixa etária, que podem ser aplicados combinada ou separadamente, conforme a necessidade de cada caso. A **TABELA 94.4** apresenta a estruturação dos questionarios do SWYC de acordo com a faixa etária da criança.[50]

O questionário de marcos do desenvolvimento (*milestones*) é composto por 10 questões, de acordo com a faixa etária da criança, e aborda os domínios motor, linguagem e cognitivo.[63] As respostas podem ser: "ainda não" (0 ponto), "um pouco" (1 ponto) e "muito" (2 pontos). A pontuação das respostas deve ser somada, e o examinador deve consultar uma tabela com os valores esperados para cada idade. Valores abaixo do ponto de corte indicam que a criança precisa ser reavaliada ou encaminhada para avaliação diagnóstica, de acordo com a impressão clínica.

Para abordagem do comportamento da criança, o SWYC possui dois questionários de acordo com a faixa etária da criança. A Lista de Sintomas do Bebê (BPSC) é indicada para crianças até os 17 meses e possui 12 perguntas que abordam sintomas de irritabilidade, inflexibilidade e dificuldades com a rotina (quatro perguntas para cada domínio).[64] As opções de respostas podem ser "ainda não" (0 ponto), "um pouco" (1 ponto) e "muito" (2 pontos). Pontuação ≥ 3 em cada domínio indica a necessidade de discutir aspectos relacionados ao comportamento da criança ou encaminhar para avaliação especializada com equipe de psicologia. Para crianças de 18 a 60 meses de idade, o questionário usado é a Lista de Sintomas Pediátricos (PPSC), que contém 18 itens que abordam os domínios de externalização, internalização, problemas de atenção e desafios para os pais, em uma escala única.[65] As opções de resposta são as mesmas do BPSC, mas aqui somam-se o valor de todas as respostas, sendo considerados alterados valores > 9 pontos. A interpretação é a mesma do BPSC.

Na faixa etária de 16 a 36 meses, há um questionário que investiga sintomas do espectro autista, chamado Observação dos Pais sobre a Interação Social (POSI).[50] O POSI é baseado no M-Chat, porém é composto por sete perguntas com cinco opções de resposta cada uma. A pontuação pode variar de 0 a 7 pontos (1 ponto por pergunta). A interpretação é baseada no projeto gráfico do questionário, e, para cada alternativa marcada entre as três mais à direita da página, atribui-se 1 ponto. Valores ≥ 3 indicam risco de sintomas do transtorno autista, e a criança deve ser submetida a outros testes, como o M-Chat, e/ou ser encaminhada para avaliação especializada, conforme indicação clínica.

O SWYC disponibiliza, para todas as faixas etárias, perguntas relacionadas às preocupações dos pais com o desenvolvimento, aprendizagem e comportamento da criança e ao contexto familiar, como o consumo de cigarro, uso abusivo de álcool e drogas, insegurança alimentar, risco de depressão materna e de violência intrafamiliar. Para a faixa etária de 0 a 6 meses, os formulários incluem a Escala de Depressão Pós-Parto de Edimburgo (EPDS) completa, devido à maior prevalência desse transtorno nessa faixa etária.

**TABELA 94.4** → Estruturação dos questionários *Survey of Well-Being of Young Children* (SWYC) e sua distribuição por faixa etária

| DOMÍNIOS | IDADES-CHAVE DO SWYC | | | | | | | | | | |
|---|---|---|---|---|---|---|---|---|---|---|---|
| | 2 m | 4 m | 6 m | 9 m | 12 m | 15 m | 18 m | 24 m | 30 m | 36 m | 48 m | 60 m |
| **Desenvolvimento** | Marcos do desenvolvimento |||||||||||
| | | | | | | | Observação dos pais sobre a interação social | | | | |
| **Comportamento** | Lista de sintomas do bebê |||||| Lista de sintomas pediátricos |||||
| **Preocupações dos pais** | Preocupações sobre desenvolvimento-aprendizagem e comportamento |||||||||||
| **Contextos familiares** | Depressão materna e parental, exposição ao tabaco, abuso de substâncias, insegurança alimentar, violência doméstica e estímulo à leitura |||||||||||

m, meses.

Fonte: Adaptada do Manual de aplicação do SWYC,[62] cedida gentilmente pela Prof. Claudia Machado.

A última versão do SWYC (julho de 2018) traz também uma questão sobre atividade de leitura com a criança. A identificação de risco em qualquer das dimensões contribui para o planejamento das ações da equipe multiprofissional, visando à promoção do desenvolvimento saudável, à prevenção de agravos e ao bem-estar da família.[50]

Não está bem estabelecido qual o próximo passo quando uma criança tem triagem positiva para problemas de comportamento e desenvolvimento, independentemente do instrumento utilizado. São muitas as opções: reaplicar o mesmo teste algum tempo depois, aplicar outro teste de triagem a que o profissional tenha acesso para confirmar os resultados ou encaminhar para uma avaliação diagnóstica com especialistas nas áreas que mais preocupam (psicólogo, fonoaudiólogo, neuropediatra, etc.).[32,43,66] Qualquer que seja a escolha, a discussão do caso com a equipe, incluindo os agentes comunitários de saúde, e com os profissionais do NASF e saúde mental será de grande importância para melhor compreensão dos fatores subjacentes aos problemas triados e para a coordenação e integralidade do cuidado com a criança e sua família.

Também é preciso procurar minimizar os fatores de risco, envolvendo outros setores, como a assistência social e a educação, criando uma rede de proteção para a criança e sua família.[13]

## CONSIDERAÇÕES SOBRE A AVALIAÇÃO DIAGNÓSTICA

Resultados positivos nos testes de triagem precisam ser confirmados, preferencialmente, por testes considerados diagnósticos e/ou por avaliação clínica especializada.[27,31] Há um extenso leque de opções de testes com alto poder de discriminação, que se prestam para confirmação diagnóstica e também para o esclarecimento etiológico. Em geral, esses testes apresentam inúmeras limitações para uso no contexto da APS, pois são demorados e caros e demandam materiais e treinamento específicos. Dependendo da escala de triagem utilizada, o profissional pode identificar atrasos globais ou localizados do desenvolvimento, o que, de alguma forma, pode ajudar a direcionar os próximos passos. Dessa forma, o profissional que realizou a triagem deve procurar criar uma rede de cuidados, envolvendo outros profisisonais e outros níveis de atenção que possam acolher as crianças com triagem positiva.

A Bayley Scales of Infant and Toddler Development III (Bayley-III) é uma das escalas mais usadas para avaliação diagnóstica de crianças com suspeita de problemas de desenvolvimento.[67] É baseada na observação direta do desempenho da criança em vários itens nos domínios motores grosso e fino, linguagem expressiva e receptiva e cognitiva. Tem custo elevado e longo tempo de aplicação e interpretação dos resultados, o que restringe sua utilização em contextos com limitação de recursos. Há uma versão adaptada para o português brasileiro e validada para crianças de 12 a 42 meses.[68]

Muitos outros testes unidimensionais podem ser utilizados para diagnósticos de transtornos de linguagem, motores, de aprendizagem, inteligência, etc., que, em geral, são aplicados por profissionais de cada área. Muitas vezes, esses testes são complementares, pois transtornos específicos podem afetar o desenvolvimento em outras áreas.

> Independentemente de como e por quem a etapa diagnóstica será conduzida, a equipe de saúde da APS deve manter o acompanhamento próximo da criança e sua família, coordenando as ações necessárias, mas, sobretudo, garantindo que as intervenções de estimulação sejam iniciadas o mais precocemente possível e mantidas ao longo do tempo.

## INTERVENÇÕES EFETIVAS PARA A PROMOÇÃO DO DESENVOLVIMENTO INFANTIL

O acompanhamento do desenvolvimento infantil e a identificação dos fatores de risco e proteção são ações importantes, mas não suficientes para a promoção do desenvolvimento infantil nos níveis individual, familiar e comunitário. Conforme apresentado no modelo Nurturing Care, a promoção do desenvolvimento infantil demanda a implementação de intervenções intersetoriais, tendo a saúde como ponto de partida para alcançar as crianças menores.[13]

As intervenções devem incluir o apoio às famílias, para que possam prestar cuidados ao desenvolvimento das crianças e resolver as dificuldades quando estas ocorrerem. Podem ter como alvo vários riscos para o desenvolvimento e podem ser integradas aos serviços que já atendem mulheres e crianças. Os serviços devem incluir ações de promoção do desenvolvimento da criança, bem como da saúde e bem-estar das mães e das famílias. A proposta de integração de ações é essencial ao alcance do pleno desenvolvimento infantil e deve incluir a promoção da alimentação, como apoio ao crescimento e à saúde; a proteção da criança, para prevenção da violência e o apoio às famílias; a proteção social, para garantir a estabilidade financeira familiar e a capacidade de acesso aos serviços; e a educação, para oferecer oportunidades de qualidade desde as primeiras aprendizagens.[12]

O Ministério da Saúde, em 2016, apoiou a elaboração de um documento de síntese de evidências sobre a promoção do desenvolvimento na primeira infância, a fim de nortear a implementação de políticas. O documento reuniu evidências de pesquisa global, a partir de revisões sistemáticas, e evidências locais para apoiar deliberações sobre as políticas e programas de saúde voltados à promoção do desenvolvimento infantil.[14]

As opções de políticas que mostraram efetividade foram:[14]

1. **oferecer programas de educação voltados para os pais (programas de parentalidade):** programas de educação voltados para os pais são intervenções destinadas a melhorar ou alterar o desempenho dos pais por meio da formação, assistência ou educação, e seu principal objetivo é influenciar o bem-estar de seus filhos;
2. **desenvolver ações voltadas à alimentação e à nutrição de crianças na primeira infância:** ações voltadas

à alimentação e à nutrição podem apresentar benefícios para as crianças, elevando suas chances de pleno desenvolvimento, especialmente o cognitivo. Na busca de evidências, destacaram-se duas estratégias nesse eixo de atuação: promoção do aleitamento materno e ações integradas de nutrição/suplementação e estimulação e/ou educação alimentar;

3. **oferecer acesso à creche, pré-escola e atividades de leitura/contação de histórias:** a estratégia dessa opção busca promover o acesso à creche ou pré-escola, visando ao desenvolvimento cognitivo, e/ou proporcionar para as crianças atividades de leitura e/ou contação de história, as quais podem favorecer o desenvolvimento da linguagem;
4. **realizar visitas domiciliares visando ao desenvolvimento infantil:** a visita domiciliar é um termo genérico que implica uma estratégia para a entrega de um serviço, em vez de um tipo de intervenção, por si só. Programas de visitas domiciliares podem diferir em várias dimensões, incluindo os tipos de famílias atendidas (p. ex., mães adolescentes, solteiras, famílias de etnias específicas; de diferentes níveis socioeconômicos ou que apresentem fatores de risco sociais); comportamentos ou resultados direcionados (p. ex., violência contra crianças, preparação para a escola); o tipo de pessoal que presta serviços (p. ex., enfermeiros ou mães da comunidade); as idades das crianças-alvo (p. ex., mães grávidas ou famílias com crianças em idade pré-escolar); duração e intensidade de serviços e métodos de recrutamento.
5. **estruturar ações voltadas à promoção do desenvolvimento infantil na APS:** muitas ações voltadas para o desenvolvimento infantil podem ser desenvolvidas por equipes de APS, incluindo atividades de avaliação do desenvolvimento infantil, orientação antecipada aos pais, intervenções focadas em problemas do desenvolvimento e linguagem e coordenação do cuidado.

A implementação de políticas e programas de promoção da primeira infância exige a decisão pela alocação de recursos, priorização de grupos-alvo, definição de modelos de intervenção (p. ex., protocolos de atenção), capacitação de profissionais, organização da rede de atenção à saúde, planejamento de intervenções intersetoriais e monitoramento/avaliação dos resultados das intervenções. O desenvolvimento infantil pode ser afetado de forma desproporcional em determinados grupos da sociedade, sendo importante mapear e estratificar as famílias a partir de critérios de risco e vulnerabilidades para que os mais afetados sejam incluídos.

Segundo o relatório final da Conferência sobre Determinantes Sociais da Saúde da Organização Mundial da Saúde (OMS), de 2008, "[...] o desenvolvimento da primeira infância, em particular o desenvolvimento físico, socioemocional e linguístico-cognitivo, determina de forma decisiva as oportunidades na vida de uma pessoa e a possibilidade de gozar de boa saúde, já que afeta a aquisição de competências, a educação e as oportunidades de trabalho".[69] Vale ressaltar o papel e a responsabilidade dos profissionais de saúde, em especial os que atuam na APS, no acompanhamento sistemático do desenvolvimento infantil, no enfrentamento dos fatores de risco, no fortalecimento dos fatores protetivos, na prevenção de agravos e na promoção da saúde integral das crianças e do bem-estar das famílias, acionando a rede intersetorial que lida com a primeira infância, de modo a garantir o cuidado integral a todas as famílias e a intervenção precoce para as crianças em risco de atraso de desenvolvimento.

## REFERÊNCIAS

1. Britto PR, Lye SJ, Proulx K, Yousafzai AK, Matthews SG, Vaivada T, et al. Nurturing care: promoting early childhood development. Lancet. 2017;389(10064), 91-102.
2. Shonkoff JP. Protecting brains, not simply stimulating minds. Science. 2011;333:982-3.
3. Fox SE, Levitt P, Nelson III CA. How the timing and quality of early experiences influence the development of brain architecture. Child Dev. 2010;81(1):28-40.
4. Shonkoff JP, Richter L, van der Gaag J, Bhutta ZA. An integrated scientific framework for child survival and early childhood development. Pediatrics. 2012;129(2);e460-72.
5. Center on the Developing Child. Harvard University. Building the brain's "air traffic control" system: how early experiences shape the development of executive function. working paper no. 11. Cambridge: Harvard University; 2011.
6. Center on the Developing Child. Harvard University. The Foundations of Lifelong Health Are Built in Early Childhood. Cambridge: Harvard University; 2010.
7. Lu C, Black MM, Richter LM. Risk of poor development in young children in low-income and middle-income countries: an estimation and analysis at the global, regional, and country level. Lancet Glob Heal. 2016;4(12):e916-22.
8. Bhutta ZA, Ahmed T, Black RE, Cousens S, Dewey K, Giugliani E, et al. What works? Interventions for maternal and child undernutrition and survival. Lancet. 2008;371(9610):417-420.
9. Cunha AJLA, Leite AJM, Almeida IS. The pediatrician's role in the first thousand days of the child: the pursuit of healthy nutrition and development. J Pediatr. 2015;91(6 Suppl 1):S44-S51.
10. Bhutta ZA, Das JK, Rizvi A, Gaffey MF, Walker N, Horton S, et al. Evidence-based interventions for improvement of maternal and child nutrition: what can be done and at what cost? Lancet. 2013;382(9890):452-77.
11. United Nations. Transforming our world: the 2030 agenda for sustainable development [ Internet]. Geneva: UN; 2015. Disponível em: https://sustainabledevelopment.un.org/content/documents/21252030%20Agenda%20for%20Sustainable%20Development%20web.pdf.
12. Black MM, Walker SP, Fernald LCH, Andersen CT, DiGirolamo AM, Lu C, et al. Early childhood development coming of age: science through the life course. Lancet. 2017;389(10064):77-90.
13. World Health Organization. United Nations Children's Fund. World Bank Group. Nurturing care for early childhood development: a framework for helping children survive and thrive to transform health and human potential. Geneva: WHO; 2018.
14. Brasil. Ministério da Saúde. Secretaria de Ciência Tecnologia e Insumos Estratégicos. Departamento de Ciência e Tecnologia. Síntese de evidências para políticas de saúde: promovendo o desenvolvimento na primeira infância. Brasília: MS; 2016.
15. Girade HA. 'Criança Feliz': a programme to break the cycle of poverty and reduce the inequality in Brazil. In: Bernard van Leer Foundation, editor. Early childhood matters: advances in early childhood development. The Hague: Bernard van Leer Foundation; 2018. p. 34-8.
16. Brasil. Mistério da Saúde. Secretaria de Atenção à Saúde. Departamento de Ações Programáticas Estratégicas. Política nacional de

atenção integral à saúde da criança: orientações para implementação. Brasília: MS; 2018.

17. Brasil. Ministério da Saúde. Portaria nº 1.130, de 5 de agosto de 2015 [Internet]. Institui a política nacional de atenção integral à saúde da criança (PNAISC) no âmbito do Sistema Único de Saúde (SUS). Brasília; 2015 [capturado em 20 ago. 2019]. Disponível em: http://bvsms.saude.gov.br/bvs/saudelegis/gm/2015/prt1130_05_08_2015.html.

18. Brasil. Presidência da República Casa Civil. Subchefia para Assuntos Jurídicos. Lei nº 13.257, de 8 de março de 2016 [Internet]. Dispõe sobre as políticas públicas para a primeira infância e altera a Lei nº 8.069, de 13 de julho de 1990 (Estatuto da Criança e do Adolescente), o Decreto-Lei nº 3.689, de 3 de outubro de 1941 (Código de Processo Penal), a Consolidação das Leis do Trabalho (CLT), aprovada pelo Decreto-Lei nº 5.452, de 1º de maio de 1943, a Lei nº 11.770, de 9 de setembro de 2008, e a Lei nº 12.662, de 5 de junho de 2012. Brasília; 2016 [capturado em 20 ago. 2019]. Disponível em: http://www.planalto.gov.br/CCIVIL_03/_Ato2015-2018/2016/Lei/L13257.htm.

19. Halpern R, Barros AJD, Matijasevich A, Santos IS, Victora CG, Barros FC. Developmental status at age 12 months according to birth weight and family income: a comparison of two Brazilian birth cohorts. Cad Saude Publica. 2008;24 (Suppl 3):S444-50.

20. Halpern R, Giugliani ERJ, Victora CG, Barros FC, Horta BL. Risk factors for suspicion of developmental delays at 12 months of age. J Pediatr (Rio J). 2000;76(6):421-8.

21. Pilz EML, Schermann LB. Determinantes biológicos e ambientais no desenvolvimento neuropsicomotor em uma amostra de crianças de Canoas/RS. Cien Saude Colet. 2007;12(1):18-90.

22. Moraes MW, Weber APR, Santos MCO, Almeida FA. Teste de Denver II: avaliação do desenvolvimento de crianças atendidas no ambulatório do Projeto Einstein na Comunidade de Paraisópolis. Einstein. 2010;8(2 pt 1):149-53.

23. Silva ACD, Engstron EM, Miranda CT. Fatores associados ao desenvolvimento neuropsicomotor em crianças de 6-18 meses de vida inseridas em creches públicas do município de João Pessoa, Paraíba, Brasil. Cad Saude Publica. 2015;31(9):1881-93.

24. Brito CML, Vieira GO, Costa MCO, Oliveira NF. Desenvolvimento neuropsicomotor: o teste de Denver na triagem dos atrasos cognitivos e neuromotores de pré-escolares. Cad Saúde Pública. 2011;27(7):1403-14.

25. Victora CG, Aquino EML, Leal MC, Monteiro CA, Barros FC, Szwarcwald CL. Maternal and child health in Brazil: progress and challenges. Lancet. 2011;377(9780):1863-76.

26. Figueiras AC, Souza ICN, Rios VG, Benguigui Y. Manual para vigilância do desenvolvimento infantil no contexto da AIDPI. Organização Pan-Americana da Saúde; 2005.

27. Johnson CP, Myers SM, Council on Children with Disabilities. Identification and evaluation of children with autism spectrum disorders. Pediatrics. 2007;120(5):1183-215.

28. Engle PL, Fernald LCH, Alderman H, Behrman J, O'Gara C, Yousafzai A, et al. Strategies for reducing inequalities and improving developmental outcomes for young children in low-income and middle-income countries. Lancet. 2011;378(9799):1339-53.

29. Anderson LM, Shinn C, Fullilove MT, Scrimshaw SC, Fielding JE, Normand J, et al. The effectiveness of early childhood development programs. Am J Prev Med. 2003;24(3 suppl):32-46.

30. Morelli DL, Pati S, Butler A, Blum NJ, Gerdes M, Pinto-Martin J, et al. Challenges to implementation of developmental screening in urban primary care: a mixed methods study. BMC Pediatr. 2014;14:14-6.

31. Voigt RG, Macias MM, Myers SM, Tapia CD, editors. Developmental and behavioral pediatrics. Itasca: American Academy of Pediatrics; 2011.

32. Council on Children With Disabilities, Section on Developmental Behavioral Pediatrics, Bright Futures Steering Committee, Medical Home Initiatives for Children With Special Needs Project Advisory Committee. Identifying infants and young children with developmental disorders in the medical home: an algorithm for developmental surveillance and screening. Pediatrics. 2006;118(1):405-20.

33. Voigt RG, Llorente AM, Jensen CL. Comparison of the validity of direct pediatric developmental evaluation versus developmental screening by parent report. Clin Pediatr (Phila). 2007;46(6):523-9.

34. Brasil. Ministério da Saúde. Secretaria de Atenção à Saúde. Manual para utilização da caderneta da criança. Brasília: MS; 2005.

35. Fernald LCH, Prado E, Kariger P, Raikes A. A toolkit for measuring early childhood development in low- and middle-income countries. Washington: World Bank Group; 2017.

36. Sociedade Brasileira de Pediatria. Departamento Científico de Pediatria do Desenvolvimento e Comportamento. Triagem precoce para autismo/transtorno do espectro autista [Internet]. Rio de Janeiro; 2017 [capturado em: 10 jan. 2020]. Disponível em: https://www.sbp.com.br/fileadmin/user_upload/2017/04/19464b-DocCient-Autismo.pdf

37. Brasil. Ministério da Saúde. Secretaria de Atenção à Saúde. Departamento de Ações Programáticas Estratégicas. Diretrizes de atenção à reabilitação da pessoa com transtornos do espectro do autismo (TEA). Brasília: MS; 2014.

38. Losapio MF, Pondé MP. Tradução para o português da escala M-CHAT para rastreamento precoce de autismo. Rev Psiquiatr do Rio Gd do Sul. 2008;30(3):221-9.

39. Delahunty C. Developmental delays and autism: screening and surveillances. Cleve Clin J Med. 2015;82(11 Suppl 1):S29-S32.

40. Drotar D, Stancin T, Dworkin PH, Sices L, Wood S. Selecting developmental surveillance and screening tools. Pediatr Rev. 2008;29(10):e52-8.

41. Moodie S, Daneri P, Goldhagen S, Halle T, Green K, LaMonte L. Early childhood developmental screening: a compendium of measures for children ages birth to five. Washington: Office of Planning, Research and Evaluation, Administration for Children and Families, U. S. Department of Health and Human Services; 2014.

42. Centers for Disease Control and Prevention. Developmental monitoring and screening [Internet]. Washington: CDC; 2019 [capturado em 10 jan. 2020]. Disponível em: https://www.cdc.gov/ncbddd/childdevelopment/screening.html.

43. Sheldrick RC, Breuer DJ, Hassan R, Chan K, Polk DE, Benneyan. A system dynamics model of clinical decision thresholds for the detection of developmental-behavioral disorders. Implement Sci. 2016;11:156.

44. Almeida AC, Mendes LC, Sad IR, Ramos EG, Fonseca VM, Peixoto MVM. Use of a monitoring tool for growth and development in Brazilian children – systematic review. Rev Paul Pediatr. 2016;34(1):122-31.

45. Almeida AC, Quaresma ME, Ramos JFC, Mendes LC, Marques M, Passos E, et al. Relatório integrado das pesquisas: utilização da caderneta de saúde na vigilância do crescimento e do desenvolvimento de crianças brasileiras na primeira infância & compreensão do discurso profissional sobre a prática da vigilância do crescimento e desenvolvimento da criança na estratégia de saúde da Família. Rio de Janeiro: IFF/FIOCRUZ; 2015.

46. The international fetal and newborn growth consortium for the 21st century. Intergrowth-21st newborn size at birth chart [Internet]. Oxford: INTERGROWTH; 2015[capturado em 18 nov. 2019]. Disponível em: https://intergrowth21.tghn.org/articles/intergrowth-21st-newborn-size-birth-chart/.

47. Sheldrick RC, Merchant S, Perrin EC. Identification of developmental-behavioral problems in primary care: a systematic review. Pediatrics. 2011;128(2):356-63.

48. Frankenburg WK, Dodds JB, Archer P, Bresnick B, Maschka P, Edelman N, et al. Manual técnico: Denver II: teste de triagem do desenvolvimento. São Paulo: HOGREFE / CETEPP; 2018.

49. Squires J, Bricker D, Twombly E, Potter L. ASQ-3 user's guide. Baltimore: Brookes Publishing; 2009.

50. Perrin EC, Sheldrick C, Visco Z, Mattern K. The survey of well-being of young children: user's manual. Boston: SWYC; 2016.
51. Drachler MdeL, Marshall T, Carvalho Leite, JC. A continuous-scale measure of child development for population-based epidemiological surveys: a preliminary study using Item Response Theory for the Denver Test. Paediatr Perinat Epidemiol. 2007;21(2):138-53.
52. Filgueiras A, Pires P, Maissonette S, Landeira-Fernandez J. Psychometric properties of the Brazilian-adapted version of the Ages and Stages Questionnaire in public child daycare centers. Early Hum. Dev. 2013;89(8):561-76.
53. Moreira RS, Magalhães LdeC, Siqueira CM, Alves CRL. Cross-cultural adaptation of the child development surveillance instrument "Survey of Wellbeing of Young Children (SWYC)" in the Brazilian context. J Hum Growth Dev. 2019;29(1):268-78.
54. Moreira RS, Magalhães LC, Siqueira CM, Alves CRL. "Survey of Wellbeing of Young Children (SWYC)": how does it fit for screening developmental delay in Brazilian children aged 4 to 58 months? Res Dev Disabil. 2018;78:78-88.
55. Santana CMT, Filgueiras A, Landeira-Fernandez J. Ages & Stages Questionnaire– Brazil–2011: adjustments on an early childhood development screening measure. Glob Pediatr Heal. 2015;2:1-12.
56. Souza SC, Leone C, Takano AO, Moratelli HB. Desenvolvimento de pré-escolares na educação infantil em Cuiabá, Mato Grosso, Brasil. Cad Saude Publica. 2008;24(8):1917-26.
57. Frankenburg WK, Dodds J, Archer P, Shapiro H, Bresnick B. The Denver II: A major revision and restandardization of the Denver developmental screening test. Pediatrics. 1992;89(1):91-7.
58. Johnson KL, Ashford LG, Byrne KE, Glascoe FP. Does Denver II produce meaningful results? Pediatrics. 1992;90(3):477-9.
59. Glascoe FP, Byrne KE, Ashford LG, Johnson KL, Chang B, Strickland B. Accuracy of the Denver-II in developmental screening. Pediatrics. 1992;89(6 Pt 2):1221-5.
60. Rubio-Codina M, Araujo MC, Attanasio O, Muñoz P, Grantham-McGregor S. Concurrent validity and feasibility of short tests currently used to measure early childhood development in large scale studies. PLoS One. 2016;11(8):e0160962.
61. Hagan Jr JF, Shaw JS, Duncan PM, eds. Bright Futures: Guidelines for Health Supervision of Infants, Children, and Adolescents [Internet]. 4th ed. Elk Grove Village: American Academy of Pediatrics; 2017[capturado em: 01 dez. 2019]. Disponível em: https://brightfutures.aap.org/materials-and-tools/guidelines-and-pocket-guide/Pages/default.aspx.
62. Siqueira CM. Propriedades psicométricas do Survey of the Well-being of Young Children – versão Brasil (SWYC-BR) para crianças entre 4 e 24 meses de idade nascidas prematuras. [tese de doutorado em Ciências da Saúde]. Belo Horizonte: Universidade Federal de Minas Gerais; 2019.
63. Sheldrick RC, Perrin EC. Evidence-based milestones for surveillance of cognitive, language, and motor development. Acad Pediatr. 2013;13(6):577-586.
64. Sheldrick RC, Henson BS, Neger EN, Merchant S, Murphy JM, Perrin EC. The baby pediatric symptom checklist: development and initial validation of a new social/emotional screening instrument for very young children. Acad Pediatr. 2013;13(1):72-80.
65. Sheldrick RC, Henson BS, Merchant S, Neger EN, Murphy JM, Perrin EC. The Preschool Pediatric Symptom Checklist (PPSC): development and initial validation of a new social/emotional screening instrument. Acad Pediatr. 2012;12(5):456-67.
66. Sheldrick RC, Garfinkel D. Is a Positive Developmental-Behavioral Screening score sufficient to justify referral? a review of evidence and theory. Acad Pediatr. 2017;17(5):464-70.
67. Bayley N. Bayley: escalas de desenvolvimento do bebê e da criança pequena: manual de administração. 3. ed. São Paulo: Pearson; 2018.
68. Madaschi V, Mecca TP, Macedo EC, Paula CS. Bayley-III scales of infant and toddler development: transcultural adaptation and psychometric properties. Paid. 2016;26(64):189-97.
69. Organização Mundial da Saúde. Comissão para os Determinantes Sociais da Saúde. Redução das desigualdades no período de uma geração. Igualdade na saúde através da acção sobre os seus determinantes sociais [Internet]. Portugal: OMS; 2010 [capturado em 10 jan. 2020]. Disponível em: https://www.who.int/eportuguese/publications/Reducao_desigualdades_relatorio2010.pdf.

# LEITURAS RECOMENDADAS

Brasil. Ministério da Saúde. Secretaria de Atenção à Saúde. O cuidado às crianças em desenvolvimento: orientações para as famílias e cuidadores. Brasília: Ministério da Saúde; 2017.

*Essa publicação apresenta informações importantes para os pais, para que possam estimular sua criança e ajudá-la a desenvolver suas habilidades nos primeiros anos de vida.*

Brasil. Ministério da Saúde. Secretaria de Atenção à Saúde. Departamento de Atenção Básica. Saúde da Criança: crescimento e desenvolvimento. Brasília: Ministério da Saúde; 2012.

*Essa publicação do Ministério da Saúde traz orientações para a organização do processo de trabalho para o cuidado à criança na atenção primária à saúde.*

Organização Pan-Americana da Saúde. Manual para vigilância do desenvolvimento infantil no contexto da AIDPI. Washington: OPAS; 2005.

*Essa publicação, embora não seja recente, foi um importante marco para a capacitação de profissionais que atuam na atenção primária à saúde para a vigilância do desenvolvimento infantil e tem sido uma referência para manuais mais recentes.*

Cypel S, organizador. Fundamentos do desenvolvimento infantil: da gestação aos três anos. São Paulo: Fundação Maria Cecília Souto Vidigal; 2011.

*Esse livro é resultado do trabalho de um comitê de especialistas, no qual são apresentadas as etapas do desenvolvimento infantil – do período intrauterino até a idade de 3 anos.*

Ministério da Saúde. Saúde de A – Z. Disponível em: http://www.saude.gov.br/saude-de-a-z/crianca.

*Aborda tópicos relacionados à saúde da criança, incluindo o desenvolvimento infantil.*

Enciclopédia Digital sobre a Primeira Infância. Conass. Disponível em: https://www.conass.org.br/enciclopedia-digital-sobre-primeira-infancia/.

*Com o objetivo de disseminar conhecimentos científicos relativos ao desenvolvimento das crianças na primeira infância, essa enciclopédia tem como público-alvo planejadores, provedores de serviços, formuladores de políticas, cuidadores e famílias em geral.*

Fundação Maria Cecília Souto Vidigal. Disponível em: https://www.fmcsv.org.br/pt-BR/.

*Tem como foco disponibilizar publicações, vídeos e notícias sobre o desenvolvimento na primeira infância.*

Núcleo Ciência pela Infância. Disponível em: https://ncpi.org.br/.

*Promove e traduz a ciência para aprimorar políticas e práticas a favor da primeira infância.*

The Survey of Well-Being of Young Children. Floating Hospital. Disponível em: https://www.floatinghospital.org/The-Survey-of-Wellbeing-of-Young-Children/Overview.

*Disponibiliza toda a documentação científica que deu origem ao SWYC, assim como o manual do teste e os formulários originais e em português brasileiro.*

Center on the Developing Child. Harvard University. Disponível em: https://developingchild.harvard.edu/.

*Tem a missão de impulsionar o desenvolvimento científico, buscando resultados inovadores para crianças que enfrentam adversidades.*

# Capítulo 95
## PROMOÇÃO DA SAÚDE MENTAL NA PRIMEIRA INFÂNCIA

Maria Lucrécia Scherer Zavaschi
Sandra Fayet Lorenzon
Marina da Silva Netto

*"Para criar uma criança, é necessária toda uma aldeia."*
**(Antigo ditado africano)**

A saúde mental da criança depende de sua constituição genética e do ambiente que a cerca. As experiências mais primitivas modelam a arquitetura do cérebro em desenvolvimento. Problemas físicos ou emocionais ocorridos durante esse processo podem interferir nas capacidades afetivas e cognitivas, com consequências ao longo de toda a vida. Assim, os problemas psicológicos encontrados em crianças, adolescentes e adultos podem ter suas origens nos primeiros anos de vida. Nesse sentido, deve-se estar atento aos fatores envolvidos na concepção, na gestação, no parto, no período pós-parto imediato, no puerpério, na amamentação e no desenvolvimento da criança.

A interação dos genes com as experiências afetivas primitivas, tanto positivas quanto negativas, pode fortalecer ou debilitar a saúde mental da criança. Os genes não determinam o destino do indivíduo, porém é da sua natureza receber e decodificar as mensagens ambientais para, dessa forma, conduzir seu trabalho. Assim, a indução ambiental de estresse crônico no início da vida pode estabelecer uma base instável para a saúde mental, desde a infância até a vida adulta. É essencial considerar também as mudanças significativas que ocorrem na estrutura da dinâmica familiar e social.[1-3]

Todas as experiências afetivas construtivas nos primeiros anos de vida da criança, portanto, conduzirão a um impacto positivo em seu desenvolvimento e nas suas relações familiares e sociais, resultando, em última instância, na redução do abandono escolar, da pobreza e da violência.

## GRAVIDEZ

O desejo de ter um filho origina-se de motivações de ordem biológica instintiva e sofre influência de aspectos psicológicos, culturais e sociais. O projeto de ser pai ou mãe já está presente na fantasia das crianças e manifesta-se claramente por meio do brinquedo. No entanto, a concepção, a gestação e o nascimento de um filho, em especial do primeiro, representam uma verdadeira revolução na vida dos pais. Subitamente, eles entram em uma nova fase de seu desenvolvimento e, da condição de filho ou filha, passam à de pai ou mãe. A vida a dois jamais será igual. As novas tarefas que devem ser enfrentadas propõem profundas mudanças, exigindo grande capacidade de adaptação. Na verdade, a nova condição de parentalidade constitui um teste rigoroso dos estágios anteriores do desenvolvimento de ambos. Pais com mais recursos emocionais e com uma visão mais otimista lidarão melhor com os desafios desse período.[4]

**Na gravidez, momento de crise vital, ocorrem grandes mudanças nos planos físico e afetivo, representando também uma oportunidade única para a promoção da saúde mental da família emergente, pai-mãe-criança, ou das novas configurações familiares. Os profissionais de saúde podem oferecer uma contribuição de grande relevância, apoiando os futuros pais a expressarem os vários sentimentos que fazem parte dessa fase, sejam eles positivos ou negativos.**

Assim procedendo no período pré-natal, os profissionais de saúde esclarecerão dúvidas e informarão os pais acerca dos processos físicos e mentais que estão ocorrendo, aliviando as ansiedades e culpas anteriores, desfazendo tabus e mitos negativos e auxiliando o casal a desvelar suas qualidades parentais. O silêncio e o descaso dos profissionais podem ter consequências desastrosas, dada a sensibilidade especial da gestante e de seu parceiro nessa fase. Devido à vulnerabilidade da mulher no período da gestação, é importante que os profissionais de saúde investiguem e tratem sintomas de transtornos emocionais no intuito de prevenção de psicopatologia mental na mãe e na criança e preparo para o parto, otimizando o papel da mãe e do pai.[5]

Durante os 9 meses que a natureza sabiamente previu para a gestação de um bebê, ocorrem sucessivas mudanças sob influência de forças psíquicas, biológicas e ambientais, que podem favorecer o desenvolvimento do vínculo afetivo entre pais e bebê. Ao final desse período, a maioria dos pais sente-se pronta para o nascimento do bebê. Em situações nas quais esse tempo é abreviado, como nos nascimentos prematuros, os pais tendem a sentir-se despreparados.

Estudos foram realizados com o objetivo de identificar os fatores envolvidos em situações adversas à gestação e ao parto. Essas pesquisas evidenciaram que os recursos pessoais da mãe, como grau de instrução, autoestima, otimismo, características socioculturais, etnia, condições econômicas e presença do companheiro, podem favorecer ou dificultar o curso da gestação. Assim como o estresse pré-natal, a ansiedade e as intercorrências físicas ou emocionais podem dificultar a resolução de possíveis dificuldades ao longo da gestação.[6]

No período pré-natal, é importante identificar fatores de vulnerabilidade que podem afetar a saúde mental da dupla mãe-filho, pela crescente prevalência na comunidade de gestação na adolescência, exposição ao álcool, *crack* e outras drogas, bem como infecções sexualmente transmissíveis – mais especificamente, os portadores do vírus da imunodeficiência humana (HIV [do inglês, *human immunodeficiency virus*]).

Os pais que apresentam doença mental também necessitam da atenção do clínico. A maioria das mulheres com depressão pós-parto já apresentava depressão ou ansiedade durante a gestação. Observou-se, também, que, nesse período, mães portadoras de transtorno obsessivo-compulsivo (TOC) podem sofrer exacerbação dos sintomas. Mulheres com transtorno bipolar apresentam maior risco de ter partos prematuros e bebês com baixo peso ao nascer ou pequenos para a idade gestacional.[7-14]

Se ocorrerem complicações físicas durante a gravidez, o trabalho psicológico dessa etapa pode apresentar-se mais carregado de ansiedades e turbulências. De maneira geral, a expectativa da responsabilidade de criar um filho traz ansiedades que podem levar à regressão psicológica na mãe, aflorando sentimentos provindos de outras etapas do desenvolvimento. Uma acentuação da relação simbiótica da mãe com seu bebê reedita a primitiva relação da gestante com sua própria mãe. Observou-se que um envolvimento mais próximo com a família de origem pode facilitar na preparação para o novo papel parental.[15] Sentimentos ambivalentes em relação à gestação também são experimentados pelos pais, que se sentem realizados, porém angustiados pelas perspectivas de profundas alterações em suas vidas. É importante ajudá-los a compreender que a ambivalência é um sentimento natural em todo ser humano, e que os sentimentos de culpa consequentes precisam ser aliviados para que eles possam aproveitar esse momento tão rico de experiências de forma mais tranquila.[16]

O trabalho psicológico da gravidez envolve três tarefas distintas, cada qual associada a um estágio do desenvolvimento físico do feto. A primeira corresponde à adaptação dos pais à "novidade", com o início de mudanças no corpo da mãe, mas ainda sem evidências maiores da existência do feto. Na segunda, os pais já começam a reconhecer o feto como um ser que terá uma vida separada, o que é confirmado quando ele se faz anunciar pelos primeiros movimentos na barriga da mãe. No terceiro estágio, os pais começam a reconhecê-lo como um indivíduo com características próprias que já são percebidas pelos movimentos rítmicos e níveis de atividade que o distinguem.[17]

## A gestante

Homens e mulheres reagem de diferentes maneiras diante da expectativa da parentalidade e das fantasias que acompanham a experiência da gravidez. Para a mulher, a gravidez traz à tona todos os estágios anteriores do desenvolvimento, incluindo suas experiências primitivas, sentimentos e fantasias com a própria mãe e com o pai, a forma como ultrapassou a relação edípica e como conseguiu tornar-se independente deles. O maior ou menor sucesso na resolução dessas etapas influenciará sua adaptação à gravidez.[17]

O desejo de ter um filho decorre de diferentes motivações e impulsos. A mulher pode desejá-lo por identificar-se com sua própria mãe e com as figuras maternas que a cercaram na infância. Agora passará da situação de cuidada e dependente para a de cuidadora, realizando as fantasias infantis de poder que atribuía à sua mãe. Por outro lado, pode agora comprovar sua fertilidade e criatividade por tanto tempo postas em dúvida.

A mulher grávida passa por um processo psicológico de dupla identificação: identifica-se com o feto, revivendo sua própria vida intrauterina, ao mesmo tempo em que se identifica com sua mãe, com quem está, agora, em pé de igualdade. Se a relação com a mãe da infância foi predominantemente afetuosa, a gravidez pode ser uma oportunidade de renovação da autoestima. Se, ao contrário, foi especialmente carregada de sentimentos negativos, o feto que leva dentro de si pode ser sentido pela mulher como algo destruidor. Temores de dar à luz uma criança defeituosa podem ser reveladores do medo inconsciente de que seus próprios sentimentos negativos possam ter causado danos ao feto.[18]

A gratificação do desejo de maternidade tem múltiplos significados para a mulher. Entre eles, encontra-se o desejo de sentir-se completa, preenchida. Também está presente o desejo de retornar ao estado simbiótico com a própria mãe. A possibilidade que o feto oferece de uma relação íntima e completa pode levar a gestante a um estado de bem-estar, plenitude e recuperação do "paraíso perdido" de sua própria vida intrauterina. Outra vertente pode ser o desejo de imortalidade, de continuar viva por meio de um filho, de ver-se duplicada nele. Para algumas mulheres, o bebê pode representar, ainda, a oportunidade de recuperar seus ideais não atingidos e o desejo de renovar antigos relacionamentos com pessoas importantes do seu passado. Assim, a criança pode ter a incumbência de trazer de volta familiares que já morreram, desfazendo, de modo mágico, a dor da morte e das separações do passado. Não é incomum que uma mulher engravide logo após a perda de algum familiar próximo.

As modificações hormonais e outros processos orgânicos juntam-se ao trabalho de adaptação emocional da mulher, que necessita de tempo e energia para ajustar-se às exigências da nova situação. Esse processo pode ser acompanhado de um sensível aumento da ansiedade. O grau dessa ansiedade terá interferência direta nos sinais e sintomas apresentados, desde os famosos enjoos matinais até os casos mais graves de hiperêmese incoercível, eclâmpsia, abortos espontâneos e partos prematuros.[19]

Em geral, um dos primeiros sintomas, já a partir da 2ª ou 3ª semana, é a sonolência. Muitas vezes, a mulher sente-se com sono o dia inteiro. Esse é o sinal do início do processo de regressão psicológica e retraimento que acompanha a gravidez. Com frequência, ela se apresenta mais reservada e pode sentir necessidade de afastar-se dos demais. Se já tem outros filhos pequenos, estes imediatamente reagem ao retraimento da mãe com o possível aparecimento de sintomatologia variada, como transtornos do sono e do apetite, irritabilidade, maior solicitação de cuidados e até o aparecimento de doenças orgânicas.

Desde o 2º mês da gestação podem aparecer náuseas e vômitos, em especial após o despertar. Não é infrequente também a ocorrência de constipação intestinal. Do ponto de vista emocional, esses sintomas podem traduzir os sentimentos inconscientes, presentes até mesmo na gravidez mais desejada, de expulsar o feto ou de retê-lo.[20]

O período entre o 2º e o 3º mês, correspondendo à etapa de formação da placenta, é reconhecido como a fase em que está mais presente o perigo de aborto. O processo de nidação do óvulo fecundado envolve, fisicamente, um aspecto de agressão à mucosa uterina, o que pode ser vivenciado de maneira psíquica como uma invasão do corpo da mãe. Com frequência, esse sentimento se expressa em sonhos de conteúdo persecutório. Nessa fase, o apoio que a equipe de saúde pode prestar à gestante é de inestimável valor para o prosseguimento de uma gestação harmoniosa. É também o momento adequado para a inclusão do casal em grupos de discussão, de importância comprovada para o alívio das ansiedades presentes.

A partir do 4º mês, muitas mulheres começam a perceber os movimentos do feto. Esse é um dos momentos mais marcantes da gravidez. Para a mãe, isso representa o primeiro sinal de que seu bebê é um ser separado dela, possibilitando o início de um relacionamento para o qual o bebê está dando sua primeira contribuição. As fantasias da mãe sobre o bebê começam a tomar formas mais precisas. Ela pode começar a idealizar o filho perfeito que terá, como forma de defender-se dos temores do desconhecido.

As técnicas de ultrassonografia podem exercer efeito complexo sobre as emoções nessa fase. Algumas mulheres sentem-se mais tranquilas em visualizar o bebê e certificar-se de seu sexo; outras poderão utilizar as imagens da tela, um pouco imprecisas, como confirmação de seus temores de abrigar um feto inadequado ou incompleto. Estas necessitam ouvir repetidas vezes a afirmativa do médico de que seu bebê é normal.[21]

Por volta do 7º mês, ocorre a versão interna, quando o bebê se coloca de cabeça para baixo, posicionando-se em relação ao canal do parto. Os movimentos do feto e do útero podem provocar grande ansiedade, pela percepção de que algo novo está ocorrendo. Algumas vezes esse período é acompanhado de manifestações psicossomáticas, como constipação ou diarreia, crises hipertensivas, aumento excessivo de peso, intensificação de câimbras dolorosas, etc. A consequência mais grave pode ser o parto prematuro. Pode-se aventar a possibilidade de a família ter um acompanhamento psicológico neste momento, se necessário.

Ao aproximar-se o 9º mês, com o desenvolvimento mais rápido do feto, maior frequência das contrações fisiológicas e necessidade de adaptação corporal, a ansiedade pode intensificar-se. Surgem vários temores diante da proximidade do parto: temores de morte, de separação do feto, de enfrentar as responsabilidades da criação de um filho e do bebê real em confronto com o fantasiado durante a gravidez.

Os pais necessitam estar preparados para as enormes solicitações que a dependência do bebê lhes suscitará. Portanto, o apoio familiar, da rede social e da equipe de saúde é fundamental para a boa evolução dessa etapa.

## O homem

Para o homem, o desejo de ter um filho está também relacionado com a sua identificação com a mãe e com a fantasia de poder e criatividade da mãe toda-poderosa de sua infância. Outra causa é o desejo narcísico universal do "sentir-se completo" ao dar vida a um bebê que continuará sua linhagem, o que o leva a desejar um filho homem. O desejo por um filho do mesmo sexo é mais forte nos homens do que nas mulheres. Em algumas culturas, é comum que o filho tenha o nome do avô ou do pai. Ter um filho também pode representar o desejo não apenas de igualar-se ao seu próprio pai, mas de superá-lo, sendo um melhor pai que ele. A evidência da gravidez da companheira também é um momento importante para comprovar sua potência e identidade masculinas.[17] Há pais cujo desejo de ter filhos é tão forte que chegam a apresentar sintomas fisiológicos e psicológicos correspondentes à gravidez da parceira, situação conhecida como síndrome de Couvade.[22]

De qualquer forma, o homem também está sujeito às mesmas ansiedades, dúvidas e questionamentos de sua mulher durante os vários estágios da gravidez. Um dos sentimentos mais comuns dos futuros pais é o de exclusão, mesmo quando o bebê foi planejado e desejado. O pai pode sentir-se deixado de lado, uma vez que sua mulher passa a ser o centro das atenções de familiares e amigos e com frequência torna-se mais retraída, envolvida em seus devaneios com o feto. Algumas mulheres retraem-se sexualmente no início da gravidez, o que leva o marido à perda de sua parceira sexual. Por outro lado, a mulher pode mostrar-se mais dependente, exigindo que o companheiro tome conta dela. Muitas vezes também o homem se sente responsável pela gravidez e pode culpar-se pelos desconfortos que isso está ocasionando à sua companheira.

Todas essas mudanças e questionamentos podem ser produtivos para auxiliá-lo a preparar-se para sua nova identidade. Alguns homens, no entanto, podem reviver, com relação ao futuro bebê, velhos sentimentos negativos com o pai ou com os irmãos, que, na sua fantasia, privaram-no da mãe da infância, sentindo-o como um rival. A reação a esses sentimentos pode fazer o homem se distanciar da mulher, refugiando-se no trabalho ou no alcoolismo, apresentando impotência ou buscando relações extraconjugais.

Por todos esses motivos, é muito importante, para a saúde mental da criança, que o pai também seja incluído no atendimento pré-natal. O apoio emocional do pai durante a gravidez contribui, de forma importante, para o seu bom curso e para a adaptação da mulher à nova condição. O bom relacionamento do casal durante a gravidez oferece condições preditivas do ajustamento da mãe ao seu papel maternal após o parto. Um dos mais importantes veículos de comunicação entre o bebê e sua mãe é o seu contato pele a pele. Recentemente, tem-se também enfatizado o papel do pai na relação pele a pele com seu bebê no pós-parto imediato, o que pode favorecer a parentalidade e, consequentemente, o bom desenvolvimento da criança.[23] Por outro lado, sintomas depressivos da mãe no final da gravidez podem predizer níveis de depressão no pai nas primeiras semanas após o nascimento. Assim, o clínico deve estar atento aos sintomas emocionais de ambos os parceiros, uma vez que a depressão pode ser "contagiosa" no momento da parentalidade.[24]

## O bebê

O bebê precisa ser bem-vindo. Para tanto, todos os esforços da equipe de saúde para estimular o bom vínculo do bebê com seus pais serão soberbamente recompensados. O vínculo entre a mãe e o bebê já inicia no período perinatal, e até mesmo antes.

Conhecimentos recentes enfatizam a complexidade da maturação progressiva do neurodesenvolvimento do feto.

A partir da combinação do desenvolvimento do feto e da comunicação com seu ambiente, resultará a qualidade desse vínculo. A ciência tem-se ocupado em estudar a estrutura e o funcionamento do sistema nervoso fetal, especialmente quando se considera o conhecimento emergente sobre a importância do período pré-natal. O desenvolvimento intrauterino do sistema nervoso central humano consiste em processos específicos como a neurogênese, a migração neuronal, a sinaptogênese e a mielinização. No último século, foi descoberto que o desenvolvimento do sistema nervoso central inclui estrutura e funcionamento. Reconhece-se, agora, que os sistemas motores e sensoriais em desenvolvimento são capazes de funcionar muito antes de terem completado sua maturação neural e que a experiência intrauterina contribui para o desenvolvimento neurocomportamental.[25]

Sabe-se, portanto, que o feto começa a desenvolver precocemente suas capacidades perceptivas. Na cavidade uterina, ele encontra-se sob constantes estímulos orais, auditivos e táteis. Pouco se sabe sobre a capacidade visual do feto, mas, pelo desembaraço do recém-nascido ao fixar o olhar, em especial na face humana, supõe-se que tenha sido exercitado anteriormente. Como ele tem capacidade de deglutir, é provável que o gosto seja estimulado desde cedo.[26]

A partir do 4º mês de gestação, ele pode ouvir e responder aos ruídos do corpo da mãe, bem como aos ruídos externos, ainda que abafados pela filtragem dos tecidos. Assim, o bebê poderá ouvir a voz de seus pais já a partir desse período.

Após os 6 meses de vida intrauterina, ele modifica o ritmo cardíaco ao ser estimulado por determinados sons, em especial os de alta intensidade e baixa frequência. Responde orientando a cabeça na direção do som e movimentando os braços de forma semelhante ao reflexo de Moro do recém-nascido.

Supõe-se – e alguns estudos tratam de comprovar isso – que o feto possua uma memória rudimentar que possibilita aprendizagem, o que explicaria muitas das surpreendentes capacidades do recém-nascido.[27] No último trimestre da gravidez, o feto já é um participante ativo, capaz de mostrar características individuais pelos ciclos e padrões de atividade que a mãe logo aprende a reconhecer e decodificar. Em resposta a essa comunicação, os pais em geral atribuem ao feto qualidades, descrevendo-o como "jogador de futebol", "calmo", "agitado", "agressivo", etc. Dessa forma, já se estabelece, entre o feto e os pais, uma interação que é a base do relacionamento futuro.

A relação íntima do feto com sua mãe, partilhando o meio interno, dentro dos limites da permeabilidade seletiva da placenta, é outra área frutífera de estudo. Pesquisas levam a supor que o complexo conjunto de alterações neuroendocrinometabólicas, induzido pelos estados emocionais da mãe, tenha influência sobre o feto.[28]

## PARTO

O parto é uma experiência intensa e aguda, tanto no plano físico quanto no psicoafetivo.

A mulher experimenta grande expectativa desde os primeiros sinais até a finalização do parto. Podem ocorrer ansiedades básicas na mãe semelhantes à angústia de seu próprio nascimento. São ansiedades de perda, de enfrentamento com o desconhecido, de esvaziamento, de castração e de castigo pela sexualidade, produzindo um estado emocional de confusão. Deve-se levar em consideração que a angústia incrementa a dor do parto e a dor acentua a angústia, por produzir fantasias de desintegração corporal.[19,26]

A equipe obstétrica deve adotar a orientação de manter a mãe desperta, sempre que possível, no momento do parto, para que possa ver, tocar, praticar o pele a pele e amamentar o bebê logo que ele nascer. Assim, ela poderá confrontar seus temores com a realidade tranquilizadora de um bebê saudável. Essa é uma conduta profilática para a amamentação e o puerpério.[18,19]

A observação de mães e seus bebês tem mostrado que eles estão em condições de interagir já no 1º minuto de vida e que o bebê é capaz de buscar o seio para iniciar a sucção. A ligação da mãe com o seu bebê também é bioquimicamente modulada pela ocitocina.

Encorajar o vínculo por meio do contato pele a pele logo após o nascimento tem mostrado uma redução no número de bebês abandonados.[29]

O parto representa a separação de dois seres que estavam vivendo um dentro do outro, em uma relação de total dependência e íntimo contato. A mãe, já adaptada à gestação, deve passar por um novo processo de ajustamento. A dor física e psicológica auxilia no processo de separação mental de seu bebê, o qual ainda é um prolongamento seu, mesmo após o parto.

A experiência do parto produz um estado de choque psicológico na mulher, com efeitos duradouros sobre sua vida mental, que podem representar crescimento psicológico.

O pai deve ser estimulado a estar presente durante o parto. No entanto, é importante lembrar que ambos, pai e mãe, precisam de ajuda para lidar com suas angústias. A presença do companheiro na sala de parto tem sido associada à diminuição do uso de analgésicos, maior tranquilidade e repercussões na qualidade da relação conjugal. Essa experiência, vivida positivamente pelo casal, faz o pai sentir-se com mais competência para desenvolver uma boa interação com o filho.[30]

Após o parto, a mãe sente-se ambivalente em relação ao seu bebê. De um lado, seu corpo está dolorido e ela está fatigada, desejando repouso e reflexão sobre si mesma. Por outro lado, sente que precisa oferecer seus cuidados a um bebê que tem fome, deve receber cuidados de higiene e grita, expressando suas necessidades vitais. Nessa situação, a mãe apresenta-se atenta quanto ao estado do recém-nascido e passa a cuidar dele, desenvolvendo o que é denominado "preocupação materna primária".[26]

Em razão desses cuidados, o bebê cresce, desenvolve-se e comunica-se mais com a mãe, diminuindo as ansiedades maternas e aumentando as experiências de prazer, reforçando seus sentimentos de competência. É importante a preparação psicológica da mãe, proporcionando-lhe noções reais acerca do parto. Sempre haverá casos em que o conflito da mulher em relação à maternidade é tão intenso que exigirá atendimento especializado.

## PÓS-PARTO IMEDIATO

O ser humano é adicto ao amor. A experiência de amar e ser amado que acontece entre mãe, pai e bebê desencadeia uma cascata química que estimula e melhora as atividades das redes neurais em todo o cérebro.[31]

O desenvolvimento de um bom vínculo entre mãe, pai e bebê resultará em ganhos no desenvolvimento cognitivo e afetivo da criança. Essa interação é um elemento básico na estrutura emocional do indivíduo e na constituição de sua saúde mental desde o 1º ano de vida. Esse vínculo inicial é a fonte de onde emanam todos os futuros vínculos que o bebê forma com outras pessoas ao longo da vida, como o cônjuge e os filhos.

Fracassos na interação pais-bebê podem conduzir a graves distúrbios do desenvolvimento. Uma interação bem-sucedida depende de um ciclo mútuo de atenção e afetividade, que envolve a mãe, o pai e o bebê. O profissional de saúde não pode ater-se somente a um desses três indivíduos, pois o que afeta um deles provoca reação no outro. O bebê já nasce com competência para interagir com o meio. É de suma importância que o profissional esclareça, para os pais, as capacidades perceptivas e comunicativas do seu filho, incentivando, dessa maneira, a interação pais-bebê.

Em relação à visão, um recém-nascido com 24 horas de vida é capaz de seguir um rosto humano com o olhar. Sua visão é melhor a uma distância de 20 a 25 cm da face, que coincide com seu distanciamento do rosto da mãe durante a amamentação, quando esta o toma nos braços enquanto está sentada. Também é capaz de processar informação visual, lembrando-se do que viu, e, assim, pode reconhecer sua mãe.

A capacidade auditiva do bebê já é bem desenvolvida durante a gestação. Desde o nascimento, ele tende a reagir de maneira mais seletiva à voz feminina do que à voz masculina. A voz humana é o estímulo mais poderoso para induzi-lo a virar a cabeça, movimentar os olhos e a boca e suscitar sorrisos dos circunstantes.

O bebê pode distinguir e reconhecer diferentes odores. Aos 6 dias, reconhece o cheiro da sua própria mãe, distinguindo o seu leite do leite de outras mulheres.

Assim como os outros órgãos sensoriais, o paladar é altamente desenvolvido no nascimento. O recém-nascido demonstra prazer com sabor doce e desprazer com sabores salgados, ácidos ou amargos.

O sentido do tato é acionado muito cedo. Por isso, o bebê deve ser sustentado nos braços da mãe ou do cuidador com firmeza e delicadeza, necessitando ser abraçado e acariciado com frequência. Por meio dessas experiências repetidas ao longo dos primeiros meses, ele forma a percepção dos limites do seu corpo, distinguindo-o do corpo das demais pessoas. Além disso, a mãe precisa estar ciente de que seu filho já responde com muita intensidade a variações de temperatura, textura, umidade, pressão e dor.[32]

O pós-parto imediato é um período sensível, de grande importância para a formação do vínculo afetivo mãe-filho.

Durante a 1ª hora de vida, os bebês saudáveis encontram-se no estado de "inatividade alerta", durante o qual são capazes de olhar fixamente para o rosto da mãe e responder ao som de sua voz.[32]

Mães que tiveram contato intenso com seus bebês logo após o parto mostram-se mais disponíveis e afetuosas aos seus sinais. Aquelas que ficaram separadas dos seus filhos nesse período inicial têm mais dificuldade para assumir o cuidado dos seus bebês. Essas mães requerem várias consultas para aprender tarefas simples, como alimentá-los ou trocar as fraldas. Além disso, podem ter dificuldade na compreensão de seus sinais, como os diferentes tipos de choro. Quando a separação é muito prolongada, como no caso de recém-nascidos pré-termo, as mães relatam que chegam a duvidar de terem tido um filho.

Há associação entre ausência de contato precoce mãe-bebê e cuidados inadequados, levando a hospitalizações frequentes, abandono e negligência.

Sempre que possível, o profissional de saúde deve propiciar que o bebê fique, pelo menos por 1 hora, em contato pele a pele com sua mãe, na sala de parto.

A mãe deve ser orientada a responder prontamente às necessidades do recém-nascido, visto que sua capacidade de tolerância à frustração ainda está muito pouco desenvolvida. É pela experiência repetitiva da emissão de sinais e da correspondente resposta materna que o bebê desenvolve a esperança, a confiança e o senso de competência, construindo sua subjetividade e a decorrente capacidade de tolerar frustrações.

Ao contrário do que muitas famílias pensam, o bebê, longe de ficar com "manias" ou "baldas", pelo rápido atendimento das suas necessidades, torna-se uma criança tranquila e mais segura, podendo, ao longo dos meses e dos anos, tolerar progressivamente maiores frustrações. Assim, um bebê de 6 meses pode aguardar alguns minutos para ser atendido em suas necessidades, fato que, para um recém-nascido, pode ser vivenciado como catastrófico, devido à imaturidade do seu ego. Da mesma forma, uma criança de 1 ano, ao ouvir a voz da mãe mencionando "já vou", pode acalmar-se instantaneamente apenas com sua voz, mesmo antes de ter a sua necessidade atendida. No entanto, a criança que não recebeu cuidados imediatos no início pode, ao final do 1º ano, apresentar-se intranquila e irritável, não tolerando as frustrações impostas pelas circunstâncias reais da vida.

## PUERPÉRIO

Acompanhando o puerpério biológico, que se estende aproximadamente até 6 semanas após o parto, existe o puerpério psíquico, que se prolonga por mais tempo.[19]

O puerpério psíquico é o período de delimitação entre a perda da gestação e o ganho do bebê e entre as fantasias inconscientes e a realidade. Consiste em um processo de elaboração lento e gradual.

A regressão emocional da mãe lhe permite sintonizar com as necessidades de seu bebê, ao que Winnicott chamou de preocupação materna primária. Isso leva ao conflito seguinte, que é o de continuar desempenhando suas funções familiares, laborais e sociais.[33]

Devido a essa regressão emocional da mãe, aumentam suas necessidades infantis de proteção. Assim, nos primeiros dias após o parto, ainda no hospital, são de extrema importância a atenção e o apoio recebidos por parte do companheiro, dos familiares e da equipe obstétrica.

Um conflito frequente é o temor da mãe de perder a proteção que recebe no hospital, imaginando-se incapaz de cuidar do seu bebê em casa e perdê-lo. Quando há conflitos não resolvidos, a mãe tende a colocar suas dificuldades em relação ao bebê na equipe obstétrica, o que se manifesta sob a forma de queixas com o atendimento recebido.

Por encontrar-se emocionalmente sensível, a mulher fica mais vulnerável a complicações como febre, constipação, hemorragia e infecção. É importante a atenção do profissional de saúde ao estado emocional da mãe, na forma de apoio, prestação de esclarecimentos e disponibilidade, como profilaxia para complicações do puerpério.

Os familiares da puérpera também passam por dificuldades emocionais. O companheiro pode tornar-se deprimido e regressivo por sentir-se sozinho, com novas responsabilidades e excluído da dupla mãe-bebê. Os outros filhos podem reagir estabelecendo um vínculo maior com o pai ou outras pessoas do ambiente, como avós, tios e empregados. Podem também voltar a apresentar comportamentos de etapas anteriores do desenvolvimento, como urinar na cama ou usar chupeta. Uma atitude mais compreensiva e atenciosa dos pais ajuda a minimizar a situação.

O retorno da mãe a seus afazeres anteriores com frequência gera a preocupação de não conseguir retomar todas as suas atribuições de esposa, mãe, dona de casa e profissional.

Quando a relação entre o casal é satisfatória, cria-se um suporte emocional para a mãe, facilitando a formação de uma relação segura e estimulante com o bebê. Em contrapartida, quando a relação é hostil, a qualidade da interação mãe-bebê é adversamente afetada. O auxílio que o parceiro pode oferecer à mãe envolve desde apoio emocional, suporte financeiro, compartilhamento nos cuidados diários ao bebê e nos afazeres domésticos, até mobilização e recrutamento de recursos adicionais na comunidade e na família.

A mãe passa por um período de grandes exigências físicas (cuidados do bebê, dos outros filhos e da casa) e psíquicas (ansiedade e tristeza pós-parto). É fundamental que o profissional a oriente para a necessidade de horas de sono regulares.

A partir do 2º mês, a mulher sente-se mais livre, menos absorta pelo bebê. A capacidade do bebê de manter um repouso noturno mais prolongado e a sensação de estar cumprindo com suas tarefas são fatores de alívio.

Outra ansiedade desse período surge em torno do corpo e da saúde da mãe: se emagreceu convenientemente, se recuperou suas forças e se reapareceu o ciclo menstrual.

# FATORES DE RISCO PARA O DESENVOLVIMENTO DA CRIANÇA

Todo o estresse a que a gestante é submetida pode ter efeitos tóxicos sobre o recém-nascido, sobre o bebê pequeno e sobre a criança ao longo de seu desenvolvimento. Também se sabe que o futuro de qualquer sociedade depende de sua capacidade de promover a saúde e o desenvolvimento das próximas gerações. As equipes de saúde dispõem de inúmeras ferramentas para a construção de uma sociedade mais hígida, a partir de seu ofício. Entre as novas ferramentas, estão os modernos conhecimentos de epigenética, que demonstram que um desenvolvimento saudável pode ser prejudicado pela ativação, excessiva ou prolongada, de sistemas de resposta ao estresse, no corpo e no cérebro. Esse estresse tóxico pode ter efeitos prejudiciais na aprendizagem, no comportamento e na saúde física e mental do ser humano.

Aprender a lidar com a adversidade representa um aspecto determinante para o desenvolvimento saudável da criança. Assim como acontece com os outros animais, os humanos, quando são ameaçados, preparam-se fisicamente, aumentando os batimentos cardíacos, a pressão sanguínea e os hormônios do estresse, como o cortisol. Nas crianças pequenas, quando são ativados os sistemas de resposta ao estresse, em ambiente de relacionamentos de apoio com adultos, os efeitos fisiológicos são tamponados e trazidos de volta à linha de base. O resultado é o desenvolvimento de sistemas saudáveis de resposta ao estresse. No entanto, se a resposta ao estresse é extrema e duradoura, e as relações de *buffering* não estão disponíveis para a criança, o resultado pode ser o de danificação e enfraquecimento dos sistemas, levando ao debilitamento da arquitetura cerebral, com repercussões para toda a vida.[34]

Há três tipos de respostas ao estresse: positivas, toleráveis e tóxicas.

A resposta positiva ao estresse é esperada no desenvolvimento saudável da criança e se caracteriza por breves aumentos na frequência cardíaca e discretas elevações nos níveis hormonais. Exemplos de algumas situações que podem desencadear respostas positivas ao estresse são: trocas de rotina, vacinação, ausências temporárias dos pais ou cuidadores.

A resposta tolerável ao estresse ativa os sistemas de alerta do corpo de maneira mais acentuada em função de situações mais graves e duradouras, como a perda de um familiar, um desastre natural ou uma doença grave. Se a ativação for circunscrita no tempo e a criança for protegida por relacionamentos com adultos que a auxiliem a adaptar-se à nova situação, o cérebro e os outros órgãos se recuperam daquilo que poderia levar a efeitos prejudiciais relevantes.

A resposta tóxica ao estresse pode ocorrer quando a criança sofre um trauma crônico, como violência física ou emocional, negligência crônica, abuso de substâncias psicoativas ou doença mental, exposição à violência ou à carga acumulada de dificuldades econômicas familiares, sem suporte adequado. A ativação prolongada dos sistemas de resposta ao estresse pode prejudicar o desenvolvimento da arquitetura cerebral e de outros sistemas, além de aumentar o risco de doenças relacionadas ao estresse e determinar prejuízos no desenvolvimento. Quanto mais graves e mais precoces forem as experiências adversas ou traumáticas, maior a probabilidade de atrasos no desenvolvimento e problemas de saúde posteriores, incluindo doenças cardíacas, diabetes, abuso de substâncias e depressão. Pesquisas também indicam que as relações de afeto e apoio emocional por parte de adultos atenciosos, o mais cedo possível, podem prevenir ou reverter os efeitos prejudiciais da resposta ao estresse tóxico.[34]

## TRANSTORNOS PSIQUIÁTRICOS NO PÓS-PARTO

O período pós-parto representa um momento muito particular na vida das mulheres, com alterações biológicas, psicológicas e sociais. Ocorre uma mudança brusca nos hormônios, em especial a ocitocina, e nos níveis de neurotransmissores. Na maternidade, há uma necessidade de reorganização social e adaptação a um novo papel, aumento da responsabilidade para cuidar de uma pessoa indefesa, privação de sono e isolamento social. Ocorre uma reestruturação da sexualidade, da imagem corporal e da identidade feminina. Todas essas mudanças levam a um aumento da vulnerabilidade nas mães para a ocorrência de distúrbios psíquicos.

As mulheres costumam sentir-se frágeis nesse período, variando da felicidade à profunda tristeza. A maioria, cerca de 50 a 80%, apresenta disforia puerperal, uma forma benigna de estado depressivo leve. Por outro lado, 20% podem ter um episódio depressivo maior, e uma porcentagem muito menor, 1 a 2 casos a cada 1.000, sofre da síndrome depressiva pós-parto mais disruptiva – a psicose pós-parto –, com risco de infanticídio e suicídio. Os transtornos ansiosos também podem ocorrer nesse período, afetando cerca de 13% das puérperas.[35-38] Existem situações em que surgem alterações de humor, caracterizando um quadro de transtorno bipolar[39] (ver Capítulo Transtorno do Humor Bipolar).

Esses transtornos afetam diretamente a saúde física e emocional da mãe, assim como do recém-nascido e do parceiro, produzindo instabilidade no ambiente familiar e social. São complicações pós-natais importantes, bem como um problema de saúde pública, considerando as altas taxas de incapacidade das mulheres e os tratamentos onerosos. A adequada prevenção na gestação e nos primeiros tempos após o nascimento é mais produtiva e menos custosa.[36]

Consequências emocionais também são encontradas em curto e longo prazos nos filhos de mães que passaram por transtornos psiquiátricos no pós-parto. Observam-se alterações importantes no desenvolvimento precoce do bebê, bem como prejuízo no desenvolvimento psicológico e comportamental nos anos pré-escolares.[40,41]

Antes do parto, muitas mulheres que estão em risco de desenvolver transtornos psiquiátricos no pós-parto já podem ser identificadas. Questões relacionadas com a história pessoal e familiar da mãe, do relacionamento com o companheiro e com situações da gravidez, do parto e do puerpério já foram detectadas como fatores de risco e protetivos para o desenvolvimento de distúrbios emocionais após o nascimento do bebê. É importante estar atento aos fatores de risco e protetivos para desenvolver um programa de prevenção melhor e mais preciso após o parto. A assistência integral às gestantes deve contemplar a avaliação a e intervenção em todos os aspectos, com o objetivo de minimizar o risco de desenvolvimento posterior de distúrbios emocionais durante as fases puerperais. As mulheres, juntamente com suas famílias, devem receber informações e educação sobre essas possibilidades no período pré-natal. Esses conhecimentos devem ser reforçados durante a internação e o pós-parto e após a alta, aumentando a chance de a mulher entender o que está ocorrendo com ela e procurar ajuda e tratamento adequado, se for necessário.[37]

Muitos são os fatores de risco encontrados para a ocorrência de alterações psiquiátricas:[36,37,41-57]

→ mulheres com condição socioeconômica desfavorável, dificuldades econômicas, baixa escolaridade, jovens e solteiras ou idade > 35 anos;
→ história de violência física, emocional ou sexual na infância, problemas de saúde mental pessoal ou familiar (especialmente depressão e ansiedade), experiência de parto negativa, gravidez atual não planejada ou desejada e abortos ou perdas perinatais prévias;
→ ocorrência, durante a gestação, de alterações psicológicas, complicações obstétricas e internações, sentimentos subjetivos de estresse, distúrbio do sono, fadiga, atitudes negativas em relação ao bebê e relutância quanto ao sexo do bebê;
→ parto cesáreo, de emergência ou com complicações, dor no parto e pós-parto imediato, complicações no pós-parto, prematuridade ou problemas de saúde do bebê, bebê difícil de cuidar e dificuldades na amamentação;
→ falta de apoio da rede social, sobretudo do parceiro e da família, conflitos importantes com o parceiro, abandono ou separação do cônjuge, falecimento, abandono ou separação de um familiar e relação ruim com a própria mãe.

Entre os fatores protetivos, estão relacionados: maior escolaridade, emprego permanente, bem-estar psicológico pré-natal, hábitos alimentares saudáveis, atividades e exercícios físicos, parceiro confiável, apoio da família, da rede social e dos profissionais de saúde, parto vaginal, amamentação exclusiva e bom sono materno.[40,42,58]

É muito importante que os profissionais de saúde estejam informados sobre os aspectos emocionais típicos e com desvios do período pós-parto para estarem atentos a alguns sinais de alerta, como baixa autoestima, ansiedade, altos níveis de estresse, transtorno do sono e dificuldades na amamentação. A detecção precoce, o diagnóstico e o tratamento são fundamentais na evolução desses quadros psiquiátricos. Quando não tratados, os sintomas podem intensificar-se, prolongar-se e levar a uma má qualidade de vida para todos os envolvidos. Em casos graves, podem até colocar em risco a vida da mãe e do bebê.[36]

A triagem de fatores de risco e sintomas depressivos e ansiosos deve ser incluída de rotina nos serviços de atenção pré-natal e continuar pelo 1º ano após o parto, para identificação e prevenção precoces.[52] A assistência integral às gestantes deve contemplar a avaliação e a intervenção em todos os aspectos, com o objetivo de minimizar o risco de desenvolvimento posterior de distúrbios emocionais durante as fases puerperais.[37,52,59]

## Disforia puerperal

Também chamada de *maternity blues* ou *postpartum blues*, consiste em transtorno psicológico breve e benigno, cujo principal sentimento é a tristeza, ocorrendo em mulheres nos primeiros dias após o nascimento do bebê. Muitas mulheres, por falta de conhecimento de que poderão ter esses sentimentos, não entendem o que está ocorrendo e sentem-se culpadas e envergonhadas pela idealização dessa fase. Assim, elas acabam não verbalizando seus sentimentos negativos, o que aumenta seu sofrimento.[36]

> Caracteriza-se por episódios de choro, flutuações do humor, irritabilidade, dificuldade de concentração, tristeza, sensação de desamparo, confusão, ansiedade, isolamento e cansaço. Sua duração é autolimitada, ocorrendo nos primeiros 10 dias pós-parto, tendo seu pico sintomatológico entre o 3º e o 6º dia. É importante que o profissional alerte a mulher e seus familiares, desde a gestação, para o risco de ocorrência dessa síndrome, bem como a diferença de depressão pós-parto.

A etiologia ainda não está esclarecida. Sugerem-se causas biológicas e psicológicas. Entre os fatores psicológicos, encontram-se a separação física entre o bebê e a mãe e o vazio decorrente disso. A experiência do parto faz a mulher reviver separações anteriores, inclusive a primeira, sofrida com sua própria mãe. A mulher precisa aceitar o bebê real, diferente daquele que imaginava na gestação, ao mesmo tempo em que necessita adaptar-se a não ter mais o bebê dentro de si. Atualmente, não está determinada uma causa específica; apenas fatores de risco foram encontrados, os quais, quando presentes, podem levar a uma maior probabilidade da sua ocorrência. Apesar disso, há casos em que as mulheres possuem um ou mais antecedentes, sem a presença dessa alteração.[58]

Os sintomas são de alívio espontâneo dentro de 2 a 3 semanas após o parto e, em geral, não requerem tratamento com psicofármacos ou terapia. A mulher deve ser orientada a descansar, não descuidando das suas horas de sono, podendo aproveitar os períodos em que o bebê dorme para ela dormir.[60] É importante o suporte e apoio da família durante esse período, ajudando a mulher a atravessar esse momento com maior facilidade.[36] A abordagem é feita no sentido de manter suporte emocional adequado, compreensão e compartilhamento nos cuidados com o bebê e com as tarefas domésticas.[61]

O profissional de saúde deve mostrar-se disposto a ouvi-la, transmitindo-lhe segurança, e ficar atento para o surgimento de novos sintomas ou prolongamento do quadro. Nesse caso, se suspeitar de depressão puerperal, encaminhar para um especialista. Quando ocorrerem episódios de alucinações auditivas ou visuais, delírios paranoides ou grandiosos, desorientação e dificuldade de julgamento acompanhada por alto nível de impulsividade, deve ser levantada a hipótese de psicose puerperal e ser avaliado o risco de suicídio e infanticídio.[62-64]

## Depressão pós-parto

A depressão pós-parto é considerada quando uma mulher apresenta um episódio depressivo maior em um período após o nascimento de seu bebê, e não é mencionado como uma doença à parte. Os sinais e sintomas são idênticos à depressão não puerperal, com uma história adicional de parto.[37]

O episódio depressivo maior é experimentado por muitas mulheres nas semanas ou meses após o parto. Cerca de 1 a cada 7 mulheres que desenvolvem *postpartum blues* ou disforia puerperal pode apresentar depressão pós-parto. Muitas vezes, essa condição não é diagnosticada pelo conflito da mãe em revelar a situação aos familiares próximos. Enquanto na disforia puerperal a mulher tende a recuperar-se rapidamente, a depressão tende a ser mais longa e afeta significativamente a capacidade das mulheres de retornar ao seu estado habitual. A resposta e o comportamento do cérebro materno estão comprometidos, afetando profundamente a mãe, o pai e o bebê.[65]

Esse quadro causa sofrimento significativo ou prejuízo em diferentes níveis na vida do indivíduo, do bebê e de sua família. A mãe pode apresentar aumento no estresse para cuidar do recém-nascido, levando a problemas na ligação materno-infantil, uma percepção mais negativa do seu bebê, dificuldades na amamentação e conflitos na família. Também pode apresentar transtorno depressivo crônico se não for tratada a tempo. Mesmo se tratada, pode ser um risco para futuros episódios de depressão maior e nova depressão pós-parto. A depressão materna também é um fator precipitante para a depressão no pai, pois este será um evento estressante para toda a família. Filhos de mães que têm depressão não tratada podem desenvolver problemas comportamentais e emocionais. É muito comum atraso no desenvolvimento da linguagem e psicomotor. Eles também podem sofrer de problemas de sono, dificuldades alimentares, choro excessivo, temperamento difícil ou irritabilidade, ser menos alertas e ativos, apresentar apego inseguro, déficit na área social e cognitiva e transtorno de déficit de atenção com hiperatividade.[36,37,66]

A etiologia parece estar relacionada a alterações de múltiplos sistemas biológicos e endócrinos em mulheres suscetíveis.[37] Os principais sintomas dessa condição correspondem aos encontrados para depressão no *Manual diagnóstico e estatístico de transtornos mentais*, 5ª edição (DSM-5) e na *Classificação estatística internacional de doenças e problemas relacionados à saúde*, 10ª revisão (CID-10). O diagnóstico e o manejo estão descritos no Capítulo Depressão. É importante detectá-la desde a fase inicial, quando surgem queixas psicossomáticas, fadiga, dor, vários pedidos de ajuda, tristeza e medos.[36]

Medidas terapêuticas devem ser propostas para mulheres com sintomas depressivos pós-parto e, particularmente, com vários sintomas de risco, a fim de melhorar sua qualidade de vida.[51]

O tratamento de primeira linha consiste em terapia e medicamentos antidepressivos. A terapia é a opção de tratamento para mulheres com depressão leve a moderada B,[67] especialmente para aquelas que hesitam em iniciar os medicamentos e vão amamentar o recém-nascido. Pode ser uma terapia de apoio, psicoterapia de orientação analítica ou terapia cognitivo-comportamental, individual ou em grupo B.[68-70] A terapia de apoio é uma intervenção que enfermeiros e outros profissionais de cuidados maternos podem utilizar com mães que experimentam depressão no período perinatal. Quando a depressão é moderada a grave, está indicada a combinação de terapia e antidepressivo B.[71] Os inibidores seletivos da recaptação da serotonina (IRSNs) são a primeira escolha (número necessário para tratar [NNT] = 2-48) B.[72,73] Se a resposta for ineficaz, recomendam-se os inibidores de recaptação de serotonina-norepinefrina (ISRNs) ou mirtazapina. Uma vez atingida a dose efetiva, o tratamento deve ser mantido por 6 a 12 meses para evitar a recidiva dos sintomas.

Um fator importante na duração da depressão pós-parto é o atraso no início do tratamento. Recomendações farmacológicas para mulheres que estão amamentando devem incluir discussão dos benefícios da amamentação, dos riscos do uso de antidepressivos durante a lactação e dos riscos da doença não tratada. O risco de amamentar durante o uso de um ISRS é relativamente baixo, e, de maneira geral, as mulheres podem ser encorajadas a amamentar durante o tratamento com antidepressivos. Há um maior número de dados para o uso da sertralina na prevenção e no tratamento da depressão pós-parto. A estimulação magnética transcraniana repetitiva (EMT) é uma opção de tratamento alternativo para mulheres que amamentam e não querem expor seus bebês à medicação[37,74] B. Se a mulher tem história de depressão pós-parto, é recomendável iniciar imediatamente o medicamento após o nascimento, evitando possíveis recaídas. Há controvérsias quanto ao uso de medicamentos durante a amamentação, havendo necessidade de avaliar caso a caso. É essencial informar para a mãe e seu parceiro os últimos dados conhecidos sobre amamentação e uso de psicofármacos (ver Apêndice Uso de Medicamentos na Gestação e na Lactação). Os pais, junto com a equipe interdisciplinar, devem procurar tomar a decisão mais apropriada. Além dos tratamentos, é importante o fortalecimento das redes de apoio (familiares, sociais e institucionais) e a diminuição de situações estressantes para uma evolução bem-sucedida.[36,75]

Com o tratamento adequado, costuma ocorrer uma boa recuperação. Por outro lado, quando a mulher não é tratada, a depressão pós-parto pode tornar-se uma doença crônica, recorrente e/ou refratária, podendo ter graves consequências.

O diagnóstico diferencial é feito com disforia puerperal, hipertireoidismo ou hipotireoidismo e psicose pós-parto.[37]

## Psicose pós-parto

É um transtorno afetivo com sintomas psicóticos, ocorrendo 1 a 2 casos a cada 1.000 partos. É uma situação muito grave, que coloca em risco a vida da mãe e do bebê.

São fatores de risco: antecedente de transtorno afetivo (especialmente transtorno bipolar), psicose pós-parto, transtorno esquizofrênico ou esquizoafetivo, história familiar de transtorno afetivo, complicações obstétricas durante a gestação, parto ou pós-parto.

As manifestações geralmente iniciam de forma abrupta, nos primeiros dias após o parto, ainda que possa iniciar até o 6º mês. Geralmente começa com insônia, irritabilidade, ansiedade e instabilidade de humor. Ocorrem comportamentos estranhos, preocupação excessiva com banalidades e rejeição de alimentos. Após a fase inicial, geralmente 1 semana, ocorre a fase aguda, quando surgem os delírios e alucinações.

É necessário tratamento farmacológico rigoroso com antipsicóticos e estabilizadores de humor; inclusive, pode haver necessidade de hospitalização. Se não houver uma boa resposta com a farmacoterapia, a eletroconvulsoterapia pode ser necessária.[36] À medida que a mãe vai melhorando, poderá retomar gradualmente suas atividades e os cuidados com seu bebê. Recomenda-se supervisão da família ou de profissionais de saúde até que a mãe possa realizar essas atividades sozinha. É essencial que ela continue com o tratamento psiquiátrico (ver Capítulo Psicoses).

## Ansiedade pós-parto

Ter um recém-nascido em casa é um período de maior demanda emocional, mesmo nas melhores circunstâncias. A ansiedade é um sentimento comum durante esse período e é transitória. No entanto, para algumas mulheres, a ansiedade pode começar a desenvolver-se gradualmente e interferir em sua capacidade de desfrutar e cuidar do bebê e de si mesma.

Transtornos de ansiedade são comuns entre as puérperas, mas frequentemente não são diagnosticados. Infelizmente, até mesmo para os prestadores de cuidados médicos, os sinais de ansiedade pós-parto prolongada podem passar despercebidos, sendo, por vezes, rotulados equivocadamente como depressão pós-parto ou atribuídos às mudanças súbitas de vida.

Assim como na depressão pós-parto, a ansiedade pós-parto pode envolver sintomas físicos. Mudanças na alimentação e no sono, cansaço, tontura, ondas de calor, taquicardia e náusea podem ser sinais de ansiedade, bem como a incapacidade de ficar quieta ou de concentrar-se em alguma tarefa em particular. Para a maioria das mulheres, esses sentimentos surgem em algum momento entre o nascimento e o 1º aniversário da criança, mas, em alguns casos, começam muito antes.

Ao contrário da disforia puerperal ou do *pospartum blues*, que dura cerca de 2 semanas, a ansiedade pós-parto nem sempre desaparece sem tratamento. É crucial procurar ajuda se a ansiedade estiver atrapalhando o sono ou se a mãe estiver constantemente preocupada. Em casos moderados ou graves não tratados, a ansiedade pós-parto pode durar indefinidamente. Quando a ansiedade é leve ou moderada, deve ser indicado apoio e/ou terapia. A psicoterapia de orientação psicanalítica ou a terapia cognitivo-comportamental podem apresentar bons resultados. Em casos mais graves, pode ser necessário o acréscimo de medicamentos (ver Capítulo Transtornos Relacionados à Ansiedade).

Embora seja muito comum, esse distúrbio é pouco estudado. Uma maior atenção clínica para esses transtornos justifica-se devido às suas consequências negativas em mulheres, crianças e suas famílias.[76,78] São relatados efeitos negativos sobre a amamentação, o vínculo e as interações mãe-bebê, o temperamento infantil, o sono, o desenvolvimento mental e a conduta em adolescentes.[79]

## AMAMENTAÇÃO

São muitos os benefícios gerados pela amamentação (ver Capítulo Aleitamento Materno: Aspectos Gerais), inclusive na esfera emocional, tanto para a criança quanto para os pais. Para a mãe e para a criança, a amamentação se oferece como uma reunião que permite o estabelecimento do vínculo entre ambos, induzindo a uma satisfação mútua, compensando a ruptura e o vazio decorrente da brusca separação imposta pelo parto.

### Importância para a mãe

Há muitos anos vêm sendo ressaltados os benefícios da amamentação para a saúde mental da mãe.[80] A amamentação é um dos pilares da vida psíquica da mulher, pois a mãe, ao amamentar seu filho, revive a própria lactação.[18] Se a experiência foi proveitosa, ela tem prazer em repeti-la com o filho; caso contrário, a amamentação pode ficar ameaçada. Além disso, a sensação de desintegração ou prejuízo que a mãe tem com o parto pode ser reparada com a amamentação, quando ela reconstitui o sentimento de integridade. Observa-se redução de estresse e mau humor nas mães após as mamadas. Esse efeito é mediado pelo hormônio ocitocina, que é liberado na corrente sanguínea durante a amamentação em altos níveis e pela liberação endógena de betaendorfina no organismo materno.[81,82]

A importância da amamentação é tão grande que algumas culturas primitivas não concebem a possibilidade de sobrevivência do bebê caso a mãe venha a falecer. Dessa maneira, se isso acontecer, queimam-no junto ao seio da mãe. Essa crença corresponde, dramaticamente, ao conhecimento atual a respeito da importância da relação mãe-bebê.

A amamentação é mais uma função sexual de uma etapa culminante do desenvolvimento psicossexual feminino, que é a maternidade. Se a sexualidade, de maneira geral, for encarada com satisfação e naturalidade, é bem provável que a amamentação também ocorra da mesma forma. Sabe-se que tanto as respostas ao coito quanto à amamentação são semelhantes em relação à contratilidade uterina. A estimulação dos mamilos pela amamentação é prazerosa, podendo levar a mãe ao orgasmo. Observa-se que mulheres que amamentam têm maior interesse sexual após o parto se comparadas com as que não amamentam.[83]

Ao dar o peito a seu filho, a mulher também tem a oportunidade de satisfazer seu instinto maternal. Ela pode acalentar seu bebê, tocá-lo, senti-lo, nutri-lo, falar e interagir amorosamente com ele. Assim, a separação repentina imposta pelo parto é amenizada pela formação de um "cordão psíquico" entre a mãe e a criança, que dura cerca de 3 anos, quando então a criança, na maioria das vezes, além de já haver interrompido a amamentação, pode, em um processo de separação gradativo, perceber-se como um ser individualizado.

Muitos são os aspectos psicológicos que subjazem à ausência de amamentação ou sua interrupção precoce. Sabe-se que a amamentação – como tantos outros processos fisiológicos que ocorrem na mulher, como menstruação, processos ligados a funções reprodutivas (vida sexual, parto, puerpério, menopausa) – é extraordinariamente submetida a influências psicológicas.

É importante que o profissional de saúde esteja atento às alegações das mães em relação à interrupção precoce da amamentação. Argumentos como "a criança não quis mais", "o leite é fraco", "o leite é muito ralo" e "estou com falta de leite" podem ser racionalizações que encobrem conflitos psicológicos, resultando em baixa autoestima e culpa por parte das mães. A essa culpa corresponde um castigo que é o de impedi-las de usufruir do prazer de alimentar seus filhos.[18]

A culpa e o autocastigo estão, em geral, relacionados com a fantasia de que a mãe não pode obter prazer a partir de sua sexualidade, uma vez não resolvidos os primitivos conflitos infantis com seus próprios pais. Não é raro encontrar, na história das mães que não conseguem amamentar, conflitos com a sexualidade, expressos por menarca problemática, menstruação dolorosa, relações sexuais pobres ou, quando existentes, não prazerosas.

### Importância para a criança

Foi descrito que, em culturas primitivas, uma excelente amamentação cercada de harmonia e carinho, seguida de uma criação afetuosa e coerente das crianças, resulta em uma comunidade pacífica, feliz e sensualmente bem-dotada, onde o suicídio não é praticado. Em outras, nas quais a amamentação é realizada com brutalidade e impaciência e a educação das crianças é feita de maneira desrespeitosa, as relações sexuais entre os adultos são rudes, permeadas de agressão, sendo a sociedade como um todo belicosa, e o suicídio é uma prática comum.[18]

O saciar da fome, junto com a possibilidade de o bebê obter satisfação oral, incluído um bem-estar que o circunda, proporciona a ele a correção de fantasias muito primitivas já vivenciadas antes, como abandono, agressão e ataques devidos às frustrações do parto, da fome e dos incômodos que sofre, mas ainda não entende.[18]

A saciedade da fome, acompanhada de satisfação oral, implica uma relação entre a mãe e o bebê que permite que este tenha tempo para sugar, mesmo depois de saciado, olhar para sua mãe, ouvir sua voz e sentir-se seguro e aconchegado em seus braços, percebendo o contato de sua pele com a pele da mãe, e seu cheiro peculiar. O bebê percebe que seus sinais (choro, expressões faciais e balbucios) são progressivamente compreendidos por sua mãe. Essas experiências repetidas favorecem o estabelecimento, no psiquismo da criança, da percepção de si própria como um ser confiante e querido por seus cuidadores.

Os aspectos psicológicos da amamentação estão relacionados com o desenvolvimento da personalidade do indivíduo. As crianças que mamam no peito tendem a ser mais tranquilas e sociáveis. As experiências vivenciadas na primeira infância são extremamente importantes para determinar o caráter do indivíduo quando adulto.[80] Estudos demonstram que crianças amamentadas por pelo menos 3 a 4 meses tiveram menos transtornos de comportamento na infância e na adolescência.[84,85]

## Transtornos emocionais relacionados com a amamentação

Entre as causas psicológicas que levam a mulher a um impedimento da amamentação, estão:
→ medos experimentados durante a gestação, que permanecem sob a forma de ansiedade excessiva em relação à criança;
→ impossibilidade de obter satisfação tanto de seu instinto sexual quanto de seu instinto maternal. Essa dificuldade pode estar relacionada a um rechaço da sexualidade como um todo ou até mesmo a um rechaço específico da maternidade. Nesses casos, a mulher tem grande dificuldade de abandonar uma atitude receptiva e infantil de ser cuidada para adotar uma atitude dadivosa adulta de cuidar, criar e prover. Isso se deve, em geral, a conflitos não resolvidos com a própria mãe;
→ caráter francamente erótico da estimulação das mamas, podendo ser vivenciado como "animalesco, sujo ou indecoroso", afastando a mulher dessa atividade;
→ persistência, na mulher, de tendências agressivas infantis em relação à sua própria mãe devido a queixas de "não haver sido suficientemente cuidada ou alimentada". Essas queixas, em geral, têm base em fatos, mas também podem estar relacionadas com fantasias. Quando isso ocorre, o filho pode ser vivenciado como uma reedição dela própria quando bebê, exigente e agressivo, e agora, sendo mãe, pode estar confundida com a própria mãe que a frustrou e a abandonou. Muitas vezes, a amamentação é interrompida com o intuito de não repetir situações de frustração e raiva;
→ conflitos vividos nas relações iniciais entre a mãe e o bebê podem induzir a mãe a um estado depressivo. Mães deprimidas ficam mais distantes e inibidas na expressão de seu afeto, tornando-se controladoras e punitivas com seu bebê. É necessário maior atenção à saúde mental dessas mulheres, considerando a alta prevalência de sintomas depressivos nessa população e a forte associação com o menor tempo de aleitamento materno.[86]

A literatura também cita outras causas, como falta de experiência materna; fardo ocasionado pela amamentação diante das atividades desempenhadas cotidianamente; interferências externas de familiares, amigos e demais interações; e trabalho materno.[87] As mães sentem-se culpadas por não amamentarem e não são preparadas para conhecer esse processo básico da vida. Por isso, precisam de informação e apoio, tanto por parte de profissionais de saúde quanto por parte da família, dos amigos, dos colegas de trabalho e do Estado. A culpa decorrente da interrupção da amamentação pode levar essas mães a não se permitirem expressar afetividade a seus filhos durante os períodos de alimentação da criança.[80]

A criança pode ser impedida de mamar devido a diversas doenças orgânicas ou devido a transtornos emocionais, que podem variar de graves até simples reações às atitudes maternas hostis ou ansiosas. Um dos distúrbios orgânicos frequentes com expressões emocionais secundárias é o refluxo gastresofágico, que também compromete o sono da criança.

Entre as perturbações reativas das crianças, podem ser observados os seguintes comportamentos específicos:
→ choro constante, até a exaustão, quando frustrados e não satisfeitos imediatamente, o que os leva a consequente rechaço ao peito;
→ sono assim que se aproximam do mamilo, como reação à ansiedade e à angústia da mãe;
→ glutonia, também podendo ser atribuída à angústia materna.

Além desses comportamentos, podem ser apontadas as características individuais de cada criança, que mais tarde farão parte de seu temperamento ou de traços de sua personalidade, como voracidade, satisfação, comedimento, etc.

Os pais ou cuidadores e o profissional de saúde devem identificar e respeitar o temperamento da criança. Algumas crianças mais tranquilas podem sugar com menos voracidade, chegando até a frustrar certas mães que esperavam que seu filho fosse glutão, enquanto o contrário também pode acontecer. Assim, as características de ambos – mãe e filho – precisam ser reconhecidas e respeitadas, pois modelam as características das relações da díade, bem como as características das relações que se sucederão.[5]

## Conduta diante dos problemas emocionais da amamentação

Entre os procedimentos adotados, sobressai o de favorecer o bom relacionamento com os profissionais de saúde, em que a mulher encontre compreensão e receptividade. Muitas vezes, com um pouco de ajuda, a mãe com dificuldades emocionais de oferecer o seio ao filho pode corrigir fantasias e voltar a amamentar tranquilamente.

Quando se constata o descompasso na relação entre a mãe e o filho ou quando as tentativas de amamentação somente acarretaram frustração e desgosto para a mãe, bem como sintomas reativos do bebê, o profissional de saúde deve ser cauteloso nas suas orientações. A amamentação realizada com angústia, medos, rechaços e temores é mais perniciosa para o psiquismo da criança do que a alimentação artificial dada com maior tranquilidade. É necessário enfatizar que, diante de situações conflitivas, o profissional não deve adotar conduta radical em favor do aleitamento materno, sob pena de incidir em um sentimento de culpa, com consequente prejuízo na relação mãe-filho.

O profissional de saúde pode confrontar-se com mães sem maiores dificuldades emocionais para oferecer o seio ao filho, mas que, comprometidas com seu tempo e sua profissão, necessitam encontrar alternativas plausíveis para o exercício da maternidade. Pode ser útil lembrá-las de que o amor materno se expressa de diversas formas e que as crianças têm uma plasticidade incalculável para o desenvolvimento. Outras dificuldades da amamentação e seu manejo, além das emocionais, são abordadas no Capítulo Aleitamento Materno: Principais Dificuldades e seu Manejo.

# A CRIANÇA DE ZERO A TRÊS ANOS

**Os 3 primeiros anos de vida de um ser humano constituem um período especial e único pela rapidez e complexidade das mudanças que ocorrem.**

Cada vez mais a pesquisa no campo do desenvolvimento vem contribuindo para o entendimento desse processo e propiciando maiores e mais precoces possibilidades de prevenção e promoção da saúde mental da criança.

Nas últimas décadas, estudos têm demonstrado o quanto condutas da própria criança são responsáveis, desde o nascimento, por provocar estímulos e respostas de seus cuidadores. Independentemente de qualquer aprendizagem anterior, a criança mostra tendências claras para buscar e manter proximidade e contato direto com seu cuidador. São condutas que funcionam como sinais e que provocam cuidados por parte dos adultos. É por meio do choro, do sorriso, da vocalização e do contato olho a olho com a mãe ou o cuidador que a criança obtém os cuidados necessários à sua sobrevivência. A maneira como esses movimentos são manifestados varia não só em função da idade da criança, mas também das características individuais e respostas do ambiente. Assim, aos poucos se estabelecem os padrões de apego afetivo característicos de cada criança, que se desenvolvem inicialmente com a mãe ou com quem a substituir. Essa figura preferencial de apego será mais capaz do que qualquer outra de satisfazer a criança e mostrar-se sensível aos seus sinais mais sutis de bem-estar e desconforto.[88]

Observa-se, no processo de desenvolvimento, a ocorrência de sinais indicadores de que determinado grau de organização interna foi atingido – os chamados organizadores psíquicos. Logo após o nascimento, o primeiro deles, o choro, é o sinal mais evidente de que algo está sendo comunicado. Gradativamente, ele adquire nuanças e significados que são decodificados pela mãe ou pelo cuidador, que passa a distinguir suas diferenças sutis. Uma delicada aprendizagem mútua, envolvendo mudanças rápidas, permite que a criança vivencie experiências que lhe proporcionem adquirir confiança na mãe e em si própria, pois é capaz de provocar reações em alguém e esse alguém responde, atendendo-a em suas necessidades.[88]

Por volta de 2 a 3 meses, aparece o sorriso social, segundo marco evolutivo, já com intencionalidade dirigida, ou seja, facilitar a interação afetiva. Com o decorrer do tempo, o sorriso adquire valor comunicativo maior e torna-se uma das mais visíveis expressões de prazer e trocas entre o bebê, seus pais ou outras pessoas. Nessa etapa, ocorrem mudanças fundamentais no corpo e na mente do bebê. O apego à mãe ou ao cuidador torna-se mais evidente, e momentos de aflição e alegria são preferencialmente compartilhados com ela.

Entre os 6 e 8 meses, o terceiro marco psíquico faz sua aparição: o bebê começa a manifestar ansiedade na presença de estranhos, mostrando que já é capaz de distinguir claramente o familiar do não familiar. Incrementam-se os processos interativos, e os padrões de relacionamento que se estabelecem nessa etapa evolutiva servem como modelo para interações posteriores. As reações dos pais, compreendendo a sensação de estranheza do bebê, têm importância determinante sobre a maneira como ele enfrentará situações estranhas ou novas.

A próxima etapa, entre 10 e 13 meses, é a fase da deambulação, quarto marco evolutivo. Novas experiências emocionais são agora possíveis, já que a criança adquire suficiente independência, o que lhe permite explorar mais o ambiente. Contudo, ela precisa, mais do que nunca, do apoio emocional e da atenção contínua de um adulto para manter sua saudável curiosidade e garantir sua integridade física, pois essa etapa do desenvolvimento é uma das mais propícias a acidentes de toda sorte.

O quinto organizador, o advento da linguagem, marca seu aparecimento entre os 18 e os 22 meses, como resultado de um complexo processo que permite a representação mental. A criança adquire a capacidade de pensar sobre objetos e acontecimentos que não estão presentes em seu ambiente imediato. Desenvolve-se a função simbólica – o processo fundamental da mente –, que é a ferramenta do conhecimento, do entendimento e da comunicação. A partir daí, a criança desenvolve grande variedade de sistemas criativos de representação – inclusive a linguagem.[89]

O desenvolvimento da linguagem simbólica é acompanhado do brinquedo simbólico. As emoções e os impulsos – experiências internas por vezes devastadoras – podem ser nomeados e descritos, e representados simbolicamente pelo brinquedo. Aumenta a capacidade da criança de entender as emoções. Nessa etapa, ela já é capaz de antecipar o que faz a outra pessoa ficar feliz, triste ou aborrecida. Aparecem as primeiras manifestações de consciência moral e capacidade de empatia com os sentimentos do outro, não apenas percebendo-os, mas também oferecendo consolo a um adulto aflito, por exemplo.

Sendo capaz de verbalizar, a criança descobre que pode mostrar sua vontade e provocar reações nos pais, assinalando que é um ser diferente deles. O "não" surge definitivo, em várias situações. A atitude negativista da criança nesse período e suas repentinas mudanças de humor exigem modificações no ambiente para que ela possa progressivamente adaptar-se às rotinas familiares e para que sua socialização se faça de maneira adequada. Dependendo das características individuais da criança e da forma como os pais ou cuidadores manejam essas situações, pode-se criar um clima de tolerância e de limites adequados ou, ao contrário, um ambiente onde se estabelece uma verdadeira guerra de forças.

Em torno dos 36 meses, a criança já consegue expressar-se verbalmente com maior clareza e pode narrar fatos que acontecem na presença ou na ausência da mãe ou do cuidador. Desenvolve-se a capacidade narrativa, junto com todo o mecanismo psíquico e cognitivo que o acompanha. Esse é o sexto marco do desenvolvimento da criança, ao final do seu 3º ano de vida.

O conteúdo afetivo presente nas narrativas de uma criança, nessa etapa do desenvolvimento, apresenta histórias de emoções intensas, reais ou coloridas pela fantasia, que chamam a atenção dos adultos. Os pais são instigados agora a retomar a sua própria capacidade de brincar, interagindo com o filho e propiciando-lhe, assim, a ampliação de seu repertório de alternativas para lidar com eventos futuros. À medida que as representações mentais da experiência se mostram mais estáveis e elaboradas, a realidade externa e a realidade interna dos afetos e impulsos tornam-se mais organizadas e coerentes.

**Cada estágio do desenvolvimento traz seus desafios, marcos organizadores e significados especiais. Cada novo estágio apoia-se nos anteriores, caracterizando uma progressão.**

Tradicionalmente, os profissionais que trabalham com crianças – médicos, enfermeiros, psicólogos e assistentes sociais, entre outros – são treinados para manter sua observação concentrada no aspecto científico de sua área de conhecimento. Entretanto, somente uma combinação dos diferentes aportes de cada especialidade pode dar conta da complexidade do ser humano que inicia seu desenvolvimento e de ampliar a oportunidade de impedir que pequenos problemas se tornem maiores e mais graves, interferindo precocemente no curso dos mais variados transtornos antes que se consolidem em padrões irreversíveis.[33,88]

# REFERÊNCIAS

1. Kobarg APR, Sachetti VAR, Viera ML. Valores e crenças parentais: reflexões teóricas. Rev. Bras. Crescimento Desenvolv Hum. 2006;16(2):96-102.
2. Nunes SAN, Fernandes MG, Vieira ML. Interações sociais precoces: uma análise das mudanças nas funções parenterais. Rev Bras Crescimento Desenvolv Hum. 2007;17(3):160-71.
3. Harvard University. Early childhood mental health [Internet]. Cambridge: Center on the Developing Child; c2020 [capturado em 18 nov. 2020]. Disponível em: https://developingchild.harvard.edu/science/deep-dives/mental-health/.
4. Gill RM, Loh JMI. The role of optimism in health-promoting behaviors in new primiparous mothers. Nurs Res. 2010;59(5):348-55.
5. Knop J, Østerberg-Larsen B. Psychological intervention during pregnancy: a multidisciplinary hospital network. Ugeskr Laeg. 2001;163(37):5018-22.
6. Rini CK, Dunkel-Schetter C, Wadhwa PD, Sandman CA. Psychological adaptation and birth outcomes: the role of personal resources, stress, and sociocultural context in pregnancy. Health Psychol. 1999;18(4):33-45.
7. Brand SR, Brennan PA. Impact of antenatal and postpartum maternal mental illness: how are the children? Clin Obstet Gynecol. 2009;52(3):441-55.
8. Wingwontham S, Thitadilok W, Singhakant S. Prevalence of mental health problem during first-half pregnancy at Siriraj Hospital. J Med Assoc Thai. 2008;91(4):452-7.
9. Nair P, Black MM, Ackerman JP, Schuler ME, Keane VA. Children's cognitive- behavioral functioning at age 6 and 7: prenatal drug exposure and caregiving environment. Ambul Pediatr. 2008;8(3):154-62.
10. Alarcón Argota R, Coello Larrea J, Cabrera García J, Monier Despeine G. Factores que influyen en el embarazo en la adolescencia. Rev Cuba Enferm. 2009;25(1/2):1-14.
11. Gonçalves TR, Piccinini CA. Aspectos psicológicos da gestação e da maternidade no contexto da infecção pelo HIV/Aids. Psicologia USP. 2007;18(3):113-42.
12. Heron J, O'Connor TG, Evans J, Golding J, Glover V. The course of anxiety and depression through pregnancy and the postpartum in a community sample. J Affect Disord. 2004;80(1):65-73.
13. Forray A, Focseneanu M, Pittman B, McDougle CJ, Epperson CN. Onset and exacerbation of obsessive-compulsive disorder in pregnancy and the postpartum period. J Clin Psychiatry. 2010;71(8):1061-8.
14. Lee HC, Lin HC. Maternal bipolar disorder increased low birthweight and preterm births: a nationwide population-based study. J Affect Disord. 2010;121(1-2):100-5.
15. Smith JA. Towards a relational self: social engagement during pregnancy and psychological preparation for motherhood. Br J Soc Psychol. 1999;38(Pt 4):409-26.
16. Zavaschi ML, Costa F, Brusntein C, Bergmann DS. O bebê e os pais. In: Eizirik CL, Bassols AM, organizadores. O ciclo da vida humana: uma perspectiva psicodinâmica. 2. ed. Porto Alegre: Artmed; 2013. p. 77-94.
17. Brazelton TB, Cramer BG. The earliest relationship: parents, infants, and the drama of early attachment. New York: Addison-Wesley; 1990.
18. Langer M. Maternidad y sexo. 6. ed. Buenos Aires: Paidós; 1970.
19. Soifer R. Psicologia del embarazo, parto y puerperio. 3. ed. Buenos Aires: Kargieman; 1977.
20. Chou F-H, Avant KC, Kuo S-H, Fetzer SJ. Relationships between nausea and vomiting, perceived stress, social support, pregnancy planning, and psychosocial adaptation in a sample of mothers: a questionnaire survey. Int J Nurs Stud. 2008;45(8):1185-91.
21. Gomes AG, Piccinini CA. Obstetric ultrasound and mother-fetus relationship in normal and abnormal diagnoses. Estud Psicol. 2005;22(4):381-93.
22. Mrayan L, Abujilban S, Abuidhail J, Bani Yassein M, Al-Modallal H. Couvade Syndrome Among Jordanian Expectant Fathers. Am J Mens Health. 2019;13(1):1557988318810243.
23. Deng Q, Li Q, Wang H, Sun H, Xu X. Early father-infant skin-to-skin contact and its effect on the neurodevelopmental outcomes of moderately preterm infants in China: study protocol for a randomized controlled trial. Trials. 2018;19(1):701.
24. Fredriksen E, von Soest T, Smith L, Moe V. Depressive symptom contagion in the transition to parenthood: Interparental processes and the role of partner-related attachment. J Abnorm Psychol. 2019;128(5),397-403.
25. Altimier L, Phillips R. Neuroprotective Care of Extremely Preterm Infants in the First 72 Hours After Birth. Crit Care Nurs Clin North Am. 2018;30(4):563-83.
26. Lebovici S. O bebê, a mãe e o psicanalista. Porto Alegre: Artmed; 1987.
27. Springen K. Recall in utero: fetuses demonstrate a primitive form of memory. Scientific American Mind. 2010;20(7):15.
28. Dipietro JA. Psychological and psychophysiological considerations regarding the maternal-fetal relationship. Infant Child Dev. 2010;19(1):27-38.
29. Klaus M. Mother and infant: early emotional ties. Pediatrics. 1998;102(5 Suppl E):1244-6.
30. Tzeng Y-L, Teng Y-K, Chou F-H, Tu H-C. Identifying trajectories of birth-related fatigue of expectant fathers. J Clin Nurs. 2009;18(12):1674-83.
31. Schore AN. Affect regulation and the origin os the self: the neurobiology of emotional development. Hillsdale: Erlbaum; 1994.
32. Klaus MH, Klaus P. O surpreendente recém-nascido. Porto Alegre: Artmed; 2000.
33. Winnicott DW. La relación inicial de una madre con su bebé. In: Winnicott DW. La familia y el desarrollo del individuo. Buenos Aires: Hormé; 1967. p. 29-36.
34. Harvard University. Toxic Stress [Internet]. Cambridge: Center on the Developing Child; c2020 [capturado em 18 nov. 2020]. Disponível em: https://developingchild.harvard.edu/science/key-concepts/toxic-stress/
35. Miller RL, Pallant JF, Negri LM. Anxiety and stress in the postpartum: is there more to postnatal distress than depression? BMC Psychiatry. 2006;6:12.

36. Medina-Serdán Erica. Diferencias entre la depresión postparto, la psicosis postparto y la tristeza postparto. Perinatol. Reprod. Hum. 2013; 27(3):185-93.
37. Mughal S, Siddiqui W. Postpartum Depression. Ginekol Pol. 2016;87(6):442-7.
38. Thitipitchayanant K, Somrongthong R, Kumar R, Kanchanakharn N. Effectiveness of self-empowerment-affirmation-relaxation (Self-EAR) program for postpartumblues mothers: a randomize controlled trial. Pak J Med Sci. 2018;34(6):1488-93.
39. Sharma V. Relationship of bipolar disorder with psychiatric comorbidity in the postpartum period-a scoping review. Arch Womens Ment Health. 2018;21(2):141-7.
40. Koutra K, Vassilaki M, Georgiou V, Koutis A, Bitsios P, Chatzi L, et al. Antenatal maternal mental health as determinant of postpartum depression in a population based mother-child cohort (Rhea Study) in Crete, Greece. Soc Psychiatry Psychiatr Epidemiol. 2014;49(5):711-21.
41. Peñacoba-Puente C, Marín-Morales D, Carmona-Monge FJ, Velasco Furlong L. Post-partum depression, personality, and cognitive-emotional factors: a longitudinal study on Spanish pregnant women. Health Care Women Int. 2016;37(1):97-117.
42. Fisher J, Cabral de Mello M, Patel V, Rahman A, Tran T, Holton S, et al. Prevalence and determinants of common perinatal mental disorders in women in low- and lower-middle-income countries: a systematic review. Bull World Health Organ. 2012;90(2):139G-49.
43. Koutra K, Vassilaki M, Georgiou V, Koutis A, Bitsios P, Kogevinas M, et al. Pregnancy, perinatal and postpartum complications as determinants of postpartum depression: the Rhea mother-child cohort in Crete, Greece. Epidemiol Psychiatr Sci. 2018;27(3):244-55.
44. Iliadis SI, Koulouris P, Gingnell M, Sylvén SM, Sundström-Poromaa I, Ekselius L. Personality and risk for postpartum depressive symptoms. Arch Womens Ment Health. 2015;18(3):539-46.
45. Farré-Sender B, Torres A, Gelabert E, Andrés S, Roca A, Lasheras G, et al. Mother-infant bonding in the postpartum period: assessment of the impact of pre-delivery factors in a clinical sample. Arch Womens Ment Health. 2018; 21(3):287-97.
46. Zanardo V, Giliberti L, Giliberti E, Volpe F, Straface G, Greco P. The role of elective and emergency cesarean delivery in maternal postpartum anhedonia, anxiety, and depression. Int J Gynaecol Obstet. 2018;143(3):374-8.
47. Zanardo V, Giliberti L, Volpe F, Parotto M, de Luca F, Straface G. Cohort study of the depression, anxiety, and anhedonia components of the Edinburgh Postnatal Depression Scale after delivery. Int J Gynaecol Obstet. 2017;137(3):277-81.
48. Séjourné N, De la Hammaide M, Moncassin A, O'Reilly A, Chabrol H. [Study of the relations between the pain of childbirth and postpartum, and depressive and traumatic symptoms]. Gynecol Obstet Fertil Senol. 2018;46(9):658-63.
49. Shelton SL, Cormier E. Depressive symptoms and influencing factors in low-risk mothers. Issues Ment Health Nurs. 2018;39(3):251-8.
50. Papamarkou M, Sarafis P, Kaite CP, Malliarou M, Tsounis A, Niakas D. Investigation of the association between quality of life and depressive symptoms during postpartum period: a correlational study. BMC Womens Health. 2017;17(1):115.
51. Cherif R, Feki I, Gassara H, Baati I, Sellami R, Feki H, et al. [Post-partum depressive symptoms: Prevalence, risk factors and relationship with quality of life]. Gynecol Obstet Fertil Senol. 2017;45(10):528-534.
52. Giri RK, Khatri RB, Mishra SR, Khanal V, Sharma VD, Gartoula RP. Prevalence and factors associated with depressive symptoms among post-partum mothers in Nepal. BMC Res Notes. 2015;8:111.
53. Gosselin P, Chabot K, Béland M, Goulet-Gervais L, Morin AJ. [Fear of childbirth among nulliparous women: Relations with pain during delivery, post-traumatic stress symptoms, and postpartum depressive symptoms]. Encephale. 2016;42(2):191-6.
54. Ntaouti E, Gonidakis F, Nikaina E, Varelas D, Creatsas G, Chrousos G, et al. Maternity blues: risk factors in Greek population and validity of the Greek version of Kennerley and Gath's blues questionnaire. J Matern Fetal Neonatal Med. 2018:1-10.
55. Ma JH, Wang SY, Yu HY, Li DY, Luo SC, Zheng SS, et al. Prophylactic use of ketamine reduces postpartum depression in Chinese women undergoing cesarean section. Psychiatry Res. 2019;279:252-8.
56. Takács L, Seidlerová JM, Štěrbová Z, Čepický P, Havlíček J. The effects of intrapartum synthetic oxytocin on maternal postpartum mood: findings from a prospective observational study. Arch Womens Ment Health. 2019; 22(4):485-91.
57. Maliszewska K, Świątkowska-Freund M, Bidzan M, Preis K. Relationship, social support, and personality as psychosocial determinants of the risk for postpartum blues. Ginekol Pol. 2016;87(6):442-7.
58. Gerli S, Fraternale F, Lucarini E, Chiaraluce S, Tortorella A, Bini V, et al. Obstetric and psychosocial risk factors associated with Maternity Blues. J Matern Fetal Neonatal Med. 2019:1-6.
59. França UL, McManus ML. Frequency, trends, and antecedents of severe maternal depression after three million U.S. births. PLoS One. 2018;13(2):e0192854.
60. Rychnovsky J, Hunter LP. The relationship between sleep characteristics and fatigue in healthy postpartum women. Womens Health Issues. 2009;19(1):38-44.
61. Goodman JH, Watson GR, Stubbs B. Anxiety disorders in postpartum women: A systematic review and meta-analysis. J Affect Disord. 2016;203:292-331.
62. Lewin J. Perinatal psychiatric disorders. In: Kohen D, editor. Oxford textbook of women and mental health. New York: Oxford University; 2010. p. 161-8.
63. Jones I, Heron J, Blackmore ER. Puerperal psychosis. In: Kohen D, editor. Oxford textbook of women and mental health. New York: Oxford University; 2010. p. 179-86.
64. Berga SL, Parry BL, Moses-Kolko EL. Psychiatry and reproductive medicine. In: Sadock BJ, Sadock VA, Ruiz P, editors. Kaplan and Sadock's comprehensive textbook of psychiatry. Baltimore: Williams & Wilkins; 2009. p. 2552-8.
65. Tebeka S, Dubertret C. [Postpartum depression] Rev Prat. 2016;66(2):211-5.
66. Abuchaim EV, Caldeira NT, Di Lucca MM, Varela M, Silva IA. Depressão pós-parto e autoeficácia materna para amamentar: prevalência e associação. Acta Paul. Enferm. 2016; 29(6): 664-70.
67. Dennis CL, Hodnett E. Psychosocial and psychological interventions for treating postpartum depression. Cochrane Database Syst Rev. 2007;(4):CD006116.
68. Wiklund I, Mohlkert P, Edman G. Evaluation of a brief cognitive intervention in patients with signs of postnatal depression: a randomized controlled trial. Acta Obstet Gynecol Scand. 2010;89(8):1100-4.
69. Sockol LE. A systematic review of the efficacy of cognitive behavioral therapy for treating and preventing perinatal depression. J Affect Disord. 2015;177:7-21.
70. Scope A, Leaviss J, Kaltenthaler E, Parry G, Sutcliffe P, Bradburn M, Cantrell A. Is group cognitive behaviour therapy for postnatal depression evidence-based practice? A systematic review. BMC Psychiatry. 2013;13:321.
71. Appleby L, Warner R, Whitton A, Faragher B. A controlled study of fluoxetine and cognitive-behavioural counselling in the treatment of postnatal depression. BMJ. 1997;314(7085):932-6.
72. Stewart DE, Vigod S. Postpartum Depression. N Engl J Med. 2016;375(22):2177-86.
73. Frieder A, Fersh M, Hainline R, Deligiannidis KM. Pharmacotherapy of postpartum depression: current approaches and novel drug development. CNS Drugs. 2019;33(3):265-82.
74. Myczkowski ML, Dias AM, Luvisotto T, Arnaut D, Bellini BB, Mansur CG, Rennó J, Tortella G, Ribeiro PL, Marcolin MA. Effects of repetitive transcranial magnetic stimulation on clinical, social, and cognitive performance in postpartum depression. Neuropsychiatr Dis Treat. 2012;8:491-500.
75. Langan R, Goodbred AJ. Identification and management of peripartum depression. Am Fam Physician. 2016;93(10):852-8.

76. Goodman JH, Watson GR, Stubbs B. Anxiety disorders in postpartum women: a systematic review and meta-analysis. J Affect Disord. 2016;203:292-331.

77. Fallon V, Groves R, Halford JC, Bennett KM, Harrold JA. Postpartum Anxiety and Infant-Feeding Outcomes. J Hum Lact. 2016;32(4):740-58.

78. Schofield CA, Battle CL, Howard M, Ortiz-Hernandez S. Symptoms of the anxiety disorders in a perinatal psychiatric sample: a chart review. J Nerv Ment Dis. 2014;202(2):154-60.

79. Field T. Postnatal anxiety prevalence, predictors and effects on development: A narrative review. Infant Behav Dev. 2018;51:24-32.

80. Labbok MH. Effects of breastfeeding on the mother. Pediatr Clin North Am. 2001;48(1):143-58.

81. Mezzacappa ES, Katlin ES. Breast-feeding is associated with reduced perceived stress and negative mood in mothers. Health Psychol. 2002;21(2):187-93.

82. Franceschini R, Venturini PL, Cataldi A, Barreca T, Ragni N, Rolandi E. Plasma beta-endorphin concentrations during suckling in lactating women. Br J Obstet Gynaecol. 1989;96(6):711-3.

83. Zavaschi MLS, Kuchenbecker R. Aspectos psicológicos do aleitamento materno. Rev Psiquiatr. 1991;13(2):77-82.

84. Oddy WH, Kendall GE, Li J, Jacoby P, Robinson M, de Klerk NH, et al. The long- term effects of breastfeeding on child and adolescent mental health: a pregnancy cohort study followed for 14 years. J Pediatr. 2010;156(4):568-74.

85. Poton WL, Soares ALG, Oliveira ERA, Gonçalves H. Breastfeeding and behavior disorders among children and adolescents: a systematic review. Rev Saude Publica. 2018;52:1-17.

86. Vitolo MR, Benetti SPC, Bortolini GA, Graeff A, Drachler ML. Depression and its implications in breast feeding. Rev Psiquiatr Rio Gd Sul. 2007;29(1):28-34.

87. Ramos CV, Almeida JAG. Alegações maternas para o desmame: estudo qualitativo. J Pediatr (Rio J). 2003;79(5):385-90.

88. Eizirik CL, Bassols AM, organizadores. O ciclo da vida humana: uma perspectiva psicodinâmica. 2. ed. Porto Alegre: Artmed; 2013.

89. Hirshkowitz M, Whiton K, Albert SM, Alessi C, Bruni O, DonCarlos L. National Sleep Foundation's sleep time duration recommendations: methodology and results summary. Sleep Health. 2015;1(1):40-3.

## LEITURAS RECOMENDADAS

Bowlby J. Apego: a natureza do vínculo. 4. ed. São Paulo: Martins Fontes; 2009.
*O autor descreve o desenvolvimento do comportamento de apego nos primeiros anos de vida.*

Brazelton TB. Momentos decisivos do desenvolvimento infantil. 3. ed. São Paulo: Martins Fontes; 2011.
*Trata-se de um livro que contém uma explicação detalhada dos estágios básicos do desenvolvimento desde a visita pré-natal ao pediatra até o sexto ano de vida.*

Gordon MF. Normal child development. In: Sadock BJ, Sadock VA, editors. Comprehensive textbook of psychiatry. 9th. ed. Philadelphia: Lippincott Williams & Wilkins; 2009. v. 2, p. 2534-50.
*O autor relata o desenvolvimento da criança em seus aspectos normais, partindo das condições genéticas, incluindo teorias do desenvolvimento e ilustrando aspectos do processo maturacional, do ponto de vista motor, perceptivo, temperamental e sociocultural.*

Martin A, Volkmar FR, editors. Lewis's child and adolescent psychiatry: a comprehensive textbook. 4th ed. Philadelphia: Wolters Kluwer Health; 2007.
*Este livro apresenta capítulos enfocando de forma abrangente o desenvolvimento infantil.*

# Capítulo 96
## PROMOÇÃO DA SEGURANÇA DA CRIANÇA E DO ADOLESCENTE

Danilo Blank

## UM PROBLEMA DE SAÚDE PÚBLICA AVASSALADOR E PERSISTENTE

As causas externas de morbimortalidade, que englobam os chamados acidentes e as violências, respondem por 8% das mortes e por cerca de 10% da sobrecarga global de doenças, considerando-se os anos perdidos de vida saudável.[1,2] Afligem principalmente a população jovem: ocasionam, a cada ano no mundo, cerca de 1 milhão de mortes de indivíduos com idade < 18 anos e um número muito maior de deficiências permanentes.[3]

Essas injúrias* à integridade são um exemplo da iniquidade em saúde, pois, embora o mundo esteja se tornando um lugar mais seguro para viver – já que no último quarto de século houve um declínio marcante de cerca de 31% da sobrecarga à saúde devido aos agravos por causas externas, segundo estudo recente da iniciativa Global Burden of Disease –,[4] essa evolução se dá com padrões inaceitavelmente desarmônicos nas diferentes regiões do mundo e até mesmo dentro de comunidades, levando em conta os compassos heterogêneos das ações preventivas e suas interações com os

---

*Controlar um problema de saúde pública com múltiplos agentes, mecanismos patogênicos e interações socioeconômico-culturais exige clareza de conceitos e terminologias, mas as inconsistências linguísticas em diferentes idiomas são inevitáveis.[8]

Na língua inglesa, hegemônica no campo da saúde, predomina a chamada "definição da energia", segundo a qual *injury* se refere a um dano corporal produzido por trocas de energia entre um indivíduo (vítima) e seu sistema (ambiente), com efeitos relativamente súbitos, que pode apresentar-se como uma lesão física (quando houver exposição à energia – cinética, química, térmica, elétrica ou radiação ionizante – em quantidades que excedam o limite de tolerância fisiológica) ou como um prejuízo de função (quando houver privação de um elemento vital, como o oxigênio). Hoje esse conceito tem sido ampliado, incluindo o prejuízo psicológico e toda forma de privação e deficiência.

Dicionários brasileiros registram os termos injúria, agravo e lesão como quase sinônimos, compatíveis tanto com a definição de dano físico quanto com a de ofensa moral, mas **injúria** tem uma associação mais forte com causas externas e seu uso tende a ser mais corrente na linguagem médica para significar traumatismo. O termo **lesão**, comumente sugerido como equivalente de *injury*, é inadequado porque não abrange o afogamento, a intoxicação e os danos emocionais. O Ministério da Saúde, em portaria que define as terminologias adotadas em legislação nacional, estabeleceu o termo **agravo** como significando "qualquer dano à integridade física, mental e social dos indivíduos provocado por circunstâncias nocivas, como acidentes, intoxicações, abuso de drogas e lesões auto ou heteroinfligidas".[9,10]

Em consonância com a tendência internacional da literatura, este capítulo adota injúria como equivalente a *injury* em língua portuguesa.

riscos, mecanismos de trauma, faixas etárias, sexo e, sobretudo, níveis de desenvolvimento sociodemográfico.[5,6] Uma amostra típica desse descompasso é a persistência das taxas dos anos de vida perdidos ajustados por incapacidade (DALY, do inglês *disability-adjusted life years*) em virtude de injúrias por causas externas entre adolescentes brasileiros, como se vê na FIGURA 96.1,[7] na contramão do que ocorre com outras idades dentro da mesma população.

No Brasil, causas externas determinam a morte de cerca de 23 mil indivíduos com idade < 19 anos a cada ano (cerca de 30 a cada 100 mil habitantes) e, dependendo da faixa de idade, matam mais do que a soma de todas as outras principais causas – doenças infecciosas, respiratórias e neoplasias.[11] Além disso, segundo o modelo moderno da chamada "pirâmide da injúria", essas mais de 20 mil crianças brasileiras são uma pequena fração dos milhões de feridos atendidos em hospitais, serviços de emergência, unidades básicas ou fora dos cuidados formais de saúde.[12,13]

Mas é além desses dados mais explícitos de morbimortalidade que as injúrias configuram-se como um problema avassalador de saúde pública, pois causam um impacto prejudicial marcante no bem-estar dos sobreviventes, estendendo-se à família, aos amigos, aos colegas de trabalho, aos empregadores e a toda a comunidade – em virtude de altos custos médicos, perda de produtividade e saúde mental comprometida no longo prazo –, trazendo sérios dilemas éticos acerca de intervenções preventivas com base em princípios de equidade.[6,14-16]

A moderna ciência do controle das injúrias tem tido avanços significativos no conhecimento dos riscos e mecanismos dos traumas, bem como das estratégias de implementação de programas efetivos de prevenção, da primária à terciária.[17-21] Se, por um lado, ainda há muitas lacunas na base de evidências para o controle dos riscos e desfechos, particularmente em países de baixa e média renda – onde ocorrem 95% das injúrias em crianças e jovens[3] – as medidas preventivas que funcionam já foram suficientemente divulgadas para que não mais se justifique a inércia em qualquer lugar do mundo.[22-25]

Os países que mais avançaram no controle do trauma e de suas consequências têm promovido uma combinação de ações multissetoriais capazes de prever o risco de eventos adversos, atenuar as injúrias não evitadas e reabilitar os deficientes.[19,21] Estima-se que a adaptação e a implementação global de um conjunto de estratégias efetivas testadas em países de alto índice sociodemográfico – cobrindo segurança viária (p. ex., controle da velocidade e direção sob efeito de álcool), afogamentos (p. ex., aulas de natação para indivíduos com idade < 14 anos), queimaduras e envenenamentos (p. ex., supervisão de crianças pequenas em creches) – poderiam salvar mais de mil vidas de crianças por dia.[26,27] Por outro lado, há embasamento científico razoável para justificar que os profissionais de saúde incorporem, na sua rotina clínica, a orientação para a segurança, seja no ambulatório, no serviço de emergência ou na comunidade, ainda que recomendações costumem advir de consensos de especialistas, de modo que toda estimativa de efeito é incerta[28-33] C/D.

## FATORES DE RISCO E RESILIÊNCIA PARA INJÚRIAS POR CAUSAS EXTERNAS

### Condições socioambientais

A pobreza é o fator de risco mais relevante para injúrias por causas externas. As taxas de mortalidade por causas externas são mais altas em regiões mais pobres em todo o mundo, tanto nas comparações quanto dentro de países.[13,22,34-37] Por exemplo, estudos mostram que as taxas de homicídio no Rio de Janeiro são três vezes maiores em áreas pobres do que em áreas ricas, enquanto no Reino Unido crianças de classes sociais inferiores têm 16 vezes mais probabilidade de morrer em um incêndio do que as mais afluentes.[13]

O meio ambiente é desfavorável aos pobres por estarem mais expostos a vias de tráfego intenso e vizinhanças mais violentas, terem que trabalhar e deslocar-se em condições menos seguras, além de terem menos acesso aos meios de socorro. A urbanização também tem um papel importante: há maior risco de morte por injúrias no campo do que na cidade, com exceção daquelas resultantes de violência intencional. Nas áreas metropolitanas, os índices de injúrias são maiores nas áreas centrais e mais populosas do que nas zonas residenciais.[20]

No âmbito familiar, os principais fatores relacionados são mãe solteira e jovem, baixo nível de educação materna, desemprego, habitações pobres, famílias numerosas e uso de álcool e drogas pelos pais.[38]

### Idade

Injúrias específicas acontecem em idades definidas; representam janelas de vulnerabilidade em que a criança ou jovem encontra ameaças à sua integridade física, que exigem certas ações defensivas para as quais essa pessoa ainda não é madura o suficiente. A idade também influencia a gravidade da injúria: traumatismos cranianos, por exemplo, causam

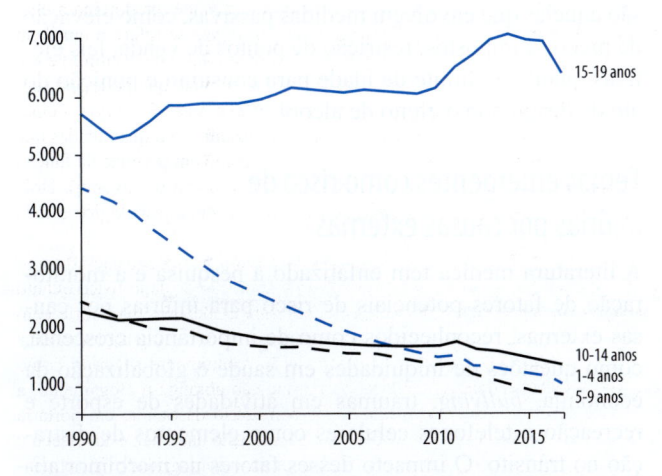

FIGURA 96.1 → Anos de vida perdidos ajustados por incapacidade (DALYs) devido a causas externas, a cada 100.000 habitantes, em ambos os sexos, no Brasil.
Fonte: Health Metrics and Evaluation.[7]

danos neurológicos maiores em lactentes com idade < 2 anos do que em crianças maiores.[20,39]

Nos primeiros meses de vida, o lactente praticamente só reage ao que vê e tem capacidades motoras limitadas. Está completamente sujeito a riscos impostos por terceiros: pode ser deixado cair no chão, queimado por líquidos que sejam derramados sobre ele, intoxicado por substâncias que lhe sejam inapropriadamente administradas ou colocado em um automóvel sem um dispositivo de retenção adequado. Dotado de motivação forte e constante a explorar o ambiente, com o tempo se torna capaz de buscar objetos perigosos que estejam escondidos; porém, tem má coordenação motora e não reconhece riscos. As principais injúrias são quedas, aspiração de corpo estranho, queimaduras, traumatismos de ocupantes de veículos, afogamentos e intoxicações. Os pais podem inadvertidamente acentuar o desacerto entre o grau de desenvolvimento e os riscos, por exemplo, colocando um bebê em um andador.[39,40]

O pré-escolar tende a ter um tipo de pensamento mágico, com percepção egocêntrica e ilógica do seu ambiente. Falta-lhe maturidade para aprender noções de segurança, pois pode se achar capaz de voar, como os super-heróis, ou de cair de uma certa altura sem se ferir, como nos desenhos animados. Tem dificuldade de fazer generalizações a partir de experiências concretas – por exemplo, um infortúnio como cair de uma cerca não implica ter medo de subir em árvores. Nessa fase, têm importância crescente as queimaduras, as intoxicações, os atropelamentos, as quedas de lugares altos, os ferimentos com brinquedos e as lacerações.[28,39]

O escolar é capaz de aprender noções de segurança, mas ainda não tem o pensamento operacional concreto organizado e não faz julgamentos acurados sobre velocidade e distância. Suas habilidades motoras, como acender fogo ou ligar um automóvel, estão bem além do seu julgamento crítico. Por outro lado, seu comportamento e os riscos a que se expõe começam a ser fortemente influenciados por seus pares, gerando atitudes de desafio a regras. Além disso, ele frequentemente sai só, sem a supervisão de adultos, tendo que lidar com situações complexas como o trânsito. Atropelamentos, quedas de bicicletas, quedas de lugares altos, ferimentos com armas de fogo e lacerações são riscos com importância crescente. Na escola, predominam quedas, lacerações e traumatismos dentários causados em brincadeiras agressivas durante o recreio.[15,20,28,39,41]

O adolescente já tem o pensamento organizado, mas as pressões sociais somadas a uma certa onipotência podem levar à tomada de riscos conscientes.[42] Por outro lado, os jovens ganham mais liberdade e passam mais tempo sem supervisão de adultos e mais longe de casa. O uso de bebidas alcoólicas passa a ser um fator adicional como condicionante de situações de perda de controle. Os riscos principais para o adolescente são desastres de automóvel e motocicleta, atropelamento, quedas de bicicleta e afogamento. Ademais, o homicídio e a intoxicação por abuso de drogas tornam-se uma realidade palpável. Na escola, predominam lacerações e fraturas associadas a práticas esportivas.[15,20,28,39,41]

## Sexo

A partir do final do primeiro ano de vida, os meninos têm o dobro de chance de sofrer injúrias do que as meninas.[3,20] Isso não parece dever-se a diferenças de desenvolvimento, coordenação ou força muscular, mas a variações na exposição. Por exemplo, embora meninos apresentem taxas maiores de traumatismos relacionados a bicicletas, não há diferença quando se faz um ajuste considerando a exposição. Por outro lado, isso não acontece em relação aos atropelamentos, que aparentemente se devem mais a diferenças de comportamento. Rapazes adolescentes sofrem muito mais injúrias no trânsito do que meninas, por uma combinação de uso de álcool e comportamento de risco.

## Supervisão

A supervisão deficiente por parte de cuidadores é mencionada incontáveis vezes na literatura como fator de risco para injúrias, sobretudo não intencionais, mas há raros programas preventivos especificamente focados em melhorá-la.[43,44] Contudo, já existem evidências de que a ocorrência de eventos traumáticos pode ser reduzida por ações de educação dos pais, principalmente sensibilizando-os para assumir uma atitude mais comprometida com a segurança, com melhor controle de aspectos como continuidade do cuidado, proximidade das crianças – e também dos adolescentes – e atenção aos perigos do ambiente.[45]

## Álcool

A ingestão de bebidas alcoólicas é o principal fator que contribui para a mortalidade de adolescentes por causas externas, principalmente por trânsito, homicídios e suicídios, mas também implicada em afogamentos e quedas.[42,46] Recentemente, tem havido implicação da associação do álcool com bebidas energéticas cafeinadas como fator adicional de risco.[47]

Até o momento, as estratégias apoiadas em evidências mais bem sucedidas no controle do uso do álcool por jovens são aquelas que envolvem medidas passivas, como elevação de preços e impostos, restrição de pontos de venda, leis efetivas quanto ao limite de idade para consumo e punição do ato de dirigir sob o efeito de álcool.[42,46]

## Temas emergentes como risco de injúrias por causas externas

A literatura médica tem enfatizado a pesquisa e a monitoração de fatores potenciais de risco para injúrias por causas externas, reconhecidos como de importância crescente, como questões de iniquidades em saúde e globalização da economia, *bullying*, traumas em atividades de esporte e recreação e telefones celulares como elementos de distração no trânsito. O impacto desses fatores na morbimortalidade ainda deve ser mais bem definido, mas certamente eles exigirão estratégias preventivas em contextos diversos do mundo atual.[14,23,48,49]

# CONTROLE DE INJÚRIAS POR CAUSAS EXTERNAS

## Princípios fundamentais

Na literatura científica, a clássica expressão "prevenção de acidentes" tende a ser substituída por "controle de injúrias físicas", em parte pela conotação errônea que o termo "acidente" sugere: ocorrência ao acaso, sem previsibilidade.[8,50] Além disso, o termo "controle" enfatiza a ideia de pesquisa científica e intervenções desde antes e durante o evento traumático, passando pelo atendimento pré-hospitalar até a reabilitação.[20,51]

Sob a perspectiva acadêmica corrente, o "acidente" dá lugar ao "evento potencialmente causador de injúria", que não é um, mas uma cadeia de eventos que: ocorre em um período relativamente curto (geralmente segundos ou minutos); não foi desejada conscientemente; começa com a perda de controle do equilíbrio entre um indivíduo (vítima) e seu sistema (ambiente); e termina com a transferência de energia – cinética, química, térmica, elétrica ou radiação ionizante – do sistema ao indivíduo, ou bloqueio dos seus mecanismos de utilização dessa energia. A injúria é o dano corporal impingido à vítima quando essa transmissão de energia excede, em natureza e quantidade, determinados limites de resistência. Exemplos relevantes, na infância e na adolescência, dos chamados "acidentes" e as respectivas injúrias consequentes são: queda, atropelamento, desastre com veículo de transporte e disparo de arma de fogo, causando trauma mecânico; afogamento e aspiração de corpo estranho, causando asfixia; contato com líquido fervente ou chama, causando queimadura; e ingestão de substâncias tóxicas, causando intoxicação ou envenenamento.

A injúria não é uma doença congênita ou hereditária. Como um agente externo ao indivíduo – a energia – sempre está envolvido, a prevenção é factível. Não tendo sido possível impedir uma injúria física, a prioridade é minimizar suas consequências por meio de cuidados médicos prontos e adequados.

Um dos primeiros fatores a considerar é a já citada influência das condições desfavoráveis do ambiente na ocorrência de eventos traumáticos. O foco na questão ambiental desvia a atenção de elementos de abordagem difícil, como a dinâmica familiar, e leva à concentração de esforços para a intervenção comunitária, mais factível e efetiva.[19,52] No controle de injúrias por causas externas, a modificação ambiental deve receber toda a ênfase.

A compreensão dos conceitos de proteção ativa e passiva é básica para um plano preventivo. Estratégias de proteção ativa são as que exigem uma determinada ação sempre que a vítima em potencial esteja em situação de risco (p. ex., afivelar o cinto de segurança ao andar de carro). São intrinsecamente falhas, pois dependem de atitudes socioculturais e dos níveis de persistência, comprometimento e responsabilidade dos indivíduos. Já estratégias de proteção passiva são as que protegem automaticamente, prescindindo de qualquer ação, conhecimento ou colaboração das pessoas envolvidas (p. ex., medicamentos embalados em recipientes com tampas de segurança, ou tampas "à prova de crianças"). São muito mais efetivas, pois não dependem dos fatores individuais. Logo, sempre que possível, devem ser tomadas medidas de proteção passiva na prevenção de injúrias. Essas medidas costumam ser implementadas por meio de leis que normatizam as condições de segurança dos produtos ou que obrigam as pessoas a modificar certos tipos de comportamento (p. ex., obrigatoriedade legal do uso do cinto de segurança). Por outro lado, a prevenção de muitos tipos de injúrias exige a aplicação de estratégias preventivas que não se enquadram exatamente como ativas ou passivas – são as estratégias mistas de proteção. Por exemplo, as quedas de andares altos podem ser efetivamente prevenidas com a instalação de grades nas janelas; a grade instalada constitui proteção passiva, mas o ato e as despesas de instalação representam medidas ativas.[20]

A adoção de estratégias de proteção passiva tem sua efetividade máxima quando é feita na comunidade, por ação do governo, legislação ou entidades normatizadoras da própria sociedade, liberando a responsabilidade dos indivíduos e protegendo-os independentemente de suas ações. Infelizmente, equipar a comunidade com medidas de proteção passiva em número condizente com todos os riscos potenciais depende de um amadurecimento social e de um grau de progresso econômico consideráveis, o que demanda tempo. No âmbito familiar, muitas estratégias de proteção passiva (p. ex., colocar grades em janelas, escadas e piscinas, chavear armários para medicamentos, cobrir tomadas elétricas, eliminar objetos passíveis de aspiração, brinquedos inseguros e plantas tóxicas do ambiente) podem ser instaladas dentro de casa, mediante a orientação e o incentivo de agentes de saúde ou, mais raramente, da mídia. Os responsáveis pela orientação familiar na área da saúde, em especial o pediatra ou médico de família, devem sempre enfatizar a adoção dessas estratégias.[33] Quando não existirem formas passivas de proteção para certos riscos (p. ex., não deixar a criança desassistida sobre o trocador, traumatismos durante brincadeiras no recreio), as melhores técnicas disponíveis de educação para a adoção de medidas de proteção ativa precisam ser empregadas.[53]

Estratégias de controle de injúrias podem ser agrupadas de acordo com a sua relação temporal com o evento traumático: algumas evitam que ele ocorra (p. ex., não dirigir sob o efeito de álcool), outras diminuem o potencial de ferimento (p. ex., usar cinto de segurança) e outras reduzem as consequências (p. ex., sistema efetivo de atendimento aos feridos). Uma abordagem completa exige atenção a todas as fases.[20]

Uma estratégia preventiva será mais efetiva se demandar uma ação única em vez de repetida, se for de fácil implementação, a mais barata possível e a mais confortável possível e se tiver prioridade dentre outras opções familiares. Além disso, uma determinada estratégia que não se enquadre bem nesses critérios pode ser promovida por incentivos socioeconômicos (p. ex., multas severas para os pais que não conduzem as crianças no automóvel em assentos apropriados e redução no valor do imposto sobre a propriedade de veículos automotores [IPVA] para aqueles que cumprem essa determinação).

A supervisão da criança pelos pais ou outros cuidadores, como já visto, precisa ser estimulada com senso crítico. Vários estudos demonstram que a educação é efetiva, mas muitos indicam que os adultos tendem a apresentar um comportamento incongruente com seu grau de educação e conhecimento específico sobre normas de segurança infantil, permitindo ou estimulando a criança a assumir responsabilidades para as quais ela não está suficientemente amadurecida (p. ex., usar um andador, atravessar a rua sozinha).[54]

Criança "acidentável" é um mito da cultura leiga, não encontrado em investigações científicas. Colocar atenção em crianças potencialmente "repetidoras de acidentes" ou com "tendência a acidentes" é perda de tempo e desvia o foco central dos cuidados com o ambiente. Na prática, em termos de estratégia preventiva de injúrias físicas, muito pouco pode ser obtido com a busca de características que poderiam colocar certos indivíduos em situações de risco aumentado.[20]

## Caminhos no controle de injúrias físicas

### Normas e legislação

Leis e normas que visam à proteção dos indivíduos, seja por meio da melhora da segurança de produtos, da modificação ambiental ou do comportamento, constituem uma das formas mais eficazes de proteção passiva. Elas podem ser estabelecidas por órgãos governamentais ou outras entidades que controlam o ambiente e práticas pessoais, como escolas, associações de defesa do consumidor, associações de esportes e associações de normas técnicas. Por outro lado, fornecem um auxílio poderoso às estratégias educativas para a mudança de comportamento das pessoas para estilos de vida mais seguros.[3,14,20]

Um exemplo clássico do efeito da legislação como proteção passiva é o Poison Prevention Packaging Act, que foi aprovado pelo Congresso Norte-Americano em 1970 e obrigou a comercialização de medicamentos com tampas de segurança "à prova de crianças". Essa lei resultou na diminuição marcante de mortes por intoxicação em um espaço de tempo relativamente curto.[28] Outro exemplo é o aumento da idade mínima legal para a compra de bebidas alcoólicas para 21 anos, que tem sido associado a decréscimos significativos de desastres de automóveis.[42] Um exemplo adicional: a legislação exigiu a acomodação apropriada de crianças em assentos de segurança para automóveis; isso tem um efeito positivo tanto no uso desses dispositivos quanto na redução da morbimortalidade.[33,55]

O sucesso de leis e normas bem planejadas depende da conscientização da comunidade para entender, aceitar e promover a adoção das medidas propostas. Leis sem conscientização comunitária, assim como conhecimento sem mudança de comportamento, não são capazes de reduzir eventos traumáticos.[52]

### O conceito de comunidade segura

A Organização Mundial da Saúde (OMS) dá ênfase à certificação das chamadas comunidades seguras, graças a experiências bem-sucedidas na redução de injúrias, ainda que predominantemente em países desenvolvidos.[56,57] Trata-se do emprego de estratégias de intervenção comunitária para dotar uma determinada comunidade de condições básicas e sensação de segurança, por meio da mobilização de todos os segmentos da população sob a coordenação de peritos. Sua execução deve seguir técnicas bem definidas, que incluem a avaliação criteriosa dos riscos específicos da comunidade, motivação e envolvimento ativo de todos, colaboração efetiva de líderes, autoridades, imprensa e setor técnico e apoio financeiro de fontes capazes de manter o programa por tempo prolongado.[19,56,58-60]

### Educação para a segurança

Estratégias educativas para modificar o estilo de vida das pessoas, estimulando-as a assumir comportamentos compatíveis com uma maior preocupação com a própria segurança, assumem papel relevante no controle de injúrias nas frequentes circunstâncias em que as medidas de proteção passiva, tradicionalmente consideradas mais efetivas, são insuficientes ou simplesmente não existem.[61] Há evidências crescentes de que a aplicação de teorias de mudança de comportamento nas ações de aconselhamento é efetiva na construção de estilos de vida mais seguros, desde que dentro de certos princípios, como a parceria médico-paciente, o reconhecimento e a seleção de riscos, as soluções factíveis e a monitoração conjunta de desfechos.[32]

Revisões sistemáticas da literatura evidenciam que o aconselhamento no âmbito da atenção primária à saúde (APS) é viável e eficaz na melhora do conhecimento sobre segurança e na mudança do comportamento para um estilo mais seguro, principalmente quando associado ao fornecimento de equipamentos de segurança, embora nem sempre haja comprovação da redução efetiva de ocorrências das injúrias.[33,62]

Assim, ainda que sempre sugerindo a necessidade de mais estudos, as maiores autoridades no campo da segurança têm como consenso a recomendação de que o aconselhamento sobre segurança específico para cada faixa etária seja incluído como parte integrante das consultas de puericultura de crianças e adolescentes.[20,28,29,63,64]

A **TABELA 96.1** apresenta o calendário de aconselhamento em segurança elaborado pela Sociedade de Pediatria do Rio Grande do Sul, no seu projeto "Promoção da Segurança no Ambulatório de Pediatria", que resgata a ideia básica do pediatra como figura central na orientação das famílias. Consiste em um instrumento sistematizado a ser aplicado no âmbito da atividade ambulatorial, com 11 folhetos ilustrados – cientificamente planejados, fragmentados em 11 faixas de idade, a fim de obter o máximo de fixação das mensagens – com frases muito curtas e objetivas, que servem de apoio à necessária ação educativa verbal.

Ainda no contexto da APS, programas comunitários de educação para a segurança podem ter resultados altamente positivos, se houver uma combinação de objetivos muito bem definidos (pouco ambiciosos e de estreita amplitude), população-alvo específica e abordagem multifacetada (mensagem proveniente de várias fontes respeitadas).[52,65,66]

**TABELA 96.1** → Calendário de aconselhamento em segurança

| IDADE | RECOMENDAÇÕES |
|---|---|
| Pré-natal ou recém-nascido | → Providenciar berço e/ou cercado com grades altas e separação máxima de 6 cm<br>→ Providenciar assento de segurança para automóvel adequado para recém-nascido (bebê-conforto), que será sempre instalado voltado para trás<br>→ Remover armas de fogo do ambiente doméstico |
| 1 a 6 meses | → AUTOMÓVEL: jamais levar crianças no colo; utilizar assento infantil do tipo bebê-conforto, sempre no banco traseiro e voltado para trás<br>→ QUEDAS: proteger o berço e o cercado com grades altas e estreitas<br>→ BANHO: verificar a temperatura da água (ideal: 37 ºC); jamais deixar a criança sozinha na banheira<br>→ QUEIMADURAS: não tomar líquidos quentes com a criança no colo<br>→ BRINQUEDOS: utilizar brinquedos grandes e inquebráveis, evitando sufocação |
| 6 meses a 1 ano | → OBJETOS: não deixar objetos cortantes, pequenos ou pontiagudos ao alcance de crianças<br>→ BRINQUEDOS: usar brinquedos grandes e inquebráveis; evitar os brinquedos com partes pequenas, pelo risco de sufocação<br>→ AUTOMÓVEL: manter o uso do bebê-conforto, enquanto permitirem as especificações do fabricante, no banco traseiro, sempre voltado para trás<br>→ ASFIXIA: evitar cobertores pesados e travesseiros fofos; afastar fios, cordões e sacos plásticos<br>→ QUEDAS: instalar grade ou rede nas escadas e janelas; proteger as arestas pontiagudas dos móveis<br>→ ELETRICIDADE: evitar fios elétricos soltos e colocar proteção nas tomadas<br>→ PRODUTOS DOMÉSTICOS: não deixar produtos de limpeza e remédios ao alcance das crianças; esses produtos devem ser trancados em armários e colocados em locais de difícil acesso |
| 1 a 2 anos | → OBJETOS: não deixar objetos pontiagudos, cortantes ou que possam ser engolidos ao alcance das crianças<br>→ QUEDAS: instalar grade ou rede nas escadas e janelas; proteger os cantos dos móveis<br>→ SEGURANÇA EM CASA: colocar obstáculo na porta da cozinha e manter a porta do banheiro fechada<br>→ AUTOMÓVEL: continuar a utilizar dispositivo de retenção para transporte de crianças no banco traseiro, mas o bebê-conforto deve ser trocado pela "cadeirinha", que agora será posicionada voltada para a frente (no sentido da marcha do veículo)<br>→ PRODUTOS DOMÉSTICOS E MEDICAMENTOS: trancar produtos de limpeza e remédios em armários e colocá-los em lugares altos |
| 2 a 4 anos | → QUEDAS: deve-se tomar cuidado especial com bicicletas; não permitir que as crianças pedalem nas ruas; instalar grades ou redes de proteção nas janelas; cercar o local onde a criança brinca<br>→ SEGURANÇA EM CASA: cozinha e banheiro não são lugares para crianças; usar obstáculo na porta da cozinha<br>→ AUTOMÓVEL: lugar de criança é no banco traseiro; usar dispositivo de retenção para transporte de crianças no banco traseiro – cadeirinha – posicionado voltado para a frente (no sentido da marcha do veículo)<br>→ QUEIMADURAS: não permitir a aproximação da criança de fogão, ferro elétrico e aquecedores; instalar obstáculo físico<br>→ INTOXICAÇÃO: manter produtos de limpeza e remédios trancados em armário e em locais de difícil acesso<br>→ ATROPELAMENTO: não permitir que a criança brinque na rua; atravesse a rua de mãos dadas com a criança |
| 4 a 6 anos | → SEGURANÇA EM CASA: cozinha não é lugar de criança; colocar proteção na porta<br>→ QUEIMADURAS: criança não deve brincar com fogo; evitar álcool e fósforo<br>→ QUEDAS: colocar grades ou redes nas janelas; não deixar as crianças sozinhas nos parques<br>→ SUPER-HERÓI: super-heróis só existem na televisão; colocar proteção nas janelas e nas escadas |

*(continua)*

**TABELA 96.1** → Calendário de aconselhamento em segurança *(Continuação)*

| | |
|---|---|
| 4 a 6 anos | → AFOGAMENTO: a criança não deve nadar sozinha; o pai ou a mãe deve ensiná-la a nadar<br>→ AUTOMÓVEL: utilizar o dispositivo de retenção denominado assento de elevação (*booster*) posicionado voltado para a frente (no sentido da marcha do veículo)<br>→ ATROPELAMENTO: acompanhar a criança ao atravessar a rua, segurando firmemente sua mão |
| 6 a 8 anos | → ATROPELAMENTO: ensinar comportamentos de segurança ao atravessar a rua; não permitir brincadeiras nas ruas; acompanhar a criança ao atravessar a rua<br>→ BICICLETA: a criança deve usar capacete de proteção; não pedalar nas ruas: utilizar parques ou ciclovias<br>→ AUTOMÓVEL: até aproximadamente os 7 anos e meio (ou cerca de 36 kg), utilizar o dispositivo de retenção denominado assento de elevação (*booster*) posicionado voltado para a frente (no sentido da marcha do veículo)<br>→ AFOGAMENTO: não permitir que a criança entre na água sem a supervisão de um adulto<br>→ ARMAS DE FOGO: não manter armas de fogo no ambiente doméstico; armas de fogo não são brinquedos e devem ser evitadas |
| 8 a 10 anos | → ATROPELAMENTO: acompanhar as crianças ao atravessarem as ruas<br>→ BICICLETA: crianças devem utilizar capacete de proteção ao andar de bicicleta; não pedalar nas ruas: utilizar parques ou ciclovias<br>→ AUTOMÓVEL: crianças devem ser transportadas somente no banco traseiro; utilizar o dispositivo de retenção denominado assento de elevação (*booster*) posicionado voltado para a frente (no sentido da marcha do veículo)*<br>→ AFOGAMENTO: não permitir a entrada de crianças na água sem supervisão de adultos<br>→ ARMAS DE FOGO: não manter armas de fogo no ambiente doméstico; armas de fogo não são brinquedos e devem ser evitadas |
| 10 a 12 anos | → ATROPELAMENTOS: atravessar a rua na faixa de segurança; observar a sinaleira; olhar para os dois lados antes de atravessar a rua<br>→ AUTOMÓVEL: usar sempre o cinto de segurança, se já tiver 1,45 m de altura; senão, continuar a utilizar o assento de elevação; sentar sempre no banco traseiro<br>→ BICICLETA: andar com capacete de proteção; observar os sinais de trânsito; não descer ladeiras; não andar de bicicleta à noite<br>→ ARMAS DE FOGO: não manter armas de fogo no ambiente doméstico; não manusear armas, pois são perigosas e não são brinquedos<br>→ AFOGAMENTO: não mergulhar em local desconhecido; não nadar sozinho; não mergulhar de cabeça; nadar perto da margem<br>→ ACIDENTE ESPORTIVO: praticar esportes com segurança; utilizar equipamento de proteção próprio para cada esporte e para andar de bicicleta, patins, *skate*, etc. |
| 12 a 15 anos | → BICICLETA: usar sempre o capacete de proteção; não andar à noite; não andar e não levar ninguém na garupa<br>→ ATROPELAMENTOS: atravessar a rua na faixa de segurança; olhar para os dois lados antes de atravessar; parar nos cruzamentos<br>→ AFOGAMENTOS: não nadar sozinho; não mergulhar de cabeça; não nadar longe da margem<br>→ FOGOS DE ARTIFÍCIO: evitar brincadeiras com foguetes e "bombinhas", pois são perigosos e o indivíduo estará sujeito a queimaduras<br>→ AUTOMÓVEL: usar sempre o cinto de segurança, de preferência no banco traseiro; não andar com motorista alcoolizado<br>→ ESPORTES: usar equipamento de proteção próprio para cada esporte e para andar de bicicleta, *roller*, patins, *skate*, etc.<br>→ DROGAS: não falar com estranhos; não aceitar alimentos ou objetos de estranhos |
| 15 anos em diante | → AUTOMÓVEL: andar sempre com cinto de segurança; não dirigir sem habilitação; não andar com motorista alcoolizado<br>→ DROGAS: evitar as turmas que usam drogas; não aceitar alimentos ou objetos de estranhos<br>→ ESPORTES: praticar esportes em locais adequados; utilizar equipamentos de proteção durante a prática esportiva (capacete, joelheira, cotoveleira, luvas, etc.) |

*(continua)*

| TABELA 96.1 → Calendário de aconselhamento em segurança (Continuação) | |
|---|---|
| 15 anos em diante | → AFOGAMENTOS: não mergulhar em locais desconhecidos; nadar próximo à margem; não nadar sozinho; jamais ingerir bebidas alcoólicas ao praticar esportes aquáticos |
| | → ÁLCOOL: não pegar carona com quem bebeu e está dirigindo; tomar bebida alcoólica não é legal |
| | → ARMAS DE FOGO: não usar armas – elas são perigosas e não aumentam sua segurança; não manter armas de fogo no ambiente doméstico |

* A Resolução nº 277 do Contran orienta que crianças de até 7,5 anos utilizem o assento de elevação. A partir dessa idade, a criança pode ser transportada no banco traseiro utilizando apenas o cinto de segurança do veículo. Porém, o uso apenas de cinto de segurança é indicado para crianças que tenham mais de 1,45 m de altura (cerca de 10 anos de idade).
Fonte: Adaptada do Projeto "Promoção da Segurança no Ambulatório de Pediatria – 2010" da Sociedade de Pediatria do Rio Grande do Sul.

## A interface entre o atendimento primário e os serviços de emergência

Eventos traumáticos que não foram prevenidos, dependendo da gravidade, necessitam de atendimento médico de emergência, que frequentemente é buscado no âmbito da APS.[67] Isso faz dos cuidados de emergência um tema de saúde comunitária, incluído em um *continuum* que começa na prevenção e passa pelos cuidados pré-hospitalares, transporte, hospitalização e reabilitação – isto é, inicia e termina na comunidade.[20] Segundo a American Heart Association, dos cinco elos da cadeia de sobrevivência em pediatria – prevenção, ressuscitação cardiopulmonar inicial, acesso rápido ao serviço de emergência, suporte avançado de vida e cuidado pós-parada cardíaca integrado –, os três primeiros constituem o suporte básico de vida, responsabilidade do médico no âmbito da APS, que assim é visto como membro importante da equipe de atendimento de emergência.[68]

Nesse contexto, a recomendação dos especialistas é que o médico que assiste crianças e a equipe que cuida do chamado domicílio médico de uma determinada comunidade entendam o seu papel dentro do sistema de emergências médicas, promovam ações educativas das famílias, monitorem a adequação material e pessoal dos serviços ambulatoriais para as urgências e se capacitem em manobras básicas de reanimação.[67,69]

## Medidas específicas no controle de injúrias por causas externas

As medidas ou intervenções consideradas eficazes no controle dos diferentes eventos causadores de injúrias em crianças e jovens[3,27,28,30,52,70-75] estão discriminadas na TABELA 96.2. Como se trata de um problema complexo, com múltiplas situações de risco, as soluções não são simples nem uniformes. As intervenções mais efetivas não são de natureza educativa, mas se baseiam em normas e leis, em modificação de produtos e em mudanças ecoambientais – promovidas ou não por meio de legislação. Todavia, as estratégias educativas são sempre incluídas por consenso de especialistas, pois, ainda que costumem resultar mais em melhora do comportamento do que em efetivas reduções na incidência de injúrias, constituem componente formal do conjunto de ações preventivas. Todas as demais intervenções incluídas na TABELA 96.2 se apoiam em evidências científicas.

TABELA 96.2 → Medidas ou intervenções consideradas eficazes no controle de eventos causadores de injúrias em crianças e jovens

| | |
|---|---|
| Segurança do pedestre | → Ambiente planejado para a segurança do pedestre |
| | → Medidas de engenharia para separar pedestres de veículos |
| | → *Playgrounds* cercados e afastados de ruas movimentadas |
| | → Cercas impedindo o cruzamento de vias mais movimentadas |
| | → Calçadas limpas e próprias para uso em toda a sua extensão |
| | → Tráfego de automóveis desviado da proximidade de escolas* |
| | → Ruas com mão única e com estacionamento restrito |
| | → Limites de velocidade baixos e controlados efetivamente por leis bem aplicadas |
| | → Controladores eletrônicos de velocidade e/ou quebra-molas |
| | → Multas mais severas para o ato de dirigir sob o efeito de álcool, tendo tolerância zero como limite legal |
| | → Transporte público adequado e acessível |
| | → Pedestres com vestimentas mais visíveis |
| | → *Design* de veículos para a proteção do pedestre |
| | → Ensino de normas de segurança do pedestre a partir da pré-escola, com reforços de instrução durante a idade escolar, com preferência para o treinamento em situações verdadeiras de tráfego em vez da sala de aula* |
| | → Não permissão de crianças desacompanhadas na rua antes dos 12 anos de idade* |
| | → Formação de brigadas de estudantes para auxiliar no controle do fluxo de veículos nos locais e horários de entrada e saída das escolas* |
| Segurança dos passageiros de veículos | → Uso de dispositivo restritivo de segurança apropriado para a idade, o peso e a estatura, por todos os ocupantes de veículos, em qualquer situação, promovido por legislação severa e apoiada por educação constante;* a FIGURA 96.2 resume as recomendações mais atuais, apoiadas em evidências, para a segurança de crianças ocupantes de veículos automotores[75] |
| | → Promoção da obrigatoriedade de equipar todos os automóveis com dispositivos de proteção passiva, principalmente bolsas de ar autoinfláveis (*airbags*) nos bancos dianteiros e cintos de segurança automáticos com três pontos de inserção em todas as posições |
| | → Multas mais severas para o ato de dirigir sob o efeito de álcool, tendo tolerância zero como limite legal |
| | → Carteiras de motorista somente para indivíduos com idade > 18 anos, preferencialmente com sistema gradativo de liberação |
| | → Aumento da idade mínima para a venda de bebidas alcoólicas para 21 anos |
| | → Limitação da velocidade dos veículos, tanto nas estradas como nas cidades, com multas e/ou penalidades severas para os infratores |
| | → Uso de faróis durante o dia |
| | → Sistema de transporte público adequado e acessível a todos |
| Segurança de ciclistas e motociclistas | → Uso de capacete por qualquer ciclista ou motociclista em todas as circunstâncias* |
| | → Ciclovias e/ou áreas para ciclismo de lazer separadas das rodovias |
| | → Legislação sobre normas de segurança na construção de bicicletas, como pintura amarela ou laranja, obrigatoriedade de faróis e pontos de material refletor de luz |
| | → Multas e/ou penalidades severas para motoristas que se envolvam em colisões com bicicletas ou motocicletas e estejam sob efeito de álcool |
| | → Sistema de transporte público adequado e acessível a todos |
| | → Cursos práticos sobre segurança do ciclista nas escolas |
| Afogamento | → Piscinas com cercas com altura mínima de 1,40 m e portões com mola e tranca automática* |
| | → Uso de dispositivos pessoais de flutuação (coletes salva-vidas em vez de boias)* |
| | → Limitação do uso de bebidas alcoólicas durante recreação ligada à água* |
| | → Supervisão de pré-escolares e escolares em piscinas* |
| | → Treinamento de adolescentes em ressuscitação cardiopulmonar* |
| | → Ensino de natação a partir do segundo ano de vida* |

*(continua)*

**TABELA 96.2** → Medidas ou intervenções consideradas eficazes no controle de eventos causadores de injúrias em crianças e jovens    *(Continuação)*

| | |
|---|---|
| **Queimaduras** | → Limitação do uso de álcool líquido para fazer fogo (p. ex., em churrasqueiras)* |
| | → Proibição da comercialização de álcool líquido |
| | → Promoção de legislação que obrigue a fabricação de cigarros autoextinguíveis e recipientes para produtos combustíveis dotados de bico antijato |
| | → Legislação e instalação de detectores de fumaça em escolas |
| | → Exercícios de evacuação rápida para emergências nas escolas* |
| | → Roupas de proteção contra fogo em atividades em laboratórios com produtos inflamáveis |
| | → Educação para a redução dos termostatos de aquecimento de água em domicílios* |
| | → Tratamento de vítimas em centros específicos para queimados |
| **Armas de fogo** | → Restrições legais e administrativas à venda de armas de fogo |
| | → Armas de fogo descarregadas e trancadas em armário separado da munição* |

*(continua)*

**TABELA 96.2** → Medidas ou intervenções consideradas eficazes no controle de eventos causadores de injúrias em crianças e jovens    *(Continuação)*

| | |
|---|---|
| **Intoxicação** | → Comercialização de medicamentos com embalagens que contenham apenas doses totais subletais, dotados de tampa de segurança |
| | → Limitação do uso de tranquilizantes em todas as idades* |
| | → Educação para a prevenção do abuso de drogas a partir da idade escolar, com reforços ao longo da adolescência* |
| | → Acesso fácil ao número de telefone e *site* do Centro de Informações Toxicológicas e orientação dos escolares e adolescentes sobre o seu uso* (no Rio Grande do Sul, o telefone é 0800.721.3000, e o *site* é http://www.cit.rs.gov.br/) |
| **Quedas** | → *Design* de móveis e produtos infantis voltado para a segurança |
| | → Estabelecimento de padrões de segurança de *playgrounds*, como material de cobertura do solo, altura e manutenção dos equipamentos |
| | → Legislação quanto à instalação de grades ou redes nas janelas |
| | → Implementação de programas comunitários multifacetados |

*Medidas e intervenções mais factíveis no âmbito clínico, sob responsabilidade precípua do profissional de saúde.

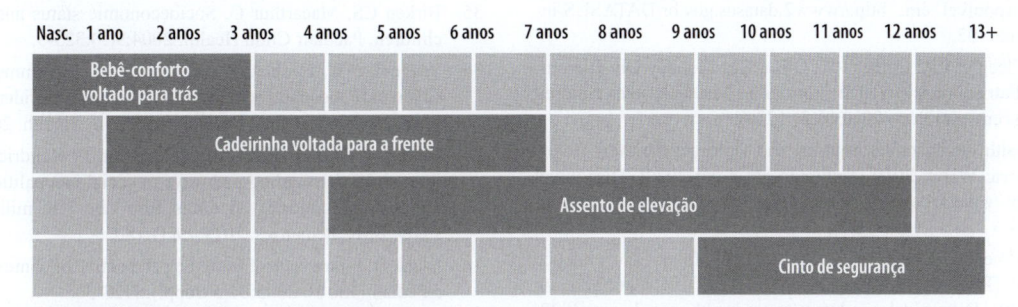

---

| Nasc. | 1 ano | 2 anos | 3 anos | 4 anos | 5 anos | 6 anos | 7 anos | 8 anos | 9 anos | 10 anos | 11 anos | 12 anos | 13+ |
|---|---|---|---|---|---|---|---|---|---|---|---|---|---|
| Bebê-conforto voltado para trás | | | | | | | | | | | | | |
| | Cadeirinha voltada para a frente | | | | | | | | | | | | |
| | | | | Assento de elevação | | | | | | | | | |
| | | | | | | | | | | Cinto de segurança | | | |

**Do nascimento até que a criança tenha ultrapassado o limite máximo de peso ou altura** permitido pelo fabricante do assento. Usar **pelo menos até 2 anos, preferentemente até os 3 anos**; mas **não há limite superior de idade**.

O assento deve ser instalado de costas para o painel do veículo, preferentemente no meio do banco de trás, preso pelo cinto de segurança ou, se disponíveis, sistemas de ancoragem para assento infantil Isofix, i-Size ou LATCH, em conformidade com ECE R14, ECE R44 (norma europeia) ou FMVSS 225 (EUA).

Criança com peso ou estatura **acima do limite máximo** permitido para o assento tipo bebê-conforto deve usar a cadeirinha dotada de cintos de segurança próprios, **pelo maior tempo possível**, até atingir o **limite máximo de peso ou altura** permitido pelo fabricante.

Vários modelos acomodam crianças pesando até **22 kg**, isto é, ao longo de toda a idade escolar. O menor limite máximo de peso nas cadeirinhas de segurança disponíveis é **18 kg**, que as crianças podem atingir entre **3 e 7 anos**.

Criança com peso ou estatura acima do limite máximo permitido para a cadeirinha de segurança deve usar um assento de elevação (*booster*), até que o **cinto de segurança do veículo adapte-se com perfeição** (a porção subabdominal passando pela pelve, a porção do ombro passando pelo meio do ombro e do tórax e os pés encostando no assoalho), tipicamente quando atingir a estatura de **1,45 m** (o que pode ocorrer entre **9 e 13 anos**).

Se o carro somente tiver cintos subabdominais no banco traseiro, não deve ser usado um assento de elevação.

**Todas as crianças** devem viajar no **banco traseiro até os 13 anos de idade**.

O cinto de segurança só pode ser usado se as costas tocarem no encosto do assento, com os joelhos dobrados confortavelmente e os pés encostados firmemente no chão; o cinto de segurança passando pelo meio do ombro e do tórax e pela pelve.

A estatura mínima para usar o cinto de segurança do carro, independentemente da idade da criança, é **1,35 m**, segundo o padrão europeu, e **1,45 m**, segundo o padrão estadunidense.

**FIGURA 96.2** → Recomendações sobre o uso de dispositivos de segurança para crianças ocupantes de veículos automotores.
Fonte: Durbin e Hoffman[76]; US National Highway[77]; Blank.[78]

---

# REFERÊNCIAS

1. Roth GA, Abate D, Abate KH, Abay SM, Abbafati C, Abbasi N, et al. Global, regional, and national age-sex-specific mortality for 282 causes of death in 195 countries and territories, 1980-2017: a systematic analysis for the Global Burden of Disease Study 2017. Lancet. 2018;392(10159):1736-88.

2. Kyu HH, Abate D, Abate KH, Abay SM, Abbafati C, Abbasi N, et al. Global, regional, and national disability-adjusted life-years (DALYs) for 359 diseases and injuries and healthy life expectancy (HALE) for 195 countries and territories, 1990-2017: a systematic analysis for the Global Burden of Disease Study 2017. Lancet. 2018;392(10159):1859-922.

3. Peden M, Oyegbite K, Ozanne-Smith J, Hyder AA, Branche C, Rahman AF, et al. World report on child injury prevention. Geneva: World Health Organization; 2008 [capturado em 8 out 2020]. Disponível em: https://apps.who.int/iris/bitstream/handle/10665/43851/9789241563574_eng.pdf?sequence=1

4. Haagsma JA, Graetz N, Bolliger I, Naghavi M, Higashi H, Mullany EC, et al. The global burden of injury: incidence, mortality, disability-adjusted life years and time trends from the Global Burden of Disease study 2013. Inj Prev. 2016;22(1):3-18.

5. Johnston BD. A safer world. Inj Prev. 2016;22(1):1-2.

6. Ameratunga S, Jonas M, Blank D. preventing unintentional injuries: ethical considerations in public health. In: Mastroianni AC, Kahn JP, Kass NE, editors. The Oxford Handbook of Public Health Ethics. New York: Oxford University; 2019.
7. Health Metrics and Evaluation. DALYs (Disability-Adjusted Life Years), Brazil number [Internet]. Seattle: GBD Result Tools; 2017 [capturado em 7 jun 2019]. Disponível em: http://ghdx.healthdata.org/gbd-results-tool.
8. Blank D, Xiang H. Will the final battle not be between good and evil, but rather injuriologists and accidentologists? Inj Prev. 2015;21(3):211-2.
9. Brasil. Ministério da Saúde. Portaria nº 104, de 25 de janeiro de 2011. Terminologias conforme Regulamento Sanitário Internacional 2005. Brasília: MS; 2011 [capturado em 8 out 2020]. Disponível em: http://bvsms.saude.gov.br/bvs/saudelegis/gm/2011/prt0104_25_01_2011.html.
10. Blank D. Formação acadêmica e concepções de acidente e injúria em falantes do português: em busca de contrastes entre a língua cotidiana e línguas especializadas selecionadas [Internet]. [tese]. Porto Alegre: Universidade Federal do Rio Grande do Sul; 2009 [capturado em 8 out 2020]. Disponível em: http://hdl.handle.net/10183/17353.
11. Brasil. Departamento de Informática do SUS (DATASUS). Informações de Saúde [Internet]. Brasília: MS; 2019 [capturado em 8 out 2020]. Disponível em: http://www2.datasus.gov.br/DATASUS/index.php?area=02.
12. Lee LK, Fleegler EW, Forbes PW, Olson KL, Mooney DP. The modern paediatric injury pyramid: injuries in Massachusetts children and adolescents. Inj Prev. 2010;16(2):123-6.
13. World Health Organization. Injuries and violence: the facts [Internet]. Geneva: WHO; 2010 [capturado em 8 out 2020]. Disponível em: http://www.who.int/violence_injury_prevention/key_facts/en/index.html.
14. US Department of Health & Human Services. Injury and violence prevention [Internet]. Washington: ODPHP; 2019 [capturado em 15 set 2020]. Disponível em: https://www.healthypeople.gov/2020/topics-objectives/topic/injury-and-violence-prevention?topicid=24.
15. Waksman RD, Blank D. Prevenção de acidentes: um componente essencial da consulta pediátrica. Resid Pediatr. 2014;4(3 Supl. 1):S36-S44.
16. Alonge O, Khan UR, Hyder AA. Our shrinking globe: implications for child unintentional injuries. Pediatr Clin North Am. 2016;63(1):167-81.
17. Waller JA. Reflections on a half century of injury control. Am J Public Health. 1994;84(4):664-70.
18. Johnston BD, Ebel BE. Child injury control: trends, themes, and controversies. Acad Pediatr. 2013;13(6):499-507.
19. McClure RJ, Mack K, Wilkins N, Davey TM. Injury prevention as social change. Inj Prev. 2015; 22:226-9.
20. Rivara FP, Grossman DC. Injury control. In: Kliegman RM, Stanton BF, St-Geme-III JW, Schor NF, editors. Nelson textbook of pediatrics. 20 ed. Philadelphia: Elsevier; 2016. Cap. 5.1. p. 40-7.
21. Hemenway D. Building the injury field in North America: the perspective of some of the pioneers. Inj. Epidemiol. 2018;5(1):47.
22. Brown RL. Epidemiology of injury and the impact of health disparities. Curr Opin Pediatr. 2010;22(3):321-5.
23. Ebel BE, Medina MH, Rahman AK, Appiah NJ, Rivara FP. Child injury around the world: a global research agenda for child injury prevention. Inj Prev. 2009;15(3):212.
24. Pless IB. Three basic convictions: a recipe for preventing child injuries. Bull World Health Organ. 2009;87(5):395-8.
25. Roberts I. It's all about money. Bull World Health Organ. 2009;87(5):400-1.
26. Harvey A, Towner E, Peden M, Soori H, Bartolomeos K. Injury prevention and the attainment of child and adolescent health. Bull World Health Organ. 2009;87(5):390-4.
27. Vecino-Ortiz AI, Jafri A, Hyder AA. Effective interventions for unintentional injuries: a systematic review and mortality impact assessment among the poorest billion. Lancet Global Health. 2018;6(5):e523-e34.
28. Gardner HG. American Academy of Pediatrics Committee on Injury, Violence, and Poison Prevention. Office-based counseling for unintentional injury prevention. Pediatrics. 2007;119(1):202-6.
29. Schnitzer PG. Prevention of unintentional childhood injuries. Am Fam Physician. 2006;74(11):1864-9.
30. Stone DH, Pearson J. Unintentional injury prevention: what can paediatricians do? Arch Dis Child Educ Pract Ed. 2009;94(4):102-7.
31. Huitric MA, Borse NN, Sleet DA. Empowering Parents to Prevent Unintentional Childhood Injuries. Am J Lifestyle Med. 2010;4(1):100-1.
32. Ballesteros MF, Gielen AC. Patient counseling for unintentional injury prevention. Am J Lifestyle Med. 2010;4(1):38-41.
33. Zonfrillo MR, Gittelman MA, Quinlan KP, Pomerantz WJ. Outcomes after injury prevention counselling in a paediatric office setting: a 25-year review. BMJ Paediatrics Open. 2018;2(1):e000300.
34. Dowswell T, Towner E. Social deprivation and the prevention of unintentional injury in childhood: a systematic review. Health Educ Res. 2002;17(2):221-37.
35. Birken CS, Macarthur C. Socioeconomic status and injury risk in children. Paediatr Child Health. 2004;9(5):323-5.
36. Sengoelge M, Leithaus M, Braubach M, Laflamme L. Are There Changes in Inequalities in Injuries? A review of evidence in the WHO European Region. Int J Environ Res Public Health. 2019;16(4):653.
37. Campbell M, Lai ETC, Pearce A, Orton E, Kendrick D, Wickham S, et al. Understanding pathways to social inequalities in childhood unintentional injuries: findings from the UK millennium cohort study. BMC Pediatrics. 2019;19(1):150.
38. Blank D. Injury control from the perspective of contextual pediatrics. J Pediatr (Rio J). 2005;81(5 Suppl):S123-36.
39. Barton BK, Shen J, Stavrinos D, Davis S. Developmental aspects of unintentional injury prevention among youth: implications for practice. Am J Lifestyle Med. 2017; 13(6): 565–73.
40. Sabir H, Mayatepek E, Schaper J, Tibussek D. Baby-walkers: an avoidable source of hazard. Lancet. 2008;372(9654):2000.
41. Sanders JE, Mogilner L. Child Safety and Injury Prevention. Pediatr Rev. 2015;36(6):268-9.
42. Sleet DA, Ballesteros MF, Borse NN. A review of unintentional injuries in adolescents. Annu Rev Public Health. 2010;31(1):195-212.
43. Petrass L, Blitvich JD, Finch CF. Parent/Caregiver supervision and child injury: a systematic review of critical dimensions for understanding this relationship. Fam Community Health. 2009;32(2):123-35.
44. Morrongiello BA, Schell SL. Child injury: the role of supervision in prevention. Am J Lifestyle Med. 2010;4(1):65-74.
45. Schwebel DC, Kendrick D. Caregiver supervision and injury risk for young children: time to re-examine the issue. Inj Prev. 2009;15(4):217-9.
46. Quigley J, AAP Committee on Substance Use and Prevention. Alcohol use by youth. Pediatrics. 2019;144(1):e20191356.
47. Schneider MB, Benjamin HJ, AAP Committee on Nutrition and Council on Sports Medicine Fitness. Sports drinks and energy drinks for children and adolescents: Are they appropriate? Pediatrics. 2011;127(6):1182-9.
48. Roberts I. Injury and globalisation. Inj Prev. 2004;10(2):65-6.
49. Giles A, Bauer MEE, Jull J. Equity as the fourth 'E' in the '3 E's' approach to injury prevention. Inj Prev. 2020;26:82-4.
50. Davis RM, Pless B. BMJ bans "accidents". Br Med J. 2001;322(7298):1320-1.
51. Johnston BD, Rivara FP. Injury control: new challenges. Pediatr Rev. 2003;24(4):111-8.

52. Klassen TP, MacKay JM, Moher D, Walker A, Jones AL. Community-based injury prevention interventions. Future Child. 2000;10(1):83-110.

53. Ablewhite J, Peel I, McDaid L, Hawkins A, Goodenough T, Deave T, et al. Parental perceptions of barriers and facilitators to preventing child unintentional injuries within the home: a qualitative study. BMC Public Health. 2015;15:280.

54. Deal LW, Gomby DS, Zippiroli L, Behrman RE. Unintentional injuries in childhood: analysis and recommendations. Future Child. 2000;10(1):4-22.

55. World Health Organization. Global status report on road safety 2018 [Internet]. Geneva: WHO; 2018 [capturado em 8 out 2020]. Disponível em: http://bit.ly/WHO_road_safe_18.

56. Hanson D. 30-year Analysis of designated international safe communities. J. Inj. Violence Res. 2019;11(2).

57. Svanström L, Mohammadi R, Saadati M, Gulburand S, Bazargani HS, Tabrizi JS. A Quantitative analysis of the activities of designated safe communities: the baseline assessment in 2005. JCRG. 2016;5(2):1-4.

58. Fandiño-Losada A, Bangdiwala SI, Gutiérrez MI, Svanström L. Las comunidades seguras: una sinopsis. Salud Publica Mex. 2008;50(Suppl 1):s78-s85.

59. Nilsen P. The how and why of community-based injury prevention: A conceptual and evaluation model. Saf Sci. 2007;45(4):501-21.

60. Johnston BD. Injury prevention in safe communities. Inj Prev. 2011;17(1):1-2.

61. Gielen AC, Sleet DA. Injury prevention and behavior: an evolving field. In: Gielen AC, Sleet DA, DiClemente RJ, editors. Injury and violence prevention: behavioral science theories, methods and applications. San Francisco: Jossey-Bass; 2006. p. 1-16.

62. Kendrick D, Mulvaney CA, Ye L, Stevens T, Mytton JA, Stewart-Brown S. Parenting interventions for the prevention of unintentional injuries in childhood. Cochrane Database of Syst Rev. 2013;(3):CD006020.

63. Hagan Jr JF, Shaw JS, Duncan PM, eds. Bright Futures: Guidelines for health supervision of infants, children, and adolescents. 4th ed. Itasca: American Academy of Pediatrics; 2017.

64. Wilkinson J, Bass C, Diem S, Gravley A, Harvey L, Maciosek M, et al. Preventive services for children and adolescents [Internet]. Bloomington: Institute for Clinical Systems Improvement; 2013 [capturado em 8 out 2020]. Disponível em: https://jesse.tg/ngc-archive/summary/10044.

65. Lindqvist K, Timpka T, Schelp L, Risto O. Evaluation of a child safety program based on the WHO safe community model. Inj Prev. 2002;8(1):23-6.

66. Winston FK, Jacobsohn L. A practical approach for applying best practices in behavioural interventions to injury prevention. Inj Prev. 2010;16(2):107-12.

67. American Academy of Pediatrics Committee on Pediatric Emergency Medicine, Frush K. Preparation for emergencies in the offices of pediatricians and pediatric primary care providers. Pediatrics. 2007;120(1):200-12.

68. Fuchs SM. Advocating for Life Support Training of Children, Parents, Caregivers, School Personnel, and the Public. Pediatrics. 2018;141(6):e20180705.

69. Cooley WC, McAllister JW, Sherrieb K, Kuhlthau K. Improved Outcomes Associated With Medical Home Implementation in Pediatric Primary Care. Pediatrics. 2009;124(1):358-64.

70. DiGuiseppi C, Roberts IG. Individual-level injury prevention strategies in the clinical setting. Future Child. 2000;10(1):53-82.

71. Towner E, Dowswell T, Jarvis S. Updating the evidence. A systematic review of what works in preventing childhood unintentional injuries: part 1. Inj Prev. 2001;7(2):161-4.

72. Towner E, Dowswell T, Jarvis S. Updating the evidence. A systemic review of what works in preventing childhood unintentional injuries: Part 2. Inj Prev. 2001;7(3):249-53.

73. Williams SB, Whitlock EP, Edgerton EA, Smith PR, Beil TL. Counseling about proper use of motor vehicle occupant restraints and avoidance of alcohol use while driving: a systematic evidence review for the U.S. Preventive Services Task Force. Ann Intern Med. 2007;147(3):194-206.

74. MacKay JM, Vincenten J, Brussoni M, Towner L, editors. Child safety good practice guide: good investments in unintentional child injury prevention and safety promotion [Internet]. Amsterdam: European Child Safety Alliance, EuroSafe; 2006 [capturado em 8 set 2020]. Disponível em: https://www.childsafetyeurope.org/publications/goodpracticeguide/info/good-practice-guide.pdf

75. MacKay JM, Vincenten J, Brussoni M, Towner L. Child safety good practice guide: good investments in unintentional child injury prevention and safety promotion: Addendum 2010 [Interntet]. Amsterdam: European Child Safety Alliance, EuroSafe; 2010[capturado em 8 set 2020]. Disponível em: https://www.childsafetyeurope.org/publications/goodpracticeguide/info/good-practice-guide-addendum.pdf

76. Durbin DR, Hoffman BD, Council on Injury Violence Poison Prevention. Child Passenger Safety – Position Statement. Pediatrics. 2018;142(5):e20182460.

77. US National Highway Traffic Safety Administration. Car seets and booster seats [Internet]. Washington: NHTSA;c2020 [capturado em 6 out 2020]. Disponível em: https://www.nhtsa.gov/equipment/car-seats-and-booster-seats

78. Blank D. O pediatra e a segurança dos ocupantes de veículos automotores: documento científico nº 3 [Internet]. Rio de Janeiro: Sociedade Brasileira de Pediatria; 2019[capturado em 7 out 2020]. Disponível em: https://www.sbp.com.br/fileadmin/user_upload/_21967b-DC_O_Pediatra_e_a_seguranca_dos_ocupantes_de_veiculos.pdf

## LEITURAS RECOMENDADAS

Promoting safety and injury prevention. In: Hagan JF, Shaw JS, Duncan PM, eds. Bright futures – guidelines for health supervision of infants, children, and adolescents [Internet]. 4th ed. Itasca: American Academy of Pediatrics; 2017 [capturado em 8 out 2020]. Disponível em: https://brightfutures.aap.org/Bright%20Futures%20Documents/BF4_Safety.pdf.
*Um dos temas de promoção da saúde da iniciativa Bright Futures, da Academia Americana de Pediatria; material abrangente, atual e com aplicabilidade prática.*

Alonge O, Khan UR, Hyder AA. Our shrinking globe: implications for child unintentional injuries. Pediatr Clin North Am. 2016;63(1):167-81.
*Análise do panorama global das iniquidades em saúde, com foco nas injúrias por causas externas em crianças.*

Keating EM, Price RR, Robison JA. Paediatric trauma epidemic: a call to action. BMJ Paediatrics Open. 2019;3(1):e000532.
*Artigo editorial sobre as medidas disponíveis para controle das injúrias por causas externas em crianças e a urgência de sua implementação no âmbito mundial.*

OMS – Violence and Injury Prevention and Disability (VIP)
http://www.who.int/violence_injury_prevention/en/
*Departamento da OMS dedicado à promoção da segurança, com enfoque na violência e injúrias não intencionais; portal muito completo, com farto material.*

Centers for Disease Control and Prevention, National Center for Injury Prevention and Control
https://www.cdc.gov/Injury/
*Centro governamental estadunidense dedicado à prevenção da violência e injúrias não intencionais; portal completo e atual.*

Safe Kids Worldwide
http://www.safekids.org/worldwide/
*Organização originalmente estadunidense que promove a adoção de medidas de segurança nas comunidades; material muito prático para leigos.*

# Capítulo 97
# ACOMPANHAMENTO DO CRESCIMENTO DA CRIANÇA

Denise Aerts
Elsa R. J. Giugliani

O monitoramento do crescimento da criança faz parte do elenco de ações básicas na atenção integral a esse grupo populacional, estando incluído no eixo estratégico III da Política Nacional de Atenção Integral à Saúde da Criança (PNAISC) do Ministério da Saúde: Promoção e Acompanhamento do Crescimento e do Desenvolvimento Integral.[1] O estado nutricional é um excelente indicador da saúde global da criança. Em função disso, é importante acompanhar o crescimento e o ganho de peso e de comprimento/altura das crianças, pois permite avaliar se elas estão desenvolvendo plenamente seu potencial.

O direito à alimentação e à nutrição tem sido expresso em diferentes documentos. Em 1948, na Declaração Universal dos Direitos Humanos, já era afirmado o direito aos alimentos. Na Convenção sobre os Direitos da Criança, em 1990, foi apontado o dever do Estado em combater as doenças e a desnutrição, garantindo o acesso a alimentos e água tratada. Novamente essas questões foram reafirmadas na Declaração Mundial de Nutrição, em Roma, no ano de 1992, e na Declaração Mundial de Segurança Alimentar, também em Roma, em 1996.[2] Com isso, o conceito de segurança alimentar foi ampliado, estendendo-se para além do controle do abastecimento de alimentos, incorporando o acesso aos alimentos em relação à qualidade, à composição e ao aproveitamento biológico.[3]

É por essas razões que, no nível populacional, o estado nutricional das crianças indica a qualidade de vida de toda a população, bem como o sucesso ou o insucesso das políticas públicas em garantir o bem-estar dos indivíduos.

O monitoramento do crescimento tem como objetivo promover e proteger a saúde da criança, identificando aquelas em maior risco de morbimortalidade e buscando remover os entraves para o crescimento saudável. O seguinte conjunto de atividades faz parte do monitoramento do crescimento:[4]
→ medição regular do peso e comprimento/altura da criança;
→ registro das informações em gráficos de crescimento, permitindo a comparação do crescimento da criança com o da população de referência;
→ adoção, pelo profissional de saúde, de medidas de investigação e intervenção em combinação com a mãe/cuidador/família.

Até as últimas décadas, o monitoramento do crescimento vinha sendo utilizado principalmente para identificar déficits antropométricos, desde níveis mais brandos até as formas mais graves de desnutrição, presentes no marasmo e no kwashiorkor. No entanto, a transição demográfica evidenciada no Brasil na segunda metade do século XX trouxe profundas mudanças no perfil de saúde e doença da população, conhecidas como transição epidemiológica. Essas mudanças refletiram-se não apenas no aumento da morbimortalidade por doenças cardiovasculares, neoplasias, acidentes de trânsito e homicídios, mas também nos padrões dietéticos e nutricionais da população, que vieram a caracterizar a transição nutricional.[5]

A comparação entre os resultados obtidos no Estudo Nacional da Despesa Familiar (Endef), em 1974-1975, e na Pesquisa Nacional sobre Demografia e Saúde (PNDS), de 1996 e 2006,[6,7] mostra redução da prevalência de déficits de peso e comprimento/altura para idade nas crianças com idade < 5 anos. A redução da prevalência de baixo comprimento/altura para idade foi da ordem de 50%, baixando de 13,4% em 1996 para 6,7% em 2006. Em relação ao peso para idade, houve redução na prevalência do déficit de 4,2% para 1,8% nesse período. Até o momento, não há estatísticas nacionais mais recentes. É possível que a desnutrição não seja mais um problema de saúde pública no Brasil. Por outro lado, evidencia-se a manutenção dos níveis de obesidade em crianças com idade < 5 anos, comprometendo 7,3% dessa população. Na região Sul, 9,0% das crianças apresentavam excesso de peso em 2006.[7] Com isso, evidencia-se a necessidade da inclusão do sobrepeso/obesidade na pauta do monitoramento do estado nutricional de crianças.

Segundo a Organização Mundial da Saúde (OMS), a antropometria é o método mais simples, de aplicação universal, facilmente disponível, de baixo custo e não invasivo para a aferição do tamanho, da proporção e da composição do corpo humano.[8] A OMS recomenda que seja utilizada nas seguintes situações: diagnóstico de saúde da população, identificação de grupos ou áreas prioritárias, inquéritos nutricionais, monitoramento do estado nutricional de grupos populacionais, avaliação do impacto de programas nutricionais, avaliação de situações de emergência, estudos analíticos de associação entre estado nutricional e outras variáveis e atenção individual à saúde.

A antropometria, como prova diagnóstica, tem como objetivo básico separar as crianças com desvios de crescimento daquelas com crescimento habitual. Esse processo de identificação e seleção é realizado mediante o uso de um índice e de um ponto de corte (definição de um limite para esse índice), com base na distribuição dos índices de crianças de uma população de referência. Utilizando-se esse processo, no entanto, existe a possibilidade de alguns indivíduos sem desvios do crescimento serem identificados como desviantes (falso-positivos) e de outros, verdadeiramente desviantes, não serem identificados (falso-negativos). Isso ocorre pela existência de uma superposição das curvas de distribuição dos parâmetros de indivíduos sãos e doentes.

O melhor teste diagnóstico é aquele que produz o menor número de falso-positivos e falso-negativos. A proporção de indivíduos identificados como tendo um problema de crescimento entre os que de fato possuem o problema (sensibilidade) e a proporção dos identificados como não tendo problemas de crescimento entre os que verdadeiramente não possuem esses problemas (especificidade) não dependem da prevalência do problema, mas do ponto de corte do índice e das propriedades do teste. Em função disso, é importante conhecer as características da antropometria.

## ÍNDICES UTILIZADOS PARA O MONITORAMENTO DO CRESCIMENTO

Existem várias medidas para a avaliação do crescimento de uma criança. Todavia, a OMS recomenda o uso dos índices peso para idade, comprimento/altura para idade e peso para comprimento/altura ou índice de massa corporal (IMC) para idade com o objetivo de monitorar o crescimento de crianças, além do peso ao nascer. Essas medidas devem ser registradas na Caderneta da Criança.[9,10]

É necessário fazer a distinção entre termos muitas vezes utilizados indistintamente. Idade, peso e comprimento/altura são considerados *medidas*. *Índice* é a combinação de mais de uma medida; assim sendo, peso para idade, comprimento/altura para idade, peso para comprimento/altura e IMC para idade são *índices*. Eles são importantes porque possibilitam interpretar e agrupar medidas. Os *indicadores* são construídos a partir dos índices e relacionam-se com seu uso e aplicação. Por exemplo, o percentual de crianças abaixo de 2 desvios-padrão (DPs) do comprimento/altura para idade representa a prevalência de crianças com déficits no crescimento linear, sendo um indicador de saúde da população. O percentual de baixo peso ao nascer é outro exemplo de indicador. Um índice reveste-se de um conceito biológico, e um indicador, de um conceito social.[8]

Os índices supramencionados têm a vantagem de ser relativamente precisos e obtidos com facilidade, mesmo onde não existem serviços de saúde permanentes. Além disso, seu significado biológico e nutricional constitui um dos pontos menos controversos da avaliação antropométrica de crianças e adolescentes.

### Peso ao nascer

O peso ao nascer é um excelente indicador da saúde materna e das condições do recém-nascido, refletindo o estado de saúde de uma população. Está fortemente associado às mortalidades fetal, neonatal e pós-neonatal, à morbidade da criança e aos efeitos que podem ser sentidos na vida adulta.[11] A OMS considera o peso ao nascer o determinante isolado mais importante de sobrevivência da criança.[8]

O baixo peso ao nascer e o ganho ponderal insuficiente no período neonatal têm sido associados à ocorrência de doenças crônicas em adultos. Os mecanismos fisiológicos envolvidos ainda não foram completamente elucidados. Na década de 1980, surgiu a hipótese da programação intrauterina da doença isquêmica ou hipótese de Barker.[11] Hoje, acredita-se que a falta de nutrição adequada em uma fase da vida uterina, com intensa divisão celular, altera os mecanismos bioquímicos da regulação metabólica e, como consequência, a função e a estrutura de tecidos. Essas alterações visam à sobrevivência do feto, provocando restrição no crescimento intrauterino. Após o nascimento, ocorre aceleração do crescimento da criança, conhecida como *catch-up growth*. Os estudos mostram que essas crianças, ao se tornarem adultos, tendem a desenvolver hipertensão, dislipidemia, obesidade e diabetes não insulinodependente.[13]

Vários fatores estão comprovadamente relacionados com o peso de nascimento de uma criança, a maioria associada a condições ambientais adversas. Entre eles, encontram-se peso pré-gravídico, altura materna, ganho de peso e aporte calórico durante a gestação, idade materna, espaçamento intergestacional, paridade, história de irmão com baixo peso ao nascer, fumo e consumo de álcool na gestação, educação materna, assistência pré-natal e doenças na gestação como rubéola, citomegalovirose, pré-eclâmpsia, toxemia gravídica, malária e infecção urogenital. Há indícios de que outros fatores também estejam associados ao peso de nascimento, como raça, atividade física, estresse, consumo de cafeína e outras metilxantinas, consumo de algumas drogas, como cocaína, níveis séricos de certos microelementos, como zinco, durante a gestação, e índice de cesarianas.

Considera-se baixo peso um peso ao nascer < 2.500 g. No entanto, pelo fato de refletir a idade gestacional e a taxa de crescimento fetal, deve sempre ser avaliado em relação à idade gestacional. Uma criança pode apresentar baixo peso ao nascer por ser pré-termo ou pequena para a idade gestacional (PIG) ou, ainda, por ter as duas condições associadas. Para as crianças pré-termo, é esperado um peso inferior a esse ponto de corte, mas que guarda correspondência com a idade gestacional. Sabe-se que o risco de uma criança pré-termo com baixo peso morrer no período neonatal é maior do que o de uma criança com peso adequado. Porém, ao vencer as dificuldades relacionadas com a prematuridade, essa criança tende a crescer como as outras. Já as crianças pequenas para a idade gestacional apresentam chance menor de sobrevivência ao longo do primeiro ano de vida do que as crianças pré-termo. Muitas vezes, o baixo peso foi determinado pela restrição ao crescimento intrauterino, frequentemente associada a condições socioeconômicas muito adversas. A maioria dessas crianças vai crescer nessas condições, o que favorece o surgimento de doenças, a falta de vacinação e a dificuldade de acesso a serviços de saúde e alimentação adequada, entre outros determinantes da desnutrição e morte infantis.

No Brasil, segundo os últimos dados disponibilizados pelo Ministério da Saúde, ocorreram, em 2019, 2.849.146 nascimentos de crianças vivas (NV). Destas, 2.848.400 tiveram o peso ao nascer conhecido, com uma prevalência de baixo peso de 8,7%, sendo que 1,4% apresentava peso < 1.500 g e 7,3% pesavam entre 1.500 e 2.499 g. Entre as crianças com baixo peso, a prematuridade esteve presente em 60,6%.[14] Está sendo registrado aumento da incidência da prematuridade, com tendências crescentes a partir dos anos 1990, particularmente nas regiões Sul e Sudeste.[15] A Pesquisa "Nascer no Brasil: Inquérito Nacional sobre Parto e Nascimento", realizada em 2011-2012, mostrou prevalência de prematuridade de 11,5%.[16] Em Pelotas, no Estado do Rio Grande do Sul (RS), a prevalência de prematuridade aumentou de 5,8% em 1982 para 13,8% em 2015;[17] e em Ribeirão Preto, no Estado de São Paulo (SP), os nascimentos prematuros aumentaram de 7,5% em 1978-1979 para 12,8% em 2004.[18] Nesse aumento, segundo os estudos, estão implicadas a excessiva medicalização do parto e, em particular, as taxas crescentes de cesarianas programadas, sem indicação médica, tendo como consequência a prematuridade iatrogênica.[19–21]

Sabe-se que, quanto mais desenvolvido for um país e, consequentemente, mais saudável sua população, maior é a proporção de prematuridade entre os recém-nascidos de baixo peso. Nos países industrializados, mais de dois terços das crianças com baixo peso ao nascer são pré-termo.

## Perímetro cefálico

O perímetro cefálico é uma medida de fácil obtenção, utilizada no acompanhamento clínico do recém-nascido, visando à identificação de doenças como hidrocefalia, microcefalia e craniossinostose.[22] Entretanto, na presença de bossa ou céfalo-hematoma, a medição pode ficar comprometida.

A medição do perímetro cefálico é feita com fita métrica não extensível, na altura das arcadas supraorbitárias, anteriormente, e da maior proeminência do osso occipital, posteriormente. Os valores assim obtidos devem ser registrados em gráficos de crescimento craniano, o que permite a construção da curva de cada criança e a comparação com os valores de referência. Mudanças súbitas no padrão de crescimento e valores anormalmente grandes ou pequenos para a idade e o peso (maiores ou menores do que 2 DPs) devem ser investigados.

O perímetro cefálico não é recomendado pela OMS para avaliação do estado nutricional ou para acompanhamento de programas de recuperação nutricional. Todavia, nos primeiros 2 anos de vida, sua medida auxilia no monitoramento do crescimento cerebral. Porém, é importante lembrar que as alterações do desenvolvimento infantil são mais sensíveis e precoces do que o crescimento da cabeça.

## Peso/idade

Expressa a massa corporal para a idade cronológica. Esse é o índice que mais tem sido utilizado, apesar das limitações relacionadas com seu poder explicativo. Tem como vantagens a fácil medição e a grande sensibilidade do peso às variações do estado de saúde e de nutrição da criança. No entanto, é criticado por ser incapaz de identificar a desnutrição grave em crianças com kwashiorkor, pois o edema muitas vezes compensa parcialmente a perda de peso, e por não levar em consideração o comprimento/altura da criança.[8]

**O uso exclusivo do índice peso/idade apresenta algumas limitações, pois, por não utilizar a medida do comprimento ou altura, é incapaz de identificar temporalmente o processo do desvio do crescimento, ou seja, se iniciou no passado ou se é mais recente. Entretanto, o peso/idade é o índice mais sensível para monitorar o crescimento de crianças com idade < 1 ano, nos quais o comprometimento do comprimento ainda não teve chance de se evidenciar. Fora desse grupo etário, o peso/idade deve ser utilizado como mais um dos elementos na avaliação nutricional.**

Um estudo realizado com crianças usuárias da rede básica de saúde no município de Porto Alegre, RS, entre 6 e 60 meses, mostrou que, se o índice peso/idade fosse usado isoladamente, seria capaz de identificar 100% das crianças com déficit simultâneo de peso para comprimento ou altura e de comprimento ou altura para idade. Porém, não seriam identificadas 32,7% das crianças apenas com déficit de crescimento linear sem comprometimento do peso.[23]

O peso deve ser sempre aferido com a criança completamente despida. Quando isso for impossível, o mínimo de roupas deve ser permitido, descontando-se, após, seu peso do peso registrado para a criança.

## Comprimento ou altura/idade

O índice comprimento ou altura/idade reflete o crescimento linear da criança, e seu déficit indica um processo de longa duração relacionado com problemas nutricionais ou de saúde, que pode representar um problema "passado" ou um processo de "instalação no passado", podendo ainda estar presente.[8]

A partir dos 6 meses de idade, o comprimento ou altura é considerado melhor parâmetro de avaliação do crescimento do que o peso, pois os níveis alcançados jamais serão perdidos.

**A altura aos 2 anos de idade é considerada o melhor preditor de capital humano. As crianças com baixa altura nessa idade tendem a ter menor rendimento escolar no futuro, redução da produtividade econômica, menor altura e, no caso das mulheres, descendentes com menor peso ao nascer.[23]**

No Brasil, o índice mais comprometido é o do comprimento ou altura/idade, indicando um atraso no crescimento.[7] Esses resultados mostram que uma parte da população infantil, assim como da população em geral, ainda enfrenta cronicamente o problema da fome, lançando mão de mecanismos adaptativos para minimizar as consequências de privações. Por essa razão, o índice comprimento ou altura/idade é considerado o indicador mais sensível para monitorar a melhora da qualidade de vida de uma população.[8]

A qualidade da medição do comprimento ou altura pode ficar comprometida pela falta de capacitação da equipe de saúde. Em crianças < 2 anos, o comprimento deve ser aferido com a criança deitada de costas, sem fraldas, em superfície dura e plana. A parte fixa do antropômetro deve tocar a cabeça da criança, enquanto as duas pernas são estendidas de forma a ficarem bem aderidas à superfície em que a criança está deitada. Com a outra mão, o técnico deve aproximar a parte móvel do antropômetro dos pés da criança, tomando cuidado para que estejam em ângulo reto com as pernas.

Nas crianças com idade ≥ 2 anos, a medição é realizada em posição ereta. Caso não exista uma balança com antropômetro, pode-se usar uma parede plana e colocar a criança em pé, de costas e sem sapatos, tomando cuidado para que a parte posterior da cabeça, os ombros e as nádegas toquem a parede. Os braços devem ficar pendendo ao longo do corpo. A cabeça é posicionada de forma que uma linha imaginária passe na base da órbita e no orifício externo do pavilhão auricular. Com a ajuda de um esquadro, ajustado na parede e na superfície superior da cabeça da criança, deve-se marcar, na parede, a altura medida. Depois, com a fita métrica, mede-se a altura demarcada na parede. Mais grave que incorrer em pequenos erros utilizando a técnica descrita é deixar de medir uma criança pela falta de equipamento adequado.

> Existe uma diferença de 0,7 cm entre o comprimento ou altura da criança medida deitada e em pé. Assim, se uma criança com idade ≥ 2 anos tiver seu crescimento linear aferido deitada, deve ser diminuído 0,7 cm do valor encontrado antes de a medida ser registrada no gráfico para crianças de 2 a 5 anos. Diferentemente disso, se uma criança com idade < 2 anos for medida de pé, ao valor encontrado deve ser adicionado 0,7 cm antes de ser registrado no gráfico para crianças de 0 a 2 anos.

## Índice de massa corporal

O IMC expressa a relação entre o peso e o comprimento ou altura, isto é, a harmonia das dimensões corporais da criança. Ele auxilia na identificação de crianças que estiveram desnutridas em um determinado período, com comprometimento do comprimento ou altura, mas que atualmente estão com peso adequado ou com excesso de peso e baixo comprimento ou altura.

O IMC já foi validado como um bom indicador de adiposidade e excesso de peso, guardando estreita relação com outros parâmetros como pregas cutâneas, densitometria e bioimpedância eletromagnética.[25] Além disso, estudos têm sugerido a utilização do IMC na infância e na adolescência como fator preditor do IMC no adulto.[26,27]

> Há evidências da associação de valores altos de IMC em crianças com idade < 2 anos com obesidade na adolescência e na idade adulta.[28] Por isso, a OMS recomenda o seu uso desde o nascimento.

Para o cálculo do IMC, aplica-se a seguinte fórmula:

$$IMC = peso\ (kg)/comprimento\ ou\ altura^2\ (m)$$

## ESCOLHA DO PONTO DE CORTE PARA OS ÍNDICES

Os índices antropométricos podem ser expressos de três formas: *porcentagem* dos valores de referência; *percentil* ocupado em relação aos valores de referência; e *desvios-padrão* (DPs), também chamados de escores z ou valores z, que representam o número de DPs abaixo ou acima da mediana da população de referência. A FIGURA 97.1 apresenta a equivalência entre escores z e percentis.

A OMS tem recomendado a apresentação dos índices sob forma de DPs,[29] utilizando, como ponto de corte para o diagnóstico de desvios do crescimento, ±2 DPs em relação à média.

Na Caderneta da Criança,[9,10] o Ministério da Saúde utiliza ±2 escores z como ponto de corte para diferenciar desvios do crescimento. O uso dos DPs determina a exata posição de cada indivíduo em relação à população de referência.

Em locais onde a prevalência de desvios do crescimento é baixa e o propósito da avaliação antropométrica é diagnosticar magreza e sobrepeso/obesidade, com vistas ao atendimento, a sensibilidade é mais importante do que a especificidade do ponto de corte. Ou seja, é mais importante identificar o maior número de crianças possivelmente com desvios do crescimento, mesmo que na investigação posterior se verifique que alguns resultados eram falso-positivos, pois a não identificação dos que verdadeiramente estão com problemas de crescimento (falso-negativos) traz muito mais danos. Todavia, se o objetivo é reduzir a possibilidade da existência de falso-positivos, seja por escassez de recursos ou para estimar a prevalência dos desvios de crescimento, é necessário utilizar um limite mais rigoroso, aumentando a especificidade do teste.[30,31]

## ESCOLHA DA POPULAÇÃO DE REFERÊNCIA

Denomina-se *população de referência* um conjunto de dados derivados de uma determinada população, servindo como parâmetro de comparação. Considera-se que essa população represente a realidade objetiva e que sua distribuição apresente as propriedades da distribuição normal.

Indicadores antropométricos podem ser desenvolvidos com base em populações de referência locais ou internacionais. Todavia, independentemente da população utilizada, um indicador antropométrico expressa as medidas de um

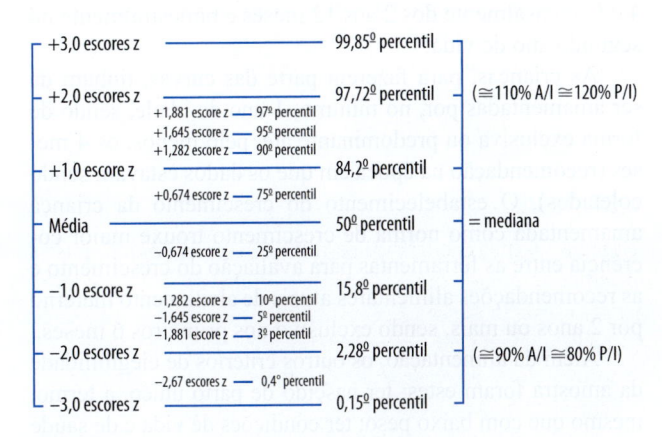

| escore z | percentil | |
|---|---|---|
| +3,0 escores z | 99,85º percentil | |
| +2,0 escores z | 97,72º percentil | (≅110% A/I ≅120% P/I) |
| +1,881 escore z | 97º percentil | |
| +1,645 escore z | 95º percentil | |
| +1,282 escore z | 90º percentil | |
| +1,0 escore z | 84,2º percentil | |
| +0,674 escore z | 75º percentil | |
| Média | 50º percentil | = mediana |
| –0,674 escore z | 25º percentil | |
| –1,0 escore z | 15,8º percentil | |
| –1,282 escore z | 10º percentil | |
| –1,645 escore z | 5º percentil | |
| –1,881 escore z | 3º percentil | |
| –2,0 escores z | 2,28º percentil | (≅90% A/I ≅80% P/I) |
| –2,67 escores z | 0,4º percentil | |
| –3,0 escores z | 0,15º percentil | |

**FIGURA 97.1** → Equivalência entre escores z e percentis.
Fonte: Brasil.[9,10]

indivíduo ou de uma população em relação a essa população de referência.

A utilização de padrões de referência tem duas indicações: comparação de diferentes populações ou monitoramento dos índices antropométricos de uma mesma população ou grupo populacional, ao longo do tempo, e inferência do estado nutricional de um indivíduo.

Alguns advogam que a população de referência seja criada a partir de padrões locais; outros, de padrões locais derivados de segmentos privilegiados da sociedade ou de padrões internacionais.

**A OMS preconiza o uso de curvas internacionais como população de referência, com base no conceito de que crianças provenientes de diferentes grupos genéticos apresentam a mesma velocidade de crescimento e valores finais de peso e altura. Apesar de algumas divergências, essa parece ser a crença hegemônica.**

Segundo alguns estudos, a etnia parece não exercer influência sobre o índice peso/comprimento ou altura de crianças. Vários autores demonstraram que crianças de classes privilegiadas nos países em desenvolvimento apresentam crescimento idêntico ao das crianças de países industrializados. Apontaram, também, que diferenças alimentares e de condições de vida e saúde das crianças são mais responsáveis pelas desigualdades no crescimento do que diferenças étnicas ou geográficas, pois os grupos menos privilegiados encontravam-se mais desnutridos do que os grupos privilegiados, em um mesmo país. Outra hipótese levantada é a de que a defasagem na altura final das crianças nos países em desenvolvimento poderia representar o efeito da desnutrição incidindo sobre várias gerações.[8]

Em 2006, a OMS apresentou um conjunto de novas curvas para avaliação do crescimento de crianças de 0 a 5 anos de idade.[32,33] Essas curvas foram construídas por meio de estudos longitudinais envolvendo crianças de até 24 meses e de estudos transversais com crianças com idade entre 18 e 71 meses, desenvolvidos entre 1997 e 2003 em seis países (Brasil, Estados Unidos, Omã, Noruega, Gana e Índia), representando os diferentes continentes. Nos estudos longitudinais, mães e recém-nascidos eram identificados ao nascimento e visitados no domicílio 21 vezes: nas semanas 1, 2, 4 e 6, mensalmente dos 2 aos 12 meses e bimestralmente no segundo ano de vida.

As crianças, para fazerem parte das curvas, tinham de ser amamentadas por, no mínimo, 1 ano de idade, sendo de forma exclusiva ou predominante até, pelo menos, os 4 meses (recomendação na época em que os dados estavam sendo coletados). O estabelecimento do crescimento da criança amamentada como norma de crescimento trouxe maior coerência entre as ferramentas para avaliação do crescimento e as recomendações alimentares atuais de aleitamento materno por 2 anos ou mais, sendo exclusivo nos primeiros 6 meses.

Além da alimentação, os outros critérios de elegibilidade da amostra foram estes: ter nascido de parto único, a termo, mesmo que com baixo peso; ter condições de vida e de saúde que garantissem atingir o potencial genético de crescimento da criança, ou seja, foram incluídas apenas aquelas cujas famílias tinham condições de garantir à criança nutrição, ambiente e cuidados primários adequados; e mães não fumantes.

Para a amostra dos estudos transversais (crianças de 18-71 meses), as exigências foram as mesmas, com exceção da alimentação, cuja duração do aleitamento materno (exclusivo ou não) deveria ser de, no mínimo, 3 meses. A adoção desses critérios deu às curvas da OMS o caráter inédito de serem prescritivas, ou seja, indicam como as crianças *devem crescer*, e não apenas descrevem como elas crescem.

Em 2007, a OMS disponibilizou curvas atualizadas para a faixa etária dos 5 aos 19 anos, reconstruídas a partir das curvas do National Center for Health Statistics (NCHS)-1977, suplementadas com dados das novas curvas da OMS para crianças de até 5 anos. Utilizou-se a mesma metodologia já empregada na construção dos padrões da OMS para crianças com idade < 5 anos.[35]

**O Ministério da Saúde vem adotando as novas curvas da OMS desde o seu lançamento, em 2006. Todas essas curvas estão disponíveis na Caderneta da Criança[9,10] (ver primeiro e segundo QR codes, menino e menina, respectivamente) e no *site* da Organização Mundial da Saúde[35] (ver QR code).**

## USO DOS ÍNDICES, PONTOS DE CORTE E POPULAÇÃO DE REFERÊNCIA NA ATENÇÃO PRIMÁRIA À SAÚDE

A comparação das medidas de um indivíduo com a população de referência apenas permite afirmar que esse indivíduo está pesando ou medindo mais ou menos do que a população de referência, sem definir se essa diferença é um problema ou não. Por essa razão, há consenso de que o acompanhamento da criança ao longo do tempo, por meio de medições seriadas, estabelecendo-se uma curva do ganho ponderal e de comprimento ou altura, é mais útil do que a comparação de uma única medida com a referência.

**O profissional deve ter o máximo cuidado para registrar com precisão as medidas da criança nos gráficos. Os pontos (e não bolotas) devem ser feitos com lápis bem apontado e unidos por linhas retas, de preferência feitas com uma régua.**

**O Ministério da Saúde preconiza a realização da antropometria em todas as consultas de rotina das crianças: primeira semana de vida, 1º, 2º, 4º, 6º, 9º, 12º, 18º e 24º meses e anualmente após os 2 anos.[9,10]**

As crianças com desvios do crescimento devem ter o seu crescimento avaliado com mais frequência, assim como as crianças com baixo peso ao nascer. Estas últimas e aquelas com restrição do crescimento até os 2 anos de vida têm risco aumentado de desenvolver doenças crônico-degenerativas na vida adulta, como hipertensão arterial sistêmica, infarto agudo do miocárdio, acidentes vasculares cerebrais e diabetes, quando há ganho excessivo de peso após a restrição.[37]

A Caderneta da Criança[9,10] contém as seguintes curvas para crianças nascidas a termo, expressas em DPs e diferenciadas por sexo: para crianças de 0 a 2 anos – perímetro cefálico/idade, peso/idade, comprimento/idade e IMC/idade; para crianças de 2 a 5 anos – peso/idade, altura/idade e IMC/idade; e para crianças de 5 a 10 anos – peso/idade, altura/idade e IMC/idade. As FIGURAS 97.2, 97.3 e 97.4 são exemplos de curvas disponíveis na Caderneta da Criança.

A TABELA 97.1 apresenta a classificação adotada pela OMS e pelo Ministério da Saúde segundo os diferentes índices. É importante observar que a classificação segundo o IMC varia dependendo da idade da criança: se < ou > 5 anos.

É de vital importância verificar, a cada medição, a direção da curva dos diversos índices. Na interpretação dessas curvas, é importante lembrar que:[9,10]

→ uma curva ascendente paralela às curvas de referência indica que a criança, de maneira geral, está ganhando peso ou comprimento/altura de forma adequada, ainda que possa estar abaixo do esperado para a sua idade;
→ um ponto ou desvio que esteja fora da área compreendida entre as linhas indicando ± 2 DPs indica problema de crescimento;

**TABELA 97.1** → Classificação da criança segundo idade e posição dos índices nas curvas de crescimento

| ESCORE Z | COMPRIMENTO OU ALTURA/IDADE | PESO/IDADE | IMC/IDADE |
| --- | --- | --- | --- |
| 0 a 5 anos | | | |
| +3 | Muito elevado | Muito elevado | Obesidade |
| +2 | Elevado | Elevado | Sobrepeso |
| +1 | Adequado | Adequado | Risco de sobrepeso |
| Média | Adequado | Adequado | Adequado |
| –1 | Adequado | Adequado | Adequado |
| –2 | Baixo | Baixo peso | Magreza |
| –3 | Muito baixo | Muito baixo peso | Magreza acentuada |
| 5 a 10 anos | | | |
| +3 | Muito elevado | Muito elevado | Obesidade grave |
| +2 | Elevado | Elevado | Obesidade |
| +1 | Adequado | Adequado | Sobrepeso |
| Média | Adequado | Adequado | Adequado |
| –1 | Adequado | Adequado | Adequado |
| –2 | Baixo | Baixo peso | Magreza |
| –3 | Muito baixo | Muito baixo peso | Magreza acentuada |

Fonte: Brasil.[9,10]

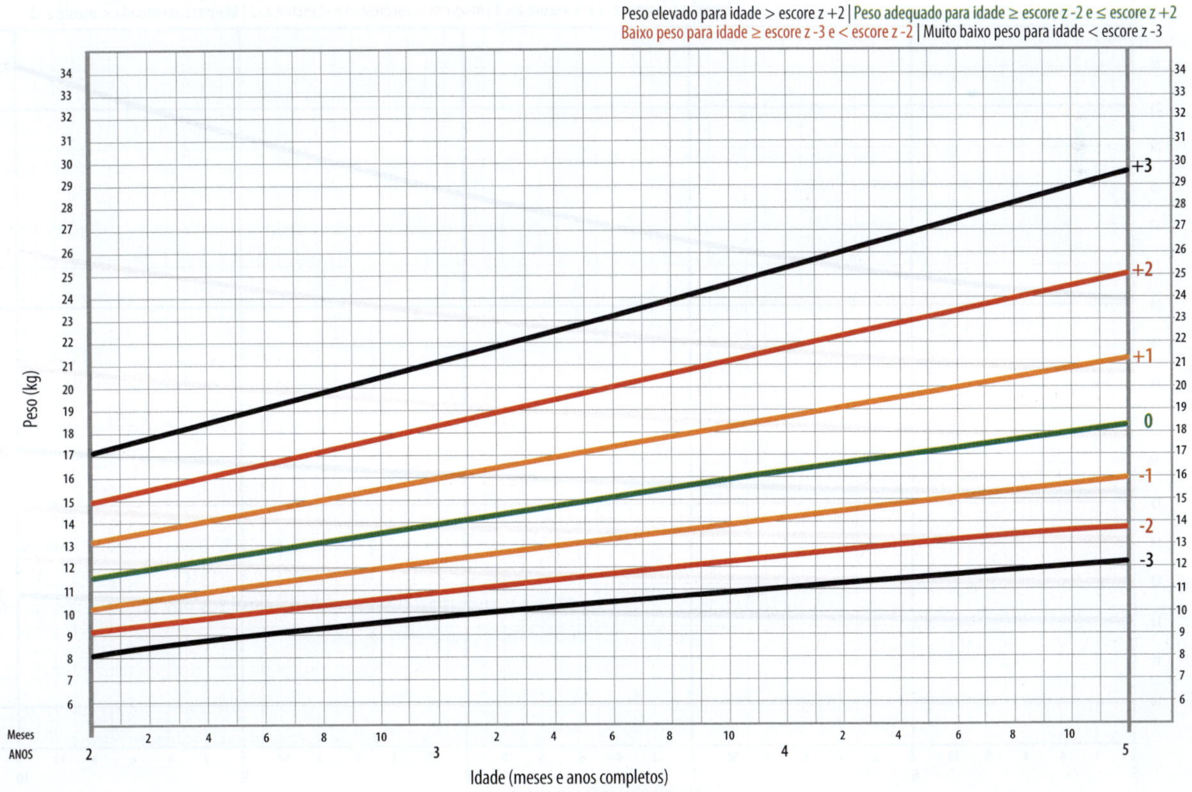

**FIGURA 97.2** → Curva de peso para idade para meninas de 2 a 5 anos adotada pelo Ministério da Saúde.
Fonte: Brasil.[9]

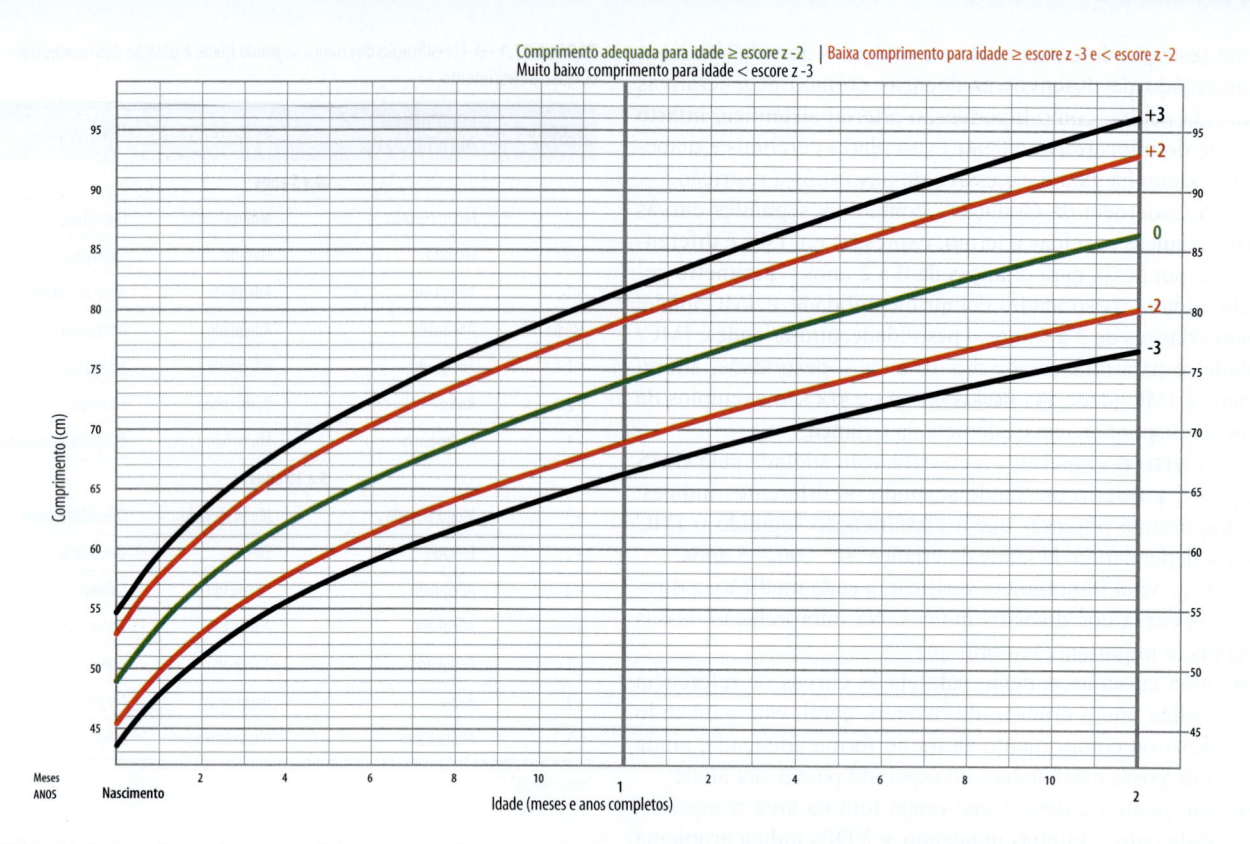

**FIGURA 97.3** → Curva de comprimento para idade para meninos de 0 a 2 anos adotada pelo Ministério da Saúde.
Fonte: Brasil.[10]

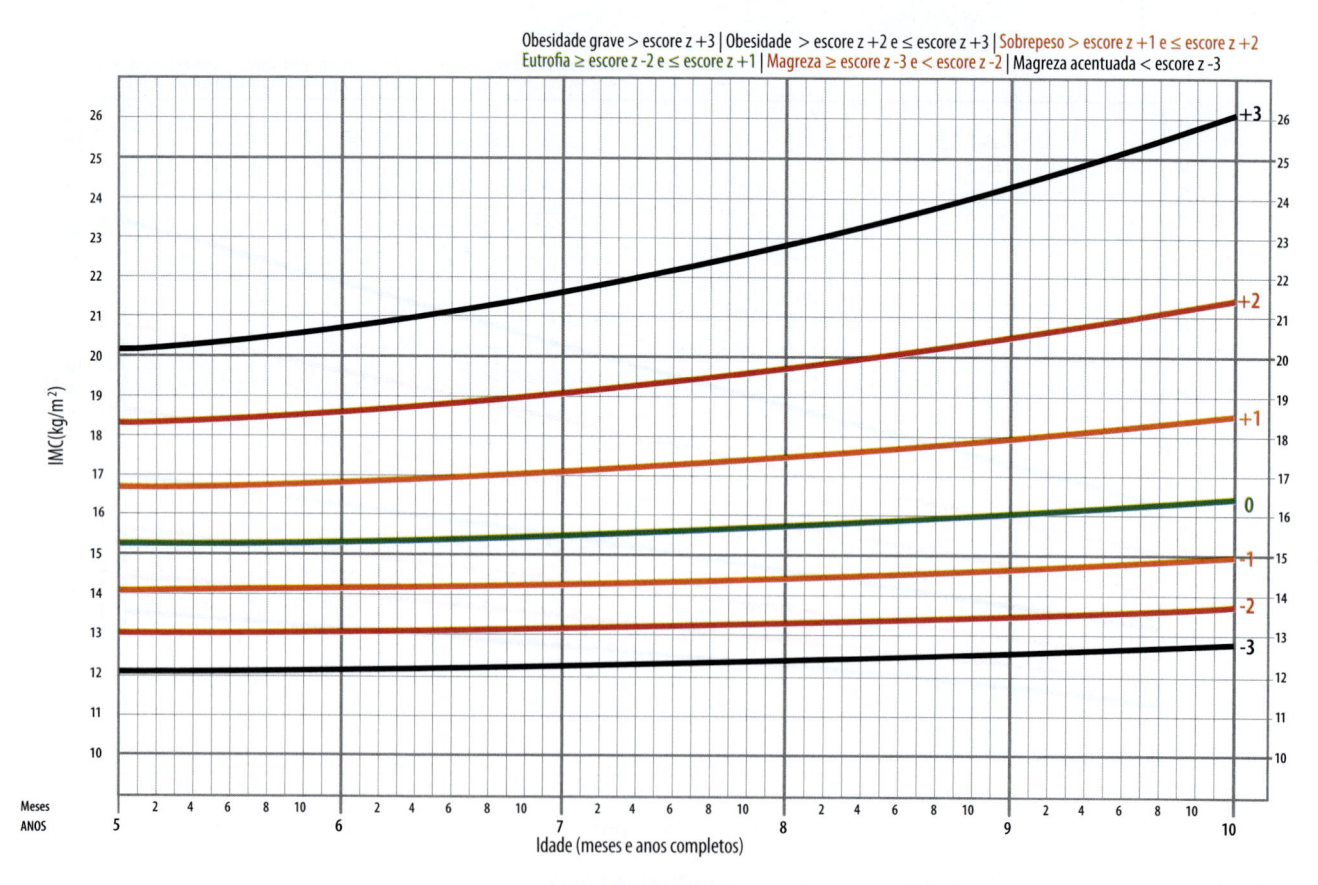

**FIGURA 97.4** → Curva de índice de massa corporal para idade para meninos de 5 a 10 anos adotada pelo Ministério da Saúde.
Fonte: Brasil.[9]

- → qualquer mudança rápida na tendência da curva de crescimento da criança, para cima ou para baixo, deve ser investigada para determinar a causa e orientar a conduta;
- → um traçado horizontal indica que a criança não está crescendo, o que precisa ser investigado;
- → um traçado que cruza uma linha de escore z pode indicar risco. O profissional de saúde deve interpretar o risco com base na localização do ponto (relativo à média) e na velocidade dessa mudança.

É importante salientar que as curvas da OMS são para crianças a termo. Para fins de lançamento dos dados antropométricos de crianças prematuras nessas curvas, deve-se utilizar a idade corrigida do recém-nascido (RN) pré-termo.

Para essas crianças, considera-se o "nascimento" quando a criança atinge 40 semanas de idade pós-concepcional. Após o segundo ano de vida, essa correção não é mais necessária, pois o ritmo de crescimento diminui e já se podem cotejar os parâmetros somáticos de nascidos a termo e pré-termo sem desvantagem significativa para os últimos.

Estão disponíveis na Caderneta da Criança as Curvas Intergrowth-21st para crianças nascidas pré-termo (perímetro cefálico, comprimento e peso). É importante observar que a idade da criança não se refere à idade de vida após o nascimento, mas sim à idade pós-concepcional (de 27 a 64 semanas).[38] Essas curvas foram elaboradas por um consórcio coordenado pela University of Oxford. Assim como as curvas da OMS, essas curvas são prescritivas e envolveram gestantes e recém-nascidos pré-termo de oito populações geograficamente distintas, representando os diversos continentes: Brasil, Estados Unidos, Cuba, Inglaterra, Itália, China, Índia e Quênia.

Existem curvas para crianças com condições específicas, como síndrome de Down[39] e síndrome de Turner,[40] entre outras (ver QR code).

Um aspecto a ser lembrado é que os índices antropométricos representam o resultado de diferentes processos biológicos que devem ser sempre investigados, tendo em vista a recuperação do estado nutricional e da saúde global da criança.

Tomando como ponto de partida principalmente a direção das curvas de crescimento, o profissional deve adotar condutas diante de cada possível situação detectada. O Ministério da Saúde recomenda a adoção das condutas resumidas na TABELA 97.2.[41]

## ACOMPANHAMENTO DO CRESCIMENTO NOS PRIMEIROS DIAS DE VIDA

Os recém-nascidos perdem peso nos primeiros 3 a 4 dias de vida. O menor peso costuma ocorrer no terceiro dia de vida.[42] Essa perda de peso se deve mais à perda de massa sólida (massa magra e, principalmente, massa gorda) do que água corporal.[43,44]

**TABELA 97.2** → Condutas em situações de desvios no crescimento da criança

| SITUAÇÃO | CONDUTA |
|---|---|
| Sobrepeso ou obesidade | Verificar a existência de erros alimentares; identificar a dieta da família e orientar a mãe/cuidador para uma alimentação mais adequada, tendo como base as recomendações para alimentação saudável da criança (ver orientações no Capítulo Práticas Alimentares Saudáveis na Infância) <br> Verificar a atividade física da criança (tempo assistindo à televisão e jogando *videogame*): estimular passeios e caminhadas, andar de bicicleta, praticar jogos com bola e outras brincadeiras que aumentem a atividade física <br> Encaminhar para nutricionista, se disponível <br> Realizar avaliação clínica (ver Capítulo Excesso de Peso em Crianças) |
| Magreza | Investigar possíveis causas, com atenção especial para o desmame em crianças com idade < 2 anos e para a alimentação, intercorrências infecciosas, cuidados com a criança, afeto, higiene <br> Realizar avaliação clínica; tratar intercorrências, se houver (ver Capítulo Déficit de Crescimento) <br> Orientar a mãe/cuidador sobre aleitamento materno (quando for o caso) e alimentação complementar adequada para a idade (ver Capítulo Práticas Alimentares Saudáveis na Infância) <br> Solicitar acompanhamento por nutricionista, se disponível <br> Encaminhar para o serviço social, se necessário <br> Retornar no intervalo máximo de 15 dias |
| Magreza acentuada | Além das condutas listadas para a condição de magreza, avaliar a gravidade do quadro e, se necessário, encaminhar para hospital ou centro de reabilitação nutricional (ver Capítulo Déficit de Crescimento) |

Fonte: Brasil.[41]

A perda de peso e o tempo para recuperação do peso de nascimento variam de acordo com a alimentação da criança e o tipo de parto. A perda de peso das crianças amamentadas exclusivamente costuma ser menor que a de crianças alimentadas com fórmula.[45] No entanto, o tempo médio de recuperação do peso de nascimento dos bebês exclusivamente amamentados parece ser maior quando comparados com os que receberam fórmula (8,3 dias vs. 6,5 dias, respectivamente).[46] As crianças nascidas por cesariana costumam perder mais peso depois do nascimento.[46] Por isso, ao avaliar a perda de peso de um recém-nascido, é importante levar em consideração como ele está sendo alimentado e o tipo de parto.

Com base em uma coorte de 161.471 recém-nascidos sadios com 36 semanas ou mais de idade gestacional nascidos na Califórnia, Estados Unidos, entre 2009 e 2013, foi criado um nomograma que pode ser útil no acompanhamento da perda de peso do recém-nascido após o nascimento. Esse nomograma está disponível e leva em consideração o tipo de alimentação da criança, o tipo de parto e o tempo de vida da criança (até 30 dias).[48] (Ver QR code.)

Perda de peso ≥ 8 a 10% do peso de nascimento no 5º dia de vida ou mais ou perda de peso acima do percentil 75 para a idade pode ser indicativa de baixa ingestão ou baixa produção de leite materno, e requer uma avaliação criteriosa da situação[49] (ver Capítulos Aleitamento Materno: Aspectos Gerais e Aleitamento Materno: Principais Dificuldades e seu Manejo).

# REFERÊNCIAS

1. Magalhães ML, Almeida PVB, Sônia Lansky, organizadores. Política Nacional de atenção integral à saúde da criança: orientações para implementação [Internet]. Brasília: MS; 2018 [capturado em 26 mar. 2020]. Disponível em: http://www.saude.pr.gov.br/arquivos/File/Politica_Nacional_de_Atencao_Integral_a_Saude_da_Crianca_PNAISC.pdf
2. World Health Organization. Nutrition for health and development. Geneva: WHO; 2002.
3. Brasil. Ministério da Saúde. Política nacional de alimentação e nutrição [Internet]. Brasília: MS; 2011 [capturado em 26 mar. 2020]. Disponível em: http://bvsms.saude.gov.br/bvs/publicacoes/politica_nacional_alimentacao_nutricao.pdf
4. Panpanich R, Garner P. Growth monitoring in children. Cochrane Database Syst Rev. 2000;(2):CD001443.
5. Popkin BM. The nutrition transition: an overview of world patterns of change. Nutr Rev. 2004;62(7 Pt 2):S140-3.
6. Sociedade Civil Bem-Estar Familiar no Brasil. Pesquisa nacional sobre demografia e saúde. Rio de Janeiro: BEMFAM; 1997.
7. Monteiro CA, Conde WL, Konno SC, Lima ALL, Silva ACF, Benicio MHD. Avaliação antropométrica do estado nutricional de mulheres em idade fértil e crianças menores de cinco anos. In: Brasil. Ministério da Saúde. Pesquisa nacional de demografia e saúde da criança e da mulher: PNDS 2006: dimensões do processo reprodutivo e da saúde da criança. Brasília: MS; 2009. p. 213-30.
8. World Health Organization. Working group: use and interpretation of anthropometric indicators of nutritional status. Geneva: WHO; 1995.
9. Brasil. Ministério da Saúde. Caderneta da criança: menina. 2. ed. Brasília: MS;2020.
10. Brasil. Ministério da Saúde. Caderneta da criança: menino. 2. ed. Brasília: MS; 2020.
11. Silveira MF, Victora CG, Horta BL, Silva BGC, Matijasevich A, Barros FC. Low birthweight and preterm birth: trends and inequalities in four population-based birth cohorts in Pelotas, Brazil, 1982–2015. Int J Epidemiol. 2019;48(Suppl 1):i46–i53.
12. Barker DJ, Osmond C. Infant mortality, childhood nutrition, and ischaemic heart disease in England and Wales. Lancet. 1986;1(8489):1077-81.
13. Claris O, Beltrand J, Levy-Marchal C. Consequences of intrauterine growth and early neonatal catch-up growth. Semin Perinatol. 2010;34(3):207-10.
14. Brasil. Ministério da Saúde. Nascidos vivos: Brasil [Internet]. Brasília: MS; 1994-2017 [capturado em 27 ago. 2021]. Disponível em: https://datasus.saude.gov.br/nascidos-vivos-desde-1994.
15. Silveira MF, Santos IB, Barros AJD, Matijasevjch A, Barros FC, Victora CG. Increase in preterm births in Brazil: review of population-based studies. Rev Saude Publica. 2008;42(5):957-64.
16. Leal MC, Esteves-Pereira AP, Nakamura-Pereira M, Torres JA, Theme-Filha M, Domingues RMSM, et al. Prevalence and risk factors related to preterm birth in Brazil. Reprod Health. 2016;13(Suppl 3):127.
17. Silveira MF, Victora CG, Horta BL, Silva BGC, Matijasevich A, Barros F. Baixo peso ao nascer e prematuridade: tendências e desigualdades em quatro coortes de base populacional em Pelotas, Brasil, 1982-2015. In: Victora CG, Barros FC, Silveira MF, Silva AAM. Epidemiologia da desigualdade: quatro décadas de coortes de nascimentos. Rio de Janeiro: Fiocruz; 2019. p. 95-107.
18. Silva AA, Barbieri MA, Gomes UA, Bettiol H. Trends in low birth weight: a coparison of two birth cohorts sepereted by 15-year interval in Ribeirão Preto, Brazil. Bull World Health Organ. 1998;76(1):73-84.
19. Victora CG, Aquino EM, Leal MC, Monteiro CA, Barros FC, Szwarwald CL. Maternal and child health in Brazil: progressand challenges. Lancet. 2011;377(9780):1863-76.
20. Leal MC, Szwarcwald CL, Almeida VBP, Aquino EML, Barreto ML, Barros FC, et al. Saúde reprodutiva, materna, neonatal e infantil nos 30 anos do Sistema Único de Saúde (SUS). Cien Saude Colet. 2018;23(6)1915-28.
21. Barros FC, Rabello Neto DL, Villar J, Kennedy SH, Silveira MF, Diaz-Rossello JL, et al. Caesarean sections and the prevalence of preterm and early-term births in Brazil: secondary analyses of national birth registration. BMJ Open. 2018;8(8):e021538.
22. Engstrom EM. Sisvan: instrumento para o combate aos distúrbios nutricionais em serviços de saúde. O diagnóstico nutricional. Rio de Janeiro: Fiocruz; 2002.
23. Aerts DRGC, Souza MI, Finkler A, Oliveira RM. Sensibilidade do índice peso/idade na identificação de crianças em risco nutricional. Rev Bras Epidemiol. 2002;5 Supl esp:S360.
24. Victora CG, Adair L, Fall C, Hallal PC, Martorell R, Richter L, et al. Maternal and child undernutrition: consequences for adult health and human capital. Lancet. 2008;371(9609):340-57.
25. Tanaka T, Matsuzaki A, Kuromaru R, Kinukawa N, Nose Y, Matsumoto T, et al. Association between birthweight and body mass index at 3 years of age. Pediatr Int. 2001;43(6):641-6.
26. Lynch J, Wang XL, Wilcken DE. Body mass index in Australian children: recent changes and relevance of ethnicity. Arch Dis Child. 2000;82(1):16-20.
27. Guo SS, Wu W, Chumlea WC, Roche AF. Predicting overweight and obesity in adulthood from body mass index values in childhood and adolescence. Am J Clin Nutr. 2002;76(3):653-8.
28. Brock RS, Falcão MC, Leone C. Body mass index values for newborns according to gestational age. Nutr Hosp. 2008;23(5):487-92.
29. World Health Organization. Measuring changes in nutritional status. Geneva: WHO; 1993.
30. Habicht JP, Martorell R, Yarbrough C, Malina RM, Klein RE. Height and weight standards for preschool children. How relevant are ethnic differences in growth potential? Lancet. 1974;1(7858):611-4.
31. Habicht JP. Some characteristics of indicators of nutritional status for use in screening and surveillance. Am J Clin Nutr. 1980;33(3):531-5.
32. World Health Organization. WHO child growth standards: length/height-for-age, weight-for-age, weight-for-length, weight-for-height and body mass index-for-age: methods and development [Internet]. Geneva: WHO; 2006 [capturado em 20 mar. 2020]. Disponível em: http://www.who.int/childgrowth/standards/Technical_report.pdf
33. Onis M de, Garza C, Victora CG, Bhan MK, Norum KR. The WHO Multicentre Growth Reference Study (MGRS): rationale, planning, and implementation. Food Nutr Bull. 2004;25(S1):S3-S84.
34. World Health Organization. Infant and young child feeding. Geneva: WHO; 2009.
35. Onis M de, Onyango AW, Borghi E, Siyam A, Nishida C, Siekmann J. Development of a WHO growth reference for school-aged children and adolescents. Bull. World Health Organ. 2007;85(9):660-7.
36. World Health Organization. The WHO child growth standards [Internet]. Geneva: WHO; c2020 [capturado em 20 mar. 2020]. Disponível em: https://www.who.int/childgrowth/standards/en/
37. Barros FC, Victora CG. Maternal-child health in Pelotas, Rio Grande do Sul State, Brazil: major conclusions from comparisons of the 1982, 1993, and 2004 birth cohorts. Cad Saude Publica. 2008;24 Suppl 3:S461-7.
38. The Global Health Network. The International Fetal and Newborn Growth Consortium for the 21st Century – Intergrowth-21st [Internet]. TGNH; c2009-2020 [capturado em 26 mar. 2020]. Disponível em: https://intergrowth21.tghn.org/
39. U. S. Centers for Disease Control and Prevention. Growth charts for children with down syndrome [Internet]. Atlanta: CDC; 2009 [capturado em 26 mar. 2020]. Disponível em: https://www.cdc.gov/ncbddd/birthdefects/downsyndrome/growth-charts.html
40. Frías JL, Davenport ML, Comittee on Genetics and Section on Endocrinology. Health supervision for children with turner syndrome. Pediatrics. 2003;111(3):692-702.

41. Brasil. Ministério da Saúde. Fundamentos técnico-científicos e orientações práticas para o acompanhamento do crescimento e desenvolvimento. Brasília: MS; 2001
42. Fonseca MJ, Severo M, Santos AC. A new approach to estimating weight change and its reference intervals during the first 96 hours of life. Acta Paediatr. 2015;104(10):1028-34.
43. Rodríguez G, Ventura P, Samper MP, Moreno L, Sarría A, Pérez-González JM. Changes in body composition during the initial hours of life in breast-fed healthy term newborns. Biol Neonate. 2000;77:12-6.
44. Roggero P, Giannì ML, Orsi A, Piemontese P, Amato O, Moioli C, et al. Neonatal period: body composition changes in breast-fed full-term newborns. Biol Neonate. 2000;77(1):12-6.
45. Davanzo R, Cannioto Z, Ronfani L, Monasta L, Demarini S. Breastfeeding and neonatal weight loss in healthy term infants. J Hum Lact. 2013;29(1):45-53
46. Macdonald PD, Ross SRM, Grant L, Young D. Neonatal weight loss in breast and formula fed babies. Arch Dis Child Fetal Neonatal Ed. 2003;88(6):F472-6.
47. Flaherman VJ, Schaefer EW, Kuzniewicz MW, Li SX, Walsh EM, Paul IM. Early weight loss nomograms for exclusively breastfed newborns. Pediatrics. 2015;135(1):e16-23.
48. Newborn Weight Tool [Internet]. Hershey: Penn State Health Children's Hospital; 2020 [capturado em mar. 2020]. Disponível em: http://www.newbornweight.org
49. Kellams A, Harrel C, Omage S, Gregory C, Rosen-Carole C, Academy of Breastfeeding Medicine. ABM Clinical Protocol #3: supplementary feedings in the healthy breastfed neonate, revised 2017. Breastfeed Med. 2017;12:188-98.

# Capítulo 98
# PRÁTICAS ALIMENTARES SAUDÁVEIS NA INFÂNCIA

Elsa R. J. Giugliani

Existem muitos argumentos para enfatizar a importância de uma alimentação saudável nos primeiros anos de vida. Nessa fase da vida, o crescimento é acelerado e ocorrem importantes aquisições no desenvolvimento, inclusive do sistema estomatognático, e a prevalência de desnutrição e deficiências de certos micronutrientes, como o ferro, é maior. Além disso, é no início da vida que se formam os hábitos alimentares, os quais repercutem no estado nutricional e de saúde dos indivíduos por toda a sua existência. É importante ressaltar que o crescimento nos primeiros 2 anos de vida é preditor de capital humano,[1] e que as deficiências nutricionais e as práticas alimentares inadequadas, além de fragilizarem a saúde da criança, podem deixar sequelas, como atraso no crescimento linear, dificuldades de ordem intelectual e maior chance de aparecimento de doenças crônicas não transmissíveis no futuro.

**Práticas alimentares saudáveis na infância implicam aleitamento materno – preferencialmente por 2 anos ou mais, sendo exclusivo nos primeiros 6 meses – e alimentação complementar saudável a partir dos 6 meses de idade.**

Este capítulo aborda fundamentalmente a alimentação complementar e é baseado no *Guia alimentar para crianças brasileiras menores de 2 anos*. O aleitamento materno é abordado em detalhes em outros dois capítulos deste livro: Aleitamento Materno: Aspectos Gerais e Aleitamento Materno: Principais Dificuldades e seu Manejo.

Alimentação complementar é definida como o processo que inicia quando o leite materno não mais supre todos os requerimentos nutricionais da criança, sendo necessária a introdução de outros alimentos para complementar o leite materno.[3] Esses alimentos são chamados de alimentos complementares. A faixa etária alvo para a alimentação complementar é geralmente de 6 a 24 meses, embora o aleitamento materno possa continuar além dos 24 meses.

Alimentação complementar saudável implica oferecer à criança alimentos nutricionalmente adequados, tendo como base alimentos *in natura*, em momento oportuno (a partir dos 6 meses de idade), fáceis de serem consumidos (apresentação adequada para a idade), em quantidade apropriada e seguros (sem germes patogênicos, toxinas ou produtos químicos prejudiciais). Além disso, devem ser disponíveis e acessíveis, respeitando a cultura local. Devido à grande importância da alimentação infantil, a 71ª Assembleia Mundial da Saúde, realizada em 2018, incita os países a promover a alimentação complementar adequada e em tempo oportuno.[4]

Alimentação infantil inadequada é um problema mundial. A Organização Mundial da Saúde (OMS) afirma que poucas crianças recebem alimentos complementares adequados e seguros e que, em muitos países, menos de um quarto das crianças entre 6 e 24 meses de idade tem uma dieta diversificada e oferecida na frequência recomendada para a idade.[5] Práticas inadequadas de alimentação infantil resultam em diversos tipos de malnutrição, como sobrepeso/obesidade, subnutrição, deficiência de ferro e anemia, hipovitaminose A, entre outros.

As características da dieta das crianças brasileiras com idade < 5 anos são: alto consumo de arroz com feijão; alto consumo de alimentos não saudáveis, como os ultraprocessados; e baixo consumo de verduras folhosas, legumes e carnes em geral, sobretudo peixe.[6] As intensas mudanças nas práticas alimentares e no estilo de vida das famílias favorecem o consumo de alimentos não saudáveis, como acesso e praticidade dos alimentos ultraprocessados e ambientes que favorecem o seu consumo.

A qualidade da dieta infantil é influenciada por diversos fatores, que variam de acordo com a população. Uma alimentação inadequada pode ser o resultado de falta de informações/orientações adequadas (desconhecimento); estilo de vida (trabalho fora de casa, não ter tempo ou hábito de cozinhar); falta de apoio para o cuidado com as crianças (resultando em longo tempo das crianças em frente a telas com acesso a alimentos empacotados); acesso limitado a alimentos saudáveis; influência negativa da mídia; e falta de políticas públicas para promover o acesso da população à alimentação saudável e proteger contra a publicidade de alimentos não saudáveis.

## ALIMENTAÇÃO COMPLEMENTAR SAUDÁVEL DA CRIANÇA AMAMENTADA

### Quando iniciar

Recomenda-se iniciar a alimentação complementar a partir dos 6 meses. Não parece haver benefícios em iniciar os alimentos complementares antes dos 6 meses, podendo, inclusive, haver prejuízos à saúde da criança, como maior número de episódios de diarreia e doença respiratória[7-9] **B**. Por outro lado, após os 6 meses de idade, o leite materno como única fonte de alimento pode não ser suficiente para preencher as necessidades nutricionais da criança, sobretudo de energia, proteína, ferro, zinco e algumas vitaminas lipossolúveis.[10] Além disso, o início da alimentação complementar deve respeitar a maturidade fisiológica da criança para receber alimentos sólidos e semissólidos: a criança deve ser capaz de assumir posição sentada e cabeça firme, mostrar coordenação olhos-mãos-boca e deglutir sem engasgar. Uma ampla revisão da literatura procurou elucidar qual é a época em que a criança estaria apta para receber os alimentos complementares. No que se refere ao desenvolvimento da função motora oral, ao desenvolvimento do sistema imunológico e à função gastrintestinal do bebê, concluiu-se que a idade provável em que a maioria das crianças nascidas a termo está pronta para iniciar a alimentação complementar é ao redor dos 6 meses ou um pouco mais **C/D**.[11]

Em princípio, todos os alimentos podem ser oferecidos à criança desde o início da alimentação complementar, mesmo aqueles considerados mais alergênicos. De fato, estudos demonstram que a introdução precoce de alimentos potencialmente alergênicos diminui o risco de alergia alimentar, em especial o amendoim[12] **C/D** e o ovo[13] **B**. A ingestão oral precoce de repetidas e pequenas quantidades do alimento induz à tolerância oral. Assim, hoje se sabe que alimentos potencialmente alergênicos, cuja introdução, antigamente, não era recomendada no 1º ano de vida, como amendoim, leite de vaca, carne de porco, peixe, clara de ovo, entre outros, podem ser consumidos desde o início da alimentação complementar.[14,15]

### O que oferecer à criança: a escolha dos alimentos

As seguintes recomendações quanto à escolha dos alimentos são importantes para a alimentação adequada da criança.

**Fazer dos alimentos *in natura* ou minimamente processados a base da alimentação da criança e de sua família.** São considerados alimentos *in natura* aqueles obtidos diretamente de plantas ou animais e consumidos sem sofrer alterações, como legumes, verduras, frutas, ovos e leite. Já os alimentos minimamente processados são alimentos *in natura* submetidos a processos como remoção de partes não comestíveis ou não desejadas dos alimentos, secagem, desidratação, trituração ou moagem, fracionamento, torra, cocção apenas com água, pasteurização, refrigeração ou congelamento, acondicionamento em embalagens, empacotamento a vácuo, fermentação não alcoólica e outros processos.[16]

**Não oferecer alimentos ultraprocessados.** Os alimentos ultraprocessados passam por diversas etapas e técnicas de processamento e, em geral, utilizam vários ingredientes, muitos deles de uso exclusivamente industrial. São exemplos: refrigerantes, sorvetes, balas e guloseimas em geral, vários tipos de biscoitos (sobretudo os recheados), iogurtes e bebidas lácteas adoçados e aromatizados, cereais matinais açucarados, barras de cereal, molhos, salgadinhos em pacote, macarrão instantâneo, salsichas e outros embutidos, pães de forma, pães doces e produtos panificados cujos ingredientes incluem substâncias como gordura vegetal hidrogenada, açúcar, amido, soro de leite, emulsificantes e outros aditivos. Os alimentos ultraprocessados são nutricionalmente desbalanceados e comprometem o consumo de alimentos *in natura* ou minimamente processados. Além disso, esses alimentos favorecem o consumo excessivo de calorias. Além de serem hipercalóricos, atributo comum a muitos alimentos ultraprocessados, podem comprometer os mecanismos que sinalizam a saciedade, como hipersabor (extremamente saborosos, induzindo ao hábito ou mesmo à dependência), tamanhos gigantes, praticidade, podendo ser consumidos em qualquer lugar (p. ex., assistindo à televisão) e calorias líquidas, como as de refrigerantes e sucos adoçados. Devido às suas características, o consumo de alimentos ultraprocessados está associado a aumento do risco de obesidade e outras doenças crônicas não transmissíveis,[17-19] além de deficiências de micronutrientes[20] e alteração na composição corporal,[21] levando ao aumento do risco de todas as formas de má nutrição.

**Oferecer água própria para o consumo, em vez de sucos, refrigerantes e outras bebidas açucaradas.**

A água deve ser introduzida na dieta da criança assim que outros alimentos diferentes do leite materno ou fórmula infantil forem introduzidos, devendo ser oferecida nos intervalos das refeições.

Se a água for a disponibilizada pela rede pública de abastecimento, basta filtrá-la. Mas nos locais onde não há tratamento de água, ela deve ser filtrada e tratada com solução de hipoclorito de sódio a 2,5% (2 gotas da solução em 1 L de água por 30 minutos)[22] **B**. Na falta de hipoclorito, pode-se filtrar e ferver a água por 5 minutos após o início da ebulição **C/D**.

É recomendável que a criança seja acostumada a beber água para matar a sede.

Não se recomenda o consumo de sucos no 1º ano de vida. A partir do 2º ano, quando consumido, o suco deve ser natural da fruta, sem adição de açúcar, e a sua quantidade deve ser limitada a cerca de 120 mL por dia.[23] O suco pode ser oferecido em pequenas quantidades após as principais refeições para facilitar a absorção de ferro de origem vegetal. Não deve ser utilizado em substituição a uma refeição ou lanche, devido à baixa densidade energética.

O grande teor de açúcar e a pouca presença de fibra nos sucos e refrescos resulta em aumento do consumo de calorias. Seu consumo excessivo pode ocasionar diarreia, flatulência e distensão abdominal, bem como aumento do risco de cárie dentária, de sobrepeso e de baixo peso.[23]

**Quando outros líquidos, além do leite materno, forem dados para as crianças, recomenda-se que sejam oferecidos em copos abertos.[24]**

No início, as crianças vão precisar de ajuda para ingerir líquidos de um copo, mas, com a idade e a exposição, elas desenvolvem a habilidade de beber em copos abertos. Os copos chamados de copos de transição ou de treinamento não são recomendados, pois requerem sucção da criança, atrasando o desenvolvimento da habilidade madura de ingerir líquidos e encorajando a criança a continuar com a mamadeira, caso a esteja utilizando.

**Não oferecer açúcar nem preparações ou produtos que contenham açúcar até os 2 anos de idade.** Essa recomendação, além de contribuir para a formação de hábitos alimentares mais saudáveis,[25,26] baseia-se no fato de que o consumo precoce de açúcar aumenta a chance **C/D** de ganho de peso excessivo durante a infância,[27] obesidade,[28,29] hipertensão arterial, dislipidemias,[27,30] resistência insulínica[31] e cárie.[32,33]

**Oferecer sal na quantidade mínima necessária.** No Brasil, o consumo de sal é excessivo em todas as faixas etárias. Estudo multicêntrico com mais de 3 mil crianças brasileiras de 2 a 6 anos constatou que 90% das crianças com idade < 4 anos apresentaram consumo de sódio acima do valor máximo aceitável.[34]

**O *Guia alimentar para crianças brasileiras menores de 2 anos* não recomenda a exclusão de adição de sal nas refeições.**

Essa recomendação é consistente com a recomendação de a criança consumir a mesma alimentação da família, que deve ser preparada com "quantidade mínima de sal". Dessa forma, promove-se o hábito na criança de ingestão de alimentos com sabor menos salgado, inclusive nas idades subsequentes, além de representar uma oportunidade de a família melhorar sua alimentação. Além disso, no Brasil o sal é fonte de iodo. A restrição ao consumo de alimentos ultraprocessados, que em geral apresentam alto teor de sódio, certamente colabora para a redução do consumo de sódio, promovendo benefícios em longo prazo para todos.

**Oferecer dieta variada.** O ideal é que a criança receba diariamente alimentos de cada um dos seguintes grupos alimentares: cereais/tubérculos, leguminosas (feijões), legumes/verduras, carnes/ovos e frutas. As principais refeições (almoço e jantar) devem conter cereais/tubérculos, leguminosas, legumes/verduras e carnes/ovos (um alimento de cada grupo). Segundo a OMS, para ser diversificada a dieta deve conter, no mínimo, 4 dos 7 seguintes grupos: grãos, raízes e tubérculos; legumes e nozes; produtos lácteos (leite, iogurte, queijo); carnes (vermelha, peixes, frango e fígado/órgãos); ovos; vegetais e frutas ricos em vitamina A; outras frutas e vegetais.[35]

É comum as crianças recusarem novos alimentos introduzidos em sua dieta.

**Em média, são necessárias 8 a 10 exposições a um novo alimento para que ele seja aceito pela criança.[36,37] Essa informação deve ser repassada para as mães/cuidadores, para que eles não interpretem a recusa de um novo alimento como aversão permanente a esse alimento já nas primeiras tentativas.**

Saber como combinar os alimentos e variá-los para preparar as refeições é fundamental para uma alimentação adequada e saudável. Os alimentos de cada grupo devem variar, pois alimentos de um mesmo grupo podem ser fonte de diferentes nutrientes (p. ex., o mamão é fonte de vitamina A e o caju, de vitamina C). É necessário garantir que a criança ingira diariamente alimentos ricos em ferro, vitamina A, zinco, cálcio e vitamina C. Somente com uma dieta variada as necessidades desses micronutrientes podem ser preenchidas. Recomenda-se escolher os alimentos que estão na safra – são mais saborosos, nutritivos e baratos.

As carnes, especialmente as vermelhas, são importantes fontes de ferro e devem ser oferecidas a partir dos 6 meses, sempre que possível. A ingestão de carne durante o período de alimentação complementar foi associada a melhor desenvolvimento psicomotor aos 22 meses[38] **C/D**. Além de serem fontes importantes de ferro, elas facilitam a absorção do ferro inorgânico contido nos vegetais e em outros alimentos, mesmo que em pequenas porções. Feijão e verduras de cor verde-escura, como espinafre, chicória e jambu, também são boas fontes de ferro.

**Para aumentar a absorção de ferro não heme presente nos alimentos de origem vegetal, é importante consumir alimentos ricos em vitamina C junto ou logo após a refeição C/D.[39]**

Exemplos de alimentos ricos em vitamina C são frutas frescas, tomate, pimentão, vegetais e folhas verdes.

As principais fontes de vitamina A são fígado, gema de ovo, legumes de cor alaranjada, como abóbora e cenoura, verduras de cor verde-escura, como couve, chicória e espinafre, e algumas frutas, como mamão e manga.

**Como o fígado é um alimento muito rico em ferro, vitamina A e zinco, recomenda-se oferecer esse alimento à criança pelo menos 1 vez por semana C/D.**

Derivados do leite, como queijos e coalhadas, e leite de vaca podem ser utilizados como ingredientes em receitas feitas em casa, desde os 6 meses de idade. Não há evidências sobre efeitos prejudiciais do uso de derivados do leite na alimentação complementar. No entanto, recomenda-se que, para crianças amamentadas, o leite seja usado apenas como ingrediente, de forma a evitar alto consumo de proteína durante a alimentação complementar, que está associado a maior risco de obesidade e doenças crônicas não transmissíveis **C/D**.[40]

**Oferecer a comida da família.** Não há motivo para que os alimentos consumidos pela criança sejam diferentes dos consumidos pela família, desde que a alimentação desta seja saudável, tendo como base alimentos *in natura* ou minimamente processados, sem excesso de gordura, sal e condimentos. Temperos naturais, como cebola, alho, salsa, coentro e outros da preferência da família, podem ser usados, devendo-se evitar temperos prontos em pó, cubos ou líquidos.

Além disso, essa recomendação facilita o preparo das refeições e pode servir de motivação para melhorar a qualidade da dieta da família.

**Dar preferência a alimentos orgânicos.** Sempre que possível, é recomendável que os alimentos sejam orgânicos e de base agroecológica C/D. São considerados orgânicos os alimentos *in natura* ou processados oriundos de produção agropecuária ou processo extrativista sustentável em que são adotadas técnicas específicas de otimização do uso dos recursos naturais e maximização dos benefícios sociais, de forma que todas as fases do processo de produção dos alimentos (cultivo, processamento, armazenamento, distribuição e comercialização) estejam isentas de contaminantes intencionais, como agrotóxicos e organismos geneticamente modificados.

Essa recomendação se fundamenta nos efeitos nocivos dos agrotóxicos, como diferentes tipos de câncer, distúrbios neurodegenerativos como Parkinson e Alzheimer, esclerose lateral amiotrófica (ELA), desregulações endócrinas que geram obesidade e diabetes, defeitos congênitos, abortos espontâneos, partos prematuros e intoxicação aguda por pesticidas,[41-43] além de sintomas agudos e crônicos de alergias respiratórias, asma brônquica, fibrose pulmonar, arritmias cardíacas, lesões hepáticas e renais, dermatites, neuropatias periféricas, entre outros.[44]

É importante ressaltar que a identificação de compostos ativos de agrotóxicos nos alimentos pode acontecer tanto pela aplicação direta nos cultivos, como também pelo contato com água e solo contaminados. Os alimentos produzidos a partir de variedades geneticamente modificadas têm sido associados a altos índices de uso de agrotóxicos.

Os resíduos de agrotóxicos também estão presentes nos ingredientes dos alimentos ultraprocessados, no leite materno[45] e no leite de outros animais.

**Evitar determinados alimentos/preparações/produtos alimentícios.** Os seguintes alimentos não são recomendados para crianças com idade < 2 anos C/D:
- **mel:** além de conter os mesmos componentes do açúcar, que não deve ser utilizado nessa faixa etária, ele pode ser um reservatório para esporos de *Clostridium botulinum*, que causam o botulismo infantil, doença que pode ser grave, especialmente em crianças com idade < 1 ano;
- **café e outras bebidas que contêm cafeína (mate, chá-preto/verde, chocolate, refrigerantes à base de cola):** a cafeína é estimulante, podendo deixar a criança agitada. Além disso, essas bebidas contêm alguns compostos que reduzem a absorção do cálcio presente no leite;
- **adoçantes:** apresentados nos rótulos como edulcorantes (aspartame, ciclamato de sódio, acessulfame de potássio, sacarina sódica, estévia, manitol, sorbitol, xilitol e sucralose), seus efeitos na saúde das crianças não são bem conhecidos. Além disso, não se deve habituar a criança ao sabor muito doce nos primeiros anos de vida, para não tornar isso um hábito para a vida toda;
- **papinhas industrializadas:** apesar de algumas não apresentarem aditivos, elas não são indicadas pelas seguintes razões:
    - sua textura não favorece o desenvolvimento da mastigação;
    - os diferentes alimentos misturados dificultam a percepção dos diferentes sabores;
    - evitam que a criança se acostume com o gosto da comida da família;
    - as vitaminas e minerais adicionados a esses produtos não são tão bem aproveitados quanto os dos alimentos *in natura*;
- **frituras:** além de desnecessárias, podem ser prejudiciais à saúde. Óleos superaquecidos liberam radicais livres, prejudiciais à mucosa intestinal da criança, e predispõem à obesidade;
- **alimentos que podem engasgar a criança:** alimentos muito duros, inteiros, como nozes, amendoim e pipoca.

**Oferecer vitamina D por meio da exposição da criança ao sol.** Poucos alimentos possuem quantidades significativas de vitamina D ($D_2$ ou ergocalciferol, de origem vegetal, e $D_3$ ou colecalciferol, de origem animal), destacando-se peixes gordurosos e ovos. Porém, a vitamina $D_3$ pode ser sintetizada na pele, a partir da exposição à radiação ultravioleta B (UVB). A síntese cutânea é a principal fonte de vitamina D, sendo responsável por atender cerca de 90% das necessidades dessa vitamina. Em crianças amamentadas exclusivamente, as fontes dessa vitamina são primariamente a luz do sol e os estoques pré-natais, que estão diretamente associados ao estado de vitamina D da mãe.[46] O leite materno apresenta baixo conteúdo de vitamina D, independentemente do estado nutricional materno.[47]

A síntese cutânea de vitamina D varia de acordo com a cor da pele, a proteção aos raios UVB (roupas e uso de protetor solar), o tempo gasto em atividades ao ar livre, a latitude, a estação do ano, a hora do dia, a nebulosidade, a poluição do ar, entre outros fatores do próprio indivíduo. Os fatores de risco para deficiência de vitamina D são confinamento durante as horas de luz diurna, viver em latitudes extremas, viver em áreas urbanas com prédios e/ou poluição que bloqueiam a luz solar, pigmentação cutânea escura, uso de protetor solar, variações sazonais, e cobrir muito ou todo o corpo quando em ambiente externo. Nos primeiros meses de vida, são também consideradas como estando em maior risco de deficiência as crianças com mães com deficiência de vitamina D, as nascidas pré-termo e aquelas em aleitamento materno exclusivo, se combinado com pelo menos um dos demais fatores de risco anteriormente descritos.[48]

Não se pode desconsiderar os riscos associados ao excesso de exposição à radiação UV, que incluem envelhecimento celular, eritema e câncer de pele. Em geral, as recomendações de exposição solar segura são baseadas em evitar eritema.[49,50]

Estudos em crianças têm mostrado que um total de apenas algumas horas de exposição à luz solar no verão produz vitamina D suficiente para evitar deficiência por vários meses.[51,52] Existem estimativas da quantidade de luz solar necessária para prevenir a deficiência de vitamina D: 2 horas por semana (17 minutos por dia) com exposição apenas da face e das mãos do bebê, e 30 minutos por semana (4 minutos por dia) se a criança estiver usando apenas fraldas C/D.[51] Bebês com pigmentação escura da pele podem requerer 3 a 6 vezes a exposição de bebês de pigmentação clara para produzir a mesma quantidade de vitamina D.

Dada a variação de incidências, combinações de fatores de risco para deficiência de vitamina D, práticas culturais e recursos financeiros, que ocorrem globalmente, é improvável que uma recomendação uniforme para a prevenção de hipovitaminose D atinja com sucesso as necessidades de crianças que vivem em diferentes áreas do mundo. Não há evidências suficientes para subsidiar uma recomendação única quanto à suplementação de vitamina D em países quentes e ensolarados como a maior parte do Brasil.

Uma revisão sistemática constatou que a suplementação diária de 400 UI de vitamina D até os 6 meses de idade em crianças amamentadas aumentou os níveis de 25-hidroxivitamina D (colecalciferol) e reduziu a insuficiência de vitamina D, mas não encontrou evidências suficientes para avaliar os seus efeitos na deficiência de vitamina D e na saúde óssea C/D.[53]

A American Academy of Pediatrics (AAP)[54] e a Sociedade Brasileira de Pediatria (SBP)[55] recomendam suplementação de 400 UI por dia de vitamina D, iniciando já nos primeiros dias de vida, independentemente do tipo de alimentação que a criança recebe C/D. Segundo a AAP, a criança que consome 1 L de leite integral ou fortificado com vitamina D por dia não necessita de suplementação dessa vitamina.[56]

## Quanto oferecer: quantidade de alimentos

Recomenda-se que a quantidade de alimento complementar que a criança recebe a partir dos 6 meses seja aumentada gradativamente, tendo o cuidado de não oferecer volumes acima do necessário, pois é desejável que a criança continue a receber boa quantidade de leite materno. A quantidade recomendada em cada faixa etária baseia-se nas necessidades nutricionais da criança que não são preenchidas pelo leite materno e depende da densidade energética do alimento (em média, entre 0,6 e 1 kcal/g – a do leite materno é 0,7 kcal/g). Quanto mais denso for o alimento sob o ponto de vista energético, menor é o volume necessário para cobrir as necessidades nutricionais da criança.

**De maneira geral, inicia-se a alimentação complementar oferecendo 2 a 3 colheres de sopa por refeição, e aumentando para 3 a 4 colheres entre 7 e 8 meses, 4 a 5 entre 9 e 11 meses e 5 a 6 entre 1 e 2 anos de idade.**

Essas quantidades servem apenas para a família ter alguma referência, pois elas variam, devendo ser respeitadas as características individuais de cada criança.

**A melhor maneira de saber se a quantidade de alimentos consumida está adequada é avaliar o crescimento da criança.**

A criança possui mecanismo de autorregulação de ingestão diária de energia. Como consequência, tende a comer quantidades menores de alimentos muito calóricos. Apesar disso, crianças com dietas com alta densidade energética tendem a ter uma ingestão diária de energia maior. A capacidade gástrica limitada da criança pequena pode impedi-la de alcançar as suas necessidades energéticas se a dieta for de baixa densidade energética. Por outro lado, se a criança recebe grande quantidade de energia dos alimentos complementares, ela poderá reduzir a ingestão de leite materno, o que não é aconselhável, principalmente nas crianças menores.

Muitas vezes, o volume de alimentos complementares que os pais/cuidadores esperam que a criança ingira em uma refeição é maior que sua capacidade gástrica e suas necessidades nutricionais. Isso pode gerar ansiedade nos pais e recusa dos alimentos pela criança.

**No início da introdução da alimentação complementar, a criança costuma aceitar pouca quantidade de alimentos complementares. Nessa fase, o leite materno ainda é o principal alimento.**

## Como oferecer: consistência e apresentação dos alimentos

A consistência dos alimentos é muito importante para o crescimento adequado da face e do sistema estomatognático. Em torno dos 6 meses, a gengiva da criança já é suficientemente dura para triturar os alimentos. Alimentos espessos estimulam os movimentos de lateralização da língua e o reflexo de mastigação, contribuindo para o desenvolvimento da musculatura facial e para a mastigação. Quanto mais consistente for a alimentação, maior e mais coordenado é o crescimento facial e melhor é o crescimento do músculo masseter. Alimentos mais duros requerem mais ciclos e movimentos mastigatórios para a quebra do alimento, para que seja possível a deglutição, aumentando, assim, a duração da mastigação, o que é desejável. Um dos fatores ambientais que mais desvia o crescimento adequado da face é a baixa consistência dos alimentos, propiciando a falta de exercícios mastigatórios, que resulta em alterações funcionais dos músculos, alterando os estímulos ao crescimento facial.

A consistência dos alimentos complementares a ser oferecida para a criança depende de sua idade e do seu desenvolvimento neuromotor. Inicialmente, os alimentos devem ser macios (amassados com garfo), sem, no entanto, serem diluídos. Sopas, caldos e comidas ralas/muito moles não fornecem calorias suficientes para suprir as necessidades energéticas das crianças pequenas. Os alimentos não devem ser peneirados ou passados no liquidificar ou *mixer*.

**Desde o início da alimentação complementar, o alimento deve ser espesso o suficiente para não "cair" da colher quando virada.**

Em seguida, deve-se começar a oferecer os alimentos picados em pedaços pequenos, raspados ou desfiados, para que a criança aprenda a mastigá-los. Também podem ser oferecidos alimentos macios em pedaços maiores para a criança segurar e levar à boca.

A popularidade do método BLW (do inglês *baby-led weaning* [desmame guiado pelo bebê]) tem crescido. Utilizado na fase de introdução da alimentação complementar, consiste em a criança se alimentar com as suas próprias mãos com alimentos em formatos e texturas adequadas, sem o uso da colher para garantir que ela coma.

Até o momento, não há evidências suficientes para recomendar ou desestimular o método.[57]

Quanto ao preparo do prato para a criança, três recomendações são muito importantes:[2]

1. **prestar atenção à quantidade de comida servida:** é muito comum os cuidadores colocarem muita comida no prato, dando a impressão de que a criança comeu pouco quando não aceita todo o alimento oferecido;
2. **prestar atenção à apresentação do prato:** apresentações atraentes incentivam a criança a comer;
3. **não misturar os alimentos:** a mistura inibe o aprendizado de novos sabores e texturas. Os alimentos devem ser colocados em porções separadas no prato da criança.

### Quando oferecer: frequência das refeições

O *Guia alimentar para crianças brasileiras menores de 2 anos* orienta que em torno dos 7 meses a criança receba 3 refeições: almoço, jantar e 1 lanche, ou almoço (ou jantar) e 2 lanches contendo fruta. A partir de 7 a 8 meses, a recomendação é ofertar 4 refeições ao dia: almoço, jantar e 2 lanches contendo fruta. O leite materno deve continuar a ser oferecido sem horários fixos, porém não substituindo o almoço ou jantar. Se a criança está sendo amamentada, não há necessidade de introduzir leite de vaca ou refeições lácteas na sua dieta.

As refeições do almoço e do jantar não devem ser substituídas por refeições lácteas ou lanches.

### Esquema alimentar da criança amamentada

A **TABELA 98.1** resume o esquema alimentar da criança amamentada dos 6 meses aos 2 anos de idade. São sugestões gerais que podem ser adaptadas de acordo com o contexto de cada criança e família.

## ALIMENTAÇÃO DA CRIANÇA NÃO AMAMENTADA

Se, por alguma razão, a criança não está sendo amamentada e não há possibilidade de reverter essa situação, ela deve receber outro leite. Nesses casos, as fórmulas infantis (leites modificados) são a primeira opção, pelo menos até os 9 meses de idade. A idade em que a fórmula infantil pode ser substituída pelo leite de vaca não modificado não é consensual. As diretrizes da SBP[55] e dos Estados Unidos[56] orientam não oferecer leite não modificado à criança no 1º ano de vida, por não possuir a quantidade adequada de nutrientes, ter elevado teor de eletrólitos e proteínas e baixo teor em ferro, além de inibir a absorção de ferro C/D. O consumo de leite de vaca não modificado como principal fonte de leite para lactentes com idade < 6 meses pode causar sangramento gastrintestinal e aumento da perda de sangue oculto nas fezes.[58]

No entanto, as evidências apontam que as desvantagens do leite de vaca integral em relação à fórmula infantil observadas nos primeiros meses de vida desaparecem gradativamente, não sendo mais observadas a partir dos 9 aos 12 meses, desde que a alimentação complementar seja adequada (consumo regular de ampla variedade de alimentos ricos em ferro, como carnes) e o volume máximo do leite ingerido por dia não exceda 500 a 750 mL/dia.[24] Para a maioria das crianças, 2 copos de leite por dia (500 mL) têm mínimo impacto na ferritina sérica.[59] Volumes maiores podem inibir que a criança consuma outros alimentos que contenham nutrientes inexistentes no leite e podem levar à constipação, por falta de fibras.[60] Além disso, consumo excessivo de leite é um dos principais fatores de risco para anemia em lactentes.[61] Oferecer o leite em copo em vez de na mamadeira pode ser uma boa estratégia para evitar ingestão excessiva de leite.[24]

No Canadá,[24] a orientação é de que a introdução de leite não modificado não ocorra antes dos 9 meses. Segundo a OMS,[62] se a criança está com fórmula infantil, o leite de vaca pode ser gradativamente introduzido entre 9 e 12 meses, mas, se não houver dificuldades financeiras da família para adquirir a fórmula, é preferível manter a fórmula até os 12 meses. A OMS não recomenda o uso de leite de vaca não modificado antes dos 9 meses.

> Em crianças não amamentadas com idade < 4 meses com impossibilidade de receber fórmula infantil, o leite de vaca deve ser diluído (2 partes de leite para 1 parte de água).

Essa recomendação se dá pelo risco de sobrecarga renal, por causa do excesso de proteínas e eletrólitos. A **TABELA 98.2**

**TABELA 98.1** → Esquema alimentar para crianças amamentadas de 6 meses a 2 anos de idade

| IDADE | TEXTURA | FREQUÊNCIA | QUANTIDADE MÉDIA* |
|---|---|---|---|
| 6-7 meses | Começar com alimentos amassados com garfo | 3 refeições por dia aos 7 meses: almoço, jantar e 1 lanche, ou almoço (ou jantar) e 2 lanches com frutas | 2-3 colheres de sopa por refeição |
| 7-8 meses | Alimentos menos amassados ou bem picados, ou alimentos macios em pedaços maiores para a criança segurar | 4 refeições: almoço, jantar e 2 lanches com frutas | 3-4 colheres de sopa por refeição |
| 9-11 meses | Alimentos picados na mesma consistência dos alimentos da família; carne desfiada; alimentos que a criança consiga pegar | 4 refeições: almoço, jantar e 2 lanches com frutas | 4-5 colheres de sopa por refeição |
| 1-2 anos | Alimentos da família, picados ou desfiados, se necessário | 4 refeições: almoço, jantar e 2 lanches; em um dos lanches, a fruta pode ser substituída em alguns dias da semana por um alimento do grupo de raízes e tubérculos ou cereais, como pão (caseiro ou francês) ou aveia | 5-6 colheres de sopa por refeição |

*Em todas as fases, o leite materno pode ser oferecido em livre demanda.

**TABELA 98.2** → Diluição correta do leite integral não modificado em crianças antes e depois dos 4 meses de idade

| VOLUME | LEITE EM PÓ | | LEITE LÍQUIDO |
|---|---|---|---|
| | < 4 MESES | ≥ 4 MESES | < 4 MESES |
| 100 mL | 1 colher rasa de sobremesa (10 g) | 1 colher rasa de sopa (15 g) | Leite: 70 mL<br>Água: 30 mL |
| 150 mL | 1 ½ colher rasa de sobremesa (15 g) | 1 ½ colher rasa de sopa (22,5 g) | Leite: 100 mL<br>Água: 50 mL |
| 200 mL | 2 colheres rasas de sobremesa (20 g) | 2 colheres rasas de sopa (30 g) | Leite: 130 mL<br>Água: 70 mL |
| 250 mL | 2 ½ colheres rasas de sobremesa (25 g) | 2 ½ colheres rasas de sopa (37,5 g) | Leite: 170 mL<br>Água: 80 mL |

apresenta a diluição correta do leite integral não modificado de acordo com a faixa etária da criança. Para as fórmulas infantis, é necessário seguir as recomendações de diluição do fabricante, contidas no rótulo das embalagens.

O volume de leite a ser oferecido por dia para crianças alimentando-se exclusivamente com leite pode ser calculado multiplicando-se o peso da criança em kg por 150 mL, divididos em 8 tomadas, ou aproximadamente 20 mL por kg de peso por tomada. Após a introdução da alimentação complementar, o volume de leite oferecido à criança aos 6 meses pode ser mantido, podendo variar de acordo com as demandas da criança.[39]

Se a criança estiver recebendo leite não modificado, ela deve receber suplementação de vitamina C (30 mg/dia), sob a forma de suco ou suplemento medicamentoso, iniciando aos 2 meses, e suplementação de ferro (1-2 mg/kg/dia) a partir de 2 a 3 meses.

**É muito importante não confundir leite (fórmula infantil ou leite não modificado) com fórmulas lácteas. Esses produtos são produzidos com uma mistura de leite (no mínimo, 51%) e outros ingredientes lácteos ou não lácteos e costumam conter açúcar e aditivos alimentares. Portanto, não são saudáveis C/D, e o seu consumo não é recomendado.**

A criança pode receber o leite em copo (preferencialmente) ou mamadeira. As mamadeiras são de difícil limpeza e exigem maiores cuidados ao limpá-las, para evitar contaminação por germes patológicos. O orifício do bico da mamadeira deve ser pequeno, o que possibilita à criança fazer força para retirar o leite e evita engasgos. Ao virar a mamadeira para baixo, o leite deve pingar, e não escorrer.

**Quando a criança usa mamadeira, é importante que esta seja usada apenas para alimentar a criança, e não para acalmá-la; nunca oferecer outros alimentos na mamadeira, além de água, sucos ou leite; e retirar a mamadeira gradativamente quando a criança começar com os alimentos complementares, de maneira que a criança não precise mais desse dispositivo com 1 ano de idade.**

O uso prolongado de mamadeira está associado a consumo excessivo de calorias, aumentando o risco de obesidade na infância C/D,[63-65] cáries dentárias (RRR = 57%) C/D,[66] distoclusão[67] C/D e problemas mastigatórios C/D.[68]

A introdução de alimentos complementares na criança não amamentada que recebe fórmula infantil deve acontecer aos 6 meses de vida, como nas crianças amamentadas C/D. A fórmula supre os nutrientes necessários para o crescimento da criança nessa fase, e, aos 6 meses, ela estará mais pronta do ponto de vista do desenvolvimento (motor e cognitivo) e imunológico para receber novos alimentos. Já para a criança que recebe leite de vaca não modificado, a introdução da alimentação complementar deve ocorrer entre 4 e 6 meses de vida, com a finalidade de suprir as deficiências nutricionais do leite, sobretudo dos micronutrientes, e de reduzir o consumo de leite e, consequentemente, a ingestão excessiva de proteína/sódio via leite de vaca.

A **TABELA 98.3** resume o esquema alimentar da criança não amamentada dos 6 meses aos 2 anos. São sugestões gerais que podem ser adaptadas de acordo com o contexto da criança e da família.

**TABELA 98.3** → Esquema alimentar para crianças não amamentadas de 6 meses a 2 anos de idade

| IDADE | TEXTURA | REFEIÇÕES* | QUANTIDADE MÉDIA |
|---|---|---|---|
| 6-7 meses | Começar com alimentos amassados com garfo | → Café da manhã: fórmula infantil<br>→ Lanche da manhã: fruta<br>→ Almoço<br>→ Lanche da tarde: fórmula infantil e fruta<br>→ Jantar<br>→ Entre o lanche e a ceia: fórmula infantil<br>→ Ceia: fórmula infantil | → 2-3 colheres de sopa por refeição<br>→ Fórmula infantil: quantidade diária que a criança costumava tomar aos 6 meses |
| 7-8 meses | Alimentos menos amassados ou bem picados, ou alimentos macios em pedaços maiores para a criança segurar | → Café da manhã: fórmula infantil<br>→ Lanche da manhã: fruta<br>→ Almoço<br>→ Lanche da tarde: fórmula infantil e fruta<br>→ Jantar<br>→ Ceia: fórmula infantil | → 3-4 colheres de sopa por refeição<br>→ Fórmula infantil: quantidade diária que a criança costumava tomar aos 6 meses |
| 9-11 meses | Alimentos picados na mesma consistência dos alimentos da família; carne desfiada; alimentos que a criança possa pegar | → Café da manhã: fórmula infantil (preferencialmente) ou leite de vaca integral<br>→ Lanche da manhã: fruta<br>→ Almoço<br>→ Lanche da tarde: fórmula infantil ou leite de vaca integral, e fruta<br>→ Jantar<br>→ Ceia: fórmula infantil ou leite de vaca integral | → 4-5 colheres de sopa por refeição<br>→ Fórmula infantil: quantidade diária que a criança costumava tomar aos 6 meses<br>→ Leite de vaca integral: não ultrapassar 500-750 mL/dia |
| 1-2 anos | Alimentos da família, picados ou desfiados, se necessário | → Café da manhã: leite de vaca integral e fruta ou cereais (pão caseiro ou francês, aveia) ou raízes e tubérculos<br>→ Lanche da manhã: fruta<br>→ Almoço<br>→ Lanche da tarde: leite de vaca integral e fruta ou cereais (pão caseiro ou francês, aveia) ou raízes e tubérculos<br>→ Jantar<br>→ Ceia: leite de vaca integral | → 5-6 colheres de sopa por refeição<br>→ Leite de vaca integral: não ultrapassar 500-750 mL/dia |

*Oferecer água entre as refeições.

## FORMA DE CUIDAR E OFERECER AS REFEIÇÕES

Não somente o que a criança come é importante, mas também como, quando, onde e quem a alimenta. A família e o ambiente social desempenham papel fundamental na formação de hábitos alimentares saudáveis. Para isso, os cuidadores devem servir como modelos, comendo os mesmos alimentos saudáveis que eles querem que as crianças comam e aprendam a gostar. Além disso, devem ser responsivos enquanto alimentam as crianças, e não devem forçá-las a terminar toda a comida servida em seus pratos, nem utilizar técnicas de coação ou chantagem.[69]

Há evidências de que a alimentação dita "responsiva" promove a autorregulação sobre a ingestão de alimentos e a independência da criança para comer sem ajuda, melhora a nutrição e o desenvolvimento infantil e facilita a aceitação de alimentos pelas crianças C/D.[70-73]

A alimentação responsiva ocorre na seguinte sequência:[74]
1. a criança sinaliza fome ou saciedade por meio de ações e expressões;
2. o cuidador reconhece a sinalização dada pela criança;
3. o cuidador dá respostas rápidas, estimulantes e adequadas ao desenvolvimento da criança;
4. a criança vivencia e apreende essa experiência.

A tarefa de alimentar a criança pequena requer paciência, pois ela demora para comer, faz sujeira e se distrai facilmente; pode comer um pouco, brincar e voltar a comer. É necessário, além de paciência, bom humor. É uma tarefa que deve ser compartilhada por todos os integrantes da família ou outras pessoas que convivam com ela. Mas é muito importante que essas pessoas tenham uma relação de afeto e confiança com a criança, saibam estimular a criança a comer, evitem certas atitudes durante a refeição da criança e reconheçam e respeitem os sinais de fome e saciedade.

Os sinais de fome e saciedade variam de acordo com a idade da criança – por exemplo, fazer sons com a boca, sorrir, abrir a boca, querer pegar o alimento quando tem fome e fechar a boca e virar o rosto quando não quer mais comer.

Os adultos devem encorajar as crianças a comer sozinhas, sempre supervisionando para se certificar de que elas estão ingerindo o suficiente.

Uma boa prática é aproveitar quando a criança está com fome para oferecer alimentos saudáveis, mesmo que não seja horário das refeições. Por exemplo, se a criança tem fome pouco antes do horário estipulado para o almoço ou jantar, é preferível oferecer o alimento que seria consumido na refeição (ou similar) do que oferecer outro alimento menos saudável para "enganar" a fome da criança, o que faz ela comer pouco ou não comer na hora da refeição.

> São desaconselháveis quaisquer práticas de gratificação (prêmios) ou coercivas (castigos) com o intuito de a criança aceitar a alimentação. Às vezes, pode ser necessário insistir para que a criança coma, mas nunca forçar.

A TABELA 98.4 lista itens que facilitam ou dificultam o aprendizado da criança quanto à sua alimentação.

**TABELA 98.4** → Atitudes durante a refeição da criança que facilitam ou dificultam o aprendizado da alimentação

**Atitudes positivas**
- Colocar a criança para comer junto com a família, fazendo um prato somente para ela
- Deixar a criança livre para segurar os alimentos e utensílios
- Variar as formas de apresentação dos alimentos: um prato bonito, colorido, cheiroso e saboroso motiva a criança a comer
- Interagir com a criança – dizer sempre o nome dos alimentos que ela está comendo
- Dedicar tempo e paciência
- Parabenizar e elogiar o consumo dos alimentos/refeições

**Atitudes negativas**
- Forçar a criança a comer
- Oferecer atrativos como TV, celular, *tablets*
- Utilizar aparelhos eletrônicos enquanto oferece comida à criança
- Alimentar a criança enquanto ela anda e brinca pela casa
- Esconder alimentos que a criança não gosta em preparações
- Evitar frases do tipo: "se raspar o prato todo, vai ganhar sobremesa", "vou ficar tão triste se você não comer", "se você não comer não vai brincar", "por favor, só mais uma colherzinha"

Fonte: Brasil.[2]

## HIGIENE E MANIPULAÇÃO APROPRIADA DOS ALIMENTOS

As práticas de higiene da alimentação, que incluem a manipulação, a preparação, a posterior estocagem e a administração dos alimentos, são importantes na promoção da nutrição dos lactentes. A contaminação microbiana dos alimentos é uma causa importante de doença diarreica, sobretudo em crianças entre 6 e 12 meses. Ocorre devido à contaminação da água, à má higiene pessoal (com consequente contaminação das mãos de quem prepara o alimento e alimenta a criança) e dos utensílios (em especial as mamadeiras e respectivos bicos), e à estocagem inadequada dos alimentos após a preparação.

A contaminação do alimento é comum quando ele é estocado em temperatura ambiente, sobretudo em locais de clima quente.

> Quando não for possível refrigerar o alimento, ele deve ser consumido logo depois de preparado (não mais que 2 horas).

Durante as refeições, pode-se dar alimentos sólidos na mão da criança para ela comer, e muitas vezes ela manifesta o desejo de comer parte dos alimentos com as próprias mãos. Por isso, é importante que tanto as mãos do cuidador quanto as da criança sejam bem lavadas antes das refeições.

A água para beber, bem como a água utilizada no preparo dos alimentos, deve ser o mais limpa possível (tratada ou fervida, além de filtrada).

A TABELA 98.5 resume as práticas de higiene que devem ser promovidas em todas as etapas da alimentação da criança e da família.

## ALIMENTAÇÃO EM SITUAÇÕES ESPECIAIS

### Vegetarianismo

A recomendação de amamentação por 2 anos ou mais, sendo exclusiva nos primeiros 6 meses, vale também para a criança vegetariana.

| TABELA 98.5 → Boas práticas de higiene na alimentação da criança e da família |
|---|
| → Lavar as mãos com água e sabão antes do preparo do alimento |
| → Consumir alimentos frescos |
| → Lavar adequadamente os alimentos crus: lavar em água corrente e colocar de molho por 10 minutos, em água clorada, na diluição de 1 colher de sopa do produto com cloro para cada litro de água; enxaguar em água corrente, mesmo os alimentos que não são consumidos com casca |
| → Manter limpas as superfícies onde as refeições são preparadas |
| → Usar utensílios limpos |
| → Evitar uso de mamadeira |
| → Armazenar em geladeira alimentos perecíveis ou preparados |
| → Cozinhar bem os alimentos |
| → Não misturar alimentos crus e cozidos |
| → Evitar carnes, ovos, frango ou peixes crus ou malcozidos, leite e derivados não pasteurizados |
| → Lavar bem as mãos da criança e de quem a alimenta antes das refeições |
| → Não oferecer à criança sobras do prato (restos) da refeição anterior |
| → Proteger os alimentos e utensílios contra animais (ratos, baratas, moscas, formigas) e poeira |
| → Utilizar água limpa (tratada, filtrada ou fervida) para beber e no preparo dos alimentos |

O leite materno de mulheres vegetarianas tem composição nutricional semelhante ao das mulheres onívoras, inclusive no que concerne às concentrações de proteínas e minerais como cálcio, ferro e zinco. No entanto, para as lactantes vegetarianas estritas ou veganas (que não utilizam nenhum produto de origem animal), deve-se atentar para que elas recebam suplementação de vitamina $B_{12}$. Caso a lactante não consuma boas fontes de ômega-3, ela deve receber suplementação de ácido docosaexaenoico (DHA). Boas fontes vegetais de ômega-3 são semente de linhaça, óleo de linhaça, semente de chia e castanhas.

Nas crianças não amamentadas ou parcialmente amamentadas nos primeiros 6 meses de vida, os leites vegetais (de soja, coco, amêndoas, arroz, aveia, gergelim, grão-de-bico, entre outros) – que na realidade não são leites, apesar da denominação – não substituem o leite. Usá-los como substitutos do leite materno traz importantes riscos para o crescimento e o desenvolvimento da criança **C/D**.

A partir dos 6 meses, a criança vegetariana, assim como as demais crianças, deve começar a receber os alimentos complementares. Uma família adepta ao vegetarianismo que quer que a criança siga essa prática necessita de especial atenção à escolha dos alimentos e à sua combinação, para garantir a oferta de alimentos variados que forneçam quantidades suficientes de nutrientes, em especial o ferro e o cálcio, para atender as necessidades da criança e prevenir deficiências nutricionais.

Recomenda-se que a criança receba diariamente, no almoço e no jantar, um alimento do grupo dos cereais ou do grupo dos tubérculos e raízes; um alimento do grupo dos feijões; dois ou mais alimentos do grupo dos legumes e verduras, sendo um vegetal folhoso verde-escuro e um legume colorido; e um alimento do grupo das frutas.

Dietas vegetarianas, por apresentarem maior teor de frutas, fibras e água, podem resultar em menor densidade energética e necessidade de ingestão de maior volume de alimentos para atingir as necessidades calóricas. Uma forma de otimizar o consumo energético é estimular o consumo de leguminosas, cereais e castanhas e adicionar gorduras de boa qualidade na alimentação, como azeite de oliva e óleo de linhaça. Estes, além de fornecer energia, são fontes de ácidos graxos monoinsaturados e poli-insaturados essenciais, como o ômega-3.

Além de atenção ao consumo energético da criança vegetariana, é preciso estar atento ao aporte de ferro, cálcio e vitamina $B_{12}$.[75]

A ausência do consumo de ferro de origem animal e a menor biodisponibilidade do ferro de origem vegetal aumentam o risco da criança vegetariana à deficiência de ferro. A oferta de fruta, como fonte de vitamina C, durante a refeição, ajuda a aumentar a absorção de ferro. A necessidade de suplementação desse micronutriente nessas crianças deve ser reforçada (ver Capítulo Deficiência de Ferro e Anemia em Crianças).

Em crianças cuja opção familiar é não consumir leite e seus derivados, deve-se estimular o consumo de alimentos fontes de cálcio, principalmente se a criança não é amamentada ou é pouco amamentada. Alimentos como vegetais verde-escuros, como couve, agrião e brócolis, e oleaginosas, como amêndoa e sementes (p. ex., gergelim e chia), são fontes ricas de cálcio com maior biodisponibilidade.

É consenso a recomendação de fazer a suplementação rotineira de vitamina $B_{12}$ para crianças vegetarianas, mesmo as que consomem ovos e/ou laticínios, na dose que varia de acordo com a idade: 5µg/dia até 3 anos, 25 µg/dia entre 4 e 10 anos e 50 µg/dia em adolescentes.[76-78]

> É importante salientar que, devido à heterogeneidade, às amostras reduzidas e aos vieses dos estudos, não há evidências conclusivas sobre os benefícios ou riscos da dieta vegetariana em crianças e adolescentes **C/D**.[79]

Assim, diante do exposto, é fundamental que o profissional de saúde apoie a família adepta ao vegetarianismo a planejar adequadamente a dieta da criança, com as suplementações oportunas, e acompanhe atentamente o seu crescimento e desenvolvimento.

## Alimentação fora de casa

Os alimentos consumidos fora de casa tendem a ter elevada densidade energética, alto teor de gorduras e açúcares, e baixo conteúdo de fibras e cálcio, além de serem, com frequência, consumidos com refrigerantes e doces. Comer fora de casa está associado a obesidade e sobrepeso, principalmente quando o consumo ocorre em restaurantes tipo *fast food*.[80] Assim, é importante que a criança mantenha a alimentação saudável mesmo fora de casa. Deve-se lembrar que a criança está formando seus hábitos alimentares e o consumo desses alimentos, mesmo que ocasionalmente, pode comprometer a aceitação da criança de alimentos *in natura* ou minimamente processados.

Em passeios, festas e outras saídas com a criança, é possível continuar ofertando os alimentos que a criança come em casa. Muitos dos alimentos *in natura* ou minimamente processados (como frutas e legumes crus, frutas secas) podem ficar em temperatura ambiente por algum tempo, e o almoço e o jantar podem ser acondicionados em recipientes térmicos.

## Criança que não quer comer

É muito comum a queixa de pais/cuidadores de que a criança não quer comer, come muito pouco ou só come determinados alimentos (alimentação seletiva). Nesses casos, é muito importante identificar o que está causando esse comportamento. Pode ser que a criança esteja comendo menos porque o seu ritmo de crescimento está diminuindo, o que ocorre depois do 1º ano de vida; porque está comendo nos intervalos das refeições; porque está com sono ou irritada na hora de comer; porque os cuidadores colocam muita comida no prato, e a criança não aceita tudo (nesse caso, apenas parece que a criança está comendo pouco); ou, ainda, porque a criança está usando a alimentação para expressar seus sentimentos, sinalizando que algo não está bem (p. ex., reação à maneira como está sendo alimentada ou cuidada, nascimento de um irmão, problema familiar).

A avaliação do crescimento da criança é muito importante para que o profissional consiga dimensionar a gravidade da queixa de que a criança não se alimenta bem. Se a criança não está crescendo adequadamente, é necessário intervir para reverter a situação.

As seguintes medidas podem ser úteis para estimular a criança a comer mais e melhor, quando este for o caso:[2]

- → cuidar para que o horário da alimentação seja um momento tranquilo e de prazer – manter tranquilidade e paciência, não demonstrar ansiedade, cantar ou conversar com a criança, não obrigar a criança a comer e não insistir para que ela raspe o prato, não oferecer recompensas (sobremesa, brinquedo, televisão, celular), parar de alimentá-la quando perceber que ela está satisfeita;
- → montar um prato com apresentação atraente;
- → utilizar talheres de tamanho adequado à criança;
- → variar os alimentos e procurar oferecer alimentos novos, preparados de formas saborosas e separados no prato;
- → quando possível, colocar alimentos variados no prato para proporcionar mais opções;
- → aumentar o intervalo entre as refeições, se forem curtos;
- → incentivar a criança a comer sozinha, aumentando o seu interesse pelos alimentos;
- → evitar oferecer água durante as refeições;
- → apresentar os alimentos que a criança recusa de forma diferente (p. ex., a cenoura pode ser oferecida crua, cozida, refogada, em forma de purê, suflê, bolo caseiro);
- → não substituir almoço ou jantar por lanches ou algum alimento preferido pela criança;
- → se, após algum tempo, a criança mostrar sinais de fome depois de ter recusado a alimentação, preparar um novo prato com a comida oferecida na refeição recusada;
- → não oferecer outros alimentos, incluindo o leite materno, em horário muito próximo ao das refeições;
- → não interromper a amamentação em crianças amamentadas, pois o problema não é a amamentação. O leite materno continua sendo uma excelente fonte de nutrientes para a criança.

## Alimentação da criança doente

A criança doente, em geral, mostra menos apetite e come menos e, se estiver sendo amamentada, costuma solicitar mais o peito. As necessidades hídricas aumentam durante episódios de doença e, no período de convalescença, o apetite da criança encontra-se acima do habitual, em uma tentativa de compensar a perda de peso.

As seguintes orientações são úteis na tentativa de melhorar a alimentação da criança durante a sua doença e convalescença:[2]

- → na criança amamentada, oferecer leite materno com mais frequência;
- → na criança não amamentada exclusivamente, oferecer mais água ao longo do dia, nos intervalos das refeições;
- → alimentar a criança com pequenas porções mais vezes ao dia;
- → ser flexível com os horários de refeições;
- → manter a dieta saudável, oferecendo os alimentos de preferência da criança;
- → arrumar o prato de forma que estimule a criança a comer;
- → oferecer o alimento na consistência preferida da criança, ou na consistência que facilite a sua deglutição e não irrite as mucosas (alimentos muito ácidos) caso apresente dor à deglutição e/ou à mastigação;
- → oferecer alimentos ricos em vitamina A na vigência de doenças que espoliam essa vitamina, como sarampo, diarreia e infecções respiratórias agudas;
- → redobrar a paciência para alimentar a criança;
- → na fase de convalescença, aumentar a quantidade de comida em cada refeição e incluir outras pequenas refeições ao longo do dia.

# PROTEÇÃO DA CRIANÇA EM RELAÇÃO À PUBLICIDADE DE ALIMENTOS

A exposição das crianças à publicidade de alimentos é associada a maior preferência por alimentos e bebidas ultraprocessados, com alto teor de gordura, açúcar, sal e aditivos químicos.[81–83] Por isso, elas precisam ser protegidas dessa exposição, sobretudo da publicidade dos alimentos ultraprocessados. A propaganda está presente na televisão, no rádio, em *outdoors*, em cartazes disseminados, em rótulos de alimentos, em revistas e jornais, em jogos eletrônicos, nos *sites* e nas redes sociais. A criança confunde facilmente a realidade com a ficção dos programas televisivos e da publicidade, porque ela não tem desenvolvida a capacidade de julgamento e decisão. Músicas, personagens infantis, cores e desenhos estimulam o imaginário infantil e contribuem para incentivar o desejo de consumo de determinado produto.

A OMS recomenda regulamentação da publicidade de alimentos para o público infantil como estratégia importante para a redução do consumo de alimentos ultraprocessados e para a redução dos níveis de excesso de peso das crianças.[84] No Brasil, não há uma legislação que aborde diretamente a publicidade infantil. Porém, existe a Lei nº 11.265, de 3 de janeiro de 2006, regulamentada em 2018,[85] que trata da comercialização, da publicidade e de práticas correlatas de alimentos para lactentes e crianças de primeira infância e produtos de puericultura correlatos. Estão, no escopo da lei, os seguintes produtos consumidos por crianças com até 3 anos de idade: alimentos de transição e alimentos à base de cereais, indicados para lactentes ou crianças de primeira infância, e outros alimentos ou bebidas à base de leite ou não, quando comercializados ou apresentados como apropriados para a alimentação de lactentes e crianças de primeira infância; fórmulas de nutrientes apresentadas ou indicadas para recém-nascidos de alto risco; fórmulas infantis de acompanhamento para crianças de primeira infância; fórmulas infantis para lactentes e fórmulas infantis de acompanhamento para lactentes; fórmulas infantis para necessidades dietoterápicas específicas; leites fluidos ou em pó; leites modificados e similares de origem vegetal; e mamadeiras, bicos e chupetas (para alguns detalhes sobre a lei, ver Capítulo Aleitamento Materno: Aspectos Gerais).

Há evidências de que o maior tempo de exposição a telas está associado a efeitos danosos à saúde das crianças e dos adolescentes, incluindo aumento de adiposidade, maior consumo de dieta não saudável, sintomas depressivos e baixa qualidade de vida.[86]

Nesse sentido, controlar o "tempo de telas" (televisão, computador, *tablet*, celular) é uma das estratégias para proteger a criança da publicidade de alimentos. Recomenda-se que crianças com idade < 2 anos não tenham acesso a esses equipamentos.

Substituir o tempo de uso de telas por brincadeiras, como jogar, correr, cantar, dançar, não só inibe a exposição das crianças às propagandas, como promove o seu desenvolvimento.

Os estabelecimentos comerciais possuem estratégias de comunicação que estimulam o desejo das crianças por determinados produtos. Assim, se as crianças acompanharem os pais/cuidadores às compras, são necessários alguns cuidados, como sair com a criança alimentada de casa ou levar algum lanche saudável para comer durante as compras; dependendo da idade da criança, fazer combinações prévias; e ocupar a criança durante as compras (pedir para pegar produtos das prateleiras, arrumar o carrinho). Levar a criança a feiras livres é um excelente aprendizado sobre alimentação saudável.

## OS DOZE PASSOS PARA UMA ALIMENTAÇÃO SAUDÁVEL

As recomendações do *Guia alimentar para crianças brasileiras menores de 2 anos* encontram-se nos "Doze passos para uma alimentação saudável"[2] (TABELA 98.6). É fundamental que o profissional de saúde conheça essas recomendações e as repasse para as famílias sob seu cuidado.

**TABELA 98.6** → Doze passos para uma alimentação saudável de crianças com idade < 2 anos

| PASSO | DICA PARA O PROFISSIONAL |
|---|---|
| **Passo 1** – Amamentar até 2 anos ou mais, oferecendo somente o leite materno até os 6 meses | Não há limite máximo estabelecido para a duração do aleitamento materno |
| **Passo 2** – Oferecer alimentos *in natura* ou minimamente processados, além do leite materno, a partir dos 6 meses | A alimentação da criança deve ser composta por alimentos de diferentes grupos (cereais/tubérculos, leguminosas/feijões, legumes/verduras, carnes/ovos e frutas), variando os alimentos |
| **Passo 3** – Oferecer água própria para o consumo em vez de sucos, refrigerantes e outras bebidas açucaradas | A criança deve habituar-se a matar a sede com água; é preferível oferecer a fruta *in natura* em vez de suco da fruta |
| **Passo 4** – Oferecer a comida amassada quando a criança começar a comer outros alimentos além do leite materno | No início, a comida deve ser amassada com garfo; a seguir, gradualmente, a comida deve ser menos amassada e oferecida em pedaços, desfiada, até que a criança passe a comer os alimentos com a mesma consistência dos da família |
| **Passo 5** – Não oferecer açúcar nem preparações ou produtos que contenham açúcar à criança com até 2 anos de idade | Não incluir na alimentação da criança açúcar de qualquer tipo, mel, adoçantes e preparações ou produtos prontos que contenham algum desses ingredientes (biscoitos, bolos, iogurtes, etc.) |
| **Passo 6** – Não oferecer alimentos ultraprocessados para a criança | Esses alimentos geralmente são pobres em nutrientes e podem conter muito sal, gordura e açúcar, além de aditivos, como adoçantes, corantes e conservantes; Além disso, podem aumentar o risco de obesidade, diabetes, doenças cardiovasculares, câncer e cáries |
| **Passo 7** – Cozinhar a mesma comida para a criança e para a família | Isso agiliza o dia a dia na cozinha e é uma oportunidade de melhorar a qualidade da dieta da família; ao completar 1 ano, a criança já deve estar fazendo as principais refeições com a comida da família |
| **Passo 8** – Zelar para que a hora da alimentação da criança seja um momento de experiências positivas, aprendizado e afeto junto com a família | O ambiente acolhedor e tranquilo e a boa relação entre a criança e as pessoas que cuidam dela podem influenciar, de forma positiva, na aceitação dos alimentos e preparações e a sua relação com a alimentação no futuro |
| **Passo 9** – Prestar atenção aos sinais de fome e saciedade da criança e conversar com ela durante a refeição | Os sinais de fome e saciedade devem ser reconhecidos e respondidos de forma ativa e carinhosa; alimentar a criança é um processo que demanda paciência e tempo; deve-se evitar distrações, como televisão, celular, computador ou *tablet* |
| **Passo 10** – Cuidar da higiene em todas as etapas da alimentação da criança e da família | Cuidados com a higiene de quem faz a comida, da cozinha e dos alimentos previnem doenças na criança e na família |
| **Passo 11** – Oferecer à criança alimentação adequada e saudável também fora de casa | Alimentos consumidos fora de casa em geral não são saudáveis; comer fora de casa está associado a obesidade e sobrepeso, além de prejudicar a formação dos hábitos alimentares e comprometer a aceitação de alimentos saudáveis; é possível manter a alimentação saudável fora de casa, ofertando os alimentos que a criança come em casa |
| **Passo 12** – Proteger a criança da publicidade de alimentos | A criança confunde facilmente a realidade com a ficção dos programas televisivos e da publicidade, pois ela não tem desenvolvida a capacidade de julgamento e decisão; crianças com idade < 2 anos não devem utilizar televisão, celular, computador e *tablet* |

Fonte: Brasil.[2]

É importante frisar que a promoção da alimentação infantil saudável não está dissociada da promoção da alimentação saudável de toda a família.

Boas técnicas de comunicação são indispensáveis para promover, proteger e apoiar a alimentação saudável da criança. As técnicas de aconselhamento em amamentação descritas no Capítulo Aleitamento Materno: Aspectos Gerais são totalmente aplicáveis no contexto da alimentação infantil.

# REFERÊNCIAS

1. Victora CG, Adair L, Fall C, Hallal PC, Martorell R, Richter L, et al. Maternal and child undernutrition: consequences for adult health and human capital. Lancet. 2008;371(9609):340-57.
2. Brasil. Ministério da Saúde. Guia alimentar para crianças brasileiras menores de 2 anos. Brasília: MS; 2019.
3. World Health Organization. Guiding principles for complementary feeding of the breastfed child. Geneva: WHO; 2003.
4. Seventy-First World Health Assembly. Infant and young child feeding [Internet]. 2018 [capturado em 16 mar. 2021]. Disponível em: https://apps.who.int/iris/bitstream/handle/10665/279517/A71_R9-en.pdf?sequence=1&isAllowed=y.
5. World Health Organization. Infant and young child feeding. Geneva: WHO; 2020 [capturado em 16 mar. 2021]. Disponível em: https://www.who.int/news-room/fact-sheets/detail/infant-and-young-child-feeding.
6. Bortolini GA, Gubert MB, Santos LMP. Consumo alimentar entre crianças brasileiras com idade de 6 a 59 meses. Cad Saude Publica. 2012;28(9):1759-71.
7. Kramer MS, Kakuma R. Optimal duration of exclusive breastfeeding. Cochrane Database Syst Rev. 2012;2012(8):CD003517.
8. Jonsdottir OH, Thorsdottir I, Hibberd PL, Fewtrell MS, Wells JC, Palsson GI, et al. Timing of the introduction of complementary foods in infancy: a randomized controlled trial. Pediatrics. 2012;130(6):1038-45.
9. Lamberti LM, Zakarija-Grković I, Fischer Walker CL, Theodoratou E, Nair H, Campbell H, et al. Breastfeeding for reducing the risk of pneumonia morbidity and mortality in children under two: a systematic literature review and meta-analysis. BMC Public Health. 2013;13 Suppl 3(Suppl 3):S18.
10. Agostoni C, Decsi T, Fewtrell M, Goulet O, Kolacek S, Koletzko B, et al. Complementary feeding: a commentary by the ESPGHAN Committee on Nutrition. J Pediatr Gastroenterol Nutr. 2008;46(1):99-110.
11. Naylor AJ, Morrow AL. Developmental readiness of normal full term infants to progress from exclusive breastfeeding to the introduction of complementary foods [Internet]. Washington: LINKAGES/Wellstart International; 2001 [capturado em 16 mar. 2021]. Disponível em: https://pdf.usaid.gov/pdf_docs/Pnacs461.pdf.
12. Du Toit G, Roberts G, Sayre PH, Bahnson HT, Radulovic S, Santos AF, et al. Randomised trial of peanut consumption in infants at risk for peanut allergy. N Engl J Med 2015;372:803–13.
13. Ierodiakonou D, Garcia-Larsen V, Logan A, Groome A, Cunha S, Chivinge J, et al. Timing of allergenic food introduction to the infant diet and risk of allergenic or autoimmune disease. A systematic review and meta-analysis. JAMA 2016;316:1181–92.
14. Comberiati P, Costagliola G, D'Elios S, Peroni D. Prevention of food allergy: the significance of early introduction. Medicina (Kaunas). 2019;55(7):323
15. Caffarelli C, Di Mauro D, Mastrorilli C, Bottau P, Cipriani F, Ricci G. Solid food introduction and the development of food allergies. Nutrients. 2018;10(11):1790.
16. Brasil. Ministério da Saúde. Guia alimentar para a população brasileira. Brasília: MS; 2014.
17. Khandpur N, Neri DA, Monteiro C, Mazur A, Frelut ML, Boyland E, et al. Ultra-processed food consumption among the paediatric population: An overview and call to action from the European Childhood Obesity Group. Ann Nutr Metab. 2020;28:1-5.
18. Deren K, Weghuber D, Caroli M, Koletzko B, Thivel D, Frelutet ML, et al. Consumption of sugar sweetened beverages in paediatric age: a position paper of the European Academy of Paediatrics and the European Childhood Obesity Group. Ann Nutr Metab. 2019;74:296–302.
19. Bull CJ, Northstone K. Childhood dietary patterns and cardiovascular risk factors in adolescence: results from the Avon Longitudinal Study of Parents and Children (ALSPAC) cohort. Public Health Nutr. 2019;22(16):3101-3105.
20. Falcão RCTMA, Lyra CO, Morais CMM, Pinheiro LGB, Pedrosa LFC, Lima SCVC, et al. Processed and ultra-processed foods are associated with high prevalence of inadequate selenium intake and low prevalence of vitamin B1 and zinc inadequacy in adolescents from public schools in an urban area of northeastern Brazil. PLoS One. 2019;14(12):e0224984.
21. Costa CS, Del-Ponte B, Assunção MCF, Santos IS. Consumption of ultra-processed foods and body fat during childhood and adolescence: a systematic review. Public Health Nutr. 2018;21(1):148-159.
22. Clasen T, Schmidt WP, Rabie T, Roberts I, Cairncross S. Interventions to improve water quality for preventing diarrhoea: systematic review and meta-analysis. BMJ. 2007;334(7597):782.
23. Heyman MB, Abrams SA; Section on Gastroenterology, Hepatology, and Nutrition; Committee on Nutrition. Fruit juice in infants, children, and adolescents: current recommendations. Pediatrics. 2017;139(6):e20170967.
24. Canada. Health Canada, Canadian Paediatric Society, Dietitians of Canada, Breastfeeding Committee for Canada Nutrition for healthy term infants: Recommendations from six to 24 months [Internet]. 2014 [capturado em 16 mar. 2021]. Disponível em: https://www.canada.ca/en/health-canada/services/food-nutrition/healthy-eating/infant-feeding/nutrition-healthy-term-infants-recommendations-birth--six-months/6-24-months.html
25. Mennella JA, Bobowski NK, Reed DR. The development of sweet taste: from biology to hedonics. Rev Endocr Metab Disord. 2016;17(2):171-8.
26. Laitala ML, Vehkalahti MM, Virtanen JI. Frequent consumption of sugar-sweetened beverages and sweets starts at early age. Odontol Scand. 2018;76(2):105-10.
27. Morenga L, Mallard S, Mann J. Dietary sugars and body weight: systematic review and meta-analyses of randomised controlled trials and cohort studies. BMJ. 2013;346:e7492.
28. Pan L, Li R, Park S, Galuska D A, Sherry B, Freedman DS. A longitudinal analysis of sugar-sweetened beverage intake in infancy and obesity at 6 years. Pediatrics. 2014;134(Supplement 1):S29-35.
29. Malik VS, Schulze MB, Hu FB. Intake of sugar-sweetened beverages and weight gain: a systematic review. Am J Clin Nutr. 2006;84(2):274–88.
30. Vos MB, Kaar JL, Welsh JA, Van Horn LV, Feig DI, Anderson CA, et al. Added sugars and cardiovascular disease risk in children: a scientific statement from the American Heart Association. Circulation. 2017;135(19):e1017-34.
31. Rupérez AI, Mesana MI, Moreno LA. Dietary sugars, metabolic effects and child health. Curr Opin Clin Nutr Metab Care. 2019;22(3):206-16.
32. Phantumvanit P, Makino Y, Ogawa H, Rugg-Gunn A, Moynihan P, Petersen PE, et al. WHO Global Consultation on Public Health Intervention against Early Childhood Caries. Community Dent Oral Epidemiol. 2018;46(3):280-7.
33. Moynihan P, Tanner LM, Holmes RD, Hillier-Brown F, Mashayekhi A, Kelly SAM, Craig D. Systematic Review of Evidence Pertaining to Factors That Modify Risk of Early Childhood Caries. JDR Clin Trans Res. 2019;4(3):202-16.

34. Bueno MB, Fisberg RM, Maximino P, Rodrigues Gde P, Fisberg M. Nutritional risk among Brazilian children 2 to 6 years old: a multicenter study. Nutrition. 2013;29(2):405-10.
35. World Health Organization. Indicators for assessing infant and young child feeding practices. Geneva: WHO; 2007.
36. Birch LL, McPhee L, Shoba BC, Pirok E, Steinberg L. What kind of exposure reduces children's food neophobia? Looking vs. tasting. Appetite. 1987;9(3):171-8.
37. Sullivan SA, Birch LL. Infant dietary experience and acceptance of solid foods. Pediatrics. 1994;93(2):271-7.
38. Morgan J, Taylor A, Fewtrell MS. Meat consumption is positively associated with psychomotor outcome in children up to 24 months of age. J Pediatr Gastroenterol Nutr 2004;39(5):493–8.
39. World Health Organization. Complementary feeding. In: World Health Organization. Infant and young child feeding: model chapter for textbooks for medical students and allied health professionals. Geneva: WHO; 2009. p. 19-28.
40. Michaelsen KF, Larnkjær A, Mølgaard C. Amount and quality of dietary proteins during the first two years of life in relation to NCD risk in adulthood. Nutr Metab Cardiovasc Dis. 2012;22(10):781-6.
41. Mostafalou S, Abdollahi M. Pesticides and human chronic diseases: evidences, mechanisms, and perspectives. Toxicol Appl Pharmacol. 2013;268(2):157-77.
42. Nodari RO, Guerra MP. Plantas transgênicas e seus produtos: impactos, riscos e segurança alimentar (Biossegurança de plantas transgênicas). Rev. Nutr.2003; 16(1): 105-16.
43. Yambi O, Rocha C, Jacobs N; International Panel of Experts on Sustainable Food Systems (IPES-Food). Unravelling the food-health nexus to build healthier food systems. World Rev Nutr Diet. 2020;121:1-8.
44. Carneiro FF, Augusto LGS, Rigotto RM, Friedrich K, Búrigo AC. Dossiê ABRASCO: um alerta sobre os impactos dos agrotóxicos na saúde [Internet]. Rio de Janeiro: EPSJV; São Paulo: Expressão Popular; 2015 [capturado em 16 mar. 2021]. Disponível em: https://www.arca.fiocruz.br/handle/icict/26221.
45. Pirsaheb M, Limoee M, Namdari F, Khamutian R. Organochlorine pesticides residue in breast milk: a systematic review. Med J Islam Repub Iran. 2015;29:228.
46. Kovacs CS. Vitamin D in pregnancy and lactation: maternal, fetal, and neonatal outcomes from human and animal studies. Am J Clin Nutr 2008;88(2):520S-8.
47. við Streym S, Højskov CS, Møller UK, Heickendorff L, Vestergaard P, Mosekilde L, et al. Vitamin D content in human breast milk: a 9-mo follow-up study. Am J Clin Nutr. 2016;103(1):107-14.
48. Paxton GA, Teale GR, Nowson CA, Mason RS, McGrath JJ, Thompson MJ, et al. Vitamin D and health in pregnancy, infants, children and adolescents in Australia and New Zealand: a position statement. Med J Aust. 2013;198(3):142-3.
49. Webb AR, Engelsen O. Calculated ultraviolet exposure levels for a healthy vitamin D status. Photochem Photobiol 2006; 82: 1697-1703.
50. Alfredsson L, Armstrong BK, Butterfield DA, Chowdhury R, de Gruijl FR, Feelisch M, et al. Insufficient sun exposure has become a real public health problem. Int J Environ Res Public Health. 2020;17(14):5014.
51. Specker BL, Valanis B, Hertzberg V, Edwards N, Tsang RC. Sunshine exposure and serum 25-hydroxyvitamin D concentrations in exclusively breast-fed infants. J Pediatr. 1985;107(3):372-6.
52. Greer FR. 25-Hydroxyvitamin D: functional outcomes in infants and young children. Am J Clin Nutr. 2008;88(2):529S-33.
53. Tan ML, Abrams SA, Osborn DA. Vitamin D supplementation for term breastfed infants to prevent vitamin D deficiency and improve bone health. Cochrane Database Syst Rev. 2020;12:CD013046.
54. Wagner CL, Greer FR. Prevention of rickets and vitamin D deficiency in infants, children, and adolescents. Pediatrics. 2008;122(5):1142-52.
55. Sociedade Brasileira de Pediatria. Departamento de Nutrologia. Manual de Alimentação: orientações para alimentação do lactente ao adolescente, na escola, na gestante, na prevenção de doenças e segurança alimentar. 4ª. ed. São Paulo: SBP; 2018.
56. U.S. Department of Agriculture. Dietary guidelines for Americans 2020-2025[Internet]. 9th ed. Washington: USDA; 2020 [capturado em 16 mar. 2021]. Disponível em: https://www.dietaryguidelines.gov/sites/default/files/2020-12/Dietary_Guidelines_for_Americans_2020-2025.pdf.
57. D'Auria E, Bergamini M, Staiano A, Banderali G, Pendezza E, Penagini F, et al. Baby-led weaning: what a systematic review of the literature adds on. Ital J Pediatr. 2018;44(1):49.
58. Ziegler EE, Jiang T, Romero E, Vinco A, Frantz JA, Nelson SE. Cow's milk and intestinal blood loss in late infancy. J Pediatr. 1999;135(6):720-6.
59. Maguire JL, Lebovic G, Kandasamy S, Khovratovich M, Mamdani M, Birken C, et al. The relationship between cow's milk and stores of vitamin D and iron in early childhood. Pediatrics. 2013;131(1):e144-51.
60. Canadian Paediatrics Society Community Paediatrics Committee. (2011). Managing functional constipation in children. Paediatr Child Health, 16(10): 661-665.
61. Bondi, S., & Lieuw, K. (2009). Excessive cow's milk consumption and iron deficiency in toddlers: Two unusual presentations and review. Infant, Child and Adolescent Nutrition, 1(3), 133-139.
62. Michaelsen KF, Weaver L, Branca F, Robertson A. Feeding and nutrition of infants and young children. [Internet]. Copenhagen: World Health Organization; 2003 [capturado em 16 mar. 2021]. Disponível em: https://www.euro.who.int/__data/assets/pdf_file/0004/98302/WS_115_2000FE.pdf.
63. Gooze RA, Anderson SE, Whitaker RC. Prolonged bottle use and obesity at 5.5 years of age in US children. J Pediatr. 2011;159(3):431-6.
64. Woo Baidal JA, Locks LM, Cheng ER, Blake-Lamb TL, Perkins ME, Taveras EM. Risk factors for childhood obesity in the first 1,000 days: a systematic review. Am J Prev Med. 2016;50(6):761-79.
65. Ventura AK. Developmental Trajectories of Bottle-Feeding During Infancy and Their Association with Weight Gain. J Dev Behav Pediatr. 2017;38(2):109-19
66. American Dental Association. From baby bottle to cup: choose training cups carefully, use them temporarily. JADA. 2004;135(3):387.
67. Caramez da Silva F, Justo Giugliani ER, Capsi Pires S. Duration of breastfeeding and distoclusion in the deciduous dentition. Breastfeed Med. 2012;7(6):464–468.
68. Pires SC, Giugliani ERJ, Caramez da Silva F. Influence of the duration of breastfeeding on quality of muscle function during mastication in preschoolers: a cohort study. BMC Public Health. 2012;12(1):934.
69. Pérez-Escamilla R, Segura-Pérez S, Lott M, RWJF HER Expert Panel on Best Practices for Promoting Healthy Nutrition, Feeding Patterns, and Weight Status for Infants and Toddlers from Birth to 24 Months. Feeding guidelines for infants and young toddlers: A responsive parenting approach [Internet]. Durham: Healthy Eating Research; 2017 [capturado em 15 mar. 2021]. Disponível em: https://healthyeatingresearch.org/wp-content/uploads/2017/02/her_feeding_guidelines_report_021416-1.pdf
70. Black MM, Aboud FE. Responsive feeding is embedded in a theoretical framework of responsive parenting. J Nutr. 2011;141(3):490-4.
71. Aboud, F.E., Shafique, S., and Akhter, S. A responsive feeding intervention increases children's self-feeding and maternal responsiveness but not weight gain. J Nutr, 2009;139(9):1738-43.
72. Bentley ME, Wasser HM, Creed-Kanashiro HM. Responsive feeding and child undernutrition in low- and middle-income countries. J Nutr.2011;141(3):502-7.
73. Fewtrell M, Bronsky J, Campoy C, Domellöf M, Embleton N, Fidler Mis N, Hojsak I, Hulst JM, Indrio F, Lapillonne A, Molgaard C. Complementary feeding: a position paper by the European Society for Paediatric Gastroenterology, Hepatology, and Nutrition (ESPGHAN) Committee on Nutrition. J Pediatr Gastroenterol Nutr. 2017;64(1):119-32.

74. United Nations Children's Fund. Improving Young Children's Diets During the Complementary Feeding Period. UNICEF Programming Guidance. [Internet]. New York: UNICEF; 2020 [capturado em 16 mar. 2021]. Disponível em: https://mcusercontent.com/fb-1d9aabd6c823bef179830e9/files/12900ea7-e695-4822-9cf9-857f-99d82b6a/UNICEF_Programming_Guidance_Complementary_Feeding_2020_Portrait_FINAL.pdf
75. Weder S, Hoffmann M, Becker K, Alexy U, Keller M. Energy, macronutrient intake, and anthropometrics of vegetarian, vegan, and omnivorous children (1-3 years) in Germany (VeChi diet study). Nutrients. 2019;11(4):1-18.
76. Sociedade Brasileira de Pediatria. Departamento Científico de Nutrologia. Guia prático de atualização –Vegetarianismo na infância e adolescência. Soc Bras Pediatr. 2017(4):1-10.
77. Agnoli C, Baroni L, Bertini I, Ciappellano S, Fabbri A, Papa M, et al. Position paper on vegetarian diets from the working group of the Italian Society of Human Nutrition. Nutr Metab Cardiovasc Dis. 2017;27(12):1037-52.
78. Redecilla Ferreiro S, Moráis López A, Moreno Villares JM. Recomendaciones del Comité de Nutrición y Lactancia Materna de la Asociación Española de Pediatría sobre las dietas vegetarianas. An Pediatría. 2020;92(5):306.e1-6.
79. Schürmann S, Kersting M, Alexy U. Vegetarian diets in children: a systematic review. Eur J Nutr. 2017;56(5):1797-1817.
80. Nago ES, Lachat CK, Dossa RAM, Kolsteren PW. Association of out-of-home eating with anthropometric changes: a systematic review of prospective studies Crit Rev Food Sci Nutr. 2014; 54(9), 1103–1116.
81. Alruwaily A, Mangold C, Greene T, et al. Child social media influencers and unhealthy food product placement. Pediatrics. 2020;146(5):e20194057.
82. Smith R, Kelly B, Yeatman H, Boyland E. Food marketing influences children's attitudes, preferences and consumption: A systematic critical review. Nutrients. 2019;11(4):875.
83. Coates AE, Hardman CA, Halford JCG, Christiansen P, Boyland EJ. Social media influencer marketing and children's food intake: A randomized trial. Pediatrics. 2019;143(4):e20182554.
84. World Health Organization. Taking action on childhood obesity. Geneva: WHO; 2018 [capturado em 16 mar. 2021]. Disponível em: https://www.who.int/end-childhood-obesity/publications/taking-action-childhood-obesity-report/en/
85. Brasil. Presidência da República. Decreto nº 9.579, de 22 de novembro de 2018. Consolida atos normativos editados pelo Poder Executivo federal que dispõem sobre a temática do lactente, da criança e do adolescente e do aprendiz, e sobre o Conselho Nacional dos Direitos da Criança e do Adolescente, o Fundo Nacional para a Criança e o Adolescente e os programas federais da criança e do adolescente, e dá outras providências. Diário Oficial da União [Internet], 23 nov. 2018 [capturado em 16 mar. 2021]. Disponível em: http://www.planalto.gov.br/ccivil_03/_Ato2015-2018/2018/Decreto/D9579.htm.
86. Stiglic, N, Russell MV. Effects of screen time on the health and well-being of children and adolescents: a systematic review of reviews. BMJ. 2019;9(1):e023191.

## LEITURAS RECOMENDADAS

Brasil. Ministério da Saúde. Guia Alimentar para Crianças Brasileiras Menores de 2 anos.

*Documento oficial do Ministério da Saúde, lançado em 2019, traz recomendações e informações sobre alimentação de crianças nos 2 primeiros anos de vida para a população em geral. Além de apoiar as famílias na alimentação da criança, este documento serve de subsídio para os profissionais e políticas públicas que visem promover, proteger e apoiar a alimentação saudável na infância. Em 2021, foi lançada uma versão reduzida do Guia.* http://189.28.128.100/dab/docs/portaldab/publicacoes/guia_alimentar_2anos.pdf

Brasil. Ministério da Saúde. Guia Alimentar para a população brasileira.

*Documento oficial do Ministério da Saúde, lançado em 2014, que aborda os princípios e as recomendações de uma alimentação adequada e saudável para a população brasileira. É um instrumento para apoiar e incentivar práticas alimentares saudáveis no âmbito individual e coletivo, bem como para subsidiar políticas, programas e ações que visem promover, proteger e apoiar a saúde e a segurança alimentar e nutricional da população. Apresenta uma nova classificação de alimentos de acordo com o nível de processamento pelo qual passaram antes de chegarem à mesa do consumidor.*

# Capítulo 99
# ALEITAMENTO MATERNO: ASPECTOS GERAIS

Elsa R. J. Giugliani

Amamentação é o ato em que a mulher dá o seio para a criança sugar o seu leite. Já o termo aleitamento materno se refere a todas as formas de a criança receber leite humano e, geralmente, é o termo utilizado para a promoção, a proteção e o apoio a essa prática. Por fim, lactação se refere mais ao fenômeno neuroendócrino da produção de leite pela mulher.

A espécie humana contou com a amamentação para a sua sobrevivência em 99,9% da sua existência. Portanto, parece razoável afirmar que ela, sob o ponto de vista da evolução da espécie, está programada para ser amamentada no início da vida.

**Amamentar é muito mais do que alimentar a criança. Envolve interação íntima entre duas pessoas, repercutindo no estado nutricional da criança, em sua habilidade de defender-se de infecções, em sua fisiologia, no seu desenvolvimento cognitivo e emocional e em sua saúde em longo prazo. Envolve também aspectos relacionados com a saúde física e psíquica da mãe.**

A espécie humana é a única entre os mamíferos em que a amamentação é condicionada por fatores sociais, econômicos, culturais, étnicos/raciais, políticos e individuais da fêmea. Em função disso, a amamentação deixou de ser uma prática universal, gerando divergência entre a expectativa biológica da espécie e a prática. Algumas consequências dessa divergência serão apresentadas mais adiante.

## DEFINIÇÕES

As categorias de aleitamento materno adotadas pela Organização Mundial da Saúde (OMS) e internacionalmente reconhecidas são:[1,2]

→ **aleitamento materno exclusivo:** a criança recebe somente leite materno, diretamente do seio ou ordenhado, ou leite humano de outra fonte, sem outros líquidos ou sólidos, incluindo água, com exceção de gotas ou xaropes contendo vitaminas, sais de reidratação oral, suplementos minerais ou medicamentos;

→ **aleitamento materno predominante:** a criança recebe, além do leite humano, água ou bebidas à base de água (água adocicada, chás, infusões), sucos de frutas e fluidos rituais;

→ **aleitamento materno misto:** a criança recebe, além do leite humano, leites de outras espécies;

→ **aleitamento materno:** a criança recebe leite humano (direto da mama ou ordenhado), independentemente da quantidade e de estar recebendo ou não outros alimentos;

→ **aleitamento materno complementado:** a criança recebe, além do leite humano, alimentos complementares sólidos ou semissólidos.

## RECOMENDAÇÃO QUANTO À DURAÇÃO DO ALEITAMENTO MATERNO

Segundo diversas teorias baseadas em informações de primatas não humanos, principalmente gorilas e chimpanzés, que têm 98% da sua carga genética idêntica à do homem, o período natural de amamentação para a espécie humana seria de 2,5 a 7 anos. Inúmeras informações coletadas em sociedades primitivas modernas, referências em textos antigos e evidências bioquímicas de sociedades pré-históricas sugerem que a duração da amamentação na espécie humana seria, em média, de 2 a 3 anos, idade em que o desmame costuma ocorrer de forma natural.

A OMS, endossada pelo Ministério da Saúde do Brasil, recomenda aleitamento materno por período ≥ 2 anos, sendo de forma exclusiva nos primeiros 6 meses.[3]

Não parece haver benefícios em iniciar os alimentos complementares antes dos 6 meses **B**, podendo, inclusive, haver prejuízos à saúde da criança, como maior número de episódios de diarreia e doença respiratória **B**.[4-6] Por outro lado, após os 6 meses de idade, o leite materno como única fonte de alimento pode não ser suficiente para preencher as necessidades nutricionais da criança, sobretudo de energia, proteína, ferro, zinco e algumas vitaminas lipossolúveis.[7]

No 2º ano de vida, o leite materno continua sendo uma importante fonte de nutrientes: 500 mL de leite materno fornecem em torno de um terço das necessidades de energia e de proteína de alto valor biológico, 45% das necessidades de vitamina A e 95% das de vitamina C. Além disso, o leite materno no 2º ano de vida ou mais continua conferindo proteção contra doenças infecciosas, como comprovou uma metanálise baseada em seis conjuntos de dados de países em desenvolvimento de três continentes, incluindo uma coorte brasileira. As crianças não amamentadas no 2º ano de vida tiveram chance quase 2 vezes maior de morrer por doença infecciosa se comparadas às crianças amamentadas.[8]

## A PRÁTICA DO ALEITAMENTO MATERNO NO MUNDO E NO BRASIL

Os principais indicadores de aleitamento materno adotados pela OMS são:[2]

→ **início precoce do aleitamento materno:** número de crianças colocadas no peito para mamar na 1ª hora de vida/número de crianças nascidas nos últimos 24 meses;

→ **aleitamento materno exclusivo em crianças com idade < 6 meses:** número de crianças de 0 a < 6 meses que receberam somente leite humano no dia anterior, sem outros líquidos ou alimentos, incluindo água/número de crianças de 0 a < 6 meses;

→ **aleitamento materno misto em crianças com idade < 6 meses:** número de crianças de 0 a < 6 meses que receberam leite humano e leite de outra espécie no dia anterior/número de crianças de 0 a < 6 meses;

→ **aleitamento materno continuado no 2º ano de vida:** número de crianças de 12 a < 24 meses que receberam leite humano no dia anterior/número de crianças de 12 a < 24 meses.

De maneira geral, quanto menor for a renda do País, melhores serão os indicadores de aleitamento materno. Enquanto mais de 90% das mulheres dos países de baixa renda amamentam seus filhos por período ≥ 1 ano, nos países de alta renda apenas 25% das crianças são amamentadas até essa idade.[9] A **TABELA 99.1** fornece dados sobre os indicadores de aleitamento materno no mundo[10] e no Brasil.[11]

No Brasil, o Programa Nacional de Incentivo ao Aleitamento Materno foi iniciado em 1981, e, desde então, Governo e sociedade civil vêm promovendo, protegendo e apoiando o aleitamento materno por meio de várias ações. Como resultado, as prevalências de amamentação estão crescendo em todo o País. A tendência dos indicadores de aleitamento materno no Brasil pode ser conferida na **TABELA 99.2**.[11,12] A duração mediana da amamentação no Brasil, que era de 2,5 meses em 1975, subiu para 5,5 meses em 1989,[13] 7 meses em 1996[14], 14 meses em 2006[15] e 16 meses em 2019/2020.[11]

A última pesquisa sobre indicadores de aleitamento materno com amostra representativa do Brasil – o Estudo Nacional de Alimentação e Nutrição Infantil (Enani) – finalizada em 2020, encontrou diferenças regionais importantes para os diferentes indicadores: o aleitamento

**TABELA 99.1** → Principais indicadores de aleitamento materno no mundo e no Brasil

| INDICADOR | MUNDO | BRASIL |
| --- | --- | --- |
| AM na 1ª hora de vida | 45% | 62,4% |
| AME em crianças com idade < 6 meses | 43% | 45,8% |
| AM continuado (1 ano) | 74% | 52,1% |
| AM continuado (2 anos) | 46% | 35,5% |

AM, aleitamento materno; AME, aleitamento materno exclusivo.
AM continuado (1 ano) = prevalência de AM entre crianças de 12 a 15 meses.
AM continuado (2 anos) = prevalência de AM entre crianças de 20 a 23 meses.
Fonte: World Health Organization[10] e Universidade Federal do Rio de Janeiro.[11]

TABELA 99.2 → Evolução dos indicadores de aleitamento materno no Brasil

| INDICADOR | FONTE | | | |
|---|---|---|---|---|
| | PNDS-1986 | PNDS-1996 | PNDS-2006 | ENANI-2020 |
| AM na 1ª hora de vida (%) | – | 33 | 42,9 | 62,4 |
| AM em crianças com idade < 4 meses (%) | 4,7 | 29,2 | 45 | 59,7 |
| AM em crianças com idade < 6 meses (%) | 2,9 | 23,9 | 37,1 | 45,8 |
| AM continuado (1 ano) (%) | 30 | 36,6 | 48,5 | 52,1 |
| AM < 2 anos (%) | 37,4 | 44,8 | 56,3 | 60,3 |

AM, aleitamento materno; AME, aleitamento materno exclusivo; Enani, Estudo Nacional de Alimentação e Nutrição Infantil; PNDS, Pesquisa Nacional de Demografia e Saúde.
Fonte: Univesidade Federal do Rio de Janeiro[11] e Boccolini e colaboradores.[12]

materno em crianças com idade < 6 meses variou de 39% no Nordeste a 54,3% no Sul; para o aleitamento materno continuado com 1 ano, a variação foi de 34,9% no Sul a 58,6% no Nordeste; e para o aleitamento materno continuado aos 2 anos, a variação foi de 23,4% no Sudeste a 48% no Nordeste.[11]

Segundo parâmetros da OMS, o indicador aleitamento materno exclusivo em crianças com idade < 6 meses do Brasil (45,8%) é apenas razoável (consideram-se bom e muito bom os índices > 50% e 90%, respectivamente) e o indicador duração mediana do aleitamento materno (16 meses) é considerado ruim (consideram-se bom e muito bom os períodos > 21 e 23 meses, respectivamente).[16]

## IMPORTÂNCIA DA AMAMENTAÇÃO

A amamentação é um ato muito íntimo entre mãe e filho, e pode ser considerada uma forma muito especial de comunicação entre eles e uma oportunidade de a criança aprender muito cedo a comunicar-se com afeto e confiança.

O impacto da amamentação no desenvolvimento emocional da criança e no relacionamento mãe-filho no longo prazo é difícil de avaliar, uma vez que existem inúmeras variáveis envolvidas. É praticamente consenso que, de maneira geral, o ato de amamentar traz benefícios psicológicos para a criança e para a mãe. O ato de amamentar e de ser amamentado costuma ser prazeroso para a mãe e para a criança, o que pode favorecer uma ligação afetiva mais forte entre elas, gerando sentimentos de segurança e de proteção na criança e de autoconfiança e de realização na mulher. Um estudo de coorte australiano encontrou associação entre amamentação por período > 6 meses e menor risco de desenvolvimento de problemas mentais na infância e na adolescência.[17]

Além de um presumível efeito benéfico no vínculo mãe-filho, as evidências do impacto positivo do aleitamento materno para a saúde da criança e da mulher, para a família e para a sociedade em geral não param de crescer. A seguir, são apresentados alguns dos argumentos em favor do aleitamento materno.

## Impacto na saúde da criança

**Redução da mortalidade na infância.** A amamentação exerce um forte efeito protetor contra mortes infantis **B**, sobretudo em países de baixa e média rendas; quanto menor for a idade da criança, maior será esse efeito protetor. As crianças com idade < 6 meses em amamentação predominante, parcial ou não amamentadas têm, respectivamente, risco 1,5, 4,8 e 14,4 vezes maior de morrer por todas as causas quando comparadas às amamentadas exclusivamente; para as crianças não amamentadas de 6 a 11 meses e de 12 a 23 meses esse risco é, respectivamente, 1,8 e 2 vezes maior em relação às crianças amamentadas.[18] A proteção também é observada em países de alta renda, onde se observa redução na ocorrência da síndrome da morte súbita do lactente[19] e das mortes por enterocolite necrosante.[20] Estima-se que aproximadamente 823 mil mortes de crianças com idade < 5 anos teriam sido evitadas no ano de 2015 em 75 países de baixa e média rendas se a amamentação tivesse sido ampliada a níveis quase universais. Isso corresponde a 13,8% das mortes de crianças com idade < 2 anos.[9] São atribuídas, ao aleitamento materno subótimo, 55% das mortes por doença diarreica e 53% das mortes causadas por infecção do trato respiratório inferior em crianças com idade de 0 a 6 meses; 20% e 18% em crianças de 7 a 12 meses, respectivamente; e 20% de todas as causas de morte no 2º ano de vida.[21] Nenhuma outra estratégia isolada alcança o impacto da amamentação na redução das mortes de crianças com idade < 5 anos.[22]

Quanto mais precoce for o início da amamentação, maior será a proteção. Uma metanálise indicou que os recém-nascidos (RNs) que foram amamentados na 1ª hora de vida tiveram metade do risco de morrer no 1º mês de vida quando comparados com os que não foram amamentados nesse período; para os amamentados nas primeiras 24 horas, o risco foi 73% menor em relação aos que iniciaram a amamentação após o 1º dia de vida.[23]

**Redução de morbidade por diarreia.** Estima-se risco 63% menor de ocorrência de diarreia em crianças com idade < 6 meses mais amamentadas (amamentadas quando comparadas com as não amamentadas ou amamentadas por mais tempo quando comparadas com as amamentadas por menos tempo) quando comparadas com crianças menos amamentadas (não amamentadas ou amamentadas por menos tempo); risco 54% menor para aquelas entre 6 meses e 5 anos; risco 31% menor para as crianças com idade < 5 anos; e risco 28% menor em crianças com idade < 5 anos de serem hospitalizadas por diarreia quando comparadas com crianças menos amamentadas **B**.[24] É importante salientar que a doença diarreica é mais comum em crianças não amamentadas, mesmo em populações com cuidados higiênicos adequados, como demonstraram estudos realizados em países desenvolvidos. Uma metanálise de 14 estudos de coorte de países desenvolvidos mostrou risco 64% menor de infecções gastrintestinais em crianças amamentadas com idade < 1 ano.[25]

**Redução de morbidade por infecção respiratória.** Resultados de vários estudos realizados em diferentes partes do mundo, com diferentes graus de desenvolvimento, comprovam proteção do leite materno contra infecções respiratórias: risco 32% menor de infecção do trato respiratório em crianças com idade < 2 anos mais amamentadas quando comparadas com crianças menos amamentadas; e risco 57% menor de serem hospitalizadas por infecções respiratórias **B**.[24]

**Redução de morbidade por otite média aguda.** Risco 33% menor de ocorrência de otite média nos 2 primeiros anos de vida em crianças mais amamentadas quando comparadas com as menos amamentadas **B**.[26]

**Redução de morbidade por rinite alérgica.** Risco 21% menor de rinite alérgica em crianças com idade < 5 anos mais amamentadas quando comparadas com crianças menos amamentadas **B**.[27] Essa proteção não foi confirmada para crianças com idade > 5 anos.

**Redução de morbidade por asma ou sibilância.** Risco 9% menor de asma em crianças mais amamentadas quando comparadas com crianças menos amamentadas **B**.[27]

**Redução de sobrepeso ou obesidade.** Risco 23% menor de desenvolver sobrepeso ou obesidade mais tarde na infância, na adolescência ou na fase adulta em indivíduos mais amamentados;[28] risco 13% menor quando incluídos apenas estudos de alta qualidade com tamanhos de amostra > 1.550 indivíduos e ajuste para situação socioeconômica, índice de massa corporal materna e morbidade perinatal **B**.

**Redução de diabetes tipo 2.** Estima-se risco 35% menor de desenvolver diabetes tipo 2 em crianças, adolescentes e adultos que foram mais amamentados quando comparados com indivíduos menos amamentados **B**.[29]

**Redução de diabetes tipo 1.** Estudos observacionais sugerem que qualquer amamentação, amamentação com maior duração e amamentação exclusiva exercem efeito protetor contra o desenvolvimento de diabetes tipo 1 **C/D**.[30]

**Redução de leucemia.** Uma metanálise indicou risco 20% menor de incidência de leucemia linfocítica aguda na infância em crianças amamentadas por período ≥ 6 meses quando comparadas com aquelas nunca amamentadas **B**.[31]

**Redução de má oclusão dentária.** Calculou-se que o risco de má oclusão dentária em crianças, adolescentes e adultos que foram mais amamentados quando comparados com indivíduos menos amamentados é 68% menor **C/D**.[32]

**Promoção do desenvolvimento cognitivo.** A amamentação está consistentemente associada a maior desempenho em testes de inteligência em crianças e adolescentes, com um incremento médio de 3,4 pontos no quociente de inteligência (QI).[33] Um grande ensaio randomizado conduzido na Bielorrússia relatou um aumento > 7 pontos do QI aos 6,5 anos de idade.[34] Associações positivas entre duração da amamentação e escolaridade alcançada foram relatadas no Reino Unido,[35,36] na Nova Zelândia[37] e no Brasil.[38] Um estudo de coorte no Brasil com 30 anos de acompanhamento sugeriu um efeito da amamentação na inteligência, na escolaridade alcançada e na renda na vida adulta, sendo 72% do efeito da amamentação sobre a renda explicado pelo aumento no QI **B**.[39]

**Promoção do desenvolvimento orofacial.** O exercício que a criança faz para retirar o leite da mama é muito importante para o desenvolvimento adequado de sua cavidade oral, propiciando melhor conformação do palato duro, o que é fundamental para o alinhamento correto dos dentes e boa oclusão dentária. Quando o palato é empurrado para cima, o que ocorre com o uso de chupetas e mamadeiras, o assoalho da cavidade nasal se eleva, com diminuição do tamanho do espaço reservado para a passagem do ar pelo nariz, prejudicando a respiração nasal. Assim, o desmame precoce pode levar à interrupção do desenvolvimento motor-oral adequado, podendo prejudicar as funções de mastigação, deglutição, respiração e articulação dos sons da fala, além de ocasionar má oclusão dentária, respiração oral e alteração motora-oral. Crianças, adolescentes e adultos que foram mais amamentados têm risco 68% menor de apresentar má oclusão dentária quando comparados com indivíduos menos amamentados **C/D**.[32]

## Impacto na saúde da mulher

**Amenorreia lactacional.** A probabilidade de engravidar em 6 meses é de 0 a 2,4% em mulheres que usam o método da amenorreia lactacional.[40] A probabilidade de amenorreia lactacional aos 6 meses pós-parto é 23% maior se a mulher estiver em amamentação exclusiva ou predominante quando comparada com mulheres que não amamentam, e 21% maior quando comparada com mulheres que amamentam parcialmente **B**.[41]

**Câncer de mama.** Amamentação por período > 12 meses foi associada a risco 26% menor de desenvolver câncer de mama em uma metanálise **C/D**.[41] Estimou-se que, para cada aumento de 12 meses de amamentação durante toda a vida, há diminuição de 4,3% na incidência de câncer de mama invasivo.[42] Estimou-se, também, que a amamentação, como é praticada atualmente, evita 19.464 mortes por câncer de mama e poderia salvar mais 22.216 vidas por ano se a duração da amamentação fosse aumentada dos níveis atuais para 12 meses por criança em países de alta renda e 2 anos por criança nos países de média e baixa rendas.[9]

**Câncer de ovário.** Uma metanálise estimou risco 30% menor de câncer de ovário em mulheres que amamentam por mais tempo. Uma redução menor (18%) foi observada quando foram incluídos apenas estudos com ajuste criterioso para paridade e exclusão de mulheres nulíparas **C/D**.[41] Estimou-se redução de 2% na ocorrência de câncer epitelial de ovário para cada mês de amamentação.[43]

**Câncer de útero.** A chance de ocorrência de câncer de endométrio em mulheres que amamentam, independentemente do tempo de amamentação, foi 11% menor em uma metanálise; a maior duração de amamentação por criança foi associada a menor risco, embora pareça haver uma estabilização desse efeito a partir dos 6 a 9 meses de amamentação **C/D**.[44]

**Diabetes tipo 2.** Estima-se risco 32% menor de desenvolver diabetes tipo 2 em mulheres que amamentaram por mais tempo quando comparadas às que amamentaram por menos tempo C/D.[43] Parece haver um efeito dose-resposta: para cada ano de amamentação, foi descrita uma redução de 15% na incidência de diabetes tipo 2.[45]

**Depressão pós-parto.** Uma revisão qualitativa mostrou associação entre amamentação e menor ocorrência de depressão materna;[46] no entanto, a direção da associação provavelmente é bicaudal, ou seja, a amamentação afeta a saúde mental da mulher e esta afeta a amamentação C/D.

## Impacto na saúde do planeta

O leite materno é um alimento natural e sustentável, produzido e levado ao consumidor sem poluição e desperdícios, não causando nenhuma ameaça aos recursos naturais e à biodiversidade do planeta.[47] A produção de leite materno requer apenas alimentos adicionais da mulher, e é adequada à demanda da criança.

A não amamentação tem um alto custo para o meio ambiente, pois a alimentação com substitutos do leite materno, do campo ao consumidor, afeta o ambiente devido aos métodos de produção, embalagem, distribuição e preparação, contribuindo para a pegada ecológica. O gado leiteiro contribui para o aquecimento global do planeta, pois emite gás metano e causa desmatamento para as pastagens, reduzindo, assim, a remoção do dióxido de carbono pelas florestas. Além disso, há a contaminação do suprimento de água pelos resíduos da pecuária leiteira, incluindo pesticidas.

Para a fabricação dos substitutos do leite materno, a indústria consome energia e água. São necessários mais de 4.000 L de água para produzir apenas 1 kg de leite em pó.[48] A esse volume de água, soma-se a água consumida nos domicílios com a higiene e o preparo da refeição com segurança.

Outro fator a considerar são os resíduos descartados no lixo, como embalagens plásticas, latas de metal, alumínio e papel das embalagens. A alimentação de 1 milhão de crianças com idade < 6 meses com fórmulas por 2 anos requer aproximadamente 150 milhões de latas de fórmula.[49] Latas de metal, se não forem recicladas, provavelmente acabarão em aterros, enquanto o plástico, o alumínio e o papel geralmente acabam nos oceanos e podem levar séculos para ser degradados. Muitas vezes, esses resíduos são confundidos com alimentos e causam a morte de animais aquáticos.

## Impacto econômico

Amamentar uma criança é mais barato que alimentá-la com outros leites, sobretudo com fórmulas infantis, mesmo levando em consideração os alimentos extras que a mãe deve ingerir durante a lactação. Dependendo do tipo de fórmula infantil consumido pela criança, o gasto para alimentá-la pode representar uma parte considerável dos rendimentos da família.

Isso não pode ser desconsiderado, sobretudo em famílias com dificuldades financeiras. Aos gastos com a compra do leite, devem-se acrescentar custos com mamadeiras, chupetas e gás de cozinha, além de eventuais gastos decorrentes de doenças, que são mais comuns em crianças não amamentadas. Além disso, com a criança amamentada adoecendo menos, os pais faltam menos ao trabalho.

O custo econômico da amamentação inadequada para a sociedade também é grande. Estima-se que o custo anual global pelas perdas de vidas, perdas em cognição e custos do sistema de saúde chegue a mais de 340 bilhões de dólares.[50] No Brasil, o custo estimado do sistema de saúde para tratar doenças na criança e na mulher que poderiam ser prevenidas com a amamentação é da ordem de 42 milhões de dólares anualmente.[51] Estimou-se que, se todas as crianças com idade < 6 meses fossem amamentadas, haveria uma economia de 70,9 bilhões de dólares para os países de baixa e média rendas e 231,4 bilhões de dólares para os de alta renda, somente devido ao incremento cognitivo atribuído à amamentação.[47] Um aumento de 2 pontos em testes de QI, valor inferior ao atribuído ao aleitamento materno, que é de 3,4 em média, pode acarretar o incremento de até 20% na renda familiar dos brasileiros.[39]

## BASES ANATÔMICAS E FISIOLÓGICAS DA AMAMENTAÇÃO

A anatomia da mama inclui mamilo e aréola, tecido mamário, tecido conectivo de suporte, gordura, vasos sanguíneos e linfáticos e nervos. O tecido mamário é formado por alvéolos, onde o leite é secretado, e ductos, que conduzem o leite do alvéolo para o exterior. A mama possui 15 a 20 lobos mamários. Cada lobo é formado por 20 a 40 lóbulos, que são glândulas tuboalveolares, contendo, cada um, 10 a 100 alvéolos. Antigamente, acreditava-se que não havia conexão entre os lobos; hoje se sabe que essas conexões existem. Entre os lobos mamários, existem bandas fibrosas, chamadas de ligamentos suspensores da mama, que dão sustentação ao órgão.

Os alvéolos são a unidade secretora da mama, sendo formados por uma camada única de células epiteliais (lactócitos). Envolvendo os alvéolos, estão as células mioepiteliais, que, ao contrair-se, impulsionam o leite produzido através dos ductos. Entre as mamadas, o leite fica armazenado nos alvéolos e nos ductos. Os ductos mamários não se dilatam para formar os seios lactíferos, como se acreditava até pouco tempo atrás. O que ocorre é que, durante as mamadas, enquanto o reflexo de ejeção do leite está ativo, os ductos sob a aréola se enchem de leite e se dilatam.

O mamilo possui, em média, nove poros por onde o leite sai da mama para o exterior. Ele é circundado pela aréola, área mais pigmentada, onde se encontram glândulas areolares. Estas são, em sua maioria, glândulas sudoríparas e sebáceas. Também há glândulas mamárias modificadas, chamadas de glândulas ou tubérculos de Montgomery. Elas produzem uma secreção oleosa antimicrobiana que protege e hidrata a pele do mamilo e da aréola durante a lactação e dão o cheiro que atrai o bebê para a mama, servindo de estímulo olfativo para o apetite. Cada mulher possui, em média,

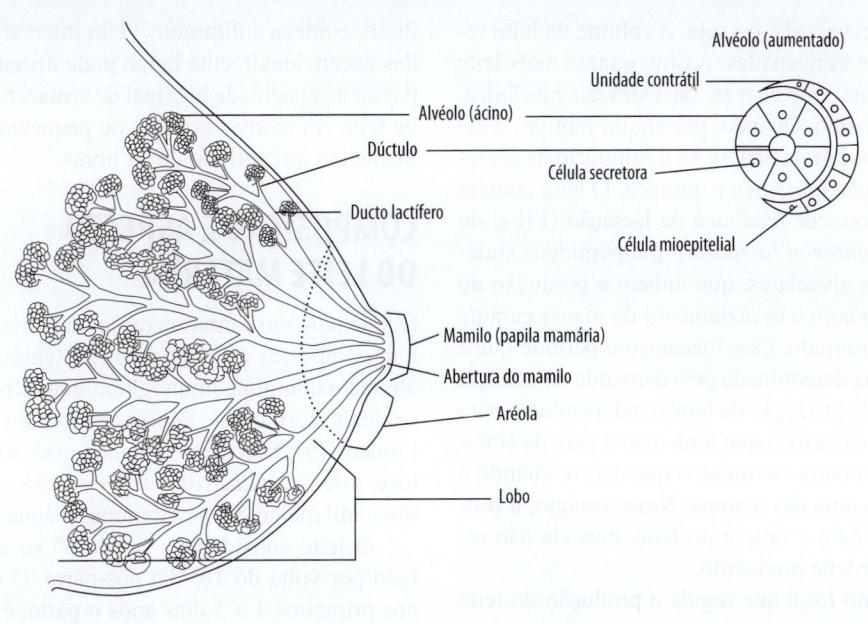

**FIGURA 99.1** → Desenho esquemático da mama.
Fonte: Riordan.[89]

cerca de nove glândulas areolares (0 a 38) em cada aréola (FIGURA 99.1).

As mamas são naturalmente preparadas para a amamentação durante a gravidez. Elas aumentam de tamanho, a pele fica mais fina e as veias ficam sobressalentes. O diâmetro da aréola aumenta, assim como a sua pigmentação, e as glândulas areolares hipertrofiam-se.

O tecido mamário na gestação desenvolve-se sob a ação de diferentes hormônios: o estrogênio é responsável pela ramificação dos ductos, e o progestogênio, pela formação dos lóbulos. O lactogênio placentário, a prolactina e a gonadotrofina coriônica contribuem para a aceleração do crescimento mamário. Na primeira metade da gestação, há crescimento e proliferação dos ductos e formação dos lóbulos. Na segunda metade, a atividade secretora se acelera e os ácinos e alvéolos ficam distendidos com o acúmulo do colostro. A secreção láctea ocorre a partir da 16ª semana de gravidez. Calcula-se que aproximadamente 30 mL de colostro sejam secretados diariamente durante a gestação. Como essa secreção não é removida da mama, ela é reabsorvida pelo organismo. A **TABELA 99.3** apresenta os estágios da lactação.

Nos primeiros 2 a 3 dias após o parto, a produção do leite tem controle endócrino; os níveis de progesterona caem e os de prolactina sobem, em sinergia com outros hormônios, como corticoide, hormônio estimulante da tireoide, fator inibidor da prolactina e ocitocina. A ocitocina age na contração das células mioepiteliais que envolvem os alvéolos, provocando a saída do leite. A prolactina e a ocitocina são reguladas por dois importantes reflexos maternos: o da produção do leite (prolactina) e o da ejeção do leite (ocitocina). Sem o reflexo de ejeção, pouco leite pode ser removido da mama.

Esses reflexos são ativados pela estimulação dos mamilos, sobretudo pela sucção feita pela criança. O reflexo de ejeção do leite também responde a estímulos condicionados, como visão, cheiro e choro da criança, e a fatores de ordem emocional, como motivação, autoconfiança e tranquilidade. Já a dor, o desconforto, o estresse, a ansiedade, o medo e a falta de autoconfiança podem inibir o reflexo de ejeção do leite, prejudicando a lactação.

Devido ao controle endócrino da fase inicial da lactação após o parto, a apojadura ou "descida do leite" ocorre mesmo sem a sucção da mama. A "descida do leite" se manifesta por um aumento súbito do enchimento da mama, o que ocorre, em média, em torno do 3º ao 5º dia após o parto. O controle da secreção do leite passa de endócrino para autócrino. O fator que mais regula a produção de leite é o

**TABELA 99.3** → Estágios da lactação

| ESTÁGIO | CARACTERÍSTICAS |
|---|---|
| Mamogênese (nascimento da mulher até a primeira gravidez) | → Crescimento mamário; aumento do peso e tamanho da mama<br>→ Proliferação dos ductos e sistema glandular sob a ação de estrogênio e progestogênio |
| Iniciação secretora ou lactogênese I (metade da gravidez ao dia 2 pós-parto) | → Início da síntese do leite da metade da gravidez em diante<br>→ Diferenciação das células alveolares em células secretoras<br>→ Prolactina estimula as células epiteliais secretoras |
| Ativação secretora ou lactogênese II (dia 3 ao dia 8 pós-parto) | → Fechamento da junção das células alveolares<br>→ Rápida queda dos níveis de progesterona materna<br>→ Início da secreção abundante de leite<br>→ Mamas cheias e quentes<br>→ Mudança do controle endócrino para autócrino |
| Manutenção da lactação ou galactopoiese (dia 9 ao início da involução) | → Manutenção da secreção do leite<br>→ Controle por sistema autócrino (produção-demanda)<br>→ Tamanho da mama diminui entre 6 e 9 meses pós-parto |
| Involução (em média 40 dias após a última mamada) | → Diminuição da secreção do leite pela ação dos peptídeos inibidores<br>→ Níveis de sódio no leite elevados |

Fonte: Riordan.[89]

quanto a mama foi esvaziada, ou seja, o volume de leite residual da mama após as mamadas. Assim, quanto mais leite for retirado da mama, por sucção ou extração mecânica, mais leite será produzido. Quando, por algum motivo, o esvaziamento da mama é prejudicado, há diminuição da secreção láctea, por inibição mecânica e química. O leite contém os chamados inibidores de *feedback* da lactação (FILs, do inglês *feedback inhibitor of lactation*): polipeptídeos sintetizados pelas células alveolares, que inibem a produção do leite. A sua remoção com o esvaziamento da mama garante a reposição do leite retirado. Esse mecanismo permite que a produção de leite seja determinada pela demanda da criança. Esse controle local da produção de leite é independente para cada mama. Assim, é possível que uma mama pare de sintetizar leite enquanto a outra continua, o que ocorre quando a criança suga apenas uma das mamas. Nesse estágio, a prolactina é necessária para a síntese do leite, mas ela não regula a quantidade de leite produzido.

Outro mecanismo local que regula a produção do leite envolve os receptores de prolactina na membrana basal do alvéolo. À medida que o leite se acumula nos alvéolos, a forma das células alveolares fica distorcida e a prolactina não consegue se ligar aos seus receptores, criando, assim, um efeito inibidor da síntese de leite.

Nos primeiros dias após o parto, a secreção de leite é pequena, e aumenta gradativamente. Na mamada da 1ª hora de vida, os RNs costumam ingerir 0 a 5 mL de colostro; no 1º dia, 40 a 50 mL em média; do 2º ao 6º dia, 395 a 868 mL; com 1 mês, a ingestão média diária de um bebê amamentado exclusivamente é de 750 a 800 mL.[52] Entre 1 e 6 meses de idade, o volume de leite ingerido pela criança em amamentação exclusiva é relativamente constante, entre 710 e 803 mL por dia, em média.[53] No entanto, a variação de volume é grande entre as crianças com crescimento adequado – 440 a 1.220 mL –, assim como o volume ingerido em cada mamada em um período de 24 horas da mesma criança (30-135 mL, em média).[54]

Após os 6 meses, com a introdução da alimentação complementar, a produção de leite diminui gradualmente, alcançando 95 a 315 mL por dia aos 15 meses.[55] Entre 6 e 9 meses, há uma redução acentuada de tecido mamário; aos 15 meses de lactação, a mama retorna ao seu tamanho pré-concepcional. Nessa fase, muitas mães acham, equivocadamente, que estão com pouco leite por sentirem a mama menos cheia.

Uma mama nunca é esvaziada totalmente. Em média, um lactente mama 67% do leite disponível na mama.[55] Ele para de mamar de acordo com o seu apetite e não porque a mama está vazia.

É comum encontrar diferença de produção de leite entre as mamas direita e esquerda, assim como é comum a criança ter preferência por uma mama. Em geral, a mama direita produz mais leite.

A capacidade de armazenamento da mama varia entre as mulheres e tem relação com a produção do leite e o volume da mama. Em média, a capacidade de armazenamento de uma mama é de 210 mL durante o período de amamentação exclusiva, atingindo um platô aos 4 a 6 meses; a partir disso, começa a diminuir.[55] Um intervalo entre duas mamadas excepcionalmente longo pode distender a mama e ultrapassar a capacidade habitual de armazenamento. A produção de leite em mamas grandes ou pequenas mostrou ser semelhante em um período de 24 horas.

## COMPOSIÇÃO E ASPECTO DO LEITE MATERNO

O leite humano é uma secreção mamária complexa. Ele contém compostos nitrogenados (proteínas, incluindo caseína, alfalactoalbumina, imunoglobulinas, albumina, lactoferrina, enzimas, hormônios, fatores de crescimento e nucleotídeos), lipídeos (triglicerídeos e ácidos graxos), carboidratos (lactose, glicose, galactose, oligossacarídeos), minerais, eletrólitos, microelementos, vitaminas e água.

O leite considerado "maduro" só começa a ser secretado por volta do 10º dia pós-parto. O colostro, produzido nos primeiros 1 a 5 dias após o parto, é mais espesso, contém mais proteínas e menos lipídeos do que o leite maduro, e é rico em imunoglobulinas, em especial a IgA. A **TABELA 99.4** apresenta as principais diferenças entre colostro e leite maduro, entre o leite de mães de RNs pré-termo e de bebês nascidos a termo e entre o leite materno e o leite de vaca. Este último tem muito mais proteínas do que o leite humano. Além da quantidade dos macronutrientes, há muitas diferenças na qualidade desses nutrientes quando se compara o leite humano com o de outras espécies.

O componente mais abundante do leite materno é a água, contribuindo para 87,5% de sua composição. Todos os outros componentes estão dissolvidos, dispersos ou suspensos em água.

> A quantidade de água no leite materno garante o suprimento das necessidades hídricas de uma criança em aleitamento materno exclusivo, mesmo em climas quentes e áridos.

A principal proteína do leite materno é a lactoalbumina, enquanto a do leite de vaca é a caseína. Há um predomínio das proteínas do soro sobre a caseína no leite humano, em uma proporção média de 60:40, o que resulta em melhor digestibilidade e qualidade dos aminoácidos quando comparado com o leite de vaca.

Proteínas específicas são importantes para a digestão e a proteção da criança; entre elas estão alfalactoalbumina,

**TABELA 99.4** → Composição do colostro e do leite materno maduro de mães de crianças a termo e pré-termo e do leite de vaca

| NUTRIENTE | COLOSTRO (3-5 DIAS) | | LEITE MADURO (26-29 DIAS) | | LEITE DE VACA |
|---|---|---|---|---|---|
| | A termo | Pré-termo | A termo | Pré-termo | |
| Calorias (kcal/dL) | 48 | 58 | 62 | 70 | 69 |
| Lipídeos (g/dL) | 1,8 | 3 | 3 | 4,1 | 3,7 |
| Proteínas (g/dL) | 1,9 | 2,1 | 1,3 | 1,4 | 3,3 |
| Lactose (g/dL) | 5,1 | 5 | 6,5 | 6 | 4,8 |

Fonte: Adaptada de Riordan.[89]

lactoferrina, imunoglobulinas, enzimas (> 400 identificadas até hoje), hormônios e fatores de crescimento.

O principal carboidrato do leite materno é a lactose, suprindo 40% das necessidades energéticas da criança em aleitamento materno exclusivo. Ele é importante para a absorção de cálcio e ferro. O leite humano é o leite que contém maior concentração de lactose entre todos os mamíferos; em consequência, é o leite mais doce. Em contrapartida, a espécie humana produz abundante quantidade da enzima que digere a lactose – a lactase – até a idade de 2,5 a 7 anos ou mais. A persistência da produção de lactase é geneticamente determinada e diminui com a idade.

Os lipídeos são o componente mais variável do leite materno, e são a principal fonte de energia para o lactente nos primeiros 6 meses de vida, contribuindo com 40 a 55% do total de energia consumida pela criança em aleitamento materno exclusivo. A fração lipídica é composta principalmente por triglicerídeos, que, sob ação da lipase, dão origem aos ácidos graxos essenciais, como o ácido linoleico e o ácido α-linolênico, além de seus importantes metabólitos, como o ácido araquidônico, o ácido eicosapentaenoico e o ácido docosaexaenoico. Esses ácidos graxos são componentes fundamentais do cérebro, da retina e de outros tecidos neurais.

Os níveis de gordura aumentam significativamente no 2º ano de lactação, e o tipo de gordura que a mãe consome afeta o tipo de ácidos graxos no leite materno.

A concentração de gordura no leite varia entre as mamadas e em uma mesma mamada, havendo diferença no leite do início e do final da mamada. O leite posterior (final da mamada) costuma ter mais gordura, devido à liberação de glóbulos de gordura que se encontravam adsorvidos nos lactócitos com o esvaziamento da mama. Essa liberação se dá pela mudança da forma do lactócito com o esvaziamento dos alvéolos, que passa de escamosa para colunar, diminuindo, assim, a área para adsorção dos glóbulos de gordura. Essa diminuição na área de superfície do lúmen alveolar, acrescida de forças geradas pela convolução dos alvéolos esvaziando-se, desloca os glóbulos de gordura adsorvidos e facilita sua remoção.[56] Portanto, o teor de gordura no leite tem relação com o volume de leite na mama. Quando a mama está cheia, parte da gordura fica depositada nas células alveolares e vai sendo liberada durante a mamada. Por isso, o leite posterior tende a ter maior conteúdo de gordura. Por outro lado, se a mama não estiver tão cheia, como ocorre em intervalos muito curtos entre as mamadas, não haverá tanta diferença entre os leites anterior e posterior quanto ao teor de gordura. No entanto, é importante frisar que a ingestão total de gordura de uma criança independe de seu padrão de frequência das mamadas. A taxa de crescimento da criança amamentada está mais relacionada com o volume de leite que ela consome do que com a concentração de gorduras, proteínas ou lactose no leite.

O leite humano possui inúmeros fatores imunológicos específicos e não específicos, que conferem proteção ativa e passiva contra agentes infecciosos. Os principais são:

→ imunoglobulinas, principalmente a IgA, que forram a mucosa intestinal da criança, prevenindo a entrada de bactérias nas células. A especificidade dos anticorpos IgA no leite humano é um reflexo dos antígenos entéricos e respiratórios da mãe, o que proporciona proteção à criança contra os patógenos prevalentes no meio onde a criança vive. A concentração de IgA no leite materno diminui ao longo do 1º mês, permanecendo relativamente constante a partir de então;
→ leucócitos, que matam microrganismos;
→ proteínas do soro (lisozima e lactoferrina), que matam bactérias, vírus e fungos;
→ fator bífido, que favorece o crescimento de *Lactobacillus bifidus*, uma bactéria saprófita que acidifica as fezes, dificultando a instalação de bactérias que causam diarreia, como *Shigella*, *Salmonella* e *Escherichia coli*;
→ oligossacarídeos (> 200 compostos), que previnem ligação da bactéria na superfície mucosa e protegem contra enterotoxinas no intestino, ligando-se à bactéria, e estimulam as células intestinais a produzir proteínas que "selam" o intestino e anti-inflamatórios que calibram o sistema imunológico. É o segundo grupo de carboidratos mais presente no leite humano, ficando atrás apenas da lactose. Eles não são absorvidos durante a digestão, liberando metabólitos que nutrem a célula intestinal e alimentam a microbiota intestinal não patológica, em especial as bifidobactérias e o *Bifidobacterium longum* subsp. *infantis*. Recentemente, descobriu-se que a microbiota intestinal da criança está implicada no seu desenvolvimento cerebral.[57] A sua composição varia de acordo com algumas características da mãe – genética, paridade, dieta, estilo de vida, exposição a tabaco/drogas e saúde em geral.

Alguns fatores de proteção do leite materno são total ou parcialmente inativados pelo calor, razão pela qual o leite humano pasteurizado (submetido à temperatura de 62,5 °C por 30 minutos, seguido de rápido resfriamento) não tem o mesmo valor biológico que o do leite cru.

Além dos fatores de proteção, o leite materno contém outros fatores bioativos, como a lipase, que facilita a digestão da gordura, e o fator de crescimento epidérmico, que estimula a maturação das células intestinais, melhorando a digestão e a absorção de nutrientes, diminuindo a infecção e a sensibilização por proteínas estranhas.

Mais recentemente, foram descobertos exossomos produzidos pelas glândulas mamárias, que são microvesículas contendo micro-RNAs que controlam a expressão dos genes na criança.[58] Os exossomos, uma vez ingeridos pela criança, são captados intactos pelas células intestinais e alcançam a circulação sistêmica, podendo reduzir a metilação do DNA de células-alvo.

O leite materno, além de conter inúmeros fatores de proteção contra microrganismos, também é fonte de comunidades bacterianas complexas, contribuindo para a microbiota intestinal em formação do lactente. Essas bactérias são provenientes da pele da mãe e do próprio leite, e vêm do intestino materno pela via enteromamária.[59]

As mulheres costumam preocupar-se com o aspecto do seu leite e, muitas vezes, dão interpretações equivocadas a determinados aspectos do leite – por exemplo, dizer que o leite é fraco quando ele é mais transparente. Por isso, é importante que as mulheres saibam que o aspecto do leite varia ao longo de uma mamada e também de acordo com a dieta da mãe.

O leite do início da mamada, pelo seu alto teor de água, tem aspecto semelhante ao da água de coco. Porém, ele é muito rico em anticorpos. Já o leite do meio da mamada tende a ter uma coloração mais esbranquiçada, e o leite do final da mamada, o chamado leite posterior, é mais amarelado devido à presença de betacaroteno, pigmento lipossolúvel presente na cenoura, na abóbora e em vegetais de cor laranja, consumidos pela mãe.

O leite pode ter aspecto azulado ou esverdeado quando a mãe ingere grande quantidade de vegetais verdes, ricos em riboflavinas.

Não é rara a presença de sangue no leite, dando a ele uma cor amarronzada. Esse fenômeno é passageiro e costuma ocorrer nas primeiras 48 horas após o parto. É mais comum em primíparas adolescentes e mulheres com idade > 35 anos e deve-se ao rompimento de capilares provocado pelo aumento súbito da pressão dentro dos alvéolos mamários na fase inicial da lactação. Nesses casos, a amamentação pode ser mantida, desde que o sangue não provoque náuseas ou vômitos na criança.

## ACONSELHAMENTO EM AMAMENTAÇÃO

Para promover, proteger e apoiar a amamentação com eficiência, o profissional de saúde, além do conhecimento e da competência técnica em aleitamento materno, precisa ter habilidade em comunicar-se de maneira eficiente. Nesse sentido, a técnica do aconselhamento em amamentação tem sido recomendada pela OMS.[60]

> Aconselhar não significa dizer à mulher o que ela deve fazer; significa ajudá-la a tomar decisões, após ouvi-la, entendê-la e dialogar com ela sobre os prós e os contras das opções.

No aconselhamento, é importante que as mulheres e suas famílias sintam que o profissional se interessa pelo bem-estar delas, para que adquiram confiança e se sintam apoiadas e acolhidas.

As seguintes estratégias são muito utilizadas no aconselhamento, não apenas em amamentação, mas em diversas situações C/D:[60]

→ fazer uso da comunicação não verbal (gestos, expressão facial). Por exemplo: sorrir, como sinal de acolhimento; balançar a cabeça afirmativamente, como sinal de interesse; tocar na mulher ou no bebê, quando apropriado, como sinal de empatia;
→ promover maior aproximação física, removendo barreiras como mesa, papéis, computadores;
→ usar linguagem simples e acessível;
→ dedicar tempo para ouvir, prestando atenção nas falas e no seu significado. Como sinal de interesse, podem-se utilizar expressões como "Ah, é?", "Mmm...", "Ahh!". Algumas pessoas têm dificuldades para se expressar. Nesse caso, algumas técnicas são úteis, como fazer perguntas abertas, dando mais espaço para que elas se expressem. Em geral, essas perguntas começam por "Como?", "O quê?", "Quando?", "Onde?", "Por quê?". Por exemplo, em vez de perguntar se o bebê está sendo amamentado, perguntar como ele está sendo alimentado. Outra técnica que pode incentivar as pessoas a falarem mais é devolver o que elas dizem. Por exemplo, se a mãe refere que a criança chora muito à noite, o profissional pode fazê-la falar mais sobre isso perguntando: "Você fica acordada à noite porque o seu bebê chora muito?";
→ mostrar à mãe que os seus sentimentos são compreendidos, colocando-a no centro da situação e da atenção do profissional; isso é empatia. Por exemplo, quando a mãe relata que está muito cansada porque o bebê quer mamar com muita frequência, o profissional pode comentar que entende por que a mãe está se sentindo tão cansada;
→ evitar palavras que soam como julgamentos, como certo, errado, bem, mal, etc. Por exemplo, em vez de perguntar se o bebê mama bem, seria mais apropriado perguntar como o bebê mama;
→ aceitar e respeitar os sentimentos e as opiniões dos outros, sem, no entanto, precisar concordar ou discordar do que eles pensam. Por exemplo, se uma mãe afirma que o seu leite é fraco, o profissional pode responder dizendo que entende a sua preocupação e gostaria de ouvir por que ela acha que o seu leite é fraco;
→ reconhecer e elogiar o que está indo bem; por exemplo, quando o bebê está ganhando peso ou sugando bem, ou mesmo elogiar pelo fato de levar o bebê à consulta. Essa atitude aumenta a confiança da mãe e dos demais envolvidos, encorajando-os a manterem práticas saudáveis e facilitando a sua aceitação a sugestões;
→ oferecer poucas informações em cada encontro – as mais importantes para a situação do momento;
→ dar sugestões em vez de ordens;
→ oferecer ajuda prática – por exemplo, segurar o bebê por alguns minutos e ajudá-la a encontrar uma posição confortável para amamentar;
→ conversar com as mães sobre as suas condições de saúde e as do bebê, explicando-lhes todos os procedimentos e condutas.

Os temas abordados durante um aconselhamento em amamentação variam de acordo com a época e o momento em que é feito. A seguir, são sugeridos alguns tópicos relacionados com o aleitamento materno a serem abordados durante o acompanhamento pré-natal e em diferentes momentos e circunstâncias da amamentação.

### Pré-natal

O aconselhamento em aleitamento materno deve iniciar já durante o acompanhamento pré-natal, sobretudo em primíparas, em nível individual e em grupos. Muitas mulheres "idealizam" a amamentação e se frustram ao deparar-se com a realidade. O pré-natal é o momento adequado para discutir essa questão. No aconselhamento, é importante a inclusão de pessoas significativas para a gestante, como o

companheiro e a mãe. A abordagem dos seguintes aspectos é muito importante:[61]
- → planos da gestante em relação à alimentação da criança;
- → experiências prévias, mitos, crenças, medos, preocupações e fantasias relacionados à amamentação;
- → impacto positivo da amamentação para a criança, a mulher, a família, o ecossistema e a sociedade em geral;
- → possíveis consequências do uso precoce de leite não humano;
- → importância do início precoce da amamentação, na 1ª hora de vida da criança;
- → importância do alojamento conjunto;
- → possíveis dificuldades na amamentação e meios de preveni-las, incluindo a técnica adequada de amamentação;
- → comportamento normal de um RN;
- → prós e contras do uso de mamadeira, chupeta e acessórios da amamentação, como bico intermediário de silicone e conchas mamárias.

O exame das mamas é imprescindível, pois, por meio dele, podem-se detectar situações que exigem uma maior assistência à mulher logo após o nascimento do bebê, como a presença de mamilos muito planos ou invertidos e cicatriz de cirurgia de redução de mamas. Outro aspecto a ser considerado no exame é o aumento das mamas na gestação, pois a sua ausência é indicativa de problemas com a síntese do leite. Nesses casos, é importante fazer acompanhamento rigoroso do ganho de peso da criança após o nascimento.

A "preparação" das mamas para a amamentação é desnecessária. Ela ocorre naturalmente durante a gestação. Estratégias para aumentar e fortalecer os mamilos durante a gravidez, como esticar os mamilos com os dedos ou esfregá-los com buchas ou toalhas ásperas, não são recomendadas. Além de serem ineficazes, podem ser prejudiciais, pois retiram a proteção natural dos mamilos conferida pela secreção de glândulas areolares e, em algumas situações, podem induzir trabalho de parto prematuro. O uso de conchas ou sutiãs com um orifício central para alongar os mamilos também não é eficaz. Os mamilos costumam ganhar elasticidade durante a gravidez, adaptando-se à amamentação. É importante informar às mulheres com mamilos planos ou invertidos que elas poderão precisar de apoio profissional logo após o nascimento do bebê.

## Fase inicial da amamentação

Os primeiros dias após o nascimento da criança são de extrema importância para o sucesso da amamentação, constituindo um período de intenso aprendizado para a mãe e seu bebê, e também para as demais pessoas envolvidas.

**A amamentação deve ser iniciada assim que possível após o parto. A OMS e o Ministério da Saúde recomendam colocar os bebês em contato pele a pele com suas mães imediatamente após o parto, por no mínimo 1 hora, e encorajar as mães a reconhecer quando seus bebês estão prontos para ser amamentados, oferecendo ajuda, se necessário.[62]**

A sucção precoce da mama pode reduzir o risco de hemorragia pós-parto da mulher, ao liberar ocitocina, e de icterícia no RN, por aumentar a motilidade gastrintestinal. A sucção espontânea do RN pode não ocorrer antes de 45 minutos a 2 horas de vida do bebê, porém o contato pele a pele por si só é importante. Uma revisão sistemática[63] incluindo 34 ensaios clínicos randomizados avaliou os efeitos do contato pele a pele precoce sobre o aleitamento materno e o comportamento e a fisiologia das mães e seus bebês. Foram encontrados os seguintes efeitos positivos: maior prevalência do aleitamento materno entre 1 e 4 meses (razão de chances [OR – do inglês, *odds ratio*] = 1,27); maior duração do aleitamento materno (diferença de 42 dias); maiores níveis de glicose após 75 a 90 minutos de vida (diferença de 10,6 mg/dL); e melhor estabilidade cardiorrespiratória de RNs pré-termo tardio. A revisão também concluiu que parece haver diminuição do choro da criança com o contato pele a pele precoce e que, aparentemente, essa prática não possui nenhum efeito colateral em curto e longo prazos.

### Frequência e duração das mamadas

A amamentação em livre demanda deve ser incentivada, pois hoje se sabe que faz parte do comportamento normal do RN mamar com frequência, sem regularidade quanto a horários C/D. A amamentação sem restrições diminui a perda de peso inicial do RN e aumenta o seu ganho de peso; contribui para a prevenção do ingurgitamento mamário; diminui a incidência de trauma mamilar e de icterícia neonatal; estabiliza mais rapidamente os níveis de glicose sérica neonatal; promove a secreção de leite maduro mais cedo; e aumenta a duração da amamentação.[64]

O tempo de permanência na mama em cada mamada também não deve ser estabelecido, uma vez que a habilidade do bebê em retirar o leite da mama varia entre as crianças e, em uma mesma criança, pode variar ao longo do dia, dependendo das circunstâncias. O mais importante é que a criança permaneça na mama o tempo suficiente para retirar o leite posterior.

É importante que a mulher e sua família entendam o comportamento habitual de um RN e tenham expectativas realistas em relação à amamentação. É comum interpretar mamadas frequentes, que fazem parte do comportamento habitual dos RNs, como sinal de fome do bebê, leite fraco ou insuficiente, culminando, com frequência, na introdução de suplementos. Embora a frequência e a duração das mamadas variem, em geral as crianças mamam 8 a 12 vezes em 24 horas, com algumas crianças mamando de hora em hora por algumas horas e depois dormindo mais prolongadamente, e outras mamando a cada 2 a 3 horas, dia e noite. Aproximadamente dois terços das crianças mamam à noite. Cada mamada dura, em média, cerca de 15 a 20 minutos em cada mama, mas algumas crianças precisam de mais tempo e outras satisfazem-se com apenas uma mama.

É importante que as mães saibam reconhecer e atender a criança aos primeiros sinais de que ela quer mamar, como movimentos e sons de sucção, mão na boca, movimentos rápidos dos olhos, arrulhos suaves e sons de suspiro, e inquietação. Não é necessário esperar que a criança chore para mamar.[65]

## Choro do bebê

Outro aspecto que deve ser abordado é o choro do bebê, cuja interpretação equivocada pode interferir no sucesso da amamentação. Frequentemente o choro do bebê é interpretado como sinal de fome.

É necessário esclarecer que existem muitas razões para esse comportamento do bebê. Algumas crianças choram mais do que outras e apresentam maiores dificuldades na passagem da vida intrauterina para a extrauterina. Essas crianças, com frequência, frustram as expectativas maternas de ter um bebê tranquilo, o que pode aumentar ainda mais o descontentamento do bebê, que responde aumentando ainda mais as demandas, podendo instalar-se um círculo vicioso.

Na maioria das vezes, os bebês se acalmam quando são aconchegados ou colocados no peito, reforçando que eles precisam sentir-se seguros e protegidos.

## Suplementação do leite materno

A suplementação do leite materno com água, chás e, sobretudo, outros leites deve ser evitada **B**. Água e chás são desnecessários, pois o leite materno contém toda a água de que a criança necessita; e a introdução de outro leite na alimentação da criança está associada ao desmame precoce, além de outros possíveis efeitos negativos.

> O profissional de saúde deve estar preparado para apoiar as mulheres e sua família na amamentação, ajudando-as a prevenir e/ou superar dificuldades e evitando, dessa maneira, o uso de suplementos e seus possíveis efeitos deletérios.

## Uso de mamadeira e chupeta

A mamadeira, além de ser uma importante fonte de contaminação para a criança, pode ter efeito negativo sobre a amamentação. Algumas crianças expostas à mamadeira podem desenvolver preferência por seu bico, apresentando, posteriormente, dificuldade para alimentar-se ao seio. Alguns autores acreditam que a diferença entre as técnicas de sucção da mama e dos bicos artificiais pode levar à "confusão de bicos".

O uso de chupeta também tem sido desaconselhado pela possibilidade de interferir na amamentação. Há pelo menos quatro teorias para explicar a influência negativa do uso de chupeta na amamentação, que não são excludentes: o uso de chupeta por si só reduz a duração da amamentação; o seu uso pode ser um indicador de dificuldades na amamentação; personalidade do bebê e interação mãe-filho, favorecendo ou dificultando a manutenção da amamentação e o uso de chupeta; e perfil das mães e familiares que determinam o cumprimento das recomendações de saúde, no caso amamentar por mais tempo e evitar o uso de chupeta.[66]

> Embora o papel dos bicos de mamadeiras e chupetas como obstáculos à amamentação não esteja claramente definido, tem sido recomendado evitar exposição desnecessária das crianças a esses potenciais fatores de risco para o desmame precoce **C/D**.

## Técnica da amamentação

Uma boa técnica de amamentação é muito importante para a transferência efetiva do leite da mama para a criança; sem um esvaziamento adequado da mama, pode haver diminuição da produção do leite e baixo ganho ponderal da criança. Além disso, estudos ultrassonográficos mostram que, sem uma pega adequada, os mamilos ficam vulneráveis a traumas.

A criança deve ser amamentada na posição mais confortável para a mãe e para ela, desde que não interfira na sua capacidade de abocanhar tecido mamário suficiente e retirar o leite efetivamente, assim como de deglutir e respirar livremente. A mãe pode amamentar sentada, deitada ou recostada, e a criança pode ser posicionada de diferentes maneiras. Um posicionamento adequado é indispensável para uma pega adequada.

Ao observar uma mamada, é importante verificar os quatro pontos-chave para o posicionamento adequado e os quatro pontos-chave para a pega adequada (TABELA 99.5).[67] Ressalta-se a importância de, ao posicionar o bebê para mamar, colocar a sua face próxima e de frente para a mama, com a sua boca abaixo do mamilo. Só assim o bebê vai abocanhar mais aréola abaixo do mamilo, e mais aréola vai ficar visível acima da boca do bebê. As FIGURAS 99.2 e 99.3 são exemplos de posicionamento e pega adequados, respectivamente.

Estudos com cinerradiografias e ultrassonografia mostram que é importante a criança abocanhar cerca de 2 centímetros do tecido mamário além do mamilo para que a amamentação seja eficiente. Muitas vezes, o bebê com pega inadequada é capaz de obter o chamado leite anterior, mas tem dificuldade de retirar o leite posterior, mais nutritivo e rico em gorduras.

> É importante enfatizar que, quando a criança é amamentada em uma posição apropriada e tem uma pega boa, a mãe não sente dor.

Quando a mama está muito cheia ou ingurgitada, o bebê não consegue abocanhar adequadamente a aréola. Nessas situações, recomenda-se, antes da mamada, a expressão manual da aréola tensa.

## Manutenção da amamentação

Todas as mulheres que amamentam deveriam ter acesso a um profissional capacitado para tirar as suas dúvidas e apoiá-las nas dificuldades.

**TABELA 99.5** → Pontos-chave para uma boa técnica de amamentação

| POSICIONAMENTO |
|---|
| → Cabeça e corpo do bebê alinhados |
| → Bebê com o corpo voltado para a mãe (barriga com barriga) e bem próximo do corpo da mãe |
| → Todo o corpo do bebê apoiado |
| → Face do bebê próxima e de frente para a mama, nariz em frente ao mamilo |
| **PEGA** |
| → Mais aréola visível acima do lábio superior do bebê do que embaixo |
| → Boca do bebê bem aberta |
| → Lábio inferior virado para fora |
| → Queixo do bebê tocando a mama |

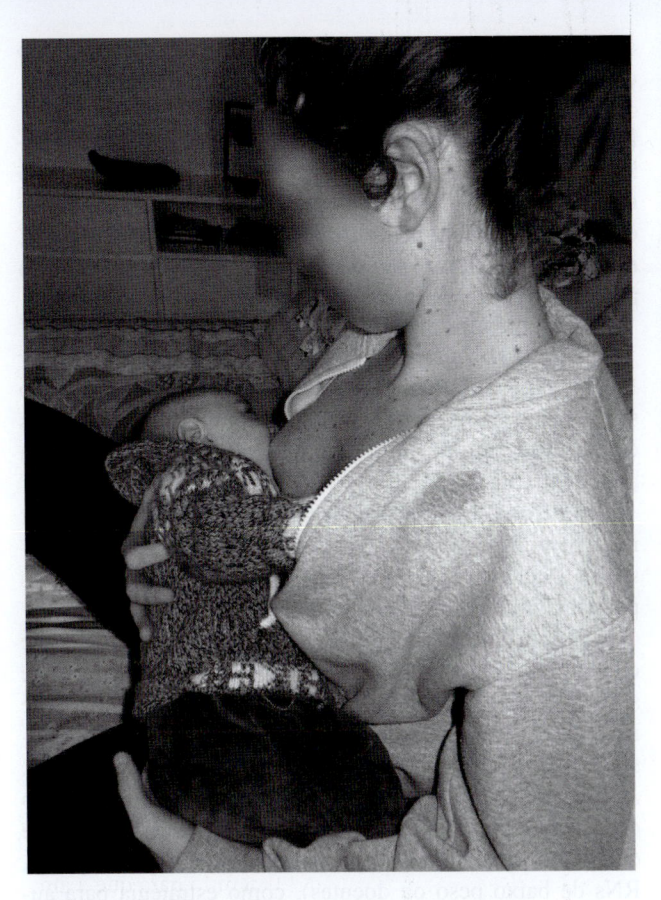

**FIGURA 99.2** → Mulher amamentando com posicionamento adequado.
Fonte: Acervo da autora.

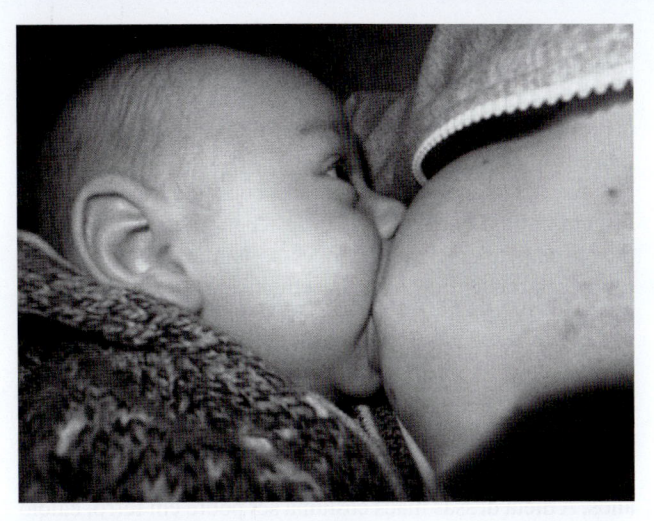

**FIGURA 99.3** → Criança mamando com boa pega.
Fonte: Acervo da autora.

As mães devem ser orientadas a comparecer com o seu RN para reavaliação médica quando este tiver não mais que 7 dias, pois é nos primeiros dias, em casa, que surgem dúvidas e dificuldades que podem interferir negativamente na amamentação. Em todas as visitas de reavaliação, é importante que o profissional de saúde promova, proteja e apoie a amamentação e oriente a introdução dos alimentos complementares na época oportuna (ver Capítulo Práticas Alimentares Saudáveis na Infância). O profissional deve estar preparado para manejar adequadamente as dificuldades que eventualmente possam surgir durante a amamentação (ver Capítulo Aleitamento Materno: Principais Dificuldades e seu Manejo).

> A saúde física e mental da lactante, assim como a sua satisfação com a amamentação, deve sempre ser checada, tanto nas revisões da mulher como nas da criança. Sabe-se que fatores de ordem emocional, como motivação, autoconfiança e tranquilidade, são importantes para uma amamentação bem-sucedida. Por outro lado, a dor, o desconforto, o estresse, a ansiedade, o medo, a baixa autoconfiança, a insatisfação e a falta de apoio podem inibir o reflexo de ejeção do leite, prejudicando a amamentação.

## Alimentação da mulher durante a amamentação

Apesar da enorme diversidade de alimentos consumidos pelos povos de todo o mundo, o leite materno é surpreendentemente homogêneo quanto à sua composição. Apenas as mulheres com desnutrição grave têm o seu leite afetado tanto qualitativa quanto quantitativamente.

A amamentação aumenta o apetite e a sede da mulher, e pode provocar algumas mudanças nas suas preferências alimentares. Em geral, um consumo extra de 500 calorias por dia é suficiente para a amamentação exclusiva nos primeiros 6 meses, pois a maioria das mulheres armazena, durante a gravidez, de 2 a 4 kg para serem usados na lactação. Isso pode ser conseguido por meio de uma dieta variada que forneça todos os nutrientes essenciais.

As principais recomendações relacionadas com a alimentação da mulher durante a amamentação podem ser assim resumidas **C/D**:

→ fazer de alimentos *in natura* ou minimamente processados a base da alimentação;
→ evitar o consumo de alimentos ultraprocessados;
→ consumir dieta variada;
→ consumir frutas e vegetais ricos em vitamina A;
→ certificar-se de que a sede está sendo saciada. Entre os líquidos, dar preferência para a água e outros líquidos saudáveis, como leite e sucos naturais. Líquidos em excesso não aumentam o volume de leite;
→ consumir três ou mais porções de leite e derivados. Se a mulher é vegana, alérgica ou não tolera leite e seus derivados, ela deve receber suplemento de cálcio, preferencialmente sob a forma de citrato, que é mais bem absorvido. Ocorre perda óssea durante a lactação, mesmo quando a ingestão de cálcio é adequada. Porém, a remineralização ocorre após o retorno da menstruação, resultando em ossos mais densos;
→ evitar dietas que promovam rápida perda de peso (> 500 g/semana).

Alguns micronutrientes no leite materno são afetados pela ingestão materna, como tiamina, riboflavina, vitamina $B_6$, vitamina $B_{12}$, vitaminas A e D, vitamina C e iodo.

O aumento da ingestão de energia e líquidos pela lactante não aumenta o volume de leite, a menos que a mulher esteja muito desnutrida.

Embora a concentração total de gorduras no leite não seja afetada pela dieta materna, a proporção dos diferentes ácidos graxos sofre influência da dieta – por exemplo, a proporção de ácidos graxos poli-insaturados ômega-3 e ômega-6.

As lactantes veganas que não consomem produtos de origem animal correm o risco de ter hipovitaminose $B_{12}$ e devem ser suplementadas com essa vitamina C/D; as lactantes vegetarianas que não consomem leite fortificado com vitamina D e têm pouca exposição solar devem ser suplementadas com vitamina D C/D. Outra preocupação com as vegetarianas é se elas estão ingerindo quantidade suficiente de proteínas.

Cuidado especial deve-se ter com a dieta de mães adolescentes, sobretudo as que tiveram menarca há menos de 4 anos. A dieta dessas mães costuma ser pobre em ferro, cálcio e outros nutrientes, além de elas terem uma demanda nutricional maior por causa de seu próprio crescimento.

De maneira geral, não há necessidade de nenhum tipo de restrição alimentar para as lactantes, exceto para ingestão de grandes quantidades de produtos que contenham cafeína e teobromina, presente no cacau. Acredita-se que 2 a 3 xícaras de café por dia e baixa ingestão de chocolate não afetem a criança.[68]

É importante mencionar que crianças amamentadas exclusivamente podem apresentar manifestações clínicas de alergia alimentar, incluindo protocolite induzida por proteína alimentar e intolerância a alimentos múltiplos, devido a contato com componentes desses alimentos via leite materno. Na maioria das vezes, uma dieta materna hipoalergênica com eliminação do leite de vaca e outros alimentos alergênicos é suficiente para o manejo dessa condição. Dietas de eliminação durante a amamentação para a prevenção de alergias não são recomendadas.[69]

Algumas mães relatam que certos alimentos específicos ingeridos por elas parecem causar cólicas na criança. Uma revisão sistemática concluiu que não há evidências robustas sobre a efetividade de modificações dietéticas para o tratamento de cólicas na criança, incluindo modificação da dieta materna, impossibilitando a recomendação de qualquer intervenção alimentar para o tratamento de cólicas.[70]

### Retorno da mãe ao trabalho

O trabalho materno fora do lar pode ser um obstáculo à amamentação, sobretudo a exclusiva, porém não a impede. A manutenção da amamentação na mulher trabalhadora é influenciada pelo tipo de ocupação da mulher, turno, número de horas no trabalho, leis trabalhistas e suporte ao aleitamento materno no ambiente de trabalho.

Ao profissional de saúde cabe conversar com a mulher e familiares sobre a possibilidade de a mulher trabalhar fora do lar e continuar amamentando, desde que receba apoio em casa e no trabalho. Para o sucesso da manutenção do aleitamento materno da mulher trabalhadora, é importante estimular, desde cedo, as pessoas que convivem com a mãe a dividir as tarefas domésticas com ela, bem como dar informações úteis para a manutenção do aleitamento materno após o retorno ao trabalho, incluindo extração do leite.

**É importante enfatizar que, para manter a produção do leite, a mulher deve extrair leite de sua mama em intervalos regulares enquanto estiver no trabalho (o número de vezes vai depender da demanda da criança e do tempo que permanecer no trabalho). Isso deve ser feito, mesmo que a mulher não aproveite o leite extraído para ser oferecido à criança em outro momento.**

A TABELA 99.6 resume as recomendações que devem ser feitas pelo profissional de saúde para as mulheres que vão ser separadas de seus filhos por algumas horas diárias em razão de retorno ao trabalho, e que querem manter a amamentação.

O método de extração do leite da mama, se manual ou por meio de bombas de extração, fica a critério da mulher. Revisão da Cochrane concluiu que não há evidências suficientes para determinar o melhor método de extração do leite.[71]

Mesmo que a preferência seja por expressão do leite com bomba de extração, é importante que toda lactante saiba extrair o seu leite manualmente. Por vezes, ela pode necessitar retirar o seu leite em locais e momentos imprevisíveis, sem ter à disposição uma bomba de extração de leite. A ordenha está indicada em diversas situações: para alívio de uma mama muito cheia, para manter a produção de leite quando o bebê não suga ou tem sucção inadequada (p. ex., RNs de baixo peso ou doentes), como estratégia para aumentar o volume de leite e para esvaziar a mama e estocar o leite quando a mãe está separada da criança.

A TABELA 99.7 apresenta, passo a passo, a técnica da extração manual do leite e a utilização desse leite para alimentar a criança em outro momento, de preferência utilizando um copo (TABELA 99.8).[72]

O Ministério da Saúde disponibiliza a *Cartilha para a mulher trabalhadora que amamenta* (ver QR code), com informações sobre os seus direitos e orientações para a manutenção da amamentação após o retorno ao trabalho.

**TABELA 99.6** → Recomendações para a manutenção do aleitamento materno após o retorno da mulher ao trabalho fora do lar

| ANTES DO RETORNO AO TRABALHO |
|---|
| → Praticar o aleitamento materno exclusivo |
| → Conhecer as facilidades para a retirada e o armazenamento do leite no local de trabalho (privacidade, geladeira, horários, disponibilidade de sala de apoio à amamentação) |
| → Praticar a extração do leite (manualmente ou com a ajuda de uma bomba de extração de leite) e congelar o leite para usar quando estiver ausente; iniciar o estoque de leite 15 dias antes do retorno ao trabalho |

| APÓS O RETORNO AO TRABALHO |
|---|
| → Amamentar com frequência quando estiver em casa, inclusive à noite |
| → Evitar mamadeiras; oferecer a alimentação com copo e/ou colher |
| → Durante as horas de trabalho, extrair o leite e, sempre que possível, guardá-lo na geladeira, *freezer* ou congelador para oferecer à criança em outro momento (ver TABELAS 99.7 e 99.8) |

**TABELA 99.7** → Passo a passo para a extração manual, armazenamento e utilização do leite materno

| | |
|---|---|
| Preparando o frasco | → Escolher um frasco de vidro incolor com tampa plástica – os melhores são os de maionese ou café solúvel<br>→ Lavar bem o frasco com água e sabão e depois ferver a tampa e o frasco por 15 minutos, contando o tempo a partir do início da fervura<br>→ Escorrer o vidro e a tampa sobre um pano limpo até secar<br>→ Identificar o frasco de vidro onde será colocado o leite com seu nome, data e hora da coleta |
| Preparando-se para a extração do leite | → Retirar anéis, pulseiras e relógio<br>→ Colocar uma touca ou um lenço no cabelo e uma máscara, um lenço ou qualquer outro tecido limpo na boca<br>→ Lavar cuidadosamente as mãos até os cotovelos, com água e sabão<br>→ Lavar as mamas apenas com água limpa<br>→ Secar as mãos, os antebraços e as mamas com papel-toalha ou um pano limpo<br>→ Procurar fazer a extração em um local tranquilo, onde seja possível sentar-se confortavelmente e relaxar; pensar no bebê pode auxiliar na saída do leite<br>→ É útil deixar à mão um copo com água ou suco natural<br>→ Ter à mão pano úmido limpo e lenços de papel |
| Extraindo o leite | → Posicionar o recipiente onde será coletado o leite (copo, xícara, caneca ou vidro de boca larga) próximo à mama; a tampa do frasco deve ficar sobre a mesa, com a parte interna voltada para cima<br>→ Iniciar a massagem das mamas com movimentos circulares utilizando a ponta dos dedos em toda a aréola; continuar massageando delicadamente toda a mama, mantendo os movimentos circulares<br>→ Curvar o tórax sobre o abdome para facilitar a saída do leite e aumentar o seu fluxo<br>→ Com os dedos da mão em forma de C, colocar o polegar na aréola ACIMA do mamilo e os dedos indicador e médio ABAIXO do mamilo na transição aréola-mama, em oposição ao polegar; sustentar a mama com os outros dedos<br>→ Usar preferencialmente a mão esquerda para extrair leite da mama esquerda e a mão direita para a mama direita, ou usar as duas mãos simultaneamente (uma em cada mama ou as duas juntas na mesma mama – técnica bimanual)<br>→ Firmar os dedos e empurrá-los para trás em direção ao tórax<br>→ Pressionar suavemente o polegar contra os outros dedos; evitar pressionar demais, para não bloquear os ductos lactíferos<br>→ Não deslizar os dedos sobre a pele; pressionar e soltar, pressionar e soltar muitas vezes; a princípio, o leite pode não fluir, mas, depois de pressionar algumas vezes, o leite começa a pingar; ele pode fluir em jorros, se o reflexo de ocitocina for ativo<br>→ Desprezar os primeiros jatos; assim, há melhora na qualidade do leite pela redução dos contaminantes microbianos<br>→ Mudar a posição dos dedos ao redor da aréola para extrair leite de todas as áreas da mama<br>→ Alternar a mama quando o fluxo de leite diminuir e repetir a massagem e o ciclo várias vezes; lembrar que extrair leite da mama adequadamente leva mais ou menos 20 a 30 minutos, em cada mama, especialmente nos primeiros dias, quando apenas uma pequena quantidade de leite pode ser produzida<br>→ Podem ser ordenhadas as duas mamas simultaneamente em um único vasilhame de boca larga ou em dois vasilhames separados, colocados um embaixo de cada mama<br>→ Após terminar a coleta, fechar bem o frasco |
| Armazenando o leite | → Guardar o leite coletado em geladeira, se for utilizá-lo em no máximo 12 horas, ou no *freezer* ou congelador<br>→ Se o frasco não ficar cheio, ele pode ser completado em outra coleta, deixando sempre um espaço de dois dedos entre a boca do frasco e o leite<br>→ O leite cru guardado dentro da geladeira (e não na porta da geladeira) deve ser consumido em até 12 horas; o leite congelado, sem ser pasteurizado, tem validade de 15 dias |
| Transportando o leite | → O leite deve ser transportado do local do trabalho para casa em sacola ou caixa térmica com gelo retirado do *freezer* ou congelador<br>→ Ao chegar em casa, colocar o leite imediatamente na geladeira, *freezer* ou congelador |
| Oferecendo o leite à criança | → O leite congelado deve ser descongelado dentro da geladeira ou em banho-maria, fora do fogo; não se recomenda o degelo do leite em micro-ondas<br>→ Uma vez descongelado, o leite deve ser aquecido em banho-maria, fora do fogo; não se recomenda o aquecimento do leite no micro-ondas<br>→ Antes de oferecer o leite à criança, agitar suavemente para homogeneizar a gordura<br>→ Oferecer o leite para a criança, de preferência em um copo (ver **TABELA 99.8**)<br>→ O leite descongelado pode permanecer em geladeira por até 12 horas<br>→ O leite não utilizado deve ser descartado e nunca recongelado |

Fonte: Adaptada de Brasil.[72]

**TABELA 99.8** → Técnica para utilização de copo por criança pequena

→ Certificar-se de que o bebê está desperto e tranquilo
→ Acomodar o bebê no colo, na posição sentada ou semissentada, de modo que a cabeça forme um ângulo de quase 90 graus com o pescoço
→ Encostar a borda do copo no lábio inferior do bebê e deixar o leite materno tocar o lábio; o bebê fará movimentos de lambida do leite seguidos de deglutição
→ Não despejar o leite na boca do bebê
→ Com prática, pouco leite é perdido

# IMPORTÂNCIA DA REDE DE APOIO NA AMAMENTAÇÃO

A amamentação é fortemente influenciada pelo meio onde a mulher está inserida. Para uma amamentação bem-sucedida, a mulher necessita de constante incentivo e apoio não apenas dos profissionais de saúde, mas de sua família, da comunidade, do trabalho ou escola, quando for o caso, e do Estado. A amamentação é responsabilidade de todos.

Ninguém pode amamentar pela mãe, mas outras pessoas podem e devem participar da amamentação de diversas maneiras. A mulher precisa de tempo e tranquilidade para amamentar, e cuidar de si própria. Além do incentivo e do apoio emocional, é necessário dividir as tarefas domésticas e os cuidados com a criança e outros filhos, quando presentes, com o grupo mais íntimo, em especial o pai da criança, avós e outras pessoas próximas da mulher. No trabalho ou na escola, as mulheres precisam ser apoiadas pelos colegas e/ou empregadores/professores, e dispor de condições adequadas para amamentar ou extrair o seu leite de forma segura nesses locais.

O profissional de saúde deve sempre incluir nas consultas que envolvam amamentação as pessoas do cotidiano da mulher, estimulando-as a participarem desse período vital para a família, ouvindo-as com empatia, tirando as suas dúvidas e valorizando-as como apoiadoras da amamentação. Com informação adequada e diálogo, essas pessoas podem exercer influência positiva para uma amamentação bem-sucedida.

É importante que filhos mais velhos, quando presentes, também sejam envolvidos na amamentação, aprendendo desde cedo que o aleitamento materno é a forma mais natural e ideal de alimentar a criança pequena.

## PROTEÇÃO LEGAL DA AMAMENTAÇÃO NO BRASIL

A legislação de proteção ao aleitamento materno do Brasil é uma das mais avançadas do mundo. É muito importante que o profissional de saúde conheça as leis e outros instrumentos de proteção à amamentação para que possa informar às mulheres que estão amamentando e suas famílias sobre os seus direitos.

A seguir, são apresentados alguns direitos da mulher que protegem o aleitamento materno direta ou indiretamente:

- **garantia do emprego:** segundo a Constituição Federal de 1988, é vedada a dispensa arbitrária ou sem justa causa da mulher trabalhadora durante o período de gestação, desde a confirmação da gravidez até 5 meses após o parto;
- **licença-maternidade:** a Constituição Federal de 1988 garante licença-maternidade de 120 dias a todas as trabalhadoras sob o regime CLT (Consolidação das Leis do Trabalho). As trabalhadoras de empresas que aderem ao Programa Empresa Cidadã e as servidoras federais e estaduais têm direito à licença-maternidade de 6 meses. Vários municípios já estão concedendo licença de 6 meses às suas servidoras;
- **licença-paternidade:** todo pai tem direito a 5 dias de licença a contar do dia do nascimento do filho. Trabalhadores de empresas vinculadas ao Programa Empresa Cidadã podem solicitar o aumento da licença-paternidade para 20 dias;
- **creche:** todo estabelecimento que empregue mais de 30 mulheres com idade > 16 anos deve ter local apropriado onde seja permitido às funcionárias guardar sob vigilância e assistência os seus filhos no período de amamentação. Essa exigência pode ser suprida por meio de creches distritais mantidas, diretamente ou mediante convênios, com outras entidades públicas ou privadas, como Serviço Social da Indústria (Sesi), Serviço Social do Comércio (Sesc) ou entidades sindicais. As empresas podem adotar o sistema de reembolso-creche em substituição a essa exigência;
- **pausas para amamentar:** para amamentar o próprio filho, até que este complete 6 meses de idade, a mulher tem direito, durante a jornada de trabalho, a dois descansos especiais, de meia hora cada um, além dos intervalos habituais para repouso e alimentação. Quando a saúde do filho exigir, o período de 6 meses pode ser prorrogado por até 14 dias a critério do médico. A mulher pode propor um acordo com a sua chefia para flexibilizar o horário, de maneira que ela possa juntar os dois intervalos de meia hora e entrar ou sair 1 hora mais cedo ou mais tarde do trabalho;
- **sala de apoio à amamentação:** é um espaço dentro da empresa destinado para as mulheres extraírem e armazenarem o seu leite com condições higiênico-sanitárias adequadas durante a jornada de trabalho. É facultativo às empresas;
- **Lei nº 11.265, de 3 de janeiro de 2006:** trata da comercialização, publicidade e práticas correlatas de alimentos para lactentes e crianças de primeira infância e produtos de puericultura correlatos, regulamentada pelo Decreto nº 9.579, de 22 de novembro de 2018. Essa lei substituiu a Norma Brasileira de Comercialização de Alimentos para Lactentes e Crianças de Primeira Infância, Bicos, Chupetas e Mamadeiras, a versão brasileira do Código Internacional de Comercialização dos Substitutos do Leite Materno.[73] Estão no escopo da lei os seguintes produtos consumidos por crianças de até 3 anos de idade: alimentos de transição e alimentos à base de cereais, indicados para lactentes ou crianças de primeira infância, e outros alimentos ou bebidas à base de leite ou não, quando comercializados ou apresentados como apropriados para a alimentação de lactentes e crianças de primeira infância; fórmulas de nutrientes apresentadas ou indicadas para RNs de alto risco; fórmulas infantis de acompanhamento para crianças de primeira infância; fórmulas infantis para lactentes e fórmulas infantis de acompanhamento para lactentes; fórmulas infantis para necessidades dietoterápicas específicas; leites fluidos, leites em pó, leites modificados e similares de origem vegetal; mamadeiras, bicos e chupetas.

Entre as normas da legislação, encontram-se as seguintes proibições aos distribuidores, fornecedores, importadores ou fabricantes de produtos abrangidos pela lei:

- propagandas dos produtos do âmbito da lei em quaisquer meios de comunicação;
- atuação de representantes comerciais nas unidades de saúde, exceto para a comunicação de aspectos técnico-científicos dos produtos a médicos pediatras e nutricionistas;
- uso de termos que lembrem o leite materno em rótulos de alimentos preparados para bebês e fotos ou desenhos que não sejam necessários para ilustrar métodos de preparação do produto;
- produção ou patrocínio de materiais educativos sobre alimentação de lactentes;
- distribuição de amostra (1 unidade) que não seja no lançamento do produto e a profissionais que não sejam pediatras ou nutricionistas, exceto mamadeiras, bicos, chupetas e fórmula de nutrientes para RN de alto risco, cuja distribuição é proibida;

→ doações de leite, mamadeiras, bicos e chupetas;
→ promoção comercial em eventos patrocinados por eles, limitando-se à distribuição de material técnico-científico durante o evento.

Além dessas proibições, a lei exige que nas embalagens ou rótulos de fórmulas infantis para lactentes seja exibido o destaque: "AVISO IMPORTANTE: Este produto somente deve ser usado na alimentação de crianças menores de 1 (um) ano de idade, com indicação expressa de médico ou nutricionista. O aleitamento materno evita infecções e alergias e fortalece o vínculo mãe-filho". Para as fórmulas de acompanhamento para crianças de primeira infância, deve ser exibido o destaque: "AVISO IMPORTANTE: Este produto não deve ser usado para alimentar crianças menores de 1 (um) ano de idade. O aleitamento materno evita infecções e alergias e é recomendado até os 2 (dois) anos de idade ou mais".

> Além de conhecer e divulgar os instrumentos legais de proteção da amamentação, é importante que o profissional de saúde respeite a legislação e monitore o seu cumprimento, denunciando as irregularidades.

## CONTRAINDICAÇÕES E RESTRIÇÕES À AMAMENTAÇÃO

A TABELA 99.9 apresenta as razões médicas aceitáveis para o uso de substitutos do leite materno,[74] e a TABELA 99.10 resume as condutas em relação ao aleitamento materno na presença de doenças infecciosas maternas.[75]

### Mulheres fumantes

A nicotina e outros componentes do tabaco estão presentes no leite materno de mulheres fumantes ativas ou passivas. A exposição da criança a essas substâncias, inclusive por fumo passivo, aumenta a chance de doenças respiratórias alérgicas e síndrome da morte súbita do lactente.[76] Além disso, o tabaco pode alterar o sabor do leite materno e interferir na produção do leite.[77] No entanto, tabagismo não é considerado uma contraindicação à amamentação, pois os efeitos positivos do aleitamento materno para a saúde da criança superam os efeitos negativos do consumo de tabaco pela mãe.[78] O risco de doenças respiratórias em filhos amamentados por mães tabagistas é menor[79] e o desempenho cognitivo é melhor[80] do que o de não amamentados.

Lactantes fumantes devem receber apoio extra durante a amamentação, pois elas apresentam um risco maior de abandono precoce da amamentação, e o ganho de peso de seus filhos amamentados deve ser rigorosamente monitorado. Essas mulheres devem ser encorajadas a não fumar, devendo ser apoiadas no tratamento da dependência ao cigarro. Para minimizar os efeitos do tabaco na criança, a mulher deve ser orientada a reduzir o consumo de tabaco tanto quanto possível e não fumar no mesmo ambiente em que se encontra a criança. Adesivos e goma de mascar de nicotina são compatíveis com a amamentação.[81]

### Usuárias de álcool

O consumo de álcool durante a amamentação é desaconselhável, pois ele passa rapidamente para o leite materno após a ingestão, alterando o odor e o sabor do leite e interferindo

**TABELA 99.9** → Razões médicas aceitáveis para o uso de substitutos do leite materno, exceto infecção materna

### CONDIÇÕES DA CRIANÇA

Crianças que não devem receber leite materno ou qualquer outro leite, exceto fórmulas especiais:
→ Galactosemia clássica
→ Doença do xarope de bordo
→ Fenilcetonúria (algum leite materno é possível, com monitoramento cuidadoso)

Crianças para as quais o leite materno continua sendo a melhor opção, mas que podem necessitar de outro alimento em adição ao leite materno por um período limitado:
→ Peso ao nascimento muito baixo: < 1.500 g
→ RN pré-termo com idade gestacional < 32 semanas
→ RN com hipoglicemia, quando os níveis sanguíneos de glicose não respondem ao aleitamento materno
→ RN com sinais e sintomas que indicam baixa ingestão de leite materno (desidratação, perda de peso ≥ 8-10% do peso ao nascimento no 5º dia de vida) ou perda de peso > percentil 75% para a idade, movimentos intestinais atrasados, menos que 4 evacuações no 4º dia de vida, persistência de mecônio no 5º dia de vida)
→ Altos níveis de bilirrubina associados à baixa ingestão de leite materno

### CONDIÇÕES MATERNAS

Condições que justificam a suplementação:
→ Atraso na descida do leite, com pouca ingestão de leite pela criança
→ Condições da mama que resultam em baixa produção de leite, como insuficiência de tecido mamário, cirurgias mamárias
→ Dor insuportável para amamentar

Condições que justificam contraindicar a amamentação permanentemente:
→ Uso regular e abusivo de álcool e outras drogas

Condições que justificam contraindicar a amamentação temporariamente:
→ Doença grave que impossibilita a mãe de cuidar de seu filho
→ Medicamentos maternos: por exemplo, quimioterápicos citotóxicos, radiofármacos (ver Capítulo Medicamentos e Outras Exposições na Gestação e na Lactação)
→ Consumo eventual de álcool e outras drogas de abuso

Fonte: Adaptada de World Health Organization.[74]

**TABELA 99.10** → Conduta em relação ao aleitamento materno na presença de algumas infecções maternas

| INFECÇÃO | CONDUTA QUANTO À AMAMENTAÇÃO | USO DO LEITE MATERNO CRU EXTRAÍDO DA MAMA | OBSERVAÇÃO |
|---|---|---|---|
| **Infecções bacterianas e parasitárias** | | | |
| Abscesso mamário | Sem restrição na mama não afetada | Permitido | → A amamentação na mama afetada pode recomeçar assim que o tratamento for iniciado |
| Brucelose | Interrupção temporária até 72-96 horas do início do tratamento | Contraindicado até 72-96 horas do início do tratamento<br>Permitido, se pasteurizado | → Mulher pode apresentar doença materna grave<br>→ Avaliar estado clínico da lactante |
| Coqueluche no período neonatal | Interrupção temporária por 5 dias após início da terapia antimicrobiana | Permitido, com garantia de medidas higiênicas, com ênfase ao uso de máscara cobrindo nariz e boca | → Iniciar antibioticoterapia para a lactante e a criança<br>→ Restrição de contato mãe/criança<br>→ Vacinar a criança |
| Doença de Chagas | Interrupção temporária na fase aguda da doença ou quando houver lesão mamilar com sangramento | Contraindicado na fase aguda da doença ou quando houver lesão mamilar com sangramento | |
| Diarreia | Sem restrição | Permitido | → Ênfase nos cuidados higiênicos, principalmente lavagem das mãos |
| Hanseníase não contagiosa | Sem restrição | Permitido | → Submeter a criança a exames clínicos periódicos e realizar vacina BCG |
| Hanseníase virchowiana não tratada ou com tratamento < 3 meses com sulfona ou < 3 semanas com rifampicina ou com lesões de pele na mama | Interrupção temporária até tratamento corretamente instituído com duração > 3 meses com sulfona ou > 3 semanas com rifampicina, sem lesões na pele da mama | Contraindicado até tratamento corretamente instituído com duração > 3 meses com sulfona ou > 3 semanas com rifampicina, sem lesões na pele da mama | → Submeter a criança a exames clínicos periódicos, realizar vacina BCG e tratar a criança e a mãe simultaneamente<br>→ Diminuir, ao máximo, o contato mãe/filho |
| Leptospirose | Interrupção temporária na fase aguda | Contraindicado na fase aguda<br>Permitido, se pasteurizado | → A lactante pode apresentar doença materna grave; nesse caso, ordenhar o leite para evitar estase e pasteurizá-lo<br>→ Avaliar estado clínico da lactante |
| Listeriose | Sem restrição<br>Em lactantes gravemente doentes, na fase aguda, interrupção temporária | Permitido<br>Em lactantes gravemente doentes, contraindicado na fase aguda | |
| Mastite | Sem restrição | Permitido | → Se a amamentação for muito dolorosa, o leite deve ser removido por expressão para evitar progressão da doença |
| Mastite ou abscesso causado por *Mycobacterium tuberculosis* | Interrupção temporária para tratamento | Contraindicado até resolução das lesões e cultura negativa | → Investigar e iniciar tratamento da criança com isoniazida<br>→ Manter ordenha para evitar estase e diminuição da produção de leite |
| *Neisseria meningitidis*: doença grave ou invasiva | Interrupção temporária por 24 horas após início da antibioticoterapia | Permitido após 24 horas do início da antibioticoterapia | → Uso de antibioticoterapia profilática nos contactantes |
| *Staphylococcus aureus*: doença grave ou invasiva | Interrupção temporária por 24-48 após início da antibioticoterapia | Permitido após 24-48 horas do início da antibioticoterapia | → Doença materna grave, muitas vezes mediada por toxinas |
| Estreptococos do grupo B: doença grave ou invasiva | Interrupção temporária por 24-48 após início da antibioticoterapia | Permitido após 24-48 horas do início da antibioticoterapia | → Pode causar infecções recorrentes maternas |
| Tuberculose: lactantes abacilíferas ou tratadas há mais de 2 semanas antes do parto | Sem restrição | Permitido | → Manutenção do tratamento da mulher |
| Tuberculose: lactantes com sinais, sintomas e exames radiológicos consistentes com doença tuberculosa ativa | Suspender temporariamente até diagnóstico e início da terapia na lactante e terapia profilática na criança | Permitido | → Seguir normas higiênico-sanitárias, em especial uso de máscara cobrindo nariz e boca<br>→ Manter diminuição do contato mãe/filho por pelo menos 2 semanas após início do tratamento<br>→ Investigar criança e iniciar isoniazida |
| Tuberculose: lactantes portadoras de tuberculose resistente a múltiplos medicamentos | Suspender temporariamente até início da terapia adequada e até a mulher tornar-se abacilífera | Permitido | → Seguir normas higiênico-sanitárias, em especial uso de máscara cobrindo nariz e boca<br>→ Separação da mãe do seu filho até tornar-se abacilífera<br>→ Investigar a criança e iniciar antibioticoterapia |
| **Infecções virais** | | | |
| Caxumba | Sem restrição | Permitido | |
| Chikungunya | Sem restrição | Permitido | |
| Citomegalovirose | Sem restrição, exceto para RNs com peso < 1.000 g e/ou IG < 30 semanas | Permitido, exceto para RNs com peso < 1.000 g e/ou IG < 30 semanas | → Alguns pesquisadores contraindicam a amamentação para RNs pré-termo com peso < 1.500 g |
| Dengue | Sem restrição, se a condição clínica materna permitir | Permitido | |

*(continua)*

**TABELA 99.10** → Conduta em relação ao aleitamento materno na presença de algumas infecções maternas  *(Continuação)*

| INFECÇÃO | CONDUTA QUANTO À AMAMENTAÇÃO | USO DO LEITE MATERNO CRU EXTRAÍDO DA MAMA | OBSERVAÇÃO |
|---|---|---|---|
| Febre amarela | Sem restrição, se a condição clínica materna permitir | Permitido | → Se a mãe for vacinada, a amamentação ou uso de leite extraído cru deve ser suspenso por 10 dias se a criança tiver idade < 6 meses |
| Hepatite A | Sem restrição | Permitido | → Imunoglobulina humana para o RN se o parto ocorrer na fase aguda |
| Hepatite B | Sem restrição | Permitido | → Administração da primeira dose da vacina contra hepatite B e imunoglobulina específica contra hepatite B, nas primeiras 12 horas de vida<br>→ A imunoprofilaxia elimina o risco teórico de transmissão do HBV por meio da amamentação<br>→ Risco teórico de transmissão se a criança entrar em contato com o sangue materno em fissuras ou traumas mamilares |
| Hepatite C | Sem restrição, exceto se houver presença de sangue nos mamilos | Permitido, se não houver contato com sangue | → Risco teórico de transmissão se a criança entrar em contato com o sangue materno em fissuras ou traumas mamilares |
| Herpes simples tipos 1 e 2 | Sem restrição, exceto se houver presença de lesões na mama | | → Cobrir as lesões herpéticas em outras localizações<br>→ Orientar as mães a praticar higiene criteriosa das mãos |
| HTLV-1 e HTLV-2 | Contraindicada | Contraindicado | |
| HIV | Contraindicada no Brasil | Contraindicado no Brasil | → A OMS contraindica apenas em mulheres soropositivas que não amamentam exclusivamente |
| *Influenza* H1N1 | Sem restrição | Permitido | → Medidas de higienização das mãos e uso de máscara facial pela mãe |
| Rubéola | Sem restrição | Permitido | |
| Sarampo | Sem restrição, após isolamento da mãe nos primeiros 4 dias da doença | Permitido | → Uso de imunoglobulina pela criança |
| Varicela | Sem restrição, exceto se a infecção for adquirida entre 5 dias antes e 2 dias após o parto | Permitido | → Isolamento de mãe e filho no período questionável<br>→ Imunoglobulina humana antivaricela-zóster, que deve ser administrada o mais precocemente possível, em até 96 horas do nascimento |
| Zika vírus | Sem restrições | Permitido | |

BCG, bacilo de Calmette-Guérin; HBV, vírus da hepatite B; HIV, vírus da imunodeficiência humana; HTLV, vírus linfotrópico de células T humanas; IG, idade gestacional; OMS, Organização Mundial da Saúde; RNs, recém-nascidos.
Fonte: Sociedade Brasileira de Pediatria.[75]

negativamente no reflexo de ejeção do leite, o que pode resultar em diminuição da produção do leite por esvaziamento inadequado das mamas. Os efeitos do consumo do álcool via leite materno para a criança não são muito bem conhecidos, mas acredita-se que pode afetar o seu desenvolvimento. Amamentar após a ingestão de 1 a 2 doses de bebida alcoólica,* incluindo cerveja, pode reduzir em 20 a 23% a ingestão de leite pela criança e causar agitação e alteração no padrão de sono.[82]

O uso esporádico de álcool em pequenas quantidades (1 dose) pela lactante provavelmente não causa efeitos em curto ou longo prazo na criança amamentada, sobretudo se houver uma pausa de 2 horas na amamentação por dose ingerida. Em geral, recomenda-se que, se houver consumo de álcool durante a amamentação, ele deve ser limitado a 240 mL de vinho ou 2 latas de cerveja,[78] tendo o cuidado de esperar pelo menos 2 horas após a ingestão de 1 dose de bebida alcoólica e 4 a 8 horas após a ingestão de mais de 1 dose para amamentar.[83] Existem tabelas que determinam o tempo que a lactante deve esperar para eliminar o álcool de seu leite para poder amamentar, levando em consideração a quantidade de álcool ingerido e o peso da mulher.[84]

A OMS desaconselha a amamentação em mulheres que fazem uso pesado de álcool diariamente.[84]

## Usuárias de drogas ilícitas

Mães usuárias regulares de drogas ilícitas (maconha, cocaína, *crack*, anfetamina, dietilamida do ácido lisérgico (LSD), heroína, *ecstasy* e outras) não devem amamentar seus filhos enquanto estiverem fazendo uso dessas substâncias. Além dos potenciais efeitos tóxicos sobre a criança, isso pode prejudicar o julgamento da mãe e interferir no cuidado com o seu filho.

O tetraidrocanabinol, o principal componente da maconha, está presente no leite materno até 8 vezes a concentração no plasma materno, sendo absorvido e metabolizado pela criança. Como não há evidências científicas robustas sobre

---

*1 dose = aproximadamente 0,2 g/kg de álcool em uma mulher de 60 kg, o que equivale a 340 mL de cerveja com teor alcoólico de 4,5%, 115 mL de vinho com teor alcoólico de 12%, ou 28 mL de uísque.

os efeitos em longo prazo do uso de maconha durante a amamentação, as recomendações para as mulheres que admitem usar raramente ou ocasionalmente essa droga são aconselhar evitar ou reduzir o máximo possível futuras exposições à maconha, alertando sobre possíveis efeitos negativos no neurodesenvolvimento da criança em longo prazo,[78] e evitar consumir a droga na presença da criança (fumo passivo) devido aos potenciais efeitos tóxicos da droga e à associação entre exposição de crianças à fumaça da maconha e risco 2 vezes maior de síndrome da morte súbita do lactente.[85] Quando o uso for moderado ou crônico, os riscos e os benefícios da amamentação devem ser cuidadosamente avaliados.

A cocaína também é encontrada em altas concentrações no leite materno, podendo causar graves efeitos colaterais nos RNs, pois eles ainda não têm enzimas suficientes para inativar a droga. De maneira geral, o uso de cocaína, heroína e outras drogas pesadas contraindica a amamentação. Entretanto, para as mulheres que usam cocaína eventualmente, recomenda-se que não amamentem por um período de 24 horas após o consumo.[86] Já a OMS assume que as mulheres com problemas de adição a drogas devem ser encorajadas a amamentar desde que os riscos claramente não ultrapassem os benefícios e que cada caso deve ser avaliado individualmente, levando em consideração a disponibilidade e o acesso a um substituto seguro ao leite materno.[83]

O profissional de saúde deve apoiar as lactantes usuárias de drogas para que consigam ficar em abstinência e, assim, possam amamentar. O uso de opioides para tratamento de dependência química, como a metadona e a buprenorfina, não contraindica a amamentação.[77,83]

## TÉRMINO DA AMAMENTAÇÃO

O desmame, aqui definido como o término da amamentação, não deve ser encarado como um evento, mas sim como um processo, sem data definida para iniciar e terminar, que depende de muitas variáveis, incluindo, entre outras, maturidade da criança e desejo da mãe.

Cada vez mais tem sido defendido o desmame natural, por proporcionar uma transição mais tranquila e menos estressante para a mãe e a criança, preenchendo as necessidades fisiológicas, imunológicas e psicológicas da criança até ela estar madura para o desmame. O desmame abrupto deve ser desencorajado, pois, se a criança não está pronta, ela pode sentir-se rejeitada pela mãe, gerando insegurança e, muitas vezes, rebeldia. Na mãe, o desmame abrupto pode precipitar ingurgitamento mamário, estase do leite e mastite, além de tristeza ou depressão, culpa e luto pela perda da amamentação.

No desmame natural, que ocorre, em média, entre 2 e 3 anos de idade, a criança se autodesmama sob a liderança da mãe. Costuma ser gradual, mas às vezes pode ser súbito – por exemplo, em uma nova gravidez da mãe (a criança pode estranhar o gosto do leite, que se altera, e o volume, que diminui). A mãe participa ativamente do processo, sugerindo passos quando a criança estiver pronta para aceitá-los e impondo limites adequados à idade. São sinais indicativos de que a criança está madura para o desmame: idade > 1 ano; menos interesse nas mamadas; aceita variedade de outros alimentos; é segura na sua relação com a mãe; aceita outras formas de consolo; aceita não ser amamentada em certas ocasiões e locais; consegue dormir sem mamar no peito; mostra pouca ansiedade quando encorajada a não mamar; por vezes prefere brincar ou fazer outra atividade com a mãe em vez de mamar.

Com frequência, a mulher sente-se pressionada por familiares, amigos, colegas de trabalho e até por profissionais de saúde a desmamar, muitas vezes contra a sua vontade e sem que ela e o bebê estejam prontos para isso. Muitas vezes, essas pressões são influenciadas por crenças e mitos relacionados com a amamentação dita "prolongada", como as de que a amamentação além do 1º ano é danosa para a criança sob o ponto de vista psicológico; que uma criança jamais desmama por si própria; que a amamentação prolongada é um sinal de problema sexual ou necessidade materna e não da criança; e que a criança que mama fica muito dependente. Essas crenças não têm fundamento científico algum.

Muitas vezes, a amamentação é interrompida apesar do desejo da mulher em mantê-la. As razões mais frequentes alegadas para a interrupção precoce são pouco leite, "leite fraco", rejeição do seio pela criança, trabalho da mãe fora do lar, hospitalização da criança e problemas nas mamas. Muitos desses problemas podem ser evitados ou superados com manejo adequado.

Se uma mulher quiser ou precisar desmamar antes de a criança estar pronta, o profissional de saúde deve respeitar o desejo/necessidade da mãe e apoiá-la na sua decisão. O processo de desmame nem sempre é fácil, mas há fatores que podem facilitá-lo, como: a mãe estar segura de que quer (ou deve) desmamar; o entendimento da mãe de que o processo pode ser lento e demandar energia – quanto menos pronta estiver a criança, maior será a lentidão do processo; flexibilidade, pois o curso do processo é imprevisível; paciência (dar tempo à criança) e compreensão; suporte e atenção adicionais à criança – a mãe deve evitar afastar-se nesse período; ausência de outras "crises", como controle dos esfíncteres, separações, doenças, mudanças de residência, entre outras.

Sempre que possível, o desmame deve ser gradual, retirando-se uma mamada do dia a cada 1 a 2 semanas. A técnica utilizada para fazer a criança desmamar varia de acordo com sua idade. Se a criança for maior, o desmame pode ser planejado, negociado com ela. A mãe pode começar o processo não oferecendo o seio, mas também não recusando. Pode também encurtar as mamadas e adiá-las. Mamadas podem ser suprimidas distraindo a criança com brincadeiras, chamando amiguinhos, entretendo a criança com algo que prenda sua atenção. A participação do pai no processo, sempre que possível, é importante. A mãe também pode evitar certas atitudes que estimulam a criança a mamar, como sentar-se na poltrona onde costuma amamentar.

Algumas vezes, o desmame forçado gera tanta ansiedade na mãe e na criança que é preferível adiar um pouco mais o processo, se possível. A mãe também pode optar por restringir as mamadas a certos horários e locais.

As mulheres devem estar preparadas para as mudanças físicas e emocionais que o desmame pode desencadear, como mudança de tamanho das mamas, aumento de peso e sentimentos diversos como alívio, paz, tristeza, depressão, culpa e luto pela perda da amamentação ou por mudanças hormonais. Após o desmame completo, alguma secreção mamária pode ser extraída da mama por pelo menos 6 semanas.[55]

**Cabe, primordialmente, a cada dupla mãe/criança, a decisão de manter a amamentação até que a criança a abandone espontaneamente, ou interrompê-la em determinado momento. Os fatores envolvidos nessa decisão podem ser de vários tipos: circunstanciais, sociais, emocionais, econômicos e culturais. Cabe ao profissional de saúde ouvir a mãe e ajudá-la a tomar uma decisão, pesando os prós e os contras. A decisão da mãe deve ser respeitada e apoiada.**

Em algumas situações, o aleitamento materno sequer é iniciado, como em mães de filhos natimortos, HIV-positivo, usuárias pesadas de drogas, entre outras; ou deve ser interrompido abruptamente ao longo da lactação por indicação médica ou desejo/necessidade da mulher. Nesses casos, é necessário suprimir a lactação, o que pode ser feito com medidas não farmacológicas ou medicamentos. As medidas não farmacológicas incluem enfaixamento compressivo das mamas, restrição hídrica, ausência de estimulação tátil das mamas, aplicação de compressas com gelo, folhas de repolho e flores de jasmim. Embora ainda sejam utilizadas, não há evidências de sua eficácia.[87] Os medicamentos farmacológicos incluem preparações com estrogênio (isoladamente ou combinados), clomifeno, piridoxina, prostaglandina, antagonistas da serotonina (ciproeptadina, metisergida, metergolina) e agonistas da dopamina (cabergolina, bromocriptina). O medicamento mais utilizado é a cabergolina, por ter menos efeitos colaterais que a bromocriptina.[88] A dose recomendada é 1 mg de cabergolina, em dose única, 24 a 48 horas após o parto, para as mulheres que não vão amamentar, ou 0,5 mg, 2 ×/dia, por 2 dias, para supressão da lactação.

## CONSIDERAÇÕES FINAIS

A amamentação é um processo complexo, com muitos fatores envolvidos, de ordem biológica, social, cultural, étnica/racial, política, econômica e individual da mulher. Devido à sua importância em curto, médio e longo prazos para a saúde da criança e da mulher, torna-se um desafio para o profissional de saúde atuar adequadamente nesse processo, apoiando a mulher para que ela tenha uma amamentação bem-sucedida e prazerosa, mas sempre atento às necessidades da criança, da mãe e da família.

## REFERÊNCIAS

1. World Health Organization. Indicators for assessing infant and young child feeding practices: conclusions of consensus meeting held 6-8 November 2007. Geneva: WHO; 2008.
2. World Health Organization, UNICEF. Inter-agency technical consultation on infant and young child feeding indicators: meeting report. Geneva: WHO; 2018.
3. World Health Organization. Breastfeeding [Internet]. Geneva: WHO; c2020 [capturado em 13 nov. 2020]. Disponível em: https://www.who.int/health-topics/breastfeeding#tab=tab_3
4. Kramer MS, Kakuma R. Optimal duration of exclusive breastfeeding. Cochrane Database Syst Rev. 2012;2012(8):CD003517.
5. Jonsdottir OH, Thorsdottir I, Hibberd PL, Fewtrell MS, Wells JC, Palsson GI, et al. Timing of the introduction of complementary foods in infancy: a randomized controlled trial. Pediatrics. 2012;130(6):1038-45.
6. Lamberti LM et al. Breastfeeding for reducing the risk of pneumonia morbidity and mortality in children under two: a systematic literature review and meta-analysis. BMC Public Health. 2013;13(Suppl 3):S18.
7. Agostoni C, Decsi T, Fewtrell M, Goulet O, Kolacek S, Koletzko B, et al. Complementary feeding: a commentary by the ESPGHAN Committee on Nutrition. J Pediatr Gastroenterol Nutr. 2008;46(1):99–110.
8. Effect of breastfeeding on infant and child mortality due to infectious diseases in less developed countries: a pooled analysis. WHO Collaborative Study Team on the role of breastfeeding on the prevention of infant mortality. Lancet. 2000;355(9202):451-5.
9. Victora CG, Bahl R, Barros AJD, França GVA, Horton S, Krasevec J, et al. Breastfeeding in the 21st century: epidemiology, mechanisms, and lifelong effect. Lancet. 2016;387(10017):475–90.
10. World Health Organization. Global breastfeeding collective [Internet]. Geneva: WHO; 2019 [capturado em 12 nov. 2020]. Disponível em: https://www.who.int/nutrition/topics/global-breastfeeding-collective/en/
11. Universidade Federal do Rio de Janeiro. Aleitamento materno: prevalência e práticas de aleitamento materno em crianças brasileiras menores de 2 anos 4. In: Estudo Nacional de Alimentação e Nutrição Infantil – ENANI: Relatório 4 [Internet]. Rio de Janeiro: ENANI; 2019 [capturado em 4 nov. 2021]. Disponível em: https://enani.nutricao.ufrj.br/index.php/relatorios/
12. Boccolini CS, Boccolini PMM, Monteiro FR, Giugliani ERJ, Venancio SY. Tendência de indicadores do aleitamento materno no Brasil em três décadas. Rev Saude Publ. 2017; 51:108.
13. Venancio SI, Monteiro CA. A tendência da prática da amamentação no Brasil nas décadas de 70 e 80. Rev Bras Epidemiol. 1998;1(1):40–9.
14. Bem-Estar Familiar no Brasil. Pesquisa Nacional sobre Demografia e Saúde: amamentação e situação nutricional das mães e crianças. Rio de Janeiro: BENFAM; 1997. p. 125-38.
15. Brasil. Ministério da Saúde. Pesquisa Nacional de Demografia e Saúde da Criança e da Mulher: PNDS 2006: dimensões do processo reprodutivo e da saúde da criança. Brasília: MS; 2009. (Série G. Estatística e Informação em Saúde).
16. World Health Organization. Infant and young child feeding: a tool for assessing national practices, policies and programmes [Internet]. Geneva: WHO; 2003 [capturado em 13 nov. 2020]. Disponível em: http://www.who.int/nutrition/publications/infantfeeding/9241562544/en/index.html.
17. Oddy WH, Kendall GE, Li J, Jacoby P, Robinson M, Klerk NH, et al. The long-term effects of breastfeeding on child and adolescent mental health: a pregnancy cohort study followed for 14 years. J Pediatr. 2010; 156(4):568–74.
18. Sankar MJ, Sinha B, Chowdhury R, Bhandari N, Taneja S, Martines J, et al. Optimal breastfeeding practices and infant and child mortality. A systematic review and meta-analysis. Acta Paediatr. 2015; 104(467):3–13.
19. Hauck FR, Thompson JM, Tanabe KO, Moon RY, Vennemann MM. Breastfeeding and reduced risk of sudden infant death syndrome: a meta-analysis. Pediatrics. 2011;128(1):103-10.

20. Ip S, Chung M, Raman G, Chew P, Magula N, DeVine D, et al. Breastfeeding and maternal and infant health outcomes in developed countries. Rockville: Agency for Healthcare Research and Quality, 2007.
21. Lauer JA, Betrán AP, Barros AJD, De Onís M. Deaths and years of life lost due to suboptimal breast-feeding among children in the developing world: a global ecological risk assessment. Public Health Nutr. 2006;9(6):673–85.
22. Jones G, Steketee RW, Black RE, Bhutta ZA, Morris SS. How many child deaths can we prevent this year? Lancet. 2003;362(9377):65–71.
23. Khan J, Vesel L, Bal R. Timing of breastfeeding initiation and exclusivity of breastfeeding during the first month of life: effects on neonatal mortality and morbidity – a systematic review and meta-analysis. Matern Child Health J. 2015;19(3):468–79.
24. Horta BL, Victora CG. Short-term effects of breastfeeding: a systematic review of the benefits of breastfeeding on diarhoea and pneumonia mortality. Geneva: WHO; 2013.
25. Chien PF, Howie PW. Breast milk and the risk of opportunistic infection in infancy in industrialized and non-industrialized settings. Adv Nutr Res. 2001;10:69–104.
26. Bowatte G, Tham R, Allen KJ, Tan DJ, Lau M, Dai X, et al. Breastfeeding and childhood acute otitis media: a systematic review and meta-analysis. Acta Paediatr. 2015;104(467):85–95.
27. Lodge CJ, Tan DJ, Lau MX, Dai X, Tham R, Lowe AJ, et al. Breastfeeding and asthma and allergies: a systematic review and meta-analysis. Acta Paediatr. 2015;104(467):38–53.
28. Horta BL, Loret de Mola C, Victora CG. Long-term consequences of breastfeeding on cholesterol, obesity, systolic blood pressure, and type-2 diabetes: systematic review and meta-analysis. Acta Paediatr. 2015; 104(467):30–7.
29. Horta BL, Lima NP. Breastfeeding and type 2 diabetes: systematic review and meta-analysis. Curr Diab Rep. 2019;19(1):1.
30. Güngör D, Nadaud P, LaPergola CC, Dreibelbis C, Wong YP, Terry N, et al. Infant milk-feeding practices and diabetes outcomes in offspring: a systematic review. Am J Clin Nutr. 2019;109(Suppl_7):817S-837S.
31. Amitay EL, Keinan-Boker L. Breastfeeding and childhood leukemia incidence: a meta-analysis and systematic review. JAMA Pediatr. 2015;169(6):e151025.
32. Peres KG, Cascaes AM, Nascimento GG, Victora CG. Effect of breastfeeding on malocclusions: a systematic review and meta-analysis. Acta Paediatr. 2015;104(467):54–61.
33. Horta BL, Loret de Mola C, Victora CG. Breastfeeding and intelligence: a systematic review and meta-analysis. Acta Paediatr. 2015;104(467):14–9.
34. Kramer MS, Aboud F, Mironova E, Vanilovich I, Platt RW, Matush L, et al. Breastfeeding and child cognitive development: new evidence from a large randomized trial. Arch Gen Psychiatry. 2008; 65(5):578–84.
35. Richards M, Hardy R, Wadsworth ME. Long-term effects of breast-feeding in a national birth cohort: educational attainment and midlife cognitive function. Public Health Nutr. 2002; 5(5):631–5.
36. Martin RM, Goodall SH, Gunnell D, Davey Smith G. Breast feeding in infancy and social mobility: 60-year follow-up of the Boyd Orr cohort. Arch Dis Child 2007;92(4):317–21.
37. Horwood LJ, Fergusson DM. Breastfeeding and later cognitive and academic outcomes. Pediatrics 1998;101(1):E9.
38. Victora CG, Barros FC, Horta BL, Lima RC. Breastfeeding and school achievement in Brazilian adolescents. Acta Paediatr. 2005;94(11):1656–60.
39. Victora CG, Horta BL, Loret de Mola C, Quevedo L, Pinheiro RT, Gigante DP, et al. Association between breastfeeding and intelligence, educational attainment, and income at 30 years of age: a prospective birth cohort study from Brazil. Lancet Glob Health. 2015;3(4):e199–e205.
40. Van der Wijden C, Manio C. Lactational amenorrhoea method for family planning Cochrane Database Syst Rev. 2015;2015(10):CD001329.
41. Chowdhury R, Sinha B, Sankar MJ, et al. Breastfeeding and maternal health outcomes: a systematic review and meta-analysis. Acta Paediatr. 2015;104(467):96–113.
42. Collaborative Group on Hormonal Factors in Breast Cancer. Breast cancer and breastfeeding: collaborative reanalysis of individual data from 47 epidemiological studies in 30 countries, including 50 302 women with breast cancer and 96973 women without the disease. Lancet. 2002;360(9328):187–95.
43. Danforth KN, Tworoger SS, Hecht JL, Rosner BA, Colditz GA, Hankinson SE. Breastfeeding and risk of ovarian cancer in two prospective cohorts. Cancer Causes Control. 2007;18(5):517-23.
44. Jordan SJ, Na R, Johnatty SE, Wise LA, Adami HO, Brinton LA, et al. Breastfeeding and endometrial cancer risk: an analysis from the epidemiology of endometrial cancer consortium. Obstet Gynecol. 2017;129(6):1059-67.
45. Stuebe AM, Rich-Edwards JW, Willett WC, Manson JE, Michels KB. Duration of lactation and incidence of type 2 diabetes. JAMA. 2005;294(20):2601-10.
46. Dias CC, Figueiredo B. Breastfeeding and depression: a systematic review of the literature. J Affect Disord. 2015;171:142–54.
47. Rollins NC, Bhandari N, Hajeebhoy N, Horton S, Lutter CK, Martines JC, et al. Why invest, and what it will take to improve breastfeeding practices? Lancet. 2016;387(10017):491–504.
48. International Baby Food Action. Health and environmental impacts [Internet]. IBFAN;c2018 [capturado em 13 nov. 2020]. Disponível em: https://www.ibfan.org/infant-and-young-child-feeding-health-and-environmental-impacts/
49. IFE Core Group. Infant and young child feeding in emergencies: operational guidance for emergency relief staff and programme manangers, version 3.0 [Internet]. Oxford: IFE; 2019 [capturado em 13 nov. 2020]. Disponível em: https://www.ennonline.net/attachments/3127/Ops-G_English_04Mar2019_WEB.pdf
50. Alive & Thrive. The cost of not breastfeeding [Internet]. Washington: AAlive & Thrive; c2020 [capturado em 13 nov. 2020]. Disponível em: https://www.aliveandthrive.org/cost-of-not-breastfeeding/
51. Alive & Thrive. The cost of not breastfeeding: Brazil [Internet]. Washington: AAlive & Thrive; c2020 [capturado em 13 nov. 2020]. Disponível em: https://www.aliveandthrive.org/country-stat/brazil/
52. Kent JC. How breastfeeding works. J Midwifery Womens Health. 2007;52(6):564-70.
53. Butte NF, King JC. Energy requirements during pregnancy and lactation. Public Health Nutr. 2005;8(7A):1010–27.
54. Kent JC, Mitoulas LR, Cregan MD, Ramsay DT, Doherty DA, Hartmann PE. Volume and frequency of breastfeeds and fat content of breast milk throughout the day. Pediatrics 2006;117(3):e387–95.
55. Kent JC, Mitoulas LR, Cox DB, Owens RA, Hartmann PE. Breast volume and milk production during extended lactation in women. Exp Physiol. 1999;84(2):435–47.
56. Mizuno K, Nishida Y, Taki M, Murase M, Mukai Y, Itabashi K, et al. Is increased fat content of hindmilk due to the size or the number of milk fat globules? Int Breastfeed J. 2009,4(7):1–6.
57. Smith PA. The tantalizing links between gut microbes and the brain. Nature. 2015;526(7573):312-4.
58. Melnik BC, Schmitz G. MicroRNAs: milk's epigenetic regulators. Best Pract Res Clin Endocrinol Metab. 2017; 31(4):427–42.
59. Jost T, Lacroix C, Braegger CP, Rochat F, Chassard C. Vertical mother-neonate transfer of maternal gut bactéria via breastfeeding. Environ Microbiol. 2014;16(9):2891–904.
60. World Health Organization. Guideline: counselling of women to improve breastfeeding practices. Geneva: WHO; 2018.
61. Brasil. Ministério da Saúde. Secretaria de Atenção à Saúde. Departamento de Atenção Básica. Saúde da criança: aleitamento materno e

alimentação complementar. 2. ed. Brasília: MS; 2015. (Cadernos de Atenção Básica; 23).
62. World Health Organization. Implementation guidance: protecting, promoting and supporting breastfeeding in facilities providing maternity and newborn services – the revised Baby-friendly Hospital Initiative. Geneva: WHO; 2018.
63. Moore ER, Anderson GC, Bergman N, Dowswell T. Early skin-to-skin contact for mothers and their healthy newborn infants. Cochrane Database Syst Rev. 2012;5(5):CD003519.
64. International Lactation Consultant Association. Clinical guidelines for the establishment of exclusive breastfeeding. Raleigh: ILC; 2005.
65. American Academy of Pediatrics. Section on Breastfeeding. Breastfeeding and the use of human milk. Pediatrics. 2012;129(3):e827-41.
66. Buccini GS, Pérez-Escamilla R, Paulino LM, Araújo CL, Venancio SI. Pacifier use and exclusive breastfeeding interruption: systematic review and meta-analysis. Matern Child Nutr. 2016;13(3):e12384.
67. World Health Organization. Baby-friendly Hospital Initiative training course for maternity staff: participant's manual. Geneva: WHO; 2020.
68. Anderson PO. Potentially toxic foods while breastfeeding: garlic, caffeine, mushrooms, and more. Breastfeed Med. 2018;13:642–4.
69. Kramer MS, Kakuma R. Maternal dietary antigen avoidance during pregnancy or lactation, or both, for preventive or treating atopic disease in the child. Evid Based Child Health. 2014;9(2):447-83.
70. Gordon M, Biagioli E, Sorrenti M, Lingua C, Moja L, Banks SS, Ceratto S, Savino F. Dietary modifications for infantile colic. Cochrane Database Syst Rev. 2018;10(10):CD011029.
71. Becker GE, Smith HA, Cooney F. Methods of milk expression for lactating women. Cochrane Database Syst Rev. 2016;9(9):CD006170.
72. Brasil. Ministério da Saúde. Secretaria de Atenção à Saúde. Departamento de Ações Programáticas Estratégicas. Cartilha para a mulher trabalhadora que amamenta. 2. ed. Brasília: MS; 2015.
73. World Health Organization. International code of marketing of breast-milk substitutes [Internet]. Geneva: WHO;1981 [capturado em 13 nov. 2020]. Disponível em: https://www.who.int/nutrition/publications/code_english.pdf
74. World Health Organization. Acceptable medical reasons for use of breast-milk substitutes. Geneva: WHO; 2009.
75. Sociedade Brasileira de Pediatria. Doenças maternas infecciosas e amamentação [Internet]. Rio de Janeiro: SBP; 2019 [capturado em 17 nov. 2020]. Disponível em: https://www.spsp.org.br/PDF/Aleitamento-Infec%C3%A7%C3%B5es-SBP.pdf
76. Eidelman AI, Schanler R. Breastfeeding and the use of human milk. Pediatrics. 2012;129(3):e827–41.
77. Napierala M, Mazela J, Merritt TA, Florek E. Tobacco smoking and breastfeeding: Effect on the lactation process, breast milk composition and infant development. A critical review. Envion Res. 2016; 151:321-38.
78. Reece-Stremtan S, Marinelli KA. ABM clinical protocol #21: guidelines for breastfeeding and substance use or substance use disorder, revised 2015. Breastfeed Med. 2015;10(3):135–41.
79. Woodward A, Douglas RM, Graham NM, Miles H. Acute respiratory illness in Adelaide children: breast feeding modifies the effect of passive smoking. J Epidemiol Community Health. 1990;44(3):224–30.
80. Batstra L, Neeleman J, Hadders-Algra M. Can breast feeding modify the adverse effects of smoking during pregnancy on the child's cognitive development? J Epidemiol Community Health. 2003;57(6):403–4.
81. Rowe H, Baker T, Hale TW. Maternal medication, drug use, and breastfeeding. Pediatr Clin North Am. 2013;60(1):275–94.
82. Mennella JA. Regulation of milk intake after exposure to alcohol in mother's milk. Alcohol Clin Exp Res. 2001; 25(4):590-3.
83. World Health Organization. Guidelines for the identification and management of substance use and substance use disorders in pregnancy. Geneva: WHO; 2014 [capturado em 17 nov. 2020]. Disponível em: https://www.who.int/publications/i/item/9789241548731.
84. Koren G. Drinking alcohol while breastfeeding. Will it harm my baby? Can Fam Physician. 2002;48:39–41.
85. Klonoff-Cohen H, Lam-Kruglick P. Maternal and paternal recreational drug use and sudden infant death syndrome. Arch Pediatr Adolesc Med. 2001;155(7):765–70.
86. Cressman AM, Koren G, Pupco A, Kim E, Ito S, Bozzo P. Maternal cocaine use during breastfeeding. Can Fam Physician. 2012;58(11):1218-19.
87. Oladapo OT, Fawole B.Treatments for suppression of lactation. Cochrane Database Syst Rev. 2019;(1):CD005937.
88. Yang Y, Boucoiran I, Tulloch KJ, Poliquin V. Is cabergoline safe and effective for postpartum lactation inhibition? A systematic review. Int J Womens Health. 2020;12:159-70.
89. Riordan J. Anatomy and physiology of lactation. In: Riordan J, Wambach K. Breastfeeding and human lactation. 4th ed. Sudbury: Jones and Bartlett; 2010. p. 79–111.

# Capítulo 100
## ALEITAMENTO MATERNO: PRINCIPAIS DIFICULDADES E SEU MANEJO

Elsa R. J. Giugliani

Embora a amamentação seja um processo biologicamente determinado, ela é condicionada por diversos fatores de ordem estrutural, contextual e individual. Por não ser um processo totalmente instintivo, como ocorre em todas as demais espécies de mamíferos, a amamentação deve ser aprendida.

Tradicionalmente, as mulheres mais experientes – em geral, membros da família extensiva – transmitiam a sua experiência e davam suporte às novas mães, além de dividir com elas as tarefas domésticas e os cuidados com as crianças. Nos dias de hoje, em muitas sociedades modernas, essa fonte de aprendizado e apoio foi perdida, na medida em que as famílias extensivas foram sendo substituídas pelas famílias nucleares. Em consequência, as mulheres têm sido pouco expostas à prática da amamentação; então, ao terem filhos, elas são, muitas vezes, inexperientes, podendo apresentar, se não forem adequadamente orientadas, dificuldades que ameaçam o curso e a continuidade da amamentação.

Dificuldades na amamentação são comuns e mais frequentes em primigestas. No entanto, qualquer lactante pode apresentar dificuldades, mesmo as mulheres mais experientes. As dificuldades podem estar relacionadas à mulher, à criança, a ambas ou, ainda, a aspectos não diretamente ligados à dupla mãe/criança. Os profissionais de saúde devem estar capacitados para apoiar as mulheres a superarem as eventuais dificuldades durante o processo da amamentação.

A seguir, são abordadas as principais dificuldades relacionadas com a amamentação e seu manejo. É importante mencionar que não há evidências científicas robustas para o manejo de vários problemas relacionados à amamentação devido à escassez de ensaios clínicos randomizados de boa qualidade metodológica.

## MAMILOS PLANOS OU INVERTIDOS

Mamilos planos ou invertidos podem dificultar o início da amamentação, mas não a impedem, pois a criança faz um "bico" com a aréola. O diagnóstico de mamilos invertidos pode ser feito ao pressionar a aréola entre o polegar e o dedo indicador – o mamilo plano protrai e o invertido retrai. Um mamilo é mantido invertido por possuir um tecido conectivo apertado, que pode afrouxar após o bebê sugar por algum tempo.

### Manejo

A intervenção pré-natal não tem se mostrado útil nessa situação. O mais importante para superar essa dificuldade é intervir logo após o nascimento da criança, com a ajuda de um profissional capacitado. As condutas a seguir são recomendadas pela Organização Mundial da Saúde (OMS) e pelo Fundo das Nações Unidas para a Infância (Unicef):[1]

- **promover confiança e empoderar a mulher:** ela deve saber que com paciência e perseverança poderá superar o problema e que a sucção da criança ajuda a protrair os mamilos. Além disso, à medida que a criança cresce, a sua boca fica maior, facilitando a pega;
- **auxiliar a mulher com a pega:** se a criança não conseguir abocanhar o mamilo por si própria, a mãe pode precisar de auxílio para fazer ela abocanhar o mamilo e parte da aréola. É importante que a aréola esteja flácida, e às vezes é necessário tentar diferentes posições para ver em qual delas a mãe e a criança se adaptam melhor, como a posição "jogador de futebol americano" (FIGURA 100.1);
- **ensinar à mulher manobras para protrair o mamilo antes das mamadas**, como massagem no mamilo até que ele se torne rígido. Na maioria das vezes, essa manobra é suficiente. Em alguns casos, fazer a manobra de sucção com bomba de extração de leite ou seringa de 10 a 20 mL adaptada (cortada para eliminar a saída estreita e com o êmbolo inserido na extremidade cortada). Recomenda-se essa técnica antes de colocar a criança na mama para sugar, bem como nos intervalos das mamadas, várias vezes ao dia. O mamilo deve ser mantido evertido com sucção suave por 30 segundos a 1 minuto. A sucção não deve ser muito vigorosa para não causar dor ou até mesmo machucar os mamilos;
- **auxiliar a mulher a moldar a mama:** com a mão apoiando a mama, a mulher pode pressionar gentilmente a parte superior da mama, tendo o cuidado de não colocar os dedos muito próximos ao mamilo;
- **orientar a mãe a extrair o seu leite manualmente ou com bomba de extração de leite enquanto a criança não sugar efetivamente:** isso ajuda a manter a produção de leite e deixa as mamas macias, facilitando a pega. O leite extraído deve ser oferecido à criança, de preferência em um copinho.

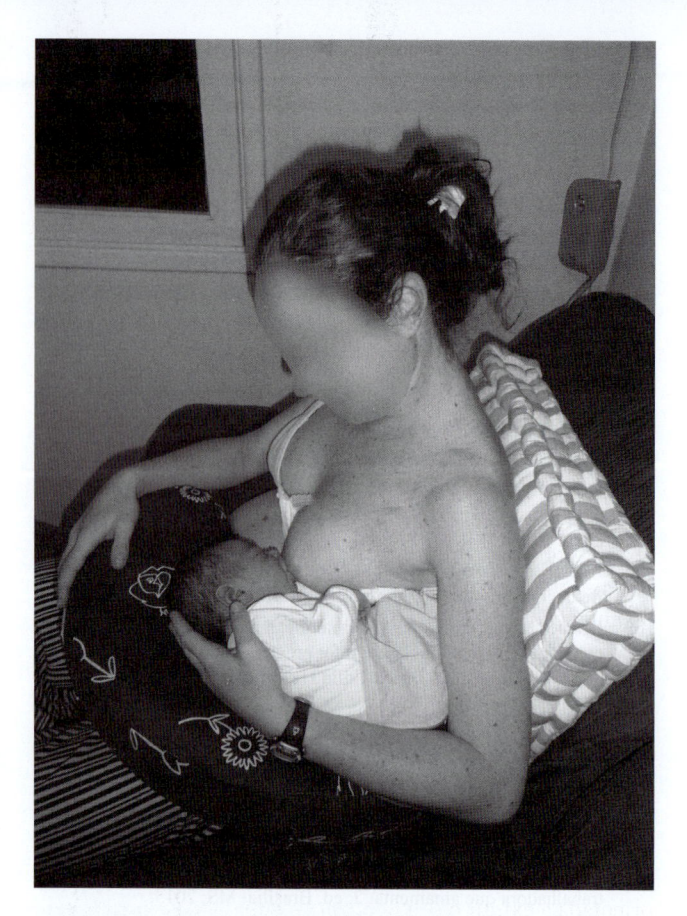

**FIGURA 100.1** → Posição "jogador de futebol americano".

## INGURGITAMENTO MAMÁRIO

O ingurgitamento mamário reflete falha no mecanismo de autorregulação da fisiologia da lactação, resultando em congestão e aumento da vascularização, acúmulo de leite e edema devido à obstrução da drenagem linfática pelo aumento da vascularização e enchimento dos alvéolos. O ciclo congestão/edema/fluxo pobre/congestão pode ocorrer e manter o ingurgitamento. O aumento de pressão intraductal faz o leite acumulado, por um processo de transformação no nível intermolecular, tornar-se mais viscoso, originando o popularmente conhecido "leite empedrado".

Não se deve confundir mamas cheias com ingurgitamento mamário. As mamas cheias podem ficar quentes, pesadas e endurecidas, mas o fluxo de leite é mantido e não há febre. O ingurgitamento mamário ocorre com mais frequência entre as primíparas, aproximadamente 3 a 5 dias após o parto. As mamas encontram-se doloridas, endurecidas – inclusive a aréola –, edemaciadas, com pele brilhante e pode haver eritema difuso. A mulher pode apresentar febre de baixa intensidade. Os mamilos podem tornar-se achatados, dificultando a pega, e o leite não flui com facilidade. Leite em abundância, início tardio da amamentação, mamadas infrequentes, restrição da duração e frequência das mamadas e sucção ineficaz da criança favorecem o aparecimento do ingurgitamento. Portanto, a amamentação em livre demanda, iniciada logo após o parto e com técnica correta, e o não uso de suplementos, sobretudo de outros leites, são medidas eficazes na prevenção do ingurgitamento.

## Manejo

Embora acupuntura, uso tópico de folhas de repolho, compressas quentes/frias e enzimas proteolíticas possam ser promissoras no tratamento do ingurgitamento mamário C/D, até o momento não há evidências suficientes para justificar a implementação disseminada de qualquer forma de tratamento.[2]

A remoção do leite da mama é essencial no manejo do ingurgitamento mamário para aliviar o desconforto da mulher, prevenir mastite e abscesso mamário, assegurar a manutenção da produção do leite e garantir que a criança receba o leite materno C/D. A melhor maneira de remover o leite da mama é por meio da sucção da criança. Sempre que possível, a criança deve ser estimulada a mamar com frequência. É importante que a pega esteja adequada. Para isso, pode ser necessária a retirada de leite da aréola quando ela estiver tensa, para que fique macia, facilitando, assim, a pega adequada da criança e o esvaziamento da mama. Se a sucção da criança não for suficiente, a mulher deve ser orientada a extrair o seu leite entre as mamadas, apenas para o seu conforto.

A OMS e o Unicef recomendam as seguintes medidas antes das mamadas para estimular o reflexo de ejeção do leite:[1]
→ técnicas de relaxamento da mulher;
→ estimulação da pele da mama e do mamilo;
→ massagens delicadas das mamas, com movimentos circulares, principalmente nas regiões mais afetadas pelo ingurgitamento. Essa medida é importante também para a fluidificação do leite viscoso acumulado, facilitando, assim, a retirada do leite;
→ compressas mornas sobre as mamas ou banho quente. É necessário alertar as mulheres sobre o risco de queimaduras caso a temperatura da água esteja muito quente.

Além das medidas para estimular o reflexo de ejeção do leite, o manejo do ingurgitamento mamário inclui:[3]
→ compressas frias sobre as mamas para reduzir o edema e a dor após e nos intervalos das mamadas. O tempo de aplicação da crioterapia não deve ultrapassar 15 minutos, devido ao efeito-rebote;[4]
→ medicamento para alívio da dor: paracetamol ou ibuprofeno.

Pode ser útil o suporte para as mamas, com o uso contínuo de sutiã com alças largas e firmes, para aliviar a dor e manter os ductos em posição anatômica.

O ingurgitamento mamário é uma condição muito dolorosa, devendo ser intensificado o apoio emocional à mulher nesse período.

## BLOQUEIO DE DUCTOS LACTÍFEROS

O bloqueio de ductos lactíferos ocorre quando o leite produzido em uma determinada área da mama, por alguma razão, não é drenado adequadamente, ou quando há superprodução de leite. Isso ocorre quando as mamadas são infrequentes ou a criança não está conseguindo retirar o leite da mama de forma eficiente (pega inadequada), quando existe pressão local (p. ex., sutiã muito apertado) ou, ainda, quando há obstrução de poro de saída de leite. Pode acontecer, também, de um ducto ser bloqueado pelo leite muito espesso.

O bloqueio manifesta-se pela presença de nódulo mamário localizado, sensível, de margens bem definidas, em uma das mamas, quando o ducto está próximo à pele. Costuma haver dor, calor e eritema na área comprometida, não acompanhados de febre.

## Manejo

O tratamento dessa condição é mandatório, para que não evolua para mastite. Para desobstruir um ducto bloqueado, recomendam-se C/D:[1]
→ mamadas frequentes;
→ utilização de distintas posições para amamentar, oferecendo primeiramente a mama afetada, com o queixo da criança direcionado para a área afetada, o que facilita a retirada do leite da área comprometida. Um exemplo de posição alternativa é a posição jogador de futebol americano (ver FIGURA 100.1);
→ calor local (compressas mornas) imediatamente antes das mamadas;
→ massagens suaves na região atingida, na direção do mamilo, durante as mamadas;
→ extração de leite da mama, manualmente ou com bomba, caso a criança não esteja conseguindo esvaziá-la;
→ remoção do ponto esbranquiçado na ponta do mamilo, caso esteja presente, esfregando-o com uma toalha ou utilizando uma agulha esterilizada.

Se o nódulo não desaparecer em 48 a 72 horas, é necessário excluir outras causas de nódulos persistentes sensíveis na mama, como abscesso mamário, adenoma lactacional ou doença maligna.

## MASTITE

Mastite é um processo inflamatório de um ou mais segmentos da mama (o mais comumente afetado é o quadrante superior externo esquerdo), unilateral na maioria das vezes, que pode ou não progredir para uma infecção bacteriana. É mais comum na 2ª e 3ª semanas após o parto, mas pode ocorrer em qualquer período da amamentação.

O processo inicia com a estase do leite, levando a aumento da pressão intraductal e consequente aumento da viscosidade do leite e achatamento das células secretoras, com formação de espaços entre as células. A passagem de alguns componentes do leite para o tecido intersticial através desses espaços resulta em uma resposta inflamatória, na maioria das vezes envolvendo o tecido conectivo interlobular. O leite acumulado, a resposta inflamatória e o dano tecidual favorecem a instalação da infecção. Em geral, a infecção é causada por *Staphylococcus aureus* e, ocasionalmente, estafilococo coagulase-negativo, *Escherichia coli* ou *Streptococcus* (alfa, beta e não hemolítico), cuja porta de entrada costuma ser a lesão mamilar.

A mastite costuma estar associada à estagnação de leite, em razão de um dos seguintes fatores: mamadas com horários regulares; redução súbita no número de mamadas e longo período de sono da criança à noite; pega inadequada, com esvaziamento incompleto das mamas; uso de chupetas ou mamadeiras; freio de língua curto; criança com sucção débil ou outra condição que leva a esvaziamento inadequado das mamas; produção excessiva de leite; ingurgitamento mamário; separação entre mãe e filho; e desmame abrupto. Um ducto bloqueado, com frequência, é o precursor da mastite. A fadiga materna é tida como um facilitador para a instalação da mastite. As mulheres que já tiveram mastite na lactação atual ou em outras lactações têm mais chance de desenvolver outras mastites por causa do rompimento da integridade da junção entre as células alveolares.

Nem sempre é possível distinguir a mastite infecciosa da não infecciosa pelos achados clínicos. Em ambas, a parte afetada da mama encontra-se bastante dolorida, vermelha, edemaciada e quente. Quando há infecção, costuma haver mal-estar importante, febre alta (> 38 °C), calafrios, cefaleia e dores musculares semelhantes aos sintomas de um quadro gripal. Há aumento dos níveis de sódio e cloreto e diminuição dos níveis de lactose, o que deixa o leite mais salgado. Essa alteração de sabor pode ocasionar rejeição do leite pelo lactente. É comum haver diminuição do volume de leite secretado pela mama afetada durante a doença, e também nos dias subsequentes. Isso se deve à diminuição de sucção da criança na mama afetada, diminuição das concentrações de lactose ou dano do tecido alveolar.

A cultura do leite não é uma prática rotineira para o diagnóstico de mastite infecciosa, e estudos bacteriológicos podem não ser elucidativos, por ser inevitável a colonização bacteriana do leite pelas bactérias presentes na pele da mulher. No entanto, a cultura do leite com antibiograma é recomendada nas seguintes circunstâncias: não resposta ao tratamento com antibióticos; mastite recorrente (mais de 2 vezes); adquirida em ambiente hospitalar ou grave; e mastite epidêmica.

As medidas de prevenção da mastite são as mesmas do ingurgitamento mamário e do bloqueio de ductos lactíferos, bem como o manejo precoce dessas condições. Além dessas medidas, uma revisão sistemática encontrou alguma evidência de que massagem com acupuntura, probióticos e massagem de mama mais tratamento de pulso de baixa frequência podem prevenir mastite.[5]

## Manejo

Fazem parte do tratamento da mastite as seguintes medidas:
→ **identificação e tratamento da causa que provocou a estagnação do leite;**
→ **esvaziamento adequado e frequente da mama:** este é o componente mais importante do tratamento da mastite (número necessário para tratar [NNT] = 3) **B**. Preferencialmente, a mama deve ser esvaziada pela criança, pois, apesar da presença de bactérias no leite materno quando há mastite, a manutenção da amamentação está indicada por não oferecer riscos à criança sadia nascida a termo.[1] Os níveis de alguns componentes anti-inflamatórios no leite, como lactoferrina e IgA, aumentam, conferindo maior proteção à criança que consome leite de uma mama com mastite.[6] A mãe pode beneficiar-se iniciando a amamentação na mama afetada (a criança costuma sugar mais vigorosamente na primeira mama oferecida) e variando a posição da criança. No entanto, se a amamentação for muito dolorosa, ela pode iniciar pela mama não afetada e passar para a mama afetada após a ativação do reflexo de ejeção do leite. Se não for possível o esvaziamento adequado da mama pela criança, deve-se recomendar a retirada do leite por extração manual ou com o auxílio de bomba de extração de leite;
→ **antibioticoterapia:** embora uma revisão sistemática não tenha encontrado evidências que confirmem a eficácia de antibióticos no tratamento da mastite associada à lactação,[7] em geral indica-se o uso de antibióticos quando houver sintomas graves desde o início do quadro, fissura mamilar e ausência de melhora dos sintomas após 12 a 24 horas da remoção efetiva do leite acumulado **B**.[1,8] Como o *S. aureus* é a bactéria mais encontrada nas mastites infecciosas, o antibiótico de escolha recai sobre os fármacos antiestafilocócicos. Nos tratamentos ambulatoriais, recomenda-se a cefalexina, na dose de 500 mg, por via oral (VO), 6/6 horas, ou amoxicilina, de preferência associada ao ácido clavulânico, VO, 8/8 horas. O uso de antibioticoterapia preventiva não é indicado.[5] Em todos os casos, os antibióticos devem ser utilizados por, no mínimo, 10 a 14 dias, porque tratamentos mais curtos apresentam alta incidência de recorrência;
→ **eritromicina:** está indicada em pacientes alérgicas aos antibióticos betalactâmicos (penicilinas e cefalosporinas);
→ **probióticos:** lactobacilos mostraram ser uma alternativa eficiente ao tratamento convencional da mastite lactacional com antibióticos em um ensaio clínico randomizado, além de apresentar associação com menores taxas de recorrência da doença;[9]
→ **suporte emocional:** esse componente do tratamento da mastite é muitas vezes negligenciado, apesar de ser muito importante, pois a condição é muito dolorosa, com comprometimento do estado geral;
→ **outras medidas de suporte:** repouso da mãe (de preferência no leito), analgésicos ou anti-inflamatórios não esteroides como ibuprofeno (preferencialmente) ou paracetamol, aumento da ingestão de líquidos, aplicação de compressas mornas sobre a mama para facilitar a liberação do leite, aplicação de compressas frias para reduzir a dor e o edema, e uso de sutiã bem firme **C/D**.

Se não houver melhora em 48 horas, deve-se investigar a presença de abscesso mamário.

É preciso considerar a possibilidade de câncer de mama quando, afastada a presença de abscesso mamário, o tratamento não resolve a infecção.[10]

## ABSCESSO MAMÁRIO

O abscesso mamário é uma complicação da mastite. Em geral, é causado por mastite não tratada ou com tratamento tardio ou ineficaz. Interromper a amamentação na mama afetada pela mastite sem esvaziamento por extração do leite manualmente ou com bomba é um fator que predispõe ao aparecimento de abscesso.

O abscesso deve ser suspeitado quando não há melhora da mastite apesar do tratamento e na presença de áreas de flutuação à palpação no local afetado, podendo haver descoloramento da pele no local do abscesso. Porém, nem sempre é possível confirmar ou excluir a presença de abscesso apenas pelo exame clínico. A ultrassonografia pode confirmar a condição, além de indicar o melhor local para incisão ou aspiração.

Todo esforço deve ser feito para prevenir abscesso mamário, já que essa condição pode comprometer futuras lactações em aproximadamente 10% dos casos. Qualquer medida que previna o aparecimento de mastite prevenirá o abscesso mamário, assim como a instituição precoce do tratamento da mastite se ela não puder ser prevenida.

### Manejo

A mulher com diagnóstico de abscesso mamário deve ser prontamente encaminhada para incisão com drenagem cirúrgica ou aspiração do conteúdo do abscesso, guiada por ultrassom, de preferência sob anestesia local, com coleta de secreção purulenta para cultura e antibiograma. Revisão sistemática não encontrou diferença de efetividade entre a aspiração e a incisão/drenagem.[11]

Além da drenagem, faz parte do tratamento do abscesso mamário o esvaziamento regular da mama afetada e demais medidas indicadas para o tratamento da mastite. Revisão sistemática concluiu que as evidências são insuficientes para determinar a efetividade da antibioticoterapia após a incisão e a drenagem do abscesso.[11] No entanto, assim como no tratamento da mastite, em geral se recomendam antibióticos para o tratamento de abscesso mamário.[8]

A mãe pode continuar a amamentação na mama comprometida se não houver contato direto da boca da criança com o material drenado do abscesso ou não tiver havido rompimento para o sistema ductal.[12] Porém, se a sucção causar muita dor, a mãe pode interromper temporariamente a amamentação na mama afetada até a dor melhorar, mas a mama deverá ser esvaziada por extração do leite. A amamentação deve ser mantida na mama não afetada.

Os abscessos mamários, se não tratados de modo adequado, podem drenar espontaneamente, com necrose e perda do tecido mamário. Abscessos muito grandes podem exigir ressecções extensas, podendo resultar em deformidades da mama, bem como comprometimento funcional.

## GALACTOCELE

Galactocele é o nome dado à formação cística nos ductos mamários contendo fluido leitoso. O líquido, que no início é fluido, adquire posteriormente aspecto viscoso, que pode ser exteriorizado através do mamilo. Acredita-se que ele seja causado por um bloqueio do ducto. Ele pode ser palpado como uma massa lisa e redonda, mas o diagnóstico definitivo é feito com ultrassonografia.

O tratamento é feito com aspiração. No entanto, com frequência ele deve ser extraído cirurgicamente, com anestesia local, porque o cisto enche outra vez após aspiração. A amamentação deve ser mantida.

## MAMILOS DOLORIDOS/TRAUMA MAMILAR

Nos primeiros dias após o nascimento da criança, a mulher pode sentir dor discreta nos mamilos ou desconforto no início das mamadas, o que pode ser considerado normal. Essa dor deve-se ao aumento da sensibilidade do mamilo no final da gravidez e início da amamentação, ao estiramento das fibras do colágeno com as primeiras sucções, à descamação normal do epitélio e à forte pressão negativa antes da liberação do leite pelo reflexo de ejeção do leite. Após a 1ª semana pós-parto, a dor costuma aliviar à medida que o mamilo se torna mais flexível e o volume de leite produzido aumenta.

Dor intensa nos mamilos, que persiste além da 1ª semana de amamentação e se mantém durante uma mamada completa, ou mamilos machucados exigem intervenção, pois causam sofrimento à mãe e ameaçam a continuidade do aleitamento materno.

A causa mais comum de trauma mamilar é a técnica inadequada de amamentação, sobretudo a pega inadequada. Uma pega muito superficial (a criança abocanha apenas o mamilo ou pouco tecido mamário) coloca a ponta do mamilo em uma posição anteriorizada na boca da criança, causando fricção contra o palato duro, resultando em trauma e dor. A aparência do mamilo após a mamada é importante no diagnóstico de dor nos mamilos por causa mecânica. Ela é preservada durante as mamadas quando a pega está adequada. Deformações, assimetria, listras vermelhas ou brancas, verticais ou horizontais, bolhas, fissuras, sangramentos e palidez (vasospasmo) são sinais de que o mamilo está sendo traumatizado.

Outros fatores que predispõem ao trauma mamilar incluem mamilos curtos/planos ou invertidos, disfunções orais na criança, freio de língua excessivamente curto, sucção não nutritiva prolongada, uso impróprio de bombas de extração de leite, tração do mamilo na interrupção da mamada, uso de cremes, óleos ou loções que causem reações alérgicas nos mamilos, exposição a forros ou absorventes que mantenham os mamilos úmidos, uso de bicos e chupetas (pode alterar a dinâmica oral e determinar confusão de bicos) e limpeza excessiva da mama e mamilos com sabões ou agentes de limpeza que provoquem alergia ou irritação da pele.

## Manejo

Muitos tratamentos têm sido utilizados ou recomendados para fissuras mamilares. Entretanto, a eficácia deles não tem sido avaliada de forma adequada; como consequência, os tratamentos de traumas mamilares utilizados rotineiramente não são respaldados por estudos de qualidade. Uma revisão sistemática avaliou cinco tratamentos diferentes: compressas de glicerina, conchas e lanolina, somente lanolina, leite materno e uma pomada para todos os fins. Os autores concluíram que não havia evidências suficientes para recomendar qualquer intervenção para o tratamento da dor nos mamilos.[13]

Medidas preventivas, como educação no período pré-natal **A** ou pós-natal imediato **B** sobre o posicionamento adequado e pega correta, são a melhor intervenção para evitar dor nos mamilos.[14]

Se os mamilos apresentarem escoriações ou fissuras, recomenda-se que eles sejam enxaguados com água limpa e excepcionalmente com sabão, 1 ×/dia.

Entre os agentes tópicos, há maior base científica para a simples utilização de compressas de água morna no alívio da dor.[15,16]

Cremes, óleos em geral, antissépticos, saquinho de chá ou outras substâncias tópicas devem ser evitados, pois não há comprovação de que sejam eficientes, podendo, inclusive, ser prejudiciais. Se houver suspeita de infecção (a mais comum é por estafilococo), antibiótico tópico (ou sistêmico, em casos mais graves) está indicado (mupirocina creme a 2% ou bacitracina creme). O tratamento da candidíase é abordado adiante.

As seguintes medidas de proteção visando minimizar o estímulo aos receptores da dor localizados na derme do mamilo e da aréola podem ser recomendadas:

→ alternar diferentes posições de mamadas, reduzindo a pressão nos pontos dolorosos ou tecidos danificados;
→ se houver aderência de tecido mamário danificado à roupa, pode-se recomendar o uso de conchas. Esses dispositivos devem possuir buracos de ventilação, pois a inadequada circulação de ar para o mamilo e a aréola pode reter umidade e calor, tornando o tecido mais vulnerável a macerações e infecções;
→ iniciar a amamentação na mama não afetada ou menos afetada. Assim, com o reflexo de ejeção de leite já desencadeado, a criança tende a sugar com menos vigor quando for sugar a mama mais afetada;
→ administrar analgésicos sistêmicos para a mãe para alívio da dor, se necessário – ibuprofeno ou paracetamol, meia hora antes de amamentar;
→ se a lesão mamilar for muito extensa ou a mãe não estiver conseguindo amamentar por causa da dor (lembrar que a sensibilidade à dor varia entre os indivíduos), pode ser necessário interromper temporariamente a amamentação na mama afetada, sem, contudo, deixar de esvaziar a mama por extração do leite manualmente ou com bomba de extração de leite.

## Prevenção

Há evidências de que a educação pré-natal com relação à técnica adequada de amamentação previne traumas mamilares. As evidências de prevenção dessa condição com orientação quanto à técnica de amamentação no período pós-natal são moderadas.[14] Além de praticar técnica adequada de amamentação (ver Capítulo Aleitamento Materno: Aspectos Gerais), as seguintes medidas podem ser úteis na prevenção de trauma:

→ manter os mamilos secos, expondo-os ao sol e trocando com frequência os forros absorventes usados, quando há vazamento de leite;
→ evitar o uso de sabões, álcool ou qualquer produto secante nos mamilos – esses produtos os deixam mais vulneráveis a lesões;
→ se a mama estiver tensa e ingurgitada, ordenhar um pouco de leite antes da mamada para que a aréola fique mais macia, facilitando a pega;
→ usar técnica adequada para interromper a mamada, quando necessário, que consiste em introduzir o dedo indicador ou mínimo pela comissura labial da boca da criança, de maneira que o dedo substitua, por um momento, o mamilo.

Limitar a frequência ou a duração das mamadas não previne trauma mamilar.

## CANDIDÍASE

A infecção da mama por *Candida albicans* no puerpério é bastante comum. A infecção pode ser superficial ou atingir os ductos lactíferos, embora haja dúvidas quanto à existência de candidíase mamária/ductal. A infecção costuma instalar-se em mamilos com solução de continuidade na pele.

O diagnóstico é basicamente clínico, suspeitando-se da doença quando a lactante se queixa de dor no mamilo, prurido, sensação de queimadura (ardor) e "fisgadas", que irradiam para a mama, persistindo após as mamadas. A pele do mamilo e da aréola pode apresentar-se avermelhada, brilhante ou apenas irritada ou com fina descamação. Raras vezes se observam placas esbranquiçadas.

Uso de antibióticos, contraceptivos orais e esteroides, diabetes, fadiga/estresse materno e uso de mamadeira pela criança aumentam o risco de candidíase. Com frequência, é a criança que transmite o fungo, mesmo estando assintomática. A *Candida* costuma desenvolver-se em meios ricos em sacarose, úmidos, quentes e escuros; assim, são medidas preventivas, além de manter os mamilos íntegros, mantê-los ventilados e expô-los à luz solar por alguns minutos ao dia. Chupetas e bicos de mamadeiras (fontes importantes de contaminação e reinfecção) devem ser evitados e, quando utilizados, devem ser fervidos pelo menos 1 ×/dia por 20 minutos.

## Manejo

Não há ensaios clínicos e tampouco estudos observacionais de boa qualidade orientando o tratamento de candidíase mamária; contudo, evidência empírica aponta para maior dificuldade no seu manejo do que o da candidíase vaginal, sendo necessário tratamento prolongado e com doses mais elevadas.

O tratamento inicialmente é tópico, com clotrimazol, miconazol, cetoconazol ou nistatina, por cerca de 14 dias C/D. As mulheres podem aplicar o creme após cada mamada, não havendo necessidade de removê-lo para a criança mamar. Embora a nistatina seja muito utilizada, muitas espécies de *Candida* são resistentes a esse medicamento. A violeta de genciana a 0,5%, 1 ×/dia, pode ser usada nos mamilos/aréolas, por não mais que 7 dias C/D. Uso prolongado ou em concentrações maiores pode causar ulcerações ou necrose da pele.[17]

Se o tratamento tópico falhar, recomenda-se, para a lactante, fluconazol VO, 200 mg a primeira dose e, posteriormente, 100 mg/dia, por 7 a 10 dias C/D.[17] Lactantes com dor importante podem beneficiar-se com o uso de um anti-inflamatório, como o ibuprofeno. A combinação de tratamento medicamentoso e medidas não farmacológicas pode estar associada a melhores resultados.[18] Enxaguar os mamilos e secá-los ao ar após as mamadas, mantendo-os ventilados e secos, e expô-los ao sol por alguns minutos, 2 ×/dia, são algumas das medidas não farmacológicas.

> Mãe e criança devem ser tratadas simultaneamente, mesmo que a criança não apresente sinais de candidíase.

Para o tratamento da criança, ver Capítulo Problemas Comuns nos Primeiros Meses de Vida.

## FENÔMENO DE RAYNAUD

Essa condição se refere à isquemia intermitente do mamilo, causada por vasospasmo. Em geral, é desencadeada por exposição ao frio, compressão anormal do mamilo na boca da criança, trauma mamilar importante ou estresse emocional. Porém, nem sempre é possível encontrar a causa. Pode ser uni ou bilateral e manifesta-se inicialmente por palidez dos mamilos (por falta de irrigação sanguínea) e dor importante antes, durante ou depois das mamadas, porém é mais comum depois das mamadas. É clássica a cor trifásica: branca (palidez), seguida pela cor azul (cianose) e, finalmente, a vermelha. Muitas mulheres relatam dor em "fisgadas" ou sensação de queimação enquanto o mamilo está pálido, e por isso muitas vezes essa condição é confundida com candidíase, embora a infecção fúngica por si só possa levar ao fenômeno de Raynaud. Os espasmos, com a dor característica, duram segundos ou minutos, mas a dor pode durar 1 hora ou mais. Fenômeno de Raynaud deve ser considerado quando a lactante apresenta dor mamilar por mais de 4 semanas sem resposta a múltiplos tratamentos com antifúngicos e antibióticos.[19]

### Manejo

Deve-se buscar identificar e tratar a causa básica que está contribuindo para a isquemia do mamilo e melhorar a técnica de amamentação (pega), quando esta for inadequada. Além disso, as seguintes medidas podem auxiliar no manejo da condição C/D:

→ aplicar calor (compressas mornas, forros aquecidos) após as mamadas ou quando a mulher sentir dor;
→ evitar frio nas mamas e nos mamilos;
→ evitar substâncias que induzam vasoconstrição, como alguns *sprays* nasais, nicotina e cafeína;
→ usar analgésico/anti-inflamatório, tipo ibuprofeno.

Quando a dor é importante e não houver melhora com as medidas citadas, pode-se utilizar nifedipino 10 a 20 mg, VO, 3 ×/dia, por 2 semanas, ou 30 a 60 mg, 1 ×/dia, para a formulação de liberação lenta.[17] Tratamentos mais prolongados podem ser necessários em algumas mulheres.

## EXCESSO DE LEITE (HIPERLACTAÇÃO) E REFLEXO DE EJEÇÃO DO LEITE EXACERBADO

No início da amamentação, é comum a mulher produzir mais leite do que a criança demanda. Esse problema costuma resolver-se em poucos dias. Porém, algumas mulheres continuam a produzir leite em excesso após o período de ajuste da oferta/demanda. Os sinais e sintomas associados a essa condição são:[20]

→ **para a mulher:** aumento excessivo da mama durante a gravidez, mamas frequente ou permanentemente cheias, dor nas mamas e/ou mamilos, bloqueio recorrente de ductos, mastites recorrentes, bolhas nos mamilos e vasoespasmo;
→ **para a criança:** ganho de peso excessivo, dificuldade em manter pega adequada, agitação, engasgo, tosse ou "largar" o peito durante as mamadas, recusa do peito, forte compressão na aréola/mamilo, mamadas curtas e sintomas gastrintestinais (regurgitação, gases, refluxo, fezes explosivas esverdeadas).

A hiperlactação se diferencia do ingurgitamento mamário pela ausência de edema intersticial e persistência dos sintomas além de 1 a 2 semanas após o parto. A criança costuma engasgar-se se a mulher, além de muito leite, tiver reflexo de ejeção exacerbado.

### Manejo

Antes de sugerir medidas que diminuam a produção de leite, é importante descartar a dificuldade da criança em retirar o leite do peito. As seguintes medidas podem ser recomendadas às mães com excesso de leite:[20]

→ amamentar em apenas uma mama, alternando a mama a cada ciclo de 3 horas durante o dia; à noite, amamentação em livre demanda, usando as duas mamas. A condição deve melhorar em 24 a 48 horas;
→ se necessário, remover um pouco de leite da mama não usada, apenas para conforto da mulher;
→ se não houver melhora com as medidas anteriores, pode ser necessária a prescrição de medicamento para inibir a produção de leite, até a regressão dos sintomas: pseudoefedrina em dose inicial de 30 mg C/D, aumentando para

60 mg na ausência de efeitos colaterais, a cada 12 horas; contraceptivo oral combinado contendo 20 a 35 µg de estradiol B. Se não houver melhora com os medicamentos descritos, usar cabergolina 0,25 mg, repetindo a dose se não houver resposta em até 3 dias, e aumentando a dose para 0,5 mg se necessário após 3 a 5 dias da segunda dose. Na impossibilidade de usar cabergolina, usar bromocriptina 0,25 mg/dia durante 3 dias C/D.

As mulheres devem ser informadas sobre a possibilidade de doação do leite excedente. No Brasil, todas as informações sobre doação de leite humano podem ser encontradas no Portal da Rede Brasileira de Bancos de Leite Humano (ver QR code).

Para as mulheres com reflexo de ejeção de leite exacerbado, extrair um pouco de leite antes da mamada, até que o fluxo diminua, geralmente é suficiente no manejo do problema. Amamentar deitada de costas (ou pelo menos reclinada) ou segurar a mama com os dedos perto da aréola durante as mamadas também podem auxiliar no manejo dessa condição.[4]

## PRODUÇÃO INSUFICIENTE DE LEITE

Apesar de a grande maioria das mulheres estar biologicamente apta a produzir leite suficiente para atender a demanda de sua prole, uma queixa comum durante a amamentação é "pouco leite" ou "leite fraco". Muitas vezes, essa percepção é reflexo do desconhecimento sobre a fisiologia da lactação ou insegurança da mulher quanto à sua capacidade de nutrir plenamente o seu filho. Com frequência, o choro da criança e as mamadas frequentes (comportamentos normais em bebês pequenos) são interpretados como sinais de fome. A ansiedade que essa situação gera na mãe e na família pode ser transmitida à criança, que responde com mais choro. A suplementação com outros leites muitas vezes alivia a tensão, e essa tranquilidade é repassada à criança, que passa a chorar menos, o que reforça a ideia de que a criança estava passando fome. Uma vez iniciada a suplementação, a criança passa a sugar menos o peito (menor demanda) e, como consequência, a mama diminui a sua produção de leite, processo que frequentemente culmina com a interrupção da amamentação.

No entanto, a percepção de pouco leite de uma lactante pode ser reflexo da baixa produção de leite. Ela sente a mama "murcha" e a criança dá sinais de que não está ingerindo leite suficiente: não parece saciada após as mamadas, chora muito, quer mamar com muita frequência, permanece no peito por muito tempo em cada mamada, urina pouco (menos que 6 micções por dia, urina amarelo-escura, com cheiro forte) e o número de evacuações diminui, com fezes em pequena quantidade, secas e duras.

> O melhor indicativo de que a criança não está recebendo volume necessário de leite é a constatação, por meio do acompanhamento de seu crescimento, de que ela não está ganhando peso adequadamente.

Após os primeiros dias do nascimento da criança, o controle da secreção do leite passa de endócrino para autócrino, dependendo do esvaziamento da mama, sobretudo da sucção da criança (ver Capítulo Aleitamento Materno: Aspectos Gerais). Assim, quando, por qualquer motivo, o esvaziamento da mama é prejudicado, a síntese do leite é inibida, e há menor produção. Pega ineficaz e práticas inadequadas de amamentação são as principais causas de remoção ineficiente do leite. A TABELA 100.1 resume as principais razões para uma criança não estar ingerindo leite materno suficiente para atender às suas demandas.

> Diante das inúmeras possibilidades que podem interferir na produção de leite de uma lactante, é fundamental uma história detalhada, uma avaliação minuciosa das condições de saúde da mãe e da criança e uma observação cuidadosa das mamadas para chegar a uma hipótese diagnóstica.

> É importante chamar a atenção para o aumento da demanda por leite nos períodos de aceleração do crescimento da criança, que costuma ocorrer três vezes antes dos 4 meses de vida: o primeiro entre 10 e 14 dias de vida, outro entre 4 e 6 semanas e um terceiro em torno dos 3 meses.

Nesses períodos, a criança parece insatisfeita, querendo mamar com mais frequência, e a mãe sente que a mama fica mais vazia que habitualmente. A lactante deve ser tranquilizada e informada de que esses períodos duram, em média, 2 a 3 dias e que o seu organismo vai regular a produção do leite com as novas demandas da criança.

### Manejo

A queixa de "pouco leite" ou "leite fraco" deve sempre ser valorizada, pois, se não for manejada de forma adequada, pode levar ao desmame precoce. É comum o profissional de saúde, em resposta à queixa da mãe, simplesmente afirmar que "não existe leite fraco". Esse tipo de atitude não ajuda a mulher e a distancia do profissional. É preciso ouvir a mulher, aceitar o que ela diz (sem necessariamente concordar), tentar entendê-la e ser empático (ver tópico sobre aconselhamento em aleitamento materno no Capítulo Aleitamento Materno: Aspectos Gerais). Só assim é possível ganhar a confiança da mãe e abordar o problema adequadamente.

O tratamento depende da causa. No entanto, algumas medidas gerais podem ajudar a aumentar a produção de leite. São elas C/D:[21]

→ melhorar o posicionamento e a pega da criança, quando não adequados;
→ aumentar a frequência das mamadas;
→ oferecer as duas mamas em cada mamada;
→ massagear a mama durante as mamadas ou extração do leite;
→ dar tempo para a criança retirar o máximo de leite possível;
→ trocar de mama várias vezes em uma mamada se a criança estiver sonolenta ou se não sugar vigorosamente;
→ após a mamada, extrair leite residual manualmente ou com bomba de extração de leite;

**TABELA 100.1** → Razões para uma criança não estar recebendo leite materno suficiente

**FATORES LIGADOS À AMAMENTAÇÃO**

→ Pega inadequada
→ Horários preestabelecidos
→ Mamadas pouco frequentes
→ Mamadas curtas
→ Ausência de mamadas noturnas
→ Uso de chupeta e mamadeira
→ Consumo de suplementos (água, chás, outros leites)

**FATORES PSICOLÓGICOS MATERNOS E SOCIAIS**

→ Falta de confiança
→ Depressão
→ Preocupação, estresse
→ Não gosta de amamentar
→ Rejeição da criança
→ Falta de apoio para amamentar

**CONDIÇÃO FÍSICA MATERNA**

→ Problemas anatômicos da mama: mamilos muito grandes, invertidos ou muito planos; cirurgias, sobretudo de redução das mamas
→ Uso de contraceptivos, diuréticos
→ Gravidez
→ Desnutrição grave
→ Consumo de álcool
→ Tabagismo
→ Retenção de restos placentários
→ Falha hipofisária, doença de Sheehan
→ Hipoplasia mamária primária (muito rara)
→ Outras doenças maternas: diabetes não controlado, disfunção da tireoide, lúpus eritematoso, doença renal, hipertensão, síndrome dos ovários policísticos

**CONDIÇÃO DA CRIANÇA**

→ Doenças/anormalidades: lábio/palato leporino, freio de língua curto, micrognatia, macroglossia, asfixia neonatal, prematuridade, síndrome de Down, hipotireoidismo, disfunção neuromuscular, doenças do sistema nervoso central, padrão de sucção anormal, sonolência provocada por uso de medicamentos na mãe

Fonte: Adaptada de World Health Organization.[4]

→ evitar o uso de mamadeiras, chupetas e bicos de silicone;
→ consumir dieta balanceada;
→ ingerir líquidos em quantidade suficiente (lembrar que líquidos em excesso não aumentam a produção de leite);
→ repousar, na medida do possível.

O uso de medicamentos que aumentam a síntese de leite (galactogogos) pode estar indicado quando as medidas citadas não produzem o efeito desejado. As indicações mais precisas são amamentação de criança adotada, relactação e mães de bebês pré-termo que estão extraindo leite.[21] Uma revisão sistemática concluiu que fármacos galactogogos (domperidona, metoclopramida, sulpirida) podem aumentar o volume de leite em mães de crianças a termo não hospitalizadas, mas as evidências são insuficientes para avaliar os efeitos colaterais.[22] A mesma revisão mostrou que há alguma evidência de que galactogogos naturais (p. ex., funcho, fenacho, gengibre, moringa, chá misto de ervas) podem beneficiar o peso da criança e o volume do leite em mães de crianças a termo, sadias. Não há evidências de que um galactogogo seja melhor que outro.

Os medicamentos mais utilizados para estimular a produção de leite são a domperidona (10-20 mg, 3-4 ×/dia, por 3-8 semanas) e a metoclopramida (10 mg, 3 ×/dia, por 1 ou 2 semanas) **B**.[23,24] Ambos os medicamentos aumentam os níveis de prolactina.

A domperidona tem a vantagem de não atravessar a barreira hematencefálica, o que a torna mais segura do que a metoclopramida, com menos paraefeitos. Alguns tranquilizantes, como clorpromazina e haloperidol, e o antipsicótico sulpirida têm o aumento da produção láctea como efeito colateral. Devido aos seus paraefeitos (sedação, fadiga, aberrações neurológicas), o seu uso como galactogogo deve ser evitado.[21]

**Se a mãe não tem leite suficiente e a criança não está ganhando peso adequadamente, é necessário suplementar a criança com outro leite, até que o problema tenha sido resolvido.**

Se a sucção da criança é adequada, a suplementação deve ser feita, preferencialmente, com sistema de nutrição suplementar (translactação, i.e., ao sugar o peito, a criança recebe o leite materno e o suplemento contido em um recipiente conectado à mama por meio de uma sonda). Se o problema for da criança que não consegue retirar de maneira adequada o leite da mama, a mãe deve ser orientada a extrair o leite da mama após as mamadas para manter produção adequada do leite e, assim, poder alimentar a criança com o seu leite extraído.

## ALEITAMENTO MATERNO EM SITUAÇÕES ESPECIAIS

### Crianças que recusam um dos peitos

Quando a criança recusa um dos peitos, é possível que isso seja devido a alguma diferença entre as mamas (mamilos, fluxo de leite, ingurgitamento), dificuldade da mãe em posicionar adequadamente a criança em um dos lados, ou a criança sente dor em uma determinada posição (p. ex., fratura de clavícula). Um recurso que se utiliza para fazer a criança mamar na mama "recusada", muitas vezes com sucesso, é o uso da posição jogador de futebol americano. Essa posição consiste em apoiar a criança no braço do mesmo lado da mama a ser oferecida, com a mão da mãe apoiando a cabeça da criança, e o corpo da criança mantido na lateral, abaixo da axila (ver **FIGURA 100.1**). Se ela continuar a recusar uma das mamas, é possível manter amamentação exclusiva oferecendo apenas uma mama. No entanto, até que a mama não utilizada pare de produzir leite, são necessários cuidados para que ela não fique ingurgitada, predispondo ao aparecimento de mastite. A recusa súbita em mamar em uma mama específica durante a lactação, sem causa aparente, pode ser um indicativo de carcinoma mamário.

### Criança com freio de língua curto (anquiloglossia)

Anquiloglossia (língua presa) é uma anomalia congênita em que a presença de um frênulo sublingual modifica a aparência ou a função da língua da criança por ser muito curto, pouco elástico ou estar ligado muito posteriormente ao assoalho da boca ou muito perto ou sobre a margem gengival. A sua incidência é de aproximadamente 3 a 5% em crianças nascidas a termo, sendo mais comum em crianças com dificuldades no aleitamento materno (13%).[25]

Em geral, quando o frênulo se estende até a ponta da língua, esta adquire formato de coração ou em V quando protraída ou levantada. No entanto, há uma variedade de anquiloglossia, mais difícil de ser visualizada, que consiste na adesão posterior não elástica da língua ao assoalho da boca.

Dependendo da gravidade, a anquiloglossia pode interferir no conforto da mulher, ao provocar trauma nos mamilos e prejudicar a transferência efetiva do leite da mama pela criança, devido à dificuldade em conseguir uma pega adequada ou mantê-la. Com frequência, crianças com anquiloglossia largam a mama e fazem longas pausas, permanecem longo tempo na mama, engasgam, choram ou dormem durante as mamadas. Anquiloglossia está entre as causas de desmame. Além de afetar a amamentação, pode ser causa de dificuldades na fala e na deglutição, de problemas ortodônticos e anormalidades mandibulares, além de problemas emocionais.

O desafio do profissional de saúde é avaliar o quanto essa condição pode afetar a amamentação. O Ministério da Saúde, com base nas evidências disponíveis e considerando os aspectos relacionados à sua operacionalização, sugere a utilização do Protocolo Bristol de Avaliação da Língua (BTAT [do inglês, Bristol Tongue Assessment Tool]) (TABELA 100.2) e recomenda que a avaliação seja feita antes da alta da maternidade, entre 24 e 48 horas de vida do recém-nascido.[26]

## Manejo

O diagnóstico de anquiloglossia serve de alerta para dificuldades na amamentação, especialmente se moderada ou grave, requerendo tomada de decisão e manejo individualizado, que pode variar desde simples observação (conduta expectante) até a indicação de procedimento cirúrgico.

A intervenção mais comum na anquiloglossia é a frenotomia ou frenulotomia, que consiste na divisão (corte) do frênulo lingual. Outros procedimentos incluem a frenuloplastia (frenotomia com utilização de suturas) e frenectomia ou frenulectomia (excisão do frênulo lingual).

Segundo orientação do Ministério da Saúde, havendo interferência na amamentação atribuída ao frênulo lingual e escore de Bristol menor ou igual a 3, deve-se realizar nova avaliação da mamada e do frênulo lingual antes da alta da maternidade. Caso o escore se confirme e não haja outra justificativa para a dificuldade na amamentação, deve-se considerar a indicação de intervenção cirúrgica, embora a força de evidência seja baixa/insuficiente quanto à melhoria na amamentação e redução de dor nos mamilos após frenotomia.[27] O acompanhamento da criança por no mínimo 15 dias após o procedimento cirúrgico é indispensável para apoio no estabelecimento e/ou manutenção da amamentação e acompanhamento do ganho de peso da criança. Os recém-nascidos com anquiloglossia moderada ou duvidosa e suas mães devem ser acompanhados para avaliação das repercussões sobre a amamentação, e a frenotomia deve ser indicada quando houver prejuízo da amamentação supostamente devido à anquiloglossia.

Se, por alguma razão, a correção cirúrgica não puder ser realizada (p. ex., enquanto se aguarda o procedimento), as seguintes recomendações podem ser úteis:[25]

→ colocar a criança para mamar em uma posição que favoreça os movimentos da língua para baixo e para a frente pela gravidade, como sentada (cavalinho) ou semissentada;
→ orientar técnicas de estimulação do mamilo em mamilos planos antes da pega;
→ orientar técnicas de apoio do queixo ou mandíbula (posição mão de bailarina);
→ extrair o leite da mama após as mamadas para garantir uma boa produção do leite e oferta do leite à criança caso ela não consiga retirar da mama todo o leite de que ela precisa;
→ monitorar o ganho de peso da criança.

## Mulheres submetidas à cirurgia de redução das mamas

De maneira geral, diz-se que a mamoplastia redutora não impede a amamentação, desde que a inervação do mamilo esteja preservada, os ductos lactíferos estejam patentes e os seios lactíferos estejam intactos, em comunicação com os poros lactíferos para permitir as sensações que atuam

**TABELA 100.2** → Protocolo Bristol de Avaliação da Língua (BTAT)*

| ASPECTOS AVALIADOS | PONTUAÇÃO (ESCORE) | | |
| --- | --- | --- | --- |
| | 0 | 1 | 2 |
| Aparência da ponta da língua | Formato de coração | Ligeira fenda/entalhada | Redonda |
| Fixação do frênulo no alvéolo inferior | Anexado na parte superior (topo) da gengiva | Anexado na face interna da gengiva/atrás | Anexado ao meio do assoalho da boca |
| Elevação da língua durante o choro com a boca aberta | Elevação mínima | Elevação apenas das bordas da língua em direção ao palato duro | Elevação completa da língua em direção ao palato duro |
| Protrusão da língua sobre a gengiva | Ponta da língua atrás da gengiva | Ponta da língua sobre a gengiva | Ponta da língua pode estender-se sobre o lábio inferior |
| **Pontuação (escore):** escores de 0-3 indicam redução grave de função da língua. | | | |

*Tradução adaptada.
Fonte: Brasil.[26]

como gatilhos para os reflexos de produção e ejeção do leite. No entanto, na prática clínica, observa-se que muitas mulheres com mamoplastia redutora têm dificuldades para amamentar.

Uma revisão sistemática sobre o impacto da mamoplastia redutora na amamentação constatou que esse efeito depende da preservação da coluna do parênquima do complexo mamilo/aréola à parede torácica. A amamentação foi possível em 4% das mulheres com cirurgia sem preservação da coluna, 75% nas com preservação parcial e 100% nas com preservação total, embora não plenamente em todos os casos.[28]

### Manejo

Pode ser difícil avaliar o quanto uma cirurgia de redução de mamas pode afetar a lactação. Por isso, as mulheres com mamoplastia redutora que desejam amamentar devem ser estimuladas a fazê-lo o mais precocemente possível após o nascimento da criança e amamentar com frequência. A ajuda de um profissional capacitado logo após o parto é de grande valia, assim como a orientação da mulher. Ela deve ser informada de que a mamoplastia redutora pode postergar a descida do leite, assim como o estabelecimento pleno da lactação.

> **A criança cuja mãe foi submetida à mamoplastia redutora deve ter acompanhamento rigoroso do ganho de peso.**

Quando for necessária a suplementação da criança com outros leites, recomenda-se oferecer o leite por meio de translactação.

## Mulheres com implantes de mama

As mulheres com implantes mamários devem ser incentivadas a amamentar, pois não há evidências de que eles possam causar problemas para a criança amamentada. Uma metanálise identificou redução significativa nas taxas de aleitamento materno exclusivo (risco relativo [RR] = 0,63) e aleitamento materno (RR = 0,89) em mulheres com implantes mamários quando comparadas com mulheres sem esse procedimento. O local da incisão (periareolar ou inframamário) não fez diferença.[29] Explicações possíveis para esse desfecho incluem maior pressão no parênquima mamário devido à contração capsular ou a grandes implantes, resultando em atrofia do tecido glandular e consequente menor produção de leite; ou ansiedade materna quanto à segurança de amamentar a criança com o implante ou preocupação quanto à estética da mama.

### Manejo

Levando em consideração que a amamentação é possível e aparentemente segura após cirurgia para colocação de implante mamário, e tendo em vista que esse procedimento está associado a menores taxas de aleitamento materno, as mulheres com implantes mamários devem receber incentivo e apoio extras para amamentar.

## Gemelaridade

A amamentação de crianças gêmeas tem vantagens adicionais além daquelas comuns a qualquer criança, como proporcionar maior economia, haja vista o gasto com outros leites ser o dobro caso as crianças não sejam amamentadas; facilitar os cuidados das crianças, pois, ao diminuir a chance de doenças, diminui a necessidade de cuidados intensificados nessas situações; auxiliar no atendimento das necessidades das crianças com relação à atenção e ao afeto da mãe; e contribuir para o reconhecimento das necessidades individuais de cada criança, importante para que a mãe enxergue cada gêmeo como um indivíduo.

O maior obstáculo à amamentação de gêmeos não é a quantidade de leite produzida, pois a maioria das mulheres é capaz de produzir leite suficiente para duas ou mais crianças, e sim a falta de apoio. Dessa forma, é fundamental que as mulheres de parto múltiplo tenham suporte adicional, tanto dos profissionais de saúde quanto da família e da rede social para compartilhar com ela as tarefas de casa e os cuidados com as crianças, e apoiá-la emocionalmente.[30] É importante discutir com a mulher, já na gestação, a necessidade de apoio extra, sobretudo após o nascimento das crianças.

### Manejo

É possível e recomendada a amamentação plena de gêmeos. O profissional de saúde pode apoiar a mãe nessa tarefa, aconselhando-a desde o acompanhamento pré-natal até o desmame. Saber ouvir, entender, ser empático, oferecer orientações úteis e, sobretudo, respeitar as opções das mães são condições indispensáveis para o sucesso do aconselhamento. A seguir, são listadas algumas sugestões que podem ser úteis para o sucesso na amamentação de gêmeos C/D:[31]

→ estabelecer, durante a gestação, uma meta inicial de duração da amamentação (ou extração do leite) das suas crianças, que corresponda a um tempo mínimo necessário para que a mulher se recupere do parto e todas as pessoas envolvidas aprendam e se adaptem à situação especial que é amamentar duas ou mais crianças. Após o período estipulado, a situação deve ser reavaliada, com definição de nova meta;

→ iniciar a amamentação dos gêmeos logo após o nascimento, sempre que possível. Se um ou mais dos recém-nascidos não estiver em condições de ser amamentado, a mulher deve iniciar a extração manual ou com bomba de sucção o mais precocemente possível;

→ amamentar em livre demanda. A mulher somente produzirá leite suficiente para cada uma das crianças se ela esvaziar a mama com frequência e em livre demanda;

→ se as crianças não estiverem sugando, desenvolver uma rotina de extração do leite que mimetize as mamadas dos bebês. Recomenda-se o esvaziamento das mamas no mínimo 8 a 9 vezes ao dia;

→ coordenar as mamadas, usando uma ou mais das seguintes variações:
  → alternância das crianças e mamas em cada mamada: a criança que começou a mamar na mama direita

em uma mamada deverá, na próxima, iniciá-la na esquerda, independentemente de as crianças mamarem em uma só mama ou nas duas. Esse método é muito utilizado nas primeiras semanas após o parto, sobretudo se uma das crianças tem sucção menos eficiente ou quando uma ou mais crianças querem mamar nas duas mamas. Uma variação desse método é oferecer o peito mais cheio primeiro à criança que mostrar interesse em mamar;
→ alternância das crianças e das mamas a cada 24 horas: cada criança alimenta-se na mesma mama por 24 horas e, no dia seguinte, troca de mama. Muitas mulheres gostam desse método por acharem mais fácil lembrar quem mamou, onde e quando;
→ escolha de uma mama específica para cada criança: como as mamas se adaptam às necessidades de cada criança, pode haver diferença no tamanho delas e diminuição da produção de leite na mama em que há menor demanda ou a criança não suga eficientemente; além disso, pode haver recusa das crianças em mamar na mama do "outro" se houver necessidade. Se cada criança mamar em uma mama específica, recomenda-se que a mãe alterne posições de vez em quando para que os olhos da criança ao mamar recebam estímulos semelhantes aos que receberiam se ela mamasse nas duas mamas;
→ a mãe ou outra pessoa deve registrar as mamadas e o número de fraldas molhadas e sujas de cada criança. Isso pode ajudar na avaliação quanto à ingestão de leite pelas crianças;
→ ter contato com mães de gêmeos que amamentaram com sucesso.

A amamentação simultânea de duas crianças economiza tempo da mulher, facilita o desenvolvimento de uma rotina e permite satisfazer as demandas das crianças imediatamente. Além disso, teoricamente a mulher produz mais leite quando amamenta duas crianças de maneira simultânea. No entanto, algumas mães (ou crianças) só se sentem prontas para praticar a amamentação simultânea algumas semanas depois do parto, após conseguirem manejar algumas dificuldades iniciais, como problemas de posicionamento e técnica. Ao amamentar duas crianças ao mesmo tempo, a mulher pode adotar as seguintes posições: tradicional (a mãe apoia a cabeça das crianças no antebraço do mesmo lado da mama a ser oferecida e os corpos das crianças ficam curvados sobre a mãe, com as nádegas firmemente apoiadas – posição em V); jogador de futebol americano (ver **FIGURA 100.1**); do cavaleiro (as crianças ficam sentadas nas pernas da mãe, de frente para ela); e combinação de posições. A mulher pode preferir amamentar deitada ou recostada, de costas.

Sobretudo no início da amamentação, a mãe de gêmeos pode precisar de ajuda para posicionar adequadamente as crianças para mamar. Assim, uma ou mais pessoas que vão ajudar essa mãe devem receber orientação da equipe de profissionais.

É importante mencionar que os períodos de aceleração do crescimento que ocorrem em todas as crianças podem ser mais prolongados em gêmeos e mais frequentes (em geral, são três antes dos 4 meses). As mães de gêmeos devem ser informadas sobre esses períodos, preparando-as para uma demanda maior ainda, o que pode significar reforço na ajuda.

Sempre que possível, deve ser evitada a situação em que apenas uma das crianças é amamentada. Essa atitude pode gerar diferenças de sentimentos maternos com relação aos seus filhos. Quando um dos filhos não puder ser amamentado, por alguma condição que impossibilite o aleitamento materno, a mãe deve ser orientada a aumentar o contato físico com essa criança; pode-se recomendar o Método Canguru, independentemente da idade gestacional da criança. Quando as crianças têm condições de mamar e não há leite suficiente, a mãe pode oferecer o suplemento (de preferência com copinho) após as mamadas ou, então, alternar mamadas ao seio, ou seja, amamentar uma criança (ou mais) e suplementar a outra (ou outros), alternando as crianças.

As lactantes de gêmeos naturalmente têm mais fome e sede. É preciso que essas mulheres desenvolvam estratégias para que possam se alimentar e beber líquidos adequadamente, apesar do pouco tempo livre. Elas podem comer e ingerir líquidos enquanto amamentam, por exemplo.

## Nova gravidez

Se a mulher engravidar amamentando um filho, ela pode manter a lactação se esse for o seu desejo. Revisões sistemáticas concluíram que a amamentação durante a gestação não interfere no curso da gestação, não aumenta o risco de abortamento ou parto prematuro entre mulheres com gestação de risco habitual e não influencia o peso de nascimento da criança.[32,33] Muitos autores, no entanto, sugerem cautela na recomendação da manutenção da amamentação no 3º trimestre em mulheres com risco aumentado para parto prematuro, embora não haja evidências de que a amamentação possa desencadear o trabalho de parto pela indução de contrações.[33]

A gestação pode ser causa de desmame espontâneo da criança por queda na produção do leite, alteração no gosto do leite (mais salgado devido a maior conteúdo de sódio e menor concentração de lactose) ou perda do espaço destinado ao colo com o avanço da gravidez. Algumas mulheres decidem desmamar nesse período por aumento da sensibilidade dos mamilos e fadiga materna e sonolência devido a alterações hormonais.

## Amamentação de duas crianças com idades diferentes (tandem)

Por vezes, uma mulher ainda está amamentando uma criança quando nasce outro filho. Ela pode amamentar as duas crianças se esse for o seu desejo, que deve ser respeitado (*tandem nursing*, em inglês). A decisão de manter a amamentação do filho mais velho muitas vezes está associada à percepção da mãe de que a criança não está pronta para o desmame e que a amamentação ainda é uma necessidade emocional. Entre as vantagens atribuídas à amamentação em *tandem* estão promoção do conforto da criança mais velha, canalização dos sentimentos negativos em relação ao recém-nascido para o prazer da amamentação, promoção de uma relação mais íntima entre a mãe e os irmãos, e entre os próprios irmãos.[34]

A mãe que opta por amamentar dois filhos com idades diferentes deve ser orientada a garantir que o irmão menor tenha mamado o suficiente antes de amamentar o irmão maior. Se a mulher optar por desmamar o filho mais velho, ela deve receber orientação do profissional de saúde (ver Capítulo Aleitamento Materno: Aspectos Gerais).

## Relactação

Relactação é o processo de reestabelecimento da lactação quando houve diminuição ou até mesmo cessação da produção láctea. Ela difere da lactação induzida (mães adotivas), em que as mulheres não passaram pela gestação e pelo consequente preparo para a lactação.

A relactação é possível, com diferentes taxas de sucesso. A chance de retorno ao aleitamento materno exclusivo é menor e inversamente proporcional ao tempo de introdução de outros leites – por exemplo, um intervalo > 14 dias entre a introdução de outros leites e o início da relactação –, à idade do lactente > 6 a 8 semanas e ao uso de mamadeira. O processo de relactação pode ser longo, sendo mais rápido para as mulheres que mantinham a amamentação.

As mulheres devem ser encorajadas a ter expectativas realistas e a valorizar mais o ato da amamentação (relação mãe/criança). Algumas mulheres nunca conseguem amamentar plenamente, mas são capazes de manter a amamentação por longos períodos com suplementação. Para algumas mulheres, a amamentação mista (peito mais outro leite) pode ser a meta.

O nível de autoconfiança da mulher é muito importante, assim como o apoio da família e de outros. Suporte emocional e assistência intensiva do profissional de saúde são fundamentais.

Se a criança consegue sugar o peito várias vezes ao dia, o fluxo de leite materno aparece em poucos dias ou semanas.

As seguintes medidas devem ser adotadas para auxiliar a mulher no processo da relactação C/D:

→ estímulo para induzir a produção do leite, o que se consegue com sucção da criança na mama e estímulo manual da mama e mamilos;
→ boa técnica de amamentação para maximizar o estímulo e o esvaziamento da mama (ver Capítulo Aleitamento Materno: Aspectos Gerais);
→ uso de suplementador (sondinha) para encorajar a criança a sugar e estimular a mama;
→ quando a criança recusa o peito, colocá-la para mamar quando estiver sonolenta pode ajudar;
→ expressão do leite manualmente ou por meio de bomba de extração de leite, sobretudo se a criança reluta em ir ao seio. Além de estimular a mama, essa medida inicia ou aumenta a produção de leite, o que pode motivar a criança a sugar;
→ uso de galactogogo (ver tópico sobre produção insuficiente de leite neste capítulo).

A prevenção da interrupção da amamentação é fundamental, pois o processo de relactação pode ser longo e exige grande motivação e desejo da mulher, forte suporte familiar e apoio de profissional de saúde capacitado.

## REFERÊNCIAS

1. World Health Organization, United Nations Children's Fund. Baby-friendly Hospital Initiative training course for maternity staff: participant's manual. Geneva: WHO; 2020.
2. Mangesi L, Zakarija-Grkovic I. Treatments for breast engorgement during lactation. Cochrane Database Syst Rev. 2016;2016(6):CD006946.
3. Berens P, Brodribb W. ABM Clinical Protocol #20: engorgement, revised 2016. Breastfeed Med. 2016; 11(4):159-63.
4. World Health Organization. Management of breast conditions and other breastfeeding difficulties. In: World Health Organization. Infant and young child feeding: model chapter for textbooks for medical students and allied health professionals. Geneva: WHO; 2009. p. 65-76.
5. Crepinsek MA, Taylor EA, Michener K, Stewart F. Interventions for preventing mastitis after childbirth. Cochrane Database Syst Rev. 2020;9:CD007239.
6. Buescher ES, Hair PS. Human milk anti-inflammatory component contents during acute mastitis. Cell Immunol. 2001;210(2):87-95.
7. Jahanfar S, Ng CJ, Teng CL. Antibiotics for mastites in breastfeeding women. Cochrane Database Syst Rev. 2013;(2):CD005458.
8. Amir LH. ABM clinical protocol #4: mastitis, revised March 2014. Breastfeed Med. 2014;9(5):239-43.
9. Arroyo R, Martín V, Maldonado A, Jiménez E, Fernández L, Rodríguea JM. Treatment of infectious mastites during lactation: antibiotics versus oral administration of Lactobacilli isolated from breast milk. Clin Infect Dis. 2010;50(12):1551-8.
10. Dixon JM, Khan LR. Treatment of breast infection. BMJ. 2011;342:d396.
11. Irusen H, Rohwer AC, Steyn DW, Young T. Treatments for breast abscesses in breastfeeding women. Cochrane Database Syst Rev. 2015;(8):CD010490.
12. Lawrence RM. Circumstances when breastfeeding is contraindicated. Pediatr Clin North Am. 2013;60(1);295-318.
13. Dennis CL, Jackson K, Watson J. Interventions for treating painful nipples among breastfeeding women. Cochrane Database Syst Rev. 2014;(12):CD007366.
14. Joanna Briggs Institute. The management of nipple pain and/or trauma associated with breastfeeding. Aust Nurs J. 2009;17(2):32-5.
15. Lochner JE, Livingston CJ, Judkins DZ. Clinical inquiries: which interventions are best for alleviating nipple pain in nursing mothers? J Fam Pract. 2009;58(11):612a-c.
16. Morland-Schultz K, Hill PD. Prevention of and therapies for nipple pain: a systematic review. J Obstet Gynecol Neonatal Nurs. 2005;34(4):428-37.
17. Berens P, Eglash A, Maloy M, Steube AM. ABM Clinical Protocol #26: persistent pain with breastfeeding. Breastfeed Med. 2016;11(2):46-53.
18. Strong GD. Provider management and support for breastfeeding pain. J Obstet Gynecol Neonatal Nurs. 2011;40(6):753-64.
19. Barrett ME, Heller MM, Fullerton Stone H, Murase JE. Dermatoses of the breast in lactation. Dermatol Ther. 2013;26(4):331-6.
20. Johnson HM, Eglash A, Mitchell KB, Leeper K, Smillie CM, Moore-Ostby L, Manson N, Simon L, et al. ABM Clinical Protocol #32: management of hyperlactation. Breastfeed Med. 2020;15(3):129-34.
21. Brodribb W. ABM Clinical Protocol #9: use of galactogogues in initiating or augmenting the rate of maternal milk secretion (second revision 2018). Breastfeed Med. 2018;13(5):307-14.
22. Foong SC, Tan ML, Foong WC, Marasco LA, Ho J, Ong JH. Oral galactagogues (natural therapies or drugs) for increasing breast milk

production in mothers of non-hospitalised term infants. Cochrane Database Syst Rev. 2020;(5):CD011505.
23. Donovan TJ, Bychanan K. Medications for increasing milk supply in mothers expressing breastmilk for their preterm hospitalised infants. Cochrane Database Syst Rev. 2012;(3):CD005544.
24. Ingram J, Taylor H, Churchill C, Pike A, Greenwood R. Metoclopramide or domperidone for increasing maternal breast milk output: a randomised controlled trial. Arch Dis Child Fetal Neonatal Ed. 2012;97(4):F241-5.
25. Academy of Breastfeeding Medicine. Protocol # 11: Guidelines for the evaluation and management of neonatal ankyloglossia and its complications in the breastfeeding dyad. Breastfeed Med. [Internet]. 2011[capturado em 19 nov. 2020];6(1). Disponível em: https://abm.memberclicks.net/assets/DOCUMENTS/PROTOCOLS/11-neonatal-ankyloglossia-protocol-english.pdf
26. Brasil. Nota técnica nº11/2021-COCAM/CGCIVI/DAPES/SAPS/MS [Internet]. Brasília: MS; 2021 [capturado em 3 nov. 2021]. Disponível em: https://egestorab.saude.gov.br/image/?file=20210601_N_NT11AVALIACAOFRENULOLINGUALRN_772086272972157347.pdf
27. O'Shea JE, Foster JP, O'Donnell CPF, Breathnach D, Jacobs SE, Todd DA, et al. Frenotomy for tongue-tie in newborn infants. Cochrane Database of Systematic Reviews. 2017; 3(3):CD011065.
28. Kraut RY, Brown E, Korownyk C, Katz LS, Vandermeer B, Babenko O, et al. The impact of breast reduction surgery on breastfeeding: Systematic review of observational studies. PLoS One. 2017;12(10):e0186591.
29. Cheng F, Dai S, Wang C, Zeng S, Chen J, Cen Y. J Do breast implants influence breastfeeding? A meta-analysis of comparative studies. J Hum Lact. 2018;34(3):424-32.
30. Monvillers S, Tchaconas A, Li R, Adesman A, Keim SA. Characteristics of and sources of support for women who breastfed multiples for more than 12 months. Breastfeed Med. 2020;15(4):213-23.
31. Gromada KK. Mothering multiples: breastfeeding and caring for twins ore more. 3rd ed. Schaumburg: Legue Ligue International; 2007.
32. López-Fernández G, Barrios M, Goberna-Tricas J, Gómez-Benito J. Breastfeeding during pregnancy: a systematic review. Women Birth. 2017;30(6):e292-e300.
33. Cetin I, Assandro P, Massari M, Sagone A, Gennaretti R, Donzelli G, et al. Breastfeeding during pregnancy: position paper of the Italian Society of Perinatal Medicine and the Task Force on Breastfeeding, Ministry of Health, Italy. J Hum Lact. 2014;30(1):20-7.
34. Saus-Ortega C. [Holistic approach to tandem breastfeeding, a qualitative study]. Aten Primaria. 2020;52(1):55-6.

## LEITURAS RECOMENDADAS

Brasil. Ministério da Saúde. Secretaria de Atenção à Saúde. Departamento de Atenção Básica. Saúde da criança: aleitamento materno e alimentação complementar. 2. ed. Brasília: MS; 2015. (Cadernos de Atenção Básica, 23).
*Material educativo elaborado pelo Ministério da Saúde destinado prioritariamente às equipes de saúde da família. Aborda aspectos gerais e as principais dificuldades do aleitamento materno e seu manejo.*

Protocolos da Academy of Breastfeeding Medicine.
*A Academy of Breastfeeding Medicine disponibiliza os seus protocolos (mais de 30) em diversas línguas, bem como a bibliografia comentada com os níveis de evidência. Esses protocolos servem de guias para o cuidado da dupla mãe/criança em diversas situações relacionadas à amamentação. Esses protocolos são disponibilizados no site https://www.bfmed.org/protocols.*

# Capítulo 101
## DÉFICIT DE CRESCIMENTO

Elsa R. J. Giugliani
Denise Aerts

Déficit de crescimento não é uma doença em si, e sim uma manifestação de carência nutricional. Estão incluídos na definição de déficit de crescimento: restrição de crescimento intrauterino (RCIU) (definido como peso de nascimento para a idade gestacional e sexo abaixo do 10º percentil da curva Intergrowth), baixo peso (peso/idade < −2 desvios-padrão [DP] em relação ao padrão de crescimento das curvas da Organização Mundial da Saúde [OMS]), baixo comprimento/altura (comprimento ou altura/idade < −2 DP), magreza (peso/comprimento ou altura ou índice de massa corporal [IMC]/idade < −2 DP) e deficiências de vitaminas e minerais.[1]

Neste capítulo, o termo subnutrição é utilizado para referir-se à magreza; o termo altura ou estatura, para referir-se ao comprimento (medida aferida até os 2 anos de idade, com a criança deitada) e à altura (medida aferida em crianças com idade ≥ 2 anos, em pé), indistintamente; e o termo déficit de crescimento linear, como sinônimo de baixa altura para a idade.

Existe estreita ligação entre as deficiências nutricionais mais frequentes e o grau de desenvolvimento social e econômico de cada região. Nesse contexto, o déficit de crescimento assume importância fundamental como indicador de qualidade de vida da população, tanto por sua prevalência quanto por seu significado.

As crianças e as gestantes são os grupos populacionais mais vulneráveis, nos quais as deficiências nutricionais costumam determinar maiores danos, pois é precisamente durante a infância e a gestação que aumentam as necessidades dos nutrientes básicos. Uma nutrição adequada, tanto qualitativa como quantitativamente, na fase de crescimento mais intenso (primeiros 1.000 dias, que compreende a vida intrauterina e os primeiros 2 anos de vida), contribui para que a criança tenha uma vida saudável.

Muitas são as consequências das deficiências nutricionais. Na mulher, elas estão associadas a desfechos negativos na saúde reprodutiva, como infertilidade, aumento do risco de abortamento e natimortalidade, RCIU e parto prematuro, além de subnutrição precoce e desenvolvimento cognitivo prejudicado na prole.[1] Nas crianças, associam-se ao déficit de crescimento e suas repercussões, como aumento da morbidade e mortalidade e possíveis efeitos permanentes. As crianças gravemente desnutridas (peso/estatura < −3 DP) e aquelas que apresentam concomitância de subnutrição e baixa estatura são as que apresentam os maiores riscos de morrer. Estas últimas têm risco 4,8 vezes aumentado de mortalidade.[2] Em crianças com idade entre 6 meses e 5 anos, maiores riscos de mortalidade foram associados a um perímetro braquial < 115 mm.[3]

Ainda que o déficit de crescimento seja um produto da forma de estruturação do modelo de desenvolvimento das sociedades, cabe ao profissional de saúde, no atendimento de uma criança, identificar a qual grupo populacional ela pertence e investigar se o déficit é determinado pela falta de acesso à alimentação adequada ou secundário a infecções, erros metabólicos ou alimentares, ou por outras causas.

Neste capítulo, são apresentados alguns aspectos do déficit de crescimento em crianças, seu diagnóstico e tratamento em nível ambulatorial.

## EPIDEMIOLOGIA

Apesar da redução que vem ocorrendo na prevalência de déficits de crescimento em nível global, a subnutrição e a baixa estatura persistem como problemas de saúde pública em países de baixa renda.[1] Em nível global, estima-se que a desnutrição em crianças com idade < 5 anos tenha diminuído de 10% em 2000 para 7,3% em 2017; e a baixa estatura, de 32,5% para 21,9% no mesmo período, com as maiores prevalências ocorrendo na Ásia e na África.[4] Nos países de média renda, como o Brasil, a baixa estatura é o déficit de crescimento físico mais prevalente.

Nas últimas décadas, pesquisas realizadas no território brasileiro vêm mostrando tendência constante de queda do déficit de crescimento. Em 2006, último dado disponível para o Brasil, a prevalência de baixa altura para a idade era de 7%, apresentando redução de 50% em relação à década anterior.[5] Da mesma forma, os déficits de peso para a idade e de peso para a altura encontravam-se inferiores a 2%.

Houve redução substancial das desigualdades socioeconômicas encontradas nos déficits de altura no Brasil. Em 1996, as crianças de famílias pertencentes ao quintil mais pobre da população tinham 6,6 vezes mais chance de apresentar baixa estatura para a idade quando comparadas com as pertencentes às famílias do quintil mais rico. Essa chance reduziu para 2,7 vezes em 2007-2008.[6] Quatro fatores foram identificados como os maiores responsáveis pela queda do déficit de crescimento: aumento da escolaridade materna, aumento do poder aquisitivo, expansão da rede de atenção à saúde e melhora nas condições sanitárias da população.[7]

Estudos recentes mostram que a incidência de desnutrição e baixa estatura é maior nos primeiros 6 meses de vida, reforçando a importância do foco nos primeiros 1.000 dias da criança, da concepção aos 2 anos de idade. Nos países de baixa e média renda, em torno de 12% das crianças já nascem com baixa estatura e em 17% essa condição ocorre entre o nascimento e os 3 meses, contribuindo com 40% da baixa estatura aos 2 anos de idade. A reversão da baixa estatura nesse período é infrequente e costuma não ser sustentável.[2,8]

É importante citar que mesmo em países desenvolvidos o déficit de crescimento não é incomum; porém, nesses locais, essa condição decorre basicamente de distúrbios nutricionais associados a doenças gastrintestinais, neurológicas, entre outras.

## FATORES ETIOLÓGICOS E FISIOPATOLOGIA

A partir do século XX, a desnutrição deixou de ser determinada pela escassez na produção de alimentos, passando a ser um problema relacionado com a má distribuição e a iniquidade.[9] Esse fenômeno também ocorre no Brasil.

É bem conhecido o círculo vicioso envolvendo desnutrição, pobreza e doença, no qual cada componente auxilia na perpetuação ou agravamento do outro. As pessoas de mais baixa inserção econômica ingerem alimentos mais pobres em nutrientes, são mais suscetíveis às doenças, e estas, por sua vez, podem agravar o estado nutricional.[9]

Na etiologia da desnutrição, um importante fator a ser considerado é o desequilíbrio de certos nutrientes na dieta, o que constitui uma potente causa de perda de apetite, levando à redução do consumo de energia. Esse conceito é fundamental para o tratamento bem-sucedido da desnutrição.

> **Assim, não basta oferecer aporte extra de calorias para a criança com déficit de crescimento; é necessário suplementar os nutrientes específicos que faltam em sua dieta, melhorando, em consequência, seu apetite.**

Na realidade, o termo desnutrição proteico-calórica ou proteico-energética, ainda bastante utilizado, pode transmitir uma mensagem equivocada, levando ao manejo inadequado dessa condição. Zinco, vitamina A e ferro são exemplos de micronutrientes implicados na desnutrição, e sua insuficiência pode prejudicar a recuperação do estado nutricional da criança.

Atualmente, tem-se estudado o papel de doenças infecciosas específicas na gênese dos déficits de crescimento. Estudos de coorte de base populacional em países de baixa e média renda mostraram uma maior prevalência de enteropatógenos em fezes não diarreicas e inflamação intestinal em crianças com déficit de crescimento linear aos 24 meses.[10] Mais recentemente, tem sido descrita a condição denominada "disfunção entérica ambiental" como associada a déficits de crescimento.[11] Essa condição, mais comum em crianças vivendo em ambientes com alta contaminação fecal, caracteriza-se por aumento da permeabilidade intestinal, inflamação sistêmica e intestinal, má absorção, alterações nos hormônios relacionados ao crescimento e disbiose da microbiota intestinal.

De forma esquemática, pode-se dizer que o estado nutricional é determinado, na dimensão individual, pela alimentação e pelo estado de saúde da criança. Estes dependem dos cuidados dispensados pela família à criança, da salubridade do ambiente e da disponibilidade de alimentos adequados e saudáveis no domicílio, da qualidade do vínculo entre mãe e filho e da saúde materna. Baixa estatura e baixo IMC maternos estão associados com desnutrição e baixa estatura aos 2 anos de idade, provavelmente mediada por RCIU.[2]

As condições de nascimento da criança também fazem parte da determinação do déficit de crescimento. Pelo menos um quinto das crianças com baixa estatura nasceram pequenas para a idade gestacional, e a prematuridade também contribui para o déficit de crescimento linear.[12] Os recém-nascidos assimétricos (com desequilíbrio no índice ponderoestatural), assim como os pré-termo, ainda que apresentem maior risco para mortalidade neonatal, crescem com velocidade aumentada e atingem peso e altura finais semelhantes aos de crianças a termo com peso adequado. Diferentemente desses, as crianças com RCIU e adequação do índice ponderoestatural, ou seja, com baixo peso e baixa estatura, continuam a apresentar defasagem significativa no crescimento.[13]

Por sua vez, a renda familiar, muito relacionada com a escolaridade dos pais, exerce importante influência sobre esses aspectos. É certo que as condições de vida de uma família também dependem da oferta de serviços de infraestrutura básica, saúde, educação, programas de distribuição de alimentos, ou seja, das políticas públicas, determinadas, em última instância, pelo contexto internacional e pelo modelo de desenvolvimento econômico adotado pelo país.[14]

Os transtornos psicossociais, como práticas alimentares inadequadas, problemas de maternagem, dificuldades no vínculo mãe-filho, violência (física, sexual, negligência, familiar) ou, ainda, problemas graves de saúde mental dos pais, são exemplos de outros fatores que podem obstaculizar o crescimento saudável de uma criança. A carência afetiva pode impedir o crescimento, mesmo na presença de dieta adequada.

> A desnutrição tem sido associada à pobreza, o que não significa apenas falta de comida, mas também, muitas vezes, falta de segurança, estimulação e afeto.

Por fim, nas crianças de famílias em que o acesso aos alimentos é garantido por sua inserção social, devem ser investigados erros na oferta de alimentos, problemas de absorção de nutrientes, doenças específicas relacionadas com o crescimento linear e outras doenças.

A TABELA 101.1 apresenta as causas mais comuns associadas ao déficit de crescimento, de acordo com a faixa etária.[15]

# DIAGNÓSTICO

Na prática, o crescimento das crianças é avaliado por meio da antropometria. A OMS e o Ministério da Saúde (MS) do Brasil recomendam o uso do peso ao nascer, dos índices peso/idade, altura/idade e IMC/idade para a avaliação do crescimento da criança (ver Capítulo Acompanhamento do Crescimento da Criança). O MS, com base nas recomendações da OMS, utiliza escores z como pontos de corte para definir déficit de crescimento e avaliar o grau desse déficit. A TABELA 101.2 disponibiliza a classificação utilizada pelo MS e apresentada na Caderneta da Criança.[16,17] Assim, as crianças com índices < –2 DP dos valores esperados para a mediana do índice avaliado da população de referência são consideradas como tendo déficit de crescimento.

A OMS recomenda também o uso do perímetro braquial (PB) para a identificação de subnutrição grave, definida como PB < 115 mm. Como método isolado, o PB pode ser superior no diagnóstico de desnutrição grave, pela sua simplicidade e maior capacidade de identificar crianças com maior risco de morrer.[18]

**TABELA 101.1** → Principais condições associadas ao déficit de crescimento, segundo a faixa etária

**RECÉM-NASCIDOS**
- Restrição de crescimento intrauterino
- Ingestão alimentar insuficiente
- Intercorrências no período neonatal
- Doenças metabólicas, malformações congênitas

**2 A 8 MESES**
- Ingestão alimentar insuficiente
- Negligência
- Alergia à proteína do leite de vaca
- Doença do refluxo gastresofágico
- Fibrose cística
- Doença celíaca
- Distúrbios alimentares e/ou aumento das necessidades energéticas devido a doenças cardíacas, neurológicas, oncológicas ou renais
- Diarreia crônica por defeitos imunológicos
- Enteropatia autoimune
- Síndrome pós-enterite e síndromes de má absorção
- Síndrome de Munchausen por procuração

**9 A 36 MESES**
- Ingestão alimentar insuficiente
- Negligência
- Doença celíaca
- Fibrose cística
- Distúrbios alimentares e/ou aumento das necessidades energéticas devido a doenças cardíacas, neurológicas, oncológicas ou renais
- Giardíase e outras infecções intestinais crônicas
- Diarreia crônica por defeitos imunológicos
- Síndrome de Munchausen por procuração

**3 A 16 ANOS**
- Ingestão alimentar insuficiente
- Negligência
- Transtornos psiquiátricos, sobretudo anorexia nervosa
- Doença intestinal inflamatória crônica
- Doença celíaca
- Fibrose cística
- Distúrbios alimentares e/ou aumento das necessidades energéticas devido a doenças cardíacas, neurológicas, oncológicas ou renais
- Diarreia crônica por defeitos imunológicos
- Giardíase e outras infecções intestinais crônicas

Fonte: Adaptada de Nützenadel.[15]

> A OMS considera com desnutrição aguda grave as crianças com peso para a altura ou IMC/idade < –3 DP, e com desnutrição moderada as com peso para a altura ou IMC/idade entre < –2 e > –3 DP.[19]

É importante destacar que, em algumas crianças, índices antropométricos < –2 DP devem-se à variabilidade biológica e genética. Por outro lado, ascite ou edema podem mascarar o peso.

**TABELA 101.2** → Classificação do déficit de crescimento de acordo com o índice considerado

| ESCORE Z (DP) | COMPRIMENTO OU ALTURA/IDADE | PESO/IDADE | IMC/IDADE |
|---|---|---|---|
| –2 | Baixo | Baixo peso | Magreza |
| –3 | Muito baixo | Muito baixo peso | Magreza acentuada |

DP, desvio-padrão; IMC, índice de massa corporal.
Fonte: Brasil.[16,17]

Além da posição dos índices antropométricos nas curvas de crescimento, há outros indicativos de que a criança está apresentando déficit de crescimento, como mudança rápida na tendência de crescimento de um determinado parâmetro (desvio da curva de crescimento para baixo do seu traçado habitual), traçado horizontal, indicando que a criança não está crescendo, e traçado que cruza uma linha de escore z para baixo.

É importante lembrar que, já ao nascer, a criança pode apresentar déficit de crescimento. Crianças a termo com peso < 2.500 g podem ser consideradas como tendo RCIU.

A utilização isolada do índice peso/idade, ainda que muito difundida, apresenta algumas limitações (ver Capítulo Acompanhamento do Crescimento da Criança). Considera-se adequado seu uso para crianças no 1º ano de vida, cujas alterações de peso são mais sensíveis às mudanças do estado nutricional e da saúde em geral.

**A partir daí, a altura passa a refletir melhor o impacto das condições de vida ou de enfermidades associadas ao estado nutricional, recomendando-se o uso simultâneo dos índices altura/idade e IMC, pois permitem a caracterização do déficit de crescimento em relação ao tempo de sua instalação.**

Deve-se ter cuidado ao interpretar um IMC dentro dos parâmetros de adequação, pois isso pode acontecer quando peso e altura estão igualmente afetados em uma condição crônica.

Os déficits de crescimento detectados na antropometria revestem-se de diferentes significados e prognósticos na dependência do índice comprometido. Uma altura abaixo do esperado para a idade reflete a interferência de problemas de saúde ou nutricionais sobre o crescimento linear da criança. Em crianças menores, um déficit na altura indica que os processos que se iniciaram no passado persistem ainda no momento da avaliação, impedindo que ela cresça com a velocidade esperada. Já para as crianças maiores, isso pode significar uma velocidade de crescimento mais lenta, que pode comprometer a altura final do indivíduo.

Déficit do IMC ou peso para a altura costuma relacionar-se com problemas mais recentemente instalados, como falta de alimento, doenças infecciosas e outras doenças que provocam perda do apetite ou desgaste das reservas nutricionais das crianças. Outras vezes, está associado à interrupção da amamentação e à introdução dos alimentos complementares. No entanto, em alguns casos, o peso abaixo do esperado pode estar relacionado com problemas mais crônicos.

Para o diagnóstico do déficit de crescimento e suas possíveis causas, são necessários anamnese e exame físico minuciosos. Na investigação das causas de déficit de crescimento, o primeiro passo é determinar se a criança tem anorexia, se está doente no momento, se costuma adoecer com frequência ou se tem alguma doença crônica que poderia estar causando esse déficit. O próximo passo é obter minuciosa história alimentar da criança, visando detectar problemas na alimentação, como alimentos inadequados, pouca quantidade de alimentos, práticas alimentares inadequadas, preparo inapropriado dos alimentos ou falta de assistência no horário das refeições. Além da alimentação, o profissional de saúde deve investigar as condições ambientais e socioeconômicas da família, se a criança está recebendo atenção e cuidados adequados e se frequenta creches/escolas infantis. Também é necessário investigar a presença de outros fatores que possam estar afetando negativamente o estado nutricional da criança, como violência (física, negligência, sexual, doméstica), crises na família (morte, separação, desemprego, doença grave em um dos irmãos), doença dos pais/cuidadores, incluindo as psiquiátricas, mãe sobrecarregada sem rede de apoio, falta de alimento, entre outros.

Informações sobre as características das fezes (consistência, frequência de eliminação, quantidade, presença de muco e/ou sangue) e sintomas abdominais são importantes para a caracterização de má absorção e doenças intestinais crônicas.

O exame físico pode revelar alguns sinais indicativos de desnutrição, como pele pálida, seca e com descamação; cabelo quebradiço e escasso; musculatura pouco desenvolvida; gordura subcutânea escassa; abdome globoso; e sinais clínicos de hipovitaminose, como raquitismo.

Em algumas situações, os exames laboratoriais podem auxiliar na identificação de problemas associados, como deficiência de ferro, parasitoses intestinais e infecção urinária, muitas vezes assintomática. Nos casos graves, eles são de fundamental importância, tanto na fase de diagnóstico como para o acompanhamento do tratamento. A **TABELA 101.3** apresenta, de forma sucinta, os exames laboratoriais recomendados nesses casos e o significado dos possíveis resultados. Além desses, outros exames podem ser solicitados buscando elucidar achados na anamnese e no exame físico, como radiografia para avaliação da maturidade óssea, com o objetivo de identificar déficit de crescimento por atraso constitucional do desenvolvimento ou microssomia familiar.[20]

**TABELA 101.3** → Exames laboratoriais para identificação de problemas associados ao déficit de crescimento

| EXAME | RESULTADO E SIGNIFICADO |
| --- | --- |
| **Exames recomendados** | |
| Glicemia | Glicose < 54 mg/dL indica hipoglicemia |
| Hemoglobina (Hb) e hematócrito (Ht) | Hb < 4 g/dL ou Ht < 12% indica anemia muito grave |
| Exame e cultura de urina | Quando alterados, sugerem infecção |
| Exame parasitológico de fezes | Presença de cistos ou trofozoítas de *Giardia* indica infecção |
| Radiografia de tórax | Revela pneumonia, insuficiência cardíaca ou raquitismo |
| Pesquisa de malária* | Diagnostica malária |
| **Exames de pouco ou nenhum valor** | |
| Proteínas séricas | Não são úteis para o manejo, mas podem auxiliar no prognóstico |
| Anti-HIV | Não deve ser feito de rotina; caso seja solicitado, deve-se proceder ao aconselhamento dos responsáveis; o resultado é confidencial |
| Eletrólitos | Raramente é útil |

* Em locais com alta prevalência de malária.
HIV, vírus da imunodeficiência humana.
Fonte: Organização Mundial da Saúde.[20]

Após a coleta da história, a realização do exame físico e, quando necessário, a solicitação de exames laboratoriais, deve-se elaborar o plano terapêutico.

## TRATAMENTO

O tratamento da subnutrição e/ou déficit de altura deve ser conduzido por equipe multidisciplinar. Os objetivos são fornecer os requerimentos nutricionais necessários para a recuperação do peso e/ou altura, prevenir doenças e mortes decorrentes da desnutrição, fortalecer o sistema imunológico da criança, permitir a convalescença de eventuais doenças e promover desenvolvimento físico, mental e metabólico dentro de seu potencial genético.

É importante que os profissionais de saúde tenham presente que, frequentemente, a existência de uma criança com déficit de crescimento é indicativa de família em situação de vulnerabilidade. O conhecimento dessa realidade remete para a necessidade de investigar outros membros da família, orientando os responsáveis, de forma acessível, sobre alimentação, nutrição e cuidados com a criança.

Além disso, é necessário investigar a causa do déficit de crescimento, de maneira a direcionar o tratamento a fim de resolvê-la, o que nem sempre é possível, pois muitas vezes a solução do problema está fora do âmbito da área da saúde. As doenças subjacentes ou desencadeantes do déficit de crescimento, em especial as deficiências de ferro e vitamina A e as parasitoses intestinais, devem ser tratadas (ver Capítulos Deficiência de Ferro e Anemia em Crianças e Parasitoses Intestinais).

O ponto de partida do planejamento do tratamento da subnutrição e/ou déficit de altura é o diagnóstico da gravidade da condição.

**A criança com subnutrição aguda grave (peso para a altura ou IMC/idade < −3 DP), com anorexia e com complicações médicas, incluindo edema, deve ser encaminhada para tratamento em nível hospitalar. Crianças com apetite, que estão clinicamente bem e alertas, podem ser tratadas fora do hospital, em centro especializado.[21]**

As crianças com desnutrição grave não devem receber alta do programa de recuperação nutricional antes de atingirem índice peso/altura ≥ −2 DP ou PB ≥ 125 mm e estarem sem edema por pelo menos 2 semanas. O ganho ponderal não deve ser utilizado como critério de alta.[21] Essas crianças, após a alta, devem ser periodicamente monitoradas para evitar recaídas.

As crianças que apresentam subnutrição moderada (peso/altura ou IMC/idade entre ≥ −3 e < −2 DP) podem ser tratadas em nível ambulatorial. Nesses casos, a maior responsabilidade recai sobre os pais/cuidadores da criança, os quais devem ser orientados e apoiados pela equipe de saúde.

Para o sucesso do tratamento, é indispensável:
- manter boa relação/comunicação do profissional com os pais/cuidadores, o que inclui adequação da linguagem à capacidade de entendimento da família;
- considerar a opinião dos pais/cuidadores, pois eles devem ser tratados como parceiros na reabilitação da criança;
- avaliar realisticamente o que é possível ser feito no domicílio da criança;
- jamais culpabilizar os pais/cuidadores pelo adoecimento da criança.

No tratamento de uma criança com desnutrição moderada, deve-se levar em conta que:
- fazem parte do tratamento orientações sobre educação e nutrição para famílias e outras atividades que identificam e previnem as causas subjacentes da má nutrição, incluindo insegurança nutricional;
- em geral, não é necessário usar formulações especiais, como as utilizadas nas crianças com desnutrição aguda grave;
- o aconselhamento nutricional para a criança deve fazer parte do tratamento;
- as recomendações alimentares gerais para as crianças com desnutrição moderada são essencialmente as mesmas das crianças bem nutridas;
- não é difícil elaborar uma dieta ótima para o tratamento da criança moderadamente desnutrida quando há recursos disponíveis – ela deve ter quantidades substanciais de produtos de origem animal, incluindo leite e seus derivados, o que fornece proteína de alta qualidade e micronutrientes biodisponíveis, e baixo conteúdo de fibras e antinutrientes;
- dietas baseadas exclusivamente em alimentos de origem vegetal devem ser fortificadas e não devem ter alto conteúdo de fibras e antinutrientes;
- o conteúdo de sódio deve ser mínimo, inclusive recomendando-se não adicionar sal à comida;[22]
- a determinação da quantidade de alimento suplementar deve basear-se na análise da disponibilidade e teor nutricional da dieta usual da criança, bem como considerar se a criança está sendo amamentada e a probabilidade de compartilhamento do alimento suplementar dentro e fora da residência e acesso a outros alimentos;[23]
- o consumo de energia extra sem a oferta, ao mesmo tempo, de todos os nutrientes necessários a uma apropriada síntese de massa corporal magra leva a um excesso de tecido gorduroso, com benefícios limitados ou mesmo efeitos negativos.

No manejo nutricional, cabe ao profissional de saúde:
- incentivar o aleitamento materno em crianças amamentadas;
- orientar nutrição de qualidade e em quantidade suficiente para permitir o crescimento e o desenvolvimento ótimos, que atendam às suas necessidades extras para compensar seu ganho de peso e altura e recuperação funcional;
- orientar para que a criança receba uma alimentação que promova um aumento da oferta calórica, proteica e de micronutrientes. A quantidade de energia e proteína extras para a recuperação nutricional da criança varia de acordo com a idade e o sexo. De maneira geral, recomenda-se 110 a 150% da energia requerida para o peso da criança,[24] podendo ser maior em déficits mais graves;[25]
- buscar, entre os alimentos disponíveis regionalmente, aqueles com maior valor nutritivo e menor custo;

→ identificar os hábitos alimentares da família e adequar a dieta proposta a esses hábitos e ao poder aquisitivo da família – quando forem identificados, os erros alimentares devem ser corrigidos com orientação e, se possível, utilizando os recursos da própria comunidade, como as cozinhas comunitárias ou a experiência de pais que recuperaram o estado nutricional de seus filhos;
→ verificar, na forma de preparo dos alimentos, hábitos de higiene que contribuam para o aparecimento das diarreias e parasitoses intestinais;
→ orientar a suplementação de micronutrientes e vitaminas. Suplementação de zinco (sulfato de zinco, 10 mg/dia de Zn elemento) teve efeito benéfico no tratamento de crianças com baixa estatura, o que pode estar relacionado com diminuição de infecções e aumento do apetite **B**;[26,27]
→ ser cuidadoso com a introdução do leite de vaca, quando ele não fizer parte da dieta habitual da criança, pois pode existir intolerância à lactose, provocando diarreias, que podem agravar ainda mais o estado nutricional da criança;
→ orientar a família para que ofereça alimentos com mais frequência, cozinhando-os bem para facilitar a digestão;
→ prestar especial atenção à alimentação da criança na vigência de infecções e no período de convalescença (ver Capítulo Práticas Alimentares Saudáveis na Infância);
→ incentivar o vínculo materno-infantil, orientando sobre a importância do contato amoroso, da atividade física e do desenvolvimento de atividades lúdicas com a criança.

Sempre que houver disponibilidade, as crianças com subnutrição devem ser inseridas em programas de recuperação nutricional. Os grupos propiciam troca de experiências entre os pais/cuidadores e orientação sobre o melhor aproveitamento e o valor nutritivo dos alimentos, valorizando aspectos da cultura e realidade locais. Quando não se puder dispor dos grupos como um recurso terapêutico, deve-se orientar os pais/cuidadores sobre o que é uma alimentação adequada dentro de suas possibilidades econômicas. Além disso, é indispensável a monitoração do crescimento e do ganho ponderal, o tratamento de doenças associadas e a reintegração social da família, que, nesses casos, é o maior determinante do déficit de crescimento.

Na maioria das vezes, a criança recupera seu peso, mas continua apresentando déficit de altura. A recuperação da altura depende da manutenção da qualidade e da quantidade da alimentação da criança e da capacidade da família de promover e proteger a saúde da criança de doenças imunopreveníveis, respiratórias agudas e diarreicas, estimulando seu desenvolvimento global. Crianças com idade > 2 anos e mesmo adolescentes respondem ao tratamento do déficit de altura, desde que mantenham uma dieta adequada.

Durante a fase de tratamento, a criança deve ser pesada semanalmente, registrando-se no gráfico o peso e verificando-se a tendência da curva. Caso o ganho seja deficiente, é importante investigar a rotina alimentar, a presença de infecção e o tratamento oferecido para deficiências nutricionais específicas, sem esquecer de reavaliar aspectos relacionados com a qualidade do vínculo materno-infantil. No entanto, a recuperação da criança com déficit antropométrico não deve ser avaliada apenas pelo ganho de peso; o ganho de comprimento/altura acompanhado de aumento da massa corporal magra é um melhor indicador de recuperação do que o ganho de peso. A eficácia do tratamento também deve ser avaliada examinando-se a composição corporal e as funções fisiológicas da criança, como estado imunológico e desenvolvimento cognitivo.[28]

A criança com déficit de crescimento linear com peso adequado para a sua altura deve ganhar altura e algum peso para manter a adequação do peso para a altura.

Após a alta do programa de recuperação nutricional, sugere-se que a criança seja vista na semana seguinte, em 2 semanas, 1, 3 e 6 meses. Caso não haja recaída, o acompanhamento pode ser semestral, e os pais devem ser orientados a buscar atendimento sempre que a criança necessitar.

O tratamento da criança com déficit de crescimento pode ser resumido em 10 passos, apresentados na **TABELA 101.4**.[29]

> **Destaca-se que, para que a reabilitação nutricional tenha sucesso, é fundamental garantir a estimulação física e sensorial da criança por meio de cuidados e estímulos afetivos e ambientes lúdicos.**

## EFEITOS DO DÉFICIT DE CRESCIMENTO NO LONGO PRAZO

Uma defasagem no peso, por estar geralmente mais relacionada com problemas agudos, pode ser recuperada em um período relativamente curto, desde que os entraves a um ganho ponderal adequado sejam removidos.

Vários estudos comprovam a recuperação da taxa de crescimento linear quando as condições adversas e os empecilhos ao crescimento são removidos.[30] Certamente, o tempo ao qual a criança fica exposta às condições adversas, a idade em que se encontra no momento do diagnóstico e a possibilidade de remover os obstáculos ao crescimento são fatores decisivos para a recuperação da altura final. Um problema muito frequente é a manutenção das crianças com déficit de crescimento em ambientes adversos após a recuperação, fazendo elas voltarem a apresentar o déficit.

O déficit de crescimento na infância pode deixar marcas permanentes. Entre os efeitos fisiológicos no longo prazo, podem-se citar suscetibilidade aumentada para a

**TABELA 101.4** → Dez passos para o manejo de crianças com déficit de crescimento

| | |
|---|---|
| 1. | Diagnosticar o déficit de crescimento, sua gravidade e decidir o local de tratamento |
| 2. | Tratar e prevenir infecção |
| 3. | Corrigir deficiência de micronutrientes com suplementação de vitaminas e minerais |
| 4. | Realimentar e reorientar a alimentação de forma a facilitar o crescimento |
| 5. | Monitorar o crescimento durante a reabilitação |
| 6. | Prover estimulação essencial e suporte emocional |
| 7. | Preparar para acompanhamento após a recuperação, objetivando a prevenção de recaídas |
| 8. | Assegurar o suporte comunitário para a realização do tratamento prescrito |
| 9. | Assegurar o encaminhamento da criança para o nível de complexidade adequado ao seu tratamento |
| 10. | Assegurar às crianças que receberam tratamento hospitalar acompanhamento ambulatorial na comunidade para completar a reabilitação, prevenir recaídas e manter o bom crescimento e a saúde |

Fonte: Adaptada de Monteiro.[29]

acumulação de gordura, principalmente na região central do corpo; menor oxidação de gorduras; menor gasto de energia em repouso e pós-prandial; resistência à insulina com maior risco de desenvolver diabetes na idade adulta; hipertensão; dislipidemia; e reduzida capacidade para o trabalho manual. O baixo peso de nascimento está associado à hipertensão, à dislipidemia, à obesidade e ao diabetes não insulinodependente na idade adulta.[31]

A associação entre déficit de crescimento e prejuízo no desenvolvimento cognitivo e rendimento escolar pobre ainda não está suficientemente comprovada. Existem controvérsias sobre se esses efeitos seriam permanentes ou reversíveis. A baixa estatura na infância foi associada a um menor desempenho cognitivo e menor estatura subsequente, mas a diferença pode não ser clinicamente significativa.[32,33] Baixo ganho de peso nas primeiras 8 semanas de vida pode contribuir para um menor quociente de inteligência (QI) em crianças com história de baixa estatura.[34]

Uma importante publicação avaliou a associação entre desnutrição infantil, capital humano e doenças do adulto em países de baixa e média renda, por meio de revisão sistemática e análise de dados de cinco coortes prospectivas, uma delas proveniente do Brasil. O estudo concluiu que os danos causados pela desnutrição sofrida no início da vida levam a prejuízos permanentes e podem afetar futuras gerações, reforçando a teoria de modificações epigenéticas com a desnutrição. A desnutrição aos 2 anos se mostrou fortemente associada a menor altura na idade adulta, menor escolaridade, produtividade econômica reduzida e, nas mulheres, filhos com menor peso de nascimento. Baixo peso de nascimento e desnutrição aos 2 anos foram fatores de risco para altas concentrações de glicose e pressão arterial e perfil lipídico alterado na idade adulta quando controlado para IMC e altura. O estudo também mostrou que pode haver associação entre restrição do crescimento e doença mental na idade adulta, e que o índice altura para a idade foi o melhor preditor de capital humano.[35]

# PREVENÇÃO

O déficit de crescimento é uma condição intimamente relacionada com a pobreza; por essa razão, sua prevenção requer abordagem multissetorial. Qualquer esforço no sentido de combatê-la deve visar à redução da pobreza, à melhoria do acesso à alimentação adequada e saudável, à melhoria dos serviços de saúde e saneamento, bem como à promoção de melhores cuidados e práticas alimentares.

> O período mais importante para a prevenção do déficit de crescimento compreende os 2 primeiros anos de vida; a maioria das crianças com déficit de comprimento já apresenta essa condição aos 2 anos.[1]

Em função disso, as intervenções na área da saúde são concentradas na gestação e nos primeiros 2 anos de vida da criança, e incluem ações de prevenção de desnutrição materna, promoção do aleitamento materno e da alimentação complementar saudável, medidas de higiene e acesso aos serviços de saúde. Para melhor resultado, as intervenções devem ser uma combinação de intervenções direta e indiretamente relacionadas com a nutrição e fornecidas dentro e fora da área de saúde.

A **FIGURA 101.1** resume as principais ações para enfrentar o problema do déficit de crescimento nos diversos setores.[36]

## Intervenções direcionadas à mulher/mãe

Sabe-se que intervalos intergestacionais curtos aumentam o risco de déficit de comprimento/altura.[37] Consequentemente, intervenções visando ao maior espaçamento entre as gestações por meio de planejamento reprodutivo repercutem no estado nutricional das crianças **C/D** (ver Capítulo Planejamento Reprodutivo).

A nutrição materna afeta o peso de nascimento da criança. A suplementação da gestante com micronutrientes reduz o risco de natimortos, baixo peso de nascimento e RCIU.[36] A educação nutricional para a mulher reduz o risco de baixo peso de nascimento e nascimento pré-termo.[38]

A suplementação balanceada de proteínas e energia na gestação reduziu em 21% a incidência de crianças pequenas para a idade gestacional e em 40% o risco de natimortalidade, e aumentou, em média, 41 g o peso de nascimento da criança **B**.[38] Uma metanálise, incluindo 12 ensaios clínicos randomizados, constatou redução de 11% na prevalência de baixo peso ao nascer e de 10% na prevalência de crianças pequenas para a idade gestacional quando foi utilizada suplementação com múltiplos micronutrientes em países em desenvolvimento. Não houve diferença no comprimento das crianças. O suplemento combinado de macro e micronutrientes mostrou ser mais efetivo que o suplemento isolado de micronutrientes[39] (ver Capítulo Acompanhamento de Saúde da Gestante e da Puérpera).

## Intervenções direcionadas à criança

As ações de prevenção do déficit de crescimento em crianças baseiam-se principalmente na promoção do aleitamento materno e da alimentação complementar saudável, segura e iniciada em tempo oportuno. Educação nutricional no período de alimentação complementar direcionada a membros da família aumenta o ganho de peso e altura na idade de 1 ano **B**.[40]

Em populações com maior vulnerabilidade, está indicada suplementação de micronutrientes, como ferro, zinco e vitamina A, combinada com suplementação de proteína e energia.[41] Um ensaio clínico randomizado mostrou que a adição de 1 ovo por dia por 6 meses à dieta de crianças entre 6 e 9 meses com risco para déficit de crescimento em locais com recursos limitados pode melhorar o crescimento **B**.[42] O uso de quantidades relativamente pequenas de alimentos fortificados, contendo todos os nutrientes essenciais de forma balanceada em populações com alto risco de fome, preveniu a desnutrição moderada e grave e o déficit de comprimento/altura, mesmo sem intervenções educativas ou mudanças nos serviços de saúde pública, sanitários e de suprimento de água **B**.[40,43] Evidências recentes mostram que pequenas quantidades de suplementos à base de lipídeos em crianças de 6 a 24 meses têm efeito positivo no crescimento, reduzindo baixa estatura, subnutrição e baixo peso para a idade **B**.[44]

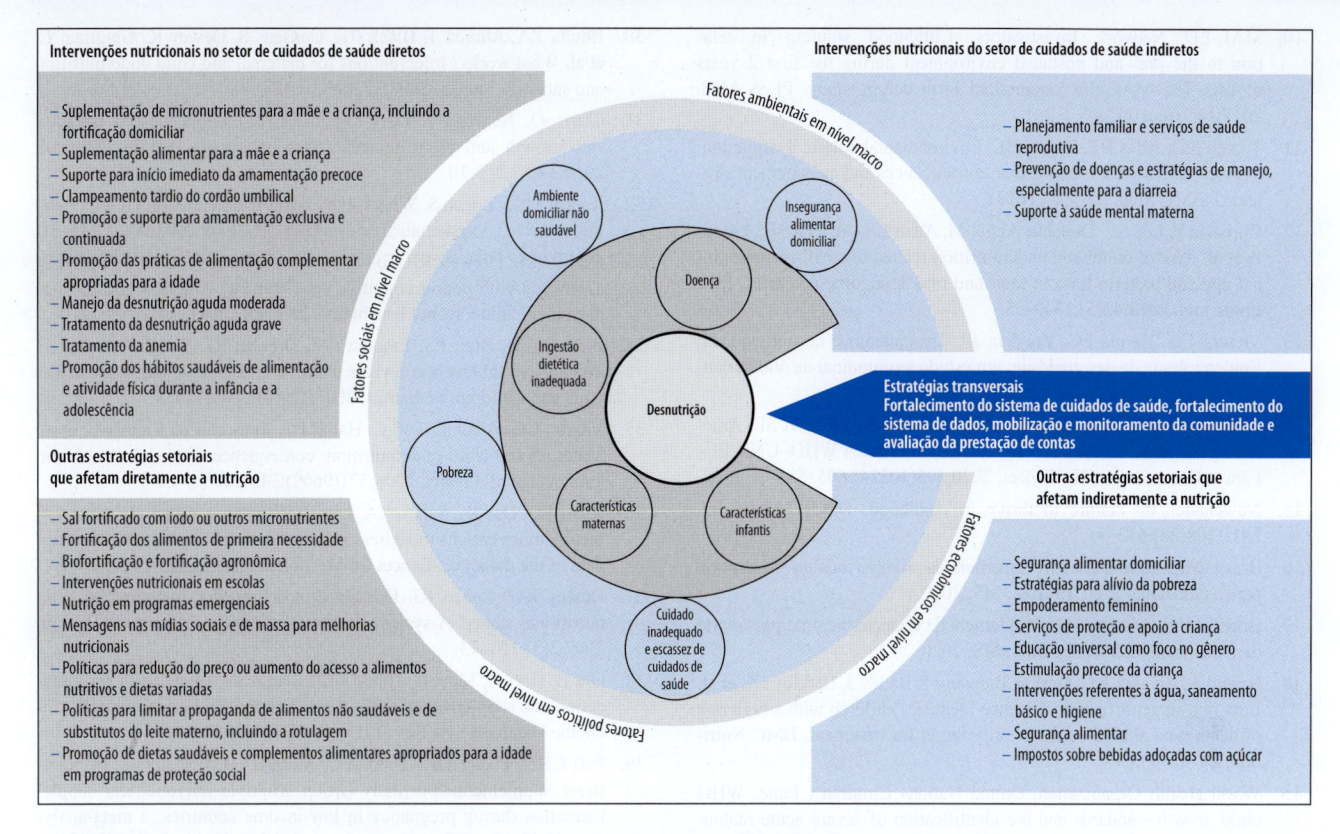

**FIGURA 101.1** → Esquema das ações para enfrentamento do déficit de crescimento da criança nos diversos níveis.
Fonte: Keats e colaboradores.[36]

No Brasil, o MS recomenda suplementação universal de ferro para crianças com idade entre 6 e 24 meses (ver Capítulo Deficiência de Ferro e Anemia em Crianças) e de vitamina A para crianças com idade entre 6 e 59 meses residentes nas Regiões Norte e Nordeste e nos municípios do Plano Brasil Sem Miséria das Regiões Centro-Oeste, Sudeste e Sul. Para suplementação de vitamina D, ver Capítulo Práticas Alimentares Saudáveis na Infância.

Uma revisão mostrou que é possível reduzir substancialmente o déficit de crescimento linear ao melhorar a alimentação complementar de crianças por meio de estratégias como aconselhamento em nutrição em populações com segurança alimentar e aconselhamento em nutrição mais suplementos alimentares e transferência condicional de recursos em populações com insegurança alimentar (aumento do escore z do índice comprimento ou altura/idade em 0,25) **B**.[30]

A suplementação preventiva com zinco em crianças aparentemente sadias de 1 a 59 meses não mostrou efeito no risco de anemia, baixa estatura e subnutrição **B**.[45]

Por fim, intervenções educacionais para melhorar as práticas de alimentação complementar, e consequentemente a nutrição e o crescimento infantis, são efetivas quando:
→ a intervenção é sensível à cultura local;
→ a comunicação interpessoal é efetiva, envolvendo, além do principal cuidador da criança, outros membros da família e da comunidade;
→ são implementadas por meio de serviços de saúde preexistentes.[46]

# REFERÊNCIAS

1. Victora CG, Christian P, Vidaletti LP, Gatica-Domínguez G, Menon P, Black RE. Revisiting maternal and child undernutrition in low-income and middle-income countries: variable progress towards an unfinished agenda. Lancet. 2021;397(10282):1388–99.
2. Mertens A, Benjamin-Chung J, Colford JM, Coyle J, Laan MJ van der, Hubbard AE, et al. Causes and consequences of child growth failure in low- and middle-income countries. medRxiv. 2020;2020.06.09.20127100.
3. Grellety E, Golden MH. Severely malnourished children with a low weight-for-height have a higher mortality than those with a low mid-upper-arm-circumference: III. Effect of case-load on malnutrition related mortality- policy implications. Nutr J. 2018;17(1):81.
4. United Nations Children's Fund, World Health Organization, International Bank for Reconstruction, and Development. Levels and trends in child malnutrition: key findings of the 2019 edition. Washington: UNICEF; 2019.
5. Brasil. Ministério da Saúde. PNDS 2006: pesquisa nacional de demografia e saúde da criança e da mulher: relatório. Brasília: MS; 2008.
6. Monteiro CA, Benicio MHD, Conde WL, Konno S, Lovadino AL, Barros AJD, et al. Narrowing socioeconomic inequality in child stunting: the Brazilian experience, 1974-2007. Bull World Health Organ. 2010;88(4):305–11.
7. Monteiro CA, Benicio MHD, Konno SC, Silva ACF da, Lima ALL de, Conde WL. Causas do declínio da desnutrição infantil no Brasil, 1996-2007. Rev Saude Publica. 2009;43(1):35–43.
8. Benjamin-Chung J, Mertens A, Colford JM, Hubbard AE, Laan MJ van der, Coyle J, et al. Early childhood linear growth failure in low- and middle-income countries. medRxiv. 2020;2020.06.09.20127001.
9. World Health Organization. Turning the tide of malnutrition: responding to the challenge of the 21st century. Geneva: WHO; 2000.

10. MAL-ED Network Investigators. Childhood stunting in relation to the pre- and postnatal environment during the first 2 years of life: The MAL-ED longitudinal birth cohort study. PLoS Med. 2017;14(10):e1002408.
11. Tickell KD, Atlas HE, Walson JL. Environmental enteric dysfunction: a review of potential mechanisms, consequences and management strategies. BMC Med. 2019;17(1):181.
12. Christian P, Lee SE, Donahue Angel M, Adair LS, Arifeen SE, Ashorn P, et al. Risk of childhood undernutrition related to small-for-gestational age and preterm birth in low- and middle-income countries. Int J Epidemiol. 2013;42(5):1340-55.
13. Victora CG, Barros FC, Vaughan JP. Crescimento e desnutrição. In: Epidemiologia da desigualdade: um estudo longitudinal de 6000 crianças brasileiras. São Paulo: Hucitec; 2003. p. 94-116.
14. Clark H, Coll-Seck AM, Banerjee A, Peterson S, Dalglish SL, Ameratunga S, et al. A future for the world's children? A WHO–UNICEF–Lancet Commission. The Lancet. 2020;395(10224):605-58.
15. Nützenadel W. Failure to thrive in childhood. Dtsch Arztebl Int. 2011;108(38):642-9.
16. Brasil. Ministério da Saúde. Caderneta da criança: menino: passaporte para a cidadania. 2. ed. Brasília: MS; 2020.
17. Brasil. Ministério da Saúde. Caderneta da criança: menina: passaporte para a cidadania. 2. ed. Brasília: MS; 2020.
18. Briend A, Alvarez J-L, Avril N, Bahwere P, Bailey J, Berkley JA, et al. Low mid-upper arm circumference identifies children with a high risk of death who should be the priority target for treatment. BMC Nutrition. 2016;2(1):63.
19. World Health Organization, United Nations Children's Fund. WHO child growth standards and the identification of severe acute malnutrition in infants and children: a joint statement by the World Health Organization and the United Nations Children's Fund. Geneva: WHO/UNICEF; 2009.
20. Organização Pan-Americana da Saúde- Brasil Escritório Sanitário Pan-Americano Escritório Regional da Organização Mundial da Saúde. Manejo da desnutrição grave: um manual para profissionais de saúde de nível superior (médicos, enfermeiros, nutricionistas e outros) e suas equipes auxiliares. Brasília: OPAS; 1999.
21. World Health Organization. Guideline: updates on the management of severe acute malnutrition in infants and children. Geneva: WHO; 2013.
22. Michaelsen KF, Hoppe C, Roos N, Kaestel P, Stougaard M, Lauritzen L, et al. Choice of foods and ingredients for moderately malnourished children 6 months to 5 years of age. Food Nutr Bull. 2009;30(3 Suppl):S343-404.
23. Organização Mundial da Saúde. Nota técnica: alimentos suplementares para o tratamento da má-nutrição aguda moderada em bebês e crianças de 6-59 meses de vida. Genebra: OMS; 2013.
24. King C, Davis T. Nutritional treatment of infants and children with faltering growth. Eur J Clin Nutr. 2010;64 Suppl 1:S11-13.
25. Koletzko B, Goulet O, Hunt J, Krohn K, Shamir R, Parenteral Nutrition Guidelines Working Group, et al. 1. Guidelines on paediatric parenteral nutrition of the European Society of Paediatric Gastroenterology, Hepatology and Nutrition (ESPGHAN) and the European Society for Clinical Nutrition and Metabolism (ESPEN), Supported by the European Society of Paediatric Research (ESPR). J Pediatr Gastroenterol Nutr. 2005;41 Suppl 2:S1-87.
26. Park S-G, Choi H-N, Yang H-R, Yim J-E. Effects of zinc supplementation on catch-up growth in children with failure to thrive. Nutr Res Pract. 2017;11(6):487-91.
27. Walravens PA, Hambidge KM, Koepfer DM. Zinc supplementation in infants with a nutritional pattern of failure to thrive: a double-blind, controlled study. Pediatrics. 1989;83(4):532-8.
28. Golden MH. Proposed recommended nutrient densities for moderately malnourished children. Food Nutr Bull. 2009;30(3_suppl3):S267-342.
29. Monteiro CA. Atendimento à criança desnutrida em ambulatório e comunidade. In: Temas de nutrição em pediatria. Salvador: SBP; 2002. p. 13-23.
30. Bhutta ZA, Ahmed T, Black RE, Cousens S, Dewey K, Giugliani E, et al. What works? Interventions for maternal and child undernutrition and survival. Lancet. 2008;371(9610):417-40.
31. Claris O, Beltrand J, Levy-Marchal C. Consequences of intrauterine growth and early neonatal catch-up growth. Semin Perinatol. 2010;34(3):207-10.
32. Rudolf MCJ, Logan S. What is the long term outcome for children who fail to thrive? A systematic review. Arch Dis Child. 2005;90(9):925-31.
33. Corbett SS, Drewett RF. To what extent is failure to thrive in infancy associated with poorer cognitive development? A review and meta-analysis. J Child Psychol Psychiatry. 2004;45(3):641-54.
34. Emond AM, Blair PS, Emmett PM, Drewett RF. Weight faltering in infancy and IQ levels at 8 years in the Avon Longitudinal Study of Parents and Children. Pediatrics. 2007;120(4):e1051-1058.
35. Victora CG, Adair L, Fall C, Hallal PC, Martorell R, Richter L, et al. Maternal and child undernutrition: consequences for adult health and human capital. Lancet. 2008;371(9609):340-57.
36. Keats EC, Das JK, Salam RA, Lassi ZS, Imdad A, Black RE, et al. Effective interventions to address maternal and child malnutrition: an update of the evidence. Lancet Child Adolesc Health. 2021;5(5):367-84.
37. Dewey KG, Cohen RJ. Does birth spacing affect maternal or child nutritional status? A systematic literature review. Matern Child Nutr. 2007;3(3):151-73.
38. Ota E, Hori H, Mori R, Tobe-Gai R, Farrar D. Antenatal dietary education and supplementation to increase energy and protein intake. Cochrane Database Syst Rev. 2015;(6):CD000032.
39. Fall CHD, Fisher DJ, Osmond C, Margetts BM, Maternal Micronutrient Supplementation Study Group. Multiple micronutrient supplementation during pregnancy in low-income countries: a meta-analysis of effects on birth size and length of gestation. Food Nutr Bull. 2009;30(4 Suppl):S533-546.
40. Ojha S, Elfzzani Z, Kwok TC, Dorling J. Education of family members to support weaning to solids and nutrition in later infancy in term-born infants. Cochrane Database Syst Rev. 2020;7:CD012241.
41. Dewey KG, Yang Z, Boy E. Systematic review and meta-analysis of home fortification of complementary foods. Matern Child Nutr. 2009;5(4):283-321.
42. Iannotti LL, Lutter CK, Stewart CP, Gallegos Riofrío CA, Malo C, Reinhart G, et al. Eggs in early complementary feeding and child growth: a randomized controlled trial. Pediatrics. 2017;140(1):e20163459.
43. Defourny I, Minetti A, Harczi G, Doyon S, Shepherd S, Tectonidis M, et al. A large-scale distribution of milk-based fortified spreads: evidence for a new approach in regions with high burden of acute malnutrition. PLoS One. 2009;4(5):e5455.
44. Das JK, Salam RA, Hadi YB, Sadiq Sheikh S, Bhutta AZ, Weise Prinzo Z, et al. Preventive lipid-based nutrient supplements given with complementary foods to infants and young children 6 to 23 months of age for health, nutrition, and developmental outcomes. Cochrane Database Syst Rev. 2019;5:CD012611.
45. Tam E, Keats EC, Rind F, Das JK, Bhutta AZA. Micronutrient supplementation and fortification interventions on health and development outcomes among children under-five in low- and middle-income countries: a systematic review and meta-analysis. Nutrients. 2020;12(2).
46. Shi L, Zhang J. Recent evidence of the effectiveness of educational interventions for improving complementary feeding practices in developing countries. J Trop Pediatr. 2011;57(2):91-8.

## LEITURA RECOMENDADA

Keats EC, Das JK, Salam RA, Lassi ZS, Imdad A, Black RE, et al. Effective interventions to address maternal and child malnutrition: an update of the evidence. Lancet Child Adolesc Health. 2021;5(5):367-84.

*Artigo do Lancet Series on maternal and child undernutrition, com uma atualização completa sobre intervenções para melhorar a nutrição materno-infantil.*

# Capítulo 102
## DEFICIÊNCIA DE FERRO E ANEMIA EM CRIANÇAS

Elsa R. J. Giugliani
Denise Aerts
André Klafke

A deficiência de ferro ocorre quando não há mais reserva de ferro corporal mobilizável, com sinais de comprometimento pela falta de suprimento desse elemento aos tecidos. Estágios mais graves dessa deficiência configuram anemia. Segundo a definição vigente da Organização Mundial da Saúde (OMS), anemia é a condição na qual os níveis de hemoglobina circulante estão abaixo de 2 desvios-padrão da média de hemoglobina de uma população saudável de mesma idade, sexo, estado fisiológico e vivendo na mesma altitude,[1] podendo levar à hipoxia tecidual pela redução da capacidade de transporte de oxigênio pelo sangue.

## EPIDEMIOLOGIA

Estima-se que quase 2 bilhões de pessoas tenham anemia e que 27 a 50% da população mundial sejam afetadas pela deficiência de ferro.[2] Também em nível global, calcula-se que 47,4% das crianças com idade < 5 anos tenham anemia, o que corresponde a quase 300 milhões de crianças nessa faixa etária[3] – número que chega a 600 milhões quando se consideram as crianças em idades pré-escolar e escolar.[4] Na América Latina e no Caribe, a prevalência de anemia em crianças pré-escolares é de 39,5%.[3]

A prevalência de anemia em crianças menores de 5 anos diminuiu à metade no intervalo de 13 anos entre as duas últimas pesquisas nacionais: de 20,9% em 2006[5] para 10% em 2019.[6] A prevalência de anemia no último estudo foi 18,9% em crianças de 6 a 23 meses e de 5,6% em crianças de 24 a 59 meses. Entretanto, as prevalências de anemia ferropriva em crianças abaixo de 5 anos foram bem menores: 3,6% (8% em crianças entre 6 e 23 meses e 1,3% em crianças de 24 a 49 meses). A região Norte apresentou a maior prevalência (6,5%) e a Nordeste a menor (2,7%). No entanto, essa média nacional pode mascarar as diferenças de prevalências de anemia em crianças em distintos contextos epidemiológicos.

Dados de estudos em populações específicas, como crianças de creches/escolas, crianças vivendo em situação de vulnerabilidade, indígenas, mostram prevalências de anemia bem maiores.[7-10]

Uma revisão sistemática com metanálise, incluindo 35 estudos observacionais publicados nos 10 anos anteriores à sua publicação, estimou a prevalência de anemia em crianças brasileiras de até 7 anos segundo diferentes cenários epidemiológicos. De acordo com esse estudo, as prevalências foram de 52% em crianças de creches/escolas; 60,2% nas provenientes de serviços de saúde; 66,5% em populações vulneráveis; e 40,1% considerando apenas estudos de base populacional.[7] Alguns estudos incluídos nessa revisão encontraram prevalências de anemia exorbitantes em comunidades de alta vulnerabilidade, como na população indígena do Mato Grosso do Sul[8] (superior a 85% entre crianças de 6 a 24 meses e 50,8% entre as de 24 a 60 meses) e nas aldeias Suruí da Amazônia[9] (84% em crianças com idade < 5 anos); e em crianças de uma favela da periferia de Maceió, no Estado de Alagoas (96%).[10]

Outra revisão sistemática sumarizando os resultados de 53 estudos realizados em diferentes populações brasileiras, no período de 1996 a 2007, encontrou prevalência de anemia de 53% em crianças de 0 a 59 meses, com as crianças com idade < 24 meses apresentando as maiores prevalências.[11]

Com base nas prevalências de anemia, a OMS considera problema de saúde pública grave quando a prevalência é ≥ 40%; moderado, entre 20 e 39,9%; e leve, entre 5 e 19,9%.[1]

## ETIOLOGIA/FISIOPATOLOGIA

Pelo menos 60% das anemias em todo o mundo e na maioria das populações são causadas por deficiência de ferro.[12] No Brasil, a mais recente pesquisa de âmbito nacional mostrou que menos da metade das anemias de crianças menores de 5 anos se deve à deficiência de ferro.[6] Outras causas de anemia incluem malária, devido à hemólise; deficiência de glicose-6-fosfato-desidrogenase; defeitos congênitos hereditários na síntese da hemoglobina; e déficits de outros nutrientes, como vitaminas A, $B_{12}$ e C e ácido fólico. Perda sanguínea associada à esquistossomose e infestação parasitária também podem resultar em deficiência de ferro e anemia.[1] Este capítulo tem como foco a anemia por deficiência de ferro.

A anemia é o estágio final da deficiência de ferro. O primeiro estágio – **depleção das reservas de ferro** – ocorre quando o aporte de ferro é insuficiente para suprir a demanda, levando à redução dos depósitos desse micronutriente na medula óssea, no baço e no fígado. Nesse estágio inicial, não há repercussões clínicas. No entanto, o indivíduo torna-se mais suscetível a apresentar manifestações da deficiência de ferro em situações específicas, como infecções e quando há aumento da demanda de ferro. No segundo estágio – **deficiência de ferro sem anemia** –, surgem alterações bioquímicas e/ou clínicas. A **anemia** – terceiro estágio – somente se manifesta quando a deficiência de ferro é suficientemente importante e prolongada.

Cada indivíduo tem um nível ótimo de concentração de hemoglobina. Uma vez atingido esse nível, a ingestão adicional de ferro não é acompanhada de elevação da hemoglobina. Na prática, adota-se um ponto de corte na concentração da hemoglobina, abaixo do qual se assume que o indivíduo é anêmico. Os valores adotados como pontos de corte para o diagnóstico de anemia são arbitrários, e não há nenhuma evidência que determine os valores críticos abaixo dos quais há repercussões negativas para a saúde dos indivíduos. É importante salientar que uma pequena proporção de pessoas saudáveis tem o seu nível ótimo de hemoglobina abaixo do ponto de corte. Isso equivale a dizer que essas pessoas não aumentarão os seus níveis de hemoglobina com ferro adicional. Por outro lado, alguns indivíduos anêmicos – aqueles que respondem à ingestão adicional de ferro – têm concentração de hemoglobina acima do ponto de corte.

## DETERMINANTES DA ANEMIA

A seguir, são relacionados os principais determinantes da anemia, nas suas diferentes dimensões: estruturais, ambiente imediato e individuais.

### Estruturais

Apesar de a anemia ocorrer em todos os níveis socioeconômicos, existe uma relação direta entre essa condição e renda familiar. As crianças provenientes de famílias com menor renda têm chance aumentada de desenvolver anemia.[17-18]

Assim como a baixa renda, a baixa escolaridade dos pais, sobretudo a da mãe, é um importante determinante da anemia.[19] Além de estar relacionada com a renda e, consequentemente, com o acesso aos alimentos, a escolaridade influencia nas práticas relacionadas aos cuidados com a criança.

### Ambiente imediato

Os processos estruturais da sociedade influenciam o ambiente imediato dos indivíduos e este, por sua vez, pode contribuir para o agravamento ou a promoção da saúde das crianças.

#### Consumo alimentar de ferro

Entre os fatores indicativos do ambiente da criança que têm estreita relação com anemia na infância, encontram-se as práticas alimentares da família, influenciando diretamente o consumo alimentar de ferro.

**Acredita-se que uma dieta com pouca quantidade de ferro e/ou com ferro com baixa biodisponibilidade seja a principal responsável pelas altas prevalências de anemia na infância.**

O status de ferro no organismo depende não apenas da quantidade ingerida, mas também do tipo (ferro heme e ferro não heme) e das reservas orgânicas desse mineral (quando as reservas são baixas, aumenta a absorção), assim como da combinação de alimentos em uma mesma refeição.

Apesar de a quantidade de ferro que a criança recebe por intermédio do leite materno ser pequena (0,5 mg/L, diminuindo para 0,3 mg/L entre o 4º e 6º mês), ela é suficiente para suprir as necessidades desse micronutriente nos primeiros 6 meses de vida, em crianças com peso adequado, nascidas a termo, com clampeamento do cordão umbilical em tempo oportuno (fim das pulsações do cordão, i.e., 2 a 3 minutos após o parto) e com mães com status de ferro adequado, graças às suas reservas de ferro[20] e à alta biodisponibilidade do ferro do leite materno. Mas é importante que a criança receba aleitamento materno exclusivo, evitando, assim, interferência de outros alimentos na absorção de ferro do leite materno e perda de ferro devido a microssangramentos ocasionados por danos à integridade da parede intestinal quando outros alimentos são introduzidos na alimentação da criança.[21] A partir dos 6 meses, no entanto, as reservas vão se esgotando, e há necessidade de outras fontes de ferro em quantidade e biodisponibilidade adequadas. As crianças pré-termo e com baixo peso ao nascimento têm menos reservas de ferro, e é necessário suplementar esse micronutriente antes dos 6 meses.

A biodisponibilidade do ferro, ou seja, o quanto de ferro ingerido é absorvido e disponibilizado para o metabolismo, é de fundamental importância. O ferro contido nos alimentos apresenta-se sob as formas heme (ferro orgânico, derivado basicamente da hemoglobina e mioglobina) e não heme (ferro inorgânico). O ferro heme (cerca de 40% do ferro de origem animal) tem biodisponibilidade em torno de 25% e sofre pouca influência de fatores inibidores na dieta. Já o ferro não heme, encontrado nos produtos de origem vegetal e em alguns produtos de origem animal (leite, ovos e porção não heme do ferro nas carnes) tem menor biodisponibilidade (entre 2% e 8%), além de a sua absorção ser influenciada por outros componentes da dieta.[22] Assim, alimentos de origem animal (gado, frango, peixe, fígado e porco), frutose e ácido ascórbico favorecem a absorção de ferro não heme, enquanto ovos, leite, chá, mate e café dificultam, por formarem precipitados insolúveis com o ferro. O efeito inibitório dos cereais integrais (arroz, milho, trigo) se deve à presença de fitatos, e não das fibras, que, por si só, não possuem efeito inibidor. Já o leite inibe a absorção do ferro heme e não heme pelo seu conteúdo de cálcio e provavelmente pela presença de fosfoproteínas. É interessante observar que o ferro heme pode ser convertido em ferro não heme quando o alimento é submetido a altas temperaturas por tempo prolongado.

Entre os produtos de origem animal, as carnes (principalmente as vermelhas) e alguns órgãos (em especial, o fígado) contêm maior densidade de ferro e melhor biodisponibilidade que o leite e seus derivados. A gema de ovo é rica em ferro, mas sua absorção é pobre. Por outro lado, alguns produtos de origem vegetal contêm quantidades razoáveis de ferro, porém com baixa biodisponibilidade. Entre eles, encontram-se o feijão, a lentilha, a soja e os vegetais verde-escuros (acelga, couve, brócolis, mostarda, almeirão). O espinafre, assim como chás e café, contêm polifenoides, que inibem a absorção do ferro.

A biodisponibilidade de ferro de uma dieta é considerada alta quanto há 19% ou mais de absorção do ferro; intermediária, 11 a 18%; e baixa, 5 a 10%.[23] Em geral, uma dieta com alta biodisponibilidade de ferro é uma dieta diversificada, com quantidades generosas de carne, peixe e aves e alimentos ricos em ácido ascórbico. Por outro lado, dietas monótonas, ricas em cereais e pobres em carnes e alimentos fonte de vitamina C, típicas das crianças com baixo nível socioeconômico, são deficientes em ferro, tanto em quantidade quanto em qualidade.[22]

Já foi demonstrado que consumo de ferro total menor que o recomendado está associado à anemia (RC = 1,57 quando a adequação está entre 50% e 99,9%, e RC = 1,68 quando a adequação é menor que 50%).[17] Vários estudos brasileiros mostram que a maioria das crianças com idade < 2 anos não consome a quantidade de ferro recomendada.[24–26] A PNDS-2006 apontou para a baixa frequência de consumo de alimentos fonte de ferro em crianças de 6 a 59 meses: 24% de consumo diário de carne bovina ou suína, 6,1% de frango e 1,5% de peixe; o consumo diário de feijão foi 66,2%, o de verduras, 12,7%, e o de legumes, 21,8%. Há importantes diferenças regionais, com as regiões Norte e Nordeste apresentando as menores prevalências de consumo desses alimentos.[27]

O alto consumo de leite de vaca, que possui três componentes potencialmente inibidores da absorção do ferro – cálcio, caseína e proteínas do soro –, tem sido apontado como um dos fatores explicativos para a alta prevalência de anemia na infância. Em uma coorte de crianças europeias, a duração do consumo do leite de vaca não fortificado foi o fator dietético mais importante para a presença de anemia aos 12 meses de idade. Houve um decréscimo de 0,2 g/dL na concentração da hemoglobina para cada mês adicional de consumo de leite de vaca não fortificado.[28] Em São Paulo, foi demonstrado o efeito negativo do consumo excessivo de leite de vaca sobre os níveis de hemoglobina e o risco de anemia em crianças de 6 a 59 meses, independentemente do efeito diluidor do consumo de leite sobre a densidade de ferro da dieta. O risco de anemia foi 87% maior nas crianças com maior consumo relativo de leite (tercil superior), quando comparadas com as de menor consumo (tercil inferior).[29]

### Outros fatores

Outro fator ligado ao ambiente da criança e que contribui significativamente para o aparecimento da anemia relaciona-se com a constituição familiar. Foi descrito que as crianças que têm dois ou mais irmãos com idade < 5 anos têm chance maior de apresentar anemia, provavelmente como consequência de menores cuidados de saúde e de alimentação.[30]

**O tempo transcorrido entre o nascimento e o clampeamento do cordão umbilical influencia significativamente as reservas de ferro do recém-nascido. Com o clampeamento imediato, a criança recebe menos hemácias e, como consequência, tem menos reservas de ferro, podendo vir a fazer anemia precocemente.**

Cerca de um quarto da transferência sanguínea da placenta para o recém-nascido ocorre nos primeiros 15 a 20 segundos após a contração uterina do nascimento; entre 50 e 78%, durante os 60 segundos seguintes; e o restante, até 3 minutos.[31] Em média, são transfundidos para o bebê cerca de 40 mL/kg de sangue placentário quando se espera pelo menos 3 minutos para pinçar o cordão.[20] Isso representa um aumento de 50% no volume de sangue total do recém-nascido.[32] Estima-se que para um recém-nascido com 3.200 g a quantidade de ferro contida no volume de sangue recebido pela placenta seria suficiente para suprir 3,5 meses de requerimento de ferro para uma criança de 6 a 11 meses de idade.[32]

Uma revisão sistemática concluiu que o clampeamento não imediato do cordão, após pelo menos 1 minuto do nascimento da criança, aumentou a concentração de hemoglobina nas primeiras 24 a 48 horas de vida e os níveis de ferro em lactentes aos 3 e 6 meses de idade C/D.[33] Além disso, um ensaio clínico randomizado demonstrou que o clampeamento não imediato do cordão aumentou as reservas de ferro corporal e os níveis de ferritina sérica aos 6 meses de idade, mas sem redução significativa do risco de anemia. O efeito do clampeamento foi maior nos lactentes com peso de nascimento menor que 3.000 g, nascidos de mães com deficiência de ferro ou que não haviam recebido fórmulas ou leites fortificados com ferro.[34]

### Individuais

**Os estudos são unânimes em afirmar que as crianças entre 6 e 24 meses encontram-se em maior risco para anemia.**

A partir dessa idade, a prevalência de anemia diminui. Esse fato pode ser explicado pela demanda de ferro aumentada na criança menor, devido ao crescimento acelerado. Além disso, crianças dessa idade consomem relativamente menores quantidades de alimentos e a dieta tende a ser mais monótona, favorecendo o baixo aporte de ferro.[35] A maior prevalência de doenças como diarreia e infecções respiratórias nas crianças pequenas também pode contribuir para uma vulnerabilidade maior à anemia. Essas infecções reduzem a produção de hemoglobina e a absorção de ferro, com consequente diminuição dos níveis desse microelemento.

O baixo peso ao nascer é um importante fator na gênese da anemia ferropriva. Crianças pré-termo ou com baixo peso de nascimento têm reserva de ferro menor, e sua taxa de crescimento pós-natal é maior, o que as torna mais suscetíveis ao desenvolvimento de anemia.

Crianças desnutridas com frequência apresentam anemia. Acredita-se que a diminuição dos níveis de hemoglobina entre as crianças com desnutrição proteico-energética seja uma tentativa de adaptação do organismo à redução da massa muscular. Além disso, a deficiência de outros micronutrientes, como vitamina A, em geral presente em crianças com desnutrição, tem sido apontada como fator implicado na etiologia da anemia.[16,36–39]

Perdas sanguíneas agudas ou crônicas espoliam as reservas de ferro do organismo e podem causar anemia. Assim, doenças como parasitoses pelo *Ancylostoma duodenale* ou *Necator americanus*, refluxo gastresofágico e intolerância à proteína do leite de vaca podem estar implicadas na gênese da anemia. O leite de vaca integral *in natura*, em pó ou fluido, tem sido responsabilizado por microssangramentos intestinais em lactentes, contribuindo para as altas taxas de anemia nessa faixa etária.[40] A TABELA 102.1 resume os principais fatores de risco para anemia ferropriva em crianças.[2]

**TABELA 102.1** → Principais fatores de risco para anemia ferropriva em crianças

**BAIXA RESERVA MATERNA DE FERRO**
→ Gestações múltiplas com pouco intervalo entre elas
→ Dieta materna deficiente em ferro
→ Perdas sanguíneas
→ Não suplementação de ferro na gravidez e lactação

**AUMENTO DA DEMANDA METABÓLICA POR FERRO**
→ Criança pré-termo e com baixo peso ao nascer (< 2.500 g)
→ Lactentes em crescimento rápido (velocidade de crescimento > p90)

**DIMINUIÇÃO DO FORNECIMENTO DE FERRO**
→ Clampeamento do cordão umbilical antes de um minuto de vida
→ Aleitamento materno exclusivo superior a 6 meses
→ Alimentação complementar com alimentos pobres em ferro ou de baixa biodisponibilidade
→ Consumo de leite de vaca antes de 9-12 meses
→ Consumo de fórmula infantil com baixo teor de ferro ou quantidade insuficiente
→ Dietas vegetarianas sem orientação de médico/nutricionista
→ Ausência ou baixa adesão à suplementação profilática com ferro medicamentoso, quando recomendada

**PERDA SANGUÍNEA**
→ Traumática ou cirúrgica
→ Hemorragia gastrintestinal (p.ex., doença inflamatória intestinal, polipose colônica, anti-inflamatórios não esteroides, infecção por *Helicobacter pylori*, verminose – estrongiloides, necatur, ancilostoma – enteropatias/colites alérgicas, esquistossomose)
→ Hemorragia urológica (esquistossomose, glomerulonefrite, trauma renal)
→ Hemorragia pulmonar (tuberculose, malformação pulmonar, hemossiderose pulmonar idiopática, síndrome Goodpasture, etc.)
→ Discrasias sanguíneas
→ Malária

**MÁ ABSORÇÃO DO FERRO**
→ Síndromes de má-absorção (doença celíaca, doença inflamatória intestinal)
→ Gastrite atrófica, ressecção gástrica
→ Redução da acidez gástrica (antiácidos, bloqueadores H2, inibidores de bomba de prótons)

Fonte: Adaptada de Sociedade Brasileira de Pediatria.[2]

# REPERCUSSÕES CLÍNICAS

Dependendo do grau de anemia, pode haver palidez, taquicardia, fadiga, irritabilidade, anorexia, atraso no desenvolvimento, diminuição de resistência a infecções (a deficiência de ferro deprime o sistema imunológico do indivíduo), alterações de conduta (falta de interesse pelo ambiente e atenção diminuída) e baixo rendimento acadêmico na idade escolar, resultante de diminuição da capacidade cognitiva, falta de memória e baixa concentração mental. Observa-se, também, diminuição da força muscular e da atividade física, devido ao baixo aporte de oxigênio aos tecidos. Aberrações do apetite, como desejo de comer terra (geofagia), são achados frequentes. Pode haver sopro cardíaco e insuficiência cardíaca nos casos graves.

A associação entre anemia e déficit de crescimento é muito comum nas crianças de baixo nível socioeconômico. No entanto, o papel do ferro na deficiência do crescimento ainda não está bem estabelecido. A United States Preventive Services Task Force (USPSTF) não encontrou evidências adequadas de algum impacto do tratamento da anemia por deficiência de ferro em crianças de 6 a 24 meses em seu crescimento.[41]

A associação entre deficiência de ferro/anemia e prejuízos no desenvolvimento neurocomportamental de crianças ainda não pode ser considerada inequívoca. Alguns estudos observacionais sugerem que a anemia por deficiência de ferro na primeira infância está associada a atraso no desenvolvimento neurológico e comportamental e pior desempenho em testes cognitivos.[41] Entretanto, a USPSTF não encontrou evidências adequadas de algum impacto do tratamento da anemia por deficiência de ferro em crianças de 6 a 24 meses em desfechos cognitivos ou de desenvolvimento neurológico.[41] Uma revisão sistemática da Cochrane também não encontrou evidências convincentes de que o tratamento de anemia por deficiência de ferro em crianças com idade < 3 anos tenha efeito no desenvolvimento psicomotor ou cognitivo nos primeiros 30 dias de tratamento, e o efeito do tratamento por mais tempo permanece incerto.[42] Outra revisão sistemática também não encontrou evidências suficientes para recomendar suplementação de ferro a crianças com idade < 3 anos com deficiência desse metal, mas não anêmicas, tendo em vista um melhor desenvolvimento da criança.[43]

Alguns autores, em estudos mais antigos, constataram que crianças com anemia na primeira infância continuavam a ter menor desempenho cognitivo e escolar 1 a 2 décadas mais tarde, sugerindo que alguns efeitos da anemia por deficiência de ferro possam ser irreversíveis.[44,45] No entanto, ainda não foi suficientemente esclarecido se o menor desempenho se deve às condições ambientais dessas crianças ou à irreversibilidade dos danos causados pela deficiência de ferro.[46]

# DIAGNÓSTICO

Os sinais e sintomas da anemia, além de inespecíficos, muitas vezes são evidentes apenas no estágio avançado da doença. A palidez palmar e conjuntival é pouco sensível para diagnóstico de anemia e apresenta baixa concordância entre diferentes examinadores. Entretanto, pode ser considerada específica para esse diagnóstico.[47] O diagnóstico preciso de anemia, assim como a determinação de sua gravidade, é realizado por meio de exames laboratoriais.

O diagnóstico da anemia é feito com base nos valores de hemoglobina ou hematócrito. A **TABELA 102.2** apresenta os pontos de corte adotados pela OMS para a concentração de

**TABELA 102.2** → Níveis de hemoglobina (g/dL) para diagnóstico de anemia no nível do mar

| IDADE/SEXO | SEM ANEMIA | ANEMIA | | |
| --- | --- | --- | --- | --- |
| | | LEVE | MODERADA | GRAVE |
| Crianças de 6-59 meses | ≥ 11,0 | 10,0-10,9 | 7,0-9,9 | < 7,0 |
| Crianças de 5-11 anos | ≥ 11,5 | 11,0-11,4 | 8,0-10,9 | < 8,0 |
| Crianças de 12-14 anos | ≥ 12,0 | 11,0-11,9 | 8,0-10,9 | < 8,0 |
| Mulheres não grávidas ≥ 15 anos | ≥ 12,0 | 11,0-11,9 | 8,0-10,9 | < 8,0 |
| Mulheres grávidas | ≥ 11,0 | 10,0-10,9 | 7,0-9,9 | < 7,0 |
| Homens ≥ 15 anos | ≥ 13,0 | 11,0-12,9 | 8,0-10,9 | < 8,0 |

Fonte: Adaptada de World Health Organization.[48]

hemoglobina e hematócrito para definir anemia em indivíduos que residem em locais situados no nível do mar.[48] Pontos de corte alternativos para crianças nos primeiros anos de vida têm sido propostos: < 9,5 g/dL para crianças com idade entre 3 e 6 meses e < 10,5 g/dL para crianças com idade entre 6 meses e 2 anos.[49]

A determinação laboratorial da concentração de hemoglobina (método da cianometemoglobina) é o melhor método para avaliação quantitativa da hemoglobina. A avaliação da hemoglobina por fotômetro portátil (HemoCue) é um método útil em pesquisas de campo, com acurácia e precisão satisfatórias.[1] A dosagem do hematócrito é um método aceitável e recomendado para o diagnóstico de anemia.

A grande limitação da dosagem de hemoglobina para avaliação de anemia é que ela, isoladamente, não fornece informações sobre o status de ferro, havendo necessidade de exames adicionais. Os seguintes testes auxiliam no diagnóstico de deficiência de ferro:

→ **ferritina sérica**: é o teste bioquímico mais específico para avaliar reserva corporal de ferro em indivíduo sadio.[1,2] Cada unidade de ferritina sérica (1 mg/L) corresponde a 8 a 10 mg de ferro armazenado disponível. Níveis séricos de ferritina diminuídos indicam deficiência de ferro. Como a ferritina sérica pode estar elevada na presença de inflamação crônica, infecção, doença maligna ou doença hepática, recomenda-se dosar a proteína C-reativa (PCR) quando a ferritina está normal ou aumentada. Nesse caso, se a PCR estiver normal, pode-se descartar deficiência de ferro. Se estiver aumentada, então não é possível determinar se há ou não deficiência de ferro;

→ **saturação da transferrina**: costuma estar diminuída na deficiência de ferro. Porém, a utilidade desse teste é limitada pela sobreposição dos valores entre indivíduos normais e deficientes. Entretanto, o teste é útil para a triagem de hemocromatose hereditária (valores > 60 a 70%);[1]

→ **receptor 1 da transferrina sérica (TfR1)**: esse teste detecta deficiência de ferro no nível celular. O receptor é encontrado na membrana celular e facilita a transferência do ferro para a célula. Quando o suprimento de ferro está diminuído, há aumento de TfR1 circulante. A vantagem desse teste é que os seus valores não se alteram na presença de processos inflamatórios e infecciosos, mas podem estar elevados quando há aumento da produção ou reposição de hemácias, como na anemia hemolítica. Além disso, o teste não é facilmente disponível e os valores normais para crianças ainda não estão bem estabelecidos;[50]

→ **concentração de hemoglobina no reticulócito (CHr)**: esse teste mede o ferro disponível para as células recentemente liberado pela medula óssea e também não é afetado por inflamação/infecção. Baixa CHr tem sido considerada o melhor preditor de deficiência de ferro em crianças.[51,52] Porém, esse teste não é facilmente disponível na rede pública de saúde no Brasil;

→ **volume corpuscular médio (VCM** = hematócrito/hemácias × 100) **e concentração de hemoglobina corpuscular média (CHCM** = hemoglobina/hematócrito): são medidas sensíveis para deficiência de ferro e seus valores estão diminuídos na deficiência de ferro. Na fase inicial da anemia ferropriva, as hemácias podem ser normais. Com a evolução do quadro, elas tornam-se hipocrômicas, microcíticas e, muitas vezes, apresentam alterações no seu formato;

→ **índice de anisocitose (RDW**, do inglês *red cell distribution width*): mede o grau de anisocitose; está aumentada na anemia por deficiência de ferro.

O ferro sérico apresenta grande variação diurna, está baixo tanto na deficiência de ferro quanto na inflamação e não deve ser usado para o diagnóstico de deficiência de ferro.[53]

Nenhum teste isoladamente caracteriza o status de ferro de uma criança. A American Academy of Pediatrics (AAP) preconiza os seguintes testes para o diagnóstico de deficiência de ferro: (1) ferritina sérica + PCR ou (2) CHr. Outra abordagem para o diagnóstico de deficiência de ferro, sobretudo em crianças com anemia leve (entre 10 e 11 g/dL), é o monitoramento da resposta ao tratamento com suplementação de ferro. Aumento na concentração de hemoglobina de no mínimo 1 g/dL após 1 ou 2 meses de tratamento indica deficiência de ferro.[1]

Em locais onde as causas de anemia são múltiplas, a suplementação de ferro pode corrigir o déficit hematológico apenas parcialmente. Por isso, nesses locais, deve-se estabelecer o diagnóstico de deficiência de ferro por meio de testes laboratoriais.

Recomenda-se que os testes para avaliação de anemia e deficiência de ferro não sejam realizados até 2 ou 3 semanas após um processo infeccioso. Diarreia e infecções respiratórias, comuns na infância, frequentemente estão associadas à redução na produção de hemoglobina e absorção do ferro, com consequente diminuição dos níveis de hemoglobina.[53] Isso também se aplica para crianças com história de vacinação recente.[55]

A **TABELA 102.3** resume os achados de múltiplos testes laboratoriais de acordo com os estágios da deficiência de ferro.

**TABELA 102.3** → Parâmetros laboratoriais utilizados para o diagnóstico de deficiência de ferro com e sem anemia

| PARÂMETRO | DEFICIÊNCIA DE FERRO SEM ANEMIA | DEFICIÊNCIA DE FERRO COM ANEMIA |
|---|---|---|
| Hemoglobina | Normal | Diminuída (valores dependem da idade) |
| Ferritina sérica | < 12 µg/L* | Bem abaixo de 12 µg/L* |
| Saturação da transferrina | < 16% | < 16% |
| Receptor 1 da transferrina sérica (TfR1) | Aumentado | Muito aumentado |
| Concentração de hemoglobina no reticulócito (CHr) | Diminuída | Diminuída |
| Volume corpuscular médio | Normal | Diminuído† |
| Amplitude de distribuição das hemácias (RDW) | Normal | Aumentada |

*Tem sido sugerido um ponto de corte de 10 µg/L para crianças.
†Valores < 67 fentolitros (fL) para crianças entre 1 e 1,9 ano; 73 fL entre 2 e 4,9 anos; 74 fL entre 5 e 7,9 anos; e 76 fL entre 8 e 11,9 anos.

## TRATAMENTO DA ANEMIA

O tratamento da anemia tem como objetivo, além de corrigir os níveis baixos de hemoglobina circulante, repor as reservas de ferro do organismo.

> À exceção da dosagem de hemoglobina e hematócrito, os testes laboratoriais para avaliação da anemia nem sempre estão disponíveis, o que justifica a instituição do tratamento com ferro na presença de níveis baixos de hemoglobina, especialmente em áreas de alta prevalência de anemia ferropênica.

Para o tratamento da anemia ferropriva, utilizam-se sais de ferro por via oral (sulfato, citrato, gluconato, quelato, entre outros). A dose diária recomendada é de 3 a 6 mg de ferro elemento/kg/dia, em três doses diárias.[2] A introdução do ferro deve ser gradual para evitar os efeitos colaterais (náuseas, vômitos, dor epigástrica, cólicas abdominais, constipação intestinal ou diarreia e flatulência). Para melhorar a absorção, recomenda-se que o ferro terapêutico seja oferecido 1 hora antes das refeições e, de preferência, acompanhado de suco rico em vitamina C. Na presença de intolerância gastrintestinal, justifica-se o seu uso durante as refeições. Às vezes, torna-se necessário reduzir a dose de ferro para diminuir os efeitos colaterais. É importante alertar os pais e cuidadores quanto ao possível aparecimento de coloração escura nos dentes e nas fezes de crianças ingerindo sulfato ferroso, informando-os acerca da reversibilidade da situação.

A resposta ao tratamento é rápida, e sua duração depende do grau de anemia. Poucos dias após o início do tratamento, há aumento dos reticulócitos (com pico entre o quinto e décimo dia de tratamento) e, a partir do quarto dia, há um incremento diário de 0,1 g/dL na concentração de hemoglobina. No início, a absorção do ferro é bem maior, declinando com o tempo. Assim, na primeira semana de tratamento, em torno de 16% do ferro são absorvidos, diminuindo para 7% após 3 semanas e 2% após 4 meses.

O monitoramento do tratamento deve ser realizado pela avaliação do hemograma, reticulócitos e ferritina a cada 30 a 60 dias.[2]

> O tratamento da anemia deve durar pelo menos 8 semanas. A suplementação de ferro deve continuar na mesma dosagem do tratamento até a reposição das suas reservas, o que costuma ocorrer entre 2 e 6 meses de tratamento, ou até o nível de ferritina sérica atingir 15 μg/dL (idealmente entre 30 e 300 μg/dL).

As crianças com anemia muito intensa (hemoglobina < 5 g/dL ou na presença de sinais de descompensação cardíaca) devem ser tratadas em hospital, com transfusão de concentrado de hemácias.

> Se a resposta ao tratamento for discreta ou muito lenta, deve-se investigar a possível causa do insucesso; entre elas, diagnóstico incorreto, anemias mistas (deficiência de folatos ou vitamina B[12]), dosagem inadequada do medicamento, falta de adesão ao tratamento (muito comum) e má absorção do ferro ou má utilização dele, como nas infecções crônicas e neoplasias.

É importante lembrar que, em um número pequeno de indivíduos, os níveis de hemoglobina estão abaixo da média da população, sem que isso signifique doença.

Além do tratamento medicamentoso, são fundamentais a orientação alimentar e o tratamento de situações específicas que possam estar envolvidas na determinação da doença, como parasitoses, refluxo gastresofágico e infecções, entre outras.

## PREVENÇÃO DA DEFICIÊNCIA DE FERRO

A possibilidade de alguns dos efeitos da deficiência de ferro serem irreversíveis, associada ao fato de que é raro o diagnóstico dessa deficiência quando não há anemia, torna crucial a prevenção dessa condição.

As estratégias de prevenção envolvem vários setores e organizações, como agricultura, saúde, comércio, indústria, educação, comunicação, entre outros. Considerando que a deficiência de ferro é principalmente uma consequência da pobreza, os esforços no sentido de combatê-la devem visar à redução dessa condição, à melhoria do acesso a dietas adequadas, à melhoria dos serviços de saúde e saneamento e à promoção de melhores cuidados e práticas alimentares.[1]

A **TABELA 102.4** resume as principais ações de prevenção de deficiência de ferro em crianças pequenas no campo da saúde.[57]

No Brasil, há o Programa Nacional de Suplementação de Ferro,[58] composto por quatro eixos: educação nutricional, fortificação das farinhas de trigo e milho, fortificação dos alimentos preparados para as crianças com micronutrientes em pó e suplementação de sulfato ferroso em doses preventivas.

### Educação nutricional

Esse componente é fundamental na prevenção da deficiência de ferro e anemia na infância. Além do consumo de dieta saudável e diversificada, com alimentos ricos em ferro

**TABELA 102.4** → Prevenção da deficiência de ferro em crianças pequenas

| QUANDO (PERÍODO DA INTERVENÇÃO) | O QUÊ (PRÁTICAS RECOMENDADAS) |
| --- | --- |
| Gestação | → Suplementação de ferro<br>→ Tratamento das parasitoses<br>→ Alimentos ricos em ferro |
| Nascimento | → Clampeamento do cordão em tempo oportuno (preferencialmente até a interrupção da pulsação do cordão) |
| Pós-parto imediato | → Contato pele a pele entre mãe e bebê<br>→ Aleitamento materno na primeira hora de vida |
| Primeiros 6 meses de idade | → Aleitamento materno exclusivo<br>→ Suplementação de ferro para as crianças pré-termo e/ou com baixo peso ao nascer |
| 6-24 meses | → Dieta diversificada, com alimentos ricos em vitaminas e minerais (em especial, o ferro) com alta biodisponibilidade (ver Capítulo Práticas Alimentares Saudáveis na Infância)<br>→ Suplementação de ferro<br>→ Tratamento das parasitoses (ver Capítulo Parasitoses Intestinais) |

Fonte: Adaptada de Lutter.[57]

com alta biodisponibilidade, é importante orientar os pais e cuidadores sobre algumas práticas que favorecem a absorção do ferro oferecido na alimentação:

→ evitar uso de chá e de leite e seus derivados perto das refeições (até 2 horas após);
→ ingerir, com as refeições, alimentos fontes de ácido ascórbico, como laranja, couve, repolho, cenoura e couve-flor.

A TABELA 102.5 fornece o conteúdo de ferro e a sua biodisponibilidade em alguns alimentos selecionados.

O *Guia alimentar para crianças brasileiras menores de 2 anos* (ver QR code), além de apoiar a família no cuidado com a alimentação da criança, subsidia os profissionais no desenvolvimento de ações de educação alimentar e nutricional em âmbito individual e coletivo.[59]

## Fortificação das farinhas de trigo e milho

A Agência Nacional de Vigilância Sanitária (Anvisa) determinou a adição obrigatória de 4,2 mg de ferro e de 150 μg de ácido fólico em 100 g das farinhas de trigo e milho a partir de junho de 2004.[60] No entanto, devido às pequenas quantidades de farinhas ingeridas pelas crianças pequenas, acredita-se que essa estratégia contribua pouco para a prevenção de deficiência de ferro e anemia nessa população.

Em um estudo realizado em Pelotas, no Estado do Rio Grande do Sul, nenhum efeito da fortificação das farinhas foi observado nos níveis de hemoglobina em crianças pré-escolares.[61] Uma revisão sistemática incluindo artigos de diferentes países observou que a prevalência de anemia em crianças e adolescentes com idade < 16 anos no período pós-fortificação diminuiu significativamente em 4 dos 13 subgrupos estudados, assim como a prevalência de baixos níveis de ferritina em 1 de 6 subgrupos.[62] Assim, as evidências da efetividade da fortificação de farinhas na redução da anemia em crianças parecem ser limitadas.

## Fortificação dos alimentos preparados para as crianças com micronutrientes em pó

Tendo em vista a baixa adesão à suplementação com sulfato ferroso e seus potenciais paraefeitos, a OMS está preconizando a fortificação caseira de alimentos por meio de micronutrientes em pó distribuídos em sachês.[63] Uma revisão sistemática para avaliar os efeitos e a segurança da fortificação caseira dos alimentos com micronutrientes em pó na prevenção de deficiência de ferro e anemia em crianças com idade < 2 anos (duração da intervenção de 2 a 12 meses) mostrou 31% de redução de anemia e 51% de redução na deficiência de ferro, em comparação com placebo ou ausência de intervenção **A**. Não houve efeito nos escores z dos índices peso/idade, comprimento/idade e peso/comprimento **B**. A estratégia mostrou ser tão eficaz quanto doses diárias de suplementos líquidos de ferro na redução da anemia e aumento na concentração de hemoglobina.[64] Há evidências

**TABELA 102.5** → Conteúdo de ferro e sua biodisponibilidade nos alimentos

| ALIMENTO | TEOR DE FERRO (mg/100 g) | BIODISPONIBILIDADE |
|---|---|---|
| **Carnes** | | |
| Bovina | 3,2 | Alta |
| Suína | 2,9 | Alta |
| Peixes | 2,5 | Alta |
| Aves | 1,3 | Alta |
| **Vísceras** | | |
| Fígado bovino | 8,2 | Alta |
| Miúdos de galinha | 4,3 | Alta |
| Coração | 3,7 | Alta |
| Língua | 1,9 | Alta |
| **Ovo** | | |
| Gema | 5,5 | Baixa |
| Inteiro | 3,2 | Baixa |
| Clara | 0,4 | Baixa |
| **Leite** | | |
| Humano | 0,5 | Alta |
| Vaca | 0,3 | Baixa |
| **Leguminosas** | | |
| Lentilha | 8,6 | Baixa |
| Soja | 8,5 | Baixa |
| Feijão | 7,0 | Baixa |
| Ervilha | 5,8 | Baixa |
| **Cereais** | | |
| Aveia (farinha) | 4,5 | Baixa |
| Aveia (flocos) | 3,4 | Baixa |
| **Hortaliças** | | |
| Nabo | 2,4 | Alta |
| Brócolis | 1,1 | Alta |
| Couve | 2,2 | Média |
| Batata | 1,0 | Média |
| Cenoura | 0,4 | Média |
| Espinafre | 3,3 | Baixa |
| Beterraba | 0,8 | Baixa |
| **Frutas** | | |
| Suco de limão | 0,6 | Alta |
| Laranja | 0,2 | Alta |
| Banana | 2,2 | Média |
| Manga | 0,7 | Média |
| Abacate | 0,7 | Baixa |
| **Outros** | | |
| Açúcar mascavo | 4,2 | Alta |
| Rapadura | 4,2 | Alta |

Fonte: Sociedade Brasileira de Pediatria.[56]

de impacto no desenvolvimento infantil e na ocorrência de morbidades.[65]

Outra revisão sistemática também mostrou benefícios com essa fortificação de alimentos para crianças em idade pré-escolar (24 a 59 meses) e escolar (5 a 12 anos).[66] Crianças dessas faixas etárias recebendo a fortificação apresentaram 34% menos anemia e 65% menos deficiência de ferro que crianças da mesma idade recebendo placebo ou nenhuma intervenção. Entretanto, informações sobre mortalidade, morbidade, impacto no desenvolvimento e efeitos colaterais permanecem escassas.

A recomendação da OMS para populações com prevalência de anemia em crianças com idades < 2 ou 5 anos de idade igual ou maior a 20% é de 90 sachês em um período de 6 meses, contendo cada um ferro (10-12,5 mg), vitamina A (300 µg de retinol) e zinco (5 mg) para crianças na faixa etária de 6 a 23 meses.[48] Para crianças de 2 a 12 anos, a recomendação da OMS é a mesma quantidade de sachês que para as crianças com idade < 2 anos, com a mesma composição para as de 2 a 4 anos e com dose maior de ferro elementar, 12,5 a 30 mg, para as de 5 a 12 anos.

No Brasil, desde 2015 está previsto esse tipo de suplementação de micronutrientes por meio da estratégia NutriSUS.[67] Essa estratégia consiste na fortificação de alimentos com sachês para crianças de 6 a 48 meses de idade matriculadas em creches participantes do Programa Saúde na Escola. Deve ser administrado 1 sachê ao dia no arroz com feijão ou papas/purês na escola até completar 60 sachês, seguido de pausa por 3 a 4 meses.

A tendência é de que, no futuro, a suplementação de ferro seja feita pela fortificação caseira dos alimentos para todas as crianças, tendo em vista as seguintes vantagens dessa estratégia:

→ fornecimento da recomendação de ingestão diária de vários nutrientes;
→ micronutrientes essenciais como vitaminas A, C e D, ácido fólico, iodo e zinco podem ser adicionados aos sachês para prevenir e tratar deficiências de micronutrientes e melhorar o estado nutricional das crianças;
→ o ferro é microencapsulado em lipídeo, impedindo a interação com outros alimentos e, assim, mascarando o seu gosto, além de provocar mínimas mudanças no sabor, cor e textura dos alimentos aos quais os micronutrientes são adicionados. A encapsulação pode também reduzir o desconforto intestinal e a interação do ferro com outros nutrientes;
→ fácil administração, não sendo necessário utensílio ou manipulação especial para o seu preparo, além de poder ser oferecido junto a qualquer uma das refeições do dia;
→ baixo risco de superdosagem, pois a dose tóxica só é alcançada com o consumo de 20 sachês.

A **TABELA 102.6** apresenta a composição do sachê utilizado no Brasil.

## Suplementação com ferro

No Brasil, a suplementação profilática com sulfato ferroso é preconizada pelo Programa Nacional de Suplementação de Ferro desde 2005.[58] Inicialmente, foi utilizada a estratégia de suplementação universal de ferro em crianças de 6 a 18 meses com xarope de sulfato ferroso, na dose de 25 mg de ferro elementar, 1 vez por semana.

**Atualmente, a orientação do Programa é suplementar as gestantes (para melhorar as reservas de ferro no nascimento) e as crianças dos 6 aos 24 meses de idade. As crianças devem receber sulfato ferroso diariamente na dose de 1 mg/kg/dia, pois a suplementação diária de ferro se mostrou mais efetiva que a intermitente em reduzir o risco de anemia ou deficiência de ferro em crianças C/D.[68]**

Não há avaliação formal dessa ação, mas as estatísticas mostram que o problema da anemia em crianças está longe de ser superado, e parte do insucesso se deve à falta e à irregularidade de distribuição do medicamento aos serviços de saúde e pouca adesão dos pais e cuidadores às orientações de suplementação do ferro. A adesão ao uso de sulfato ferroso é, frequentemente, limitada pela combinação de diversos fatores: gosto desagradável, escurecimento dos dentes e fezes e outros efeitos colaterais.[69,70]

A AAP recomenda a suplementação diária com sulfato ferroso na mesma dose utilizada pelo Programa Nacional de Suplementação de Ferro, mas desde os 4 meses de idade, mesmo que a criança esteja em amamentação exclusiva, até a introdução de alimentação complementar rica em ferro e zinco.[50,71] Já a OMS indica a dose de 10 a 12,5 mg de ferro elementar por dia (30-37,5 mg de sulfato ferroso) dos 6 aos 23 meses, 30 mg/dia de ferro elementar (90 mg de sulfato ferroso) dos 24 aos 59 meses e 30 a 60 mg/dia de ferro elementar (90-180 mg de sulfato ferroso) dos 5 aos 12 anos durante 3 meses consecutivos por ano em locais onde a prevalência de anemia na respectiva faixa etária é ≥ 40%.[48] A Sociedade Brasileira de Pediatria (SBP) recomenda a suplementação de ferro em crianças de 6 a 24 meses na dose de 1 mg de ferro elementar/kg em crianças nascidas a termo, com peso adequado para a idade gestacional e sem fator de risco para anemia. Para as com fatores de risco para anemia, recomenda iniciar a suplementação aos 3 meses de idade.[2]

A suplementação para crianças pré-termo ou com baixo peso ao nascimento, mesmo sendo amamentadas exclusivamente, deve ser iniciada mais cedo. O Programa Nacional de

**TABELA 102.6** → Composição do sachê (1 g) para ser misturado com a comida pronta da criança

| VITAMINA/MINERAL | DOSAGEM |
| --- | --- |
| Vitamina A (retinol) | 400 µg |
| Vitamina D | 5 µg |
| Vitamina E | 5 mg |
| Vitamina C | 30 mg |
| Vitamina $B_1$ | 0,5 mg |
| Vitamina $B_2$ | 0,5 mg |
| Vitamina $B_6$ | 0,5 mg |
| Vitamina $B_{12}$ | 0,9 µg |
| Niacina | 6 mg |
| Ácido fólico | 150 µg |
| Ferro | 10 mg |
| Zinco | 4,1 mg |
| Cobre | 0,56 mg |
| Selênio | 17 µg |
| Iodo | 90 µg |

Fonte: Brasil.[67]

Suplementação de Ferro adota as recomendações da SBP: suplementação com sulfato ferroso a partir do 30º dia de vida, por 1 ano, conforme o peso de nascimento: 2 mg/kg/dia se o peso estiver entre 1.500 e 2.500 g, 3 mg/kg/dia se o peso estiver entre 1.000 e 1.500 g e 4 mg/kg/dia se o peso for < 1.000 g, todos seguidos de 1 mg/kg/dia por mais 1 ano.[2,58] A OMS preconiza suplementação com sulfato ferroso na dose de 2 mg/kg/dia dos 2 aos 23 meses em caso de baixo peso ao nascer (definido como 1.500-2.500 g) e 2 a 4 mg/kg/dia de 2 semanas a 6 meses em caso de muito baixo peso ao nascer (entre 1.000-1.500 g).[48] A AAP orienta que o início da suplementação com ferro seja entre 2 e 6 semanas de idade para crianças nascidas pré-termo ou com baixo peso ao nascer (2 semanas em lactentes com muito baixo peso ao nascer).[71]

Entretanto, apesar de haver consenso na suplementação de ferro para crianças pequenas, há apenas evidências de leve aumento nos níveis de hemoglobina e redução do risco de desenvolvimento de anemia por deficiência de ferro com a suplementação, em relação a crianças não suplementadas, em crianças pré-termo ou com baixo peso ao nascer. Não está claro se a suplementação de ferro tem benefícios no desenvolvimento neurológico ou no crescimento dessas crianças.[72]

A suplementação de ferro em regiões onde a malária é endêmica é recomendada, em conjunto com medidas de prevenção, diagnóstico e tratamento dessa enfermidade.[73] Uma revisão sistemática concluiu que a suplementação de ferro isolada ou em conjunto com tratamento antimalária não aumenta o risco da malária clínica ou de morte quando há serviços de vigilância e tratamento da doença, tanto em regiões hiperendêmicas como nas holoendêmicas [A].[74]

**A necessidade de suplementação com sulfato ferroso para crianças alimentadas com fórmulas infantis contendo concentração-padrão de ferro (10-12 mg/L) é controversa: a AAP reconhece a controvérsia, mas mantém a recomendação de manter apenas o ferro da fórmula[50] (recomendação replicada pela American Academy of Family Physicians[49]); já a SBP orienta a suplementação independentemente do regime de alimentação da criança.[2]**

## RASTREAMENTO DA ANEMIA

Faltam estudos bem delineados para avaliar o impacto – eficácia ou efetividade – da triagem rotineira para anemia, por meio da dosagem de hemoglobina, em crianças assintomáticas.[75,76] Portanto, na tomada de decisão para o rastreamento de anemia nessas crianças, deve-se levar em conta a presença de fatores de risco, como idade entre 6 e 24 meses, baixo peso ao nascer e desnutrição, e fatores de proteção, como aleitamento materno exclusivo até os 6 meses de idade, clampeamento do cordão umbilical em tempo oportuno, dieta rica em ferro com boa biodisponibilidade e presença ou não de suplementação de ferro.

No Brasil, não há recomendação oficial de triagem para anemia em crianças. O Projeto Bright Futures da AAP (ver QR code) recomenda rastreamento universal para anemia em crianças de 12 meses de vida, nas consultas de 4, 15, 18, 24 e 30 meses e 3, 4 e 5 anos na presença de fatores de risco,[71] apesar de citar revisão da USPSTF que concluiu não haver evidências suficientes para fazer um balanço entre riscos e benefícios do rastreamento sistemático para anemia em crianças pequenas.[41] Todavia, nos Estados Unidos não há recomendação de suplementação universal de ferro como no Brasil.

## REFERÊNCIAS

1. World Health Organization. Iron Deficiency anemia: assessment, prevention and control: a guide or programme managers. Geneva: WHO; 2001.
2. McLean E, Cogswell M, Egli I, Wojdyla D, De Benoist B. Worldwide prevalence of anaemia, WHO Vitamin and Mineral Nutrition Information System, 1993-2005. Public Health Nutr. 2009;12(4):444-54.
3. De-Regil LM, Jefferds MED, Peña-Rosas JP. Point-of-use fortification of foods with micronutrient powders containing iron in children of preschool and school-age. Cochrane Database Syst Revi. 2017;11:CD009666.
4. Brasil. Ministério da Saúde. Anemia e Hipovitaminose A PNDS: Pesquisa Nacional de Demografia e Saúde da Criança e da Mulher [Internet]. Brasília: MS; 2012 [capturado em 20 out. 2012]. Disponível em: http://bvsms.saude.gov.br/bvs/pnds/anemia.php.
5. Universidade Federal do Rio de Janeiro. Estudo Nacional de Alimentação e Nutrição Infantil – ENANI-2019: Resultados preliminares – Prevalência de anemia e deficiência de vitamina A entre crianças brasileiras de 6 a 59 meses. Rio de Janeiro: UFRJ, 2020. Disponível em: https://enani.nutricao.ufrj.br/wp-content/uploads/2020/12/Relatorio--parcial-Micronutrientes_ENANI-2019.pdf.
6. Vieira RC da S, Ferreira H da S. Prevalence of anemia in Brazilian children in different epidemiological scenarios. Rev Nutr. 2010;23(3):433-44.
7. Morais MB, Alves GM dos S, Fagundes-Neto U. Nutritional status of Terena indian children from Mato Grosso do Sul, Brazil: follow up of weight and height and current prevalence of anemia. J Ped. 2005;81(5):383-9.
8. Orellana JDY, Coimbra Jr CEA, Lourenço AEP, Santos RV. Nutritional status and anemia in Suruí Indian children, Brazilian Amazon. J Ped. 2006;82(5):383-8.
9. Ferreira H da S, Assunção ML de, Vasconcelos VS de, Melo FP de, Oliveira CG de, Santos T de O. Health of marginalized populations: undernutrition, anemia and intestinal parasitic infections among children of a slum of the "Homeless Movement", Maceió, Alagoas. Rev Bras Saúde Materno Infantil. 2002;2(2):177-85.
10. Jordão RE, Bernardi JLD, Barros Filho A de A. Prevalence of iron-deficiency anemia in Brazil: a systematic review. Rev Paulista de Ped. 2009;27(1):90-8.
11. Kassebaum NJ, GBD 2013 Anemia Collaborators. The Global Burden of Anemia. Hematol Oncol Clin North Am. 2016;30(2):247-308.
12. Hadler MCCM, Juliano Y, Sigulem DM. Anemia in infancy: etiology and prevalence. J Ped. 2002;78(4):321-6.
13. Almeida CAN de, Ricco RG, Del Ciampo LA, Souza AM, Pinho AP, Oliveira JED de. Factors associated with iron deficiency anemia in Brazilian preschool children. J Ped. 2004;80(3):229-34.
14. Carvalho AGC, Lira PIC de, Barros M de FA, Aléssio MLM, Lima M de C, Carbonneau MA, et al. Diagnosis of iron deficiency anemia in children of Northeast Brazil. Rev Saude Publica. 2010;44(3):513-9.
15. Bortolini GA, Vitolo MR. Relationship between iron deficiency and anemia in children younger than 4 years. J Ped. 2010;86(6):488-92.
16. Borges CQ, Silva R de CR, Assis AMO, Pinto E de J, Fiaccone RL, Pinheiro SMC. Factors associated with anemia in children and adolescents in public schools in Salvador, Bahia State, Brazil. Cad Saude Publica. 2009;25(4):877-88.

17. Assunção MCF, Santos I da S dos, Barros AJD de, Gigante DP, Victora CG. Anemia in children under six: population-based study in Pelotas, Southern Brazil. Rev Saude Publica. 2007;41(3):328-35.
18. Oliveira MAA, Osório MM, Raposo MCF. Hemoglobin level and anemia in children in the State of Pernambuco, Brazil: association with socioeconomic and food consumption factors. Cad Saude Publica. 2006;22(10):2169-78.
19. Dewey KG, Chaparro CM. Session 4: mineral metabolism and body composition iron status of breast-fed infants. Proc Nutr Soc. 2007;66(3):412-22.
20. Oski FA, Landaw SA. Inhibition of iron absorption from human milk by baby food. Am J Dis Child. 1980;134(5):459-60.
21. World Health Organization. Complementary feeding of young children in developing countries: a review of current scientific knowledge. Geneva: WHO; 1998.
22. World Health Organization. The prevalence of anaemia through primary health care: a guide for health administrators and programme managers. Geneva: WHO; 1989.
23. Monteiro CA, Szarfarc SC, Mondini L. Secular trends in child anemia in S. Paulo city, Brazil (1984-1996). Rev Saude Publica. 2000;34(6):62-72.
24. Lacerda E, Cunha AJ. Iron deficiency anemia and nutrition in the second year of life in Rio de Janeiro, Brazil. Rev Panam Salud Publica. 2001;9(5):294-301.
25. Oliveira MAA, Osório MM, Raposo MCF. Socioeconomic and dietary risk factors for anemia in children aged 6 to 59 months. J Ped. 2007;83(1):39-46.
26. Bortolini GA, Gubert MB, Santos LMP. Food consumption Brazilian children by 6 to 59 months of age. Cad Saude Publica. 2012;28(9):1759-71.
27. Male C, Persson LA, Freeman V, Guerra A, Van't Hof MA, Haschke F. Prevalence of iron deficiency in 12-mo-old infants from 11 European areas and influence of dietary factors on iron status (Euro-Growth study). Acta Paediatr. 2001;90(5):492-8.
28. Levy-Costa RB, Monteiro CA. Cow's milk consumption and childhood anemia in the city of São Paulo, southern Brazil. Rev Saude Publica. 2004;38(6):797-803.
29. Silva LSM da, Giugliani ERJ, Aerts DRG de C. Prevalência e determinantes de anemia em crianças de Porto Alegre, RS, Brasil. Rev Saude Publica. 2001;35(1):66-73.
30. Yao AC, Moinian M, Lind J. Distribution of blood between infant and placenta after birth. Lancet. 1969;2(7626):871-3.
31. Brasil. Ministério da Saúde. Além da sobrevivência: práticas integradas de atenção ao parto, benéficas para a nutrição e a saúde de mães e crianças [Internet]. Brasília: OPAS; 2011 [capturado em 27 out. 2012]. Disponível em: http://bvsms.saude.gov.br/bvs/publicacoes/alem_sobrevivencia_atencao_parto.pdf
32. McDonald SJ, Middleton P, Dowswell T, Morris PS. Effect of timing of umbilical cord clamping of term infants on maternal and neonatal outcomes. Cochrane Database Syst Rev. 2013;7:CD004074
33. Chaparro CM, Neufeld LM, Tena Alavez G, Eguia-Líz Cedillo R, Dewey KG. Effect of timing of umbilical cord clamping on iron status in Mexican infants: a randomised controlled trial. Lancet. 2006;367(9527):1997-2004.
34. Dewey KG, Brown KH. Update on technical issues concerning complementary feeding of young children in developing countries and implications for intervention programs. Food Nutr Bull. 2003;24(1):5-28.
35. Thurlow RA, Winichagoon P, Green T, Wasantwisut E, Pongcharoen T, Bailey KB, et al. Only a small proportion of anemia in northeast Thai schoolchildren is associated with iron deficiency. Am J Clin Nutr. 2005;82(2):380-7.
36. Villalpando S, Pérez-Expósito AB, Shamah-Levy T, Rivera JA. Distribution of anemia associated with micronutrient deficiencies other than iron in a probabilistic sample of Mexican children. Ann Nutr Metab. 2006;50(6):506-11.
37. Ferreira MU, Da Silva-Nunes M, Bertolino CN, Malafronte RS, Muniz PT, Cardoso MA. Anemia and iron deficiency in school children, adolescents, and adults: a community-based study in rural Amazonia. Am J Public Health. 2007;97(2):237-9.
38. Castro TG, Baraldi LG, Muniz PT, Cardoso MA. Dietary practices and nutritional status of 0-24-month-old children from Brazilian Amazonia. Public Health Nutr. 2009;12(12):2335-42.
39. Agostoni C, Decsi T, Fewtrell M, Goulet O, Kolacek S, Koletzko B, et al. Complementary feeding: a commentary by the ESPGHAN Committee on Nutrition. J Pediatr Gastroenterol Nutr. 2008;46(1):99-110.
40. Siu A. Screening for iron deficiency anemia in young children, USPSTF recommendation statement. Pediatrics. 2015;136(4):746-52.
41. Wang B, ZhanS, Gong T, Lee L. Iron therapy for improving psychomotor development and cognitive function in children under the age of three with iron deficiency anaemia. Cochrane Database Syst Rev. 2013;6:CD001444.
42. Abdullah K, Kendzerska T, Shah P, Uleryk E, Parkin PC. Efficacy of oral iron therapy in improving the developmental outcome of pre--school children with non-anaemic iron deficiency: a systematic review. Public Health Nutr. 2013;16(8):1497-506.
43. Lozoff B, Jimenez E, Smith JB. Double burden of iron deficiency in infancy and low socioeconomic status: a longitudinal analysis of cognitive test scores to age 19 years. Arch Pediatr Adolesc Med. 2006;160(11):1108-13.
44. Lozoff B, Jimenez E, Hagen J, Mollen E, Wolf AW. Poorer behavioral and developmental outcome more than 10 years after treatment for iron deficiency in infancy. Pediatrics. 2000;105(4):E51.
45. Grantham-McGregor S, Ani C. A review of studies on the effect of iron deficiency on cognitive development in children. J Nutr. 2001;131(2S-2):649S-66S; discussion 666S-8S.
46. Spinelli MGN, Souza JMP, Souza SB de, Sesoko EH. Confiabilidade e validade da palidez palmar e de conjuntivas como triagem de anemia. Rev Saude Publica. 2003;37(4):404-8.
47. World Health Organization. Nutritional Anaemias: tools for effective prevention and control. Geneva: World Health Organization; 2017.
48. Wang M. Iron Deficiency and Other Types of Anemia in Infants and Children. Am Fam Physician. 2016;93(4):270-8.
49. Baker RD, Greer FR. Diagnosis and prevention of iron deficiency and iron- deficiency anemia in infants and young children (0-3 years of age). Pediatrics. 2010;126(5):1040-50.
50. Ullrich C, Wu A, Armsby C, Rieber S, Wingerter S, Brugnara C, et al. Screening healthy infants for iron deficiency using reticulocyte hemoglobin content. JAMA. 2005;294(8):924-30.
51. Brugnara C, Schiller B, Moran J. Reticulocyte hemoglobin equivalent (Ret He) and assessment of iron-deficient states. Clin Lab Haematol. 2006;28(5):303-8.
52. Pasricha S-RS, Flecknoe-Brown SC, Allen KJ, Gibson PR, McMahon LP, Olynyk JK, et al. Diagnosis and management of iron deficiency anaemia: a clinical update. Med J Aust. 2010;193(9):525-32.
53. Hershko C. Iron, infection and immune function. Proc Nutr Soc. 1993;52(1):165-74.
54. Olivares M, Walter T, Osorio M, Chadud P, Schlesinger L. Anemia of a mild viral infection: the measles vaccine as a model. Pediatrics. 1989;84(5):851-5.
55. Sociedade Brasileira de Pediatria. Departamento Científico de Nutrologia. Anemia ferropriva em lactantes: revisão com foco em prevenção [Internet]. Rio de Janeiro: SBP; 2012 [capturado em 27 out. 2012]. Disponível em: http://www.sbp.com.br/pdfs/Documento_def_ferro200412.pdf.
56. Lutter CK. Iron deficiency in young children in low-income countries and new approaches for its prevention. J Nutr. 2008;138(12):2523-8.
57. Brasil. Ministério da Saúde. Secretaria de Atenção à Saúde. Departamento de Atenção Básica. Programa Nacional de Suplementação de Ferro: manual de condutas gerais. Brasília: Ministério da Saúde; 2013.
58. Brasil. Ministério da Saúde. Guia alimentar para crianças brasileiras menores de 2 anos [Internet]. Brasília: MS; 2019 [capturado em 14 dez. 2019]. Disponível em: http://189.28.128.100/dab/docs/portaldab/publicacoes/guia_da_crianca_2019.pdf.

59. Brasil. Ministério da Saúde. Agência Nacional de Vigilância Sanitária. Resolução RDC nº 344, de 13 de dezembro de 2002. Brasília: MS; 2002.
60. Assunção MCF, Santos IS, Barros AJD, Gigante DP, Victora CG. Flour fortification with iron has no impact on anaemia in urban Brazilian children. Public Health Nutr. 2012;15(10):1796-801.
61. Pachón H, Spoher R, Mei Z, Serdula MK. Evidence of the effectiveness of flour fortification programas on iron status and anemia: a systematic review. Nutr Rev. 2015;73(11):780-95.
62. World Health Organization. WHO guideline: Use of multiple micronutrient powders for point-of-use fortifcation of foods consumed by infants and young children aged 6–23 months and children aged 2–12 years. Geneva: World Health Organization; 2016
63. De-Regil LM, Suchdev PS, Vist GE, Walleser S, Peña-Rosas JP. Home fortification of foods with multiple micronutrient powders for health and nutrition in children under two years of age. Cochrane Database Syst Rev. 2011;(9):CD008959.
64. Dewey KG, Yang Z, Boy E. Systematic review and meta-analysis of home fortification of complementary foods. Mat Child Nutrition. 2009;5(4):283-321.
65. De-Regil LM, Jefferds MED, Peña-Rosas JP. Point-of-use fortification of foods with micronutrient powders containing iron in children of preschool and school-age. Cochrane Database Syst Rev. 2017;(11):CD009666.
66. Brasil. Ministério da Saúde. NutriSUS: caderno de orientações: estratégia de fortifcação da alimentação infantil com micronutrientes (vitaminas e minerais) em pó. Brasília: MS; 2015.
67. De-Regil LM, Jefferds MED, Sylvetsky AC, Dowswell T. Intermittent iron supplementation for improving nutrition and development in children under 12 years of age. Cochrane Database Syst Rev. 2011;(12):CD009085.
68. Galloway R, McGuire J. Determinants of compliance with iron supplementation: Supplies, side effects, or psychology? Soc Science Med. 1994;39(3):381-90.
69. Bortolini GA, Vitolo MR. Baixa adesão à suplementação de ferro entre lactentes usuários de serviço público de saúde. Pediatria (São Paulo). 2007;29(3):176-82.
70. Hagan JF, Shaw JS, Duncan PM, editors. Bright Futures: Guidelines for Health Supervision of Infants, Children, and Adolescents. 4th ed. Elk Grove Village: American Academy of Pediatrics; 2017.
71. Mills RJ, Davies MW. Enteral iron supplementation in preterm and low birth weight infants. Cochrane Database Syst Rev. 2012;(3):CD005095.
72. World Health Organization. Use of multiple micronutrient powders for home fortification of foods consumed by infants and children 6-23 months of age. Geneva: WHO; 2011.
73. Neuberger A, Okebe J, Yahav D, Paul M. Oral iron supplements for children in malaria-endemic areas. Cochrane Database Syst Rev. 2016;(2):CD006589.
74. McDonagh M, Blazina I, Dana T, Cantor A, Bougatsos C. Routine Iron Supplementation and Screening for Iron Deficiency Anemia in Children Ages 6 to 24 Months: A Systematic Review to Update the U.S. Preventive Services Task Force Recommendation. Evidence Synthesis No. 122. AHRQ Publication No. 13-05187-EF-1. Rockville: Agency for Healthcare Research and Quality; 2015.
75. McDonagh MS, Blazina I, Dana T, Cantor A, Bougatsos C. Screening and Routine Supplementation for Iron Deficiency Anemia: a systematic review. Pediatrics. 2015;135(4):723-33.

## LEITURAS RECOMENDADAS

Mattos BA, Silla LR, Krug BC, Gonçalves CT, Amaral KM, Xavier LC. Anemia por deficiência de ferro: portaria SAS/MS nº 1.247, de 10 de novembro de 2014. In: Brasil. Ministério da Saúde. Protocolo Clínico e Diretrizes Terapêuticas: volume 3. Brasília: Ministério da Saúde; 2014 [capturado em 29 jul 2019]. p. 27-45. Disponível em: http://portalarquivos.saude.gov.br/images/pdf/2014/dezembro/15/Anemia-por-Defici--ncia-de-Ferro.pdf.
*Diretrizes clínicas sobre anemia por deficiência de ferro baseadas em revisão sistemática da literatura.*

Sociedade Brasileira de Pediatria. Consenso sobre anemia ferropriva: atualização: destaques 2021 [Internet]. Rio de Janeiro: SBP; 2021 [capturado em 3 nov. 2021]. Disponível em: https://www.sbp.com.br/fileadmin/user_upload/23172c-Diretrizes-Consenso_sobre_Anemia_Ferropriva.pdf.

# Capítulo 103
# PROBLEMAS COMUNS NOS PRIMEIROS MESES DE VIDA

Roberto Mário Issler
Ariel Azambuja Gomes de Freitas
Nicolino César Rosito

Este capítulo aborda os problemas de saúde mais comuns da criança pequena e dá, ao profissional de saúde, subsídios para formular diagnósticos e tomar condutas.

## IDENTIFICAÇÃO DE DOENÇA GRAVE EM CRIANÇAS COM ATÉ 2 MESES DE IDADE

É importante que os profissionais que atuam em atenção primária à saúde (APS) reconheçam sinais e sintomas de doença grave no lactente pequeno (idade < 2 meses). Nesse período, infecções graves apresentam alto potencial de morbimortalidade. O estabelecimento de perguntas objetivas e a avaliação clínica cuidadosa permitem diferenciar situações que requerem apenas orientação em atendimento ambulatorial daquelas que exigem encaminhamento imediato para centros de maior complexidade.

A TABELA 103.1, que faz parte dos quadros de procedimento do *Manual AIDPI neonatal*,[1] orienta o profissional quanto à identificação de doença grave em crianças com idade < 2 meses e à conduta imediata.

## HÁBITOS INTESTINAIS DA CRIANÇA PEQUENA

Cerca de 70% dos recém-nascidos eliminam mecônio nas primeiras 12 horas de vida; outros 25%, entre 12 e 24 horas; e os 5% restantes, até 48 horas após o nascimento.

Nos primeiros dias, as fezes do recém-nascido são de cor escura, pegajosas e sem cheiro; depois, elas tornam-se amareladas ou esverdeadas. Espera-se que o mecônio esteja totalmente eliminado até o 3º dia de vida. As crianças amamentadas eliminam fezes amarelo-ouro, não homogêneas, com a parte sólida frequentemente separada da líquida.

**TABELA 103.1** → Identificação de condições graves de saúde em crianças com idade < 2 meses, que exigem encaminhamento imediato ao hospital

| AVALIAR | CLASSI-FICAR | TRATAMENTO |
|---|---|---|
| Um dos seguintes sinais:<br>→ "Não vai bem", irritada<br>→ Não consegue mamar ou beber nada<br>→ Vomita tudo<br>→ Temperatura axilar < 36 °C ou ≥ 37,5 °C<br>→ Convulsões/movimentos anormais<br>→ Letargia/inconsciência ou flacidez<br>→ Tiragem subcostal grave<br>→ Apneia<br>→ Batimentos de asas do nariz<br>→ Gemido, estridor ou sibilância<br>→ Cianose central<br>→ Palidez palmar intensa<br>→ Icterícia abaixo do umbigo e/ou de aparecimento antes de 24 horas de vida<br>→ Manifestações de sangramento: equimoses, petéquias e/ou hemorragias<br>→ Secreção purulenta do ouvido ou nos olhos (abundante e com edema palpebral) ou no umbigo (com eritema que se estende para a pele ao redor)<br>→ Distensão abdominal<br>→ Frequência respiratória ≥ 60 ou < 30 rpm<br>→ Pústulas ou vesículas na pele (muitas ou extensas)<br>→ Enchimento capilar lento (> 2 s)<br>→ Anomalias congênitas maiores | DOENÇA GRAVE | → Referir URGENTEMENTE ao hospital segundo as normas de estabilização e transporte<br>→ Dar a primeira dose via parenteral dos antibióticos recomendados, exceto em anomalias congênitas sem exposição de vísceras e icterícia<br>→ Administrar oxigênio se houver cianose central<br>→ Prevenir, controlar e, se necessário, tratar a hipoglicemia<br>→ Dar paracetamol para febre > 38 °C<br>→ Tratar convulsões<br>→ Prevenir a hipotermia (manter a criança aquecida)<br>→ Recomendar à mãe que continue a amamentação, se possível |

Fonte: Brasil.[1]

Muitas vezes, são espumosas e explosivas, com uma frequência de 10 ou mais evacuações diárias. As crianças que se alimentam com leite de vaca evacuam fezes menos líquidas, amarelo-claras, mais homogêneas.

Às vezes, é difícil distinguir um recém-nascido com fezes normais líquidas de um com diarreia. Entretanto, nessa idade, a diarreia, em geral, é bacteriana, trazendo repercussões clínicas que incluem anorexia, abatimento, distensão abdominal e, em alguns casos, febre, vômitos, perda de peso e desidratação. Além disso, as fezes diarreicas costumam ser fétidas e, muitas vezes, contêm sangue e muco.

## CONSTIPAÇÃO INTESTINAL

Considera-se constipação intestinal a dificuldade para evacuar ou a evacuação de fezes secas, duras e/ou volumosas. É rara na criança amamentada. Muitos recém-nascidos e lactentes hígidos ficam alguns dias sem evacuar; porém, quando o fazem, suas fezes são de consistência normal. Outros, com constipação, evacuam diariamente fezes em cíbalos, "tipo cabritinho".

A causa mais frequente de constipação no recém-nascido após 7 dias de vida e no lactente pequeno é a chamada constipação intestinal funcional. A princípio, toda constipação intestinal deve ser considerada funcional e, como tal, deve ser manejada antes de ser indicada investigação mais minuciosa. Com frequência, períodos de um ou mais dias sem evacuar em crianças amamentadas e que vinham evacuando diariamente estão relacionados com redução do volume de leite materno ingerido. As fezes desses recém-nascidos são de aspecto e consistência normais, não sendo necessário tratamento algum.

O aleitamento materno nos primeiros meses de vida pode ter um efeito protetor para o desenvolvimento de constipação funcional.[2] Bebês amamentados evacuam com maior frequência quando comparados com lactentes que recebem fórmula.

Crianças que mamam no peito e que apresentam dificuldade para evacuar, fezes endurecidas, volumosas e distensão abdominal devem ser investigadas. Essas situações podem ser causadas por problemas orgânicos, como doença de Hirschsprung, hipotireoidismo, estenose retal ou anal e sepse.

O exame físico da criança com constipação deve ser detalhado, incluindo pesquisa de distensão abdominal, fezes endurecidas no abdome, fissuras anais e localização anatômica mais anteriorizada do ânus (na menina, mais próximo da vagina do que o habitual, e no menino, mais próximo do escroto). O toque retal deve ser feito utilizando-se o dedo mínimo, com a finalidade de sentir a presença de estenose e de fezes na ampola retal. A ausência de fezes na ampola sugere doença de Hirschsprung.

Na ausência de sinais de alerta no lactente (constipação de início precoce, antes de 1 mês de vida; ausência de eliminação de mecônio nas primeiras 48 horas de vida; história familiar de doença de Hirschsprung; sangue nas fezes [na ausência de fissura anal]; baixo ganho ponderal; febre; lesões ou malformações anorretais), não estão indicados radiografia de abdome, estudo radiográfico do trânsito intestinal, enema com bário, testes laboratoriais "de rotina" ou testes para alergia ao leite de vaca.[2]

### Tratamento

No 1º ano de vida, existe grande variabilidade no aspecto das fezes em crianças amamentadas. Se a criança está crescendo adequadamente e não há suspeita de doença orgânica, deve-se apenas tranquilizar a família e acompanhar a criança regularmente.[3] Não existem evidências que apoiem os seguintes tratamentos não farmacológicos para constipação funcional: suplemento da dieta da criança com fibras, aumento da ingestão de líquidos, prebióticos ou probióticos, e terapia comportamental ou *biofeedback*.[3] Em crianças já recebendo papa de frutas, pode-se recomendar o aumento da ingestão de frutas que contenham sorbitol, como ameixa, pera ou maçã.

Caso ocorra impactação das fezes, o uso de polietilenoglicol (PEG) ou enema mostraram ser efetivos.[3] Como o lactente apresenta mais episódios de refluxo gastresofágico e falta de coordenação na deglutição, o uso de óleo mineral é contraindicado pelo risco de aspiração, podendo levar à pneumonia gordurosa grave. Para o tratamento farmacológico de manutenção, o PEG mostrou ser mais efetivo do que lactulose, óleo mineral ou leite de magnésia. Se o PEG não estiver disponível, lactulose é o tratamento de escolha, por ser mais seguro em qualquer idade.[3]

Problemas emocionais causando constipação não costumam ocorrer em crianças com idade < 1 ano. Quando a criança com constipação estiver recebendo leite de vaca, deve-se verificar se não está havendo excesso de ingestão de proteínas. Em caso afirmativo, deve-se ajustar a ingestão de proteína ao tamanho da criança.

Se a constipação persistir apesar das medidas citadas, é provável que ela seja devida a uma causa orgânica, como fibrose cística ou doença de Hirschsprung, e a criança deve ser encaminhada para investigação por especialista.[4]

## CÓLICAS DO LACTENTE

A cólica do lactente é um problema muito comum nos primeiros meses de vida. Afeta 10 a 40% dos lactentes em todo o mundo. Não há diferença na prevalência quanto ao sexo, ao tipo de alimentação (amamentação ou fórmula), ao nível socioeconômico ou mesmo às estações do ano.[5] A sua causa ainda não está identificada. Algumas causas sugeridas são: alteração na microflora fecal, intolerância à proteína do leite de vaca ou à lactose, imaturidade ou inflamação gastrintestinal, aumento da secreção de serotonina, técnica de alimentação incorreta, tabagismo materno ou terapia de reposição de nicotina.[5]

Considera-se que um bebê tem cólica quando apresenta episódios repetidos de choro e irritação em intensidade suficiente para causar dificuldade e apreensão dos familiares, em uma criança sadia em todos os outros aspectos. Os pais relatam maior prevalência dos episódios à noite, sem motivo aparente.

Em termos práticos para a clínica diária, o diagnóstico deve incluir todos os seguintes:

→ ocorrência em um lactente com idade < 5 meses;
→ presença de períodos prolongados e recorrentes de irritabilidade, inquietação e choro relatada pelos pais, sem motivo aparente e que não conseguem ser prevenidos ou solucionados, tratados ou resolvidos;
→ sem evidência de baixo ganho ponderal, febre ou outro problema de saúde.[6]

Pelo desconhecimento de uma causa para a cólica do lactente, não existe um padrão-ouro para o diagnóstico. Este é puramente clínico. Na avaliação de um lactente com choro persistente e inconsolável, é fundamental realizar uma anamnese detalhada e um exame físico cuidadoso. A cólica do lactente é um diagnóstico de exclusão, sendo feito quando outras causas de choro repetido forem afastadas, entre elas refluxo gastresofágico com esofagite (abordado adiante neste capítulo), alergia à proteína do leite de vaca, intussuscepção intestinal, fissura anal, amamentação ou alimentação por fórmula inadequada, trauma e infecção. Manifestações clínicas diferenciais de maior gravidade devem ser consideradas, como febre, letargia, alimentação débil, fezes com sangue ou vômitos em jato ou biliosos.[7]

Muitos bebês choram porque não conseguem estabelecer uma ligação adequada com sua mãe, fator essencial para sua vida presente e futura. Suspeita-se de algum problema no vínculo mãe-bebê quando a mãe está muito tensa, a gestação não foi programada nem desejada, o parto e o puerpério foram difíceis, ou a amamentação é difícil, em especial nas mães mais ansiosas. Em algumas situações, pode ocorrer a síndrome da criança vulnerável, condição em que a mãe, permanentemente, fica na expectativa de que algo grave pode ocorrer com o seu filho. Essa síndrome ocorre, em geral, em crianças que tiveram (ou nas quais foi suspeitada) doença grave muito cedo, no período neonatal, ou mesmo intraútero.

**Diante de um lactente que chora cíclica e excessivamente, é indispensável uma anamnese detalhada e um exame físico rigoroso.**

Na anamnese, deve-se pesquisar a hora mais frequente do choro, sua duração, situações que o desencadeiam e que trazem alívio, além da história detalhada da gestação, parto, período neonatal e tipo de alimentação. O exame físico deve incluir otoscopia, exame ocular (glaucoma congênito, lesão de córnea), observação de lesões cutâneas, palpação abdominal cuidadosa, e exame dos testículos, da região inguinal (hérnia) e das extremidades (síndrome do torniquete nos dedos). Deve-se ter em mente de que a hipertensão intracraniana também pode ser causa de choro e de irritação no bebê. Se o exame físico for normal e a história e a observação da mãe não sugerem outros problemas, pode-se considerar, presumidamente, que a criança tem cólica. Esse diagnóstico pode ser mudado se a evolução indicar outra possibilidade.

### Tratamento

Por se tratar de um problema comum do lactente pequeno, com etiologia desconhecida e de caráter benigno, o mais importante é ter uma atitude compreensiva e empática com os pais. Contatos frequentes e demonstração de disponibilidade pelo profissional de saúde ajudam os pais a entender que se trata de um problema passageiro e que não há nada de errado com a criança. É importante revisar os hábitos alimentares e de sono bem como os cuidados com a criança.

**As mães das crianças amamentadas devem ser encorajadas e apoiadas a manter a amamentação.**

Em crianças amamentadas, a suspensão de alguns alimentos na dieta materna (como leite de vaca, amendoim, ovo, trigo, soja, nozes/avelãs/castanhas e peixe) pode resultar em diminuição dos períodos de choro.[7] Essa alternativa pode ser experimentada, mesmo que seja controversa.[8] A mãe pode voltar para sua dieta normal quando a criança tiver 3 a 6 meses de vida. O uso de fórmula com proteína hidrolisada em crianças não amamentadas mostrou redução das crises de choro.[7] Fórmulas à base de soja não são indicadas pela possibilidade de alergia.

Medicamentos à base de simeticona (amplamente utilizados e de fácil acesso) ou à base de dicicloverina (contraindicados para crianças com idade < 6 meses) e inibidores da bomba de prótons não se mostraram melhores do que placebo e não devem ser indicados no tratamento da cólica do lactente,[5,7] assim como bromoprida e chás de ervas.[6] O uso de probiótico (*Lactobacillus reuteri* DSM 17938) é uma alternativa de tratamento, mostrando diminuição nos episódios de cólica do lactente.[5,6,9] Está indicado apenas em lactentes amamentados, já que não foram observados os mesmos resultados de melhora em crianças recebendo fórmula.

> Um lactente com cólica provoca muito estresse e sofrimento para os pais – e para os profissionais de saúde. É um diagnóstico de exclusão. O mais importante é assegurar aos pais que se trata de um problema passageiro, em uma criança saudável, que vai diminuir e desaparecer gradualmente ao longo do 1º ano de vida da criança, sem deixar sequelas em médio e longo prazos.[5-7]

# REGURGITAÇÃO E VÔMITOS

Tanto a regurgitação como os vômitos são o retorno, para a boca, de substâncias previamente ingeridas, que estavam no estômago. Na regurgitação, o conteúdo gástrico retorna à boca sem esforço, é de pequena quantidade e nem sempre é eliminado para o exterior, sendo, às vezes, deglutido novamente. Em caso de vômitos, o conteúdo gástrico é eliminado pela boca em grande quantidade e com esforço, havendo contração da musculatura abdominal.

> A criança que regurgita tem aparência saudável e costuma ganhar peso satisfatoriamente. A criança que vomita frequentemente é inquieta ou apática, não ganha peso suficiente e tem aspecto de criança doente.

A regurgitação é considerada normal no lactente. Trata-se de refluxo do conteúdo gástrico para o esôfago e deste para a boca, devido à disfunção do esfíncter esofágico inferior. Essa disfunção desaparece com a idade e com o amadurecimento da criança. Em função disso, a regurgitação não precisa ser investigada ou tratada.

Os vômitos, por sua vez, devem ser investigados quando forem repetidos e associados à presença de bile, ganho de peso insatisfatório ou desnutrição, choro continuado, apatia ou problemas respiratórios repetidos (considerar aspiração para a via aérea). As causas mais comuns de vômitos repetidos no lactente são:
→ **infecções:** pneumonia, otite média, gastrenterite, meningite, infecção urinária, sepse;
→ **mecânicas:** acalasia, estenose hipertrófica de piloro, estenose duodenal, atresia de duodeno;
→ **metabólicas:** erros inatos do metabolismo, insuficiência suprarrenal;
→ **intolerância alimentar:** leite de vaca;
→ **refluxo gastresofágico.**

Após as primeiras mamadas de um recém-nascido, ou mesmo antes delas, os vômitos são comuns e devem-se principalmente à ingestão de grande volume de líquido amniótico, muco e/ou sangue. Em casos de vômitos repetidos e intensos, a lavagem gástrica com soro fisiológico morno é suficiente para resolver essa situação.

Uma radiografia simples de abdome deve ser solicitada sempre que um recém-nascido apresentar vômitos com bile e distensão na parte alta do abdome. A ultrassonografia abdominal, feita por técnico experiente, é o exame mais apropriado para identificar estenose hipertrófica de piloro. Faz-se a radiografia com contraste se os outros exames não forem esclarecedores.

Em caso de vômito agudo, além do tratamento da causa, quando conhecida, recomenda-se soro de reidratação oral assim que possível, após o início dos sintomas, e manutenção da alimentação, incluindo a amamentação, a menos que haja desidratação grave C/D. O soro de reidratação oral é utilizado porque o seu tempo de permanência no estômago é muito pequeno (muito menor do que o do leite) e, mesmo que seja vomitado, parte dele fica retida no organismo. Deve-se dar preferência ao soro de reidratação oral de baixa osmolaridade, pois o soro com osmolaridade convencional está associado à maior ocorrência de vômitos A.

O uso de medicamento antiemético para o controle dos vômitos, em geral, não está indicado. Sua utilização é justificada na presença de um diagnóstico definido, como refluxo gastresofágico. Na doença diarreica, quando houver indicação para medicamento antiemético, deve-se dar preferência à ondansetrona A (ver Capítulo Doença Diarreica).

## Refluxo gastresofágico

> É importante para o clínico estabelecer a diferença entre refluxo gastresofágico (RGE) e doença do refluxo gastresofágico (DRGE). RGE é a passagem do conteúdo gástrico pelo esôfago, com ou sem regurgitação e vômito. É um processo fisiológico que ocorre muitas vezes por dia em uma criança hígida. A DRGE, por outro lado, ocorre quando o conteúdo do RGE causa sintomas desconfortáveis e/ou complicações.[10]

A causa mais importante de RGE é o relaxamento intermitente do tônus do esfíncter esofágico inferior, que pode ser prolongado e não acompanhado de deglutição. Outra causa é o aumento da pressão intra-abdominal. Alterações em mecanismos de proteção fazem o RGE tornar-se DRGE: demora no esvaziamento gástrico, insuficiente remoção e tamponamento do refluido, anormalidades na recuperação e na reposição do epitélio e diminuição dos reflexos protetores neurais do trato aerodigestivo.[10]

A maioria dos episódios de refluxo em crianças saudáveis dura menos de 3 minutos e não chega a causar sintomas significativos.[10] Cerca de 50% das crianças com até 3 meses apresentam episódios diários de regurgitação, que resolvem espontaneamente entre 12 e 14 meses de vida.

As manifestações clínicas da DRGE são, além de vômitos, perda ou ganho de peso insuficiente, disfagia, hematêmese, sibilância, dor abdominal ou subesternal, recusa alimentar, esofagite e problemas respiratórios.

### Avaliação e manejo

A investigação diagnóstica e o manejo das crianças com RGE dependem da intensidade dos sinais e sintomas. As seguintes recomendações estão baseadas nas diretrizes para avaliação e tratamento de RGE em lactentes e crianças da North American Society for Pediatric Gastroenterology, Hepatology & Nutrition (NASPGHAN) e European Society for Paediatric Gastroenterology Hepatology and Nutrition (ESPGHAN):[10]
→ **história e exame físico:** não existe um conjunto de sinais ou sintomas que sejam diagnósticos de DRGE ou que indiquem quais crianças devem ser tratadas. Assim, o principal objetivo da história clínica e do exame físico é excluir outras doenças graves e identificar complicações da DRGE;

→ **lactentes com vômitos recorrentes sem complicações:** se não houver outros problemas além dos vômitos, trata-se apenas de RGE, e não de DRGE. São crianças com aspecto saudável e crescimento normal, chamadas de "vomitadores felizes". A conduta recomendada é expectante, e não há necessidade de investigação ou tratamento. No entanto, se os vômitos piorarem ou persistirem após 12 a 18 meses de idade, a investigação é necessária, às vezes com acompanhamento por especialista. O manejo inclui orientação aos pais e mudança na composição, na frequência e no volume da alimentação;

→ **lactentes com vômitos recorrentes e ganho de peso insuficiente:** mesmo que a história e o exame físico sejam muito semelhantes aos da situação anterior, ganho de peso insuficiente é um sinal de alerta que modifica o manejo clínico. Deve-se obter a história alimentar, que inclui estimativa do que é oferecido e o que é ingerido por dia, estimativa de perdas pela regurgitação, descrição do preparo e horários da oferta de fórmula, adequação da oferta de leite materno e padrões de sucção e deglutição da criança. Se a história fornecer dados que expliquem os sintomas, a criança deve ser acompanhada de perto para observação de ganho de peso. Se a regurgitação persistir com ganho de peso inadequado, devem-se investigar outras causas, como presença de infecção (sobretudo do trato urinário), alergia alimentar, anormalidades anatômicas, problemas neurológicos, doença metabólica, negligência e outras formas de violência. Para crianças não amamentadas, pode-se tentar uma fórmula hidrolisada ou de aminoácidos por 2 a 4 semanas. É necessário acompanhamento cuidadoso e, em alguns casos, hospitalização com alimentação por sonda nasogástrica ou nasojejunal;

→ **lactentes com vômitos recorrentes e irritabilidade:** um bebê típico costuma estar inquieto ou chorar em torno de 2 horas por dia (alguns até 6 horas), o que pode parecer excessivo para alguns pais. Para bebês não amamentados, se, após anamnese detalhada, o choro parecer exagerado, alguns especialistas recomendam tratamento empírico de 2 a 4 semanas com fórmula láctea hipoalergênica ("leite" de soja ou hidrolisado proteico). Com as evidências disponíveis no momento, não se recomenda tratamento empírico com supressores da acidez gástrica em crianças com choro, irritabilidade ou distúrbio do sono. Se não houver melhora, a criança deve ser encaminhada a um especialista para realização de pHmetria e/ou endoscopia esofágica;

→ **lactentes com idade > 18 meses com regurgitação crônica ou vômito:** esses sinais, tanto persistentes desde poucos meses de vida quanto de início recente, são menos comuns em crianças dessa faixa etária. Para essas crianças, recomenda-se investigação para excluir DRGE, por meio de endoscopia alta, pHmetria e esofagograma com bário.

Outros problemas associados à RGE/DRGE incluem:

→ **lactentes com apneia e crises de sufocação:** é comum a presença de vômitos ou regurgitação recorrente em crianças com apneia ou crises de sufocação, mas os estudos não mostram, de forma convincente, relação temporal entre apneia ou bradicardia e acidificação esofágica. Os registros de pHmetria e polissonografia são recomendados para demonstrar essa relação em crianças;

→ **lactentes com asma:** quando houver sinais e sintomas de asma associados a refluxo, o uso de inibidores da bomba de prótons (omeprazol) em casos muito específicos (queimação persistente, asma noturna ou esteroide-dependente e de difícil controle) pode oferecer alguma melhora.

### Métodos diagnósticos

→ **Radiografia de esôfago, estômago e duodeno com bário:** útil para detectar anormalidades anatômicas do trato digestivo alto, como estenose de piloro, má rotação, hérnia de hiato e estenose esofágica. Não deve ser usada para diagnosticar DRGE. Quando comparada com pHmetria esofágica, mostra-se pouco sensível e específica.[10–12]

→ **pHmetria esofágica:** mede o pH do esôfago inferior por meio de um eletrodo transnasal. Suas principais indicações na pesquisa de DRGE são: avaliação de sintomas atípicos ou extradigestivos, resposta ao tratamento clínico em pacientes com esôfago de Barrett ou DRGE de difícil controle. Também pode ser indicada na avaliação pré e pós-operatória.[10–12]

→ **Endoscopia e biópsia esofágica:** a endoscopia permite diagnosticar a presença e a gravidade da esofagite, da estenose e do esôfago de Barrett, além de excluir doença de Crohn, membranas esofágicas e esofagite eosinofílica ou infecciosa. A aparência normal da mucosa esofágica não exclui esofagite, que pode ser detectada no exame histopatológico. Mesmo o exame histopatológico normal não exclui totalmente DRGE, pois alguns pacientes podem apresentar esôfago hipersensível ou DRGE funcional.[11]

→ **Tratamento empírico:** é útil para determinar se o refluxo é a causa de um sintoma específico. Não é indicado como teste diagnóstico de DRGE em lactentes.

### Manejo

O manejo do RGE e da DRGE pode ser dividido em modificações do estilo de vida (alimentação, manejo dietético e posicionamento da criança), tratamento farmacológico e cirurgia.

#### Modificações no estilo de vida

→ **Alimentação:** recomenda-se manter a criança em posição vertical e não balançá-la (p. ex., ao trocar a fralda) após a alimentação, e evitar o uso de roupas apertadas. Essas medidas podem ser instituídas mesmo sem investigação diagnóstica.

→ **Manejo dietético:** não se recomenda interromper o aleitamento materno e substituí-lo por fórmulas lácteas espessas. Pode-se recomendar mamadas mais frequentes com um volume menor.[13] Crianças amamentadas apresentando regurgitação e vômitos excessivos podem beneficiar-se com a retirada do leite de vaca e dos ovos da dieta materna por um período de 2 a 4 semanas. Caso a criança esteja recebendo outros leites, recomenda-se oferecer volumes menores e com mais frequência. O espessamento da fórmula láctea parece ser benéfico, reduzindo a gravidade dos sintomas e os episódios de vômitos, dando maior conforto à criança e à sua família, porém deve ser utilizado com cuidado.[13] O uso de fórmulas denominadas AR (antirregurgitação) está associado à diminuição da percepção da regurgitação, porém o impacto nos sintomas não associados ao refluxo é menos evidente. Essas fórmulas contêm amido de arroz, milho ou outros, que se gelatinizam na presença de ácido gástrico. Seu custo é mais elevado.

→ **Posicionamento da criança:** para os lactentes, a posição recomendada para dormir é em decúbito dorsal (barriga para cima).[11] A posição prona não é recomendada pelo risco aumentado de morte súbita do lactente. Mesmo que as evidências sejam fracas, pode-se recomendar o decúbito lateral esquerdo e a elevação da cabeça em crianças maiores para tratar os sintomas de DRGE.[11]

*Tratamento farmacológico*

O tratamento farmacológico tem como objetivo suprimir a acidez provocada pelo refluxo e, consequentemente, causar diminuição e desaparecimento dos sintomas. Podem ser utilizados os seguintes grupos farmacológicos:

→ **antagonistas dos receptores de histamina 2:** esses fármacos inibem a acidez gástrica pela inibição dos receptores de histamina 2 nas células parietais da mucosa gástrica, promovendo sua cicatrização. A ranitidina é o principal anti-histamínico $H_2$. A dose indicada é de 5 mg/kg/dose, 12/12 horas, ou 3 mg/kg/dose, 8/8 horas.[10,12] Os efeitos colaterais descritos incluem cefaleia, zumbido, fadiga, irritabilidade e sonolência, que podem, muitas vezes, ser interpretados como persistência dos sintomas, resultando em aumento inapropriado da dose;[10]

**Até o momento, não existem evidências que justifiquem o uso de procinéticos (metoclopramida, domperidona, cisaprida e bromoprida) para o tratamento da DRGE em crianças.[11]**

→ **inibidores da bomba de prótons (IBPs):** já existem evidências para indicar o uso de IBPs em crianças com DRGE.[10] São indicados para pacientes com doença mais grave, como esofagite erosiva, estenose péptica ou esôfago de Barrett, e também em crianças que necessitam de um bloqueio maior na secreção ácida.[10-12] No Brasil, ainda não existe apresentação desses medicamentos em pó ou líquida. Estão disponíveis as formulações MUPS (*multi-unit pallet system*) de omeprazol e esomeprazol, que podem ser usadas em qualquer idade e também por sonda. São compostas por um grande número de microesferas que têm proteção entérica individual. A dose de omeprazol é de 0,7 a 4 mg/kg/dia,[10-12] com dose máxima de 80 mg/dia.

*Cirurgia*

O tratamento cirúrgico está indicado apenas para as crianças maiores com sintomas persistentes, após falhas no tratamento clínico.[10,12,13] Além de falha ou dependência prolongada da terapia medicamentosa, outras indicações incluem estenose de esôfago, complicações respiratórias por aspiração frequente e lesão neurológica associada. A cirurgia, porém, não corrige alterações funcionais do esôfago e do estômago. A fundoplicatura de Nissen é a técnica mais usada. Em uma revisão sistemática do resultado da cirurgia para correção de refluxo, um estudo mostrou uma taxa de resolução bastante elevada (86%), com completo alívio dos sintomas.[14]

# MONILÍASE ORAL

É a infecção fúngica mais comum da mucosa oral, causada pelo fungo *Candida albicans*. Popularmente conhecida como "sapinho" ou "bichinho", afeta 2 a 5% dos recém-nascidos.[15] Um estudo realizado na cidade de Rio Grande, no Estado do Rio Grande do Sul (RS), em ambulatório de puericultura de enfermagem, em crianças com idade < 1 ano, encontrou prevalência de 10% de moniliíase oral.[16]

A cândida implanta-se com relativa facilidade no recém-nascido. A infecção é adquirida facilmente na passagem do bebê pela vagina contaminada da mãe. Pode ser também adquirida a partir das mãos contaminadas de outras pessoas, de bicos de mamadeiras e de chupetas. É improvável que a via aérea seja uma fonte de contágio.

As lesões orais caracterizam-se por placas brancas circundadas por halo avermelhado, que acometem língua, mucosa labial, gengivas e, em especial, a mucosa das bochechas. As placas podem ser confundidas com leite coagulado, principalmente o leite materno regurgitado que fica aderido na mucosa bucal. Quando houver dúvidas, deve-se tentar remover a placa com cotonete ou espátula (abaixador de língua). O coágulo desprende-se facilmente e a superfície onde estava aderido é normal. Já a placa moniliásica desprende-se com dificuldade, revelando uma mucosa hiperemiada, às vezes até sangrante.[15]

O diagnóstico é essencialmente clínico, sendo desnecessário realizar exames laboratoriais. Em raras ocasiões, deve ser distinguida da difteria, já que em algumas situações a moniliíase pode envolver a orofaringe. Na difteria, ao contrário da moniliíase, há sinais sistêmicos de doença e adenopatia cervical ou submandibular, e a localização da lesão inicial é na orofaringe.

## Tratamento

Crianças sadias com manifestações leves da doença não necessitam de tratamento, podendo ocorrer cura espontânea.[15]

Mesmo com o surgimento de outros agentes antifúngicos, o tratamento tópico com solução oral de nistatina (apresentação de 100.000 UI/mL) é o mais comum e ainda o mais recomendado devido a sua alta eficácia, baixo custo e menores efeitos colaterais, especialmente em países em desenvolvimento.[17] A dose indicada é 1 a 4 mL, 4 ×/dia, de 10 a 14 dias. Outras opções de tratamento, por ordem decrescente de eficácia, são miconazol gel, suspensão de anfotericina B e violeta de genciana.[15]

A violeta de genciana, por sua ação cáustica na mucosa esofágica, deve ser usada com cuidado, deixando a criança com a cabeça um pouco mais alta do que o corpo e a face dirigida para baixo ou para um dos lados, para evitar que ela degluta o medicamento no momento da aplicação.

**Se a criança estiver sendo amamentada e a mãe apresentar sinais de monilíase mamária, mãe e criança devem ser tratadas simultaneamente (ver Capítulo Aleitamento Materno: Principais Dificuldades e seu Manejo).**

Monilíase oral recorrente ou sem melhora com os tratamentos habituais deve alertar o profissional de saúde para a necessidade de investigação de imunodeficiências primárias e, em especial, vírus da imunodeficiência humana HIV [do inglês, *human immunodeficiency virus*]) por transmissão vertical.

### Prevenção

A monilíase oral do recém-nascido pode ser prevenida tratando-se a vulvovaginite materna durante a gestação. Posteriormente, pode ser prevenida com a limpeza e a fervura de bicos de mamadeiras e chupetas, quando a criança estiver fazendo uso desses acessórios.

Em crianças institucionalizadas, debilitadas ou com deformidades na boca, a monilíase oral pode ocorrer mesmo com bons cuidados higiênicos.

## PROBLEMAS DE PELE

Todo recém-nascido apresenta descamação de pele, sobretudo nas extremidades. É uma descamação transitória, furfurácea, que, em geral, inicia após o 10º dia de vida e resolve em cerca de 2 semanas. É semelhante à descamação apresentada em crianças maiores e indivíduos adultos após queimadura solar. Nos recém-nascidos pós-maturos ou dismaturos, ela é mais precoce e acentuada, podendo atingir todo o corpo.

Não necessita de tratamento, pois desaparece espontaneamente. Distingue-se de afecções cutâneas dessa faixa etária porque a pele subjacente é normal, não há exsudação ou formação de bolhas e o recém-nascido apresenta boas condições gerais.

### Miliária

A miliária ou sudâmina, popularmente conhecida como brotoeja, é uma afecção cutânea comum na criança pequena. Ocorre em cerca de 1 a 5% dos recém-nascidos, podendo chegar a 40% durante os primeiros meses de vida.[18] Deve-se à retenção de suor nas glândulas sudoríparas, ocorrendo com mais frequência em épocas de calor ou quando a criança permanece em ambientes muito aquecidos ou com excesso de roupa.

Podem ser distinguidos dois tipos de miliária: cristalina e rubra. A primeira é mais superficial e se manifesta por microvesículas, sem reação inflamatória. A miliária rubra, por ser devida à retenção mais profunda do suor, ocasionando ruptura da parte epitelial do ducto da glândula sudorípara, apresenta pápulas avermelhadas com reação inflamatória. Ambas ocorrem mais na face, no pescoço e na parte superior do tórax. Ocasionalmente, pode ocorrer maceração da pele e infecção secundária, tanto por bactéria como por monília. O diagnóstico diferencial deve incluir exantema viral, erupções por fármacos, exantema tóxico do recém-nascido e dermatite seborreica.[18]

Em geral, ambas as formas de miliária são autolimitadas e duram poucos dias. A melhora ocorre pela retirada do fator predisponente – roupas em excesso ou muito apertadas, ambiente muito aquecido ou doença febril. O uso de cremes ou pomadas deve ser evitado, pois podem piorar a obstrução das glândulas sudoríparas. No caso de infecção secundária, está indicado o tratamento específico. Banhos com água morna, utilizando sabonetes neutros, retirada de roupas em excesso e um ambiente fresco ajudam a prevenir o surgimento de miliária.

### Dermatite das fraldas

A dermatite das fraldas é uma das lesões de pele mais comuns em lactentes, descrita genericamente como um "eczema de contato", sendo uma causa frequente de consulta médica.[18] A prevalência é alta – 50 a 65% das crianças apresentam dermatite das fraldas, com pico entre os 9 e os 12 meses.[19]

A etiologia da dermatite de fraldas é multifatorial. A pele do recém-nascido, pela sua imaturidade, é mais exposta a alterações de sua barreira protetora ou de absorção. A principal causa da dermatite das fraldas é o contato prolongado com a urina e as fezes, potencializado pela oclusão das fraldas, provocando uma hiper-hidratação do estrato córneo e elevação do pH da pele. A pressão e a fricção das fraldas podem colaborar para macerar ainda mais a pele, potencializando os processos inflamatórios locais. Nessas condições, a pele torna-se suscetível à invasão por agentes infecciosos, comumente *Candida albicans*, e bactérias, como *Staphylococcus aureus*, espécie de estreptococo beta-hemolítico, *Escherichia coli* e espécie de *Bacteroides*.[19]

Atualmente, a melhora na tecnologia e dos materiais de fabricação das fraldas descartáveis e o uso de emolientes de barreira ajudam a proteger a pele frágil e delicada da criança da umidade e de outros fatores irritativos que provocam a dermatite das fraldas.

As afecções mais comuns que contribuem para a dermatite das fraldas são dermatite por irritação primária, infecção secundária por cândida (candidose), dermatite seborreica, dermatite de contato alérgica, dermatite atópica, impetigo bolhoso, psoríase e sífilis congênita.[20]

Outras afecções mais raras em crianças, como acrodermatite enteropática, histiocitose de células de Langerhans e esclerose liquenificada, entre outras, não estão relacionadas diretamente ao uso de fraldas, e devem ser consideradas como diagnóstico diferencial em casos com apresentação menos comum e de difícil manejo.[20,21]

A dermatite por irritação primária ou friccional se apresenta como lesões avermelhadas em áreas de maior contato e atrito com as fraldas, como região interna das coxas, nádegas, abdome e região genital ("dermatite em W"). Na maioria dos casos, as pregas são poupadas. O calor excessivo e a sudorese contribuem para o agravamento da dermatite.

No caso de utilização de fraldas de pano, pode ser causada pelo contato da pele com enzimas proteolíticas e produtos químicos, como sabão em pó e amaciantes de roupas e, às vezes, medicamentos tópicos.

Existem dois subtipos de dermatite irritativa primária da área das fraldas. Um deles é a dermatite de Jaquet, também conhecida como pseudossifilíade de Jacquet ou eritema papuloso sifiloide. Esse tipo de dermatite é incomum e grave, ocorrendo pela persistência e intensidade do agente agressor ou manejo inadequado. Manifesta-se por pápulas firmes e salientes, de coloração violácea, que evoluem para uma fase vesicoerosivoulcerativa, com lesões tipo "cratera de vulcão". Nos meninos, a lesão pode localizar-se no prepúcio, na glande e no meato uretral, podendo causar desconforto e disúria. O outro subtipo caracteriza-se por eritema em faixa, na região de contato da fralda, resultante da fricção constante da borda da fralda, agravada por alternância de umidade e secagem ("dermatite das marés").

A infecção secundária por cândida é um evento muito frequente nas dermatites da região das fraldas. A candidose nas áreas das fraldas produz lesão avermelhada de cor viva, com bordas bem demarcadas, confluentes, e com lesões-satélites adjacentes. Há descamação branca nas bordas. O tratamento é feito com antifúngicos tópicos, como o miconazol creme, o econazol, o clotrimazol, o cetoconazol e outros derivados, que devem ser aplicados na região afetada 2 ×/dia, durante 10 dias. A nistatina também pode ser usada em forma de creme.

A dermatite seborreica na área das fraldas caracteriza-se por lesões avermelhadas gordurosas, com crostas amareladas, predominantemente nas zonas intertriginosas. O envolvimento concomitante do couro cabeludo, da face, do pescoço e das zonas retroauriculares facilita o diagnóstico. Não se recomenda corticoide tópico de rotina, pois pode haver supressão corticossuprarrenal, mesmo com uso moderado. O creme de cetoconazol a 2% é tão efetivo quanto o creme de hidrocortisona a 1% **B**.

A dermatite de contato alérgica caracteriza-se por eritema e descamação leves e, eventualmente, vesículas e pápulas. É incomum em crianças com idade < 2 anos e pode ocorrer após contato da pele com determinados alérgenos (parabenos, lanolina, compostos mercuriais, neomicina e produtos utilizados em fraldas descartáveis).

A dermatite atópica geralmente poupa a área das fraldas. Quando essa região é comprometida, sua apresentação é semelhante à da dermatite por irritação primária. Pode haver infecção secundária, com escoriações e liquenificação das lesões, causando prurido intenso. Essas manifestações, no entanto, ocorrem mais tarde (após os 2 anos de idade).

O impetigo bolhoso é causado pelo *Staphylococcus aureus* tipo II. Esse germe produz uma toxina que provoca a separação das camadas superiores da pele, formando uma lesão vesicopapular ou bolha purulenta, muito friável, que se rompe facilmente, dando um aspecto de "bolha de queimadura", formando erosões. Nesse caso, o uso de antibióticos tópicos, como neomicina, gentamicina ou mupirocina a 2% pode auxiliar no tratamento **B**.

A psoríase é rara em crianças, mas, quando se apresenta no 1º ano de vida, surge primeiramente na área das fraldas. Em grande parte dos casos, não se restringe à área das fraldas, estendendo-se para a região periumbilical. Apresenta-se como lesão bem delimitada, com descamação espessa e em lâminas (micácea). O diagnóstico é clínico e devem-se buscar lesões típicas em outras localizações (cotovelos, joelhos e couro cabeludo). Em casos leves, estão indicados emolientes (lactato de amônia, vaselina, ceramidas ou óleo mineral) e ceratolíticos nas lesões hiperqueratósicas (ácido acetilsalicílico a 3-6%; ureia a 5-20%). Corticoides tópicos de baixa e alta potência (no couro cabeludo, no tronco e nos membros) e de baixa potência (face e dobras) podem ser utilizados por períodos curtos. Coaltar (2-10%) combinado com ácido acetilsalicílico (2-5%) nas lesões hiperqueratósicas é uma opção eficaz e de baixo custo.[22] As crianças com doença mais grave devem ser tratadas por especialistas.

Devido à alta incidência de sífilis, deve-se considerar sífilis congênita nos diagnósticos diferenciais de dermatite na área das fraldas. As lesões dessa doença podem ser observadas desde o nascimento e nos primeiros 3 meses de vida. São lesões na região anogenital, na forma de máculas, pápulas, bolhas e lesões úmidas, semelhantes a verrugas (condiloma plano), associadas a erosões. Também podem surgir lesões nas palmas das mãos e nas plantas dos pés.[20,23]

## Prevenção e tratamento

A principal medida para evitar a forma mais comum da dermatite das fraldas, a dermatite irritativa primária, é remover a oclusão, ou seja, retirar a fralda para manter essa região seca. A retirada da urina e das fezes reduz o seu contato direto com a pele da criança, evita a irritação e a maceração da região das fraldas, preserva a barreira cutânea e ajuda a manter o pH ácido.

Outros aspectos na prevenção devem ser considerados:
→ **troca frequente de fraldas:** deve-se evitar o contato da urina e das fezes com a pele. Fraldas com fezes devem ser trocadas de imediato, tão logo os pais/cuidadores percebam;
→ **uso de fraldas descartáveis superabsorventes:** esse tipo de fralda, pela sua composição, tem um poder de absorção muito mais elevado, porém com efeito oclusivo maior do que o das fraldas de pano, mantendo, assim, o contato da pele com a urina e as fezes. Devem, da mesma forma, ser trocadas com frequência quando molhadas;
→ **uso de fraldas de pano:** por um apelo de conservação do meio ambiente ou até mesmo pelo seu menor custo de manutenção, tem-se tornado uma opção. Sua oclusão da área das fraldas pode ser menor, mas tem menor absorção que as fraldas descartáveis;
→ **controle de infecções:** as infecções mais frequentes devem ser diagnosticadas e tratadas;
→ **higiene diária:** em caso de urina apenas, a higiene com água morna e pano macio ou algodão, sem uso de sabão ou sabonetes, é suficiente. Esses produtos podem até mesmo provocar dermatite de contato. Quando houver presença de fezes, sabonetes neutros são indicados.

Lenços umedecidos são práticos para as saídas de casa, mas possuem diversos produtos na sua composição (álcool, fragrâncias, óleos, essências, sabões e detergentes potencialmente prejudiciais) que podem lesar a barreira cutânea e provocar irritação na pele ou até mesmo dermatite de contato;

→ **uso de preparações tópicas (cremes/pomadas):** em crianças com pele íntegra, não há necessidade do seu uso rotineiro. Cremes de barreira ou pastas mais aderentes à base de óxido de zinco, dióxido de titânio e amido ou cremes com dexpantenol podem ajudar a evitar umidade excessiva e diminuir a permeabilidade da pele. Também podem ajudar a prevenir o contato das fezes com a pele já lesada. Como não são removidos com facilidade, não devem ser retirados totalmente a cada troca para não irritar a pele.

A **TABELA 103.2** apresenta um resumo do tratamento das dermatites da área das fraldas.

## Impetigo

A colonização da pele do recém-nascido após a passagem pelo canal de parto aumenta gradativamente até o 10º dia de vida. A colonização cutânea de crianças nascidas por cesariana ocorre mais tarde.

A pele normal do recém-nascido e do lactente é resistente à invasão pela maioria das bactérias que continuamente entram em contato com a pele. Há três tipos de flora que podem ser encontradas na pele: transitória, residente e patogênica.

A flora transitória é constituída por enorme gama de bactérias provenientes do meio ambiente, que presumivelmente não proliferam e são facilmente removíveis por lavagem e escovação. A flora residente é constituída por número menor de bactérias, que se encontram regularmente na pele de pessoas sadias, não sendo removidas com facilidade. As bactérias da flora patogênica não fazem parte da flora

cutânea comum, instalando-se na pele apenas se houver um contínuo aporte dessas bactérias de uma fonte externa ou interna ou se houver uma ruptura da barreira cutânea por doença ou trauma.

O impetigo é a infecção de pele mais comum em crianças de 2 a 5 anos de idade.[24] É uma infecção primária da pele, bastante contagiosa, que pode envolver qualquer parte da superfície cutânea, sendo mais comum nas superfícies expostas, como face, pescoço, mãos, extremidades inferiores das pernas e, no recém-nascido, na região periumbilical e ao redor das narinas.

**Os principais agentes causadores do impetigo são o *Streptococcus pyogenes* do grupo A e o *S. aureus*. Pode haver uma combinação dos dois e, muito raramente, de bactérias anaeróbias.**

Essas bactérias geralmente colonizam as fossas nasais, axilas, faringe e períneo. Para que ocorra a infecção, causando o impetigo, deve haver ruptura da barreira cutânea da pele, pois esses organismos não invadem a pele íntegra. A porta de entrada pode ser uma picada de inseto, escabiose e traumas, como arranhões ou coçadura. Climas úmidos e quentes, hábitos de higiene inadequados, desnutrição e condições ambientais desfavoráveis também predispõem à maior prevalência dessa infecção de pele.

Existem dois tipos de impetigo: o impetigo não bolhoso (contagioso ou vesicopapular), causado pelo estreptococo beta-hemolítico do grupo A, e o impetigo bolhoso, associado ao estafilococo dourado fago II. O impetigo não bolhoso é o mais comum.

A lesão começa como uma mácula de 1 a 2 mm, eritematosa, que logo progride para vesícula ou bolha de paredes muito delgadas, circundadas por uma estreita aréola eritematosa. As vesículas ou bolhas rompem-se com facilidade, drenando líquido fluido amarelado e com grumos, que, ao ressecar, formam uma crosta cor de mel (crosta melicérica), que é o achado característico da doença. As crostas podem ser removidas com relativa facilidade, deixando uma superfície vermelho-vivo, lisa e úmida, que rapidamente forma nova crosta. O exsudato espalha-se com facilidade por meio das mãos, roupas e toalhas, formando lesões-satélites adjacentes ou mais distantes.

No impetigo bolhoso causado pelo estafilococo, as áreas mais afetadas são a região periumbilical e a face do recém-nascido, por serem as narinas, os olhos e o cordão umbilical os reservatórios naturais da bactéria. Caracteriza-se por bolhas superficiais, que se rompem facilmente, deixando uma superfície semelhante a uma queimadura de cigarro. Febre e adenopatia são incomuns e, quando surgem, sugerem envolvimento sistêmico.

Tanto o impetigo não bolhoso quanto o bolhoso são tratados com cuidados de limpeza das lesões e uso de antibiótico tópico, resolvendo, em geral, em 2 a 3 semanas. As raras complicações incluem celulite, septicemia, osteomielite, artrite séptica, síndrome da pele escaldada e glomerulonefrite difusa aguda pós-estreptocócica.[24]

O tratamento tópico consiste em romper mecanicamente todas as bolhas e vesículas, e remover as crostas com

**TABELA 103.2** → Tratamento da dermatite da área das fraldas

| GRAU DE DERMATITE | TRATAMENTO |
|---|---|
| Leve | → Troca frequente de fraldas<br>→ Limpeza com agentes brandos e água morna<br>→ Cremes de barreira |
| Com eritema intenso | → Corticoide tópico de baixa potência (creme de hidrocortisona a 1%, 2 ×/dia, por 2-3 dias) |
| Com eritema intenso mais pústulas | → Suspeitar de infecção por *Candida*<br>→ Creme antifúngico, com nistatina ou miconazol a 1%, 2 ×/dia, por 7-10 dias |
| Com eritema intenso mais pústulas mais evidência de infecção secundária | → Antibioticoterapia tópica, com neomicina, gentamicina ou mupirocina a 2%, 2 ×/dia, por 7-10 dias |
| Grave e prolongada | → Alcatrões em pomada (controverso) |
| Piora de dermatite prévia | → Considerar outros diagnósticos diferenciais, como dermatite atópica, dermatite seborreica, psoríase da área das fraldas e dermatite de contato, histiocitose X, acrodermatite enteropática |

Fonte: Adaptada de Fernandes e colaboradores [20] e Brasil.[23]

água morna e sabão. Às vezes, é necessário amolecer as crostas mais duras com compressas de água morna, até que seja possível sua remoção. Uma vez retiradas as crostas, as lesões devem ser tratadas com pomada de neomicina, neomicina mais bacitracina, mupirocina ou ácido fusídico, com duração de pelo menos 7 dias.

A aplicação da pomada deve ser repetida no mínimo 2 ×/dia, até a cicatrização completa. É importante também tratar o reservatório das bactérias causadoras do impetigo, lavando e escovando as mãos dos cuidadores, cortando as unhas da criança e tratando a fonte de bactérias – infecção dos olhos, das narinas e do coto umbilical na criança, e infecção estafilocócica (furúnculo, hordéolo, etc.) em pessoa que tenha contato com a criança.

Nas crianças com lesões mais profundas ou com sintomas gerais (febre, recusa alimentar, apatia) e sem melhora após o tratamento tópico, o uso de antibióticos sistêmicos está indicado. Em geral, 7 dias de tratamento são suficientes.

A eritromicina e a penicilina são os fármacos de primeira escolha em locais que ainda não apresentam resistência a essas substâncias. Outras opções incluem amoxicilina + clavulanato, ampicilina + clavulanato ou sulbactam. As cefalosporinas de qualquer geração são uma opção em caso de alergia à penicilina.[24]

Para o impetigo estafilocócico, recomenda-se o uso de antibiótico via oral (eritromicina 50 mg/kg/dia, 6/6 horas, por 10 dias; cefadroxila 40 mg/kg/dia, 12/12 horas ou outras cefalosporinas; e clindamicina 8-12 mg/kg/dia, a cada 6 ou 8 horas), mesmo com eficácia limitada B. No caso de estafilococo resistente à meticilina, sulfametoxazol + trimetoprima (8-10 mg/kg, 12/12 horas, baseado na dose da trimetoprima), clindamicina (10-25 mg/kg/dia, a cada 6 ou 8 horas) ou tetraciclina (doxiciclina 2,2-4,4 mg/kg/dia, 12/12 horas para crianças com idade > 8 anos) podem ser utilizadas, dependendo do resultado da cultura. A eritromicina muitas vezes é ineficaz pela resistência do estafilococo a esse fármaco, e as cefalosporinas e a clindamicina são muito caras. As sulfas não devem ser usadas nos 2 primeiros meses de vida C/D.

As crianças pequenas que apresentam lesões mais profundas ou com sintomas gerais devem ser hospitalizadas para receber antibióticos intravenosos e/ou drenagem cirúrgica.

## Dermatite seborreica

Dermatite seborreica é uma doença causada pelo fungo *Malassezia furfur*. Caracteriza-se por exantema eritematoso oleoso, que atinge as áreas de maior concentração de glândulas sebáceas, ou seja, o couro cabeludo, a face e as áreas retroauriculares, pré-esternal e intertriginosas. Surge entre o 2º e o 10º mês de vida, mais frequentemente entre o 3º e o 4º mês. Embora possa persistir por toda a vida, em geral desaparece entre 8 e 12 meses, só reaparecendo na adolescência, com o início da puberdade.[25]

A lesão, em geral, começa no couro cabeludo, com formação de crostas, e progride para a testa e a face, atingindo, às vezes, todo o corpo. Ocorre mais frequentemente em dobras, é bem circunscrita e com cobertura amarelada. Pode ser diferenciada da dermatite atópica por apresentar lesões sem prurido e ter bom prognóstico, podendo curar espontaneamente no decorrer de vários meses. Além disso, não tem os estigmas da atopia, como rinite, asma e alergias alimentares.

A dermatite seborreica no lactente costuma ser uma doença autolimitada. Por isso, a conduta inicial é apenas expectante, e o clínico deve informar os pais/cuidadores da criança sobre a evolução típica da doença. Entretanto, em algumas crianças com lesões recorrentes e incômodas, levando à preocupação de ordem estética e consultas frequentes, algum tratamento está indicado.

Com base no conhecimento da fisiopatologia da dermatite seborreica, o tratamento consiste no uso de ceratolíticos (xampus; sulfeto de selênio a 1-2,5%; piritionato de zinco a 1-2%; à base de ácido acetilsalicílico a 2-6%, com ou sem enxofre a 2-5%,) para remoção das camadas superficiais, xampu de alcatrão para diminuir a proliferação do estrato córneo, antifúngicos (xampu ou creme de cetoconazol a 1-2%, 2 ×/dia, por 2 semanas) e corticoide tópico não fluorado (creme ou pomada de hidrocortisona a 1%) para diminuir a resposta inflamatória. O corticoide deve ser usado em área limitada e pelo menor tempo possível para reduzir o risco de absorção sistêmica e consequente supressão da suprarrenal.[26]

Outras medidas gerais incluem uso de óleo vegetal (oliva) ou óleo mineral à noite e remoção cuidadosa das crostas pela manhã. O xampu com alcatrão é uma opção de baixo custo para a remoção das crostas.

## Icterícia

Icterícia é a expressão clínica da hiperbilirrubinemia. Ocorre com frequência no período neonatal e acomete recém-nascidos pré-termo e a termo sadios, sendo a principal causa de reinternação hospitalar de um recém-nascido a termo saudável.[27,28] Cerca de 98% dos recém-nascidos apresentam níveis de bilirrubina > 1 mg/dL na 1ª semana de vida, como consequência da adaptação do recém-nascido ao metabolismo da bilirrubina.[29]

A complicação mais grave da hiperbilirrubinemia neonatal é o querníctero, uma forma crônica com sequelas neurológicas permanentes. Devido a programas de monitoramento voltados à prevenção primária criteriosa, a prevalência do querníctero em países desenvolvidos na década de 2000 foi 1 caso a cada 40.000 a 100.000 nascidos vivos.[29]

> **Muitos recém-nascidos desenvolvem icterícia importante após a alta da maternidade. Por isso, os profissionais que atuam na APS devem estar atentos para identificar a icterícia neonatal e avaliar a sua gravidade, para, então, tomar as condutas mais adequadas em cada situação.**

A TABELA 103.3 lista alguns fatores de risco associados à hiperbilirrubinemia importante em recém-nascidos com idade gestacional > 35 semanas.[29]

A presença de icterícia nas primeiras 24 horas de vida ou valores de bilirrubina total > 12 mg/dL, independentemente da idade pós-natal, são sinais de alerta que merecem investigação imediata.

É comum a inspeção do recém-nascido para uma estimativa dos valores de bilirrubina. A progressão da icterícia é no sentido cefalocaudal. A **FIGURA 103.1** fornece as estimativas dos níveis de bilirrubina de acordo com a extensão da icterícia, e a **TABELA 103.4** orienta o profissional de saúde quanto à indicação de encaminhamento da criança para tratamento da icterícia em nível hospitalar (fototerapia ou exsanguinotransfusão).

Como medidas para a prevenção da encefalopatia bilirrubínica em recém-nascidos a termo, cabe ao profissional de saúde da APS:

→ avaliar o risco de o recém-nascido evoluir com níveis elevados de bilirrubina;
→ promover apoio, assistência e supervisão contínua à amamentação;
→ orientar pais e cuidadores para que saibam reconhecer a icterícia;
→ identificar a icterícia e avaliar corretamente sua intensidade;
→ encaminhar a criança para tratamento hospitalar quando indicado.

**TABELA 103.3** → Fatores de risco para o desenvolvimento de hiperbilirrubinemia importante em recém-nascidos com mais de 35 semanas de idade gestacional

→ Icterícia nas primeiras 24 horas de vida
→ Doença hemolítica por Rh, ABO ou antígenos irregulares
→ Idade gestacional de 35 ou 36 semanas, independentemente do peso ao nascer
→ Dificuldade no aleitamento materno exclusivo ou perda de peso > 7% do peso de nascimento
→ Irmão com icterícia tratado com fototerapia
→ Descendência asiática
→ Presença de céfalo-hematoma ou equimoses
→ Deficiência de glicose-6-fosfato-desidrogenase
→ Bilirrubina total na zona de alto risco (> percentil 95) ou intermediária superior (percentis 75-95) antes da alta hospitalar

Fonte: Brasil.[29]

**FIGURA 103.1** → Estimativas dos valores de bilirrubina sérica de acordo com a extensão da icterícia.
BT, bilirrubina total (valores aproximados).
Fonte: Brasil.[1]

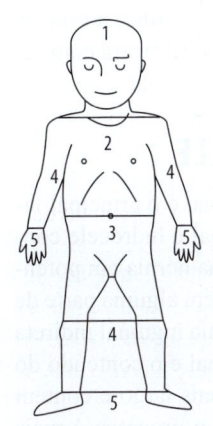

Zona 1: icterícia de cabeça e pescoço (BT ≅ 6 mg/dL)
Zona 2: icterícia até o umbigo (BT ≅ 9 mg/dL)
Zona 3: icterícia até os joelhos (BT ≅ 12 mg/dL)
Zona 4: icterícia até os tornozelos e/ou antebraços (BT ≅ 15 mg/dL)
Zona 5: icterícia até a região plantar e palmar (BT ≅ 18 mg/dL ou mais)

**TABELA 103.4** → Conduta diante de um recém-nascido com icterícia

| IDADE (HORAS) | CONSIDERAR FOTOTERAPIA SE BT | FOTOTERAPIA SE BT | EXSANGUINO-TRANSFUSÃO SE BT |
|---|---|---|---|
| < 24 horas | – | – | – |
| 25-48 horas | ≥ 12 | ≥ 15 | ≥ 20 |
| 49-72 horas | ≥ 15 | ≥ 18 | ≥ 25 |
| > 72 horas | ≥ 17 | | |

BT, bilirrubina total.
Fonte: Brasil.[1]

# PROBLEMAS DO UMBIGO DO RECÉM-NASCIDO

Em geral, o cordão umbilical contém duas artérias e uma veia. Os vasos estão funcionalmente fechados alguns minutos após o nascimento, mas estão anatomicamente pérvios até 10 a 20 dias, sendo, nesse período, uma potencial porta de entrada para bactérias. A presença de uma única artéria no cordão umbilical ocorre com relativa frequência, incidindo em 5 a 10 a cada 1.000 nascimentos e em 35 a 70 a cada 1.000 nascimentos gemelares. Cerca de um terço das crianças com artéria umbilical única tem malformações congênitas, sendo a trissomia do 18 uma das mais frequentes. A queda do coto umbilical costuma ocorrer entre a 1ª e a 2ª semana de vida.

O coto umbilical do recém-nascido pode contaminar-se facilmente, provocando infecção que, muitas vezes, coloca em risco a vida da criança. Por isso, os cuidados com o coto umbilical são de extrema importância, como manipulação em condições assépticas no momento do nascimento e uso de antissépticos químicos locais (ver a seguir) para reduzir a contaminação bacteriana. Em países com recursos limitados, o risco de onfalite é seis vezes maior em crianças nascidas em parto domiciliar quando comparadas com aquelas nascidas em hospital.[30]

A infecção do umbigo ou onfalite é uma infecção potencialmente grave, que exige tratamento hospitalar. O organismo mais prevalente é o *Staphylococcus aureus*. Outros germes encontrados incluem estreptococos dos grupos A e B e bacilos gram-negativos, como *Escherichia coli*, *Klebsiella* e espécie de *Pseudomonas*. Deve-se suspeitar de onfalite em um recém-nascido sempre que houver sinais de inflamação ao redor do umbigo, como edema, hiperemia e calor local, mais sinais sistêmicos de infecção. Existem outras situações raras que devem ser excluídas quando se observa drenagem de alguma secreção pelo coto ou cicatriz umbilical, como ducto onfalomesentérico patente, cisto onfalomesentérico ou cisto de úraco patente.

Em relação aos cuidados do coto umbilical, recomenda-se limpeza com água e sabão, buscando manter, após isso, o coto sempre seco. As maternidades brasileiras utilizam comumente solução de álcool etílico a 70% ou clorexidina em concentrações de 0,5 a 4%. Ambas possuem a mesma eficácia na redução de risco de infecção. Em recém-nascidos pré-termo, recomenda-se o uso de soro fisiológico.[31]

Outras medidas para diminuir o risco de infecção do coto umbilical incluem higiene das mãos de quem vai manipular o coto ou trocar as fraldas, colocação de uma gaze limpa para cobrir o coto e troca frequente de fraldas depois da micção ou evacuação.

Caso o coto não se desprenda completamente, pode haver a formação de um granuloma umbilical, que pode ser tratado com aplicação de bastão de nitrato de prata. Outra medida eficaz, prática e de baixo custo é a aplicação de uma pequena porção de sal de cozinha apenas sobre o granuloma, mantendo um curativo oclusivo com fita microporosa (Micropore®) por 24 horas.[32]

**Desaconselha-se a utilização de outros produtos ou substâncias sobre o coto umbilical.**

A hérnia umbilical é um achado frequente no lactente. Geralmente está ausente ao nascer, e aparece somente entre o 1º e o 2º meses de vida. Costuma aumentar de tamanho antes de desaparecer espontaneamente, por volta do 4º mês. Ela é mais frequente em indivíduos da etnia negra e pode fazer parte do quadro clínico do hipotireoidismo congênito e de outras síndromes congênitas. Como não há risco de complicações, a cirurgia corretiva só é feita após o 3º ou 4º ano de vida, por motivos puramente estéticos. O uso de cintos, faixas, moedas e botões não têm nenhuma indicação, já que não modificam a evolução natural da hérnia.

## DISPLASIA DO DESENVOLVIMENTO DO QUADRIL

A displasia do desenvolvimento do quadril é condição de amplo espectro, variando desde displasia simples do acetábulo, displasia acetabular com subluxação, até completo deslocamento da articulação coxofemoral, em que a cabeça do fêmur não tem contato com o acetábulo.[23,33]

É de herança poligênica e seus fatores predisponentes são sexo feminino (80% dos casos), história familiar, apresentação pélvica e oligodramnia. Em crianças com apresentação pélvica, o risco de displasia de quadril é 17 vezes maior para parto vaginal e sete vezes maior para parto por cesariana. O quadril esquerdo é mais afetado, e 20% dos casos são bilaterais. Outras condições que diminuem o espaço intrauterino e limitam a movimentação incluem bebês grandes para a idade gestacional e primeira gestação. É mais comum também em crianças com doenças neuromusculares como a artrogripose e a mielomeningocele e está presente em 20% das crianças com torcicolo congênito.

Todos os recém-nascidos devem ser examinados nas primeiras 24 horas de vida para triagem clínica de displasia do desenvolvimento do quadril. Esse exame deve ser repetido antes da alta hospitalar, com 6 semanas de vida, entre 6 e 9 meses e próximo da idade de caminhar (11-12 meses).[33]

A pesquisa de displasia do desenvolvimento do quadril é feita clinicamente mediante as manobras de Barlow e de Ortolani.

No teste de Barlow, o quadril é aduzido e fletido a 90°; o examinador segura a coxa distal e empurra posteriormente na articulação do quadril. O teste é positivo se a cabeça do fêmur for percebida posteriormente ao deslocar-se.

No teste de Ortolani, o examinador deve segurar a coxa do bebê entre seus dedos polegar e indicador, e com o 4º e o 5º dedos, ergue o grande trocânter do fêmur, ao mesmo tempo em que abduz o quadril (cada articulação deve ser examinada individualmente). Na presença de teste positivo, o examinador sente um pequeno "estalido" (não audível) devido ao escorregamento da cabeça do fêmur para fora do acetábulo. Esse sinal não está presente em todas as crianças com essa displasia e só tem validade nos primeiros meses de vida.

**Como essa condição pode manifestar-se mais tardiamente, é importante repetir o exame ao longo do 1º ano de vida.**

Na suspeita de displasia do desenvolvimento do quadril, está indicado o estudo de imagem. A ultrassonografia (US) é o método de escolha do nascimento até a idade de 4 a 5 meses, quando o quadril é mais cartilaginoso, podendo ser utilizada no acompanhamento da criança e na identificação precoce de falhas no tratamento. Em crianças a partir dos 6 meses, nas quais a epífise proximal do fêmur já está ossificada, a radiografia apresenta menor custo, maior efetividade e menor erro de interpretação. Em caso de confirmação do diagnóstico, é necessário o encaminhamento para ortopedista.

O tratamento deve ser iniciado precocemente, se possível antes da alta hospitalar. O objetivo do tratamento é manter a cabeça do fêmur bem localizada e centrada no acetábulo, a fim de proporcionar condições favoráveis para o seu desenvolvimento normal. Isso é obtido com o uso de órteses, sendo o suspensório de Pavlik ainda o mais utilizado mundialmente. O tratamento dura de 2 a 3 meses e o prognóstico é muito bom. Cabe ressaltar que, quanto mais cedo for feito o diagnóstico e iniciado o tratamento, melhores serão os resultados.

**É importante ressaltar que o tratamento com uso de várias fraldas para forçar a abdução do quadril é contraindicado e ineficaz.**

Se não tratada, ou se o tratamento for tardio, a criança com displasia do desenvolvimento do quadril ficará com sequelas, limitando a sua capacidade de deambular.

## HÉRNIA INGUINAL E HIDROCELE

A persistência do conduto peritoneovaginal é o principal fator de desenvolvimento da hérnia inguinal e hidrocele congênitas. O processo vaginal patente é uma hérnia em potencial, que se torna verdadeira quando contém alguma parte de víscera abdominal. A diferença entre hérnia inguinal indireta e hidrocele é o calibre do processo vaginal e o conteúdo do saco. Na hérnia, o processo vaginal é mais largo e contém estrutura intra-abdominal; na hidrocele, o processo é mais estreito e contém apenas fluido peritoneal.[34,35]

A incidência varia de 1 a 5%, sendo mais comum em meninos, na proporção de 4 a 8:1. Crianças pré-termo têm risco aumentado: 2% nas meninas e 7 a 30% nos meninos.

Cerca de 60% ocorrem do lado direito, 30% do lado esquerdo e 10% são bilaterais.[34,36] A história familiar de hérnia está presente em 11,5% dos recém-nascidos. Por outro lado, a hérnia inguinal direta, causada por defeito da parede posterior da região inguinal, é mais comum em adultos e tem prevalência de 0,5% na criança.[34]

Os fatores predisponentes ou associados são tonicidade da musculatura da região inguinal diminuída (crianças nascidas pré-termo, desnutridos, doenças musculares), defeito no metabolismo dos mucopolissacarídeos (síndrome de Hurler-Hunter), doenças do tecido conectivo (síndrome de Ehlers-Danlos), defeitos pélvicos congênitos (extrofia vesical e cloaca), displasia do desenvolvimento do quadril, anomalias congênitas da parede abdominal (onfalocele e gastrosquise), aumento da pressão abdominal (ascite, massas abdominais), derivação ventriculoperitoneal, diálise peritoneal, criptorquia, diâmetro aumentado da porção proximal do processo vaginal e fibrose cística.[34,36]

## Hérnia inguinal

Manifesta-se por aumento do volume da região inguinal ou inguinoescrotal relacionado com o esforço físico. Pode ser uni ou bilateral. Costuma ser assintomática até que haja encarceramento.[34]

O exame físico inclui inspeção e palpação da região inguinoescrotal na tentativa de observar abaulamento, massa ou nódulo palpável. Nas crianças maiores, pode-se solicitar que façam a manobra de Valsalva. Pode-se pesquisar o sinal da seda ou de Gross, que compreende a palpação do cordão espermático com o dedo indicador em movimentos laterais para palpar o espessamento do cordão e a sensação de seda pelo deslizamento, uma sobre a outra, das paredes do saco.[34,36]

Se houver dúvida, deve-se reavaliar a criança e, se necessário, solicitar US de região inguinoescrotal.[34]

Hérnia inguinal encarcerada ocorre quando o conteúdo do saco não pode, apenas com manobras especiais, ser reintroduzido para a cavidade abdominal. O encarceramento ocorre em 17% das hérnias do lado direito e em 7% das hérnias do lado esquerdo, sendo mais comum em meninas (17%) e em criança pré-termo (o dobro do risco). A maioria dos encarceramentos ocorre no 1º ano de vida (70%): 30% nos primeiros 3 meses de vida, 25% entre 3 e 6 meses e 15% entre 6 e 12 meses.[34-36]

Na hérnia inguinal estrangulada, o conteúdo não pode ser reintroduzido na cavidade abdominal e ocorre comprometimento da irrigação sanguínea, que pode evoluir para necrose. Diferentemente do que ocorre em adultos, a hérnia inguinal encarcerada em crianças evolui rápido para hérnia estrangulada com infarto, gangrena e perfuração do intestino e, ainda, isquemia com infarto do testículo nos meninos, e ovário, tuba uterina e, em alguns casos, útero nas meninas.[34-36]

> **A hérnia inguinal não melhora espontaneamente. A cirurgia deve ser indicada no momento do diagnóstico, devido ao grande risco de encarceramento, sobretudo durante os primeiros meses de vida.**

Nos meninos com testículos retidos ou retráteis, associados à hérnia, é feita a orquidopexia concomitante à correção da hérnia inguinal.[34,36]

## Hidrocele

As hidroceles são muito comuns em recém-nascidos e, com frequência, bilaterais. Podem ser categorizadas em comunicantes e não comunicantes. A hidrocele não comunicante é congênita, está presente desde o nascimento e é autolimitada. Não apresenta variação de volume durante o dia e geralmente absorve no 1º ano de vida. Na hidrocele que persiste após o 1º ano de idade, deve-se suspeitar de comunicação e, se confirmado, tem indicação de cirurgia. A incidência de hidrocele não comunicante em meninos após 1 ano de idade é menor que 1%.[34,36,37]

A hidrocele comunicante pode ser congênita ou aparecer posteriormente. Geralmente, ocorre variação do volume escrotal durante o dia. Ao acordar, o escroto está menor, com pouco líquido escrotal e, ao final do dia, o volume escrotal é maior. O diagnóstico é realizado com a transiluminação escrotal.

> **Quando se consegue esvaziar o conteúdo líquido da hidrocele com delicada compressão do escroto, estabelecendo a comunicação do saco escrotal com a cavidade peritoneal, o tratamento é o mesmo da hérnia inguinal, ou seja, cirurgia após o diagnóstico.[34,36,37]**

O cisto ou hidrocele de cordão também tem comunicação com a cavidade peritoneal, com indicação de cirurgia logo após o diagnóstico. Na hidrocele muito volumosa, que pode causar desconforto, é controversa a indicação cirúrgica. Na menina, pode ocorrer hidrocele ou cisto de Nuck, havendo indicação de cirurgia logo após o diagnóstico.[34-36]

## TESTÍCULO RETIDO

Criptorquia significa testículo escondido e é a anomalia do desenvolvimento sexual mais frequente nos meninos.[34,37,38] Os testículos retidos palpáveis podem subdividir-se em testículos criptorquídicos, ectópicos, ascendentes, retráteis e iatrogênicos.

São criptorquídicos os que permanecem em algum lugar do trajeto habitual da descida testicular. Os ectópicos deixam o trajeto habitual da descida testicular, podendo ser encontrados na região inguinal, no períneo, no canal femoral, na área penopúbica ou até mesmo no hemiescroto contralateral. Os ascendentes são testículos que já estavam posicionados no escroto e posteriormente migraram para o canal inguinal, sugerindo que, nesses testículos, a criptorquia seja uma condição adquirida, resultado de um relativo encurtamento progressivo das estruturas do cordão espermático (essa condição tem causado confusão com os testículos retráteis). Por fim, os retráteis são os que desceram ao escroto, mas que retraem intermitentemente para o canal inguinal como resultado da contração do músculo cremaster. Essa função do músculo regula a temperatura dos testículos e protege contra trauma extrínseco. A retração ocorre como resultado de baixa temperatura ou estimulação do ramo cutâneo do nervo genitofemoral. Esse reflexo contrátil está diminuído ou ausente no recém-nascido. Após os 10 anos de idade, o reflexo torna-se menos pronunciado devido aos níveis aumentados de andrógenos no início da puberdade.[34,37,38]

As crianças com testículos retráteis devem ser acompanhadas a cada 6 meses ou anualmente até a adolescência, pois alguns estudos demonstram que os testículos retráteis podem ascender (testículos ascendentes) para o canal inguinal e resultar no diagnóstico tardio de criptorquia. Na presença de hérnia inguinal, os testículos retráteis devem ser fixados no escroto (orquidopexia), pois a cicatrização da hérnia pode deixar o testículo fixado na região inguinal (criptorquia iatrogênica).[36-38]

A falha da descida testicular pelo canal inguinal durante o 3º trimestre da gestação pode estar relacionada à insuficiência dos hormônios gonadotrópicos, à falha da resposta testicular ao estímulo hormonal materno, à inadequada tração do gubernáculo ou a outros fatores.[34,37-39] Algumas correlações indiretas com a criptorquia foram encontradas na exposição materna a desreguladores endócrinos, como antiandrogênicos, ou efeitos estrogênicos de componentes químicos de pesticidas, dietilestilbestrol, fixadores e tintura de cabelos ftalatos.[34,37] Outros fatores de risco sugeridos para a criptorquia são: idade avançada, obesidade e diabetes maternas; nascimento pré-termo; baixo peso ao nascer ou pequeno para idade gestacional, devido à restrição de crescimento intrauterino; apresentação pélvica; uso de paracetamol, consumo de bebidas contendo cola e tabagismo durante a gravidez; e história familiar de criptorquia (15%).[34,37]

Embora, em geral, os testículos sigam o curso para o escroto, ocasionalmente podem ficar retidos no espaço retroperitoneal ou intra-abdominal, no canal inguinal ou, então, seguir para localização ectópica – perineal, suprapúbica ou femoral.

Em um terço dos recém-nascidos com testículos retidos, a condição é bilateral. Quando unilateral, o lado direito é mais comum (70%) do que o esquerdo. O testículo retido tem sido encontrado no canal inguinal (72%), na região pré-escrotal (20%) e na região intra-abdominal (8%). Aplasia ou anorquia têm sido observadas em 2,6%.[34,37,38]

A incidência de testículos retidos em recém-nascidos pré-termo varia de 9,2 a 30% e nos recém-nascidos a termo, de 3,4 a 5,8%. Após 1 ano de idade, a condição permanece em 0,8% e 1,8%, respectivamente, mantendo-se até a puberdade.[34,37]

> A descida espontânea dos testículos costuma ocorrer até os 3 meses nos recém-nascidos a termo e até os 6 meses nos pré-termo.[34,37-39]

O testículo na bolsa escrotal apresenta temperatura de 33 °C e, quando retido, fica exposto à temperatura mais elevada, o que desencadeia a degeneração do testículo. Com o aumento da idade, o testículo retido exposto a temperaturas elevadas – 37 °C na cavidade abdominal e 34 a 35 °C na região inguinal – desenvolve progressiva fibrose intersticial e apresenta pouco desenvolvimento tubular e redução de seu volume.[34] A espermatogênese diminui devido à atrofia dos túbulos seminíferos, ao desenvolvimento da fibrose intersticial e à expansão do tecido conectivo causadas pela diminuição da vascularização.[38]

A lesão histológica dos testículos retidos inicia a partir dos 6 meses de idade e é irreversível. A partir dos 2 anos, já se identificam alterações histológicas nesses testículos, que se intensificam com o aumento da idade; os testículos com localização mais alta (intra-abdominais) são os mais afetados.[34,37,39] Os testículos intra-abdominais são histologicamente normais até os 6 meses, mas apresentam atrofia tubular grave aos 2 anos.[34,37] As células de Sertoli também mostram lesão a partir do 1º ano de vida. Um terço dos testículos criptorquídicos tem anomalias do epidídimo, aumentando o potencial de infertilidade por obstrução. A lesão tubular se correlaciona diretamente com parâmetros de fertilidade e inversamente com a idade da orquidopexia.[34,37,39]

A videolaparoscopia é o padrão-ouro para o diagnóstico do testículo impalpável e tem sido usada para identificar a posição do testículo intra-abdominal e excluir atrofia secundária. Esse exame, além de permitir o diagnóstico, possibilita a orquidopexia videolaparoscópica estagiada ou em um só tempo, que deve ser realizada precocemente, a partir dos 4 ou 6 meses de vida.[34,37-39]

Os neonatos que apresentam criptorquia uni ou bilateral associada a hipospadia ou micropênis devem ser avaliados com cariótipo e perfil hormonal por equipe multidisciplinar e são inicialmente considerados como portadores de anomalia da diferenciação sexual.[34,37,38]

Nos testículos criptorquídicos, o risco de transformação maligna é maior (5-10 vezes) do que nos eutópicos.[37] Há controvérsias sobre se a cirurgia modifica o risco de malignização. Sabe-se que o diagnóstico precoce de tumor de testículo pela palpação é facilitado se o testículo está fixado na bolsa escrotal. Estudos recentes sugerem que a orquidopexia precoce, em torno dos 6 meses de idade, reduziria a possibilidade de tumor.[34,38]

## Tratamento

O tratamento indicado é a cirurgia, com liberação e fixação do testículo na bolsa escrotal (orquidopexia). A cirurgia é ambulatorial com anestesia geral.[34]

Nos últimos anos, tem-se discutido muito sobre qual é o melhor momento em relação à idade das crianças para indicar a cirurgia para o tratamento dos testículos criptorquídicos. Vários relatos apontam para indicação de cirurgia mais precoce, oferecendo maior benefício para os lactentes.[34,37-39]

Os testículos podem descer ao escroto sem nenhum tratamento até os 3 meses de idade.

O testículo criptorquídico fica exposto à temperatura mais elevada, podendo sofrer degeneração. Após os 6 meses de idade, pode ocorrer fibrose intersticial progressiva, redução do desenvolvimento tubular e diminuição do volume testicular. A espermatogênese fica prejudicada devido à atrofia dos túbulos seminíferos, perda de células germinativas, células de Sertoli e células de Leydig. Também ocorre alteração dos níveis plasmáticos de gonadotrofina coriônica humana, testosterona, hormônio luteinizante plasmático, substância inibidora mülleriana, hormônio folículo-estimulante e inibina B.[34,37-39]

A degeneração maligna também está aumentada nos testículos criptorquídicos. Quando se encontram dentro do abdome e não são operados, esse risco é ainda maior para tumores mais agressivos (seminomas). Os testículos pós-orquidopexia desenvolvem tumores de células germinativas não seminomatosos – carcinoma *in situ*, teratocarcinoma e carcinoma embrionário.

**Devido à possibilidade de degeneração após os 6 meses de idade e à maior chance de tumor em testículos criptorquídicos, sugere-se indicação cirúrgica aos 6 meses.**[34,37-39]

A orquidopexia para o testículo intra-abdominal deve ser realizada precocemente, no intervalo entre 3 e 6 meses de vida,[34,37,38] quando a possibilidade de cirurgia em um tempo e sem a ligadura dos vasos espermáticos é maior. Quando os vasos espermáticos são curtos e ligados para o testículo atingir o escroto, há redução das células germinativas, o que pode comprometer a fertilidade futura.[34]

Os principais argumentos em favor da orquidopexia precoce são:

→ aumentar o potencial de fertilidade;
→ reduzir a possibilidade de torção;
→ efetuar concomitante reparo da hérnia inguinal;
→ prevenir trauma ou dor;
→ reduzir possibilidade de tumor ou proporcionar a palpação mais fácil do testículo e, assim, diagnóstico mais precoce de tumor;
→ prevenir efeito psicológico e estético ocasionado pela bolsa escrotal vazia.[34,37]

## FIMOSE E PARAFIMOSE

Fimose é a presença de um anel prepucial que impede ou dificulta a exposição da glande.[37,40,41] Ela pode ser congênita, com anel prepucial alongado e aderido à glande, ou adquirida, secundária a processos infecciosos de repetição – balanopostites, balanite xerótica obliterante – ou por retração forçada do prepúcio com formação de fissuras que posteriormente desenvolvem fibrose prepucial.[37,40] A fimose adquirida pode estar relacionada aos cuidados dos meninos nos primeiros anos de vida.[40] Os fatores frequentemente implicados na fimose adquirida são dermatites amoniacais das fraldas e higiene inadequada da genitália, que ocasionam balanopostites de repetição, reação inflamatória, fibrose e cicatrizes.[37,40] Outro fator relacionado é a "massagem" no pênis.[37,40] Alguns pais, preocupados com a aderência balanoprepucial, fazem "massagem" no pênis, forçando a pele e ocasionando pequenos traumatismos, fissuras, sangramentos, fibrose e parafimose.[37,40] A fibrose e as cicatrizes retraem a pele e tornam o anel prepucial mais estreito, menos elástico, o que dificulta a retração do prepúcio, podendo levar à fimose adquirida ou iatrogênica.[37,40,41]

**Assim, não é recomendado fazer "exercícios" ou "massagens" no pênis, nem a retração forçada para abrir o prepúcio, pois são desnecessárias, dolorosas e psicologicamente traumáticas.**[37,40]

**A maioria dos meninos nasce com fimose (96%); ela é considerada fisiológica até os 5 anos de idade. Somente a partir dessa idade é que está indicada a correção cirúrgica.**[37,40]

O descolamento fisiológico do prepúcio ocorre em 25% dos meninos aos 6 meses, 50% com 1 ano, 80% aos 2 anos, 90% aos 4 anos e 94% aos 5 anos. Apenas 6% dos meninos permanecem com fimose após os 5 anos de idade.

A indicação cirúrgica da fimose só é indicada em crianças com idade > 5 anos, ou em qualquer idade quando coexistir balanite xerótica obliterante, balanopostite de repetição, infecção urinária de repetição e parafimose.

Algumas malformações do pênis podem ser confundidas com fimose e fazem parte do diagnóstico diferencial. As mais comuns são hipospadia, pênis curvo, aderência balanoprepucial, pênis embutido, prepúcio redundante e micropênis.[37,40,41]

Em pacientes com orifício prepucial fechado, tipo puntiforme, dificuldade na micção, esforço e formação de balão prepucial, balanopostite ou aderência balanoprepucial, que dificulta a higiene, após os 5 anos de idade pode-se utilizar creme de corticoide, 2 a 3 ×/dia, por 4 a 8 semanas, e reavaliar o descolamento prepucial.[37,40,41] É importante fazer a higiene do pênis durante e após o descolamento fisiológico do prepúcio para evitar balanopostite e, consequentemente, aderência e fibrose prepucial.[37,40]

**A partir dos 5 anos, os meninos podem ser orientados a expor a glande durante as micções, com a finalidade de evitar o resíduo de urina no espaço prepucial e a balanopostite.**[40]

A parafimose é definida como a incapacidade de fazer o prepúcio voltar a recobrir a glande do pênis quando completamente retraído e está relacionada com a presença de anel prepucial apertado ou após retração forçada do prepúcio. Nos casos prolongados de parafimose, há dificuldade do retorno venoso e linfático, o que pode ocasionar edema importante e comprometer o fluxo sanguíneo da glande. Assim, a parafimose deve ser considerada uma emergência médica, e a criança deve ser imediatamente encaminhada para correção do problema.[37,40,41]

O tratamento da parafimose, na maioria das vezes, é a redução manual com anestésico tópico. Quando a redução manual não é possível, está indicada a redução cirúrgica com incisão dorsal do prepúcio e postoplastia ou postectomia.[37,40,41]

## REFERÊNCIAS

1. Brasil. Ministério da Saúde. Organização Pan-Americana da Saúde. Quadro de procedimentos: AIDPI neonatal. 5. ed. Brasília: Ministério da Saúde; 2014.
2. Turco R, Miele E, Russo M, Mastroianni R, Lavorgna A, Paludetto R, et al. Early-life factors associated with pediatric functional constipation. J Pediatr Gastroenterol Nutr. 2014;58(3):307–12.
3. Tabbers MM, DiLorenzo C, Berger MY, Faure C, Langendam MW, Nurko S, et al. Evaluation and treatment of functional constipation in infants and children: evidence-based recommendations

3. from ESPGHAN and NASPGHAN. J Pediatr Gastroenterol Nutr. 2014;58(2):258–74.

4. Nurko S, Zimmerman LA. Evaluation and treatment of constipation in children and adolescents. Am Fam Physician. 2014;90(2):82–90.

5. Johnson JD, Cocker K, Chang E. Infantile colic: recognition and tratment. Am Fam Physician. 2015;92(7):577–82.

6. Daelemans S, Peeters L, Hauser B, Vandenplas Y. Recent advances in understanding and managing infantile colic. F1000Research. 2018;7(F1000 Faculty Rev):1426.

7. Pace CA. Infantile Colic: What to know for the primary care setting. Clin Pediatr. 2017;56(7):616–8.

8. Gordon M, Biagioli E, Sorrenti M, Lingua C, Moja L, Banks SS, et al. Dietary modifications for infantile colic. Cochrane Database Syst Rev. 2018;10:CD011029.

9. Sung V, D'Amico F, Cabana MD, Chau K, Koren G, Savino F, et al. Lactobacillus reuteri to treat infant colic: a meta-analysis. Pediatrics. 2018;141(1):e20171811.

10. Vandenplas Y, Rudolph CD, Di Lorenzo C, Hassall E, Liptak G, Mazur L, et al. Pediatric gastroesophageal reflux clinical practice guidelines: joint recommendations of the North American Society for Pediatric Gastroenterology, Hepatology, and Nutrition (NASPGHAN) and the European Society for Pediatric Gastroenterology, Hepatology, and Nutrition (ESPGHAN). J Pediatr Gastroenterol Nutr. 2009;49(4):498–547.

11. Rosen R, Vandenplas Y, Singendonk M, Cabana M, Di Lorenzo C, Gottrand F, et al. Pediatric Gastroesophageal Reflux Clinical Practice Guidelines: Joint Recommendations of the North American Society for Pediatric Gastroenterology, Hepatology, and Nutrition (NASPGHAN) and the European Society for Pediatric Gastroenterology, Hepatology, and Nutrition (ESPGHAN). J Pediatr Gastroenterol Nutr. 2018;66(3):516–54.

12. Davies I, Burman-Roy S, Murphy MS, Guideline Development Group. Gastro-oesophageal reflux disease in children: NICE guidance. BMJ. 2015;350:g7703.

13. Papachrisanthou MM, Davis RL. Clinical practice guidelines for the management of gastroesophageal reflux and gastroesophageal reflux disease: birth to 1 year of age. J Pediatr Health Care Off Publ Natl Assoc Pediatr Nurse Assoc Pract. 2015;29(6):558–64.

14. Mauritz FA, van Herwaarden-Lindeboom MYA, Stomp W, Zwaveling S, Fischer K, Houwen RHJ, et al. The effects and efficacy of antireflux surgery in children with gastroesophageal reflux disease: a systematic review. J Gastrointest Surg Off J Soc Surg Aliment Tract. 2011;15(10):1872–8.

15. Loo M. Integrative medicine for children. St Louis: Saunders; 2008.

16. Gauterio DP, Irala D de A, Cezar-Vaz MR. Puericultura em enfermagem: perfil e principais problemas encontrados em crianças menores de um ano. Rev Bras Enferm. 2012;65(3):508–13.

17. Lyu X, Zhao C, Yan Z-M, Hua H. Efficacy of nystatin for the treatment of oral candidiasis: a systematic review and meta-analysis. Drug Des Devel Ther. 2016;10:1161–71.

18. Chadha A, Jahnke M. Common neonatal rashes. Pediatr Ann. 2019;48(1):e16–22.

19. Blume-Peytavi U, Kanti V. Prevention and treatment of diaper dermatitis. Pediatr Dermatol. 2018;35(Suppl 1):s19–23.

20. Fernandes JD, Machado MCR, Oliveira ZNP de. Quadro clínico e tratamento da dermatite da área das fraldas: parte II. An Bras Dermatol. 2009;84(1):47–54.

21. Fölster-Holst R. Differential diagnoses of diaper dermatitis. Pediatr Dermatol. 2018;35(S1):s10–8.

22. Romiti R, Maragno L, Arnone M, Takahashi MDF. Psoríase na infância e na adolescência. An Bras Dermatol. 2009;84(1):09–20.

23. Brasil. Ministério da Saúde. Atenção à saúde do recém-nascido: guia para os profissionais de saúde: problemas respiratórios, cardiocirculatórios, metabólicos, neurológicos, ortopédicos e dermatológicos [Internet]. 2. ed. Brasília: Ministério da Saúde; 2014 [capturado em 4 out. 2020]. v. 3. Disponível em: http://bvsms.saude.gov.br/bvs/publicacoes/atencao_saude_recem_nascido_v3.pdf.

24. Hartman-Adams H, Banvard C, Juckett G. Impetigo: diagnosis and treatment. Am Fam Physician. 2014;90(4):229–35.

25. Clark GW, Pope SM, Jaboori KA. Diagnosis and treatment of seborrheic dermatitis. Am Fam Physician. 2015;91(3):185–90.

26. Sampaio ALSB, Mameri ÂCA, Vargas TJ de S, Ramos-e-Silva M, Nunes AP, Carneiro SC da S. Dermatite seborreica. An Bras Dermatol. 2011;86(6):1061–74.

27. Mitra S, Rennie J. Neonatal jaundice: aetiology, diagnosis and treatment. Br J Hosp Med Lond Engl 2005. 2017;78(12):699–704.

28. Sánchez-Redondo Sánchez-Gabriel MD, Leante Castellanos JL, Benavente Fernández I, Pérez Muñuzuri A, Rite Gracia S, Ruiz Campillo CW, et al. Recomendaciones para la prevención, la detección y el manejo de la hiperbilirrubinemia en los recién nacidos con 35 o más semanas de edad gestacional. An Pediatría. 2017;87(5):294.e1-294.e8.

29. Brasil. Ministério da Saúde. Atenção à saúde do recém-nascido: guia para os profissionais de saúde: intervenções comuns, icterícia e infecções [Internet]. 2. ed. Brasília: Ministério da Saúde; 2014 [capturado em 4 out. 2020]. v. 2. Disponível em: https://bvsms.saude.gov.br/bvs/publicacoes/atencao_saude_recem_nascido_v2.pdf.

30. Stewart D, Benitz W, Committee on Fetus And Newborn. Umbilical cord care in the newborn infant. Pediatrics. 2016;138(3):20162149.

31. Carvalho VO de, Markus JR, Abagge KT, Giraldi S, Campos TB. Consenso de cuidado com a pele do recém-nascido [Internet]. São Paulo: SBP; 2015 [capturado em 4 out. 2020]. Disponível em: https://www.sbp.com.br/publicacoes/publicacao/pid/consenso-de-cuidado-com-a-pele-do-recem-nascido/.

32. Bagadia J, Jaiswal S, Bhalala KB, Poojary S. Pinch of salt: a modified technique to treat umbilical granuloma. Pediatr Dermatol. 2019;36(4):561–3.

33. Sewell MD, Rosendahl K, Eastwood DM. Developmental dysplasia of the hip. BMJ. 2009;339:b4454.

34. Rosito NC, Oliveira TLS. Problemas cirúrgicos mais comuns da região inguinoescrotal. In: Ferreira JP, organizador. Pediatria prática. São Paulo: [s. n.]; 2021. No prelo.

35. Ramsook C. Inguinal hernia in children [Internet]. UpToDate. Waltham: UpToDate; 2020 [capturado em 4 out. 2020]. Disponível em: https://www.uptodate.com/contents/inguinal-hernia-in-children.

36. Hebra A. Pediatric hernias: background, pathophysiology, epidemiology [Internet]. New York: Medscape; 2018 [capturado em 4 out. 2020]. Disponível em: https://emedicine.medscape.com/article/932680-overview.

37. Rosito NC. Urologia pediátrica. In: Marostica PJC, Villetti MC, Ferrelli RS, Barros E, organizadores. Pediatria: consulta rápida. 2. ed. Porto Alegre: Artmed; 2018. p. 300–17.

38. Rosito NC, Oliveira TL da S. Criptorquia: compreendendo os benefícios da cirurgia precoce. Bol Científico Pediatr. 2017;6(1):14–8.

39. Cooper CS, Docimo SG. Undescended testes (cryptorchidism) in children: clinical features and evaluation [Internet]. UpToDate. Waltham: UpToDate; 2019 [capturado em 4 out. 2020]. Disponível em: https://www.uptodate.com/contents/undescended-testes-cryptorchidism-in-children-clinical-features-and-evaluation.

40. Rosito NC, Oliveira TLS. Malformações penianas. In: Ferreira JP, organizador. Pediatria prática. São Paulo: [s. n.]; 2021. No prelo.

41. Wilcox D. Care of the uncircumcised penis in infants and children [Internet]. UpToDate. Waltham: UpToDate; 2020 [capturado em 4 out. 2020]. Disponível em: https://www.uptodate.com/contents/care-of-the-uncircumcised-penis-in-infants-and-children.

# LEITURA RECOMENDADA

Brasil. Ministério da Saúde. Secretaria de Atenção à Saúde. Departamento de Ações Programáticas e Estratégicas. Atenção à saúde do recém-nascido: guia para profissionais de saúde. Brasília: MS; 2011. 4 v.

*Excelente publicação do Ministério da Saúde, em quatro volumes, com os principais temas relacionados com os cuidados do recém-nascido.*

U.S. National Library of Medicine – https://medlineplus.gov/commoninfantandnewbornproblems.html.
*Site da U.S. National Library of Medicine com diversos tópicos abordados no capítulo.*

World Health Organization – https://www.who.int/infant-newborn/en/
*Site da organização Mundial da Saúde que trata de assuntos de saúde de recém-nascidos e crianças pequenas.*

# Capítulo 104
## EXCESSO DE PESO EM CRIANÇAS

Elza Daniel de Mello

## CONCEITO, ETIOLOGIA E FISIOPATOLOGIA

A obesidade é uma doença crônica caracterizada pelo excesso de peso. Ela tem etiologia multifatorial, é de difícil manejo e costuma ser causada pela associação de fatores genéticos, ambientais e comportamentais.[1,2] Mais recentemente, o microbioma intestinal e aspectos epigenéticos têm sido implicados na gênese dessa doença.[3,4] Decorre do desequilíbrio entre ingestão e gasto energético. Vários fatores neuroendócrinos parecem estar envolvidos nesse desequilíbrio, como a produção elevada de leptina e diminuída de adiponectinas, que são proteínas produzidas pelo tecido adiposo visceral, cuja função é regular processos fisiológicos ligados ao metabolismo de carboidratos e gorduras.[5,6]

A obesidade pode ter origem exógena (95-98% dos casos) ou endógena. Causas secundárias (endógenas) correspondem, no máximo, a 6% dos casos e incluem distúrbios hipotalâmicos (tumor, doença inflamatória, trauma), geralmente com sintomas neurológicos associados; doenças endócrinas (síndrome de Cushing, hipotireoidismo, insulinoma, pseudo-hipoparatireoidismo); síndromes genéticas associadas à obesidade (síndrome de Prader-Willi, síndrome de Alström, síndrome de Laurence-Moon-Bardet-Biedl); e obesidade monogênica (rara).[1,6,7]

Vários fatores influenciam o comportamento alimentar, tanto externos (unidade familiar e suas características, atitudes de pais e amigos, normas e valores sociais e culturais, mídia, alimentos rápidos, conhecimentos de nutrição e manias alimentares) quanto internos (necessidades e características psicológicas, imagem corporal, valores e experiências pessoais, autoestima, preferências alimentares, saúde e desenvolvimento psicológico). Esses fatores são atrelados ao sistema sócio-político-econômico, à disponibilidade de alimentos, à produção e ao sistema de distribuição, que levam a determinado estilo de vida e hábitos alimentares. O papel social do ato de alimentar-se é tão importante quanto o papel nutricional.[1,6-8]

Alguns fatores têm associação comprovada com excesso de peso de causa exógena na infância. São eles: ausência ou interrupção precoce do aleitamento materno, alimentação complementar inapropriada, uso de fórmulas lácteas com diluição incorreta, ingestão excessiva de proteínas no 1º ano de vida (uso de leite de vaca não modificado), distúrbios do comportamento alimentar e problemas familiares. Também se sabe que, até os 3 anos, o maior fator de risco para a obesidade na infância é a presença de obesidade nos pais.[1,6,7]

## EPIDEMIOLOGIA

Durante as últimas duas décadas, a prevalência de excesso de peso (sobrepeso e obesidade) infanto-juvenil tem crescido rapidamente em todo o mundo. No Brasil, a atual situação de transição epidemiológica mostra uma mudança no modo de vida e nos hábitos alimentares, alterando o perfil demográfico nutricional da população com aumento do sobrepeso/obesidade, inclusive em crianças.[9] No Brasil, o Censo 2010 revelou um grande salto na prevalência de obesidade nas crianças com 5 a 9 anos de idade. Em 2008-2009, 34,8% dos meninos tinham excesso de peso, enquanto, em 1989, a prevalência era de 15% e, em 1974-1975, de 10,9%. Esse padrão também é observado nas meninas: 8,6% na década de 1970, 11,9% no final dos anos 1980 e 32% em 2008-2009.[10]

O excesso de peso (obesidade e sobrepeso) é uma importante preocupação em saúde pública devido à associação com aumento de risco para hipertensão arterial sistêmica, diabetes melito, doença coronariana, osteoartrite, anormalidades lipídicas, doença da vesícula biliar e alguns tipos de câncer. A quantidade total de gordura, o excesso de gordura no tronco ou na região abdominal e o excesso de gordura visceral são três aspectos da composição corporal que estão associados à ocorrência de doenças crônicas não transmissíveis (DCNTs).[6,11] Sabe-se que as repercussões do excesso de peso estão relacionadas com o tempo e a gravidade de instalação (ver Capítulo Obesidade: Prevenção e Tratamento), mas a criança com excesso de peso já tem um risco maior de apresentar hipertensão arterial sistêmica, hipercolesterolemia, hiperinsulinemia, diminuição de hormônio do crescimento, distúrbios respiratórios e problemas ortopédicos.[12-14]

Crianças com excesso de peso apresentam maior risco de persistir com excesso de peso quando adultos (um fenômeno conhecido como *tracking* ou fenômeno de trilha), aumentando a suscetibilidade a DCNTs.[15-17]

**Além disso, a obesidade presente na infância, independentemente do peso na vida adulta, parece ser um importante gatilho para o desenvolvimento de DCNTs.**

Em geral, a criança com excesso de peso é sedentária, causando prejuízo para diversos componentes da aptidão física, como potência aeróbica, força muscular, flexibilidade e composição corporal. Assim, além do impacto da obesidade sobre DCNTs, a inatividade que a acompanha é um fator de risco adicional para doenças coronarianas e afeta as habilidades para atividades diárias e a qualidade de vida da criança.[18,19] Considera-se que a baixa atividade física acompanha o quadro clínico de obesidade. Assim, a criança tende a ficar obesa quando sedentária, e a própria obesidade pode torná-la ainda mais sedentária.[20]

A síndrome metabólica (SM) é definida como uma associação de situações clínicas, incluindo hipertensão arterial sistêmica, dislipidemia, alterações do metabolismo da glicose e obesidade, sobretudo a abdominal, com depósitos intra-abdominais de gordura.[21,22] Em pediatria, não há consenso sobre qual critério para diagnóstico de SM deve ser adotado, mas a aceitação do diagnóstico após os 10 anos de idade é unânime.[23] As crianças com idade < 10 anos se encaixam na categoria de risco para a presença de SM pela maioria dos critérios, embora o diagnóstico de SM em crianças menores possa ser feito com a utilização da classificação baseada em um escore contínuo de risco metabólico.[24]

Um estudo que analisou a influência de fatores de risco cardiovascular na infância sobre a mortalidade precoce na fase adulta, em uma coorte de 4.857 crianças e adolescentes (5-19 anos) acompanhada durante 23,9 anos, constatou que obesidade, intolerância à glicose e hipertensão arterial na infância estavam fortemente associadas ao aumento das taxas de mortalidade precoce (antes dos 55 anos) por causas endógenas.[25]

O Princeton Study demonstrou que a presença de SM na infância decorrente do excesso de peso aumentava, de modo significativo, o risco para o desenvolvimento de doenças cardiovasculares 25 anos mais tarde e que aumentos no índice de massa corporal (IMC) observados durante o período de acompanhamento do estudo elevavam esse risco.[22] Crianças obesas e com valores elevados de circunferência da cintura apresentam maior risco para o desenvolvimento da SM quando adultas, como ficou demonstrado em análise de amostra de indivíduos que participaram do Fels Longitudinal Study.[17] Dados do Bogalusa Heart Study mostraram que crianças obesas, quando comparadas a crianças com peso adequado, tinham maiores chances de apresentar hiperinsulinemia e níveis elevados de colesterol total, colesterol LDL (do inglês, *low-density lipoprotein* [lipoproteína de baixa densidade]) e triglicerídeos.[16]

Além das complicações clínicas, o excesso de peso tem impacto imediato sobre a qualidade de vida.[26]

## AVALIAÇÃO E DIAGNÓSTICO

O método mais utilizado e preconizado para diagnóstico de excesso de peso é o IMC (peso/altura$^2$), embora ele não diferencie se o aumento de peso é devido à massa gorda, pois pode ocorrer excesso de peso por aumento de massa magra.[27] O Ministério da Saúde adota as curvas e a classificação do estado nutricional quanto ao IMC sugerida pela Organização Mundial da Saúde (OMS).[28] Assim, na faixa etária de 0 a 5 anos, considera-se que a criança tem risco nutricional quando o seu IMC é maior que 1 e menor que 2 escores z; sobrepeso, quando o IMC está entre 2 e 3 escores z, e obesidade quando ultrapassa 3 escores z. Crianças de 5 a 10 anos com IMC acima de 1 escore z já são consideradas como tendo sobrepeso; entre 2 e 3 escores z, obesidade; e acima de 3, obesidade grave (ver Capítulo Acompanhamento do Crescimento da Criança).

Na anamnese, é importante avaliar a duração da obesidade, dados perinatais e história mórbida pregressa, uso de medicamentos, história familiar de obesidade e doenças associadas, inquérito alimentar, comportamento e estilo de vida. No exame físico, é fundamental a aferição do peso e do comprimento/altura, circunferência abdominal (realizada entre o ponto médio da última costela e a crista ilíaca), estadiamento puberal, pressão arterial sistêmica, além da pesquisa de manifestações físicas, como acantose *nigricans*, xantomas e alterações ortopédicas. As medidas de dobras cutâneas podem ser usadas para determinar a quantidade de gordura corporal.[1,6,7]

A avaliação laboratorial pode ser útil se houver suspeita de excesso de peso de causa endócrina (tiroxina [$T_4$], hormônio estimulante da tireoide [TSH – do inglês, *thyroid-stimulating hormone*], radiografia de sela túrcica) ou para diagnosticar complicações da obesidade: glicemia e insulina de jejum (diabetes ou resistência à insulina), triglicerídeos, colesterol total e HDL (do inglês, *high-density lipoprotein* [lipoproteína de alta densidade]) (dislipidemia), transaminases e ultrassonografia abdominal (esteatose hepática).[1,5] A dosagem da insulina de jejum está indicada em crianças com acantose *nigricans* ou medida da circunferência da cintura acima do percentil 90. Esse exame permite fazer o diagnóstico e o tratamento de resistência à insulina em crianças com glicemia normal.[29,30] Para o diagnóstico de resistência à insulina, podem-se utilizar, como parâmetro, valores de insulina sérica > 15 mUI/mL ou HOMA (*homeostasis model assessment* – glicemia de jejum / 18 × insulina em jejum / 22,5) > 3,14.[31] Alguns autores sugerem que o primeiro parâmetro poderia subestimar alguns resultados, já que a insulinemia varia de acordo com a idade e o sexo.[31-33] Na impossibilidade de exames laboratoriais, cabe salientar que a circunferência da cintura aumentada já é um indicativo da presença de resistência à insulina.[34]

Os valores de referência das lipoproteínas em crianças estão na TABELA 104.1.[31]

Vários critérios para o diagnóstico de SM já foram propostos, mas ainda não há consenso sobre qual é o mais adequado. Os critérios da International Diabetes Federation (IDF) são muito utilizados.[35] Para crianças com idade entre 6 e 10 anos, o diagnóstico de SM é realizado quando há aumento da circunferência da cintura (≥ p90) e antecedentes familiares de obesidade, SM, diabetes tipo 2, dislipidemias, hipertensão arterial e/ou doenças cardiovasculares. O peso corporal ou sua relação com a altura (IMC) não informa a distribuição ou a quantidade de gordura, nem a massa livre de gordura (água, osso, tecido muscular).[36,37]

A quantidade de gordura e sua distribuição regional variam de acordo com a idade e o sexo. As razões para esse fato

**TABELA 104.1** → Valores de referência do perfil lipídico para a faixa etária entre 2 e 19 anos

| LIPOPROTEÍNAS (mg/dL) | DESEJÁVEIS | LIMÍTROFES | AUMENTADOS |
|---|---|---|---|
| Colesterol total | < 150 | 150-169 | ≥ 170 |
| Colesterol LDL | < 100 | 100-129 | ≥ 130 |
| Colesterol HDL | ≥ 45 | – | – |
| Triglicerídeos | < 100 | 100-129 | ≥ 130 |

HDL, lipoproteína de alta densidade (do inglês, *high-density lipoprotein*); LDL, lipoproteína de baixa densidade (do inglês, *low-density lipoprotein*).
Fonte: Xavier e colaboradroes.[31]

são desconhecidas, mas certamente existe uma contribuição genética. O estudo da composição corporal visa ao fracionamento dos componentes gordura e massa livre de gordura. Em geral, as técnicas para avaliação da composição corporal *in vivo* são indiretas e utilizam métodos simples, como determinação de dobras cutâneas e bioimpedância elétrica; ou métodos sofisticados, como peso hidrostático e tomografia computadorizada. Devido à sua praticidade e ao desenvolvimento de equações específicas para crianças, a medida de dobras cutâneas é, hoje, um dos métodos mais práticos, embora com pouca reprodutibilidade no obeso.[7,38,39]

Pode-se classificar o excesso de peso quanto à presença ou não de resistência à insulina (**FIGURA 104.1**). Essa classificação pode auxiliar no manejo.[40]

## MANEJO E PREVENÇÃO

O manejo da obesidade infantil envolve abordagem dietética, modificação do estilo de vida, ajustes na dinâmica familiar, incentivo à prática de atividade física e apoio psicossocial. O envolvimento de toda a família é fundamental. Em crianças, independentemente da gravidade da obesidade, a meta deve ser a manutenção do peso, pois, com o crescimento, haverá mudança na composição corporal.[1,6,7]

A obesidade endógena é secundária a uma doença básica, que deve ser diagnosticada para o manejo específico.

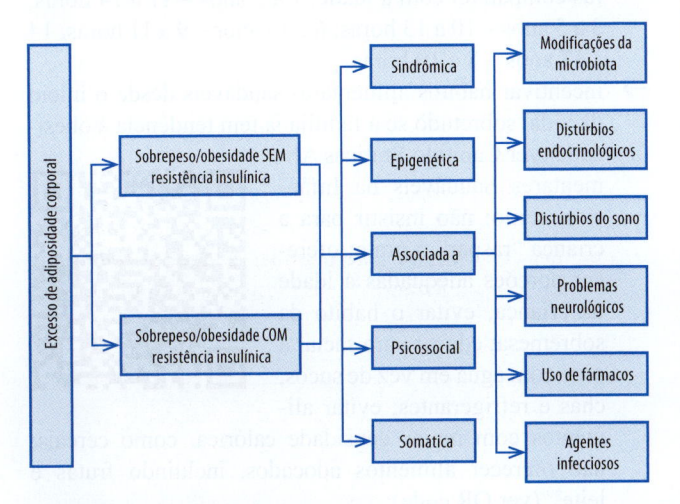

**FIGURA 104.1** → Classificação da obesidade.
Fonte: Nogueira-de Almeida e colaboradores.[40]

A obesidade exógena, por sua vez, deve ser manejada com orientação alimentar, sobremaneira com intervenções multifacetadas para mudanças de hábitos (ver Capítulo Práticas Alimentares Saudáveis na Infância), e melhora do nível de atividade física.[41] Uma revisão sistemática constatou que intervenções com componentes alimentar e de atividade física e mudança de comportamento estão associadas com pequena melhora no IMC em crianças com idade entre 6 e 11 anos com sobrepeso ou obesas, enquanto intervenções apenas com os componentes alimentar e de atividade física ou apenas os componentes alimentar e mudança de comportamento podem não ter efeito no IMC **B**[42]

Sendo a obesidade ou o aumento da adiposidade geralmente consequências de um desequilíbrio entre a energia ingerida (padrão alimentar) e a energia gasta (atividade física e metabolismo basal), o seu manejo consiste em tornar esse balanço energético negativo, sendo o exercício considerado um dos aspectos principais, associado a alterações dietéticas e hábitos de vida. Dietas são, na maioria das vezes, transitórias. É importante salientar que qualquer mudança de hábito necessita da colaboração da família, que tem papel fundamental na prevenção e no tratamento da obesidade infantil, influenciando na consolidação de novos hábitos alimentares[43,44] e estimulando a criança a aderir ao tratamento.

A formação dos hábitos alimentares é um "jogo" imbricado envolvendo aspectos biopsicológicos, tecnológicos, econômicos, demográficos e, predominantemente, ambientais. Esses aspectos infraestruturais evoluem para formas distintas de estrutura (organização doméstica e política) e superestrutura (sistema simbólico, fisiológico, religioso e padrão estético). De maneira oportuna e independentemente da dimensão, essas estruturas influenciam a vida social em todos os aspectos, inclusive o modo de alimentar-se.[43]

As mudanças nos hábitos alimentares nas últimas décadas no Brasil caracterizam-se por aumento no consumo de gordura e carboidratos simples e pela diminuição de fibras e carboidratos complexos.[44] Constatou-se que a grande diferença entre os hábitos alimentares de adolescentes obesos e os daqueles com peso adequado está na frequência da ingestão de alimentos gordurosos.[45] Assim, mudanças nos hábitos alimentares, aspecto fundamental no manejo da obesidade em longo prazo, devem englobar fundamentalmente mudanças de valores familiares e aquisição de conhecimentos. É um processo mais lento e com maior participação da família quando envolve crianças. A educação, no seu sentido mais amplo, é o aspecto mais importante, auxiliando na sua prevenção e tratamento.[46,47] Um ensaio clínico randomizado mostrou redução do IMC de crianças com sobrepeso ou obesidade quando os pais recebiam sessões motivacionais dos profissionais de atenção primária à saúde associadas a sessões feitas por nutricionistas **B**.[48]

O papel da atividade física regular no manejo de crianças com sobrepeso/obesidade é importante não apenas para melhorar a aptidão física, mas também para diminuir a gordura corporal e manter ou ganhar massa muscular com consequente aumento do metabolismo basal e de repouso, o que não se consegue com restrição calórica isolada, que pode inclusive deprimir o metabolismo basal. Assim, acaba sendo efetiva no tratamento e na prevenção da obesidade infantil.[49] Uma revisão sistemática encontrou pequena melhora no controle de peso em crianças com sobrepeso ou obesidade com idade entre 6 e 11 anos submetidas a intervenções com atividade física B.[42]

Hábitos sedentários, como assistir à televisão e jogar *videogame*, contribuem para a diminuição do gasto calórico diário. Foi observada diminuição importante da taxa de metabolismo de repouso quando as crianças assistem à televisão por mais de 2 horas, sobretudo nas crianças obesas. Assim, além do gasto metabólico de atividades diárias, o metabolismo de repouso também pode influenciar o aparecimento e a manutenção do excesso de peso.[49,50]

Nos Estados Unidos, quase metade das crianças obesas passam 2 horas ou mais por dia em frente a uma tela, enquanto 33% das crianças com peso adequado têm esse comportamento.[51,52] Naquele país, um estudo constatou que crianças que assistem à televisão por mais que 2 horas por dia têm 48% mais chance de serem obesas quando comparadas às crianças que assistem menos que 1 hora por dia.[52] Assim, intervenções focadas na redução do tempo de uso de televisão são recomendadas para prevenção e tratamento da obesidade infantil. Um ensaio clínico randomizado constatou que a redução do uso de televisão e computadores resultou em redução do IMC e do risco para obesidade em crianças de 4 a 7 anos de idade C/D.[53] Uma revisão sistemática concluiu que a intervenção com jogos ativos pode causar pequena redução no IMC de crianças e adolescentes com sobrepeso e obesidade, mas o efeito é maior quando combinado com outros componentes na intervenção B.[54]

Portanto, as estratégias de manejo do excesso de peso infantil devem ser centradas na aquisição de hábitos saudáveis de vida, como aumento da realização de atividade física (no mínimo 20 minutos [o ideal é que sejam 60 minutos] de atividade física vigorosa por dia, no mínimo 5 dias por semana),[55] redução do tempo de uso de televisão, computador e *videogame* (até 2 horas/dia) e aumento do consumo de frutas e vegetais (5 porções/dia).[56,57] Apesar da ausência de evidências avaliando seu efeito, o tratamento com dieta hipocalórica e a prática de exercícios físicos moderados e vigorosos pelo menos 5 vezes por semana devem ser iniciados nas crianças que já apresentam complicações cardiopulmonares, metabólicas, ortopédicas e/ou psicológicas C/D.[58,59] É importante lembrar que dietas restritivas são contraindicadas, porque prejudicam o crescimento e são associadas a colelitíase, hiperuricemia, diarreia, halitose e alterações do comportamento na infância,[5] além de maior número de eventos cardiovasculares na vida adulta e maior risco de desenvolvimento de desordens alimentares C/D.[44,58]

Para combater o problema do sobrepeso/obesidade na infância, é necessária a implementação de políticas públicas capazes de promover alterações no estilo de vida das crianças e de suas famílias, possibilitando comportamentos sinérgicos o mais precocemente possível.[8,59,60] Contudo, o efeito dessas intervenções em curto, médio e longo prazos ainda é pouco documentado.[51,52,56,61]

O tratamento medicamentoso para excesso de peso em crianças é limitado.[62] Alguns antidepressivos podem auxiliar em casos específicos, como a fluoxetina (na obesidade associada à depressão, aprovada a partir dos 8 anos de idade, na dose inicial de 10 mg/dia) e a sertralina (na associação com compulsão alimentar, aprovada a partir dos 6 anos de idade, na dose inicial de 25 mg/dia) (ver Capítulo Transtornos Mentais na Infância e na Adolescência) C/D.[8,52] Pode-se utilizar metformina (dose inicial de 500 mg/dia) para diminuir a resistência à insulina C/D[63-66] e até mesmo para o manejo da obesidade,[67] e estatinas para o controle da dislipidemia (depois da dieta e no pós-púbere) C/D.[68,69]

A seguir, são apresentadas algumas sugestões para a prevenção e o manejo do sobrepeso/obesidade na infância:[8,41,69,70]

→ fazer exercícios que sejam prazerosos visando à aquisição desse hábito. O exercício não necessariamente precisa ser sistemático. Dançar, pular corda e jogar futebol com amigos são exemplos de atividades físicas que devem ser incentivadas. Recomenda-se que crianças e adolescentes pratiquem pelo menos 20 minutos, (o ideal é que sejam 60 minutos) de atividades físicas vigorosas por no mínimo 5 dias por semana;[55]
→ ter horário para fazer as refeições e alimentar-se em intervalos de no mínimo 1,5 hora e no máximo de 3 horas;
→ ter o hábito de tomar café da manhã;
→ não se alimentar assistindo à televisão;
→ evitar ter em casa alimentos não saudáveis, como biscoitos recheados, salgadinhos, refrigerantes, sucos artificiais, doces B;[66]
→ substituir o hábito familiar de comemorar situações comendo (se presente) por outras formas de comemoração, como ir ao parque, ao zoológico e ao cinema (sem pipoca!);
→ evitar usar adoçantes, já que não alteram hábito e estimulam o prazer pelo doce;
→ incentivar a participação ativa da criança na escolha das diretrizes do manejo de sua condição (sobrepeso/obesidade). É comum a desistência em seguir dietas não compatíveis com a realidade ou muito hipocalóricas;
→ ter um sono reparador, noturno e em quantidade de horas compatível com a idade: 1 a 2 anos – 11 a 14 horas; 3 a 5 anos – 10 a 13 horas; 6 a 13 anos – 9 a 11 horas; 14 a 17 anos – 8 a 10 horas.[71,72]
→ incentivar hábitos alimentares saudáveis desde o início da vida, sobretudo se a família já tem tendência à obesidade (ver Capítulo Práticas Alimentares Saudáveis na Infância), como: não insistir para a criança "raspar" o prato; oferecer porções adequadas à idade da criança; evitar o hábito da sobremesa; educar para saciar a sede com água em vez de sucos, chás e refrigerantes; evitar alimentos com maior densidade calórica, como cereais; não oferecer alimentos adoçados, incluindo frutas e leite[60] (ver QR code);
→ evitar alimentos ultraprocessados: o consumo desses alimentos está associado a aumento da gordura corporal

na infância e na adolescência, que não se deve unicamente à contribuição desses alimentos no conteúdo calórico;[73]
→ dar o exemplo é fundamental.

Considerando que o manejo do excesso de peso é difícil e tem muitas recaídas, a sua prevenção torna-se essencial. É importante o papel do profissional de saúde em monitorar o ganho ponderal e a velocidade de crescimento, estimular o aleitamento materno até os 2 anos de idade ou mais, sendo exclusivo nos primeiros 6 meses, orientar sobre a alimentação de acordo com a faixa etária e estimular a rotina familiar de alimentação com horários regulares e hábitos saudáveis (ver Capítulo Práticas Alimentares Saudáveis na Infância). Além disso, deve-se estimular a atividade física, de acordo com a condição física da criança e do adolescente, e diminuir o sedentarismo, limitando o tempo gasto assistindo à televisão e utilizando o computador a, no máximo, 2 horas por dia.[8,59,74]

# REFERÊNCIAS

1. Han JC, Lawlor DA, Kimm SYS. Childhood obesity. Lancet. 2010;375(9727):1737-48.
2. Kelly AS, Barlow SE, Rao G, Inge TH, Hayman LL, Steinberger J, et al. Severe obesity in children and adolescents: identification, associated health risks, and treatment approach: a scientific statement from the American Heart Association. Circulation 2013; 128(15):1689-96.
3. Cuevas-Sierra A, Ramos-Lopez O, Riezu-Boj J, Milagro FI, Martinez JA. Diet, gut microbiota, and obesity: links with host genetics and epigenetics and potential applications. Adv Nutr. 2019;10(Suppl 1):S17-30.
4. Kappil, M, Wright RO, Sanders AP. Developmental origins of common disease: epigenetic contributions to obesity. Annu Rev Genomics Hum Genet. 2016;17:177-92.
5. Skinner AC, Ravanbakht SN, Skelton JA, Perrin EM, Armstrong SC. Prevalence of obesity and severe obesity in US children, 1999-2016. Pediatrics. 2018;141(3);e20173459.
6. Kumar S, Aaron SK. Review of childhood obesity: from epidemiology, etiology, and comorbidities to clinical assessment and treatment. Mayo Clin Proc. 2017;92(2):251-65.
7. Sociedade Brasileira de Pediatria. Obesidade na infância e adolescência: manual de orientação. 3. ed. Rio de Janeiro: SBP; 2019.
8. Barnett TA, Kelly AS, Young DR, Perry CK, Pratt CA, Edwards NM, et al. Sedentary behaviors in Today's Youth: approaches to the prevention and management of childhood obesity: a scientific statement from the American Hearth Association. Circulation. 2018; 138(11):e142-59.
9. Butte NF, Nguyen TT. Is obesity an emerging problem in Brazilian children and adolescents? J Pediatr (Rio J). 2010;86(2):91-2.
10. Instituto Brasileiro de Geografia e Estatística. Censo – POF 2008-2009 [Internet]. Rio de Janeiro: IBGE; 2010 [capturado em 23 nov. 2020]. Disponível em: http://www.ibge.gov.br/resultados.html.
11. US Preventive Services Task Force, Grossman DC, Bibbins-Domingo K, Curry SJ, Barry MJ, Davidson KW, et al. Screening for obesity in children and adolescents: US Preventive Services Task Force Recommendation Statement. JAMA. 2017;317(23):2417-26.
12. Franks PW, Hanson RL, Knowler WC, Sievers ML, Bennett PH, Looker HC. Childhood obesity, other cardiovascular risk factors, and premature death. N Engl J Med. 2010;362(6):485-93.
13. Must A, Jacques PF, Dallal GE, Bajema CJ, Dietz WH. Long-term morbidity and mortality of overweight adolescents: a follow-up of the Harvard Growth Study of 1922 to 1935. N Engl J Med. 1992;327(19):1350-5.
14. Buscot MJ, Thomson RJ, Juonala M, Sabin MA, Burgner DP, Lehtimäki T, et al. Distinct child-to-adult body mass index trajectories are associated with different levels of adult cardiometabolic risk. Eur Hearth J. 2018;39(24):2263-82.
15. Freedman DS, Dietz WH, Srinivasan SR, Berenson GS. The relation of overweight to cardiovascular risk factors among children and adolescents: the Bogalusa Heart Study Pediatrics. 1999;103(6 Pt 1):1175-82.
16. Seidman DS, Laor A, Gale R, Stevenson DK, Danon YL. A longitudinal study of birth weight and being overweight in late adolescence. Am J Dis Child. 1991;145(7):782-5.
17. Sun SS, Liang R, Huang TT-K, Daniels SR, Arslanian S, Liu K, et al. Childhood obesity predicts adult metabolic syndrome: the Fels Longitudinal Study. J Pediatr. 2008;152(2):191-200.
18. Council on Sports Medicine and Fitness, Council on School Health. Active healthy living: prevention of childhood obesity through increased physical activity. Pediatrics. 2006;117(5):1834-42.
19. Boutelle KN, Rhee KE, Liang J, Braden A, Douglas J, Strong D, et al. Effect of attendance of the child on body weight, energy intake, and physical activity in childhood obesity treatment: a randomized clinical trial. JAMA Pediatr. 2017; 171(7):622-8.
20. Heilmann A, Rouxel P, Fitzsimons E, Kelly Y, Watt RG, et al. Longitudinal associations between television in the bedroom and body fatness in a UK cohort study. Int J Obes (Lond). 2017; 41(10):1503-9.
21. Titmuss AT, Srinivasan S. Metabolic syndrome in children and adolescents: old concepts in a young population. J Paediatr Child Health. 2016;52(10):928-34.
22. Morrison JA, Friedman LA, Gray-McGuire C. Metabolic syndrome in childhood predicts adult cardiovascular disease 25 years later: the Princeton Lipid Research Clinics Follow-up Study. Pediatrics. 2007;120(2):340-5.
23. Reuter CP, Burgos MS, Barbian CD, Renner JDP, Franke SIR, de Mello ED. Comparison between different criteria for metabolic syndrome in schoolchildren from southern Brazil. Eur J Pediatr. 2018;177(10):1471-7.
24. Reuter CP, Andresen LB, de Moura Valim AR, Reuter ÉM, Borfe L, Renner JDP, et al. Cutoff points for continuous metabolic risk score in adolescents from southern Brazil. Am J Hum Biol. 2019:e23211.
25. Buscot MJ, Thompson RJ, Juonala M, Sabin MA, Burgner DP, Lehtimäki T, et al. BMI trajectories associated with resolution of elevated youth BMI and incident adult obesity. Pediatrics. 2018;141(1):e20172003.
26. D'Avila HF, Poll F, Reuter CP, Burgos MS, Mello ED. Health-related quality of life in adolescents with excess weight. J Pediatr (Rio J). 2019;95(4):495-501.
27. Freedman DS, Butte NF, Taveras EM, Lundeen EA, Blanck HM, Goodman AB, et al. BMI z-scores are poor indicator of adiposity among 2 to 19 years olds with very high BMIs, NHANES 1999-2000 to 2103-2014. Obesity (Silver Spring). 2017;25(4):739-41.
28. World Health Organization. WHO child growth standards: length/height-for-age, weight-for-age, weight-for-length, weight-for-height and body mass index-for-age: methods and development [Internet]. Geneva: WHO; 2006 [capturado em 20 jul. 2020]. Disponível em: http://www.who.int/childgrowth/standards/Technical_report.pdf.
29. Shashaj B, Luciano R, Contoli B, Morino GS, Spreghini MR, Rustico C, et al. Reference ranges of HOMA-IR in normal-weight and obese Young Caucasians. Acta Diabetol. 2016;53(2):251-60.
30. Arslanian S, Kim JY, Nasr A, Bacha F, Tfayli H, Lee S, et al. Insulin sensitivity across the lifespan from obese adolescents to obese adults with impaired glucose tolerance: Who is worse off? Pediatr Diabetes. 2018;19(2):205-11.
31. Xavier HT, Izar MC, Faria Neto Jr, Assad MH, Rocha VZ, Sposito AC, et al. V Diretriz brasileira de dislipidemias e prevenção da aterosclerose. Arq. Bras. Cardiol. 2013;101(4, Suppl 1):1-20.
32. Reinehr T, Sousa G, Toschke AM, Andler W. Comparison of metabolic syndrome prevalence using eight different definitions: a critical approach. Arch Dis Child. 2007;92(12):1067-72.

33. Nogueira-de-Almeida CA, Mello ED. Different criteria for the definition of insulin resistance and its relation with dyslipidemia in overweight and obese children and adolescents. Pediatr Gastroenterol Hepatol Nutr. 2018;21(1):59-67.
34. Schröder H, Ribas L, Koebnick C, Funtikova A, Gomez SF, Fíto M, et al. Prevalence of abdominal obesity in Spanish children and adolescents. Do we need waist circumference measurements in pediatric practice? PLoS One. 2014;9(1):e87549.
35. Zimmet P, Alberti KGM, Kaufman F, Tajima N, Silink M, Arslanian S, et al. The metabolic syndrome in children and adolescents: an IDF consensus report. Pediatr Diabetes. 2007;8(5):299-306.
36. Gouliano ICB, Caramelli B, Pellanda L, Duncan B, Mattos S, Fonseca FH, editores. I Diretriz de prevenção da aterosclerose na infância e adolescência. Arq Bras Cardiol. 2005;85(Suppl 6):S4-36.
37. Sposito AC, Caramelli B, Fonseca FAH, Bertolami MC, Afiune Neto A, Souza AD, et al. IV Diretriz Brasileira sobre dislipidemia e prevenção de aterosclerose. Arq Bras Cardiol. 2007;88(Suppl 1):e24-79.
38. Must A, Dallal GE, Dietz WH. Reference data for obesity: 85th and 95th percentiles of body mass index (wt/ht2) and triceps skinfold thickness. Am J Clin Nutr. 1991;53(4):839-46.
39. Dietz WH, Robinson TN. Use of the body mass index (BMI) as a measure of overweight in children and adolescents. J Pediatr. 1998;132(2):191-3.
40. Nogueira-de Almeida CA, Mello ED, Ribeiro GANA, Almeida CCJN, Falcão MC, Rêgo CMBRSS. Classificação de obesidade infantil. Medicina (Ribeirão Preto). 2018;51(2):138-52.
41. Daniels SR, Hassink SG, Committee on Nutrition. The role of the pediatrician in primary prevention of obesity. Pediatrics. 2015;136(1):e275-81.
42. Mead E, Brown T, Rees K, Azevedo LB, Whittaker V, Jones D, et al. Diet, physical activity and behavioural interventions for the treatment of overweight or obese children from the age of 6 to 11 years. Cochrane Database Syst Rev. 2017;6(6):CD012651.
43. Mondini L, Monteiro CA. The stage of nutrition transition in different Brazilian regions. Arch Latinoam Nutr. 1997;47(2 Suppl 1):17-21.
44. Oliveira SP. Changes in food consumption in Brazil. Arch Latinoam Nutr. 1997;47(2 Suppl 1):22-4.
45. Fontanive RS, Costa RS, Soares EA. Comparison between the nutritional status of eutrophic and overweight adolescents living in Brazil. Nutr Res. 2002;22(6):667-78.
46. Poll FA, Miraglia F, D´avila HF, Reuter CP, Mello ED. Impact of intervention on nutritional status, consumption of processed foods, and quality of life of adolescents with excess weight. J Pediatr (Rio J). 2020;96(5):621-9.
47. Reinehr T, Schaefer A, Winkel K, Finne E, Toschke AM, Kolip P. An effective lifestyle intervention in overweight children: findings from a randomized controlled trial on "Obeldicks light." Clin Nutr. 2010;29(3):331-6.
48. Resnicow K, McMaster F, Bocian A, Harris D, Zhou Y, Snetselaar L, et al. Motivational interviewing and dietary counseling for obesity in primary care: an RCT. Pediatrics. 2015;135(4):649-57.
49. Sisson SB, Church TS, Martin CK, Tudor-Locke C, Smith SR, Bouchard C, et al. Profiles of sedentary behavior in children and adolescents: the US National Health and Nutrition Examination Survey, 2001-2006. Int J Pediatr Obes. 2009;4(4):353-9.
50. Fulton JE, Wang X, Yore MM, Carlson SA, Galuska DA, Caspersen CJ. Television viewing, computer use, and BMI among U.S. children and adolescents. J Phys Act Health. 2009;6 Suppl 1:S28-35.
51. Reinehr T, Kleber M, Lass N, Toschke AM. Body mass index patterns over 5 y in obese children motivated to participate in a 1-y lifestyle intervention: age as a predictor of long-term success. Am J Clin Nutr. 2010;91(5):1165-71.
52. Whitlock EA, O'Connor EP, Williams SB, Beil TL, Lutz KW. Effectiveness of weight management programs in children and adolescents. Evid Rep Technol Assess (Full Rep). 2008;(170):1-308.
53. Epstein LH, Roemmich JN, Robinson JL, Paluch RA, Winiewicz DD, Fuerch JH, et al. A randomized trial of the effects of reducing television viewing and computer use on body mass index in young children. Arch Pediatr Adolesc Med. 2008;162(3):239–45.
54. Ameryoun A, Sanaeinasab H, Saffari M, Koenig HG. Impact of game-based health promotion programs on body mass index in overweight/obese children and adolescents: a systematic review and meta-analysis of randomized controlled trials. Child Obes. 2018;14(2):67-80.
55. Styne DM, Arslanian SA, Connor EL, Farooqi IS, Murad MH, Silverstein JH, et al. Pediatric obesity – assessment, treatment, and prevention: an endocrine society clinical practice guideline. Clin Endocrinol Metab. 2017;102(3):709–57.
56. McGovern L, Johnson JN, Paulo R, Hettinger A, Singhal V, Kamath C, et al. Clinical review: treatment of pediatric obesity: a systematic review and meta-analysis of randomized trials. J Clin Endocrinol Metab. 2008;93(12):4600-5.
57. Gentile DA, Welk G, Eisenmann JC, Reimer RA, Walsh DA, Russell DW, et al. Evaluation of a multiple ecological level child obesity prevention program: switch what you do, view, and chew. BMC Med. 2009;7:49-53.
58. Golden NH, Schneider M, Wood C, Committee on Nutrition; Committee on Adolescence; Section On Obesity. Preventing obesity and eating disorders in adolescents. Pediatrics. 2016;138(3):e20161649.
59. Brasil. Ministério da Saúde do Brasil. Guia alimentar para a população brasileira. 2. ed. Brasília: MS; 2014.
60. Brasil. Ministério da Saúde. Guia alimentar para crianças brasileiras menores de 2 anos. Brasília: MS; 2019.
61. McGavock J, Chauhan BF, Rabbani R, Dias S, Klaprat N, Boissoneault S, et al. Layperson-led vs Professional-led behavioral interventions for weight loss in pediatric obesity. A systematic review and meta-analysis. JAMA Netw Open. 2020;3(7):e2010364.
62. Wald AB, Uli NK. Pharmacotherapy in pediatric obesity: current agents and future directions. Rev Endocr Metab Disord. 2009;10(3):205-14.
63. Srinivasan S, Ambler GR, Baur LA, Garnett SP, Tepsa M, Yap F, et al. Randomized, controlled trial of metformin for obesity and insulin resistance in children and adolescents: improvement in body composition and fasting insulin. J Clin Endocrinol Metab. 2006;91(6):2074-80.
64. Ibáñez L, Lopez-Bermejo A, Diaz M, Marcos MV, de Zegher F. Pubertal metformin therapy to reduce total, visceral, and hepatic adiposity. J Pediatr. 2010;156(1):98-102.e1.
65. Luong DQ, Oster R, Ashraf AP. Metformin treatment improves weight and dyslipidemia in children with metabolic syndrome. J Pediatr. 2015;28(5-6):649-55.
66. US Department of Health and Human Services, National Heart, Lung and Blood Institute. Expert Panel on Integrated Guidelines for Cardiovascular Health and Risk Reduction in Children and Adolescents. Full report [Internet]. Bethesda: NIH; 2012 [capturado em 23 nov. 2020]. Disponível em: https://www.nhlbi.nih.gov/files/docs/guidelines/peds_guidelines_full.pdf
67. Warnakulasuriya LS, Fernando MMA, Adikaram AVN, Thawfeek ARM, Anurasiri WL, Silva RR, et al. Metformin in the Management of Childhood Obesity: A Randomized Control Trial. Child Obes. 2018;14(8):553-65.
68. McCrindle BW, Urbina EM, Dennison BA, Jacobson MS, Steinberger J, Rocchini AP, et al. Drug therapy of high-risk lipid abnormalities in children and adolescents: a scientific statement from the American Heart Association Atherosclerosis, Hypertension, and Obesity in Youth Committee, Council of Cardiovascular Disease in the Young, with the Council on Cardiovascular Nursing. Circulation. 2007;115(14):1948-67.
69. O'Connor EA, Evans CV, Burda BU, Walsh ES, Eder M, Lozano P. Screening for obesity and intervention for weight management in children and adolescents: evidence report and systematic reviem for the US Preventive Services Task Force. JAMA. 2017;317(23):2427-33.
70. Spruijt-Metz D. Etiology, treatment and prevention of obesity in childhood and adolescence: a decade in review. J Research Adolesc. 2011; 21(1):129-52.

71. Bonuck K, Chervin RD, Howe LD. Sleep-disordered breathing, sleep duration, and childhood overweight: a longitudinal cohort study. J Pediatr. 2015;166(3):632-7.
72. National Sleep Foundation. National Sleep Foundation Recommends New Sleep Times. Seattle: Sleep Foundation; 2015 [capturado em 23 nov. 2020]. Disponível em: https://www.sleepfoundation.org/press-release/national-sleep-foundation-recommends-new-sleep-times.
73. Costa CS, Assunção MCF, Loret de Mola C, Cardoso JS, Matijasevich A, Barros A, et al. Role of ultra-processed food in fat mass index between 6 and 11 years of age: a cohort study. Int J Epidemiol. 2020:dyaa141.
74. Vos MB, Welsh J. Childhood obesity: update on predisposing factors and prevention strategies. Curr Gastroenterol Rep. 2010;12(4):280-7.

# Capítulo 105
## FEBRE EM CRIANÇAS

Luíza Emília Bezerra de Medeiros
Danilo Blank
Eliana de Andrade Trotta[†]
Juliana de Oliveira

A febre é uma das causas mais comuns de busca de pronto atendimento para crianças.[1] Entretanto, não se trata de uma doença, mas de uma condição fisiológica, regulada e complexa, em resposta a uma determinada agressão inflamatória, que o organismo mobiliza a fim de aumentar a eficácia dos seus mecanismos de defesa. Na maioria das vezes, tem como origem infecções autolimitadas, mas também pode ser uma manifestação de doenças inflamatórias, neoplásicas e imunológicas.[2,3]

A febre é uma resposta adaptativa e benigna que consiste na ativação de sistemas imunológicos, promovendo a migração de neutrófilos, a proliferação de células T, a atividade da interferona e o retardo do crescimento de microrganismos. Sua principal manifestação clínica é a elevação da temperatura corporal acima da variação diária normal, mas também pode associar-se a sintomas que causam desconforto.[4–6]

A hipertermia, diferentemente da febre, é a elevação da temperatura corporal de maneira não coordenada e contra as tentativas do organismo de manter um estado de eutermia. Ela ocorre como consequência do desequilíbrio entre a produção de calor e a sua dissipação, podendo ocorrer por excesso de calor ambiental (insolação, intermação) ou por interferência na função do centro termorregulador, em virtude de lesão cerebral, efeito de drogas ou seus metabólitos.[1,6]

A confusão entre esses dois fenômenos distintos explica, em parte, a fixação excessiva do interesse nos níveis de temperatura e a ideia de que a sua redução, nos casos de febre, teria alguma função no combate à doença subjacente. Entretanto, não há nenhuma evidência sugerindo que a temperatura elevada em si represente qualquer ameaça a uma criança saudável, exceto em valores extraordinariamente raros, como > 41,7 °C.[5–8]

Pais, cuidadores e profissionais de saúde costumam ter um receio injustificado de que o aumento da temperatura possa causar danos neurológicos, convulsões e até morte. Esse medo irracional e pavor indevido da febre em si foi denominado febrefobia pelo pediatra norte-americano Barton Schmitt, em 1980, e persiste como um fenômeno de comportamento global, apesar de 40 anos de publicações que alertam sobre sua natureza deletéria à saúde. A febrefobia leva ao uso excessivo dos serviços de saúde e ao emprego intempestivo de analgésicos às crianças, com objetivo de reduzir a temperatura corporal, independentemente de haver ou não desconforto associado.[9–12]

Todo profissional de saúde tem a responsabilidade de orientar os pais e os cuidadores acerca dos benefícios conhecidos da febre. Além disso, deve informá-los de que o ser humano tem um termostato hipotalâmico que mantém a temperatura do corpo em uma faixa apropriada para combater infecções e que o manejo da criança febril não deve ser focado na redução da temperatura, mas em dar ênfase ao monitoramento da atividade da criança, à observação de sinais e sintomas de gravidade, ao incentivo da ingestão adequada de líquidos e à administração de fármacos somente para diminuir o desconforto.[1,13]

## TEMPERATURA HABITUAL E SUAS VARIAÇÕES

A temperatura habitual varia de pessoa para pessoa e sofre oscilações em um mesmo indivíduo. Ela eleva-se na presença de estresse, com o exercício físico, em ambientes quentes, quando há excesso de vestuário e após uma refeição.[14] Possui variação fisiológica diurna, que depende da idade, sendo da ordem de 0,6 °C em crianças com idade < 2 anos e de 1,1 °C nas crianças com idade > 7 anos.[14,15] Os lactentes e as crianças pequenas tendem a ter temperaturas mais altas do que as crianças maiores e os adultos, com diferenças de até 0,8 °C.[14,16] A maior temperatura do dia ocorre no fim da tarde, e a mais baixa, entre 3 e 6 horas da manhã.[3,14,15] Mesmo durante quadros febris, esse padrão de variação com o ritmo circadiano é conservado.[2,16]

A temperatura habitual, quando medida no reto, situa-se ao redor de 37 °C (temperatura central). A temperatura na cavidade oral é 0,6 °C mais baixa do que a retal. A temperatura axilar é até 1 °C mais baixa do que a temperatura retal.[2,3,16] Lactentes com idade < 3 meses, principalmente os recém-nascidos, podem sofrer aumento de temperatura cutânea pelo excesso de agasalhos (roupas ou cobertores). Em geral, a temperatura retal mantém-se normal nessas circunstâncias, mas pode elevar-se, não devendo ultrapassar 38,5 °C. Nesses casos, recomenda-se retirar o excesso de agasalho e medir outra vez a temperatura após 15 a 30 minutos.[17]

> Na prática, considera-se febre quando a temperatura retal estiver acima de 38 °C, a oral, acima de 37,5 °C, e a axilar, acima de 37,2 °C, sendo que, em relação à temperatura axilar, a febre é considerada baixa quando estiver entre 37,2 e 38,5 °C, moderada entre 38,5 e 39,5 °C, alta entre 39,5 e 40,5 °C e muito alta quando for superior a 40,5 °C.[4,15,18] O grau da febre nem sempre se correlaciona com a gravidade da doença.[1]

## COMO MEDIR A TEMPERATURA

Apesar do grande número de dispositivos desenvolvidos nos últimos anos, ainda existem controvérsias sobre o melhor equipamento e o melhor local para medir a temperatura corporal. O melhor equipamento para uso clínico, inclusive no nível ambulatorial, deveria ser aquele cuja leitura mais se aproxima da temperatura central (padrão-ouro é a medida no esôfago distal, na bexiga ou na artéria pulmonar).[19,20]

Há quatro tipos de termômetros para uso clínico: de mercúrio em vidro, eletrônico, de cristais líquidos e infravermelho.

Os termômetros eletrônicos, usados para medida das temperaturas axilar, retal ou oral, são muito precisos e de leitura rápida. Os modelos cutâneos que utilizam cristais líquidos em um adesivo plástico, que medem a temperatura na região frontal, são os mais imprecisos, resultando em grande número de falsos-negativos.[4] Os modelos de mercúrio em vidro são pouco dispendiosos, porém de difícil leitura, atingem vagarosamente a leitura máxima e precisam ser desinfetados após o uso.[4,14,15] Há modelos desses termômetros para usos axilar, oral e retal. Existem equipamentos que medem a radiação térmica infravermelha emitida pela superfície cutânea, com monitor posicionado no centro da região frontal ou na emergência da artéria temporal. No entanto, até o momento, as pesquisas têm encontrado diferenças significativas entre as medidas da temperatura retal (usada como padrão-ouro) e as medidas de superfície cutânea, o que justifica a não recomendação de seu uso.[21,22]

Uma revisão sistemática mostrou menor variação entre as temperaturas axilar e retal quando medidas com termômetro de mercúrio em vidro (média de 0,25 °C) quando comparadas às medidas com termômetro eletrônico (média de 0,85 °C). Entretanto, as variações foram amplas devido a questões metodológicas das pesquisas originais, o que dificulta a recomendação de um instrumento em vez de outro.[23]

Até o momento, nenhum método se mostrou definitivamente superior a outro na avaliação da temperatura corporal.

Aplicativos para *smartphone* têm sido utilizados para o registro seriado da temperatura, mas sua acurácia depende do tipo de sensor. Ainda não há estudos que permitam sua recomendação, mas seu uso com sensores de termometria infravermelha parece muito prático e promissor.[16]

### Temperatura retal

Durante muitos anos, a medida retal da temperatura foi considerada padrão para avaliação da febre. Ela pode ser aferida em crianças de 0 a 5 anos. Deve ser usado termômetro apropriado, de bulbo curto e arredondado, e não o termômetro para uso oral e axilar, que tem o bulbo afilado, pelos riscos de perfuração retal ou quebra do aparelho. Antes do uso, o termômetro deve ser lubrificado com vaselina esterilizada. A criança pequena deve ficar de bruços sobre o colo da mãe, com as pernas pendentes, e a criança maior, em decúbito prono ou lateral sobre a mesa de exame. Após afastar as nádegas, o termômetro é inserido 4 a 5 cm dentro do ânus e aí mantido por 3 minutos.

A administração prévia de enema, assim como a presença de diarreia, afeta a temperatura do local, levando a erro na avaliação. A medida retal da temperatura é desconfortável e embaraçosa para crianças maiores, motivo pelo qual tem sido recomendada atualmente apenas para lactentes com idade < 6 meses ou em situações especiais.[15,24]

A recomendação de algumas diretrizes é medir a temperatura retal em crianças de até 5 anos de idade, por ser a mais fidedigna (mais próxima da temperatura central).[23,25] No entanto, muitos familiares e profissionais de saúde não adotam essa forma de medida, por questões culturais ou pela dificuldade de manter as crianças imóveis durante o procedimento.[4,26]

Em função das características do fluxo sanguíneo retal, as variações de temperatura na ascensão ou no descenso da febre demoram para ser detectadas, quando comparadas com as medidas da temperatura central.[20]

### Temperatura axilar

Esse método pode ser usado em crianças de qualquer idade, sendo prático e muito difundido. No entanto, é o menos preciso de todos, pois, durante a ascensão da temperatura, a vasoconstrição periférica provoca diminuição na temperatura cutânea, subestimando a intensidade da febre.[20] Essa medida também é influenciada por banho ou compressas prévios.[15,24]

Com o braço da criança elevado, coloca-se o termômetro na axila, que deve estar seca. A seguir, baixa-se o braço, mantendo-o contra o tórax por 5 a 7 minutos para leitura máxima, se for usado termômetro de mercúrio em vidro. Com termômetros eletrônicos, esse tempo é reduzido para 40 a 80 segundos.[20]

### Temperatura oral

Pode ser aferida em crianças com idade ≥ 5 anos, cooperativas e que possam manter a boca fechada durante a medição. Após remover o antisséptico do termômetro, o bulbo é colocado sob a língua, sobre o assoalho da boca e com os lábios bem fechados, onde deve ser mantido por 3 minutos, no caso de termômetros de mercúrio em vidro.

Existe uma variação de até 0,8 °C, dependendo da localização do bulbo, sendo as medidas mais altas obtidas na base da língua e as mais baixas, próximo à arcada dentária. A medida oral da temperatura é influenciada pela ingestão prévia de alimentos frios ou quentes e pela concomitante respiração bucal.[15,20,24]

### Temperatura timpânica

Os termômetros timpânicos são fáceis de manusear, medem a temperatura em menos de 3 segundos, sem desconforto, e não exigem a cooperação da criança.[15]

Uma revisão sistemática mostrou diferenças significativas entre as medidas das temperaturas retal (usada como padrão) e timpânica, indicando ser esta uma aferição não confiável.[27] Em uma unidade de terapia intensiva, foram comparadas as temperaturas timpânica e central, medidas por cateter vesical ou na artéria pulmonar. Não houve concordância entre as temperaturas central e timpânica.[19] Estudos posteriores continuaram evidenciando os mesmos achados.[21]

## Avaliação subjetiva da febre pelo toque da pele

A percepção de febre pelos cuidadores – sejam pais ou profissionais de saúde – pelo toque da pele, principalmente da cabeça e do pescoço, não foi avaliada de maneira adequada para ser considerada método diagnóstico confiável de febre ou de sua magnitude. Os resultados das pesquisas são conflitantes.[4,28,29]

Uma revisão sistemática publicada em 2017 mostrou que a avaliação pelo toque de cuidadores de crianças apresentou sensibilidade de 87,5% e especificidade de 54,6% na detecção de febre. Apesar das limitações metodológicas dos artigos originais, essa revisão sugere que a avaliação pelo toque pelos cuidadores pode ajudar a excluir febre, mas não aparenta ser confiável para detectar febre **B**.[30]

# AVALIAÇÃO DA CRIANÇA COM FEBRE

## Sinais de toxemia

A causa mais comum de febre em crianças é infecção benigna localizada, em sua maioria de origem viral.[4,15] Entretanto, o primeiro aspecto a ser avaliado no atendimento da criança febril é a identificação de sinais de toxemia ou sinais gerais de perigo. A presença de algum desses sinais ou sintomas, citados na **TABELA 105.1**,[4,31,32] indica doença grave, devendo ser providenciado o encaminhamento imediato da criança a serviços de emergência, inclusive com acionamento de serviço de atendimento móvel de urgência (SAMU), de acordo com a disponibilidade local.[4]

Com o objetivo de quantificar o risco de doença grave, foi desenvolvida a escala de observação clínica de Yale (EOCY) para lactentes com idade > 60 dias, que caracteriza o estado toxêmico a partir de 6 itens, conforme mostra a **TABELA 105.2**. Escore ≥ 16 pontos indica doença grave, e escore

**TABELA 105.1** → Sinais gerais de perigo – encaminhar imediatamente ao hospital

- → Impossibilidade de beber ou mamar[31]
- → Vômito de tudo que ingere ou bilioso[4,31]
- → Convulsões[31]
- → Letargia ou inconsciência[4,31]
- → Hipotonia[4,32]
- → Irritabilidade[32]
- → Pele pálida, cianótica, acinzentada, moteada ou com turgor reduzido[4,32]
- → Taquipneia ou hipoventilação[4,32]
- → Taquicardia*[4,32]
- → Má perfusão periférica[31,32]
- → Abaulamento da fontanela[4]
- → Choro fraco, contínuo ou agudo[4]
- → Gemido[4,31]

* Pode ser sinal de gravidade, mas ainda faltam estudos que definam frequência cardíaca (FC) normal para diferentes temperaturas corporais, assim como o risco de doença grave para os indivíduos com FC fora da faixa de normalidade. O National Institute for Health and Care Excellence não inclui esse sinal entre os de alto risco ("sinais vermelhos").[4]
Fonte: Adaptada de National Institute for Health and Care Excellence,[4] Brasil[31] e Sur e Bukont.[32]

**TABELA 105.2** → Escala de observação clínica de Yale para crianças com idade > 60 dias

| ITEM OBSERVADO | NORMAL = 1 PONTO | MODERADAMENTE ALTERADO = 3 PONTOS | MARCADAMENTE ALTERADO = 5 PONTOS |
|---|---|---|---|
| Reação ao estímulo pelos pais | Choro breve; ou não chora e parece contente | Choro intermitente | Choro persistente com pouca resposta |
| Qualidade do choro | Forte ou nenhum | Choraminga ou soluça | Choro fraco ou gemente, choro contínuo, em tom agudo; ou dificilmente responde |
| Estado de hidratação | Olhos e pele normais e membranas mucosas úmidas | Olhos e pele normais e boca levemente seca | Pele pastosa ou com prega persistente, mucosas secas e/ou olhos encovados |
| Resposta social | Sorri e fica alerta (consistentemente) | Sorri e fica alerta brevemente | Não sorri; ansioso, aborrecido; não fica alerta a estímulos sociais |
| Estado de consciência | Se está acordado, permanece acordado; se está dormindo, acorda rapidamente | Abre os olhos brevemente se está dormindo, ou apenas acorda com estímulo prolongado | Não fica alerta e torna a dormir |
| Cor | Rosada | Extremidades pálidas ou acrocianose | Pálida ou cianótica ou moteada ou acinzentada |
| TOTAL | | | |

Fonte: National Institute for Health and Care Excellence.[4]

≤ 10 pontos, baixa probabilidade de doença grave. Ao ser validada, a escala mostrou sensibilidade de 77% e especificidade de 88%. No entanto, não identifica adequadamente as crianças de maior risco, que são aquelas com menos de 8 semanas de vida.[33] Publicada em 1982, essa escala ainda se mostra adequada para avaliação clínica segundo publicações mais recentes.[34,35]

Outro instrumento mais recente é o sistema de semáforo para identificação de risco de doença grave em crianças com febre, mostrado na **TABELA 105.3**.[4] Estudo de coorte com mais de 15 mil crianças com idade < 5 anos atendidas em serviço de emergência, publicado em 2013, mostrou que o instrumento apresenta sensibilidade de 85,8% e especificidade de 28,5% para identificar infecção bacteriana grave **B**.[36]

Na prática, a EOCY e o sistema de semáforo são úteis para distinguir as crianças toxêmicas das não toxêmicas, pelo fato de considerarem apenas aspectos clínicos, motivo pelo qual não devem ser usados em lactentes com menos de 60 dias de vida, pois, nessa faixa etária, os sinais clínicos podem ser muito pobres (ver protocolos de investigação específicos por idade, adiante).

**Toda criança febril com aspecto toxêmico (com sinais gerais de perigo) deve ser submetida à avaliação para sepse, independentemente de qualquer protocolo, devendo ser encaminhada de imediato ao hospital para investigação e início de antibioticoterapia.**

A **TABELA 105.4** apresenta os exames necessários para a investigação inicial em crianças com suspeita de sepse.[37]

**TABELA 105.3** → Sistema de semáforo para identificação de risco de doença grave em crianças com febre

| ITEM OBSERVADO | VERDE (BAIXO RISCO) | AMARELO (RISCO MÉDIO) | VERMELHO (RISCO ALTO) |
|---|---|---|---|
| Cor (pele, lábios ou língua) | Normal | Palidez relatada pelos pais/cuidadores | Palidez; pele moteada; cianose |
| Atividade | Responde normalmente a estímulos sociais; criança sorri; acordada ou acorda facilmente | Não responde a estímulos sociais; não sorri; acorda somente com estímulo vigoroso; atividade diminuída | Não responde a estímulos sociais; parece doente sob a ótica de um profissional de saúde; não acorda ou não se mantém acordada ao ser despertada; choro fraco ou contínuo |
| Respiração | Normal | Batimento de asas de nariz<br>Taquipneia:<br>< 12 meses: > 50 rpm<br>> 12 meses: > 40 rpm<br>Saturação de $O_2$ ≤ 95% em ar ambiente<br>Crepitações | Gemente; taquipneia: > 60 rpm; retrações costais |
| Circulação e hidratação | Pele e olhos normais; mucosas úmidas | Taquicardia:<br>< 12 meses: > 160 bpm<br>12-24 meses: > 150 bpm<br>2-5 anos: > 140 bpm<br>Enchimento capilar ≥ 3 segundos; mucosas secas; recusa alimentar (lactente); redução do volume urinário | Turgor da pele diminuído |
| Outros | Nenhum sinal ou sintoma listado nas colunas "amarelo" e "vermelho" | Temperatura ≥ 39 °C (idade 3-6 meses); febre por período ≥ 5 dias; calafrios; edema de membro ou articulação; criança não se apoia em uma perna | Temperatura ≥ 38 °C (idade < 3 meses); exantema que não desaparece à pressão; fontanela abaulada; rigidez de nuca; estado epilético; sinais neurológicos focais; convulsões focais |

bpm, batimentos por minuto; rpm, respirações por minuto.
Fonte: National Institute for Health and Care Excellence.[4]

## Sinais de localização

A maioria das crianças atendidas em serviços de saúde por febre apresenta sinais óbvios ou sugestivos da causa na anamnese e/ou exame físico, permitindo o diagnóstico e o tratamento sintomático ou específico.[4] No entanto, não é possível identificar a etiologia da febre em cerca de 20% das crianças com idade < 3 anos com base na história clínica e no exame físico.[38]

**TABELA 105.4** → Exames iniciais para a pesquisa de sepse

- → Exame completo do líquido cerebrospinal
- → Hemocultura
- → Exame qualitativo de urina
- → Urocultura
- → Hemograma completo
- → Radiografia de tórax se houver sinais respiratórios, febre alta ou leucograma alterado
- → Coprocultura em caso de diarreia

Fonte: Baraff e colaboradores.[37]

No primeiro atendimento, o médico deve ser capaz de identificar, além dos sinais gerais de perigo já apresentados, que são inespecíficos, os sinais diagnósticos sugestivos da origem da doença grave, quando existirem (**TABELA 105.5**).[39,40]

**TABELA 105.5** → Sinais e sintomas indicativos de doença grave específica

| DIAGNÓSTICO A SER CONSIDERADO | SINAIS E SINTOMAS ASSOCIADOS À FEBRE |
|---|---|
| Doença meningocócica | → Erupção cutânea petequial, particularmente com 1 ou mais dos seguintes critérios:<br>→ Aparência de doente<br>→ Lesões com diâmetro > 2 mm (púrpura)<br>→ Tempo de enchimento capilar ≥ 3 segundos<br>→ Rigidez de nuca |
| Meningite | → Rigidez de nuca (ocorre em menos de 30% em crianças com idade < 3 meses)<br>→ Abaulamento de fontanela (pode ser tardio em crianças com idade < 3 meses)<br>→ Diminuição do nível de consciência<br>→ Estado de mal convulsivo |
| Encefalite por herpes | → Sinais neurológicos focais<br>→ Convulsões focais<br>→ Diminuição do nível de consciência |
| Pneumonia | → Taquipneia<br>→ Crepitantes na ausculta pulmonar<br>→ Batimento de asas do nariz<br>→ Tiragem<br>→ Cianose<br>→ Saturação de oxigênio ≤ 95% |
| Infecção do trato urinário | → Vômitos<br>→ Recusa alimentar<br>→ Letargia<br>→ Irritabilidade<br>→ Dor ou defesa abdominal<br>→ Aumento da frequência urinária ou disúria<br>→ Hematúria ou urina fétida |
| Artrite séptica | → Edema de uma extremidade ou articulação<br>→ Limitação no uso de uma extremidade<br>→ Dificuldade em suportar peso |
| Doença de Kawasaki | → Febre por período > 5 dias e pelo menos 4 dos seguintes critérios:<br>→ Conjuntivite bilateral não purulenta<br>→ Alterações eritematosas nas mucosas orofaríngeas<br>→ Alterações nas extremidades<br>→ Exantema polimorfo<br>→ Linfadenopatia cervical |
| Dengue | → Febre de no máximo 7 dias e pelo menos 2 dos seguintes, em criança que tenha estado em áreas de transmissão de dengue ou com presença de *Aedes aegypti* nos últimos 15 dias:<br>→ Cefaleia<br>→ Dor retro-orbitária<br>→ Mialgia<br>→ Artralgia<br>→ Prostração<br>→ Exantema |
| Malária | → Febre alta intermitente, com sensação de melhora nos períodos apiréticos, em áreas endêmicas<br>→ Calafrios<br>→ Tremores<br>→ Sudorese intensa<br>→ Fadiga<br>→ Mialgia<br>→ Cefaleia |

Fonte: Adaptada de National Institute for Health and Care Excellence,[4] Brasil[39] e Brasil.[40]

Em áreas endêmicas para malária (ver mapa no Capítulo Malária), o Ministério da Saúde recomenda utilizar a classificação de febre e manejo inicial da criança febril adotada pela estratégia Atenção Integrada às Doenças Prevalentes na Infância (AIDPI), com base na presença de sinais gerais de perigo e pelo risco de malária (TABELA 105.6).[31]

## Febre sem sinais de localização

As doenças infecciosas agudas localizadas, principalmente as de etiologia viral, são a causa mais comum de febre na criança e, em geral, são diagnosticadas pela anamnese e pelo exame físico rotineiros. Entretanto, em muitos casos, os sinais e sintomas e o exame físico são pobres, situação definida como febre sem foco ou febre sem sinais de localização.[15]

Na investigação da febre, é necessário fazer a distinção entre "febre sem sinais de localização" e "febre de origem obscura". A primeira refere-se a episódio febril agudo (duração < 7 dias), cuja causa não é aparente após a anamnese e o exame físico. A febre de origem obscura é prolongada (2-3 semanas), sem sinais de localização e não é abordada neste capítulo. Em geral, no caso de febre de origem obscura, procede-se à investigação inicial na atenção primária à saúde (APS) (incluindo hemograma, exame de urina, sorologias, culturas e outros, conforme disponibilidade e suspeita diagnóstica), mas costuma haver necessidade de encaminhamento para serviços especializados.

Dependendo da população observada e dos fatores epidemiológicos locais, pode haver variação nos casos de crianças febris que não apresentam sinais de localização.[7] Muitas doenças infecciosas apresentam período prodrômico de 24 a 72 horas, em que o único sinal é a febre (p. ex., sarampo, faringite estreptocócica, gengivoestomatite herpética, gastrenterites, meningites, etc.).[38] A malária tem a febre como principal sintoma, acompanhada de sinais inespecíficos na fase prodrômica.[39] Quando não for identificada uma causa na investigação das doenças mais prevalentes, deve-se considerar algumas doenças crônicas, como as colagenoses, e neoplasias, que podem ter como manifestação inicial a febre, simulando episódios agudos.[7]

Quando não há sinais de localização, a anamnese precisa ser mais minuciosa, incluindo história de contato com pessoas doentes, viagens, exposição a animais, uso de antibióticos, comportamentos (apetite, atividade, irritabilidade) e histórico de vacinação.

A avaliação ideal das crianças com febre sem sinais de localização deveria discriminar as que têm doença bacteriana grave – necessitando de intervenção imediata – das que podem ser submetidas à conduta expectante, sem generalizar uma rotina de investigação laboratorial invasiva e onerosa, assim como hospitalizações e antibioticoterapia desnecessárias.[32,41,42]

Como crianças com idade < 36 meses apresentam maior risco de bacteriemia oculta, a febre aguda sem sinais de localização é um grande desafio para o médico. Desde 1993, tem-se procurado estabelecer protocolos para identificação e manejo inicial dessa população. Como os riscos são diferentes, os protocolos de investigação são particularizados conforme a faixa etária. Para tornar a avaliação mais objetiva, foram desenvolvidos escores e escalas de observação clínica aliados a dados laboratoriais que procuram identificar as crianças com doença bacteriana grave, como os critérios de Boston, Philadelphia e Rochester, este último para recém-nascidos e lactentes de até 90 dias (ver adiante), a EOCY para crianças com idade > 60 dias e o sistema de semáforo para crianças com idade < 5 anos.[42,43] Mais recentemente, escores baseados em testes laboratoriais, incluindo procalcitonina e proteína C-reativa, têm demonstrado maiores valores preditivos negativos do que os escores clínicos, por apresentarem maior especificidade **B**.[42,44]

**TABELA 105.6** → Classificação da febre e manejo inicial de acordo com risco de malária em áreas endêmicas

| ÁREA COM ALTO RISCO DE MALÁRIA | | |
|---|---|---|
| Qualquer sinal geral de perigo OU<br>Rigidez de nuca OU<br>Petéquias OU<br>Abaulamento de fontanela | Malária grave ou doença febril muito grave | → Realizar gota espessa e, em caso de resultado positivo, dar primeira dose de um antimalárico recomendado<br>→ Dar primeira dose de um antibiótico recomendado<br>→ Tratar a criança para evitar hipoglicemia<br>→ Em caso de febre de 38,5 °C ou mais, dar antitérmico<br>→ Referir ao hospital URGENTEMENTE |
| Nenhum sinal de malária grave ou de doença febril muito grave | Malária | → Realizar gota espessa e, em caso de resultado positivo, dar primeira dose de um antimalárico recomendado<br>→ Em caso de febre de 38,5 °C ou mais, dar antitérmico<br>→ Informar à mãe sobre quando retornar imediatamente<br>→ Retorno em 3 dias se a febre persistir<br>→ Se houver febre diariamente por mais de 7 dias, referir para investigação |
| **ÁREA COM BAIXO RISCO DE MALÁRIA** | | |
| Qualquer sinal geral de perigo OU<br>Rigidez de nuca OU<br>Petéquias OU<br>Abaulamento de fontanela | Malária grave ou doença febril muito grave | → Dar primeira dose de um antibiótico recomendado<br>→ Tratar a criança para evitar hipoglicemia<br>→ Em caso de febre de 38,5 °C ou mais, dar antitérmico<br>→ Referir ao hospital URGENTEMENTE |
| Nenhum sinal de malária grave ou doença febril muito grave<br>Não tem coriza nem outra causa de febre | Malária provável | → Realizar gota espessa e, em caso de resultado positivo, dar primeira dose de um antimalárico oral recomendado<br>→ Em caso de febre de 38,5 °C ou mais, dar antitérmico<br>→ Informar à mãe quando retornar imediatamente<br>→ Retorno em 3 dias se a febre persistir<br>→ Se houver febre todos os dias por mais de 7 dias, referir para investigação |
| Tem coriza OU<br>Tem outra causa de febre | Malária pouco provável | → Em caso de febre de 38,5 °C ou mais, dar antitérmico<br>→ Informar à mãe quando retornar imediatamente<br>→ Retorno em 3 dias se a febre persistir<br>→ Se houver febre todos os dias por mais de 7 dias, referir para investigação |

Fonte: Brasil.[31]

Na elaboração dos escores e dos critérios de risco de infecção bacteriana grave, consideram-se as seguintes definições:[4,37,42,45]

→ **febre sem localização:** episódio febril agudo (duração < 7 dias) cuja etiologia não é aparente após anamnese e exame físico;
→ **doença bacteriana grave:** meningite, sepse, osteomielite e artrite séptica, infecção do trato urinário (ITU), pneumonia e gastrenterite. Na faixa etária de 0 a 90 dias, a otite média e a pustulose por *Staphylococcus aureus* também são consideradas doenças bacterianas graves;
→ **lactentes febris de baixo risco:** aqueles que não parecem toxêmicos, que estavam previamente hígidos (pelos critérios de Rochester), EOCY < 10, sistema de semáforo com todos os sinais indicados na coluna verde, sem infecção localizada e com triagem laboratorial negativa para infecção.

A **TABELA 105.7** contém informações sobre os exames que fazem parte da triagem laboratorial para infecção bacteriana grave sem sinais de toxemia em crianças com até 36 meses de idade.[4,41,46,47]

## Protocolos de investigação particularizados por faixa etária

### Primeiros 90 dias de vida

Infecção bacteriana grave está presente em cerca de 9 a 14% dos lactentes febris nessa faixa etária.[48] Uma revisão sistemática mostrou que temperatura > 40 °C esteve associada a aumento de risco de infecções bacterianas graves em crianças com idade < 3 meses que apresentavam doença febril aguda **B**.[49]

**Toda criança com menos de 28 dias de vida e com febre deve ser encaminhada ao hospital, independentemente da aparência clínica, a fim de ser submetida à avaliação para sepse e receber antibioticoterapia empírica para possível sepse ou meningite, enquanto aguarda os culturais.[4,34,50] Na faixa etária de 28 a 90 dias, o risco de infecção bacteriana é menor, com exceção das infecções do trato urinário, sendo necessária avaliação laboratorial.[48]**

Estudos prospectivos deram origem a três principais conjuntos de critérios clínicos e laboratoriais – Boston, Philadelphia e Rochester –, os quais procuram identificar as crianças com doença bacteriana grave. Os critérios de Rochester foram publicados e validados na década de 1980[51,52] e são úteis no nível da APS, pois não envolvem a realização de punção lombar. Uma revisão de 10 estudos concluiu que esses critérios têm valor preditivo negativo de bacteriemia de 99,1%.[48] Na atualidade, continuam a ser utilizados como triagem para identificação de lactentes com infecção grave com idade < 90 dias.[42,48] Para o lactente ser considerado de baixo risco, ele deve preencher todos os critérios (**TABELA 105.8**).[53] A **FIGURA 105.1** mostra a orientação de conduta diante de um lactente febril não toxêmico de 28 a 90 dias.

### Crianças com idade entre 3 e 36 meses

Antes da imunização rotineira com as vacinas conjugadas contra *Haemophilus influenzae* do tipo b (Hib) e *Streptococcus pneumoniae*, a prevalência de bacteriemia em crianças dessa faixa etária era de 3 a 15%.[48] A vacinação diminuiu essa prevalência para cerca de 1%.[54] Considerando essas diferenças de prevalência, a avaliação e o manejo da febre sem foco em crianças dessa faixa etária diferem de acordo com a situação vacinal da criança, conforme ilustram as **FIGURAS 105.2** e **105.3**. As crianças que receberam 3 doses das vacinas Hib e PCV7 ou PCV9 ou PCV10, o que em geral ocorre aos 6 meses de idade, são consideradas imunizadas. As que não foram vacinadas ou receberam menos de 3 doses das vacinas mencionadas são consideradas não imunizadas,[54] embora existam estudos demonstrando que 1 dose da vacina contra pneumococo oferece proteção de no mínimo 75% e 2 doses, de 95%.[55]

As crianças não toxêmicas e com temperatura axilar < 38,6 °C não necessitam de avaliação laboratorial ou

---

**TABELA 105.7** → Triagem laboratorial para infecção bacteriana grave sem sinais de toxemia em crianças com até 36 meses indicada em diretrizes validadas

| EXAME | ALTERADO SE: |
|---|---|
| Leucograma | → Leucócitos totais:*<br>→ > 15.000/mm³<br>→ < 5.000/mm³<br>→ Bastonados > 1.500/mm³<br>→ Neutrófilos totais† > 10.000/mm³ |
| Sedimento de urina‡ | → Presença de nitritos<br>→ Presença de esterase leucocitária<br>→ Leucócitos > 5/campo |
| Leucócitos fecais (se houver diarreia) | → Leucócitos > 5/campo |

*Valores entre 5.000 e 15.000/mm³ têm valor preditivo negativo de 97% para bacteriemia.[46]
† Valores alterados aumentam o risco de bacteriemia oculta em 8 a 10%.[34]
‡ A amostra deve ser obtida por punção suprapúbica ou sondagem vesical. Um exame qualitativo de urina normal não exclui infecção urinária.[47]
Fonte: National Institute for Health and Care Excellence,[4] Cincinnati Children's Hospital Medical Center[41] e Smitherman e Macias.[47]

---

**TABELA 105.8** → Critérios de Rochester para recém-nascidos e lactentes de até 90 dias*

→ Aparenta estar bem
→ Previamente hígido
→ Nascido a termo (gestação ≥ 37 semanas)
→ Não recebeu terapia antimicrobiana perinatal
→ Não foi tratado para hiperbilirrubinemia inexplicada
→ Não recebeu e não está recebendo agentes antimicrobianos
→ Não esteve previamente hospitalizado
→ Não tem doenças crônicas ou subjacentes
→ Não ficou hospitalizado por mais tempo que sua mãe
→ Não tem evidências de infecção de pele, tecidos moles, ossos, articulações ou ouvido

**Resultados laboratoriais**
→ Leucócitos totais entre 5.000 e 15.000/mm³
→ Contagem absoluta de bastonados < 1.500/mm³
→ < 10 leucócitos/campo de alto poder à microscopia de urina

*Critérios originais publicados em 1985; pesquisas posteriores geraram as recomendações que estão na **TABELA 105.6**.
Fonte: Dagan e colaboradores.[53]

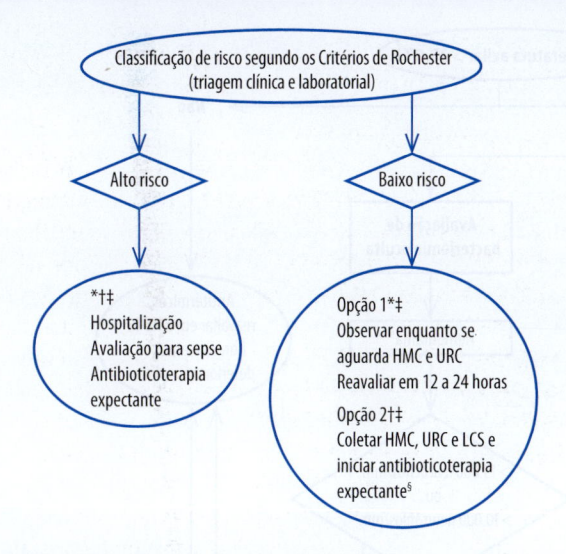

**FIGURA 105.1** → Fluxograma para orientar a conduta diante de um lactente febril não toxêmico de 28 a 90 dias.
* Cincinnati Children's Hospital Medical Center, Estados Unidos.[41]
† National Institute for Health and Care Excellence.[4]
‡ Baraff e colaboradores.[37]
Para os lactentes de baixo risco, a opção deve ser individualizada, contextualizando-se a situação socioeconômica e cultural da família e facilidades de localização e retorno.[4,37]
§ Sempre que se optar por antibioticoterapia expectante, coletar LCS previamente. Iniciar com cefalosporina de terceira geração (cefotaxima ou ceftriaxona) + fármaco ativo contra listéria (ampicilina ou amoxicilina)[4] até obter resultado dos culturais.
HMC, hemocultura; LCS, líquido cerebrospinal; URC, urocultura.

antibioticoterapia, independentemente da situação vacinal. Devem receber antipiréticos e ser reavaliadas em qualquer momento se houver deterioração clínica ou em 24 a 48 horas.

Considerando o baixo risco de bacteriemia nas crianças com imunização completa, não estão indicadas, para essas crianças, avaliação laboratorial completa e antibioticoterapia empírica, pois essas medidas não alteram significativamente a probabilidade de progressão para doença bacteriana grave. Entretanto, o risco de ITU continua sendo considerável, estando indicada a avaliação laboratorial para essa infecção.[4,54] A associação entre pneumonia e leucocitose permanece, mesmo em crianças vacinadas contra pneumococo[54] e hemófilos e com ausência de manifestações respiratórias. Por isso, nas crianças com avaliação negativa para infecção urinária e que persistem sem foco evidente para febre, deve-se considerar a realização de hemograma. Se a contagem de leucócitos > $20.000/mm^3$, estão indicadas radiografia de tórax e hemocultura.[56] Caso a obtenção de radiografia seja mais fácil que a de um hemograma, é sensata a pronta realização do exame radiológico.

Como estratégia para evitar hospitalização e uso desnecessário de antibióticos em crianças com febre e sem sinais de localização, têm sido utilizados testes rápidos para diagnóstico de infecções virais de vias aéreas.[49] No entanto, uma revisão sistemática mostrou que não há evidências suficientes para apoiar o uso de testes virais de rotina em emergências pediátricas. Apesar de esses exames reduzirem a taxa de radiografias de tórax no pronto atendimento, os estudos originais analisados não fornecem informações suficientes para determinar se esses testes rápidos podem ou não reduzir as taxas de uso de antibióticos e a realização de exames complementares, como hemograma e urocultura.[57]

### Crianças com idade > 36 meses

Não existem protocolos específicos para investigação e tratamento de crianças febris na faixa etária entre 36 meses e 5 anos. No entanto, os sinais de risco são os mesmos citados para crianças de até 36 meses.[4] Em crianças na faixa etária de 3 a 5 anos, as manifestações clínicas costumam ser mais localizadas e o manejo deve ser individualizado.

## TRATAMENTO SINTOMÁTICO DA FEBRE

Sendo a febre uma resposta organizada, ela tem um limite máximo de temperatura quando não tratada, que é de 42,2 °C, medida no reto. Raras vezes excede 41,1 °C, provavelmente por mecanismos do *feedback* negativo da temperatura sobre a liberação de citocinas ("antipiréticos endógenos").[2,20,58] Já a hipertermia, como não é uma resposta controlada, pode chegar a até 45,5 °C, com consequente lesão do cérebro, do fígado, dos rins e de outros órgãos, devendo, por isso, sempre ser tratada.

Não se pode extrapolar desfechos semelhantes em uma criança com temperatura de 40 °C decorrente de uma doença febril de uma criança com a mesma temperatura em consequência de insolação. A febre em si não é letal, e, até o momento, não existem dados para indicar se ela é capaz de causar lesões teciduais em crianças hígidas.[14,15,59]

A tradição de que a febre em si deveria ser foco de tratamento, ainda que desprovida de qualquer fundamentação científica, prevaleceu até meados do século passado. Hoje, a percepção acadêmica põe essa conduta em xeque, diante do acúmulo de evidências de que a supressão medicamentosa da febre, vista como uma resposta adaptativa a infecções com milhões de anos de evolução, poderia levar ao aumento da morbidade das doenças. Assim, a tendência atual dos especialistas é seguir os fundamentos teóricos para não interferir na febre, contraindicando a administração automática de fármacos antipiréticos a crianças que não estejam se queixando de desconforto significativo, embora alguns autores sustentem que a supressão do estado febril facilitaria a avaliação da criança, tornando-a mais cooperativa.[1,8]

### Como tratar a febre

A febre pode ser reduzida com o uso de fármacos antipiréticos e/ou com resfriamento externo. O objetivo do tratamento é reduzir a temperatura, e não necessariamente manter a criança afebril.[15] Não há evidência de que o tratamento da febre em crianças suscetíveis a convulsões febris evite sua recorrência no longo prazo **B**.[4,59-61] A exceção acontece na prevenção de recorrências durante o episódio febril em que houve convulsão **B**.[62]

O antipirético mais usado é o paracetamol. Ele atua baixando o limiar do ponto estabilizador hipotalâmico pré-óptico, pela inibição da enzima prostaglandina-sintetase, inibindo a produção de prostaglandinas, que são os

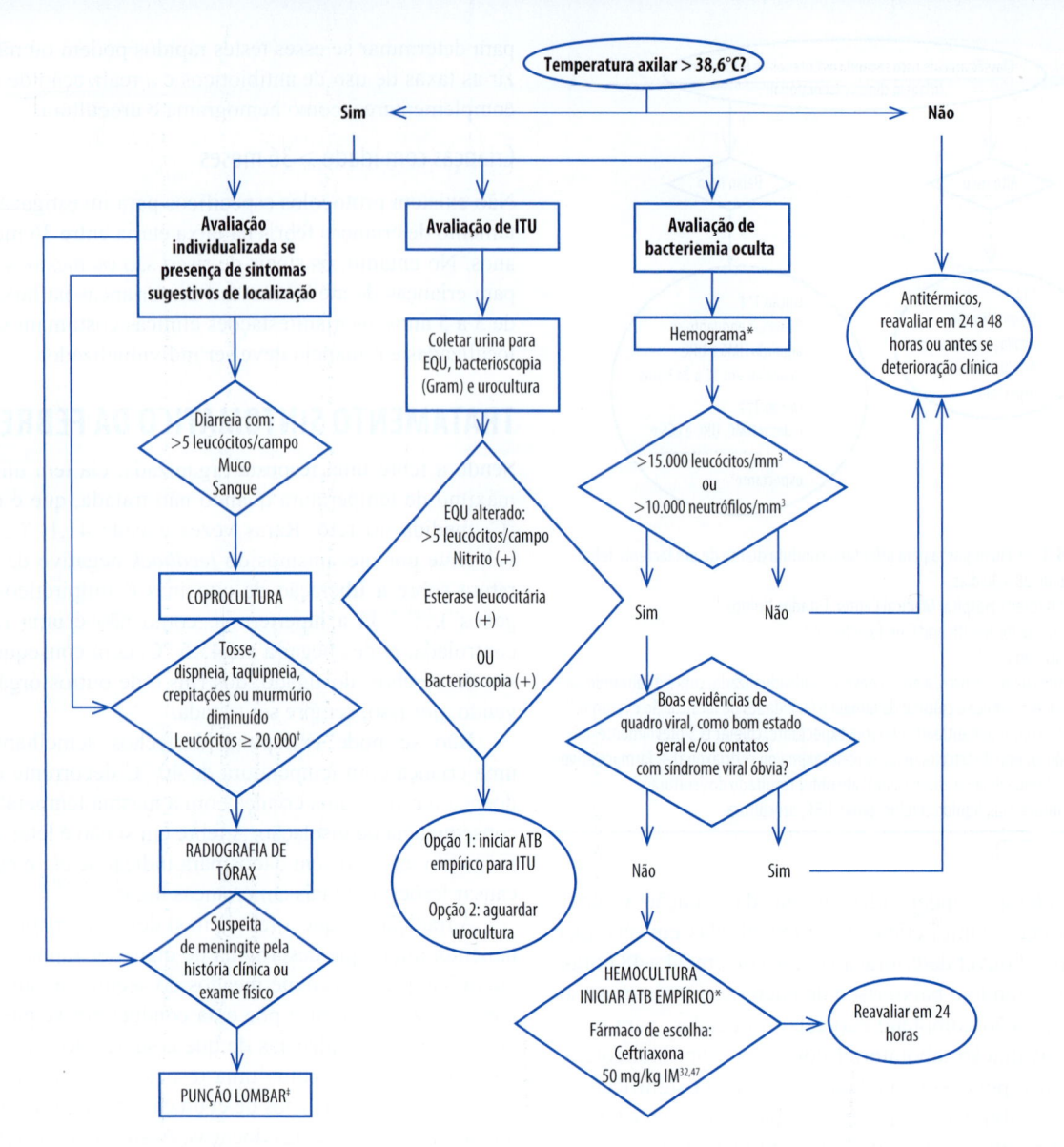

**FIGURA 105.2** → Fluxograma para orientar a conduta diante de uma criança febril não toxêmica de 3 a 36 meses, com esquema vacinal (Hib e pneumococo) inexistente ou incompleto.
* Por questões práticas, recomenda-se coletar amostra também para hemocultura e decidir sobre a realização ou não desse exame com base no resultado do hemograma.[54]
† Há associação entre leucocitose e pneumonia.[54,55]
‡ O risco de subdiagnóstico de meningite é pequeno, podendo ser iniciado ATB sem fazer punção lombar em crianças não toxêmicas nessa faixa etária.[55]
ATB, antibiótico; EQU, exame qualitativo de urina; IM, intramuscular; ITU, infecção do trato urinário.
Fonte: Adaptada de National Institute for Health and Care Excellence,[4] Baraff e colaboradores,[37] Machado e colaboradores,[56] Allen[54] e Baraff.[55]

neuromediadores na produção da febre.[3] Assim, essa substância é capaz de reduzir a febre sem diminuir a temperatura normal do organismo, cuja manutenção é controlada por outros mediadores. É bem absorvida pelo trato gastrintestinal, e o pico da concentração sérica e do efeito antipirético ocorre em 10 a 60 minutos.

A dose usual recomendada de paracetamol para recém-nascidos é 10 a 15 mg/kg, a cada 6 a 8 horas, não ultrapassando 90 mg/kg em 24 horas. Para lactentes e crianças maiores, a dose é 10 a 15 mg/kg, a cada 4 a 6 horas, não devendo exceder 5 doses em 24 horas. Crianças com idade > 12 anos podem usar 325 a 650 mg/dose, a cada 4 a 6 horas, não excedendo 4 g/dia.[63]

O ibuprofeno, um anti-inflamatório não esteroide, tem o mesmo mecanismo de ação do paracetamol. Em doses comparáveis, apresenta o mesmo tempo de início de ação e duração mais prolongada (6-8 horas). A dose usual para crianças de 6 meses a 12 anos é 5 a 10 mg/kg, a cada 6 a 8 horas, não devendo ultrapassar 40 mg/kg/dia.[63] Em doses equivalentes, o ibuprofeno é superior no controle da febre em relação ao paracetamol **B**, mas ambos têm efeitos analgésicos semelhantes **B**.[64,65]

Muitos médicos utilizam regime de dois fármacos alternados ou em combinação para combater a febre, o que promove a febrefobia.[5–12] Essa prática apresenta discreta melhora da febre em relação à monoterapia **C/D** e pode estar

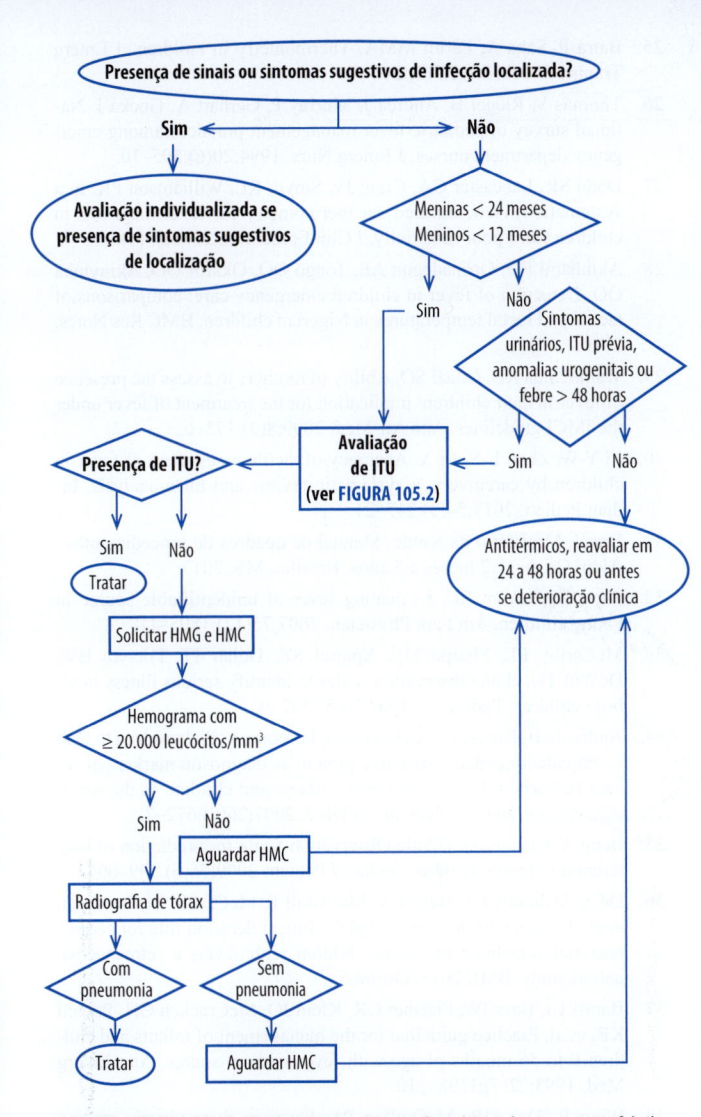

## Seção IX → Atenção à Saúde da Criança e do Adolescente

```
Presença de sinais ou sintomas sugestivos de infecção localizada?
                    │
         ┌──────────┴──────────┐
        Sim                   Não
         │                     │
Avaliação individualizada se   Meninas < 24 meses
presença de sintomas sugestivos Meninos < 12 meses
de localização                  │
                    ┌───────────┴──────┐
                   Sim                Não
                    │                  │
                    │             Sintomas urinários, ITU prévia,
                    │             anomalias urogenitais ou
                    │             febre > 48 horas
                    │                  │
                    │          ┌───────┴────┐
                    │         Sim          Não
                    ▼          ▼            │
         Avaliação de ITU ◄────┘            │
         (ver FIGURA 105.2)                 │
              │                             │
    ┌─────────┴────┐                        │
Presença de ITU?                            │
    │         │                             │
   Sim       Não                            │
    │         │                             │
  Tratar      ▼                             │
        Solicitar HMG e HMC                 │
              │                             │
       Hemograma com                        │
       ≥ 20.000 leucócitos/mm³              │
         │        │                         │
        Sim      Não                        │
         │        ▼                         │
         │   Aguardar HMC                   │
         ▼                                  │
   Radiografia de tórax        Antitérmicos, reavaliar em
         │                     24 a 48 horas ou antes
    ┌────┴────┐                se deterioração clínica
  Com        Sem
pneumonia  pneumonia
    │         │
  Tratar  Aguardar HMC
```

**FIGURA 105.3** → Fluxograma para orientar a conduta diante de uma criança febril não tóxêmica de 3 a 36 meses, com esquema vacinal (Hib e pneumococo) completo. HMC, hemocultura; HMG, hemograma; ITU, infecção do trato urinário.
Fonte: Adaptada de National Institute for Health and Care Excellence,[4] Machado e colaboradores[56] e Allen.[54]

relacionada com menor desconforto na criança **B**.[66] Contudo, a terapia combinada com paracetamol e ibuprofeno pode colocar bebês e crianças em risco aumentado devido a erros de dosagem e resultados adversos. Por isso, há forte consenso na literatura em contraindicar a combinação de fármacos antipiréticos dessa forma.[1,5–12]

A dipirona não é recomendada pela Food and Drug Administration (FDA), para o tratamento da febre em crianças pelo risco de causar anemia aplástica. Seu emprego fica restrito ao manejo da febre na presença de convulsão febril ou impossibilidade de uso da via digestiva, por ser o único antipirético para uso parenteral em nosso meio. No entanto, a dipirona é utilizada em vários países da América do Sul e no México, pela eficácia e acessibilidade.[67,68] Sua eficácia é semelhante à do ibuprofeno e superior à do paracetamol.[68,69]

O ácido acetilsalicílico não é mais recomendado para redução da febre, pela importância de seus paraefeitos, como broncospasmo, úlceras e sangramento gástrico, nefrite intersticial e inibição da agregação plaquetária. Na presença de infecção por influenzavírus ou vírus da varicela-zóster, pode causar síndrome de Reye.[70] Está formalmente contraindicado na suspeita de dengue.

Medidas mecânicas para resfriamento, como esponjamento, retirada de roupas e compressas com água fria, reduzem a temperatura por um período transitório, mas costumam causar mais desconforto, arrepios e tremores do que qualquer benefício.[71]

O resfriamento externo (esponjamento) é uma medida não fisiológica de redução da temperatura, uma vez que, empregando esse método, o corpo se esforça mais para manter a temperatura indicada pelo "termostato" (ponto estabilizador hipotalâmico). Fisiológico ou não, o resfriamento pode efetivamente reduzir a temperatura, sobretudo em lactentes e crianças pequenas, que têm uma superfície corporal relativamente ampla, de forma rápida, mas fugaz, com efeito que não ultrapassa 30 minutos.[72]

O resfriamento externo é o tratamento de escolha na hipertermia induzida pelo calor (insolação, intermação), sem o uso concomitante de antipiréticos. Está indicado na hipertermia maligna, junto com outras medidas específicas. Pode ser utilizado no lugar de antipiréticos quando esses medicamentos são contraindicados (por lesões hepáticas graves, sangramento digestivo) ou perigosos (em recém-nascidos, crianças alérgicas).

Em qualquer situação, o resfriamento causa desconforto,[4,57,71] principalmente se for feito com água fria ou álcool. Por isso, se utilizado, orientam-se compressas de água tépida ou esponjamento, que consiste na fricção da pele do tórax com esponja ou tecido embebido em água morna (30 °C), até o ponto de rubor, por 30 minutos, podendo ser repetido em 2 horas. Apesar do aparente benefício dessa prática na redução da temperatura, o National Institute for Health and Clinical Excellence não recomenda sua utilização em crianças febris com idade < 5 anos, já que ela não reduz o desconforto da criança.[4] Por sua vez, compressas de álcool ou água com álcool, além de causarem desconforto, podem acarretar irritação da pele e intoxicação alcoólica, sendo, por isso, contraindicadas em crianças.[73]

Algumas medidas precisam ser enfatizadas no manejo da criança febril, como hidratação adequada e manutenção da criança em repouso, com roupas e ambiente confortáveis. O alívio das roupas, algumas vezes, traz desconforto e provoca calafrios, que são indesejáveis. É importante salientar aos cuidadores das crianças que não se deve ter como meta do tratamento sintomático a normalização da temperatura, mas sim a redução do desconforto.

## REFERÊNCIAS

1. Sullivan JE, Farrar HC, the Section on Clinical Pharmacology and Therapeutics, Committee on Drugs. Fever and antipyretic use in children. Pediatrics. 2011;127(3):580–7.
2. Dinarello CA, Wolff SM. Pathogenesis of fever and the acute phase response. In: Mandell, Douglas, and Bennett's principles and

practice of infectious diseases. New York: Churchill Livingstone; 1995. p. 530–6.

3. Aronoff DM, Neilson EG. Antipyretics: mechanisms of action and clinical use in fever suppression. Am J Med. 2001;111(4):304–15.

4. National Institute for Health and Care Excellence. NG143: Fever in under 5s: assessment and initial management [Internet]. NICE guideline. NICE; 2019 [capturado em 14 fev. 2021]. Disponível em: https://www.nice.org.uk/guidance/ng143.

5. Barbi E, Marzuillo P, Neri E, Naviglio S, Krauss BS. Fever in children: pearls and pitfalls. Children. 2017;4(9):81.

6. Adam HM. Fever: measuring and managing. Pediatr Rev. 2013;34(8):368–70.

7. Chusid MJ. Fever of unknown origin in childhood. Pediatr Clin North Am. 2017;64(1):205–30.

8. Richardson M, Purssell E. Who's afraid of fever? Arch Dis Child. 2015;100(9):818–20.

9. Bertille N, Purssell E, Hjelm N, Bilenko N, Chiappini E, de Bont EGPM, et al. Symptomatic management of febrile illnesses in children: a systematic review and meta-analysis of parents' knowledge and behaviors and their evolution over time. Front Pediatr. 2018;6:279.

10. Kelly M, McCarthy S, O'Sullivan R, Shiely F, Larkin P, Brenner M, et al. Drivers for inappropriate fever management in children: a systematic review. Int J Clin Pharm. 2016;38(4):761–70.

11. Clericetti CM, Milani GP, Bianchetti MG, Simonetti GD, Fossali EF, Balestra AM, et al. Systematic review finds that fever phobia is a worldwide issue among caregivers and healthcare providers. Acta Paediatr. 2019;apa.14739.

12. Purssell E, Collin J. Fever phobia: the impact of time and mortality – a systematic review and meta-analysis. Int J Nurs Stud. 2016;56:81–9.

13. Schmitt BD, Offit PA. Could fever improve Covid-19 outcomes? Contemporary Pediatrics. 2020;37(7):8–9.

14. Lorin MI. A criança febril. Rio de Janeiro: Medsi; 1987.

15. Fox D, Bunik M, Treitz M. Pediatria ambulatorial e no consultório. In: CURRENT Pediatria: Diagnóstico e Tratamento. 22. ed. Porto Alegre: AMGH; 2016. p. 651–94.

16. Ward MA. Fever in infants and children: pathophysiology and management [Internet]. UpToDate. 2020 [capturado em 14 fev. 2021]. Disponível em: https://www.uptodate.com/contents/fever-in-infants-and-children-pathophysiology-and-management.

17. Grover G, Berkowitz CD, Lewis RJ, Thompson M, Berry L, Seidel J. The effects of bundling on infant temperature. Pediatrics. 1994;94(5):669–73.

18. Smitherman HF, Macias CG. Febrile infant (younger than 90 days of age): definition of fever [Internet]. UpToDate. 2019 [capturado em 14 fev. 2021]. Disponível em: https://www.uptodate.com/contents/febrile-infant-younger-than-90-days-of-age-definition-of-fever.

19. Moran JL, Peter JV, Solomon PJ, Grealy B, Smith T, Ashforth W, et al. Tympanic temperature measurements: are they reliable in the critically ill? A clinical study of measures of agreement. Crit Care Med. 2007;35(1):155–64.

20. El-Radhi AS, Barry W. Thermometry in paediatric practice. Arch Dis Child. 2006;91(4):351–6.

21. Paes BF, Vermeulen K, Brohet RM, van der Ploeg T, de Winter JP. Accuracy of tympanic and infrared skin thermometers in children. Arch Dis Child. 2010;95(12):974–8.

22. Fortuna EL, Carney MM, Macy M, Stanley RM, Younger JG, Bradin SA. Accuracy of non-contact infrared thermometry versus rectal thermometry in young children evaluated in the emergency department for fever. J Emerg Nurs. 2010;36(2):101–4.

23. Craig JV, Lancaster GA, Williamson PR, Smyth RL. Temperature measured at the axilla compared with rectum in children and young people: systematic review. BMJ. 2000;320(7243):1174–8.

24. Hughes WT, Buescher ES. Pediatric procedures. 2nd ed. Philadelphia: Saunders; 1980. 367 p.

25. Batra P, Saha A, Faridi MMA. Thermometry in children. J Emerg Trauma Shock. 2012;5(3):246–9.

26. Thomas V, Riegel B, Andrea J, Murray P, Gerhart A, Gocka I. National survey of pediatric fever management practices among emergency department nurses. J Emerg Nurs. 1994;20(6):505–10.

27. Dodd SR, Lancaster GA, Craig JV, Smyth RL, Williamson PR. In a systematic review, infrared ear thermometry for fever diagnosis in children finds poor sensitivity. J Clin Epidemiol. 2006;59(4):354–7.

28. Akinbami FO, Orimadegun AE, Tongo OO, Okafor OO, Akinyinka OO. Detection of fever in children emergency care: comparisons of tactile and rectal temperatures in Nigerian children. BMC Res Notes. 2010;3:108.

29. Wammanda RD, Onazi SO. Ability of mothers to assess the presence of fever in their children: implication for the treatment of fever under the IMCI guidelines. Ann Afr Med. 2009;8(3):173–6.

30. Li Y-W, Zhou L-S, Li X. Accuracy of tactile assessment of fever in children by caregivers: a systematic review and meta-analysis. Indian Pediatr. 2017;54(3):215–21.

31. Brasil. Ministério da Saúde. Manual de quadros de procedimentos: Aidpi Criança: 2 meses a 5 anos. Brasília: MS; 2017.

32. Sur DK, Bukont EL. Evaluating fever of unidentifiable source in young children. Am Fam Physician. 2007;75(12):1805–11.

33. McCarthy PL, Sharpe MR, Spiesel SZ, Dolan TF, Forsyth BW, DeWitt TG, et al. Observation scales to identify serious illness in febrile children. Pediatrics. 1982;70(5):802–9.

34. Andreola B, Bressan S, Callegaro S, Liverani A, Plebani M, Da Dalt L. Procalcitonin and C-reactive protein as diagnostic markers of severe bacterial infections in febrile infants and children in the emergency department. Pediatr Infect Dis J. 2007;26(8):672–7.

35. Bang A, Chaturvedi P. Yale Observation Scale for prediction of bacteremia in febrile children. Indian J Pediatr. 2009;76(6):599–604.

36. De S, Williams GJ, Hayen A, Macaskill P, McCaskill M, Isaacs D, et al. Accuracy of the "traffic light" clinical decision rule for serious bacterial infections in young children with fever: a retrospective cohort study. BMJ. 2013;346:f866.

37. Baraff LJ, Bass JW, Fleisher GR, Klein JO, McCracken GH, Powell KR, et al. Practice guideline for the management of infants and children 0 to 36 months of age with fever without source. Ann Emerg Med. 1993;22(7):1198–210.

38. Wing R, Dor MR, McQuilkin PA. Fever in the pediatric patient. Emerg Med Clin North Am. 2013;31(4):1073–96.

39. Brasil. Ministério da Saúde. Guia de tratamento da malária no Brasil. Brasília: MS; 2020.

40. Brasil. Ministério da Saúde. Dengue: diagnóstico e manejo clínico: adulto e criança. 4. ed. Brasília: MS; 2013.

41. Unaka N, Statile A, Bensman R, Courter J, Desai S, Haslam D, et al. Evidence-based clinical care guideline for Evidence-Based Care Guideline for Management of Infants 0 to 60 days seen in Emergency Department for Fever of Unknown Source [Internet]. Cincinnati: Cincinnati Children's Hospital Medical Center; 2019 [capturado em 8 dez. 2020]. Disponível em: http://www.cincinnatichildrens.org/service/j/anderson-center/evidence-based-care-recommendations/default/.

42. Arora R, Mahajan P. Evaluation of child with fever without source: review of literature and update. Pediatr Clin North Am. 2013;60(5):1049–62.

43. Kuppermann N, Mahajan P, Ramilo O. Prediction models for febrile infants: time for a unified field theory. Pediatrics. 2019;144(1).

44. Van den Bruel A, Thompson MJ, Haj-Hassan T, Stevens R, Moll H, Lakhanpaul M, et al. Diagnostic value of laboratory tests in identifying serious infections in febrile children: systematic review. BMJ. 2011;342:d3082.

45. Mekitarian Filho E, Carvalho WB de. Manejo atual da bacteremia oculta do lactente. J Pediatr (Rio J). 2015;91(6):S61–6.

46. Slater M, Krug SE. Evaluation of the infant with fever without source: an evidence based approach. Emerg Med Clin North Am. 1999;17(1):97–126, viii–ix.

47. Smitherman HF, Macias CG. Febrile infant (younger than 90 days of age): management [Internet]. UpToDate. 2020 [capturado em 15 fev. 2021]. Disponível em: https://www.uptodate.com/contents/febrile-infant-younger-than-90-days-of-age-management.
48. Cioffredi L-A, Jhaveri R. Evaluation and management of febrile children: a review. JAMA Pediatr. 2016;170(8):794–800.
49. Rosenfeld-Yehoshua N, Barkan S, Abu-Kishk I, Booch M, Suhami R, Kozer E. Hyperpyrexia and high fever as a predictor for serious bacterial infection (SBI) in children-a systematic review. Eur J Pediatr. 2018;177(3):337–44.
50. Brasil. Ministério da Saúde, Organização Pan-Americana da Saúde. Quadros de procedimentos AIDPI neonatal. 5. ed. Brasília: MS; 2014.
51. Marín Reina P, Ruiz Alcántara I, Vidal Micó S, López-Prats Lucea JL, Modesto I Alapont V. [Accuracy of the procalcitonin test in the diagnosis of occult bacteremia in paediatrics: a systematic review and meta-analysis]. An Pediatr Barc Spain 2003. 2010;72(6):403–12.
52. Sanders S, Barnett A, Correa-Velez I, Coulthard M, Doust J. Systematic review of the diagnostic accuracy of C-reactive protein to detect bacterial infection in nonhospitalized infants and children with fever. J Pediatr. 2008;153(4):570–4.
53. Dagan R, Powell KR, Hall CB, Menegus MA. Identification of infants unlikely to have serious bacterial infection although hospitalized for suspected sepsis. J Pediatr. 1985;107(6):855–60.
54. Allen CH. Fever without a source in children 3 to 36 months of age: evaluation and management [Internet]. UpToDate. 2020 [capturado em 15 fev. 2021]. Disponível em: https://www.uptodate.com/contents/fever-without-a-source-in-children-3-to-36-months-of-age-evaluation-and-management.
55. Baraff LJ. Management of infants and young children with fever without source. Pediatr Ann. 2008;37(10):673–9.
56. Machado BM, Cardoso DM, de Paulis M, Escobar AM de U, Gilio AE. Fever without source: evaluation of a guideline. J Pediatr (Rio J). 2009;85(5):426–32.
57. Doan Q, Enarson P, Kissoon N, Klassen TP, Johnson DW. Rapid viral diagnosis for acute febrile respiratory illness in children in the Emergency Department. Cochrane Database Syst Rev. 2014;2014(9):CD006452.
58. Jiang Q, Detolla L, Singh IS, Gatdula L, Fitzgerald B, van Rooijen N, et al. Exposure to febrile temperature upregulates expression of pyrogenic cytokines in endotoxin-challenged mice. Am J Physiol-Regul Integr Comp Physiol. 1999;276(6):R1653–60.
59. El-Radhi ASM. Why is the evidence not affecting the practice of fever management? Arch Dis Child. 2008;93(11):918–20.
60. van Stuijvenberg M, Derksen-Lubsen G, Steyerberg EW, Habbema JD, Moll HA. Randomized, controlled trial of ibuprofen syrup administered during febrile illnesses to prevent febrile seizure recurrences. Pediatrics. 1998;102(5):E51.
61. Strengell T, Uhari M, Tarkka R, Uusimaa J, Alen R, Lautala P, et al. Antipyretic agents for preventing recurrences of febrile seizures: randomized controlled trial. Arch Pediatr Adolesc Med. 2009;163(9):799–804.
62. Murata S, Okasora K, Tanabe T, Ogino M, Yamazaki S, Oba C, et al. Acetaminophen and febrile seizure recurrences during the same fever episode. Pediatrics. 2018;142(5):e20181009.
63. Taketomo CK, Hodding JH, Kraus DM. Pediatric dosage handbook. 27th ed. Hudson: Lexicomp; 2020.
64. Van Esch A, Van Steensel-Moll HA, Steyerberg EW, Offringa M, Habbema JD, Derksen-Lubsen G. Antipyretic efficacy of ibuprofen and acetaminophen in children with febrile seizures. Arch Pediatr Adolesc Med. 1995;149(6):632–7.
65. Perrott DA, Piira T, Goodenough B, Champion GD. Efficacy and safety of acetaminophen vs ibuprofen for treating children's pain or fever: a meta-analysis. Arch Pediatr Adolesc Med. 2004;158(6):521–6.
66. Wong T, Stang AS, Ganshorn H, Hartling L, Maconochie IK, Thomsen AM, et al. Combined and alternating paracetamol and ibuprofen therapy for febrile children. Cochrane Database Syst Rev. 2013;(10):CD009572.
67. Arcila-Herrera H, Barragán-Padilla S, Borbolla-Escoboza JR, Canto-Solís A, Castañeda-Hernández G, de León-González M, et al. [Consensus of a group of Mexican experts: efficacy and safety of metamizol (Dipirone)]. Gac Med Mex. 2004;140(1):99–101.
68. Prado J, Daza R, Chumbes O, Loayza I, Huicho L. Antipyretic efficacy and tolerability of oral ibuprofen, oral dipyrone and intramuscular dipyrone in children: a randomized controlled trial. Sao Paulo Med J Rev Paul Med. 2006;124(3):135–40.
69. Wong A, Sibbald A, Ferrero F, Plager M, Santolaya ME, Escobar AM, et al. Antipyretic effects of dipyrone versus ibuprofen versus acetaminophen in children: results of a multinational, randomized, modified double-blind study. Clin Pediatr (Phila). 2001;40(6):313–24.
70. Stanley ED, Jackson GG, Panusarn C, Rubenis M, Dirda V. Increased virus shedding with aspirin treatment of rhinovirus infection. JAMA. 1975;231(12):1248–51.
71. Meremikwu MM, Oyo-Ita A. Physical methods versus drug placebo or no treatment for managing fever in children. Cochrane Database Syst Rev. 2003;2003(2):CD004264.
72. Agbolosu NB, Cuevas LE, Milligan P, Broadhead RL, Brewster D, Graham SM. Efficacy of tepid sponging versus paracetamol in reducing temperature in febrile children. Ann Trop Paediatr. 1997;17(3):283–8.
73. Lorin MI. Pathogenesis of fever and its treatment. In: McMillan JA, Feigin RD, DeAngelis CD, Jones Jr. M, editors. Douglas Oski's pediatrics: principles and practice. 4th ed. Philadelphia: Lippincott Williams & Wilkins; 2006.

# Capítulo 106
## ACOMPANHAMENTO DE SAÚDE DO ADOLESCENTE

Carla Baumvol Berger

Bárbara Stelzer Lupi

Carla da Cruz Teixeira

Raphael Lacerda Barbosa

Adolescência, segundo a Organização Mundial da Saúde (OMS), é o período da vida que compreende a faixa etária entre 10 e 19 anos.[1] De acordo com o Estatuto da Criança e do Adolescente (ECA),[2] é considerado adolescente o indivíduo com idade entre 12 e 18 anos.

Segundo estimativas de 2019 do Instituto Brasileiro de Geografia e Estatística (IBGE),[3] o grupo etário de 10 a 19 anos constitui 16,2% da população total do Brasil. Com o envelhecimento populacional e a redução da taxa de natalidade, há tendência decrescente dessa faixa etária nos próximos anos.

A adolescência também pode ser vista por outra perspectiva – menos por uma visão tradicional cronológica e mais como um processo, uma operação psíquica e variável para cada indivíduo, uma fase de transição em que as pessoas afastam-se, aos poucos, da infância e caminham em direção à vida adulta.⁴ Nesse processo, tornam-se indivíduos independentes, estabelecem novos relacionamentos, desenvolvem habilidades sociais e aprendem comportamentos que duram o resto de suas vidas.⁵

**A população de adolescentes tem características especiais, como altas taxas de morbimortalidade proporcional por causas externas, exposição a diversas situações de risco e problemas ligados à inserção social. Esses fatores estimulam profissionais de diversas áreas de atuação, mas principalmente da saúde e da educação, a desenvolver pesquisas a fim de compreender o crescimento e o desenvolvimento do adolescente.**

Essa parcela importante da nossa sociedade ainda encontra-se exposta a diversas situações de risco, como trabalho infantil, gravidez precoce, infecções sexualmente transmissíveis (ISTs), injúrias, maus-tratos e diversos outros tipos de violência, uso de drogas, baixa escolaridade e pobreza, bem como falta de acesso à alimentação saudável, ao lazer, à água potável, ao saneamento básico e a serviços de saúde. Tudo isso causa impacto em um período crítico da vida, comprometendo de forma significativa o desenvolvimento biopsicossocial do indivíduo.

A maioria das mortes em adolescentes ocorre por causas preveníveis, como acidentes, suicídio e homicídio, e as maiores causas de morbidade ocorrem por gestação não planejada, abuso de substâncias, violência física e depressão. A mortalidade por causas externas ocupa o primeiro lugar no *ranking* de mortalidade por todas as causas no Brasil entre adolescentes (69,3% na faixa etária de 10 a 19 anos), especialmente no sexo masculino. Entre as causas externas, agressão foi a mais frequente (51,62%), seguida dos acidentes de transporte (25,6%). Outras causas de mortalidade nessa faixa etária são as neoplasias (6,8%), as doenças do sistema circulatório (3,80%) e do sistema respiratório (3,8%), as doenças infecciosas e parasitárias (3,4%) e as afecções originadas do período perinatal (0,06%).⁵

A taxa de detecção de vírus da imunodeficiência humana/Aids em jovens entre 15 e 24 anos foi 14,3 a cada 100.000 habitantes em 2017.⁶ Houve um pequeno declínio em relação a anos anteriores, porém existe ainda uma preocupação a respeito de maior vulnerabilidade dos jovens às ISTs/Aids.

O conhecimento de indicadores e a identificação das peculiaridades dessa fase da vida devem nortear o acolhimento de demandas específicas, visto que nem sempre a busca do adolescente pelo serviço de saúde ocorre por motivos clínicos. Dessa forma, os serviços de atenção primária representam um recurso consistente e constante na rede de apoio ao adolescente, oportunizando um espaço acolhedor para o fornecimento de suporte ao indivíduo nessa fase da vida. É necessária, também, a abordagem de necessidades e ansiedades referentes a essa fase do desenvolvimento, como inserção social, sexualidade, desenvolvimento psicossocial, mental e físico, hábitos de vida, funcionamento familiar e desempenho escolar.⁷

Visando vincular o adolescente ao serviço de saúde, os profissionais devem promover o acesso e utilizar estratégias para estimular a adesão aos planos desenvolvidos com a equipe. Para o sucesso desses objetivos, alguns cuidados são fundamentais:

→ viabilizar o atendimento mesmo que o adolescente esteja sozinho ou não disponha dos documentos exigidos pelo serviço;
→ oferecer várias formas de contato por meio de informações sobre horários de atendimento, profissionais de referência, serviços e atividades disponíveis;
→ agilizar o acesso às diferentes atividades da unidade (p. ex., consultas, vacinas e grupos) e evitar o excesso de burocracia para a prestação do serviço;
→ criar mecanismos mais flexíveis de acolhimento e participação, uma vez que, pelas características próprias dessa faixa etária, é frequente o adolescente/jovem desrespeitar horários e datas de agendamento;
→ viabilizar o encaminhamento a outros serviços sempre que a unidade de saúde não tiver condições de atender à necessidade apresentada, gerenciando o cuidado e mantendo o vínculo e a vigilância da atenção.

**Não há consenso quanto à periodicidade com que o adolescente deve comparecer às consultas; algumas diretrizes e associações médicas norte-americanas sugerem que seja anualmente. D⁸⁻⁹ A Sociedade Brasileira de Pediatria sugere a realização de consultas conforme a fase em que se encontra o adolescente, podendo ser em intervalos de apenas 3 meses no início da puberdade a 1 vez ao ano na desaceleração do crescimento.¹⁰ Na atenção primária, no entanto, a longitudinalidade e o contato familiar mais próximo flexibilizam a ideia de uma rotina rígida de acompanhamento.**

## CONVERSANDO COM O ADOLESCENTE

A adolescência é uma fase de intensa curiosidade e busca de novas sensações e interesses, e também um momento de maior vulnerabilidade a influências, facilitando a incorporação de valores. Nesse contexto, é indispensável que o profissional de saúde seja um canal de comunicação clara com o adolescente e trabalhe questões de autoestima, empoderamento e aquisição de habilidades necessárias para garantir um relacionamento saudável, com comunicação, assertividade e tomada de decisões de forma responsável.¹¹ Para isso, o profissional de saúde deve ter conhecimento de que o processo de ser adolescente traz consigo experiências características dessa fase da vida, entre elas:

→ a busca de identidade (período de reconhecimento de si mesmo);
→ a tendência grupal (construção da independência dos pais e do núcleo familiar para o âmbito social) ou de isolamento social;
→ a necessidade de intelectualizar (reflexão sobre si e sobre o mundo) e fantasiar (fuga de uma realidade difícil);
→ a atitude social reivindicatória (olhar crítico sobre o mundo e o desejo de mudá-lo).

→ a conduta contraditória e impulsiva (a busca de sua identidade como adulto faz o adolescente experienciar diferentes papéis, que, algumas vezes, se contradizem e induzem a ações muitas vezes imprevisíveis);
→ as frequentes flutuações de humor (vivência das emoções com grande intensidade);
→ a crise da religiosidade (pode oscilar entre um perfil de extrema religiosidade até um ateísmo intenso);
→ a evolução da sexualidade (fase de descobertas, estranheza física do corpo);
→ a progressiva separação dos pais (busca de independência e autonomia, podendo causar sofrimento para o adolescente e/ou para os pais).

É importante também saber que o adolescente vivencia períodos de luto em relação à perda do corpo infantil, à perda dos pais da infância e à perda de identidade infantil.[12]

Identificar em que estágio de desenvolvimento comportamental o adolescente se encontra auxilia na maneira como certos temas devem ser abordados. Por exemplo, não adianta falar sobre planos profissionais futuros com um adolescente de 12 anos, que ainda está na fase do pensamento concreto, mostrando maior interesse por falar de assuntos que aconteceram na escola durante a semana. Para isso, a adolescência pode ser didaticamente dividida em três fases: adolescência inicial (dos 10 aos 13 anos), adolescência média (dos 14 aos 16 anos) e adolescência tardia (dos 17 aos 19 anos). A TABELA 106.1 apresenta as principais características de cada fase.[12]

Adolescentes são menores de idade e, portanto, encontram-se ainda sob supervisão legal de seus pais. Sendo assim, é importante que as questões de confidencialidade e sigilo sejam informadas ao adolescente e ao seu acompanhante na entrevista inicial, ressaltando que há exceção quando é identificado algum risco à vida ou algum tipo de violência ao longo do acompanhamento. Dessa maneira, é possível estabelecer, de maneira antecipada, as regras de funcionamento das consultas e obter a confiança do adolescente para relatar aspectos importantes de sua vida. Assegurar confidencialidade ao adolescente aumenta a probabilidade de ele procurar auxílio e abordar questões sensíveis do ponto de vista psicossocial.[2,7]

É importante também atentar para aspectos do atendimento do paciente menor de idade desacompanhado de um responsável. (Acerca desse assunto, sugere-se a leitura do parecer do Conselho Federal de Medicina e do Código de Ética Médica, indicados no fim deste capítulo.)

Conforme o artigo 11 do ECA, "É assegurado acesso integral às linhas de cuidado voltadas à saúde da criança e do adolescente, por intermédio do Sistema Único de Saúde, observado o princípio da equidade no acesso a ações e serviços para promoção, proteção e recuperação da saúde". Assim, os serviços devem organizar-se de forma a acolher e assistir as necessidades dessa faixa etária.[2] Por ser um período vulnerável, a avaliação de fatores de risco e resiliência auxilia na identificação de potenciais condutas de risco nessa etapa.[7] Nos cenários pelos quais o adolescente transita, como o ambiente social, a escola, a família, os amigos, e também por meio de fatores individuais, é possível melhor avaliar a presença desses fatores.

## IDENTIFICAÇÃO DE SITUAÇÕES DE RISCO E DE VULNERABILIDADE

A adolescência é, sem dúvida, a fase do impasse, na qual a necessidade de experimentar o novo e o questionamento do cotidiano, dos valores e dos costumes estabelecidos se misturam, fazendo o jovem colocar-se em situações que possam trazer-lhe sensação de poder, autoconhecimento e reconhecimento de seus pares. É uma fase da vida em que o viver é muitas vezes caracterizado e estereotipado como a necessidade de uma exteriorização grandiosa, eloquente e de transformações biopsicológicas, que podem manifestar-se por alterações na conduta, dependência química, alcoolismo, delinquência, relações sexuais desprotegidas e condutas limítrofes entre a vida e a morte.

O reconhecimento dessas características deve sinalizar a necessidade de avaliação do risco presente na conduta e de acompanhamento do adolescente e de sua família pelo serviço de saúde.[7] A TABELA 106.2 apresenta as várias possibilidades de avaliação desses riscos em locais onde o adolescente está inserido socialmente com mais frequência. Essa tabela mostra também os indicativos de resiliência.[7]

Em geral, as condutas de risco são desencadeadas por situações em que o adolescente sofre perdas repetidas, discussões por conflitos interpessoais, vitimização, atentados à autoestima – como desqualificação e humilhações repetidas – e violência em quaisquer das suas formas de apresentação (física, psicológica, econômica, sexual), não possui uma rede de apoio contínua ou está inserido em um ambiente familiar disfuncional. É importante ressaltar que, no Brasil, determinados grupos sociais estão mais suscetíveis a diversas formas de violência, marginalização e privação de direitos sociais, como lésbicas, *gays*, bissexuais, travestis, transexuais e intersexuais (LGBTI+), indígenas e, especialmente, os negros. Dados sobre juventude negra no Brasil evidenciam que o risco de um jovem negro ser vítima de homicídio no Brasil é 2,7 vezes maior que o de um jovem branco.[13]

A população LGBTI está mais suscetível a problemas de saúde mental, como ansiedade, depressão e ideação suicida, e as meninas que têm relações afetivo-sexuais com

**TABELA 106.1** → Fases da adolescência e suas características

| | ADOLESCÊNCIA INICIAL (10 AOS 13 ANOS) | ADOLESCÊNCIA MÉDIA (14 AOS 16 ANOS) | ADOLESCÊNCIA TARDIA (17 AOS 19 ANOS) |
|---|---|---|---|
| Pensamento | Concreto | +/− Abstrato | Abstrato |
| Supervisão dos pais | + | +/− | − |
| Comportamento de risco | + | +/− | − |
| Pressão de amigos | +/− | ++ | + |

Fonte: Sifuentes.[12]

**TABELA 106.2** → Indicativos de vulnerabilidade e capacidade de resiliência, de acordo com o meio em que o adolescente está inserido

| INDICATIVOS DE VULNERABILIDADE | INDICATIVOS DE RESILIÊNCIA |
|---|---|
| **Ambiente social** | |
| → Acesso a armas, drogas, álcool<br>→ Exposição a programas de televisão e vídeos inadequados à sua capacidade de compreensão<br>→ Falta de oportunidades<br>→ Discriminação<br>→ Ausência de assistência à saúde<br>→ Institucionalização<br>→ Pobreza, violência | → Boas relações escolares<br>→ Boas redes de apoio informais<br>→ Relações funcionais com os adultos (escola, trabalho, estágios, rede social ampliada)<br>→ Presença de adultos significativos na rede de apoio<br>→ Modelos adequados na rede de apoio<br>→ Comunidades seguras<br>→ Legislação protetora |
| **Escola** | |
| → Escola muito grande<br>→ Ausências, sanções escolares<br>→ Mau rendimento escolar | → Bom rendimento escolar<br>→ Vínculo com a escola<br>→ Participação da família nas tarefas e na escola |
| **Família** | |
| → Baixa escolaridade dos pais<br>→ Psicopatologia familiar<br>→ Disfunção familiar<br>→ Condutas de risco na família<br>→ Estilo autoritário ou permissivo<br>→ Violência intrafamiliar | → Vínculo parental adequado<br>→ Pais presentes física e emocionalmente<br>→ Expectativas e investimentos familiares adequados, orientados ao bom desenvolvimento físico, psicológico e social<br>→ Modelo hierárquico preservado<br>→ Modelos de conduta adequados |
| **Amigos** | |
| → Isolamento social<br>→ Identificação cultural com conduta de risco<br>→ Percepção de risco inadequada<br>→ Modelos negativos | → Amigos com condições funcionais adequadas<br>→ Valores sociais preservados<br>→ Boa rede de apoio e parentalidade funcional<br>→ Rede social efetiva e de baixo risco |
| **Fatores individuais** | |
| → Baixa autoestima<br>→ Déficit intelectual<br>→ Déficit de atenção<br>→ Autopercepção inadequada<br>→ Transtornos de saúde mental<br>→ Aventurismo/impulsividade<br>→ Conduta de risco<br>→ Conduta suicida<br>→ Maus-tratos, abuso, violência intrafamiliar | → Habilidades sociais<br>→ Inteligência na faixa de normalidade ou média<br>→ Autoimagem adequada<br>→ Interesse pela escola<br>→ Participação em atividades extraclasse<br>→ Espiritualidade/religiosidade |

Fonte. Brasil.[7]

outras meninas estão mais suscetíveis a sofrer violência sexual, na forma de estupros corretivos.

## A ABORDAGEM DO ADOLESCENTE INSERIDO NA ERA DIGITAL

Com a expansão da acessibilidade à internet, computadores e *smartphones*, os adolescentes têm integrado ao seu cotidiano o uso de mídias sociais e digitais. Eles as utilizam como um modo de interagir, socializar e manter contato com seus amigos, além de possibilitar a interação com outros grupos sociais com os quais eles mais se identificam (função social).[14-17]

Essas mídias podem influenciar vários aspectos da vida do adolescente, aos quais o profissional de saúde deve ficar atento. O uso abusivo dessas tecnologias pode levar a:
→ transtornos de atenção, concentração e memória, afetando inclusive o rendimento escolar;
→ superexposição do adolescente a conteúdos de violência (naturalização da violência), pensamentos e comportamentos agressivos;
→ *cyberbullying* (violência entre pares que ocorre no espaço virtual);
→ transtornos de conduta social e sexual;
→ transtornos do sono;
→ ansiedade, depressão e suicídio;
→ transtornos alimentares, associados à formação de imagens corporais idealizadas e estereotipadas (que impelem a práticas de restrição alimentar rigorosas, uso de anabolizantes, excesso de exercícios), ou sedentarismo e obesidade;
→ influência no *status* social do adolescente;
→ riscos visuais, devido ao uso demasiado de monitores que emitem luminosidade excessiva;
→ riscos auditivos, devido ao uso prolongado e em alto volume de fones de ouvido;
→ riscos posturais e osteoarticulares, lesões por esforço repetitivo (LER).

Para minimizar os impactos negativos que essas mídias podem provocar no adolescente, recomenda-se:
→ evitar que o adolescente fique isolado no seu quarto ou prejudique suas horas de sono saudável à noite (segundo a Sociedade Brasileira de Pediatria, o ideal é ter 8 a 9 horas de sono noturno);
→ equilibrar as horas de contato com mídias sociais e digitais com a prática de atividade física, exercícios ao ar livre e contato com a natureza;
→ estimular momentos prazerosos de interação com a família e os amigos, desconectados da internet e das redes sociais;
→ conversar sobre regras para uso da internet, orientar sobre segurança e privacidade ao usar as mídias sociais: não compartilhar senhas ou dados pessoais, não compartilhar fotos, vídeos ou usar *webcam* com pessoas desconhecidas, não expor a ninguém (mesmo conhecidos) informações ou imagens que comprometam a intimidade do adolescente (p. ex., nudez);
→ conversar sobre ética e valores e sobre a importância de não postar mensagens sobre ódio, intolerância, desrespeito e discriminação nas redes sociais;
→ usar antivírus, *softwares* atualizados e filtros de segurança;
→ dialogar com o adolescente sobre os acessos da internet: acompanhar *sites*, programas, vídeos e aplicativos que o adolescente acessa e com quem realiza trocas de mensagens;
→ manter computadores e dispositivos móveis ao alcance dos responsáveis (p. ex., pais) em ambientes de uso coletivo, como a sala;
→ observar se há sinais de violência, abuso ou *cyberbullying*: orientar e auxiliar o adolescente a evitar/

bloquear mensagens ofensivas, de violência, ódio e intolerância. Se necessário, denunciar: ligar para o Disque 100[18] (denúncias de violações de direitos humanos) ou procurar a Delegacia Estadual da Criança e do Adolescente (DECA).[19]

## A ENTREVISTA DO ADOLESCENTE E SEU ACOMPANHANTE

A entrevista clínica é dividida em dois momentos. Quando o adolescente vem acompanhado, inicialmente é realizada com o adolescente e seu(s) acompanhante(s), os quais apresentam o motivo da consulta e informam sobre questões de saúde geral (atual e pregressa). Em um segundo momento, a entrevista é individual com o adolescente, quando é possível aprofundar-se nas percepções subjetivas do jovem, incluindo questões de natureza confidencial.

Na primeira parte, é fundamental envolver a família, mas manter o adolescente como a figura central, dirigindo-se a ele desde o início e apresentando-se adequadamente.[20] O profissional de saúde deve ter uma postura cordial para que o adolescente sinta-se valorizado, favorecendo uma relação de confiança. Os adolescentes compõem um grupo heterogêneo de indivíduos e deve-se ter um olhar diferenciado para as peculiaridades de cada um e evitar julgamentos de valores. Esse contato durante a consulta serve de subsídio para melhor entender o adolescente, observar seu estado geral, cuidados de higiene e vestimenta, maneira de se portar e interação com o acompanhante.[21]

A anamnese é realizada da mesma forma que em qualquer outra faixa etária, e recomenda-se que cada profissional tente desenvolver seu próprio método de avaliação. Perguntas abertas, como "Quais preocupações você gostaria de me contar hoje?" ou "Aconteceu algo diferente desde a última vez que conversamos?", podem servir de facilitadoras em determinados momentos da consulta.

As perguntas devem seguir uma lógica inicial de aproximação, entendimento do contexto de vida e da relação do adolescente com o seu amadurecimento físico, social e psicológico. Uma série de outras perguntas deve ser feita ao longo do acompanhamento, visando à aproximação de objetivos, como "Por que veio ao serviço hoje?", "Quais preocupações estão ocorrendo?", "Ficou doente anteriormente?", "O que houve?", "Sofreu traumas ou acidentes?" ou "E com relação à sua família? Como estão?".

Uma parte importante da entrevista do adolescente é a avaliação do perfil psicossocial, que deve ser realizada em entrevista individual. A utilização do acrônimo AADDOLESSE pode ser de grande utilidade (TABELA 106.3).[20] Porém, antes é importante que o profissional explique ao adolescente a finalidade das perguntas, de forma honesta e empática, sem preconceitos, a fim de obter a sua confiança.[20,21] Por exemplo: "Vou fazer algumas perguntas para que eu entenda se há algo que possa estar colocando sua saúde em risco e para me orientar sobre quais tipos de testes ou exames eu devo solicitar".[22]

Cada consulta de um adolescente deve ser aproveitada para realizar práticas preventivas e avaliar condutas de risco. Apesar da importância da abordagem de situações que possam expô-lo a risco, deve-se ter cuidado no questionamento, a fim de priorizar questões mais importantes nesse encontro e deixar outras para futuras consultas, permitindo um conhecimento a ser construído longitudinalmente.[22]

Há pouco tempo, a U. S. Preventive Services Task Force (USPSTF) passou a recomendar o rastreamento de adolescentes de 12 a 18 anos de idade para depressão maior, desde

**TABELA 106.3** → Entrevista com o adolescente utilizando o acrônimo AADDOLESSE

| TÓPICOS | EXEMPLOS DE PERGUNTAS |
|---|---|
| **A**tividades | → O que você gosta de fazer em seu tempo livre?<br>→ O que gosta de fazer para se divertir?<br>→ Pratica esportes? Quais? Quantas vezes por semana?<br>→ Quantas horas por semana você fica no computador, assistindo à televisão ou jogando *videogame*? |
| **A**limentação | → Conte-me o que você come em um dia típico.<br>→ Como se sente em relação ao seu peso atual?<br>→ Qual você acha que seria seu peso ideal? |
| **D**rogas | → Alguém na sua família usa álcool ou drogas?<br>→ Você fuma? Quantos cigarros ao dia? Desde que idade?<br>→ Você toma bebidas alcoólicas? Que tipo? Que quantidade? Com que frequência?<br>→ Você usa algum outro tipo de droga? Que quantidade? Com que frequência?<br>→ Se não usa, por quê?<br>→ Dos amigos com quem você costuma sair, quantos usam alguma droga?<br>→ Você usa anabolizante? |
| **D**epressão e suicídio | → Como você se sente em geral? Alegre, triste ou um pouco de cada?<br>→ Você tem alguma preocupação na vida?<br>→ Você acha que ela tem solução?<br>→ Você se sente doente frequentemente?<br>→ O que faz você sentir estresse?<br>→ Já pensou alguma vez em se machucar ou se matar?<br>→ Algum amigo seu já se suicidou? |
| **O**cupação | → Você trabalha após a escola?<br>→ Que tipo de trabalho faz?<br>→ Quantas horas por semana você trabalha?<br>→ Quais são seus objetivos futuros em relação à educação/emprego? |
| **L**ar | → Com quem você mora?<br>→ Você divide o quarto com alguém?<br>→ Há alguém novo morando em sua casa?<br>→ Como é seu relacionamento com seus pais, irmãos e outros familiares importantes?<br>→ O que fazem juntos?<br>→ Quem toma as decisões?<br>→ Como expressam afeto?<br>→ Como são as regras/limites na sua casa?<br>→ Quando as regras ou limites não são seguidos, como seus pais agem?<br>→ (Em caso de pais separados) Você tem visto ambos? De que forma? Com que frequência? |
| **E**ducação | → Você estuda? Em que ano está?<br>→ Se não estuda, por quê?<br>→ Como são as suas notas?<br>→ Quais são suas matérias favoritas?<br>→ Você costuma faltar às aulas?<br>→ Já foi expulso de alguma escola?<br>→ Os amigos com quem você costuma sair estão frequentando a escola?<br>→ Você já sofreu *bullying*? |

*(continua)*

**TABELA 106.3** → Entrevista com o adolescente utilizando o acrônimo AADDOLESSE *(Continuação)*

| TÓPICOS | EXEMPLOS DE PERGUNTAS |
|---|---|
| **S**exualidade | **Para mulheres adolescentes** |
| | → Com que idade menstruou pela primeira vez? |
| | → Com que frequência você menstrua? |
| | → Como é o fluxo? |
| | → Tem cólicas? |
| | **Para todos os adolescentes** |
| | → Quando você pensa em pessoas pelas quais sente atração, elas são homens, mulheres, ambos, nenhum deles ou ainda não sabe? |
| | → Você já começou a transar? Com que idade? |
| | → Quantos parceiros sexuais você teve até hoje? |
| | → Você ou seu parceiro utilizou preservativo? |
| | → Você ou seu parceiro utilizou algum outro método contraceptivo? |
| | → Você já teve alguma infecção sexualmente transmissível (IST)? |
| | → Você alguma vez já foi forçado a ter relação sexual ou foi tocado de maneira sexual contra sua vontade? |
| | → Como você define sua identidade sexual? Homem? Mulher? Não binário? |
| **S**egurança | → Você utiliza equipamento de proteção ao praticar esportes (capacete, tornozeleira, cotoveleira, joelheira, etc.)? |
| | → Você utiliza cinto de segurança? |
| | → Você alguma vez já andou de carro com motorista alcoolizado ou em carro roubado? |
| | → Você tem acesso a armas de fogo? |
| | → Tem armas em sua casa? |
| | → Você já foi vítima de violência na sua casa, na escola ou na vizinhança? |
| **E**spiritualidade | → Você tem uma religião? É praticante? |
| | → De que maneira sua crença influencia sua saúde e sua atitude em relação a drogas, sexo e contracepção? |

Fonte: Adaptada de Goldenring e Rosen.[20]

que tenham acesso a diagnóstico, tratamento e acompanhamento adequados.[23] O nível de evidência para indicar um instrumento que seja utilizado no rastreamento para depressão é limitado. O Projeto *Bright Futures*[8] sugere o *Patient Health Questionnaire-2* (PHQ-2). Esse instrumento consiste em duas perguntas:

Nas últimas 2 semanas, quantas vezes você sentiu:
1. Baixo interesse ou prazer em realizar coisas?
2. Sensação de tristeza, desesperança, de estar "para baixo"?

As respostas podem ser "de maneira alguma" (0 ponto), "muitas vezes" (1 ponto), "mais da metade das vezes" (2 pontos) ou "quase sempre" (3 pontos). Adolescentes com escore ≥ 3 devem ser mais bem avaliados. A sensibilidade e a especificidade para esse teste são de 74 e 75%, respectivamente.

## EXAME FÍSICO

A explicação prévia de como será realizado o exame físico é importante para tranquilizar o adolescente e diminuir seus temores. A possibilidade de achados anormais no exame, além da exposição do corpo para manuseio, gera grande ansiedade. É desejável que o profissional solicite a presença do acompanhante do adolescente nesse momento, desde que este concorde. Assim, o adolescente se sentirá mais à vontade. Na impossibilidade de ter um acompanhante, pode-se solicitar a algum membro da equipe que seja do mesmo sexo do adolescente para estar presente durante o exame.[24]

A necessidade de um exame físico completo nessa faixa etária é controversa. Alguns autores sugerem que esse é o momento de fazer um exame geral, haja vista o adolescente não ser uma pessoa assídua às consultas médicas; outros, porém, sugerem que o exame físico seja realizado com foco nas queixas levantadas na entrevista, em etapas, evitando o constrangimento do jovem e estimulando seu retorno à consulta.[7,25]

Quando o adolescente vai à consulta pela primeira vez, é interessante aferir sinais vitais e medidas antropométricas (plotar no gráfico) e realizar ausculta cardíaca e pulmonar, teste de visão (Snellen) e estadiamento puberal (Tanner) (**TABELA 106.4** e **FIGURA 106.1**).[26-28]

Pode-se aproveitar o momento imediatamente após o exame físico para abordar o uso de preservativos e de

**TABELA 106.4** → Estadiamento de Tanner

| | MENINOS | |
|---|---|---|
| | **PELOS PUBIANOS** | **GENITAIS** |
| Estágio 1 | Ausência de pelos pubianos; pode haver uma leve penugem semelhante à observada na parede abdominal | Pênis, testículos e escroto de tamanho e proporções infantis |
| Estágio 2 | Aparecimento de pelos longos e finos, levemente pigmentados, lisos ou pouco encaracolados, sobretudo na base do pênis | Aumento inicial do volume testicular (> 3 mL); pele escrotal muda de textura e torna-se avermelhada; aumento mínimo ou ausente ausente do pênis |
| Estágio 3 | Maior quantidade de pelos, agora mais grossos, escuros e encaracolados, espalhando-se esparsamente pela sínfise pubiana | Crescimento peniano, principalmente em comprimento; maior crescimento dos testículos e do escroto |
| Estágio 4 | Pelos do tipo adulto, cobrindo mais densamente a região púbica, mas ainda sem atingir a face interna das coxas | Continua crescimento peniano, sobremaneira em diâmetro e com maior desenvolvimento da glande; maior crescimento dos testículos e do escroto, cuja pele se torna pigmentada |
| Estágio 5 | Pilosidade pubiana igual à do adulto, em quantidade e distribuição, invadindo a face interna das coxas | Desenvolvimento completo da genitália, que assume tamanho e forma adulta |
| | **MENINAS** | |
| | **PELOS PUBIANOS** | **MAMAS** |
| Estágio 1 | Pelos velares idênticos aos da parte abdominal | Elevação somente da papila (mama pré-púbere) |
| Estágio 2 | Pelos terminais, grossos, pigmentados, discretamente curvilíneos nos grandes lábios e monte do púbis | Elevação discreta da mama e da papila, com aumento do diâmetro areolar (broto mamário) |
| Estágio 3 | Pelos qualitativamente adultos, mas a área coberta concentra-se na linha média | Maior elevação da mama e da papila, sem separação dos contornos da aréola e da mama |
| Estágio 4 | Pelos adultos em quantidade e qualidade; no monte do púbis, a distribuição obedece à configuração em triângulo invertido | Separação dos contornos da aréola e da mama; esse estágio é facultativo |
| Estágio 5 | Pelos podem estender-se para a raiz dos membros inferiores e das coxas | Nivelamento da aréola ao contorno geral da mama, com projeção exclusiva da papila |

Fonte: Adaptada de Tanner.[26]

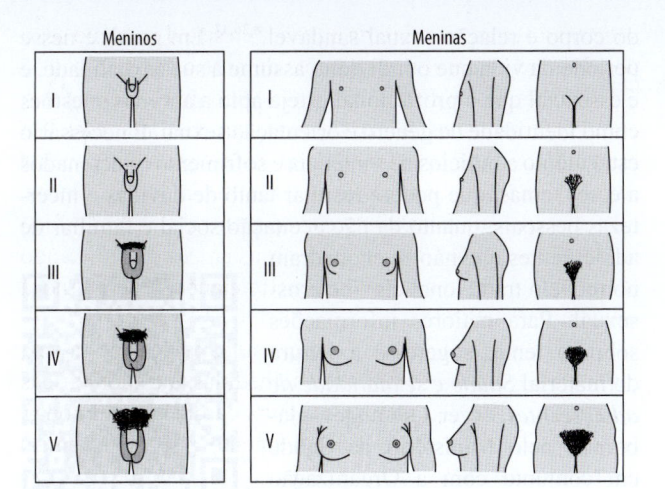

**FIGURA 106.1** → Estadiamento de Tanner.
Fonte: Komorniczak.[27,28]

contraceptivos, independentemente de o adolescente já ter iniciado ou não atividade sexual, esclarecendo sobre a importância da prevenção de ISTs e da gestação na adolescência (dupla proteção).[21]

Para abordagem de alterações no crescimento e no desenvolvimento puberal, ver Capítulos Problemas Comuns de Saúde na Adolescência e Atendimento Ginecológico na Infância e Adolescência.

Há recomendações para o rastreamento regular da hipertensão arterial somente a partir dos 18 anos de idade. (Ver Capítulo Rastreamento de Adultos para Tratamento Preventivo.) Exames de pressão arterial devem ser realizados em todos os encontros de cuidados com a saúde para adolescentes que são obesos, tomam medicamentos que aumentam a pressão arterial, têm doença renal, diabetes ou história de obstrução do arco aórtico ou coartação. (Ver Capítulo Acompanhamento de Saúde da Criança.)

## EXAMES COMPLEMENTARES

Há poucos exames complementares que devem ser realizados como parte da avaliação do adolescente, a não ser que haja uma suspeita diagnóstica específica (TABELA 106.5).

O Projeto *Bright Futures* recomenda rastreamento para anemia em meninas adolescentes com perdas menstruais excessivas ou dieta pobre em ferro.[8] A USPSTF não achou evidências suficientes para recomendar ou contraindicar o rastreamento rotineiro de distúrbios dos lipídeos em adolescentes.[29] Já a American Academy of Pediatrics recomenda o rastreamento por meio de um perfil lipídico (colesterol total, lipoproteínas de baixa e alta densidade, triglicerídeos), em jejum, para adolescentes com sobrepeso ou obesidade ou com história familiar positiva para dislipidemia ou doença cardiovascular precoce (55 anos para homens e 65 para mulheres).[7]

O Ministério da Saúde, com base nas *Diretrizes brasileiras para o rastreamento do câncer do colo do útero*,

**TABELA 106.5** → Exames de rastreamento em adolescentes

| EXAME | PÚBLICO-ALVO |
|---|---|
| Hemograma | → Meninas com perdas menstruais excessivas ou dieta pobre em ferro |
| Perfil lipídico | → Indivíduos com sobrepeso ou obesidade, ou com história familiar positiva para dislipidemia ou doença cardiovascular precoce (55 anos para homens e 65 para mulheres)* |
| Citopatológico de colo de útero | → Não há recomendação de rastreamento universal, realizado apenas por indicações individuais |
| HIV | → A partir dos 13 anos (CDC) e 15 anos (USPSTF), universalmente |
| Outras ISTs | → Gonorreia e clamídia: não são rastreadas na realidade brasileira<br>→ Sífilis: decisão compartilhada devido ao aumento do número de casos |

*A USPSTF não achou evidências para dar suporte a essa prática.
CDC, Centers for Disease Control and Prevention; HIV, vírus da imunodeficiência humana; ISTs, infecções sexualmente transmissíveis; USPSTF, U.S. Preventive Services Task Force.

definiu que o exame citopatológico de colo do útero deve ser realizado em mulheres com idades entre 25 e 64 anos; portanto, não há recomendação de rastreamento universal para câncer do colo do útero em adolescentes, sendo o exame realizado, em algumas situações, por indicações individuais.[30] Ainda que pareça haver evidências para a recomendação de que as jovens sexualmente ativas, com ≤ 24 anos de idade, nos Estados Unidos, sejam rastreadas para infecção por clamídia e gonorreia, essa prática não é comum na realidade brasileira. Não há evidências de rastreamento para essas infecções no homem.[31]

Quanto à infecção pelo HIV, o Centers for Disease Control and Prevention (CDC) recomenda que o rastreamento laboratorial informado seja proposto a partir dos 13 anos de idade, universalmente, em todos os contextos de atenção à saúde, independentemente de fatores de risco.[32] Essa recomendação é sugerida também pela USPSTF, mas a partir dos 15 anos. Diante da falta de estudos sobre o assunto, cabe ao profissional conversar com o adolescente e decidir conjuntamente a partir de quando e com que periodicidade solicitar o exame, levando em consideração o adolescente ter iniciado atividade sexual.

Desde 2013, o Brasil apresenta importante crescimento na incidência de sífilis adquirida, com aumento de 31,8% entre 2016 e 2017.[33] Estudo realizado em Feira de Santana, no Estado da Bahia, evidenciou prevalência de 0,9% de sífilis em adolescentes, número muito próximo às estimativas para a população brasileira no mesmo período, que era de 1,1%. Sendo assim, a decisão de realizar ou não o rastreamento para sífilis deve considerar o *status* epidemiológico para essa IST no Brasil.[34]

## VACINAS

As vacinas indicadas para a faixa etária dos adolescentes são apresentadas no Capítulo Imunizações.

## PREVENÇÃO EM SAÚDE

Realizar prevenção em saúde significa, na maior parte das vezes, ofertar uma orientação antecipatória com relação a diferentes aspectos da vida do adolescente. Embora a efetividade dessa orientação seja questionada e geralmente limitada por necessitar de mudança de hábitos de vida, essa prática continua sendo recomendada com o objetivo de prevenir desfechos não desejados. Técnicas como a entrevista motivacional e o próprio método clínico centrado na pessoa podem auxiliar nesse processo. A seguir, são descritos alguns itens a serem abordados.

**Atividade física.** Inclui brincadeiras, jogos, esportes, transporte, educação física ou exercícios planejados, ocorrendo em vários contextos: atividades familiares, escolares, comunitárias e individuais. Deve-se conversar sobre a importância da prática regular de atividade física, seus benefícios e, nesse processo, buscar uma atividade que seja prazerosa para o adolescente.[1,8,35] Recomendações da OMS orientam que os adolescentes devem acumular pelo menos 60 minutos de atividade física moderada a vigorosa diariamente. A maior parte dessa atividade deve ser aeróbica, podendo incorporar outros exercícios que fortaleçam a musculatura corporal.

De forma complementar, outros dois aspectos são importantes: (1) a recomendação de que essas atividades sejam feitas sob supervisão de adultos, no intuito de minimizar riscos de lesões e acidentes; e (2) encorajar que os pais e outras pessoas próximas também pratiquem atividade física, propiciando um ambiente de vida mais saudável ao adolescente. Para as orientações específicas sobre prática de atividade física, ver Capítulo Promoção da Atividade Física.

**Alimentação saudável.** As orientações incluem consumir alimentos saudáveis e variados – frutas, vegetais, cereais integrais, produtos com cálcio e produtos com baixo nível de gordura –; limitar a ingestão de gorduras, sobretudo saturadas, *trans* e colesterol; evitar alimentos ultraprocessados; e alimentar-se regularmente.[1,8,36] Embora seja desejável o controle de peso na adolescência, o rastreamento de obesidade nessa faixa etária e o oferecimento (ou encaminhamento) de intervenções que visem à redução de peso têm benefício moderado (ver Capítulo Alimentação Saudável do Adulto).

**Álcool, tabaco e outras drogas.** Deve-se reforçar a educação e a prevenção do abuso de álcool; orientar para não andar de carro com motorista alcoolizado e não dirigir se beber; e, em gestantes, alertar sobre os malefícios do álcool para o feto.[8,35] Deve-se orientar o adolescente quanto aos riscos do uso do tabaco, e que evite seu uso. É importante reforçar a educação e a prevenção ao uso e abuso de drogas. As evidências existentes são inconclusivas em relação ao benefício do rastreamento do uso de drogas na adolescência.

**Utilização de televisão, computadores e *videogames*.** Recomenda-se limitar o uso para, no máximo, 2 horas ao dia, com exceção da realização de tarefas escolares. Para mais informações sobre esse assunto, ler a seção[8,35] "A abordagem do adolescente inserido na era digital", neste capítulo.

**Sexualidade.** A partir dos 10 anos de idade, é possível oferecer orientação sexual de acordo com a curiosidade e o interesse do adolescente, discutindo sobre o funcionamento do corpo e relação sexual saudável.[8,36,37] Em geral, é nesse período da vida que o indivíduo assume a sua sexualidade, e é essencial que o profissional esteja apto a abordar questões como identidade de gênero e orientação sexual. É necessário estar atento a indícios de violência e sofrimento relacionados a esses temas, que podem resultar tanto de dúvidas e incertezas pessoais, quanto da não aceitação social e familiar de adolescentes que não se enquadram no modelo tradicional cis*-heterossexual. Para maiores informações sobre o tema, sugere-se a leitura do material *Saúde e sexualidade de adolescentes*[35] (ver QR code), elaborado pelo Ministério da Saúde em conjunto com a Organização Pan-Americana da Saúde.

**Racismo.** Devem-se investigar situações de racismo e preconceito racial vivenciadas pelo adolescente, bem como o impacto emocional e social relacionados a essas vivências, considerando que pessoas que são vítimas de racismo são duas vezes mais propensas a desenvolver distúrbios psicológicos e têm mais chance de sofrerem de ansiedade e problemas de autoestima e de se tornarem futuros agressores.[38]

**Infecções sexualmente transmissíveis.** É recomendado aconselhamento comportamental para prevenir ISTs em adolescentes sexualmente ativos.[8,35,39] A efetividade do aconselhamento varia de acordo com o risco individual e o modelo do aconselhamento. O médico também deve ter conhecimento sobre a prevenção de ISTs para a população LGBTI+, possibilitando a instrução de métodos de prevenção de acordo com as especificidades de cada população.

**Planejamento reprodutivo.** Deve-se oferecer orientação contraceptiva aos adolescentes que manifestarem interesse em iniciar a vida sexual (ver Capítulo Planejamento Reprodutivo) e encorajar adolescentes que desejam gestar para que realizem consulta pré-concepcional (ver Capítulo Acompanhamento de Saúde da Gestante e da Puérpera[8,37]). Se houver desejo de gestar, orientar sobre possíveis teratógenos.

***Bullying*.** É um tipo de violência cujas raízes se encontram no preconceito, em que estereótipos geram intolerância.[17] Ocorre com frequência nas escolas e caracteriza-se pela agressão, dominação e prepotência entre pares, por meio de comportamento intencionalmente nocivo e repetitivo de submissão e humilhação. Colocar apelidos, bater, aterrorizar, excluir e divulgar comentários maldosos são alguns exemplos. Pesquisas indicam que mais de metade de todas as crianças é maltratada em algum momento durante seus anos de escola, e pelo menos 10% são intimidadas de forma física ou verbal. Programas de apoio psicossocial inseridos no ambiente escolar, com o suporte intersetorial (família, equipes de saúde e comunidade), são importantes ferramentas de ação, reconhecidamente métodos eficazes no combate ao *bullying* e na promoção de saúde e bem-estar para

---

*Cisgênero (cis) é a designação de indivíduos cuja identidade de gênero é correspondente ao seu sexo biológico.

o jovem. É importante que a equipe de saúde compreenda outras variáveis relacionadas ao *bullying*, como a violência dentro da família, o rendimento escolar e outros aspectos relevantes na vida do adolescente. Desse modo, a situação será mais bem esclarecida e será oportunizado o acesso a ferramentas para programar estratégias de abordagem com maiores chances de sucesso.

**Segurança no trânsito.** É importante implementar medidas educativas para o trânsito desde a infância, sensibilizando o jovem a adotar atitudes responsáveis.[40] Como prevenção de comportamentos imprudentes no trânsito, o adolescente deve ser orientado a:

→ jamais dirigir sem habilitação;
→ jamais dirigir ou pegar carona com condutor sob efeito de álcool ou drogas;
→ não executar outras atividades enquanto dirige, como usar o celular ou mexer no aparelho de som automotivo;
→ não exceder o limite de velocidade, usar sempre o cinto de segurança e obedecer à sinalização e às demais normas de trânsito;
→ não participar de "rachas" ou "pegas";
→ utilizar sempre capacete ao andar de bicicleta ou motocicleta para reduzir o risco de traumatismo craniencefálico.

O leitor pode consultar a TABELA 93.4 do Capítulo Puericultura: do nascimento à adolescência, que apresenta, de forma esquemática, os procedimentos recomendados para a promoção e a proteção da saúde da criança e do adolescente.

# REFERÊNCIAS

1. World Health Organization. Adolescent health [Internet]. Geneva: WHO; 2019 [capturado em 7 maio 2019]. Disponível em: https://www.who.int/maternal_child_adolescent/adolescence/en/.
2. Brasil. Presidência da República. Estatuto da criança e do adolescente (1990). Lei nº 8.069, de 13 de julho de 1990 [Internet]. Brasília: PR; 1990 [capturado em 8 jun. 2019]. Disponível em: http://www.planalto.gov.br/ccivil_03/leis/l8069.htm.
3. Instituto Brasileiro de Geografia e Estatística Estimativas da população [Internet]. Rio de Janeiro: IBGE; 2019 [capturado em 8 jun. 2019]. Disponível em: https://www.ibge.gov.br/estatisticas/sociais/populacao/9103-estimativas-de-populacao.html?=&t=resultados.
4. Corso DL, Corso M. Adolescência em cartaz: filmes e psicanálise para entendê-la. Porto Alegre: Artmed; 2018.
5. Rosa C. Vidas perdidas: análise descritiva do perfil da mortalidade dos adolescentes no Brasil. Adolesc Saude. 2018;15(2):29-38.
6. Brasil. Ministério da Saúde. Departamento de Doenças de Condições Crônicas e Infecções Sexualmente Transmissíveis. Painel de Indicadores Epidemiológicos [Internet]. Brasília: MS; 2019[capturado em 8 jun. 2019]. Disponível em: http://indicadores.aids.gov.br/.
7. Brasil. Ministério da Saúde. Secretaria de Atenção à Saúde. Departamento de Ações Programáticas e Estratégicas. Proteger e cuidar da saúde de adolescentes na atenção básica. Brasília: MS; 2017.
8. Hagan JF, Shaw JS, Duncan PM, eds. Bright Futures: Guidelines for Health Supervision of Infants, Children, and Adolescents. 4th ed. Elk Grove Village: American Academy of Pediatrics; 2017.
9. Ham P, Allen C. Adolescent Health Screening and Counseling. Am Fam Physician. 2012;86(12):1109-16.
10. Sociedade Brasileira de Pediatria. Diretório Científico de Adolescência. Consulta do adolescente: abordagem clínica, orientações éticas e legais como instrumentos ao pediatra. Rio de Janeiro: SBP; 2019.
11. Neves-Filho AC. Habilidades de comunicação na consulta com adolescentes. In: Leite AJM, Caprara A, Coelho Filho JM, organizadores. Habilidades de comunicação com pacientes e famílias. São Paulo: Sarvier; 2007. p. 138-58.
12. Sifuentes M. Talking with adolescents. In: Berkowitz CD, editor. Berkowitz's pediatrics: a primary care approach. Elk Grove Village: AAP; 2008. p. 19-22.
13. Cerqueira D, Lima RS, Bueno S, Neme C, Ferreira H, Coelho D, et al. Atlas da violência 2018 [Internet]. Rio de Janeiro: IPEA; 2018 [capturado em 8 jun. 2019]. Disponível em: http://www.ipea.gov.br/portal/index.php?option=com_content&view=article&id=33410&Itemid=432.
14. Barcelos RH, Rossi CAV. Mídias Sociais e Adolescentes: Uma Análise das Consequências Ambivalentes e das Estratégias de Consumo. BASE. 2014;11(2):93-110.
15. Frois E, Moreira J, Stengel M. Mídias e a imagem corporal na adolescência: o corpo em discussão. Psicologia em Estudo. 2011; 16(1): 71-7.
16. Núcleo de Informação e Coordenação do Ponto BR. TIC Kids Online Brasil 2015: Pesquisa sobre o uso da internet por Crianças, Adolescentes no Brasil. São Paulo: Comitê Gestor da Internet no Brasil; 2016.
17. Pigozi PL, Machado AL. Bullying na adolescência: visão panorâmica no Brasil. Cienc saude colet. 2015;20(11):3509-22.
18. Brasil. Ministério da Mulher, da Família e dos Direitos Humanos. Disque 100 [Internet]. Brasília: MDH; 2019[capturado em 01 dez. 2019]. Disponível em: https://www.mdh.gov.br/informacao-ao-cidadao/disque-100.
19. Rio Grande do Sul. Polícia Civil. Departamento Estadual da Criança e do Adolescente [Internet]. Porto Alegre: 2019 [capturado em 01 dez. 2019]. Disponível em: http://www3.pc.rs.gov.br/especial.php?departamento=deca.
20. Goldenring JM, Rosen DS. Getting into adolescent heads: an essential update. Contemporary Pediatrics. 2004;21(1):64-90.
21. Chambers CV, McManus PC Jr. Childhood and adolescence. In: Rakel RE, Rakel DP. Textbook of family medicine. Philadelphia: Saunders; 2011. p. 585-610.
22. Gold MA, Seningen AE. Interviewing adolescents. In: McInerny TK, Adam HM, Campbell DE, DeWitt TG, Foy JM, Kamat DM, editors. American Academy of Pediatrics textbook of pediatric care. 2nd ed. Washington: AAP; 2017. p. 1141-8.
23. U.S. Preventive Services Task Force. Depression in Children and Adolescents: Screening [Internet]. 2016 [capturado em 8 jun. 2019]. Disponível em: https://www.uspreventiveservicestaskforce.org/Page/Document/UpdateSummaryFinal/depression-in-children-and-adolescents-screening1?ds=1&s=adolescente.
24. Grossman E, Ruzany MH, Taquette SR. A consulta do adolescente e jovem. In: Brasil. Ministério da Saúde. Saúde do adolescente: competências e habilidades. Brasília: MS; 2008. p. 41-6.
25. Lenz MLM, Flores R, organizadores. Atenção à saúde da criança: de 0 a 12 anos [Internet]. Porto Alegre: Hospital Nossa Senhora da Conceição; 2019 [capturado em 8 jun. 2019]. Disponível em: https://ensinoepesquisa.ghc.com.br/index.php/escolaghc/2013-06-05-18-36-26.
26. Tanner JM. Growth at adolescence. 2nd ed. Oxford: Blackwell; 1962.
27. Komorniczak M. The Tanner scale – male [Internet]. [S.l.]: Wikipedia; 2009 [capturado em 7 set. 2009]. Disponível em: http://en.wikipedia.org/wiki/File:Tanner_scale-male.svg.
28. Komorniczak M. The Tanner scale – female [Internet]. [S.l.]: Wikipedia; 2009 [capturado em 7 set. 2009]. Disponível em: http://en.wikipedia.org/wiki/File:Tanner_scale-female.svg.
29. U.S. Preventive Services Task Force. Screening for Lipid Disorders in Children and Adolescents. JAMA. 2016;316(6):625-33.
30. Brasil. Ministério da Saúde. Instituto Nacional de Câncer José de Alencar Gomes da Silva. Diretrizes brasileiras para o rastreamento

do câncer do colo do útero. 2. ed. rev. atual. Rio de Janeiro: INCA; 2016.
31. U.S. Preventive Services Task Force. Chlamydia and Gonorrhea: Screening [Internet]. 2016 [capturado em 8 jun. 2019]. Disponível em: https://www.uspreventiveservicestaskforce.org/Page/Document/UpdateSummaryFinal/chlamydia-and-gonorrhea-screening?ds=1&s=adolescent.
32. Sax PE. Screening and diagnostic testing for HIV infection [Internet]. UpToDate. Waltham: UpToDate; 2018 [capturado em 8 jun. 2019]. Disponível em: https://www.uptodate.com/contents/screening-and-diagnostic-testing-for-hiv-infection.
33. Brasil. Ministério da Saúde. Secretaria de Vigilância em Saúde. Boletim Epidemiológico de Sífilis. 2018:49(45):1-43.
34. Monteiro MDO, Costa MCO, Vieira GO, Silva CAL. Fatores associados à ocorrência de sífilis em adolescentes do sexo masculino, feminino e gestantes de um Centro de Referência Municipal/CRM-DST/HIV/AIDS de Feira de Santana, Bahia. Adolescência e Saúde. 2015;12(3):21-32.
35. Elster A. Guidelines for adolescent preventive services [Internet]. UpToDate. Waltham: UpToDate; 2019 [capturado em 8 jun. 2019]. Disponível em: https://www.uptodate.com/contents/guidelines-for-adolescent-preventive-services.
36. Organização Pan-Americana da Saúde. Ministério da Saúde. Saúde e sexualidade de adolescentes. Brasília: OPAS;MS; 2017.
37. Bermudez, BEBV. Conselho Científico; Sociedade Brasileira de Pediatria. Disforia de Gênero. 2017.
38. Silva MC. O Impacto do racismo na saúde mental das vítimas [Internet]. Portal Psicologia.pt; 2018 [capturado em 3 nov. 2021]. https://www.psicologia.pt/artigos/textos/A1229.pdf.
39. Locke A, Stoesser K, Pippitt K. Health Maintenance in School-Aged Children: Part II. Counseling Recommendations. Am Fam Physician. 2019;100(4):219–26.
40. Gaspar VLV. Segurança do jovem no trânsito. [Internet]. Rio de Janeiro: SBP; 2014 [capturado em 7 jun. 2019]. Disponível em: https://www.sbp.com.br/imprensa/detalhe/nid/seguranca-do-jovem-no-transito/.

## LEITURAS RECOMENDADAS

Brasil. Ministério da Saúde. Departamento de Atenção Básica. Saúde na escola. Brasília: MS; 2009.
*Manual norteador de profissionais de saúde sobre a implantação da política de atenção ao escolar.*

Elias MJ, Weissberg RP, Patrikakou EN. The ABCs of coping with adolescence. Philadelphia: University of Illinois; 2003.
*Guia destinado a professores para orientação de adolescentes.*

Rio Grande do Sul. Secretaria Estadual da Saúde. Política estadual de atenção integral à saúde de adolescentes. Porto Alegre: SES; 2010.
*Parecer do Conselho Federal de Medicina e do Código de Ética Médica em relação à consulta do adolescente desacompanhado.*

Murad C. Processo-Consulta CFM nº 40/13 – Parecer CFM nº 25/13. Assunto: Atendimento ao paciente menor de idade desacompanhado dos pais [Internet]. Conselho Federal de Medicina. Brasília, DF. Publicado em 18 de set de 2013 [capturado em 23 jun. 2019]. Disponível em: http://www.portalmedico.org.br/pareceres/CFM/2013/25_2013.pdf.

Conselho Federal de Medicina. Código de Ética Médica. Capítulo IX, Artigo 74. 2009 [Internet]. [capturado em 23 jun. 2019]. Disponível em: http://www.portalmedico.org.br/novocodigo/integra_9.asp.

Bright Futures. Disponível em: http://www.brightfutures.org/.
*Iniciativa de promoção à saúde norte-americana que postula que toda criança tem o direito de ser saudável e que a saúde perfeita envolve relacionamentos de confiança entre o profissional de saúde, a família, a criança e a comunidade.*

# Capítulo 107
# PROBLEMAS COMUNS DE SAÚDE NA ADOLESCÊNCIA

Ricardo Becker Feijó
Maria Conceição Oliveira Costa
Lilian Day Hagel
Nilma Lazara de Almeida Cruz

A adolescência representa um período de intensas e significativas modificações, com repercussões dinâmicas nos níveis físico, psicológico, cognitivo, sexual e social. Dessa forma, a abordagem do adolescente difere da abordagem da criança, pois, além de exigir conhecimento técnico-científico específico do profissional, requer habilidade em promover a participação ativa do adolescente na entrevista, no exame e nos encaminhamentos, assim como em permitir o entrosamento da família, facilitando a adesão à proposta terapêutica.

É importante não apenas identificar sinais e sintomas, mas também avaliar a repercussão na vida do adolescente, preservando sua intimidade segundo critérios éticos e legais. Adolescentes têm mais disponibilidade e estímulo a retornar às avaliações periódicas e aderir ao tratamento e às propostas de prevenção quando os profissionais explicam e propõem a confidencialidade como parte do processo do atendimento.[1]

**Embora a adolescência seja descrita por muitos estudiosos como um período com baixa incidência de doenças, cabe ressaltar que causas externas (acidentes, homicídios e suicídios, entre outros) são as principais causas de morte entre jovens.[2] Da mesma forma, doenças crônicas (como obesidade e hipertensão arterial sistêmica) iniciadas na adolescência têm significativo impacto na morbimortalidade do indivíduo na vida adulta. No nível ambulatorial, as principais queixas estão relacionadas com questões de crescimento e desenvolvimento, modificações de comportamento e hábitos de vida, assim como manifestações agudas que causam repercussão na rotina do adolescente, com impacto no ambiente familiar e social.[3-6]**

Estudos sobre os principais motivos de consulta na adolescência evidenciam problemas relacionados à saúde, assim como ao meio social e aos hábitos de vida. As principais queixas dos jovens incluem problemas ginecológicos, dermatológicos, respiratórios e alérgicos, obesidade, iniciação sexual, gestação, desempenho escolar, conflitos familiares e hábitos de vida.[1,7]

Enquanto várias manifestações são consideradas limitadas ao período da adolescência, muitas queixas podem representar o início de doenças crônicas que persistirão na vida adulta (obesidade, hipertensão, diabetes melito, transtornos alimentares, síndrome do cólon irritável, cáries dentárias, acne, transtornos de humor, etc.).[3]

Para fins didáticos, a adolescência pode ser dividida em três fases, caracterizadas pelo desenvolvimento psicossocial e hormonal, com repercussão na relação familiar e com seus pares, e no ambiente social. Todas as oportunidades de consulta e comparecimento aos serviços de saúde devem ser devidamente registradas, identificando características individuais e diagnósticos clínicos, e monitorando o desenvolvimento do adolescente.

Na fase inicial (10 a 13 anos), deve ser estimulado o acompanhamento dos pais à consulta, tendo em vista a importância da participação destes no sucesso do plano de ações preventivas e/ou terapêuticas. As principais queixas desses adolescentes estão relacionadas com o crescimento físico; entretanto, sentimentos de onipotência podem dificultar a adesão ao tratamento e facilitar sintomas depressivos diante do diagnóstico de doenças. Nessa etapa, o ambiente social amplia-se com a participação em grupos de amigos que influenciarão comportamentos e hábitos.[1]

Na adolescência intermediária (14 a 16 anos) e tardia (17 a 19 anos), a presença dos pais é facultativa, embora se reconheça que ela seja estratégica nas primeiras consultas. A fase intermediária é marcada pelas experimentações, muitas vezes influenciada pelo grupo ou relacionadas às vivências amorosas e sexuais (iniciação sexual). Nessa etapa, o impacto das doenças clínicas pode ser significativo, com afastamento do grupo de amigos e algumas vezes da escola. A imagem corporal tem grande enfoque, e queixas estéticas e cosméticas causam maior repercussão do que diagnósticos clínicos e seus tratamentos.[1]

Durante a fase final da adolescência, as preocupações são semelhantes às dos adultos, envolvendo duração do tratamento, custos associados, possível hospitalização e repercussão no convívio social e familiar. Uma das principais metas na atenção aos adolescentes é o estímulo ao autocuidado e ênfase na partilha de responsabilidades deles próprios e da família junto ao profissional, com a finalidade de obter melhores resultados do atendimento.[1]

Independentemente do motivo da consulta, o profissional que atende o adolescente deve manter uma rotina de avaliação com enfoque preventivo (ver Capítulo Acompanhamento de Saúde do Adolescente). A seguir, são abordados os problemas mais frequentes no atendimento ambulatorial de adolescentes.

## ALTERAÇÕES DO DESENVOLVIMENTO PUBERAL

O crescimento e o desenvolvimento são eventos geneticamente predeterminados, que estão intimamente relacionados com os indivíduos jovens (crianças e adolescentes), sendo fortemente influenciados por fatores ambientais (socioeconômicos, políticos, entre outros) e específicos (nutricionais, hormonais e emocionais). De maneira geral, o crescimento é avaliado por medidas clínicas (peso, altura e perímetros) e idade óssea, enquanto o desenvolvimento é avaliado pela idade mental, que resulta da maturidade psicossocial.

A puberdade é caracterizada por eventos físicos e de maturação sexual, que são manifestados pelo crescimento do corpo (altura, largura e espessura), assim como de todos os órgãos (vísceras, ossos e glândulas), decorrentes de mudanças hormonais, sob o comando central do eixo hipotálamo-hipófise-gonadal. Esse processo físico-hormonal obedece a uma sequência lógica de eventos e ocorre de forma distinta nos dois sexos em relação ao início, à duração, à intensidade e à progressão dos eventos.

O desenvolvimento puberal é determinado por fatores neuroendócrinos e depende da integridade do eixo hipotálamo-hipófise-gonadal e da secreção adequada do hormônio do crescimento (GH [do inglês, *growth hormone*]), das gonadotrofinas hipofisárias (hormônio folículo-estimulante [FSH – do inglês, *follicle-stimulating hormone*] e hormônio luteinizante [LH – do inglês, *luteinizing hormone*]) e dos hormônios gonadais (testosterona e estrogênios). A função gonadal (testículos e ovários) é prioritária para a manutenção do *feedback* entre FSH e LH, cujo resultado é o amadurecimento da função dos órgãos sexuais primários e aparecimento das características sexuais secundárias. A época de início da puberdade é influenciada por diversos fatores, como características genéticas, raciais e nutricionais, prática de exercícios e condições de saúde do indivíduo. A cronologia dos eventos, no entanto, obedece à seguinte sequência: inicialmente, amadurecem as características sexuais primárias (ovários, útero, vagina, testículos, próstata e glândulas seminais) e, em um segundo momento, as características secundárias (mamas, pênis, pelos pubianos e axilares e mudança da voz). Em paralelo, ocorrem outros eventos, como desenvolvimento de músculos, ossos e tecido gorduroso, e aumento do tamanho do corpo em peso e altura, das vísceras e das glândulas sebáceas e sudoríparas.

O primeiro sinal de puberdade masculina é o aumento do volume testicular (> 3 mL), seguido do aumento dos pelos pubianos e do tamanho do pênis, inicialmente em comprimento e após em diâmetro. A primeira ejaculação com sêmen (semenarca) ocorre por volta dos 14 a 15 anos de idade e representa a maturidade reprodutiva; antes, em torno dos 13 a 14 anos, é comum a polução noturna (ejaculação durante o sono). Ao contrário do que ocorre no sexo feminino, o estirão de crescimento estatural é mais tardio e duradouro, permanecendo após a maturação dos órgãos sexuais primários e secundários. Os pelos axilares e faciais surgem mais tarde.

Na puberdade feminina, com maior frequência, o primeiro sinal é o aparecimento do broto mamário (telarca), uni ou bilateral, período em que inicia o estirão puberal. O desenvolvimento de pelos pubianos (pubarca) pode ser concomitante ou ocorrer logo após; posteriormente, ocorre a primeira menstruação (menarca). Cerca de 12 a 24 meses após a telarca, inicia-se a desaceleração do crescimento. Nesse período, desenvolvem-se, também, todos os órgãos que compõem as características sexuais primárias.[8]

Os estágios de desenvolvimento puberal masculino e feminino são detalhados no Capítulo Acompanhamento de Saúde do Adolescente.

## Atraso puberal

Define-se como atraso puberal quando este for maior do que 2 desvios-padrão em relação à idade média de início da puberdade em uma determinada população. No sexo masculino, caracteriza-se pela ausência de sinal de puberdade após os 14 anos e/ou ausência de pubarca e volume testicular < 4 mL. Na menina, é definida como ausência de caracteres sexuais secundários até os 13 anos de idade, ou ausência de menarca até os 16 anos.[9,10]

O atraso puberal pode ser constitucional, por alteração da função hipotálamo-hipofisária ou, ainda, associado a condições clínicas crônicas, como doenças renais e cardíacas, estresse grave (emocional ou físico) e perda excessiva de peso.

Para atraso puberal em meninas, ver também Capítulo Atendimento Ginecológico na Infância e Adolescência.

### Atraso puberal constitucional

É uma variante do desenvolvimento típico, que não evidencia alterações clínicas após avaliação cuidadosa. Frequentemente, os jovens procuram atendimento médico porque se consideram pequenos para a idade cronológica, quando comparados aos seus pares, podendo ter repercussões psicossociais.

Em geral, os indivíduos com atraso puberal constitucional apresentam peso e comprimento adequados ao nascimento e se desenvolvem bem até os 2 anos, quando, então, apresentam padrão de crescimento desacelerado e permanecem abaixo da altura-alvo da família.

Esses adolescentes têm velocidade de crescimento e estatura compatíveis com a idade óssea e história familiar, e apresentam crescimento e maturação física mais lentos. Como consequência, a maturação do eixo hipotálamo-hipófise-gonadal também é mais lenta para a idade cronológica, coincidindo com a idade óssea. A velocidade de crescimento que precede a puberdade é lenta e a secreção de GH é baixa, respondendo adequadamente à administração de estrogênio ou androgênio. Essa diminuição de GH pode impedir a resposta gonadal às gonadotrofinas (pela diminuição intragonadal também dos fatores de crescimento semelhantes à insulina tipo 1 [IGF-1 – do inglês, *insulin-like growth factors*]).

Ao iniciarem o processo de desenvolvimento puberal e maturação sexual, os adolescentes retomam o ritmo de crescimento típico com recuperação da estatura, alcançando a altura-alvo familiar. A idade óssea encontra-se atrasada, porém próxima à idade e à estatura. Quando as meninas atingem 10 a 11 anos e os meninos, 11 a 12 anos, ocorre resposta aos hormônios hipotalâmicos e sinais de maturação sexual.

### Alteração da função hipotálamo-hipofisária

A maior queixa dos indivíduos com alteração da função hipotálamo-hipofisária não é a baixa estatura (na maioria das vezes, o crescimento e a adrenarca são normais), mas principalmente o atraso no desenvolvimento puberal. As manifestações variam desde sinais leves, que dificultam o diagnóstico diferencial com atraso constitucional, até quadros de infantilismo sexual que, na maior parte dos casos, decorre da produção insuficiente de hormônio hipotalâmico liberador das gonadotrofinas (GnRH [do inglês, *gonadotropin-releasing hormone*]) com diferentes padrões de secreção de gonadotrofinas (LH e FSH). A deficiência nos pulsos de GnRH pode ser decorrente da amplitude ou da frequência dos picos e, inclusive, de lesões hipofisárias. Esses indivíduos têm altura esperada para a idade cronológica e atraso do desenvolvimento puberal.[8]

Outras causas de puberdade tardia com alteração da função hipotálamo-hipofisária incluem:[9]
→ hipogonadismo hipogonadotrófico:
    → doenças do sistema nervoso central (SNC) (tumores, traumas, doenças infecciosas e inflamatórias);
    → deficiência de gonadotrofinas (síndrome de Kallmann e hipoplasia suprarrenal congênita);
    → outras (síndrome de Prader-Willi, hipotireoidismo, diabetes, síndrome de Cushing, desnutrição crônica e anorexia);
→ hipogonadismo hipergonadotrófico (disgenesia gonadal):
    → sexo feminino: disgenesia gonadal e variantes (síndrome de Turner, síndrome dos ovários policísticos, quimioterapia e radioterapia);
    → sexo masculino: síndrome de Klinefelter, outras formas de disgenesias de túbulos seminíferos, insuficiência testicular, quimioterapia e radioterapia.

### Conduta

A investigação inicia com a realização de anamnese detalhada, enfatizando informações sobre os antecedentes pessoais e nutricionais, com especial atenção para as curvas de peso e de altura. No exame físico, além dos dados antropométricos e dos caracteres sexuais secundários, deve haver especial atenção para sinais de possíveis comorbidades.

A solicitação de exames complementares deverá ser norteada pelos achados clínicos. A avaliação da idade óssea por meio de radiografia do punho e da mão é utilizada para diagnóstico e acompanhamento do desenvolvimento puberal, assim como ultrassonografia (US) pélvica, para avaliar região pélvica e/ou testículos. Diante da suspeita de condições sistêmicas crônicas, deverá ser realizada avaliação específica. Quando houver suspeita de envolvimento do SNC, exames de imagem (como ressonância magnética [RM] de crânio) devem ser incluídos na investigação. As dosagens de LH e FSH (basais e estimuladas pelo GnRH), quando indicadas, são importantes para o diagnóstico diferencial com o hipogonadismo hipergonadotrófico, além de fornecer informações sobre o início da puberdade. Outras dosagens hormonais (testosterona e/ou estradiol, prolactina) podem ser necessárias. Na suspeita de condições genéticas, como síndromes de Turner e Klinefelter, o cariótipo deve ser solicitado.[11]

No atraso puberal constitucional, a abordagem inicial consiste em aconselhamento e orientação adequada. Em adolescentes do sexo masculino com níveis baixos de testosterona (pré-puberal ou puberal precoce) e quando há grande ansiedade e expectativa do adolescente e dos familiares, a testosterona pode ser utilizada por períodos curtos (3 a 6 meses) sob a forma de injeções a cada 6 semanas ou por uso diário via oral, para ativar o início da puberdade

**C/D**.[12-18] Alternativa ao uso da testosterona é a oxandrolona (0,1 mg/kg/dia até um máximo de 2,5 mg/dia) **C/D**,[19-21] que tem sido utilizada desde a década de 1970. Uma vez ativada, a puberdade segue seu curso normal. Ambos os fármacos apresentam potencial hepatotoxicidade, devendo ser monitorada a função hepática.

A testosterona intramuscular é o tratamento inicial de escolha do hipogonadismo permanente, em geral começando com uma dose de 50 mg/mês, aumentando em cerca de 50% a cada 6 meses até que a dose para adultos (200 mg, a cada 2 a 4 semanas) seja atingida **C/D**.

Em relação às meninas com atraso puberal, a terapia é iniciada com dose baixa de estrogênios orais (conjugados – 0,3 mg/dia, ou estradiol – 0,5 mg/dia)[22] (ver Capítulo Atendimento Ginecológico na Infância e Adolescência). Em meninas com atraso constitucional ou deficiência funcional de gonadotrofina, o tratamento deve ser continuado por 4 a 6 meses e, em seguida, interrompido para determinar se existe progressão da puberdade. Para as portadoras de síndrome de Turner e outras condições de hipogonadismo permanente, a dose de estrogênios geralmente é duplicada a cada 6 a 12 meses até que doses de 1,25 mg de estrogênios conjugados ou 2 mg de estradiol sejam atingidas.

Durante o período de tratamento, deve-se ter o controle periódico da idade óssea, do crescimento estatural e das características sexuais secundárias.[23]

## Puberdade precoce

Puberdade precoce é definida como o desenvolvimento das características sexuais secundárias antes da idade de 8 anos em meninas e 9 anos em meninos. Nas meninas, a ocorrência da menarca antes de 9 anos de idade pode ser considerada um critério adicional. Existem discussões quanto aos limites de idade habitual para o desenvolvimento puberal, tendo em vista que tem sido demonstrado por diferentes pesquisas que crianças sem qualquer distúrbio podem iniciar a puberdade mais precocemente, com progressão de maneira mais lenta, sem repercussão sobre a idade da menarca ou da estatura final.

O desenvolvimento puberal precoce tem repercussões físicas e psicológicas. Pelo potencial de evolução rápida, é necessário que o diagnóstico correto seja realizado prontamente e, a partir desse conhecimento, deve-se estabelecer o prognóstico: velocidade de progressão da puberdade; impacto no crescimento estatural; evolução da idade óssea; além do desenvolvimento de funções reprodutivas e ajuste psicossocial, na família, escolas e amigos.

Sinais puberais isolados podem estar presentes (telarca ou pubarca) sem que ocorra aceleração da idade óssea e da velocidade de crescimento. A adrenarca (aparecimento de pelos sexuais) prematura isolada não compromete a altura final. Entretanto, deve-se ficar alerta para a associação de adrenarca com hiperplasia suprarrenal congênita e associação futura com síndrome plurimetabólica com hirsutismo, obesidade, hipertensão e diabetes tipo 2.

Na aceleração constitucional do crescimento e da puberdade, a velocidade de crescimento é superior à média e anterior ao início puberal, ocorrendo avanço da idade óssea e da estatura proporcional ao padrão familiar, com previsão de estatura final normal. Essas são as principais diferenças em relação à puberdade precoce patológica, na qual o avanço da idade óssea é desproporcionalmente maior que a velocidade de crescimento, ocorrendo fechamento prematuro da cartilagem e perda da estatura final. O método de acompanhamento da idade óssea mais adequado é o de Tanner-Whitehouse (TW – 20) para 20 núcleos de mãos e punhos.

A etiologia da puberdade precoce é variável e de extrema importância, tanto para o diagnóstico quanto para o tratamento. É fundamental a distinção entre puberdade precoce central, que resulta da ativação prematura do eixo hipotálamo-hipófise-gonadal (GnRH-dependente) e pseudopuberdade precoce (GnRH-independente).[24] A avaliação diagnóstica complementar consiste em:[25]

→ exames de imagem:
  → radiografia de mão e punho esquerdos para avaliar idade óssea;
  → RM de crânio, para excluir tumores e lesões do SNC (tumores, hamartomas);
  → US pélvica, para avaliar volume do ovário e do útero. Volumes aumentados de ovários (1-2,5 mL) e de útero (4 mL) indicam puberdade. Microcistos > 1 cm e persistentes sugerem produção hormonal. A presença de até cinco microcistos (< 1 cm) pode ser considerada fisiológica;
→ dosagens hormonais:
  → relação LH/FSH: se < 1, sugere secreção pré-puberal; se LH acima da faixa pré-puberal e LH/FSH > 1, há possibilidade de puberdade precoce central;
  → teste de estímulo com GnRH: é o exame mais importante para avaliar a ativação do eixo hipotálamo-hipófise-gonadal – o pico aumenta 20 vezes na puberdade. Portanto, LH > 6,9 UI no sexo feminino e 9,6 UI no sexo masculino indica estímulo do eixo; LH entre 4 e 8 UI sugere estimulação transitória (a avaliação com 100 µg de GnRH pode auxiliar o diagnóstico – dosagem sanguínea nos tempos 0, 30, 45 e 60). Vale salientar que crianças com idade < 2 anos têm aumento de LH e FSH sem puberdade precoce. Embora a relação LH/FSH seja de interesse, é o aumento de LH que caracteriza o diagnóstico de puberdade precoce central;
  → esteroides sexuais: estradiol > 2 ng/dL sugere níveis normais, mas não afasta puberdade precoce. Os níveis de testosterona são mais confiáveis: quando > 19 ng/dL, apontam para puberdade, mas não distinguem entre as formas central e periférica;
→ outras dosagens hormonais:
  → 17-OH-progesterona, androstenediona e deidroepiandrosterona (DHEA), para avaliar a função suprarrenal a fim de excluir hiperplasia suprarrenal congênita e virilização;
  → gonadotrofina coriônica humana (hCG [do inglês, *human chorionic gonadotropin*]) e alfa-fetoproteína, para excluir tumores produtores, como hepatoblastoma e germinoma;

→ tireotrofina (TSH), hormônio liberador da tireotrofina (TRH [do inglês, *thyrotropin-releasing hormone*]) e prolactina (PRL) para excluir hipotireoidismo primário grave;
→ hormônio adrenocorticotrófico (ACTH [do inglês, *adrenocorticotropic hormone*]) elevado com produção de androgênios, para excluir resistência ao cortisol e cortisolismo com receptores de glicocorticoides estimulando o córtex suprarrenal, levando à puberdade precoce sem sintomas de síndrome de Cushing.

### Conduta

A abordagem terapêutica inicial depende da etiologia da puberdade precoce. Quando uma causa primária pode ser identificada, o tratamento dessa condição é primordial. Alguns tumores intracerebrais podem exigir cirurgia para ressecção, enquanto outros (p. ex., germinoma) são radiossensíveis. No caso de hamartoma, lesão central não progressiva, o tratamento é clínico, similar ao da puberdade precoce central idiopática, com análogo do GnRH.

A terapia com GnRH agonista de ação prolongada (ou *depot*) é a mais eficaz disponível para puberdade precoce central, sendo o acetato de leuprolida, a triptorrelina e a histrelina os mais utilizados.[26-31] Baseia-se na estimulação da hipófise de forma constante, diferente do padrão hipotalâmico pulsátil, levando à inibição regulatória dos receptores de GnRH (*down-regulation*), reduzindo a síntese de gonadotrofina. Mais recentemente, posologias mais cômodas, como o GnRH de uso trimestral ou semestral e os implantes subdérmicos (histrelina), têm sido utilizadas com a mesma eficácia e segurança.

O manejo da puberdade precoce por causas independentes do GnRH, a exemplo de tumores ovarianos, testiculares e suprarrenais, hiperplasia suprarrenal congênita e hipotireoidismo, deve ser individualizado, a fim de controlar a causa de base. Causas sindrômicas, como McCune-Albright e testotoxicose familiar, são de difícil controle e devem ser abordadas com medicamentos antagonistas específicos.[32,33]

Ver também Capítulo Atendimento Ginecológico na Infância e Adolescência para puberdade precoce em meninas.

## ACNE

A acne vulgar ou juvenil é uma dermatose inflamatória dos folículos pilossebáceos que ocorre mais frequentemente na adolescência, com maior incidência dos 14 aos 17 anos no sexo feminino e dos 16 aos 19 anos no sexo masculino, embora possa estar presente em 80% dos indivíduos entre 12 e 24 anos de idade. Atinge ambos os sexos, sendo geralmente mais grave nos homens e mais persistente nas mulheres.

Na adolescência, a acne tem grande importância clínica pelas repercussões psicossociais que pode causar em decorrência dos aspectos estéticos, principalmente nas formas inflamatórias e supurativas, pelas cicatrizes e desfigurações que podem comprometer, de forma contundente, a autoimagem do indivíduo.[34] Embora tenha grande impacto emocional, muitos adolescentes com acne não procuram atendimento médico, enquanto parte dos jovens que não a desenvolvem se mostra preocupada com essa possibilidade. Além de questões sociais, a presença de acne pode repercutir com baixa autoestima, sofrimento e depressão devido à dificuldade na aceitação da imagem corporal e da aparência diante da supervalorização do culto à beleza e à estética.[35,36]

Durante a avaliação da acne no adolescente, devem ser investigados fatores extrínsecos, como manipulação das lesões, higiene e limpeza inadequada, produtos cosméticos comedogênicos e uso de equipamentos esportivos ou vestimentas que possam causar atrito. Da mesma forma, é importante identificar o uso de medicações contendo glicocorticoides, esteroides anabolizantes, lítio, isoniazida, iodo (contrastes iodados), vitamina $B_{12}$, hidrazida, bromo e alguns contraceptivos e antiepilético.[37]

A escolha do tratamento é guiada pela experiência clínica e consensos de órgãos científicos. O motivo mais comum para a falha do tratamento é a não adesão à terapia durante o intervalo de tempo necessário para a melhora. Tratamentos bem-sucedidos requerem uso da medicação tópica durante meses e, em muitos casos, terapias sistêmicas adicionais durante a fase do desenvolvimento puberal.

Para avaliação diagnóstica e tratamento, ver Capítulo Prurido e Lesões Papulosas e Nodulares.

## DOR ESCROTAL

O exame físico da região genital masculina constitui uma etapa fundamental da consulta do adolescente. Durante o exame físico completo e também na avaliação do estadiamento de Tanner, mediante inspeção e palpação, o examinador pode identificar alterações anatômicas e funcionais de grande valor diagnóstico, geralmente descritas pelo adolescente como dor na região escrotal.

### Testículo retido

A criptorquidia (ou testículo não palpável) ocorre como resultado da descida incompleta do testículo até a bolsa escrotal. A prevalência de criptorquidia varia de 1 a 4% na infância, mantendo-se essa frequência na adolescência. Testículo não palpável pode ocorrer de forma intra-abdominal, ectópica, inguinal ou ausente. No caso do testículo palpável, pode-se ter uma localização inguinal, retrátil ou ectópica.

Quando um testículo não é palpável dentro da bolsa escrotal, deve ser realizada manobra digital, iniciando na linha anterossuperior da crista ilíaca em direção à bolsa escrotal. O diagnóstico diferencial com testículo retrátil deve ser feito. Quando o testículo é retrátil, ele desce normalmente para a bolsa escrotal, mas, devido à hipertrofia ou à hiperexcitabilidade do músculo da bolsa, ele mantém-se grande parte do tempo em posição alta, sendo uma situação benigna e transitória. O testículo ectópico encontra-se fora do trajeto habitual para o escroto, podendo ser localizado em qualquer local do períneo ou região inguinal, mas sempre fora da bolsa escrotal.

O diagnóstico é clínico e pode ser realizado durante exame de rotina, na ausência de queixas, ou se o adolescente referir discreto desconforto na região escrotal, com alteração de forma. Uma vez confirmado o diagnóstico, o tratamento é cirúrgico via laparoscópica. O jovem deve ser investigado quanto à possibilidade de doenças menos frequentes, como as síndromes de Noonan, Klinefelter e Kallmann e trissomias do 13, 18 e 21.

Em geral, a criptorquidia isolada não tem associação com outras doenças. Entretanto, a criptorquidia bilateral com hipospadia precisa ser investigada, por meio de US e avaliações genética e urológica. As principais complicações da criptorquidia são infertilidade e malignização.

O tratamento adequado é a orquidopexia precoce a fim de reduzir o risco de câncer testicular (ver Capítulo Problemas Comuns nos Primeiros Meses de Vida). É importante ocorrer acompanhamento clínico periódico após a cirurgia devido ao risco de câncer testicular. Os meninos com um testículo criptorquídico têm taxa de fertilidade menor, mas a mesma taxa de paternidade que os meninos com testículos descidos naturalmente. Os meninos com um testículo criptorquídico têm 20 vezes mais chance de desenvolver uma neoplasia testicular, independentemente da escolha do tratamento. Há controvérsias sobre se a cirurgia modifica o risco de malignização, porém mantém o testículo com acesso à palpação, o que permite melhor avaliação clínica.[38–40]

## Torção testicular

Trata-se de uma emergência cirúrgica que requer diagnóstico precoce e tratamento de urgência: por isso, constitui-se em uma das queixas urológicas mais importantes entre adolescentes.[41]

Enquanto os testículos são recobertos anteriormente pela túnica vaginal, sua superfície posterior permanece descoberta. Em alguns casos, uma deformidade da túnica vaginal facilita a torção do cordão espermático, comprometendo a circulação sanguínea, dando origem à torção testicular.

O período de maior prevalência é dos 12 aos 18 anos. O aumento de peso testicular durante a puberdade contribui para o aumento da ocorrência de torção testicular nessa faixa etária. O risco de torção é 10 vezes maior em indivíduos com testículos fora da bolsa escrotal.

O diagnóstico de torção testicular deve sempre ser suspeitado no caso de adolescente com queixas de dor escrotal aguda e edema dessa região. Muitas vezes, é descrito um episódio de dor abrupta, em geral com início à noite. Metade dos casos apresenta história prévia de dor escrotal. A dor pode permanecer restrita à região escrotal ou apresentar irradiação para o abdome. Entre as manifestações gerais, destacam-se mal-estar, náuseas e vômitos; rubor escrotal e febre estão ausentes.

Ao exame físico, o quadro clínico classicamente descrito evidencia testículo de consistência macia e edemaciado, com o lado afetado em posição mais alta do que o contralateral, devido à elevação do cordão espermático torcido (durante processos inflamatórios, o testículo alterado encontra-se em posição mais baixa). Na palpação da bolsa escrotal, os testículos podem ser encontrados em posição horizontalizada em seu maior eixo, ao contrário da posição habitualmente observada.

A US com Doppler (método mais utilizado, com sensibilidade de 90,9% e especificidade de 98,3%) e a cintilografia podem auxiliar na confirmação do diagnóstico, mas não devem retardar o tratamento. A manobra de Prehn (elevação do testículo com alteração da dor) e o sinal de Agel (elevação e horizontalização do testículo dentro da bolsa escrotal) apresentam muitos resultados falso-negativos.

O tratamento indicado é a exploração cirúrgica de urgência, e o tempo transcorrido entre o início dos sintomas e o procedimento cirúrgico é fator determinante na preservação da função testicular. Portanto, diante de quadro clínico sugestivo de torção testicular, o profissional de atenção primária deve encaminhar o adolescente imediatamente para um serviço de urgência com assistência cirúrgica. A cirurgia realizada nas primeiras 6 horas após o início dos sintomas em geral significa recuperação funcional; entretanto, entre 6 e 12 horas, a taxa de recuperação atinge 70% e, após 12 horas, apenas 20%. Durante o procedimento cirúrgico, deve ser realizada também a pexia (fixação) do testículo contralateral.[38,42,43]

## Epididimite

A epididimite raramente ocorre em meninos pré-púberes, sem atividade sexual, ou na ausência de história de anormalidades urogenitais. Nos adolescentes e em adultos jovens sexualmente ativos, os processos inflamatórios de epidídimo e testículos são geralmente decorrentes da migração ascendente de bactérias como *Chlamydia* sp., seguida da infecção por *Neisseria gonorrhoeae* e, em alguns casos, micoplasma e coliformes.

Em geral, as manifestações são subagudas e incluem dor na região escrotal, edema em epidídimo, de consistência endurecida, disúria, corrimento uretral, febre e piúria. O edema isolado de epidídimo é mais comum em epididimite do que em torção testicular. Edema generalizado e endurecimento de ambos os testículos e epidídimo pode ser encontrado tanto na presença de torção como na epididimite com orquite. Essa última condição pode apresentar-se com manifestações semelhantes, porém com ausência de disúria e corrimento uretral. Durante processos infecciosos, o testículo alterado encontra-se em posição mais baixa do que o contralateral, apresentando dor na região escrotal.

A avaliação laboratorial pode incluir exame comum de urina e urocultura. O exame direto (pesquisa de Gram) de *swab* endouretral está indicado apenas na presença de secreção uretral, mas raramente é realizado. Pode ser solicitada imunofluorescência para clamídia. Entretanto, os exames com frequência são negativos. A US com Doppler é indicada para o diagnóstico diferencial.

O tratamento consiste em suporte para a região escrotal (suspensório escrotal) e repouso no leito durante a fase aguda, além de antibioticoterapia para gonococo e clamídia (ver tratamento para corrimento uretral no Capítulo Infecções Sexualmente Transmissíveis: Abordagem Sindrômica).

Adolescentes com epididimite com evolução desfavorável ou sem confirmação diagnóstica necessitam de avaliação e acompanhamento urológicos.[38,44,45]

## Tumores testiculares

O câncer de testículo é o câncer urológico mais comum nos homens jovens, e a maioria das neoplasias testiculares é maligna. Os tumores mais frequentes em meninos pré-púberes são os teratomas, enquanto os seminomas são os mais comuns na puberdade. Outros tumores testiculares incluem carcinomas de células embrionárias, coriocarcinomas, tumores de células de Sertoli e tumores de células de Leydig.

Os tumores testiculares estão entre as neoplasias sólidas mais comuns em homens com idade entre 15 e 35 anos, e seu risco aumenta 10 a 40 vezes em adolescentes com história de criptorquidia.

O diagnóstico deve sempre ser suspeitado na presença de massa testicular de consistência endurecida e indolor, sobretudo se a massa parecer sólida à transiluminação. O exame inicial deve ser a US de bolsa escrotal.

A presença de tumoração testicular indolor é indicativa de processo tumoral, enquanto a palpação de "novelo ou cordões" no cordão espermático esquerdo está associada à varicocele. Uma massa palpável próxima ao epidídimo pode ser manifestação de hidrocele, enquanto uma massa palpável separadamente do testículo e do epidídimo, que aumenta com esforço (p. ex., manobra de Valsalva) e que é redutível, deve ser considerada como uma possível hérnia.

A técnica de transiluminação positiva, ou seja, iluminação direta da região escrotal por meio de fonte luminosa, evidenciando transparência em torno do volume testicular, sugere diagnóstico de hidrocele, condição que costuma estar associada a tumores de testículos em 15 a 20% dos casos.[46]

O tratamento deve ser cirúrgico com biópsia no transoperatório para confirmação do diagnóstico e do tipo celular. Deve-se avaliar a possibilidade de criopreservação de espermatozoides antes do procedimento cirúrgico. Para o esquema terapêutico, o médico assistente deve atuar com equipe multidisciplinar, incluindo urologista e oncologista. Dessa forma, as sequelas no longo prazo dos tratamentos sistêmicos (radiação, quimioterapia e cirurgia) devem ser consideradas; é necessário o monitoramento dessas complicações, visando não apenas à redução da morbimortalidade, mas também a aspectos ligados à autoestima, à imagem corporal e à masculinidade.[38,47]

## Varicocele

A varicocele caracteriza-se por dilatação, alongamento e tortuosidade das veias do plexo pampiniforme como resultado do aumento de pressão e incompetência das válvulas venosas nas veias espermáticas. A etiologia é multifatorial, sendo uma das hipóteses relacionadas à anatomia da veia espermática direita que entra na veia cava em ângulo agudo, ocorrendo pressão de retorno, enquanto a veia espermática esquerda entra na veia renal esquerda em ângulo reto, acarretando aumento de pressão de retorno. O paciente pode queixar-se de sensação de desconforto ou palpação de "novelo ou cordões" acima dos testículos.

A prevalência de varicocele é de 14 a 20% durante a adolescência, sendo 85% dos casos unilaterais localizados no lado esquerdo. Quando bilateral ou no lado direito, impõe-se avaliação intra-abdominal para excluir massas retroabdominais.

Caracteriza-se por seu impacto na espermatogênese, pelo efeito local com alterações estruturais nas células de Sertoli, hipertrofia das células de Leydig e pausa na maturação das células germinativas. No entanto, apenas 20% dos homens com varicocele são inférteis, demonstrando a variabilidade da apresentação.

A varicocele pode ser diagnosticada durante exame físico de rotina ou devido à queixa de dor e desconforto escrotal. O paciente deve estar na posição ortostática para o exame da bolsa escrotal, pois o volume palpável pode diminuir com o indivíduo em decúbito dorsal. Classifica-se em grau I ou pequena quando é palpável após manobra de Valsalva; grau II ou moderada se palpável com o paciente em ortostatismo sem esforço; e grau III ou grande se visível e palpável com o paciente em posição ortostática.

A cirurgia pode ser indicada nos casos de anormalidade na avaliação seminal com espermograma anormal (paciente em estágio puberal de Tanner V) com ou sem hipotrofia, presença de hipotrofia testicular ipsilateral, testículo atrófico (menor que o testículo contralateral em no mínimo 3 mL) e quadro clínico sintomático.[38,48]

## GINECOMASTIA PUBERAL

Ginecomastia puberal é definida como o aumento benigno da glândula mamária masculina, atribuído à proliferação de elementos ductais. É um problema comum na puberdade, ocorrendo em até 65% dos meninos, e decorre do desequilíbrio entre os receptores de estrogênios e androgênios, gerado por atividade excessiva de estrogênio, atividade deficiente de androgênio, aumento da atividade da enzima aromatase ou uma combinação desses efeitos no tecido mamário. É um fenômeno transitório (duração habitual de 6 meses a 2 anos), observado precocemente na puberdade (cerca de 6 meses após o aumento de volume testicular), com pico de incidência em torno dos 14 anos de idade, podendo ser uni ou bilateral. A involução é espontânea na maioria dos casos, e o volume glandular normalmente não extrapola o perímetro areolar. Tem sido descrita associação entre ginecomastia puberal e obesidade.[49]

A ginecomastia puberal é a forma mais frequente de ginecomastia fisiológica; entretanto, é importante fazer o diagnóstico diferencial com a lipomastia (falsa ginecomastia), que é o acúmulo de tecido adiposo subareolar em região mamária de crianças e adolescentes obesos pré-púberes e púberes. A hipertrofia dos músculos peitorais pode tornar a região mamária saliente em atletas.

A ginecomastia pode ser fisiológica (neonatal, puberal, senil) ou patológica, causada por distúrbios endócrinos (hipogonadismo secundário, hipertireoidismo, hiperprolactinemia, síndrome de Cushing, defeitos na produção de testosterona);

neoplasias (tumores testiculares, adenoma ou carcinoma suprarrenal feminilizante, tumores trofoblásticos produtores de hCG); hermafroditismo verdadeiro; cirrose hepática; atividade excessiva da aromatase testicular ou extratesticular; fatores idiopáticos; e uso de medicamentos (estrogênios, androgênios, hormônio tireoidiano, diazepam, fenotiazinas, clorpromazina, digitálicos, metildopa, reserpina, minoxidil, isoniazida, etionamida, cetoconazol, cimetidina, fenitoína, ciproterona, espironolactona). Algumas drogas que causam dependência podem também ocasionar ginecomastia, como álcool, maconha, metadona, anfetamina e heroína.[50]

### Avaliação

Na ginecomastia grau I, observa-se nódulo firme que não ultrapassa a margem da aréola, com até 1 cm de diâmetro, móvel à palpação. Por sua vez, a ginecomastia grau II apresenta-se com nódulo entre 1 e 4 cm, ultrapassando a borda da aréola e visível de perfil, equivalendo à mama M2 feminina (estadiamento de Tanner). No grau III, o tamanho observado é ≥ 5 cm, semelhante à mama M3 (ver Capítulo Acompanhamento de Saúde do Adolescente).

Na anamnese, devem-se investigar uso de medicamentos/drogas, doenças crônicas, história familiar e síndromes como Klinefelter (47XXY). Nessa síndrome, verificam-se atraso puberal ou progressão puberal lenta, testículos pequenos e endurecidos e dificuldade escolar, além da envergadura maior que a altura, pelo maior comprometimento dos membros. Nesses casos, o diagnóstico é realizado mediante cariótipo e cromatina sexual com material obtido da mucosa oral. As macroginecomastias e as ginecomastias em indivíduos impúberes devem sempre ser investigadas para causas patológicas.

O exame clínico inclui avaliação do peso, da altura e das proporções corporais (envergadura, segmentos inferior e superior). A avaliação deve ser complementada com dosagens hormonais de testosterona, androstenediona, sulfato de deidroepiandrosterona (DHEA-S), estradiol, gonadotrofinas (LH e FSH) e dosagem de β-hCG.[51] A realização de exames de imagem, como US, mamografia, tomografia computadorizada e/ou RM, assim como biópsia, poderá ser necessária na presença de linfonodos endurecidos, alterações de pele e/ou descarga ou sangramento de mama, quando deve ser considerada a possibilidade de tumor maligno. Quando houver anormalidade nos exames laboratoriais ou dúvida quanto à etiologia, um especialista (mastologista) deverá ser consultado.

### Tratamento

A grande maioria dos adolescentes com ginecomastia não necessita de tratamento, apenas de orientação quanto às transformações corporais e tranquilização quanto às suas preocupações.

Alguns fármacos, como o tamoxifeno, diminuem a ação estrogênica na glândula mamária. A testolactona inibe a atividade da aromatase e a transformação de androgênios em estrogênios. O danazol e o citrato de clomifeno também são citados no tratamento da ginecomastia.

No entanto, a indicação de tratamento farmacológico é limitada, pois a ginecomastia puberal costuma evoluir com regressão em cerca de 1 ano, principalmente quando for < 4 cm. Quando persistir por 2 anos ou mais, recomenda-se tratamento cirúrgico.[52,53]

## DISMENORREIA

Dismenorreia, definida como dor durante o período menstrual, é um termo derivado do grego e significa fluxo menstrual difícil. É uma das queixas ginecológicas mais comuns entre adolescentes e adultas jovens, com relatos de prevalência de até 90%, e uma causa importante de absenteísmo escolar e no trabalho. Em geral, tem início 6 a 18 meses após a menarca, quando iniciam os ciclos menstruais ovulatórios.[55]

Classifica-se como primária, quando não está associada a doenças pélvicas; ou secundária, quando decorre de uma causa subjacente. Na dismenorreia primária, há aumento da atividade muscular uterina, determinando maior tônus de repouso uterino e contrações uterinas intensas, estimuladas pela ação excessiva das prostaglandinas. Ainda não está esclarecida a causa da liberação de prostaglandina ($PGF_2$ e $PGE_2$), podendo ser secundária aos níveis elevados de estrogênios plasmáticos ou à ação da vasopressina.

Na grande maioria das vezes, nenhuma condição patológica subjacente é diagnosticada; entretanto, a dismenorreia pode ser ocasionada por problemas pélvicos, como anormalidades anatômicas, endometriose, cistos ovarianos e doença inflamatória pélvica.[55]

### Avaliação

A avaliação inicial da adolescente com queixa de dismenorreia deve consistir em anamnese detalhada e exame físico geral, com atenção especial para palpação do abdome, a fim de evidenciar anormalidades como massas abdominais.

Na dismenorreia primária, a dor caracteriza-se por ser intermitente e em cólica, geralmente iniciando com o fluxo menstrual ou logo após. Em geral, é localizada na região suprapúbica e/ou lombar, podendo estar associada a náuseas, vômitos, cefaleia, polaciúria e diarreia.

A inspeção da região genital deve ser realizada para visualização da vulva e do introito vaginal para identificação de malformações anatômicas. Em casos atípicos ou refratários, deve ser considerada a necessidade de avaliação ginecológica para complementação do exame da pelve.

A endometriose é a condição mais importante a ser considerada no diagnóstico diferencial da dismenorreia primária (ver Capítulo Dor Pélvica).

Cistos ovarianos surgem 6 a 12 meses após a menarca, depois do início da ovulação. Folículos pré-ovulatórios < 2 cm são comumente encontrados em adolescentes. As manifestações incluem dor cíclica, menstruação irregular ou dismenorreia. A presença de perda de peso, náuseas, inchaço ou massa palpável sugere tumor. O início súbito de dor abdominal aguda pode ser indicativo de torção ovariana, constituindo-se em uma emergência cirúrgica.

A US pélvica ou abdominal (transvaginal nas adolescentes com vida sexual ativa) é útil para a avaliação de massa suspeita. Massas anexiais devem ser abordadas de forma conservadora em adolescentes. Cistos mais funcionais normalmente regridem após 2 ou 3 ciclos, incluindo os > 5 cm. A terapia hormonal não tem mostrado superioridade nas taxas de regressão de cistos ovarianos em relação à conduta expectante. Para os cistos ovarianos que não regridem após vários ciclos, o tratamento cirúrgico deve ser considerado[57] (ver também Capítulo Dor Pélvica).

Nas jovens sexualmente ativas, deve ser investigada doença inflamatória pélvica. A US pode identificar a presença de malformações, cistos de ovários, miomas e adenomiose. A laparoscopia pode ser necessária nos casos graves para excluir endometriose. Para abordagem de doença inflamatória pélvica, ver Capítulo Dor Pélvica.

Queixas de dismenorreia com início junto à menarca indicam a necessidade de investigação de massa abdominal, compatível com anormalidades uterinas. Nesses casos, devem ser realizadas US pélvica ou abdominal (transvaginal nas adolescentes com vida sexual ativa) e avaliação ginecológica. Na ausência de anormalidades, o diagnóstico clínico de dismenorreia primária pode ser estabelecido.[56]

## Tratamento

O objetivo geral do tratamento é a redução da dor e dos efeitos sistêmicos associados, assim como redução de faltas no trabalho, na escola ou em atividades extracurriculares. Na dismenorreia primária, a terapia farmacológica se baseia na redução da produção de prostaglandinas e leucotrienos, responsáveis pela dor menstrual e sintomas associados, por meio do uso de anti-inflamatórios não esteroides (AINEs) e/ou contraceptivos hormonais.

A escolha do medicamento deve ser individualizada conforme preferência da adolescente, tolerabilidade e eficácia. É recomendável que todos os AINEs, quando possível, sejam administrados 1 a 2 dias antes do início da menstruação, com uma dose de ataque, e mantidos regularmente durante os primeiros 2 a 3 dias de sangramento menstrual ou enquanto persistirem os sintomas (ver Capítulo Dor Pélvica). Na ausência de resposta ao tratamento com AINEs, está indicado o uso de anticoncepcionais orais de baixa dosagem. Estes, ao induzirem atrofia relativa do endométrio, acarretam menor produção de prostaglandinas. Nos casos em que inicialmente se suspeita de dismenorreia primária e a adolescente não responde ao tratamento com AINEs ou tratamento hormonal após 2 a 3 ciclos menstruais completos, devem ser consideradas causas menos comuns para a dismenorreia.[55]

## PROBLEMAS MUSCULOESQUELÉTICOS

A dor musculoesquelética é muito frequente em crianças e adolescentes, com prevalência entre 20 e 46%, sendo a forma idiopática a causa não inflamatória mais importante. Observa-se que a incidência vem aumentando atualmente por razão ainda incerta, provavelmente multifatorial, incluindo aspectos emocionais e psicossociais. O uso frequente de dispositivos eletrônicos e o excesso do uso de tecnologias digitais podem estar implicados no aumento da incidência.

É de extrema relevância o reconhecimento dessa condição pelo médico, uma vez que a dor crônica gera consequências negativas na qualidade de vida não apenas na criança e no adolescente, mas em toda a família. Além disso, o não reconhecimento gera grande impacto econômico e social mediante investigações desnecessárias e dispendiosas (ver Capítulo Problemas Musculoesqueléticos em Crianças e Adolescentes).

## OBESIDADE E SÍNDROME METABÓLICA

A obesidade, definida como índice de massa corporal (IMC) > 2 desvios-padrão da média para a idade e o sexo, é considerada importante problema de saúde para a população infanto-juvenil, em países desenvolvidos e em desenvolvimento, tomando como base os indicadores de saúde das últimas décadas para esse grupo.

Dados globais sobre a prevalência de obesidade e sobrepeso em nível mundial revelam aumento significativo durante as últimas três décadas, com marcadas variações entre países nos níveis, tendências e padrões regionais. Em relação às crianças e adolescentes, nos países em desenvolvimento, essa tendência também foi observada, com aumento de 8,1 para 12,9% para os meninos e de 8,4 para 13,4% entre as meninas.[57]

Embora possa ocorrer em todas as fases da infância, os períodos pré-puberal e pós-puberal representam períodos críticos para o ganho de peso corporal e persistência do excesso de peso, assim como para o desenvolvimento de complicações correlatas. Na adolescência, o indivíduo adquire cerca de 25% da sua estatura final e 50% da sua massa corporal, com alto risco de tornar-se um adolescente obeso e manter-se assim até a idade adulta.[58-60]

Na adolescência, devido ao estirão puberal, os requerimentos calóricos estão aumentados, com consequente aumento do apetite e ganho de peso. Nessa etapa, as características de comportamento peculiares, aliadas ao apelo da mídia e influência do grupo, favorecem dietas não balanceadas, hipercalóricas, pelo consumo repetido de alimentos do tipo *fast-food* e lanches rápidos com alto valor calórico, ricos em açúcar, carboidratos refinados e gordura saturada, em vez da alimentação habitual da família. A gordura, além de ser o alimento com maior densidade calórica, melhora o sabor dos alimentos e é pouco efetiva no controle do apetite, pois a saciedade só é alcançada quando já foi ingerida grande quantidade do alimento, ao contrário das fibras, cuja densidade calórica é baixa e cuja resposta à saciedade é mais rápida, não estimulando a ingestão excessiva.[61] Além disso, cabe salientar que o estilo de vida sedentário e a falta de exercícios ou práticas esportivas contribuem de forma impactante para o incremento de peso na juventude. A distribuição de gordura corporal difere entre os sexos, com as mulheres apresentando as maiores taxas de gordura em todas as idades. No primeiro ano de vida, a diferença entre os sexos é de 1%, aos 10 anos, de 6%, e na adolescência, de 50%. No início da adolescência, os meninos acumulam gordura que é perdida ao fim da puberdade; nas meninas, há acúmulo gradativo na pré-puberdade e aumento durante a puberdade, resultando, ao fim dessa etapa, em duas vezes mais gordura corporal, se comparado aos meninos.

A obesidade possui períodos críticos para sua evolução – gestação, primeiro ano de vida, entre 5 e 7 anos e adolescência –, todos eles contribuindo para a continuidade da obesidade na fase adulta. Dessa forma, o excesso de ingestão calórica com balanço positivo pré-puberal e puberal pode desencadear obesidade. Para maiores detalhes sobre a etiologia e as consequências da obesidade, ver os Capítulos Obesidade: Prevenção e Tratamento e Excesso de Peso em Crianças.

A obesidade está associada a significativos problemas de saúde na faixa etária pediátrica e adolescência e é um importante fator de risco para morbidade e mortalidade na idade adulta. Muitas das suas complicações cardiovasculares e metabólicas já estão presentes durante a infância e são estreitamente relacionadas com a presença de resistência à insulina e hiperinsulinemia, as anormalidades mais comuns da obesidade.

Nas últimas décadas, a síndrome metabólica, definida como uma combinação de condições clínicas que incluem hipertensão arterial, dislipidemia, distúrbio no metabolismo da glicose e obesidade (em especial, abdominal), com deposição intra-abdominal de gordura, tem sido motivo de grande interesse e debate na literatura médica. Pouco se sabe sobre a epidemiologia e a fisiopatologia dessa síndrome em crianças e adolescentes, em contrapartida à compreensão mais ampla em adultos. Isso se deve, em parte, à falta de consenso para uma definição pediátrica, considerando-se as constantes alterações fisiológicas no metabolismo e na composição corporal que ocorrem nesse grupo etário, dificultando o estabelecimento de pontos de corte específicos para os parâmetros usados no diagnóstico.

A síndrome metabólica é uma condição complexa caracterizada pela presença de múltiplos e inter-relacionados fatores de risco para doenças cardiovasculares e diabetes. Esses fatores de risco incluem glicemia de jejum e níveis de triglicerídeos elevados, pressão arterial elevada, colesterol HDL (do inglês, *high-density lipoprotein* [lipoproteína de alta densidade]) baixo e adiposidade central. De acordo com a Federação Internacional de Diabetes, a síndrome metabólica é definida como a presença de aumento da circunferência da cintura associada a mais dois dos quatro critérios seguintes: hipertensão arterial, triglicerídeos e níveis de glicose de jejum elevados e diminuição dos níveis de colesterol HDL.[62,63]

Estudos têm evidenciado o papel central da resistência à insulina na patogênese da síndrome metabólica. À semelhança dos adultos obesos, a resistência à insulina na obesidade infantil está fortemente associada a fatores metabólicos adversos. A resistência à insulina é definida como a ineficiência da insulina plasmática, em concentrações normais, em promover adequada captação periférica de glicose, suprimir a gliconeogênese hepática e inibir a produção de lipoproteína de muito baixa densidade. Para realizar a sua medida, o índice HOMA-IR (do inglês *homeostatic model assessment for insuline resistance*) tem sido validado em crianças e adolescentes por meio da comparação com índices fundamentados em teste oral de tolerância à glicose e com clampe de insulina e glicose. O modelo foi atualizado com adaptações fisiológicas para uma versão de computador (HOMA2-IR) com o intuito de refinar o método, oferecendo resultados mais precisos.[64-68]

As alterações lipídicas na obesidade dependem de alguns fatores, como o consumo de gordura saturada e colesterol, a duração e a intensidade da obesidade e a influência hereditária, embora o *clearance* das lipoproteínas no sangue possa ser influenciado pelo gasto calórico proporcionado pela atividade física. Altos níveis de colesterol LDL (do inglês, *low-density lipoprotein* [lipoproteína de baixa densidade]) e colesterol total estão relacionados com maior risco de doenças coronarianas, enquanto o aumento das pregas subescapular e abdominal está relacionado com níveis adversos de triglicerídeos e colesterol HDL.[69] Os valores de referência de lipídeos para adolescentes estão apresentados na TABELA 107.1.

## Diagnóstico

O diagnóstico de obesidade na adolescência pode ser realizado por bioimpedância e/ou antropometria.

A bioimpedância baseia-se na avaliação das proporções de massas magra e gorda do corpo, reveladas pela diferença bioelétrica dos tecidos. A massa magra é rica em água e eletrólitos e tem alta condutibilidade e baixa resistência, ao contrário da massa gorda, que possui alta resistência.

A antropometria é o método mais utilizado, por ser prático e acessível. Utilizam-se o índice peso/altura (P/A) e o IMC complementados pela prega cutânea subescapular (PCSE) e prega cutânea do tríceps (PCT). Segundo recomendação da Organização Mundial da Saúde (OMS), na avaliação antropométrica de adolescentes, o IMC é o critério recomendado, acrescido da avaliação das pregas cutâneas – PCT e PCSE. O aumento do IMC pode ser decorrente de massa muscular, como ocorre em atletas, motivo pelo qual é necessária a utilização das pregas, que refletem mudanças na gordura subcutânea e fornecem maior entendimento do IMC. No diagnóstico de sobrepeso, o IMC está entre percentil 85-90 ou escore z entre 1 e 2 para idade e sexo, enquanto, na obesidade, o IMC está acima do percentil 90 ou escore z > 2 para idade e sexo.

**TABELA 107.1** → Valores de referência de lipídeos para adolescentes

| LIPÍDEOS | VALOR (mg/dL) | | |
|---|---|---|---|
| | DESEJÁVEL | LIMÍTROFE | ALTERADO |
| Colesterol total | < 170 | 170-199 | > 200 |
| Colesterol LDL | < 110 | 110-129 | > 130 |
| Colesterol HDL | > 45 | 40-45 | < 40 |
| Triglicerídeos | < 90 | 90-129 | > 130 |

Fonte: Adaptada de National Heart, Lung and Blood Institute.[63]

A circunferência abdominal deve ser medida no ponto médio entre o último arco costal e a crista ilíaca, com o objetivo de avaliar a deposição de gordura na região abdominal, tendo como ponto de corte o percentil 90 ajustado para idade e sexo.[70]

A avaliação laboratorial inclui hemograma, dosagem do colesterol total e suas frações, triglicerídeos, glicemia de jejum e dosagem da insulina basal – considera-se hiperinsulinismo quando a relação insulina/glicemia for > 0,5.

O grau de resistência à insulina deve ser avaliado pelo índice HOMA. Para o cálculo do índice HOMA-IR, é necessário converter para mmol/L os valores de glicemia, obtidos em mg/dL. Para tanto, esses valores devem ser multiplicados por 0,0556. Embora não exista consenso quanto ao ponto de corte para o diagnóstico de resistência à insulina em crianças e adolescentes, tem-se utilizado o valor de > 3,16.[71]

$$HOMA = \frac{\text{insulinemia (μUI/mL)} \times \text{glicemia (mg/dL} \times 0,0556\text{) (mmol/L)}}{22,5}$$

## Manejo

O manejo da obesidade em adolescentes deve considerar alguns aspectos, como a etapa do desenvolvimento puberal, a necessidade de mudanças nos hábitos alimentares do adolescente e da família, o balanço nutricional da dieta, a importância da atividade física no gasto calórico, a perda de peso e a presença ou não de distúrbios metabólicos (hiperlipidemias).

A etapa do desenvolvimento puberal é determinante para o tipo de conduta a ser seguida: até os 14 anos, no sexo feminino, e até os 16 anos, no sexo masculino, a maior parte dos indivíduos encontra-se no estirão de crescimento; portanto, a adequação do peso em relação à altura pode ser conseguida apenas pela manutenção do peso atual, com dieta normocalórica e aumento da atividade física habitual, não sendo necessárias dietas restritivas e perda de peso, as quais podem até prejudicar a velocidade de crescimento estatural. Entretanto, após os 17 anos, principalmente no sexo feminino, quando o crescimento estatural já cessou, para a adequação do peso à altura, é necessária alguma restrição calórica, com dieta balanceada e aumento da atividade física, proporcionando perda gradual de peso, ao longo de 12 a 24 meses, tempo suficiente para que o indivíduo alcance sua adequação ponderal, pela mudança de hábitos alimentares e atividade física mais regular.

A participação da família é um dos fatores decisivos para a mudança de conduta e consequente adesão ao plano terapêutico. Na obesidade exógena, quase sempre está presente a superindulgência e a voracidade alimentar; desse modo, o processo de reeducação dietética deve ser gradual, exigindo tempo e determinação do adolescente, mas sobretudo sensibilização e apoio de toda a sua família. É preciso que a família esteja consciente da importância do acompanhamento e da necessidade de hábitos alimentares mais adequados e saudáveis. O pacto da família com a proposta de reeducação alimentar é tão importante quanto a decisão do adolescente de alterar seus hábitos.

A perda de peso tem grande impacto na síndrome metabólica. Dados da literatura demonstram que a perda de 7 a 10% do peso inicial já é suficiente para promover melhora na circunferência abdominal, no perfil lipídico e na glicemia. O tratamento medicamentoso está indicado quando as medidas de mudança do estilo de vida não são efetivas, sendo específico para cada elemento presente da síndrome metabólica.[72]

Intervenções medicamentosas são efetivas também em adolescentes, com eficácia semelhante à dos adultos. Estudos têm evidenciado que o orlistate possui efeito moderado, reduzindo o peso em cerca de 3% em 1 ano. Por sua vez, o tratamento com metformina associado a mudanças no estilo de vida tem demonstrado redução no IMC.[73-75] Vale salientar que o orlistate (inibidor de lipase gastrintestinal) não é considerado seguro para o uso em menores de 12 anos no Brasil.[73] Na Inglaterra, o National Health Service (NHS) recomenda que o seu uso em menores de 18 anos só seja indicado em situações excepcionais, quando a obesidade estiver ocasionando risco à vida e sob supervisão de especialista. Intervenções multifacetadas em atenção primária à saúde, com base em motivação e mudança nos hábitos de vida, promoveram melhora discreta, porém sustentada entre adolescentes com sobrepeso.[77]

No que se refere à hipertensão arterial, os fármacos mais utilizados são os inibidores de enzima conversora da angiotensina (IECAs), bloqueadores dos receptores de angiotensina, bloqueadores dos canais de cálcio e diuréticos. As estatinas são liberadas para o tratamento da dislipidemia, a partir dos 10 anos. Em casos de diabetes melito tipo 2, após a estabilização inicial, mudanças na dieta e na atividade física são essenciais, para aumentar a sensibilidade da insulina, e devem ser recomendadas em todos os pacientes. Outros tratamentos podem ser necessários, como o uso de hipoglicemiantes orais, sendo a metformina o fármaco de escolha inicial. O uso de troglitazona associado à metformina foi superior ao uso de metformina isolado para o controle glicêmico de crianças com diabetes melito tipo 2 e similar ao uso de metformina associada a mudanças de hábitos de vida[78] (ver Capítulos Hipertensão Arterial Sistêmica, Diabetes Melito: Diagnóstico e Tratamento, e Prevenção Clínica das Doenças Cardiovasculares).

## Mudanças de hábitos alimentares

A educação alimentar do adolescente necessita, fundamentalmente, do apoio e da mudança de hábitos na família, tendo em vista que, embora aprecie os *fast-food*, a maior parte de suas refeições cotidianas é realizada em sua própria casa.

A mudança de hábitos alimentares em geral demanda tempo razoável. A maior parte dos novos hábitos também beneficia sobremaneira os demais membros da família quanto à ingestão de gorduras saturadas, açúcares simples, frituras, embutidos, salgados, amanteigados, massas, entre outros alimentos que contribuem de forma decisiva para o ganho excessivo de peso. Em geral, preconizam-se três refeições diárias, com um lanche a cada turno, estimulando o consumo de alimentos saudáveis, como frutas, legumes, verduras e outros alimentos naturais, evitando o consumo de alimentos ultraprocessados. É importante também comer com regularidade e atenção, com mastigação adequada (comer com calma, mastigando e sentindo o sabor dos alimentos), e na companhia de familiares, amigos ou colegas de escola (ver Capítulo Alimentação Saudável do Adulto).

## Atividade física

O exercício aeróbico, combinado com dieta saudável, apresenta resultados positivos, pelo aumento da massa livre de gordura, aumento da taxa metabólica basal e gasto energético, o que contribui para a perda de peso e melhora da imagem corporal. Além da atividade física, recomenda-se a redução do tempo gasto com atividades sedentárias. É importante que a atividade física seja apreciada pelo adolescente e, se possível, desenvolvida com outros colegas, evitando-se os exercícios competitivos e estimulando a atividade aeróbica e recreativa. É indispensável o apoio, o incentivo e a participação da família nesse processo.

Ver também Capítulos Acompanhamento de Saúde do Adolescente e Promoção da Atividade Física.

## Prognóstico da adesão ao plano terapêutico

Alguns fatores contribuem decisivamente para o bom prognóstico: apoio e incentivo da família, decisão própria do adolescente, bom relacionamento com o profissional, mudança de hábitos alimentares pela família, participação em atividades físicas junto a outros adolescentes e retornos periódicos para a avaliação.

## REFERÊNCIAS

1. Sociedade Brasileira de Pediatria. Departamento Científico de Adolescência. Consulta do Adolescente: abordagem clínica, orientações éticas e legais como instrumento ao Pediatra [Internet]. São Paulo: SBP; 2019 [capturado em 10 jun. 2019]. Disponível em: https://www.sbp.com.br/fileadmin/user_upload/21512c-MO_-_ConsultaAdolescente_-_abordClinica_orientEticas.pdf.
2. Brasil. Ministério da Saúde. Orientações básicas de atenção integral à saúde de adolescentes nas escolas e unidades básicas de saúde [Internet]. Brasília: Ministério da Saúde; 2013. [capturado em 10 jun. 2019]. Disponível em: http://bvsms.saude.gov.br/bvs/publicacoes/orientacao_basica_saude_adolescente.pdf.
3. Azevedo AEBI, Reato LFN. Puericultura na Adolescência. In: Azevedo AEBI, Reato LFN, organizadores. Manual de Adolescência. Barueri: Manole; 2019.
4. Holland H, Burstein GR. Adolescent Medicine. In: Kliegman RM, editor. Nelson Textbook of Pediatrics. 20th ed. New York: Elsevier; 2016. p. 926-31.
5. Hagel LD, Mainieri AS, Zeni CP, Wagner MB. Brief report: accuracy of a 16-item questionnaire based on the HEADSS approach (QBH-16) in the screening of mental disorders in adolescents with behavioral problems in secondary care. J Adolesc. 2009;32(3):753-61.
6. Hagel LD, Feijó RB. Emergências na adolescência. In: Costa MCO, Souza RP de, organizadores. Semiologia e atenção primária à criança e ao adolescente. São Paulo: Revinter; 2005.
7. Souza RP, Hagel LD. Urgências na adolescência. In: Fiori RM, Pitrez JLB, Galvão NM, organizadores. Prática pediátrica de urgência. Rio de Janeiro: MEDSI; 1991.
8. Marshall WA, Tanner JM. Variations in the pattern of pubertal changes in boys. Arch Dis Child. 1970;45(239):13-23.
9. Roberts SA, Stafford DEJ. Delayed Puberty and Hypogonadism. In: Radovick S, Misra M, editors. Pediatric Endocrinology. New York: Springer Cham; 2018.
10. Abitbol L, Zborovski S, Palmert MR. Evaluation of delayed puberty: What diagnostic tests should be performed in the seemingly otherwise well adolescent? Arch Dis Child. 2016;101(8),767-71.
11. Dye AM, Nelson GB, Diaz-Thomas A. Delayed puberty. Pediatric Annals 2018;47(1), e16-e22.
12. Palmert MR, Dunkel L. Clinical practice. Delayed puberty. N Engl J Med. 2012;366:443-53.
13. Varimo T, Huopio H, Kariola L, Tenhola S, Voutilainen R, Toppari J, et al. Letrozole versus testosterone for promotion of endogenous puberty in boys with constitutional delay of growth and puberty: a randomised controlled phase 3 trial. Lancet Child Adolescent Health. 2019;3(2):109-20.
14. Rastrelli G, Vignozzi L, Maggi M. Different medications for hypogonadotropic hypogonadism. Endocr Dev. 2016;30:60-78.
15. Giri D, Patil P, Blair J, Dharmaraj P, Ramakrishnan R, Das U, et al. Testosterone Therapy Improves the First Year Height Velocity in Adolescent Boys with Constitutional Delay of Growth and Puberty. Int J Endocrinol Metab. 2017;15(2):e42311.
16. Dwyer AA, Raivio T, Pitteloud N. Management of endocrine disease: reversible hypogonadotropic hypogonadism. Euro J Endocrinol. 2016;174(6):R267-R274.
17. Wei C, Crowne EC. Recent advances in the understanding and management of delayed puberty. Arch Dis Child. 2015;101(5):481-88.
18. Chioma L, Papucci G, Fintini D, Cappa M. Use of testosterone gel compared to intramuscular formulation for puberty induction in males with constitutional delay of growth and puberty: a preliminary study. J Endocrinol Invest. 2017;41(2):259-63.
19. Lucas-Herald AK, Mason E, Beaumont P, Mason A, Shaikh MG, Wong SC, et al. Single-Centre Experience of Testosterone Therapy for Boys with Hypogonadism. Horm Res Paediatr. 2018;90(2):123-7.
20. Sukumar SP, Bhansali A, Sachdeva N, Ahuja CK, Gorsi U, Jarial KDS, et al. Diagnostic utility of testosterone priming prior to dynamic tests to differentiate constitutional delay in puberty from isolated hypogonadotropic hypogonadism. Clin Endocrinol (Oxf). 2017;86(5):717-24.
21. Salehpour S, Alipour P, Razzaghy-Azar M, Ardeshirpour L, Shamshiri A, Monfared MF, et al. A double-blind, placebo-controlled comparison of letrozole to oxandrolone effects upon growth and puberty of children with constitutional delay of puberty and idiopathic short stature. Horm Res Paediatr. 2010;74(6):428-35.
22. Michaud PA, Ambresin AE. Consultation for Disordered Puberty: What Do Adolescent Medicine Patients Teach Us ? Endocr Dev. 2016;29:240-55.
23. Kaplowitz PB. Delayed Puberty. Pediatr Rev. 2010;31(5):189-95.
24. Brito VN, Spinola-Castro AM, Kochi C, Kopacek C, Silva PC, Guerra-Júnior G. Central precocious puberty: revisiting the diagnosis and therapeutic management. Arch Endocrinol Metab. 2016;60(2):163-72.
25. Klein DA, Emerick JE, Sylvester JE, Vogt KS. Disorders of Puberty: An Approach to Diagnosis and Management. Am Fam Physician. 2017;96(9):590-9.
26. Harrington J, Palmert MR. Definition, etiology, and evaluation of precocious puberty [Internet]. In: UpToDate. Waltham: Walters Kluwer Health; 2019 [capturado em 14 dez. 2019]. Disponível em: https://www.uptodate.com/contents/definition-etiology-and-evaluation-of-precocious-puberty.
27. Latronico AC, Brito VN, Carel JC. Causes, diagnosis, and treatment of central precocious puberty. Lancet Diabet Endo. 2016;4(3):265-74.

28. Eugster EA. Treatment of Central Precocious Puberty. J Endoc Soc. 2019;3(5):965-72.

29. Kim HR, Nam HK, Rhie YJ, Lee KH. Treatment outcomes of gonadotropin-releasing hormone agonist in obese girls with central precocious puberty. Ann Pedriatr Endocrinol Metab. 2017;22(4):259.

30. Klein K, Yang J, Aisenberg J, Wright N, Kaplowitz P, Lahlou N, et al. Efficacy and safety of triptorelin 6-month formulation in patients with central precocious puberty. J Peditatr Endocr Met. 2016;29(11):1241-8.

31. Demirkale ZH, Abali ZY, Bas F, Poyrazoglu S, Bundak R, Darendeliler F. Comparison of the clinical and anthropometric features of treated and untreated girls with borderline early puberty. J Pediatr Adolec Gynecol. 2019;32(3):264-70.

32. Wei C, Davis N, Honour J, Crowne E. The investigation of children and adolescents with abnormalities of pubertal timing. Ann Clin Biochem. 2017;54(1):20-32.

33. Lopez CM, Solomon D, Boulware SD, Christison-Lagay E. Trends in the "Off-Label" Use of GnRH Agonists Among Pediatric Patients in the United States. Clin Pediatr. 2018;57(12):1432-5.

34. Bagatin E, Rocha MAD. Acne e erupções acneiformes. In: Prado F, Ramos JA, Valle JR, organizadores. Atualização Terapêutica: Manual Prático de Diagnóstico e Tratamento. 26. Ed. São Paulo: Artes Médicas; 2018.

35. Pawin H, Chivot M, Beylot C, Faure M, Poli F, Revuz J, et al. Living with acne: a study of adolescents' personal experiences. Dermatogy. 2007;215(4):308-14.

36. Halvorsen JA, Stern RS, Dalgard F, Thoresen M, Bjertness E, Lien L. Suicidal ideation, mental health problems, and social impairment are increased in adolescents with acne: a population-based study. J Invest Dermatol. 2011;131(2):363-70.

37. Sociedade Brasileira de Pediatria. Departamento Científico de Adolescência. Acne na adolescência [Internet]. São Paulo: SBP; 2018 [capturado em 10 jun. 2019]. Disponível em: https://www.sbp.com.br/fileadmin/user_upload/_21370c-GPA_-_Acne_na_adolescencia.pdf.

38. Tekgül S, Dogan HS, Hoebeke P, Kocvara R, Nijman JM, Radmayr C, et al. EAU guidelines on Paediatric Urology [Internet]. Arnhem: European Association of Urology; 2016 [capturado em 10 jun. 2019]. Disponível em: https://uroweb.org/wp-content/uploads/EAU-Guidelines-Paediatric-Urology-2016.pdf.

39. Pyörälä S, Huttunen NP, Uhari M. A review and meta-analysis of hormonal treatment of cryptorchidism. J Clin Endocrinol Metab. 1995;80(9):2795-9.

40. Kolon TF. Cryptorchidism. In: Docimo SG, editor. The Kelalis-King-Belman textbook of clinical pediatric urology. Abigdon: Informa Healthcare; 2007.

41. Hagel LD. Emergências clínicas na adolescência. In: Costa COM, Souza RP de, organizadores. Avaliação e cuidados primários da criança e do adolescente: manual elaborado para uso multiprofissional e multidisciplinar. Porto Alegre: Artmed; 1998.

42. Nguyen HP. Hernia, hydroceles, testicular torsion and varicocele. In: Docimo SG, editor. The Kelalis-King-Belman textbook of clinical pediatric urology. Abigdon: Informa Healthcare; 2007.

43. Costa F. Escroto Agudo. In: Burns DAR, Campo Junior D, Silva LR, Borges, WG, organizadores. Tratado de Pediatria, Sociedade Brasileira de Pediatria. 4. ed. Barueri: Manole; 2017.

44. Brasil. Ministério da Saúde. Secretaria de Vigilância em Saúde. Profilaxia Pós-Exposição (PEP) de risco à infecção pelo HIV, IST e Hepatites Virais [Internet]. Brasília: Ministério da Saúde; 2017 [capturado em 10 jun. 2019]. Disponível em: http://bvsms.saude.gov.br/bvs/publicacoes/protocolo_clinico_diretrizes_terapeuticas_profilaxia_exposicao_HIV_IST_hepatites_virais.pdf.

45. Hagley M. Epididymo-orchitis and epididymitis: A review of causes and management of unusual forms. Int J STD AIDS. 2003(14):372-77.

46. Ross JH. Testicular tumors. In: Docimo SG, editor. The Kelalis-King-Belman Textbook of Clinical Pediatric Urology. Abigdon: Informa Healthcare; 2007.

47. Saltzman A, Cost NG. Adolescent and Young Adult Testicular Germ Cell Tumors: Special Considerations. Adv Urol. 2018;2018;2375176.

48. Sack BS, Schäfer M, Kurtz MP. The dilemma of adolescent varicoceles: Do they really have to be repaired? Curr Urol Rep. 2017;18(5):38.

49. Thiruchelvam P, Walker JN, Rose K, Lewis J, Al-Mufti R. Gynaecomastia. BMJ. 2016;22(354):i4833.

50. Rew L, Young C, Harrison T, Caridi R A systematic review of literature on psychosocial aspects of gynecomastia in adolescents and young men. J Adolesc. 2015;43:206-12.

51. Soliman AT, De Sanctis V, Yassin M. Management of Adolescent Gynecomastia: an update. Acta Biomed. 2017;88(2):204-13.

52. Kasielska-Trojan A, Danilewicz M, Antoszewski B. Is There a Rationale behind Pharmacotherapy in Idiopathic Gynecomastia? Horm Res Paediatr. 2018;89(6):408-12.

53. Nuzzi LC, Firriolo JM, Pike CM, Cerrato FE, DiVasta AD, Labow BI. The Effect of Surgical Treatment for Gynecomastia on Quality of Life in Adolescents. J Adolesc Health. 2018;63(6):759-65.

54. Ryan, S. A. The Treatment of Dysmenorrhea. Pediatr Clin North Am. 2017; 64(2),331-42.

55. Matalliotakis M, Goulielmos GN, Matalliotaki C, Trivli A, IoannisMatalliotakis Arici A, Endometriosis in adolescents and young girls: Report a series of 85 cases. J Pedriatr Adolesc Gynecol. 2017;30(5):568-70.

56. As-Sanie, S, Smorgick N. Pelvic Pain in Adolescents. Semin Reprod Med. 2018;36(02),116-22.

57. Ng, M, Fleming T, Robinson M, Thomson B, Graetz N, Margono C, et al. Global, regional, and national prevalence of overweight and obesity in children and adults during 1980–2013: a systematic analysis for the Global Burden of Disease Study 2013. Lancet. 2014;384(9945):766-81.

58. Bloch KV, Klein CH, Szklo M, Kuschnir MCC, Abreu GDA, Barufaldi LA, et al. ERICA: prevalências de hipertensão arterial e obesidade em adolescentes brasileiros. Rev Saude Publica. 2016;50(suppl 1):9s.

59. Carneiro CDS, Peixoto MDRG, Mendonça KL, Póvoa TIR, Nascente FMN, Jardim TDS, et al. Excesso de peso e fatores associados em adolescentes de uma capital brasileira. Rev Bras Epidemiol. 2017;20(2):260-73.

60. Błaszczyk-Bębenek E, Piórecka B, Płonka M, Chmiel I, Jagielski P, Tuleja K, et al. Risk Factors and Prevalence of Abdominal Obesity among Upper-Secondary Students. Int J Environ Res Public Health. 2019;16(10),1750.

61. Mihrshahi S, Drayton BA, Bauman AE, Hardy L. Associations between childhood overweight, obesity, abdominal obesity and obesogenic behaviors and practices in Australian homes. BMC Public Health. 2018;18(1),44.

62. Mastroeni SSDBS, Mastroeni MF, Ekwaru JP, Setayeshgar S, Veugelers PJ, Gonçalves MDC, et al. Anthropometric measurements as a potential non-invasive alternative for the diagnosis of metabolic syndrome in adolescents. Arch Endocrinol Metab.2019;63(1),30-9.

63. National Heart, Lung, and Blood Institute. Expert Panel on integrated guidelines for cardiovascular health and risk reduction in children and adolescents: summary report. Pediatrics. 2011;128(Suppl 5):S213-56.

64. Siqueira AMI, Souza OJ, Sá LV, da Silva LNM, Chagas CE, Barbosa AN, et al. Identificacão dos pontos de corte do índice Homeostatic Model Assessment for Insulin Resistance em adolescentes: revisão sistemática. Rev Paul Pediatr. 2016;34(2):234-42.

65. De Oliveira RG, Guedes DP. Performance of different diagnostic criteria of overweight and obesity as predictors of metabolic syndrome in adolescents. J Pediatr (Rio). 2017;93(5):525-31.

66. Asghari G, Dehghan P, Mirmiran P, Yuzbashian E, Mahdavi M, Tohidi M, et al. Insulin metabolism markers are predictors of subclinical atherosclerosis among overweight and obese children and adolescents. BMC Pediatrics. 2018;18:368.

67. Shashaj B, Luciano R, Contoli B, Morino GS, Spreghini MR, Rustico C, et al. Reference ranges of HOMA-IR in normal-weight and obese young Caucasians. Acta Diabetologica. 2016;53(2):251-60.
68. O'Connor EA, Evans CV, Burda BU, Walsh ES, Eder M, Lozano P. Screening for obesity and intervention for weight management in children and adolescents: evidence report and systematic review for the US Preventive Services Task Force. JAMA. 2017;317(23):2427-44.
69. Styne DM, Arslanian SA, Connor EL, Farooqi IS, Murad MH, Silverstein JH, et al. Pediatric obesity – assessment, treatment, and prevention: an Endocrine Society Clinical Practice guideline. J Clin Endocrinol Metabol. 2017;102(3):709-57.
70. Jiang Y, Dou Y, Xiong F, Zhang L, Zhu G, Wu T, et al. Waist-to-height ratio remains an accurate and practical way of identifying cardiometabolic risks in children and adolescents. Acta Paediatr. 2018;107(9):1629-34.
71. Hübers M, Pourhassan M, Braun W, Geisler C, Müller MJ. Definition of new cut-offs of BMI and waist circumference based on body composition and insulin resistance: differences between children, adolescents and adults. Obes Sci Pract. 2017; 3(3):272-81.
72. Cantalice AS, Santos NC, Oliveira RC, Collet N, Medeiros CC. Persistence of metabolic syndrome in children and adolescents are overweight according to two diagnostic criteria: a longitudinal study. Medicina (Ribeirão Preto). 2015;48(4):342-48.
73. Coles N, Birken C, Hamilton. Emerging treatments for severe obesity in children and adolescents. BMJ 2016;354:i4116.
74. Kelly AS, Fox CK, Rudser KD, Gross AC, Ryder JR. Pediatric obesity pharmacotherapy: current state of the field, review of the literature and clinical trial considerations. Int J Obes. 2016;40(7):1043.
75. Resnicow K, McMaster F, Bocian A, Harris D, Zhou Y, Snetselaar L, et al. Motivational interviewing and dietary counseling for obesity in primary care: an RCT. Pediatrics. 2015;135(4):649.
76. Brasil. Agência Nacional de Vigilância Sanitária. Bulário eletrônico [Internet]. Brasília: ANVISA; 2007 [capturado em 10 jun. 2019]. Disponível em: http://www.anvisa.gov.br/datavisa/fila_bula/frmResultado.asp.
77. Peirson L, Fitzpatrick-Lewis D, Morrison K, Warren R, Ali MU, Raina P. Treatment of overweight and obesity in children and youth: a systematic review and meta-analysis. CMAJ open. 201;3(1):E35.
78. American Diabetes Association. Children and adolescents: Standards of medical care in diabetes 2019. Diabetes Care. 2019;42(Suppl 1):S148-S164.

## LEITURAS RECOMENDADAS

Neinstein LS. Adolescent and Young Adult Health Care: a Pratical Guide. 6th Ed. New York: Wolters Kluwer, 2016.

*Livro elaborado com a proposta de oferecer um manual prático de consulta, de forma didática e esquemática, para auxílio do médico na conceituação, investigação e tratamento dos principais aspectos clínicos da adolescência.*

World Health Organization WHO. Adolescent Health Guidelines approved by the WHO. Review Committee [Internet]. Geneva: WHO; 2017 [capturado em 10 jun. 2019]. Disponível em: https://apps.who.int/iris/bitstream/handle/10665/259628/WHO-MCA-17.09-eng.pdf;jsessionid=5F9EC5A12EC3F13F5F12A4AC24179DC1?sequence=1.

*Diretrizes da Organização Mundial da Saúde sobre prevenção e promoção da saúde dos adolescentes, com abordagem em aspectos clínicos, psicológicos e situações especiais de vulnerabilidade.*

Azevedo AEBI, Reato LFN, organizadores. Manual de Adolescência. Sociedade Brasileira de Pediatria. Barueri: Manole; 2019.

*O Manual de Adolescência da SBP propõe-se a oferecer subsídios para que pediatras, tanto os recém-formados como os habilitados há bastante tempo, possam atualizar-se, esclarecer eventuais dúvidas e atender às necessidades de saúde de seus pacientes adolescentes, reconhecendo suas especificidades e singularidades.*

O'Connor EA, Evans CV, Burda BU, Walsh ES, Eder M, Lozano P. Screening for obesity and intervention for weight management in children and adolescents: evidence report and systematic review for the US Preventive Services Task Force. JAMA. 2017;317(23):2427-44.

*Apresenta revisão atualizada e baseada em evidências acerca dos benefícios e danos relacionados à triagem e tratamento para a obesidade e sobrepeso em crianças e adolescentes.*

Consulta do Adolescente: Abordagem clínica, orientações éticas e legais como instrumentos ao pediatra. Diretório Científico de Adolescência. Sociedade Brasileira de Pediatria.

Disponível em: https://www.sbp.com.br/fileadmin/user_upload/21512c-MO_-_ConsultaAdolescente_-_abordClinica_orientEticas.pdf.

*Diretrizes para capacitação técnica do atendimento de adolescentes, apresentando abordagem clínica, ética e legal para consulta clínica.*

Ministério da Saúde. Proteger e cuidar da saúde de adolescentes na atenção básica. 2. ed. Brasília: Ministério da Saúde; 2018.

Disponível em: http://bvsms.saude.gov.br/bvs/publicacoes/proteger_cuidar_adolescentes_atencao_basica_2ed.pdf.

*Manual do Ministério da Saúde com recomendações de avaliação clínica ambulatorial de adolescentes, investigação de principais queixas clínicas, fatores de risco e de prevenção.*

The Health of Adolescents and Youth in Americas. Implementation of the Regional Strategy and Plan of Action and Youth Health 2010-2018.

Disponível em: http://iris.paho.org/xmlui/handle/123456789/49545.

*Relatório da Organização Pan-Americana da Saúde sobre saúde dos adolescentes na região das Américas, com enfoque multidisciplinar e estratégias de ação.*

World Health Organization. Adolescent Health.

Disponível em: https://www.who.int/maternal_child_adolescent/adolescence/en/.

*Publicação da OMS que apresenta múltiplas abordagens e recomendações para promoção da saúde do adolescente, descrevendo aspectos epidemiológicos, geográficos, fatores de risco e estratégias globais.*

# Capítulo 108
## ATENDIMENTO GINECOLÓGICO NA INFÂNCIA E ADOLESCÊNCIA

Solange Garcia Accetta
Liliane Diefenthaeler Herter

## O EXAME GINECOLÓGICO

O exame ginecológico da criança e da adolescente faz parte do exame físico habitual. Ele tem como principal objetivo confirmar a normalidade da genitália externa e diagnosticar sinais de desenvolvimento anormal ou de outras situações clínicas.[1]

Durante a consulta, o profissional deve transmitir tranquilidade e segurança, e a maneira como isso ocorre difere de acordo com a idade da criança ou da adolescente. Na infância, até os 7 anos de idade, é muito importante a comunicação corporal. Os gestos do examinador podem tranquilizar e demonstrar afeto. Oferecer algum objeto ou brinquedo que interesse e distraia a criança pode auxiliar na realização da anamnese e do exame físico.

Na infância tardia, entre 7 e 10 anos de idade, além da atitude de segurança e afeto, podem-se utilizar dois artifícios. O primeiro é a solicitação da ajuda da criança, fazendo ela sentir-se útil e, consequentemente, mais cooperativa. O segundo é mostrar o material de exame para que se comprove a inocuidade dele.

Na adolescência, predominam a desconfiança, os temores e as fantasias relacionadas com o corpo, pois dúvidas quanto à normalidade geram medo e ansiedade. Além disso, é comum as adolescentes acharem que possa haver quebra de sigilo e que o médico possa revelar a ruptura himenal. É muito importante que o clínico possa acolher adequadamente a adolescente e construir uma relação de confiança. Quando isso acontece, o médico pode tornar-se um modelo positivo e auxiliar na tomada de decisões responsáveis relacionadas à saúde da adolescente. O Código de Ética Médica, em seu artigo 74, e o Estatuto da Criança e do Adolescente, em seu artigo 17, asseguram o sigilo profissional em relação aos pacientes menores de idade com capacidade de discernimento, salvo quando a não revelação puder acarretar dano ao paciente.[2] Por isso, desde o primeiro contato com a adolescente, é importante assegurar que ela tem direito ao sigilo e à privacidade.

A escolha da posição para a realização do exame é muito importante, pois, dependendo dela, as crianças/adolescentes poderão sentir-se mais ou menos confortáveis. A posição mais aceita com naturalidade pelas meninas até os 10 anos de idade costuma ser aquela nas quais as pernas ficam flexionadas sobre as coxas abduzidas. A mãe deve permanecer na sala de exame quando a menina é pequena, para ajudá-la e tranquilizá-la.

Com meninas maiores, pode-se usar a posição ginecológica clássica. As adolescentes devem ser examinadas preferencialmente sozinhas, para que seja garantida sua privacidade.

Os achados ginecológicos diferem nas várias faixas etárias e são divididos por Cowell em quatro grupos, descritos a seguir.[1]

## As primeiras 8 semanas

Para realizar o exame, a mãe pode colocar o bebê diretamente na mesa do exame ou, se o bebê estiver choroso, pode colocá-lo sobre seu ventre com as pernas abduzidas, elevadas e flexionadas. É muito importante a confirmação da normalidade da genitália nessa fase, evitando, assim, o diagnóstico tardio de alguma malformação.

Habitualmente, os grandes e os pequenos lábios são mais espessos do que em crianças maiores, sobretudo nos primeiros dias de vida, decorrentes dos hormônios estrogênicos maternos e placentários ainda circulantes. Por esse motivo, ao nascimento a menina pode apresentar broto mamário, algumas vezes com colostro (chamado de leite das bruxas), vulva estrogenizada, mucorreia e escurecimento dos pequenos lábios. Essa fase é denominada "crise genital da recém-nascida".

O vestíbulo é fechado pelos pequenos lábios e a uretra é escondida pelas pregas himenais. Um clitóris com mais de 6 mm de diâmetro ou mais de 9 mm de comprimento caracteriza a clitoromegalia.[3] Nesses casos, há necessidade de avaliar as diversas causas de estados intersexuais. Também é mandatório confirmar a permeabilidade himenal. O examinador poderá tracionar gentilmente os pequenos lábios e, assim, visualizar o óstio himenal e a parede posterior da vagina. Se, dessa forma, não for possível assegurar a permeabilidade, é necessária a utilização de um cotonete umedecido ou um pequeno cateter macio.

Também é possível identificar os tipos de hímen mais comuns (redundante, anular e crescente) e diagnosticar aqueles que poderão provocar problemas futuros (microperfurado, imperfurado, septado e cribiforme), assim como vagina septada.

## Das 8 semanas aos 7 anos

É a fase de latência hormonal, na qual não são observados pelos pubianos nem axilares ou desenvolvimento das mamas. Os pequenos e grandes lábios são pouco desenvolvidos. O diâmetro do orifício himenal costuma apresentar-se, em média, com 0,5 cm. Na presença de lesões, lacerações ou outras injúrias na região vulvar ou anal, deve-se sempre afastar a possibilidade de manipulação sexual.

## Dos 7 aos 10 anos

Nessa fase, em decorrência da puberdade, costumam-se observar as primeiras modificações corporais (surgimento do broto mamário e dos pelos pubianos) e a evidência de estrogenização da vagina por meio da leucorreia fisiológica. O orifício himenal aproxima-se de 0,7 cm.

## Dos 10 aos 13 anos

Nessa fase, a vagina possui comprimento de 10 a 12 cm, com mucosa úmida e preguada. O óstio himenal alcança 1 cm de diâmetro, e a secreção vaginal é rica em lactobacilos acidófilos (bacilos de Döderlein). A relação de tamanho cérvice-fundo uterino é de 1:2, e os ovários estão na cavidade pélvica.

Quando for necessário avaliar anexos para diagnóstico de doença de ovário ou, ainda, investigar a possibilidade de malformações müllerianas, a ultrassonografia (US) pélvica via abdominal deverá ser realizada, pois os achados ultrassonográficos, em mãos habilidosas, podem ser confiáveis mesmo na população pré-menarca.[4]

Após os 13 anos, na maioria das vezes, o exame é semelhante ao da mulher adulta (ver Capítulo Acompanhamento de Saúde da Mulher na Atenção Primária). Evidentemente, existem algumas diferenças que podem ser bem entendidas com o conhecimento dos cinco estágios de Marshall e

Tanner,[5] que estão ilustrados no Capítulo Acompanhamento de Saúde do Adolescente.

## MOTIVOS DE CONSULTA

As causas mais frequentes de consulta na infância são: vulvovaginite, sinéquia de pequenos lábios e desenvolvimento sexual precoce; no início da adolescência, leucorreia fisiológica; e, após a menarca, dismenorreia e irregularidade menstrual.

Na adolescência média (dos 14 aos 16 anos) e tardia (dos 17 aos 19 anos), os motivos de consulta mais frequentes são anticoncepção, dismenorreia, gestação e infecções sexualmente transmissíveis (ISTs).

## VULVOVAGINITES NA INFÂNCIA

Vulvovaginite é a inflamação que ocorre nas áreas vulvar e vaginal e é a condição ginecológica mais frequente em meninas pré-púberes. Pode ser causada por uma infecção (incluindo parasitas intestinais, estreptococos respiratórios e *Candida* sp.) ou por agente não específico. Pode ocorrer devido a trauma, condições dermatológicas ou distúrbios congênitos. A prevalência de vulvovaginites não específica varia de 25 a 75% em pré-púberes.[1]

### Vulvovaginites em crianças pré-púberes

#### Quadro clínico

O fluxo vaginal na menina nem sempre está associado à infecção – frequentemente se deve a causas irritativas. Os sintomas e sinais mais comuns incluem prurido, ardor, disúria, eritema, leucorreia e edema.[6,7] Essas queixas, quando presentes, devem ser investigadas.

Convém ressaltar que a cândida só é frequente enquanto houver uso de fraldas ou outras situações peculiares (diabetes, imunossupressão, uso de antibióticos). Portanto, o uso de antifúngico tópico em crianças maiores não parece ser uma boa prática como medida inicial de tratamento.

#### Fatores de risco

A criança pré-púbere apresenta características anatômicas, hormonais e funcionais que favorecem a instalação de processos inflamatórios, infestações e infecções do trato genital inferior. Os seguintes fatores podem estar associados à vulvovaginite:[7]

- → **anatômicos/hormonais:** proximidade entre a vagina e o ânus; ausência de pelos; vulva anteriorizada; grandes lábios planos, dificultando o fechamento da vulva; mucosa vaginal atrófica; e pH vaginal alcalino (6,5 a 7,5);
- → **hábitos/costumes:** higiene incompleta ou inadequada; uso de roupas apertadas e de material sintético que não permitem a evaporação de secreções; sabonete e outros irritantes químicos; fraldas; e traumatismos (manipulação genital, acidentes com bicicletas ou quedas de pernas abertas, introdução de corpo estranho);
- → **doenças subjacentes/medicações:** doenças sistêmicas (infecção de vias aéreas superiores, diabetes melito, sarampo, varicela, parasitose intestinal), doenças dermatológicas (líquen escleroso, líquen simples, dermatite atópica, dermatite de contato, psoríase, dermatite das fraldas, herpes simples, vitiligo, molusco contagioso, condiloma acuminado) e uso de antibióticos de amplo espectro.[8,9] Foram descritos, na literatura, alguns casos de meninas com vulvovaginite bacteriana recorrente que responderam ao tratamento da constipação com a resolução da vulvovaginite, não apresentando recorrência no acompanhamento de 36 meses.[6,10]

### Classificação

#### Vulvovaginite específica

Na vulvovaginite específica, o agente etiológico é identificado entre os agentes considerados clássicos (TABELA 108.1) ou entre os que não fazem parte da microbiota genital.[11]

#### Vulvovaginite inespecífica

Caracteriza-se por desequilíbrio da microbiota genital habitual, que, em situações especiais, provoca sintomas (TABELA 108.2).[11,12]

**TABELA 108.1** → Agentes etiológicos clássicos de vulvovaginites em pré-púberes

- → *Enterobius vermicularis*
- → *Shigella* sp.
- → *Yersinia* sp.
- → *Entamoeba*
- → *Candida albicans*
- → *Streptococcus pyogenes*
- → *Streptococcus pneumoniae*
- → *Staphylococcus aureus*
- → *Haemophilus influenzae*
- → *Neisseria meningitidis*
- → *Branhamella catarrhalis*
- → *Neisseria gonorrhoeae**
- → *Chlamydia trachomatis**
- → *Trichomonas vaginalis**
- → *Herpes simplex**
- → papilomavírus humano (HPV)

*Sugestivos de violência sexual.
Fonte: Adaptada de Emans e colaboradores.[11]

**TABELA 108.2** → Organismos habituais da microbiota vaginal, mas potencialmente patogênicos

- → *Corynebacterium* sp.
- → *Staphylococcus epidermidis*
- → Estreptococo alfa-hemolítico
- → *Lactobacillus acidophylus*
- → Estreptococo não hemolítico
- → *Escherichia coli**
- → *Klebsiella* sp.*
- → *Gardnerella vaginalis*
- → Estreptococo do grupo D
- → *Staphylococcus aureus*
- → *Haemophylus influenzae*
- → *Pseudomonas aeruginosa*
- → *Proteus* sp.

*Predominantemente em meninas com idade < 3 anos.
Fonte: Adaptada de Hammerschlag e colaboradores.[12]

## Abordagem diagnóstica

Se o exame clínico inicial revelar apenas vermelhidão, escoriação, irritação e secreção escassa, não é necessário realizar testes de laboratório: pode-se concluir que se trata de vulvovaginite inespecífica ou vestibulite, pois atinge apenas a face interna dos grandes lábios até o hímen.

Quando houver secreção vulvovaginal abundante e inflamação dos tecidos adjacentes, inicia-se a investigação colhendo secreção da face interna dos pequenos lábios e introito vaginal (vestíbulo). A coleta poderá ser feita com cotonete umedecido com soro fisiológico para realização do exame direto de secreção (na procura de esporos e/ou hifas de fungos, *Trichomonas vaginalis*, células marcadoras para *Gardnerella vaginalis*) e teste com hidróxido de potássio a 10% (1 gota de secreção mais 1 gota de KOH a 10%), sendo considerado positivo para vaginose quando houver liberação de odor amínico.

Dependendo da avaliação clínica e das queixas da menina, complementa-se a avaliação com exame parasitológico de fezes, pesquisa para oxiúros, exame comum de urina e urocultura.

Os exames culturais de secreção genital devem ser realizados quando o manejo inicial não for suficiente para a resolução dos sintomas, existir suspeita de infecção sexualmente transmissível (IST) ou ocorrer vulvovaginite grave ou recidivante. Nesses casos, a coleta é feita com *swab* umedecido com solução salina estéril para evitar que este provoque sangramento e dor em contato com a mucosa inflamada.[7]

De acordo com o quadro clínico, deve-se solicitar, além do bacteriológico da secreção genital (ágar sangue), cultura específica para outros agentes que precisem de meio de cultura específico (pesquisa de gonococo, clamídia, estreptococo β do grupo A, hemófilo).

## Tratamento

As evidências científicas na literatura sobre o tratamento das vulvovaginites na população infantil são muito escassas e metodologicamente limitadas, sendo baseadas, em sua maioria, na conduta utilizada em mulheres adultas. Portanto, a classificação e o manejo dessa condição na infância, conforme descritos a seguir, são baseados na opinião de especialistas e apresentam baixo grau de evidência.

A maioria das vulvovaginites na infância pode ser tratada na atenção primária. Crianças e adolescentes com vulvovaginite com sintomatologia grave, recorrente ou de possível transmissão sexual devem ser encaminhadas.

### Vulvovaginite inespecífica

Conforme ilustra a **TABELA 108.3**, o tratamento da vulvovaginite inespecífica inicia pelas medidas gerais e higiênicas, procurando modificar hábitos identificados como predisponentes para a doença.[13] O uso de ducha vaginal regular está associado a um aumento de 20% no risco de vulvovaginites. É importante afastar prováveis agentes contactantes, como roupas muito justas, sabonetes alcalinos, talcos, etc. Além disso, podem ser utilizados banhos de assento com soluções antissépticas ou anti-inflamatórias enquanto se aguarda o resultado dos exames iniciais. É importante orientar também sobre manter as unhas aparadas e limpas, urinar de joelhos afastados para não refluir urina para dentro da vagina, cuidar para não empapar o papel higiênico e assim liberar pequenos pedaços de papel que podem entrar na vagina e causar reação de corpo estranho, e manter a vulva bem limpa e seca.

Nas vulvovaginites inespecíficas, nas quais o teste do KOH a 10% libera odor amínico, o tratamento é semelhante ao da mulher adulta, podendo-se utilizar metronidazol oral, sendo efetivo em cerca de 90% dos casos. O tratamento com metronidazol não é inferior às demais alternativas disponíveis e a experiência com esse medicamento é maior **B**.[14]

Embora não seja indicado antibiótico para a maioria dos casos de vulvovaginite inespecífica, naqueles em que não há alívio dos sintomas com medidas gerais, mesmo com exames culturais negativos, pode haver boa resposta clínica com antibiótico sistêmico ou tópico de amplo espectro.[15]

Quando a criança tem alívio dos sintomas com o tratamento antimicrobiano oral ou tópico, mas que retornam logo que o tratamento é suspenso, alguns autores sugerem utilizar, à semelhança da profilaxia das infecções urinárias, antibióticos tópicos ou orais em doses menores na hora de dormir ou em alguns dias da semana por algumas semanas.[11]

### Vulvovaginite específica

As vulvovaginites específicas em meninas pré-púberes em geral são causadas por bactérias respiratórias ou entéricas. Sempre que se estabelece o diagnóstico de algum microrganismo relacionado às ISTs, é obrigatória a investigação de violência sexual. Entretanto, é importante levar em consideração que agentes de IST (clamídia, papilomavírus humano – HPV, gonococo), quando identificados nos primeiros 3 anos de vida, podem ser decorrentes de contaminação vertical. Após esse período, a possibilidade de violência sexual deve ser considerada e notificada.[17]

A *Gardnerella vaginalis* (*clue cells* – células marcadoras) pode fazer parte da microbiota de crianças, mas há estudos mostrando diferença de prevalência entre meninas com e sem história de violência sexual.[18,19]

**TABELA 108.3** → Tratamento das vulvovaginites inespecíficas

| MEDIDAS GERAIS DE HIGIENE |
|---|
| → Permanganato de potássio a 6%: diluir 10 mL de solução em 2 L de água 2×/dia, 15 minutos cada sessão, 10 dias, *ou* |
| → Benzidamina: diluir 1 envelope em 2 L de água 2×/dia, 15 minutos cada sessão, 10 dias *ou* |
| → Chá de camomila: ferver 2 saquinhos de chá em uma caneca e juntar a 1 L de água 2×/dia, 15 minutos cada sessão, 10 dias |

| TRATAMENTO ORAL |
|---|
| → Metronidazol pediátrico: 20 mg/kg/dia, divididos em 3×/dia, 7 dias, *ou* |
| → Sulfametoxazol + trimetoprima suspensão: <br> → 6 semanas a 5 meses: 2,5 mL, 2×/dia, 7 dias <br> → 6 meses a 5 anos: 5 mL, 2×/dia, 7 dias <br> → 6 anos a 12 anos: 10 mL, 2×/dia, 7 dias, *ou* |
| → Amoxicilina suspensão: 40 mg/kg/dia, divididos em 3×/dia, 10 dias, *ou* |
| → Cefalexina: 25 a 50 mg/kg/dia, divididos em 2×/dia, 7 a 10 dias |

Fonte: Adaptada de Emans[11] e Lara-Torre e Valea.[16]

É importante que o diagnóstico de gonococia seja realizado por meios de cultura específicos, para que o gonococo não seja confundido com outro diplococo.

Em crianças com suspeita de violência sexual e na presença de secreção vaginal aumentada, a investigação para gonorreia e clamídia faz-se necessária; porém, realizá-la em todas as crianças nos três sítios de probabilidade – oral, anal e vaginal – é dispendioso e traumático. Um estudo em centro de atendimento à criança violentada demonstrou ser suficiente a cultura genital para diagnosticar 100% dos casos de gonorreia e clamídia.[19]

A vulvovaginite por cândida, tão frequente em adolescentes, é incomum em crianças, porque elas não possuem vagina estrogenizada (os fungos possuem receptores para estrogênios). No entanto, em situações específicas como diabetes melito, uso de fraldas e durante ou logo após tratamento com antibióticos, ela pode estar presente.

Os oxiúros têm a característica de produzir intenso prurido anal, vulvar e, inclusive, nasal, sendo frequentemente encontrados em vários membros da família. Secreção vaginal hemorrágica levanta suspeita de *Shigella* sp. (em geral precedida de história de diarreia aquosa), de algumas cepas de estreptococos ou de crescimento maciço de organismos entéricos.

De particular importância, é a doença perineal causada pelo estreptococo β-hemolítico do grupo A (EGA), que se caracteriza por afetar crianças de ambos os sexos, com sintomas perineais, gastrintestinais e urogenitais. Os sintomas mais comuns são prurido e eritema perianal/vulvar.

Em um estudo que avaliou 80 meninas pré-púberes com vulvovaginite, foi constatado que 36% foram causadas por bactérias, sendo o estreptococo β-hemolítico do grupo A a bactéria mais frequente, responsável por 59% dos casos.[20] A incidência aumenta no fim do inverno e início da primavera. Essa distribuição sazonal coincide com o padrão típico da faringite por EGA em clima temperado, sugerindo associação com infecção respiratória.

Na **TABELA 108.4**, são listadas as principais vulvovaginites específicas e seus respectivos tratamentos (ver Capítulo Secreção Vaginal e Prurido Vulvar).

### Exames complementares

Em meninas com vulvovaginite rebelde ou recorrente, sangramento vaginal, suspeita de corpo estranho, malformações, lesões traumáticas ou neoplasia, a investigação deverá ser mais abrangente, podendo ser necessários outros métodos de investigação, como US e vaginoscopia.

# PUBERDADE TÍPICA E PATOLÓGICA

## Puberdade típica

A unidade hipotálamo-hipófise-ovário (HHO) está funcionante desde a vida intrauterina, e o hormônio liberador das gonadotrofinas (GnRH [do inglês, *gonadotropin-releasing hormone*]) é identificado no hipotálamo fetal desde as 12 semanas de vida.

**TABELA 108.4** → Tratamento das vulvovaginites específicas

| AGENTE ETIOLÓGICO | TRATAMENTO |
|---|---|
| *Enterobius vermicularis* | → Mebendazol: 100 mg, dose única; repetir em 2 semanas<br>→ Albendazol: 400 mg (em dose única)<br>→ Pamoato de pirantel: 11 mg/kg (máximo de 1 g) em dose única<br>→ Obs.: todos os tratamentos devem ser repetidos em 14 dias |
| *Shigella* sp. | → Sulfametoxazol/trimetoprima: 50 mg/6 mg/kg/dia, divididos em 2 ×/dia, por 7 dias<br>→ Ampicilina: 50 mg/kg/dia, divididos em 4 ×/dia, por 7 a 10 dias |
| *Entamoeba histolytica* | → Tinidazol: 50 a 60 mg/kg 1 ×/dia, por 3 dias<br>→ Metronidazol: 20 mg/kg/dia dividido em 3 ×/dia, por 7 dias |
| *Gardnerella vaginalis* | → Metronidazol: suspensão oral 20 a 40 mg/kg/dia, divididos em 2 ×/dia, por 7 dias (máximo 250 mg/dose)<br>→ Clindamicina: creme 2%, aplicação 1 ×dia, por 7 dias (criança: aplicação na vulva e fúrcula) |
| *Candida* e outros fungos | → Fluconazol sistêmico: 20 mg/kg, dose única<br>→ Clotrimazol: 1% creme 2 ×/dia, 7 a 14 dias (criança: aplicação na vulva e fúrcula) |
| *Neisseria gonorrhoeae* | → Ceftriaxona: 25 a 50 mg/kg (IM) ou (IV), dose única; se > 45 kg, 250 mg; tratar clamídia conjuntamente |
| *Chlamydia trachomatis* | → Azitromicina: 20 mg/kg em dose única (crianças < 45 kg)<br>→ Azitromicina: 1 g em dose única (crianças ≥ 45 kg mas > 8 anos)<br>→ Tratamento alternativo – amoxicilina: 20 a 40 mg/kg/dia dividido em 3 ×/dia, por 7 dias |
| *Trichomonas vaginalis* | → Metronidazol: suspensão oral 15 a 25 mg/kg/dia, divididos em 2 ×/dia, por 5 dias (máximo 250 mg/dose) |
| Herpes simplex | → Banhos de assento com permanganato de potássio; xilocaína gel a 2%, se necessário<br>→ Assepsia com iodopovidona para prevenir infecções secundárias<br>→ Aciclovir VO na primoinfecção e tópicos na recidiva de fraca intensidade |
| Papilomavírus humano | → Criocauterização, eletrocauterização, ácido tricloroacético a 85%, podofilina, podofilotoxina, aplicação 1 ×/semana |
| *Haemophilus influenzae* | → Amoxicilina: 50 mg/kg/dia, divididos em 3 ×/dia, por 10 dias |
| *Staphylococcus aureus* | → Cefalexina: 25 a 50 mg/kg/dia, divididos em 4 ×/dia, por 7 a 10 dias<br>→ Amoxicilina-clavulanato, 20 a 40 mg/kg/dia, divididos em 3 ×/dia, por 7 a 10 dias |
| *Streptococcus pyogenes* | → Penicilina V potássica: 125 a 250 mg, divididos em 3 ×/dia, por 10 dias<br>→ Amoxicilina: 20 a 40 mg/kg/dia, divididos em 3 ×/dia, por 7 dias (recomendado para outros germes respiratórios) |

IM, intramuscular; IV, intravenoso; VO, via oral.
Fonte: Adaptada de Emans[11] e Workowski.[17]

Os altos níveis circulantes de esteroides placentários no feto podem causar alterações clínicas na recém-nascida, as quais caracterizam a **crise genital** ou **estrogenização neonatal**: desenvolvimento do broto mamário, produção láctea, alterações secretórias no endométrio, estrogenização da vulva, leucorreia.

**A queda dos esteroides placentários ocorre logo após o nascimento e pode determinar sangramento vaginal macroscópico em algumas recém-nascidas. Essa queda de estrogênios também provoca aumento progressivo na secreção de gonadotrofinas a partir do fim da primeira semana de vida pela desinibição do mecanismo de retrocontrole negativo.**

As gonadotrofinas, após atingirem seu valor máximo no terceiro mês de vida, começam a declinar e alcançam um nadir em torno dos 3 a 4 anos de idade.[21] Esse período de aumento de gonadotrofinas é denominado **minipuberdade da recém-nascida**. Essas gonadotrofinas podem estimular alguns folículos ovarianos, que promovem pequeno aumento na secreção ovariana de estrogênios e, como consequência, surgimento do broto mamário, na maioria das vezes transitório, pois não é um evento sustentado.

O período entre os 2 e 8 anos de idade é caracterizado pelos baixos níveis de gonadotrofinas e esteroides sexuais em ambos os sexos.[21] Esse fato se dá por dois mecanismos: retrocontrole negativo do eixo HHO, muito sensível ao estrogênio (a sensibilidade desse retrocontrole é 6 a 15 vezes maior em crianças típicas pré-púberes do que em adultas), e inibição intrínseca do sistema nervoso central (SNC), que ocorre entre 5 e 11 anos de idade e independe dos esteroides gonadais, pois pode ser observado mesmo nas meninas castradas ou naquelas com disgenesia gonadal. Assim, o aumento da sensibilidade do gonadostato e o mecanismo inibitório intrínseco do SNC parecem ser importantes determinantes do declínio da secreção de gonadotrofinas, que caracteriza o período de **pausa juvenil**.[22] Tanto a leptina quanto a kisspeptina têm papel importante na ativação do eixo HHO, mas os agentes que iniciam esse processo permanecem desconhecidos.

Desde o período neonatal até o pré-puberal, os níveis de hormônio folículo-estimulante (FSH [do inglês, *follicle-stimulating hormone*]) são maiores do que os de hormônio luteinizante (LH [do inglês, *luteinizing hormone*]), e a pulsatilidade da secreção de LH é mínima. No entanto, apesar de a secreção basal de gonadotrofinas em meninas pré-púberes ser baixa, observam-se pequenos pulsos em intervalos de 2 a 3 horas.[23]

Durante a puberdade, a hipófise torna-se mais sensível às infusões de GnRH e ocorre aumento da liberação de gonadotrofinas.[24] No início da puberdade, os níveis de LH aumentam durante os períodos de sono, e, durante a puberdade média e tardia, a liberação cíclica de gonadotrofinas passa a ocorrer durante o dia e a noite.[24]

Outro importante evento passa a ocorrer nas meninas a partir da puberdade média: o retrocontrole positivo, que se caracteriza pela capacidade do hormônio gonadal de exercer um efeito positivo na liberação de gonadotrofinas. A liberação de estradiol no meio do ciclo menstrual aumenta a responsividade do LH ao GnRH, e, imediatamente antes do pico pré-ovulatório do LH, a amplitude dos pulsos também aumenta.[24] Esse mecanismo, quando alcançado (retrocontrole positivo), denuncia a maturidade hormonal da menina.

Assim, três eventos podem ser identificados durante a puberdade: a adrenarca (produção de androgênios suprarrenais pelo amadurecimento da zona reticular suprarrenal), a diminuição da sensibilidade do gonadostato (o que leva ao aumento da liberação das gonadotrofinas) e a gonadarca (aumento da produção estrogênica do ovário).[24]

Entre 8 e 13 anos de idade, a menina apresenta as primeiras manifestações de puberdade. Com frequência, elas consistem na telarca (presença do broto mamário), que pode ser uni ou bilateral, seguida pela pubarca (presença dos primeiros pelos pubianos) e, por último, na menarca (primeira menstruação), que costuma ocorrer entre 10 e 15 anos de idade. Em 15% das meninas, a pubarca ocorre antes da telarca.[25]

Simultaneamente ou precedendo a telarca, ocorre aceleração do crescimento. A menina pré-púbere costuma crescer cerca de 5 a 6 cm por ano, enquanto a púbere cresce até 9 cm no ano da menarca. Esse crescimento durante a puberdade corresponde a aproximadamente 20% da estatura final, ou seja, em torno de 25 cm.[25] A menarca inicia a fase de desaceleração desse crescimento, pois, depois dela, a criança passa a crescer em média apenas mais 5 cm. Assim, a menina, ao menstruar, já cresceu em torno de 97% do seu potencial. No Brasil, alguns estudos regionais encontraram uma idade média da menarca de 12,2 anos.[26]

## Puberdade precoce

A puberdade precoce na menina pode ser definida como o surgimento de caracteres sexuais secundários antes dos 8 anos de idade, o que corresponde a 2 desvios-padrão (DP) abaixo da média do início puberal em meninas.[27] Sabe-se, no entanto, que cerca de 2,5% das meninas sem qualquer distúrbio iniciam desenvolvimento puberal antes dos 8 anos de idade.

A puberdade precoce pode ser dividida em três grandes grupos (TABELA 108.5):

→ **puberdade precoce central ou verdadeira:** é dependente de GnRH e causa ativação do eixo HHO. Na menina, a causa mais frequente é a idiopática, mas pode haver outras causas: tumoral (o hamartoma é o tumor mais comum), malformações do SNC, traumas do SNC, infecções do SNC, genéticas (mutações nos genes *MKK3* e *DLK1*), exposição crônica aos esteroides sexuais ou causas psíquicas (adoção internacional, etc.). As manifestações da puberdade precoce verdadeira são progressivas, havendo aceleração do crescimento, avanço da idade óssea, progressão dos caracteres sexuais secundários e presença de útero e ovários em tamanho puberal;

→ **puberdade precoce periférica:** as manifestações sexuais são independentes da produção do GnRH, ou seja, ocorrem na ausência de ativação do eixo HHO, mas na presença de níveis aumentados de esteroides sexuais;

→ **formas incompletas de puberdade precoce (telarca isolada, pubarca isolada ou menarca isolada):** são situações benignas em que não há ativação do eixo HHO, nem progressão da puberdade e nem aumento patológico dos esteroides sexuais. Como não apresentam repercussão para a criança, não requerem tratamento. O diagnóstico dessa condição baseia-se na exclusão de doenças e no acompanhamento clínico. A telarca isolada é mais frequente antes dos 2 anos de idade (minipuberdade fisiológica). Os níveis séricos dos esteroides sexuais e das gonadotrofinas são baixos e não há outros sinais de puberdade. Resulta da formação episódica transitória de esteroides sexuais e/ou do aumento da sensibilidade do tecido-alvo à estimulação pelo esteroide sexual. A pubarca frequentemente deve-se à adrenarca prematura, que se manifesta por pubarca, comedões, pelos ou odor axilar. Nesses casos, é necessário afastar o diagnóstico de hiperplasia suprarrenal congênita tardia forma não clássica (HAC-NC).

**TABELA 108.5** → Causas de puberdade precoce

| I – PUBERDADE PRECOCE VERDADEIRA OU CENTRAL (DEPENDENTE DE GnRH) |
|---|
| → Constitucional ou familiar |
| → Idiopática |
| → Tumores do sistema nervoso central |
|     → Hamartoma do *tuber cinereum* |
|     → Glioma |
|     → Astrocitoma |
|     → Ependimoma |
|     → Craniofaringioma |
|     → Disgerminoma |
| → Outros distúrbios do sistema nervoso central |
|     → Meningite |
|     → Encefalite |
|     → Granuloma |
|     → Abscesso cerebral |
|     → Cisto suprasselar |
|     → Hidrocefalia |
|     → Irradiação |
|     → Traumatismo craniano |
|     → Exposição excessiva aos esteroides sexuais |
|         → Hiperplasia suprarrenal congênita |
|         → Síndrome de McCune-Albright |
|     → Síndromes |
|         → Neurofibromatose |
|         → Prader-Willi |
|         → Esclerose tuberosa |
| **II – PUBERDADE PRECOCE PERIFÉRICA** |
| → Síndrome de McCune-Albright |
| → Cisto ovariano funcionante |
| → Tumor ovariano funcionante |
|     → Tumor das células da granulosa |
|     → Tumor das células lipoides |
|     → Cistoadenomas |
|     → Carcinomas |
|     → Gonadoblastomas |
| → Tumor funcionante da suprarrenal |
| → Hiperplasia suprarrenal congênita |
| → Esteroides sexuais exógenos |
| → Hipotireoidismo primário |
| **III – PUBERDADE PRECOCE FORMA INCOMPLETA OU ISOLADA** |
| → Telarca isolada |
| → Pubarca isolada |
| → Menarca isolada |

Fonte: Adaptada de Wheeler[25] e Sanfilippo.[28]

A adrenarca manifesta-se pela presença de pelos pubianos ou axilares, acne, seborreia e odor axilar. Quando surge antes dos 8 anos de idade, configura puberdade precoce e deve ser avaliada para ter seu diagnóstico diferencial de outras causas de puberdade heterossexual: hiperplasia suprarrenal congênita (HAC), síndrome de Cushing, tumores suprarrenais ou ovarianos produtores de androgênios.

A HAC-NC é a causa patológica mais frequente de pubarca precoce. Em estudo desse subgrupo de meninas realizado em um hospital de referência, o diagnóstico de deficiência de 21-hidroxilase ocorreu em 21,42%.[29]

As meninas com diagnóstico de pubarca precoce isolada (ausência de HAC-NC) devem ser acompanhadas devido à ocorrência mais frequente de ciclos anovulatórios, manifestações androgênicas, síndrome dos ovários policísticos e síndrome metabólica.

É importante ressaltar que a obesidade, ao estar associada ao aumento da insulina e leptina, pode estimular tanto a gonadarca prematura quanto a adrenarca prematura.[30]

A menarca isolada é uma situação clínica infrequente e refere-se a sangramento vaginal sem causa hormonal identificada e sem outros sinais e desenvolvimento sexual. É um diagnóstico de exclusão, que deve ser feito após a realização de vários exames, inclusive a vaginoscopia. A **TABELA 108.6** lista as causas de sangramento vaginal que devem ser excluídas no diagnóstico diferencial da menarca isolada.

As manifestações clínicas da puberdade precoce na menina podem ser divididas em isossexuais, quando decorrem de causa estrogênica, ou heterossexuais, quando decorrem de causa androgênica. Uma menina com desenvolvimento de pelos e mamas tem grande chance de apresentar puberdade precoce verdadeira, porque dificilmente uma mesma doença pode produzir feminilização e androgenização ao mesmo tempo.

## Avaliação

**Todas as meninas que apresentam início do desenvolvimento puberal antes dos 8 anos de idade devem ser avaliadas. Deve-se levar em consideração a idade do início desse processo, a história familiar, a altura-alvo e a velocidade com que ele ocorre para estabelecer a abrangência da investigação inicial.**

A avaliação deve incluir a idade do aparecimento dos caracteres sexuais (telarca, pubarca, menarca), a progressão desses caracteres, altura-alvo, peso, altura, índice de massa corporal (IMC) e classificação de Tanner para mamas e pelos[5] (**TABELAS 108.7** e **108.8**, respectivamente).

**TABELA 108.6** → Causas de sangramento vaginal isolado

| |
|---|
| → Esteroide sexual exógeno |
| → Corpo estranho intravaginal |
| → Cistite hemorrágica |
| → Hipotireoidismo |
| → Síndrome de McCune-Albright |
| → Cisto ovariano autônomo |
| → Violência sexual |
| → Trauma |
| → Tumores |
|     → Rabdomiossarcoma |
|     → Tumor de células claras |
|     → Carcinoma de endométrio |
|     → Carcinoma mesonéfrico |
| → Prolapso uretral |
| → Vulvovaginite |

**TABELA 108.7** → Estadiamento de Tanner para desenvolvimento mamário

| | |
|---|---|
| **M1:** | ausência de desenvolvimento mamário, estágio infantil |
| **M2:** | aparecimento do broto mamário |
| **M3:** | crescimento de mama e aréola, sem separação de contornos |
| **M4:** | projeção da papila e aréola acima do contorno da mama |
| **M5:** | projeção apenas da papila e retorno da aréola ao contorno da mama |

**TABELA 108.8** → Estadiamento de Tanner para desenvolvimento dos pelos pubianos

| |
|---|
| **P1:** ausência de pelos pubianos |
| **P2:** pelos finos e lisos na borda dos grandes lábios |
| **P3:** aumento na quantidade de pelos nos grandes lábios e na sínfise púbica, pelos mais escuros e crespos |
| **P4:** pelos escuros, crespos, grossos, nos grandes lábios, na sínfise púbica e períneo |
| **P5:** pelos terminais abundantes em sínfise, períneo e raiz das coxas |

A altura-alvo pode ser calculada por meio das seguintes fórmulas:

$$\text{Altura-alvo para menina} = \frac{\text{(altura da mãe em cm + altura do pai em cm} - 13)}{2}$$

$$\text{Altura-alvo para menino} = \frac{\text{(altura da mãe em cm + altura do pai em cm} + 13)}{2}$$

Essas fórmulas têm um erro de até 8 cm para mais ou para menos.

Por meio de anamnese cuidadosa, história familiar e exame físico completo (estágios de Tanner), pode-se estabelecer e individualizar o acompanhamento laboratorial e clínico para essas crianças.

A avaliação clínica é feita em intervalos frequentes e regulares (a cada 3 ou 4 meses) para verificação da progressão das manifestações clínicas e vigilância do crescimento. Os exames laboratoriais podem diferenciar uma manifestação isolada de um quadro inicial de puberdade precoce.

Se o desenvolvimento dos caracteres sexuais for lento, próximo dos 8 anos de idade e sem avanço significativo na idade óssea, o manejo consistirá em acompanhamento clínico a cada 4 meses.

A investigação da puberdade precoce inclui:
→ **anamnese:** história familiar de puberdade precoce, sintomas neurológicos compressivos, doenças neurológicas prévias, altura dos pais, menarca da mãe, início e progressão dos sintomas;
→ **exame físico:** caracteres sexuais de Tanner,[5] altura, peso, IMC, odor axilar, hiperandrogenismo, massa abdominal, manchas café com leite, bócio, mucorreia fisiológica, escurecimento dos mamilos ou pequenos lábios, clitoromegalia;
→ **avaliação laboratorial:** LH, FSH, estradiol no caso de presença de mamas e testosterona total, sulfato de deidroepiandrosterona (DHEA-S), androstenediona e 17-hidroxiprogesterona (17-OHP) em caso de pubarca. Valores basais de LH ≥ 0,3 UI/L por ECLIA/ICMA ou ≥ 0,6 UI/L por IFMA são compatíveis com puberdade precoce verdadeira. Tireotrofina (TSH) e tireoxina ($T_4$) livre são solicitados se houver sinais de disfunção da tireoide, atraso de idade óssea ou na síndrome de McCune-Albright. Níveis de DHEA-S levemente aumentados sugerem presença de adrenarca prematura, e níveis marcadamente elevados são indicativos de tumor suprarrenal.[31] Androgênios aumentados ou 17-OHP > 2 ng/mL requerem investigação para HAC-NC.
→ **avaliação radiológica:**
  → **radiografia de mãos e punhos para a idade óssea:** deve ser interpretada segundo o atlas de Greulich e Pyle.[32] Compara-se a idade cronológica com a idade óssea. Uma diferença maior que 1 ano ou 2 DP para menos ou para mais em relação à idade cronológica indica retardo ou avanço da idade óssea, respectivamente.[27] O retardo da idade óssea pode estar associado ao hipotireoidismo e o avanço à puberdade precoce verdadeira ou qualquer forma de aumento dos esteroides sexuais;
  → **ultrassonografia pélvica:** é um exame não invasivo, sensível e pouco oneroso. Além de auxiliar no diagnóstico de tumores ou cistos ovarianos e suprarrenais, permite a avaliação da morfologia e do volume do útero e dos ovários. Convém ressaltar que pequenos cistos ou microcistos (folículos com < 1 cm de diâmetro) são achados fisiológicos comuns na US e são vistos desde o nascimento até a puberdade.[33] São decorrentes do estímulo do folículo ovariano pelas gonadotrofinas que, embora em baixos níveis, estão ativas desde a vida intrauterina. No entanto, a análise quantitativa desses pequenos cistos pode ter relevância clínica. Ovários contendo mais de seis folículos, descritos como multicísticos, multifoliculares ou megalocísticos, parecem preceder a ocorrência de folículos dominantes, dependentes de gonadotrofinas e podem ser suprimidos por análogos do GnRH. Por outro lado, ovários paucicísticos (até cinco folículos ovarianos < 10 mm de diâmetro) não discriminam as meninas pré-púberes daquelas com atividade puberal.[33] Assim, o achado isolado de até 5 microcistos é normal em qualquer faixa etária, mas a presença de 6 ou mais pode estar associada à puberdade. Volume uterino > 3 mL ou ovários > 1 mL podem contribuir para o diagnóstico de puberdade precoce verdadeira.[34]

A **TABELA 108.9** ilustra os passos na avaliação inicial da puberdade precoce.

> Na presença de avanço rápido dos caracteres sexuais, estágio de Tanner (mama) ≥ que o nível 3, aceleração da velocidade de crescimento (> 5 cm/ano), avanço significativo da idade óssea (> 2 DP ou > 1 ano), estimativa da estatura adulta final menor do que a estatura-alvo, a menina deverá ser encaminhada a um especialista.

Nos casos duvidosos de puberdade precoce verdadeira, há necessidade de realizar o teste do GnRH ou análogo do GnRH, o qual é útil para a avaliação do estado de maturação do eixo HHO. Na presença de uma resposta puberal ao teste, está indicada a realização de tomografia computadorizada (TC) ou ressonância magnética (RM) do crânio para afastar causas tumorais. Nos casos de história familiar de puberdade precoce, também é possível solicitar testes genéticos (mutação dos genes *MKRN3* e *DLK1*).

**TABELA 108.9** → Avaliação inicial da puberdade precoce em meninas

**AVALIAÇÃO CLÍNICA**
- → História pregressa completa
- → História familiar (altura, menarca, pubarca, doenças, tratamentos)
- → Cálculo da altura-alvo
- → Exame físico completo
- → Estágio de desenvolvimento de Tanner
- → Avaliação do crescimento

**AVALIAÇÃO LABORATORIAL**
- → Hormônio luteinizante, hormônio folículo-estimulante
- → Tireotrofina, estradiol
- → Idade óssea (radiografia de mão e punho esquerdo)
- → Ultrassonografia pélvica
- → Teste do hormônio liberador das gonadotrofinas (GnRH) na suspeita de puberdade precoce central
- → Tomografia computadorizada ou ressonância magnética de crânio no caso de teste do GnRH ou análogo de GnRH com resposta puberal
- → Na presença de hiperandrogenismo: sulfato de deidroepiandrosterona, testosterona total, androstenediona, 17-alfa-hidroxiprogesterona

Um fluxograma simplificado para auxiliar na avaliação inicial da puberdade precoce é apresentado na **FIGURA 108.1**.

## Tratamento

De forma geral, em alterações identificadas de puberdade (precoce ou tardia), há indicação do encaminhamento para condutas com especialista. O tratamento dependerá da causa básica, tratamento do tumor quando presente, suspensão de medicações iatrogênicas, reposição de corticoide nas hiperplasias suprarrenais, entre outras.

O tratamento da puberdade precoce verdadeira está indicado pelos riscos psicológicos da precocidade sexual, da baixa estatura e do risco de violência sexual. Todas as crianças com idade < 6 anos com puberdade rapidamente progressiva ou baixa expectativa de altura final devem ser tratadas. Tratamentos de longo prazo com análogos do GnRH são a base da terapêutica, aparentando ser efetivos para suprimir a progressão de puberdade em crianças com puberdade precoce central **C/D**.[27,35,36] O uso da medroxiprogesterona permite a regressão dos sintomas estrogênicos, como telarca e sangramento vaginal, porém é menos eficaz para deter o avanço da maturação esquelética e, portanto, tem pouco ou nenhum impacto na altura final.[28] Esse tratamento é cada vez menos utilizado pela ineficácia em deter o fechamento das epífises distais dos ossos longos e pelos efeitos colaterais, como aumento de peso e acne.

A puberdade precoce periférica não deve ser tratada com os análogos do GnRH, pois eles são ineficazes nessa situação, já que independe da produção prematura do GnRH.

## Puberdade tardia

A puberdade tardia na menina é definida como ausência de caracteres sexuais secundários após os 13 anos de idade. O Capítulo Amenorreia aborda a investigação dos casos de amenorreia primária, a qual tem várias causas em comum com a puberdade tardia.

A causa mais frequente de atraso puberal decorre de uma variação fisiológica: o atraso constitucional da puberdade. Porém, algumas causas transitórias, e outras não, devem ser afastadas, como deficiência de GnRH, síndrome de Kallmann, doença crônica grave, desnutrição, exercício físico extenuante ou mutação genética.[37]

### Classificação

A puberdade atrasada ou tardia pode ser classificada em dois grandes grupos:
- → **hipogonadismo hipergonadotrófico**: caracterizado por altas concentrações séricas de LH e FSH, como na síndrome de Turner, disgenesia gonadal (pura, mista ou parcial), insuficiência ovariana primária ou secundária, síndrome da insensibilidade androgênica e mutação no receptor ovariano de gonadotrofinas (síndrome de Savage);
- → **hipogonadismo hipogonadotrófico**: caracterizado por concentrações séricas baixas de LH e FSH, como na anorexia nervosa, doença celíaca, doença inflamatória do intestino, doença hepática, hipotireoidismo, exercício físico excessivo e distúrbios hipotalâmico-hipofisários.

### Avaliação

Após a anamnese completa e exame físico detalhado, devem ser solicitados os exames laboratoriais iniciais, que compreendem: exames gerais, avaliação da idade óssea e testes hormonais:
- → **exames gerais**: hemograma completo, taxa de hemossedimentação, creatinina, aspartato-aminotransferase (AST), alanina-aminotransferase (ALT), pesquisa de doença celíaca em caso de hipogonadismo higonadotrófico;

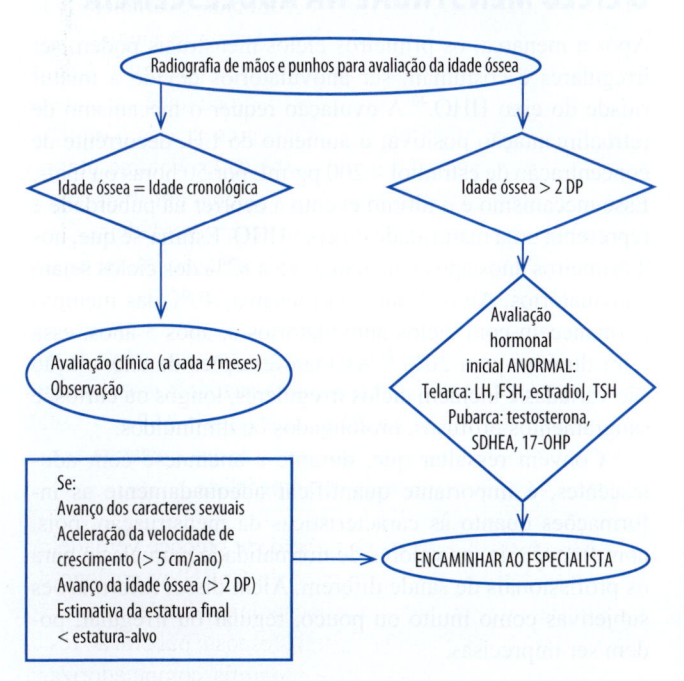

**FIGURA 108.1** → Fluxograma para investigação e manejo de puberdade precoce. 17-OHP, 17-alfa-hidroxiprogesterona; DHEA-S, sulfato de deidroepiandrosterona; DP, desvio-padrão; FSH, hormônio folículo-estimulante; LH, hormônio luteinizante; TSH, tireotrofina.

→ **testes hormonais:** FSH é o hormônio inicial mais importante, pois define se a causa é central (se estiver baixo) ou periférica (se estiver alto). Na ausência de telarca, não há necessidade de solicitar estradiol, pois ele estará necessariamente baixo. Nos casos de causa central, também se deve solicitar prolactina (PRL) e TSH. Um nível elevado de PRL pode resultar de um adenoma lactotrófico (prolactinoma) ou de qualquer distúrbio hipotalâmico ou hipofisário que interrompa a inibição hipotalâmica da secreção de PRL;

→ **testes genéticos:** em qualquer caso de hipogonadismo hipergonadotrófico em paciente com idade < 30 anos, é necessário solicitar cariótipo, pois a causa mais comum de puberdade tardia hipergonadotrófica é a síndrome de Turner. Além disso, o cariótipo, se 46,XY, pode elucidar casos de síndrome de Swyer, síndrome de Morris ou disgenesia gonadal parcial, e, se 46,XY/45,XO, disgenesia gonadal mista.

### Tratamento

Após avaliação e identificação da causa da puberdade tardia, duas condutas podem ser tomadas: manejo expectante com observação nos casos suspeitos de puberdade tardia constitucional ou terapia com baixas doses de estrogênio nos casos de hipogonadismo verdadeiro D.[38]

Nos casos de puberdade atrasada constitucional, as meninas costumam ter baixa estatura, baixo peso, ausência de pubarca e radiografia de mãos e punhos com atraso de idade óssea. Frequentemente, a puberdade só irá iniciar com a idade óssea a partir de 10 anos, e a menarca, a partir da idade óssea de 12 anos. Nesses casos, existe a possibilidade de estimular a puberdade com estrogênios.

Quando houver uma causa subjacente, será necessário o tratamento da causa-base: reposição de hormônio tireoidiano no hipotireoidismo, tratamento efetivo da doença inflamatória intestinal, tratamento com agonistas dopaminérgicos dos adenomas lactotróficos ou excisão de craniofaringiomas que podem resultar no pronto início ou retomada da maturação sexual nas circunstâncias clínicas apropriadas.

Quando a indução da puberdade é necessária, esta é feita com doses progressivas de hormônios sexuais, simulando uma puberdade típica e seus respectivos estágios.[39] Como na puberdade típica, a menarca só é esperada a partir de 2 anos da telarca e no estágio IV de Tanner. Convém ressaltar que uma mama leva de 3 a 5 anos para se transformar em uma mama adulta. A indução pode ser classificada em 3 estágios: I – estágio de indução puberal; II – estágio de desenvolvimento adulto e menarca; e III – estágio da manutenção.

Quando o diagnóstico de hipogonadismo estiver estabelecido, sugere-se o início do tratamento entre 11 e 12 anos de idade, com aumento das doses a cada 6 meses até o desenvolvimento adulto ser atingido.[39] A sensibilidade ao tratamento é individual e sua resposta deve ser avaliada a cada consulta para ajustar a melhor dose. Na suspeita de causa reversível, o tratamento poderá ser suspenso após 1 ou 2 semestres para ver se há progressão espontânea ou não. Nos casos de necessidade de manutenção do tratamento, quando as doses adultas forem atingidas (estágio II), será necessário associar progesterona nas pacientes portadoras de útero para não hiperestimular o endométrio. No estágio III (manutenção), a reposição deve ser combinada (estrogênio + progestogênio) de modo sequencial, para haver o sangramento de privação, ou de modo contínuo, para as que não podem ou não querem menstruar. O tratamento pode ser continuado até a idade da menopausa.[39] Apesar de a reposição ser feita por via oral (VO) ou transdérmica (TD), a via TD mostrou-se mais eficaz para atingir uma melhor altura final, melhor densidade mineral óssea e caracteres sexuais secundários mais desenvolvidos, além de apresentar menos riscos teóricos.[39]

Pode-se iniciar a terapia de reposição com estrogênios equinos conjugados 0,03 mg, meio comprimido VO; estradiol micronizado 0,25 mg VO; estradiol micronizado 3 a 7 µg TD, que corresponde a um quarto de um adesivo de 25 µg.[39]

Nas meninas com útero, após o primeiro sangramento ou após 2 anos de uso de estrogênio, deve-se associar o progestogênio 12 a 14 dias por mês: progesterona micronizada 200 mg, acetato de medroxiprogesterona 5 a 10 mg, didrogesterona 10 mg ou acetato de nomegestrol 5 mg.

Uma alternativa é a prescrição de contraceptivo hormonal combinado com doses de etinilestradiol de 30 µg para a fase de manutenção nas pacientes que desejam usar essa medicação pelo baixo custo ou para se assemelhar às amigas que usam os contraceptivos ou naquelas que necessitam de contracepção pelo retorno da função gonadal, desde que não apresentem contraindicações.

Ver também Capítulo Problemas Comuns de Saúde na Adolescência, que aborda outros aspectos sobre puberdade precoce e tardia também em meninos.

## O CICLO MENSTRUAL NA ADOLESCÊNCIA

Após a menarca, os primeiros ciclos menstruais podem ser irregulares e costumam ser anovulatórios devido à imaturidade do eixo HHO.[40] A ovulação requer o mecanismo de retroalimentação positiva: o aumento do LH, decorrente de concentração de estradiol > 200 pg/mL por 50 horas ou mais. Esse mecanismo é o último evento a ocorrer na puberdade e representa uma maturidade do eixo HHO. Estima-se que, nos 2 primeiros anos após a menarca, 55 a 82% dos ciclos sejam anovulatórios. Após 3 anos da menarca, 40% das meninas permanecem com ciclos anovulatórios e, após 5 anos, essa cifra diminui para 20%.[40] As manifestações de anovulação são variadas e incluem ciclos irregulares, longos ou curtos, e sangramentos profusos, prolongados ou diminuídos.

Convém ressaltar que, durante a anamnese com adolescentes, é importante quantificar adequadamente as informações quanto às características da menstruação, pois, com frequência, os valores de normalidade para elas e para os profissionais de saúde diferem. Além disso, informações subjetivas como muito ou pouco, regular ou irregular, podem ser imprecisas.

### Ciclo menstrual típico

Ciclos menstruais regulares em adultas podem ser definidos como aqueles que possuem intervalo entre o primeiro dia de cada menstruação de 21 a 35 dias (média de 28 a 30 dias); e fluxo menstrual típico, como fluxo entre 20 e 80 mL (média de 35 mL). Pode-se utilizar a **regra dos sete** para facilitar a comunicação.

**Regra dos sete**
→ Até 7 dias de sangramento (média de 4 a 5)
→ Até 7 absorventes por dia (média de 4 a 5)
→ Até 7 dias de variação para mais ou para menos de um ciclo para outro

No entanto, os ciclos menstruais na adolescência têm valores um pouco mais flexíveis, pois ocorre a imaturidade fisiológica do eixo HHO nos primeiros anos após a menarca. Desde a menarca, ciclos inferiores a 19 dias ou superiores a 90 dias são sempre anormais; 80% ou mais dos ciclos após a menarca encontram-se entre 21 e 42 dias.[40]

## Ciclo menstrual com distúrbio

Apesar de a imaturidade do eixo HHO ser a causa mais frequente de anormalidades do ciclo menstrual, deve-se estar atento a outros diagnósticos. Uma história minuciosa e uma boa avaliação clínica podem identificar discrasias sanguíneas, disfunção da tireoide, doenças metabólicas, distúrbios nutricionais, entre outros.

## Avaliação

A **TABELA 108.10** apresenta um roteiro mínimo para a investigação da adolescente com distúrbio menstrual.

**TABELA 108.10** → Roteiro mínimo para avaliação de adolescente com distúrbio menstrual

| ANAMNESE |
|---|
| → Início dos sintomas |
| → Intervalo entre as menstruações, número de dias de fluxo, número de absorventes/dia, coágulos > 1 cm de diâmetro |
| → Tipo de distúrbio menstrual |
| → Idade do início da puberdade |
| → Idade da menarca |
| → Idade ginecológica (tempo após a menarca) |
| → Sintomas associados |
| → Mudanças de peso |
| → Uso de drogas |
| → Atividade física |
| → Método anticoncepcional |
| → Doenças sistêmicas ou debilitantes |
| → Saúde mental, estresse |
| → História familiar |
| → Anemia grave, transfusão sanguínea prévia, equimoses espontâneas, hemorragias após cirurgias |

| EXAME FÍSICO |
|---|
| → Peso, altura, pressão arterial, índice de massa corporal (IMC) |
| → Desenvolvimento puberal (estágios de Tanner) |
| → Sinais de hiperandrogenismo (acne, hirsutismo, alopecia, seborreia, clitoromegalia) |
| → Obesidade, acantose *nigricans* |
| → Palpação da tireoide |
| → Palpação das mamas (galactorreia) |
| → Palpação abdominal |
| → Exame ginecológico |

Com base no fato de que as adolescentes apresentam alteração da frequência do ciclo menstrual e/ou da quantidade de fluxo menstrual mais comumente nos dois primeiros anos após a menarca, pode-se indicar avaliação laboratorial nas seguintes situações:
→ sinais de hiperandrogenismo moderado a grave (acne ou hirsutismo);
→ tireoide aumentada;
→ sangramento excessivo e persistente;
→ necessidade de internação por sangramento profuso;
→ presença de transtorno alimentar;
→ sinais de hipoestrogenismo persistente;
→ persistência da irregularidade menstrual após 2 anos da menarca.

A avaliação laboratorial inicial consiste em dosagens de LH, FSH, estradiol, TSH e PRL, realizadas entre o 2º e o 10º dias do ciclo ou em qualquer dia nas meninas amenorreicas. Na presença de hiperandrogenismo (desenvolvimento excessivo ou prematuro de pelos pubianos, hirsutismo, acne moderada a grave ou obesidade), estão indicadas também dosagens de testosterona total, androstenediona, 17-alfa-hidroxiprogesterona, DHEA-S e US pélvica. Se a avaliação laboratorial identificar anormalidades, a menina deve ser encaminhada a um especialista. O teste do hormônio adrenocorticotrófico (ACTH [do inglês, *adrenocorticotropic hormone*]) pode auxiliar no diagnóstico diferencial de HAC-NC. Havendo suspeita de tumor suprarrenal (virilização e altos níveis de androgênio sem causa ovariana aparente), faz-se necessária TC ou RM de abdome para visualizar melhor as glândulas suprarrenais, pois a US não é um bom método de imagem para esse fim.

Convém salientar que a US dos ovários nessa faixa etária é peculiar. A presença isolada de microcistos ovarianos não é suficiente para estabelecer o diagnóstico de síndrome dos ovários policísticos. Microcistos são comuns e indicam apenas a possibilidade de anovulação. Com o passar do tempo, à medida que os ciclos tornam-se mais ovulatórios, eles regridem. No entanto, hiperplasia do estroma ovariano e/ou aumento do volume ovariano uni ou bilateralmente (> 10 cm³), associados a 12 ou mais microcistos/ovário, sugerem síndrome dos ovários policísticos, desde que a clínica e os exames laboratoriais sejam compatíveis com o quadro, pois um terço das mulheres adultas pode ter o achado isolado de ovário policístico na US sem apresentar anovulação ou hiperandrogenismo.

Detalhes sobre diagnóstico e tratamento das dismenorreias (desconforto menstrual) podem ser encontrados no Capítulo Problemas Comuns de Saúde na Adolescência.

## Tratamento

O tratamento depende da causa básica. Quando os ciclos menstruais atípicos são devidos a causas hipotalâmicas reversíveis, é necessário controlar a causa subjacente: obesidade, restrição dietética, estresse, uso de medicamentos, etc. Quando ocorrer distúrbio hormonal, deve-se orientar a terapia específica.

Para as meninas com ciclos menstruais irregulares anovulatórios devido à imaturidade do eixo HHO que necessitem de tratamento (fluxo intenso, fluxo prolongado, ciclos curtos com < 21 dias ou ciclos longos com > 90 dias), está indicado o uso de progestogênios na segunda fase do ciclo menstrual do 14º ao 28º dia do ciclo menstrual: 5 a 10 mg de acetato de medroxiprogesterona ou 200 mg de progesterona micronizada, ou 5 mg de nomegestrol ou 5 mg de noretisterona por aproximadamente três ciclos.[41] Após esse período, deve-se reavaliar a necessidade de nova intervenção terapêutica. Havendo sangramento mais intenso, após investigação etiológica e exclusão de outras doenças, deve-se considerar a possibilidade do uso de anti-inflamatórios não esteroides, ácido tranexâmico, anticoncepcional oral, progestogênio isolado (noretisterona) por 21 dias ou associado ao estrogênio (ver Capítulo Sangramento Uterino Anormal).

## REFERÊNCIAS

1. Cowell CA. The gynecologic examination of infants, children, and young adolescents. Pediatr Clin North America. 1981;28(2):247-66.
2. Almeida RAd, Lins L, Rocha ML. Dilemas éticos e bioéticos na atenção à saúde do adolescente. Rev Bioét. 2015;23(2):320-30.
3. Steinmetz L, Guedes DR, Damiani D. Anomalias da diferenciação sexual: da fisiologia à conduta prática. In: Damiani D, editor. Endocrinologia na prática pediátrica. 3. ed. Barueri: Manole; 2016. p. 143-64.
4. Ashwal E, Hiersch L, Krissi H, Eitan R, Less S, Wiznitzer A, et al. Characteristics and management of ovarian torsion in premenarchal compared with postmenarchal patients. Obstet Gynecol. 2015;126(3):514-20.
5. Tanner JM. Growth at adolescence. 2nd ed. Oxford: Springfield; 1962.
6. Zuckerman A, Romano M. Clinical Recommendation: Vulvovaginitis. J Pediatr Adolesc Gynecol. 2016;29(6):673-9.
7. Accetta SG, Lubianca JN, Abeche AM, Cardoso DA. Doenças da vulva e da vagina na pré-púbere. In: Passos EP, Ramos JGL, Martins-Costa SH, Magalhães JA, Menke CH, Freitas F (Orgs.). Rotinas em ginecologia. 7. ed. Porto Alegre: Artmed; 2017. p. 250-60.
8. Jaquiery A, Stylianopoulos A, Hogg G, Grover S. Vulvovaginitis: clinical features, aetiology, and microbiology of the genital tract. Arch Dis Child. 1999;81(1):64-7.
9. Dodds ML. Vulvar disorders of the infant and young child. Clin Obstet and Gynecol. 1997;40(1):141-52.
10. van Neer P, Korver CRW. Constipation presenting as recurrent vulvovaginitis in prepubertal children. J Am Acad Dermatol. 2000;43(4):718-9.
11. Emans SJ. Vulvovaginal problems in the prepuburtal child. In: Emans Sj, Laufer MR, editors. Pediatric and adolescent gynecology. 6th ed. Philadelphia: Wolters Kluwer Health; 2012. p. 42-59.
12. Hammerschlag MR, Alpert S, Rosner I, Thurston P, Semine D, McComb D, et al. Microbiology of vagina in children – normal and potentially pathogenic organisms. Pediatrics. 1978;62(1):56-62.
13. Brotman RM, Klebanoff MA, Nansel TR, Andrews WW, Schwebke JR, Zhang J, et al. A longitudinal study of vaginal douching and bacterial vaginosis – A marginal structural modeling analysis. Am J Epidemiol. 2008;168(2):188-96.
14. Oduyebo OO, Anorlu RI, Ogunsola FT. The effects of antimicrobial therapy on bacterial vaginosis in non-pregnant women. Cochrane Database of Syst Rev. 2009;(3): CD006055.
15. Laufer M, Emans S. Overview of vulvovaginal complaints in the prepubertal child [Internet]. UpToDate; 2019 [capturado em 27 jul. 2019]. Disponível em: https://www.uptodate.com/contents/overview-of-vulvovaginal-complaints-in-the-prepubertal-child.
16. Davis AJ, VL. K. Pediatric and adolescent gynecology: gynecology examination, infections, trauma, pelvic mass, precocious puberty. In: VL K, GM L, RA L, DM G, editors. Comprehensive gynecology. 5th ed. Philadelphia: Mosby; 2007. p. 257-74.
17. Workowski KA, Bolan GA, Centers for Disease Control and Prevention. Sexually transmitted diseases treatment guidelines, 2015. MMWE Recomm Rep. 2015;64(RR-03):1-137.
18. Bartley DL, Morgan L, Rimsza ME. Gardnerella-vaginalis in prepubertal girls. Am J Dis Child. 1987;141(9):1014-7.
19. Ingram DM, Miller WC, Schoenbach VJ, Everett VD, Ingram DL. Risk assessment for gonococcal and chlamydial infections in young children undergoing evaluation for sexual abuse. Pediatrics. 2001;107(5): e73.
20. Stricker T, Navratil F, Sennhauser FH. Vulvovaginitis in prepubertal girls. Arch Dis Child. 2003;88(4):324-6.
21. Winter JSD, Faiman C, Reyes FI, Hobson WC. Gonadotropins and steroid-hormones in blood and urine of prepubertal girls and other primates. Clin Endocrinol Metabol. 1978;7(3):513-30.
22. Ojeda S. Female reproductive function. In: Kovacs W, Ojeda S, editors. Textbook of endocrine physiology. New York: Oxford University; 1996. p. 194-238.
23. Jakacki RI, Kelch RP, Sauder SE, Lloyd JS, Hopwood NJ, Marshall JC. Pulsatile secretion of luteinizing-hormone in children. J Clin Endocrinol Metab. 1982;55(3):453-8.
24. Carr B. Disorders of the ovaries and female reproductive tract. In: Wilson J, Foster D, Kronenberg H, Larsen P, editors. Williams textbook of endocrinology. Philadelphia: WB Saunders; 1998. p. 751-817.
25. Wheeler MD, Styne DM. Diagnosis and management of precocious puberty. Pediatr Clin North America. 1990;37(6):1255-71.
26. Roman EP, Ribeiro RR, Guerra-Junior G, Barros-Filho AdA. Antropometry, sexual maturation and menarcheal age according to socioeconomic status of schoolgirls from Cascavel (PR). Rev Assoc Med Bras. 2009;55(3):317-21.
27. Kopacek C, Elnecave RH, Krug BC, Amaral KM. Puberdade precoce central. In: Brasil. Ministério da Saúde. Protocolo clínico e diretrizes terapêuticas. Brasília: MS; 2010. p. 507-23.
28. Sanfilippo JS, Lara-Torre E. Adolescent gynecology. Obstet Gynecol. 2009;113(4):935-47.
29. Accetta SG, De Domenico K, Ritter CG, Ritter AT, Capp E, Spritzer PM. Anthropometric and endocrine features in girls with isolated premature pubarche or non-classical congenital adrenal hyperplasia. J Clin Endocrinol Metab. 2004;17(5):767-73.
30. Shalitin S, Kiess W. Putative effects of obesity on linear growth and puberty. Horm Res Paediatr. 2017;88(1):101-10.
31. Novello L, Speiser PW. Premature adrenarche. Pediatr Ann. 2018;47(1):E7-E11.
32. Pyle SI, Waterhou.Am, Greulich WW. Attributes of radiographic standard of reference for the National Health Examination Survey. Am J Phys Anthropol. 1971;35(3):331-7
33. Herter LD, Golendziner E, Flores JAM, Becker E, Spritzer PM. Ovarian and uterine sonography in healthy girls between 1 and 13 years old: Correlation of findings with age and pubertal status. Am J Roentgenol. 2002;178(6):1531-6.
34. Herter LD, Golendziner E, Flores JA, Moretto M, Di Domenico K, Becker E, Jr., et al. Ovarian and uterine findings in pelvic sonography: comparison between prepubertal girls, girls with isolated thelarche, and girls with central precocious puberty. J Ultrasound Med. 2002;21(11):1237-46.
35. Carel JC, Eugster EA, Rogol A, Ghizzoni L, Palmert MR, Antoniazzi F, et al. Consensus statement on the use of gonadotropin-releasing hormone analogs in children. Pediatrics. 2009;123(4): e752-62.
36. Klein KO, Barnes KM, Jones JV, Feuillan PP, Cutler GB. Increased final height in precocious puberty after long-term treatment with LHRH agonists: The National Institutes of Health Experience. J Clin Endocrinol Metab. 2001;86(10):4711-6.

37. Zhu J, Choa REY, Guo MH, Plummer L, Buck C, Palmert MR, et al. A shared genetic basis for self-limited delayed puberty and idiopathic hypogonadotropic hypogonadism. J Clin Endocrinol Metab. 2015;100(4):E646-E54.
38. Palmert MR, Dunkel L. Delayed puberty. N Engl J Med. 2012;366(5):443-53.
39. Klein KO, Phillips SA. Review of hormone replacement therapy in girls and adolescents with hypogonadism. J Pediatr Adolesc Gynecol. 2019;32(5):460-8.
40. Rosenfield RL. The diagnosis of polycystic ovary syndrome in adolescents. Pediatrics. 2015;136(6):1154-65.
41. Machado L. Sangramento uterino disfuncional. Arq Bras Endocrinol Metab. 2001;45(4):375-82.

## LEITURAS RECOMENDADAS

Accetta SG, Lubianca JN, Abeche AM. Ginecologia infantopuberal: puberdade, distúrbio menstrual e dismenorreia. In: Passos EP, Ramos JGL, Martins-Costa SH, Magalhães JÁ, Menke CH, Freitas F (Orgs.). 7. ed. Rotinas em ginecologia. Porto Alegre: Artmed; 2017. p. 237-49.
*Capítulo do livro de Rotinas em Ginecologia do Hospital de Clínicas de Porto Alegre (HCPA) que introduz a fisiologia do processo puberal e orienta a abordagem diagnóstica e o manejo dos principais distúrbios do ciclo menstrual em adolescentes.*

Accetta SG, Lubianca JN, Abeche AM, Cardoso DA. Doenças da vulva e da vagina na pré-púbere. In: Passos EP, Ramos JGL, Martins-Costa SH, Magalhães JÁ, Menke CH, Freitas F (Orgs.). 7. ed. Rotinas em ginecologia. Porto Alegre: Artmed; 2017. p. 249-58.
*Capítulo do livro de Rotinas em Ginecologia do Hospital de Clínicas de Porto Alegre (HCPA) que aborda o exame dos órgãos genitais em meninas pré-púberes e orienta a abordagem diagnóstica e o manejo das doenças de vulva e vagina mais frequentes nessa faixa etária.*

Accetta SG, Lubianca JN, Salazar CC, Abeche AM, Freitas F. Puberdade Precoce. In: Passos EP, Ramos JGL, Martins-Costa SH, Magalhães JÁ, Menke CH, Freitas F (Orgs.). 7. ed. Rotinas em ginecologia. Porto Alegre: Artmed; 2017. p. 445-456.
*Capítulo do livro de Rotinas em Ginecologia do Hospital de Clínicas de Porto Alegre (HCPA) que aborda definição, diagnóstico, classificação, quadro clínico, investigação e manejo de puberdade precoce em meninas.*

Emans SJ, Laufer MR. Emans, Laufer, Goldstein's pediatric and adolescent gynecology. 7th ed. Philadelphia: Lippincott Williams & Wilkins; 2020.
*Livro de abrangência mundial que aborda aspectos sobre fisiologia, fisiopatologia, etiologia, clínica, propedêutica e tratamento dos problemas clínicos comuns e incomuns da pediatria e adolescência.*

Federação Brasileira das Associações de Ginecologia e Obstetrícia. Manual de orientação infanto-puberal. Rio de Janeiro: Febrasgo; 2015.
*Manual que aborda os principais tópicos da ginecologia infantopuberal. O conteúdo pode ser acessado no site www.febrasgo.org.br. Acesso restrito a associados.*

Silva CHM, Salomão CLB, Reis JTL. Manual da SOGIMIG: ginecologia e obstetrícia na infância e adolescência. Rio de Janeiro: MedBook; 2018.
*Manual de abrangência nacional que aborda aspectos sobre fisiologia, fisiopatologia, etiologia, clínica, propedêutica e tratamento dos problemas ginecológicos na infância e na adolescência e das peculiaridades da gestação e pré-natal na adolescência.*

https://www.febrasgo.org.br/images/arquivos/manuais/Manuais_Novos/Manual_Ginec_Infanto_Juvenil.pdf
*Manual de Orientação da Federação Brasileira das Associações de Ginecologia e Obstetrícia (Febrasgo). Aborda vários tópicos de importância no atendimento ginecológico de crianças e adolescentes. Acesso irrestrito.*

http://portalarquivos2.saude.gov.br/images/pdf/2017/julho/03/PCDT-Puberdade-Precoce-Central_08_06_2017.pdf
*Protocolo Clínico e Diretrizes Terapêuticas da puberdade precoce central. Diagnóstico, critérios de inclusão, critérios de exclusão, casos especiais, centros de referência e tratamento endossado pelo Ministério da Saúde do Brasil. Acesso irrestrito.*

https://www.febrasgo.org.br/images/arquivos/manuais/Manuais_Novos/Manual_Ginecologia_Endocrina.pdf
*Manual de Orientação da Federação Brasileira das Associações de Ginecologia e Obstetrícia (Febrasgo). Aborda temas de ginecologia endócrina.*

# Capítulo 109
## ATENÇÃO À SAÚDE DA CRIANÇA E DO ADOLESCENTE EM SITUAÇÃO DE VIOLÊNCIA

**Joelza Mesquita Andrade Pires**

A violência contra crianças e adolescentes tem sido um fenômeno de grande repercussão na sociedade, de caráter multifatorial. Ao longo dos últimos 30 anos, vem sendo combatida com políticas públicas voltadas para sua prevenção e enfrentamento. De acordo com o artigo 4º do Estatuto da Criança e do Adolescente (ECA), crianças e adolescentes são reconhecidos como sujeitos que têm direito à vida, à saúde, à alimentação, à educação, ao esporte, ao lazer, à profissionalização, à liberdade, à cultura, à dignidade, ao respeito e, sobretudo, à convivência familiar e comunitária. Conforme o artigo 5º do ECA, são protegidos contra qualquer forma de negligência, discriminação, exploração, violência, crueldade e opressão.[1] Segundo o artigo 227 da Constituição Federal, crianças e adolescentes são entendidos como prioridade absoluta em nível da família e do Estado, respaldados legalmente.[2]

O fenômeno é mundial e complexo, associado a uma série de fatores individuais, familiares e sociais, presente em todos os grupos socioeconômicos, culturais, raciais e religiosos da sociedade. Atinge diretamente o desenvolvimento neurológico, emocional e social da criança, deixando sequelas no desempenho escolar, na relação com os pares, na sociedade e nas diversas inserções do universo infantil. Pesquisa aponta que 10% das crianças que chegam às emergências sofrem maus-tratos, em sua maioria intradomiciliares, ocultos e repetitivos. Quase 3.500 crianças morrem por ano em todo o mundo por maus-tratos físicos e negligência.[3]

A violência consiste no uso da força, do poder e de privilégios para dominar, submeter e provocar danos, em uma relação de poder do mais forte sobre o mais fraco, em que crianças e adolescentes ocupam um lugar de extrema vulnerabilidade social, emocional, física e de dependência do adulto. Quando a violência acontece dentro da família, as crianças costumam ser testemunhas do caos dentro dessa relação de poder. Seja qual for a sua tipologia, apresenta-se de forma única ou sob mais de uma forma ao mesmo tempo, podendo manifestar-se dentro ou fora do ambiente doméstico, com o envolvimento de um ou mais agressores, por um período curto ou longo. Dentro da família, o período tende a ser crônico e repetitivo, uma vez que o silêncio da vítima e a falta de percepção das pessoas à volta mantêm o processo da violência.

Manifesta-se de diversas formas, as quais, associadas aos muitos fatores de risco, mantêm a violência como um círculo vicioso passando de uma geração para outra. As sequelas se manifestam por meio da desigualdade social, da baixa escolaridade, do alcoolismo, do uso abusivo de drogas, do desemprego, da delinquência juvenil e da ineficácia das políticas de garantia de direitos. Os riscos têm início ao nascimento, quando as políticas públicas, voltadas para a primeira infância, inexistem ou não são acessadas. A violência doméstica, como importante fator de risco, vem produzindo indivíduos fragilizados e despreparados para o enfrentamento das diversas demandas que a sociedade impõe. Apesar de as responsabilidades serem legalmente atribuídas à família e/ou ao Estado, o problema segue desafiador, requerendo um envolvimento comprometido de todos – família, sociedade e profissionais.

Ao longo da história, quanto mais se retrocede no tempo, é possível notar que a criança vem sofrendo uma série de privações de direitos e é alvo frequente da violência do adulto, por vezes cruel e fatal. Os relatos datam desde antes da era de Cristo, com relatos da Grécia Antiga, quando crianças eram sacrificadas para acalmar a fúria dos deuses, até os relatos marcantes dos assassinatos de meninos menores de 2 anos, contemporâneos de Cristo, ordenados pelo rei Herodes, na tentativa de encontrar o menino Jesus. Nesse período, a violência contra crianças e adolescentes das civilizações greco-romana e hebreia já estava presente. Para a criança hebreia, por exemplo, a disciplina era primordial, e seguia-se, na época, uma lei do século XIII a.C., instruindo os pais a castigarem os filhos desobedientes e rebeldes, e, quando esses pais tinham dificuldade na realização dessa tarefa, um conselho era solicitado para lidar com o filho problemático, punindo-o e apedrejando-o até a morte.[4,5]

O infanticídio foi praticado desde a Antiguidade em todas as culturas orientais e ocidentais, sendo utilizado como método de eliminação de recém-nascidos fracos, prematuros ou com malformações congênitas, principalmente em algumas famílias reais. Os filhos ilegítimos foram vítimas de abandono, de desaparecimento em mãos de pessoas contratadas para esse fim, vendidos como escravos, utilizados como mão de obra barata ou oferecidos a famílias mais abastadas, em troca de favores.[6] Embora a violência contra crianças e adolescentes possa ser identificada em relatos históricos, seu reconhecimento como problema é relativamente recente.

No início do século XIX, a literatura mostra o caso da menina Mary Ellen Wilson como o primeiro caso de violência descrito nos Estados Unidos, chamando atenção para a falta de proteção legal. A menina foi violentamente agredida pelos pais, sendo protegida pela Associação Protetora dos Animais. Em 1860, Ambroise Tardieu, professor de medicina legal em Paris, publicou o primeiro trabalho científico utilizando o termo "criança espancada". Nesse trabalho, ele analisou 32 casos de crianças menores de 5 anos, com 18 mortes, descrevendo lesões cutâneas, fraturas ósseas diversas, queimaduras e lesões cerebrais incompatíveis e discrepantes com a história relatada pelos pais. Um século depois, nos Estados Unidos, Caffey publicou relatos de seis crianças com hematoma subdural e alterações radiológicas de ossos longos, lesões inusitadas e sem explicação clínica ou patológica. Silverman e Henry Kempe, anos depois, em estudos retrospectivos, encontraram casos semelhantes ao de Caffey e Tardieu, concluindo que as lesões eram provocadas intencionalmente pelos pais e descreveram a síndrome da criança espancada, definindo-a como uma síndrome que ocorria em crianças de baixa idade, com graves lesões e explicações discordantes ou inadequadas fornecidas pelos pais, sendo o diagnóstico baseado em aspectos clínicos e radiológicos.[6–7]

Com a passagem dos tempos, diferentes formas de violência foram reconhecidas pela literatura. Além do infanticídio, considerado o ato violento de maior gravidade exercido contra a criança, outras formas igualmente graves foram relatadas. A partir daí, muitos estudos se voltaram para as sequelas dessa violência, em especial o chamado estresse tóxico, resposta fisiológica a uma situação adversa, desencadeando mudanças químicas que afetam os sistemas neurológico, imunológico e endócrino. Esse é um evento nocivo para o desenvolvimento da criança e é considerado a doença do século XXI. Adversidades, como abuso, negligência, pobreza extrema, violência, disfunção familiar e escassez de alimentos, se ocorridas na primeira infância, podem levar a mudanças permanentes na arquitetura cerebral com implicações para a saúde em longo prazo e prejuízos ao longo da vida, influenciando no desenvolvimento, na aprendizagem, no comportamento e nos aspectos físicos e mentais.[8,9]

Foram necessárias profundas modificações legais, culturais, sociais e de atitudes para que crianças fossem aceitas como indivíduos com direitos especiais, peculiares e próprios ao seu estágio de desenvolvimento. As necessidades básicas da criança, sua autonomia e interatividade com o meio ambiente desde o nascimento, a vinculação mãe-filho e a importância do pai no crescimento e no desenvolvimento da criança são conceitos novos que valorizam a estimulação e a proteção da criança e do adolescente.

Paralelamente, houve evolução no reconhecimento de diferentes formas de violência e assistiu-se ao aperfeiçoamento do ato violento. Além do infanticídio, outras formas, igualmente graves, destacaram-se, como a exploração do trabalho infantil, a mendicância, a exploração sexual, a síndrome de Münchausen por procuração, a síndrome do bebê sacudido, entre outras mais atuais, como a síndrome da alienação parental e o *bullying*.

**A violência não pode ser compreendida como um ato isolado, e sim decorrente de uma série de fatores de risco individuais e sociais que, quando associados, principalmente ao abuso de álcool e drogas, geram conflito familiar. Isso desencadeia o descontrole do adulto, que reage com agressão contra a criança e o adolescente.**

Trata-se de um problema complexo, que causa danos para o crescimento, o desenvolvimento e o bem-estar da criança. Em geral, a violência é repetitiva, e sua gravidade tende a aumentar a cada investida, levando muitas vezes à violência fatal (morte).

As causas externas (violências e acidentes), representadas por lesões físicas e mortes de crianças e adolescentes, são ocorrências causadas por agressões, envenenamentos, queimaduras e outros efeitos colaterais apresentados em capítulos e categorizados por agravo específico, presentes na *Classificação estatística internacional de doenças e problemas relacionados à saúde*, 10ª revisão (CID-10), no Capítulo XX, categorias X85 a Y34 (agressões, homicídios, envenenamentos, intoxicações, maus-tratos e causas de intencionalidade indeterminada).[10] Atualmente, milhares de crianças morrem a cada ano devido a acidentes ou violência, e milhões sofrem as consequências de lesões não fatais, contribuindo para a perda de anos potenciais de vida. Diante do grande impacto social e econômico, em especial na área da saúde e sobre o Sistema Único de Saúde (SUS), o Ministério da Saúde (2001) lançou a Política Nacional de Redução da Morbimortalidade por Acidentes e Violências (PNRMAV), tornando os casos de violência contra crianças e adolescentes de notificação compulsória.[11]

Em 2013, dados do sistema de Vigilância de Violências e Acidentes (Viva) registraram 80.418 casos de violência contra crianças e adolescentes, distribuídos de acordo com a idade: 29.784 contra crianças de 0 a 9 anos e 50.634 contra adolescentes de 10 a 19 anos, como mostra a **TABELA 109.1**.[12–13]

Quanto ao local do evento, 66,7% dos casos ocorreram no ambiente doméstico. A área do corpo mais atingida foi cabeça/pescoço (35,4%), seguida de tórax/abdome/pelve (33%). Com relação ao tipo de violência, houve predomínio de atendimentos decorrentes de negligência (50,1%) entre crianças de até 9 anos e de agressão física (63,6%) para adolescentes. Quanto à violência sexual, a distribuição foi semelhante entre as crianças e os adolescentes: 28 e 27%, respectivamente. O óbito ocorreu em 2,3% das crianças e adolescentes vítimas da violência em geral.[13]

A violência doméstica, em especial envolvendo crianças e adolescentes – seja como vítimas ou como testemunhas –, tem sido alvo de muitas discussões da sociedade na busca de soluções para o fortalecimento dos vínculos e o enfrentamento das sequelas que acometem os indivíduos. Os fatores de risco associados aos pais violentos, na sua maioria os socioculturais, aliados aos individuais – como pobreza, desemprego, isolamento social, relação conjugal instável e desequilibrada, problemas emocionais e de afetividade, educação rígida com estilo punitivo, numerosos filhos, filhos de diferentes parceiros(as), baixa autoestima, história pregressa de violência, depressão (frequentemente reacional ao trauma de infância), abuso de drogas e/ou álcool, transtornos ou doença psiquiátrica, gravidez não desejada e/ou planejada e gravidez na adolescência –, são fatores que, se não enfrentados, mantêm a violência nas gerações seguintes.

## DEFINIÇÕES

Violência contra crianças e adolescentes pode ser definida como "[...] todo ato ou omissão praticado por pais, parentes ou outras pessoas que – sendo capaz de causar dano físico, sexual e/ou psicológico à vítima – implica de um lado uma transgressão do poder/dever de proteção do adulto e, de outro, uma coisificação da infância, isto é, uma negação do direito que crianças e adolescentes têm de serem tratados como sujeitos de direitos e pessoas em condição peculiar de desenvolvimento".[14]

A Organização Mundial da Saúde (OMS) define a violência como "[...] o uso da força física ou do poder, real ou em ameaça, contra outra pessoa, contra si próprio, ou contra um grupo ou uma comunidade, que resulte ou tenha grande possibilidade de resultar em lesão, morte, dano psicológico, deficiência de desenvolvimento ou privação".[15] A OMS considera a violência um grave problema de saúde pública, sobretudo contra crianças e adolescentes, acarretando gastos excessivos no tratamento das sequelas dos eventos e altos custos econômico e social para a sociedade, refletindo na saúde emocional das famílias e contribuindo para a manutenção da violência nos diversos níveis de interação do indivíduo.[15]

O termo "abuso infantil" (em inglês, *child abuse*) é muito utilizado no exterior; no entanto, no Brasil, é comum ser confundido com violência sexual da criança. Ainda assim, é consenso que os termos abuso, maus-tratos e punição podem ser substituídos por um único termo – "violência", esta causada intencionalmente por um adulto, levando a trauma físico, sexual e/ou psicológico contra a criança ou o adolescente. Definir violência e entendê-la como um grave problema de saúde pública tem sido um desafio para diversos profissionais e também para a própria sociedade, uma vez que grande parte da população ainda acredita que a punição física é uma forma de disciplinar e impor limites para crianças e adolescentes.

Em síntese, violência é caracterizada como uma injúria de caráter intencional que se apresenta de diversas formas e também referida por outros termos, os quais serão citados alternadamente, neste capítulo, como violência, abuso, maus-tratos ou injúrias.

## FORMAS DE VIOLÊNCIA

Por questões didáticas, as formas de violência são classificadas em física, sexual, psicológica e negligência. Outras

**TABELA 109.1** → Crianças e adolescentes vítimas de violência doméstica, sexual e outras violências, por sexo – Brasil, 2013

| CARACTERÍSTICAS | MASCULINO (N = 56.447) | | FEMININO (N = 132.177) | | TOTAL (N = 188.624) | |
|---|---|---|---|---|---|---|
| | N | % | N | % | N | % |
| Faixa etária (anos) | | | | | | |
| 0-9 | 13.867 | 24,6 | 15.917 | 12 | 29.784 | 15,8 |
| 10-14 | 6.287 | 11,1 | 14.440 | 10,9 | 20.727 | 11 |
| 15-19 | 11.599 | 20,5 | 18.308 | 13,9 | 29.907 | 15,9 |

Fonte: Ministério da Saúde, Secretaria de Vigilância em Saúde, Sistema de Vigilância de Violências e Acidentes (Viva).[12]

formas são igualmente importantes, com características próprias, e podem estar inseridas nas formas clássicas, como a síndrome do bebê sacudido (em inglês, *shaken baby syndrome*), também chamada de trauma craniano violento, a síndrome de Münchausen por procuração, o *bullying*, a síndrome de alienação parental e a exploração sexual. Todas elas têm grandes repercussões sociais e levam a sequelas muitas vezes irreversíveis.

> É comum encontrar várias formas de violência em uma mesma vítima: uma criança vítima de violência física também poderá estar sendo negligenciada por outros cuidadores e sofrendo violência emocional. A violência sexual geralmente está associada à violência física e psicológica e à negligência, ou seja, a criança pode apresentar lesões físicas decorrentes do abuso, sofrer emocionalmente e não estar sendo protegida ou supervisionada por outros cuidadores.

## Violência física

É uma das formas mais frequentes de violência e de mais fácil diagnóstico, por conta das marcas evidentes das lesões. Em geral, está associada à disciplina ou à punição imposta pelo agressor (pais, responsáveis ou cuidadores, familiares ou pessoas próximas), que, em nome do poder de autoridade e força sobre a criança ou o adolescente, utiliza-se da força física de forma intencional com o objetivo de lesar, ferir ou destruir a vítima. De acordo com o Viva/Sistema de Informação de Agravos de Notificação (Sinan),[13] a maioria dos casos de violência física ocorre no âmbito das relações intrafamiliares. Os pais – incluindo aqui pai, mãe, padrasto e madrasta – aparecem como os principais responsáveis pelas violências na faixa etária que vai até os 9 anos de idade das crianças atendidas, concentrando mais de 50% das notificações.[16]

A violência física é uma causa importante de morbidade e mortalidade na infância, atingindo mais frequentemente menores de 3 anos. As marcas deixadas incluem hematomas, escoriações, lacerações, contusões e queimaduras provocadas por tapas, beliscões, chineladas, puxões de orelha e de cabelos, chutes, cintadas, murros, queimaduras com líquido quente de qualquer natureza, queimaduras de cigarro e ferro elétrico, intoxicação com psicofármacos, sufocação, mutilação e espancamentos que, dependendo da intensidade, podem levar à morte.[17]

As manifestações podem ocorrer em qualquer área do corpo; no entanto, lesões em algumas áreas específicas, como nádegas, pescoço, região anterior do tórax, entre os olhos e nariz, mãos, pés, são bastante sugestivas de violência, sendo muito comum encontrar a marca do objeto utilizado para a agressão. O profissional deve estar preparado para reconhecer uma ampla variedade de sinais. A suspeita diagnóstica de violência física deve ser feita sempre que houver discrepância entre a história contada pelos responsáveis e o exame físico, entre os fatos, na cronologia ou na sequência do evento, e entre a história e o desenvolvimento neuropsicomotor da criança.

As informações são, com frequência, contraditórias, absurdas ou pelo menos duvidosas. O tempo de latência do ocorrido até a procura de socorro médico costuma ser longo – ao contrário dos verdadeiros acidentes, em que a procura é imediata. Os eventos ocorrem em horários impróprios (exemplos clássicos são os que ocorrem entre 0 e 6 horas da manhã, horário habitualmente de sono da criança) e são recidivantes, e é frequente os irmãos apresentarem achados semelhantes ou serem responsabilizados pelo ocorrido.

A pele é o primeiro órgão a ser atingido na agressão física, fazendo as manifestações dermatológicas serem as mais reconhecíveis formas de abuso: cerca de 90% das vítimas de abuso físico apresentam lesões de pele ao exame. As manifestações podem ser inespecíficas (contusões ou equimoses, escoriações, hematomas e perfurações) ou específicas, que mostram claramente a marca do objeto utilizado para provocar a lesão (queimaduras, alopecia e mordidas).[18]

As equimoses ou contusões são as mais observadas. A localização, o número, o tamanho e a coloração das equimoses podem auxiliar na diferenciação entre equimoses provocadas e acidentais.[18] Em geral, as lesões intencionais são encontradas em locais habitualmente protegidos, como costas, nádegas, braços, coxas, peito, face, orelhas, mãos e pés. São também frequentes em traumas acidentais, porém com distribuição diferente da encontrada no trauma intencional, ocorrendo mais comumente em fronte, queixo, cotovelos, joelhos e região anterior da tíbia. A presença de múltiplas equimoses nos membros inferiores é muito comum em crianças hígidas ativas, em especial nas crianças maiores de 5 anos.

As contusões passam por estágios de cura que mostram o processo de evolução (coloração e aspecto), o tempo de formação e o tamanho das lesões, indicando a percepção da intencionalidade e a repetição da agressão, aspectos importantes para a avaliação clínica e diagnóstica, além de extrema relevância para a medicina legal.

As lesões cutâneas específicas mais comuns são marcas de corda ou fio, cinto ou fivela, dedos, sinais do polegar e das mãos, e as chamadas marcas arciformes ou lineares (visualizadas após surra com fio elétrico, cintos ou pás). As lesões provocadas por corda resultam em queimaduras com marcas circulares sobre os punhos e os tornozelos – quando a criança é amarrada –, ou ao redor do pescoço, nas tentativas de estrangulamento. O tempo de resolução de uma equimose varia, dependendo do grau de força utilizada para provocá-la. As equimoses periorbitárias são suspeitas de lesões intencionais e, portanto, preocupantes, sobretudo se forem bilaterais, uma vez que a maioria dos acidentes comuns afeta um dos lados da face, incluindo o nariz e a região orbitária superior.

As mordidas são importantes pelo risco de infecção e por não deixarem dúvidas quanto à intenção do agressor. O profissional deve atentar para o tamanho da arcada dentária causadora da lesão, pois é comum a responsabilidade da mordida ser atribuída a outra criança. Quando provocada por adulto, a distância entre as marcas dos caninos superiores e inferiores é maior que 3 cm.

Segundo a OMS, as queimaduras ocupam o quarto lugar mais comum de trauma no mundo, perdendo somente para acidentes de trânsito, quedas e violência interpessoal, além de serem a principal causa de morte acidental na infância nos países em desenvolvimento.[19,20] São provocadas frequentemente por imersão em líquido quente ou contato com objetos quentes (pratos ou talheres, lâmpada, ferro de passar, aquecedor, acendedor de cigarros de automóvel, cigarro, etc.). Os padrões típicos de queimaduras intencionais são simétricos em ambas as mãos (sinal par de luvas), ambos os pés (sinal par de meias) ou em pernas e períneo, provocados por imersão da criança em água fervente. Esse padrão simétrico raras vezes ocorre de forma acidental.

As queimaduras por cigarros podem ser acidentais, distinguindo-se das intencionais pelas marcas: estas são profundas, circulares e com diâmetro de 8 a 10 mm, devido ao contato direto e relativamente prolongado. Na cicatrização, fica uma lesão redonda, marrom, profunda e com perda de tecido (necrose). Por vezes, elas podem confundir-se com impetigo.

É importante avaliar o contexto doméstico, onde o acidente ocorreu, a temperatura da água e o tempo que a criança ficou exposta. A uniformidade da queimadura pode ajudar a determinar as circunstâncias em que ela aconteceu. Quando acidentais, as lesões costumam apresentar graus variáveis de queimadura (1º, 2º e 3º graus), enquanto, nas propositais, o grau das lesões tende a ser uniforme e em geral não se acompanham de marcas de respingos.[21] Assim como nas outras formas de violência física, a inconsistência da história, o padrão da lesão e a demora na procura de atendimento médico são indícios valiosos de que houve intencionalidade da ação.

Lesões esqueléticas graves ou fatais como consequência de uma queda pequena (menos de 1 metro) são indicativas de violência. A queda acidental do berço, da cama, do sofá ou da escada não costuma causar traumatismo grave de cabeça ou do sistema nervoso.

As lesões ósseas podem ser de diversos tipos, compreendendo fraturas transversais simples, impactadas, em espirais e metafisárias ou hematoma subperióstico. Podem aparecer em até 40% das crianças com abuso físico.[21] As fraturas em espiral, especialmente de membros inferiores em crianças menores de 1 ano, são também sugestivas de abuso. A detecção de lesão em esqueleto de crianças jovens, vítimas de violência, exige exame físico minucioso com palpação de todos os ossos em busca de evidência de dor, crepitação ou formação de calo ósseo. As fraturas de crânio que sugerem abuso têm como características serem múltiplas, complexas ou de região occipital ou parietal posterior.

Os padrões radiográficos característicos de violência são fraturas múltiplas em diferentes estágios de calcificação, envolvendo os ossos longos e as costelas de um bebê ou uma criança pequena; e lasca metafisária (fratura em alça de balde, fratura em ângulo). Devido à maior probabilidade de fraturas múltiplas ocultas na criança pequena e no bebê que engatinha, é aconselhável exame radiográfico do esqueleto em crianças menores de 2 anos suspeitas de terem sido vítimas de violência.

**O traumatismo craniano é a principal causa de morbidez e mortalidade em crianças menores de 1 ano vítimas de violência.**

O traumatismo craniano pode resultar do impacto de bofetadas, socos ou batidas da cabeça contra um objeto (ou objetos) atirados contra a cabeça, podendo não haver marcas externas. Pode estar associado a hematomas subgaleanos (hemorragia observada sobre uma área extensa de alopecia), hematomas epidurais, alopecia por tração, equimoses periorbitárias e fraturas de crânio. Os lactentes têm o maior risco, com mais de 90% das lesões ocorrendo em crianças menores de 2 anos de idade.[21]

O diagnóstico diferencial de violência física inclui doenças hemorrágicas (púrpura de Henoch-Schönlein, toxicidade pelo salicilato), manchas mongólicas (síndrome de Ehlers-Danlos tipo I), lesões equimóticas da vasculite por hipersensibilidade, eritema multiforme, lesões de impetigo, osteogênese imperfeita, sífilis congênita, deficiência de vitaminas C e D, síndrome de Cornélia de Lange, síndrome de Lesch-Nyhan e retardo mental (no caso das três últimas, lesões autoinfligidas causando mutilações associadas à depressão infantil).

## Síndrome do bebê sacudido (ou trauma craniano violento)

**A síndrome do bebê sacudido (ou trauma craniano violento) é uma das principais causas de traumatismo craniano.**

A síndrome do bebê sacudido atualmente é chamada de trauma craniano violento, destacando que outros termos na literatura descrevem a mesma condição, como trauma craniano abusivo, trauma craniano não acidental ou trauma craniano infligido. É definido como uma lesão ao crânio ou ao conteúdo intracraniano de um bebê ou criança menor de 5 anos devido a um impacto brusco intencional e/ou a uma sacudida violenta que envolve segurar a criança pelo tórax ou por uma extremidade e sacudi-la violentamente para a frente e para trás, fazendo a cabeça chicotear com acelerações e desacelerações repetidas em cada direção, em resposta à perda de controle do responsável diante do choro contínuo ou comportamento irritável de um lactente.[22,23]

É a forma de violência que apresenta a maior complexidade diagnóstica, acometendo crianças menores de 1 ano e, em especial, menores de 6 meses. Traumas na cabeça correspondem a 80% dos ferimentos fatais decorrentes de maus-tratos infantis em crianças mais novas, e, de acordo com o Centers for Disease Control and Prevention dos Estados Unidos, 25 a 30% das crianças vítimas do trauma craniano violento morrem e apenas 20% sobrevivem sem qualquer sequela – cerca de um terço morre rapidamente.[21,24] Os demais sobreviventes apresentam sequelas neurológicas (lesões encefálicas, atraso do desenvolvimento neuropsicomotor, convulsões, lesões da medula espinal) ou oculares importantes (hemorragias oculares, cegueira).

As crianças menores de 1 ano de idade estão mais suscetíveis a sofrer lesões cerebrais em decorrência de maus-tratos infantis do que de acidentes.[25] É importante levar em consideração fatores de risco que possam evoluir para o trauma craniano violento, como famílias monoparentais, mães menores de 18 anos, mães com escolaridade baixa, mães que não fizeram o acompanhamento pré-natal e famílias com baixo nível socioeconômico.[23] O agressor mais comum pertence ao sexo masculino: em 90% dos casos, é o pai biológico. Quando o agressor é do sexo feminino, é mais provável ser a babá do que a mãe biológica.[21]

O trauma craniano violento caracteriza-se pela tríade de sinais: hematoma subdural, edema cerebral e hemorragia na retina. O quadro clínico pode incluir também fraturas do tipo metafisária. Nem todas as vítimas apresentam essa tríade, existindo outras afecções que podem simular a ocorrência da síndrome do bebê sacudido, como infecção das vias aéreas superiores, vômitos incoercíveis, irritabilidade, letargia, apneia, convulsão e história de trauma menor.[23] A violência figura como a principal causa de hematomas subdurais em crianças mais novas. Além disso, essa lesão parece ser o principal sinal encontrado, sendo descrita em 83 a 90% dos casos diagnosticados. Deve-se sempre desconfiar de maus-tratos diante de hematomas subdurais diagnosticados em bebês.[26]

Outro sinal que tem sido fortemente relacionado ao trauma craniano violento é a hemorragia na retina. Embora a presença dessa lesão não seja exclusiva para o diagnóstico, a literatura mostra a presença da hemorragia na retina em 74% de todos os casos e em 82% dos casos fatais.[23-26] Ocorre quando a criança é submetida às mesmas forças físicas descritas anteriormente e, em geral, dura de 10 a 14 dias, porém pode persistir por períodos mais prolongados.

**Hemorragias retinianas em crianças com menos de 3 anos, sem sinais externos de lesão craniana, são fortes indícios de violência, assim como história de vômitos ou convulsões sem lesão aparente do couro cabeludo ou da pele.**

O diagnóstico correto do trauma craniano violento, baseado em evidências concretas, é de fundamental importância para o diagnóstico diferencial com a a síndrome da morte súbita do lactente, uma vez que frequentemente o hematoma subdural é o único achado encontrado, sem marcas externas. Salienta-se que nem sempre encontram-se lesões aparentes após o impacto, pois o choque pode ocorrer contra um objeto macio, como um colchão ou travesseiro, e a suspeita pode surgir quando uma criança chega à emergência com convulsões ou com sinais de choque.[22]

## Traumas torácicos e abdominais

**Traumatismos no tórax e no abdome são causas importantes de morte na criança vítima de violência.**

O mecanismo pode ser agressão direta, geralmente pelo punho do adulto, pontapé, empurrões ou brusca desaceleração após a criança ser empurrada. Trauma abdominal é uma forma grave de violência contra a criança, constituindo-se na segunda causa de mortalidade na criança vitimada. No tórax, pode haver hemotórax ou pneumotórax secundários às fraturas de costelas (bastante raras em traumas acidentais).

O trauma abdominal não é facilmente detectado, pois com frequência as crianças não apresentam sinais externos e a história é confusa. A literatura aponta que 6% das crianças vítimas de violência física sem sinais sugestivos de lesão abdominal apresentavam lacerações hepáticas detectadas na tomografia abdominal.[21] Deve haver suspeita de traumatismo abdominal sempre que uma criança apresentar choque ou peritonite sem explicação, sobretudo se houver anemia ou vômitos biliares. Os traumatismos significativos ocorrem porque a parede abdominal está relaxada no momento do trauma e o impacto do golpe aplicado é absorvido pelos órgãos internos. Caracteristicamente, essas lesões resultam de socos e pontapés violentos ou do choque contra objetos fixos.

As lesões abdominais mais frequentes são ruptura de fígado e baço, perfuração intestinal, hematoma duodenal, lesão vascular mesentérica, lesão pancreática (traumatismo é a causa mais comum de pancreatite aguda nas crianças, pela posição do pâncreas sobre a coluna vertebral) e traumatismo renal. É importante pensar no diagnóstico de violência sempre que a lesão não tiver uma explicação plausível.

Lesões torácicas intencionais incluem contusões pulmonares e miocárdicas, laceração pulmonar e hemorragias do timo ou subpleurais. A queixa principal pode ser dificuldade respiratória, dor torácica ou colapso súbito.

## Violência sexual

**A violência sexual, considerada um problema de saúde pública, é uma das formas mais cruéis e devastadoras de violência, na qual sentimentos como impotência, vulnerabilidade, humilhação, medo, raiva, ambivalência e dor estão sempre presentes, afetando todos os envolvidos, vítimas, agressores e profissionais atuantes. Sua presença no âmbito familiar compromete toda a estrutura e o desenvolvimento sadio dos integrantes da família, exigindo especial atenção no atendimento de todos, uma vez que os laços consanguíneos permanecem. Alguns autores preconizam que essa forma de violência deixa sequelas para o resto da vida, com grande impacto para a saúde dos indivíduos.[27,28]**

Segundo a OMS, a violência sexual praticada contra crianças e adolescentes envolve ações de conteúdo sexual praticadas por pessoas que se encontram em um estágio de desenvolvimento e maturidade superior ao da criança ou adolescente vítima.[14] A aceitação ou participação da criança em atividades de natureza sexual com adultos é sempre caracterizada como abusiva. As sensações físicas do contato sexual são geralmente prazerosas e é bastante comum que crianças estimuladas sexualmente por adultos busquem a repetição desses estímulos, quer com adultos quer com outras crianças. A criança não tem consciência desses limites sociais, cabendo ao adulto a responsabilidade de impor os limites.

Com frequência, a criança é forçada fisicamente ou coagida verbalmente a participar da relação sem ter, necessariamente, a capacidade emocional ou cognitiva para consentir ou julgar o que está acontecendo. O propósito é sempre a estimulação e a gratificação sexual do adulto, que tem plena consciência dos seus atos em relação à vítima, além da desigualdade do poder do mais forte sobre o mais fraco. O envolvimento vai desde carícias, exibicionismo, voyeurismo, manipulação de genitais, sexo oral, até a penetração propriamente dita, e, quando ocorre em crianças e adolescentes como partícipes ou testemunhas de relações sexuais entre adultos, é considerada violência, no caso presumida, e consequentemente crime.[27-28]

**Violência sexual é um problema de natureza médica, social e legal, presente em todas as religiões, classes sociais e etnias.**

As formas de violência sexual podem envolver contato sexual com penetração (oral, vaginal e anal), sem penetração (tentativa para ter sexo oral, vaginal e anal), atividade sexual envolvendo toque, carícias e exposição do genital, exploração sexual envolvendo prostituição, pornografia, voyeurismo e assédio sexual. De acordo com o contexto, pode ser classificada em intrafamiliar e extrafamiliar. O abuso sexual extrafamiliar é qualquer forma de prática sexual envolvendo uma criança ou adolescente e alguém que não faça parte da família. Por vezes, pode levar à exploração sexual comercial.

O estupro, o atentado violento ao pudor, a invasão de privacidade, a pornografia e a pedofilia na internet podem ser encontradas em ambas as formas. Na violência sexual intrafamiliar, o incesto é a principal forma, mantido frequentemente pelo "complô de silêncio", que pode passar de uma geração a outra pelo fenômeno da transgeracionalidade.

As vítimas podem ser de qualquer idade ou sexo, porém as meninas são as mais atingidas. Os agressores masculinos são os mais comuns: em 80% dos casos, são conhecidos da criança – pais, padrastos, avós, tios, irmãos, conhecidos da família, vizinhos, babás e professores. No entanto, as mulheres, em uma frequência cada vez maior, têm sido responsabilizadas pela violência sexual.[29-30]

No que se refere ao incesto, a primeira interação entre a vítima e o abusador ocorre em torno dos 3 aos 5 anos de idade. Segundo Freud, é nessa idade que começa um período de "sedução": o abusador envolve a criança em situações sexuais que ela não entende e que confunde com brincadeira ou carinho. Para a criança, o jogo erótico tem um sentido de ternura, é um momento único de contato físico com o pai, enquanto para o abusador é uma satisfação dos seus desejos sexuais sem preocupação com as consequências futuras. O agressor sabe o que está fazendo e começa, neste momento, a exigir da criança o segredo.[28]

A gravidade do dano psicológico da violência sexual na criança está relacionada com os seguintes fatores: idade do início da violência e sua duração, grau ou ameaça de violência, diferença de idade entre a vítima e o abusador, relação de parentesco entre os envolvidos, ausência de figuras parentais protetoras e grau de segredo. A presença da mãe como protetora ou partícipe na violência tem papel importante no prognóstico. Quanto mais a mãe acredita que a criança foi violentada, melhor o prognóstico; e quanto maior a negação materna ou participação dela na violência, pior.[27-31]

A revelação da violência ocorre, muitas vezes, de forma casual pela criança a um adulto próximo confiável (tia, madrinha, amiga, professora) ou para um profissional de saúde em uma consulta na presença de infecção sexualmente transmissível ou, em adolescentes, por gravidez inexplicada e extremamente precoce. Ela pode ser suspeitada pelo comportamento sexualizado ou mudança súbita do comportamento da vítima, aliado ao baixo rendimento escolar.

A família incestogênica tem características próprias: seu funcionamento é frequentemente desorganizado, é socialmente isolada e apresenta associação de vários fatores, entre os quais se destacam relacionamento sexual ruim entre os pais, abuso de drogas e/ou alcoolismo, depressão ou doença física materna, troca de papéis (a filha assumindo o papel da mãe), pais com história de violência sexual na infância, pai agressivo, possessivo, ciumento ou compulsivo. A criança, por sua vez, mostra-se, com frequência, excessivamente retraída ou extrovertida, com um conhecimento sexual anormal para sua idade, masturbação compulsiva e medo do adulto de modo geral.[30]

**A violência sexual de crianças é uma das poucas situações em que a anamnese é mais importante do que o próprio exame físico; deve ser realizada com tranquilidade em todos os casos confirmados ou suspeitos. A avaliação física imediata só se impõe quando a criança foi vítima de estupro nas últimas 72 horas, estando indicada, nesses casos, a internação para proteção e intervenção de profissionais experientes, treinados em manejo de crianças, adolescentes e famílias em situação de violência.**

Na prática, entretanto, a internação não tem sido um procedimento de rotina, mas é imperativa à proteção da criança. No estupro recente, as manifestações clínicas mais comuns são equimoses, lacerações e escoriações em cabeça, face, pescoço, peito, antebraços, joelhos, coxas, além de sangramento vaginal e/ou anal com eritema e edema de região perianal (sinal do pneu).

**São fundamentais a coleta de exames para a investigação de infecções sexualmente transmissíveis e a pesquisa de sêmen nas secreções, no corpo e nas vestimentas. Orienta-se a vítima a não tomar banho.**

A maioria dos casos de violência sexual, porém, não envolve violência física; é comum o exame físico ser normal, uma vez que o sexo oral e a manipulação predominam. No caso de violência sexual crônica com manipulação ou introdução do pênis, as anormalidades encontradas na área genital vão desde alargamento do hímen (maior que 4 mm), borda do hímen ondulada com pouco tecido, ruptura total ou parcial de hímen, relaxamento e dilatação do esfíncter anal, até evidência de infecções sexualmente transmissíveis e gravidez nas adolescentes. Também podem fazer parte do quadro clínico da violência sexual dor abdominal, disúria, corrimento vaginal, constipação, distúrbios do sono, hiperatividade, distúrbios alimentares, dependência, terror noturno, sucção de dedo (regressão), distúrbios da fala, encoprese, enurese, masturbação excessiva, dificuldade escolar, cabula, distúrbios de conduta (mentira, roubo), depressão, crise conversiva e fobias.

As consequências mais frequentes da violência sexual são automutilações, risco de suicídio, uso de drogas, distúrbios de conduta, transtornos de personalidade e de humor, estresse pós-traumático, agressão sexual (compulsão à repetição), isolacionismo, depressão, dificuldades de relacionamentos e revitimização. A vítima é alvo fácil para outras formas de violência e exploração sexual.

A exploração sexual é uma das formas mais graves de violência contra crianças e adolescentes e uma das piores formas de trabalho imposto/forçado a adolescentes e jovens. São sucessivas violações de direitos, assumindo proporções assustadoras nas últimas décadas e com grande visibilidade nos diversos segmentos da sociedade. Não é um fenômeno único, isolado, mas sim uma atividade criminosa, que deve ser punida na forma da lei e que normalmente implica o envolvimento de muitos adultos que almejam o prazer e o enriquecimento ilícito. Ocorre frequentemente na clandestinidade, mantida pela indústria sexual e pornográfica, além de contar com a presença do agenciador, da família e do cliente, seja ele pedófilo ou não.[30]

As consequências da exploração podem ser imediatas ou de médio e longo prazos. As imediatas manifestam-se por transtornos orgânicos e psíquicos, que levam à baixa autoestima, fadiga, irritação de garganta (sintoma sugestivo de sexo oral), confusão de identidade, ansiedade generalizada, medo de morrer, roubo, criminalidade, uso de drogas e infecções sexualmente transmissíveis, que podem marcar as vítimas para sempre ou levá-las à morte prematura. As consequências de médio e longo prazos são graves e podem ser irreversíveis, como envolvimento com rede de tráfico, gravidez precoce e aborto inseguro, atraso no desenvolvimento neuroemocional, depressão, risco de suicídio, comportamento antissocial e transformação de explorada em profissional do sexo.

Muitas são as sequelas dessa violência ao longo da vida dessas crianças e adolescentes, e o gasto público para o tratamento é alto. Fazem parte do perfil das meninas exploradas sexualmente aquelas que andam e dormem nas ruas em grupos, são arredias, ariscas, desconfiadas e agressivas, evadidas das escolas e, portanto, com escolaridade baixa, oriundas de famílias com vínculos pobres e disfuncionais.

Com o avanço tecnológico, surgiram a pornografia infantil e a pedofilia na internet, que movimentam bilhões de dólares. É uma organização criminosa e hierárquica, por meio da qual pessoas não pedófilas comercializam a pedofilia, selecionando crianças e adolescentes para fins de produção de material pornográfico. Essa forma de exploração, que se insere na categoria de "crimes virtuais", cresce de forma assustadora. De acordo com a SaferNet, o Brasil está entre os países com maior número de denúncias em todo o mundo. Em 2017, recebeu e processou 30.772 denúncias anônimas de pornografia infantil, envolvendo 19.843 páginas (URLs) distintas (das quais 1.794 foram removidas) escritas em nove idiomas e hospedadas em 5.678 *hosts* diferentes.

O diagnóstico diferencial deve ser feito quando a violência sexual não é explícita. Nessa circunstância, devem ser considerados eritemas do vestíbulo vaginal causados por assaduras e oxiúros, fissuras anais por constipação, vulvovaginites inespecíficas, prolapso uretral com corrimento serossanguíneo, traumatismos acidentais (lesões anterolaterais por acavalgamento), esclerose e atrofia liqueniforme, vestígios septais (apêndices anatômicos) e saliências himenais.

## Negligência/abandono

**É uma forma comum de violência contra a criança e o adolescente, podendo passar despercebida e frequentemente ser confundida em situações de extrema pobreza ou exclusão social.**

Está presente em todas as classes sociais. No Brasil, é responsável por mais de 50% dos casos de violência notificados nos serviços de proteção à criança (conselhos tutelares e Ministério Público).[13]

A morbidade e a mortalidade associadas à negligência não são desprezíveis. É frequente a associação com problemas físicos, intoxicações, tratamento inadequado de doenças, problemas dentários, desnutrição, aparência suja e malcuidada, déficit neurológico, além de problemas psicológicos por dificuldade de apego e vínculo com a família, em especial a mãe, durante a infância, prejudicando o desenvolvimento cognitivo e a aprendizagem da criança. O profissional de saúde tem muitas oportunidades para identificar precocemente e intervir em situações de negligência na criança.

A negligência costuma ser definida como omissões parentais ou dos cuidadores nos cuidados básicos da criança, resultando em dano real ou potencial para ela. Necessidades básicas incluem alimentação adequada, cuidados com a saúde, vestuário adequado para o clima, supervisão, educação e proteção no lar. Os pais/cuidadores são os principais responsáveis pela segurança da criança. A definição de negligência engloba tanto o dano psicológico como o físico, verdadeiro ou potencial. Em geral, envolve um determinado padrão, como faltas escolares frequentes ou atraso na vacinação. No entanto, pode ocorrer na forma de simples lapsos de cuidados, como deixar um lactente sozinho no banho ou esquecê-lo dentro do carro, acarretando tragédias.

As seguintes situações de negligência são frequentemente descritas: não adesão às recomendações médicas, resultando em dano verdadeiro ou potencial significativo (p. ex., criança com asma grave que não toma as medicações prescritas); falta ou demora em procurar ajuda médica; inadequação da alimentação; exposição de recém-nascidos e crianças mais velhas a drogas; proteção inadequada para ambientes de risco (p. ex., exposição a armas de fogo, não uso do cinto de segurança ou assento apropriado no carro); supervisão inadequada; abandono; vínculo enfraquecido; criança em idade escolar fora da escola; vestimenta inadequada para o clima; mendicância; e tempo excessivo de exposição ao computador.

**A negligência leva a prejuízos importantes, sobretudo no desenvolvimento cognitivo da criança, frequentemente pela carência de estímulos sensoriais. Alguns estudos têm mostrado associação entre negligência crônica e óbitos na primeira infância.[32,33]**

Em situações mais graves, pode haver bloqueio do desenvolvimento infantil. A reincidência de doenças é comum, com agravamento das enfermidades de fácil controle ou demora na busca por atendimento médico, podendo, inclusive, levar a criança ao óbito. O diagnóstico é difícil quando graves questões sociais estão associadas à miséria, ao desemprego e a condições insalubres de moradia, o que requer cautela por parte do profissional na proposição de medidas legais, as quais em geral devem ser conjugadas às de cunho social. A inserção dessas famílias em programas de geração de renda e apoio sociofamiliar vem constituindo uma alternativa na prevenção secundária e terciária da negligência.

## Violência psicológica

É toda ação ou omissão que coloca em risco ou causa dano à autoestima, à identidade e ao desenvolvimento da criança e do adolescente. Manifesta-se em forma de rejeição, depreciação, discriminação, desrespeito, cobrança exagerada, terrorismo, indiferença emocional, punições humilhantes e utilização da criança ou do adolescente para atender às necessidades psíquicas parentais ou de outrem, com base em expectativas irreais em relação ao bom comportamento ou ao desempenho escolar. Pode envolver também o isolamento da criança, privando-a de experiências comuns à sua idade e de ter amigos.

É uma das formas de violência mais difícil de ser identificada, pela sutileza e pela falta de materialidade das ações, apesar do impacto negativo profundo sobre o desenvolvimento biopsicossocial. Está presente em todas as formas de violência, podendo ocorrer isoladamente, em diferentes graus, desde a desatenção com a criança até a rejeição total.[33]

Por não deixar nenhuma marca, é muito difícil de ser documentada e diagnosticada, e muitas vezes confunde o profissional que não está atento para a saúde mental da criança ou do adolescente, o que contribui para a baixa notificação.

Outras formas de violência podem ser consideradas violência psicológica, como a exploração do trabalho infantil, a síndrome da alienação parental, a exposição e o testemunho de violência doméstica, o assédio moral que ocorre no trabalho (para os adolescentes) e o *bullying*.

*Bullying* é um termo utilizado para descrever atos de violência física ou psicológica, intencionais, praticados por um indivíduo ou grupo de indivíduos, causando dor e angústia. Esses atos são executados dentro de uma afirmação de poder interpessoal, desigual, por meio de agressão, dominação e prepotência entre pares. Nesse tipo de violência, há intenção de submeter repetitivamente a vítima à submissão e à humilhação.

> **São exemplos de *bullying* colocar apelidos ofensivos, humilhar, discriminar, excluir, aterrorizar, bater, divulgar comentários maldosos, entre outros.**

Ocorre com frequência nas escolas, e é cada vez mais comum a utilização de recursos tecnológicos para a sua prática, como *e-mails*, mensagens para celulares, telefonemas e redes sociais. É denominada *cyberbullying* a prática que envolve o uso de tecnologia de informação e comunicação para dar apoio a comportamentos deliberados, repetidos e hostis, praticados por um indivíduo ou grupo com a intenção de prejudicar o outro. Tem se tornado cada vez mais comum na sociedade, especialmente entre os jovens, e atualmente legislações e campanhas de sensibilização têm surgido para combatê-lo.

A violência psicológica é potencialmente danosa para a criança e para o adolescente, causando sequelas imediatas e tardias, como depressão, suicídio, baixa autoestima, nanismo de privação, retraimento, uso de drogas e delinquência juvenil, entre outras. Costuma ser subestimada quanto às suas consequências para o desenvolvimento infantil e negligenciada na execução de diagnósticos clínicos. Exige intervenção mais atenta da equipe de saúde, com foco na qualidade dos vínculos parentais, respeitando sempre o papel de cada familiar.

## Síndrome de Münchausen por procuração

O termo "síndrome de Münchausen" é largamente utilizado na literatura médica, embora nenhuma enfermidade seja reconhecida pela CID-10 para a referida síndrome. No entanto, ela foi incluída na CID-10 na categoria "produção intencional ou imitação de sintomas ou disfunções", tanto físicas ou psicológicas, como "transtorno factício".[34,35] A síndrome de Münchausen é, portanto, uma doença psiquiátrica em que o paciente, de forma compulsiva e deliberada, inventa, simula ou causa sintomas de doenças sem que haja uma vantagem óbvia para essa atitude, exceto obter cuidados médicos e de enfermagem.

O pediatra Roy Meadow (1977) reconheceu a síndrome de Münchausen por meio das observações de pais que tinham transtorno factício, porém utilizavam crianças para atingir um determinado objetivo e chamar atenção, sendo, então, nesses casos, acrescentado o termo "por transferência" (ou "por procuração" [*by proxy*]) ao nome da síndrome.[21,36] A síndrome de Münchausen por procuração (i.e., causada por terceiros) está classificada pela CID-10 na categoria T74.8, como "outras síndromes especificadas de maus-tratos".[34]

O *Manual diagnóstico e estatístico de transtornos mentais*, 5ª edição (DSM-5) define a síndrome de Münchausen como um transtorno factício imposto a si próprio e ao outro, também chamado de "transtorno factício imposto a outro".[37] A principal característica desse transtorno é imitação de sinais e sintomas físicos e psicológicos ou indução de lesão ou doença associada a fraude identificada. É considerada uma forma de violência contra a criança na qual o agressor, mais frequentemente a mãe, de forma compulsiva e deliberada, simula ou inventa uma doença no filho, expondo-o a uma série de procedimentos médicos desnecessários. A mãe costuma ser sedutora e manipuladora, deixando os profissionais de saúde incrédulos da sua real intenção.[21,38]

A síndrome de Münchausen por procuração pode ser induzida pelo agressor de três formas: por meio da mentira, quando há invenção de sintomas ou doenças; por meio da simulação, como acrescentar o próprio sangue à urina ou às fezes da criança; ou por indução de sintomas, dando remédio para provocar vômitos ou diarreia, por exemplo.

Estima-se que em 50% dos casos há indução dos sintomas e em 25% coexistem simulação e indução.[21,38,39]

Os agressores exacerbam, falsificam ou produzem histórias clínicas e evidências laboratoriais, causando lesões físicas e induzindo a hospitalizações com procedimentos terapêuticos e diagnósticos sem propósitos. Ocasionalmente, há participação simbiótica do filho, especificamente no abuso crônico. Essa forma de violência é ocultada pelo seu perpetrador, que demonstra aparente interesse e envolvimento excessivo nos cuidados com a criança.

A síndrome ocorre com mais frequência em crianças menores de 6 anos e manifesta-se por grande variedade de sintomas, com seus respectivos métodos de indução e/ou simulação descritos na literatura. Esses métodos consistem em apneia (sufocação), vômitos intratáveis (intoxicação ou falso relato), sangramentos (intoxicação ou adição de tintas, corantes, cacau), exantemas (intoxicação, arranhões, aplicação de cáusticos, pintura da pele), crises convulsivas (intoxicações, falso relato, sufocação), diarreia (intoxicações por laxativos) e febre (falsificação da temperatura ou da curva térmica), entre outros.

São descritas muitas formas de causar doenças por envenenamento em crianças, começando em casa, com pequenas quantidades, e aumentando progressivamente até a hospitalização. Os medicamentos mais usados são anticonvulsivantes (fenobarbital e benzodiazepínicos), cloreto de sódio, insulina, ácido acetilsalicílico, xarope de ipeca, antidepressivos, antieméticos e codeína, entre outros. Há relatos de desidratação causada por restrição de oferta de líquidos, e também de sepse, causada pela injeção de material contaminado por sonda ou cateter.[35,36]

Alguns autores classificam os perpetradores dessa síndrome em:

→ **os que "procuram ajuda":** procuram o médico com frequência na tentativa de chamar atenção para sua ansiedade, exaustão, depressão e inabilidade nos cuidados com a criança. Nessa forma da síndrome, são incluídos casos de violência doméstica, gravidez indesejada ou não planejada e mães solteiras;
→ **os "indutores ativos":** induzem doenças nos seus filhos com métodos drásticos. São ansiosos e depressivos e apresentam alto grau de negação, dissociação de afeto e projeção paranoide. Secundariamente, têm excelente relação com a equipe médica e controle dos procedimentos terapêuticos com extrema atenção;
→ **os "viciados em médicos":** obsessivos por obter tratamento para doenças inexistentes em seus filhos. Falsificam e mentem a respeito da história clínica e dos sintomas. Acreditam que seus filhos estão doentes, não acreditam nos médicos e costumam medicá-los por conta própria. São desconfiados, irritados, antagonistas e paranoicos.[38,39]

Algumas teorias explicam por que essas mães decidem fabricar doenças em seus filhos. A mais comum é a perda precoce de suas mães, dado frequente nos casos de síndrome de Münchausen por procuração, representando rejeição, falta de amor e atenção na infância, corroborando a violência.[38]

As consequências da síndrome podem ser imediatas e de longo prazo para a criança, sendo tanto de caráter psicológico como físico. A morbidade em longo prazo ocorre em 10% dos casos e inclui alterações dos hábitos alimentares (anorexia nervosa/bulimia), problemas comportamentais e transtorno psiquiátrico, incluindo a síndrome de Münchausen.[40] A consequência mais aguda e imediata é o trauma do dano físico induzido pela mãe ou o resultado de múltiplos testes e tratamentos médicos para descobrir a doença induzida. O efeito psicológico é crônico, além de essas crianças, frequentemente, ficarem dependentes de suas mães e da própria "doença", em uma relação de simbiose e cumplicidade (crianças maiores de 6 anos). Outras sequelas de grande importância são ansiedade intensa, comportamento hiperativo e depressivo e, por fim, evasão escolar pelas hospitalizações de repetição, levando a prejuízo na educação e na interação social com crianças da mesma idade.

A síndrome de Münchausen por procuração frequentemente passa despercebida pelos profissionais de saúde, por conta da falta de conhecimento sobre a doença ou pelo fato de não estar presente na lista de diagnósticos diferenciais. Como consequência, o diagnóstico pode ser difícil e costuma ser tardio, após já terem ocorrido complicações decorrentes de tratamentos e procedimentos desnecessários, até mesmo após a morte da criança, devido à recorrência da violência. A taxa de mortalidade estimada para crianças vítimas dessa síndrome gira em torno de 10%.[21,35,40] Meadow sugeriu sinais de alerta (TABELA 109.2) e procedimentos para o diagnóstico (TABELA 109.3) dessa síndrome.

O prognóstico da síndrome depende da duração e da intensidade das manifestações antes do diagnóstico, da aceitação

**TABELA 109.2** → Sinais de alerta para o diagnóstico da síndrome de Münchausen por procuração

| |
|---|
| → Médicos experientes notam que "nunca viram um caso igual" |
| → Mãe superatenciosa que não se separa do seu filho |
| → Mãe muito cooperativa com a equipe médica, com reação inapropriada à gravidade, ou que se queixa de que a equipe médica está fazendo muito pouco para diagnosticar a doença do filho |
| → Doença persistente ou recidivante sem explicação |
| → Os sintomas e sinais não ocorrem quando a mãe está ausente |
| → "Convulsões" que não respondem aos anticonvulsivantes usuais |
| → Mães com história própria de síndrome de Münchausen |
| → Mães com conhecimentos paramédicos |
| → Ausência de pai |

Fonte: Meadow.[36]

**TABELA 109.3** → Procedimentos para o diagnóstico da síndrome de Münchausen por procuração

| |
|---|
| → Estudo detalhado da história clínica atual |
| → Estudo dos prontuários de internações anteriores, com eventos reais e fabricados |
| → Pesquisa judiciosa da história pessoal, social e familiar da mãe |
| → Contato com outros membros da família |
| → Contato com o médico da mãe sobre a possível história de Münchausen |
| → Pesquisa de doenças e mortes sem explicação na família, principalmente de outros filhos |
| → Vigilância cuidadosa da mãe e da criança, se possível com câmera de vídeo |
| → Pesquisa sobre possível compulsão materna por uso de medicamentos |
| → Afastamento da mãe para observar se ocorre interrupção da sintomatologia na criança |

Fonte: Meadow.[36]

do perpetrador ao tratamento psicoterápico e da efetividade deste. Deve-se ter bastante cuidado no retorno dessas crianças sob custódia para as mães agressoras. Independentemente da classe social à qual pertence a família, os profissionais de saúde têm papel fundamental na detecção da síndrome. Para isso, é importante o conhecimento sobre a doença e a familiarização com os passos para o diagnóstico, para que este seja feito o mais cedo possível, inclusive entrando no diagnóstico diferencial de doenças de difícil controle.

## ABORDAGEM

A abordagem dos casos de violência contra crianças e adolescentes requer do profissional de saúde comprometimento e conhecimento para garantir-lhes, de forma efetiva, proteção e segurança, contribuindo para a redução do problema. A violência é um fenômeno bastante complexo, considerada um grave problema de saúde pública, que requer, em especial dos profissionais de saúde, preparo e conhecimento para identificar e atuar adequadamente nos casos de violência que se apresentam com gastos excessivos para o tratamento das sequelas deixadas nas vítimas.

As inúmeras sequelas que a violência acarreta para a vida de crianças e adolescentes exigem um trabalho articulado com toda a rede de atuação, no sentido de as medidas de proteção e segurança serem imediatas, necessárias para a integridade física, emocional e social dessa população. Portanto, investir em conhecimentos básicos sobre essa temática é fundamental para todos os níveis, focando nos sinais clínicos e diagnósticos de maus-tratos, nos aspectos legais, em especial na obrigatoriedade da notificação, nas políticas públicas de saúde adotadas no Brasil, nos fatores de risco e nas consequências da violência, fundamentais para o enfrentamento do problema.

A investigação pelo profissional de saúde exige um conhecimento dos sinais clínicos de alerta e detalhes da história que levam à suspeita de violência e imediata notificação dos casos. A suspeita de abuso infantil pode surgir a partir dos sinais clínicos e da história sobre o evento no momento da consulta. Frequentemente, as versões sobre o ocorrido contadas pelos familiares deixam os profissionais de saúde confusos; por isso, é preciso estar atento aos sinais de alerta subjetivos e objetivos.

Os sinais subjetivos são aqueles identificados no comportamento da criança no momento da consulta e que podem direcionar para o tipo de violência, como aversão ao agressor; histórias vagas e contraditórias; lesão incompatível com o acidente; despreocupação dos pais com o ocorrido e/ou demora em procurar ajuda; histórias de acidentes e intoxicações; criança com transtorno do sono; adolescente com transtorno do apetite (bulimia e anorexia); masturbação compulsiva; comportamento sexualizado; enurese noturna e encoprese; conhecimento inadequado sobre sexo; depressão e baixa autoestima; hiperatividade; evasão escolar; e fuga e medo de voltar para casa. Além disso, a violência pode ser expressa por meio de um desenho ou um brinquedo.

Os sinais objetivos apontam diretamente para a forma da violência, sugerindo mais precisamente o diagnóstico, como múltiplas contusões com colorações diferentes; lesões mostrando a marca do instrumento utilizado na agressão; lesões em coxas e genitais (hematomas/escoriações); hematoma subdural sem história compatível; crise convulsiva sem história de febre (< 6 meses); fratura de crânio com história suspeita (< 1 ano); fratura de costela em crianças (< 2 anos); fraturas múltiplas de diferentes idades e consolidação; queimaduras em locais bizarros; e fraturas de ossos longos sem história compatível.

Para o diagnóstico adequado, é importante estar atento para os fatores de risco referentes aos pais e filhos, aos sinais de alerta clínicos e comportamentais, objetivos e subjetivos, ao relato da vítima, os quais facilitarão a intervenção dos casos, analisando, em detalhes, todos os fatores que interferem no prognóstico do caso. A anamnese deve focar as questões clínicas, sociais e emocionais de todos os envolvidos, observando os sinais subjetivos que podem passar despercebidos em consultas de emergência.

O Ministério da Saúde sugere uma linha de cuidado para a criança e o adolescente em situação de violência, focando a saúde integral, com estratégias voltadas para sua segurança e proteção, e chamando a atenção para a qualidade do atendimento com uma escuta competente e afetiva, com ética, sigilo, empatia e confiabilidade, sem pré-julgamentos por parte dos profissionais.[41] (Ver QR code.) Propõe passos que devem ser seguidos de forma articulada com a rede de cuidado e de proteção social. O primeiro passo é o **acolhimento**, com empatia, focando os sentimentos (medo, angústia, vergonha, tristeza) agudos e crônicos das vítimas; o segundo consiste no **atendimento**, de preferência por uma equipe multidisciplinar (pediatra, enfermeiro, assistente social, psicólogo, entre outros), com abordagens individuais, familiares e comunitárias, no próprio serviço. O terceiro compreende a **notificação** do caso ao Conselho Tutelar; e o quarto, o **seguimento** com monitoramento do caso (FIGURA 109.1).[41]

**A intervenção deve ser voltada não apenas para a criança, mas principalmente para a família. As medidas devem ser rápidas e imediatas, com uma atuação comprometida e responsável, tendo sempre em mente os riscos iminentes de sofrimento para a criança e para o adolescente e, sobremaneira, para as gerações futuras.**

São elementos básicos na atuação do profissional de saúde em situações suspeitas ou confirmadas de violência contra crianças e adolescentes: observação inicial da relação mãe/cuidador e criança; coleta da história clínica com tranquilidade, acreditando nos sinais e na palavra da criança (quando ela já consegue se expressar verbalmente) e que deve ser obtida de forma clara, detalhada e sem críticas em relação aos pais;[41] exame físico completo e minucioso, incluindo estadiamento de Tanner e avaliação de lesões e cicatrizes; registro do diagnóstico baseado na CID-10, especificando a violência como causas externas (acidentais e intencionais), levando em conta sempre a proteção da

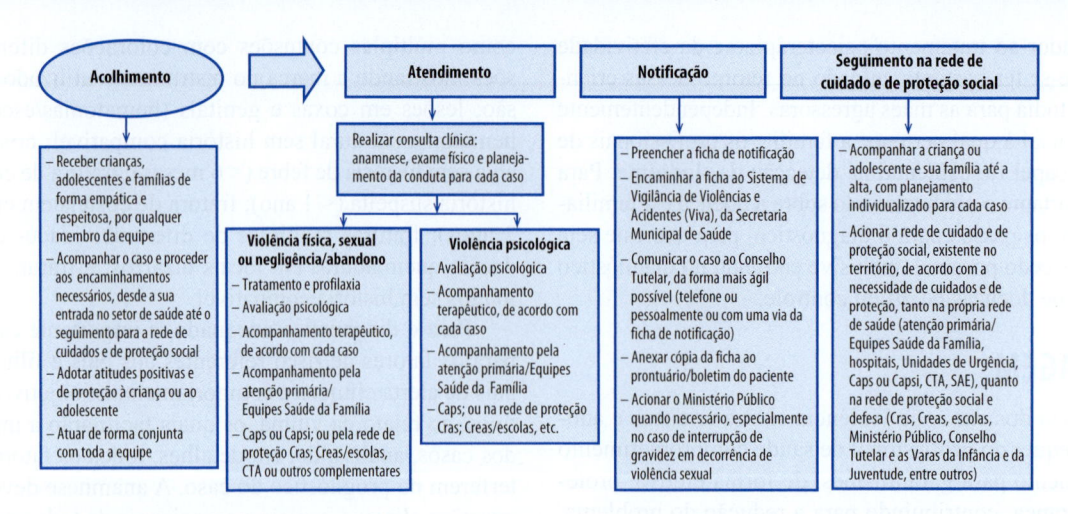

**FIGURA 109.1** → Linha de cuidado para a atenção integral à saúde de crianças, adolescentes e suas famílias em situação de violência. Caps, Centro de Atenção Psicossocial; Capsi, Centro de Atenção Psicossocial Infantil; Cras, Centro de Referência de Assistência Social; Creas, Centro de Referência Especializado de Assistência Social; CTA, Centro de Testagem e Aconselhamento; SAE, Serviço de Atenção Especializada.
Fonte: Brasil.[31]

criança e os riscos iminentes;[42] coleta de material forense;[34] prevenção de gravidez (ver Capítulo Planejamento Reprodutivo); além do diagnóstico, tratamento e prevenção de infecções sexualmente transmissíveis (ver Capítulo Infecções Sexualmente Transmissíveis: Abordagem Sindrômica), quando se tratar de violência sexual.

A identificação dos casos exige da instituição acolhedora e dos profissionais atuantes articulação com abordagem multidisciplinar e interdisciplinar, cujas ações homogêneas são fundamentais para a resolutividade. A partir da notificação, é imprescindível a investigação familiar e das relações sociais, procedimento que primordialmente constitui uma importante estratégia de cuidado e proteção às vítimas, além de representar um poderoso instrumento de política pública. A notificação dos casos ultrapassa os limites do serviço, uma vez que tomar as medidas de proteção imediatas e interromper a cadeia de eventos e consequências da agressão para a vida da criança torna-se fundamental para o prognóstico dos casos.

A violência contra crianças e adolescentes, quando não reconhecida nem tratada, deixa sequelas para a vida adulta. Cabe aos profissionais da atenção primária promover o acolhimento, de forma empática e respeitosa; realizar o atendimento, fazendo o diagnóstico e planejando a conduta para cada caso, que deve envolver outros profissionais que atuam em serviços secundários e terciários treinados para o atendimento de crianças e adolescentes vítimas de violência; registrar a notificação dos casos suspeitos ou confirmados; comunicar o caso ao Conselho Tutelar ou autoridade competente, que, articulado ao Ministério Público e ao Juizado da Infância, deverá aplicar medidas de proteção para as vítimas; e encaminhar as crianças, adolescentes e suas famílias para a rede de cuidados e de proteção social.

Não obstante, diante da intervenção e notificação dos casos, o profissional de saúde frequentemente se depara com pressões emocionais, profissionais e legais, que poderão influenciar nas suas decisões. A não notificação do abuso infantil pode ser influenciada por diversos fatores, como forma e grau de gravidade dos maus-tratos, conhecimento insuficiente sobre os procedimentos de notificação, deficiência das estruturas de atendimento, influências culturais, experiências prévias, desconfiança dos serviços de proteção à criança, medo (por parte dos profissionais) de serem processados, envolvimento emocional com a família da criança e desconhecimento sobre o tema.[43,44]

Quanto mais precoce, intensa e prolongada for a situação de violência, maiores e mais permanentes serão os danos para a criança e o adolescente.

Dessa forma, o tipo de violência, a idade da criança, a duração, a frequência e a gravidade da agressão, o grau de parentesco e o vínculo afetivo entre o autor da violência e a vítima e a capacitação dos profissionais que realizam a abordagem determinam o impacto da violência à saúde para esse grupo etário. É importante diferenciar o trauma acidental do intencional, buscando sempre uma abordagem adequada da criança e da família, e levando em consideração os vínculos familiares e a proteção da criança.

O registro do atendimento, quando não informatizado, precisa ser feito com letra legível, assinado e carimbado. Deve ser bastante detalhado, pois costuma ser requisitado nos processos judiciais. A notificação deve ser realizada como um instrumento importante de proteção, e não de punição. É direito da criança, do adolescente e da família viver em um ambiente que promova o bem-estar físico, social e emocional, livre de qualquer forma de violência, opressão ou negligência. A notificação é obrigatória não só para os casos confirmados, mas também para os suspeitos.

O ECA,[1] por meio do artigo 245, estabelece multa para os médicos, professores ou responsáveis por estabelecimento de atenção à saúde e de ensino fundamental, pré-escola ou creche que não comunicarem à autoridade competente os casos de violência de que tenham conhecimento, envolvendo suspeita ou confirmação de violência contra crianças e/ou adolescentes. Cabe ao serviço de saúde, por meio de sua equipe, avaliar qual o melhor momento de registro na ficha de notificação, da responsabilização pelo preenchimento, bem como o seu encaminhamento ao Conselho Tutelar. A Ficha de Notificação/Investigação Individual deve ser preenchida, em três vias, com o maior número de informações possíveis.[45]

A ficha original deve ser encaminhada ao Serviço de Vigilância em Saúde/Epidemiológica da Secretaria de Saúde do município; a segunda via deve ser enviada ao Conselho Tutelar e/ou autoridades competentes (Varas da Infância e Juventude, Ministério Público); e a terceira via fica na Unidade de Saúde que notificou o caso de violência. A família deve ser informada quanto aos procedimentos de notificação e comunicação aos órgãos competentes.[45,46]

Apesar da obrigatoriedade da notificação, a carência de informações oficiais é significativa, com notificações abaixo do esperado. Estima-se que, para cada caso notificado, haja 20 casos não notificados, deixando grande número de crianças sem proteção.[43] O ECA prevê a possibilidade de determinação de tratamento psiquiátrico ou psicológico obrigatório para os pais (artigo 129)[1] e afastamento do agressor do lar (artigo 130),[1] quando existe risco iminente de vida para a criança.

A atuação do médico é fundamental na identificação dos casos e na tomada de decisão, cabendo a esse profissional: prestar cuidados preventivos e orientações antecipatórias; identificar crianças vítimas de abuso a partir de lesões ou comportamentos suspeitos; relatar suspeita de abuso para os serviços de proteção à criança; apoiar as famílias em situação de violência, articulados com profissionais e serviços para fornecer tratamentos imediatos às crianças vitimizadas; depor na justiça quando necessário; e ter conhecimento sobre as políticas e programas que apoiem as crianças e suas famílias.[47,48]

> **Sem tratamento adequado com uma atuação profissional comprometida, o risco de as crianças continuarem sendo maltratadas e de serem, por fim, mortas pelos seus cuidadores é estimado em 25 a 50%.[21,43] Outros autores estimam a taxa de recidiva em 50 a 60% quando não são tomadas as medidas de proteção imediatas para a vítima.[6]**

## PREVENÇÃO

A prevenção da violência contra a criança inicia no acompanhamento pré-natal. É possível uma atuação preventiva, trabalhando a aceitação de gravidez não planejada e as expectativas em relação à criança. A identificação de violência fetal (drogadição, tabagismo ou alcoolismo materno; negligência com o acompanhamento pré-natal; tentativa de aborto; gestante em situação de violência) permite a intervenção e a prevenção precoces da violência.[41]

É importante que o profissional da atenção primária identifique situações de vulnerabilidade que colocam as crianças em maior risco de sofrer violência, como situações familiares que causam dificuldades e desgastes nas relações, requerendo do profissional de saúde uma atenção especial, desemprego, uso abusivo de álcool e outras drogas, separação conjugal, morte de um membro da família, gravidez na adolescência, depressão pós-parto, entre outras situações. Nesses casos, é útil propiciar troca de experiências entre pais que estão vivenciando situações semelhantes.[41]

A American Academy of Pediatrics sugere algumas orientações no sentido de prevenir as situações de violência contra crianças e adolescentes: coletar o histórico da criança atendida de maneira cuidadosa; oferecer orientações antecipatórias sobre os estágios do desenvolvimento infantil; identificar fatores de risco e proteção presentes na família; buscar estratégias para enfrentar as situações de estresse de maneira saudável; orientar os pais sobre o padrão do choro nos primeiros meses do bebê; oferecer recursos para os cuidadores lidarem com o estresse; e orientar sobre as práticas disciplinares utilizadas com seus filhos, incentivando o uso de estratégias alternativas à punição corporal.[47,48]

O Ministério da Saúde e a OMS (2002) propõem, na mesma direção, promoção da saúde e cultura da paz, intervenção precoce com fortalecimento dos fatores de proteção, dos vínculos e da resiliência, promoção da comunicação não violenta e atenção às principais etapas do desenvolvimento, além da organização de redes de proteção na comunidade.[14,41]

Programas educacionais de conscientização das famílias vulneráveis em situação de risco para violência doméstica, com visita domiciliar, parecem ser efetivos em reduzir desfechos associados a abuso ou negligência, atendimentos em emergência e hospitalizações por trauma físico ou ingestão de medicamentos. Os programas focados nas necessidades do bebê, em especial no choro e em explicações acerca da síndrome do bebê sacudido, são efetivos em reduzir traumas craniencefálicos em lactentes.[49-53]

Nas situações de violência no âmbito familiar já instalada, o profissional de saúde pode ajudar adotando as seguintes atitudes:

→ orientar as famílias sobre a ressignificação das relações familiares em prol da tolerância e sobre a formação de vínculos protetores;
→ acompanhar e apoiar as famílias no processo de construção de novos modos de agir e de educar as crianças e adolescentes;
→ buscar apoio de outros profissionais, quando julgar pertinente, e articular com a rede de cuidados e proteção social no território.[41]

A **TABELA 109.4** apresenta as atitudes positivas e as atitudes não recomendadas para profissionais de saúde durante o atendimento da criança e do adolescente em situação de violência.

Enfrentar a violência e suas consequências tem sido um grande desafio na trajetória da saúde, sobretudo no âmbito da atenção primária. Prevenir casos de violência infantil ou reduzir suas sequelas é uma das muitas tarefas do profissional de saúde. Nesse sentido, o incremento de programas de formação continuada, o aprimoramento das instituições de proteção à criança e ao adolescente e a ampliação das redes de suporte profissional poderão reduzir o grau de insegurança profissional e incrementar o número de notificações de casos de violência à criança e ao adolescente.[35]

**TABELA 109.4** → Atitudes positivas e atitudes não recomendadas dos profissionais de saúde durante o atendimento de criança e adolescente em situação de violência

**ATITUDES POSITIVAS**

→ Garantir o direito à individualidade e à singularidade de cada família e de cada vítima

→ Garantir o atendimento específico da saúde sem prejuízo das ações de proteção e vice-versa

→ Estimular a criança ou o adolescente e suas famílias a adotar estratégias de proteção para enfrentar as dificuldades geradas a partir do momento da publicidade da violência

→ Oferecer orientações e suporte para que a criança ou adolescente possa compreender com mais clareza o processo que está vivendo

→ Ouvir, atenta e exclusivamente, a criança ou adolescente; evitar interrupções para não fragmentar todo o processo de confiança adquirido; se necessário, conversar primeiro sobre assuntos diversos, podendo contar com o apoio de jogos, desenhos, livros e outros recursos lúdicos

→ Demonstrar segurança durante o atendimento, a fim de fortalecer a confiança

→ Evitar que a ansiedade ou curiosidade do profissional leve-o a pressionar a criança ou o adolescente ou sua família para obter informações; evitar perguntar diretamente os detalhes da violência sofrida

→ Permitir que a criança ou o adolescente se expresse com suas próprias palavras, respeitando seu ritmo; perguntas que obriguem a precisão de tempo devem ser sempre associadas a eventos comemorativos, como Natal, Páscoa, férias, aniversários e outros

→ Utilizar linguagem simples e clara para que a criança ou adolescente entenda o que está sendo dito; devem-se empregar as mesmas palavras que a criança usa (p. ex., para identificar as diferentes partes do corpo); se a criança perceber que o profissional reluta em empregar certas palavras, ela poderá também relutar em usá-las

→ Confirmar com a criança ou adolescente se você, como profissional, está, de fato, compreendendo o que ela está relatando

→ Expressar apoio e solidariedade por meio do contato físico com a criança/adolescente apenas se ela permitir; o contato físico entre o profissional e a criança ou o adolescente pode fortalecer vínculos e, principalmente, transmitir segurança e quebrar a ansiedade

→ Explicar à criança/adolescente o que irá acontecer em seguida, como a equipe irá proceder, ressaltando sempre que ela estará protegida

→ Analisar, sempre em equipe, as soluções possíveis para as situações de violências suspeitas ou confirmadas; a tomada de decisão das medidas de proteção a serem adotadas em cada caso deve ser sempre em conjunto, apoiada em evidências, após prestar acolhimento e atendimento

→ Refletir durante o processo do atendimento quando será o melhor momento e a maneira como o Conselho Tutelar deve ser comunicado, e sempre informar a criança, o adolescente e/ou a família sobre o procedimento que será feito

**ATITUDES NÃO RECOMENDADAS**

→ Perguntar diretamente se um dos pais foi responsável pelo ocorrido
→ Insistir em confrontar informações contraditórias
→ Demonstrar sentimentos de desaprovação, raiva e indignação
→ Assumir postura de policial ou detetive
→ Tentar resolver o caso sozinho ou fazer promessas que não poderão ser cumpridas
→ Desconsiderar os sentimentos da criança ou adolescente com frases do tipo "isso não foi nada", "não precisa chorar" e tratá-lo como "coitadinho(a)"

Fonte: Brasil.[31]

# REFERÊNCIAS

1. Brasil. Estatuto da criança e do adolescente (1990). Estatuto da criança e do adolescente e legislação correlata: Lei n. 8.069, de 13 de julho de 1990, e legislação correlata. 12. ed. Brasília: Edições Câmara; 2014.

2. Brasil. Constituição (1988). Constituição da República Federativa do Brasil [Internet]. Brasília: Senado Federal; 1988 [capturado em: 10 jan. 2018]. Disponível em: http://www2.camara.leg.br/legin/fed/consti/1988/constituicao-1988-5-outubro-1988-322142-norma-pl.html.

3. Martins CBG. Maus tratos contra crianças e adolescentes. Rev bras enferm. 2010;63(4):660-5.

4. Santoro MJ. Maus-tratos contra crianças e adolescentes. Um fenômeno antigo e sempre atual. Pediatr Mod. 2002;6(38):279-83.

5. Pires ALD, Miyazaki MCOS. Maus-tratos contra crianças e adolescentes: revisão da literatura para profissionais de saúde. Arq Ciênc Saúde. 2005;12(1):42-9.

6. Farinatti F, Biazus D, Borges ML. Pediatria social: a criança maltratada. Porto Alegre: Medsi; 1993.

7. Minayo MCS. Violência contra criança e adolescentes: questão social, questão de saúde. Rev Bras Saúde Matern Infant 2001;1(2):91-102.

8. Shonkoff JP, Garner AS. The Lifelong Effects of Early Childhood Adversity and Toxic Stress. Pediatrics. 2012;129(1):232-46.

9. Franke HA. Toxic Stress: Effects, Prevention and Treatment. Children. 2014;1(3):390-402.

10. Organização Mundial da Saúde. Estatística Internacional de Doenças e problemas relacionados à saúde. [Internet]. 10. ed. rev. São Paulo: Edusp; 1999 [capturado em 2 dez. 2019]. Disponível em: http://www.datasus.gov.br/cid10/V2008/cid10.htm.

11. Brasil. Ministério da Saúde. Portaria GM/MS n. 737, de 16 de junho de 2001. Política Nacional de Redução da Morbimortalidade por Acidentes e Violências. 2. ed. Brasília: MS; 2005.

12. Brasil. Ministério da Saúde (MS). Secretaria de Vigilância em Saúde. Departamento de Vigilância de Doenças e Agravos não Transmissíveis e Promoção da Saúde. Sistema de Vigilância de Violências e Acidentes (Viva): 2009, 2010 e 2011. Brasília: MS; 2013.

13. Brasil. Ministério da Saúde. Secretaria de Vigilância em Saúde. Departamento de Vigilância de Doenças e Agravos Não Transmissíveis e Promoção da Saúde. Viva: Vigilância de Violências e Acidentes: 2013 e 2014. Brasília: Ministério da Saúde; 2017.

14. Krug E, Dahlberg L, Mercy J. Relatório mundial sobre violência e Saúde. Genebra: Organização Mundial da Saúde; 2002.

15. Azevedo MA, Guerra V. A violência doméstica na infância e na adolescência. São Paulo: Robe; 1998.

16. Waiselfisz JJ. Mapa da Violência 2012: crianças e adolescentes do Brasil. Rio de Janeiro: Flasco; 2012.

17. Martins CBG, Jorge MHPM. Violência contra crianças e adolescentes. Epidemiol Serv Saude. 2009;18(4):315-34.

18. Gondim RMF, Muñoz DR, Petri V. Violência contra a criança: indicadores dermatológicos e diagnósticos diferenciais. An Bras Dermatol. 2011;86(3):527-36.

19. World Health Organization. The Global Burden of Disease: 2004 Update [Internet]. Geneva: WHO; 2008 [capturado em 30 jun. 2019]. Disponível em: http://www.who.int/healthinfo/global_burden_disease/GBD_report_2004update_full.pdf.

20. Agbenorku P, Agbenorku M, Fiifi-Yankson PK. Pediatric burns mortality risk factors in a developing country's tertiary burns intensive care unit. Int J Burns Trauma. 2013;3(3):151-8.

21. Sociedade de Pediatria de São Paulo. Manual de atendimento às crianças e adolescentes vítimas de violência. Brasília: CFM, 2011.

22. Selehl-Had H, Brandt JD, Rosas AJ, Rogers KK. Findings in older children with abusive head injury: does shaken-child syndrome exist? Pediatrics. 2006;117(5):1039-44.

23. Lopes NR, Eisenstein E, Williams LC. Abusive head trauma in children: a literature review. J Pediatr. 2013;89(5):426-33.

24. Frasier LD. Abusive head trauma in infants and young children: a unique contributor to developmental disabilities. Pediatr Clin North Am. 2008;55(6):1269-85.

25. Molina DK, Clarkson A, Farley KL, Farley NJ. A review of blunt force injury homicides of children aged 0 to 5 years in Bexar County, Texas, from 1998 to 2009. Am J Forensic Med Pathol. 2012;33(4):344-8.

26. Squier W. The "Shaken Baby" syndrome: pathology and mechanisms. Acta neuropathol. 2011;122(5):519-42.

27. Furniss T. Abuso sexual da criança: uma abordagem multidisciplinar. Porto Alegre: Artmed; 1993.

28. Gabel M. Crianças vítimas de abuso sexual. São Paulo: Summus; 1997.

29. Taveira F, Frazão S, Dias R, Matos E, Magalhães T. Intra and extrafamiliar sexual abuse. Acta Med Port. 2009;22(6):759-66.

30. Sanderson C, Ferraria DCA. Abuso sexual em crianças. São Paulo: M. Books do Brasil; 2005.
31. Misaka MY. Violência sexual infantil intrafamiliar: não há apenas uma vítima. Rev Direitos Sociais Pol Publ. 2014;2(2):237-77.
32. Sidebotham P, Bailey S, Belderson P, Brandon M. Fatal child maltreatment in England, 2005–2009. Child Abuse Negl. 2011;35(4) 299-306.
33. Glaser, D. Emotional abuse and neglect (psychological maltreatment): a conceptual framework. Child abuse Negl. 2002;26 (6-7):697-714.
34. Organização Mundial da Saúde. Classificação de transtornos mentais e de comportamento da CID-10. Porto Alegre: Artmed; 1993.
35. Sousa Filho D, Kanomata EY, Feldman RJ, Maluf Neto A. Síndrome de Munchausen e síndrome de Munchausen por procuração. Einstein. 2017;15(4):516-21.
36. Meadow R. Munchausen syndrome by proxy the hinterland of child abuse. Lancet. 1977;2(8033):343-5.
37. American Psychiatric Association. Manual diagnóstico e estatístico e transtornos mentais: DSM-5. 5. ed. Porto Alegre: Artmed; 2014.
38. Pires JM, Molle LD. Münchausen syndrome by proxy: two case reports. J Pediatr (Rio J). 1999; 75(4):281-6.
39. Libow JA, Schreier HA. Three forms of factitious illness in children: when is it Munchausen syndrome by proxy? Am J Orthopsychiatry. 1986;56(4):602-11.
40. Davis P, McClure R, Rolfe K, Chessman N, Pearson S, Sibert J, et al. Procedures, placement, and risks of further abuse after Munchausen syndrome by proxy, non-accidental poisoning, and non-accidental suffocation. Arch Dis Child. 1998;78(3):217-21.
41. Brasil. Ministério da Saúde. Linha de cuidado para a atenção integral à saúde de crianças, adolescentes e suas famílias em situação de violências: orientação para gestores e profissionais de saúde. Brasília: MS; 2010.
42. Azambuja MRF. Violência sexual intrafamiliar: é possível proteger a criança? Porto Alegre: Livraria do Advogado; 2004.
43. Pires JM, Goldani MZ, Vieira EM, Nava TR, Feldens L, Castilhos K et al. Barreiras, para a notificação pelo pediatra, de maus-tratos infantis. Rev Bras Saúde Matern Infant. 2005;5(1):103-8.
44. Socolar RRS, Reives P. Factors that facilitate or impede physicians who perform evaluations for child maltreatment. Child Maltreat. 2002;7(4):377-81.
45. Brasil. Ministério da Saúde. Sistema de Informação de Agravos de Notificação. Ficha de notificação/investigação individual: violência doméstica, sexual e/ou outras violências [Internet]. 2006 [capturado em 30 jun. 2019]. Disponível em: http://bvsms.saude.gov.br/bvs/folder/ficha_notificacao_violencia_domestica.pdf.
46. Luna GLM, Ferreira RC, Vieira LJES. Mandatory reporting of child abuse by professionals of Family Health Teams. Cienc Saude Colet. 2010;15(2):481-91.
47. Flaherty EG, Stirling J. The Committee on Child Abuse and Neglect. The pediatrician's role in child maltreatment prevention. Pediatrics. 2010;126(4):833-41.
48. Committee on child abuse and neglect. American Academy Pediatric Care. The Evaluation of Suspected Child physical Abuse. Pediatrics 2015, 135(5).
49. Macmillan HL, Wathen CN, Barlow J, Fergusson DM, Leventhal JM, Taussig HN. Interventions to prevent child maltreatment and associated impairment. Lancet. 2009;373(9659):250-66.
50. Krugman SD, Lane WG, Walsh CM. Update on child abuse prevention. Curr Opin Pediatr. 2007; 19 (6):711-8.
51. Olds DL, Sadler L, Kitzman H. Programs for parents of infants and toddlers: recent evidence from randomized trials. J Child Psychol Psychiatry. 2007;48(3-4):355-91.
52. Olds DL, Robinson J, O'Brien R, Luckey DW, Pettitt LM, Henderson CR Jr, et al. Home visiting by paraprofessionals and by nurses: a randomized, controlled trial. Pediatrics. 2002; 110(3):486-96.
53. Olds DL, Kitzman H, Cole R, Robinson J, Sidora K, Luckey DW, et al. Effects of nurse home-visiting on maternal life course and child development: age 6 follow-up results of a randomized trial. Pediatrics. 2004;114 (6):1550-9.

## LEITURAS RECOMENDADAS

Habigzang LF, coord. Manual de capacitação profissional para atendimentos em situações de violência. [Internet]. Porto Alegre: PUCRS; 2018. Disponível em: http://editora.pucrs.br/livro/manual-de-capacitacao-profissional-para-atendimentos-em-situacoes-de-violencia/assets/livro-completo.pdf

*Esse manual é o resultado de uma pesquisa desenvolvida pelo Grupo de Pesquisa Violência, Vulnerabilidade e Intervenções Clínicas (GPeVVIC) em parceria com o Centro Estadual de Vigilância em Saúde – Núcleo de Vigilância das Doenças e Agravos Não Transmissíveis do Rio Grande do Sul, envolvendo a capacitação de profissionais de saúde. São abordados aspectos como identificação de situações de violência, acolhimento de usuários do sistema de saúde em situações de violência, notificação de casos de violência e encaminhamentos necessários, especialmente contra crianças e adolescentes.*

Brasil. Ministério da Saúde. Linha de cuidado para a atenção integral à saúde de crianças, adolescentes e suas famílias em situação de violências: orientação para gestores e profissionais de saúde. Brasília: MS; 2010.

*Publicação do Ministério da Saúde direcionada a gestores e profissionais de saúde, com o objetivo de sensibilizar e orientar esses profissionais para uma ação contínua e permanente para a atenção integral à saúde de crianças, adolescentes e suas famílias em situação de violência. Aborda as diversas formas de violência contra crianças e adolescentes com uma linguagem clara e didática para profissionais da área da saúde e da educação.*

The lifelong effects of early childhood adversity and toxic stress. Pediatrics. Disponível em: https://www.macpeds.com/documents/TheLifelongEffectsofEarlyChildhoodAdversityandToxicStress.pdf.

*Artigo da American Academy of Pediatrics sobre os efeitos nocivos do estresse tóxico na vida adulta provocado pela violência infantil e outros fatores de risco.*

Zavaschi MLS. Crianças e adolescentes vulneráveis: o atendimento interdisciplinar nos centros de atenção psicossocial. Porto Alegre: Artmed; 2009.

*O livro estuda as crianças vulneráveis e abandonadas, os atendimentos multidisciplinares e os centros de atendimento multidisciplinar.*

Safernet. Disponível em: http://indicadores.safernet.org.br/indicadores.html# http://www.safernet.org.br/.

*Site de referência nacional no enfrentamento de crimes e violações aos direitos humanos na internet.*

# SEÇÃO X

**Coordenadoras:** *Camila Giugliani*
*Suzana Arenhart Pessini*
*Gisele Alsina Nader Bastos*

# Atenção à Saúde da Mulher

**110.** Acompanhamento de Saúde da Mulher na Atenção Primária .................... 1190
*Suzana Arenhart Pessini, Adriani Oliveira Galão, Maria Cristina Barcellos-Anselmi, Carla Maria De Martini Vanin*

**111.** Planejamento Reprodutivo .................... 1201
*Jaqueline Neves Lubianca, Karen Oppermann, Luíza Guazzelli Pezzali*

**112.** Infertilidade .................... 1219
*Eduardo Pandolfi Passos, Fernando Freitas, Isabel Cristina Amaral de Almeida*

**113.** Acompanhamento de Saúde da Gestante e da Puérpera .................... 1223
*Déa Suzana M. Gaio, Martha Farias Collares, Janini Cristina Paiz*

**114.** Atenção à Gestante com Problema Crônico de Saúde .................... 1246
*Sérgio Moreira Espinosa†, Patrícia Telló Dürks, Estefania Inez Wittke, Alfeu Roberto Rombaldi*

**115.** Hipertensão Arterial na Gestação .................... 1260
*José Geraldo Lopes Ramos, Sérgio Martins-Costa, Janete Vettorazzi*

**116.** Diabetes na Gestação .................... 1267
*Maria Lúcia da Rocha Oppermann, Angela Jacob Reichelt, Letícia Schwerz Weinert, Maria Inês Schmidt*

**117.** Infecções na Gestação .................... 1277
*Sérgio Martins-Costa, José Geraldo Lopes Ramos, Janete Vettorazzi, Beatriz Vailati*

**118.** Infecção pelo HIV em Gestantes .................... 1291
*Eunice Beatriz Martin Chaves, Paulo Naud*

**119.** Medicamentos e Outras Exposições na Gestação e na Lactação .................... 1297
*Lavinia Schuler-Faccini, Maria Teresa Vieira Sanseverino, Camila Giugliani*

**120.** Abortamento .................... 1304
*Anibal Faúndes, Karla Simônia de Pádua, Silvana Ferreira Bento*

**121.** Doenças da Mama .................... 1314
*Maira Caleffi, Luis Antonio Abreu de Moraes Neto*

**122.** Amenorreia .................... 1323
*Helena von Eye Corleta, Helena Schmid*

**123.** Sangramento Uterino Anormal .................... 1330
*Suzana Arenhart Pessini, Sibele Klitzke*

**124.** Secreção Vaginal e Prurido Vulvar .................... 1339
*Paulo Naud, Jean Carlos de Matos, Valentino Magno*

**125.** Dor Pélvica .................... 1346
*Paulo Naud, Valentino Magno, Jean Carlos de Matos, Carlos Augusto Bastos de Souza*

**126.** Câncer Genital Feminino e Lesões Precursoras .................... 1353
*Suzana Arenhart Pessini, Valentino Magno*

**127.** Climatério .................... 1367
*Maria Celeste Osorio Wender, Solange Garcia Accetta, Carolina Leão Oderich, Mona Lúcia Dall´Agno*

**128.** Atenção à Saúde da Mulher em Situação de Violência .................... 1378
*Beatriz Vailati, Mariane Marmontel, Simone Hauck, Sandra Scalco, Stefania Teche*

# Capítulo 110
## ACOMPANHAMENTO DE SAÚDE DA MULHER NA ATENÇÃO PRIMÁRIA

Suzana Arenhart Pessini
Adriani Oliveira Galão
Maria Cristina Barcellos-Anselmi
Carla Maria De Martini Vanin

O objetivo deste capítulo é orientar o profissional de saúde que atua na atenção primária à saúde (APS) para a realização de anamnese específica da mulher e exame físico ginecológico adequado e completo. Conhecendo a mulher em relação a seus aspectos fisiológicos, familiares, sociais, emocionais, afetivos e espirituais, esse profissional tem a oportunidade de promover saúde e atuar na prevenção de problemas, sejam eles ginecológicos ou não.

A promoção da saúde consiste em sensibilizar a mulher para a prática de hábitos de vida saudáveis. Já a prevenção inclui medidas com o objetivo de evitar doenças, sempre levando em consideração a situação particular de cada mulher, como sua idade e fatores de risco individuais. O nível de prevenção – primário, secundário, terciário ou quaternário – no qual se quer ou se pode atuar exige o conhecimento de características próprias da mulher, das doenças e do meio ambiente.

## ANAMNESE E EXAME FÍSICO

Para a realização de anamnese e exame físico ginecológico adequado, em que são abordados também assuntos íntimos da vida da mulher, como sua sexualidade, é preciso uma postura diferenciada e cuidadosa, que lhe confira a liberdade necessária para expor suas dúvidas e questionamentos. A consulta ginecológica deve ser abrangente, aproveitando-se a oportunidade para detectar a presença de fatores de risco para doenças e alterações em outros sistemas.

### Anamnese

O relacionamento médico-paciente inicia já na entrada da paciente para a sala de consulta. Durante a anamnese, é importante transmitir tranquilidade, conhecimento e segurança para que se estabeleça uma relação de confiança. Um ambiente adequado também favorece a qualidade da anamnese. Naturalidade, respeito à intimidade e postura amigável são condições necessárias para que se constitua um bom vínculo (ver também Capítulo Modelo de Consulta e Habilidades de Comunicação).

> É dever do profissional ouvir de maneira cuidadosa e atenta o que as mulheres informam sobre a natureza e a gravidade dos seus sinais e sintomas, bem como registrar as informações de maneira clara, organizada e completa.

Os passos da anamnese são comuns a qualquer consulta clínica e devem considerar a mulher na sua integralidade, e não apenas aspectos de sua doença.

Muitas vezes, o médico de APS já conhece sua paciente e já a acompanha ao longo do tempo. Mas se não for este o caso, em uma primeira consulta, a anamnese começa com a coleta dos dados de identificação: nome, idade, situação conjugal, grau de instrução, naturalidade e procedência, profissão e ocupação, endereço e contatos.

Após, questiona-se sobre a queixa principal, descrevendo, na história da doença atual, todos os sinais e sintomas relacionados ao motivo que levou a mulher à consulta. Todos os aspectos que forem relevantes devem ser explorados e detalhados em ordem sequencial. Segue um exemplo.

Queixa principal: "corrimento vaginal".

História da doença atual: Quando iniciou o corrimento? Qual período do mês em que ocorre? Qual é a frequência e a cor? Tem odor característico? Quais são os sintomas associados (dor pélvica, dispareunia, febre)? Há fatores de piora e de melhora? Algum tratamento já foi realizado?

A seguir, procede-se à revisão de sistemas, em que se buscam outros dados, como alterações do hábito intestinal, alterações urinárias, dificuldades para dormir e alterações de apetite.

O conhecimento dos antecedentes ginecológicos e obstétricos é fundamental no atendimento das mulheres. É preciso obter dados sobre menarca, telarca, pubarca, desenvolvimento puberal, presença de acne ou hirsutismo, velocidade de crescimento, início das relações sexuais e data da menopausa (quando for o caso). Para as mulheres em idade fértil, é necessário identificar a data da última menstruação, a periodicidade dos ciclos, assim como sua duração, quantidade de dias de fluxo e sintomas associados – pré-menstruais ou não –, como dismenorreia (primária ou secundária), cefaleia, labilidade emocional, inchaço de mamas e abdome, mastalgia e secreção vaginal. É importante questionar sobre a utilização de contracepção, o método empregado atualmente e no passado, o tempo de uso, as dificuldades de adaptação, a satisfação e os sintomas associados de cada método.

Em relação à vida sexual da mulher, pode-se, já no primeiro contato, fazer questionamentos diretos acerca de satisfação, libido, orgasmo, dispareunia, sangramento pós-coital, riscos de exposição às infecções sexualmente transmissíveis (ISTs), número de parceiros e práticas sexuais. Pode-se, também, optar por postergar a conversa sobre sexualidade para consultas subsequentes, quando uma relação de confiança já tiver sido estabelecida. Pode-se introduzir o assunto fazendo perguntas abertas como "Algum problema sexual a preocupa?" ou "Sua relação sexual é satisfatória?". Perguntas como essas estimulam a mulher a falar sobre o assunto ou, ao menos, pensar sobre ele. Para conversar sobre sexualidade de forma aberta, com intenção de proporcionar cuidado integral, é fundamental conhecer a orientação sexual da mulher. Sem essa informação, torna-se restrita a contextualização do cuidado em termos de planejamento reprodutivo e prevenção de ISTs, por exemplo.

Dependendo da idade da mulher, é pertinente perguntar sobre sintomas climatéricos: presença e início dos sintomas, quantificação de fogachos, sintomas de atrofia urogenital como dispareunia, ressecamento vaginal e perda de urina, alterações cutâneas, fatores de risco para osteoporose, doenças cardiovasculares, diabetes e outras endocrinopatias, bem como dislipidemia. Deve-se verificar o padrão menstrual no período perimenopáusico, o uso de terapia hormonal cíclica ou não cíclica e o tempo de uso.

Verificam-se queixas mamárias, como presença de mastalgia, nódulos palpáveis, história de cistos e derrame papilar, assim como últimas avaliações mamográficas e/ou ultrassonográficas. Buscam-se sintomas urinários como incontinência urinária (de esforço, urgência ou mista), sensação de prolapso genital, sintomas e tratamentos de infecção urinária de repetição. Finaliza-se a pesquisa dos antecedentes gineco-obstétricos com dados sobre realização de exames citopatológicos prévios e seus resultados, bem como tratamentos ginecológicos prévios, como cauterizações de colo do útero e vulva e cirurgias em órgãos pélvicos.

Após obter as informações sobre os antecedentes ginecológicos e obstétricos, questiona-se a mulher quanto à sua história mórbida pregressa: doenças da infância como rubéola, cirurgias prévias, principalmente em órgãos pélvicos (ooforectomia, histerectomia, miomectomia, conização), história de doenças como diabetes, hipertensão, distúrbios da tireoide, tuberculose, tromboembolismo e alergia. Devem-se identificar medicamentos em uso regular e hábitos quanto ao consumo de álcool, cigarro e outras drogas. Em caso de uso de drogas ilícitas, questionar sobre comportamento de risco, tempo de uso, tratamentos feitos para seu abandono e compartilhamento de agulhas.

Com relação aos antecedentes familiares, é fundamental buscar história de câncer ginecológico e mamário, esclarecendo idade de surgimento e grau de parentesco. Investiga-se, também, a ocorrência de outros cânceres, diabetes, distúrbios da tireoide, hipertensão, hipertensão na gravidez da mãe, tuberculose, obesidade, osteoporoses e fraturas. Se pais e irmãos estiverem vivos, deve-se registrar idade, sexo e doenças relevantes; se já tiverem falecido, registrar causa e idade do óbito.

Durante a entrevista, é importante avaliar o perfil psicossocial da mulher: condições de moradia, noções de higiene, nível socioeconômico, riscos ocupacionais, situação familiar e financeira, entre outros. Também é importante avaliar qual é o papel da mulher na família: se é provedora de renda, se é responsável pelas tarefas domésticas, se exerce função de cuidadora de crianças ou idosos, se é mãe solteira, etc. É essencial também conhecer seus hábitos de vida, como prática de exercícios físicos, exposição ao sol e hábitos nutricionais, incluindo ingestão de cálcio.

Ao final da anamnese, deve-se sempre dar oportunidade à mulher para esclarecer eventuais dúvidas e/ou adicionar informações que ela considere relevantes. Perguntas abertas são aconselháveis: "Você gostaria de acrescentar algo que não tenha sido perguntado e que você ache importante?" ou "Ficou alguma dúvida que eu possa ajudar a esclarecer?".

## Exame físico

Para a realização do exame físico, é necessário ambiente adequado, com temperatura confortável (sobretudo aquecimento em dias frios), e que ofereça privacidade à mulher. Ela deve ser acomodada de forma a sentir-se confortável, permitindo maior relaxamento, e deve utilizar avental ou lençol que facilite o exame. Os movimentos do profissional devem ser lentos e firmes, e todos os procedimentos a serem realizados devem ser informados à mulher e consentidos por ela. O exame pode ser feito na presença de outro profissional de saúde, preferencialmente do sexo feminino, ou de um familiar da mulher, se ela assim desejar e se lhe trouxer maior confiança.

São necessários alguns equipamentos para o exame geral e ginecológico: balança de precisão para peso, antropômetro, relógio, esfigmomanômetro, estetoscópio, mesa especial para exame ginecológico, foco de luz, luvas, aventais, lençóis, espéculos de vários tamanhos (reesterilizáveis ou descartáveis), pinças de Cheron, lâminas, lamínulas, microscópio óptico, álcool a 95%, lubrificante (vaselina ou à base d'água), chumaços de algodão ou gaze, hidróxido de potássio, soro fisiológico, espátulas de Ayre, escovas endocervicais, fixador, solução de ácido acético e solução de lugol (para casos em que a colposcopia está indicada).

Inicia-se o exame com impressão geral (deambulação ao entrar na sala, coerência do relato, aparência de mucosas, postura, estado nutricional, observação da pele exposta), aferição da pressão arterial, pulso radial, peso, altura, cálculo do índice de massa corporal (IMC = peso/altura$^2$) e circunferência abdominal, de cintura e de quadril. Segue-se com palpação da tireoide e ausculta cardíaca e pulmonar. Realiza-se a inspeção do abdome, com observação do formato (globoso, ventre em batráquio, em avental, plano ou em tábua), pele, musculatura, circulação venosa e presença de cicatrizes e tumorações. Segue-se com palpação superficial e profunda e, se necessário para elucidação diagnóstica, punho-percussão lombar.

O exame ginecológico pode ser iniciado pelo exame das mamas (FIGURA 110.1),[1] começando pela inspeção estática (FIGURA 110.1A), com a mulher sentada, colo desnudo e braços ao longo do corpo, seguida da inspeção dinâmica (FIGURAS 110.1B e C), no início com a mulher com os braços elevados acima da cabeça e depois com as mãos na cintura, contraindo o tórax. Com isso, é possível observar as mamas com relação a formato, tamanho, presença de retrações, tumorações, assimetrias, sinais flogísticos, cicatrizes, secreção papilar espontânea e anormalidades em aréola e mamilo (infiltração cutânea, mamilos planos ou invertidos). Com a mulher ainda sentada, procede-se à palpação das cadeias de gânglios linfáticos regionais – linfonodos supra e infraclaviculares e cervicais, bilateralmente. Com o braço da mulher relaxado e em leve abdução, apoiado pelo braço contralateral do profissional, palpa-se todo o cavo axilar com a mão

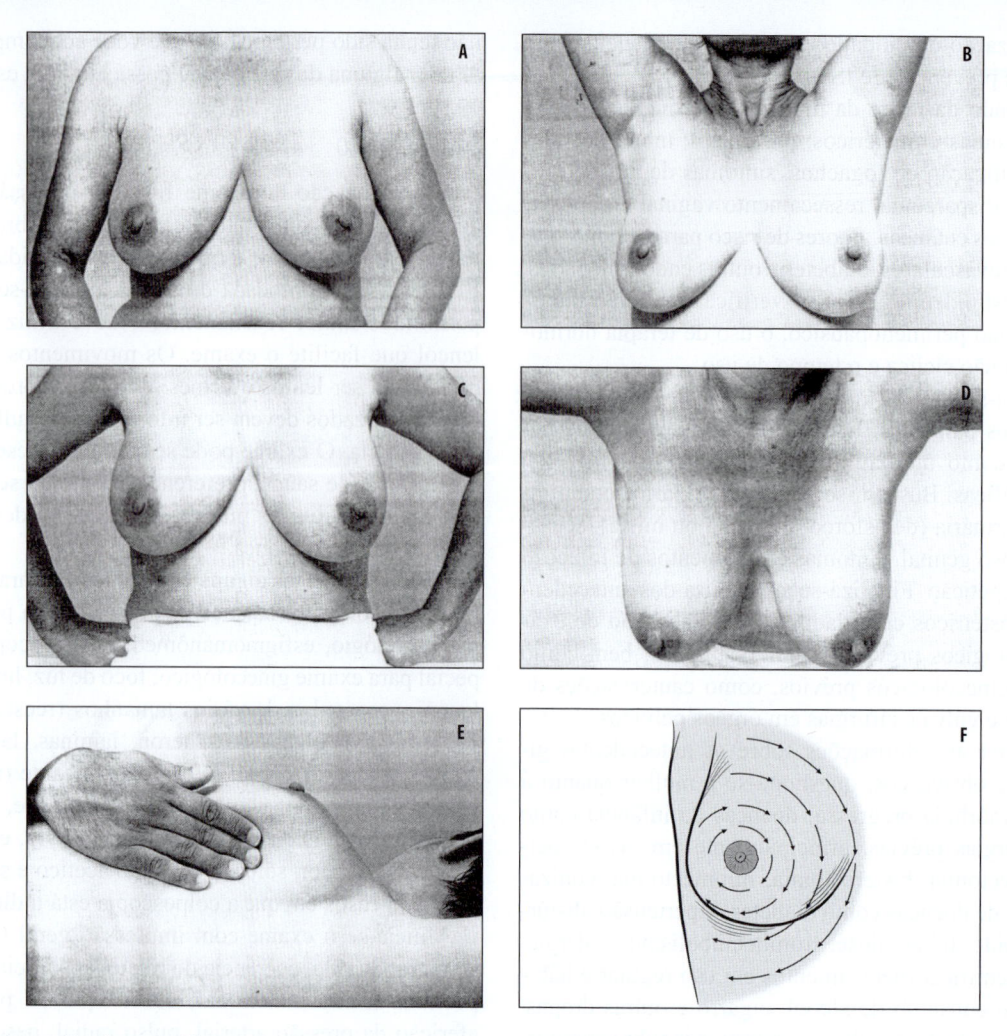

**FIGURA 110.1** → Exame físico de mamas: **(A)** inspeção estática, **(B)** inspeção dinâmica com braços erguidos, **(C)** inspeção dinâmica com mãos na cintura, **(D)** curvada para a frente, **(E)** palpação de mamas com a mulher deitada e **(F)** sentido da palpação.
Fonte: Abeche e colaboradores.[1]

homolateral, notando-se tamanho, localização, consistência e sensibilidade dos gânglios.

A palpação bimanual pode ser feita com a mulher ainda sentada e ligeiramente inclinada para a frente ou já em decúbito dorsal com os braços elevados acima da cabeça **(FIGURAS 110.1D e E)**. Deve-se realizar a palpação cuidadosa de cada quadrante, ora com a mão espalmada e dedos juntos, ora com as polpas digitais para avaliar detalhes, em uma ordem sequencial, como quadrante superior externo, inferior externo, inferior interno e superior interno **(FIGURA 110.1F)**. Prossegue-se com a palpação da região areolar, incluindo expressão mamilar caso haja queixa de derrame papilar espontâneo.

Procede-se ao exame ginecológico com a mulher em posição de litotomia (decúbito dorsal, nádegas junto à borda da mesa de exame, com coxas e joelhos fletidos, descansando os pés ou a fossa poplítea nas perneiras). Se a mulher não estiver em mesa ginecológica, ela deve ficar em decúbito dorsal e colocar os calcanhares junto às nádegas, afastando os joelhos.

Após a palpação abdominal, o exame ginecológico inicia com a inspeção genital, observando distribuição de pelos, trofismo vulvar, lesões de pele, alterações de cor, cicatrizes e tumorações. Inspecionam-se os pequenos e grandes lábios, clitóris, uretra, hímen e região anal. O vestíbulo e o introito vaginal devem ser avaliados sob esforço (manobra de Valsalva) em busca de distopias em parede anterior (cistocele), posterior (retocele), uretra (uretrocele) ou colo do útero (prolapso uterino ou de cúpula, caso a mulher seja histerectomizada). Observa-se, neste momento, se há alguma perda de urina ou presença de secreções.

Com a mão enluvada, procede-se ao afastamento dos pequenos lábios e à introdução do espéculo na vagina, em sentido longitudinal oblíquo, dirigindo-se ao períneo posterior para desviar da uretra. Então, o espéculo é colocado até o fundo da cavidade vaginal de maneira delicada, sempre alertando antes a mulher quanto ao desconforto, solicitando a sua cooperação em manobras de relaxamento e tranquilizando-a com relação à dor. O tamanho (numeração) do espéculo deve ser ajustado para cada mulher. É preciso ter cuidado com o uso de luvas, colocando-as e retirando-as no momento adequado, evitando a contaminação de objetos.

Não se recomenda o uso de lubrificantes para a introdução do espéculo, pois essas substâncias podem interferir na avaliação de secreções e coleta de exame citopatológico. Se houver importante atrofia, pode-se umedecer o espéculo com soro fisiológico para facilitar sua introdução. Uma vez introduzido e aberto o espéculo, identifica-se o colo do útero, avalia-se pregueamento e mucosa vaginal, secreções e outras alterações que possam ocorrer, como ulcerações, pólipos e condilomas.

Se houver queixa, coleta-se material de secreção do fundo de saco vaginal com a extremidade arredondada da espátula de Ayre para exame a fresco. Espalha-se o material em uma lâmina previamente preparada com 1 gota de soro fisiológico em uma extremidade e em outra com 1 gota de hidróxido de potássio (KOH) a 10% para o teste das aminas (ou teste de *whiff*). Neste, cheira-se a lâmina, e a presença de odor amínico, semelhante ao de peixe, indica a presença de vaginose bacteriana (ver Capítulo Secreção Vaginal e Prurido Vulvar). A lâmina é levada ao microscópio para avaliação.

Com a outra extremidade da espátula de Ayre (parte em rabo de peixe), procede-se à realização da coleta de material para o exame preventivo de câncer de colo do útero (citopatológico de colo do útero, *Pap test*, citopatológico, Papanicolau). A parte maior da espátula é colocada sobre o orifício cervical externo e girada 360° com o objetivo de coletar células da junção escamocolunar (JEC), área onde os dois epitélios (escamoso e glandular) se encontram e onde há maior ocorrência de alterações neoplásicas e pré-neoplásicas. A coleta com escova endocervical (ou *brush*) é necessária principalmente quando a JEC não for visível.

O material retirado é distendido delicadamente, de forma que se obtenha um esfregaço fino e uniforme, o da espátula na metade superior ou esquerda e o da escova na metade inferior ou direita de uma lâmina única, devidamente identificada. A fixação deve ser imediata, com gotas de polietilenoglicol, borrifamento com propinilglicol ou submersão em álcool a 95%. A lâmina é colocada em recipiente específico identificado (em geral, caixa de lâminas), com a face contendo o material distendido sem contato direto com superfícies, e encaminhada ao laboratório para análise citopatológica.

Para uma boa qualidade do esfregaço citológico, o exame não deve ser colhido durante a menstruação, e a mulher deve evitar duchas vaginais e medicamentos por via vaginal nas últimas 48 a 72 horas, bem como relações sexuais nas 48 horas prévias ao exame. Aplicação de ácido acético, teste de Schiller e exame de toque não devem ser realizados antes da coleta. Em caso de gestação, o exame não oferece risco, nem para a gestante nem para o feto, e deve ser incentivado, caso a paciente não o tenha realizado no período indicado para sua idade e perfil de risco.

Se à inspeção do colo no exame especular for identificada alguma lesão suspeita (tipo vegetante ou ulcerada), deve-se encaminhar para avaliação especializada, a fim de realizar biópsia, independentemente do resultado do citopatológico, pois, nesses casos, a necrose tecidual pode impedir a identificação de células neoplásicas.[2] A colposcopia também está indicada em outras situações (ver Capítulo Câncer Genital Feminino e Lesões Precursoras – TABELA 126.5).

Se houver indicação de colposcopia e se o profissional tiver formação específica para realizá-la, após a coleta do citopatológico procede-se à aplicação de ácido acético (1-5%) no colo do útero, com nova inspeção do colo após 2 a 4 minutos, com a finalidade de detectar lesões que fiquem destacadas (mais brancas e brilhantes ou leucoacéticas) (FIGURA 110.2).

Em seguida, aplica-se solução de lugol no colo do útero para realização do teste de Schiller. Se o colo corar-se de maneira uniforme e for escuro, o teste é considerado normal (iodo positivo, Schiller negativo) (FIGURA 110.3). Se houver áreas do epitélio escamoso que não se coram (iodo negativo, Schiller positivo), o exame é considerado alterado

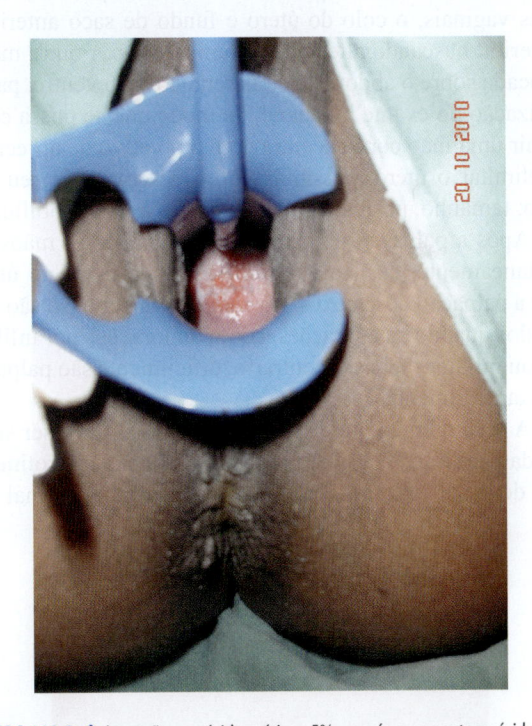

**FIGURA 110.2** → Inspeção com ácido acético a 5%, com área reagente ao ácido acético, entre 9 e 12 horas.

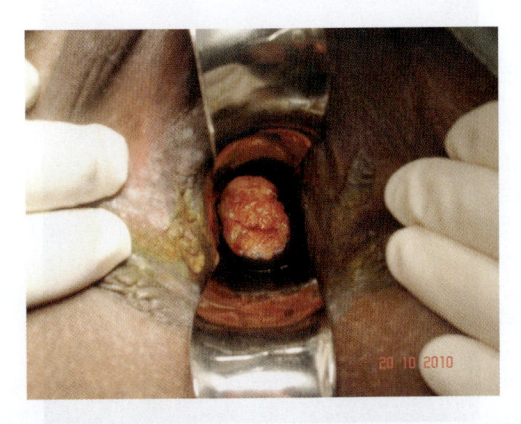

**FIGURA 110.3** → Teste de Schiller positivo, evidenciando área não corada pelo lugol, entre 11 e 1 hora.

(FIGURA 110.4). Em algumas situações fisiológicas em que a mucosa vaginal está atrófica (menopausa, amamentação), a coloração não é uniforme ou adquire tonalidade mais clara (iodo-claro), não caracterizando alerta para lesão.

Para a realização do toque vaginal, pode-se utilizar uma banqueta ou escadinha onde se apoiam o pé homólogo à mão do toque e o antebraço da mão que fará o toque na coxa da perna homóloga para que não haja pressão em demasia no períneo da mulher. Caso a paciente esteja em uma mesa ginecológica elétrica, esta deve ser elevada até uma altura ortostática confortável para o médico. O toque vaginal é realizado após o afastamento dos pequenos e grandes lábios com os dedos polegar e mínimo e introdução de 1 ou 2 dedos lubrificados (médio e indicador) no canal vaginal no sentido posterior (FIGURA 110.5).[1]

Os dedos devem explorar a musculatura pélvica, as paredes vaginais, o colo do útero e fundo de saco anterior e posterior, buscando alterações e tumorações. A outra mão é colocada sobre o abdome da mulher, no baixo ventre, para a realização do exame bimanual, de modo que se possa comprimir uma mão contra a outra com o objetivo de apreender e delimitar o útero, possibilitando a descrição de seu formato, tamanho, posicionamento, consistência e mobilidade.

Após a palpação do corpo uterino, ambas as mãos, simultaneamente, deslizam de um lado e de outro do útero, para a palpação dos anexos. Os anexos, em geral, só são percebidos quando há alterações, como tumorações por infiltração ou inflamação; caso contrário, dificilmente são palpados no exame bimanual.

A luva da mão que fez o exame vaginal deve ser substituída para a realização do toque retal, que não é rotineiro, mas deve ser feito nos casos em que o exame vaginal não for possível ou for inconclusivo, ou quando houver sintomas intestinais importantes, sangramento retal ou suspeita de neoplasia. Para realizar o toque retal, deve-se lubrificar a luva e introduzir delicadamente o dedo indicador na abertura anal, solicitando à mulher que relaxe o esfíncter antes da introdução completa do dedo. Palpa-se a parede retal em toda a sua circunferência em busca de alterações. Na avaliação de distopias pélvicas, é importante que seja feito toque bidigital para descartar enterocele, utilizando um dedo na vagina e outro no reto.

Exames como colposcopia, ultrassonografia e histeroscopia por vezes são realizados durante o exame físico, mas são considerados métodos complementares. Embora grande número de médicos no Brasil tenha colposcópio à disposição na sala de exame, sua realização de rotina não tem base teórica, pois a maioria dos protocolos orienta que esse exame deva ser feito para elucidação diagnóstica a partir de um exame preventivo de colo do útero ou exame de inspeção com ácido acético e lugol alterados ou na presença de alguma alteração macroscópica.[3]

## AÇÕES DE PROMOÇÃO DA SAÚDE E DE PREVENÇÃO DE DOENÇAS NA MULHER

O profissional de saúde de APS tem a oportunidade, a capacidade e o compromisso de promover modificações nos hábitos de vida da população por ele assistida, visando a um estilo de vida saudável. São orientações necessárias: estimular a alimentação saudável, a atividade física regular, a saúde bucal, a adequada vacinação e as atividades sociais e afetivas, além de combater o tabagismo e a obesidade e esclarecer sobre o consumo de álcool, tabaco e outras drogas. Diante de uma mulher, o profissional deve preocupar-se sobretudo com contracepção, orientação pré-concepcional, prevenção e rastreamento de ISTs, doenças crônico-degenerativas e câncer ginecológico (pélvico e mamário).

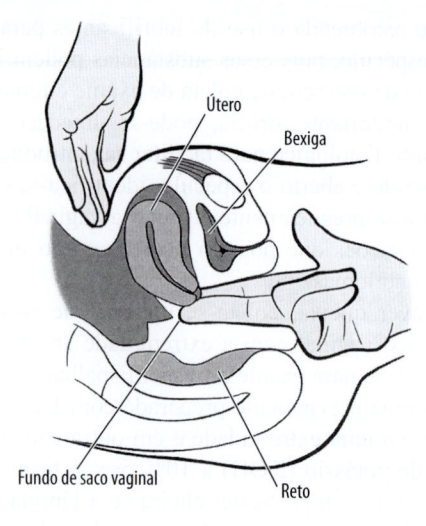

FIGURA 110.5 → Exame vaginal bimanual.
Fonte: Abeche e colaboradores.[1]

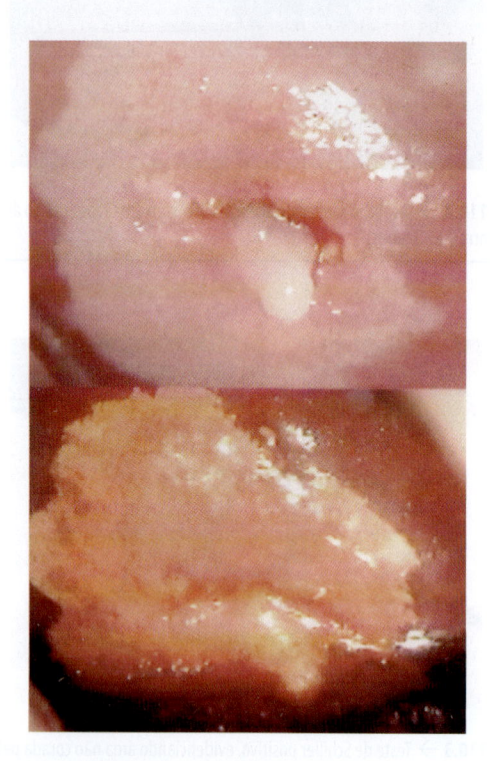

FIGURA 110.4 → Impregnação com ácido acético e com lugol.

No que diz respeito à realização de exames de rastreamento na mulher, apenas dois se mantêm indicados: Papanicolau (citopatológico de colo de útero) e mamografia nas faixas etárias recomendadas.[2]

Mulheres homossexuais constituem um grupo potencialmente vulnerável, pela crença errônea de que o papilomavírus humano (HPV, do inglês *human papillomavirus*) não é transmitido na prática sexual entre mulheres. Assim, deve-se reforçar a importância da coleta do citopatológico na periodicidade indicada, assim como da vacinação contra o HPV.[2]

## Cálcio: importância da ingestão adequada

As necessidades diárias de cálcio variam durante o ciclo de vida da mulher. Durante o período de crescimento na infância, na adolescência, na gestação, na lactação e na maturidade, as quantidades de consumo requeridas são maiores.

O Institute of Medicine (IOM) estabeleceu as necessidades diárias de cálcio por faixa etária.[4] Para adultos com idade > 50 anos, a ingestão diária recomendada é de 1.200 mg. Há muitos anos, tem sido estudado o papel da suplementação com cálcio no tratamento e na prevenção da osteoporose, na sua grande maioria associado à vitamina $D_3$ (colecalciferol), mostrando resultados conflitantes em relação à prevenção de fraturas, inclusive em mulheres pós-menopáusicas.

No estudo *Multi-Ethnic Study of Atherosclerosis* (MESA), uma coorte de homens e mulheres acompanhada por 10 anos, foi observada redução de aterosclerose nas mulheres que utilizaram cálcio dietético exclusivamente, em uma quantidade diária ao redor de 1.081 mg. Os pacientes que usaram suplementação de cálcio apresentaram risco em torno de 20% maior de calcificação coronariana do que os que não receberam esse tratamento.[5] Atualmente, um maior número de estudos randomizados ainda é necessário para esclarecer a controvérsia em relação à suplementação de cálcio e desfechos cardiovasculares.[6]

As recomendações diárias de ingestão de cálcio, para a saúde óssea e para a manutenção de taxas adequadas de retenção de cálcio em pessoas saudáveis, são mostradas na **TABELA 110.1**.[7]

No Brasil, a ingestão diária de cálcio na dieta se encontra em níveis abaixo dos recomendados pelo IOM: cerca de 400 mg, em média, independentemente de sexo, idade e região de residência.[8]

Para a prevenção de perda óssea, são frequentemente utilizados produtos lácteos, como leite, queijos, iogurtes e outros, pois, além de serem fontes de cálcio de elevada biodisponibilidade, também são fontes de proteínas, lipídeos, sódio, potássio, fósforo, zinco e vitaminas A e B, além de caseína, uma proteína que melhora a biodisponibilidade do cálcio.

A ingestão adequada de cálcio e vitamina D é importante para a saúde óssea, sendo reconhecida como importante componente no manejo medicamentoso da osteoporose.

O assunto é tratado com mais profundidade no Capítulo Osteoporose.

**TABELA 110.1** → Recomendação diária de cálcio

| IDADE | QUANTIDADE DIÁRIA RECOMENDADA EM MULHERES |
|---|---|
| 0-6 meses | 200 mg |
| 7-12 meses | 260 mg |
| 1-3 anos | 700 mg |
| 4-8 anos | 1.000 mg |
| 9-13 anos | 1.300 mg |
| 14-18 anos | 1.300 mg |
| 19-50 anos | 1.000 mg |
| 51-70 anos | 1.200 mg |
| 71+ anos | 1.200 mg |

Fonte: U.S. Department of Health & Human Services.[7]

## Anticoncepção

A anticoncepção é uma das principais preocupações das mulheres em idade fértil.

**Exercer atividade sexual e realizar planejamento reprodutivo adequado são direitos de todos.**

Não existe método perfeito, mas sim o método que melhor se adapta a cada mulher, visando satisfazer suas necessidades médicas e suas preferências. Deve-se sempre ter em mente que cada método contraceptivo possui efeitos colaterais, posologias e formas de avaliar a continuidade do uso próprio, sendo necessário conhecer as diferenças entre os diversos tipos de contracepção para recomendá-los e prescrevê-los de maneira adequada.

A escolha do melhor método depende de diversos fatores, mas sabe-se que os métodos hormonais e cirúrgicos e o dispositivo intrauterino (DIU) são os mais eficazes. Entretanto, por não serem capazes de proteger contra as ISTs, deve-se sempre orientar as mulheres a associarem um método de barreira, em especial o preservativo masculino, pois é o mais conhecido e que possui maior adesão. Portanto, o método mais adequado é aquele que se adapta melhor a cada casal, preferencialmente um dos três tipos mais eficazes associado a algum método de barreira.

Além da contracepção convencional, o profissional deve estar preparado para orientar as mulheres sobre a anticoncepção de emergência. É preciso enfatizar, sempre, que esse não é um método de uso rotineiro, devendo ser utilizado, como seu nome refere, apenas em situações emergenciais envolvendo uma relação sexual desprotegida. Para mais detalhes sobre os métodos contraceptivos, ver Capítulo Planejamento Reprodutivo.

## Orientações pré-concepcionais

Toda mulher em idade fértil deveria ser informada sobre métodos de anticoncepção seguros, melhor idade para engravidar e cuidados preventivos para uma gestação futura. Para as mulheres que desejam e estão planejando gestar, a consulta pré-concepcional deve ocorrer, idealmente, pelo menos 3 meses antes da suspensão do método anticoncepcional e inclui anamnese e exame físico detalhados.

Ver Capítulo Acompanhamento de Saúde da Gestante e da Puérpera para orientações específicas, incluindo solicitação de exames complementares e prescrição de ácido fólico.

## Vacinação

O calendário de vacinação da mulher é uma continuação do calendário infantil. Deve-se completar o esquema básico, quando estiver incompleto, e aplicar as doses de reforço necessárias. Além disso, adolescentes e adultas precisam atualizar suas imunizações, recebendo as vacinas que não estavam disponíveis na sua infância.

Em 2017, a Federação Brasileira das Associações de Ginecologia e Obstetrícia (Febrasgo) publicou suas recomendações para as mulheres, contemplando todas as diferentes fases da vida.[9]

É preciso conhecer as características gerais e específicas de cada vacina para entender sua importância, eventuais efeitos colaterais, indicações e contraindicações. Para as mulheres, as principais características a serem conhecidas são se a vacina é composta por vírus atenuados ou inativados e se ela possui algum efeito colateral sobre o feto.

Algumas vacinas (sobretudo as compostas por vírus atenuados) apresentam grande risco quando aplicadas em mulheres imunocomprometidas ou gestantes, tanto para a mulher quanto para o feto. Na amamentação, a vacinação deve ser realizada normalmente, com exceção da vacina contra a febre amarela (ver Capítulos Acompanhamento de Saúde da Gestante e da Puérpera e Imunizações).

O calendário de imunizações recomendado para as mulheres, de acordo com a Febrasgo,[9] encontra-se na TABELA 110.2. Para mais detalhes sobre cada vacina, ver Capítulo Imunizações.

### Vacina contra o HPV

A vacina quadrivalente que protege contra os papilomavírus humanos (HPVs) 6, 11, 16 e 18 foi incorporada ao Sistema Único de Saúde (SUS) em 2014 e atualmente é aplicada em meninas e adolescentes, entre 9 e 14 anos de idade. O esquema vacinal para meninas/adolescentes nessa faixa etária consiste na administração de 2 doses, com intervalo de 6 meses entre as doses. Em 2017, o esquema vacinal foi ampliado para meninos de 11 a 14 anos.

As meninas/mulheres de 9 a 26 anos de idade com vírus da imunodeficiência humana (HIV, do inglês *human immunodeficiency virus*)/síndrome da imunodeficiência adquirida

**TABELA 110.2** → Calendário de imunizações para a mulher

| VACINAS | ESQUEMA | NÃO GESTANTE | GESTANTE | PUERPÉRIO |
|---|---|---|---|---|
| Tríplice viral* | Até 59 anos: 2 doses (intervalo > 30 dias) | Sim | Contraindicada | Sim |
| | > 60 anos: dose única, indicada em epidemias ou a critério médico | | | |
| Hepatites | Hepatite A: 2 doses (6 meses de intervalo) | Sim | Considerar em condições especiais[†] | Sim |
| | Hepatite B: 3 doses (vacinação em 0, 1 e 6 meses a contar da dose inicial) | Sim | Recomendada | Sim |
| | Hepatites A e B: 3 doses (vacinação em 0, 1 e 6 meses a contar da dose inicial) | Sim | Considerar em condições especiais[†] | Sim |
| Difteria, tétano e coqueluche | Com esquema de vacinação básico completo (3 doses): Reforço com dTpa e uma dose de dT a cada 10 anos | Sim | Mesmo que a mulher esteja com a vacinação contra o tétano completa, aplicar 1 dose de dTpa após 20 semanas em cada gestação. Em caso de vacinação incompleta, completar com 30-60 dias entre as doses, sendo 1 dose de dTpa após 20 semanas de gestação | Sim |
| | Com esquema de vacinação básico incompleto: 1 dose de dTpa e 1 ou 2 doses de dT para completar o esquema de 3 doses | | | |
| Meningococo C | Dose única | Sim | Considerar em situações de risco epidêmico | Sim |
| Varicela* | 2 doses (intervalo 1-3 meses; se < 13 anos, intervalo de 3 meses) | Sim | Contraindicada | Sim |
| Febre amarela* | Dose única (proteção após 7-10 dias) | Sim | Geralmente contraindicada, porém considerar risco-benefício em situações especiais[†]. Se for lactante, não amamentar por 10 dias | Sim |
| Influenza | Dose única anual | Sim | Recomendada | Sim |
| Pneumocócica | < 50 anos: para portadoras de algumas comorbidades. 50-59 anos: a critério médico. > 60 anos: iniciar com 1 dose da VPC13; após 6-12 meses: 1 dose de VPP23; após 5 anos da 1ª dose de VPP23: 1 dose de VPP23 | | Pode ser feita em gestantes de risco para doença pneumocócica invasiva | A critério médico, em caso de comorbidades |

*Vacinas de vírus atenuados.
[†]Ver Capítulo Imunizações.
dT, vacina dupla (proteção contra difteria e tétano); dTpa, vacina tríplice bacteriana tipo adulto (proteção contra difteria, tétano e coqueluche acelular); VPC13, vacina pneumocócica conjugada 13-valente; VPP23, vacina pneumocócica polissacarídica 23-valente.
Fonte: Adaptada de Federação Brasileira das Associações de Ginecologia e Obstetrícia.[9]

(Aids, do inglês *acquired immunodeficiency syndrome*), transplantadas e pacientes oncológicas devem receber o esquema de 3 doses (0, 2 e 6 meses).

A vacina contra o HPV não é terapêutica e não substitui as revisões ginecológicas periódicas. Mostrou-se eficaz para prevenção de infecção crônica por esse vírus B e de lesões cervicais C/D[10] (para evidências referentes à vacina contra o HPV, ver Capítulo Câncer Genital Feminino e Lesões Precursoras). A seguir, são descritas algumas recomendações gerais relativas à vacinação contra HPV:[10]

→ A imunização deve ser realizada na idade preconizada,[10] mantendo a periodicidade da citologia cervical, que deve ser realizada, conforme os protocolos de rastreamento vigentes.
→ Mulheres imunossuprimidas/imunocomprometidas estão incluídas no esquema vacinal, entretanto a eficácia não foi completamente estabelecida nesse grupo.[11]
→ Gestantes não devem receber a vacina. Porém, a vacinação inadvertida não é motivo para alarme, tampouco é necessário teste para excluir gravidez antes da vacinação.
→ Reações alérgicas na primeira dose contraindicam a próxima, bem como não devem ser vacinadas mulheres com alergia conhecida aos componentes da vacina.[12]
→ As vacinas não são terapêuticas. Ainda que possam ser administradas em mulheres infectadas ou com lesão, não há eficácia estabelecida nessa situação.
→ Ainda não há informações sobre o tempo de proteção e a necessidade de novas doses.[13] O impacto na redução do câncer de colo do útero foi determinado apenas por modelos matemáticos baseados na redução da infecção viral/lesões precursoras. Portanto, o desfecho "proteção contra câncer de colo do útero" não pode ser considerado como principal objetivo da vacinação.
→ As informações sobre os possíveis efeitos colaterais devem ser esclarecidas. Esses efeitos da vacinação seguem sendo analisados e mantidos sob vigilância pelo *Vaccine Adverse Event Reporting System* (VAERS). Os relatos de reações locais são os mais frequentes; porém, outros eventos (inclusive graves, como síndrome de Guillain-Barré) foram relatados.[14]

A proteção cruzada por subtipos não incluídos é prometida, mas não se conseguiu determinar a quantidade de anticorpos necessários para sua proteção. Em 10 anos de acompanhamento, níveis persistentes de anticorpos foram observados, conferindo proteção nos vacinados.[15-17] Vacinas terapêuticas são o próximo desafio. Aprovada pela Agência Nacional de Vigilância Sanitária (Anvisa) em 2017, a vacina profilática contra nove subtipos (Gardasil 9) já está disponível no mercado brasileiro.

## Prevenção de infecções sexualmente transmissíveis

As ISTs encontram-se entre as principais causas de atendimento médico no mundo, repercutindo de maneira importante nos sistemas econômico, social e de saúde.

A maioria das ISTs pode ser prevenida com o uso de preservativos. O grau de proteção, entretanto, depende diretamente do seu uso correto, do tipo de atividade sexual e das características biológicas dos diferentes agentes infecciosos. O preservativo masculino fornece forte grau de proteção contra os agentes transmitidos por secreções infectadas, como HIV, clamídia, gonorreia e tricomoníase. Para os organismos transmitidos por meio de contato cutâneo ou mucoso, como herpes e HPV, o preservativo parece ser menos eficaz.[18] O uso consistente do preservativo reduz a incidência de HIV em 80%;[19] de HPV, em 70%; e do herpesvírus simples tipo 2 (HSV-2, do inglês *herpes simplex virus*), em cerca de 85%. Não parece haver proteção contra o HSV-1.[20] Apesar do uso de preservativos não conferir 100% de proteção contra as ISTs, esse método ainda é considerado o mais eficaz na atualidade.

Embora a maioria dos estudos avalie a efetividade da prevenção conferida pelo preservativo masculino, ensaios clínicos e estudos observacionais já demonstraram que o preservativo feminino também oferece proteção contra os patógenos causadores das ISTs, sendo tão seguro quanto o preservativo masculino.[21]

### Clamídia

Entre as ISTs, algumas afetam de modo significativo a saúde sexual e reprodutiva das mulheres. A clamídia é uma pequena bactéria gram-negativa que apresenta propriedades biológicas únicas que a distinguem de todos os outros organismos vivos. É um parasita intracelular com ciclo de vida distinto. Sua transmissão acontece por meio do contato sexual (vaginal, oral ou anal) ou por transmissão vertical (infecção passada da mãe para o bebê durante a gestação). Não é transmitida por meio de transfusão sanguínea. Entretanto, quando infectada, se a pessoa desejar doar sangue, deve informar sobre ser portador da infecção ao profissional de saúde.

É, na grande maioria das vezes, uma doença assintomática, o que contribui para a possibilidade de transmissão e infecção contínua.[22] A imunidade adquirida por infecção prévia e tratada não é permanente, podendo ocorrer reinfecção ou até mesmo infecção persistente.

A clamídia está associada a elevadas taxas de infecção do trato genital superior feminino, como salpingite, endometrite e abscesso tubo-ovariano. Além disso, pode resultar em gestação ectópica, infertilidade e aumento da morbidade e mortalidade perinatais. Segundo dados do Centers for Disease Control and Prevention (CDC), quando comparada à incidência nos homens, a taxa de infecção feminina foi quase o dobro, por serem as mulheres mais propensas à realização do rastreamento e, consequentemente, ao diagnóstico da infecção por clamídia, sendo a prevalência mais alta entre mulheres jovens (14-24 anos de idade).[23] No Brasil,[24] uma pesquisa multicêntrica encontrou prevalência de 9,4% de clamídia em gestantes, enquanto outra demonstrou incidência de 18% da infecção urogenital por *Chlamydia trachomatis* em gestantes jovens de um hospital de referência em Belém, no Estado do Pará.[25] Outro estudo brasileiro[26] demonstrou altas taxas de infecção por clamídia (11%), sífilis (2%) e HIV (3%) em mulheres entre 18 e 30 anos que referiam comportamento sexual de baixo risco.

Os fatores de risco para o desenvolvimento da infecção por clamídia nas mulheres estão na TABELA 110.3. Devido ao fato de a infecção ser frequentemente assintomática, a principal intervenção do profissional consiste na orientação em relação aos comportamentos sexuais de risco.

As manifestações clínicas variam desde cervicite até doença inflamatória pélvica (DIP), com suas consequências (ver Capítulos Dor Pélvica e Infecções Sexualmente Transmissíveis: Abordagem Sindrômica). A infecção por clamídia também pode estar associada a aumento do risco para câncer do colo do útero.[27]

A United States Preventive Services Task Force (USPSTF) recomenda o rastreamento para clamídia em mulheres sexualmente ativas com idade < 25 anos ou naquelas com idade superior que apresentam algum dos fatores de risco expostos na TABELA 110.3 B.[28]

No Brasil, as recomendações para rastreamento de clamídia e gonococo, conforme o Ministério da Saúde,[29] são: gestantes com idade ≤ 30 anos (na primeira consulta de pré-natal), pessoas com diagnóstico de outra IST (no momento do diagnóstico), pessoas com prática sexual anal receptiva (passiva) sem uso de preservativos (semestral) e vítimas de violência sexual (no atendimento inicial e 4-6 semanas após exposição). O rastreamento para clamídia e gonococo pode ser feito por biologia molecular (exame de reação em cadeia da polimerase [PCR, do inglês *polymerase chain reaction*]), sendo o material coletado de acordo com a prática sexual: sexo anal receptivo sem preservativo (*swab* anal); sexo vaginal receptivo sem preservativo (material genital); sexo insertivo sem preservativo (material uretral); ou sexo oral sem preservativo (material de orofaringe). No entanto, é importante salientar que, até o momento, o exame PCR não está disponível nos serviços da rede pública.

Embora ainda não seja uma prática tão difundida no Brasil, devido aos recursos necessários e custos associados, o investimento no diagnóstico precoce possibilitaria o tratamento adequado, resultando na diminuição das taxas de infecção por clamídia e, portanto, da incidência de DIP, reduzindo os custos associados às complicações da infecção.

No caso de mulheres assintomáticas com sorologia IgG-positiva para clamídia, o ideal é associar testes mais específicos, como a coleta direta de material cervical (cultura) e/ou PCR na urina, para decidir sobre tratamento, porque os anticorpos para clamídia podem permanecer positivos por vários anos, limitando a validade tanto do rastreamento quanto do tratamento.

Para o tratamento da infecção por clamídia, ver Capítulos Secreção Vaginal e Prurido Vulvar, Dor Pélvica e Infecções Sexualmente Transmissíveis: Abordagem Sindrômica.

## Exames de prevenção dos cânceres de colo do útero e de mama

### Citologia oncótica

A citologia oncótica (ou citopatológico, Papanicolau ou *Pap test*) é o método de rastreamento universal para câncer de colo do útero e suas lesões precursoras. Existem dois métodos de citologia cervical – convencional e em meio líquido –, ambos aceitos para rastreamento.

> **A citologia convencional, colhida da ecto e endocérvice, com espátula de Ayre e *cytobrush*, é a estratégia de rastreamento recomendada pelo Ministério da Saúde do Brasil.**[3]

Além de coleta e fixação adequadas (a técnica está descrita no exame ginecológico) e do cuidadoso transporte da lâmina, o laboratório responsável pela leitura e interpretação deve ser qualificado e possuir sistema de comunicação de resultados eficiente. Se houver falhas em uma dessas áreas, a eficácia do exame diminui, e o rastreamento tem impacto inferior ao esperado.

As desvantagens da citologia líquida, em relação à convencional, são maior custo e, possivelmente, menor especificidade. As vantagens são maior facilidade de leitura e conveniência para testar HPV, clamídia e gonococo no mesmo material.[31]

Ver Capítulo Rastreamento de Adultos para Tratamento Preventivo para mais detalhes sobre rastreamento para o câncer de colo do útero, incluindo seu impacto na população.

Os resultados do exame citopatológico e as respectivas condutas estão descritos no Capítulo Câncer Genital Feminino e Lesões Precursoras.

### Colposcopia

Ver Capítulo Câncer Genital Feminino e Lesões Precursoras.

### Outros exames do colo do útero

O rastreamento pela citologia pode encontrar algumas dificuldades técnicas, humanas e financeiras em países em desenvolvimento. Nesse caso, métodos alternativos, baseados na inspeção visual, podem ser usados. Os principais são a inspeção visual com ácido acético a 3 a 5% (VIA, do inglês *visual inspection with acetic acid*) B (ver FIGURA 110.3) e a inspeção com lugol B[31] (ver FIGURA 110.4). O primeiro é considerado positivo se aparecer área acetorreagente, e o segundo, se uma área de epitélio escamoso não corar com o lugol, como ilustra a FIGURA 110.5.

A maior vantagem desses métodos é o rastreamento em tempo real. Em uma revisão sistemática totalizando mais de 300 mil mulheres, na Índia, a sensibilidade da VIA variou de 16,6 a 82,6%, e a especificidade, de 82,1 a 96,8% para detecção de neoplasia intraepitelial cervical (NIC) II ou mais.[32] Um estudo controlado e randomizado, também na

---

**TABELA 110.3** → Fatores de risco para infecção por clamídia em mulheres

- → Adolescentes e adultas jovens (idade < 25 anos)
- → Início precoce da atividade sexual
- → Múltiplas parcerias sexuais, parceria com outros contatos sexuais nos últimos 3 meses, parceria sexual recente ou parceria sexual com infecção sexualmente transmissível
- → Profissional do sexo
- → Não uso ou uso infrequente de métodos contraceptivos de barreira
- → Cervicite
- → Ectopia cervical
- → História prévia ou coexistência de infecção sexualmente transmissível
- → Baixo nível socioeconômico e/ou cultural

Fonte: Adaptada de LeFevre.[28]

Índia, mostrou redução de 30% na incidência de câncer do colo do útero com a VIA.[33]

Conforme o American College of Obstetricians and Gynecologists (ACOG), as seguintes estratégias são recomendadas para o rastreamento do câncer do colo do útero em países em desenvolvimento: teste de HPV e subsequente tratamento se alterado, ou VIA e crioterapia em caso de teste alterado.[30]

Nos Estados Unidos, a recomendação da USPSTF, juntamente com o ACOG, a Society of Gynecologic Oncology (SGO) e a American Society for Colposcopy and Cervical Pathology (ASCCP), é que o rastreamento seja feito com citologia oncótica a cada 3 anos em mulheres entre 21 e 29 anos e, entre 30 e 65 anos, com citologia a cada 3 anos, ou pesquisa de HPV de alto risco a cada 5 anos ou, ainda, *cotesting* (citologia oncótica + HPV) a cada 5 anos.[34] O National Cancer Institute (NCI) recomenda a citologia oncótica, mas alerta que o *cotesting* é mais sensível que a citologia isolada.[35]

Em nível populacional, é difícil erradicar o câncer de colo do útero pelo rastreamento, pois a biologia do tumor é individual e, às vezes, evolui rápido. Além disso, nenhum programa garante 100% de cobertura populacional e um processo de rastreamento totalmente eficaz.

**No Brasil, o Instituto Nacional de Câncer (Inca) recomenda a citologia oncótica anual a partir dos 25 anos e, se 2 exames resultarem negativos, coleta a cada 3 anos até os 64 anos.[3]**

## Autoexame de mamas

**As evidências científicas internacionais,[36] o Inca[37] e o Ministério da Saúde não apoiam o autoexame das mamas como estratégia isolada de detecção precoce do câncer de mama.[37] A implementação do autoexame das mamas não é adequada para rastreamento e não contribui para a redução da mortalidade pelo câncer de mama. Além disso, traz consigo consequências negativas, como aumento do número de biópsias de lesões benignas, falsa sensação de segurança nos exames falso-negativos e impactos psicológicos negativos nos exames falso-positivos.**

Diante das evidências que não justificam a utilidade do autoexame para rastreamento, parece razoável que o entendimento do autoexame passe de um exercício regular e ritualístico, seguindo um conjunto de técnicas precisas, para um exercício de conhecimento do próprio corpo na experiência de vida da mulher. Assim, as mulheres podem ser estimuladas a aproveitar oportunidades convenientes (como banho e momento de vestir-se), sem uma periodicidade estritamente definida, para observar e sentir as suas mamas, de maneira a se tornarem familiarizadas com a textura normal da mama e as mudanças que o tecido mamário apresenta nos diferentes momentos do ciclo menstrual e da vida da mulher. Nessa perspectiva, o objetivo do autoexame das mamas é permitir à mulher o autoconhecimento da sua mama e a procura imediata de assistência caso surja qualquer alteração. Recomenda-se que o autoexame das mamas faça parte das ações de educação para a saúde que contemplam o conhecimento do próprio corpo e até mesmo adesão a programas de rastreamento. Durante a consulta da mulher com o seu médico, pode-se mostrar a ela a técnica e orientá-la sobre a sua importância para o autoconhecimento do corpo e não para fins de rastreamento isolado do câncer.

Assim, para as mulheres que desejarem, pode-se ensinar a técnica do autoexame das mamas. No autoexame, a mulher deve, em primeiro lugar, verificar se há alguma alteração de formato, cor, tamanho, presença de ondulações ou secreção. Após, deve elevar um dos braços sobre a cabeça e, com a ponta dos dedos da mão contralateral, pressionar devagar, mas firme, com pequenos movimentos circulares, toda a mama, incluindo aréola, mamilo e axila. O autoexame também pode ser feito com a mulher deitada em decúbito dorsal na cama, com um pequeno travesseiro sob o ombro e braço elevado para que a mama seja projetada e facilite o exame (FIGURA 110.6).

O profissional de APS deve, portanto, estimular que as mulheres:[38]

→ conheçam as suas mamas e saibam o que é normal para si;
→ olhem e sintam as suas mamas;
→ saibam quais alterações procurar;
→ procurem o profissional de saúde sem demora em caso de alterações;
→ tornem-se adeptas à rotina de rastreamento para câncer de mama, conforme sua faixa etária e perfil de risco.

## Exame clínico da mama e mamografia

**No Brasil, a estratégia preconizada para o rastreamento de câncer de mama é a mamografia a cada 2 anos para mulheres com idade entre 50 e 69 anos.[37]**

O exame clínico das mamas não tem benefício bem-estabelecido como rastreamento, devendo ser realizado no caso de queixas mamárias, como parte inicial da investigação.[37]

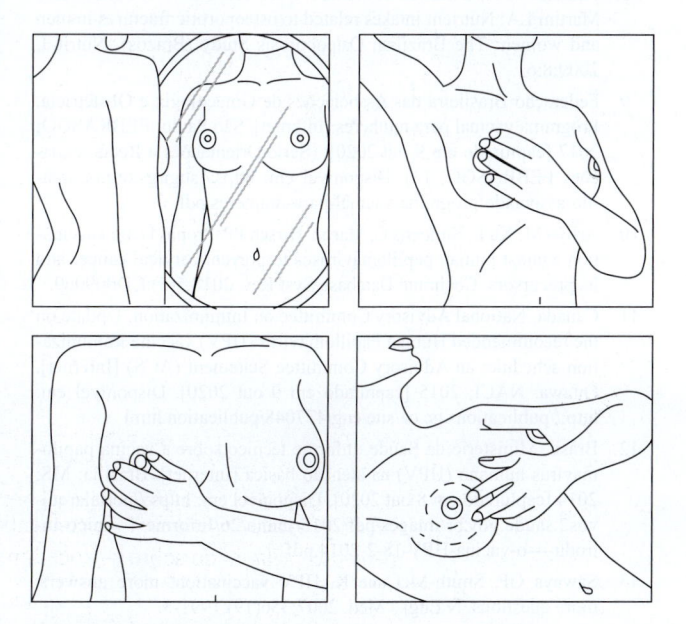

**FIGURA 110.6** → Autoexame das mamas.
Fonte: Menke e colaboradores.[39]

No entanto, o exame clínico é parte importante da consulta ginecológica, para estabelecimento do vínculo e da confiança, o que deve também ser considerado e discutido com a paciente no momento da consulta.

Ver Capítulo Rastreamento de Adultos para Tratamento Preventivo para mais detalhes sobre rastreamento para o câncer de mama.

# REFERÊNCIAS

1. Abeche AM, Galão AO, Accetta SG. Consulta ginecológica. In: Passos EP, Ramos JGL, Martins-Costa SH, Magalhães JÁ, Menke CH, Freitas F, organizadores. Rotinas em ginecologia. 7. ed. Porto Alegre: Artmed; 2017. cap. 3. p. 45-55.
2. Brasil. Ministério da Saúde. Protocolos da Atenção Básica: Saúde das Mulheres [Internet]. Brasília: MS; 2016 [capturado em 9 out 2020]. Disponível em: https://bvsms.saude.gov.br/bvs/publicacoes/protocolos_atencao_basica_saude_mulheres.pdf.
3. Instituto Nacional de Câncer José Alencar Gomes da Silva. Diretrizes brasileiras para o rastreamento do câncer do colo do útero [Internet]. 2. ed. rev. atual. Rio de Janeiro: INCA; 2016 [capturado em 8 out 2020]. Disponível em: http://portaldeboaspraticas.iff.fiocruz.br/wp-content/uploads/2018/01/99-984-MS-Inca-2016-Diretrizes-para--o-Rastreamento-do-c%C3%B3ncer-do-colo-do-%C2%A6tero.pdf
4. Ross AC, Manson JE, Abrams SA, Aloia JF, Brannon PM, Clinton SK, et al. The 2011 report on dietary reference intakes for calcium and vitamin D from the Institute of Medicine: what clinicians need to know? J Clin Endocrinol Metab. 2011; 96(1):53–8.
5. Anderson JB, Kruszka B, Delaney JAC, Ka He K, Gregory L, Burke GL. Calcium intake from diet and supplements and the risk of coronary artery calcification and its progression among older adults: 10-year follow-up of the Multi-Ethnic Study of Atherosclerosis (MESA). J Am Heart Assoc. 2016;5(10):e003815.
6. Abrahamsen B. The calcium and vitamin D controversy. The Adv Musculoskel Dis. 2017;9:107–14.
7. U.S. Department of Health & Human Services. National Institutes of Health. Calcium. Fact Sheet for Health Professionals. Washington: NIH;2016 [capturado em 9 out 2020]. Disponível em: https://ods.od.nih.gov/factsheets/Calcium-HealthProfessional/#h4
8. Pinheiro MM, Schuch NJ, Genaro GS, Ciconelli RM, Ferraz MB, Martini LA. Nutrient intakes related to osteoporotic fractures in men and women: The Brazilian Osteoporosis Study (Brazos). Nutrit J. 2009;8:6.
9. Federação Brasileira das Associações de Ginecologia e Obstetrícia. Programa vacinal para mulheres [Internet]. São Paulo: FEBRASGO; 2017 [capturado em 9 out 2020]. (Série Orientações e Recomendações FEBRASGO, 13). Disponível em: https://sogirgs.org.br/area--do-associado/programa-vacinal-para-mulheres.pdf
10. Arbyn M, Xu L, Simoens C, Martin-Hirsch PP. Prophylactic vaccination against human papillomaviruses to prevent cervical cancer and its precursors. Cochrane Database Syst Rev. 2018;5(5):CD009069.
11. Canada. National Advisory Committee on Immunization. Update on the recommended Human Papillomavirus (HPV) vaccine immunization schedule: an Advisory Committee Statement (ACS) [Internet]. Ottawa: NACI; 2015 [capturado em 9 out 2020]. Disponível em: http://publications.gc.ca/site/eng/477048/publication.html
12. Brasil. Ministério da Saúde. Informe técnico sobre a vacina papilomavírus humano (HPV) na atenção básica [Internet]. Brasília; MS; 2014 [capturado em 8 out 2020]. Disponível em: https://portalarquivos2.saude.gov.br/images/pdf/2015/junho/26/Informe-T--cnico-Introdu----o-vacina-HPV-18-2-2014.pdf
13. Sawaya GF, Smith-McCune K. HPV vaccination: more answers, more questions. N Engl J Med. 2007;356(19):1991-3.
14. Slade BA, Leidel L, Vellozzi C, Woo EJ, Hua W, Sutherland A, et al. Postlicensure safety surveillance for quadrivalent human papillomavirus recombinant vaccine. JAMA. 2009;302(7):750-7.
15. Naud PS, Roteli-Martins CM, De Carvalho NS, Teixeira JC, de Borba PC, Sanchez N, et al. Sustained efficacy, immunogenicity, and safety of the HPV-16/18 AS04-adjuvanted vaccine: final analysis of a long-term follow-up study up to 9.4 years post-vaccination. Hum Vaccin Immunother 2014; 10(8):2147–62.
16. Toh ZQ, Russell FM, Reyburn R, Fong J, Tuivaga E, Ratu T, et al. Sustained antibody responses 6 years following 1, 2, or 3 doses of quadrivalent human papillomavirus (hpv) vaccine in adolescent Fijian Girls, and subsequent responses to a single dose of bivalent HPV vaccine: a prospective cohort study. Clin Infect Dis 2017; 64(7):852–9.
17. Donken R, King AJ, Bogaards JA, Woestenberg PJ, Meijer CJLM, de Melker HE. High Effectiveness of the bivalent human papillomavirus (HPV) vaccine against incident and persistent HPV infections up to 6 years after vaccination in young Dutch women. J Infect Dis 2018; 217(10):1579–89.
18. Mindel A, Sawleshwarkar S. Condoms for sexually transmissible infection prevention: politics versus science. Sex Health. 2008;5(1):1-8.
19. Weller SC, Davis-Beaty K. Condom effectiveness in reducing heterosexual HIV transmission. Cochrane Database Syst Rev. 2002;(1):CD003255.
20. Vera EG, Orozco HH, Soto SS, Aburto EL. Condom effectiveness to prevent sexually transmitted diseases. Ginecol Obstet Mex. 2008;76(2):88-96.
21. Mome RK, Wiyeh AB, Kongnyuy EJ, Wiysonge CS. Effectiveness of female condom in preventing HIV and sexually transmitted infections: a systematic review protocol. BMJ Open. 2018;8(8):e023055.
22. US Department of Health and Human Services Centers for Disease Control and Prevention. Sexually Transmitted Disease Surveillance, 2015. Atlanta: CDC; 2016.
23. US Department of Health and Human Services Centers for Disease Control and Prevention. Centers for Disease Control and Prevention. Sexually Transmitted Disease Surveillance 2018 [Internet]. Atlanta: CDC; 2018 [capturado em 9 out 2020]. Disponível em https://www.cdc.gov/std/stats18/default.htm
24. Jalil EM, Pinto VM, Benzaken AS, Ribeiro D, Oliveira EC de, Garcia EG, et al. Prevalence of Chlamydia and Neisseria gonorrhoeae infections in pregnant women in six Brazilian cities. Rev Bras Ginecol Obstet. 2008;30(12):614-9.
25. Santos LM, Souza IRA, Holanda LHC, Vaz JA, Tsutsumi MY, Ishikawa MAY e Souza MS. Rev Pan-Amaz Saude 2016; 7(4):101-6.
26. Codes JS de, Cohen DA, Melo NA de, Santos AB, Codes JJG de, Silva Júnior JC da, et al. STD screening in a public family planning Clinic in Brazil. Rev Bras Ginecol Obstet. 2002;24(2):101-6.
27. Anttila T, Saikku P, Koskela P, Bloigu A, Dillner J, Ikäheimo I, et al. Serotypes of Chlamydia trachomatis and risk for development of cervical squamous cell carcinoma. JAMA. 2001;285(1):47-51.
28. LeFevre ML, U.S. Preventive Services Task Force. Screening for Chlamydia and gonorrhea: U.S. Preventive Services Task Force recommendation statement. Ann Intern Med. 2014;161(12):902-10.
29. Brasil. Ministério da Saúde. Secretaria de Vigilância em Saúde. Departamento de Doenças de Condições Crônicas e Infecções Sexualmente Transmissíveis. Protocolo Clínico e Diretrizes Terapêuticas para Atenção Integral às Pessoas com Infecções Sexualmente Transmissíveis (IST) [Internet]. Brasília: MS; 2020 [capturado em 9 out 2020]. Disponível em: http://www.aids.gov.br/pt-br/pub/2015/protocolo-clinico-e-diretrizes-terapeuticas-para-atencao-integral-pessoas--com-infeccoes.
30. American College of Obstetricians and Gynecologists. ACOG Practice Bulletin nº 624: Cervical cancer screening in low-resources settings [Internet]. Washington : ACOG; 2017. [capturado em 9 out 2020]. Disponível em: http://www.acog.org.
31. Fokom-Domgue J, Combescure C, Fokom-Defo V, Tebeu PM, Vassilakos P, Kengne AP, et al. Performance of alternative strategies for primary cervical cancer screening in sub-Saharan Africa: systematic review and meta-analysis of diagnostic test accuracy studies. BMJ. 2015;351:h3084.

32. Adsul P, Manjunath N, Srinivas V, Arun A, Madhivanan P. Implementing community-based cervical cancer screening programs using visual inspection with acetic acid in India: A systematic review. Cancer Epidemiol. 2017; 49:161-74.
33. Sankaranarayanan R, Esmy PO, Rajkumar R, Muwonge R, Swaminathan R, Shanthakumari S, et al. Effect of visual screening on cervical cancer incidence and mortality in Tamil Nadu, India: a cluster-randomised trial. Lancet. 2007; 370(9585):398–406.
34. Sulivan EJ. Leading Women's Health Care Groups Issue Joint Statement on USPSTF Final Cervical Cancer Screening Recommendations [Internet]. Chicago: SGO; 2018 [capturado em 9 out 2020]. Disponível em: https://www.sgo.org/news/leading-womens-health-care-groups-issue-joint-statement-on-uspstf-final-cervical-cancer-screening-recommendations/
35. National Cancer Institute. National Institutes of Health. Cervical cancer screening (PDQ) [Internet]. Rockville: NCI; 2019 [capturado em 9 jun 2020]. Disponível em: http://www.cancer.gov/cancertopics/pdq/treatment/cervical/HealthProfessional/page1
36. Kösters JP, Gøtzsche PC. Regular self-examination or clinical examination for early detection of breast cancer. Cochrane Database Syst Rev. 2003;2003(2):CD003373.
37. Instituto Nacional de Câncer. Diretrizes para a detecção precoce do câncer de mama no Brasil [Internet]. Rio de Janeiro: INCA; 2015 [capturado em 10 jan. 2020]. Disponível em: https://www.inca.gov.br/sites/ufu.sti.inca.local/files//media/document//diretrizes_deteccao_precoce_cancer_mama_brasil.pdf
38. Austoker J. Screening and self examination for breast cancer. BMJ. 1994;309(6948):168-74.
39. Menke CH, Biazús JV, Xavier NL, Cavalheiro JA, Rabin EG, Bitelbrunn AC, et al. Diagnóstico clínico. In: Menke CH, Biazús JV, Xavier NL, Cavalheiro JA, Rabin EG, Bitelbrunn AC, et al. Rotinas em mastologia. 2. ed. Porto Alegre: Artmed; 2006. p. 42-7.

## LEITURA RECOMENDADA

Ministério da Saúde e Instituto Sírio-Libanês de Ensino e Pesquisa. Protocolos da Atenção Básica: Saúde das Mulheres [Internet]. Brasília: MS; 2016 [capturado em 9 out 2020]. 4 v. Disponível em: https://bvsms.saude.gov.br/bvs/publicacoes/protocolos_atencao_basica_saude_mulheres.pdf
*Protocolo de cuidado às mulheres na atenção primária, abrangendo abordagem das queixas mais frequentes, pré-natal, planejamento reprodutivo, prevenção do câncer de colo de útero entre outros temas relevantes.*

# Capítulo 111
## PLANEJAMENTO REPRODUTIVO

Jaqueline Neves Lubianca
Karen Oppermann
Luíza Guazzelli Pezzali

A atenção à saúde sexual e reprodutiva é parte fundamental do cuidado integral à pessoa. Todos os indivíduos têm o direito de planejar a sua vida reprodutiva e ter acesso aos meios para isso, incluindo pessoas com deficiências.[1]

Este capítulo aborda a anticoncepção, estratégia essencial para o planejamento reprodutivo. Outro componente importante, a abordagem dos casais com dificuldade para ter filhos, é abordado no Capítulo Infertilidade.

A taxa de fecundidade total no Brasil (i.e., o número médio de filhos por mulher) diminuiu ao longo dos anos. Esse valor passou de 2,14, em 2004, para 1,77, em 2018.[2]

A anticoncepção é tema relevante por si só, seja pelo número de pessoas que a empregam no mundo inteiro, seja pela duração do uso, que, nas mulheres, pode alcançar mais de 30 anos, exigindo ajustes para idade, situação de vida e condição de saúde. O método contraceptivo deve ser efetivo e compatível com o perfil clínico, social, psicológico e cultural, respeitando as preferências da mulher. A escolha do método pode englobar a prevenção e o tratamento de outras doenças. Os efeitos colaterais e as complicações decorrentes do uso dos métodos contraceptivos são objeto de estudo constante.

O profissional de saúde deve discutir os benefícios e as limitações de cada método anticoncepcional disponível, levando em consideração aspectos particulares de cada mulher, como idade e doenças associadas, além das condições e do estilo de vida. A TABELA 111.1 descreve os critérios de elegibilidade médica para uso de contraceptivos, conforme a Organização Mundial da Saúde (OMS) e o Centers for Disease Control and Prevention (CDC).[3]

Os materiais da OMS e do CDC com os critérios de elegibilidade, para uso na prática clínica, podem ser visualizados nos QR codes. Aplicativos para *smartphone* também estão disponíveis e podem ser usados para consulta desses critérios.

A TABELA 111.2 apresenta a taxa de falha dos diversos métodos anticoncepcionais, considerando o uso consistente e correto (menor taxa de falha esperada) e o uso típico do método (taxa de falha típica).[4]

## MÉTODOS CONTRACEPTIVOS NATURAIS

### Coito interrompido

O coito interrompido consiste na retirada do pênis de dentro da vagina antes da ejaculação. O índice de falha é alto, já que o líquido seminal eliminado antes da ejaculação contém espermatozoides.

O coito interrompido não protege contra infecções sexualmente transmissíveis (ISTs), incluindo o vírus da imunodeficiência humana (HIV, do inglês *human immunodeficiency virus*). Em situações de risco aumentado para essas doenças (inclusive durante a gestação e o puerpério), recomenda-se o uso correto e consistente de preservativo, isolado ou associado a outro método contraceptivo.

**TABELA 111.1** → Critérios de elegibilidade de métodos contraceptivos, conforme categorias da Organização Mundial da Saúde

| CONDIÇÃO | CHC | POP | DMPA INJETÁVEL | IMPLANTE | DIU DE COBRE | SIU-LNG |
|---|---|---|---|---|---|---|
| **Idade** | Menarca a <40 = 1 | Menarca a <18 = 1 | Menarca a <18 = 2 | Menarca a <18 = 1 | <20 = 2 | <20 = 2 |
| | ≥ 40 = 2 | 18-45 = 1 | 18-45 = 1 | 18-45 = 1 | ≥ 20 = 1 | ≥ 20 = 1 |
| | | >45 = 1 | >45 = 2 | >45 = 1 | | |
| **Pós-parto** | | | | | | |
| → < 48 horas, inclusive pós-dequitação imediata | | | | | 1 | Não amamentando = 1<br>Amamentando = 2 |
| → Amamentando e < 21 dias pós-parto | 4 | 2 | 2 | 2 | | |
| → Amamentando e entre 21-42 dias pós-parto | 2 (3 se < 30 dias ou fator de risco TVP) | 1 (2 se < 30 dias) | 1 (2 se < 30 dias) | 1 (2 se < 30 dias) | | |
| → Amamentando e > 42 dias pós-parto | 2 | 1 | 1 | 1 | | |
| **Tabagismo** | | | | | | |
| → Idade < 35 anos | 2 | 1 | 1 | 1 | 1 | 1 |
| → Idade ≥ 35 anos | | | | | | |
| → < 15 cigarros/dia | 3 | 1 | 1 | 1 | 1 | 1 |
| → ≥ 15 cigarros/dia | 4 | 1 | 1 | 1 | 1 | 1 |
| **Obesidade** (IMC ≥ 30 kg/m$^2$) | 2 | 1 | 1 | 1 | 1 | 1 |
| → Menarca até 18 anos e IMC ≥ 30 kg/m$^2$ | 2 | 1 | 2 (enantato = 1) | 1 | 1 | 1 |
| **DOENÇA CARDIOVASCULAR** | | | | | | |
| → Múltiplos fatores de risco para doença cardiovascular arterial, como hipertensão, idade avançada, tabagismo, diabetes | 3/4 | 2 | 3 | 2 | 1 | 2 |
| **Hipertensão** | | | | | | |
| → Hipertensão controlada adequadamente | 3 | 1 | 2 | 1 | 1 | 1 |
| → Pressão arterial normalizada ou sistólica = 140-159 ou diastólica = 90-99 | 3 | 1 | 2 | 1 | 1 | 1 |
| → Sistólica ≥ 160 ou diastólica ≥ 100 ou com doença vascular | 4 | 2 | 3 | 2 | 1 | 2 |
| **Trombose venosa profunda e embolia pulmonar** | | | | | | |
| → Doença no passado | 4 | 2 | 2 | 2 | 1 | 2 |
| → Doença aguda | 4 | 2 | 2 | 2 | 2 | 2 |
| → História familiar (parentesco de 1º grau) | 2 | 1 | 1 | 1 | 1 | 1 |
| **Trombose venosa superficial** | | | | | | |
| → Veias varicosas | 1 | 1 | 1 | 1 | 1 | 1 |
| → Tromboflebite superficial | 3 | 1 | 1 | 1 | 1 | 1 |
| **Doença isquêmica do coração** | 4 | 3 | 3 | 3 | 1 | 3 |
| **AVC** | 4 | 2*/3† | 3 | 2*/3† | 1 | 2 |
| **DOENÇA NEUROLÓGICA** | | | | | | |
| **Migrânea** | | | | | | |
| → Sem aura | 2 | 1 | 1 | 1 | 1 | 1 |
| → Com aura | 4 | 1 | 1 | 1 | 1 | 1 |
| **Anticonvulsivantes‡** | 3 (ácido valproico = 1) | 3 (lamotrigina e ácido valproico = 1) | 1 | 2 | 1 | 1 |
| **DOENÇA GINECOLÓGICA OU MAMÁRIA** | | | | | | |
| **Doença trofoblástica** | | | | | | |
| → Níveis de β-hCG decrescentes ou indetectáveis | 1 | 1 | 1 | 1 | 2 | 2 |
| → Níveis crescentes de β-hCG ou doença maligna | 1 | 1 | 1 | 1 | 4 | 4 |
| **Mama** | | | | | | |
| → Câncer de mama atual | 4 | 4 | 4 | 4 | 1 | 4 |
| → Câncer no passado (5 anos ou mais sem a doença) | 3 | 3 | 3 | 3 | 1 | 3 |

*(continua)*

**TABELA 111.1** → Critérios de elegibilidade de métodos contraceptivos, conforme categorias da Organização Mundial da Saúde  *(Continuação)*

| CONDIÇÃO | CHC | POP | DMPA INJETÁVEL | IMPLANTE | DIU DE COBRE | SIU-LNG |
|---|---|---|---|---|---|---|
| **Fibroma uterino** | 1 | 1 | 1 | 1 | 2 | 2 |
| **Doença inflamatória pélvica** | | | | | | |
| → Atual ou ≤ 3 meses (inclui cervicite purulenta) | 1 | 1 | 1 | 1 | 4 | 4 |
| → Passada | 1 | 1 | 1 | 1 | 1 | 1 |
| **Risco aumentado de IST** (parceiros múltiplos ou parceiro com múltiplos parceiros) | 1 | 1 | 1 | 1 | 2 | 2 |
| **HIV/Aids** | | | | | | |
| → Clinicamente bem, recebendo TARV§ | 1 | 1 | 1 | 1 | 1 | 1 |
| → Estado clínico deteriorado ou não recebendo TARV | § | § | § | § | 2 | 2 |
| **ALTERAÇÕES ENDÓCRINAS** | | | | | | |
| → Diabetes gestacional prévio | 1 | 1 | 1 | 1 | 1 | 1 |
| → Diabetes sem doença vascular | 2 | 2 | 2 | 2 | 1 | 2 |
| → Diabetes com nefropatia/retinopatia/neuropatia ou mais de 20 anos de diagnóstico | 3/4 | 2 | 3 | 2 | 1 | 2 |
| **ALTERAÇÕES GASTRINTESTINAIS** | | | | | | |
| **Hepatite viral** | | | | | | |
| → Ativa | 3/4 | 1 | 1 | 1 | 1 | 1 |
| → Portador/crônica | 1 | 1 | 1 | 1 | 1 | 1 |
| **LÚPUS ERITEMATOSO SISTÊMICO** | | | | | | |
| → Anticorpos antifosfolipídeos positivo ou desconhecido | 4 | 3 | 3 | 3 | 1 | 3 |
| → Trombocitopenia severa | 2 | 2 | 3 | 2 | 3 | 2 |
| → Terapia imunossupressora | 2 | 2 | 2 | 2 | 2 | 2 |
| → Nenhuma das anteriores | 2 | 2 | 2 | 2 | 1 | 2 |

Categorias de elegibilidade médica para cada método contraceptivo:
1. A condição não restringe o uso do método contraceptivo.
2. As vantagens do uso do método nesta condição superam o risco teórico ou comprovado.
3. Os riscos teóricos ou comprovados do uso do método superam as vantagens nesta condição.
4. O risco do uso do método é inaceitável nesta condição.

*Início: pode-se iniciar o método nestas condições.
†Continuidade: quando o método já estava sendo usado, e ocorre o AVC, passa a ser categoria 3 para continuar com o método.
‡Fenitoína, carbamazepina, barbiturato, primidona, topiramato, oxcarbazepina.
§Fosamprenavir implica categoria 3 para CHC. Os demais ARVs são categoria 1 ou 2 para CHC. Os demais métodos não interferem substancialmente na TARV (categoria 1 ou 2).
Aids, síndrome da imunodeficiência adquirida; ARVs, antirretrovirais; AVC, acidente vascular cerebral; β-hCG, fração β da gonadotrofina coriônica humana; CHC, contraceptivo hormonal combinado; DIP, doença inflamatória pélvica; DIU, dispositivo intrauterino; DMPA, acetato de medroxiprogesterona de depósito; HIV, vírus da imunodeficiência humana; IMC, índice de massa corporal; IST, infecção sexualmente transmissível; NA, não se aplica; POP, pílula de progestagênio isolado; SIU-LNG, sistema intrauterino de levonorgestrel; TARV, terapia antirretroviral; TVP, trombose venosa profunda.
Observação: métodos de barreira, especialmente o preservativo, são sempre recomendados para prevenção de IST/HIV/DIP.
Fonte: World Health Organization.[3,21]

## Ritmo ou abstinência periódica

Os métodos de ritmo se baseiam na observação de sinais e/ou sintomas que ocorrem, fisiologicamente, ao longo do período menstrual. O casal deve concentrar as relações sexuais no período considerado fértil caso deseje uma gravidez, ou abster-se delas no mesmo período, caso queira evitá-la.

A determinação do período fértil baseia-se nos seguintes pressupostos: a ovulação deve ocorrer 14 dias (mais ou menos 2) antes do início da menstruação; o óvulo, após expelido pelo ovário, tem uma sobrevida média de 12 a 24 horas, e o espermatozoide pode fecundá-lo até 48 a 72 horas após sua ejaculação na vagina. Estudos empregando testes de gestação altamente sensíveis estabeleceram que a mulher é fértil do 5º dia antes da ovulação até 24 horas após. A janela de fertilidade não é superior a 6 dias por ciclo.[5]

A probabilidade de gravidez em relação sexual sem proteção nesse período é de:
→ 4% no 5º dia antes da ovulação;
→ 25 a 28% nos 2 dias que antecedem a ovulação;
→ 8 a 10% nas 24 horas após a ovulação;
→ 0% no restante do ciclo.

**TABELA 111.2** → Porcentagem de mulheres com gestação não planejada durante o primeiro ano de uso típico e uso perfeito de contraceptivo e porcentagem de uso ao final do primeiro ano

| MÉTODO | % DE MULHERES QUE ENGRAVIDAM DURANTE O PRIMEIRO ANO DE USO | | % DE USO CONTINUADO NO FINAL DO PRIMEIRO ANO DE USO[4] |
|---|---|---|---|
| | USO TÍPICO | USO CONSISTENTE E CORRETO | USO TÍPICO |
| Nenhum | 85 | 85 | – |
| Espermicida | 21 | 16 | 42 |
| Coito interrompido | 20 | 4 | 13,4 |
| Tabelinha | 12 | 5 | – |
| Aplicativo Natural Cycles®[8] | 5-7 | 1-1,8 | 46 |
| Diafragma com espermicida | 17 | 16 | 57 |
| Preservativo | | | |
| Feminino | 21 | 5 | 41 |
| Masculino | 13 | 2 | 43 |
| Contraceptivo oral combinado e progestagênio exclusivo | 7 | 0,3 | 67 |
| Adesivo (Evra®) | 7 | 0,3 | 67 |
| Anel vaginal (NuvaRing®) | 7 | 0,3 | 67 |
| Acetato de medroxiprogesterona de depósito (DMPA) | 4 | 0,2 | 56 |
| Injetável combinado | 3 | 0,05 | 56 |
| Método da amenorreia da lactação (LAM) (por 6 meses) | 2 | 0,9 | |
| Dispositivo intrauterino | | | |
| T de cobre | 0,8 | 0,6 | 78 |
| Sistema intrauterino de levonorgestrel | 0,7 | 0,5 | 80 |
| Implanon® | 0,1 | 0,1 | 84 |
| Esterilização | | | |
| Feminina | 0,5 | 0,5 | 100 |
| Masculina | 0,15 | 0,1 | 100 |

Legenda (por cores):
☐ 0-0,9: muito efetivo.
☐ 1-9: efetivo.
☐ 10-19: moderadamente efetivo.
☐ ≥ 20: pouco efetivo.
Fonte: Adaptada de World Health Organization[3] e National Center for Chronic Disease Prevention and Health Promotion.[21]

Os métodos de ritmo mais utilizados são Ogino-Knaus (tabelinha), temperatura basal corporal, muco cervical (Billings) e sintotérmico.

Não existem estudos de boa qualidade comparando a eficácia de diferentes métodos contraceptivos naturais. Esses métodos possuem benefício incerto em relação à anticoncepção, não devendo ser utilizados como primeira opção para esse propósito.[6]

## Ogino-Knaus (tabelinha)

Esse método baseia-se na premissa de duração da segunda fase do ciclo (pós-ovulação) entre 12 e 16 dias. O cálculo do período fértil é feito pela análise do padrão menstrual prévio, sendo necessário que a usuária desse método anote o 1º dia de menstruação durante pelo menos 6 meses. Calcula-se a diferença, em dias, entre o ciclo mais curto e o mais longo durante o período de observação. Se a diferença for maior que 10 dias, desaconselha-se o método, pelo grande índice de falha nas mulheres com duração variável do ciclo.

Em 95% dos ciclos menstruais, a ovulação ocorre 4 dias antes ou depois do meio do ciclo, e, em aproximadamente 30% dos ciclos, a ovulação ocorre no exato dia do meio do ciclo.[7]

É importante lembrar que algumas situações, como doenças intercorrentes, viagens, depressão e estresse, podem alterar o ciclo menstrual, provocando ovulação fora do período esperado.

## Temperatura basal corporal

O método da temperatura basal corporal baseia-se nas alterações de temperatura basal que ocorrem ao longo do ciclo menstrual. Após a ovulação (segunda fase do ciclo), a temperatura corporal se eleva ligeiramente (0,5 °C) devido ao aumento dos níveis de progesterona, e assim permanece até a próxima menstruação.

O método consiste em verificar a temperatura corporal (durante 5 minutos) pela manhã, ao acordar, antes de realizar qualquer atividade, e após um repouso mínimo de 5 horas. As usuárias desse método devem abster-se de relações sexuais durante toda a primeira fase do ciclo até o 3º dia de elevação persistente da temperatura basal corporal (aumento mínimo de 0,2 °C).

## Muco cervical (Billings)

Na primeira fase do ciclo, o muco torna-se transparente e elástico à medida que se aproxima da ovulação, período em que atinge o máximo de transparência e elasticidade (ação estrogênica), causando sensação de umidade na vulva. Na segunda fase do ciclo, o muco se torna grumoso e esbranquiçado (ação progestogênica).

As relações sexuais devem ser evitadas nos dias em que houver muco cristalino e por mais 4 dias após o último dia de muco com esse aspecto.

## Método sintotérmico

O método sintotérmico é uma combinação de vários indicadores de ovulação. Ele associa a observação da temperatura corporal basal com a do muco cervical, além de outros parâmetros mais subjetivos, como dor pélvica, alterações da mama (aumento de volume, desconforto e dor), variações da libido e humor.

## Aplicativos para computadores e telefones celulares

Em 2018, a Food and Drug Administration (FDA) aprovou o primeiro aplicativo para celular com a finalidade de funcionar como um método contraceptivo, chamado Natural Cycles®. O aplicativo consiste em um algoritmo que analisa a medida da temperatura corporal basal da mulher imediatamente após acordar, obtida por meio de um termômetro fornecido pelo próprio aplicativo. Também podem ser acrescentados outros dados, como detalhes do ciclo menstrual, resultados de testes de hormônio luteinizante (LH, do inglês *luteinizing hormone*) preditores de ovulação e informações sobre a vida sexual. Com essas informações, o aplicativo fornece o *status* de fertilidade do dia.

O aplicativo teve uma taxa de falha de uso perfeito de 1,8%, e de 7% no uso típico,[8] sendo uma boa alternativa para mulheres com ciclos menstruais regulares que desejam utilizar métodos comportamentais, por ser mais prático e ter eficácia superior aos métodos comportamentais tradicionais.

Outro aplicativo, Dynamic Optimal Timing® (DOT®), ainda que não tenha sido aprovado pela FDA, mostrou taxas de falha semelhantes.[9]

## MÉTODOS CONTRACEPTIVOS DE BARREIRA

### Espermicida

A geleia espermicida, além de imobilizar ou destruir os espermatozoides, forma uma película que recobre a vagina e o colo do útero, impedindo a sua penetração no canal cervical. O agente espermicida mais utilizado é o nonoxinol-9 (N-9). Por ser um surfactante que rompe o epitélio vaginal e retal, o uso do N-9 está associado a risco aumentado de lesões vaginais, que, por sua vez, estão associadas a risco maior de infecção vaginal e de contaminação pelo HIV e outras ISTs em mulheres.[10,11] Por isso, não deve ser usado como microbicida ou lubrificante durante o intercurso sexual (anal ou vaginal) por homens ou por mulheres.[3]

As evidências sobre sua eficácia contraceptiva são insuficientes para recomendação do método, podendo estar relacionadas à dose aplicada **B**.[12] O espermicida mostrou-se mais eficaz quando aplicado até 30 minutos antes da relação sexual, devendo-se evitar duchas vaginais por no mínimo 8 horas após o coito. Não é recomendado seu uso concomitante a preservativos **B**.[13]

### Preservativo masculino

O preservativo masculino, de látex ou poliuretano, comprovadamente reduz o risco de IST, incluindo o HIV. Revisão sistemática com casais sorodiscordantes mostrou redução de 71% no risco de transmissão do HIV com uso consistente de preservativo.[14] Pode ser usado com dois propósitos concomitantes: prevenção contra IST e prevenção de gestação.

O uso de preservativos com lubrificantes espermicidas como N-9 não é recomendado para prevenção de IST/HIV. Além disso, os preservativos com espermicidas custam mais caro, têm menor meia-vida que outros preservativos lubrificados e podem causar infecção do trato urinário em mulheres jovens.

A OMS definiu instruções essenciais para o uso do preservativo masculino:[4]

→ usar em todas as relações sexuais;
→ colocá-lo antes de qualquer contato do pênis com os genitais femininos;
→ desenrolá-lo sobre o pênis, deixando um espaço de 2 cm na ponta, sem ar;
→ usar algum lubrificante sem espermicida se o preservativo não for lubrificado e a vagina encontrar-se pouco umedecida, para evitar que ele se rompa devido à fricção;
→ retirar o pênis ainda ereto da vagina, imediatamente após a ejaculação;
→ descartar o preservativo após o uso – jamais reutilizar.

O índice de rompimento do preservativo é de 0,3% em 6 meses de uso, e proporção semelhante (0,5%) se solta do pênis durante a relação sexual vaginal.[15] Na relação anal, o índice de ruptura e de escape completo do preservativo pode ser um pouco maior.[16]

Produtos à base de óleo não devem ser usados com preservativos de látex, porque reduzem a integridade do látex e podem facilitar o rompimento. Esses produtos – que incluem óleo de bebê, cremes e loções corporais hidratantes, óleo e loção de massagem, vaselina, óleo mineral (vários medicamentos vaginais têm óleo mineral na composição, como o butoconazol) – podem ser usados com segurança com preservativo de poliuretano.

### Preservativo feminino

O preservativo feminino também é um método de barreira com dupla função – proteger contra gravidez e IST.[4]

Estudo observacional evidenciou que a oferta de preservativo feminino, além do masculino, em programas dirigidos a profissionais do sexo aumentou a proporção de sexo protegido e reduziu, de maneira significativa, a prevalência de IST.[17]

O preservativo feminino consiste em um tubo de poliuretano forte, de 7 cm de comprimento, macio e transparente, que é inserido na vagina antes da relação sexual, cobrindo a genitália feminina interna e externa e a base do pênis. É mais resistente que o látex, não tem odor e pode ser usado com lubrificantes oleosos ou aquosos. Não depende da ereção masculina e não precisa ser removido imediatamente após a ejaculação. Ele bloqueia o sêmen com a mesma eficácia que os preservativos masculinos **C/D**.[18] Riscos e efeitos colaterais não foram descritos. Está disponível em todo o mundo desde 1993, e estudos sugerem resultados de custo-efetividade favoráveis.[19]

O preservativo feminino tem dois anéis: o interno serve para introduzir o preservativo na vagina e mantê-lo no lugar, ajustando-se atrás do osso do púbis; o anel externo é macio e fica fora da vagina, cobrindo a vulva **(FIGURA 111.1)**. Ele deve ser introduzido antes da relação sexual. Os preservativos masculino e feminino não devem ser usados em conjunto porque a fricção pode comprometer os dois preservativos.

### Diafragma (com ou sem espermicida)

O diafragma é uma membrana côncava de borracha que deve ser colocada na vagina antes de cada relação sexual com ou sem a geleia espermicida, de modo que recubra o colo uterino em toda a sua superfície. Ao efeito do diafragma, que

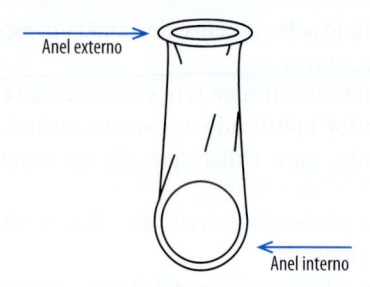

FIGURA 111.1 → Preservativo feminino.

funciona como barreira mecânica impedindo a aproximação do sêmen do canal cervical, soma-se a ação do espermicida, que pode ser formulado em farmácias de manipulação sem N-9, quando for empregado em associação (ver tópico Espermicida). Não existem evidências suficientes para apoiar o uso do diafragma isolado ou com espermicida.[20]

O uso de diafragma, com ou sem espermicida, está associado a altas taxas de gestação (ver TABELA 111.2).

Antes da aquisição do diafragma, o médico deve determinar a sua medida durante o exame pélvico (toque vaginal), com o auxílio de anéis medidores.

O uso de diafragma está contraindicado em mulheres com anomalias da vagina, cistocele e retocele importantes, anteversão ou retroversão uterinas acentuadas e prolapso uterino. O diafragma pode causar irritação na vagina ou no pênis, bem como reação alérgica ao látex e/ou ao espermicida.

O uso adequado do método exige os seguintes procedimentos:
→ usar o diafragma em todas as relações sexuais, independentemente da fase do ciclo menstrual;
→ se usado com espermicida, aplicar a geleia (cerca de 1 colher de chá) na parte côncava do diafragma e espalhar com o dedo, formando uma película sobre a borda;
→ colocar o diafragma no máximo até 6 horas antes da relação sexual;
→ a colocação do diafragma deve ser feita na posição mais confortável para a mulher (deitada, de cócoras ou em pé com uma das pernas elevada);
→ afastar os lábios da vulva e colocar o diafragma dobrado dentro da vagina, até onde for possível;
→ realizar autoexame para verificar se o diafragma está bem posicionado, certificando-se de que o colo uterino esteja coberto pela membrana de borracha;
→ remover o diafragma 6 a 8 horas, no mínimo, e 24 horas, no máximo, após a sua inserção;
→ após o uso, lavar o diafragma com água fria e sabão neutro, enxaguar bem, secar e guardar no estojo próprio, salpicado com pó de amido; não usar talco.

## MÉTODOS CONTRACEPTIVOS HORMONAIS

### Contraceptivos hormonais combinados (CHC)

Os contraceptivos hormonais combinados contêm estrogênio e progestagênio em suas composições. As apresentações disponíveis são para uso oral ou injetável, anel vaginal e adesivo transdérmico (*patch*).

Os critérios de elegibilidade recomendados pela OMS, descritos na TABELA 111.1,[3,21] são praticamente os mesmos para as diferentes apresentações. A escolha do método hormonal deve levar em consideração a preferência da mulher e a praticidade do uso.

### Contraceptivo oral combinado

Os contraceptivos orais (COs) contêm esteroides sintéticos similares aos hormônios sexuais femininos, que podem ser usados em combinação de estrogênio e progestagênio, ou isoladamente (progestagênio exclusivo). O etinilestradiol (EE) é o estrogênio mais utilizado nos contraceptivos distribuídos no Brasil. Recentemente, foram introduzidos COs contendo valerato de estradiol combinado a progestagênios como dienogeste e nomegestrol. As características dos progestagênios contraceptivos estão descritas na TABELA 111.3.

Os COs combinados diminuem a secreção de gonadotrofinas, impedindo o pico do LH e, portanto, inibindo a ovulação. Adicionalmente, o progestagênio espessa o muco cervical, atrofia o endométrio e altera a motilidade tubária, interferindo no transporte e na fixação do óvulo. O estrogênio tem papel secundário, inibindo o desenvolvimento folicular, além da função de estabilização do endométrio, a fim de evitar a sua descamação irregular (*spotting*).

Os COs combinados podem ser monofásicos (mesma concentração de hormônios em todos os comprimidos), bifásicos ou trifásicos. Os bifásicos e trifásicos com EE não apresentam superioridade demonstrada em relação aos monofásicos.[22,23]

Os COs são considerados de baixa dose quando contêm menos de 35 μg de EE em sua formulação.

Para fins de estudos epidemiológicos, os COs são classificados em:
→ **primeira geração:** produtos contendo 50 μg ou mais de EE;
→ **segunda geração:** contraceptivos com 30 ou 35 μg de EE contendo levonorgestrel ou outros derivados da noretindrona;
→ **terceira geração:** contraceptivos com 30 μg ou menos de EE contendo gestodeno ou desogestrel;
→ **quarta geração:** contraceptivos com 30 μg ou menos de EE contendo drospirenona.

#### Escolha do contraceptivo oral combinado

A prescrição de CO inicia com as apresentações de baixa dosagem – 35 μg de EE. Os COs com 20, 30 e 35 μg de EE possuem a mesma eficácia contraceptiva e mesmo perfil de efeitos colaterais, sendo a escolha norteada pelo controle dos sangramentos de escape, pelo padrão de sangramento de retirada (amenorreia, pouco fluxo, fluxo normal) ou pelo progestagênio em associação.[24]

Na escolha dos progestagênios, devem-se considerar suas propriedades farmacológicas e o risco de trombose venosa profunda (TVP). Se a mulher necessitar de efeito

TABELA 111.3 → Atividade biológica da progesterona natural e dos progestagênios encontrados em contraceptivos hormonais

| PROGESTAGÊNIOS | PROGES-TOGÊNICA | ANTIGONA-DOTRÓFICA | ANTIES-TROGÊNICA | ESTRO-GÊNICA | ANDRO-GÊNICA | ANTIAN-DROGÊNICA | GLICOCOR-TICOIDE | ANTIMINERA-LOCORTICOIDE |
|---|---|---|---|---|---|---|---|---|
| Progesterona | + | + | + | – | – | ± | + | + |
| **DERIVADOS DA 17-HIDROXIPROGESTERONA** | | | | | | | | |
| Acetato de clormadinona | + | + | + | – | – | + | + | – |
| Acetato de ciproterona | + | + | + | – | – | + | + | – |
| **DERIVADOS DA 19-NORTESTOSTERONA** | | | | | | | | |
| Noretisterona | + | + | + | + | + | – | – | – |
| Levonorgestrel | + | + | + | – | + | – | – | – |
| Norgestimato | + | + | + | – | + | – | – | – |
| Desogestrel | + | + | + | – | + | – | – | – |
| Gestodeno | + | + | + | – | + | – | + | + |
| Dienogeste | + | + | ± | ± | – | + | – | – |
| **DERIVADOS DA ESPIRONOLACTONA** | | | | | | | | |
| Drospirenona | + | + | + | – | – | + | – | + |

+, com efeito; –, sem efeito; ±, efeito parcial.
Fonte: Schindler e colaboradores.[20]

antiandrogênico pronunciado, CO com acetato de ciproterona ou clormadinona trarão benefício maior.

O uso de CO associa-se a efeitos protetores para as seguintes condições: doença benigna da mama, cistos ovarianos funcionais, dismenorreia/hipermenorreia, doença inflamatória pélvica (DIP), gestação ectópica, carcinoma de endométrio, carcinoma epitelial ovariano, carcinoma colorretal e dor na endometriose.[25]

Embora a prevalência de cistos funcionais seja menor em mulheres usuárias de CO, estudos concluíram que os cistos funcionais não regridem mais rapidamente com CO em comparação com conduta expectante.[26,27]

É importante enfatizar que apenas os métodos de barreira oferecem proteção contra HIV e outras ISTs; portanto, devem estar associados aos COs para esse fim.

### Riscos associados ao contraceptivo oral

A taxa de trombose venosa na população feminina em idade fértil é baixa, dobrando o seu número com o uso de CO combinado, passando de 3,01 para 6,29 a cada 10 mil mulheres. Usuárias de CO combinado apresentam cerca de 3 vezes mais chance de sofrer tromboembolismo quando comparadas a mulheres não usuárias. O risco entre as usuárias de CO varia conforme o tipo de progestagênio e diminui com o decréscimo da dose de estrogênio usado. Após a redução da concentração de EE para doses inferiores a 50 µg, o tipo de progestagênio empregado determina o risco de fenômenos tromboembólicos, sendo o levonorgestrel o de menor risco quando comparado às demais combinações e, por isso, o fármaco de escolha.[28,29] A TABELA 111.4 apresenta os riscos relativos, riscos absolutos e NNH de alguns contraceptivos.

O risco absoluto de TVP com qualquer tipo de CO combinado em mulheres jovens é menor que 1 a cada 1.000 usuárias/ano.[30] A importância desses achados torna-se discutível quando se compara o risco de morte por TVP em mulheres usuárias de CO combinado – 1 a 10 a cada 1 milhão de mulheres/ano – com o risco 100 vezes maior de tromboembolismo associado à gestação.[31] O risco de TVP aumenta em portadoras de trombofilias hereditárias ou adquiridas, como a mutação do fator V de Leiden. Essa mutação genética está presente em 5% da população geral e em 20 a 40% de mulheres com TVP.[25] O maior risco de TVP ocorre no primeiro ano de uso e é mais importante em mulheres mais jovens; já o risco de trombose arterial aumenta com a idade.[32]

O excesso de mortes por doença cardiovascular (venosa e arterial) entre usuárias de CO jovens, não tabagistas, com idade entre 20 e 24 anos, encontra-se entre 2 e 6 a cada 1 milhão de mulheres/ano.[33]

A incidência de infarto agudo do miocárdio (IAM) entre usuárias de CO jovens (< 35 anos) e tabagistas (> 20 cigarros/dia) é 10 vezes maior do que em não tabagistas (3,5 a cada 100 mil vs. 0,3 a cada 100 mil, respectivamente).[34]

Uma metanálise evidenciou que usuárias de COs combinados têm risco maior de acidente vascular cerebral (AVC) isquêmico e IAM do que não usuárias, observando-se, ainda, aumento desse risco em formulações com doses maiores de estrogênio e naquelas que contêm progestagênios diferentes do levonorgestrel. Contudo, esse risco regride com a descontinuação do CO, observando-se taxas de mortalidade por doença cardiovascular similares entre ex-usuárias e mulheres que nunca utilizaram a medicação.[35]

O uso de CO está associado a aumento no risco de tromboembolismo e AVC isquêmico **B**,[36] mas não de AVC hemorrágico. O risco de AVC em usuárias de CO aumenta com a idade (mulheres com idade > 35 anos) e em concomitância com hipertensão e tabagismo. Mulheres com história de migrânea com aura e usuárias de COs combinados apresentam risco 6 vezes maior de AVC isquêmico.[37]

**TABELA 111.4** → Risco de fenômenos tromboembólicos com métodos contraceptivos (compilação de diversos estudos)

| MÉTODO | RA (10 MIL MULHERES/ ANO) | RC AJUSTADA PARA TVP/TEP (VS. NÃO EXPOSIÇÃO) | NNH (EVENTO TROMBOEMBÓLICO) EM 1 ANO |
|---|---|---|---|
| Não usuárias | 1-5 | 1 (referência) | |
| Gestantes | 5-20 | | |
| Puérperas | 40-65 | | |
| CO combinado de segunda geração (levonorgestrel) | 5,47* | 2,38 (IC 95%, 2,18-2,59)† | 1.739 (IC 95%, 1.506-2.028)† |
| CO combinado de terceira geração (gestodeno) | 6,82* | 3,64 (IC 95%, 3-4,43)† | 905 (IC 95%, 697-1.198)† |
| CO combinado de terceira geração (desogestrel) | 6,82* | 4,28 (IC 95%, 3,66-5,01)† | 729 (IC 95%, 597-899)† |
| CO combinado com ciproterona | | 4,27 (IC 95%, 3,57-5,10)† | 731 (IC 95%, 583-932)† |
| CO combinado com drospirenona | 7,83* | 4,12 (IC 95%, 3,43-4,96)† | 766 (IC 95%, 604-986)† |
| CO combinado com estradiol | 7,2 (IC 95%, 3,3-13,7) | Ainda não definido pelos estudos disponíveis‡ | |
| Anel vaginal | 7,75§ | 6,48 (IC 95%, 4,69-8,94)§ | |
| Adesivo transdérmico | 9,71§ | 7,90 (IC 95%, 3,54-17,65)§ | |
| Desogestrel 75 µg | 3,32* | 1,10 (IC 95%, 0,35-3,41)* | |
| Implante subdérmico | 1,7§ | 1,40 (IC 95%, 0,58-3,38)§ | |
| DIU TCu | | 1 (equivalente às não usuárias) | |
| SIU-LNG | 1,38§ | 0,57 (IC 95%, 0,41-0,81)§ǁ | |

*Lidegaard O. BMJ, 2009. (https://www.ncbi.nlm.nih.gov/pmc/articles/PMC2726928/)
†Vinogradova Y. BMJ, 2015. (https://www.ncbi.nlm.nih.gov/pmc/articles/PMC4444976/)
‡Dinger J. 2016. (https://pubmed.ncbi.nlm.nih.gov/27343748/)
§Lidegaard O. BMJ, 2012. (https://www.bmj.com/content/344/bmj.E2990)
ǁAusência de risco.
CO combinado, contraceptivo oral combinado; DIU, dispositivo intrauterino; IC, intervalo de confiança; NNH, número necessário para causar dano; RA, risco absoluto; RC, razão de chances; SIU-LNG, sistema intrauterino de levonorgestrel; TEP, tromboembolismo pulmonar; TVP, trombose venosa profunda.

> Mulheres com idade ≥ 35 anos, antes de iniciar CO, devem ser rastreadas para outros fatores de risco cardiovascular, incluindo hipertensão, tabagismo, diabetes com doença micro ou macrovascular ou mais de 20 anos de doença, outras doenças cardiovasculares e migrânea com aura. A OMS e o American College of Obstetricians and Gynecologists (ACOG) contraindicam o uso de CO nas mulheres que apresentam esses fatores de risco.[3,32]

Não há dados disponíveis para risco cardiovascular associado aos novos progestagênios (desogestrel, gestodeno, norgestimato) ou aos contraceptivos não orais, como o anel vaginal e o adesivo transdérmico.[32]

O uso de CO tem sido associado à diminuição de risco de certos tipos de câncer, como câncer de ovário, de endométrio e de corpo uterino **B**,[38] à redução de mortalidade por câncer de útero e de ovário **B**,[39] e a um pequeno aumento do número de outros tipos de câncer, como o de mama **D**.[40-43]

O uso de CO pode ocasionar efeitos colaterais menores: indisposição gástrica, náuseas, vômitos, cefaleia, irritabilidade, diminuição do fluxo menstrual, diminuição ou aumento ponderal, acne e/ou seborreia, retenção hídrica, alteração da libido, mastalgias, sangramentos de escape e agravamento de candidíase e cloasma, quando existentes. Efeitos colaterais graves são mais raros e incluem: acidentes tromboembólicos, hipertensão arterial sistêmica e hepatopatias, inclusive tumores benignos hepáticos.

Diversos estudos realizados não encontraram associação clara e significativa entre o uso de CO combinado e ganho de peso.[44] Independentemente da idade da paciente, podem existir variações de peso ao longo do tempo, porém elas não foram associadas ao uso da pílula, acontecendo em usuárias e não usuárias de maneira similar.[45] Também não se demonstrou evidência de ganho ponderal com o uso de CO combinado em pacientes previamente obesas.[46] Além disso, não se observou diferença significativa de peso e composição corporal entre usuárias de métodos contraceptivos reversíveis de longa ação (LARCs, do inglês *long-acting reversible contraception*) (dispositivo intrauterino [DIU] de cobre, sistema intrauterino de levonorgestrel [SIU-LNG] e implante subdérmico) em 12 meses de acompanhamento.[47]

Em relação ao uso de CO combinado e à possível alteração na função sexual feminina, os efeitos farmacológicos da pílula se deveriam ao aumento da globulina ligadora de hormônios sexuais (SHBG, do inglês *sex hormone-binding globulin*), que levaria à diminuição dos níveis circulantes de testosterona livre. Porém, esse efeito, por si só, não foi suficiente para demonstrar diferenças significativas entre usuárias e não usuárias de CO. Ensaio clínico controlado por placebo não demonstrou redução significativa na função sexual global de usuárias de CO em relação a placebo, porém houve prejuízo nos domínios de desejo sexual e excitação, enquanto o orgasmo, a preocupação, a capacidade de resposta e a autoimagem não foram significativamente afetados.[48] Estudos comparando diferentes doses de COs combinados revelaram que, embora haja uma menor diminuição da testosterona livre com doses menores de EE, não se verificaram diferenças significativas em termos de desejo.[49,50] Mesmo com evidências conflitantes, diante de uma queixa de diminuição da libido, deve-se ter em mente que a sexualidade feminina é multifatorial e complexa, incluindo determinantes psicossociais, culturais, físicos e emocionais. Para a maioria das mulheres, a contracepção hormonal tem um efeito positivo sobre a sexualidade (controle do sangramento e da dismenorreia, atenuação de sintomas de síndrome pré-menstrual, proteção contraceptiva, tratamento de acne). Porém, nos casos de disfunção sexual atribuída ao CO combinado, pode-se optar por métodos com progestagênio isolado, SIU-LNG ou, idealmente, DIU de cobre, que seria o método com menor influência sobre a função sexual por não se tratar de método hormonal – devendo-se atentar, por outro lado, para a possibilidade de aumento do fluxo menstrual e dismenorreia.

O sangramento de escape (*spotting*) é um efeito colateral comum, principalmente nos primeiros 3 meses de uso do CO combinado, devendo-se orientar a paciente no momento da prescrição. Se houver persistência da queixa após esse período, pode-se avaliar a troca para um CO com maior dose estrogênica, ou ainda orientar uso concomitante de antifibrinolítico, como o ácido tranexâmico 500 mg, de 8/8 horas, ou de anti-inflamatório não esteroide, como o ácido mefenâmico 500 mg, de 8/8 horas, ambos por até 5 dias na ocasião do sangramento. Vale lembrar que o anel vaginal é o método que menos apresenta sangramento não programado.

São contraindicações absolutas ao uso de CO: trombose arterial ou venosa atual ou passada, migrânea clássica com sinais focais ou em mulheres com idade ≥ 35 anos, diabetes melito com complicações renais ou retinopatia ou mais de 20 anos de doença, fumantes com idade ≥ 35 anos, doença vascular ou cardíaca com hipertensão pulmonar, prolapso sintomático de válvula mitral, icterícia colestática na gestação, hepatite infecciosa (até 6 meses após a normalização dos testes de função hepática), cirrose, hepatite crônica ativa, tumor hepático, icterícia provocada por CO, hipertensão arterial, epilepsia, câncer genital estrogênio-dependente, glaucoma, gestação, coagulopatias e sangramentos genitais sem diagnóstico.

São contraindicações relativas, exigindo avaliação risco-benefício cuidadosa: varizes superficiais, varizes complicadas por flebites, migrânea sem sinais focais, imobilização prolongada, lúpus eritematoso sistêmico, antecedentes de hipertensão arterial em gestações anteriores, miomatose uterina, depressão grave, diabetes melito e hiperlipidemia.

> **Em mulheres hígidas, não há necessidade de exames complementares para iniciar o uso de CO, exceto se for necessário teste para excluir gestação. Anamnese cuidadosa e medida da pressão arterial são suficientes para prescrição do CO.**

**Instruções para uso dos contraceptivos orais combinados**

Inicia-se o uso dos comprimidos no 1º dia da menstruação. Recomenda-se a ingestão diária de 1 comprimido, sempre no mesmo horário até o término da cartela. Após um intervalo de 7 dias (4 dias para os contraceptivos com 15 µg de EE), recomeça-se com nova cartela, desde que a menstruação tenha ocorrido, geralmente 3 a 5 dias depois do término da cartela. A ausência de sangramento de privação pode estar relacionada ao uso de pílulas com baixa dose de estrogênio (15 ou 20 µg de EE) e atrofia endometrial, por efeito progestogênico predominante. Excluída a possibilidade de gestação, a paciente pode manter o mesmo CO combinado, sabendo que a ausência de sangramento é esperada e não indica anormalidade. Caso prefira que ocorra o sangramento de privação, deve-se fazer a troca para uma opção de CO com dose mais elevada de estrogênio.

Se, por esquecimento ou outro motivo qualquer, um comprimido deixou de ser ingerido no horário habitual, ele poderá ser ingerido em até 12 horas sem perda de eficácia. Intervalos > 12 horas colocam em risco a eficácia do método. Se houver esquecimento da ingestão de 2 pílulas ou mais, deve-se tomar os comprimidos esquecidos, utilizar os restantes de maneira habitual e fazer uso de proteção adicional (preservativo) nos próximos 7 dias. Quanto maior for o tempo sem tomar a pílula, maior é o risco de falha.

Diarreia, vômitos (até 3 horas após a ingestão) ou uso de alguns fármacos, como anticonvulsivantes, antirretrovirais e antibióticos de largo espectro (como rifampicina e rifabutina), podem interferir na absorção da pílula, diminuindo a sua eficácia.[3] Nesses casos, há necessidade de anticoncepção adicional (método de barreira).

Na troca de um CO combinado por outro, pelo anel vaginal ou pelo adesivo transdérmico, deve-se iniciar o novo produto no 1º dia da próxima menstruação, após a interrupção do anterior. Caso a troca seja por um CO de progestagênio isolado, inicia-se o novo método imediatamente após a interrupção do anterior, ou seja, sem intervalo. Ao trocar um CO combinado por um implante subdérmico ou método injetável, a inserção/aplicação deve acontecer dentro de, no máximo, 7 dias após o uso da última pílula ativa.

### Anel vaginal

Composto por dispositivo plástico flexível, o anel vaginal é inserido na vagina por um período de 3 semanas. Após 21 dias de uso, remove-se o anel, mantendo-se um intervalo livre de 7 dias, quando deve ocorrer a menstruação. O anel libera 120 mg de etonogestrel (principal metabólito do desogestrel) e 15 µg de EE por dia. O anel pode ser expelido acidentalmente com o uso de absorvente interno, podendo ser reintroduzido após lavagem com água fria, desde que não permaneça mais que 3 horas fora da vagina. Ocorrendo essa situação, deve ser utilizado um método contraceptivo auxiliar (p. ex., preservativo) até que o anel permaneça no lugar por 7 dias continuadamente. Esse método oferece a vantagem de não exigir memorização diária para seu uso.

Não é necessário remover o anel para relações sexuais ou para coleta do citopatológico, mas se a paciente optar por removê-lo, ele não deve permanecer fora do corpo por mais de 3 horas.

Os critérios de elegibilidade são os mesmos utilizados para os COs combinados (ver **TABELA 111.1**).

### Adesivo transdérmico (patch)

O adesivo contraceptivo (Evra®) libera, diariamente, 203 µg de norelgestromina (o principal metabólito ativo do norgestimato) e 34 µg de EE, equivalendo a uma pílula de 20 µg de EE por via oral. Deve ser aplicado 1 vez por semana, com trocas sempre no mesmo dia da semana, por 3 semanas consecutivas, seguidas de 1 semana de intervalo. A eficácia contraceptiva é similar à dos COs, porém a adesão ao uso pode ser maior por não depender de ingestão diária.

A eficácia contraceptiva pode estar reduzida em mulheres com índice de massa corporal (IMC) ≥ 30 kg/m², recomendando-se o emprego de outro método. Os demais critérios de elegibilidade são semelhantes aos dos COs combinados (ver **TABELA 111.1**).

### Contraceptivo injetável combinado

Uma combinação de 50 mg de enantato de noretisterona com 5 mg de valerato de estradiol aplicada mensalmente, por via intramuscular, confere efeito contraceptivo efetivo e um bom controle do ciclo menstrual. A primeira aplicação deve ser feita no 1º dia do ciclo, e depois a cada 30 dias, com tolerância de 3 dias para mais ou para menos.

## Contraceptivos de progestagênio isolado

### Pílula de progestagênio isolado (POP, do inglês *progestogen-only pill*)

No Brasil, encontram-se formulações com 0,35 mg de noretindrona, conhecidas como minipílulas e usadas com muita frequência no período da amamentação. Sua principal indicação é na anticoncepção de mulheres com contraindicação ao uso de estrogênio.

Sua ação contraceptiva se deve principalmente à atrofia endometrial e ao espessamento cervical, uma vez que as gonadotrofinas não são consistentemente suprimidas (cerca de 40% das usuárias ovulam durante o uso).[3] Exceção a essas formulações são as POPs com 75 mg de desogestrel, também disponíveis no Brasil; por inibirem o eixo hipotálamo-hipófise-ovário de forma consistente, comparam-se em eficácia aos COs combinados.

A POP deve ser ingerida diariamente e no mesmo horário, sem pausas, para conferir boa eficácia contraceptiva.

As alterações do ciclo menstrual são os principais efeitos colaterais do método, embora cerca de 40% das usuárias apresentem ciclos menstruais regulares. O surgimento de cistos funcionais está associado ao uso de POP, assim como aumento no risco relativo de gestação ectópica em comparação às usuárias de contraceptivos combinados, exceto as formulações com desogestrel.

O uso de contraceptivos de progestagênio isolado via oral ou do sistema intrauterino não foi associado a um aumento na incidência de fenômenos tromboembólicos **B**.[51,52]

### Progestagênio injetável

O contraceptivo hormonal injetável mais usado é o acetato de medroxiprogesterona de depósito (DMPA, do inglês *depot medroxyprogesterone acetate*), na dose de 150 mg a cada 3 meses. O efeito contraceptivo se deve à inibição da ovulação e à atrofia endometrial, o que também causa sangramentos irregulares ou amenorreia durante o seu uso. É indicado para mulheres com epilepsia, já que os níveis altos de progestagênio aumentam o limiar das convulsões. Seu uso está associado à amenorreia (que pode ser um objetivo do tratamento) e ao lento retorno da fertilidade (média de 9 meses), não sendo indicado para mulheres que desejam gestar no curto prazo.

Em mulheres com múltiplos fatores de risco cardiovasculares (p. ex., tabagismo, idade avançada, diabetes, hipertensão malcontrolada ou associada a doença vascular) ou naquelas com história prévia de AVC ou cardiopatia isquêmica, os riscos do método podem ser maiores que os benefícios (categoria 3 da OMS ou CDC), devido às preocupações teóricas relacionadas à redução dos níveis da lipoproteína plasmática de alta densidade associada ao uso, bem como a evidências fracas sugerindo aumento de risco de tromboembolismo venoso.[51] Nas mulheres sem esses fatores de risco, os benefícios do método suplantam os riscos, justificando sua indicação.[52,53]

Embora o DMPA possa interferir na massa óssea, várias organizações – CDC, OMS, Society for Adolescent Health and Medicine (SAHM) e Society of Obstetricians and Gynaecologists of Canada (SOGC) – acreditam que as vantagens do uso de DMPA como contraceptivo geralmente superam as preocupações teóricas com relação aos efeitos negativos na massa óssea. Estudos que envolveram mulheres e adolescentes tratadas com DMPA na pré-menopausa por até 5 anos relataram que o declínio na densidade mineral óssea associado ao DMPA foi substancialmente revertido após a descontinuação. A reversão na coluna vertebral ocorreu mais cedo e foi mais completa do que a reversão no quadril.[54] De forma geral, os dados atuais sugerem que o uso de DMPA (início ou continuação) não seja reduzido em adolescentes, em mulheres de 18 a 45 anos, ou em mulheres com idade > 45 anos.[55] As evidências disponíveis também não justificam a limitação da duração da terapia de DMPA, que pode ser continuada por décadas.[56]

O sangramento irregular é um efeito colateral muito comum e um dos principais motivos de descontinuação do método; portanto, é importante que as mulheres sejam bem orientadas quanto à sua ocorrência. Outros efeitos comuns são aumento de peso, mastalgia e depressão. Quanto ao aumento de peso, estudos mostram que costuma não ser maior do que 2 kg, em média. A medroxiprogesterona parenteral de depósito, quando comparada ao CO combinado em puérperas com diabetes gestacional prévio, não mostrou risco maior de deterioração da tolerância à glicose.[57,58]

### Implantes subdérmicos

Os implantes subdérmicos de progestagênio são métodos LARC. No Brasil, disponibiliza-se o Implanon NXT®, um único tubo de 4 cm, que libera 67 µg de etonogestrel por dia, sendo que os níveis caem para 30 µg/dia em 2 anos. Esse implante deve ser retirado em, no máximo, 3 anos.

O efeito contraceptivo do implante se dá pela inibição da ovulação, que ocorre em 8 horas após a sua colocação, quando inserido no 1º dia do ciclo menstrual. Além disso, existe alteração do muco cervical, que se torna pouco permeável à penetração espermática, e diminuição da espessura endometrial.

A colocação e a retirada das cápsulas subdérmicas são procedimentos cirúrgicos pequenos, mas que requerem treinamento. Por não conter estrogênios, os implantes podem ser utilizados em situações que contraindiquem os contraceptivos combinados, como lactação, hipertensão arterial, coagulopatias e uso de anticonvulsivantes.

O principal paraefeito é o sangramento uterino irregular, que costuma diminuir com o tempo de uso. Em torno de 40% das mulheres ficam em amenorreia após o primeiro ano de uso. Acne, ganho ponderal, mastalgia e alterações do humor são efeitos mais raros e, em geral, bem tolerados. Podem ocorrer cistos ovarianos funcionais que se resolvem espontaneamente.[59] As contraindicações absolutas são doença tromboembólica aguda, sangramento vaginal não diagnosticado, doença hepática aguda, tumor de fígado e câncer de mama.

O retorno da fertilidade é imediato após a remoção do implante.

## Contraceptivo de emergência

A contracepção de emergência se refere ao uso de medicamentos ou dispositivos como medidas de emergência para prevenir gravidez indesejada, diante da falha de outro método contraceptivo ou relação sexual sem proteção. Seu uso deve ser ocasional ou como contracepção de *back-up*, não sendo indicado como método contraceptivo primário rotineiro.

Os contraceptivos hormonais de emergência disponíveis no Brasil são a combinação de EE e levonorgestrel (2 comprimidos de CO combinado com 50 μg de EE e 0,25 mg de levonorgestrel, ou 4 comprimidos de CO combinado com 30 μg de EE e 0,15 mg de levonorgestrel, divididos em 2 doses, a cada 12 horas, chamado método Yuzpe) e formulações com levonorgestrel exclusivamente, na dose de 2 comprimidos de 0,75 mg ou 1 comprimido de 1,5 mg. Quando comparado com o método Yuzpe, o levonorgestrel (0,75 mg por dose, 2 doses com 12 horas de intervalo) mostrou ser mais efetivo na prevenção de gravidez, sendo necessário tratar 64 mulheres para evitar uma gestação, e associado a menor índice de efeitos colaterais, como náusea e vômito. Quanto ao uso do levonorgestrel em dose única (1,5 mg) ou dividido em 2 doses de 0,75 mg, não existe diferença quanto à taxa de gestação ou à frequência de eventos adversos, mas a dose única é a de escolha pela facilidade de uso.

O acetato de ulipristal, modulador seletivo de progesterona, é outra opção, podendo ser administrado em dose única de 30 mg em até 5 dias após a relação sexual desprotegida, com taxa de gravidez de 1,4% após o uso.[60]

O principal mecanismo do efeito contraceptivo é a inibição de ovulação, embora também atue sobre o endométrio. Não há evidência de que atue sobre a fertilização ou que apresente risco de teratogenicidade em caso de falha do método.[61]

A eficácia contraceptiva dos métodos hormonais depende do tempo entre a relação sexual e o uso do medicamento, sendo maior dentro das primeiras 72 horas e perdurando até 120 horas (5 dias) depois do ato sexual. A redução do risco de gestação é estimada em 52 a 100%, e a taxa de falha varia de 1,1 a 2,8%, sendo que quanto mais precoce for a utilização, mais eficaz é o método.[62]

A inserção de DIU de cobre também pode ser usada como método anticoncepcional de emergência e tem-se mostrado efetiva em prevenir a gestação. A recomendação é que seja inserido até 5 dias após a relação desprotegida. O principal mecanismo de ação advém dos efeitos tóxicos do cobre sobre o esperma e os óvulos, diminuindo a capacidade de fertilização. Um estudo com DIU Multiload 375®, considerando a probabilidade de gestação em cada dia do ciclo, mostrou que, do número total de gestações esperadas, de 56,8, foram observadas apenas 2 gestações, de modo que a eficácia geral foi de 96,9%.[63]

Estudos com o SIU-LNG como contraceptivo de emergência estão em andamento.

A contracepção de emergência deve ser oferecida independentemente da fase do ciclo menstrual em que a paciente se encontra. Os dados de eficácia não consideram o período do ciclo em que foi empregado, portanto, seu uso é irrestrito.

## DISPOSITIVO INTRAUTERINO

Os dispositivos intrauterinos (DIUs) são feitos de polietileno ou de metal, e há vários formatos e tamanhos. Os modelos mais conhecidos no Brasil são o T, o Multiload 375, também com cobre, e o modelo de DIU medicado com progestagênio – o Mirena®, contendo 52 mg de levonorgestrel (SIU-LNG). Os dispositivos não contêm látex, e alergia ao cobre clinicamente relevante é excepcionalmente rara.

O maior benefício dos DIUs é sua alta efetividade na prevenção de gestação (> 99%). O mecanismo de ação do DIU está possivelmente relacionado com reação citotóxica inflamatória estéril no endométrio, provocada pelo cobre, que também exerce ação tóxica sobre o esperma e o ovo. *In vitro*, o cobre interfere na migração e na viabilidade dos espermatozoides e na reação acrossômica. É possível também a existência de efeitos ovicidas diretos do DIU, que age primariamente impedindo a fertilização.[54] Estudos adicionais com usuárias de DIU foram incapazes de encontrar embriões ou detectar atividade de gonadotrofina coriônica, indicando a não ocorrência de gestações químicas e/ou transitórias.[64]

Nos DIUs medicados, o progestagênio liberado torna o muco cervical mais espesso, atuando como barreira ao esperma, além de provocar decidualização endometrial e atrofia glandular, alterações hostis à implantação.

O DIU pode ser usado em qualquer mulher sem doença genital ativa que não deseje engravidar, inclusive em nuligestas ou nulíparas, bem como logo após o parto ou aborto, na ausência de infecção pélvica ativa.

A inserção do DIU é procedimento simples e ambulatorial. Pode ser feita na atenção primária à saúde, desde que o profissional tenha treinamento para isso. A contracepção tem início imediato, e a fertilidade é prontamente restabelecida após a retirada.

O índice de expulsão do DIU foi de 5,6 e 5 a cada 1.000 mulheres por mês no primeiro ano de uso, respectivamente, para SIU-LNG e DIU Tcu 380A. No 5º ano de uso, esse índice baixou para 3 e 2 a cada 1.000 mulheres por mês, respectivamente.[65]

O risco de DIP associada ao DIU é temporalmente restrito aos primeiros 20 dias após a inserção (1,4 a cada 1.000 mulheres que inseriram DIU) e não aumenta com o uso prolongado.[66]

A antibioticoterapia profilática na inserção do DIU é desnecessária, tendo em vista que o risco de infecção associada à inserção do DIU é muito baixo – menos que 2% – com ou sem profilaxia antibiótica B.[67,68] A ocorrência de DIP em usuária de DIU deve ser tratada de acordo com a terapêutica antibiótica padrão. A OMS não considera necessária a retirada do DIU nesses casos.[3] Entretanto, estudo controlado randomizado mostrou que a remoção do DIU aumentou os índices de melhora clínica em casos leves a moderados de DIP.[69]

### Dispositivo intrauterino de cobre

A quantidade de cobre determina o tempo de contracepção: 3 anos para o modelo com 250 mm² de cobre, 5 anos para o de 375 mm² e 10 anos para os modelos com 380 mm². No Brasil, o modelo disponível nas unidades básicas de saúde é o TCu 380A.

Em uma coorte prospectiva com 1.962 novas usuárias do DIU de cobre, houve relato de aumento da dor menstrual nos primeiros meses em 30% delas e aumento do fluxo menstrual em dois terços; esses efeitos colaterais diminuíram ao longo do primeiro ano de uso.[70]

As vantagens do DIU de cobre sobre o SIU-LNG são o tempo de contracepção, 2 vezes maior, e a eficácia na contracepção de emergência. Para as mulheres que desejam apresentar ovulação e as modificações naturais do ciclo menstrual, o DIU de cobre está indicado. Seu uso também está associado à redução de 30% de câncer de colo do útero B,[71] por resposta imunológica local, e de câncer endometrial, por mecanismo ainda desconhecido.[72]

Há evidências de que o DIU de cobre possa ter uso estendido para além dos 10 anos em mulheres com idade > 25 anos. Entre 25 a 34 anos, pode ser deixado por 12 anos e, se colocado aos 35 anos, pode ser deixado até a menopausa.[73]

Não há evidências para a recomendação de antibioticoterapia e remoção do DIU em mulheres assintomáticas com citologia cervical positiva para *Actinomyces*. *Actinomyces* é um bacilo anaeróbio gram-positivo que faz parte da flora vaginal e gastrintestinal normais; sua identificação em citologia cervical para rastreamento do câncer de colo do útero não é diagnóstica de doença, nem indicativa de desenvolvimento da doença. As mulheres portadoras desse bacilo anaeróbio devem ser informadas sobre os sintomas e sinais de DIP, e orientadas a procurar o médico nesse caso.[74]

### Sistema intrauterino de levonorgestrel

O sistema intrauterino de levonorgestrel (SIU-LNG) contém 52 mg de levonorgestrel e libera inicialmente 20 μg/dia desse progestagênio, diminuindo para 14 μg/dia após 5 anos. Mais recentemente, foi disponibilizado no mercado o DIU hormonal de baixa dose, o Kyleena®, contendo 19,5 mg de levonorgestrel; tal como o DIU de cobre, é detectável à radiografia e não contém látex. A ação progestogênica é primariamente local, e a concentração endometrial de levonorgestrel é 1.000 vezes maior que a observada em mulheres com implante subdérmico de levonorgestrel. A concentração sérica é muito inferior à endometrial, em torno de 150 a 200 pg/mL nas primeiras semanas de uso, declinando com o tempo de uso. Esses níveis são a metade do observado com os implantes subdérmicos e muito menores que os associados às POPs.

O efeito adicional do levonorgestrel tem pouco impacto sobre a ovulação. No primeiro ano de uso do SIU, 45% dos ciclos foram ovulatórios, e a taxa de ovulação aumenta à medida que os níveis de levonorgestrel diminuem.

O SIU-LNG reduz significativamente o fluxo menstrual e pode ser terapêutico em mulheres com sangramento menstrual excessivo B.[3,75]

Os benefícios não contraceptivos do SIU incluem redução do sangramento excessivo, da anemia, da dismenorreia, da dor relacionada à endometriose, da hiperplasia endometrial, da DIP e do câncer de colo do útero.

A redução na incidência de DIP se deve provavelmente às alterações induzidas no muco cervical e endométrio.[67,68]

Embora o risco de gestação com SIU seja baixo, se houver gestação, a possibilidade de ser ectópica é maior do que em usuárias de DIU de cobre. Entretanto, o índice de gestação em geral é ainda menor em usuárias de SIU do que em usuárias de DIU de cobre.[76]

A duração do SIU com 52 mg de levonorgestrel foi programada para 5 anos. Verificou-se recentemente que a extensão para 6 anos de uso desse DIU é segura, uma vez que a taxa de falha é semelhante à do primeiro ano de uso típico, 0,25 a cada 100 mulheres por ano B.[77]

### Populações especiais e o uso de DIU

#### Mulheres com HIV

Evidências sobre a segurança do uso de contraceptivos hormonais e intrauterinos em mulheres portadoras do HIV ainda são limitadas, mas parece não existir risco aumentado de eventos adversos à saúde, progressão da doença B[78] ou aumento do risco de transmissão a parceiro não infectado.

Em relação ao DIU, sua presença não aumentou o risco de aquisição do HIV em comparação aos demais contraceptivos.[79] Pequenos estudos não mostraram aumento de risco de DIP em usuárias de DIU, com ou sem HIV, nem nas HIV-positivas com baixa contagem de CD4.[80] Não foi evidenciado, em mulheres HIV-positivas com DIU, aumento no risco de transmissão de HIV para parceiro negativo.[81]

Mulheres HIV-positivas ou em risco de contrair HIV podem optar pelo DIU, com o uso conjunto e consistente do preservativo nas relações sexuais. As mulheres com síndrome da imunodeficiência adquirida (Aids, do inglês *acquired immunodeficiency syndrome*) não têm contraindicação ao uso do DIU, desde que acompanhadas de maneira regular para detecção de infecção pélvica.[3] Entretanto, mulheres em risco de infecção por outras ISTs, além do HIV, podem ter maior proteção com o SIU-LNG, que pode reduzir as infecções ascendentes do trato genital feminino.

#### Mulheres nulíparas

Nulíparas com baixa exposição às ISTs podem seguramente usar DIU, com eficácia e segurança, inclusive com taxas de infecção equivalentes às das multíparas; contudo, a frequência de dor e fluxo menstrual aumentados são ligeiramente maiores em nulíparas do que em multíparas.[82,83] Já as taxas de expulsão do DIU de cobre, que no passado se mostravam maiores nas nulíparas, hoje são as mesmas, independentemente da paridade.

Em relação ao SIU-LNG, as nulíparas tiveram taxa de expulsão menor que as multíparas. A preocupação com a infertilidade é infundada, pois estudos bem-conduzidos registraram ausência desse risco, o que foi chancelado pela OMS.³

## Puérperas

A inserção do DIU no período pós-parto imediato, até 10 minutos após a dequitação da placenta, em parto vaginal ou cesariana, parece segura e eficaz e é bem aceita em vários países. A inserção do DIU em outros momentos depende do retorno da paciente, o que, frequentemente, não ocorre e, considerando que no primeiro ano pós-parto até 70% das gestações não são planejadas, o período do pós-parto imediato parece ser um momento adequado para essa abordagem.⁸⁴

Após o parto vaginal e subsequente aplicação de ocitocina intramuscular, utiliza-se a pinça-anel para apreender as "asas" do T, ultrapassa-se o colo uterino e insere-se o DIU no fundo uterino (sempre colocando a mão espalmada sobre o fundo). Na cesárea, após o útero contrair e iniciar-se a sutura, coloca-se o DIU, manualmente ou com pinça-anel no fundo uterino, e os fios são direcionados para o colo do útero, com posterior término da histerorrafia.

Como o índice de expulsão do DIU pode ser maior quando inserido nesse momento, recomenda-se agendar revisão em curto intervalo de tempo (entre 3-6 semanas) para a detecção de expulsões espontâneas precoces, com recomendação de uso de preservativo até documentação de sua persistência.⁶⁸,⁸⁵

Contraindicações à inserção do DIU pós-parto imediato incluem infecção intrauterina intraparto, sepse puerperal e hemorragia pós-parto.⁶⁸

A taxa de expulsão de DIU no pós-parto imediato é maior do que a inserção de intervalo (entre 4-8 semanas pós-parto). Entretanto, é alta a taxa de mulheres que permanecem com um método altamente efetivo **B**.⁶⁸

## Contraindicações ao uso de DIU

As poucas situações que contraindicam o uso de DIU são apresentadas na **TABELA 111.5**. Salienta-se que miomas que não alteram a cavidade intrauterina não são contraindicação ao DIU.³

## Técnica de inserção do DIU

O DIU deve ser inserido de preferência durante a menstruação, quando o canal cervical se encontra mais permeável, a cavidade uterina está mais distendida e há mínimas chances de a mulher estar grávida.

Após o toque ginecológico, que identifica a posição do útero, coloca-se o espéculo e realiza-se a antissepsia. A pinça de Pozzi apreende o colo do útero, e sua tração gentil retifica o eixo uterino e facilita a medida da cavidade uterina com histerômetro e a posterior introdução do DIU. No aplicador do DIU, demarca-se a medida uterina encontrada para delimitar a profundidade da introdução do dispositivo. Para posicionamento adequado do DIU, a cavidade uterina deve medir de 6 a 10 cm. Não se emprega força ao passar o histerômetro ou o dispositivo, pois aumenta o risco de perfuração uterina. Na presença de obstrução parcial por miomas, ou de flexão uterina exagerada, por exemplo, a ultrassonografia (US) pode ser útil para assegurar colocação apropriada do DIU no fundo uterino.

**TABELA 111.5** → Contraindicações absolutas à inserção do dispositivo intrauterino (DIU)

| QUALQUER TIPO DE DIU |
|---|
| → Gestação suspeita ou confirmada |
| → Distorção anatômica da cavidade uterina (anomalias congênitas, miomas) |
| → Infecção pélvica ou cervicite mucopurulenta ativa ou recente (< 3 meses) por infecção sexualmente transmissível, pós-parto ou pós-aborto, ou por tuberculose |
| → Sangramento uterino em investigação |
| **DIU TCu 380A** |
| → Doença de Wilson |
| → Alergia conhecida ao cobre |
| **SISTEMA INTRAUTERINO DE LEVONORGESTREL** |
| → Alergia conhecida ao levonorgestrel |
| → Doença hepática ativa ou tumor hepático |
| → Câncer de mama, conhecido ou suspeito |

Fonte: World Health Organization.³

As mulheres nulíparas têm risco maior de reação vagal à inserção do DIU. Os sintomas de síncope transitória, hipotensão, bradicardia e/ou náusea podem ser resolvidos com a suspensão do procedimento e, se necessário, administração de atropina (0,4-0,6 mg, intramuscular ou intravenoso). Eventualmente, pode-se utilizar anestesia com bloqueio paracervical com lidocaína. Pode ser necessária a retirada do DIU na persistência dos sintomas.

Os analgésicos podem ser úteis nas horas seguintes à inserção, mas o emprego de anti-inflamatórios antes da inserção não se mostrou útil na prevenção ou redução da dor à introdução do DIU.⁸⁶

Após a inserção, as mulheres devem ser orientadas a retornar se perceberem febre ou dor abdominal, piora da dor pélvica, sintomas de síncope, sangramento uterino excessivo, suspeita de expulsão do dispositivo, corrimento vaginal com odor fétido ou suspeita de gestação. Na ausência de problemas, recomenda-se revisão em 1 a 3 meses depois da inserção e após, como parte das revisões ginecológicas de rotina. O autoexame periódico, para certificar-se da permanência dos fios do DIU no local correto, é seguro, mas não há evidências que apoiem essa prática.⁸⁷

A US não é rotineiramente indicada após a inserção do DIU, mas deve ser solicitada se houver suspeita de perfuração uterina ou quando os fios do DIU não forem visíveis na vagina ou no canal cervical ao exame especular. Na ausência de suspeita clínica de perfuração uterina ou outras complicações, quando os fios do DIU não forem visualizados no acompanhamento ou na retirada do dispositivo, é possível introduzir delicadamente escova endocervical no colo, girando-a lentamente na tentativa de trazer os fios para fora do canal cervical. Se a técnica for insuficiente, cabe realização de US e/ou avaliação com especialista.⁸⁸

### Gestação com DIU intraútero

A concepção com DIU *in situ* evolui para aborto espontâneo em 40 a 50% das vezes, índice superior a 2 vezes o da população geral. O DIU retido aumenta o risco de desfechos gestacionais adversos, que podem ser reduzidos, mas não eliminados, com a remoção precoce do dispositivo.[89]

A primeira providência é determinar a localização da gestação. Na gestação intrauterina de 1º trimestre com fios do DIU visíveis ao exame especular, a remoção do dispositivo reduz os riscos de aborto e infecção. Antibioticoterapia não é necessária. Se os fios do DIU não estiverem visíveis, pode-se tentar remover o dispositivo sob controle ultrassonográfico. Entretanto, se a localização do DIU tornar a remoção arriscada para o prolongamento da gestação, ele deve ser mantido dentro do útero.

## CONTRACEPÇÃO MASCULINA REVERSÍVEL

O desenvolvimento de métodos contraceptivos para homens data dos anos 1970, mas tem sido muito lento, por diversos motivos, não somente técnicos, mas também relacionados ao contexto histórico e cultural que envolve as disparidades de gênero na sociedade. Apesar disso, na perspectiva do cuidado integral em saúde sexual e reprodutiva, é essencial uma diversidade maior de métodos masculinos.

Até hoje, várias abordagens, tanto hormonais como não hormonais, foram ou estão sendo testadas, algumas com claro potencial de efetividade; porém, a disponibilidade de produtos permanece limitada.[90] A base da contracepção masculina hormonal é a supressão da produção de gonadotrofinas pelos androgênios e progestagênios exógenos, o que suprime a testosterona testicular e a produção de esperma. Estudos de eficácia, com reduzido tamanho amostral, demonstraram a efetividade e a reversibilidade dos métodos hormonais; porém, efeitos colaterais (alterações no humor, na libido e no colesterol) ainda preocupam.[91] Assim, seja no formato de "pílula masculina" ou de injeção de longa ação, os contraceptivos hormonais para homens permanecem como promessas para dias futuros.

Os métodos não hormonais incluem vaso-oclusão reversível (por meio de polímeros que bloqueiam o transporte do esperma através dos vasos deferentes) e fármacos com foco de ação na maturidade e na motilidade espermáticas, mas o seu desenvolvimento ainda está em fase de testes pré-clínicos.[90]

## ESTERILIZAÇÃO

As esterilizações feminina e masculina são métodos que devem ser considerados definitivos. O casal, além de entender e concordar com o procedimento, deve ser informado em linguagem acessível e assinar consentimento após estar plenamente esclarecido sobre o procedimento, suas consequências, falhas e eventuais complicações.

Conforme a Lei nº 9.263, de 12 de janeiro de 1996, a esterilização no Brasil somente é permitida nas seguintes situações:

→ homens e mulheres com capacidade civil plena e maiores de 25 anos de idade ou, pelo menos, com 2 filhos vivos, desde que observado o prazo mínimo de 60 dias entre a manifestação da vontade e o ato cirúrgico;
→ risco à vida ou à saúde da mulher ou do futuro concepto, testemunhado em relatório escrito e assinado por 2 médicos.

Por tratar-se de um método permanente, o processo de decisão compartilhada com a mulher, o homem ou o casal deve ser cuidadosamente conduzido pelo profissional de saúde. Ao mesmo tempo em que seus desejos devem ser respeitados, devem ser convidados a refletir a partir das seguintes perguntas: "Qual é a possibilidade de querer ter mais filhos no futuro?" e "A ideia está bem consolidada ou há chances de mudar de ideia quanto à possibilidade de ter filhos?". Assim, pode-se chegar a uma conclusão sobre a convicção da pessoa na decisão pela esterilização ou se precisa de mais tempo para decidir.[4]

Outra questão importante é que esta é uma decisão individual da pessoa, não podendo ser forçada pelo parceiro ou pela parceira, nem por qualquer outra pessoa. O profissional de saúde deve estar atento a isso no momento da decisão compartilhada.[4]

### Ligadura tubária

É um dos métodos contraceptivos mais efetivos e deve estar amplamente disponível.

Existem várias técnicas cirúrgicas de ligadura tubária: laparotomia, minilaparotomia, videolaparoscopia e histeroscopia. A culdoscopia não é recomendada pelo maior índice de falhas e complicações associadas.[92]

São contraindicações de minilaparotomia e laparoscopia as infecções peritoneais ativas, a doença cardíaca grave – pelo risco de complicações associadas à anestesia –, a obesidade acentuada e as aderências pélvicas. Nestes dois últimos casos, pode ser necessária apenas a ampliação da incisão abdominal.

Conforme a lei brasileira, a esterilização cirúrgica não deve ser realizada em mulheres durante os períodos de parto ou aborto, exceto nos casos de comprovada necessidade, como por cesarianas sucessivas anteriores. Mundialmente, são períodos considerados convenientes e seguros para a realização do procedimento, porém, estão relacionados com maior ocorrência de arrependimento no futuro. Um bom aconselhamento durante a gestação pode ajudar na tomada de decisão informada e segura.[4]

Complicações ocorrem em menos de 2% de todos os procedimentos, sendo consideradas graves aquelas que exigem internação hospitalar ou laparotomia para resolução.[92]

O aumento do fluxo menstrual e o sangramento anormal provocados pela ligadura tubária, relatados por décadas em estudos não controlados, foram definitivamente afastados pelo estudo *U.S. Collaborative Review of Sterilization*, que mostrou não existir incidência maior de alteração hormonal ou sangramento menstrual anormal em mulheres com ligadura tubária comparadas a mulheres com companheiros vasectomizados.[93]

## Vasectomia

A vasectomia ou oclusão do canal deferente é um dos métodos mais simples, seguros e satisfatórios para a anticoncepção.

É facilmente praticada por profissionais treinados, ambulatorialmente, sob anestesia local e com cuidados habituais para pequenas cirurgias. Recomenda-se a anticoncepção com outros métodos até 60 dias após o procedimento, período necessário para o desaparecimento dos espermatozoides. Indica-se a realização de espermocitograma de controle antes de liberar a anticoncepção com outros métodos.

As falhas do método decorrem da recanalização espontânea, nitidamente relacionada com a ocorrência de granuloma pós-operatório. Por isso, indica-se eletrocoagulação dos cotos do deferente ou ligadura com fio absorvível, o que diminui a incidência de granuloma.

Complicações, como dor crônica escrotal ou testicular e infecção na incisão, são raras.

Em princípio, a vasectomia é um método reversível, pois a reanastomose dos canais deferentes pode ser realizada, com sucesso, mesmo muitos anos após a vasectomia. O tempo entre a vasectomia e a reanastomose é fator preponderante no sucesso da reversão da esterilidade. No entanto, considerando que a cirurgia de reversão só é possível em alguns casos, e que nem sempre é exitosa, na prática, a vasectomia deve ser considerada um método irreversível.[4]

A produção androgênica pelo testículo, o volume do sêmen ejaculado e as secreções prostáticas não se alteram após a vasectomia. O procedimento também não afeta o desempenho sexual e não foi associado a aumento da incidência de câncer de próstata ou de testículo ou de eventos adversos cardiovasculares.

## ANTICONCEPÇÃO EM SITUAÇÕES ESPECIAIS

### Pessoas com deficiências

Além dos critérios de elegibilidade,[3] outras considerações devem ser feitas na escolha do método contraceptivo em pessoas com deficiências. Devem ser consideradas a natureza da deficiência e do método e a vontade expressa do indivíduo.

Os COs podem não ser o método de escolha para mulheres que apresentam problemas circulatórios ou imobilidade dos membros inferiores, pelo aumento no risco de TVP, mesmo na ausência de mutações trombogênicas.

Outros métodos podem ser preferíveis em indivíduos com deficiência mental ou intelectual – por exemplo, aqueles que não exigem uso diário, como implantes, DIU ou contraceptivos injetáveis. Para mulheres com dificuldades de higiene durante o período menstrual, o impacto dos contraceptivos sobre o fluxo menstrual também deve ser considerado.

As decisões devem ser tomadas de forma informada e compartilhada. Se a natureza da deficiência não permitir a escolha de forma independente, familiares ou pessoas envolvidas com os cuidados da mulher devem participar da decisão. Os direitos reprodutivos do indivíduo devem ser sempre respeitados, e as decisões sobre esterilização devem ser feitas de maneira ética.

### Adolescência

A gravidez na adolescência continua sendo uma importante questão de saúde pública no Brasil. Apesar da diminuição de 7% nas taxas de nascidos vivos de mães adolescentes nos últimos anos, cerca de 24% dos partos com nascidos vivos ocorrem em mulheres de até 20 anos.[94] Certamente são muitos os fatores envolvidos nesses números, e o acesso à contracepção é um dos mais determinantes para mudanças nesse cenário.

Na escolha do método contraceptivo para adolescentes, questões sociais, culturais e comportamentais devem ser consideradas. Por exemplo, em algumas populações, o risco de IST, incluindo HIV, é maior. Por outro lado, para muitos adolescentes, métodos que não dependam de tomada diária podem ser mais apropriados. Ainda, adolescentes têm-se mostrado menos tolerantes a efeitos colaterais e apresentam altas taxas de descontinuação do método.

Embora haja alguma preocupação sobre o uso de anticoncepcionais injetáveis com progestagênio (DMPA) em relação à perda da densidade óssea em adolescentes, em função dos achados de alguns estudos realizados no passado, hoje se sabe que é uma opção segura nessa faixa etária, mesmo em adolescentes obesas[95] (categoria 2 da OMS e do CDC).

> **A oferta de diferentes métodos contraceptivos a adolescentes aumenta a aceitação e a prevalência de uso do método. Reforça-se a necessidade da associação de preservativos a outros métodos contraceptivos em todas as relações sexuais para prevenção de IST.**

Na abordagem das diferentes opções contraceptivas, deve-se considerar o uso dos denominados métodos contraceptivos reversíveis de longa duração (LARCs),[96,97] como os DIUs e os implantes subdérmicos. São opções eficazes, seguras, que duram entre 3 e 10 anos, cujo uso depende pouco da usuária, melhorando a adesão e diminuindo chances de gestações decorrentes de falha na utilização do método (como esquecimento do CO).

O projeto CHOICE incluiu 5.086 mulheres na cidade de Saint Louis, Estados Unidos, para início de método anticoncepcional. Após aconselhamento sobre segurança, efetividade, riscos e benefícios dos métodos reversíveis, levando em consideração os critérios de elegibilidade, 70% das participantes optaram por utilizar LARCs. Entre adolescentes de 14 a 20 anos, esse número foi de 62%. Esses valores chamaram a atenção dos pesquisadores, visto que, antes do projeto, menos de 5% da população fazia uso de LARC. Entre as usuárias dos métodos de longa duração, observaram-se maiores taxas de satisfação e continuidade em comparação às usuárias dos métodos de curta duração (83,7 vs. 52,7% e 86,2 vs. 54,7%, respectivamente). As maiores barreiras para o uso mais difundido dos LARCs são a falta de informação, a resistência dos médicos à sua prescrição e o alto custo inicial do seu emprego.[98]

Quanto ao DIU de cobre ou ao SIU-LNG, seu uso em adolescentes é considerado aceitável (categoria 2 da OMS e do CDC). Estudos não mostraram associação com aumento de risco de gravidez ectópica ou de DIP, em comparação com mulheres com idade > 25 anos B.[99]

## Climatério

Mulheres sexualmente ativas na transição menopausal apresentam fertilidade diminuída, porém ainda necessitam de contracepção. Elas costumam apresentar problemas menstruais e sintomas menopáusicos. A idade isoladamente não é contraindicação a nenhum método contraceptivo.

Os contraceptivos hormonais, além da efetividade, têm benefícios não contraceptivos. Os COs são utilizados há muito tempo, e aparentemente as novas apresentações, como anel vaginal ou adesivo, apresentam o mesmo perfil de risco. Os métodos com progestagênio exclusivo apresentam perfil de segurança excelente, inclusive os de liberação intrauterina.[100]

Para mulheres com idade > 35 anos, saudáveis e não tabagistas, o CO de baixa dose (com 30 μg ou menos de EE) é mais seguro que uma gestação e pode ser mantido até 50 a 55 anos ou até a menopausa. Não há diretrizes para a transição de CO para terapia hormonal na menopausa; entretanto, após a idade de 50 anos, a dosagem de hormônio folículo-estimulante (FSH, do inglês *follicle-stimulating hormone*), 6 dias após o intervalo do CO, pode auxiliar na determinação do estado menopáusico.[101]

## Mulheres que estão amamentando

Os critérios que autorizam o uso do método da amenorreia da lactação (LAM, do inglês *lactational amenorrhea method*) como método contraceptivo seguro, conforme o Consenso de Bellagio, são amenorreia, amamentação exclusiva ou quase exclusiva e intervalo pós-parto < 6 meses. Para mulheres com risco inaceitável para gestação, outros métodos, além da amenorreia da lactação, devem ser empregados.

Idealmente, o método contraceptivo utilizado por mulheres que estão amamentando não deveria interferir na lactação. A Academy of Breastfeeding Medicine diz que é prudente considerar todos os métodos contraceptivos hormonais como tendo algum risco de diminuição da produção do leite e apresenta a seguinte lista de métodos anticoncepcionais em ordem crescente de potencial impacto negativo na amamentação:[102] LAM, métodos naturais, métodos de barreira, DIU, contraceptivos com progestagênio apenas e, finalmente, contraceptivos contendo estrogênio.

Em uma revisão sistemática da Cochrane, não foi observada diferença na duração da amamentação com o uso de diferentes contraceptivos, porém foi demonstrado, por um dos estudos, pequeno efeito dos COs combinados sobre o volume do leite (redução de cerca de 25 mL). Ressalta-se, porém, que não houve diferença significativa no peso e no crescimento dos recém-nascidos com nenhum dos contraceptivos estudados.[103]

**TABELA 111.6** → Efeito dos diferentes métodos anticoncepcionais no aleitamento materno

| MÉTODO | EFEITO SOBRE A LACTAÇÃO |
|---|---|
| LAM | → Nenhum |
| Métodos de barreira (diafragma, espermicida, preservativo) | → Nenhum <br> → O uso de lubrificantes pode ser benéfico, pois geralmente há atrofia vulvovaginal nesse período |
| DIU de cobre | → Nenhum |
| SIU-LNG | → Quando inserido imediatamente pós-parto, pode estar associado a uma pequena redução na duração da amamentação <br> → Não há efeito colateral sobre a lactação se for inserido 6 semanas após o parto |
| Esterilização feminina | → Nenhum; apenas impossibilidade de amamentar durante o procedimento e algumas horas após, pelo uso de anestésicos |
| Contraceptivo exclusivamente com progestagênio (injetável, pílulas orais, DIU com progesterona, implante) | → Teoricamente, poderia diminuir a produção do leite se iniciado antes que a produção esteja bem estabelecida (dados insuficientes) <br> → No caso de injetável trimestral, devido ao uso intramuscular, não teria como ser removido se houver alteração na amamentação |
| Contraceptivo hormonal combinado (oral, adesivo, anel vaginal, injetável) | → Risco significativo de diminuição da produção do leite se iniciado até 6 meses pós-parto; é melhor evitar durante a amamentação <br> → Não é possível interromper imediatamente o efeito de formas injetáveis <br> → Quanto maior for a dosagem de estrogênio, maior será o efeito |
| Contraceptivo de emergência (combinado ou somente com progestagênio) | → Para o uso de combinados (método Yuzpe), os efeitos seriam os mesmos do que para os contraceptivos orais <br> → É preferível usar métodos apenas de progestagênios |

DIU, dispositivo intrauterino; LAM, método da amenorreia da lactação; SIU-LNG, sistema intrauterino de levonorgestrel.
Fonte: Academy of Breastfeeding Medicine.[102]

Cabe à mulher a decisão final de qual método contraceptivo utilizar durante a lactação. Mas, para isso, ela deve estar plenamente informada dos riscos potenciais para a lactação, que estão descritos na **TABELA 111.6**.[102]

Se o preservativo for utilizado durante a lactação, o uso de lubrificante vaginal pode ser útil para prevenir dispareunia, por causa da atrofia vaginal comumente presente durante a lactação.

**Na prática, por ocasião da alta hospitalar pós-parto, faz-se a orientação de métodos contraceptivos, associados ou não à lactação, e na revisão 30 a 40 dias após o parto, asseguram-se o uso e a adequação do método escolhido.**

## REFERÊNCIAS

1. Starrs AM, Ezeh AC, Barker G, Basu A, Bertrand JT, Blum R, et al. Accelerate progress-sexual and reproductive health and rights for all: report of the Guttmacher-Lancet Commission. Lancet. 2018;391(10140):2642-92.

2. Instituto Brasileiro de Geografia e Estatística. Projeção da População 2018: número de habitantes do país deve parar de crescer em 2047 [Internet]. Rio de Janeiro: IBGE; 2020 [capturado em 17 nov. 2020]. Disponível em: https://agenciadenoticias.ibge.gov.br/agencia-sala-de-imprensa/2013-agencia-de-noticias/

releases/21837-projecao-da-populacao-2018-numero-de-habitantes-do-pais-deve-parar-de-crescer-em-2047

3. World Health Organization. Medical eligibility criteria for contraceptive use [Roda com os critérios médicos de elegibilidade da OMS para uso de métodos anticoncepcionais – atualização de 2015] [Internet]. 5th ed. Geneva: WHO; 2015 [capturado em 10 jun. 2019]. Disponível em: https://www.who.int/reproductivehealth/publications/family_planning/MEC-5/en/

4. World Health Organization. Family planning: a global handbook for providers [Internet]. 3rd ed. Geneva: WHO; 2018 [capturado em 01 dez. 2020]. Disponível em: https://apps.who.int/iris/bitstream/handle/10665/260156/9780999203705-eng.pdf?sequence=1

5. Wilcox AJ, Weinberg CR, Baird DD. Post-ovulatory ageing of the human oocyte and embryo failure. Hum Reprod. 1998;13(2):394-7.

6. Grimes DA, Gallo MF, Grigorieva V, Nanda K, Schulz KF. Fertility awareness-based methods for contraception: systematic review of randomized controlled trials. Contraception. 2005;72(2):85-90.

7. Jennings V. Fertility awareness-based methods of pregnancy prevention [Internet]. Waltham: UpToDate; 2020 [capturado em 8 nov. 2020]. Disponível em: https://www.uptodate.com/contents/fertility-awareness-based-methods-of-pregnancy-prevention#H3318205488

8. Berglund Scherwitzl E, Lundberg O, Kopp Kallner H, Gemzell Danielsson K, Trussell J, et al. Perfect-use and typical-use Pearl Index of a contraceptive mobile app. Contraception. 2017;96(6):420-5.

9. Jennings V, Haile LT, Simmons RG, Spieler J, Shattuck D. Perfect- and typical-use effectiveness of the Dot fertility app over 13 cycles: results from a prospective contraceptive effectiveness trial. Eur J Contracept Reprod Health Care. 2019;24(2):148-53.

10. Wilkinson D, Ramjee G, Tholandi M, Rutherford G. Nonoxynol-9 for preventing vaginal acquisition of HIV infection by women from men. Cochrane Database Syst Rev. 2002;(4):CD003936.

11. Van Damme L, Ramjee G, Alary M, Vuylsteke B, Chandeying V, Rees H, et al. Effectiveness of COL-1492, a nonoxynol-9 vaginal gel, on HIV-1 transmission in female sex workers: a randomised controlled trial. Lancet. 2002;360(9338):971-7.

12. Raymond EG, Chen PL, Luoto J. Contraceptive effectiveness and safety of five nonoxynol-9 spermicides: a randomized trial. Obstet Gynecol. 2004;103(3):430-9.

13. FSRH Clinical Effectiveness Unit. Barrier Methods for Contraception and STI Prevention [Internet]. London: FSRH; 2015 [capturado em 1 dez. 2020]. Disponível em: https://www.fsrh.org/standards-and-guidance/documents/ceuguidancebarriermethodscontraceptionsdi/

14. Giannou FK, Tsiara CG, Nikolopoulos GK, Talias M, Benetou V, Kantzanou M, et al. Condom effectiveness in reducing heterosexual HIV transmission: a systematic review and meta-analysis of studies on HIV serodiscordant couples. Expert Rev Pharmacoecon Outcomes Res. 2016;16(4):489-99.

15. Walsh TL, Frezieres RG, Peacock K, Nelson AL, Clark VA, Bernstein L, et al. Effectiveness of the male latex condom: combined results for three popular condom brands used as controls in randomized clinical trials. Contraception. 2004;70(5):407-13.

16. Silverman BG, Gross TP. Use and effectiveness of condoms during anal intercourse: a review. Sex Transm Dis. 1997;24(1):11-7.

17. Hoke TH, Feldblum PJ, Van Damme K, Nasution MD, Grey TW, Wong EL, et al. Temporal trends in sexually transmitted infection prevalence and condom use following introduction of the female condom to Madagascar sex workers. Int J STD AIDS. 2007;18(7):461-6.

18. Macaluso M, Blackwell R, Jamieson DJ, Kulczycki A, Chen MP, Akers R, Kim DJ, Duerr A. Efficacy of the male latex condom and of the female polyurethane condom as barriers to semen during intercourse: a randomized clinical trial. Am J Epidemiol. 2007;166(1):88-96.

19. Mvundura M, Nundy N, Kilbourne-Brook M, Coffey PS. Estimating the hypothetical dual health impact and cost-effectiveness of the Woman's Condom in selected sub-Saharan African countries. Int J Womens Health. 2015;7:271-7.

20. Schindler AE, Campagnoli C, Druckmann R, Huber J, Pasqualini JR, Schweppe KW, et al. Classification and pharmacology of progestins. Maturitas. 2003;46 Suppl 1:S7-S16.

21. National Center for Chronic Disease Prevention and Health Promotion. Summary chart of U.S. medical eligibility criteria for contraceptive use [Internet]. Atlanta: CDC; 2020 [capturado em 1 dez.2020]. Disponível em: https://www.cdc.gov/reproductivehealth/contraception/pdf/summary-chart-us-medical-eligibility-criteria_508tagged.pdf?t=tab2

22. Van Vliet HA, Grimes DA, Lopez LM, Schulz KF, Helmerhorst FM. Triphasic versus monophasic oral contraceptives for contraception. Cochrane Database Syst Rev. 2011;2011(11):CD003553.

23. Van Vliet HA, Grimes DA, Helmerhorst FM, Schulz KF. Biphasic versus monophasic oral contraceptives for contraception. Cochrane Database Syst Rev. 2006;2006(3):CD002032.

24. Gallo MF, Nanda K, Grimes DA, Lopez LM, Schulz KF. 20 µg versus >20 µg estrogen combined oral contraceptives for contraception. Cochrane Database Syst Rev. 2013;2013(8):CD003989.

25. Burkman RT, Collins JA, Shulman LP, Williams JK. Current perspectives on oral contraceptive use. Am J Obstet Gynecol. 2001;185(2 Suppl):S4-12.

26. Grimes DA, Jones LB, Lopez LM, Schulz KF. Oral contraceptives for functional ovarian cysts. Cochrane Database Syst Rev. 2011;(9):CD006134.

27. American College of Obstetricians and Gynecologists' Committee on Practice Bulletins – Gynecology. ACOG Practice Bulletin Nº 206: Use of hormonal contraception in women with coexisting medical conditions. Obstet Gynecol. 2019;133(6):1288.

28. Dragoman MV, Tepper NK, Fu R, Curtis KM, Chou R, Gaffield ME. A systematic review and meta-analysis of venous thrombosis risk among users of combined oral contraception. Int J Gynaecol Obstet. 2018;141(3):287-94.

29. Oedingen C, Scholz S, Razum O. Systematic review and meta-analysis of the association of combined oral contraceptives on the risk of venous thromboembolism: The role of the progestogen type and estrogen dose. Thromb Res. 2018;165:68-78.

30. Lidegaard Ø, Løkkegaard E, Svendsen AL, Agger C. Hormonal contraception and risk of venous thromboembolism: national follow-up study. BMJ. 2009;339:b2890.

31. Drife JO. The third generation pill controversy ("continued"). BMJ. 2001;323(7305):119-20.

32. Shufelt CL, Bairey Merz CN. Contraceptive hormone use and cardiovascular disease. J Am Coll Cardiol. 2009;53(3):221-31.

33. Farley TM, Collins J, Schlesselman JJ. Hormonal contraception and risk of cardiovascular disease: an international perspective. Contraception. 1998;57(3):211-30.

34. Acute myocardial infarction and combined oral contraceptives: results of an international multicentre case-control study. WHO Collaborative Study of Cardiovascular Disease and Steroid Hormone Contraception. Lancet. 1997;349(9060):1202-9.

35. Roach RE, Helmerhorst FM, Lijfering WM, Stijnen T, Algra A, Dekkers OM. Combined oral contraceptives: the risk of myocardial infarction and ischemic stroke. Cochrane Database Syst Rev. 2015;(8):CD011054.

36. Peragallo Urrutia R, Coeytaux RR, McBroom AJ, Gierisch JM, Havrilesky LJ, Moorman PG, et al. Risk of acute thromboembolic events with oral contraceptive use: a systematic review and meta-analysis. Obstet Gynecol. 2013;122(2 Pt 1):380-9.

37. Champaloux SW, Tepper NK, Monsour M, Curtis KM, Whiteman MK, Marchbanks PA, et al. Use of combined hormonal contraceptives among women with migraines and risk of ischemic stroke. Am J Obstet Gynecol. 2017;216(5):489.e1-7.

38. Havrilesky LJ, Gierisch JM, Moorman PG, Coeytaux RR, Urrutia RP, Lowery WJ, et al. Oral contraceptive use for the primary prevention of ovarian cancer. Evid Rep Technol Assess (Full Rep). 2013;(212):1-514.

39. Vessey M, Painter R, Yeates D. Mortality in relation to oral contraceptive use and cigarette smoking. Lancet. 2003;362(9379):185-91.
40. Hannaford PC, Selvaraj S, Elliott AM, Angus V, Iversen L, Lee AJ. Cancer risk among users of oral contraceptives: cohort data from the Royal College of General Practitioner's oral contraception study. BMJ. 2007;335(7621):651.
41. Marchbanks PA, McDonald JA, Wilson HG, Folger SG, Mandel MG, Daling JR, et al. Oral contraceptives and the risk of breast cancer. N Engl J Med. 2002;346(26):2025-32.
42. Collaborative Group on Hormonal Factors in Breast Cancer. Breast cancer and hormonal contraceptives: collaborative reanalysis of individual data on 53 297 women with breast cancer and 100 239 women without breast cancer from 54 epidemiological studies. Lancet. 1996;347(9017):1713-27.
43. Mørch LS, Skovlund CW, Hannaford PC, Iversen L, Fielding S, Lidegaard Ø. Contemporary hormonal contraception and the risk of breast cancer. N Engl J Med. 2017;377(23):2228-39.
44. Gallo MF, Lopez LM, Grimes DA, Carayon F, Schulz KF, Helmerhorst FM. Combination contraceptives: effects on weight. Cochrane Database Syst Rev. 2014;(1):CD003987.
45. Reubinoff BE, Grubstein A, Meirow D, Berry E, Schenker JG, Brzezinski A. Effects of low-dose estrogen oral contraceptives on weight, body composition, and fat distribution in young women. Fertil Steril. 1995;63(3):516-21.
46. Mayeda ER, Torgal AH, Westhoff CL. Weight and body composition changes during oral contraceptive use in obese and normal weight women. J Womens Health (Larchmt). 2014;23(1):38-43.
47. Silva Dos Santos PN, Madden T, Omvig K, Peipert JF. Changes in body composition in women using long-acting reversible contraception. Contraception. 2017;95(4):382-9.
48. Zethraeus N, Dreber A, Ranehill E, Blomberg L, Labrie F, von Schoultz B, et al. Combined Oral Contraceptives and Sexual Function in Women-a Double-Blind, Randomized, Placebo-Controlled Trial. J Clin Endocrinol Metab. 2016;101(11):4046-53.
49. Greco T, Graham C, Bancroft J, Tanner A, Doll H. The effects of oral contraceptives on androgen levels and their relevance to premenstrual mood and sexual interest: a comparison of two triphasic formulations containing norgestimate and either 35 or 25g of ethinyl estradiol. Contraception. 2007;76(1):8-17.
50. Strufaldi R, Pompei LM, Steiner ML, Cunha PE, Ferreira JA, Peixoto S, Fernades CE. Effects of two combined hormonal contraceptives with the same composition and different doses on female sexual function and plasma androgen levels. Contraception. 2010, 82(2):147-54.
51. Bergendal A, Persson I, Odeberg J, Sundström A, Holmström M, Schulman S, et al. Association of venous thromboembolism with hormonal contraception and thrombophilic genotypes. Obstet Gynecol. 2015;125(2):495.
52. Dilshad H, Yousuf RI, Shoaib MH, Jamil S, Khatoon H. Cardiovascular Disease Risk Associated With the Long-term Use of Depot Medroxyprogesterone Acetate. Am J Med Sci. 2016;352(5):487-92.
53. Tepper NK, Whiteman MK, Marchbanks PA, James AH, Curtis KM. Progestin-only contraception and thromboembolism: A systematic review. Contraception. 2016;94(6):678-700.
54. Kaunitz AM, Arias R, McClung M. Bone density recovery after depot medroxyprogesterone acetate injectable contraception use. Contraception. 2008;77(2):67-76.
55. Lopez LM, Chen M, Mullins Long S, Curtis KM, Helmerhorst FM. Steroidal contraceptives and bone fractures in women: evidence from observational studies. Cochrane Database Syst Rev. 2015;(7):CD009849.
56. Lanza LL, McQuay LJ, Rothman KJ, Bone HG, Kaunitz AM, Harel Z, et al. Use of depot medroxyprogesterone acetate contraception and incidence of bone fracture. Obstet Gynecol. 2013;121(3):593-600.
57. Nelson AL, Le MHH, Musherraf Z, Vanberckelaer A. Intermediate-term glucose tolerance in women with a history of gestational diabetes: natural history and potential associations with breastfeeding and contraception. Am J Obstet Gynecol. 2008;198(6):699.e1-7; discussion 699.e7-8.
58. Lopez LM, Ramesh S, Chen M, Edelman A, Otterness C, Trussell J, et al. Progestin-only contraceptives: effects on weight. Cochrane Database Syst Rev. 2016;2016(8):CD008815.
59. Lopez LM, Grimes DA, Schulz KF. Steroidal contraceptives: effect on carbohydrate metabolism in women without diabetes mellitus. Cochrane Database Syst Rev. 2019;2019(11):10.1002/14651858.
60. Freitas AR, Otto VP. O que há de novo? Ulipristal para contracepção de emergência. Bol Farmacoterapêutica [Internet]. 2016[capturado em 4 dez. 2020];20(372):8-11. Disponível em: http://www.revistas.cff.org.br/?journal=boletimfarmacoterapeutica&page=article&op=-download&path%5B%5D=1967&path%5B%5D=1353.
61. Glasier A. Emergency postcoital contraception. N Engl J Med. 1997;337(15):1058-64.
62. Practice Bulletin Nº 152: Emergency Contraception. Obstet Gynecol. 2015;126(3):e1-11.
63. Zhou L, Xiao B. Emergency contraception with Multiload Cu-375 SL IUD: a multicenter clinical trial. Contraception. 2001;64(2):107-12.
64. Segal SJ, Alvarez-Sanchez F, Adejuwon CA, Brache de Mejia V, Leon P, Faundes A. Absence of chorionic gonadotropin in sera of women who use intrauterine devices. Fertil Steril. 1985;44(2):214.
65. French R, Van Vliet H, Cowan F, Mansour D, Morris S, Hughes D, et al. Hormonally impregnated intrauterine systems (IUSs) versus other forms of reversible contraceptives as effective methods of preventing pregnancy. Cochrane Database Syst Rev. 2004;(3):CD001776.
66. Farley TM, Rosenberg MJ, Rowe PJ, Chen JH, Meirik O. Intrauterine devices and pelvic inflammatory disease: an international perspective. Lancet. 1992;339(8796):785-8.
67. American College of Obstetricians and Gynecologists' Committee on Practice Bulletins – Gynecology. ACOG Practice Bulletin Nº 195: Prevention of Infection After Gynecologic Procedures. Obstet Gynecol. 2018;131(6):e172-e189.
68. Lopez LM, Bernholc A, Hubacher D, Stuart G, Van Vliet HA. Immediate postpartum insertion of intrauterine device for contraception. Cochrane Database Syst Rev. 2015;(6):CD003036.
69. Altunyurt S, Demir N, Posaci C. A randomized controlled trial of coil removal prior to treatment of pelvic inflammatory disease. Eur J Obstet Gynecol Reprod Biol. 2003;107(1):81-4.
70. Hubacher D, Chen P-L, Park S. Side effects from the copper IUD: do they decrease over time? Contraception. 2009;79(5):356-62.
71. Cortessis VK, Barrett M, Brown Wade N, Enebish T, Perrigo JL, Tobin J, et al. Intrauterine device use and cervical cancer risk: a systematic review and meta-analysis. Obstet Gynecol. 2017;130(6):1226.
72. Curtis KM, Marchbanks PA, Peterson HB. Neoplasia with use of intrauterine devices. Contraception. 2007;75(6 Suppl):S60-9.
73. Turok DK, Godfrey EM, Wojdyla D, Dermish A, Torres L, Wu SC. Copper T380 intrauterine device for emergency contraception: highly effective at any time in the menstrual cycle. Hum Reprod. 2013;28(10):2672-6.
74. Westhoff C. IUDs and colonization or infection with Actinomyces. Contraception. 2007;75(6 Suppl):S48-50.
75. National Collaborating Centre for Women's and Children's Health (UK). Heavy menstrual bleeding [Internet]. London: RCOG; 2007 [capturado em 1 dez. 2020]. Disponível em: http://www.ncbi.nlm.nih.gov/pubmed/21938862.
76. Heinemann K, Reed S, Moehner S, Minh TD. Comparative contraceptive effectiveness of levonorgestrel-releasing and copper intrauterine devices: the European Active Surveillance Study for Intrauterine Devices. Contraception. 2015;91(4):280-3.
77. Ti AJ, Roe AH, Whitehouse KC, Smith RA, Gaffield ME, Curtis KM. Effectiveness and safety of extending intrauterine device duration: a systematic review. Am J Obstet Gynecol. 2020;223(1):24.
78. Phillips SJ, Curtis KM, Polis CB. Effect of hormonal contraceptive methods on HIV disease progression: a systematic review. AIDS. 2013;27(5):787-94.

79. Stringer EM, Kaseba C, Levy J, Sinkala M, Goldenberg RL, Chi BH, et al. A randomized trial of the intrauterine contraceptive device vs hormonal contraception in women who are infected with the human immunodeficiency virus. Am J Obstet Gynecol. 2007;197(2):144.e1-8.
80. Browne H, Manipalviratn S, Armstrong A. Using an intrauterine device in immunocompromised women. Obstet Gynecol. 2008;112(3):667-9.
81. Castaño PM. Use of intrauterine devices and systems by HIV-infected women. Contraception. 2007;75(6 Suppl):S51-4.
82. Prager S, Darney PD. The levonorgestrel intrauterine system in nulliparous women. Contraception. 2007;75(6 Suppl):S12-5.
83. Hubacher D. Copper intrauterine device use by nulliparous women: review of side effects. Contraception. 2007;75(6 Suppl):S8-11.
84. American College of Obstetricians and Gynecologists' Committee on Obstetric Practice. Committee Opinion N° 670: Immediate postpartum long-acting reversible contraception. Obstet Gynecol. 2016;128(2):e32-7.
85. Jatlaoui TC, Whiteman MK, Jeng G, Tepper NK, Berry-Bibee E, Jamieson DJ, et al. Intrauterine device expulsion after postpartum placement: a systematic review and meta-analysis. Obstet Gynecol 2018;132:895.
86. Allen RH, Bartz D, Grimes DA, Hubacher D, O'Brien P. Interventions for pain with intrauterine device insertion. Cochrane Database Syst Rev. 2009;(3):CD007373.
87. Melo J, Tschann M, Soon R, Kuwahara M, Kaneshiro B. Women's willingness and ability to feel the strings of their intrauterine device. Int J Gynaecol Obstet. 2017;137(3):309-13.
88. Stoddard A, McNicholas C, Peipert JF. Efficacy and safety of long-acting reversible contraception. Drugs. 2011;71(8):969-80.
89. Ganer H, Levy A, Ohel I, Sheiner E. Pregnancy outcome in women with an intrauterine contraceptive device. Am J Obstet Gynecol. 2009;201(4):381.e1-5.
90. Reynolds-Wright JJ, Anderson R. Male contraception: where are we going and where have we been? BMJ Sex Reprod Health. 2020;46(2):157.
91. Thirumalai A, Page ST. Recent developments in male contraception. Drugs. 2019;79(1):11-20.
92. Kulier R, Boulvain M, Walker D, Candolle G, Campana A. Minilaparotomy and endoscopic techniques for tubal sterilisation. Cochrane Database Syst Rev. 2004;(3):CD001328.
93. Peterson HB, Jeng G, Folger SG, Hillis SA, Marchbanks PA, Wilcox LS. The risk of menstrual abnormalities after tubal sterilization. U.S. Collaborative Review of Sterilization Working Group. N Engl J Med. 2000;343(23):1681-7.
94. Brasil. Ministério da Saúde. Consolidação do Sistema de Informações sobre Nascidos Vivos – 2011 [Internet]. Brasília: MS;2011 [capturado em 9 nov. 2020]. Disponível em: http://tabnet.datasus.gov.br/cgi/sinasc/Consolida_Sinasc_2011.pdf.
95. Curtis KM, Jatlaoui TC, Tepper NK, Zapata LB, Horton LG, Jamieson DJ, et al. U.S. Selected Practice Recommendations for Contraceptive Use, 2016. MMWR Recomm Rep. 2016;65(4):1-66.
96. Ganti A K, Hillard PJA. Family planning in adolescents. Curr Opin Obstet Gynecol. 2019;31(6),447–51.
97. Diedrich JT, Klein DA, Peipert JF. Long-acting reversible contraception in adolescents: a systematic review and meta-analysis. Am J Obstet Gynecol. 2017;216(4):364.e1-12.
98. Secura G, Allsworth JE, Madden T, Mullersman JL, Peipert J. The Contraceptive CHOICE Project: reducing barriers to long acting reversible contraception. Am J Obstet Gynecol. 2010;203(2):115.e1-7.
99. Berenson AB, Tan A, Hirth JM, Wilkinson GS. Complications and continuation of intrauterine device use among commercially insured teenagers. Obstet Gynecol. 2013;121(5):951-8.
100. Hardman SMR, Gebbie AE. Hormonal contraceptive regimens in the perimenopause. Maturitas. 2009;63(3):204-12.
101. Van Winter JT, Bernard ME. Oral contraceptive use during the perimenopausal years. Am Fam Physician. 1998;58(6):1373-7,1381-2.
102. Academy of Breastfeeding Medicine. ABM clinical protocol #13: contraception during breastfeeding. Breastfeed Med. 2015;10(1):3-12.
103. Lopez LM, Grey TW, Stuebe AM, Chen M, Truitt ST, Gallo MF. Combined hormonal versus nonhormonal versus progestin-only contraception in lactation. Cochrane Database Syst Rev. 2015;(3):CD003988.

## LEITURAS RECOMENDADAS

Federação Brasileira das Associações de Ginecologia e Obstetrícia. Anticoncepção para adolescentes [Internet]. São Paulo: Connexomm, 2017 [capturado em 1 dez. 2020]. Disponível em: https://www.febrasgo.org.br/media/k2/attachments/15-ANTICONCEPCAO_PARA_ADOLESCENTES.pdf
*Manual com orientações e recomendações para escolha de métodos contraceptivos em adolescentes.*

Federação Brasileira das Associações de Ginecologia e Obstetrícia. Contracepção reversível de longa duração [Internet]. São Paulo: Febrasgo; 2016 [capturado em 1 dez. 2020]. Disponível em: https://www.febrasgo.org.br/media/k2/attachments/03-CONTRACEPCAO_REVERSIVEL_DE_LONGA_ACAO.pdf
*Manual com descrição e detalhes sobre os LARCs (métodos contraceptivos reversíveis de longa ação).*

Woodhams EJ, Gilliam M. Contraception. Ann Intern Med. 2019;170(3):ITC18-ITC32.
*Revisão que pode auxiliar o clínico na orientação sobre escolha do contraceptivo diante do diagnóstico de diversas condições médicas.*

# Capítulo 112
# INFERTILIDADE

Eduardo Pandolfi Passos
Fernando Freitas
Isabel Cristina Amaral de Almeida

A chance de uma mulher engravidar espontaneamente, no contexto de um casal sem problemas de saúde que interfiram na fertilidade, é de 20 a 25% ao mês. As probabilidades cumulativas de gestação são de 60% nos primeiros 6 meses e de 84% no primeiro ano.

**A infertilidade é definida como a incapacidade de um casal obter gestação após 1 ano de relações sexuais regulares sem o uso de qualquer método contraceptivo. Se a mulher tiver idade ≥ 35 anos, considera-se o tempo de tentativa de 6 meses.**

Cerca de 20% dos casais consultam seu médico generalista por dificuldade para engravidar, e a metade desses casais (10%) necessitará de tratamento com especialista.[1] A infertilidade pode ser definida como primária na situação em que a mulher de um casal nunca engravidou, ou secundária, quando se estabelece após um ou mais episódios gestacionais.

A infertilidade é considerada um problema de saúde pública. Ela não afeta somente a vida do casal, mas também traz repercussões nas esferas social e emocional, que podem ser mais ou menos intensas dependendo dos aspectos culturais de cada comunidade. Os casais inférteis experimentam sentimentos de depressão, tristeza e baixa autoestima, os quais podem comprometer suas vidas afetiva, sexual e profissional. Em algumas culturas, a mulher infértil é discriminada e condenada ao abandono e ao isolamento social.[2]

# ETIOLOGIA

As causas de infertilidade são muitas e variam de acordo com a região geográfica. Nos países em desenvolvimento, as principais etiologias estão relacionadas com sequelas de doença inflamatória pélvica (DIP) ocasionadas por infecções sexualmente transmissíveis (IST) e com causas masculinas. Nos países desenvolvidos, as causas masculinas e os distúrbios ovulatórios são mais frequentes. Além disso, outras condições são consideradas de risco para infertilidade: tabagismo, consumo de drogas recreativas (maconha) e de álcool, obesidade, entre outras.

Para fins de investigação, é possível dividir as causas de infertilidade em quatro grupos, conforme a TABELA 112.1.

# INVESTIGAÇÃO DIAGNÓSTICA

O casal que manteve relações sexuais regulares durante 1 ano, sem uso de método contraceptivo, e não obteve gestação preenche os critérios para investigação de causas de infertilidade. Entretanto, quando o casal já sabe que possui uma causa definida, como baixa contagem de espermatozoides ou endometriose, a investigação pode ser iniciada após 6 meses de tentativa. Isso também se aplica para mulheres que estão tentando engravidar e têm idade ≥ 35 anos.

## Investigação na mulher

### Anamnese

Algumas informações da história clínica são especialmente importantes na investigação da infertilidade. Além de dados claramente indicativos das causas apresentadas na TABELA 112.1, outras informações, como presença de doenças crônicas, tabagismo, consumo de álcool e métodos anticoncepcionais usados previamente, podem ajudar a compreender a dificuldade para engravidar.

A TABELA 112.2 mostra informações importantes a serem coletadas na anamnese da mulher.

### Exame físico

No exame físico, alguns sinais podem ajudar a elucidar a causa da infertilidade, como obesidade central, aumento de pelos e acne, que podem estar associados a estados androgênicos e anovulatórios.[3] Mulheres com hipotireoidismo podem apresentar queda de cabelos, pele seca e alterações de peso.[4]

A TABELA 112.3 mostra os aspectos importantes a serem pesquisados no exame físico da mulher.

### Exames complementares

**Dependendo da disponibilidade de exames, vários deles podem ser solicitados pelo médico de atenção primária à saúde (APS) para início da investigação. De acordo com o resultado dos exames iniciais ou se houver indicação de prosseguir a investigação com exames que não estão disponíveis na APS, sugere-se encaminhar a mulher para serviço especializado na área.**

A TABELA 112.4 mostra os exames complementares usados para investigação de infertilidade na mulher.

TABELA 112.1 → Grupos de causas de infertilidade

| GRUPO | CAUSAS |
| --- | --- |
| Fatores tuboperitoneais | Sequelas de doença inflamatória pélvica e endometriose |
| Fatores masculinos | Alterações no número, na motilidade e na morfologia dos espermatozoides |
| Fatores hormonais | Distúrbios na ovulação, síndrome dos ovários policísticos, hiperplasia suprarrenal de início tardio, alterações nas dosagens de prolactina e de hormônios tireoidianos |
| Fatores desconhecidos | A investigação não identificou o fator causador da infertilidade – nesses casos, causas imunológicas podem estar implicadas |

TABELA 112.2 → Anamnese da mulher: informações importantes para investigação de infertilidade

| | |
| --- | --- |
| História atual | Idade, ocupação, tempo de infertilidade, presença de doenças crônicas (diabetes e hipertensão), presença de acne, aumento de pelos no corpo, descarga láctea mamilar, fogachos, distúrbios alimentares, uso de medicamentos, consumo de drogas, cigarro e álcool |
| História menstrual | Idade da menarca, características do ciclo menstrual (regularidade, presença de escapes intermenstruais, cólicas), história de amenorreia primária ou secundária |
| História obstétrica | Evolução de gestações prévias, quando houver (abortamentos, gestações ectópicas, gestações pré-termo e complicações associadas) |
| História contraceptiva | Uso prévio de métodos anticoncepcionais (tipo e tempo de uso) |
| História sexual | Frequência de relações sexuais e uso de lubrificantes, espermicidas ou duchas pós-coitais |
| História médica pregressa | Internações e cirurgias prévias, história de infecções sexualmente transmissíveis |
| História familiar | Casos de infertilidade em familiares |

TABELA 112.3 → Aspectos importantes a serem pesquisados no exame físico da mulher com infertilidade

| | |
| --- | --- |
| Exame geral | → Sinais vitais<br>→ Peso, altura e índice de massa corporal (IMC)<br>→ Presença de características sexuais secundárias<br>→ Presença de acne<br>→ Presença de pelos aumentados em zonas tipicamente masculinas (face, tronco e glúteos)<br>→ Presença de acantose *nigricans*<br>→ Palpação de tireoide |
| Exame de mamas | → Desenvolvimento e presença de galactorreia |
| Exame da área genital | → Inspeção de vulva e vagina, presença de corrimento vaginal e realização de exame de toque bimanual, visando identificar tumorações uterinas e anexiais e presença de dor pélvica |

**TABELA 112.4** → Exames complementares para investigação de infertilidade na mulher

| INDICAÇÃO | EXAMES |
|---|---|
| Todas as mulheres | → Exame a fresco de secreção vaginal<br>→ Citopatológico de colo uterino (se não estiver em dia)<br>→ Sorologias: HBsAg, anti-HCV, VDRL, anti-HIV, HTLV I/II; considerar rubéola e clamídia conforme o caso |
| Mulheres com ciclos menstruais irregulares | → TSH, prolactina, FSH, LH, 17-hidroxiprogesterona, estradiol<br>→ Mulheres com suspeita de hiperandrogenismo ou SOP: acrescentar testosterona total, SDHEA |
| Mulheres com idade > 38 anos | → FSH e estradiol do 3º ao 5º dia do ciclo menstrual para avaliar reserva ovariana<br>→ Mais recentemente, tem sido utilizada a dosagem do hormônio antimülleriano, a qual está se mostrando um bom marcador de reserva ovariana, embora a maioria dos serviços públicos de saúde ainda não disponibilize esse exame |
| De acordo com dados de anamnese, exame físico e exames laboratoriais | → US transvaginal para avaliar tamanho e forma de útero e anexos, presença de pólipos uterinos, miomas ou cistos ovarianos |
| Para investigação de fator tubo-peritoneal | → Histerossalpingografia: exame radiológico com contraste utilizado para avaliar configuração interna da cavidade uterina e permeabilidade tubária; pode ser necessária sedação para maior conforto da paciente |
| Quando os achados da histerossalpingografia ou da US sugerem presença de endometriose, pólipos uterinos, aderências ou obstrução tubária | → Videolaparoscopia e histeroscopia: procedimentos realizados sob anestesia, cujo objetivo é aprofundar a investigação diagnóstica |

FSH, hormônio folículo-estimulante; HBsAg, antígeno de superfície da hepatite B; HCV, vírus da hepatite C; HIV, vírus da imunodeficiência humana; HTLV, vírus linfotrópico de células T humanas; LH, hormônio luteinizante; SDHEA, sulfato de desidroepiandrosterona; SOP, síndrome dos ovários policísticos; TSH, hormônio estimulante da tireoide; US, ultrassonografia; VDRL, *Venereal Disease Research Laboratory*.
Fonte: Telessaúde RS.[9]

## Investigação no homem

### Anamnese

Na anamnese do homem, destacam-se algumas informações que podem estar relacionadas com infertilidade, como ginecomastia, testículos com volume reduzido ou ausência de um ou ambos os testículos na bolsa.

A **TABELA 112.5** mostra as informações importantes na anamnese do homem.

### Exame físico

A **TABELA 112.6** mostra os aspectos importantes a serem pesquisados no exame físico do homem.

### Exames complementares

A investigação laboratorial de infertilidade no homem pode ser iniciada na APS. Os exames indicados são mostrados na **TABELA 112.7**.

É importante lembrar que alterações no espermograma devem ser baseadas em duas coletas.[5] Orientar coleta no período de 2 a 7 dias de abstinência sexual. Se houver azoospermia ou oligospermia grave (< 5 milhões de espermatozoides/mL), repetir espermograma em 2 semanas. Se persistir alteração, seguir investigação com exames subsequentes.

**TABELA 112.5** → Anamnese do homem: informações importantes para investigação de infertilidade

| | |
|---|---|
| História atual | Idade, ocupação, tempo de infertilidade, doenças crônicas (diabetes e hipertensão), consumo de drogas, cigarro e álcool |
| História sexual | Frequência de relações sexuais, problemas de ereção ou ejaculação, uso de lubrificantes |
| História contraceptiva | Uso de métodos contraceptivos, como preservativo masculino e vasectomia |
| História médica pregressa | História de caxumba e infecções sexualmente transmissíveis, presença de hidrocele, varicocele, testículos não descidos e outras cirurgias |
| História familiar | Casos de infertilidade entre familiares |

**TABELA 112.6** → Aspectos importantes a serem pesquisados no exame físico do homem com infertilidade

| | |
|---|---|
| Exame geral | → Sinais vitais<br>→ Peso, altura e índice de massa corporal (IMC)<br>→ Presença de características sexuais secundárias<br>→ Palpação de tireoide<br>→ Presença de ginecomastia |
| Exame da área genital e abdominal | → Verificar presença de hérnia inguinal, testículos fora da bolsa escrotal, hidrocele, grandes varicoceles, secreções uretrais e localização do meato uretral |

**TABELA 112.7** → Exames complementares na investigação de infertilidade no homem

| | |
|---|---|
| VDRL | |
| HBsAg | |
| Anti-HCV | |
| Anti-HIV | |
| HTLV I/II | |
| Espermograma | |
| **Valores normais de espermograma segundo a Organização Mundial da Saúde, 2010[3]** | |
| Volume | ≥ 1,5 mL |
| pH | ≥ 7,2 |
| Concentração | ≥ 15 milhões de espermatozoides/mL |
| Motilidade | ≥ 32% de espermatozoides móveis progressivos e ≥ 40% de espermatozoides móveis totais |
| Morfologia de Kruger | ≥ 4% de espermatozoides normais |
| Células redondas | < 1 milhão/mL |
| **Em caso de espermograma alterado:** | |
| Testosterona livre, FSH, LH, TSH, prolactina | |
| Ultrassonografia com Doppler de testículos | |

FSH, hormônio folículo-estimulante; HBsAg, antígeno de superfície da hepatite B; HCV, vírus da hepatite C; HIV, vírus da imunodeficiência humana; HTLV, vírus linfotrópico de células T humanas; LH, hormônio luteinizante; TSH, hormônio estimulante da tireoide; VDRL, *Venereal Disease Research Laboratory*.
Fonte: Telessaúde RS.[9]

## TRATAMENTO

O tratamento da infertilidade conjugal depende das alterações encontradas nos exames. Mulheres com disfunções ovulatórias devem ter seu distúrbio básico corrigido com medicações específicas: tratamento de disfunções da tireoide, correção da hiperprolactinemia ou mudanças no estilo de vida e indução da ovulação no caso de ovários policísticos.

No caso de síndrome dos ovários policísticos (SOP), a indução da ovulação pode ser feita inicialmente com citrato de clomifeno na dose de 50 mg/dia até o máximo de 150 mg/dia, o que aumenta em cerca de 3 vezes a probabilidade de gestação (NNT = 3-30), promovendo-a em 8 a 50% das pacientes **B**.[6] Esse medicamento é utilizado do 3º ao 7º dia do ciclo menstrual, e seu uso costuma ser realizado em serviços especializados, que disponham de acompanhamento com ultrassonografia (US) para melhor visualizar a resposta ovulatória. Para maiores informações sobre SOP, ver Capítulo Amenorreia.

Outro medicamento efetivo na indução da ovulação em mulheres com SOP é a metformina, que aumenta em cerca de 80% a probabilidade de ovulação (NNT = 5-47) **B**. Contudo, ela apresenta resultados inferiores aos do clomifeno **B**.[7] A coadministração de metformina e clomifeno, por outro lado, apresenta melhores taxas de ovulação e gestação, mas as taxas de abortamento e de nascidos vivos entre o grupo que usa somente citrato de clomifeno e o grupo que usa citrato + metformina se mantêm a mesma **B**.[7]

Homens que apresentam alterações no sêmen após duas coletas devem ser encaminhados para investigação especializada (urologia/andrologia) e tratamentos específicos.

Alterações na histerossalpingografia geralmente indicam necessidade de realização de laparoscopia em hospital.

Para algumas situações, como obstrução tubária, endometriose grave ou baixa contagem de espermatozoides, as opções terapêuticas incluem técnicas de reprodução assistida, como inseminação intrauterina ou fertilização in vitro.

A TABELA 112.8 mostra as possibilidades terapêuticas conforme a causa.

## PREVENÇÃO

Existem vários fatores ambientais e hábitos de vida que podem levar à infertilidade no futuro. Dessa forma, a equipe de saúde deve estar atenta a eles e orientar os jovens – que muitas vezes ainda não estão pensando em ter filhos – sobre a importância da preservação da fertilidade. A escola e os serviços de saúde costumam preocupar-se bastante com a prevenção da gestação na adolescência; nesse sentido, deve-se atentar para não negligenciar a importância de promover hábitos de vida saudáveis, que favoreçam a fertilidade futura.

Entre os fatores externos que podem estar associados à infertilidade, os mais importantes são:

→ **Tabagismo.** O risco de infertilidade pode ser 2 vezes maior em mulheres fumantes do que em não fumantes. Além disso, o cigarro determina início mais precoce da menopausa (mulheres que fumam entram na menopausa em média 3-4 anos antes) e diminui o número e a qualidade dos espermatozoides. Na gestação, o cigarro determina maiores taxas de abortamento e está associado à restrição de crescimento intrauterino, a maiores taxas de prematuridade e à morte neonatal.[8]

→ **Consumo de álcool.** Define-se por unidade alcoólica padrão (dose) o equivalente a 12 g de etanol, o que corresponde a 1 cálice de vinho ou 1 garrafa de cerveja ou 1 dose de bebida destilada. Com base nesse critério, as mulheres que apresentam consumo moderado ou alto de álcool (> 3 doses/semana) apresentam maior risco de infertilidade, taxas mais altas de abortamento e de restrição de crescimento intrauterino, além de taxas mais elevadas de malformações fetais.[6] Nos homens, o consumo alto (> 14 doses/semana) altera a quantidade e a qualidade dos espermatozoides, diminui o nível de testosterona e pode levar à impotência.[8]

→ **Infecções sexualmente transmissíveis (ISTs).** As ISTs, especialmente as infecções causadas por clamídia e gonococo, podem levar à DIP, com comprometimento de útero, tubas uterinas e ovários. As mulheres com maior risco para essas infecções são aquelas com idade < 25 anos, múltiplos parceiros sexuais sem uso de preservativo e fumantes. As sequelas da DIP em longo prazo são dor pélvica crônica por aderências, gestação ectópica e infertilidade por lesão tubária. A prevenção das ISTs consiste em políticas de saúde que orientem a população sobre os riscos das ISTs e do sexo sem uso de preservativos. Além disso, a consulta regular ao médico para rastrear e tratar infecções genitais ajuda a diminuir a incidência desses processos inflamatórios.

→ **Obesidade.** Do ponto de vista reprodutivo, a obesidade está associada à SOP, com ciclos anovulatórios e, portanto, com infertilidade. Durante a gestação, as mulheres obesas apresentam taxas mais altas de abortamento e maiores taxas de complicações relacionadas com distúrbios hipertensivos e diabetes. Assim, as equipes de saúde devem estar atentas ao peso dos indivíduos, aconselhando e fornecendo atendimento integral nas áreas de nutrição e reeducação alimentar, visando manter a população com peso adequado e prevenindo complicações cardiovasculares, diabetes e também a infertilidade. Ver Capítulo Obesidade: Prevenção e Tratamento.

→ **Idade da mulher.** As taxas de fertilidade na mulher são inversamente proporcionais à sua idade. Assim, se a taxa de gestação espontânea de uma mulher aos 20 anos é de 25% ao mês, ela cairá para menos de 10% aos 40 anos e será menor do que 2% aos 45 anos. Por essa razão, postergar a maternidade para depois dos 35 anos pode implicar maiores dificuldades de obter gestação.

**TABELA 112.8** → Possibilidades terapêuticas conforme a causa

| | |
|---|---|
| Fatores tuboperitoneais | → Cirurgia (salpingoplastia, lise de aderências, tratamento cirúrgico da endometriose) |
| | → Técnicas de reprodução assistida |
| Fatores masculinos | → Tratamento medicamentoso |
| | → Cirurgia (correção de varicocele, reversão de vasectomia) |
| | → Técnicas de reprodução assistida |
| Fatores hormonais | → Tratamento da endocrinopatia |
| | → Indução da ovulação |
| | → Técnicas de reprodução assistida |
| Fatores desconhecidos | → Técnicas de reprodução assistida |

## CONSIDERAÇÕES FINAIS

A infertilidade é uma condição que traz repercussões importantes na saúde física e psíquica dos casais.

O médico generalista e a equipe de saúde devem estar atentos aos aspectos preventivos, orientando os jovens a evitar o tabagismo e o consumo de álcool, prevenir-se contra as ISTs e manter-se com peso adequado.

## REFERÊNCIAS

1. Taylor HS, Pal L, Seli E. Speroff's clinical gynecologic endocrinology and infertility. 9th ed. Philadelphia: Lippincott Williams & Wilkins; 2020.
2. van Balen F, Bos HM. The social and cultural consequences of being childless in poor-resource areas. Facts Views Vis Obgyn. 2009;1(2):106-21.
3. Monash University. International evidence-based guideline for the assessment and management of polycystic ovary syndrome 2018 [Internet]. Melbourne: Monash University; 2018 [capturado em 2 dez. 2020]. Disponível em: https://www.monash.edu/__data/assets/pdf_file/0004/1412644/PCOS_Evidence-Based-Guidelines_20181009.pdf
4. Practice Committee of the American Society for Reproductive Medicine. Diagnostic evaluation of the infertile female: a committee opinion. Fertil Steril. 2015;103(6):e44-50.
5. World Health Organization. WHO laboratory manual for the examination of human semen and processing of human sperm. 5th ed. Geneva: WHO; 2010.
6. Brown J, Farquhar C, Beck J, Boothroyd C, Hughes E. Clomiphene and anti-oestrogens for ovulation induction in PCOS. Cochrane Database Syst Rev. 2009;(4):CD002249.
7. Tang T, Lord JM, Norman RJ, Yasmin E, Balen AH. Insulin-sensitising drugs (metformin, rosiglitazone, pioglitazone, D-chiro-inositol) for women with polycystic ovary syndrome, oligo amenorrhoea and subfertility. Cochrane Database Syst Rev. 2009;(4):CD003053.
8. ESHRE Task Force on Ethics and Law, including, Dondorp W, de Wert G, Pennings G, Shenfield F, Devroey P, Tarlatzis B, Barri P. Lifestyle-related factors and access to medically assisted reproduction. Hum Reprod. 2010;25(3):578-83.
9. Telessaúde RS. Protocolo de encaminhamento para infertilidade [Internet]. Porto Alegre: Telessaúde RS; 2019 [capturado em 2 dez. 2020]. Disponível em: https://www.ufrgs.br/telessauders/documentos/protocolos_resumos/infertilidade1.2.pdf

## LEITURAS RECOMENDADAS

Devroey P, Fauser BCJM, Diedrich K. Approaches to improve the diagnosis and management of infertility. Hum Reprod Update. 2009;15(4):391-408.
*Abordagem do diagnóstico e do tratamento da infertilidade.*

Kamel RM. Management of the infertile couple: an evidence-based protocol. Reprod Biol Endocrinol. 2010;8:21.
*Abordagem do diagnóstico e do tratamento da infertilidade.*

Passos EP, Gomez DB, Montenegro IS, Cirne-Lima E, Freitas F. Infertilidade. In: Passos EP, Ramos JGL, Martins-Costa SH, Magalhães JA, Menke CH, Freitas F. Rotinas em ginecologia. 7. ed. Porto Alegre: Artmed; 2017. p. 601-12.
*Livro elaborado pelo Serviço de Ginecologia do Hospital de Clínicas de Porto Alegre, que estabelece as rotinas desenvolvidas nesse serviço quanto à avaliação e ao tratamento do casal infértil.*

Passos EP, Almeida IC. Hidrossalpinge. In: Sociedade Brasileira de Reprodução Humana. Medicina reprodutiva. São Paulo: SBRH; 2018. p. 382-85.
*Livro elaborado por médicos e embriologistas membros da Sociedade Brasileira de Reprodução Humana que tem como objetivo aprofundar o diagnóstico e o tratamento da infertilidade inserida na realidade das clínicas de reprodução no Brasil.*

Passos EP, Almeida ICA de, Fagundes PAP. Quando a gravidez não acontece: perguntas e respostas sobre infertilidade conjugal. Porto Alegre: Artmed; 2007.
*Livro elaborado por equipe especializada em reprodução humana que visa orientar casais sobre diagnóstico e tratamento da infertilidade.*

# Capítulo 113
# ACOMPANHAMENTO DE SAÚDE DA GESTANTE E DA PUÉRPERA

Déa Suzana M. Gaio
Martha Farias Collares
Janini Cristina Paiz

A atenção à mulher grávida inclui ações de promoção da saúde e prevenção, assim como de diagnóstico e tratamento de situações que possam prejudicar a evolução da gestação. Os objetivos do acompanhamento pré-natal são assegurar a saúde materna e garantir o potencial de crescimento e desenvolvimento do feto, resultando no nascimento de uma criança saudável. A Organização Mundial da Saúde (OMS) idealiza um mundo em que todas as mulheres e recém-nascidos (RNs) recebam cuidados de qualidade durante a gravidez, parto e período pós-natal. Além disso, nas suas últimas recomendações, destacou a importância de a mulher ter uma experiência positiva de assistência ao pré-natal e ao parto, construindo, assim, a base para uma maternidade saudável.[1] Portanto, é fundamental que o cuidado pré-natal seja humanizado, centrado na gestante e em sua família e que seja uma oportunidade de apoio social, cultural e emocional.

As condições de saúde do RN são fortemente influenciadas pela qualidade do pré-natal e repercutem na saúde do indivíduo em todas as fases de sua vida, podendo afetar as futuras gerações. Um estudo que analisou dados de cinco coortes prospectivas acompanhadas por longo período em países em desenvolvimento, incluindo o Brasil, chegou, entre outras, às seguintes conclusões:[2]

→ baixo peso ao nascer e desnutrição na infância são fatores de risco para níveis pressóricos e glicêmicos mais altos, bem como distúrbios do perfil lipídico, favorecendo o desenvolvimento de doenças cardíacas;
→ o aumento de 1 cm no comprimento ao nascer está associado a um aumento de 0,7 a 1 cm da altura na idade adulta;
→ cada kg no peso de nascimento de uma menina está associado a um aumento de 208 g no peso de nascimento da prole dessa menina;

→ há uma pequena associação entre altura da mulher e peso de nascimento de seus netos;
→ cada kg no peso de nascimento está associado a um acréscimo de 0,3 ano na escolaridade do indivíduo.

Em geral, considera-se um bom acompanhamento pré-natal aquele que tem início no 1º trimestre de gestação e uma rotina de consultas sistemáticas, seguindo um protocolo básico de avaliação e exames. O novo modelo de atenção pré-natal da OMS aumenta o número de consultas que uma mulher grávida deve ter com profissionais de saúde ao longo de sua gravidez de 4 para 8 encontros. Uma revisão sistemática de ensaios clínicos randomizados mostrou que uma frequência maior de consultas durante o pré-natal com risco habitual está associada à redução de mortalidade perinatal e a melhores desfechos obstétricos, quando comparada a um número menor de consultas (< 5).[3] Um mínimo de 8 consultas pode reduzir as mortes perinatais em até 8 mil nascidos vivos (NVs) quando comparado ao mínimo de 4 encontros. No Brasil, o Ministério da Saúde (MS) preconiza no mínimo 6 consultas médicas e de enfermagem intercaladas.[4]

Nesse período, algumas intervenções podem melhorar o prognóstico materno e perinatal. Resumidamente, as seguintes ações, as quais serão vistas detalhadamente ao longo do capítulo, recomendadas para mulheres com gravidez de risco habitual, mostraram-se eficazes para melhorar desfechos de saúde materna e infantil:[1,5]

→ **na pré-concepção:** planejamento reprodutivo, prevenção e manejo de infecções sexualmente transmissíveis (ISTs) e suplementação com ácido fólico;
→ **no acompanhamento de gravidez indesejada:** provisão de cuidados de aborto seguro quando indicado e legalmente permitido e prestação de cuidados pós-aborto;
→ **nos cuidados pré-natais:** triagem para doença materna, rastreamento de distúrbios hipertensivos da gestação, rastreamento de anemia, triagem para problemas de crescimento fetal, administração de ferro e ácido fólico para prevenir anemia materna, imunização contra o tétano, aconselhamento sobre planejamento reprodutivo, nascimento e preparação para emergências, prevenção e manejo do vírus da imunodeficiência humana (HIV, do inglês *human immunodeficiency virus*), prevenção e manejo da malária e cessação do tabagismo (ver Capítulo Tabagismo).

O Brasil, assim como outros países em desenvolvimento, não conseguiu cumprir o compromisso internacional dos Objetivos de Desenvolvimento do Milênio estabelecidos pela Assembleia Geral das Nações Unidas, de reduzir em 70% a mortalidade materna (MM) entre 1990 e 2015. A meta era reduzir para 35 mortes maternas a cada 100 mil NVs. Em 2015, atingiu 62 óbitos a cada 100 mil NVs, e em 2016, 64,4 a cada 100 mil NVs. Nos Estados das Regiões Norte e Nordeste, ocorreram 84,5 e 78 mortes a cada 100 mil NVs, respectivamente, e nas Regiões Sul e Sudeste, 44,2 e 55,8 mortes a cada 100 mil NVs, respectivamente. Em maio de 2018, o Brasil reiterou a meta de redução da MM em 50% para chegar a 30 mortes a cada 100 mil NVs em 2030.[6] As principais causas de MM são a hipertensão, seguida de hemorragias, infecção puerperal, aborto e doenças cardiovasculares que complicam na gestação, no parto e no puerpério.[7]

Para reduzir os desfechos adversos maternos e perinatais no Brasil, o MS criou, em 2011, a Rede Cegonha, uma estratégia que visa implementar uma rede qualificada de cuidados desde as unidades de atenção primária à saúde (APS) até as maternidades hospitalares, garantindo às mulheres o direito ao planejamento reprodutivo e ao acolhimento, com vistas à captação precoce da gestante, à ampliação do acesso aos serviços e à qualificação da assistência, desde a fase pré-conceptiva até o 2º ano de vida da criança. A sua implantação se deu em todo o território nacional e está presente em mais de 5 mil municípios, com mais de 2,6 milhões de gestantes atendidas. Entre suas ações, também está a instalação de Centros de Parto Normal e Casas da Gestante, Bebê e Puérpera, espaços que oferecem um ambiente humanizado, de qualidade e com foco na mulher, bem como a ampliação e a qualificação de leitos para gestantes de alto risco e de cuidados intensivos para mulheres e RNs.[8] No entanto, apesar das diversas melhorias e de todos os esforços, muitas vezes o início do acompanhamento pré-natal ocorre tardiamente, as consultas são irregulares e muito rápidas e não seguem protocolos básicos de assistência, o tempo de espera para os atendimentos é longo e há excesso de solicitação de exames complementares. Além disso, um sistema de referência para assistência de maior complexidade não está claramente definido. Como reflexo dessa situação, os eventos adversos maternos e perinatais – que ocorrem no período entre a 22ª semana de gestação até os 7 primeiros dias de vida do bebê –, que poderiam ser prevenidos, continuam ocorrendo. A sífilis congênita, por exemplo, apresentou aumento da incidência, de 2016 para 2017, de 6,8 para 8,6 a cada 1.000 NVs. O número total de notificações de gestantes com sífilis, que em 2017 foi de 49.013 (incidência de 17,2 a cada 1.000 NVs), teve um aumento de 28,5% em relação a 2016.[9]

Em relação à adequação da assistência pré-natal no Brasil, um estudo realizado com 23.894 gestantes entre 2011 e 2012 evidenciou que 53,9% tiveram início precoce da atenção ao pré-natal (antes de 12 semanas), 73,2% tiveram um número adequado de consultas (pelo menos 6), 62,9% receberam registro no cartão de pré-natal de pelo menos um resultado de cada um dos exames preconizados na rotina de pré-natal e 58,7% receberam orientação sobre a maternidade de referência. Considerando como assistência de pré-natal adequada o cumprimento de todos os requisitos citados, somente 21,6% receberam essa assistência. Além disso, uma menor adequação do pré-natal foi observada em mulheres mais jovens, de pele negra, multíparas, sem companheiro, sem trabalho remunerado, com menor escolaridade, de classes econômicas mais baixas e residentes nas Regiões Norte e Nordeste do País. Após ajuste para características maternas, não foram observadas diferenças entre serviços públicos e privados quanto ao grau de adequação do cuidado pré-natal.[10] O MS realizou um estudo descritivo com os dados do Sistema de Informações sobre Nascidos Vivos (Sinasc), dos anos de 2014 e 2015, e evidenciou que o acesso ao pré-natal foi adequado (início do pré-natal antes ou durante o 3º mês e pelo menos 6 consultas) ou mais que adequado (início do pré-natal antes ou durante o 3º mês e 7 consultas ou mais) para cerca de 70% das mulheres, com valores menores para Estados da Região Nordeste e maiores para Estados das Regiões Sul e Sudeste.[11] A adequação foi maior para mulheres em idade mais avançada, escolaridade e de cor branca/amarela. Ambos os estudos mostram que o acesso à assistência de pré-natal passou a ser praticamente universal, mas permanecem desafios em relação à qualidade e à equidade.[10,11]

Para avançar nesses quesitos, os seguintes princípios assistenciais devem ser adotados pelos serviços de saúde:[4]
→ captação precoce e busca ativa das gestantes para o início do acompanhamento pré-natal em tempo oportuno;
→ acolhimento imediato para o acompanhamento pré-natal, utilizando protocolos e atenção humanizada;
→ identificação da gestação de alto risco e encaminhamento para a atenção especializada, mantendo o acompanhamento na APS;
→ visita domiciliar/busca ativa das gestantes que não compareçam às consultas pré-natais agendadas;
→ visita domiciliar no último mês de gestação;
→ continuidade da assistência ao longo da gestação, parto e puerpério;
→ vinculação da gestante à maternidade durante o pré-natal (Lei nº 11.634, de 27 de dezembro de 2007);
→ acolhimento imediato e com classificação de risco na maternidade, evitando peregrinação em busca de vaga para a realização do parto;
→ garantia de transporte seguro pré e inter-hospitalar, quando necessário;
→ garantia de acesso a leitos de alto risco para cuidado intensivo para a mãe e o RN;
→ atenção qualificada ao parto – que depende de estrutura hospitalar adequada (equipamentos e recursos humanos) – e processo assistencial (boas práticas) que inclua acompanhamento adequado do trabalho de parto com utilização de partograma, promoção do trabalho de parto fisiológico – evitando-se intervenções desnecessárias que interferem na sua evolução, como ocitocina intravenosa de rotina, restrição ao leito e jejum –, garantia do direito a acompanhante da gestante e puérpera (Lei nº 11.108, de 7 de abril de 2005), promoção do contato pele a pele imediatamente após o parto e amamentação na 1ª hora de vida, entre outras;
→ agendamento, pela maternidade, de atendimento da puérpera na APS;
→ visita domiciliar na 1ª semana após o parto, com avaliação global e de risco da mãe e da criança;
→ garantia de assistência ao abortamento seguro;
→ garantia dos direitos sociais e trabalhistas das gestantes e das famílias.

## PRÉ-CONCEPÇÃO

Idealmente, a abordagem pré-concepcional deve ser realizada com o casal que deseja gestar e ter filhos. Homens e mulheres devem preparar-se para a gravidez, seguindo recomendações que reduzam riscos e promovam estilos de vida mais saudáveis. Existem evidências de que algumas intervenções reduzem resultados desfavoráveis na gestação, como malformações, perda fetal, baixo peso ao nascer e prematuridade.[12]

Nas consultas com o casal, recomenda-se:
→ falar sobre tabagismo e uso de álcool e outras drogas;
→ estimular a prática de exercícios físicos, alimentação saudável e manutenção de peso adequado;
→ orientar sobre cuidados com a exposição a substâncias tóxicas (fertilizantes, metais pesados, produtos químicos sintéticos), tanto no ambiente doméstico quanto no ambiente de trabalho;
→ avaliar estado vacinal e recomendar vacinas necessárias;
→ orientar sobre a prevenção das ISTs, detectá-las e tratá-las;
→ questionar sobre doenças familiares genéticas, malformações congênitas, abortos de repetição ou mortes fetais em gestações anteriores e indicar aconselhamento genético, se necessário;
→ perguntar ativamente sobre situações de violência e oferecer ajuda;[12]
→ abordar a saúde mental de ambos, a qualidade relacional do casal e a rede de apoio.

O rastreamento das ISTs está indicado para o casal. Os testes rápidos ou sorologias para HIV, sífilis e hepatites B e C podem ser realizados sempre com aconselhamento e informações claras sobre os possíveis resultados e tratamentos disponíveis. Acrescenta-se, para as mulheres, a necessidade de solicitar sorologia para toxoplasmose (imunoglobulina G [IgG]) e para rubéola (IgG), se houver dúvidas quanto à história vacinal.[4]

Mulheres suscetíveis à rubéola devem ser imunizadas com a vacina tríplice viral antes da gravidez ou no puerpério, logo após o parto. A vacina contra rubéola, assim como toda vacina com vírus vivo, é contraindicada durante a gravidez. As mulheres não imunizadas para hepatite B podem ser vacinadas durante a gravidez na rede pública de saúde (ver Capítulo Imunizações).

Doenças crônicas preexistentes podem afetar o curso da gestação, assim como medicamentos cronicamente utilizados, que por vezes devem ser substituídos ou até descontinuados antes da gravidez. As mulheres devem ser informadas sobre os riscos de uma gestação em determinadas situações, caso queiram engravidar, e acerca da necessidade de controle metabólico rigoroso, antes da gestação, se forem portadoras de diabetes, hipertensão e doenças da tireoide.

A suplementação com ácido fólico no período periconcepcional reduz em cerca de 70% o risco de defeitos do tubo neural (NNT = 93-184), como anencefalia, espinha bífida e provavelmente encefalocele, mas não está associada à redução de outras malformações como as cardíacas e a fenda palatina **B**.[13] Em mulheres com potencial para engravidar, recomenda-se a administração de 0,4 a 0,8 mg/dia. A suplementação para prevenção de defeitos do tubo neural deve iniciar pelo menos 1 mês antes da gravidez e continuar até a 12ª ou 14ª semana de gestação.[13,14] Em mulheres de alto risco, que tiveram uma gravidez anterior com defeito do tubo neural ou com história familiar de defeitos do tubo neural, está recomendada a administração de 4 mg/dia. Nesse caso, a suplementação deve começar pelo menos 3 meses antes da gravidez e continuar até a 12ª semana de gestação.

As mulheres que praticam exercícios físicos devem ser encorajadas a continuar a fazê-los no período periconcepcional e durante a gestação, ou iniciá-los, aproveitando esse momento em que as mulheres estão motivadas a aderir a hábitos mais saudáveis.

O uso de álcool, tabaco e drogas ilícitas deve ser descontinuado, pois está associado, em maior ou menor grau, à ação teratogênica fetal.

Também é importante discutir sobre o momento de gestar e as necessidades de proteção com os casais que moram em zonas endêmicas de doenças, como a zona de infecção pelo vírus da Zika, que pode trazer consequências adversas ao feto.

## DIAGNÓSTICO DE GESTAÇÃO

Os sintomas mais comuns no início da gestação são atraso menstrual, náuseas com ou sem vômito, aumento do volume mamário e sensibilidade, aumento da frequência de micção e sonolência. O diagnóstico de gravidez pode ser feito por meio da detecção da gonadotrofina coriônica humana (hCG, do inglês *human chorionic gonadotropin*) na urina ou no sangue. O teste rápido gestacional pode ser feito no serviço de saúde ou pela própria mulher. A sensibilidade dos testes atuais permite detectar o hCG após 8 dias da concepção, tanto no sangue quanto na urina, apesar de os limites mínimos de detecção serem diferentes (5-10 mUI/mL para os testes séricos e 20-50 mUI/mL para os testes urinários). No caso de teste urinário negativo, mas com suspeita forte de gestação, é recomendado solicitar também o teste sérico (β-hCG) ou repetir o teste urinário em um intervalo de 7 dias.

Antes de informar a mulher ou o casal sobre seu diagnóstico de gestação, é imprescindível que o profissional conheça qual é o contexto daquela concepção e quais são as expectativas da mulher ou do casal sobre uma possível gravidez, para que possa oferecer uma abordagem integral e centrada na pessoa/família. Quando a gestação foi planejada – ou, mesmo que não tenha sido planejada, já seja aceita no momento do diagnóstico –, deve-se dar início ao acompanhamento pré-natal. Em qualquer situação, antes de felicitar a mulher ou casal pela gravidez, é fundamental perguntar como a mulher está se sentindo com a situação.

Diante de um diagnóstico de gestação indesejada, é importante evitar discriminação e julgamento, garantindo acolhimento e aconselhamento com informações claras para auxiliar a decisão da paciente.[4] Essas informações devem incluir os detalhes sobre os riscos de práticas inseguras para realização de aborto, considerando o contexto legal no Brasil, e os índices de falhas dos métodos de abortamento (ver Capítulo Abortamento).

Por outro lado, também se deve discutir com a paciente sobre o impacto de uma gestação, do parto e da maternidade não planejada sobre a sua vida. Para as mulheres que já tomaram a decisão de abortar, mesmo que de forma ilegal, e compartilharam isso com o profissional de saúde, muitas informações podem ser fornecidas em consulta, com a intenção de ajudá-las a encontrar os caminhos mais seguros. É importante informar sobre a relação entre a idade gestacional (IG) e a segurança dos diferentes métodos, o uso correto dos medicamentos e sinais de alerta que indiquem a necessidade de procurar um serviço de saúde. O MS também destaca a necessidade de informar sobre os métodos que colocam a vida da mulher em maior risco, como inserção de uma substância ou objeto (uma raiz, um galho, um catéter) no útero, dilatação e curetagem feitas de forma incorreta por profissional não capacitado, ingestão de preparados caseiros e aplicação de força externa.[4] Nas situações de violência sexual, o aborto é legal, e é fundamental acolher e orientar a mulher quanto aos serviços de referência para atendimento e realização dos procedimentos na rede de atenção à saúde do seu município, ajudando-a nos encaminhamentos (ver Capítulos Abortamento e Atenção à Saúde da Mulher em Situação de Violência).

## ACOMPANHAMENTO PRÉ-NATAL

**Todo acompanhamento pré-natal deve promover a escuta ativa da gestante e de seus acompanhantes, considerando aspectos intelectuais, emocionais, sociais e culturais e não somente o cuidado biológico. Nesse sentido, rodas de conversa com gestantes ou grupos de gestantes devem fazer parte do acompanhamento pré-natal.**

Os componentes básicos da assistência pré-natal incluem acolhimento da gestante e de seus acompanhantes, identificação do risco gestacional, avaliação clínica e do estado nutricional (usando o índice de massa corporal [IMC]), avaliação ginecológica, aferição da pressão arterial (PA), identificação de anemia, rastreamento de algumas infecções, rastreamento de diabetes, avaliação obstétrica com medida da altura uterina (AU), ausculta dos batimentos cardiofetais (BCFs) e definição da IG. Entre as recomendações para a gestante, destacam-se a suplementação de ferro e ácido fólico e a vacinação, se indicada. Instruções claras sobre os sinais de alerta e os locais de atendimento em caso de emergência devem fazer parte das consultas.

A primeira consulta deve ocorrer o mais cedo possível, ainda no 1º trimestre; de acordo com orientações de 2016 da OMS, deve ser feita até a 10ª semana de gravidez.[1] O acompanhamento pré-natal deve incluir no mínimo 8 consultas e pode ser feito com consulta médica e de enfermagem, intercaladas.

Nas gestações com risco habitual, as consultas podem ser feitas seguindo um protocolo de recomendações para a APS na assistência pré-natal, conforme descrito na **TABELA 113.1**. Essas recomendações representam as orientações da OMS[1] e do MS.[4] Testes laboratoriais complementares são necessários nas mulheres com alterações e risco gestacional aumentado. Os resultados dos testes devem ser interpretados pelo profissional de saúde, e as opções de manejo, investigação adicional e encaminhamento para serviço especializado devem ser apresentadas e discutidas com a gestante.

**TABELA 113.1** → Componentes básicos do modelo de assistência pré-natal

| PROCEDIMENTOS | IDADE GESTACIONAL | | | |
|---|---|---|---|---|
| | 16 SEMANAS (1º TRIMESTRE) | 24-28 SEMANAS (2º TRIMESTRE) | 32 SEMANAS (3º TRIMESTRE) | 36 SEMANAS (3º TRIMESTRE) |
| Acolhimento e educação | X | X | X | X |
| Definição da IG | X | X | | |
| Avaliação clínica | X | | | |
| Avaliação do risco gestacional | X | X | X | X |
| Peso/altura (IMC) | X | | | |
| Peso materno | X | X | X | X |
| Pressão arterial | X | X | X | X |
| Avaliação obstétrica (IG, AU, BCFs); definição da apresentação fetal após 32 semanas | X | X | X | X |
| Exame ginecológico | X | | | |
| CP de colo do útero (considerar rotina de rastreamento compatível com a faixa etária)* | X | | | |
| **AVALIAÇÃO LABORATORIAL** | | | | |
| Hb/anemia | X | | X | |
| Grupo sanguíneo e fator Rh | X | | | |
| Coombs indireto, se fator Rh negativo | | X | X | X |
| Exame comum de urina | X | | X | |
| TR ou sorologias para HIV, sífilis | X | | X | |
| TR ou HBsAg | X | | | |
| TR ou anti-HCV | X | | | |
| Toxoplasmose† | X | X | X | |
| Glicemia de jejum | X | | | |
| Teste oral de tolerância à glicose (se glicemia de jejum < 92 mg/dL no 1º trimestre ou início de PN após 20 semanas) | | X | | |
| **RECOMENDAÇÕES** | | | | |
| Vacina antitetânica | X | X | X | |
| Suplementação com ácido fólico | X | X | X | X |
| Suplementação com ferro | X | X | X | X |
| Preenchimento do Cartão da Gestante | X | X | X | X |
| Orientações de emergência | X | | X | X |
| Orientações e planejamento do parto e para amamentação | | | X | X |
| Indicações de cesariana | | | X | X |

*O exame CP pode ser realizado em qualquer IG.
†A sorologia para toxoplasmose só é repetida para as gestantes suscetíveis.
AU, altura uterina; BCFs, batimentos cardiofetais; CP, citopatológico; Hb, hemoglobina; HBsAg, antígeno de superfície de hepatite B; HIV, vírus da imunodeficiência humana; IG, idade gestacional; IMC, índice de massa corporal; TR, teste rápido.
Fonte: Adaptada de World Health Organization[1] e Brasil.[4]

Tanto a OMS quanto o MS, bem como outros órgãos de saúde pública internacionais, reforçam a importância do preenchimento do Cartão da Gestante (ver exemplo no QR code) e a orientação para que a gestante o carregue sempre consigo. Os exames laboratoriais básicos indicados pela OMS são dosagem de hemoglobina (Hb), testes sorológicos para HIV, sífilis e antígeno de superfície da hepatite B (HBsAg) e anti-HCV, exame de urina com urocultura e tipagem sanguínea (ABO e Rh). No Brasil, o MS acrescenta, na rotina básica de exames, o rastreamento do diabetes gestacional, pela glicemia de jejum e teste de tolerância à glicose, o rastreamento da toxoplasmose e a eletroforese de hemoglobina, e destaca que os seguintes exames podem ser realizados se houver indicação: parasitológico de fezes, citopatológico cervical, sorologia para rubéola e ultrassonografia (US) obstétrica.[4]

## Acolhimento e orientação da gestante

O acolhimento da gestante com compreensão e empatia é importante para facilitar a comunicação e estabelecer um vínculo de confiança, reconhecendo que a gravidez é uma fase de mudanças físicas e psicológicas que despertam fantasias e geram medo e ansiedade. A participação do pai e/ou companheiro ou outras pessoas significativas para a gestante nas consultas de pré-natal deve ser estimulada. Com a presença do pai/parceria é possível avaliar sua saúde física e emocional, abordar a qualidade relacional do casal e estimular a parceria e o envolvimento de ambos nos cuidados de saúde do RN. Em 2016, o MS, por meio da Política Nacional de Atenção Integral à Saúde do Homem (PNAISH), publicou um protocolo assistencial denominado *Guia do pré-natal do parceiro para profissionais de saúde*.

Os temas a serem abordados com a gestante e seu acompanhante durante o pré-natal são:
→ o número e a frequência das consultas;
→ a data provável do parto (DPP);
→ os sinais e sintomas comuns da gestação (náuseas, sonolência, aumento de frequência urinária, pirose, constipação);
→ hábitos alimentares, de atividade física e de uso de substâncias;
→ o ganho de peso, o aumento do volume abdominal e a percepção dos movimentos fetais;
→ a necessidade de realização dos exames laboratoriais e indicações de US;
→ o trabalho de parto, parto e indicações de cesariana;
→ sinais e sintomas de risco – sangramento, cefaleia intensa, febre e calafrios, perda de líquido vaginal, dor abdominal intensa, convulsões;
→ orientações sobre como e onde procurar atendimento de emergência.

Para a abordagem da família, história familiar, rede de apoio e contexto social, podem-se utilizar ferramentas como o genograma e o ecomapa (ver Capítulo Abordagem Familiar). A partir do uso desses instrumentos, podem-se identificar padrões de funcionamento familiar, combinar informações biomédicas e psicossociais, identificar fatores de risco e conhecer as expectativas da família e da rede de apoio sobre a nova gestação.

A OMS recomenda que se aproveite a oportunidade do pré-natal para perguntar às gestantes sobre a possibilidade de estarem sofrendo violência, e considera situações suspeitas quando houver: lesões físicas com explicações vagas ou improváveis, o impedimento pelo companheiro de que a mulher fique sozinha nas consultas, múltiplas gestações indesejadas e/ou abortos, ISTs repetidas, falta ou atraso às consultas, sintomas urogenitais inexplicados ou repetidos, uso de álcool e outras substâncias e sintomas de ansiedade e depressão.[1] (Ver Capítulo Atenção à Saúde da Mulher em Situação de Violência.)

## Avaliação de risco gestacional

Na primeira consulta pré-natal, deve-se realizar a anamnese, registrando, de forma detalhada, as histórias médica, obstétrica, familiar e social, buscando identificar fatores de risco gestacional. Toda gestação traz risco para a mãe e para o feto, mas em um pequeno número esse risco pode estar muito aumentado, podendo causar danos à saúde da mãe e/ou do bebê. Por isso, é muito importante identificar a população de maior risco. Para melhorar a detecção dessas gestações, os fatores geradores de risco podem ser agrupados em quatro grandes grupos: (1) características individuais e condições sociodemográficas desfavoráveis; (2) história reprodutiva prévia; (3) doença obstétrica na gestação atual; e (4) intercorrências clínicas. A gestação é um processo dinâmico que exige a avaliação do risco e da necessidade de encaminhamento durante toda a sua evolução. Em cada consulta, é preciso avaliar o aparecimento de sinais ou sintomas de risco para detectar a necessidade de encaminhar para a referência de risco ou para atendimento de urgência obstétrica.

No seu último protocolo, o MS determinou quais gestações de risco podem ser acompanhadas na APS e quais devem ser referenciadas para serviço especializado de alto risco, conforme as **TABELAS 113.2** e **113.3**, respectivamente. Após a avaliação em serviço especializado, independentemente da necessidade de continuidade de acompanhamento nesse serviço, é importante que a gestante continue seu acompanhamento na APS. Também é recomendado o estabelecimento de vínculo com o serviço de referência, de forma que os profissionais possam colaborar entre si, de forma

**TABELA 113.2** → Situações que não necessitam de encaminhamento para serviço especializado

| FATORES RELACIONADOS ÀS CARACTERÍSTICAS INDIVIDUAIS E ÀS CONDIÇÕES SOCIODEMOGRÁFICAS DESFAVORÁVEIS |
|---|
| → Idade < 15 e > 35 anos |
| → Ocupação: esforço físico excessivo, carga horária extensa, rotatividade de horário, exposição a agentes |
| → Situação familiar insegura e não aceitação da gravidez, principalmente tratando-se de adolescente |
| → Situação conjugal insegura |
| → Baixa escolaridade (< 5 anos de estudo regular) |
| → Condições ambientais desfavoráveis |
| → Altura < 1,45 m |
| → IMC que evidencie baixo peso, sobrepeso ou obesidade |

Atenção: deve ser redobrada a atenção no acompanhamento de mulheres negras, indígenas, com baixa escolaridade, com idade < 15 anos e > 35 anos, em mulheres que tiveram pelo menos um filho morto em gestação anterior e nas que tiveram mais de 3 filhos vivos em gestações anteriores.

| FATORES RELACIONADOS À HISTÓRIA REPRODUTIVA ANTERIOR |
|---|
| → Recém-nascido com restrição de crescimento, pré-termo ou malformado |
| → Macrossomia fetal |
| → Síndromes hemorrágicas ou hipertensivas |
| → Intervalo interpartal < 2 anos ou > 5 anos |
| → Nuliparidade e multiparidade (5 ou mais partos) |
| → Cirurgia uterina anterior |
| → 3 ou mais cesarianas |

| FATORES RELACIONADOS À GRAVIDEZ ATUAL |
|---|
| → Ganho ponderal inadequado |
| → Infecção urinária |
| → Anemia |

Fonte: Brasil.[4]

**TABELA 113.3** → Fatores de risco indicativos de encaminhamento ao pré-natal de alto risco

**FATORES RELACIONADOS ÀS CONDIÇÕES PRÉVIAS**

- Cardiopatias
- Pneumopatias graves (incluindo asma brônquica não controlada)
- Nefropatias graves (como insuficiência renal crônica e em casos de transplantadas)
- Endocrinopatias (especialmente diabetes melito, hipotireoidismo e hipertireoidismo)
- Doenças hematológicas (inclusive doença falciforme e talassemia)
- Doenças neurológicas (como epilepsia)
- Doenças psiquiátricas que necessitam de acompanhamento (psicoses, depressão grave, etc.)
- Doenças autoimunes (lúpus eritematoso sistêmico, outras colagenoses)
- Alterações genéticas maternas
- Antecedente de trombose venosa profunda ou embolia pulmonar
- Ginecopatias (malformação uterina, tumores anexiais e outras)
- Portadoras de doenças infecciosas como hepatites, toxoplasmose, infecção pelo HIV, sífilis terciária (US com malformação fetal) e outras ISTs (condiloma)
- Hanseníase
- Tuberculose
- Anemia grave (hemoglobina < 8 g/dL)
- Isoimunização Rh
- Qualquer patologia clínica que necessite de acompanhamento especializado

**FATORES RELACIONADOS À HISTÓRIA REPRODUTIVA ANTERIOR**

- Morte intrauterina ou perinatal em gestação anterior, principalmente se de causa desconhecida
- Abortamento habitual (2 ou mais perdas precoces consecutivas)
- Esterilidade/infertilidade
- História prévia de doença hipertensiva da gestação, com mau resultado obstétrico e/ou perinatal (interrupção prematura da gestação, morte fetal intrauterina, síndrome HELLP, eclâmpsia, internação da mãe em UTI)

**FATORES RELACIONADOS À GRAVIDEZ ATUAL**

- Restrição do crescimento intrauterino
- Polidrâmnio ou oligodrâmnio
- Gemelaridade
- Malformações fetais ou arritmia fetal
- NIC III
- Alta suspeita clínica de câncer de mama ou mamografia com Bi-RADS III ou mais
- Distúrbios hipertensivos da gestação (hipertensão crônica preexistente, hipertensão gestacional ou transitória)
- Infecção urinária de repetição ou 2 ou mais episódios de pielonefrite (toda gestante com pielonefrite deve ser inicialmente encaminhada ao hospital de referência para avaliação)

Bi-RADS, *Breast Imaging Reporting and Data System*; HELLP, hemólise, enzimas hepáticas elevadas, baixa contagem de plaquetas; HIV, vírus da imunodeficiência humana; ISTs, infecções sexualmente transmissíveis; NIC, neoplasia intraepitelial cervical; US, ultrassonografia; UTI, unidade de terapia intensiva.
Fonte: Brasil.[4]

multidisciplinar, e que a gestante possa sentir que está sendo acompanhada de forma abrangente e integrada.

## Cálculo da idade gestacional e data provável do parto

Na primeira consulta após a confirmação da gestação, calcula-se a idade gestacional (IG) e a data provável do parto (DPP). Essa estimativa é feita a partir da data do primeiro dia de sangramento da última menstruação (DUM). Pode-se usar um calendário, o gestograma (disco para cálculo da IG), *sites* na internet (ver QR code), ou, ainda, aplicativos disponíveis para diferentes sistemas operacionais.

Quando a data é conhecida, soma-se o número de dias entre a DUM e a data da consulta e divide-se o total por 7, obtendo-se, assim, o número de semanas de gravidez. Para estimar a DPP, somam-se 7 dias ao primeiro dia da última menstruação, subtraindo-se 3 meses do mês em que ocorreu a última menstruação. Por exemplo:

- DUM: 15/7/2020
- Data da consulta: 5/9/2020
- Idade gestacional: (16 + 31 + 5 = 52 / 7) = 7 semanas
- DPP: (15 + 7 dias = 22; e 7 – 3 meses = 4) = 22/4/2021

Com o uso do gestograma, basta direcionar a seta para o dia e o mês da DUM e observar o número de semanas indicado na data da consulta. Para a estimativa da DPP, observa-se a data indicada pela seta como DPP.

Quando a DUM é incerta ou desconhecida, a estimativa fica prejudicada. Deve-se buscar, com a gestante, a lembrança de uma data aproximada da última menstruação (se no início, meio ou fim do mês) e fazer uma estimativa para dia 5, 15 ou 30, respectivamente. A medida seriada da AU, associada ao período de início da ausculta dos BCFs e ao início dos movimentos fetais, pode aumentar a segurança do cálculo da IG. A US realizada antes de 26 semanas auxilia na definição do tempo de gravidez. Entretanto, após esse período, o erro na determinação da IG pode ser de até 3 semanas.

## Ganho de peso na gestação

O IMC da mulher antes da gestação e o ganho de peso gestacional influenciam os desfechos maternos e infantis. As mulheres obesas têm risco maior de complicações na gravidez, especialmente pré-eclâmpsia e diabetes gestacional, e têm uma probabilidade maior de parto por cesariana. O ganho de peso excessivo durante a gestação está associado ao desenvolvimento de obesidade após o parto. Por outro lado, as mulheres que se encontram abaixo do peso normal antes da gestação ou que não têm um ganho de peso adequado durante a gestação apresentam aumento do risco de RN de baixo peso, o que está associado a desfechos adversos em curto e longo prazos.

Em 2019, as recomendações do Institute of Medicine (IOM) foram atualizadas com base nos resultados de uma metanálise de 25 estudos de coorte (*LyfeCycle Project – Maternal Obesity and Childhood Outcomes Study Group*), incluindo 196 mil mulheres da América do Norte e da Europa,[15] que avaliou a relação entre o ganho de peso gestacional e desfechos clínicos. Esse estudo incluiu seis categorias de IMC, incluindo as três classes de obesidade. A variação de ganho de peso com menor risco para desfechos adversos, de acordo com as categorias de IMC pré-gravídico, foi definida e está na **TABELA 113.4**.

Embora os resultados tenham mostrado uma associação entre o ganho de peso e os desfechos clínicos, um dos achados mais importantes do estudo foi o de que o IMC pré-concepcional apresenta uma associação mais forte com os desfechos adversos maternos e infantis do que o ganho de peso total durante a gestação. Esses resultados sugerem que um dos objetivos mais importantes para melhorar os desfechos maternos e pediátricos é a intervenção pré-concepcional.

**TABELA 113.4** → Variação do ganho de peso com menor risco para desfechos maternos de acordo com categoria de índice de massa corporal (IMC) pré-gravídico

| IMC PRÉ-GESTACIONAL | CLASSIFICAÇÃO | GANHO DE PESO |
|---|---|---|
| 18,5 kg/m² | Baixo peso | 14-16 kg |
| 18,5-24,9 kg/m² | Normal | 10-18 kg |
| 25-29,9 kg/m² | Sobrepeso | 2-16 kg |
| 30-34,9 kg/m² | Obesa classe 1 | 2-6 kg |
| 35-39,9 kg/m² | Obesa classe 2 | Ganho ou perda de 0-4 kg |
| 40 kg/m² | Obesa classe 3 | 0 até < 6 kg |

Fonte: LifeCycle Project-Maternal Obesity and Childhood Outcomes Study Group e colaboradores.[15]

A documentação do ganho de peso durante a gestação deve registrar o peso e a altura da mulher na primeira consulta, para cálculo do IMC. Mas o primeiro peso também pode ser considerado aquele relatado pela paciente antes de engravidar, principalmente quando a primeira consulta é feita após o 1º trimestre. A determinação do IMC facilita o aconselhamento sobre o ganho de peso durante a gravidez. As mulheres com baixo peso e as obesas devem ser informadas sobre os seus riscos específicos.

## Medida da pressão arterial

A medida da PA em todas as consultas pré-natais é a melhor maneira de detectar precocemente alterações hipertensivas da gestação, que incluem hipertensão desenvolvida na gravidez e hipertensão prévia.

O emprego de técnica adequada para a medida da PA e de um esfigmomanômetro de tamanho adequado é essencial para o diagnóstico correto da pré-eclâmpsia. As recomendações para a aferição da PA devem ser rigorosamente cumpridas e encontram-se no Capítulo Hipertensão Arterial na Gestação.

Considera-se hipertensão na gravidez nos casos em que PA sistólica ≥ 140 mmHg ou PA diastólica ≥ 90 mmHg. Antes da 20ª semana, a detecção de níveis tensionais elevados informa sobre hipertensão prévia à gravidez, sendo um sinal de alerta para a possibilidade de desenvolvimento de pré-eclâmpsia e um indicador para o acompanhamento em serviço especializado.

A hipertensão que se manifesta após a 20ª semana e que se associa à proteinúria (≥ 300 mg em 24 horas) é definida como pré-eclâmpsia. O termo hipertensão gestacional é usado quando há hipertensão sem proteinúria. A hipertensão na gestação com ou sem proteinúria está associada a maior morbidade materna e perinatal. Para diagnóstico e manejo dessas situações, ver Capítulo Hipertensão Arterial na Gestação.

> A pré-eclâmpsia deve ser sempre considerada uma doença grave, e as gestantes com essa condição necessitam de monitoramento hospitalar. Em caso de hipertensão arterial na gestante, ver indicações de encaminhamento no Capítulo Hipertensão Arterial na Gestação.

## Avaliação ginecológica

O exame ginecológico na primeira consulta consiste em avaliação dos órgãos genitais externos, palpação da região inguinal, exame especular com coleta de exame citopatológico (CP), se indicado, e toque bimanual.

Nas consultas subsequentes, o exame com espéculo e o toque vaginal digital não são necessários, a não ser para esclarecer sinais e sintomas de trabalho de parto ou queixas de leucorreia. Na presença de sangramento vaginal, evita-se o toque digital fora de ambiente hospitalar, pois se houver placenta prévia pode ocorrer sangramento profuso.

O exame CP de colo do útero deve seguir as recomendações de periodicidade e faixa etária como para as demais mulheres. A frequência da coleta de CP não é influenciada pela gestação; o CP pode ser colhido em qualquer período da gravidez.[4]

As mamas devem ser avaliadas na primeira consulta de pré-natal. Nesse momento, é importante assegurar à mulher a possibilidade de amamentação independentemente das características das mamas.[4]

## Avaliação obstétrica

Inclui palpação obstétrica, medida da AU, ausculta dos BCFs e, quando indicado, avaliação das modificações cervicais por exame de toque digital. A ausculta dos BCFs é possível com uso de sonar após 12 semanas.

A palpação obstétrica utilizando as manobras de Leopold (FIGURA 113.1) permite identificar a situação e a apresentação fetal, principalmente no 3º trimestre. A palpação obstétrica deve iniciar pela delimitação do fundo uterino, assim como de todo o contorno da superfície do útero. Por meio da identificação dos polos cefálico e pélvico e do dorso fetal, podem-se identificar a situação (longitudinal ou transversa) e a apresentação fetal (cefálica ou pélvica). A palpação obstétrica deve ser realizada antes da medida da AU.

A medida da AU deve ser feita após as 16 semanas em todas as consultas para acompanhar o crescimento fetal. Essa medida é simples, de baixo custo e usada amplamente; no entanto, estudos observacionais mostram uma grande variabilidade da sensibilidade (13-86% para detecção de restrição do crescimento fetal).

Existe uma correlação entre a IG e a AU:[16]

→ **12 semanas:** altura da sínfise púbica;
→ **16 semanas:** entre sínfise púbica e cicatriz umbilical;
→ **20 semanas:** altura da cicatriz umbilical;
→ **entre 20 e 32 semanas:** existe correspondência entre a medida da AU e a IG, com crescimento de 1 cm/semana ou 4 cm/mês;
→ **a partir de 32 semanas:** crescimento de 0,5 cm/semana ou 2 cm/mês.

Uma discrepância entre a AU e a IG levanta a suspeita de alteração do crescimento fetal, sendo indicada a realização de US obstétrica.

Para medir a AU, a gestante deve esvaziar a bexiga e posicionar-se em decúbito dorsal, com o abdome descoberto. O profissional deve delimitar a borda superior da sínfise púbica e o fundo uterino. A seguir, com uma das mãos, fixar a extremidade inicial da fita (0 cm) na borda superior da sínfise púbica e, com a fita métrica (flexível e não extensível) passando entre os dedos indicador e médio da outra mão, fazer a leitura quando a borda cubital da mão atingir o fundo uterino.

## Avaliação laboratorial

**Toda gestante deve ter asseguradas a solicitação, a realização e a avaliação em tempo oportuno dos exames preconizados no atendimento pré-natal.**

A TABELA 113.1 lista os exames que devem ser solicitados na primeira consulta e indica quais devem ser repetidos no decorrer da gestação.

### Grupo sanguíneo, fator Rh e teste de Coombs indireto

Na primeira consulta, todas as gestantes devem realizar a tipagem sanguínea com Rh **A**. Nas mulheres Rh-negativas, o risco de sensibilização ocorre quando o pai é Rh-positivo. Toda gestante Rh-negativa deve fazer o teste de Coombs indireto para identificar e prevenir a isoimunização materna e a doença hemolítica do feto e do RN. As gestantes Rh-negativas e com teste de Coombs indireto negativo devem repetir o exame com 28 semanas e no parto.[17] A positivação do teste de Coombs indireto indica que o feto está em risco de doença hemolítica; nesse caso, a gestante deve ser referenciada para serviço especializado de alto risco.[4]

As gestantes Rh-negativas e com teste de Coombs indireto negativo têm indicação para usar a imunoglobulina anti-D nas seguintes situações: com 28 semanas de gestação e depois do parto de RN Rh-positivo com Coombs direto negativo. A indicação de profilaxia após eventos que aumentem o risco de sangramento materno-fetal ainda é controversa.[17]

### Hematócrito/hemoglobina

O MS recomenda a solicitação do exame no 1º e no 3º trimestres. O diagnóstico de anemia na gestação é estabelecido na presença de valores de hemoglobina (Hb) < 11 g/dL.

**As mulheres com anemia por deficiência de ferro (Hb < 11 g/dL e hematócrito < 33%) devem receber um suplemento de 60 a 200 mg de ferro elementar (2-5 comprimidos de sulfato ferroso de 200 mg) por dia até que a anemia seja corrigida. A melhora dos níveis de Hb ocorre entre 15 e 30 dias após o início do tratamento, quando pode ser observada uma elevação de 1 g ou mais na Hb. A suplementação deve ser mantida até que as reservas de ferro sejam restabelecidas, em geral após 2 a 3 meses de tratamento.[4] Falha na resposta indica a necessidade de avaliar a adesão ao tratamento e realizar investigação adicional. Nesses casos e nos quadros de anemia grave, quando os níveis séricos de Hb estão abaixo de 8 g/dL, as gestantes devem ser referenciadas para serviço especializado.**

### Eletroforese de hemoglobina

O rastreamento das hemoglobinas na gestação é controverso e algumas organizações internacionais o recomendam de

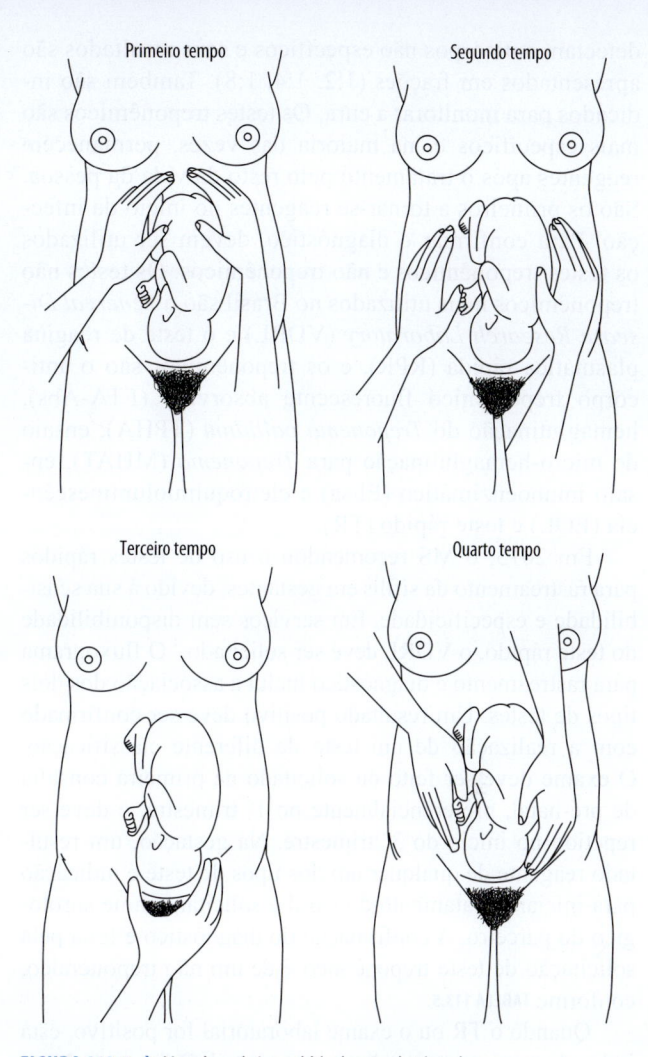

**FIGURA 113.1** → Manobras de Leopold (palpação obstétrica).
Fonte: Peixoto.[16]

acordo com a etnicidade. O MS, por meio da Nota Técnica nº 035, de 28 de junho de 2011, adotou o rastreamento universal de doença falciforme por meio da solicitação de eletroforese de hemoglobina para todas as gestantes no 1º trimestre, por conta do alto grau de miscigenação brasileira.

As gestantes com traço falciforme (HbAS) devem receber aconselhamento genético pelo profissional. As diagnosticadas com doença falciforme (HbSS) devem ser encaminhadas para atenção secundária.[4]

### Sorologia para sífilis

O diagnóstico de sífilis na gestação é feito por meio do rastreamento sorológico, pois, em geral, a infecção é assintomática, sua prevalência é alta, e o tratamento oportuno e adequado evita a evolução da sífilis no adulto e a sífilis congênita e suas consequências adversas. Os exames laboratoriais indicados para rastreamento incluem testes treponêmicos e não treponêmicos. A correlação entre dados clínicos, resultado dos testes, história de infecção passada e tratamentos realizados é importante para confirmar o diagnóstico. Os testes não treponêmicos detectam anticorpos não específicos e seus resultados são apresentados em frações (1:2, 1:4, 1:8). Também são indicados para monitorar a cura. Os testes treponêmicos são mais específicos e, na maioria das vezes, permanecem reagentes após o tratamento pelo resto da vida da pessoa. São os primeiros a tornar-se reagentes no início da infecção. Para confirmar o diagnóstico, devem ser utilizados os testes treponêmicos e não treponêmicos. Os testes não treponêmicos mais utilizados no Brasil são o *Venereal Disease Research Laboratory* (VDRL) e o teste de reagina plasmática rápida (RPR), e os treponêmicos são o anticorpo treponêmico fluorescente absorvido (FTA-Abs), hemaglutinação do *Treponema pallidum* (TPHA), ensaio de micro-hemaglutinação para *Treponema* (MHAT), ensaio imunoenzimático (Elisa) e eletroquimioluminescência (EQL) e teste rápido (TR).

Em 2015, o MS recomendou o uso de testes rápidos para rastreamento da sífilis em gestantes, devido à sua sensibilidade e especificidade. Em serviços sem disponibilidade do teste rápido, o VDRL deve ser solicitado.[4] O fluxograma para rastreamento e diagnóstico inclui a associação dos dois tipos de testes. Um resultado positivo deve ser confirmado com a realização de um teste de diferente classificação. O exame deve ser feito ou solicitado na primeira consulta de pré-natal, preferencialmente no 1º trimestre, e deve ser repetido no início do 3º trimestre. Na gestação, um resultado reagente de qualquer um dos tipos de teste é indicação para iniciar o tratamento do casal e solicitar exame sorológico do parceiro. A confirmação do diagnóstico é feita pela solicitação de teste treponêmico e de um não treponêmico, conforme **TABELA 113.5**.

Quando o TR ou o exame laboratorial for positivo, está indicado tratamento imediato para o casal. O fármaco de escolha é a penicilina benzatina. Para gestantes com TR positivo, além de tratamento imediato, está indicada a solicitação de teste treponêmico.[18]

Para dose, esquema terapêutico e controle da cura, ver Capítulo Infecções na Gestação.

Se o teste confirmatório for não reagente, a hipótese de sífilis é descartada, devendo-se considerar a possibilidade de reação cruzada com outras doenças. Nesses casos, a gestante deve ser encaminhada para consulta com especialista para esclarecimento do diagnóstico. Se o teste confirmatório for reagente, o diagnóstico de sífilis fica confirmado. Para acompanhamento e avaliação da efetividade do tratamento na gestante, os testes não treponêmicos devem ser solicitados mensalmente.[18]

> A sífilis na gestação e a sífilis congênita são doenças de notificação compulsória.

## Exame comum de urina e urocultura

As mudanças fisiológicas que afetam o trato urinário na gestação favorecem o desenvolvimento de infecções urinárias e aumentam o risco de pielonefrite. Em 20 a 40% dos casos de infecção, pode ocorrer evolução para pielonefrite na gestação. As infecções urinárias aumentam o risco de

**TABELA 113.5** → Interpretação dos resultados de testes treponêmicos e testes não treponêmicos para diagnóstico de sífilis na gestação

| TESTE TREPONÊMICO (TR, FTA-Abs, MHEA, Elisa, ETC.) | TESTE NÃO TREPONÊMICO (VDRL, RPR, TRUST) | DIAGNÓSTICO | CONDUTA |
|---|---|---|---|
| Reagente | Reagente | → Sífilis – classificar o estágio de acordo com a história | → Tratar e monitorar a cura com teste não treponêmico mensal |
| Reagente | Não reagente | → Suspeita de sífilis: → Sífilis recente ou → Sífilis tratada ou → Falso-positivo | → Repetir testes em 30 dias → Avaliar história de tratamento → Em caso de sinais de sífilis primária, tratar e repetir teste em 30 dias |
| Não reagente | Reagente | → Provável falso-positivo (especialmente se título ≤ 1:4) → Títulos > 1:4 são suspeitos de sífilis | → Avaliar história de tratamento e repetir testes em 30 dias |
| Não reagente | Não reagente | → Negativo, se não houver suspeita clínica | → Repetir os testes no 3º trimestre |

Elisa, ensaio imunoenzimático; FTA-Abs, anticorpo treponêmico fluorescente absorvido; MHEA, atividade enzimática hidrolítica microbiana; RPR, teste de reagina plasmática rápida; TR, teste rápido; TRUST, prova de toluidina vermelha em soro não aquecido; VDRL, *Venereal Disease Research Laboratory*.
Fonte: McBrain e colaboradores.[17]

trabalho de parto e parto pré-termo. A bacteriúria assintomática está associada ao aumento do risco de parto pré-termo. A solicitação de urocultura na primeira consulta e o tratamento das gestantes com cultura positiva (> 100.000 colônias/mL) reduzem o risco de pielonefrite (RRR = 76%; NNT = 6-9), de parto prematuro (RRR = 76%; NNT = 7-49) e de RNs com baixo peso ao nascer (RRR = 36%; NNT = 13-102) **B**.[19]

A escolha do antimicrobiano para tratamento deve ser baseada no teste de sensibilidade do agente observado no antibiograma e na segurança de seu uso na gestação.[19] Geralmente, são boas opções a nitrofurantoína, a cefalexina, a amoxicilina e a fosfomicina. Cursos curtos de antibioticoterapia (5 dias) são indicados por diminuir a exposição ao feto, apesar de 30% das mulheres permanecerem com bacteriúria após esse tipo de tratamento.[19] É recomendado repetir a urocultura 7 dias após o término do medicamento. Em caso de nova urocultura positiva, deve-se tratar com o mesmo antibiótico por mais tempo (7-10 dias) ou outro, por um período típico (5 dias) **C/D**. Não existem evidências para antibioticoterapia profilática para bacteriúria assintomática persistente ou recorrente na gestação **C/D**.[20]

Em gestantes com infecção urinária sintomática, a investigação e o tratamento seguem os protocolos padronizados (ver Capítulo Infecção do Trato Urinário).

O benefício da repetição de rotina do exame qualitativo de urina (EQU) e da urocultura no decorrer da gravidez não está demonstrado,[21] mas o MS recomenda repetir no 3º trimestre.

O exame comum de urina é recomendado como exame de base para rastreamento de proteinúria.

## Glicemia de jejum

A prevalência de hiperglicemia durante a gravidez pode variar, dependendo dos critérios diagnósticos utilizados e da população estudada. Com o aumento da prevalência mundial de obesidade, houve um avanço também na prevalência de diabetes gestacional, e vários órgãos internacionais tornaram mais rigorosos os critérios de rastreamento e os níveis glicêmicos para diagnosticar diabetes na gestação, com o objetivo de otimizar o controle glicêmico e evitar desfechos desfavoráveis.

Em 2017, um grupo de trabalho formado pela Organização Pan-Americana da Saúde (Opas), pelo Ministério da Saúde (MS), pela Federação Brasileira das Associações de Ginecologia e Obstetrícia (Febrasgo) e pela Sociedade Brasileira de Diabetes (SBD), embasado pelas últimas definições da OMS e do painel de especialistas da International Association of Diabetes and Pregnancy Study Groups (IADPSG) Consensus Panel,[22] definiu que o rastreamento de diabetes na gestação deve ser feito em dois momentos:

→ na primeira consulta (1º trimestre ou até 20 semanas de IG), por meio de glicemia de jejum, para todas as mulheres;
→ entre 24 e 28 semanas, por meio do teste oral de tolerância à glicose com sobrecarga de 75 g de glicose (TOTG 75 g) para as gestantes com glicemia de jejum < 92 mg/dL no primeiro exame e para as gestantes que iniciarem pré-natal após 20 semanas (nesse caso, realizar com a maior brevidade possível).

Com o resultado dos exames, é possível diferenciar o diabetes melito na gestação do diabetes melito gestacional. Em serviços sem disponibilidade de TOTG, deve-se repetir a glicemia de jejum entre 24 e 28 semanas nas mulheres cujo primeiro exame resultou inferior a 92 mg/dL.[21]

Para mais detalhes sobre critérios diagnósticos e manejo, ver Capítulo Diabetes na Gestação.

## Sorologia anti-HIV

No Brasil, o MS recomenda a realização do teste anti-HIV em todas as gestantes.[18] A gestante deve receber informações sobre a importância da realização do exame durante o pré-natal e sobre o benefício do tratamento precoce para o controle da infecção materna e prevenção da transmissão vertical do HIV. Também é importante assegurar a confidencialidade e o sigilo. (Ver Capítulo Infecção pelo HIV em Gestantes.)

A testagem para HIV deve ser realizada no 1º trimestre, idealmente na primeira consulta do pré-natal, e repetida no início do 3º trimestre. Deve ser feita em qualquer outro momento em que haja exposição de risco ou violência sexual. É recomendada também a realização de teste rápido para HIV, hepatite B e sífilis na internação para o parto, se houver disponibilidade local.

Os testes rápidos para HIV são os métodos preferenciais para diagnóstico, pois apresentam boa sensibilidade e especificidade e evitam a perda de oportunidade para início precoce do tratamento. Em caso de boa adesão à terapia antirretroviral, manutenção da carga viral do HIV em níveis indetectáveis e não amamentação, é possível reduzir o risco de transmissão vertical para menos de 2%.[23] No entanto, se as medidas não forem adotadas, está bem estabelecido que esse risco é de 15 a 45%. A testagem laboratorial pode ser utilizada, desde que a entrega do resultado ocorra em tempo oportuno, em até 14 dias. A infecção pelo HIV é doença de notificação compulsória, conforme portaria do MS.

Se a infecção pelo HIV for confirmada, está indicada a avaliação imediata do teste de carga viral do HIV (CV-HIV). A avaliação física geral é importante, pois a infecção pelo HIV é sistêmica. O teste de genotipagem pré-tratamento também está indicado. A paciente deve ser encaminhada para acompanhamento em centro de referência especializado, mantendo o vínculo com o profissional assistente na APS.

É muito importante realizar o aconselhamento pré e pós-teste, com informações sobre a possibilidade de redução da transmissão materno-infantil do HIV, sobre o risco de transmissão sexual e sobre prevenção das ISTs com uso de preservativo nas relações sexuais. Quando o resultado for negativo e a gestante apresentar alguma situação de risco (portadora de IST, prática de sexo inseguro, usuária ou parceira de usuário de drogas injetáveis), o exame deve ser repetido no intervalo de 1 mês.

Nas gestantes com carga viral desconhecida ou detectável após 34 semanas, está indicado o uso de zidovudina injetável por via intravenosa (IV) no início do trabalho de parto ou, no caso de cesariana eletiva, deve ser iniciada a infusão 3 horas antes do nascimento.[18]

Além de receber o medicamento, as gestantes devem ser orientadas quanto ao tipo de parto, sobre a possibilidade de transmissão do vírus para a criança via leite materno e sobre as medidas de prevenção, como uso de preservativo nas relações sexuais, suspensão do uso de drogas ilícitas, tabagismo e álcool e tratamento de outras ISTs.

Para mais detalhes, ver Capítulo Infecção pelo HIV em Gestantes.

## Sorologia para toxoplasmose

No Brasil, o MS recomenda o rastreamento universal na gravidez, devido à alta prevalência e à possibilidade de prevenir e tratar a doença, evitando o comprometimento fetal. Também é recomendada a realização em intervalos regulares de 2 a 3 meses para as gestantes suscetíveis. Para ser efetivo, o teste de rastreamento deve ser feito com frequência, permitindo identificar e tratar precocemente a gestante assintomática. A identificação das gestantes suscetíveis é importante para orientar as medidas de prevenção primária e, assim, evitar a infecção aguda e a transmissão fetal. As mulheres com anticorpo IgG positivo para toxoplasmose antes da gestação não necessitam realizar o rastreamento. Na gestação, um resultado de IgG positivo e

IgM negativo indica infecção passada, sem necessidade de novos exames. As mulheres suscetíveis à infecção aguda na gravidez apresentam sorologia IgG e IgM negativo e devem repetir a sorologia a cada trimestre ou pelo menos no início do 3º trimestre.

O diagnóstico da infecção é complexo, e muitas vezes é difícil distinguir entre infecção aguda e crônica.[24] Na TABELA 113.6, são apresentadas a interpretação dos resultados e a conduta indicada, conforme recomendação do MS.[24] As gestantes com diagnóstico ou suspeita de infecção aguda devem ser encaminhadas para atendimento em serviço especializado.

Os resultados do rastreamento e do tratamento da toxoplasmose são conflitantes; parece haver benefício quando o tratamento for instituído nas primeiras 3 semanas após a soroconversão. (Ver Capítulo Infecções na Gestação para mais informações sobre diagnóstico e manejo.)

### Sorologia para hepatite B (HBsAg)

**Todas as gestantes devem fazer o teste sorológico do antígeno de superfície da hepatite B (HBsAg) no acompanhamento pré-natal, independentemente do estado vacinal. As mulheres portadoras do HBsAg podem transmitir o vírus da hepatite B para o RN, especificamente no nascimento. A imunização ativa e passiva do RN no prazo de até 12 horas do parto permite reduzir em 95% a chance de transmissão da hepatite B.[18] A amamentação não é contraindicada.**

No Brasil, o MS recomenda que a triagem seja feita em todas as gestantes na primeira consulta de pré-natal. As mulheres HBsAg-negativas devem ter seu esquema vacinal revisado. O MS recomenda e disponibiliza a vacina para hepatite B para todas as gestantes, quando indicado.

**Quando a sorologia para o HBsAg for positiva, essa informação deve ser anotada no Cartão da Gestante, e a gestante deve ser orientada para as medidas de profilaxia que podem ser realizadas logo após o parto B.[19]**

Ver Capítulo Infecções na Gestação.

### Sorologia para Hepatite C (HCV)

Até meados de 2020, era recomendada a sorologia da hepatite C baseada na presença de fatores de risco, como infecção pelo HIV, mulheres usuárias de drogas injetáveis, antecedentes de transfusão ou transplante realizados antes de 1993, mulheres submetidas à hemodiálise, aquelas com aumento de transaminases sem causa definida e profissionais de saúde com história de acidente com material biológico.

A recomendação foi revisada, e o anti-HCV foi incluído entre os exames de rastreamento para todas as gestantes, com a justificativa de que o rastreamento baseado em fatores de risco se mostrou ineficaz, com baixo valor preditivo positivo e baixa sensibilidade. Segundo análise da Conitec, a estratégia de rastreamento universal se mostrou mais efetiva que a detecção baseada em risco, com um acréscimo de R$ 288 por gestante testada.[25] Nesses casos, se a sorologia for positiva, é possível referenciar essas mulheres para

**TABELA 113.6** → Interpretação dos resultados da sorologia para toxoplasmose na gravidez e conduta recomendada

| IgM | IgG | INTERPRETAÇÃO |
|---|---|---|
| Não reativo | Não reativo | Infecção aguda é pouco provável; paciente suscetível; medidas de prevenção; repetir sorologia a cada 2 ou 3 meses, conforme disponível |
| Não reativo | Reativo | Imunidade remota ou gestante com toxoplasmose crônica; não há necessidade de repetir sorologia |
| Reativo | Não reativo | Infecção muito recente, menos de 3 semanas ou falso-positivo; repetir a sorologia em 3 semanas e iniciar espiramicina |
| Reativo | Reativo | Possibilidade de infecção aguda na gravidez; fazer teste de avidez de IgG na mesma amostra; iniciar espiramicina, enquanto aguarda o resultado<br>→ Avidez de IgG alta: infecção antiga, há mais de 4-6 semanas<br>→ Avidez de IgG baixa: possibilidade de infecção aguda |

Fonte: Cooper e colaboradores.[23]

serviços especializados para tratamento após o término da gravidez. Não há evidências que recomendem uma via de parto preferencial para reduzir a transmissão vertical do HCV, nem para contraindicar a amamentação com objetivo de evitar a transmissão do HCV.

Os medicamentos utilizados para tratamento do HCV são teratogênicos ou não possuem dados suficientes para garantir sua segurança durante a gravidez, portanto são contraindicados. Se o diagnóstico de gestação for confirmado durante o tratamento da hepatite C, o tratamento deve ser suspenso.[18]

### Outros exames

#### Rubéola

Mulheres não imunizadas contra a doença, e que não foram testadas no período pré-concepcional, devem ser testadas na gravidez e orientadas a realizar a imunização logo após o parto. Quando o resultado do teste IgG é reagente, não é necessário nenhum exame adicional, e a gestante deve ser informada de sua imunidade.

#### Citomegalovírus

A investigação sorológica de citomegalovírus (CMV) está indicada na avaliação de mulheres com sintomalogia sugestiva de mononucleose ou quando se observa, na US, anomalia fetal sugestiva de infecção congênita por CMV. A melhor prevenção dessa infecção é a adoção de boas práticas de higiene, com lavagem das mãos.

#### Estreptococo do grupo B

O estreptococo do grupo B é uma bactéria que pode colonizar o trato intestinal materno e pode ser transmitida durante o parto para o RN, podendo ter como consequência infecção grave, sepse precoce e morte neonatal. O rastreamento por meio de cultura de amostra vaginal e retal pode ser realizado no final da gestação, entre 34 e 36 semanas. Esse procedimento possibilita a identificação das gestantes que podem fazer a profilaxia no trabalho de parto e parto.

No Brasil, a prevalência dessa infecção entre as gestantes e entre os neonatos não é conhecida. Uma revisão sistemática não encontrou evidências conclusivas do benefício do uso profilático de ampicilina ou penicilina na mortalidade neonatal por qualquer causa e decorrente da infecção pelo estreptococo do grupo B, mas mostrou redução na incidência da infecção aguda precoce em neonatos.[26]

Não há consenso sobre o exame de rastreamento, mas é indicada a profilaxia quando a urocultura for positiva para a bactéria. Portanto, é importante registrar o resultado do exame na caderneta de pré-natal.

### Malária

A gravidez aumenta o risco de malária, e a infecção por malária está associada com piores desfechos maternos e perinatais. Uma revisão da Cochrane mostrou que a quimioprofilaxia com antimaláricos usada de rotina nos dois últimos trimestres da gravidez é efetiva para reduzir a anemia e a parasitemia materna e melhorar o peso ao nascimento B.[27]

A OMS recomenda que as gestantes que vivem em áreas endêmicas com prevalência alta de malária durmam sob mosquiteiros tratados com inseticida e recebam o tratamento para anemia e paludismo.

O MS adota a conduta de realizar rastreamento intermitente e tratamento da doença nas regiões endêmicas. O teste rápido, por meio da coleta de gota espessa e visualização microscópica do parasita, deve ser realizado a cada consulta de pré-natal, além da investigação dos quadros febris.[4] Se o exame for positivo, deve-se iniciar o tratamento imediatamente.

No Brasil, toda a Região Amazônica, composta pelos Estados do Acre, Amapá, Amazonas, Maranhão, Mato Grosso, Pará, Rondônia, Roraima e Tocantins, é considerada zona endêmica.

Para mais detalhes sobre tratamento e quimioprofilaxia, ver Capítulo Malária.

### Vírus da Zika

Não é recomendado teste de rastreamento para vírus da Zika, por não haver tratamento ou intervenção capaz de diminuir os prejuízos fetais pela infecção. O diagnóstico laboratorial da infecção é feito com testes de ácido nucleico (NAT), por meio da reação em cadeia da polimerase via transcriptase reversa (RT-PCR), ou com a sorologia para vírus da Zika (Zika IgM e IgG).[27]

Em áreas endêmicas, o profissional deve perguntar sobre os sintomas da infecção (doença exantemática com *rash* maculopapular, artralgia, febre baixa de 37,8 até 38,5 °C, conjuntivite) a cada consulta. Já nas áreas não endêmicas, deve questionar sobre possível exposição (ter residido ou viajado para locais com infecções por vírus da Zika notificadas há pouco tempo, ou relação sexual desprotegida com pessoa que mora ou que tenha viajado para área com registro de infecções por esse vírus). O Centers for Disease Control and Prevention (CDC) recomenda testar todas as gestantes sintomáticas e as assintomáticas com história de exposição contínua. Para as mulheres assintomáticas com exposição limitada, sugere tomada de decisão compartilhada sobre o teste. Além disso, devem-se solicitar exames para gestantes com achados de US casual compatíveis com infecção congênita pelo vírus da Zika.[28]

No Brasil, o MS adotou a estratégia de investigar as gestantes sintomáticas e orientar medidas de proteção e combate ao mosquito *Aedes aegypti*, vetor do vírus.[29] Para gestantes com doença exantemática, é indicado solicitar:

→ **RT-PCR** no soro, do dia zero ao 5º dia do início dos sintomas, e na urina, até o 8º dia do início dos sintomas;
→ **sorologia em dois momentos:** primeira coleta do 3º ao 5º dia do início dos sintomas, e a segunda após 2 a 4 semanas da primeira coleta.[28] As sorologias, quando positivas, podem ser decorrentes de reação cruzada por outros flavivírus, necessitando de acompanhamento da investigação. (Ver Capítulo Infecções na Gestação.)

As medidas preventivas eficazes são: evitar viagens para áreas com conhecida infecção por vírus da Zika, proteger-se da transmissão sexual pelo vírus (p. ex., usar preservativo) e proteger-se do mosquito nas áreas de conhecida circulação do vírus. A proteção mais eficaz contra mosquitos é usar roupas claras com mangas e calças compridas, tratadas com permetrina (em *spray* a 0,5%), e usar repelentes de insetos de alta duração (6-12 horas), à base de dietiltoluamida (DEET) (17-20% de concentração) ou icaridina (KBR 3023) na pele exposta.[30] Os inseticidas "naturais" à base de citronela, andiroba ou óleo de cravo não têm evidências de eficácia.

### Covid-19

As mulheres grávidas são consideradas grupo de risco pelo MS. Em função das modificações fisiológicas próprias da gestação, como aumento da necessidade de oxigênio, diminuição da capacidade pulmonar e alterações no sistema imune, podem ser mais suscetíveis a infecções respiratórias. Ainda assim, a maioria das gestantes com infecção pelo novo coronavírus (Sars-Cov-2) não tem complicações graves e apresenta sintomas de um quadro gripal comum, muitas vezes com manifestações leves ou até assintomáticas.[31]

No Brasil, entre as mulheres com síndrome respiratória aguda grave por SARS-CoV-2 nos períodos gestacional ou pós-parto, foi identificada uma série de fatores de risco para desfechos adversos (morte, internação em unidade de terapia intensiva [UTI] ou uso de ventilação mecânica): período pós-parto, idade > 35 anos, obesidade, diabetes, cor de pele negra, residência em área periurbana, sem acesso à Estratégia Saúde da Família e moradia a grandes distâncias do hospital de notificação.[3,32]

Para mais detalhes sobre a Covid-19 em gestantes, incluindo diagnóstico e tratamento, ver Capítulo Doença pelo Coronavírus 2019 (Covid-19). Reforça-se a importância de a gestante realizar a vacina contra a Covid-19, conforme esquema vacinal vigente.

### Tuberculose

O rastreamento universal de tuberculose na gestação só é recomendado em locais onde a prevalência da doença é de pelo menos 100 a cada 100 mil pessoas, não sendo o caso de nenhuma região do Brasil atualmente. Quando houver indicação de investigação por sintomas ou situações específicas (p. ex., contato de tuberculose), podem ser realizados baciloscopia em amostra de escarro, radiografia de tórax e teste tuberculínico ou reação de Mantoux (derivado proteico purificado [PPD, do inglês *purified protein derivative*]). (Para mais informações, ver Capítulo Tuberculose.)

### Função da tireoide

O hipotireoidismo e o hipertireoidismo durante a gravidez podem ter efeitos colaterais para a mãe e para o feto. As mulheres com sintomas de disfunção da tireoide devem realizar o teste de hormônio estimulante da tireoide (TSH, do inglês *thyroid-stimulating hormone*). A interpretação dos resultados deve levar em consideração o trimestre da gestação em que foi realizado. Os valores de referência do TSH na gravidez são:

→ **1º trimestre:** 0,1 a 2,5 mUI/L;
→ **2º trimestre:** 0,2 a 3 mUI/L;
→ **3º trimestre:** 0,3 a 3 mUI/L.

As evidências para recomendar o tratamento do hipotireoidismo subclínico em gestantes assintomáticas com TSH acima do valor normal para o trimestre são fracas.[33] A recomendação para o rastreamento universal do hipotireoidismo subclínico na gravidez é controversa, e, no Brasil, a Febrasgo recomenda o rastreamento baseado na presença de fatores de risco.[34] Para a abordagem de gestantes com disfunção da tireoide, ver Capítulo Atenção à Gestante com Problema Crônico de Saúde.

### Testes de rastreamento de alterações fetais cromossômicas

As gestantes que vão realizar um teste de rastreamento devem compreender a diferença entre um teste de rastreamento e um teste diagnóstico, especialmente no contexto do rastreamento genético. Os casais devem saber o que está e o que não está sendo rastreado, devem receber informações sobre as possibilidades de resultados falso-positivos e falso-negativos e de prosseguimento das investigações com testes invasivos, e devem ser informados sobre as possíveis escolhas reprodutivas. Organizações como o American College of Obstetricians and Gynecologists (ACOG) e a Febrasgo recomendam oferecer a todas as mulheres um teste de rastreamento de alterações cromossômicas antes de 20 semanas de gestação, independentemente da idade materna.[35,36]

Os testes de rastreamento que podem ser utilizados atualmente incluem duas categorias de teste: os que fazem avaliação por meio do DNA fetal livre no sangue materno e os que avaliam marcadores ultrassonográficos e marcadores bioquímicos.

Em sua revisão de 2018, a Febrasgo recomendou realizar triagem de alterações cromossômicas fetais utilizando algoritmos específicos, distribuídos gratuitamente na internet, que usam a combinação de fatores maternos (idade materna e história prévia de alterações cromossômicas), marcadores ultrassonográficos como a medida da translucência nucal (TN) e os BCFs, e marcadores bioquímicos, como fração livre do β-hCG e proteína plasmática A associada à gestação (PAPP-A, do inglês *pregnancy-associated plasma protein A*) (quando disponíveis). Essa revisão da Febrasgo descreve que a taxa de detecção com o uso desses testes combinados é de 90% e que a taxa de falsos-positivos é de 5%.[35] Quando a medida ultrassonográfica da TN, realizada entre 11 e 13 semanas, é usada isoladamente, tem taxa de detecção de 75% e 5% de falso-positivo. Quando combinada com a avaliação da presença ou ausência do osso nasal, a taxa de detecção aumenta para 90% e a taxa de falso-positivo permanece em 5%. Quando é feita a análise combinada dos fatores maternos, da medida da TN e dos marcadores bioquímicos, a acurária melhora: a taxa de detecção passa para 95% e os resultados falso-positivos caem para 3%. A confirmação com teste invasivo, por meio de biópsia do vilo coriônico ou amniocentese, é indicada quando o risco em teste combinado for maior do que 1 em 10.

O rastreamento por meio do DNA fetal livre em sangue materno tem sensibilidade de 99% para trissomia (T) 21, 97% para T18 e 92% para T13 e uma taxa de falso-positivo de 0,4%. O seu resultado deve ser expresso em números, e a fração fetal deve ser informada para comprovar a qualidade do teste. O rastreamento pela pesquisa de DNA fetal livre no sangue materno pode ser indicado para todas as mulheres no início da gestação, idealmente com 10 semanas ou após a realização dos testes combinados antes de indicar um teste invasivo. Quando o risco dos testes combinados for intermediário, entre 1 em 11 e 1 em 1.000, o teste do DNA fetal livre em sangue materno pode ser oferecido, e quando menor do que 1 em 1.000, nenhum novo teste precisa ser feito, e o casal pode ser tranquilizado.

O resultado positivo do teste não é definitivo e precisa ser comprovado pela realização de um teste invasivo, como a biópsia do vilo coriônico (no 1º trimestre) ou a amniocentese (no 2º trimestre), de acordo com a IG. Salienta-se a importância de realizar esses testes com consentimento e informações sobre os seus benefícios, riscos e limitações, esclarecendo que podem ser rastreadas apenas algumas anomalias genéticas.

## Ultrassonografia

A realização da US obstétrica na rotina do acompanhamento pré-natal de risco habitual é opcional. Uma revisão sistemática de ensaios clínicos randomizados mostrou que a US realizada antes de 24 semanas na rotina do acompanhamento pré-natal traz benefícios, pois estima melhor a IG, reduzindo significativamente a frequência de indução de parto por suspeita de pós-datismo, melhora a detecção de gestações múltiplas e melhora a experiência de gestação da mulher, porém, não tem impacto na mortalidade perinatal.[36] Em locais onde o acesso à US é escasso, o melhor é fazer o exame entre 16 e 22 semanas, pois nessa fase é possível definir a IG, identificar gestações múltiplas e detectar malformações fetais. USs tardias (após 24 semanas) não são recomendadas, mas podem ser consideradas, caso nenhuma tenha sido realizada com vistas a identificar o número de fetos e a apresentação e localização da placenta.[1]

A US realizada para rastrear malformações exige maior treinamento do profissional, mais tempo para sua execução e aparelhos mais sofisticados. Entre 11 e 13 semanas, podem ser feitas a medida da TN e o rastreamento ultrassonográfico múltiplo com avaliação da bexiga fetal, dos BCFs e do osso nasal para triagem de alterações cromossômicas; entre 18 e 22 semanas, pode ser feita a US morfológica com avaliação detalhada de todos os órgãos fetais.

## Imunizações

A imunização materna protege mãe e feto da exposição a algumas infecções. Idealmente, as imunizações deveriam ser feitas antes da gravidez. As gestantes não devem receber vacinas contendo vírus vivo, pois existe a possibilidade de passagem dos antígenos vivos atenuados para o feto, com risco de causar alguma alteração, como malformação, aborto ou trabalho de parto prematuro.[4,38]

No Brasil, o MS recomenda verificar o estado vacinal para as vacinas dT (contra difteria e tétano), hepatite B, *influenza* e tríplice viral (contra sarampo, caxumba e rubéola).[4] A vacina dTpa (contra difteria, tétano e coqueluche) está recomendada em todas as gestações, a partir da 20ª semana, pois, além de proteger a gestante e evitar que ela transmita *Bordetella pertussis* ao RN, permite a transferência de anticorpos ao feto, protegendo-o nos primeiros meses de vida, até que possa ser imunizado. Mulheres não vacinadas na gestação devem ser vacinadas no puerpério (45 dias pós-parto), o mais precocemente possível (ver Capítulo Imunizações). Segundo dados do Sistema de Informação de Agravos de Notificação (Sinan), no Brasil, entre 2007 e 2017, foram confirmados 35 casos de tétano neonatal, somente 1 caso em 2016 e nenhum caso em 2015 e em 2017.[39]

A vacina contra *influenza* é recomendada em dose única em qualquer período gestacional ou no puerpério caso a mulher não tenha sido vacinada. A vacina contra a Covid-19 deve ser administrada conforme esquema vacinal vigente.

Em relação à vacina da hepatite B, em caso de situação vacinal desconhecida ou se a mulher não for vacinada e tiver HBsAg negativo, é recomendado o esquema de 3 doses. Em caso de esquema incompleto, completá-lo conforme protocolo.[4] Existe também a alternativa de realizar o exame anti-HBs. Se este resultar positivo, não é necessário fazer a vacinação. Devem-se pesar custos e benefícios nesse processo, pois a paciente pode não retornar, e assim a oportunidade de iniciar a vacinação se perde.

A vacina tríplice viral é contraindicada na gestação. Mulheres em idade fértil devem evitar a gravidez até 1 mês após a vacinação.[4] A aplicação pode ser realizada no puerpério, sem prejuízos para a amamentação.

A vacina contra febre amarela está contraindicada na gestação e para mulheres que estejam amamentando, razão pela qual a vacinação deve ser adiada até a criança completar 6 meses de idade. Na impossibilidade de adiar a vacinação, deve-se avaliar o benefício em relação ao risco. Em caso de mulheres que estejam amamentando e tenham recebido a vacina, o aleitamento materno deve ser suspenso preferencialmente por 10 dias após a vacinação.

## Problemas comuns na gravidez

As queixas mais comuns no 1º trimestre são náuseas, vômitos, sialorreia, tonturas, flatulência, constipação intestinal, sonolência e cefaleia. Explicar às gestantes que essas manifestações são adaptações do organismo materno à gravidez e que não representam complicações, em geral, é suficiente para tranquilizar e amenizar o desconforto. A seguir, são indicadas algumas condutas para manejo dessas condições:

→ **pirose, náuseas e vômitos:** nas formas leves, sugerem-se as orientações sobre dieta e estilo de vida, como evitar jejum prolongado, fracionar a dieta em 6 refeições e reduzir a gordura dos alimentos. Evitar álcool, cigarro e café pode auxiliar. O uso de gengibre **B**,[40] camomila e vitamina $B_6$ (piridoxina) e acupuntura no ponto P6[41] são opções com boas evidências de efetividade e podem ser oferecidas, conforme a preferência da mulher **B**. Quando isso não for suficiente, podem ser indicados anti-histamínicos como a doxilamina associada a piridoxina, meclizina e prometazina. Os antieméticos como metoclopramida (10 mg, de 8/8 horas) ou dimenidrinato (50 mg, de 6/6 horas), com ou sem piridoxina (10 mg, 3 ×/dia) também são efetivos nas formas leves **A**. O uso de ondansetrona pode ser indicado como medicamento de segunda linha, quando há falha das outras medidas para controle de náuseas e vômitos na gravidez, mas deve ser feito o aconselhamento informando a gestante que pode haver um pequeno risco de malformações cardíacas e defeito da fenda palatina, e seu uso deve ser evitado antes de 10 semanas (ver Apêndice Uso de Medicamentos na Gestação e na Lactação). Nos casos mais graves sem resposta ao tratamento por via oral (VO), pode ser necessário o tratamento hospitalar com hidratação e o uso de antieméticos IV. Quando o sintoma predominante for pirose, podem-se usar antiácidos: o uso de Mylanta® (hidróxido de magnésio e hidróxido de alumínio mais simeticona) proporcionou 2 vezes mais alívio completo da pirose se comparado a placebo (NNT = 3) **B**; e sucralfato 1 g administrado VO, 3 ×/dia, foi quase 3 vezes mais efetivo na melhora total do sintoma que o aconselhamento sobre dieta e estilo de vida isoladamente (NNT = 2) **B**.[41] Se os sintomas persistirem, podem ser usados bloqueadores dos receptores de H2 da histamina como ranitidina, que possuem mais estudos que confirmam a segurança de uso durante a gravidez e a amamentação. A dose recomendada é 150 mg, 1 ou 2 ×/dia. Inibidores da bomba de prótons, como omeprazol, lansoprazol ou pantoprazol, também podem ser usados, mas a experiência com a sua utilização na gravidez é menor;

→ **cefaleia:** por ser, muitas vezes, decorrente das tensões, dos temores e da ansiedade da gestante, ouvi-la sobre seus anseios é o primeiro passo para entender a queixa. Em alguns casos, podem-se indicar analgésicos, preferencialmente paracetamol. Na gestante com mais de 20 semanas, a cefaleia pode ser um sintoma de pré-eclâmpsia, devendo-se fazer o diagnóstico diferencial (ver Capítulo Hipertensão Arterial na Gestação);

→ **varizes e dor nas pernas:** fazer repouso com as pernas elevadas, não permanecer muito tempo sentada ou em pé e usar meias elásticas compressivas são medidas que podem melhorar o desconforto;

→ **cãibras:** deve-se explicar que são resultado da fadiga muscular e recomendar repouso relativo, com redução de exercícios e caminhadas e massagem do músculo afetado. É essencial enfatizar a importância do uso de calçados confortáveis e de salto baixo, com boa estabilidade. Também pode ser orientado uso de magnésio, VO, diariamente, por pelo menos 3 semanas **B**,[43] ou cálcio **B**,[43] com base nas preferências da mulher e nas opções disponíveis;

→ **cloasma:** deve-se recomendar o uso de filtro solar e evitar a exposição solar no horário entre 10 e 16 horas;

→ **mudanças corporais:** essa preocupação é frequente, e é importante conversar sobre as alterações que costumam ocorrer à medida que a gravidez evolui e esclarecer o valor da dieta e do ganho de peso adequados não apenas para a recuperação da imagem corporal após o parto, mas também para a saúde da mulher e do feto. A formação do hábito de praticar exercícios pode auxiliar no controle do ganho de peso e melhorar o bem-estar. As dores lombares são mais frequentes no final da gestação e decorrem das mudanças posturais em função do aumento do volume uterino, provocando lordose. Exercícios de alongamento e de correção de postura, assim como o uso de sapatos de salto baixo, podem reduzir esse desconforto. Em relação às estrias, é importante explicar que são resultado do estiramento dos tecidos e que não existem medicamentos ou cremes capazes de preveni-las; cremes hidratantes podem ser usados, se a gestante assim desejar, sem garantia de efetividade;

→ **sangramento vaginal e dor em cólica:** ocorrem no início da gestação, e estão associados a risco aumentado de abortamento. A gestante deve ser orientada a manter sua atividade habitual e deve ser informada de que não existem medicamentos nem procedimentos que possam interferir no processo. Repouso pode ser sugerido, conforme discussão com a gestante; porém, não há evidências que sustentem sua efetividade em reduzir o risco de abortamento. No caso de sangramento aumentado ou dor em cólica mais intensa, deve-se orientar a gestante a buscar atendimento hospitalar, pois ela pode estar com um quadro de abortamento inevitável com risco de hemorragia.

## Saúde bucal

No período gestacional, ocorre aumento de vascularização nas gengivas, nos locais onde há inflamação devido à presença de placas bacterianas. Além disso, as alterações hormonais da gravidez podem levar ao aumento da mobilidade dentária.

Todas as gestantes devem ser estimuladas a realizar uma consulta odontológica durante a gestação. O tratamento odontológico não está contraindicado em nenhuma fase da gestação, mas, sendo eletiva, o melhor momento para essa consulta é o 2º trimestre.

Os cuidados que as gestantes devem ter com os dentes e a boca são os mesmos de uma mulher não grávida: escovação após as refeições com escova de cerdas macias, uso do fio dental e limpeza da língua.

## Dieta, suplementação com ferro e vitaminas

Na primeira consulta de pré-natal, uma boa anamnese e avaliação física auxiliam a identificar o estado nutricional da gestante e o risco de alguma privação ou distúrbio alimentar.

O aumento das necessidades nutricionais é satisfeito, em geral, por uma dieta equilibrada, rica em fibras, ferro e cálcio, com aporte calórico de 2.000 a 2.500 calorias diárias e contendo 60 a 80 g de proteínas por dia (equivalente a 2 porções de 100 g de carne vermelha, frango ou peixe).

A suplementação com ferro previne níveis baixos de Hb no parto e nas primeiras 6 semanas após o término da gestação, mas o seu uso universal, incluindo pacientes com bom estado nutricional, não demonstrou redução de desfechos clínicos maternos e neonatais.[44] Nos países com baixo desenvolvimento, há evidências de benefício para os desfechos de mortalidade perinatal com a suplementação de ferro e ácido fólico durante toda a gravidez.[45] Uma revisão sistemática mostrou que o uso intermitente, semanal ou 2 ×/semana parece ser uma boa opção para suplementação de gestantes sem anemia e bons cuidados de pré-natal.[46] Assim, recomenda-se que toda mulher receba suplementação com ferro (sulfato ferroso, 1 comprimido/dia), por toda a gestação, pode prevenir anemia materna no termo em até 70% **C/D**.[46] Recomenda-se que a suplementação com ferro continue até o 3º mês após o parto. O acréscimo de ácido fólico (0,4-5 mg/dia) à suplementação com ferro também se mostrou associado à redução do risco de anemia materna (RRR = 66%) **C/D**.[46]

A recomendação para ingesta de cálcio na dieta em gestantes saudáveis é de 1.000 mg ao dia, a mesma indicada para mulheres não grávidas. A OMS recomenda a suplementação com cálcio elementar na dose de 1.500 mg a 2.000 mg ao dia (1,0 a 2,0 g de carbonato de cálcio ou 2,0 a 5,0 g de citrato de cálcio) para reduzir o risco de pré-eclâmpsia, quando a ingesta na dieta é baixa e nas mulheres com risco de desenvolver essa condição (ver Capítulo Hipertensão Arterial na Gestação).[47]

As mulheres devem receber orientação quanto à exposição solar. A suplementação com vitamina D, com dose-padrão de 400 a 600 UI, pode ter benefício para prevenção de pré-eclâmpsia (RRR = 52%; NNT = 9-28), diabetes gestacional (RRR = 49%; NNT = 11-257) e baixo peso ao nascer (RRR = 45%; NNT = 8-37) **B**.[48] A dose nos suplementos vitamínicos pode ser variada, sendo encontrados produtos com menos de 200 UI e outros com mais de 1.000 UI, alguns com $D_2$ em vez de $D_3$, que é o recomendado.

Os potenciais benefícios do consumo de peixes e de alimentos ricos em ômega-3 ou da suplementação com ômega-3 na gravidez ainda não estão bem demonstrados. Evidências de alguns estudos sugerem que o consumo de ômega-3 durante a gravidez pode ter discreto efeito favorável sobre o neurodesenvolvimento, o nascimento pré-termo e, possivelmente, a alergia e a doença atópica na prole **C/D**. Porém, parece aumentar o risco de gestação prolongada.[49] A ingestão de 2 a 3 porções/semana – 220 a 340 mg/semana – de peixe ou frutos do mar ricos em ômega-3 e com baixo teor de mercúrio (salmão, atum, tilápia, bacalhau, linguado) pode ser uma forma simples de suplementação.[50]

Para consumo de cafeína e adoçantes, ver Capítulo Medicamentos e Outras Exposições na Gestação e na Lactação.

É importante esclarecer sobre os cuidados com os alimentos e seu preparo, para evitar infecções e exposição a toxinas e agrotóxicos. A seguir, são listadas algumas recomendações:
→ lavar as mãos com frequência, com maior prioridade antes da manipulação dos alimentos e das refeições;
→ consumir carne, peixe, galinha e ovos bem-cozidos;
→ preferir frutas e legumes da estação com informação sobre a origem;
→ evitar produtos não pasteurizados;
→ lavar bem frutas e legumes, com água corrente, retirando as cascas;
→ desinfetar por meio da imersão em solução clorada (diluir 1 colher de sopa de água sanitária em 1 litro de água) por 10 minutos;
→ lavar bem todo o material (tábuas, facas e recipientes) que esteve em contato com carnes, peixe, galinha e ovos crus.

## Exercícios físicos

As gestantes devem ser encorajadas a praticar atividades físicas antes, durante e depois da gestação, como parte de um estilo de vida saudável. Em mulheres com peso normal, gestações únicas e de risco habitual, o exercício com sessões iniciando com IG < 23 semanas e com frequência de 3 a 4 ×/semana e duração entre 35 a 90 minutos por sessão, aumentou o parto vaginal espontâneo (RRA = 9%) diminuiu o número de cesarianas (RRR = 18%) e reduziu diabetes gestacional (RRR = 49%) e distúrbios hipertensivos (RRR = 79%) **B**.[51] Além desses desfechos, a prática de exercício físico supervisionado para condicionamento durante a gestação favoreceu perda de peso ≥ 9 kg no puerpério (NNT = 4) **B**. Quanto à intensidade do exercício, para a maioria das gestantes, é razoável recomendar que seja moderado (capaz de manter uma conversa normal durante o exercício), incluindo exercícios aeróbicos e de força.

Devem ser evitados esportes e atividades físicas com risco de queda/trauma, pois o trauma materno pode levar a dano fetal. Caminhadas, natação, hidroginástica, musculação, pedalar em bicicleta ergométrica e pilates são atividades consideradas seguras.

## Cinto de segurança

As gestantes devem usar cinto de segurança de três pontos. O efeito de proteção e prevenção em acidentes é demonstrado, sendo o risco fetal associado à gravidade do acidente, ao grau de injúria materna e à falta de uso do cinto de segurança.

## Viagens aéreas

As viagens aéreas comerciais e de turismo são seguras para a gestante. Considerando algumas adaptações maternas em altitudes elevadas, é importante tomar certas precauções, como evitar viagens quando as condições da gestante podem exigir atendimento de emergência. Durante o voo, a gestante deve manter a hidratação, movimentar os membros inferiores para prevenir estase venosa e trombose, usar cinto de segurança durante todo o voo e vestir roupas leves e folgadas.

As regulamentações para viagens aéreas para gestantes e RNs são diretrizes das próprias companhias aéreas. Em geral, não há nenhuma restrição às viagens até a 27ª semana. Após, exige-se atestado médico autorizando a viagem com data de no máximo 7 dias antes da viagem. Depois de 36 semanas, só estarão autorizadas a viajar se acompanhadas pelo médico assistente.

## Medicamentos

As gestantes devem ser orientadas a contatar o seu médico ou o serviço onde realizam o acompanhamento pré-natal antes de usar qualquer medicamento. Para mais detalhes, ver Capítulo Medicamentos e Outras Exposições na Gestação e na Lactação e Apêndice Uso de Medicamentos na Gestação e na Lactação.

## Direitos assistenciais, sociais e trabalhistas

Nos atendimentos às gestantes, é muito frequente surgirem dúvidas referentes aos seus direitos trabalhistas, além de sintomas ou queixas referentes ao seu cotidiano de trabalho, incluindo assédio moral. Portanto, é fundamental que o profissional de saúde conheça os direitos das gestantes, puérperas e pais/acompanhantes assegurados por lei e oriente a gestante e sua família, além de fornecer os atestados quando necessário. Além disso, a legislação brasileira avançou em alguns direitos referentes ao cuidado humanizado durante a gestação, o parto e o puerpério.

Os principais direitos assistenciais, sociais e trabalhistas estão na TABELA 113.7.

## Orientações sobre trabalho de parto e parto

Muitas mudanças ocorreram nos últimos anos devido à grande e acelerada evolução tecnológica, bem como ao desenvolvimento da medicina baseada em evidências. Na assistência ao trabalho de parto e parto, observamos uma época em que as intervenções centradas nos procedimentos e nas tecnologias foram supervalorizadas em detrimento do processo fisiológico de nascimento com maior protagonismo da mulher, do casal e da família.

Em 2018, a OMS publicou recomendações baseadas em uma revisão extensa de estudos publicados para os cuidados durante o trabalho de parto e parto. No Brasil, a Política Nacional de Humanização (PNH), a Rede Cegonha, o projeto ApiceOn (Aprimoramento e Inovação no Cuidado e Ensino em Obstetrícia e Neonatologia), além de uma série de leis e portarias, representaram importantes avanços para garantir às mulheres seu direito a um parto fisiológico e humanizado. São destaques dessas políticas os seguintes princípios: proteção e promoção da gravidez e do parto como processos saudáveis e fisiológicos; acesso e acolhimento; assistência centrada na mulher e na sua família;

**TABELA 113.7** → Leis brasileiras relativas aos direitos sociais e trabalhistas de gestantes, nutrizes e pais

| LEI | DIREITO ASSEGURADO |
|---|---|
| Decreto-Lei nº 5.452 (CLT), de 1º de maio de 1943, artigo 396 | Previsão da concessão de 2 períodos de descanso de 30 minutos na jornada de trabalho, até o 6º mês após o parto, para amamentar |
| Decreto-Lei nº 5.452/1943 (CLT), artigo 389 | Direito à creche para seus filhos nas empresas que possuírem em seus quadros funcionais pelo menos 30 mulheres com idade > 16 anos |
| Constituição Federal de 1988, artigo 10, inciso II, letra "b" do ADCT | Regulamentação que dita que as gestantes não podem ser demitidas desde a data da confirmação da gravidez até o 5º mês após o parto |
| Constituição Federal de 1988, artigo 7, inciso 18 | Regulamentação da licença-maternidade por 120 dias sem prejuízo do emprego e do salário; a gestante deve notificar o seu empregador da data do início do afastamento, que poderá ocorrer entre o 28º dia antes do parto e a ocorrência deste |
| Constituição Federal de 1988, artigo 7, inciso 19 | Concessão de licença de 5 dias após o parto para o pai, recebendo salário integral |
| Lei Federal nº 11.108, de 7 de abril de 2005 | Direito da parturiente à presença de acompanhante durante o trabalho de parto, parto e pós-parto imediato no âmbito do SUS |
| Lei Federal nº 11.634, de 27 de dezembro de 2007 | Direito da gestante ao conhecimento e à vinculação à maternidade onde receberá assistência no âmbito do SUS |
| Lei Federal nº 11.770, de 9 de setembro de 2008 | Prorrogação da licença-maternidade por 6 meses, mediante incentivo fiscal à pessoa jurídica (Programa Empresa Cidadã) |
| Lei Federal nº 11.770, de 9 de setembro de 2008 | Prorrogação da licença-paternidade para até 20 dias, mediante incentivo fiscal à pessoa jurídica (Programa Empresa Cidadã) |
| Decreto-Lei nº 5.452/1943 (CLT), artigo 473, inciso X (inserido por meio da Lei nº 13.257, de 8 de março de 2016) | Direito do empregado de até 2 dias para acompanhar consultas médicas e exames complementares durante o período de gravidez de sua esposa ou companheira |
| Lei Federal nº 8.069, de 13 de julho de 1990, artigo 8 (alterado pelo artigo 19 da Lei Federal nº 13.257, de 8 de março de 2016) | Atenção humanizada à gravidez, ao parto e ao puerpério e atendimento pré-natal, perinatal e pós-natal integral no âmbito do SUS; inclui o direito ao parto natural cuidadoso, estabelecendo-se a aplicação de cesariana e outras intervenções cirúrgicas por motivos médicos |

ADCT, Ato das Disposições Constitucionais Transitórias; CLT, Consolidação das Leis do Trabalho; SUS, Sistema Único de Saúde.

fortalecimento e participação da mulher na tomada de decisão; práticas baseadas em evidências científicas e uso apropriado da tecnologia; e trabalho integrado em equipe multiprofissional.

É papel do profissional orientar as gestantes e suas famílias sobre quais são as melhores práticas de atenção ao parto e ao nascimento, pois, quanto mais conhecimento a mulher tiver, mais segura estará para ser protagonista do seu parto. Com vistas a uma experiência de parto positiva, é importante questionar quais são os desejos e as expectativas da mulher em relação ao processo de nascimento de seu filho. Assim, com base nas suas preferências e em informação baseada em evidências, é conduzido um processo de decisão compartilhada sobre vários aspectos do parto e do nascimento. Para isso, a OMS e o MS recomendam a elaboração de um plano de parto (PP), que é um documento escrito para facilitar o processo de informação e orientação à gestante sobre todas as alternativas disponíveis na assistência ao parto, seja ele com ou sem intercorrências. O documento deve expressar a vontade e as preferências da mulher em relação a essas alternativas. As informações acessadas e a reflexão conjunta com o profissional decorrentes da elaboração do PP resultam na escolha informada sobre onde, como e por quem o parto será acompanhado, de acordo com cada contexto. O documento pode ser anexado ao cartão de pré-natal. Um vídeo curto sobre o PP pode ser visualizado no QR code.

Um estudo de coorte destacou a relação positiva entre a apresentação do PP e o aumento da prevalência do contato pele a pele com o RN, do clampeamento tardio do cordão umbilical e de partos vaginais. Essas práticas, direta e indiretamente, diminuem os gastos relacionados à saúde e às hospitalizações, tanto da mulher quanto do RN.[52]

As recomendações da OMS[1] e do MS[53] sobre os cuidados intraparto necessários para uma experiência positiva de nascimento, os quais devem ser compartilhados com as gestantes e seus acompanhantes, são:

→ visitar o local onde deverá ter o parto e receber informações sobre procedimentos que poderão ser adotados;
→ o cuidado materno respeitoso, a fim de manter a dignidade e a privacidade da mulher, livre de maus-tratos, e que permita à mulher a escolha informada em relação aos procedimentos e cuidados indicados;
→ comunicação eficaz, usando linguagem acessível e culturalmente aceita;
→ garantia de um acompanhante de escolha da mulher, para estar com ela em todos os momentos (pré-parto, parto e pós-parto);
→ ter informação sobre as possíveis vias de parto, sempre valorizando o parto vaginal, porém esclarecendo que, em algumas situações, a cesariana é necessária. A mulher deve ser plenamente informada dos riscos de uma cesariana desnecessária, tanto para ela quanto para o bebê;
→ receber assistência individualizada para evitar intervenções de rotina, como soro com ocitocina, restrição de movimentos, episiotomia e outras;
→ orientação da evolução da primeira fase do trabalho de parto, se esta segue uma duração-padrão;
→ ausculta intermitente dos BCFs, para a avaliação do bem-estar fetal durante o trabalho de parto;
→ exame vaginal digital em intervalos de 4 horas, para avaliação de rotina do primeiro estágio ativo de trabalho de parto em mulheres de baixo risco;
→ ter acesso a técnicas para alívio da dor por meios farmacológicos e não farmacológicos – uso de técnicas de relaxamento, incluindo relaxamento muscular progressivo, exercícios com a bola do nascimento, massagens, banho morno, respiração, música, *mindfulness*, massagem ou aplicação de calor. Deve-se evitar o uso de sedativos e entorpecentes que dificultam a capacidade de ligação entre a mãe e o bebê;

- oferecer analgesia epidural ou com opioides IV para mulheres saudáveis que solicitam analgesia;
- receber líquidos (água, sucos e chás) e alimentos leves durante o trabalho de parto, pois a mulher precisa de energia nesse momento;
- encorajar a mulher a se mobilizar – caminhar, sentar;
- para mulheres sem anestesia epidural, encorajar a escolha da posição de parto;
- mulheres na fase expulsiva devem ser encorajadas e apoiadas para seguir seu próprio desejo de empurrar;
- aplicação de técnicas para reduzir trauma perineal e facilitar o parto espontâneo, incluindo massagem perineal e compressas mornas;
- uso de uterotônicos (ocitocina) para a prevenção de hemorragia pós-parto durante a terceira fase do parto;
- clampeamento tardio do cordão umbilical (não antes de 1 minuto após o nascimento);
- ter contato pele a pele imediato com o bebê logo após o nascimento e permanecer com o bebê, incentivando a amamentação na 1ª hora de vida, quando o RN se encontra alerta, sendo um momento potente para promoção do vínculo entre os pais e seu bebê. A mãe, junto com o(a) acompanhante de sua escolha, é encorajada a tocar, olhar e amamentar seu filho. Para facilitar essa aproximação, é importante criar condições favoráveis e manter a sala de parto menos iluminada e ruidosa. Deve-se evitar interromper esse contato tão importante, conhecido como "hora dourada", a não ser que haja risco materno ou fetal;
- administrar vitamina K 1 mg, por via intramuscular (IM), em todos os RNs;
- retardar o banho do RN e manter o contato contínuo com a mãe em alojamento conjunto. A separação deve ficar restrita aos RNs de risco ou quando as mães estão incapacitadas de permanecer com seus filhos;
- ter orientação e auxílio para o estabelecimento da amamentação, mesmo que as mães venham a ser temporariamente separadas dos seus filhos;
- ter informação antecipada sobre contracepção no puerpério. É importante salientar a necessidade de manter um intervalo entre as gestações como forma de recuperação materna e melhores condições para manter os cuidados com o bebê nos primeiros 2 anos de vida (ver Capítulo Planejamento Reprodutivo).

Desde o início do pré-natal e com maior ênfase nas consultas de 3º trimestre, é importante conversar com as gestantes sobre o trabalho de parto e o parto. Elas devem ser orientadas sobre as contrações preparatórias (também chamadas contrações de treinamento), que costumam ocorrer a partir de 34 semanas e se caracterizam por serem leves, irregulares e pouco frequentes, e sobre as diferenças em relação às contrações de trabalho de parto, que são regulares, fortes, persistentes e com frequência mínima de 2 a 3 contrações a cada 10 minutos. A gestante deve ser orientada a buscar atendimento obstétrico se entrar em trabalho de parto ou se houver ruptura das membranas amnióticas ou sangramento vaginal.

As consultas pré-natais devem ser mantidas até o final da gravidez. Não existe alta do acompanhamento pré-natal antes do nascimento da criança. Quando o parto não ocorre até a 41ª semana, é necessário encaminhar a gestante para avaliação do bem-estar fetal.

### Indicações de cesariana

Dados da OMS mostram aumento na incidência de cesariana em todo o mundo desde o ano 2000. No Brasil, em 2015, esta chegou a 55,5%, colocando o País na segunda posição em relação a esse indicador.[54] Nos serviços privados, a incidência de cesariana chega a 90%, sendo que algumas operadoras de saúde mostram uma frequência de até 98%.[51]

A cesariana pode salvar vidas quando justificada. Estudos populacionais mostraram que uma frequência entre 10 e 15% está associada à diminuição na mortalidade materna e neonatal e, quando abaixo de 5%, observa-se aumento da mortalidade, refletindo provavelmente falha de acesso aos serviços de saúde.[54,55] No entanto, quando a incidência de cesariana na população ultrapassa 10% e atinge 30%, não se observa nenhum efeito na redução da mortalidade.[55]

Apesar da ideia de que a cesariana não apresenta riscos, as evidências têm mostrado que está associada a morbidade e mortalidade materna e neonatal aumentadas. Nos países de baixo ou médio desenvolvimento, a mortalidade após cesariana é 100 vezes mais alta do que nos países desenvolvidos. Ainda não são claros os efeitos das cesarianas sobre outros desfechos, como morbidade materna e perinatal e resultados pediátricos, e sobre o bem-estar psicológico e social.[56] Em 2015, a OMS lançou uma carta de recomendações,[56] da qual destaca-se:

- a cesariana só é efetiva para salvar vidas de mães e bebês quando indicada por motivos médicos;
- ao nível populacional, taxas de cesariana > 10% não estão associadas com redução de mortalidade materna e neonatal;
- a cesariana pode causar complicações significativas e às vezes permanentes, assim como sequelas ou morte, especialmente em locais sem infraestrutura e/ou a capacidade de realizar cirurgias de forma segura e de tratar complicações pós-operatórias;
- os esforços devem concentrar-se em garantir que a cesariana seja feita nos casos em que é necessária, em vez de buscar atingir uma taxa específica de cesarianas;
- uma classificação (classificação de Robson) (ver QR code) deve ser usada como instrumento-padrão em todo o mundo para avaliar, monitorar e comparar taxas de cesarianas ao longo do tempo em um mesmo hospital e entre diferentes hospitais.

No Brasil, o MS avaliou a adequação das indicações de cesariana, de acordo com a classificação de Robson, entre 2014 e 2015, e observou que 60% dos nascimentos por cesariana foram classificados nos grupos 1 a 4, de baixo risco para cesariana; no grupo 5, que inclui a cesariana prévia, a frequência foi de 20%, ou seja, 80% dos nascimentos por cesariana foram classificados nos grupos que são considerados de baixo risco para o procedimento. Nos grupos de alto risco para o procedimento cirúrgico, a proporção foi de 5%, com pouco impacto na incidência global.[7]

Com a intenção de responder à epidemia de cesarianas observada no País, em associação com a Organização das Nações Unidas (ONU), a OMS e a Febrasgo, o MS publicou um protocolo com diretrizes para cesariana,[57] cujo objetivo é difundir a adoção de boas práticas na atenção ao parto e nascimento e, assim, reduzir o número de cesarianas desnecessárias. Para avaliar e aprimorar as indicações e práticas de cesarianas, também foi adotada a classificação de Robson para todas as maternidades (TABELA 113.8). Esse sistema classifica as mulheres de acordo com cinco características obstétricas básicas: paridade, início de trabalho de parto, idade gestacional, apresentação fetal e número de fetos. É simples, reprodutível e clinicamente relevante e permite que toda mulher, na admissão para o parto, seja classificada em uma das categorias, possibilitando a comparação e a análise dos índices de cesariana entre as categorias e dentro de uma mesma categoria, em cada hospital e entre os hospitais. A classificação de Robson também está disponível em aplicativo para *smartphone* (ver QR code).

Diante disso, é fundamental que o profissional de saúde oriente a gestante sobre seu direito ao parto fisiológico e humanizado e forneça informações sobre quais são as indicações reais de cesariana, que estão na TABELA 113.9.

Ultimamente, tem-se estudado mais a importância da satisfação da gestante com o atendimento ao pré-natal e ao parto. Um estudo desenvolvido em Porto Alegre, no Estado do Rio Grande do Sul, identificou, como fatores associados com a plena satisfação com a atenção pré-natal: o atendimento multiprofissional; o recebimento de orientações sobre amamentação e sobre o local do parto; e o sentimento da mulher de estar à vontade para fazer perguntas e participar das decisões.[58] Com a mesma amostra de mulheres, investigaram-se os fatores associados com o alto grau de satisfação

**TABELA 113.8** → Classificação de Robson para indicação de cesariana

| | |
|---|---|
| **GRUPO 1:** nulíparas, gestação única, apresentação cefálica, ≥ 37 semanas, trabalho de parto espontâneo | **GRUPO 6:** todas nulíparas, gestação única, apresentação pélvica |
| **GRUPO 2:** nulíparas, gestação única, apresentação cefálica, ≥ 37 semanas, indução do trabalho de parto ou cesariana antes do início do trabalho de parto | **GRUPO 7:** todas multíparas, gestação única, apresentação pélvica; inclui mulheres com cicatriz uterina prévia |
| **GRUPO 3:** multíparas sem cicatriz uterina prévia, gestação única, apresentação cefálica, ≥ 37 semanas, trabalho de parto espontâneo | **GRUPO 8:** gestação múltipla; inclui mulheres com cicatriz uterina prévia |
| **GRUPO 4:** multíparas sem cicatriz uterina prévia, gestação única, apresentação cefálica, ≥ 37 semanas, indução do trabalho de parto ou cesariana antes do início do trabalho de parto | **GRUPO 9:** gestação única, situação fetal transversa ou oblíqua; inclui mulheres com cicatriz uterina prévia |
| **GRUPO 5:** todas multíparas com pelo menos 1 cicatriz uterina prévia, gestação única, apresentação cefálica, ≥ 37 semanas | **GRUPO 10:** gestação única, apresentação cefálica, < 37 semanas; inclui mulheres com cicatriz uterina prévia |

Fonte: Ye e colaboradores.[56]

**TABELA 113.9** → Indicações de cesariana, segundo os Protocolos da Atenção Básica

| NÃO SE CONSTITUEM INDICAÇÕES DE CESARIANA | |
|---|---|
| → Gestante adolescente<br>→ Anemia<br>→ Baixa estatura materna<br>→ Bebê alto, não encaixado antes do início do trabalho de parto<br>→ Macrossomia<br>→ Ameaça de parto prematuro<br>→ Amniorrexe prematura<br>→ Cesariana anterior<br>→ Circular de cordão umbilical<br>→ Diabetes gestacional | → Desproporção cefalopélvica sem a gestante ter entrado em trabalho de parto e antes da dilatação de 8-10 cm<br>→ Trabalho de parto prematuro<br>→ Pressão arterial alta ou baixa<br>→ Grau da placenta<br>→ Polidrâmnio ou oligodrâmnio<br>→ Infecção urinária<br>→ Presença de grumos no líquido amniótico<br>→ Gravidez prolongada<br>→ Falta de dilatação antes do trabalho de parto |
| **INDICAÇÕES REAIS DE CESARIANA** | |
| → Prolapso de cordão – com dilatação não completa<br>→ Descolamento da placenta fora do período expulsivo (DPP)<br>→ Placenta prévia parcial ou total | → Ruptura de vasa prévia<br>→ Apresentação córmica (situação transversa)<br>→ Herpes genital com lesão ativa no momento em que inicia o trabalho de parto |
| **SITUAÇÕES ESPECIAIS EM QUE A CONDUTA DEVE SER INDIVIDUALIZADA** | |
| → Apresentação pélvica<br>→ HIV/Aids (conforme carga viral) | → Duas ou mais cesarianas anteriores |
| **SITUAÇÕES QUE PODEM ACONTECER, PORÉM FREQUENTEMENTE SÃO DIAGNOSTICADAS DE FORMA EQUIVOCADA** | |
| → Desproporção cefalopélvica (o diagnóstico só é possível intraparto)<br>→ Sofrimento fetal agudo (frequência cardíaca fetal não tranquilizadora) | → Parada de progressão que não resolve com as medidas habituais |

Aids, síndrome da imunodeficiência adquirida; HIV, vírus da imunodeficiência humana.
Fonte: World Health Organization[1] e Brasil.[4]

com a assistência ao parto: a compreensão das informações dadas pelos profissionais durante o parto, o fato de a mulher não ter sofrido violência obstétrica e o fato de o bebê ter sido colocado para mamar na 1ª hora de vida. Esse estudo também identificou que mulheres satisfeitas com a atenção pré-natal apresentaram maior satisfação com o parto.[59]

### Cesariana a pedido

A cesariana primária realizada devido a um pedido materno e na ausência de indicação médica ou obstétrica é uma situação delicada na obstetrícia moderna. No Brasil, a Resolução do Conselho Federal de Medicina (CFM) nº 2.144, de 17 de março de 2016, regulamenta esse direito da gestante. Nesses casos, é importante fazer uma avaliação imparcial das vantagens e desvantagens de cada procedimento. O respeito pela autonomia da paciente deve ser observado, e as autonomias da paciente e do médico devem ser balanceadas com a questão da beneficência. Os obstetras, por sua vez, não são obrigados ética ou profissionalmente a realizar uma cesariana a pedido e podem encaminhar a paciente para um colega que esteja de acordo com esse procedimento.

Na ausência de indicação médica obstétrica para uma cesariana, o parto vaginal deve ser recomendado. Em geral, o pedido por uma cesariana representa o aumento da vulnerabilidade materna e não uma necessidade que precisa ser satisfeita incondicionalmente. O direito à autonomia não significa a oferta rotineira de cesariana, pois isso não está baseado no princípio de beneficência. Durante o pré-natal, deve-se buscar identificar as razões que motivaram o pedido pela cesariana, pois se sabe que o aconselhamento com informações claras e apoio psicológico pode aliviar as preocupações sobre o parto vaginal.

No caso da realização de uma cesariana a pedido, esta deve acontecer entre 39 e 40 semanas e não deve ser motivada pela indisponibilidade de métodos para manejo da dor do trabalho de parto. É importante observar que, para mulheres que desejam ter mais do que um filho, cada cesariana impõe aumento no risco de placenta prévia, acretismo de placenta, histerectomia e ruptura uterina. Nesse sentido, a primeira cesariana sem indicação médica deve ser evitada, pois em todo o mundo observa-se o crescimento da ocorrência de acretismo placentário, que está associado ao aumento no risco de morte materna por hemorragia, criando a necessidade de mais serviços especializados e protocolos de rastreamento desse distúrbio em pacientes com cesariana prévia.

## Amamentação

A promoção da amamentação, seja na gestação, no pós-parto imediato ou após, tem impacto positivo nas prevalências de aleitamento materno, em especial entre as primíparas. O acompanhamento pré-natal é uma excelente oportunidade para motivar as mulheres a cumprir a recomendação internacional de aleitamento materno por 2 anos ou mais, sendo exclusivo nos primeiros 6 meses. É importante que pessoas significativas para a gestante, como companheiro e mãe, sejam incluídas no aconselhamento em aleitamento materno.

Para mais informações, ver Capítulo Aleitamento Materno: Aspectos Gerais.

# PUERPÉRIO

É o período que inicia após o parto e dequitação da placenta, apresentando os seguintes estágios:

1. **imediato:** 1º ao 10º dia após o parto;
2. **tardio:** 10º ao 45º dia;
3. **remoto:** além do 45º dia.

O puerpério se caracteriza por involução dos órgãos pélvicos e recuperação das alterações induzidas pela gestação. No entanto, essa recuperação não é necessariamente linear ao longo do tempo.

São importantes o acolhimento e a abordagem centrada na mulher, no bebê e na família. Nesse período, deve-se oportunizar que a mulher e o(a) acompanhante falem sobre a sua experiência de parto. Os cuidados providos pelos profissionais da APS no puerpério devem incluir: estabelecimento da frequência de consultas e/ou visitas domiciliares nesse período, de acordo com cada situação; abordagem das condições médicas prévias, do estado de saúde mental da puérpera e da sua atividade sexual; opções de métodos contraceptivos; e alimentação do bebê.

Em relação à frequência de consultas, com base nas recomendações da OMS e do MS, preconiza-se:

1. primeira consulta na APS, preferencialmente em até 72 horas após o parto, agendada pela própria maternidade;
2. uma visita domiciliar na primeira semana após a alta;
3. terceira consulta até 42 dias após o parto.

## Abordagem das condições médicas prévias, orientação dos sinais de alerta e prevenção de complicações

A cada consulta, deve-se continuar a investigação do bem-estar geral da mulher e questionar sobre: micção e incontinência urinária, função intestinal, cicatrização de qualquer ferida perineal ou da ferida operatória da cesariana, cefaleia, fadiga, dor nas costas, dor perineal, dor mamária, sensibilidade uterina e lóquios.

No exame físico, devem-se avaliar pressão arterial, frequência cardíaca, exame perineal (para observar a cicatrização de possíveis lacerações e suturas e quantidade e aspecto dos lóquios), palpação da região suprapúbica e exame das mamas.

As mulheres devem ser questionadas e orientadas sobre os sinais de alerta para as complicações mais comuns do puerpério: hemorragia pós-parto (perda sanguínea súbita e profusa, taquicardia/palpitações, tonturas, desmaios); pré-eclâmpsia (dores de cabeça acompanhadas por um ou mais dos seguintes sintomas: distúrbios visuais, náuseas, vômitos, dor epigástrica ou hipocondrial, sensação de desmaio ou convulsões); infecção (febre, tremores, dor abdominal e/ou lóquios de odor fétido); e tromboembolismo (dor unilateral da panturrilha, eritema ou edema dos tornozelos, dispneia ou dor no peito).

Medidas preventivas de complicações do puerpério são:
→ a isoimunização com 300 µg de imunoglobulina anti-D, que deve ser aplicada por via IM nas primeiras 72 horas após o parto em mulheres Rh-negativas que tiveram bebês Rh-positivos ou incerto. Essa aplicação deve ser feita antes da alta hospitalar **C/D**;[16]
→ o início precoce da deambulação;
→ a higiene meticulosa e emprego de bolsas de gelo após suturas ou episiotomia;
→ o uso de óleo mineral e farelo de trigo nos casos de constipação, para as mulheres que tiveram laceração anal;
→ manter a suplementação diária profilática de 40 mg de ferro elementar, equivalentes a 200 mg de sulfato ferroso, isoladamente ou em associação com ácido fólico até o 3º mês após o parto, em áreas de alta prevalência de anemia **C/D**.[1]

## Abordagem do estado de saúde mental da puérpera e intervenções de apoio psicossocial

É comum a ocorrência de sentimentos de tristeza, choro fácil, irritabilidade, insônia, fadiga e comprometimento da concentração, iniciando poucos dias após o parto. Essa condição é conhecida como disforia puerperal (ou *baby blues*) e reflete uma fase transitória de adaptação a uma situação nova, na qual se destacam, como elementos importantes, os desconfortos do puerpério imediato, a fadiga, a ansiedade relativa aos cuidados e às responsabilidades com o RN e as mudanças físicas. Em geral, esse estado é de curta duração, não persistindo por mais de 14 dias. Quando se torna mais prolongado ou com sinais de agravamento, a mulher deve ser avaliada e, possivelmente, tratada (ver Capítulo Depressão). Não há consenso sobre o rastreamento universal de depressão pós-parto com instrumento formal. Quando necessário, pode-se usar a escala de depressão pós-natal de Edimburgo (EPDS), validada no Brasil (ver QR code). Uma pontuação ≥ 10 indica rastreamento positivo, e a mulher deve ser avaliada com atenção.

Para mulheres com alto risco de adoecer, são medidas preventivas as terapias de aconselhamento, como a terapia cognitivo-comportamental ou a terapia interpessoal. Caso não se tenha acesso às psicoterapias, alternativas razoáveis são o acompanhamento vigilante, o início de antidepressivo até 1 mês antes do parto e intervenções psicossociais pelos profissionais de APS, como apoio psicossocial e visitas domiciliares mais frequentes.[59] É importante que a abordagem seja ampliada, observando como estão os outros membros da família ou da rede de apoio da mulher, especialmente o pai/companheiro. Intervenções para promover o envolvimento de homens durante a gravidez, parto e após o parto são recomendadas para facilitar e apoiar o autocuidado da mulher e os cuidados com o bebê.[60]

Para mais detalhes sobre o tratamento da depressão pós-parto, ver Capítulo Depressão.

## Abordagem da atividade sexual e contracepção

Não existe prazo definido para o início da atividade sexual. No entanto, o risco de infecção é menor quando as relações sexuais são retomadas após 2 a 3 semanas do parto, e esta tem sido a recomendação, conforme a disposição do casal. Para avaliar o método de contracepção e possíveis complicações do puerpério, é aconselhável programar uma consulta 2 a 3 semanas após o parto.

Quando a mulher não está amamentando, a primeira menstruação costuma ocorrer entre 6 e 8 semanas após o parto, e a fertilidade é restabelecida já no 1º mês. Na vigência de amamentação exclusiva, a menstruação costuma ocorrer mais tarde. No entanto, quando a amamentação é mista ou quando a mulher já menstruou, a chance de ovulação aumenta significativamente.[58]

As mulheres e os casais devem ser aconselhados sobre espaçamento de nascimentos e planejamento reprodutivo. As opções contraceptivas devem ser discutidas e definidas conforme decisão compartilhada, sempre aproveitando a oportunidade para aconselhar sobre sexo seguro e uso de preservativos. Desde 2017, o MS recomenda que as maternidades ofereçam a inserção do dispositivo intrauterino TCu 380 (DIU de cobre) até 72 horas após o parto; portanto, nesses casos, a revisão do DIU é necessária nas consultas de puerpério.

Para mais detalhes sobre o uso de métodos contraceptivos no puerpério, ver Capítulo Planejamento Reprodutivo.

## Alimentação do bebê e apoio ao aleitamento materno

A cada consulta, deve-se perguntar sobre a amamentação. Os benefícios do aleitamento materno para a mãe e seu filho devem ser informados às puérperas e aos seus familiares. É importante que o profissional de saúde forneça orientações específicas quanto ao posicionamento do bebê e condições para uma boa pega, bem como estar preparado para ajudar a mãe a superar dificuldades relacionadas com o aleitamento materno, como traumatismos mamilares, ingurgitamento mamário, mastite, baixa produção de leite, entre outras (ver Capítulo Aleitamento Materno: Principais Dificuldades e seu Manejo).

Mesmo as mães que estão separadas de seus filhos, mas que desejam amamentá-los, devem ser orientadas a esgotar as mamas regularmente para manter a produção de leite e, dependendo da situação, alimentar o filho com o leite ordenhado (ver Capítulo Aleitamento Materno: Aspectos Gerais). Não há restrições quanto à dieta da puérpera. Recomenda-se uma alimentação equilibrada, com aporte calórico aumentado, rica em fibras e ferro. O excesso de peso que permanece após o parto tende a desaparecer lentamente, e regimes para emagrecimento são desaconselháveis durante o aleitamento.

Nos raros casos de contraindicações ao aleitamento materno (p. ex., mães com HIV, que abusam de álcool ou outras drogas), as mulheres devem receber orientações sobre como inibir a lactação, sobre o uso de mamadeira para alimentar o RN e sobre medidas para bloqueio da lactação. Recomendações para aplicação de compressas frias e uso de analgésicos em caso de dor são importantes nesse processo.

## REFERÊNCIAS

1. World Health Organization. WHO recommendations on antenatal care for a positive pregnancy experience. Geneva: WHO;2016.
2. Victora CG, Adair L, Fall C, Hallal PC, Martorell R, Richter L, et al. Maternal and child undernutrition: consequences for adult health and human capital. Lancet. 2008;371(9609):340-57.
3. Dowswell T, Carroli G, Duley L, Gates S, Gülmezoglu AM, Khan-Neelofur D, et al. Alternative versus standard packages of antenatal care for low-risk pregnancy. Cochrane Database Syst Rev. 2015;2015(7):CD000934.
4. Brasil. Ministério da Saúde. Protocolos de Atenção Básica: Saúde das Mulheres. Brasília: MS; 2016.
5. Lassi ZS, Salam RA, Das JK, Bhutta ZA. Essential interventions for maternal, newborn and child health: background and methodology. Reprod Health. 2014;11 Suppl 1(Suppl 1):S1.
6. World Health Organization. Trends in maternal mortality: 1990 to 2015 – estimates by WHO, UNICEF, UNFPA, World Bank Group and the United Nations Population Division. Geneva: WHO;2015.
7. Brasil. Ministério da Saúde. Saúde Brasil 2018: uma análise de situação de saúde e das doenças e agravos crônicos: desafios e perspectivas. Brasília: MS; 2019.
8. Brasil. Portaria nº 1.459, de 24 de junho de 2011 [Internet]. Institui, no âmbito do Sistema Único de Saúde – SUS a Rede Cegonha. Brasília: MS; 2011 [capturado em 12 nov. 2020]. Disponível em: http://bvsms.saude.gov.br/bvs/saudelegis/gm/2011/prt1459_24_06_2011.html
9. Brasil. Sífilis no Brasil. Bol Epidemiol Sífilis. 2018;49(45).
10. Domingues RMSM, Dias MAB, Leal MC, Gama SGN, Theme-Filha MM, Torres JA, et al. Adequação da assistência pré-natal segundo

as características maternas no Brasil. Rev Panam Salud Pública. 2015;37(3):140–7.

11. Brasil. Ministério da Saúde. Saúde Brasil 2017: uma análise da situação de saúde e os desafios para o alcance dos objetivos de desen-volvimento sustentável. Brasília: MS;2018.

12. U.S. Department of Health & Human Services. Centers for Disease Control and Prevention. Preconception health and health care. [Washigton]:CDC; c2020 [capturado em 12 nov 2020]. Disponível em: https://www.cdc.gov/preconception/index.html

13. De-Regil LM, Peña-Rosas JP, Fernández-Gaxiola AC, Rayco-Solon P. Effects and safety of periconceptional oral folate supplementation for preventing birth defects. Cochrane Database Syst Rev. 2015;(12):CD007950.

14. US Preventive Services Task Force, Bibbins-Domingo K, Grossman DC, Curry SJ, Davidson KW, Epling Jr JW, et al. Folic acid for the prevention of neural tube defects: US Preventive Services Task Force recommendation statement. JAMA. 2017;317(2):183–9.

15. LifeCycle Project-Maternal Obesity and Childhood Outcomes Study Group, Voerman E, Santos S, Inskip H, Amiano P, Barros H, et al. Association of gestational weight gain with adverse maternal and infant outcomes. JAMA. 2019;321(17):1702–15.

16. Peixoto S. Manual de assistência pré-natal. 2. ed. São Paulo: Federação Brasileira das Associações de Ginecologia e Obstetrícia; 2014.

17. McBain RD, Crowther CA, Middleton P. Anti-D administration in pregnancy for preventing Rhesus alloimmunisation. Cochrane Database Syst Rev. 2015;2015(9):CD000020.

18. Brasil. Ministério da Saúde. Protocolo Clínico e Diretrizes Terapêuticas para Prevenção da Transmissão Vertical de HIV, Sífilis e Hepatites Virais. Brasília: MS;2019.

19. Smaill FM, Vazquez JC. Antibiotics for asymptomatic bacteriuria in pregnancy. Cochrane DataBase Syst Rev. 2019(11): CD0004901.

20. World Health Organization. Recommendation against routine antibiotic prophylaxis during the second or third trimester to all women with the aim of reducing infectious morbidity. Geneva: WHO;2015.

21. Nicolle LE, Gupta K, Bradley SF, Colgan R, DeMuri GP, Drekonja D, et al. Clinical practice guideline for the management of asymptomatic bacteriuria: 2019 Update by the Infectious Diseases Society of America. Clin Infect Dis. 2019;68(10):e83-110.

22. Federação das Associações Brasileiras de Ginecologia e Obstetrícia. Sociedade Brasileira de Diabetes. Organização Pan Americana da Saúde. Ministério da Saúde. Rastreamento e diagnóstico de diabetes mellitus gestacional no Brasil. Brasília: MS;2019.

23. Cooper ER, Charurat M, Mofenson L, Hanson IC, Pitt J, Diaz C, et al. Combination antiretroviral strategies for the treatment of pregnant HIV-1-infected women and prevention of perinatal HIV-1 transmission. J Acquir Immune Defic Syndr. 2002;29(5):484–94.

24. Brasil. Ministério da Saúde. Protocolo de notificação e investigação: toxoplasmose gestacional e congênita. Brasília: MS;2018.

25. Brasil. Ministério da Saúde. Relatório de recomendação: Procedimento nº 545: testagem universal para hepatite viral C em gestantes no pré-natal. Brasília: Conitec, MS; 2020 [capturado em 24 nov. 2021]. Disponível em: http://conitec.gov.br/images/Consultas/Relatorios/2020/Relatorio_Testagem_Universal_Hepatite_C_GESTANTES_545_SECRETARIO_final.pdf.

26. Ohlsson A, Shah VS. Intrapartum antibiotics for known maternal group B streptococcal colonization. Cochrane Database Syst Rev. 2009;(3):CD007467.

27. Radeva-Petrova D, Kayentao K, Kuile FO, Sinclair D, Garner P. Drugs for preventing malaria in pregnant women in endemic areas: any drug regimen versus placebo or no treatment. Cochrane Database Syst Rev. 2014;2014(10):CD000169.

28. Oduyebo, T., Polen, K. D., Walke, H. T., et al. Update: Interim Guidance for Health Care Providers Caring for Pregnant Women with Possible Zika Virus Exposure – United States (Including U.S. Territories), July 2017. MMWR Morb Mortal Wkly Rep. 2017;66(29):781–93.

29. Brasil. Ministério da Saúde. Protocolo de vigilância e resposta à ocorrência de microcefalia relacionada à infecção pelo Vírus Zika. Brasília: MS; 2015.

30. Centers for Disease Control and Prevention. Travelers' Health. Yellow book: Chapter 2. The Pretravel consultation. Protection against mosquitoes, ticks, and other arthropods. [Washington]: CDC; 2017.

31. Sistema Nacional de Informação sobre Agentes Teratogênicos - Gravidez Segura. O que sabemos sobre os riscos da infecção por SARS-Cov-2 (COVID-19) na gestante, feto e recém-nascido. Porto Alegre: SIAT; 2020 [capturado em 18 nov. 2021]. Disponível em: https://www.gravidezsegura.org/informacoes-profissionais/coronavirus/.

32. Menezes M, Takemoto MLS, Nakamura-Pereira M, Katz L, Amorim MMR, Salgado HO, et al. Brazilian Group of Studies for Covid-19, Pregnancy. Risk factors for adverse outcomes among pregnant and postpartum women with acute respiratory distress syndrome due to Covid-19 in Brazil. Int J Gynecol Obstet. 2020.

33. Douglas S Ross, MD. Hypothyroidism during pregnancy: clinical manifetations, diagnosis, and treatment. UpToDate. Waltham: UpToDate; 2020 [capturado em 12 nov. 2020]. Disponível em: https://www.uptodate.com/contents/hypothyroidism-during-pregnancy-clinical-manifestations-diagnosis-and-treatment

34. Couto E, Cavichiolli F. Doenças da tireoide na gestação. São Paulo: Federação Brasileira das Associações de Ginecologia e Obstetrícia; 2018. (Protocolo Febrasgo – Obstetrícia, nº 49/Comissão Nacional Especializada em Gestação de Alto Risco).

35. Rose NC, Kaimal AJ, Dugoff L, Norton ME, American College of Obstetricians and Gynecologists' Committee on Practice Bulletins – Obstetrics, Committee on Genetics, Society for Maternal-Fetal Medicine. Screening for fetal chromosomal abnormalities: ACOG Practice Bulletin, Number 226. Obstet Gynecol. 2020;136(4):e48-69.

36. Fonseca EB, Sá RA. Rastreamento de alterações cromossômicas fetais através do DNA fetal livre no sangue materno. São Paulo: Federação Brasileira de Ginecologia e Obstetrícia; 2018. (Série Orientações e Recomendações FEBRASGO, 8).

37. Whitworth M, Bricker L, M. C. Ultrasound for fetal assessment in early pregnancy. Cochrane Database Syst Rev. 2015; 2015(7):CD007058.

38. Brasil. Ministério da Saúde. Manual de normas e procedimentos para vacinação. Brasília: MS; 2014.

39. Brasil. Ministério da Saúde. Informe epidemiológico o tétano neonatal. Brasil, 2007 a 2017. 2017. Bol Epidemiol. 2018;49(25).

40. Matthews A, Haas DM, O'Mathúna DP, Dowswell T. Interventions for nausea and vomiting in early pregnancy. Cochrane Database Syst Rev. 2015(9):CD007575.

41. Boelig RC, Barton SJ, Saccone G, Kelly AJ, Edwards SJ, Berghella V. Interventions for treating hyperemesis gravidarum. Cochrane Database Syst Rev. 2016(5):CD010607.

42. Phupong V, Hanprasertpong T. Interventions for heartburn in pregnancy. Cochrane Database Syst Rev. 2015; 19;(9):CD011379.

43. Zhou K, West HM, Zhang J, Xu L, Li W. Interventions for leg cramps in pregnancy. Cochrane Database Syst Rev. 2015; 11;(8):CD010655.

44. Peña-Rosa JP, De-Regil LM, Garcia-Casal MN, Dowswell R. Daily oral iron supplementation during pregnancy. Cochrane Database Syst Rev. 2015;(7):CD004736.

45. Keats EC, Haider BA, Tam E, B. Z. Multiple-micronutrient supplementation for women during pregnancy. Cochrane Database Syst Rev. 2019; 3(3):CD004905.

46. Penã-Rosa JP, De-Regil LM, Gomez Malave H, Flores-Urrutia MC, Dowswell T. Intermittent oral iron supplementation during pregnancy. Cochrane Database Syst Rev. 2015;2015(10):CD00997.

47. Hofmeyer GJ, LawrieTA, Atallah AN, Duley L, Torloni MR. Calcium supplementation during pregnancy for preventiva hypertensive disorders and related problems. Cochrane Database Syst Rev.2014;(6):CD001059.

48. Palacios C, Kostiuk LK, Peña-Rosas JP. Vitamin D supplementation for women during pregnancy. Cochrane Database Syst Rev. 2019;7(7):CD008873.

49. Middleton P, Gomersall JC, Gould JF, Shepherd E, Olsen SF, Makrides M. Omega-3 fato acid addutuin during pregnancy. Cochrane Database Syst Rev.2018;11(11):CD003402.

50. Middleton P, Gomersall JC, Gould JF, Shepherd E, Olsen SF, Makrides M. Omega-3 fatty acid addition during pregnancy. Cochrane Database Syst Rev. 2018;11(11):CD003402.
51. Barakat R, Pelaez M, Cordero Y, Perales M, Lopez C, Coteron J, Mottola MF. Exercise during pregnancy protects against hypertension and macrosomia: randomized clinical trial. Am J Obstet Gynecol. 2016;214(5):649.E1–8.
52. Suárez-Corté M, Armero-Barranco D, Canteras-Jordana M, Martínez-Roche M. Uso e influência dos planos de parto e nascimento no processo de parto humanizado. Rev. Latino-Am. Enfermagem. 2015;23(3):520–6.
53. Brasil. Ministério da Saúde. Diretrizes nacionais de assistência ao parto normal: versão resumida. Brasília: MS; 2017.
54. Organização Mundial da Saúde. Departamento de Saúde Reprodutiva e Pesquisa. Declaração da OMS sobre as taxas de cesáreas [Internet]. Genebra: WHO; 2015 [capturado em 12 nov 2020]. Disponível em: https://apps.who.int/iris/bitstream/handle/10665/161442/WHO_RHR_15.02_por.pdf;jsessionid=A4130C5DAB902ABA8A555806A24BF4AE?sequence=3.
55. Betran AP, Torloni MR, Zhang J, Ye J, Mikolajczyk R, Deneux-Tharaux C, et al. What is the optimal rate of caesarean section at population level? A systematic review of ecologic studies. Reprod Heal. 2015;12:57.
56. Ye J, Zhang J, Mikolajczyk R, Torloni MR, Gülmezoglu AM, Betran AP. Association between rates of caesarean section and maternal and neonatal mortality in the 21st century: a worldwide population-based ecological study with longitudinal data. BJOG. 2016;123(5):745-53.
57. Brasil. Ministério da Saúde. Diretrizes nacionais de atenção à gestante: operação cesariana. Brasília: MS; 2015.
58. Paiz JC, Ziegelmann PK, Martins ACM, Giugliani ERJ, Giugliani C. Fatores associados à satisfação das mulheres com a atenção pré-natal em Porto Alegre – RS. Cien Saude Colet. 2020;25(2).
59. Martins ACM, Giugliani ERJ, Nunes LN, Bizon AMBL, de Senna AFK, Paiz JCet al. Factors associated with a positive childbirth experience in Brazilian women: A cross-sectional study. Women Birth. 2020; S1871-5192(20):30269–9.
60. Dennis CL, DT. Psychosocial and psychological interventions for preventing postpartum depression. Cochrane Database Syst Rev. 2013;(2):CD001134.
61. World Health Organization. WHO recommendations on maternal health: guidelines approved by the WHO Guidelines Review Committee [Internet]. Geneva: WHO; 2017 [capturado em 12 nov. 2020]. Disponível em: https://apps.who.int/iris/handle/10665/259268.
62. Jackson E, Glasier A. Return of ovulation in postatum nonlactating women, a systematic review. Obstet Gynecol. 2011;117(3):657–62.

## LEITURAS RECOMENDADAS

World Health Organization. WHO recommendations intrapartum care for a positive childbirth experience. [Internet]. Geneva: WHO; 2018 [capturado em 12 nov. 2020]. Disponível em: http://apps.who.int/iris/bitstream/handle/10665/260178/9789241550215-eng.pdf?sequence=1
*Recomendações da Organização Mundial de Saúde para qualificar a assistência na gravidez e proporcionar uma experiência positiva de parto e nascimento.*

World Health Organization. WHO recommendations on postnatal care of de mother and newborn [Internet]. Geneva: WHO; 2013 [capturado em 12 nov. 2020]. Disponível em: https://www.who.int/maternal_child_adolescent/documents/postnatal-care-recommendations/en/
*Recomendações da Organização Mundial de Saúde para qualificar a assistência no período pós-parto.*

Brauwers E, Giugliani C, Collares MF. Decisão compartilhada: o caso do plano de parto. In: Sociedade Brasileira de Medicina de Família e Comunidade; Augusto DK, Umpierre RN, organizadores. PROMEF: Programa de Atualização em Medicina de Família e Comunidade: ciclo 13. Porto Alegre: Artmed Panamericana; 2019. p. 71-112. (Sistema de Educação Continuada à Distância, v. 4).
*Capítulo direcionado a médicas e médicos de família e comunidade, sobre o plano de parto e como implementá-lo.*

# Capítulo 114
# ATENÇÃO À GESTANTE COM PROBLEMA CRÔNICO DE SAÚDE

Sérgio Moreira Espinosa[†]
Patrícia Telló Dürks
Estefania Inez Wittke
Alfeu Roberto Rombaldi

O risco obstétrico está relacionado à possibilidade de comprometimento do binômio mãe-feto. O desfecho da gestação é inerente às complicações não previsíveis e não presumíveis. Então, o profissional precisa sempre avaliar os riscos das gestantes sob os seus cuidados, identificando, por meio de anamnese e exame físico minuciosos, as situações que colocam a gestante e/ou o feto em maior risco, como a existência de doenças crônicas durante a gestação.

Este capítulo aborda as doenças crônicas mais prevalentes em mulheres em idade fértil, auxiliando na abordagem dessas mulheres em relação ao aconselhamento pré-concepcional e ao acompanhamento pré-natal na atenção primária à saúde, e na identificação daquelas que devem ser encaminhadas para acompanhamento em serviços especializados.

Assim, neste capítulo, são contemplados os seguintes problemas crônicos: asma, epilepsia, doença renal crônica, doenças da tireoide, obesidade e cardiopatias. Hipertensão arterial crônica, diabetes melito e infecções são abordadas em capítulos específicos.

## ASMA NA GESTAÇÃO

Durante a gravidez, há um estado de hiperventilação relativa – o volume pulmonar corrente aumenta em até 48% perto do termo. Esse fenômeno é decorrente das alterações hormonais induzidas pela placenta para aumentar a oxigenação materna, considerando que a gestante "respira por dois". De maneira geral, os sintomas da asma tendem a melhorar nas últimas 4 semanas de gestação, e não há piora da asma durante o parto.[1,2]

Entre as pneumopatias, a asma é a doença mais prevalente na gestação (0,4-1,3%).[3] Atualmente, é um problema comum e crescente, estando associado a uma considerável morbidade materna e fetal. Estima-se que 4 a 8% das gestações apresentem complicações induzidas pela asma.[4] As complicações maternas decorrentes de asma não controlada incluem pré-eclâmpsia, hiperêmese gravídica e sangramento vaginal.[4] Para a criança, aumenta o risco de mortalidade perinatal, restrição do crescimento intrauterino, prematuridade, baixo peso ao nascer e hipoxia neonatal.[4]

Entretanto, quando a asma é devidamente controlada, a gestação oferece pouco ou nenhum risco.

> Na avaliação pré-concepcional das mulheres portadoras de asma que desejam gestar, deve-se considerar o estágio da doença e se o tratamento está adequado à gravidade. O manejo ativo da asma nesse momento é fundamental para o desfecho materno e perinatal.

## Diagnóstico

A classificação da asma na gestante não difere da utilizada em outras mulheres (ver Capítulo Asma, que apresenta a classificação). A função pulmonar é avaliada por espirometria, obtendo-se o pico do fluxo expiratório forçado (PFE) e o volume expiratório forçado no primeiro segundo ($VEF_1$).

Para o diagnóstico diferencial da asma, devem-se considerar insuficiência cardíaca congestiva, embolia pulmonar, dispneia ao exercício própria da gravidez, tosse, bronquite aguda, pneumonias e refluxo gastresofágico.

## Tratamento

> O objetivo do tratamento da asma na gestante é mantê-la estável, buscando a ausência completa ou quase completa dos sintomas, conservando, assim, a função pulmonar normal ou próxima ao normal e garantindo a oxigenação adequada para o feto.

O manejo da doença se dá em quatro etapas, que serão descritas a seguir.

**Medidas objetivas de avaliação e monitorização.** Um $VEF_1$ após a inspiração máxima menor do que 75 a 80% do previsto aumenta o risco de parto pré-termo e baixo peso ao nascer.[4] Quando a espirometria não está disponível, pode-se utilizar o PFE, que, além de ter uma boa correlação com o $VEF_1$, apresenta a vantagem de poder ser mensurado na própria unidade básica de saúde com aparelhos medidores de pico de baixo custo.

A medida fisiológica do PFE em gestantes varia de 380 a 550 mL/min. As gestantes asmáticas podem ser classificadas por zonas, segundo porcentagem do melhor PFE pessoal: verde, mais de 80%; amarela, entre 50 e 80%; e vermelha, menos de 50%.

Uma saturação materna < 95% ou $PO_2$ < 60 mmHg leva à hipoxemia fetal.

A avaliação fetal é realizada com base em critérios objetivos e subjetivos. A gestante precisa estar atenta à movimentação fetal – se notar diminuição da atividade fetal habitual, ela deve ser orientada a procurar imediatamente a emergência obstétrica.

Em caso de asma moderada ou grave, ou no caso de suspeita de restrição do crescimento fetal pela medida da altura uterina, estão indicadas avaliações por ultrassonografia (US) sequenciais do crescimento fetal no 2º e 3º trimestres da gestação.

**Controle dos desencadeadores da asma.**[4] A gestante deve ser orientada a evitar irritantes e alérgenos como pelos de animais, ácaros, antígenos de baratas, pólen, mofo, fumaça de cigarro, odores fortes, poluição do ar, aditivos alimentares e certos fármacos **B**.[5] Essas medidas auxiliam a gestante a poder usar doses menores de medicamento para o controle das crises.

**Educação da gestante.** A gestante deve estar ciente de que o controle da asma é muito importante para o bem-estar dela e do feto e que, para isso, precisa ter conhecimentos básicos sobre o manejo clínico da doença durante a gestação, incluindo automonitorização, uso correto dos medicamentos e reconhecimento dos sinais e sintomas que indicam piora, como tosse, opressão torácica, dispneia, sibilância e redução da movimentação fetal. Um estudo randomizado australiano testou uma intervenção multidisciplinar, envolvendo educação e monitorização regular, mostrando potencial melhora nos desfechos da asma materna, em comparação com cuidado comum **B**.[6]

**Terapia farmacológica.** Não difere muito do tratamento-padrão, sendo também realizada em etapas, de acordo com a classificação de gravidade da doença. Se a mulher tem resposta favorável a um fármaco antes da gestação, é preferível que este seja mantido. A asma não controlada resulta em maior risco para a mãe e para o feto do que o uso dos medicamentos necessários para o seu controle **A**.[7]

O uso de corticoide inalatório na gestação reduz o risco de exacerbações **A**,[7] e o seu uso não deve ser descontinuado nesse período. Além do corticoide inalatório, os medicamentos de uso contínuo para prevenção de exacerbações incluem β-agonistas de longa ação, cromoglicato e teofilina. Corticoide sistêmico pode ser usado como tratamento contínuo em casos de asma persistente grave.[5]

Para as recomendações de tratamento-padrão, ver Capítulo Asma.

Quando as gestantes não respondem ao tratamento de uma determinada etapa, devem ser indicados os medicamentos da etapa seguinte. O retorno a uma etapa anterior de tratamento (*step down*) pode ser arriscado na gestação **D**.[7]

### Exacerbação aguda da asma

Os quadros agudos de asma necessitam de atendimento de emergência, e, em geral, seu manejo inclui β-agonista de curta ação e corticoterapia sistêmica.[5] O oxigênio deve ser usado de maneira liberal, para manter a saturação arterial de $O_2$ > 95% e assegurar o bem-estar fetal. A manutenção de oxigenação adequada do feto por meio da prevenção de episódios de hipoxemia na gestante é o principal objetivo do tratamento **B**.[5,8]

## Acompanhamento

A gestante asmática pode precisar de consultas de rotina com menor intervalo de tempo, dependendo do grau de controle e da presença de sintomas. Além da observação de sintomas, recomenda-se monitorização com testes de função pulmonar (espirometria ou PFE): para as pacientes com asma bem-controlada, a periodicidade da avaliação da função pulmonar não é definida, mas ela é recomendada de rotina nas consultas de pacientes com asma persistente **C**.⁵

A gestante portadora de asma deve ser cuidadosamente monitorizada quanto à movimentação e ao crescimento do feto e quanto à sua pressão arterial (PA) **C/D**.¹

## Encaminhamento

O encaminhamento das gestantes com asma para serviço especializado está indicado nas seguintes situações:
→ dificuldades para alcançar os objetivos do tratamento;
→ asma persistente moderada e grave ou enquadrando-se na zona vermelha do PFE;
→ dúvidas com relação ao diagnóstico;
→ crises abruptas ou com apresentação grave;
→ sintomas contínuos e de difícil controle;
→ surgimento de alterações fetais;
→ aumento da PA.

## EPILEPSIA NA GESTAÇÃO

A epilepsia é relativamente comum durante a fase reprodutiva da mulher, com prevalência estimada na gravidez de 0,3 a 0,6%.⁹⁻¹¹ Durante a gestação, 25 a 33% das mulheres com essa condição apresentam aumento na frequência de suas crises.¹¹

Os fatores que determinam esse aumento são:
→ hormonais, devido ao aumento do estrogênio e da gonadotrofina coriônica humana (hCG, do inglês *human chorionic gonadotropin*), que ativam os focos epilépticos;
→ metabólicos, em razão do aumento de peso, retenção hídrica e alcalose respiratória consequente à hiperventilação;
→ privação e/ou redução do período de sono;
→ dificuldade de manutenção do tratamento medicamentoso decorrente de náuseas e vômitos e temor de possíveis efeitos sobre o feto;
→ aumento da volemia, promovendo hemodiluição e flutuação dos níveis séricos dos fármacos antiepilépticos, e diminuição da proteína plasmática conjugada e da concentração da albumina;
→ aumento da excreção renal;
→ ansiedade e estresse.

Entre as causas sintomáticas de convulsões na gestação, além da epilepsia, cabe mencionar eclâmpsia, hemorragia intracraniana, feocromocitoma, hipoglicemia, tumor cerebral, meningite e encefalite, trombose venosa cerebral e púrpura trombocitopênica.

Embora as mulheres com epilepsia tenham maior chance de complicações durante a gestação, mais de 90% das gestações em mulheres com essa condição têm boa evolução, e as morbidades associadas às crises epilépticas aumentam proporcionalmente, conforme sua gravidade e frequência.⁹,¹⁰

Entre as complicações relacionadas, destacam-se, para as mulheres, aumento na incidência de aborto espontâneo (razão de chances [RC] = 1,54; intervalo de confiança [IC] 95%, 1,02-2,32), doença hipertensiva específica na gravidez (RC = 1,37; IC 95%, 1,21-1,55), hemorragias pré-parto (RC = 1,49; IC 95%, 1,01-2,2) e pós-parto (RC = 1,29; IC 95%, 1,13-1,49), parto pré-termo (RC = 1,16; IC 95%, 1,01-1,34), e, para as crianças, recém-nascidos (RNs) com baixo peso (RC = 1,26; IC 95%, 1,2-1,33), malformações congênitas, paralisia cerebral, epilepsia, atraso no desenvolvimento neuropsicomotor e aumento da mortalidade perinatal.¹⁰,¹² A essas complicações, soma-se a teratogenicidade dos fármacos usados no tratamento da epilepsia – o risco de malformações fetais em gestantes em uso de anticonvulsivantes gira em torno de 3 a 10%. A exposição a esses medicamentos durante o 1º trimestre, sobretudo entre a 3ª e a 8ª semanas, está associada a um risco maior de defeitos congênitos, principalmente se utilizados em regime de politerapia. As malformações mais frequentemente associadas são os defeitos de fechamento do tubo neural (DFTNs), as cardiopatias, os defeitos orofaciais, os defeitos do trato urinário e as hipospádias (ver Apêndice Uso de Medicamentos na Gestação e na Lactação).⁹⁻¹¹

> O planejamento da gestação e o aconselhamento pré-concepcional de mulheres portadoras de epilepsia em idade reprodutiva são de vital importância e devem ser iniciados o mais cedo possível. Com frequência, o médico só é procurado depois de algumas semanas da gestação, após o período em que mudanças na abordagem terapêutica têm maior impacto na prevenção de complicações fetais. Por isso, o aconselhamento pré-concepcional deve incluir informações sobre controle ótimo das crises durante a gestação (preferencialmente com fármacos em monoterapia e na menor dose efetiva), adesão ao tratamento e efeito protetor do uso de ácido fólico desde antes da gestação **C/D**.

## Diagnóstico

Toda gestante sem história prévia de epilepsia que apresentar convulsão durante a gestação deve ser encaminhada de imediato para serviço de emergência para que seja avaliada e tratada adequadamente.

## Tratamento

A suspensão do medicamento pode ser cogitada se houver ausência de crises epilépticas por 2 a 5 anos, ocorrência de apenas um tipo de crise e/ou exame neurológico e encefalograma normais após o início do tratamento **C/D**. Porém, cabe ressaltar que o risco de recorrência das crises parece ser maior nos primeiros meses após a suspensão do medicamento, sendo prudente que esse período ocorra antes do início da gravidez. Assim, o planejamento da gestação, com adequado controle das crises antes da gravidez, diminui a frequência de convulsões no período gestacional, bem como reduz a necessidade de mudanças no tratamento com anticonvulsivantes.¹³ Pacientes assintomáticas nos 9 meses precedentes à concepção têm grande probabilidade (84-92%) de permanecerem livres de convulsões na gestação.¹⁰

O controle das crises epilépticas é de suma importância, pois crises frequentes e prolongadas, além de quedas e traumatismos, podem provocar sofrimento fetal em razão de redução da perfusão uteroplacentária, redução da oxigenação e acidose materna grave. O estado epiléptico pode levar ao risco de 50% de morte fetal.

Fazem parte do tratamento da epilepsia na gestação:[9-11,14-17]

→ manter o medicamento estabelecido antes da gestação;[9]
→ reduzir a dose dos fármacos antiepilépticos, preferencialmente no período pré-gestacional **B**;[9-11,14,15]
→ preferência por monoterapia (RRR = 40%; NNT = 41 para prevenção de malformações) **C/D**;[10,13,17]
→ evitar o uso de fármacos antiepilépticos com maior potencial teratogênico, como aqueles contendo valproato **B**;[9-11,14-17]
→ usar ácido fólico na prevenção de DFTNs **A**.[16-18]

O valproato de sódio deve ser evitado em mulheres com história familiar prévia de DFTN, sobretudo no 1º trimestre da gestação (ARR = 185%; NNH = 25 para malformações) **B**.[14,15] Os anticonvulsivantes da nova geração, como lamotrigina e levetiracetam, não foram associados a aumento de risco de malformações cardíacas fetais, o que não quer dizer que estejam totalmente isentos de qualquer risco para o bebê exposto.[19] Hoje, eles são os fármacos de escolha para controle da epilepsia na gestação. (Ver Apêndice Uso de Medicamentos na Gestação e na Lactação para um resumo dos possíveis efeitos dos principais anticonvulsivantes.)

Os fármacos antiepilépticos provocam redução da absorção de ácido fólico. Por isso, a suplementação com ácido fólico deve ser iniciada previamente à gestação, pois níveis baixos de folato têm sido associados a abortamento espontâneo e malformações fetais, sobretudo DFTN (RC = 5,8; IC 95%, 1,3-27). Para as mulheres com alto risco para DFTN, como aquelas usando anticonvulsivantes, a dose recomendada é 4 mg/dia, iniciada 3 meses antes da gestação e continuada pelo menos até o final do 1º trimestre **A**.[14,16-18] No Brasil, a formulação mais disponível na rede básica do Sistema Único de Saúde é o comprimido de 5 mg; portanto, a dose de 5 mg/dia pode ser recomendada na prática.

A suplementação de vitamina K é indicada no RN, em dose única no nascimento, principalmente em filhos de mães que utilizaram carbamazepina, fenobarbital, primidona e/ou fenitoína durante o pré-natal, para profilaxia de hemorragia neonatal, devido à redução de fatores de coagulação K-dependentes no feto **C/D**.[10,11,14,15]

Também é importante identificar os fatores desencadeantes ou facilitadores das crises, como nutrição, sono e estresse.[10]

## Acompanhamento

A concentração sérica dos fármacos antiepilépticos decresce durante a gestação, sobremaneira no último trimestre, e tende a aumentar no período pós-natal, em função de má absorção intestinal, hipoalbuminemia, menor ligação com as proteínas plasmáticas e aumento na depuração dos fármacos, que ocorre fisiologicamente durante a gestação. A redução desses níveis séricos nem sempre causa aumento nas crises; entretanto, as gestantes que apresentam piora no controle das crises costumam ter níveis séricos subterapêuticos.

A monitorização do tratamento é realizada com dosagens dos níveis de fração livre do fármaco antiepiléptico no período pré-gestacional e, após, mensalmente. Se houver aumento das crises, surgimento de paraefeitos e/ou suspeita de não adesão ao tratamento, essa dosagem deve ser realizada com maior frequência.[10]

Recomendam-se exames ultrassonográficos para o rastreamento de malformações fetais e do risco de complicações na gestação, sobretudo doença hipertensiva da gestação e restrição de crescimento fetal.[10] A US morfológica no 1º e no 2º trimestres da gravidez e o ecocardiograma fetal devem ser realizados. A dosagem de alfafetoproteína materna na 16ª semana para rastreamento de DFTN está caindo em desuso devido ao acesso aos exames de imagem.

## Encaminhamento

As seguintes situações são indicativas de encaminhamento para serviço especializado:

→ crise convulsiva sem história prévia de epilepsia;
→ dificuldades para alcançar os objetivos do tratamento;
→ aumento das crises;
→ crises de difícil controle;
→ surgimento de efeitos colaterais dos medicamentos ou de alterações fetais.

## DOENÇA RENAL CRÔNICA NA GESTAÇÃO

Obter a incidência com precisão de doença renal crônica na gestação é muito difícil, visto que a função renal das gestantes não costuma ser avaliada de rotina, e as pesquisas sobre o assunto são poucas.[20] A doença renal crônica na gestação geralmente ocorre em decorrência de doenças crônicas, sendo as mais comuns diabetes melito tipo 1, hipertensão arterial crônica, glomerulonefrite, nefrite lúpica, nefropatia por imunoglobulina A e displasia renal policística. Muitas vezes, a morbidade materna nesse grupo de mulheres está associada à coexistência com outras condições, como doença hipertensiva específica da gestação, anemia e doenças do colágeno.

Durante a gestação, ocorrem importantes modificações anatômicas e funcionais de todo o trato urinário, o que, para a mulher com alteração renal prévia, pode ser prejudicial para o desfecho gestacional. O reconhecimento dessas alterações é importante para a interpretação correta dos exames e o acompanhamento adequado da gestante. Na **TABELA 114.1**, estão listadas as principais alterações renais na gravidez.[21]

Como consequência do aumento fisiológico da taxa de filtração glomerular na gestação, os níveis séricos de ureia e de creatinina diminuem para valores, em geral, menores do que 20 mg/dL e 0,5 mg/dL, respectivamente. Valores superiores a 30 mg/dL para a ureia e 1 mg/dL para a creatinina podem ser indicativos de disfunção renal, exigindo avaliação complementar. O ácido úrico plasmático também diminui (< 4 mg/dL); sua elevação está associada à pré-eclâmpsia e indica condição clínica materna grave e piora do prognóstico perinatal.

| TABELA 114.1 → Modificações anatômicas e funcionais renais na gestação | |
|---|---|
| Anatômicas | → Aumento do volume renal |
| | → Dilatação das vias urinárias |
| Funcionais | → Hemodinâmicas |
| | → Aumento da taxa de filtração glomerular |
| | → Aumento do fluxo plasmático renal |
| | → Aumento da filtração e excreção de proteínas |
| Tubulares | → Aumento da excreção do ácido úrico |
| | → Aumento da filtração e redução da reabsorção de glicose |
| | → Redução da reabsorção de aminoácidos |

Fonte: Adaptada de Neme.[21]

## Prognóstico

A doença renal crônica pode ser silenciosa no início e assim permanecer até alcançar estágios mais avançados. Muitas vezes, ela é detectada pela primeira vez na gestação, por meio dos exames pré-natais de rotina. Mesmo que nas gestações de mulheres com doença renal crônica haja risco aumentado de morbidade materna e perinatal, o desfecho é, em geral, positivo.[22]

Quando a função renal está preservada ou na presença de discretas alterações funcionais sem hipertensão arterial sistêmica, o prognóstico da gestação costuma ser bom, não havendo alteração no curso natural da doença; por outro lado, em mulheres com função renal gravemente comprometida e/ou hipertensão arterial não controlada, o prognóstico é ruim, com deterioração da doença renal preexistente.[23,24]

Como complicações, estão descritas pré-eclâmpsia, hipertensão arterial, parto pré-termo, hemorragia, restrição de crescimento intrauterino, polidrâmnio e natimortalidade. A presença de hipertensão arterial, muito frequente nas nefropatias crônicas, piora o prognóstico materno e fetal. A hipertensão e a proteinúria prévias podem agravar-se à medida que a gestação progride, tornando difícil a diferenciação entre piora da doença renal prévia e concomitância de pré-eclâmpsia.

Portanto, a gravidez em mulheres com insuficiência renal crônica, de qualquer etiologia, com função gravemente comprometida, deve ser desencorajada C/D.[24]

**Na avaliação pré-gestacional de uma mulher com doença renal, preferencialmente feita por equipe multidisciplinar, ela deve ser informada sobre os riscos da gestação para ela e para o bebê, incluindo o agravamento da doença durante a gestação, sobretudo nas mulheres com insuficiência renal moderada a grave.**

Se há intenção de engravidar, medicamentos inibidores da enzima conversora da angiotensina, como o captopril, e antagonistas da angiotensina II devem ser substituídos, pelo risco de causar danos renais fetais. A PA deve ser mantida em níveis ≤ 130/90 mmHg.

## Diagnóstico

As gestantes nefropatas podem ser classificadas em três categorias, de acordo com a função renal:
1. com função renal preservada ou levemente alterada (creatinina até 1,4 mg/dL) e normotensas;
2. com função renal moderadamente comprometida (creatinina entre 1,5-3 mg/dL) ou hipertensas antes da gestação;
3. com insuficiência renal grave (creatinina > 3 mg/dL).

## Tratamento

**O controle da pressão arterial é a base do tratamento da doença renal crônica na gestação C/D.[25]**

A gestante com nefropatia deve começar o acompanhamento pré-natal o mais precocemente possível. Devem ser dadas orientações gerais, como importância das horas de repouso, dieta com redução da ingestão de sal e proteínas e mudanças de hábitos (uso de álcool, tabaco e outras drogas). A necessidade de anti-hipertensivo já no início da gestação ou logo após as 12 semanas deve ser considerada.

A anemia é frequente nas mulheres com insuficiência renal, em especial nas transplantadas, estando associada à hemodiluição fisiológica da gestação.

## Acompanhamento

O manejo das gestantes com doença renal crônica começa com a detecção precoce da gestação, testes laboratoriais e US. As consultas devem ser quinzenais até a 32ª semana de gestação, passando a ser semanais após esse período.

A PA deve ser rigorosamente monitorizada, com medidas frequentes, no mínimo 3 ×/semana, tendo como meta a PA diastólica ≤ 90 mmHg.

O crescimento fetal deve ser avaliado com US seriada, para detecção precoce de provável restrição do crescimento e avaliação do volume de líquido amniótico. O estudo dos fluxos maternos (Dopplervelocimetria) deve ser avaliado de rotina com 11 a 14 semanas – para cálculo de risco de doença hipertensiva específica da gestação e restrição de crescimento fetal – e, após, a cada 15 a 21 dias, conforme os achados de US e desenvolvimento fetal.[20,25,26] Estando asseguradas a vitalidade fetal e a estabilidade materna, a gestação pode ser levada até o termo, e a via de parto é definida por indicação obstétrica. US das vias urinárias materna está indicada pelo menos 1 vez durante a gestação.

O monitoramento da função renal deve ser realizado pelo menos a cada 4 a 6 semanas por meio dos seguintes exames: hemograma, ureia, creatinina, depuração da creatinina, proteinúria e creatininúria de 24 horas, concentração sérica de albumina, eletrólitos, exame qualitativo de urina, urocultura, ácido úrico, aminotransferases, lactato desidrogenase, coagulograma e contagem de plaquetas. A creatinina idealmente deve ser mantida em níveis < 1,4 mg/dL.

## Encaminhamento

Na impossibilidade de referência para níveis terciários, as gestantes com insuficiência renal crônica de grau leve podem fazer o acompanhamento pré-natal de risco habitual, desde que tenham acesso aos cuidados e exames recomendados.

As seguintes situações indicam necessidade de encaminhamento:
→ classificação moderada a grave;
→ diálise;
→ elevação da PA;
→ nefropatia complicada ou descompensada;
→ piora da função renal;
→ sinais de pré-eclâmpsia;
→ alterações fetais.

# DOENÇAS DA TIREOIDE NA GESTAÇÃO

As doenças da tireoide incidem na gestação em uma frequência de 1 a 2%. Na gestação, há aumento do volume da tireoide e da produção de hormônios tireoidianos, do hormônio estimulante da tireoide (TSH, do inglês *thyroid-stimulating hormone*), dos níveis de globulina ligadora de tiroxina (TBG, do inglês *thyroxine-binding globulin*) e da hCG, e da depuração renal de iodo, passando a haver uma necessidade maior de ingestão de iodo.

O aumento dos estrogênios placentários estimula a produção de TBG, produzindo, fisiologicamente, elevação de tetraiodotironina ($T_4$) e tri-iodotironina ($T_3$) totais. Porém, a fração livre dos hormônios permanece estável. Assim, para verificar os hormônios tireoidianos na gestação, é necessária a dosagem dos hormônios livres.

Em relação à tireoide fetal, ela se desenvolve independentemente da condição materna. Após 12 semanas, ela já concentra iodo e, após 16 semanas, produz os hormônios tireoidianos. A placenta tem permeabilidade reduzida ao iodo e aos hormônios tireoidianos; apenas 1 a 3% de $T_4$ livre materno atravessa a placenta. A produção hormonal fetal pode ser influenciada por processos morfológicos maternos. Anticorpos antitireoidianos maternos, como o anticorpo antiperoxidase (anti-TPO) e o antirreceptor do TSH (TRAb), podem cruzar a barreira placentária e determinar, no feto, hipo ou hipertireoidismo. Medicamentos usados no hipertireoidismo, como propiltiouracila ou metimazol, também podem ultrapassar a placenta e causar, além de malformações fetais, hipotireoidismo fetal.[27-29]

## Hipertireoidismo na gestação

Estima-se que o hipertireoidismo clínico incida em 1 a 2 a cada 1.000 gestações, com prevalência entre 0,1 e 0,4%, e o subclínico, em 1,7% das gestações. Cerca de 95% dos casos de hipertireoidismo na gestação são causados pela doença de Graves, e, o restante, por adenoma tóxico, tireoidite subaguda, bócio multinodular, iatrogenia e hipertireoidismo transitório (hiperêmese gravídica, doença trofoblástica).

**As mulheres portadoras de hipertireoidismo devem ser aconselhadas e estimuladas a alcançar um bom controle da função tireoidiana antes da concepção. Aquelas com diagnóstico e tratamento prévios à gravidez costumam ter gestações com melhores resultados do que aquelas com diagnóstico feito no curso da gestação.**

O tratamento inadequado do hipertireoidismo durante a gestação pode resultar em aborto, parto prematuro, pré-eclâmpsia, insuficiência cardíaca materna, perda fetal e maior ocorrência de RNs pequenos para a idade gestacional (IG).

A tireotoxicose gestacional transitória ocorre em 2 a 3% das gravidezes, em geral no 1º trimestre, pelo aumento dos níveis séricos de hCG. Por não ter etiologia autoimune, não resulta em bócio, como ocorre na doença de Graves, e em geral cura após a 20ª semana de IG.

Na doença trofoblástica gestacional, costumam ocorrer concentrações muito elevadas de hCG, e o hipertireoidismo está presente em cerca de 50% dos casos. Após tratamento da moléstia, a função tireoidiana volta ao normal.

O hipertireoidismo fetal ou neonatal ocorre em até 2% dos filhos de mulheres com doença de Graves ativa ou passada, mesmo que elas estejam com hipotireoidismo na gestação. É causado pela transferência placentária de TRAb e não tem relação com a função tireoidiana materna.

### Diagnóstico

A dosagem do TSH ultrassensível é o teste de escolha para o diagnóstico de hipertireoidismo franco ou subclínico. O excesso de hormônios tireoidianos resulta em TSH suprimido (geralmente < 0,1 mUI/L). As concentrações séricas do $T_4$ livre estão, em geral, elevadas; na ausência de elevação, com TSH suprimido, deve-se dosar o nível de $T_3$ livre. Dosagens isoladas das concentrações totais de $T_3$ e $T_4$ não são recomendadas. A dosagem de TRAb não está indicada rotineiramente, mas pode ser útil em casos selecionados, e sua sensibilidade na doença ativa não tratada é de 80 a 90%.

A tireotoxicose gestacional transitória geralmente se apresenta com TSH suprimido no 1º trimestre (< 0,1 mUI/L), associado à elevação de $T_4$ ou $T_3$ total até 1,5 vez o valor superior de referência em não gestantes, e ausência de marcadores autoimunes (TRAb).[30]

Crise tireotóxica é uma situação de emergência caracterizada por estado hipermetabólico extremo e diagnosticada por sintomas graves de hipertireoidismo, febre alta (até 41 ºC) e alterações do estado mental.

### Tratamento

**Os objetivos do tratamento do hipertireoidismo na gestação são controlar a doença materna, com normalização das concentrações de $T_4$ o mais rápido possível, e evitar hipo ou hipertireoidismo fetal.**

As opções terapêuticas incluem fármacos antitireoidianos como primeira escolha; tireoidectomia como tratamento de exceção; e iodo radioativo (I-131).[27]

A TABELA 114.2 apresenta os medicamentos usados no tratamento do hipertireoidismo.

### Acompanhamento

Com o hipertireoidismo compensado, a assistência à gestante deve permanecer voltada para os cuidados de pré-natal de rotina. O bem-estar fetal deve ser avaliado a partir da 32ª semana de gestação.

Na doença de Graves, devem-se monitorizar frequência cardíaca (FC), ganho ponderal, volume da tireoide, $T_4$ livre e

**TABELA 114.2** → Medicamentos usados no tratamento do hipertireoidismo

| FÁRMACO | MODO DE AÇÃO | DOSE |
|---|---|---|
| Propiltiouracila | Inibe a síntese de $T_4$ e a conversão periférica de $T_3$ em $T_4$ | Inicial: 100-600 mg/dia, divididas em 2 ou 3 tomadas diárias<br>Manutenção: 200-400 mg/dia |
| Metimazol | Inibe a síntese de $T_4$ | Inicial: 15-40 mg/dia<br>Manutenção: 5-15 mg/dia |
| Propranolol | Reduz sintomas adrenérgicos | 10-40 mg/dia (tempo curto) |

$T_3$, tri-iodotironina; $T_4$, tetraiodotironina.
Fonte: Alexander e colaboradores.[27]

TSH mensalmente e utilizar a menor dose possível de medicamento para manter o nível de $T_4$ livre no limite superior da normalidade, dando prioridade à propiltiouracila, devido ao potencial teratogênico de outros antitireoidianos da classe das tionamidas C/D.[19,21] Com a evolução da gravidez, reduzem-se as doses dos medicamentos, mantendo o TSH entre 0,1 e 0,4 mUI/L e sempre prestando atenção às condições fetais – realizar US obstétrica para avaliar a presença de bócio no feto ou outro sinal de hipotireoidismo, como crescimento intrauterino restrito, taquicardia/arritmia, avanço da idade óssea, craniossinostose, falência cardíaca e hidropsia (principalmente em pacientes com valores elevados de TRAb).

As doses dos medicamentos antitireoidianos devem ser aumentadas no período pós-parto C/D.

### Encaminhamento

Devem ser encaminhadas para pré-natal de alto risco as gestantes com diagnóstico de hipertireoidismo franco ou hipertireoidismo subclínico, afastada tireotoxicose gestacional transitória.[30]

## Hipotireoidismo na gestação

O hipotireoidismo é uma condição incomum na gestação, por ser uma doença com baixa incidência na fase reprodutiva e por ter ciclos anovulatórios como manifestação frequente. Está mais relacionado com disfunção primária da glândula e pode ser de etiologia diversa. Sua prevalência na gestação gira em torno de 1 a 2%.

O hipotireoidismo não tratado na gestação aumenta o risco de complicações materno-fetais, como abortamento, prematuridade, pré-eclâmpsia, restrição do crescimento fetal, anemia e anomalias congênitas.[28] Com relação ao hipotireoidismo subclínico, as evidências sugerem que possa estar associado com pequeno aumento de risco de parto pré-termo (6,1% vs. 5% em mulheres eutireóideas) e com risco aumentado de morte neonatal (risco relativo [RR] = 2,58%), perda gestacional (RR = 2,01%), descolamento da placenta (RR = 2,14%) e ruptura prematura das membranas (RR = 1,43%).[31,32] Alguns estudos chamam a atenção para a função tireoidiana da gestante em relação ao déficit do desenvolvimento intelectual de crianças em idade escolar. Porém, um estudo randomizado mostrou que o tratamento de hipotireoidismo subclínico ou hipotiroxinemia não afeta os resultados cognitivos na infância.[22] Assim, o rastreamento de rotina não está indicado, havendo indicações específicas para isso (ver Capítulo Acompanhamento de Saúde da Gestante e da Puérpera) B.[33]

### Diagnóstico

É feito pela dosagem de $T_4$ livre e do TSH nas mulheres com suspeita clínica de hipotireoidismo ou naquelas com fatores de risco. Na disfunção primária, espera-se que os níveis de TSH estejam elevados (> 4 mUI/L) e os de $T_4$ livre, diminuídos.

O diagnóstico de hipotireoidismo subclínico é caracterizado por TSH acima do valor de referência para a IG (TABELA 114.3) e $T_4$ livre normais. Nesses casos, a pesquisa de anti-TPO é necessária.

### Tratamento

O tratamento deve ser instituído em pacientes com TSH > 10 mUI/L ou em gestantes com TSH acima do valor de referência para a IG e anti-TPO positivo. É feito com levotiroxina sódica, 1 ×/dia, de preferência em jejum. Em geral, inicia-se o tratamento com 50 μg/dia, aumentando a dose em 25 μg a cada 2 semanas, de acordo com o resultado do TSH sérico, mantendo-o em níveis < 4 mUI/L até o final da gestação.[28]

As recomendações relativas ao manejo do hipotireoidismo subclínico diferem conforme as organizações (American Thyroid Association, American College of Obstetricians and Gynecologists, Endocrine Society e European Thyroid Association). Uma revisão sistemática identificou que, nesses casos, o tratamento com levotiroxina pode reduzir o risco de perda gestacional (RRR = 44%; NNT = 15-34) e parto pré-termo (RRR = 32%; NNT = 19-102).[34]

A dose necessária do fármaco se eleva na gestação, com o aumento da massa corporal e também na presença de infecção e estresse materno.

### Acompanhamento

Os níveis de TSH devem ser avaliados a cada 4 a 6 semanas até que os níveis-alvo de TSH sejam alcançados. Quando a doença está bem controlada, a aferição pode ser feita a cada trimestre.

### Encaminhamento

Devem ser encaminhadas para pré-natal de alto risco as gestantes com suspeita de hipotireoidismo central (TSH normal ou baixo e $T_4$ livre ou total baixo) ou hipotireoidismo primário usando mais de 2,5 μg/kg de levotiroxina sem controle adequado.[30]

**TABELA 114.3** → Valores de referência do hormônio estimulante da tireoide (TSH) na gestação

| TRIMESTRE | VALOR (mUI/L) |
|---|---|
| 1º | 0,1-4 |
| 2º | 0,5-4,5 |
| 3º | 0,5-4,5 |

Fonte: Martins e colaboradores.[30]

## OBESIDADE NA GESTAÇÃO

Os problemas relacionados com o manejo da obesidade na gravidez são muitos, havendo complicações e implicações em curto e longo prazos para a mãe e para o feto. Os riscos se elevam com o aumento do índice de massa corporal (IMC) materno.[35] A obesidade materna pode afetar a prole, no longo prazo, como resultado de alterações genéticas induzidas pela exposição fetal aos níveis elevados de glicose, insulina, lipídeos e citocinas inflamatórias.[36,37] Assim, as mulheres obesas devem ser encorajadas a reduzir o peso antes de engravidar C/D.[4]

### Obesidade pré-gravidez e ganho de peso na gravidez

As complicações obstétricas da obesidade materna em geral são relacionadas mais com a obesidade materna pré-gravidez do que com o ganho excessivo de peso durante a gestação. O ganho de peso na gravidez habitualmente é considerado como a diferença entre o peso da mulher na última visita pré-natal e o seu peso antes da gravidez ou o verificado na primeira visita pré-natal. Contudo, o conceito de "ganho de peso líquido materno" pode ser definido como a diferença entre o peso da mulher na última visita pré-natal e a combinação entre o seu peso pré-gravidez e o peso do feto.[4]

Os valores de referência para ganho de peso ideal durante o período gestacional conforme o IMC da gestante está no Capítulo Acompanhamento de Saúde da Gestante e da Puérpera. O ganho de peso durante a gravidez também pode ser usado como marcador de complicações desencadeadas pela obesidade.[23]

### Obesidade materna e riscos obstétricos: início da gestação

As mulheres obesas têm risco aumentado para uma série de problemas obstétricos no início da gestação, entre eles abortamento precoce e abortamentos espontâneos recorrentes.[38,39] Há um aumento da incidência de gestação gemelar dizigótica nas gestantes obesas, o que tem sido atribuído à elevação do hormônio folículo-estimulante (FSH, do inglês *follicle-stimulating hormone*) nessas mulheres.[40]

Se forem comparados os índices de malformações fetais estruturais maiores, as gestantes obesas apresentam o dobro de incidência do que as gestantes com IMC normal.[41] Entre as principais malformações, estão espinha bífida e onfalocele, sendo o risco até 3 vezes maior.[42] Nas gestantes obesas, as taxas de malformações cardíacas maiores são o dobro daquelas da população normal.[42]

A avaliação dos exames ultrassonográficos do feto em gestantes obesas fica prejudicada devido ao espesso panículo adiposo. Esse aspecto é particularmente importante, devido ao fato de a frequência de malformações estar aumentada, elevando as taxas de óbito fetal.[43] Nesses casos, o uso do transdutor vaginal direcionado para a região umbilical da gestante melhora a acurácia do método.[44]

### Obesidade materna e riscos obstétricos: final da gestação

As mulheres obesas não grávidas apresentam maior risco de desenvolver síndrome metabólica ou síndrome de resistência à insulina. As manifestações dessa síndrome englobam hipertensão arterial sistêmica, intolerância à glicose e elevação de colesterol e de triglicerídeos.

A obesidade na gravidez também está associada a um risco maior de complicações semelhantes à síndrome metabólica no final da gravidez, sendo o IMC materno considerado um fator independente associado com hipertensão gestacional e pré-eclâmpsia.[4,45]

Gestantes obesas com outros fatores de risco para pré-eclâmpsia, como idade ≥ 35 anos, hipertensão arterial prévia, tabagismo e história obstétrica prévia, devem receber baixa dose de ácido acetilsalicílico, até 100 mg/dia, para prevenção da pré-eclâmpsia.[46] (Ver Capítulo Hipertensão Arterial na Gestação.)

A literatura mundial sugere que o risco de desenvolver doença hipertensiva específica da gestação (DHEG) é 2 a 3 vezes maior nas gestantes com IMC > 30 kg/m² e chega a ser 5 vezes maior nas gestantes com IMC > 40 kg/m².[42] O aumento em 3 ou mais unidades no IMC durante o período gestacional dobra o risco de pré-eclâmpsia.[47] Além disso, gestantes obesas apresentam maior risco (2-3 vezes) de desenvolver diabetes gestacional se comparadas a gestantes com IMC adequado[42,47] (ver Capítulo Diabetes na Gestação). Deve-se atentar também para o diagnóstico precoce de diabetes pré-gestacional em toda gestante obesa.

**Deve-se suspeitar de diabetes pré-gestacional em toda gestante obesa.**

### Complicações da obesidade no parto e no puerpério

Gestantes obesas têm risco aumentado de parto induzido, cesárea eletiva e de emergência.[48,49]

O risco de tromboembolismo venoso (TEV) é 2 vezes maior em parturientes com IMC entre 30 e 40 kg/m² e 4 vezes maior naquelas com IMC > 40 kg/m². O TEV é a maior causa de morbidade e mortalidade maternas entre parturientes obesas.[50] Meias elásticas e deambulação precoce são recomendadas para a profilaxia de trombose venosa profunda C/D. O uso de heparina subcutânea profilática deve ser considerado em casos selecionados, de maior risco, como no período pós-cesárea C/D.[50]

### Obesidade e complicações perinatais

Em mulheres com IMC > 30 kg/m² e naquelas que apresentam aumento do IMC acima de 3 unidades durante a gestação, a obesidade aumenta em até 2 vezes o risco de ocorrência de fetos grandes para a IG e macrossômicos.[47,51] Gestantes obesas têm risco aumentado de ter fetos com anomalias congênitas, incluindo defeitos do tubo neural, malformações cardíacas e defeitos orofaciais.[52]

Os índices de perdas fetais tardias em gestantes obesas e com sobrepeso são 2 vezes maiores em relação aos de gestantes normais.[42] As possíveis causas de óbito fetal estão relacionadas com dificuldade diagnóstica de malformações e doenças maternas concomitantes, como diabetes melito.[53] Assim, é prudente realizar cuidadosa monitorização fetal, com avaliações como a contagem de movimentos fetais.[4]

## Cirurgia bariátrica em mulheres obesas e gravidez

Atualmente, muitas mulheres jovens, em idade reprodutiva, já foram submetidas à cirurgia bariátrica. Assim, o profissional deve-se estar preparado para atender um número cada vez maior de gestantes que realizaram essa cirurgia.[23]

A má absorção causada pelas técnicas desabsortivas pode levar à deficiência de ferro, folato, vitamina $B_{12}$, cálcio e vitaminas lipossolúveis. Em gestantes, essas deficiências são ainda mais preocupantes, pois podem levar ao nascimento de crianças pequenas para a IG (RC = 2,3).[54] Assim, a reposição desses nutrientes deve ser feita rotineiramente durante a assistência pré-natal **C/D**.[23,55] Quando a deficiência for de difícil manejo, recomenda-se a suplementação parenteral, já que as anemias causadas pela deficiência de ferro e vitamina $B_{12}$ podem chegar a níveis transfusionais **C/D**.[55]

## Recomendações para o acompanhamento de gestantes obesas

Para obter melhores resultados obstétricos e perinatais, as seguintes recomendações podem ser adotadas no manejo pré-natal de gestantes obesas **C/D**:[23]

→ abordagem multidisciplinar, incluindo suporte nutricional rigoroso, atividade física e apoio psicológico **B**;[56]
→ ganho de peso na gestação reduzido ou ausente;
→ rastreamento ultrassonográfico morfológico fetal cuidadoso e novo exame após 37 semanas para estimativa de peso no termo, buscando a melhor via de parto;
→ preparação das equipes obstétrica, anestésica e neonatal para o parto;
→ rastreamento para intolerância precoce à glicose, já no início da gestação;
→ avaliação quanto ao uso de antibioticoterapia no puerpério, nos partos complicados ou excessivamente instrumentalizados;
→ profilaxia puerperal na prevenção de fenômenos tromboembólicos;
→ reposições nutricionais adequadas em gestantes submetidas à cirurgia bariátrica.[55]

## Encaminhamento

Gestantes com obesidade mórbida têm indicação de encaminhamento para pré-natal de alto risco.[30]

# CARDIOPATIAS NA GESTAÇÃO

Nas últimas décadas, a mortalidade materna por cardiopatia vem diminuindo; entretanto, essa condição ainda é considerada, mundialmente, a principal causa não obstétrica de morte no ciclo gravídico-puerperal, incidindo em 4% das gestações.[57] As alterações fisiológicas da gestação (aumento do volume circulante em 50%, da FC e do débito cardíaco em 30-50%, e redução da resistência vascular periférica e da PA), que ocorrem principalmente entre a metade do 2º trimestre e o 3º trimestre, além de contribuírem para a descompensação da doença cardíaca, podem dificultar o seu diagnóstico.[57]

Entre as cardiopatias na gestação, destacam-se, por sua frequência, as valvulopatias, as miocardiopatias e a cardiopatia isquêmica. No Brasil, 50% dos casos de cardiopatia na gravidez são devidos à doença reumática, que é a causa mais comum. A estenose mitral é a lesão reumática cardíaca mais encontrada. Nos países desenvolvidos, predominam as cardiopatias congênitas.[58] Comunicação interatrial, comunicação interventricular, persistência do canal arterial, estenose pulmonar e estenose aórtica destacam-se por sua importância entre as cardiopatias congênitas. As cardiopatias cianóticas, por sua vez, correspondem a 10% dos casos.[57,58]

A gestação da maioria das mulheres com doença valvar cardíaca apresenta boa evolução. As lesões valvares obstrutivas, como estenose mitral e aórtica, estão associadas a pior prognóstico em comparação com as lesões regurgitantes (como insuficiência mitral e aórtica).[57] Todas as mulheres portadoras de cardiopatia conhecida devem ser avaliadas por equipe multidisciplinar e aconselhadas sobre os cuidados e possíveis riscos da gravidez. Para estimativa de risco, deve ser realizado, no mínimo, eletrocardiograma (ECG), ecocardiograma e um teste de tolerância ao exercício.[58-61]

Os seguintes parâmetros clínicos estão associados a pior evolução clínica nas gestantes portadoras de valvulopatias: classe funcional III e IV, obstrução do ventrículo esquerdo, disfunção sistólica (fração de ejeção < 40%), hipertensão arterial pulmonar grave, cianose materna, fibrilação atrial, antecedentes de tromboembolismo e endocardite infecciosa **(TABELA 114.4)**.[58-61]

> **Toda gestante com suspeita de cardiopatia, independentemente da etiologia, deve ser encaminhada para investigação em serviço especializado. Gestantes com infarto do miocárdio prévio ou cardiopatias graves devem ser referenciadas para pré-natal de alto risco.**[30]

**TABELA 114.4** → Lesões cardíacas valvulares associadas a alto risco materno e fetal durante a gravidez

**Gestação contraindicada**
→ Estenose aórtica grave sintomática
→ Hipertensão pulmonar de qualquer causa
→ Síndrome de Eisenmenger
→ Miocardiopatia dilatada e miocardiopatia periparto com grave disfunção sistólica de ventrículo esquerdo
→ Estenose mitral grave
→ Síndrome de Marfan com dimensão aórtica > 45 mm
→ Dissecção aórtica crônica e aortopatias, como síndrome de Ehlers-Danlos

**Gestação de alto risco**
→ Prótese valvar metálica exigindo anticoagulação
→ Estenose aórtica grave assintomática
→ Miocardiopatia dilatada com disfunção sistólica moderada
→ Coarctação aórtica não corrigida
→ Outras doenças cardíacas congênitas complexas

Fonte: Zipes e colaboradores.[60]

## Estenose mitral na gestação

**Estenose mitral é a valvulopatia mais comum na gravidez e, muitas vezes, seu diagnóstico é realizado pela primeira vez nesse período ou no puerpério imediato.[58]**

A doença reumática ainda é a principal causa de estenose mitral nos países em desenvolvimento. Aproximadamente 25% dos indivíduos com essa doença apresentam estenose mitral pura e 40% têm estenose combinada com regurgitação mitral.

A estenose mitral pode agravar-se na gestação devido ao aumento do débito cardíaco e da FC, resultando em diminuição do tempo de enchimento diastólico e aumento do gradiente transvalvar.[60] Nas estenoses moderada e grave (área valvar de 1-1,4 cm² e < 1 cm², respectivamente), o aumento da pressão atrial esquerda pode resultar em edema pulmonar e predispor à ocorrência de arritmias (fibrilação atrial ou *flutter*), com maior morbidade, sobretudo na presença de hipertensão arterial pulmonar.[60] As complicações fetais ou neonatais mais comuns são prematuridade (20-30%), restrição de crescimento intrauterino (5-20%) e morte fetal (1-5%).[59]

### Diagnóstico

A gestante pode apresentar dispneia, fadiga, intolerância ao exercício, edema de membros inferiores, congestão pulmonar, arritmia supraventricular paroxística ou fibrilação atrial, fenômeno tromboembólico e hemoptise. As manifestações clínicas secundárias à insuficiência cardíaca direita, como estase jugular e ascite, são mais comuns em pacientes com lesões mais graves.[57,60]

No exame físico, à ausculta, pode haver estalido de abertura, hiperfonese da primeira bulha e sopro diastólico, cuja duração se correlaciona com a gravidade da estenose, podendo irradiar-se para a região axilar esquerda ou esternal inferior esquerda.

Os achados de ECG caracterizam-se por sobrecarga atrial esquerda, desvio do eixo para a direita e hipertrofia ventricular direita. O ecocardiograma é o exame de escolha; além da gravidade da lesão, ele permite avaliar morfologia valvar, associação com insuficiência mitral, tamanho atrial esquerdo, presença de trombos, hipertensão pulmonar e disfunção ventricular.[59,60] A estenose mitral é considerada clinicamente significativa em caso de área valvar ≤ 1,5 cm². O acompanhamento clínico e ecocardiográfico deve ser realizado mensalmente ou a cada 2 meses, dependendo da tolerância hemodinâmica; na estenose mitral leve, pode ser feito a cada trimestre antes do parto.[59]

### Tratamento

O betabloqueador é o principal fármaco na gestante sintomática, pois promove melhora do tempo de enchimento diastólico **C/D**.[57,60,61] Além do betabloqueador (β₁-seletivos – preferencialmente metoprolol e bisoprolol), o repouso no leito também contribui para diminuir a FC e o trabalho cardíaco.[59] Os diuréticos (furosemida) devem ser empregados quando houver congestão pulmonar, mas de forma cuidadosa para evitar hipovolemia, débito cardíaco insuficiente e hipoperfusão placentária.[60,61] O manejo da fibrilação atrial está indicado em gestantes para a proteção contra tromboembolismo. O uso de ácido acetilsalicílico ou de anticoagulante deve ser escolhido de acordo com o estágio da gestação **C/D**.[60]

Deve-se evitar varfarina no 1º trimestre pelo risco de embriopatia fetal (condrodisplasia *puncta*, hipoplasia nasal, atrofia óptica e retardo mental, com incidência estimada entre 4-10%) **C/D**.[60] Porém, seu uso pode ser considerado aceitável, mesmo no 1º trimestre, especialmente após a 9ª semana de gestação, se a dose necessária para atingir a razão normalizada internacional (INR, do inglês *international normalized ratio*) terapêutica for inferior a 5 mg/dia, discutindo-se amplamente sobre riscos e benefícios.[59] A heparina não fracionada e a heparina de baixo peso molecular não causam anormalidade no desenvolvimento fetal e são boas alternativas **C/D**.[60] Anticoagulação deve ser considerada em mulheres em ritmo sinusal com estenose mitral significativa e contraste espontâneo ao ecocardiograma no átrio esquerdo, átrio esquerdo aumentado (≥ 60 mL/m²) ou insuficiência cardíaca congestiva.[59] A valvuloplastia por balão pode ser realizada nas pacientes com estenose importante e sem melhora sintomática com a terapia farmacológica na ausência de trombo em átrio esquerdo e insuficiência mitral moderada a grave.[60,61] Durante a gestação, a comissurotomia mitral percutânea é realizada preferencialmente após as 20 semanas de IG, sendo considerada somente nas pacientes com classe funcional III/IV da New York Heart Association (NYHA) e/ou PA pulmonar sistólica ≥ 50 mmHg, apesar da terapêutica otimizada.[57]

### Acompanhamento

**Gestante com estenose mitral apresenta maior risco durante o trabalho de parto, parto e puerpério imediato devido à sobrecarga hemodinâmica.[59] Em geral, essas mulheres devem ser encaminhadas para um centro especializado, onde possam ser acompanhadas por obstetra e cardiologista no período pré-natal e contar com a presença do anestesista e neonatologista no momento do parto.**

## Estenose aórtica na gestação

Nas mulheres em idade fértil, a causa mais prevalente de estenose aórtica é a válvula aórtica bicúspide. Os indivíduos com estenose aórtica reumática invariavelmente também apresentam acometimento reumático mitral.[60]

A estenose aórtica leve costuma ser bem tolerada. Durante a gestação, a elevação do volume ventricular associa-se a aumento progressivo do gradiente transvalvar. Prematuridade, baixo peso ao nascer e restrição de crescimento intrauterino ocorrem em 20 a 25% dos filhos de mães com estenose aórtica moderada a grave.[59,62] Na estenose grave (área valvar < 1 cm² ou gradiente médio > 50 mmHg), a gestação deve ser desaconselhada, devido ao risco de morbimortalidade materno-fetal.[60]

### Diagnóstico

Angina, síncope e sintomas de insuficiência cardíaca esquerda caracterizam as manifestações clínicas na gestante com estenose aórtica grave.[57,58] A ausculta cardíaca revela sopro sistólico mais facilmente detectado na base do coração, com irradiação para carótidas, e que pode aumentar de intensidade e duração ao longo da gravidez em função do aumento do débito cardíaco.[60,62] O ECG pode evidenciar sobrecarga atrial esquerda, hipertrofia ventricular esquerda em 85% dos portadores de estenose grave, alterações da repolarização ventricular e arritmias ventriculares, que também podem ser avaliadas pelo Holter. A doença valvar deve ser adequadamente avaliada com ecocardiograma bidimensional com Doppler, que permite detectar a presença de aortopatias, incluindo aneurisma de aorta ascendente, que podem estar associadas à válvula aórtica bicúspide.[57,60,62] Se a aorta ascendente apresentar diâmetro > 50 mm, a correção cirúrgica deve ser considerada antes da gestação.[59]

## Tratamento

As gestantes com estenose leve em geral são assintomáticas e não necessitam de tratamento. Repouso no leito e uso de betabloqueador estão indicados quando a doença é sintomática, mas é necessário cautela para não deprimir a função miocárdica. Os diuréticos podem ter benefício quando há acúmulo anormal de fluidos, mas o seu uso deve ser criterioso para evitar redução do débito cardíaco e hipotensão.[61,62] Na estenose aórtica grave, sem melhora com terapia clínica, a valvuloplastia por cateter-balão é uma alternativa com menor risco fetal do que o tratamento cirúrgico.[58]

## Acompanhamento

Nas mulheres assintomáticas e com teste ergométrico sem alterações, a gravidez costuma ser bem tolerada. No entanto, em portadoras de estenose grave sintomática, com fração de ejeção < 50% ou assintomática com gradiente transvalvar > 60% ou > 50% e com desenvolvimento de sintomas ao teste de esforço, a angioplastia por cateter-balão, ou a troca valvar cirúrgica eletiva (na presença de calcificação), deve ser feita, sempre que possível, antes da gestação.[60]

O trabalho de parto e o parto na gestante com estenose aórtica grave são considerados de alto risco, sendo fundamental o diagnóstico precoce e a assistência pré-natal em serviço terciário com atendimento multidisciplinar.

## Comunicação interatrial na gestação

O tipo mais comum de comunicação interatrial (CIA) é o *ostium secundum*, correspondendo a 70% dos casos.[60] O tipo *sinus venosus* tem pior evolução e geralmente está associado à drenagem venosa pulmonar anômala parcial. O *ostium primum*, na maioria dos casos, consiste em defeitos grandes e associados a anormalidades da valva mitral.[60,62]

Nas comunicações de tamanho pequeno a moderado, a vasculatura pulmonar acomoda a sobrecarga volumétrica da gestação, e a evolução é favorável. Nas comunicações grandes ou complicadas com outros defeitos, pode haver o surgimento de insuficiência cardíaca direita, arritmias (taquicardia supraventricular paroxística, fibrilação atrial, *flutter* atrial) e hipertensão pulmonar. Há maior índice de aborto nos casos não corrigidos, e a prematuridade ocorre em 5% dos casos.[60]

## Diagnóstico

Os principais sintomas são palpitações e intolerância ao esforço, manifestando-se por dispneia e fadiga. Nos casos mais graves, pode ocorrer insuficiência ventricular direita. A presença de cianose deve alertar para a ocorrência de *shunt* reverso e síndrome de Eisenmenger (doença obstrutiva vascular pulmonar decorrente de um grande *shunt* esquerda-direita, que resulta em pressões arteriais pulmonares semelhantes às sistêmicas, determinando um fluxo bidirecional ou da direita para a esquerda).[60,61] Desdobramento da segunda bulha, sopro sistólico ejetivo mais audível no segundo espaço intercostal esquerdo e ruflar mesodiastólico na borda esternal inferior esquerda secundário ao aumento do fluxo tricúspide são os principais achados na ausculta cardíaca em pacientes com CIA. Os aspectos radiográficos clássicos são cardiomegalia, devido ao aumento atrial e ventricular direito, e dilatação das artérias pulmonares.[60]

O ECG pode evidenciar ritmo sinusal, fibrilação atrial ou *flutter*, ritmo atrial ectópico (defeitos tipo seio venoso superior), desvio do eixo para direita (CIA *ostium secundum*) e bloqueio de ramo direito. O ecocardiograma transtorácico permite avaliar o tipo e o tamanho do defeito, além das direções dos *shunts* e a função ventricular direita.[60]

## Tratamento

A CIA deve ser corrigida preferencialmente na infância, evitando-se o desenvolvimento de complicações. O tratamento das arritmias pode ser realizado com digitálicos, quinidina, verapamil, adenosina ou cardioversão elétrica quando não houver resposta ao uso de fármacos ou na presença de instabilidade hemodinâmica.[60] A CIA com fluxo sanguíneo da artéria pulmonar em relação ao fluxo sanguíneo sistêmico (Qp/Qs) > 1,5 ou associada à sobrecarga volumétrica ventricular direita deve ser fechada.

Nas pacientes com hipertensão arterial pulmonar (pressão sistólica na artéria pulmonar maior do que dois terços da PA sistêmica e/ou resistência arterial pulmonar maior do que dois terços da resistência arterial sistêmica), o fechamento deve ser recomendado quando a relação do fluxo for maior que 1,5/1,0 na ausência de síndrome de Eisenmenger.[60] O fechamento percutâneo, sempre que possível, é o método preferido, sendo indicada a terapia antiplaquetária. O fechamento para prevenção de êmbolo paradoxal não está indicado.

Em mulheres com *shunt* residual, a prevenção da estase venosa é recomendada. Na CIA *ostium primum*, tipos seio venoso e seio coronariano, e *ostium secundum* com anatomia inadequada, prefere-se o tratamento cirúrgico.[59,60]

## Acompanhamento

Quando a CIA é diagnosticada na gravidez, deve-se realizar acompanhamento especializado da gestante, atentando-se para o risco de descompensação cardíaca, ocorrência de arritmias e tromboembolismo. Na síndrome de Eisenmenger, a gravidez deve ser contraindicada devido à alta mortalidade materna e fetal.[60]

## Comunicação interventricular na gestação

A comunicação interventricular (CIV) representa 10 a 15% das cardiopatias congênitas; no entanto, é infrequente nas gestantes pelo elevado índice de fechamento espontâneo na infância.[60]

O prognóstico depende do tamanho do defeito e do grau de hipertensão arterial pulmonar. Na CIV pequena, a gestação geralmente é bem tolerada; nos defeitos grandes com síndrome de Eisenmenger, a gravidez deve ser desaconselhada.[60]

### Diagnóstico

A CIV restritiva pequena, na maioria das vezes, é assintomática. No exame físico, pode ser detectado sopro holossistólico na borda esternal esquerda no terceiro ou quarto espaço intercostal. Na CIV grande, pode haver sopro de ejeção suave, com quadro de insuficiência cardíaca congestiva, arritmias, embolia paradoxal e endocardite infecciosa.[62] As pacientes com síndrome de Eisenmenger apresentam cianose central e baqueteamento digital. Na CIV moderada, o ECG pode apresentar sobrecargas atrial e ventricular esquerdas. Na radiografia de tórax, observam-se dilatação ventricular esquerda e sinais de hipertensão pulmonar. O ecocardiograma pode identificar localização, tamanho e repercussão hemodinâmica da CIV.[62]

### Tratamento

O tratamento da CIV visa à compensação da insuficiência cardíaca e ao controle das arritmias. O fechamento cirúrgico antes da gravidez está indicado em mulheres com as seguintes condições: Qp/Qs ≥ 2 e evidência de sobrecarga volumétrica do ventrículo esquerdo; insuficiência cardíaca esquerda; e Qp/Qs > 1,5 (com pressão sistólica na artéria pulmonar maior do que dois terços da PA sistêmica e/ou resistência arterial pulmonar maior do que dois terços da resistência arterial sistêmica) na ausência de hipertensão arterial pulmonar irreversível. O tratamento percutâneo tem sido realizado com sucesso na CIV muscular.[60]

### Acompanhamento

É fundamental o acompanhamento da gestante com CIV pelo cardiologista, pois ela deve ser avaliada quanto à repercussão hemodinâmica e ao grau de hipertensão pulmonar. A avaliação cardíaca fetal é importante, pois a incidência de recorrência do defeito no concepto é mais alta do que a da população geral. Aborto espontâneo e prematuridade são mais comuns nas gestantes com arritmias e baixa reserva funcional.[60]

## Doença arterial coronariana na gestação

A cardiopatia isquêmica, embora rara na gravidez, tem aumentado de importância devido à maior proporção de gestações entre mulheres com idade > 40 anos e ao maior tempo de exposição aos fatores de risco cardiovascular, como tabagismo, contraceptivos hormonais, hipertensão arterial, obesidade, dislipidemia e diabetes melito. Fatores de risco adicionais incluem pré-eclâmpsia, trombofilia, transfusão, infecção pós-parto, uso de cocaína, multiparidade e hemorragia pós-parto.[59] O infarto agudo do miocárdio (IAM) na gestação permanece um evento raro, estimando-se sua incidência em 3 a 10 casos a cada 10 mil gestações. Entretanto, destaca-se cada vez mais entre as complicações maternas desse período na sociedade moderna, sendo a doença arterial coronariana responsável por mais de 20% dos óbitos maternos de causa cardíaca.[57,59]

A dissecção coronariana espontânea relacionada à gestação é a principal causa de IAM na gestação (43% dos casos) e, menos frequentemente, pode estar associada à trombose coronariana (17%) e à doença aterosclerótica.[59,60] Durante a gravidez, é comum encontrar coronárias normais à angiografia (18%), sugerindo-se que sua patogênese está relacionada com a diminuição da perfusão coronariana causada pelo vasoespasmo ou trombo *in situ*.[57,60]

A relação de eventos coronarianos secundários à trombose poderia ser explicada pelo estado de hipercoagulabilidade na gestação e redução do transporte de oxigênio em consequência da redução da hemoglobina e da PA diastólica. O tabagismo também atua como fator pró-trombótico por alterar a agregação plaquetária. O espasmo arterial pode ser espontâneo ou induzido por pré-eclâmpsia, aumento da reatividade vascular à angiotensina II e norepinefrina, disfunção endotelial ou liberação de renina pelo útero gravídico; ou induzido por fármacos como os agentes com β-agonistas (terbutalina, salbutamol), usados na inibição do trabalho de parto prematuro, os derivados do ergot, utilizados na indução do parto ou na prevenção de hemorragia pós-parto, e a bromocriptina, usada na inibição da lactação.[57]

Os principais fatores de risco da doença arterial coronariana na gravidez são hipertensão arterial crônica, doença hipertensiva específica da gravidez, tabagismo, diabetes melito, uso de anticoncepcionais, dislipidemia, história familiar de cardiopatia, hiper-homocisteinemia, anticoagulante lúpico e fibrinogênio elevado.[57]

A ocorrência do IAM na gestação é mais comum no último trimestre (IAM com supradesnivelamento do segmento ST: 25%; e sem supradesnivelamento do segmento ST: 32%) e no período pós-parto (IAM com supradesnivelamento do segmento ST: 55%).[57]

Quanto à localização do infarto, a parede anterior do ventrículo esquerdo é o local mais frequente. A dissecção coronariana envolvendo a artéria descendente anterior esquerda ocorre em cerca de 80% dos casos. Isso se deve, provavelmente, a alterações histológicas e bioquímicas na parede arterial, mediadas por alteração hormonal, e precisa ser considerada em mulheres jovens com poucos fatores de risco para doença arterial coronariana e que apresentam sintomas sugestivos.[60]

### Diagnóstico

As mesmas modificações fisiológicas que permitem a adaptação da gestante e o desenvolvimento do feto também contribuem para a ocorrência de insuficiência coronariana e dificultam o seu diagnóstico, por mimetizarem sinais e sintomas que sugerem doença cardíaca.[57] Por exemplo, o diagnóstico por ECG pode ser duvidoso, porque alterações que mimetizam isquemia miocárdica podem ser encontradas em 37% das gestantes submetidas a parto cesáreo eletivo e sem doença cardíaca, como inversão de onda T, onda Q na derivação III e aumento na relação R/S na derivação V2.[57] Os marcadores bioquímicos de lesão miocárdica não são específicos e podem estar alterados pelo parto, tanto vaginal como cirúrgico (CPK-T, CPK-MB, CPK-massa, mioglobina). Portanto, a troponina I é o marcador de escolha para o diagnóstico de lesão cardíaca no período gravídico-puerperal, sobretudo nos períodos periparto e puerperal.[60]

O ecocardiograma é seguro na gravidez e auxilia na identificação de alterações segmentares da motilidade da parede ventricular, relacionadas com as alterações eletrocardiográficas, além de excluir outras causas de dor torácica (dissecção aórtica, miocardiopatia hipertrófica, embolia pulmonar, doença pericárdica, estenose aórtica).[57,60]

A cintilografia de perfusão miocárdica e a ventriculografia por radionuclídeos expõem o feto à radiação e devem ser usadas apenas quando o benefício potencial parece superar o risco fetal.[60] Da mesma forma, o cateterismo cardíaco envolvendo fluoroscopia e cineangiografia deve ser utilizado somente quando a informação relevante não puder ser obtida por outros métodos não invasivos. Com proteção abdominal adequada, redução do tempo de exame e utilização do braço direito como via de acesso, angiografias coronarianas têm sido realizadas em gestantes, dosando a quantidade de radiação e calculando a dose absorvida pelo feto. A angioplastia primária é recomendada como terapia de reperfusão de escolha nos casos de IAM com supradesnivelamento do segmento ST na gestação.[59,60] Nos casos de síndrome coronariana aguda sem supradesnivelamento do segmento ST, o manejo invasivo deve ser considerado nas gestantes com critérios de alto risco cardíaco, mantendo manejo conservador nas pacientes de baixo risco.[59] O melhor momento para realização de uma intervenção percutânea é após o 4º mês – no 2º trimestre da gestação.[59] A ressonância magnética pode ser usada no diagnóstico diferencial de IAM e dissecção de aorta ou de massas mediastinais, por não produzir radiação ionizante e não exigir uso de contraste.

### Tratamento

A gestante deve ser mantida em unidade de terapia intensiva, com atendimento multidisciplinar e adequado monitoramento materno e fetal. O tratamento é semelhante ao da mulher não grávida, seguindo as atuais diretrizes e considerando os níveis de evidência e os potenciais riscos fetais.[59] Ácido acetilsalicílico em baixa dose parece ser seguro. O clopidogrel deve ser usado somente quando necessário e por curto período. O uso de prasugrel e ticagrelor não é recomendado. O betabloqueador tem benefício na redução do estresse de cisalhamento (ou *shear stress*) na dissecção coronariana espontânea relacionada à gestação.[59,60]

Os *stents* metálicos são usados na maioria dos casos de IAM com supradesnivelamento do segmento ST que são submetidos à angioplastia. No entanto, os *stents* farmacológicos de nova geração são recomendados pelas diretrizes de IAM, pois requerem dupla terapia antiplaquetária de menor duração (3 meses).[57,59]

### Acompanhamento

A estratificação de risco do IAM na gravidez deve ser feita por métodos não invasivos, com assistência multidisciplinar à gestante portadora de doença coronariana. A prevenção e o diagnóstico precoce, com adoção de condutas pertinentes para intercorrências obstétricas e clínicas, são fundamentais na assistência pré-natal da gestante cardíaca, que deve ser encaminhada para acompanhamento especializado.[57]

Complicações que podem ocorrer são insuficiência cardíaca/choque cardiogênico (38%), arritmias (12%), angina recorrente/IAM (20%), mortalidade materna (7%) e mortalidade fetal (7%).[59]

Há mais mortalidade materno-fetal e complicações gestacionais (prematuridade, baixo peso) do IAM no anteparto do que no puerpério. A maioria dos óbitos se dá no momento do infarto ou até 2 semanas depois, geralmente em associação com trabalho de parto e parto; por isso, o parto deve ser realizado de preferência 2 a 3 semanas após o IAM. A via de parto é definida conforme indicação obstétrica e depende do estado clínico da gestante.[59]

# REFERÊNCIAS

1. IV Diretrizes Brasileiras para o Manejo da Asma. J Bras Pneumol. 2012;38(Suppl 1):S1-46.
2. Tan KS, Thomson NC. Asthma in pregnancy. Am J Med. 2000;109(9):727-33.
3. Hammed AB, Montoro MN. Distúrbios cardíacos e pulmonares na gravidez. In: Decherney AH, Nathan L, Laufer N, Roman AS. Current obstetrícia e ginecologia: diagnóstico e tratamento. 11. ed. Porto Alegre: AMGH; 2014, p. 465–83.
4. Queenan JT. Gestação de alto risco: diagnóstico e tratamento baseados em evidências. Porto Alegre: Artmed, 2010.
5. Dombrowski MP, Schatz M, ACOG Committee on Practice Bulletins-Obstetrics. ACOG practice bulletin:
6. clinical management guidelines for obstetrician-gynecologists number 90, February 2008: asthma in pregnancy. Obstet Gynecol. 2008;111(2 Pt 1):457–64.
7. Lim AS, Stewart K, Abramson MJ, Walker SP, Smith CL, George J. Multidisciplinary Approach to Management of Maternal Asthma (MAMMA): a randomized controlled trial. Chest. 2014;145(5):1046–54.
8. Global Initiative for Asthma. Global Strategy for Asthma Management and Prevention. (2020 update) [Internet]. Fontana: GINA; 2020 [capturado em 13 nov. 2020]. Disponível em: https://ginasthma.org/wp-content/uploads/2020/06/GINA-2020-report_20_06_04-1-wms.pdf.
9. Namazy JA, Schatz M. Management of asthma during pregnancy: optimizing outcomes and minimizing risk. Semin Respir Crit Care Med. 2018;39(1):29-35
10. Aguilar S, Alves MJ, Serrano F. Gravidez e epilepsia. Acta Obstet Ginecol Port. 2016;10(2):120–9.
11. Royal College of Obstetricians and Gynaecologists. Epilepsy in pregnancy (Green-top Guideline n.68) [Internet]. London: Royal College of Obstetricians; 2016 [capturado em 13 nov. 2020]. Disponível em:

https://www.rcog.org.uk/en/guidelines-research-services/guidelines/gtg68/.

12. Crawford P. Best practice guidelines for the management of women with epilepsy. Epilepsia. 2005;46(Suppl 9):117–24.
13. Viale L, Allotey J, Cheong-See F, Arroyo-Manzano D, Mccorry D, Bagary M, et al. Epilepsy in pregnancy and reproductive outcomes: a systematic review and meta-analysis. Lancet. 2015;386(10006):1845–52.
14. Whelehan A, Delanty N. Therapeutic strategies for treating epilepsy during pregnancy. Expert Opin Pharmacother. 2019;20(3):323–32.
15. Harden CL, Meador KJ, Pennell PB, Hauser WA, Gronseth GS, French JA, et al. Practice parameter update: management issues for women with epilepsy--focus on pregnancy (an evidence-based review): teratogenesis and perinatal outcomes: report of the Quality Standards Subcommittee and Therapeutics and Technology Assessment Subcommittee of the American Academy of Neurology and American Epilepsy Society. Neurology. 2009;73(2):133–41.
16. Morrow J, Russell A, Guthrie E, Parsons L, Robertson I, Waddell R, et al. Malformation risks of antiepileptic drugs in pregnancy: a prospective study from the UK Epilepsy and Pregnancy Register. J Neurol Neurosurg Psychiatry. 2006;77(2):193–8.
17. Borgelt LM, Hart FM, Bainbridge JL. Epilepsy during pregnancy: focus on management strategies. Int J Womens Health. 2016;8:505–17.
18. Campbell E, Kennedy F, Russell A, Smithson WH, Parsons L, Morrison PJ, et al. Malformation risks of antiepileptic drug monotherapies in pregnancy: updated results from the UK and Ireland Epilepsy and Pregnancy Registers. J Neurol Neurosurg Psychiatry. 2014;85(9):1029–34.
19. Committee on Practice Bulletins-Obstetrics. Practice Bulletin nº 187: neural tube defects. Obstet Gynecol. 2017;130(6):e279–90.
20. Veroniki AA, Cogo E, Rios P, Sharon E, Straus SE, Finkelstein Y, Kealey R, et al. Comparative safety of anti-epileptic drugs during pregnancy: a systematic review and network meta-analysis of congenital malformations and prenatal outcomes. BMC Med. 2017;15(1):95.
21. Liu Y, Ma X, Zheng J, Liu X, Yan T. Pregnancy outcomes in patients with acute kidney injury during pregnancy: a systematic review and meta-analysis. BMC Pregnancy Childbirth. 2017;17(1):235.
22. Neme B. Obstetrícia básica. 3. ed. São Paulo: Sarvier; 2006.
23. Trevisan G, Ramos JGL, Martins-Costa S, Barros EJG. Pregnancy in patients with chronic renal insufficiency at Hospital de Clínicas of Porto Alegre, Brazil. Ren Fail. 2004;26(1):29–34.
24. Zugaib M, Francisco RPV. Zugaib obstetrícia. 4. ed. São Paulo: Manole; 2008.
25. Johson D. Pregnancy. Nephrology. 2006;11(Suppl 1):541–3.
26. Cabiddu G, Castellino S, Gernone G, Santoro D, Moroni G, Giannattasio M, et al. A best practice position statement on pregnancy in chronic kidney disease: the Italian Study Group on Kidney and Pregnancy. J Nephrol. 2016;29(3):277–303.
27. Akolekar R, Syngelaki A, Sarquis R, Zvanca M, Nicolaides KH. Prediction of early, intermediate and late preeclampsia from maternal factors, biophysical and biochemical markers at 11-13 weeks. Prenat Diagn. 2011;31(1):66–74.
28. Alexander EK, Pearce EN, Brent GA, Brown RS, Chen H, Dosiou C, et al. 2017 Guidelines of the American Thyroid Association for the Diagnosis and Management of Thyroid Disease During Pregnancy and the Postpartum. Thyroid Off J Am Thyroid Assoc. 2017;27(3):315–89.
29. Dickens LT, Cifu AS, Cohen RN. Diagnosis and Management of Thyroid Disease During Pregnancy and the Postpartum Period. JAMA. 2019;321(19):1928–9.
30. Yassa L, Marqusee E, Fawcett R, Alexander EK. Thyroid hormone early adjustment in pregnancy (the THERAPY) trial. J Clin Endocrinol Metab. 2010;95(7):3234–41.
31. Martins ACM, Furasté EE, Oliveira EB, Machado E, Rech MRA, Katz N, et al. Protocolos de encaminhamento para Obstetrícia (Pré-Natal de Alto Risco) [Internet]. Porto Alegre: TelessaúdeRS-UFRGS; 2019 [capturado em 13 nov. 2020]. Disponível em: https://www.ufrgs.br/telessauders/documentos/protocolos_resumos/protocolo_encaminhamento_obstetricia_TSRS20190821.pdf
32. Consortium on Thyroid and Pregnancy – Study Group on Preterm Birth, Korevaar TIM, Derakhshan A, Taylor PN, Meima M, Chen L, et al. Association of thyroid function test abnormalities and thyroid autoimmunity with preterm birth: a systematic review and meta-analysis. JAMA. 2019;322(7):632-41. Erratum in: JAMA. 2019;322(17):1718.
33. Maraka S, Ospina NM, O'Keeffe DT, Espinosa De Ycaza AE, Gionfriddo MR, Erwin PJ, et al. Subclinical hypothyroidism in pregnancy: a systematic review and meta-analysis. Thyroid. 2016;26(4):580-90.
34. Casey BM, Thom EA, Peaceman AM, Varner MW, Sorokin Y, Hirtz DG, et al. Treatment of subclinical hypothyroidism or hypothyroxinemia in pregnancy. N Engl J Med. 2017;376(9):815–25.
35. Rao M, Zeng Z, Zhou F, Wang H, Liu J, Wang R, et al. Effect of levothyroxine supplementation on pregnancy loss and preterm birth in women with subclinical hypothyroidism and thyroid autoimmunity: a systematic review and meta-analysis. Hum Reprod Update. 2019;25(3):344–61.
36. Schummers L, Hutcheon JA, Bodnar LM, Lieberman E, Himes KP. Risk of adverse pregnancy outcomes by prepregnancy body mass index: a population-based study to inform prepregnancy weight loss counseling. Obstet Gynecol. 2015;125(1):133–43.
37. Reynolds RM, Allan KM, Raja EA, Bhattacharya S, McNeill G, Hannaford PC, et al. Maternal obesity during pregnancy and premature mortality from cardiovascular event in adult offspring: follow-up of 1 323 275 person years. BMJ. 2013;347:f4539.
38. Fleming TP, Watkins AJ, Velazquez MA, Mathers JC, Prentice AM, Stephenson J, et al. Origins of lifetime health around the time of conception: causes and consequences. Lancet. 2018;391(10132):1842–52.
39. Lashen H, Fear K, Sturdee DW. Obesity is associated with increased risk of first trimester and recurrent miscarriage: matched case-control study. Hum Reprod Oxf Engl. 2004;19(7):1644–6.
40. Cavalcante MB, Sarno M, Peixoto AB, Araujo Jr E, Barini R. Obesity and recurrent miscarriage: a systematic review and meta-analysis. J Obstet Gynaecol Res. 2019;45(1):30–8.
41. Reddy UM, Branum AM, Klebanoff MA. Relationship of maternal body mass index and height to twinning.
42. Obstet Gynecol. 2005;105(3):593–7.
43. Fraser RB. Obesity complicating pregnancy. Curr Obstet Gynaecol. 2006;16(5):295-8.
44. Brockelsby J, Dresner M. Obesity and pregnancy. Curr Anaesh Crit Care. 2006; 17:125-9.
45. Irvine L, Shaw R. The impact of obesity on obstetric outcomes. Curr Obstet Gynaecol. 2006; 16(4): 242-6.
46. Bongain A, Isnard V, Gillet JY. Obesity in obstetrics and gynaecology. Eur J Obstet Gynecol Reprod Biol. 1998;77(2):217–28.
47. Gaillard R, Steegers EAP, Hofman A, Jaddoe VWV. Associations of maternal obesity with blood pressure and the risks of gestational hypertensive disorders. The Generation R Study. J Hypertens. 2011;29(5):937–44.
48. ACOG Committee Opinion nº 743: Low-dose aspirin use during pregnancy. Obstet Gynecol. 2018;132(1):e44–52.
49. Villamor E, Cnattingius S. Interpregnancy weight change and risk of adverse pregnancy outcomes: a population-based study. Lancet. 2006;368(9542):1164–70.
50. Gunatilake RP, Smrtka MP, Harris B, Kraus DM, Small MJ, Grotegut CA, et al. Predictors of failed trial of labor among women with an extremely obese body mass index. Am J Obstet Gynecol. 2013;209(6):562.e1-5.
51. Rogers AJG, Harper LM, Mari G. A conceptual framework for the impact of obesity on risk of cesarean delivery. Am J Obstet Gynecol. 2018;219(4):356–63.
52. Blondon M, Harrington LB, Boehlen F, Robert-Ebadi H, Righini M, Smith NL. Pre-pregnancy BMI, delivery BMI, gestational weight

53. Ehrenberg HM, Mercer BM, Catalano PM. The influence of obesity and diabetes on the prevalence of macrosomia. Am J Obstet Gynecol. 2004;191(3):964–8.
54. Stothard KJ, Tennant PWG, Bell R, Rankin J. Maternal overweight and obesity and the risk of congenital anomalies: a systematic review and meta-analysis. JAMA. 2009;301(6):636–50.
55. Humes D, Dupont HL, editors. Kelley's textbook of internal medicine. 4th ed. Philadelphia: LWW; 2000. 3254 p.
56. Kjær MM, Lauenborg J, Breum BM, Nilas L. The risk of adverse pregnancy outcome after bariatric surgery: a nationwide register-based matched cohort study. Am J Obstet Gynecol. 2013;208(6):464.e1–5.
57. Alvarez-Leite JI. Nutrient deficiencies secondary to bariatric surgery. Curr Opin Clin Nutr Metab Care. 2004;7(5):569–75.
58. Choi J, Fukuoka Y, Lee JH. The effects of physical activity and physical activity plus diet interventions on body weight in overweight or obese women who are pregnant or in postpartum: a systematic review and meta-analysis of randomized controlled trials. Prev Med. 2013;56(6):351–64.
59. Avila WS, Alexandre ERG, Castro ML, Lucena AJG, Marques-Santos C, Freire CMV, et al. Posicionamento da Sociedade Brasileira de Cardiologia para Gravidez e Planejamento Familiar na Mulher Portadora de Cardiopatia – 2020. Arq Bras Cardiol[Internet]. 2020 [capturado em 16 nov. 2020];114(5):849–942. Disponível em: https://www.scielo.br/pdf/abc/v114n5/0066-782X-abc-114-05-0849.pdf
60. Tarasoutchi F, Montera MW, Ramos AIO, Sampaio RO, Rosa VEE, Accorsi TAD, Santis A, et al. Atualização das Diretrizes Brasileiras de Valvopatias – 2020. Arq. Bras. Cardiol. 2020;115(4):720–75.
61. Regitz-Zagrosek V, Roos-Hesselink JW, Bauersachs J, Blomström-Lundqvist C, Cífková R, De Bonis M, et al. 2018 ESC Guidelines for the management of cardiovascular diseases during pregnancy. Eur Heart J. 2018;39(34):3165–241.
62. Zipes DP, Libby P, Bonow RO, Mann DL, Tomaselli GF, editors. Braunwald's heart disease: a textbook of cardiovascular medicine. 11th ed. Philadelphia: Elsevier; 2018. 2 v.
63. Nishimura RA, Otto CM, Bonow RO, Carabello BA, Erwin JP, Guyton RA, et al. 2014 AHA/ACC Guideline for the Management of Patients With Valvular Heart Disease: executive summary: a report of the American College of Cardiology/American Heart Association Task Force on Practice Guidelines. Circulation. 2014;129(23):2440–92.
64. Nanna M, Stergiopoulos K. Pregnancy complicated by valvular heart disease: an update. J Am Heart Assoc. 2014;3(3):e000712.

# Capítulo 115
## HIPERTENSÃO ARTERIAL NA GESTAÇÃO

José Geraldo Lopes Ramos
Sérgio Martins-Costa
Janete Vettorazzi

## EPIDEMIOLOGIA

Os distúrbios hipertensivos da gestação acometem cerca de 7,5% das gestantes brasileiras e são uma das principais causas de morte materna no Brasil, sendo responsáveis por cerca de 20% dessas mortes.[1-3] Estima-se que 100 mil mulheres recebam tratamento para pré-eclâmpsia (PE) no mundo a cada ano e que aproximadamente 21 mil delas desenvolvam PE grave.[4] A Organização Mundial da Saúde (OMS) calcula que a cada 7 minutos uma mulher morre em decorrência de complicações hipertensivas,[5] estando a eclâmpsia presente em 50 a 60% dos casos de morte materna por hipertensão. No Hospital de Clínicas de Porto Alegre (HCPA), em um período de 20 anos de observação, a doença hipertensiva se manteve como a principal causa de morte materna, sendo responsável por 18,5% dos casos.[6]

A eclâmpsia está envolvida na maioria das mortes maternas por hipertensão,[2,3,7] principalmente por acidente vascular cerebral (AVC).[8] Além disso, cerca de 15% de todos os nascimentos pré-termo têm como causa a presença de doença hipertensiva da gravidez.[9] A PE é também uma das principais causas de indução de parto em gestações pré-termo no mundo.[10]

## DEFINIÇÕES

Existem várias classificações descritas para os distúrbios hipertensivos na gravidez. Em 2018, a International Society for the Study of Hypertension in Pregnancy (ISSHP) revisou a classificação dos distúrbios hipertensivos na gestação[10] (TABELA 115.1).

### Hipertensão arterial

É considerada hipertensão arterial na gravidez uma pressão arterial sistólica (PAS) ≥ 140 mmHg e/ou uma pressão arterial diastólica (PAD) ≥ 90 mmHg, preferencialmente medida com esfigmomanômetro digital. Independentemente do dispositivo utilizado para medir a pressão arterial (PA), deve-se ter em mente que para uma gestante ser considerada como tendo hipertensão arterial sistêmica (HAS), os níveis elevados de pressão devem ser confirmados em repouso. A ISSHP recomenda no mínimo 2 medidas de pressão arterial, de preferência após um período de repouso por uma noite no hospital.[10]

### Proteinúria gestacional

Na gestação, considera-se proteinúria significativa a excreção de 300 mg ou mais de proteínas em coleta de urina de 24 horas.

A medida da proteinúria de 24 horas é sujeita a muitos erros de coleção e armazenamento, não devendo ser

TABELA 115.1 → Classificação dos distúrbios hipertensivos da gestação revisada em 2018 pela International Society for the Study of Hypertension in Pregnancy (ISSHP)

| Hipertensão antes das 20 semanas |
|---|
| → Hipertensão crônica |
| → Essencial |
| → Secundária |
| → Hipertensão do avental branco |
| → Hipertensão oculta |
| **Hipertensão após 20 semanas** |
| → Hipertensão transitória |
| → Hipertensão gestacional |
| → Pré-eclâmpsia com ou sem hipertensão crônica sobreposta |

Fonte: Adaptada de Brown e colaboradores.[10]

utilizada para fins clínicos, a menos que seja medida também a creatininúria de 24 horas para avaliar a adequação da coleta.[11] A medida da relação proteinúria/creatininúria (P/C) em amostra isolada de urina tem sido de maior utilidade na prática clínica. A relação P/C com valor ≥ 0,3 significa proteinúria patológica e apresenta boa correlação com a medida de proteinúria coletada adequadamente em urina de 24 horas.[11] Ainda, se a relação P/C ≥ 0,5, todas as pacientes apresentam proteinúria significativa.[11] No teste em fita reagente, a presença de 1 g/L ou mais de proteínas sugere fortemente proteinúria significativa.

## Hipertensão arterial crônica

Hipertensão arterial crônica na gravidez é a ocorrência de HAS precedendo a gestação. Como muitas vezes não há registros de medidas de PA antes da gestação, considera-se HAS crônica quando a HAS é constatada no 1º trimestre da gestação ou, no máximo, até a 20ª semana.

## Hipertensão gestacional

É a hipertensão arterial que surge pela primeira vez após a 20ª semana da gestação, sem estar acompanhada de nenhum sinal, sintoma ou alteração laboratorial que caracterize PE.

## Pré-eclâmpsia

A pré-eclâmpsia (PE) é uma síndrome caracterizada pelo surgimento de hipertensão após a 20ª semana de gestação, acompanhada de pelo menos um sinal clínico, laboratorial ou hemodinâmico, de hiperatividade endotelial vascular, como:
1. proteinúria significativa (relação P/C ≥ 0,3 ou proteínas ≥ 1 g/L em fita reagente);
2. disfunções orgânicas maternas:
    → perda de função renal: creatinina ≥ 1,02 mg/dL;
    → disfunção hepática: aumento de transaminases pelo menos 2 vezes o limite superior da normalidade (LSN). Alanina-aminotransferase (ALT) ou aspartato-aminotransferase (AST) > 40 UI/L ou presença de epigastralgia;
    → complicações neurológicas: estado mental alterado, cegueira, hiper-reflexia com clônus, escotomas, turvamento visual, diplopia, Doppler da artéria oftálmica materna com *peak ratio* > 0,78;
    → complicações hematológicas: plaquetopenia < 150.000/dL, coagulação intravascular disseminada (CIVD), hemólise;
    → estado de antiangiogênese: fator de crescimento placentário (PLGF, do inglês *placental growth factor*) < 36 pg/mL ou relação sFlt-1 (tirosina-quinase-1 solúvel semelhante a FMS)/PLGF > 85;
3. disfunção uteroplacentária: restrição do crescimento intrauterino (RCIU) assimétrico, Doppler umbilical alterado, principalmente em caso de Doppler também alterado nas duas artérias uterinas maternas.

Portanto, gestantes que se tornam hipertensas após a primeira metade da gestação, mesmo sem proteinúria significativa, devem realizar investigação subsidiária para excluir outras disfunções maternas e placentárias. Sem isso, é impossível excluir o diagnóstico de PE. Quando a PE ocorre em gestante com HAS crônica, considera-se como tendo PE sobreposta. Não se classifica mais a PE como leve ou grave.

### Pré-eclâmpsia grave e eclâmpsia

Pré-eclâmpsia grave (PEG) é definida como a PE associada a complicações materno-fetais graves com risco de comprometimento materno-fetal.

Eclâmpsia é a ocorrência de convulsões motoras generalizadas (tipo grande mal), não causadas por doença neurológica coincidente, em gestante com PE. As convulsões podem ocorrer no período pré-parto (50%), durante o parto (20%) e no período pós-parto (11-44%).[12]

### Hipertensão do avental branco

Refere-se à situação em que as pessoas apresentam medidas aumentadas de PA apenas no consultório, na ausência de outras alterações. O diagnóstico pode ser confirmado por medidas seriadas ou por monitorização ambulatorial da PA (MAPA).

Há poucos estudos sobre a repercussão desse tipo de distúrbio na gestação; alguns sugerem que até 50% dos casos possam evoluir para hipertensão gestacional ou PE.[10]

## ETIOLOGIA E FATORES DE RISCO

Quando a hipertensão arterial está presente antes da gestação ou até a 20ª semana gestacional, trata-se de hipertensão arterial (HA) crônica (ver Capítulo Hipertensão Arterial Sistêmica). A PE é uma doença de causa ainda não esclarecida e que pode estar relacionada com inúmeros fatores genéticos, comportamentais e ambientais.

Na gravidez normal, há predomínio de células Treg, M2, macrófagos e imunidade tipo Th2 para prevenção à rejeição fetal e excesso de inflamação.

Na PE, há um desvio para predominância de Th1, Th17, células T citotóxicas e macrófagos M1, resultando em supressão da tolerância e indução de inflamação.[13] Os principais fatores de risco para o desenvolvimento da PE são primigestação, história prévia ou familiar, hipertensão crônica, diabetes prévio à gestação, doenças do colágeno, etnia negra, obesidade, procedimentos de reprodução assistida, gemelaridade e trombofilias (TABELA 115.2).[14-15] A presença de PE, independentemente de sua gravidade, determina risco aumentado para a gestante e para o feto.

Devido à alta incidência e à gravidade da PE, grandes esforços têm sido feitos para identificar as mulheres em maior risco de desenvolver a doença. Ter tido PE na gestação anterior confere um risco médio de recorrência em torno de 7,1% e de 9,9% para ocorrência de hipertensão gestacional.[16] A recorrência é mais provável se a PE anterior teve início precoce e se foi grave ou complicada por eclâmpsia ou síndrome HELLP (hemólise, enzimas hepáticas elevadas e plaquetas baixas).

Entre os vários testes propostos para predizer a ocorrência de PE, o mais utilizado na atualidade é a Dopplerfluxometria das artérias uterinas. Esse teste indica risco aumentado

**TABELA 115.2** → Fatores de risco para ocorrência de pré-eclâmpsia

| FATOR DE RISCO | COMENTÁRIO SOBRE RISCO |
|---|---|
| Hidropsia fetal (não imune) | RR = 10 |
| Gestação molar | RR = 10 |
| Idade materna > 40 anos | RR = 3-4 |
| Irmã com PE | RR = 3,3 |
| Gestação gemelar | RR = 3 |
| Primigestação | RR = 2,4 |
| DM | RR = 2-3 (maior em caso de DM descompensado) |
| IMC > 25,8 | RR = 2,3-2,7 |
| "Homem de risco" (parceira anterior teve PE) | RR = 1,8 |
| PE sobreposta em gestação prévia | 70% de recorrência |
| Irmã, mãe ou avó com eclâmpsia | Respectivamente, 37, 26 e 16% desenvolvem PE |
| HAS crônica | 25% desenvolvem PE sobreposta |
| Nova paternidade | Risco semelhante ao da primigestação |
| Uso de método anticoncepcional de barreira | Aumento do risco |
| Maior duração da atividade sexual | Diminuição do risco |
| Aborto prévio | Diminuição do risco |
| Ganho excessivo de peso | Aumento do risco |
| Inseminação artificial | Aumento do risco |

DM, diabetes melito; HAS, hipertensão arterial sistêmica; IMC, índice de massa corporal; PE, pré-eclâmpsia; RR, risco relativo.
Fonte: Modificada de Sibai[14] e Lindheimer.[15]

em quase 60% quando forem identificadas, em mulheres já com risco clínico para PE,[1] incisuras protodiastólicas persistentes além da 23ª semana de gestação, sinalizando circulação placentária de alta resistência.[17] O alto valor preditivo negativo do Doppler é a principal vantagem do teste.[17] Assim, se o exame indicar bom fluxo diastólico nas artérias uterinas após a 25ª semana em uma mulher com risco aumentado para desenvolver PE (p. ex., mãe e irmã com história positiva de PE), pode-se inferir que esse risco clínico está diminuído.

O Doppler das artérias uterinas não tem utilidade em gestantes de baixo risco clínico para PE, pois não é capaz de identificar risco aumentado nessas gestantes.[17]

A avaliação de biomarcadores para PE tem sido objeto de diversos estudos e pode ser útil no diagnóstico precoce da doença. Idealmente, a identificação de biomarcadores deve ser de fácil execução e baixo custo, além de permitir a detecção precoce da doença hipertensiva da gestação, de preferência no 1º trimestre, antes mesmo do surgimento da hipertensão. Até o momento, nenhum biomarcador sérico se mostrou viável na prática clínica.

## DIAGNÓSTICO

### Hipertensão arterial na gestação

O diagnóstico da HAS na gravidez é feito por medida seriada dos níveis pressóricos durante o acompanhamento pré-natal. Uma PAS ≥ 140 mmHg e/ou PAD ≥ 90 mmHg caracteriza hipertensão arterial. Visando minimizar influências ambientais, deve-se realizar pelo menos 2 medidas da PA e utilizar a segunda para o diagnóstico.

Como pequenas variações da PA podem ter significado diagnóstico importante na gestação, é necessário tomar cuidados que minimizem os erros de aferição. A OMS e a International Federation of Gynecology and Obstetrics (Figo) recomendam os seguintes cuidados para a correta mensuração da PA na gravidez:

→ a gestante deve estar sentada e ficar em repouso por pelo menos 5 minutos antes da aferição;
→ o braço deve estar estendido na altura do coração (utilizar sempre o mesmo braço em medidas subsequentes);
→ usar preferencialmente esfigmomanômetro digital;
→ o manguito deve ter largura-padrão de 12 cm;
→ a PAD deve ser medida quando ocorrer o desaparecimento do último som diastólico (fase V de Korotkoff);
→ em caso de circunferência do braço ≥ 33 cm, utilizar manguito especial.

Em 15% das gestantes, o quinto som de Korotkoff está ausente ou próximo de zero. Nesses casos, deve-se utilizar o quarto som (abafamento do som). Em mulheres obesas, deve-se usar manguito apropriado ou aplicar fator de correção da medida da PA (ver Capítulo Hipertensão Arterial Sistêmica).

### Pré-eclâmpsia

Deve-se cogitar PE quando houver hipertensão arterial e proteinúria significativa após a 20ª semana de gestação (exceto na mola hidatidiforme, em que a PE pode surgir antes da 20ª semana). Quando há presença concomitante de aumento da PA e de proteinúria após a 20ª semana em uma primigesta com história familiar de PE ou eclâmpsia (principalmente irmã ou mãe), a probabilidade de PE é maior que 90%.[12]

Mesmo na ausência de proteinúria, deve-se suspeitar de PE se, além da hipertensão arterial, surgirem sinais de disfunção materna ou placentária, como: creatinina ≥ 1,02 mg/dL; aumento de transaminases pelo menos 2 vezes o LSN; epigastralgia; estado mental alterado; cegueira; hiper-reflexia com clônus; escotomas, turvamento visual e diplopia; plaquetopenia (<150.000/dL), CIVD e hemólise; RCIU assimétrico; Doppler umbilical com diminuição ou ausência de fluxo diastólico, e fluxo diastólico reverso na artéria umbilical, principalmente na presença de incisura protodiastólica nas duas artérias uterinas maternas.[10]

Uma PAS ≥ 160 mmHg e/ou PAD ≥ 110 mmHg, em caráter persistente, ou a presença de qualquer um dos critérios listados na **TABELA 115.3** indicam PE grave. O estado de saúde das gestantes com PE grave pode piorar rapidamente, com risco de morte materna e perinatal.[12] Em relação ao tempo gestacional no diagnóstico, deve-se considerar grave toda PE diagnosticada antes da 32ª semana, mesmo sem os critérios clínicos ou laboratoriais que a definem.

Os níveis séricos de ácido úrico elevam-se precocemente na PE e estão associados a lesões de ateromatose do leito placentário, baixo peso do recém-nascido,[18] hemoconcentração[19] e gravidade da glomeruloendoteliose.[20] Níveis

**TABELA 115.3** → Critérios de gravidade na pré-eclâmpsia

| PARÂMETRO | CRITÉRIO |
|---|---|
| Pressão arterial | PAD ≥ 110 mmHg e/ou |
| | PAS ≥ 160 mmHg em 2 medidas após repouso de 6 horas entre as medidas |
| Eclâmpsia | Convulsão generalizada sem doença neurológica presente |
| AVC | Acidente cerebrovascular (perda aguda de função cerebral, alteração do estado mental, coma) |
| Sinais de disfunção do sistema nervoso central | Perda parcial ou total da visão |
| | Visão turva, diplopia, escotomas cintilantes |
| Sintomas de distensão da cápsula hepática | Dor persistente em região epigástrica ou no quadrante abdominal superior direito |
| Comprometimento renal | Oligúria (≤ 500 mL/24 h) |
| | Creatinina sérica (> 1,2 mg/dL) |
| Plaquetopenia | ≤ 100.000 células/mm³ |
| Coagulopatia | TTPa (≥ 1,4 s) |
| | Plaquetopenia (≤ 100.000 células/mm³) |
| | Diminuição do fibrinogênio (≤ 300 mg/dL) |
| Comprometimento hepático | > 2 vezes nas enzimas hepáticas (ALT, AST) |
| Comprometimento pulmonar | Edema agudo/TEP |
| Comprometimento fetal | RCIU (peso fetal < p5 ou < p10) + comprometimento fetal (oligoidrâmnio, Doppler umbilical alterado) |
| Momento do diagnóstico | PE diagnosticada em IG < 32 semanas |

ALT, alanina-aminotransferase; AST, aspartato-aminotransferase; AVC, acidente vascular cerebral; IG, idade gestacional; PAD, pressão arterial diastólica; PAS, pressão arterial sistólica; PE, pré-eclâmpsia; RCIU, restrição do crescimento intrauterino; TEP, tromboembolismo pulmonar; TTPa, tempo de tromboplastina parcial ativada.
Fonte: Modificada de Roberts e colaboradores,[8] Brown e colaboradores[10] e Peraçoli.[40]

de ácido úrico > 4,5 mg/dL são considerados anormais na gestação.[21] A atividade diminuída da antitrombina III (< 70%) é indicativa de glomeruloendoteliose renal. A calciúria de 24 horas costuma estar abaixo de 100 mg na PE.[22]

Nas mulheres com hipertensão crônica e naquelas com risco aumentado para PE (ver **TABELA 115.2**), é prudente realizar exames basais no início da gestação para posterior comparação. Essa avaliação inclui medidas de hematócrito, hemoglobina, plaquetas, creatinina, ácido úrico e exame qualitativo de urina. Havendo uma cruz [+] ou mais de proteínas na urina, deve-se realizar medida da relação P/C em amostra de urina.

## Diagnóstico diferencial entre pré-eclâmpsia e hipertensão arterial sistêmica crônica

Na presença de hipertensão e proteinúria que surgem pela primeira vez em uma primigesta após a 20ª semana de gestação, a PE é facilmente diagnosticada. Do mesmo modo, níveis pressóricos elevados antes da 20ª semana ou mesmo antes do início da gestação são indicativos de hipertensão arterial crônica.

Entretanto, o diagnóstico diferencial pode tornar-se difícil quando a gestante com hipertensão arterial é vista pela primeira vez após a 20ª semana e não sabe informar com precisão seus níveis pressóricos anteriores. Nesse caso, se a gestante não for primigesta e tiver ácido úrico sérico < 4,5 mg/dL, o diagnóstico de HAS crônica é mais provável, mesmo na presença de proteinúria significativa. Calciúria de 24 horas > 100 mg/dL e/ou Doppler das artérias uterinas indicando índices de resistência dentro da normalidade afastam a hipótese de PE. Outros métodos que estão se tornando relevantes para o diagnóstico diferencial são o exame de Dopplerfluxometria das artérias uterinas e a relação sFlt-1/PLGF.

A **TABELA 115.4** apresenta as características que diferenciam a PE da HAS crônica.

## ENCAMINHAMENTO AO SERVIÇO ESPECIALIZADO

As gestantes com suspeita de PE devem ser encaminhadas ao centro obstétrico ou à emergência ginecológica para confirmação do diagnóstico e acompanhamento, assim como as gestantes com crise hipertensiva (PAS ≥ 160 mmHg ou PAD ≥ 110 mmHg).

As seguintes condições indicam necessidade de encaminhamento para serviço especializado em obstetrícia, centro obstétrico ou pré-natal de alto risco: hipertensão arterial na presença de lesão em órgão-alvo (proteinúria ou doença renal crônica, hipertrofia de ventrículo esquerdo, retinopatia); ou hipertensão grave (PAS ≥ 160 mmHg ou PAD ≥ 110 mmHg), independentemente do tratamento; ou hipertensão leve a moderada (PAS ≥ 140-159 mmHg ou PAD ≥ 90-109 mmHg) em uso de dois ou mais fármacos anti-hipertensivos; ou suspeita de hipertensão secundária; ou tabagismo; ou idade materna ≥ 40 anos; ou diagnóstico de diabetes melito ou diabetes gestacional; ou mau resultado obstétrico e/ou perinatal em gestação prévia (interrupção prematura da gestação, morte fetal intrauterina ou perinatal, síndrome HELLP, PE ou eclâmpsia, parada cardiorrespiratória, internação em unidade de terapia intensiva durante a gestação, entre outras); ou sinais de insuficiência placentária (oligoidrâmnio, RCIU, aumento de resistência de artérias uterinas).[23]

**TABELA 115.4** → Diagnóstico diferencial entre pré-eclâmpsia (PE) e hipertensão arterial sistêmica (HAS) crônica

| CARACTERÍSTICA | PE | HAS CRÔNICA |
|---|---|---|
| Paridade | Primigesta | Multípara |
| Início da HAS | Após a 20ª semana | Antes da 20ª semana |
| Reatividade vascular | Aumentada | Normal |
| História familiar de DHEG | Positiva | Negativa |
| História prévia de HAS | Negativa | Positiva |
| Ácido úrico sérico | Aumentado | Normal |
| ECG | Normal | Normal/sobrecarga |
| Relação proteína/creatinina | 0,3 | ≥ 0,3 |
| Fundoscopia | Normal/alterações funcionais | Normal/alterações anatômicas |
| Calciúria | < 100 mg/24 h | > 100 mg/24 h |

DHEG, doença hipertensiva específica da gravidez; ECG, eletrocardiograma.

# TRATAMENTO

## Pré-eclâmpsia

Diante do surgimento de HAS durante o pré-natal, não é prudente iniciar tratamento anti-hipertensivo, mas sim realizar uma investigação minuciosa da causa do aumento dos níveis pressóricos. A correção de uma HAS leve pode mascarar uma PE subjacente, colocando em risco a saúde da mãe e do feto.

**Independentemente da gravidade do quadro clínico, toda gestante com diagnóstico de PE deve ser hospitalizada para acompanhamento em unidade de gestação de alto risco C/D.**

Embora não haja unanimidade entre os diversos autores sobre as vantagens da internação hospitalar de todas as gestantes com PE, essa conduta tem sido mantida em vários centros de referência.[12]

A cura da PE só ocorre após a retirada da placenta; por isso, a conduta clínica depende basicamente da gravidade da doença e da idade gestacional. Com o objetivo de diminuir a ocorrência de complicações maternas e fetais, é prudente que as gestantes sejam encaminhadas para serviços terciários que sigam protocolos preestabelecidos para a interrupção precoce e oportuna da gestação. A existência de maturidade fetal é indicação de interrupção da gestação, considerada a única forma de tratamento definitivo da PE.

O parto antes das 37 semanas é fator independente de proteção contra recorrência de PE na gestação seguinte.[24] Em relação a eventos maternos, a indução planejada do parto na PE com feto maduro diminui de maneira significativa a morbidade (15% vs. 20%; NNT = 20),[25] sobretudo relacionada com o surgimento de hipertensão grave B,[26] com diminuição significativa do custo do atendimento.

Portanto, toda gestante com feto perto do termo (idade gestacional ≥ 36-37 semanas) e PE (independentemente da gravidade) deve ser manejada de acordo com os seguintes parâmetros:

→ internação da gestante em centro obstétrico;
→ tratamento rigoroso da hipertensão arterial;
→ prevenção das convulsões com sulfato de magnésio;
→ avaliação do grau de comprometimento materno e fetal;
→ interrupção da gestação, de preferência por indução do trabalho de parto.

## Hipertensão crônica

A grande maioria das gestantes com HAS crônica tem hipertensão do tipo essencial e, quando comparadas com gestantes normotensas, sua evolução gestacional é desfavorável. O aumento nas mortalidades materna e perinatal em geral está associado à sobreposição de PE, idade materna > 30 anos e duração da enfermidade. Mulheres com HAS crônica idealmente devem ser avaliadas antes da concepção, para que fármacos não recomendados durante a gravidez, como os inibidores da enzima conversora da angiotensina (IECAs), possam ser substituídos por outros, como a metildopa (ver Apêndice Uso de Medicamentos na Gestação e na Amamentação).

O CHIPS (*Control of Hypertension in Pregnancy Study*) comparou, de maneira randomizada, o controle mais rigoroso *versus* controle menos rigoroso da PA em gestantes com HAS leve e moderada. O grupo submetido ao controle mais rigoroso (manter PA ≤ 140/90 mmHg) teve significativamente menos episódios de HAS grave (risco relativo [RR] = 0,49), menos prematuridade, menos plaquetopenia, menos necessidade de transfusão e peso fetal mais adequado ao nascimento. Desse modo, é uma boa prática manter um controle adequado da HAS nessas gestantes[27] B.

Ao escolher o medicamento anti-hipertensivo na gravidez, deve-se dar preferência à metildopa e ao nifedipino, que possuem a vantagem de manter mais estáveis o fluxo uteroplacentário e a hemodinâmica fetal, com melhor perfil de segurança e eficácia para gestante e feto C/D.[28] Metildopa e nifedipino estão associados a menor ocorrência de HAS grave e descolamento prematuro de placenta. Uma alternativa que tem se tornado popular, mas ainda sem evidência de segurança ou eficácia na gestação em ensaios clínicos randomizados, tem sido o anlodipino.

Os betabloqueadores, em especial o propranolol, associam-se à diminuição significativa do fluxo placentário e à RCIU, aumentando em cerca de 36% o risco de recém-nascidos pequenos para a idade gestacional (PIG) C.[28,29] O atenolol deve ser evitado, pois apresenta maior risco de recém-nascidos PIG do que os demais anti-hipertensivos. Os betabloqueadores do tipo $\beta_2$-seletivos (pindolol, labetalol, carvedilol) podem ser uma boa opção à metildopa em alguns casos e até na associação, quando necessário. O uso de betabloqueadores, associados ou não a alfabloqueadores, pode ser necessário em gestantes com hipertensão refratária ao tratamento com metildopa.

Os IECAs (captopril, enalapril) estão associados à redução significativa do fluxo sanguíneo uteroplacentário, à morte fetal, à RCIU, ao oligoidrâmnio, à morte neonatal e à insuficiência renal em neonatos, sendo, portanto, contraindicados na gestação D.

Embora não seja contraindicado na gestação, o uso de diuréticos é controverso, pois pode interferir no aumento plasmático fisiológico da gravidez e, com isso, contribuir para o nascimento de recém-nascidos de menor peso. Na presença de PE e/ou RCIU, seu uso deve ser descontinuado. Os diuréticos podem ser úteis nas gestantes com hipertensão sensível à retenção salina ou com disfunção de ventrículo esquerdo, devendo-se evitá-los na primeira metade da gestação C/D.[30]

Os principais medicamentos anti-hipertensivos para uso na gestação estão relacionados na TABELA 115.5 (ver também Apêndice Uso de Medicamentos na Gestação e na Amamentação).

> **Um dos principais fatores determinantes de um bom prognóstico perinatal para as gestantes com HAS é o início precoce do acompanhamento pré-natal qualificado, com encaminhamento oportuno ao pré-natal de alto risco conforme os critérios estabelecidos.**

A determinação correta da idade gestacional (ultrassonografia no 1º trimestre) é fundamental. Deve-se também

**TABELA 115.5** → Terapia anti-hipertensiva na gestação

| MEDICAMENTO | CLASSE | DOSE/DIA | INTERVALO | CLASSIFICAÇÃO DA FDA* | OBSERVAÇÃO |
|---|---|---|---|---|---|
| **Primeira escolha[†]** | | | | | |
| Metildopa | Inibidor α-adrenérgico central | 500-3.000 mg | 8/8 horas ou 12/12 horas | B | Riscos: sonolência; raramente: bradicardia, alteração da função hepática, plaquetopenia; em poucos casos, teste de Coombs positivo |
| **Segunda escolha** | | | | | |
| Nifedipino (liberação prolongada) | Bloqueador do canal de cálcio | 30-90 mg | 8/8 horas ou 12/12 horas | C | Uso crônico pode causar cefaleia |
| Anlodipino | Bloqueador do canal de cálcio | 5-10 mg | 24/24 horas | C | Uso crônico pode causar cefaleia |
| Hidralazina | Vasodilatador | 50-100 mg | 6/6 horas ou 12/12 horas | C | Pode causar trombocitopenia no recém-nascido |
| Propranolol | Betabloqueador | 40-240 mg | 8/8 horas ou 12/12 horas | C | Risco de RCIU<br>Evitar uso<br>Exacerbação da insuficiência cardíaca<br>Precaução no diabetes |
| Carvedilol | Betabloqueador | 6,25-12,5 mg | 24/24 horas | C | Evitar o uso em asma brônquica, DPOC com broncospasmo e diabetes |
| Verapamil | Bloqueador do canal de cálcio | 240-320 mg | 8/8 horas | C | Náuseas, tonturas e constipação intestinal |
| Hidroclorotiazida | Diurético | 25-50 mg, pela manhã | 24/24 horas | C | Risco para recém-nascido: pancreatite hemorrágica, plaquetopenia e depleção de $Na^+$ e $K^+$ |
| Furosemida | Diurético de alça | 10-40 mg | 12/12 horas ou 24/24 horas | C | Diminuição da expansão do volume plasmático |

*A, estudos controlados em gestantes não mostraram risco; B, estudos em animais não mostraram risco, mas não há estudos em humanos; C, estudos em animais mostraram risco, mas não há estudos em humanos; D, existe evidência de risco fetal em humanos.
[†]Nos Estados Unidos, nifedipino e labetalol são considerados como primeira escolha.
DPOC, doença pulmonar obstrutiva crônica; FDA, Food and Drug Administration; RCIU, restrição do crescimento intrauterino.

verificar se há comprometimento sistêmico da HAS, por meio de fundoscopia ocular, eletrocardiograma, provas de função renal e rastreamento do diabetes. Além disso, durante o acompanhamento pré-natal, é importante estar atento para o crescimento fetal. Após a 20ª semana de gravidez, deve-se pesquisar surgimento ou piora da proteinúria, elevação do ácido úrico sérico e exacerbação dos níveis pressóricos, pois estes são sinais de PE.

Os critérios para tratamento hospitalar da HAS crônica na gestação podem ser vistos na **TABELA 115.6**.

Em raras situações, a HAS crônica na gravidez pode ser devida a causas específicas, como doença renal prévia, estenose da artéria renal e distúrbios endócrinos variados. Alguns tipos de HAS secundária se associam à evolução gestacional muito desfavorável.

## Hipertensão persistente pós-parto

As gestantes hipertensas crônicas podem desenvolver encefalopatia hipertensiva, edema pulmonar e insuficiência cardíaca no puerpério, sendo esses eventos mais frequentes na presença de PE sobreposta, doença cardíaca ou renal prévia, descolamento de placenta ou PA de difícil controle.

**TABELA 115.6** → Critérios para tratamento hospitalar da hipertensão arterial sistêmica (HAS) crônica na gravidez

→ Pressão arterial ≥ 160/110 mmHg (persistente)
→ Pré-eclâmpsia/eclâmpsia sobreposta
→ Restrição de crescimento intrauterino
→ HAS secundária descompensada

As mulheres que se mantêm hipertensas devem utilizar medicamentos por via oral para seu controle. As demais podem realizar o controle da PA semanalmente por 1 mês e, após, com intervalos de 3 a 6 meses por 1 ano. É esperado encontrar níveis pressóricos aumentados até 3 meses após o parto. Diante da manutenção de hipertensão após esse período, deve ser considerada a possibilidade de hipertensão crônica, e feito o devido acompanhamento conforme protocolos vigentes (ver Capítulo Hipertensão Arterial Sistêmica).

É importante lembrar que a maioria dos anti-hipertensivos é excretada no leite materno, podendo ser absorvida pelo recém-nascido. Embora bons estudos sobre o uso de anti-hipertensivos na amamentação sejam escassos, parece razoável a recomendação de evitar o uso prolongado e em doses elevadas de diuréticos, especialmente os de alça, devido ao risco teórico de redução da produção do leite. Metildopa, hidroclorotiazida, propranolol, labetalol, nifedipino, captopril, enalapril e hidralazina são consideradas opções compatíveis com a amamentação. O anlodipino geralmente é seguro, mas, em casos de uso prolongado, deve-se observar presença de hipotensão e bradicardia no lactente. Atenolol, metoprolol e losartana devem ser evitados por atingirem maiores concentrações no leite materno.[31] (Ver também Apêndice Uso de Medicamentos na Gestação e na Amamentação.)

## COMPLICAÇÕES

A HAS na gravidez pode resultar em várias complicações **(TABELA 115.7)**, as quais invariavelmente exigem avaliação e manejo cuidadosos por parte da equipe médica. Uma

**TABELA 115.7** → Complicações da hipertensão arterial sistêmica (HAS) na gravidez

| SISTEMA AFETADO | DISTÚRBIO |
|---|---|
| Cardiovascular | HAS grave, edema pulmonar, acidentes vasculares |
| Renal | Oligúria, IRA |
| Hematológico | Hemólise, plaquetopenia, CIVD |
| Neurológico | Eclâmpsia, edema cerebral, AVC |
| Oftalmológico | Amaurose, hemorragias retinianas, exsudatos, edema de papila |
| Hepático | Disfunção, hematoma, ruptura |
| Placentário | Isquemia, trombose, DPP, sofrimento fetal |

AVC, acidente vascular cerebral; CIVD, coagulação intravascular disseminada; DPP, descolamento prematuro de placenta; IRA, insuficiência renal aguda.

complicação grave é a síndrome HELLP, que se caracteriza por hemólise, elevação de enzimas hepáticas e plaquetopenia. Todas as gestantes com esse quadro devem ser preparadas para parto vaginal ou abdominal dentro de 24 horas, de preferência em uma maternidade de referência para gestação de alto risco.

## PREVENÇÃO

A prevenção da PE tem sido um objetivo perseguido há muito tempo, pela importância de retardar as manifestações clínicas da doença ou reduzir a sua gravidade. Já foram tentadas, sem sucesso, dietas hipocalóricas, restrição de sódio e água, uso de diuréticos, entre outras medidas.

A suplementação com cálcio (carbonato de cálcio, 1.000-2.000 mg/dia) – em especial nas mulheres com baixa ingestão desse micronutriente e naquelas com alto risco para PE (ver TABELA 115.2) – pode reduzir em mais de 50% o risco de desenvolver PE (RR = 0,45; NNT = 25-48) **B**.[32,33] Além disso, reduz o desfecho composto de morte materna ou morbidade grave (RR = 0,8; NNT = 69-1163) **A** e pode reduzir a ocorrência de parto prematuro (RR = 0,76; NNT = 25-334) **B**. O uso de antiagregantes plaquetários também é efetivo, reduzindo o risco de PE (RR = 0,82; NNT = 49-93) e de mortalidade fetal (RR = 0,85; NNT = 123-589) **B**.[34] Assim, recomenda-se o uso de ácido acetilsalicílico em pequenas doses diárias (75-162 mg) para gestantes com risco aumentado de desenvolver PE.

O uso de terapia antioxidante, como a suplementação de vitaminas E e C, em gestantes com risco aumentado para PE não confere proteção para o desenvolvimento da doença **A**. Em função da ausência de benefício comprovado, associada a evidências, embora frágeis, de aumento de complicações fetais, o uso de antioxidantes para a prevenção de PE não é recomendado.[35]

Outras medidas para diminuir o risco de PE, como repouso e exercícios, têm sido alvo de vários estudos, com resultados conflitantes. Com relação ao exercício físico, não há consenso, apesar de alguns estudos apontarem menor incidência de PE em gestantes que praticavam exercícios com intensidade moderada em relação às que não praticavam nenhuma atividade.[36] Assim, enquanto se aguardam estudos mais bem delineados e com maior número de sujeitos, não está recomendada a restrição da atividade física das gestantes.

## ACONSELHAMENTO E PROGNÓSTICO PÓS-PARTO

As mulheres com doença hipertensiva na gestação devem ser acompanhadas no puerpério e, se permanecerem hipertensas, o acompanhamento deve ser mantido por no mínimo 12 semanas. A hipertensão arterial persistente após esse período deve ser considerada hipertensão crônica.

A chance de recorrência de PE na gestação subsequente está relacionada à gravidade do quadro apresentado, sendo maior quando a PE tiver se apresentado antes da 34ª semana. Alguns estudos encontraram recorrência de 20 a 70% na próxima gestação entre mulheres que apresentaram PE antes da 30ª semana, podendo ser maior em mulheres negras. A síndrome HELLP recorre em cerca de 5% das vezes. Além disso, a recorrência da PE é maior entre as multíparas do que entre as primíparas que tiveram a doença, especialmente se houver troca de parceiro na próxima gestação.[37,38]

Cada vez mais estudos estão apontando uma relação positiva entre pré-eclâmpsia/eclâmpsia e desenvolvimento de insuficiência cardíaca (RR = 4,2), doença arterial coronariana (RR = 2,5), morte por doença cardiovascular (RR = 2,2) e acidente vascular cerebral (RR = 1,8).[38-40] Por isso, o acompanhamento dessas pacientes deve ser cuidadoso para o resto da vida, com consultas clínicas regulares, buscando enfatizar medidas preventivas de doenças cardiovasculares e diagnóstico precoce destas.

## REFERÊNCIAS

1. Gaio DS, Schmidt MI, Duncan BB, Nucci LB, Matos MC, Branchtein L. Hypertensive disorders in pregnancy: frequency and associated factors in a cohort of Brazilian women. Hypertens Pregnancy. 2001;20(3):269-81.
2. Barros FC, Matijasevich A, Requejo JH, Giugliani E, Maranhão AG, Monteiro CA, et al. Recent trends in maternal, newborn, and child health in Brazil: progress toward Millennium Development Goals 4 and 5. Am J Public Health. 2010;100(10):1877-89.
3. Silva BGC, Lima NP, Silva SG, Antúnez SF, Seerig LM, Restrepo-Méndez MC, et al. Mortalidade materna no Brasil no período de 2001 a 2012: tendência temporal e diferenças regionais. Rev. bras. epidemiol. 2016; 19(3):484-93.
4. Belfort MA, Clark SL, Sibai B. Cerebral hemodynamics in preeclampsia: cerebral perfusion and the rationale for an alternative to magnesium sulfate. Obstet Gynecol Surv. 2006;61(10):655-65.
5. von Dadelszen P, Magee L. What matters in preeclampsia are the associated adverse outcomes: the view from Canada. Curr Opin Obstet Gynecol. 2008;20(2):110-5.
6. Ramos JGL, Martins-Costa S, Vettorazzi-Stuczynski J, Brietzke E. Morte materna em hospital terciário do Rio Grande do Sul – Brasil: um estudo de 20 anos. Rev Bras Ginecol Obstet. 2003;25(6):431-6.
7. Karnad DR, Guntupalli KK. Neurologic disorders in pregnancy. Crit Care Med. 2005;33(10 Suppl):S362-71.
8. Roberts JM, Pearson G, Cutler J, Lindheimer M. Summary of the NHLBI Working Group on research on hypertension during pregnancy. Hypertension. 2003;41(3):437-45.
9. Redman CW, Sargent IL. Latest advances in understanding preeclampsia. Science. 2005;308(5728):1592-4.
10. Brown MA, Magee LA, Kenny LC, Karumanchi SA, McCarthy FP, Saito S, et al. The hypertensive disorder of pregnancy: ISSHP

classification, diagnosis & management recommendations for international practice. Preg. Hypertension. 2018;13:291-310.
11. Ramos JG, Martins-Costa SH, Mathias MM, Guerin YL, Barros EG. Urinary protein/creatinine ratio in hypertensive pregnant women. Hypertens Pregnancy. 1999;18(3):209-18.
12. Martins-Costa S, Ramos JGL, Vettorazzi J, Barros E. Doença hipertensiva na gestação. In: Martins-Costa S, Ramos JGL, Magalhães JÁ, Passos EP, Freitas F, organizadores. Rotinas em Obstetrícia. 7. ed. Porto Alegre: Artmed;2017. Cap. 34, p. 573-606.
13. Saito S, editor. Preeclampsia, basic, genomic, and clinical. Singapore: Springer Nature; 2018.
14. Sibai BM. Magnesium sulfate prophylaxis in preeclampsia: lessons learned from recent trials. Am J Obstet Gynecol. 2004;190(6):1520-6.
15. Lindheimer MD, Taylor RN, Roberts JM, Cunnigham FG, Chesley L. Introduction, history, controversy and definitions. In: Lindheimer MD, Robert JM. Chesley's hypertensive disorders in pregnancy. 4th ed. London: Elsevier; 2014. Chapter 1, p. 1-44.
16. Bartsch E, Medcalf KE, Park AL, Ray JG. Clinical risk factors for pre-eclampsia determined in early pregnancy: systematic review and meta-analysis of large cohort studies. BMJ. 2016;353:i1753.
17. Zimmermmann P Eiriö V Koskinen J Kujansuu E, Ranta T. Doppler assessment of the uterine and uteroplacental circulation in the second trimester in pregnancies at high risk for pre-eclampsia and/or intrauterine growth retardation: comparison and correlation between different Doppler parameters. Ultrasound Obstet Gynecol. 1997;9(5):330-8.
18. Ramos JG, Martins-Costa S, Edelweiss MI, Costa CA. Placental bed lesions and infant birth weight in hypertensive pregnant women. Braz J Med Biol Res. 1995;28(4):447-55.
19. Beaufils M, Uzan S, DonSimoni R, Brault D, Colau JC. Metabolism of uric acid in normal and pathologic pregnancy. Contrib Nephrol. 1981;25:132-6.
20. Pollak VE, Nettles JB. The kidney in toxemia of pregnancy: a clinical and pathologic study based on renal biopsies. Medicine (Baltimore). 1960;39:469-526.
21. Lindheimer MD, Robert JM. Chesley's hypertensive disorders in pregnancy. 4th ed. London: Elsevier; 2014. Chapter 16.
22. Ramos JG, Martins-Costa SH, Kessler JB, Costa CA, Barros E. Calciuria and preeclampsia. Braz J Med Biol Res. 1998;31(4):519-22.
23. Telessaúde RS-UFRGS. Protocolos de encaminhamento para Obstetrícia (pré-natal de alto risco). Porto Alegre: Telessaúde RS-UFRGS; 2019 [capturado em 17 mar. 2021]. Disponível em: https://www.ufrgs.br/telessauders/documentos/protocolos_resumos/protocolo_encaminhamento_obstetricia_TSRS20190821.pdf.
24. Bhattacharya S, Campbell DM, Smith NC. Pre-eclampsia in the second pregnancy: does previous outcome matter? Eur J Obstet Gynecol Reprod Biol. 2009;144(2):130-4.
25. Chappell LC, Brocklehurst P, Green ME, Hunter R, Hardy P, Juszczak E, et al. Planned early delivery or expectant management for late preterm pre-eclampsia (PHOENIX): a randomised controlled trial. Lancet. 2019;394(10204):1181-90.
26. Koopmans CM, Bijlenga D, Groen H, Vijgen SMC, Aarnoudse JG, Bekedam DJ, et al. Induction of labour versus expectant monitoring for gestational hypertension or mild pre-eclampsia after 36 weeks' gestation (HYPITAT): a multicentre, open-label randomised controlled trial. Lancet. 2009;374(9694):979-88.
27. Magee LA, von Dadelszen P, Rey E, Ross S, Asztalos E, Murphy KE et al. Less-tight versus tight control of hypertension in pregnancy. N Engl J Med. 2015;372(5):407-17.
28. Bellos I, Pergialiotis V, Papapanagiotou A, Loutradis D, Daskalakis G. Comparative efficacy and safety of oral antihypertensive agents in pregnant women with chronic hypertension: a network metaanalysis. Am J Obstet Gynecol. 2020;223(4):525-37.
29. Magee LA, Duley L. Oral beta-blockers for mild to moderate hypertension during pregnancy. Cochrane Database Syst Rev. 2003;(3):CD002863.
30. Churchill D, Beevers GDG, Meher S, Rhodes C. Diuretics for preventing pre-eclampsia. Cochrane Database Syst Rev. 2007;(1):CD004451
31. Paula LG, Martins-Costa S. Tratamento anti-hipertensivo na gestação e lactação. Femina. 2003;31(9):803-8.
32. Hofmeyr GJ, et al. Calcium supplementation commencing before or early in pregnancy, for preventing hypertensive disorders of pregnancy. Cochrane Database Syst Rev. 2019:CD011192.
33. Norwitz ER, Robinson JN, Repke JT. Prevention of preeclampsia: is it possible? Clin. Obstet. Gynecol. 1999;42(3):436-54.
34. Duley L, Meher S, Hunter KE, Seidler AL, Askie LM. Antiplatelet agents for preventing pre-eclampsia and its complications. Cochrane Database Syst Rev. 2019;2019(10):CD004659.
35. Poston L, Briley AL, Seed PT, Kelly FJ, Shennan AH. Vitamin C and vitamin E in pregnant women at risk for pre-eclampsia (VIP trial): randomised placebo-controlled trial. Lancet. 2006;367(9517):1145-54.
36. Yeo S, Davidge S, Ronis DL, Antonakos CL, Hayashi R, O'Leary S. A comparison of walking versus stretching exercises to reduce the incidence of preeclampsia: a randomized clinical trial. Hypertens Pregnancy. 2008;27(2):113-30.
37. Lemonnier M1, Beucher G, Morello R, Herlicoviez M, Dreyfus M, Benoist G. [Subsequent pregnancy outcomes after first pregnancy with severe preeclampsia and delivery before 34 weeks of gestation]. J Gynecol Obstet Biol Reprod (Paris). 2013;42(2):174-83.
38. Wu P, Haththotuwa R, Kwok CS, Babu A, Kotronias RA, Rushton C, Zaman A, Fryer AA, Kadam U, Chew-Graham CA, Mamas MA. Preeclampsia and Future Cardiovascular Health: A Systematic Review and Meta-Analysis. Circ Cardiovasc Qual Outcomes. 2017;10(2):e003497.
39. Lindeberg S, Axelsson O, Jorner U, Malmberg L, Sandström B. A prospective controlled five-year follow-up study of primiparas with gestational hypertension. Acta Obstet Gynecol Scand. 1988;67(7):605-9.
40. Peraçoli JC, Borges VTM, Ramos JGL, Cavalli RC, Costa SHAM, Oliveira LG, et al. Pre-eclampsia/Eclampsia. Rev Bras Ginecol Obstet. 2019;41(5):318-32.

# Capítulo 116
# DIABETES NA GESTAÇÃO

Maria Lúcia da Rocha Oppermann
Angela Jacob Reichelt
Letícia Schwerz Weinert
Maria Inês Schmidt

O conjunto de quadros hiperglicêmicos que ocorrem na gravidez é chamado de diabetes na gestação. O National Collaborating Centre for Women's and Children's Health (NCC-WCH) estimou que 87,5% das gestações com diabetes são classificadas como diabetes gestacional; 7,5%, como diabetes tipo 1; e os 5% restantes, como diabetes tipo 2.[1] Dados do ambulatório de Diabetes e Gestação do Hospital de Clínicas de Porto Alegre (HCPA) mostram perfil semelhante, sendo 84% dos casos representados pelo diabetes gestacional,[2] enquanto a prevalência do diabetes tipo 2 ultrapassou a do diabetes tipo 1 nos últimos anos.[3]

Define-se como diabetes gestacional a hiperglicemia detectada na gravidez; casos em que a hiperglicemia gestacional alcança o critério diagnóstico de diabetes adotado para adultos em geral são denominados diabetes detectado na gravidez (*overt diabetes*). Os casos de diabetes diagnosticados antes da gravidez são classificados como diabetes pré-gestacional.[4] Um estudo realizado no Brasil entre 1991 e 1995, com gestantes com idade > 20 anos, mostrou que nas semanas 24 a 28 a prevalência de diabetes na gravidez foi de apenas 0,4%, enquanto a de diabetes gestacional foi de 7,2%.[5] O critério diagnóstico atual eleva a prevalência do diabetes gestacional em quase 3 vezes (18%), principalmente porque a presença de apenas um ponto alterado na curva glicêmica é suficiente para o diagnóstico.[6]

A hiperglicemia materna, em qualquer de suas formas, está associada a um aumento de complicações fetais e neonatais, como macrossomia fetal, prematuridade, morte intrauterina, hipoglicemia e disfunção respiratória neonatal; na gestante, associa-se a aumento de hipertensão, pré-eclâmpsia e número de cesarianas.[7,8]

## DIABETES GESTACIONAL E DIABETES DETECTADO NA GRAVIDEZ

A American Diabetes Association (ADA),[9] a International Association of Diabetes and Pregnancy Study Groups (IADPSG)[10] e a Organização Mundial da Saúde[4] distinguem duas formas de hiperglicemia diagnosticada na gravidez: o diabetes detectado na gestação – hiperglicemia detectada na gravidez que alcança os valores diagnósticos para diabetes fora da gestação –; e o diabetes gestacional – hiperglicemia mais leve detectada na gravidez, em geral a partir do 2º trimestre da gestação.

### Rastreamento e diagnóstico

O rastreamento do diabetes e do diabetes gestacional na primeira consulta pré-natal (ou no 1º trimestre) tem ocorrido de forma crescente, embora os desfechos associados ao rastreamento nesse período tenham sido menos avaliados. Em uma metanálise, mortalidade perinatal, hipoglicemia neonatal e uso de insulina estiveram associados ao diagnóstico do diabetes gestacional em idade gestacional precoce. As características principais dessas gestantes eram história familiar de diabetes, idade materna mais avançada, índice de massa corporal (IMC) mais elevado, presença da síndrome metabólica e hiperglicemia mais elevada (hemoglobina glicada [HbA1c] e glicemia de jejum no teste oral de tolerância à glicose [TOTG]).[11] No entanto, não está estabelecida qual é a melhor estratégia para buscar o diabetes gestacional no 1º trimestre, tampouco os potenciais benefícios do tratamento.

A partir das semanas 24 a 28 da gestação, o rastreamento universal do diabetes gestacional é recomendado, embora sem evidências robustas que o sustentem C/D.[12] Na última década, ocorreram mudanças nos procedimentos de rastreamento e diagnóstico do diabetes gestacional, especialmente com a publicação das recomendações da IADPSG, em 2010,[10] sugerindo critério com base nos resultados do estudo HAPO.[13] A utilização desse critério exige a realização de um TOTG com 75 gramas de glicose, com medidas de glicemia em jejum, 1 hora e 2 horas após a sobrecarga, sendo necessário somente um valor alterado para o diagnóstico de diabetes gestacional. Essa recomendação foi endossada por várias entidades internacionais.[4,9,14]

Embora a HbA1c possa facilitar o rastreamento do diabetes gestacional, ela apresenta baixa sensibilidade. Para o valor da HbA1c de 5,7%, por exemplo, a sensibilidade para o diagnóstico de diabetes gestacional é 24,7%.[15]

Em 2016, uma posição conjunta da Organização Pan-Americana da Saúde (Opas), do Ministério da Saúde (MS) do Brasil, da Federação Brasileira das Associações de Ginecologia e Obstetrícia (Febrasgo) e da Sociedade Brasileira de Diabetes (SBD) recomendou a adoção, no Brasil, do procedimento sugerido pela IADPSG.[16] A **FIGURA 116.1** mostra um fluxograma para rastreamento e diagnóstico do diabetes na gravidez.

O mesmo grupo sugeriu adaptar o fluxograma em situações com recursos técnico-financeiros limitados. No 1º trimestre, o fluxograma proposto é semelhante, mas, no 3º trimestre, é mais simples, empregando apenas a medida da glicemia de jejum, interpretada com os limites de 92 mg/dL para o diagnóstico do diabetes gestacional e de 126 mg/dL para o diagnóstico do diabetes (**FIGURA 116.2**).

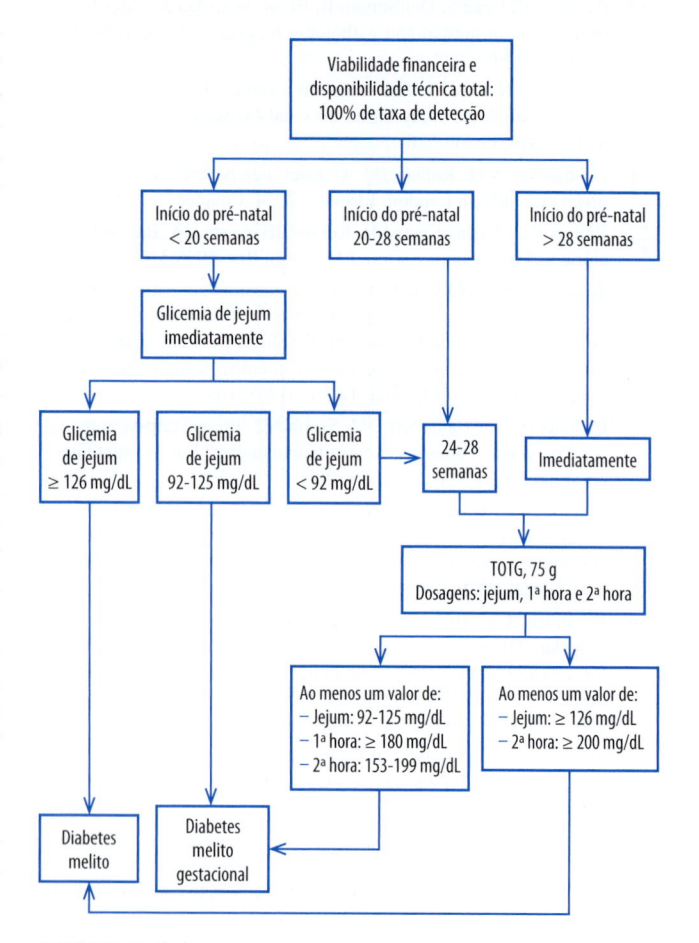

**FIGURA 116.1** → Fluxograma para rastreamento e diagnóstico do diabetes na gravidez. TOTG, teste oral de tolerância à glicose.

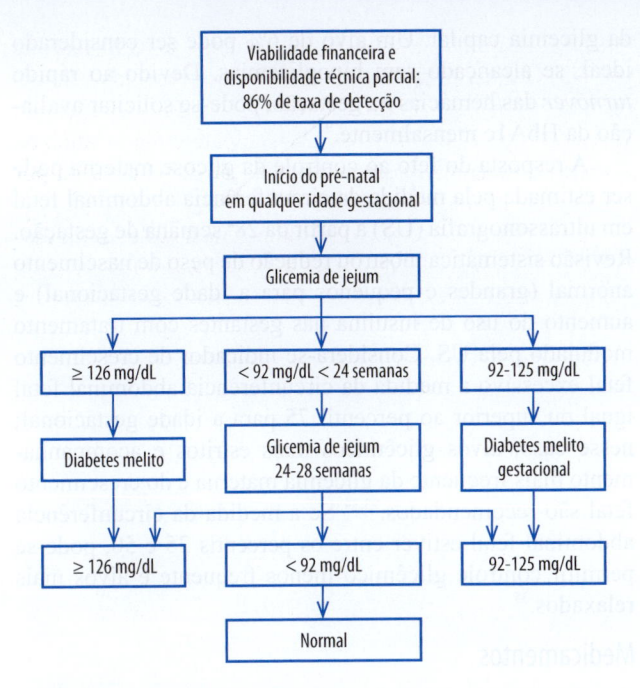

**FIGURA 116.2** → Fluxograma simplificado de rastreamento e diagnóstico do diabetes na gravidez.

No momento da publicação deste livro, o critério diagnóstico de diabetes gestacional e a melhor forma de detecção permanecem não consensuais, com debates intensos. Em março de 2021, foram divulgados resultados de um ensaio clínico randomizado que comparou dois procedimentos recomendados pela ADA: o rastreamento em uma etapa segundo procedimentos da IADPSG; e o rastreamento em duas etapas – uma sobrecarga de glicose de 50 g, seguida de um teste diagnóstico com 100 g de glicose para quem testa positivo. O grupo com rastreamento em uma etapa (IADPSG) apresentou o dobro da prevalência de diabetes gestacional (16,5% vs. 8,5%), porém, sem evidenciar melhores desfechos obstétricos: os desfechos em cada grupo foram, respectivamente, recém-nascido grande para a idade gestacional, 8,9% e 9,2%; desfechos perinatais combinados, 3,1% e 3%; hipertensão gestacional ou pré-eclâmpsia, 13,6% e 13,5%; e cesariana primária, 24% e 24,6%.[17] As implicações de rotular o dobro de gestantes e tratá-las com protocolo específico sem evidência de melhor desfecho da gravidez estão sendo avaliadas. Outros ensaios clínicos dessa natureza estão em andamento e deverão trazer mais luz à controvérsia que perdura há décadas. Por fim, além da análise dos desfechos obstétricos, riscos futuros para a mãe e seu recém-nascido também devem ser considerados, embora esses desfechos futuros não apoiem, necessariamente, um diagnóstico de doença na gravidez.

## Tratamento

Dois ensaios clínicos controlados e randomizados evidenciaram redução de desfechos adversos materno-fetais com o tratamento do diabetes gestacional, mesmo incluindo casos mais leves.[18,19] Revisões sistemáticas[20,21] mostram que o tratamento do diabetes gestacional é efetivo na redução de eventos adversos como macrossomia fetal (RRR = 53%; NNT = 10-15), distocia de ombro (RRR = 58%; NNT = 37-129) e pré-eclâmpsia (RRR = 32%; NNT = 17-60).[22] Contudo, não foi demonstrado impacto sobre a mortalidade perinatal, provavelmente pela raridade atual do evento **B**. Recomenda-se mudança de estilo de vida (dieta e atividade física) e, quando indicado, o uso de medicamentos.

> Gestantes que alcançam critérios para diabetes na gravidez ou que necessitam de medicação para o controle metabólico do diabetes gestacional devem ser tratadas em conjunto com o serviço de alto risco. Em situações em que a mudança de estilo de vida é suficiente para alcançar as metas glicêmicas, as gestantes podem ser acompanhadas por obstetra e/ou equipe de saúde da família.

### Dieta e atividade física

A base do tratamento do diabetes é a orientação dietética individualizada, sempre que possível fornecida por profissional especializado. Metanálise de ensaios clínicos randomizados mostra que o tratamento com dietas modificadas é capaz de reduzir a glicemia em jejum, a glicemia pós-prandial, a necessidade de tratamento farmacológico, o peso fetal e a macrossomia, embora não tenha sido possível estabelecer qual é o melhor tipo de dieta para as gestantes **B**.[23]

> Em mulheres com diabetes gestacional, a dieta é parte essencial do tratamento e pode ser suficiente para alcançar controle glicêmico adequado na maioria dos casos. O objetivo da terapia nutricional é promover o ganho de peso apropriado, controlar a glicemia e prover nutrição adequada para a gestante e para o feto.[9]

Dietas com menor proporção de carboidratos – cerca de 40% – parecem controlar melhor as glicemias pós-prandiais.[24] Além disso, dietas com baixo índice glicêmico podem reduzir a necessidade do uso de insulina e o peso do recém-nascido.[25] A ingestão mínima de carboidratos na gestação, recomendada pelo Institute of Medicine (IOM) e pela ADA, é de 175 g por dia.[9,26] O cálculo do valor energético diário da dieta deve ser individualizado e feito com base nas necessidades diárias recomendadas e no IMC pré-gravídico. Para gestantes com peso adequado, recomendam-se 30 a 35 kcal/kg/dia; para as gestantes com baixo peso, 35 a 40 kcal/kg/dia; para gestantes com sobrepeso, 25 a 30 kcal/kg/dia; para aquelas com obesidade, pode haver uma redução de 30% das calorias diárias, desde que a dieta não tenha um valor calórico total < 1.600 a 1.800 kcal/dia.[14]

A recomendação tradicional do IOM[26] para ganho de peso gestacional também pode ser aplicada às gestantes com diabetes: o ganho de peso insuficiente pode estar associado com o nascimento de recém-nascidos pequenos para idade gestacional, e o ganho excessivo, ao aumento de recém-nascidos grandes para idade gestacional.[27]

A recomendação para ganho de peso na gestação está descrita no Capítulo Acompanhamento de Saúde da Gestante e da Puérpera.

Embora as evidências sejam fracas, a prática de exercício físico parece benéfica para o controle da glicemia **C/D**[28] e parece estar associada à redução do ganho de peso materno[29] em mulheres com diabetes gestacional. Dessa forma, exceto em situações de contraindicação (TABELA 116.1),[30] o exercício físico leve a moderado deve ser recomendado para todas as gestantes com diabetes, embora não haja ensaios clínicos avaliando esses benefícios no diabetes pré-gestacional.[31]

Algumas modalidades de exercícios, como mergulho com descompressão e aquelas com exigência de equilíbrio, risco de queda ou trauma abdominal, são contraindicadas na gestação. Para maiores informações sobre diretrizes e contraindicações para a prática de exercício físico na gravidez, ver Capítulos Acompanhamento de Saúde da Gestante e da Puérpera e Promoção da Atividade Física.

## Monitoração metabólica

A verificação do controle glicêmico é avaliada 2 semanas após o início da dieta, por meio da medida da glicemia capilar com glicosímetro. A glicemia capilar é medida diariamente e anotada antes das refeições maiores – desjejum, almoço e jantar – e em 1 ou 2 horas após essas refeições.[9]

**Os níveis recomendados de glicose plasmática são: jejum < 95 mg/dL e um dos dois, ou 1 hora < 140 mg/dL ou 2 horas < 120 mg/dL.**[9,24]

O controle domiciliar diário foi superior à medida semanal da glicose na redução da macrossomia fetal.[24] Em gestantes sem utilização de tratamento farmacológico para o diabetes, a medida da glicemia em dias intercalados foi igualmente segura em relação à monitorização diária e resultou em maior adesão à monitorização.[32]

A HbA1c possui utilidade mais limitada na gestação, devido ao tempo para modificação de seus níveis, demasiadamente longo para a tomada de decisões no ajuste terapêutico. Entretanto, pode ser um teste adicional à monitorização da glicemia capilar. Um alvo de 6% pode ser considerado ideal, se alcançado sem hipoglicemias. Devido ao rápido *turnover* das hemácias na gestação, pode-se solicitar avaliação da HbA1c mensalmente.[9]

A resposta do feto ao controle da glicose materna pode ser estimada pela medida da circunferência abdominal fetal em ultrassonografia (US) a partir da 28ª semana de gestação. Revisão sistemática mostrou redução de peso de nascimento anormal (grandes e pequenos para a idade gestacional) e aumento do uso de insulina nas gestantes com tratamento modulado pela US. Considera-se indicador de crescimento fetal excessivo a medida da circunferência abdominal fetal igual ou superior ao percentil 75 para a idade gestacional; nesse caso, alvos glicêmicos mais estritos e acompanhamento mais frequente da glicemia materna e do crescimento fetal são recomendados.[33,34] Se a medida da circunferência abdominal fetal estiver entre os percentis 25 e 50, pode-se permitir controle glicêmico menos frequente e alvos mais relaxados.[35]

## Medicamentos

Quando os alvos glicêmicos não são alcançados 2 semanas após o início das mudanças no estilo de vida (dieta e exercício), está indicado tratamento medicamentoso **C/D**.

O tratamento considerado padrão (primeira linha) para o manejo da hiperglicemia no diabetes gestacional é a insulina **C/D**.[9,24] Entretanto, após publicação de ensaios clínicos[36] e metanálises[37,38] sobre o uso da metformina na gestação, esse medicamento tem sido incorporado como opção terapêutica,[1,14] embora deva ser usado em cenários específicos.[39] Os demais medicamentos orais são utilizados com menos frequência ou contraindicados. As opções farmacológicas são discutidas a seguir e na TABELA 116.2. Na FIGURA 116.3, são comparadas as vantagens das duas opções farmacológicas mais utilizadas (insulina e metformina).

### Insulina

No diabetes gestacional, a insulina é iniciada quando as metas de controle glicêmico com dieta e/ou exercício não são alcançadas.

As informações a seguir aplicam-se tanto ao tratamento do diabetes gestacional quanto do diabetes pré-gestacional.

**TABELA 116.1** → Contraindicações à prática de exercícios físicos durante a gestação

**ABSOLUTAS**
- Ruptura de membranas
- Trabalho de parto pré-termo
- Doença hipertensiva da gestação
- Incompetência istmocervical
- Restrição do crescimento intrauterino
- Gestação múltipla (≥ trigemelar)
- Placenta prévia > 28ª semana
- Sangramento persistente no 2º ou 3º trimestre
- Diabetes tipo 1 descompensado
- Doença tireoidiana, cardiovascular, respiratória ou sistêmica grave

**RELATIVAS**
- Abortamento de repetição
- Parto pré-termo prévio
- Anemia sintomática
- Doença respiratória ou cardiovascular leve a moderada
- Desnutrição ou distúrbio alimentar
- Gestação gemelar > 28ª semana
- Outras condições médicas relevantes

Fonte: Mottola e colaboradores.[30]

**Metformina**
- Satisfação materna
- ↓ Hipoglicemia neonatal
- ↓ Ganho de peso materno
- ↓ Hipertensão gestacional
- Facilidade do tratamento
- Prole: neurodesenvolvimento OK
- Antropometria OK para parte da evidência

**Insulina**
- ↓ Prematuridade
- Barreira placentária (não cruza)
- Menor falha (controle glicêmico)

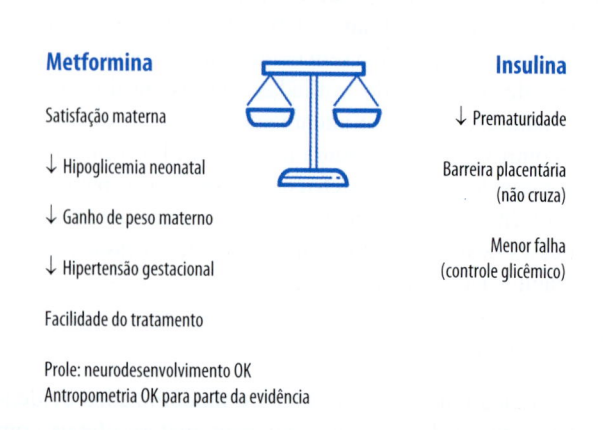

**FIGURA 116.3** → Comparação entre insulina e metformina no tratamento do diabetes gestacional.

TABELA 116.2 → Medicamentos usados na gestação com diabetes

| MEDICAMENTO | RECOMENDAÇÃO DA FDA | PASSAGEM PLACENTÁRIA | CONTRAINDICAÇÕES | EFEITOS COLATERAIS FREQUENTES | DOSE INICIAL/ DOSE MÁXIMA |
|---|---|---|---|---|---|
| Metformina | Pode ser utilizada como alternativa terapêutica | Sim | TFG < 30 mL/min, ICC, insuficiência hepática | Principalmente efeitos gastrintestinais | 500-2.550 mg |
| Glibenclamida | Sugere utilizar outros fármacos | Sim | Doença renal crônica, insuficiência hepática | Hipoglicemia e ganho de peso | 2,5-20 mg |
| Acarbose | Sugere utilizar outros fármacos | Insignificante | Doença intestinal, cirrose, insuficiência hepática | Flatulência, dor abdominal e diarreia | 50-300 mg |
| Insulina | | Ausente, exceto em complexo antígeno-anticorpo | – | Hipoglicemia e ganho de peso | |
| NPH, regular | Pode ser utilizada | | | | |
| Lispro, asparte | Pode ser utilizada | | | | |
| Glulisina | Não recomendada | | | | |
| Glargina | Risco teórico, mas não demonstrado em estudos; pode manter se já utiliza | | | | |
| Detemir | Pode ser mantida e pode ser iniciada na gestação em caso de controle inadequado com NPH | | | | |
| Degludeca | Evidência limitada para recomendação | | | | |

FDA, Food and Drug Administration; ICC, insuficiência cardíaca congestiva; TFG, taxa de filtração glomerular.

A prescrição de insulina exige acompanhamento médico especializado, de preferência em ambulatório especializado em gestação de alto risco.

Em geral, inicia-se o tratamento com insulina NPH (protamina neutra de Hagedorn) humana de ação intermediária, em 1 a 2 aplicações/dia, na dose de 0,2 a 0,3 UI/kg/dia. O ajuste da insulina NPH é realizado a cada 48 a 72 horas conforme resultados da glicemia capilar. A inclusão de insulina regular humana (ou dos análogos ultrarrápidos asparte ou lispro) deve ser realizada se houver hiperglicemia pós-prandial.

Os análogos de insulina vêm sendo bastante estudados nos últimos anos. Embora a segurança de alguns análogos na gravidez esteja mais bem estabelecida, sua superioridade em relação às insulinas NPH e regular humanas não está plenamente comprovada. A recomendação da Food and Drug Administration (FDA) está descrita na TABELA 116.2. Entre os análogos de ação ultrarrápida, as insulinas lispro e asparte apresentam segurança e eficácia, sendo aprovadas para uso na gestação.[40,41] Entre os análogos de ação longa, a insulina detemir foi avaliada em ensaios clínicos em mulheres com diabetes tipo 1,[42] diabetes tipo 2 e diabetes gestacional,[43] com resultados semelhantes à insulina NPH humana para os desfechos glicêmicos e alguns desfechos obstétricos. Embora tenha sido autorizado seu uso na gestação, ainda não há evidência completa sobre seu efeito em desfechos materno-fetais e de longo prazo. A insulina glargina foi avaliada, até o momento, apenas de forma observacional,[44] com resultados equivalentes aos da insulina NPH; dessa forma, seu uso é autorizado na gestação em caso de falha da insulina NPH humana, pesando riscos e benefícios. Os análogos glulisina (ação rápida) e degludeca (ação longa) ainda não estão aprovados por falta de estudos sobre segurança e eficácia.[45]

## Metformina

No diabetes gestacional, a metformina mostrou efetividade e segurança semelhantes às da insulina nos desfechos da gestação B.[36,36] O uso da metformina é associado a maior satisfação materna, menor ganho de peso materno e menor taxa de hipoglicemia neonatal grave, enquanto o uso de insulina está associado a menor incidência de prematuridade. Para alcançar os alvos glicêmicos, o uso de insulina pode ser necessário em quase metade das gestantes que iniciaram o tratamento com metformina. Embora os desfechos gestacionais demonstrem a segurança da metformina, esse medicamento cruza a placenta e sua segurança no longo prazo ainda está em avaliação.

O acompanhamento das crianças em 2 anos demonstrou semelhança entre os filhos das usuárias de metformina e insulina na gestação.[46] Entretanto, na avaliação das crianças entre 7 e 9 anos, os resultados foram divergentes entre os dois centros avaliados.[47] Enquanto um centro apresentou resultados novamente semelhantes entre os grupos, o outro encontrou crianças maiores (mais pesadas e com pregas cutâneas maiores) no grupo dos filhos das usuárias de metformina, embora a gordura corporal total e a avaliação metabólica laboratorial tenham sido semelhantes. A maior coorte de crianças em acompanhamento até o momento apresentou semelhança entre os achados antropométricos e de neurodesenvolvimento entre filhos de mães que usaram metformina ou insulina na gravidez (n = 3.928; 1.996 com metformina).[48] Mais estudos são necessários para maior compreensão dos efeitos da metformina sobre a prole em longo prazo.

Ensaio clínico randomizado avaliou o uso adjuvante da metformina à insulina em gestantes com diabetes tipo 2, arroladas durante o 1º trimestre. Menor ganho de peso e redução da dose de insulina e do número de cesarianas foram os efeitos benéficos encontrados. Houve, no entanto, risco (não ajustado) quase 2 vezes maior de nascimento de bebês pequenos para a idade gestacional.[49]

Dessa forma, a metformina parece ser uma opção para gestantes que não querem utilizar insulina, não têm condições para uso de fármacos injetáveis, são obesas ou apresentam risco elevado de hipoglicemia. Também poderia ser recomendada como adjuvante ao tratamento com insulina em gestantes com diabetes tipo 2. No entanto, poucas diretrizes recomendam, atualmente, seu uso como primeira escolha. A recomendação do National Institute of Health and Care Excellence (NICE) é manter a medicação nas mulheres com diabetes pré-gestacional em bom controle glicêmico, nas quais o benefício ultrapassa o risco; no diabetes gestacional, essa instituição mantém a recomendação de primeira escolha, mas frisa que a recomendação é *off-label*.[1] A Society for Maternal-Fetal Medicine (SMFM) sugere que a metformina seja uma alternativa de primeira escolha à insulina no diabetes gestacional.[50] A ADA, a Febrasgo e a SBD sugerem que insulina seja o tratamento de primeira escolha na gestação.

### Glibenclamida

A glibenclamida é a sulfonilureia mais estudada na gestação. Seu uso é bastante restrito atualmente por apresentar piores desfechos clínicos que a insulina (maior taxa de hipoglicemia neonatal e macrossomia)[51] e a metformina (maior ganho de peso materno, maior peso fetal e macrossomia),[37,38] além de carecer de avaliações da prole no longo prazo B. Dessa forma, sulfonilureias não devem ser recomendadas na gestação, a não ser em casos de impossibilidade do uso de insulina ou metformina.

### Acarbose

A acarbose é um antidiabético oral que possui teórica vantagem de segurança materna e fetal devido à sua absorção sistêmica materna bastante baixa. Entretanto, devido à escassez de evidência científica sobre sua eficácia e segurança na gestação, a acarbose é pouco utilizada e não é recomendada como primeira linha de tratamento C/D.[52]

## Encaminhamento

**Mulheres com diabetes gestacional que requerem tratamento farmacológico devem ser encaminhadas ao centro de referência em gestação de alto risco para acompanhamento especializado.**

**O manejo das mulheres com diabetes gestacional com controle glicêmico adequado exclusivamente com dieta, que apresentem crescimento fetal apropriado para a idade gestacional, na ausência de outras morbidades, poderá ser feito na atenção primária à saúde (APS), segundo protocolo discutido a seguir. Para que isso seja possível, o cuidado à gestante deve incluir controles glicêmico e ultrassonográfico, com a participação de obstetra e nutricionista com treinamento na área, sempre que possível.**

## Acompanhamento da gestação

O algoritmo do acompanhamento das gestantes portadoras de diabetes gestacional é mostrado na **FIGURA 116.4**.

As mulheres em tratamento não farmacológico, com bom controle glicêmico e na ausência de outra indicação obstétrica, podem ser avaliadas a cada 2 semanas até a 36ª semana de gestação, quando a avaliação passa a ser semanal. As mulheres em uso de insulina ou antidiabéticos orais devem ser avaliadas semanal ou quinzenalmente até a 32ª semana e, então, semanalmente até o parto.

Além das USs rotineiramente indicadas durante a gestação (ver Capítulo Acompanhamento de Saúde da Gestante e da Puérpera), recomenda-se US seriada a cada 4 a 6 semanas para acompanhamento do crescimento fetal. Exames de imagem especializados, como a ecocardiografia fetal, têm indicação individualizada.

Para a avaliação da vitalidade fetal, as gestantes podem ser orientadas a observar a movimentação fetal a partir da 28ª semana de gestação e a buscar atendimento obstétrico se perceberem movimentação fetal reduzida ou ausente (avaliação qualitativa). Um dos testes de avaliação quantitativa é o "contar até 10", em que a gestante é ensinada a observar diariamente o tempo necessário para perceber 10 movimentos fetais no momento de movimentação fetal mais ativa. O tempo máximo necessário (percentil 90) para percepção de 10 movimentos fetais é de 25 minutos entre 22 e 36 semanas, e de 35 minutos entre 37 e 40 semanas; quando ultrapassados esses limites, recomenda-se avaliação obstétrica.[53]

Em mulheres com diabetes gestacional e bom controle glicêmico, sem tratamento farmacológico e sem outra condição de risco (insuficiência placentária, hipertensão, obesidade, idade materna avançada, perda fetal prévia), não há indicação rotineira de avaliação do bem-estar fetal até o termo

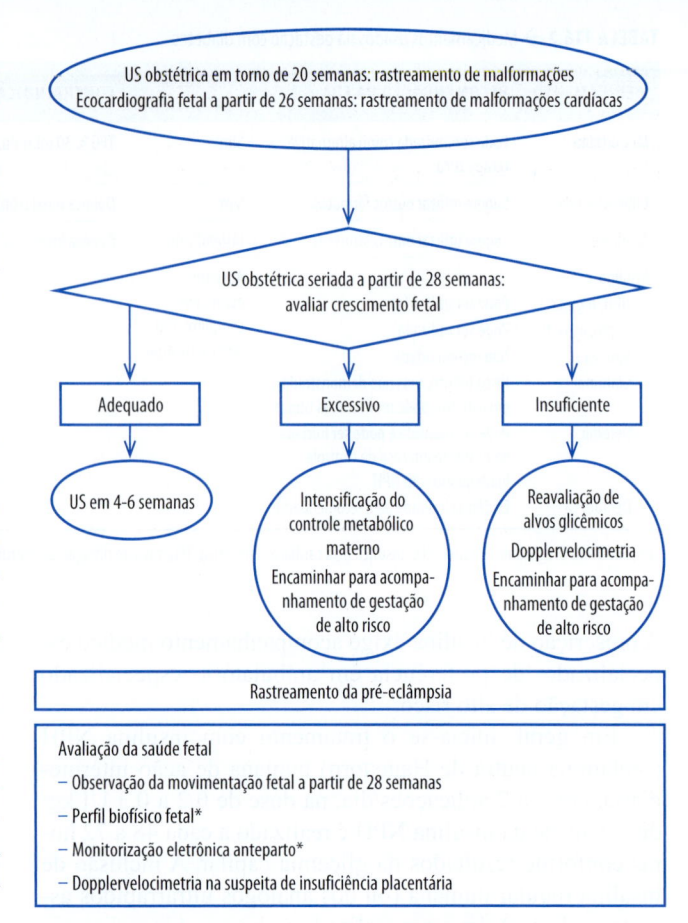

**FIGURA 116.4** → Algoritmo de acompanhamento da gestação em mulheres com diabetes gestacional.
*A partir de 28 semanas em gestante com comorbidade; 32 semanas em gestante em tratamento farmacológico; 37-38 semanas em gestante em tratamento nutricional exclusivo.
US, ultrassonografia.

da gestação. A recomendação oficial do NCC-WCH é não avaliar rotineiramente o bem-estar fetal nas gestações com diabetes antes da 38ª semana, na ausência de insuficiência placentária.[1] Entretanto, sociedades normativas do Estados Unidos (American College of Obstetricians and Gynecologists [ACOG]) e do Canadá (Canadian Diabetes Association [CDA]) recomendam alguma forma de avaliação do bem-estar fetal em gestações com diabetes: a partir das 32 a 34 semanas naquelas com tratamento farmacológico para alcançar controle glicêmico e mais precoce naquelas que não atingem bom controle metabólico ou exibem outra complicação na gestação. A frequência e os métodos empregados para avaliação fetal são determinados individualmente pela instituição.[24,54]

O rastreamento para doença hipertensiva da gestação, com medida padronizada da pressão arterial e, quando indicada, da relação proteína/creatinina em amostra de urina, deve ser realizado a cada consulta pré-natal, pois o risco de pré-eclâmpsia se eleva em gestações complicadas pelo diabetes gestacional.[55] Os métodos de rastreamento e prevenção da pré-eclâmpsia são discutidos no Capítulo Hipertensão Arterial na Gestação.

O rastreamento de bacteriúria assintomática por urocultura, pelo menos a cada trimestre, é recomendado, pois infecção urinária e pielonefrite são as causas mais comuns de descompensação metabólica na gestação com diabetes.[56]

## Assistência ao parto

Gestantes com controle glicêmico satisfatório e sem outras morbidades obstétricas podem aguardar o início espontâneo do trabalho de parto até 39 a 40 semanas, período que reúne os menores índices de morte intrauterina e de complicações neonatais.[57]

O diagnóstico de diabetes gestacional não deve necessariamente indicar cesariana eletiva, reservada às situações de indicação obstétrica usual. A presença de crescimento fetal excessivo sinaliza maior risco de macrossomia fetal (> 4.000-4.500 g),[14] apesar da imprecisão dos métodos de avaliação de peso fetal, inclusive US. O feto grande para idade gestacional (> percentil 90) tem potencial de maior risco de parto distócico e tocotraumatismo.[14,58]

## Período após a gestação

A maioria das mulheres não necessitará mais de insulina após o parto e a tolerância à glicose normalizará em algumas semanas. O aleitamento materno deve ser estimulado imediatamente após o nascimento, se as condições do recém-nascido permitirem, por reduzir a incidência de hipoglicemia neonatal. A amamentação prolongada está associada a uma menor taxa de obesidade infantil e de diabetes tipo 2 e síndrome metabólica na mãe.[59]

Para mais detalhes sobre o uso de fármacos na amamentação, ver Capítulo Medicamentos e Outras Exposições na Gestação e na Lactação e Apêndice Uso de Medicamentos na Gestação e na Lactação.

A mulher deve ser orientada sobre a importância de retornar ao peso pré-gravídico até 1 ano após o parto. Quando houver excesso de peso, perdas de até 2 kg por mês podem ser obtidas em mulheres em lactação, o que pode ser alcançado com redução de até 500 kcal/dia e exercício aeróbico 4 dias/semana.[60] Revisão sistemática da Cochrane apoia a viabilidade e a segurança de restrições moderadas acompanhadas ou não de prática de atividade física em mulheres em lactação.[61] Outra revisão sistemática mostrou que a prática de exercícios, com ou sem intervenção dietética, melhorou a perda de peso comparativamente ao acompanhamento convencional.[62]

A reavaliação metabólica deve ser feita 4 a 6 (até 12) semanas após o parto, idealmente com o TOTG com 75 g de glicose em 2 horas, seguindo procedimento e critério diagnóstico usados para adultos fora da gravidez (ver Capítulo Diabetes Melito: Diagnóstico, Classificação e Organização do Cuidado).[9] Em situações de viabilidade técnico-financeira limitada, a medida da glicemia de jejum para a reavaliação pode estar indicada, com taxa de detecção de 66% dos casos de alterações glicêmicas.[16]

O risco de diabetes no futuro em mulheres que tiveram diabetes gestacional é muito heterogêneo, mas em geral foi mais de 9 vezes maior, em estudo com mais de 67 mil mulheres com diabetes gestacional, comparado ao risco das mulheres sem diabetes (mais de 1,2 milhão de mulheres).[63] Em metanálise mais recente, incluindo 129 estudos (310.214 mulheres com diabetes gestacional e 4.155.247 sem), foi 8 vezes maior.[64] Estudos iniciais sugerem que mudanças no estilo de vida podem ter modesto efeito benéfico na prevenção da evolução para diabetes tipo 2 quando instituídas no primeiro ano depois do parto.[65] Durante a gravidez, o tratamento do diabetes gestacional leve, *per se*, não modificou a evolução para diabetes tipo 2 em médio prazo.[66]

O diagnóstico prévio de diabetes gestacional não contraindica qualquer método contraceptivo.[67]

A taxa de recorrência do diabetes gestacional varia de 30 a 84%, de acordo com a população estudada. Os fatores para determinar risco de recorrência não são consistentes entre os estudos; em uma metanálise, etnia foi o único fator de risco relevante.[68]

## DIABETES PRÉ-GESTACIONAL

O diabetes pré-gestacional aumenta o risco de desfechos adversos maternos – agravamento de complicações crônicas do diabetes e pré-eclâmpsia – e fetais – abortamento, morte intrauterina, malformações congênitas, prematuridade e macrossomia, além de associar-se ao aumento na incidência de disfunção respiratória neonatal.[9,69]

Estudos populacionais conduzidos no Reino Unido, na Dinamarca, na França, na Holanda e nos Estados Unidos mostram que as taxas de mortalidade perinatal nas gestações de mulheres diabéticas ainda são 2,5 a 9 vezes maiores do que as observadas em gestações de mulheres sem diabetes.[70,71]

A hiperglicemia persistente no período da organogênese associa-se a aumento do risco de malformações fetais, de maneira gradiente-dependente, e pode ser estimada pelos valores da HbA1c medida no início do 1º trimestre da gestação.[72]

Portanto, a gestação da mulher portadora de diabetes deve ser planejada e acompanhada, antes mesmo da concepção, em serviço especializado constituído por equipe multidisciplinar, sempre que possível. Quando o atendimento se der na rede básica de saúde, os cuidados iniciais podem ser orientados pelo médico generalista ou obstetra.

## Planejamento da gravidez

O aconselhamento pré-concepcional no diabetes visa a:
→ obtenção do melhor controle metabólico possível no período de concepção e organogênese (incluindo a troca para fármacos/insulina que possam ser utilizados na gestação) B;[73]
→ avaliação e tratamento de complicações crônicas do diabetes – primordialmente retinopatia, nefropatia, cardiopatia e neuropatia;
→ pesquisa e tratamento de outras doenças concomitantes, como hipotireoidismo e hipertensão arterial, adequando-os à iminente gestação.[1]

O controle glicêmico é avaliado pela dosagem da HbA1c, cujo valor ideal é igual ou inferior a 6,5%, desde que não determine o aparecimento de hipoglicemia excessiva. Nesse caso, valores até 7% são aceitos C/D.[9] A ADA recomendou a utilização dos mesmos pontos de corte sugeridos para o diabetes gestacional, enquanto a SBD sugere: jejum, 65 a 95 mg/dL, e 1 hora, até 140 mg/dL.[74]

Métodos anticoncepcionais seguros devem ser empregados até que seja obtido o controle glicêmico satisfatório, incluindo contraceptivos orais e dispositivos intrauterinos, exceto nos casos em que a mulher tem complicações vasculares, quando a avaliação deverá ser individualizada.[67] Ácido fólico na dose de 5 mg/dia deve ser prescrito por, no mínimo, 1 mês antes da concepção e continuado até o final da organogênese (8-12 semanas de gestação).[1]

A avaliação das complicações crônicas do diabetes e de outras doenças associadas inclui:
→ exame de fundo de olho realizado por oftalmologista;
→ função renal (creatinina e estimativa da taxa de filtração glomerular [TFG]; medida da albumina em amostra de urina);
→ função tireoidiana (hormônio estimulante da tireoide [TSH, do inglês *thyroid-stimulating hormone*] e anticorpos), principalmente no diabetes tipo 1 (tireoidite autoimune associada);
→ eletrocardiografia em repouso e/ou de esforço, quando indicadas;
→ medida da pressão arterial.

As mulheres deverão ser orientadas a:
→ perder peso em caso de IMC > 27 kg/m², com auxílio de nutricionista;
→ praticar exercícios físicos;
→ suspender sulfonilureias e usar preferencialmente insulina se tiverem diabetes tipo 2;
→ ajustar os tratamentos anti-hipertensivo e antidislipidêmico (ver Capítulo Hipertensão Arterial na Gestação) com:
  → suspensão dos fármacos inibidores da enzima conversora da angiotensina e bloqueadores dos receptores da angiotensina II, que são contraindicados durante toda a gestação;
  → avaliação do risco de suspensão do uso de estatinas;[75]
  → substituição dos betabloqueadores por labetalol ou pindolol;
  → nifedipino, que tem mostrado bons resultados em gestantes hipertensas;
  → metildopa, que é o anti-hipertensivo de primeira escolha na gestação.

Recomendar o uso diário de ácido acetilsalicílico 100 a 150 mg e de carbonato de cálcio 1 g/dia a partir do final do 1º trimestre para prevenção da pré-eclâmpsia grave e precoce, pelo risco muito aumentado de pré-eclâmpsia nas gestantes com diabetes prévio.[76–78]

## Acompanhamento durante a gestação

Assim que diagnosticada a gestação, a mulher deve ser encaminhada para tratamento por equipe especializada, idealmente em centros com disponibilidade de unidades de terapia intensiva (UTIs), adulto e neonatal. O diabetes pré-gestacional, especialmente o diabetes tipo 1, aumenta substancialmente o risco de pré-eclâmpsia precoce (< 32 semanas), e a recomendação do uso profilático do ácido acetilsalicílico (81-100 mg/dia) iniciado entre 12 e 16 semanas é endossada pelo NCC-WCH[1] e pela CDA.[54] Doses maiores de ácido acetilsalicílico (150 mg/dia) mostraram-se superiores na prevenção da pré-eclâmpsia precoce.[77] A suplementação de cálcio (1-1,5 g/dia) em mulheres com baixa ingesta também é empregada como estratégia de prevenção da pré-eclâmpsia.[79]

## Após a gestação

O aleitamento materno deve ser ativamente apoiado, pois o retardo na produção de leite foi associado ao mau controle glicêmico e à presença de complicações neonatais (admissão em UTI neonatal). Podem ser necessários alguns ajustes na dose de insulina, no valor calórico e no fracionamento da dieta para atender às necessidades próprias do período. Os métodos anticoncepcionais são os mesmos recomendados às mulheres não diabéticas que amamentam.[67] A contracepção em mulheres com complicações crônicas do diabetes deve ser individualizada (ver Capítulo Planejamento Reprodutivo).

Há poucas evidências sobre o uso de antidiabéticos orais na lactação. A metformina é excretada no leite em quantidade inferior a 1% da dose materna ajustada pelo peso. O seu uso é compatível com a amamentação.[80] A glibenclamida não foi detectada no leite materno, e as glicemias dos bebês foram normais, sugerindo que o fármaco seja seguro e compatível com o aleitamento materno nas doses geralmente empregadas, apesar do risco teórico de hipoglicemia do recém-nascido.[80]

Para mais detalhes sobre o uso de fármacos na lactação, ver Capítulo Medicamentos e Outras Exposições na Gestação e na Lactação e Apêndice Uso de Medicamentos na Gestação e na Lactação.

# REFERÊNCIAS

1. National Collaborating Centre for Women's and Children's Health (UK). Diabetes in pregnancy: management of diabetes and its complications from preconception to the postnatal period. London: National Institute for Health and Care Excellence; 2015.
2. Weinert LS, Oppermann MLR, Salazar CC, Simionato BM, Silveiro SP, Reichelt AJ. Diabetes e gestação: perfil clínico e laboratorial em pré-natal de alto risco. Clin Biomed Res. 2010;30(4):334–41.
3. Alessi J, Wiegand DM, Hirakata VN, Oppermann MLR, Reichelt AJ. Temporal changes in characteristics and outcomes among pregnant women with pre-gestational diabetes. Int J Gynaecol Obstet Off Organ Int Fed Gynaecol Obstet. 2018;143(1):59–65.
4. World Health Organization Consultation. Diagnostic criteria and classification of hyperglycaemia first detected in pregnancy: a World Health Organization Guideline. Diabetes Res Clin Pract. 2014;103(3):341–63.
5. Schmidt MI, Matos MC, Reichelt AJ, Forti AC, de Lima L, Duncan BB. Prevalence of gestational diabetes mellitus--do the new WHO criteria make a difference? Brazilian Gestational Diabetes Study Group. Diabet Med J Br Diabet Assoc. 2000;17(5):376–80.
6. Trujillo J, Vigo A, Duncan BB, Falavigna M, Wendland EM, Campos MA, et al. Impact of the International Association of Diabetes and pregnancy study groups criteria for gestational diabetes. Diabetes Res Clin Pract. 2015;108(2):288–95.
7. Alexopoulos A-S, Blair R, Peters AL. Management of preexisting diabetes in pregnancy: a review. JAMA. 2019;321(18):1811–9.
8. Johns EC, Denison FC, Norman JE, Reynolds RM. Gestational diabetes mellitus: mechanisms, treatment, and complications. Trends Endocrinol Metab TEM. 2018;29(11):743–54.
9. American Diabetes Association. 14. management of diabetes in pregnancy: standards of medical care in diabetes—2021. Diabetes Care. 2021;44(Suppl 1):S200–10.
10. International Association of Diabetes and Pregnancy Study Groups Consensus Panel, Metzger BE, Gabbe SG, Persson B, Buchanan TA, Catalano PA, et al. International association of diabetes and pregnancy study groups recommendations on the diagnosis and classification of hyperglycemia in pregnancy. Diabetes Care. 2010;33(3):676–82.
11. Immanuel J, Simmons D. Screening and treatment for early-onset gestational diabetes mellitus: a systematic review and meta-analysis. Curr Diab Rep. 2017;17(11):115.
12. Hartling L, Dryden DM, Guthrie A, Muise M, Vandermeer B, Aktary WM, et al. Screening and diagnosing gestational diabetes mellitus. Evid ReportTechnology Assess. 2012;(210):1–327.
13. HAPO Study Cooperative Research Group, Metzger BE, Lowe LP, Dyer AR, Trimble ER, Chaovarindr U, et al. Hyperglycemia and adverse pregnancy outcomes. N Engl J Med. 2008;358(19):1991–2002.
14. Hod M, Kapur A, Sacks DA, Hadar E, Agarwal M, Di Renzo GC, et al. The International Federation of Gynecology and Obstetrics (FIGO) Initiative on gestational diabetes mellitus: a pragmatic guide for diagnosis, management, and care. Int J Gynaecol Obstet Off Organ Int Fed Gynaecol Obstet. 2015;131(Suppl 3):S173-211.
15. Renz PB, Chume FC, Timm JRT, Pimentel AL, Camargo JL. Diagnostic accuracy of glycated hemoglobin for gestational diabetes mellitus: a systematic review and meta-analysis. Clin Chem Lab Med. 2019;57(10):1435–49.
16. Organização Pan-Americana da Saúde, Brasil. Ministério da Saúde, Federação Brasileira das Associações de Ginecologia e Obstetrícia, Sociedade Brasileira de Diabetes. Rastreamento e diagnóstico de diabetes mellitus gestacional no Brasil. Brasília: OPAS; 2016.
17. Hillier TA, Pedula KL, Ogasawara KK, Vesco KK, Oshiro CES, Lubarsky SL, et al. A pragmatic, randomized clinical trial of gestational diabetes screening. N Engl J Med. 2021;384(10):895–904.
18. Landon MB, Spong CY, Thom E, Carpenter MW, Ramin SM, Casey B, et al. A multicenter, randomized trial of treatment for mild gestational diabetes. N Engl J Med. 2009;361(14):1339–48.
19. Crowther CA, Hiller JE, Moss JR, McPhee AJ, Jeffries WS, Robinson JS. Effect of treatment of gestational diabetes mellitus on pregnancy outcomes. N Engl J Med. 2005;352(24):2477–86.
20. Falavigna M, Schmidt MI, Trujillo J, Alves LF, Wendland ER, Torloni MR, et al. Effectiveness of gestational diabetes treatment: a systematic review with quality of evidence assessment. Diabetes Res Clin Pract. 2012;98(3):396–405.
21. Horvath K, Koch K, Jeitler K, Matyas E, Bender R, Bastian H, et al. Effects of treatment in women with gestational diabetes mellitus: systematic review and meta-analysis. BMJ. 2010;340:c1395.
22. Poolsup N, Suksomboon N, Amin M. Effect of treatment of gestational diabetes mellitus: a systematic review and meta-analysis. PloS One. 2014;9(3):e92485.
23. Yamamoto JM, Kellett JE, Balsells M, García-Patterson A, Hadar E, Solà I, et al. Gestational diabetes mellitus and diet: a systematic review and meta-analysis of randomized controlled trials examining the impact of modified dietary interventions on maternal glucose control and neonatal birth weight. Diabetes Care. 2018;41(7):1346–61.
24. Committee on Practice Bulletins—Obstetrics. ACOG practice bulletin no. 190: gestational diabetes mellitus. Obstet Gynecol. 2018;131(2):e49–64.
25. Viana LV, Gross JL, Azevedo MJ. Dietary intervention in patients with gestational diabetes mellitus: a systematic review and meta-analysis of randomized clinical trials on maternal and newborn outcomes. Diabetes Care. 2014;37(12):3345–55.
26. Institute of Medicine and National Research Council. Committee to Reexamine IOM Pregnancy Weight Guidelines. Weight Gain During Pregnancy: Reexamining the Guidelines. Rasmussen KM, Yaktine AL, organizadores. Washington: National Academies Press; 2009.
27. Viecceli C, Remonti LR, Hirakata VN, Mastella LS, Gnielka V, Oppermann MLR, et al. Weight gain adequacy and pregnancy outcomes in gestational diabetes: a meta-analysis. Obes Rev Off J Int Assoc Study Obes. 2017;18(5):567–80.
28. Brown J, Ceysens G, Boulvain M. Exercise for pregnant women with gestational diabetes for improving maternal and fetal outcomes. Cochrane Database Syst Rev. 2017;6:CD012202.
29. Artal R, Catanzaro RB, Gavard JA, Mostello DJ, Friganza JC. A lifestyle intervention of weight-gain restriction: diet and exercise in obese women with gestational diabetes mellitus. Appl Physiol Nutr Metab Physiol Appl Nutr Metab. 2007;32(3):596–601.
30. Mottola MF, Davenport MH, Ruchat S-M, Davies GA, Poitras VJ, Gray CE, et al. 2019 Canadian guideline for physical activity throughout pregnancy. Br J Sports Med. 2018;52(21):1339–46.
31. Brown J, Ceysens G, Boulvain M. Exercise for pregnant women with pre-existing diabetes for improving maternal and fetal outcomes. Cochrane Database Syst Rev. 2017;12:CD012696.
32. Mendez-Figueroa H, Schuster M, Maggio L, Pedroza C, Chauhan SP, Paglia MJ. Gestational diabetes mellitus and frequency of blood glucose monitoring: a randomized controlled trial. Obstet Gynecol. 2017;130(1):163–70.
33. Davidson SJ, de Jersey SJ, Britten FL, Wolski P, Sekar R, Callaway LK. Fetal ultrasound scans to guide management of gestational diabetes: Improved neonatal outcomes in routine clinical practice. Diabetes Res Clin Pract. 2021;173:108696.
34. Bonomo M, Cetin I, Pisoni MP, Faden D, Mion E, Taricco E, et al. Flexible treatment of gestational diabetes modulated on ultrasound evaluation of intrauterine growth: a controlled randomized clinical trial. Diabetes Metab. 2004;30(3):237–44.

35. Balsells M, García-Patterson A, Gich I, Corcoy R. Ultrasound-guided compared to conventional treatment in gestational diabetes leads to improved birthweight but more insulin treatment: systematic review and meta-analysis. Acta Obstet Gynecol Scand. 2014;93(2):144–51.
36. Rowan JA, Hague WM, Gao W, Battin MR, Moore MP. Metformin versus insulin for the treatment of gestational diabetes. N Engl J Med. 2008;358(19):2003–15.
37. Farrar D, Simmonds M, Bryant M, Sheldon TA, Tuffnell D, Golder S, et al. Treatments for gestational diabetes: a systematic review and meta-analysis. BMJ Open. 2017;7(6):e015557.
38. Balsells M, García-Patterson A, Solà I, Roqué M, Gich I, Corcoy R. Glibenclamide, metformin, and insulin for the treatment of gestational diabetes: a systematic review and meta-analysis. BMJ. 2015;350:h102.
39. Organização Pan-Americana da Saúde, Federação Brasileira das Associações de Ginecologia e Obstetrícia, Sociedade Brasileira de Diabetes. Tratamento do diabetes mellitus gestacional no Brasil. Brasília: OPAS; 2019.
40. González Blanco C, Chico Ballesteros A, Gich Saladich I, Corcoy Pla R. Glycemic control and pregnancy outcomes in women with type 1 diabetes mellitus using lispro versus regular insulin: a systematic review and meta-analysis. Diabetes Technol Ther. 2011;13(9):907–11.
41. Mathiesen ER, Kinsley B, Amiel SA, Heller S, McCance D, Duran S, et al. Maternal glycemic control and hypoglycemia in type 1 diabetic pregnancy: a randomized trial of insulin aspart versus human insulin in 322 pregnant women. Diabetes Care. 2007;30(4):771–6.
42. Mathiesen ER, Hod M, Ivanisevic M, Duran Garcia S, Brøndsted L, Jovanovic L, et al. Maternal efficacy and safety outcomes in a randomized, controlled trial comparing insulin detemir with NPH insulin in 310 pregnant women with type 1 diabetes. Diabetes Care. 2012;35(10):2012–7.
43. Herrera KM, Rosenn BM, Foroutan J, Bimson BE, Al Ibraheemi Z, Moshier EL, et al. Randomized controlled trial of insulin detemir versus NPH for the treatment of pregnant women with diabetes. Am J Obstet Gynecol. 2015;213(3):426.e1-7.
44. Lepercq J, Lin J, Hall GC, Wang E, Dain M-P, Riddle MC, et al. Meta-analysis of maternal and neonatal outcomes associated with the use of insulin glargine versus NPH insulin during pregnancy. Obstet Gynecol Int. 2012;2012:649070.
45. Ringholm L, Damm P, Mathiesen ER. Improving pregnancy outcomes in women with diabetes mellitus: modern management. Nat Rev Endocrinol. 2019;15(7):406–16.
46. Rowan JA, Rush EC, Obolonkin V, Battin M, Wouldes T, Hague WM. Metformin in gestational diabetes: the offspring follow-up (MiG TOFU): body composition at 2 years of age. Diabetes Care. 2011;34(10):2279–84.
47. Rowan JA, Rush EC, Plank LD, Lu J, Obolonkin V, Coat S, et al. Metformin in gestational diabetes: the offspring follow-up (MiG TOFU): body composition and metabolic outcomes at 7-9 years of age. BMJ Open Diabetes Res Care. 2018;6(1):e000456.
48. Landi SN, Radke S, Engel SM, Boggess K, Stürmer T, Howe AS, et al. Association of long-term child growth and developmental outcomes with metformin vs insulin treatment for gestational diabetes. JAMA Pediatr. 2019;173(2):160–8.
49. Feig DS, Donovan LE, Zinman B, Sanchez JJ, Asztalos E, Ryan EA, et al. Metformin in women with type 2 diabetes in pregnancy (MiTy): a multicentre, international, randomised, placebo-controlled trial. Lancet Diabetes Endocrinol. 2020;8(10):834–44.
50. Society of Maternal-Fetal Medicine (SMFM) Publications Committee. Electronic address: pubs@smfm.org. SMFM Statement: pharmacological treatment of gestational diabetes. Am J Obstet Gynecol. 2018;218(5):B2–4.
51. Song R, Chen L, Chen Y, Si X, Liu Y, Liu Y, et al. Comparison of glyburide and insulin in the management of gestational diabetes: a meta-analysis. PloS One. 2017;12(8):e0182488.
52. Brown J, Martis R, Hughes B, Rowan J, Crowther CA. Oral anti-diabetic pharmacological therapies for the treatment of women with gestational diabetes. Cochrane Database Syst Rev. 2017;1:CD011967.
53. Kuwata T, Matsubara S, Ohkusa T, Ohkuchi A, Izumi A, Watanabe T, et al. Establishing a reference value for the frequency of fetal movements using modified "count to 10" method. J Obstet Gynaecol Res. 2008;34(3):318–23.
54. Diabetes Canada Clinical Practice Guidelines Expert Committee, Feig DS, Berger H, Donovan L, Godbout A, Kader T, et al. Diabetes and pregnancy. Can J Diabetes. 2018;42(Suppl 1):S255–82.
55. Yogev null, Chen null, Hod null, Coustan null, Oats null, McIntyre null, et al. Hyperglycemia and Adverse Pregnancy Outcome (HAPO) study: preeclampsia. Am J Obstet Gynecol. 2010;202(3):255.e1-7.
56. U.S. Preventive Services Task Force. Screening for asymptomatic bacteriuria in adults: U.S. Preventive Services Task Force reaffirmation recommendation statement. Ann Intern Med. 2008;149(1):43–7.
57. Rosenstein MG, Snowden JM, Cheng YW, Caughey AB. The mortality risk of expectant management compared with delivery stratified by gestational age and race and ethnicity. Am J Obstet Gynecol. 2014;211(6):660.e1-8.
58. Koyanagi A, Zhang J, Dagvadorj A, Hirayama F, Shibuya K, Souza JP, et al. Macrosomia in 23 developing countries: an analysis of a multicountry, facility-based, cross-sectional survey. Lancet Lond Engl. 2013;381(9865):476–83.
59. Victora CG, Bahl R, Barros AJD, França GVA, Horton S, Krasevec J, et al. Breastfeeding in the 21st century: epidemiology, mechanisms, and lifelong effect. The Lancet. 2016;387(10017):475–90.
60. Lovelady C. Balancing exercise and food intake with lactation to promote post-partum weight loss. Proc Nutr Soc. 2011;70(2):181–4.
61. Amorim Adegboye AR, Linne YM. Diet or exercise, or both, for weight reduction in women after childbirth. Cochrane Database Syst Rev. 2013;(7):CD005627.
62. Nascimento SL, Pudwell J, Surita FG, Adamo KB, Smith GN. The effect of physical exercise strategies on weight loss in postpartum women: a systematic review and meta-analysis. Int J Obes 2005. 2014;38(5):626–35.
63. Vounzoulaki E, Khunti K, Abner SC, Tan BK, Davies MJ, Gillies CL. Progression to type 2 diabetes in women with a known history of gestational diabetes: systematic review and meta-analysis. BMJ. 2020;369:m1361.
64. Dennison RA, Chen ES, Green ME, Legard C, Kotecha D, Farmer G, et al. The absolute and relative risk of type 2 diabetes after gestational diabetes: a systematic review and meta-analysis of 129 studies. Diabetes Res Clin Pract. 2021;171:108625.
65. Goveia P, Cañon-Montañez W, Santos D de P, Lopes GW, Ma RCW, Duncan BB, et al. Lifestyle intervention for the prevention of diabetes in women with previous gestational diabetes mellitus: a systematic review and meta-analysis. Front Endocrinol. 2018;9:583.
66. Casey BM, Rice MM, Landon MB, Varner MW, Reddy UM, Wapner RJ, et al. Effect of treatment of mild gestational diabetes on long--term maternal outcomes. Am J Perinatol. 2020;37(5):475–82.
67. World Health Organization. Medical eligibility criteria for contraceptive use. 5th ed. Geneva: WHO; 2015.
68. Kim C, Berger DK, Chamany S. Recurrence of gestational diabetes mellitus: a systematic review. Diabetes Care. 2007;30(5):1314–9.
69. Yu L, Zeng X-L, Cheng M-L, Yang G-Z, Wang B, Xiao Z-W, et al. Quantitative assessment of the effect of pre-gestational diabetes and risk of adverse maternal, perinatal and neonatal outcomes. Oncotarget. 2017;8(37):61048–56.
70. Melamed N, Hod M. Perinatal mortality in pregestational diabetes. Int J Gynaecol Obstet Off Organ Int Fed Gynaecol Obstet. 2009;104 Suppl 1:S20-24.
71. Macintosh MCM, Fleming KM, Bailey JA, Doyle P, Modder J, Acolet D, et al. Perinatal mortality and congenital anomalies in babies of women with type 1 or type 2 diabetes in England, Wales, and Northern Ireland: population based study. BMJ. 2006;333(7560):177.
72. Kitzmiller JL, Block JM, Brown FM, Catalano PM, Conway DL, Coustan DR, et al. Managing preexisting diabetes for pregnancy: summary of evidence and consensus recommendations for care. Diabetes Care. 2008;31(5):1060–79.

73. Middleton P, Crowther CA, Simmonds L. Different intensities of glycaemic control for pregnant women with pre-existing diabetes. Cochrane Database Syst Rev. 2012;(8):CD008540.
74. Forti AC e, Pires AC, Pittito B de A, Gerchman F, Oliveira JEP de, Zajdenverg L, et al., organizadores. Diretrizes Sociedade Brasileira de Diabetes: 2019-2020. São Paulo: Clannad; 2019.
75. U. S. Food & Drug Administration. FDA requests removal of strongest warning against using cholesterol-lowering statins during pregnancy; still advises most pregnant patients should stop taking statins [Internet]. FDA Drug Safety Podcast. [Silver Spring]:FDA; 2021 [capturado em 22 ago. 2021]. Disponível em: https://www.fda.gov/drugs/fda-drug-safety-podcasts/fda-requests-removal-strongest-warning-against-using-cholesterol-lowering-statins-during-pregnancy.
76. Oppermann MLDR, Alessi J, Hirakata VN, Wiegand DM, Reichelt AJ. Preeclampsia in women with pregestational diabetes – a cohort study. Hypertens Pregnancy. 2020;39(1):48–55.
77. Rolnik DL, Wright D, Poon LC, O'Gorman N, Syngelaki A, de Paco Matallana C, et al. Aspirin versus placebo in pregnancies at high risk for preterm preeclampsia. N Engl J Med. 2017;377(7):613–22.
78. Hofmeyr GJ, Belizán JM, von Dadelszen P, Calcium and Pre-eclampsia (CAP) Study Group. Low-dose calcium supplementation for preventing pre-eclampsia: a systematic review and commentary. BJOG Int J Obstet Gynaecol. 2014;121(8):951–7.
79. Hofmeyr GJ, Lawrie TA, Atallah AN, Duley L, Torloni MR. Calcium supplementation during pregnancy for preventing hypertensive disorders and related problems. Cochrane Database Syst Rev. 2014;(6):CD001059.
80. Feig DS, Briggs GG, Kraemer JM, Ambrose PJ, Moskovitz DN, Nageotte M, et al. Transfer of glyburide and glipizide into breast milk. Diabetes Care. 2005;28(8):1851–5.

# Capítulo 117
# INFECÇÕES NA GESTAÇÃO

Sérgio Martins-Costa
José Geraldo Lopes Ramos
Janete Vettorazzi
Beatriz Vailati

Neste capítulo, serão abordadas as infecções que mais acometem as gestantes e cujo manejo é feito parcial ou integralmente na atenção primária à saúde (APS). A infecção pelo HIV na gestação será abordada em capítulo específico.

## TOXOPLASMOSE

A toxoplasmose é causada por um protozoário, *Toxoplasma gondii*, que infecta os seres humanos na forma de oocistos (excretados nas fezes dos gatos) ou de cistos (presentes em músculos e vísceras de animais). O contato com gatos e a ingestão de alimentos contaminados, como verduras mal-lavadas ou carnes malcozidas, são as vias de aquisição da doença.

A prevalência da toxoplasmose varia em função de fatores sociais, econômicos, culturais e climáticos. Em Porto Alegre, no Estado do Rio Grande do Sul (RS), a soropositividade para imunoglobulina G (IgG) foi de 61,1% em uma amostra de gestantes em um hospital público, e a proporção de gestantes suscetíveis (imunoglobulina M [IgM] e IgG negativas) foi de 38,7%.[1] No Estado do Maranhão (MA), foram encontradas taxas de 77% e 22,1% para sorrorreatividade IgG e suscetibilidade, respectivamente.[2]

### Quadro clínico

A toxoplasmose costuma ser assintomática em indivíduos imunocompetentes. O quadro clínico pode incluir hipertermia, mialgias, erupção cutânea e linfadenopatia generalizada. No hemograma, é comum a presença de linfócitos atípicos.

A gestação não interfere de forma relevante na evolução natural da doença. A toxoplasmose pode provocar aborto, prematuridade e infecção congênita com ou sem malformações. As manifestações congênitas variam desde anemia, trombocitopenia, pneumonia, icterícia, coriorretinite, cegueira, encefalite, retardo mental, até malformações do sistema nervoso central (SNC), como microcefalia, hidrocefalia ou calcificações intracranianas.

A contaminação fetal só ocorre se a primoinfecção pelo toxoplasma ocorrer durante a gestação. O percentual estimado de acometimento fetal geral é de 40 a 50%. Em 10% dos casos, ocorre dano grave ou morte neonatal. A maioria dos recém-nascidos (RNs) infectados é assintomática ao nascimento, e os efeitos da doença podem levar meses ou anos para manifestar-se. Cerca de 80% das crianças com até 1 ano de idade não apresentam sinais da infecção. Se a toxoplasmose ocorrer em idade gestacional (IG) avançada, o risco de contaminação fetal será maior (zero antes da 5ª semana, 87% no final da gestação), mas a gravidade da doença será menor.

Raras vezes, em situações de imunocomprometimento (p. ex., síndrome da imunodeficiência adquirida [Aids, do inglês *acquired immunodeficiency syndrome*], medicamentos imunossupressores), mulheres previamente soropositivas para toxoplasmose podem transmitir a doença ao feto.

### Diagnóstico

**A pesquisa sorológica da presença de IgM e IgG específica para toxoplasmose é a base do diagnóstico, devendo ser solicitada na primeira consulta pré-natal.**

O método mais utilizado para determinação dessas imunoglobulinas é o Elfa (do inglês *enzyme-linked fluorescent assay*), e seus valores de referência estão listados na TABELA 117.1.

As gestantes com IgG e IgM negativas são suscetíveis à infecção e devem ser orientadas a evitar ingestão de carne malcozida, beber água limpa, proteger as mãos ao fazer jardinagem, lavar bem as frutas e verduras e evitar contato com animais (especialmente gatos) ou com terra potencialmente contaminada. Nessas gestantes, a sorologia deve

**TABELA 117.1** → Valores de referência para a interpretação dos resultados da determinação das imunoglobulinas da toxoplasmose pela técnica Elfa

| IMUNOGLOBULINA | VALOR DE REFERÊNCIA | RESULTADO |
|---|---|---|
| IgG | Até 4 | Não reagente |
| | 4,1-7,9 | Indeterminado |
| | ≥ 8 | Reagente |
| IgM | Até 0,5 | Não reagente |
| | 0,51-0,64 | Indeterminado |
| | ≥ 0,65 | Reagente |

ser repetida no 2º e 3º trimestres, com objetivo de detectar primoinfecção.

Um resultado negativo na pesquisa de IgM afasta a ocorrência de infecção recente. IgM reagente, com ou sem valores crescentes de IgG, sugere infecção recente. Entretanto, resultados positivos para IgM com frequência persistem por meses ou anos após a fase aguda. Além disso, podem ocorrer testes falso-negativos causados pela presença de fator reumatoide e anticorpo antinuclear.

Diante de um teste reagente para IgM, deve-se iniciar tratamento conforme idade gestacional e solicitar nova dosagem em 2 a 3 semanas ou lançar mão de outros testes, como IgA e imunoglobulina E (IgE) específicos e teste de avidez para IgG para identificação do momento de ocorrência da fase aguda. IgA e IgE são detectadas por menos tempo após a doença aguda. O teste de avidez da IgG avalia a força de interação entre antígeno e anticorpo.

A avidez é proporcional ao tempo de ocorrência da infecção materna. Se inferior a 15%, a avidez é baixa, indicando infecção nos últimos 3 meses. Se superior a 30%, a infecção ocorreu há mais de 6 meses. Valores entre 15 e 29% são inconclusivos. A baixa avidez de IgG pode persistir por anos em algumas mulheres. Por isso, o teste é mais valorizado quando há alta avidez.

A contaminação fetal pode ser determinada mediante pesquisa de IgM específica no sangue do cordão umbilical obtido pela cordocentese ou pela reação em cadeia da polimerase (PCR, do inglês *polymerase chain reaction*) do líquido amniótico para o DNA do toxoplasma. Este último continua sendo o melhor método diagnóstico, mas sua acurácia varia entre os laboratórios e técnicas. A ultrassonografia (US) pode ser útil para diagnóstico quando detecta possíveis repercussões fetais, como calcificação intracraniana e dilatação ventricular. Nesses casos, o prognóstico fetal é ruim.

## Tratamento

Antiparasitários podem ser utilizados na prevenção da transmissão vertical da toxoplasmose.[3,4] Contudo, até hoje a eficácia do tratamento da toxoplasmose na gestação continua controversa. Alguns autores acreditam que, em geral, uma vez detectada a infecção na gestante, já houve transmissão para o feto, não sendo possível prevenir a infecção fetal com o tratamento. Outros acreditam que o tratamento traz benefício na prevenção do desenvolvimento de sequelas graves no neonato, e que o efeito será melhor quanto mais precocemente for instituído.[5]

Entre os antiparasitários, a espiramicina, na dose diária de 3 g (1 g, de 8/8 horas), é o fármaco mais utilizado para diminuir a transmissão vertical em gestantes que adquirem a toxoplasmose durante o 1º ou o 2º trimestres, sem evidência de doença fetal **C/D**. Uma das críticas ao seu uso é o fato de a espiramicina, um macrolídeo, não ultrapassar a placenta de maneira adequada e, assim, não atuar no feto já infectado, podendo ser utilizada apenas na prevenção da passagem materno-fetal.

A azitromicina tem sido usada para tratar *T. gondii* em indivíduos com Aids e pode ser uma alternativa à espiramicina. Caso a infecção fetal seja comprovada após 18 semanas de gestação ou se a infecção for adquirida durante o 3º trimestre, deve-se associar pirimetamina (25 mg/dia, durante 21 dias), sulfadiazina (1 g, 4 ×/dia, por 21 dias) e ácido folínico (15 mg, 3 ×/semana) para tentar reduzir a gravidade da infecção congênita **C/D**.[6] A pirimetamina, associada à sulfadiazina, embora possa causar algum efeito colateral ao feto, é o esquema mais adequado para o tratamento de fetos infectados, pois atinge níveis terapêuticos no feto. Esse esquema pode ser alternado com a espiramicina em ciclos de 3 semanas. A **FIGURA 117.1** apresenta o algoritmo do manejo da toxoplasmose na gestação.

As gestantes com diagnóstico de toxoplasmose na gestação devem ser encaminhadas para acompanhamento em pré-natal especializado em medicina fetal ou gestação de alto risco.

## RUBÉOLA

A rubéola é uma infecção viral exantemática, de curso benigno, que, se ocorrer durante a gestação, pode causar anomalias congênitas. A transmissão do vírus se dá por inalação de partículas contaminadas, seguindo-se a viremia. O período de incubação é de 10 a 14 dias, e o indivíduo contaminado é infectante desde 4 a 6 dias após o contágio até 10 dias depois do desaparecimento do exantema.

A viremia leva à infecção placentária e fetal, causando lise celular e infecção crônica. O quadro clínico típico da rubéola é o exantema maculopapular, que inicia no tórax e na face e se alastra para as extremidades, durante cerca de 3 dias e desaparecendo no sentido inverso. A linfadenopatia pós-auricular antecede o exantema em vários dias. Há febrícula, e ocorre artralgia em 20% dos casos.

### Infecção fetal

O percentual de acometimento fetal é maior e a doença é mais grave quanto mais precoce for a IG em que a rubéola ocorrer **(TABELA 117.2)**. Quando a infecção acontece após 20 semanas de IG, o risco de comprometimento fetal grave é muito baixo; quando ocorre no 3º trimestre, a restrição do crescimento intrauterino pode ser a única sequela evidente.

No RN, a infecção varia de assintomática à síndrome da rubéola congênita, que se caracteriza por restrição do crescimento intrauterino e infecção viral crônica, podendo cordocentese (IgM fetal e PCR, a partir da 16ª semana). O Ministério da Saúde não recomenda o rastreamento de rotina para rubéola durante a gestação.

## Prevenção

**A vacinação com vírus vivo atenuado é a melhor forma de prevenir a rubéola e está indicada para crianças e mulheres que não estejam grávidas C/D.**

O percentual de efetividade da vacina é superior a 95%. É recomendado que as mulheres vacinadas evitem engravidar no mês subsequente à vacinação contra a rubéola C/D.[7] Apesar do risco teórico de comprometimento fetal nos primeiros 3 meses após a vacina (0-2%), não há nenhum caso relatado de síndrome da rubéola congênita relacionado com a vacinação contra rubéola em gestantes.[5]

## Tratamento

O uso de gamaglobulina é controverso, não havendo evidências nítidas de sua eficácia na redução de eventos perinatais. É necessária a aferição correta do período de viremia em relação à IG para orientação da gestante quanto ao prognóstico perinatal. Em países onde o aborto é permitido, pode ser oferecida a interrupção da gestação.

# HEPATITES

**A hepatite viral é a principal causa de icterícia em gestantes.**

A doença pode apresentar-se de forma subclínica, inaparente, levando à subestimativa de sua ocorrência. Pelo alto potencial de morbidade da doença para a mãe e o feto, seu diagnóstico e o reconhecimento do estado de portadora na gestante têm muita importância para a proteção adequada do RN.

Os vários tipos de hepatite produzem manifestações clínicas semelhantes, o que impossibilita o diagnóstico com base somente em parâmetros clínicos, sendo essenciais os testes sorológicos específicos para a determinação do tipo viral (ver Capítulo Hepatites Virais).

Os sintomas são inespecíficos e muitos se confundem com queixas comuns e próprias da gestação, como fadiga, mal-estar, inapetência, náuseas e vômitos. Na fase inicial da doença aguda, podem ocorrer algumas manifestações como coriza, tosse, fotofobia, cefaleia e mialgias. O início dos sintomas costuma ser insidioso, exceto na hepatite A (que também pode apresentar febrícula). Todos os sintomas mencionados tendem a diminuir ou mesmo desaparecer com o surgimento da icterícia. No entanto, o prurido pode aparecer com o aumento da icterícia.

O exame físico é pouco expressivo, exceto se o fígado for facilmente palpável abaixo do rebordo costal. Como ele costuma estar deslocado cranial e posteriormente pelo útero gravídico, sempre que for possível palpá-lo, deve-se pensar em alguma doença hepática.

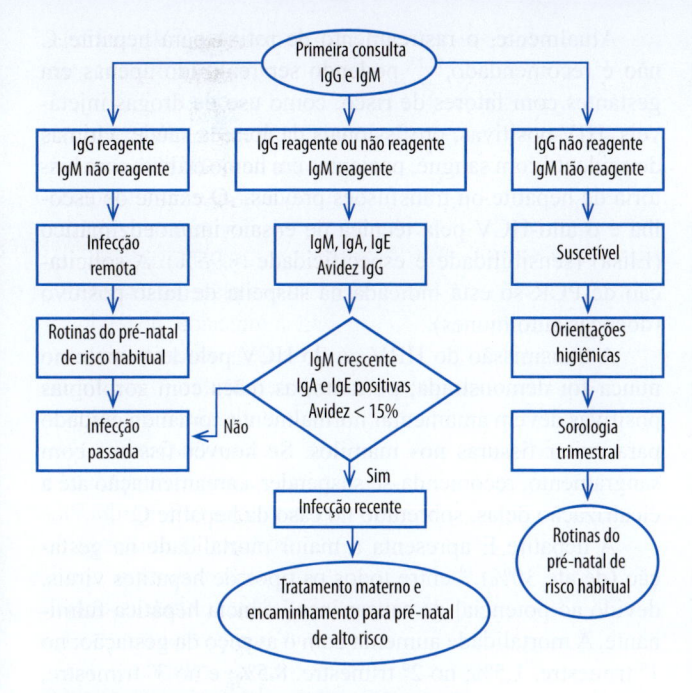

**FIGURA 117.1** → Manejo da toxoplasmose em gestantes.
IgA, imunoglobulina A; IgE, imunoglobulina E; IgG, imunoglobulina G; IgM, imunoglobulina M.

**TABELA 117.2** → Rubéola e acometimento fetal com base na idade gestacional (IG)

| IG | CONTAMINAÇÃO DO FETO (%) |
|---|---|
| < 4 semanas | 33 |
| 5-8 semanas | 25 |
| 9-12 semanas | 9 |
| 13-16 semanas | 4 |
| > 17 semanas | 1 |

acometer diversos sistemas de órgãos (microftalmia, cardiopatia, alterações auditivas e retardo mental), e à síndrome da rubéola congênita ampliada (miocardite, hepatite, púrpura, alterações ósseas e óbito). Muitas vezes, os danos causados pela infecção (oculares, auditivos e no SNC) aparecem tardiamente no desenvolvimento da criança.

## Diagnóstico

**O método ideal para o diagnóstico de rubéola é a pesquisa de anticorpos específicos, já que o diagnóstico clínico é muitas vezes confundido com outras doenças virais.**

A história de infecção passada não é confiável. A presença de IgM específica para rubéola confirma o diagnóstico, mas somente na fase aguda (está presente até 30 dias após a infecção). Com IgM negativa, o diagnóstico fica na dependência dos níveis de IgG: um aumento quádruplo no título em intervalo de 2 semanas indica doença atual. A pesquisa no feto pode ser feita por meio de biópsia de vilo corial, amniocentese (PCR, a partir da 12ª à 14ª semana) e

A principal alteração bioquímica é o aumento das transaminases hepáticas, que podem variar de 500 a 5.000 UI/L e não sofrem interferência significativa do estado gravídico. O aumento dos níveis séricos das bilirrubinas e da fosfatase alcalina, se isolado, deve ser interpretado com cautela, pois as primeiras estão elevadas em cerca de 10% das gestantes hígidas, e a última também é produzida pela placenta.

O diagnóstico diferencial de hepatite deve ser feito com icterícia colestática, colelitíase, síndrome HELLP (hemólise, enzimas hepáticas elevadas e baixa contagem de plaquetas [do inglês *hemolysis, elevated liver enzymes, low platelets*]), fígado gorduroso agudo da gestação e farmacotoxicidade.

A hepatite A é uma infecção endêmica no Brasil e com maior prevalência em populações de baixo nível socioeconômico. Até 2 semanas após a exposição, está indicado o uso de imunoglobulina (0,02 mL/kg, por via intramuscular [IM]).

Todas as gestantes devem ser rastreadas rotineiramente para hepatite B com antígeno de superfície da hepatite B (HBsAg, do inglês *hepatitis B surface antigen*) no acompanhamento pré-natal.[8] A vacinação está indicada para todas as mulheres HBsAg-negativas **C/D**. Está indicado o uso de imunoglobulina hiperimune em gestantes soronegativas com história de acidente com material contaminado, que tiveram relações sexuais com parceria em fase aguda, vítimas de violência sexual ou usuárias de drogas injetáveis que compartilham seringas (0,06 mL/kg, IM, em dose única, nos primeiros 14 dias após a exposição).[9]

Do ponto de vista clínico e epidemiológico, a maior complicação da hepatite materna é a transmissão viral para o feto. A hepatite B tem especial importância, pois neonatos infectados pelo vírus apresentam 90% de chance de se tornarem portadores crônicos e desenvolverem doença hepática ao longo da vida. Além disso, tornam-se propagadores do vírus.

> **Os RNs de gestantes portadoras de HBsAg devem receber imunoglobulina e vacina imediatamente após o nascimento, ainda na sala de parto (ou antes de completar 24 horas de vida), o que previne a transmissão vertical e a infecção pós-natal em 90% dos casos.[9]**

A transmissão vertical do vírus da hepatite C (HCV, do inglês *hepatitis C virus*) é menor do que a do vírus da hepatite B (HBV, do inglês *hepatitis B virus*). Estima-se que a transmissão materno-fetal ocorra em cerca de 6% das gestantes HCV-positivas, sendo influenciada pela viremia materna e pela coinfecção com o vírus da imunodeficiência adquirida (HIV, do inglês *human immunodeficiency virus*), quando a transmissão aumenta para cerca de 11%.[10,11] A infecção do bebê ocorre, predominantemente, durante o parto ou no período periparto, e nenhum tratamento ou técnica – como parto cesáreo – demonstrou reduzir o risco de infecção. Conforme estudo norte-americano, a infecção materna por HCV se mostrou associada a uma maior ocorrência de desfechos perinatais adversos, como parto prematuro (razão de chances [RC] = 1,4), baixo peso ao nascer (RC = 1,39) e malformações congênitas (RC = 1,55).[10] Entre as crianças infectadas, a maioria desenvolve hepatopatia crônica.[8]

Atualmente, o rastreamento de rotina para hepatite C não é recomendado,[12,13] podendo ser realizado apenas em gestantes com fatores de risco, como uso de drogas injetáveis, HIV-positivas, profissionais da área da saúde, vítimas de acidente com sangue, pacientes em hemodiálise, com história de hepatite ou transfusões prévias.[9] O exame de escolha é o anti-HCV pela técnica de ensaio imunoenzimático (Elisa) (sensibilidade e especificidade > 95%). A solicitação de PCR só está indicada na suspeita de falso-positivo (doenças autoimunes).

A transmissão do HBV ou do HCV pelo leite materno nunca foi demonstrada; portanto, as mães com sorologias positivas devem amamentar normalmente, tomando cuidado para evitar fissuras nos mamilos. Se houver fissuras com sangramento, recomenda-se suspender a amamentação até a cicatrização delas, sobretudo no caso da hepatite C.

A hepatite E apresenta a maior mortalidade na gestação (de até 30%),[14] entre todos os tipos de hepatites virais, devido ao potencial de causar insuficiência hepática fulminante. A mortalidade aumenta com o avanço da gestação: no 1º trimestre, 1,5%; no 2º trimestre, 8,5%; e no 3º trimestre, 21%.[15]

O manejo da hepatite aguda é similar para grávidas e não grávidas (ver Capítulo Hepatites Virais). Na maioria das vezes, não há indicação de hospitalização, e a gestante pode permanecer em casa, em repouso e com alimentação e ingestão líquida habituais. Como os sintomas de inapetência e náuseas tendem a piorar durante o dia, o desjejum é a refeição mais bem tolerada pela gestante, devendo ser incrementado. Somente as medicações essenciais devem ser prescritas.

As gestantes com hepatite C devem ser encaminhadas para avaliação conjunta com especialista na área para definição do melhor tratamento.

A hospitalização é indicada nos casos de desidratação ou quando houver indicativos de hepatite fulminante. Essa complicação extrema da hepatite viral tem melhor prognóstico se reconhecida no início e se o manejo ocorrer em unidade de terapia intensiva (UTI). Nesses casos, a mortalidade materna chega a 80 a 90%, e deve ser feito o diagnóstico diferencial com fígado gorduroso agudo da gestação e síndrome HELLP. A interrupção da gestação não piora o prognóstico materno e melhora a chance de sobrevida do feto. Sepse, insuficiências renal e pulmonar, edema cerebral e coagulação intravascular disseminada são as complicações mais frequentes.[16]

Não há relato de efeito teratogênico de qualquer tipo de hepatite viral.

## ESTREPTOCOCO DO GRUPO B

A colonização do trato urogenital das mulheres pelo estreptococo do grupo B (EGB) é comum e geralmente assintomática, mas pode ter repercussão importante na morbimortalidade neonatal. Estima-se que, no mundo todo, 10 a 30% das gestantes sejam colonizadas pelo EGB.[17] No Brasil, essa frequência varia de 5 a 40%, dependendo da região e da população estudada.[18] A positividade pode variar conforme o teste utilizado no rastreamento. Utilizando a técnica de detecção por PCR, em estudo recente entre mulheres usuárias do sistema público de Porto Alegre, a frequência de positividade foi de 51%.[19]

O Centers for Disease Control and Prevention (CDC) dos Estados Unidos recomenda a investigação de rotina da presença do EGB em todas as gestantes entre 35 e 37 semanas de IG. Nas gestantes com risco de parto prematuro, o exame para pesquisa de EGB pode ser realizado antes das 35 semanas. Para a coleta de material para pesquisa de EGB, pode-se utilizar um único *swab*, procedendo-se primeiramente à coleta vaginal (sem usar espéculo, introduzir o *swab* cerca de 3 cm e fazer movimentos giratórios) e depois à coleta anal (introduzir o *swab* no reto por cerca de 2-3 cm e fazer movimentos giratórios). Os métodos diagnósticos de EGB são cultural, PCR (utilizado na maioria do laboratórios) e teste rápido para EGB.

As gestantes com resultado de EGB positivo, independentemente da IG na ocasião do parto, devem receber profilaxia antibiótica intraparto (ampicilina 2 g, IV, de 6/6 horas) durante o trabalho de parto até o nascimento B. Essa conduta demonstrou redução de risco de infecção precoce pelo EGB nos RNs em estudos randomizados (RR = 0,17; NNT = 23-82).[20] As gestantes com urocultura positiva para EGB, mesmo assintomáticas, devem ser tratadas durante o pré-natal com antibioticoterapia por via oral (VO) (p. ex., ampicilina), visto que o tratamento pode reduzir o risco de pielonefrite materna (RR = 0,24; NNT = 6-9), parto prematuro (RR = 0,34; NNT = 7-49) e nascimento de RN com baixo peso (RR = 0,64; NNT = 13-102) B.[21] No momento do parto, essas gestantes devem receber profilaxia IV. Depois da padronização da profilaxia recomendada pelo CDC (ampicilina IV intraparto para a mãe e penicilina G cristalina IV para o RN se indicado pela avaliação de risco),[22] houve diminuição significativa de sepse por EGB nos RNs, sobretudo nos RNs pré-termo.

## VARICELA

A varicela é causada pelo vírus da varicela-zóster, um herpesvírus altamente contagioso disseminado pela inalação de partículas infectantes ou pelo contato com lesões infectadas. É uma doença típica da infância, acometendo mais de 90% das crianças antes da chegada à adolescência, sendo, portanto, rara na idade reprodutiva. Quando ocorre em adultos, a doença costuma ser mais grave. A vacina é constituída por vírus vivos atenuados. Recomenda-se que mulheres que pretendem gestar realizem a vacina de acordo com o calendário vacinal.

### Quadro clínico

As manifestações iniciais são semelhantes às de um estado gripal (febre e mal-estar), seguidas por uma erupção cutânea pruriginosa, com evolução rápida das máculas e pápulas para vesículas e crostas; é característica a presença simultânea de lesões em estágios diferentes e com distribuição centrípeta.

A ocorrência na gravidez foi estimada em 7 a cada 10 mil gestantes.[23] A complicação mais grave da doença na gestação é a pneumonia intersticial, que pode ocorrer em 5 a 10% das gestantes infectadas.[24] Nessa situação, a mortalidade pode chegar a aproximadamente 20%.

### Acometimento fetal

O vírus, se transmitido para o feto, pode ocasionar uma síndrome congênita ou infecção perinatal. Antes da 24ª semana de gestação, estima-se que um terço dos fetos infectados apresentem manifestações clínicas. A síndrome congênita inclui restrição do crescimento intrauterino, microcefalia, coriorretinite, microftalmia e hipotrofia de membros. Os RNs que não apresentam malformações ao nascimento, em geral, desenvolvem herpes-zóster no 1º ano de vida.

A contaminação no período periparto está associada a um risco maior (até 25%) de transmissão. A infecção neonatal costuma ser muito grave, sobretudo se houver prematuridade associada, e o tratamento com imunoglobulina específica deve ser instituído prontamente.[25]

### Diagnóstico

Em geral, o diagnóstico é clínico. Se necessário, a presença de IgM específica, na fase aguda, confirma a doença. A cordocentese pode ser realizada para identificar os fetos contaminados, quando a doença ocorrer longe do termo. Como um terço dos fetos apresentarão a síndrome da varicela congênita, nos países em que o abortamento é permitido, essa conduta pode ser oferecida para o casal.

### Tratamento

As gestantes com a doença devem ser isoladas até que as lesões desapareçam; medicamentos para o alívio dos sintomas como febre e prurido devem ser oferecidos C/D. O aciclovir VO deve ser prescrito para mulheres grávidas com varicela e com IG > 20 semanas, se elas buscarem atendimento médico dentro de 24 horas após o início das lesões. O uso de aciclovir em gestantes com IG ≤ 20 semanas também deve ser considerado C/D.[26] Nos casos graves, o uso de terapia antiviral IV está indicado. O aciclovir, na dose de 30 mg/kg/dia, em 3 doses diárias, IV, por no mínimo 7 dias, é efetivo na redução da duração e da gravidade da doença, quando iniciado nas primeiras 24 horas do surgimento do *rash* cutâneo C/D.[26] No caso de uma possível exposição à varicela da gestante com estado imunológico desconhecido, devem ser realizados testes séricos, se possível. Se os resultados séricos forem negativos ou indisponíveis dentro de 96 horas após a exposição, a imunoglobulina específica para varicela-zóster deve ser administrada C/D.[27] Observa-se que o uso deve ser restrito às pacientes imunologicamente comprometidas, pois o custo do tratamento é muito alto.

Quanto à prevenção, deve ser estimulada a vacinação de mulheres que não tiveram a doença na infância ou que não são vacinadas C/D. A vacina não deve ser usada na gestação, pois é constituída de vírus vivos atenuados, mas pode ser usada no puerpério. Não foram encontrados vírus (por PCR) no leite materno em puérperas que receberam vacina até a 6ª semana do puerpério.[28,29]

## VÍRUS DA ZIKA

O vírus da Zika causa uma infecção exantematosa que, em gestantes, pode provocar infecção fetal com tropismo pelo SNC, levando a lesões cerebrais graves e microcefalia.

Os principais sintomas da infecção por vírus da Zika são: febre baixa (37,8-38,5 °C), artralgia, mialgia, cefaleia retrocular, conjuntivite sem secreção e exantema com prurido, podendo afetar rosto, tronco e membros inferiores. Mais raramente, podem ocorrer dor abdominal, diarreia, constipação, fotofobia e pequenas úlceras na mucosa oral.

O RNA do vírus da Zika pode ser detectado no sangue e na urina por períodos de até 2 semanas após a contaminação. Para diagnóstico, o CDC recomenda o teste de PCR em tempo real (RT-PCR) até 2 semanas após início dos sintomas.

O tratamento é apenas sintomático, e ainda não há tratamento específico para a infecção por vírus da Zika.

As principais complicações descritas são a microcefalia adquirida por transmissão vertical e a síndrome de Guillain-Barré.

### Infecção congênita por vírus da Zika no Brasil

Em 2015, foi relatada uma epidemia de microcefalia congênita associada à infecção por vírus da Zika em gestantes no Brasil. A infecção congênita por vírus da Zika, como nova doença teratogênica, foi descrita pela primeira vez no País por França e colaboradores, em 2016.[30]

Devem ser seguidas as seguintes recomendações para diagnóstico pré-natal:[31,32]
- → gestantes sintomáticas examinadas em menos de 2 semanas após início dos sintomas devem fazer RT-PCR no sangue e na urina;
- → gestantes examinadas entre 2 e 12 semanas após início dos sintomas devem ser testadas para anticorpos IgM de Zika e dengue;
- → gestantes assintomáticas residentes em áreas com transmissão ativa de Zika, que são examinadas em menos de 2 semanas após possível exposição, devem ser testadas com RT-PCR. Se o teste for negativo, entre 2 e 12 semanas após a exposição, deve ser solicitada IgM para Zika;
- → gestantes assintomáticas que não residem em área de transmissão ativa de Zika e que são examinadas entre 2 e 12 semanas após possível exposição, devem primeiro ser testadas para IgM de Zika. Se a IgM for positiva ou duvidosa, deve ser solicitado RT-PCR;
- → no pré-natal de gestantes assintomáticas, mas com risco de exposição ao vírus da Zika, deve ser solicitada IgM para Zika durante o 1º e o 2º trimestres, com RT-PCR imediato caso a IgM seja positiva ou duvidosa.

Se os testes laboratoriais indicarem infecção por vírus da Zika na gestante, deve ser considerada a realização de USs a cada 3 a 4 semanas para avaliar a anatomia e o crescimento do feto. Microcefalia, calcificações cerebrais e anormalidades cerebrais e oftalmológicas sugerem infecção por vírus da Zika no feto. A sensibilidade e a especificidade do PCR no líquido amniótico ainda não são conhecidas.

RNs de mães com suspeita de infecção por vírus da Zika devem ser testados com RT-PCR para Zika e anticorpos IgM para Zika e dengue no sangue de cordão umbilical.

### Prevenção da infecção por vírus da Zika em gestantes

As seguintes medidas devem ser adotadas para impedir a presença do mosquito transmissor:
- → retirar recipientes que contenham água parada;
- → recobrir adequadamente locais de armazenamento de água;
- → usar telas em portas e janelas e mosquiteiros;
- → usar vestimentas que cubram a maior parte do corpo;
- → utilizar repelentes de uso tópico contra o mosquito. Segundo a Agência Nacional de Vigilância Sanitária (Anvisa), não há qualquer impedimento para utilização de repelentes em gestantes. Os repelentes devem ser aplicados nas áreas expostas do corpo e por cima da roupa. A reaplicação deve ser realizada de acordo com a indicação de cada fabricante (ver QR code).

## INFECÇÕES SEXUALMENTE TRANSMISSÍVEIS

Várias infecções sexualmente transmissíveis (ISTs) podem ser adquiridas pelo feto ou pelo RN, por transmissão transplacentária, durante a passagem pelo canal do parto ou pela lactação, uma vez que os agentes envolvidos podem estar presentes no sangue, nos fluidos corporais e no leite materno.

As ISTs podem ter efeitos graves e debilitantes sobre a gestante e seu concepto, podendo resultar em gestação ectópica, abortamento, morte fetal intraútero, malformações congênitas e trabalho de parto pré-termo.

Neste capítulo, são abordadas sífilis, infecção herpética, citomegalovirose e vaginites durante a gestação. As demais ISTs devem ser investigadas na gestação da mesma maneira que fora dela, e as especificações de tratamento podem ser consultadas no Capítulo Infecções Sexualmente Transmissíveis: Abordagem Sindrômica. A infecção por HIV/Aids é abordada no Capítulo Infecção pelo HIV em Gestantes.

**A recomendação para utilização regular de preservativos e a orientação quanto aos sinais e sintomas das ISTs, visando ao diagnóstico precoce e ao tratamento do casal, devem fazer parte da rotina do acompanhamento pré-natal.**

O tratamento das ISTs durante o ciclo gestacional exige a observação de normas terapêuticas, levando sempre em consideração o risco que determinadas medicações podem ter sobre a gestante ou sobre o feto. A escolha deve recair sobre fármacos já testados e com menos risco para o feto e a gestante. Também se deve considerar que alguns medicamentos não tratam o feto apropriadamente (p. ex., a eritromicina não atravessa a barreira hematoplacentária e não é suficiente para o tratamento da sífilis no feto).

## Sífilis

A sífilis é uma infecção sistêmica causada por *Treponema pallidum*. Sua evolução é crônica e, quando não tratada, apresenta períodos de reativação. No Brasil, assim como em outros países, os números que retratam a situação da sífilis na gestação são preocupantes. Um estudo de representatividade nacional com dados de 2014 mostrou prevalência de 1,02% de sífilis na gestação.[33] Segundo o Ministério da Saúde, em 2018, a taxa de detecção de sífilis em gestantes foi de 21,4 a cada 1.000 nascidos vivos, a taxa de incidência de sífilis congênita foi de 9 a cada 1.000 nascidos vivos, e a taxa de mortalidade por sífilis congênita foi de 8,2 a cada 100 mil nascidos vivos.[34] De 2010 a 2018, a taxa de detecção de sífilis na gestação e a taxa de incidência de sífilis congênita aumentaram, respectivamente, de 3,5 para 21,4 a cada 1.000 nascidos vivos e de 2,4 para 9 a cada 1.000 nascidos vivos. Quanto à IG de detecção de sífilis em gestantes, 39% aconteceram no 1º trimestre, 25,2% no 2º trimestre e 29,6% no 3º trimestre.[34]

> O Ministério da Saúde do Brasil recomenda que todas as gestantes sejam testadas no no 1º e no 3º trimestres da gestação e que nenhuma puérpera tenha alta hospitalar sem que saiba o resultado do exame de rastreamento para sífilis.[9]

Em mulheres tratadas adequadamente durante a gestação, apenas 1 a 2% das crianças nascem com infecção congênita, em comparação com 70 a 100% das gestantes não tratadas. Sem tratamento eficaz, estima-se que 11% das gestações resultem em morte fetal a termo e 13%, em partos prematuros ou baixo peso ao nascer, além de pelo menos 20% de RNs com sinais sugestivos de sífilis congênita.[35]

Em 2018, no Brasil, dos 26.308 casos de sífilis congênita registrados, 11,4% apresentaram algum desfecho desfavorável: óbito (2%), aborto (3,4%) e natimorto (2,8%); 3,2% tiveram evolução ignorada.[34]

## Quadro clínico

O risco de transmissão congênita está diretamente relacionado com o estágio da doença, sendo muito alto nos primeiros 4 anos após a aquisição da infecção pela mãe. A sífilis congênita é considerada precoce (quando diagnosticada até o 2º ano de vida) ou tardia (quando diagnosticada depois do 2º ano de vida).[9,11,33,34]

As diferentes fases da sífilis e sua apresentação sorológica estão apresentadas na FIGURA 155.2, no Capítulo Infecções Sexualmente Transmissíveis: Abordagem Sindrômica.

Na gestação, o acometimento pelo processo infeccioso fica evidenciado pelas características da placenta e dos anexos, que se apresentam com aumento de volume, edema, coloração mais pálida e friável dos cotilédones. Na sífilis congênita precoce, pode haver comprometimento cutaneomucoso, com "pênfigos" palmoplantares provocando seguidamente uma grande área de descamação da epiderme. Na presença de coriza hemorrágica, deve-se suspeitar de sífilis. Essa secreção é rica em treponemas.

A sífilis congênita tardia inicia-se no 3º ano de vida e pode provocar alterações ósseas e articulares, surdez, alterações dentárias, lesões oculares, nariz em sela e perfuração do palato duro. Ainda como manifestação dessa fase, pode ocorrer comprometimento neurológico, como *tabes dorsalis*, meningite, paralisia geral, nefrite subaguda, entre outros.

## Diagnóstico

A escolha do método diagnóstico depende da fase da infecção materna.

A pesquisa direta de *T. pallidum* pode ser feita por meio de microscopia em campo escuro, imunofluorescência direta e coloração de Giemsa. Ela só é possível na presença de lesão. Na sífilis secundária, as lesões são ricas em treponemas. A microscopia em campo escuro permite a visualização direta dos espiroquetas, sendo este o exame de eleição para o diagnóstico da sífilis primária.

Para a triagem da doença, utiliza-se o *Venereal Disease Research Laboratory* (VDRL), que é um teste não treponêmico (não específico), mas com alta sensibilidade, possibilitando o diagnóstico de praticamente todos os casos.

No Brasil, a testagem para sífilis está indicada para todas as gestantes na primeira consulta pré-natal, no início do 3º trimestre (ao redor da 28ª semana) e na ocasião do parto (ou em caso de aborto/natimorto). Havendo disponibilidade de teste rápido no serviço de saúde, este deve ser realizado. Caso contrário, o VDRL deve ser solicitado.[9] Se o teste rápido for reagente, VDRL e teste treponêmico (com metodologia diferente do primeiro) devem ser solicitados para confirmação e acompanhamento.

O VDRL quantitativo auxilia no diagnóstico inicial, sendo útil no acompanhamento do tratamento e das recidivas ou reinfecções. Esse teste começa a ter resultados positivos em geral dentro de 1 ou 2 semanas após o aparecimento do cancro duro. Os títulos diminuem com o tratamento adequado e podem desaparecer em 9 a 12 meses ou permanecer baixos (cicatriz imunológica). Resultados falso-positivos podem ocorrer em caso de presença de doenças autoimunes (colagenoses), fase aguda de viroses, cirrose hepática, leptospirose, mononucleose, outras infecções treponêmicas, hanseníase, malária e também em função da própria gravidez.[9,11,33,34]

Entre as reações específicas ou treponêmicas, a mais empregada no Brasil é a imunofluorescência indireta, que utiliza *T. pallidum* como antígeno para avaliar a reação de anticorpos antitreponêmicos no soro do indivíduo (anticorpo treponêmico fluorescente, absorvido [FTA-ABS, do inglês *fluorescent treponemal antibody-absorption*], ensaio de microemaglutinação para *T. pallidum* [MHA-TP, do inglês *microhemagglutination assay for T. pallidum*]/hemaglutinação de *T. pallidum* [TPHA, do inglês *T. pallidum hemagglutination*]/aglutinação de partículas para *T. pallidum*

[TPPA, do inglês T. pallidum *particle agglutination*], Elisa ou similar). É de extremo valor para a confirmação de um teste não treponêmico, e é sensível e específico para os diagnósticos de infecções pelo agente etiológico da sífilis, sendo reativo a partir do 15º dia da infecção. Esse teste não deve ser usado para o acompanhamento, pois pode permanecer positivo por toda a vida, independentemente do tratamento. A fração de imunoglobulina (IgM) desse teste é importante para o diagnóstico da sífilis congênita, pois um resultado negativo afasta a possibilidade de doença em RNs com testes positivos devido à passagem de anticorpos maternos para o compartimento fetal. Outras reações específicas, como imobilização de *T. pallidum* (TPI, do inglês T. pallidum *immobilization*) e TPHA, não são empregadas de rotina.

## Tratamento

**Durante a gestação, qualquer titulação de VDRL ou resultado de teste rápido reagente devem ser considerados como infecção, a não ser que haja história de tratamento adequado ou registro de diminuição da titulação sorológica após tratamento adequado. O fármaco de escolha para o tratamento da sífilis na gestação é a penicilina benzatina C/D.**[9,11,33,34,36] **O tratamento adequado da sífilis durante a gravidez reduz a ocorrência de parto prematuro (0,8% vs. 5%; NNT = 24) e de baixo peso ao nascer (6,7% vs. 14,5%; NNT = 13) B.**[37]

Até a presente data, não foi demonstrado o surgimento de formas resistentes à penicilina.

Após a dose terapêutica inicial na doença recente, pode surgir a reação febril de Jarisch-Herxheimer, com exacerbação das lesões cutâneas e involução espontânea em 12 a 48 horas. Nesses casos, deve-se indicar apenas tratamento sintomático, sem interromper o tratamento da sífilis. Quando essa reação ocorre na segunda metade da gestação, há risco de parto pré-termo, pela liberação de prostaglandinas em altas doses; no entanto, esse risco é menor do que o risco de abortamento ou morte fetal caso a gestante não seja adequadamente tratada.[9,11,33,34]

**A penicilina benzatina é a única opção segura e eficaz para tratamento adequado das gestantes.**[9] **Esquemas alternativos não são recomendados na gestação. Gestantes que ultrapassarem o intervalo de 14 dias entre as doses devem reiniciar o esquema terapêutico.**

Diante da impossibilidade do tratamento com penicilina, em situações especiais, como em caso de desabastecimento, o protocolo da Organização Mundial da Saúde (OMS) inclui a opção de utilizar ceftriaxona 1 g para sífilis latente recente, IM, por 10 a 14 dias C/D. Nessas situações especiais, o uso de eritromicina também pode ser considerado, com muita cautela C/D. Porém, por não serem considerados tratamentos adequados na gestação, será necessário notificar/investigar e tratar a criança para sífilis congênita.[38]

A probabilidade de reação adversa às penicilinas, em especial as reações graves, é muito rara. A possibilidade de reação anafilática à administração de penicilina benzatina é de 0,002%, segundo levantamento das evidências científicas constante no relatório de recomendação elaborado pela Comissão Nacional de Incorporação de Tecnologia no Sistema Único de Saúde (Conitec).[39]

As parcerias devem receber tratamento concomitante ao da gestante, preferencialmente com penicilina. Para sífilis presumida, mesmo apresentando teste imunológico não reagente, deve-se fazer o tratamento com uma dose de penicilina benzatina IM (2.400.000 UI). No caso de teste reagente para sífilis, seguir as recomendações de tratamento da sífilis adquirida no adulto, de acordo com o estágio clínico da infecção.[9] (Ver **TABELA 155.2** no Capítulo Infecções Sexualmente Transmissíveis: Abordagem Sindrômica.)

**A busca ativa para diagnóstico e tratamento das parcerias sexuais de gestantes com sífilis é crucial.**

## Acompanhamento

**Até o final da gestação, o controle pós-tratamento deve ser feito com a solicitação de dosagens mensais do VDRL.**

Para que uma resposta seja considerada adequada ao tratamento, é preciso haver queda da titulação em pelo menos 2 diluições em até 3 meses, ou de 4 diluições em 6 meses após a conclusão do tratamento (p. ex., pré-tratamento, 1:64, e em 3 meses, 1:16, ou em 6 meses, 1:4).[9]

Ao término da gestação, recomenda-se a repetição do VDRL quantitativo de 3 em 3 meses durante o primeiro ano e, se ainda houver reatividade em titulações decrescentes, deve-se manter o acompanhamento de 6 em 6 meses até a estabilização. Após 1 ano, pode-se dar alta na presença de título baixo e estável em duas oportunidades. A persistência de títulos baixos (1:1 a 1:4) em testes não treponêmicos durante 1 ano após o tratamento, quando descartada nova exposição de risco durante o período analisado, é chamada de "cicatriz sorológica" e não caracteriza falha terapêutica.

Deve-se suspeitar de reinfecção quando houver elevação de duas diluições no título, ou persistência ou recorrência dos sinais/sintomas, ou ausência de queda esperada do título. Nesse caso, a gestante deve ser submetida a novo tratamento completo, revisando se as parcerias realizaram o tratamento C/D.[9] Nessas situações, é recomendado investigar sinais/sintomas neurológicos e/ou oftalmológicos de sífilis.

## Infecção herpética

Causada por dois tipos de vírus e suas múltiplas cepas – o herpesvírus simples 1 (HSV-1, do inglês *herpes simplex virus 1*) e o HSV-2 –, a infecção permanece latente após a primoinfecção, podendo reativar-se periodicamente, com mais frequência durante a gestação. Até 50% dos adultos em idade fértil já tiveram contato com o HSV-2, e cerca de 2% das mulheres podem adquirir infecção herpética na gestação.[40] A transmissão ocorre pelo contato com lesões abertas e pode ser oral-oral, oral-genital e genital-genital. Mesmo superfícies mucosas nas quais não há lesões visíveis podem emitir vírus, embora a população viral seja bem menor.

## Quadro clínico

O período de incubação da infecção herpética é de 3 a 9 dias. A fase prodrômica é típica e manifesta-se com queimação, prurido e parestesia; segue-se o aparecimento de vesículas que ulceram e coalescem. O quadro dura, em média, 7 a 10 dias. A doença pode ser assintomática (50-70%) e, no outro extremo, pode haver envolvimento sistêmico (na primoinfecção, há sintomas sistêmicos em 70% dos casos). Prostração, cefaleia e mialgias podem ocorrer. Rara – porém mais grave – é a hepatite herpética, que tem alta taxa de mortalidade (50%) quando não tratada. A infecção primária durante a gestação está associada a uma incidência maior de recorrências. As infecções recorrentes tendem a ser mais rápidas, menos intensas e localizadas e são mais frequentes com o HSV-2. Mesmo nas recorrências com lesões exclusivas da genitália externa, o vírus pode estar presente no colo do útero (10-15% das vezes). Até 20% das gestantes têm evidências sorológicas de infecção passada pelo HSV-2, apesar de somente um quinto destas relatarem passado herpético.

## Repercussões no feto

A infecção congênita prévia à ruptura prematura de membranas é incomum, sendo exclusivamente uma consequência da primoinfecção herpética. É provável que a transmissão viral se deva à disseminação hematogênica. Quando a infecção fetal ocorre no início da gestação, costuma ser fatal, resultando em aborto. Quando é mais tardia, está associada a mortalidade fetal aumentada, trabalho de parto pré-termo, restrição do crescimento intrauterino e malformações que, em geral, são de difícil detecção na US. O mais comumente encontrado são as infecções adquiridas no período perinatal. A transmissão para o bebê pode ser intraútero ascendente (ruptura prematura de membranas), pela passagem no canal de parto infectado ou pelo contato com lesões ativas ou secreções infectadas após o parto. A infecção primária adquirida durante a gestação está associada a 50% da doença neonatal.

A doença neonatal é rara: 1 a cada 5 mil a 1 a cada 20 mil crianças desenvolvem infecção clínica por herpes na população geral. Em geral, a doença no neonato se apresenta disseminada, com predominância de alterações neurológicas; sem tratamento, a mortalidade é de 70% em 6 a 10 dias, e o restante dos bebês sobrevive com sequelas. As crianças nascidas por parto vaginal de mulheres que apresentaram a primoinfecção recentemente têm maiores chances de desenvolver herpes neonatal (33%) do que aquelas nascidas de mulheres com recorrência (3%). Quando a gestante tem história de herpes, mas não apresenta recorrência no momento do parto, a doença neonatal é observada em somente 0,04% dos casos. Esses dados sugerem que a presença de anticorpos contra o HSV-2 reduz a probabilidade de transmissão neonatal do vírus.[40]

O risco de transmissão durante o trabalho de parto é influenciado pela quantidade de vírus presente no colo do útero ao nascimento e pelo tempo que o feto fica em contato com essa estrutura anatômica. O risco será maior se o neonato for pré-termo e se o parto for instrumentado.

## Diagnóstico

A suspeita inicial é fundamentada na história e no quadro clínico (lesões típicas e recorrentes). A história de parceiros com diagnóstico de herpes também deve ser avaliada. O diagnóstico deve ser confirmado, sempre que possível, com estudos laboratoriais, sendo a cultura viral o método mais específico. Deve-se coletar material diretamente da lesão ou, na ausência de lesões visíveis, amostras com *swab* úmido de locais de lesões prévias, de áreas sintomáticas e do colo do útero. Embora o vírus cresça facilmente em culturas teciduais, a sensibilidade é de 60 a 70%. A PCR tem demonstrado ser eficaz para o diagnóstico. A detecção de IgM específica ou o aumento em 4 vezes dos níveis de IgG em amostras com intervalo de 2 a 3 semanas também são úteis para o diagnóstico. Em recorrências, as dosagens de anticorpos não são de grande valia, pois a resposta antigênica costuma ser ruim, com pequena elevação dos marcadores.

## Tratamento

**A meta deve ser sempre evitar a primoinfecção e as recorrências para prevenir a transmissão perinatal do vírus para o bebê.**

Uma gestante com história de infecção herpética deve evitar contato sexual com um parceiro que tenha história da doença ou lesões genitais sem diagnóstico. A maioria dos episódios não exige intervenção. Nos casos mais graves, deve-se considerar o tratamento com aciclovir, que tem mostrado ser seguro na gestação, com o objetivo de reduzir complicações e a duração do episódio **A**. A dose é de 200 mg, VO, 5 ×/dia, durante 7 a 10 dias, e 400 mg, 3 ×/dia, por 7 a 10 dias na primoinfecção. Outra opção é o valaciclovir, com a vantagem de alcançar níveis séricos mais altos e com maior intervalo entre as doses (1.000 mg, 2 ×/dia, durante 5-7 dias). Nas reinfecções, recomenda-se tratamento por 5 dias com aciclovir (400 mg, 3 ×/dia, ou 800 mg, 2 ×/dia) ou valaciclovir (500 mg, 2 ×/dia, ou 1.000 mg, 1 ×/dia).[41]

A via IV deve ser reservada para gestantes imunodeprimidas com risco à vida ou com encefalite herpética. O tratamento da primoinfecção ou de recorrência grave pode demandar hospitalização. A ocorrência de febre alta, dor intensa, retenção urinária, alteração da função renal, trabalho de parto prematuro ou suspeita de ruptura prematura de membranas exige tratamento em nível hospitalar. Se houver suspeita de doença herpética, o diagnóstico deverá ser confirmado. Trabalho de parto pré-termo, ruptura prematura de membranas em gestante com lesões vulvares ou cervicais e hipertermia inexplicável são indicações de rastreamento do herpesvírus. Nos casos de ruptura prematura de membranas pré-termo nas gestantes com infecção ativa, é necessário pesar o risco da prematuridade *versus* o risco de infecção fetal. Quando se decide pelo manejo conservador, deve ser administrado o corticoide para maturidade pulmonar junto com aciclovir IV (5 mg/kg, de 8/8 horas), para tentar diminuir o período de infecção e, assim que possível, antecipar o nascimento.

Quando a gestante apresentar história de recorrências frequentes, deve-se considerar a possibilidade de indução do trabalho de parto ao termo em período livre de doença, tentando, durante o trabalho de parto, evitar número excessivo de toques vaginais. O tratamento supressivo deve ser considerado após a 36ª semana gestacional, pois diminui a emissão viral ao nascimento, diminui em 75% a recorrência das lesões no momento do parto, bem como o número de cesarianas (RR = 0,3) em função de recorrência clínica do herpes genital **A**, mas seu impacto na ocorrência de herpes neonatal é controverso, uma vez que sua incidência é baixa.[42,43]

**O American College of Obstetricians and Gynecologists (ACOG) recomenda tratamento supressivo (aciclovir 400 mg, VO, de 8/8 horas) a partir da 36ª semana de gestação até o parto para mulheres com história de herpes recorrente.**

Quanto à via de parto, há uma tendência de diminuição das indicações de cesariana. A constatação de que o herpesvírus poderia ser transmitido para o feto na ausência de lesões (resultando em mortalidade e morbidade fetais semelhantes às causadas quando havia lesões ativas) levou alguns autores a preconizarem a realização de culturas semanais, no final da gestação, para identificar a emissão de vírus na ausência de lesões. Estudos controlados posteriores demonstraram que as cesarianas realizadas nas mulheres assintomáticas com cultura positiva não impediram o aparecimento do herpes neonatal.[44] Cerca de 20 a 30% dos casos de doença neonatal podem ocorrer após cesariana.[45]

**As recomendações quanto à escolha da via de parto são:**
→ **nas gestantes com história de herpes, mas sem lesões, deve-se estimular o parto vaginal e não realizar exames culturais de rotina;**
→ **nas gestantes com lesão no trabalho de parto ou com ruptura prematura de membranas, está indicada a cesariana.**

# Citomegalovirose

O citomegalovírus (CMV) é um herpesvírus que pode permanecer latente no hospedeiro após a infecção primária e ser reativado periodicamente. É um vírus com baixa infectividade, mas sua disseminação é alta, devido ao período prolongado de excreção viral pelas pessoas infectadas. A soropositividade entre adultos é alta, sobremaneira em grupos socioeconômicos mais baixos. A transmissão ocorre por via respiratória, pelo contato com secreções infectadas (urina, saliva, sêmen, secreção cervical) ou verticalmente (*in utero*, durante o parto ou pelo leite materno).

## Quadro clínico

O período de incubação, desde o momento da exposição até a excreção viral, com ou sem sintomas, é de 4 a 12 semanas. Cerca de 50% das infecções primárias e quase todas as recorrências são assintomáticas. Quando sintomática, a doença causa hipertermia, mal-estar, mialgias, artralgias, faringite e linfadenopatia. Quadros mais graves podem ocorrer em indivíduos imunodeprimidos. A gestação não parece aumentar o risco de contrair a doença ou de alterar a evolução e o prognóstico usuais.

**O rastreamento de rotina para CMV não é indicado na gestação.**

## Repercussões no feto

A infecção congênita ocorre por disseminação hematogênica para a placenta e, em seguida, para o feto. A transmissão do CMV pode ocorrer durante a infecção primária ou em recorrências. Entretanto, o risco fetal é muito maior na ocorrência de infecção primária (30-40% de infecção fetal, 10% de doença neonatal sintomática e 15% com sequelas em longo prazo).

A citomegalovirose no início da gestação pode resultar em aborto. As manifestações da infecção congênita variam desde ausência de sinais/sintomas ao nascimento (aproximadamente 90% dos casos) até malformações incompatíveis com a vida. As malformações morfológicas são mais graves após a primoinfecção no 1º trimestre, enquanto as funcionais são mais comuns quando a doença ocorre próximo ao parto. A mortalidade da doença congênita sintomática é de 12% no período neonatal e de 30% no geral. Em RNs prematuros com peso < 1.500 g e/ou IG < 32 semanas, a doença pode manifestar-se com graus de gravidade variáveis, como a síndrome *sepsis-like*, colestase, plaquetopenia, neutropenia e pneumonite.[46,47] Conforme estudo baseado em duas coortes de crianças com citomegalovirose congênita identificada por rastreamento populacional, com 5 anos de acompanhamento, todas as situações envolvendo manifestações graves nos bebês foram detectadas até o 1º ano de vida. Após essa idade, todas as alterações detectadas foram brandas.[48]

## Diagnóstico

O diagnóstico pode ser feito mediante isolamento do vírus por *swab* da orofaringe e da urina. A infecção primária é acompanhada da presença de IgM específica, mas ela pode persistir por meses, e já foi descrito seu reaparecimento nas recorrências. Geralmente, considera-se infecção primária a soroconversão em pessoas com síndrome viral: a IgM torna-se positiva ou os níveis de anticorpos IgG aumentam 4 vezes em dosagens séricas seriadas. Em gestantes assintomáticas, deve-se ter muita cautela na interpretação das dosagens, pois os anticorpos são flutuantes (cepas diferentes de CMV). Pode-se usar o índice de avidez para auxiliar na determinação da época em que ocorreu a doença (baixa avidez é um forte indício de doença recente).

**A presença prévia de anticorpos maternos é um fator importante de proteção, mas não protege completamente o feto de infecção.**

A investigação no feto por meio de cordocentese ou amniocentese para cultura viral não é adequada (11% dos fetos com CMV congênito apresentam níveis de IgM normais). A cultura negativa não afasta a doença e, se positiva, não indica a gravidade. Além disso, o vírus pode ser inoculado durante o procedimento.[49]

## Tratamento e prevenção

Não há recomendação formal de tratamento para a citomegalovirose durante a gestação. A recomendação atual se limita ao uso de ganciclovir nos casos de doença materna grave complicada por imunodepressão. Em gestantes saudáveis, não se administram antivirais ou imunomoduladores.[41] A imunização passiva com imunoglobulina específica (*CMV hyperimmune globulin*) parece não reduzir o risco de transmissão intrauterina do CMV B,[50] por isso não é recomendada de rotina. No entanto, pode ser utilizada em casos selecionados, conforme avaliação da equipe assistencial C/D.

A prevenção da infecção primária em gestantes soronegativas deve ser o principal objetivo; entretanto, isso é difícil, pois o vírus é endêmico, a maioria das pessoas infectadas é assintomática e ainda não há vacina disponível comercialmente. A realização de cesariana não traz benefícios C/D.

Quanto ao aleitamento materno de RNs a termo, não há restrição, pois nesse caso a doença costuma ser assintomática, devido aos anticorpos presentes no leite materno. No entanto, se a mãe adquirir a infecção ao longo da amamentação, está recomendada a sua suspensão C/D.

As duas principais estratégias que precisam ser reforçadas para evitar a transmissão vertical do CMV são a prevenção da infecção durante a gestação e a otimização de métodos para inativar o vírus no leite materno (como pasteurização, congelamento e irradiação).[51]

Medidas de prevenção primária, como a orientação das gestantes soronegativas com risco de infecção primária e também das soropositivas com risco de reinfecção com novas cepas virais, têm eficácia comprovada.[52] A **TABELA 117.3**[53] resume essas medidas.

## Vaginites

Na rotina do acompanhamento pré-natal, as gestantes devem ser investigadas quanto à presença de anormalidades no fluxo genital, como odor desagradável, prurido vulvovaginal, eritema e disúria. As três principais causas de vulvovaginites são vaginose bacteriana, candidíase e tricomoníase (ver Capítulo Secreção Vaginal e Prurido Vulvar para mais detalhes sobre quadro clínico e diagnóstico).

**TABELA 117.3** → Tipos de exposição e medidas de prevenção primária contra a aquisição do citomegalovírus por gestantes

| TIPO DE EXPOSIÇÃO | MEDIDAS DE PREVENÇÃO |
|---|---|
| Contato com secreções humanas (saliva, urina, sêmen, fezes) e contaminação por meio de inoculação em mucosas | → Lavar rigorosamente as mãos após contato com secreções (p. ex., troca de fraldas de crianças) <br> → Não compartilhar talheres ou utensílios de higiene pessoal com outras pessoas (mesmo que sejam outros filhos) <br> → Evitar contato com pessoas portadoras de doenças febris agudas |
| Relações sexuais | → Reduzir o número de parcerias sexuais <br> → Usar preservativo nas relações sexuais |
| Contato direto pessoa a pessoa (saliva, lesões orais) | → Reforçar cuidados de higiene no contato com as pessoas (doentes ou não) |

Fonte: Brasil.[53]

## Vaginose bacteriana

A vaginose bacteriana tem sido correlacionada com a ocorrência de parto pré-termo, ruptura das membranas ovulares, infecções após aborto, febre pós-parto, endometrites pós-parto, especialmente após cesariana, bem como com celulite após procedimentos ginecológicos e obstétricos.[11] A presença de vaginose bacteriana duplica o risco de parto pré-termo.[54]

No entanto, não há evidência demonstrando benefício de rastrear todas as gestantes, assim como há controvérsia quanto ao benefício do tratamento das gestantes com vaginose bacteriana assintomática.[55,56] A maioria dos autores recomenda que, em gestantes com fatores de risco para parto pré-termo (p. ex., nascimento pré-termo anterior, cirurgia no colo do útero, gemelaridade), a vaginose seja rastreada e erradicada já na primeira consulta pré-natal. Assim como fora da gravidez, a vaginose sintomática deve ser tratada.[56]

Na gestação, antibióticos orais e tópicos são efetivos na resolução da vaginose bacteriana A. Se administrados antes de 20 semanas de gestação, têm evidências conflitantes para redução do risco de parto prematuro, mas podem reduzir o risco de aborto tardio B.[57] O tratamento de escolha para vaginose bacteriana na gestante é o metronidazol, na dose de 500 mg, VO, de 12/12 horas, por 7 dias, ou 1 aplicador/dia, por via vaginal, durante 5 dias. Outra opção é a clindamicina (300 mg, VO, de 6/6 horas, por 7 dias).[58] O tratamento de rotina da parceria sexual não é recomendado, tendo em vista que não há diferença nos índices de recidiva da vaginose bacteriana B.[57,58]

## Tricomoníase

Na gestação, a tricomoníase está associada a ruptura prematura de membranas, parto pré-termo e RNs pequenos para a IG. O RN pode infectar-se durante o parto.[59] Por essa razão, costuma-se indicar o tratamento em gestantes assintomáticas.[11] Além disso, um benefício adicional do tratamento é diminuir o risco de outras ISTs.

Todas as gestantes sintomáticas devem receber tratamento com metronidazol 2 g, VO, em dose única, sendo este efetivo na resolução da infecção B.[60,61] O tratamento tópico não é efetivo na tricomoníase C/D. As parcerias sexuais sempre devem ser tratadas da mesma maneira (metronidazol 2 g, em dose única) C/D. Deve-se ter em mente que a tricomoníase é uma IST, e, portanto, as demais ISTs devem ser investigadas.

## Candidíase

A candidíase vulvovaginal é uma infecção causada por leveduras do gênero *Candida*, podendo estar presente em até 40% das grávidas em algum momento da gestação. A gestação é um dos fatores predisponentes para essa infecção.[58,61]

**A candidíase vaginal não está associada a eventos adversos perinatais, e o tratamento deve ser instituído apenas para o alívio dos sintomas. As gestantes assintomáticas não precisam de tratamento.[62]**

Os medicamentos de escolha são os azólicos tópicos, como miconazol e isoconazol, utilizados por via intravaginal à noite, preferencialmente por período de 7 dias.[63] O uso da nistatina deve ser evitado pelos baixos índices de cura, uma vez que são inferiores aos dos azólicos tópicos **B**.[64]

Se necessário, pode ser considerado o uso do fluconazol 150 mg, em dose única; no entanto, já foram descritos na literatura riscos de malformações associados (ver TABELA 124.1 no Capítulo Secreção Vaginal e Prurido Vulvar). O tratamento da parceria só está indicado quando esta for sintomática **C/D**.

## INFECÇÃO URINÁRIA NA GRAVIDEZ

Estima-se que até 10% das gestantes sejam acometidas por algum episódio de infecção urinária (cistite, pielonefrite) ou bacteriúria assintomática ao longo da gestação. Na gestante, a presença de bacteriúria, sintomática (cistite) ou não, representa risco importante de desenvolvimento de pielonefrite aguda. A pielonefrite aguda na gestação tem morbidades materna e perinatal significativas e está fortemente relacionada com prematuridade.[65,66]

Os fatores que, em conjunto, tornam a gestante mais suscetível às infecções urinárias altas são:

→ a estase urinária provocada pela ação miorrelaxante da progesterona e pela compressão mecânica do útero sobre os ureteres;
→ as alterações físico-químicas da urina, como aumento do conteúdo de glicose, aminoácidos e vitaminas na urina, favorecendo um meio propício ao crescimento bacteriano;
→ a imunidade celular diminuída na gravidez;
→ o refluxo vesicoureteral que ocorre na gestação (esse fator é o principal).

### Bacteriúria assintomática

O diagnóstico da bacteriúria assintomática é firmado pela urocultura (≥ 100 mil ou mais colônias por mL de urina coletada por jato médio) em gestantes sem sintomas urinários. A prevalência de bacteriúria assintomática nas mulheres pode ser tão alta quanto 10% e é um fator de risco para pielonefrite aguda; por isso, o rastreamento da bacteriúria assintomática no acompanhamento pré-natal está plenamente justificado.[67] Em 80 a 90% dos casos, a bactéria encontrada é *Escherichia coli*.

Entre as gestantes com bacteriúria assintomática não tratadas, 30 a 40% desenvolvem infecção do trato urinário sintomática e 25 a 50% podem apresentar pielonefrite. Além disso, existem evidências sugerindo que gestantes com bacteriúria assintomática apresentam incidências aumentadas de anemia, hipertensão, aborto, ruptura prematura de membranas, prematuridade, restrição do crescimento intrauterino e baixo peso ao nascer.[65,68,69]

> Gestantes com bacteriúria assintomática devem receber tratamento antimicrobiano, visto que este pode reduzir o risco de pielonefrite materna em 77% (NNT = 6-9), de parto prematuro em 66% (NNT = 7-49) e de baixo peso ao nascer em 36% (NNT = 13-102)[21] **B**.

No acompanhamento, deve-se realizar uma urocultura de controle em 1 semana após o término do tratamento e, se negativa, a urocultura deve ser repetida todo mês até o término da gestação.[66,69,70]

Os antibióticos utilizados na infecção do trato urinário, sintomática e assintomática, são mostrados na TABELA 117.4. Vários antibióticos mostraram taxas de cura similares.[21] É preciso levar em consideração a sensibilidade bacteriana e a segurança do fármaco. A duração do tratamento – curta (3-5 dias) ou longa (7-10 dias) – é assunto de debate na literatura. São descritos índices de cura de 70 a 80% com curso de antimicrobianos de 3 dias. No caso de falha do tratamento ou recorrência da infecção, deve-se tratar com antibiótico apropriado para o microrganismo de acordo com a cultura e os testes de sensibilidade **C/D**.[21,65,68,70]

No caso de bacteriúria persistente ou recorrente, pode-se fazer um tratamento mais longo com o mesmo antibiótico

**TABELA 117.4** → Antibioticoterapia no tratamento da infecção do trato urinário baixa em gestantes

| ANTIMICROBIANO | DOSE ORAL/INTERVALO | DURAÇÃO DA BACTERIÚRIA ASSINTOMÁTICA | DURAÇÃO DA CISTITE | CLASSE DA FDA | OBSERVAÇÕES |
|---|---|---|---|---|---|
| Ampicilina | 500 mg, de 6/6 horas | 3-7 dias | 7 dias | B | |
| Amoxicilina | 3 g em dose única, ou 500 mg, de 8/8 horas | 3-7 dias | 7 dias | B | |
| Cefalexina | 500 mg, de 6/6 horas | 3-7 dias | 7 dias | B | Pouco eficaz para *Enterococcus*<br>Evitar uso; classe de antibióticos reservada para profilaxia cirúrgica |
| Clindamicina | 300 mg, de 6/6 horas | 7 dias | 7 dias | B | Opção de uso para estreptococo B em mulheres alérgicas à penicilina |
| Nitrofurantoína | 100 mg, de 12/12 horas | 5-7 dias | 7 dias | B | Pouco eficaz para *Proteus*<br>Risco de pneumonia intersticial materna |
| Sulfametoxazol + trimetoprima | 800 mg + 160 mg + 320 mg, de 12/12 horas | 5 dias | 7 dias | C | Usar em caso de *Escherichia coli* resistente<br>Evitar no 1º trimestre e após a 32ª semana de gestação |
| Fosfomicina | 3 g | Dose única | Dose única | B | Sem estudo na lactação |
| Cefuroxima | 250 mg, de 12/12 horas | 3-7 dias | 7 dias | B | |

FDA, Food and Drug Administration.
Fonte: Modificada de Ramos e colaboradores,[16] Macejko e Schaeffer[65] e Figueiró-Filho e colaboradores.[69]

(p. ex., 7 dias, em vez de 3 dias) ou usar outro medicamento de primeira linha. Cursos de tratamento subsequentes ainda podem ser feitos até que a contagem de bactérias na urina se reduza a níveis insignificantes. Se a bacteriúria persistir, a despeito de tratamentos repetidos, deve-se considerar a profilaxia, assim como em mulheres com fatores de risco adicionais (imunossupressão, diabetes, anemia falciforme, bexiga neurogênica).[71] Para profilaxia, os antibióticos mais utilizados são a nitrofurantoína (100 mg), a ampicilina (500 mg) ou a cefalexina (500 mg), VO, 1 dose à noite até 2 semanas após o parto B.

## Cistite

A infecção do trato urinário baixa sintomática, ou cistite, é definida como a presença de bactérias no trato urinário baixo, associada a sintomas urinários. Está presente em 1 a 2% das gestantes.[67] Os sintomas mais comumente associados são disúria, urgência miccional, polaciúria, dor suprapúbica, hematúria e urina fétida. Embora o diagnóstico de certeza só seja realizado com urocultura positiva, a presença de esterase leucocitária, de nitritos ou de leucocitúria associada a sintomas urinários sugere fortemente cistite, autorizando o início de tratamento antibacteriano. Contagens < 100 mil colônias por mL devem ser valorizadas quando há sintomas ou se a urina foi obtida via cateterização.[65]

A escolha do antimicrobiano no tratamento da cistite segue os mesmos princípios do tratamento da bacteriúria assintomática (ver TABELA 117.4).

As fluoroquinolonas (norfloxacino e ciprofloxacino) não devem ser prescritas de rotina, pois, além dos relatos de artropatia fetal em estudos em animais, o seu uso indiscriminado na população geral tem levado a altos índices de resistência bacteriana. O sulfametoxazol + trimetoprima deve ser evitado após a 32ª semana (pelo risco de hiperbilirrubinemia neonatal associada à sulfa) e no 1º trimestre (a trimetoprima, por ser antagonista do ácido fólico, pode estar associada a defeitos cardiovasculares e do tubo neural).[67]

Regimes de tratamento com dose única de 3 g de fosfomicina trometamol também podem ser empregados. Os dados obtidos até o momento sugerem que seja um fármaco seguro e uma alternativa eficaz para tratamento da bacteriúria assintomática e da cistite na gestação.[72,73] Não há superioridade definida para nenhuma das alternativas terapêuticas apresentadas, de modo que não há um tratamento preferencial para as infecções urinárias na gestação B.[74]

Na ocorrência de dois ou mais episódios de infecção do trato urinário na gestação, deve-se prescrever profilaxia antimicrobiana, independentemente da presença ou não de fatores predisponentes.

## Pielonefrite aguda

A pielonefrite aguda é um dos eventos mais graves na gestação, sendo mais prevalente durante a gravidez do que fora dela, devido às alterações anatômicas e funcionais ocorridas durante a gestação, em especial ao refluxo vesicoureteral. Os fatores de risco para pielonefrite aguda grave e sua recorrência são as malformações do trato urinário e os cálculos renais.[68]

Os sintomas clínicos normalmente encontrados são hipertermia, calafrios, náuseas/vômitos, dor lombar, dor à percussão lombar, disúria, polaciúria, urgência miccional e urina turva/fétida. A disfunção respiratória em graus leves a graves (7%) tem sido associada à pielonefrite aguda com morbidade importante, incluindo necessidade de internação em UTI.[75] As alterações laboratoriais esperadas para uma gestante com pielonefrite aguda são leucocitúria, bacteriúria, leucocitose com desvio à esquerda, hemocultura positiva e aumento da creatinina sérica.

Na suspeita diagnóstica, deve ser iniciado tratamento com antimicrobiano IV em regime de internação hospitalar C/D. O tratamento IV deve durar pelo menos 48 horas e ser seguido de tratamento com antibiótico VO por 10 a 14 dias, conforme resultado do antibiograma da urocultura.

Após o tratamento do episódio de pielonefrite aguda, deve-se iniciar a profilaxia antimicrobiana C/D.[68,76] O fármaco mais prescrito para profilaxia é a nitrofurantoína (100 mg ao deitar) até 2 semanas após o parto. É importante a orientação de medidas de higiene, hidratação e micção adequadas. Nas mulheres alérgicas à nitrofurantoína, pode-se utilizar a ampicilina. Uma opção à profilaxia é a realização de uroculturas mensais para identificar precocemente novo episódio de infecção do trato urinário.

Em todos os casos de infecção urinária, deve-se realizar pelo menos uma urocultura de controle 1 semana após o final do tratamento e, depois, mensalmente até o parto.

## REFERÊNCIAS

1. Reis MM, Tessaro MM, d'Azevedo PA. Perfil sorológico para toxoplasmose em gestantes de um hospital público de Porto Alegre. Rev Bras Ginecol Obstet. 2006;28(3):158–64.
2. Câmara JT, Silva MG da, Castro AM de. Prevalência de toxoplasmose em gestantes atendidas em dois centros de referência em uma cidade do Nordeste, Brasil. Rev Bras Ginecol Obstet. 2015;37(2):64–70.
3. Peyron F, Wallon M, Liou C, Garner P. Treatments for toxoplasmosis in pregnancy. Cochrane Database Syst Rev. 2000;(2):CD001684.
4. SYROCOT (Systematic Review on Congenital Toxoplasmosis) study group, Thiébaut R, Leproust S, Chêne G, Gilbert R. Effectiveness of prenatal treatment for congenital toxoplasmosis: a meta-analysis of individual patients' data. Lancet. 2007;369(9556):115–22.
5. Berrébi A, Assouline C, Bessières M-H, Lathière M, Cassaing S, Minville V, et al. Long-term outcome of children with congenital toxoplasmosis. Am J Obstet Gynecol. 2010;203(6):552.e1-6.
6. Paquet C, Yudin MH. No. 285-toxoplasmosis in pregnancy: prevention, screening, and treatment. J Obstet Gynaecol Can. 2018;40(8):e687–93.
7. Robinson CL, Bernstein H, Romero JR, Szilagyi P. Advisory Committee on Immunization Practices Recommended Immunization Schedule for Children and Adolescents Aged 18 Years or Younger – United States, 2019. MMWR Morb Mortal Wkly Rep. 2019;68(5):112–4.
8. US Preventive Services Task Force, Owens DK, Davidson KW, Krist AH, Barry MJ, Cabana M, et al. Screening for hepatitis B virus

infection in pregnant women: US preventive services task force reaffirmation recommendation statement. JAMA. 2019;322(4):349–54.

9. Brasil. Ministério da Saúde. Protocolo clínico e diretrizes terapêuticas para prevenção da transmissão vertical de HIV, sífilis e hepatites virais. Brasília: MS; 2019.

10. Benova L, Mohamoud YA, Calvert C, Abu-Raddad LJ. Vertical transmission of hepatitis C virus: systematic review and meta-analysis. Clin Infect Dis. 2014;59(6):765–73.

11. Workowski KA, Bolan GA. Sexually transmitted diseases treatment guidelines, 2015. Morbidity and Mortality Weekly Report. 2015;64(RR3):1–137.

12. Connell LE, Salihu HM, Salemi JL, August EM, Weldeselasse H, Mbah AK. Maternal hepatitis B and hepatitis C carrier status and perinatal outcomes. Liver International. 2011;31(8):1163–70.

13. Eriksen NL. Perinatal consequences of hepatitis C. Clin Obstet Gynecol. 1999;42(1):121–33; quiz 174–5.

14. Wu C, Wu X, Xia J. Hepatitis E virus infection during pregnancy. Virology Journal. 2020;17(1):73.

15. Uchida T. Hepatitis E: review. Gastroenterol Jpn. 1992;27(5):687–96.

16. Ramos JGL, Martins-Costa SH, Vettorazzi J, Barros E. Doença renal e do trato urinário na gestação. In: Rotinas em Obstetrícia. 7. ed Porto Alegre: Artmed; 2017. p. 555–72.

17. de-Paris F, Machado ABMP, Gheno TC, Ascoli BM, Oliveira KRP de, Barth AL. Group B Streptococcus detection: comparison of PCR assay and culture as a screening method for pregnant women. Braz J Infect Dis. 2011;15(4):323–7.

18. Alfa MJ, Sepehri S, De Gagne P, Helawa M, Sandhu G, Harding GKM. Real-time PCR assay provides reliable assessment of intrapartum carriage of group B Streptococcus. J Clin Microbiol. 2010;48(9):3095–9.

19. Vieira LL, Perez AV, Machado MM, Kayser ML, Vettori DV, Alegretti AP, et al. Group B Streptococcus detection in pregnant women: comparison of qPCR assay, culture, and the Xpert GBS rapid test. BMC Pregnancy Childbirth. 2019;19(1):532.

20. Ohlsson A, Shah VS. Intrapartum antibiotics for known maternal Group B streptococcal colonization. Cochrane Database Syst Rev. 2014;(6):CD007467.

21. Smaill FM, Vazquez JC. Antibiotics for asymptomatic bacteriuria in pregnancy. Cochrane Database Syst Rev. 2019;2019(11):CD000490.

22. Puopolo KM, Lynfield R, Cummings JJ, Committee On Fetus And Newborn, Committee On Infectious Diseases. Management of infants at risk for Group B Streptococcal Disease. Pediatrics. 2019;144(2):e20191881.

23. Chapman SJ. Varicella in pregnancy. Semin Perinatol. 1998;22(4):339–46.

24. Shrim A, Koren G, Yudin MH, Farine D, Maternal Fetal Medicine Committee. Management of varicella infection (chickenpox) in pregnancy. J Obstet Gynaecol Can. 2012;34(3):287–92.

25. Mirlesse V, Lebon P. [Chickenpox during pregnancy]. Arch Pediatr. 2003;10(12):1113–8.

26. Royal College of Obstetricians and Gynaecologists. Chickenpox in Pregnancy. London: NICE; 2015.

27. Shrim A, Koren G, Yudin MH, Farine D. No. 274-Management of Varicella Infection (Chickenpox) in Pregnancy. J Obstet Gynaecol Can. 2018;40(8):e652–7.

28. Bohlke K, Galil K, Jackson LA, Schmid DS, Starkovich P, Loparev VN, et al. Postpartum varicella vaccination: is the vaccine virus excreted in breast milk? Obstet Gynecol. 2003;102(5 Pt 1):970–7.

29. Skull S, Wang E. Varicella vaccination—a critical review of the evidence. Arch Dis Child. 2001;85(2):83–90.

30. França GVA, Schuler-Faccini L, Oliveira WK, Henriques CMP, Carmo EH, Pedi VD, et al. Congenital Zika virus syndrome in Brazil: a case series of the first 1501 livebirths with complete investigation. Lancet. 2016;388(10047):891–7.

31. Barclay L. CDC updates Zika guidance for pregnancy, prevention [Internet]. Medscape. 2016 [capturado em 5 jul. 2021]. Disponível em: http://www.medscape.com/viewarticle/866638.

32. U. S. Food & Drug Administration. Zika virus response updates from FDA [Internet]. MCM Issues. Silver Spring: FDA; 2021 [capturado em 5 jul. 2021]. Disponível em: https://www.fda.gov/emergency-preparedness-and-response/mcm-issues/zika-virus-response-updates-fda.

33. Domingues RMSM, Szwarcwald CL, Souza PRB, Leal M do C. Prevalência de sífilis na gestação e testagem pré-natal: Estudo Nascer no Brasil. Rev Saúde Pública. 2014;48:766–74.

34. Brasil. Ministério da Saúde. Agência Nacional de Vigilância Sanitária. Sífilis. Boletim Epidemiológico. 2020;6(especial):1–44.

35. Blencowe H, Cousens S, Kamb M, Berman S, Lawn JE. Lives Saved Tool supplement detection and treatment of syphilis in pregnancy to reduce syphilis related stillbirths and neonatal mortality. BMC Public Health. 2011;11 Suppl 3:S9.

36. Walker GJ. Antibiotics for syphilis diagnosed during pregnancy. Cochrane Database Syst Rev. 2001;(3):CD001143.

37. Lago EG, Vaccari A, Fiori RM. Clinical features and follow-up of congenital syphilis. Sex Transm Dis. 2013;40(2):85–94.

38. World Health Organization. WHO guidelines for the treatment of Treponema pallidum (syphilis). Geneva: WHO; 2016.

39. Brasil. Ministério da Saúde. Comissão Nacional de Incorporação de Tecnologias. Penicilina benzatina para prevenção da Sífilis Congênita durante a gravidez. Brasília: CONITEC; 2015. Report No.: 150.

40. Brown ZA, Gardella C, Wald A, Morrow RA, Corey L. Genital herpes complicating pregnancy. Obstet Gynecol. 2005;106(4):845–56.

41. Rogan SC, Beigi RH. Treatment of viral infections during pregnancy. Clin Perinatol. 2019;46(2):235–56.

42. Hollier LM, Wendel GD. Third trimester antiviral prophylaxis for preventing maternal genital herpes simplex virus (HSV) recurrences and neonatal infection. Cochrane Database Syst Rev. 2008;(1):CD004946.

43. Lebrun-Vignes B, Bouzamondo A, Dupuy A, Guillaume J-C, Lechat P, Chosidow O. A meta-analysis to assess the efficacy of oral antiviral treatment to prevent genital herpes outbreaks. J Am Acad Dermatol. 2007;57(2):238–46.

44. Arvin AM, Hensleigh PA, Prober CG, Au DS, Yasukawa LL, Wittek AE, et al. Failure of antepartum maternal cultures to predict the infant's risk of exposure to herpes simplex virus at delivery. N Engl J Med. 1986;315(13):796–800.

45. Stone KM, Brooks CA, Guinan ME, Alexander ER. National surveillance for neonatal herpes simplex virus infections. Sex Transm Dis. 1989;16(3):152–6.

46. Hamprecht K, Maschmann J, Jahn G, Poets CF, Goelz R. Cytomegalovirus transmission to preterm infants during lactation. J Clin Virol. 2008;41(3):198–205.

47. Mussi-Pinhata MM, Yamamoto AY, do Carmo Rego MA, Pinto PCG, da Motta MSF, Calixto C. Perinatal or early-postnatal cytomegalovirus infection in preterm infants under 34 weeks gestation born to CMV-seropositive mothers within a high-seroprevalence population. J Pediatr. 2004;145(5):685–8.

48. Townsend CL, Forsgren M, Ahlfors K, Ivarsson S-A, Tookey PA, Peckham CS. Long-term outcomes of congenital cytomegalovirus infection in sweden and the United Kingdom. Clin Infect Dis. 2013;56(9):1232–9.

49. Duarte G. Diagnóstico e conduta nas infecções ginecológicas e obstétricas. 2. ed. Ribeirão Preto: FUNPEC; 2004.

50. Revello MG, Lazzarotto T, Guerra B, Spinillo A, Ferrazzi E, Kustermann A, et al. A randomized trial of hyperimmune globulin to prevent congenital cytomegalovirus. N Engl J Med. 2014;370(14):1316–26.

51. Bardanzellu F, Fanos V, Reali A. Human breast milk-acquired cytomegalovirus infection: certainties, doubts and perspectives. Curr Pediatr Rev. 2019;15(1):30–41.

52. Staras SAS, Flanders WD, Dollard SC, Pass RF, McGowan JE, Cannon MJ. Influence of sexual activity on cytomegalovirus seroprevalence in the United States, 1988-1994. Sex Transm Dis. 2008;35(5):472–9.
53. Brasil. Ministério da Saúde. Atenção à saúde do recém-nascido: guia para os profissionais de saúde: cuidados gerais. 2. ed. Brasília: Ministério da Saúde; 2014.
54. Brasil. Ministério da Saúde. Infecção pelo citomegalovírus. In: Atenção à saúde do recém-nascido: guia para os profissionais de saúde: intervenções comuns, icterícia e infecções. 2. ed Brasília: Ministério da Saúde; 2014. p. 125–34.
55. Leitich H, Bodner-Adler B, Brunbauer M, Kaider A, Egarter C, Husslein P. Bacterial vaginosis as a risk factor for preterm delivery: a meta-analysis. Am J Obstet Gynecol. 2003;189(1):139–47.
56. US Preventive Services Task Force, Owens DK, Davidson KW, Krist AH, Barry MJ, Cabana M, et al. Screening for bacterial vaginosis in pregnant persons to prevent preterm delivery: US preventive services task force recommendation statement. JAMA. 2020;323(13):1286–92.
57. Brocklehurst P, Gordon A, Heatley E, Milan SJ. Antibiotics for treating bacterial vaginosis in pregnancy. Cochrane Database Syst Rev. 2013;(1):CD000262.
58. Brasil. Ministério da Saúde. Secretaria de Vigilância em Saúde. Programa Nacional de DST e Aids. Manual de controle das doenças sexualmente transmissíveis. 4. ed. Brasília: MS; 2006.
59. Silver BJ, Guy RJ, Kaldor JM, Jamil MS, Rumbold AR. Trichomonas vaginalis as a cause of perinatal morbidity: a systematic review and meta-analysis. Sex Transm Dis. 2014;41(6):369–76.
60. Gülmezoglu AM, Azhar M. Interventions for trichomoniasis in pregnancy. Cochrane Database Syst Rev. 2011;(5):CD000220.
61. Klebanoff MA, Carey JC, Hauth JC, Hillier SL, Nugent RP, Thom EA, et al. Failure of metronidazole to prevent preterm delivery among pregnant women with asymptomatic Trichomonas vaginalis infection. N Engl J Med. 2001;345(7):487–93.
62. Bombardelli MF, Martins ET, Svidzinski TIE. Candidíase vulvovaginal na gravidez. Femina. 2007;651–5.
63. Cotch MF, Hillier SL, Gibbs RS, Eschenbach DA. Epidemiology and outcomes associated with moderate to heavy Candida colonization during pregnancy. Vaginal Infections and Prematurity Study Group. Am J Obstet Gynecol. 1998;178(2):374–80.
64. Young GL, Jewell D. Topical treatment for vaginal candidiasis (thrush) in pregnancy. Cochrane Database Syst Rev. 2001;(4):CD000225.
65. Macejko AM, Schaeffer AJ. Asymptomatic bacteriuria and symptomatic urinary tract infections during pregnancy. Urol Clin North Am. 2007;34(1):35–42.
66. Mazor-Dray E, Levy A, Schlaeffer F, Sheiner E. Maternal urinary tract infection: is it independently associated with adverse pregnancy outcome? J Matern Fetal Neonatal Med. 2009;22(2):124–8.
67. Lee M, Bozzo P, Einarson A, Koren G. Urinary tract infections in pregnancy. Can Fam Physician. 2008;54(6):853–4.
68. Duarte G, Marcolin AC, Quintana SM, Cavalli RC. Infecção urinária na gravidez. Rev Bras Ginecol Obstet. 2008;30(2):93–100.
69. Figueiró-Filho EA, Bispo AMB, Vasconcelos MM de, Maia MZ, Celestino FG. Infecção do trato urinário na gravidez: aspectos atuais. Femina. 2009;37(3):165–71.
70. Brasil. Ministério da Saúde. Secretaria de Atenção à Saúde. Departamento de Ações Programáticas Estratégicas. Gestação de alto risco: manual técnico. 5. ed. Brasília: MS; 2012.
71. Matuszkiewicz-Rowińska J, Małyszko J, Wieliczko M. Urinary tract infections in pregnancy: old and new unresolved diagnostic and therapeutic problems. Arch Med Sci. 2015;11(1):67–77.
72. Garau J. Other antimicrobials of interest in the era of extended-spectrum beta-lactamases: fosfomycin, nitrofurantoin and tigecycline. Clin Microbiol Infect. 2008;14 Suppl 1:198–202.
73. Stein GE. Single-dose treatment of acute cystitis with fosfomycin tromethamine. Ann Pharmacother. 1998;32(2):215–9.
74. Vazquez JC, Abalos E. Treatments for symptomatic urinary tract infections during pregnancy. Cochrane Database Syst Rev. 2011;(1):CD002256.
75. Hill JB, Sheffield JS, McIntire DD, Wendel GD. Acute pyelonephritis in pregnancy. Obstet Gynecol. 2005;105(1):18–23.
76. Sandberg T, Brorson JE. Efficacy of long-term antimicrobial prophylaxis after acute pyelonephritis in pregnancy. Scand J Infect Dis. 1991;23(2):221–3.

# Capítulo 118
## INFECÇÃO PELO HIV EM GESTANTES

Eunice Beatriz Martin Chaves

Paulo Naud

No Brasil, em 2019, foram diagnosticados 41.909 novos casos de vírus da imunodeficiência humana (HIV, do inglês *human immunodeficiency virus*) e 37.308 casos de síndrome da imunodeficiência adquirida (Aids, do inglês *acquired immunodeficiency syndrome*) notificados no Sinan/SIM/Siscel/Siclom, com uma taxa de detecção de 17,8 a cada 100 mil habitantes. No período de 1980 a junho de 2020, 1.011.617 casos de Aids foram detectados no País. Observa-se, no âmbito nacional, uma diminuição na taxa de detecção de Aids nos últimos anos: de 21,9 a cada 100 mil habitantes em 2012 para 17,8 a cada 100 mil habitantes em 2019 (FIGURA 118.1). Já com relação às gestantes infectadas pelo HIV, de 2000 a junho de 2020, foram notificados 134.328 casos, com uma taxa de detecção de 2,8 a cada 1.000 nascidos vivos.[1]

Na última década, houve aumento de 21,7% na taxa de detecção de HIV em gestantes, passando de 2,3 casos a cada 1.000 nascidos vivos em 2009 para 2,8 a cada 1.000 nascidos vivos em 2019. A ampliação do diagnóstico no pré-natal, a notificação compulsória de todas as gestantes desde a publicação da Portaria nº 1.943, de 18 de outubro de 2001, e a consequente melhoria da prevenção da transmissão vertical do HIV podem explicar esse aumento, que foi verificado em todas as regiões do Brasil, exceto na Região Sudeste. As Regiões Norte e Nordeste foram as que apresentaram maiores incrementos nos últimos 10 anos, em torno de 83%. No entanto, em toda a série histórica, a Região Sul apresentou as maiores taxas de detecção no País, sendo que, em 2019, a taxa foi de 5,6 casos a cada 1.000 nascidos vivos, mais de duas vezes a taxa nacional.[1]

A transmissão vertical do HIV pode ocorrer em qualquer momento da gestação, durante o trabalho de parto e parto e após o nascimento da criança, por meio do aleitamento materno.[2,3] Entretanto, a maioria dos casos (65-70%) ocorre durante o trabalho de parto e parto, sendo estes importantes momentos para a profilaxia dessa via de transmissão.[3,4]

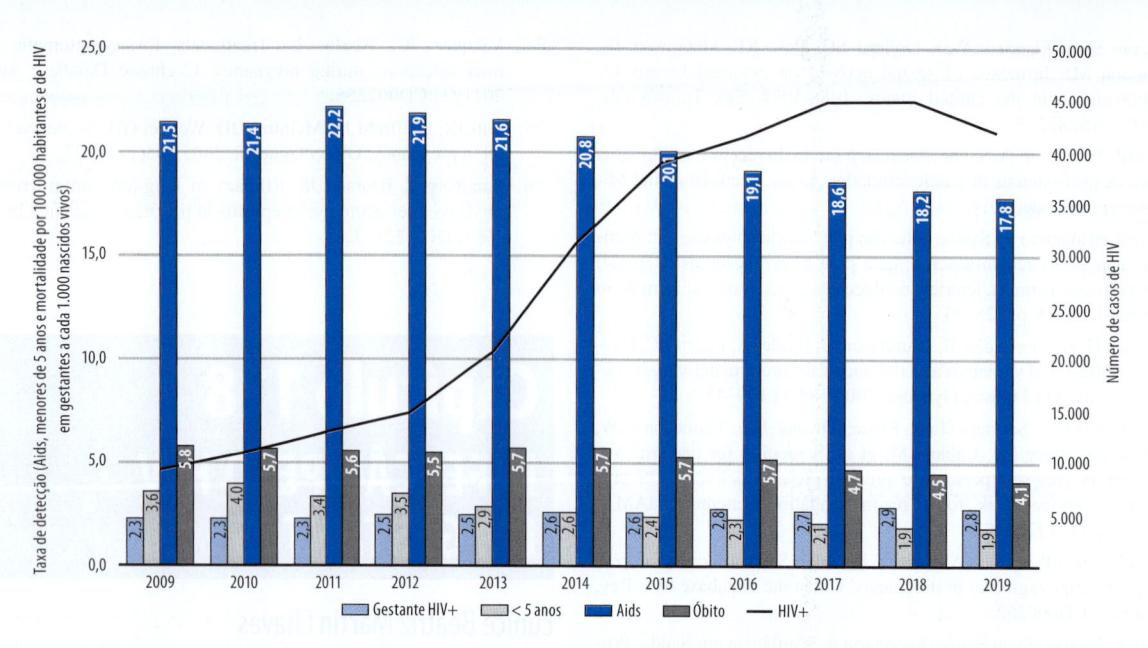

**FIGURA 118.1** → Taxas de detecção de Aids, Aids em menores de 5 anos, infecção pelo HIV em gestantes, coeficiente de mortalidade por Aids e número de casos de HIV. Brasil, 2009-2019.
Aids, síndrome da imunodeficiência adquirida; HIV, vírus da imunodeficiência humana.
Fonte: Brasil.[1]

A taxa de transmissão vertical do HIV é em torno de 25% na ausência de qualquer intervenção.[5] Porém, hoje se sabe que intervenções preventivas – como uso de antirretrovirais combinados na gestação, parto por cesariana eletiva (quando indicado), uso de quimioprofilaxia com zidovudina (AZT) na parturiente, quando a carga viral não é indetectável, e no recém-nascido, e não amamentação – podem reduzir consideravelmente (para níveis entre 1-2%) as taxas de transmissão vertical.[6]

## DIAGNÓSTICO

Todas as gestantes devem realizar o teste rápido (TR) para HIV, sífilis e hepatites B e C na primeira consulta de pré-natal na rede básica de saúde, sendo que, quando forem soronegativas, deverão repetir no início do 3º trimestre (28 semanas) ou a qualquer momento em que houver relato de exposição a risco/violência sexual, bem como na maternidade. Aquelas cujos resultados forem reagentes para o HIV devem ser encaminhadas para o pré-natal em serviços especializados.[6]

Na medida do possível, é importante buscar a presença do parceiro no pré-natal, assim como orientá-lo a fazer sua testagem para o HIV, pois atualmente muitos casos de transmissão perinatal estão ocorrendo durante o aleitamento materno em mulheres com anti-HIV negativo durante o pré-natal.[7]

Feito o diagnóstico, a gestante HIV-positiva deve ser encaminhada para acompanhamento em serviço especializado, para início e controle da terapia antirretroviral (TARV) durante toda a gestação. Ao mesmo tempo, preferencialmente, a gestante deve continuar em acompanhamento pré-natal na sua unidade de atenção primária, mantendo o vínculo com sua equipe de referência.

Atualmente, o atendimento a casais sorodiscordantes é bastante frequente. Nessa situação, a profilaxia pré-exposição (PrEP) se mostrou segura e eficaz em reduzir a infecção pelo HIV, devendo-se orientar que as relações sexuais sem uso de preservativo se restrinjam ao período fértil **A**.[8] Segundo as evidências disponíveis, nenhum problema de saúde, para a mulher ou o recém-nascido (RN), foi associado ao uso de PrEP por mulheres no início da gestação.[9,10] Sabe-se que a aquisição do HIV durante a gestação ou no período de amamentação está associada a um maior risco de transmissão vertical.[11] Portanto, os riscos e benefícios dessa estratégia para gestantes com alto risco para infecção pelo HIV devem ser discutidos individualmente. Recomenda-se, também, que o(a) parceiro(a) soropositivo(a) esteja em tratamento e com carga indetectável durante o período de planejamento reprodutivo **A**.

## VIGILÂNCIA EPIDEMIOLÓGICA

A notificação é obrigatória no caso de sífilis adquirida, sífilis em gestante, sífilis congênita, hepatites virais B e C, Aids, infecção pelo HIV, infecção pelo HIV em gestante, parturiente ou puérpera e criança exposta ao risco de transmissão vertical do HIV, conforme a Portaria nº 1.271, de 6 de junho de 2014.[12]

## MANEJO

### Princípios gerais

A gestante portadora de HIV deve ser submetida a uma anamnese completa, que possibilite avaliar e orientar quanto aos riscos inerentes à sua situação e aos demais fatores que podem contribuir para um aumento da transmissão da infecção pelo HIV para o bebê. Entre as orientações dadas, deve-se considerar tabagismo, uso de drogas ilícitas e sexo desprotegido com múltiplos parceiros. Esses fatores estão associados ao aumento do risco de transmissão perinatal do HIV, ao passo que a descontinuidade dessas práticas pode reduzi-lo.[8,13]

**O objetivo do pré-natal é a prevenção da transmissão materno-infantil do HIV (TMIHIV), por meio do uso da TARV de forma adequada, da escolha da melhor via de parto e do preparo para a não amamentação.**

No caso de mulheres que possuem outros filhos, é fundamental conhecer as situações a que a gestante se expôs e o tempo de diagnóstico, a fim de avaliar a possibilidade de encaminhamento dos demais filhos para testagem. O parceiro deverá ser encaminhado para testagem sempre que a sua situação sorológica não for conhecida.

Ao iniciar a TARV, é fundamental orientar sobre a importância da adesão e investigar esse aspecto a cada consulta, pois disso dependerá o êxito da prevenção da TMIHIV.

Além disso, tanto o Ministério da Saúde quanto o Centers for Disease Control and Prevention (CDC) dos Estados Unidos recomendam que a orientação quanto ao risco de transmissão do HIV via leite materno seja realizada no início do acompanhamento pré-natal, para que a gestante possa preparar-se psicologicamente para aderir a essa recomendação.[6,8]

A TARV poderá ser iniciada antes mesmo de os resultados dos exames de LT-CD4+, CV-HIV e genotipagem estarem disponíveis, principalmente nas gestantes que iniciam tardiamente o pré-natal, com o objetivo de alcançar a supressão viral o mais rapidamente possível C/D.[6,8]

## Exames laboratoriais

Além dos exames que fazem parte da rotina do acompanhamento pré-natal, recomendam-se, para a gestante infectada pelo HIV, os exames listados na **TABELA 118.1**.

## Antirretrovirais na gestação

A TARV deve ser oferecida a todas as gestantes infectadas pelo HIV, independentemente da contagem de CD4. A TARV iniciada no pré-natal não deve ser suspensa após o término da gestação. O objetivo dessa estratégia, conhecida internacionalmente como Estratégia B+, é prevenir a transmissão materno-infantil e sexual do HIV, além de impedir a progressão da doença e melhorar a qualidade de vida, mantendo a carga viral (CV) indetectável durante e após o período de gestação.[6,8]

Em relação ao manejo da TARV, as gestantes podem ser classificadas em três situações:

1. gestantes com diagnóstico recente e/ou nunca expostas à TARV ou que fizeram uso profilático apenas no passado;
2. gestantes em uso de TARV com CV indetectável;
3. gestantes em uso de TARV com CV detectável.

Atualmente, há uma preocupação mundial com a transmissão de cepas resistentes do HIV a uma ou mais classes de antirretrovirais (ARVs), o que está relacionado à maior chance de falha no tratamento.[14]

**TABELA 118.1** → Acompanhamento laboratorial da gestante portadora de HIV

| EXAME | MOMENTO/PERIODICIDADE |
|---|---|
| Tipagem sanguínea e fator Rh | Na primeira consulta de pré-natal |
| Coombs indireto | Se o Rh da gestante for negativo, a cada trimestre |
| Hemograma com plaquetas | Inicial, 15 dias após início da TARV e, após, trimestral |
| Glicemia de jejum | No início do pré-natal |
| Teste de tolerância à glicose | Entre as semanas 24-28 |
| Creatinina, ureia, transaminases, bilirrubinas | Inicial e a cada trimestre |
| Contagem de células CD4 | Inicial e a cada 3 meses em caso de início de tratamento; para gestantes em uso de TARV e com carga viral indetectável, solicitar no início e após a 34ª semana |
| Genotipagem | Antes do início do tratamento e sempre que houver falha na TARV |
| Carga viral | Inicial; 4-6 semanas após início da TARV, a partir da 34ª semana ou quando há dúvida em relação à adesão à TARV |
| Anti-HAV | Se negativo, recomenda-se a imunização |
| HBsAg, anti-HBc total e anti-HBs | Imunizar em caso de resultado negativo; repetir HBsAg no 3º trimestre |
| Anti-HCV | Na primeira consulta |
| Mantoux | Na primeira consulta: uma induração de 5 mm é considerada teste positivo |
| Sorologia para toxoplasmose (IgG/IgM) | Inicial; trimestral em caso de teste não reagente |
| Citopatológico cervical | Inicial; repetir e encaminhar para colposcopia em caso de resultado alterado |
| Exame qualitativo de urina e urocultura | Inicial; repetir por volta da 30ª semana |
| Estreptococo do grupo B | Entre as semanas 35-37 – coletar *swab* |
| Rastreamento para ISTs (a fresco) | Inicial; repetir sempre que houver sintomas |

*Exames para outras ISTs deverão ser realizados conforme a necessidade a partir de achados no exame clínico, uma vez que as infecções do trato genital aumentam a carga viral localmente.
HAV, vírus da hepatite A; HBsAg, antígeno de superfície da hepatite B; HCV, vírus da hepatite C; HIV, vírus da imunodeficiência humana; ISTs, infecções sexualmente transmissíveis; TARV, terapia antirretroviral.
Fonte: Modificada de Brasil.[6]

### Esquema preferencial

A terapia inicial deve sempre incluir combinações de três ARVs, em um esquema contendo inibidores da transcriptase reversa análogos de nucleosídeos/nucleotídeos (ITRNNs)/inibidores da transcriptase reversa não análogos de nucleosídeos (ITRNt) associados a um inibidor da integrase (INI). Segundo o Ministério da Saúde, o esquema preferencial para gestantes em início de tratamento, se a genotipagem pré-tratamento comprovar ausência de mutações para ITRNN, é tenofovir/lamivudina/efavirenz (TDF/3TC/EFZ). Se a genotipagem pré-tratamento não estiver disponível ou quando comprovar resistência transmitida a ITRNN, iniciar TDF/3TC + atazanavir/ritonavir (ATV/r). Na impossibilidade de composição da TARV com ITRNN e com o inibidor de protease/ritonavir (IP/r preferencial ATV/r, pode ser utilizado darunavir potencializado por ritonavir (DRV/r), obrigatoriamente na dose recomendada de 2 ×/dia (DRV, 600 mg; ritonavir 100 mg, de 12/12 horas).

Os INIs possuem boa barreira genética, não havendo evidência de resistência transmitida a essa classe no Brasil. Além disso, apresentam boa tolerabilidade, tendo impacto direto na adesão ao esquema de TARV. Os INIs também possuem poucas interações medicamentosas, não sendo necessário ajuste terapêutico no caso de infecção por tuberculose. O uso de esquemas ARV contendo IP/r deve ser considerado na impossibilidade de uso de INI. O ATV/r é uma boa escolha, por sua maior experiência de uso, alta potência de supressão viral, perfil de segurança na gestação e facilidade posológica. O EFZ tem sua segurança comprovada na gestação por revisões sistemáticas e metanálises que excluíram o aumento da incidência de defeitos congênitos B.[17] No entanto, em função da alta incidência de resistência, está caindo em desuso.[14]

As restrições ao uso de dolutegravir (DTG) durante o 1º trimestre e nas mulheres que estão tentando engravidar foram removidas.[18] Atualmente, o DTG é considerado um medicamento ARV preferencial em toda gravidez e o medicamento de escolha para mulheres que estão tentando engravidar, embora no Brasil ainda seja recomendado somente após as 12 semanas de gestação.

Pacientes estáveis, com boa tolerância ao esquema em uso e carga viral indetectável, devem, preferencialmente, manter o esquema já em uso.

O esquema inicial preferencial para gestantes no 2º trimestre (a partir de 13 semanas de idade gestacional) é TDF/3TC/DTG.

A TARV poderá ser iniciada na gestante antes mesmo de ela ter em mãos os resultados dos exames de LT-CD4+, CV-HIV e genotipagem – principalmente nos casos de gestantes que iniciam tardiamente o acompanhamento pré-natal –, com o objetivo de alcançar a supressão viral o mais rapidamente possível.[15]

Na impossibilidade de usar o DTG, o raltegravir (RAL) seria a opção. O uso de RAL no esquema de ARV pode ser considerado em gestantes que iniciam o pré-natal ou o uso da TARV tardiamente (final do 2º trimestre), e que tenham contraindicação ao DTG.[15] Um ensaio clínico piloto realizado com gestantes que se apresentaram tardiamente ao pré-natal mostrou que a maioria das mulheres alocadas ao grupo que usou RAL alcançou a supressão viral em 2, 4 e 6 semanas.[19] Há relatos de aumento das transaminases durante a gestação em usuárias dessa medicação, reversível após a sua retirada. Por essa razão, é importante o monitoramento das provas de função hepática ao longo do pré-natal.[6]

Gestantes em início de tratamento ou após modificação de TARV deverão ter nova amostra de CV-HIV coletada em 2 a 4 semanas. Caso não tenha ocorrido queda de pelo menos 1 log na CV-HIV, avaliar a adesão ao tratamento. Adequar a TARV de acordo com o resultado do exame de genotipagem.[15]

Dependendo da situação imunológica das gestantes HIV-positivas, elas poderão necessitar de profilaxia para doenças oportunistas (TABELA 118.2).

Para informações sobre a segurança do uso de ARVs na gestação, ver Apêndice Uso de Medicamentos na Gestação e na Amamentação.

**TABELA 118.2** → Indicações de profilaxia primária em gestantes HIV-positivas

| | |
|---|---|
| *Pneumocystis carinii* (CD4 < 200/mm³ ou < 20%) | Sulfametoxazol + trimetoprima (800 + 160 mg), 1 comprimido/dia, 3 ×/semana<br>Alternativas: dapsona 100 mg em dias alternados, ou pentamidina 300 mg em nebulização mensal |
| Toxoplasmose (IgG reagente CD4 < 100/mm³) | Sulfametoxazol + trimetoprima (800 + 160 mg), 1 comprimido/dia |
| Micobacteriose atípica (CD4 < 50/mm³) | Azitromicina 1.200-1.500 mg/semana |
| Tuberculose (reação de Mantoux ≥ 5 mm, sem indício de doença ativa) | Isoniazida 5 mg/kg/dia (máximo: 300 mg/dia) associada à piridoxina 50 mg/dia (esta somente após o 1º trimestre); se necessário, pode ser feita radiografia de tórax com proteção abdominal |

HIV, vírus da imunodeficiência humana.
Fonte: Modificada de Brasil.[6]

## Profilaxia antirretroviral intraparto

Na mulher em trabalho de parto com sorologia para o HIV desconhecida, o teste rápido deverá ser realizado na unidade obstétrica B.[8] Os testes rápidos para detecção de anticorpos anti-HIV são testes de triagem que produzem resultado em, no máximo, 30 minutos, dependendo do fabricante. Em geral, apresentam sensibilidade e especificidade semelhantes às do teste Elisa. A mulher que apresenta teste rápido reagente deve receber quimioprofilaxia com AZT por via intravenosa (IV) durante o trabalho de parto e parto, e o RN deve receber solução de AZT nas primeiras 4 horas após o nascimento.[6] A puérpera recém-diagnosticada com HIV deve ser encaminhada para avaliação de CD4 e CV logo após o parto, a fim de avaliar início de tratamento e acompanhamento em função de sua própria saúde.

## VIA DE PARTO

A conduta no trabalho de parto e parto visa minimizar ainda mais os riscos da transmissão perinatal do HIV, procurando suprimir a CV para os menores níveis possíveis, e evitando ao máximo a exposição fetal ao sangue e às secreções maternas.

A cesárea eletiva é aquela realizada antes do início do trabalho de parto e antes da ruptura de membranas, sendo recomendada para a prevenção da transmissão perinatal do HIV em mulheres com CV > 1.000 cópias/mL B[8] ou com CV desconhecida. Essa é uma recomendação baseada em estudos multicêntricos, ensaios clínicos randomizados[20] e metanálises.[21] A cesárea eletiva deve ser realizada na 39ª semana a fim de evitar a prematuridade iatrogênica.[22]

Estudo realizado no Reino Unido e na Irlanda entre 2000 e 2011 demonstrou que a taxa de transmissão perinatal nas mulheres em uso de TARV e CV < 1.000 cópias/mL submetidas à cesárea eletiva (0,3%) foi semelhante àquela encontrada nas mulheres com as mesmas condições que tiveram parto vaginal.[23] Achados semelhantes foram obtidos no Estudo de Coorte Perinatal Francês B.[24]

No entanto, quando a cesárea está indicada para prevenir a transmissão do HIV, recomenda-se realizá-la na 38ª semana de gestação, a fim de evitar o início do trabalho de parto e/ou a ruptura prematura de membranas.[25]

No caso de cesárea, é recomendado o uso de antibiótico profilático para reduzir o risco de morbidade infecciosa, uma vez que vários estudos demonstram maiores taxas de complicações pós-operatórias nas mulheres soropositivas para o HIV B.[26]

Estudo de coorte com 707 gestantes em uso de TARV, incluindo 493 com CV < 1.000 cópias/mL, não demonstrou transmissão perinatal, mesmo com tempo de bolsa rota > 25 horas. CV > 10.000 cópias/mL foi o único fator de risco independente para a transmissão.[27]

Os riscos e benefícios dos procedimentos na prevenção da transmissão vertical devem ser discutidos com a gestante.

**A escolha da via de parto deve ser baseada no resultado da CV, em associação com a avaliação obstétrica. A cesariana eletiva em gestantes HIV-positivas deve ser indicada nas seguintes situações:[6,8]**
→ **CV > 1.000 cópias ou desconhecida em gestante com 34 semanas ou mais de gestação;**
→ **quando a CV no 3º trimestre for inferior a 1.000 cópias/mL, a via de parto segue a indicação obstétrica.**

**O AZT injetável está indicado para todas as parturientes, com exceção daquelas com CV indetectável na 34ª semana de gestação. Estas devem manter TARV habitual por via oral.[6]**

No Estado do Rio Grande do Sul, por haver incidência aumentada de gestantes infectadas pelo HIV, a Nota Técnica nº 02/2018 recomenda o uso de AZT injetável em todas as situações, independentemente da CV.[28]

O AZT injetável, quando indicado para prevenção da transmissão vertical do HIV, deve ser administrado durante o início do trabalho de parto, ou pelo menos 3 horas antes da cesariana eletiva, até o clampeamento do cordão umbilical.[6,8]

O AZT injetável (IV) está disponível em frasco-ampola de 200 mg com 20 mL (10 mg/mL). A dose de ataque na primeira hora é de 2 mg/kg e manutenção com infusão contínua de 1 mg/kg, diluído em 100 mL de soro glicosado a 5%.[6,20]

## CUIDADOS PÓS-PARTO

A amamentação aumenta substancialmente o risco de transmissão do HIV de mãe para filho, com taxa estimada em 16,2% em ensaio clínico randomizado realizado no Quênia, sendo que as infecções ocorreram, majoritariamente, no período inicial de amamentação. O uso de substitutos do leite materno evitou 44% das infecções infantis e foi associado a uma melhora significativa na sobrevida livre de HIV.[29]

Tanto nos Estados Unidos quanto no Brasil, o aleitamento materno está contraindicado em mulheres portadoras do HIV A.[15] Essas mulheres precisam ser devidamente orientadas quanto a essa recomendação, de preferência ao longo do acompanhamento pré-natal, quando o assunto deve ser exaustivamente discutido, incluindo os riscos do aleitamento cruzado (aleitamento por outra mulher), da alimentação mista (leite materno mais outro leite) e do leite materno com pasteurização domiciliar, que também estão formalmente contraindicados.[6,8] Considerando-se que o aleitamento materno contribui substancialmente para a transmissão do HIV, deve-se também realizar a orientação da puérpera/mãe soronegativa no momento do parto, avaliando-se situações de vulnerabilidade e orientando quanto à possibilidade de infecção aguda pelo HIV, com possível transmissão pela amamentação.[7]

A supressão farmacológica da lactação deve ser feita com a cabergolina (2 comprimidos de 0,5 mg, em dose única). Diante da ocorrência de lactação-rebote, fenômeno presente em mais de 10% das mulheres, pode-se realizar uma nova dose do inibidor.[6]

**No Brasil, toda mulher HIV-positiva tem direito de receber fórmula láctea infantil, pelo menos até o bebê completar 6 meses de idade, e é importante que os profissionais de saúde saibam orientá-la nesse sentido.[6]**

O momento da alta da maternidade costuma ser acompanhado de estresse adicional em mulheres HIV-positivas, pois pode ser desejo da mulher que o diagnóstico da infecção pelo HIV não seja conhecido por outras pessoas em função do estigma e do preconceito associados à doença. O uso da solução de AZT e a alimentação da criança com fórmulas lácteas podem ser indicativos da sua condição de portadora do HIV. É essencial oferecer suporte emocional e social para a família, assegurando sigilo e não discriminação. Também é necessário reforçar a importância da manutenção do seu tratamento em função de sua própria saúde e orientar quanto à contracepção.

Uma revisão sistemática conduzida pela Organização Mundial da Saúde concluiu que as mulheres soropositivas para o HIV podem utilizar todas as formas de contracepção.[30]

## CUIDADOS COM O RECÉM-NASCIDO

**Independentemente do regime antirretroviral empregado durante a gestação, o AZT em solução oral deve ser utilizado no recém-nascido por 28 dias A,[8] sendo a primeira dose administrada preferencialmente ainda na sala de parto, o mais breve possível após os cuidados imediatos ou nas primeiras 4 horas após o nascimento.[6,8]**

Para mães com CV > 1.000 cópias/mL no último trimestre ou com CV desconhecida, ou com diagnóstico no momento do parto ou infecção aguda durante a gestação, a nevirapina (NVP) deverá ser acrescentada ao AZT, devendo ser iniciada até 48 horas após o nascimento.

Excepcionalmente, quando a criança não tiver condições de receber o medicamento por via oral, pode ser utilizado o AZT injetável, nas seguintes doses:
→ RN com 35 semanas de idade gestacional ou mais: 3 mg/kg/dose, IV, de 12/12 horas, por 4 semanas;
→ RN entre 30 e 35 semanas de idade gestacional: 1,5 mg/kg/dose, IV, de 12/12 horas nos primeiros 14 dias de vida, e 2,3 mg/kg/dose, IV, de 12/12 horas a partir do 15º dia, por 4 semanas;
→ RN com menos de 30 semanas de idade gestacional: 1,5 mg/kg/dose, IV, de 12/12 horas, por 4 semanas.

Caso haja indicação de NVP e impossibilidade de via oral, poderá ser avaliada a administração por sonda nasoenteral.[6]

Deve-se orientar a mãe a substituir o leite materno por fórmula láctea até os 6 meses de vida. O aleitamento misto também está contraindicado. Pode-se usar leite humano pasteurizado proveniente de banco de leite credenciado pelo Ministério da Saúde (p. ex., em RN pré-termo ou de baixo peso). Se, em algum momento do acompanhamento, a prática de aleitamento for identificada, deve-se suspendê-la imediatamente e solicitar exame de CV para o RN.[6]

O RN deve ter alta da maternidade com consulta agendada em serviço especializado para acompanhamento de crianças expostas ao HIV. Essa consulta deve acontecer em até 30 dias após o nascimento.

## ESQUEMA VACINAL PARA GESTANTES COM HIV

Em gestantes portadoras do HIV, o reforço contra tétano e difteria deve ser feito quando a última dose tiver sido realizada há mais de 5 anos. Quando a gestante tiver anti-HBs, anti-HBc ou HBsAg negativos, há indicação de vacinação contra a hepatite B em 3 doses (0, 1 e 6 meses). A vacinação contra a hepatite A é recomendada para gestantes suscetíveis, ou seja, anti-HAV-negativas, em duas doses com intervalo de 6 meses. Como para as demais gestantes, há recomendação formal da vacinação contra a gripe.

Como regra, as vacinas de vírus ou bactérias atenuados estão contraindicadas em indivíduos HIV-positivos, pois, além de resposta comprometida, essas pessoas também poderão desenvolver complicações inerentes à vacinação. As vacinas tríplice viral (contra sarampo, caxumba e rubéola) e contra varicela não devem ser aplicadas em gestantes.[6]

Casos excepcionais deverão ser avaliados individualmente. A imunoglobulina contra varicela-zóster está recomendada somente para gestantes suscetíveis (anti-VVZ-negativas) após exposição.[6]

Nas gestantes com presença de infecções oportunistas ou contagem de LT-CD4+ < 200 células/mm³, a vacinação deverá ser adiada até que um grau satisfatório de reconstituição imune seja alcançado com o uso de TARV, o que proporciona melhora na resposta vacinal e reduz o risco de complicações pós-vacinais.[6]

## REFERÊNCIAS

1. Brasil. Ministério da Saúde. Secretaria de Vigilância em Saúde. HIV AIDS 2020. Bol Epidemiológico. 2020;(especial):1–68.
2. Bertolli J, St Louis ME, Simonds RJ, Nieburg P, Kamenga M, Brown C, et al. Estimating the timing of mother-to-child transmission of human immunodeficiency virus in a breast-feeding population in Kinshasa, Zaire. J Infect Dis. 1996;174(4):722–6.
3. Mock PA, Shaffer N, Bhadrakom C, Siriwasin W, Chotpitayasunondh T, Chearskul S, et al. Maternal viral load and timing of mother-to-child HIV transmission, Bangkok, Thailand. Bangkok Collaborative Perinatal HIV Transmission Study Group. AIDS. 1999;13(3):407–14.
4. Simonon A, Lepage P, Karita E, Hitimana DG, Dabis F, Msellati P, et al. An assessment of the timing of mother-to-child transmission of human immunodeficiency virus type 1 by means of polymerase chain reaction. J Acquir Immune Defic Syndr. 1994;7(9):952–7.
5. Connor EM, Sperling RS, Gelber R, Kiselev P, Scott G, O'Sullivan MJ, et al. Reduction of maternal-infant transmission of human immunodeficiency virus type 1 with zidovudine treatment. N Engl J Med. 1994;331(18):1173–80.
6. Brasil. Ministério da Saúde. Protocolo clínico e diretrizes terapêuticas para prevenção da transmissão vertical de HIV, sífilis e hepatites virais. Brasília: MS; 2019.
7. Melo M, Varella I, Castro A, Nielsen-Saines K, Lira R, Simon M, et al. HIV voluntary counseling and testing of couples during maternal labor and delivery: the TRIPAI Couples study. Sex Transm Dis. 2013;40(9):704–9.
8. Panel's Recommendations for the Use of Antiretroviral Drugs During Pregnancy. Recommendations for the use of antiretroviral drugs in pregnant women with HIV infection and interventions to reduce perinatal HIV transmission in the United States [Internet]. Washington; 2021 [capturado em 5 fev. 2020]. Disponível em: https://clinicalinfo.hiv.gov/en/guidelines/perinatal/overview-2.
9. Baeten JM, Donnell D, Ndase P, Mugo NR, Campbell JD, Wangisi J, et al. Antiretroviral prophylaxis for HIV prevention in heterosexual men and women. N Engl J Med. 2012;367(5):399–410.
10. Brasil. Ministério da Saúde. Protocolo clínico e diretrizes terapêuticas para profilaxia pré-exposição (PrEP) de risco à infecção pelo HIV. Brasília: MS; 2018.
11. Johnson LF, Stinson K, Newell M-L, Bland RM, Moultrie H, Davies M-A, et al. The contribution of maternal HIV seroconversion during late pregnancy and breastfeeding to mother-to-child transmission of HIV. J Acquir Immune Defic Syndr. 2012;59(4):417–25.
12. Brasil. Ministério da Saúde. Portaria nº 1.271, de 6 de junho de 2014 [Internet]. Brasília; 2014 [capturado em 5 abr. 2021]. Disponível em: http://bvsms.saude.gov.br/bvs/saudelegis/gm/2014/prt1271_06_06_2014.html.
13. Matheson PB, Thomas PA, Abrams EJ, Pliner V, Lambert G, Bamji M, et al. Heterosexual behavior during pregnancy and perinatal transmission of HIV-1. New York City Perinatal HIV Transmission Collaborative Study Group. AIDS. 1996;10(11):1249–56.
14. Moura MES, da Guarda Reis MN, Lima YAR, Eulálio KD, Cardoso LPV, Stefani MMA. HIV-1 transmitted drug resistance and genetic diversity among patients from Piauí State, Northeast Brazil. J Med Virol. 2015;87(5):798–806.
15. Brasil. Ministério da Saúde. Departamento de Doenças de Condições Crônicas e Infecções Sexuais Transmissíveis. Coordenação-Geral de Vigilância das Infecções Sexualmente Transmissíveis. Ofício circular nº 11/2020. Brasília; mar 27, 2020.
16. Maliakkal A, Walmsley S, Tseng A. Critical review: review of the efficacy, safety, and pharmacokinetics of raltegravir in pregnancy. J Acquir Immune Defic Syndr. 2016;72(2):153–61.
17. Ford N, Mofenson L, Shubber Z, Calmy A, Andrieux-Meyer I, Vitoria M, et al. Safety of efavirenz in the first trimester of pregnancy: an updated systematic review and meta-analysis. AIDS. 2014;28(Suppl 2):S123-131.
18. Panel on Treatment of Pregnant Women with HIV Infection and Prevention of Perinatal Transmission. Recommendations for use of antiretroviral drugs in transmission in the United States [Internet]. Washington; 2021 [capturado em 19 abr. 2021]. Disponível em: https://clinicalinfo.hiv.gov/sites/default/files/guidelines/documents/Perinatal_GL_2020.pdf.
19. Brites C, Nóbrega I, Luz E, Travassos AG, Lorenzo C, Netto EM. Raltegravir versus lopinavir/ritonavir for treatment of HIV-infected late-presenting pregnant women. HIV Clin Trials. 2018;19(3):94–100.
20. European Mode of Delivery Collaboration. Elective caesarean-section versus vaginal delivery in prevention of vertical HIV-1 transmission: a randomised clinical trial. Lancet. 1999;353(9158):1035–9.
21. The International Perinatal HIV Group. The mode of delivery and the risk of vertical transmission of human immunodeficiency virus type

1 – a meta-analysis of 15 prospective cohort studies. N Engl J Med. 1999;340(13):977–87.
22. Livingston EG, Huo Y, Patel K, Brogly SB, Tuomala R, Scott GB, et al. Mode of delivery and infant respiratory morbidity among infants born to HIV-1-infected women. Obstet Gynecol. 2010;116(2 Pt 1):335–43.
23. Townsend CL, Byrne L, Cortina-Borja M, Thorne C, de Ruiter A, Lyall H, et al. Earlier initiation of ART and further decline in mother-to-child HIV transmission rates, 2000-2011. AIDS. 2014;28(7):1049–57.
24. Briand N, Jasseron C, Sibiude J, Azria E, Pollet J, Hammou Y, et al. Cesarean section for HIV-infected women in the combination antiretroviral therapies era, 2000-2010. Am J Obstet Gynecol. 2013;209(4):335.e1-335.e12.
25. Committee on Obstetric Practice HIV Expert Work Group. ACOG committee opinion no. 751: labor and delivery management of women with human immunodeficiency virus infection. Obstet Gynecol. 2018;132(3):e131–7.
26. Kourtis AP, Ellington S, Pazol K, Flowers L, Haddad L, Jamieson DJ. Complications of cesarean deliveries among HIV-infected women in the United States. AIDS. 2014;28(17):2609–18.
27. Cotter AM, Brookfield KF, Duthely LM, Gonzalez Quintero VH, Potter JE, O'Sullivan MJ. Duration of membrane rupture and risk of perinatal transmission of HIV-1 in the era of combination antiretroviral therapy. Am J Obstet Gynecol. 2012;207(6):482.e1-5.
28. Rio Grande do Sul. Secretaria da Saúde. Coordenação Estadual de IST/Aids. Nota técnica nº 02/2018 [Internet]. Porto Alegre; dez 11, 2018 [capturado em 6 abr. 2021]. Disponível em: http://observatorioaids.saude.rs.gov.br/wp-content/uploads/2019/04/NT-02_2018-uso-AZT-no-parto.pdf.
29. Nduati R, John G, Mbori-Ngacha D, Richardson B, Overbaugh J, Mwatha A, et al. Effect of breastfeeding and formula feeding on transmission of HIV-1: a randomized clinical trial. JAMA. 2000;283(9):1167–74.
30. World Health Organization. Review of priorities in researchHormonal contraception and IUDs and HIV infection: report of a technical meeting: Geneva, 13–15 March 2007 [Internet]. Geneva: WHO; 2010. Disponível em: https://apps.who.int/iris/bitstream/handle/10665/70511/WHO_RHR_10.21_eng.pdf.

# Capítulo 119
## MEDICAMENTOS E OUTRAS EXPOSIÇÕES NA GESTAÇÃO E NA LACTAÇÃO

Lavinia Schuler-Faccini
Maria Teresa Vieira Sanseverino
Camila Giugliani

Este capítulo, complementado pelo Apêndice Uso de Medicamentos na Gestação e na Lactação, aborda o uso de medicamentos, drogas ilícitas e outras exposições de interesse na gestação e na amamentação, com o intuito de subsidiar o profissional de saúde na indicação de medicamentos nesses períodos e na orientação da mulher quanto ao uso das diversas substâncias aqui abordadas.

O referido apêndice traz considerações práticas sobre o uso de medicamentos pela gestante e pela lactante, categorizados por classes. Para o desenvolvimento deste capítulo, foram utilizadas algumas fontes[1-5] que recompilam e analisam periodicamente informações atualizadas sobre o assunto, de forma que não serão citadas repetidamente ao longo do capítulo.

Em relação às evidências que embasam a classificação das substâncias em compatíveis ou não com a gestação e a amamentação, a grande maioria dos estudos em humanos é observacional, havendo também grande quantidade de relatos de caso. Assim, de forma geral, o nível de evidência para a segurança de fármacos e outras substâncias na gestação e na amamentação é baixo ou muito baixo (**C** ou **D**).

## GESTAÇÃO E AGENTES TERATOGÊNICOS

O uso de medicamentos na gestação é um evento muito frequente. Estudo de coorte de base populacional, realizado em Pelotas, Rio Grande do Sul (RS), incluindo 4.270 mulheres, mostrou prevalência de uso de 92,5% para qualquer medicamento, incluindo sais ferrosos, ácido fólico, vitaminas e outros minerais. A prevalência de automedicação foi de 27,7%, sendo mais alta em mulheres de baixo nível socioeconômico, levantando uma preocupação com relação às exposições inadvertidas.[6] Um agente teratogênico é definido como qualquer substância, organismo, agente físico ou estado de deficiência que, estando presente durante a vida embrionária ou fetal, produz alteração na estrutura ou na função da descendência. A ação de um agente teratogênico sobre o embrião/feto em desenvolvimento depende de diversos fatores, destacando-se:[7]

→ estágio de desenvolvimento do concepto;
→ relação entre dose e efeito;
→ genótipo materno-fetal;
→ mecanismo patogênico específico de cada agente.

Quando se discute o tema dos agentes teratogênicos, deve-se considerar que grande parte das gestações não é planejada, o que pode representar risco gestacional adicional, sobretudo às mulheres que fazem uso regular de medicamentos ou drogas/substâncias de uso social.

É importante o conhecimento sobre medicamentos considerados seguros ou de baixo risco para o tratamento de doenças que podem trazer danos para a gestante e/ou o feto. As bulas dos medicamentos, produzidas pelos fabricantes, costumam assustar as gestantes, fazendo elas evitarem tratamentos que poderiam ser benéficos tanto para elas como para os fetos. Uma conversa direta, clara e elucidativa com a gestante ou com a mulher que deseja engravidar é muito importante para evitar a ansiedade gerada nessas situações e garantir a adesão ao tratamento.

A bula costuma ser a primeira fonte de informação a que as pessoas têm acesso, senão a única. As fontes mais atualizadas e confiáveis, baseadas em evidências, podem ser de difícil acesso para os profissionais de saúde; por isso, a importância do conteúdo deste capítulo, complementado pelo Apêndice Uso de Medicamentos na Gestação e na Lactação, em sumarizar a informação disponível nas fontes científicas.

São poucos os medicamentos contraindicados na gravidez ou no período periconcepcional. Mesmo algumas substâncias categorizadas como potencialmente teratogênicas podem não ter efeito danoso, dependendo da dose e do período gestacional. Exemplos são as pílulas anticoncepcionais, cuja dose de hormônios é muito baixa para causar risco ao concepto, no caso de gestantes que usam pílula e não sabem que estão grávidas. O misoprostol, que é teratogênico quando usado no 1º trimestre, tem sido empregado eficazmente como indutor de parto no final da gravidez, sem efeitos colaterais quando utilizado sob supervisão médica.[7]

Uma observação deve ser feita com relação ao medicamento talidomida ou seus análogos. A talidomida é um teratógeno potente reconhecido desde a década de 1960, mas que no Brasil ainda é amplamente utilizada para tratamento da reação hansênica tipo 2. Análogos da talidomida (lenalidomida, pomalidomida) estão de volta ao mercado mundial para tratamento de câncer e outras enfermidades, em virtude de seu efeito imunomodulador. Esses análogos são também teratogênicos, e uma mulher em idade reprodutiva que faça uso de medicamentos dessa categoria deve estar informada e seguir uma regulamentação muito estrita para evitar a gravidez.[8]

A via de uso dos medicamentos pode fazer diferença – por exemplo, os retinoides sintéticos, que, por via sistêmica, são potentes teratógenos em gestações humanas, por via tópica, em função de sua baixa absorção pela pele íntegra, não apresentam risco evidente.

## Vacinas

Ver Capítulo Imunizações (tópico Situações Especiais).

## Infecções congênitas

Diversas infecções maternas podem causar anomalias congênitas, conhecidas pela sigla STORCH (sífilis, toxoplasmose, rubéola, citomegalovirose e herpes). A rubéola pode ser prevenida por vacinação, prevista no Programa Nacional de Imunizações (PNI). A sífilis tem tratamento efetivo e seguro por penicilinas durante a gravidez. A toxoplasmose e a citomegalovirose têm maior dificuldade de diagnóstico, pois, na maioria das vezes, são assintomáticas, mas existem medidas simples para a prevenção de infecção primária por toxoplasmose na gravidez que devem ser lembradas. Entretanto, a partir de 2015, tornou-se de maior relevância a infecção congênita pelo vírus da Zika, que causa importantes danos cerebrais estruturais e funcionais. A microcefalia e o acometimento neurológico são as manifestações mais frequentemente observáveis ao nascimento, mas também há efeitos de aparecimento tardio, como comprometimento visual e auditivo, epilepsia e atraso neuropsicomotor.[9] (Ver Capítulo Infecções na Gestação.)

## Medicamentos ou cosméticos de uso tópico, incluindo tinturas de cabelo

Não há evidência de relação entre uso tópico de medicamentos ou cosméticos e ocorrência de malformações congênitas, mesmo quando essas substâncias se mostram comprovadamente teratogênicas se administradas por via sistêmica. A segurança é determinada sobretudo pela baixa absorção associada ao uso tópico. Porém, se usadas por tempo prolongado em áreas muito extensas da superfície corporal e em pele não íntegra, pode ocorrer aumento de absorção, com risco de complicações. Deve-se, como regra, utilizar a menor dose eficaz do medicamento pelo menor tempo possível. Essa recomendação é válida para qualquer medicamento, via de administração e pessoa, gestante ou não.

## Radiação

A maioria dos estudos que investigaram a possibilidade de efeitos colaterais em nascimentos humanos não encontrou aumento na incidência de anomalias após exposições à maioria dos agentes diagnósticos radiológicos. Riscos significativos são observados em doses muito altas, acima de 5 rad, geralmente obtidas em tratamentos radioterápicos.

## Álcool

O álcool é o teratógeno mais amplamente utilizado na civilização ocidental. Ainda que as características clássicas da síndrome alcoólica fetal (SAF) tenham sido descritas desde 1968, apenas recentemente pesquisas sobre a teratogênese do álcool demonstraram que o cérebro é o órgão mais vulnerável aos efeitos da exposição pré-natal a essa substância. Está bem demonstrado que distúrbios comportamentais são decorrentes da exposição pré-natal ao álcool, mesmo na ausência da síndrome completa. Crianças, jovens e adultos acometidos pelos efeitos do espectro do álcool fetal (EAF) estão sob risco maior de terem comportamento social disruptivo, entre outros problemas neurocomportamentais.[10]

Ainda que seja impossível separar completamente os efeitos decorrentes da exposição pré-natal ao álcool de influências ambientais pós-natais, os profissionais de saúde devem estar atentos para realizar diagnóstico precoce de crianças afetadas pela SAF e pelo EAF, bem como para prevenir a recorrência em futuras gestações. Assim, podem-se iniciar o manejo e os cuidados apropriados para evitar as consequências em longo prazo e assegurar melhor adaptação social e escolar. Até o momento, não se conhece a dose mínima segura de consumo de álcool durante a gravidez.

## Maconha, cocaína e *crack*

Alguns estudos evidenciaram que o consumo de maconha durante a gestação está associado à restrição do crescimento intrauterino (RCIU), independentemente do uso de outras drogas pela gestante. Os estudos sobre os efeitos neurocomportamentais permanentes no feto são controversos. Nenhum padrão específico de malformações congênitas foi observado em associação ao uso materno de maconha. No entanto, visto que a maconha disponível para consumo recreacional não é uma substância pura e que há indefinições em relação aos efeitos para o feto, seu consumo deve ser evitado na gestação.

O consumo de cocaína ou *crack* durante a gravidez pode estar associado à RCIU, ao parto prematuro e a alterações comportamentais na prole. Não há consenso sobre o aumento de risco de malformações estruturais, embora alguns estudos mostrem maior ocorrência de anomalias decorrentes de alterações do fluxo vascular, como sequência de Moebius e defeitos de membros. É preciso considerar que a maioria dos estudos tem limitações metodológicas, não isolando a exposição à cocaína de outras exposições, como ao álcool e a outras drogas, o que pode gerar confusão. Em resumo, cocaína ou *crack* não devem ser usados na gestação. Se houver uso repetido da droga, o desenvolvimento do feto deve ser acompanhado com ultrassonografias detalhadas e mais frequentes.

## Tabagismo

O efeito nocivo do fumo durante a gestação está bem estabelecido, tanto para a mãe como para o feto. A nicotina determina diminuição do fluxo placentário e altera a circulação fetal, podendo causar hipóxia ou isquemia e RCIU. O monóxido de carbono reduz a oferta de oxigênio materno e fetal, e outras substâncias encontradas no cigarro são mutagênicas. Os efeitos do fumo na gestação estão diretamente relacionados com a quantidade de cigarros consumidos.

O cigarro está comprovadamente associado ao aumento na frequência de abortamentos espontâneos, RCIU, placenta prévia, descolamento de placenta, prematuridade e mortalidade perinatal, além de algumas anomalias congênitas, como fendas labiopalatinas. A exposição pré-natal ao tabaco também está associada ao desenvolvimento de transtorno do déficit de atenção com hiperatividade.

## Cafeína

A ingestão de cafeína durante a gestação não parece aumentar o risco de anomalias congênitas. Os estudos que avaliaram a relação entre consumo de doses diárias altas de cafeína com aumento no risco de abortos ou redução do peso do bebê ao nascimento são conflitantes. Existem evidências de que esses efeitos estariam relacionados com doses > 200 a 300 mg de cafeína (equivalente a 2-3 xícaras pequenas de café, com cerca de 150 mL cada) por dia. Portanto, sugere-se limitar o consumo diário de cafeína durante a gestação a 2 xícaras por dia.

## Adoçantes

Não há comprovação de que os adoçantes causem efeitos nocivos para o feto. Entretanto, alguns tipos de adoçantes devem ser evitados ou consumidos com moderação durante a gestação, pois atravessam a placenta, podendo potencialmente interferir no desenvolvimento do feto. O ciclamato e a sacarina, por exemplo, não são recomendados na gestação, devido à suspeita de serem potencialmente cancerígenos.

O aspartame é um composto de fenilalanina e ácido aspártico. Estudos em animais não mostraram aumento na incidência de defeitos congênitos. A preocupação teórica quanto ao seu uso na gestação deve-se à potencial elevação dos níveis plasmáticos de fenilalanina, com eventual risco para o sistema nervoso do feto, em casos de consumo excessivo. Estudos em humanos mostram que a exposição ao aspartame na gestação não traz efeitos tóxicos ao feto, pois o aspartame não cruza livremente a placenta.

## Onde encontrar mais informações

Considerando que a bibliografia sobre teratogenicidade é muito ampla e está dispersa em diversas fontes, a partir da necessidade de atualização permanente surgiram, em vários países, serviços especializados em fornecer informações a profissionais de saúde, gestantes e população em geral. Esses serviços se difundiram sobremaneira durante a década de 1980 e são importantes fontes de dados para investigação acerca do potencial teratogênico de diversos agentes.

No Brasil, há o Sistema Nacional de Informações sobre Agentes Teratogênicos (Siat), implantado no Serviço de Genética Médica do Hospital de Clínicas de Porto Alegre desde 1990 e membro do European Network of Teratology Information Services (Entis). (Ver QR code.)

## AMAMENTAÇÃO

O uso de medicamentos é um hábito comum entre mulheres que amamentam. Um estudo norte-americano revelou que as mulheres utilizam, em média, quatro medicamentos no decorrer da amamentação, excluindo ferro, minerais, vitaminas e ácido fólico.[11] As classes terapêuticas mais prescritas na amamentação são anticoncepcionais, anti-infecciosos, antidepressivos e analgésicos.[12]

**Diante da necessidade do uso de medicamentos durante a lactação, a escolha do fármaco é um aspecto de fundamental importância, devendo-se optar por aqueles que afetam menos a amamentação e a saúde da mãe e da criança. Hoje se sabe que a maioria dos medicamentos não passa para o leite materno em níveis que possam ser prejudiciais à criança; no entanto, para fazer melhores escolhas e evitar a interrupção desnecessária da amamentação, é preciso saber quais substâncias podem ser utilizadas com segurança durante a lactação e quais podem ser prejudiciais.[3] Mesmo na ausência de informação específica proveniente de estudos em humanos, um bom entendimento dos princípios e dos mecanismos cinéticos da transferência de medicamentos para o leite materno pode ajudar o profissional de saúde a chegar a uma decisão informada, em geral permitindo a continuação da amamentação, paralelamente ao tratamento necessário de alguma condição clínica.[12]**

Em termos de informação, é importante ressaltar que as bulas dos medicamentos são fontes muito pobres, pois recomendam, de forma generalizada, que os fármacos não sejam administrados durante a amamentação. Um estudo brasileiro evidenciou a baixa conformidade das bulas de medicamentos antidepressivos com fontes bibliográficas baseadas em evidências, estando a recomendação de contraindicação na amamentação presente em 62,5% das bulas, percentual que variou de 0 a 25% nas fontes bibliográficas.[13]

Os medicamentos passam do plasma para o leite materno principalmente por difusão, mediante forças de equilíbrio entre os dois compartimentos. O nível plasmático do fármaco na mãe costuma ser o fator mais importante na determinação de sua presença no leite materno; porém, vários outros fatores influenciam a sua presença e concentração no leite. Entre eles, destacam-se:

→ **via de administração:** as vias intravenosa e intramuscular, em comparação com a via oral, resultam em maiores níveis sanguíneos do fármaco na mãe, facilitando sua passagem para o leite;
→ **dose administrada:** quanto maior a dose, maior tende a ser a concentração no leite;
→ **intervalo entre as doses:** quanto mais espaçados os intervalos e mais distante a administração do fármaco do horário de mamada, menor é a concentração no leite;
→ **duração do tratamento:** quanto mais prolongada, maior é a exposição da criança ao medicamento;
→ **biodisponibilidade oral:** alguns fármacos não são absorvidos pelo trato gastrintestinal (p. ex., aminoglicosídeos), outros são inativados pela acidez gástrica excessiva do estômago da criança (omeprazol, heparina e insulina) ou são sequestrados pelo fígado antes de atingirem o plasma;
→ **meia-vida do fármaco:** quanto maior a meia-vida, maior é o risco de acúmulo na mãe e na criança.

As características físico-químicas do fármaco e do meio também influenciam a sua passagem para o leite materno:
→ **peso molecular:** quanto menor o peso molecular, maior é a difusão;
→ **grau de ionização:** substâncias não ionizadas, como o álcool, atravessam as membranas biológicas em maior quantidade;
→ **solubilidade:** de maneira geral, substâncias lipossolúveis passam para o leite materno em concentrações mais altas, além de se concentrarem no chamado leite posterior, sendo ingeridas pela criança sobretudo no final das mamadas. Em geral, pode-se esperar que substâncias que agem no sistema nervoso central, por serem altamente lipossolúveis, estejam presentes em maior quantidade no leite materno;
→ **ligação a proteínas:** em geral, os fármacos fortemente ligados a proteínas (p. ex., varfarina, vários anti-inflamatórios não esteroides) passam para o leite em menor quantidade;
→ **pH do meio:** o pH do leite é inferior ao do plasma; portanto, medicamentos levemente alcalinos se concentram mais no leite materno, enquanto os levemente ácidos se encontram mais concentrados no plasma.

Alguns fatores determinam a quantidade da substância recebida pela criança e os efeitos nela exercidos. São eles:

→ **idade da criança:** quanto menor a criança, menor é sua habilidade para absorver, metabolizar e excretar os medicamentos. Recém-nascidos, em especial os pré-termo, costumam ser mais suscetíveis. Além disso, durante o período de colostro, na primeira semana pós-parto, os fármacos passam para o leite mais facilmente (porém, o volume total ingerido pela criança é muito pequeno nessa fase, o que faz a dose de medicamento transferida ser baixa). Em crianças maiores (idade > 1 ano), a produção de leite da mãe costuma ser menor, diminuindo a dose de medicamento transferida pelo leite. Portanto, as crianças com maior risco de serem afetadas por medicações maternas são as recém-nascidas, sobretudo as pré-termo. O risco é considerado moderado para as crianças com 2 semanas a 6 meses de vida, e baixo para as crianças com idade > 6 meses, pois recebem menor quantidade de leite materno e conseguem metabolizar com mais eficiência as substâncias recebidas;
→ **frequência das mamadas:** uma criança que mama poucas vezes ao dia é menos exposta que outra amamentada exclusivamente;
→ **esvaziamento das mamas:** quanto maior o esvaziamento das mamas, maior é a ingestão de substâncias lipossolúveis, encontradas, em geral, em maior concentração no leite posterior (final da mamada);
→ **tempo decorrido entre a tomada do medicamento e a mamada:** em geral, os medicamentos ingeridos pelas mulheres atingem seu pico sérico materno, com maior passagem para o leite, em 30 a 60 minutos.

## Questões importantes a serem consideradas ao prescrever um medicamento para uma lactante

A primeira pergunta que deve ser feita antes de se prescrever um medicamento a uma mulher que está amamentando é se ele realmente é necessário. Deve-se fazer uma avaliação de riscos *versus* benefícios, considerando os benefícios da amamentação, os benefícios do tratamento para a saúde materna, os riscos para o lactente e a repercussão na produção láctea.[5] Os medicamentos só devem ser prescritos quando os benefícios superam os riscos.

Uma vez estabelecida a necessidade do medicamento, deve-se usar sempre o fármaco mais seguro (p. ex., paracetamol no lugar de ácido acetilsalicílico). Os medicamentos de ação prolongada devem ser evitados, pois as crianças têm mais dificuldade para excretá-los. Recomenda-se também limitar o tempo de tratamento. Em relação à via de administração, devem-se preferir medicações de aplicação local. Assim, a concentração plasmática materna será menor, diminuindo a passagem para o leite.

Se existir a possibilidade de efeitos colaterais na criança, deve-se considerar a dosagem da concentração plasmática do fármaco no lactente, além da observação cuidadosa da criança. Erupções de pele ou mudanças de comportamento devem alertar para possíveis efeitos colaterais do medicamento.

Pode-se minimizar a exposição da criança ao fármaco se a mãe utilizá-lo logo após as mamadas ou durante o sono da criança, em uma tentativa de evitar que ela mame durante o pico de concentração plasmática materna.

Em alguns casos em que há impossibilidade de postergar um tratamento incompatível com a amamentação, é necessária a sua interrupção, definitiva ou temporariamente. Quando houver a possibilidade de as mulheres voltarem a amamentar após o tratamento, elas devem ser orientadas a fazer a extração do seu leite para manter a produção adequada. (Ver Capítulo Aleitamento Materno: Aspectos Gerais.)

A **TABELA 119.1** apresenta medidas que minimizam o potencial de risco para a criança em relação à exposição a medicações pelo leite materno. A relação de substâncias consideradas perigosas de acordo com a classificação de risco para uso durante a lactação está contida na **TABELA 119.2**. Outras substâncias, classificadas como potencialmente perigosas, as quais devem ser usadas com muita cautela, podem ser consultadas na referência 5 e no Apêndice Uso de Medicamentos na Gestação e na Lactação.

## Substâncias que interferem na produção e na ejeção do leite

Alguns medicamentos, os chamados galactogogos, podem estimular a produção de leite, em geral por antagonismo ao receptor da dopamina e consequente aumento de prolactina. São exemplos: domperidona, metoclopramida e sulpirida. Os galactogogos costumam ter utilidade em situações específicas associadas à produção insuficiente de leite materno e quando outras medidas para aumentar o volume do leite já foram tentadas (ver Capítulo Aleitamento Materno: Principais Dificuldades e seu Manejo). De forma geral, a prescrição de galactogogos exige cautela, em função dos riscos potenciais e dos benefícios questionáveis.

Por outro lado, algumas substâncias podem diminuir a produção de leite, interferindo no ganho de peso da criança, principalmente no período pós-parto imediato. Quando o uso de alguma dessas substâncias for inevitável, deve-se retardar ao máximo sua introdução (semanas ou meses), prescrevê-la pelo menor tempo possível e monitorar rigorosamente o ganho de peso do lactente. A **TABELA 119.3** lista os principais fármacos e substâncias com risco de ocasionar redução da síntese de leite.

## Medicamentos que podem alterar o gosto do leite materno

Alguns medicamentos podem alterar o sabor do leite, tornando-o desagradável e provocando a recusa do lactente em mamar. Nessas situações, pode-se orientar a nutriz a evitar a amamentação no pico de concentração do medicamento no leite, que, geralmente, coincide com o pico sérico, além de usar o medicamento pelo menor tempo possível. Na **TABELA 119.4**, estão listados os medicamentos que se enquadram nessa categoria.

## Vacinas

Ver Capítulo Imunizações (tópico Amamentação).

## Medicamentos de uso tópico

Preparações tópicas não costumam ser excretadas no leite materno em quantidades significativas. Porém, recomenda-se cautela quando esses medicamentos forem administrados na região areolomamilar.

**TABELA 119.1** → Medidas para minimizar os riscos potenciais para a criança em relação à exposição a fármacos via leite materno

| GERAIS |
|---|
| → Evitar o uso de medicamentos sempre que possível |
| → Usar medicamentos tópicos quando possível |
| → Evitar medicamentos introduzidos recentemente no mercado |
| → Prescrever, de preferência, medicamentos que são seguros para serem administrados nas crianças |
| → Lembrar que medicamentos que são seguros na gestação nem sempre são seguros na amamentação |
| → Dar atenção especial aos recém-nascidos, especialmente os pré-termo |

| SELEÇÃO DO MEDICAMENTO |
|---|
| → Preferir fármacos: |
|    → Com menor meia-vida e maior capacidade de ligação proteica |
|    → Mais bem estudados em crianças |
|    → Com menor absorção oral |
|    → Com menor lipossolubilidade |

| DOSE DO MEDICAMENTO |
|---|
| → Preferir medicamentos que possam ser administrados em dose única diária logo após a mamada antes de a criança dormir, ou seja, logo antes do maior intervalo de sono da criança |
| → Amamentar a criança imediatamente antes da dose de medicação quando várias doses ao dia forem necessárias |

Fonte: Adaptada de Hale[3] e Spencer e colaboradores.[14]

**TABELA 119.2** → Substâncias consideradas perigosas na amamentação

| | | | |
|---|---|---|---|
| → Abacavir | → Danazol | → Estavudina | → Lopinavir |
| → Ácido gama-hidroxibutírico (ecstasy) | → Delavirdina | → Etinilestradiol | → Maconha |
| → Ácido lisérgico (LSD) | → Desidroepiandrosterona (DHEA) | → Etravirina | → Mestranol |
| → Agentes antineoplásicos e imunossupressores (maioria)* | → Didanosina | → Foscarnete | → Metanfetamina |
| → Amiodarona | → Dietilestilbestrol | → Gálio-67 | → Nevirapina |
| → Anfepramona | → Dissulfiram | → Haxixe | → Raltegravir |
| → Azul de metileno | → Doxepina | → Heroína | → Ritonavir |
| → Cocaína/crack | → Efavirenz | → Indinavir | → Saquinavir |
| → Dactinomicina | → Entricitabina | → Isotretinoína (via oral) | → Zidovudina |

*Ver relação específica de imunossupressores e antineoplásicos considerados perigosos na fonte de referência desta tabela.
Fonte: Hale[3] e Sociedade Brasileira de Pediatria.[5]

**TABELA 119.3** → Medicamentos e substâncias que podem reduzir a produção de leite materno

| | |
|---|---|
| → Álcool | → Estrogênios |
| → Bromocriptina | → Levodopa |
| → Bupropiona | → Lisurida |
| → Cabergolina | → Nicotina |
| → Diuréticos | → Pseudoefedrina |
| → Ergometrina | → Testosterona |
| → Ergotamina | |

Fonte: Sociedade Brasileira de Pediatria.[5]

## Álcool

O álcool, quando presente na corrente sanguínea da mãe, é prontamente transferido para o leite materno. A exposição crônica ao álcool via leite materno e o consumo em altas quantidades (> 300 mg/dL) podem estar associados a efeitos colaterais no lactente, como letargia, sonolência, fraqueza e restrição do crescimento.

Sabe-se que o álcool inibe a liberação de ocitocina, e o reflexo de ejeção do leite pode ser parcialmente bloqueado pelo consumo materno de álcool, em um efeito dose-dependente. Portanto, a cerveja, popularmente conhecida como um estimulante da produção de leite, não deve ser considerada como tal. Além disso, o álcool pode modificar o odor e o sabor do leite materno, levando à sua recusa pelo lactente.

Se a mãe, eventualmente, for consumir bebida alcóolica, deve-se orientar que a quantidade máxima a ser ingerida é 240 mL de vinho ou 2 latinhas de cerveja, e que a mãe deve esperar no mínimo 2 horas para voltar a amamentar (ou retirar o seu leite e descartá-lo nesse período). Principalmente nos casos de lactentes em amamentação exclusiva, o ideal é não beber, ou extrair leite antes da ingestão do álcool, para oferecê-lo à criança durante o período mínimo de espera após o consumo.[15] (Ver também Capítulo Aleitamento Materno: Aspectos Gerais.)

## Maconha, cocaína e *crack*

A quantidade de tetra-hidrocanabinol (THC), princípio ativo da maconha, secretada para o leite materno tem sido documentada como pequena a moderada. No entanto, dados de estudos, tanto em animais quanto em humanos, sugerem que a exposição à maconha na amamentação pode, potencialmente, levar a complicações neurocomportamentais. Assim, o uso de maconha por mulheres que amamentam deve ser desestimulado.

A cocaína e o *crack*, apesar do efeito farmacológico relativamente fugaz (20-30 minutos), são metabolizados lentamente e excretados por período prolongado. Assim, mesmo após a cessação dos efeitos clínicos, estão presentes no leite materno quantidades significativas de benzoilecgonina, o metabólito inativo da cocaína. Existem relatos de toxicidade (tremores, irritabilidade, vômitos e diarreia) induzida pela cocaína em crianças de mães que usaram a droga durante a amamentação. Apesar de a transferência exata da cocaína para o leite materno não ter sido definida, suspeita-se de uma taxa leite/plasma alta. Qualquer forma de administração de cocaína (oral, intranasal ou fumo de *crack*) é perigosa e está definitivamente contraindicada na lactação.

No caso de uso eventual, tanto de maconha quanto de cocaína, recomenda-se um período de 24 horas sem amamentar, extraindo e desprezando o leite durante esse tempo.[5]

Ver também Capítulo Aleitamento Materno: Aspectos Gerais.

## Tabagismo

O fumo não só expõe a criança à nicotina e ao seu metabólito cotinina, como também a expõe a uma série de substâncias tóxicas usadas na composição do cigarro e à fumaça do ambiente, elevando o risco de alergias respiratórias e síndrome da morte súbita do lactente. A quantidade de nicotina que a criança recebe via leite materno depende do número de cigarros consumidos por dia e do tempo entre o último cigarro e a amamentação.

O fumo está relacionado com menor duração da amamentação e diminuição do volume de leite. O provável mecanismo para esse efeito é a ação inibitória da nicotina sobre a prolactina e a ocitocina. Os resultados de uma metanálise apontam para um aumento significativo do risco de desmame precoce em mães fumantes.[16] Além disso, a nicotina pode alterar o sabor do leite.

**TABELA 119.4** → Medicamentos e substâncias que podem alterar o gosto do leite materno

| | | | |
|---|---|---|---|
| → Aciclovir | → Desipramina | → Estavudina | → Óleo de fígado de bacalhau |
| → Anfepramona | → Dextrometorfano | → Famotidina | → Penicilinas |
| → Anlodipino | → Didanosina | → Fentermina | → Pentoxifilina |
| → Azelastina | → Diltiazém | → Flecainida | → Prednisolona |
| → Azitromicina | → Dissulfiram | → Hidroclorotiazida | → Procainamida |
| → Captopril | → Donepezila | → Imipramina | → Propafenona |
| → Cetirizina | → Doxepina | → Indinavir | → Propranolol |
| → Ciprofloxacino | → Doxiciclina | → Iodeto de potássio | → Ritonavir |
| → Claritromicina | → Efavirenz | → Labetalol | → Saquinavir |
| → Clindamicina | → Emedastina | → Lamivudina | → Sulfametoxazol + trimetoprima |
| → Clomipramina | → Enalapril | → Metronidazol | → Tinidazol |
| → Cloranfenicol | → Enoxacino | → Mexiletina | → Valaciclovir |
| → Cloreto de potássio | → Eritromicina | → Nedocromila | → Zidovudina |

Fonte: Sociedade Brasileira de Pediatria.[5]

Apesar de o fumo na amamentação ser claramente prejudicial, acredita-se que os benefícios do leite materno para a criança superem os possíveis malefícios da exposição à nicotina via leite materno. Por isso, o fumo não é considerado uma contraindicação à amamentação. Além disso, o aleitamento materno exerce proteção parcial na redução das altas taxas de doenças respiratórias e síndrome da morte súbita do lactente em crianças de mães fumantes.

O uso de medicamentos (adesivo, goma de mascar e spray) contendo nicotina é compatível com a amamentação. Assim, além de encorajar as mães fumantes a pararem de fumar ou diminuírem o consumo de tabaco, inclusive com uso de medicamentos contendo nicotina, elas devem ser estimuladas a amamentar. O uso de bupropiona não está indicado, pelo potencial de reduzir a síntese de leite.

Fumar e amamentar não é o ideal, mas é preferível à não amamentação. As mulheres que não conseguem parar de fumar devem ser orientadas a reduzir o número de cigarros, a usar cigarros com baixo teor de nicotina, a não fumar no mesmo ambiente onde está a criança e a fazer intervalos de pelo menos 2 horas entre o consumo de cigarro e as mamadas.

Ver também Capítulo Aleitamento Materno: Aspectos Gerais.

### Cafeína

Após o consumo de bebidas contendo cafeína pela nutriz, o pico da sua concentração no leite materno costuma ocorrer entre 60 e 120 minutos. O consumo materno de até 2 xícaras pequenas diárias (em torno de 150 mL cada) de café, chá ou refrigerante contendo cafeína está associado a níveis aceitáveis no leite materno. Porém, o consumo crônico e persistente pode levar a altos níveis plasmáticos na criança, especialmente no período neonatal. O consumo de cafeína em quantidades excessivas deve ser evitado devido ao risco potencial de causar irritabilidade na criança.

### Adoçantes

Na amamentação, o aspartame pode elevar os níveis de aspartato e fenilalanina no leite, mas esse aumento parece ser insignificante quando comparado com as flutuações normais de aminoácidos no leite materno. Assim, o uso de aspartame é considerado compatível com a amamentação; porém, é prudente recomendar que o consumo excessivo seja evitado.

### Compostos herbais

A maioria das informações disponíveis não possui embasamento científico, embora as propriedades médicas de certas plantas sejam conhecidas há séculos. É importante observar que as concentrações da substância ativa variam conforme a planta, o que dificulta quantificar as doses. Quanto aos chás de ervas, existe o mesmo problema, pois a concentração do princípio ativo é influenciada por diversos fatores. Outra observação a fazer em relação às plantas é que, além do princípio ativo, várias outras substâncias podem ser transferidas para o leite materno.

Existem poucos estudos sobre o uso de compostos herbais durante a amamentação. Para a maioria dos herbais, mais estudos são necessários para que se possa concluir sobre a segurança do seu uso nesse período. Portanto, genericamente, existe uma tendência a não recomendar o uso desses produtos na lactação. Em relação a algumas ervas específicas, a erva-de-são-joão (*Hypericum perforatum*) é considerada compatível com a amamentação, enquanto *kava-kava*, borragem, *cohosh* azul, confrei e *kombucha* estão contraindicadas.

### Onde encontrar mais informações

O Siat possui informações atualizadas, juntando diversas bases de dados, sobre uso de medicamentos e outras exposições na lactação. (Ver QR code.)

Além disso, existe a *Drugs and Lactation Database* (LactMed), que é uma base de dados disponível gratuitamente, com revisões atualizadas de cada substância. (Ver QR code.)

## CONSIDERAÇÕES FINAIS

A amamentação é uma prática de fundamental importância para a mãe e para a criança; portanto, deve sempre ser incentivada e protegida, salvo algumas exceções. Na decisão de prescrever medicamentos durante a lactação, devem-se considerar as vantagens da amamentação, os benefícios do fármaco para a saúde materna e os possíveis riscos de sua exposição via leite materno.

> **Poucas substâncias são sabidamente prejudiciais à criança quando consumidas pela mãe que amamenta (ver TABELA 119.2). Na maioria dos casos, os benefícios da amamentação superam os potenciais riscos da exposição, e a amamentação pode e deve ser mantida, concomitantemente à administração do tratamento.**

## REFERÊNCIAS

1. Reprotox: an information system on environmental hazards to human reproduction and development [Internet]. Washington: Reprotox; 2019 [capturado em 30 jul. 2021]. Disponível em: http://www.reprotox.org.
2. Briggs GG, Freema RK, Towers V, Forinash AB. Drugs in pregnancy and lactation: a reference guide to fetal and neonatal risk. 11th ed. Lippincott, Williams & Wilkins; 2017.
3. Hale TW. Hale's medications and mother's milk 2019: a manual of lactational pharmacology. 18th ed. New York: Springer; 2019.
4. Brasil. Ministério da Saúde. Amamentação e uso de medicamentos e outras substâncias. 2. ed. Brasília: MS; 2010.

5. Sociedade Brasileira de Pediatria. Uso de medicamentos e outras substâncias pela mulher durante a amamentação. Rio de Janeiro: SBP; 2017.

6. Lutz BH, Miranda VIA, Silveira MPT, Dal Pizzol TDS, Mengue SS, da Silveira MF, et al. Medication Use among Pregnant Women from the 2015 Pelotas (Brazil) Birth Cohort Study. Int J Environ Res Public Health. 2020;17(3):989.

7. Mazzu-Nascimento T, Melo DG, Morbioli GG, Carrilho E, Vianna FSL, Silva AAD, et al. Teratogens: a public health issue – a Brazilian overview. Genet Mol Biol. 2017;40(2):387-97.

8. Brasil. Ministério da Saúde. Talidomida: orientações para uso controlado. Brasília: MS; 2014.

9. Del Campo M, Feitosa IM, Ribeiro EM, Horovitz DD, Pessoa AL, França GV, et al. The phenotypic spectrum of congenital Zika syndrome. Am J Med Genet. 2017;173(4):841-57.

10. Momino W, Sanseverino MTV, Schüler-Faccini L. Prenatal alcohol exposure as a risk factor for dysfunctional behaviors: the role of the pediatrician. J Pediatr (Rio J). 2008;84(4 Suppl):S76-9.

11. Stultz EE, Stokes JL, Shaffer ML, Paul IM, Berlin CM. Extent of medication use in breastfeeding women. Breastfeed Med. 2007;2(3):145-51.

12. Rowe H, Baker T, Hale TW. Maternal medication, drug use, and breastfeeding. Child Adolesc Psychiatr Clin N Am. 2015;24(1):1–20.

13. Dal Pizzol TS, Moraes CG, Diello MV, Campos PM, Pletsch JT, Giugliani C. Uso de medicamentos antidepressivos na amamentação: avaliação da conformidade das bulas com fontes bibliográficas baseadas em evidências científicas. Cad Saúde Pública.2019;35(2):e00041018.

14. Spencer JP, Gonzalez LS 3rd, Barnhart DJ. Medications in the breast-feeding mother. Am Fam Physician. 2001;64(1):119-26.

15. Reece-Stremtan S, Marinelli KA. ABM clinical protocol #21: guidelines for breastfeeding and substance use or substance use disorder, revised 2015. Breastfeed Med. 2015;10(3):135-41.

16. Horta BL, Kramer MS, Platt RW. Maternal smoking and the risk of early weaning: a meta-analysis. Am J Public Health. 2001;91(2):304-7.

## LEITURAS RECOMENDADAS

European Network of Teratogen Information Services (ENTIS). Disponível em: https://www.entis-org.eu.

Site *especializado em informações sobre teratogênese.*

Gravidez segura. Disponível em: http://gravidez-segura.org.

Site *que pode ser consultado por profissionais de saúde e público em geral para solucionar dúvidas a respeito do uso de fármacos e outras exposições na gestação.*

Hale TW. Medications and mother's milk 2021: Manual of Lactational Pharmacology. 19th ed. New York: Springer; 2021.

*Manual atualizado anualmente; é um excelente material para consulta sobre os efeitos de medicamentos, drogas e outras substâncias na amamentação. Existe também em formato de aplicativo.*

Mother to Baby. Disponível em: https://mothertobaby.org.

Site *da Organization of Teratology Information Specialists (OTIS), com muitas informações em inglês e espanhol, incluindo "fact sheets" sobre medicações, infecções e outras exposições durante a gravidez.*

Toxicology Data Network (TOXNET). Drugs and Lactation Database (LactMed). Disponível em: https://www.ncbi.nlm.nih.gov/books/NBK501922/.

*Banco de dados com os efeitos de medicamentos e outras substâncias na lactação. A busca pode ser feita por medicamento ou substância.*

# Capítulo 120
# ABORTAMENTO

Anibal Faúndes
Karla Simônia de Pádua
Silvana Ferreira Bento

## DEFINIÇÕES

Abortamento é geralmente definido como interrupção da gravidez, antes da viabilidade fetal fora do útero, podendo ser espontâneo ou provocado. Aborto é o produto da concepção eliminado no abortamento, porém o uso cotidiano hoje faz necessário aceitar que se use a palavra aborto para representar o que estritamente deveria ser chamado de "abortamento".

Abortamento ou aborto espontâneo é a interrupção da gravidez que ocorre sem nenhuma intervenção externa. Pode ser causado por doenças da pessoa gestante ou por defeitos genéticos do embrião. O termo abortamento ou aborto provocado é usado quando a interrupção da gravidez é causada por intervenção externa e intencional.

O abortamento espontâneo é basicamente o resultado de um problema de saúde, sendo a causa muitas vezes não identificada; o abortamento provocado, por outro lado, por envolver problemas pessoais e sociais, tem profundas implicações médicas, culturais, religiosas, éticas, políticas e psicológicas.

O Comitê de Ética da International Federation of Gynecology and Obstetrics (Figo) define abortamento provocado como "a interrupção da gravidez pelo uso de drogas ou intervenção cirúrgica após a implantação e antes que o concepto (significando o produto da concepção) tenha se tornado independentemente viável".[1] Entende-se, em geral, que a viabilidade é possível a partir de 22 semanas completas de gestação ou quando o feto pesa 500 gramas ou mais. Como consequência, abaixo desse limite, o término da gravidez é definido como sendo um abortamento; acima desse limite, é considerado parto de um bebê prematuro.

## TIPOS DE ABORTAMENTO

### Ameaça de abortamento

Apresenta-se com sangramento genital de intensidade pequena a moderada, acompanhado ou não de dores, tipo cólicas, geralmente pouco intensas. O volume uterino é compatível com o esperado para a idade gestacional (IG), e o orifício interno do colo do útero encontra-se fechado. Pode-se realizar ultrassonografia (US), que é normal, com feto vivo, podendo mostrar pequeno descolamento ovular.

Nesses casos, pode-se orientar a pessoa a permanecer em repouso, embora não existam evidências de boa qualidade que apoiem essa orientação,[2,3] evitar relações sexuais enquanto houver perda sanguínea e continuar (ou iniciar, se ainda não o fez) seu acompanhamento pré-natal. Para manejo da dor, caso seja necessário, o paracetamol é o analgésico de escolha.[4] Não há indicação de internação hospitalar. É muito importante que a pessoa seja orientada a procurar o serviço de saúde caso apareçam sinais de infecção (febre, dor pélvica localizada ou sangramento com odor fétido) ou diante da persistência dos sintomas.

## Abortamento completo

É definido pela expulsão de todos os produtos da concepção. Ocorrem sangramento e dores, que diminuem ou cessam após expulsão do material ovular. É mais comum em gestações com até 8 semanas. O volume uterino é menor que o esperado para a IG, e o orifício interno do colo do útero pode estar aberto. Pode-se realizar US, que evidencia cavidade uterina vazia ou com coágulos.

A conduta é expectante, devendo ser oferecido atendimento para acompanhamento do caso. Em casos de sangramento persistente ou se houver sinais de infecção, a pessoa deve ser encaminhada imediatamente a um hospital.

## Abortamento incompleto

É definido pela expulsão parcial dos produtos da concepção. O sangramento, mais volumoso do que na ameaça de abortamento, diminui com a saída de coágulos ou de restos ovulares. As dores costumam ser mais intensas, e o orifício interno do colo do útero encontra-se aberto. Se possível, uma US deve ser realizada para confirmar o diagnóstico.

Nesses casos, a conduta deve basear-se nas preferências da pessoa, com decisão compartilhada, podendo ser expectante, medicamentosa ou cirúrgica[5] C/D. Em casos com indicações explícitas (complicações), o profissional de saúde deve encaminhar a pessoa ao hospital para a realização do procedimento indicado, de acordo com a IG. Para mais detalhes, ver tópico Abortamento Medicamentoso, adiante neste capítulo.

## Abortamento retido

É definido como uma gestação inviável em que não houve expulsão de nenhum produto da concepção, com ausência de abertura do colo do útero. Geralmente, ocorre a regressão dos sinais e sintomas da gestação. Não há sangramento, e, quando realizada US, há ausência de sinais de vitalidade ou presença de saco gestacional sem embrião.

Nesse caso, o manejo pode ser tanto expectante quanto medicamentoso ou cirúrgico, a depender das preferências da pessoa.[5,6] Em caso de IG < 13 semanas, deve-se encaminhar a mulher ao hospital para avaliação cirúrgica, que demonstrou reduzir as taxas de hospitalizações desnecessárias. Essa conduta também favorece a realização do procedimento mais adequado, de acordo com a IG.[6] Em casos de IG ≥ 13 semanas, o manejo tende a ser medicamentoso.

## Abortamento infectado

Frequentemente se apresenta com febre, sangramento genital com odor fétido, dores abdominais e secreção purulenta drenando pelo colo do útero. Ao toque vaginal, a mulher pode referir dor intensa. É comum a manipulação prévia da cavidade uterina com emprego de técnicas inadequadas e inseguras. Trata-se de infecção polimicrobiana, causada, em geral, por bactérias da flora vaginal.

Devido à gravidade dessa condição, a mulher deve ser imediatamente encaminhada ao hospital para monitorização/restabelecimento dos sinais vitais, realização de exames, antibioticoterapia intravenosa e esvaziamento uterino com técnica apropriada, de acordo com a IG e as condições clínicas da mulher.

## Abortamento habitual ou recorrente

A definição mais comum é de perda espontânea e consecutiva de 3 ou mais gestações antes da 22ª semana de gestação. Porém, algumas sociedades já consideram duas perdas consecutivas como abortamento recorrente.[7] Pode ser primário (quando a mulher nunca teve uma gestação que ultrapassou a 22ª semana) ou secundário (quando já houve uma gestação com feto viável).

Diante dessa situação, deve-se encaminhar a mulher para serviço especializado.

## Abortamento seguro e abortamento inseguro

Abortamento seguro e abortamento inseguro são termos bastante usados, particularmente em documentos internacionais. A Organização Mundial da Saúde (OMS) define abortamento inseguro como "um procedimento para interromper uma gravidez indesejada, realizado por pessoas que não têm as habilidades necessárias ou em um ambiente que não tem os padrões médicos mínimos, ou ambos".[8] No entanto, recentemente, diante da maior frequência de abortamentos provocados com o uso de misoprostol, a OMS propôs dividir os abortamentos inseguros em:[9]

→ **menos seguros:** quando se utiliza um método que já não é mais recomendado, por ter se tornado obsoleto, como dilatação e curetagem, ou se a mulher realiza abortamento medicamentoso sem ter acesso à informação correta ou sem orientação de pessoal treinado;
→ **totalmente inseguros:** quando envolve a ingestão de substâncias cáusticas ou se pessoas sem treinamento utilizam métodos perigosos, como a inserção de objetos pontiagudos pelo colo do útero.

Em contrapartida, abortamento médico ou cirúrgico realizado por profissional capacitado, com os meios necessários e em ambiente adequado, é considerado seguro, porque implica um risco muito baixo para a mulher.

Entre 2010 e 2014, estimou-se a ocorrência de 25,1 milhões de abortamentos inseguros a cada ano no mundo, sendo 97% em países em desenvolvimento.[10] No Brasil, estima-se que mais de 1 milhão de abortamentos inseguros sejam realizados por ano. Considerando que nascem aproximadamente 3 milhões de crianças por ano no Brasil, pode-se dizer que 1 a cada 4 gravidezes termina em abortamento no País.[11] Embora o número de abortamentos provocados no mundo esteja diminuindo, o número de abortamentos inseguros continuava aumentando até 2008: nesse ano, a proporção de abortamentos inseguros foi de 49%, comparado com 44% em 1995.[12,13] A maioria dos abortamentos inseguros ocorre em países onde as leis restringem o acesso ao abortamento seguro; porém, muitos abortamentos seguros são feitos em países onde o abortamento é ilegal. Por isso, é necessário usar os termos abortamento seguro e abortamento inseguro, distintamente dos termos legal e ilegal.

Em quase todos os países (97%), o abortamento é permitido quando a gravidez coloca em risco a vida da mulher. As exceções, quando o abortamento não é permitido nem nessa situação, encontram-se, em grande parte, em países da América Latina (Nicarágua, Honduras, El Salvador e República Dominicana). Em dois terços de 194 países com informação disponível, o abortamento é permitido para preservar a saúde física ou mental das mulheres; em 29% dos países, o abortamento é permitido mediante solicitação da mulher, e em 34%, por razões sociais e econômicas muito amplas. Em quase metade (49%), o abortamento é permitido em caso de estupro, e em 47%, em caso de malformação fetal grave.[14] Na América Latina, o abortamento é permitido sem restrições em Cuba e até as 12 semanas de gestação no Distrito Federal do México, desde 2007, e também no Uruguai a partir do ano de 2013.[15] Em 2020, a Argentina passou a fazer parte dos países que garantem o direito à interrupção voluntária da gestação, nesse caso até as 14 semanas. Nos demais países, o abortamento não é penalizado em diversas circunstâncias, como estupro e risco à vida da mulher, como supradescrito. Entretanto, em quase todos esses países, é excepcional que uma mulher que atenda a uma dessas circunstâncias e solicite um abortamento legal seja atendida para a interrupção legal da sua gravidez em um serviço público de saúde. O que é dito nas leis desses países – que o abortamento é um crime – prevalece, e, via de regra, as exceções não são levadas em conta.

No Brasil, o Decreto-Lei nº 2.848/1940 (Código Penal) estabelece que o abortamento é crime, mas não há pena se "a gravidez resulta de estupro" (artigo 128, inciso II)[16] ou "se não há outro meio de salvar a vida da gestante" (artigo 128, inciso I)". O Código Penal não inclui malformação fetal entre as situações em que o abortamento não é penalizado, mas, desde a década de 1990, juízes de todo o Brasil estão autorizando, em menos de 48 horas, pedidos de interrupção legal da gestação quando há malformação fetal incompatível com a vida extrauterina. Essas decisões judiciais baseiam-se no aumento das complicações durante a gestação e o parto, que colocam inutilmente em risco a vida da mãe, visto que o feto, de qualquer forma, não sobreviverá.

Em 2004, com a assessoria da antropóloga e pesquisadora Débora Diniz, foi protocolada uma Arguição de Descumprimento de Preceito Fundamental (ADPF) no Supremo Tribunal Federal,[17] que, em 2012, terminou autorizando a interrupção voluntária da gestação em casos em que o feto apresenta anencefalia.[18] No mesmo ano, o Conselho Federal de Medicina (CFM) emitiu a Resolução CFM nº 1.989/2012, que dispõe sobre o diagnóstico de anencefalia e a antecipação terapêutica do parto. O laudo deve ser assinado por dois profissionais médicos, com a realização de US a partir da 12ª semana de gestação, e, diante do diagnóstico confirmado de anencefalia e a pedido da gestante, a gestação pode ser interrompida independentemente da autorização do Estado.[19] Em 2013, o CFM emitiu o Ofício CFM nº 4.867/2013, destinado ao Senado durante a comissão de Reforma do Código Penal, em que se posiciona em apoio à interrupção da gestação nos casos previstos até então e por vontade da gestante até a 12ª semana de gestação. O documento enfatiza que esse posicionamento não coloca os conselhos em defesa do abortamento, mas sim em defesa da autonomia do médico e da mulher. Entre as justificativas, expõe que "os atuais limites excludentes da ilicitude do aborto previstos no Código Penal de 1940 [...] são incoerentes com compromissos humanísticos e humanitários, paradoxais à responsabilidade social e aos tratados internacionais subscritos pelo governo brasileiro".[20]

A partir da observação da experiência mundial, fica claro que o aspecto legal do abortamento não é determinante da sua frequência; as probabilidades de que uma mulher com gravidez não planejada procure um abortamento induzido são aproximadamente as mesmas onde o abortamento tem mais restrições legais ou onde está disponível a pedido da mulher. A diferença é que, nos países com leis restritivas, mais abortamentos são inseguros, e a morbidade e mortalidade materna associada ao abortamento são muito maiores.[21]

O principal determinante da taxa de abortamentos induzidos é o acesso aos contraceptivos modernos e de alta eficácia, mas há limite na efetividade da contracepção em prevenir abortamentos. Estima-se que, entre 2010 e 2014, no mundo, cerca de 44% das gestações foram não planejadas, e que 54% dessas gestações terminaram em abortamento.[22]

## ABORTAMENTO E MORTALIDADE MATERNA

Os números de mortes e sequelas que derivam de abortamento inseguro são muito difíceis de medir, devido à clandestinidade e à ilegalidade dessa prática em muitos países, somadas ao estigma e temor da mulher em ser acusada e condenada tanto judicial como socialmente.[23] As complicações do abortamento inseguro incluem hemorragia, sepse, peritonite e trauma de colo, vagina, útero e órgãos abdominais.[24] Em torno de 20 a 30% dos abortamentos inseguros resultam em infecções do trato reprodutivo, e 20 a 40% dessas infecções se propagam para tubas uterinas e ovários.[14] Um estudo mostrou que 1 a cada 4 mulheres que vivenciaram abortamento inseguro provavelmente ficará com sequelas que requerem cuidados médicos para o resto da vida.[25]

As mulheres do continente africano são as que sofrem as piores consequências do abortamento inseguro, em comparação com as mulheres de outras regiões em desenvolvimento.[26] A letalidade na África é de 460 mortes a cada 100 mil abortamentos inseguros, chegando a 520 na África Subsaariana, em comparação com 30 na América Latina e no Caribe e 160 mortes na Ásia.[27,28]

Quando o abortamento é realizado por um provedor habilitado e utilizando técnicas e medicamentos apropriados, em condições satisfatórias de higiene, a letalidade é de menos de 1 a cada 100 mil abortamentos induzidos.[29] Em 2014, nos Estados Unidos, por exemplo, houve 6 mortes maternas a cada 652.639 abortamentos induzidos.[30] A mortalidade materna está diminuindo no mundo. No ano de 2013, o número estimado foi de 292.982 mortes maternas no mundo (com intervalo de incerteza 95% estimado entre 261.017-327.792), comparado com 376.034 (343.483-407.574) em 1990.[26] A redução foi observada em todas as regiões, exceto na África Subsaariana, onde houve um aumento devido, principalmente, a mortes por vírus da imunodeficiência humana (HIV, do inglês *human immunodeficiency virus*). As quatro principais causas dessas mortes evitáveis foram hemorragia, infecções, doença hipertensiva da gravidez e abortamento inseguro.

Isso significa que 70 mil a 80 mil mulheres morrem a cada ano em consequência de abortamentos induzidos. No Brasil, a porcentagem das mortes associadas ao abortamento sobre o total de mortes na gravidez, parto e puerpério parece ser semelhante em relação aos dados mundiais, porém há indícios de que as mortes por abortamento sejam as mais subnotificadas e intencionalmente ocultadas das mortes maternas.[31] Em 2017, a razão de mortalidade materna no Brasil foi de 58,84 mortes a cada 100 mil nascimentos, estando sem queda significativa desde os anos 2000, de acordo com os dados disponíveis no Departamento de Informática do Sistema Único de Saúde (Datasus). Estima-se que, a cada ano, cerca de 230 mil mulheres sejam internadas pelo Sistema Único de Saúde (SUS) em decorrência de abortamentos inseguros.[32]

## ABORTAMENTO E SAÚDE PÚBLICA

Existe consenso sobre o impacto do abortamento inseguro na saúde pública. Já em 1967, a Assembleia Mundial da Saúde tinha identificado o abortamento inseguro como um grave problema de saúde pública em muitos países.[33] A Estratégia de Saúde Reprodutiva da OMS, lançada em 2004 com o objetivo de acelerar o progresso para a obtenção dos Objetivos de Desenvolvimento do Milênio, cita: "como uma causa de morte e morbidade materna, o abortamento inseguro deve ser tratado como parte dos Objetivos de Desenvolvimento do Milênio no que diz respeito à melhoria da saúde materna e a outros objetivos e metas de desenvolvimento internacional".[34]

O grande número de declarações e resoluções assinadas pelos países desde a Conferência Internacional sobre População e Desenvolvimento (CIPD) de 1994 é indicativo do crescente consenso de que o abortamento inseguro é uma importante causa de morte materna, que deve ser prevenida por meio da promoção do planejamento reprodutivo e da prevenção de abortamento inseguro. Além disso, as mulheres que consultam por complicações de abortamento devem ser tratadas oportunamente e sem discriminação em todos os casos. Orientação sobre planejamento reprodutivo e oferta de métodos anticoncepcionais antes da alta hospitalar devem ser parte do atendimento às mulheres com complicações de abortamento provocado, como meio de prevenir a sua recorrência. Assim, no contexto da saúde pública, a prioridade da prevenção do abortamento inseguro é clara e inquestionável.

Em 2005, o Ministério da Saúde (MS) publicou o guia *Atenção humanizada ao abortamento: norma técnica*,[35] que foi atualizado em 2011,[36] com revisão de normas gerais de acolhimento, orientação e atenção clínica em situações de abortamento. A norma enfatiza a importância de acolher, orientar e informar mulheres que consultam durante ou após um abortamento. Nesse documento, acolhimento implica tratamento digno e respeitoso, escuta qualificada, reconhecimento e aceitação das diferenças, respeito ao direito de decidir de mulheres e homens e acesso e resolutividade da assistência.

A norma estabelece que é responsabilidade da equipe de saúde respeitar a fala da mulher; organizar o acesso conforme a sua necessidade; identificar as necessidades e os riscos à saúde; dar encaminhamentos aos problemas apresentados pelas mulheres, oferecendo soluções possíveis; garantir a privacidade no atendimento; e realizar procedimentos técnicos de forma humanizada. Ainda, é responsabilidade dos profissionais (de saúde mental e serviço social, se houver disponibilidade) prestar apoio emocional imediato e no longo prazo, se necessário; identificar as reações do grupo social da mulher (como familiares); e conversar sobre gravidez, abortamento inseguro, menstruação, saúde reprodutiva e direitos.

A norma também enfatiza a importância do planejamento reprodutivo pós-abortamento, considerando que:

→ uma mulher com complicações de abortamento inseguro deve ser considerada como de alto risco para um novo abortamento e para morte materna;
→ o atendimento integral exige que a mulher seja orientada e provida com os meios para evitar outra gravidez não desejada;
→ a recuperação da fertilidade pode ser quase imediata após o abortamento e, por isso, é necessário o uso de anticoncepção, se esse for o desejo da mulher;
→ deve-se informar sobre todos os métodos anticoncepcionais disponíveis no Brasil;
→ deve-se orientar a mulher sobre o planejamento de uma nova gravidez;
→ deve-se prover o método anticoncepcional de sua escolha.

## ABORTAMENTO E PRINCÍPIOS DA BIOÉTICA

A bioética tem sido amplamente aceita em todo o mundo como uma ferramenta para orientar a discussão das políticas de saúde, assim como a conduta profissional de trabalhadores desse setor. Os quatro princípios básicos da bioética são autonomia, não maleficência, beneficência e justiça.

## Autonomia

Baseia-se no reconhecimento do direito e da capacidade de ser informado e tomar decisões responsáveis, o que favorece o direito da mulher para decidir conscientemente se continua ou interrompe sua gestação, como um agente moral com total autonomia. Ao mesmo tempo, esse princípio rejeita categoricamente a noção de que a mulher pode ser pressionada a interromper uma gestação. Considerando que o respeito à liberdade individual pode ser limitado apenas com o propósito de prevenir um dano sobre outra pessoa, é preciso estabelecer se o óvulo fertilizado, o embrião ou o feto se qualificam plenamente como pessoas e, portanto, merecem o mesmo respeito que a mulher grávida.

A maioria das pessoas parece concordar com o fato de que o direito de um indivíduo em desenvolvimento aumenta ao longo de sua vida intrauterina e ainda depois do nascimento. Esse conceito é contrário ao ponto de vista daqueles que argumentam que a primeira célula, o zigoto, já possui direitos morais completos iguais àqueles de uma pessoa adulta. É verdade que nenhum dos pontos de vista debatidos a respeito do momento em que se pode estabelecer a existência de outra pessoa com direitos iguais àqueles da mulher que o carrega no ventre poderá dar satisfação a todos. Em outras palavras, o dilema ético mais difícil está em definir em que estágio de desenvolvimento o feto adquire direitos morais e legais que lhe permitam contrapor-se ao direito de autodeterminação da mulher.

Ainda, se aceitássemos que a interrupção da gravidez afeta duas pessoas com direitos semelhantes, persiste a questão: qual dos dois deve ter prioridade? Essa questão é particularmente relevante quando a gravidez ameaça a saúde ou a vida da mulher e é preciso fazer uma opção entre o feto e ela. A preferência pela mulher é quase unânime, incluindo a Igreja Católica, que permite o que tem sido chamado de abortamento "indireto", ainda que apenas em duas circunstâncias específicas (gravidez ectópica e câncer dos órgãos genitais coexistente com a gravidez).[37]

Finalmente, o princípio de respeito pelas pessoas também implica que ninguém pode ser forçado a prover serviços de abortamento contra sua consciência, ou seja, ninguém pode obrigar um provedor de saúde a realizar um abortamento se esse ato estiver contra a sua consciência.[33,38] Entretanto, enquanto a objeção de consciência libera o médico da obrigação de fazer a interrupção da gestação, não o libera do dever de encaminhar a mulher a outro colega que não tenha essa objeção. Além disso, a objeção de consciência é individual e não institucional, e todo serviço tem o dever de prestar atendimento ao abortamento dentro dos limites da legalidade vigente.

## Não maleficência, beneficência e justiça

Os princípios da não maleficência e da beneficência obrigam a repudiar qualquer restrição colocada ao acesso aos serviços que realizem interrupções legais da gravidez com o máximo de segurança, seja estabelecendo obstáculos burocráticos excessivos que tornem o abortamento legal inacessível (como acontece algumas vezes em casos de estupro), seja evitando que as pessoas tenham acesso fisicamente a esses serviços. Esses princípios também implicam a penalização de pessoas que realizam abortamentos sem possuir o conhecimento necessário ou sem recursos técnicos básicos para realizá-los sem risco desnecessário de dano para a mulher. Nesse sentido, pode-se afirmar que os países com legislações restritivas em relação ao abortamento violam o princípio de não maleficência, visto que essas restrições resultam em aumento do dano para as mulheres e para a sociedade.

O princípio da justiça serve para enriquecer a aplicação dos princípios anteriores. Especificamente, obriga-nos a não ignorar o fato de que os setores mais carentes da sociedade são os que sofrem os efeitos negativos da falta de acesso ao abortamento seguro. As mulheres que estão no extremo inferior dos estratos socioeconômicos são as mais atingidas pelas restrições legais e pelas complicações dos abortamentos realizados em condições inseguras. Na realidade, as mulheres com melhores condições econômicas não têm dificuldades para obter abortamentos ilegais, mas seguros. Segundo a OMS, "em países onde o abortamento provocado legal é altamente restrito e/ou inacessível, o abortamento seguro costuma se tornar privilégio dos ricos, enquanto às mulheres pobres não restam outras opções que recorrer a práticas ilegais, causando morte e morbidade, que se tornam responsabilidade social e financeira do sistema público de saúde".[14]

Por outro lado, as legislações restritivas muito raramente têm focalizado o homem, que comparte as responsabilidades pela gravidez não desejada e que, com frequência, pressiona a mulher a fazer um abortamento ou cria as condições que a levam a procurá-lo.[39] Em outras palavras, as legislações restritivas violam, na prática, o princípio de justiça com respeito à equidade de gênero e de estrato socioeconômico.[39]

## A PRÁTICA DO ABORTAMENTO

Tradicionalmente, e ainda hoje, uma maneira popular de induzir o abortamento inseguro consiste na introdução de um objeto sólido e pontiagudo pelo colo do útero, o que provoca a ruptura da membrana protetora do embrião (ou do feto), comumente produzindo infecção.[40] Essa infecção faz o próprio corpo da mulher expulsar o embrião ou feto infectado. Também são utilizadas poções, infusões ou chás de eficácia duvidosa. Todos esses procedimentos costumam resultar em abortamentos incompletos e frequentemente infectados, que exigem a internação imediata da mulher para tratar ou prevenir complicações e salvar sua vida.

O abortamento seguro é realizado por meio de procedimentos medicamentosos ou cirúrgicos. O abortamento medicamentoso consiste na administração de fármacos. O abortamento cirúrgico consiste na evacuação instrumental da cavidade uterina pelo colo, seja por dilatação e curetagem, seja por aspiração intrauterina a vácuo.

## Abortamento por métodos cirúrgicos

Os métodos cirúrgicos disponíveis são a aspiração a vácuo e a dilatação e curetagem. O procedimento de dilatação e curetagem (D & C) foi praticamente o único método utilizado até a segunda metade do século passado, mas hoje não é mais recomendado, segundo a OMS.

A aspiração a vácuo é o método de escolha e não requer dilatação cervical quando a gestação for de até 6 semanas, porque o tubo plástico introduzido pelo colo tem diâmetro pequeno, e o conteúdo uterino é mínimo e mole. Quando a gestação se encontra entre 6 e 12 semanas, a aspiração a vácuo exige dilatação cervical, mas a evacuação uterina é mais rápida, provoca menos hemorragias e resulta em menos complicações e dor que a D & C **B**.[14] Quando a gravidez ultrapassa as 14 semanas, pode-se utilizar um procedimento similar, de dilatação e evacuação (D & E) **B**.[14] O vácuo pode ser produzido com a ajuda de uma bomba elétrica, mas, em décadas recentes, a maioria dessas intervenções tem sido realizada mediante aspiração a vácuo manual, com uma seringa de 60 mL e um tubo plástico. A simplificação do procedimento e o menor risco de complicações com o uso desse último instrumental permitem que profissionais bem-treinados possam realizá-lo com segurança e eficácia. Na atualidade, há consenso de que a aspiração a vácuo deverá substituir a D & C em todo o mundo.[14]

A D & C é usada hoje, em geral, quando a gestação se encontra entre 6 e 14 semanas, e em localidades em que não há disponibilidade do método de primeira escolha. Ela consiste em forçar a dilatação cervical mediante a introdução de dilatadores metálicos de diâmetro crescente, após preparação cervical com administração de fármacos (dilatadores osmóticos, misoprostol) até que o colo se abra o suficiente para permitir a introdução de uma cureta, com a qual se raspam as paredes da cavidade uterina para eliminar, de maneira sistemática, os tecidos aderidos à superfície interior do órgão. Esse método exige maior dilatação cervical para permitir o uso de uma cureta de diâmetro maior e de pinças ou fórceps, a fim de eliminar as partes fetais. Sua utilização exige maior habilidade e implica risco mais elevado.

## Abortamento medicamentoso

O abortamento medicamentoso (ou farmacológico) tornou-se possível a partir da década de 1980, quando pesquisadores franceses[41,42] desenvolveram o RU-486, uma molécula muito similar à progesterona que ocupa os receptores desse hormônio indispensável para o progresso inicial de uma gravidez. Assim, há o bloqueio de sua ação. Esse medicamento com ação antiprogesterona hoje recebe o nome de mifepristona. Sua administração leva ao abortamento em aproximadamente 70% das mulheres se utilizada dentro das primeiras 7 semanas de gestação.[43]

Por outras pesquisas independentes, sabia-se que as prostaglandinas tinham a capacidade de amolecer o colo do útero e provocar contrações uterinas, o que provocaria a interrupção da gestação, mas a grande instabilidade do fármaco e sua necessidade de refrigeração tornavam seu uso muito limitado, até aparecer o misoprostol, que é uma molécula muito estável à temperatura ambiente.

O misoprostol é uma prostaglandina que provoca amolecimento e dilatação do colo, ao mesmo tempo em que estimula as contrações uterinas. Quando administrado isoladamente, é efetivo na indução de abortamentos.[44,45] O índice de sucesso, entretanto, é inferior a 90% em dose única, mas acima de 90% com doses repetidas.[46]

De acordo com as diretrizes atuais da OMS,[5,14] para indução de abortamentos no 1º trimestre (< 12 semanas), recomenda-se o uso da mifepristona (200 mg, via oral [VO]) em combinação com o misoprostol (800 μg, via vaginal, sublingual ou bucal), administrado 24 a 48 horas mais tarde **C/D**.[14,45,47] A combinação de ambos os fármacos eleva a eficácia do método para cerca de 96%.[5,48,49]

Para indução de abortamentos após o 1º trimestre (a partir de 12 semanas), a recomendação atual é administrar inicialmente mifepristona (200 mg, VO) e, após 24 a 48 horas, misoprostol (400 μg, via vaginal, sublingual ou bucal, de 3/3 horas), também podendo ser usado o regime apenas com misoprostol (400 μg, de 3/3 horas)[5] **C/D**. Não há motivos para limitar o número de doses adicionais de misoprostol, pois esse limite já foi retirado das diretrizes da OMS de 2019.[5]

Os esquemas de abortamento medicamentoso recomendados pela OMS estão na **TABELA 120.1**. (Ver QR code.)[5]

Há evidências suficientes para assegurar que o abortamento medicamentoso pode ser realizado ambulatorialmente até as 9 semanas completas de gravidez, e existem indícios de que essa recomendação seja válida até as 12 semanas (com evidências limitadas para IG > 10 semanas) hospitalar.[5]

O misoprostol também tem sido utilizado com sucesso para o tratamento ambulatorial do abortamento incompleto, seja espontâneo ou provocado, com tamanho uterino

**TABELA 120.1** → Métodos recomendados para o abortamento medicamentoso

| TIPO DE TRATAMENTO | IDADE GESTACIONAL (TEMPO DESDE A ÚLTIMA MENSTRUAÇÃO) | REGIME DE TRATAMENTO |
|---|---|---|
| Misoprostol + mifepristona | < 12 semanas | Mifepristona 200 mg, via oral + misoprostol 800 μg, 24-48 horas mais tarde, administrado por via vaginal, sublingual ou bucal* |
| | ≥ 12 semanas | Mifepristona 200 mg, via oral + misoprostol 400 μg, 24-48 horas mais tarde. Doses subsequentes de misoprostol 400 μg podem ser administradas por via vaginal, sublingual ou bucal, de 3/3 horas* |
| Misoprostol isolado | < 12 semanas | 800 μg administrados por via vaginal, sublingual ou bucal* |
| | ≥ 12 semanas | 400 μg administrados por via vaginal, sublingual ou bucal, de 3/3 horas* |

*Doses repetidas de misoprostol podem ser consideradas quando necessário para o êxito do processo de abortamento. O guia da OMS não estipula um número máximo de doses subsequentes e orienta que os profissionais de saúde tenham cautela e usem julgamento clínico para definir o número máximo de doses de misoprostol em gestantes com incisão uterina prévia. A ruptura uterina é uma complicação rara, mais frequente em idade gestacional avançada.
Fonte: World Health Organization.[5]

correspondente a menos de 13 semanas de gestação, sem complicação infecciosa ou hemorrágica e com a mulher hemodinamicamente estável. Utilizam-se 600 µg, VO, ou 400 µg, por via sublingual,[5] com taxa de sucesso próxima a 95%.[50] A dose pode ser repetida, a critério médico. Não há um número máximo de doses repetidas estipulado, devendo essa definição estar de acordo com o julgamento clínico e as condições dos serviços de saúde no local.[5] A Revisão Cochrane, entretanto, não encontrou diferença entre o tratamento médico do abortamento incompleto com misoprostol e a conduta expectante,[51,52] recomendando-se que a escolha seja compartilhada com a pessoa.[5]

Hoje em dia, ainda não se reconhece devidamente o papel da atenção primária à saúde (APS) no tratamento oportuno do abortamento incompleto, seja ele espontâneo ou provocado. Essa situação pode mudar radicalmente no futuro próximo, se a Agência Nacional de Vigilância Sanitária (Anvisa) autorizar a produção e a distribuição de misoprostol em comprimidos para uso oral ou sublingual para tratamento ambulatorial de abortamento incompleto com tamanho uterino de até 12 semanas, sem infecção e com a mulher hemodinamicamente compensada.[50]

Atualmente, a regulamentação permite apenas o uso hospitalar do misoprostol. Se a nova regulamentação permitir o uso desse medicamento no contexto ambulatorial, uma alta porcentagem de abortamentos incompletos poderá ser resolvida no contexto da APS. É importante ressaltar que essa possível participação da APS nessa etapa da prevenção do abortamento inseguro e de suas consequências precisa estar respaldada por um sistema de referência efetivo.

Após o uso da mifepristona, uma mesma dose de misoprostol via vaginal parece ser mais efetiva do que a VO[53] **B**; a via bucal também aparenta ser mais efetiva do que a via oral[54] **B**.

Sobre o potencial teratogênico do misoprostol, ver o Apêndice Uso de Medicamentos na Gestação e na Lactação.

### Tratamento da dor durante o abortamento medicamentoso

O principal efeito secundário do abortamento farmacológico é a dor provocada pelas contrações uterinas e pela dilatação do colo. Orientação adequada e relação de empatia entre o profissional de saúde e a paciente reduzem o temor e a percepção da dor.[55] Entretanto, medidas de apoio não devem ser vistas como substitutas do alívio farmacológico da dor, que deve ser sempre oferecido. Anti-inflamatórios não esteroides (AINEs), como o ibuprofeno, mostraram-se mais efetivos que o paracetamol na redução da dor das cólicas uterinas **A**.[55-58] Apesar de não terem sido adequadamente estudados, tranquilizantes, como diazepam, são amplamente utilizados como adjuvantes no controle da dor, pelo efeito na diminuição da ansiedade.[5]

### Sangramento

O abortamento medicamentoso efetivo provoca sangramento uterino, que é mais intenso por um curto período. Após o abortamento, a mulher pode ter sangramento de intensidade moderada a leve, como uma menstruação, por até 2 semanas.

Completar o esvaziamento do útero com aspiração ou curetagem só é necessário se o sangramento se tornar intenso.

A orientação objetiva para a mulher deve ser: caso ela molhe totalmente 2 absorventes grandes em 1 hora por 2 horas seguidas, deve procurar um hospital para ser avaliada quanto à necessidade de tratamento cirúrgico. A OMS não recomenda usar US para confirmar o esvaziamento uterino, porque eleva a taxa de intervenções desnecessárias. Recomenda orientar-se pelos sinais clínicos de ausência de febre, dor e sangramento abundante.[14]

### Fator Rh

Isoimunização Rh deve ser considerada em mulheres que passam por um abortamento, especialmente em caso de IG > 9 semanas. Recomenda-se a administração de 1 dose ≥ 50 µg de imunoglobulina Rho(D) em até 72 horas após a administração do misoprostol **B**.[59] Nos casos que envolvem manejo cirúrgico, devido ao maior risco de aloimunização, a profilaxia com imunoglobulina deve ser realizada **B**.

### Acompanhamento

Apesar de não ser obrigatório, recomenda-se uma consulta de acompanhamento 7 a 14 dias após o abortamento medicamentoso ou cirúrgico sem complicações. Os objetivos dessa consulta são: reforçar o aconselhamento sobre contracepção, fornecer suporte emocional e abordar quaisquer outras questões médicas. No caso de abortamento medicamentoso com misoprostol isolado, a consulta de acompanhamento é fortemente recomendada para avaliar o sucesso do abortamento.

As seguintes ações são previstas na consulta de acompanhamento:

→ avaliar o processo de recuperação e identificar sinais e sintomas de gestação em andamento;
→ perguntar sobre sintomas ocorridos após o procedimento;
→ realizar exame físico focado nas queixas;
→ avaliar desejo de nova gestação e necessidade de contracepção, discutindo e prescrevendo o método mais adequado, se este ainda não tiver sido iniciado no serviço de referência. Se algum método já tiver sido iniciado, avaliar adesão e presença de efeitos colaterais, bem como ouvir preocupações e esclarecer dúvidas.[5]

## DIMINUINDO OS RISCOS DE ABORTAMENTO INSEGURO NA ATENÇÃO PRIMÁRIA À SAÚDE: ACOLHIMENTO, ACONSELHAMENTO E INFORMAÇÃO

A APS pode ter um papel fundamental na redução dos riscos do abortamento inseguro: na prevenção primária, evitando a gravidez não desejada; na prevenção secundária, fornecendo todas as informações a que a mulher tem direito; e na prevenção terciária, efetuando o tratamento oportuno das complicações do abortamento já realizado e a anticoncepção pós-abortamento para prevenir sua repetição.

## Prevenção primária: evitando a gravidez não desejada

Ações de planejamento reprodutivo são parte rotineira dos serviços de APS, visto que é uma necessidade elementar de toda pessoa que queira exercer seu direito de decidir quando engravidar e ter um filho. A pessoa, incluindo adolescentes, tem direito à plena e correta informação sobre todos os métodos disponíveis no País, e todos eles deveriam ser fornecidos na APS (ver Capítulo Planejamento Reprodutivo). Isso requer que cada município se preocupe em adquirir os métodos ou em solicitá-los ao MS. Além disso, deve haver pessoal preparado para diagnosticar possíveis contraindicações de alguns métodos e capacitado para colocar dispositivos intrauterinos (DIUs) e implantes contraceptivos, se disponíveis. Assim, é preciso capacitar a equipe de APS e também sensibilizar e informar adequadamente os agentes comunitários de saúde e outros líderes comunitários sobre o planejamento reprodutivo.

## Prevenção secundária: atuando para que o abortamento que não se pode evitar seja seguro

O momento em que é feito o diagnóstico de gravidez é fundamental para identificar o risco de um possível abortamento inseguro, sobretudo no contexto da APS, no qual presumivelmente existe vínculo diferenciado entre a pessoa gestante ou casal e o profissional de saúde. O profissional que comunica o diagnóstico de gravidez deve oferecer espaço à pessoa para que ela expresse seus sentimentos e deve verificar se essa gravidez era esperada e desejada. Uma forma de aproximação é perguntar se o casal estava fazendo uso de algum método de contracepção e, se utilizavam, como ela pode ter ficado grávida. Caso nenhum método anticoncepcional estivesse sendo usado, pode-se explorar se ela estava procurando engravidar e, se a resposta for negativa, por que o casal não usava nenhum método se não havia desejo de engravidar. Essa é uma oportunidade para identificar casos de abuso sexual ou de sexo por coerção, que correspondem à definição de violência sexual, que a própria pessoa pode não identificar, na ausência de violência física. Identificar essa situação é importante, porque oportuniza informar à gestante que ela tem direito a uma interrupção legal da gestação, que deveria ser fornecida no serviço de referência mais próximo.

Se a pessoa manifestar que não deseja a gravidez e não corresponde aos casos previstos na lei, ela ainda precisa de informação e orientação que a ajude a tomar a melhor decisão para ela, com pleno conhecimento das opções possíveis e dos riscos variáveis do abortamento inseguro, segundo o método utilizado para interromper a gravidez. Como cidadã, ela tem direito à plena informação e ao progresso científico, além de ter conhecimento da proteção social a que tem direito durante a gravidez e após o nascimento da criança e, ainda, sobre a possibilidade de levar a gestação até o fim e entregar seu filho para a adoção. Por último, o profissional de saúde tem o dever de manter a confidencialidade das informações colhidas no curso do atendimento.[60]

Para informações detalhadas sobre a abordagem da gravidez indesejada na APS, consulte a cartilha "Gravidez Indesejada na Atenção Primária à Saúde".[61]

## Prevenção terciária: tratamento oportuno das complicações do abortamento já realizado e anticoncepção pós-abortamento para prevenir sua repetição

O serviço de APS é o mais próximo das pessoas e, por isso, é um local privilegiado para identificação de situações de risco. Assim, eventuais complicações pós-abortamento, de ordem física ou psicológica, poderão ser identificadas e devidamente abordadas (p. ex., sangramento excessivo, infecção pélvica, abortamento incompleto, transtorno do estresse pós-traumático [TEPT], transtorno de estresse agudo [TEA], etc.). Os aspectos psicológicos e psiquiátricos são especialmente importantes nas situações de violência sexual (ver Capítulo Atenção à Saúde da Mulher em Situação de Violência).

A pessoa que teve uma gravidez indesejada e recorreu a um abortamento provocado está manifestando claramente que quer evitar uma nova gravidez naquele momento. É obrigação do profissional de saúde prover informações corretas sobre os riscos do abortamento, as diferentes alternativas anticoncepcionais e oferecer o método de eleição da pessoa, dando ênfase àqueles de maior efetividade, considerando seus riscos e contraindicações (ver Capítulo Planejamento Reprodutivo). Todos os métodos, incluindo DIU, implantes, injeções e contraceptivos orais, podem ser iniciados imediatamente após o abortamento medicamentoso ou cirúrgico, desde que se atente para as condições de saúde de cada mulher e para as limitações específicas de cada método **A**. Todos os métodos hormonais, exceto anel vaginal e sistema intrauterino liberador de levonorgestrel, podem ser iniciados ao mesmo tempo em que se administra o medicamento que induz o abortamento.[62]

Idealmente, toda pessoa que procura assistência em um serviço de referência para tratamento de abortamento incompleto deve receber imediatamente aconselhamento e método anticoncepcional de alta eficácia. Às vezes, entretanto, isso não é feito durante o curto período de internação, cabendo à unidade de APS a tarefa de orientar e fornecer a anticoncepção pós-abortamento. É fundamental informar a essas pessoas que elas podem engravidar se tiverem relações sexuais desprotegidas apenas 10 dias após o abortamento,[62] destacando que a capacidade dos métodos de longa duração (DIU e implantes) de prevenir a repetição do abortamento chega a ser até 20 vezes maior que com o uso da pílula contraceptiva oral.[63]

A declaração conjunta da Figo com outras instituições internacionais ressalta: "Se uma mulher que tratamos por complicações pós-abortamento está aqui porque não teve acesso à anticoncepção, falhamos no nosso atendimento, mas se ela sai do serviço de saúde sem proteção anticoncepcional, teremos falhado duas vezes".[1]

## A prevenção do abortamento inseguro e os atributos da atenção primária à saúde[63,64]

Quando uma mulher está em situação de abortamento, previsto em lei ou não, o médico de família e comunidade ou outro profissional da APS tem uma grande oportunidade de atuar efetivamente diante de um problema grave. Considerando os atributos essenciais da APS (ver Capítulo A Organização de Serviços de Atenção Primária à Saúde), essa atuação inclui uma ampla gama de ações,[64] conforme a TABELA 120.2. É fundamental que o profissional de saúde tenha uma postura acolhedora e de não julgamento para que as mulheres se sintam à vontade em relatar sua situação, pois a criminalização do abortamento e o estigma envolvido as inibem de fazer isso, mesmo nos casos permitidos pela lei. Além disso, compartilhar informação de qualidade relativa aos conhecimentos e aos progressos científicos é respeitar os direitos das pessoas que estão sendo atendidas, o que não infringe nenhuma lei ou norma vigente no Brasil; pelo contrário, está de acordo com o Código de Ética Médica.

Experiências exitosas na abordagem da gravidez indesejada em outros países podem servir de inspiração para enfrentar esse problema em contextos onde o abortamento é criminalizado, como no Brasil. Por exemplo, antes da descriminalização do abortamento no Uruguai, que ocorreu somente em 2012, foi implementada uma estratégia de redução de danos com o objetivo de prevenir as mortes maternas relacionadas ao abortamento inseguro.[66,67] Essa estratégia tinha como pilar central o contato da mulher afetada com o serviço de saúde para aconselhamento antes e depois da realização do abortamento medicamentoso pela mulher. Esse modelo de cuidados propiciou uma redução significativa e sustentada da mortalidade materna nos anos seguintes. A adoção do modelo de redução de danos, inclusive, foi um passo importante para chegar à mudança legal no Uruguai. Devido ao seu êxito, essa experiência foi replicada em outros países da América Latina, como Peru[68] e Argentina.[69] Este último, em 2020, acabou aprovando a legalização do abortamento.

## Provimento do abortamento legal na atenção primária à saúde

Considerando a centralidade da APS na rede de atenção à saúde e seu papel na facilitação de acesso ao abortamento legal e na proteção desse direito, apresentam-se alguns argumentos para a defesa do provimento do procedimento nesse nível de atenção. Como visto na TABELA 120.2, na abordagem das mulheres em situação de abortamento, destacam-se os atributos compatíveis com uma APS forte, abrangente e direcionada para a garantia de equidade e dos direitos humanos fundamentais, incluindo os direitos sexuais e reprodutivos. Algumas ações em saúde sexual e reprodutiva já evoluíram consideravelmente no contexto da APS, como a atenção ao pré-natal e puerpério, a oferta de testes rápidos para detecção de infecções sexualmente transmissíveis (ISTs) e a dispensação de contraceptivos, mas outras ações, como a interrupção legal da gestação, ainda são praticamente inexistentes, tanto nas políticas públicas quanto nas discussões acadêmicas.[65]

No entanto, segundo a OMS, o abortamento legal deve ser ofertado em serviços que sejam acessíveis e que estejam disponíveis, integrados ao sistema de saúde, destacando o

**TABELA 120.2** → Ações que o profissional da atenção primária à saúde (APS) pode disponibilizar no cuidado à mulher em situação de abortamento, conforme cada atributo

| ATRIBUTOS ESSENCIAIS DA APS | AÇÕES |
|---|---|
| Acesso de primeiro contato | Realizar acolhimento adequado, com atitude empática, sem julgamento ou discriminação |
| Integralidade | Prestar atendimento às necessidades da mulher em situação de abortamento, considerando o seu contexto de vida e buscando a perspectiva de outros profissionais da equipe e da rede de atenção |
| Longitudinalidade | Manter a continuidade do atendimento, ajudando a mulher no seu planejamento reprodutivo, resolvendo intercorrências clínicas e oferecendo apoio emocional |
| Coordenação do cuidado | Conhecer a organização da rede de atenção à saúde do seu município e orientar a mulher em situação de abortamento previsto em lei quanto aos serviços de referência para atendimento e realização dos procedimentos, ajudando-a nos encaminhamentos |

Fonte: Giugliani e colaboradores.[66]

papel da APS, ao considerar aspectos de segurança, conveniência e custos.[14] Os serviços hospitalares, segundo essa recomendação, deveriam ser reservados para gestações com maior tempo de evolução e para o tratamento de complicações decorrentes do abortamento. Os dois métodos recomendados para a realização do abortamento em nível ambulatorial (medicamentoso ou aspiração a vácuo) são considerados pela OMS como competências nucleares em saúde sexual e reprodutiva para a APS,[28] podendo ser realizados por médicos generalistas ou por algumas categorias de profissionais não médicos, desde que adequadamente treinados.[70] A oferta de abortamento legal em serviços de APS no Brasil depende da revisão da norma técnica[36] e da legislação vigente, no sentido de regulamentar o abortamento como um procedimento ambulatorial. Além disso, depende da inclusão do médico de família e comunidade como possível provedor.[65]

Por enquanto, experiências de provisão de abortamento legal com telessaúde[70] estão sendo exitosas no Brasil, especialmente diante das restrições de acesso impostas pela pandemia pela doença pelo coronavírus 2019 (Covid-19), sendo mais um recurso possível na diminuição das barreiras de acesso a esse direito, ainda que não seja suficiente para chegar a todas as mulheres que precisam.

## REFERÊNCIAS

1. Schenker JG, Cain JM. FIGO Committee Report. FIGO Committee for the Ethical Aspects of Human Reproduction and Women's Health. International Federation of Gynecology and Obstetrics. Int J Gynaecol Obstet. 1999;64(3):317-22.
2. Sotiriadis A, Papatheodorou S, Makrydimas G. Threatened miscarriage: evaluation and management. BMJ. 2004; 329(7458): 152–5.
3. Aleman A, Althabe F, Belizán J, Bergel E. Bed rest during pregnancy for preventing miscarriage. Cochrane Database Syst Rev. 2005;(2):CD003576.
4. Servey J, Chang J. Over-the-counter medications in pregnancy. Am Fam Physician. 2014;90(8):548-55.

5. Worl Health Organization. Medical management of abortion. Geneva: WHO; 2018.
6. Morris JL, Winikoff B, Dabash R, Weeks A, Faundes A, Gemzell-Danielsson K, et al. FIGO's updated recommendations for misoprostol used alone in gynecology and obstetrics. Int J Gynaecol Obstet. 2017; 138(3):363-6.
7. Federação Brasileira das Associações de Ginecologia e Obstetrícia. Aborto recorrente e progestagênios. São Paulo: FEBRASGO; 2017.
8. World Health Organization. The prevention and management of unsafe abortion: report of a technical working group. Geneva, WHO, 1992.
9. World Health Organization. Preventing unsafe abortion. Geneva: WHO; 2019.
10. Ganatra B, Gerdts C, Rossier C, Johnson BR Jr, Tunçalp O, Assifi A, Sedgh G et al. Global, regional, and subregional classification of abortions by safety, 2010–14: estimates from a Bayesian hierarchical model. Lancet. 2017 Nov 25; 390(10110): 2372–81.
11. Brasil. Datasus: Nascidos vivos [Internet]. Brasil. Nascimento por ocorrência segundo Região. Período 2017. Brasília: MS; c2019 [capturado em 10 jun. 2019]. Disponível em: http://www2.datasus.gov.br/DATASUS/indexphp?area=0205&VObj=http://tabnet.datasus.gov.br/cgi/ deftohtm.exe?sinascp/cnv/nv
12. Shah I, Ahman E. Unsafe abortion: global and regional incidence, trends, consequences, and challenges. J Obstet Gynaecol Can. 2009;31(12):1149-58.
13. Sedgh G, Singh S, Shah IH, Ahman E, Henshaw SK, Bankole A. Induced abortion: incidence and trends worldwide from 1995 to 2008. Lancet. 2012;379(9816):625-32.
14. World Health Organization. Safe abortion: technical and policy guidance for health systems. 2nd ed. Geneva: WHO; 2012.
15. Briozzo L. From risk and harm reduction to decriminalizing abortion: The Uruguayan model for women's rights. Int J Gynaecol Obstet. 2016 Aug;134 Suppl 1:S3-6.
16. Brasil. Decreto-Lei nº 2.848/1940. Código Penal. Brasília: Casa Civil; 1940.
17. Diniz D. Selective abortion in Brazil: the anencephaly case. Developing World Bioethics 2007;7(2): 64–6.
18. Brasil. Supremo Tribunal Federal. Acórdão na Ação de Descumprimento de Preceito Fundamental (ADPF) 54. [Internet]. Relator: Mello MA. Diário de Justiça. 2012; 54:433. [capturado em 10 jun. 2019]. Disponível em: http://redir.stf.jus.br/paginadorpub/paginador.jsp?docTP=TP&docID=3707334
19. Conselho Federal de Medicina. Resolução CFM nº 1.989/2012. Diário Oficial da União. 2012; Seção I:308-9.
20. Conselho Federal de Medicina. Ofício CFM N° 4867/2013. https://legis.senado.leg.br/sdleg-getter/documento?dm=3516333&ts=1560373285906&disposition=inline
21. Faúndes A, Shah IH. Evidence supporting broader access to safe legal abortion. Int J Gynaecol Obstet. 2015; 131:S56-9.
22. Bearak J, mailto:jbearak@guttmacher.org Popinchalk A, Alkema L, Sedgh G. Global, regional, and subregional trends in unintended pregnancy and its outcomes from 1990 to 2014: estimates from a Bayesian hierarchical model. Lancet Glob Health; 2018; 6(4):380-9.
23. Steinberg JR, Tschann JM, Furgerson D, Harper CC. Psychosocial factors and pre-abortion psychological health: The significance of stigma. Soc Sci Med. 2016;150:67–75.
24. Katuashi DN, Tshefu AK, Coppieters Y. Analysis of induced abortion-related complications in women admitted to the Kinshasa reference general hospital: a tertiary health facility, Democratic Republic of the Congo. Reprod Health. 2018; 15:123.
25. Singh S. Hospital admissions resulting from unsafe abortion: estimates from 13 developing countries. Lancet. 2006; 368(9550):1887-92.
26. Kassebaum NJ, Bertozzi-Villa A, Coggeshall MS, Schakelford K, Steiner C, Heuton KR e cols. Global, regional, and national levels and causes of maternal mortality during 1990–2013: a systematic analysis for the Global Burden of Disease Study 2013. Lancet. 2014; 384(9947):980–1004.
27. Ahman E, Shah IH New estimates and trends regarding unsafe abortion mortality. Int J Gynecol Obst. 2011;115(2):121-6.
28. World Health Organization. Unsafe abortion: global and regional estimates of the incidence of unsafe abortion and associated mortality in 2008. 6th ed. Geneva: WHO; 2011.
29. Bartlett LA, Berg CJ, Shulman HB, Zane SB, Green CA, Whitehead S, et al. Risk factors for legal induced abortion-related mortality in the United States. Obstet Gynecol. 2004;103(4):729-37.
30. Jatlaoui TC, Boutot ME, Mandel MG, Whiteman MK, Ti A, Petersen E et al. Abortion Surveillance – United States, 2015 MMWR Surveill Summ. 2018; 67(13):1–45.
31. Parpinelli MA, Faúndes A, Cecatti JG, Surita FGC, Pereira BG, Passini R Júnior, et al. Subnotificação da mortalidade materna em Campinas: 1992 a 1994. Rev Bras Ginecol Obstet. 2000;22(1):27-32.
32. Silva BGC, Lima NP, Silva SG, Antúnez SF, Seerig LM. Restrepo-Méndez MC, et al. Mortalidade materna no Brasil no período de 2001 a 2012: tendência temporal e diferenças regionais. Rev Bras Epidemiol. 2016;19(3):484-93.
33. World Health Organization. Twentieth world health assembly resolution 20.14: health aspects of family planning. Geneva: WHO; 1967.
34. World Health Organization. Reproductive health strategy to accelerate progress towards the attainment of international development goals and targets. Geneva: WHO; 2004.
35. Brasil. Ministério da Saúde. Atenção humanizada ao abortamento: norma técnica. Brasília: MS; 2005.
36. Brasil. Ministério da Saúde. Secretaria de Atenção à Saúde. Departamento de Ações Programáticas Estratégicas. Área Técnica de Saúde da Mulher. Atenção humanizada ao abortamento: norma técnica. 2. ed. Brasília: MS, 2014. 60 p. (Série Direitos Sexuais e Direitos Reprodutivos; Caderno nº 4).
37. Nunes MJR. O tema do aborto na Igreja Católica: divergências silenciadas. Cienc. Cult. 2012; 64(2):23-31.
38. Schenker JG, Cain JM. FIGO Committee Report. FIGO Committee for the Ethical Aspects of Human Reproduction and Women's Health. International Federation of Gynecology and Obstetrics. Int J Gynaecol Obstet. 1999;64(3):317-22.
39. Casas Becerra L, Foro Abierto de Salud y Derechos Reproductivos. Mujeres procesadas por aborto. Santiago: Foro Abierto de Salud y Derechos Reproductivos; 1996.
40. Vallely LM, Homiehombo P, Kelly-Hanku A. Unsafe abortion requiring hospital admission in the Eastern Highlands of Papua New Guinea – a descriptive study of women's and health care workers' experiences. Reprod Health. 2015;12:22.
41. Baulieu EE. Contragestion by antiprogestin: a new approach to human fertility control. In: Porter R, O'Connor M, Ciba Foundation. Abortion: medical progress and social implications. London: Pitman; 1985. p. 192-210.
42. Baulieu EE, Rosenblum M. The abortion pill. New York: Simon & Schuster; 1990.
43. Avrech OM, Golan A, Weinraub Z, Bukovsky I, Caspi E. Mifepristone (RU486) alone or in combination with a prostaglandin analogue for termination of early pregnancy: a review. Fertil Steril. 1991 Sep;56(3):385-93.
44. Bugalho A, Bique C, Almeida L, Faúndes A. The effectiveness of intravaginal Misoprostol (Cytotec) in inducing abortion after eleven weeks of pregnancy. Stud Fam Plann. 1993; 24(6):319-23.
45. Kulier R, Kapp N, Gülmezoglu AM, Hofmeyr GJ, Cheng L, Campana A. Medical methods for first trimester abortion. Cochrane Database Syst Rev. 2011;(11):CD002855.
46. Sheldon WR, Durocher J, Dzuba IG, Sayette H, Martin R, Velasco MC, et al. Early abortion with buccal versus sublingual misoprostol alone: a multicenter, randomized trial. Contraception. 2019;99(5):272-7.

47. Say L, Kulier R, Gülmezoglu M, Campana A. Medical versus surgical methods for first trimester termination of pregnancy. Cochrane Database Syst Rev. 2005;(1):CD003037.

48. Peyron R, Aubény E, Targosz V, Silvestre L, Renault M, Elkik F, et al. Early termination of pregnancy with mifepristone (RU 486) and the orally active prostaglandin misoprostol. N Engl J Med. 1993;328(21):1509-13.

49. Jain JK, Dutton C, Harwood B, Meckstroth KR, Mishell DR Jr. A prospective randomized, double-blinded, placebo-controlled trial comparing mifepristone and vaginal misoprostol to vaginal misoprostol alone for elective termination of early pregnancy. Hum Reprod. 2002;17(6):1477-82.

50. Blum J, Winikoff B, Gemzell-Danielsson K, Ho PC, Schiavon R, Weeks A. Treatment of incomplete abortion and miscarriage with misoprostol. Int J Gynaecol Obstet. 2007;99 Suppl 2:S186-9.

51. Neilson JP, Gyte GML, Hickey M, Vazquez JC, Dou L. Medical treatments for incomplete miscarriage. Cochrane Database Syst Rev. 2017;1(1):CD007223.

52. Kim C, Barnard S, Neilson JP, Hickey M, Vazquez JC, Dou L. Medical treatments for incomplete miscarriage. Cochrane Database Syst Rev. 2017;1(1):CD007223

53. Schaff EA, Fielding SL, Westhoff C. Randomized trial of oral versus vaginal misoprostol 2 days after mifepristone 200 mg for abortion up to 63 days of pregnancy. Contraception. 2002;66(4):247-50. Erratum in: Contraception. 2002;66(6):481.

54. Winikoff B, Dzuba IG, Creinin MD, Crowden WA, Goldberg AB, Gonzales J, et al. Two distinct oral routes of misoprostol in mifepristone medical abortion: a randomized controlled trial. Obstet Gynecol. 2008;112(6):1303-10.

55. Jackson E, Kapp N. Pain control in first-trimester and second-trimester medical termination of pregnancy: a systematic review. Contraception. 2011;83(2):116-26.

56. Cade L, Ashley J. Prophylactic Paracetamol for Analgesia after Vaginal Termination of Pregnancy. Anaesth Intensive Care. 1993; 21(1): 93-6.

57. Dahla V, Fjellangera F, Raederb JC. No effect of preoperative paracetamol and codeine suppositories for pain after termination of pregnancies in general anaesthesia. European Journal of Pain. 2000; 4: 211–5.

58. Livshits A, Machtinger R, David LB, Spira M, Moshe-Zahav A, Seidman DS. Ibuprofen and paracetamol for pain relief during medical abortion: a double-blind randomized controlled study. Fertil Steril. 2009;91(5):1877-80.

59. American College of Obstetricians and Gynecologists' Committee on Practice Bulletins—Gynecology. ACOG Practice Bulletin No. 200: Early Pregnancy Loss. Obstet Gynecol. 2018;132(5):e197-207.

60. Conselho Federal de Medicina. Resolução CFM nº 2.217, de 27 de setembro de 2018, modificada pelas Resoluções CFM nº 2.222/2018 e 2.226/2019. Código de ética médica. Brasília: CFM; 2019.

61. Anis, Instituto de Bioética, Sociedade Brasileira de Medicina de Família e Comunidade. Gravidez indesejada na Atenção Primária à Saúde (APS): as dúvidas que você sempre teve, mas nunca pôde perguntar. Brasília: LetrasLivres, 2021 [capturado em 20 nov. 2021]. Disponível em: https://www.sbmfc.org.br/wp-content/uploads/2021/09/CARTILHA_Gravidez-Indesejada-na-APS.pdf.

62. Gemzell-Danielsson K, Kopp Kallner H, Faúndes A. Contraception following abortion and the treatment of incomplete abortion. Int J Gynaecol Obstet. 2014; 126:S52-5.

63. Cameron S, Glasier A, Chen Z, Johnstone A, Dunlop C, Heller R. Effect of contraception provided at termination of pregnancy and incidence of subsequent termination of pregnancy. BJOG 2012;119:1074–80.

64. Giugliani C, Ruschel AE, Belomé da Silva MC, Maia MN, Pereira Salvador de Oliveira DO. O direito ao aborto no Brasil e a implicação da Atenção Primária à Saúde. Rev Bras Med Fam Comunidade. 2019;14(41):1791.

65. Maia MN. Oferta de aborto legal na atenção primária à saúde: uma chamada para ação. Rev Bras Med Fam Comunidade. 2021;16(43):2727.

66. Briozzo L, Vidiella G, Rodríguez F, Gorgoroso M, Faúndes A, Pons JE. A risk reduction strategy to prevent maternal deaths associated with unsafe abortion. Int J Gynaecol Obstet. 2006;95(2):221-6.

67. Pan American Health Organization. Changing relationships in the health care context: the Uruguayan model for reducing the risk and harm of unsafe abortions. Montevideo: PAHO; 2012.

68. Grossman D, Baum SE, Andjelic D, Tatum C, Torres G, Fuentes L, et al. A harm-reduction model of abortion counseling about misoprostol use in Peru with telephone and in-person follow-up: a cohort study. PLoS One. 2018;13(1):e0189195.

69. Matía MG, Trumper EC, Fures NO, Orchuela J. A replication of the Uruguayan model in the province of Buenos Aires, Argentina, as a public policy for reducing abortion-related maternal mortality. Int J Gynaecol Obstet. 2016;134(S1):S31-4.

70. World Health Organization. Health worker roles in providing safe abortion care and post-abortion contraception. Geneva: WHO; 2015.

71. Rosas FC, Paro HBMS. Serviços de atenção ao aborto previsto em lei: desafios e agenda no Brasil. São Paulo: Cfemea, SPW; 2021.

## LEITURAS RECOMENDADAS

Brasil. Ministério da Saúde. Secretaria de Atenção à Saúde. Departamento de Ações Programáticas Estratégicas. Área Técnica de Saúde da Mulher. Prevenção e tratamento dos agravos resultantes da violência sexual contra mulheres e adolescentes: norma técnica. 3 ed. Brasília: MS; 2012. 123p.

*Descreve os procedimentos para proceder ao aborto legal em caso de estupro.*

Brasil. Ministério da Saúde. Secretaria de Atenção à Saúde. Departamento de Ações Programáticas Estratégicas. Área Técnica de Saúde da Mulher. Protocolo para utilização de misoprostol em obstetrícia. Brasília: MS; 2012.

*Protocolo do Ministério da Saúde sobre uso do misoprostol para indução de aborto legal, esvaziamento uterino por morte embrionária ou fetal, amolecimento cervical antes de aborto cirúrgico (AMIU ou curetagem) e indução de trabalho de parto (maturação de colo uterino).*

Federación Latinoamericano de Sociedades de Obstetricia y Ginecología. Uso de misoprostol en obstetricia y ginecología. 2. ed. [Cidade do Panamá]: Ipas; 2007.

*Informação completa sobre o uso do misoprostol para interrupção da gravidez ou tratamento do aborto incompleto.*

# Capítulo 121
## DOENÇAS DA MAMA

Maira Caleffi

Luis Antonio Abreu de Moraes Neto

O profissional de atenção primária à saúde (APS), em sua prática, frequentemente se depara com mulheres queixando-se de alterações em uma ou ambas as mamas. Após anamnese detalhada contendo informações sobre hábitos de vida, história familiar, histórico menstrual, relação com sintomas menstruais, fase do ciclo reprodutivo e estado menopausal, o exame clínico das mamas (ECM) é mandatório. O ECM constitui prática fundamental na investigação de doenças mamárias e é o primeiro método de avaliação na APS. Quando o ECM for usado para rastreamento, é entendido como um exame de rotina feito por profissional de saúde – um enfermeiro ou médico treinado – em mulheres sem sinais e sintomas suspeitos de câncer de mama. Na maioria dos casos, nenhuma doença evidente é encontrada, cabendo ao profissional continuar a investigação conforme a queixa ou suspeita clínica, ou solicitar exame de rastreamento conforme preconizado pelo Ministério da Saúde.[1]

As neoplasias malignas mamárias ocupam o 1º lugar nas causas de morte por câncer em mulheres no Brasil, com taxa de mortalidade de 16,2% nessa população entre 2015 e 2019.[2] O câncer de mama é o 2º tipo de câncer mais frequente no mundo, considerando-se ambos os sexos, e o tipo de câncer mais incidente entre as mulheres, respondendo por 24,2% do total de casos novos nesse grupo populacional em 2018.[3]

Para 2020, foram estimados 66.280 novos casos no Brasil, com taxa bruta estimada de 61,6 casos a cada 100 mil mulheres. Sem considerar os tumores de pele não melanoma, o câncer de mama é o mais frequente em mulheres nas Regiões Sudeste (81,1/100 mil), Sul (71,2/100 mil), Centro-Oeste (45,2/100 mil) e Nordeste (44,3/100 mil), e o 2º mais frequente na Região Norte (21,3/100 mil).[4]

Em função da alta incidência de câncer de mama no Brasil, do acometimento de mulheres cada vez mais jovens e da dificuldade de acesso e agilidade no acolhimento de mulheres sintomáticas no sistema público de saúde, sobretudo em serviços com médicos especialistas na área de mastologia, é fundamental disponibilizar cada vez mais informações e conhecimento específico no diagnóstico diferencial das doenças da mama. Em muitos locais, o longo tempo de espera para encaminhamento ao serviço especializado dificulta o acesso aos exames necessários (como ultrassonografia [US] e biópsia) para completar a avaliação diagnóstica.

## ALTERAÇÕES FISIOLÓGICAS DA MAMA

É importante que o profissional de saúde esteja familiarizado com as múltiplas alterações fisiológicas que ocorrem na mama em decorrência de variações hormonais. O desconhecimento das alterações normais de tamanho, aspecto e consistência das mamas durante a menacme, a gestação e a menopausa pode levar a procedimentos e tratamentos desnecessários.

No nascimento, as mamas são quase idênticas em ambos os sexos. A maioria dos recém-nascidos apresenta aumento discreto da glândula, e alguns, uma secreção leitosa proveniente dos mamilos, que desaparece espontaneamente por volta do 5º dia de vida.

As mamas permanecem em repouso até cerca de 2 anos antes da menarca. A partir daí, ocorrem ciclicamente alterações histológicas no estroma e no epitélio mamário, sob a influência de estrogênios e progestagênios, dependendo da fase do ciclo menstrual normal.

O ingurgitamento mamário é comum e pode ser atribuído a aumento do edema interlobular e exacerbação da proliferação acinoductal, por ação de estrogênios e da progesterona no período pré-menstrual. Com o início da menstruação, manifestações como aumento de tamanho, sensibilidade e nodularidade das mamas diminuem de intensidade devido ao declínio dos níveis dos hormônios sexuais circulantes e à redução da atividade secretora do epitélio, chegando a desaparecer totalmente 5 a 7 dias depois da menstruação. Não existe tratamento específico para o ingurgitamento mamário, cabendo ao profissional de saúde tranquilizar a mulher quanto à natureza do fenômeno. Como alternativa, pode-se lançar mão de anti-inflamatórios não esteroides (AINEs), que podem promover alívio dos sintomas, reduzindo o edema interlobular. O uso de estrogênio e de progesterona pode agravar o desconforto da mulher, o que pode contraindicar o uso de contraceptivo oral nos casos mais graves.

Durante a gravidez, ocorrem várias transformações no tecido mamário. Ao final das primeiras 6 a 8 semanas de gestação, o aumento do volume das mamas é significativo, existindo dilatação superficial das veias, sensação de peso e aumento da pigmentação da aréola e do mamilo. Durante os últimos meses de gestação, o aumento das mamas resulta não mais da proliferação do tecido epitelial, mas da crescente dilatação dos alvéolos com colostro e, também, da hipertrofia das células mioepiteliais e dos tecidos conectivo e adiposo. Nessa fase, é possível obter algumas gotas de secreção amarelada com a expressão dos mamilos. No início da lactação, as mamas podem tornar-se ingurgitadas e bastante dolorosas (ver Capítulo Amamentação: Principais Dificuldades e seu Manejo). Assim que a amamentação se estabelece, os sintomas cedem. É importante manter as mamas bem erguidas e sustentadas, para que os ductos lactíferos estejam retificados. O término da lactação não é abrupto. A secreção láctea, mesmo depois de cessado o estímulo do esvaziamento das mamas, diminui aos poucos, levando aproximadamente 3 meses para desaparecer. Existem meios farmacológicos e não farmacológicos para interromper a lactação, por vezes necessários (ver Capítulo Amamentação: Principais Dificuldades e seu Manejo).

Entre a 5ª e a 6ª décadas de vida, quando a menstruação cessa, as mamas sofrem um processo gradual de involução. O número e o tamanho dos elementos acinares e ductais diminuem quase a um estado infantil, com reposição do tecido adiposo. Nessa fase, o uso de estrogênios pode causar desconforto importante nas mamas.

## SINAIS E SINTOMAS MAIS FREQUENTES

O profissional de saúde deve estar sempre atento para o fato de que muitas mulheres, por timidez ou medo do diagnóstico e suas consequências, têm dificuldade de mencionar problemas relacionados às mamas, dando apenas sinais indiretos do motivo real da consulta.

Os principais sinais e sintomas relacionados com doença mamária são:
→ **aumento da sensibilidade e dor em uma ou ambas as mamas, com ou sem queixa de nódulo:** é importante investigar se esses sintomas estão relacionados ao ciclo

menstrual. Como regra, sinais e sintomas que desaparecem totalmente depois da menstruação raras vezes são causados por processos malignos e podem ser chamados de sintomas cíclicos. Entretanto, é recomendável reavaliar a mulher após 2 ou 3 meses, fora do período pré-menstrual;

→ **nódulos palpáveis:** podem ser o resultado da presença de cistos ou tumores sólidos, que podem ser benignos ou malignos. Cistos muito raramente podem alojar um carcinoma em suas paredes. Tumores palpáveis em mulheres jovens costumam ser benignos. A chance de carcinoma aumenta com a idade e é muito maior após os 45 anos. Contudo, é alarmante o crescimento do número de mulheres jovens com carcinoma, não estando bem elucidado se isso se deve à solicitação mais precoce de exames ou se existem, de fato, causas ou fatores de risco ainda não identificados, levando a um aumento da sua incidência em uma faixa etária mais jovem;

→ **retração da pele:** pode ser observada como uma pequena indentação da mama. Nesse caso, o diagnóstico de câncer de mama deve sempre ser considerado. A identificação dessas lesões é facilitada se a mulher levantar e abaixar os braços;

→ **retração do mamilo:** ocorre frequentemente, sendo importante indagar se o mamilo sempre foi retraído ou se é uma alteração recente. No último caso, a suspeita de câncer deve ser levantada, mesmo que nenhum tumor seja palpado;

→ **descarga papilar espontânea:** não é incomum e raras vezes é causada por um carcinoma. Secreção serosa proveniente de uma ou ambas as mamas pode ser o resultado da ingestão de certos medicamentos, como metildopa, digoxina e sulpirida e seus derivados, como também de anticoncepcionais. Sempre que a secreção do mamilo contiver sangue, a hipótese de câncer deve ser aventada. Para valorizar uma descarga papilar e seguir investigando, esta deve ser espontânea;

→ **descamação e erosão do mamilo e aréola:** podem estar associadas com doença de Paget (tipo especial de câncer de mama), mesmo na ausência de sinais em exames de imagem. A ulceração do mamilo ou da pele geralmente está associada a estágios avançados de câncer de mama;

→ **sinais inflamatórios da mama:** devem ser bem investigados, pois o carcinoma inflamatório pode mimetizar um simples abscesso ou mastite. Nesses casos, geralmente há dor, edema, rubor e calor local, febre e mal-estar geral. É essencial ter extremo cuidado ao diagnosticar e tratar qualquer infecção na mama, sobremaneira na mulher com idade > 50 anos.

A investigação inicial dos sinais e sintomas mamários, incluindo exames como mamografia e/ou US de mama, pode ser feita na APS, ajudando a decidir sobre o encaminhamento. Nos casos em que houver suspeita de doença maligna, persistência dos sintomas ou necessidade de melhor avaliação ou prosseguimento da investigação diagnóstica, o encaminhamento ao especialista deve ser prontamente realizado. Em caso de nódulos palpáveis, em qualquer idade, o médico só deve prosseguir a investigação se tiver condições de proporcionar à mulher exames radiológicos e histopatológicos de boa qualidade. Caso contrário, recomenda-se encaminhar a mulher a um serviço com esses recursos.

## MÉTODOS DIAGNÓSTICOS

**Associada a um criterioso exame físico, a mamografia se impõe como o método propedêutico de maior valor na detecção do câncer de mama. A confiabilidade do método depende da qualidade da radiografia e da idade da mulher.**

É importante ressaltar que o exame físico realizado pelo médico é fundamental no processo diagnóstico, junto com o exame de imagem. Um exame não exclui o outro. Em mulheres jovens, o exame físico é ainda mais importante, pois a mamografia em mamas densas pode levar a resultados falso-negativos.

Carcinomas muito pequenos, não palpáveis, infiltrativos ou não, podem ser detectados facilmente por um radiologista experiente, embora, mesmo em circunstâncias ideais, 20% das mamografias não mostrem tumores malignos já existentes.[5,6] Em mulheres com idade < 35 anos, a mamografia é, em geral, um exame de difícil interpretação, e deve ser evitada nessa faixa etária. Nesses casos, a US de mama pode ser muito útil no diagnóstico diferencial de massas de difícil palpação. Esse método ainda pode ser útil no diagnóstico de cistos e na investigação de tumores palpáveis na gravidez.

Uma exceção deve ser feita em casos de mulheres jovens com alto risco para câncer devido à história familiar. Nessas situações, a mamografia, associada a criterioso exame físico e US, deve ser solicitada. Muita atenção deve ser dada à mulher com nódulos ou regiões mais endurecidas na mama e cujos exames de imagem não mostram alterações. Nesses casos, deve-se considerar a investigação com punção para esclarecer e afastar um diagnóstico falso-negativo dado pela mamografia e/ou US.

Como regra, se uma mulher ou profissional de saúde detectar um nódulo suspeito ou uma alteração na mamografia ou na US de mama, provavelmente uma biópsia por fragmento será necessária. No caso de lesão palpável, a biópsia pode ser sob visão direta. No caso de alterações não palpáveis ou quando houver dificuldade técnica para obtenção de amostra do tecido tumoral, a biópsia é feita identificando-se o nódulo sob visão ultrassonográfica – ou até mesmo mamográfica, no caso de lesões sem expressão à US. Esse exame pode revelar se existem células compatíveis com câncer ou sugestivas de alterações não típicas. Existem vários tipos de biópsias, com vantagens e desvantagens, dependendo da situação.

Dois tipos de biópsias são mais utilizados hoje para diagnosticar se um nódulo é benigno ou maligno: punção aspirativa com agulha fina (PAAF) e biópsia por fragmento, também conhecida como biópsia de "*core*". Esta última, por ser um procedimento com agulha calibrosa, requer uma pequena anestesia local. Esses dois métodos podem ser mais bem aproveitados com a utilização da US ou da mamografia para localizar, com precisão, o melhor local para a retirada do material. Em alguns casos, também é necessária a realização de uma biópsia cirúrgica, para remover parte da lesão ou a lesão inteira. Esse método está sendo cada vez menos empregado para fazer diagnóstico. No caso da PAAF, o patologista realiza exame citopatológico, enquanto nas biópsias de fragmento e de peça cirúrgica, o exame é anatomopatológico.

A punção aspirativa de mama auxilia no diagnóstico diferencial de lesões sólidas e císticas. Nas lesões sólidas, deve ser solicitado exame anatomopatológico do conteúdo celular; portanto, recomenda-se biópsia com retirada de fragmento do tecido suspeito. Já nos cistos, o seu conteúdo pode ser totalmente esvaziado na maioria dos casos, o que resolve o problema da mulher sem outros procedimentos ou mesmo análise do líquido aspirado.

A biópsia por fragmento de mama está indicada em mulheres com nódulo sólido, punção aspirativa insatisfatória (ausência de células) ou negativa para células malignas, achados radiológicos suspeitos, lesões persistentes do mamilo e derrame papilar serossanguinolento sem tumor palpável. A investigação de achados mamográficos de microcalcificações suspeitas é feita, na maioria das situações, por meio de exérese da área, com localização pré-cirúrgica, e confirmação radiológica da sua retirada. A mamotomia, uma biópsia feita sob visão mamográfica, com retirada de fragmentos de tecido com um dispositivo a vácuo, pode ser uma alternativa em mulheres com microcalcificações.

Os exames para diagnóstico não mudam para mulheres usuárias de próteses mamárias; nesses casos, apenas a técnica de investigação com mamografia é diferente.

A ressonância magnética (RM) com uso de gadolínio como contraste não deve ser feita como exame de rotina, mesmo em pacientes usuárias de próteses mamárias, pois não substitui a mamografia, exceto em casos de acompanhamento de mulheres portadoras de mutações genéticas. Em geral, a RM deve ser solicitada por especialistas para investigar casos mais específicos.

## PRINCIPAIS DOENÇAS MAMÁRIAS E SEU TRATAMENTO

### Alterações funcionais benignas da mama

As alterações funcionais benignas da mama, antes equivocadamente denominadas "displasias mamárias", são variações da fisiologia normal da glândula mamária nas suas transformações evolutivas e involutivas ao longo do ciclo de vida da mulher. Como entidade clínica, essas alterações podem ser definidas como uma síndrome caracterizada por dor mamária e nodularidade, que pode ser difusa ou localizada, em uma ou em ambas as mamas.

Histopatologicamente, podem estar ocorrendo diferentes processos, como adenose, papilomatose, fibrose e dilatação ductal. Para a maioria dos autores, a causa das alterações funcionais benignas da mama é endócrina, provavelmente associada à incapacidade constitucional do parênquima de utilizar os hormônios de forma adequada. É importante salientar que, nesses casos, os sinais e sintomas pouco se relacionam com os achados anatomopatológicos.

Em geral, o comprometimento das mamas é difuso, podendo ser unilateral. Na maioria dos casos, a dor e o desconforto aumentam no período pré-menstrual, podendo ou não estar acompanhados de nódulos (mastodinia). Flutuações no tamanho e aparecimento súbito de nódulos na mama são queixas frequentes. Dor, modificações do tamanho da lesão e presença de múltiplos nódulos são características importantes no diagnóstico diferencial de carcinoma, que sempre deve ser descartado antes de iniciar qualquer tipo de tratamento. A mamografia e a US são de muita valia no diagnóstico diferencial.

Na maioria dos casos de alterações funcionais benignas da mama, adota-se conduta conservadora, que consiste em observar a mulher periodicamente, realizando ECM semestralmente nos primeiros 2 anos e 1 vez por ano depois, e orientá-la para a realização do autoexame das mamas, de acordo com a situação e o desejo da mulher. Quando houver nódulos de contornos definidos, deve-se realizar, inicialmente, uma punção aspirativa, que serve de tratamento definitivo se as lesões forem císticas. Se a punção não revelar líquido ou o líquido obtido for hemorrágico – ou, ainda, se houver persistência da massa depois da aspiração –, está indicada a biópsia por fragmento para elucidação do diagnóstico.

O tratamento das alterações funcionais benignas da mama depende da intensidade e da duração das manifestações clínicas. Na grande maioria dos casos, a tranquilização e a orientação da mulher quanto à causa hormonal são suficientes para que ela tolere melhor os sintomas pré-menstruais. Quando houver dor intensa por tempo > 3 meses, que interfira na vida da mulher, recomenda-se o uso de medicamento.

O danazol, um antigonadotrófico, demonstrou ser eficaz e de ação prolongada quando comparado com placebo, mesmo depois de sua interrupção B.[7] Os efeitos colaterais do danazol incluem irregularidade menstrual, ganho moderado de peso, aumento de pelos faciais e alteração irreversível na voz. A dose recomendada é de 200 mg/dia, por 3 a 6 meses.

Outra opção para o tratamento de dor mamária intensa é o tamoxifeno, um modulador seletivo do receptor de estrogênio B.[7] Apresenta resposta com remissão completa da dor em cerca de 80% das mulheres com efeitos colaterais mínimos (irregularidade menstrual e calorões). A dose preconizada é de 10 mg/dia, por 4 meses. Se houver recidiva da dor, deve-se aguardar 3 a 6 meses depois de concluído o tratamento para, então, administrar uma nova série. Algumas mulheres têm resistência em usar esse tratamento, pois a indicação mais comum do tamoxifeno é para prevenir ou tratar o câncer de mama.

A bromocriptina, antagonista da prolactina, pode reduzir significativamente os sintomas, com baixa incidência de recidiva da dor B.⁷ Entretanto, em função da alta incidência de paraefeitos (náuseas, dores de cabeça e tonturas), alguns autores acreditam que o fármaco só deve ser usado em mulheres com mastalgia grave. A dose recomendada é 5 mg/dia (iniciar com 1,25 mg/dia e aumentar progressivamente), por 3 a 6 meses.

O óleo de prímula, um produto natural, tem sido usado nas alterações funcionais benignas da mama. Embora alguns estudos mais antigos tenham demonstrado efeito benéfico, uma metanálise incluindo ensaios clínicos mais recentes não demonstrou benefícios B.⁷ Um estudo quase experimental demonstrou que AINEs tópicos são mais eficazes que o óleo de prímula para mastalgia cíclica ou não cíclica B.⁸

O uso de vitaminas, diuréticos e outros hormônios (p. ex., progesterona) não é recomendado, uma vez que não há evidência de seu benefício.

Um tipo de dor mamária muito comum, não cíclica, relatada como fisgadas, na maioria das vezes está relacionada com problemas na coluna cervical, de onde surgem os nervos responsáveis pela inervação costal retromamária, ou com contraturas da musculatura que compõe a cintura escapular, em especial do trapézio. Nesses casos, os AINEs podem promover alívio dos sintomas.

## Processos inflamatórios mais frequentes

### Mastite aguda

É um processo infeccioso de evolução favorável quando tratado adequadamente e em tempo oportuno. A mastite aguda ocorre, com frequência, no puerpério, durante a lactação, ao redor da 2ª ou 3ª semana pós-parto (ver Capítulo Amamentação: Principais Dificuldades e seu Manejo).

### Galactocele

É uma cavidade cística volumosa contendo leite ou seus resíduos, que ocorre com mais frequência logo após o término da lactação. Sua etiopatogenia é controversa, mas a maioria dos autores atribui esse achado à obstrução de ductos lactíferos, impedindo a saída de leite. Clinicamente, nota-se um nódulo de consistência cística ou elástica, não aderido a planos superficiais ou profundos.

O tratamento da galactocele é feito por especialista e consiste, em geral, em punção aspirativa. Quando o conteúdo é muito espesso ou o cisto enche outra vez após a aspiração, o que ocorre com frequência, está indicada a extração cirúrgica (ver Capítulo Amamentação: Principais Dificuldades e seu Manejo).

### Ectasia ductal

Ocorre principalmente em mulheres peri e pós-menopáusicas e é caracterizada pela dilatação de ductos subareolares. Alguns autores preferem o termo mastite periductal, pois o processo inicia por uma inflamação periductal com posterior ectasia do ducto. Costuma ser unilateral e se apresenta como uma massa dolorosa com ou sem retração da pele periareolar. A inversão de mamilo pode ser encontrada em 30 a 40% dos casos, e a secreção papilar em 20%, em geral amarelada ou em tons de verde. O diagnóstico diferencial com carcinoma deve ser criterioso, principalmente se houver secreção de cor marrom (deve-se pesquisar pigmento de hemoglobina), serosa (transparente) ou sanguinolenta.

O tratamento, que deve ser feito por especialista, consiste em excisão local do tecido mamário da área envolvida. Não é rara a formação de abscessos e mastite pela ruptura do ducto comprometido. A ductografia na investigação de derrame papilar é controversa e cada vez menos usada.

### Abscesso subareolar crônico recidivante

Consiste na formação de abscessos de repetição, com ruptura espontânea e fistulização para o complexo areolomamilar.

O tratamento com antibióticos não costuma ser efetivo, fazendo-se necessária a excisão completa dos ductos afetados e do trajeto fistuloso em bloco. Na fase aguda, o tratamento consiste em incisão da pele com drenagem. Apesar do uso de técnicas cirúrgicas adequadas, o índice de recidiva dessa condição é de quase 50%.

### Eczema areolar

É uma dermatite escamosa da aréola, em geral pruriginosa e bilateral. É mandatório fazer o diagnóstico diferencial com carcinoma de Paget.

O tratamento é feito, inicialmente, com solução de Thiersch e, após, com corticoides tópicos de baixa ou média potência, 2 ×/dia, durante 2 semanas C/D⁹ (ver Capítulo Eczemas e Reações Cutâneas Medicamentosas). Se os sintomas não cederem em 1 a 2 semanas, está indicada a biópsia de pele ("*punch*") para elucidação diagnóstica.

## Tumores benignos

### Fibroadenoma

É a lesão sólida benigna mais comum da mama, podendo ser encontrada em qualquer idade depois da puberdade, sobretudo na 3ª década de vida. É hormônio-dependente e pode aumentar de tamanho no período próximo à menstruação. Clinicamente, os nódulos são indolores, bem circunscritos, móveis e de consistência elástica.

A punção do nódulo pode ajudar no diagnóstico diferencial com cisto. Os nódulos sólidos (classificação Bi-RADS [do inglês *Breast Imaging Reporting and Data System*] 3, pela imagem) podem ser acompanhados por US de mama se forem impalpáveis, semestralmente por 18 meses, para verificar a sua estabilidade. Nas mulheres com idade > 40 anos, faixa etária em que o câncer de mama é mais prevalente, recomenda-se o acompanhamento dos nódulos após confirmação histológica de benignidade (biópsia por fragmento). Se os fibroadenomas forem sintomáticos ou apresentarem crescimento, recomenda-se a exérese em qualquer faixa etária.

## Papiloma intraductal único

São tumores dos ductos lactíferos, observados em mulheres com idade entre 30 e 50 anos. Em geral, manifestam-se por descarga papilar, que é sanguinolenta em 50% dos casos, ou serosa, transparente. O nódulo nem sempre é palpável, pois, em geral, mede menos de 1 cm.

O tratamento é cirúrgico, com excisão do nódulo, se for palpável, ou da área correspondente ao ducto comprometido, por meio de incisão periareolar. A biópsia de congelação não deve ser usada, pois o exame microscópico (sem técnica em parafina) pode não ser conclusivo. A importância da investigação cirúrgica é para excluir carcinoma papilífero, que se manifesta da mesma forma.

## Lipoma

São nódulos encapsulados de tecido adiposo, bem-circunscritos, de consistência amolecida e de tamanho variável.

O tratamento pode ser expectante ou cirúrgico, com excisão do tumor, dependendo do tamanho, do desconforto gerado e do desejo da mulher.

A **FIGURA 121.1** mostra um fluxograma de investigação de nódulo mamário.

## Câncer de mama

Estudos epidemiológicos sobre câncer de mama demonstram diferenças nas taxas de incidência e de mortalidade entre as diversas populações. Os 5 países com as maiores estimativas de taxas de incidência bruta em 2020 são Bélgica (200,7/100 mil), Finlândia (186,2/100 mil), Malta (183,1/100 mil), Holanda (182,9/100 mil) e Itália (177,7/100 mil). O Brasil ocupa o 58º lugar no *ranking* de incidência.[10]

Na década de 1990, pela primeira vez na história do câncer de mama, as taxas de mortalidade relatadas pelos Estados Unidos e pelo Reino Unido mostraram queda acentuada. Prováveis causas incluem diminuição na incidência da doença, programas de rastreamento de populações assintomáticas implantados nas décadas de 1970 e 1980 e uso de tratamentos sistêmicos, também chamados de adjuvantes (tamoxifeno e quimioterapia), associados à cirurgia.

Os dados de incidência e mortalidade apresentados no início deste capítulo, combinados com uma maior expectativa de vida da mulher ao nascer, levando a aumento significativo do número de pessoas idosas e, consequentemente, do número de casos de câncer de mama, alertam para um problema de saúde pública que exige programas especiais, sobretudo no nível primário de atenção. Esses programas devem incluir identificação de grupos de alto risco, rastreamento direcionado aos grupos populacionais de maior risco e melhoria do acesso a exames de imagem, como mamografia e US de mama, e de investigação invasiva (PAAF e biópsia por fragmento guiadas por US), com vistas ao diagnóstico precoce. Nos tumores malignos da mama nos estágios I e II, a agilidade e a qualidade do atendimento são decisivas para garantir melhor prognóstico.

Antecedentes menstruais e/ou reprodutivos podem alterar o risco de uma mulher desenvolver câncer de mama.[11] Esse risco é quase 2 vezes maior em mulheres que tiveram menarca precoce ou menopausa tardia. Quanto à paridade, sabe-se que a incidência da doença é mais elevada nas nuligestas e em mulheres cuja primeira gravidez ocorreu depois dos 28 anos. Esses fatores de risco estão relacionados com o estado endócrino da mulher – de maneira mais específica, com os níveis circulantes de "estrogênio disponível". Antecedentes familiares de câncer de mama (especificamente na mãe e nas irmãs) e algumas doenças benignas da mama também ajudam a compor os grupos de maior risco. Estudos demonstram que dietas ricas em gordura podem estar relacionadas com a incidência aumentada de câncer de mama verificada em certas populações. Obesidade, sedentarismo, uso abusivo de álcool e uso indiscriminado de reposição hormonal aumentam o risco para câncer de mama. Por outro lado, há evidências de que o aleitamento materno protege contra o câncer de mama (ver Capítulo Amamentação: Aspectos Gerais).

Aproximadamente 10% da população feminina pode ser considerada de alto risco para câncer de mama e em torno de 30% destas desenvolvem a doença. Algumas mulheres apresentam tumores malignos de mama com expressão de um gene agressivo chamado *HER-2* (15-20% dos casos).

Para considerar uma mulher como de risco aumentado, necessitando de rastreamento mais intensivo, ou até de aconselhamento genético da família, devem existir pelo menos 2 ou mais casos de câncer de mama e/ou ovário em um mesmo ramo da família (materno ou paterno, considerando parentes de 1º ou 2º grau), cujo diagnóstico tenha sido feito antes dos 50 anos. História familiar (parente de 1º grau) com casos da

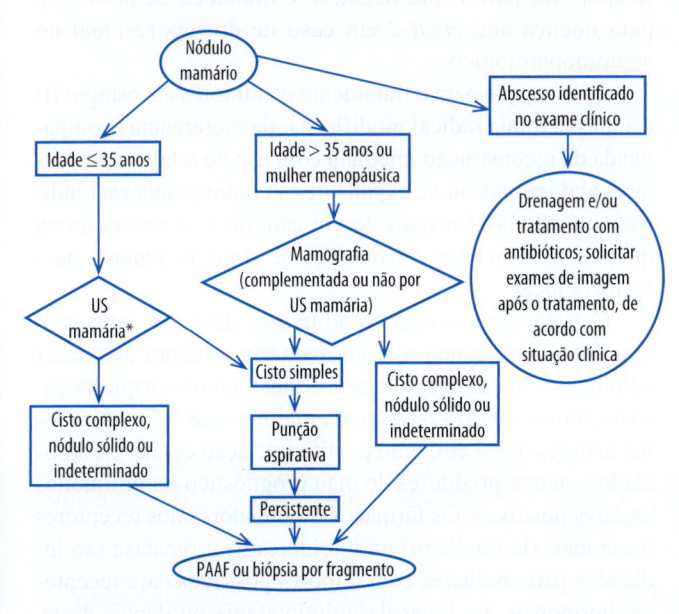

**FIGURA 121.1** → Investigação de nódulo mamário.
*Antes de solicitar a US, é possível adotar conduta expectante por um período curto, de até 2 semanas, e examinar a mulher em outra fase do ciclo menstrual (de preferência pós-menstrual).
PAAF, punção aspirativa com agulha fina; US, ultrassonografia.

doença em idade < 35 anos ou tumores bilaterais também são suspeitos de maior suscetibilidade familiar. Mulheres com tumores mamários malignos triplo-negativos ao estudo imuno-histoquímico e com idade ≤ 60 anos devem ser encaminhadas para aconselhamento genético.[12] Indivíduos com história pessoal de cirurgias prévias de mama com exames anatomopatológicos de hiperplasias atípicas e carcinoma lobular *in situ* não preenchem critério para aconselhamento genético como fator isolado, mas também merecem tratamento e acompanhamento rigorosos.

O médico deve estar atento para o fato de que o câncer de mama às vezes surpreende. Em geral, ele ocorre apenas em uma mama, mas pode afetar as duas de maneira simultânea ou em tempos diferentes. Pode ocorrer durante a gravidez e lactação, e manifestar-se mimetizando ou acompanhando uma infecção.

**Portanto, qualquer doença mamária durante a gravidez e a lactação deve ser bem investigada e valorizada.**

Apesar de raro, o câncer de mama também pode ser encontrado em homens e mulheres com idade < 30 anos.

## Sinais e sintomas

A queixa mais frequente é a presença de nódulo indolor, na maioria das vezes descoberto por acaso. Outros achados comuns são assimetria da mama com retração cutânea ou da papila, endurecimentos e alterações de contorno. Ulceração, edema, infiltração e nódulos cutâneos satélites constituem sinais de doença avançada.

Dor mamária, derrame papilar e sinais inflamatórios estão menos relacionados com a presença de carcinoma, embora essa possibilidade deva ser sempre considerada.

Na presença de metástases à distância, a queixa depende da localização. Por exemplo, dor contínua e intensa nas regiões lombossacral, cervical e membros inferiores sugere metástase óssea.

## Diagnóstico e tratamento

O diagnóstico diferencial entre doença benigna e maligna e os métodos diagnósticos a serem empregados já foram discutidos neste capítulo. O diagnóstico deve ser feito antes de a mulher submeter-se à cirurgia, por meio de punção aspirativa ou biópsia por fragmento, diminuindo a probabilidade de falsos-negativos e, consequentemente, de cirurgias desnecessárias.

Uma vez que o diagnóstico de câncer de mama tenha sido estabelecido, a mulher deve ser encaminhada a um especialista para cuidadoso estadiamento da doença e conduta terapêutica. Mulheres tratadas em grandes centros têm maior sobrevida.[13] Para o estadiamento, costumam ser solicitados os seguintes exames: US abdominal total, US transvaginal, radiografia de tórax e cintilografia óssea. Este último é solicitado nos estágios clínicos II e III.

O tratamento descrito a seguir está de acordo com o sistema de classificação TNM (tumor, linfonodo, metástase), segundo critérios do American Joint Committee on Cancer.[14] Em linhas gerais, nos estágios iniciais (I e II), em tumores com até 2,5 a 3 cm, no máximo, únicos e não centrais, usa-se o tratamento cirúrgico preservando a mama, retirando o tumor com margens livres, devendo-se optar pela pesquisa do linfonodo-sentinela para tratamento de mulheres com axila negativa à palpação, seguido sempre pela radioterapia.

É importante informar a paciente que está fazendo os exames pré-operatórios ou de estadiamento que, se for necessário tratamento com quimioterapia antes ou depois da cirurgia, esse tipo de tratamento pode afetar a fertilidade. Assim, as mulheres que desejam engravidar após o tratamento devem receber orientação e consultar especialistas em preservação da fertilidade, como congelação de óvulos ou embrião. A gravidez durante o tratamento para câncer de mama deve ser rigorosamente evitada com métodos não hormonais, de preferência dispositivo intrauterino (DIU) ou preservativo, em todas as relações sexuais.

Para tumores com mais de 3 cm ou estágio III, únicos, não centrais, indica-se quimioterapia primária ou neoadjuvante (antes da cirurgia) para possibilitar o tratamento conservador da mama somado à radioterapia. O tratamento neoadjuvante com quimioterapia também deve ser avaliado em pacientes com tumores triplo-negativos e *HER-2*-positivos, independentemente de serem estágios II ou III. De acordo com o grau de resposta à quimioterapia pré-operatória, essas pacientes podem beneficiar-se de tratamentos adjuvantes após a cirurgia, como quimioterapia oral para triplo-negativo e mudança de protocolo para doença anti-*HER-2* em caso de doença residual no anatomopatológico.

Outra opção para o tratamento de tumores em estágio III é a mastectomia radical modificada, de preferência acompanhada de reconstrução imediata com uso de retalhos musculares abdominais ou de expansores. A radioterapia está indicada quando houver mais de um gânglio comprometido ou quando a mulher for considerada de risco aumentado para recidiva local.

O tratamento sistêmico adjuvante deve ser feito com quimioterapia quando a lesão mamária invasora preencher pelo menos um dos seguintes critérios: tumores triplo-negativos, tumores *HER-2*-positivos maiores que 0,5 cm, tumores maiores que 2 cm, grau de diferenciação celular III associado a outros preditores de mau prognóstico ou linfonodos axilares positivos. Os fármacos moduladores dos receptores hormonais (tamoxifeno) ou inibidores de aromatase são indicados para mulheres com tumores positivos para receptores hormonais, no lugar da quimioterapia ou depois desta. Mulheres com tumores maiores que 2 cm e axila com 1 ou 2 gânglios comprometidos, com perfil hormonal positivo e grau de proliferação baixo, podem não se beneficiar de quimioterapia.

As mulheres com tumores *HER-2*-positivos devem usar terapia suplementar à quimioterapia (trastuzumabe) por 1 ano após o diagnóstico.[15–19]

Sempre que possível, o atendimento e o acompanhamento da mulher com história de câncer de mama devem ser feitos por equipe multiprofissional treinada, mantendo-se sempre o acompanhamento na APS, sobretudo para otimizar a coordenação do cuidado.

Segundo estatísticas internacionais, a média de sobrevida de uma mulher com câncer de mama invasor pode chegar a 90% em 5 anos e 84% em 10 anos. Se o câncer estiver localizado somente na mama, pode chegar a 99% em 5 anos. Quanto mais precoce for o diagnóstico, maiores são as chances de cura.[20] Com relação ao tipo de serviço utilizado, um estudo brasileiro mostrou que as mulheres com câncer de mama se apresentam com doença mais avançada no setor público do que no privado, o que pode impactar sua sobrevida.[21]

### Prevenção e diagnóstico precoce

O tamoxifeno pode reduzir o risco de câncer de mama invasivo (RR = 0,69; NNT = 84-250) **B**, mas pode aumentar o risco de tromboembolismo venoso (RR = 1,93; NNH = 111-500), câncer de endométrio (RR = 2,25; NNH = 125-1.000) e catarata em mulheres (RR = 1,21; NNH = 20-50).[22] O tamoxifeno reduz a incidência do câncer de mama positivo para receptor estrogênico, não havendo diferença naqueles com receptor negativo. A incidência de câncer de endométrio e eventos tromboembólicos foi maior nas mulheres que usaram tamoxifeno, porém sem aumento da mortalidade. Em razão dos altos custos, da necessidade prolongada da intervenção e dos potenciais eventos adversos, não se recomenda o uso de rotina de tamoxifeno na prevenção primária de câncer de mama.

Outros fármacos, como o raloxifeno e os inibidores da aromatase, também mostraram benefício na diminuição do risco de câncer de mama invasivo.[22] Para mulheres com câncer de mama hereditário, com mutações comprovadas em genes *BRCA1* e *BRCA2*, existe a indicação de cirurgias profiláticas (mastectomia e/ou salpingo-oforectomia) para redução de risco, dentro de um rigoroso acompanhamento por equipe multidisciplinar, incluindo aconselhamento genético e consentimento informado.

A mamografia é o exame de imagem mais importante na detecção precoce do câncer de mama (ver Capítulo Rastreamento de Adultos para Tratamento Preventivo). Diante da constatação de massas palpáveis na mama no exame físico, a mamografia deve ser executada como exame complementar, não restando dúvidas sobre o benefício do exame nessas situações. No entanto, não há consenso quanto à periodicidade e ao período em que a mulher deve ser submetida ao rastreamento. No Brasil, a estratégia de controle do câncer de mama está definida em documento elaborado pelo Instituto Nacional de Câncer (Inca) em parceria com gestores do Sistema Único de Saúde (SUS), sociedades científicas e universidades.[1] Utiliza-se a classificação Bi-RADS para guiar a conduta (TABELA 121.1).[23] As mulheres com prótese de silicone devem ser rastreadas e avaliadas da mesma maneira que as demais.

Para mulheres consideradas de risco, com história familiar, conforme definido antes, os exames de imagem devem começar 10 anos antes da idade em que seu familiar mais jovem teve câncer de mama ou mesmo a partir dos 25 anos, por levar-se em conta a baixa acuidade da mamografia nesses casos.

### Hereditariedade e câncer de mama

As neoplasias malignas são caracterizadas por proliferação incontrolável de células anormais, que, na maioria das vezes, originam-se de uma única célula. O câncer é uma doença do genoma, resultante de um acúmulo de deficiências genéticas, hereditárias ou adquiridas, mediante uma série de insultos ambientais, como dieta, poluição, estresse, substâncias químicas carcinogênicas e radiação, entre outras.[11]

Estudos epidemiológicos indicam que os fatores ambientais são responsáveis por pelo menos 80% da incidência de câncer de mama, sugerindo uma menor participação da hereditariedade do que em outras doenças, como as cardíacas, psiquiátricas, reumáticas e autoimunes.[24] No entanto, identificar e definir os genes envolvidos na suscetibilidade do câncer de mama tem sido o objetivo de inúmeras instituições de pesquisa no mundo inteiro.

Cerca de 5 a 10% de todos os tumores de mama são hereditários, ou seja, causados por alteração genética herdada tanto do pai quanto da mãe, o que confere a seu portador um risco de câncer significativamente maior do que o da população em geral. Os primeiros genes identificados, *BRCA1* e *BRCA2*, estão localizados nos cromossomos 17 e 13, respectivamente, e são responsáveis, juntos, por 60% de todos os casos de câncer de mama hereditário. Cerca de 65% das mulheres com mutação em *BRCA1* podem desenvolver câncer de mama até os 80 anos de idade. Além disso, o risco de desenvolver câncer de ovário nessas mulheres também é significativamente maior e pode chegar a 40% aos 80 anos de

**TABELA 121.1** → Classificação Bi-RADS

| CATEGORIA | AVALIAÇÃO | CONDUTA |
| --- | --- | --- |
| 0 | Incompleta | Outras incidências de mamografia ou ultrassonografia são necessárias |
| 1 | Negativa (nada encontrado) | Rastreamento normal |
| 2 | Achados benignos | Rastreamento normal |
| 3 | Achados provavelmente benignos | Revisão em 6 meses (às vezes, indica-se biópsia) |
| 4 | Anomalias suspeitas<br>→ A: menor suspeita<br>→ B: média suspeita<br>→ C: maior suspeita | Biópsia deve ser considerada |
| 5 | Alta suspeita de malignidade | Necessita de esclarecimento definitivo |
| 6 | Já existe diagnóstico do câncer | |

Fonte: American College of Radiology.[23]

idade. Câncer de cólon e de próstata parecem ser mais frequentes em portadores(as) de mutações em *BRCA1*. O gene *BRCA2* pode estar relacionado com carcinoma de mama em homens, além de tumores de vias biliares, pâncreas, estômago e melanoma.[25]

História de câncer em familiares de 1º grau e presença de alguns fatores de risco específicos, como câncer de mama bilateral, história familiar de câncer de mama e ovário e câncer de mama em indivíduo do sexo masculino, são indicadores importantes de risco para o câncer de mama hereditário.

A identificação de indivíduos em risco para câncer hereditário é importante, porque medidas de rastreamento intensivo e intervenções preventivas (cirurgias profiláticas e quimioprofilaxia) têm-se mostrado eficazes em reduzir a incidência de câncer em portadores de mutação. Modelos de avaliação de risco, não só hereditário, estão sendo testados para que políticas públicas de saúde sejam propostas e implantadas. Mutações em outros genes também estão envolvidas com a hereditariedade do câncer de mama. Entre eles, estão: *TP53*, *PTEN*, *CDH*, *NBN*, *PALB2*, *CHEK2*, *NF1*, *BARD1* e *ATM*.

As chances de cura do câncer de mama e a possibilidade de preservar as mamas nunca foram tão grandes como atualmente. Para que isso aconteça – a cura do câncer e a não mutilação da mama –, é necessário mobilizar a sociedade para a importância da doença em um contexto de saúde pública, incluindo profissionais de saúde de todas as áreas.

## REFERÊNCIAS

1. Instituto Nacional de Câncer José de Alencar Gomes da Silva. Diretrizes para a detecção precoce do câncer de mama no Brasil. Rio de Janeiro: INCA; 2015.

2. Instituto Nacional de Câncer José Alencar Gomes da Silva, Organização Pan-Americana da Saúde. Distribuição proporcional do total de mortes por câncer, segundo localização primária do tumor, por sexo, localidade, por período selecionado [Internet]. Atlas on-line de mortalidade. Rio de Janeiro; 2014 [capturado em 14 fev. 2021]. Disponível em: https://mortalidade.inca.gov.br/MortalidadeWeb/pages/Modelo02/consultar.xhtml#panelResultado.

3. Bray F, Ferlay J, Soerjomataram I, Siegel RL, Torre LA, Jemal A. Global cancer statistics 2018: GLOBOCAN estimates of incidence and mortality worldwide for 36 cancers in 185 countries. CA Cancer J Clin. 2018;68(6):394–424.

4. Instituto Nacional de Câncer José de Alencar Gomes da Silva. Estimativa 2020 [Internet]. INCA – Instituto Nacional de Câncer. Rio de Janeiro; 2019 [capturado em 14 fev. 2021]. Disponível em: https://www.inca.gov.br/estimativa.

5. Mandelblatt JS, Cronin KA, Bailey S, Berry DA, de Koning HJ, Draisma G, et al. Effects of mammography screening under different screening schedules: model estimates of potential benefits and harms. Ann Intern Med. 2009;151(10):738–47.

6. National Cancer Institute. Breast Cancer Screening (PDQ®)–Health Professional Version [Internet]. Cancer types. 2021 [capturado em 14 fev. 2021]. Disponível em: https://www.cancer.gov/types/breast/hp/breast-screening-pdq.

7. Srivastava A, Mansel RE, Arvind N, Prasad K, Dhar A, Chabra A. Evidence-based management of Mastalgia: a meta-analysis of randomised trials. Breast Edinb Scotl. 2007;16(5):503–12.

8. Qureshi S, Sultan N. Topical nonsteroidal anti-inflammatory drugs versus oil of evening primrose in the treatment of mastalgia. Surg J R Coll Surg Edinb Irel. 2005;3(1):7–10.

9. Barrett ME, Heller MM, Fullerton Stone H, Murase JE. Dermatoses of the breast in lactation. Dermatol Ther. 2013;26(4):331–6.

10. World Health Organization. Global Cancer Observatory [Internet]. International Agency for Research on Cancer. Lyon; 2021 [capturado em 14 fev. 2021]. Disponível em: https://gco.iarc.fr/.

11. Caleffi M, Fentiman IS, Birkhead BG. Factors at presentation influencing the prognosis in breast cancer. Eur J Cancer Clin Oncol. 1989;25(1):51–6.

12. National Comprehensive Cancer Network. Genetic/familial high-risk assessment: breast, ovarian, and pancreatic [Internet]. Plymouth Meeting: NCCN; 2019 [capturado em 14 fev. 2021]. (Clinical Practice Guidelines in Oncology). Disponível em: https://www.nccn.org/professionals/physician_gls/default.aspx.

13. Zork NM, Komenaka IK, Pennington RE, Bowling MW, Norton LE, Clare SE, et al. The effect of dedicated breast surgeons on the short-term outcomes in breast cancer. Ann Surg. 2008;248(2):280–5.

14. Singletary SE, Allred C, Ashley P, Bassett LW, Berry D, Bland KI, et al. Revision of the American Joint Committee on Cancer staging system for breast cancer. J Clin Oncol Off J Am Soc Clin Oncol. 2002;20(17):3628–36.

15. Romond EH, Perez EA, Bryant J, Suman VJ, Geyer CE, Davidson NE, et al. Trastuzumab plus adjuvant chemotherapy for operable HER2-positive breast cancer. N Engl J Med. 2005;353(16):1673–84.

16. Piccart-Gebhart MJ, Procter M, Leyland-Jones B, Goldhirsch A, Untch M, Smith I, et al. Trastuzumab after adjuvant chemotherapy in HER2-positive breast cancer. N Engl J Med. 2005;353(16):1659–72.

17. Slamon D, Eiermann W, Robert N, Pienkowski T, Martin M, Rolski J, et al. Phase III randomized trial comparing doxorubicin and cyclophosphamide followed by docetaxel (AC→T) with doxorubicin and cyclophosphamide followed by docetaxel and trastuzumab (AC→TH) with docetaxel, carboplatin and trastuzumab (TCH) in Her2neu positive early breast cancer patients: BCIRG 006 study. Cancer Res. 2009;69(24 Supplement):62–62.

18. Joensuu H, Kellokumpu-Lehtinen P-L, Bono P, Alanko T, Kataja V, Asola R, et al. Adjuvant docetaxel or vinorelbine with or without trastuzumab for breast cancer. N Engl J Med. 2006;354(8):809–20.

19. Perez EA, Romond EH, Suman VJ, Jeong J-H, Davidson NE, Geyer CE, et al. Four-year follow-up of trastuzumab plus adjuvant chemotherapy for operable human epidermal growth factor receptor 2-positive breast cancer: joint analysis of data from NCCTG N9831 and NSABP B-31. J Clin Oncol Off J Am Soc Clin Oncol. 2011;29(25):3366–73.

20. American Society of Clinical Oncology. Breast cancer: statistics [Internet]. Cancer.Net. Alexandria; 2020 [capturado em 14 fev. 2021]. Disponível em: https://www.cancer.net/cancer-types/breast-cancer/statistics.

21. Liedke PER, Finkelstein DM, Szymonifka J, Barrios CH, Chavarri-Guerra Y, Bines J, et al. Outcomes of breast cancer in brazil related to health care coverage: a retrospective cohort study. Cancer Epidemiol Biomarkers Prev. 2014;23(1):126–33.

22. Nelson HD, Pappas M, Cantor A, Haney E, Holmes R. Risk assessment, genetic counseling, and genetic testing for BRCA-related cancer in women: updated evidence report and systematic review for the US Preventive Services Task Force. JAMA. 2019;322(7):666–85.

23. American College of Radiology. ACR BI-RADS® atlas, breast imaging reporting and data system. 5th ed. Reston: ACR; 2013.

24. Boyd NF. Nutrition and breast cancer. J Natl Cancer Inst. 1993;85(1):6–7.

25. Offit K. The common hereditary cancers. In: Offit K, organizador. Clinical cancer genetics: risk counseling and management. New York: Wiley-Liss; 1998. p. 66–156.

# Capítulo 122
## AMENORREIA

Helena von Eye Corleta
Helena Schmid

Alterações menstruais estão entre as causas mais comuns de consulta médica em mulheres. A amenorreia – ausência de menstruação – em mulheres jovens pode estar associada a situações fisiológicas ou ao uso de medicações ou ser a manifestação de doenças físicas e/ou psicológicas. Investigar sua etiologia é importante para instituir a terapêutica adequada e prevenir complicações no longo prazo.

O objetivo deste capítulo é oferecer abordagens diagnósticas e terapêuticas simplificadas das amenorreias, utilizando recursos disponíveis na atenção primária à saúde (APS). Em alguns casos, são necessários exames mais detalhados e assistência de especialistas focais (ginecologista, endocrinologista, psiquiatra, neurocirurgião).

## DEFINIÇÕES

Amenorreia primária é a ausência da menstruação em meninas que nunca apresentaram fluxo menstrual espontâneo. Deve ser investigada após os 14 anos de idade em adolescentes sem desenvolvimento de caracteres sexuais secundários (pelos pubianos, mamas) e sempre após os 16 anos.

Amenorreia secundária é a ausência de menstruação por três ciclos em mulheres que já apresentaram fluxo menstrual espontâneo.

Quanto à etiologia, as amenorreias são classificadas de acordo com o setor do eixo hipotálamo-hipófise-gônada comprometido (TABELA 122.1). Entretanto, para melhor investigação e tratamento, sugere-se distinguir as mulheres com amenorreia primária daquelas com amenorreia secundária, conforme os fluxogramas das FIGURAS 122.1 e 122.2, respectivamente.

## INVESTIGAÇÃO

A investigação das amenorreias inicia com anamnese e exame clínico e ginecológico completos, o que muitas vezes é suficiente para esclarecer o diagnóstico etiológico. A TABELA 122.2 contempla os principais aspectos clínicos que devem ser observados nas mulheres com amenorreia. Se a história e o exame físico oferecerem poucas pistas diagnósticas, são necessários exames laboratoriais e de imagem. A gestação deve sempre ser lembrada no diagnóstico diferencial das amenorreias.

### Amenorreia primária

Observa-se inicialmente a presença ou ausência de caracteres sexuais secundários (mamas e pelos pubianos). Quando os caracteres sexuais estiverem presentes ao exame ginecológico, avalia-se a permeabilidade himenal e a presença de septos vaginais e de útero. Caso o diagnóstico clínico não seja possível, valores alterados de hormônio folículo-estimulante (FSH, do inglês *follicle-stimulating hormone*) indicam a origem do problema: ovariano (FSH elevado) ou central (FSH diminuído).[1,2]

Quando os níveis de FSH e hormônio luteinizante (LH, do inglês *luteinizing hormone*) são normais, aumenta a probabilidade de ocorrência da síndrome de Rokitansky-Küster-Hauser (agenesia uterina) e da insensibilidade periférica aos androgênios (síndrome de Morris).[1,3]

A síndrome de Rokitansky-Küster-Hauser ocorre por defeito no desenvolvimento dos ductos de Müller (paramesonéfricos), formando-se apenas o terço inferior da vagina, proveniente do seio urogenital, não havendo a formação do útero. A profundidade vaginal é geralmente menor do que 3 cm. Malformações do trato urogenital, como agenesia renal (15% dos casos) e duplicidade ureteral (40%), são comuns, estando indicada ultrassonografia (US) do aparelho urinário. As mulheres com vida sexual ativa e queixa de dispareunia, ou que vão iniciar as relações, podem ser submetidas à ampliação vaginal, procedimento realizado pelo ginecologista. Como essas mulheres têm ovários funcionantes, não está indicada a reposição hormonal.[3]

O diagnóstico diferencial da síndrome de Rokitansky é a insensibilidade periférica aos androgênios (síndrome de

### TABELA 122.1 → Causas de amenorreia

| | |
|---|---|
| **Fisiológica** | → Gravidez, amamentação, menopausa |
| **Não fisiológica** | |
| Hipotalâmica | → Disfuncional: estresse, exercício físico, perda de peso, dieta, má nutrição, anorexia nervosa, bulimia, pseudociese |
| | → Congênita:* síndrome de Kallmann, hipogonadismo hipogonadotrófico idiopático |
| | → Infecciosa: tuberculose, sífilis, meningite, sarcoidose |
| | → Tumores: craniofaringioma, hamartoma, tumor de seio endodérmico |
| Hipofisária | → Tumores: prolactinoma, adenoma, craniofaringioma, tumores funcionantes (secretores de ACTH, TSH, GH) |
| | → Infarto: síndrome de Sheehan |
| | → Outras: após radioterapia e cirurgias do SNC |
| Ovariana | → Disgenesia gonadal* |
| | → Falência ovariana precoce (autoimune, idiopática, radioterapia e quimioterapia) |
| | → Síndrome do ovário resistente* |
| | → Quimioterapia/radioterapia e cirurgia ovariana |
| Uterovaginal | → Agenesia uterina* |
| | → Feminização testicular* |
| | → Hímen imperfurado* |
| | → Septos vaginais e malformações uterovaginais* |
| | → Síndrome de Asherman |
| | → Radioterapia pélvica |
| Extrínseca ao eixo hipotálamo-hipófise-gônada | → Tireoidopatias |
| | → Doenças da glândula suprarrenal |
| | → Doença sistêmica grave |
| Multifatoriais | → Síndrome dos ovários policísticos |

*Frequentemente se manifestam como amenorreia primária.
ACTH, hormônio adrenocorticotrófico; GH, hormônio do crescimento; SNC, sistema nervoso central; TSH, hormônio estimulante da tireoide.

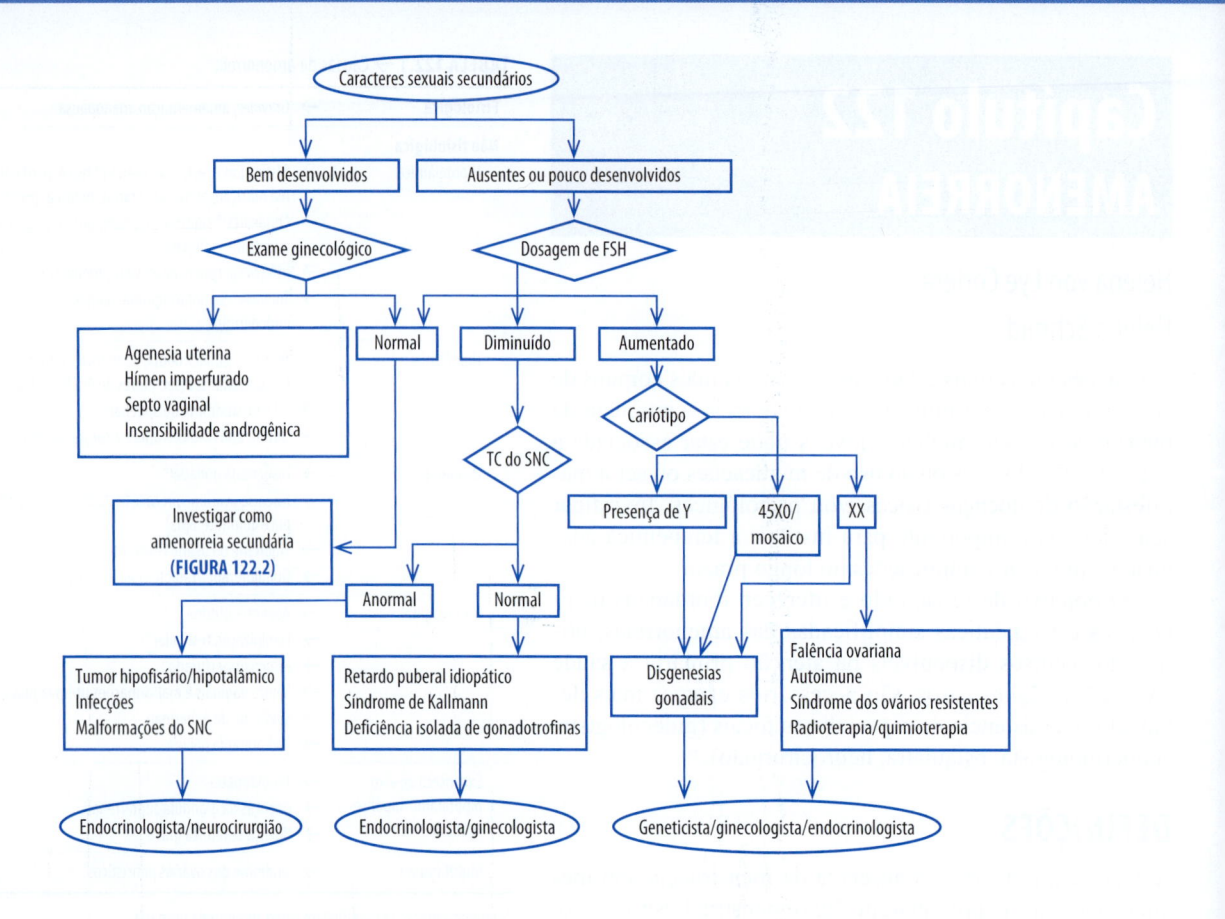

**FIGURA 122.1** → Fluxograma para investigação da mulher com amenorreia primária.
FSH, hormônio folículo-estimulante; SNC, sistema nervoso central; TC, tomografia computadorizada.

**TABELA 122.2** → Anamnese e exames clínico e ginecológico nas mulheres com amenorreia

| AMENORREIA PRIMÁRIA | | AMENORREIA SECUNDÁRIA |
|---|---|---|
| **ANAMNESE** | **EXAME CLÍNICO E GINECOLÓGICO** | **ANAMNESE** |
| → Cronologia do desenvolvimento dos caracteres secundários (mamas, pelos axilares/suprapúbicos)<br>→ Paciente com olfato preservado<br>→ História de dor cíclica em baixo-ventre<br>→ História de traumatismos cranianos, internações em unidade de terapia intensiva, prematuridade extrema<br>→ Dificuldade nas relações sexuais (dificuldade de penetração)<br>→ Idade da menarca nas familiares<br>→ Cirurgias prévias (herniorrafia inguinal)<br>→ Quimioterapia ou radioterapia | → Altura e peso<br>→ Presença e graduação do desenvolvimento dos caracteres sexuais (pelos e mamas)<br>→ Grau de estrogenização (distribuição de gordura, trofismo do aparelho genital)<br>→ Desenvolvimento neuropsicomotor<br>→ Estigmas da síndrome de Turner (baixa estatura, pescoço alado, metacarpos curtos, palato ogival, cúbito e geno valgos, implantação baixa de orelhas e cabelos, tórax em barril)<br>→ Manchas na pele (café com leite)<br>→ Palpação abdominal e da região inguinal<br>→ Sinais de virilização da genitália<br>→ Hímen<br>→ Vaginometria, identificação de septos transversos e longitudinais<br>→ Toque bimanual (útero, anexos) | → Sinais e sintomas de gestação inicial (aumento da frequência urinária, mastalgia, náuseas)<br>→ Antecedentes obstétricos<br>→ Abortos, curetagens, endometrites, sangramento pós-parto<br>→ Padrão de sangramento vaginal prévio<br>→ Uso de medicações (causa mais comum de hiperprolactinemia)<br>→ Sintomas de hipoestrogenismo (fogachos, dispareunia)<br>→ Presença de galactorreia<br>→ Alterações visuais e cefaleia<br>→ Aumento ou diminuição acentuada do peso<br>→ Acne, hirsutismo, oleosidade da pele<br>→ História de radioterapia ou quimioterapia<br>→ Cirurgias ginecológicas prévias<br>→ Presença de doenças sistêmicas crônicas associadas (insuficiência renal, hepatopatia crônica)<br>→ Idade da menopausa nas familiares |

Morris). Nesta, a genitália externa feminina é normal, a vagina é rudimentar, não há útero, e até 50% apresentam hérnia inguinal. Os níveis de testosterona assemelham-se aos de homens normais, e o cariótipo é 46XY. Portadoras dessa síndrome rara apresentam testículos fora do seu sítio habitual, no canal inguinal ou intra-abdominal.[1] Após a puberdade, está indicada a orquiectomia (encaminhar ao ginecologista), pelo risco de malignização do testículo fora de seu local habitual (rara antes dos 25 anos).[1,4] Esses indivíduos têm fenótipo sexual feminino e, por isso, após a orquiectomia, se a paciente desejar, indica-se reposição hormonal com estrogênios. A cirurgia de ampliação da vagina (neovagina) está

Seção X → Atenção à Saúde da Mulher | 1325

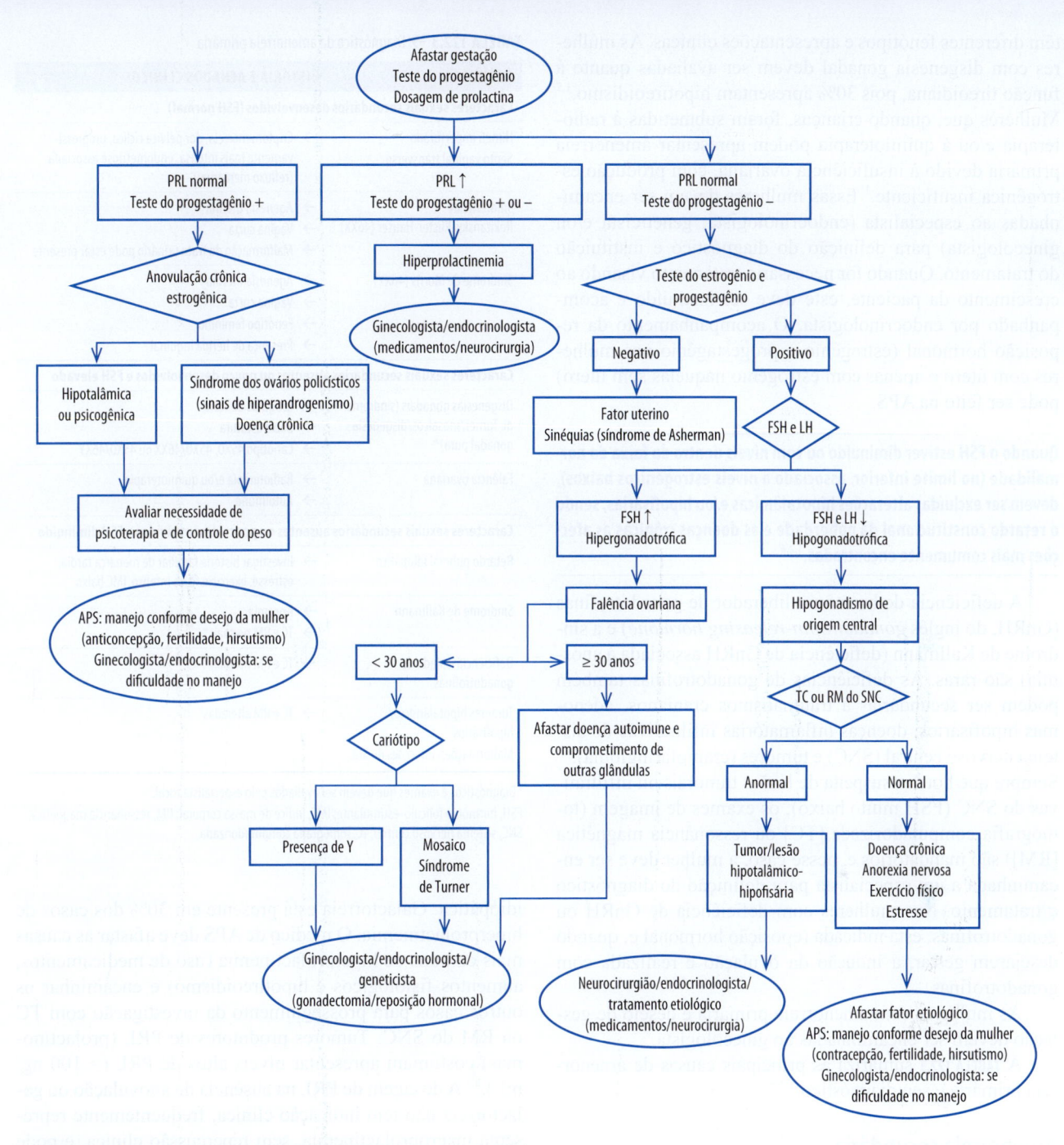

**FIGURA 122.2** → Fluxograma para investigação da mulher com amenorreia secundária.
APS, atenção primária à saúde; FSH, hormônio folículo-estimulante; LH, hormônio luteinizante; PRL, prolactina; RM, ressonância magnética; SNC, sistema nervoso central; TC, tomografia computadorizada.

indicada quando houver queixa de dispareunia. Cirurgia e reposição hormonal para o acompanhamento do crescimento e desenvolvimento dos caracteres secundários devem ser realizadas por ginecologista/endocrinologista.[1,3,4]

Nas mulheres com caracteres secundários ausentes ou pouco desenvolvidos, a dosagem de FSH norteia a investigação.[1,2]

Quando o FSH estiver aumentado, a causa é ovariana – metade das amenorreias primárias corresponde à disgenesia gonadal.[1,2] Nesse grupo, a solicitação de cariótipo é imperativa, pois, sempre que houver a presença do cromossomo Y, deve ser realizada a gonadectomia, pelo risco de malignização da gônada disgenética.[1,4]

A síndrome de Turner com cariótipo 45X0 é a disgenesia mais comum.[1,2,5] Pessoas com outros cariótipos (mosaicos) têm diferentes fenótipos e apresentações clínicas. As mulheres com disgenesia gonadal devem ser avaliadas quanto à função tireoidiana, pois 30% apresentam hipotireoidismo.[1,2] Mulheres que, quando crianças, foram submetidas à radioterapia e/ou à quimioterapia podem apresentar amenorreia primária devido à insuficiência ovariana, com produção estrogênica insuficiente.[1] Essas mulheres devem ser encaminhadas ao especialista (endocrinologista, geneticista e/ou ginecologista) para definição do diagnóstico e instituição do tratamento. Quando for necessário tratamento visando ao crescimento da paciente, este deve ser instituído e acompanhado por endocrinologista. O acompanhamento da reposição hormonal (estrogênio e progestagênio nas mulheres com útero e apenas com estrogênio naquelas sem útero) pode ser feito na APS.

> Quando o FSH estiver diminuído ou com níveis dentro da faixa da normalidade (no limite inferior, associado a níveis estrogênicos baixos), devem ser excluídas alterações hipotalâmicas e/ou hipofisárias, sendo o retardo constitucional da puberdade e as doenças crônicas as afecções mais comumente encontradas.[1,2,6]

A deficiência de hormônio liberador de gonadotrofinas (GnRH, do inglês *gonadotropin-releasing hormone*) e a síndrome de Kallmann (deficiência de GnRH associada à anosmia) são raras. As deficiências de gonadotrofinas também podem ser secundárias a traumatismos cranianos, adenomas hipofisários, doenças inflamatórias infiltrativas do sistema nervoso central (SNC) e tumores (craniofaringioma).[1,3] Sempre que houver suspeita de lesões tumorais ou infiltrativas do SNC (FSH muito baixo), os exames de imagem (tomografia computadorizada [TC] ou ressonância magnética [RM]) são mandatórios e, nesse caso, a mulher deve ser encaminhada a um especialista para definição do diagnóstico e tratamento. Nas mulheres com deficiência de GnRH ou gonadotrofinas, está indicada reposição hormonal e, quando desejarem gestar, a indução da ovulação é realizada com gonadotrofinas.

As mulheres com amenorreia primária e desejo de gestação devem ser encaminhadas ao ginecologista.

A **TABELA 122.3** sumariza as principais causas de amenorreia primária e seu diagnóstico.[1,2,5]

## Amenorreia secundária

> A gestação é a causa mais frequente de amenorreia secundária, devendo sempre ser excluída.

Após, procede-se à dosagem de prolactina (PRL) e ao teste do progestagênio[5] **(FIGURA 122.3)**. A Organização Mundial da Saúde (OMS) classifica as amenorreias (anovulações) em tipo 1 (hipogonadotrófica [LH e FSH baixos]); tipo 2 (normogonadotrófica [FSH e LH normais]); e tipo 3 (hipergonadotrófica [LH e FSH elevados]), além da hiperprolactinemia **(TABELA 122.4)**.[5]

Se a PRL estiver elevada, a etiologia desse aumento deve ser esclarecida: fisiológica, secundária ao uso de medicamentos e outras substâncias, hipotireoidismo, tumores ou idiopática. Galactorreia está presente em 30% dos casos de hiperprolactinemia. O médico de APS deve afastar as causas mais comuns de hiperprolactinemia (uso de medicamentos, aumentos fisiológicos e hipotireoidismo) e encaminhar os outros casos para prosseguimento da investigação com TC ou RM do SNC. Tumores produtores de PRL (prolactinomas) costumam apresentar níveis altos de PRL (> 100 ng/mL).[6,7] A dosagem de PRL na ausência de anovulação ou galactorreia não tem indicação clínica, frequentemente representa macroprolactinemia, sem repercussão clínica, e pode gerar exames subsidiários desnecessários.[7]

**TABELA 122.3** → Diagnóstico da amenorreia primária

| DOENÇA | HISTÓRIA E ACHADOS CLÍNICOS |
| --- | --- |
| **Caracteres sexuais secundários desenvolvidos (FSH normal)** | |
| Hímen imperfurado Septo vaginal transverso | → Criptomenorreia, dor pélvica cíclica, progressivamente mais intensa, endometriose associada (refluxo menstrual) |
| Síndrome de Rokitansky-Küster-Hauser (46XX) | → Agenesia uterina<br>→ Vagina curta<br>→ Malformação do trato urinário pode estar presente |
| Síndrome de Morris (46XY) | → Agenesia uterina<br>→ Vagina curta<br>→ Fenótipo feminino<br>→ Presença de hérnia inguinal |
| **Caracteres sexuais secundários ausentes ou pouco desenvolvidos e FSH elevado** | |
| Disgenesias gonadais (síndrome de Turner/mosaicos/disgenesia gonadal pura)* | → Estigmas de Turner<br>→ Baixa estatura<br>→ Cariótipo 45X0, 45X0/46XX ou 45X0/46XY |
| Falência ovariana | → Radioterapia e/ou quimioterapia<br>→ Autoimune |
| **Caracteres sexuais secundários ausentes ou pouco desenvolvidos e FSH diminuído** | |
| Retardo puberal idiopático | → Investigar história familiar de menarca tardia, estresse, exercício físico intenso, IMC baixo |
| Síndrome de Kallmann | → Anosmia<br>→ TC e RM normais* |
| Deficiência isolada de gonadotrofinas | → TC e RM normais* |
| Tumores hipotalâmicos/hipofisários Malformações/infecções do SNC | → TC e RM alteradas* |

*Diagnósticos e exames que devem ser avaliados pelo especialista focal.
FSH, hormônio folículo-estimulante; IMC, índice de massa corporal; RM, ressonância magnética; SNC, sistema nervoso central; TC, tomografia computadorizada.

```
                    Teste do progestagênio
                    /                    \
   Positivo = com sangramento     Negativo = sem sangramento
     Bom nível estrogênico          Baixo nível estrogênico
                                           |
                              Teste do estrogênio + progestagênio
                              /                              \
            Negativo = sem sangramento         Positivo = com sangramento
         Obstrução do trato genital/endométrio      Insuficiência estrogênica
                  não responsivo
```

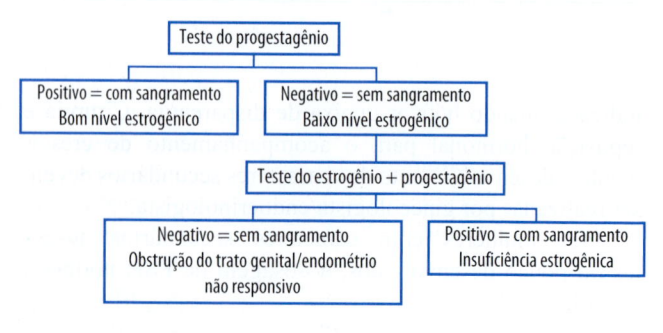

**FIGURA 122.3** → Fluxo dos testes do progestagênio e do estrogênio + progestagênio.

**TABELA 122.4** → Orientações para realização dos testes do progestagênio e do estrogênio + progestagênio

| Teste do progestagênio | → Utiliza-se didrogesterona (10 mg/dia) ou progesterona natural (200 mg/dia) durante 5-10 dias por via oral<br>→ O teste avalia indiretamente a estrogenização da paciente, podendo apresentar falsos-positivos e falsos-negativos<br>→ A paciente com secreção estrogênica tem proliferação endometrial, de modo que, ao administrar progestagênio por alguns dias, haverá sangramento por deprivação hormonal 3-10 dias após o término do medicamento |
|---|---|
| Teste do estrogênio + progestagênio | → Utilizam-se estrogênios conjugados 1,25 mg/dia durante 21 dias, associando-se didrogesterona (10 mg/dia) ou progesterona natural (200 mg/dia) nos últimos 10 dias<br>→ Está indicado quando o teste do progestagênio for negativo<br>→ A utilização de estrogênio seguida de progestagênio de forma cíclica determina sangramento por supressão, caso o endométrio seja adequadamente responsivo e não exista obstrução do trato genital |

A quantidade de estrogênios endógenos e a permeabilidade do trato genital podem ser avaliadas com o teste do progestagênio. Um teste do progestagênio positivo é indicativo de doença de menor gravidade, pois, nesses casos, em geral os níveis de estrogênios e gonadotrofinas estão dentro da normalidade para a menacme (tipo 2 da OMS); é a alteração na pulsatilidade das gonadotrofinas que leva à anovulação ou à amenorreia. O teste do progestagênio apresenta taxas não desprezíveis de falso-positivo (20%) e falso-negativo (40%).[5] Nessas mulheres, devem-se observar características de hiperandrogenismo (hirsutismo, acne, pele oleosa), compatíveis com a síndrome dos ovários policísticos (SOP).

> A SOP é a causa mais comum de amenorreia secundária, excluída a gestação. Os critérios diagnósticos da SOP são muito discutidos. No entanto, segundo o último consenso, para seu diagnóstico deve haver pelo menos 2 de 3 critérios: hiperandrogenismo clínico ou bioquímico, ciclos irregulares (anovulação) ou ovários de característica policística à US.[7]

A escala de Ferriman-Gallwey pode ser uma ferramenta auxiliar para identificar hiperandrogenismo, quantificando o hirsutismo (ver QR code).

As mulheres que não preenchem os critérios para o diagnóstico de SOP provavelmente têm anovulação psicogênica, com alteração da pulsatilidade da secreção de GnRH. Essas situações costumam ser passageiras; entretanto, a amenorreia pode ser a manifestação inicial de problemas como perda excessiva de peso ou problemas psicológicos graves, levando, por vezes, à amenorreia hipoestrogênica e hipogonadotrófica.[2,6,8] Quando o fator etiológico das amenorreias psicogênicas é afastado, a menstruação torna-se regular. Mulheres com amenorreia psicogênica e/ou SOP que não desejam engravidar devem fazer uso de método contraceptivo (contraceptivos orais combinados, se não houver contraindicação). (Ver Capítulo Planejamento Reprodutivo.)

> A SOP merece atenção especial do médico de APS, devendo ser encarada como uma doença sistêmica, principalmente nas mulheres com sobrepeso e obesas.[7,9]

A síndrome é multifatorial e, além do hiperandrogenismo e da anovulação, está associada a distúrbios metabólicos como obesidade (50%), resistência à insulina (50%), diabetes melito, hipertensão, dislipidemia e eventos isquêmicos cerebrais.[10] As mulheres obesas devem ser orientadas quanto ao maior risco de doença cardiovascular, e medidas educacionais devem ser instituídas (redução de peso, cessação do tabagismo, exercício físico regular), além de rastreamento para diabetes, hipertensão e dislipidemia.[2,7,9]

O tratamento da anovulação/amenorreia depende do desejo da mulher de engravidar ou não. Se ela deseja gestar, é importante, além da diminuição do peso, o encaminhamento ao ginecologista para indução da ovulação. As mulheres que não desejam ou não pretendem engravidar podem fazer uso de contraceptivos orais. Estes inibem a secreção de LH hipofisário, diminuindo o estímulo para a produção de androgênios ovarianos, e aumentam a síntese da proteína carreadora de hormônios sexuais, reduzindo a testosterona livre e, consequentemente, os efeitos androgênicos. Esse é o tratamento da maioria das mulheres com SOP que não desejam engravidar e não têm contraindicação ao uso de contracepção oral.[2,7] Caso haja necessidade de outros medicamentos (fármacos antiandrogênicos, sensibilizadores da insulina), é recomendado o encaminhamento para especialista, mantendo o acompanhamento na APS.

Nas mulheres que não apresentam sangramento após uso de progestagênio, realiza-se o teste do estrogênio e progestagênio de forma cíclica (**FIGURA 122.3** e **TABELA 122.5**).

Se não ocorrer sangramento por supressão, a causa provável da amenorreia secundária é uterina (provavelmente sinéquias). Nesses casos, em geral, existe história de cirurgia uterina, abortamento, endometrite ou histeroscopia. Essas doenças, assim como a SOP, também pertencem ao grupo 2 de causas de amenorreia secundária da OMS, com gonadotrofinas e função ovariana normais, estando o problema no útero ou na vagina (ver **TABELA 122.4**).[1,2]

Nas mulheres que sangram após o uso de estrogênio e progestagênio, fica confirmada a permeabilidade do trato genital e o hipoestrogenismo, fazendo-se necessárias dosagens de gonadotrofinas. Quando o FSH está elevado (hipogonadismo hipergonadotrófico – tipo 3 da OMS), trata-se de falência ovariana.[1,11] Nesses casos, devem ser investigadas história pregressa de irradiação, quimioterapia, castração (química ou cirúrgica) e história familiar de falência ovariana (idade em que ocorreu a menopausa da mãe e das irmãs). Entre 20 e 40% das mulheres com diagnóstico de falência ovariana precoce desenvolvem outras doenças autoimunes associadas, motivo pelo qual devem ser encaminhadas ao endocrinologista para diagnóstico de comprometimento de outras glândulas.[9] Mulheres com idade < 30 anos, sem história de procedimentos que resultem em falência ovariana, devem realizar cariótipo para excluir a possibilidade de disgenesia gonadal.[2,5] O tratamento da falência ovariana precoce,

**TABELA 122.5** → Causas de amenorreia secundária, segundo classificação da Organização Mundial da Saúde, e seu diagnóstico

| CAUSAS | ETIOLOGIA | DIAGNÓSTICO |
|---|---|---|
| Hiperprolactinemia | Fisiológica Amamentação/estímulo mamilar e mamário | Anamnese |
| | Hipotireoidismo | Sintomas de hipotireoidismo, TSH |
| | Medicamentos e substâncias (contraceptivos orais, antipsicóticos, antidepressivos, anti-hipertensivos, bloqueadores $H_2$, opiáceos, cocaína) | Anamnese |
| | Alterações metabólicas (insuficiência hepática, insuficiência renal) | Anamnese, exames complementares |
| | Produção ectópica (câncer broncogênico, gonadoblastoma, cisto ovariano dermoide, teratoma, carcinoma de células renais) | Anamnese, exames complementares |
| | Outras (síndrome da sela vazia, prolactinoma, outros adenomas hipofisários) | TC ou RM do SNC |
| Tipo 1 Hipogonadotrófica (FSH diminuído) | Perda de peso excessiva (anorexia nervosa/bulimia, exercício físico intenso) | Anamnese, exame físico |
| | Tumor do SNC (craniofaringioma, adenomas secretores ou não, hamartomas) | Anamnese, TC ou RM do SNC |
| | Infarto hipofisário (síndrome de Sheehan) | Anamnese |
| | Doenças crônicas (diabetes melito, doença hepática, insuficiência renal, imunodeficiência, doença inflamatória intestinal, tireoidopatia, depressão grave) | Anamnese |
| Tipo 2 Normogonadotrófica (FSH e LH normais) | Síndrome de Asherman/sinéquias uterinas, abortamento, curetagem, endometrite, radioterapia da pelve | Anamnese, histerossalpingografia |
| | Anovulação hiperandrogênica (síndrome dos ovários policísticos,* doença de Cushing, tumor ovariano ou suprarrenal, hiperplasia suprarrenal congênita, administração exógena de androgênios) | Anamnese, exame físico (presença de hiperandrogenismo) |
| Tipo 3 Hipergonadotrófica (FSH elevado) | Falência ovariana prematura (menopausa precoce, autoimune, quimio/radioterápica, genética, cirurgia ovariana, idiopática) | Anamnese |

*A síndrome dos ovários policísticos corresponde a mais de 90%.
FSH, hormônio folículo-estimulante; LH, hormônio luteinizante; RM, ressonância magnética; SNC, sistema nervoso central; TC, tomografia computadorizada; TSH, hormônio estimulante da tireoide.

que pode ser realizado na APS com estrogênio e progesterona (ver Capítulo Climatério), é baseado na reposição hormonal, podendo restabelecer as menstruações **D**.[11] Caso a mulher tenha intenção de engravidar, ela deve ser encaminhada ao ginecologista especialista em reprodução humana.[1,2]

Um FSH baixo (hipogonadismo hipogonadotrófico – tipo 1 da OMS) indica alteração hipofisária ou hipotalâmica.[6,8] Embora a maioria dessas doenças possa ser diagnosticada pela história e pelo exame físico (doença crônica debilitante, anorexia nervosa/bulimia, estresse importante, exercício físico em excesso, desnutrição), alguns tumores do SNC (prolactinomas, tumores hipofisários secretores de hormônio, craniofaringioma, germinoma, hamartoma, teratomas e carcinomas metastáticos) devem ser excluídos, havendo necessidade de exames de imagem, como TC e/ou RM. Para isso, devem ser encaminhadas para serviço especializado. Infecções (tuberculose, sífilis, encefalite/meningite), aneurismas, síndrome da sela vazia, aneurisma arterial, síndrome de Sheehan, pan-hipopituitarismo e doenças inflamatórias/infiltrativas (sarcoidose, hemocromatose) também ocasionam amenorreia hipogonadotrófica. O tratamento é realizado de acordo com a etiologia.[1,2,6]

## ENCAMINHAMENTO

As mulheres com amenorreia devem ser referenciadas para serviço especializado nas seguintes situações:
→ história de exposição à radioterapia e/ou à quimioterapia no passado;
→ suspeita de lesões tumorais ou infiltrativas do SNC;
→ falência ovariana;
→ disgenesia gonadal;
→ desejo de gestação;
→ dificuldade de manejo pelo médico na APS.

## CONSEQUÊNCIAS DA AMENORREIA

A ausência de desenvolvimento dos caracteres sexuais secundários e de menstruação resulta em considerável ansiedade para as meninas e seus pais, com consequências emocionais e comportamentais. O trauma associado a diagnósticos como síndrome de Turner, disgenesia gonadal, feminização testicular, agenesia uterina ou malformações genitais requer, muitas vezes, acompanhamento psicológico especializado. Nas mulheres adultas, a amenorreia pode ser causa e consequência de problemas psicológicos que incluem ansiedade e problemas relacionados com autoimagem e autoestima, sobretudo se existe o desejo de gestação.[1,3]

As amenorreias associadas a baixos níveis de estrogênio crônicos provocam distúrbios no metabolismo ósseo, determinando maior reabsorção óssea, aumento da excreção renal de cálcio e hiperparatireoidismo secundário. Em mulheres jovens com oligomenorreia ou amenorreia crônicas, pode haver osteopenia e maior risco de osteoporose,[2,8] mas não há nenhum estudo que sugira maior risco de fratura em mulheres com falência ovariana primária.[2] Existem estudos avaliando o risco de doença cardiovascular em mulheres jovens com amenorreia hipoestrogênica, tendo sido encontradas discretas alterações nas lipoproteínas (aumento de triglicerídeos e discreta diminuição de colesterol HDL [do inglês *high-density lipoprotein* – lipoproteína de alta densidade]).

A associação entre SOP e múltiplos fatores de risco para doença cardiovascular já está bem estabelecida.[7] Além disso, a estimulação crônica do endométrio sem a oposição da progesterona (comum nessa síndrome) pode resultar em hiperplasia endometrial, aumentando o risco de adenocarcinoma de endométrio.[7]

## MANEJO

O manejo das amenorreias tem como metas: (1) estabelecer o diagnóstico etiológico e, se possível, tratá-lo; (2) restabelecer a ocorrência dos fluxos menstruais; (3) tratar a infertilidade; (4) evitar a perda de massa óssea e baixa estatura; e (5) identificar a presença de fatores de risco cardiovasculares.

## Restabelecimento da menstruação

Na SOP, a perda de peso deve ser incentivada, pois essa medida, isoladamente, pode restabelecer a ovulação **B**.[12] Os fármacos que alteram a sensibilidade dos tecidos à insulina, como a metformina, são utilizados tanto para tratar os efeitos metabólicos da SOP quanto para induzir a ovulação, com bons resultados.[9,13]

Quando o retorno à fertilidade não for o objetivo do tratamento da amenorreia, o uso de estrogênio e progestagênio (anticoncepcionais) melhora o hiperandrogenismo **C/D**.[1,2,7,14] Mulheres com útero que não necessitam de anticoncepção podem usar progestagênio na segunda fase, visando ao sangramento menstrual. O uso cíclico de progestagênio resulta em sangramento por supressão, protegendo o endométrio da hiperplasia, no entanto não melhora a acne e o hirsutismo.[7]

As mulheres com amenorreia hipotalâmica devem modificar os hábitos alimentares e/ou a intensidade de exercícios físicos, pois o tratamento do fator etiológico deve ser suficiente para o retorno das menstruações **C/D**. O apoio psicológico, em especial a terapia cognitivo-comportamental, pode ser benéfico **C/D**. O padrão menstrual pode demorar alguns meses para tornar-se regular, representando o retorno à fertilidade. Se não houver retorno das menstruações em 6 meses ou não houver expectativas para isso, recomenda-se reposição hormonal, para prevenir hiperplasia endometrial e consequências do hipo ou hiperestrogenismo **C/D**.[1,6]

## Tratamento da infertilidade

O Capítulo Infertilidade aborda este assunto com mais detalhes.

Em geral, o tratamento da causa da amenorreia é suficiente para o retorno à fertilidade. Na amenorreia primária, a fertilidade muitas vezes não pode ser estabelecida. Na disgenesia gonadal, o tratamento se limita à indução da puberdade, posterior manutenção dos níveis estrogênicos e indução da menstruação (caso o útero seja intacto), com estrogênio e progestagênio de forma cíclica.[1,5,6] É importante encaminhar ao especialista quando o desenvolvimento mamário ainda não tiver ocorrido. Nesse caso, a reposição deve ser feita com estrogênio isolado, porque a progesterona iniciada precocemente altera o formato da mama (tubular).[3] A gestação em mulheres com falência ovariana só é possível com doação de óvulos.[5,11]

Nas amenorreias hipotalâmicas/hipofisárias, o uso de gonadotrofinas ou GnRH de forma pulsátil pode restaurar os ciclos ovulatórios.

Sempre que houver necessidade de indução da ovulação (citrato de clomifeno, inibidor da aromatase, gonadotrofinas ou *drilling*), a mulher deve ser encaminhada ao ginecologista.

Em mulheres com SOP, a indução da ovulação com o uso do antiestrogênio citrato de clomifeno é efetiva (NNT = 3-30).[7,9,15,16] Esse fármaco aumenta os níveis de FSH, promovendo recrutamento, seleção e dominância folicular. A associação do clomifeno com metformina pode conferir benefício adicional, aumentando as taxas de ovulação **B**.[16,17]

Uma metanálise recente trouxe resultados similares com utilização dos inibidores da aromatase para indução da ovulação na SOP.[11] Para as mulheres que não ovularem após o uso de citrato de clomifeno ou de inibidor da aromatase, deve-se tentar o uso de gonadotrofinas; porém, a mulher deve ser informada de que esse tratamento aumenta significativamente a incidência de gestação múltipla.[16] Outro tratamento de segunda linha é a cauterização ovariana (*drilling*).[16]

## Prevenção da perda de massa óssea e baixa estatura

A manutenção dos níveis normais de estrogênios ajuda a adquirir e preservar a massa óssea de mulheres jovens, além de tratar os sintomas de hipoestrogenismo. Amenorreias hipoestrogênicas por período > 12 meses diminuem significativamente a massa óssea, sendo recomendada a reposição estrogênica em mulheres com 6 meses ou mais de hipoestrogenismo.[1,6] Também é fundamental orientar dieta com níveis adequados de cálcio (mínimo de 1 g/dia), assim como exercício físico regular **C/D**.[1,18] (Ver Capítulo Osteoporose.)

Quando existe atraso puberal constitucional, a conduta pode ser expectante e, se houver intervenção, esta deve ser realizada por especialista. O estrogênio é responsável tanto pelo estirão do crescimento quanto pelo fechamento das epífises, de modo que acelerar a menarca diminui a altura final prevista para a menina de acordo com o seu padrão genético.[1,5,11] A baixa estatura relacionada com a síndrome de Turner deve ser tratada pelo endocrinologista (uso de hormônio do crescimento e suplementação estrogênica).

## Identificação da presença de fatores de risco cardiovascular

Nas mulheres com SOP, o médico de APS deve orientar sobre os fatores de risco cardiovascular (obesidade, tabagismo, hipertensão, resistência à insulina/diabetes, distribuição central de gordura, alteração dos lipídeos). Mulheres obesas com SOP devem ser avaliadas para síndrome metabólica e diabetes melito. O tratamento de hipertensão arterial, intolerância à glicose, diabetes melito e dislipidemia deve ser rotina no acompanhamento dessas mulheres, assim como o incentivo à perda de peso visando diminuir o risco cardiovascular.[7,15] Exercícios físicos regulares (30-60 minutos, 3-5 vezes/semana) e atividade física diária devem ser estimulados.[15]

A calculadora de risco cardiovascular da American Heart Association pode ser utilizada para auxiliar na tomada de decisão (ver QR code), e está disponível também para *smartphone* (pesquisar por ASCVD Risk Estimator Plus). (Ver Capítulo Prevenção Clínica das Doenças Cardiovasculares.)

Fármacos que alteram a sensibilidade dos tecidos à insulina (biguanidas e glitazonas) são utilizados tanto para tratar os efeitos metabólicos da SOP quanto para induzir a ovulação.[7] Entre eles, a metformina possui maior segurança e experiência de uso. A metformina promove melhora no padrão menstrual em mulheres com SOP e oligomenorreia (razão de chances [RC] = 1,72; NNT = 5-34) B.[13] Além disso, a metformina possui efeito benéfico na indução da ovulação (NNT = 10), porém inferior ao do clomifeno B.[13,16]

## REFERÊNCIAS

1. Marsh CA, Grimstad FW. Primary amenorrhea: diagnosis and management. Obstet Gynecol Surv. 2014;69(10):603–12.
2. Klein DA, Poth MA. Amenorrhea: an approach to diagnosis and management. Am Fam Physician. 2013;87(11):781–8.
3. Committee on Adolescent Health Care. ACOG Committee Opinion nº 728: Müllerian Agenesis: diagnosis, management, and treatment. Obstet Gynecol. 2018;131(1):e35–42.
4. Jorgensen PB, Kjartansdóttir KR, Fedder J. Care of women with XY karyotype: a clinical practice guideline. Fertil Steril. 2010;94(1):105–13.
5. Practice Committee of American Society for Reproductive Medicine. Current evaluation of amenorrhea. Fertil Steril. 2008;90(5 Suppl):S219-25.
6. Fourman LT, Fazeli PK. Neuroendocrine causes of amenorrhea--an update. J Clin Endocrinol Metab. 2015;100(3):812–24.
7. McCartney CR, Marshall JC. Clinical practice. Polycystic ovary syndrome. N Engl J Med. 2016;375(1):54–64.
8. Ackerman KE, Misra M. Amenorrhoea in adolescent female athletes. Lancet Child Adolesc Health. 2018;2(9):677–88.
9. Goodman NF, Cobin RH, Futterweit W, Glueck JS, Legro RS, Carmina E, et al. American Association of Clinical Endocrinologists, American College of Endocrinology, and Androgen Excess and PCOS Society Disease State Clinical Review: guide to the best practices in the evaluation and treatment of polycystic ovary syndrome – Part 2. Endocr Pract Off J Am Coll Endocrinol Am Assoc Clin Endocrinol. 2015;21(12):1415–26.
10. Zhou Y, Wang X, Jiang Y, Ma H, Chen L, Lai C, Peng C, He C, Sun C. Association between polycystic ovary syndrome and the risk of stroke and all-cause mortality: insights from a meta-analysis. Gynecol Endocrinol. 2017;33(12):904-910.
11. Kovanci E, Schutt AK. Premature ovarian failure: clinical presentation and treatment. Obstet Gynecol Clin North Am. 2015;42(1):153–61.
12. Teede H, Misso M, Costello M, Dokras A, Laven J, Moran L, et al. International evidence-based guideline for the assessment and management of polycystic ovary syndrome. Melbourne: Monash University; 2018 [capturado em 19 out. 2020]. Disponível em: https://www.monash.edu/__data/assets/pdf_file/0004/1412644/PCOS_Evidence--Based-Guidelines_20181009.pdf
13. Morley LC, Tang T, Yasmin E, Norman RJ, Balen AH. Insulin-sensitising drugs (metformin, rosiglitazone, pioglitazone, D-chiro-inositol) for women with polycystic ovary syndrome, oligo amenorrhoea and subfertility. Cochrane Database Syst Rev. 2017;11(11):CD003053.
14. Lizneva D, Gavrilova-Jordan L, Walker W, Azziz R. Androgen excess: Investigations and management. Best Pract Res Clin Obstet Gynaecol. 2016;37:98-118.
15. Franik S, Eltrop SM, Kremer JA, Kiesel L, Farquhar C. Aromatase inhibitors (letrozole) for subfertile women with polycystic ovary syndrome. Cochrane Database Syst Rev. 2018;5(5):CD010287.
16. Teede HJ, Misso ML, Costello MF, Dokras A, Laven J, Moran L, et al. Recommendations from the international evidence-based guideline for the assessment and management of polycystic ovary syndrome. Fertil Steril. 2018;110(3):364–79.
17. Wang R, Kim BV, van Wely M, Johnson NP, Costello MF, Zhang H, et al. Treatment strategies for women with WHO group II anovulation: systematic review and network meta-analysis. BMJ. 2017;356:j138.
18. European Society for Human Reproduction and Embryology (ESHRE) Guideline Group on POI, Webber L, Davies M, Anderson R, Bartlett J, Braat D, et al. ESHRE Guideline: management of women with premature ovarian insufficiency. Hum Reprod. 2016;31(5):926-37.

# Capítulo 123
# SANGRAMENTO UTERINO ANORMAL

Suzana Arenhart Pessini
Sibele Klitzke

Sangramento uterino anormal (SUA) é definido como sangramento excessivo ou que ocorre fora do padrão menstrual normal em relação a intervalo, duração e/ou quantidade de sangramento. Pode ocorrer sozinho ou acompanhado de outros sinais e sintomas, como dor pélvica e leucorreia.

A menstruação normal corresponde a uma perda de volume sanguíneo de 20 a 80 mL, em um período de 2 a 8 dias, em intervalos de 24 a 38 dias.[1] Na prática, entretanto, existe dificuldade em quantificar a perda menstrual de forma objetiva. Além disso, o volume é percebido de maneira subjetiva: 40% das mulheres com perda > 80 mL consideram suas menstruações escassas, ao passo que 14% das mulheres com perda < 20 mL as consideram excessivas. Quanto à duração, um fluxo de 7 dias é, por definição, normal; contudo, torna-se anormal se, na mesma mulher, os fluxos habituais eram de 3 dias. Sangue menstrual com coágulos, aumento do número de absorventes utilizados e anemia são sinais clínicos que auxiliam no diagnóstico do SUA.

O SUA é um dos motivos mais frequentes de consultas ginecológicas, sendo responsável por 20 a 33% dos atendimentos. Sua prevalência varia conforme a informação da medida da perda sanguínea, se subjetiva ou objetiva: subjetivamente, 30% das mulheres em idade reprodutiva apresentam SUA; objetivamente, a prevalência fica em torno de 10%.[1]

## TERMINOLOGIA

Em 2011, a International Federation of Gynecology and Obstetrics (Figo) redefiniu o conceito de SUA, atualizado em 2018, com base nas alterações de intervalo, duração e quantidade. Para isso, utilizou o acrônimo PALM-COEIN na definição das etiologias: **p**ólipo, **a**denomiose, **l**eiomioma (submucoso ou outros), **m**alignidade e hiperplasia do endométrio, **c**oagulopatias, disfunções **o**vulatórias, disfunções **e**ndometriais, causas **i**atrogênicas e causas ainda **n**ão classificadas. O PALM se refere às causas estruturais ou orgânicas (identificadas por exames de imagem e histopatológico), e o COEIN, às causas não estruturais[1,2] (FIGURA 123.1).

Ao avaliar se o padrão de menstruação de uma mulher é normal ou não, é importante considerar as mudanças de

| PALM | COEIN |
|---|---|
| Pólipo | Coagulopatia |
| Adenomiose | Ovulatória (disfunção) |
| Leiomioma (submucoso ou outros) | Endometrial |
| Malignidade e hiperplasia | Iatrogênica |
| | Não classificada |

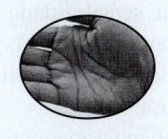

**FIGURA 123.1** → Classificação da International Federation of Gynecology and Obstetrics (Figo) segundo o acrônimo PALM-COEIN.
Fonte: Adaptada de Munro e colaboradores.[1,2]

ciclo menstrual esperadas nos extremos da vida reprodutiva feminina – adolescência e perimenopausa. Nessas fases, podem ocorrer ciclos irregulares e com quantidades não comuns de sangramento, devido à anovulação e à imaturidade do eixo hipotálamo-hipófise-ovário ou à diminuição na produção dos hormônios ovarianos, respectivamente.

Apesar de ser a principal manifestação do carcinoma genital, na maioria das vezes o sangramento não está associado a uma doença orgânica. A investigação e o tratamento do SUA dependem da idade e das condições gerais da mulher, dos dados de história e do exame físico, e dos achados de exames complementares.

Ao médico da atenção primária à saúde, cabe identificar a anormalidade do sangramento e realizar a investigação inicial, o que permite dar o devido encaminhamento à situação.

O tipo de alteração do padrão menstrual é classificado quanto à frequência, à duração e ao volume **(TABELA 123.1)**. O sangramento associado ao uso de hormônios, principalmente anticoncepcionais hormonais, em geral é escasso e denominado sangramento de escape. O sangramento que ocorre durante ou após penetração vaginal é chamado de sinusorragia.

**TABELA 123.1** → Classificação do sangramento quanto ao ciclo

| CICLO | TERMO | VALORES DE REFERÊNCIA | TERMINOLOGIA |
|---|---|---|---|
| Frequência (dias) | Frequente | < 24 | Sangramento menstrual frequente |
| | **Normal** | **24-38** | – |
| | Infrequente | > 38 | Sangramento menstrual infrequente |
| | Ausente | | Amenorreia |
| Duração (dias) | **Normal** | **≤ 8** | – |
| | Prolongado | > 8 | Sangramento menstrual prolongado |
| Regularidade (dias) | Irregular | Variação > 8-10 | |
| Volume (mL) (determinado pela paciente) | Excessivo | determinado pela paciente | Sangramento menstrual excessivo* |

*Perda menstrual excessiva que interfere na qualidade de vida nos âmbitos físico, emocional, social ou material.
Fonte: Munro e colaboradores[1] e National Collaborating Centre for Women's and Children's Health.[3]

Os termos oligomenorreia (ciclo > 35 dias), polimenorreia (ciclo < 21 dias), menorragia (fluxo aumentado em quantidade e/ou duração) e metrorragia (sangramento irregular) estão em desuso.

## INVESTIGAÇÃO

### História clínica

A idade da mulher é importante, tendo em vista que o câncer de útero, apesar de também ocorrer em jovens, é mais frequente a partir dos 45 anos e, especialmente, depois da menopausa. Após essa idade, portanto, a doença maligna deve ser considerada, e a investigação tende a ser mais invasiva do que em mulheres mais jovens.

A **TABELA 123.2** resume os dados importantes de anamnese em mulheres com SUA.

Sangramento de origem gestacional deve ser lembrado em mulheres em idade fértil e, no caso de suspeita, está indicada a dosagem da fração beta da gonadotrofina coriônica humana (β-hCG, do inglês *beta subunit of human chorionic gonadotropin*).

Muitas vezes, os contraceptivos orais de baixa dosagem apresentam, como efeito colateral, perda sanguínea irregular, de pequena quantidade, caracterizando o *spotting*, ou sangramento de escape.

O uso do dispositivo intrauterino (DIU) pode causar aumento de fluxo menstrual e perdas hemáticas pré e pós-menstruais.

Os seguintes sintomas podem sugerir doença uterina e/ou pélvica:
→ sangramento irregular;
→ sangramento durante ou após relação sexual (sinusorragia);
→ pressão ou distensão pélvica;
→ dismenorreia;
→ dor abdominal.

### Exame clínico-ginecológico

A **TABELA 123.3** apresenta os passos do exame clínico-ginecológico na investigação do SUA.

O exame físico deve ser completo, atentando-se para sinais de doenças orgânicas não ginecológicas comumente associadas a sangramento, como coagulopatias, hipotireoidismo e doenças crônicas renais e hepáticas.

**TABELA 123.2** → Dados importantes na história clínica de uma mulher com sangramento uterino anormal

→ Idade
→ História menstrual
→ Antecedentes gineco-obstétricos
→ Início do sangramento
→ Tipo de distúrbio menstrual
→ Mudança de peso
→ Uso de medicamentos e/ou drogas
→ Atividade física e estresse
→ Método de anticoncepção
→ Tratamentos prévios
→ Cirurgias prévias
→ Sintomas de hipotireoidismo, coagulopatias e doenças crônicas

**TABELA 123.3** → Exame clínico-ginecológico nas mulheres com sangramento uterino anormal

- → Pesquisa de sinais de doença orgânica
- → Exame das mamas
- → Inspeção perineal
- → Exame especular
- → Toque vaginal bidigital bimanual
- → Toque retal (se o vaginal for insatisfatório)

O exame da região genital inicia com cuidadosa inspeção vulvar, perineal e anal, seguida de avaliação especular das paredes vaginais e do colo do útero. O toque vaginal bidigital bimanual avalia consistência e deformidades do colo e da vagina, e informa sobre tamanho, consistência, mobilidade, contorno e dor do corpo uterino. Um útero aumentado de tamanho, na idade reprodutiva, sugere mioma, ao passo que o mesmo achado, após a menopausa, faz pensar em tumor maligno de endométrio ou miométrio. A região dos anexos deve ser palpada, sendo possível, às vezes, identificar pequenos aumentos do ovário. O SUA pode ter origem em tumor ovariano funcionante. O toque retal auxilia quando o vaginal é insatisfatório.

## Exames complementares

O hemograma está indicado para a pesquisa de anemia. Se for necessário avaliar a presença de deficiência de ferro, deve-se solicitar dosagem de ferritina sérica.

A investigação de coagulopatias deve ser considerada em mulheres com fluxo aumentado em quantidade e/ou duração desde a menarca, história de sangramento excessivo em cirurgias prévias ou procedimentos odontológicos, sangramento gengival ou epistaxe recorrentes, ou história familiar de distúrbios de coagulação.

Na suspeita de distúrbio da tireoide, deve-se solicitar dosagens de hormônio estimulante da tireoide (TSH, do inglês *thyroid-stimulating hormone*) e tetraiodotironina (ou tiroxina) ($T_4$). Dosagens de hormônios sexuais não têm indicação, a não ser na presença de acne, hirsutismo ou galactorreia.

Se a história sugere anormalidades orgânicas uterinas (dor pélvica, sangramento intermenstrual ou pós-coital), são necessários outros exames, como ultrassonografia (US) ou histologia endometrial.

### Exames de imagem

**A ultrassonografia é o primeiro exame a ser solicitado na identificação de anormalidades estruturais.[3,4] Está indicada nas seguintes situações: útero palpável aumentado, massa pélvica, falha de tratamento clínico e exame clínico insatisfatório.**

Na US, os leiomiomas são facilmente identificados, a adenomiose pode ser suspeitada, e o leiomiossarcoma costuma ser confundido com mioma de crescimento rápido ou em degeneração.

A avaliação ultrassonográfica do endométrio, realizada pela via transvaginal, consiste na medida da espessura da mucosa endometrial (somando-se as duas lâminas – anterior e posterior). Na mulher que menstrua, a espessura do endométrio varia, dependendo da fase do ciclo menstrual, o que dificulta o estabelecimento de um ponto de corte para definir normalidade. Após a menopausa, período com pouca ou nenhuma estimulação estrogênica, a espessura do endométrio se mantém constante. Uma revisão sistemática, com o objetivo de determinar a acurácia da US transvaginal na detecção de doença endometrial na mulher pós-menopáusica com sangramento, encontrou sensibilidade de 95%, independentemente do uso de terapia hormonal, e especificidade de 92% sem uso de terapia hormonal, utilizando o ponto de corte de 5 mm de espessura.[5]

A histerossonografia e a ressonância magnética são alternativas diagnósticas, com acurácia semelhante à da US. Contudo, são recursos limitados devido ao maior custo e ao fato de a histerossonografia ser um método invasivo que não possibilita a histologia. A histeroscopia, apesar de também ser invasiva, permite o diagnóstico histológico.

### Citologia endometrial

A citologia endometrial, por ser de difícil interpretação e pela sua baixa sensibilidade para doenças benignas, não é recomendada na avaliação do SUA.

### Biópsia de endométrio

Na biópsia de endométrio, obtém-se amostragem histológica do endométrio com cureta de Novak ou dispositivo similar. Se o espécime for adequado, a interpretação do resultado não oferecerá dificuldade. É uma técnica simples: não exige dilatação do colo do útero e anestesia. A biópsia de endométrio às cegas só tem valor se o resultado for positivo para adenocarcinoma; se o resultado for negativo, dilatação e curetagem ou histeroscopia com biópsia estão indicadas.

### Dilatação e curetagem

A curetagem com dilatação é o método mais utilizado na investigação da cavidade endometrial. É importante considerar que, por mais cuidadosa e exaustiva que seja a curetagem, em aproximadamente metade dos casos apenas 60 a 75% da superfície endometrial é retirada.[6] Portanto, quando empregada como técnica isolada, pode fornecer resultados falso-negativos.

### Endoscopia associada à histologia (histeroscopia com biópsia)

A histeroscopia, visão endoscópica da cavidade uterina, orienta a biópsia endometrial. É um procedimento de ambulatório, e não requer dilatação do colo do útero ou anestesia na maioria dos casos. Sua maior utilidade é no diagnóstico de lesões focais. É menos invasiva e mais precisa do que a curetagem com dilatação, além de envolver menores custos.

A histeroscopia diagnóstica é recomendada quando a US é inconclusiva e antes da ressecção endometrial.

## EVIDÊNCIAS SOBRE A ESCOLHA DA MELHOR INVESTIGAÇÃO

As **FIGURAS 123.2** e **123.3** apresentam fluxogramas de investigação de SUA, na pré e na pós-menopausa, respectivamente.

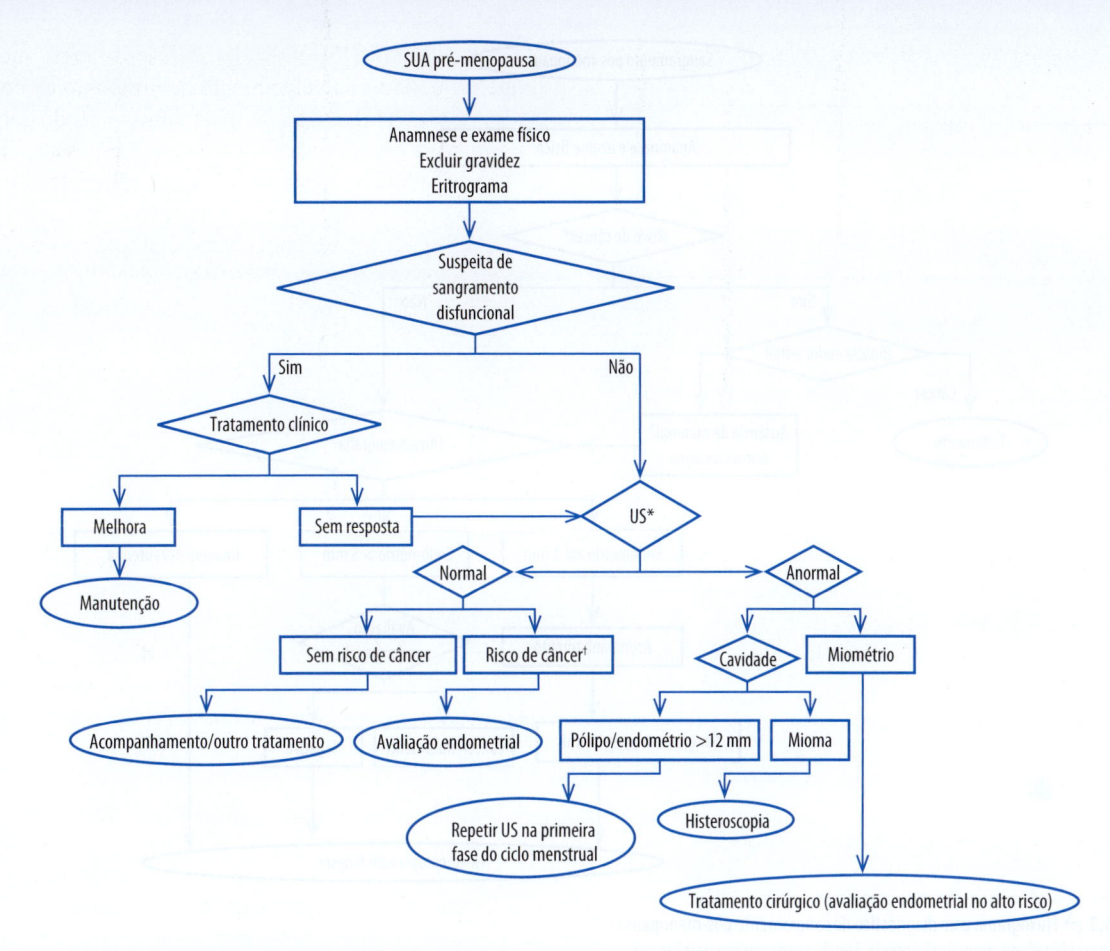

**FIGURA 123.2** → Fluxograma para diagnóstico de sangramento pré-menopausa.
*A US também pode ser realizada como exame inicial de investigação junto com o eritrograma.
†Risco de câncer: ≥ 45 anos, obesidade, anovulação, Lynch, sangramento persistente, falha de tratamento.
SUA, sangramento uterino anormal; US, ultrassonografia.

Em relação aos métodos de investigação para SUA, evidências provenientes de ensaios clínicos permitem afirmar que:

→ a combinação de US transvaginal e histeroscopia com biópsia endometrial é tão eficaz na identificação de lesões estruturais quanto a histeroscopia com curetagem;[7]
→ a histeroscopia detecta miomas e pólipos não encontrados na US. A qualidade da amostragem histológica da biópsia endometrial é comparável à da curetagem;[7]
→ os procedimentos ambulatoriais sem anestesia resultam em eventos adversos como dor e hipotensão em 10 a 16% dos casos, enquanto efeitos colaterais são praticamente ausentes com US;[8]
→ a US é superior na detecção de miomas, enquanto a histeroscopia é mais eficaz na detecção de pólipos;[8]
→ os dispositivos para biópsia são similares na obtenção de material na pré-menopausa, mas uma metanálise demonstrou que a cânula de biópsia endometrial Pipelle® para amostragem endometrial é mais sensível para a detecção de hiperplasia atípica e câncer de endométrio do que os demais métodos;[9]
→ a investigação com relação custo-efetividade mais favorável em mulheres com baixo risco é a US; nas mulheres com risco moderado (sangramento pré-menopausa), é a biópsia cega; e nas mulheres com alto risco (sangramento após a menopausa), a diferença entre os métodos é mínima, com a histeroscopia se mostrando um pouco melhor.[8]

## ETIOLOGIA

A maioria das mulheres não apresenta doenças uterinas como causa do SUA. Miomas são encontrados em 40% das mulheres com sangramento intenso (200 mL ou mais por ciclo); porém, a metade das mulheres histerectomizadas por fluxo aumentado não tem doença anatômica uterina.

O SUA pode ter origem orgânica ou estrutural e disfuncional ou endócrina, como apresentado na classificação PALM-COEIN proposta pela Figo (ver **FIGURA 123.1**). As principais causas de SUA são mostradas na **TABELA 123.4**. A **TABELA 123.5** lista outras causas de sangramento genital não originário da cavidade uterina.

### Pólipo endometrial (P)

Provavelmente originário de uma hiperplasia focal endometrial, é variável em tamanho e localização e pode sofrer

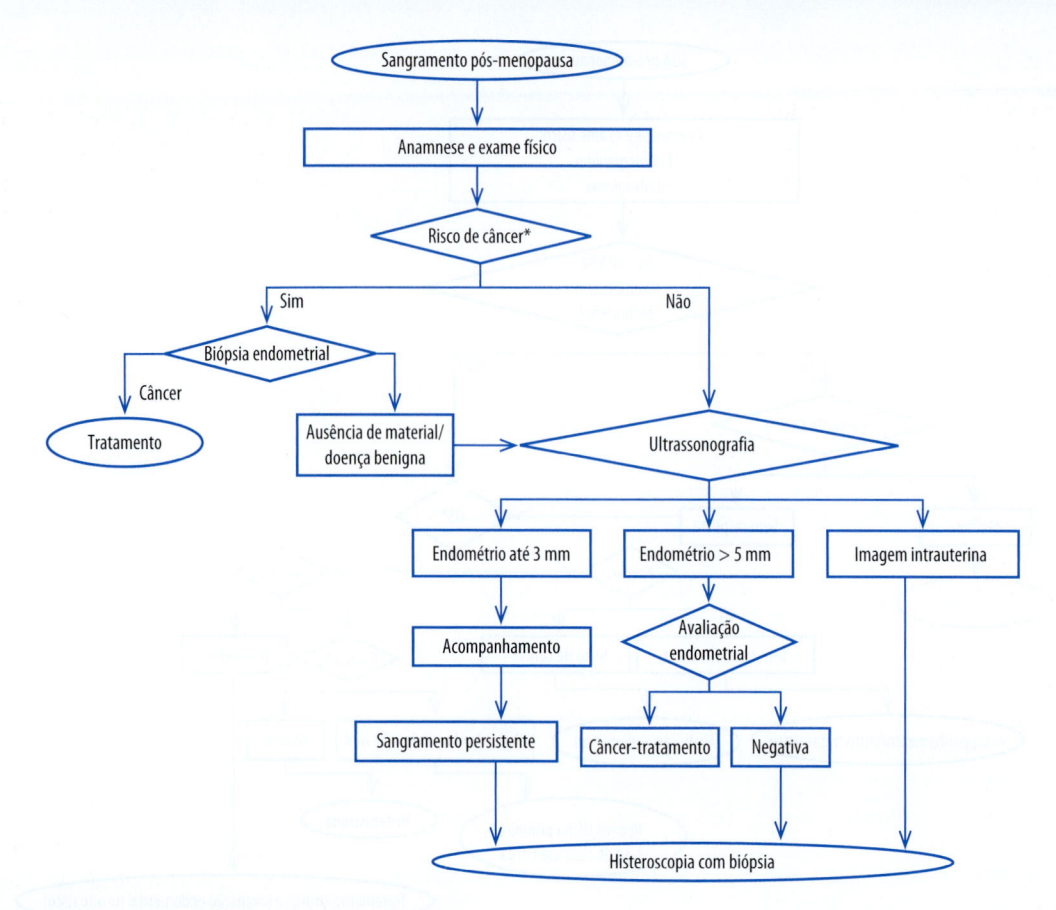

**FIGURA 123.3** → Fluxograma para diagnóstico de sangramento pós-menopausa.
*Risco de câncer: obesidade, anovulação prévia, Lynch, sangramento persistente.

**TABELA 123.4** → Causas de sangramento uterino anormal

- → Sangramento disfuncional
- → Leiomioma
- → Adenomiose
- → Endometrite
- → Hiperplasia endometrial
- → Pólipo endometrial
- → Câncer de endométrio e miométrio
- → Anticoncepcionais hormonais e dispositivo intrauterino
- → Gravidez

**TABELA 123.5** → Outras causas de sangramento genital

**TRAUMÁTICAS**
- → Estupro
- → Acidente
- → Erosão de mucosa vaginal ou de colo do útero, no prolapso

**CORPO ESTRANHO**
- → Granulomas por fio cirúrgico
- → Introdução de corpo estranho na vagina

**BENIGNAS**
- → Adenose vaginal
- → Endometriose cervical, vaginal ou vulvar
- → Pólipos cervicais
- → Condilomas
- → Ectopias
- → Cervicites
- → Atrofia genital

**MALIGNAS**
- → Neoplasias de colo do útero, vagina e vulva

degeneração carcinomatosa. O achado casual histeroscópico em mulheres pós-menopáusicas está aumentando devido ao grande número de USs transvaginais hoje realizadas. Um espessamento endometrial > 5 mm na pós-menopausa pode ser devido a um pólipo. Em um estudo realizado em Porto Alegre, no Estado do Rio Grande do Sul, utilizando histeroscopia associada à biópsia, o pólipo endometrial foi a doença mais frequente em mulheres com sangramento após a menopausa.[10] Em mulheres pós-menopáusicas assintomáticas, com endométrio espesso à US, submetidas à investigação histeroscópica, o pólipo endometrial foi o achado mais frequente, representando 47% dos casos.

Alguns fatores de risco podem estar associados ao desenvolvimento de pólipos endometriais, como idade, obesidade, hipertensão arterial e uso de tamoxifeno. Outros fatores podem estar associados ao risco de malignidade desses pólipos, como pós-menopausa, tamanho do pólipo (> 15 mm), presença de SUA e idade avançada.[11]

O método de escolha para o diagnóstico histológico dos pólipos sintomáticos é a histeroscopia cirúrgica.

## Adenomiose (A)

É definida como a presença de glândulas e estroma endometrial na musculatura uterina. A frequência de adenomiose na população varia muito na literatura e é maior quanto mais meticulosa for sua pesquisa. Quando sintomática, apresenta-se, por ordem de frequência, com fluxo aumentado, dismenorreia, sangramento irregular e dispareunia. O diagnóstico é histológico. Entretanto, a adenomiose pode ser identificada com os aparelhos modernos de US de alta definição.

## Leiomioma (L)

Leiomioma ou mioma é um tumor benigno da musculatura uterina. Acomete 20 a 25% das mulheres e é mais frequente em negras, nulíparas e portadoras de hiperestrinismo absoluto ou relativo. Tem importante associação com endometriose, adenomiose, doença fibrocística da mama, hiperplasia endometrial e, em menor proporção, com adenocarcinoma de endométrio e câncer de mama, enfermidades estrogênio-dependentes.

Os principais fatores ligados ao seu aparecimento e crescimento são predisposição genética e influência estrogênica, esta fortemente sugerida pelo maior número de receptores estrogênicos no leiomioma do que no miométrio normal, e pela diminuição da atividade da enzima 17-β-desidrogenase no mioma, que transforma estradiol em estrona, um estrogênio menos potente. O progestagênio se liga a receptores no tecido miomatoso, exercendo efeitos sobre o seu desenvolvimento ao ativar a 17-β-desidrogenase e diminuir o número de receptores de estrogênio. Os miomas podem ser assintomáticos, necessitando apenas de controle clínico, ou podem apresentar sangramento, dor e sinais de compressão em órgãos pélvicos.

Raramente únicos, apresentam-se no colo do útero, no istmo e, com mais frequência, no corpo uterino, com tamanhos variáveis. A classificação mais utilizada é a que se refere à sua localização na camada uterina: submucosos, intramurais e subserosos.

Os miomas submucosos, junto ao endométrio, podem apresentar-se como uma pequena projeção na cavidade até a formação de pedículos que, dependendo do tamanho, podem ultrapassar o canal cervical. Na maioria das vezes, determinam sangramento com fluxo aumentado, sangramento irregular ou perdas pré e pós-menstruais. O endométrio que o recobre é delgado e friável, devido à compressão e à congestão provocadas pelo mioma, o que faz sangrar com facilidade.

Os miomas intramurais são os mais frequentes e, durante o seu crescimento, podem projetar-se para o endométrio ou para a serosa. O SUA resulta da alteração da contratilidade uterina que acompanha a miomatose intramural.

Os miomas subserosos não causam sangramentos, mas apresentam, como possível complicação, a compressão de órgãos pélvicos. A torção com sofrimento vascular é rara. No diagnóstico diferencial, tumores ovarianos devem ser lembrados.

O diagnóstico de miomatose se baseia na história, no toque ginecológico e na US.

Os miomas podem sofrer degeneração (hialina, cística, vermelha ou gordurosa), necrose, calcificação e infecção. A transformação sarcomatosa é rara, ocorrendo em torno de 0,1%, e deve ser suspeitada em caso de rápido crescimento de um mioma ou de útero aumentado após a menopausa. Com a falência ovariana, espera-se que os nódulos miomatosos regridam e os sintomas associados a eles desapareçam.

## Malignidades e hiperplasia endometrial (M)

A hiperplasia endometrial resulta da hiperestimulação estrogênica endometrial, absoluta ou relativa, endógena ou exógena, como anovulação crônica e terapia de reposição hormonal inadequada. É classificada em hiperplasia endometrial com ou sem atipias, cada uma simples ou complexa. As hiperplasias com atipias são também chamadas de neoplasias intraepiteliais endometriais. Do ponto de vista oncológico, a hiperplasia considerada precursora do câncer é a que apresenta atipias. O diagnóstico é necessariamente histológico.

## Disfunções do ovário e do endométrio (OE)

O sangramento é secundário a alterações endócrinas e pressupõe ausência de causa orgânica ou de gravidez. A presença de miomas não exclui a origem disfuncional de um sangramento, pois esses tumores podem ser assintomáticos. Por outro lado, convém ressaltar que as alterações funcionais se associam com frequência a lesões orgânicas, uterinas ou extrauterinas, e que a etiologia dessas alterações pode ser a mesma das lesões orgânicas. A evolução natural de determinadas alterações funcionais também pode conduzir a lesões orgânicas.

O sangramento disfuncional está presente em 5 a 10% das mulheres que consultam pela primeira vez em ambulatório geral. Ocorre em situações como fase lútea deficiente como fase lútea deficiente, descamação irregular e anovulação.

A endometrite também é causa de SUA e é de difícil diagnóstico. O estudo bacteriológico endometrial apresenta inconvenientes pela dificuldade de amostragem, contaminação transcervical e população polimicrobiana. A investigação consiste em pesquisa direta de clamídia, micoplasma e ureaplasma, e o tratamento está descrito no Capítulo Dor Pélvica.

## Causas iatrogênicas: contraceptivos orais (CO) e DIU (I)

Ver Capítulo Planejamento Reprodutivo.

## Causas ainda não classificadas (N)

Incluem-se as lesões locais ou condições sistêmicas raras que podem causar SUA, a exemplo das malformações arteriovenosas, da hipertrofia miometrial, da istmocele e das alterações müllerianas.

## TRATAMENTO

O método de escolha para o tratamento dos pólipos sintomáticos é a histeroscopia cirúrgica com polipectomia.[13] Nos casos assintomáticos, sugere-se individualização de conduta, de acordo com dados dos exames, fatores de risco de malignidade e riscos cirúrgicos do procedimento. Deve-se considerar também a capacidade logística do sistema de saúde e os custos envolvidos. De modo geral, a tendência é de conduta conservadora (acompanhamento clínico e ultrassonográfico) em mulheres com baixo risco de malignização e de indicação cirúrgica nas pacientes com fatores de risco.[12]

O tratamento definitivo da adenomiose é a histerectomia, via vaginal, abdominal ou videolaparoscópica, podendo-se considerar o uso de gestrinona ou análogos em mulheres sintomáticas que queiram engravidar.[3] Uma alternativa é a ablação endometrial histeroscópica, que não trata a doença básica, mas controla o sintoma de sangramento uterino aumentado.[3]

Os miomas são tratados basicamente por cirurgia. Entretanto, como o SUA pode ter origem funcional, mesmo na presença de mioma de até 3 cm, o tratamento clínico é uma alternativa (ver a seguir) **B**. A cirurgia está indicada nos miomas sintomáticos **B** e, às vezes, nos assintomáticos com crescimento rápido, pelo risco de sarcoma. A miomectomia de mioma submucoso é histeroscópica; a de mioma subseroso, laparoscópica; e a de mioma intramural, laparoscópica ou laparotômica. A histerectomia pode ser subtotal, total intrafascial e total extrafascial, por via abdominal (clássica), por via vaginal mesmo em úteros sem prolapso e por videolaparoscopia.[13]

O tratamento das hiperplasias depende da presença de atipias citológicas e do desejo de preservação do útero, com o intuito de fertilidade ou de redução da morbidade em pacientes com alto risco cirúrgico. O objetivo do tratamento das hiperplasias simples e complexas sem atipias é controlar o sangramento uterino e evitar a progressão para câncer, embora esse risco seja pequeno. O uso de progestagênios via oral (VO), intramuscular (IM), vaginal, subcutâneo ou intrauterino (sistema intrauterino de levonorgestrel [SIU-LNG]) é a opção terapêutica preferencial **A**.[14] Os progestagênios VO mais utilizados são a medroxiprogesterona (5-20 mg/dia) **B** e o acetato de noretindrona, este com maior atividade androgênica e antiestrogênica e maior poder de atrofia, em doses iniciais de 10 a 15 mg/dia,[14] 15 a 30 dias por mês **B**. A dose do acetato de medroxiprogesterona de depósito IM é 150 mg a cada 3 meses. Nova amostragem endometrial deve ser realizada 3 a 6 meses após o tratamento, com intervalo de 3 a 4 semanas sem o uso de tratamento. Caso ocorra sangramento de difícil controle, permanência ou recorrência da hiperplasia, avalia-se a via de utilização do hormônio, as características farmacológicas do medicamento e o aumento da dose. A histerectomia e a ressecção endometrial histeroscópica são tratamentos alternativos. A histerectomia é o tratamento preferencial na hiperplasia endometrial associada a outra anormalidade uterina, nas hiperplasias com atipias **B** e em mulheres com acompanhamento inadequado **C/D**. O tratamento de escolha para a hiperplasia com atipias é a histerectomia total, com ou sem anexectomia. Na presença de atipias e desejo de preservação uterina, o uso de progestagênios VO em altas doses ou o SIU-LNG são opções, devendo-se avaliar a opção de histerectomia em caso de permanência ou recorrência da hiperplasia.

No caso de sangramento por disfunção do ovário ou endométrio, raramente é necessário tratamento na fase aguda. Caso haja comprometimento hemodinâmico, recomenda-se estrogênio em alta dose, progestagênios (acetato de medroxiprogesterona, 10-40 mg/dia, ou acetato de noretisterona, 5-10 mg/dia) ou, ainda, COs de baixa ou média dosagem, até diminuir ou cessar o sangramento **B**. A curetagem permite o diagnóstico anatomopatológico endometrial, mas a recorrência do sangramento em mulheres submetidas somente à curetagem é maior do que 50%. Pouco indicada em adolescentes, é mais útil em mulheres com idade > 45 anos, período em que aumenta a possibilidade de doença endometrial neoplásica. O tratamento de manutenção é, sobretudo, clínico e está detalhado a seguir. A necessidade de cirurgia por sangramento anovulatório é rara, mas está indicada nos casos de sangramento refratário ao tratamento medicamentoso, medicamento contraindicado ou paciente com intolerância, e lesões intracavitárias concomitantes.

### Tratamento clínico

**O tratamento clínico é considerado em mulheres sem suspeita de anormalidades estruturais ou histológicas, e/ou naquelas que apresentam miomas < 3 cm que não causam distorção da cavidade.**

Recomendam-se os seguintes tratamentos:[3]
→ SIU-LNG[15,16] **B**;[17-19]
→ ácido tranexâmico **B**[20] ou anti-inflamatórios não esteroides (AINEs) **A**[21] ou anticoncepcional combinado oral;[22]
→ noretisterona do 5º ao 26º dia do ciclo, ou progestagênio de depósito **B**.[23,24]

A introdução do SIU-LNG reduz o sangramento menstrual, configurando-se como tratamento não cirúrgico eficaz para fluxo aumentado **B**.[16,25] Seu uso ganha destaque por atingir maior concentração de progesterona no endométrio, exercer mínimo efeito sistêmico e garantir administração posológica ideal. Os sangramentos irregulares e de escape (*spottings*) são os efeitos colaterais mais frequentes e ocorrem com maior incidência no primeiro ano de uso.[3] Um estudo concluiu que o tratamento do SUA com melhor relação custo-efetividade é o SIU-LNG, seguido da ressecção endometrial.[26]

Ácido tranexâmico[9,27] e AINEs diminuem em torno de 50% o fluxo menstrual.[3,28] Antifibrinolíticos, como o ácido tranexâmico, comparados com placebo, mostram redução de 50 a 100 mL na perda sanguínea.[27] Em um estudo randomizado, as mulheres que receberam ácido tranexâmico tiveram redução significativa da perda menstrual (−69,6 mL comparada com −12,6 mL no grupo-placebo), menos limitações sociais e físicas e autopercepção de menor perda menstrual.[29] Comparado com ácido mefenâmico e noretisterona na segunda fase, também são superiores na redução do fluxo.[27] Em ensaios clínicos, não foi observado aumento na incidência de sintomas gastrintestinais e no número de eventos tromboembólicos.[27,29] Não existem estudos com acompanhamento por longo tempo.

O tratamento de manutenção do sangramento de origem disfuncional apresenta bons resultados com o uso de AINEs **A**[21] atuantes sobre as prostaglandinas – grupo 1: ácido mefenâmico (1.500 mg/dia, VO, por 5 dias) e piroxicam (10 mg, 2 ×/dia); grupo 2: ibuprofeno (600-1.200 mg/dia, por 5 dias) e naproxeno (550-1.100 mg/dia, VO, por 5 dias) – iniciados por ocasião do início do fluxo (grupo 1) ou 3 a 4 dias antes (grupo 2) e continuados até o seu final, com redução de 20 a 50% no volume de sangramento.[2,9]

AINEs são mais efetivos do que placebo na redução do sangramento, porém menos efetivos do que ácido tranexâmico **B**[20] e SIU-LNG[30] **B**.[10] Não existe diferença na efetividade do naproxeno e do ácido mefenâmico,[26] e ambos são úteis no controle da dismenorreia **C/D**.[3,10] Embora não haja estudos avaliando a associação dos AINEs com outros medicamentos, eles podem ser usados com ácido tranexâmico e com anticoncepcionais. O tratamento de escolha para sangramento anovulatório é o anticoncepcional VO, que reduz o sangramento em 43% dos casos.[3] Comparados aos AINEs, os anticoncepcionais combinados possuem redução semelhante do fluxo menstrual.[31]

Os progestagênios (medroxiprogesterona ou noretisterona) utilizados em dosagem de 10 mg/dia, 21 dias por ciclo,[25] resultam em 83% de diminuição de fluxo.[32] Seu uso apenas na segunda fase do ciclo não se mostrou melhor do que os outros tratamentos[26] **B**.[3,32] O acetato de medroxiprogesterona (50-150 mg) é utilizado para anticoncepção e, apesar de resultar em amenorreia em 35% dos casos, não existem estudos avaliando o seu uso para o controle de sangramento.[3]

Contraceptivos orais ou outra combinação estroprogestogênica são capazes de controlar sangramentos irregulares de origem disfuncional, por promoverem revestimento endometrial mais estável.[3,28] Quando associados aos AINEs, sua ação se potencializa.

O etansilato parece reduzir o sangramento em 13,1%, na dose de 500 mg, 3 a 4 ×/dia.[3,33] Contudo, devido ao benefício inferior às demais alternativas e fraca evidência quanto ao seu uso, não costuma ser empregado no tratamento do sangramento.

A TABELA 123.6 fornece as opções de tratamento medicamentoso, com as doses dos medicamentos, o efeito no sangramento e os paraefeitos possíveis.[34]

**TABELA 123.6** → Opções de tratamento medicamentoso do sangramento uterino anormal

| MEDICAMENTO | COMO USAR | EFEITO NO SANGRAMENTO | PARAEFEITOS POSSÍVEIS |
|---|---|---|---|
| SIU-LNG | Intrauterino | Redução de 95% | → Sangramento irregular, efeitos sistêmicos<br>→ Amenorreia é menos comum<br>→ Perfuração uterina é rara |
| Ácido tranexâmico | 250 mg a 1 g, 2-4 ×/dia, por 4 dias a partir do 1º dia de menstruação | Redução de 58% | → Indigestão, diarreia, cefaleia |
| AINEs | VO, por 4 dias a partir do 1º dia de menstruação | Redução de 49% | → Indigestão, diarreia<br>→ Úlcera é rara |
| Contraceptivo oral | 1 comprimido/dia, por 21 dias | Redução de 43% | → Cefaleia, náusea, edema, tensão mamária<br>→ Trombose venosa<br>→ Acidente vascular cerebral é raro |
| Progestagênios orais | 15 mg/dia, do 5º ao 26º dia | Redução de 83% | → Aumento de peso, cefaleia, edema<br>→ Depressão é rara |
| Progestagênio injetável | 150 mg a cada 3 meses | Amenorreia | → Aumento de peso, escape, amenorreia<br>→ Perda óssea é menos comum |

AINEs, anti-inflamatórios não esteroides; SIU-LNG, sistema intrauterino de levonorgestrel; VO, via oral.
Fonte: McKay e colaboradores.[34]

## Tratamento clínico *versus* cirúrgico

Antes de indicar a cirurgia, deve-se considerar ao menos uma tentativa de tratamento clínico **D**.[3] Além disso, a mulher deve ser envolvida no processo de decisão terapêutica e adequadamente informada sobre as opções.

Uma revisão sistemática comparando tratamentos clínico e cirúrgico apresentou os seguintes resultados:[35]
→ das mulheres que receberam medicamento VO, 58% foram submetidas à cirurgia em 2 anos;
→ comparada com o tratamento VO, a ressecção endometrial obtém resultados mais rápidos no controle do sangramento aumentado (em 4 meses: redução de risco relativo [RRR] = 91%; NNT = 3) **B**, mas os resultados são semelhantes após 2 anos de acompanhamento; além disso, a histerectomia resulta em melhor satisfação da mulher;
→ a satisfação com SIU-LNG e tratamento cirúrgico é semelhante;
→ o tratamento cirúrgico é superior ao SIU-LNG no controle do sangramento no primeiro ano **B**;
→ a histerectomia cessa o sangramento, mas a taxa de complicações graves é superior **B**.

Dois estudos randomizados comparando SIU-LNG com ablação endometrial com balão mostraram resultados opostos: em um estudo, houve melhor resultado após 1 ano de acompanhamento com a ablação[36] e, no outro, com o SIU-LNG.[37]

## ENCAMINHAMENTO

Diante das seguintes situações, sugere-se encaminhamento para ginecologista:[38]

→ Mulher na menacme com:
  → sangramento disfuncional sem resposta ao tratamento clínico otimizado por 3 meses (excluídas causas secundárias como alteração tireoidiana, hiperprolactinemia, escape por anticoncepcional hormonal de baixa dosagem); ou
  → SUA associado a mioma, refratário ao tratamento clínico otimizado por 3 meses; ou
  → SUA associado a pólipo ou hiperplasia de endométrio (espessura endometrial ≥ 12 mm por US pélvica transvaginal realizada na primeira fase do ciclo menstrual); ou
  → sangramento uterino aumentado persistente em mulheres com fator de risco para câncer de endométrio (idade > 45 anos e pelo menos mais um fator de risco, como obesidade, nuliparidade, diabetes, anovulação crônica, uso de tamoxifeno).
→ Mulher na menopausa com:
  → espessura endometrial ≥ 5 mm evidenciada na US pélvica transvaginal; ou
  → SUA e impossibilidade de solicitar US pélvica transvaginal.

## REFERÊNCIAS

1. Munro MG, Critchley HOD, Fraser IS; FIGO Menstrual Disorders Committee. The two FIGO systems for normal and abnormal uterine bleeding symptoms and classification of causes of abnormal uterine bleeding in the reproductive years: 2018 revisions. Int J Gynaecol Obstet. 2019;144(2):237.

2. Munro MG, Critchley HO, Broder MS, Fraser IS; FIGO Working Group on Menstrual Disorders. FIGO classification system (PALM-COEIN) for causes of abnormal uterine bleeding in nongravid women of reproductive age. Int J Gynaecol Obstet. 2011;113(1):3-13.

3. National Collaborating Centre for Women's and Children's Health. Heavy menstrual bleeding [Internet]. London: Royal College of Obstetricians and Gynaecologists; 2018 [capturado em 13 ago. 2020]. Disponível em: https://www.nice.org.uk/guidance/ng88/evidence/full-guideline-pdf-4782291810

4. Farquhar C, Ekeroma A, Furness S, Arroll B. A systematic review of transvaginal ultrasonography, sonohysterography and hysteroscopy for the investigation of abnormal uterine bleeding in premenopausal women. Acta Obstet Gynecol Scand. 2003;82(6):493-504.

5. Smith-Bindman R, Kerlikowske K, Feldstein VA, Subak L, Scheidler J, Segal M, et al. Endovaginal ultrasound to exclude endometrial cancer and other endometrial abnormalities. JAMA. 1998;280(17):1510-17.

6. Buxton EJ. Clinical features, investigation and staging of endometrial cancer. In: Blackledge GR, Jordan JA, Schingelton HM. Textbook of gynecologic oncology. London: Saunders; 1991.

7. Tahir MM, Bigrigg MA, Browning JJ, Brookes ST, Smith PA. A randomised controlled trial comparing transvaginal ultrasound, outpatient hysteroscopy and endometrial biopsy with inpatient hysteroscopy and curettage. Br J Obstet Gynaecol. 1999;106(12):1259-64.

8. Critchley HO, Warner P, Lee AJ, Brechin S, Guise J, Graham B. Evaluation of abnormal uterine bleeding: comparison of three outpatient procedures within cohorts defined by age and menopausal status. Health Technol Assess. 2004;8(34):iii-iv, 1-139.

9. Dijkhuizen FP, Mol BW, Brölmann HA, Heintz AP. The accuracy of endometrial sampling in the diagnosis of patients with endometrial carcinoma and hyperplasia: a meta-analysis. Cancer 2000;89:1765-72.

10. Pessini SA. Abnormal uterine bleeding: a hysteroscopic approach. Roma: CIC; 1994.

11. Uglietti A, Buggio L, Farella M, Chiaffarino F, Dridi D, Vercellini P, Parazzini F. The risk of malignancy in uterine polyps: a systematic review and meta-analysis. Eur J Obstet Gynecol Reprod Biol. 2019;237:48-56.

12. American Association of Gynecologic Laparoscopists. AAGL practice report: practice guidelines for the diagnosis and management of endometrial polyps. J Minim Invasive Gynecol. 2012;19(1):3-10.

13. Vilos GA, Allaire C, Laberge PY, Leyland N. The management of uterine leiomyomas. J Obstet Gynaecol Can. 2015;37(2):157-178.

14. Royal College of Obstetricians and Gynaecologists. Guideline on management of endometrial hyperplasia [Internet]. London: RCOG; 2016 [capturado em 6 out 2020]. Disponível em: https://www.rcog.org.uk/en/guidelines-research-services/guidelines/gtg67

15. Solomon BD, Muenke M. When to suspect a genetic syndrome. Am Fam Physician. 2012;86(9):826-33.

16. Committee on Practice Bulletins – Gynecology. Practice bulletin no. 136: management of abnormal uterine bleeding associated with ovulatory dysfunction. Obstet Gynecol. 2013;122(1):176-85.

17. Lethaby A, Hussain M, Rishworth JR, Rees MC. Progesterone or progestogen-releasing intrauterine systems for heavy menstrual bleeding. Cochrane Database Syst Rev. 2020;6:CD002126.

18. Heikinheimo O, Inki P, Schmelter T, Gemzell-Danielsson K. Bleeding pattern and user satisfaction in second consecutive levonorgestrel-releasing intrauterine system users: results of a prospective 5-year study. Hum Reprod. 2014;29(6):1182-8.

19. Kaunitz AM, Meredith S, Inki P, Kubba A, Sanchez-Ramos L. Levonorgestrel- releasing intrauterine system and endometrial ablation in heavy menstrual bleeding: a systematic review and meta-analysis. Obstet Gynecol. 2009;113(5):1104-16.

20. Bryant-Smith AC, Lethaby A, Farquhar C, Hickey M. Antifibrinolytics for heavy menstrual bleeding. Cochrane Database Syst Rev. 2018;4(4):CD000249.

21. Singh S, Best C, Dunn S, Leyland N, Wolfman WL. No. 292-Abnormal Uterine Bleeding in Pre-Menopausal Women. J Obstet Gynaecol Can. 2018;40(5):e391-e415. Committee on Practice Bulletins – Gynecology. Practice bulletin no. 136: management of abnormal uterine bleeding associated with ovulatory dysfunction. Obstet Gynecol. 2013;122(1):176-85.

22. Whiteman MK, Zapata LB, Tepper NK, Marchbanks PA, Curtis KM. Use of contraceptive methods among women with endometrial hyperplasia: a systematic review. Contraception. 2010;82(1):56-63.

23. Committee on Gynecologic Practice, Society of Gynecologic Oncology. The American College of Obstetricians and Gynecologists Committee Opinion no. 631. Endometrial intraepithelial neoplasia. Obstet Gynecol. 2015;125(5):1272-8.

24. Gressel GM, Parkash V, Pal L. Management options and fertility-preserving therapy for premenopausal endometrial hyperplasia and early-stage endometrial cancer. Int J Gynaecol Obstet. 2015;131(3):234-9.

25. Sweet MG, Schmidt-Dalton TA, Weiss PM, Madsen KP. Evaluation and management of abnormal uterine bleeding in premenopausal women. Am Fam Physician. 2012;85(1):35-43.

26. Bofill Rodriguez M, Lethaby A, Jordan V. Progestogen-releasing intrauterine systems for heavy menstrual bleeding. Cochrane Database of Systematic Reviews 2020;6:CD002126.

27. Lukes AS, Moore KA, Muse KN, Gersten JK, Hecht BR, Edlund M, et al. Tranexamic acid treatment for heavy menstrual bleeding: a randomized controlled trial. Obstet Gynecol. 2010;116(4):865-75.
28. Lethaby A, Augood C, Duckitt K, Farquhar C. Nonsteroidal anti-inflammatory drugs for heavy menstrual bleeding. Cochrane Database Syst Rev. 2007;(4):CD000400.
29. Lethaby A, Farquhar C, Cooke I. Antifibrinolytics for heavy menstrual bleeding. Cochrane Database Syst Rev. 2018;4:CD000249.
30. Matteson KA, Rahn DD, Wheeler TL 2nd, Casiano E, Siddiqui NY, Harvie HS, et al. Nonsurgical management of heavy menstrual bleeding: a systematic review. Obstet Gynecol. 2013;121(3):632-43.
31. Clegg JP, Guest JF, Hurskainen R. Cost-utility of levonorgestrel intrauterine system compared with hysterectomy and second generation endometrial ablative techniques in managing patients with menorrhagia in the UK. Curr Med Res Opin. 2007;23(7):1637-48.
32. Lethaby A, Irvine G, Cameron I. Cyclical progestogens for heavy menstrual bleeding. Cochrane Database Syst Rev. 2008;(1):CD001016.
33. Coulter A, Kelland J, Peto V, Rees MC. Treating menorrhagia in primary care. An overview of drug trials and a survey of prescribing practice. Int J Technol Assess Health Care.1995;11(3):456-71.
34. McKay R, Worton S, Kennedy S, Kirtley S, Hogg S. NHS evidence: women's health heavy menstrual bleeding annual evidence update June 2010. London: University of Oxford; 2010.
35. Marjoribanks J, Lethaby A, Farquhar C. Surgery versus medical therapy for heavy menstrual bleeding. Cochrane Database Syst Rev. 2016;(2):CD003855.
36. Tam WH, Yuen PM, Shan Ng DP, Leung PL, Lok IH, Rogers MS. Health status function after treatment with thermal balloon endometrial ablation and levonorgestrel intrauterine system for idiopathic menorrhagia: a randomized study. Gynecol Obstet Invest. 2006;62(2):84-8.
37. Shaw RW, Symonds IM, Tamizian O, Chaplain J, Mukhopadhyay S. Randomised comparative trial of thermal balloon ablation and levonorgestrel intrauterine system in patients with idiopathic menorrhagia. Aust N Z J Obstet Gynaecol. 2007;47(4):335-40.
38. Brasil. Ministério da Saúde. Ginecologia [Internet]. Brasília: MS; 2016 [capturado em 7 out 2020].(Protocolos de encaminhamento da atenção básica para a atenção especializada; v. 2). Disponível em: http://189.28.128.100/dab/docs/portaldab/publicacoes/Protocolos_AB_vol4_ginecologia.pdf

## LEITURAS RECOMENDADAS

Ambat S, Mittal S, Srivastava DN, Misra R, Dadhwal V, Ghosh B. Uterine artery embolization versus laparoscopic occlusion of uterine vessels for management of symptomatic uterine fibroids. Int J Gynaecol Obstet. 2009;105(2):162-5.

Fergusson RJ, Lethaby A, Shepperd S, Farqhuar C. Endometrial resection and ablation versus hysterectomy for heavy menstrual bleeding. Cochrane Database Syst Rev. 2019;8:CD000329.

Hoffman BL. Abnormal uterine bleeding. In: Hoffman BL, Schorge JO, Bradshaw KD, Halvorson LM, Schaffer JI, Corton MM. Williams Gynecology. 3rd ed. New York: McGraw-Hill Education; 2016. Chapter 8.

Holzer A, Jirecek ST, Illievich UM, Huber J, Wenzl RJ. Laparoscopic versus open myomectomy: a double-blind study to evaluate postoperative pain. Anesth Analg. 2006;102(5):1480-4.

Metwally M, Cheong YC, Horne AW. Surgical treatment of fibroids for subfertility. Cochrane Database Syst Rev. 2020;1:CD003857.

Royal College of Radiologists and the Royal College of Obstetricians and Gynaecologists. Clinical recommendations on the use of uterine artery embolisation in the management of fibroids. 2nd ed. London: The Royal College of Radiologists; 2009.

Volkers NA, Hehenkamp WJK, Birnie E, Ankum WM, Reekers JA. Uterine artery embolization versus hysterectomy in the treatment of symptomatic uterine fibroids: 2 years' outcome from the randomized EMMY trial. Am J Obstet Gynecol. 2007;196(6):519.e1-11.

# Capítulo 124
## SECREÇÃO VAGINAL E PRURIDO VULVAR

Paulo Naud
Jean Carlos de Matos
Valentino Magno

## SECREÇÃO VAGINAL

Queixa de fluxo vaginal anormal é frequente para a maioria das mulheres, e é um dos principais motivos que as levam a procurar atendimento médico.[1,2] O aspecto da secreção varia conforme a fase do ciclo menstrual e o período reprodutivo em que a mulher se encontra, e tem relação com a presença de glicogênio, que, por sua vez, está intimamente relacionada com a concentração de estrogênio e com a utilização de hormônios na forma de terapia hormonal ou contraceptivos orais.[2-4]

A avaliação adequada da mulher com queixa de secreção vaginal inclui anamnese, exame físico e microscopia a fresco, e, quando disponível, mensuração do pH vaginal.[2] O teste do pH vaginal pode ser realizado colocando, por 1 minuto, uma fita de papel indicador na parede vaginal lateral.[5]

Deve-se considerar que os achados clínicos associados às causas de vaginites não infecciosas geralmente são indistinguíveis das síndromes infecciosas, e que dois terços dos casos são relacionados com agentes infecciosos, de modo que é necessário avaliar a secreção vaginal no exame de microscopia para a elucidação diagnóstica, mesmo se a paciente for assintomática e o achado de secreção anormal for feito em um exame de rotina.[2,3,6] O pH normal da secreção vaginal é menor do que 4,5. Na microscopia, observa-se menos do que 1 leucócito por campo, e, de modo eventual, algumas células conhecidas como *clue cells*, que, embora não sejam patognomônicas, sugerem fortemente o diagnóstico de vaginose bacteriana por *Gardnerella vaginalis*.[7,8] O exame microscópico direto das secreções vaginais confirma o diagnóstico, apontando, na maioria dos casos, os agentes etiológicos das vaginites. Os exames culturais são utilizados somente em casos especiais.[2,5,8]

A secreção vaginal anormal pode ser agrupada em três grandes categorias: mucorreia, vulvovaginites e cervicites, sendo a vaginose bacteriana a causa mais frequente de secreção vaginal anormal aumentada.[4,6,9]

É importante ressaltar que o exame preventivo de câncer de colo do útero não deve ser realizado com o intuito de diagnosticar vulvovaginite, vaginose ou cervicite. Quando indicado, deve preferencialmente ser realizado após o tratamento adequado das infecções do trato reprodutivo.

Para todas as mulheres com secreção vaginal suspeita de infecção sexualmente transmissível (IST), devem ser oferecidos os testes rápidos para sua detecção durante a consulta.[5]

## Mucorreia

A mucorreia é definida pelo volume excessivo de secreção vaginal fisiológica, sendo um achado muito frequente na prática clínica (exame especular mostrando ausência de inflamação vaginal e áreas de epitélio endocervical secretando muco claro e límpido). O exame microscópico a fresco da secreção vaginal revela células sem alterações inflamatórias, número normal de leucócitos e lactobacilos em abundância, com pH vaginal normal, na faixa de 3,8.[2,10]

As duas causas principais de mucorreia são:
→ **ectopia:** presença do epitélio endocervical recobrindo o colo do útero, o qual produz maior quantidade de muco quando em contato com o meio ácido vaginal;
→ **gestação:** glândulas cervicais e vaginais com circulação sanguínea aumentada, produzindo mais muco.

A anamnese revela fluxo vaginal aumentado, sem odor, prurido ou outro sintoma infeccioso. O exame físico mostra mucosa vaginal normal, sem alterações inflamatórias ou infecciosas, com grande quantidade de muco hialino. Área de ectopia pode estar presente no exame ginecológico.[2]

O tratamento da mucorreia consiste em esclarecer à paciente que, nesse caso, as secreções vaginais são normais, sendo importante explicar sobre a fisiologia normal da vagina e suas variações relacionadas com a idade e as oscilações hormonais e mostrar as diferenças de uma mucorreia das outras causas de fluxo genital aumentado, como as vaginites e as cervicites.[2,11] O uso de acetato de medroxiprogesterona de depósito, intramuscular (IM), a cada 3 meses, ou de acetato de noretindrona 5 mg, por via oral (VO), diariamente, diminui os níveis de estrogênio, podendo reduzir a leucorreia. Porém, o uso de terapia hormonal para essa indicação, isoladamente, não é considerado apropriado, em função dos possíveis efeitos colaterais associados.[13]

Mulheres que apresentam grandes áreas de ectopia e mucorreia excessiva devem ser encaminhadas ao ginecologista com experiência em patologia cervical, principalmente se houver suspeita de alguma lesão cervical.[8]

## Vulvovaginites

As vulvovaginites podem estar associadas a infecções da vagina, do colo do útero ou do trato genital superior, assim como à exposição a agentes químicos ou irritantes (p. ex., duchas vaginais ou espermaticidas), a alterações hormonais e, em alguns casos, a doenças sistêmicas.[2,6]

**Os três principais agentes que causam vulvovaginite são *Gardnerella vaginalis*, *Trichomonas vaginalis* e *Candida albicans*, sendo responsáveis por cerca de 46%, 23% e 20% das leucorreias, respectivamente.[2,4,12,13] Cabe ressaltar que até 72% das mulheres com vaginites permanecem sem diagnóstico conclusivo.[2,13,14]**

*Gardnerella vaginalis* e *C. albicans* podem habitar a vagina sem causar sintomas, e a infecção causada por esses agentes não é considerada uma IST, diferentemente da infecção por *T. vaginalis*, que é assim classificada. Apesar de o termo vulvovaginite englobar esses três agentes, a infecção por *G. vaginalis* também é denominada vaginose, pois não produz sintomas inflamatórios.[2,9]

A anamnese, o exame pélvico e o exame macroscópico do fluxo vaginal podem sugerir vaginite e fornecem dados para o diagnóstico presuntivo de um agente específico, porém o tratamento empírico, baseado apenas na história e no exame físico, deve ser evitado, pelo risco de erros diagnósticos e tratamentos inadequados.[15,16] Um estudo no contexto da atenção primária à saúde (APS) mostrou que 42% das mulheres com sintomas de vaginite receberam tratamento inadequado e que as mulheres sem infecção que receberam tratamento empírico tiveram maior probabilidade de ter consultas recorrentes em 90 dias.[17] O exame microscópico direto da secreção vaginal possibilita, na maioria das vezes, identificar o agente etiológico. As culturas são de pouca utilidade nos casos de infecção vaginal, porém devem ser recomendadas para pacientes com recorrências frequentes ou com história de múltiplos tratamentos.[2]

As recidivas são frequentes, e nesses casos podem ser investigadas condições que causam imunossupressão, como diabetes e infecção pelo vírus da imunodeficiência humana (HIV, do inglês *human immunodeficiency virus*). Mulheres que apresentam sintomas recorrentes devem ser encaminhadas para um especialista, principalmente quando houver indícios de imunossupressão ou quando os tratamentos usuais não forem efetivos.

Também é importante abordar cuidados com a higiene e questões relacionadas com a sexualidade, esclarecendo sobre práticas seguras de sexo e orientando medidas que podem ajudar no espaçamento das crises e na melhora dos sintomas, como evitar o uso de roupas íntimas de *lycra* ou de tecido sintético, de protetores íntimos ou de agentes químicos para higiene pessoal ou das roupas íntimas. Essas recomendações, embora ainda careçam de evidências científicas, podem ajudar sobretudo as mulheres com recidivas frequentes, nas quais mesmo o alívio parcial já pode trazer algum conforto.

A TABELA 124.1 fornece elementos para o diagnóstico e o tratamento das vaginites mais comuns.

Mulheres com diagnóstico de infecção pelo HIV devem ser tratadas da mesma forma.[2]

## Cervicites

O colo do útero é composto por dois tipos de epitélio: pavimentoso (ou escamoso), que é a própria extensão da mucosa da vagina, e o epitélio glandular, que recobre o canal cervical. É na junção escamocolunar, definida pela zona de

**TABELA 124.1** → Vulvovaginites: agentes, apresentação clínica, diagnóstico e tratamento

| VAGINITES (AGENTES) | APRESENTAÇÃO CLÍNICA | EXAMES COMPLEMENTARES | TRATAMENTO | OBSERVAÇÕES |
|---|---|---|---|---|
| **Vaginose bacteriana** (*Gardnerella vaginalis*, *Mobiluncus* sp., *Bacteroides* sp., *Mycoplasma hominis*, *Peptococcus* e outros anaeróbios) | Secreção vaginal acinzentada, cremosa, aderente às paredes vaginais e ao colo do útero, com odor fétido, sem sintomas inflamatórios[2,8] | Diagnóstico com 3 de 4 critérios de Amsel:[2,4]<br>→ pH vaginal > 4,5<br>→ Liberação de odor fétido quando aplicado KOH a 10% em esfregaço de secreção em lâmina (teste das aminas [*whiff test*] positivo)<br>→ Presença de células epiteliais vaginais recobertas por *Gardnerella*, tornando sua aparência granulosa e seus limites imprecisos (*clue cells*)<br>→ Corrimento homogêneo e fino | **Antibiótico VO**<br>→ Metronidazol 500 mg, de 12/12 horas, por 7 dias, é mais efetivo do que metronidazol 2 g em dose única **B**[2,8,23,24]<br>→ Alternativa: clindamicina 300 mg, VO, de 12/12 horas, por 7 dias, parece ser tão efetiva quanto metronidazol 7 dias **B**[25,26]<br>**Antibiótico por via intravaginal**<br>→ Metronidazol gel a 0,75%, 1 aplicador (5 g), 1 ×/dia, por 5 dias, ou clindamicina creme a 2%, 1 aplicador (5 g), 1 ×/dia, por 7 dias **B**[2,27]<br>→ Clindamicina óvulos 100 mg, 1 ×/dia, por 3 dias, parece ser tão efetiva quanto clindamicina creme por 7 dias **A**[25]<br>*Nota:* não parece haver diferença entre antibiótico VO ou via intravaginal (clindamicina ou metronidazol gel) na efetividade do tratamento **B**[2,27]<br>**Gestação e amamentação**<br>→ Gestantes sintomáticas podem utilizar metronidazol VO ou vaginal ou clindamicina VO, sendo preferível usar a via oral para aquelas com fatores de risco para parto prematuro;[6] estudos com clindamicina intravaginal mostraram resultados conflitantes[28,29]<br>→ O tratamento VO é permitido durante a amamentação; porém, recomenda-se dar preferência a apresentações tópicas ou outros fármacos[2,30]<br>**Infecções recorrentes**<br>→ Evidências fracas sugerem que o uso de probióticos, VO ou por via vaginal, como adjuvante ao tratamento convencional, pode diminuir as recorrências em 1 mês, mas o benefício no longo prazo não foi demonstrado **C/D**[31,32]<br>→ Existe a opção de usar metronidazol 500 mg, 2 ×/dia, por 10-14 dias **C/D**[5] | → Todas as mulheres sintomáticas devem receber tratamento[2]<br>→ Mulheres assintomáticas (identificadas ao exame físico ou na realização do exame de Papanicolau) não devem ser tratadas, com exceção de gestantes, especialmente aquelas com fatores de risco para parto prematuro,[33] e mulheres em pré-operatório, por risco de infecção cirúrgica **C/D**[34]<br>→ Gestantes sem sintomas e sem fatores de risco para parto prematuro não devem ser rastreadas para vaginose bacteriana **B**; o benefício de rastrear mulheres assintomáticas com fatores de risco para parto prematuro é incerto[35]<br>→ Efeitos colaterais da clindamicina intravaginal incluem colite e candidíase<br>→ Estudos sugerem risco maior de rompimento do preservativo em pacientes que utilizam clindamicina creme[2]<br>→ Efeitos colaterais do metronidazol VO incluem náuseas e gosto metálico, e costumam ser menos frequentes e intensos quando utilizados VO<br>→ É contraindicado ingerir bebidas alcoólicas até 24 horas após o término do tratamento com metronidazol<br>→ Não é necessário tratar a parceria sexual, pois isso não previne recorrências **B**[36]<br>→ Recomenda-se abstinência sexual durante o tratamento tópico<br>→ Apesar do tratamento, as recorrências são muito comuns, podendo chegar a 50% nos 2 meses seguintes ao tratamento |
| **Candidíase** (*Candida albicans*) | Prurido intenso, dispareunia superficial, edema de vulva, secreção vaginal esbranquiçada e grumosa, aderente às paredes vaginais e ao colo do útero, disúria por irritação da pele lesada pela urina[2,8] | pH vaginal < 4,5 (pH normal)<br>Presença de hifas e esporos na microscopia da secreção vaginal após aplicação de KOH (identificado em 65% dos casos)<br>Mulheres com comprometimento da imunidade são mais afetadas (p. ex., diabetes, infecção pelo HIV, uso crônico de corticoides, etc.)<br>Aproximadamente 10-20% das pacientes apresentam casos complicados ou recorrentes; nessas situações, a cultura da secreção deve ser realizada[2] | **Antifúngico VO** **A**[5,37]<br>→ Fluconazol 150 mg em dose única<br>→ Itraconazol 100 mg, 2 comprimidos, de 12/12 horas, por 1 dia<br>→ Fluconazol e itraconazol têm eficácia similar **B**[38]<br>**Antifúngico por via intravaginal** **A**[37]<br>→ Isoconazol creme a 1%, 1 aplicador (5 g), 1 ×/dia, por 7 dias, ou óvulo 600 mg em dose única<br>→ Tioconazol a 6%, 1 aplicador (5 g), 1 ×/dia, por 7 dias, ou óvulo 300 mg em dose única<br>→ Terconazol creme, 1 aplicador (5 g), 1 ×/dia, por 3 dias (0,8%) ou 7 dias (0,4%)<br>→ Miconazol creme a 2%, 1 aplicador (5 g), 1 ×/dia, por 7 dias<br>→ Clotrimazol creme a 1%, 1 aplicador (5 g), 1 ×/dia, por 7 dias<br>→ A eficácia entre os diferentes tipos de imidazólicos se mostrou similar[39]<br>Os esquemas com dose única se mostraram tão eficazes quantos aqueles com múltiplas doses[39]<br>A eficácia dos esquemas com derivados azólicos VO e intravaginal é a mesma **B**[40] e melhor do que a nistatina creme (1 aplicador com 5 g, 1 ×/dia, por 7 dias), que pode ser utilizada se não houver outra alternativa[2,40]<br>**Candidíase recorrente (≥ 4 episódios sintomáticos em 1 ano)**[41]<br>→ Fluconazol 150 mg, VO, 1 ×/dia, por 3 dias ou por 10-14 dias, ou ainda por 3 dias nos dias 1, 4 e 7[5] (tratamento indutivo inicial), seguido de 1 ×/semana, por 6 meses **A**<br>→ Na impossibilidade de uso do fluconazol, considerar:<br>  → Azólico tópico por 10-14 dias, seguido de uso intermitente por 6 meses, p. ex.<br>  → Clotrimazol creme, 1 aplicador, 2 ×/semana, por 6 meses, ou miconazol creme, 2 ×/semana | → Não há evidências para recomendar o tratamento de infecções assintomáticas[48]<br>→ Medicamentos orais e tópicos apresentam eficácias equivalentes **B**[2,37,49]<br>→ Observar toxicidade hepática quando usar antifúngico VO<br>→ Tratar parceria sexual apenas se for sintomática[2,5,8]<br>→ Em candidíase recorrente, deve-se investigar diabetes, uso frequente de antibióticos e imunossupressão<br>→ Evidências sugerem que adicionar probióticos ao tratamento com antifúngico pode aumentar as taxas de cura no curto prazo **B**;[2,3] o consumo diário de iogurte contendo *Lactobacillus acidophilus*, em adição ao tratamento com fluconazol, pode ser benéfico na doença aguda, mas não na recorrente **C/D**[50] |

*(continua)*

TABELA 124.1 → Vulvovaginites: agentes, apresentação clínica, diagnóstico e tratamento    (Continuação)

| VAGINITES (AGENTES) | APRESENTAÇÃO CLÍNICA | EXAMES COMPLEMENTARES | TRATAMENTO | OBSERVAÇÕES |
|---|---|---|---|---|
| | | | **Gestação**<br>→ Usar esquemas de tratamento tópico como primeira opção[5,42,43]<br>→ Se necessário, pode ser utilizado fluconazol 150 mg em dose única[2,18,44,45]<br>→ Porém, uma metanálise de 2015 incluindo mulheres expostas ao fluconazol no 1º trimestre, apesar de não encontrar aumento no risco geral de malformações congênitas, evidenciou um risco aumentado de defeitos cardíacos (RC = 1,29; IC 95%, 1,05-1,58);[46] outro estudo associou o uso do medicamento com pequeno aumento no risco de malformações musculoesqueléticas[47] | |
| **Tricomoníase** (*Trichomonas vaginalis*) | Prurido intenso, edema de vulva, dispareunia, colo com petéquias, secreção vaginal amarelo-esverdeada bolhosa e fétida, disúria menos frequente; cerca de 50% das mulheres e dos homens são assintomáticos[2,8] | Presença de protozoário móvel em exame a fresco Citologia cervical pode ocasionalmente evidenciar *Trichomonas*, porém 30% dos resultados são falso-positivos; nesses casos, se disponível, testes confirmatórios são recomendados[49] | **Tratamento recomendado**<br>→ Metronidazol 500 mg, VO, 2 ×/dia, por 7 dias **A**[52] (mostrou-se mais efetivo que o esquema em dose única **B**)[53]<br>**Tratamento alternativo**<br>→ Metronidazol 2 g, VO, em dose única<br>→ Tinidazol 2 g, VO, em dose única **C**[52]<br>**Gestação e amamentação**<br>→ Na gestação, há evidências sugerindo que a tricomoníase pode estar associada ao trabalho de parto prematuro[2]<br>→ Gestantes sintomáticas devem ser tratadas com metronidazol 2 g, VO, em dose única em qualquer estágio da gestação[2,3]<br>→ Gestantes podem utilizar metronidazol VO ou por via vaginal[2,6]<br>→ Tratamento com metronidazol (até 1.200 mg/dia) VO é permitido na amamentação, e não há necessidade de suspender temporariamente o aleitamento materno[2] | → O tratamento é sempre sistêmico<br>→ É contraindicado ingerir bebidas alcoólicas até 24 horas após o término do tratamento; quando o fármaco utilizado for o tinidazol, a abstinência recomendada é de 72 horas<br>→ A parceria sexual sempre deve ser tratada; orientar evitar relações sexuais até completar o tratamento e até a remissão dos sintomas **C/D**[2]<br>→ Tratamento da parceria: metronidazol 2 g, VO, ou tinidazol 2 g, VO, em dose única[2]<br>→ Rastrear outras ISTs como HIV e sífilis<br>→ Devido às altas taxas de reinfecção, pode-se considerar rastrear as mulheres para infecções assintomáticas 3 meses após a infecção inicial[2] |

HIV, vírus da imunodeficiência humana; IC, intervalo de confiança; ISTs, infecções sexualmente transmissíveis; KOH, hidróxido de potássio; RC, razão de chances; VO, via oral.

união desses dois tipos de epitélio, que ocorrem 90% das lesões precursoras do câncer de colo do útero. A denominação endo ou ectocervical está relacionada com a situação do epitélio em relação ao canal cervical.

O epitélio ectocervical é propenso a infecções que acometem a vagina, como as vulvovaginites. Já a infecção no epitélio endocervical, quando presente, costuma ser causada por organismos específicos, como *Neisseria gonorrhoeae*, *Chlamydia trachomatis*, *Ureaplasma urealyticum* e *Mycoplasma hominis* (os dois últimos dificilmente são identificados em culturas, porém, para fins de tratamento, apresentam sensibilidade antimicrobiana semelhante à de *C. trachomatis*).[2] Mais raramente, pode ocorrer infecção por *Trichomonas vaginalis* e *Herpes simplex*. Denomina-se cervicite ou endocervicite mucopurulenta a infecção do canal cervical. Para facilitar a escolha do tratamento, as cervicites podem ser divididas em gonocócicas e não gonocócicas.[2,18]

Cervicites frequentemente são assintomáticas, mas algumas pacientes podem se queixar da presença ou apresentar secreção purulenta visível no canal cervical ou presente em *swab* endocervical, estando em alguns casos associada à secreção vaginal anormal. Também é característica a friabilidade do colo do útero, podendo ocorrer sangramento à sua manipulação, seja durante o coito ou durante o exame ginecológico.[2,18] O diagnóstico deve incluir cultura da secreção endocervical para *N. gonorrhoeae* e imunofluorescência direta e/ou indireta para *C. trachomatis*. Como opção, pode-se realizar esfregaço da secreção cervical (Gram) para a pesquisa de diplococos gram-negativos associados a leucócitos polimorfonucleares, presentes na infecção por *N. gonorrhoeae*. Porém, em muitos casos, não se identifica o agente etiológico. A solicitação de sorologia IgM e IgG para clamídia não é útil para o diagnóstico de infecções locais nos órgãos genitais, pois os anticorpos levam semanas para serem detectados e os testes podem não diferenciar anticorpos para diferentes tipos de clamídia.[17] Recomenda-se que as pacientes tratadas retornem para avaliar se o tratamento foi efetivo.[2,10]

O tratamento da infecção por *N. gonorrhoeae* e *C. trachomatis* é descrito na TABELA 124.2, de acordo com as recomendações do Centers for Disease Control and Prevention (CDC) e do Ministério da Saúde do Brasil.[2,5]

**Mesmo as infecções assintomáticas por *N. gonorrhoeae* e *C. trachomatis*, que são frequentes, devem ser tratadas. Devido à possibilidade de coinfecção por *N. gonorrhoeae* e *C. trachomatis* e de desenvolvimento de doença inflamatória pélvica, justifica-se o tratamento combinado desses dois agentes etiológicos em todos os casos C/D.[2,5]**

Em gestantes, a cervicite pode estar associada à prematuridade, à ruptura prematura de membranas e à infecção fetal. O feto acometido por *N. gonorrhoeae* apresenta, com frequência, conjuntivite, podendo ocorrer ainda sepse, artrite, abscesso de couro cabeludo, pneumonia, meningite, endocardite e estomatite. A infecção fetal por *C. trachomatis*

TABELA 124.2 → Tratamento para *Neisseria gonorrhoeae* e *Chlamydia trachomatis*

| AGENTE ETIOLÓGICO | RECOMENDADO | ALTERNATIVA | GESTANTES |
|---|---|---|---|
| *Neisseria gonorrhoeae* | Ceftriaxona 250 ou 500 mg, IM, em dose única **A** + Azitromicina 1 g, VO, em dose única **A** | Cefixima 400 mg, VO, em dose única (se a ceftriaxona não estiver disponível) **D** + Azitromicina 1 g, VO, em dose única Em casos de alergia, intolerância ou efeito com cefalosporina: gentamicina 240 mg, IM, ou espectinomicina 2 g, IM, em dose única + azitromicina 2 g, em dose única | Recomenda-se o mesmo tratamento administrado às mulheres não gestantes Em caso de alergia à cefalosporina e indisponibilidade da espectinomicina, um especialista em infectologia deve ser consultado |
| | | + | |
| *Chlamydia trachomatis* | Doxiciclina 100 mg, VO, 2×/dia, por 7-10 dias **B** OU Azitromicina 1 g, VO, em dose única **B** | Estearato de eritromicina 500 mg, VO, de 6/6 horas, por 7 dias Estearato de eritromicina 500 mg, VO, de 12/12 horas, por 14 dias Ofloxacino 400 mg, VO, de 12/12 horas, por 7 dias,[5] ou ofloxacino 400 mg, VO, de 12/12 horas, por 7 dias[2] Levofloxacino 500 mg, VO, 1×/dia, por 7 dias[2] Tetraciclina 500 mg, VO, de 6/6 horas, por 7 dias[5] | Azitromicina 1 g, VO, em dose única (fármaco de escolha durante a gravidez) **B** Doxiciclina é contraindicada durante a gestação (especialmente no 2º e 3º trimestres) **Alternativas** → Amoxicilina 500 mg, VO, de 8/8 horas, por 7 dias **B** → Estearato de eritromicina 500 mg, de 6/6 horas, por 7 dias **D** → Estearato de eritromicina 250 mg, VO, de 6/6 horas, por 14 dias **D** Quinolonas devem ser evitadas, pelo risco presumido de danos à cartilagem fetal, e estão contraindicadas em menores de 18 anos |

IM, intramuscular; VO, via oral.
Fonte: Brasil[5] e Workowski e colaboradores.[2]

causa conjuntivite e pneumonia. As opções de tratamento em gestantes são apresentadas na TABELA 124.2.[2,5]

**De acordo com as normas do Ministério da Saúde do Brasil e do CDC para o tratamento de ISTs, todas as parcerias sexuais de mulheres com diagnóstico comprovado ou com forte suspeita de cervicite, dos 2 meses anteriores ao diagnóstico, sintomáticas ou não, devem ser tratadas empiricamente para clamídia e gonococo, de forma presencial, preferencialmente. O tratamento de escolha é azitromicina 1 g VO + ceftriaxona 500 mg IM em dose única.[2,5,18]**

A fim de evitar reinfecção, deve-se recomendar abstenção de sexo sem proteção por até 7 dias após o final do tratamento e após resolução dos sintomas, quando presentes.[2]

**O médico deve aproveitar para discutir com a mulher/casal sobre a importância da testagem do casal para ISTs. Os testes rápidos, disponíveis nas unidades básicas de saúde, podem ser oferecidos e realizados no mesmo momento da consulta.**

Mulheres com diagnóstico de infecção pelo HIV devem receber o mesmo tratamento que as demais.[2]

Diante do diagnóstico de cervicite ou uretrite, o profissional da APS deve encaminhar a mulher para serviço especializado quando não houver melhora após 48 horas do início do tratamento com antibióticos; se houver sinais que sugiram gravidade ou comprometimento sistêmico importante; quando o diagnóstico for feito durante a gestação; e quando ocorrer na adolescência, dependendo da situação, se for avaliado risco de a adolescente não seguir o tratamento prescrito.

## PRURIDO VULVAR

O prurido vulvar pode manifestar-se isoladamente, porém, quando associado a outros sintomas crônicos, como queimação, dor ou irritação, chama-se vulvodínia. A presença de estrogênios endógenos e exógenos tem papel determinante na etiopatogenia das alterações vulvares, devendo ser avaliada na investigação dessas doenças. A atividade sexual, os produtos de higiene feminina (duchas, sabonetes, perfumes) e os medicamentos (pílulas contraceptivas orais, antibióticos) podem alterar a flora vaginal normal. Outras condições clínicas, como diabetes, podem provocar desenvolvimento de alterações vulvares. Irritação vulvar também pode ocorrer secundariamente ao contato com urina e conteúdo fecal em mulheres com hábitos de higiene inadequados ou com incontinência.

As causas de prurido vulvar podem ser agrupadas em:
→ **infecciosas:** vaginose bacteriana, candidíase, tricomoníase, herpes, papilomavírus humano, vestibulites, verminoses (oxiuríase);
→ **alérgicas:** irritação por uso de sabonetes, talcos, perfumes, sabões para roupa, roupa sintética e justa, medicamentos tópicos;
→ **alterações hormonais;**
→ **traumáticas:** acidentes, cirurgias;
→ **neurológicas:** nevralgia periférica, afecções medulares;
→ **doenças dermatológicas:** líquen escleroso, atrofia por hipoestrogenismo;
→ **neoplasias:** lesão intraepitelial vaginal, lesão invasora.

A anamnese deve ser detalhada, caracterizando início, tempo de evolução, tratamentos prévios, alterações morfológicas locais, hábitos de higiene e perguntas específicas para cada uma das causas recém-citadas. O exame físico é realizado primeiramente com inspeção da região vulvar sob luz adequada, procurando-se áreas de fissuras, úlceras, hiperpigmentação, eritema, atrofia, hipertrofia, abaulamento das glândulas de Bartholin, entre outros. Pode-se aplicar ácido acético a 5% para avaliar a presença de lesões acetobrancas compatíveis com infecção pelo papilomavírus humano (HPV, do inglês *human papillomavirus*). Ressalta-se que nem todas as lesões brancas ou acetobrancas são devidas à infecção pelo HPV ou neoplasia intraepitelial vulvar (ver Capítulo Câncer Genital Feminino e Lesões Precursoras).

O exame especular deve ser realizado para descartar vulvovaginites, que, como citado anteriormente, é a principal causa de consultas no ginecologista e pode ser a causa do prurido em um número significativo das pacientes.

> As mulheres com lesões cervicais hipertróficas, lesões acetobrancas ou lesões sangrantes devem ser encaminhadas para a realização de colposcopia.

Biópsias são indicadas quando forem encontradas lesões na colposcopia, para descartar doença maligna.

A seguir, são descritas algumas das causas mais importantes de prurido vulvar.

## Líquen escleroso vulvar

Caracteriza-se por alteração inflamatória e atrofiante da vulva, de origem desconhecida, que causa irritação local, prurido (em 85% dos casos), dispareunia e sintomas urinários. Ao exame, evidencia-se pele atrófica, com aspecto pálido, com perda de pelos na vulva, fissuras e hiperceratose, podendo atingir inclusive a região perianal. Observam-se também subfusões hemorrágicas subepiteliais e, por tração do epitélio, formação de finas pregas paralelas. Outras manifestações são fissuras e erosões que surgem após pequenos traumas, até mesmo após o ato de coçar. Algumas formas hiperceratósicas de líquen escleroso podem ser inadequadamente diagnosticadas como leucoplasia.[19]

Em casos mais avançados, pode haver perda da arquitetura vulvar com apagamento dos lábios e fusão parcial da linha média no introito vaginal. O diagnóstico é clínico, mas a biópsia deve ser realizada quando houver dúvida ou suspeita de malignidade.

O tratamento é tópico.

Os corticoides tópicos são os fármacos de escolha: propionato de clobetasol pode ser usado 2 ×/dia por 3 meses ou até mesmo indefinidamente em casos de recidiva após a interrupção do tratamento C/D.

A utilização de creme de propionato de testosterona a 2%, 2 ×/dia, por 2 a 4 meses, é discutível.[19,20] Outras opções que mostraram alguma efetividade são gel de *Aloe vera* (babosa) e pimecrolimo/tacrolimo.[19,20]

As mulheres que não respondem ao tratamento devem ser encaminhadas para atendimento especializado com ginecologista e/ou dermatologista.

O corticoide tópico pode ser utilizado na gestação e na amamentação. As revisões devem ser anuais quando não houver recidiva. É importante lembrar que o líquen escleroso pode estar associado à neoplasia vulvar (ver Capítulo Câncer Genital Feminino e Lesões Precursoras).

## Herpes genital

Ver Capítulos Infecções pelo Herpesvírus e pelo Vírus Varicela-Zóster, Infecções Sexualmente Transmissíveis: Abordagem Sindrômica e Infecções na Gestação.

## Neoplasia intraepitelial vulvar

A neoplasia intraepitelial vulvar é um conjunto de alterações celulares pré-malignas que pode levar à carcinogênese. Ao contrário das lesões de colo do útero, não está bem definido o exato risco de desenvolver câncer de vulva a partir dessas lesões. Os sinais e sintomas são prurido, dor, alteração de pigmentação (lesões pálidas, eritematosas ou pigmentadas) e multifocalidade.

Nos casos suspeitos clinicamente ou em casos de líquen escleroso que não respondem ao tratamento, a biópsia é mandatória, assim como o encaminhamento para serviço de referência.[21]

O tratamento consiste em excisão local, destruição com *laser* ou aplicação tópica de imiquimode (modulador imunológico), o qual é contraindicado na gestação. Em alguns casos, como em mulheres jovens e em lesões iniciais, a conduta pode ser expectante.

Ver Capítulo Câncer Genital Feminino e Lesões Precursoras.

## Dermatite vulvar

A dermatite vulvar pode ser causada por alérgenos de produtos de higiene, roupas, medicamentos ou após episódio de candidíase. Apresenta-se com prurido, edema, eritema, liquenificação e fissuras.

O diagnóstico, na maioria das vezes, é de exclusão.

Como tratamento, recomenda-se eliminação do fator precipitante, banhos de assento com permanganato de potássio ou compressas umedecidas com chá de camomila, 2 ×/dia, para higiene local, e uso de corticoide tópico como clobetasol, triancinolona e hidrocortisona a 1%, 2 ×/dia, por 3 semanas C/D. Em casos graves, podem ser utilizados corticoides VO.[22]

# REFERÊNCIAS

1. Sobel JD. Patient education: vaginal discharge in adult women (beyond the basics) [Internet]. UpToDate. Waltham: UpToDate; 2020 [capturado em 20 dez. 2020]. Disponível em: https://www.uptodate.com/contents/vaginal-discharge-in-adult-women-beyond-the-basics/print

2. Workowski KA, Bolan GA, Centers for Disease Control and Prevention. Sexually transmitted diseases treatment guidelines, 2015. MMWR Recomm Rep. 2015;64(RR-03):1-137. Erratum in: MMWR Recomm Rep. 2015;64(33):924.

3. Landers DV, Wiesenfeld HC, Heine RP, Krohn MA, Hillier SL. Predictive value of the clinical diagnosis of lower genital tract infection in women. Am J Obstet Gynecol. 2004;190:1004–10.http://dx.doi.org/10.1016/j.ajog.2004.02.015

4. Sobel JD. Vulvovaginitis in healthy women. Compr Ther.1999;25(6-7):335-46.

5. Brasil. Ministério da Saúde. Protocolo Clínico e Diretrizes Terapêuticas para Atenção Integral às Pessoas com Infecções Sexualmente Transmissíveis (IST) [Internet]. Brasília: MS; 2020 [capturado em 12 jan. 2021]. Disponível em: https://www.aids.gov.br/system/tdf/pub/2016/57800/pcdt_ist_final_revisado_020420.pdf?file=1&type=node&id=57800&force=1

6. Sobel JD. Approach to females with symptoms of vaginitis [Internet]. UpToDate. Waltham: UpToDate; 2020 [capturado em 20

dez. 2020]. Disponível em: https://www.uptodate.com/contents/approach-to-females-with-symptoms-of-vaginitis.

7. Sobel JD. Vulvovaginal candidosis. Lancet. 2007;369(9577):1961–71.http://dx.doi.org/10.1016/s0140-6736(07)60917-9

8. Naud P, Vettorazzi J, Matos JC, Magno V. Vulvovaginites. In: Passos EP, Ramos JGL, Martins-Costa SH, Magalhães JA, Menke CH, Freitas F, organizadores. Rotinas em ginecologia. 7. ed. Porto Alegre: Artmed; 2017. p. 139–55.

9. Sobel JD. Bacterial vaginosis: treatment [Internet]. UpToDate. Waltham: UpToDate; 2020 [capturado em 20 dez. 2020]. Disponível em: https://www.uptodate.com/contents/bacterial-vaginosis-treatment?search=Bacterial%20vaginosis:%20Treatment&source=search_result&selectedTitle=1~82&usage_type=default&display_rank=1

10. Anderson MR, Klink K, Cohrssen A. Evaluation of vaginal complaints. JAMA. 2004;291(11):1368–79.

11. Sobel JD. Patient education: Vaginal discharge in adult women (Beyond the Basics) [Internet]. UpToDate. Waltham: UpToDate; 2020 [capturado em 20 dez. 2020]. Disponível em: https://www.uptodate.com/contents/vaginal-discharge-in-adult-women-beyond-the-basics?search=Patient%20education:%20Vaginal%20discharge%20in%20adult%20women&source=search_result&selectedTitle=1~150&usage_type=default&display_rank=1

12. Sobel JD. Chronic and acute causes of vaginal discharge other than bacterial vaginosis, candidiasis, or trichomoniasis [Internet]. Waltham: UpToDate; 2011. [capturado em 20 dez. 2019]. Disponível em: https://somepomed.org/articulos/contents/mobipreview.htm?7/41/7824

13. Anderson M, Karasz A, Friedland S. Are vaginal symptoms ever normal? A review of the literature. MedGenMed. 2004;6(4):49.

14. Nyirjesy P, Peyton C, Weitz MV, Mathew L, Culhane JF. Causes of chronic vaginitis: analysis of a prospective database of affected women. Obstet Gynecol. 2006;108(5):1185-91.

15. Zemouri C, Wi TE, Kiarie J, Seuc A, Mogasale V, Latif A, et al. The performance of the vaginal discharge syndromic management in treating vaginal and cervical infection: a systematic review and meta-analysis. PLoS One. 2016;11(10):e0163365.

16. Nwankwo TO, Aniebue UU, Umeh UA. Syndromic diagnosis in evaluation of women with symptoms of vaginitis. Curr Infect Dis Rep. 2017;19(1):3.

17. Hillier SL, Austin M, Macio I, Meyn LA, Badway D, Beigi R. Diagnosis and treatment of vaginal discharge syndromes in community practice settings. Clin Infect Dis. 2021:ciaa260.

18. Naud P, Vettorazzi J, Matos JC, Magno V. Doenças Sexualmente Transmissíveis. In: Passos EP, Ramos JGL, Martins-Costa SH, Magalhães JA, Menke CH, Freitas F, organizadores. Rotinas em ginecologia. 7. ed. Porto Alegre: Artmed; 2017. p. 175–95.

19. Chi CC, Kirtschig G, Baldo M, Brackenbury F, Lewis F, Wojnarowska F. Topical interventions for genital lichen sclerosus. Cochrane Database Syst Rev. 2011; 2011(12):CD008240.

20. Rajar UD, Majeed R, Parveen N, Sheikh I, Sushel C. Efficacy of aloe vera gel in the treatment of vulval lichen planus. J Coll Physicians Surg Pak. 2008;18(10):612-4.

21. Roy M, Bryson P. Treatment of external genital warts and pre-invasive neoplasia of the lower tract. Rockville: AHRQ; 2010.

22. Rodriguez MI, Leclair CM. Benign vulvar dermatoses. Obstet Gynecol Surv. 2012;67(1): 55–63.

23. Lugo-Miro VI, Green M, Mazur L. Comparison of different metronidazole therapeutic regimens for bacterial vaginosis. A meta-analysis. JAMA.1992;268(1):92–5. https://www.ncbi.nlm.nih.gov/pubmed/1535108

24. Swedberg J, Steiner JF, Deiss F, Steiner S, Driggers DA. Comparison of single-dose vs one-week course of metronidazole for symptomatic bacterial vaginosis. JAMA. 1985;254(8):1046–49.

25. Oduyebo OO, Anorlu RI, Ogunsola FT. The effects of antimicrobial therapy on bacterial vaginosis in non-pregnant women. Cochrane Database Syst Rev. 2009;(3):CD006055.

26. Joesoef MR, Schmid GP, Hillier SL. Bacterial vaginosis: review of treatment options and potential clinical indications for therapy. Clin Infect Dis. 1999;28 Suppl 1:S57–65.

27. Ferris DG, Litaker MS, Woodward L, Mathis D, Hendrich J. Treatment of bacterial vaginosis: a comparison of oral metronidazole, metronidazole vaginal gel, and clindamycin vaginal cream. J Fam Pract. 1995;41(5): 443–9.

28. McDonald HM, Brocklehurst P, Gordon A. Antibiotics for treating bacterial vaginosis in pregnancy. Cochrane Database Syst Rev. 2007;(1):CD000262.

29. Lamont RF, Duncan SLB, Mandal D, Bassett P. Intravaginal clindamycin to reduce preterm birth in women with abnormal genital tract flora. Obstet Gynecol. 2003;101(3):516–22. https://www.ncbi.nlm.nih.gov/pubmed/12636956

30. Naud P, Matos JC, Vettorazzi J, Magno V. Doenças sexualmente transmissíveis na gestação. In: Martins-Costa SH, Ramos JGL, Magalhães JA, Passos EP, Freitas F, organizadores. Rotinas em Obstetrícia. 7. ed. Porto Alegre: Artmed; 2017. p. 767–88.

31. Shalev E, Battino S, Weiner E, Colodner R, Keness Y. Ingestion of yogurt containing Lactobacillus acidophilus compared with pasteurized yogurt as prophylaxis for recurrent candidal vaginitis and bacterial vaginosis. Arch Fam Med. 1996;5(10):593–6.

32. Xie HY, Feng D, Wei DM, Mei L, Chen H, Wang X, et al. Probiotics for vulvovaginal candidiasis in non-pregnant women. Cochrane Database Syst Rev. 2017;11(11):CD010496.

33. Yudin MH, Money DM. No. 211-Screening and Management of Bacterial Vaginosis in Pregnancy. J Obstet Gynaecol Can. 2017;39(8):e184–91.

34. Koumans EH, Markowitz LE, Hogan V, CDC BV Working Group. Indications for therapy and treatment recommendations for bacterial vaginosis in nonpregnant and pregnant women: a synthesis of data. Clin Infect Dis. 2002;35(Suppl 2):S152-72.

35. Owens DK, Davidson KW, Krist AH, Barry MJ, Cabana M, Caughey AB, et al. Screening for bacterial vaginosis in pregnant persons to prevent preterm delivery: US Preventive Services Task Force Recommendation Statement. JAMA. 2020;323(13):1324.

36. Amaya-Guio J, Viveros-Carreño DA, Sierra-Barrios EM, Martinez-Velasquez MY, Grillo-Ardila CF, Cochrane STI Group. Antibiotic treatment for the sexual partners of women with bacterial vaginosis. Cochrane Database Syst Rev. 2016;2016 (10):CD011701.

37. Idelevich EA, Becker K. Identification and susceptibility testing from shortly incubated cultures accelerate blood culture diagnostics at no cost. Clin Infect Dis. 2016;62(2):268-9. Erratum in: Clin Infect Dis. 2016;62(8):1057.

38. Pitsouni E, Iavazzo C, Falagas ME. Itraconazole vs fluconazole for the treatment of uncomplicated acute vaginal and vulvovaginal candidiasis in nonpregnant women: a metaanalysis of randomized controlled trials. Am J Obstet Gynecol. 2008;198(2):153-60.http://dx.doi.org/10.1016/j.ajog.2007.10.786

39. Upmalis DH, Cone FL, Lamia CA, Reisman H, Rodriguez-Gomez G, Gilderman L, et al. Single-dose miconazole nitrate vaginal ovule in the treatment of vulvovaginal candidiasis: two single-blind, controlled studies versus miconazole nitrate 100 mg cream for 7 days. J Womens Health Gend Based Med. 2000;9(4):421-9.

40. Nurbhai M, Grimshaw J, Watson M, Bond CM, Mollison JA, Ludbrook A. Oral versus intra-vaginal imidazole and triazole anti-fungal treatment of uncomplicated vulvovaginal candidiasis (thrush). Cochrane Database Syst Rev. 2007;(4):CD002845.

41. Pappas PG, Kauffman CA, Andes DR, Clancy CJ, Marr KA, Ostrosky-Zeichner L, et al. Clinical practice guideline for the management of candidiasis: 2016 update by the Infectious Diseases Society of America. Clin Infect Dis. 2016;62(4):e1-50.

42. Centers for Disease Control and Prevention. Vulvovaginal candidiasis [Internet]. Atlanta: CDC; 2015 [capturado em 13 jan. 2021]. Disponível em: https://www.cdc.gov/std/tg2015/candidiasis.htm

43. Mølgaard-Nielsen D, Svanström H, Melbye M, Hviid A, Pasternak B. Association between use of oral fluconazole during pregnancy and risk of spontaneous abortion and stillbirth. JAMA. 2016;315(1):58–67. http://dx.doi.org/10.1001/jama.2015.17844
44. Bérard A, Sheehy O, Zhao J-P, Gorgui J, Bernatsky S, de Moura CS, et al. Associations between low- and high-dose oral fluconazole and pregnancy outcomes: 3 nested case-control studies. CMAJ. 2019;191(7):E179–87.
45. Pasternak B, Wintzell V, Furu K, Engeland A, Neovius M, Stephansson O. Oral fluconazole in pregnancy and risk of stillbirth and neonatal death. JAMA. 2018;319(22):2333–5.
46. Alsaad AMS, Kaplan YC, Koren G. Exposure to fluconazole and risk of congenital malformations in the offspring: A systematic review and meta-analysis. Reprod Toxicol. 2015;52:78–82.
47. Zhu Y, Bateman BT, Gray KJ, Hernandez-Diaz S, Mogun H, Straub L, et al. Oral fluconazole use in the first trimester and risk of congenital malformations: population based cohort study. BMJ. 2020;369:m1494.
48. Spence D. Candidiasis (vulvovaginal). BMJ Clin Evid. 2010;2010:0815. https://www.ncbi.nlm.nih.gov/pubmed/21718579
49. Watson MC, Grimshaw JM, Bond CM, Mollison J, Ludbrook A. Oral versus intra-vaginal imidazole and triazole anti-fungal treatment of uncomplicated vulvovaginal candidiasis (thrush). Cochrane Database Syst Rev. 2001;(4):CD002845.
50. Martinez RCR, Franceschini SA, Patta MC, Quintana SM, Candido RC, Ferreira JC, et al. Improved treatment of vulvovaginal candidiasis with fluconazole plus probiotic Lactobacillus rhamnosus GR-1 and Lactobacillus reuteri RC-14. Lett Appl Microbiol. 2009;48(3):269–74. http://dx.doi.org/10.1111/j.1472-765X.2008.02477.x
51. Hobbs MM, Seña AC. Modern diagnosis of Trichomonas vaginalis infection. Sex Transm Infect. 2013;89(6):434–8.
52. Committee on Practice Bulletins—Gynecology. Vaginitis in nonpregnant patients: ACOG Practice Bulletin, Number 215. Obstet Gynecol. 2020;135(1):e1–17.
53. Kissinger P, Muzny CA, Mena LA, Lillis RA, Schwebke JR, Beauchamps L, et al. Single-dose versus 7-day-dose metronidazole for the treatment of trichomoniasis in women: an open-label, randomised controlled trial. Lancet Infect Dis. 2018;18(11):1251–9.

# Capítulo 125
## DOR PÉLVICA

Paulo Naud

Valentino Magno

Jean Carlos de Matos

Carlos Augusto Bastos de Souza

A dor pélvica é uma queixa frequente em atenção primária à saúde (APS). Considerando que as causas desse sintoma são diversas, uma boa avaliação requer uma abordagem integral e, muitas vezes, multidisciplinar.

Para fins diagnósticos, a dor pélvica pode ser classificada em aguda, crônica ou cíclica.

## DOR PÉLVICA AGUDA

A dor pélvica aguda é um sintoma frequente nas mulheres, caracterizando-se por início súbito, aumento abrupto e evolução curta. Inicialmente, pode ser descrita como uma sensação de pressão, profunda e mal-localizada, podendo ser acompanhada de vômitos, náuseas e hipotensão.[1] Nota-se que a localização da dor pode não corresponder ao ponto de origem, sobretudo se esta for visceral, quando a dor costuma ter localização e caracterização imprecisas. Considerando-se também os inúmeros mecanismos e rotas responsáveis pela transmissão da dor, sua delimitação exata pode ser difícil. O diagnóstico diferencial inclui causas ginecológicas, urológicas, musculoesqueléticas, gastrintestinais, vasculares e metabólicas (TABELA 125.1).

Na anamnese, é importante investigar as características da dor, febre, secreção vaginal, período menstrual, história pregressa de gestação e de infecções sexualmente transmissíveis (ISTs), sintomas gastrintestinais e urinários. A história pregressa, médica e cirúrgica, também ajuda no diagnóstico, pois cirurgia pélvica, gestação ectópica (GE) ou doença inflamatória pélvica (DIP) prévias são importantes fatores de risco para gestação extrauterina.[2] As patologias anexiais podem provocar torção anexial, exacerbando o quadro álgico. Além disso, deve-se estar atento para o fato de que qualquer cirurgia abdominal pode aumentar o risco de obstrução intestinal.[3]

**Durante a investigação, deve-se avaliar a presença de abdome agudo e, se presente, a mulher deve ser encaminhada a um serviço de emergência (ver Capítulo Avaliação Inicial da Dor Abdominal Aguda). Além disso, na presença de febre, calafrios, hipotensão, taquicardia e taquipneia, a mulher também deve ser encaminhada imediatamente a um serviço de emergência. Nos demais casos, na ausência desses sinais de gravidade, o médico pode, conforme avaliação clínica, solicitar exames complementares (hemograma, exame qualitativo de urina, teste de gravidez e ultrassonografia [US]) para auxiliar na definição do diagnóstico. Não havendo melhora em 24 a 48 horas, a mulher deve ser encaminhada a um serviço de referência.**

A seguir, são detalhadas algumas das causas mais frequentes de dor pélvica aguda de origem ginecológica.

**TABELA 125.1** → Causas de dor pélvica aguda

| | |
|---|---|
| Ginecológicas | → Abortamento |
| | → Gestação ectópica |
| | → Dismenorreia |
| | → Doença inflamatória pélvica |
| | → Endometriose |
| | → Neoplasias |
| | → Torção |
| | → Ruptura de cisto ovariano |
| Não ginecológicas | → Obstrução intestinal |
| | → Diverticulite |
| | → Gastrenterite |
| | → Cistite |
| | → Pielonefrite |
| | → Litíase renal |
| | → Tromboflebite séptica |
| | → Aneurisma |
| | → Apendicite |
| | → Isquemia mesentérica |

## Gestação ectópica

Considera-se GE toda gravidez que cursa com implantação e desenvolvimento do embrião fora da cavidade endometrial. Entre os fatores de risco, deve-se investigar história prévia de GE, cirurgia tubária, DIP, técnica de fertilização assistida, falha de métodos contraceptivos (dispositivo intrauterino [DIU] e ligadura tubária), tumores anexiais, tabagismo, idade ≥ 35 anos e endometriose. No entanto, 30 a 50% das mulheres com GE não têm fatores de risco identificados na história clínica.[2]

A apresentação clínica pode variar desde quadros com intensa dor abdominal e choque até quadros assintomáticos. A **TABELA 125.2** apresenta os achados clínicos mais frequentes em mulheres com GE.

**Sempre que uma mulher procurar o serviço de emergência com queixa de dor pélvica aguda e com atraso ou irregularidade menstrual, deve-se solicitar um teste de gestação para excluir GE.[4]**

Para o diagnóstico de GE, é importante:[5]
1. verificar a existência dos fatores de risco descritos anteriormente;
2. determinar a data da última menstruação, considerando que 15% das mulheres com GE não apresentam atraso menstrual;
3. realizar o exame pélvico para avaliar o tamanho uterino e a presença de massas ou dor anexial;
4. solicitar teste de gestação (nível sérico de fração β da gonadotrofina coriônica humana [β-hCG, do inglês *human chorionic gonadotropin*]) e US pélvica:
    → em caso de nível sérico de β-hCG > 1.500 mUI/mL e ausência de gestação intrauterina na US, GE é o diagnóstico provável. Nessas situações, líquido livre e/ou massa anexial também podem aparecer na US;
    → em caso de nível sérico de β-hCG < 1.500 mUI/mL e ausência de gestação intrauterina na US em mulher assintomática, deve-se repetir o teste em 48 horas. Se o resultado não aumentar em pelo menos 66% em relação ao anterior, o diagnóstico de GE é possível, sendo necessário acompanhamento para elucidação diagnóstica. Por outro lado, nos casos de decréscimo do nível de β-hCG, a suspeita é de uma gestação interrompida, seja ela intra ou extrauterina;
    → não é possível detectar se uma gestação é normal com uma única dosagem de β-hCG, pois existe uma faixa extensa de normalidade a cada semana nas mulheres.

Mulheres sintomáticas (com lesão anexial ou abdome agudo hemorrágico) e com teste de gestação reagente, independentemente do valor, devem ser avaliadas com suspeita clínica de GE, estando indicada a laparoscopia diagnóstica.

O principal objetivo do uso dessa sequência para o diagnóstico de GE, valorizando as estimativas séricas de β-hCG e US pélvica, é a detecção cada vez mais precoce dessa condição e a definição da melhor opção terapêutica, seja ela medicamentosa ou cirúrgica.[6]

## Doença inflamatória pélvica

A DIP é uma síndrome clínica secundária à ascensão de microrganismos da vagina e da endocérvice ao trato genital feminino, acometendo útero, tubas uterinas, ovários, superfície peritoneal e/ou estruturas contíguas ao trato genital superior.

Trata-se de uma grave e dispendiosa infecção bacteriana transmitida sexualmente. Não existem dados internacionais específicos sobre a incidência de DIP, porém a Organização Mundial da Saúde (OMS) estimou que cerca de 376 milhões de casos de ISTs passíveis de cura (clamídia, gonorreia, sífilis e tricomoníase) ocorrem por ano em indivíduos com 15 a 49 anos.[7] Mesmo em países de alta renda, foram relatadas taxas anuais de DIP tão altas quanto 10 a 20 a cada 1.000 mulheres em idade reprodutiva.[8]

A DIP tem etiologia polimicrobiana. Os agentes etiológicos mais comuns são *Neisseria gonorrhoeae* (gonococo) e *Chlamydia trachomatis*. Outros agentes, como micoplasma, estreptococo β-hemolítico do grupo A e anaeróbios, também podem estar implicados. Na maioria das vezes, a DIP inicia com infecção cervical por clamídia ou gonococo que ascende ao trato genital superior, levando à infecção polimicrobiana.

Além das complicações agudas da doença, as mulheres com DIP apresentam risco aumentado de dor pélvica crônica, infertilidade tubária e gestações extrauterinas, mesmo nos casos assintomáticos.[8] Segundo dados da OMS, entre as mulheres com infecções por clamídia não tratadas, 10 a 40% desenvolvem DIP sintomática. Além disso, dano tubário pós-infecção é responsável por 30 a 40% dos casos de infertilidade feminina, e as mulheres que tiveram DIP apresentam 6 a 10 vezes mais risco de desenvolver uma GE do que as mulheres que não tiveram DIP.[8,9]

O diagnóstico clínico da DIP pode ser difícil devido à diversidade de sinais e sintomas, havendo grande variação na sua intensidade, desde infecção assintomática até quadros graves. Muitas mulheres apresentam sintomas vagos, com início insidioso, dificultando o diagnóstico e atrasando o tratamento. Os critérios diagnósticos de DIP são mostrados na **TABELA 125.3**.

**O diagnóstico é confirmado com a presença dos critérios definitivos. Contudo, a presença de dois critérios mínimos ou de um critério mínimo e um critério adicional indica um diagnóstico provável.**

**TABELA 125.2** → Principais achados clínicos em mulheres com gestação ectópica

| SINAIS E SINTOMAS | % |
| --- | --- |
| Dor pélvica/abdominal | >95 |
| Sangramento | 70-80 |
| Amenorreia | 60-70 |
| Massa anexial | 50-60 |

Fonte: Fan e colaboradores.[9]

| TABELA 125.3 → Critérios diagnósticos de doença inflamatória pélvica | |
|---|---|
| Critérios mínimos | → Dor no abdome inferior<br>→ Dor à palpação de anexos<br>→ Dor à mobilização do colo uterino |
| Critérios adicionais | → Temperatura axilar > 38,3 °C<br>→ Secreção vaginal ou cervical purulenta<br>→ Massa pélvica<br>→ Proteína C-reativa ou velocidade de hemossedimentação elevada<br>→ Leucocitose em sangue periférico<br>→ > 5 leucócitos por campo de imersão em material de endocérvice<br>→ Comprovação de infecção cervical por gonococo ou clamídia |
| Critérios definitivos | → Evidência histológica de endometrite<br>→ Presença de abscesso tubo-ovariano<br>→ Laparoscopia com evidência de doença inflamatória pélvica |

Fonte: Adaptada de Brasil.[14]

| TABELA 125.4 → Esquemas terapêuticos para o tratamento ambulatorial da doença inflamatória pélvica |
|---|
| → Ceftriaxona 500 mg, IM, dose única<br>→ Alternativa: cefotaxima 500 mg, IM, dose única<br>MAIS<br>→ Doxiciclina 100 mg, VO, de 12/12 horas, por 14 dias*<br>MAIS<br>→ Metronidazol 250 mg, 2 comprimidos, VO, de 12/12 horas, por 14 dias |

*Um estudo mostrou possível superioridade do uso de azitromicina, 1 ×/semana, por 2 semanas, associada à ceftriaxona em comparação com o uso de doxiciclina, por 14 dias, associada à ceftriaxona C/D.[15]
IM, intramuscular; VO, via oral.
Fonte: Adaptada de Brasil.[14]

Apesar de todas as limitações, o diagnóstico da maioria dos casos de DIP é feito pela história clínica e pelo exame físico, não sendo necessários exames complementares para justificar o tratamento. Entretanto, já que inúmeros casos são subagudos ou até silentes, algumas vezes é necessário utilizar métodos auxiliares para o diagnóstico, a critério do médico assistente. Entre estes estão: hemograma, exame comum de urina, culturas de material cervical para gonococo e micoplasma, reação em cadeia da polimerase (PCR, do inglês *polymerase chain reaction*) para clamídia, anti-HIV (do inglês *human immunodeficiency virus* [vírus da imunodeficiência humana]), teste de gravidez, US pélvica, biópsia endometrial e laparoscopia (padrão-ouro).

Diante de um quadro clínico suspeito, o tratamento deve ser sempre instituído, evitando possíveis danos à saúde reprodutiva da mulher. O tratamento precoce é crucial, uma vez que um atraso superior a 3 dias no diagnóstico e no início do tratamento está associado a um risco aproximadamente 2 vezes maior de infertilidade ou de GE C/D.[10]

Mulheres sem sinais de irritação abdominal e sem comorbidades maiores (p. ex., imunossupressão) podem realizar o tratamento na APS, uma vez que o tratamento hospitalar com uso de antibióticos parenterais não confere benefício adicional a mulheres com DIP não complicada, comparado ao tratamento ambulatorial A.[11,12]

O tratamento deve ser realizado com esquemas de antibióticos que possibilitem a cobertura contra germes anaeróbios, gonococo, clamídia e micoplasma. Nesses casos, a mulher deve ser sempre reavaliada em 48 horas após a introdução do esquema terapêutico. No acompanhamento, deve-se documentar a resposta ao tratamento, com vistas a afastar um possível agravamento da doença e evitar potenciais complicações.[13]

As opções de esquemas terapêuticos para o tratamento ambulatorial da DIP são apresentadas na TABELA 125.4.[14] Além dos antibióticos, algumas medidas gerais devem ser recomendadas, como repouso e abstinência sexual. O tratamento com analgésicos, antitérmicos e anti-inflamatórios também deve ser instituído sempre que necessário.[15]

Diante das seguintes situações, a hospitalização está indicada:[14]

→ diagnóstico incerto ou possibilidade de emergência cirúrgica (quando não se pode descartar apendicite, GE ou abscesso);
→ suspeita de abscesso tubo-ovariano;
→ gestação;
→ comprometimento do estado geral, náuseas e vômitos ou febre alta;
→ impossibilidade de acompanhamento ou intolerância ao tratamento ambulatorial;
→ falha na resposta ao tratamento ambulatorial em 72 horas.

Nesses casos, o tratamento com antibióticos deve ser intravenoso.

Todas as parcerias sexuais dos 2 meses anteriores devem ser tratadas empiricamente B, sintomáticas ou não, para gonococo e clamídia. Recomenda-se a prescrição de azitromicina 1 g, associada à ceftriaxona 500 mg, intramuscular (IM), ambas em dose única.

O tratamento das parcerias reduz em 30% (NNT = 38-152) o risco de reinfecção B.[16]

Além disso, o caso deve ser notificado, quando indicado (na presença de HIV, hepatites virais e sífilis, p. ex.), e devem ser oferecidos aconselhamento e testagem para sífilis, HIV e hepatites B e C, se disponível, para a mulher e sua parceria.[14] Vacinas para hepatites A e B e papilomavírus humano (HPV, do inglês *human papillomavirus*), quando indicado, também devem ser consideradas.[15]

## *Mittelschmerz* ou dor da ovulação

É a dor no meio do ciclo menstrual, seja no quadrante inferior direito ou esquerdo do abdome. A dor surge pela distensão da cápsula ovariana ou pelo sangramento leve associado ao processo de ovulação. A suspeita é levantada a partir da anamnese, pela época do ciclo menstrual em que o evento ocorre e pelo fato de a paciente não estar usando nenhum método anticoncepcional que iniba a ovulação.

O tratamento da crise aguda é sintomático, com calor local, analgésicos e anti-inflamatórios, além da introdução de métodos contraceptivos hormonais nos casos recorrentes C/D.[17]

## Cistos ovarianos

Os cistos ovarianos funcionais (foliculares ou de corpo lúteo) podem ser assintomáticos, mas também são capazes de causar dor pélvica. O diagnóstico é feito pelo exame físico e pela US transvaginal. O curso clínico evolui, na maioria das vezes, para resolução espontânea, mas os casos de torção ou ruptura com hemorragia podem requerer cirurgia. A torção ovariana pode envolver o ovário normal, um cisto ovariano, a tuba ou uma massa uterina.

Os sintomas são constantes, sendo que o início pode ser agudo. Nos casos de torção, a dor é intensa e não regride com opioides; náuseas e vômitos podem estar associados. Nesses casos, a cirurgia é necessária, podendo-se usar a via laparoscópica para abordagem do cisto, tendo o cuidado de tentar preservar o ovário acometido.

# DOR PÉLVICA CRÔNICA

A dor pélvica crônica (DPC) é definida como a presença de sintomas dolorosos no abdome inferior, que ocorre de forma contínua ou intermitente, com duração > 6 meses, não associada à gestação, ao ato sexual (dispareunia) ou à menstruação. Comumente, as mulheres com DPC já foram avaliadas por diferentes profissionais, tendo sido submetidas a diversos exames de investigação e tratamentos, sem sucesso terapêutico. A DPC está associada à redução de qualidade de vida, interferindo em vários aspectos da vida pessoal, ocasionando estresse físico e mental. Não raro, essas mulheres apresentam sintomas de caráter depressivo e/ou ansioso, às vezes associados a pensamentos catastróficos, o que dificulta a investigação.[17,18]

A real prevalência da DPC é difícil de ser determinada, pois muitas vezes a condição é subestimada. Sabe-se que esse sintoma é responsável por 10% das consultas ginecológicas e uma causa comum de indicação de exames de imagem e cirurgias. A DPC aparece como indicação de 20% das histerectomias realizadas por causas benignas e de 40% das laparoscopias feitas anualmente nos Estados Unidos.[1,19]

A dificuldade diagnóstica é decorrente da grande variedade de causas, bem como da possibilidade de nenhum agente etiológico ser identificado. De fato, 60 a 80% das mulheres submetidas à laparoscopia por DPC não apresentam achados cirúrgicos. Além disso, muitas vezes uma patologia encontrada na cirurgia pode, na verdade, ser um achado ocasional e não causal.[20]

A DPC pode ter causas osteomusculares, ginecológicas, urológicas e proctológicas, entre outras. Como exemplos, podem ser citadas: endometriose, DIP crônica, aderências, massas pélvicas, síndrome do cólon irritável, cistite intersticial, síndrome miofascial e lombalgia. Em até 60% das mulheres com DPC, pode ser encontrado algum problema psicológico, como transtorno do humor e depressão. Além disso, essa condição está associada a uma maior incidência de abuso sexual na infância e na adolescência.[21]

A determinação etiológica da DPC auxilia na investigação e aumenta as chances de sucesso terapêutico. A investigação deve ser centrada na anamnese detalhada e no exame físico minucioso. A queixa álgica da paciente deve ser avaliada de forma extensa, com caracterização do tipo, intensidade, frequência, localização, irradiação e ciclicidade. A associação com outros sintomas, assim como a presença de fatores desencadeantes, auxilia na determinação etiológica. As dores de origem ginecológica possuem tendência de associação com a menstruação (dismenorreia) e/ou com o ato sexual (dispareunia), no entanto podem ocorrer também de forma acíclica. O uso de medidas objetivas, como avaliação da intensidade da dor com escala visual analógica, deve ser estimulado, pois auxilia no acompanhamento terapêutico. A presença de absenteísmo social ou escolar é indicativa de dor de forte intensidade e revela impacto na qualidade de vida.

O uso de questionários de rastreamento para depressão, somatização e abuso sexual também contribui na investigação. História prévia de tratamentos e cirurgias deve ser cuidadosamente avaliada na anamnese.

Apesar de o exame físico ser frequentemente inconclusivo, a sua realização é mandatória e pode auxiliar na determinação provável de uma etiologia, por exemplo: útero retroversofletido em uma paciente com queixa de dismenorreia e dispareunia pode ser sugestivo de endometriose.[19]

O manejo da dor, idealmente, consistiria no tratamento específico da causa diagnosticada, com acompanhamento multidisciplinar. No entanto, muitas vezes uma determinação etiológica não é possível, sendo necessário utilizar manejos sindrômicos baseados em protocolos de avaliação e tratamento.

Grande parte da DPC de origem ginecológica ocorre associada à menstruação, a chamada dismenorreia. Nesses casos, um manejo inicial com supressão do período menstrual pode ser efetivo. Além disso, a eficácia do teste terapêutico no controle da dor (mesmo que parcial) reforça a origem ginecológica da DPC. Como manejo inicial da DPC, é muito útil o uso de contraceptivo oral (CO) combinado ou progesterona oral, ambos de forma contínua. Em caso de sucesso do tratamento hormonal, procura-se um medicamento com perfil de paraefeitos mais adequado para cada paciente. Em geral, o ACO de baixa dosagem para mulheres com idade < 35 anos surge como primeira opção; após os 35 anos, deve-se preferir o uso de progesterona isolada, principalmente nas pacientes tabagistas, pelo risco de eventos tromboembólicos.[22]

Sabe-se que a dor crônica pode estar associada a hipersensibilidade álgica, diminuição de limiar doloroso, memória dolorosa, entre outras; dessa forma, deve-se considerar tratamento para modulação da dor, além do uso de analgesia habitual.[23] Como primeira linha, procura-se utilizar os analgésicos não opioides (paracetamol, dipirona ou um anti-inflamatório não esteroide [AINE]) de forma isolada C/D. Quando estes não forem suficientes, pode-se associar analgésicos opioides C/D, que possuem maior potência, mas um perfil de efeitos colaterais mais intensos.[24,25] Para modulação da dor, o uso de antidepressivos tricíclicos e inibidores seletivos da recaptação da serotonina (como duloxetina, gabapentina e pregabalina) tem mostrado efetividade **C/D**[25,26] (ver Capítulo Dor Crônica e Sensibilização Central).

## Endometriose

É a presença de glândulas ou estroma endometrial fora da cavidade uterina. Sua prevalência exata na população é pouco conhecida, pois o diagnóstico definitivo depende da laparoscopia; porém, estima-se que esteja em torno de 10% nos Estados Unidos. Está presente em cerca de 40% das adolescentes com DPC e está associada à dor pélvica e à infertilidade.[27] A endometriose pode ser assintomática, não havendo correlação entre a extensão da doença e a intensidade dos sintomas. Sua apresentação pode envolver lesões superficiais, endometriomas (cistos de ovário) e endometriose profunda (invasão tecidual > 5 mm). Alguns estudos demonstraram relação da intensidade da dor com a profundidade da lesão de endometriose, estando as lesões com profundidade > 6 mm relacionadas com dor mais intensa.[28,29]

A dor associada à endometriose caracteriza-se por ser cíclica e progressiva, surgindo ou piorando nos períodos menstruais. É frequente a associação com dispareunia, podendo apresentar-se também como dor pélvica acíclica. Em casos de endometriose profunda acometendo bexiga ou intestino, sintomas irritativos urinários ou digestivos podem estar presentes. O exame físico, na maioria das vezes, é inespecífico; no entanto, em situações de endometriose profunda, pode-se encontrar correlação entre lesões e dor.[19]

Em relação aos exames de imagem, a US transvaginal pode elucidar o diagnóstico de endometrioma. Em casos de endometriose profunda, a ressonância magnética (RM) e a US pélvica específica para endometriose são consideradas os melhores métodos diagnósticos.[30] O diagnóstico definitivo da endometriose é feito por laparoscopia ou laparotomia, com a visualização dos focos e/ou biópsia das lesões. A laparoscopia permite tanto o diagnóstico como o tratamento, sendo considerada o exame padrão-ouro.

O tratamento depende do desejo de gestação da mulher, dos sintomas e do estágio da doença, sendo o principal objetivo a melhora da sintomatologia. Em pacientes que desejam engravidar, o tratamento medicamentoso não está indicado. A linha principal de tratamento para dor associada à endometriose é basicamente hormonal, com a intenção de manter a mulher em amenorreia, propiciando um ambiente desfavorável aos implantes endometriais, seja por menopausa medicamentosa, pseudogestação ou anovulação crônica. ACOs **B**[31,32] e progestagênio **A** são efetivos nos sintomas da endometriose.[33,34] Outros medicamentos, como danazol, gestrinona, análogos do hormônio liberador de gonadotrofina (GnRH, do inglês *gonadotropin-releasing hormone*) e inibidores da aromatase, também são efetivos. A escolha do tratamento é baseada na avaliação da relação custo-benefício. Os estudos comparativos entre as diferentes opções não demonstraram superioridade de uma opção em relação às outras.[35]

Assim, o espectro de tratamento inclui as seguintes opções:

→ **progestagênios por via oral (VO), subcutânea (SC) ou intramuscular (IM):** parecem ser a primeira opção na maioria dos casos (menor custo e menor incidência de efeitos colaterais) **A**. Provocam decidualização e atrofia dos focos de endometriose. Como efeitos colaterais, podem causar sangramento irregular, ganho de peso, acne e edema. As opções preferenciais são VO (desogestrel 75 mg/dia), injetável (acetato de medroxiprogesterona 150 mg, IM, a cada 3 meses), implante de etonogestrel e sistema intrauterino de levonorgestrel (SIU-LNG);[36]

→ **contraceptivos hormonais orais combinados:** são uma opção de tratamento de baixo custo, porém com possibilidade de estimulação dos focos de endometriose pelo componente estrogênico. Estudos demonstram que são efetivos na diminuição da dor da dismenorreia e apresentam melhores resultados quando utilizados de forma contínua em comparação com a forma cíclica **B**. Além disso, são mais bem tolerados do que o danazol e os análogos do GnRH e têm menor custo e menos impacto metabólico. Provocam inibição da ovulação, com redução dos níveis de gonadotrofinas, diminuição do fluxo menstrual e decidualização dos focos de endometriose;[37]

→ **danazol e gestrinona:** o danazol é um androgênio oral que inibe o hormônio luteinizante (LH, do inglês *luteinizing hormone*) e a esteroidogênese, elevando os níveis de testosterona livre. Apesar da sua efetividade no alívio da dor, seu uso é cada vez mais restrito, pois apresenta vários efeitos colaterais devido à sua ação androgênica **B**. Entre os efeitos colaterais mais comuns, encontram-se acne, cãibras e ganho de peso.[38] A gestrinona é um antiprogestagênio e produz inibição da esteroidogênese ovariana. Os efeitos colaterais são decorrentes da sua ação androgênica e antiestrogênica, porém são menos intensos em comparação com o danazol. Ultimamente, o uso via vaginal tem sido associado a menos efeitos colaterais **C/D**. Ensaios clínicos randomizados, comparando gestrinona com danazol, não encontraram diferença significativa no desfecho alívio da dor;[39]

→ **análogos do GnRH (p. ex., acetato de nafarrelina em *spray* nasal, acetato de leuprorrelina ou acetato de gosserrelina em injeção SC):** ligam-se aos receptores de GnRH e geram supressão do receptor, com diminuição de gonadotrofinas e hipoestrogenismo. Assim, causam amenorreia e redução da atividade dos focos de endometriose. Podem ser administrados por via nasal ou injetável, sendo muito efetivos para o controle dos sintomas, comparáveis ao danazol ou ao SIU-LNG **B**.[35] Os efeitos colaterais são decorrentes do hipoestrogenismo: fogachos, ressecamento vaginal, diminuição da libido, alteração do humor, cefaleia e depleção óssea.[37] Curso de 3 meses de tratamento deve ser considerado em casos refratários a AINEs e contraceptivos orais **B**. Havendo resposta, o uso contínuo da medicação é uma opção com bom respaldo em evidências **A**, estando indicada terapia hormonal *add-back* (p. ex., tibolona, raloxifeno, estriol, ipriflavona ou acetato de medroxiprogesterona) para reduzir os efeitos de depleção óssea;[40]

→ **cirurgia:** está indicada nos casos em que há endometriomas e implantes não responsivos ao tratamento medicamentoso.

A endometriose é uma doença crônica com alta taxa de recorrência de dor, chegando a 40% em 5 anos, independentemente do tipo de tratamento hormonal.[41]

## Adenomiose

Adenomiose é definida como a presença de glândulas e estromas endometriais ectópicos no miométrio, podendo ocorrer de forma difusa ou focal. Classicamente, a adenomiose era um achado anatomopatológico após histerectomia; porém, com a difusão do uso da RM e a melhora da qualidade de imagem da US, a adenomiose pode ser assim evidenciada atualmente.[17,42] Estima-se que a prevalência de adenomiose na população feminina seja de 20 a 30%; no entanto, em espécimes de histerectomia, aumenta para até 70%. A adenomiose está associada a dor pélvica caracterizada por dismenorreia, dispareunia e sensação de peso na pelve. Além disso, em geral causa sangramento uterino anormal.

O tratamento é baseado nos mesmos princípios da endometriose, com bloqueio hormonal buscando amenorreia para controle de sangramento e dor.[22,43] Ensaio clínico randomizado comparando dienogeste com placebo mostrou redução significativa da dor associada à adenomiose **B**.[43]

## Doença inflamatória pélvica crônica

A infecção crônica por patógenos como clamídia, gonococo, ureaplasma e micoplasma pode ser assintomática ou provocar DPC. A dor pode ser originada por uma reação inflamatória do próprio processo infeccioso, por alteração anatômica dos órgãos pélvicos (hidrossalpinge) ou por aderências.

Os achados do exame físico são desconforto pélvico ao exame ginecológico, normalmente menos significativo do que nos processos agudos, e espessamento dos tecidos anexiais ou massas pélvicas palpáveis, com ou sem secreção cervical alterada. Os exames laboratoriais básicos incluem US pélvica transvaginal e pesquisa de ISTs. Nos casos de dúvida diagnóstica, pode-se recorrer à laparoscopia. A base do tratamento consiste em analgésicos e antibióticos, conforme já descrito neste capítulo. O uso empírico de antibióticos não é recomendado.[13]

## Aderências e congestão pélvica

A existência da síndrome de congestão pélvica é controversa, já que o achado de congestão pélvica ou de varizes pélvicas durante laparoscopias aparece com a mesma frequência em mulheres com e sem DPC. A dilatação e a incompetência das veias ovarianas seriam responsáveis pelo sintoma de dor; a presença de varizes vulvares é típica.[44] A ausência de critérios diagnósticos uniformes dificulta a definição do tratamento e a comparação dos resultados terapêuticos. O exame inicial para investigação é a US pélvica com Doppler, e o exame definitivo é a flebografia.[45]

O tratamento pode ser realizado com acetato de medroxiprogesterona 30 mg/dia, por 6 meses, acreditando-se que o estrogênio seja o causador da vasodilatação **B**.[34,35] Observa-se, no entanto, que o retorno da dor é comum após a suspensão do tratamento, e que a concomitância de transtorno emocional grave ocorre em até 60% das pacientes com essa síndrome. A embolização de veias ovarianas varicosas ou até mesmo abordagem cirúrgica seriam opções, mas até o momento carecem de estudos prospectivos.[45,46]

O papel das aderências pélvicas na origem da DPC também é controverso. Em geral, as aderências são causadas por procedimentos cirúrgicos prévios ou processos infecciosos. Apesar de bastante difundido como causa de DPC, alguns estudos demonstraram associação duvidosa entre esse achado e o sintoma relatado.[47] Além disso, a cirurgia para remoção de aderências não se mostrou efetiva **C/D**.[48]

## Massas pélvicas

A presença de massas pélvicas benignas (miomas) ou malignas (tumores ovarianos) pode causar dor. O diagnóstico é sugerido pelo exame físico e comprovado com métodos de imagem (US, tomografia computadorizada), laparoscopia ou laparotomia. O tratamento consiste no manejo específico da patologia diagnosticada.[47] (Ver Capítulo Câncer Genital Feminino e Lesões Precursoras.)

## Dismenorreia primária

É caracterizada por dor em cólica, recorrente, localizada no abdome inferior, que ocorre no período menstrual, na ausência de doenças que justifiquem esse sintoma. Sua fisiopatologia envolve a produção exagerada de prostaglandinas (PGF2-α e PGE-2) pelo endométrio, gerando contrações miometriais e vasoconstrição. Pode estar acompanhada de síncope, sintomas gastrintestinais e urinários, que também iniciam concomitantemente ao período menstrual.

A prevalência da dismenorreia em adolescentes oscila entre 60 e 70%, com apenas 10% das meninas apresentando alguma anormalidade que justifique a dor. A dismenorreia primária não costuma ocorrer antes do estabelecimento de ciclos ovulatórios, sendo mais observada 1 a 3 anos após a menarca. O exame físico é pouco revelador, e os exames laboratoriais não se apresentam alterados. O diagnóstico é clínico, por exclusão de dismenorreia secundária (causada por endometriose, adenomiose ou miomas uterinos, p. ex.).[49] (Ver Capítulo Problemas Comuns de Saúde na Adolescência.)

O tratamento é baseado no uso de AINEs. Deve ser iniciado logo aos primeiros sinais de dor e mantido em horários fixos nos primeiros dias da menstruação, sendo altamente efetivo no controle da dor **B**.[9,34]

De forma geral, não há diferença terapêutica estabelecida entre os diversos tipos de AINEs, embora esteja demonstrada sua superioridade diante do paracetamol **C/D**.[50] No entanto, um estudo randomizado mostrou superioridade do etoricoxibe comparado ao ibuprofeno **B**.[51] Uma segunda opção é o uso de ACOs, pois diminuem a proliferação endometrial, estando associados à diminuição da dor B.⁵² O uso contínuo dos anticoncepcionais se mostrou mais efetivo que o seu uso cíclico B.⁵³

# REFERÊNCIAS

1. Ahangari A. Prevalence of chronic pelvic pain among women: an updated review. Pain Physician. 2014;17(2):E141-147.
2. Barnhart KT, Sammel MD, Gracia CR, Chittams J, Hummel AC, Shaunik A. Risk factors for ectopic pregnancy in women with symptomatic first-trimester pregnancies. Fertil Steril. 2006;86(1):36–43.
3. Gottlieb SL, Xu F, Brunham RC. Screening and treating Chlamydia trachomatis genital infection to prevent pelvic inflammatory disease: interpretation of findings from randomized controlled trials. Sex Transm Dis. 2013;40(2):97–102.
4. Price MJ, Ades A, Soldan K, Welton NJ, Macleod J, Simms I, et al. The natural history of Chlamydia trachomatis infection in women: a multi-parameter evidence synthesis. Health Technol Assess. 2016;20(22):1–250.
5. Connolly A, Ryan DH, Stuebe AM, Wolfe HM. Reevaluation of discriminatory and threshold levels for serum β-hCG in early pregnancy. Obstet Gynecol. 2013;121(1):65–70.
6. Stulberg DB, Cain L, Dahlquist IH, Lauderdale DS. Ectopic pregnancy morbidity and mortality in low-income women, 2004-2008. Hum Reprod Oxf Engl. 2016;31(3):666–71.
7. Rowley J, Vander Hoorn S, Korenromp E, Low N, Unemo M, Abu-Raddad LJ, et al. Chlamydia, gonorrhoea, trichomoniasis and syphilis: global prevalence and incidence estimates, 2016. Bull World Health Organ. 2019;97(8):548-562P.
8. DeSapri KAT, Christmas MM. Pelvic inflammatory disease: background, pathophysiology, etiology [Internet]. Medscape. 2019 [capturado em 29 mar. 2021]. Disponível em: https://emedicine.medscape.com/article/256448-overview.
9. Fan J, Wang M, Wang C, Cao Y. Advances in human chorionic gonadotropin detection technologies: a review. Bioanalysis. 2017;9(19):1509–29.
10. Davies B, Turner KME, Frølund M, Ward H, May MT, Rasmussen S, et al. Risk of reproductive complications following chlamydia testing: a population-based retrospective cohort study in Denmark. Lancet Infect Dis. 2016;16(9):1057–64.
11. Ness RB, Soper DE, Holley RL, Peipert J, Randall H, Sweet RL, et al. Effectiveness of inpatient and outpatient treatment strategies for women with pelvic inflammatory disease: results from the pelvic inflammatory disease evaluation and clinical health (PEACH) randomized trial. Am J Obstet Gynecol. 2002;186(5):929–37.
12. Smith KJ, Ness RB, Wiesenfeld HC, Roberts MS. Cost-effectiveness of alternative outpatient pelvic inflammatory disease treatment strategies. Sex Transm Dis. 2007;34(12):960–6.
13. Centers for Disease Control and Prevention. 2015 sexually transmitted diseases treatment guidelines [Internet]. Sexually Transmitted Diseases. Atlanta; 2021 [capturado em 30 mar. 2021]. Disponível em: https://www.cdc.gov/std/tg2015/default.htm.
14. Brasil. Ministério da Saúde. Secretaria de Vigilância em Saúde. Departamento de Doenças de Condições Crônicas e Infecções Sexualmente Transmissíveis. Protocolo clínico e diretrizes terapêuticas para atenção integral às pessoas com infecções sexualmente transmissíveis (IST). Brasília: MS; 2020.
15. Savaris RF, Fuhrich DG, Duarte RV, Franik S, Ross JDC. Antibiotic therapy for pelvic inflammatory disease: an abridged version of a Cochrane systematic review and meta-analysis of randomised controlled trials. Sex Transm Infect. 2019;95(1):21–7.
16. Ferreira A, Young T, Mathews C, Zunza M, Low N. Strategies for partner notification for sexually transmitted infections, including HIV. Cochrane Database Syst Rev. 2013;(10):CD002843.
17. Jarrell JF, Vilos GA, Allaire C, Burgess S, Fortin C, Gerwin R, et al. No. 164-consensus guidelines for the management of chronic pelvic pain. J Obstet Gynaecol Can. 2018;40(11):e747–87.
18. Grace VM, Zondervan KT. Chronic pelvic pain in New Zealand: prevalence, pain severity, diagnoses and use of the health services. Aust N Z J Public Health. 2004;28(4):369–75.
19. Kim JH, Han E. Endometriosis and female pelvic pain. Semin Reprod Med. 2018;36(2):143–51.
20. Twiddy H, Lane N, Chawla R, Johnson S, Bradshaw A, Aleem S, et al. The development and delivery of a female chronic pelvic pain management programme: a specialised interdisciplinary approach. Br J Pain. 2015;9(4):233–40.
21. Smorgick N, As-Sanie S. Pelvic pain in adolescents. Semin Reprod Med. 2018;36(2):116–22.
22. Lazzeri L, Morosetti G, Centini G, Monti G, Zupi E, Piccione E, et al. A sonographic classification of adenomyosis: interobserver reproducibility in the evaluation of type and degree of the myometrial involvement. Fertil Steril. 2018;110(6):1154-1161.e3.
23. Liu B, Liu R, Wang L. A meta-analysis of the preoperative use of gabapentinoids for the treatment of acute postoperative pain following spinal surgery. Medicine (Baltimore). 2017;96(37):e8031.
24. Cunha Filho JSL da, Souza CAB de, Oppermann ML da R, Genro VK. Endometriose e dor pélvica crônica. In: Passos EP, Ramos JGL, Martins-Costa SH, Magalhães JA, Menke CH, Freitas F, organizadores. Rotinas em ginecologia. 7. ed. Porto Alegre: Artmed; 2017. p. 223–36.
25. Engeler D, Baranowski AP, Berghmans B, Borovicka J, Cottrell AM, Dinis-Oliveira P, et al. EAU guidelines on chronic pelvic pain. Arnhem: European Association of Urology; 2020.
26. Chaplan SR. Neuropathic pain: role of voltage-dependent calcium channels. Reg Anesth Pain Med. 2000;25(3):283–5.
27. Practice Committee of the American Society for Reproductive Medicine. Treatment of pelvic pain associated with endometriosis: a committee opinion. Fertil Steril. 2014;101(4):927–35.
28. Shafrir AL, Farland LV, Shah DK, Harris HR, Kvaskoff M, Zondervan K, et al. Risk for and consequences of endometriosis: a critical epidemiologic review. Best Pract Res Clin Obstet Gynaecol. 2018;51:1–15.
29. Vercellini P, Viganò P, Somigliana E, Fedele L. Endometriosis: pathogenesis and treatment. Nat Rev Endocrinol. 2014;10(5):261–75.
30. Goncalves MO, Dias JA, Podgaec S, Averbach M, Abrão MS. Transvaginal ultrasound for diagnosis of deeply infiltrating endometriosis. Int J Gynaecol Obstet. 2009;104(2):156–60.
31. Harada T, Momoeda M, Taketani Y, Hoshiai H, Terakawa N. Low-dose oral contraceptive pill for dysmenorrhea associated with endometriosis: a placebo-controlled, double-blind, randomized trial. Fertil Steril. 2008;90(5):1583–8.
32. Moore J, Kennedy S, Prentice A. Modern combined oral contraceptives for pain associated with endometriosis. Cochrane Database Syst Rev. 2000;(2):CD001019.
33. Abdul Karim AK, Shafiee MN, Abd Aziz NH, Omar MH, Abdul Ghani NA, Lim PS, et al. Reviewing the role of progesterone therapy in endometriosis. Gynecol Endocrinol. 2019;35(1):10–6.
34. Brown J, Kives S, Akhtar M. Progestagens and anti-progestagens for pain associated with endometriosis. Cochrane Database Syst Rev. 2012;(3):CD002122.
35. Brown J, Pan A, Hart RJ. Gonadotrophin-releasing hormone analogues for pain associated with endometriosis. Cochrane Database Syst Rev. 2010;(12):CD008475.
36. Petta CA, Ferriani RA, Abrao MS, Hassan D, Rosa E Silva JC, Podgaec S, et al. Randomized clinical trial of a levonorgestrel-releasing intrauterine system and a depot GnRH analogue for the treatment of chronic pelvic pain in women with endometriosis. Hum Reprod Oxf Engl. 2005;20(7):1993–8.
37. Child TJ, Tan SL. Endometriosis: aetiology, pathogenesis and treatment. Drugs. 2001;61(12):1735–50.

38. Selak V, Farquhar C, Prentice A, Singla A. Danazol for pelvic pain associated with endometriosis. Cochrane Database Syst Rev. 2007;(4):CD000068.
39. Fu J, Song H, Zhou M, Zhu H, Wang Y, Chen H, et al. Progesterone receptor modulators for endometriosis. Cochrane Gynaecology and Fertility Group, organizador. Cochrane Database Syst Rev. 2017;(7):CD009881.
40. American College of Obstetricians and Gynecologists. ACOG publications: november 2020. Obstet Gynecol. 2020;136(5):1071.
41. Somigliana E, Viganò P, Benaglia L, Busnelli A, Paffoni A, Vercellini P. Ovarian stimulation and endometriosis progression or recurrence: a systematic review. Reprod Biomed Online. 2019;38(2):185–94.
42. Donnez J, Donnez O, Dolmans M-M. Introduction: uterine adenomyosis, another enigmatic disease of our time. Fertil Steril. 2018;109(3):369–70.
43. Osuga Y, Fujimoto-Okabe H, Hagino A. Evaluation of the efficacy and safety of dienogest in the treatment of painful symptoms in patients with adenomyosis: a randomized, double-blind, multicenter, placebo-controlled study. Fertil Steril. 2017;108(4):673–8.
44. Mathur M, Scoutt LM. Nongynecologic causes of pelvic pain: ultrasound first. Obstet Gynecol Clin North Am. 2019;46(4):733–53.
45. Brown CL, Rizer M, Alexander R, Sharpe EE, Rochon PJ. Pelvic congestion syndrome: systematic review of treatment success. Semin Interv Radiol. 2018;35(1):35–40.
46. Cheong YC, Smotra G, Williams AC de C. Non-surgical interventions for the management of chronic pelvic pain. Cochrane Database Syst Rev. 2014;(3):CD008797.
47. Gomel V. Chronic pelvic pain: a challenge. J Minim Invasive Gynecol. 2007;14(4):521–6.
48. Swank DJ, Swank-Bordewijk SCG, Hop WCJ, van Erp WFM, Janssen IMC, Bonjer HJ, et al. Laparoscopic adhesiolysis in patients with chronic abdominal pain: a blinded randomised controlled multi-centre trial. Lancet. 2003;361(9365):1247–51.
49. Oladosu FA, Tu FF, Hellman KM. Nonsteroidal antiinflammatory drug resistance in dysmenorrhea: epidemiology, causes, and treatment. Am J Obstet Gynecol. 2018;218(4):390–400.
50. Chantler I, Mitchell D, Fuller A. Diclofenac potassium attenuates dysmenorrhea and restores exercise performance in women with primary dysmenorrhea. J Pain. 2009;10(2):191–200.
51. Yu Q, Zhu X, Zhang X, Zhang Y, Li X, Hua Q, et al. Etoricoxib in the treatment of primary dysmenorrhea in Chinese patients: a randomized controlled trial. Curr Med Res Opin. 2014;30(9):1863–70.
52. Wong CL, Farquhar C, Roberts H, Proctor M. Oral contraceptive pill for primary dysmenorrhoea. Cochrane Database Syst Rev. 2009;(4):CD002120.
53. Dmitrovic R, Kunselman AR, Legro RS. Continuous compared with cyclic oral contraceptives for the treatment of primary dysmenorrhea: a randomized controlled trial. Obstet Gynecol. 2012;119(6):1143–50.

## LEITURAS RECOMENDADAS

Carlyle D, Khader T, Lam D, Vadivelu N, Shiwlochan D, Yonghee C. Endometriosis Pain Management: a review. Curr Pain Headache Rep. 2020;24(9):49.
*Artigo de revisão sobre manejo de dor pélvica em endometriose.*

Swanton A, Iyer L, Reginald P. Diagnosis, treatment and follow up of women undergoing conscious pain mapping for chronic pelvic pain: a prospective cohort study. BJOG. 2006;113(7):792–6.
*Texto sobre avaliação de dor pélvica.*

Tam J, Loeb C, Grajower D, Kim J, Weissbart S. Neuromodulation for Chronic Pelvic Pain. Curr Urol Rep. 2018;19(5):32.
*Artigo de revisão sobre princípios de neuromodulação em dor pélvica crônica.*

# Capítulo 126
# CÂNCER GENITAL FEMININO E LESÕES PRECURSORAS

Suzana Arenhart Pessini
Valentino Magno

A neoplasia maligna pode situar-se em qualquer local do aparelho genital feminino e ser de origem epitelial ou mesenquimal, primária ou metastática. Este capítulo aborda os cânceres mais frequentes – primários do útero (colo e corpo), de ovário e de vulva – com os seguintes objetivos: descrever as neoplasias com ênfase na sua prevenção, comentar sobre as lesões precursoras e o risco de transformação maligna, analisar os meios diagnósticos disponíveis para avaliação e discutir os princípios terapêuticos desses tumores.

Os dados epidemiológicos referentes à incidência, à prevalência, à sobrevida e à mortalidade por câncer ginecológico no Brasil podem ser imprecisos devido à subnotificação e à falta de uniformidade nos registros, haja vista a existência de três códigos na *Classificação estatística internacional de doenças e problemas relacionados à saúde* (CID-10) relativos ao câncer de útero: um para câncer do corpo (C54), outro para câncer do colo (C53) e um terceiro para câncer de útero (C55).

No Brasil, informações sobre câncer podem ser obtidas no *site* do Instituto Nacional de Câncer (Inca)[1] (ver QR code) e, nos Estados Unidos, no *site* do National Cancer Institute (NCI).[2] (Ver QR code.) Dados mundiais podem ser encontrados no *site* da International Agency for Research on Cancer (IARC).[3,4] (Ver QR code.) Diretrizes de rastreamento, diagnóstico e tratamento dos cânceres ginecológicos podem ser encontradas no *site* da National Comprehensive Cancer Network (NCCN). (Ver QR code abaixo.)

O câncer do colo do útero é o câncer da área genital mais frequente em países em desenvolvimento, e em algumas nações a sua prevalência ultrapassa a soma de todos os demais tumores que ocorrem na mulher. Já em países desenvolvidos, a frequência do câncer do corpo do útero é apenas superada pela frequência das neoplasias de mama e de colo do útero entre as mulheres.[3] A TABELA 126.1 mostra a incidência do câncer do colo do útero, do corpo do útero e de ovário por regiões do mundo.

Conhecendo os fatores de risco e os métodos de detecção de lesões precursoras das neoplasias, o profissional de atenção primária à saúde (APS) pode atuar na prevenção primária, por vezes na secundária e, de forma mais limitada, na terciária.

## CÂNCER DO COLO DO ÚTERO

O colo do útero (também chamado de cérvix ou cérvice) consiste no terço inferior do útero da mulher adulta, tem formato cilíndrico e é revestido por epitélio escamoso na superfície junto à vagina (ectocérvice) e por epitélio glandular no seu canal (endocérvice). O câncer do colo do útero (ou câncer cervical) pode originar-se em um ou em ambos os epitélios. O mais frequente é o carcinoma epidermoide, que inicia no epitélio metaplásico (zona de transformação) e é precedido por lesão precursora: neoplasia intraepitelial cervical (NIC) ou lesão intraepitelial escamosa (SIL, do inglês *squamous intraepithelial lesion*). O carcinoma epidermoide é facilmente detectável nas formas pré-invasoras de neoplasia intraepitelial, o que favorece a sua prevenção.

## Epidemiologia

O câncer do colo do útero incide menos em zonas rurais do que em urbanas e é mais frequente em países em desenvolvimento do que nos desenvolvidos.

Mesmo com o aumento da sua incidência anual, o câncer do colo do útero caiu de 2º, em 1975, para 7º lugar, em 2018, entre as neoplasias mais frequentes. Essa redução de incidência pode estar associada a programas de prevenção e controle implementados principalmente nos países em desenvolvimento, como o Brasil, onde há um maior número de casos. Por outro lado, nos países desenvolvidos, que historicamente têm as menores taxas, a incidência está aumentando. O aumento da incidência nessas regiões tem sido associado a mudanças no comportamento sexual, que elevam o risco de infecção pelo papilomavírus humano (HPV, do inglês *human papillomavirus*), um importante fator de risco para o desenvolvimento da doença. Algumas populações parecem estar mais vulneráveis ao câncer do colo do útero.

Para o Brasil, estimam-se 16.370 casos novos de câncer do colo do útero para cada ano do biênio 2018-2019, com um risco estimado de 15,43 casos a cada 100 mil mulheres, ocupando a 3ª posição em todos os tumores que incidem na mulher.[1] Os últimos dados publicados pelo Inca, referentes à estimativa para 2018-2019 no Brasil, encontram-se na TABELA 126.2. Na população norte-americana, a faixa de idade com a maior proporção de casos de câncer do colo do útero é entre 40 e 49 anos, mas esse tipo de câncer também é frequente nas faixas de 30 a 39 e 60 a 69 anos, conforme o NCI.[2]

Os fatores de risco estão ligados a características de pobreza, desinformação e pouco acesso a controles periódicos. A TABELA 126.3 apresenta os fatores de risco para NIC e carcinoma epidermoide.

As precocidades do início da atividade sexual e da gravidez são fatores de risco, possivelmente porque na adolescência a metaplasia pode intensificar-se e porque o intercurso sexual aumenta a probabilidade de transformação atípica. Multiplicidade de parcerias e parcerias com maior exposição a situações de risco – promiscuidade, história de infecções sexualmente transmissíveis (ISTs), câncer genital, contato prévio com prostitutas ou com parceria com câncer genital – estão entre os fatores de risco, assim como o uso de contraceptivos orais (COs), em especial o uso prolongado, por período > 10 anos (NNH aproximado de 1.000-1.400);

**TABELA 126.1** → Taxas de incidência de cânceres do colo do útero, do corpo do útero e de ovário, a cada 100.000 mulheres, em algumas regiões do mundo

| REGIÃO | COLO DO ÚTERO | CORPO DO ÚTERO | OVÁRIO |
|---|---|---|---|
| Mundo | 15,1 | 10,1 | 67,8 |
| América do Norte | 8,4 | 35,5 | 14,8 |
| América do Sul | 18,2 | 8,5 | 7,4 |
| África | 18,5 | 2 | 3,4 |
| Norte da Europa | 11,9 | 31,9 | 17,9 |

Fonte: International Agency for Research on Cancer.[3]

**TABELA 126.2** → Taxa bruta de incidência e de mortalidade de câncer do colo do útero, a cada 100.000 mulheres, por regiões do Brasil

| REGIÃO | INCIDÊNCIA | MORTALIDADE |
|---|---|---|
| Norte | 25,62 | 11 |
| Nordeste | 20,47 | 5,7 |
| Centro-Oeste | 18,32 | 5,55 |
| Sudeste | 9,97 | 3,29 |
| Sul | 14,07 | 4,64 |
| Brasil | 15,43 | 6,4 |

Fonte: Instituto Nacional de Câncer.[1]

**TABELA 126.3** → Fatores de risco para neoplasia intraepitelial e carcinoma epidermoide de colo do útero

| EPIDEMIOLÓGICOS |
|---|
| → Precocidade de relações sexuais (idade < 14 anos) |
| → Múltiplos parceiros |
| → Gravidez precoce (idade < 20 anos) |
| → Multiparidade |
| → Parcerias de alto risco |
| → Infecções sexualmente transmissíveis |
| → Baixo nível socioeconômico |
| **COFATORES** |
| → Baixa imunidade |
| → Uso prolongado de contraceptivos orais |
| → Tabagismo |
| → Radiação prévia |
| → Deficiência de vitaminas A, C e E |
| **INFECÇÕES VIRAIS** |
| → Herpesvírus simples tipo 2 (HSV-2) |
| → Papilomavírus humano (HPV) |

o risco de neoplasia cervical aumenta com a duração do seu uso C/D.[5-7]

O tabagismo é fator de risco importante, principalmente em usuárias de longa data e de cigarro sem filtro, e em jovens com mais de uma parceria sexual. Nas fumantes, ocorre secreção de substâncias mutagênicas no muco cervical, levando à modificação do DNA no epitélio cervical. Em relação às não fumantes, as fumantes ativas apresentam aumento do risco de câncer cervical de células escamosas (risco relativo [RR] = 51,6; intervalo de confiança [IC] = 95%, 1,48-1,73) C/D. Esse risco aumenta com o número de cigarros fumados por dia; além disso, quanto menor for a idade de início do hábito tabágico, maior será o risco.[8]

A literatura evidencia associação entre herpesvírus simples tipo 2 (HSV-2, do inglês *herpes simplex virus*) e câncer do colo do útero, sem estabelecer relação entre causa e efeito; o mais provável é que o HSV-2 seja, assim como o tabagismo, um fator de progressão do carcinoma invasor.

O HPV tem sido muito estudado como cofator na gênese do câncer do colo do útero. Estudos demonstram que mais de 90% dos casos podem estar ligados a alguns tipos de HPV, sendo o HPV-16 responsável pela maior proporção de casos (50%), seguido do HPV-18 (12%).[1]

A infecção pelo HPV é a IST viral mais frequente na população sexualmente ativa. A prevalência de DNA-HPV, segundo a técnica de reação em cadeia da polimerase (PCR, do inglês *polymerase chain reaction*), considerando diferentes populações femininas do mundo, tem variado entre 30 e 50%. Em torno de 65% das infecções pelo HPV regridem espontaneamente e 14% progridem para lesões displásicas. O índice de recorrência é grande, e até 45% das mulheres tratadas mantêm o vírus latente. Dados oriundos da Finlândia sugerem que 79% das mulheres contraem no mínimo uma infecção pelo HPV nas idades entre 20 e 79 anos; no entanto, apenas 3% das mulheres infectadas desenvolvem câncer do colo do útero. Dos principais tipos oncogênicos, o HPV-16 e HPV-18 são os mais comumente relacionados com o aparecimento da doença.[9]

## Rastreamento e diagnóstico

No Brasil, o controle de câncer do colo do útero é uma das prioridades da agenda de saúde do País e integra o Plano de Ações Estratégicas para o Enfrentamento das Doenças Crônicas Não Transmissíveis (DCNT) no Brasil 2011-2022.[10] O Ministério da Saúde, por meio da publicação *Diretrizes para o rastreamento do câncer do colo do útero*, de 2016, regulamenta as diretrizes nacionais atuais que devem ser seguidas para o atendimento adequado das mulheres nas unidades básicas de saúde e para o seu correto encaminhamento para os centros terciários.[11]

As formas pré-invasoras são assintomáticas e detectadas apenas nos exames preventivos. Os tumores têm, como manifestação característica, o sangramento anormal, em especial o sangramento no coito (sinusorragia). Quando o tumor apresenta necrose, o odor é característico. Nos estágios mais avançados, podem surgir dor pélvica e alterações urinárias (obstrução ureteral com hidronefrose) e intestinais.

## Exame especular

O exame com espéculo vaginal, além de possibilitar a observação de secreção anormal ou friabilidade do colo do útero, evidencia a presença de carcinoma francamente invasor, de aspecto tumoral ulcerado, vegetante, infiltrativo ou polipoide.

## Citologia oncótica

A citologia oncótica (também chamada de exame citopatológico [CP] ou, ainda, Papanicolau ou *Pap test*) é o método de rastreamento universal para câncer do colo do útero e de suas lesões precursoras. Ela não estabelece o diagnóstico, mas conduz à investigação. Para o detalhamento da técnica do exame, ver Capítulo Acompanhamento de Saúde da Mulher na Atenção Primária.

A nomenclatura dos exames citopatológicos usada no Brasil, baseada no Sistema de Bethesda, de 2001,[12] é apresentada na TABELA 126.4. Os resultados e os laudos são apresentados de acordo com a nomenclatura brasileira para laudos cervicais de 2011.[13]

## Colposcopia

A colposcopia é um exame com alta sensibilidade (96%), porém baixa especificidade (48%), para a detecção de lesões. É útil como ferramenta diagnóstica, mas é desaconselhada no rastreamento de doenças cervicais.[14] Consiste na avaliação do epitélio escamoso, da zona de transição, da junção escamocolunar e dos primeiros milímetros do canal do colo do útero, com aumentos a partir de 10 vezes e auxílio de soluções e filtros. É um exame realizado por ginecologistas com formação específica e está formalmente indicado nas situações listadas na TABELA 126.5.

**TABELA 126.4** → Nomenclatura dos exames citopatológicos utilizada no Brasil, baseada no Sistema de Bethesda, de 2001

| TIPOS DA AMOSTRA |
|---|
| **Citologia** |
| → Convencional |
| → Em meio líquido |
| **AVALIAÇÃO PRÉ-ANALÍTICA** |
| **Amostra rejeitada por:** |
| → Ausência ou erro de identificação da lâmina e/ou do frasco |
| → Identificação da lâmina e/ou do frasco não coincidente com a do formulário |
| → Lâmina danificada ou ausente |
| → Causas alheias ao laboratório (especificar) |
| → Outras causas (especificar) |
| **ADEQUABILIDADE DA AMOSTRA** |
| **Satisfatória** |
| **Insatisfatória para avaliação oncótica devido a:** |
| → Material acelular ou hipocelular (< 10% do esfregaço) |
| → Leitura prejudicada (> 75% do esfregaço) por presença de: |
|    → Sangue |
|    → Piócitos |
|    → Artefatos de dessecamento |
|    → Contaminantes externos |
|    → Intensa superposição celular |
|    → Outros (especificar) |

*(continua)*

**TABELA 126.4** → Nomenclatura dos exames citopatológicos utilizada no Brasil, baseada no Sistema de Bethesda, de 2001 *(Continuação)*

**EPITÉLIOS REPRESENTADOS NA AMOSTRA**
- Escamoso
- Glandular
- Metaplásico

**DIAGNÓSTICO DESCRITIVO**

**Dentro dos limites da normalidade, no material examinado**
**Alterações celulares benignas**
- Inflamação
- Reparação
- Metaplasia escamosa imatura
- Atrofia com inflamação
- Radiação
- Outras (especificar)

**Atipias celulares**
*Células atípicas de significado indeterminado*
- Escamosas
  - Possivelmente não neoplásicas*
  - Não se pode afastar lesão intraepitelial de alto grau†
- Glandulares‡
  - Possivelmente não neoplásicas
  - Não se pode afastar lesão intraepitelial de alto grau
- De origem indefinida
  - Possivelmente não neoplásicas
  - Não se pode afastar lesão intraepitelial de alto grau

*Em células escamosas*
Lesão intraepitelial de baixo grau (inclui efeito citopático pelo HPV e NIC I) (siglas LIE-BG ou LSIL, do inglês)
Lesão intraepitelial de alto grau (inclui NICs II e III) (siglas LIE-AG ou HSIL, do inglês)
Lesão intraepitelial de alto grau, não podendo excluir microinvasão
Carcinoma epidermoide invasor

*Em células glandulares*
- Adenocarcinoma *in situ*
- Adenocarcinoma invasor
  - Cervical
  - Endometrial
  - Sem outras especificações
- Outras neoplasias malignas
- Presença de células endometriais (na pós-menopausa ou em idade > 40 anos, fora do período menstrual)

**MICROBIOLOGIA**
- *Lactobacillus* sp.
- Bacilos supracitoplasmáticos (sugestivos de *Gardnerella/Mobiluncus*)
- Outros bacilos
- Cocos
- *Candida* sp.
- *Trichomonas vaginalis*
- Sugestivo de *Chlamydia* sp.
- *Actinomyces* sp.
- Efeito citopático compatível com herpesvírus
- Outros (especificar)

*Correspondência com a classificação ASC-US de Bethesda.
†Correspondendo a ASC-H de Bethesda.
‡Pelo Sistema de Bethesda, as células glandulares atípicas (AGC) são classificadas em:
- células endocervicais atípicas (sem outras especificações [SOE] ou, em inglês, *not otherwise specified* [NOS], ou especificar nos comentários);
- células endometriais atípicas (NOS ou especificar nos comentários);
- células glandulares (NOS ou especificar nos comentários);
- células endocervicais, possivelmente neoplásicas;
- células glandulares, possivelmente neoplásicas.

NIC, neoplasia intraepitelial cervical.
Fonte: Solomon e colaboradores.[17]

**TABELA 126.5** → Indicações de colposcopia
- Exame especular alterado
- Teste de Schiller positivo
- Exame citopatológico alterado
- Sangramento intermenstrual ou pós-coital inexplicado
- Leucorreia persistente
- História de exposição *in utero* ao dietilestilbestrol
- Neoplasia vulvar ou vaginal
- Condiloma acuminado
- Parceria sexual com neoplasia genital ou condiloma

As soluções utilizadas são a solução salina, o ácido acético a 3 a 5% e a solução de lugol (teste de Schiller), se a mulher não for alérgica ao iodo. O teste de Schiller é positivo se o epitélio escamoso for iodo-negativo e negativo se for iodo-positivo. A descrição segue a terminologia colposcópica do colo do útero, conforme a nomenclatura de 2011 da International Federation of Cervical Pathology and Colposcopy (IFCPC)[15] **(TABELA 126.6)**. Terminado o exame, a descrição e a foto ou um desenho orientam o clínico na terapêutica.

## Histologia

É a histologia que define o diagnóstico. Quando a lesão tumoral for visível pelo exame especular, ela é biopsiada. Se a lesão for inicial, a biópsia é dirigida pela colposcopia. A excisão da zona de transformação (EZT) com cirurgia de alta frequência (CAF) e a biópsia cônica com bisturi, CAF ou *laser* são diagnósticas e, por vezes, terapêuticas. A histologia é considerada padrão-ouro no diagnóstico, mas podem ocorrer resultados falso-negativos se o local da biópsia não for representativo da lesão.

## Captura híbrida

A captura híbrida é capaz de detectar os 18 tipos de HPV que mais infectam o trato genital. Os vírus do grupo A são de baixo risco, e os do grupo B, de riscos intermediário e alto. O exame é útil nas lesões de baixo grau em que a observação clínica é uma opção ao tratamento, quando a citologia revelar células escamosas atípicas de significado indeterminado (ASC-US, do inglês *atypical squamous cells of undetermined significance*) e células glandulares atípicas (AGC, do inglês *atypical glandular cells*) e no acompanhamento pós-tratamento.

A captura híbrida permite a detecção dos tipos de HPV oncogênicos mais frequentes e a avaliação da carga viral. Detecta a presença de qualquer dos tipos de HPV de alto risco mais frequentes, sem individualizá-los, e é um dos métodos mais utilizados na prática clínica, apresentando alta sensibilidade (95-97%).[16] Esse método se baseia na hibridização de DNA, com uso de sondas específicas contra os tipos de HPV de alto risco. Sua sensibilidade é de cerca de 5.000 cópias/mL, podendo não ser adequada para revelar a presença do vírus no início da infecção. Tem a vantagem de utilizar reagentes não radioativos, o que facilita o manuseio e diminui os custos.

Um estudo comparativo entre colposcopia, captura híbrida e citologia, com o objetivo de detectar lesões intraepiteliais

**TABELA 126.6** → Terminologia colposcópica do colo do útero segundo a International Federation of Cervical Pathology and Colposcopy (IFCPC), de 2011

**AVALIAÇÃO GERAL**
- → Satisfatória ou insatisfatória (especificar o motivo: processo inflamatório, sangramento, cicatriz, etc.)
- → Visibilidade da junção escamocolunar (JEC): completamente visível, parcialmente visível, não visível
- → Zona de transformação tipos 1, 2, 3

**ACHADOS COLPOSCÓPICOS NORMAIS**
- → Epitélio escamoso original
  - → Trófico ou atrófico
- → Epitélio colunar
  - → Ectopia
- → Epitélio escamoso metaplásico
  - → Cisto de Naboth
  - → Orifícios glandulares abertos
- → Deciduose na gravidez

**ACHADOS COLPOSCÓPICOS ANORMAIS**

Princípios gerais
- → Localização da lesão
  - → Dentro ou fora da zona de transformação
- → Tamanho da lesão
  - → Número de quadrantes do colo do útero envolvidos pela lesão
  - → Tamanho da lesão em porcentagem do colo do útero

Grau 1 (alterações menores)
- → Mosaico fino
- → Pontilhado fino
- → Superfície lisa com borda externa irregular
- → Epitélio acetobranco plano/tênue
- → Alteração acetobranca que aparece lentamente e desaparece rapidamente

Grau 2 (alterações maiores)
- → Mosaico grosseiro
- → Pontilhado grosseiro
- → Superfície lisa com borda externa bem-marcada
- → Epitélio acetobranco denso
- → Alteração acetobranca que aparece rapidamente e desaparece lentamente
- → Orifícios glandulares espessados

Não específico
- → Leucoplasia, erosão
- → Coloração de lugol (teste de Schiller): iodo-positivo (corado)/iodo-negativo (não corado)

**SUSPEITA DE INVASÃO**
- → Vasos atípicos
  - → Sinais adicionais: fragilidade dos vasos, superfície irregular, lesão exofítica, necrose, ulceração (lesão necrótica), tumor/neoplasia grosseira

**MISCELÂNEA**
- → Sequela pós-tratamento, zona de transformação congênita, condiloma, pólipo
- → Estenose, anomalias congênitas, endometriose, inflamação

Fonte: Bornstein e colaboradores.[15]

escamosas de alto grau (HSIL, do inglês *high grade squamous intraepithelial lesions*) em mulheres com diagnóstico de ASC em citologia, resultou em sensibilidade de 96,3% para a captura, 56,1% para a colposcopia e 44,1% para a repetição da citologia.[17] Entretanto, o resultado positivo da captura pode gerar ansiedade e depressão na mulher, com perda de desejo sexual e alteração na relação com o parceiro sexual. Além disso, não há benefício em realizar a captura em mulheres com citologia normal ou com lesão de alto grau.[18]

Os custos da captura, comparados com os da citologia e os da colposcopia, são semelhantes nos países desenvolvidos. Sua inclusão em rastreamento e diagnóstico, nesses países, não altera muito o custo.

Atualmente, o rastreamento cervical realizado por meio do teste de PCR do HPV já é realidade em muitos países desenvolvidos, especialmente para a população com menor incidência de infecção por HPV (mulheres com idade > 30 anos ou vacinadas). No Brasil, esse teste ainda não está disponível de rotina nos serviços de saúde pública e deve ser usado com cautela.[19]

## Prevenção e orientação terapêutica

A prevenção primária consiste na orientação da mulher quanto à periodicidade de avaliações clínicas, na identificação da mulher em situação de risco e na orientação quanto aos fatores de risco para a doença. Assim, fazem parte da prevenção: o desestímulo ao tabagismo, o alerta quanto à multiplicidade de parcerias sexuais e à gravidez precoce, o estímulo ao uso de preservativo, e a educação para métodos anticoncepcionais eficazes **C/D**.[20] O uso de preservativo não previne completamente a infecção por HPV, mas protege contra condilomas, NIC II, NIC III e câncer invasor, e seu uso deve ser estimulado **C/D**.[21,22]

Vacinas contra o HPV são eficazes para a prevenção de infecção crônica por esse vírus **B** e de lesões cervicais **C/D**.[23] Atualmente, no Brasil, a vacinação está disponível no calendário vacinal para jovens entre 9 e 14 anos (até os 26 anos para portadoras de HIV). É essencial que todo profissional que tiver a oportunidade de prestar atendimento à população nessa faixa etária oriente quanto à vacinação (ver Capítulo Acompanhamento de Saúde da Mulher na Atenção Primária).[23,24]

Os objetivos da prevenção secundária são diagnosticar e tratar as lesões pré-malignas – NIC ou SIL –, e sua meta é erradicar o carcinoma epidermoide do colo do útero. Um único exame alterado da tríade diagnóstica – citologia, colposcopia e histologia – é sinal de alerta. As orientações do Inca sobre condutas diante dos resultados do CP estão sumarizadas nas **TABELAS 126.7** e **126.8**.

O tratamento das neoplasias intraepiteliais é não cirúrgico. As técnicas destrutivas disponíveis são a cauterização,

**TABELA 126.7** → Resultados do exame citopatológico com achados benignos e condutas sugeridas pelo Instituto Nacional de Câncer (Inca)

| ACHADO CITOLÓGICO | CONDUTA |
| --- | --- |
| Dentro dos limites da normalidade | Seguir a rotina de rastreamento |
| Alterações celulares benignas (ativas ou reparativas)/inflamação sem identificação de agente | Queixa de leucorreia: examinar e tratar<br>Seguir a rotina de rastreamento |
| Metaplasia escamosa imatura | Seguir a rotina de rastreamento |
| Reparação | Seguir a rotina de rastreamento |
| Atrofia com inflamação | Creme vaginal com estrogênio<br>Seguir a rotina de rastreamento |
| Radiação | Seguir a rotina de rastreamento |
| Achados microbiológicos | Queixa de leucorreia: examinar e tratar<br>Seguir a rotina de rastreamento |

Fonte: Instituto Nacional de Câncer.[11]

**TABELA 126.8** → Resultados do exame citopatológico (CP) com alterações pré-malignas ou malignas e condutas sugeridas pelo Instituto Nacional de Câncer (Inca)

| ACHADO CITOLÓGICO | CONDUTA |
|---|---|
| Células escamosas atípicas de significado indeterminado, possivelmente não neoplásicas (ASC-US) | → Mulheres com idade ≥ 30 anos: repetir o CP em um intervalo de 6 meses (tratar infecção e/ou melhorar trofismo quando indicado)<br>→ Mulheres com idade < 30 anos: repetir a citologia em 12 meses<br>→ Em caso de 2 citologias negativas, retornar à rotina de rastreamento; se a nova citologia for igual ou com lesão maior, referir à colposcopia<br>→ A conduta a seguir depende do resultado da colposcopia:<br>   → Colposcopia negativa: fazer acompanhamento com citologia e colposcopia semestrais, até que 2 citologias sucessivas sejam negativas; após, retornar ao rastreamento de rotina<br>   → Colposcopia alterada: biopsiar |
| Células escamosas atípicas de significado indeterminado, não podendo excluir HSIL (ASC-H) | → Realizar colposcopia imediata<br>→ A conduta a seguir depende do resultado da colposcopia:<br>   → Colposcopia satisfatória e sem alterações: nova citologia em 6 meses; em caso de citologia com mesmo diagnóstico ou mais grave, realizar EZT com CAF<br>   → Colposcopia alterada: biopsiar |
| Células glandulares atípicas de significado indeterminado – quaisquer (AGC-US) | → Realizar colposcopia e repetir a citologia de canal (*cytobrush*)<br>→ Biopsiar, se houver lesão cervical<br>→ Biópsia do colo do útero com diagnóstico de NIC II ou NIC III: excluir doença glandular (citologia endocervical e avaliação de endométrio ou outros órgãos pélvicos)<br>→ Nova citologia mantendo AGC (independentemente do diagnóstico de doença escamosa): recomendável conização do colo do útero<br>→ Biópsia do colo do útero negativa, ou ausência de lesão colposcópica: a nova citologia definirá a conduta; caso mantenha o diagnóstico de AGC, é recomendável a conização do colo; se for negativa, o acompanhamento será feito com citologia semestral<br>→ A avaliação endometrial e anexial é recomendada em pacientes com AGC e que têm idade > 35 ou 40 anos ou que apresentam sangramento irregular com qualquer idade |
| Lesão intraepitelial escamosa de baixo grau (LSIL) | → Repetir o CP em 6 meses, tratando infecções ou atrofia antes da nova coleta<br>→ Citologia de repetição negativa em 2 exames consecutivos: retornar ao rastreamento citológico geral<br>→ Citologia de repetição positiva: colposcopia<br>→ A conduta a seguir depende do resultado da colposcopia:<br>   → Colposcopia alterada: biopsiar; alterações menores na colposcopia: pode-se dispensar a biópsia, de acordo com outros fatores (idade < 30 anos, rastreamento prévio negativo e ausência de história de lesão cervical), e manter acompanhamento com citologia e colposcopia semestral<br>   → Colposcopia sem alterações: realizar citologia semestral e exame da vagina<br>→ Após 2 CPs negativos consecutivos: retornar ao rastreamento rotineiro<br>→ Mulheres com idade até 20 anos que realizarem o rastreamento fora do preconizado pelas diretrizes do Inca devem seguir protocolo específico em caso de exame alterado, disponível no material do Inca[11] |
| Lesão intraepitelial escamosa de alto grau (HSIL) | → Realizar colposcopia em até 3 meses após o resultado<br>→ A conduta a seguir depende do resultado da colposcopia:<br>   → Colposcopia satisfatória:<br>      → Lesão sugestiva de HSIL: EZT (ver e tratar); em caso de JEC endocervical, não visível no primeiro centímetro do canal, ou lesão colposcópica às paredes vaginais, realizar conização a frio<br>      → Lesão sugestiva de doença invasora ou LSIL: biopsiar a lesão; em caso de biópsia negativa, repetir a citologia e a colposcopia entre 3 e 6 meses; em caso de biópsia positiva, tratar de acordo com o resultado histológico<br>      → Sem lesão colposcópica: repetir a citologia endocervical em 3 meses; se positiva para HSIL, indicar EZT nos casos de colposcopia satisfatória ou conização a frio nos casos de colposcopia insatisfatória<br>   → Colposcopia insatisfatória:<br>      → Com qualquer tipo de lesão colposcópica: realizar conização, pois a realização da biópsia neste momento não mudará a conduta<br>      → Sem lesão colposcópica: prosseguir investigação de canal com citologia endocervical |
| Adenocarcinoma *in situ*/invasor | → Encaminhar à unidade de referência de média complexidade; a conduta é a conização a frio<br>→ Se a colposcopia sugere lesão invasora, realizar biópsia<br>→ Investigação endometrial em caso de idade > 35 anos ou se apresentar sangramento anormal |
| HSIL não podendo excluir microinvasão ou carcinoma epidermoide invasor | → Encaminhar à unidade de referência de média complexidade para colposcopia<br>→ Colposcopia com lesão: biopsiar<br>→ Colposcopia sem lesão: realizar conização |

CAF, cirurgia de alta frequência; EZT, excisão da zona de transformação; JEC, junção escamocolunar; NIC, neoplasia intraepitelial cervical.
Fonte: Instituto Nacional de Câncer.[11]

a crioterapia e o *laser*, este último de uso restrito devido ao custo. O tratamento excisional ou cirúrgico pode ser feito pela EZT com CAF, pela conização com CAF ou pela forma clássica – a frio, com bisturi.

A observação é possível quando as lesões são pequenas, com alteração histológica de baixo grau, totalmente visíveis, com concordância citocolpo-histológica, em mulheres com possibilidade de acompanhamento rigoroso.[25] Os mesmos critérios precisam ser observados quando se opta pelo tratamento destrutivo (eletrocauterização, crioterapia, vaporização com *laser*).

O tratamento excisional (alça, *laser*, bisturi) está recomendado nos demais casos B. As técnicas de excisão com alça (LEEP, do inglês *loop electrosurgical excision procedure*), EZT e conização com CAF utilizam gerador de alta frequência e são procedimentos realizados em sala não cirúrgica, com anestesia local, enquanto a conização a frio (com bisturi) exige sala cirúrgica e anestesia condutiva ou geral. Apesar das diversas técnicas disponíveis, não há um método cirúrgico considerado superior aos demais para o tratamento dessas lesões.[26]

A grande maioria das lesões de baixo grau regride espontaneamente. Entre as lesões de alto grau, cerca de 50% daquelas do tipo NIC II não tratadas regridem,[27] enquanto naquelas do tipo NIC III não tratadas essa porcentagem é de 40%.[28] Por outro lado, o NCI dos Estados Unidos estima que, na ausência de tratamento, somente 10% dos carcinomas *in situ* evoluem para câncer invasor no primeiro ano, aumentando para 30 a 70% após decorridos 10 a 12 anos.[2]

O tratamento do carcinoma microinvasor no estágio IA1 (caracterizado por lesão de até 3 mm) que não invade espaços vasculares também pode ser conservador, pela conização, já que essas lesões apresentam risco < 0,25% de estarem além de seus limites histológicos B.[2]

O tratamento dos demais estágios deve ser radical, cirúrgico ou radioterápico e quimioterápico.[2,29] Quando houver indicação cirúrgica, a conduta é histerectomia radical, com a retirada do útero, do terço superior da vagina e dos paramétrios e linfadenectomia pélvica.[2,29] A conservação dos ovários é indicada nas mulheres em idade reprodutiva. A histerectomia não radical no câncer do colo do útero pode ser considerada um procedimento iatrogênico, por ser insuficiente como tratamento cirúrgico e por criar dificuldades para a radioterapia. Cirurgias mais conservadoras para manutenção da fertilidade já estão disponíveis e devem ser avaliadas por equipes especializadas em centros terciários.

A colposcopia é fundamental na investigação do carcinoma invasor inicial, e a histologia é o método diagnóstico.

Quanto à sobrevida em 5 anos, o tratamento cirúrgico se mostra superior à radioterapia nos estágios IA (97% vs. 78%), IB (86,7% vs. 74,9%) e IIA (82,2% vs. 74,9%); a partir do estágio IIB, a radioterapia tem melhores resultados, com 73,9% de sobrevida, contra 58,4% com a cirurgia.[30] Na nova classificação dos estágios evolutivos, no estágio IIA, a indicação cirúrgica é limitada ao estágio IIA1.[31] As duas modalidades de tratamento (cirurgia ou radioterapia e quimioterapia), contudo, não são exatamente comparáveis, já que as mulheres submetidas à cirurgia são mais jovens, costumam estar em melhor estado clínico e possuem tumores de menor volume.

As vantagens da cirurgia incluem preservação das funções ovariana e sexual após o tratamento. Entre as possíveis complicações, estão disfunção vesical e formação de fístula. A principal é evitar um procedimento cirúrgico maior e suas complicações em mulheres em más condições clínicas. As complicações da radioterapia incluem perda da função ovariana, disfunção sexual, gastrintestinal e vesical, além de fístulas retovaginais e/ou vesicovaginais.

Mulheres com comprometimento do terço superior da vagina, mas sem envolvimento de paramétrios, devem receber o mesmo tratamento que aquelas com tumor limitado ao colo do útero (cirurgia ou radioterapia).[1,2]

O manejo terapêutico do câncer do colo do útero deve ser feito por profissional especializado em câncer ginecológico.

## Acompanhamento e detecção de recidivas

Mulheres com câncer do colo do útero ou lesões precursoras tratadas têm risco de doença persistente ou recorrente por até 20 anos após o tratamento. Elas devem, anualmente, realizar exame citológico e exame clínico por 20 anos C/D.[32]

A periodicidade indicada para reavaliações é de 3 a 6 meses nos 2 primeiros anos, de 6 a 12 meses do 3º ao 5º ano pós-tratamento e, após, anualmente. A cada reavaliação, além de anamnese e exame físico geral, deve ser realizado exame ginecológico completo, com exame dos órgãos genitais externos, vagina, colo do útero ou fundo de saco vaginal, incluindo coleta de CP.[33,34]

As mulheres tratadas exclusivamente com quimioterapia e radioterapia apresentam, como sequela, colo do útero plano, e as tratadas com cirurgia, colo ausente. A coleta de material para exame citológico é feita com espátula, respectivamente, no colo plano e na cúpula vaginal. Se o colo da mulher tratada com radioterapia tiver o orifício cervical identificado, a coleta endocervical com escova também deve ser realizada. É importante informar ao laboratório o motivo do exame e o tratamento feito.

Recidivas e metástases são mais frequentes na cúpula vaginal e em cadeias ganglionares da região central da pelve.

## Câncer do colo do útero e gravidez

O tratamento da mulher grávida com câncer do colo do útero depende principalmente de dois fatores: idade gestacional e estágio do câncer. O desejo de preservar a gravidez, se seguro, deve ser respeitado.

# CÂNCER DO CORPO DO ÚTERO

No corpo do útero, o tumor mais frequente é originário da mucosa endometrial – o carcinoma endometrial, com seus vários tipos histológicos.

## Epidemiologia

É a doença maligna mais comum do trato genital feminino e a 4ª doença mais comum na mulher, depois do câncer de mama, de pulmão e do colo do útero em países ocidentais industrializados. O aumento de sua prevalência nos últimos 20 anos parece ser devido aos seguintes fatores: aumento da população feminina, maior expectativa de vida, mudanças nutricionais, maior incidência de obesidade e aumento do uso de estrogênios. Os países em desenvolvimento apresentam taxas de incidência 4 a 5 vezes menores do que as dos países desenvolvidos.[3,4]

No Brasil, o câncer do corpo do útero ocupa a 7ª posição em incidência: 6.600 casos novos estimados para cada ano do biênio 2018-2019, com um risco estimado de 6,22 casos a cada 100 mil mulheres. Sem considerar os tumores de pele não melanoma, o câncer do corpo do útero é o 6º mais incidente na Região Sudeste (7,66 a cada 100 mil). Na Região Sul (7,17 a cada 100 mil), é o 7º mais frequente. Nas Regiões Centro-Oeste (5,65 a cada 100 mil) e Nordeste (4,98 a cada 100 mil), ocupa a 8ª posição; enquanto, na Região Norte (2,11 a cada 100 mil), ocupa a 10ª posição.[1]

Nos Estados Unidos, a média de idade de ocorrência do carcinoma de endométrio é 51 anos, com predomínio na faixa etária entre 50 e 59 anos; apenas 5% ocorrem antes dos 40 anos e, antes da menopausa, 20 a 25%.[35] As taxas de incidência variam de 20 a 30 vezes entre os países; e cerca de dois terços dos novos casos estimados ocorrem em países com níveis altos de desenvolvimento humano. Nos Estados Unidos, a sobrevida no período ≥ 5 anos é de 84% em mulheres brancas cujo diagnóstico é realizado em estágio inicial e de 62% em mulheres negras, que possuem menor sobrevida independentemente do estágio da doença ao diagnóstico.[36] Dos carcinomas endometriais, 60 a 80% são do tipo histológico adenocarcinoma endometrioide.

O carcinoma endometrial é um tumor epitelial maligno, que exibe diferenciação glandular, sendo, portanto, o adenocarcinoma seu principal tipo histológico (mais de 80% dos casos), e está associado ao estrogênio sem oposição da progesterona. Esse hormônio desempenha um papel importante na etiologia da doença. Os tumores do tipo I são de baixo grau de malignidade e estão relacionados ao estrogênio; os do tipo II não estão associados ao estrogênio, e são os adenocarcinomas de células não serosas e não claras que apresentam maior taxa de mortalidade.[37]

O carcinoma endometrial pode ser estrogênio-dependente, contendo receptores para estrogênio e progesterona (RE e RP) ou desvinculado de estímulo hormonal. Os fatores de risco estão associados ao estímulo estrogênico (TABELA 126.9). A diminuição da exposição ao estrogênio e/ou o aumento dos níveis de progesterona (anticoncepcional hormonal e tabagismo) tendem a ser protetores. Entretanto, o impacto desses fatores difere entre as populações e em aproximadamente metade dos casos não há associação com características hiperestrogênicas.

O câncer de endométrio pode ter influência genética. Genes que oferecem risco para um tipo de tumor podem conferir risco a outros (genes envolvidos em proliferação celular e em metabolização de carcinogênios). A síndrome do câncer colorretal hereditário sem polipose (HNPCC, do inglês *hereditary nonpolyposis colorectal cancer*; ou síndrome de Lynch) tem herança autossômica dominante e caracteriza-se pela ocorrência de outros tumores nas famílias. O câncer extracolônico mais frequente nessa síndrome é o de endométrio, seguido pelos de ovário, estômago, intestino delgado, ureter, bexiga, trato biliar, pâncreas e pele e pelos carcinomas sebáceos. Além da história de tumores, o câncer de endométrio em mulheres com idade < 50 anos também pode estar relacionado com a síndrome. Em mulheres com a mutação, a incidência de câncer endometrial é de até 62%, sendo maior do que o risco de câncer colorretal.[38]

## Rastreamento e diagnóstico

**Não existe benefício comprovado para o rastreamento de câncer de endométrio.**

A recomendação de rastreamento baseia-se em benefícios presuntivos, em mulheres assintomáticas que apresentam fatores de risco, sobretudo as com história pessoal ou familiar de síndrome de Lynch **D**.[39]

O método de escolha para investigação de casos suspeitos, após a menopausa, é a ultrassonografia (US) transvaginal, pela sua inocuidade e possibilidade de estudo simultâneo do miométrio, dos ovários e das tubas uterinas. Em mulheres com sangramento na pós-menopausa, possui sensibilidade de 95% independentemente do uso de terapia hormonal (TH), e especificidade de 92% sem uso de TH,[40] utilizando o ponto de corte de 5 mm na espessura do endométrio.[41]

O câncer de endométrio e suas lesões precursoras têm como manifestação básica o sangramento uterino anormal, peri e pós-menopáusico. Apesar de não ser a causa mais frequente de sangramento, o câncer de endométrio manifesta-se, em 80 a 90% dos casos, por sangramento. Em Porto Alegre, no Estado do Rio Grande do Sul, um estudo envolvendo 1.464 mulheres com sangramento uterino anormal submetidas à investigação histológica constatou prevalência de 2,5% de carcinoma endometrial, sendo de 0,6% entre as mulheres pré-menopáusicas e de 10,2% entre as pós-menopáusicas.[42]

Em contrapartida às outras neoplasias ginecológicas, a grande maioria das mulheres é diagnosticada no estágio inicial.

As indicações para investigação da cavidade uterina com objetivo de afastar carcinoma endometrial estão na TABELA 126.10.

Na ocorrência de sangramento, inicia-se a investigação com US transvaginal. Se esta resultar normal, a mulher é orientada a retornar caso haja novo sangramento. A histologia endometrial deve ser considerada em mulheres com piometra e está indicada nas que apresentam US alterada ou recidiva do sangramento.

Os métodos usados para diagnóstico ou exclusão de câncer de endométrio incluem histeroscopia associada ao

**TABELA 126.9** → Fatores de risco para adenocarcinoma de endométrio

- → Menopausa após os 52 anos de idade
- → Obesidade
- → Nuliparidade
- → Gordura predominante na parte superior do corpo (*apple-shaped body*)
- → Diabetes melito
- → Cor branca
- → Nível socioeconômico elevado
- → Moradora urbana
- → Estresse
- → Não amamentação ou amamentação por período curto
- → Dieta rica em gordura animal
- → Uso de estrogênio sem progestagênio
- → Ciclos anovulatórios; síndrome dos ovários policísticos
- → Tumor produtor de estrogênio
- → Usuárias de tamoxifeno
- → Usuárias de fármacos de ação estrogênica, como digitálicos
- → Hiperplasia endometrial ou pólipo endometrial pregressos
- → História familiar de câncer de endométrio
- → História pessoal ou familiar de câncer do colo do útero e câncer de ovário
- → Irradiação prévia

**TABELA 126.10** → Indicações para investigação da cavidade uterina com objetivo de afastar carcinoma endometrial

→ Sangramento uterino pós-menopáusico
→ Coleção purulenta intrauterina após a menopausa (piometra)
→ Aparecimento de células endometriais na citologia cervicovaginal em mulheres pós-menopáusicas
→ Sangramento intermenstrual e/ou menorragia em mulheres perimenopáusicas
→ Sangramento uterino anormal em mulheres pré-menopáusicas, particularmente se associado a uma história de anovulação

exame histológico, biópsia de endométrio e curetagem uterina com dilatação do canal do colo do útero (ver Capítulo Sangramento Uterino Anormal). O primeiro passo é a biópsia endometrial cega, sem anestesia, feita por ginecologistas em nível ambulatorial.

## Prevenção e orientação terapêutica

A prevenção primária do câncer de endométrio inclui o combate à obesidade, o uso adequado da terapia de reposição hormonal no climatério (ver Capítulo Climatério) e a correção de ciclos anovulatórios persistentes. O uso de ACO reduz o risco de carcinoma endometrial em até 50%, se feito por 4 anos, e em até 70%, se feito por 12 anos.[43] Em mulheres com síndrome de Lynch (ou HNPCC), a histerectomia profilática deve ser avaliada.[2]

A prevenção secundária consiste no diagnóstico e no tratamento das hiperplasias com atipias (ver Capítulo Sangramento Uterino Anormal) e no diagnóstico do tumor assintomático.

Quando o tumor está restrito ao corpo do útero, há indicação de histerectomia abdominal total e salpingo-oforectomia bilateral com estadiamento cirúrgico apropriado.[2,44] A pan-histerectomia via vaginal é um tratamento possível em mulheres com obesidade mórbida ou com problemas clínicos graves. A associação da via vaginal com a laparoscópica e a cirurgia totalmente laparoscópica, feitas em centro de referência, são outras duas possibilidades de estadiamento e tratamento. Em alguns centros, a cirurgia robótica também tem sido utilizada quando disponível, com bons resultados. Indica-se a radioterapia pós-operatória quando houver risco de recidiva.[2,44]

A quimioterapia é utilizada no tratamento do carcinoma endometrial avançado, alcançando resultados mais favoráveis quando associada à radioterapia no estágio IIIc.[45]

A partir do diagnóstico, todas as mulheres portadoras de câncer de endométrio devem ser encaminhadas ao especialista em ginecologia oncológica para orientação do tratamento.

## Acompanhamento e detecção de recidivas

O acompanhamento, na APS ou em ambulatório especializado, consiste em exame clínico e ginecológico com coleta de material para exame citológico da cúpula vaginal, a cada 3 a 6 meses no 1º ano e a cada 6 meses até o 5º ano.[46] Recidivas e metástases são mais frequentes na vagina, no abdome (linfonodos), na região central da pelve, no fígado e no tórax.

# CÂNCER DE OVÁRIO

As neoplasias primárias de ovário são de três tipos: epitelial (85-90%), do estroma e de células germinativas. As neoplasias de células germinativas, apesar de representarem somente 5 a 10% do total, são importantes devido à sua pouca agressividade e às altas taxas de cura com cirurgia e quimioterapia sistêmica combinada.

O câncer de ovário é a mais letal das doenças malignas ginecológicas. O tipo epitelial, o mais frequente, é assintomático nas fases iniciais, e dois terços dos casos são diagnosticados em estágio avançado. A alta letalidade do câncer de ovário está ligada ao diagnóstico tardio; os índices de cura da doença em fase inicial atingem 80 a 90%. Os tumores do estroma do cordão sexual e os de células germinativas também têm bom prognóstico, sobretudo quando tratados precocemente.

## Epidemiologia

Nos Estados Unidos, o câncer de ovário é o 6º tumor na mulher e corresponde a 25% das neoplasias malignas dos órgãos genitais.[2] É a neoplasia responsável por aproximadamente metade de todas as mortes por câncer genital nos países desenvolvidos.[35] Para o Brasil, estimam-se 6.150 casos novos de câncer de ovário para cada ano do biênio 2018-2019, com um risco estimado de 5,79 casos a cada 100 mil mulheres, o que o torna o 8º mais incidente.[1] Sem considerar os tumores de pele não melanoma, o câncer do ovário é o 7º mais incidente nas Regiões Centro-Oeste (5,83 a cada 100 mil), Nordeste (5,04 a cada 100 mil) e Norte (2,96 a cada 100 mil). Nas Regiões Sul (7,12 a cada 100 mil) e Sudeste (6,40 a cada 100 mil), ocupa a 8ª posição.[1]

O câncer de ovário pode acometer mulheres de todas as idades, mas sua incidência aumenta após os 40 anos. A média de idade de ocorrência desse tipo de câncer é de 61 anos.

Por estar associado à baixa paridade e infertilidade, à menarca precoce e à menopausa tardia, existe a hipótese de que a ovulação mensal, repetida, com ruptura e reparo da superfície ovariana, aumente a probabilidade de mutação espontânea. Essa hipótese é reforçada pela observação de que o uso de ACO por um período de 5 a 9 anos implica redução do risco de desenvolver câncer de ovário, da ordem de 30 a 50%.[47]

A história familiar é considerada o fator de risco independente mais forte para câncer de ovário. Os fatores de risco, apesar de não estarem bem definidos, são mostrados na **TABELA 126.11**. O tabagismo parece estar associado ao aumento do risco de câncer de ovário mucinoso, associação não observada nos demais subtipos.[48]

As principais síndromes genéticas associadas ao câncer de ovário são a síndrome de câncer de ovário e mama, caracterizada pelas mutações dos genes *BRCA1* e *BRCA2*, e a síndrome de Lynch (ou HNPCC). Cerca de 15% das mulheres com várias familiares com câncer de ovário têm risco de desenvolver esse tumor precocemente, antes dos 40 anos de idade, sendo recomendada, nesse grupo, a cirurgia redutora de risco (salpingo-oforectomia) a partir dos 35 anos,

TABELA 126.11 → Câncer de ovário: prováveis fatores de risco

→ História familiar
→ Menarca precoce
→ Menopausa tardia
→ Nuliparidade
→ Idade da primeira gravidez após 35 anos
→ Não amamentação ou amamentação por período curto
→ Contaminação pélvica – talco, sangue menstrual, endometriose
→ Irradiação prévia
→ Tabagismo (para os tumores mucinosos)

após prole completa.[49] Apesar de não eliminar completamente o risco, a salpingo-oforectomia profilática está relacionada com redução de risco da ordem de 80% para câncer de ovário e de tubas uterinas associado à mutação dos genes *BRCA1* e *BRCA2*. O câncer de ovário pode iniciar no peritônio, o que explica os casos incidentes após cirurgia. A salpingo-oforectomia, portanto, pode ser utilizada como estratégia preventiva em casos selecionados.[33]

A amamentação parece exercer efeito protetor contra câncer de ovário, tendo sido demonstrada associação inversa linear entre duração da amamentação e risco de câncer epitelial de ovário em estudo que utilizou dados de duas grandes coortes. A amamentação por período ≥ 18 meses esteve associada a uma diminuição significativa no risco de câncer de ovário em relação a nunca ter amamentado (RR = 0,66; IC 95%, 0,46-0,96). Para cada mês de aleitamento materno, o RR diminuiu 2%.[50]

## Rastreamento e diagnóstico

Ensaios clínicos randomizados avaliaram o efeito do rastreamento com US e/ou CA-125 (do inglês *cancer antigen 125*) anuais na mortalidade por câncer de ovário. Além de não resultarem em redução de mortalidade, os resultados falso-positivos do rastreamento levaram a complicações.[51,52]

**A ausência de sinais e sintomas nos estágios iniciais é responsável pelo elevado índice de doença diagnosticada em fase adiantada. Sintomas digestivos vagos, como dor abdominal difusa, dispepsia e constipação, se persistentes, merecem investigação, especialmente em mulheres com idade > 40 anos.**

O aumento do volume abdominal é a queixa mais frequente (mais de 50% dos casos), estando associado à presença de ascite ou de tumor de grandes dimensões, que são sinais de doença avançada. Anormalidades menstruais ocorrem em 15% das mulheres em idade reprodutiva com câncer de ovário.

Ao exame pélvico, os tumores benignos tendem a ser amolecidos, móveis e unilaterais, ao passo que os malignos frequentemente são bilaterais, endurecidos, nodulares e fixos. Ascite e nodularidade no septo retovaginal podem estar presentes.

As USs pélvica transabdominal e transvaginal permitem avaliar o tamanho, o formato, o conteúdo, a regularidade das paredes internas e a presença de septos no interior de cistos. A presença de papilas nas paredes internas, septos com mais de 0,3 cm de espessura e falta de homogeneidade estrutural sugere malignidade. O surgimento da Dopplerfluxometria a cores representa um avanço no diagnóstico, orientando sobre a benignidade ou a malignidade dos tumores de ovário, por meio do índice de resistência dos vasos (quando inferior a 0,4, é sugestivo de malignidade). O diagnóstico definitivo de neoplasia maligna de ovário é cirúrgico, por laparotomia, quando se obtém a confirmação histológica e se realiza o estadiamento cirúrgico sistematizado. Atualmente, a ressonância magnética também vem sendo utilizada, especialmente para ajudar no diagnóstico diferencial das lesões ovarianas.[53]

## Prevenção e orientação terapêutica

**A única ação com algum valor preventivo para câncer de ovário, além do aleitamento materno, é o uso de ACO, que reduz o risco, com efeito dose/resposta – ou seja, quanto maior o tempo de uso, menor o risco, persistindo o efeito após cessado seu uso B.[29,54] Esse risco foi 36% menor em mulheres que utilizaram ACO por 5 a 9 anos.**

No Canadá, destacam-se como fatores na redução da mortalidade por câncer de ovário a redução da terapia de reposição hormonal e as melhorias na gestão e no tratamento dessa doença; todavia, a sobrevida em 5 anos ou mais, em mulheres com câncer de ovário, é de 44%.[36] Nos Estados Unidos, a mortalidade também diminuiu de 2005 a 2014, o que pode estar associado ao uso de contraceptivos orais; e a sobrevida em 5 anos ou mais foi de 92% nas pacientes com doença localizada ao diagnóstico.[36]

Mulheres com tumores que não invadem a cápsula, bem ou moderadamente diferenciados, uni ou bilaterais, não requerem tratamento adicional, além da pan-histerectomia com omentectomia. Todos os demais casos iniciais ou avançados da doença exigem cirurgia de estadiamento completa por profissionais experientes e quimioterapia sistêmica complementar.[2] A extensão da cirurgia do câncer de ovário depende dos achados transoperatórios. O objetivo sempre é a ressecção total do tumor. Os resultados do tratamento adjuvante (quimio e radioterapia) dependem do volume de doença residual após a cirurgia inicial.

Recentemente, tem sido levantada a possibilidade de tratamento conservador da função reprodutora nas formas iniciais, quando o tumor está limitado a um ovário sem invasão da cápsula, em mulheres jovens com possibilidade de acompanhamento rigoroso. Nessas situações, está indicada a excisão do ovário residual uma vez completada a prole ou ocorrida a menopausa.

## Acompanhamento e detecção de recidivas

O acompanhamento, com exame clínico geral e pélvico, incluindo toque vaginal e retal, deve ser trimestral no 1º ano e semestral até o 5º ano. Recomenda-se a realização de CP anual e marcadores diante da suspeita de recidivas.

**Recidivas e metástases são mais frequentes na cavidade abdominal, no fígado e no tórax.**

# CÂNCER DE VULVA

O câncer de vulva é o tumor maligno localizado nas estruturas vulvares, sendo mais comum o de origem epitelial, com predomínio do carcinoma epidermoide ou malpighiano (90% dos casos), com possível correlação com infecção pelo HPV. Outros tipos, menos frequentes, são o melanoma (2%), o sarcoma e o adenocarcinoma. O tumor que atinge a vulva e o terço externo da vagina também é classificado como câncer de vulva.

## Epidemiologia

O câncer de vulva ocorre mais em mulheres idosas, embora seu número esteja crescendo em jovens. A média de idade ao diagnóstico é de 65 anos. Cerca de 85% dos casos ocorrem após a menopausa, com 12% das mulheres com idade < 50 anos.

A neoplasia intraepitelial vulvar (NIV) e o câncer de vulva têm algumas características semelhantes à NIC e ao câncer do colo do útero, respectivamente, no que se refere a fatores de risco, biologia natural e potencial maligno. A história natural da NIV não é bem conhecida, pois, enquanto há muitas informações sobre NIC e câncer do colo do útero, os estudos sobre NIV e câncer de vulva envolvem pequeno número de mulheres e tempo relativamente curto de acompanhamento.

A NIV é considerada lesão precursora do câncer invasivo. A prevalência estimada em mulheres com idade > 15 anos é de 1 a cada 1.200 mulheres. Entretanto, como ainda não existem programas de rastreamento, a incidência e a prevalência podem não ser precisas. Observou-se aumento progressivo na incidência de carcinoma *in situ* vulvar (NIV III), com duplicação e quase triplicação do número de casos nos anos 1980 e 1990, em relação à década de 1970, sem, contudo, produzir impacto no número de casos de carcinoma invasor da vulva.[55] Os motivos do aumento da incidência podem ser a crescente ocorrência da infecção pelo HPV e a maior tendência de as alterações vulvares serem biopsiadas.

A epidemiologia e a prevenção do câncer do colo do útero, de vulva e de vagina são semelhantes entre si. Existe íntima relação entre as NICs, as neoplasias intraepiteliais vaginais (NIVAs) e as NIVs.

Os principais fatores de risco para câncer de vulva estão listados na TABELA 126.12.

**TABELA 126.12** → Câncer de vulva: fatores de risco

→ Infecção pelo HPV (principalmente o HPV-16)
→ Tabagismo
→ Deficiência nutricional
→ Má higiene
→ Multiplicidade de parcerias sexuais
→ Imunossupressão
→ Doença inflamatória vulvar (hiperplasia epitelial ou líquen escleroso)
→ Lesão escamosa pré-maligna ou invasora em outra área do trato genital inferior

HPV, papilomavírus humano.

O HPV é fator de risco apenas para a NIV indiferenciada ou usual, sendo o HPV-16 mais frequentemente implicado.[55]

O tabagismo é fator de risco para NIV e para progressão da doença para o câncer de vulva. Um estudo constatou que 77% das mulheres com idade < 45 anos com câncer de vulva eram tabagistas.[56]

A incidência estimada de carcinoma escamoso em vulvas com líquen escleroso é de 2 a 6%.[57]

## Rastreamento e diagnóstico

O câncer de vulva não apresenta rastreamento específico além do exame físico. Mesmo as mulheres que estão fora da população-alvo para rastreamento do câncer do colo do útero, devido à idade avançada, precisam ser examinadas durante a avaliação ginecológica pelo profissional de saúde na APS.

As principais manifestações – prurido, ardência, dispareunia, disúria, sangramento – podem preceder o aparecimento das lesões precursoras e das formas iniciais do câncer.

O câncer de vulva e suas lesões precursoras são diagnosticados pelos seguintes exames e testes: inspeção, com boa iluminação, a olho nu ou com ampliação (lupa ou colposcópio); colposcopia da vulva ou vulvoscopia, que utiliza ácido acético a 4 a 5% e colposcópio; e teste de Collins, com azul de toluidina. A histologia dá o diagnóstico definitivo.

### Inspeção e vulvoscopia

O exame da vulva integra o exame ginecológico, por meio da inspeção cuidadosa das regiões pilosas e não pilosas e da palpação.

Em mulheres sintomáticas com inspeção vulvar normal e nas quais estão descartadas etiologias infecciosas e alérgicas, há indicação de inspeção com lupa ou vulvoscopia. A vulvoscopia identifica lesões acetorreagentes e avalia vascularização superficial. Auxilia no diagnóstico de lesão de baixo grau, mapeia a lesão de alto grau e identifica o local mais adequado para a biópsia. A acetorreagência vulvar difusa é frequente e nem sempre indica lesão. Lesões de alto grau são identificadas pela inspeção ou com lupa. As lesões tendem a ser unifocais em mulheres idosas e multifocais em jovens. Não existe uma classificação oficial para a vulvoscopia, como existe para a colposcopia.

As FIGURAS 126.1 e 126.2 mostram exemplos de alterações encontradas na inspeção da vulva.

### Teste com azul de toluidina

O teste com azul de toluidina (teste de Collins) pode ser útil, por identificar áreas de maior atividade nuclear, mas apresenta altos índices de resultados falso-positivos.

### Histologia

A biópsia está indicada em toda lesão suspeita de alto grau e em condilomas resistentes ao tratamento convencional, sempre com uma margem de pele sã.

Em mais de 60% das mulheres com câncer de vulva, os tumores são diagnosticados com mais de 2 cm de diâmetro (estágio II ou mais).

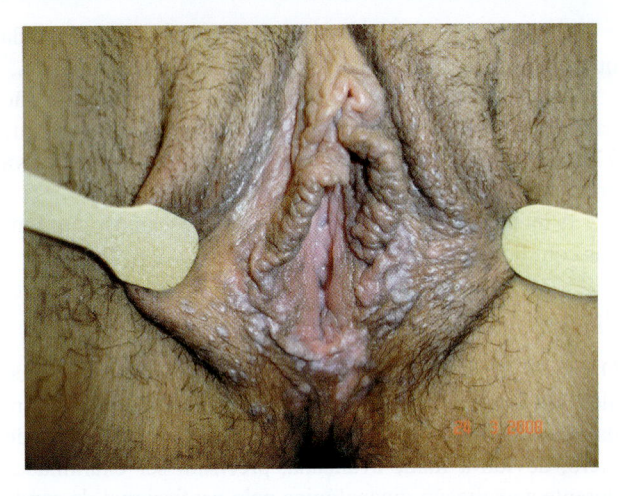

**FIGURA 126.1** → Neoplasia intraepitelial vulvar (NIV) III (lesões brancas com relevo).
Fonte: Arquivo pessoal da Dra. Suzana Arenhart Pessini.

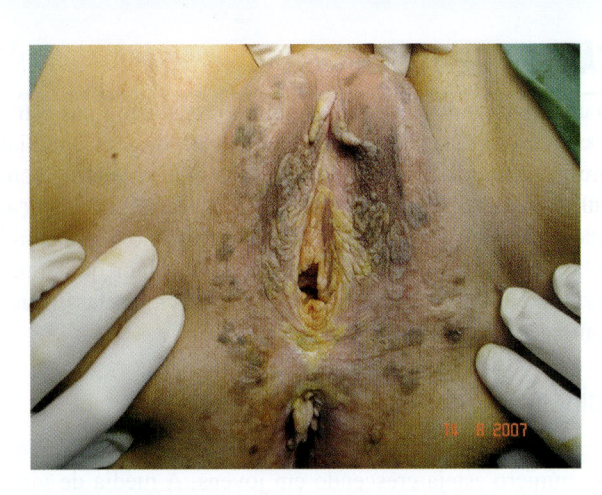

**FIGURA 126.2** → Neoplasia intraepitelial vulvar (NIV) I (lesões escuras sem relevo), II e III (lesões com relevo).
Fonte: Arquivo pessoal da Dra. Suzana Arenhart Pessini.

A NIV é classificada em tipos diferenciado e indiferenciado ou usual. O primeiro não tem associação com o HPV e apresenta maior chance de evoluir para carcinoma (32,8% vs. 5,7% no tipo indiferenciado ou usual) e tempo de progressão para invasão significativamente menor.[57] A NIV indiferenciada ou usual tem forte associação com tabagismo e presença do HPV (41% apresentam ou apresentaram lesões causadas pelo HPV) e manifesta-se clinicamente como NIV basaloide ou NIV bowenoide (condilomatosa).

Com relação à graduação, a NIV indiferenciada ou usual pode ser graduada de I a III, enquanto a NIV diferenciada é sempre classificada como NIV III. O tratamento da NIV reduz o risco de evolução para carcinoma.[58] Enquanto a progressão para carcinoma ocorre em 3,3% das mulheres tratadas, em mulheres não tratadas essa proporção é de 9% em 12 a 96 meses.

## Prevenção e orientação terapêutica

O combate à infecção pelo HPV e ao tabagismo e a orientação sobre cuidados com a higiene constituem a prevenção primária.

A prevenção secundária baseia-se no diagnóstico e no tratamento das lesões precursoras. O tratamento pode ser medicamentoso, ablativo ou excisional superficial, e os objetivos são controlar os sintomas, excluir doença invasora, evitar a progressão para invasão e preservar a forma e a função da vulva. O tipo de tratamento depende da localização, do tamanho, da multicentricidade ou não das lesões, se são recidivantes ou não, e do estado imunológico da mulher e possibilidade de controles e revisões rigorosos.

Uma abordagem para lesões de baixo grau é a microfragmentação, que consiste na retirada de pequenos fragmentos da lesão. O tratamento preferencial de NIV II e III é o excisional **B**. Ele tem, como benefício, a reavaliação anatomopatológica, que identifica uma invasão não detectada pela biópsia prévia, mas pode resultar em deformidades, cicatrizes e dispareunia. O tratamento ablativo com *laser* das lesões pré-invasoras vem sendo utilizado quando disponível para evitar as complicações cirúrgicas; no entanto, é essencial a confirmação diagnóstica para evitar o subtratamento de lesões invasoras.[59]

O tratamento primário da lesão invasora é cirúrgico, por ter melhores resultados e menos complicações do que a radioterapia.[2,33] Deve ser individualizado, dependendo do tamanho do tumor, de sua invasão em profundidade e de sua localização na vulva.

O prognóstico está diretamente relacionado com o tamanho do tumor (maior ou menor do que 2 cm), a extensão local e o comprometimento de linfonodos inguinais. A sobrevida em 5 anos varia de 100% no carcinoma *in situ* a 40% quando há metástases em linfonodos inguinais. A cirurgia dos tumores grandes é a vulvectomia radical com linfadenectomia inguinocrural bilateral.[2,33] Em tumores com até 2 cm de extensão e até 1 mm de profundidade (carcinoma microinvasor), sem invasão vascular ou neural, a cirurgia é a excisão ampla local.[2,33] Em lesões laterais de até 2 cm de extensão e entre 1 e 5 mm de profundidade, a cirurgia também é conservadora: excisão radical local (até a fáscia) com linfadenectomia ipsilateral. As outras situações são tratadas, de modo geral, com vulvectomia radical e linfadenectomia superficial inguinal bilateral.[2,33]

Em centros que dominam a técnica, a utilização do linfonodo-sentinela pode ser feita em casos determinados.[60] A radioterapia ilíaca pós-operatória está indicada quando os linfonodos inguinais estão comprometidos.[2,33]

## Acompanhamento e detecção de recidivas

O acompanhamento é feito com exame clínico ginecológico com colposcopia e inspeção da vulva, trimestralmente por 2 anos, e semestralmente até 5 anos. O CP deve ser realizado anualmente.[46]

Recidivas e metástases são mais frequentes na área cirúrgica, na região inguinal e na pelve. Mulheres com câncer de vulva têm alto risco para lesões vaginais e cervicais.

## TUMORES GENITAIS MAIS RAROS

A maioria dos **cânceres de vagina** é de origem escamosa e ocorre em mulheres idosas. A NIVA é considerada lesão precursora, embora sem definição de seu verdadeiro potencial maligno. Em 70% dos casos, situa-se no terço superior da vagina.

Os tumores de vagina disseminam-se primariamente por contiguidade ao longo da parede vaginal, podendo envolver o colo do útero ou a vulva. Por isso, e devido à proximidade da bexiga e do reto, o tratamento com radioterapia é preferível à cirurgia.

O **câncer de tubas uterinas** é o mais raro dos carcinomas genitais femininos. Assim como no câncer de ovário, tem progressão insidiosa, porém a disseminação pélvica é mais precoce, pelas características anatômicas do tumor, com epitélio em conexão direta com o peritônio. O tratamento segue as linhas do câncer de ovário. Os índices de sobrevida são baixos.

Os **sarcomas do aparelho genital feminino** são tumores raros, de mau prognóstico, cuja terapêutica está baseada na ressecção cirúrgica ampla. São suspeitados sempre que ocorrer aumento progressivo do volume do útero em menina pré-púbere ou em mulher pós-menopáusica, ou, ainda, quando um tumor diagnosticado como mioma uterino passa a crescer rapidamente.

A **neoplasia trofoblástica gestacional** se apresenta sob a forma de mola hidatiforme, mola invasora ou coriocarcinoma, em um espectro crescente de agressividade. O tratamento é individualizado, com evacuação da mola, quimioterapia e, às vezes, cirurgia.[61] A raridade dessa neoplasia, aliada à sua alta taxa de cura com quimioterapia, exige o manejo adequado em centros de referência especializados. O sucesso do tratamento dessa neoplasia decorre da alta sensibilidade à quimioterapia e da existência de um marcador específico, a gonadotrofina coriônica humana (β-hCG, do inglês *human chorionic gonadotropin*).

## REFERÊNCIAS

1. Instituto Nacional de Câncer José de Alencar Gomes da Silva. Estimativa 2020: incidência de câncer no Brasil. Rio de Janeiro: INCA; 2019.
2. National Cancer Institute. Comprehensive cancer information [Internet]. Washington; 1980 [capturado em 18 abr. 2021]. Disponível em: https://www.cancer.gov/.
3. Bray F, Colombet M, Ferlay J, Mery L, Piñeros M, Znaor A, et al. CI5 XI: cancer incidence in five continents volume XI [Internet]. Internationa Agency for Research on Cancer. Lyon; 2021 [capturado em 18 abr. 2021]. Disponível em: https://ci5.iarc.fr/CI5-XI/.
4. Sung H, Ferlay J, Siegel RL, Laversanne M, Soerjomataram I, Jemal A, et al. Global cancer statistics 2020: GLOBOCAN estimates of incidence and mortality worldwide for 36 cancers in 185 countries. CA Cancer J Clin. 2021;caac.21660.
5. International Collaboration of Epidemiological Studies of Cervical Cancer, Appleby P, Beral V, Berrington de González A, Colin D, Franceschi S, et al. Cervical cancer and hormonal contraceptives: collaborative reanalysis of individual data for 16,573 women with cervical cancer and 35,509 women without cervical cancer from 24 epidemiological studies. Lancet. 2007;370(9599):1609–21.
6. Ye Z, Thomas DB, Ray RM. Combined oral contraceptives and risk of cervical carcinoma in situ. WHO Collaborative Study of Neoplasia and Steroid Contraceptives. Int J Epidemiol. 1995;24(1):19–26.
7. Massad LS. Preinvasive disease of the cervix. In: Disaia PJ, Creasman WT, Mannel RS, McMeekin DS, Mutch DG, organizadores. Clinical gynecologic oncology. 9th ed. Philadelphia: Elsevier; 2018. p. 1–19.
8. International Collaboration of Epidemiological Studies of Cervical Cancer, Appleby P, Beral V, Berrington de González A, Colin D, Franceschi S, et al. Carcinoma of the cervix and tobacco smoking: collaborative reanalysis of individual data on 13,541 women with carcinoma of the cervix and 23,017 women without carcinoma of the cervix from 23 epidemiological studies. Int J Cancer. 2006;118(6):1481–95.
9. Syrjanen K. J. Papillomavirus infections, precancers and epidermoid cancers. In: Monsonego J, organizador. Papillomaviruses in human pathology: recent progress in epidermoid precancers. New York: Raven Press; 1990. p. 13–23.
10. Brasil. Ministério da Saúde, organizador. Plano de ações estratégicas para o enfrentamento das doenças crônicas não transmissíveis (DCNT) no Brasil: 2011-2022. Brasília: Ministério da Saúde; 2011.
11. Instituto Nacional de Câncer José de Alencar Gomes da Silva. Diretrizes brasileiras para o rastreamento do câncer do colo do útero. Rio de Janeiro: INCA; 2011.
12. Solomon D. The 2001 Bethesda systemterminology for reporting results of cervical cytology. JAMA. 2002;287(16):2114.
13. Instituto Nacional de Câncer José de Alencar Gomes da Silva. Nomenclatura brasileira para laudos cervicais e condutas preconizadas: recomendações para profissionais de saúde. Rio de Janeiro: INCA; 2006.
14. Cantor SB, Cárdenas-Turanzas M, Cox DD, Atkinson EN, Nogueras-Gonzalez GM, Beck JR, et al. Accuracy of colposcopy in the diagnostic setting compared with the screening setting. Obstet Gynecol. 2008;111(1):7–14.
15. Bornstein J, Bentley J, Bösze P, Girardi F, Haefner H, Menton M, et al. 2011 colposcopic terminology of the International Federation for Cervical Pathology and Colposcopy. Obstet Gynecol. 2012;120(1):166–72.
16. Tulio S, Pereira LA, Neves FB, Pinto ÁP. Relação entre a carga viral de HPV oncogênico determinada pelo método de captura híbrida e o diagnóstico citológico de lesões de alto grau. J Bras Patol E Med Lab. 2007;43(1):31–5.
17. Solomon D, Schiffman M, Tarone R. Comparison of three management strategies for patients with atypical squamous cells of undetermined significance: baseline results from a randomized trial. J Natl Cancer Inst. 2001;93(4):293–9.
18. De Palo G. Colposcopia e patologia do trato genital inferior. 2. ed. Rio de Janeiro: Medsi; 1996.
19. World Health Organization, organizador. WHO guidelines for screening and treatment of precancerous lesions for cervical cancer prevention. Geneva: World Health Organization; 2013.
20. Shepherd JP, Frampton GK, Harris P. Interventions for encouraging sexual behaviours intended to prevent cervical cancer. Cochrane Database Syst Rev. 2011;(4):CD001035.
21. Manhart LE, Koutsky LA. Do condoms prevent genital HPV infection, external genital warts, or cervical neoplasia? a meta-analysis. Sex Transm Dis. 2002;29(11):725–35.
22. Winer RL, Hughes JP, Feng Q, O'Reilly S, Kiviat NB, Holmes KK, et al. Condom use and the risk of genital human papillomavirus infection in young women. N Engl J Med. 2006;354(25):2645–54.
23. Arbyn M, Xu L, Simoens C, Martin-Hirsch PP. Prophylactic vaccination against human papillomaviruses to prevent cervical cancer and its precursors. Cochrane Database Syst Rev. 2018;5:CD009069.
24. Sundar S, Horne A, Kehoe S. Cervical cancer. BMJ Clin Evid. 2008;2008:0818.
25. TOMBOLA Group. Biopsy and selective recall compared with immediate large loop excision in management of women with low

grade abnormal cervical cytology referred for colposcopy: multicentre randomised controlled trial. BMJ. 2009;339:b2548.

26. Martin-Hirsch PP, Paraskevaidis E, Bryant A, Dickinson HO, Keep SL. Surgery for cervical intraepithelial neoplasia. Cochrane Database Syst Rev. 2010;(6):CD001318.

27. Castle PE, Schiffman M, Wheeler CM, Solomon D. Evidence for frequent regression of cervical intraepithelial neoplasia-grade 2. Obstet Gynecol. 2009;113(1):18.

28. McCredie MRE, Sharples KJ, Paul C, Baranyai J, Medley G, Jones RW, et al. Natural history of cervical neoplasia and risk of invasive cancer in women with cervical intraepithelial neoplasia 3: a retrospective cohort study. Lancet Oncol. 2008;9(5):425–34.

29. Chen J, Wang R, Zhang B, Lin X, Wei J, Jia Y, et al. Safety of ovarian preservation in women with stage I and II cervical adenocarcinoma: a retrospective study and meta-analysis. Am J Obstet Gynecol. 2016;215(4):460.e1-460.e13.

30. Bhatla N, Denny L. Special issue: FIGO cancer report 2018. Int J Gynecol Obstet. 2018;143(S2):i–iv, 1–158.

31. Mutch DG. The new FIGO staging system for cancers of the vulva, cervix, endometrium and sarcomas. Gynecol Oncol. 2009;115(3):325–8.

32. Committee on Practice Bulletins—Gynecology. Practice bulletin no. 168: cervical cancer screening and prevention. Obstet Gynecol. 2016;128(4):e111–30.

33. National Comprehensive Cancer Network. Treatment by cancer type [Internet]. NCCN Guidelines. Plymouth Meeting; 2021 [capturado em 18 abr. 2021]. Disponível em: https://www.nccn.org/guidelines/category_1.

34. Elit L, Fyles AW, Oliver TK, Devries–Aboud MC, Fung-Kee-Fung M. Follow-up for women after treatment for cervical cancer. Curr Oncol. 2010;17(3):65–9.

35. Creasman WT, Miller DS. Adenocarcinoma of the uterine corpus. In: Disaia PJ, Creasman WT, Mannel RS, McMeekin DS, Mutch DG, organizadores. Clinical gynecologic oncology. 9th ed. Philadelphia: Elsevier; 2018. p. 121–54.

36. Canadian Cancer Society's Advisory Committee on Cancer Statistics. Canadian cancer statistics 2017: special topic: pancreatic cancer. Toronto: CCS; 2017.

37. Stewart BW, Wild C, International Agency for Research on Cancer, World Health Organization. World cancer report 2014. Lyon: International Agency for Research on Cancer; 2014.

38. Resnick KE, Hampel H, Fishel R, Cohn DE. Current and emerging trends in Lynch syndrome identification in women with endometrial cancer. Gynecol Oncol. 2009;114(1):128–34.

39. Smith RA, Cokkinides V, Brawley OW. Cancer screening in the United States, 2012: a review of current American Cancer Society guidelines and current issues in cancer screening. CA Cancer J Clin. 2012;62(2):129–42.

40. Ghaemmaghami F, Hassanzadeh M, Karimi-Zarchi M, Modari-Gilani M, Behtash A, Mousavi N. Centralization of ovarian cancer surgery: do patients benefit? Eur J Gynaecol Oncol. 2010;31(4):429–33.

41. Smith-Bindman R, Kerlikowske K, Feldstein VA, Subak L, Scheidler J, Segal M, et al. Endovaginal ultrasound to exclude endometrial cancer and other endometrial abnormalities. JAMA. 1998;280(17):1510–7.

42. Pessini AA, Tarragô MA, Arent AC, Dambros M, Bicca GL. Dilatação e curetagem em pacientes com sangramento uterino anormal. Rev HCPA. 1995;95(15):161–2.

43. Grimbizis GF, Tarlatzis BC. The use of hormonal contraception and its protective role against endometrial and ovarian cancer. Best Pract Res Clin Obstet Gynaecol. 2010;24(1):29–38.

44. Colombo N, Preti E, Landoni F, Carinelli S, Colombo A, Marini C, et al. Endometrial cancer: ESMO Clinical Practice Guidelines for diagnosis, treatment and follow-up. Ann Oncol. 2013;24(Suppl 6):vi33-38.

45. Latham AH, Chen L, Hou JY, Tergas AI, Khoury-Collado F, St Clair CM, et al. Sequencing of therapy in women with stage III endometrial carcinoma receiving adjuvant combination chemotherapy and radiation. Gynecol Oncol. 2019;155(1):13–20.

46. Primo WQSP, Corrêa FJS, Brasileiro JPB, organizadores. Manual de ginecologia da Sociedade de Ginecologia e Obstetrícia de Brasília. 2. ed. Brasília: SGOB; 2017.

47. Collaborative Group on Epidemiological Studies of Ovarian Cancer, Beral V, Doll R, Hermon C, Peto R, Reeves G. Ovarian cancer and oral contraceptives: collaborative reanalysis of data from 45 epidemiological studies including 23,257 women with ovarian cancer and 87,303 controls. Lancet. 2008;371(9609):303–14.

48. Jordan SJ, Whiteman DC, Purdie DM, Green AC, Webb PM. Does smoking increase risk of ovarian cancer? a systematic review. Gynecol Oncol. 2006;103(3):1122–9.

49. Amos CI, Shaw GL, Tucker MA, Hartge P. Age at onset for familial epithelial ovarian cancer. JAMA. 1992;268(14):1896–9.

50. Danforth KN, Tworoger SS, Hecht JL, Rosner BA, Colditz GA, Hankinson SE. Breastfeeding and risk of ovarian cancer in two prospective cohorts. Cancer Causes Control CCC. 2007;18(5):517–23.

51. Jacobs IJ, Menon U, Ryan A, Gentry-Maharaj A, Burnell M, Kalsi JK, et al. Ovarian cancer screening and mortality in the UK Collaborative Trial of Ovarian Cancer Screening (UKCTOCS): a randomised controlled trial. Lancet. 2016;387(10022):945–56.

52. Pinsky PF, Zhu C, Skates SJ, Black A, Partridge E, Buys SS, et al. Potential effect of the risk of ovarian cancer algorithm (ROCA) on the mortality outcome of the Prostate, Lung, Colorectal and Ovarian (PLCO) trial. Int J Cancer. 2013;132(9):2127–33.

53. Foti PV, Attinà G, Spadola S, Caltabiano R, Farina R, Palmucci S, et al. MR imaging of ovarian masses: classification and differential diagnosis. Insights Imaging. 2015;7(1):21–41.

54. Agency for Healthcare Research and Quality. Evidence reports and technical reviews [Internet]. Rockville: AHRQ; 2018 [capturado em 17 abr. 2021]. Disponível em: http://www.ahrq.gov/patient-safety/settings/long-term-care/resource/epc.html.

55. Zawislak AA, Price JH, Dobbs SP, Mcclelland HR, Mccluggage WG. Contemporary experience with the management of vulval intraepithelial neoplasia in Northern Ireland. Int J Gynecol Cancer. 2006;16(2):780–5.

56. Lanneau GS, Argenta PA, Lanneau MS, Riffenburgh RH, Gold MA, McMeekin DS, et al. Vulvar cancer in young women: demographic features and outcome evaluation. Am J Obstet Gynecol. 2009;200(6):645.e1-5.

57. van de Nieuwenhof HP, Massuger LFAG, van der Avoort IAM, Bekkers RLM, Casparie M, Abma W, et al. Vulvar squamous cell carcinoma development after diagnosis of VIN increases with age. Eur J Cancer. 2009;45(5):851–6.

58. Committee on Gynecologic Practice American Society for Colposcopy and Cervical Pathology. Committee opinion no.675: management of vulvar intraepithelial neoplasia. Obstet Gynecol. 2016;128(4):e178–82.

59. Leufflen L, Baermann P, Rauch P, Routiot T, Bezdetnava L, Guillemin F, et al. Treatment of vulvar intraepithelial neoplasia with CO(2) laser vaporization and excision surgery. J Low Genit Tract Dis. 2013;17(4):446–51.

60. Covens A, Vella ET, Kennedy EB, Reade CJ, Jimenez W, Le T. Sentinel lymph node biopsy in vulvar cancer: systematic review, meta-analysis and guideline recommendations. Gynecol Oncol. 2015;137(2):351–61.

61. Uberti EMH, Fajardo M do C, Ferreira SVVR, Pereira MV, Seger RC, Moreira MAR, et al. Reproductive outcome after discharge of patients with high-risk hydatidiform mole with or without use of one bolus dose of actinomycin D, as prophylactic chemotherapy, during the uterine evacuation of molar pregnancy. Gynecol Oncol. 2009;115(3):476–81.

## LEITURAS RECOMENDADAS

Berek JS, Hacker NF. Berek & Hacker's gynecologic oncology. 6th ed. Baltimore: Lippincott Williams & Wilkins; 2015.

*Livro-texto escrito por vários autores, com capítulos gerais sobre quimioterapia, radioterapia, biologia, imunologia, patologia, epidemiologia e bioestatística, e capítulos específicos sobre os diversos tumores e suas lesões precursoras.*

Kehoe S, Bhatla N. FIGO Cancer Report 2021. Int J Gynecol Obstet. 2021;155 Suppl 1:5-6.

*Recomendações de diagnóstico, estadiamento e tratamento dos tumores ginecológicos.*

# Capítulo 127
# CLIMATÉRIO

Maria Celeste Osorio Wender
Solange Garcia Accetta
Carolina Leão Oderich
Mona Lúcia Dall´Agno

O período do climatério tem recebido mais destaque durante as últimas décadas devido ao grande aumento da expectativa média de vida das mulheres. Em 1850, essa expectativa era de aproximadamente 40 anos e, na virada do século XIX para o século XX, já havia aumentado para cerca de 55 anos. Hoje, nos países de alta renda, as mulheres vivem em média até os 83 anos. Em contrapartida, a expectativa de vida média de mulheres vivendo em países de baixa renda é de apenas 62 anos.[1] No Brasil, a expectativa de vida da mulher é de 80,1 anos, e Santa Catarina é o Estado com maior expectativa de vida para a população feminina: 83,2 anos.[2]

Nesse cenário, a menopausa deixa de ser um período relacionado ao fim da vida da mulher. A média de idade de ocorrência da menopausa tem-se mantido praticamente inalterada ao longo dos anos, estando ao redor dos 50 anos de idade no mundo ocidental,[3] e, portanto, hoje as mulheres passam cerca de um terço de suas vidas no período pós-menopáusico, representando uma população cada vez mais ativa no âmbito econômico e social, com comportamentos contemporâneos e em busca de qualidade de vida.

## DEFINIÇÕES

A **menopausa** é o último período menstrual, identificado retrospectivamente após 12 meses de amenorreia. Ocorre, em média, aos 50 anos, independentemente de idade da menarca, história familiar, paridade ou uso de anovulatórios, e pode ser antecipada em 1 a 2 anos pelo tabagismo. Pode ser classificada em natural (de ocorrência espontânea) ou artificial (provocada por cirurgias, quimioterapia ou radioterapia) e precoce (idade < 40 anos) ou tardia (idade > 55 anos).

A **perimenopausa** é o período em que se iniciam os primeiros sintomas do climatério. Estende-se até o final do primeiro ano após a menopausa.

O **climatério** é a fase de transição entre os períodos reprodutivo e não reprodutivo da mulher. É caracterizado por modificações fisiológicas de caráter endócrino, biológico e clínico.

Um sistema de estadiamento para os períodos da vida reprodutiva da mulher foi proposto em 2001[4] e revisado em 2011[5] em um encontro de pesquisadores, intitulado *Stages of Reproductive Aging Workshop* + 10 (STRAW + 10), com o objetivo de uniformizar a classificação e a nomenclatura de cada estágio (FIGURA 127.1). Três principais categorias são definidas a partir das características do ciclo menstrual: estágio reprodutivo, transição menopausal e pós-menopausa. Exames complementares e sintomatologia são utilizados como critérios de apoio.

## MUDANÇAS QUE LEVAM AO CLIMATÉRIO E À MENOPAUSA

A produção de estradiol (principal hormônio feminino no período reprodutivo) pode ser considerada um produto da maturação do oócito, enquanto a produção de progesterona pelo ovário só ocorre com a ovulação. A redução da resposta ovariana ao estímulo das gonadotrofinas hipofisárias, somada à depleção e, finalmente, à exaustão dos oócitos, resulta em declínio gradual na produção do estradiol. Quando a anovulação se torna mais frequente, ocorre também redução da produção de progesterona pelo ovário. Na evolução do processo, a produção de estradiol diminui, levando à amenorreia.

### Modificações hormonais

Inicialmente, há redução da resposta ovariana às gonadotrofinas, processo que envolve depleção dos oócitos e diminuição da produção da inibina, uma glicoproteína dimérica composta pelas subunidades α e β. As inibinas são produzidas nas gônadas femininas e masculinas e têm a função de suprimir as secreções hipofisárias do hormônio folículo-estimulante (FSH, do inglês *follicle-stimulating hormone*). No ovário, a inibina é sintetizada nas duas fases do ciclo. Quando o número de folículos pré-antrais cai a um determinado limiar, há uma diminuição sutil na concentração de inibina β, com consequente aumento no FSH.[6]

O hormônio antimülleriano (AMH, do inglês *anti-Müllerian hormone*) é produzido pelas células granulosas de folículos primários, secundários e antrais e é um potente marcador da reserva ovariana. O AMH parece não sofrer variação ao longo do ciclo menstrual. Estudos longitudinais[7] apontam para uma redução idade-dependente desse hormônio, de maneira que medidas seriadas poderiam potencialmente predizer a chegada da menopausa.

Inicialmente, os níveis de FSH elevam-se de maneira cíclica. Em geral, a duração dos ciclos menstruais se reduz para cerca de 21 a 24 dias, podendo, por vezes, prolongar-se por mais de 28 dias ou até por meses, quando a falta de resposta ovariana se acentua. A função do corpo lúteo torna-se

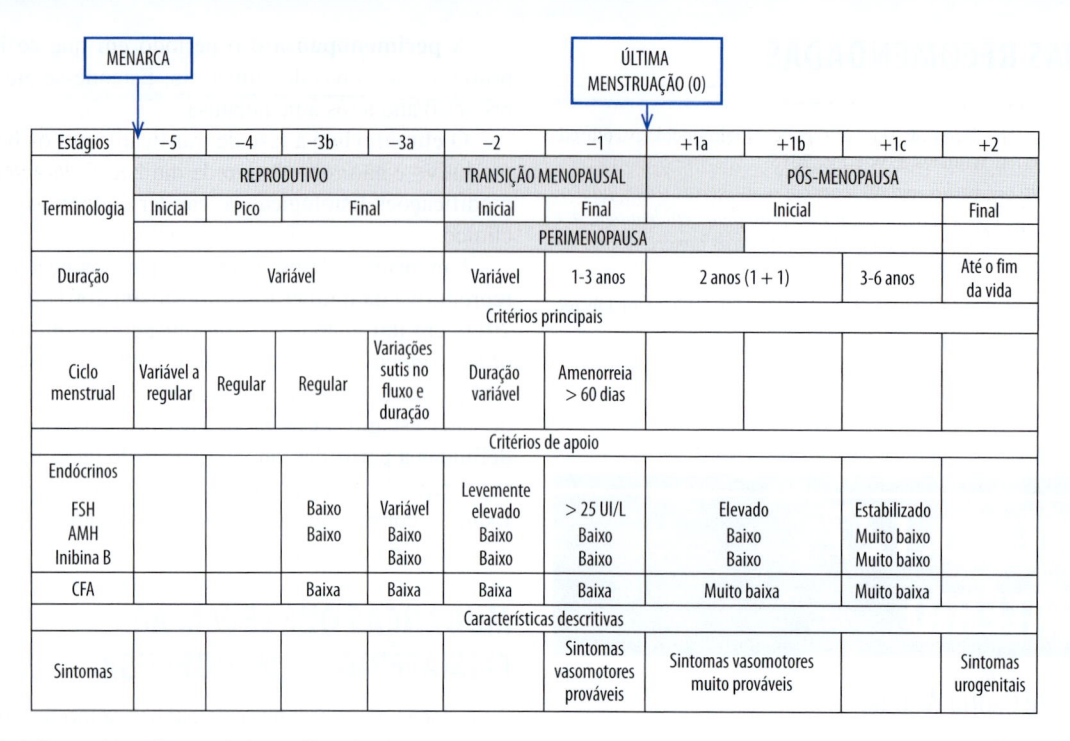

|  | Estágios | –5 | –4 | –3b | –3a | –2 | –1 | +1a | +1b | +1c | +2 |
|---|---|---|---|---|---|---|---|---|---|---|---|
|  |  | REPRODUTIVO | | | | TRANSIÇÃO MENOPAUSAL | | PÓS-MENOPAUSA | | | |
|  | Terminologia | Inicial | Pico | Final | | Inicial | Final | Inicial | | | Final |
|  |  |  |  |  |  | PERIMENOPAUSA | | | | | |
|  | Duração | Variável | | | | Variável | 1-3 anos | 2 anos (1 + 1) | | 3-6 anos | Até o fim da vida |
|  | Critérios principais | | | | | | | | | | |
|  | Ciclo menstrual | Variável a regular | Regular | Regular | Variações sutis no fluxo e duração | Duração variável | Amenorreia > 60 dias | | | | |
|  | Critérios de apoio | | | | | | | | | | |
|  | Endócrinos FSH AMH Inibina B |  |  | Baixo Baixo | Variável Baixo Baixo | Levemente elevado Baixo Baixo | > 25 UI/L Baixo Baixo | Elevado Baixo Baixo | | Estabilizado Muito baixo Muito baixo | |
|  | CFA |  |  | Baixa | Baixa | Baixa | Baixa | Muito baixa | | Muito baixa | |
|  | Características descritivas | | | | | | | | | | |
|  | Sintomas |  |  |  |  |  | Sintomas vasomotores prováveis | Sintomas vasomotores muito prováveis | | | Sintomas urogenitais |

Acima: MENARCA (estágio –5); ÚLTIMA MENSTRUAÇÃO (0)

**FIGURA 127.1** → Sistema de estadiamento do *Stages of Reproductive Aging Workshop* + 10 (STRAW + 10) para mulheres.
AMH, hormônio antimülleriano; CFA, contagem de folículos antrais; FSH, hormônio folículo-estimulante.
Fonte: Adaptada de Harlow e colaboradores.[5]

deficiente e há declínio da produção de progesterona. A secreção de estradiol nessa fase é errática, e os ciclos anovulatórios podem durar vários meses. A falta completa do desenvolvimento folicular resulta em redução ainda maior dos níveis séricos de estradiol, até alcançar o limiar em que o endométrio não é mais estimulado, provocando amenorreia.

O ovário pós-menopáusico e a glândula suprarrenal continuam sua produção de androstenediona e testosterona. Diz-se que há excesso relativo de androgênios no período pós-menopáusico, mas os valores absolutos dos hormônios masculinos encontram-se reduzidos.

Na **TABELA 127.1**, estão esquematizadas as principais mudanças hormonais do período pós-menopáusico.

É importante salientar que a mulher pós-menopáusica não é totalmente deficiente de estrogênio, haja vista a aromatização periférica da androstenediona em estrona, o principal estrogênio circulante na mulher pós-menopáusica. Essa conversão resulta em maiores níveis de estrogênio circulante nas mulheres obesas. Apesar disso, ao contrário do que se pensou durante muitos anos, mulheres obesas são mais sintomáticas do que as não obesas na perimenopausa e pós-menopausa inicial. Os mecanismos responsáveis por essa associação não são totalmente compreendidos, mas uma hipótese seria a atuação do tecido adiposo como isolante, impedindo a dissipação do calor e aumentando a quantidade e a intensidade dos fogachos.[8]

## ASPECTOS CLÍNICOS

O período pós-menopáusico é acompanhado de uma série de modificações em vários sistemas e funções. Além dos efeitos sobre o centro termorregulador hipotalâmico e o sistema reprodutivo, o metabolismo ósseo, a função cardiovascular e o humor podem sofrer impacto negativo. Muitas mulheres pós-menopáusicas enfrentam diminuição da qualidade de vida em decorrência das manifestações físicas e psicológicas. No climatério, apenas 15 a 30% das mulheres não apresentam sintomas.[8,9]

### Irregularidade menstrual

Ainda na fase pré-menopáusica, a irregularidade menstrual (com alteração da quantidade do fluxo, da duração e/ou da frequência dos períodos menstruais) é bastante comum. Na maioria das vezes, as alterações menstruais decorrem das modificações na secreção de estrogênio e de progesterona, sendo frequentes os ciclos anovulatórios. Entretanto, algumas afecções miometriais (miomatose e adenomiose) e endometriais (hiperplasia, pólipo ou neoplasia) também podem ser responsáveis pelo sangramento anormal.

**TABELA 127.1** → Principais modificações hormonais do climatério pós-menopáusico

| HORMÔNIO | MODIFICAÇÃO |
|---|---|
| Estradiol | ↓ |
| Estrona | ↓ |
| FSH | ↑ |
| LH | ↑ |
| Androstenediona | ↓ |
| Testosterona | ↓ |

FSH, hormônio folículo-estimulante; LH, hormônio luteinizante.

## Sintomas vasomotores e psicológicos

Os sintomas mais típicos da mulher climatérica são aqueles chamados vasomotores (fogacho, ou "calorão", e suores noturnos), que muitas vezes são percebidos desde a perimenopausa. Trata-se uma alteração comum que acomete cerca de 70 a 80% das mulheres nos períodos perimenopáusico e pós-menopáusico, e tem duração média de 7,4 anos a partir da transição menopausal. Deste total, 4,5 anos ocorrem no período pós-menopáusico.[10] Para um terço das mulheres acometidas, os fogachos são frequentes ou graves.[9]

O fogacho é descrito como uma onda de calor, principalmente no tronco e na face, podendo durar de segundos a minutos. Pode ser acompanhado de sudorese, vertigem, palpitações, cefaleia e insônia. A frequência diária dos fogachos é variável, desde 20 episódios ao dia até 1 por semana ou ausência completa. Além do impacto negativo na qualidade de vida, os sintomas vasomotores são marcadores de eventos cardiovasculares.[9] A sua fisiopatologia ainda não está clara, porém parece compreender uma instabilidade no sistema termorregulador hipotalâmico, envolvendo os sistemas adrenérgico, dopaminérgico, opioide e outros neurotransmissores (serotonina, ácido gama-aminobutírico [GABA]). Recentemente, tem-se associado a liberação pulsátil do hormônio liberador de gonadotrofinas (GnRH, do inglês *gonadotropin-releasing hormone*) e do hormônio luteinizante (LH, do inglês *luteinizing hormone*) – mediada por neuropeptídeos como a kisspeptina, a neurocinina B e a dinorfina – à presença, à frequência e à intensidade dos sintomas vasomotores. Esse achado aponta para novas possibilidades de tratamento no futuro.[11]

Os sintomas psicológicos do climatério incluem depressão, irritabilidade, ansiedade, labilidade emocional, diminuição da memória e perda de libido. Alguns autores sugerem que esses sintomas sejam secundários à ocorrência dos fogachos. Entretanto, estudos utilizando indicadores subjetivos e objetivos em mulheres pós-menopáusicas sem problemas psiquiátricos verificaram que modificações de humor (como depressão, ansiedade, irritabilidade, cansaço, insônia, esquecimento, baixa autoestima ou perda de libido) estão relacionadas com decréscimo de níveis séricos dos hormônios sexuais, e não com a presença de fogachos.[12]

Talvez por ocorrer com mais frequência durante a noite, o fogacho possa ser responsável pela queixa de insônia, comum na mulher climatérica, o que por sua vez contribui para a irritabilidade, o cansaço e a redução na capacidade de concentração. Contudo, independentemente da ocorrência de fogachos, a frequência dos distúrbios do sono, como insônia, sono não reparador, dificuldade de manter o sono e irregularidades respiratórias, aumenta no climatério.[13]

Sintomas depressivos são comuns na perimenopausa (relatados por 65-89% das mulheres que frequentam clínicas especializadas em climatério).[12] A prevalência de depressão maior não se eleva entre as mulheres que não têm história de alteração afetiva prévia. Além da deficiência estrogênica, outros fatores, de ordem social, cultural e pessoal, parecem interferir na intensidade dos sintomas vasomotores e psicológicos.

## Síndrome geniturinária da menopausa

Os tratos genital e urinário inferior têm a mesma origem embrionária: ambos derivam do seio urogenital primitivo e se desenvolvem em sítios anatomicamente próximos. A presença de receptores estrogênicos nesses tecidos está relacionada às alterações histológicas e funcionais típicas da síndrome geniturinária da menopausa (SGM), que ocorrem devido ao estado de hipoestrogenismo do período climatérico.[14]

Os sintomas urogenitais acometem metade das mulheres pós-menopáusicas e, em geral, surgem de forma gradual alguns anos após a menopausa. De caráter progressivo, quando não tratados adequadamente, costumam ter grandes impactos psicológicos, sociais e na qualidade de vida, quando o tratamento adequado não é instituído.[14,15]

A vulva e a vagina passam a ter características atróficas, que podem resultar em dispareunia, propensão a traumatismos locais e disfunção sexual: o epitélio torna-se afinado e perde suas rugosidades, e a lubrificação vaginal é comprometida pela diminuição da secreção glandular. A elasticidade e o tamanho da vagina reduzem. A atrofia também afeta o epitélio do trígono vesical e a uretra, produzindo, com frequência, noctúria, incontinência, infecções de repetição e urgência urinária.[14]

O próprio processo de envelhecimento contribui, junto com a carência estrogênica, para a produção dos sintomas urogenitais.

## Pele

O envelhecimento tem efeito prejudicial sobre as propriedades biomecânicas da pele, que se torna atrófica e transparente, perdendo elasticidade. Além do afinamento da epiderme e da derme, há redução da vascularização da derme e do número e da capacidade biossintética dos fibroblastos, resultando em cicatrização mais demorada e maior fragilidade da pele.

A carência estrogênica também contribui para perda acelerada do colágeno (15-30% nos primeiros 5 anos após a menopausa),[16] levando à aceleração da redução da espessura e ao maior ressecamento da pele. Essa alteração no conteúdo de colágeno da pele parece ocorrer paralelamente à redução de densidade óssea associada à menopausa.

## Osteoporose

A osteoporose pós-menopáusica acomete cerca de um terço das mulheres nessa fase.[17] Caracteriza-se por desestruturação da microarquitetura e perda da qualidade óssea, levando à maior fragilidade do osso, com consequente aumento do risco de fraturas por fragilidade.[18] Há predomínio da reabsorção sobre a formação do tecido ósseo. A maior parte da perda óssea ocorre durante os primeiros 5 anos pós-menopáusicos (quando a perda óssea aumenta de 0,2-0,5% ao ano para 2-5% no mesmo período). As fraturas mais comuns na osteoporose pós-menopáusica ocorrem na coluna, no quadril, no antebraço e no úmero proximal.[17]

É um importante problema de saúde pública devido à sua alta prevalência, bem como pela gravidade e morbidade das fraturas por fragilidade consequentes à doença. A fratura por osteoporose pode trazer dificuldades nas atividades diárias, pois somente um terço das mulheres, após fraturarem o fêmur, retorna às suas funções, e outro terço necessita de cuidados de enfermagem em casa. Medo, ansiedade e depressão são frequentemente relatados pelas mulheres com osteoporose, e têm sido pouco valorizados na avaliação do impacto dessa doença.[17] O risco de uma mulher de 50 anos vir, no futuro, a fraturar o fêmur, o punho ou uma vértebra é de 16%, 15% e 32%, respectivamente.[17] Em geral, a massa óssea é maior nas mulheres negras e obesas e menor nas brancas, asiáticas, magras e sedentárias. Um alto pico de massa óssea atingido na 2ª década de vida confere proteção relativa contra a osteoporose.

**Os fatores de risco para osteoporose, por estarem relacionados com baixa densidade óssea, são divididos em fatores de risco não modificáveis e modificáveis. São fatores de risco não modificáveis: sexo feminino, idade avançada, deficiência estrogênica, etnia branca, uso crônico de corticoides, artrite reumatoide, história familiar de osteoporose e história de fratura prévia. São fatores de risco modificáveis: baixo peso, sedentarismo, tabagismo, consumo de álcool, deficiência de vitamina D, distúrbios alimentares e baixa ingestão de cálcio.**

A prevenção da osteoporose inicia já na infância, com ambiente e hábitos que assegurem o alcance de um alto pico de massa óssea na juventude e sua posterior conservação. Nutrição adequada (cálcio – para conteúdo de cálcio dos alimentos, ver Capítulo Osteoporose) e exercícios físicos regulares são recomendados desde cedo, junto com a prevenção dos fatores de risco, como o tabagismo, e manutenção de níveis séricos de vitamina D e cálcio.[19,20]

Ver Capítulo Osteoporose para mais detalhes sobre fatores de risco, avaliação do risco de fraturas, tratamento e prevenção da osteoporose.

# O ATENDIMENTO DA MULHER NO CLIMATÉRIO

## Orientações gerais

A saúde de muitas mulheres é afetada no período do climatério, seja pelos sintomas que deterioram a qualidade de vida ou por doenças crônicas que afetam a sua expectativa de vida. Portanto, é imperativo avaliar esses dois aspectos, tendo como objetivos fundamentais a melhora da qualidade de vida e a redução do risco cardiovascular e de fraturas (ver Capítulo Prevenção Clínica das Doenças Cardiovasculares). Não há tratamento-padrão para todas as mulheres, pois as manifestações clínicas do climatério são muito variadas e dinâmicas. É necessário individualizar o atendimento, entendendo a sintomatologia da mulher no contexto do seu momento de vida (família, trabalho, envelhecimento) e considerando a presença de possíveis fatores de risco para as doenças mais comuns nesse período.

Na anamnese, verifica-se a presença de sinais e sintomas gerais do climatério, além dos específicos, como irregularidade menstrual no período pré-menopáusico e manifestações vasomotoras ou secundárias à atrofia urogenital após a menopausa.

É fundamental perguntar sobre aspectos relacionados com os hábitos de vida que afetam a saúde da mulher, como padrões alimentares saudáveis (dieta pobre em gordura e rica em fibras e suplementação de cálcio), prática de exercícios físicos, exposição ao sol em horário adequado (ou suplementação de vitamina D)[19,20] e eliminação de fatores de risco como álcool em excesso e tabagismo (ver Capítulos Alimentação Saudável do Adulto, Promoção da Atividade Física, Osteoporose, Problemas Relacionados ao Consumo de Álcool e Tabagismo).

Em relação ao tabagismo, não é suficiente estimular o abandono do hábito ou dependência. É necessário propor um método adequado para que esse objetivo seja atingido, bem como oferecer suporte continuado (ver Capítulo Tabagismo).

Cuidado especial deve ser dado ao colesterol sérico, pois níveis alterados, apesar de controle alimentar e atividade física adequada, ou presença de alto risco para doença coronariana, poderão justificar a indicação de medicamento específico (ver Capítulo Prevenção Clínica das Doenças Cardiovasculares).

Ainda na anamnese, deve-se verificar a existência de perdas (aposentadoria, casamento de filhos, viuvez ou separação, morte dos pais), que podem estar se somando às alterações próprias do período. Outra questão importante, relatada com frequência nessa fase da vida, é a presença de disfunções sexuais, principalmente diminuição de libido e dispareunia decorrente da atrofia urogenital.

**A sexualidade e a qualidade de vida devem ser abordadas sob a perspectiva do cuidado integral, valorizando os vários aspectos clínicos e comportamentais, bem como os elementos positivos das relações afetivas, sociais e de trabalho, visando também ao aumento da autoestima.**

Além da anamnese e do exame físico geral e ginecológico, alguns exames complementares são importantes. As indicações e a periodicidade do exame citopatológico de colo do útero e da mamografia são discutidas no Capítulo Rastreamento de Adultos para Tratamento Preventivo. As dosagens hormonais são, na maioria das vezes, desnecessárias, sendo o diagnóstico do climatério eminentemente clínico.

Quanto à avaliação endometrial, esta é fundamental na mulher climatérica pré-menopáusica com irregularidade menstrual de origem desconhecida, uma vez que as doenças de endométrio (hiperplasias e neoplasias) começam a incidir com maior frequência nesse período.

**A mulher na fase pós-menopáusica deve ser encaminhada para avaliação do endométrio em casos de sangramento uterino, na ausência de hormonioterapia, associado a aumento da espessura endometrial identificado na ultrassonografia transvaginal (endométrio com espessura > 5 mm).**

Os métodos de avaliação endometrial são descritos no Capítulo Sangramento Uterino Anormal.

**Não há justificativa para rastreamento populacional de osteoporose por meio de densitometria óssea para estabelecer risco de fratura, pois o exame apresenta baixa sensibilidade,[21] apesar de ter alta especificidade.**

De acordo com a International Society for Clinical Densitometry (ISCD), que atualizou suas recomendações em 2015, o valor do rastreamento universal para osteoporose ainda não está estabelecido.[22] Uma abordagem individualizada é recomendada, e a densitometria óssea deve ser considerada quando for de auxílio na decisão sobre o tratamento preventivo da fratura osteoporótica. Segundo a ISCD, uma densitometria óssea deveria ser realizada em mulheres com idade > 65 anos ou no período pós-menopáusico, se apresentarem fatores de risco,[22] que podem ser mensurados por meio do escore *Fracture Risk Assessment Tool* (FRAX®),[23,24] (ver QR code acima) proposto pela Organização Mundial da Saúde (OMS), que prediz o risco de fratura de quadril e de fratura osteoporótica maior em 10 anos. O FRAX Brasil está disponível desde 2013 e conta com modificações em relação à versão original, considerando as características da população brasileira (ver QR code).

Conforme o Ministério da Saúde do Brasil, o rastreamento universal da osteoporose com densitometria óssea em mulheres de qualquer idade não está indicado, até que estejam disponíveis estudos mais fundamentados sobre a mortalidade e os riscos do tratamento dessa condição em longo prazo.[25]

Para mais detalhes sobre rastreamento de osteoporose, ver Capítulos Osteoporose e Rastreamento de Adultos para Tratamento Preventivo.

## TRATAMENTO

A terapia hormonal (TH) é efetiva em reduzir os sintomas vasomotores **A**.[26] Esse termo é usado para descrever a terapia de reposição isolada com estrogênios, a terapia combinada de estrogênios/progestagênios ou o uso de tibolona em mulheres nos períodos perimenopáusico e pós-menopáusico.[27] Atualmente, o uso da TH está indicado na presença de sintomas vasomotores moderados a graves, na SGM, na prevenção da perda da massa óssea e na menopausa precoce (antes dos 40 anos de idade).[27]

**É importante enfatizar a necessidade do uso concomitante de um progestagênio (de maneira cíclica ou contínua) em toda mulher com útero em uso de TH, para prevenção de hiperplasia endometrial A.[28]**

Na mulher histerectomizada, o progestagênio parece não trazer vantagens.[28]

A TABELA 127.2 mostra várias opções de TH.

No Brasil, a TH está disponível em diferentes vias de administração e esquemas terapêuticos, e a escolha deve ser individualizada. A via oral é a mais conhecida; quando ingeridos, os hormônios são absorvidos e metabolizados primeiramente no fígado, para depois entrarem na circulação sistêmica. Esse metabolismo de primeira passagem provoca grandes concentrações hormonais no nível dos sinusoides hepáticos, aumentando a síntese e a secreção de renina e de vários fatores de coagulação, o que pode ser prejudicial. A via parenteral (transdérmica, percutânea ou subcutânea), por evitar o metabolismo de primeira passagem hepática, tem maior indicação nos casos de hipertensão arterial sistêmica e história familiar de fenômenos tromboembólicos.[29] A via vaginal é usada principalmente em mulheres que apresentam apenas sintomas urogenitais **A**.[27,30]

Os esquemas terapêuticos podem ser cíclicos ou contínuos. O esquema cíclico consiste no uso de estrogênio durante 30 dias ao mês e progestagênio por 12 a 14 dias ao mês. Esse esquema costuma produzir sangramento vaginal de privação. O uso contínuo de estrogênio e progestagênio ao longo do mês leva, em geral, à amenorreia em 6 a 12 meses. Atualmente, tem sido preconizado o uso de doses menores de estrogênio associado ao progestagênio (TH de baixa dose – ver TABELA 127.2), uma vez que há eficácia no alívio sintomático e menos efeitos colaterais.

**São contraindicações à TH: sangramento uterino anormal de causa desconhecida, doença hepática descompensada, neoplasia de mama ou endométrio, lesão precursora do câncer de mama, doença coronariana e cerebrovascular, doença tromboembólica, lúpus eritematoso sistêmico com elevado risco tromboembólico e porfiria.[27]**

Nos casos de doença tromboembólica, coronariana e cerebrovascular, a via de administração mais segura é a transdérmica/percutânea.[27]

### Irregularidade menstrual

O tratamento da irregularidade menstrual devido a ciclos anovulatórios na perimenopausa, após exclusão de doença endometrial, costuma ser feito com progestagênio, 1 ×/dia, do 14º ao 26º dia do ciclo.[30] Algumas opções estão descritas na TABELA 127.2.

Nos casos em que a mulher, ainda pré-menopáusica, apresentar também sintomas vasomotores, está indicada a TH cíclica (estrogênio por 30 dias ao mês associado ao progestagênio durante 12-14 dias ao mês).

### Sintomas vasomotores e de humor

Nem todas as mulheres necessitam de tratamento para os fogachos. Apesar de a estimativa de duração desses sintomas ser de 7 anos a partir da perimenopausa, sua intensidade e duração variam entre as mulheres e ao longo dos anos.[10]

**TABELA 127.2** → Esquemas e tipos de terapia de reposição hormonal

| ESTROGÊNIOS DISPONÍVEIS | PROGESTAGÊNIOS DISPONÍVEIS | ESQUEMAS JÁ COMBINADOS |
|---|---|---|
| Estrogênios conjugados 0,3 mg* ou 0,625 mg VO, 1 cp/dia | Acetato de medroxiprogesterona VO, 2,5 mg (1 cp/dia) ou 5-10 mg (1 cp/dia, 12 dias/mês) | Estrogênios conjugados 0,625 mg + acetato de medroxiprogesterona 2,5 mg ou 5 mg Estrogênios conjugados 0,45 mg + acetato de medroxiprogesterona 1,5 mg VO, 1 cp/dia |
| Estriol 1-2 mg VO, 1 cp/dia | Acetato de nomegestrol 5 mg VO, 1 cp/dia, 12 dias/mês | |
| Estradiol 1 mg VO, 1-2 cp/dia | Noretisterona 0,7-1 mg VO, 1 cp/dia | Valerato de estradiol 2 mg + acetato de ciproterona 1 mg VO, 1 cp/dia Valerato de estradiol 2 mg + levonorgestrel 0,25 mg VO, 1 cp/dia Estradiol 1 mg + drospirenona 2 mg VO, 1 cp/dia Estradiol 1 mg + didrogesterona 5 mg* ou 10 mg VO, 1 cp/dia Estradiol 1 mg + gestodeno 0,025 mg VO, 1 cp/dia Estradiol 2 mg + gestodeno 0,05 mg VO, 1 cp/dia Valerato de estradiol 2 mg + acetato de medroxiprogesterona 10 mg VO, 1 cp/dia Estradiol 1 mg + trimegestona 0,125 mg VO, 1 cp/dia Estradiol 1 mg + acetato de noretisterona 0,5 mg* VO, 1 cp/dia Estradiol 2 mg + acetato de noretisterona 1 mg VO, 1 cp/dia |
| 17-β-estradiol 25, 50 ou 100 mg Transdérmico, 1 adesivo a cada 3,5 dias | DL-norgestrel 0,15 mg VO, 1 cp/dia | 17-β-estradiol 50 mg + acetato de noretisterona 140 mg ou 250 mg Transdérmico, 1 adesivo a cada 3,5 dias (ou 2 vezes por semana) Estradiol 5 mg + acetato de noretisterona 15 mg Transdérmico, 1 adesivo a cada 3,5 dias (ou 2 vezes por semana) |
| 17-β-estradiol percutâneo 0,5 mg* a 1 mg 1 medida diária | | |
| Estrogênios conjugados[†] 0,625 mg, via vaginal | Progesterona micronizada 100-300 mg VO ou vaginal Uso diário ou 10-14 dias/mês | |
| Estriol 1 mg, via vaginal[†] | Didrogesterona 10-20 mg VO, 1 cp/dia, 12 dias/mês | |
| Promestrieno 10 mg, via vaginal[†] | Tibolona 1,25 mg[‡] a 2,5 mg VO, 1 cp/dia | |
| | Levonorgestrel[§] Intrauterino, 10-20 mg/dia | |

cp, comprimido; VO, via oral.
*Baixa dose.
[†]Iniciar com aplicações diárias (à noite, ao deitar) no primeiro mês e seguir com aplicações de 1-4 ×/semana.
[‡]A tibolona é uma molécula de progestagênio, mas seus metabólitos têm ação estroprogestativa e androgênica leve; usa-se isoladamente, sem nenhuma associação.
[§]Sistema intrauterino (SIU), com duração de 5 anos após inserção. A dosagem corresponde à dose diária de liberação intrauterina.

Para mulheres com sintomas vasomotores leves, algumas modificações no estilo de vida podem ser suficientes. Medidas gerais devem ser orientadas, como uso de roupas leves, arejadas e confortáveis, que possam ser facilmente retiradas, uso de leques, diminuição da temperatura ambiente e evitar "comportamentos-gatilho", como consumo de álcool e alimentos condimentados B.[31]

Outras mudanças no estilo de vida, como prática regular de atividade física, diminuição do estresse, técnicas de respiração e cessação do tabagismo, também parecem ter efeito benéfico no controle dos sintomas.[31]

Nos casos de sintomas vasomotores moderados a graves, a TH com estrogênio é efetiva na resolução dos fogachos, independentemente da adição de progesterona ou progestagênio (RRR = 54%; NNT = 5), e permanece como primeira linha de tratamento **A**.[26]

> A TH deve ser considerada em mulheres com sintomas vasomotores moderados a graves, com idade < 60 anos, que estejam na perimenopausa ou com menos de 10 anos de menopausa, e que não apresentem contraindicações formais para o seu uso.

O uso de estrogênio, associado ou não à progesterona, também tem sido apontado como benéfico em reduzir o humor deprimido, avaliado pelas escalas de Hamilton e Beck, em mulheres perimenopáusicas e pós-menopáusicas.[27,30]

Para as mulheres com sintomas vasomotores que não podem ou não desejam usar hormônios, existem tratamentos alternativos, descritos a seguir.

### Inibidores seletivos da recaptação da serotonina e inibidores seletivos da recaptação da serotonina e noradrenalina **B**[31]

Redução na severidade e no número de episódios de fogachos foi evidenciada em ensaios clínicos randomizados, duplo-cegos, controlados por placebo, envolvendo as substâncias paroxetina (10-25 mg) **B**, escitalopram (10-20 mg/dia) **A**,[31,32] citalopram (10-20 mg/dia) **B**, venlafaxina (37,5-150 mg/dia) **B** e desvenlafaxina (100-200 mg/dia) **B**.[31]

O efeito da sertralina e da fluoxetina foi discreto, demonstrando efeito tendencioso na melhora dos sintomas, mas sem significância estatística.[31]

O uso de paroxetina e fluoxetina deve ser evitado em mulheres em uso de tamoxifeno.

### Outros medicamentos

O uso da sulpirida, um antagonista dopaminérgico, teve seu efeito sobre os fogachos recentemente demonstrado em um ensaio clínico randomizado que testou 50 mg/dia de sulpirida *versus* placebo, com melhora significativa após 4 e 8 semanas de tratamento (redução de 25,8 pontos vs. 10,2 pontos após 4 semanas e 32,5 pontos vs. 10,4 pontos após 8 semanas; p = 0,019) com efeitos colaterais mínimos.[33]

A gabapentina é um análogo do GABA usado no tratamento de epilepsia, dor neurogênica e migrânea; também vem sendo usada, na dose de 900 mg/dia, para aliviar os episódios de fogachos **B**.[34] Seus efeitos colaterais mais comuns são tontura, erupção cutânea, palpitações, edema periférico e sonolência. A pregabalina (150-300 mg/dia) também foi efetiva na redução dos sintomas vasomotores.[31]

A clonidina (0,1 mg, 2 ×/dia) é um anti-hipertensivo que pode ser utilizado no tratamento não hormonal dos fogachos; porém, os benefícios parecem ser menores do que os evidenciados com o uso de inibidores seletivos da recaptação da serotonina (ISRSs)/inibidores seletivos da recaptação da serotonina e noradrenalina (ISRSNs) e gabapentina **B**.[32] Um ensaio clínico randomizado[35] que testou clonidina transdérmica contra placebo mostrou redução dos sintomas vasomotores com a clonidina; porém, devido a limitações importantes, como amostra pequena e validade externa, o estudo é questionável.[35] A redução no número de fogachos com uso da clonidina tem sido observada sobremaneira quando esse medicamento é usado em associação com algum modulador seletivo dos receptores de estrogênio (MSRE), mas estes ainda não estão disponíveis no Brasil.[34] Outros estudos sugerem que o alívio dos sintomas não compensa os paraefeitos, sendo os mais frequentes tontura, constipação, boca seca, insônia e diminuição da libido.[36]

A metildopa é um agente hipotensor de ação central. Há poucos estudos – a maioria com amostra pequena – avaliando o seu efeito em relação aos fogachos. Esse fármaco não se mostrou superior ao placebo na redução da frequência de fogachos.[34] Os mecanismos de ação da clonidina e da metildopa nos sintomas vasomotores não são conhecidos.

A literatura leiga tem reservado grande espaço para os fitoestrogênios (isoflavonas). São um grupo de compostos não esteroides encontrados em diversas plantas, que apresentam semelhança estrutural com o 17-β-estradiol, obtidos a partir do metabolismo da soja, lentilhas, feijão, grãos integrais, frutas e cereais com ação comprovada nos receptores estrogênicos. Apesar do grande entusiasmo e da ampla propaganda na mídia, a literatura ainda é controversa: poucos estudos investigaram especificamente os efeitos colaterais dos fitoestrogênios, e os resultados dos estudos são de difícil interpretação, pois as preparações dos fitoestrogênios não são padronizadas.

Até o momento, as evidências existentes são controversas no que se refere ao uso de compostos à base de fitoestrogênios no tratamento dos sintomas climatéricos **B**[31,34] ou na prevenção das consequências da menopausa em longo prazo.

## Problemas relacionados com a sexualidade

Na disfunção sexual, a terapia androgênica (com testosterona) tem sido estudada, com resultados positivos em revisões sistemáticas e ensaios clínicos randomizados. Embora a associação da disfunção sexual com as concentrações séricas de testosterona na mulher não esteja claramente definida, existem evidências de que a adição de testosterona à TH melhora a função sexual em mulheres pós-menopáusicas **B**.[27,37] No entanto, seu uso está associado a eventos adversos de piora no perfil lipídico, com diminuição do colesterol HDL (do inglês *high-density lipoprotein* [lipoproteína de alta densidade]).[27,37]

A via de administração de escolha deve ser a transdérmica na menor dosagem possível. No Brasil, até o momento, não há produtos aprovados para uso feminino.

O uso de testosterona não está recomendado para mulheres não estrogenizadas.

## Síndrome geniturinária da menopausa

O uso de estrogênios tópicos via vaginal pode melhorar sintomas de atrofia vaginal, como ressecamento, prurido, dispareunia e pH vaginal **B**,³⁰,³⁸ e sintomas urinários em mulheres pós-menopáusicas. Além disso, há evidência sugerindo ação profilática do uso de estrogênio tópico contra infecções urinárias de repetição **B**.³⁰,³⁹ O uso sistêmico de estrogênios, associado ou não ao progestagênio, tanto em mulheres histerectomizadas quanto naquelas com útero intacto, levou à piora da incontinência urinária⁴⁰ e ao aumento das infecções urinárias de repetição.³⁹

Em razão da atrofia urogenital durante o período pós-menopáusico, o exame citopatológico de colo do útero é frequentemente insatisfatório ou apresenta alterações que prejudicam o exame. O uso de estrogênio vaginal por 5 noites antes da coleta é suficiente para qualificar o exame, com diminuição da atrofia.⁴¹

Para o tratamento da SGM, é útil levar em consideração que:
→ a atividade sexual regular auxilia na manutenção da saúde do epitélio vaginal;
→ cremes vaginais diversos, como lubrificantes íntimos e hidratantes vaginais, podem ser oferecidos para as mulheres com irritação da mucosa vaginal ou dispareunia e que não desejam cremes à base de hormônios **B**;⁴²
→ algumas opções de terapia de reposição hormonal são: creme de estrogênios conjugados, estriol ou promestrieno ou estradiol de baixa dose por via oral;
→ a absorção sistêmica de estrogênio pode ocorrer com preparações de uso por via vaginal, mas não existem dados suficientes para recomendar a avaliação endometrial anual em mulheres usando estrogênios por essa via e que estejam assintomáticas;
→ mulheres na menopausa e com infecção urinária de repetição devem utilizar terapia hormonal local com estrogênio via vaginal se não houver contraindicações.

A recomendação atual, no caso de atrofia urogenital, é manter o tratamento com estrogênio tópico (ver **TABELA 127.2**) enquanto durarem os sintomas. O tipo de estrogênio deve seguir a preferência da mulher.²⁷ Em geral, preconiza-se iniciar o uso tópico com aplicações diárias (à noite, ao deitar) no primeiro mês. Para a manutenção, as aplicações podem ser mais espaçadas, de 1 a 4 ×/semana.

O tratamento é o mesmo para mulheres que estejam sendo tratadas para câncer de mama não hormônio-dependente. Em mulheres com câncer hormônio-dependente, o tipo de tratamento será definido por consenso entre a mulher e seu oncologista.²⁷

## Osteoporose

No caso da osteoporose pós-menopáusica, o uso de TH com estrogênio reduz o remodelamento ósseo acelerado induzido pela menopausa e previne a perda óssea em todos os sítios esqueléticos, independentemente da idade da mulher e da duração do uso. Portanto, o uso da TH ou da tibolona está recomendado para mulheres pós-menopáusicas com osteoporose e/ou alto risco de fraturas e que não tenham contraindicações para uso dessas terapias.¹⁹,²⁷

As mulheres candidatas ao tratamento da osteoporose com TH apresentam, idealmente, as seguintes características: menos de 60 anos de idade ou que estejam no período pós-menopáusico há menos de 10 anos; baixo risco para doenças tromboembólicas; sem indicação para uso de bisfosfonatos ou denosumabe; presença de sintomas vasomotores; presença de outros sintomas climatéricos adicionais; sem história de doença isquêmica coronariana ou acidente vascular cerebral; sem evidência de câncer de mama; e devem concordar em fazer uso de TH.¹⁹,²⁷

Para outros tipos de tratamento, ver Capítulo Osteoporose.

## Doença cardiovascular

As doenças cardiovasculares são a principal causa de morte em mulheres com idade > 50 anos. Estudos observacionais revelam que, na faixa etária dos 40 aos 50 anos, o número de homens que morrem por doenças arteriais, principalmente infarto do miocárdio, é muito superior ao de mulheres.⁴³,⁴⁴ Porém, essa relação diminui rápido com o aumento da idade até que, ao redor de 75 a 80 anos, a razão entre os sexos é muito semelhante.

As modificações dos hormônios sexuais estão entre os fatores propostos para explicar essa perda de proteção contra as doenças cardiovasculares nas mulheres ao redor dos 50 anos.⁴³ Os mecanismos pelos quais o estrogênio agiria são, presumivelmente, modificação favorável no perfil lipídico (aumento do colesterol HDL e redução do colesterol LDL [do inglês *low-density lipoprotein* {lipoproteína de baixa densidade}]), efeito direto na parede do vaso (vasodilatação), aumento de fatores vasodilatadores (óxido nitroso e prostaciclina), antagonismo à adesividade plaquetária, ação inotrópica direta e melhora do metabolismo periférico da glicose, com consequente redução dos níveis circulantes de insulina.

Mais de 40 estudos epidemiológicos registraram que as mulheres usuárias de estrogenioterapia têm risco 35 a 50% menor de doença coronariana do que as não usuárias.⁴⁵⁻⁴⁹ No entanto, estudos posteriores, baseados em ensaios clínicos, desaconselham o uso da TH para prevenção primária ou secundária de eventos cardiovasculares, devido à ausência de benefício e comprovado aumento do risco de acidente vascular cerebral **A**, eventos tromboembólicos e embolia pulmonar **B**.⁵⁰⁻⁵³

**A partir dessas evidências, a Associação Brasileira de Climatério (Sobrac) sugere que a TH não seja usada com finalidade exclusiva de reduzir o risco cardiovascular.²⁷**

Ver Capítulo Prevenção Clínica das Doenças Cardiovasculares.

## Riscos da terapia de reposição hormonal

### Hiperplasia endometrial e carcinoma de endométrio

Desde os anos 1990, vem sendo descrita a associação entre uso de estrogênio sem adição de progestagênio e risco de desenvolver hiperplasia endometrial ou câncer endometrial. Mais de 30 estudos observacionais demonstraram relação entre o uso prolongado do estrogênio sem oposição de progestagênio e o aumento de risco de câncer endometrial da ordem de 8 a 10 vezes, resultando em um excesso de 46 casos a cada 10 mil mulheres usuárias de estrogênio isolado por 10 anos.[54]

O PEPI (*Postmenopausal Estrogen/Progestin Interventions*) Trial (ensaio clínico com objetivo primário de avaliar o efeito da estrogenoterapia sobre fatores de risco cardiovascular) revelou que 24% das usuárias de estrogênio sem progestagênio desenvolveram hiperplasia endometrial em 3 anos.[54] Uma metanálise constatou que a estrogenoterapia sem oposição mais do que dobra o risco relativo (RR = 2,3) entre as usuárias, comparadas com as não usuárias, e eleva-se com doses maiores e tempo de uso mais prolongado (o uso por mais de 10 anos resulta em RR = 9,5).[55]

O uso de estrogênio sem oposição está associado à hiperplasia endometrial **B**[28] com qualquer dosagem e tempo de tratamento (entre 1-3 anos) em mulheres não histerectomizadas. Esse risco desaparece quando ao menos 1 mg de noretisterona ou 1,5 mg de medroxiprogesterona é associado à estrogenoterapia,[56] devendo ser este o tratamento-padrão das mulheres pós-menopáusicas com útero.

## Câncer de mama

Estudos observacionais[57,58] e o estudo WHI (*Women's Health Initiative*)[59] indicam que não há aumento de risco para câncer de mama quando a TH é utilizada por curtos períodos (5 anos ou menos). Entretanto, o tratamento levou a um RR de 1,3 a partir do 5º ano de uso. Diferentes tipos e formulações de progestagênio, bem como a duração da terapia e as características das pacientes, parecem ter efeitos variáveis sobre a mama. Usuárias atuais estão em maior risco do que ex-usuárias.[58]

Um estudo demonstrou que o risco de câncer de mama parece ser maior para mulheres magras e usuárias de TH combinada. Entre as mulheres obesas, não houve diferença de risco.[58] O uso de TH com estrogênio isolado e a via de administração não foram relacionados a aumento de risco, independentemente do tempo de uso.[53,60]

Em relação ao tipo de progestagênio, uma coorte que incluiu 54.548 mulheres demonstrou que o risco de câncer de mama associado à TH varia conforme o tipo de progestagênio utilizado, sendo o risco aumentado na associação de estrogênio com progestagênios sintéticos em comparação à associação com progesterona micronizada. Regimes contínuos de TH parecem envolver maior risco quando comparados a regimes cíclicos.[60]

É recomendável informar às mulheres que a maioria dos estudos mostra aumento no risco de câncer de mama após uso prolongado (> 5 anos) de terapia de reposição hormonal combinada. Uma consideração importante a ser feita é que, embora haja aumento significativo no RR de câncer de mama em usuárias de TH após 10 anos de uso (RR variando de 1,3-1,7), o risco atribuível à exposição – ou seja, o número de casos novos relacionado exclusivamente com a TH – é de cerca de 0,8 caso a cada 1.000 mulheres/ano após 5 anos de uso, e esse número equivale ao risco de câncer de mama atribuído à obesidade, ao sedentarismo e ao consumo diário de 1 taça de vinho.[30]

## Câncer de ovário

O uso de estrogenoterapia com ou sem progestagênio não está associado a aumento da incidência de câncer epitelial de ovário.[61,62] Alguns estudos norte-americanos incluídos nessa análise sugerem uma fraca associação, sem evidência clara de relação dose-efeito, que pode ser atribuída à confusão por outros fatores de risco para câncer epitelial ovariano. Além disso, vale lembrar que o risco de câncer de ovário ao longo da vida de uma mulher é baixo (cerca de 1,7%).

## Ganho de peso e diabetes

A terapia estrogênica isolada ou combinada não aumentou o ganho de peso de maneira significativa, conforme dados de uma metanálise disponibilizada pela Cochrane Collaboration cujo principal objetivo era avaliar o efeito da TH no peso corporal das mulheres, incluindo apenas ensaios clínicos randomizados controlados, em que um dos grupos usou TH por pelo menos 3 meses. Os ensaios clínicos com tratamento superior a 1 ano também não mostraram diferença estatisticamente significativa entre usuárias e não usuárias. Ao avaliar o índice de massa corporal (IMC), a comparação entre usuárias de TH combinada e placebo também não foi estatisticamente significativa, mesmo com duração do tratamento superior a 12 meses.[63]

Essas são informações importantes a serem fornecidas, já que muitas mulheres acreditam que a TH provoca ganho de peso. O envelhecimento parece ter um papel importante nesse aspecto, além do fato de a distribuição da gordura mudar com a idade a partir da perimenopausa. A redistribuição de gordura ocorre com aumento relativo da gordura abdominal, aumentando o risco cardiovascular.

Em relação ao diabetes, grandes estudos controlados e randomizados sugerem que o uso de TH reduz a incidência de diabetes tipo 2 em mulheres hígidas pós-menopáusicas. Além disso, foi evidenciada melhora do controle glicêmico com redução da hemoglobina glicada (HbA1c) em mulheres pós-menopáusicas com diagnóstico de diabetes tipo 2.[27,30]

## Risco de tromboembolismo

O risco de tromboembolismo associado ao uso de TH é variável conforme o tipo de TH, a dose e a via de administração.[64] Estudos observacionais indicam que a estrogenoterapia após a menopausa aumenta em cerca de 2 a 7 vezes o risco para eventos tromboembólicos **B**.[52,53,65] Os dados do estudo HERS,[66] no qual os eventos tromboembólicos se elevaram 2,7 vezes com a TH (0,625 mg de estrogênio conjugado associado a 2,5 mg de medroxiprogesterona continuadamente por via oral), e do estudo WHI estão de acordo com as estimativas observacionais.[59]

A via transdérmica não foi associada a aumento do risco de eventos tromboembólicos em recente estudo observacional, e deve ser preferência na prescrição B.⁶⁴

Os mecanismos pelos quais a TH por via oral provoca aumento no risco de trombose venosa profunda não são claros. As possibilidades incluem alterações no sistema de coagulação induzidas pela terapia oral pela primeira passagem hepática, interação entre o estrogênio e a idade e interações entre alterações trombóticas desconhecidas. Esta última hipótese é reforçada pela constatação clínica de que o maior risco se verifica durante o primeiro ano de terapia, embora a prevalência de trombose venosa profunda seja muito menor do que a prevalência das trombofilias.

Não existe recomendação para rastreamento de trombofilias em mulheres que iniciarão TH, com exceção daquelas com história familiar de trombose venosa profunda em parentes de primeiro grau.

# REFERÊNCIAS

1. World Health Organization. World health statistics 2020. Geneva: WHO; 2020.
2. Instituto Brasileiro de Geografia e Estatística. Tábua completa de mortalidade para o Brasil –2019: breve análise da evolução da mortalidade no Brasil. Rio de Janeiro: IBGE; 2020.
3. Kato I, Toniolo P, Akhmedkhanov A, Koenig KL, Shore R, Zeleniuch-Jacquotte A. Prospective study of factors influencing the onset of natural menopause. J Clin Epidemiol. 1998;51(12):1271–6.
4. Soules MR, Sherman S, Parrott E, Rebar R, Santoro N, Utian W, et al. Executive summary: Stages of Reproductive Aging Workshop (STRAW). Fertil Steril. 2001;76(5):874–8.
5. Harlow SD, Gass M, Hall JE, Lobo R, Maki P, Rebar RW, et al. Executive summary of the Stages of Reproductive Aging Workshop + 10: addressing the unfinished agenda of staging reproductive aging. Menopause. 2012;19(4):387–95.
6. Soules MR, Battaglia DE, Klein NA. Inhibin and reproductive aging in women. Maturitas. 1998;30(2):193–204.
7. Robertson DM, Hale GE, Fraser IS, Hughes CL, Burger HG. Changes in serum antimüllerian hormone levels across the ovulatory menstrual cycle in late reproductive age. Menopause N Y N. 2011;18(5):521–4.
8. Thurston RC, Joffe H. Vasomotor symptoms and menopause: findings from the Study of Women's Health across the Nation. Obstet Gynecol Clin North Am. 2011;38(3):489–501.
9. Thurston RC. Vasomotor symptoms: natural history, physiology, and links with cardiovascular health. Climacteric. 2018;21(2):96–100.
10. Avis NE, Crawford SL, Greendale G, Bromberger JT, Everson-Rose SA, Gold EB, et al. Duration of menopausal vasomotor symptoms over the menopause transition. JAMA Intern Med. 2015;175(4):531–9.
11. Szeliga A, Czyzyk A, Podfigurna A, Genazzani AR, Genazzani AD, Meczekalski B. The role of kisspeptin/neurokinin B/dynorphin neurons in pathomechanism of vasomotor symptoms in postmenopausal women: from physiology to potential therapeutic applications. Gynecol Endocrinol. 2018;34(11):913–9.
12. Bromberger JT, Matthews KA, Schott LL, Brockwell S, Avis NE, Kravitz HM, et al. Depressive symptoms during the menopausal transition. J Affect Disord. 2007;103(1–3):267–72.
13. Moline ML, Broch L, Zak R, Gross V. Sleep in women across the life cycle from adulthood through menopause. Sleep Med Rev. 2003;7(2):155–77.
14. Portman DJ, Gass MLS, Vulvovaginal Atrophy Terminology Consensus Conference Panel. Genitourinary syndrome of menopause: new terminology for vulvovaginal atrophy from the International Society for the Study of Women's Sexual Health and the North American Menopause Society. Menopause. 2014;21(10):1063–8.
15. Nappi RE, Palacios S. Impact of vulvovaginal atrophy on sexual health and quality of life at postmenopause. Climacteric. 2014;17(1):3–9.
16. Brincat M, Moniz CJ, Studd JW, Darby A, Magos A, Emburey G, et al. Long-term effects of the menopause and sex hormones on skin thickness. Br J Obstet Gynaecol. 1985;92(3):256–9.
17. Kanis JA, Cooper C, Rizzoli R, Reginster J-Y, Scientific Advisory Board of the European Society for Clinical and Economic Aspects of Osteoporosis (ESCEO) and the Committees of Scientific Advisors and National Societies of the International Osteoporosis Foundation (IOF). European guidance for the diagnosis and management of osteoporosis in postmenopausal women. Osteoporos Int. 2019;30(1):3–44.
18. World Health Organization. Assessment of fracture risk and its application to screening for postmenopausal osteoporosis : report of a WHO study group [meeting held in Rome from 22 to 25 June 1992]. World Health Organization; 1994.
19. Eastell R, Rosen CJ, Black DM, Cheung AM, Murad MH, Shoback D. Pharmacological management of osteoporosis in postmenopausal women: an Endocrine Society clinical practice guideline. J Clin Endocrinol Metab. 2019;104(5):1595–622.
20. Radominski SC, Bernardo W, Paula AP de, Albergaria B-H, Moreira C, Fernandes CE, et al. Diretrizes brasileiras para o diagnóstico e tratamento da osteoporose em mulheres na pós-menopausa. Rev Bras Reumatol. 2017;57:s452–66.
21. Kanis JA. Diagnosis of osteoporosis and assessment of fracture risk. Lancet. 2002;359(9321):1929–36.
22. Shepherd JA, Schousboe JT, Broy SB, Engelke K, Leslie WD. Executive Summary of the 2015 ISCD position development conference on advanced measures from DXA and QCT: fracture prediction beyond BMD. J Clin Densitom. 2015;18(3):274–86.
23. Centre for Metabolic Bone Diseases. Fracture risk assessment tool [Internet]. FRAX. Sheffield; 2013 [capturado em 28 abr. 2021]. Disponível em: https://www.sheffield.ac.uk/FRAX/.
24. Associação Brasileira de Avaliação Óssea e Osteometabolismo. [Calculadora para risco de fraturas] [Internet]. ABRASSO. São Paulo; 2015 [capturado em 18 abr. 2021]. Disponível em: https://abrasso.org.br/calculadora/calculadora/.
25. Brasil. Ministério da Saúde, Instituto Sírio-Libanês de Ensino e Pesquisa. Protocolos da atenção básica: saúde das mulheres. Brasília: MS; 2016.
26. Maclennan AH, Broadbent JL, Lester S, Moore V. Oral oestrogen and combined oestrogen/progestogen therapy versus placebo for hot flushes. Cochrane Database Syst Rev. 2004;(4):CD002978.
27. Pompei L de M, Machado RB, Wender MCO, Fernandes CE, organizadores. Consenso brasileiro de terapêutica hormonal da menopausa. São Paulo: Leitura Médica; 2018.
28. Roberts H, Hickey M, Lethaby A. Hormone therapy in postmenopausal women and risk of endometrial hyperplasia: a Cochrane review summary. Maturitas. 2014;77(1):4–6.
29. Wender MCO, Vitola D, Spritzer PM. Gel de estradiol-17b no tratamento de pacientes pós-menopáusicas hipertensas. Arq Bras Endocrinol Metab. 1992;36(2):40–3.
30. The NAMS 2017 Hormone Therapy Position Statement Advisory Panel. The 2017 hormone therapy position statement of The North American Menopause Society. Menopause. 2017;24(7):728–53.
31. The North American Menopause Society. Nonhormonal management of menopause-associated vasomotor symptoms: 2015 position statement of The North American Menopause Society. Menopause. 2015;22(11):1155–72; quiz 1173–4.

32. Pinkerton JV, Santen RJ. Managing vasomotor symptoms in women after cancer. Climacteric. 2019;22(6):544–52.
33. Borba CM. Uso de sulpirida versus placebo na redução de fogachos durante o climatério : ensaio clínico randomizado [Dissertação (Mestrado em Ciências Médicas: Ginecologia e Obstetrícia)]. [Porto Alegre]: Universidade Federal do Rio Grande do Sul; 2017.
34. Nelson HD, Vesco KK, Haney E, Fu R, Nedrow A, Miller J, et al. Nonhormonal therapies for menopausal hot flashes: systematic review and meta-analysis. JAMA. 2006;295(17):2057–71.
35. Nagamani M, Kelver ME, Smith ER. Treatment of menopausal hot flashes with transdermal administration of clonidine. Am J Obstet Gynecol. 1987;156(3):561–5.
36. Stearns V, Ullmer L, López JF, Smith Y, Isaacs C, Hayes D. Hot flushes. Lancet. 2002;360(9348):1851–61.
37. Davis SR, Baber R, Panay N, Bitzer J, Perez SC, Islam RM, et al. Global consensus position statement on the use of testosterone therapy for women. J Clin Endocrinol Metab. 2019;104(10):4660–6.
38. Diem SJ, Guthrie KA, Mitchell CM, Reed SD, Larson JC, Ensrud KE, et al. Effects of vaginal estradiol tablets and moisturizer on menopause-specific quality of life and mood in healthy postmenopausal women with vaginal symptoms: a randomized clinical trial. Menopause. 2018;25(10):1086–93.
39. Perrotta C, Aznar M, Mejia R, Albert X, Ng CW. Oestrogens for preventing recurrent urinary tract infection in postmenopausal women. Cochrane Database Syst Rev. 2008;(2):CD005131.
40. Cody JD, Jacobs ML, Richardson K, Moehrer B, Hextall A. Oestrogen therapy for urinary incontinence in post-menopausal women. Cochrane Database Syst Rev. 2012;(10):CD001405.
41. Bateson DJ, Weisberg E. An open-label randomized trial to determine the most effective regimen of vaginal estrogen to reduce the prevalence of atrophic changes reported in postmenopausal cervical smears. Menopause. 2009;16(4):765–9.
42. Committee on Practice Bulletins—Gynecology. ACOG practice bulletin no. 141: management of menopausal symptoms. Obstet Gynecol. 2014;123(1):202–16.
43. Stevenson JC, Crook D, Godsland IF. Influence of age and menopause on serum lipids and lipoproteins in healthy women. Atherosclerosis. 1993;98(1):83–90.
44. Lerner DJ, Kannel WB. Patterns of coronary heart disease morbidity and mortality in the sexes: a 26-year follow-up of the Framingham population. Am Heart J. 1986;111(2):383–90.
45. Finucane FF, Madans JH, Bush TL, Wolf PH, Kleinman JC. Decreased risk of stroke among postmenopausal hormone users. Results from a national cohort. Arch Intern Med. 1993;153(1):73–9.
46. Barrett-Connor E, Bush TL. Estrogen replacement and coronary heart disease. Cardiovasc Clin. 1989;19(3):159–72.
47. Barrett-Connor E, Miller V. Estrogens, lipids, and heart disease. Clin Geriatr Med. 1993;9(1):57–67.
48. Nabulsi AA, Folsom AR, White A, Patsch W, Heiss G, Wu KK, et al. Association of hormone-replacement therapy with various cardiovascular risk factors in postmenopausal women. The Atherosclerosis Risk in Communities Study Investigators. N Engl J Med. 1993;328(15):1069–75.
49. Darj E, Crona N, Nilsson S. Effects on lipids and lipoproteins in women treated with oestradiol and progesterone. Maturitas. 1992;15(3):209–15.
50. Boardman HMP, Hartley L, Eisinga A, Main C, Roqué i Figuls M, Bonfill Cosp X, et al. Hormone therapy for preventing cardiovascular disease in post-menopausal women. Cochrane Database Syst Rev. 2015;(3):CD002229.
51. Bath PMW, Gray LJ. Association between hormone replacement therapy and subsequent stroke: a meta-analysis. BMJ. 2005;330(7487):342.
52. Sare GM, Gray LJ, Bath PMW. Association between hormone replacement therapy and subsequent arterial and venous vascular events: a meta-analysis. Eur Heart J. 2008;29(16):2031–41.
53. Canonico M, Plu-Bureau G, Lowe GDO, Scarabin P-Y. Hormone replacement therapy and risk of venous thromboembolism in postmenopausal women: systematic review and meta-analysis. BMJ. 2008;336(7655):1227–31.
54. Miller VT, LaRosa J, Barnabei V, Kessler C, Levin G, Smith-Roth A, et al. Effects of estrogen or estrogen/progestin regimens on heart disease risk factors in postmenopausal women. The Postmenopausal Estrogen/Progestin Interventions (PEPI) Trial. The Writing Group for the PEPI Trial. JAMA. 1995;273(3):199–208.
55. Grady D, Gebretsadik T, Kerlikowske K, Ernster V, Petitti D. Hormone replacement therapy and endometrial cancer risk: a meta-analysis. Obstet Gynecol. 1995;85(2):304–13.
56. Furness S, Roberts H, Marjoribanks J, Lethaby A. Hormone therapy in postmenopausal women and risk of endometrial hyperplasia. Cochrane Database Syst Rev. 2012;(8):CD000402.
57. Colditz GA, Egan KM, Stampfer MJ. Hormone replacement therapy and risk of breast cancer: results from epidemiologic studies. Am J Obstet Gynecol. 1993;168(5):1473–80.
58. Santen RJ, Petroni GR. Relative versus attributable risk of breast cancer from estrogen replacement therapy. J Clin Endocrinol Metab. 1999;84(6):1875–81.
59. Rossouw JE, Anderson GL, Prentice RL, LaCroix AZ, Kooperberg C, Stefanick ML, et al. Risks and benefits of estrogen plus progestin in healthy postmenopausal women: principal results From the Women's Health Initiative randomized controlled trial. JAMA. 2002;288(3):321–33.
60. Fournier A, Berrino F, Riboli E, Avenel V, Clavel-Chapelon F. Breast cancer risk in relation to different types of hormone replacement therapy in the E3N-EPIC cohort. Int J Cancer. 2005;114(3):448–54.
61. Coughlin SS, Giustozzi A, Smith SJ, Lee NC. A meta-analysis of estrogen replacement therapy and risk of epithelial ovarian cancer. J Clin Epidemiol. 2000;53(4):367–75.
62. Marjoribanks J, Farquhar C, Roberts H, Lethaby A, Lee J. Long-term hormone therapy for perimenopausal and postmenopausal women. Cochrane Database Syst Rev. 2017;(1):CD004143.
63. Norman RJ, Flight IH, Rees MC. Oestrogen and progestogen hormone replacement therapy for peri-menopausal and post-menopausal women: weight and body fat distribution. Cochrane Database Syst Rev. 2000;(2):CD001018.
64. Vinogradova Y, Coupland C, Hippisley-Cox J. Use of hormone replacement therapy and risk of venous thromboembolism: nested case-control studies using the QResearch and CPRD databases. BMJ. 2019;364:k4810.
65. Canonico M, Oger E, Plu-Bureau G, Conard J, Meyer G, Lévesque H, et al. Hormone therapy and venous thromboembolism among postmenopausal women: impact of the route of estrogen administration and progestogens: the ESTHER study. Circulation. 2007;115(7):840–5.
66. Hulley S, Grady D, Bush T, Furberg C, Herrington D, Riggs B, et al. Randomized trial of estrogen plus progestin for secondary prevention of coronary heart disease in postmenopausal women. Heart and Estrogen/progestin Replacement Study (HERS) Research Group. JAMA. 1998;280(7):605–13.

# LEITURA RECOMENDADA

Wender MCO, Freitas F, Castro JAS, Dall´Agno ML, Zandoná J. Climatério. In: Passos EP, Ramos JGL, Martins-Costa SH, Magalhães JÁ, Menke CH Freitas F, organizadores. Rotinas em ginecologia. 7. ed. Porto Alegre: Artmed; 2017.

*Enfoque prático da fisiologia do climatério, da avaliação das mulheres nesse período e dos principais esquemas de reposição hormonal.*

# Capítulo 128
## ATENÇÃO À SAÚDE DA MULHER EM SITUAÇÃO DE VIOLÊNCIA

Beatriz Vailati
Mariane Marmontel
Simone Hauck
Sandra Scalco
Stefania Teche

## A VIOLÊNCIA

A violência, na atualidade, tanto no Brasil como no mundo, vem ganhando mais visibilidade, à medida que adquire posição de destaque no *ranking* da morbimortalidade. Os indicadores revelam a magnitude, a gravidade e o impacto na sociedade e no sistema de saúde. Trata-se de fenômeno de conceito polissêmico, que acompanha a história da humanidade e suas transformações. Destaca-se a causalidade complexa e social, bem como a necessidade de intervenções interdisciplinares e intersetoriais. Nesse sentido, não é, em si, uma questão isolada de saúde pública; no entanto, sua abordagem exige a formulação de políticas, práticas e serviços específicos.

A Conferência Mundial sobre Direitos Humanos, realizada pela Organização das Nações Unidas (ONU) em Viena, na Áustria, em 1993, definiu formalmente a violência contra a mulher como violação aos direitos humanos.[1] A violência contra a mulher é "qualquer ato de violência baseado na diferença de gênero, que resulte em sofrimentos e danos físicos, sexuais e psicológicos da mulher; inclusive ameaças de tais atos, coerção e privação da liberdade seja na vida pública ou privada".[2]

A violência doméstica é definida como qualquer ação ou omissão, baseada no gênero, que resulte em morte, lesão, sofrimento físico, sexual ou psicológico e dano moral ou patrimonial, quando praticadas contra a mulher no âmbito familiar. Pode ocorrer em três esferas:

1. **doméstica:** na residência onde convivem parentes ou não, incluindo pessoas que a frequentam ou são agregadas;
2. **familiar:** indivíduos que são ou se consideram aparentados, unidos por laços naturais, por afinidade ou por vontade;
3. **de qualquer relação íntima de afeto:** o agressor pode conviver ou ter convivido com a vítima, independentemente de terem coabitado ou não e da sua orientação sexual.

A TABELA 128.1 apresenta os principais tipos de violência contra a mulher.

A violência acontece em todas as nações, independentemente de estágio de desenvolvimento, meio urbano ou rural, grandes ou pequenas cidades, ocorrendo em todas as classes sociais. Guarda relação com fatores culturais que toleram essa forma de violência, com base em uma concepção de mundo que dá à sociedade a liberdade e a legitimidade de praticar violência contra as mulheres.

Se no passado a definição de violência doméstica se associava essencialmente à violência física ocorrida em uma relação heterossexual, atualmente se reconhece como fenômeno que afeta tanto casais quanto pessoas solteiras, heterossexuais não cisgênero. Cada vez mais, reconhece-se a importância da inclusão na busca pelos direitos sexuais. Nesse sentido, é fundamental dar visibilidade à ocorrência de violência em pessoas com orientações sexuais e identidades de gênero diversas.[3]

Além disso, a expressão "violência por parceiro íntimo" é muitas vezes usada como sinônimo de "violência doméstica", mas o primeiro termo trata especificamente da violência que ocorre em uma relação de intimidade, enquanto "violência familiar ou doméstica" é um termo amplo, muitas vezes usado para incluir abuso infantil, abuso de idosos e outros atos de violência contra membros da família.[4]

A Organização Mundial da Saúde (OMS) realizou pesquisa com mais de 24 mil mulheres em 10 países (15 locais) para investigar a violência por parceiro íntimo (VPI), física e sexual, contra mulheres. A prevalência ao longo da vida variou de 15 a 75%. Na grande maioria dos locais pesquisados, o risco de violência física ou sexual relacionada ao parceiro excedeu o risco de outras violências.[5] A violência física foi o padrão mais comum, embora 30 a 56% das mulheres tenham sofrido violência física e sexual. Pesquisas recentes sugerem que 30 a 90% das mulheres expostas à VPI sofrem traumatismo craniano, com 50 a 75% relatando traumatismo craniano repetitivo.[6] Em geral, vários tipos de relações interpessoais abusivas

**TABELA 128.1** → Principais tipos de violência contra a mulher

| TIPO DE VIOLÊNCIA | CARACTERIZAÇÃO |
|---|---|
| Psicológica | Intimidação, manipulação, ameaças, agressões verbais, humilhação, isolamento, vigilância constante, perseguição, insulto, chantagem, ridicularização, exploração ao direito de ir e vir |
| Física | Ofensa à integridade física da mulher, como beliscões, tapas, socos, empurrões, pontapés ou qualquer golpe desferido com objetos |
| Sexual | Constrangimento ao presenciar, manter ou participar de relação sexual não desejada, mediante intimidação, ameaças, coação ou uso de força; forçar matrimônio, gravidez, aborto ou prostituição; impedir uso de método contraceptivo |
| Dano moral | Calúnia, injúria, difamação |
| Dano ao patrimônio | Destruição de objetos pessoais, pertences ou transferência de bens por meio de coação ou indução ao erro |

coexistem, com sobreposição entre abuso psicológico, físico e sexual.[7]

Sabe-se que a violência contra a mulher pode ocorrer na rua ou, mais comumente, no ambiente familiar. Estudo realizado em Araçatuba, no Estado de São Paulo (SP), entre 2001 e 2005, demonstrou esse fato ao examinar agressões físicas intrafamiliares registradas. Das 7.750 ocorrências, 1.844 estavam relacionadas à agressão física intrafamiliar: 81,1% envolvendo parceiros íntimos, 11,6%, pais/responsáveis e filhos, e 7,3%, outros familiares. Nos três casos, as agressões ocorreram principalmente em casa, sendo os agressores predominantemente do sexo masculino.[8]

No Brasil, a pouca confiança nos dados disponíveis prejudica a avaliação da extensão da violência contra a mulher. Em geral, são usadas informações contidas nos boletins de ocorrência policial, mas sabe-se que muitos casos não são denunciados ou a queixa é retirada pela própria vítima, por vergonha e/ou medo de represália por parte do agressor.

Com o objetivo de estimar a prevalência de violência contra a mulher em Embu das Artes (SP), foram entrevistadas 784 mulheres com idade entre 16 e 49 anos. A prevalência foi de 26% para qualquer tipo de violência (tapa, chute, soco, espancamento, ameaça, uso de arma de fogo, etc.). Metade dessas mulheres se separou dos seus companheiros em função das agressões, que em 66% das vezes eram presenciadas pelos filhos.[9]

Segundo a 8ª edição da Pesquisa Nacional sobre Violência Doméstica e Familiar contra a Mulher, que é uma pesquisa realizada com 2.400 mulheres (por telefone), pelo Instituto de Pesquisa DataSenado, em parceria com o Observatório da Mulher contra a Violência, o percentual de mulheres que declararam já ter sofrido algum tipo de agressão foi de 27%. Porém, 9% relataram ter vivenciado, no último ano, pelo menos 1 das 12 situações elencadas na pesquisa. Assim, pode-se afirmar que pelo menos 36% das brasileiras já sofreram violência doméstica. Atos como humilhar a mulher em público, tomar seu salário ou outras situações nem sempre são reconhecidos como violência. Chama atenção o fato de que o número de mulheres agredidas por ex-companheiros tenha subido de 13 para 37% entre 2011 e 2019.[10]

Quanto aos tipos de violência, com base no relato de 1.451 entrevistadas, que afirmaram conhecer a vítima, a violência predominante foi a física (82%), seguida da psicológica (39%) e da moral (33%). A violência sexual foi relatada por 13%, e a patrimonial, 11%. Os principais responsáveis pelas agressões são companheiros e ex-companheiros, e cerca de 24% das vítimas ainda convivem com o agressor. A denúncia formal contra o agressor ocorreu em 32% das vezes, em delegacias comuns ou da mulher, enquanto 37% afirmaram ter procurado auxílio em vias alternativas, como família, igreja e amigos. Apenas um quarto das mulheres agredidas buscou atendimento de saúde. Esses resultados possibilitam estimar os sub-registros em relação à violência doméstica, tanto na saúde quanto na segurança pública.[10]

## A Lei Maria da Penha

Uma das ferramentas mais importantes de proteção integral aos direitos da mulher brasileira é a Lei nº 11.340, de 7 de agosto de 2006, batizada de Lei Maria da Penha (LMP), em homenagem à Maria da Penha Maia Fernandes, cearense que ficou paraplégica[11] ao receber um tiro pelas costas disparado por seu marido enquanto ela dormia.[12]

Avanços foram obtidos com essa lei, mas os obstáculos para colocá-la em prática ainda são consideráveis. A LMP é responsável pela criação de locais e serviços que antes eram inexistentes, como delegacias com atendimento especializado. Dados trazidos pelo Instituto Brasileiro de Geografia e Estatística (IBGE) por intermédio da Pesquisa de Informações Básicas Municipais (Munic) mostraram que, no ano de 2018, apenas 20% dos municípios brasileiros apresentavam em sua estrutura administrativa um órgão executivo, como Secretaria, Diretoria ou mesmo Coordenadoria, voltado à gestão de políticas para mulheres. Esse percentual representou um retrocesso em relação ao verificado no ano de 2013, quando 27% dos municípios apresentavam esse tipo de organismo executivo em suas estruturas. Verificou-se, ainda, que a implantação desses organismos se concentrou nos municípios de maior porte, pois estavam presentes na quase totalidade dos municípios com população > 500 mil habitantes.[13]

Desde 2005, ano anterior à promulgação da LMP, o DataSenado aplica, de 2 em 2 anos, a Pesquisa Nacional sobre Violência Doméstica e Familiar contra a Mulher. Essa pesquisa constatou aumento do percentual de mulheres que declararam ter sido vítimas de violência provocada por um homem: esse percentual passou de 18%, em 2015, para 29%, em 2017.[10] O painel de violência contra mulheres do Senado Federal aponta que 4.928 mulheres morreram em decorrência de violência em 2017 – ano em que foram registrados 4,6 homicídios a cada 100 mil mulheres. Nesse mesmo ano, ocorreram 220.514 notificações de violência contra mulheres realizadas por órgãos de saúde, ou 206 a cada 100 mil mulheres.[14]

Os principais itens da LMP são a definição da violência e a modernização do conceito de família, incluindo, além da instituição jurídica estabelecida pelo casamento ou união civil estável entre homem e mulher e do vínculo entre pais e filhos, as relações entre pessoas que vivam ou não sob o mesmo teto, heterossexuais ou homossexuais/LGBTQI+.

A criação da LMP foi de extrema importância na luta contra a realidade assustadora da violência doméstica e contra a desigualdade de gênero. Junto com o aumento no número de denúncias de violência doméstica, as mulheres também passaram a ter maior conhecimento sobre seus direitos.[15] Uma pesquisa do Instituto de Pesquisa Econômica Aplicada (Ipea), publicada em março de 2015, demonstrou que a LMP reduziu em 10% a projeção de aumento da taxa de homicídios domésticos contra as mulheres.[16]

No entanto, fragilidades e limitações são apontadas pelas mulheres vítimas de violência, no que tange à aplicação do instrumento legal da LMP, salientando o descumprimento das medidas protetivas pelos agressores e a dificuldade dos serviços de segurança pública em efetivamente protegê-las. Dessa maneira, embora a Lei tenha acenado com a possibilidade de proteção e justiça, ainda precisa tornar-se mais efetiva. Porém, não se pode minimizar a importância do regramento legal e as profundas mudanças ocorridas a partir da LMP, proporcionando o acesso à justiça a grupos da população historicamente excluídos de direitos.[17]

## Aspectos éticos e o acolhimento solidário/empático

As unidades básicas de saúde (UBSs) são a porta de entrada preferencial para o acolhimento de vítimas de violência, assegurando atendimento e sua continuidade, assim como acesso aos demais pontos de atenção, quando necessário. A equipe de saúde deve pautar-se pela ética, preservando o sigilo e garantindo a segurança das informações. O profissional deve desenvolver uma atitude de escuta, sem julgamento ou crítica.[18,19] O setor de saúde, por ser um espaço privilegiado para identificação das mulheres e adolescentes em situação de violência sexual, tem papel fundamental na definição e na articulação dos serviços e das organizações que, direta ou indiretamente, atendem situações de violência sexual.[18]

A equipe de saúde tem papel fundamental na detecção precoce, na intervenção e na provisão de tratamento especializado a todos que sofrem as consequências da violência doméstica, sejam elas físicas, sexuais ou emocionais.[9] Ela deve estar atenta aos sinais de alerta indicativos de violência contra a mulher, identificando as situações de violência e avaliando os determinantes sociais e econômicos. Para isso, é importante ouvir e estar atento a comunicações verbais e não verbais. A vítima deve ter atendimento priorizado, com garantia de privacidade e estabelecimento de relação de confiança e respeito.

No atendimento inicial às pessoas em situação de violência sexual, é importante que alguns procedimentos sejam contemplados de forma a garantir que as intervenções considerem também a parte psicossocial da assistência. Além da profilaxia em até 72 horas de infecções sexualmente transmissíveis (ISTs), da orientação sobre o acompanhamento de até 6 meses, da identificação da possibilidade de gestação decorrente da violência sexual, entre outros, é necessário esclarecer à paciente sobre a possibilidade do aborto previsto em lei, se assim ela quiser. Além disso, a avaliação das condições psíquicas da paciente é de fundamental importância, para definir encaminhamentos. Um sistema de referência e contrarreferência eficaz deve abranger os serviços necessários, envolvendo atenção primária à saúde (APS) e serviços especializados, conforme as demandas de cada caso. Assim, o atendimento deve garantir cuidado e diagnóstico clínico, bem como outros encaminhamentos de natureza psicológica, jurídica e social. Dada a complexidade desse tipo de atendimento, pela sua natureza intersetorial, fica caracterizada a importância da atuação em equipe multidisciplinar, especialmente nos serviços de referência, e em especial nos casos que requerem a provisão do aborto legal. É fundamental destacar que a intervenção nos casos de violência é multiprofissional, interdisciplinar e interinstitucional. A equipe de saúde deve buscar identificar as organizações e os serviços disponíveis que possam contribuir com a assistência.[18]

Infelizmente, a maioria dos serviços de emergência do Sistema Único de Saúde (SUS) não está preparada para prestar o atendimento adequado, e a atitude muitas vezes preconceituosa da sociedade desestimula a mulher a solicitar essa atenção. É comum o desconhecimento, por parte da vítima de violência sexual, inclusive do direito ao aborto seguro e legal e dos serviços de referência para o seu atendimento. Além disso, a procura por clínicas clandestinas para realização do procedimento coloca em risco a vida da mulher. No que se refere à gestação decorrente de violência sexual, o constrangimento e o medo de denunciar a violência fazem as mulheres frequentemente chegarem ao serviço de saúde com idade gestacional avançada, configurando mais um obstáculo à interrupção legal da gestação.[19]

## Sinais de alerta no atendimento médico

A busca por atendimento médico com queixas vagas, que não se encaixam na história natural da doença à qual a queixa se refere, é um sinal de alerta para investigar situações de violência. Queixas como dor abdominal crônica, cefaleia, fadiga e falta de adesão aos tratamentos propostos devem alertar o médico assistente, assim como lesões visíveis que remetem a traumatismos e contusões.[20]

As queixas também podem ser psicológicas e comportamentais, relacionadas a sintomas de ansiedade, depressão, distúrbios alimentares e abuso de drogas.[21] Os problemas ginecológicos e obstétricos mais comuns nessa população são síndrome de tensão pré-menstrual, ISTs e gestação não planejada com início tardio do acompanhamento pré-natal.[22]

Ao exame físico, a localização dos traumatismos é importante. Lesões na região central do corpo (p. ex., mamas, abdome e genitais) são típicas. Marcas na cabeça e no pescoço sugerem estrangulamento. Por fim, na tentativa de defender-se, são comuns lesões nos antebraços. Lesões em diferentes estágios sugerem violência repetida.[23] A recusa do acompanhante em sair da sala onde a mulher é examinada também levanta suspeitas.

> **É essencial conversar com a mulher sozinha, sem a presença do(a) companheiro(a) ou de membros da família.**

A pesquisa de casos de violência doméstica pode ter duas abordagens: rastreamento e tentativa de identificação dos casos. O rastreamento se baseia em uma série de perguntas curtas na tentativa de detectar violência doméstica em mulheres assintomáticas; a identificação de casos usa a oportunidade da consulta para questionar sobre violência doméstica e problemas de saúde associados em pessoas sintomáticas. Ambas as abordagens têm por objetivo prevenir violência, doença e morte, e a escolha do método depende da estrutura e do preparo do sistema de saúde em diferentes contextos.[24]

Resultados de uma metanálise sugerem que realizar pesquisa relacionada ao trauma pode levar a algum sofrimento imediato, de baixo a moderado. No entanto, os participantes geralmente consideram seu envolvimento com a entrevista uma experiência positiva, da qual não se arrependem. Essa conclusão apoia a noção de que perguntar aos indivíduos sobre traumas anteriores representa um risco mínimo para adultos, incluindo vítimas de violência ou pessoas diagnosticadas com transtorno de estresse pós-traumático (TEPT).[25]

A TABELA 128.2[26] apresenta alguns modelos de perguntas sugeridas para abordar a questão da violência.

O Massachusetts Medical Society Committee on Violence recomenda uma pergunta direta, que costuma aumentar a chance de detecção de violência pelo companheiro: "Alguma vez a senhora já foi agredida (sofreu violência física), ou foi, de alguma forma, maltratada por sua parceria?".[27]

Em um serviço de referência no atendimento em saúde sexual, na Região Sul do Brasil, utiliza-se, já na primeira consulta, a seguinte questão: "Ao longo da vida, você sofreu alguma experiência destrutiva em relação à sexualidade?". Essa pergunta direta oferece uma janela de oportunidade, provida de sutil gentileza, para que a mulher que está sendo atendida possa discorrer, caso queira, sobre histórico prévio de violência ou alguma outra situação experienciada.[28,29]

A TABELA 128.3 resume atitudes e providências dos profissionais de saúde diante de uma mulher em situação de violência doméstica.

**Em qualquer situação de violência contra a mulher ou em caso de dúvidas sobre as providências a serem tomadas no atendimento às vítimas, está disponível a Central de Atendimento à Mulher – Ligue 180 (ver QR code). O serviço funciona 24 horas por dia, de segunda a domingo, inclusive feriados. A ligação é gratuita e o atendimento é de âmbito nacional.**

## VIOLÊNCIA SEXUAL

A violência sexual é uma das expressões de violência de gênero, sendo definida pela OMS como "qualquer ato sexual, tentativas de obter um ato sexual, comentários ou insinuações sexuais não desejados, atos de tráfico ou dirigidos contra a sexualidade de uma pessoa usando coerção, por qualquer pessoa, independente de sua relação com a vítima, em qualquer contexto, porém não limitado à penetração da vulva ou ânus com o pênis, outra parte do corpo ou objeto".[30]

**TABELA 128.2** → Modelos de perguntas sugeridas para abordagem da mulher sobre violência doméstica

| | |
|---|---|
| Segurança | Você se sente segura com seu(sua) parceiro(a)? |
| Medo | Você tem ou teve relação com alguém que a tenha ameaçado, ferido ou amedrontado? |
| Família e amigos | Sua família e seus amigos sabem que está ferida? Poderia contar para eles para que lhe dessem apoio? |
| Plano de emergência | Você tem um lugar seguro para ir em caso de emergência? |

Fonte: Ashur.[26]

**TABELA 128.3** → Atitudes e providências dos profissionais de saúde no atendimento de mulheres em situação de violência

| |
|---|
| Desenvolver atitude de escuta que possibilite à mulher sentir-se acolhida e apoiada, procurando estabelecer um vínculo de confiança individual e institucional |
| Avaliar a história do episódio de violência, a possibilidade de risco de morte, o nível de motivação para lidar com a situação e as limitações e possibilidades pessoais |
| Avaliar os recursos sociais e familiares |
| Encaminhar para atendimento de casal ou família, no caso de continuidade da relação conjugal |
| Encaminhar para serviços jurídicos – Centro de Referência e Atendimento à Mulher em Situação de Violência ou Defensoria Pública |
| Encaminhar para atendimento psiquiátrico/psicológico individual e/ou familiar, quando necessário |
| Informar sobre os medicamentos e reações adversas, caso sejam prescritos, bem como sobre a importância do tratamento |
| Registrar as informações colhidas e as lesões encontradas no prontuário da mulher, dando ênfase ao fato ocorrido: tipos de lesões, quem foi o agressor, quando e como aconteceu, bem como outros dados significativos |
| Notificar os casos atendidos de violência contra a mulher com idade > 18 anos (apesar de a queixa policial depender exclusivamente da vontade dela) ao Centro de Epidemiologia da Secretaria Municipal de Saúde, por meio de formulário próprio; essa notificação tem como objetivo possibilitar o monitoramento do perfil da violência cometida contra a mulher (Lei nº 10.778/2003 – estabelece a notificação compulsória, no território nacional, de casos de violência contra a mulher atendidos em serviços de saúde públicos ou privados) Em 2020, entrou em vigor a Lei nº 13.931/2019, que torna obrigatória a comunicação de casos em que houver indícios ou confirmação de violência contra a mulher à autoridade policial no prazo de 24 horas, além da notificação à autoridade sanitária; essa comunicação, segundo a Portaria nº 78/2021, deve ser feita de forma sintética e consolidada, preservando a identidade da mulher e do profissional notificador |
| Acompanhar a mulher por meio de consultas ambulatoriais ou visita domiciliar, garantindo a continuidade do atendimento |
| Encaminhar para serviços especializados/hospitalares quando houver lesões graves com risco de morte, lacerações e hemorragias (corpo, face, boca e dentes), queimaduras de maior gravidade, traumas cranianos ou fraturas que necessitem de redução cirúrgica, traumas faciais e dentários, suspeita de lesão de órgãos internos, estado de choque emocional |

A violência sexual é questão de saúde pública, segurança e acesso à justiça; assim sendo, exige do Estado políticas e ações integradas. Ocorre em espaços públicos e privados, podendo causar traumas e ferimentos visíveis e invisíveis, e até levar à morte. Trata-se de fenômeno multidimensional, que afeta todas as classes sociais, raças, etnias e orientações sexuais. É uma das principais formas de violação dos direitos humanos, pois atinge o direito à vida, à saúde e à integridade. Um dos grandes desafios no seu enfrentamento é a articulação dos serviços para promover atendimento humanizado e integral, evitando a revitimização (quando a vítima é submetida a repetidos questionamentos, tendo que reviver o episódio múltiplas vezes).[31]

Os dados reais sobre violência sexual são de difícil obtenção, uma vez que, frequentemente, a vítima sente vergonha ou culpa pela agressão sofrida ou medo de denunciar o agressor.[19] Ainda assim, segundo o Anuário Brasileiro de Segurança Pública, registros policiais confirmam a alta prevalência de violência sexual contra as mulheres no País. Os dados atestam 53.726 casos de estupro registrados no ano de 2018, representando um aumento de 5,4% em relação a 2017. Também é possível identificar a grande proporção de casos (53,8%) em crianças com até 13 anos e em pessoas negras (50,9%).[32]

Por meio da notificação dos casos de violência sexual no Sistema de Informação de Agravos de Notificação (Sinan) em 2011, identificou-se que, entre mulheres de 18 a 38 anos, 7,3% das violências resultaram em gestação, sendo que, nas adolescentes, a ocorrência de gestação foi de 15%.[33]

Estudo recente[34] identificou 711 mulheres vítimas de violência sexual que buscaram atendimento entre 2000 e 2017 em um hospital de referência na Região Sul do País. Essas mulheres tinham idade média de 24,4 anos; a maioria era branca, solteira e procurou atendimento na unidade em até 72 horas após a ocorrência (80,7%). Na maioria dos casos, a violência foi exercida por um único agressor (87,1%), desconhecido em 67,2% das ocorrências. Entre as vítimas com idade < 19 anos, encontravam-se aquelas com maior risco de não estarem usando métodos anticoncepcionais no momento da violência (risco relativo [RR] = 2,7).

É de suma importância reconhecer as situações que constituem violência sexual, pois isso ajuda as mulheres a buscarem o cuidado apropriado e os profissionais para conduzirem as situações de forma adequada. A **TABELA 128.4** descreve as diferentes situações que se enquadram na definição de violência sexual.

## A lei

No Brasil, o conceito de estupro foi modificado em 2009 – com a publicação da Lei nº 12.015, que alterou o artigo 213 do Código Penal de 1940 (o Decreto-Lei nº 2.848) –,[36] e este passou a ser definido legalmente como "constranger alguém, mediante violência ou grave ameaça, a ter conjunção carnal ou a praticar ou permitir que com ele se pratique outro ato libidinoso". Assim, a penetração sexual deixou de ser considerada fundamental para identificação do crime de estupro.

**TABELA 128.4** → Tipos de violência sexual

| TIPO | DEFINIÇÃO |
|---|---|
| Estupro | Constranger alguém, mediante violência ou grave ameaça, a ter relação sexual ou a praticar ou permitir que com ela ou ele se pratique outro ato libidinoso |
| Estupro por parceiro íntimo | O agressor é o próprio marido ou companheiro; mesmo em uma relação estável, qualquer ato de cunho sexual não consentido é considerado estupro |
| Estupro de vulnerável | A vítima tem idade < 14 anos ou, mesmo sendo adulta, a vítima tem alguma enfermidade ou deficiência; o estupro de vulnerável também ocorre quando a vítima, por estar sob efeito de álcool ou de outra droga, não teve condições de tomar decisão, expressar sua vontade ou oferecer resistência física |
| Estupro corretivo | O crime é cometido para controlar o comportamento social ou sexual de uma pessoa – ou seja, na tentativa de "corrigir" uma característica da vítima, como sua orientação sexual ou identidade de gênero |
| Estupro coletivo | É praticado por mais de um agressor |
| Estupro sob sedação | As vítimas são expostas ao uso de substâncias sedativas, como o "Boa noite Cinderela", deixando-as vulneráveis à prática da violência sexual, impedindo a sua reação e dificultando a lembrança da violência; essa situação também é considerada estupro de vulnerável |
| Stealthing | Prática que consiste em retirar o preservativo durante uma relação sexual que foi consentida mediante o uso dessa proteção; a quebra desse acordo expõe a pessoa aos riscos de infecções sexualmente transmissíveis (ISTs) e de gravidez indesejada |

Fonte: Costa, Kalsing e Silva.[35]

> Os casos de violência contra as mulheres são de notificação compulsória (Portaria nº 2.406/2004), independentemente de o atendimento médico se dar em nível público ou privado, por meio de ficha de notificação do Sinan.

Nos casos de violência em indivíduos com idade < 18 anos (casos confirmados ou suspeitos), os profissionais de saúde devem comunicar ao Conselho Tutelar ou à Vara da Infância e da Juventude, para as medidas cabíveis, como o boletim de ocorrência.[8,37] Segundo o artigo 224 do Código Penal,[36] a "violência presumida" é considerada crime quando "a vítima tem menos de 14 anos, é alienada ou tem retardo mental e ou quando a vítima não puder oferecer resistência, tendo havido ou não constrangimento pela força ou ameaça grave". Esses casos, mesmo quando a vítima alega relação sexual consensual, caracterizam-se como violência sexual por estupro de vulnerável. Essa caracterização é fundamental para a solicitação de aborto legal, quando for o caso.

Em mulheres adultas, com idade > 18 anos, a decisão sobre o registro policial até então era da vítima, mas atualmente, em virtude da Portaria nº 2.561/2020[38] do Ministério da Saúde (MS), que dispõe sobre novo Procedimento de Justificação e Autorização da Interrupção da Gravidez nos casos previstos em lei no âmbito do SUS, o médico ou profissional de saúde deve fazê-lo. A mudança ainda está em curso, com variabilidade na sua aplicação de acordo com determinações locais e/ou regionais. Infelizmente, com a nova portaria, cria-se o potencial de colocar a vítima – e talvez a comunidade – em risco, e suscita um dilema ético pela quebra do sigilo profissional, além de impor uma barreira adicional no acesso das mulheres aos serviços, pelo medo da exposição a novas agressões. Além disso, a obrigatoriedade de comunicação às autoridades policiais desrespeita a inviolabilidade da intimidade e da vida privada, cláusula pétrea presente no artigo 5º da Constituição Federal. Diante desses dilemas, impõe-se maior discussão sobre como será a aplicação da nova lei, visando à efetiva segurança da vítima e ao exercício ético do profissional de saúde.

A realização do abortamento em situação de violência sexual não se condiciona a uma decisão judicial que sentencie e decida se ocorreu estupro. A legislação penal brasileira também não exige alvará ou autorização judicial para a realização do abortamento em casos de gravidez decorrente de violência sexual. A palavra da mulher é o que basta.

## O atendimento médico

O setor de saúde, por ser um dos espaços privilegiados para identificação das mulheres e adolescentes em situação de violência, tem papel fundamental na definição e na articulação dos serviços e das organizações que, direta ou indiretamente, atendem essas situações.

O médico deve prestar toda assistência disponível para a vítima de violência sexual. Para esse atendimento, não é necessário que a vítima tenha registrado boletim de ocorrência na delegacia. Contudo, se for vontade da mulher, esta deve ser orientada a como fazê-lo. A exigência da apresentação do boletim de ocorrência como condição para a prestação de assistência médica constitui, para a mulher, um inaceitável constrangimento que, na prática, pode afastá-la do serviço de saúde e impedir o tratamento médico e o acompanhamento adequado em decorrência da violência sexual sofrida.

Entretanto, apesar do exposto anteriormente, diante da nova Portaria nº 2.561/2020, a notificação passou a ser obrigatória, por parte dos profissionais de saúde aos setores policiais, independentemente da vontade da vítima de violência sexual, em até 24 horas. Ressalta-se que esse cenário é controverso e está em discussão, com posicionamentos divergentes em diferentes órgãos representativos, sob a égide da autonomia e dos direitos humanos da mulher violentada.

## Consequências da violência sexual

As repercussões da violência sexual sobre a vítima são amplas e podem ter grande intensidade. Dor pélvica crônica, síndrome de tensão pré-menstrual, migrânea e outras cefaleias, distúrbios gastrintestinais e outras complicações ginecológicas estão entre as mais frequentes.[39] Nos casos de gravidez indesejada, há várias implicações físicas, psicológicas e sociais, independentemente da opção pela manutenção da gestação ou pela interrupção legal.

As consequências psicológicas imediatas podem expressar-se por meio de estados de choque, dissociação e despersonalização, medo, negação, confusão, ansiedade, isolamento, culpa, desconfiança e sintomas de TEPT. Algumas dessas manifestações podem tornar-se crônicas, levando à depressão maior, a tentativas de suicídio e a diversos transtornos de ansiedade, como ansiedade generalizada, fobias e TEPT crônico. A vítima pode apresentar mudanças comportamentais (adoção de condutas sexuais de alto risco, abuso de substâncias) que aumentam a vulnerabilidade e o risco de revitimização futura.[40]

Também não menos importantes são as implicações sociais e comportamentais que a violência sexual acarreta. As relações com familiares, amigos e companheiro podem ser afetadas de forma negativa, com diminuição de apoio emocional e isolamento.

## Primeiro atendimento

**Sempre que houver serviço de referência para mulheres vítimas de violência sexual facilmente acessível, a vítima deve ser encaminhada.**

Caso não seja possível o encaminhamento imediato, o médico da APS deve, no primeiro atendimento:
1. acolher a mulher com escuta empática e sem julgamentos, oferecendo suporte psicológico e tratamento de lesões físicas, se presentes;
2. tomar medidas para prevenção da gestação;
3. avaliar, tratar e prevenir ISTs;
4. orientar o acompanhamento do tratamento na APS e em ambulatórios especializados, com ginecologista e psiquiatra/psicólogo, conforme cada situação.

Na anamnese, é importante obter as seguintes informações:
→ risco de gestação: data da última menstruação, uso de anticoncepção;
→ tipo de violência: contato ou penetração oral, vaginal, anorretal, ejaculação, uso de preservativo pelo(s) agressor(es) e número de agressores;
→ existência de sangramento na vítima ou no agressor;
→ relação sexual consensual recente, antes ou depois da violência (tipo, uso de preservativo);
→ identidade do agressor (familiar, conhecido, desconhecido);
→ ocorrências anteriores;
→ estrutura familiar/social que apoie a mulher e lhe dê segurança contra nova agressão (agressor é parente ou conhecido?).

**Com o objetivo de conhecer a situação da vítima previamente à agressão, em relação a gravidez e ISTs, é importante solicitar teste de gestação, VDRL (do inglês *Venereal Disease Research Laboratory*), anti-HIV, IgG para clamídia e pesquisa de hepatites B e C. Se for iniciada terapia antirretroviral, solicitar também hemograma e dosagem de transaminases.[19]**

Para a prevenção de gestação, a indicação de anticoncepção de emergência é fundamental no atendimento às vítimas de violência sexual e deve ser fornecida independentemente do ciclo menstrual, o mais breve possível, mesmo em locais onde não é possível oferecer a continuidade do tratamento. Ela só não é necessária se a vítima estiver usando, sem falha, método anticoncepcional de elevada eficácia no momento da violência: contraceptivo oral ou injetável, dispositivo intrauterino (DIU) ou ligadura tubária.

O método mais eficaz para a anticoncepção de emergência consiste na utilização de levonorgestrel 1,5 mg, 1 comprimido, ou 0,75 mg, 2 comprimidos, em dose única, até 5 dias após a relação sexual. Esse método tem evidentes vantagens sobre o anteriormente usado método de Yuzpe (hormônios combinados), como menos efeitos colaterais, não interação com outros medicamentos e maior efetividade.[41] (Para mais detalhes sobre anticoncepção de emergência, ver Capítulo Planejamento Reprodutivo.) Se houver falha da anticoncepção de emergência e ocorrer gestação, a opção da mulher pelo abortamento é permitida por lei (como detalhado a seguir).

A profilaxia para ISTs está indicada em todos os casos (TABELA 128.5).

Para mais informações sobre a profilaxia pós-exposição para o HIV, ver Capítulo Infecção pelo HIV em Adultos e consultar o *Protocolo clínico e diretrizes terapêuticas para profilaxia pós-exposição (PEP) de risco à infecção pelo HIV, IST e hepatites virais* do Ministério da Saúde, atualizado.

O MS orienta que a profilaxia seja realizada em todas as situações em que houver penetração vaginal e/ou anal. Em situações de coito oral exclusivo (com ou sem ejaculação), avaliar riscos e benefícios. A mulher deve ser informada de que não existe profilaxia para a hepatite C.[42] As mulheres devem ser orientadas a manter abstinência sexual até o fim do tratamento profilático e a usar preservativo em todas as relações sexuais nos primeiros 6 meses após a agressão.

**TABELA 128.5** → Profilaxia para infecções sexualmente transmissíveis (ISTs) em situação de violência sexual para mulheres com peso > 45 kg e não gestantes

| IST | MEDICAMENTO E POSOLOGIA |
|---|---|
| Sífilis | Penicilina G benzatina 2,4 milhões UI, IM (1,2 milhão UI em cada glúteo), em dose única |
| Gonorreia, clamídia e cancro mole | Ceftriaxona 500 mg, IM, dose única MAIS<br>Azitromicina 500 mg, VO, 2 comprimidos, em dose única |
| Tricomoníase | Metronidazol 500 mg, VO, 4 comprimidos, em dose única |
| Hepatite B (se não imunizada ou com imunização incompleta) | 1ª dose da vacina (2ª dose em 30 dias e 3ª dose em 180 dias) ou completar esquema de vacinação MAIS<br>Imunoglobulina contra hepatite B (recomendada em casos de vítima suscetível e se o responsável pela violência for HBsAg reagente, pertencente a um grupo de risco ou desconhecido), 0,06 mL/kg, IM, dose única, em até 14 dias após o episódio de violência |
| HIV | Tenofovir 300 mg MAIS<br>Lamivudina 300 mg, VO, 1 comprimido, 1×/dia, por 28 dias MAIS<br>Dolutegravir 50 mg, VO, 1 comprimido, 1×/dia, por 28 dias |

HBsAg, antígeno de superfície do vírus da hepatite B; HIV, vírus da imunodeficiência humana; IM, intramuscular; UI, unidades internacionais; VO, via oral.
Fonte: Brasil.[42,43]

## O aborto previsto em lei

O Decreto-Lei nº 2.848, de 7 de dezembro de 1940,[36] artigo 128, inciso II (Código Penal Brasileiro) prevê o aborto legal para a gravidez decorrente de estupro. Nesses casos, recomenda-se o encaminhamento da mulher para hospital de referência. No Brasil, apesar de o aborto ser previsto em lei em três situações (para salvar a vida da gestante, em caso de feto anencefálico e em caso de gestação decorrente de violência sexual), o acesso e a realização efetiva do procedimento são permeados por uma série de limitações. Você poderá ter acesso a uma discussão mais aprofundada sobre os desafios envolvidos na abordagem do aborto legal no livro "Violência Sexual e Aborto Legal no Brasil: Fatos e Reflexões" (ver Leituras Recomendadas).

Os serviços capacitados se consolidaram no âmbito do SUS somente a partir de 1999, por meio da publicação da 1ª edição do guia *Prevenção e tratamento dos agravos resultantes da violência sexual contra mulheres e adolescentes: norma técnica* e da implementação dos primeiros hospitais de referência. Em 2005, foi publicado o guia *Atenção humanizada ao abortamento: norma técnica*. Em 2012, foi lançada a 3ª edição do guia *Prevenção e tratamento dos agravos resultantes da violência sexual contra mulheres e adolescentes: norma técnica*, que estabeleceu medidas para facilitar a criação de novos serviços de aborto legal, entre elas, o reforço à não obrigatoriedade de apresentação de boletim de ocorrência para que se comprove a violência sofrida. Em 2012, a Arguição de Descumprimento de Preceito Fundamental (ADPF) nº 54 aprovou a realização de aborto legal em casos de gestação de feto anencéfalo.

O boletim de ocorrência (BO), que registra a violência no âmbito policial, embasa a instauração de inquérito e investigação. O laudo do Departamento Médico-Legal (DML) é documento elaborado para fazer prova criminal. A realização do BO confere à mulher que sofreu violência sexual o direito de solicitar guarda de material, especialmente nos casos de realização do aborto legal; por isso, a mulher deveria ser sempre orientada sobre esse recurso.

A exigência de apresentação do BO para atendimento nos serviços de saúde foi considerada ilegal a partir de 2005. Entretanto, a Portaria nº 2.561/2020 colocou aos médicos e demais profissionais de saúde ou responsáveis pelo estabelecimento de saúde que acolherem a paciente, nos casos em que houver indícios ou confirmação do crime de estupro, a obrigação de cumprir as seguintes medidas: I – comunicar o fato à autoridade policial responsável; e II – preservar possíveis evidências materiais do crime de estupro a serem entregues imediatamente à autoridade policial ou aos peritos oficiais, tais como fragmentos de embrião ou feto, com vistas à realização de confrontos genéticos que poderão levar à identificação do respectivo autor do crime, nos termos da Lei Federal nº 12.654/2012. A seguir, por recomendação do Ministério Público Federal, o MS apresentou a Portaria nº 78/2021, definindo que essa comunicação deve ocorrer de forma sintética e consolidada, não contendo dados que identifiquem a mulher ou o profissional de saúde notificador.

> O contexto legislativo está em constante mudança, portanto é importante acompanhar sua atualização.

O protocolo que descreve o Procedimento de Justificação e Autorização da Interrupção da Gravidez nos casos de aborto legal foi estabelecido em 2005 por meio da Portaria nº 1.508.[44] Trata-se de documentos recomendados aos serviços de referência, e que se encontram listados no documento Guia do Aborto Legal e de Cuidado à Pessoa em Situação de Violência Sexual (ver QR code). Esses procedimentos foram mantidos, com algumas modificações, pela Portaria nº 2.561/2020, mencionada anteriormente. Os termos que devem ser preenchidos e assinados para a autorização do aborto em casos de violência sexual são:

1. **termo de relato circunstanciado:** contém a descrição detalhada, conforme relato da mulher, da situação de violência sexual vivenciada. Deve ser preenchido e assinado pela mulher, na presença de dois profissionais da equipe assistente, que também deverão assinar o documento;
2. **parecer técnico:** deve ser assinado pelo profissional médico, após avaliação clínica e de exames complementares, inclusive a ultrassonografia, atestando a compatibilidade da idade gestacional;
3. **termo de consentimento livre e esclarecido:** a mulher, ou seu representante legal, declara pela escolha do aborto de modo livre, voluntário, consciente e informado. Nesse termo, também é dada ciência sobre outras opções, como seguimento da gestação e inserção da criança no sistema de adoção. Contém, ainda, informações sobre os procedimentos envolvidos, a assistência realizada e os potenciais riscos à saúde;
4. **termo de responsabilidade:** informa sobre o enquadramento legal do procedimento e da penalização por crime

de falsidade ideológica em caso de não veracidade das informações prestadas. Deve ser assinado pela mulher;
5. **termo de aprovação do procedimento de interrupção da gestação:** finalizadas as avaliações médica e psicossocial, o consenso é informado por meio desse termo. Deve ser assinado por pelo menos três profissionais de diferentes áreas e precisa estar em concordância com o parecer técnico.

No que se refere à objeção de consciência, é garantido ao médico o direito de recusa em realizar o abortamento previsto em lei, conforme previsto no Código de Ética Médica. No entanto, é dever do médico informar à mulher vítima de violência sexual sobre os seus direitos, garantindo a atenção ao abortamento por outro profissional da instituição ou de outro serviço. Também não se pode negar o atendimento em situações de urgência. Além disso, não se pode alegar objeção de consciência nas seguintes situações:

→ risco de morte para a mulher;
→ aborto juridicamente permitido, na ausência de outro profissional que o faça;
→ quando houver danos ou agravos à saúde da mulher em razão da omissão;
→ em casos de abortos inseguros associados a complicações.

Diante disso, é dever do Estado e dos gestores de saúde manter, nos hospitais públicos, profissionais que não manifestem objeção de consciência. Caso a mulher sofra prejuízo em decorrência da omissão, poderá recorrer à responsabilização pessoal e/ou institucional.[45]

Diante da legislação e da alta prevalência de violência sexual, seria de se esperar que os serviços de atendimento à violência sexual e aborto legal dessem conta da demanda, mas esta não é a realidade do País. Segundo Diniz,[46] dos 68 hospitais que constavam na lista do MS capacitados para a realização do aborto legal, apenas 37 realizavam de fato a interrupção da gravidez. Desses serviços ativos, 15 realizaram menos de 10 procedimentos nos últimos 10 anos.[46] Esses dados indicam uma falha de acesso das mulheres que necessitam desse cuidado. Estudos mostram que há dificuldade em encontrar profissionais dispostos a realizar o aborto legal.[47] As justificativas mais frequentes são: receio de punição por parte dos profissionais, mesmo tendo amparo legal;[48] influência religiosa;[49] e temor de serem apontados como "aborteiros".[50]

A implantação e a manutenção de um serviço capacitado para atendimento de violência sexual e aborto legal são complexas diante das dificuldades enfrentadas pela equipe no manejo das situações e nas relações interinstitucionais. A recusa ao atendimento pode ser velada e a objeção de consciência nem sempre é assumida publicamente. Assim, podem ocorrer situações de negligência, postergação, atos de discriminação ou intimidação e tentativas de dissuadir a mulher da sua decisão pelo aborto, impondo sofrimentos absolutamente desnecessários à mulher que já se encontra em uma situação de extrema vulnerabilidade.[48,51–53]

Além disso, persiste a falta de consolidação de uma política pública sólida na temática do aborto previsto em lei. Nesse contexto, inúmeras ameaças seguem presentes, como o Projeto de Lei (PL) nº 5.069/2013, que tramitou recentemente na Câmara de Deputados. Por meio de iniciativas legislativas, com discurso de moral cristã e de preservação da família, uma frente parlamentar contestou conquistas históricas, especialmente no que se refere aos direitos sexuais e reprodutivos da mulher. Nessa mesma tendência, a publicação da Portaria nº 2.561/2020,[38] que obriga a comunicação dos casos de violência sexual à autoridade policial, também significa um importante retrocesso. PLs que visam proibir o aborto em qualquer circunstância, a exemplo do PL nº 5.435/2020, seguem sendo promovidos, indo na contramão do marco jurídico-político do Estado brasileiro.

Sendo o contexto legal do Brasil em relação ao aborto um dos mais restritivos do mundo, deve-se assegurar, minimamente, ações concretas visando à qualificação do atendimento às mulheres que recorrem a um aborto permitido por lei. Apesar de progressos ocorridos no âmbito da saúde pública no Brasil, as mortes maternas por abortos inseguros ainda são excessivas. Nesse contexto, é preciso, no mínimo, garantir o cumprimento da lei vigente, que assegura a realização do aborto nas três situações específicas permitidas. A atuação dos profissionais da APS nesse sentido é muito importante, acolhendo as mulheres vítimas de violência, realizando os devidos encaminhamentos e proporcionando a continuidade do cuidado.

### Acompanhamento

A **TABELA 128.6** apresenta os exames que devem ser solicitados no acompanhamento da mulher vítima de estupro durante os 6 meses após a agressão.[54] Idealmente, a mulher deve receber acompanhamento especializado, com ginecologista e psiquiatra/psicólogo, e ao mesmo tempo manter o seu acompanhamento na APS.

## AVALIAÇÃO E MANEJO DOS ASPECTOS PSICOLÓGICOS E PSIQUIÁTRICOS NA ATENÇÃO PRIMÁRIA À SAÚDE

A incidência de TEPT e de outros transtornos psiquiátricos em vítimas de violência sexual é bastante elevada. Estupro e outros tipos de agressão sexual são os tipos de trauma de maior impacto e risco de desenvolver TEPT.[55] No caso do estupro, a incidência de TEPT chega a 50% em amostras populacionais.[54,56,57]

O TEPT é uma doença crônica associada a grande morbidade e prejuízo funcional, mesmo em suas formas subclínicas.[54,58] Caracteriza-se por "hiperfixação" da memória traumática, evitação, embotamento afetivo, hiperexcitabilidade e identificação disfuncional de estímulos ambientais que disparam a "reação de alarme" do cérebro. Para critérios diagnósticos de TEPT e transtorno de estresse agudo (TEA), ver Capítulo Transtornos Relacionados à Ansiedade.

Além do TEPT e do TEA, diversos outros transtornos psiquiátricos ocorrem com frequência em vítimas de violência, isoladamente ou em comorbidade, como depressão, transtornos de ajustamento, ansiedade e conduta, abuso e dependência de substâncias, disfunção sexual, entre outros, estando associados à diminuição da capacidade laboral, ao prejuízo às relações interpessoais e à diminuição da qualidade de vida em geral.

**TABELA 128.6** → Exames e recomendações no acompanhamento da mulher vítima de estupro

| | |
|---|---|
| < 15 dias | → Avaliar se há infecções (ISTs) |
| | → Verificar adesão à profilaxia pós-exposição (PEP) |
| | → Avaliar transaminases e hemograma (se estiver em uso de ARVs) |
| | → Discutir resultados dos testes |
| | → (Re)testar para gravidez, se tiver risco |
| | → Informar sobre a opção do aborto legal |
| | → Oferecer suporte emocional; avaliar estado emocional e de saúde mental |
| | → Lembrar da importância de acompanhamento no serviço de saúde: novas vacinas contra hepatite B em 1 mês e 6 meses, teste de HIV em 3 meses e 6 meses |
| | → Retornar se houver sintomas emocionais ou físicos de estresse mais graves, ou se não houver nenhuma melhora em até 1 mês |
| | → Agendar a próxima consulta em 1 mês |
| 30 dias | → Vacinação contra hepatite B, se necessário |
| | → Testes para sífilis, gonorreia, clamídia e tricomoníase (se disponível), mesmo que o tratamento profilático e os testes tenham sido realizados na primeira avaliação |
| | → Questionar sobre sintomas de ISTs e examinar para ver se há lesões ou sinais dessas infecções |
| | → Oferecer suporte emocional; avaliar o estado emocional e de saúde mental: buscar sinais de depressão, TEPT, automutilação, suicídio ou queixas somáticas |
| | → Marcar acompanhamento de rotina em 3 meses |
| 3 meses | → Oferecer testagem e aconselhamento para HIV e sífilis |
| | → Se o tratamento profilático de ISTs não tiver sido administrado, avaliar e tratar conforme apropriado |
| | → Realizar colposcopia/citopatológico de colo do útero (se indicado) |
| | → Oferecer suporte emocional; avaliar estado emocional e de saúde mental: buscar sinais de depressão, TEPT, automutilação, suicídio ou queixas somáticas |
| | → Marcar acompanhamento de 6 meses |
| 6 meses | → Oferecer teste e aconselhamento para HIV |
| | → Reavaliar presença de ISTs e tratar, se necessário |
| | → Fazer a 3ª dose da vacina contra hepatite B, se indicado |
| | → Oferecer suporte emocional e de saúde mental |

ARVs, antirretrovirais; HIV, vírus da imunodeficiência humana; ISTs, infecções sexualmente transmissíveis; TEPT, transtorno de estresse pós-traumático.
Fonte: World Health Organization.[54]

Devido à alta prevalência de transtornos psiquiátricos após evento de violência no Brasil, idealmente toda a equipe da APS poderia avaliar e manejar os casos por esse motivo.[59] Um primeiro atendimento adequado tem o potencial de mudança favorável no prognóstico para todos os tipos de traumas, como acidentes, perda súbita de familiar, assaltos, sequestros, desastres naturais, etc.[60] Por estar focado no atendimento de violência sexual na mulher, este capítulo destaca o manejo das situações do evento traumático agudo, mas o conhecimento e as possibilidades de abordagem também trazem benefícios em situações antigas ou crônicas.

## Aspectos que podem ser avaliados e manejados na atenção primária à saúde

### Qual é a melhor conduta do profissional de saúde?

Ao atender uma vítima de violência, é importante lembrar que se está lidando com uma pessoa traumatizada. Por isso, enfatiza-se a importância de uma atitude empática por parte do profissional de saúde, que valide o impacto da violência sobre a mulher e sua vida, mantendo uma postura tranquila de escuta empática. A mulher pode estar assustada e silenciosa, envergonhada e confusa ou desesperada e agitada. É fundamental perguntar diretamente como ela está se sentindo para abrir uma possibilidade de diálogo e suporte real, mesmo que estejamos imaginando que ela deva estar se sentindo muito mal.

São exemplos de frases que validam o sofrimento da mulher, ao mesmo tempo em que se mantém uma postura positiva:

→ "Imagino que foi muito ruim o que aconteceu. Embora possa parecer impossível para você agora, aos poucos é possível superar e voltar a ter uma vida normal."
→ "Sentimentos e sintomas muito perturbadores costumam ocorrer em pessoas que passam pelo que você passou, mas com o tempo eles devem diminuir e as coisas começam a voltar ao normal. Não hesite em procurar ajuda das pessoas próximas e profissionais especializados. Isso faz muita diferença."

Embora a violência esteja associada a inúmeras consequências psicológicas, é possível superar o trauma, graças à capacidade de resiliência individual e com o tratamento. Quando o profissional de saúde tem contato com a vítima logo após o evento traumático, as atitudes e as intervenções realizadas no primeiro atendimento serão determinantes no modo como a vítima irá vivenciar e elaborar a situação de violência no futuro e podem contribuir significativamente para a recuperação. Um ambiente acolhedor pode afetar o prognóstico de forma muito positiva, diminuindo a sensação de desamparo e vulnerabilidade.[61]

### Deve-se falar sobre o que ocorreu?

É importante explicar para a mulher que o objetivo das perguntas diretas sobre o que ocorreu faz parte da avaliação clínica geral. Intervenções pontuais tipo *debriefing*, em que um profissional faz uma espécie de interrogatório, solicitando que a vítima relate em detalhes o trauma fora de um contexto que utilize outros recursos terapêuticos, foram associadas a pior prognóstico em estudos de acompanhamento.[62,63]

Por outro lado, o profissional pode propiciar à mulher uma oportunidade para "dividir o que ocorreu" com alguém capaz de suportar o impacto da vivência traumática, entender melhor o significado da violência dentro do contexto de vida da mulher e ajudá-la a identificar alternativas para superar a situação sem criticá-la e em um ambiente acolhedor e seguro.[60]

Perguntas diretas tendem a ser mais fáceis para o avaliador manter-se afastado da experiência emocional. Porém, perguntas abertas ajudam na qualidade da avaliação. O profissional da APS pode considerar algumas questões importantes para sentir-se seguro na avaliação:

→ sente-se à vontade e motivado para ouvir o relato do trauma;
→ percebe que conseguiu estabelecer uma relação de confiança com a vítima;
→ acredita que será capaz de manter uma atitude tranquila e positiva ao mesmo tempo em que valida a intensidade de fortes sentimentos de desespero, raiva e impotência desencadeados pela violência, sobremaneira no caso de estupro e de agressões físicas graves.

Ao perguntar sobre o que ocorreu, podem ser úteis frases como: "Eu sei que é muito doloroso falar sobre isso, mas dividir comigo o que aconteceu com você pode ajudar. Você não precisa lidar com isso sozinha." ou "Sei que é difícil, mas isso tudo já está dentro de sua cabeça; o que eu quero, se você me permitir, é dividir com você esses sentimentos ruins. Isso poderia ajudar.".[60]

## Prescrição de sedativos

**Embora seja muito tentador aliviar o sofrimento da mulher vítima de violência, a prescrição de benzodiazepínicos (BZDs) é contraindicada nas primeiras 48 horas por estar associada a maior incidência de TEPT[64,65] e, possivelmente, piorar a capacidade de elaboração e processamento da memória do evento traumático *a posteriori*.**

## A culpa

É reação habitual do ser humano buscar um "culpado" pelo evento traumático. O contato com a vulnerabilidade humana, por meio da possibilidade de morte ou de lesão física importante, e a impotência diante desses eventos são frequentemente perturbadores (para a equipe de saúde também), o que leva as pessoas a buscarem encontrar um culpado ou uma explicação para a agressão. A finalidade dessa busca é defensiva e objetiva aplacar a sensação de vulnerabilidade, pois, se há um culpado, alimenta a fantasia de que o evento traumático poderia ter sido evitado.

Não é incomum que a própria mulher ou seus familiares a culpem por ter "se exposto" ou por "não ter evitado" a violência. Também é possível que a culpa recaia sobre algum familiar. Em ambas as situações, há prejuízo para a rede de apoio e para a capacidade de recuperação. Isso é especialmente complexo quando a violência é intrafamiliar, merecendo particular atenção se for detectada tendência da família em avaliar a ocorrência da violência como algo "normal" ou provocado pela vítima.

Pode-se abordar a questão da culpa com frases como: "Pessoas que passam pelo que você passou podem se sentir culpadas pelo que aconteceu. Mas devemos lembrar que o culpado é sempre o agressor."; "Esse sentimento de culpa está ocorrendo com você? Esse tipo de sentimento pode prejudicar a sua recuperação e impedir que você busque ajuda."; "Nada justifica você ter sido agredida."; ou "Você fez o possível para sobreviver.".

## Psicoeducação

A realização de psicoeducação, que consiste no fornecimento de informação sobre aspectos relacionados com a saúde mental e os fatores de risco e resiliência associados à situação vivenciada pelo indivíduo, é altamente recomendada.[61]

**Mesmo que o profissional da APS não tenha se sentido confortável ou não tenha tido condições de abordar de maneira mais detalhada o trauma e os sentimentos e crenças decorrentes dele, deve ser realizada a psicoeducação quanto às possíveis consequências psicológicas, aos sintomas psiquiátricos mais comuns e ao reconhecimento da necessidade de atendimento especializado.**

Nesse momento, se houver alguém da confiança da mulher, é indicado chamar essa pessoa para promover a ampliação do suporte social e buscar um aliado na recuperação, já que alguns dos sintomas de TEPT, como isolamento e evitação, podem diminuir a capacidade da mulher de aderir às recomendações e buscar ajuda (TABELA 128.7).

**A mulher vítima de violência e o familiar ou acompanhante devem ser orientados a buscar, se disponível, atendimento psiquiátrico ou clínico especializado se os sintomas estiverem piorando ou a mulher não conseguir retomar aos poucos suas atividades após 2 semanas. O médico da APS pode ajudar a identificar essa necessidade e facilitar o encaminhamento.**

## Tratamento medicamentoso de quadros psiquiátricos agudos desencadeados pela violência

Amnésia dissociativa e quadros catatônicos agudos, embora possam ser extremamente dramáticos e impliquem pior prognóstico, na maioria das vezes regridem dentro de 48 horas sem maiores consequências. Deve-se deixar a mulher em um ambiente tranquilo, com baixo nível de estímulos. Atitude de apoio por parte dos familiares e retirada de estressores adicionais costumam ser suficientes para o restabelecimento do contato com a realidade e para a atenuação dos sintomas dissociativos mais graves. Não há indicação do uso de medicação no período agudo, exceto se o quadro evoluir para agitação psicomotora ou se houver risco de autoagressão ou heteroagressão.

Se houver agitação psicomotora, deve-se dar preferência ao uso de antipsicóticos (p. ex., haloperidol intramuscular, 1 ampola a cada 30 minutos, até 4 ampolas). O uso de BZDs é contraindicado no período agudo e pode piorar o prognóstico.[66] Outra opção é a contenção mecânica, se cuidadosamente aplicada e acompanhada de medidas semelhantes às utilizadas para os quadros dissociativos (ambiente calmo, baixo estímulo ambiental, conduta suportiva).

**TABELA 128.7** → Psicoeducação no atendimento a vítimas de violência

| | |
|---|---|
| Sintomas comuns que a mulher pode experimentar | → Revivência, evitação, medo, desamparo, vergonha, sensação de embotamento e desrealização, resposta de sobressalto aumentada, insônia, irritabilidade, anestesia afetiva, desesperança, sensação de futuro abreviado e tristeza são muito comuns no início e devem desaparecer ao longo do tempo |
| | → Se os sintomas não estiverem diminuindo ou se a mulher não conseguir retomar suas atividades após 2 semanas, deve-se buscar auxílio psicológico ou psiquiátrico em centro de referência |
| Evitação | → Faz parte da resposta ao trauma tentar evitar estímulos como lugares e pessoas relacionados com o trauma ou mesmo evitar qualquer contato social ou atividade de trabalho, estudo ou lazer |
| | → É importante orientar a mulher e seus familiares a não compactuar com as evitações e tentar enfrentar os medos desencadeados pelo trauma gradualmente, buscando o retorno às atividades normais |
| Sentimentos de culpa | → Abordar os sentimentos de culpa pode modificar o desfecho e a qualidade da rede de apoio |
| | → É importante falar de forma aberta sobre a necessidade de controlar o trauma culpando a vítima ou o cuidador e das consequências dessa atitude |
| Rede de apoio | → Utilizar ou ampliar a rede de apoio e evitar a exposição a novos traumas pode modificar o prognóstico de maneira significativa |
| | → Deve-se reforçar ativamente a busca da rede de apoio e dos serviços de saúde disponíveis; também pode ser importante orientar a mulher quanto à busca de auxílio judicial |

### Tratamento farmacológico do transtorno de estresse agudo e do transtorno de estresse pós-traumático

Se a mulher, no momento da avaliação, apresentar quadro de TEA ou TEPT, deve-se sempre levar em consideração que o tratamento exclusivo com farmacoterapia deve ser indicado apenas na ausência de resposta a psicoterapias, quando estas não estão disponíveis, ou na presença de sintomas de depressão moderada a grave C/D.[65] Em todos os outros casos, a paciente deve ser encaminhada para psicoterapia sempre que esta estiver disponível C/D.[67] A psicoterapia pode ser realizada como tratamento único, ou em combinação com a farmacoterapia, dependendo da gravidade dos sintomas.

No caso da farmacoterapia, o tratamento de escolha são os inibidores da recaptação da serotonina e, eventualmente, os inibidores combinados da recaptação da serotonina e da noradrenalina em doses semelhantes às usadas para o tratamento da depressão.[62,63,66,68] Entre estes, fluoxetina, sertralina, paroxetina e venlafaxina mostraram-se superiores ao placebo em ensaios clínicos controlados, tendo a paroxetina demonstrado maior tamanho de efeito em alguns estudos (TE = −0,43) B.[69] Como alternativa, se nenhum destes estiver disponível, antidepressivos tricíclicos podem ser utilizados C/D.[69,70] Alguns estudos indicavam o topiramato como opção promissora para tratamento do TEPT, porém pesquisas mais recentes não apoiam essa recomendação.[71] Entre os antipsicóticos, a risperidona e a olanzapina podem reduzir sintomas quando usados como adjuvantes, porém seu efeito é pequeno na melhora global quando em monoterapia B.[72,73]

A melhora dos sintomas de sono pode levar à melhora secundária dos demais sintomas e sempre deve ser considerada como foco de tratamento, evitando-se o uso continuado de BZDs. Como recomendação atual para o tratamento de insônia e pesadelos após TEPT, está indicada trazodona 50 mg, 1 a 2 horas antes de dormir. Outra possibilidade que vem sendo testada em ensaios clínicos é o uso da prazosina[74,75] para insônia, pesadelos e sono agitado, iniciando com a dose de 1 mg à noite e aumentando até 10 mg, conforme resposta e tolerância. Porém, é uma substância que, no Brasil, tem saído de linha no ramo farmacêutico, e os resultados de pesquisa ainda são inconclusivos. No SUS, a alternativa é a amitriptilina em doses baixas (12,5-75 mg), que pode ajudar a induzir o sono.

Não há evidências de que o uso precoce de antidepressivos (até 1 mês após o trauma) possa reduzir sintomas de estresse agudo ou prevenir a instalação de um quadro mais duradouro. Isso porque a grande maioria dos estudos utiliza o diagnóstico de TEPT, que só pode ser feito a partir de 1 mês após o trauma, como critério de inclusão. Contudo, é razoável considerar o início precoce do tratamento farmacológico na vigência de sintomas muito limitantes ou associados a risco para a mulher e para outros, na presença de múltiplos fatores de risco (como história de transtorno psiquiátrico) ou quando os sintomas se mantêm, estão aumentando de intensidade ou há piora progressiva do funcionamento após 2 semanas C/D.[68,76]

Nesse caso, a escolha da medicação é semelhante ao TEPT. BZDs podem ser utilizados por um período breve no início do tratamento, junto com os antidepressivos, porém não têm eficácia comprovada em reduzir os sintomas próprios do TEPT e podem piorar o prognóstico se usados nas primeiras 48 horas após o trauma B.[64] Para mais detalhes sobre o tratamento farmacológico de TEPT e TEA, ver Capítulo Transtornos Relacionados à Ansiedade.

Sintomas psicóticos devem ser ativamente tratados com fármacos específicos. Por sua ação serotonérgica, a risperidona é uma boa opção, mas, devido à disponibilidade no SUS, o haloperidol e a clorpromazina podem ser alternativas. Além da prazosina, clorpromazina, antidepressivos tricíclicos em doses baixas e prometazina podem ser utilizados para tratar sintomas de sono, evitando, assim, o uso de BZDs C/D.

Irritabilidade, impulsividade e agressividade podem ser efetivamente tratadas com estabilizadores do humor, como a carbamazepina, o lítio e o ácido valproico em doses terapêuticas quando apresentarem indicação para essa medida C/D.

Ver Capítulos Transtorno do Humor e Alterações do Sono para mais detalhes sobre o uso das medicações.

## CONSIDERAÇÕES FINAIS

A saúde é um setor essencial no combate aos agravos e enfrentamento intersetorial do fenômeno violência. Cabe à sociedade como um todo incluir, manter e ampliar os direitos e deveres de cidadania, especialmente aqueles já adquiridos no sistema democrático. Incentivar valores de solidariedade e tolerância é fundamental para estabelecer um diálogo continuado em prol da solução de conflitos. Os desafios exigidos incluem melhor qualidade das informações para embasar as resoluções e políticas públicas, bem como ações conjuntas de vários setores, para prevenção e promoção da saúde e melhor qualidade de vida da sociedade brasileira.

## REFERÊNCIAS

1. Conferência Mundial dos Direitos Humanos. Declaração e programa de ação de Viena [Internet]. São Paulo: Biblioteca Virtual de Direitos Humanos da USP; 1993 [capturado em 1 jun. 2021]. Disponível em: http://www.direitoshumanos.usp.br/index.php/Sistema-Global.-Declara%C3%A7%C3%B5es-e-Tratados-Internacionais-de-Prote%C3%A7%C3%A3o/declaracao-e-programa-de-acao-de-viena.html.

2. Organização Pan-Americana da Saúde. Violência contra as mulheres [Internet]. Tópicos. 2021 [capturado em 7 jul. 2021]. Disponível em: https://www.paho.org/pt/topics/violence-against-women.

3. Ginicola MM, Smith C, Filmore JM, organizadores. Affirmative Counseling with LGBTQI+ People. Alexandria: American Counseling Association; 2017.

4. Krug EG, Dahlberg LL, Mercy JA, Zwi AB, Lozano R, organizadores. World report on violence and health. Geneva: World Health Organization; 2002.

5. Garcia-Moreno C, Jansen HAFM, Ellsberg M, Heise L, Watts CH, WHO Multi-country Study on Women's Health and Domestic Violence against Women Study Team. Prevalence of intimate partner violence: findings from the WHO multi-country study on women's health and domestic violence. Lancet. 2006;368(9543):1260–9.

6. World Health Organization. WHO multi-country study on women's health and domestic violence against women: initial results on prevalence, health outcomes and women's responses. Geneva: WHO; 2005.

7. Krug EG, Dahlberg LL, Mercy JA, Zwi AB, Lozano R. Violence by intimate partners. In: World report on violence and health. Geneva: World Health Organization; 2002. p. 87–121.
8. Dossi AP, Saliba O, Garbin CAS, Garbin AJI. Perfil epidemiológico da violência física intrafamiliar: agressões denunciadas em um município do Estado de São Paulo, Brasil, entre 2001 e 2005. Cad Saúde Pública. 2008;24(8):1939–52.
9. Miranda MP de M, Paula CS de, Bordin IA. Violência conjugal física contra a mulher na vida: prevalência e impacto imediato na saúde, trabalho e família. Rev Panam Salud Publica. 2010;27(4):300–8.
10. Brasil. Senado Federal. Procuradoria Especial da Mulher. Violência doméstica e familiar contra a mulher – 2019 [Internet]. Brasília: Portal Institucional do Senado Federal; 2019 [capturado em 9 fev. 2020]. Disponível em: https://www12.senado.leg.br/institucional/procuradoria/comum/violencia-domestica-e-familiar-contra-a-mulher-2019.
11. Instituto Maria da Penha. Quem é Maria da Penha [Internet]. 2018 [capturado em 9 jul. 2021]. Disponível em: https://www.institutomariadapenha.org.br/quem-e-maria-da-penha.html.
12. Brasil. Presidência da República. Lei nº 11.340, de 7 de agosto de 2006. Cria mecanismos para coibir a violência doméstica e familiar contra a mulher, nos termos do § 8º do art. 226 da Constituição Federal, da Convenção sobre a Eliminação de Todas as Formas de Discriminação contra as Mulheres e da Convenção Interamericana para Prevenir, Punir e Erradicar a Violência contra a Mulher; dispõe sobre a criação dos Juizados de Violência Doméstica e Familiar contra a Mulher; altera o Código de Processo Penal, o Código Penal e a Lei de Execução Penal; e dá outras providências. Diário Oficial da União. 2006;151(Seção 1):1–4.
13. Brasil. Senado Federal. 14 Anos de Lei Maria da Penha: muito a comemorar, ainda mais a conquistar [Internet]. Boletim Mulheres e seus Temas Emergentes. 2020 [capturado em 2 ago. 2021]. Disponível em: https://www12.senado.leg.br/institucional/omv/pdfs/14-anos-maria-da-penha.
14. Brasil. Senado Federal. Painel de Violência contra Mulheres [Internet]. Painel OMV. 2021 [capturado em 9 jul. 2021]. Disponível em: http://www9.senado.gov.br/painelstrans.
15. Silva D de OR. Aplicabilidade da Lei Maria da Penha: um olhar na vertente do gênero feminino [Internet]. Âmbito Jurídico. 2011 [capturado em 9 jul. 2021]. Disponível em: https://ambitojuridico.com.br/edicoes/revista-84/aplicabilidade-da-lei-maria-da-penha-um-olhar-na-vertente-do-genero-feminino/.
16. Agência Brasil. Ipea: Lei Maria da Penha reduziu violência doméstica contra mulheres [Internet]. Participação em Foco. 2015 [capturado em 9 jul. 2021]. Disponível em: https://www.ipea.gov.br/participacao/noticiasmidia/direitos-humanos/1223-ipea-lei-maria-da-penha-reduziu-violencia-domestica-contra-mulheres.
17. Meneghel SN, Mueller B, Collaziol ME, Quadros MM de. Repercussões da Lei Maria da Penha no enfrentamento da violência de gênero. Ciênc Saúde Colet. 2013;18(3):691–700.
18. Brasil. Ministério da Saúde, Brasil. Ministério da Justiça, Brasil. Secretaria de Políticas para as Mulheres. Atenção humanizada às pessoas em situação de violência sexual com registro de informações e coleta de vestígios: norma técnica. Brasília: MS; 2015.
19. Brasil. Ministério da Saúde. Secretaria de Atenção à Saúde. Departamento de Ações Programáticas Estratégicas. Prevenção e tratamento dos agravos resultantes da violência sexual contra mulheres e adolescentes: norma técnica. 3. ed. Brasília: MS; 2012.
20. Eberhard-Gran M, Schei B, Eskild A. Somatic symptoms and diseases are more common in women exposed to violence. J Gen Intern Med. 2007;22(12):1668–73.
21. Hegarty K, Gunn J, Chondros P, Small R. Association between depression and abuse by partners of women attending general practice: descriptive, cross sectional survey. BMJ. 2004;328(7440):621–4.
22. Campbell J, Jones AS, Dienemann J, Kub J, Schollenberger J, O'Campo P, et al. Intimate partner violence and physical health consequences. Arch Intern Med. 2002;162(10):1157–63.
23. Alpert EJ. Violence in intimate relationships and the practicing internist: new "disease" or new agenda? Ann Intern Med. 1995;123(10):774–81.
24. Victoria. Department of Justice. Management of the whole family when intimate partner violence is present: guidelines for primary care physicians. Melbourne: Dept of Justice; 2006.
25. Jaffe AE, DiLillo D, Hoffman L, Haikalis M, Dykstra RE. Does it hurt to ask? A meta-analysis of participant reactions to trauma research. Clin Psychol Rev. 2015;40:40–56.
26. Ashur ML. Asking about domestic violence: SAFE questions. JAMA. 1993;269(18):2367.
27. Sege RD, Licenziato VG, Webb S. Bringing violence prevention into the clinic: the Massachusetts Medical Society Violence Prevention Project. Am J Prev Med. 2005;29(5 Suppl 2):230–2.
28. Scalco S, Bicca A, Knauth D, Mondin A, Siviero T, Renck F. Retrospective analyses of female sexual health care at a public hospital. J Sex Med. 2017;14(5):e283–4.
29. Tejada GL, Scalco SCP, Giugliani C, Knauth DR. Abordagem das disfunções sexuais femininas na atenção primária : um desafio aos paradigmas atuais. Clin Biomed Res. 2019;39(Supl):53–4.
30. Organização Mundial da Saúde. Prevenção da violência sexual e da violência pelo parceiro íntimo contra a mulher: ação e produção de evidência. Genebra: OPAS; 2012.
31. Brasil. Ministério da Saúde. Portaria nº 485, de 1º de abril de 2014. Redefine o funcionamento do Serviço de Atenção às Pessoas em Situação de Violência Sexual no âmbito do Sistema Único de Saúde (SUS). Diário Oficial da União. 2014;63(Seção 1):53–4.
32. Fórum Brasileiro de Segurança Pública. Anuário brasileiro de segurança pública. 2019;13:1–218.
33. Cerqueira DR de C, Coelho DSC. Estupro no Brasil: uma radiografia segundo os dados da Saúde (versão preliminar): nota técnica. Instituto de Pesquisa Econômica Aplicada; 2014.
34. Santarem MD, Marmontel M, Pereira NL, Vieira LB, Savaris RF. Epidemiological profile of the victims of sexual violence treated at a referral center in southern Brazil. Rev Bras Ginecol Obstet. 2020;42(9):547–54.
35. Costa F da, Kalsing J, Silva R. Guia do aborto legal e de cuidado à pessoa em situação de violência sexual. Porto Alegre: Themis; 2021.
36. Brasil. Câmara dos Deputados. Decreto-lei nº 2.848, de 7 de dezembro de 1940. Diário Oficial da União. 1940;(Seção 1):23911.
37. Brasil. Ministério da Saúde. Portaria nº 2.406, de 5 de novembro de 2004. Institui serviço de notificação compulsória de violência contra a mulher, e aprova instrumento e fluxo para notificação. Diário Oficial da União. 2004;214(Seção 1):84.
38. Brasil. Ministério da Saúde. Portaria nº 2.561, de 23 de setembro de 2020. Dispõe sobre o Procedimento de Justificação e Autorização da Interrupção da Gravidez nos casos previstos em lei, no âmbito do Sistema Único de Saúde-SUS. Diário Oficial da União. 2020;184(Seção 1):89.
39. Basile KC, Black MC, Simon TR, Arias I, Brener ND, Saltzman LE. The association between self-reported lifetime history of forced sexual intercourse and recent health-risk behaviors: findings from the 2003 National Youth Risk Behavior Survey. J Adolesc Health. 2006;39(5):752.e1-7.
40. Senn CY, Eliasziw M, Hobden KL. Efficacy of a Sexual Assault Resistance Program for University Women. N Engl J Med. 2015;373(14):1376.
41. Brasil. Ministério da Saúde. Protocolo para utilização do levonorgestrel. Brasília: MS; 2012.
42. Brasil. Ministério da Saúde. Secretaria de Vigilância em Saúde. Departamento de Doenças de Condições Crônicas e Infecções Sexualmente Transmissíveis. Protocolo clínico e diretrizes terapêuticas para atenção integral às pessoas com infecções sexualmente transmissíveis (IST). Brasília: MS; 2020.
43. Brasil. Ministério da Saúde. Secretaria de Vigilância em Saúde. Departamento de DST, Aids e Hepatites Virais. Protocolo clínico e

43. diretrizes terapêuticas para profilaxia pós-exposição (PEP) de risco à infecção pelo HIV, IST e hepatites virais. Brasília: MS; 2021.
44. Brasil. Ministério da Saúde. Portaria nº 1.508, de 1 de setembro de 2005. Dispõe sobre o Procedimento de Justificação e Autorização da Interrupção da Gravidez nos casos previstos em lei, no âmbito do Sistema Único de Saúde-SUS. Diário Oficial da União. 2005;170(Seção 1):124–5.
45. Brasil. Ministério da Saúde. Secretaria de Atenção à Saúde. Departamento de Ações Programáticas Estratégicas. Atenção humanizada ao abortamento: norma técnica. 2. ed. Brasília: MS; 2011.
46. Diniz D, Medeiros M, Madeiro A. Pesquisa Nacional de Aborto 2016. Ciênc Saúde Colet. 2017;22(2):653–60.
47. Diniz D, Madeiro A, Rosas C. Conscientious objection, barriers, and abortion in the case of rape: a study among physicians in Brazil. Reprod Health Matters. 2014;22(43):141–8.
48. Cavalcanti LF, Gomes R, Minayo MC de S. Representações sociais de profissionais de saúde sobre violência sexual contra a mulher: estudo em três maternidades públicas municipais do Rio de Janeiro, Brasil. Cad Saúde Pública. 2006;22(1):31–9.
49. Darze OISP, Barroso U. Uma proposta educativa para abordar objeção de consciência em saúde reprodutiva durante o ensino médico. Rev Bras Educ Med. 2018;42(4):155–64.
50. De Zordo S. Representações e experiências sobre aborto legal e ilegal dos ginecologistas-obstetras trabalhando em dois hospitais maternidade de Salvador da Bahia. Ciênc Saúde Colet. 2012;17(7):1745–54.
51. Adesse L, Jannotti CB, Silva KS da, Fonseca VM. Aborto e estigma: uma análise da produção científica sobre a temática. Ciênc Saúde Colet. 2016;21(12):3819–32.
52. Machado CL, Fernandes AM dos S, Osis MJD, Makuch MY. Gravidez após violência sexual: vivências de mulheres em busca da interrupção legal. Cad Saúde Pública. 2015;31(2):345–53.
53. Oliveira EM de, Barbosa RM, Moura AAVM de, von Kossel K, Morelli K, Botelho LFF, et al. Atendimento às mulheres vítimas de violência sexual: um estudo qualitativo. Rev Saúde Pública. 2005;39(3):376–82.
54. World Health Organization. Clinical management of rape and intimate partner violence survivors: developing protocols for use in humanitarian settings. Geneva: WHO; 2020.
55. Kessler RC, Aguilar-Gaxiola S, Alonso J, Benjet C, Bromet EJ, Cardoso G, et al. Trauma and PTSD in the WHO World Mental Health Surveys. Eur J Psychotraumatol. 2017;8(sup5):1353383.
56. Breslau N, Davis GC, Andreski P, Peterson E. Traumatic events and posttraumatic stress disorder in an urban population of young adults. Arch Gen Psychiatry. 1991;48(3):216–22.
57. Kessler RC, Sonnega A, Bromet E, Hughes M, Nelson CB. Posttraumatic stress disorder in the National Comorbidity Survey. Arch Gen Psychiatry. 1995;52(12):1048–60.
58. Breslau N. The epidemiology of posttraumatic stress disorder: what is the extent of the problem? J Clin Psychiatry. 2001;62 Suppl 17:16–22.
59. Ribeiro WS, Mari J de J, Quintana MI, Dewey ME, Evans-Lacko S, Vilete LMP, et al. The impact of epidemic violence on the prevalence of psychiatric disorders in Sao Paulo and Rio de Janeiro, Brazil. PLoS One. 2013;8(5):e63545.
60. Zlotnick C, Franklin CL, Zimmerman M. Does "subthreshold" posttraumatic stress disorder have any clinical relevance? Compr Psychiatry. 2002;43(6):413–9.
61. Organização Mundial da Saúde. Primeiros cuidados psicológicos: guia para trabalhadores de campo. Genebra: OMS; 2015.
62. Hauck S, Azevedo RCS de. Trauma. In: Botega NJ, organizador. Prática psiquiátrica no hospital geral: interconsulta e emergência. Porto Alegre: Artmed; 2011. p. 430–43.
63. Stewart CL, Wrobel TA. Evaluation of the efficacy of pharmacotherapy and psychotherapy in treatment of combat-related post-traumatic stress disorder: a meta-analytic review of outcome studies. Mil Med. 2009;174(5):460–9.
64. Guina J, Rossetter SR, DeRHODES BJ, Nahhas RW, Welton RS. Benzodiazepines for PTSD: a systematic review and meta-analysis. J Psychiatr Pract. 2015;21(4):281–303.
65. United States of America. Department of Veterans Affairs, United States of America. Department of Defense. VA/DOD clinical practice guideline for the management of posttraumatic stress disorder and acute stress disorder. The Management of Posttraumatic Stress Disorder Work Group; 2017.
66. Davidson JRT. Pharmacologic treatment of acute and chronic stress following trauma: 2006. J Clin Psychiatry. 2006;67 Suppl 2:34–9.
67. National Collaborating Centre for Mental Health (UK). Post-Traumatic Stress Disorder: The Management of PTSD in Adults and Children in Primary and Secondary Care. Leicester (UK): Gaskell; 2005. (National Institute for Health and Clinical Excellence: Guidance).
68. Roberts NP, Kitchiner NJ, Kenardy J, Bisson JI. Early psychological interventions to treat acute traumatic stress symptoms. Cochrane Database Syst Rev. 2010;(3):CD007944.
69. Guideline Development Panel for the Treatment of PTSD in Adults, American Psychological Association. Summary of the clinical practice guideline for the treatment of posttraumatic stress disorder (PTSD) in adults. Am Psychol. 2019;74(5):596–607.
70. Katzman MA, Bleau P, Blier P, Chokka P, Kjernisted K, Van Ameringen M, et al. Canadian clinical practice guidelines for the management of anxiety, posttraumatic stress and obsessive-compulsive disorders. BMC Psychiatry. 2014;14(1):S1.
71. Yeh MSL, Mari JJ, Costa MCP, Andreoli SB, Bressan RA, Mello MF. A double-blind randomized controlled trial to study the efficacy of topiramate in a civilian sample of PTSD. CNS Neurosci Ther. 2011;17(5):305–10.
72. Agency for Healthcare Research and Quality. Off-label use of atypical antipsychotics: an update. Rockville: AHRQ; 2011.
73. Wang HR, Woo YS, Bahk W-M. Atypical antipsychotics in the treatment of posttraumatic stress disorder. Clin Neuropharmacol. 2013;36(6):216–22.
74. Bajor LA, Ticlea AN, Osser DN. The Psychopharmacology Algorithm Project at the Harvard South Shore Program: an update on posttraumatic stress disorder. Harv Rev Psychiatry. 2011;19(5):240–58.
75. Khachatryan D, Groll D, Booij L, Sepehry AA, Schütz CG. Prazosin for treating sleep disturbances in adults with posttraumatic stress disorder: a systematic review and meta-analysis of randomized controlled trials. Gen Hosp Psychiatry. 2016;39:46–52.
76. Forbes D, Creamer MC, Phelps AJ, Couineau A-L, Cooper JA, Bryant RA, et al. Treating adults with acute stress disorder and post-traumatic stress disorder in general practice: a clinical update. Med J Aust. 2007;187(2):120–3.

## LEITURAS RECOMENDADAS

Fórum Aborto Legal do Rio Grande do Sul. Disponível em: https://forumabortolegalrs.wixsite.com/site.

Site *com informações e publicações relacionadas ao aborto previsto em lei e à violência sexual.*

Giugliani C, Ruschel AE, Patuzzi GC, Silva MCB da. Violência sexual e aborto legal no Brasil: fatos e reflexões. Rio de Janeiro: Fiocruz; 2021.

*Livro que integra a coleção Temas em Saúde, traz uma revisão teórica, seguida de reflexões sobre os desafios atuais, bem como apresenta experiências propositivas para abordagem do tema.*

Instituto de Pesquisa Econômica Aplicada. Atlas da Violência 2021. Brasília: IPEA; 2021 [capturado em 24 nov. 2021]. Disponível em: https://www.ipea.gov.br/atlasviolencia/publicacoes.

*Material publicado periodicamente pelo Instituto de Pesquisa Econômica Aplicada (IPEA) e pelo Fórum Brasileiro de Segurança Pública (FBSP), retrata a violência no Brasil a partir de dados dos sistemas de informação do SUS.*

# SEÇÃO XI

**Coordenadores:** *Renan Rangel Bonamigo*
*Diogo Luis Scalco*

# Problemas de Pele

129. O Exame da Pele .................................................. 1392
    *Ana Elisa Kiszewski Bau, Renan Rangel Bonamigo*

130. Abordagem Diagnóstica das Lesões de Pele ................ 1398
    *Diogo Luis Scalco, Vanessa Santos Cunha*

131. Fundamentos de Terapêutica Tópica ......................... 1402
    *Sérgio Ivan Torres Dornelles, Inara Bernardi Bagesteiro, Letícia Pargendler Peres, Marcel de Almeida Dornelles*

132. Dermatoses Eritematoescamosas .............................. 1411
    *Humberto Antonio Ponzio, Ana Lenise Favaretto, Márcia Paczko Bozko*

133. Eczemas e Reações Cutâneas Medicamentosas .............. 1420
    *Magda Blessmann Weber, Renan Rangel Bonamigo, Fabiana Bazanella de Oliveira*

134. Prurido e Lesões Papulosas e Nodulares ..................... 1433
    *Márcia Zampese, Lucas Samuel Perinazzo Pauvels, Andre Avelino Costa Beber*

135. Ressecamento da Pele e Sudorese Excessiva ................ 1453
    *Maria Carolina Widholzer Rey*

136. Manchas ............................................................. 1459
    *Tania Ferreira Cestari, Aline Camargo Fischer, Lia Pinheiro Dantas*

137. Reações Actínicas ................................................ 1467
    *Tania Ferreira Cestari, Cristine Kloeckner Kraemer, Lia Pinheiro Dantas*

138. Tumores Benignos e Cistos Cutâneos ........................ 1472
    *Renato Marchiori Bakos*

139. Cânceres da Pele ................................................. 1477
    *Lucio Bakos, Renato Marchiori Bakos*

140. Piodermites ........................................................ 1484
    *Luiz Fernando Bopp Muller, Letícia Brandeburski Loss, Fabiana Bazanella de Oliveira*

141. Infecções pelo Herpesvírus e pelo Vírus Varicela-Zóster ... 1489
    *Márcia Paczko Bozko, Ana Lenise Favaretto, Humberto Antonio Ponzio*

142. Micoses Superficiais ............................................. 1495
    *Ana Lenise Favaretto, Humberto Antonio Ponzio*

143. Zoodermatoses .................................................... 1500
    *Lucio Bakos, Renato Marchiori Bakos, Elise Botteselle De Oliveira*

# Capítulo 129
## O EXAME DA PELE

Ana Elisa Kiszewski Bau
Renan Rangel Bonamigo

A pele é o maior órgão humano, correspondendo a 15% do peso corporal. É composta por três camadas conectadas estrutural e funcionalmente: epiderme, derme e hipoderme.

A epiderme é a camada mais externa e a mais celular. É composta por epitélio estratificado queratinizado, melanócitos, células de Langerhans e células de Merkel. Além de sua importante função de barreira e de termorregulação, possui também função imunológica e de percepção.

A derme tem importante papel na percepção, na sustentação e na elasticidade, além de participar na termorregulação (por meio da secreção das glândulas sudoríparas) e na cicatrização. É constituída de mucopolissacarídeos, fibras colágenas e elásticas, vasos sanguíneos e linfáticos, nervos, terminações nervosas, unidades pilossebáceas e glândulas apócrinas e sudoríparas.

A hipoderme é constituída por vasos sanguíneos, vasos linfáticos e gordura, apresentando importante função de sustentação e metabólica (reserva calórica para o organismo).

As unhas são estruturas queratinizadas rígidas que cobrem a porção distal das últimas falanges. O aparato ungueal (ver FIGURA 85.1 no Capítulo Cirurgia da Unha) é formado pelos seguintes componentes: matriz, lâmina ungueal, leito ungueal, lúnula, pregas ungueais (laterais), cutícula, eponíquio (cutícula) e hiponíquio (borda livre).

## O EXAME DA PELE

**O diagnóstico dermatológico é orientado fundamentalmente pela morfologia, sendo a história clínica complementar. Por isso, para realizar um correto diagnóstico, é necessário conhecer de forma detalhada os padrões morfológicos das diferentes patologias cutâneas, assim como saber interpretar o que está sendo observado.**

As dificuldades encontradas estão relacionadas com o grande número de condições que afetam a pele (mais de 2 mil), as quais podem ser exclusivamente cutâneas ou fazer parte de doenças sistêmicas. Além disso, a dificuldade na realização de um diagnóstico correto aumenta pelos diferentes aspectos morfológicos de uma mesma patologia e pela dinâmica das lesões, que podem variar sua morfologia com o passar do tempo. As diferentes lesões que ocorrem em doenças como a hanseníase e a sífilis são exemplos clássicos da dinâmica das lesões cutâneas.

### Exame clínico

Para que o exame da pele seja adequado, recomenda-se que o paciente seja examinado por inteiro e preferencialmente com luz natural (dia). Os adolescentes e os idosos em geral apresentam dificuldade de admitir a existência de outras lesões além daquelas que dão motivo à sua consulta – os adolescentes, por não estarem dispostos a se despir, e os idosos, em função de sua dificuldade para visualizá-las.

Na primeira inspeção, deve-se atentar para as características da pele – por exemplo, os fototipos (ver TABELA 172.1, Capítulo Reações Actínicas) – e proceder ao exame geral de toda a superfície cutânea, além da região afetada, observando coloração, umidade, textura, espessura, temperatura, elasticidade, mobilidade, turgor, continuidade, sensibilidade e lesões elementares. Além disso, devem-se examinar os cabelos, as unhas e as mucosas. A lupa pode ser utilizada para essa inspeção.

É importante também saber a procedência do paciente, a existência de viagens recentes (em especial no caso de doenças endêmicas), sua profissão (relevante para dermatoses ocupacionais) e a integração dos dados coletados na anamnese e no exame clínico e os resultados de exames instrumentais e laboratoriais.

### História clínica

Algumas perguntas devem fazer parte da anamnese dermatológica: quando, como e onde começaram as lesões? Trata-se de uma recidiva ou é a primeira vez que as lesões surgiram? As lesões são acompanhadas de algum sintoma (prurido, dor ou ardência, hipoestesia, anestesia)? Quais fatores desencadeiam ou agravam o problema? Há alguma doença diagnosticada previamente? Há outra queixa (ou sintoma) sem relação com o problema dermatológico? Faz uso de algum medicamento sistêmico ou tópico? Se sim, quais? Existe algum problema semelhante em outros membros da sua família?

### Morfologia das lesões

As lesões elementares podem ser primárias ou secundárias (TABELA 129.1). O aspecto geral das lesões pode ser descrito como em forma anular (em anel), numular (em moeda), em íris (ou alvo), policíclica, serpiginosa ou arciforme (ver tópico Formato, adiante, para mais detalhes). A superfície pode ser rugosa, áspera ou lisa; as bordas podem ser bem ou mal delimitadas, regulares ou irregulares. O Capítulo Abordagem Diagnóstica das Lesões de Pele apresenta um algoritmo baseado nessa morfologia para orientação do processo diagnóstico.

**TABELA 129.1** → Lesões primárias e secundárias

| PRIMÁRIAS | SECUNDÁRIAS |
|---|---|
| → Máculas | → Escamas |
| → Pápulas | → Crostas |
| → Urticas | → Soluções de continuidade |
| → Placas | → Escaras |
| → Nódulos | → Atrofia |
| → Tubérculos | → Esclerose |
| → Tumores | → Liquenificação |
| → Vesículas | → Cicatrizes |
| → Bolhas | |
| → Pústulas | |
| → Escamas | |

## Distribuição das lesões

A distribuição das lesões pode ter grande valor na diferenciação entre dois diagnósticos. Por exemplo, vesículas no lábio superior podem ser compatíveis com o diagnóstico de herpes simples, enquanto vesículas agrupadas seguindo um dermátomo podem corresponder a herpes-zóster.

## Exames instrumentais

A **digitopressão** é realizada pela pressão entre os indicadores. Na **vitropressão** ou **diascopia**, a pressão é efetuada com uma lâmina de vidro, com o objetivo de identificar ou não o clareamento de uma lesão cutânea: quando se examina uma lesão vermelha, se o clareamento ocorre, a lesão é constituída por vasodilatação (eritema); quando não ocorre, é constituída por extravasamento de sangue (púrpura). Também possibilita ver a cor amarelada produzida nos processos granulomatosos e distinguir entre nevo acrômico e anêmico.

A **curetagem metódica de Brocq** consiste na raspagem cuidadosa de uma lesão escamosa, que pode ser realizada com cureta ou com lâmina de bisturi. É particularmente útil no diagnóstico de psoríase.

**Testes de sensibilidade** são úteis sobretudo no diagnóstico da hanseníase. A área da lesão deve ser testada, assim como a pele normal, e os resultados devem ser comparados. Para a sensibilidade térmica, utilizam-se tubos de ensaio com água fria e quente ou dois pedaços de algodão, sendo um molhado com éter (frio) e o outro seco. Solicita-se que o paciente feche os olhos e identifique, ao tocar a área afetada, os instrumentos frios/quentes. Para a sensibilidade dolorosa, emprega-se a ponta e o cabo de uma agulha de injeção (descartável).

## Estudos de laboratório

Às vezes, é preciso realizar exames complementares. O principal é o anatomopatológico de pele, mas outros podem ser necessários, como os microbiológicos, imunológicos, genéticos, testes de contato e, em alguns casos, os de imagem.

# DEFINIÇÕES

## Definições gerais

A dermatose consiste em qualquer doença da pele. Pode ser localizada (restrita a um segmento corporal) ou disseminada (afetando mais de um segmento corporal). Quando a dermatose compromete mais de 90% da superfície cutânea, é chamada de **generalizada**; o termo **universal** é utilizado quando, além de toda a superfície cutânea, unhas e cabelos também são afetados.

Dermatite é a inflamação cutânea que pode ter diferentes etiologias.

*Rash* é a erupção, em geral súbita, de qualquer tipo de lesão elementar, mas frequentemente predomina o eritema.

Exantema é a erupção súbita de lesões eritematosas planas ou elevadas (ver mais detalhes adiante). Em certas ocasiões, os termos *rash* e exantema podem ser empregados com o mesmo significado.

## Lesões elementares

As lesões elementares, primárias (ou primitivas) e secundárias são apresentadas na TABELA 129.1. As lesões primárias surgem sobre a pele sã; as secundárias surgem sobre uma lesão primária ou podem representar a evolução de uma lesão primária. Por exemplo: em um paciente com varicela, a lesão primária é a vesícula. A crosta, que aparece pelo ressecamento do conteúdo da vesícula, e as máculas hiper ou hipocrômicas residuais são secundárias. As lesões elementares podem, ainda, ser classificadas como segue.

## Alterações da coloração

Correspondem às **manchas** quando > 1 cm e às **máculas** quando < 1 cm. Podem ser de origem vascular ou pigmentar.

### Manchas de origem vascular

→ **Mancha eritematosa:** coloração avermelhada, bem delimitada e > 1 cm, como consequência da vasodilatação na microcirculação; desaparece à digitopressão e não está acompanhada de alterações na temperatura local (FIGURA 129.1).

→ **Mancha cianótica:** coloração azulada, bem delimitada e > 1 cm, decorrente da vasocongestão ativa ou passiva, acompanhada, em geral, de diminuição da temperatura.

→ **Rubor:** eritema intenso acompanhado de aumento da temperatura no local (p. ex., abscesso, erisipela).

→ **Exantema:** eritema disseminado ou generalizado, agudo, de duração relativamente curta (dias). O eritema costuma preceder ou acompanhar outras lesões elementares (máculas, pápulas, púrpura), compondo exantemas específicos. De forma geral, os exantemas podem ser divididos ainda em morbiliformes, onde as áreas de eritema são entremeadas com áreas de pele normal, e escarlatiniformes, onde o eritema é difuso, uniforme e habitualmente acompanhado de ressalte folicular e descamação.

→ **Enantema:** eritema localizado nas mucosas. O termo também é utilizado para referir exantema de mucosas.

→ **Mancha lívida:** mancha de coloração pálida, cinza-azulada, acompanhada de diminuição da temperatura e, em geral, produzida por isquemia.

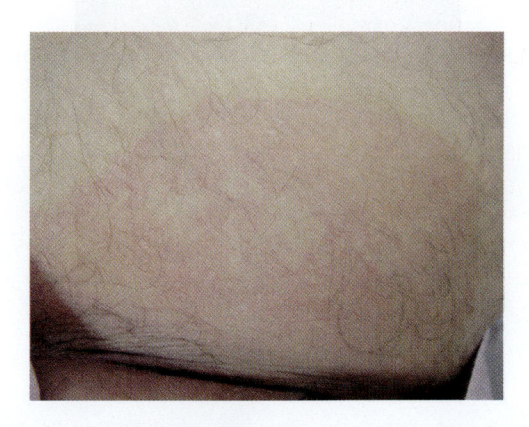

**FIGURA 129.1** → Mancha eritematosa.

→ **Mancha vascular:** mancha de cor vermelha que desaparece à vitropressão. As manchas vasculares podem ter origem na malformação ou na neoformação dos vasos sanguíneos dérmicos.

→ **Mancha anêmica:** mancha determinada por agenesia vascular que desaparece ao realizar vitropressão.

→ **Telangiectasia:** lesão eritematosa linear, sinuosa, que representa a dilatação de vasos sanguíneos dérmicos.

→ **Púrpura:** as púrpuras compreendem três tipos de lesões elementares – as **petéquias** (FIGURA 129.2), que são máculas puntiformes hemorrágicas; as **equimoses**, que são manchas de coloração vermelho-vivo ou "bordô"; e a **víbice**, que corresponde à púrpura com disposição linear. Essas lesões ocorrem em função do extravasamento de hemácias na derme e não desaparecem à vitropressão. Na evolução, as equimoses tendem a tornar-se roxas e, após, verde-amareladas, pela absorção do pigmento (hemossiderina).

Cabe mencionar que o termo **eritema** é usado para definir uma alteração vascular difusa e mal delimitada. Isso também vale para o termo **cianose**.

### Manchas de origem pigmentar

Podem surgir em decorrência de alterações na quantidade de pigmento melânico ou pela presença de outros pigmentos endógenos (p. ex., hemossiderina, caroteno) ou exógenos (pigmentos de tatuagens). Podem ser classificadas em hipercrômicas (aumento da pigmentação), hipocrômicas (diminuição do pigmento) ou acrômicas (ausência do pigmento). As manchas hipocrômicas e acrômicas referem-se particularmente ao pigmento melânico.

## Alterações sólidas

→ **Pápulas e placas:** espessamentos que podem ser epidérmicos, dérmicos ou dermoepidérmicos, tendo como consequência a elevação da pele (FIGURA 129.3). Podem ser causados por diferentes processos patológicos, sendo os mais comuns a inflamação e as neoformações. As lesões sólidas podem ser acompanhadas ou não de alterações da coloração da pele e, nesse caso, a coloração deve seguir a descrição da lesão elementar (p. ex., pápulas eritematosas, ou pápulas da cor da pele). As **pápulas** correspondem a lesões < 1 cm, e as **placas**, a lesões > 1 cm. As alterações de textura e espessura também podem ser denominadas placas, apesar de não haver elevação. Como exemplo, cita-se a morfeia em placa, a qual, por vezes, não é visível, mas palpável. Outra situação é a placa alopécica, na qual em geral também não há elevação, caracterizando-se pela ausência de cabelos em uma área determinada.

→ **Infiltração:** aumento de consistência da pele (em geral por aumento de celularidade dérmica ou hipodérmica), sem acentuação de seus sulcos.

→ **Liquenificação:** aumento da consistência por aumento da espessura epidérmica, acompanhada de acentuação dos sulcos cutâneos.

→ **Esclerose:** endurecimento cutâneo (que pode ter aderência a planos profundos) circunscrito ou difuso, acompanhado de diminuição ou ausência de pelos e sulcos, que ocorre como consequência da fibrose dérmica.

→ **Atrofia:** diminuição do tecido cutâneo, podendo ser superficial, quando a pele se torna fina com transparência dos vasos dérmicos, como na atrofia senil; profunda, quando causada pela perda do tecido conectivo dérmico; e lipoatrofia, que ocorre pela perda do tecido adiposo subcutâneo. Os termos empregados para alterações de espessura podem ser conjugados com o termo **placa** e descritos como placa infiltrada, placa liquenificada, placa esclerótica e placa atrófica.

→ **Cicatriz:** também classificada como uma sequela, refere-se a uma proliferação de tecido fibroso resultante do processo fisiológico de reparo dos tecidos quando danificados. Pode ser **hipertrófica** quando é elevada, porém mantendo os limites do tecido lesionado; **queloide** quando o tecido fibrótico ultrapassa os limites do tecido lesionado; ou **atrófica**, quando, em vez de elevada, é deprimida (FIGURA 129.4). A **estria** é uma cicatriz

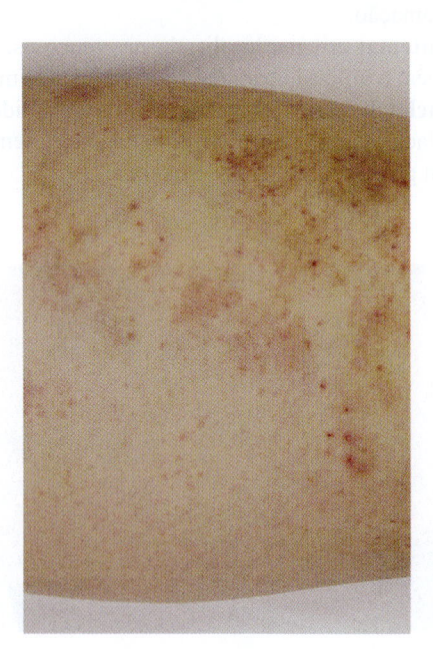

**FIGURA 129.2** → Púrpura (petéquias).

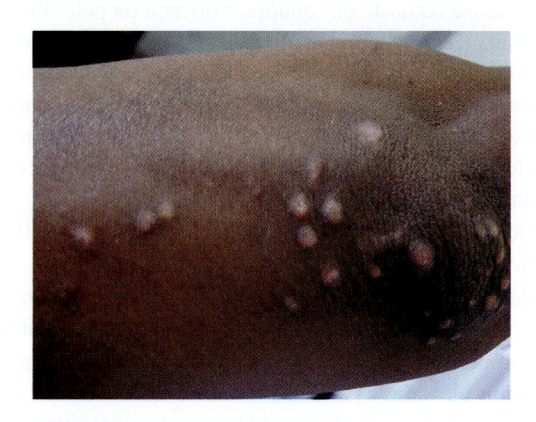

**FIGURA 129.3** → Pápulas.

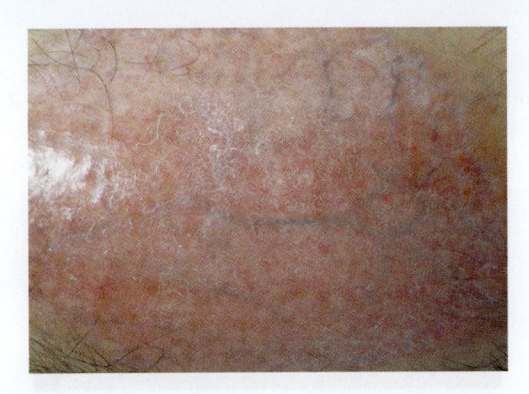

**FIGURA 129.4** → Cicatriz atrófica.

atrófica linear que pode ser violácea (recente) ou nacarada (tardia).
→ **Edema:** acúmulo de líquido na derme, tornando a pele lisa e brilhante.
→ **Nódulos:** lesões de localização profunda, nem sempre elevadas, mas sempre palpáveis. A distinção entre placa e nódulo é feita pela profundidade da lesão. Os nódulos se localizam na derme profunda ou no tecido celular subcutâneo e medem, em geral, entre 1 e 3 cm.
→ **Cistos:** lesões esféricas ou ovaladas (nódulos ou pápulas) que, à palpação, têm consistência amolecida. Representam uma cápsula em formato de saco com conteúdo líquido ou semissólido.
→ **Tumorações:** lesões maiores do que os nódulos (> 3 cm) com componente endofítico ou exofítico, de acordo com o sentido da projeção. Podem ser malignas ou benignas **(FIGURA 129.5)**.
→ **Goma:** nódulo que se liquefaz na porção central, ulcera e elimina material necrótico pela área ulcerada.
→ **Tubérculos:** pápulas ou nódulos que evoluem, deixando cicatriz.
→ **Urtica:** elevação transitória da pele produzida por edema dérmico. Apresenta tamanhos e configurações variadas, coloração eritematosa e prurido. Em geral, desaparece em 24 horas.
→ **Ceratose:** pápula ou placa com aumento de camada córnea, superfície dura e amarelada.

A forma das lesões sólidas, de acordo com Azulay (ver Leituras Recomendadas), pode ser descrita como séssil, pedunculada, verrucosa (vegetação seca), condilomatosa (vegetação úmida), umbilicada (com uma depressão central), plana e em domo (arredondada).

### Alterações com conteúdo líquido

A distinção entre vesícula, pústula e bolha é realizada mediante inspeção do tamanho e do conteúdo no interior da lesão. O nível desse acúmulo pode ser epidérmico ou subepidérmico.
→ **Vesícula:** elevação da pele preenchida por líquido seroso de até 1 cm de diâmetro **(FIGURA 129.6)**.
→ **Pústula:** elevação da pele preenchida por líquido purulento de até 1 cm de diâmetro.
→ **Bolha:** elevação da pele > 1 cm de diâmetro com conteúdo líquido (a bolha pode ter conteúdo seroso, purulento ou hemorrágico). Quando o nível do material acumulado é mais profundo, ocorre o **abscesso** (coleção de pus) ou o **hematoma** (coleção de sangue). Sinais específicos como calor, rubor, dor e flutuação acompanham o abscesso. No hematoma, a coloração pode variar do vermelho e do roxo até o esverdeado, em decorrência da absorção gradual do sangue nos tecidos.
→ **Seropápula:** é uma pápula – no seu centro se forma uma vesícula ou bolha. É a lesão típica do estrófulo.

### Alterações de continuidade

→ **Erosão ou exulceração:** solução de continuidade que afeta somente a epiderme e que não deixa cicatriz.
→ **Úlceras/ulceração:** a solução de continuidade pode chegar até o tecido celular subcutâneo ou fáscia e sempre deixa cicatriz **(FIGURA 129.7)**.
→ **Escoriações:** lesões, em geral produzidas pelo ato de coçar, constituídas de erosões e, com menor frequência, ulcerações.
→ **Fissura:** perda tecidual linear, muitas vezes encontrada onde a pele é fisiologicamente mais espessa, como em palmas das mãos e plantas dos pés.

### Perdas teciduais

→ **Escamas:** lâminas de estrato córneo que se desprendem **(FIGURA 129.8)**. De acordo com o tamanho, podem ser furfuráceas (pitiriasiformes) – escama farelenta, branca, fina

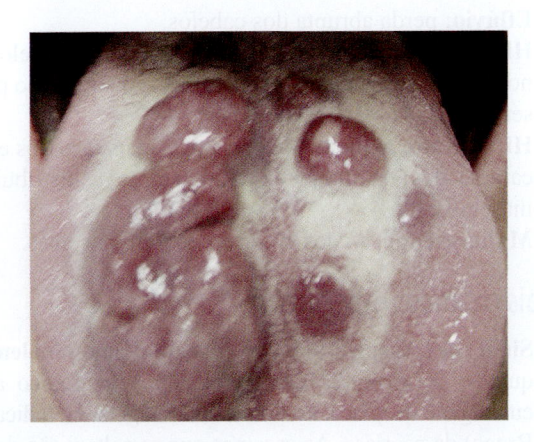

**FIGURA 129.5** → Tumoração.

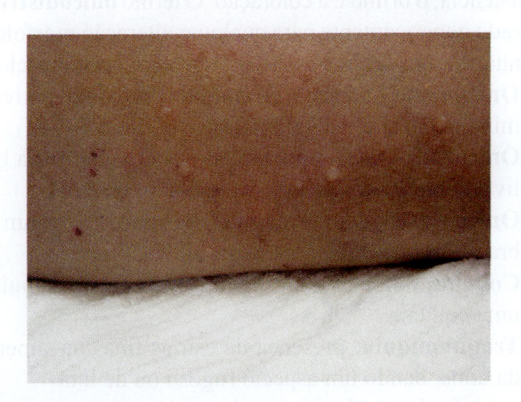

**FIGURA 129.6** → Vesículas.

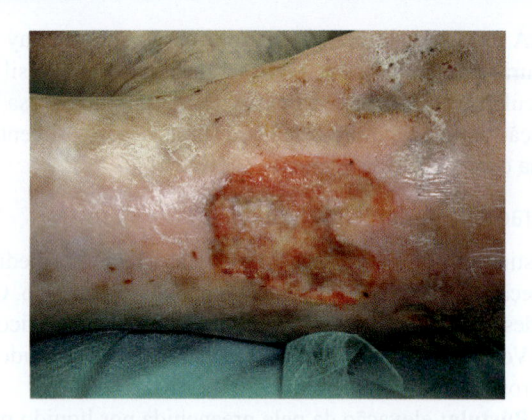

**FIGURA 129.7** → Úlcera.

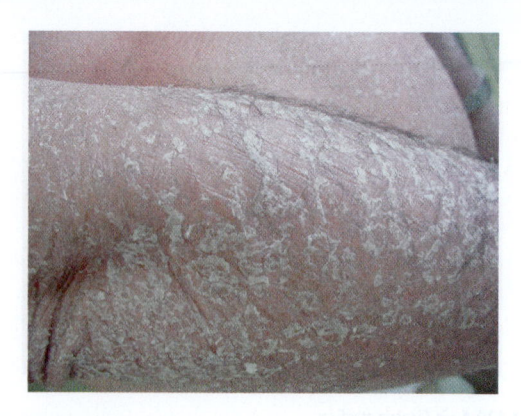

**FIGURA 129.8** → Escamas.

e milimétrica –; micáceas (psoriasiformes) – escama branco-prateada, de espessura variável –; foliáceas – escama grande, fina e branca, como folhas de papel –; e ictiosiformes – escama poligonal como escama de peixe, branca ou escura. As escamas podem ser lesões primárias na psoríase, por exemplo; ou secundárias, nos eczemas. As **crostas** correspondem a líquidos que extravasaram e solidificaram. Podem ter origem em transudato, exsudato, pus ou sangue.
→ **Escaras:** lesões enegrecidas produzidas pela necrose da pele até a profundidade.

## Lesões cutâneas especiais

→ **Comedões:** acúmulos de material córneo e sebo no interior do folículo pilossebáceo. Podem ser abertos (pontos negros) ou fechados.
→ *Milium* **(cisto de mílio):** pequeno acúmulo superficial de ceratina (no estrato córneo), de coloração branco-amarelada.
→ **Túnel:** elevação linear e irregular, em geral < 1 cm. É encontrado na escabiose.
→ **Poiquiloderma:** combinação de atrofia, telangiectasia e discromia (hipo e hiperpigmentação).

## Unhas

As características das unhas a serem analisadas são o formato, a forma de implantação, a espessura, a superfície, a consistência, o brilho e a coloração. O termo **onicodistrofia** é utilizado genericamente para qualquer alteração morfológica da unha. Alguns termos específicos devem ser conhecidos:
→ **Onicomadese:** separação completa proximal entre a lâmina ungueal e o leito ungueal.
→ **Onicólise:** separação completa distal (a partir da borda livre) entre a lâmina ungueal e o leito ungueal.
→ **Onicorrexe:** fissuras longitudinais que ocasionam quebra ou fratura da lâmina ungueal.
→ **Coiloníquia:** curvatura contrária da unha, simulando uma colher.
→ **Traquioníquia:** presença de estrias finas na superfície da unha, dando um aspecto rugoso ou de lixa.
→ **Anoníquia:** ausência de unhas.
→ **Microníquia:** unhas pequenas.

→ **"Pitting" ungueal:** depressões puntiformes que dão à lâmina ungueal o aspecto de dedal de costureiro.
→ **Leuconíquia:** unhas brancas. Pode ser pontual ou afetar as unhas difusamente.
→ **Melanoníquia:** coloração escura por pigmento melânico da unha.
→ **Onicomalácia:** unha amolecida.
→ **Paroníquia:** inflamação das pregas ungueais, ao redor da unha.
→ **Linhas Beau:** linhas ou sulcos transversais originados por suspensão temporária na onicogênese.

## Cabelos e pelos

As características dos cabelos e pelos a serem analisadas são a distribuição, a forma de implantação (na mulher, costuma ser diferente do homem), a quantidade de fios, a coloração, o brilho, a consistência e a espessura. É importante saber que, na infância, os cabelos costumam ser mais finos, em menor número e discretamente mais claros do que após a puberdade. Alguns termos devem ser conhecidos:
→ **Alopecia:** ausência de pelos em áreas pilosas. Pode ser em placas, total (quando todo o couro cabeludo está afetado) ou universal (quando, além do couro cabeludo, há ausência de cílios, sobrancelhas e pelo corporal).
→ **Poliose:** mecha de cabelos brancos.
→ **Canície:** cabelos e pelos brancos, devido à perda da atividade dos melanócitos.
→ **Eflúvio:** perda abrupta dos cabelos.
→ **Hipertricose:** aumento dos pelos lanuginosos (pelos finos e pouco pigmentados) no corpo. A distribuição pode ser localizada ou generalizada.
→ **Hirsutismo:** aumento de pelos terminais (grossos e encaracolados) na mulher, com um padrão de distribuição masculino.
→ **Madarose:** queda dos cílios ou das sobrancelhas.

## Sinais cutâneos específicos

→ **Sinal de Auspitz (ou do orvalho sanguinolento):** quando se identifica um pontilhado hemorrágico após curetagem de placa escamosa (curetagem metódica de Brocq) da psoríase. As escamas que se soltam são de aspecto micáceo, resultando no denominado "sinal da vela".

→ **Sinal de Darier:** realizado pela fricção de uma lesão cutânea (em geral, mancha), que se torna edematosa e eritematosa após alguns minutos. Esse sinal é encontrado em pacientes com mastocitose cutânea.
→ **Sinal de Köebner ou isomorfismo:** fenômeno imunológico que ocasiona a reprodução de lesões cutâneas (semelhantes às encontradas em outras regiões do corpo) sobre uma área de pele que sofreu traumatismo. Esse sinal pode ser visto, por exemplo, na psoríase e no líquen plano.
→ **Patergia:** desenvolvimento de lesões em local de pequeno traumatismo, como em local de injeções. Esse sinal pode ser encontrado no pioderma gangrenoso e na doença de Behçet.
→ **Sinal de Nikolski:** separação da epiderme da derme pela pressão exercida pelos dedos contra a pele. Esse sinal é observado nos pênfigos.
→ **Sinal de Zireli:** descamação encontrada pelo estiramento da pele. Esse sinal é encontrado na pitiríase versicolor.
→ **Sinal de Sampaio:** bainha gelatinosa encontrada na raiz dos cabelos. Esse sinal é visto em doenças como lúpus ou pseudopelada.
→ **Sinal de Léser-Trelat:** súbito surgimento de múltiplas ceratoses seborreicas, com tendência a possuir base inflamatória e prurido. Pode significar neoplasia subjacente; as mais comuns são os adenocarcinomas gastrintestinais.
→ **Sinal de Crowe:** múltiplas efélides axilares (pode também ocorrer em outras áreas de dobras). Pode estar presente na neurofibromatose tipo I.

## Formato e distribuição das lesões cutâneas

### Formato

A forma de uma lesão pode ser pista suficiente para o diagnóstico. As lesões pequenas arredondadas e ovaladas podem receber o nome de **gutata** (forma de gotas), **numulares** (forma de moeda) ou **discoides** (forma de disco). O formato **anular** (em anel) refere-se a lesões que se expandem perifericamente, deixando a pele no centro com aspecto normal. Quando parte do círculo clareia, utiliza-se o termo **circinado** ou **arciforme** (em arco). Quando vários semicírculos se unem formando uma única lesão, ela é denominada **policíclica**. A lesão **irisada** ou em íris (com círculos concêntricos) forma o típico aspecto em alvo, e a lesão **geográfica** é a que possui contornos irregulares simulando um mapa. Diz-se **reticular** quando pele sã e pele com lesões são entremeadas, simulando uma rede ou renda (o exemplo típico é o livedo reticular).

### Distribuição

Há diferentes modelos de disposição (distribuição) das lesões cutâneas:
→ **Linear (seguindo linhas):** pode seguir linhas de Blaschko (linear blaschkoide), um trajeto linfangítico (linear esporotricoide) ou segmentar (linear zosteriforme).
→ **Herpetiforme:** lesões agrupadas (muito próximas), parcialmente confluentes (o exemplo típico são as lesões de herpes simples).
→ **Zosteriforme:** lesões agrupadas, com confluência parcial, sobre um dermátomo. O exemplo típico é o herpes-zóster.

O leitor pode encontrar ilustrações adicionais (FIGURAS S129.1 a S129.37) que exemplificam cada lesão elementar no QR code.

## Exame dermatológico e etnias

Apesar de as dermatoses ocorrerem de forma similar entre indivíduos de diferentes etnias, há algumas particularidades dignas de nota, principalmente no que concerne à avaliação semiológica e clínica:[1,2]

→ no reconhecimento das lesões elementares, a hiperpigmentação cutânea ocasiona modificações na percepção das cores. As acrômicas, por exemplo, tornam-se muito evidentes; já o eritema é de difícil reconhecimento na pele hiperpigmentada, e as lesões violáceas mostram-se azuladas escuras ou ardósias. Assim, os exantemas medicamentosos e infecciosos, por exemplo, são "menos eritematosos";[1]
→ quanto aos fios capilares, em pacientes afro-americanos, há uma tendência maior ao ulotríquio, e o folículo acentuadamente curvo possui relação com a formação de inflamação e resposta queloidiforme ("pseudofoliculite" e "acne queloidiana");[1]
→ parecem ocorrer respostas pós-inflamatórias mais acentuadas, tanto hipo como hiperpigmentadas, nos pacientes com pele com fototipos elevados;[1]
→ a percepção dos sinais clínicos de envelhecimento cutâneo ocorrem menos frequentemente em pacientes negras quando comparadas às hispânicas, asiáticas e brancas.[2]

## REFERÊNCIAS

1. Alchorne MM de A, Abreu MAMM de. Dermatologia na pele negra. An Bras Dermatol. 2008;83(1):7–20.
2. Alexis AF, Grimes P, Boyd C, Downie J, Drinkwater A, Garcia JK, et al. Racial and ethnic differences in self-assessed facial aging in women: results from a multinational study. Dermatol Surg. 2019;45(12):1635–48.

## LEITURAS RECOMENDADAS

Azulay DR, Azulay-Abulafia L, Azulay RD. Semiologiadermatológica. In: Azulay RD, Azulay DR. Dermatologia. 5. ed. Rio de Janeiro: Guanabara Koogan; 2008. p 39-60.

*Dicionário dermatológico. Boas fotografias ilustram as lesões elementares. Traz exemplos de patologias associadas a lesões elementares específicas.*

Cabrera HN, Gatti CF. Semiologíadermatológica. In: Cabrera HN, Gatti CF. Dermatología de Gatti-Cardama. Buenos Aires: El Ateneo; 2003. cap. 2.

*Lesões dermatológicas primárias e secundárias.*

Menzies SW, Crotty KA, Ingvar C, Ingvar C, McCarthy WH. Atlas de microscopia de superfície de lesões pigmentadas da pele: dermatoscopia. 2. ed. Rio de Janeiro: DiLivros; 2004.

Atlas que traz conceitos de dermatoscopia e descrição detalhada dos achados da dermatoscopia de lesões cutâneas pigmentadas. Também fornece algoritmos para o diagnóstico de lesões benignas e malignas.

Paller AS, Mancini AJ. An Overview of Dermatologic Diagnosis. In: Hurwitz Clinical Pediatric Dermatology. 4th ed. Philadelphia: Elsevier Saunders; 2011. p 1-9.
Aspectos particulares da semiologia dermatológica em crianças.

Vasconcellos C, Criado PRC. Semiologia Dermatológica e Lesões Elementares. In: Belda Jr W, diChiacchio N, Criado PRC. Tratado de Dermatologia. 3. edição. Rio de Janeiro: Atheneu; 2018. p. 91-112.
Tratado completo.

Wolff K, Johnson RA, Saavedra AP, Roh EK. Abordagem ao Diagnóstico Dermatológico. In: Wolff K, Johnson RA, Saavedra AP, Roh EK. Dermatologia de Fitzpatrick Atlas e Texto. 8. ed. Porto Alegre: AMGH; 2019. p. xxviii-xxxix.
Semiologia em síntese

Atlas Dermatológico Brasileiro. Disponível em: http://www.atlasdermatologico.com.br/
Atlas dermatológico. Apresenta índice alfabético.

Dermatology Information System. Disponível em: http://www.dermis.net/dermisroot/en/home/index.htm
Atlas elaborado em cooperação pela University of Heidelberg e pela University of Erlangen. Utiliza um sistema de busca de diagnósticos por palavras, ordem alfabética ou topografia.

International Atlas of Dermoscopy and Dermatoscopy. Disponível em: www.dermoscopyatlas.com/
Atlas de fotografias de achados de dermatoscopia.

International Dermoscopy Society. Disponível em: http://www.dermoscopy.org
Breve discussão do uso do dermatoscópio, essencial no estudo de determinados tipos de lesões, notadamente as melanocíticas.

Wood's lamp. Disponível em: http://en.wikipedia.org/wiki/Wood%27s_lamp
Descreve o que é a lâmpada de Wood e sua utilidade, particularmente nas situações em que há fluorescência, como nas tinhas do couro cabeludo, na pitiríase versicolor, no eritrasma e na porfiria. Pode ainda ajudar a identificar manchas não perceptíveis ao olho nu, além de auxiliar na diferenciação entre mancha hipocrômica e acrômica.

# Capítulo 130
## ABORDAGEM DIAGNÓSTICA DAS LESÕES DE PELE

Diogo Luis Scalco

Vanessa Santos Cunha

As lesões de pele representam, em todo o mundo, um dos principais motivos de consulta na atenção primária à saúde (APS). Um recente projeto para melhorar a saúde global identificou que as doenças da pele constituem a quarta causa não fatal mais importante de doença.[1] Estudo de diagnóstico de demanda realizado em ambiente de APS, no município de Florianópolis, no estado de Santa Catarina, mostrou que lesões de pele foram motivo de 6,4% das consultas.[2] Um estudo holandês em clínicas de APS mostrou predomínio de dermatites, seguidas por neoplasias benignas, psoríase e acne.[3] Em um estudo britânico, eczemas foram as condições dermatológicas mais diagnosticadas (22% dos atendimentos por queixa dermatológica), seguidos por infecções e infestações (20%) e tumores benignos (11%).[4] Em termos de diagnósticos dermatológicos novos em ambientes de APS norte-americanos, ao longo de 2 anos, 32% das lesões identificadas eram neoplasias benignas da pele, 13% eram doenças inflamatórias, 11% eram doenças virais, e 11% eram dermatoses fúngicas.[5]

**A chave para o manejo de pacientes com lesões de pele é o diagnóstico acurado, uma vez que as informações adicionais necessárias a respeito da condição dermatológica podem ser facilmente encontradas nos demais capítulos desta seção ou, em alguns casos, para os problemas menos comuns, em outras fontes.[6]**

Devido às múltiplas formas de apresentação das lesões de pele, erros diagnósticos são frequentes. Em um estudo com residentes de dermatologia, medicina interna e cirurgia geral, o índice de acertos foi de 51, 39 e 34%, respectivamente.[7] Diante de uma lesão de pele que gera dúvida diagnóstica, uma abordagem comum é recorrer a fotografias de lesões semelhantes. Entretanto, como os profissionais de APS têm o olhar menos treinado para detectar padrões sutis de uma lesão em uma imagem, essa abordagem como auxílio diagnóstico pode não ser a mais adequada.

## ALGORITMO DIAGNÓSTICO PARA LESÕES DE PELE

Partindo do pressuposto de que métodos pouco sistemáticos de diagnóstico devem ser substituídos por uma abordagem ordenada que seja prática e confiável, adaptou-se um algoritmo de abordagem diagnóstica dermatológica simplificada (FIGURA 130.1).[6]

Dentre as possibilidades diagnósticas, estão 71 doenças dermatológicas mais comumente encontradas e outras 11 que, embora menos frequentes, têm importância, seja pela gravidade, pela contagiosidade ou pela facilidade de tratamento. Essas 82 doenças são subdivididas em 10 categorias baseadas na similaridade de aparência (FIGURA 130.2).

Todas as doenças com morfologia compartilhada, independentemente de diferenças quanto à etiologia, são reunidas nos mesmos grupos diagnósticos maiores. Com base no conceito de que "[...] manifestações incomuns de doenças comuns são mais comuns do que doenças incomuns", as condições com apresentação polimórfica ou variável são listadas em mais de um grupo. Por exemplo, o eritema multiforme, que pode ocorrer com ou sem a presença de bolhas, está incluído tanto no grupo de "doenças vesicobolhosas" como no grupo de "reações vasculares".

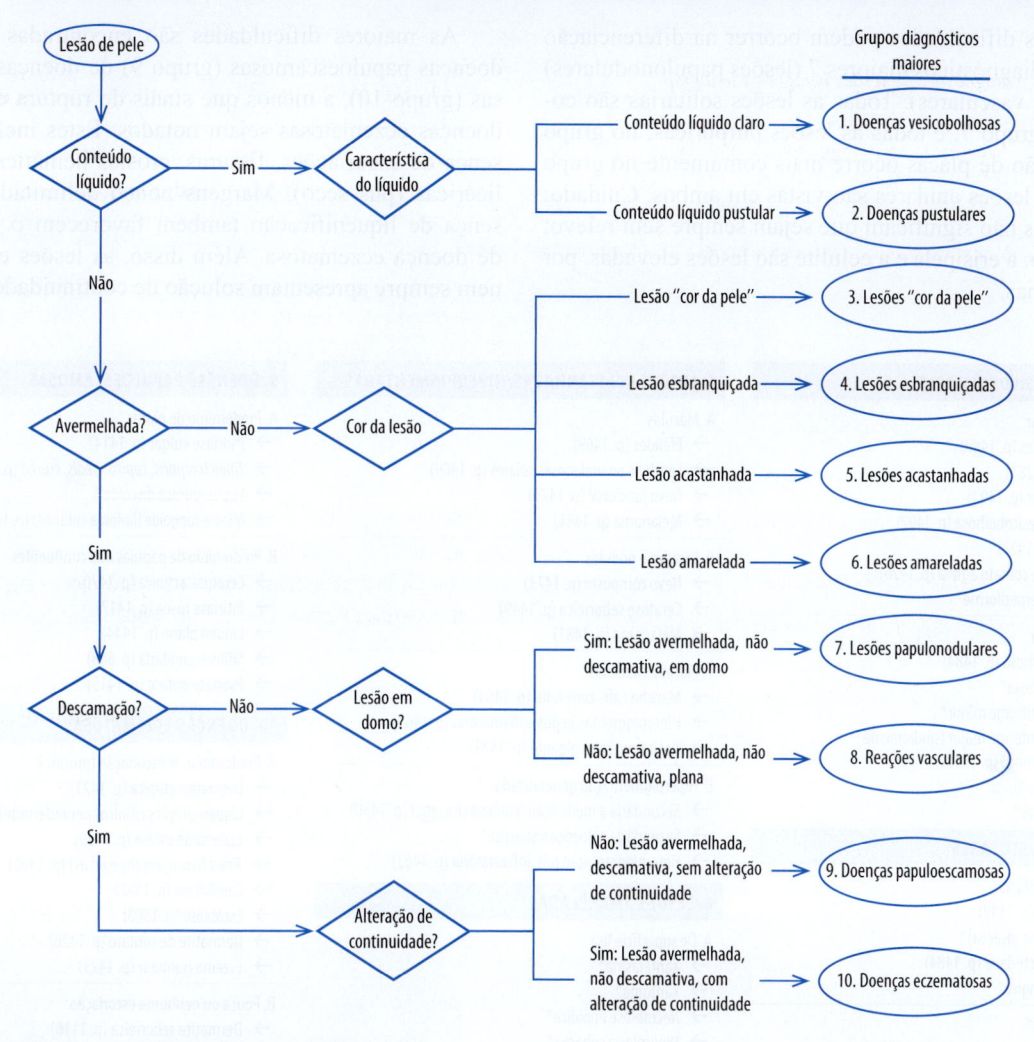

**FIGURA 130.1** → Algoritmo para abordagem diagnóstica das lesões de pele.
Fonte: Adaptada de Lynch e Edminster.[6]

O uso do algoritmo exige apenas um reconhecimento adequado das lesões elementares da pele (ver Capítulo O Exame da Pele), cujas respostas levam, sistematicamente, a um dos grupos diagnósticos maiores. Dado que o número de doenças nesses grupos ainda pode ser um pouco grande para investigações pontuais em ambiente de atendimentos, cada um foi subdividido em subcategorias (ver **FIGURA 130.2**) baseadas em características morfológicas facilmente reconhecíveis. Por exemplo, as "doenças vesicobolhosas" são subdivididas em doenças primariamente vesiculares e doenças primariamente bolhosas. Algumas dermatoses podem apresentar vesículas e/ou bolhas, como dermatite de contato aguda, herpes-zóster e prurigo estrófulo.

A maior parte das questões são autoexplicativas, mas algumas necessitam de definição ou esclarecimento. As lesões sem alteração de relevo, apenas com variação de cor, são as chamadas máculas e manchas, que diferem entre si apenas em tamanho. Pápulas, nódulos e placas são palpáveis, isto é, são lesões elevadas e visíveis. Quando menores do que 1 cm de diâmetro, são pápulas; se maiores, são placas. Lesões maiores, em formato de domo, quando em corte transversal, são nódulos. Lesões com conteúdo líquido em seu interior são reconhecidas facilmente quando grandes e intactas (bolhas). No entanto, vesículas com 1 ou 2 mm de diâmetro são facilmente ignoradas, a menos que uma inspeção cuidadosa seja realizada.

Uma lesão vesicobolhosa rota pode ser reconhecida pela presença de erosão arredondada e de fragmentos que restaram do teto da bolha ou vesícula nas bordas. Pústulas são vesículas com conteúdo purulento (leucócitos polimorfonucleares). Vesículas turvas não são pústulas. As lesões são "cor da pele" quando têm a mesma cor da pele que as circunda. Lesões acastanhadas são sempre mais escuras, e lesões esbranquiçadas, sempre mais claras do que a pele circundante.

A presença de escamas pode passar despercebida. Escamas maiores branco-prateadas (psoriasiformes) não são difíceis de reconhecer; no entanto, escamas farelentas, finas e milimétricas (pitiriasiformes), compactas e aderentes (liquenoides) não serão percebidas a menos que a superfície seja raspada e palpada cuidadosamente. Banho recente ou aplicação de algum creme ou preparação oleosa podem obscurecer a presença da descamação, exceto se isso for especificamente questionado ao paciente.

Algumas dificuldades podem ocorrer na diferenciação dos grupos diagnósticos maiores 7 (lesões papulonodulares) e 8 (reações vasculares). Todas as lesões solitárias são colocadas no grupo 7, e todas as lesões purpúricas, no grupo 8. A formação de placas ocorre mais comumente no grupo 8, enquanto lesões anulares são vistas em ambos. Cuidado: lesões planas não significam que sejam sempre sem relevo; por exemplo, a erisipela e a celulite são lesões elevadas, por vezes, e planas.

As maiores dificuldades são encontradas ao separar doenças papuloescamosas (grupo 9) de doenças eczematosas (grupo 10), a menos que sinais de ruptura epitelial das doenças eczematosas sejam notados. Estes incluem a presença de escoriações, fissuras, crostas hemáticas e/ou melicéricas (pus seco). Margens pouco delimitadas e a presença de liquenificação também favorecem o diagnóstico de doença eczematosa. Além disso, as lesões eczematosas nem sempre apresentam solução de continuidade, ainda que

### 1. DOENÇAS VESICOBOLHOSAS

A. Doença vesicular
→ Herpes simples (p. 1489)
→ Varicela (p. 1281)
→ Herpes-zóster (p. 1492)
→ *Tinea pedis* vesicobolhosa (p. 1497)
→ Disidrose (p. 1428)
→ Dermatite de contato aguda (p. 1426)
→ Dermatite herpetiforme*

B. Doença bolhosa
→ Impetigo bolhoso (p. 1484)
→ Erisipela bolhosa*
→ Eritema multiforme minor*
→ Eritema multiforme major (síndrome de Stevens-Johnson) (p. 1430)
→ Penfigoide bolhoso*
→ Pênfigo vulgar*

### 2. DOENÇAS PUSTULARES

A. Pústulas verdadeiras
→ Acne vulgar (p. 1449)
→ Rosácea (acne rosácea)*
→ Foliculite bacteriana (p. 1484)
→ Foliculite fúngica*

B. Pústulas "falsas"
→ Ver pápulas esbranquiçadas (grupo 4)*

### 3. LESÕES "COR DA PELE"

A. Ceratóticas (superfície rugosa)
→ Verrugas (vulgares ou plantares) (p. 1447)
→ Ceratose actínica (p. 1470)
→ Ceratose seborreica (p. 1449)
→ Calosidade*
→ Carcinoma espinocelular verrucoso (p. 1479)

B. Não ceratóticas (superfície lisa)
→ Verrugas (planas, genitais) (p. 1447, 1447)
→ Carcinoma basocelular ou espinocelular (com ou sem ulceração) (p. 1477, 1479)
→ Cistos epidérmicos (p. 1476)
→ Lipomas (p. 1475)
→ Molusco contagioso (p. 1441)
→ Nevo intradérmico (p. 1473)
→ Ceratose seborreica plana (p. 1449)

### 4. LESÕES ESBRANQUIÇADAS

A. Manchas e/ou placas esbranquiçadas
→ Pitiríase alba (p. 1423)
→ Pitiríase versicolor (p. 1624)
→ Vitiligo (p. 1625)
→ Hipopigmentação pós-inflamatória*
→ Hanseníase (p. 1809)

B. Pápulas esbranquiçadas
→ Mília*
→ Ceratose pilar (p. 1423)
→ Molusco contagioso (p. 1441)
→ Hiperplasia sebácea (área fotoexposta)*

### 5. LESÕES ACASTANHADAS/HIPERPIGMENTADAS

A. Máculas
→ Efélides (p. 1469)
→ Lentigos ou melanoses solares (p. 1469)
→ Nevo juncional (p. 1473)
→ Melanoma (p. 1481)

B. Pápulas e nódulos
→ Nevo composto (p. 1473)
→ Ceratose seborreica (p. 1449)
→ Melanoma (p. 1481)

C. Placas e manchas
→ Mancha café-com-leite (p. 1463)
→ Hiperpigmentação pós-inflamatória (p. 1463)
→ Nevo congênito gigante (p. 1473)

D. Hiperpigmentação generalizada
→ Secundária a medicação (clofazimina, etc.) (p. 1430)
→ Secundária a doença sistêmica*
→ Hiperpigmentação pós-inflamatória (p. 1463)

### 6. LESÕES AMARELADAS

A. De superfície lisa
→ Xantelasma*
→ Xantoma*
→ Necrobiose lipoídica*
→ Hiperplasia sebácea*

B. De superfície rugosa
→ Ceratose actínica (p. 1470)
→ Ver doenças vesicobolhosas (grupo 1) e eczematosas (grupo 10), em fase de crostas*

### 7. LESÕES PAPULONODULARES

A. Pápulas/placas eritematosas não descamativas
→ Prurigo estrófulo (picada de inseto) (p. 1440)
→ Escabiose (p. 1500)
→ Angioma rubi*
→ Granuloma anular*

B. Nódulos eritematosos não descamativos
→ Furúnculos (p. 1487)
→ Cistos epidérmicos inflamados (p. 1476)
→ Hidrosadenite supurativa (p. 921)
→ Eritema nodoso (p. 1441)

### 8. REAÇÕES VASCULARES

A. Lesões não purpúricas
→ Exantemas (virais, farmacodermias) (p. 1394, 1430)
→ Urticária (p. 1438)
→ Dermatite fototóxica (p. 1468)
→ Eritema multiforme (p. 1430)
→ Celulite/erisipela (p. 1487)
→ Lúpus eritematoso sistêmico (p. 1401)
→ Angioma aracneiforme*

B. Lesões purpúricas
→ Vasculites (p. 1430)
→ Púrpura (p. 1464)
→ Petéquias/equimoses (p. 1464)

### 9. DOENÇAS PAPULOESCAMOSAS

A. Predomínio de placas
→ Psoríase vulgar (p. 1414)
→ *Tinea* (*corporis, capitis, pedis, cruris*) (p. 1496)
→ Lúpus crônico discoide*
→ Micose fungoide (linfoma cutâneo) (p. 1418)

B. Predomínio de pápulas não confluentes
→ Ceratose actínica (p. 1470)
→ Pitiríase rósea (p. 1417)
→ Líquen plano (p. 1444)
→ Sífilis secundária (p. 888)
→ Psoríase *gutata* (p. 1415)

### 10. DOENÇAS ECZEMATOSAS

A. Predomínio de escoriação (prurido)
→ Dermatite atópica (p. 1421)
→ Líquen simples crônico (neurodermite)*
→ Eczema de estase (p. 1429)
→ *Tinea* (*cruris, capitis e pedis*) (p. 1496)
→ Candidíase (p. 1498)
→ Escabiose (p. 1500)
→ Dermatite de contato (p. 1426)
→ Eczema numular (p. 1423)

B. Pouca ou nenhuma escoriação
→ Dermatite seborreica (p. 1116)
→ Dermatite da área das fraldas (p. 1113)
→ Eczema asteatótico (p. 1429)
→ Impetigo (p. 1484)
→ Eritrodermia (p. 1418)
→ Reações tipo "Id" (autossensibilização)*

**FIGURA 130.2** → Principais problemas de pele agrupados pela sua aparência.
* Não abordado no livro.
Fonte: Adaptada de Lynch e Edminster.[6]

**Pálpebras**
– Dermatite seborreica/blefarite
– Dermatite atópica
– Xantelasma
– Dermatite de contato alérgica

**Face**
– Tumor maligno
– Acne
– Rosácea
– Lúpus eritematoso sistêmico
– Dermatite atópica
– Pitiríase alba
– Impetigo
– Ceratose actínica
– Dermatite seborreica
– Hanseníase
– Melanoses
– Hiperplasia sebácea
– Dermatite perioral
– Tinha da face

**Lábios**
– Herpes simples
– Queilite por *Candida*
– Comissurites
– Leucoplasia

**Couro cabeludo**
– *Tinea capitis*
– Psoríase
– Dermatite seborreica
– Pediculose
– Nevos
– Ceratose seborreica
– Ceratose actínica

**Orelhas**
– Dermatite seborreica
– Dermatite de contato alérgica
– Ceratose actínica
– Cistos condrais
– Tumores (carcinoma espinocelular)

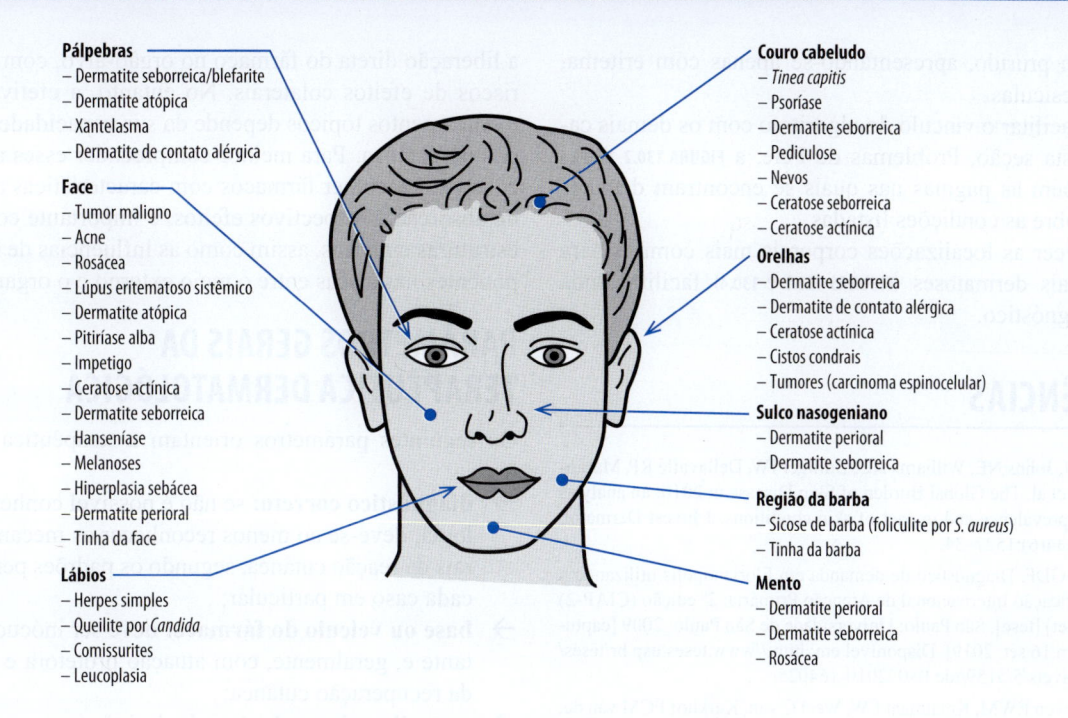

**Sulco nasogeniano**
– Dermatite perioral
– Dermatite seborreica

**Região da barba**
– Sicose de barba (foliculite por *S. aureus*)
– Tinha da barba

**Mento**
– Dermatite perioral
– Dermatite seborreica
– Rosácea

**FIGURA 130.3** → Distribuição das doenças dermatológicas de acordo com sua localização mais frequente no segmento cefálico.
Fonte: Adaptada de Murtagh.[8]

**Fossa cubital**
– Dermatite atópica
– Intertrigo mecânico

**Mãos**
– Dermatite de contato irritativa
– Dermatite de contato alérgica
– Disidrose
– *Tinea manum*
– Sífilis secundária
– Psoríase
– Perniose

**Joelhos**
– Psoríase
– Dermatite herpetiforme

**Pernas**
– Dermatofibroma
– Eritema nodoso
– Necrobiose lipoídica
– Dermatite numular
– Nevos
– Foliculite

**Dorso do pé**
– Líquen simples crônico
– Dermatite de contato
– Dermatite atópica
– *Larva migrans*/bicho geográfico

**Axilas**
– Hidrosadenite
– Eritrasma
– Dermatite de contato
– Dermatite seborreica
– *Tinea*
– Intertrigo friccional/mecânico

**Tórax anterior**
– Dermatite seborreica
– Acne
– Pitiríase versicolor
– Farmacodermia
– *Tinea corporis*
– Foliculite

**Unhas**
– Onicomicose
– Candidíase
– Psoríase
– Líquen plano
– Infecção por *Pseudomonas*
– Onicopatia traumática

**Virilha**
– *Tinea cruris*
– Candidíase
– Eritrasma
– Dermatite seborreica
– Dermatite de contato
– Intertrigo mecânico

**Pododáctilos**
– *Tinea pedis*
– Dermatite de contato
– Candidíase
– Perniose

**Tronco**
– Pitiríase versicolor
– Pitiríase rósea
– Psoríase gutata
– Exantema medicamentoso
– Escabiose

**Cotovelos**
– Psoríase
– Dermatite herpetiforme

**Punhos**
– Dermatite de contato
– Líquen plano
– Ceratose actínica

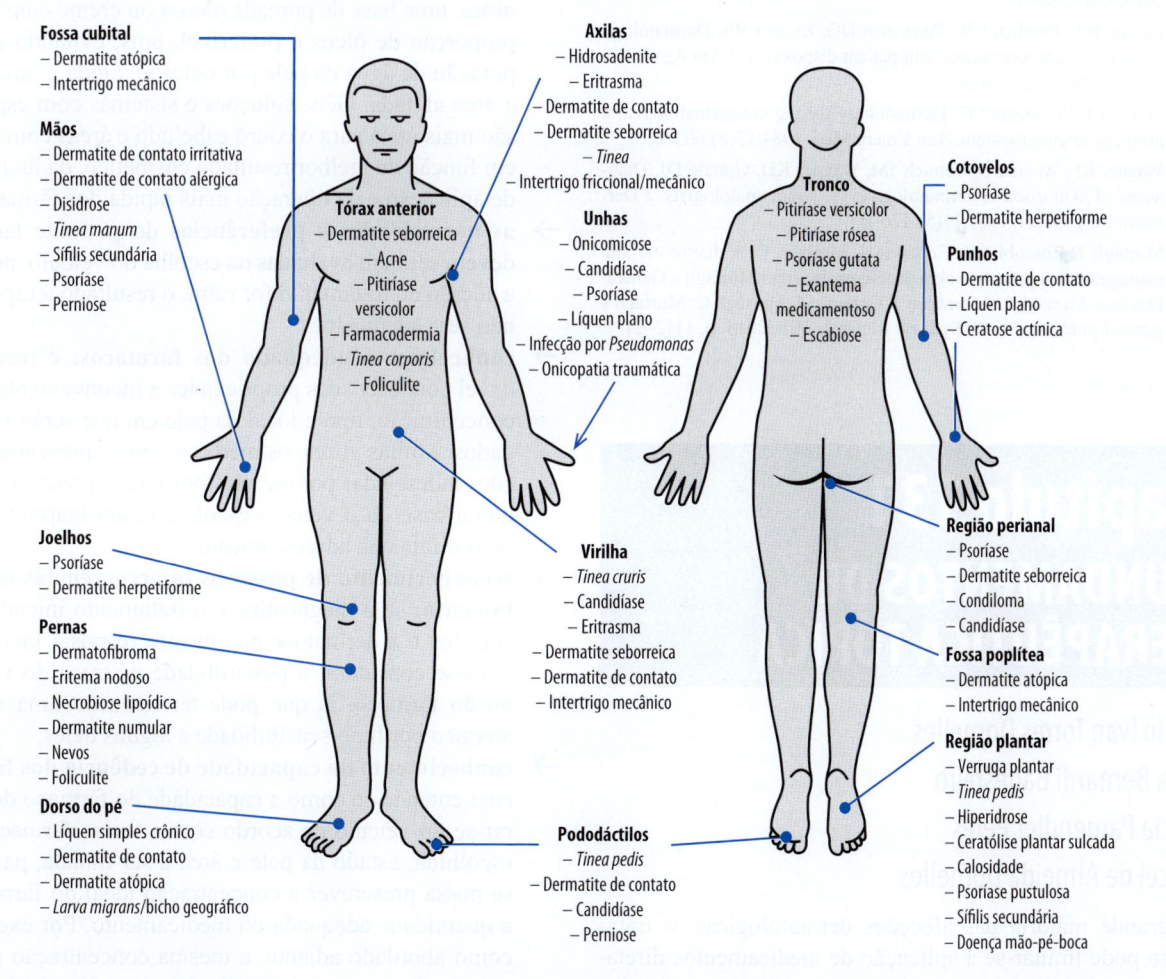

**Região perianal**
– Psoríase
– Dermatite seborreica
– Condiloma
– Candidíase

**Fossa poplítea**
– Dermatite atópica
– Intertrigo mecânico

**Região plantar**
– Verruga plantar
– *Tinea pedis*
– Hiperidrose
– Ceratólise plantar sulcada
– Calosidade
– Psoríase pustulosa
– Sífilis secundária
– Doença mão-pé-boca

**FIGURA 130.4** → Distribuição das doenças dermatológicas de acordo com sua localização mais frequente no corpo.
Fonte: Adaptada de Murtagh.[8]

provoquem prurido, apresentando-se apenas com eritema, edema e vesículas.

Para facilitar o vínculo do algoritmo com os demais capítulos desta seção, Problemas de Pele, a FIGURA 130.2 apresenta também as páginas nas quais se encontram detalhes maiores sobre as condições listadas.

Conhecer as localizações corporais mais comuns para as principais dermatoses (FIGURAS 130.3 e 130.4) facilita ainda mais o diagnóstico.

## REFERÊNCIAS

1. Hay RJ, Johns NE, Williams HC, Bolliger IW, Dellavalle RP, Margolis DJ, et al. The Global Burden of Skin Disease in 2010: an analysis of the prevalence and impact of skin conditions. J Invest Dermatol. 2014;134(6):1527–34.
2. Gusso GDF. Diagnóstico de demanda em Florianópolis utilizando a Classificação Internacional de Atenção Primária: 2º edição (CIAP-2) [Internet] [tese]. São Paulo: Universidade de São Paulo; 2009 [capturado em 16 set. 2019]. Disponível em: http://www.teses.usp.br/teses/disponiveis/5/5159/tde-08032010-164025/
3. Verhoeven EWM, Kraaimaat FW, Weel C van, Kerkhof PCM van de, Duller P, Valk PGM van der, et al. Skin diseases in family medicine: prevalence and health care use. Ann Fam Med. 2008;6(4):349–54.
4. Kerr OA, Tidman MJ, Walker JJ, Aldridge RD, Benton EC. The profile of dermatological problems in primary care. Clin Exp Dermatol. 2010;35(4):380–3.
5. Lowell BA, Froelich CW, Federman DG, Kirsner RS. Dermatology in primary care: prevalence and patient disposition. J Am Acad Dermatol. 2001;45(2):250–5.
6. Lynch PJ, Edminster SC. Dermatology for the nondermatologist: a problem-oriented system. Ann Emerg Med. 1984;13(8):603–6.
7. Wagner RF, Wagner D, Tomich JM, Wagner KD, Grande DJ. Diagnoses of skin disease: dermatologists vs. nondermatologists. J Dermatol Surg Oncol. 1985;11(5):476–9.
8. Murtagh J, Rosenblatt J, Coleman J, Murtagh C. A diagnostic and management approach to skin problems. In: John Murtagh's General Practice. Murtagh J, Rosenblatt J, Coleman J, Murtagh C. Murtagh's general practice. 7th ed. Sydney: McGraw-Hill; 2018. p. 1112–21.

# Capítulo 131
## FUNDAMENTOS DE TERAPÊUTICA TÓPICA

Sérgio Ivan Torres Dornelles
Inara Bernardi Bagesteiro
Letícia Pargendler Peres
Marcel de Almeida Dornelles

Na grande maioria das afecções dermatológicas, o tratamento pode limitar-se à aplicação de medicamentos diretamente nos locais comprometidos. Dessa forma, a terapêutica tópica se insere com grande vantagem, já que permite a liberação direta do fármaco no órgão-alvo, com pequenos riscos de efeitos colaterais. No entanto, a efetividade dos medicamentos tópicos depende da sua capacidade de absorção percutânea. Para melhor compreender esses aspectos e conseguir escolher fármacos com características adequadas de absorção e respectivos efeitos, é importante conhecer as estruturas cutâneas, assim como as influências de seus componentes nas trocas entre o meio externo e o organismo.[1,2]

## PARÂMETROS GERAIS DA TERAPÊUTICA DERMATOLÓGICA

Os seguintes parâmetros orientam a terapêutica dermatológica:

→ **diagnóstico correto:** se não é possível conhecer a etiologia, deve-se ao menos reconhecer os mecanismos gerais da reação cutânea, segundo os padrões pertinentes a cada caso em particular;
→ **base ou veículo do fármaco:** deve ser inócuo, não irritante e, geralmente, com atuação protetora e adjuvante da recuperação cutânea;
→ **a escolha adequada do veículo** é tão importante quanto o agente terapêutico específico. Lesões agudas exsudativas respondem melhor a compressas úmidas, seguidas de loções ou cremes. Para pele seca, espessa e escamosa, uma base de pomada oleosa ou creme com maior proporção de óleos é preferível, pois, evitando a evaporação de água da pele por oclusão, ajuda a umedecer a área afetada. Géis, soluções e sistemas com espumas são mais úteis para o couro cabeludo e áreas com pelos, em função do melhor resultado cosmético, da facilidade de aplicação e da liberação mais rápida dos fármacos;
→ **as necessidades e preferências** do paciente também devem ser bem avaliadas na escolha do veículo, pois, se a adesão ao tratamento for ruim, o resultado terapêutico não será adequado;
→ **conhecimento adequado dos fármacos:** é recomendável conhecer suas propriedades e inconvenientes, sua concentração, tipo e local da pele em que serão empregados. Muitas vezes, os medicamentos apresentam reações indesejadas porque não foram bem prescritos, porque a base ou o veículo escolhidos são inapropriados, ou por falha na administração;
→ **reconhecimento de possíveis intercorrências do tratamento:** se o diagnóstico e o tratamento inicial estão corretos e a dermatose não mostra resposta favorável, deve-se considerar a possibilidade de troca do veículo ou do fármaco, já que pode ter ocorrido uma reação alérgica por hipersensibilidade a alguns deles;
→ **conhecimento da capacidade de cedência dos fármacos:** entende-se como a capacidade do fármaco de liberar-se do veículo de acordo com a forma farmacêutica escolhida, estado da pele e área a ser tratada, para que se possa prescrever a concentração ideal do fármaco e a quantidade adequada do medicamento. Por exemplo, como abordado adiante, a mesma concentração de um mesmo fármaco, se o veículo for uma pomada, terá penetração maior do que se for um creme.[3,4]

A **TABELA 131.1** apresenta as quantidades necessárias de alguns veículos para aplicação 2 vezes ao dia por 1 semana, no adulto, em áreas específicas (essas quantidades não devem ser analisadas isoladamente para utilização de corticoides, em função da variação de concentração e potência desses medicamentos nas suas várias apresentações).[5,6]

## BARREIRA CUTÂNEA E ABSORÇÃO DE FÁRMACOS

A função de barreira cutânea tem como localização anatômica a camada córnea. A água se encontra na zona mais compacta dessa camada, e as outras substâncias podem estar localizadas de forma progressiva em toda a sua espessura. Os lipídeos intercelulares são os mais importantes nessa rota de penetração para os fármacos lipofílicos.[5,7,8]

A barreira cutânea torna-se mais permeável quando a camada córnea é submetida a solventes (substâncias que permitem a dispersão de outra substância em seu meio) ou detergentes (aqueles que podem se colocar na interface de dois líquidos imiscíveis).

Absorção percutânea é o termo utilizado para descrever a penetração de substâncias através da pele e o subsequente movimento na circulação sistêmica, compreendendo também a liberação do fármaco de seu veículo, seguida da difusão na camada córnea, nos ductos das glândulas sudoríparas e nas estruturas pilossebáceas.

## FATORES QUE ALTERAM A ABSORÇÃO PERCUTÂNEA

Quando se modifica a camada córnea (hidratação, enfermidade, trauma ou veículo dos medicamentos), altera-se a permeabilidade.[3,7,8] Portanto, conhecendo bem os fatores que produzem modificações, as terapêuticas poderão ser planejadas para criar artificialmente as condições necessárias a fim de que os mecanismos naturais atuem sem interferências.[3] Nesse sentido, a frequência das aplicações, a quantidade de uso e a duração da terapêutica também determinarão variações nos resultados do tratamento.

### Condições da pele

→ **Pele lesada ou intacta:** a pele com alguma lesão apresentará sua barreira comprometida e, com isso, a absorção dos fármacos poderá estar consideravelmente aumentada. Secura, irritação, reação alérgica ou área de abrasão são exemplos de fatores que alteram essa propriedade. Redução no processo de queratinização torna a barreira mais permeável, fato que produz perda de líquidos muito acentuada e favorece a penetração de medicamentos. À medida que melhora a dermatose, vai diminuindo o efeito do fármaco, como resultado da recuperação da função de barreira.
→ **Tipo de lesão:** em dermatologia, existem algumas apresentações clínicas (lesões) comuns a uma variedade de danos (físicos, químicos, bacteriológicos e alérgicos). A inflamação é o fator dominante nas alterações cutâneas e, segundo a magnitude que os fenômenos derivados dela alcancem, têm-se dermatoses agudas, subagudas ou crônicas.

**TABELA 131.1** → Quantidades necessárias* para 2 aplicações ao dia por 1 semana nas áreas especificadas (indicações para adultos)

|  | EMULSÕES E POMADAS | LOÇÕES E SOLUÇÕES |
|---|---|---|
| Face | 15-30 g | 100 mL |
| Mãos | 25-50 g | 200 mL |
| Pescoço e colo | 50-100 g | 200 mL |
| Braços e pernas | 100-200 g | 200 mL |
| Tronco | 400 g | 500 mL |
| Virilhas e genitais | 15-25 g | 100 mL |

*Não se aplica a preparações com corticoide em função da variação da concentração do fármaco em cada apresentação. As doses do corticoide deverão ser calculadas com base na sua concentração.
Fonte: Sweetmann.[6]

→ **Idade:** a barreira cutânea é menor na criança do que no adulto, e no idoso a permeabilidade é afetada pela diminuição natural da barreira, da composição química e da elasticidade.
→ **Temperatura e umidade:** a absorção é aumentada em condições de maior umidade do ar e temperatura da pele.
→ **Local da aplicação:** nas áreas mais queratinizadas, a absorção é mais lenta (plantas dos pés, palmas das mãos, lesões de neurodermite).
→ **Hidratação:** a absorção dos fármacos é maior nas peles mais hidratadas.
→ **Outros aspectos:** os vasoconstritores diminuem a penetração, e o uso prolongado de corticoides aumenta a absorção percutânea.

### Características físico-químicas do fármaco

Dentre os fatores envolvidos na absorção dos fármacos, estão a concentração (maiores concentrações aumentam a absorção), o tamanho, a forma da molécula (moléculas grandes são mais difíceis de serem absorvidas), a lipofilicidade (na camada córnea, as substâncias lipofílicas são mais liberadas e mais bem absorvidas) e a hidrossolubilidade (as hidrossolúveis são menos absorvidas do que as lipossolúveis).[7]

### Efeito do veículo

Os veículos afetam a penetração por alterarem o estado de hidratação ou modificarem o coeficiente de partição (i.e., a solubilidade da substância em relação ao óleo e à água) entre a camada córnea e o veículo.[5,7]

A afinidade fármaco-veículo (quanto maior a afinidade, menor a absorção), a volatilidade (quanto maior a volatilidade, maior a absorção), a viscosidade (quanto menor a viscosidade, maior a difusão nas membranas celulares) e o pH (dependendo do fármaco, essa característica influencia na atividade e na liberação do fármaco, favorecendo ou não a absorção percutânea) são fatores a serem considerados no planejamento da terapêutica.

O veículo ideal é aquele que tem o pH mais próximo ao da pele, apresenta fluidez durante a aplicação, não é irritante ou sensibilizante, tem miscibilidade com o manto hidrolipídico (camada superficial de proteção da pele), é de fácil remoção e não mancha a pele e as roupas.[7,8]

# TIPOS DE VEÍCULOS

Os veículos são classificados em líquidos, semissólidos e sólidos, sendo que a escolha deles depende das características da dermatose, da condição da pele e da área afetada.[4,7–9]

## Veículos líquidos

São utilizados para efeito refrescante, antipruriginoso, anti-inflamatório, antisséptico e de limpeza.

### Soluções

São misturas homogêneas de dois ou mais componentes resultando em um sistema de única fase límpido. O componente que determina a fase está em maior quantidade e é chamado de solvente, enquanto os outros componentes são chamados de soluto. Resumindo, o solvente dissolve o soluto, formando uma solução verdadeira.

As soluções são veículos muito usados devido à homogeneidade em concentração do fármaco, facilidade de administração, rápida absorção (liberação facilitada do fármaco, pois este se encontra dissolvido) e cosmética agradável ao paciente.

Os solventes mais utilizados são água, álcool etílico, polietilenoglicóis líquidos, óleos (os quais melhoram a aderência e a espalhabilidade, assim como o grau de emoliência, o que faz aumentar o preenchimento dos espaços entre as escamas da pele e, com isso, a maciez da camada córnea), glicerina, propilenoglicol e tensoativos (empregados em espumas, sabonetes líquidos e xampus).

Os solventes são escolhidos de acordo com a solubilidade do fármaco e do local da aplicação, e são prescritos usando o termo **solução**.[7–9]

### Loções

São veículos cujas ações variam de acordo com sua composição, podendo ser emulsões fluidas (ver definição adiante), linimentos (preparação farmacêutica líquida ou semilíquida, que contém em sua composição fármacos dissolvidos em óleos, soluções hidroalcoólicas ou emulsões) ou suspensões (preparação bifásica composta por uma fase sólida e uma fase líquida aquosa ou oleosa). Geralmente devem ser agitadas antes do uso e permitem um espalhamento rápido e uniforme em grandes áreas, secando logo após a aplicação, deixando o fármaco em contato com a pele. Os linimentos são aplicados com fricção e podem ser usados como rubefacientes (ativam a circulação, tendo ação vasodilatadora), irritantes ou simplesmente para massagem.

### Tinturas

São preparações alcoólicas ou hidroalcoólicas resultantes da extração ou diluição dos respectivos extratos, normalmente de origem vegetal. Podem conter diversos fármacos em variadas concentrações.

### Xampus, sabonetes líquidos e espumas

São preparações que contêm tensoativos com propriedades detergentes e espumantes associados à água e a substâncias umectantes. Podem veicular preferencialmente fármacos hidrossolúveis ou em suspensão.

### Solventes orgânicos

São substâncias que ocasionalmente têm valor em casos especiais por sua capacidade secativa ou adstringente. Utiliza-se o éter, o dimetilsulfóxido (DMSO), a acetona e o álcool isopropílico, devido à sua capacidade de aumentar a absorção e a penetração de fármacos. O colódio é uma solução de nitrocelulose em álcool e éter, com óleo de rícino que, quando aplicada sobre a pele, deixa uma película ao evaporar os solventes.[7,9]

## Veículos semissólidos

Cremes, loções cremosas, pomadas, pastas e géis são classificados como semissólidos. O emprego desse tipo de veículo tem ação protetora (formação de filme na superfície cutânea), emoliente (capacidade de tornar a pele macia ou flexível), umectante (aporte e retenção de água na superfície da pele) ou terapêutica, dependendo da sua composição e dos fármacos incorporados.[8,9]

### Emulsões: cremes e loções cremosas

As emulsões são preparações farmacêuticas obtidas pela dispersão de duas fases líquidas imiscíveis ou praticamente imiscíveis. De acordo com a hidrofilia ou lipofilia da fase dispersante, os sistemas classificam-se em óleo em água (O/A) ou água em óleo (A/O).[9] Dependendo da quantidade de ceras e substâncias espessantes, podem ser chamadas de cremes (mais consistentes) ou loções cremosas (menos consistentes).[9]

As emulsões O/A (fase externa aquosa) são miscíveis com água, evanescentes, aderem à pele, não são oclusivas, e podem ser secativas e atravessar a barreira lipídica para facilitar a absorção de fármacos; já as emulsões A/O (fase externa oleosa) são insolúveis em água, oclusivas e untuosas, extremamente macias, podendo absorver água e oferecer proteção hidrofílica.[4]

A fase oleosa determina o caráter emoliente, dissolvente, evanescente e o grau de oclusão da emulsão. Dependendo do tipo e da concentração da substância usada, a camada residual retida na superfície da pele, em torno de 20 minutos após a aplicação do produto, poderá determinar uma sensação oleosa, seca ou sedosa.

As emulsões são veículos muito utilizados na dermatologia devido à cosmética agradável ao paciente, por permitirem a incorporação de fármacos hidrofílicos e lipofílicos, mas também por possuírem efeito emoliente, refrescante ou umectante na superfície cutânea. São usadas para aplicação de fármacos com finalidade terapêutica ou profilática e por não terem um grande efeito oclusivo, características necessárias na fase aguda das afecções (exsudativas).[4,8]

Alguns aspectos a considerar na escolha dos emolientes são:[10]

- **extensibilidade:** capacidade de dispersão e distribuição sobre a pele;
- **sensação ao tato:** considera-se a sensação inicial e após 10 a 20 minutos da aplicação;
- **suavidade ou eliminação da sensação de aspereza:** os emolientes mais untuosos (gordurosos) aportam elevada suavidade;
- **oclusividade:** capacidade de impedir a perda de água;
- **comedogenicidade:** os ácidos graxos com cadeias insaturadas, radicais orgânicos e grupos funcionais aumentam o poder comedogênico. A etoxilação reduz o potencial comedogênico – por exemplo: ácido esteárico é mais comedogênico que o álcool cetoestearílico. A comedogenicidade tem relação direta com a concentração empregada da substância;
- **acnegenicidade:** depende da predisposição individual, não sendo possível a elaboração de listas de substâncias acnegênicas.

Existem muitas substâncias disponíveis para a produção de emulsões, e sua escolha deve considerar os aspectos recém-citados e a capacidade de facilitar o efeito tópico de fármacos. Podem ser de origem natural, sintética ou semissintética. Os principais constituintes são hidrocarbonetos, óleos vegetais, lanolina e derivados, álcoois e ácidos graxos, ceras vegetais, ésteres sintéticos, ésteres de ácidos graxos e triglicerídeos de cadeia média, polietilenoglicóis, polímeros vegetais emolientes, umectantes, gelificantes, silicones, emulsificantes, além de conservantes, antioxidantes e agentes de permeação.[4,7,8]

### Pomadas/unguentos

São preparações para aplicação tópica, constituídas de base monofásica na qual podem estar dispersas substâncias sólidas ou líquidas.[9]

São veículos untuosos e aderentes à pele que provocam um efeito congestivo no local da aplicação por impedirem a perspiração cutânea, resultando disso a embebição da camada córnea e espinhosa, podendo seguir-se uma vasodilatação para garantir o mecanismo celular. Há aumento de umidade e temperatura, permitindo melhor absorção percutânea. O estado congestivo induzido pelas pomadas pode ser aumentado se forem usados curativos oclusivos ou incorporados umectantes. As pomadas devem ser utilizadas nos processos crônicos e em lesões secas.

Dependendo dos veículos empregados na preparação, é possível classificar as pomadas em:

- **pomadas oleosas**, as quais são preparadas com hidrocarbonetos derivados do petróleo, sendo mais utilizadas a vaselina sólida e as pomadas absorventes, que podem absorver água para facilitar a incorporação de fármacos hidrossolúveis, tendo como excipiente mais utilizado a lanolina e seus derivados. Dependendo da sensibilidade individual, a lanolina pode causar irritação;
- **pomadas não oleosas**, que são preparadas com misturas de polietilenoglicóis, sendo pouco oclusivas, laváveis com água, bem aceitas cosmeticamente, mas – dependendo da sensibilidade individual – podem causar irritação.[7,9]

### Pastas

Uma pasta consiste na associação de uma ou mais substâncias oleosas pouco consistentes e 20 a 50% de pós insolúveis. São usadas para ações estritamente epidérmicas, podendo apresentar um ligeiro efeito secante. Em geral, veiculam antissépticos e adstringentes. São menos oclusivas do que as pomadas, sendo empregadas por suas propriedades protetoras.[9]

### Géis

São sistemas dispersos formados pelo menos por duas fases, uma sólida e uma líquida. A fase sólida constitui um esqueleto tridimensional onde o líquido permanece imobilizado. Os géis podem ser classificados em:

- **hidrogéis**, quando a fase líquida é a água ou substâncias hidrossolúveis; são indicados para veicular fármacos hidrossolúveis;
- **lipogéis**, quando a fase líquida é um óleo ou substância de caráter oleoso; sua aplicação é semelhante à de pomadas.

Os géis aquosos não atravessam a barreira lipídica e proporcionam rápida liberação dos fármacos, uniformidade e facilidade de aplicação, sendo utilizados em áreas com pelos devido à facilidade de remoção.[4,7,8]

## Veículos sólidos

Os pós são aplicados sobre a pele com efeito secante, lubrificante, antisséptico ou adstringente, sempre em partículas finas. Os pós podem ser de origem mineral, por exemplo, talco (com silicato de magnésio hidratado e purificado, fino, branco, inodoro e untuoso) e talco composto (contendo também outros pós, como estearato de magnésio, óxido de zinco, dióxido de titânio e caolin). Os mais usados, de origem vegetal, são os amidos (de trigo, aveia e de arroz), mais suaves e mais absorventes do que os minerais; no entanto, possuem o inconveniente de fermentar em contato prolongado com as secreções cutâneas. Os pós são classificados como:

- **inertes:** quando possuem somente função física sobre a pele, sendo refrescantes, descongestionantes, absorventes e protetores; ao misturarem-se com a emulsão epicutânea, incorporam a água de evaporação e absorvem as substâncias oleosas, principalmente em áreas seborreicas, protegendo a pele da umidade do ambiente;
- **medicamentosos:** quando fármacos sólidos são incorporados em pós inertes e desempenham suas propriedades terapêuticas.[4,5,7,9]

### Aerossóis

São dispersões de partículas sólidas ou líquidas em um gás propelente, sendo que as preparações tópicas incluem antissépticos, antifúngicos, anestésicos locais, anti-inflamatórios e antibióticos.[4,8]

## Escolha do veículo apropriado de acordo com a condição dermatológica

Deve-se considerar o grau de hidratação da camada córnea, a espessura da epiderme de acordo com a região do corpo, a presença de pelos e, também, o aspecto cosmético. Para facilitar o entendimento, vê-se, na **FIGURA 131.1**, a condição dermatológica nas suas diversas fases evolutivas (aguda a crônica) associada à melhor indicação do veículo e, na **FIGURA 131.2**, o nível de absorção relacionado com a solubilidade do fármaco e o tipo de veículo.[7,8]

Observando os diversos veículos e, em consequência, as várias formas de apresentações tópicas, é importante alertar que o sucesso do tratamento está vinculado aos índices de adesão à terapêutica escolhida, a qual também depende da escolha daquelas que sejam eficientes e práticas de serem utilizadas.[2,7]

> Lesões cutâneas úmidas (exsudativas) exigem tratamentos com veículos que não sejam ricos em gorduras, dando-se preferência às loções e aos cremes. Nesses casos, evitam-se pomadas e unguentos, que têm indicação em lesões secas e descamativas.

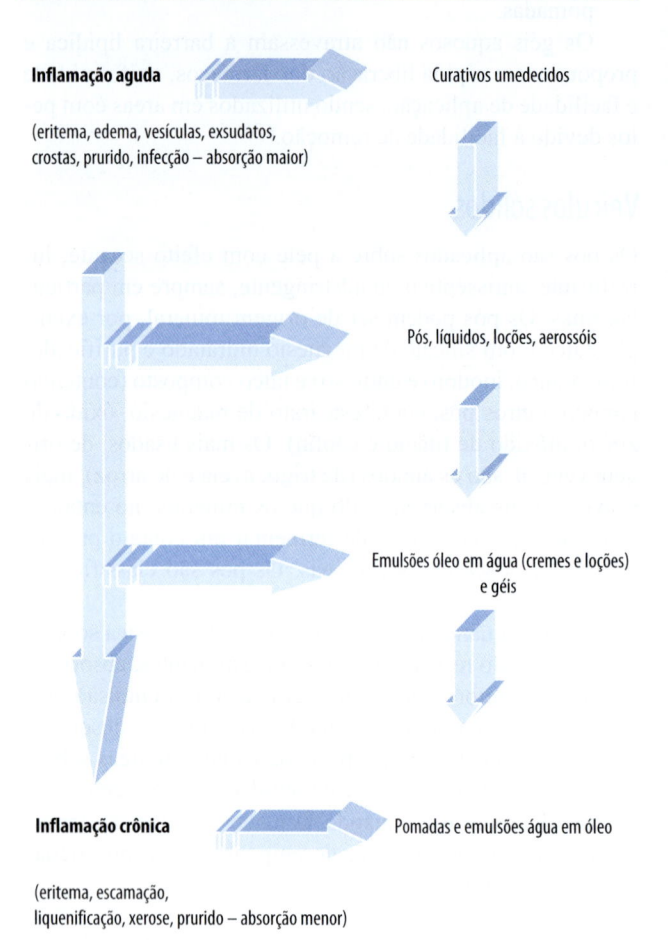

**Inflamação aguda** → Curativos umedecidos
(eritema, edema, vesículas, exsudatos, crostas, prurido, infecção – absorção maior)

Pós, líquidos, loções, aerossóis

Emulsões óleo em água (cremes e loções) e géis

**Inflamação crônica** → Pomadas e emulsões água em óleo
(eritema, escamação, liquenificação, xerose, prurido – absorção menor)

**FIGURA 131.1** → Condição dermatológica e indicação de melhor veículo.
Fonte: Adaptada de Arndt.[5]

Fármaco lipofílico COM veículo hidrofílico
Fármaco lipofílico COM veículo lipofílico
Fármaco hidrofílico COM veículo lipofílico
Fármaco hidrofílico COM veículo hidrofílico

Camada córnea
Epiderme
Tecido subcutâneo

**FIGURA 131.2** → Absorção relativa conforme a solubilidade do fármaco e o tipo de veículo.
Fonte: Adaptada de Lülmann e colaboradores.[11]

## O efeito do curativo com oclusão plástica

O uso de curativos com oclusão plástica (filme plástico) após a aplicação de algum fármaco (em creme, pomada, ou outro) aumenta a retenção de água e a temperatura da camada córnea, assim como a permeabilidade de diversas substâncias, amplificando de 10 a 100 vezes a penetração dos medicamentos de uso tópico, quando comparado à aplicação clássica com massagem de alguns desses produtos. Esse artifício pode ser utilizado quando se necessita maior absorção de algum fármaco.[2]

## TOXICIDADE

Muitas dermatoses são suscetíveis a uma terapêutica tópica exclusiva, mas a presença de uma complicação infecciosa associada a algum fator que aumente os índices de absorção do fármaco (como tamanho e profundidade da lesão) pode causar dano a todo o organismo ou órgãos específicos (toxicidade renal, hepática, etc.), tornando obrigatória a instauração de uma terapia sistêmica alternativa.

Os efeitos colaterais cutâneos incluem alergias por irritação ou reação imune, atrofia, comedogenicidade, formação de telangiectasias, prurido, sensações de ferroadas e dor.[1] Os efeitos indesejáveis sistêmicos podem ser notados pelo comprometimento do funcionamento dos sistemas nervoso central, cardíaco, renal e outros. Também podem mostrar teratogenicidade e carcinogenicidade. Esses desfechos podem estar relacionados com o fármaco propriamente dito, seus metabólitos ou até mesmo algum componente do veículo.[1]

A cinética dos fármacos aplicados topicamente difere daquela administrada por outras vias, sobremaneira em função da falta da primeira passagem pelo metabolismo hepático. Essa particularidade é importante com relação a alguns fármacos, como o ácido salicílico, que é relativamente inócuo quando administrado por via entérica, mas que pode manifestar toxicidade ao sistema nervoso central quando aplicado topicamente.[12] Além disso, a camada córnea é capaz de estocar grandes quantidades do fármaco e, em consequência, pode haver liberação do fármaco à circulação sistêmica, o que pode continuar ocorrendo de forma prolongada.[1]

Deve-se lembrar, também, que as crianças apresentam mais risco de desenvolver sinais de toxicidade em relação aos adultos. Dessa forma, elas merecem maiores cuidados. Dependendo do fármaco a ser empregado, o uso deve ser restrito a baixas frequências de aplicação, a menores concentrações do ativo, a curtos períodos de tratamento e a veículos que não tenham a oclusão como sua maior característica (pomadas), além de ser cuidadosamente monitorado quanto aos efeitos colaterais.[1]

## CORTICOTERAPIA TÓPICA

Os corticoides, em razão de seu poder anti-inflamatório, ações imunossupressoras e antiproliferativas e atividade vasoconstritora, são os fármacos mais utilizados em terapia tópica.[13] Existe um grande leque de opções desenvolvidas para minimizar seus efeitos colaterais e aumentar sua eficácia. Essas alterações consistem na esterificação e na fluoração da molécula nos diferentes sítios de ligação, obtendo, assim, diferentes padrões na sua atividade.[12] Também têm sido produzidas modificações em suas cadeias, que melhoram sua atividade farmacológica por diminuírem a degradação do produto, ou mesmo por torná-las mais lipofílicas, aumentando sua absorção.

Os corticoides tópicos são divididos por potência, conforme a TABELA 131.2, devido principalmente à sua capacidade de produzir vasoconstrição.[13]

Corticoides de baixa potência são especialmente escolhidos para uso em crianças e idosos, em função das características da pele onde serão aplicados. Aqueles de baixa e média potência também costumam ser utilizados para tratar lesões cutâneas com componente inflamatório em fase aguda, localizadas em pele fina (p. ex., pele do rosto e dobras). Por outro lado, corticoides de alta potência (potente e muito potente) são empregados para tratamento de lesões crônicas, hiperceratóticas ou liquenificadas.[12,13]

O processo de halogenação, como a introdução da molécula de cloro ou a fluoração pela molécula de flúor (corticoides fluorados), resulta, principalmente, no aumento dos efeitos anti-inflamatórios do fármaco, assim como determina elevação do risco de seus efeitos colaterais.[14] A concentração do corticoide contida no produto também é um fator determinante da potência da sua ação farmacológica.[15]

> Os corticoides que possuem o flúor em sua molécula (normalmente na posição 9α) são chamados de corticoides fluorados e têm todas as suas atividades biológicas acentuadas.[2,15]

**TABELA 131.2** → Classificação por classes de potência de acordo com o British National Formulary (BNF)

| CLASSE PELA POTÊNCIA | CONCENTRAÇÃO (PERCENTUAL) | CORTICOIDE TÓPICO |
|---|---|---|
| Muito potente | 0,1% | Halcinonida* |
|  | 0,05% | Propionato de clobetasol* |
| Potente | 0,05% | Dipropionato de betametasona* |
|  | 0,1% | Furoato de mometasona |
|  | 0,1% | Valerato de betametasona* |
|  | 0,025% | Acetato de fluocinolona* |
|  | 0,1% | 17-Butirato de hidrocortisona |
| Moderada | 0,05% | Butirato de clobetasol* |
|  | 0,02% | Acetonida de triancinolona* |
|  | 0,005% | Acetato de fluocinolona* |
| Leve | 1% | Acetato de hidrocortisona |
|  | 0,25% | Metilprednisolona |
|  | 0,01-0,1% | Dexametasona* |
|  | 0,0025% | Acetato de fluocinolona* |
|  | 0,5% | Prednisolona |

*Corticoides fluorados.
Fonte: Adaptada de Wiederberg e colaboradores.[13]

Outra característica a ser analisada é o veículo do produto, já que bases oleosas aumentam a absorção do fármaco, por seu poder oclusivo, e também a hidratação da camada córnea, por evitarem as perdas hídricas que acontecem pela evaporação transepidérmica. Cremes e loções cremosas, como já dito, são indicados para dermatoses agudas e subagudas. Podem ser usados em locais de pele úmida ou intertriginosa (dobras).[13]

### Efeitos colaterais

São observados efeitos colaterais locais e sistêmicos, sendo que os primeiros ocorrem com maior frequência.[16] Os mais comuns são:

→ **atrofia:** é o efeito colaterais mais frequente. Inicia-se com degeneração microscópica da epiderme e redução do tamanho das células e do número de camadas. Além disso, promove redução na síntese de colágeno e mucopolissacarídeos;[2]
→ **telangiectasia:** também favorecida pela atrofia; os corticoides têm capacidade de estimular as células endoteliais da derme;[2]
→ **estria:** tem início com inflamação e edema da derme, seguidos pela deposição de colágeno onde há estresse mecânico. Uma vez desenvolvida, ela é permanente, assim como as telangiectasias (estas podem regredir parcialmente com a suspensão do fármaco);[2]
→ **acne:** os corticoides são capazes de induzir erupção acneiforme ou exacerbar lesões preexistentes, por possível degradação do epitélio folicular e consequente extrusão do conteúdo folicular;[2]
→ **hipopigmentação:** provavelmente ocorre interferência na síntese de melanina, embora já existam relatos de hiperpigmentação com corticoide intradérmico;[2]

→ **sinais da síndrome de Cushing:** em estudo de caso-controle com amostra de mais de 190 mil voluntários, observou-se que tanto a duração quanto a quantidade cumulativa de uso aumentam o risco de diabetes;[17,18]
→ **supressão do eixo hipotálamo-hipófise-suprarrenal:** é um assunto controverso, mas tem sido observado em terapias prolongadas com corticoide de alta potência, embora somente de forma transitória;[17]
→ **outros:** hipertricose, exacerbação ou desenvolvimento de rosácea e dermatite perioral, agravamento de infecções localmente ao uso, pseudoestrias, púrpura, atraso na cicatrização de feridas, glaucoma, catarata, foliculite, dermatite de contato, hiperglicemia, diminuição do cortisol plasmático, hipertensão intracraniana benigna e retardo do crescimento.[16,19]

## Crianças

Deve-se ter mais cautela com o uso de corticoides tópicos nas crianças, visto que sua pele tem características diferentes da pele dos adultos, favorecendo assim efeitos mais intensos em uma terapia tópica. Acredita-se que elas sejam mais vulneráveis, pois sua proporção de área *versus* volume corporal é maior e também porque possuem capacidade diminuída da metabolização de corticoides mais potentes.[12]

A questão da supressão do eixo hipófise-suprarrenal, efeito colateral preocupante, vem mostrando resultados divergentes. Estima-se que doses de apenas 0,25 µg/dia de corticoide fluorado tópico possam causar supressão do eixo hipófise-suprarrenal quando absorvidas continuamente pela pele. Esses efeitos dependem da extensão da área tratada, das condições da barreira epidérmica, da duração do tratamento, da presença de oclusão, mas, sobretudo, da dose aplicada.[2] Alcançam-se essas doses com a aplicação de pouco menos da metade de uma bisnaga (bisnagas com 30 g) de propionato de clobetasol, ou de cerca de duas bisnagas e meia da apresentação comercial de dipropionato de betametasona (bisnagas com 20 g).

Sendo assim, a aplicação de corticoide tópico de média e alta potência em crianças deve ser feita com bastante reserva e, quando houver essa necessidade, é preciso avaliar cuidadosamente a idade do paciente, a qualidade da pele e a extensão da área de aplicação. Deve-se limitar o uso de corticoides fluorados em crianças no máximo a 3 a 10 dias, sem esquecer que lesões erosadas e regiões de dobras, ou úmidas, determinam maior absorção do fármaco em adultos e principalmente em crianças.

## Gestantes

A maioria dos corticoides sistêmicos é considerada como fármacos classe C pelo Food and Drug Administration (FDA) nas gestantes.[12] Em animais, podem causar anormalidades fetais especialmente quando usados de forma intensa.

Uma revisão sistemática sobre seu emprego em humanos foi inconclusiva. Não houve associação com a maioria dos desfechos, mas trabalhos mostraram associação significativa do uso de corticoides tópicos no primeiro trimestre com o desenvolvimento de fenda orofacial e da utilização de corticoides tópicos de alta potência com baixo peso ao nascer.[20] Dessa forma, para mulheres grávidas que necessitem de tratamento com corticoides tópicos, deve-se dar preferência para os de baixa e média potência. Se for necessário utilizar os de alta ou muito alta potência, a quantidade deve ser mínima e o crescimento fetal deve ser monitorado.

## Orientações de uso

De forma geral, existem algumas medidas que devem ser adotadas para aumentar a eficácia e evitar o surgimento dos efeitos indesejados desses fármacos:[2,12]

→ iniciar o tratamento com a menor potência suficiente para controlar a lesão. Em doenças muito responsivas à corticoterapia tópica, como as dermatites atópica e seborreica, utilizar corticoides de baixa a média potência; em doenças cuja resposta é menor, como lúpus discoide, psoríase palmoplantar e vitiligo, usar esteroides mais potentes e em concentrações maiores; já em dermatoses pouco responsivas, como lesões queloidianas, alopecia areata e cicatrizes hipertróficas, o uso de corticoides tópicos muito potentes ou até mesmo o uso intralesional estão indicados e, nesses casos, o acompanhamento com dermatologista é aconselhável;
→ apresentações de baixa potência, idealmente não fluoradas, são as mais indicadas para áreas de dobras (virilhas e axilas), face, genitais e períneo, e a duração do tratamento não deve exceder intervalos de 1 a 2 semanas;
→ embora dermatoses crônicas pouco extensas possam receber tratamentos prolongados, formulações com potência alta devem ser reservadas para uso intermitente, ou por períodos não maiores do que 14 dias, fato que previne também a taquifilaxia;
→ formulações com potência moderada raramente causam efeitos colaterais cutâneos se o período de uso for < 6 a 8 semanas;
→ a duração do uso de formulações com potência baixa pode ser maior do que as com maiores potências, uma vez que as complicações são incomuns. Ainda assim, preconiza-se atenção ao uso;
→ formulações com alta potência, assim como curativos oclusivos, têm indicação para áreas de palmas das mãos e plantas dos pés, ou mesmo para afecções que se apresentam com lesões liquenificadas e hiperceratóticas;
→ a posologia dos corticoides também varia no que se refere à preocupação com os riscos: no início do tratamento, preconiza-se a aplicação 2 vezes ao dia; já entre a fase intermediária e o final do período de tratamento, o uso pode restringir-se a 1 aplicação diária;
→ esquemas em ciclos mensais ou em "pulsoterapia" são úteis no manejo de dermatoses crônicas, como vitiligo; nesses casos, há alternância com outros medicamentos tópicos, os imunomoduladores, tratamento geralmente reservado aos especialistas;
→ uma vez controlada a dermatose, deve-se descontinuar o uso de corticoides; porém, após uso prolongado deve ser realizada redução gradual de potência e dose para evitar o rebote;

- corticoides tópicos devem ser evitados em lesões erosadas, ulceradas ou atróficas, assim como em pele com infecção bacteriana, viral, fúngica ou com infestações;
- quando utilizados em crianças, deve-se seguir normas específicas à faixa etária;
- o monitoramento laboratorial (principalmente com cortisol urinário de 24 horas, cortisol sérico basal e teste de supressão com cortrosina – ACTH sintético)[17] ou o encaminhamento ao endocrinologista podem estar indicados em caso de utilização de corticoides de média e alta potência por tempos prolongados.

## ANTIBIOTICOTERAPIA TÓPICA

A pele é um órgão de barreira complexo, formado por uma relação simbiótica entre as comunidades microbianas e o tecido do hospedeiro, que ocorre por meio de sinais complexos do sistema imune inato e adaptativo.[21] Além disso, ela atua como uma das primeiras linhas de defesa contra a invasão microbiana, sendo que qualquer quebra na barreira cutânea permite a incursão de patógenos bacterianos, o que pode ocasionar infecção de pele e de tecidos moles. Os três gêneros mais comuns que compõem a microbiota normal da pele são: *Corynebacterium*, *Propionibacterium* e *Staphylococcus*.[22]

Antibióticos tópicos (TABELA 131.3) desempenham um papel importante no manejo de muitas condições dermatológicas. Em infecções cutâneas localizadas, o uso de agentes tópicos pode eliminar a necessidade de antibioticoterapia oral e seus efeitos colaterais, a exemplo dos sintomas gastrintestinais, bem como potenciais interações medicamentosas. As indicações mais comuns são: manejo da acne, tratamento e prevenção de infecção de feridas, impetigo ou dermatites impetiginizadas e descolonização estafilocócica[23] (ver Capítulo Piodermites).

### Mupirocina

As principais características são:
- altamente eficaz contra *Staphylococcus aureus*, *Streptococcus pyogenes* e todas as outras espécies de estreptococos, exceto as do grupo D;[24]
- não possui ação contra as bactérias da flora normal da pele, não alterando a defesa natural;
- reações adversas ocorrem em 3% dos pacientes, sendo as mais comuns prurido e irritação no local da aplicação;[25]
- possui eficácia igual ou superior à antibioticoterapia oral no tratamento do impetigo;[26]
- o tratamento para casos de impetigo localizado causados por *S. aureus* ou *S. pyogenes* deve ser feito com mupirocina pomada 2% 3 ×/dia, por 7 a 10 dias – evitar o uso prolongado, pois pode levar à resistência bacteriana.

### Ácido fusídico

As principais características do ácido fusídico são:[27]
- estrutura semelhante à dos esteroides, conferindo vantagens, como uma boa penetração na pele, sem possuir atividade anti-inflamatória ou os efeitos colaterais indesejados dos esteroides;

TABELA 131.3 → Antibióticos tópicos de uso frequente na dermatologia

| ANTIBIÓTICO | DISPONIBILIDADE NO MERCADO E POSOLOGIA | COBERTURA ANTIBACTERIANA | CLASSIFICAÇÃO FDA |
|---|---|---|---|
| Ácido fusídico | Creme 2% Forma isolada e em associação com: → Betametasona 0,1% → Hidrocortisona 1% 2-3 ×/dia | *S. aureus* (incluindo cepas meticilina-resistentes), *Staphylococcus epidermidis*, *Corynebacterium minutissimum*, *S. pyogenes*, *P. acnes* | Pode ser utilizado com segurança na gravidez |
| Clindamicina | Gel Associação (para tratamento de acne) com: → Adapaleno → Peróxido de benzoíla 1 ×/dia | Cocos gram-positivos, anaeróbios; *P. acnes* | B |
| Gentamicina | Pomada/creme Associação com: → Betametasona → Betametasona, tolnaftato e clioquinol → Desonida 3-4 ×/dia | Profilaxia para *Pseudomonas aeruginosa* | C |
| Mupirocina | Pomada 2% 2 ×/dia (descolonização)-3 ×/dia | Bactérias gram-positivas: *Staphylococcus*, *Streptococcus* (impetigo); erradicação *S. aureus* meticilina-resistente (MRSA) | B |
| Neomicina | Creme/pomada Forma isolada e em associação com: → Bacitracina → Betametasona → Cetoconazol + betametasona → Triancinolona + gramicidina + nistatina → Desoximetasona → Fludroxicortida 1-3 ×/dia | Neomicina: bactérias gram-negativas, aeróbias Bacitracina: cocos gram-positivos | D |

Fonte: Adaptada de Condon e colaboradores.[35]

- alta efetividade contra o *S. aureus*;
- capacidade de penetração na pele normal, lesada e avascular;
- efetividade clínica e bacteriológica quando usado 2 a 3 ×/dia em infecções dos tecidos moles, como no impetigo, apresentando mínimos efeitos colaterais;
- eficácia comparada à de antibióticos orais no tratamento do impetigo localizado;
- baixos índices de resistência bacteriana.

No Brasil, o ácido fusídico é comercializado em forma de creme a 2% de forma isolada ou em associação com corticoides, não sendo comercializada sua forma de uso sistêmico. Em casos de eczema infectado, as formulações combinadas com hidrocortisona 1% ou betametasona 0,1% atingem excelentes resultados por tratar tanto a inflamação quanto a infecção.[27]

## Associação neomicina e bacitracina

As principais características do sulfato de neomicina são:[25]

→ atividade contra bactérias aeróbias gram-negativas (*Eschericia coli*, *Enterobacter aerogenes*, *Klebsiella pneumoniae*, *Proteus vulgaris*), porém a maioria das espécies de *Pseudomonas aeruginosa* é resistente;
→ ação limitada contra a maior parte das bactérias gram-positivas, sendo *Streptococcus pneumoniae* e *Streptococcus pyogenes* altamente resistentes à neomicina – razão pela qual geralmente se associa a bacitracina para uso em infecções cutâneas;
→ poder de inibir *S. aureus*, porém incapaz de erradicá-lo da pele com seu uso tópico;
→ alta incidência de dermatite de contato por sensibilização sob a forma tópica (6-8%).

Encontra-se disponível no Brasil sob forma de pomada, isolada ou em associação com a bacitracina e com corticoides, porém o uso de associações com corticoides tópicos não é aconselhado.

A bacitracina é um antibiótico tópico que apresenta ação contra cocos gram-positivos, como os estafilococos e os estreptococos. A maioria dos microrganismos gram-negativos e leveduras é resistente. No Brasil, só é encontrado em associação com a neomicina.

A associação entre neomicina e bacitracina apresenta maiores taxas de resistência bacteriana, quando comparadas às da mupirocina e do ácido fusídico, em particular em pacientes com dermatite atópica.[28]

## FORMULAÇÕES NA PRÁTICA CLÍNICA: EXEMPLOS

A **TABELA 131.4** contém as principais formulações encontradas na prática clínica para xerose cutânea, eczema e calo.

## REFERÊNCIAS

1. Saleem MD, Maibach HI, Feldman SR. Principles of topical therapy. In: Kang S, Amagai M, Enk AH, Margolis DJ, McMichael AJ, Orringer JS, editors. Fitzpatrick's Dermatology. 9th ed. New York: McGraw-Hill; 2019. p. 3363–81.
2. Habif TP. Topical therapy and topical corticosteroids. In: Clinical dermatology: a color guide to diagnosis and therapy. 6th ed Philadelphia: Elsevier; 2016. p. 75–89.
3. Marriott JF, Wilson KA, Langley CA, Belcher D, editors. Pharmaceutical compounding and dispensing. 2nd ed. London: Pharmaceutical; 2010. 288 p.
4. Allen Jr LV. The Art, Science, and Technology of Pharmaceutical Compounding. 5th ed. Washington: American Pharmacists Association; 2016.
5. Nguyen Q-GL. Amount to dispense. In: Arndt KA, Hsu JTS, Alam M, Bhatia AC, Chilukuri S, editors. Manual of dermatologic therapeutics. 8th ed. Philadelphia: LWW; 2014. p. 412–3.
6. The Stationery Office, editor. The Martindale: the complete drug reference. 39th ed. London: Stationery Office Books; 2017.
7. Allen Jr LV, Popovich NG, Ansel HC. Formas farmacêuticas e sistemas de liberação de fármacos. 9. ed. Porto Alegre: Artmed; 2013.
8. Aulton ME, Taylor KMG, organizadores. Delineamento de formas farmacêuticas. 4. ed. Rio de Janeiro: Elsevier; 2016.
9. Brasil. Ministério da Saúde. Agência Nacional de Vigilância Sanitária. Formulário Nacional da Farmacopeia Brasileira [Internet]. 2. ed. Brasília: Anvisa; 2012 [capturado em 20 nov. 2019]. Disponível em: http://portal.anvisa.gov.br/documents/33832/259372/FNFB+2_Revisao_2_COFAR_setembro_2012_atual.pdf.

**TABELA 131.4** → Exemplos de formulações na prática clínica

Condição dermatológica:
Xerose cutânea (ver Capítulo Ressecamento da Pele e Sudorese Excessiva)

| COMPOSIÇÃO: HIDRATANTES | | |
| --- | --- | --- |
| COMPOSIÇÕES UTILIZÁVEIS | FORMULAÇÕES MAGISTRAIS | MODO DE USO |
| 1. Ceras, emolientes, umectantes e ureia<br>2. Estearatos, ácidos graxos, hidrocarbonetos e água purificada<br>3. Ceras, emolientes e umectantes | 1. Ureia a 15% – creme O/A 100 g<br>2. Loção monoestearato de glicerila (MEG) 150 g<br>3. Creme Lanette 100 g | Aplicações 2 a 3 ×/dia<br>Obs.: as formulações 2 e 3 evitam a perda transepidérmica de água, mantendo a hidratação |

Condição dermatológica:
Eczema (ver Capítulo Eczemas e Reações Cutâneas Medicamentosas)

| COMPOSIÇÕES UTILIZÁVEIS | POTÊNCIA DE ATIVIDADE | MODO DE USO |
| --- | --- | --- |
| 1. Acetato de hidrocortisona a 1% creme e pomada<br>2. Dexametasona a 0,1% creme<br>3. Desonida a 0,05% creme e pomada; loção capilar a 0,1%<br>4. Valerato de betametasona a 0,1% creme e pomada<br>5. Dipropionato de betametasona a 0,05% creme e pomada<br>6. Mometasona a 0,1% creme<br>7. Propionato de fluticasona a 0,05% creme e pomada<br>8. Propionato de clobetasol a 0,05% creme, pomada e solução<br>9. Proprionato de halobetasol a 0,05% creme | Classe do corticoide: leve (1 e 2)<br>Classe do corticoide: moderada (3)<br>Classe do corticoide: potente (4, 5, 6 e 7)<br>Classe do corticoide: muito potente (8 e 9) | Aplicações 2 a 3 ×/dia |

| COMPOSIÇÕES UTILIZÁVEIS | FORMULAÇÕES MAGISTRAIS | MODO DE USO |
| --- | --- | --- |
| 1. Ceras, emolientes, umectantes e hidrocortisona<br>2. Ceras, emolientes e desonida<br>3. Hidrocarbonetos e propionato de clobetasol | 1. Hidrocortisona a 1% – creme emoliente e umectante 20 g<br>2. Desonida a 0,05% – creme emoliente 15 g<br>3. Propionato de clobetasol a 0,05% – pomada 15 g | Aplicações 2 a 3 ×/dia |

Condição dermatológica: Calo

Caracteriza-se pela formação de hiperceratose em cunha na superfície da pele e que, por pressão mecânica, provoca dor de intensidade moderada a alta. O tratamento que determinará a melhora do quadro é a correção da alteração ortopédica desencadeante. Algumas medidas dermatológicas paliativas, além de palmilhas, podem trazer algum alívio para a dor.

| COMPOSIÇÕES UTILIZÁVEIS | FORMULAÇÕES MAGISTRAIS | MODO DE USO |
| --- | --- | --- |
| 1. Ceras, umectantes e ureia<br>2. Colódio elástico, ácido salicílico e ácido láctico | 1. Ureia a 40% – cerato 15 g<br>2. Ácido salicílico a 10%; ácido láctico a 10%; colódio elástico 10 mL | Aplicar à noite com curativo oclusivo ou 2 ×/dia na área indicada |

10. Wiechers JW. The influence of emollients on skin penetration. Cosmet Toilet. 2008;123(1):46–54.
11. Lüllmann H, Mohr K, Hein L. Color atlas of pharmacology. 5th ed. Stuttgart: Thieme; 2017. 416 p.
12. Caplan A, Fett N, Werth V. Glucocorticoids. In: Kang S, Amagai M, Enk AH, Margolis DJ, McMichael AJ, Orringer JS, editors. Fitzpatrick's Dermatology. 9th ed New York: McGraw-Hill; 2019. p. 3382–94.
13. Wiedersberg S, Leopold CS, Guy RH. Bioavailability and bioequivalence of topical glucocorticoids. Eur J Pharm Biopharm. 2008;68(3):453–66.
14. Tadicherla S, Ross K, Shenefelt PD, Fenske NA. Topical corticosteroids in dermatology. J Drugs Dermatol JDD. 2009;8(12):1093–105.
15. Kirkland R, Pearce DJ, Balkrishnan R, Feldman SR. Critical factors determining the potency of topical corticosteroids. J Dermatol Treat. 2006;17(3):133–5.
16. Hengge UR. Topical corticosteroids. In: Gaspari AA, Tyring SK, Kaplan DH, editors. Clinical and basic immunodermatology. 2nd ed. New York: Springer; 2017. p. 815–30.
17. Allenby CF, Main RA, Marsden RA, Sparkes CG. Effect on adrenal function of topically applied clobetasol propionate (Dermovate). Br Med J. 1975;4(5997):619–21.
18. van der Linden MW, Penning-van Beest FJA, Nijsten T, Herings RMC. Topical corticosteroids and the risk of diabetes mellitus: a nested case-control study in the Netherlands. Drug Saf. 2009;32(6):527–37.
19. Hughes J, Rustin M. Corticosteroids. Clin Dermatol. 1997;15(5):715–21.
20. Chi C-C, Wang S-H, Wojnarowska F, Kirtschig G, Davies E, Bennett C. Safety of topical corticosteroids in pregnancy. Cochrane Database Syst Rev. 2015;(10):CD007346.
21. Dréno B, Araviiskaia E, Berardesca E, Gontijo G, Sanchez Viera M, Xiang LF, et al. Microbiome in healthy skin, update for dermatologists. J Eur Acad Dermatol Venereol. 2016;30(12):2038–47.
22. Grice EA, Kong HH, Conlan S, Deming CB, Davis J, Young AC, et al. Topographical and temporal diversity of the human skin microbiome. Science. 2009;324(5931):1190–2.
23. Drucker CR. Update on topical antibiotics in dermatology. Dermatol Ther. 2012;25(1):6–11.
24. Booth JH, Benrimoj SI. Mupirocin in the treatment of impetigo. Int J Dermatol. 1992;31(1):1–9.
25. Pereira LB, Pereira LB. Impetigo – review. An Bras Dermatol. 2014;89(2):293–9.
26. Koning S, van der Sande R, Verhagen AP, van Suijlekom-Smit LWA, Morris AD, Butler CC, et al. Interventions for impetigo. Cochrane Database Syst Rev. 2012;1:CD003261.
27. Schöfer H, Simonsen L. Fusidic acid in dermatology: an updated review. Eur J Dermatol. 2010;20(1):6–15.
28. Bessa GR, Quinto VP, Machado DC, Lipnharski C, Weber MB, Bonamigo RR, et al. Staphylococcus aureus resistance to topical antimicrobials in atopic dermatitis. An Bras Dermatol. 2016;91(5):604–10.

## LEITURAS RECOMENDADAS

Vila Jato JL. Tecnologia farmacêutica. Madrid: Sintesis; 2001.
*Considerações sobre cada forma farmacêutica, incluindo as substâncias utilizadas e sua função, bem como tecnologia de produção e controle de qualidade. Rápida abordagem dos excipientes mais comuns em cada forma farmacêutica.*

Walters KA. Dermatological and transdermal formulations. New York: Marcel Dekker; 2002.
*Considerações sobre os principais veículos de uso tópico quanto à aplicação em determinadas áreas e sua influência na absorção dos fármacos.*

# Capítulo 132
## DERMATOSES ERITEMATOESCAMOSAS

Humberto Antonio Ponzio
Ana Lenise Favaretto
Márcia Paczko Bozko

A principal característica das doenças que constituem o grupo das dermatoses eritematoescamosas é a presença predominante de eritema e descamação, as quais são manifestações clínicas indispensáveis para sua classificação. O eritema é a lesão primária, e a escama – consequência direta da multiplicação acelerada de queratinócitos que se acumulam na superfície da pele – é a lesão secundária.

As principais dermatoses incluídas nesse grupo, e de interesse para o clínico, são a dermatite seborreica, a psoríase, a pitiríase rósea de Gilbert e a pitiríase rubra pilar. (Para ver exemplos das lesões características dessas condições, acesse o QR code.)

Além dessas doenças, o reconhecimento das eritrodermias, diante de sua gravidade, é de importância para o médico que trabalha em ambiente de atenção primária à saúde (APS).

A inclusão nesse grupo, portanto, é baseada essencialmente na morfologia das lesões elementares predominantes. Diversas outras afecções, como os eczemas e as dermatofitoses que podem apresentar eritema e escamas, são incluídas em outros grupos, por não serem essas as suas manifestações primárias e preponderantes.

## DERMATITE SEBORREICA

A dermatite seborreica (DS) é uma doença dermatológica inflamatória crônica e recidivante comum que costuma aparecer nas áreas da pele com grande densidade de glândulas sebáceas, como couro cabeludo, face, peito, dorso, axila e virilha.[1] Sua prevalência é de 5% na população geral, e acomete mais homens do que mulheres,[1,2,3] sem predileção racial.[3] Mais de 70% dos bebês com idade < 3 meses podem apresentar DS.[4] Há um padrão sazonal – é mais frequente no inverno e geralmente melhora no verão –, e sua principal complicação é a infecção bacteriana secundária.[5]

As lesões da DS são produzidas por inflamação, que leva ao eritema, e por multiplicação acelerada de células epidérmicas, causando o acúmulo de corneócitos. A doença ocorre em áreas de pele com glândulas sebáceas ativas e costuma estar associada à superprodução de sebo, com alterações na composição de lipídeos e desequilíbrio na flora microbiana da pele. Embora sua patogênese não esteja completamente elucidada, existe uma ligação com a superprodução de sebo e a levedura comensal *Malassezia*, sobretudo *M. globosa* e *M. restricta*,[5,6] que pode ser isolada regularmente nas lesões de DS, inclusive nas crianças.[1] Sugere-se que produtos da degradação dessas leveduras induzam um processo inflamatório em indivíduos predispostos, já que não há uma correlação clara entre a quantidade de leveduras e a gravidade dos sintomas de DS.[4] Alterações na permeabilidade da barreira epidérmica facilitam a entrada da *Malassezia* e seus metabólitos, levando à irritação da epiderme e à resposta imune do hospedeiro. Essa resposta inflamatória afeta a diferenciação epidérmica e a formação da barreira cutânea, e o consequente prurido com coçadura agrava ainda mais a disfunção, levando a um ciclo vicioso.[5] Parece estar associada somente a alterações na imunidade celular.[3] A colonização do couro cabeludo por *Staphylococcus aureus* é significativamente maior em portadores de DS, sugerindo que essa bactéria, associada a *Malassezia*, possa ter um papel importante na patogênese.[7]

Os achados histológicos dependem do estágio clínico. Nas fases aguda e subaguda, nota-se um infiltrado inflamatório linfo-histiocitário associado à espongiose e hiperplasia psoriasiforme leves a moderadas, com paraceratose ao redor dos óstios foliculares (paraceratose "em ombro"). Na fase crônica, além dos achados supracitados, há marcada hiperplasia psoriasiforme, com dilatação dos capilares e vênulas do plexo superficial.[3]

O calor, a umidade, o uso de roupas sintéticas, o diabetes e a obesidade são fatores que favorecem o aparecimento da DS. Tensão emocional, alcoolismo e excesso de ingesta de hidratos de carbono e alimentos condimentados podem agravar a erupção.[2] Um interessante estudo transversal sobre a associação da dieta com a DS foi feito nos Países Baixos, com 4.379 indivíduos (destes, 636 tinham DS) e média de idade de 68,9 anos. Esse estudo mostrou que a dieta de padrão ocidental (com consumo maior de carnes, batata e bebidas alcoólicas) foi associada a risco aumentado de DS em mulheres, e que uma dieta baseada em frutas foi associada a menor probabilidade de desenvolver DS em ambos os sexos.[8] A associação de DS com alterações neurológicas é comum, destacando-se a doença de Parkinson, a discinesia tardia, o traumatismo craniano, a epilepsia, a paralisia facial, o traumatismo medular e o humor depressivo. Outras condições associadas ao aumento de incidência da DS são higiene precária, pancreatite alcoólica crônica, hepatite C e síndrome de Down.[5,8] A deficiência de zinco provoca um quadro semelhante à DS, mas a DS não é influenciada pela administração de zinco.[2]

## Manifestações clínicas

O diagnóstico da DS é baseado na topografia e na morfologia de suas lesões. No couro cabeludo, as escamas são amarelo-amarronzadas, maiores e gordurosas; nos demais locais, são mais secas, com aparência menor e mais brancas. O *rash* se manifesta como áreas bem-delimitadas de eritema e descamação com pequenas vesículas. Cronologicamente, duas formas clínicas podem ser identificadas, cada uma com suas peculiaridades: dermatite seborreica infantil e dermatite seborreica do adulto.

A DS infantil, atribuída ao efeito dos andrógenos maternos sobre as glândulas sebáceas do recém-nascido, provocando hiperseborreia, pode começar já na 1ª semana de vida, persistindo até o 6º mês ou um pouco mais. No couro cabeludo, há escamas gordurosas e aderentes, formando a chamada crosta láctea, e as regiões superciliares, central da face, auriculares e retroauriculares também podem ser acometidas por lesões eritematoescamosas (FIGURA 132.1). Em casos mais extensos, pode-se observar o envolvimento do tronco e de regiões de dobras, como pescoço, axilas e região inguinal. Na área das fraldas, em crianças, é comum a infecção secundária por *Candida albicans*. Em alguns casos, as lesões seborreicas podem ser a manifestação inicial de um quadro grave, eritrodérmico – a eritrodermia esfoliativa do infante (doença de Leiner) –, em geral acompanhado de diarreia, vômitos, anemia e febre e associado à deficiência de C5.[2] O prurido na DS é variável.[3]

Na DS do adulto, as lesões elementares mantêm as mesmas características daquelas dos lactentes, variando de intensidade e localização. Observa-se o predomínio no couro cabeludo (FIGURA 132.2), onde podem variar desde uma simples descamação até acúmulos de escamas estratificadas sobre base eritematosa. Constitui-se elemento semiótico importante a imprecisão dos limites das lesões nessa área.

Na face, as lesões comprometem as regiões superciliares e ciliares (blefarite seborreica; ver Capítulo Outras Patologias Oculares), a glabela e os sulcos paranasais e mentoniano. A concha auricular pode ser acometida, e as lesões podem estender-se aos condutos auditivos externos (otite externa seborreica). As regiões retroauriculares também são envolvidas.

No tronco, as lesões são típicas nas regiões pré-esternais e interescapulares, onde, pela confluência, assumem arranjos policêntricos ou tricofitoides (dermatite seborreica

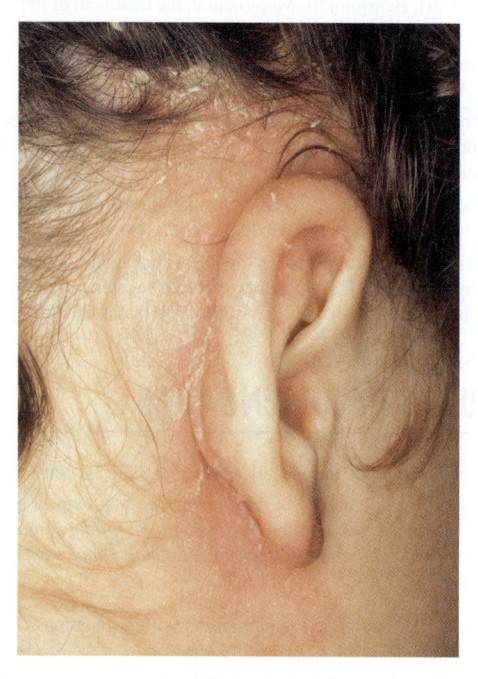

**FIGURA 132.1** → Dermatite seborreica do couro cabeludo e retroauricular.

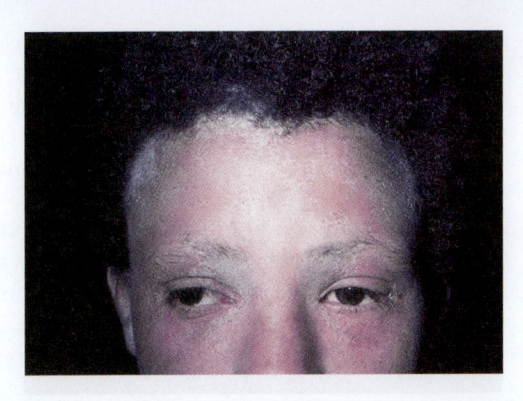

**FIGURA 132.2** → Dermatite seborreica do couro cabeludo e das regiões superciliares e palpebrais.

petaloide ou dermatite mediotorácica de Brocq). No períneo, é frequente o envolvimento da região pubiana nas mulheres e das áreas intertriginosas nos homens (ver QR code no início deste capítulo).

Quadros extensos e resistência ao tratamento são sinais cutâneos sugestivos de uma infecção subjacente pelo vírus da imunodeficiência humana (HIV, do inglês *human immunodeficiency virus*),[9,10] tanto em adultos quanto em crianças.[5] Em pacientes imunossuprimidos, a DS costuma ser mais extensa e refratária ao tratamento. Sua incidência nos pacientes HIV-positivos varia de 30 a 80%. Na literatura, não há consenso sobre se os níveis de leveduras *Malassezia* estão aumentados ou diminuídos em relação aos não soropositivos.[10] O reconhecimento da DS pode ajudar no diagnóstico precoce do HIV, mas a relação entre a contagem de linfócitos CD4 e a gravidade da dermatose permanece incerta, pois pode ser vista em pacientes com contagem alta de CD4 (geralmente entre 200-500), pode ser um sinal cutâneo da síndrome da reconstituição imune em pacientes em terapia antirretroviral, pode intensificar com a piora da imunossupressão e também pode regredir com o tratamento antirretroviral.[3,5,10] A histologia das lesões nos pacientes HIV-positivos é semelhante aos soronegativos, porém há maior acometimento folicular e mais plasmócitos em meio ao infiltrado inflamatório.[3]

## Tratamento

A escolha do esquema terapêutico depende da idade do paciente, do grau de comprometimento, da manifestação clínica predominante, dos custos envolvidos e dos fatores condicionantes ou agravantes da DS. Deve-se ter em mente que produtos gordurosos devem ser evitados, tanto na face quanto no couro cabeludo, e a higiene com produtos não irritantes é recomendada. É importante salientar aos pacientes o caráter crônico recidivante da doença.

Na maioria dos casos, o tratamento tópico é suficiente.

Em crianças, a DS costuma ser autolimitada. Naquelas com crosta láctea, o uso de óleos ou outros hidratantes, seguido da remoção das crostas com um pente fino ou escovinha, é efetivo **C/D**. Creme de cetoconazol a 2% **C/D** e corticoides tópicos de baixa potência são efetivos, mas os corticoides devem ser usados com parcimônia **C/D**.[4] Uma recente revisão sobre o tratamento da DS em crianças de 0 a 24 meses foi incapaz de definir quais são as melhores intervenções nesse grupo etário, e concluiu que são necessários ensaios clínicos bem-delineados com as terapêuticas comumente indicadas, como emolientes, xampus, escovação, antifúngicos e corticoides, já que, embora a DS tenha um curso benigno, gera ansiedade nos pais, que desejam tratamentos efetivos e seguros.[11]

O tratamento da DS do adulto está baseado no controle das leveduras da *Malassezia* e das condições que propiciam seu desenvolvimento. Nos casos de DS facial, antifúngicos como cremes de cetoconazol a 2% e ciclopirox olamina a 1% por 4 semanas são altamente recomendados **B**.[4,12] Tratamentos adjuvantes com corticoide de baixa potência (hidrocortisona a 1%) **B**, creme com pimecrolimo a 1% e pomada com tacrolimo a 0,1% **B**[4] podem ser necessários, devendo ficar a cargo do médico especialista. Já o uso tópico de gel com metronidazol a 0,75% **B**, creme com furoato de mometasona a 0,1%, creme com nicotinamida a 4%, emulsão com *Aloe vera* a 30% ou óleo de melaleuca a 5% é moderadamente recomendado na DS facial **C/D**.[12] É importante lembrar dos efeitos colaterais do uso por tempo prolongado dos corticoides, como atrofia, telangiectasias, hipertricose e dermatite perioral. Xampus com cetoconazol a 2% **B** e loções capilares com corticoide de média a baixa potência (deacepronato de metilprednisolona hidrocortisona a 1%) **B** são recomendados para o tratamento do couro cabeludo.[4]

## Encaminhamento

Deve-se considerar encaminhamento ao dermatologista quando há dificuldades diagnósticas ou quando os casos são extensos ou refratários às abordagens iniciais.

Para os casos que não respondem à terapia tópica e para os casos extensos, podem ser utilizados medicamentos por via oral (VO),[4] embora não exista um tratamento-padrão, pois a perda de consistência entre os estudos impede a comparação entre os diferentes fármacos (itraconazol, fluconazol, terbinafina, cetoconazol, prednisona, isotretinoína e preparação homeopática).[13] O itraconazol (200 mg/dia por 7 dias, seguidos de 200 mg/dia por 2 dias no início de cada mês por 3 meses)[4,14] parece ser o antifúngico mais bem estudado **A**. A isotretinoína VO pode ser uma alternativa: isoladamente, em doses baixas (10 mg, VO, a cada 2 dias), reduziu significativamente a secreção sebácea em 3 meses, quando comparada ao uso de sabonete com ácido salicílico 2 ×/dia e xampu anticaspa 3 ×/semana contendo piroctona olamina e ácido salicílico (entre outros componentes), sendo a queilite seu principal efeito colateral **C/D**.[15] Seu exato mecanismo de ação na DS ainda precisa ser mais bem estudado, já que, mesmo com a diminuição da secreção sebácea, as leveduras de *Malassezia* não são eliminadas.[6] Não se pode negligenciar, porém, a ação teratogênica dessa substância, o que torna obrigatória a realização de controles especiais quando indicada para mulheres em idade fértil. Esse fato fez as autoridades sanitárias restringirem a prescrição da isotretinoína VO aos dermatologistas.

Crianças com doença de Leiner devem ser hospitalizadas para melhor controle do estado geral.[2]

## PSORÍASE

A psoríase é uma doença crônica de etiologia pouco conhecida que resulta de predisposição poligênica combinada com fatores desencadeantes como traumas (ferimentos, queimaduras solares), infecções (sobremaneira estreptocócicas), exantemas virais, medicamentos (lítio, interferona, betabloqueadores, antimaláricos, anti-inflamatórios não esteroides),[2,16,17] hipocalcemia e estresse emocional, afetando igualmente homens e mulheres.[18] Cerca de 35 a 90% dos doentes referem a coexistência de parentes afetados, e a concordância entre gêmeos monozigóticos é de 65 a 70%.[16] A obesidade, talvez por gerar um estado pró-inflamatório, e o consumo de bebidas alcoólicas e tabagismo, talvez mais como consequência do impacto psicológico da doença no indivíduo, também estão associados à psoríase. A maioria dos pacientes relata um sério prejuízo na qualidade de vida. A psoríase acomete cerca de 2% da população mundial e pode surgir em qualquer idade.[19] No Brasil, a prevalência é estimada em 1,3% da população.[20]

Mecanismos imunológicos complexos estão envolvidos na sua etiopatogenia, com um dramático aumento do índice de proliferação dos queratinócitos relacionado com o aumento da produção de citocinas inflamatórias pelas células Th1.[19]

A retirada abrupta de corticoides e a gestação podem levar ao quadro de psoríase pustulosa.[1] Em pacientes HIV-positivos, a prevalência de psoríase é similar à dos não soropositivos. Porém, as lesões cutâneas tendem a ser mais extensas, severas e recalcitrantes, e esses pacientes têm prevalência muito maior de psoríase artropática. Deve-se ter em mente que, em pacientes com fatores de risco conhecidos para HIV, o surgimento de psoríase pode ser um marcador da infecção.

### Manifestações clínicas

A psoríase pode acometer a pele, as unhas e as articulações. Na pele, a característica principal é a presença de placas eritematodescamativas, cujas variações dependem do tipo clínico (FIGURA 132.3). A multiplicação acelerada de queratinócitos na epiderme leva ao acúmulo de corneócitos, formando escamas estratificadas que podem apresentar-se branco-acinzentadas ou prateadas, imbricadas ou lamelares. Além do couro cabeludo, as áreas mais atingidas são cotovelos, joelhos, região sacral e unhas.

Prurido e queimação nas lesões não são raros e podem causar grande desconforto. Não é raro a psoríase iniciar como lesões pequenas e múltiplas, distribuídas pelo tronco, como pequenas lesões papuloescamosas (*psoriasis guttata*), cujo gatilho pode ser atribuído a uma infecção bacteriana aguda, como tonsilite estreptocócica. Essas lesões podem desaparecer após o controle do processo infeccioso ou evoluir para formas mais avançadas e definidas da doença. A psoríase em placas, ou vulgar, é a mais comum e característica de todas,

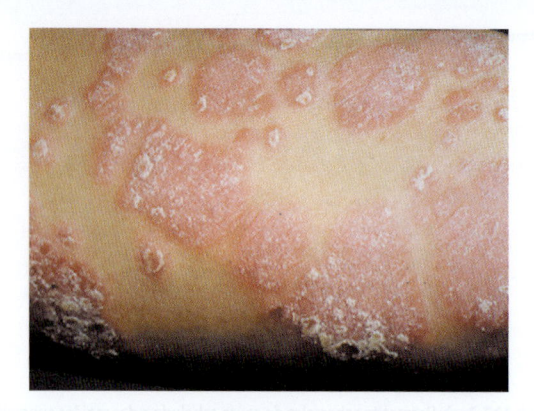

**FIGURA 132.3** → Psoríase: placas eritematodescamativas.

acometendo cerca de 80% dos pacientes. É constituída por placas confluentes, que podem assumir arranjos figurados, predominando nas áreas de maior atrito. As dobras articulares são normalmente poupadas, exceto na chamada psoríase inversa, bem menos observada do que a anterior.

O comprometimento ungueal é frequente na psoríase. A manifestação mais comum é a presença de depressões puntiformes na lâmina ungueal, como o fundo de um dedal (unha em dedal). A mais precoce e característica, no entanto, é a "mancha de óleo", que corresponde a pequenas manchas irregulares, amarelo-acastanhadas, no leito ungueal, como se uma gota de óleo tivesse sido ali depositada (FIGURA 132.4). O descolamento distal da lâmina (onicólise), seu espessamento e a presença de estrias transversais ou longitudinais (onicorrexe) são comumente observados. O envolvimento ungueal na psoríase tem sido considerado fator de risco para a forma artropática da doença (ver QR code no início deste capítulo).

O envolvimento articular na psoríase é clinicamente observado em 5 a 7% dos casos e está presente, de maneira assintomática, em 60 a 90% dos casos. As articulações mais comprometidas são as interfalângicas distais, os punhos e tornozelos, as sacroilíacas e a coluna vertebral. São oligoartrites soronegativas, nas quais são encontradas alterações

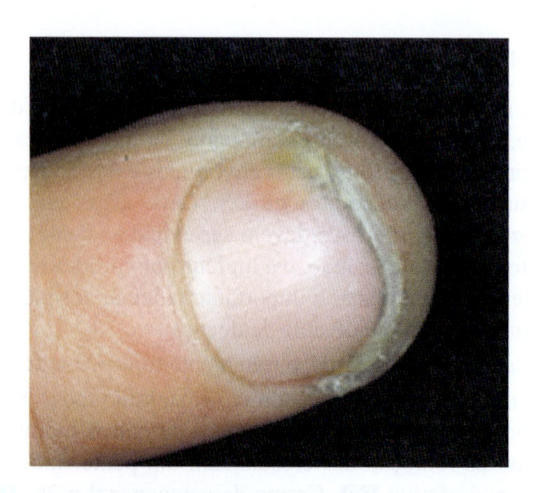

**FIGURA 132.4** → Psoríase: "mancha de óleo".

apenas na hemossedimentação e, em alguns casos, na uricemia, que podem estar elevadas.

O curso clínico da psoríase é variável, muitas vezes permanecendo no local de origem, como o couro cabeludo, por longos períodos, de maneira tórpida, ou estendendo-se a outras partes do tegumento. Episódios de exacerbação e remissão são frequentes. Formas de passagem entre os diversos tipos clínicos não são raras; a mais grave e difícil de tratar é a psoríase eritrodérmica, caracterizada por envolvimento generalizado, edema, descamação discreta e eritema intenso, o que pode levar à hipotermia ou à insuficiência cardíaca, hepática ou renal. Esse quadro costuma ser desencadeado por tratamentos intempestivos, como o rebote pós-corticoterapia, ou por exposição excessiva às radiações solares UVB.

O diagnóstico da psoríase é essencialmente clínico, tomando-se por base a topografia e as características morfológicas das lesões. Uma manifestação não exclusiva da psoríase, mas de grande utilidade para o diagnóstico, é o fenômeno isomórfico de Koebner, que corresponde à reprodução de lesões, com as mesmas características das originais, em locais que sofreram traumatismo.[4] Uma manobra clínica muito útil para o diagnóstico é a curetagem metódica de Brocq: ao curetar gentilmente uma placa psoriásica, observa-se o desprendimento de escamas, como se uma vela estivesse sendo raspada (sinal da vela); a seguir, observa-se o desprendimento de uma membrana (sinal da membrana derradeira ou membrana de Duncan); por fim, no leito por ela anteriormente coberto, surge um pontilhado hemorrágico típico, mas não patognomônico, da psoríase (sinal do orvalho sangrante ou de Auspitz).[2,18] Doenças cardiovasculares, como infarto agudo do miocárdio, embolia pulmonar e acidentes vasculares cerebrais, são mais comuns em pacientes com psoríase.[19] Alguns autores sugerem que o aumento do índice de massa corporal afeta negativamente a resposta inicial dos tratamentos sistêmicos.[17]

## Tratamento

As diversas expressões clínicas da psoríase, aliadas à multiplicidade de seus fatores desencadeantes, fazem de sua abordagem terapêutica uma tarefa muitas vezes difícil, que requer conhecimento, análise minuciosa e, principalmente, bom senso daqueles que se dispõem a tratá-la. O caráter autorremissivo e a evolução em surtos dificultam, às vezes, a interpretação da real efetividade de um esquema proposto. A influência emocional no curso da doença é outro fator que interfere no resultado, valorizando os efeitos placebo e Hawthorne. Quadros mais leves não necessariamente exigem tratamento.

## Abordagem nutricional e medidas de estilo de vida

Devido às comorbidades apresentadas pelos pacientes com psoríase, vários estudos têm sido feitos buscando alternativas nutricionais para esses pacientes, com resultados conflitantes, como a suplementação com vitamina $B_{12}$, inositol (vitamina $B_7$), vitamina D, zinco, selênio e taurina. Doses altas de ômega-3, contido no óleo de peixe, parecem ter um resultado benéfico na melhora clínica das lesões, principalmente se associadas à fototerapia UVB e ao uso de retinoides VO **C/D**.[17,21,22] Certos estudos mostraram que dieta hipocalórica e dieta livre de glúten podem beneficiar alguns pacientes portadores de psoríase.[23]

O consumo de bebidas alcoólicas agrava as lesões de psoríase e aumenta a resistência aos tratamentos.[23] Parece razoável indicar uma dieta saudável e livre de excessos de modo a evitar a obesidade e a síndrome metabólica que podem acompanhar esses pacientes **B**. Devido ao grande impacto das alterações emocionais no curso da psoríase e das lesões cutâneas nas relações interpessoais, esses temas devem ser abordados com o paciente a fim de fornecer apoio e suporte adequado no enfrentamento da condição.

A exposição aos raios solares (helioterapia) traz benefícios à grande maioria dos pacientes com psoríase.[24,25] Aliados à balneoterapia, os banhos de sol têm sido a principal opção de lazer desses pacientes, pois, além das propriedades inerentes dessas emissões e das propriedades da água de algumas dessas estações, o descanso é de grande valor para sua recuperação. Porém, a presença de lesões em áreas expostas ao sol em geral contraindica a helioterapia, e o relato de pioras no quadro com exposição solar no passado deveria ser levado em conta no plano terapêutico. Quadros muito extensos, quando expostos à radiação UVB, podem evoluir para eritrodermia.

## Tratamentos específicos

As opções terapêuticas mais utilizadas incluem medicamentos tópicos e sistêmicos, além de métodos físicos, como a fototerapia e a laserterapia.[26] Quadros clínicos mais localizados podem ser manejados pelo médico de APS com terapêuticas tópicas, enquanto quadros extensos ou com comprometimento articular devem ser encaminhados ao especialista.

### Tratamento tópico

Recomenda-se manter a pele hidratada com cremes (de preferência do tipo água em óleo), óleos ou pomadas, em todos os casos **C/D**.

Entre os fármacos de aplicação tópica, são altamente efetivos, na melhora sintomática, os corticoides (TE = −1,00) **A**, os análogos da vitamina D **A** e os derivados do ácido retinoico **C/D**.[27] A antralina[27] e os inibidores da calcineurina,[27,28] aplicados 1 a 2 ×/dia, e o xampu de clobetasol,[29,30] aplicado diariamente até a remissão das lesões, além dos queratolíticos, podem ser benéficos no tratamento, mas a evidência suportando seu uso é limitada **B**.

A ação anti-inflamatória dos corticoides, em especial dos derivados fluorados, justifica sua manutenção no arsenal terapêutico da psoríase.[18] Sua ação tópica é rápida, mas doses cada vez maiores podem ser necessárias para a manutenção do efeito, até que o desenvolvimento de taquifilaxia provoque a falta de resposta terapêutica.[31] Uma forma de evitar que isso ocorra, e só em casos de lesões localizadas, é a aplicação intermitente, em pulsoterapia, de corticoides tópicos potentes, como a pomada de dipropionato de betametasona a 0,05%, 3 ×/dia, 1 dia/semana, mantendo a remissão das lesões.[32] Essa forma, além de ser efetiva, possibilita prevenir o surgimento de telangiectasias, atrofia cutânea e, sobretudo, inibição suprarrenal por absorção percutânea, que são os principais efeitos colaterais da corticoterapia prolongada. A importância do veículo não pode ser esquecida: em geral, os unguentos e as pomadas oferecem a melhor opção para as lesões da pele glabra, e as emulsões fluidas e loções, para as lesões do couro cabeludo.

O xampu contendo clobetasol a 0,05% aplicado por 15 minutos antes da lavagem e usado 1 ×/dia por até 4 semanas mostrou-se efetivo para o manejo da psoríase do couro cabeludo, e esse veículo tem grande aceitação por parte dos pacientes B. Os corticoides também são excelentes para associação com outros agentes antipsoriásicos, como o ácido salicílico e o *liquor carbonis detergens* (LCD) C/D.[18]

Inibidores da calcineurina, como a pomada de tacrolimo a 0,03% ou 0,1% ou o creme de pimecrolimo a 1%, usados 1 a 2 ×/dia, têm sido empregados nas áreas cutâneas onde a absorção aumentada de corticoides os contraindica, como nas dobras e na face, mas podem ter, como efeito colateral, uma sensação de queimação na pele e prurido, que tendem a desaparecer com o uso continuado B.[18]

Os análogos da vitamina D, como o calcipotriol, inibem a proliferação de corneócitos e estimulam a diferenciação celular *in vivo*, sem alterar os níveis séricos de cálcio.[18] Possuem efetividade semelhante aos corticoides tópicos B,[27] e sua associação é superior à monoterapia B,[27] podendo ser a eles associados para diminuir os efeitos irritativos que podem produzir.[33]

Embora os derivados do alcatrão da hulha e a antralina sejam usados no tratamento da psoríase há mais de cem anos, ainda hoje seu mecanismo de ação não é bem compreendido. Cosmeticamente, eles não são bem aceitos pelos pacientes devido ao odor forte e característico e às manchas que deixam nas roupas e na pele. Seus efeitos colaterais incluem dermatite de contato irritativa, foliculite e fotossensibilidade.[18] Apesar disso, existem várias formulações, à base de óleo de cade a 2% em pomada, ou de seu derivado purificado, o LCD, que é usado sobretudo em xampus e preparações capilares, em concentrações que variam de 2 a 5%. São produtos mais acessíveis, sobremaneira quando manipulados B.

Os queratolíticos (em especial, os ácidos salicílico e láctico) e seus derivados têm sido indicados, puros ou associados aos corticoides ou alcatrões, para acelerar a remoção das escamas. O ácido salicílico, em baixas concentrações (até 2%), tem efeito queratoplástico, melhorando a qualidade da queratinização, e, em proporções maiores, efeito queratolítico. Existem especialidades farmacêuticas nas quais o ácido salicílico a 3% está associado ao dipropionato de betametasona a 0,05%. Essa preparação alia a ação queratolítica do ácido salicílico à ação anti-inflamatória da betametasona, e pode ser aplicada 1 a 2 ×/dia, por períodos não superiores a 15 dias, em um mesmo local B. As áreas intertriginosas devem ser poupadas.

## Encaminhamento

### Tratamento sistêmico

O tratamento sistêmico da psoríase envolve a aplicação de fármacos, isoladamente ou em associação com métodos físicos, e está indicado nas formas extensas e rebeldes aos regimes terapêuticos convencionais. Requer protocolos criteriosos e objetivos para facilitar a identificação precoce de efeitos colaterais e a melhor avaliação dos resultados. A manutenção do tratamento tópico é recomendável, com o objetivo de reduzir o aporte de medicamentos de uso sistêmico. Inclui a administração de fármacos como os psoralenos (abordados nos métodos físicos, pela necessidade de associação às radiações ultravioleta), o metotrexato, a ciclosporina, os retinoides e, mais recentemente, os imunobiológicos.

Um esquema clássico (ainda prescrito por especialistas) de tratamento para as formas não eritrodérmicas da psoríase é o método de Goeckerman.[2] Essa técnica tem sofrido diversas modificações, mas seu princípio consiste na exposição à radiação UVB (que pode ser natural, no período do dia das 10-14 horas, com início sempre com tempo curto de exposição ao sol e aumento gradativo conforme tolerância, até o máximo de 30 minutos), precedida pela aplicação de pomada de coaltar em concentrações de 2 a 5%. Em 300 casos graves e resistentes da doença atendidos em dois centros de tratamento intensivo, foram observados o clareamento das lesões, em média, com 18 dias de tratamento e a manutenção da resposta, em 75% dos casos, pelo período de 1 ano.[34]

O metotrexato está entre as substâncias de uso sistêmico mais conhecidas e utilizadas na psoríase, seja por dermatologistas, reumatologistas ou clínicos habituados ao manejo dos antimetabólitos, apesar da hepatotoxicidade, seu efeito colateral mais temido, e apesar de efeitos colaterais precoces, como alterações hematológicas e infecções, serem mais frequentes.[17] No início, devem ser feitos controles hematológicos semanais e, posteriormente, mais espaçados. O surgimento de lesões orais aftoides em geral traduz leucopenia importante. O controle periódico da função hepática também deve ser feito, e biópsia hepática deve ser realizada quando a dose cumulativa atingir 4 g de metotrexato.[16]

A ciclosporina é altamente eficaz no tratamento da psoríase. Devido aos seus potenciais efeitos colaterais, como alteração da função renal, hipertensão, náuseas, parestesias, hipertricose, associação com infecções e neoplasias malignas (sobretudo linfomas), é reservada aos casos de psoríase eritrodérmica ou aos casos que não respondem a outras terapias.[16]

Terapias biológicas de alto custo, cujos principais alvos são as células T e o TNF-alfa, são indicadas para psoríase moderada a grave e/ou artrite psoriática. Entre essas terapias, estão incluídos o infliximabe, o etanercepte e o ustequinumabe,[19] e o seu uso deve ser recomendado e acompanhado pelo médico especialista.

### Fototerapia e laserterapia

Devido à baixa incidência de efeitos colaterais, a fototerapia tornou-se o principal tratamento da psoríase, e atualmente o UVB de banda estreita (311-313 nm) é a melhor irradiação disponível.[19]

Pode ser realizada combinação com o uso de calcipotriol tópico e PUVA, o que leva à diminuição na dose cumulativa de UVA e ao aumento da eficácia quando comparada às respectivas monoterapias.[19]

Pode-se utilizar o *excimer laser* de 308 nm para tratamento de um número limitado de placas psoriásicas.[19] O *pulsed dye laser* de 585 nm também leva a remissões prolongadas nas lesões estáveis de psoríase.[16] Deve ser salientado o alto custo desses equipamentos, o que limita sua difusão.

# PITIRÍASE RÓSEA DE GILBERT

A pitiríase rósea de Gilbert (PR) é uma erupção papuloescamosa autolimitada geralmente assintomática, sobretudo no tronco, que afeta ambos os sexos.[2,35] Apresenta variação sazonal, sendo mais prevalente no verão e no outono em nosso meio.[2] Cerca de 75% dos pacientes têm 10 a 35 anos.[16,36]

A etiologia da PR ainda é incerta. Muitos autores sugerem etiologia infecciosa associada à reativação dos herpesvírus humanos tipos 6 e 7 (HHV-6 e HHV-7).[2,35,37] Recente estudo imuno-histoquímico confirmou a participação da imunidade mediada por linfócitos T no desenvolvimento da doença por meio da predominante marcação positiva para CD3, CD4, CD8 e CD45RO das células inflamatórias nas lesões cutâneas dos pacientes com PR.[38]

## Manifestações clínicas

As lesões características da PR são placas elípticas, eritematoescamosas, com tendência anular, centro amarelo tênue e bordas ligeiramente elevadas, circundadas por escamas que formam um franjado característico, a chamada descamação em colarete.[2,16,36] Essas franjas na periferia das lesões são um importante elemento para o diagnóstico.

Na PR clássica, as lesões predominam nas áreas cobertas e, no tronco, acompanham as linhas de clivagem da pele (linhas de Langer), dispondo seu maior eixo paralelamente a elas.[2,36] No dorso, a distribuição das lesões lembra uma "árvore de Natal".[16,36] O prurido é variável, podendo ser ausente, discreto ou intenso. Em 50 a 90% dos casos, a erupção é precedida por uma lesão maior – em geral, de 2 a 10 cm de diâmetro – no tronco ou nas extremidades proximais, que antecede as demais lesões em 2 dias a 2 meses, denominada medalhão inicial,[16,36] e sua identificação e história muito contribuem para o diagnóstico. Alguns pacientes apresentam sintomas iniciais inespecíficos semelhantes a uma infecção de vias aéreas superiores.[16,35,36] Nos eventuais casos de crianças com idade < 10 anos, lesões papulosas prevalecem e o exantema costuma durar menos tempo.[39] Diversas variantes clínicas foram descritas, com lesões circinadas gigantes, purpúricas ou hemorrágicas, urticariformes, foliculares, vesiculosas, entre outras.[39]

A área mais atingida é o tronco e, secundariamente, os membros. Raras vezes a PR acomete face, mãos e pés, e o couro cabeludo nunca é comprometido.[2] Podem ser vistas variantes com acometimento exclusivo de áreas flexurais, como axila e virilha (PR inversa) ou palmas das mãos e plantas dos pés (PR acral).[39] Lesões indolores de orofaringe, com padrão macular, papular ou petequial, podem ser vistas em alguns pacientes.[40] As lesões desaparecem, de forma espontânea, em cerca de 8 semanas, embora possam persistir excepcionalmente por mais tempo. Nos indivíduos de pele mais escura, as lesões tendem a ser mais papulosas e hiperpigmentadas, podendo levar à hiperpigmentação residual.[36,41]

Alguns fármacos foram associados a quadros extensos e persistentes de PR, como arsênico, bismuto, barbitúricos, captopril, ouro, mercuriais, metronidazol, D-penicilamina, clonidina, isotretinoína, cetotifeno, omeprazol, entre outros.[16] Em casos recorrentes, também deve ser feita anamnese minuciosa questionando uso de fármacos e vacinas (como H1N1, *influenza*, hepatite B, pneumococo), e o exame histopatológico mostrando dermatite de interface com eosinófilos é sugestivo de PR secundária.[41]

O diagnóstico geralmente é clínico. Em casos atípicos ou duvidosos, pode ser realizado exame histopatológico, mostrando dermatite perivascular superficial com infiltrado linfocitário em torno dos vasos, podendo ocorrer espongiose, exocitose e paraceratose.[2] Para afastar a possibilidade de sífilis secundária, o *Venereal Disease Research Laboratory* (VDRL) deve ser solicitado nos pacientes com acometimento palmoplantar ou em casos atípicos.[2,16,36]

## Tratamento

Por se tratar de doença autolimitada, a maioria dos pacientes não necessita de tratamento, apenas de orientação quanto à benignidade do quadro.[16,37] O tratamento atual consiste em terapia sintomática tópica ou sistêmica.[35] O prurido das lesões pode ser tratado com loções antipruriginosas com calamina ou corticoterapia tópica **C/D**.[35] Casos de prurido intenso podem ser tratados com anti-histamínicos ou corticoides sistêmicos.[2,4] Diversos estudos têm sido feitos para determinar a efetividade do aciclovir na PR. Recente revisão sistemática e metanálise concluíram que o aciclovir é uma opção justificada em alguns casos **B**.[35] Os pacientes devem ser avaliados quanto à intensidade do *rash* e ao comprometimento da qualidade de vida e, se necessário e não contraindicado, pode ser usado aciclovir 400 mg, VO, 3 ×/dia por 7 dias.[37]

Até o momento, não há evidência adequada para a recomendação de macrolídeos **B** e de fototerapia na PR.[35,41]

A ocorrência de PR na gestação, especialmente nas primeiras 15 semanas, é associada a parto prematuro, aborto e hipotonia neonatal.[37,42] Nesses casos, a terapia antiviral (p. ex., aciclovir 400-800 mg, 3 ×/dia por 7 dias) deve ser considerada e discutida com o obstetra,[35,37,43] principalmente nos casos com enantema, sintomas sistêmicos e acometimento extenso (> 50% da superfície corporal) **C/D**.[44]

# PITIRÍASE RUBRA PILAR

A pitiríase rubra pilar (PRP) é uma afecção rara e de causa desconhecida, caracterizada pela presença de pequenas pápulas foliculares hiperceratósicas, placas eritematodescamativas róseo-amareladas de tamanhos variados e queratodermia palmoplantar, com dois picos de incidência quanto à idade: na 1ª e 2ª décadas e na 5ª e 6ª décadas.[45] Em alguns casos, é autolimitada; em outros, pode persistir por anos.[45,46] Existem formas hereditárias e outras adquiridas. A forma familiar parece ser autossômica dominante com penetrância variável, mas há casos autossômicos recessivos descritos.[45]

A PRP é classificada em seis tipos, de acordo com a idade de início, o curso da doença e as condições associadas:[2,45-48]

→ **tipo I – forma adulta clássica:** inicia por volta dos 40 a 60 anos, inicialmente no couro cabeludo, disseminando-se no sentido craniocaudal. É patognomônica a presença de pápulas foliculares com espículas córneas localizadas no dorso da primeira e segunda falanges dos dedos. Prurido é discreto.[2] Pode evoluir para eritrodermia, com as características ilhas de pele isentas de lesão.[16,48] É o tipo mais comum. Costuma resolver em 3 anos;[46,48]

→ **tipo II – forma adulta atípica:** é caracterizada por lesões ictiosiformes[47,49] principalmente nas pernas, em associação com alopecia e eczema. Seu curso pode ser muito longo;[47]

→ **tipo III – forma juvenil clássica:** clinicamente semelhante ao tipo I adulto clássico, diferindo quanto à faixa etária. A resolução espontânea é frequente em 1 a 2 anos;[2,47]

→ **tipo IV – forma juvenil circunscrita:** geralmente ocorre em crianças com idade < 12 anos e se caracteriza por placas eritematosas com hiperceratose folicular bem-demarcadas nos joelhos e nos cotovelos.[2,47] É a variante mais comum encontrada em crianças;[45]

→ **tipo V – forma juvenil atípica:** a maioria dos casos familiares é desse tipo e costuma surgir nos primeiros anos de vida, com curso crônico.[2,45,47] Clinicamente assemelha-se ao tipo III, associada à queratodermia palmoplantar e à esclerose dos dedos.[2] Foram encontradas mutações no gene *CARD14* relacionadas à PRP, principalmente no tipo V;[48]

→ **tipo VI – forma associada à infecção pelo HIV:** caracteriza-se pela presença da infecção pelo HIV, clinicamente semelhante ao tipo I, com pior prognóstico e pobre resposta ao tratamento.[45,47,48] Outras manifestações foliculares podem estar presentes, como acne conglobata, hidradenite supurativa e líquen espinuloso.[2,47,48] Eritrodermia é uma complicação frequente.[2,48] Pode responder à terapia antirretroviral.[2]

O diagnóstico da PRP é predominantemente clínico.[2,16,45,47,48] As pápulas foliculares com espículas córneas são características da doença, bem como o tom salmão das lesões e as ilhotas de pele normal.[2] O exame histopatológico das lesões mostra hiperceratose e paraceratose nos óstios foliculares com aspecto "em ombro".[16] A paraceratose apresenta-se em orientações horizontal e vertical intercaladas no estrato córneo interfolicular, dando o aspecto de "tabuleiro de damas".[45,46] Acantose irregular e disceratose acantolítica podem acompanhar um infiltrado inflamatório moderado na derme superior.[16] Muitas vezes, a histologia das lesões pode ter características sobrepostas comuns a várias doenças eritematopapuloescamosas, sem os achados clássicos, o que dificulta o diagnóstico, tornando fundamental a correlação com os aspectos clínicos para o diagnóstico.[50]

Quanto à terapêutica, podem ser empregados tópicos como emolientes, ceratolíticos como ureia, ácido salicílico e alfa-hidroxiácidos, corticoides tópicos, tazaroteno e inibidores da calcineurina C/D.[45] A terapêutica tópica pode aliviar os sintomas, sendo indicada para todos os pacientes.[48]

Por ser uma doença rara, recomenda-se encaminhamento ao dermatologista para diagnóstico e tratamento quando houver suspeita. A terapia sistêmica de primeira linha é feita com retinoides.[48,49] Outros fármacos também podem ser empregados, como metotrexato, ciclosporina e medicamentos biológicos.[45,47-49,51] O emprego da fototerapia como terapia única ainda é controverso.[2,45,49]

## ERITRODERMIA

A eritrodermia é uma síndrome na qual eritema intenso e descamação generalizada acometem > 90% da superfície corporal, sendo o estágio máximo da inflamação cutânea.[52] Prurido é o sintoma mais comum.[2,16,53,54] Acomete mais os homens e é mais frequente entre os 40 e os 65 anos.[4]

A eritrodermia costuma ser uma apresentação clínica de uma variedade de doenças neoplásicas, inflamatórias e infecciosas, e algumas vezes é idiopática.[2,16] A causa mais comum da eritrodermia é uma dermatose preexistente, e, entre as dermatoses, a psoríase se destaca, seguida do eczema de contato. Entre as malignidades, destaca-se a micose fungoide e a síndrome de Sézary.[2,53,54] Inúmeros fármacos já foram citados como desencadeantes da eritrodermia, como penicilina, alopurinol, sulfametoxazol + trimetoprima, lítio, isoniazida, fenitoína, diclofenaco, ibuprofeno, clonazepam, carbamazepina, amoxicilina, ciprofloxacino, omeprazol, pantoprazol e até medicamentos homeopáticos. A eritrodermia já foi descrita, no nosso meio, relacionada à hanseníase.[52]

A identificação da doença de base é um dos mais complexos desafios na dermatologia, e a biópsia de pele muitas vezes é fundamental nos casos em que não há história de doença cutânea prévia. O mecanismo patogenético é o da doença de base.

### Manifestações clínicas

Com base na história natural, a eritrodermia pode ser classificada em primária (quando o eritema se estende por dias ou semanas até envolver toda a pele, seguido de descamação) ou secundária (quando ocorre como generalização de uma doença cutânea preexistente). O eritema precede a descamação em 2 a 6 dias.[16] Nos casos secundários ao uso de fármacos, o surgimento da eritrodermia costuma ocorrer de forma abrupta.[54]

Prurido é a queixa mais frequente, independentemente da causa da eritrodermia.

A queratodermia palmoplantar aparece em cerca de 30% dos pacientes eritrodérmicos, sendo frequentemente um sinal precoce de PRP. A queratodermia crostosa pode indicar escabiose norueguesa, enquanto a queratodermia fissurada e dolorosa pode ocorrer na síndrome de Sézary.[2,16]

A colonização da pele por *S. aureus* é comum, podendo levar a quadros de infecções cutâneas secundárias.[16,55]

Podem ocorrer linfadenopatia, edema periférico, febre, calafrios, hepatoesplenomegalia e descompensação cardíaca.

Eosinofilia na biópsia cutânea parece estar relacionada à eritrodermia secundária ao uso de medicamentos.[55]

Diminuição da função renal, distúrbios hidreletrolíticos e hipoalbuminemia parecem ser comuns nos pacientes eritrodérmicos.[16,55]

## Encaminhamento

Devem-se encaminhar pacientes com suspeita de eritrodermia ao dermatologista ou, dependendo da urgência, ao setor de emergência, para avaliação e tratamento.

O manejo inicial consiste na avaliação nutricional, na correção do balanço hidreletrolítico, na prevenção de hipotermia e no tratamento das infecções secundárias.[2,16]

Anti-histamínicos VO sedantes ajudam no prurido, que frequentemente é grave.

O uso de corticoides sistêmicos é proscrito nos casos de suspeita de psoríase, pelo risco de rebote e de desenvolvimento da forma pustulosa da doença quando o medicamento é suspenso.[16]

O diagnóstico da doença subjacente é fundamental para o tratamento e o prognóstico dos pacientes.

## REFERÊNCIAS

1. Clark GW, Pope SM, Jaboori KA. Diagnosis and treatment of seborrheic dermatitis. Am Fam Physician. 2015;91(3):185-90.
2. Habif TP. Clinical Dermatology: a color guide to diagnosis and therapy. 6. ed. Philadelphia: Elsevier; 2016.
3. Sampaio AL, Mameri AC, Vargas TJ, Ramos-e-Silva M, Nunes AP, Carneiro SC. Seborrheic dermatitis. An Bras Dermatol. 2011;86(6):1061-71; quiz 1072-4.
4. Hald M, Arendrup MC, Svejgaard EL, Lindskov R, Foged EK, Saunte DM; Danish Society of Dermatology. Evidence-based Danish guidelines for the treatment of Malassezia-related skin diseases. Acta Derm Venereol. 2015;95(1):12-9.
5. Borda LJ, Wikramanayake TC. Seborrheic dermatitis and dandruff: a comprehensive review. J Clin Investig Dermatol. 2015;3(2):10.13188/2373-1044.1000019.
6. Kamamoto CSL, Nishikaku AS, Gompertz OF, Melo AS, Hassun KM, Bagatin E. Cutaneous fungal microbiome: *Malassezia* yeasts in seborrheic dermatitis scalp in a randomized, comparative and therapeutic trial. Dermatoendocrinol. 2017;9(1):e1361573.
7. Tamer F, Yuksel ME, Sarifakioglu E, Karabag Y. *Staphylococcus aureus* is the most common bacterial agent of the skin flora of patients with seborrheic dermatitis. Dermatol Pract Concept. 2018;8(2):80-4.
8. Sanders MGH, Pardo LM, Ginger RS, Kiefte-de Jong JC, Nijsten T. Association between diet and seborrheic dermatitis: a cross-sectional study. J Invest Dermatol. 2019;139(1):108-14.
9. Chandrakala C, Parimalam K, Wahab AJ, Anand N. Correlating CD4 count with mucocutaneous manifestations in HIV-positive patients: a prospective study. Indian J Sex Transm Dis AIDS. 2017;38(2):128-35.
10. Forrestel AK, Kovarik CL, Mosam A, Gupta D, Maurer TA, Micheletti RG. Diffuse HIV-associated seborrheic dermatitis – a case series. Int J STD AIDS. 2016;27(14):1342-5.
11. Victoire A, Magin P, Coughlan J, van Driel ML. Interventions for infantile seborrhoeic dermatitis (including cradle cap). Cochrane Database Syst Rev. 2019;3(3):CD011380.
12. Gupta AK, Versteeg SG. Topical treatment of facial seborrheic dermatitis: a systematic review. Am J Clin Dermatol. 2017;18(2):193-213.
13. Gupta AK, Richardson M, Paquet M. Systematic review of oral treatments for seborrheic dermatitis. J Eur Acad Dermatol Venereol. 2014;28(1):16-26.
14. Abbas Z, Ghodsi SZ, Abedeni R. Effect of itraconazole on the quality of life in patients with moderate to severe seborrheic dermatitis: a randomized, placebo-controlled trial. Dermatol Pract Concept. 2016;6(3):11-6.
15. de Souza Leão Kamamoto C, Sanudo A, Hassun KM, Bagatin E. Low-dose oral isotretinoin for moderate to severe seborrhea and seborrheic dermatitis: a randomized comparative trial. Int J Dermatol. 2017;56(1):80-5.
16. Ramos-e-Silva M, Castro M. Fundamentos de dermatologia. Rio de Janeiro: Atheneu; 2009.
17. Duarte GV, Follador I, Cavalheiro CMA, Silva TS, Oliveira MFSP. Psoríase e obesidade: revisão de literatura e recomendações no manejo. An Bras Dermatol. 2010;85(3):355-60.
18. Kurian A, Barankin B. Current effective topical therapies in the management of psoriasis. Skin Therapy Lett. 2011;16(1):4-7.
19. Bolognia JL, Jorizzo JL, Schaffer JV. Dermatologia. 3. ed. Rio de Janeiro: Elsevier; 2015.
20. Arnone M, Takahashi MDF, Carvalho AVE et al. Diagnostic and therapeutic guidelines for plaque psoriasis – Brazilian Society of Dermatology. An Bras Dermatol. 2019;94(2 Suppl 1):S76-107.
21. Mayser P, Mrowietz U, Arenberger P, Bartak P, Buchvald J, Christophers E, et al. Omega-3 fatty acid-based lipid infusion in patients with chronic plaque psoriasis: results of a double-blind, randomized, placebo-controlled, multicenter trial. J Am Acad Dermatol. 1998;38(4):539-47.
22. Bjørneboe A, Smith AK, Bjørneboe GE, Thune PO, Drevon CA. Effect of dietary supplementation with n-3 fatty acids on clinical manifestations of psoriasis. Br J Dermatol. 1988;118(1):77-83.
23. Ricketts JR, Rothe MJ, Grant-Kels JM. Nutrition and psoriasis. Clin Dermatol. 2010;28(6):615-26.
24. Snellman E, Aromaa A, Jansén CT, Lauharanta J, Reunanen A, Jyrkinen-Pakkasvirta T, et al. Supervised four-week heliotherapy alleviates the long-term course of psoriasis. Acta Derm Venereol. 1993;73(5):388-92.
25. Snellman E, Lauharanta J, Reunanen A, Jansén CT, Jyrkinen-Pakkasvirta T, Kallio M, et al. Effect of heliotherapy on skin and joint symptoms in psoriasis: a 6-month follow-up study. Br J Dermatol. 1993;128(2):172-7.
26. Elmets AC, Lim HW, Stoff B et al. Joint American Academy of Dermatology – National Psoriasis Foundation guidelines of care for the management and treatment of psoriasis with phototherapy. J Am Acad Dermatol 2019;81(3):775-804.
27. Mason AR, Mason J, Cork M, Dooley G, Hancock H. Topical treatments for chronic plaque psoriasis. Cochrane Database Syst Rev. 2013;(3):CD005028.
28. Jacobi A, Braeutigam M, Mahler V, Schultz E, Hertl M. Pimecrolimus 1% cream in the treatment of facial psoriasis: a 16-week open-label study. Dermatology. 2008;216(2):133-6.
29. Feldman SR, Yentzer BA. Topical clobetasol propionate in the treatment of psoriasis: a review of newer formulations. Am J Clin Dermatol. 2009;10(6):397-406.
30. Poulin Y, Papp K, Bissonnette R, Barber K, Kerrouche N, Villemagne H. Clobetasol propionate shampoo 0.05% is efficacious and safe for long-term control of moderate scalp psoriasis. J Dermatolog Treat. 2010;21(3):185-92.
31. du Vivier A, Stoughton RB. Tachyphylaxis to the action of topically applied corticosteroids. Arch Dermatol. 1975;111(5):581-3.
32. Katz HI, Prawer SE, Medansky RS, Krueger GG, Mooney JJ, Jones ML, et al. Intermittent corticosteroid maintenance treatment of psoriasis: a double-blind multicenter trial of augmented betamethasone dipropionate ointment in a pulse dose treatment regimen. Dermatologica. 1991;183(4):269-74.

33. Douglas WS, Poulin Y, Decroix J, Ortonne JP, Mrowietz U, Gulliver W, et al. A new calcipotriol/betamethasone formulation with rapid onset of action was superior to monotherapy with betamethasone dipropionate or calcipotriol in psoriasis vulgaris. Acta Derm Venereol. 2002;82(2):131-5.
34. Menter A, Cram DL. The Goeckerman regimen in two psoriasis day care centers. J Am Acad Dermatol. 1983;9(1):59-65.
35. Rodriguez-Zuniga M, Torres N, Garcia-Perdomo H. Effectiveness of acyclovir in the treatment of pityriasis rosea. A systematic review and meta-analysis. An Bras Dermatol. 2018;93(5):686-95.
36. Rivitti EA. Dermatologia de Sampaio e Rivitti. 4. ed. São Paulo: Artes Médicas; 2018.
37. Chuh A, Zawar V, Sciallis G, Kempf W. A position statement on the management of patients with pityriasis rosea. J Eur Acad Dermatol Venereol. 2016;30(10):1670-81.
38. Wang S, Fu L, Du W, Hu J, Zha Y, Wang P. Subsets of T lymphocytes in the lesional skin of pityriasis rosea. An Bras Dermatol. 2019;94(1):52-5.
39. Urbina F, Das A, Sudy E. Clinical variants of pityriasis rosea. World J Clin Cases. 2017;5(6):203-11.
40. Ciccarese G, Broccolo F, Rebora A, Parodi A, Drago F. Oropharyngeal lesions in pityriasis rosea. J Am Acad Dermatol. 2017;77(5):833-7.
41. Mahajan K, Relhan V, Relhan AK, Garg VK. Pityriasis rosea: an update on etiopathogenesis and management of difficult aspects. Indian J Dermatol. 2016; 61(4):375–84.
42. Drago F, Broccolo F, Zaccaria E, Malnati M, Cocuzza C, Lusso P, Rebora A. Pregnancy outcome in patients with pityriasis rosea. J Am Acad Dermatol. 2008;58(5 Suppl 1):S78-83.
43. Ciccarese G, Drago F. Is a treatment for pityriasis rosea really needed? Indian Dermatol Online J. 2016;7(5):435.
44. Drago F, Ciccarese G, Herzum A, Rebora A, Parodi A. Pityriasis rosea during pregnancy: major and minor alarming signs. Dermatology. 2018;234(1-2):31-6.
45. Brown F, Badri T. Pityriasis Rubra Pilaris [Internet]. Treasure Island: StatPearls; 2019 [capturado em 23 jan. 2020]. Disponível em: https://www.ncbi.nlm.nih.gov/books/NBK482436/
46. Ross NA, Chung HJ, Li Q, Andrews JP, Keller MS, Uitto J. Epidemiologic, clinicopathologic, diagnostic, and management challenges of pityriasis rubra pilaris: a case series of 100 patients. JAMA Dermatol. 2016;152(6):670-5.
47. Moretta G, De Luca EV, Di Stefani A. Management of refractory pityriasis rubra pilaris: challenges and solutions. Clin Cosmet Investig Dermatol. 2017;10:451-7.
48. Roenneberg S, Biedermann T. Pityriasis rubra pilaris: algorithms for diagnosis and treatment. J Eur Acad Dermatol Venereol. 2018;32(6):889-98.
49. Kromer C, Sabat R, Celis D, Mössner R. Systemic therapies of pityriasis rubra pilaris: a systematic review. J Dtsch Dermatol Ges. 2019;17(3):243-59.
50. Hosamane S, Pai M, Philipose TR, Nayarmoole U. Clinicopathological study of non-infectious erythaematous papulosquamous skin diseases. J Clin Diagn Res. 2016;10(6):EC19-22.
51. Koch L, Schöffl C, Aberer W, Massone C. Methotrexate treatment for pityriasis rubra pilaris: a case series and literature review. Acta Derm Venereol. 2018;98(5):501-5.
52. Miyashiro D, Vieira AP, Trindade MAB, Avancini J, Sanches JA, Benard G. A case report of erythroderma in a patient with borderline leprosy on reversal reaction: a result of the exacerbated reaction? BMC Dermatol. 2017;17(1):16.
53. Mathew R, Sreedevan V. Erythroderma: a clinicopathological study of 370 cases from a tertiary care center in Kerala. Indian J Dermatol Venereol Leprol. 2017;83(5):625.
54. César A, Cruz M, Mota A, Azevedo F. Erythroderma. A clinical and etiological study of 103 patients. J Dermatol Case Rep. 2016;10(1):1-9.
55. Tan GF, Kong YL, Tan AS, Tey HL. Causes and features of erythroderma. Ann Acad Med Singapore. 2014;43(8):391-4.

## LEITURAS RECOMENDADAS

Arnone M, Takahashi MDF, Carvalho AVE et al. Diagnostic and therapeutic guidelines for plaque psoriasis – Brazilian Society of Dermatology. An Bras Dermatol. 2019;94(2 Suppl 1):S76-107.

Elmets AC, Lim HW, Stoff B et al. Joint American Academy of Dermatology – National Psoriasis Foundation guidelines of care for the management and treatment of psoriasis with phototherapy. J Am Acad Dermatol 2019;81(3):775-804.

Nast A, Gisondi P, Ormerod AD et al. European S3–Guidelines on the systemic treatment of psoriasis vulgaris – Update 2015 Short version – EDF in cooperation with EADV and IPC. JEADV 2015, 29, 2277–94.

Azulay, Rubem David, Azulay, David Rubem, Azulay-Abulafia, Luna. Dermatologia – 7ª edição. Rio de Janeiro: Guanabara Koogan (Grupo GEN); 2017.

Kreuter A, Sommer A, Hyun J, Bräutigam M, Brockmeyer NH, Altmeyer P, et al. 1% pimecrolimus, 0,005% calcipotriol, and 0.1% betamethasone in the treatment of intertriginous psoriasis: a double-blind, randomized controlled study. Arch Dermatol. 2006;142(9):1138-43.

Mraz S, Leonardi C, Colón LE, Johnson LA. Different treatment outcomes with different formulations of clobetasol propionate 0.05% for the treatment of plaque psoriasis. J Dermatolog Treat. 2008;19(6):354-9.

Søyland E, Funk J, Rajka G, Sandberg M, Thune P, Rustad L, et al. Effect of dietary supplementation with very-long-chain n-3 fatty acids in patients with psoriasis. N Engl J Med. 1993;328(25):1812-6.

# Capítulo 133
# ECZEMAS E REAÇÕES CUTÂNEAS MEDICAMENTOSAS

Magda Blessmann Weber

Renan Rangel Bonamigo

Fabiana Bazanella de Oliveira

As dermatites são muito frequentes, e sua principal forma clínica denomina-se eczema. Os eczemas caracterizam-se por eritema, vesiculação, exsudação, crostas, escamas e liquenificação. O sintoma clínico mais comum é a presença de prurido em graus variados. As características individuais de cada um dos eczemas definem a intensidade de cada uma dessas manifestações.

Os eczemas podem apresentar-se na forma aguda (com predomínio de vesículas), na forma subaguda (ainda com algumas vesículas e já com crostas) e na forma crônica (em que predominam crostas, escamas e liquenificação). O Atlas Dermatológico pode auxiliar no diagnóstico de várias dermatites e reações cutâneas (ver QR code).

# DERMATITE ATÓPICA

É uma dermatose inflamatória crônica e recidivante, que apresenta prurido intenso e ressecamento da pele como suas principais manifestações clínicas. Associa-se, com frequência, a outras manifestações atópicas, como asma e rinite alérgica. Apresenta quadro clínico bastante peculiar, podendo variar desde formas mais graves (quadros clássicos) até formas mais leves (manifestações atípicas). Incide em qualquer idade, e as características clínicas variam de acordo com a faixa etária do paciente. É mais comum o aparecimento após o 3º mês de vida.

A dermatite atópica acarreta transtornos em toda a estrutura familiar do paciente. As atividades de trabalho, escola e lazer e as condições financeiras da família podem estar comprometidas.[1,2]

## Etiologia

É uma doença multifatorial, com diversos agentes desencadeantes. Resulta da interação entre suscetibilidade genética e meio ambiente. Ocorrem defeitos na formação e na manutenção da integridade da barreira cutânea, disfunções imunológicas, alterações vasculares (vasoconstrição na derme) e secreção de mediadores, colonização da pele por microrganismos (especialmente *Staphylococcus aureus*), alterações emocionais e hiper-reatividade a diversos alérgenos (tanto inalados quanto ingeridos).

Entre os fatores ambientais importantes, estão a "caspa" do pelo dos animais de estimação, o pólen, a fumaça de cigarro, a poluição do ar, a poeira doméstica e a baixa umidade do ar. Quanto ao convívio com animais de estimação, há controvérsias sobre os efeitos no desencadeamento da dermatite atópica. Apesar da histórica recomendação para diminuição do contato com animais, existem estudos demonstrando ocorrer um efeito protetor para a dermatite atópica com exposição a animais durante os 2 primeiros anos de vida (possivelmente decorrente dos aspectos psicológicos positivos da relação com animais).[3]

As alterações na barreira cutânea dos pacientes com dermatite atópica são desencadeadas principalmente por modificações genéticas do processamento da filagrina e pela redução da formação das ceramidas e outros lipídeos, o que afeta a função do estrato córneo, levando à perda de água transepidérmica e à xerose. Essas alterações contribuem para maior suscetibilidade a infecções, maior facilidade de irritação por alérgenos externos, maior penetração de alérgenos pela pele e aumento do prurido.[4,5]

Banhos prolongados e muito quentes, uso de abrasivos sobre a pele, tecidos sintéticos e produtos químicos para lavagem e manutenção das roupas também provocam ressecamento da pele e pioram o quadro clínico, visto que alteram a barreira cutânea.

Alérgenos alimentares como desencadeantes de atopia e proteção pelo aleitamento materno ainda permanecem em discussão.[6]

As infecções cutâneas podem piorar os quadros de dermatite atópica. O *S. aureus* é o principal agente infectante das lesões de dermatite atópica, e a simples colonização da pele por esse agente pode piorar a doença. O *S. aureus* funciona como um superantígeno, e não como agente infeccioso. O *S. aureus* resistente à meticilina parece também já estar implicado na colonização da pele e na piora dos quadros clínicos.[7]

Atualmente, os aspectos emocionais dos pacientes têm sido valorizados tanto no desencadeamento como na manutenção e na piora da doença. Alguns autores fazem referência a uma personalidade atópica nesse grupo de indivíduos.[1,8–10] A avaliação dos aspectos psicológicos é importante nesses casos, pois a dermatite atópica parece estar associada à piora do quadro clínico em resposta a ansiedade, depressão, raiva, impedimento, vergonha e ressentimento. Se esses fatores não puderem ser adequadamente identificados e tratados pelo médico assistente, devem ser considerados avaliação e acompanhamento psicológicos.[1,8–10]

## Epidemiologia

Estima-se que a prevalência seja de 10 a 20% entre as crianças de países desenvolvidos, sendo a faixa etária mais comprometida aquela < 10 anos de idade. Cerca de 40% dos pacientes com dermatite atópica nessa faixa etária permanecem com a doença por toda a vida. O risco de filhos de pais com atopia desenvolverem eczema atópico é de 50%, incluindo todas as formas de apresentação, mesmo os casos leves. A prevalência de quadros graves é bem mais baixa do que a de pacientes pouco comprometidos, correspondendo a cerca de 25% dos casos.[10]

## Quadro clínico

A dermatite atópica tem várias formas de apresentação clínica, divididas entre os quadros clássicos e os quadros atípicos da doença.[10,11] Seu diagnóstico, com base na história do paciente e nas manifestações clínicas, pode ser feito a partir da regra clínica apresentada na TABELA 133.1.[12]

**O prurido é um sintoma tão proeminente que muitos autores consideram que a presença de eczema não pruriginoso não deve ser diagnosticada como um quadro de dermatite atópica. Ainda não existem testes laboratoriais específicos para o diagnóstico de dermatite atópica.**

O quadro clínico clássico da dermatite atópica é dividido segundo a faixa etária de aparecimento das lesões, com zonas anatômicas diferenciadas de acometimento da pele.

**TABELA 133.1** → Diagnóstico clínico de dermatite atópica

| PRESENÇA DE PRURIDO COM TRÊS OU MAIS DOS SEGUINTES: |
|---|
| I. História de dermatite flexural |
| II. História de alergia respiratória no paciente ou em parente de primeiro grau |
| III. Pele seca |
| IV. Lesões eczematosas antes dos 2 anos de idade |
| V. Eczema persistente |

Fonte: Williams e colaboradores.[12]

## Fase infantil ou do lactente

Estende-se até os 24 meses de idade. Caracteriza-se por lesões sobretudo na face (FIGURA 133.1A), mas que podem acometer também outros locais da pele, poupando geralmente a zona das fraldas. Quando a criança começa a engatinhar, as lesões se expandem para as áreas de atrito, como os cotovelos. Essas lesões são constituídas por pápulas edematosas, às vezes confluentes, muito pruriginosas, crostosas e exsudativas. A infecção secundária e as linfadenopatias são comuns. O aparecimento do eczema pode ter relação com dentição, infecções respiratórias, alterações climáticas e fatores emocionais. Os pacientes que, nessa fase, apresentam eczema generalizado, podem melhorar bastante; todavia, o desaparecimento total da doença é improvável.

## Fase juvenil

Inicia-se a partir dos 24 meses e vai até aproximadamente os 12 anos de idade. Nesse período, as lesões surgem principalmente nas regiões poplíteas e cubitais, região cervical lateral, punhos e tornozelos (FIGURA 133.1B). As pápulas eritematosas e eczematosas são substituídas, de forma gradual, por liquenificação.

## Fase do adolescente e do adulto

Começa a partir dos 12 anos de idade. Nessa fase da dermatite atópica, a liquenificação é o achado mais importante, especialmente observada nas regiões flexurais e nas mãos (FIGURA 133.1C). Em geral, os indivíduos que na infância apresentaram formas graves da doença, sobretudo as associadas à instabilidade emocional, são os candidatos naturais à manutenção da doença na idade adulta.

As FIGURAS 133.2 e 133.3 mostram lesões características da dermatite atópica.

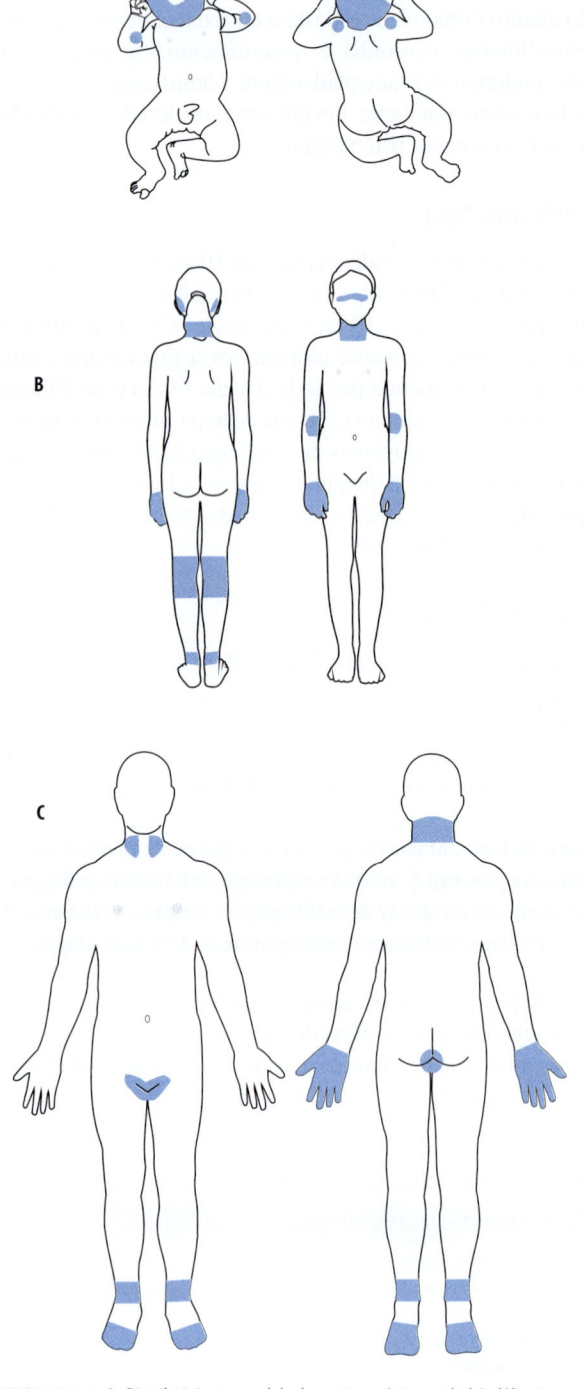

**FIGURA 133.1** → Distribuição corporal da dermatite atópica em bebês (A), crianças (B) e adultos (C).

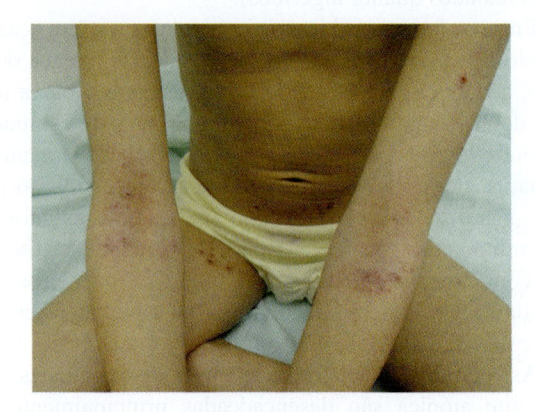

**FIGURA 133.2** → Lesões de eczema características da fossa cubital.

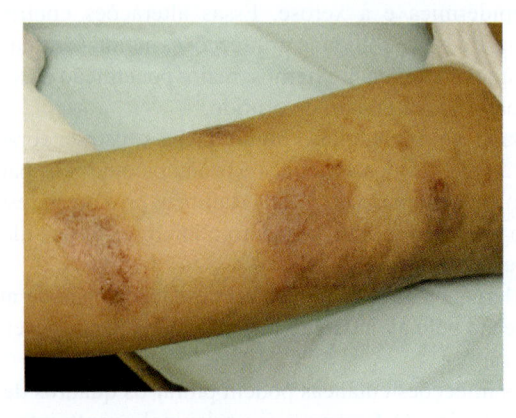

**FIGURA 133.3** → Lesões de eczema com infecção secundária.

Dentro de cada faixa etária, o quadro clínico é classificado em leve, moderado e grave.[13] Essa classificação, que leva em consideração a extensão das lesões, seu tempo de evolução e a intensidade do prurido referida pelo paciente, tem como objetivo facilitar a aplicação de medidas terapêuticas. A gravidade da dermatite atópica pode ser sintetizada utilizando o escore apresentado na TABELA 133.2.[13,14]

## Quadros não clássicos de apresentação da atopia cutânea

A seguir, são apresentadas formas clínicas atípicas ou variantes da dermatite atópica:

→ **pitiríase alba:** é uma manifestação de atopia encontrada em 40 a 60% dos atópicos, com uma incidência maior entre 6 e 12 anos de idade. São lesões hipocrômicas, com descamação fina, as quais pioram no verão após a exposição solar e são mais observadas na face, na região cervical, nos braços e no tronco. Nessas lesões, o diagnóstico diferencial deve ser realizado com pitiríase versicolor, e o exame micológico direto pode ser útil no caso de dúvidas clínicas;
→ **eczema de pés e mãos:** trata-se de lesões descamativas finas com eventual fissuração poupando áreas de pressão. Meias sintéticas e sapatos fechados podem agravar o quadro. O diagnóstico diferencial deve ser feito com dermatose plantar juvenil, dermatofitoses e dermatite de contato;
→ **hiperlinearidade palmoplantar:** ocorre em até 88% dos atópicos. Trata-se de uma acentuação das linhas palmares e plantares com xerodermia;

**TABELA 133.2** → Classificação da gravidade da dermatite atópica*

| QUADRO CLÍNICO |
| --- |
| **Fase infantil (até os 2 anos de idade)** |
| → Acometimento < 18% da superfície corporal = 1 |
| → Acometimento > 18% e < 54% = 2 |
| → Acometimento > 54% = 3 |
| **Fase juvenil e adulta (a partir dos 2 anos de idade)** |
| → Acometimento de até 9% da superfície corporal = 1 |
| → Acometimento > 9% e < 36% = 2 |
| → Acometimento > 36% = 3 |
| Obs.: a cabeça e os membros superiores correspondem a 9%; tronco + abdome e membros inferiores, 18%; e região genital, 1%. |
| **HISTÓRIA DA DOENÇA** |
| → Período de remissão > 3 meses no intervalo de 1 ano = 1 |
| → Período de remissão < 3 meses = 2 |
| → Curso crônico e contínuo = 3 |
| **INTENSIDADE DO PRURIDO** |
| → Leve, determinando excepcionalmente distúrbios do sono = 1 |
| → Moderado, determinando ocasionalmente distúrbios do sono = 2 |
| → Grave, determinando frequentemente distúrbios do sono = 3 |
| **CLASSIFICAÇÃO** |
| → 3-4 pontos: doença leve |
| → 4,5-7,5 pontos: doença moderada |
| → 8-9 pontos: doença grave |

*Valores intermediários são atribuídos em caso de dúvida.
Fonte: Rajka e Lageland.[14]

→ **ceratose pilar:** são pápulas hiperceratóticas foliculares assintomáticas que ocorrem principalmente na face extensora dos membros superiores e em crianças pequenas também na face. Pode acometer pacientes não atópicos;
→ **eczema palpebral:** incide em 21% dos adolescentes atópicos, como manifestação de eczema atópico ou de contato. São lesões eritematosas, descamativas e infiltradas;
→ **eczema numular ou discoide:** são lesões eczematosas em formato de moeda ou em disco que ocorrem preferencialmente nos membros inferiores e superiores. Em crianças, ainda é considerada uma variante do eczema atópico, mas em adultos não está associada à atopia;
→ **pigmentação periorbital:** ocorre em até 85% dos pacientes com atopia. Junto com a palidez facial, constitui a face atópica. Pode ocorrer inflamação crônica pelo ato de coçar;
→ **eczema vulvar:** pode ser a única manifestação em crianças e ocorre secundariamente ao prurido. Deve-se sempre fazer diagnóstico diferencial com eczema de contato;
→ **eczema de mamilos:** é uma manifestação comum em meninas na puberdade. Ocorre secundariamente ao componente mecânico, friccional. Favorece o diagnóstico de atopia cutânea. Costuma ser bilateral;
→ **fissuras:** ocorrem devido a xerodermia e microtraumas. São normalmente encontradas nas áreas infranasal, retroauricular, infra-auricular ou como queilite angular;
→ **queilite:** inicia-se com lábios secos, especialmente no inverno. Com o umedecimento constante provocado pela saliva, formam-se fissuras, queilite angular – fissuras angulares da cavidade oral –, ou comissurite e eczema perioral. A cronicidade culmina aumentando as pregas labiais;
→ **palidez facial:** ocorre em 50 a 60% dos indivíduos com dermatite atópica, iniciando-se cedo na infância. Surge em função da vasoconstrição cutânea;
→ **eritrodermia:** é uma manifestação rara de dermatite atópica (< 1%). Ocorre adenopatia generalizada. (Ver Capítulo Dermatoses Eritematoescamosas.)

## Diagnóstico diferencial

O diagnóstico diferencial da dermatite atópica deve ser feito com as seguintes doenças: escabiose, dermatite seborreica, dermatite de contato, psoríase, eczema asteatótico, líquen simples crônico, imunodeficiências primárias e secundárias, acrodermatite enteropática (dermatose infantil pela deficiência de zinco), fenilcetonúria, ictioses e dermatofitoses (genodermatose caracterizada por deficiência da queratinização, dando aspecto de pele muito seca).

## Terapêutica

Como em qualquer situação de atenção crônica, o empoderamento do paciente para automanejo é um objetivo terapêutico básico. Para permitir maior compreensão pelo paciente e por seus familiares sobre a doença, seu curso crônico e a importância do reconhecimento dos agentes agravantes peculiares, o médico deve explicar as características da condição, incluindo sua cronicidade, ressaltar que não há tratamento curativo nem um tratamento único ideal, e enfatizar a necessidade de automanejo constante.[15,16] Existem várias organizações não governamentais de apoio com *sites* confiáveis que podem ajudar pacientes e familiares a obter informações sobre a doença. Alguns desses *sites* estão disponíveis nos QR Codes ao lado.

As bases da terapêutica devem ser focadas principalmente na restauração da barreira cutânea, no controle do prurido, na xerodermia, na eczematização e nas infecções secundárias, assim como no acompanhamento do estado psicológico do paciente e de toda a sua estrutura familiar. A terapêutica da dermatite atópica consiste em cuidados gerais e tratamento específico – tópico e sistêmico.

## Cuidados gerais

A identificação dos fatores desencadeantes e agravantes e o consequente afastamento do paciente desses fatores constituem o primeiro passo nos cuidados gerais. Deve-se ter em mente que cada paciente tem alguns fatores desencadeantes mais importantes. Os principais desencadeantes e agravantes das lesões de dermatite atópica são frio intenso no inverno, suor excessivo no verão (intolerância ao suor e ao calor intenso) e contato com tecidos de lã pura, tecidos sintéticos e tingidos e elásticos que compõem peças de vestuários.

O banho, apesar de ser um dos responsáveis pelo ressecamento da pele, deve ser diário para manter a pele com baixo índice de colonização bacteriana. Para que não haja aumento da xerodermia com os banhos, estes devem ser curtos, entre 5 e 10 minutos. O paciente deve usar sabonetes neutros (pH próximo ao da pele: 5,4-5,6) ou sintéticos (p. ex., Syndets®) e evitar abrasivos (como determinados tipos de esponjas de banho) e perfumados **C/D**. Após o banho, deve empregar sempre um agente emoliente sobre a pele, no máximo 3 minutos após o término do banho e com a pele ainda úmida para melhorar a absorção **D**.[15]

A hidratação da pele com agentes hidratantes é um dos tópicos mais importantes no tratamento da dermatite atópica e deve ser mantida sempre, mesmo nos períodos de remissão da dermatose **B**. Os produtos utilizados devem ser em base creme ou unguento (ver Capítulo Fundamentos de Terapêutica Tópica). Vários princípios ativos podem ser usados, e devem ser escolhidos de acordo com a tolerância de cada paciente e também com os custos de cada produto. Deve-se tomar o cuidado de evitar loções alcoólicas ou irritantes que possam piorar o prurido. Esses medicamentos devem ser aplicados 2 ou mais ×/dia. A aplicação noturna é extremamente importante, pois o medicamento mantém contato com a pele por mais tempo. É preciso lembrar que as áreas expostas devem ser medicadas mais vezes durante o dia. Atualmente, a hidratação é considerada a base do tratamento da dermatite atópica e deve ser feita já nos atendimentos ambulatoriais.[15,16]

O apoio psicológico é muito importante em todas as fases de tratamento da dermatite atópica. Aspectos como ansiedade, frustração, vergonha e depressão em relação à doença devem ser avaliados e tratados em grupos de apoio, terapias familiares ou acompanhamento individual dos pacientes **B**.[8]

## Tratamento tópico

A corticoterapia tópica é a terapia inicial **B**.[15,17–19] Os corticoides de baixa potência (ver Capítulo Fundamentos de Terapêutica Tópica) são recomendados para a terapia de manutenção (fora dos surtos agudos), por períodos superiores a 2 semanas. Os corticoides com potência intermediária e os de alta potência, estes para breves períodos de tempo (máximo de 2 semanas), são utilizados durante os surtos agudos da doença.

Os corticoides fluorados potentes ou muito potentes devem ser evitados na face, na genitália e nas áreas intertriginosas, assim como em crianças pequenas. As áreas cobertas pelas fraldas estão em oclusão, e os medicamentos tópicos aplicados nessa região são mais absorvidos. Para reduzir o risco de recidiva, os corticoides de média potência podem ser mantidos por algum tempo após os surtos em uma frequência de 1 a 2 ×/semana, por um período de até 3 meses nos casos moderados ("terapia proativa" recomendada atualmente) **B**.[16,20]

Os imunomoduladores tópicos (tacrolimo, pimecrolimo) são opções ao uso de corticoides, geralmente prescritos por dermatologistas.

## Tratamento sistêmico

Os anti-histamínicos sistêmicos têm indicação no controle do prurido da dermatite atópica **C**. Os medicamentos sedantes (dexclorfeniramina, hidroxizina) têm melhor efeito e mais baixo custo para o paciente, devendo ser aplicados de preferência ao deitar. Os fármacos mais utilizados são apresentados na TABELA 133.3.[21]

Medicamentos sistêmicos podem ser necessários para o controle de casos graves de dermatite atópica. Entre esses medicamentos estão os imunossupressores (ciclosporina, metotrexato, azatioprina, micofenolato de mofetila e dupilumabe [anticorpo monoclonal humanizado]).[22]

## Manejo de infecção

Existe uma diferença entre a colonização bacteriana da pele, comum na quase totalidade dos atópicos e que ocorre sem a demonstração de sinais de infecção, e os quadros de impetigo ou outras piodermites, que apresentam um conjunto de sinais e sintomas específicos (ver Capítulo Piodermites).

A colonização deve ser controlada de forma diversa das infecções, com medidas de higiene e, em certos momentos, agentes antissépticos, como banho com hipoclorito

**TABELA 133.3** → Anti-histamínicos sistêmicos no controle do prurido da dermatite atópica

| FÁRMACO | DOSE | POSOLOGIA | FAIXA ETÁRIA | OBSERVAÇÃO |
|---|---|---|---|---|
| Hidroxizina* | 0,5-1 mg/kg/dia | Dividida em até 3 tomadas | Crianças a partir de 6 kg | Usar sempre uma dose noturna |
| Cetirizina | 10 mg/dia | 1×/dia | A partir dos 2 anos de idade | |
| Dexclorfeniramina* | 2-6 mg/dia (máximo 3 mg/dia em crianças 2-6 anos) | 6/6 horas | A partir dos 2 anos de idade | |
| Prometazina* | 25 mg/dose | 4-6×/dia | A partir dos 12 anos de idade | |
| Loratadina | 10 mg/dia (5 mg/dia em crianças 2-5 anos) | 1×/dia | A partir dos 2 anos de idade | |
| Desloratadina | 5 mg/dia | 1×/dia | A partir dos 6 meses de idade | |

*Primeira geração, sendo mais sedativos.

em solução a 6% (formular 1 L em farmácia de manipulação), colocando-se 15 mL (o equivalente a 1 colher de sopa) na banheira infantil comum (30 L) ou meia xícara de chá (100 mL) na banheira de adulto (~ 200 L, em concentração final a 0,005%) **B**. Os banhos podem ter frequência maior nos pacientes mais graves, diminuindo depois para 2 banhos/semana.[7,23,24]

Por outro lado, as infecções da pele devem ser tratadas precocemente com cursos breves de antibióticos por via oral (VO) **C/D** (TABELA 133.4).[25] Como o *S. aureus* é o germe comum nessas infecções, deve-se usar um medicamento que o inclua no espectro de ação. Infecções por herpes ou dermatófitos devem ser consideradas se os pacientes não responderem ao tratamento antibiótico.

Nos pacientes com suspeita de infecções secundárias nas placas de eczema, podem ser úteis os seguintes exames:
→ citologia pelo método de Tzanck, a qual pode identificar efeitos celulares provocados pelos herpesvírus;
→ pesquisa direta de dermatófitos com o uso de hidróxido de potássio;
→ coloração pelo método de Gram, exames culturais e antibiograma quando houver suspeita de infecção

**TABELA 133.4** → Antibióticos no tratamento de infecção bacteriana na presença de dermatite atópica

| FÁRMACO | DOSE | POSOLOGIA |
|---|---|---|
| Eritromicina | 2-4 g/dia para adultos 30-50 mg/kg para crianças | 6/6 horas |
| Azitromicina | 1 g/dia | 1×/dia |
| Claritromicina | 1-2 g/dia para adultos 15-30 mg/kg para crianças | 12/12 horas |
| Cefalexina | 1-4 g/dia | 8/8 horas |
| Cefaclor | 0,75-1,5 g/dia | 8/8 horas |
| Dicloxacilina | 1-2 g/dia | 6/6 horas |

bacteriana secundária (é importante lembrar que *S. aureus* é o germe mais comum nas lesões).

A tetraciclina pode ser utilizada em casos de recorrência de infecção pelo *S. aureus*. Seu uso em crianças que ainda não completaram a dentição permanente é contraindicado. A dose deve ser de 1 a 2 g/dia para adultos ou de 12 mg/kg para crianças, VO, divididos em 4 tomadas – não excedendo a dose máxima de adultos.

## Encaminhamento

Existem várias abordagens terapêuticas adicionais disponíveis para casos mais difíceis, em geral receitadas por dermatologistas. O último consenso brasileiro sobre dermatite atópica descreve essas abordagens, e está disponível no QR Code.

Fármacos tópicos de uso recente, como o pimecrolimo e o tacrolimo, que atuam como imunossupressores tópicos e são considerados poupadores de corticoides, têm-se mostrado seguros e efetivos no tratamento de quadros graves e, algumas vezes, moderados, promovendo melhora sintomática **B**,[26] embora seu benefício comparado com os corticoides seja incerto **C/D**.[16,27,28]

Roupas úmidas e curativos oclusivos para uso em áreas cronicamente afetadas pela dermatite atópica refratária são terapêuticas controversas, e algumas vezes são realizadas em ambiente hospitalar **B**.

Outra opção é a fototerapia, principalmente com radiação ultravioleta do tipo B. Pode ser uma boa modalidade adjuvante no tratamento da dermatite atópica recorrente grave pelo fato de reduzir o prurido e, como consequência, as placas liquenificadas. Sua melhor indicação é para pacientes mais velhos.

Em geral, a corticoterapia sistêmica produz resposta inadequada, sujeita a muitos efeitos colaterais **B**. Além disso, com a suspensão da medicação, é comum o efeito-rebote. A pulsoterapia, em mãos experientes, pode trazer melhores resultados.

Imunomoduladores, sobretudo a ciclosporina, podem levar ao completo clareamento das lesões. A relação risco-benefício de sua indicação deve ser criteriosamente avaliada. Sua indicação, assim como a de outros imunossupressores e imunobiológicos, como a azatioprina, o micofenolato de mofetila e o dupilumabe, deve ser reservada apenas para o tratamento dos casos refratários às terapias convencionais.

## Seguimento

Como a doença é uma dermatose crônica, os pacientes devem ser acompanhados durante o tempo em que permanecerem com a dermatose. É necessário lembrar que muitas vezes a doença deixa de apresentar sintomas, principalmente nos pontos de corte entre a doença infantil e a da fase escolar. O automanejo não deve ser esquecido como a principal ferramenta de seguimento desses pacientes, sendo as consultas médicas reservadas aos períodos de exacerbação e falta de controle com as medidas do automanejo.

## DERMATITES DE CONTATO

São dermatoses causadas por uma reação cutânea ao contato com agentes externos, apresentando quadro clínico que varia conforme o agente. Caracterizam-se principalmente por manifestações eczematosas, variando desde quadros agudos (eritema, vesículas, bolhas, transudação, crostas e escoriações por prurido) até quadros crônicos (liquenificação, alteração pigmentar, atrofia, cicatriz, perda de pelos e cabelos). Em alguns pacientes, as dermatites de contato podem não se apresentar como lesões eczematosas, aparecendo alterações cutâneas como discromias, eritema multiforme e erupções acneiformes.

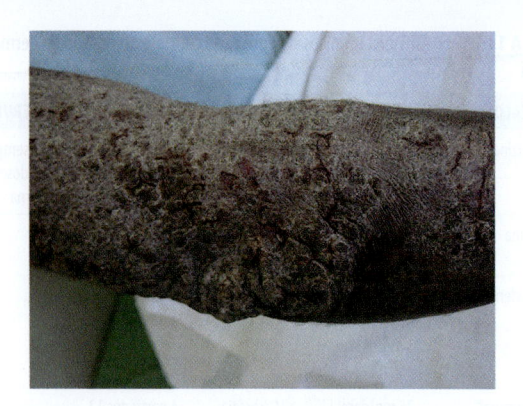

**FIGURA 133.4** → Lesão de eczema de contato em fase crônica.

Existem dois mecanismos básicos de desencadeamento: o irritante primário e o contato alérgico. As reações pelo irritante primário são restritas à área de contato com o agente, enquanto as reações pelo contato alérgico podem ser disseminadas.

Na dermatite de contato por irritante primário, em sua fase aguda, o agente causador penetra a barreira cutânea, causa dano moderado nos queratinócitos e dá início a uma reação inflamatória localizada. Na fase crônica, os danos à barreira cutânea manifestam-se como perda da coesão dos queratinócitos e aumento da perda de água transepidérmica, que por sua vez altera o metabolismo lipídico da epiderme. Nessa fase, encontram-se eczema crônico e liquenificação. As manifestações clínicas são influenciadas por fatores individuais e também por fatores ambientais, como temperatura, umidade e duração do contato com o irritante.[29,30]

As dermatites de contato alérgicas decorrem das reações de hipersensibilidade do tipo tardio, exigindo sensibilização prévia do paciente ao agente causador da dermatose. Exposições repetidas ao alérgeno podem fazer os quadros se tornarem mais crônicos.[31]

Um agente externo pode inicialmente ocasionar uma dermatite irritativa e, com determinadas periodicidades de exposição (em associação com a quebra da barreira cutânea e progressiva sensibilização linfocitária), é capaz de provocar uma dermatite de contato alérgica.

Cerca de 4% das consultas dermatológicas em ambulatórios universitários brasileiros são ocasionadas por dermatites de contato.[31] A dermatite de contato por irritante primário é a causa mais comum entre essas consultas e motivo frequente de doença ocupacional, respondendo por 70 a 80% dos casos de dermatite de contato em ambientes de trabalho. Em ambos os tipos de dermatite de contato, o principal fator de risco é o contato com o agente externo, irritante ou alérgeno, sendo idade, sexo e raça fatores menos expressivos.

### Quadro clínico

As principais manifestações incluem eritema, vesículas e prurido nas fases de eczema agudo. Lesões mais graves podem apresentar-se com bolhas e até áreas de necrose (**FIGURA 133.4**). Como nas lesões por irritante primário, a zona de dermatite é restrita à área de contato com o alérgeno e, algumas vezes, reproduz o formato dele, facilitando a busca pelo agente causador. Há um período de sensibilização prévia à instalação do quadro de dermatite alérgica de contato, podendo variar de 4 dias até meses, sendo mais comum entre 7 e 30 dias.

A história clínica e o exame físico detalhados são de extrema importância para o diagnóstico dessas dermatoses.[29–34]

Na história, devem ser levados em consideração os aspectos relativos ao início do quadro, sua localização e as características das lesões, bem como os sintomas correspondentes. A **TABELA 133.5** lista as principais exposições causadoras, por localização anatômica. O **APÊNDICE S133.1** (ver QR Code) lista os principais agentes alérgenos responsáveis pela dermatite de contato. Deve-se avaliar também o estado clínico geral do paciente.

A relação de tempo entre a exposição ao provável agente e a reação cutânea deve ser considerada, bem como a relação das lesões com as atividades do paciente (lar/recreação/trabalho), sua exposição solar, estação do ano, etc. No trabalho/emprego, deve-se identificar o caráter da atividade, sua duração, colegas com sintomatologia semelhante, mudança de hábitos, exposição química, medidas de proteção (os tipos e sua eficácia), sintomas relacionados (ardência nos olhos, coriza, prurido nasal), uso de detergentes (tipo e frequência) ou outros abrasivos.[35]

Outras exposições que igualmente devem ser avaliadas incluem atividades de lazer/alternativas (pintura, mecânica automotiva, revelação fotográfica, jardinagem, marcenaria, esportes, culinária), contato com animais/substâncias em sua pelagem (gatos, cachorros, cavalos, pássaros, animais de fazenda, animais enjaulados), produtos cosméticos (xampus, perfumes, sabonetes, detergentes, esmaltes, desodorantes, cremes, loções), produtos de limpeza (sabões em pó, amaciantes, ceras de polimento, desinfetantes) e uso de luvas (tipo e frequência).[35,36]

Também para facilitar o diagnóstico e a identificação do agente causal, fatores relacionados com a remissão do quadro devem ser caracterizados, como tratamento e rápida recidiva após sua interrupção, afastamento do suposto irritante, relação do quadro com finais de semana/viagens, relação com estresse/ansiedade.[35,36]

**TABELA 133.5** → Possíveis alérgenos e irritantes para determinadas localizações anatômicas

| LOCALIZAÇÃO | ALÉRGENO |
|---|---|
| Face, orelhas e pescoço | → Em ambiente de trabalho: materiais em suspensão no ar, máscaras, respiradores, substâncias voláteis<br>→ Alérgenos não ocupacionais: cosméticos faciais (perfumes, veículos, hidratantes), creme protetor solar, materiais constituintes de aplicadores de maquiagem (níquel, borracha) e artigos aplicados em couro cabeludo que acometem as regiões em questão (tinturas, permanentes); quando há acometimento facial, em particular de pálpebras superiores e sobrancelhas, deve-se suspeitar de produtos aplicados nas mãos que são inadvertidamente levados ao rosto; além disso, quando existe acometimento exclusivo do pescoço, lateralmente, são suspeitos os esmaltes e perfumes; quando a região inferior do pescoço é atingida, os colares; ou quando a nuca é acometida, os tecidos (e tintas dos tecidos) |
| Tronco | → Tecidos são a principal causa de dermatite de contato nessa região, principalmente quando as axilas são poupadas; borracha ou metal presente em elásticos e outros acessórios também podem estar envolvidos; quando há acometimento generalizado, deve-se pensar em óleos, loções, cremes hidratantes, fragrâncias e outros veículos |
| Mãos e membros superiores | → O acometimento de áreas fotoexpostas sugere o envolvimento de fotoalérgenos (ver Capítulo Reações Actínicas); quando somente as mãos são afetadas, deve-se tomar o cuidado de rever todos os possíveis alérgenos presentes nas atividades dos pacientes, sendo este o caso de mais difícil diagnóstico, já que o agente pode ser qualquer substância ou objeto que possa ser tocado, segurado ou manejado; em particular, detergentes, solventes, tintas, borracha e cimento são substâncias irritantes e alergizantes |
| Pés e membros inferiores | → Tecidos, couro e borracha são alérgenos comuns, acometendo principalmente os pés, a face interna das coxas e as fossas poplíteas; outros agentes são os componentes de cosméticos (fragrâncias, veículos, hidratantes) |

São importantes, nesse aspecto, histórias de atopia (natureza, frequência, gravidade), doenças dermatológicas (ictiose, psoríase, eczema de mãos), familiar com dermatite de contato, grau de parentesco, idade de início, tipo e gravidade dos problemas e resultados das terapias propostas.[35,36]

No exame clínico, deve-se caracterizar a localização das lesões (simetria, relação com as áreas preservadas, delimitação das bordas, proteção por meios físicos – roupas) e o tipo (aguda ou crônica).

## Diagnóstico diferencial

A primeira diferenciação recai sobre qual das formas de dermatite de contato o paciente apresenta. Apesar das diferenças na sua etiologia, o quadro clínico pode, muitas vezes, ser semelhante, principalmente nos casos crônicos e mais disseminados.

Outros diagnósticos a serem lembrados são dermatite atópica, sobretudo nos adultos, eczemas seborreicos disseminados e eczemas de estase (que algumas vezes se encontram associados a eczema de contato por medicamentos usados nas manifestações de estase).

## Tratamento

O tratamento consiste basicamente em evitar o contato do paciente com o agente causador e implementar medidas para tratar os sintomas desencadeados.[36] A fase aguda dos eczemas (que cursam com eritema e vesiculação) deve ser tratada com compressas adstringentes; na fase subaguda, os corticoides tópicos são importantes **B**[37] e, na fase crônica, além dos corticoides, os emolientes podem ser úteis **C/D**. Nessa fase, não há necessidade de compressas. Quando o quadro é muito extenso, pode exigir tratamento sistêmico **C/D**.[37–39]

### Tratamento tópico

O tratamento tópico nas lesões agudas (até 7 dias) envolve a utilização de compressas frias (soro fisiológico, água boricada, chá de camomila, acetato de alumínio) para alívio do prurido **C/D**. Os corticoides **C/D** de baixa potência são recomendados para a terapia de manutenção (ver Capítulo Fundamentos de Terapêutica Tópica). Já os corticoides de potências intermediária e alta são indicados por breves períodos de tempo para tratar exacerbações, por no máximo 1 semana **B**.[40]

Banhos de aveia, principalmente nas crianças **C/D** (aveia em flocos cozida em água diluída na banheira da criança, usando a equivalência de 2 colheres de sopa para cada copo d'água), exercem a função de adstringente.[34]

Hidratantes, emolientes e lubrificantes são indicados em erupções crônicas liquenificadas **B**.[40] É importante observar os princípios ativos desses produtos para que não sejam causadores de piora do quadro de eczema de contato.

### Tratamento sistêmico

Os anti-histamínicos sistêmicos podem ser usados no controle do prurido do eczema de contato, porém os anti-histamínicos sedativos (ver **TABELA 133.3**) apresentam melhor resultado no controle desse sintoma **C/D**.[34] O período de uso varia de 5 a 14 dias. Anti-histamínicos de primeira geração e, em particular, a prometazina e a hidroxizina podem desencadear ou agravar dermatites de contato fotoalérgicas, ou seja, induzidas pela luz.

Corticoides sistêmicos (p. ex., prednisona 0,5 mg/kg/dia, VO) são indicados principalmente nos casos agudos e subagudos com acometimento de > 25% da superfície corporal **C/D**.[34] Em casos de dermatite de contato irritativa, o curso pode ser breve, entre 5 e 7 dias; em casos de longa duração de dermatite de contato alérgica, o tratamento com esse medicamento deve ser prolongado, de 10 a 21 dias (em doses progressivamente menores até a suspensão) **C/D**.[34]

### Encaminhamento

Deve-se considerar encaminhamento se houver dúvidas importantes sobre o diagnóstico ou se o tratamento indicado não estiver surtindo efeito.

Em casos de dúvida sobre a natureza alérgica do problema e para determinação da etiologia da alergia, testes de contato (testes epicutâneos) podem ser realizados e interpretados por dermatologistas ou alergologistas, com baterias padronizadas e validadas em concentrações efetivas e seguras. São testes particularmente importantes para a comprovação de dermatoses ocupacionais de cunho alérgico.[28–30] Os prováveis contactantes são aplicados no dorso do paciente, em pele sã, deixando-se por 48 horas, quando são retirados. A leitura do teste é realizada em 96 horas. Se possível, realizam-se, ainda, novas leituras em 3, 4 ou 7 dias após a aplicação. Se o número de agentes positivos for superior a três, há grande possibilidade de estar ocorrendo o fenômeno da "síndrome da pele excitada", estado reativo importante que provoca reações até mesmo nos locais onde havia agentes não verdadeiramente alergizantes.

Outros agentes imunomoduladores tópicos podem ser necessários no tratamento de casos refratários ao tratamento convencional.

## ECZEMA DISIDRÓTICO

Também denominado *pompholyx*, disidrose ou dermatite disidrótica, é uma doença crônica e recorrente, característica das regiões palmares e plantares. Apresenta-se como uma dermatose eczematosa com acúmulo de fluido, formando vesículas. Devido à espessura maior da pele nas regiões palmoplantares, essas vesículas rompem-se com mais dificuldade, e atingem um tamanho maior. O prurido é um sintoma constante, ocorrendo, sobretudo, antes do rompimento das vesículas ou bolhas.

Sua etiologia não está bem elucidada. Os pacientes apresentam uma resposta inflamatória caracterizada por eczema, estimulado por diversos fatores como contactantes externos irritativos ou alérgicos (p. ex., contato com níquel ou medicamentos, resposta a infecções fúngicas ou bacterianas em outros sítios da pele na presença de fatores de risco como estresse e hiperidrose palmoplantar). A diátese atópica (história pessoal e familiar e presença de sinais menores de atopia no paciente) ocorre em aproximadamente 50% dos indivíduos.

Alguns autores têm classificado a disidrose em idiopática (ou verdadeira) quando não são encontrados agentes desencadeantes e em erupções disidrosiformes quando a etiologia pode ser definida.[41-44]

A disidrose acomete principalmente adultos jovens. É mais comum em indivíduos de pele branca. A disidrose idiopática costuma aparecer mais durante os meses quentes.[41]

### Quadro clínico

Aparecem subitamente vesículas hialinas nas mãos e nos pés, sem base eritematosa, em geral acompanhadas de prurido. São profundas e assumem um "aspecto em sagu".[45]

As lesões costumam ser simétricas e bilaterais, acometendo, sobretudo, as faces laterais e dorsais dos dedos das mãos e dos pés. Podem agrupar-se nos casos mais graves, tornando-se bolhas. Normalmente permanecem íntegras, por serem mais profundas. Na evolução do quadro, as vesículas podem romper-se, dando lugar à descamação e, nos quadros crônicos, à liquenificação. Pode haver distrofias das unhas, por acometimento matricial.[45]

O conteúdo das vesículas costuma ser incolor, mas às vezes pode tornar-se purulento – sugestivo de infecção secundária.

O diagnóstico do eczema disidrótico é principalmente clínico e, raras vezes, é necessário o uso da histopatologia para a diferenciação com pustuloses acrais e psoríase pustulosa. Quadros de dermatite de contato, farmacodermias e psoríase palmoplantar devem ser lembrados no diagnóstico diferencial. Entretanto, o quadro clínico e a localização bastante típica das disidroses facilitam muito seu diagnóstico.

Exames complementares são indicados apenas para a elucidação da etiologia. A pesquisa de fungos e bactérias pode ser feita quando se suspeita de agentes infecciosos. É importante lembrar que os quadros fúngicos geralmente estão localizados à distância, devendo-se procurar as micoses nos seus locais típicos, como pés, unhas e regiões inguinocrurais.

### Tratamento

Como em todas as doenças recorrentes e crônicas, o tratamento deve incluir educação do paciente para compreensão da sua enfermidade. Pela multiplicidade de fatores etiológicos e devido ao curso crônico da doença, o tratamento muitas vezes se torna um desafio. A investigação exaustiva dos agentes desencadeantes para que possam ser afastados é essencial no manejo desses pacientes. Deve-se, também, recomendar a lavagem cuidadosa das mãos e dos pés, seguida da aplicação frequente de emolientes **C/D**. Quando a hiperidrose estiver envolvida na etiologia, as áreas de lesão devem permanecer ventiladas e sem aumento da temperatura. Para alguns pacientes, podem estar indicados sedação, repouso e afastamento do local de trabalho.

O tratamento farmacológico pode ser tópico ou sistêmico, dependendo da gravidade da manifestação.[41,46-49]

### Tratamento tópico

O tratamento tópico consiste basicamente em compressas e corticoides. Prescrevem-se compressas nos estágios iniciais, quando ainda aparecem as vesículas. Pode-se utilizar permanganato de potássio (100 mL de solução concentrada em 1 L de água limpa, ou 1:1.000, na forma de compressas) ou solução de Burow (15 mL diluídos em 500 mL de água limpa na forma de compressas), 2 ×/dia por 20 minutos cada compressa **C/D**. Se houver formação de bolhas, estas podem ser rompidas, por exemplo, com uma agulha estéril, adquirida em farmácia, para o alívio do desconforto.

Os corticoides de média e alta potências são indicados nos casos mais inflamatórios e graves da doença (ver Capítulo Fundamentos de Terapêutica Tópica), 2 ×/dia, durante 7 a 14 dias **C/D**.

### Tratamento sistêmico

Consiste em corticoterapia sistêmica, entre 0,5 e 1 mg/kg/dia, com redução gradativa da dose em 7 a 14 dias, nos casos mais extensos ou graves **C/D**, e em antibióticos, no caso de infecção bacteriana associada **C/D**. Anti-histamínicos de primeira geração (ver **TABELA 133.3**) devem ser adicionados para controle do prurido nos casos mais graves **C/D**.

### Encaminhamento

Deve-se considerar encaminhamento em caso de dúvidas importantes sobre o diagnóstico, ou se o tratamento não estiver surtindo efeito. Os testes de contato para pesquisas de alérgenos podem ser necessários se o diagnóstico diferencial incluir eczemas de contato.

Imunomoduladores tópicos podem ser considerados quando for necessária terapia mais longa, nos casos mais refratários e para diminuir os efeitos colaterais da corticoterapia em longo prazo.[48,50] Outros tratamentos, como iontoforese, fototerapia, toxina botulínica tipo A e imunossupressores sistêmicos, são empregados em casos mais graves ou resistentes ao tratamento.[50-52]

## ECZEMA DE ESTASE

Conhecido também como eczema gravitacional, eczema varicoso e eczema de congestão, é uma manifestação eczematosa que aparece como componente evolutivo da insuficiência venosa crônica dos membros inferiores. Pode aparecer desde o início do quadro de insuficiência vascular, porém é mais grave quando associado às úlceras de estase. Muitas vezes é agravado pela utilização de terapias tópicas. Além da dermatite de contato, infecções bacterianas são comuns nesses eczemas. Pode tornar-se uma doença multifatorial.[53-54]

A hipertensão venosa é comum nos membros inferiores. Essa hipertensão eleva o fluxo sanguíneo na microcirculação, distende os capilares e altera a permeabilidade dos vasos. Isso favorece a passagem de plasma para fora dos vasos e o extravasamento de hemácias, levando a reações inflamatórias e posterior eczema. A estase também é acompanhada de prurido, que pode agravar o quadro de eczema, quando o paciente coça a região.[53-54]

### Quadro clínico

Clinicamente, o eczema de estase pode assemelhar-se ao eczema de contato, porém é mais delimitado nas suas bordas. O quadro inicia-se com edema no terço inferior dos membros inferiores, mais pronunciado no final do dia e caracterizado por edema depressível. A pele pode apresentar-se com aspecto purpúrico e hiperpigmentado (dermatite ocre), devido ao extravasamento de hemácias na derme e ao depósito de hemossiderina nos macrófagos locais.

Com a cronificação do quadro, o edema fica mais endurecido, aparecem áreas de intensa hiperpigmentação e atrofia branca. Nesse estágio, podem aparecer as ulcerações (FIGURA 133.5). Celulites e erisipelas são as complicações mais frequentes dessa dermatose.[54,55]

Quando a doença vascular está presente, não há dificuldades para o diagnóstico. Eczemas de contato e eczema asteatótico devem ser lembrados nesses pacientes. Não são necessários exames laboratoriais para o diagnóstico, além de eventuais exames para o diagnóstico da doença vascular.

### Tratamento

O principal tratamento é o manejo da doença vascular, visto que a doença dermatológica é secundária às manifestações de estase C/D (ver Capítulos Avaliação do Edema

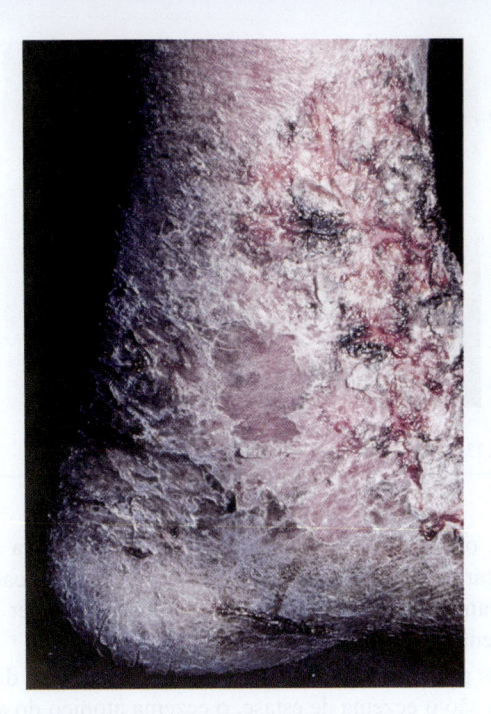

**FIGURA 133.5** → Eczema de estase em fase subaguda.

em Membros Inferiores e Doenças Venosas dos Membros Inferiores).

Para o tratamento do eczema, recomenda-se o uso de corticoides tópicos, em abordagens semelhantes àquelas para o tratamento de eczemas de contato C/D. Após a melhora das fases aguda e subaguda, é importante manter a pele com emoliência adequada C/D.

A infecção local deve ser bem controlada com limpeza diária da lesão e uso de antibióticos tópicos como a mupirocina e o ácido fusídico, 2 ×/dia, durante 7 a 14 dias C/D. Deve-se tomar cuidado com a sensibilização desses pacientes para que não apresentem eczema de contato. A neomicina e a bacitracina são antibióticos que frequentemente sensibilizam os pacientes, quando usadas de forma prolongada ou muito repetida C/D.[56]

## ECZEMA ASTEATÓTICO

Também conhecido como eczema craquelê, é o eczema que caracteriza a pele seca. A pele apresenta-se ressecada e descamativa.[57]

Várias são as causas do eczema asteatótico: clima, umidade do meio ambiente, desnutrição (tanto em adultos como em crianças), exposição excessiva à água, doenças sistêmicas e doenças dermatológicas como as ictioses. Entretanto, o fator mais comum desse eczema é a idade dos pacientes, em geral > 60 anos. A pele apresenta diminuição dos ácidos graxos da camada córnea e alterações na capacidade de retenção de água.[53,57,58]

O quadro clínico inicia-se, muitas vezes, nos membros inferiores, disseminando-se com a evolução do quadro. A pele apresenta-se ressecada e descamativa, com tendência a discretas fissuras e eritema (FIGURA 133.6). Na maioria das

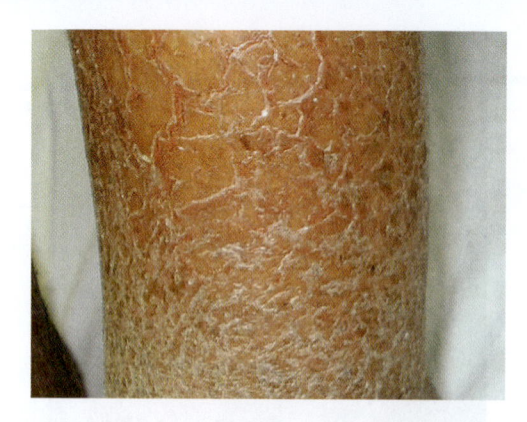

**FIGURA 133.6** → Eczema asteatótico em fase de cronicidade.

vezes, o paciente refere prurido. Esse prurido leva ao ato de coçar, o que agrava mais ainda o eczema. A aplicação de medicamentos para aliviar o prurido pode favorecer o aparecimento de eczemas de contato.[53,57]

Os principais quadros dermatológicos a serem diferenciados são o eczema de estase, o eczema atópico do adulto, a escabiose e os eczemas de contato.

Não são necessários exames laboratoriais para a identificação dessa dermatose – somente o diagnóstico clínico. Devem-se descartar quadros sistêmicos que podem levar ao ressecamento da pele, como hipotireoidismo e desnutrição, bem como uso de medicamentos que ressequem muito a pele, como os diuréticos.

## Tratamento

Como a xerose está sempre presente, devem-se fornecer orientações para evitá-la e amenizá-la (ver Capítulo Ressecamento da Pele e Sudorese Excessiva). Além do controle da xerose, podem-se utilizar tratamentos tópicos com agentes refrescantes, como loção com mentol a 0,03% (podem ser aplicados várias vezes ao dia para alívio transitório do prurido). Se houver componente inflamatório, os corticoides de média potência também podem ser usados 1 ×/dia durante 7 a 10 dias. **C/D**

## REAÇÕES CUTÂNEAS MEDICAMENTOSAS

As farmacodermias são as reações do tegumento cutaneomucoso induzidas pelo uso de medicamentos.[59,60] Não são raras e apresentam um amplo espectro de morbidade. Tanto mecanismos não imunológicos quanto imunológicos podem explicar a patogênese.

Entre os mecanismos não imunológicos, encontram-se a intolerância (anomalias quantitativas enzimáticas no metabolismo do fármaco), a idiossincrasia, a superdosagem, os efeitos colaterais, os distúrbios ecológicos (uso de antibióticos favorecendo a proliferação de leveduras em decorrência da supressão da flora bacteriana controladora), o biotropismo (estímulo de determinados antibióticos para a ação antigênica de certos agentes microbianos no desenvolvimento de reações cutâneas), a interação entre fármacos, a reação de Jarisch-Herxheimer, a liberação direta de histamina, a exacerbação de dermatoses e a hiperpigmentação.[56,60]

Existem também diversos mecanismos imunológicos (reações dos tipos I, II, III e IV entre as mais comuns).[58] Uma vez desenvolvida uma farmacodermia pelo mecanismo imunológico, há algumas assertivas que servem de princípios para sua compreensão:[60]

→ deve haver um período de exposição ao fármaco anterior que seja compatível com a explicação de um mecanismo imunológico;
→ um mesmo medicamento pode ocasionar diferentes formas clínicas de reação;
→ fármacos diferentes podem causar clinicamente as mesmas reações;
→ a reexposição produz erupção em período inferior ao primeiro quadro;
→ a reação não depende de grandes quantidades do fármaco;
→ a hipersensibilidade ao fármaco é persistente (com exceções).

A **TABELA 133.6** apresenta fatores de risco para as farmacodermias.[59,61]

As formas clínicas de farmacodermias são variadas: exantema (erupção eritematosa, maculopapular, que inicia no tronco e se dissemina para extremidades e face), erupção cutânea com eosinofilia e sintomas sistêmicos (DRESS, do inglês *drug rash with eosinophilia and systemic symptoms*), urticária, reação semelhante ao lúpus, fotossensibilização e fototoxicidade, eritema multiforme, síndrome de Stevens-Johnson, necrólise epidérmica tóxica, erupção liquenoide, erupções bolhosas, vasculites, pustulose exantemática generalizada aguda, eritrodermia esfoliativa, eczemas, púrpura, eritema nodoso, eritema pigmentado fixo (ou erupção fixa medicamentosa), discromias, mucosites, alopecias e hipertricoses.[59,61–64]

Destacam-se como as mais frequentes o exantema (correspondendo a 75% das farmacodermias) e a urticária, e como reações graves, a DRESS, a síndrome de Stevens-Johnson, a necrólise epidérmica tóxica, as vasculites e a eritrodermia esfoliativa.[59,61,62]

O prurido geralmente ocorre, mas em determinadas formas clínicas está ausente (são exemplos eritema pigmentado fixo, eritema multiforme, eritema nodoso).

**TABELA 133.6** → Fatores de risco para as farmacodermias

→ História familiar, particularmente em caso de reação a carbamazepina, lamotrigina, fenitoína, alopurinol, ácido acetilsalicílico, abacavir ou cloroquina
→ Presença de HLA-B12, -DR4, -B1502, -5801, -5701, -DQ3, -DRB1, -DQB1
→ Polimorfismo genético para citocromo CYP450-2D6 (nos casos de reação a antidepressivos, antipsicóticos, betabloqueadores)
→ Uso das seguintes classes de medicamentos: anticonvulsivantes, antibióticos (betalactâmicos, sulfas, diuréticos, betabloqueadores, antirretrovirais, alopurinol), anti-inflamatórios e analgésicos
→ Infecção viral ativa: citomegalovírus, hepatite C e B, vírus Epstein-Barr, herpesvírus 6 e 7, vírus da imunodeficiência humana (HIV)
→ Características dos fármacos: alto peso molecular, capacidade de ligação covalente com proteínas carreadoras, terapias em pulsos frequentes e curtos
→ Idade avançada
→ Sexo feminino (para reações mediadas por autoanticorpos)

As FIGURAS 133.7, 133.8 e 133.9 são representações fotográficas exemplificadoras de farmacodermias.

Para o diagnóstico das farmacodermias, além da história de uso de fármacos e de reação clínica compatível, a relação temporal entre o início do uso e o aparecimento do quadro é importante. A maioria das reações ocorre entre 4 e 30 dias; períodos diferentes destes são exceções.[59,65]

A investigação das farmacodermias exige uma anamnese detalhada quanto ao uso de fármacos, pois não é raro que os pacientes não relatem alguns, considerados como agentes não medicamentosos (p. ex., fitoterápicos, laxantes, xaropes para tosse).

O diagnóstico final de farmacodermias, que pode ser realizado ambulatorialmente ou exigir hospitalização, demanda a exclusão de outras doenças ou agentes etiológicos de determinadas reações. Por exemplo, as vasculites cutâneas podem ser ocasionadas por doenças infecciosas, autoimunes e neoplásicas, além das farmacodermias.

## Tratamento

**A conduta em casos de farmacodermias é suspender o fármaco suspeito e, na dúvida sobre qual dos medicamentos ocasionou a reação, recomenda-se a suspensão de todos, exceto aqueles que são absolutamente essenciais para a vida do paciente C/D. Na maioria das reações exantemáticas não graves, essa atitude é suficiente como medida terapêutica C/D.**[66]

O uso de corticoides sistêmicos pode ser proveitoso para abreviar o curso das reações extensas não graves. A dose de prednisona nas farmacodermias varia entre 30 e 60 mg/dia em adultos e entre 0,5 e 1 mg/kg/dia em crianças C/D.[67] O período de uso do corticoide varia entre 5 e 10 dias, e, em geral, não há necessidade de retirada com doses progressivamente menores C/D.[59,62–64,67,68]

Excetuando-se nas urticárias, os anti-histamínicos devem ser empregados apenas como sintomáticos e como auxiliares na diminuição do prurido (com exceção das reações urticárias, em que possuem ação sobre o mecanismo imunológico) C/D.[69] Alguns anti-histamínicos podem ser fotossensibilizantes, como a prometazina, o que restringe seu uso.[59,60]

A prevenção das farmacodermias está relacionada com a observação de fatores de risco – entre estes, os aspectos da história familiar e as reações cruzadas entre fármacos (em especial, anticonvulsivantes).

A atenção para novos fármacos deve ser grande, pois os efeitos colaterais nem sempre são relacionados nos estudos clínicos que embasam sua aprovação para uso.

A notificação de reações adversas à Agência Nacional de Vigilância Sanitária (Anvisa)[70] é uma conduta a ser estimulada, ainda que não seja obrigatória. Isso pode ser realizado por meio do Portal da VigiMed, que pode ser acessado por este QR Code.

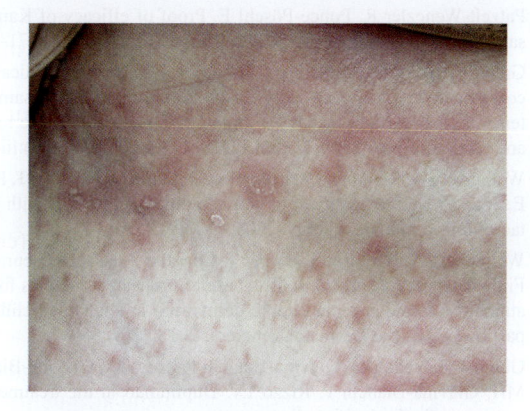

FIGURA 133.7 → Exantema por sinvastatina.

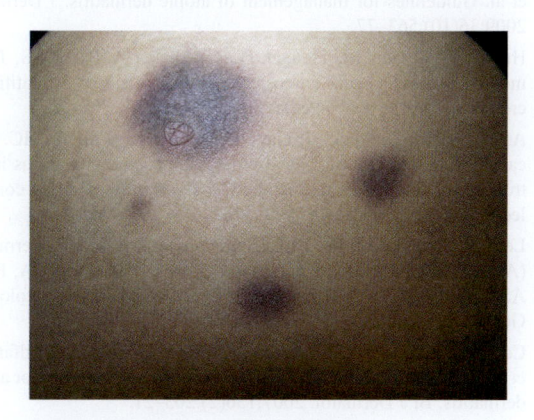

FIGURA 133.8 → Eritema pigmentado fixo por dipirona.

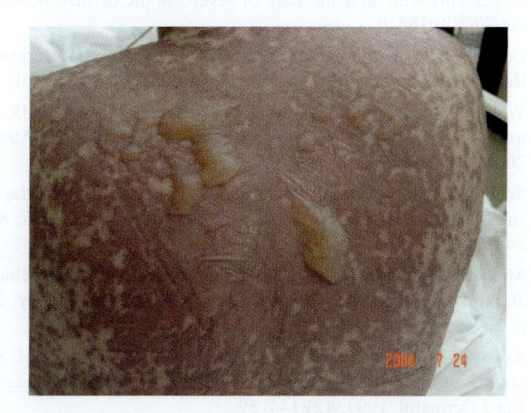

FIGURA 133.9 → Síndrome de Stevens-Johnson por lamotrigina.

## Situações de emergência

O paciente que apresenta sinais de gravidade de uma farmacodermia – febre alta, adenomegalias, artrite, taquipneia, dispneia, sibilos, hipotensão, eritema confluente com dor ou ardor nas lesões, acometimento centrofacial, edema facial ou de mucosas, bolhas disseminadas, lesões erosadas ou ulceradas em mucosas, erupção purpúrica palpável disseminada, lesões com necrose cutânea[63,64,68,70] – deve ser encaminhado para atendimento de urgência.[71]

O quadro de anafilaxia, uma emergência médica que pode iniciar com urticária, pode ocorrer subitamente e em até 1 hora, por reação imediata. As farmacodermias exantemáticas ou bolhosas graves possuem um tempo de latência superior (aproximadamente 3-4 semanas) para o desenvolvimento das primeiras lesões, quando comparadas às farmacodermias menos graves.[62,63] (Ver Capítulo Papel da Atenção Primária à Saúde em Urgências e Emergências.)

## Encaminhamento

O encaminhamento é indicado em casos sem resolução adequada. Ainda não há testes específicos para definição da etiologia, em nosso meio, exceto a possibilidade de testes de contato para determinadas reações (úteis na investigação das causas do eritema pigmentado fixo) e o teste de puntura para reações IgE-dependentes (utilizado principalmente na suspeita de sensibilidade à penicilina; esse teste deve ser realizado em ambiente hospitalar em função do risco de anafilaxia).[59,61-63,65]

# REFERÊNCIAS

1. Yew YW, Thyssen JP, Silverberg JI. A systematic review and meta-analysis of the regional and age-related differences in atopic dermatitis clinical characteristics. J Am Acad Dermatol. 2019;80(2):390–401.
2. Yang EJ, Beck KM, Sekhon S, Bhutani T, Koo J. The impact of pediatric atopic dermatitis on families: a review. Pediatr Dermatol. 2019;36(1):66–71.
3. Pelucchi C, Galeone C, Bach J-F, La Vecchia C, Chatenoud L. Pet exposure and risk of atopic dermatitis at the pediatric age: A meta-analysis of birth cohort studies. J Allergy Clin Immunol. 2013;132(3):616-22.e7.
4. Egawa G, Kabashima K. Multifactorial skin barrier deficiency and atopic dermatitis: essential topics to prevent the atopic march. J Allergy Clin Immunol. 2016;138(2):350-8.e1.
5. Kim J, Kim BE, Leung DYM. Pathophysiology of atopic dermatitis: Clinical implications. Allergy Asthma Proc. 2019;40(2):84–92.
6. Mastrorilli C, Caffarelli C, Hoffmann-Sommergruber K. Food allergy and atopic dermatitis: Prediction, progression, and prevention. Pediatr Allergy Immunol. 2017;28(8):831–40.
7. Kim J, Kim BE, Ahn K, Leung DYM. Interactions between atopic dermatitis and staphylococcus aureus infection: clinical implications. Allergy Asthma Immunol Res. 2019;11(5):593–603.
8. Weber MB, Fontes Neto PDTL, Prati C, Soirefman M, Mazzotti NG, Barzenski B, et al. Improvement of pruritus and quality of life of children with atopic dermatitis and their families after joining support groups. J Eur Acad Dermatol Venereol. 2008;22(8):992–7.
9. Patel KR, Immaneni S, Singam V, Rastogi S, Silverberg JI. Association between atopic dermatitis, depression, and suicidal ideation: A systematic review and meta-analysis. J Am Acad Dermatol. 2019;80(2):402–10.
10. Silverberg JI. Public health burden and epidemiology of atopic dermatitis. Dermatol Clin. 2017;35(3):283–9.
11. Brenninkmeijer EEA, Schram ME, Leeflang MMG, Bos JD, Spuls PI. Diagnostic criteria for atopic dermatitis: a systematic review. Br J Dermatol. 2008;158(3):754–65.
12. Williams HC, Jburney PG, Pembroke AC, Hay RJ. The U.K. working party's diagnostic criteria for atopic dermatitis. III. Independent hospital validation. Br J Dermatol. 1994;131(3):406–16.
13. Chopra R, Silverberg JI. Assessing the severity of atopic dermatitis in clinical trials and practice. Clin Dermatol. 2018;36(5):606–15.
14. Rajka G, Langeland T. Grading of the severity of atopic dermatitis. Acta Derm Venereol Suppl (Stockh). 1989;144:13–4.
15. Aoki V, Lorenzini D, Orfali RL, Zaniboni MC, Oliveira ZNP de, Rivitti-Machado MC, et al. Consensus on the therapeutic management of atopic dermatitis – Brazilian Society of Dermatology. An Bras Dermatol. 2019;94(2 suppl 1):67–75.
16. Katayama I, Aihara M, Ohya Y, Saeki H, Shimojo N, Shoji S, et al. Japanese guidelines for atopic dermatitis 2017. Allergol Int. 2017;66(2):230–47.
17. Paller AS, Nimmagadda S, Schachner L, Mallory SB, Kahn T, Willis I, et al. Fluocinolone acetonide 0.01% in peanut oil: Therapy for childhood atopic dermatitis, even in patients who are peanut sensitive. J Am Acad Dermatol. 2003;48(4):569–77.
18. Patzelt-Wenczler R, Ponce-Pöschl E. Proof of efficacy of Kamillosan(R) cream in atopic eczema. Eur J Med Res. 2000;5(4):171–5.
19. Green C, Colquitt JL, Kirby J, Davidson P, Payne E. Clinical and cost-effectiveness of once-daily versus more frequent use of same potency topical corticosteroids for atopic eczema: a systematic review and economic evaluation. Health Technol Assess. 2004;8(47):iii-120.
20. Wollenberg A, Reitamo S, Girolomoni G, Lahfa M, Ruzicka T, Healy E, et al. Proactive treatment of atopic dermatitis in adults with 0.1% tacrolimus ointment. Allergy. 2008;63(7):742–50.
21. Wollenberg A, Barbarot S, Bieber T, Christen-Zaech S, Deleuran M, Fink-Wagner A, et al. Consensus-based European guidelines for treatment of atopic eczema (atopic dermatitis) in adults and children: part II. J Eur Acad Dermatol Venereol. 2018;32(6):850–78.
22. Giavina-Bianchi MH, Giavina-Bianchi P, Rizzo LV, Giavina-Bianchi MH, Giavina-Bianchi P, Rizzo LV. Dupilumab in the treatment of severe atopic dermatitis refractory to systemic immunosuppression: case report. Einstein (São Paulo). 2019;17(4):eRC4599.
23. Saeki H, Furue M, Furukawa F, Hide M, Ohtsuki M, Katayama I, et al. Guidelines for management of atopic dermatitis. J Dermatol. 2009;36(10):563–77.
24. Huang JT, Abrams M, Tlougan B, Rademaker A, Paller AS. Treatment of Staphylococcus aureus colonization in atopic dermatitis decreases disease severity. Pediatrics. 2009;123(5):e808-14.
25. Ashcroft DM, Dimmock P, Garside R, Stein K, Williams HC. Efficacy and tolerability of topical pimecrolimus and tacrolimus in the treatment of atopic dermatitis: meta-analysis of randomised controlled trials. BMJ. 2005;330(7490):516.
26. Leung DYM, Eichenfield LF, Boguniewicz M. Atopic Dermatitis (Atopic Eczema). In: Goldsmith LA, Katz SI, Gilchrest BA, Paller AS, Leffell DJ, Wolff K, organizadores. Fitzpatrick's Dermatology in General Medicine. 8th ed. New York: McGraw-Hill; 2012.
27. Callen J, Chamlin S, Eichenfield LF, Ellis C, Girardi M, Goldfarb M, et al. A systematic review of the safety of topical therapies for atopic dermatitis. Br J Dermatol. 2007;156(2):203–21.
28. Bieber T, Vick K, Fölster-Holst R, Belloni-Fortina A, Städtler G, Worm M, et al. Efficacy and safety of methylprednisolone aceponate ointment 0.1% compared to tacrolimus 0.03% in children and adolescents with an acute flare of severe atopic dermatitis. Allergy. 2007;62(2):184–9.
29. Cohen DE. Irritant contatc dermatitis. In: Bolognia JL, Jorizzo JL, Rapini RP. Dermatology. New York: Mosby; 2008. p. 223–30.
30. Wolf R, Matz H, Orion E. Dermatites de contato. In: Silva MR, Castro MCR. Fundamentos de dermatologia. Rio de Janeiro: Atheneu; 2008. p. 419–45.
31. Sociedade Brasileira de Dermatologia. Perfil nosológico das consultas dermatológicas no Brasil. An. Bras. Dermatol. 2006; 81(6): 549-58.
32. Movad CM, Marks Jr. JG. Allergic contact dermatitis. In: Bolognia JL, Jorizzo JL, Rapini RP. Dermatology. New York: Mosby; 2008. p. 209–22.
33. Krasteva M, Kehren J, Sayag M, Ducluzeau MT, Dupuis M, Kanitakis J, et al. Contact dermatitis II. Clinical aspects and diagnosis. Eur J Dermatol. 1999;9(2):144–59.
34. Usatine R, Riojas M. Diagnosis and management of contact dermatitis. Am Fam Physician. 2010;82(3):249–55.

35. Ale IS, Maibacht HA. Diagnostic approach in allergic and irritant contact dermatitis. Expert Rev Clin Immunol. 2010;6(2):291–310.
36. Belsito DV. The diagnostic evaluation, treatment, and prevention of allergic contact dermatitis in the new millennium. J. Allergy Clin. Immunol. 2000;105(3):409–20.
37. Fonacier L, Bernstein DI, Pacheco K, Holness DL, Blessing-Moore J, Khan D, et al. Contact dermatitis: a practice parameter-update 2015. J Allergy Clin Immunol Pract. 2015;3(3 Suppl):S1-39.
38. Rietschel RL, Mathias CGT, Fowler JF, Pratt M, Taylor JS, Sherertz EF, et al. Relationship of occupation to contact dermatitis: evaluation in patients tested from 1998 to 2000. Am J Contact Dermatitis. 2002;13(4):170–6.
39. Nicholson PJ, Llewellyn D, English JS, Guidelines Development Group. Evidence-based guidelines for the prevention, identification and management of occupational contact dermatitis and urticaria. Contact Derm. 2010;63(4):177–86.
40. Saary J, Qureshi R, Palda V, DeKoven J, Pratt M, Skotnicki-Grant S, et al. A systematic review of contact dermatitis treatment and prevention. J Am Acad Dermatol. 2005;53(5):845.
41. Minelli L, Florião RA, Sternick M, Gon A dos S. Disidrose: aspectos clínicos, etiopatogênicos e terapêuticos. An. Bras. Dermatol. 2008;83(2):107–15.
42. Kutzner H, Wurzel RM, Wolff HH. Are acrosyringia involved in the pathogenesis of "dyshidrosis"? Am J Dermatopathol. 1986;8(2):109–16.
43. Crosti C, Lodi A. Pompholyx: A Still Unresolved Kind of Eczema. Dermatology. 1993;186(4):241–2.
44. Shackelford KE, Belsito DV. The etiology of allergic-appearing foot dermatitis: a 5-year retrospective study. J Am Acad Dermatol. 2002;47(5):715–21.
45. Duarte I, Proença NG, Drullis E. Dermatites eczematosas de mãos: contribuição dos testes epicutâneos para seu diagnóstico diferencial. An Bras Dermatol. 1990;65(5):239–43.
46. Minelli L, Duarte IG, Belliboni N, Riscaia CM. Conduta nas disidroses. An Bras Dermatol. 1996;71(Supl 2):S7–10.
47. Grotti A, Proença NG. Desidroses produzidas pelo niquel: tratamento e perspectivas para a dessensibilização (Revisão). An bras dermatol. 1990;65(5):244–9.
48. Wollina U, Naser MBA. Pharmacotherapy of pompholyx. Expert Opin Pharmacother. 2004;5(7):1517–22.
49. Warshaw EM. Therapeutic options for chronic hand dermatitis. Dermatol Ther. 2004;17(3):240–50.
50. Bansal C, Omlin KJ, Hayes CM, Rohrer TE. Novel cutaneous uses for botulinum toxin type A. J Cosmet Dermatol. 2006;5(3):268–72.
51. Klein AW. Treatment of dyshidrotic hand dermatitis with intradermal botulinum toxin. J Am Acad Dermatol. 2004;50(1):153–4.
52. Krutmann J. Phototherapy for atopic dermatitis. Clin Exp Dermatol. 2000;25(7):552–8.
53. Fritsch PO, Reider N. Other eczematous eruptions. In: Bolognia JL, Jorizzo JL, Rapini RP. Dermatology. New York: Mosby; 2008. p. 201–2.
54. Phillips TJ, Dover JS. Leg ulcers. J Am Acad Dermatol. 1991;25(6, Part 1):965–87.
55. Farage MA, Miller KW, Berardesca E, Maibach HI. Clinical Implications of Aging Skin. Am J Clin Dermatol. 2009;10(2):73–86.
56. Abbade LPF, Lastória S. Abordagem de pacientes com úlcera da perna de etiologia venosa. An Bras Dermatol. 2006;81(6):509–22.
57. Weber MB, Camini L. Histofisiologia da pele no maior. In: Terra NL, Silva R, Schimidt OF, organizadores. Tópicos em geriatria II. Porto Alegre: EdiPUCRS; 2007. p. 329–43.
58. Ward S. Eczema and dry skin in older people: identification and management. Br J Community Nurs. 2005;10(10):453–6.
59. Criado RFJ, Criado PR, Vasconcellos C. Reações adversas a drogas. In: Silva MR, Castro MCR. Fundamentos de dermatologia. Rio de Janeiro: Atheneu; 2008. p. 681-763.
60. Bonamigo RR, Razera F, Cartell A. Extensive skin necrosis following use of noradrenaline and dopamine. J Eur Acad Dermatol Venereol. 2007;21(4):565–6.
61. Apaydin R, Bilen, Dökmeci Ş, Bayramgürler D, Yildirim G. Drug eruptions: a study including all inpatients and outpatients at a dermatology clinic of a university hospital. J Eur Acad Dermatol Venereol. 2000;14(6):518–20.
62. Roujeau JC, Stern RS. Severe Adverse Cutaneous Reactions to Drugs. N Engl J Med. 1994;331(19):1272–85.
63. Criado PR, Criado RFJ, Vasconcellos C, Ramos R de O, Gonçalves AC. Reações cutâneas graves adversas a drogas – aspectos relevantes ao diagnóstico e ao tratamento – Parte I – Anafilaxia e reações anafilactóides, eritrodermias e o espectro clínico da síndrome de Stevens--Johnson & necrólise epidérmica tóxica (Doença de Lyell). An Bras Dermatol. 2004;79(4):471–88.
64. Criado PR, Criado RFJ, Vasconcellos C, Ramos R de O, Gonçalves AC. Reações cutâneas graves adversas a drogas: aspectos relevantes ao diagnóstico e ao tratamento – Parte II. An Bras Dermatol. 2004;79(5):587–601.
65. Criado PR. Adverse Drugs Reactions. In: Bonamigo RR, Dornelles SIT. Dermatology in public health environments: a comprehensive textbook. Cham: Springer; 2018. p. 519–76. (Medical Textbooks).
66. Stern RS. Clinical practice. Exanthematous drug eruptions. N Engl J Med. 2012;366(26):2492–501.
67. Marzano AV, Borghi A, Cugno M. Adverse drug reactions and organ damage: The skin. Eur J Intern Med. 2016;28:17–24.
68. Trent JT, Kirsner RS, Romanelli P, Kerdel FA. Use of SCORTEN to Accurately Predict Mortality in Patients With Toxic Epidermal Necrolysis in the United States. Arch Dermatol. 2004;140(7):890–2.
69. Joint Task Force on Practice Parameters, American Academy of Allergy, Asthma and Immunology, American College of Allergy, Asthma and Immunology, Joint Council of Allergy, Asthma and Immunology. Drug allergy: an updated practice parameter. Ann Allergy Asthma Immunol. 2010;105(4):259–73.
70. Brasil. Agência Nacional de Vigilância Sanitária [Internet]. Brasília: ANVISA; 2020 [capturado em 28 abr. 2020]. Disponível em: http://portal.anvisa.gov.br/
71. Creamer D, Walsh SA, Dziewulski P, Exton LS, Lee HY, Dart JKG, et al. U.K. guidelines for the management of Stevens-Johnson syndrome/toxic epidermal necrolysis in adults 2016. Br J Dermatol. 2016;174(6):1194–227.

# Capítulo 134
# PRURIDO E LESÕES PAPULOSAS E NODULARES

Márcia Zampese

Lucas Samuel Perinazzo Pauvels

Andre Avelino Costa Beber

## PRURIDO

O prurido é definido como uma sensação subjetiva desagradável que leva à necessidade de coçar a área afetada, e que pode acometer toda a superfície da pele, conjuntiva ocular, mucosa oral e anogenital, assim como o epitélio ciliado da traqueia.[1] É o mais comum dos sintomas dermatológicos, sendo a característica principal de várias doenças cutâneas, bem como de doenças sistêmicas, neurológicas e psiquiátricas.

Costuma-se classificar o prurido em agudo ou crônico, levando em consideração um período aproximado de 6 semanas.[2] O prurido intenso e crônico afeta a qualidade de vida de forma adversa, causando prejuízo ao sono, depressão e ansiedade, fatores que podem contribuir para a manutenção e a magnificação do sintoma.[1] É importante lembrar que o prurido é uma sensação subjetiva; assim, pacientes com doenças de pele classicamente pruriginosas podem apresentar pouco ou nenhum prurido, enquanto outros se queixam de prurido intenso em doenças normalmente pouco sintomáticas.

## Investigação clínica do paciente com prurido

A avaliação de um paciente com prurido inicia por uma anamnese detalhada para caracterização da queixa de acordo com a superfície acometida (localizado ou generalizado), a duração, a intensidade e os fatores agravantes e de melhora. É fundamental conhecer comorbidades, fármacos em uso, história de alergias ou atopia, e perfil psicossocial do paciente. O exame físico deve concentrar-se na revisão de todo o tegumento em busca de lesões cutâneas em atividade, escoriações, sinais de infestação ou parasitoses, além de avaliar o grau de hidratação cutânea e higiene. Quando não há lesões cutâneas visíveis que possam justificar o sintoma, o prurido é denominado *sine materia*. A simples presença de escoriações crônicas e de liquenificação é considerada uma alteração secundária ao ato de coçar (provavelmente desencadeado por alguma doença subjacente); portanto, não caracteriza dermatose pruriginosa primária.

A investigação complementar pode ser guiada por um algoritmo, conforme mostra a **FIGURA 134.1**.

## Condições clínicas em que há prurido

### Prurido em pele doente – presença de dermatose pruriginosa primária

O cenário mais frequente na prática clínica é quando o paciente apresenta uma doença dermatológica que cursa com prurido. Nesses casos, a identificação da lesão primária permite ao médico o diagnóstico e o estabelecimento da terapia adequada.

Na **TABELA 134.1**, são mostradas as principais dermatoses pruriginosas de acordo com a topografia. A descrição da maioria dessas doenças está distribuída em capítulos diversos deste livro (ver Capítulo Abordagem Diagnóstica das Lesões de Pele), sendo aqui apresentadas apenas algumas doenças específicas.

### Prurido crônico *sine materia*

Essa forma de prurido ocorre na ausência de dermatose pruriginosa primária e direciona a investigação para etiologias sistêmicas e psicogênicas.

### Prurido no idoso

A principal causa de prurido no idoso é a xerodermia (pele seca), relacionada à atrofia cutânea e às alterações na produção de sebo características do processo de envelhecimento (ver Capítulo Ressecamento da Pele e Sudorese Excessiva).[2] Frequentemente, esses pacientes apresentam outras condições que podem cursar com prurido, como disfunção hepática, insuficiência renal, diabetes melito, tireoidopatias, uso de múltiplos fármacos e, em idosos institucionalizados, doenças infecciosas como a escabiose.[2]

### Prurido relacionado com doença sistêmica

Estima-se que 1 a cada 5 pacientes com prurido generalizado e sem doença dermatológica identificável apresente

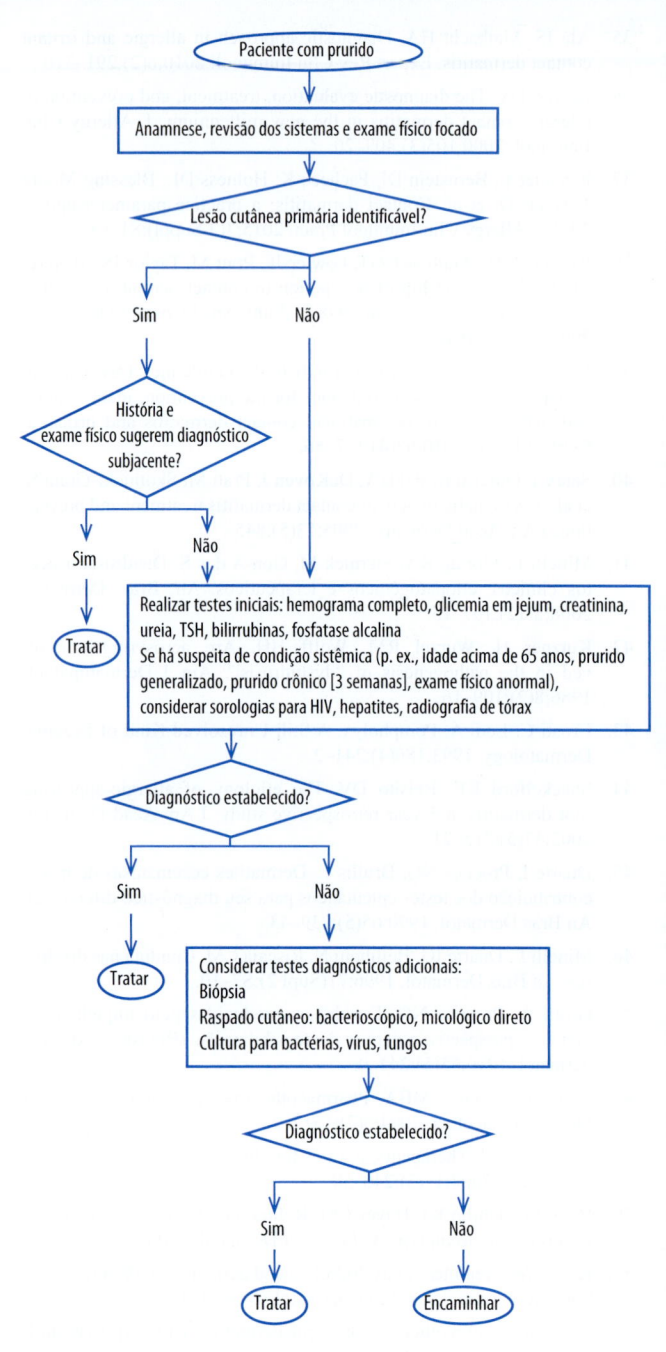

**FIGURA 134.1** → Algoritmo diagnóstico para prurido.
HIV, vírus da imunodeficiência humana; TSH, tireotrofina.
Fonte: Weisshaar e colaboradores.[2]

## TABELA 134.1 → Possíveis dermatoses pruriginosas conforme a localização

| | |
|---|---|
| Pálpebras | → Dermatite atópica |
| | → Dermatite de contato |
| Nariz | → Rinite alérgica |
| Membros superiores | → Prurido braquiorradial |
| | → Eczema xerótico e elastótico |
| | → Dermatite atópica (fossa antecubital) |
| Tronco | → Escabiose |
| | → Dermatite de contato |
| | → Farmacodermia |
| Mãos | → Eczema disidrótico |
| | → Dermatite de contato |
| | → Escabiose (interdígitos) |
| Região inguinal | → Tinha crural |
| | → Eritrasma |
| | → Dermatite de contato |
| | → Intertrigo |
| | → Pediculose |
| | → Escabiose |
| Pés | → Tinha dos pés |
| | → Dermatite de contato |
| | → Líquen simples crônico |
| | → Eczema disidrótico |
| Membros inferiores | → Eczema xerótico |
| | → Líquen simples crônico |
| | → Dermatite de estase |
| Couro cabeludo | → Pediculose |
| | → Psoríase |
| | → Dermatite seborreica |
| | → Dermatite de contato |
| | → Foliculites |
| Ouvido externo | → Otomicose |
| | → Otite externa em fase inicial |
| | → Dermatite de contato |
| | → Dermatite seborreica |
| | → Psoríase |
| Região posterior do tórax | → Notalgia parestésica |
| | → Xerodermia |
| | → Psoríase |
| | → Foliculite |
| Região anal/perianal | → Fissura anal |
| | → Hemorroidas |
| | → Verrugas virais |
| | → Verminoses |
| | → Dermatite de contato |
| | → Líquen escleroso |
| Região genital | → Psoríase |
| | → Dermatite de contato |
| | → Infecções: dermatofitoses, candidíase, herpes simples, molusco contagioso, verrugas virais |
| | → Líquen escleroso |
| | → Líquen plano |
| | → Afecções neoplásicas: doença de Paget extramamária, carcinoma epidermoide |
| | → Vulvovaginite atrófica |

Fonte: Moses.[53]

etiologia sistêmica para o sintoma.[2] Isso ressalta a importância da investigação de doenças sistêmicas subjacentes no prurido generalizado e persistente. Os pacientes sem diagnóstico de doença de base devem ser mantidos sob permanente vigilância, pois podem desenvolver neoplasias, como os linfomas.[2] As principais formas de prurido relacionado com doença sistêmica são abordadas a seguir.

### Prurido renal

Ocorre em pacientes com insuficiência renal crônica, principalmente aqueles em diálise. Não está associado à idade, ao gênero, à etnia, à duração da diálise, à modalidade da diálise ou à etiologia da insuficiência renal. Pode variar de um desconforto esporádico a um estado de prurido contínuo e irrefreável, localizado ou generalizado. Lesões cutâneas, se estiverem presentes, são decorrentes de coçadura e escoriação, denominadas lesões secundárias. Frequentemente se associa à xerose cutânea difusa.

As medicações de uso tópico apresentam resultado limitado, e as mais usadas são os emolientes e as loções à base de mentol e cânfora C/D. Os anti-histamínicos H1 sedativos, como a hidroxizina, têm efeito mais pela capacidade de sedação do que pelo bloqueio da histamina, apresentando resultados positivos sobre o sono C/D. Pacientes com prurido refratário aos anti-histamínicos podem beneficiar-se do uso de gabapentina 100 a 300 mg após cada sessão de diálise B. A fototerapia com ultravioleta B (UVB), muito utilizada no passado, apresenta benefício questionável e está relacionada a efeitos colaterais. O transplante renal continua sendo o tratamento mais eficaz, pois o prurido cessa logo após esse procedimento.[3,4]

### Prurido colestático

Quase todas as doenças hepáticas podem cursar com prurido, mas as condições mais comumente associadas são cirrose biliar primária, colangite esclerosante primária, coledocolitíase obstrutiva, carcinoma do ducto biliar e hepatite viral, sobretudo pelo vírus C.[2] Alguns fármacos podem provocar colestase intra-hepática, sendo os principais as fenotiazinas, os estrogênios e a tolbutamida.

O prurido tende a ser generalizado, migratório e não aliviado pelo coçar. Costuma ser mais intenso nas mãos e nos pés e mais proeminente à noite. Em pacientes com colestase crônica, o prurido pode ser um sintoma inicial e ocorrer anos antes de qualquer outra manifestação da doença hepática.[2] Na cirrose biliar primária, ele precede a icterícia em até 50% dos casos, caracteristicamente em mulheres com idade > 30 anos. A etiologia do prurido não é conhecida e sua intensidade não se correlaciona com os níveis dos sais biliares.[4]

O tratamento do prurido colestático consiste primariamente no tratamento das causas da doença hepatobiliar. Em casos de obstrução biliar extra-hepática, em que a terapia definitiva não é possível, procedimentos visando à desobstrução e à drenagem das vias biliares em geral são efetivos para a melhora do prurido. Em casos de colestase intra-hepática, em que a terapia definitiva não é possível, pode-se adotar medidas para alívio sintomático do prurido.[2]

Medidas gerais, como hidratar a pele, aparar as unhas e adotar vestuário protetor (mangas longas e luvas de tecido de algodão), minimizam os estímulos para o prurido bem como o risco de trauma e infecção. Banhos mornos e o uso de anti-histamínicos podem ser eficazes em casos leves. O tratamento medicamentoso, sumarizado na TABELA 134.2, visa reduzir as substâncias pruritogênicas e fornecer alívio sintomático.[2,4]

Sequestradores de ácidos biliares, como a colestiramina, podem ser efetivos no controle do prurido associado à colestase, sendo a alternativa terapêutica de primeira linha para esse propósito na dose de 4 a 16 g por dia [B]. A rifampicina também parece ser efetiva no controle dos sintomas [B]. O ácido ursodesoxicólico é utilizado no tratamento da colestase intra-hepática da gestação, mas não parece ser efetivo no controle do prurido associado às demais doenças colestáticas [B]. Antagonistas opioides, como a naloxona, podem ser efetivos no controle do prurido [B], mas seu uso é desaconselhado devido à alta incidência de eventos adversos (NNH = 2) [B].[2]

### Prurido nas neoplasias

A possibilidade de uma etiologia neoplásica deve ser considerada em todo paciente de meia-idade ou idoso que manifeste prurido generalizado e persistente. Uma avaliação exaustiva em geral não é justificável, e está indicada a investigação adequada à faixa etária e guiada por sintomas ou achados clínicos.[5]

As malignidades hematológicas são frequentemente associadas ao prurido, sintoma presente em até 30% dos doentes com linfoma de Hodgkin e até 15% nos linfomas não Hodgkin. Na policitemia vera, pode ocorrer um quadro incomum de prurido induzido pelo contato com água (prurido aquagênico), mais intenso nas extremidades inferiores. É importante salientar que o prurido pode surgir vários anos antes do diagnóstico da doença hematológica.[5]

O manejo é baseado no tratamento da doença de base. Não existem estudos controlados para o tratamento do prurido associado a neoplasias. Relatos e séries de casos citam efeitos possivelmente positivos com uso de inibidores seletivos da recaptação da serotonina (paroxetina, sertralina, fluvoxamina), mirtazapina, gabapentina, pregabalina, talidomida, prednisona e antagonistas opioides [C/D].[5]

### Prurido nas doenças endócrinas

Na tireotoxicose, o prurido pode ser um sintoma proeminente, relacionado com o hiperfluxo sanguíneo na pele. No hipotireoidismo, está relacionado com a xerose cutânea, sendo aliviado com o uso de emolientes e a correção da doença de base (ver Capítulo Ressecamento da Pele e Sudorese Excessiva). O prurido pode ocorrer em 3% dos pacientes com diabetes melito. Embora a relação pareça controversa, alguns relatos registram maior frequência de prurido vulvar em mulheres com diabetes melito pouco controlado, bem como a possibilidade de outras doenças infecciosas pruriginosas concomitantes (FIGURA 134.2). Além disso, os hipoglicemiantes orais podem ser uma causa de prurido generalizado, dificultando o diagnóstico etiológico.[4]

### Prurido na infecção pelo HIV e na Aids

O prurido é um dos mais proeminentes sintomas relacionados com a infecção pelo vírus da imunodeficiência humana (HIV, do inglês *human immunodeficiency virus*). Pode ser acompanhado de diferentes erupções ou pode ser a manifestação de uma doença cutânea ou sistêmica. Em até metade dos casos de pacientes com síndrome da imunodeficiência adquirida (Aids, do inglês *acquired immunodeficiency syndrome*) que apresentam prurido, o diagnóstico causal específico deste, ou mesmo a categoria a que pertence, pode nunca vir a ser esclarecido.

As causas de prurido incluem infecções cutâneas, infestações, doenças papuloescamosas, fotodermatoses, xerodermia, reações a fármacos e distúrbios linfoproliferativos. Erupções por fármacos são bastante comuns em pacientes soropositivos, presumivelmente devido a disfunções no sistema imune, alterações no metabolismo de fármacos e uso

**TABELA 134.2** → Tratamento do prurido relacionado à colestase

| TRATAMENTOS FARMACOLÓGICOS (POR ORDEM DECRESCENTE DE NÍVEL DE EVIDÊNCIA) | | | |
|---|---|---|---|
| | DOSE | EFEITOS COLATERAIS | RECOMENDAÇÕES |
| Colestiramina | 4-16 g/dia VO | Anorexia, constipação, diarreia, desconforto abdominal | Tomar 4 horas antes ou depois de qualquer medicação, preferencialmente pela manhã |
| Rifampicina | 150-600 mg/dia (ou 10 mg/kg/dia) VO | Náusea, vômitos, diarreia, cefaleia, anorexia, febre, *rash*; pode desencadear hepatite medicamentosa, anemia hemolítica, trombocitopenia | Eficácia de até 77%; hepatotoxicidade geralmente nos primeiros 2 meses de tratamento (7-12%) |
| Naltrexona | 12,5-50 mg/dia VO | Hepatotoxicidade (relatos anedóticos) | Pode desencadear síndrome de abstinência e síndrome de dor crônica |
| Sertralina | 75-100 mg/dia VO | Náusea, tontura, diarreia, fadiga | Iniciar com 25 mg/dia e aumentar gradualmente conforme tolerância |
| TRATAMENTO CIRÚRGICO | | | |
| *Stents*, derivações ou remoção de cálculos | | | |

Fonte: Weisshaar e colaboradores.[2]

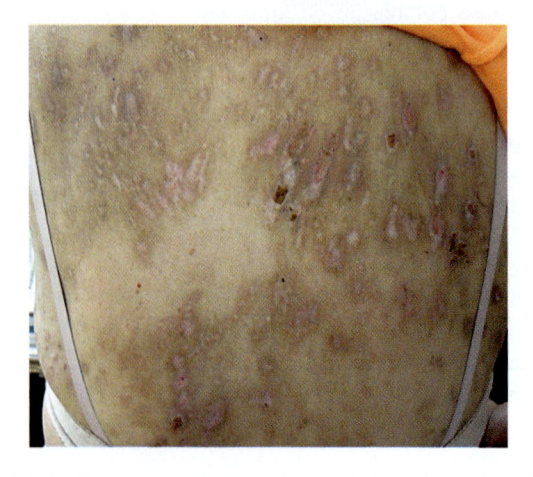

**FIGURA 134.2** → Paciente com diabetes melito de difícil controle, com queixa de prurido intenso, apresentando escoriações múltiplas. Os exames dermatológicos da paciente e do cônjuge revelaram quadro de escabiose.
Fonte: Arquivo pessoal de André Costa Beber.

de múltiplos medicamentos. O prurido pode também ser resultado de doença sistêmica como insuficiência renal crônica, doença hepática ou linfoma sistêmico.

A avaliação do prurido deve incluir um exame cuidadoso de pele, cabelos, unhas e membranas mucosas, visando à identificação de uma doença primária cutânea. Se não for encontrada causa dermatológica, uma causa sistêmica ou de origem medicamentosa deve ser procurada. O prurido idiopático do HIV é um diagnóstico de exclusão e deve ser considerado apenas quando um diagnóstico específico não puder ser estabelecido.[6]

O tratamento deve ser dirigido à doença de base quando esta for identificada. Como tratamento sintomático, podem ser usados corticoides tópicos e hidratantes, anti-histamínicos orais e fototerapia UVB C/D. A terapia antirretroviral (TARV) pode ocasionar melhora em várias doenças dermatológicas pruriginosas, embora algumas possam se exacerbar no início do tratamento em consequência da síndrome de reconstituição imune.[6]

## Prurido nas doenças neurológicas

O prurido neuropático manifesta-se por uma disfunção da transmissão neuronal em qualquer nível, desde a pele até o cérebro. O paciente pode queixar-se de prurido, parestesia ou dor, relacionada com a neuropatia de base. As condições que levam a esses sintomas são chamadas de dermatoses neurocutâneas e correspondem a um grupo grande de doenças, que compreende prurido braquiorradial, notalgia parestética, gonialgia parestética, neuropatia pós-herpética, neuropatia das pequenas fibras, prurido anogenital, vulvodinia, síndrome da boca ardente, eritromelalgia, rosácea neuropática, neuropatia associada ao diabetes melito, insuficiência sudomotora idiopática, esclerose múltipla, tumores cerebrais, abscessos, aneurismas e outros. O tratamento efetivo deve ser direcionado à causa da doença neurológica.

## Prurido induzido por medicações

Qualquer fármaco pode desencadear uma erupção cutânea pruriginosa por reação de hipersensibilidade (farmacodermia) ou sensibilização cutânea (fotossensibilização). Entretanto, muitos medicamentos podem causar prurido generalizado sem uma erupção cutânea identificável.

Não existe método universalmente aceito para elucidar a causalidade de uma reação adversa a um fármaco. Uma sequência temporal consistente entre o início do uso do medicamento e o início do prurido, a resolução após a retirada e a recidiva com a reintrodução são os elementos mais importantes para a elaboração diagnóstica. O prurido induzido por medicamentos é provavelmente subestimado, sobremaneira em idosos, pois nestes o metabolismo dos fármacos pode estar alterado, além do risco de interações farmacológicas em função do uso de múltiplos medicamentos. Os principais fármacos causadores de prurido estão mostrados na TABELA 134.3.

O tratamento ideal para o prurido induzido por medicação é, sempre que possível, a retirada ou a substituição do fármaco causador desse sintoma.

**TABELA 134.3** → Principais fármacos que podem induzir prurido sem alterações cutâneas

| | |
|---|---|
| Anti-hipertensivos | → Inibidores da enzima conversora da angiotensina* |
| | → Antagonistas da angiotensina 2 (sartanas)* |
| | → Betabloqueadores* |
| | → Bloqueadores dos canais de cálcio* |
| | → Metildopa |
| Antiarrítmicos | → Amiodarona* |
| Anticoagulantes | → Ticlopidina* |
| | → Heparinas fracionadas |
| Hipolipemiantes | → Estatinas |
| Antibacterianos e quimioterápicos | → Penicilinas* |
| | → Cefalosporinas |
| | → Macrolídeos* |
| | → Carbapenêmicos* |
| | → Monobactâmicos |
| | → Quinolonas |
| | → Tetraciclinas* |
| | → Lincosamidas* |
| | → Estreptograminas |
| | → Metronidazol |
| | → Rifampicina |
| | → Tianfenicol |
| | → Sulfametoxazol-trimetoprima* |
| | → Antimaláricos |
| Psicotrópicos | → Antidepressivos tricíclicos* |
| | → Inibidores seletivos da recaptação da serotonina |
| | → Antipsicóticos* |
| Antiepiléticos | → Carbamazepina |
| | → Oxcarbazepina |
| | → Fenitoína |
| | → Topiramato |
| Citostáticos | → Clorambucila |
| | → Paclitaxel |
| | → Tamoxifeno |
| Citocinas, fatores de crescimento e anticorpos monoclonais | → Fator estimulador de colônia granulócito-macrófago |
| | → Interleucina-2 |
| | → Matuzumab |
| | → Lapatinibe |
| | → Inibidor do receptor do fator de crescimento epidérmico |
| Expansores plasmáticos | → Hidroxietil celulose |
| Outros | → Agentes antitireoidianos* |
| | → Anti-inflamatórios não esteroides |
| | → Corticoides |
| | → Hormônios sexuais* |
| | → Opioides |
| | → Sildenafila* |
| | → Inibidores da xantina oxidase |

*Podem induzir dano hepático colestático.
Fonte: Cassano e colaboradores.[54]

## Prurido psicogênico

Por tratar-se de sintoma subjetivo e muito influenciado por alterações de humor e ansiedade, o prurido frequentemente é agravado ou desencadeado por doenças psiquiátricas e estados emocionais. Em pacientes com prurido crônico *sine materia*, em que causas orgânicas foram afastadas, especialmente se houver história ou perfil de sintomas depressivos, compulsivos ou de ansiedade, pode-se considerar um distúrbio psiquiátrico como causa do prurido. Esses cenários são verdadeiros desafios na prática médica e frequentemente cursam com alto grau de frustração e contratransferência, exigindo boa relação médico-paciente e grande envolvimento para o manejo adequado.

O tratamento da doença psiquiátrica de base costuma melhorar ou resolver o prurido psicogênico. O clínico que possui familiaridade com o uso de psicofármacos pode sentir-se confortável para iniciar o tratamento no âmbito da atenção primária à saúde (APS) e encaminhar para casos refratários a psiquiatria. As mesmas medidas gerais adotadas para outras formas de prurido podem ser empregadas também no prurido psicogênico visando aliviar o sintoma até que a doença de base seja controlada (hidratação cutânea, banhos mornos, anti-histamínicos).[2]

## Encaminhamento

Pacientes com prurido intenso e refratário, seja por causa sistêmica ou dermatológica, necessitam ser avaliados por um dermatologista. Pacientes com alterações psiquiátricas que influenciam o prurido necessitam de manejo concomitante com psiquiatra e psicólogo.

# LESÕES PAPULOSAS E NODULARES

Uma ampla gama de doenças dermatológicas apresenta-se com pápulas, nódulos ou gomas (ver Capítulos O Exame da Pele e Abordagem Diagnóstica das Lesões de Pele).

# URTICÁRIA

A urticária é um grupo heterogêneo de doenças que compartilham o mesmo padrão de reação cutânea: a urtica e o angioedema. A urtica é caracterizada por uma lesão edematosa com halo eritematoso de tamanho variável, prurido intenso e natureza fugaz, que surge em poucos minutos e regride entre 1 e 24 horas (FIGURA 134.3). O angioedema caracteriza-se por edema súbito e intenso da derme e do subcutâneo, eventualmente com dor e resolução mais lenta que a urtica, em até 72 horas. A urticária pode ser desencadeada por fatores imunológicos (mediados por imunoglobulina E [IgE], doenças autoimunes ou imunocomplexos dependentes do complemento) ou não imunológicos (ação direta sobre mastócitos) que levam à degranulação de mastócitos cutâneos com consequente liberação de mediadores vasoativos, especialmente a histamina.[7]

Considera-se aguda a urticária com duração < 6 semanas, e crônica aquela com duração > 6 semanas. Essa definição é importante para guiar o tratamento, pois um fator desencadeante presuntivo (fármaco, alimento, picada de inseto, infecção) é frequentemente identificado em pacientes com urticária aguda, e a eliminação da exposição a esse fator costuma ser suficiente para a resolução dos sintomas. Entretanto, em até 80% dos casos de urticária crônica, não se identifica fator desencadeante para os sintomas, e o manejo é mais complexo. A caracterização do sintoma predominante do paciente (urtica ou angioedema) e a idade de início também são etapas importantes para a definição etiológica, pois o angioedema facial não acompanhado de urticas pode ser induzido por fármacos, como classicamente descrito com inibidores da enzima conversora da angiotensina (ECA), ou estar presente em quadros de deficiência hereditária ou adquirida do inibidor de C1.[8,12]

As causas mais comuns de urticárias induzidas estão listadas na TABELA 134.4. A multiplicidade das apresentações clínicas da urticária crônica é mostrada na TABELA 134.5.

## Diagnóstico

O diagnóstico é clínico e baseado na história da evolução das lesões e seu aspecto ao exame físico. A investigação adicional dependerá do subtipo de urticária apresentada pelo paciente:

→ **urticária aguda:** geralmente não necessita de investigação laboratorial adicional;[12]

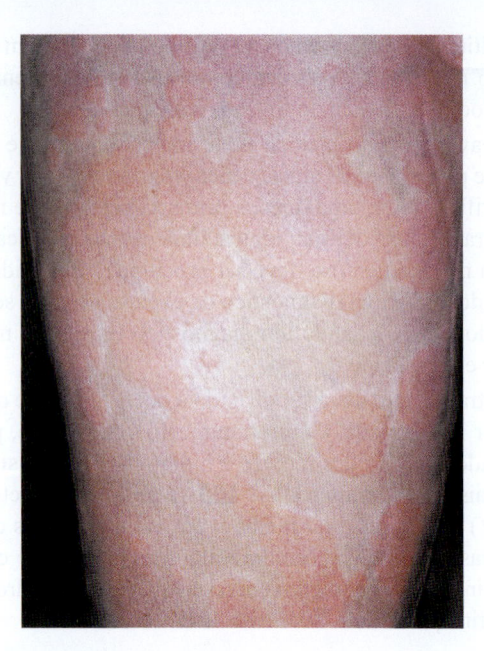

**FIGURA 134.3** → Urticária. As lesões ocorrem em qualquer superfície cutânea, incluindo as palmas das mãos e as plantas dos pés. A apresentação mais característica é uma placa vermelha elevada circundada por um halo branco fraco.
Fonte: Habif e colaboradores.[51]

**TABELA 134.4** → Causas de urticária

| IMUNOMEDIADAS | | NÃO IMUNOMEDIADAS |
|---|---|---|
| **MEDIADA POR IgE** | **NÃO MEDIADA POR IgE** | |
| → Aeroalérgenos | → Medicamentos | → Estímulos físicos (frio, calor local, pressão, vibração) |
| → Alérgenos de contato | → Radiocontraste | |
| → Alérgenos alimentares | → Alguns alimentos (pseudoalérgenos) | → Água |
| → Veneno de insetos | | → Neoplasias |
| → Medicamentos (reação alérgica) | → Urtica dioica ("urtiga") | |
| → Infecções parasitárias | | |
| → Reação transfusional | | |

Fonte: Adaptada de Asero.[8]

## TABELA 134.5 → Classificação da urticária

| | | DEFINIÇÃO |
|---|---|---|
| Urticária espontânea | Urticária espontânea aguda | Urticas espontâneas e/ou angioedema < 6 semanas |
| | Urticária espontânea crônica | Urticas espontâneas e/ou angioedema > 6 semanas |
| | | DESENCADEANTE |
| Urticária física | Dermografismo | Força mecânica (urtica pós-latência 1-5 minutos) |
| | Urticária por pressão tardia | Pressão vertical (urtica pós-latência 3-12 horas) |
| | Urticária de contato ao frio | Ar/objeto/fluido/vento frio |
| | Urticária de contato ao calor | Calor localizado |
| | Urticária vibratória | Força vibratória |
| | Urticária solar | Ultravioleta e/ou luz visível |
| Outros tipos de urticária | Urticária aquagênica | Água |
| | Urticária colinérgica | Aumento da temperatura corporal por atividade física/condimentos alimentares |
| | Urticária de contato | Contato com substâncias urticariogênicas |
| | Urticária/anafilaxia induzida por exercício | Exercício físico |

Fonte: Adaptada de Asero.[8]

→ **urticária crônica induzida:** pode-se encaminhar para um serviço de referência em dermatologia para realização de testes provocativos;[12]
→ **urticária crônica espontânea:** sugere-se realização de hemograma completo e velocidade de hemossedimentação (VHS) (ou dosagem de proteína C-reativa) para todos os casos. Investigação adicional com provas de função tireoidiana e endoscopia digestiva alta com pesquisa de *Helicobacter pylori* é indicada em casos com sintomas sugestivos de tireoidopatia e dispepsia, respectivamente. Mulheres em idade fértil devem ter dosagem de gonadotrofina coriônica humana (hCG, do inglês *human chorionic gonadotropin*) para exclusão de gestação.[7,12]

## Tratamento

Nos casos de urticária induzida, o tratamento é baseado na evitação de desencadeantes.[9]

A farmacoterapia de primeira linha para urticária aguda e crônica adota os anti-histamínicos H1 não sedativos **A**, que podem ser administrados em doses até quatro vezes maiores do que as doses-padrão, conforme a necessidade, sendo efetivos na melhora dos sintomas e da qualidade de vida. Os anti-histamínicos de segunda geração (não sedativos; cetirizina, levocetirizina, fexofenadina, loratadina, desloratadina) são igualmente eficazes e mais bem tolerados do que os de primeira geração (p. ex., hidroxizina e dexclorfeniramina; ver Capítulo Rinite para sumário de opções e posologias). Cursos breves de corticoides sistêmicos podem ser considerados como tratamento adjuvante de exacerbações **B**.[8,10]

Pacientes com urticária crônica espontânea refratária a doses altas de anti-histamínicos são candidatos à terapia com omalizumabe, um anticorpo monoclonal humanizado anti-IgE circulante, com eficácia entre 40 e 58% **A**.[11] Quadros graves podem ser tratados com cursos de ciclosporina **B**.[8] Em ambos os casos, indica-se manter o uso associado dos anti-histamínicos em doses altas. Um algoritmo para o manejo da urticária crônica espontânea é exposto na **FIGURA 134.4**.[8]

## Situações de emergência

O angioedema que compromete a via aérea deve ser visto como uma emergência devido ao risco de asfixia. Quando há comprometimento de via aérea ou risco de anafilaxia, indica-se adrenalina em solução milesimal (1 mg/mL). A dose é de 0,3 a 0,5 mg para adultos e, para crianças, 0,01 mg/kg (dose máxima igual à dose de adultos), aplicada por via intramuscular, de preferência, no músculo vasto lateral da coxa.[12,13]

## Seguimento

Os pacientes com urticária crônica são, muitas vezes, frustrados e temerosos. Além do apoio clínico, há três conceitos fundamentais a serem transmitidos e reforçados ao paciente com urticária crônica:
→ grande parte dos casos apresenta remissão espontânea da doença em alguns anos;[8]
→ enquanto a urticária aguda e o angioedema podem ser manifestações de reações alérgicas potencialmente fatais, a urticária crônica tem comportamento diverso, raras vezes sendo associada a risco agudo;[8]
→ os sintomas da urticária crônica podem ser controlados com sucesso na maioria dos pacientes.[8]

## Sugestões de quando referenciar

→ Deve-se considerar encaminhamento ao dermatologista se o paciente apresentar:
→ urticária com angioedema não envolvendo a via aérea;
→ urticária aguda grave e possivelmente associada à alergia alimentar ou ao látex;

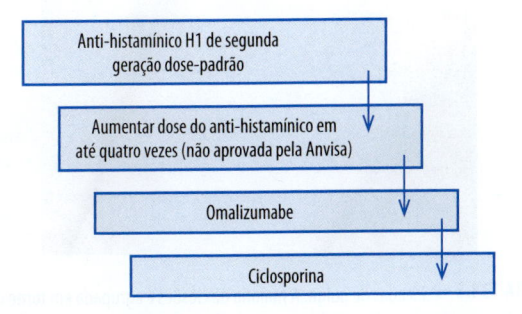

**FIGURA 134.4** → Sequência de tratamento na urticária.
Fonte: Criado e colaboradores.[7]

Anti-histamínico H1 de segunda geração dose-padrão
↓
Aumentar dose do anti-histamínico em até quatro vezes (não aprovada pela Anvisa)
↓
Omalizumabe
↓
Ciclosporina

→ urticária crônica (> 6 semanas) com desconforto para o paciente apesar do uso de anti-histamínicos e do afastamento de causas conhecidas;
→ urticária com características atípicas, como duração das lesões por período > 24 horas ou acompanhadas de dor, púrpura palpável ou necrose.

## PRURIGO

O termo **prurigo** carece de uma precisão nosológica, pois se origina na dermatologia descritiva e corresponde a condições muito diversas quanto à clínica, à histopatologia e à etiologia. Caracteriza-se por pápulas ou nódulos cutâneos com prurido intenso. De forma prática, pode ser classificado de acordo com a duração, em agudo e crônico.

### Classificação

#### Prurigo agudo

O estrófulo, também conhecido como urticária papular ou prurigo agudo simples da criança, é frequente na infância. As lesões decorrem de hipersensibilidade a diversos agentes, sendo a picada de insetos responsável pela maior parte dos casos (denominados prurigo estrófulo, FIGURA 134.5). Vários insetos causam prurigo agudo, sendo os mais comuns os mosquitos (*Culicidae*), as pulgas (*Pulex irritans*) e os percevejos (*Cimex lectularius*). As lesões são reações às picadas, e surgem nos locais das picadas e próximo a elas.

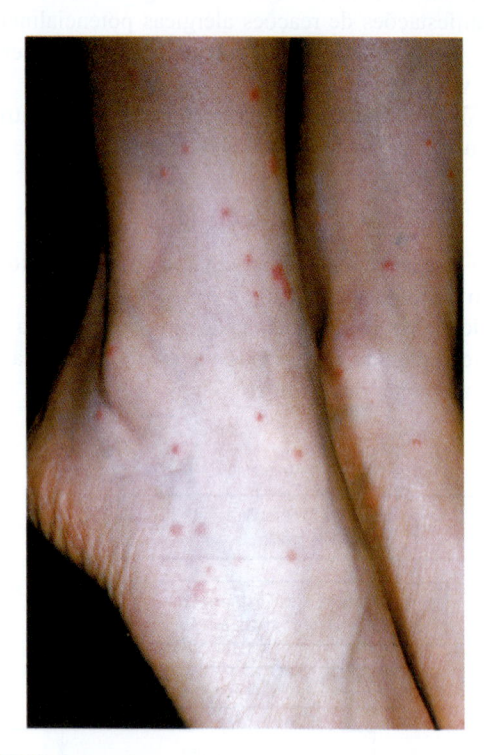

**FIGURA 134.5** → Picadas de pulga. A maioria das lesões é agrupada em torno dos tornozelos ou nas extremidades inferiores, áreas de fácil alcance a partir do solo.
Fonte: Habif e colaboradores.[51]

Os alérgenos na saliva do inseto induzem sensibilização e formação de anticorpos específicos.

A erupção atópica da gestação é caracterizada pelo surgimento de prurigo agudo (pápulas pruriginosas disseminadas) e placas de eczema em gestantes no 1º ou 2º semestre de gestação, geralmente com história de atopia. Acredita-se que esteja relacionada a alterações imunológicas decorrentes da gestação, e não confere risco ao feto. O tratamento é sintomático com hidratação cutânea, uso de corticoides tópicos de baixa a média potência e anti-histamínicos; porém, a condição só costuma resolver após o parto.[14]

#### Prurigo crônico

Prurigo nodular é a forma característica de prurigo crônico. É uma dermatose infrequente, na qual o prurido intenso é sintoma invariavelmente presente e associado às lesões nodulares. Pode ocorrer em qualquer idade, mas predomina entre os 20 e os 60 anos e afeta ambos os sexos da mesma forma.[15]

A causa do prurigo crônico é desconhecida, embora muitos pacientes tenham atopia. Representa um padrão de reação cutânea secundária ao ato de coçar ou escoriar, causado por alguma doença pruriginosa (TABELA 134.6). O estresse emocional pode ser um fator contribuinte.[15]

### Diagnóstico

No prurigo estrófulo, as lesões urticadas e muito pruriginosas surgem subitamente, evoluindo em poucas horas e deixando pápulas de 1 a 2 mm de diâmetro, com uma vesícula central. Às vezes, observa-se apenas a pápula com uma crostícula. As lesões simétricas predominam no tronco, na face e nos membros, em geral poupam a área das fraldas e evoluem por surtos. Conforme a localização, é possível presumir o agente causal: o tronco e o abdome são afetados por picadas de pulgas, a face é o local preferencial de mosquitos,

**TABELA 134.6** → Fatores associados ao prurigo crônico

| | |
|---|---|
| Atopia | |
| Doenças sistêmicas | → Hepatopatia crônica |
| | → Doença renal crônica |
| | → Diabetes melito |
| | → Esclerose sistêmica |
| | → Lúpus eritematoso sistêmico |
| Má absorção | → Anorexia |
| | → Doença celíaca |
| Malignidades | → Linfomas (o prurigo pode preceder o linfoma) |
| | → Câncer de órgão sólido |
| Fatores emocionais e psiquiátricos | |
| Gestação | |
| Infecções e parasitoses | → Helmintos |
| | → *Helicobacter pylori* |
| | → Vírus da imunodeficiência humana |
| | → Escabiose |
| Fármacos sistêmicos | |

Fonte: Ständer e colaboradores.[15]

enquanto os membros costumam ser alvo de mosquitos, formigas ou percevejos. No adulto, as lesões de prurigo agudo são mais polimorfas e, além do tronco e da superfície extensora dos membros, podem envolver dorso das mãos e dos pés, pescoço e região glútea.

A lesão clássica de prurigo crônico é o nódulo hemisférico, irregular, com superfície queratótica ou depressão crateriforme. O prurido é sempre intenso. As lesões podem ser únicas, agrupadas ou disseminadas. Localizam-se principalmente nas superfícies extensoras dos membros, mas tronco, face e palmas das mãos podem ser afetados. Monomorfas no início e polimorfas após a coçagem, as lesões recentes são eritematosas ou da cor da pele normal; as mais antigas podem ser escuras. Nos casos de longa duração, pode haver grandes placas queratóticas e irregulares. Pelo ato de coçar, podem surgir escoriações, crostas, descamação, hiperpigmentação e liquenificação (espessamento) da pele. Ao longo do tempo, surgem nódulos novos, enquanto os preexistentes podem seguir indefinidamente pruriginosos ou regredir de maneira espontânea com cicatrizes e discromias.[15]

## Tratamento

O tratamento do prurigo agudo deve ser etiológico e sintomático, além de evitar os fatores provocadores. Sempre é necessário considerar e excluir as causas endógenas e exógenas tratáveis.

Medidas não farmacológicas incluem:[16]
→ vestuário protetor (meias, blusas e calças compridas de tecidos claros e espessos), mosquiteiros e telas protetoras, cujos poros não sejam maiores do que 1,5 mm;
→ higiene pessoal e do domicílio, com lavagem semanal de roupa de cama e quinzenal/mensal dos protetores de colchão;
→ medidas agressivas de controle de pulgas de animais de estimação (técnicas antipulgas, banhos frequentes do animal);
→ aplicação de fita adesiva dupla-face nos pés da cama para controle dos percevejos;
→ possível desinsetização profissional para garantir a remoção de insetos;
→ repelentes para afastar insetos e evitar suas picadas. Podem ser físicos (mosquiteiros, telas) ou químicos, que agem a partir da formação de uma camada de vapor com odor ofensivo aos insetos C/D.[17]

A dietiltoluamida (DEET) é o repelente tópico mais eficaz atualmente.[16] Quanto maior for a concentração da substância, mais longa será a duração da proteção (atingindo um platô de eficácia nas concentrações de 35-50%).[17] Adultos podem usar DEET até 75%.[16] A concentração máxima para uso em crianças é controversa, mas a maioria das publicações recomenda a concentração máxima de 10 a 30% para crianças de até 12 anos.[18]

Até o momento, repelentes tópicos não são indicados para bebês com idade < 2 meses e devem ser aplicados com restrição entre 2 e 6 meses de idade.[16–18] O uso em gestantes é controverso, porém parece seguro e é recomendado pelo Centers for Disease Control and Prevention (CDC) para proteção das grávidas contra arboviroses.[17] A icaridina é um repelente derivado da pimenta, indicado pela Organização Mundial da Saúde (OMS) para viajantes, junto com a DEET. A eficácia da icaridina na concentração de 20% é semelhante à da DEET B, e a duração de sua ação pode ser de 5 a 10 horas.[17]

> A aplicação dos repelentes tópicos deve ser generosa e uniforme, pois sua ação repelente limita-se a 4 cm. Todos os repelentes irritam as mucosas; deve-se evitar passá-los nos olhos, na boca e nas narinas, bem como em áreas não expostas. A aplicação no rosto deve ser evitada; caso seja necessária, não empregar aerossóis diretamente na face. Nunca permitir que crianças autoapliquem o repelente. Os repelentes devem ser usados apenas em áreas expostas, nunca sob roupas, e a pele em que foi aplicado o produto deve ser lavada com água e sabão quando encerrado o tempo de exposição. As crianças não devem dormir com repelentes. Deve-se sempre seguir as instruções de uso contidas na embalagem do produto.

As serpentinas (elétricas ou não) vaporizam inseticidas e, em geral, contêm um piretroide (permetrina, metoflutrina) como princípio ativo; são utilizadas na proteção noturna de adultos e crianças e na proteção diurna de lactentes jovens B. Um aparelho é suficiente para proteção durante a noite em um quarto (10-20 m²) se o ambiente não for muito ventilado.[17]

### Tratamento medicamentoso

O objetivo da farmacoterapia é quebrar o ciclo prurido-coçagem-prurido. Pode ser necessária a combinação de vários medicamentos ou modalidades físicas para o controle da condição.[15]

A **TABELA 134.8** apresenta o tratamento medicamentoso para o manejo do prurido e para a inflamação do prurigo C/D. O uso de corticoides tópicos de alta potência pode ajudar nas lesões individuais. No entanto, o processo inflamatório pode estender-se profundamente, tornando os agentes tópicos ineficazes. Algum alívio sintomático pode ser obtido com anti-histamínicos H1 sedativos. Em crianças mais velhas e adultos com irritação localizada, o corticoide intralesional pode suprimir o prurido, mas não é uma opção viável para lesões generalizadas. Casos refratários, em particular de prurigo nodular, requerem uma consulta com dermatologista.[15]

## MOLUSCO CONTAGIOSO

É causado pelo *Molluscum contagiosum*, um vírus DNA-epiteliotrópico da família Poxviridae, gênero *Molluscipoxvirus*, que acomete a pele e as mucosas. Afeta crianças, sobretudo as atópicas, adultos sexualmente ativos e pacientes imunossuprimidos. Seu pico de incidência na infância situa-se entre 3 e 10 anos. É transmitido por meio do contato

**TABELA 134.7** → Tratamento medicamentoso do prurigo

| TERAPIA | DOSE | OBSERVAÇÕES |
|---|---|---|
| **PRIMEIRA LINHA** | | |
| Corticoides tópicos | → Hidrocortisona 1%, 2-4 ×/dia<br>→ Valerato de betametasona 0,1%, 1-3 ×/dia<br>→ Propionato de clobetasol 0,05% em oclusão, 1 ×/dia | Evitar uso em longo prazo pelo potencial de atrofia cutânea; corticoides de alta potência ocluídos com filme plástico são úteis para tratamento de lesões nodulares e espessadas |
| Inibidores da calcineurina tópicos | → Tacrolimo 0,1% pomada, 2 ×/dia<br>→ Pimecrolimo 1% creme, 2 ×/dia | Pode causar ardência; evitar em doenças malignas ou pré-malignas |
| Hidratantes cutâneos | → Aplicar 1 ou 2 ×/dia em todo o corpo, preferencialmente após o banho | Preferir preparações hipoalergênicas, sem cheiro e sem corantes |
| Mentol e cânfora | → Mentol 0,3% + cânfora 0,6% em gel ou loção<br>→ Aplicar nas áreas com prurido sempre que necessário | Alivia o prurido pela sensação refrescante, diminuindo a manipulação e a coçagem |
| Corticoides intralesionais | → Triancinolona acetonida 5-20 mg/mL a cada 4 semanas | Indicado para pacientes com lesões nodulares pouco numerosas e recalcitrantes |
| Cloridrato de hidroxizina<br>→ Comprimido: 25 mg<br>→ Solução: 2 mg/mL | → 0,7 mg/kg/dia | Dose máxima<br>→ Adultos: 400 mg/dia<br>→ Crianças: 1 mg/kg/dia |
| Maleato de dexclorfeniramina<br>→ Gotas: 2,8 mg/mL<br>→ Solução: 2 mg/5 mL<br>→ Comprimido: 2 mg | *Gotas*<br>→ Adultos, crianças > 12 anos: 20 gotas, 3 a 4 ×/dia<br>→ Crianças 6-12 anos: 1 gota/2 kg peso, 3 ×/dia<br>→ Crianças < 6 anos: 1 gota/2 kg de peso, 3 ×/dia<br>*Solução*<br>→ Adultos, crianças > 12 anos: 5 mL, 3 a 4×/dia<br>→ Crianças 6-12 anos: 2,5 mL, 3 ×/dia<br>→ Crianças 2-6 anos: 1,25 mL, 3 ×/dia<br>*Comprimidos*<br>→ Adultos, crianças > 12 anos: 1 cp, 3 a 4 ×/dia | Dose máxima<br>→ Adultos: 12 mg/dia<br>→ Crianças 6-12 anos: 6 mg/dia<br>→ Crianças < 6 anos: 3 mg/dia |
| Fototerapia UV | → UVB faixa estreita, PUVA tópica ou sistêmica | Necessita de centro especializado |
| **SEGUNDA LINHA** | | |
| Capsaicina tópica | → 0,025-0,3%, 4-6 ×/dia | Iniciar com dose baixa e aumentar conforme tolerância; pode causar ardência |
| Gabapentinoides | → Gabapentina 300-900 mg, até 3 ×/dia<br>→ Pregabalina 150-300 mg, 1 a 2 ×/dia | Podem causar sonolência, tontura e xerostomia |
| **TERCEIRA LINHA** | | |
| Antidepressivos | → Paroxetina 20-50 mg/dia<br>→ Mirtazapina 15 mg/dia | Iniciar com dose baixa e aumentar conforme tolerância |
| **QUARTA LINHA** | | |
| Ciclosporina | → 2,5-4 mg/kg/dia em 2 doses diárias | Acompanhar função renal e pressão arterial; evitar em pacientes que realizam fototerapia e com história de neoplasia |
| Metotrexato | → 7,5-20 mg/semana | Acompanhar hemograma e bioquímica hepática; é contraindicado para gestantes e lactantes; associar uso ao ácido fólico para diminuir efeitos colaterais |
| Talidomida | → 50-300 mg/dia | Necessita de receita de controle especial para dispensação; é contraindicado para mulheres em idade fértil; pode causar neuropatia periférica |

Fonte: Ständer e colaboradores.[15]

direto inter-humano ou por autoinoculação. Nos adultos, a transmissão costuma ser sexual. O período de incubação é muito variável, sendo estimado entre 14 dias e 6 meses.[19]

## Diagnóstico

As lesões características do molusco contagioso são pápulas semiesféricas, consistentes, peroladas ou de cor semelhante à pele normal, com uma umbilicação central, medindo entre 1 mm e 1 cm. Qualquer superfície cutânea pode ser envolvida; raramente atingem as mucosas, incluindo a conjuntiva. Nas crianças, localizam-se na face, no tronco ou nas extremidades. Nos adultos, costumam ser encontradas na região genital e no abdome inferior **(FIGURA 134.6)**.[19]

> A presença de lesões múltiplas na face e no pescoço de adultos, ou de lesões disseminadas, sugere alterações da imunidade, particularmente infecção pelo HIV. Na face, a autoinoculação é favorecida pelo ato de barbear.

As lesões costumam ser assintomáticas, mas pode haver eczema, inflamação e prurido associado, principalmente nas crianças atópicas.

## Tratamento

Como a condição é geralmente autolimitada, é possível prescindir do tratamento, a não ser que haja desconforto ou

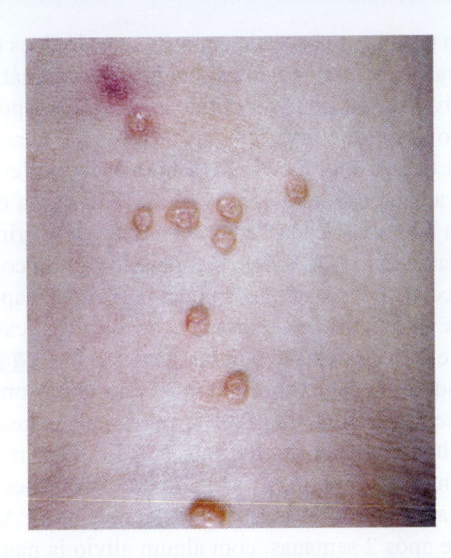

**FIGURA 134.6** → O molusco contagioso é caracterizado por pápulas discretas, com 2 a 5 mm, levemente umbilicadas, cor de carne, em formato de domo. Ele se dissemina por autoinoculação, coçadura ou pelo toque de uma lesão.
Fonte: Habif e colaboradores.[51]

> A repetição do tratamento é, por vezes, necessária, já que moluscos diminutos podem não ser detectados de início. É recomendável encaminhar ao dermatologista pacientes com lesões numerosas ou recalcitrantes.

Não é necessário afastar o indivíduo das atividades cotidianas durante o tratamento. Deve-se orientar que objetos de uso comum, como toalhas e utensílios de banho, podem abrigar fômites e servir como fonte de contaminação. Idealmente, o paciente deve-se abster de práticas sexuais até a completa resolução de lesões genitais. Crianças podem frequentar escola ou creche desde que as lesões sejam localizadas em áreas passíveis de cobertura por curativo ou atadura para evitar contato direto com terceiros. Banhos de piscina não são contraindicados.[22]

## Prognóstico

Em hospedeiros imunocompetentes, o molusco contagioso é uma infecção autolimitada e benigna, involuindo espontaneamente em 1 a 2 anos. Nos pacientes imunossuprimidos, as lesões podem ser disseminadas, persistentes e refratárias à terapia.

## ERITEMA NODOSO

Eritema nodoso é a variante clinicopatológica mais frequente de paniculite, sendo um processo inflamatório da gordura subcutânea. Ocorre em qualquer idade, porém é mais comum em mulheres jovens, entre a 2ª e a 4ª décadas de vida. O eritema nodoso não deve ser visto como uma doença isolada, havendo necessidade de avaliação dos fatores precipitantes.[23]

A patogênese não foi elucidada, mas estão implicadas tanto a inflamação neutrofílica quanto a granulomatosa. Pode corresponder a uma reação de hipersensibilidade tardia desencadeada por diversos estímulos antigênicos. Em 15 a 40% dos casos, representa um sinal precoce de infecção, doença do tecido conectivo ou outra doença inflamatória. Todavia, em muitos casos não é possível identificar o que motivou seu surgimento. A TABELA 134.10 demonstra seus principais fatores desencadeantes. A frequência de condições associadas às lesões varia de acordo com a população estudada; as mais comuns são infecção estreptocócica, sarcoidose, tuberculose, outras infecções, gravidez ou uso de anticoncepcionais, diversos fármacos, doenças inflamatórias intestinais e doenças autoimunes.[23,24]

## Diagnóstico

O diagnóstico é clínico. O eritema nodoso se caracteriza por nódulos subcutâneos eritematosos, dolorosos, mais palpáveis do que visíveis, em geral restritos às regiões pré-tibiais, que evoluem por 2 a 8 semanas e regridem (FIGURA S134.1, do QR code). As lesões apresentam regressão espontânea e podem, temporariamente, deixar

quando as lesões são um problema estético. Em alguns casos, pode-se recomendar tratamento para diminuir a autoinoculação e o risco de transmissão a terceiros.[20]

O método terapêutico pode ser mecânico (curetagem, crioterapia, expressão) **B** ou tópico (hidróxido de potássio, cantaridina, podofilotoxina) (TABELA 134.9).[21] A escolha do tratamento depende do paciente (idade, número e local das lesões, complicações, atividades do paciente, custo, etc.) e da experiência do médico com o método. Os tratamentos mais usados pelos dermatologistas são a curetagem e a crioterapia, que podem ser efetuados em ambiente de APS, desde que o generalista esteja seguro quanto à realização dos procedimentos. Para as crianças pequenas, é essencial dimensionar a colaboração destas e dos pais e lembrar que os tratamentos tópicos feitos em casa exigem maior colaboração.

**TABELA 134.8** → Tratamentos para molusco contagioso

| | |
|---|---|
| Curetagem | Curetar delicadamente cada pápula e cobrir com pequeno curativo; a curetagem é um dos tratamentos mais usados, e a dor pode ser minimizada com um creme anestésico prévio |
| Crioterapia com nitrogênio líquido | Aplicar preferencialmente com cotonete – congelar a lesão por 10-20 segundos; deve ser usado com cautela pelo risco de discromia; evitar crioterapia em crianças pequenas, devido ao potencial de dor |
| Cantaridina 0,7% | Aplicar com cotonete no consultório, orientar a lavar 2-6 horas depois; pode repetir a cada 2-4 semanas se necessário; não utilizar na face e na região anogenital pelo risco de cicatriz e discromia |
| Podofilotoxina 0,5% em creme | Aplicar nas lesões (estudos incluíram majoritariamente adultos com lesões genitais), 2×/dia, 3 dias na semana por 4 semanas; foram relatados efeitos colaterais como eritema e prurido |
| Hidróxido de potássio 5-10% em solução ou gel | Aplicar nas lesões 1× à noite até a melhora; altas taxas de efeitos colaterais podem limitar o uso (irritação, dor, eritema e hiperpigmentação) |

Fonte: van der Wouden e colaboradores.[21]

**TABELA 134.9** → Fatores desencadeantes do eritema nodoso

| | CAUSAS COMUNS | CAUSAS INCOMUNS |
|---|---|---|
| Infecções | → Infecções estreptocócicas<br>→ Tuberculose<br>→ Sífilis | → Hanseníase<br>→ Outras infecções bacterianas<br>→ Infecções virais, fúngicas e por protozoários |
| Medicamentos | → Contraceptivos hormonais orais<br>→ Penicilinas, sulfonamidas | → Anti-inflamatórios não esteroides<br>→ Inibidores de TNF-α |
| Doença inflamatória intestinal | → Doença de Crohn | → Retocolite ulcerativa |
| Neoplasias | | → Linfoma (Hodgkin)<br>→ Leucemia (mieloide aguda)<br>→ Neoplasias de órgãos sólidos |
| Outros | | → Sarcoidose<br>→ Gestação<br>→ Doença de Behçet<br>→ Síndrome de Sweet |

Fonte: Kroshinsky.[23]

marca semelhante a uma contusão, sem ulceração, cicatriz ou atrofia. Pode cursar com febre e poliartralgia.[23]

> O eritema nodoso hansênico é um evento inflamatório agudo no curso crônico da hanseníase e pode representar deposição de imunocomplexos ou reação de hipersensibilidade. Ao contrário do eritema nodoso típico, o eritema nodoso hansênico acomete locais além das pernas e pode ulcerar.[23]

A avaliação diagnóstica cuidadosa constitui o aspecto mais importante do manejo do eritema nodoso. Não existe análise de laboratório específica para a condição, e a busca pela causa subjacente deve ser feita com base na suspeita clínica individualizada. A investigação laboratorial mínima deve conter hemograma, VHS, anticorpos antiestreptolisina (ASLO), enzimas hepáticas, bilirrubinas, albumina, exame qualitativo de urina, hCG, teste de Mantoux e estudo radiológico pulmonar. A biópsia é indicada em casos atípicos – com ulceração, lesões em locais além das pernas, duração > 8 semanas, ou na suspeita de micobacteriose, sendo recomendado encaminhar o paciente a um dermatologista.[23,24]

## Tratamento

Além de tratar os fatores desencadeantes, as opções para tratamento sintomático contam principalmente com anti-inflamatórios não esteroides (AINEs), iodeto de potássio e colchicina.[23]

O eritema nodoso costuma ser autolimitado ou regride com o tratamento da doença subjacente. Dessa forma, seu manejo é sintomático, sendo recomendados repouso, elevação dos membros inferiores e compressas frias conforme a necessidade. Se tolerável, utilizar meias de baixa compressão (8-15 mmHg ou 15-20 mmHg) até o joelho ou bandagens elásticas (p. ex., SurePress®) nos pacientes incapazes de calçar as meias, o que pode ajudar a diminuir o edema e o desconforto durante as atividades diárias C/D.[23,24]

Por ser uma reação de hipersensibilidade, o uso de antibióticos só se justifica na vigência de infecção, não tendo suporte o tratamento baseado em testes sorológicos (ASLO) ou culturas de orofaringe nos indivíduos assintomáticos.

O alívio da dor pode ser obtido com AINEs – por exemplo, ácido acetilsalicílico (500 mg, a cada 4 a 6 horas), indometacina (25-75 mg, a cada 8-12 horas), ibuprofeno (200-800 mg, a cada 6-8 horas), naproxeno (250 mg, a cada 6-8 horas, ou 500 mg, a cada 12 horas) –, que são a primeira linha de tratamento C/D, iodeto de potássio C/D ou colchicina C/D. Os corticoides sistêmicos podem ser usados após a exclusão de etiologias infecciosas ou neoplásicas, exercendo possível efeito em relação à remissão das lesões C/D.[23,24]

O iodeto de potássio é administrado como uma solução concentrada contendo 0,05 g por gota. A dose inicial para adultos pode ser de 300 mg, 3 ×/dia, com incrementos semanais, até 500 mg, 3 ×/dia (para orientações de uso, ver a seção Esporotricose, subseção Tratamento). A melhoria ocorre após 2 semanas, com algum alívio já nas primeiras 48 horas de tratamento. Disgeusia, náuseas, eructação amarga, salivação excessiva e irritação gastrintestinal são comuns.[25] Os pacientes que recebem essa medicação na fase inicial respondem mais satisfatoriamente do que os pacientes com eritema nodoso crônico.[23]

# LÍQUEN PLANO CUTÂNEO

O líquen plano é uma erupção papulosa e pruriginosa de curso crônico que pode acometer pele e mucosas. É descrito como a dermatose dos seis Ps: **p**ápulas, **p**lacas, **p**urpúricas, **p**lanas, **p**oligonais, **p**ruriginosas. Afeta preferencialmente pacientes entre 30 e 60 anos de idade. É considerado uma doença inflamatória autoimune, mediada por imunidade celular, de etiologia desconhecida. Alguns fármacos podem desencadear um quadro disseminado de lesões semelhantes ao líquen plano, denominado erupção liquenoide (TABELA S134.1, do QR code).[26,27]

> Uma fração importante dos acometidos tem infecção pelo vírus da hepatite C, e há relatos do desenvolvimento do líquen plano após vacinas contra hepatite B e *influenza*. Eventos estressores podem desencadear ou agravar a erupção.[26,27]

Essa condição pode melhorar de forma espontânea dentro de 1 a 2 anos, embora as recorrências sejam comuns. Entretanto, o líquen plano nas mucosas pode ser mais persistente e resistente ao tratamento.

## Diagnóstico

As apresentações típicas proporcionam o diagnóstico clínico. As lesões características são pápulas poligonais achatadas, violáceas, de 0,5 a 2 cm de diâmetro, com a superfície lisa e brilhante, muito pruriginosas (FIGURA S134.2, do QR code). Apresentam estrias esbranquiçadas reticulares (estrias de Wickham), que são ressaltadas quando se umedece a pápula. A distribuição é simétrica, nas faces flexoras de antebraços, punhos, lateral das pernas, coxas, pescoço e região posteroinferior do tronco. Nos locais de traumatismo, podem surgir novas lesões (fenômeno de Koebner).

Pode haver comprometimento das mucosas (oral, esofágica, genital e conjuntival), do couro cabeludo e alterações ungueais distróficas. O líquen plano oral pode manifestar-se de diferentes formas. A apresentação mais comum é a reticular, com a presença de estrias ou placas esbranquiçadas reticuladas ou entrelaçadas na mucosa oral, geralmente assintomáticas. Existem formas erosivas que cursam com desconforto importante. A síndrome vulvovaginal-gengival é um subtipo da condição, em que as lesões tendem a produzir cicatrizes nas mucosas oral e vaginal.[26]

Quadros que não são típicos podem requerer avaliação do dermatologista para biópsia e estudo histológico.

A triagem de rotina para a infecção pelo vírus da hepatite C em pacientes com líquen plano é recomendada.[27] Pacientes com líquen plano têm maior prevalência de dislipidemia; portanto, a triagem de níveis lipídicos pode ser útil para detectar os indivíduos com maior risco de desenvolver doença cardiovascular.[28]

## Tratamento

**O tratamento do líquen plano é apenas de suporte e paliativo. Lesões orais assintomáticas podem prescindir de tratamento.**

A TABELA 134.11 lista os tratamentos para o líquen plano cutâneo. Não há tratamento farmacológico específico, e as recaídas podem ser frequentes mesmo com tratamentos farmacológicos eficazes. Os corticoides tópicos de alta potência são a terapia de primeira linha para todas as formas (ver Capítulo Fundamentos de Terapêutica Tópica) B.[27]

Os corticoides sistêmicos devem ser considerados para líquen plano generalizado e/ou grave, seja cutâneo ou mucoso. Os anti-histamínicos sedantes orais podem auxiliar no alívio do prurido no líquen plano cutâneo, bem como os tópicos antipruriginosos (p. ex., fórmula magistral: mentol 0,3% + cânfora 0,6% em loção ou gel) C/D.[27]

No tratamento de líquen plano oral (TABELA 134.12), é fundamental haver contato entre a superfície da mucosa e o corticoide tópico por alguns minutos, o que se obtém com uma pomada oral aderente (orabase) B. Dependendo do grau de envolvimento e acesso às lesões, há o recurso de bochechos com dexametasona em elixir. O líquen plano oral não responsivo a corticoide tópico pode ser tratado com inibidor da calcineurina (tacrolimo) B. Embora o tacrolimo tenha mostrado bons resultados clínicos, pode causar irritação local, alteração transitória do paladar, rebote lesional após a retirada e pigmentação das mucosas. Os tópicos podem ser necessários por longos períodos devido aos episódios sintomáticos recorrentes.[27]

Casos graves ou resistentes, sobremaneira com envolvimento de couro cabeludo, unhas ou mucosas, podem beneficiar-se de retinoide oral (acitretina), imunossupressor oral (ciclosporina, micofenolato) ou fototerapia, e exigem avaliação do dermatologista.

## ESCROFULODERMA

O escrofuloderma – ou tuberculose coliquativa – é uma das formas mais comuns de tuberculose cutânea. É decorrente da propagação, para a pele, de um foco tuberculoso de estruturas subjacentes, como linfonodos, ossos, articulações, epidídimo. Excepcionalmente, a vacinação com bacilo Calmette-Guérin (BCG) pode ser a causa de escrofuloderma. Afeta qualquer faixa etária, mas predomina em crianças, adolescentes e idosos. É causada por *Mycobacterium tuberculosis*, *Mycobacterium bovis* e cepa atenuada de *M. bovis* (vacina BCG). O espectro clinicopatológico da tuberculose é baseado no equilíbrio entre o grau de invasão e virulência do agente e a imunidade celular, bem como no estado de sensibilização do hospedeiro.[29–31]

**TABELA 134.10** → Tratamento do líquen plano cutâneo, não genital

| | FÁRMACO | DOSE | COMENTÁRIO |
|---|---|---|---|
| Corticoide tópico | Potência muito alta/alta | 2 ×/dia, 2 a 3 semanas; após, reduzir frequência e/ou diminuir potência | Primeira escolha; recomenda-se avaliar a eficácia após 2-3 semanas; advertir pacientes sobre atrofia cutânea com o uso prolongado |
| Corticoide intralesional | Triancinolona | 5-10 mg/mL (0,5-1 mL para cada 2 cm de lesão) | Lesões hipertróficas |
| Corticoide sistêmico oral | Prednisona | 0,5-1 mg/kg/dia, por 4-6 semanas e reduzir gradualmente em 4-6 semanas | Líquen plano generalizado, erosivo ou não responsivo a corticoide tópico |
| Inibidor de calcineurina tópico | Tacrolimo 0,1% | 2 ×/dia até melhora clínica | Líquen plano erosivo mucoso; costuma recidivar após suspensão do tratamento |
| Retinoide sistêmico | Acitretina | 20-30 mg/dia | Formas generalizadas e refratárias |
| Imunossupressor | Metotrexato | 10-15 mg/semana | Formas generalizadas ou erosivas |
| Fototerapia | UVB faixa estreita | 2-3 ×/semana | Pode induzir líquen plano paradoxalmente |

Fonte: Adaptada de Husein-ElAhmed e colaboradores.[27]

**TABELA 134.11** → Tratamento do líquen plano oral

| | FÁRMACO | DOSE | COMENTÁRIO |
|---|---|---|---|
| Corticoide tópico | Triancinolona orabase | 2 ×/dia, 2-3 semanas; reduzir frequência e/ou diminuir potência | Primeira escolha |
| Corticoide para bochechos | Dexametasona elixir | 0,1 mg/mL, bochechar 2 ×/dia | Não deve ser engolido |
| Inibidores da calcineurina | Tacrolimo pomada | 0,1%, 2 ×/dia | Irritação local, alteração do paladar, rebote lesional, pigmentação da mucosa |
| Corticoide sistêmico oral | Prednisona | 30-60 mg/dia, por 4-6 semanas, e reduzir gradualmente em 4-6 semanas | Líquen plano oral erosivo ou não responsivo a corticoide tópico |

Fonte: Adaptada de Husein-ElAhmed e colaboradores.[27]

## Diagnóstico

A lesão elementar do escrofuloderma pode ser única ou múltipla e evolui em cinco etapas: enduração, amolecimento, fistulização, ulceração e cicatrização, podendo ser observados todos os estágios da lesão em um mesmo paciente. As lesões iniciais são nódulos ou massas subcutâneos, eritematovioláceos, firmes e indolores. Elas aumentam de tamanho, tornam-se liquefeitas e ulceram, eliminando secreção purulenta ou caseosa, e podem formar trajetos fistulosos. A infecção provém de focos tuberculosos prévios que invadem a pele por contiguidade, o que determina a topografia das lesões: regiões supraclaviculares, submandibulares e parotídeas, além das laterais do pescoço, axilas e região inguinal. A cicatrização das lesões forma cordões fibrosos característicos.[29]

O diagnóstico de tuberculose cutânea é desafiador, sendo muito importante a correlação clinicolaboratorial, bem como a positividade do teste tuberculínico (PPD). A identificação do bacilo de Koch é feita por meio de bacterioscopia e cultura do material caseoso ou purulento das lesões, mas na tuberculose cutânea estes podem ser escassos e/ou não viáveis. Para o estudo histológico, como os bacilos são escassos, recomenda-se biopsiar a periferia das lesões, para demonstrar os granulomas tuberculosos. A técnica de reação em cadeia da polimerase tem sido cada vez mais utilizada, graças à sua rapidez, sensibilidade e especificidade. A ausência de bacilos na histologia ou na reação em cadeia da polimerase não exclui o diagnóstico. Um PPD positivo (> 5 mm de diâmetro) deve ser considerado de valor diagnóstico.[30,31]

## Tratamento

O tratamento consiste no uso de fármacos antituberculosos (ver Capítulo Tuberculose).[32] A maioria dos pacientes responde efetivamente às medicações utilizadas para tuberculose pulmonar.[32]

## Sugestões de quando referenciar

Nos casos em que a resposta terapêutica não é satisfatória, recomenda-se encaminhar o paciente a um infectologista com experiência em casos de multirresistência.

# ESPOROTRICOSE

É uma infecção crônica causada por espécies patogênicas de fungos dimórficos do gênero *Sporothrix* (*S. schenckii*, *S. globosa*, *S. brasiliensis* e *S. luriei*), afeta humanos e diversos mamíferos, e é a micose subcutânea mais comum na América Latina. O número crescente de relatos em pacientes imunossuprimidos, sobretudo infectados pelo HIV, sugere que a esporotricose é um problema de saúde global emergente, concomitante à pandemia de Aids.[33]

> A esporotricose costuma ocorrer em casos isolados, e a transmissão de animais para humanos é rara. No entanto, pode constituir uma zoonose, associada a áreas endêmicas e aspectos ecológicos do agente causal, como a transmissão por gatos e tatus. Existe foco importante de esporotricose zoonótica na cidade do Rio de Janeiro, acometendo grande número de gatos, cães e seus proprietários.[33,34]

A esporotricose é uma micose subcutânea de implantação. Desenvolve-se a partir da penetração do fungo na derme, por inoculação traumática com vegetais, solo e material orgânico contaminado com *Sporothrix*, ou pela inalação de esporos através do trato respiratório, levando à esporotricose primariamente sistêmica.[33]

Podem ocorrer múltiplas inoculações simultâneas. A apresentação e o curso da esporotricose dependem da resposta imune do hospedeiro, bem como do tamanho e da virulência do inóculo. Em hospedeiros não inoculados previamente, há envolvimento linfático regional; se houve exposição prévia ao fungo, forma-se uma "úlcera fixa" ou placa granulomatosa no local da inoculação.[33]

## Diagnóstico

As formas clínicas de esporotricose são cutânea fixa ou localizada, cutâneo-linfática, cutânea disseminada, mucosa e extracutânea ou sistêmica, sendo mais comum a cutâneo-linfática. Em geral, inicia-se com uma pápula ou nódulo, às vezes ulcerado. Após dias ou semanas surgem outros nódulos firmes, acompanhando o trajeto linfático; estes amolecem e ulceram, caracterizando as chamadas gomas. A localização mais frequente é nas extremidades (adultos) e na face (crianças) (FIGURA 134.7).[33]

A forma extracutânea pode afetar os sistemas osteoarticular, nervoso central, respiratório, urogenital ou disseminar-se, sendo mais comum em associação com alcoolismo, diabetes melito, doença pulmonar obstrutiva crônica e Aids.[33]

Devido à escassez de fungos, o exame direto da secreção é quase sempre negativo. A histopatologia pode mostrar alterações sugestivas, mas raramente evidencia o fungo. O padrão-ouro para o diagnóstico da esporotricose é o isolamento do *Sporothrix* por cultura de material coletado de lesões e/ou de biópsia. As provas sorológicas não são usadas de rotina, mas parecem promissoras para diagnosticar formas extracutâneas ou para monitorar resposta ao tratamento.[34]

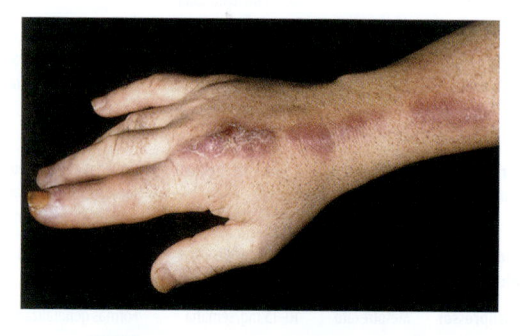

**FIGURA 134.7** → Esporotricose, tipo esporotricoide. Local de inoculação no dorso da mão com uma distribuição linear de nódulos dérmicos e subcutâneos ao longo de vasos linfáticos no braço.
Fonte: Kane e colaboradores.[51]

## Tratamento

A TABELA 134.13 apresenta diretrizes terapêuticas para o tratamento das formas cutânea e cutâneo-linfática da esporotricose.[34]

**A terapia antifúngica é a base para todas as formas de esporotricose. É imprescindível a adesão do paciente à terapia de longa duração.**

As formas cutânea e cutâneo-linfática podem ser tratadas em APS. Contudo, deve-se encaminhar o paciente no caso de formas graves, se a esporotricose estiver afetando outros órgãos e se houver gestação. O tratamento cirúrgico pode ser necessário no manejo da esporotricose osteoarticular e requer participação de especialista.

O itraconazol é o tratamento de primeira escolha C/D, sendo efetivo em 90 a 100% dos casos em doses de 100 a 400 mg/dia de forma contínua ou em pulsos. Não deve ser administrado com antiácidos, pois necessita de acidez para ser absorvido. Existe alto potencial para interações com fármacos metabolizados pela via CYP3A4, estando contraindicado o uso concomitante de sinvastatina, metadona, midazolam oral, ticagrelor, colchicina, domperidona, ivabradina, entre outros. A gestação é contraindicada durante e até 2 meses após o uso do medicamento. Sugere-se a realização de exames de hemograma, bioquímica hepática e renal antes, 4 semanas após o início e ao final do tratamento.[33,34]

Pacientes refratários ou com contraindicação ao itraconazol podem ser tratados com terbinafina 250 a 1.000 mg/dia C/D. É medicação de risco B na gestação e está contraindicada em pacientes com lúpus eritematoso sistêmico.[34]

Usada desde 1907, a solução saturada de iodeto de potássio é indicada para formas cutâneas localizadas de esporotricose em pacientes imunocompetentes, e apresenta o mesmo nível de evidência do que os fármacos antifúngicos mais modernos. Hoje é indicada principalmente em casos de intolerância ao itraconazol C/D.[34]

Pode-se empregar a seguinte fórmula (solução concentrada):
- Iodeto de potássio _____ 20 g
- Água destilada _____ 20 mL

Para adultos, deve-se iniciar com 0,5 a 1 g por dia (10-20 gotas) e aumentar a dose gradualmente até 4 g por dia (80 gotas), conforme a tolerância. Crianças podem receber metade ou um terço dessa dose. É conveniente ingeri-la com suco, iogurte ou leite açucarado. Seus efeitos colaterais incluem diarreia, náuseas, vômitos, epigastralgia, erupção acneiforme, iododerma e alterações tireoidianas. O uso prolongado pode provocar sintomas de iodismo: queimação oral, sialorreia, gosto metálico, sensibilidade gengival e dentária, cefaleia. Está contraindicada na gestante e na nutriz.[25,34]

O tratamento com qualquer um dos medicamentos descritos deve ser mantido até a resolução clínica das lesões cutâneas, o que costuma acontecer em 2 a 3 meses.[34]

A termoterapia e a criocirurgia têm sido usadas localmente, como tratamento adjuvante à terapia sistêmica. Nas gestantes com esporotricose cutânea localizada, é uma terapia alternativa aos antifúngicos sistêmicos.[34]

## VERRUGAS CUTÂNEAS

Verrugas são proliferações epiteliais benignas na pele e nas mucosas, causadas pelo papilomavírus humano (HPV, do inglês *human papillomavirus*). Ocorrem em qualquer idade, sendo mais comuns na infância e na adolescência. O período de incubação varia de 1 a 6 meses, e as lesões podem durar desde meses até anos, mas cerca de dois terços dos casos remitem espontaneamente no período de 2 anos.[35]

A infecção por HPV ocorre por inoculação. Indivíduos com infecção clínica ou subclínica e partículas virais em objetos inanimados são os possíveis reservatórios para o HPV. Após microtrauma, o HPV penetra nas células epiteliais através de receptores de superfície e prolifera. Os fatores predisponentes para lesões extensas ou recalcitrantes incluem dermatite atópica e diminuição da imunidade mediada por células (p. ex., pacientes transplantados e com Aids).[35]

## Diagnóstico

Na maioria dos casos, o diagnóstico é clínico; raras vezes é necessário o estudo anatomopatológico. Clinicamente, as verrugas podem apresentar-se de diversas formas.

As verrugas vulgares (mais frequentes) são lesões papulosas e ceratóticas, que apresentam pontos enegrecidos em sua superfície, correspondendo a alças capilares trombosadas. As lesões costumam localizar-se no dorso das mãos (FIGURA 134.8), nas regiões plantares, nos cotovelos e nos joelhos. As verrugas filiformes apresentam-se como espículas ceratóticas, em geral na face e no pescoço (FIGURA 134.9). As verrugas plantares ocorrem em áreas de pressão nas regiões plantares, sendo pouco salientes e muito dolorosas. As verrugas planas são pápulas e placas achatadas, que podem ser da cor da pele, amareladas ou acastanhadas, com 1 a 5 mm de diâmetro, frequentemente numerosas na face e no dorso das

**TABELA 134.12** → Tratamento da esporotricose

| MANIFESTAÇÃO | PERFIL IMUNOLÓGICO | OPÇÕES DE TRATAMENTO |
|---|---|---|
| Cutânea fixa<br>Cutâneo-linfática<br>Mucosa | Imunocompetente | → Iodeto de potássio<br>→ Itraconazol<br>→ Terbinafina |
| | Imunossuprimido | → *Localizada:*<br>→ Itraconazol<br>→ Terbinafina<br>→ *Generalizada:*<br>→ Itraconazol<br>→ Anfotericina B |
| Sistêmica | Imunocompetente | → Itraconazol<br>→ Terbinafina |
| | Imunossuprimido | → Itraconazol<br>→ Anfotericina B |

**Exceções:**
Pacientes pediátricos, idosos e formas reativas: iodeto de potássio.
Gestantes: calor, crioterapia, anfotericina B.

Fonte: Adaptada de Orofino-Costa e colaboradores.[34]

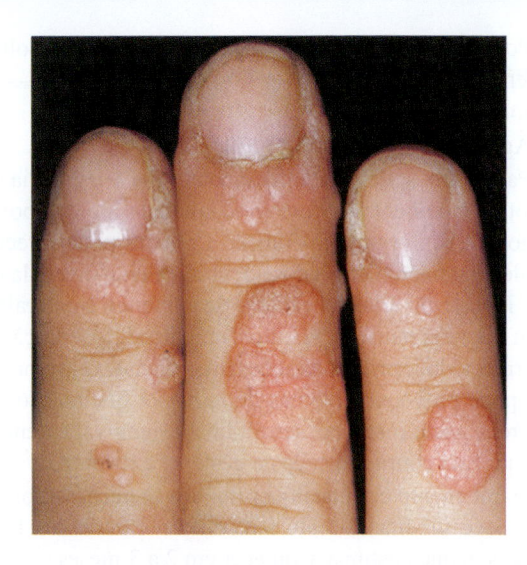

**FIGURA 134.8** → Verrugas. As mãos são a área mais comumente envolvida. As verrugas tornam-se confluentes e obscurecem grandes áreas de pele normal. Morder ou puxar a pele em torno das unhas pode disseminar as verrugas.
Fonte: Habif e colaboradores.[51]

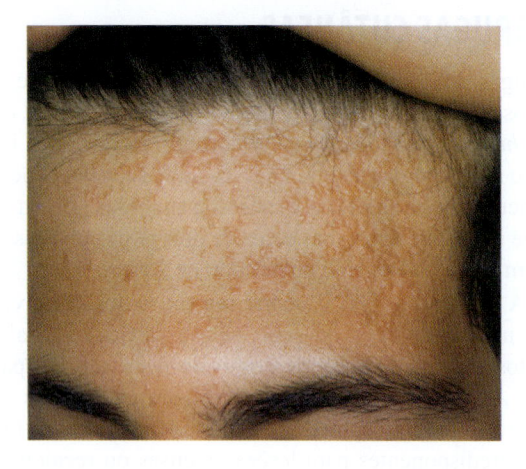

**FIGURA 134.9** → Verrugas. A face é um local comumente envolvido.
Fonte: Habif e colaboradores.[51]

mãos. Caso as verrugas sejam numerosas e/ou recalcitrantes, devem ser investigadas condições subjacentes que favoreçam a diminuição da resposta imune celular.[36]

## Tratamento

A maioria das verrugas cutâneas é autolimitada e desaparece dentro de 2 anos.[35] O tratamento é necessário somente nos casos de prejuízo funcional e estético, risco de malignidade ou em pacientes que não têm arcabouço imunológico para a cura espontânea. Não existem terapias simples e eficazes para verrugas, e seu tratamento é, com frequência, uma experiência frustrante para o médico e para o paciente. Não é possível garantir ao paciente que uma única intervenção será o tratamento definitivo. A escolha da terapia depende da idade do paciente, da localização das lesões e da sintomatologia.

O tratamento tópico com ácido salicílico é efetivo na promoção da cura das lesões, sendo a terapêutica com os melhores efeitos documentados, mesmo que modestos (NNT = 2-15) **B**.[36] A crioterapia parece possuir efeito minimamente superior ao do ácido salicílico, e, em casos recalcitrantes, ambas as terapias podem ser combinadas para melhores resultados **B**.[35,36] Fitas gomadas transparentes não fornecem benefício clinicamente significativo **C/D**.[36] A TABELA 134.14 indica o tratamento sugerido conforme o subtipo e a topografia da verruga.

> **Nos pacientes cujas verrugas têm alta probabilidade de cura espontânea, a terapia pode ser dispensada; nesse grupo, estão incluídos jovens imunocompetentes com verrugas solitárias ou em número limitado.**

O ácido salicílico tópico deve ser dispensado em concentração de 15 a 26% (produtos comerciais) ou de até 40% em fórmula magistral, em veículo colódio. Deve-se proteger a pele sã ao redor da lesão com esparadrapo, aplicar o produto diretamente sobre a lesão, e cobrir com novo pedaço de esparadrapo, deixando por 24 horas. Após, deve-se embeber a lesão em água morna por 5 minutos e lixar sua superfície para remover a camada de pele destacada. Repete-se a aplicação até a regressão das lesões, por no máximo 8 a 12 semanas. Se as lesões ficarem dolorosas ou erodidas, deve-se interromper o tratamento até que estejam assintomáticas, para então retomá-lo em intervalos menos frequentes.

A crioterapia à base de nitrogênio líquido pode ser aplicada com *spray* ou cotonete. Deve-se congelar a lesão até que se forme um halo congelado de 2 a 3 mm ao redor da base da verruga, aguardar o descongelamento e repetir a aplicação. Deve ser aplicado com cautela nas extremidades, especialmente nas laterais dos dedos, pela dor intensa e pelo risco de neuropatia. É importante evitar congelamento excessivo periungueal, o que pode resultar em distrofia ungueal permanente. A crioterapia deve ser evitada em crianças pequenas, em função do potencial de dor.[37]

A tretinoína tópica (creme a 0,025, 0,5 e 0,1%) parece útil para verrugas planas, mas a melhora pode levar várias semanas **C/D**. Deve-se utilizar a maior concentração tolerada, em aplicação noturna. É recomendável proteger a pele ao redor com vaselina antes da aplicação, bem como adotar proteção solar.[35]

**TABELA 134.13** → Tratamento de verrugas

| MANIFESTAÇÃO | OPÇÕES TERAPÊUTICAS |
|---|---|
| Verruga plantar | → Ácido salicílico 15-40% (com ou sem ácido láctico) tópico<br>→ Crioterapia a cada 2 semanas |
| Verrugas planas | → Ácido salicílico 2-10%<br>→ Crioterapia<br>→ Retinoide tópico |
| Verrugas faciais | → Mesma terapia de verrugas planas; evitar uso de ácido salicílico em altas concentrações |
| Crianças | → Ácido salicílico 15-40% tópico<br>→ Crioterapia com palito ou pinça |

Fonte: Adaptada de Sterling e colaboradores.[37]

Curetagem e eletrocoagulação podem ser úteis para lesões isoladas e recalcitrantes C/D. As limitações são a necessidade de anestesia injetável e o risco de cicatriz. Não são recomendadas para verrugas plantares. A excisão cirúrgica não é recomendada como tratamento de primeira linha devido à dor, ao risco de cicatriz e à alta taxa de recorrência.[36]

> Em linhas gerais, deve-se considerar que nem toda verruga necessita de tratamento. O ácido salicílico tópico é uma escolha acessível, eficaz e livre de efeitos colaterais quando adequadamente utilizado. É recomendável encaminhar pacientes com verrugas extensas ou recalcitrantes ao dermatologista.

## CERATOSE SEBORREICA

A ceratose seborreica é um tumor epitelial benigno e costuma surgir a partir da 4ª década de vida. Sua patogênese não é totalmente conhecida.

### Diagnóstico

A maioria das lesões permite diagnóstico clínico: são pápulas verrucosas, aveludadas ou graxentas, friáveis, por vezes com rolhas córneas em sua superfície. Em geral são múltiplas, ocorrendo no tórax (FIGURA 134.10), na face e nos membros. Medem desde milímetros até 3 cm de diâmetro, e sua coloração pode variar do amarelo ao negro. São ovaladas ou alongadas, orientadas ao longo das linhas de clivagem.

Além da forma clássica de ceratose seborreica, existem duas variantes clínicas distintas, denominadas dermatose papulosa *nigra* e estucoqueratose. A dermatose papulosa *nigra* é comum em indivíduos melanodérmicos, caracterizando-se por pápulas pigmentadas de 1 a 4 mm, localizadas nas regiões malares, no pescoço e no tronco (FIGURA S134.3 do QR code). A estucoqueratose apresenta-se como pequenas pápulas ceratóticas, achatadas, de cor cinza ou esbranquiçada. São facilmente destacadas e localizadas na porção distal das extremidades, em especial nos tornozelos.

> O súbito aparecimento de numerosas lesões de ceratose seborreica em associação com tumores viscerais malignos é chamado de sinal de Leser-Trélat. Não deve ser confundido com as lesões generalizadas de aparecimento gradual. As neoplasias mais associadas são os adenocarcinomas de intestino grosso, mama e estômago; mais raramente associa-se a linfomas.[38]

### Tratamento

O tratamento é indicado apenas com finalidade estética (ver Capítulo Reações Actínicas).

Por vezes, as lesões podem mimetizar neoplasia melanocítica e vice-versa. O estudo histopatológico do material removido reduz a chance de perder o diagnóstico de um câncer cutâneo. É recomendável que o diagnóstico e o manejo de lesões pigmentadas atípicas sejam feitos pelo dermatologista, para evitar procedimentos invasivos desnecessários.[38]

## ACNE VULGAR

A acne vulgar é uma dermatose inflamatória crônica que afeta a unidade pilossebácea. A prevalência em adolescentes chega a 90%; ela tende a se resolver na terceira década, mas pode persistir ou iniciar na vida adulta.[39]

> Pacientes com acne podem ter morbidade psicológica significativa, com impacto sobre a vida social e laboral.[40]

A acne tem influência genética, e indivíduos com parentes afetados têm maior risco de desenvolver a condição. A hiperqueratinização folicular e a compactação dos corneócitos levam à obstrução folicular; em combinação com o aumento da produção de sebo estimulada por andrógenos, promovem a formação do microcomedo. Com o acúmulo de lipídeos, bactérias e corneócitos descamados, o microcomedo cresce e forma um comedo. Nesse ambiente, proliferam *Cutibacterium acnes* e são produzidos fatores quimiotáticos, levando à migração de neutrófilos para o comedo intacto. Enzimas neutrofílicas são liberadas, e o comedo é rompido, induzindo um ciclo de quimiotaxia e inflamação neutrofílica intensa. A resposta inflamatória do hospedeiro leva ao aparecimento de pápulas e pústulas da acne inflamatória.[40]

### Diagnóstico

A acne tem um quadro clínico polimórfico, podendo estar presentes comedos, pápulas, pústulas, nódulos, abscessos e cicatrizes no mesmo paciente. Localiza-se preferencialmente na face e no tórax. Pode ser classificada em quatro graus, de acordo com o tipo de lesões presentes:[41]

→ **acne comedônica ou grau I:** presença de comedos, algumas pápulas e raras pústulas;

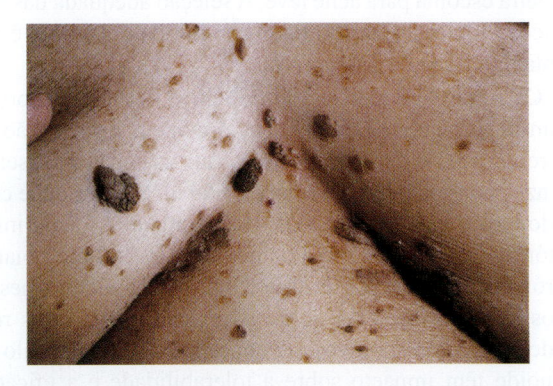

**FIGURA 134.10** → Ceratose seborreica. As lesões frequentemente estão concentradas na área pré-esternal e sob as mamas. O atrito das roupas ou a maceração nessa área intertriginosa podem iniciar a irritação.
Fonte: Habif e colaboradores.[51]

→ **acne papulopustulosa leve ou grau II:** presença de comedos, pápulas e pústulas. A seborreia está sempre presente;
→ **acne papulopustulosa moderada ou grau III:** presença de comedos, pápulas, pústulas e nódulos furunculoides;
→ **acne nodular severa, conglobata ou grau IV:** presença de muitos nódulos, abscessos e fístulas, com posterior formação de cicatrizes.

Após a adolescência, é importante considerar o diagnóstico diferencial com erupções acneiformes que podem se associar a doenças sistêmicas e uso de fármacos (TABELA 134.15). Nesses casos, as lesões costumam ser mais monomórficas do que na acne vulgar e com história de surgimento eruptivo. Mulheres com acne associada à irregularidade menstrual ou a sinais de hiperandrogenismo necessitam de avaliação específica (ver Capítulos Atendimento Ginecológico na Infância e Adolescência e Amenorreia).[41,42]

## Tratamento

A incidência de acne é menor em sociedades não ocidentalizadas e aumenta ao adotar dietas ocidentais. A dieta de alto índice glicêmico pode alterar os parâmetros bioquímicos e endócrinos relacionados com o desenvolvimento da acne, exacerbando-a. Uma dieta com baixo índice glicêmico parece ser benéfica no tratamento da acne; porém, não existem recomendações específicas relacionadas à dieta no manejo da acne vulgar **C**.[43]

O tratamento farmacológico depende do tipo clínico e do grau de acometimento (TABELA 134.16). A avaliação da gravidade da acne é útil para o manejo inicial, para selecionar os agentes terapêuticos apropriados e para avaliar a resposta ao tratamento.[41]

A aliança médico-paciente é indispensável para o sucesso do tratamento. O paciente deve ser orientado a ter uma

**TABELA 134.14** → Causas sistêmicas e fármacos associados à acne

| CAUSA | FÁRMACO |
| --- | --- |
| Síndrome dos ovários policísticos | → Corticoides |
| Hiperplasia suprarrenal congênita | → Fenitoína |
| Tumor suprarrenal | → Lítio |
| Síndrome de Cushing | → Isoniazida |
| Tumores de glândula suprarrenal e gônadas, andrógeno-secretantes | → Inibidores do receptor do fator de crescimento epidérmico |
| Síndrome de Behçet | → Iodetos |
| Síndrome SAPHO (sinovite, acne, pustulose, hiperostose, osteíte) | → Brometos |
| Síndrome PAPA (doença autoinflamatória caracterizada por artrite piogênica, pioderma gangrenoso, acne) | → Andrógenos<br>→ Corticotrofina |
| Síndrome de Apert (acrocefalossindactilia tipo I) | → Ciclosporina<br>→ Dissulfiram<br>→ Psoralenos<br>→ Tioureia<br>→ Vitaminas $B_2$, $B_6$, $B_{12}$<br>→ Azatioprina |

Fonte: Adaptada de Thiboutot e colaboradores.[41]

**TABELA 134.15** → Tratamento da acne

| | COMEDOS | MISTA E PÁPULAS/PÚSTULAS | NODULAR/CONGLOBATA |
| --- | --- | --- | --- |
| **Primeira escolha** | Retinoide tópico | Retinoide tópico<br>+<br>Antimicrobiano tópico<br>±<br>PB<br>**OU**<br>ATB oral<br>+<br>Retinoide tópico<br>±<br>PB | Isotretinoína oral* |
| **Alternativas** | Ácido azelaico | Ácido azelaico<br>Antiandrogênico oral (ACO, espironolactona) – para mulheres não gestantes | ATB oral em dose alta<br>+<br>Retinoide tópico<br>+<br>PB<br>Antiandrogênico oral (ACO, espironolactona) – para mulheres não gestantes |
| **Alternativas para gestante** | Remoção física de comedos<br>Ácido azelaico | | |
| **Manutenção** | Retinoide tópico, dapsona tópica | | |

*Encaminhar para dermatologista.
ACO, anticoncepcional hormonal oral; ATB, antibiótico; PB, peróxido de benzoíla.
Fonte: Adaptada de Thiboutot e colaboradores.[41]

expectativa realista com a melhoria. Como o microcomedo amadurece em 8 semanas, para avaliar a eficácia, a medicação deve ser mantida além desse período. O tratamento tópico deve abranger toda a pele da face e não apenas as lesões visíveis. Devem-se evitar métodos de lavagem agressivos pelo risco de dermatite irritativa e produção rebote de sebo. O uso de protetor solar reduz a chance de hiperpigmentação pós-inflamatória. Os pacientes com acne que apresentam cicatrizes, acne severa ou resistente devem ser encaminhados ao dermatologista para avaliação e tratamento.[41,42]

## Tratamento tópico

A **TABELA 134.17** apresenta os antiacneicos tópicos, fármacos de primeira escolha para acne leve. A seleção adequada das medicações tópicas pode diminuir os efeitos colaterais e aumentar a adesão do paciente.[41]

Os retinoides tópicos (adapaleno e tretinoína) normalizam a hiperqueratose folicular, previnem a formação de microcomedos e têm propriedades anti-inflamatórias, sendo eficazes no tratamento da acne **A**. São ideais para acne com predomínio de comedos, mas úteis também na acne inflamatória, havendo benefício com adição de antimicrobianos (peróxido de benzoíla, eritromicina, clindamicina) nesses casos. Não há consenso sobre a eficácia relativa dos retinoides tópicos disponíveis. A concentração e o veículo do retinoide têm impacto sobre a tolerabilidade e a eficácia. Os retinoides tópicos são aplicados à noite devido à sua fotolabilidade. A tretinoína não deve ser aplicada junto com peróxido de benzoíla, pela ação oxidante desta. O adapaleno é mais estável do que a tretinoína e está disponível também

TABELA 134.16 → Medicamentos tópicos para acne

| MEDICAMENTO | APRESENTAÇÕES | EFEITOS COLATERAIS | OBSERVAÇÕES |
|---|---|---|---|
| **RETINOIDES TÓPICOS** | | | |
| Tretinoína | 0,01% gel<br>0,025% gel e creme<br>0,05% gel e creme<br>0,1% creme | Irritação local: eritema, ressecamento, descamação, ardência, prurido | Aplicar quantidade equivalente ao tamanho de uma ervilha, espalhada sobre toda a face |
| Adapaleno | 0,1% gel e creme<br>0,3% gel | Irritação local | |
| **ANTIMICROBIANOS TÓPICOS** | | | |
| Peróxido de benzoíla | 2,5-10% gel | Irritação local; pode descorar cabelos e roupas | Os efeitos colaterais são mais comuns no início do tratamento; podem ser reduzidos com uso de creme, produtos de limpeza leves e antiacneicos combinados |
| Clindamicina | 1% gel e solução | Irritação local | |
| Eritromicina | 2% gel e solução | Irritação local | |
| Ácido azelaico | 15% gel<br>20% creme | Irritação local | |
| **PRODUTOS TÓPICOS COMBINADOS** | | | |
| Peróxido de benzoíla 5% + clindamicina 1% | | Irritação local; o peróxido de benzoíla pode descorar cabelos e roupas | |
| Peróxido de benzoíla 2,5% + adapaleno 0,1% | | Irritação local; o peróxido de benzoíla pode descorar cabelos e roupas | |
| Tretinoína 0,025% + clindamicina 1,2% | | Irritação local | |

Fonte: Adaptada de Thiboutot e colaboradores.[44]

em um produto combinado, contendo peróxido de benzoíla e adapaleno.[41]

Os antibióticos tópicos reduzem a proliferação do *C. acnes* e são efetivos na acne inflamatória; porém, não são comedolíticos **B**. Não se recomenda o uso em monoterapia: a combinação com peróxido de benzoíla melhora a eficácia, bem como reduz a chance de resistência do *C. acnes*. O peróxido de benzoíla é um potente bactericida contra *C. acnes*, mas tem ação comedolítica menor do que os retinoides. Pode causar descoloração do cabelo e das roupas. A associação de peróxido de benzoíla com antibióticos tópicos, em especial eritromicina e clindamicina, é efetiva no tratamento da acne **B**.[44]

Estratégias para limitar a resistência aos antibióticos são importantes no manejo da acne:[44]

→ evitar antibiótico (oral ou tópico) como monoterapia, seja no tratamento inicial ou de manutenção;
→ preferir a combinação de antibiótico (oral ou tópico) + peróxido de benzoíla ao optar pela terapia antibiótica isolada.

O ácido azelaico tem atividade antibacteriana moderada contra o *C. acnes* e leves efeitos comedolítico e anti-inflamatório. Constitui opção terapêutica para acne vulgar em gestantes e em pacientes com acne leve e hiperpigmentação pós-inflamatória **B**.[42]

Recomenda-se, em geral, o uso de um retinoide tópico combinado a um agente antimicrobiano para terapia inicial da acne, pois essa associação tem como alvo as múltiplas características patogênicas da doença e trata tanto as lesões inflamatórias quanto as não inflamatórias. O tratamento combinado é mais efetivo do que a monoterapia com um dos agentes **A**.[41]

Produtos combinados são projetados para juntar formas quimicamente compatíveis de dois ou mais medicamentos em um único veículo de maneira adequada. O produto combinado oferece a vantagem de aumentar a adesão do paciente, facilitando o modo de aplicação e evitando problemas de eficácia por incompatibilidade das substâncias. Entretanto, o custo do tratamento é maior.

## Antibioticoterapia sistêmica

Os antibióticos orais são indicados sobretudo para acne inflamatória moderada a grave **B** e estão listados na TABELA 134.18. Eles inibem o crescimento de *C. acnes* dentro da unidade pilossebácea e apresentam propriedades anti-inflamatórias locais.[44]

Os antibióticos sistêmicos produzem melhora clínica mais rápida do que a terapia tópica, mas podem provocar efeitos colaterais, como candidíase vaginal ou desconforto gastrintestinal. Para evitar o aparecimento de resistência bacteriana, devem ser prescritos por um curso limitado, não ultrapassando 3 a 6 meses. A eficácia dos diversos antibióticos sistêmicos no tratamento da acne é semelhante **C/D**. Devido ao custo e ao perfil de efeitos colaterais, recomenda-se o uso das tetraciclinas como primeira linha de tratamento em APS. Não há consenso sobre a interrupção dos antibióticos orais: se deve ser feita de maneira gradual ou abrupta.[41,44]

## Terapia antiandrogênica

Devido ao excesso de hormônios androgênicos ou à hipersensibilidade periférica a eles, algumas mulheres não respondem à terapia convencional e podem beneficiar-se de

TABELA 134.17 → Antibióticos sistêmicos para acne

| MEDICAÇÃO | DOSE PARA ADULTO | EFEITOS COLATERAIS |
|---|---|---|
| Tetraciclina | 500 mg, 2 ×/dia | Absorção reduzida com lácteos e alimentos (ingerir 1 hora antes ou 2 horas após); desconforto gastrintestinal; tontura; fotossensibilidade |
| Doxiciclina | 100-200 mg/dia | Desconforto gastrintestinal; fotossensibilidade |
| Minociclina | 50-100 mg, 2 ×/dia | Tonturas (reação vestibular); lúpus induzido por fármacos; discromia da pele; fotossensibilidade |
| Limeciclina | 150-300 mg, 1 ×/dia | Desconforto gastrintestinal; fotossensibilidade; sem restrição com alimentos |
| **ALTERNATIVAS** | | |
| Eritromicina | 500 mg, 2 ×/dia | Desconforto gastrintestinal; desenvolvimento rápido de resistência |
| Sulfametoxazol + trimetoprima | 800 mg + 160 mg | Erupção medicamentosa; raramente farmacodermia grave |

As tetraciclinas estão contraindicadas e o sulfametoxazol + trimetoprima é seguro na gestação. As tetraciclinas podem causar descoloração permanente dos dentes se administradas durante seu desenvolvimento, sendo contraindicadas até os 12 anos de idade.

Fonte: Adaptada de Thiboutot e colaboradores[44] e Binfield e colaboradores.[39]

terapia antiandrogênica, especialmente nos casos de acne que surgem após a adolescência. Os contraceptivos orais têm sido particularmente úteis no tratamento da acne, quando incluem acetato de ciproterona, e desogestrel ou drospirenona em combinação com etinilestradiol B (ver Capítulo Planejamento Reprodutivo).[40,42] Os dados disponíveis são limitados para comparar os contraceptivos com outros tratamentos para acne.

Mulheres em idade fértil com acne refratária ao uso de contraceptivo hormonal oral ou acne associada ao uso de dispositivos intrauterinos de levonorgestrel podem beneficiar-se da combinação do uso de espironolactona na dose de até 100 mg/dia. Recomenda-se iniciar em doses baixas e aumentar conforme tolerância. É contraindicada na gestação, e idealmente deve-se avaliar a função renal e os níveis de potássio antes do início do tratamento.[40,42]

## Seguimento

Sugere-se acompanhamento inicial a cada 6 a 8 semanas para avaliar adesão, adequação de uso, grau de satisfação, tolerância e possíveis efeitos colaterais, resposta ao tratamento, bem como para determinar a continuidade ou a mudança do esquema. Exceto quando necessário, não é recomendável mudar o tratamento sem permitir duração adequada para uma resposta terapêutica favorável. Visitas de acompanhamento a cada 6 a 12 semanas são úteis para monitorar a terapia, fazer ajustes e incentivar a adesão. Intervalos prolongados sem interação profissional levam à baixa adesão do paciente.

Não existem estudos que estabeleçam o melhor esquema para o tratamento de manutenção. O uso de antibiótico sistêmico não deve ultrapassar 3 meses consecutivos para minimizar risco de efeitos colaterais e resistência bacteriana. As evidências atuais sustentam o uso de retinoides tópicos ou de dapsona tópica como manutenção após o período de tratamento mais intensivo.[41,45]

# REFERÊNCIAS

1. Yosipovitch G, Rosen JD, Hashimoto T. Itch: From mechanism to (novel) therapeutic approaches. J Allergy Clin Immunol. 2018;142(5):1375-90.
2. Weisshaar E, Szepietowski J, Dalgard F, Garcovich S, Gieler U, Giménez-Arnau A, et al. European S2k Guideline on Chronic Pruritus. Acta Derm Venereol. 2019;99(5):469-506.
3. Simonsen E, Komenda P, Lerner B, Askin N, Bohm C, Shaw J, et al. Treatment of uremic pruritus: a systematic review. Am J Kidney Dis. 2017;70(5):638-55.
4. Kremer A. What are new treatment concepts in systemic itch? Experiml Dermatol. 2019;28(12):1485-92.
5. Weisshaar E, Weiss M, Mettang T, Yosipovitch G, Zylicz Z. Paraneoplastic Itch: an expert position statement from the Special Interest Group (SIG) of the International Forum on the Study of Itch (IFSI). Acta Derm Venereol. 2015;95(3):261-5.
6. Serling SL, Leslie K, Maurer T. Approach to pruritus in the adult HIV-positive patient. Semin Cutan Med Surg. 2011;30(2):101-6.
7. Criado P, Maruta C, Alchorne A, Ramos A, Gontijo B, Santos J, et al. Consensus on the diagnostic and therapeutic management of chronic spontaneous urticaria in adults – Brazilian Society of Dermatology. An Bras Dermatol. 2019;94(2 suppl 1):56-66.
8. Asero R. New-onset urticaria [Internet]. UpToDate. Waltham: UpToDate; 2020 [capturado em 29 abr 2020]. Disponível em: https://www.uptodate.com/contents/new-onset-urticaria.
9. Trevisonno J, Balram B, Netchiporouk E, Ben-Shoshan M. Physical urticaria: review on classification, triggers and management with special focus on prevalence including a meta-analysis. Postgrad Med. 2015;127(6):565-70.
10. Zuberbier T, Aberer W, Asero R, Abdul Latiff A, Baker D, Ballmer-Weber B, et al. The EAACI/GA²LEN/EDF/WAO guideline for the definition, classification, diagnosis and management of urticaria. Allergy. 2018;73(7):1393-1414.
11. Rubini NPM, Ensina LFC, Silva EMK, Sano F, Solé D. Effectiveness and safety of Omalizumab in the treatment of chronic spontaneous urticaria: systematic review and meta-analysis. Allergol Immunopathol (Madr). 2019;47(6):515-22.
12. Campbell RL, Kelso JM. Anaphylaxis: emergency treatment [Internet]. UpToDate. Waltham: UpToDate; 2020 [capturado em 29 abr 2020]. Disponível em: https://www.uptodate.com/contents/anaphylaxis-emergency-treatment.
13. Caffarclli C, Paravati F, El Hachem M, Duse M, Bergamini M, Simeone G, et al. Management of chronic urticaria in children: a clinical guideline. Ital J Pediatr. 2019;45(1):101.
14. Kurien G, Badri T. Dermatoses of pregnancy [Internet]. Treasure Island: StatPearls; 2020. [capturado em 25 abr 2020]. Disponível em: https://www.ncbi.nlm.nih.gov/books/NBK430864/#article-32744.s8.
15. Ständer HF, Elmariah S, Zeidler C, Spellman M, Ständer S. Diagnostic and Treatment Algorithm for Chronic Nodular Prurigo. J Am Acad Dermatol. 2020 Feb;82(2):460-468.
16. Breisch NL. Prevention of arthropod and insect bites: repellents and other measures [Internet]. UpToDate. Waltham: UpToDate; 2020 [capturado em 29 abr 2020]. Disponível em: https://www.uptodate.com/contents/prevention-of-arthropod-and-insect-bites-repellents-and-other-measures
17. Tavares M, da Silva MRM, de Oliveira de Siqueira LB, Rodrigues RAS, Bodjolle-d'Almeida L, Dos Santos EP, Ricci-Júnior E. Trends in insect repellent formulations: a review. Int J Pharm. 2018;539(1-2):190-209.
18. Stefani GP. Uso do repelente de insetos em crianças [Internet]. Rio de Janeiro: Sociedade Brasileira de Pediatria; 2015 [capturado em 23 abr 2020]. Disponível em https://www.sbp.com.br/fileadmin/user_upload/2012/12/Repelentes-2015.pdf
19. Meza-Romero R, Navarrete-Dechent C, Downey C. Molluscum contagiosum: an update and review of new perspectives in etiology, diagnosis, and treatment. Clin Cosmet Investig Dermatol. 2019;12:373-81.
20. Badri T, Gandhi G. Molluscum Contagiosum [Internet]. Treasure Island: StatPearls; 2020 [capturado em 5 abr 2020]. Disponível em: https://www.ncbi.nlm.nih.gov/books/NBK441898/
21. van der Wouden JC, van der Sande R, Kruithof EJ, Sollie A, van Suijlekom-Smit LW, Koning S. Interventions for cutaneous molluscum contagiosum. Cochrane Database Syst Rev. 2017;5(5):CD004767.
22. Centers for Disease Control and Prevention (CDC). Molluscum Contagiosum: pox viruses [Internet]. Washignton: Centers for Disease Control and Prevention, National Center for Emerging and Zoonotic Infectious Disease; 2015 [capturado em 5 mar 2020]. Disponível em: https://www.cdc.gov/poxvirus/molluscum-contagiosum/special-environments.html
23. Kroshinsky D. Erythema nodosum [Internet]. UpToDate. Waltham: UpToDate; 2020 [capturado em 18 abr 2020]. Disponível em: http://www.uptodate.com/contents/erythema-nodosum
24. Blake T, Manahan M, Rodins K. Erythema nodosum: a review of an uncommon panniculitis. Dermatol Online J. 2014;20(4):22376.
25. Costa R, Macedo P, Carvalhal A, Bernardes-Engemann A. Use of potassium iodide in Dermatology: updates on an old drug. An Bras Dermatol. 2013;88(3):396-402.

26. Goldstein BG, Goldstein AO, Mostow E. Lichen planus [Internet]. UpToDate. Waltham: UpToDate; 2019. [capturado em 16 abr 2020]. Disponível em: https://www.uptodate.com/contents/lichen-planus
27. Husein ElAhmed H, Gieler U, Steinhoff M. Lichen planus: a comprehensive evidence based analysis of medical treatment. J Eur Acad Dermatol Venereol. 2019; 33(10):1847-62.
28. Lai YC, Yew YW, Schwartz RA. Lichen planus and dyslipidemia: a systematic review and meta-analysis of observational studies. Int J Dermatol. 2016;55(5):295-304.
29. Oberhelman S, Watchmaker J, Phillips T. Scrofuloderma. JAMA Dermatology. 2019;155(5):610.
30. Mello R, Vale E, Baeta I. Scrofuloderma: a diagnostic challenge. An Bras Dermatol. 2019;94(1):102-4.
31. Chen Q, Chen W, Hao F. Cutaneous tuberculosis: a great imitator. Clin Dermatol. 2019;37(3):192-9.
32. Brasilo. Ministério da Saúde. Manual de recomendações para o controle da tuberculose no Brasil [Internet]. 2. ed. Brasília: MS; 2019. [capturado em 18 abr. 2020] Disponível em: http://bvsms.saude.gov.br/bvs/publicacoes/manual_recomendacoes_controle_tuberculose_brasil_2_ed.pdf
33. Sizar O, Talati R. Sporotrichosis (Sporothrix Schenckii) [Internet]. Treasure Island: StatPearls; 2019 [capturado em 5 abr 2020]. Disponível em: https://www.ncbi.nlm.nih.gov/books/NBK532255/
34. Orofino-Costa R, Macedo P, Rodrigues A, Bernardes-Engemann A. Sporotrichosis: an update on epidemiology, etiopathogenesis, laboratory and clinical therapeutics. An Bras Dermatol. 2017;92(5):606-20.
35. Goldstein BG, Goldstein AO, Morris-Jones R. Cutaneous warts (common, plantar and flat warts) [Internet]. UpToDate. Waltham: UpToDate;2019 [capturado em 18 abr 2020]. Disponível em: http://www.uptodate.com/contents/cutaneous-warts-common-plantar-and-flat-warts
36. Kwok C, Gibbs S, Bennett C, Holland R, Abbott R. Topical treatments for cutaneous warts. Cochrane Database Syst Rev. 2012;(9):CD001781.
37. Sterling J, Gibbs S, Haque Hussain S, Mohd Mustapa M, Handfield-Jones S. British Association of Dermatologists' guidelines for the management of cutaneous warts. Br J Dermatol. 2014;171(4):696-712.
38. Husain Z, Ho JK, Hantash BM. Sign and pseudo-sign of Leser-Trélat: case reports and a review of the literature. J Drugs Dermatol. 2013;12(5):e79-87.
39. Bienenfeld A, Nagler A, Orlow S. Oral antibacterial therapy for acne vulgaris: an evidence-based review. Am J Clin Dermatol. 2017;18(4):469-90.
40. Rocha M, Bagatin E. Adult-onset acne: prevalence, impact, and management challenges. Clin Cosmet Investig Dermatol. 2018; 11:59-69.
41. Thiboutot D, Dréno B, Abanmi A, Alexis AF, Araviiskaia E, Barona Cabal MI et al. Practical management of acne for clinicians: An international consensus from the Global Alliance to Improve Outcomes in Acne. J Am Acad Dermatol. 2018;78(2):S1-S23.
42. Bagatin E, Freitas T, Rivitti-Machado M, Ribeiro B, Nunes S, Rocha M. Adult female acne: a guide to clinical practice. An Bras Dermatol. 2019;94(1):62-75.
43. Upadya G, Pavithra G, Rukmini M. A randomized controlled trial of topical benzoyl peroxide 2.5% gel with a low glycemic load diet versus topical benzoyl peroxide 2.5% gel with a normal diet in acne (grades 1-3). Indian J Dermatol Venereol Leprol. 2019;85(5):486-90.
44. Arowojolu A, Gallo M, Lopez L, Grimes D. Combined oral contraceptive pills for treatment of acne. Cochrane Database Syst Rev. 2012;(7):CD004425.
45. Chlebus E, Serafin M, Chlebus M. Is maintenance treatment in adult acne important? Benefits from maintenance therapy with adapalene, and low doses of alpha and beta hydroxy acids. J Dermatolog Treat. 2019;30(6):568-71.
46. Habif TP, Campbell JL Jr, Quitadamo MJ, Zug KA. Doenças da pele: diagnóstico e tratamento. 3. ed. Rio de Janeiro: Revinter; 2014.
47. Kane KSM, Ryder JB, Johnson RA, Baden HP, Stratigos A. Color atlas & synopsis of pediatric dermatology. New York: McGraw-Hill; 2002.
48. Cassano N, Tessari G, Vena G, Girolomoni G. Chronic pruritus in the absence of specific skin disease. Am J Clin Dermatol. 2010;11(6):399-411.
49. Moses S. Pruritus. Am Fam Physician. 2003;68(6):1135-42.

## LEITURAS RECOMENDADAS

Caffarelli C, Paravati F, El Hachem M, Duse M, Bergamini M, Simeone G, et al. Management of chronic urticaria in children: a clinical guideline. Ital J Pediatr. 2019;45(1):101.

Pereira MP, Steinke S, Zeidler C, Forner C, Riepe C, Augustin M, et al. European academy of dermatology and venereology European prurigo project: expert consensus on the definition, classification and terminology of chronic prurigo. J Eur Acad Dermatol Venereol. 2018;32(7):1059-65.

Mehta A, Nadkarni N, Patil S, Godse K, Gautam M, Agarwal S. Topical corticosteroids in dermatology. Indian J Dermatol Venereol Leprol. 2016;82(4):371-8.

Cockayne S, Hewitt C, Hicks K, Jayakody S, Kang'ombe AR, Stamuli E, et al. Cryotherapy versus salicylic acid for the treatment of plantar warts (verrucae): a randomised controlled trial. BMJ. 2011;342:d3271.

Wenner R, Askari SK, Cham PMH, Kedrowski DA, Liu A, Warshaw EM. Duct tape for the treatment of common warts in adults: a double-blind randomized controlled trial. Arch Dermatol. 2007;143(3):309-13.

Wollina U. Recent advances in managing and understanding seborrheic keratosis. F1000Research. 2019;8:1520.

# Capítulo 135
# RESSECAMENTO DA PELE E SUDORESE EXCESSIVA

Maria Carolina Widholzer Rey

## RESSECAMENTO DA PELE (XERODERMIA)

A pele seca é também chamada de xerótica. Apresenta causas multifatoriais e representa um dos polos entre um espectro da pele que varia de seca a oleosa. É caracterizada por uma cor fosca ou sem brilho (em geral, branco-acinzentada), uma textura áspera e um número elevado de sulcos proeminentes.[1]

Todas as regiões do corpo podem ser afetadas, mas, em geral, são mais frequentemente atingidas as áreas cutâneas com menor densidade de glândulas sebáceas, como as pernas, os antebraços, as mãos e os pés.[2]

As crianças e os idosos apresentam maior risco do desenvolvimento de xerose, pois a pele, nessas idades, é mais fina e mais vulnerável.[3] Em todo o mundo, a prevalência da xerose aumenta com a idade do indivíduo, afetando até 75% da população idosa, como descrito no Reino Unido.[4]

A impressão de secura da pele é formada pelos componentes sensoriais inerentes da pele, junto com alterações visíveis e táteis da superfície cutânea. Os pacientes afetados apresentam sintomas de sensação de ressecamento, desconforto na pele com sensação de aperto, dor, prurido, picadas, ferroadas e/ou formigamento. A aparência da pele costuma ser importante para as pessoas, e uma apresentação com imperfeições pode resultar em uma diminuição da autoestima dos pacientes.[5]

A pele seca é sinônimo de defeito da barreira cutânea.[3] Esse fenômeno é caracterizado pela redução do fator de hidratação natural (NMF, do inglês *natural moisturizing factor*) e por níveis anormais de lipídeos intercelulares no estrato córneo.[4]

Os fatores mais importantes na regulação do grau de hidratação da pele são os níveis de lipídeos do estrato córneo, de secreção sebácea, do NMF e de aquaporinas.[1] O NMF é constituído principalmente de aminoácidos, lactato, PCA (do inglês *2-pyrrolidone-5-carboxylic acid* [2-pirrolidona-5-ácido carboxílico]) e ureia.[5] Entre esses fatores, o papel do estrato córneo, em especial sua capacidade de manter a hidratação cutânea, é considerado o fator mais significativo no mecanismo da xerose.[1]

O estrato córneo é composto por ceramidas, ácidos graxos e colesterol, além de outros constituintes menos ativos. Esses três grupos principais de constituintes, quando presentes em quantidades e em proporções adequadas, contribuem para a proteção cutânea e para a manutenção da impermeabilidade da pele.[1]

Um desequilíbrio nesses constituintes contribui para uma cascata de eventos inter-relacionados, incluindo a diminuição da capacidade de manutenção da água e o aumento da vulnerabilidade a agentes externos, o que aumenta a suscetibilidade do estrato córneo. A xerose resulta desse comprometimento do estrato córneo. Havendo diminuição da barreira cutânea, ocorre aumento da perda de água transepidérmica (TEWL, do inglês *transepidermal water loss*) e descamação anormal dos corneócitos. Os lipídeos do estrato córneo também podem ser influenciados ou inibidos por fatores exógenos, como radiação ultravioleta, detergentes, acetona, cloro e exposição prolongada à água ou à imersão.[1]

## Principais causas

Os distúrbios que se manifestam com pele seca são induzidos por uma interação complexa entre fatores ambientais e fatores próprios de cada indivíduo.

**Causas comuns de pele seca incluem baixa temperatura ambiental e baixa umidade, exposição a agentes químicos (detergentes e sabões, que são substâncias alcalinas) e exposição a microrganismos (colonização por *Staphylococcus aureus* e *Malassezia* spp.), envelhecimento e estresse psicológico, e doenças como a dermatite atópica, a psoríase e a ictiose.[5]**

## Tratamento

Sugere-se que os pacientes com xerose evitem o uso de produtos com detergentes fortes (presentes em artigos de lavanderia, lava-louças, produtos de limpeza faciais e corporais), os quais removem os lipídeos e o NMF da pele **C/D**.[1,6] Assim, devem evitar sabões com fragrância e corantes, dando preferência para o uso de sabonetes neutros, ou sabões emolientes (com cremes). São exemplos: Cetaphil® sabonete, Lipikar Surgras® sabonete, Klaviê® Clinical sabonete **C/D**. Também devem ser evitados os banhos prolongados, especialmente com água quente ou água com elevado teor de cloro **C/D**.[1,3]

Os hidratantes são considerados a terapia de primeira linha para todas as condições de pele seca **B**.[3]

**Hidratantes devem ser aplicados 2 a 3 ×/dia e, em especial, após o banho C/D.[1]**

O tratamento da pele seca cronicamente exposta ao sol deve incluir cuidados para o reparo da barreira cutânea e a redução da exposição ao sol, com adequada proteção solar (ver Capítulo Reações Actínicas).[1]

## Hidratantes

O desejo de aplicar substâncias oleosas na pele é quase instintivo e talvez seja tão antigo quanto a própria humanidade. Os hidratantes representam os produtos mais prescritos em dermatologia. O seu uso no tratamento dos pacientes objetiva manter a integridade da pele e o bem-estar do indivíduo, promovendo uma aparência saudável.[5]

Os hidratantes são adaptados para desempenhar diversos efeitos na superfície cutânea. Suas estruturas e funções são bastante sofisticadas, e diversos produtos ficam equidistantes de cosméticos e medicamentos.[5] Os hidratantes podem conter substâncias oclusivas, umectantes e emolientes.[1]

Os oclusivos são constituídos de substâncias oleosas que revestem o estrato córneo, inibindo a TEWL. Os ingredientes oclusivos mais efetivos são o óleo mineral e o petrolato.[1]

Ser uma substância hidratante implica ter a capacidade de adicionar água à pele; assim sendo, os produtos umectantes são geralmente incluídos nos hidratantes para aumentar a capacidade do estrato córneo de reter água.[5] São substâncias solúveis em água e higroscópicas. Quando aplicados na pele, apresentam a capacidade de atrair a água do ambiente e das camadas inferiores da pele. São mais efetivos se combinados com produtos oclusivos.

Os ingredientes umectantes mais efetivos são a glicerina e o glicerol. A glicerina apresenta atividade higroscópica comparável à capacidade do NMF.[1] Outros ingredientes umectantes incluem alfa-hidroxiácidos, pantenol, lactato de amônio e ureia.[1] Hidratantes com ureia a 10% reduzem a TEWL em pacientes com ictiose,[5] e hidratantes com ureia a 5% reduzem a TEWL em pacientes com dermatite atópica.[5]

O termo **emoliente** (da derivação do latim *emoliens, -ntis*) subentende um material designado a amaciar a pele, ou seja, um material que deixe a superfície cutânea lisa ao toque e com um aspecto visual homogêneo. O termo **hidratante** costuma ser utilizado como sinônimo de emoliente.[5] São compostos basicamente por lipídeos e óleos, estando incluídos nos produtos para hidratar, amaciar e alisar a pele.

São substâncias que agem preenchendo os espaços existentes entre os corneócitos descamativos.[1]

A combinação das substâncias influencia na sensação inicial causada pelo produto, na sua espalhabilidade, na sua capacidade de ser absorvido, na velocidade com que ocorre uma modificação cutânea e na aparência e capacidade funcional da pele após sua utilização.[5] Existem vários produtos industrializados disponíveis no mercado constituídos por esses componentes em diferentes combinações. Se o médico optar por formular o hidratante, poderá prescrever esses componentes também em combinações diversas.

São exemplos de concentrações geralmente usadas de alguns desses componentes: óleo mineral (0,5-10%) como oclusivo, e glicerina (5%), lactato de amônio (12%) ou ureia (3-20%) como umectantes. As formulações em cremes costumam ser mais hidratantes do que as formulações em loções (ver Capítulo Fundamentos de Terapêutica Tópica). A necessidade de diferentes concentrações varia com a intensidade da xerose. Quadros de xerose acentuada (p. ex., pseudoictiose, ictioses) devem ser tratados com concentrações mais elevadas. Em geral, as crianças são tratadas com concentrações mais baixas.

Os hidratantes são produtos considerados seguros, sendo extremamente rara a ocorrência de efeitos colaterais após sua aplicação. Os produtos que contêm preservativos, perfumes e algumas outras classes de compostos podem causar dermatite de contato alérgica.[1]

Muitos profissionais de saúde e pacientes subestimam a importância dos hidratantes e não consideram esses produtos como "tratamentos ativos". A adesão do paciente ao tratamento com os hidratantes representa um grande desafio para o médico no manejo das alterações cutâneas.[5] Essas substâncias são efetivas na melhora dos sintomas de xerose **B**, e não há diferença entre as diversas classes. O uso regular e adequado do hidratante parece ser mais importante no tratamento da xerose do que a composição particular do produto.[7] Além disso, o uso correto dos emolientes reduz o número de crises das dermatoses que cursam com xerose, diminuindo, assim, a necessidade dos demais tratamentos **B**.[3,8]

## SUDORESE EXCESSIVA (HIPERIDROSE)

O fluido excretado pelas glândulas sudoríparas écrinas da pele é denominado suor. Sua produção representa um processo fisiológico que permite a perda de calor e, consequentemente, a termorregulação do organismo.

> Quando a produção de suor é excessiva, além do que é necessário para a termorregulação, ocorre a hiperidrose.[9]

Não está estabelecida a quantidade exata de suor necessária para classificar um quadro como sendo de sudorese excessiva.[9] Na prática, em geral se utiliza uma medida qualitativa da hiperidrose. Considera-se anormal qualquer sudorese que significativamente interfira na vida diária do indivíduo.[10]

A sudorese excessiva é categorizada como hiperidrose primária idiopática ou como hiperidrose secundária. Além disso, também é classificada segundo sua distribuição anatômica em hiperidrose focal (localizada) ou generalizada.[10]

A hiperidrose primária ou idiopática é geralmente focal e limitada às axilas, às palmas das mãos, às plantas dos pés e à área craniofacial. Nesses casos, não existe uma doença subjacente responsável pelo desencadeamento do sintoma, e os pacientes são saudáveis sob outros aspectos.[10]

Outras formas de hiperidrose localizada apresentam causas subjacentes. Um exemplo é a hiperidrose que pode ser desencadeada a partir de um trauma medular (hiperidrose localizada secundária).[10]

Todos os tipos de hiperidrose focal podem ser acentuados por estímulos emocionais, térmicos e vasodilatadores. O acúmulo do excesso de umidade pode levar à maceração da pele e ao desenvolvimento de infecção secundária ou à ocorrência de odor desagradável (denominado bromidrose).[10]

A hiperidrose generalizada atinge a maior parte da superfície corporal e geralmente representa a manifestação de uma causa subjacente. Outras situações que favorecem a suspeita da existência de uma hiperidrose secundária são sintomatologia relacionada com doença sistêmica (perda de peso, febre, anorexia, palpitações), sudorese que ocorre durante o sono (entre as possibilidades etiológicas, deve-se considerar a tuberculose e a doença de Hodgkin), uso de medicamentos que podem ocasionar sudorese, sudorese unilateral ou assimétrica (p. ex., doença neurológica, malignidade intratorácica), e sintomatologia de outras possíveis causas para hiperidrose (tanto focal como generalizada).

As diversas causas de hiperidrose estão listadas na **TABELA 135.1**. Destacam-se as doenças endócrinas, infecciosas, neurológicas e oncológicas, os efeitos colaterais de medicações e determinados eventos fisiológicos, como a menopausa e a gestação.[10] São exemplos: hipertireoidismo, diabetes, insuficiência cardíaca, uso de antidepressivos, entre outras causas.

Na investigação das causas da hiperidrose, em particular na generalizada sem sintomatologia específica, pode ser recomendada a solicitação dos seguintes exames: hemograma, velocidade de hemossedimentação ou proteína C-reativa, ureia, eletrólitos, provas de função hepática e de tireoide, glicemia de jejum e radiografia torácica. Em alguns casos, sorologia para vírus da imunodeficiência humana e pesquisa de malária pode ser indicada, a depender da entrevista com o paciente. Na investigação da hiperidrose focal, a radiografia de tórax pode ser útil.

## Hiperidrose focal idiopática (ou primária)

A hiperidrose não é um fenômeno raro, mas os dados sobre sua prevalência podem variar muito. Isso ocorre por dois motivos: a definição do quadro de hiperidrose nem sempre é clara, e muitos indivíduos afetados pelo problema não procuram atendimento médico. Mesmo assim, estima-se que 2 a 4% da população apresentem sudorese excessiva.[11] No Brasil, a prevalência descrita varia de 5,5 a 14,7%.[12] Mais de 90% dos casos de hiperidrose se apresentam na forma primária.[13]

| TABELA 135.1 → Etiologias da hiperidrose |
| --- |
| **HIPERIDROSE FOCAL** |
| **Hiperidrose idiopática focal** |
| Axilar<br>Palmar<br>Plantar<br>Facial |
| **Neurológica** |
| Neuropatia<br>Trauma de medula |
| **HIPERIDROSE GENERALIZADA** |
| **Psiquiátrica** |
| Transtorno de ansiedade |
| **Neurológica** |
| Doença de Parkinson<br>Acidente vascular cerebral |
| **Endócrina** |
| Hipertireoidismo<br>Hiperpituitarismo<br>Diabetes melito<br>Feocromocitoma<br>Síndrome carcinoide<br>Acromegalia |
| **Infecciosa** |
| **Cardiovascular** |
| Choque<br>Insuficiência cardíaca |
| **Insuficiência respiratória** |
| **Medicações** |
| Antidepressivos<br>Antieméticos |
| **Drogas** |
| Álcool<br>Drogas ilícitas |
| **Malignidades** |
| Distúrbios mieloproliferativos<br>Doença de Hodgkin |

Fonte: Adaptada de Solish e colaboradores.[10]

**A sudorese excessiva prejudica as funções diárias do paciente, além de afetar suas interações sociais e atividades de trabalho.[9] Pode ser extremamente debilitante e prejudica os pacientes de modo significativo.[10]**

A hiperidrose focal idiopática atinge um ou mais dos seguintes sítios anatômicos: axilas, palmas das mãos, plantas dos pés, face e couro cabeludo. A distribuição das frequências desse acometimento é a seguinte: 51% dos casos ocorrem nas axilas; 24%, nas palmas das mãos; e 30% nas plantas dos pés. Desses pacientes, 18% manifestam o problema, ao mesmo tempo, nas axilas e nas palmas das mãos, e 15%, nas palmas das mãos e nas plantas dos pés.[9] Os casos mais graves da doença apresentam predileção por palmas das mãos e plantas dos pés.[14]

A causa da hiperidrose primária é desconhecida. Manifesta-se inicialmente na infância, piorando na puberdade e diminuindo de intensidade nos idosos. Afeta igualmente homens e mulheres, e ocorre em todas as raças. Existe história familiar em 25 a 50% dos casos,[11] o que sugere que deve haver uma predisposição genética para o seu desenvolvimento.[15]

Os sintomas normalmente são bilaterais e simétricos e não existem outras condições associadas.[16]

O diagnóstico da hiperidrose é eminentemente clínico, sendo realizado por meio da anamnese e do exame físico. Indivíduos com hiperidrose palmar apresentam mãos frias e úmidas, com coloração que pode variar desde a palidez até o rubor.[16]

O Multi-Specialty Working Group on Hyperhidrosis propôs critérios para o diagnóstico de hiperidrose focal primária, idiopática (TABELA 135.2).[17]

Os principais critérios diagnósticos incluem suor visível exagerado e localizado, com duração de pelo menos 6 meses, sem causa aparente e com pelo menos duas das seguintes características:

→ suor bilateral e simétrico;
→ frequência de pelo menos um episódio por semana;
→ prejuízo nas atividades diárias;
→ idade de início < 25 anos;
→ história familiar presente;
→ ausência de suor durante o sono.[16]

Aparentemente, nesses pacientes, ocorre uma resposta exacerbada, tanto a estímulos emocionais quanto ao calor, mediada pelo sistema nervoso simpático. Em geral, os indivíduos não apresentam sintomas noturnos.[11]

Na avaliação do paciente, deve-se coletar uma história adequada e realizar um exame físico em busca de causas secundárias, como referido antes.[10]

A história deve conter dados como início da doença, padrão de manifestação dos sintomas, história familiar, outros sintomas apresentados pelo paciente e comorbidades. Em relação aos padrões de hiperidrose, é essencial avaliar áreas envolvidas, duração, frequência, volume, desencadeantes e sintomas noturnos.[10] Como a hiperidrose primária pode afetar a vida pessoal e profissional do paciente, acarretando dificuldade e/ou prejuízo de relacionamento, deve ser avaliada a qualidade de vida desses indivíduos.

Exames laboratoriais devem ser solicitados quando, a partir da história e do exame físico do paciente, há suspeita de alguma causa secundária (conforme visto antes).[10]

| TABELA 135.2 → Critérios diagnósticos para hiperidrose focal primária (idiopática) |
| --- |
| Suor excessivo, visível, focal, por pelo menos 6 meses e sem causa secundária, acompanhado de, pelo menos, 2 das seguintes características:<br>→ Sudorese bilateral e relativamente simétrica<br>→ Frequência de, pelo menos, 1 episódio por semana<br>→ Prejuízo das atividades diárias<br>→ Início do quadro antes dos 25 anos<br>→ História familiar positiva<br>→ Interrupção da sudorese durante o sono |

Fonte: Adaptada de Hornberger e colaboradores.[17]

Os testes que quantificam a produção de suor não são usados rotineiramente na prática clínica,[10] mas podem ser utilizados para identificar pontos específicos de hiperidrose axilar e inguinal ao considerar tratamento local como cirurgia ou toxina botulínica.

## Tratamento

Ao considerar as opções para o tratamento do paciente com hiperidrose, é importante que o médico avalie aspectos específicos da doença em cada indivíduo, como localização dos sintomas, gravidade do quadro, comprometimento da qualidade de vida, expectativas sobre a resolução do quadro, custo do tratamento, possibilidade dos efeitos colaterais da opção escolhida e, se possível, a preferência do paciente.[14,21]

A hiperidrose não compromete a saúde física do indivíduo. Apesar disso, o tratamento visa reduzir o impacto da doença na qualidade de vida dos pacientes.[16]

Como já mencionado, as manifestações da hiperidrose podem ser acentuadas por estímulos emocionais.[10] Assim, o médico deve procurar avaliar o paciente e identificar se ele apresenta sintomas de ansiedade, os quais podem receber tratamento específico (ver Capítulo Transtornos Relacionados à Ansiedade).[18] Não se deve esquecer que medicamentos como os antidepressivos e o propranolol podem piorar a sudorese.[10]

No início, utilizam-se amplamente as opções terapêuticas que não envolvem cirurgia, devido às potenciais complicações dos procedimentos cirúrgicos.[14] Deve-se orientar o paciente quanto a medidas de estilo de vida que fazem parte do seu tratamento:[19]

→ **roupas:** evitar tecidos sintéticos como náilon e *lycra*, procurar não usar roupas justas, optar por camisetas brancas e roupas pretas para minimizar os sinais óbvios da sudorese C/D;[20]
→ **produtos de limpeza:** evitar o uso de produtos à base de sabões, os quais são potencialmente irritantes. Optar por produtos de limpeza suaves C/D;[20]
→ **fatores desencadeantes da sudorese:** identificar e evitar alguns fatores desencadeantes, como exposição a ambientes com alta temperatura, ingesta de bebidas alcoólicas e alimentos apimentados e fatores estressantes.[20]

(Para ampla discussão e materiais, em inglês, ver QR code.)

> O tratamento com produtos tópicos é considerado a primeira opção no manejo dos pacientes com hiperidrose. A maioria desses produtos é composta por algum tipo de antitranspirante.

O cloreto de alumínio é o tratamento tópico mais comumente prescrito para hiperidrose,[13] e é o componente ativo presente na maioria dos antitranspirantes (TABELA 135.3).[9,22] Recomenda-se seu uso na prática clínica ambulatorial C/D.[13] Assim como outros sais metálicos, exerce sua ação obstruindo o ducto distal da glândula sudorípara, mediante formação de um precipitado. É prescrito em fórmulas contendo 10 a 35% de cloreto de alumínio hexa-hidratado em álcool absoluto, em solução hidroalcoólica ou gel com ou sem ácido salicílico. Todos esses produtos devem ser aplicados diariamente sobre a pele seca à noite, e removidos após 6 a 8 horas de ação. Apresentam efeitos colaterais como sensação de queimação e/ou prurido no local.[9]

**TABELA 135.3** → Tratamento da hiperidrose

| LOCAL |
|---|
| → Cloreto de alumínio hexa-hidratado a 20% em álcool etílico a 96% 50 mL; com ou sem ácido salicílico aplicado à noite e removido após 6-8 horas |
| → Iontoforese |
| → Toxina botulínica |
| **CIRÚRGICO** |
| → Simpatectomia torácica endoscópica |
| → Curetagem ou lipossucção |
| **SISTÊMICO** |
| → Medicações: anticolinérgicos orais |

Fonte: Adaptada de Schlereth e colaboradores.[22]

Outros agentes tópicos foram utilizados para o tratamento da hiperidrose, a maioria com pouco resultado ou com efeitos colaterais inaceitáveis. São exemplos: aldeídos (formaldeído [5-20%] e glutaraldeído [10%]);[9,14] ácido tânico (2-5%);[14] anestésicos tópicos;[9] outros anticolinérgicos tópicos (escopolamina, propantelina).[9]

Existem relatos anedóticos de tratamento com *biofeedback*, hipnose e técnicas de relaxamento. É difícil avaliar o papel desses tratamentos no manejo da hiperidrose devido à falta de estudos clínicos adequados.[9]

## Seguimento

O tratamento deve ser revisado após a sua utilização por 1 a 2 meses. Se o quadro foi bem controlado, o paciente é orientado a manter a terapêutica e as medidas de estilo de vida e a retornar em intervalos regulares, por exemplo, a cada 6 meses ou anualmente.[19]

## Encaminhamento

Deve-se considerar encaminhamento quando:
→ houver suspeita de que o quadro possa, na verdade, não corresponder à hiperidrose idiopática, e sim à sudorese excessiva secundária a alguma causa específica. Nesses casos, encaminha-se ao especialista que corresponda à causa suspeitada;
→ não houver boa resposta às medidas iniciais de tratamento como cuidados gerais, tratamento da ansiedade e utilização de medicações tópicas. Deve-se encaminhar, conforme necessidade, ao dermatologista, ao psiquiatra e, se necessário, ao cirurgião torácico.

## Pacientes a serem encaminhados

Aqueles que não responderem ao tratamento proposto podem ser manejados em nível secundário com as seguintes medidas:
→ **glicopirrolato 0,5 a 2% tópico (anticolinérgico):** mostrou-se eficaz em hiperidrose focal.[16] Na hiperidrose

craniofacial, o glicopirrolato 2% tópico pode ser considerado a primeira escolha. Apresentou taxa de melhora de 96% com mínimos efeitos colaterais (irritação leve), podendo ser aplicado 1 × a cada 2 ou 3 dias;[13]

→ **iontoforese:** procedimento no qual ocorre passagem direta de corrente galvânica através da pele intacta submersa em água. É considerada terapêutica de primeira linha nos casos graves de hiperidrose palmoplantar;[14,22]

→ **medicações sistêmicas:** os anticolinérgicos orais são a terapia sistêmica mais comum e incluem glicopirrolato, oxibutinina e propantelina.[14] Existe uma certa relutância quanto ao uso das medicações sistêmicas devido aos seus efeitos colaterais;[21]

→ **toxina botulínica:** foi aprovada, em 2004, pela Food and Drug Administration (FDA) norte-americana para o tratamento dos casos graves de hiperidrose axilar que apresentam resposta inadequada às medicações tópicas. A toxina botulínica é a modalidade mais estudada de tratamento não cirúrgico para hiperidrose. Demonstrou melhora significativa na sudorese nas áreas anatômicas que receberam a sua aplicação.[22] Tem resolução da sintomatologia por cerca de 6 meses, sendo necessária a repetição das aplicações. Uma desvantagem desse método é o quadro álgico que ocorre durante a aplicação em algumas áreas do corpo, como mãos e pés. Além disso, pode cursar com redução da força muscular hipotênar.[16] A toxina pode ser utilizada para tratar a face, as axilas e as mãos;[23]

→ **procedimentos cirúrgicos:** cirurgia local (excisão das glândulas sudoríparas, curetagem ou lipossucção) para hiperidrose axilar e simpatectomia torácica endoscópica para hiperidrose palmoplantar. Podem ser consideradas apenas após a falha das outras modalidades de tratamento.[22] A simpatectomia torácica endoscópica é o procedimento cirúrgico mais invasivo para hiperidrose. É considerada a última linha de tratamento para casos refratários. É efetiva, mas sua maior limitação é a possibilidade de causar sudorese compensatória;[21]

→ **procedimentos emergentes:** termólise por micro-ondas (miraDry®), terapia a *laser* (NdYAG e *laser* de diodo), terapia com ultrassom focado.[21]

## Hiperidrose secundária

### Encaminhamento

O encaminhamento é feito quando há suspeita de hiperidrose secundária de difícil diagnóstico e/ou quando o diagnóstico já estiver firmado e o paciente precisa iniciar tratamento específico.

# REFERÊNCIAS

1. Baumann L. Understanding and treating various skin types: the Baumann Skin Type Indicator. Dermatol Clin. 2008;26(3):359–73.
2. Augustin M, Kirsten N, Körber A, Wilsmann-Theis D, Itschert G, Staubach-Renz P, et al. Prevalence, predictors and comorbidity of dry skin in the general population. J Eur Acad Dermatol Venereol JEADV. 2019;33(1):147–50.
3. Moncrieff G, Cork M, Lawton S, Kokiet S, Daly C, Clark C. Use of emollients in dry-skin conditions: consensus statement. Clin Exp Dermatol. 2013;38(3):231–8.
4. Danby SG, Brown K, Higgs-Bayliss T, Chittock J, Albenali L, Cork MJ. The effect of an emollient containing urea, ceramide np, and lactate on skin barrier structure and function in older people with dry skin. Skin Pharmacol Physiol. 2016;29(3):135–47.
5. Lodén M. The clinical benefit of moisturizers. J Eur Acad Dermatol Venereol. 2005;19(6):672–88.
6. Kiriyama T, Sugiura H, Uehara M. Residual washing detergent in cotton clothes: a factor of winter deterioration of dry skin in atopic dermatitis. J Dermatol. 2003;30(10):708–12.
7. Shim JH, Park JH, Lee JH, Lee DY, Lee JH, Yang JM. Moisturizers are effective in the treatment of xerosis irrespectively from their particular formulation: results from a prospective, randomized, double-blind controlled trial. J Eur Acad Dermatol Venereol. 2016;30(2):276–81.
8. van Zuuren EJ, Fedorowicz Z, Christensen R, Lavrijsen A, Arents BW. Emollients and moisturisers for eczema. Cochrane Database Syst Rev. 2017;2(2):CD012119.
9. Cohen JL, Cohen G, Solish N, Murray CA. Diagnosis, impact, and management of focal hyperhidrosis: treatment review including botulinum toxin therapy. Facial Plast Surg Clin N Am. 2007;15(1):17–30.
10. Solish N, Wang R, Murray CA. Evaluating the patient presenting with hyperhidrosis. Thorac Surg Clin. 2008;18(2):133–40.
11. Shargall Y, Spratt E, Zeldin RA. Hyperhidrosis: what is it and why does it occur? Thorac Surg Clin. 2008;18(2):125–32.
12. Estevan FA, Wolosker MB, Wolosker N, Puech-Leão P. Epidemiologic analysis of prevalence of the hyperhidrosis. An Bras Dermatol. 2017;92(5):630–4.
13. McConaghy JR, Fosselman D. Hyperhidrosis: management options. Am Fam Physician. 2018;97(11):729–34.
14. Gee S, Yamauchi PS. Nonsurgical management of hyperhidrosis. Thorac Surg Clin. 2008;18(2):141–55.
15. Solish N, Bertucci V, Dansereau A, Hong HC-H, Lynde C, Lupin M, et al. A comprehensive approach to the recognition, diagnosis, and severity-based treatment of focal hyperhidrosis: recommendations of the Canadian hyperhidrosis advisory committee. Dermatol Surg. 2007;33:908-23.
16. Romero FR, Haddad GR, Miot HA, Cataneo DC, Romero FR, Haddad GR, et al. Palmar hyperhidrosis: clinical, pathophysiological, diagnostic and therapeutic aspects. An Bras Dermatol. 2016;91(6):716–25.
17. Hornberger J, Grimes K, Naumann M, Anna Glaser D, Lowe NJ, Naver H, et al. Recognition, diagnosis, and treatment of primary focal hyperhidrosis. J Am Acad Dermatol. 2004;51(2):274–86.
18. Kennard J, Lopez B. Primary hyperhidrosis: a systematic review [Internet]. New York: Centre for Reviews and Dissemination (UK); 2004 [capturado em 30 abr 2020]. Disponível em: https://www.ncbi.nlm.nih.gov/books/NBK70393/.
19. Lowe NJ, Cliff S, Halford J, Jones H, Payne S, Poyner T. Guidelines for the primary care treatment and referral of focal hyperhidrosis. Berkhamsted: Medendium Group; 2003.
20. Benson RA, Palin R, Holt PJE, Loftus IM. Diagnosis and management of hyperhidrosis. BMJ. 2013;347:f6800.
21. Todd Wechter, Steven R. Feldman, Sarah L. Taylor. The treatment of primary focal hyperhidrosis. Skin Therapy Letter. 2019;24(1).
22. Schlereth T, Dieterich M, Birklein F. Hyperhidrosis – causes and treatment of enhanced sweating. Dtsch Ärztebl Int. 2009;106(3):32–7.
23. American Academy of Family Physicians. Excessive Sweating (hyperhidrosis). Am Fam Physician. 2018;97(11):729.

# Capítulo 136
## MANCHAS

Tania Ferreira Cestari
Aline Camargo Fischer
Lia Pinheiro Dantas

Manchas ou máculas são alterações na cor da pele, sem modificação do relevo, nas quais não há elevações, depressões ou mudanças de consistência. As manchas são as lesões dermatológicas mais comuns, podendo ser determinadas por formação ou deposição anômala de pigmento (pigmentares) ou decorrentes de fenômenos vasculares (vasculossanguíneas).

As doenças e lesões dermatológicas do tipo mancha de maior frequência e importância na prática clínica são vitiligo, nevo hipocrômico, pitiríase versicolor, melasma, hipo e hiperpigmentação pós-inflamatória, manchas café com leite, mancha mongólica, eritrasma, eritema solar, púrpuras e malformações vasculares. Para o manejo de eritema solar e de melanoma, ver Capítulos Reações Actínicas, Tumores Benignos e Cistos Cutâneos e Cânceres da Pele. A hanseníase é uma doença infecciosa que pode cursar com manchas (ver Capítulo Hanseníase). As demais lesões são apresentadas a seguir.

## VITILIGO

O vitiligo é uma afecção adquirida da pele, caracterizado pelo aparecimento de manchas acrômicas na pele e nas mucosas, provocadas pela destruição de melanócitos[1] (FIGURA 136.1). A doença é assintomática e não contagiosa, mas pode causar implicações psicossociais importantes nos seus portadores.[1–3] Afeta cerca de 0,5 a 1% da população.[1,4] No Brasil, há estudo evidenciando a prevalência em cerca de 0,6% da população.[5] A dermatose acomete igualmente homens e mulheres de todas as raças.[1,4] Seu início pode ocorrer em qualquer idade, sendo mais comum na segunda e na terceira décadas de vida, embora 25% dos casos comecem antes dos 8 anos de vida. A evolução da doença é variável, frequentemente com períodos de regressão alternados com períodos de progressão.[1]

A etiologia exata do vitiligo é desconhecida, mas existem três teorias básicas para seu surgimento: *citotóxica*, de acordo com a qual substâncias tóxicas ao melanócito seriam geradas durante a produção da melanina; *autoimune*, segundo a qual a destruição dos melanócitos ocorreria por ativação de autoanticorpos; e *neural*, em que mediadores liberados por terminações nervosas seriam os responsáveis pela morte dos melanócitos (provavelmente relacionada com o vitiligo segmentar). A teoria autoimune é a defendida pela maioria dos especialistas. Mais de 30% dos pacientes referem a existência de familiar afetado. Há provável herança autossômica dominante, com penetrância variável. Também apresenta maior associação com outras doenças autoimunes, como tireoidite de Hashimoto, doença de Graves, artrite reumatoide, psoríase, anemia perniciosa, lúpus eritematoso sistêmico, doença de Addison, diabetes melito tipo 1 e alopecia *areata*.[1]

Entre os fatores desencadeantes, estão traumatismo físico (arranhões, queimadura solar), estresse emocional e outras doenças. O aparecimento de lesões vitiligoides induzidas por traumatismo cutâneo é chamado de fenômeno isomórfico.

Devido à evolução, à extensão e à resposta terapêutica variáveis, hoje acredita-se que formas diferentes de vitiligo possam ter patogenias diversas.

### Quadro clínico

O vitiligo é uma doença de evolução crônica e mutável, com início rápido e progressão lenta. Três padrões básicos podem ser descritos:

→ **padrão focal:** máculas acrômicas, leitosas, assintomáticas, com limites nítidos e bordas hipercrômicas ou eritematosas, localizadas em apenas uma região do corpo. Pode representar a fase inicial da doença ou sua forma definitiva;

→ **padrão segmentar:** lesões semelhantes às recém-descritas, atingindo uma faixa unilateral do tegumento, provavelmente em um dermátomo ou conforme as linhas de Blashko. As linhas de Blashko representam um padrão clássico de mosaicismo cutâneo observado em uma ampla variedade de dermatoses congênitas ou adquiridas. As lesões são dispostas caracteristicamente com curvaturas em forma de S, quando aparecem na região abdominal, e de V invertido, quando na região dorsal;[6]

→ **padrão generalizado:** é o mais comum, de distribuição difusa e em geral simétrica. Atinge mais as regiões periocular e perilabial, os dedos, os cotovelos, os joelhos e os órgãos genitais. Pode chegar ao quadro de vitiligo universal, com poucas ilhas de pele normal. É comum que apresente ilhotas pigmentadas, geralmente relacionadas com os folículos pilosos, podendo significar uma tendência à repigmentação.

Outras dermatoses associadas ao vitiligo são encanecimento prematuro, leucotriquia, alopecia *areata* e nevo halo.

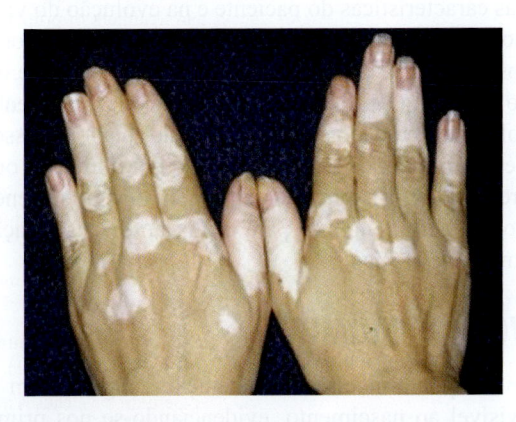

**FIGURA 136.1** → Vitiligo: lesão acrômica em distribuição acral característica da doença.

## Diagnóstico diferencial

Os diagnósticos diferenciais mais frequentes são:
→ pitiríase versicolor, que é uma micose superficial na qual ocorrem lesões lenticulares hipercrômicas e hipocrômicas, recobertas por descamação fina (ver adiante);
→ pitiríase alba, que é uma forma especial da dermatite atópica na qual as máculas apresentam bordas maldelimitadas;
→ hipocromia pós-inflamatória, representando lesões residuais, com história pregressa de diversas dermatites;
→ nevo anêmico, que corresponde à área desprovida de vasos, onde não surge eritema à escarificação da pele.

## Tratamento

O tratamento do vitiligo depende da extensão e do padrão das lesões[7] e a resposta terapêutica depende de múltiplos fatores. Casos de início recente, em fototipos mais altos e lesões localizadas na face, no pescoço e no tronco, respondem melhor ao tratamento que aqueles com maior tempo de doença e lesões acrais.[1] A presença de um reservatório de melanócitos parece ser o fator principal para o sucesso das intervenções terapêuticas, sendo o folículo piloso o maior reservatório dessas células.[8]

Em alguns casos, pode haver remissão espontânea, principalmente nas crianças. Desse modo, é importante salientar a benignidade da condição e a possibilidade de não tratamento nos pacientes com fototipos I e II com lesões localizadas e que não apresentam incômodo com a lesão, orientando apenas a proteção solar com filtros contra raios ultravioleta A e B, além de camuflagem como alternativa à lesão inestética.[7]

O médico deve sempre orientar seu paciente a proteger do sol as regiões afetadas (ver Capítulo Reações Actínicas). Áreas desprovidas de melanina podem queimar mesmo com pequenas exposições, e esse traumatismo pode induzir o surgimento de novas lesões (fenômeno isomórfico).

O uso de corticoides tópicos é efetivo na repigmentação das lesões **B**.[9] Em adultos e crianças com vitiligo de início recente ou lesões de padrão focal ou generalizado com acometimento de até 10% da superfície corporal, o tratamento com corticoides potentes ou muito potentes (propionato de clobetasol 0,05% ou valerato de betametasona 0,1%) deve ser considerado por um período de, no máximo, 2 meses. Opções como o valerato de betametasona a 0,1% ou propionato de clobetasol 0,05%, uma vez ao dia, podem ser administradas, contanto que as lesões não se localizem na face e seja excluída possibilidade de gravidez. Embora benefícios tenham sido observados, a atrofia cutânea é um efeito colateral comum, de modo que os pacientes devem estar cientes dos riscos e o médico deve realizar avaliação 1 mês após o início do uso, a fim de verificar efeitos colaterais como telangiectasias, estrias e hipertricose.[7]

Os inibidores da calcineurina (pimecrolimo ou tacrolimo) tópicos também são efetivos no tratamento do vitiligo **B**. Eles têm efeito semelhante ao dos corticoides e podem ser considerados como alternativas, especialmente em crianças **B**, aos corticoides de alta potência devido ao seu maior perfil de segurança, embora mais estudos sejam necessários para avaliar a repigmentação em diferentes padrões de vitiligo.[7] Os efeitos colaterais em longo prazo (mais de 12 meses de uso) dos inibidores da calcineurina ainda não são conhecidos, devendo-se estar atento para essa condição caso haja necessidade de terapia prolongada.

Deve-se considerar encaminhamento para tratamento com fototerapia ou *excimer laser* de 308 nm, terapias com maiores taxas de repigmentação nos casos de vitiligo localizado, com efeitos colaterais leves e de fácil resolução.[10,11]

O tratamento de vitiligo generalizado com acometimento de mais de 10% da superfície corporal deve ser realizado com o especialista, sendo a fototerapia com radiação ultravioleta B (UVB) de faixa estreita o tratamento preferencial, podendo PUVA (fototerapia com uso de psoraleno e luz ultravioleta A) oral ser utilizado como alternativa em adultos **B**. Corticoides sistêmicos administrados em doses adequadas são efetivos no controle da doença em atividade e progressão rápida **C/D**. No entanto, seus efeitos colaterais são um problema a ser evitado, o que pode ser minimizado com o uso dos corticoides orais em minipulso **C/D**.[1] Outros tratamentos sistêmicos podem ser efetivos, como metotrexato **C/D**[1,4] e azatioprina **B**.[4]

As técnicas cirúrgicas via enxertos ou suspensões celulares estão entre as terapias mais eficazes para o vitiligo, mas são limitadas por sua natureza invasiva, bem como pela necessidade de treinamento e experiência necessários para sua execução. São indicadas apenas para os casos de vitiligo estáveis e não responsivos às terapias convencionais. Várias são as técnicas existentes: enxerto de pele com espessura parcial de pele, minienxerto ou enxerto de lesão por *punch*, enxerto de teto de bolha e transplante de células cultivadas e não cultivadas.[8,12]

Os tratamentos com terapias-alvo, como os inibidores da Janus Kinase (JAK), especialmente o tofacitinibe, estão mostrando respostas animadoras, e podem ser uma grande ferramenta terapêutica para o vitiligo em um futuro próximo.[13,14]

## Encaminhamento

A escolha do tipo de modalidade terapêutica deve basear-se nas características do paciente e na evolução do vitiligo. O uso de corticoides deve ser cuidadoso devido aos seus efeitos colaterais, e a prescrição de psoralenos exige observação especial (exames laboratoriais, acompanhamento oftalmológico e cuidados com a exposição solar). Por isso, pacientes com mais de 20% da área corporal afetada ou que não respondam à corticoterapia tópica devem ser encaminhados ao dermatologista para avaliação e consideração de tratamento sistêmico.[15]

# NEVO HIPOCRÔMICO

O nevo hipocrômico é uma alteração congênita em geral não visível ao nascimento, evidenciando-se nos primeiros meses de vida após exposição solar. É uma lesão hipocrômica, localizada, habitualmente unilateral, que pode variar de poucos centímetros de diâmetro a grandes manchas que ocupam segmentos inteiros do corpo.[16] Sua borda tem aspecto característico, serrilhado e irregular.[17] Pode estar associado à hipertrofia de membro e ao retardo mental.

A evolução é crônica, com aumento lento, que acompanha o crescimento da criança; não há remissão espontânea. O diagnóstico diferencial é feito com vitiligo e nevo anêmico.

Os pais devem ser tranquilizados sobre a natureza benigna da lesão e informados quanto à necessidade de fotoproteção permanente da região afetada.

### Leucodermia *gutata*

A leucodermia *gutata* é uma condição adquirida que se manifesta por meio de múltiplas manchas arredondadas ou ovaladas hipocrômicas ou acrômicas, bem-delimitadas e localizadas principalmente nas áreas fotoexpostas de antebraços e pernas. Sua prevalência aumenta com o envelhecimento, sendo mais comum após os 40 anos.[18] Apesar de sua patogênese ainda ser controversa, múltiplos fatores parecem contribuir para seu surgimento, entre eles: exposição à radiação ultravioleta, envelhecimento, fatores genéticos e trauma. Apesar de sua natureza benigna, muitos pacientes procuram tratamento devido à aparência inestética. Não há um tratamento-padrão; por isso, vários tratamentos têm sido propostos, com variabilidade de resultados. Entre eles, a crioterapia, o *laser* fracionado não ablativo e a microinfusão de 5-fluoruracila nas lesões permanecem as terapias mais promissoras, com resultados estatisticamente significativos C/D.[19,20]

### Hipomelanose macular progressiva

A hipomelanose macular progressiva (HMP) ocorre mais comumente em adolescentes do sexo feminino. Ao exame, apresentam manchas hipocrômicas maldelimitadas, que, por vezes, coalescem, acometendo a região lombar mediana e também abdominal em 40% dos casos. Sua patogênese é incerta, mas estudos mostram a participação do *Propionebacterium acnes* tipo III no processo.[21,22] O exame com a lâmpada de Wood mostra fluorescência vermelho-alaranjada sobre os folículos, resultante da produção de porfirinas, e confirma o diagnóstico.[23] Os principais diagnósticos diferenciais são pitiríase versicolor e micose fungoide.

As diferentes modalidades de tratamento incluem peróxido de benzoíla tópico, corticoides tópicos, agentes antimicrobianos tópicos e sistêmicos, retinoides tópicos e sistêmicos e fototerapia, mostrando respostas variáveis.[24,25] A fototerapia com radiação UVB de faixa estreita tem-se mostrado como a forma de tratamento com os melhores resultados.[26,27]

## PITIRÍASE VERSICOLOR

A pitiríase versicolor é uma doença fúngica que acomete exclusivamente a camada mais superficial da pele. É causada pela levedura lipofílica (*Malassezia* spp.), geralmente encontrada na pele normal,[28] mas que, sob certas condições como calor, umidade, transpiração excessiva e estados de imunodepressão, torna-se infectante em indivíduos mais suscetíveis. A pitiríase versicolor ocorre mais em adolescentes e adultos jovens, mas pode surgir em lactentes em função da maior atividade das glândulas sebáceas nessa fase.

### Quadro clínico

As lesões são ovaladas, pequenas e finamente descamativas, distribuindo-se sobretudo no tórax, no pescoço, no ombro e na face, assumindo diferentes colorações (róseas, hipocrômicas, acastanhadas) – por isso o nome *versicolor*. Surgem inicialmente em pequeno número e podem coalescer, formando grandes placas. As escamas costumam ser pouco perceptíveis, mas evidenciadas com o esticar da pele ou com o raspado da lesão (sinal de Zileri). A pitiríase versicolor em geral é assintomática, e as lesões ficam mais visíveis durante o verão, época em que a doença é exacerbada e quando aumenta o contraste com a pele bronzeada.

### Tratamento

O tratamento é simples, mas as recorrências são frequentes. Em lesões de pequena extensão de acometimento, podem ser empregados antifúngicos tópicos – como cetoconazol 2% (1 ×/dia por 4 semanas), terbinafina 1% (1 ×/dia por 2-4 semanas) e clotrimazol 1% (2 ×/dia por 4 semanas)[29] – e medicamentos tópicos à base de sulfeto de selênio (xampu a 2,5%, 2-3 vezes por semana) (NNT = 2) B. A combinação de adapaleno (creme a 0,1%, 1 ×/dia) com cetoconazol (creme a 2%, 1 ×/dia) por 2 semanas pode ser usada e parece alcançar melhora mais rápida,[30] bem como o uso isolado de adapaleno gel a 0,1% (2 ×/dia por 2 semanas). Apesar de o adapaleno não ser um antifúngico e sim um derivado da tretinoína, sua ação parece estar na capacidade de redução da secreção sebácea, na regulação da proliferação celular e em sua atividade queratolítica e anti-inflamatória, tornando o ambiente inóspito para a levedura.[31]

Em quadros mais extensos, estão indicados os imidazólicos por via oral, como o cetoconazol na dose de 200 mg/dia por 5 a 10 dias (NNT = 2), além de outras alternativas como itraconazol 200 mg/dia por 5 a 7 dias e fluconazol 300 mg 1 ×/semana por 2 semanas B.[28] Nos pacientes com grandes áreas afetadas ou com tendência a recidivas, pode ser empregada terapia de manutenção, de uso continuado e sem interrupção, com o uso de xampus à base de sulfeto de selênio 2,5% ou piritionato de zinco 1%, 2 a 3 vezes por semana. O produto deve permanecer no couro cabeludo e no tronco por cerca de 3 a 5 minutos, embora essas terapias sejam essencialmente baseadas em opinião de especialistas C/D.[32]

O paciente pode ser informado de que a doença não é contagiosa e não ocorre devido à má higiene. Em geral, o tratamento é bastante efetivo. No entanto, a condição pode retornar, sobretudo nos meses mais ensolarados. Após o tratamento, a descoloração da pele pode levar várias semanas para se resolver.

## MELASMA

O melasma (cloasma, máscara gravídica) é uma hiperpigmentação adquirida em áreas fotoexpostas de pessoas predispostas geneticamente. A pigmentação desenvolve-se de modo gradual, podendo variar do castanho bem-claro ao castanho-escuro.[33] Sua apresentação costuma ser simétrica, com bordas serrilhadas e contornos geográficos. As áreas centrofaciais (fronte, nariz, lábio superior e bochechas) são as mais atingidas,[34] porém eminências malares, regiões temporais, mandibulares e cervical e antebraços também podem ser comprometidos.

O melasma atinge, em sua maioria, mulheres de pele fototipo III a V (ver Capítulo Reações Actínicas) que vivem em regiões ensolaradas e usam anticoncepcionais orais. Pode surgir durante a gravidez, desaparecendo gradualmente após o parto, com piora eventual em gestações subsequentes.[35] O melasma tem sido relatado em até 70% das gestações e em 5 a 34% das mulheres que usam anticoncepcionais orais.[35]

Níveis elevados de estrogênio, progestagênio e hormônio estimulador de melanócitos parecem ser responsáveis pelo melasma, sendo que a luz visível e a radiação ultravioleta A (UVA) agravam ou mantêm as lesões.[36] O melasma também pode ser idiopático ou associado ao uso de medicamentos como a difenilidantoína. De todos os pacientes afetados, cerca de 10% são homens. A evolução dessa dermatose é imprevisível: em alguns casos, as manchas desaparecem espontaneamente e, em outros, podem permanecer por anos.[33]

## Diagnóstico

O diagnóstico do melasma é clínico. O exame com lâmpada de Wood auxilia na avaliação da profundidade da deposição do pigmento, havendo acentuação da lesão se for epidérmico (mais superficial) e desaparecimento quando predominantemente dérmico (mais profundo).

## Tratamento

O tratamento do melasma é feito com despigmentantes e fotoproteção estrita. Para a despigmentação, podem ser usados a hidroquinona (2-4%) e o ácido azelaico a 20%, 1 a 2 vezes por dia, por períodos que variam de 8 a 24 semanas.[37] O ácido azelaico parece ser discretamente superior à hidroquinona C/D, mas se obtém resposta satisfatória com seu uso em mais de metade dos pacientes.[33,38]

Resultados benéficos no clareamento das lesões do melasma têm sido obtidos também com o ácido retinoico tópico (0,025-0,1%) em creme ou gel C/D.[38] As terapias combinadas têm sido mais usadas, pois apresentam sinergismo na sua ação e, portanto, mais eficácia e redução dos efeitos colaterais. A terapia combinada tripla, consistindo em ácido retinoico (0,05%) + hidroquinona (4%) + fluocinolona acetonida (0,01%), tem-se mostrado mais efetiva do que a monoterapia ou a terapia combinada dupla, com impacto positivo na regressão de lesões e na qualidade de vida; além disso, mostrou ser custo-efetiva nos cenários avaliados B.[38–40]

O uso do ácido retinoico deve ser individualizado e realizado sob supervisão médica, pois ele pode ter uma forte ação irritante sobre a pele, causando eritema e descamação.

Recomenda-se que o fotoprotetor seja de amplo espectro, bloqueando as faixas UVA e UVB e contendo, de preferência, filtro físico para barrar também a luz visível. Além disso, o paciente deve ser orientado a usá-lo regularmente para evitar a piora e a recidiva após o tratamento – apesar da falta de estudos sobre uso de filtros solares *versus* placebo, a maioria dos ensaios clínicos recomenda sua utilização regularmente C/D.[38]

A melhora com o uso dos despigmentantes depende do tempo de evolução do melasma e da profundidade do pigmento na derme. Lesões antigas, com pigmentação dérmica, costumam ter piores resultados terapêuticos. Caso não ocorra melhora com as medidas citadas, o paciente deve ser encaminhado para o dermatologista.

O uso do ácido tranexâmico vem sendo estudado nas formas oral, tópica e injetável, mas, apesar de parecer efetivo e seguro, a falta de estudos de qualidade não permite ainda uma conclusão.[41–43] A cisteamina creme a 5% usada à noite por 4 meses obteve resultado superior ao placebo em estudo duplo-cego controlado.[44,45] O uso do *laser* é outra opção para o tratamento do melasma, porém as respostas são muito variáveis e ainda não são satisfatórias quando o pigmento tem localização mais profunda.[46] Terapia oral adjuvante com o extrato de *Polypodium leucotomos* não mostrou melhora estatisticamente significativa em estudo duplo-cego randomizado, mas são necessários mais estudos com amostragens maiores para uma melhor definição.[47]

# HIPERPIGMENTAÇÃO PÓS-INFLAMATÓRIA

A hiperpigmentação pós-inflamatória é caracterizada por aumento adquirido da pigmentação secundária a processo inflamatório sofrido pela pele. Ocorre em todas as idades e em igual incidência entre homens e mulheres.[48] Pessoas com fototipos mais altos, presumivelmente, são mais propensas a essa dermatose por já possuírem uma quantidade basal maior de melanina epidérmica. Da mesma forma, a hipermelanose tende a ser mais intensa e de maior duração nesse grupo.[49,50] As causas mais comuns são acne, dermatite atópica, dermatite de contato alérgica ou por irritantes, trauma, psoríase, líquen plano, erupções por fármacos e, atualmente, os procedimentos estéticos.[33,48,51]

A distribuição das manchas acompanha a localização dos processos inflamatórios; a coleta dessa informação com o paciente é dado fundamental para estabelecer diagnósticos diferenciais corretos. O mecanismo exato da patogênese ainda não está bem esclarecido, mas acredita-se que esteja mais relacionado com a natureza do processo inflamatório desencadeante, resultando em hipertrofia dos melanócitos epidérmicos e aumento da síntese de melanina.[48,52] A hiperpigmentação é maior nas inflamações crônicas e recidivantes e naquelas com dano à camada basal.[50,53]

A condição causadora deve ser tratada se ainda estiver presente, e a fotoproteção deve ser estimulada.[48] Hidroquinona creme a 4% e tretinoína creme (variando de 0,01% a 0,1%, dependendo da tolerância do paciente), isoladas ou em combinação, em uso tópico, são os fármacos de escolha, mas exigem tratamento prolongado, visto que concentrações inadequadas podem desencadear processo inflamatório e agravar a condição C/D.⁵³,⁵⁴ O uso de terapia tríplice combinada (ver seção Melasma) é uma alternativa para os casos mais resistentes.⁵² Outros agentes clareadores, como ácido azelaico e ácido kójico, têm sido usados com graus variáveis de sucesso.⁵¹,⁵⁵

### Encaminhamento

Em caso de falha terapêutica, *peelings* de ácido glicólico ou ácido salicílico são particularmente efetivos e bem tolerados nos pacientes de fototipo alto,⁵⁶ após avaliação individualizada, em função do risco de agravar a condição subjacente. O emprego de luz intensa pulsada⁵⁷ e de *lasers* também é descrito em muitos relatos, sendo mais usado o *laserQ-switched*, porém os resultados são variáveis, com risco de hiperpigmentação nas peles mais escuras.⁴⁸,⁵⁵,⁵⁸

## MANCHAS CAFÉ COM LEITE

As manchas café com leite são irregulares e geralmente estão presentes ao nascimento em cerca de 10 a 20% das crianças normais, aumentando em tamanho e número até o fim da primeira infância. As lesões variam do castanho-claro ao escuro, com tamanho de 0,5 a 20 cm. Podem ser encontradas em qualquer parte do tegumento, mas a localização preferencial é no tronco.

Embora costumeiramente não tenham significado clínico maior, essas lesões podem estar associadas à neurofibromatose, tornando-se importantes pistas diagnósticas por ocorrerem em 90 a 100% dos pacientes com essa doença. Seis ou mais manchas > 1,5 cm de diâmetro em indivíduos pós-púberes ou cinco ou mais manchas > 0,5 cm de diâmetro em crianças com menos de 5 anos sugerem fortemente o diagnóstico de neurofibromatose, que ocorre em uma frequência estimada de 1 a cada 3.500 indivíduos.⁵⁹ Nesses casos, o paciente deve ser encaminhado para investigação.

O diagnóstico diferencial das manchas café com leite deve ser feito com a mastocitose e com os nevos pigmentares. Nenhuma investigação é necessária para uma criança que apresenta lesões solitárias, mesmo com morfologia incomum ou tamanho excepcional.⁶⁰

## MANCHA MONGÓLICA

A mancha mongólica, também conhecida como melanocitose cutânea congênita, ceruloderma da criança ou mancha azul do recém-nascido, caracteriza-se por áreas de pigmentação cinza-azulada, assintomáticas, visíveis já ao nascimento ou pouco depois. As lesões originam-se precocemente no desenvolvimento fetal e são resultantes da retenção de melanócitos na derme durante a sua migração da crista neural para a epiderme. Sua prevalência varia entre os diferentes grupos étnicos. Elas são mais comuns entre os asiáticos, indivíduos da Índia oriental e de origem africana, aparecendo em 1 a 10% das crianças brancas.⁶¹

As manchas são assintomáticas, geralmente de formato irregular. Elas medem alguns centímetros de diâmetro, com bordas indistintas, a maioria localizada na parte inferior do dorso e nas nádegas, embora outros locais possam ser afetados.

Entre os diagnósticos diferenciais a serem considerados, incluem-se os nevos azuis, nevos de Ota, nevo de Ito, contusões e traumatismos obstétricos. O tratamento das manchas mongólicas é desnecessário, podendo ser usados cosméticos como camuflagem. As lesões têm bom prognóstico e regridem espontaneamente na maioria dos casos. A intensidade da pigmentação aumenta até a idade de 1 ano, diminuindo de maneira progressiva até o seu desaparecimento, entre 4 e 13 anos de idade. As lesões têm sido raramente associadas a lábio leporino, tumor meníngeo espinal, melanoma, facomatose pigmento-vascular e algumas doenças metabólicas, como a gangliosidose tipo GM1.⁶²,⁶³ Quando múltiplas, escuras, localizadas em áreas extrassacrais e associadas a erros inatos do metabolismo, costumam ser mais extensas e sem tendência à resolução.⁶⁴

## ERITRASMA

Eritrasma é uma infecção superficial da pele causada pelo bacilo gram-positivo do grupo dos difteroides *Corynebacterium minutissimum*. Apresenta-se como máculas eritematosas bem-definidas ou de contornos irregulares, assintomáticas ou associadas a prurido, com posterior evolução para coloração acastanhada. Afeta principalmente áreas intertriginosas, como axilas, região inframamária, pregas interglúteas e região crural, além de ser a infecção bacteriana mais comum dos pés, manifestando-se nesse local como áreas de maceração crônica interdigital, com descamação e fissuras.

Entre os fatores predisponentes, incluem-se diabetes melito, idade avançada, obesidade e hiperidrose. O diagnóstico diferencial de eritrasma inclui psoríase, dermatofitose, candidose e intertrigo. O exame com a luz de Wood mostra uma fluorescência vermelho-coral, que denota a produção de porfirinas pelo *C. minutissimum*.⁶⁵ A coloração das escamas demonstra o microrganismo e pode ser feita pelo método de Gram, ácido periódico de Schiff, Giemsa ou azul de metileno.⁶⁶

O tratamento pode ser feito com antibióticos tópicos, como clindamicina a 2% (3 ×/dia por 14 dias) ou mupirocina creme a 2% (2 ×/dia por 2 a 4 semanas),⁶⁷ ou sistêmicos, sendo a eritromicina 250 mg (4 ×/dia durante 14 dias) o tratamento de escolha, obtendo taxas de cura de até 100% C/D.⁶⁵

## PÚRPURAS

Púrpuras são lesões que surgem por extravasamento sanguíneo na pele e nas mucosas e, por isso, não desaparecem com a vitropressão. Dependendo de seu tamanho, as púrpuras podem ser divididas em *petéquias* (até 1 cm de diâmetro) e *equimoses* (> 1 cm).

As petéquias costumam evoluir do vermelho-vivo ao castanho-escuro, pela degradação da hemoglobina, enquanto as equimoses inicialmente são vermelho-escuras, tornando-se verde-amareladas e castanho-arroxeadas. No recém-nascido, toda lesão purpúrica deve ser encarada como emergência.⁶⁸

## Quadro clínico

As púrpuras são manchas vasculossanguíneas frequentemente encontradas nos membros inferiores devido ao ortostatismo (bem exemplificado na púrpura hipostática, que é seguida pela dermatite ocre). Podem ser localizadas ou disseminadas e variam de quadros benignos, com resolução simples, como o da púrpura simples pós-trauma, até manifestações associadas a doenças subjacentes graves, como a púrpura fulminante meningocócica.

As lesões costumam ser assintomáticas, mas, de acordo com a doença de base, podem ser dolorosas ou pruriginosas. Em geral, as alterações plaquetárias se manifestam como petéquias; as alterações de coagulação, como equimoses; e as alterações decorrentes de vasculites, como púrpuras palpáveis.

A evolução, o prognóstico e o tratamento dependem da etiologia. Entre as causas básicas para o surgimento das púrpuras, encontram-se *alterações plaquetárias*, por diminuição absoluta ou alteração funcional das plaquetas; *distúrbios da coagulação*; *alterações vasculares*, com lesões nas paredes dos vasos, aumento da permeabilidade capilar ou vasculopatias obstrutivas; e *perda do apoio tecidual*, por diminuição do tecido conectivo, como ocorre na pele atrófica do idoso e na síndrome de Cushing.

## Diagnóstico e tratamento

O tratamento da púrpura varia de acordo com a causa subjacente. Para essa definição, são essenciais a anamnese cuidadosa e o exame físico completo, com o objetivo de buscar outros sinais e sintomas. É fundamental a descrição de elementos como quadro evolutivo, possíveis infecções, traumas e fármacos associados. Na avaliação inicial, devem ser solicitados hemograma completo com contagem de plaquetas, tempo de protrombina (TP) e tempo de tromboplastina parcial ativada (TTPA), além dos exames específicos relativos à hipótese clínica, incluindo, em alguns casos, o anatomopatológico. Não sendo possível o diagnóstico etiológico, o paciente deve ser encaminhado a um serviço especializado para avaliação e acompanhamento.

Na púrpura senil, vista principalmente em idosos e caracterizada por pele difusamente atrófica, com manchas violáceas principalmente nos antebraços e pseudocicatrizes hipocrômicas estelares, o uso de vitamina C creme a 5% 2 ×/dia pode ser usado na tentativa da melhora do quadro **C/D**.[69]

É importante lembrar que todos os casos de púrpura na infância devem ser encarados pelo médico como urgência e que, em todos os pacientes, sinais como rápida evolução das lesões, presença de necrose, sintomas sistêmicos como febre, mialgias, mal-estar e cefaleia, bem como sangramento de mucosas, podem acompanhar quadros mais graves, como leucemias, meningococemia e coagulação intravascular disseminada.[68]

Pessoas com tendência a sangramento devem ser orientadas a abster-se de atividades intensas, de forte contato físico. Devem ser evitadas também as injeções intramusculares e o uso de ácido acetilsalicílico e outros anti-inflamatórios não esteroides. A transfusão de plaquetas ou de fatores de coagulação pode ser necessária, e o aconselhamento genético é muito útil em famílias afetadas por distúrbios dessa natureza.

## MALFORMAÇÕES VASCULARES

### Mancha "vinho do Porto"

As manchas "vinho do Porto" são malformações capilares e afetam cerca de 0,3% dos recém-nascidos.[70] Apresentam-se como manchas únicas ou múltiplas, avermelhadas ou violáceas, planas, que podem variar de poucos centímetros a formas segmentares (FIGURA 136.2). Atingem preferencialmente a face, mas podem estar presentes em qualquer área do corpo. Embora seu tamanho não se altere ao longo da vida, sua cor tende a escurecer, e podem surgir nodularidades em sua superfície.

Sua importância clínica reside no fato de que podem estar associadas a diversas síndromes, como a síndrome de Sturge-Weber (quadro neurocutâneo) e a síndrome de Klippel-Trenaunay.[71] Além disso, quando localizadas no dorso do tórax sobre a linha média, podem indicar um defeito espinal subjacente. De forma geral, todos os pacientes que apresentam esse tipo de mancha em área palpebral ou bilateral – ou que ocupe todas as áreas inervadas pelo trigêmeo unilateralmente – devem ser investigados para glaucoma e avaliados por um neurologista pediátrico para orientações aos pais e aconselhamento quanto a sinais de alterações neurológicas e convulsões ou lesões do sistema nervoso central, além da realização de eletrencefalograma e ressonância magnética do cérebro se necessário.[72]

As manchas "vinho do Porto" podem ser camufladas com bons resultados usando-se maquiagens especiais. Deve-se considerar também encaminhamento para tratamento com *laser* específico para lesões vasculares (*pulsed dye laser*).[73]

### Mancha salmão

Esse tipo de malformação vascular é muito comum em recém-nascidos, podendo atingir 40 a 70% deles. Surge como manchas rosadas, únicas ou múltiplas, atingindo preferencialmente a nuca e a glabela (FIGURA 136.3). As lesões

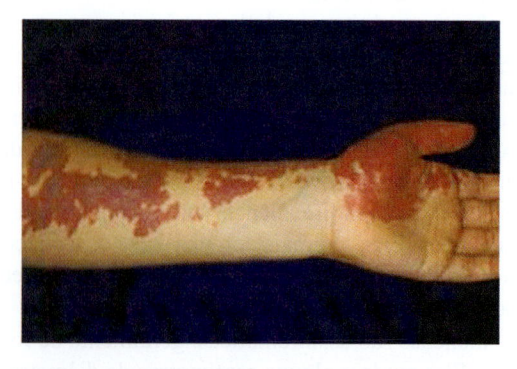

**FIGURA 136.2** → Mancha "vinho do Porto": lesão vasculossanguínea.

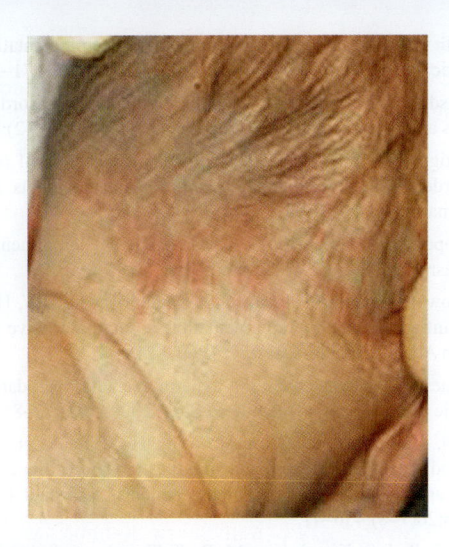

**FIGURA 136.3** → Mancha salmão em neonato.

localizadas na face costumam desaparecer nos primeiros anos após o nascimento, ao passo que as localizadas na região occipital podem persistir por toda a vida.

Em geral, não há necessidade de tratamento, mas podem ser também usadas maquiagens e *laser* específico para lesões vasculares nos casos persistentes C/D.

## REFERÊNCIAS

1. Singh H, Kumaran MS, Bains A, Parsad D. A randomized comparative study of oral corticosteroid minipulse and low-dose oral methotrexate in the treatment of unstable vitiligo. Dermatology. 2015;231(3):286–90.
2. Morrison B, Burden-Teh E, Batchelor JM, Mead E, Grindlay D, Ratib S. Quality of life in people with vitiligo: a systematic review and meta-analysis. Br J Dermatol. 2017;177(6):e338–9.
3. Lai YC, Yew YW, Kennedy C, Schwartz RA. Vitiligo and depression: a systematic review and meta-analysis of observational studies. Br J Dermatol. 2017;177(3):708–18.
4. Whitton M, Pinart M, Batchelor JM, Leonardi-Bee J, Gonzalez U, Jiyad Z, et al. Evidence-based management of vitiligo: summary of a Cochrane systematic review. Br J Dermatol. 2016;174(5):962–9.
5. Cesar Silva de Castro C, Miot HA. Prevalence of vitiligo in Brazil-a population survey. Pigment Cell Melanoma Res. 2018;31(3):448–50.
6. Molho-Pessach V, Schaffer JV. Blaschko lines and other patterns of cutaneous mosaicism. Clin Dermatol. 2011;29(2):205–25.
7. Gawkrodger DJ, Ormerod AD, Shaw L, Mauri-Sole I, Whitton ME, Watts MJ, et al. Guideline for the diagnosis and management of vitiligo: Guideline for the diagnosis and management of vitiligo. Br J Dermatol. 2008;159(5):1051–76.
8. Mulekar SV, Isedeh P. Surgical interventions for vitiligo: an evidence-based review. Br J Dermatol. 2013;169:57–66.
9. Whitton ME, Pinart M, Batchelor J, Lushey C, Leonardi-Bee J, González U. Interventions for vitiligo. Cochrane Database Syst Rev. 2010;(1):CD003263.
10. Wu Y, Sun Y, Qiu L, Wang H, Zhang Y, Chen K, et al. A multicentre, randomized, split face and/or neck comparison of 308-nm excimer laser and 0·1% tacrolimus ointment for stable vitiligo plus intramuscular slow-releasing betamethasone for active vitiligo. Br J Dermatol [Internet]. 2019 [capturado em 25 mar. 2020]; 181(1):210-1. Disponível em: https://onlinelibrary.wiley.com/doi/abs/10.1111/bjd.17630
11. Bae JM, Hong BY, Lee JH, Lee JH, Kim GM. The efficacy of 308-nm excimer laser/light (EL) and topical agent combination therapy versus EL monotherapy for vitiligo: A systematic review and meta-analysis of randomized controlled trials (RCTs). J Am Acad Dermatol. 2016;74(5):907–15.
12. Budania A, Parsad D, Kanwar AJ, Dogra S. Comparison between autologous noncultured epidermal cell suspension and suction blister epidermal grafting in stable vitiligo: a randomized study: Comparison of two surgical modalities in stable vitiligo. Br J Dermatol. 2012;167(6):1295–301.
13. Kim SR, Heaton H, Liu LY, King BA. Rapid repigmentation of vitiligo using tofacitinib plus low-dose, narrowband uv-b phototherapy. JAMA Dermatol. 2018;154(3):370.
14. Vu M, Heyes C, Robertson SJ, Varigos GA, Ross G. Oral tofacitinib: a promising treatment in atopic dermatitis, alopecia areata and vitiligo. Clin Exp Dermatol. 2017;42(8):942–4.
15. Handa S, Pandhi R, Kaur I. Vitiligo: a retrospective comparative analysis of treatment modalities in 500 patients. J Dermatol. 2001;28(9):461–6.
16. Kansal NK. Nevus depigmentosus: an update. Skinmed. 2019;17(2):100–4.
17. Ullah F, Schwartz RA. Nevus depigmentosus: review of a mark of distinction. Int J Dermatol. 2019;58(12):1366-70.
18. Juntongjin P, Laosakul K. Idiopathic guttate hypomelanosis: a review of its etiology, pathogenesis, findings, and treatments. Am J Clin Dermatol. 2016;17(4):403–11.
19. Laosakul K, Juntongjin P. Efficacy of tip cryotherapy in the treatment of idiopathic guttate hypomelanosis (IGH): a randomized, controlled, evaluator-blinded study. J Dermatol Treat. 2017;28(3):271–5.
20. Rerknimitr P, Chitvanich S, Pongprutthipan M, Panchaprateep R, Asawanonda P. Non-ablative fractional photothermolysis in treatment of idiopathic guttate hypomelanosis. J Eur Acad Dermatol Venereol JEADV. 2015;29(11):2238–42.
21. Saleem MD, Oussedik E, Picardo M, Schoch JJ. Acquired disorders with hypopigmentation: A clinical approach to diagnosis and treatment. J Am Acad Dermatol. 2019;80(5):1233-50.e10.
22. Barnard E, Liu J, Yankova E, Cavalcanti SM, Magalhães M, Li H, et al. Strains of the Propionibacterium acnes type III lineage are associated with the skin condition progressive macular hypomelanosis. Sci Rep [Internet]. 2016 [citado 4 de agosto de 2018];6(1). Disponível em: http://www.nature.com/articles/srep31968
23. Pflederer RT, Wuennenberg JP, Foote C, Aires D, Rajpara A. Use of Wood's lamp to diagnose progressive macular hypomelanosis. J Am Acad Dermatol. 2017;77(4):e99–100.
24. Damevska K, Pollozhani N, Neloska L, Duma S. Unsuccessful treatment of progressive macular hypomelanosis with oral isotretinoin. Dermatol Ther. setembro de 2017;30(5):e12514.
25. Cavalcanti SMM, Querino MCD, Magalhães V, França ER, Magalhães M, Alencar E. Uso da limeciclina associada com o peróxido de benzoíla no tratamento da hipomelanose macular progressiva: um estudo prospectivo. An Bras Dermatol. 2011;86(4):813–4.
26. Thng StevenTG, Long ValenciaSH, Chuah S, Tan VirlynnWD. Efficacy and relapse rates of different treatment modalities for progressive macular hypomelanosis. Indian J Dermatol Venereol Leprol. 2016;82(6):673.
27. Kim M-B, Kim G-W, Cho H-H, Park H-J, Kim H-S, Kim S-H, et al. Narrowband UVB treatment of progressive macular hypomelanosis. J Am Acad Dermatol. 2012;66(4):598–605.
28. Gupta AK, Lane D, Paquet M. Systematic review of systemic treatments for tinea versicolor and evidence-based dosing regimen recommendations. J Cutan Med Surg. 2014;18(2):79–90.
29. Hu SW, Bigby M. Pityriasis versicolor: a systematic review of interventions. Arch Dermatol [Internet]. 2010 [capturado em 25 mar. 2020];146(10). Disponível em: http://archderm.jamanetwork.com/article.aspx?doi=10.1001/archdermatol.2010.259
30. Shi TW, Zhang JA, Tang YB, Yu HX, Li ZG, Yu JB. A randomized controlled trial of combination treatment with ketoconazole 2%

cream and adapalene 0.1% gel in pityriasis versicolor. J Dermatol Treat. 2015;26(2):143–6.

31. Shi TW, Ren XK, Yu HX, Tang YB. Roles of adapalene in the treatment of pityriasis versicolor. Dermatol Basel Switz. 2012;224(2):184–8.

32. Drake LA, Dinehart SM, Farmer ER, Goltz RW, Graham GF, Hordinsky MK, et al. Guidelines of care for superficial mycotic infections of the skin: Pityriasis (tinea) versicolor. J Am Acad Dermatol. 1996;34(2):287–9.

33. Cestari TF, Dantas LP, Boza JC. Acquired hyperpigmentations. An Bras Dermatol. 2014;89(1):11–25.

34. Pandya AG, Guevara IL. Disorders of hyperpigmentation. Dermatol Clin. 2000;18(1):91–8.

35. Kroumpouzos G, Cohen LM. Dermatoses of pregnancy. J Am Acad Dermatol. 2001;45(1):1–22.

36. Castanedo-Cazares JP, Hernandez-Blanco D, Carlos-Ortega B, Fuentes-Ahumada C, Torres-Álvarez B. Near-visible light and UV photoprotection in the treatment of melasma: a double-blind randomized trial. Photodermatol Photoimmunol Photomed. 2014;30(1):35–42.

37. Breathnach AS. Melanin hyperpigmentation of skin: melasma, topical treatment with azelaic acid, and other therapies. Cutis. 1996;57(1 Suppl):36–45.

38. Rajaratnam R, Halpern J, Salim A, Emmett C. Interventions for melasma. Cochrane Database Syst Rev. 2010;(7):CD003583.

39. Alikhan A, Daly M, Wu J, Balkrishnan R, Feldman SR. Cost-effectiveness of a hydroquinone/tretinoin/fluocinolone acetonide cream combination in treating melasma in the United States. J Dermatol Treat. 2010;21(5):276–81.

40. Gong Z, Lai W, Zhao G, Wang X, Zheng M, Li L, et al. Efficacy and safety of fluocinolone acetonide, hydroquinone, and tretinoin cream in chinese patients with melasma: a randomized, double-blind, placebo-controlled, multicenter, parallel-group study. Clin Drug Investig. 2015;35(6):385–95.

41. Zhang L, Tan W-Q, Fang Q-Q, Zhao W-Y, Zhao Q-M, Gao J, et al. Tranexamic acid for adults with melasma: a systematic review and meta-analysis. BioMed Res Int. 2018;2018:1–13.

42. Del Rosario E, Florez-Pollack S, Zapata L, Hernandez K, Tovar-Garza A, Rodrigues M, et al. Randomized, placebo-controlled, double-blind study of oral tranexamic acid in the treatment of moderate-to-severe melasma. J Am Acad Dermatol. 2018;78(2):363–9.

43. Kanechorn Na Ayuthaya P, Niumphradit N, Manosroi A, Nakakes A. Topical 5% tranexamic acid for the treatment of melasma in Asians: A double-blind randomized controlled clinical trial. J Cosmet Laser Ther. 2012;14(3):150–4.

44. Farshi S, Mansouri P, Kasraee B. Efficacy of cysteamine cream in the treatment of epidermal melasma, evaluating by Dermacatch as a new measurement method: a randomized double blind placebo controlled study. J Dermatol Treat. 2018;29(2):182–9.

45. Mansouri P, Farshi S, Hashemi Z, Kasraee B. Evaluation of the efficacy of cysteamine 5% cream in the treatment of epidermal melasma: a randomized double-blind placebo-controlled trial. Br J Dermatol. 2015;173(1):209–17.

46. Halachmi S, Haedersdal M, Lapidoth M. Melasma and laser treatment: an evidenced-based analysis. Lasers Med Sci. 2014;29(2):589–98.

47. Ahmed AM, Lopez I, Perese F, Vasquez R, Hynan LS, Chong B, et al. A randomized, double-blinded, placebo-controlled trial of oral polypodium leucotomos extract as an adjunct to sunscreen in the treatment of melasma. JAMA Dermatol. 2013;149(8):981.

48. Kaufman BP, Aman T, Alexis AF. Postinflammatory hyperpigmentation: epidemiology, clinical presentation, pathogenesis and treatment. Am J Clin Dermatol. 2018;19(4):489–503.

49. Taylor SC. Epidemiology of skin diseases in ethnic populations. Dermatol Clin. 2003;21(4):601–7.

50. Taylor S, Grimes P, Lim J, Im S, Lui H. Postinflammatory hyperpigmentation. J Cutan Med Surg. 2009;13(4):183–91.

51. Heath CR. Managing postinflammatory hyperpigmentation in pediatric patients with skin of color. Cutis. 2019;103(2):71–3.

52. Plensdorf S, Livieratos M, Dada N. Pigmentation Disorders: Diagnosis and Management. Am Fam Physician. 2017;96(12):797–804.

53. Stratigos AJ, Katsambas AD. Optimal management of recalcitrant disorders of hyperpigmentation in dark-skinned patients. Am J Clin Dermatol. 2004;5(3):161–8.

54. Rigopoulos D, Gregoriou S, Katsambas A. Hyperpigmentation and melasma. J Cosmet Dermatol. 2007;6(3):195–202.

55. Chaowattanapanit S, Silpa-archa N, Kohli I, Lim HW, Hamzavi I. Postinflammatory hyperpigmentation: a comprehensive overview. J Am Acad Dermatol. 2017;77(4):607–21.

56. Grimes PE. Management of hyperpigmentation in darker racial ethnic groups. Semin Cutan Med Surg. 2009;28(2):77–85.

57. Li N, Han J, Hu D, Cheng J, Wang H, Wang Y, et al. Intense pulsed light is effective in treating postburn hyperpigmentation and telangiectasia in Chinese patients. J Cosmet Laser Ther. 2018;20(7–8):436–41.

58. Cho S, Park S, Kim J, Kim M, Bu T. Treatment of post-inflammatory hyperpigmentation using 1064-nm Q-switched Nd: YAG laser with low fluence: report of three cases. J Eur Acad Dermatol Venereol. 2009;23(10):1206–7.

59. Jett K, Friedman JM. Clinical and genetic aspects of neurofibromatosis 1. Genet Med. 2010;12(1):1-11.

60. Nunley KS, Gao F, Albers AC, Bayliss SJ, Gutmann DH. Predictive value of café au lait macules at initial consultation in the diagnosis of neurofibromatosis type 1. Arch Dermatol [Internet]. 2009 [capturado em 25 mar. 2020];145(8). Disponível em: http://archderm.jamanetwork.com/article.aspx?doi=10.1001/archdermatol.2009.169

61. Ferahbas A, Utas S, Akcakus M, Gunes T, Mistik S. Prevalence of cutaneous findings in hospitalized neonates: a prospective observational study. Pediatr Dermatol. 2009;26(2):139–42.

62. Inamadar AC, Palit A. Persistent, aberrant mongolian spots in Sjögren-Larsson syndrome. Pediatr Dermatol. 2007;24(1):98–9.

63. Ashrafi MR, Shabanian R, Mohammadi M, Kavusi S. Extensive mongolian spots: a clinical sign merits special attention. Pediatr Neurol. 2006;34(2):143–5.

64. Kumar Bhardwaj N, Khera D. Mongolian spots in GM1 gangliosidosis. Indian Pediatr. 2016;53(12):1133.

65. Holdiness MR. Management of cutaneous erythrasma. Drugs. 2002;62(8):1131–41.

66. Tschen JA, Ramsdell WM. Disciform erythrasma. Cutis. 1983;31(5):541–2, 547.

67. Greywal T, Cohen PR. Erythrasma: a report of nine men successfully managed with mupirocin 2% ointment monotherapy. Dermatol Online J [Internet]. 2017[capturado em 25 mar. 2020];23(5). Disponível em: https://escholarship.org/uc/item/9zh116s1.

68. Leung AK, Chan KW. Evaluating the child with purpura. Am Fam Physician. 2001;64(3):419–28.

69. Humbert P, Fanian F, Lihoreau T, Jeudy A, Pierard GE. Bateman purpura (dermatoporosis): a localized scurvy treated by topical vitamin C – double-blind randomized placebo-controlled clinical trial. J Eur Acad Dermatol Venereol. 2018;32(2):323–8.

70. Troilius Rubin A, Lauritzen E, Ljunggren B, Revencu N, Vikkula M, Svensson Å. Heredity of port-wine stains: Investigation of families without a RASA1 mutation. J Cosmet Laser Ther. 2015;17(4):204–8.

71. Tallman B, Tan OT, Morelli JG, Piepenbrink J, Stafford TJ, Trainor S, et al. Location of port-wine stains and the likelihood of ophthalmic and/or central nervous system complications. Pediatrics. 1991;87(3):323–7.

72. Zallmann M, Leventer RJ, Mackay MT, Ditchfield M, Bekhor PS, Su JC. Screening for Sturge-Weber syndrome: A state-of-the-art review. Pediatr Dermatol. 2018;35(1):30–42.

73. Spicer MS, Goldberg DJ. Lasers in dermatology. J Am Acad Dermatol. 1996;34(1):1–25.

## LEITURAS RECOMENDADAS

Bolognia JL, Jorizzo JL, Rapini RP, editors. Dermatology. 4th ed. London: Mosby; 2017.
*Livro-texto com informações detalhadas sobre dermatologia geral, além de cirurgia dermatológica e patologia, com muitas ilustrações para auxílio diagnóstico.*

Burns DA, Breathnach SM, Cox N, Griffiths CE, editors. Rook's textbook of dermatology. 9th ed. Malden: Blackwell Science; 2017.
*Livro-texto mais completo e atualizado em dermatologia geral, utilizado por dermatologistas de todo o mundo.*

Lowy G, Cestari S, Cestari T, Oliveira Z. Atlas topográfico de dermatologia pediátrica: do diagnóstico ao tratamento. São Paulo: Thieme Revinter; 2013.
*Ótimo livro para o estudo dos aspectos clínicos das lesões na infância; inclui seleção de imagens das mais diversas doenças pediátricas.*

Rivitti EA. Dermatologia de Sampaio e Rivitti. 4.ed. São Paulo: Artes Médicas; 2018.
*Livro clássico da dermatologia brasileira que aborda todas as questões relevantes para a prática ambulatorial.*

# Capítulo 137
## REAÇÕES ACTÍNICAS

Tania Ferreira Cestari
Cristine Kloeckner Kraemer
Lia Pinheiro Dantas

A **radiação ultravioleta** compreende uma parte do espectro das radiações solares com comprimento de onda (λ) entre 200 e 400 nanômetros, sendo dividida em **UVC** (200-290 nm), **UVB** (290-320 nm) e **UVA** (320-400 nm). Sua intensidade depende de vários fatores, como latitude, altitude, estação do ano, hora do dia e condições atmosféricas. Quanto menor o λ, maior a atividade biológica; a camada de ozônio (ionosfera), contudo, impede a chegada da radiação UVC à superfície terrestre. Do ponto de vista médico, têm importância os efeitos decorrentes das radiações UVB e UVA.

Os raios solares atingem a pele por difusão através da atmosfera, sendo que, por reflexão, a neve reflete 85% deles, a areia, 17%, e a água, 5%, o que explica a fotoproteção inadequada quando um indivíduo utiliza apenas o guarda-sol na praia. Os maiores efeitos agudos da radiação ultravioleta na pele normal compreendem o **eritema** e o **bronzeamento**. São, porém, de extrema importância as outras ações biológicas, como as imunossupressões local e sistêmica, o espessamento das camadas da epiderme e as interferências na função e na morfologia dos queratinócitos e dos melanócitos, induzindo displasias que, com a exposição crônica, conduzem ao envelhecimento precoce e ao câncer de pele.[1,2]

## FOTODERMATOSES

As fotodermatoses são doenças cutâneas causadas ou influenciadas pela luz solar.[3] Podem ser devidas à ação primária imediata (queimadura solar), tardias por exposição crônica (envelhecimento cutâneo), ou por sensibilização, decorrentes da interação da luz solar com agentes fotossensibilizantes, compreendendo as reações de **fototoxicidade** e **fotoalergia**.

### Queimadura solar e bronzeamento

O eritema pós-solar é comum nos meses de verão e ocorre devido à exposição prolongada e/ou repetida ao sol. As lesões cutâneas dependem da intensidade da radiação e do tipo de pele, incidindo mais em indivíduos de pele clara.

A queimadura pelo sol é uma reação inflamatória com os seus sinais clássicos: eritema, calor, dor e edema. O eritema surge após 2 a 7 horas e tem seu pico 12 a 24 horas após a exposição solar, persistindo por horas ou dias. A apresentação clínica da queimadura solar não difere daquela das queimaduras em geral (ver Capítulo Queimaduras). Na queimadura de 1º grau, observa-se eritema e edema nas áreas irradiadas, com desconforto local. Na de 2º grau, há formação de vesículas e bolhas, com perda de proteínas e eletrólitos, podendo ser acompanhada de náuseas, vômitos, febre, calafrios, prostração e até mesmo choque, devido à liberação maciça de mediadores. O diagnóstico é facilmente estabelecido pela anamnese.

A pele apresenta dois tipos de pigmentação melânica: a geneticamente determinada, que é imutável, e a facultativa, que depende dos raios solares. Esta, quando estimulada pela radiação ultravioleta, seja solar ou artificialmente produzida, é conhecida como bronzeamento, sendo uma reação de proteção contra o excesso de exposição à radiação. A pigmentação pode ser imediata, após alguns minutos ao sol, desaparecendo gradualmente nas horas subsequentes, ou tardia, quando é notada a partir de 72 horas. A regressão ocorre em dias ou meses, dependendo das características individuais.[4]

Tanto a radiação UVA como a UVB produzem eritema e pigmentação, porém com diferenças apreciáveis. Recentemente, tem-se observado que a luz visível (400-700 nm) também pode induzir a pigmentação da pele.[4] A radiação UVA é pouco eritrogênica e provoca principalmente um bronzeamento imediato, enquanto a radiação UVB é muito eritrogênica, produzindo pigmentação tardia. O surgimento de eritema solar é mínimo antes das 9 horas e depois das 15 horas, porque nesse período a quantidade de radiação UVB que chega à Terra é pequena, enquanto a de UVA é constante. Nos casos de exposição solar entre 11 e 14 horas, o eritema é intenso e a queimadura é frequente, pois esse é o horário de maior irradiação UVB. A ação nociva dos raios solares é mais forte quanto mais clara for a pele ou menor o **fototipo**.[5] (TABELA 137.1).

É recomendável evitar exposição excessiva ao sol, fazendo-a gradativamente, de preferência em horário afastado do meio-dia e utilizando *fotoprotetores*.[6] O uso de filtros solares reduz em torno de 30 a 40% o risco de surgimento de novas lesões em pacientes com ceratose actínica **A** e o risco de surgimento de carcinoma epidermoide **B**.[7]

TABELA 137.1 → Fototipos de acordo com a classificação de Fitzpatrick

| FOTOTIPO | COR DA PELE NÃO EXPOSTA | HISTÓRIA DE BRONZEAMENTO E QUEIMADURA |
|---|---|---|
| I | Branca | Sempre queima facilmente, nunca bronzeia |
| II | Branca | Sempre queima facilmente, bronzeia minimamente |
| III | Branca | Queima minimamente, bronzeia de forma gradual e uniforme |
| IV | Castanho-clara | Queima minimamente, sempre bronzeia bem (moderadamente castanha) |
| V | Castanha | Raramente queima, bronzeia de forma intensa (castanho-escura) |
| VI | Castanho-escura ou preta | Nunca queima, bronzeia profusamente |

Fonte: Fitzpatrick.[3]

Os fotoprotetores podem ser físicos, quando refletem os raios incidentes, ou químicos, quando absorvem[1,6] a radiação, neutralizando seus efeitos. Cada filtro solar tem um **fator de proteção solar (FPS)**, que é o fator multiplicativo do tempo de exposição à radiação UVB necessário para produzir determinada resposta.

O FPS é variável, sendo encontrado comercialmente até o fator 100. Alguns elementos contribuem para que um filtro solar seja funcional e eficiente. É necessário que tenha amplo espectro de proteção ultravioleta, prevenindo não apenas a queimadura solar (associada à radiação UVB), mas também o efeito deletério da radiação UVA, como imunossupressão, carcinogênese e dano ao DNA. O ideal é que contenha substâncias não irritativas e um veículo de fácil espalhabilidade.

A quantidade de filtro solar recomendada é 2 mg/cm², o que corresponde à aplicação aproximada de uma medida entre meia e 1 colher de chá para a face, cada braço, ombros e pescoço, 2 colheres de chá para o tronco superior e cerca de 40 g para todo o corpo **A**. A diminuição da dose do protetor pode acarretar a diminuição da proteção. Os filtros devem ser sempre aplicados 20 minutos antes da exposição **C/D** e reaplicados a cada 2 horas **C/D** ou após banho ou sudorese intensa **A**.[2]

O tratamento dos casos leves de queimadura solar é feito com compressas de soro fisiológico ou de pasta d'água, com emulsões de calamina e, eventualmente, com corticoides de baixa potência e em um período de 3 a 7 dias, de uso local **C/D**. O uso de anti-inflamatórios como ibuprofeno e indometacina pode ser benéfico nas primeiras horas após a queimadura solar **C/D**. As queimaduras graves requerem analgésicos, manutenção do equilíbrio hidreletrolítico e até internação hospitalar **C/D**.

É importante o aconselhamento do paciente sobre os efeitos do excesso de exposição solar, principalmente aquele intermitente ou recreacional, para que ele possa tomar decisões conscientes sobre futuras exposições **C/D**.[8] A maioria dos bons estudos observacionais sugere aumento de risco de câncer (RR = 1,3-5) com maior exposição intermitente ou recreacional, sobretudo em crianças, mas não para exposição crônica ou ocupacional. Sempre se deve orientar o paciente a associar outros cuidados na fotoproteção, além do filtro solar, como o uso de chapéus, protetores labiais, roupas adequadas e óculos de sol, assim como o uso de guarda-sol, principalmente se for ficar ao sol de forma mais prolongada **C/D**.[8]

## Fototoxicidade e fotoalergia

**Fototoxicidade** é o aumento da reatividade cutânea à luz ultravioleta, sem base imunológica. A intensidade do quadro depende da quantidade de radiação, do tipo de pele, do local da exposição e da concentração do agente fotossensibilizante, ocorrendo já na primeira exposição. Caracteriza-se por eritema e edema, sendo que os casos graves podem até apresentar bolhas.

A **fitofotodermatose** é a resposta fototóxica mais frequente em nosso meio, e ocorre em consequência do contato com furocumarinas presentes no limão e no figo, bem como no óleo essencial de bergamota contido em perfumes, seguido da exposição solar. As lesões ocorrem mais no dorso das mãos e se limitam às regiões nas quais houve contato com a substância. São manchas pigmentadas, com distribuições bizarras, lineares ou pontilhadas, que se resolvem gradualmente (FIGURA 137.1) sem tratamento específico.

Alguns agentes de uso sistêmico também podem ser fototóxicos, entre eles alprazolam, imipramina, griseofulvina, cloroquina, quinolonas, sulfa, tetraciclinas, amiodarona, tiazídicos, furosemida, piroxicam, vemurafenibe, entre outros.[9,10]

**Fotoalergia** é o aumento da reatividade cutânea à luz ultravioleta, com base imunológica. Pode ocorrer em um pequeno número de indivíduos, desde que sensibilizados previamente por fármacos e expostos à radiação suficientemente intensa. Essa reação independe da quantidade da substância química desencadeadora, surgindo 24 a 48 horas após a exposição solar; sua morfologia e localização dependerão das áreas expostas às radiações.

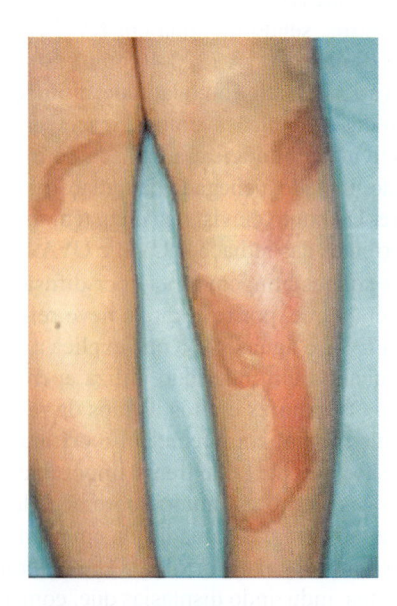

FIGURA 137.1 → Fitofotodermatose: manchas hipercrômicas com distribuição correspondente à área de contato com a substância fototóxica.

O quadro clínico é eczematoso, com eritema, edema, infiltração, vesiculação e bolhas, acompanhados de prurido. A hiperpigmentação pós-inflamatória não acontece tanto como na fototoxicidade.

Certas substâncias de uso sistêmico podem desencadear fotoalergia. Entre elas estão as sulfonamidas, a quinidina, a clorpromazina, as quinolonas, o piroxicam, os diuréticos tiazídicos, as sulfonilureias e até substâncias de uso tópico, como a prometazina, o hexaclorofeno e a clorexidina.[9]

Para distinguir entre uma reação fototóxica ou fotoalérgica é necessária uma história clínica detalhada associada ao exame físico. A distinção entre as duas nem sempre é muito fácil, mas geralmente não afeta o manejo. É muito importante o médico conhecer o potencial sensibilizante do medicamento que está prescrevendo e orientar o paciente quanto aos cuidados de fotoproteção. Em alguns casos, podem ser necessários, para avaliação diagnóstica, biópsia e fototeste, geralmente solicitados por dermatologistas.[11]

No tratamento da fototoxicidade e da fotoalergia, a medida mais importante é evitar a exposição solar. Na fase eritematosa, procede-se à limpeza local e à aplicação tópica de corticoides de média potência (ver Capítulo Fundamentos de Terapêutica Tópica); na fase de pigmentação, a conduta é expectante, associada à fotoproteção C/D. Nos casos de fotoalergia, dependendo da intensidade da reação, podem ser empregados corticoides sistêmicos C/D. Deve-se, na medida do possível, identificar o agente desencadeante, além de orientar o paciente sobre a causa da doença, para evitar futuros episódios.

## Fotoenvelhecimento cutâneo

É uma consequência da exposição crônica a fatores ambientais, sendo a radiação solar o mais importante, associado a fatores intrínsecos, como a predisposição genética de cada indivíduo. A radiação UVA é a principal responsável pelo dano causado à pele, levando ao envelhecimento prematuro, o qual é cumulativo.

Os sinais de envelhecimento extrínsecos incluem perda do brilho da pele, sensação de aspereza, alterações da pigmentação como o aparecimento de efélides, lentigos e melanoses, surgimento de telangiectasias e rugas finas.

O **lentigo solar**, ou melanose actínica, consiste em manchas largas, planas, castanho-claras ou escuras, que ocorrem em áreas fotoexpostas. O seu surgimento depende do fototipo de cada indivíduo e do tempo de exposição solar. São lesões que não exigem tratamento, a não ser por questões estéticas.

O tratamento do fotoenvelhecimento deve levar em conta os hábitos pessoais, a profissão e o perfil psicológico de cada um, devendo, portanto, ser individualizado. O tratamento clínico pode ser feito com tretinoína tópica, sob orientação do dermatologista, sendo esta a substância mais utilizada com eficácia comprovada no tratamento do fotodano A. O tratamento cirúrgico pode ser feito com esfoliações químicas, preenchimento, toxina botulínica e *laser*, os quais devem ser realizados por médicos devidamente capacitados.

A prevenção com filtros solares adequados é o tratamento mais preconizado B. É importante orientar que a fotoproteção deve ser feita o ano todo, e o uso de acessórios como chapéu e roupas também é fundamental C/D.[8]

## Dermatite crônica actínica

A dermatite crônica actínica é uma erupção eczematosa, persistente, com piora no verão, induzida pela radiação ultravioleta e, com menos frequência, pela luz visível. Ela afeta preferencialmente homens de qualquer etnia, com idade > 50 anos, mas pode ocorrer em jovens portadores de eczema atópico ou em indivíduos infectados pelo vírus da imunodeficiência humana (HIV, do inglês *human immunodeficiency virus*). É mais comum em climas temperados.

Clinicamente, manifesta-se por erupção eczematosa, muitas vezes precedida por sintomas de dermatite de contato crônica, com reação inflamatória e edema. As lesões podem ser induzidas tanto pela radiação UVB como UVA, sempre em áreas expostas ao sol.

É provável que a dermatite crônica actínica seja provocada por fotoantígenos endógenos, e que a estimulação antigênica crônica seja mantida por pequenas quantidades de luz visível, radiação UVB e radiação UVA. Na maioria dos pacientes, há história de erupção polimorfa à luz ou de eczema de longa duração prévios, provocados principalmente por alérgenos aéreos ou ambientais como fenóis halogenados, antibacterianos, perfumes e clareadores, encontrados em cosméticos masculinos.

Os critérios de diagnóstico da dermatite crônica actínica incluem lesões persistentes eczematosas ou liquenificadas, em áreas fotoexpostas, como couro cabeludo, face e membros superiores, podendo estender-se a outras regiões do tegumento. É comum que as áreas cobertas pelas roupas sejam precisamente delimitadas e que as dobras sejam poupadas. À medida que a erupção persiste, assume aspecto liquenificado, com espessamento da pele, hipercromia, perda de pelos e até eritrodermia. Em casos graves e de difícil controle, o aspecto clínico e histológico pode assemelhar-se a linfoma de células T, quando então tem sido chamado de reticuloide actínico ou dermatite crônica actínica pseudolinfomatosa.

Os fototestes – testes que utilizam a exposição da pele à radiação ultravioleta controlada, seguidos pela avaliação da resposta na área exposta, como o aparecimento de eritema – costumam ser positivos tanto com UVB quanto com UVA, mas em geral a história clínica é bem sugestiva do diagnóstico. O diagnóstico diferencial da dermatite crônica actínica é feito principalmente com reações agudas de fotossensibilidade, eczema fotoagravado e linfoma cutâneo de células T de tipo Sézary.

O tratamento da dermatite crônica actínica inicia-se com fotoproteção absoluta, inclusive evitando-se lâmpadas fluorescentes e telas de computador ou televisão C/D. É fundamental usar protetores solares de amplo espectro, não irritantes, com alto teor de filtros físicos. Corticoides tópicos, inibidores da calcineurina e emolientes podem ajudar no alívio dos sintomas, mas o benefício é pouco documentado e danos são possíveis. O uso desses medicamentos deve ser avaliado pelo dermatologista.[12]

## Encaminhamento

Existem várias abordagens terapêuticas disponíveis para fotodermatoses de difícil manejo. A dessensibilização com psoraleno com raios ultravioleta A (PUVA) ou UVB faixa estreita em muito baixa dose pode ser útil em casos selecionados. Imunossupressores como ciclosporina, azatioprina, micofenolato de mofetila e até mesmo corticoides sistêmicos podem ajudar a controlar a intensidade da reação, permitindo menor cuidado ambiental em relação à luz. Corticoides e tacrolimo tópicos podem diminuir os sintomas e melhorar o aspecto da pele C/D. A dermatite crônica actínica exige acompanhamento permanente com dermatologista.[12]

# DERMATOSES PRÉ-MALIGNAS

Dermatoses pré-malignas são mudanças patológicas na pele, adquiridas ou herdadas geneticamente, que têm o potencial de evoluir para câncer cutâneo.

Existem fatores carcinogênicos de diferentes naturezas: físicos (trauma, radiação calórica, radiação ionizante, raios X e, sobretudo, radiação ultravioleta, mais especificamente a UVB), químicos (derivados do petróleo, arsênico) e biológicos (vírus e hormônios). Esses agentes atuam de forma isolada ou concomitante sobre a pele, provocando alterações iniciais que podem regredir ou passar para a fase proliferativa ou neoplásica.

Cerca de 90% das dermatoses pré-neoplásicas e das neoplasias cutâneas localizam-se nas áreas mais expostas ao sol, como face, pescoço, mãos, braços e tronco. O efeito da radiação solar é cumulativo, isto é, processa-se gradativamente com a idade, o que justifica a maior frequência de alguns tumores cutâneos nas últimas décadas de vida.

## Classificação

As principais lesões pré-malignas são a ceratose actínica, o corno cutâneo (ver Capítulo Tumores Benignos e Cistos Cutâneos), a leucoplasia (ver Capítulo Problemas da Cavidade Oral), a queilite actínica e as cicatrizes de radiação.

### Ceratose actínica

A ceratose actínica (CA), solar ou senil, é a lesão pré-maligna mais comum. O termo **ceratose** se refere ao espessamento do estrato córneo, e o termo **actínica**, ao fato de ser decorrente da exposição solar.[13]

Ocorre com mais frequência a partir da quarta década, em indivíduos com pele clara, e é, na maioria dos casos, decorrente da exposição à radiação ultravioleta.[14] As CAs também podem ser observadas em pacientes transplantados em uso de imunossupressores e em pacientes com HIV/Aids. Esses pacientes apresentam comprometimento na vigilância imunológica da pele, levando a uma proliferação acelerada de queratinócitos displásicos, semelhante à causada pela radiação solar.[13-15] O papilomavírus humano (HPV) também pode estar implicado em alguns casos de CA.[14]

A prevalência mundial das CAs varia em torno de 11 a 25%.[13] Em um estudo realizado com dermatologistas no Brasil, evidenciou-se que a CA é a 4ª causa mais comum de procura por assistência dermatológica na população geral e, nos indivíduos com idade > 60 anos, é a 2ª queixa mais frequente.[16] Os homens apresentam prevalência maior do que as mulheres, o que pode ser explicado pelo padrão de maior exposição solar.[13,14,16]

A localização preferencial das lesões é nas áreas expostas ao sol, como face, pavilhões auriculares, pescoço, dorso das mãos e antebraços, assim como no couro cabeludo em indivíduos calvos. Em geral, o diagnóstico é clínico. As lesões apresentam-se como máculas ou pápulas recobertas por escamas secas, aderentes, ásperas, amarelas a castanho-escuras, variando de milímetros a centímetros de diâmetro, sendo, em geral, múltiplas, o que configura o termo "campo de cancerização" (FIGURA 137.2).

As lesões têm curso crônico, e a grande preocupação é o potencial de se transformarem no **carcinoma espinocelular (CEC)**, o 2º tipo mais comum de câncer de pele.[13] O aparecimento de um halo eritematoso ou infiltração na base pode indicar a mudança para CEC.

### Tratamento

O manejo de pacientes com dermatoses pré-neoplásicas consiste, primeiramente, em aconselhar o afastamento dos fatores desencadeantes ou agravantes – em particular, da radiação solar.

A maioria dos tratamentos é baseada em métodos destrutivos das células pré-cancerígenas, como a curetagem, a crioterapia com nitrogênio líquido, os quimioterápicos tópicos e os *peelings* químicos. Imunomoduladores e terapia fotodinâmica também são alternativas terapêuticas.[13] A escolha do tratamento depende da avaliação clínica, levando em consideração a extensão das lesões, os benefícios e efeitos colaterais de cada método e os custos.

Alguns dos tratamentos propostos podem ser realizados em atenção primária à saúde, como os que são feitos com medicamentos tópicos (5-fluoruracila creme e imiquimode creme). Como efeitos colaterais, o paciente pode apresentar irritação local moderada a intensa, prurido e, nos casos mais graves, presença de cicatrizes.

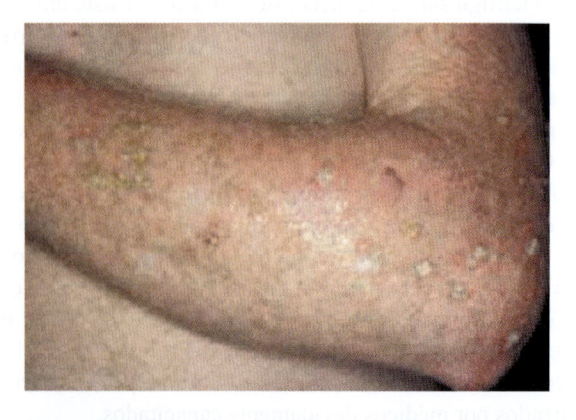

**FIGURA 137.2** → Ceratoses actínicas: pápulas recobertas por escamas aderentes, ásperas e amareladas sobre pele fotoenvelhecida.

No entanto, caso o paciente necessite de avaliação para elucidação diagnóstica ou da realização de procedimentos mais complexos, deve ser encaminhado para avaliação com dermatologista.

**5-Fluoruracila (5-FU) creme a 5%.** É um antineoplásico análogo da pirimidina. O creme de 5-FU deve ser aplicado nas áreas acometidas 2 ×/dia, durante 2 a 4 semanas [A].[13,17,18] O tratamento pode gerar inflamação intensa nas lesões, e é importante advertir o paciente sobre a provável evolução das lesões com o tratamento.

**Imiquimode creme a 5%.**[19] Deve ser utilizado 2 ×/semana, durante 16 semanas. Deixar o medicamento na pele por aproximadamente 8 horas [A].[18]

**Mebutato de ingenol.** É derivado de uma planta chamada *Euphorbia peplus*.[20] O gel na concentração de 0,015% deve ser utilizado na face e no couro cabeludo 1 ×/dia, durante 3 dias consecutivos, e o gel na concentração de 0,05%, no corpo e nas extremidades, 1 ×/dia, por 2 dias consecutivos [B].[13] Atualmente não está disponível no Brasil.

**Crioterapia.** É a técnica que consiste em realizar o congelamento das lesões com nitrogênio líquido. Entre −40 e −50 °C, os queratinócitos da pele começam a ser destruídos. No entanto, a aplicação do nitrogênio líquido deve ser mantida até uma temperatura em torno de −196 °C para efetiva eliminação da lesão. É um tratamento eficiente para lesões isoladas [C/D].[13,21]

**Terapia fotodinâmica.** É uma modalidade de tratamento que induz a fototoxicidade das células proliferativas mediante combinação de um agente fotossensibilizante aplicado na pele seguida pela utilização de uma luz apropriada. É uma modalidade de tratamento que requer experiência e capacidade de manusear a dor e potenciais complicações, já que as reações são individuais, devendo ser realizado por dermatologista habilitado.

Outras possibilidades de tratamentos para as CAs incluem a eletrocoagulação, a dermoabrasão,[14] o uso tópico de gel de diclofenaco a 3% em associação com ácido hialurônico a 2,5% [B], retinoides tópicos [B], retinoides sistêmicos como quimioprofilaxia no desenvolvimento de CEC em pacientes com CAs disseminadas e terapia fotodinâmica com luz do dia.[18,22-25]

## Corno cutâneo

O corno cutâneo é uma proliferação hiperceratótica compacta e corniforme, muitas vezes superposta à alteração prévia, como a CA, a ceratose seborreica, a verruga, o ceratoacantoma e o carcinoma basocelular. Assim, sua avaliação histológica é importante, pois pode mascarar condição já neoplásica.

## Queilite actínica ou solar

A queilite actínica ou solar é patologia comum dos lábios, principalmente no lábio inferior. A principal etiologia é a exposição solar e é mais comum em pessoas de pele clara e que trabalham ao ar livre.[26] Os lábios são mais suscetíveis que a pele aos danos solares pois apresentam epitélio mais fino e com pouca queratina que o recobre, além de menos melanina e menor secreção pelas glândulas sebáceas e sudoríparas.

Pode apresentar-se com escamação, crostas, ulceração e fissuração. Na evolução, pode dar origem à lesão leucoplásica e, em 10 a 30% dos casos, progride para carcinoma epidermoide. Estima-se que cerca de 95% dos carcinomas epidermoides dos lábios originem-se de queilite actínica.[26] Há dados que sugerem que os carcinomas epidermoides de lábios possuem uma chance 4 vezes maior de metastatizar que os de pele.[27]

Como tratamento, todos os pacientes devem ser orientados a utilizar protetores solares labiais e evitar a exposição solar. Os casos suspeitos de transformação maligna devem ser biopsiados e os que apresentarem confirmação histológica devem ser tratados. Os tratamentos incluem criocirurgia, excisão cirúrgica (vermelhectomia), eletrocirurgia e cirurgia a *laser* [C/D].[26] Alguns estudos relatam o uso de terapia fotodinâmica como tratamento [C/D].[27]

## Cicatrizes de radiação

Cicatrizes de radiação resultam da superexposição a elementos radioativos como raios X, aplicações de radioterapia e acidentes nucleares. Áreas de radiodermites crônicas, com atrofia, hiperpigmentação irregular, telangiectasias, alopecia, lesões ulceradas ou ceratóticas que, com frequência, evoluem para carcinomas epidermoides e, eventualmente, basocelulares podem surgir meses ou anos após a irradiação. De maneira semelhante, carcinomas epidermoides podem desenvolver-se sobre cicatrizes de queimaduras provocadas por agentes térmicos e sobre úlceras crônicas localizadas sobretudo nas extremidades.

## REFERÊNCIAS

1. Yeager DG, Lim HW. What's new in photoprotection: a review of new concepts and controversies. Dermatol Clin. 2019;37(2):149–57.
2. Schalka S, Steiner D, Ravelli FN, Steiner T, Terena AC, Marçon CR, et al. Brazilian consensus on photoprotection. An Bras Dermatol. dezembro de 2014;89(6 Suppl 1):1–74.
3. Gozali MV, Zhou BR, Luo D. Update on treatment of photodermatosis. Dermatol Online J. 2016;22(2):13030/qt1rx7d228.
4. Duteil L, Cardot-Leccia N, Queille-Roussel C, Maubert Y, Harmelin Y, Boukari F, et al. Differences in visible light-induced pigmentation according to wavelengths: a clinical and histological study in comparison with UVB exposure. Pigment Cell Melanoma Res. 2014;27(5):822–6.
5. Fitzpatrick TB. The validity and practicality of sun-reactive skin types I through VI. Arch Dermatol. 1988;124(6):869–71.
6. Kim HJ. Photoprotection in adolescents. Adolesc Med Phila Pa. 2001;12(2):v, 181–93.
7. de Berker D, McGregor JM, Mohd Mustapa MF, Exton LS, Hughes BR. British Association of Dermatologists' guidelines for the care of patients with actinic keratosis 2017. Br J Dermatol. 2017;176(1):20–43.
8. Henrikson NB, Morrison CC, Blasi PR, Nguyen M, Shibuya KC, Patnode CD. Behavioral counseling for skin cancer prevention: evidence report and systematic review for the US Preventive Services Task Force. JAMA. 2018;319(11):1143–57.
9. Bylaite M, Grigaitiene J, Lapinskaite GS. Photodermatoses: classification, evaluation and management. Br J Dermatol. 2009;161 Suppl 3:61–8.
10. Kim WB, Shelley AJ, Novice K, Joo J, Lim HW, Glassman SJ. Drug-induced phototoxicity: a systematic review. J Am Acad Dermatol. 2018;79(6):1069–75.

11. Blakely KM, Drucker AM, Rosen CF. Drug-induced photosensitivity-an update: culprit drugs, prevention and management. Drug Saf. 2019;42(7):827–47.
12. Paek SY, Lim HW. Chronic actinic dermatitis. Dermatol Clin. 2014;32(3):355–61, viii–ix.
13. de Oliveira ECV, da Motta VRV, Pantoja PC, Ilha CS de O, Magalhães RF, Galadari H, et al. Actinic keratosis – review for clinical practice. Int J Dermatol. 2019;58(4):400–7.
14. Dodds A, Chia A, Shumack S. Actinic keratosis: rationale and management. Dermatol Ther. 2014;4(1):11–31.
15. Costa C, Scalvenzi M, Ayala F, Fabbrocini G, Monfrecola G. How to treat actinic keratosis? An update. J Dermatol Case Rep. 2015;9(2):29–35.
16. Miot HA, Penna G de O, Ramos AMC, Penna MLF, Schmidt SM, Luz FB, et al. Profile of dermatological consultations in Brazil (2018). An Bras Dermatol. 2018;93(6):916–28.
17. Jansen MHE, Kessels JPHM, Nelemans PJ, Kouloubis N, Arits AHMM, van Pelt HPA, et al. Randomized Trial of Four Treatment Approaches for Actinic Keratosis. N Engl J Med. 2019;380(10):935–46.
18. Gupta AK, Paquet M, Villanueva E, Brintnell W. Interventions for actinic keratoses. Cochrane Database Syst Rev. 2012;12(12):CD004415.
19. Sharma M, Sharma G, Singh B, Katare OP. Actinic keratosis and imiquimod: a review of novel carriers and patents. Expert Opin Drug Deliv. 2019;16(2):101–12.
20. Garbe C, Basset-Seguin N, Poulin Y, Larsson T, Østerdal ML, Venkata R, et al. Efficacy and safety of follow-up field treatment of actinic keratosis with ingenol mebutate 0·015% gel: a randomized, controlled 12-month study. Br J Dermatol. 2016;174(3):505–13.
21. Thai K-E, Fergin P, Freeman M, Vinciullo C, Francis D, Spelman L, et al. A prospective study of the use of cryosurgery for the treatment of actinic keratoses. Int J Dermatol. 2004;43(9):687–92.
22. Campione E, Paternò EJ, Candi E, Falconi M, Costanza G, Diluvio L, et al. The relevance of piroxicam for the prevention and treatment of nonmelanoma skin cancer and its precursors. Drug Des Devel Ther. 2015;9:5843–50.
23. Schmitz L, Gupta G, Segert MH, Kost R, Sternberg J, Gambichler T, et al. Diclofenac Sodium 3% in Hyaluronic Acid 2.5% Gel Significantly Diminishes the Actinic Keratosis Area and Severity Index. Skin Pharmacol Physiol. 2018;31(4):206–11.
24. Sumita JM, Miot HA, Soares JLM, Raminelli ACP, Pereira SM, Ogawa MM, et al. Tretinoin (0.05% cream vs. 5% peel) for photoaging and field cancerization of the forearms: randomized, evaluator-blinded, clinical trial. J Eur Acad Dermatol Venereol. 2018;32(10):1819–26.
25. Morton CA, Braathen LR. Daylight Photodynamic Therapy for Actinic Keratoses. Am J Clin Dermatol. 2018;19(5):647–56.
26. Lopes MLD de S, Silva Júnior FL da, Lima KC, Oliveira PT de, Silveira ÉJD da. Clinicopathological profile and management of 161 cases of actinic cheilitis. An Bras Dermatol. 2015;90(4):505–12.
27. Yazdani Abyaneh M-A, Falto-Aizpurua L, Griffith RD, Nouri K. Photodynamic therapy for actinic cheilitis: a systematic review. Dermatol Surg Off Publ Am Soc Dermatol Surg Al. 2015;41(2):189–98.

## LEITURAS RECOMENDADAS

Lim HW, Hönigsmann H, Hawk JLM, editors. Photodermatology. New York: Informa Healthcare; 2007
*Revisa todos os assuntos sobre fotobiologia e suas repercussões sobre a pele.*

Rivitti EA. Dermatologia de Sampaio e Rivitti. 4. ed. São Paulo: Artes Médicas; 2018. 1636 p.
*Boa discussão sobre fotodermatoses e dermatoses pré-malignas; bom livro introdutório.*

Wolff K, Johnson RA, Saavedra AP, Roh EK. Dermatologia de Fitzpatrick: atlas e texto. 8. ed. Porto Alegre: AMGH; 2019. 928 p.
*Excelente discussão sobre fotobiologia e fotodermatoses.*

# Capítulo 138
# TUMORES BENIGNOS E CISTOS CUTÂNEOS

Renato Marchiori Bakos

Do ponto de vista semiológico, tumores são definidos como lesões sólidas de pele decorrentes de um acúmulo de células em determinada camada cutânea. A pele é composta por diferentes linhagens de células, todas elas com potencial para formação de tumorações benignas. Dessa forma, há tumores de origem epitelial de revestimento ou glandular, de origem no tecido conectivo, de origem neuronal, entre outras.

Cistos são formações elevadas ou não, constituídas de uma cavidade fechada envolta por um epitélio e contendo líquido ou substância semissólida no seu interior.

## TUMORES CUTÂNEOS BENIGNOS

### Nevos melanocíticos

O conceito da palavra nevo é ainda, por vezes, tema de debate. Atualmente, são definidos como acúmulos de células provenientes de malformações. Os nevos melanocíticos são lesões originárias dos melanócitos, células provenientes da crista neural.[1] Os nevos melanocíticos estão presentes em 0,2 a 3% dos recém-nascidos,[2,3] costumam ter um grande aumento, em termos de quantidade, durante a infância e a adolescência até a terceira década de vida. A partir daí, seu surgimento parece estacionar, inclusive com tendência à involução na terceira idade.[4,5]

Os fatores genéticos,[4,6,7] bem como características pigmentares, como pele clara, cabelos e olhos claros, maior tendência a desenvolver efélides e maior propensão a queimaduras solares, são marcadores de risco para o desenvolvimento de nevos melanocíticos.[6] A radiação ultravioleta (UV), em especial antes dos 20 anos de idade, tem sido considerada seu principal fator de risco ambiental.[4,6,8]

### Classificação

Os nevos melanocíticos podem ser divididos clinicamente em congênitos, adquiridos e displásicos (ou atípicos), cada um com sua importância no contexto dos melanomas.

#### Nevos melanocíticos congênitos

Essas lesões são consideradas precursoras de melanomas cutâneos em certos casos, sobretudo quando acometem grande parte da superfície corporal. Entende-se por nevo

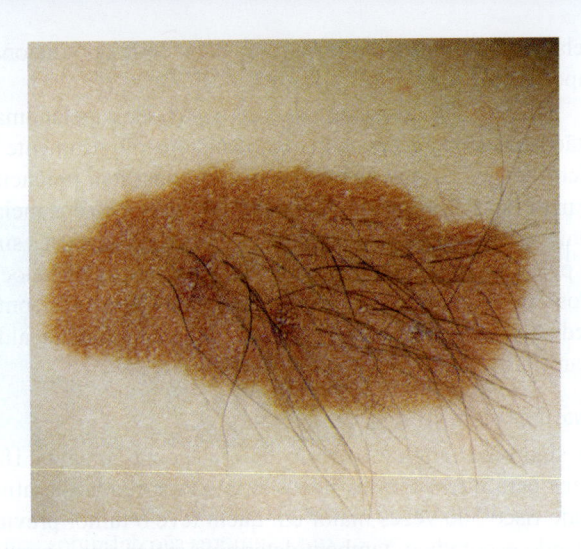

**FIGURA 138.1** → Nevo melanocítico congênito pequeno.

congênito toda lesão melanocítica surgida na pele ao nascer ou nos meses seguintes, a partir de células névicas preexistentes. São lesões acastanhadas, de bordas bem-delimitadas, em sua maioria ovaladas ou arredondadas, com elevação variável, por vezes com áreas mais escuras e pelos em sua superfície (FIGURA 138.1).

Foi convencionado dividi-los em pequenos (< 1,5 cm de diâmetro), médios (entre 1,5-20 cm) e grandes (> 20 cm de diâmetro). Nesta última categoria, incluem-se os nevos melanocíticos congênitos gigantes, que podem ter distribuição em "camiseta" ou "calção de banho", dependendo de sua localização, frequentemente associados a nevos "satélites" pelo corpo. Além do tamanho, os nevos congênitos podem ser classificados de acordo com a quantidade de lesões névicas satélites, área anatômica, heterogeneidade de cores, presença de rugosidade, de nódulos subcutâneos e de hipertricose.[9,10]

### Nevos melanocíticos adquiridos

Esses nevos não costumam estar presentes ao nascimento e em geral surgem na pele após 6 a 12 meses de idade, crescendo em tamanho e número na infância e na adolescência, sobretudo em áreas de exposição solar, em sua maioria tendo menos do que 0,5 cm de diâmetro, embora possam ocorrer em qualquer área do tegumento.[11] Costumam continuar a crescer em número até a terceira ou quarta década da vida, podendo lentamente desaparecer com a idade; 55% da população adulta possui entre 10 e 45 nevos melanocíticos adquiridos > 0,2 cm, embora esse número possa variar de acordo com a população estudada.[12] Em nosso meio, a maioria das pessoas parece apresentar menos de 10 nevos adquiridos na idade adulta.[13] Clinicamente podem ser formados por máculas ou pápulas, geralmente bem-delimitadas com bordas bem-definidas e simétricas. Não costumam ultrapassar os 6 mm de diâmetro. Do ponto de vista histológico, podem ser classificados em intradérmicos, juncionais (na interface derme-hipoderme) e compostos (em ambos os locais), dependendo da localização dos ninhos de células névicas no estudo anatomopatológico. Do ponto de vista clínico, em geral, essas apresentações se traduzem, respectivamente, em lesões papulosas, normocrômicas ou acastanhadas, em lesões planas maculares hiperpigmentadas e, por fim, em lesões papulosas hiperpigmentadas. Há outras variantes de nevos adquiridos menos frequentes, como o nevo de Spitz, o nevo azul ou o nevo halo, que possuem características morfológicas específicas.

### Nevos displásicos

Os nevos displásicos (nevos atípicos, nevos de Clark ou síndrome do nevo B-K) costumam ter diâmetro > 5 mm, podendo ser planos ou com centro elevado (aspecto de "ovo frito"). Possuem pigmento irregular, com diversas tonalidades de marrom e até róseo, porém sem cor preta. Em geral possuem bordas irregulares e maldefinidas (FIGURA 138.2).

> Os nevos displásicos diferem clinicamente dos nevos adquiridos comuns porque seu aparecimento inicia-se ao redor da puberdade em vez de na infância. Eles continuam sofrendo alterações mesmo na idade adulta, aumentando ou diminuindo sua atipia clínica, bem como seguem surgindo mesmo após a quarta década da vida.

São observados tanto em pessoas sadias quanto em portadores de melanomas, podendo ocorrer de forma esporádica, além da forma familiar. Em famílias com melanomas, mostram-se em grande número, principalmente no tronco, com variedades de tamanhos, contorno e cores. Membros dessas famílias apresentam taxas elevadas de surgimento de melanomas.

A dermatoscopia é importante para a avaliação completa dos nevos, sendo indicada para pacientes que portam nevos com maior risco para melanoma. Nesses casos, o encaminhamento ao dermatologista é fundamental.[14]

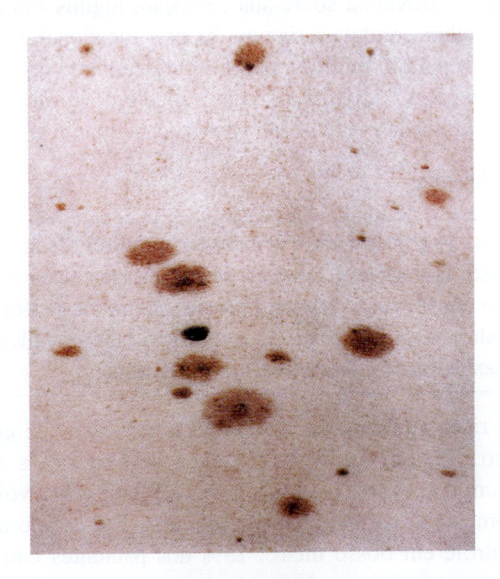

**FIGURA 138.2** → Nevos melanocíticos displásicos.

## Prognóstico e tratamento

### Nevos congênitos

O potencial de malignização de um nevo melanocítico congênito parece estar mais ligado ao padrão histológico do que propriamente ao tamanho. Quando as lesões apresentam componente exclusivo dérmico, são chamadas de nevos melanocíticos intradérmicos, de baixo risco. A presença de células névicas profundas na derme, por vezes até a hipoderme, entre fibras colágenas, isoladas ou em fileiras, e associadas a anexos, nervos e vasos, aumenta o risco.

No entanto, o tamanho da lesão também pode ser utilizado para estratificar risco futuro. O risco de transformação maligna de um nevo congênito grande oscila entre 5 e 20%, em sua maioria (60%) nas primeiras décadas da vida, com maior frequência nos primeiros 5 anos de vida. Cerca de dois terços dos melanomas originados em nevos gigantes possuem origem não epidérmica, podendo originar tumores de aspecto heterogêneo, por vezes fatais antes de atingirem a superfície. Assim, pelo risco de transformação maligna, a cirurgia profilática de nevos congênitos grandes está indicada a ser realizada precocemente, antes dos 10 anos de vida **C/D**. Entretanto, isso nem sempre é possível quando se trata de nevos gigantes, pois, além das lesões satélites, frequentemente existem células primordiais neuromelanocíticas em tecidos mais profundos além da fáscia, em particular nas leptomeninges, persistindo, dessa forma, o risco de melanoma.

Os nevos pequenos, nos quais o melanoma precoce é extremamente raro, não exigem remoção precoce, podendo ser observados **C/D**. Os nevos congênitos médios, apesar de poderem apresentar componente melanocítico profundo algumas vezes, não parecem, em geral, ter risco de malignizar precocemente. Pacientes com esses nevos devem fazer avaliação com dermatologista quando apresentarem modificações clínicas como alterações de cor ou tamanho para afastar associação com melanoma.

Há controvérsia sobre sua remoção, alguns indicando que a melhor conduta seria uma biópsia incisional. Caso se observe o padrão definido histopatologicamente como dérmico congênito, existirá risco significativo de melanoma, estando indicada sua remoção profilática o quanto antes **C/D**.

### Nevos adquiridos

**Pacientes com grande número de nevos melanocíticos adquiridos têm maior risco de melanoma, talvez por possuírem maior número de melanócitos com risco de alterações, alguma predisposição genética para desenvolver nevos, bem como maior exposição à radiação UV, produzindo paralelamente nevos e tendência a melanoma.**

O risco aumenta em até 20 vezes em casos de grande número. Em um estudo, a presença de 5 ou mais nevos > 0,5 cm esteve associada a um risco relativo por volta de 10, comparada com nenhum nevo maior. Em estudo de caso-controle em nosso meio, 15% dos pacientes com melanoma apresentavam 30 ou mais nevos contra somente 4% dos controles sadios examinados.[13] Além disso, lesões melanocíticas em nádegas são um fator de risco adicional importante.

Estudos demonstraram que 20 a 30% dos melanomas estão associados a nevos benignos histopatologicamente.[15] Além de sugerir que as células névicas possuem potencial de malignização, esses achados indicam que 70% dos melanomas podem surgir em melanócitos não de nevos, mas sim de pele sadia, em portadores de múltiplos nevos melanocíticos. Assim, a remoção aleatória de nevos adquiridos como medida profilática de melanoma não teria nenhum respaldo científico, não sendo recomendada **C/D**.

### Nevos displásicos

Na síndrome familiar, o risco de melanoma aumenta 184 vezes para quem tem os nevos mas não a neoplasia, atingindo risco 500 vezes maior em quem teve o tumor prévio. Quando esporádico, também determina maior risco, porém em proporção muito mais baixa.[4] Em estudo de caso-controle,[16] quem teve nevo displásico apresentava risco duas vezes maior, e 10 ou mais nevos displásicos confeririam risco de 12 vezes o daqueles que não apresentavam nevos atípicos.

**O risco de melanoma em portadores de nevos displásicos provavelmente se deve a um somatório de fatores, como o número total de nevos (atípicos ou não), e outros fatores subjacentes à história familiar. Essas lesões parecem comportar-se não apenas como precursores de melanomas, mas também como marcadores de risco.**

A remoção profilática desses nevos teoricamente pode não reduzir de forma significativa o risco de melanoma subsequente, pois não existem, ainda, dados definitivos e suficientes para esclarecer sobre essa redução. Embora haja tendência à remoção cirúrgica dos nevos com características clínicas de displásicos, não se justifica remoção indiscriminada deles.

A cirurgia é o tratamento de eleição, para remoção, quando indicada, de nevos melanocíticos **C/D**. Nevos clinicamente benignos, que são retirados por motivos cosméticos, podem ser removidos por método de *shaving*, que poupa tecido cutâneo adjacente **C/D**. Nevos que apresentam características clínicas e/ou dermatoscópicas sugestivas de nevos displásicos ou que apresentam diagnóstico diferencial com melanoma cutâneo são preferencialmente retirados por exérese cirúrgica e sutura **C/D** (ver Capítulos Cânceres da Pele e Pequenos Procedimentos em Atenção Primária).

## Aconselhamento do paciente e indicações para encaminhamento

Para indicações de encaminhamento em função da suspeita de melanoma, ver Capítulo Cânceres da Pele.

Pacientes que têm nevos melanocíticos de aspecto absolutamente benigno devem ser aconselhados sobre sua benignidade, porém precisam ser acompanhados. Além disso, informativos ou orientações quanto às características que os melanomas cutâneos podem apresentar são de extrema relevância, já que alguns nevos podem ser seus precursores. Dessa forma, modificações de cor ou tamanho de nevos preexistentes ou surgimento de lesões melanocíticas novas são sinais de alerta para o paciente procurar atendimento.

Pacientes com número de nevos melanocíticos > 50 lesões, > 5 nevos atípicos, com história prévia ou familiar de câncer de pele, devem ser orientados quanto ao seu risco superior de desenvolver melanoma em relação à população em geral. O seguimento ou mapeamento digital de nevos por meio de fotografias e/ou dermatoscopia é indicado em pacientes com múltiplos nevos atípicos que têm histórico familiar ou pregresso de melanoma, devendo ser feito em intervalos de 3 meses a 1 ano, dependendo do caso.

## Dermatofibroma

O dermatofibroma é um tumor benigno do tecido conectivo da pele. É constituído de fibroblastos que se proliferam na porção dérmica e, às vezes, na hipodérmica. A sua etiopatogenia não é totalmente compreendida, mas esse acúmulo de fibroblastos e a produção de colágeno parecem ser de origem tumoral, e não simplesmente por uma forma reacional, como se pensava antes.[17] São lesões benignas que não costumam ser tratadas e, desse modo, permanecem com seu aspecto clínico, porém alguns podem sofrer processo involutivo.

### Diagnóstico

O diagnóstico é essencialmente clínico. Os dermatofibromas se caracterizam por pápulas ou nódulos firmes, bem-delimitados, endurecidos, que podem ser únicos ou surgir em pequena quantidade. Podem ocorrer em qualquer área do tegumento, tendo predileção pelos membros inferiores. Costumam ter milímetros a 2 cm de diâmetro e centro atrófico ou papuloso. As lesões são mais comumente acastanhadas, podendo também ser normocrômicas ou róseas (FIGURA 138.3).

A palpação da lesão revela o "sinal da covinha", em que a compressão de suas laterais faz ela se movimentar para baixo, por estar aderida ao tecido subcutâneo.

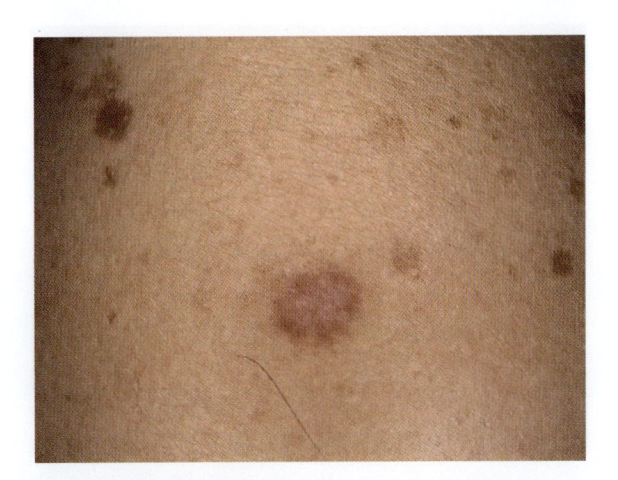

**FIGURA 138.3** → Dermatofibroma.

Pacientes fazendo uso de imunossupressores ou portadores do vírus da imunodeficiência humana (HIV, do inglês *human immunodeficiency virus*) ou de lúpus eritematoso sistêmico podem apresentar dermatofibromas múltiplos. O diagnóstico diferencial dos dermatofibromas é feito principalmente com processos cicatriciais, dermatofibrossarcoma (tumores raros que se manifestam como nódulo endurecido, únicos ou múltiplos que tendem a confluir formando placa) e carcinoma basocelular esclerodermiforme, além de nevos melanocíticos e melanoma nos casos mais pigmentados.

### Tratamento

Em geral, opta-se por uma conduta conservadora para os dermatofibromas em função do seu caráter benigno. Casos duvidosos podem ser biopsiados para excluir outras dermatoses que fazem parte de seu diagnóstico diferencial C/D.

## Pólipos fibroepiteliais

Também conhecidos como fibromas moles ou acrocórdons, são os tumores de tecido conectivo mais comuns na pele, sendo compostos por tecido colagenoso frouxo a denso. Cerca de 50% das pessoas têm ao menos um acrocórdon. São lesões benignas e sem associação com malignidade. Podem tornar-se dolorosas à torção ou infarto do pedículo que deixam a lesão eritematosa.

### Diagnóstico

O diagnóstico dos pólipos fibroepiteliais é, via de regra, clínico (FIGURA 138.4). As lesões são pápulas pedunculadas, amolecidas, que ocorrem com maior frequência no pescoço, nas axilas e nas virilhas. O tamanho das lesões varia de milímetros a 3 cm, porém relatos de caso descreveram lesões maiores. Na maioria das vezes, surgem em grande número.

### Tratamento

Os fibromas não necessitam de tratamento, porém são frequentemente removidos por motivos cosméticos. O tratamento pode ser feito por exérese e *shaving* com lâmina de bisturi ou tesoura, ou por eletrocoagulação e crioterapia em lesões menores, havendo disponibilidade dessas técnicas, muitas vezes, sem necessidade de anestesia local C/D.

## Lipoma

Trata-se de tumor benigno que se origina de células gordurosas maduras. É mais comum após os 40 anos de idade, sendo mais frequente em homens. Pode ocorrer em qualquer tecido adiposo do corpo, sendo a hipoderme o tecido mais acometido.

### Diagnóstico

Os lipomas são nódulos cutâneos ou subcutâneos de consistência amolecida à palpação, forma arredondada ou oval e móvel quando palpados. Podem ocorrer em qualquer área do tegumento, sendo mais frequentes nas áreas de cabeça e

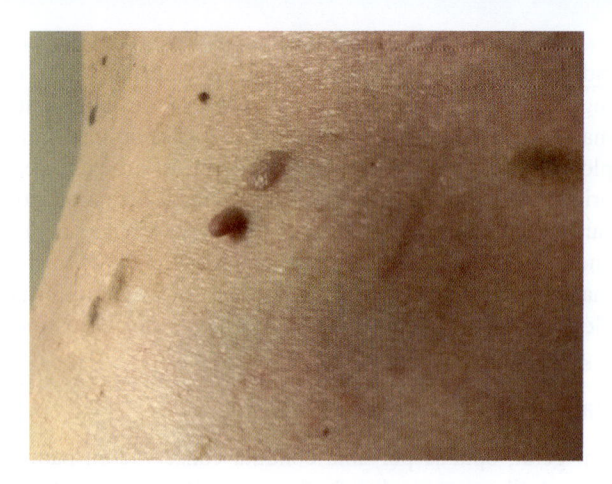

**FIGURA 138.4** → Imagem clínica de um fibroma mole, lesão pedunculada, amolecida à palpação.

pescoço e membros. Podem apresentar tamanho que varia de poucos milímetros a 10 cm.

> A ecografia pode auxiliar na diferenciação de nódulos subcutâneos e na orientação de sua remoção.

Os lipomas costumam ter aspecto de massa isoecoica alongada com estrias no seu interior.[18]

### Prognóstico

Embora benignos, os lipomas podem crescer de tamanho e não têm tendência a involuir. Pelo aumento de tamanho, alguns casos podem comprimir nervos e tornar-se dolorosos. Casos de lipomas múltiplos podem fazer parte do grupo de lipomatoses sistêmicas.

### Tratamento

A exérese cirúrgica é o tratamento mais utilizado **C/D**. É possível retirar os lipomas efetuando pequena incisão sobre a lesão e posterior expressão dela, às vezes exigindo descolamento manual dos tecidos adjacentes. É importante considerar que lesões grandes, especialmente próximas de estruturas nervosas e vasculares associadas a bandas fibrosas, podem trazer algum grau de dificuldade para sua remoção.

## CISTOS CUTÂNEOS

Cistos são lesões esféricas ou ovaladas (nódulos ou pápulas) que à palpação têm consistência amolecida. Representam uma cápsula em forma de saco com conteúdo líquido ou semissólido. Para o diagnóstico e o manejo do cisto pilonidal, ver Capítulo Problemas Orificiais.

### Cisto epidérmico

É uma formação cística revestida por epitélio escamoso estratificado e conteúdo queratinizado lamelar. Sua origem é na porção infundibular do folículo pilossebáceo.

### Diagnóstico

O diagnóstico é essencialmente clínico. O cisto epidérmico se caracteriza por nódulo subcutâneo, podendo ser lesão única ou múltipla, apresentando de poucos milímetros a 3 cm de diâmetro **(FIGURA 138.5)**. À palpação, não costuma ser aderido a planos profundos, não possuindo também um aspecto endurecido ou pétreo, o que ajuda a diferenciá-los de metástases cutâneas. Um pequeno orifício, que corresponde ao folículo de onde é originado, pode ser identificado na porção apical de diversos cistos, facilitando o seu diagnóstico diferencial com os lipomas. Pequenos cistos amarelados também de origem epidérmica que ocorrem na região escrotal masculina são denominados "lupia". Diminutos cistos epidermoides chamados de "cistos de mílio" podem ocorrer na face, principalmente na região periorbitária e malar.

A ultrassonografia em situações de dúvida diagnóstica ou localização de difícil excisão pode auxiliar o diagnóstico e tratamento dos cistos epidérmicos. Eles aparecem como lesões hipoecoicas, ovaladas ou arredondadas com uma endentação parcial para a derme, amplificação acústica dorsal e sombras laterais.[18]

### Prognóstico

São lesões benignas sem associação com malignidade. Alguns podem passar por processo de involução, porém a grande maioria permanece com suas dimensões ou sofre algum crescimento. Frequentemente, os cistos podem sofrer processos inflamatórios e infecciosos com formação de edema, fistulização e flutuação da lesão acompanhados de dor. Infecções secundárias devem ser controladas pelo risco de septicemia.

### Tratamento

O tratamento dos cistos epidérmicos não inflamatórios é realizado por exérese e sutura **C/D**. Na fase inflamatória, uma pequena incisão ou punção poderá trazer grande alívio para o paciente em termos de diminuição da dor pela eliminação da secreção purulenta. Cistos rotos ou inflamatórios devem

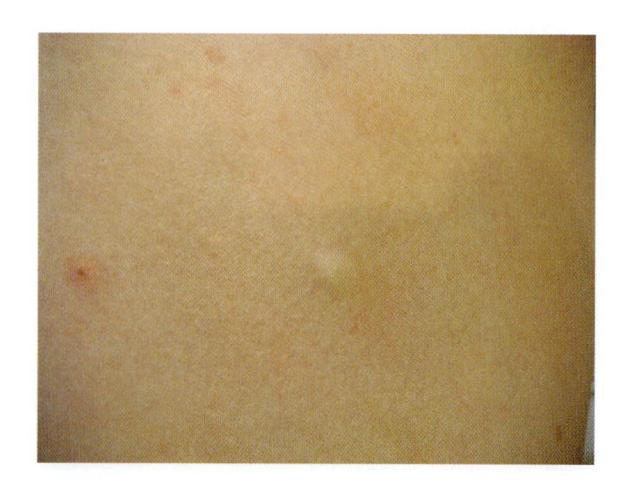

**FIGURA 138.5** → Cisto epidérmico.

ser inicialmente tratados com antibióticos por via oral. No caso de tratamento empírico, deve-se utilizar grupo de fármacos com cobertura para os germes mais comuns nessas lesões (estafilococos dourados e estreptococos), como as cefalosporinas e os macrolídeos C/D.

## REFERÊNCIAS

1. Rabinovitz HS, Barnhill RL. Neoplasias melanocíticas benignas. In: Bolognia JL, Jorizzo JL, Schaffer JV, organizadores. Dermatologia. 3. ed. Rio de Janeiro: Elsevier; 2015. p.1851-4.
2. Berg P, Lindelöf B. Congenital melanocytic naevi and cutaneous melanoma. Melanoma Res. 2003;13(5):441-5.
3. Tannous ZS, Mihm MC, Sober AJ, Duncan LM. Congenital melanocytic nevi: clinical and histopathologic features, risk of melanoma, and clinical management. J Am Acad Dermatol. 2005;52(2):197-203.
4. Gallagher RP, Rivers JK, Lee TK, Bajdik CD, McLean DI, Coldman AJ. Broad-spectrum sunscreen use and the development of new nevi in white children: a randomized controlled trial. JAMA. 2000;283(22):2955-60.
5. Mackie RM, English J, Aitchison TC, Fitzsimons CP, Wilson P. The number and distribution of benign pigmented moles (melanocytic naevi) in a healthy British population. Br J Dermatol. 1985;113(2):167-74.
6. Bauer J, Garbe C. Acquired melanocytic nevi as risk factor for melanoma development. a comprehensive review of epidemiological data. Pigment Cell Res. 2003;16(3):297-306.
7. Zhu G, Duffy DL, Eldridge A, Grace M, Mayne C, O'Gorman L, et al. A major quantitative-trait locus for mole density is linked to the familial melanoma gene CDKN2A: a maximum-likelihood combined linkage and association analysis in twins and their sibs. Am J Hum Genet. 1999;65(2):483-92.
8. Kennedy C, Willemze R, de Gruijl FR, Bouwes Bavinck JN, Bajdik CD. The influence of painful sunburns and lifetime sun exposure on the risk of actinic keratoses, seborrheic warts, melanocytic nevi, atypical nevi, and skin cancer. J Invest Dermatol. 2003;120(6):1087-93.
9. Stefanaki C, Soura E, Stergiopoulou A, Kontochristopoulos G, Katsarou A, Potouridou I, et al. Clinical and dermoscopic characteristics of congenital melanocytic naevi. J Eur Acad Dermatol Venereol. 2018;32(10):1674-80.
10. Krengel S, Scope A, Dusza SW, Vonthein R, Marghoob AA. New recommendations for the categorization of cutaneous features of congenital melanocytic nevi. J Am Acad Dermatol. 2013;68(3):441-51.
11. Bakos L, Wagner M, Bakos RM, Leite CSM, Sperhacke CL, Dzekaniak KS, et al. Sunburn, sunscreens, and phenotypes: some risk factors for cutaneous melanoma in southern Brazil. Int J Dermatol. 2002;41(9):557-62.
12. Clark WH, Reimer RR, Greene M, Ainsworth AM, Mastrangelo MJ. Origin of familial malignant melanomas from heritable melanocytic lesions: 'the B-K Mole Syndrome'. Arch Dermatol. 1978;114(5):732-8.
13. Lallas A, Longo C, Manfredini M, Benati E, Babino G, Chinazzo C, et al. Accuracy of dermoscopic criteria for the diagnosis of melanoma in situ. JAMA Dermatol. 2018;154(4):414-9.
14. Kanzler MH, Mraz-Gernhard S. Primary cutaneous malignant melanoma and its precursor lesions: diagnostic and therapeutic overview. J Am Acad Dermatol. 2001;45(2):260-76.
15. Haenssle HA, Korpas B, Hansen-Hagge C, Buhl T, Kaune KM, Johnsen S, et al. Selection of patients for long-term surveillance with digital dermoscopy by assessment of melanoma risk factors. Arch Dermatol. 2010;146(3):257-64.
16. Kamino H, Reddy V, Pui J. Proliferações fibrosas e fibro-histiocíticas da pele e tendões. In: Bolognia JL, Jorizzo JL, Schaffer JV, organizadores. Dermatologia. 3. ed. Rio de Janeiro: Elsevier; 2015. p. 1961-78.
17. Kaddu S, Kohler S. Neoplasias do músculo, tecido adiposo e cartilagem. In: Bolognia JL, Jorizzo JL, Schaffer JV, organizadores. Dermatologia. 3. ed. Rio de Janeiro: Elsevier; 2015. p. 1979-92.
18. Stone MS. Cistos. In: Bolognia JL, Jorizzo JL, Schaffer JV, organizadores. Dermatologia. 3. ed. Rio de Janeiro: Elsevier; 2015. p.1817-28.

## LEITURAS RECOMENDADAS

Griffiths CE, Barker J, Bleiker T, Chalmers R, Creamer D editors. Rook's textbook of dermatology. 9th ed. London: Wiley-Blackwell; 2016.

*Compêndio de dermatologia com informações adicionais a respeito das patologias abordadas neste capítulo e também de tumores benignos epiteliais mais raros.*

Clinical Atlas of 101 common skin diseases. Disponível em: http://www.derm101.com/core-resources/a-clinical-atlas-of-101-common-skin-diseases/.

*Atlas eletrônico de dermatologia com imagens de nevos melanocíticos e outras enfermidades.*

International Dermoscopy Society – IDS. Disponível em: http://www.dermoscopy-ids.org/.

*Site da International Dermoscopy Society que oferece casos e informações sobre dermatoscopia.*

Sociedade Brasileira de Dermatologia – SBD. Disponível em: www.sbd.org.br.

*Site da Sociedade Brasileira de Dermatologia com links para as revistas oficiais da sociedade (Anais Brasileiros e Surgical and Cosmetic Dermatology).*

# Capítulo 139
# CÂNCERES DA PELE

Lucio Bakos

Renato Marchiori Bakos

A complexidade da composição celular da pele permite que uma variada gama de neoplasias, tanto benignas quanto malignas, possa nela ocorrer. Três tipos de cânceres da pele são mais importantes, dois derivados de células epiteliais (carcinomas) e um oriundo dos melanócitos (melanoma). Os carcinomas, também conhecidos como "câncer da pele não melanoma", são as neoplasias mais frequentes na espécie humana.

## CARCINOMA BASOCELULAR

O carcinoma basocelular (CBC), ou basalioma, é um câncer proveniente das células não queratinizantes que dão origem à camada basal da epiderme e dos folículos pilosos. Raramente metastatizante, é a mais frequente neoplasia maligna do ser humano, sendo responsável por quase 80% dos carcinomas. Embora seja mais comum em idosos, apresenta uma recente frequência crescente em pessoas com idade < 50 anos, sobretudo em mulheres.

Está relacionado, na maioria das vezes, com radiação ultravioleta (UV), em particular ao espectro UVB (290-320 nm). Entretanto, ocorre não simplesmente por acúmulo da radiação durante toda a vida, mas sobremaneira somado a episódios de exposição intensa e intermitente, resultantes em queimadura.

## Avaliação clínica

**Qualquer presença de lesão friável, que não cicatriza ou que sangra com frequência, deve levantar suspeita de câncer da pele. O CBC se desenvolve mais em áreas de pele cronicamente expostas à luz solar, como a face e o pescoço, mas pode apresentar-se em qualquer outra parte do tegumento. Suas características são de uma lesão tumoral, muitas vezes ulcerada, formada por um tecido translúcido, de aspecto céreo, com telangiectasias e, classicamente, com bordas arredondadas, roliças e peroladas.**

Essas características podem variar em intensidade e frequência, de acordo com os subtipos clínicos que a neoplasia pode apresentar, incluindo nodular, superficial, esclerodermiforme, pigmentado e o raro fibroepitelioma de Pinkus.

O *nodular* (FIGURA 139.1) é o subtipo mais comum, sobretudo na face e no pescoço, que são áreas de pele cronicamente fotoexpostas, e é nele que se encontram com mais frequência a borda roliça, formada por tecido tumoral translúcido, e as telangiectasias. Em lesões maiores, observa-se ulceração central, por vezes destrutiva, de caráter terebrante (antigamente chamada de *ulcus rodens*). O diagnóstico diferencial se faz com nevos dérmicos traumatizados, dermatofibroma, tumores anexiais, ceratose seborreica e melanomas acromáticos.

O *superficial* é mais encontrado no tronco, mormente em colo, dorso e ombros, caracterizando-se por placa crônica bem-delimitada, rósea, semelhante a eczema, com bordas discretamente translúcidas à diascopia. Não raro pode ser múltiplo, em peles sensíveis com história de excessos solares. O diagnóstico diferencial inclui eczemas discoides, psoríase, melanoma de expansão superficial e carcinomas intraepiteliais (doenças de Bowen e Paget).

O *esclerodermiforme* é uma forma mais agressiva dessa neoplasia, clinicamente caracterizado por uma placa endurecida, cor de marfim, infiltrada, que se assemelha a uma cicatriz ou à esclerodermia em placas, de onde se origina a nomenclatura. A presença de uma placa esclerótica, de aspecto cicatricial, localizada sobremaneira na face ou em outra área fotoexposta, na ausência de história de trauma ou cirurgia prévia, deve levantar a suspeita de CBC esclerodermiforme, merecendo avaliação histológica antes de qualquer medida terapêutica.

Alguns CBCs podem apresentar-se na forma *pigmentada* (FIGURA 139.2). Além das características inerentes ao subtipo histológico, principalmente nodular ou superficial, pode apresentar focos, de intensidade variável, de pigmento melânico. É necessário e importante fazer o diagnóstico diferencial com os melanomas, tipo lentigo maligno e nodulares, com os nevos melanocíticos e com os dermatofibromas.

O raro *fibroepitelioma de Pinkus* costuma ser diagnosticado pela histologia, pois na clínica se confunde com um acrocórdon ou um pólipo cutâneo, mais frequentemente localizado na região lombar baixa.

## Encaminhamento

Quando as características clínicas da lesão sugerem a presença de um CBC, o paciente deve ser encaminhado ao dermatologista para avaliação. Além dos comemorativos clínicos, a dermatoscopia, mesmo antes do padrão-ouro diagnóstico – a histologia –, pode fornecer dados muito importantes para o diagnóstico.

A terapêutica do CBC depende basicamente de sua localização anatômica e características histológicas. As várias

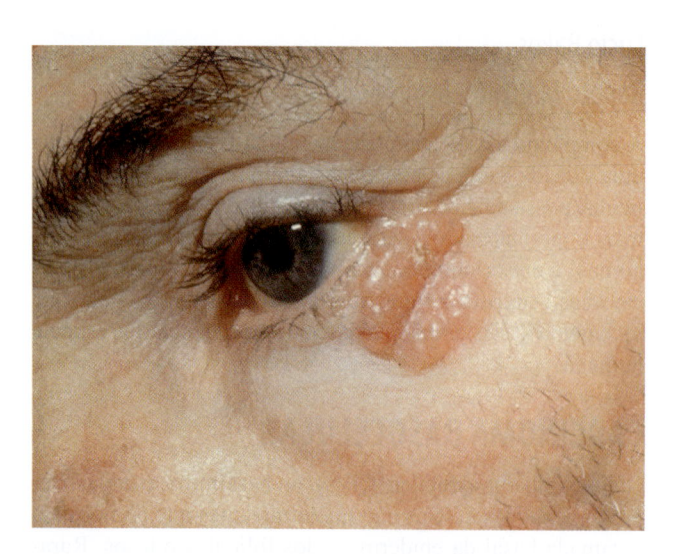

**FIGURA 139.1** → Carcinoma basocelular nodular infraorbitário.
Fonte: Imagem gentilmente cedida por Dr. Luiz Fernando Bopp Muller.

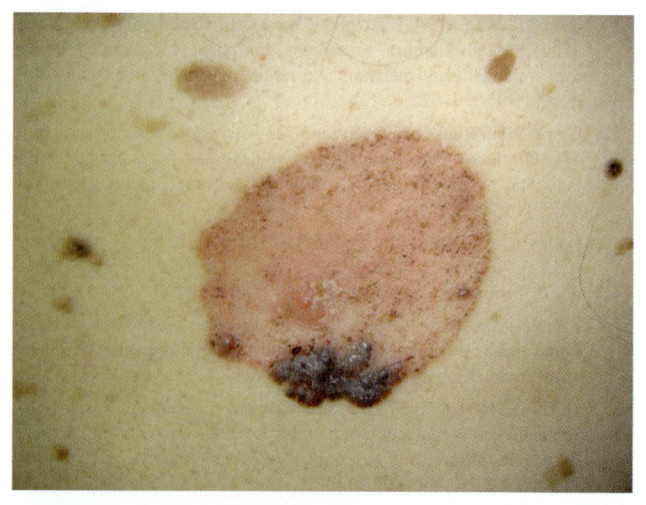

**FIGURA 139.2** → Carcinoma basocelular superficial pigmentado do dorso.
Fonte: Fotografia do Serviço de Dermatologia do HCPA.

modalidades incluem cirurgia convencional, curetagem com eletrocirurgia, criocirurgia, quimioterapia tópica, terapia fotodinâmica, imunoterapia, radioterapia e cirurgia micrográfica de Mohs.

Embora a cirurgia convencional esteja indicada para a maioria dos CBCs, as taxas de cura são menores do que as da cirurgia micrográfica nos casos de lesões esclerodermiformes, de casos recidivantes ou localizados em zonas anatômicas de alto risco. A cirurgia micrográfica de Mohs oferece um controle histológico mais preciso das margens cirúrgicas, com maior conservação de tecido sadio, comparada com a cirurgia convencional. Consiste na remoção cirúrgica da área tumoral com controle histológico, por congelação, das margens cirúrgicas tangenciais, divididas em quadrantes. Margens cirúrgicas de 2 mm além da área tumoral apresentam taxa de cura de 97%, aumentadas para 5 mm no caso de tumor esclerodermiforme ou recidivante.[1]

A quimioterapia tópica também pode ser uma alternativa para casos selecionados. É feita principalmente com o uso de 5-fluoruracila creme a 5% (aplicado 2 ×/dia por um prazo de 2-3 semanas). É indicada sobretudo para ceratoses actínicas, mas tem sido empregada também para casos superficiais. As taxas de recidiva de sua utilização em CBC superficial giram em torno de 21% em 5 anos, reduzidas para 6% se for realizada curetagem prévia.[2] CBCs superficiais também podem ser tratados por dermatologistas com imiquimode tópico e terapia fotodinâmica com derivados do ácido delta-aminolevulínico.

## Seguimento

A realização de exame periódico de toda a pele corporal é muito importante em todos os pacientes com história de CBC. Com terapêutica adequada, o prognóstico da maioria dos CBCs é excelente. Contudo, é essencial o monitoramento para recidivas de câncer, por vezes mais agressivas, e novos tumores primários, estes frequentes em 36 a 50% dos pacientes. As avaliações clínicas são realizadas semestralmente por um período de 2 anos e passam a ser anuais à medida que se observa boa resposta à terapêutica das lesões inicialmente tratadas e que não ocorram novas lesões.

## CARCINOMA EPIDERMOIDE

O carcinoma epidermoide, também chamado de carcinoma espinocelular ou espinalioma, o segundo em frequência dentre os cânceres da pele, é uma neoplasia maligna originada dos queratinócitos epidérmicos suprabasais. Ao contrário do CBC, que aparentemente surge *de novo*, sem necessidade de lesão prévia, o epidermoide costuma desenvolver-se, na maioria das vezes, a partir de uma lesão precursora, como ceratoses actínicas, ceratoses arsenicais, ceratoses pós-fototerapia (PUVA), leucoplasias, cicatrizes e ceratoses pós-queimaduras, ceratoses virais por papilomavírus humano (HPV, do inglês *human papillomavirus*), papulose bowenoide e epidermodisplasia verruciforme, poroceratoses, radiodermites, doença de Bowen e eritroplasia de Queyrat.

O acúmulo de radiação ultravioleta é o fator de risco mais proeminente para o carcinoma epidermoide, existindo uma correlação linear entre os carcinomas epidermoides e a exposição a essa radiação. Humanos que trataram psoríase pelo método PUVA por muito tempo apresentam 30 vezes mais risco de ter carcinomas – a maioria, epidermoides.

A imunossupressão crônica, sobretudo em transplantados, também pode favorecer os carcinomas epidermoides, primariamente em áreas fotoexpostas. Em transplantados renais, foi verificado um risco 18 vezes maior de carcinoma epidermoide. Esses tumores surgiram 3 a 7 anos após o início da utilização dos imunossupressores; os corticoides, a azatioprina e a ciclosporina são os fármacos mais implicados no processo. O HPV também pode estar associado ao surgimento desses cânceres, principalmente o HPV-16 (tumores de cabeça, pescoço e periungueais) e o HPV-5 (a partir de epidermodisplasia verruciforme). Da mesma forma, genodermatoses, como albinismo oculocutâneo, podem favorecer carcinomas epidermoides.

## Clínica e diagnóstico

Em pacientes de pele clara, a maioria dos carcinomas epidermoides se localiza na face, no pescoço e no dorso das mãos, geralmente a partir de uma lesão pré-cancerígena prévia. Eles costumam apresentar-se como lesão única, com exceção de pacientes imunodeprimidos ou com fotodano acentuado.

Essa neoplasia possui um espectro amplo de apresentações clínicas, variando desde uma pequena lesão cutânea superficial, de fácil manejo, até tumores altamente infiltrativos, metastatizantes, que podem levar ao óbito. A apresentação mais frequente é de uma lesão papulosa, ceratótica, por vezes de centro ulcerado, com tendência à vegetação nas bordas, que costuma progressivamente infiltrar os tecidos subjacentes **(FIGURA 139.3)**. A hiperceratose pode ser muito

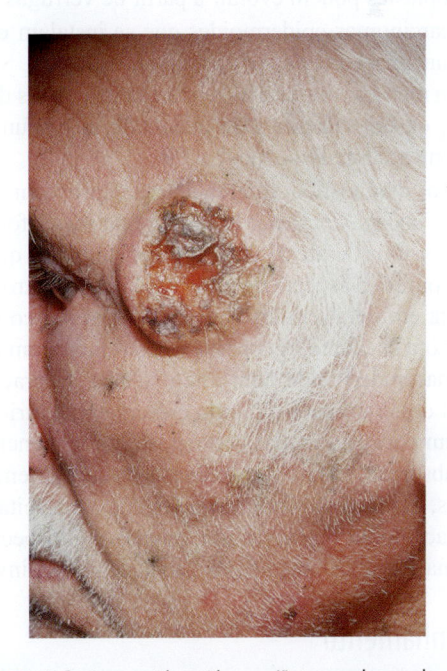

**FIGURA 139.3** → Carcinoma epidermoide na região temporal esquerda.
Fonte: Imagem gentilmente cedida por Dr. Luiz Fernando Bopp Muller.

grande a ponto de formar um corno cutâneo de queratina, sob o qual há tecido neoplásico infiltrativo. O lábio inferior é uma localização bastante frequente, assentando-se sobre uma queilite actínica crônica, seguida de leucoplasia e ulceração tumoral endurecida. Lesões iniciais (*in situ*), também chamadas de doença de Bowen, ocorrem como placas eritematoescamosas bem-delimitadas. A dermatoscopia pode ser uma importante ferramenta diagnóstica em especial desta variante.[3]

Na vulva, principalmente na porção anterior dos grandes lábios, pode ter como precursor o líquen escleroso crônico com suas áreas leucoplasiformes. No pênis, instala-se mais em pacientes não circuncidados e com má higiene genital, mormente se houver associação com condilomas acuminados, fimose e líquen escleroso. Pode instalar-se sobre a *eritroplasia de Queyrat*, uma placa eritematosa, de superfície aveludada, por vezes superficialmente erodida, com frequência confundida com candidíase crônica ou dermatite.

O *carcinoma verrucoso* é uma denominação que engloba quatro tipos de carcinomas epidermoides vegetantes, de evolução lenta, que se desenvolvem em locais de irritação crônica, e que às vezes são confundidos com verrugas gigantes: o tipo I, também conhecido como *papilomatose oral florida*, é encontrado na boca de idosos, principalmente causado pela irritação crônica por tabaco; o tipo II, conhecido pelo nome de *tumor de Buschke e Loewenstein*, possui localização anogenital, sendo mais comum em glandes não circuncidadas e na região perianal; o tipo III, o *epitelioma cuniculatum*, é um tumor plantar, crônico, ulcerado e fétido, encontrado em idosos, apresentando múltiplos trajetos fistulosos que lembram tocas de roedores; e o tipo IV pode localizar-se em couro cabeludo, tronco e demais extremidades. Em alguns desses tumores, foram detectadas sequências virais de HPV, o que aponta fortemente para o fato de que essas neoplasias podem evoluir a partir de verrugas virais.

Os carcinomas epidermoides que se instalam em cicatriz costumam ocorrer após décadas da agressão. São mais vistos em membros inferiores, em áreas de úlceras de estase crônicas, ou em cicatrizes de queimaduras profundas, em áreas cronicamente fotoexpostas.

Como diagnóstico diferencial, sempre é necessário lembrar o *ceratoacantoma*, lesão tumoral cupuliforme, encimada por uma "cratera" central preenchida por queratina, que lhe confere o aspecto de uma "taça" com centro córneo, localizada em geral em áreas de fotodano crônico em idosos. Embora sua histologia possa se confundir com a de um carcinoma epidermoide bem-diferenciado, a característica principal desse tumor é o rápido crescimento (vários centímetros em poucas semanas), com posterior tendência a uma lenta reabsorção. O fato de algumas lesões poderem ser, raras vezes, agressivas localmente, levanta a suspeita de que o ceratoacantoma possa ser um subtipo muito peculiar de carcinoma espinocelular, com capacidade de autoinvolução.

## Encaminhamento

Indivíduos que apresentam lesões com as características recém-descritas, de diâmetro > 1 cm, endurecidas à palpação, especialmente se existe crescimento documentado em 8 semanas, podem ter carcinoma epidermoide e devem ser encaminhados com urgência ao especialista em dermatologia.[4]

Tratamentos destrutivos utilizados para lesões superficiais e intraepiteliais, como as ceratoses actínicas e a doença de Bowen (curetagem e eletrodessecação, crioterapia com nitrogênio líquido, *laser* de $CO_2$, quimioterapia intralesional com citostáticos, imiquimode, terapia fotodinâmica), não são recomendados para o tratamento de carcinomas epidermoides, por se tratarem de lesões invasivas.

A modalidade terapêutica de primeira escolha é a cirurgia convencional, com margens recomendadas de 4 mm para tumores de baixo risco (espessura tumoral < 2 mm). Tumores com > 2 cm de diâmetro, com espessura tumoral > 6 mm ou com outros fatores de pior prognóstico, devem ser tratados com margens de 6 mm.[5,6] Para lesões grandes ou mais infiltrativas, a sugestão é a cirurgia micrográfica, assim como para lesões recidivadas, de áreas periorbitárias, irradiadas previamente, com margens maldefinidas, em imunodeprimidos, carcinoma verrucoso e em cicatrizes.

A radioterapia pode ser usada no tratamento de lesões com invasão superficial, como coadjuvante pós-cirúrgica, em pacientes idosos, sendo particularmente útil no tratamento de carcinoma epidermoide do canal auditivo externo.[7] Lesões metastáticas, neoplasias avançadas e de alto risco deverão ser avaliadas e tratadas em setores de oncologia, clínica e cirúrgica.

Os ceratoacantomas podem involuir espontaneamente em uma parcela dos casos. De qualquer forma, uma vez detectados, é preferível a remoção cirúrgica por meio de biópsia excisional ou curetagem mais eletrocoagulação.

## Seguimento

Além da capacidade destrutiva local do tumor, o potencial de metástases dessa neoplasia é bem mais elevado do que o dos CBCs, podendo variar de 5% em casos de áreas de pele fotoexposta até cerca de 40% em neoplasias oriundas de cicatrizes de queimaduras.

Os fatores prognósticos mais associados à progressão da doença para linfonodos e metástases à distância são: diâmetro tumoral > 2 cm, espessura tumoral > 2 mm, baixo grau de diferenciação celular, invasão perineural e invasão além da gordura subcutânea.[6]

Em geral, as metástases seguem a via linfática, primariamente indo para os linfonodos regionais de drenagem, podendo ser precedidas de recidiva local, por vezes alguns anos após o tratamento inicial. Carcinomas epidermoides de células fusiformes são os que possuem um prognóstico mais reservado, assim como neoplasias em pacientes imunodeprimidos.

Como costumam ser pacientes que apresentam também risco de outros tipos de neoplasias cutâneas, após o diagnóstico de carcinoma epidermoide, eles deverão ser avaliados periodicamente, em intervalos variando de 3 a 12 meses, conforme o grau de agressividade do tumor. O exame clínico deverá compreender todo o tegumento e a mucosa oral, bem como a palpação de cadeias linfonodais. Além disso, recomenda-se que o paciente faça um autoexame da pele, a cada 2 a 3 meses, em frente a um espelho, para detecção precoce de possíveis novas lesões suspeitas.

## MELANOMAS

O melanoma cutâneo é uma neoplasia maligna de melanócitos, tanto localizados em nevos melanocíticos quanto em epiderme normal. Sua incidência vem crescendo de forma exponencial na população branca em todo o mundo.[8,9] As maiores taxas de incidência, tanto em homens quanto em mulheres, encontram-se na região Sul. O melanoma é um dos cânceres mais frequentes no Brasil[10] e possui letalidade elevada.

A radiação ultravioleta acumulada das radiações eritematógenas, de ondas curtas (UVB), e das pigmentadoras, de ondas mais longas (UVA), absorvida pela pele tanto de forma continuada como intermitente, parece ser a causa mais importante da maior parte dos melanomas em indivíduos genética e fenotipicamente suscetíveis. Assim, tratando-se de indivíduo com fenótipo de predisposição – pele clara, olhos claros, cabelos claros, sardas, nevos adquiridos (estes dois últimos elementos, por si só, já são marcadores de excesso solar), nevos atípicos –, há necessidade não somente de proteção quando exposto ao sol, mas também de evitar bronzeamentos artificiais com lâmpadas de ultravioleta. Esse cuidado deve ser redobrado no caso de existir melanoma em familiares.

O melanoma é bastante raro antes da puberdade e, quando presente, tem origem em nevo gigante congênito em cerca de metade dos casos. Em análise de pacientes brasileiros com melanomas, encontrou-se uma idade entre 20 e 84 anos, com média de 53 anos, e uma proporção de duas mulheres para cada homem.[11] Em amostra sul-riograndense, possuir ancestrais europeus era fator de risco para melanomas (RC = 9,7), ao passo que ancestrais índios eram fator protetor (RC = 0,16).[12]

### Clínica e diagnóstico

A grande maioria dos melanomas pode ser classificada em melanoma expansivo (ou disseminativo, ou de espalhamento) superficial, melanoma nodular, melanoma lentigo maligno, melanoma lentiginoso acral (ou palmoplantar) e melanoma das mucosas.

O *melanoma expansivo superficial* (FIGURA 139.4) compreende cerca de 70% dos melanomas em peles claras (cerca de 61% em nosso meio)[11] e se caracteriza por ser uma lesão pigmentar melanocítica em placa, de contornos irregulares, com crescimento excêntrico e possuindo diversas tonalidades de melanina. Esse tipo de melanoma é o que mais se enquadra na regra do ABCD para reconhecimento precoce dos melanomas (A = assimetria das duas metades; B = bordas irregulares; C = cores variadas, com preto; D = diâmetro > 6 mm).

Em geral, evolui primeiramente como uma mancha, com crescimento em superfície, por período de tempo variável, aumentando de diâmetro e irregularidade (a chamada fase de crescimento radiado), para mais tarde crescer em espessura e invadir em profundidade (fase de crescimento vertical). Além de possuir diversas tonalidades de marrom, ainda se observam o preto, o róseo e áreas claras, ou acinzentadas, de reabsorção (ou regressão) espontânea. Nesse período de crescimento radiado ou horizontal, a lesão pode ser pequena, de 6 a 7 mm ou um pouco mais, às vezes sendo confundida com um nevo adquirido. Nas fases mais avançadas, além do crescimento em diâmetro, podem surgir nódulos e ulcerações na superfície, caracterizando uma fase de crescimento vertical, potencialmente mais invasiva.

A espessura do tumor, aferida pelo índice de espessura de Breslow (a distância entre a camada granulosa da epiderme até a área de invasão mais profunda do tumor primário), é considerada um dos parâmetros mais importantes no prognóstico dos melanomas.

O *melanoma nodular* (FIGURA 139.5), o segundo em frequência e responsável por cerca de 15% dos melanomas (24% em nosso meio),[9] parece não apresentar a fase de

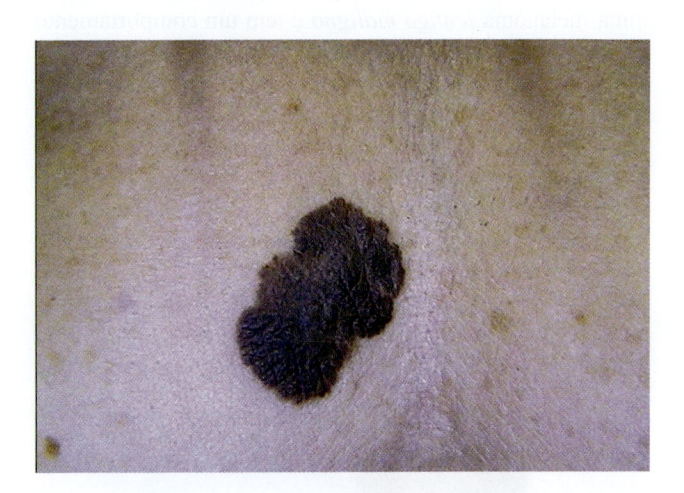

**FIGURA 139.4** → Melanoma expansivo superficial.
Fonte: Fotografia do Serviço de Dermatologia do HCPA.

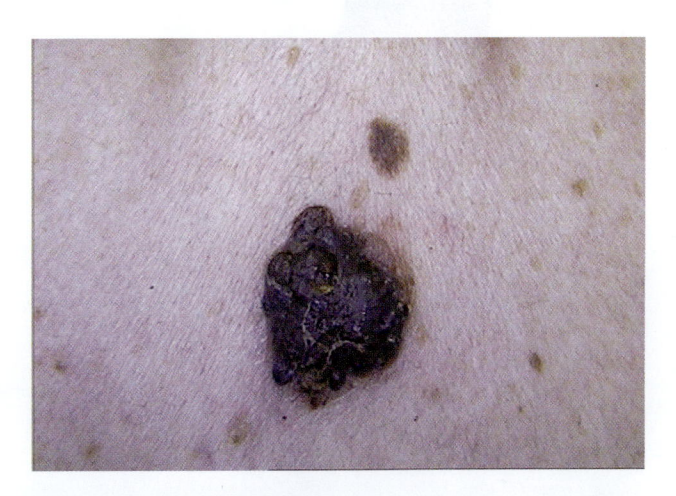

**FIGURA 139.5** → Melanoma nodular.
Fonte: Fotografia do Serviço de Dermatologia do HCPA.

crescimento radiado, partindo logo para o crescimento vertical, formando um nódulo pigmentar desde o início, sem mancha progressiva prévia, comumente erodido e sangrante. Às vezes, é acromático, podendo ser confundido com um granuloma piogênico.

Há uma tendência de chamar, de modo inadequado, de "nodular" todo melanoma que apresente clinicamente nódulos na superfície. Esse procedimento é inapropriado, pois todos os outros tipos clinicopatológicos de melanoma poderão apresentar nódulos, que correspondem à fase de invasão vertical, em estágios mais avançados de suas evoluções.

O *lentigo maligno* é um tumor melanocítico *in situ*, indolente, de crescimento muito lento, que classicamente se apresenta como uma mancha irregular na face ou no pescoço de pessoas idosas. Essa "sarda" costuma crescer de forma lenta e assimétrica por muitos anos, evidenciando diferentes tonalidades de marrom, preto ou róseo, antes de apresentar algum relevo que demonstre uma fase de maior agressividade. Ocorre em cerca de 13% dos melanomas em nosso meio[9] e tem o melhor prognóstico entre essas neoplasias, a não ser nas fases avançadas, quando então se denomina melanoma *lentigo maligno* e tem um comportamento semelhante aos outros subtipos de melanoma.

Mais comum em populações de tez escura, o *melanoma lentiginoso acral* (FIGURA 139.6) se localiza nas extremidades glabras dos membros (palmas das mãos, plantas dos pés, subungueais, etc.), apresentando histologicamente extensa área de proliferação lentiginosa epidérmica (proliferação contínua/linear de melanócitos na camada inferior da epiderme) associada a foco invasivo de crescimento vertical. Um achado importante é a presença, na periferia do tumor, de epiderme aparentemente indene, mais adiante seguida de nova proliferação lentiginosa; essa peculiaridade tem relevância na escolha da margem cirúrgica, para evitar as frequentes recidivas observadas nesse tipo de neoplasia. Clinicamente, apresenta-se como uma grande mancha pigmentar, irregular, em geral circundando uma nodulação ulcerada, podendo estar localizada na região plantar, palmar, interdigital ou subungueal. Estas últimas podem ter diagnóstico tardio, pois, além de serem, por vezes, acromáticas, são passíveis de confusão com nevos benignos, angiomas, paroníquias crônicas ou verrugas virais. Toda lesão pigmentar de leito ou borda ungueal deve ser avaliada com muito cuidado, principalmente se houver comprometimento pigmentar de borda cuticular. Este último se constitui no chamado "sinal de Hutchinson".

## Encaminhamento

O primeiro passo na abordagem de um paciente com fatores de risco para melanoma é examinar toda a pele.[13] Os melanomas podem não ser uma queixa dos pacientes, uma vez que podem se apresentar sem sintomas. O exame geral da pele aumenta a percepção de lesões suspeitas. Os pacientes que se apresentam com lesões com as características supramencionadas deveriam ser encaminhados a um dermatologista. Na dúvida, a mudança de aspecto de uma lesão pigmentar, tanto nova quanto preexistente, ao longo do tempo, é um item muito importante na avaliação diagnóstica de melanoma. Convém recordar que mais da metade dos melanomas cutâneos não se origina em nevo preexistente, mas pode surgir a partir de melanócitos da pele normal. Na presença de uma lesão duvidosa, a observação cuidadosa, com auxílio de uma câmera fotográfica e uma régua, repetindo a imagem e a medição em 8 semanas, com a aplicação de um escore clínico baseado em mudanças lesionais, pode determinar a necessidade de encaminhamento (TABELA 139.1). Em que pese, quando há uma suspeita forte, o encaminhamento deve ser realizado o mais breve possível.

A suspeita é maior para lesões com escore ≥ 3. No entanto, sempre que houver grande preocupação quanto à possibilidade de câncer, qualquer achado pode justificar a referência ao dermatologista com urgência.

Para obter uma precocidade diagnóstica em caso de lesão melanocítica pequena, além da avaliação clínica, com utilização dos critérios do ABCD (estes não são úteis nos casos de melanomas nodulares) e do supracitado escore, conta-se hoje com o recurso da dermatoscopia, técnica não invasiva de grande valia, quando empregada por profissional

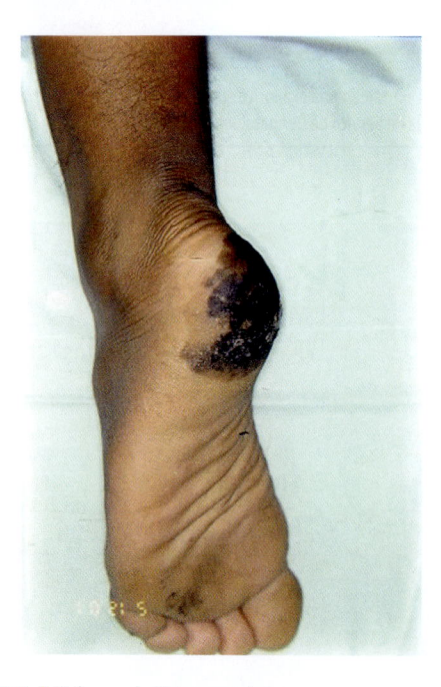

**FIGURA 139.6** → Melanoma lentiginoso acral.
Fonte: Fotografia do Serviço de Dermatologia do HCPA.

**TABELA 139.1** → Critérios para avaliação de lesões suspeitas de melanoma

| CRITÉRIOS MAIORES (2 PONTOS CADA) |
|---|
| → Mudança de tamanho |
| → Bordas irregulares |
| → Coloração irregular |
| **CRITÉRIOS MENORES (1 PONTO CADA)** |
| → Maior diâmetro ≥ 7 mm |
| → Inflamação |
| → Secreção |
| → Alterações de sensibilidade |

Fonte: Adaptada de National Institute for Health and Care Excellence.[4]

experimentado, para diferenciar melanomas de nevos adquiridos, nevos displásicos, ceratoses seborreicas e angiomas trombosados, entre outras lesões de coloração escura que possuam aspecto semelhante. A realização dessa técnica permite aumentar a acurácia diagnóstica de lesões suspeitas de melanoma em relação ao olho nu. Além disso, diminui o número de excisões desnecessárias de lesões benignas.[14]

A dermoscopia (dermatoscopia, epiluminescência ou microscopia de superfície) consiste na análise óptica, com aparelhos especiais de iluminação (dermatoscópios) com ou sem imersão, dos componentes pigmentares e vasculares presentes na lesão pigmentar. Sua presença e formato ajudam a distinguir um melanoma cutâneo de outra lesão que possa conter melanina (nevos melanocíticos, ceratoses seborreicas, angiomas trombosados, CBC pigmentado, etc.).

O tratamento do melanoma primário cutâneo é essencialmente cirúrgico. Uma lesão, clínica e dermatoscopicamente suspeita, deverá, sempre que possível, ser submetida de preferência à biópsia excisional pelo profissional especialista em câncer de pele, com margens cirúrgicas estreitas (aproximadamente 2 mm). A ampliação de margens cirúrgicas, caso necessária, e a pesquisa do linfonodo-sentinela são realizadas posteriormente, dependendo da espessura histológica do tumor, por cirurgião especializado.[15] Cabe ressaltar a importância de sempre enviar o espécime cutâneo removido em um procedimento de biópsia excisional ou incisional para exame anatomopatológico.

## Seguimento

O seguimento clínico do paciente após a remoção da lesão primária pode ser feito por profissionais de atenção primária nos casos de doença localizada. Pacientes com melanoma estágio 0 (*in situ*) podem ser seguidos apenas clinicamente, pela ausência de progressão da doença. Demais pacientes devem ser referenciados para avaliações complementares.

Pacientes com melanoma apresentam risco de recidivas locais e metástases, dependendo da precocidade do diagnóstico, do tipo de tumor e do estadiamento. Visitas regulares de seguimento são recomendadas para avaliar a evolução clínica da moléstia, como o paciente realiza mensalmente seu autoexame, como administra emocionalmente sua situação e como conduz as medidas de proteção solar.

Após a remoção da lesão primária, recomendam-se visitas a cada 3 meses, por 1 a 2 anos, dependendo da espessura lesional. Depois disso, semestrais por mais 1 a 3 anos e, posteriormente, anuais, pois mesmo que não tenham complicações da lesão removida cerca de 8% dos pacientes podem, com o tempo, desenvolver novos melanomas. Os pacientes com melanoma que apresentam múltiplos nevos melanocíticos devem realizar seguimento dessas lesões com inspeção clínica regular das lesões ou por meio de mapeamento corporal de nevos.

A visita de seguimento deverá incluir um exame físico completo, com análise de todo o tegumento, incluindo a cicatriz cirúrgica, e palpação de todas as cadeias linfonodais, principalmente as relacionadas com a área operada. A coleta de história clínica da evolução é de extrema importância para detectar sintomas e sinais relacionados com o melanoma e pode dirigir a investigação por imagens e laboratório. A avaliação clínica é um procedimento essencial para detectar a maioria das complicações advindas dos melanomas.[16]

O leitor pode encontrar imagens adicionais no QR code (FIGURAS S139.1 a S139.4).

## REFERÊNCIAS

1. Wolf DJ, Zitelli JA. Surgical margins for basal cell carcinoma. Arch Dermatol. 1987;123(3):340–4.
2. Epstein E. Fluorouracil paste treatment of thin basal cell carcinomas. Arch Dermatol. 1985;121(2):207–13.
3. Bakos RM, Blumetti TP, Roldán-Marín R, Salerni G. Noninvasive imaging tools in the diagnosis and treatment of skin cancers. Am J Clin Dermatol. 2018;19(Suppl 1):3–14.
4. National Institute for Health and Care Excellence. Suspected cancer: recognition and referral [Internet]. London: NICE; 2015 [capturado em 25 mar. 2020]. Disponível em: https://www.nice.org.uk/guidance/ng12/resources/suspected-cancer-recognition-and-referral-pdf-1837268071621
5. Breuninger H, Eigentler T, Bootz F, Hauschild A, Kortmann R-D, Wolff K, et al. Brief S2k guidelines – Cutaneous squamous cell carcinoma. J Dtsch Dermatol Ges. 2013;11 Suppl 3:37-47.
6. Work Group, Invited Reviewers, Kim JYS, Kozlow JH, Mittal B, Moyer J, et al. Guidelines of care for the management of cutaneous squamous cell carcinoma. J Am Acad Dermatol. 2018;78(3):560-78.
7. Hashi N, Shirato H, Omatsu T, Kagei K, Nishioka T, Hashimoto S, et al. The role of radiotherapy in treating squamous cell carcinoma of the external auditory canal, especially in early stages of disease. Radiother Oncol. 2000;56(2):221–5.
8. Guy GP, Thomas CC, Thompson T, Watson M, Massetti GM, Richardson LC, et al. Vital signs: melanoma incidence and mortality trends and projections – United States, 1982-2030. MMWR Morb Mortal Wkly Rep. 2015;64(21):591–6.
9. Aitken JF, Youlden DR, Baade PD, Soyer HP, Green AC, Smithers BM. Generational shift in melanoma incidence and mortality in Queensland, Australia, 1995-2014. Int J Cancer. 2018;142(8):1528–35.
10. Brasil. Instituto Nacional de Câncer José Alencar Gomes da Silva. Estimativa 2018: incidência de câncer no Brasil. Brasília: INCA; 2018.
11. Bakos L, Wagner M, Bakos RM, Leite CSM, Sperhacke CL, Dzekaniak KS, et al. Sunburn, sunscreens, and phenotypes: some risk factors for cutaneous melanoma in southern Brazil. Int J Dermatol. 2002;41(9):557–62.
12. Bakos L, Masiero NCMS, Bakos RM, Burttet RM, Wagner MB, Benzano D. European ancestry and cutaneous melanoma in Southern Brazil. J Eur Acad Dermatol Venereol. 2009;23(3):304–7.
13. Argenziano G, Zalaudek I, Hofmann-Wellenhof R, Bakos RM, Bergman W, Blum A, et al. Total body skin examination for skin cancer screening in patients with focused symptoms. J Am Acad Dermatol. 2012;66(2):212–9.
14. Argenziano G, Cerroni L, Zalaudek I, Staibano S, Hofmann-Wellenhof R, Arpaia N, et al. Accuracy in melanoma detection: a 10-year multicenter survey. J Am Acad Dermatol. 2012;67(1):54–9.
15. Castro LGM, Messina MC, Loureiro W, Macarenco RS, Duprat Neto JP, Di Giacomo THB, et al. Guidelines of the Brazilian Dermatology Society for diagnosis, treatment and follow up of primary cutaneous melanoma – Part I. An Bras Dermatol. 2015;90(6):851–61.
16. Castro LGM, Bakos RM, Duprat Neto JP, Bittencourt FV, Di Giacomo THB, Serpa SS, et al. Brazilian guidelines for diagnosis, treatment and follow-up of primary cutaneous melanoma – Part II. An Bras Dermatol. 2016;91(1):49–58.

## LEITURAS RECOMENDADAS

Rivitti EA. Dermatologia de Sampaio e Rivitti. 4. ed. São Paulo: Artes Médicas; 2018.
*Livro-texto compacto, porém completo, com todas as afecções em pauta.*

Bolognia JL, Schaffer JV, Cerroni L, editors. Dermatology. 4th ed. China: Elsevier; 2018.

Griffiths CE, Barker J, Bleiker T, Chalmers R, Creamer D editors. Rook's textbook of dermatology. 9th ed. London: Wiley-Blackwell; 2016.

Silva MR, Castro MCR. Fundamentos de dermatologia. 2. ed. Rio de Janeiro: Atheneu; 2010.
*Livros-texto completos e atualizados, para uma visão geral das patologias.*

# Capítulo 140
## PIODERMITES

Luiz Fernando Bopp Muller
Letícia Brandeburski Loss
Fabiana Bazanella de Oliveira

Piodermites são infecções da pele provocadas por bactérias piogênicas, normalmente *Staphylococcus aureus* e *Streptococcus pyogenes*.

A microbiota normal da pele é composta por cocos aeróbios, bactérias aeróbias e anaeróbias corineformes, bactérias gram-negativas e leveduras. Juntos, esses organismos podem ajudar a prevenir infecções de pele, proporcionando concorrência ecológica com microrganismos patogênicos e hidrolisando lipídeos do sebo para produzir ácidos graxos livres, tóxicos para muitas bactérias patogênicas. A ecologia das áreas da pele é determinada pela umidade, pela hidratação e pelo sebo.[1] A pele apresenta vários mecanismos de defesa contra infecções. Citam-se a camada córnea, que não é penetrada por bactérias; o pH baixo; constituintes da secreção sebácea, que tem propriedades antibacterianas; e a flora cutânea, que dificulta o crescimento de bactérias patogênicas. O rompimento do equilíbrio entre hospedeiro e microrganismos pode resultar em infecções.[1]

O desenvolvimento de infecções cutâneas também depende da imunidade do hospedeiro e da patogenicidade dos microrganismos.[1]

Aproximadamente 20% das consultas dermatológicas ambulatoriais são devidas a infecções bacterianas da pele. Estas apresentam diversas formas clínicas, e as principais são exemplificadas a seguir. A nomenclatura de infecções bacterianas cutâneas reflete local, profundidade e extensão da infecção, bem como o organismo envolvido.

## IMPETIGO

É uma infecção cutânea superficial bastante comum, sobretudo na infância, e muito contagiosa. Classicamente, divide-se em forma bolhosa e não bolhosa.

O impetigo não bolhoso (impetigo crostoso) é a forma mais frequente (70%), em geral causado por *S. aureus* e, ocasionalmente, por *S. pyogenes* (estreptococo β-hemolítico do grupo A). Em climas moderados, o impetigo estafilocócico é mais comum, enquanto em climas mais quentes e úmidos predomina a forma estreptocócica.[2] Costuma surgir na face e nas extremidades, em áreas de pequeno trauma, como uma mácula eritematosa, evoluindo para uma vesícula ou pústula, que se rompe e forma a crosta melicérica (FIGURA 140.1).[3]

O impetigo bolhoso (30%), causado por *S. aureus*, surge como lesões vesicobolhosas flácidas, mas duradouras, que se rompem e formam uma crosta fina ou uma erosão superficial[3,4] (FIGURA 140.2).[5] As bolhas são decorrentes de clivagem na camada granular da epiderme causadas por toxinas esfoliativas específicas do *S. aureus* que hidrolisam os domínios extracelulares da desmogleína-1, que realiza a ligação entre células vizinhas. A desmogleína-1 é uma proteína transmembrana da família das caderinas. O impetigo bolhoso ocorre mais comumente em áreas intertriginosas, como a área da fralda, das axilas e da região cervical.[3,4]

O impetigo também pode ser secundário a uma complicação de várias condições dermatológicas como eczema, na maioria das vezes. É clinicamente semelhante ao impetigo não bolhoso. A bactéria envolvida costuma ser *S. aureus*. Nesse caso, pode ocorrer melhora com o tratamento bem-sucedido do impetigo ou da condição dermatológica de base.[1]

Para escolher o tratamento do impetigo, devemos levar em conta alguns fatores como a extensão do acometimento cutâneo, a presença de complicações (como celulite, linfangite, bacteriemia), a presença de comorbidades (como dermatite atópica, varicela), o estado imune do paciente e a resistência antimicrobiana local.[1] Os antibióticos tópicos são mais efetivos que placebo e são a terapia preferencial para formas limitadas de impetigo **B**.[2,4,6]

Os benefícios da terapia tópica incluem menos efeitos colaterais e menos risco de contribuir para a resistência bacteriana.[2] Os antibióticos tópicos de escolha são a mupirocina a 2% ou o ácido fusídico, 2 a 3 ×/dia, por 7 dias, em média **B**.[2] Recomenda-se limpar e remover as crostas com

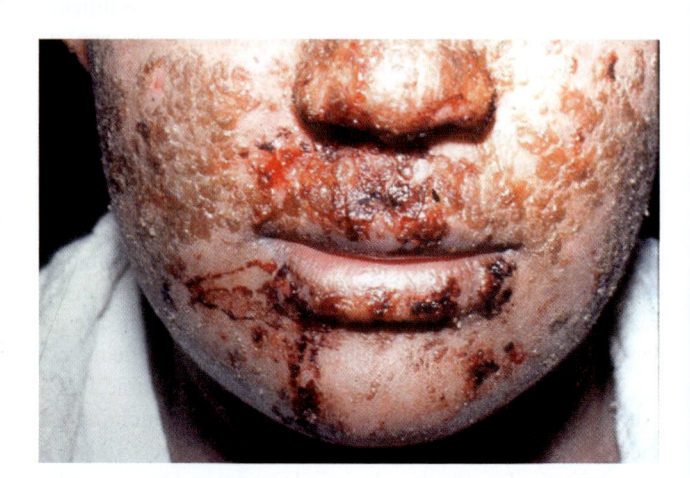

**FIGURA 140.1** → Impetigo crostoso, apresentando vesículas e crosta melicérica.
Fonte: Fitzpatrick.[5]

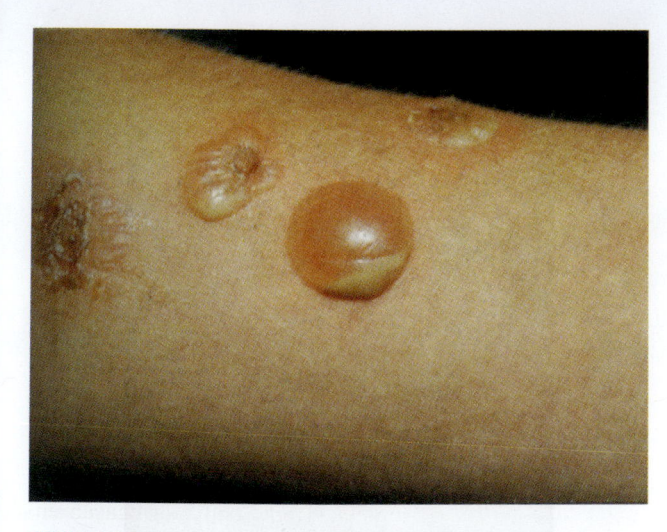

**FIGURA 140.2** → Lesão inicial de impetigo bolhoso estafilocócico, mostrando bolha frágil com camada de pus. Também está presente uma bolha colapsada com aspecto envernizado.
Fonte: Fitzpatrick.[5]

**TABELA 140.1** → Antibióticos disponíveis para tratamento de impetigo

| ANTIBIÓTICO | DOSES PARA ADULTOS | DOSES PARA CRIANÇAS |
|---|---|---|
| Amoxicilina + clavulanato | 875 mg + 125 mg, de 12/12 horas | < 3 meses: 30 mg/kg/dia, divididos em 2 doses<br>> 3 meses: 25-45 mg/kg/dia, divididos em 2 doses para crianças com peso < 40 kg; 875 mg + 125 mg, de 12/12 horas, para crianças com peso > 40 kg |
| Cefalexina | 250-500, de 6/6 horas | 25-50 mg/kg/dia, divididos em 3-4 doses |
| Clindamicina | 300-600 mg, de 6/6 horas | 10-20 mg/kg/dia, divididos em 3 doses |
| Doxiciclina | 100 mg, de 12/12 horas | Não recomendada para crianças com idade < 8 anos<br>2-4 mg/kg/dia, em 2 doses* |
| Sulfametoxazol + trimetoprima | 80 mg + 400 mg a 160 mg + 800 mg, de 12/12 horas | 8-12 mg/kg/dia com base na dose de trimetoprima, divididos em 2 doses |

* A doxiciclina se liga menos ao cálcio que outras tetraciclinas, podendo ser usada em cursos curtos de até 21 dias, com menor risco de descoloração permanente dos dentes que outras tetraciclinas. Há necessidade de avaliar risco-benefício na instituição dessa terapêutica. Não é liberada por agências reguladoras para uso na gestação ou em crianças com idade < 8 anos.
Fonte: Dalal e colaboradores[19] e World Health Organization.[20]

água morna e sabão. Não há diferença na efetividade do tratamento com mupirocina a 2% ou com ácido fusídico em estudos controlados;[2] no entanto, há aumento de relatos de formas de S. aureus resistentes ao ácido fusídico.[7] Outros agentes tópicos, como bacitracina e neomicina, apesar de cobrirem gram-positivos, parecem ser menos efetivos e não tratam S. aureus resistente à meticilina (MRSA, do inglês *meticillin-resistant* S. aureus). Além disso, apresentam o risco de dermatite de contato alérgica após o uso.[3,8]

Em pacientes com impetigo não bolhoso limitado, existem evidências de que medicamentos tópicos, mais especificamente a mupirocina e o ácido fusídico, sejam pelo menos tão eficazes quanto os antibióticos orais **B**.[2,4,9]

É comumente aceito que formas mais graves de impetigo (lesões extensas, sintomas sistêmicos, bolhas grandes, febre) necessitam de tratamento oral, e não tópico. No entanto, não há estudos controlados que avaliem essas variáveis. Sugere-se usar antibióticos orais quando há lesões numerosas ou ectima **B**.[2,4,8] Antibióticos orais são preferidos principalmente quando ocorrem surtos de glomerulonefrite pós-estreptocócica, para eliminar as cepas nefrogênicas e para diminuir a transmissão de infecção **B**.[6]

Opções de tratamento incluem amoxicilina + clavulanato, cefalexina, clindamicina, doxiciclina e sulfametoxazol + trimetoprima. As doses para adultos e crianças podem ser vistas na **TABELA 140.1**. Em geral, o tempo de tratamento por 7 dias é suficiente, mas pode ser estendido se a resposta clínica for inadequada. Não há evidência para preferência de uma classe de antibióticos sobre outra. O tratamento deve ter cobertura antimicrobiana para S. aureus **A**.[6] No entanto, ao suspeitar de MRSA, o tratamento inicial sugerido é clindamicina, doxiciclina ou sulfametoxazol + trimetoprima. Penicilina por via oral não deve ser usada por ser menos efetiva que outros antibióticos no caso de infecções estafilocócicas **B**.[2,5] Da mesma forma, a eritromicina não deve ser utilizada pela emergência de resistência bacteriana.[2,4]

O impetigo costuma não deixar sequelas, sendo raras as complicações da forma não bolhosa. Celulite, linfangite ou septicemia podem resultar de disseminação local e sistêmica da infecção. Complicações não infecciosas da infecção por S. pyogenes também são vistas, como psoríase gutata, escarlatina e glomerulonefrite. Apesar de a relação do impetigo com a glomerulonefrite sempre influenciar a escolha do tratamento antibiótico, é importante lembrar que não há estudos que comprovem redução do risco de desenvolver glomerulonefrite pelo tratamento de impetigo.[1,2,7,8,10] O risco é maior com certos subtipos de S. pyogenes (proteínas M tipo 1, 4, 12, 49, 55, 57, 60), ocorrendo somente em 5% dos casos.[1]

Para pacientes com lesões ativas, a fim de prevenir a transmissão, é necessário orientar lavagem de mãos regularmente e cobertura delas. Até não ocorrer surgimento de novas lesões por 48 horas ou após completar 72 horas de tratamento antimicrobiano ou após cessar a drenagem de exsudato da lesão, pode ser considerado o afastamento da escola por 24 horas após o início do tratamento e o afastamento de atividades esportivas de contato **C/D**.[11]

Para prevenir o contágio, podem ser úteis medidas de higiene, como lavar pequenos traumas com sabonete e água, lavar as mãos, tomar banho regularmente e evitar contato com crianças infectadas **C/D**.[4]

## ECTIMA

É considerado uma forma ulcerada do impetigo não bolhoso, comprometendo a pele mais profundamente. Parece ser decorrente de infecção primária por S. aureus ou infecção estreptocócica.[6] É mais comum em crianças e idosos, sendo que trauma e condições de higiene precária favorecem o quadro.[1]

Manifesta-se como vesícula ou vesicopústula que cresce, aprofunda-se e rompe-se, formando úlceras circulares eritematosas com crostas aderidas, frequentemente com edema perilesional. Diferentemente do impetigo, involui e deixa cicatriz[4] **(FIGURA 140.3)**.[5]

O tratamento deve ser feito por via oral, com a mesma cobertura antimicrobiana do impetigo **A**.[6]

## FOLICULITE

É uma infecção do folículo pilossebáceo, tendo *S. aureus* como agente etiológico mais comum.[1] Divide-se em superficial e profunda.

Pode ocorrer foliculite por gram-negativo em pacientes com acne em tratamento prolongado com antibiótico. Já a foliculite por *Pseudomonas* pode ocorrer após contato em banheiras ou piscinas sem tratamento adequado com cloro.[1]

A foliculite pode ser pruriginosa, quando é mais superficial, no caso do impetigo de Bockhart, ou dolorosa, quando é uma foliculite mais profunda, no caso do furúnculo.

### Foliculite superficial (impetigo de Bockhart)

É confinada ao óstio do folículo. Caracteriza-se por pequenas pústulas ou crostas sob base eritematosa, centradas por um pelo, e frequentemente agrupadas[1] **(FIGURA 140.4)**.[12] É mais comum em couro cabeludo e membros, mas pode atingir qualquer local. As lesões costumam resolver-se espontaneamente.

Para foliculite infecciosa, o tratamento de suporte empírico é a primeira escolha. O tratamento envolve reduzir exposição à depilação e à água contaminada, além de aplicar antibacterianos como mupirocina ou peróxido de benzoíla. Se os sintomas persistirem, podem ser consideradas cefalosporinas e azitromicina sistêmicas **C/D**.[13,14]

A foliculite por gram-negativo (como *Pseudomonas*) costuma resolver sem tratamento. Na persistência dos sintomas, podem ser considerados banhos de ácido acético diluído, ciprofloxacino sistêmico e isotretinoína **C/D**.[1]

### Foliculite profunda

**Sicose da barba.** Localizada na profundidade dos pelos da barba, com grandes e dolorosas pápulas eritematosas, muitas vezes coalescendo para formar placas com pústulas e crostas, centradas por um pelo. O diagnóstico diferencial é feito com sicose de origem fúngica e pseudofoliculite. O tratamento é realizado com sabonetes antissépticos e antibióticos tópicos, os mesmos utilizados para foliculite superficial. Em casos mais graves, pode ser necessária antibioticoterapia sistêmica, como macrolídeos ou cefalosporinas de primeira geração **C/D**.[1,15]

**Hordéolo ou terçol.** Ver Capítulo Outras Patologias Oculares.

**Furúnculo.** Infecção estafilocócica do folículo piloso e da glândula sebácea anexa **(FIGURA 140.5)**.[12] É considerado uma

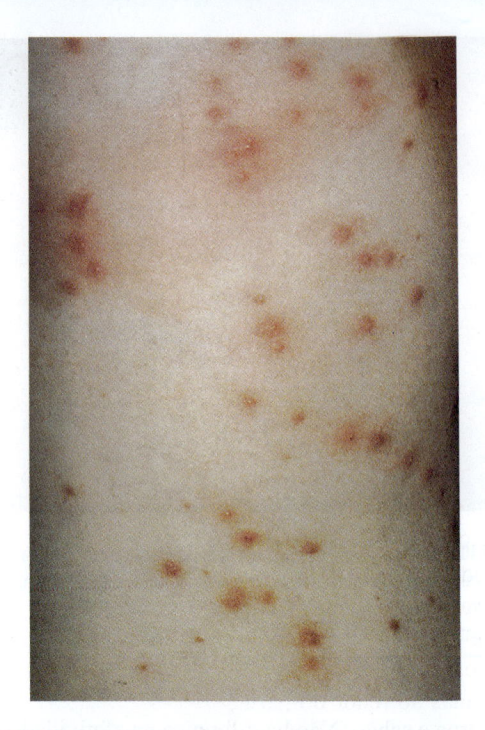

**FIGURA 140.4** → Foliculite. Pápulas e pústulas eritematosas foliculares.
Fonte: Kane e colaboradores.[12]

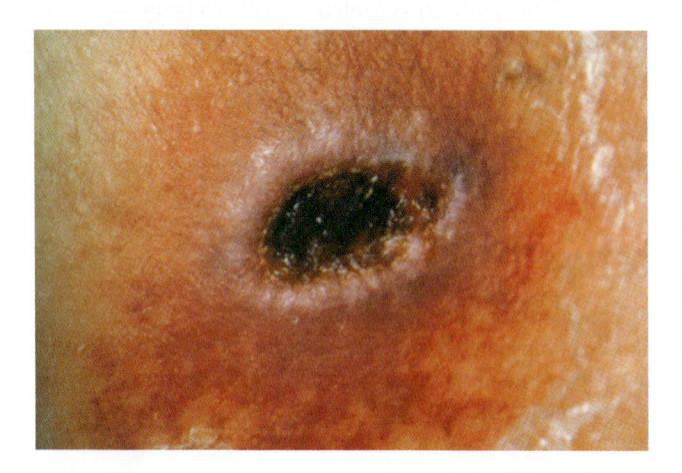

**FIGURA 140.3** → Ectima estreptocócico, evidenciando ulceração em saca-bocado circundada por eritema.
Fonte: Fitzpatrick.[5]

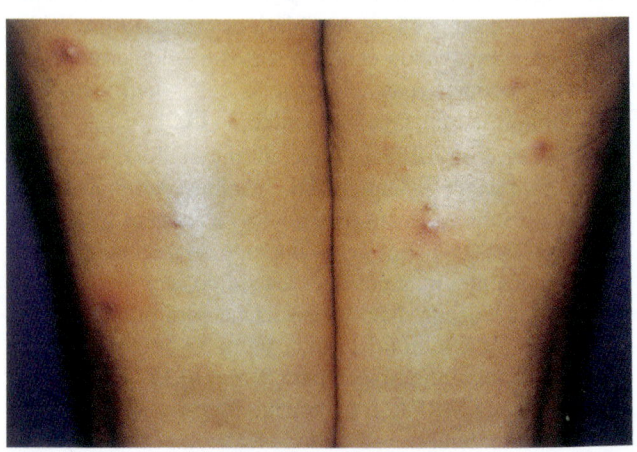

**FIGURA 140.5** → Furúnculo. Pápulas, pústulas e nódulos inflamatórios na porção posterior das coxas.
Fonte: Kane e colaboradores.[12]

sequela supurativa de uma foliculite superficial, apresentando-se como um nódulo eritematoso, doloroso e quente, que, em alguns dias, torna-se flutuante e rompe-se, com eliminação de tecido necrótico e pus. Ocorre mais em áreas pilosas sujeitas a atrito e sudorese. O antraz é o agrupamento de vários furúnculos, com drenagem de secreção por diversos orifícios.[1] No tratamento, compressas mornas podem ser suficientes, pois provocam a maturação, a drenagem e a resolução dos sintomas. Lesões flutuantes exigem incisão e drenagem A.[6] A decisão de administrar antibióticos sistêmicos associados à incisão e à drenagem depende de fatores como presença ou ausência de sinais de inflamação sistêmica e síndrome de resposta inflamatória sistêmica (SIRS, do inglês *systemic inflammatory response syndrome*) (temperatura > 38 °C ou < 36 °C, taquipneia > 24 respirações por minuto, taquicardia > 90 batimentos por minuto ou contagem de leucócitos > 12.000 ou < 400 células/µL) B.[6]

Pode ser indicada antibioticoterapia sistêmica para lesões grandes/recorrentes, refratárias a cuidados locais e incisão e drenagem ou associadas à celulite. Outras indicações possíveis para o uso de antibióticos orais são lesões localizadas ao redor do nariz ou no canal auditivo externo ou em outros locais onde a drenagem é difícil (p. ex., em outras partes do rosto, mãos, órgãos genitais). Também se deve considerar prescrição de tratamento oral com antibióticos para pacientes com comorbidades, extremos de idade ou imunossupressão C/D.[6]

Apesar disso, um estudo recente controlado, multicêntrico, duplo-cego, comparando incisão e drenagem isoladamente ou em conjunto com clindamicina ou sulfametoxazol + trimetoprima comprovou superioridade de cura em curto prazo em pacientes que têm um abscesso simples (RAR = 22%; NNT = 8) B.[16] Esse benefício deve ser ponderado em relação ao perfil de efeito colateral conhecido desses antimicrobianos.[16]

Cuidados higiênicos e com as vestimentas também são importantes para o tratamento.

Em caso de furunculose recidivante, devem ser pesquisadas causas predisponentes, como diabetes, doenças hematológicas, doenças neutrofílicas, desnutrição e imunodepressão infecciosa ou medicamentosa.[5] Não há dados definitivos sobre a real efetividade da descolonização com uso de mupirocina a 2% em pomada e a forma mais adequada de aplicá-la. Pode ser considerada quando a infecção ocorre de forma recorrente, apesar de cuidados otimizados de higiene C/D.[17] Pode ser realizada por meio da aplicação na região nasal, 2 ×/dia, por 5 a 10 dias C/D.[17]

Também devem ser considerados outros métodos para descolonizar a pele, como lavagem com clorexidina ou triclosana e eliminação de contaminação bacteriana em fômites (teclados, brinquedos, equipamentos esportivos, ombreiras, tapetes de luta) com álcool e hipoclorito C/D.[1] No entanto, banhos com hipoclorito de sódio diluídos (p. ex., meia xícara de água sanitária doméstica [hipoclorito de sódio a 6-8,25%] em uma banheira-padrão) não parecem ser efetivos para reduzir reinfecção em crianças sem dermatite atópica C/D.[18]

## CELULITE E ERISIPELA

São lesões causadas por *S. pyogenes* (estreptococo β-hemolítico do grupo A), mas também podem ocorrer por bactérias dos grupos B, C e G e, mais raramente, por *S. aureus*.[1]

A celulite é uma infecção da derme profunda e do tecido celular subcutâneo que se caracteriza por eritema difuso com bordas maldelimitadas, edema e dor[19] **(FIGURA 140.6)**.[5]

A erisipela é considerada uma celulite superficial com intenso comprometimento do plexo linfático subjacente. A lesão característica é uma área de pele dolorosa e indurada, com edema não depressível, calor e eritema com bordas nitidamente delimitadas, além de adenopatias regionais **(FIGURA 140.7)**.[5] Há sintomas prodrômicos, como febre, calafrios e mal-estar.[19]

Muitas vezes, o diagnóstico diferencial é bastante difícil.

Vários fatores de risco são descritos, como obesidade, diabetes melito, imunossupressão e alcoolismo.[15] Outros fatores importantes são intertrigo interdigital, rachaduras nas plantas dos pés, linfedema, úlceras, trauma prévio, história de cirurgia vascular, insuficiência venosa crônica e episódio

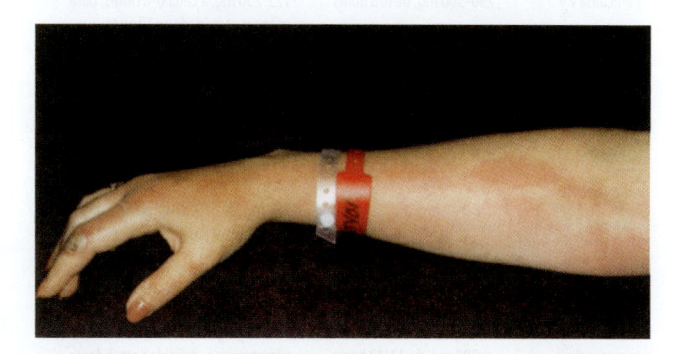

**FIGURA 140.6** → Celulite estreptocócica que iniciou com uma lesão no dedo indicador. Observa-se linfangite associada estendendo-se até o braço.
Fonte: Fitzpatrick.[5]

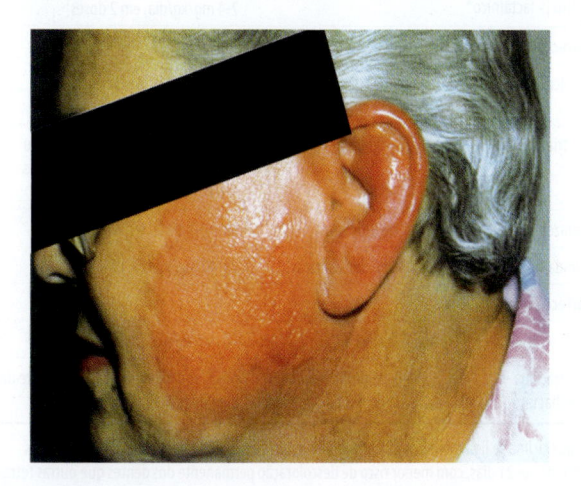

**FIGURA 140.7** → Lesão característica de erisipela, mostrando placa eritematosa indurada com borda abruptamente demarcada.
Fonte: Fitzpatrick.[5]

prévio de celulite.[17] Por isso, é importante pesquisar a porta de entrada para a bactéria, como *tinea pedis*, úlceras, eczemas, psoríase e traumatismo local, pois o tratamento dessas condições pode diminuir as recidivas.[19]

Os locais mais comuns para a ocorrência de ambas as lesões são membros inferiores, face e abdome.

O tratamento depende da gravidade da infecção. Para pacientes com infecção leve, por exemplo, sem sinais de infecção sistêmica, devemos escolher uma terapêutica antimicrobiana ativa contra estreptococos como **B**,[6] penicilina V, cefalosporina (como cefalexina) e clindamicina (ver doses para adultos e crianças na TABELA 140.2). Já para pacientes com infecção moderada, com sinais de infecção sistêmica, devemos selecionar um antibiótico intravenoso ativo contra estreptococos como penicilina G, cefazolina, ceftriaxona e clindamicina (ver doses para adultos e crianças na TABELA 140.2). No caso de pacientes com infecção grave, com sinais de sepse, devemos instituir antibióticos com cobertura antimicrobiana estreptocócica e contra MRSA **B**,[6] como vancomicina e piperacilina + tazobactam.

O tratamento pode ser domiciliar ou hospitalar, a depender das condições do paciente. No caso da ausência de sinais de SIRS, alteração do estado mental ou instabilidade hemodinâmica, o tratamento pode ser ambulatorial **B**.[5] Há necessidade de internação na presença de infecção necrotizante, na falta de adesão à terapêutica, na presença de imunossupressão ou na falha ao manejo inicial domiciliar **B**.[6]

O tempo de tratamento recomendado é 5 dias, o qual pode ser estendido se a infecção não melhorar nesse período **A**.[6] O tratamento deve ser mais prolongado em pacientes com neutropenia febril, devendo completar 7 a 14 dias **B**. Elevar o membro pode ajudar a melhorar a drenagem e acelerar a cura **B**.[5]

Deve-se considerar profilaxia antimicrobiana em pacientes com 3 a 4 episódios de celulite por ano, com terapia otimizada para tratamento e controle das condições predisponentes **B**. Esquemas de tratamento incluem penicilina oral ou eritromicina 2 ×/dia, por 4 a 52 semanas, ou penicilina G benzatina intramuscular, a cada 2 a 4 semanas. A profilaxia com penicilina reduz o risco de recorrência durante o tratamento **A**, mas não após o término **B**.[19]

**TABELA 140.2** → Antibióticos disponíveis para tratamento de celulite e erisipela

| ANTIBIÓTICO | DOSES PARA ADULTOS | DOSES PARA CRIANÇAS |
|---|---|---|
| **Infecção leve** | | |
| Penicilina V | 250-500 mg, de 6/6 horas | 125-250 mg, a cada 6-8 horas, para crianças com idade ≥ 12 anos<br>25-50 mg/kg/dia, em 3-4 doses (máximo de 3 g/dia), para crianças com idade < 12 anos |
| Cefalexina | 500 mg, VO, de 6/6 horas | 25-50 mg/kg/dia, em doses igualmente divididas, para crianças com idade de 1-14 anos<br>250 mg, de 6/6 horas, ou 500 mg, de 12/12 horas, para crianças com idade ≥ 15 anos |
| Clindamicina | 300-450 mg, VO, em 4 doses | 25-30 mg/kg/dia, em 3 doses |
| Sulfametoxazol + trimetoprima | 80 mg + 400 mg a 160 mg + 800 mg, de 12/12 horas | 8-12 mg/kg/dia, com base na dose de trimetoprima, divididos em 2 doses |
| Amoxicilina | 500 mg, de 12/12 horas, ou 250 mg, de 8/8 horas | 25 mg/kg/dia, em doses divididas de 12/12 horas, ou 20 mg/kg/dia, em doses divididas de 8/8 horas |
| Doxiciclina com ou sem amoxicilina ou outro β-lactâmico* | 100 mg, de 12/12 horas | Não recomendada em crianças com idade < 8 anos<br>2-4 mg/kg/dia, em 2 doses¹ |
| **Infecção moderada** | | |
| Penicilina G | 2-4 milhões UI, IV, a cada 4-6 horas | 60-100.000 UI/kg/dose, IV, de 6/6 horas |
| Ceftriaxona | 1-2 g, IV, 1 ×/dia | 50-75 mg/kg, IV ou IM, 1 ×/dia ou em doses divididas de 12/12 horas (máximo de 2 g/dia) |
| Cefazolina | 1 g, IV, de 8/8 horas | 50 mg/kg/dia, em 3 doses |
| Clindamicina | 600 mg, IV, de 8/8 horas | 25-40 mg/kg/dia, IV, em 3 doses |
| **Infecção grave** | | |
| Vancomicina | 30 mg/kg/dia, IV, em 2 doses | 40 mg/kg/dia, IV, em 4 doses |
| Piperacilina + tazobactam | 3,375 g, IV, de 6/6 horas, ou 4,5 g, IV, de 8/8 horas | 60-75 mg/kg/dose do componente da piperacilina, IV, de 6/6 horas |

* A doxiciclina se liga menos ao cálcio que outras tetraciclinas, podendo ser usada em cursos curtos de até 21 dias, com menor risco de descoloração permanente dos dentes que outras tetraciclinas. Há necessidade de avaliar risco-benefício na instituição dessa terapêutica. Não é liberada por agências reguladoras para uso na gestação ou em crianças com idade < 8 anos.
IM, intramuscular; IV, intravenoso; VO, via oral.
Fonte: World Health Organization[20] e Cross e colaboradores.[21]

## REFERÊNCIAS

1. Bolognia JL, Jorizzo JL, Rapini RP. Dermatología. 4. ed. Barcelona: Elsevier; 2018.

2. Koning S, Van Der Sande R, Verhagen A, Van Suijlekom-smit L, Morris A, Butler C, et al. Interventions for impetigo. Cochrane Database Syst Rev. 2012;1(1):CD003261.

3. Bangert S, Levy M, Hebert AA. Bacterial resistance and impetigo treatment trends: a review. Pediatr Dermatol. 2012;29(3):243–8.

4. Hartman-Adams H, Banvard C, Juckett G. Impetigo: diagnosis and treatment. Am Fam Physician. 2014;90(4):229–35.

5. Fitzpatrick JE. Infecções bacterianas. In: Fitzpatrick JE, Aeling JL. Segredos em dermatologia em cores: respostas necessárias ao dia-a-dia em rounds, na clínica, em exames orais e escritos. 2. ed. Porto Alegre: Artmed; 2002. p. 219-26.

6. Stevens DL, Bisno AL, Chambers HF, Dellinger EP, Goldstein EJ, Gorbach SL, Hirschmann JV, Kaplan SL, Montoya JG WJ. Practice guidelines for the diagnosis and management of skin and soft tissue infections: 2014 update by the Infectious Diseases Society of America. Clin Infect Dis Adv. 2014;59(2):147–59.

7. Ellington MJ, Reuter S, Harris SR, Holden MTG, Cartwright EJ, Greaves D, et al. Emergent and evolving antimicrobial resistance cassettes in community-associated fusidic acid and meticillin-resistant Staphylococcus aureus. Int J Antimicrob Agents. 2015;45(5):477–84.

8. Cole C, Gazewood J. Diagnosis and treatment of impetigo. Am Fam Physician. 2007;75(6):859–64.

9. George A, Rubin G. A systematic review and meta-analysis of treatments for impetigo. Br J Gen Pract. 2003;53(491):480–7.

10. Baltimore RS. Treatment of impetigo: a review. Pediatr Infect Dis. 1985;4(5):597–601.

11. Zinder SM, Basler RSW, Foley J, Scarlata C, Vasily DB. National athletic trainers' association position statement: Skin diseases. J Athl Train. 2010;45(4):411–28.

12. Kane KSM, Ryder JB, Johnson RA, Baden HP, Stratigos A. Color atlas & synopsis of pediatric dermatology. New York: McGraw-Hill; 2002.

13. Durdu M, Ilkit M. First step in the differential diagnosis of folliculitis: cytology. Crit Rev Microbiol. 2013;39(1):9–25.
14. Luelmo-Aguilar J, Santandreu MS. Folliculitis: Recognition and management. Am J Clin Dermatol. 2004;5(5):301–10.
15. Laureano AC, Schwartz RA, Cohen PJ. Facial bacterial infections: folliculitis. Clin Dermatol. 2014;32(6):711-4.
16. Daum RS, Miller LG, Immergluck L, Fritz S, Creech CB, Young D, et al. A placebo-controlled trial of antibiotics for smaller skin abscesses. N Engl J Med. 2017;376(26):2545-55.
17. Van Rijen M, Bonten M, Wenzel R, Kluytmans J. Mupirocin ointment for preventing Staphylococcus aureus infections in nasal carriers. Cochrane Database Syst Rev. 2008;(4):CD006216.
18. Kaplan SL, Forbes A, Hammerman WA, Lamberth L, Hulten KG, Minard CG, et al. Randomized trial of "bleach baths" plus routine hygienic measures vs routine hygienic measures alone for prevention of recurrent infections. Clin Infect Dis. 2014;58(5):679–82.
19. Dalal A, Mimouni D, Ray S, Days W, Hodak E, Leibovici L, et al. Interventions for the prevention of recurrent erysipelas and cellulitis Cochrane Database Syst Rev. 2017;2017(6):CD009758.
20. World Health Organization. Second Meeting of the Subcommittee of the Expert Committee on the Selection and Use of Essential Medicines. Geneva: WHO;2008.
21. Cross R, Ling C, Day NPJ, Mcgready R, Paris DH. Revisiting doxycycline in pregnancy and early childhood – Time to rebuild its reputation? Expert Opin Drug Saf. 2016;15(3):367–82.

# Capítulo 141
## INFECÇÕES PELO HERPESVÍRUS E PELO VÍRUS VARICELA-ZÓSTER

Márcia Paczko Bozko
Ana Lenise Favaretto
Humberto Antonio Ponzio

## HERPES SIMPLES

É infecção comum, de distribuição universal, causada por dois tipos de DNA-vírus, *Herpesvirus homini*, da família *Herpesviridae*.[1] O herpesvírus tipo 1 (HSV-1) geralmente é identificado nas lesões das áreas extragenitais, e o herpesvírus tipo 2 (HSV-2) causa predominantemente lesões genitais. Esses vírus replicam-se dentro das células do hospedeiro, sem nunca serem completamente eliminados, causando infecção latente em gânglios sensoriais cerebroespinais.[1-3] Fatores como calor, frio, trauma, febre e estresse podem causar recidiva.[1] Estima-se que cerca de 90% da população mundial seja soropositiva para o HSV-1 aos 35 anos.[4] São transmitidos por contato pessoal através das mucosas ou soluções de continuidade da pele, com período de incubação em torno de 10 dias. O HSV-2 geralmente é transmitido por via sexual.[1,5] Ambos podem ser transmitidos na ausência de lesões clínicas.[1,6,7]

Até o momento, não há vacina efetiva contra o herpesvírus simples.

## Manifestações clínicas

### Infecção primária

Os sintomas de primoinfecção herpética comum (FIGURA 141.1) incluem febre, cefaleia, mialgia e adinamia. (Para fotografias adicionais de herpesvírus simples e herpes-zóster, ver QR codes.)

Nas primeiras 24 horas, surgem máculas eritematosas no local da inoculação, acompanhadas de ardor, prurido e dor, seguidas por vesículas agrupadas que permanecem íntegras por 4 a 5 dias e, então, evoluem com erosão. O quadro persiste por 2 a 3 semanas. Em 75% dos casos, há poliadenopatia regional.[2]

A primoinfecção herpética grave ocorre em pacientes imunossuprimidos, sobretudo quando o inóculo viral é grande. Nesses casos, as manifestações são mais graves e duradouras e devem ser tratadas com aciclovir intravenoso (IV) na dose de 5 a 10 mg/kg de 8/8 horas por 10 dias.[2,7] O herpes simples neonatal é uma forma especial de primoinfecção maligna, não necessariamente ligado à imunossupressão, cujo tratamento inadequado pode levar ao acometimento do sistema nervoso central e à doença disseminada, com taxa de mortalidade alta (cerca de 50%) ou graves sequelas neurológicas, sendo atualmente recomendada alta dose de aciclovir (60 mg/kg/dia) para tratamento dos neonatos.[8]

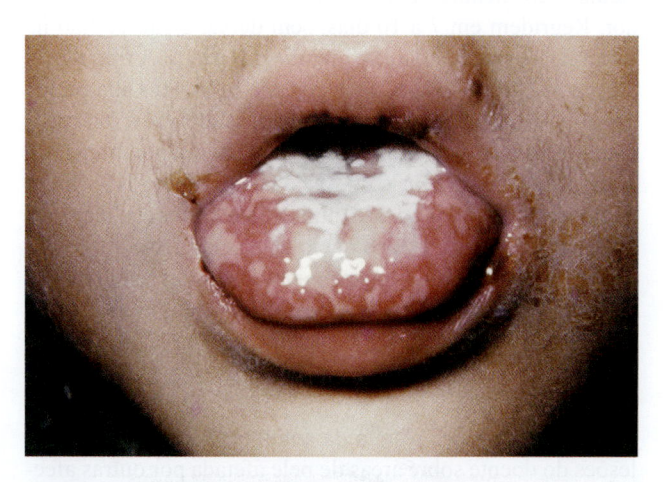

**FIGURA 141.1** → Primoinfecção herpética.

Somente 1% dos indivíduos infectados apresentam manifestações clínicas na primoinfecção benigna, sendo as mais comuns a gengivoestomatite herpética, a primoinfecção pelo herpes genital e a queratoconjuntivite herpética.[1,9] Infecção herpética em uma área não impede o paciente de uma infecção subsequente em outro local.[3]

A *gengivoestomatite herpética* é mais comum nas crianças entre 6 meses e 5 anos, geralmente causada pelo HSV-1, com período de incubação de 3 a 10 dias.[1] É caracterizada por pródromos de febre, anorexia, irritabilidade e linfadenopatia cervical e submandibular; logo depois surgem lesões vesiculosas e ulceradas rapidamente progressivas na gengiva, no palato e na mucosa oral.

As lesões são extremamente dolorosas e sangram facilmente, podendo apresentar membrana amarelada. As complicações mais comuns são desidratação e dor intensa.[4]

A *primoinfecção herpética genital* em adultos surge 5 a 10 dias após o contágio, em geral pelo HSV-2, embora os casos anogenitais de HSV-1 tenham aumentado muito.[5,7] Aparecem agrupamentos dolorosos de vesículas no pênis, na vulva ou no ânus, podendo ocorrer febre, cefaleia e adenopatia, e as mulheres podem apresentar disúria. Os sintomas regridem em cerca de 2 semanas. Em pacientes soropositivos para o vírus da imunodeficiência humana (HIV), a ulceração pode tornar-se crônica. A complicação mais comum é a infecção secundária.[2]

A ceratoconjuntivite herpética apresenta conjuntivite grave e com frequência purulenta, com opacidade e ulceração superficial da córnea. As pálpebras tornam-se edematosas e pode haver vesículas subjacentes. O gânglio pré-auricular encontra-se aumentado e doloroso.[2] Ulcerações profundas podem levar à cegueira[9] (ver Capítulo Olho Vermelho).

### Infecção recorrente

A reativação do HSV é mais comum em adultos e pode ser estimulada por muitos fatores, entre eles imunodepressão, trauma do nervo acometido, exposição ao sol, tensão emocional, menstruação e infecções respiratórias.[1,2]

Na infecção recorrente, as lesões costumam ocorrer quase sempre na mesma topografia, mas geralmente as vesículas são menores e precedidas por ardência, coceira ou dor. Regridem em 7 a 10 dias, sem deixar cicatriz. Não há sintomas constitucionais na maioria dos casos. A frequência da reativação do vírus é influenciada pelo sítio anatômico envolvido – o HSV-2 apresenta maior tendência à recorrência no pênis, na vulva ou no ânus, e a infecção extragenital pelo HSV-1 recorre mais do que a causada pelo HSV-2 em qualquer região.[2,3] O quadro clínico da recorrência herpética costuma ser menos intenso que o da primoinfecção.[3,10]

Em pacientes imunossuprimidos, as lesões tendem a ser mais numerosas, exuberantes e com ulcerações mais profundas, e pode ocorrer doença disseminada.[1,7]

### Complicações

O *eczema herpético* resulta da autoinoculação do HSV das lesões do doente sobre áreas de pele afetada por outras afecções dermatológicas, como dermatite atópica e fogo selvagem. Também pode resultar da infecção oriunda de algum portador de herpes. Caracteriza-se por aparecimento súbito de vesículas disseminadas ou em áreas de pele comprometida, evoluindo rapidamente para pústulas e crostas, com febre, prostração, toxemia e adenopatias.[1] Embora a dermatite atópica seja uma doença comum, o eczema herpético é raro e grave, necessitando de pronto tratamento.[11]

A *meningoencefalite herpética* ocorre em 1% dos doentes na primoinfecção devido à viremia, mas pode ocorrer também por reativação de infecções latentes no bulbo olfativo, no gânglio trigeminal ou no próprio cérebro.[1]

Cerca de 50% dos casos de *eritema polimorfo* são atribuídos ao HSV. Sete a 10 dias após o surto de herpes, surgem máculas eritematosas ou eritematopurpúricas mais comumente nas extremidades, raramente acometendo mucosas. Costuma ser recidivante.[1]

Pacientes HIV-positivos podem ter episódios prolongados ou graves de herpes oral, genital ou perianal, e as lesões podem ser atípicas.[7,10] A terapia antirretroviral diminui a gravidade e a frequência dos surtos de herpes genital.[7]

A infecção por herpes simples na polpa digital dos dedos das mãos é conhecida como *panarício herpético*. Em crianças, está associado à inoculação viral do HSV-1 devido ao hábito de chupar o dedo durante a primoinfecção herpética[3] e, nos adultos, está associado à autoinoculação devido ao contato digitogenital, sendo causado pelo HSV-2.[1]

## Diagnóstico

O diagnóstico costuma ser clínico nos casos típicos de erupção vesiculosa sobre base eritematosa. Eventualmente, nos casos de dúvida diagnóstica, métodos complementares podem ser solicitados, como a citodiagnose de Tzanck, o exame histopatológico de vesícula íntegra e recente,[1] o isolamento do vírus em cultura de células com material coletado de vesículas íntegras,[2] as técnicas sorológicas[1,6] e outros.[1,7]

## Tratamento

### Tratamento tópico

É importante esclarecer a natureza contagiosa do vírus e os modos de transmissão. Devido à natureza autolimitada da doença, o tratamento é frequentemente opcional, e muitas vezes baseado apenas em minimizar a dor (p. ex., paracetamol).

Como a infecção secundária é a complicação mais comum nas lesões de herpes simples, deve-se manter as lesões limpas e utilizar soluções antissépticas.[1,9] O uso isolado de medicamentos tópicos é pouco efetivo e não deve ser indicado **C/D**.[1,7,12] Nas lesões de herpes labial recorrente, o uso de corticoide tópico associado ao antiviral previne o desenvolvimento de lesões ulceradas **B**.[13] Há casos de infecção genital tratados com imiquimode tópico com boa resposta terapêutica **C/D**.[7,14] O aciclovir tópico (aciclovir creme a 5%, 5 ×/dia por 4 dias) é útil na ceratite herpética **C/D**.[1] A tecnologia LED (do inglês *Light-Emitting Diode*) diminui o tempo de cicatrização de lesões de herpes facial em cerca de um terço.[15]

## Tratamento sistêmico

Aciclovir, valaciclovir e fanciclovir B são os fármacos comumente utilizados nas infecções pelo herpesvírus simples, e as doses variam de acordo com as manifestações clínicas (TABELA 141.1). Existem inúmeros esquemas terapêuticos. Em pacientes sadios, reduzem a duração de recorrências em cerca de 1 dia. Se receitado, o tratamento deve ser iniciado o mais precocemente possível, preferencialmente nas primeiras 24 horas do início do quadro.[7,16] Também são indicados em casos moderados e graves de infecção primária.

O aciclovir costuma ser bem tolerado, e os efeitos colaterais mais comuns são náuseas, vômitos e diarreia.[1]

Pacientes com insuficiência renal devem ser monitorados e a dose do aciclovir deve ser reduzida.[7] Ajuste da dose também é necessário para valaciclovir e fanciclovir em casos de insuficiência renal.[17]

Pacientes com doença disseminada, pneumonite, encefalite ou hepatite, ou imunossuprimidos (usuários crônicos de corticoide, pacientes em uso de imunomoduladores, transplantados de órgãos sólidos e portadores de HIV com lesões genitais extensas devem ser encaminhados para tratamento hospitalar onde podem receber aciclovir IV.[10]

Embora o uso de antivirais orais em longo prazo (mais de 1 mês) diminua a recorrência do herpes simples labial, o benefício clínico parece ser pequeno B.[12] Já para profilaxia de herpes genital recidivante, tanto valaciclovir A quanto aciclovir e valaciclovir B são efetivos.[7,16] A terapia de supressão para o herpes orolabial está indicada para os pacientes que apresentam episódios frequentes, com sintomas graves ou sem pródromos, para pacientes portadores de eczema e para aqueles que desejam fazer o tratamento de supressão.[18] Para o herpes genital, a terapia de supressão está indicada quando os surtos são frequentes (4-6 episódios por ano ou mais) ou os sintomas são graves ou angustiantes.[10]

Casos clínicos resistentes ao aciclovir são descritos principalmente em pacientes imunossuprimidos, e a suspeita ocorre quando, na vigência de antiviral, as lesões persistem ou recorrem. Esses casos devem ser encaminhados para tratamento com foscarnete ou cidofovir IV.[7] A resistência ao aciclovir é bem documentada nos casos mucocutâneos crônicos em pacientes HIV-positivos, principalmente naqueles que fazem uso contínuo do antiviral para profilaxia de herpes genital recorrente.[19]

O aciclovir e o valaciclovir são efetivos na profilaxia contra infecções herpéticas orais em pacientes em tratamento oncológico B.[20]

Os casos de ceratoconjuntivite herpética devem ser tratados com doses de antivirais iguais ao HZ.

O risco de transmissão ao feto ou neonato é maior em mulheres cuja primoinfecção ocorre na gestação em comparação com as infecções recorrentes. O fármaco de escolha na gestação é o aciclovir.[21] Gestantes devem tratar os episódios de herpes genital recorrente a qualquer tempo.[7,16] Cesareana deve ser indicada nos casos de herpes genital ativo à época do nascimento, antes do rompimento da bolsa amniótica B.[7,10,21] Se ocorreu a primoinfecção na gestação ou se recidivas foram frequentes no período gestacional, terapia supressiva, a partir da 36ª semana (p. ex., com aciclovir 400 mg por via oral [VO] 3 ×/dia), reduz a probabilidade de lesões de herpes genital no momento de parto (RRR = 72%, NNT = 32) e de fazer parto por cesariana devido ao herpes (RRR = 70%, NNT = 32) A.[10,22]

Em atletas de modalidades esportivas com contato corporal intenso, o herpes simples extragenital é conhecido como *herpes dos gladiadores*, e entidades esportivas recomendam o uso de antivirais orais por, pelo menos, 120 horas antes da competição nos casos agudos, e profilaxia nos

**TABELA 141.1** → Posologia dos antivirais para herpes simples

| APRESENTAÇÃO | ACICLOVIR | VALACICLOVIR | FANCICLOVIR |
|---|---|---|---|
| Primoinfecção comum | 200 mg VO 5 ×/dia OU 400 mg VO 3 ×/dia por 7-10 dias[1,7,10] | 500 mg-1 g VO 12/12 h por 7-10 dias[1,7] | 250 mg VO 3 ×/dia por 7-10 dias[1,7] |
| Primoinfecção grave | 10 mg IV 8/8 h por 10 dias | | |
| Infecção recorrente orolabial | 200 mg VO 5 ×/dia por 5 dias[1] OU 400 mg VO 5 ×/dia por 5 dias[18] | 2 g VO 2 ×/dia por 1 dia[5,18] | 1,5 g VO em dose única[1,18] OU 750 mg VO 2 ×/dia por 1 dia[18] |
| Supressão do herpes orolabial em imunocompetentes | 400 mg VO 2-4 ×/dia[18] | 500 mg VO 1 ×/dia se houver < 10 episódios/ano OU 1 g VO 1 ×/dia se houver > 10 episódios/ano[5] | 500 mg VO 2 ×/dia[18] |
| Supressão do herpes orolabial em imunocomprometidos | 400-800 mg VO 2-3 ×/dia[5] | 500 mg VO 2 ×/dia[5] | |
| Infecção recorrente genital em imunocompetentes | 400 mg VO 3 ×/dia por 5 dias OU 800 mg VO 2 ×/dia por 5 dias[17] OU 800 mg VO 3 ×/dia por 2 dias (gestantes)[16] | 500 mg VO 2 ×/dia por 3 dias[16] | 250 mg VO 2 ×/dia por 5 dias[16] |
| Infecção recorrente genital em HIV-positivos ou imunocomprometidos | 400 mg VO 3 ×/dia por 5-10 dias[7] | 500 mg-1 g VO 2 ×/dia por 5-10 dias[7] | 500 mg VO 2 ×/dia por 5-10 dias[7] |
| Supressão do herpes genital em imunocompetentes* | 400 mg VO 2 ×/dia[7,10,16] | 500 mg VO 1 ×/dia[7,16] | 250 mg VO 2 ×/dia[16] |
| Supressão do herpes genital em HIV-positivos e imunocomprometidos | 400-800 mg VO 2-3 ×/dia[7] OU 400 mg VO 2 ×/dia[10] | 500 mg VO 2 ×/dia[7,16] | 500 mg VO 2 ×/dia[7,16] |

*Por até 6 meses, podendo o tratamento ser prolongado por até 2 anos.
IV, intravenoso; VO, via oral.

atletas com idade ≥ 12 anos **C/D**. O valaciclovir é o mais indicado.[23]

Nos casos com história de *eritema multiforme* associado à infecção herpética, pode-se usar aciclovir B,[1,18] embora uma revisão sistemática recentemente publicada tenha considerado seu uso na profilaxia do eritema multiforme de baixo nível de evidência, uma vez que um único ensaio clínico randomizado utilizando aciclovir 400 mg VO 2 ×/dia por 6 meses foi realizado.[24] Valaciclovir e fanciclovir também estão relatados na profilaxia do eritema multiforme.[25,26]

A transmissão da virose estende-se durante todo o período em que estão presentes as vesículas. O paciente com herpes labial deve evitar compartilhar copos, talheres e cosméticos nesses momentos, e o paciente com herpes genital deve evitar relações sexuais.

Em pacientes com herpes genital e em seus parceiros deve-se também considerar a investigação de outras infecções sexualmente transmissíveis, além de aconselhá-los quanto à doença, às práticas sexuais seguras, aos riscos da transmissão e aos sintomas de infecção recorrente (ver Capítulo Infecções Sexualmente Transmissíveis: Abordagem Sindrômica).

## HERPES-ZÓSTER

A varicela e o HZ são causados pelo mesmo vírus, o *Herpesvirus varicellae* ou vírus varicela-zóster (VVZ). A varicela é a infecção primária com estágio de viremia (ver Capítulo Doença Febril Exantemática), após o qual o vírus permanece latente em células ganglionares nervosas sensoriais. O HZ é o resultado da reativação dessa infecção latente.[1,3,9,27–29] Os pacientes com varicela são infecciosos por 2 dias antes do início do *rash* até que todas as lesões estejam crostosas.[3] Excepcionalmente há pacientes que desenvolvem HZ após contato com doentes de varicela ou até mesmo com outro doente de HZ, e crianças podem adquirir varicela por contato de doente com HZ.[1] Crianças com HZ sem história de varicela podem ter adquirido o vírus através da via transplacentária, e há aumento da incidência de HZ em crianças que adquiriram varicela antes dos 2 meses de idade.[3] A reativação da infecção latente costuma ser associada à diminuição da resposta imune celular associada ao envelhecimento ou à supressão imune,[29,30] como malignidades hematológicas e síndrome da imunodeficiência adquirida (Aids, do inglês *acquired immunodeficiency syndrome*).[1] O HZ pode acometer indivíduos de qualquer idade, mas é mais comum naqueles com idade > 50 anos e nos imunossuprimidos.[31]

### Manifestações clínicas

A primeira manifestação costuma ser a dor, acompanhada de febre, mal-estar e sensibilidade localizada, e pode ocorrer alguns dias antes do surgimento das lesões cutâneas. Muitas vezes, a dor na fase pré-eruptiva pode simular pleurisia, infarto agudo do miocárdio, abdome agudo ou migrânea.[3] As vesículas surgem em grupos sobre base eritematosa e podem tornar-se opacas com secreção amarelada, ficando umbilicadas e depois crostosas.[3] A erupção é unilateral, raramente ultrapassando a linha mediana, seguindo o trajeto de um nervo (distribuição dermatômica ou metamérica). Pode envolver qualquer dermátomo, e as mucosas dentro dos dermátomos envolvidos também são afetadas.

O *rash* é, em geral, pruriginoso, sendo composto por pápulas, vesículas e crostas, e costuma durar 2 a 3 semanas. A dor varia de leve a intensa, de queimação a lancinante, podendo ser acompanhada de parestesia, anestesia ou alodinia.

Como o surto de HZ não confere imunidade, é possível ter outro episódio ao longo da vida.[3]

Herpes-zóster *sine herpete* é o acometimento doloroso do dermátomo sem o surgimento das lesões cutâneas típicas de HZ e pode ser confirmado pelo aumento da imunoglobulina M (IgM) e da imunoglobulina G (IgG) anti-VVZ no sangue.[32]

O acometimento do nervo facial com a característica distorção da face sem as típicas lesões cutâneas é conhecido como *paralisia de Bell*.[1,3]

Quando o HZ atinge o primeiro ramo do nervo trigêmeo, ocorre o *HZ oftálmico*. Cefaleia, náuseas e vômitos são sinais prodrômicos. O *rash* atinge o olho e a fronte, sem ultrapassar a linha média. Vesículas na lateral ou na ponta do nariz indicam envolvimento do nervo nasociliar (sinal de Hutchinson) e são associadas a comprometimento ocular mais grave.[3] Pode ocorrer uveíte, ceratite, conjuntivite, edema conjuntival, paralisia do músculo ocular, proptose, esclerite, oclusão vascular retiniana, ulceração, cicatrizes e até mesmo necrose da pálpebra. Avaliação oftalmológica é imprescindível.

O envolvimento do nervo facial ou auditivo com paralisia facial ipsilateral, lesões de HZ no ouvido externo, membrana timpânica e/ou dos dois terços anteriores da língua são definidos como *síndrome de Rumsay-Hunt* **(FIGURA 141.2)**, podendo levar a complicações como vertigem, zumbido, otalgia e surdez.[1,32] Os pacientes devem ser encaminhados ao otorrinolaringologista.

Se a região sacra é acometida pelo HZ, pode haver distúrbios de defecação ou urinários por migração do vírus aos nervos autonômicos adjacentes.[3,31]

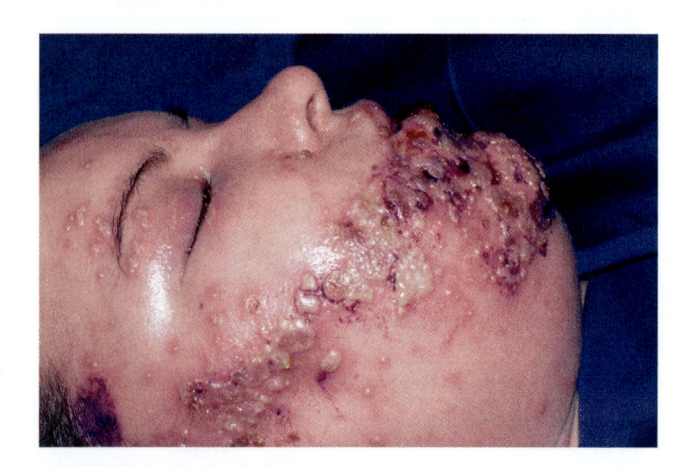

**FIGURA 141.2** → Herpes-zóster do ramo mandibular do trigêmeo, agudo e com vesículas aberrantes.

A neuralgia pós-herpética é a complicação mais comum do HZ e é definida como a dor que se mantém após 90 dias do surgimento do *rash*.[29,32,33] São fatores de risco: idade avançada, dor prodrômica, *rash* severo, dor aguda severa e acometimento oftalmológico. Além disso, imunossupressão, lúpus eritematoso sistêmico, diabetes e trauma recente também parecem aumentar o risco.[33]

Podem ocorrer complicações cutâneas, como hipo ou hiperpigmentação, cicatrizes, queloides ou infecção bacteriana secundária.[3,32]

Disseminação cutânea ou sistêmica pode ocorrer, e são fatores de risco: idade > 50 anos, dor prodrômica ou aguda moderada a severa, e imunossupressão (incluindo tumores, doenças hematológicas, HIV, transplantados, pacientes em uso de imunossupressores). Pacientes com vesículas-satélites, acometimento grave de múltiplos dermátomos, alteração do estado geral ou alterações neurológicas também apresentam maior risco de complicações. O HZ tem-se mostrado um fator de risco independente para doença vascular, incluindo acidente vascular cerebral e infarto agudo do miocárdio.[32]

## Diagnóstico

O HZ costuma ser diagnosticado clinicamente. Quando necessário, pode ser feito esfregaço de Tzanck, exame histopatológico, testes sorológicos com anticorpos anti-VVZ ou pesquisa do DNA viral por reação em cadeia da polimerase em amostra das lesões.[1,32] A técnica de reação em cadeia da polimerase é considerada a mais sensível e específica para o diagnóstico de HZ, podendo ser realizada em diferentes materiais além do fluido das vesículas, como sangue, plasma, líquido cerebrospinal e lavado broncoalveolar.[31]

## Tratamento

O tratamento tópico das lesões de HZ deve ser sintomático, pois não há ensaios clínicos que suportem o uso de antivirais tópicos para HZ acometendo o tronco ou as extremidades.[17] Pode ser usada água boricada a 3% **C/D** na limpeza das lesões e antibióticos tópicos em caso de infecção secundária **C/D** (ver Capítulo Infecções Não Traumáticas de Tecidos Moles).[1]

Casos de comprometimento ocular devem ser acompanhados por oftalmologista.[17]

Medicação antiviral por via sistêmica **(TABELA 141.2)** acelera a cicatrização por em média 1-2 dias e reduz, de forma expressiva, a duração média de neuralgia pós-herpética em adultos com idade > 50 anos (63 dias vs. 163 dias, NNT para a presença de dor 6 meses após início de terapia = 12) **B**.[34,35] É altamente recomendado na presença de qualquer um dos seguintes: HZ em pacientes com idade ≥ 50 anos, acometimento de cabeça ou pescoço, qualquer local acometido com dor moderada a severa, lesões hemorrágicas ou necróticas, mais de um segmento envolvido, presença de lesões vesiculosas à distância, envolvimento de mucosas, adultos imunocomprometidos, HZ em paciente com predisposição à doença cutânea extensa (dermatite atópica grave, p. ex.), crianças ou adolescentes em tratamento em longo prazo com ácido salicílico ou corticoide. A medicação deve ser iniciada nas primeiras 72 horas sempre que possível, devendo ser iniciada a qualquer tempo em pacientes imunossuprimidos, em casos de HZ oftálmico ou ótico, e em pacientes com sinais de disseminação cutânea, visceral ou neurológica. O uso de medicação IV é sempre recomendado se houver sinais de envolvimento visceral ou do sistema nervoso central.[17] Aciclovir e fanciclovir foram igualmente efetivos e seguros quando comparados no tratamento do HZ não complicado,[36] e há bastante tempo já se sabe que aciclovir e valaciclovir também são igualmente efetivos e seguros para o tratamento de HZ,[37] inclusive para profilaxia de HZ em pacientes com doença hematológica recebendo quimioterapia.[38]

Casos de resistência ao aciclovir podem ser observados nos pacientes imunocomprometidos que estejam usando o aciclovir profilaticamente por longos períodos, podendo ser tratados com foscarnete ou cidofovir IV.[31]

O uso de corticoterapia sistêmica nos pacientes com HZ permanece controverso **B**,[1,31] mas pode ser utilizada em casos selecionados. Em pacientes com síndrome de Ramsay-Hunt, a taxa de recuperação é mais alta com a associação de uso sistêmico de corticoide e aciclovir **B**.[17,39]

O HZ materno não resulta em aumento na mortalidade fetal, e a passagem do vírus raramente ocorre. Gestantes com HZ não complicado devem ser tratadas com aciclovir VO.[40]

Devem ser iniciados analgésicos sistêmicos de acordo com o grau de dor.[1,17] Para pacientes com dor moderada a severa ou outro fator de risco para neuralgia pós-herpética recomenda-se o uso de um antidepressivo (como amitriptilina) **B** ou um anticonvulsivo como gabapentina (900 mg a 1.800 mg/dia VO divididos em 3 tomadas diárias) e pregabalina (150-300 mg/dia VO divididos em 2 tomadas diárias) **B**.[17] O encaminhamento ao especialista em dor é fundamental para o manejo de casos resistentes.

## Prevenção

Existem duas vacinas efetivas para profilaxia de HZ e neuropatia pós-herpética indicadas para adultos com idade > 50 anos, mas atualmente não disponíveis na rede pública.[30] A Zostavax® é uma vacina de vírus vivo atenuado indicada para adultos imunocompetentes e é aplicada em dose única subcutânea. Pode causar HZ ou *rash* (varicela).[41] Estudos de coorte no Reino Unido e nos Estados Unidos comprovaram

**TABELA 141.2** → Posologia dos antivirais para herpes-zóster

| APRESENTAÇÃO | ACICLOVIR | VALACICLOVIR* | FANCICLOVIR* |
|---|---|---|---|
| Adultos | 800 mg VO 5 ×/dia por 7-10 dias | 1 g VO 3 ×/dia por 7-10 dias | 500 mg VO 3 ×/dia por 7-10 dias OU 1 g VO 2 ×/dia por 7-10 dias |
| Crianças (≥ 2 anos, mas ≤ 40 kg) | 20 mg/kg VO 4 ×/dia por 5 dias | | |

*Preferidos em adultos pela posologia e pelo melhor desempenho na resolução da dor em longo prazo.

sua efetividade **B**.¹⁷,⁴² Sua segurança pós-comercialização também já foi documentada.⁴³ A Shingrix® é uma vacina recombinante constituída de uma subunidade proteica do VVZ chamada de glicoproteína-E e um adjuvante ASO1B; é aplicada por via intramuscular (IM) em duas doses com intervalo de 2 meses e pode ser usada em imunocomprometidos. Pode ocasionar reações locais no sítio de injeção (eritema, dor e edema) e reações sistêmicas (dor, mialgia e fadiga).²⁷,²⁸ Ambas as vacinas são efetivas em prevenir HZ e neuralgia pós-herpética. A eficácia da vacina Shingrix® parece diminuir mais lentamente ao longo do tempo, sendo mais custo-efetiva. Essa vacina deve ser oferecida aos imunocomprometidos e aos imunocompetentes com idade ≥ 50 anos, mesmo que estes já tenham tido episódio prévio de HZ ou já tenham sido vacinados com Zostavax® há mais de 1 ano **B**.³⁰,⁴¹ Embora essa vacina esteja no mercado há menos tempo, dados pós-comercialização apontam sua segurança.⁴⁴ A vacina de vírus vivo atenuado pode ser considerada nos indivíduos com idade > 50 anos quando a vacina recombinante é contraindicada ou indisponível.³⁰ No Brasil, a vacina recombinante ainda não está disponível.

Quanto à imunização passiva para fins profiláticos, o Ministério da Saúde recomenda utilizar a imunoglobulina humana antivaricela-zóster (125 UI/10 kg, dose única IM, sendo a dose máxima 625 UI **C/D**, dentro de 96 horas da exposição) em indivíduos suscetíveis (contato domiciliar por mais de 1 hora em ambiente fechado ou contato hospitalar no mesmo quarto por mais de 1 hora): criança ou adulto imunossuprimido, criança com idade < 1 ano, gestante, recém-nascido cuja mãe tenha apresentado varicela nos últimos 5 dias de gestação até os 2 primeiros dias pós-parto, recém-nascido prematuro de 20 semanas ou mais cuja mãe nunca tenha tido varicela e recém-nascido prematuro ou com peso < 1.000 mg ao nascimento independentemente da história materna de varicela.⁵

O risco de adquirir infecção por meio do contato com indivíduo imunocompetente com lesões de HZ não expostas (p. ex., no tronco) é remoto.

Pacientes imunossuprimidos com HZ podem transmitir o vírus por meio de gotículas respiratórias.⁴⁶,⁴⁷

## REFERÊNCIAS

1. Rivitti EA. Dermatologia de Sampaio e Rivitti. 4. ed. São Paulo: Artes Médicas; 2018.
2. Lupi O. Herpes simples. An Bras Dermatol. 2000;75(3):261-75.
3. Habif TP. Clinical dermatology: a color guide to diagnosis and therapy. 6th ed. Philadelphia: Elsevier; 2016.
4. Aslanova M, Zito PM. Herpetic gingivostomatitis [Internet]. Treasure Island: StatPearls; 2019 [capturado em 24 mar. 2020]. Disponível em: https://www.ncbi.nlm.nih.gov/books/NBK526068/
5. Saleh D, Sharma S. Herpes simplex type 1 [Internet]. Treasure Island: StatPearls; 2019 [capturado em 24 mar. 2020]. Disponível em: https://www.ncbi.nlm.nih.gov/books/NBK482197/
6. Crimi S, Fiorillo L, Bianchi A, D'Amico C, Amoroso G, Gorassini F, et al. Herpes virus, oral clinical signs and QoL: systematic review of recent data. Viruses. 2019;11(5). pii: E463.
7. Workowski KA, Bolan GA; Centers for Disease Control and Prevention. Sexually transmitted diseases treatment guidelines, 2015. MMWR Recomm Rep. 2015;64(RR-03):1-137.
8. Harris JB, Holmes AP. Neonatal herpes simplex viral infections and acyclovir: an update. J Pediatr Pharmacol Ther. 2017;22(2):88-93.
9. Ramos-e-Silva M, Castro M. Fundamentos de dermatologia. Rio de Janeiro: Atheneu; 2009.
10. Brasil. Ministério da Saúde. Protocolo clínico e diretrizes terapêuticas para atenção integral às pessoas com Infecções Sexualmente Transmissíveis (IST)[Internet]. Brasília: MS; 2019 [capturado em 24 mar. 2020]. Disponível em: http://www.aids.gov.br/pt-br/pub/2015/protocolo-clinico-e-diretrizes-terapeuticas-para-atencao-integral--pessoas-com-infeccoes
11. Leung DY. Why is eczema herpeticum unexpectedly rare? Antiviral Res. 2013;98(2):153-7.
12. Chi CC, Wang SH, Delamere FM, Wojnarowska F, Peters MC, Kanjirath PP. Interventions for prevention of herpes simplex labialis (cold sores on the lips). Cochrane Database Syst Rev. 2015;(8):CD010095.
13. Arain N, Paravastu SC, Arain MA. Effectiveness of topical corticosteroids in addition to antiviral therapy in the management ofrecurrent herpes labialis: a systematic review and meta-analysis. BMC Infect Dis. 2015;15:82.
14. Siqueira SM, Gonçalves BB, Loss JB, Estrella RR. Vegetative chronic genital herpes with satisfactory response to imiquimod. An Bras Dermatol. 2019;94(2):221-3.
15. Jagdeo J, Austin E, Mamalis A, Wong C, Ho D, Siegel DM. Light-emitting diodes in dermatology: a systematic review of randomized controlled trials. Lasers Surg Med. No prelo 2018.
16. World Health Organization. Guidelines for the treatment of genital herpes simplex virus. Geneva: WHO; 2016.
17. Werner RN, Nikkels AF, Marinović B, Schäfer M, Czarnecka-Operacz M, Agius AM, et al. European consensus-based (S2k) Guideline on the Management of Herpes Zoster – guided by the European Dermatology Forum (EDF) in cooperation with the European Academy of Dermatology and Venereology (EADV), part 2: treatment. J Eur Acad Dermatol Venereol. 2017;31(1):20-9.
18. Rosen T. Recurrent herpes labialis in adults: new tricks for an old dog. J DrugsDermatol. 2017;16(3):s49-s53.
19. Wauters O, Lebas E, Nikkels AF. Chronic muco cutaneous herpes simplex virus and varicella zoster virus infections. J Am Acad Dermatol. 2012;66(6):e217-27.
20. Elad S, Ranna V, Ariyawardana A, Correa ME, Tilly V, Nair RG, et al. A systematic review of oral herpetic viral infections in cancer patients: commonly used outcome measures and interventions. Support Care Cancer. 2017;25(2):687-700.
21. Lee R, Nair M. Diagnosis and treatment of herpes simplex 1 virus infection in pregnancy. Obstet Med. 2017;10(2):58-60.
22. Hollier LM, Wendel GD. Third trimester antiviral prophylaxis for preventing maternal genital herpes simplex virus (HSV) recurrences and neonatal infection. Cochrane Database Syst Rev. 2008;(1):CD004946.
23. Wilson EK, Deweber K, Berry JW, Wilckens JH. Cutaneous infections in wrestlers. Sports Health. 2013;5(5):423-37.
24. de Risi-Pugliese T, Sbidian E, Ingen-Housz-Oro S, Le Cleach L. Interventions for erythema multiforme: a systematic review. J Eur Acad Dermatol Venereol. 2019;33(5):842-9.
25. Staikuniene J, Staneviciute J. Long-term valacyclovir treatment and immune modulation for Herpes-associated erythema multiforme. Cent Eur J Immunol. 2015;40(3):387-90.
26. Routt E, Levitt J. Famciclovir for recurrent herpes-associated erythema multiforme: a series of three cases. J Am Acad Dermatol. 2014;71(4):e146-7.
27. Lal H, Cunningham AL, Godeaux O, Chlibek R, Diez-Domingo J, Hwang SJ, et al. Efficacy of an adjuvanted herpes zoster subunit vaccine in older adults. N Engl J Med. 2015;372(22):2087-96.

28. Bharucha T, Ming D, Breuer J. A critical appraisalof 'Shingrix', a novel herpes zoster subunitvaccine (HZ/Suor GSK1437173A) for varicella zoster virus. Hum Vaccin Immunother. 2017;13(8):1789-97.
29. Baxter R, Bartlett J, Fireman B, Marks M, Hansen J, Lewis E, et al. Long-term effectiveness of the live zoster vaccine in preventing shingles: a cohort study. Am J Epidemiol. 2018;187(1):161-9.
30. Warrington R, Ismail S; National Advisory Committee on Immunization (NACI).*Summary of the NACI update on herpes zoster vaccines. Can Commun Dis Rep. 2018;44(9):220-5.
31. Koshy E, Mengting L, Kumar H, Jianbo W. Epidemiology, treatment and prevention of herpes zoster: a comprehensive review. Indian J Dermatol Venereol Leprol. 2018;84(3):251-62.
32. Werner RN, Nikkels AF, Marinović B, Schäfer M, Czarnecka-Operacz M, Agius AM, et al. European consensus-based (S2k) Guideline on the Management of Herpes Zoster – guided by the European Dermatology Forum (EDF) in cooperation with the European Academy of Dermatology and Venereology (EADV), part 1: diagnosis. J Eur Acad Dermatol Venereol. 2017;31(1):9-19.
33. Forbes HJ, Thomas SL, Smeeth L, Clayton T, Farmer R, Bhaskaran K, et al. A systematic review and meta-analysis of risk factors for postherpetic neuralgia. Pain. 2016;157(1):30-54.
34. Tyring S, Barbarash RA, Nahlik JE, Cunningham A, Marley J, Heng M, et al. Famciclovir for the treatment of acute herpes zoster: effects on acute disease and postherpetic neuralgia. A randomized, double-blind, placebo-controlled trial. Collaborative Famciclovir Herpes Zoster Study Group. Ann Intern Med. 1995;123(2):89-96.
35. Dworkin RH, Boon RJ, Griffin DR, Phung D. Postherpetic neuralgia: impact of famciclovir, age, rash severity, and acute pain in herpes zoster patients. J Infect Dis. 1998;178 Suppl 1:S76-80.
36. Pott Jr H, Oliveira MFB, Gambero S, Amazonas RB. Randomized clinical trial of famciclovir or acyclovir for the treatment of herpes zoster in adults. Int J Infect Dis. 2018;72:11-5.
37. Beutner KR, Friedman DJ, Forszpaniak C, Andersen PL, Wood MJ. Valaciclovir compared with acyclovir for improved therapy for herpes zoster in immunocompetent adults. Antimicrob Agents Chemother. 1995;39(7):1546-53.
38. Usami E, Kimura M, Iwai M, Teramachi H, Yoshimura T. Prophylactic Efficacy Against Herpes zoster and costs difference between acyclovir and valaciclovir in hematological patients. In Vivo. 2016;30(5):701-5.
39. Monsanto RD, Bittencourt AG, Bobato Neto NJ, Beilke SC, Lorenzetti FT, Salomone R. Treatment and prognosis of facial Palsyon Ramsay Hunt syndrome: results based on a review of the literature. Int Arch Otorhinolaryngol. 2016;20(4):394-400.
40. Hayward K, Cline A, Stephens A, Street L. Management of herpes zoster (shingles) during pregnancy J Obstet Gynaecol. 2018;38(7):887-94.
41. Dooling KL, Guo A, Patel M, Lee GM, Moore K, Belongia EA, Harpaz R. Recommendations of the advisory committee on immunization practices for use of herpes zoster vaccines. MMWR Morb Mortal Wkly Rep. 2018;67(3):103-8.
42. Walker JL, Andrews NJ, Amirthalingam G, Forbes H, Langan SM, Thomas SL. Effectiveness of herpes zoster vaccination in an olde United Kingdom population. Vaccine. 2018;36(17):2371-7.
43. Willis ED, Woodward M, Brown E, Popmihajlov Z, Saddier P, Annunziato PW, et al. Herpes zoster vaccine live: a 10 year review of post-marketing safety experience. Vaccine. 2017;35(52):7231-9.
44. Hesse EM, Shimabukuro TT, Su JR, Hibbs BF, Dooling KL, Goud R, et al. Post licensure Safety Surveillance of Recombinant Zoster Vaccine (Shingrix) – United States, October 2017-June 2018. MMWR Morb Mortal Wkly Rep. 2019;68(4):91-4.
45. Brasil. Ministério da Saúde. Manual dos centros de referência para imunobiológicos especiais. 4. ed. Brasília: MS; 2014.
46. Public Health England. Guidance on the use and ordering of varicella zoster immunoglobulin (VZIG) [Internet]. London: PHE; 2018 [capturado em 24 mar. 2020]. Disponível em: www.gov.uk/government/publications/varicella-zoster-immunoglobulin
47. Public Health England. Varicella zoster immunoglobulin. Updated guidelines on post exposure prophylaxis (PEP) for varicella/shingles [Internet]. London: PHE; 2018 [capturado em 24 mar. 2020]. Disponível em: https://assets.publishing.service.gov.uk/government/uploads/system/uploads/attachment_data/file/812526/PHE_PEP_VZIG_guidance_for_health_professionals.pdf

## LEITURAS RECOMENDADAS

James W, Elston D, Treat J, Rosenbach M, Neuhaus I. Andrews' diseases of skin. 13th ed. Philadelphia: Elsevier; 2019.

*Livro de dermatologia com excelentes fotos sobre as patologias dermatológicas.*

Vilaça A, Pimentel T. Extensive cutaneous involvement due to herpes simplex virus infection. BMJ Case Rep. 2017:bcr2017221003.

*Caso clínico de herpes simples cutâneo com ótima documentação fotográfica*

Kennedy PGE, Gershon AA. Clinical features of varicella-zoster virus infection. Viruses. 2018;10(11): piiE609.

*Revisão que comenta complicações menos comuns do herpes-zóster.*

Tricco AC, Zarin W, Cardoso R, Veroniki AA, Khan PA, Nincic V, et al. Efficacy, effectiveness, and safety of herpes zoster vaccines in adults aged 50 and older: systematic review and network meta-analysis. BMJ. 2018;363:k4029.

*Artigo de revisão sobre as vacinas para herpes-zóster.*

# Capítulo 142
# MICOSES SUPERFICIAIS

Ana Lenise Favaretto

Humberto Antonio Ponzio

As micoses superficiais são afecções provocadas por fungos que se localizam nas camadas superiores da pele e, por vezes, atingem as mucosas. Esses fungos não são exclusivos da pele humana, pois podem ser observados em animais ou no solo. Há uma suscetibilidade individual, genética ou adquirida, que predispõe certos pacientes a infecções fúngicas de repetição. Os indivíduos atópicos frequentemente são mais afetados do que a população em geral.[1] O clima tem influência importante no desenvolvimento das afecções, comuns em regiões de maior temperatura e umidade, sendo mais prevalentes no verão.

As principais dermatoses incluídas nesse grupo e de interesse para o clínico são as dermatofitoses (tinhas) e as dermatomicoses leveduriformes, como a pitiríase versicolor (ver Capítulo Manchas) e a candidíase (candidose). Diversas outras afecções, como foliculite pitirospórica, tinha negra, *piedra* preta e *piedra* branca, não são abordadas por serem raras e de interesse do especialista. As dermatoses não dermatofíticas, que incluem os fungos filamentosos não queratinofílicos, abrangem um grupo de fungos oportunistas que proliferam à custa do cimento intercelular ou da queratina desnaturada. Elas são de interesse dos especialistas. (Para mais detalhes, ver QR codes.)

## DERMATOFITOSES

O grupo das dermatofitoses, conhecido como o das tinhas, é constituído de micoses superficiais provocadas por fungos dermatófitos dos gêneros *Microsporum*, *Trichophyton* e *Epidermophyton*. São parasitas que utilizam a queratina morta como fonte de subsistência na pele, nos pelos e nas unhas, mas que não ocorrem nas mucosas por estas serem destituídas de excesso de camada córnea.[2]

As lesões podem ocorrer devido à presença do fungo, bem como pela reação de sensibilidade específica ao agente causal ou a seus metabólitos (dermatofítides).[3] A transmissão pode ocorrer pelo contato direto ou indireto com materiais contaminados. Uma característica comum às tinhas, em quase todas as localidades, é a evolução centrífuga de suas lesões, em que a borda é mais ativa, apresentando padrão inflamatório, com vesículas escoriadas sob base eritematosa e discreto relevo, contendo muitas hifas.

### Etiopatogenia

As dermatofitoses representam a infecção fúngica mais comum no homem. A prevalência é maior nas áreas tropicais e subtropicais, onde o clima é quente e úmido. Vários fatores contribuem para a progressão da infecção na pele ou nos anexos: pele lesada, umidade localizada, densidade e grau de virulência do fungo (poder de infectar), imunossupressão individual, entre outros.

O diagnóstico pode ser clínico, mas o exame microscópico direto do raspado da área afetada preparado com hidróxido de potássio é simples e confirmatório pela visualização de hifas brancas septadas,[3] utilizado sobretudo nos quadros menos exuberantes ou atípicos.

### Manifestações clínicas

O quadro clínico é extremamente variado e depende da região ou dos anexos afetados.

### Tinha do couro cabeludo (*tinea capitis*)

Caracteriza-se pelo comprometimento do cabelo e do couro cabeludo por diversos fungos. As crianças são as mais acometidas, adquirindo a micose pelo contato com indivíduos afetados, animais doentes ou portadores, bem como pelo contato com o solo contaminado.[4]

A manifestação clínica é variável conforme o gênero do fungo infectante, podendo resultar em placas pequenas e múltiplas ou maiores, tanto isoladas quanto agrupadas. As lesões são descamativas e apresentam pelos cortados logo acima da linha de implantação. Reações inflamatórias intensas, purulentas e com evolução autorresolutiva e cicatrizes podem ser observadas especialmente em infecções decorrentes de fungos zoofílicos ou geofílicos, conhecidas como *Kerion celsi*.

A composição do sebo a partir da adolescência tem propriedades fungistáticas, o que dificulta a ocorrência das dermatofitoses após esse período, exceção feita à tinha favosa. Esta, causada pelo *Trichophyton schoenleinii*, apresenta características clinicoevolutivas e epidemiológicas próprias. Seu contágio, inter-humano, ocorre na infância e, ao contrário das demais tricofitias, permanece até a idade adulta, levando à alopecia cicatricial se não tratada. Caracteriza-se pela presença de pequenas depressões (favo) que evoluem com alopecia cicatricial e odor característico descrito como cheiro de ninho de rato. Apresenta evolução lenta e progressiva até a idade adulta. A doença costuma ser observada em comunidades fechadas, onde pode ser localizado o caso-índice, responsável por sua disseminação.

### Tinha do corpo (tinha da pele glabra)

Tinhas do corpo (ou da pele glabra) são lesões que acometem face, tronco, além de membros superiores e inferiores, com variação de tamanho e grau de inflamação. Apresentam-se como vesículas ou pápulas eritematosas que crescem centrifugamente, levando a placas eritematoescamosas com centro tendendo à cura e bordas mais ativas. Em alguns casos, o centro da lesão pode permanecer acometido, enquanto, em outros, círculos concêntricos podem ser observados (*Tinea imbricata*), em geral causados pelo *M. canis*. O prurido está presente na maioria dos casos (FIGURA 142.1).

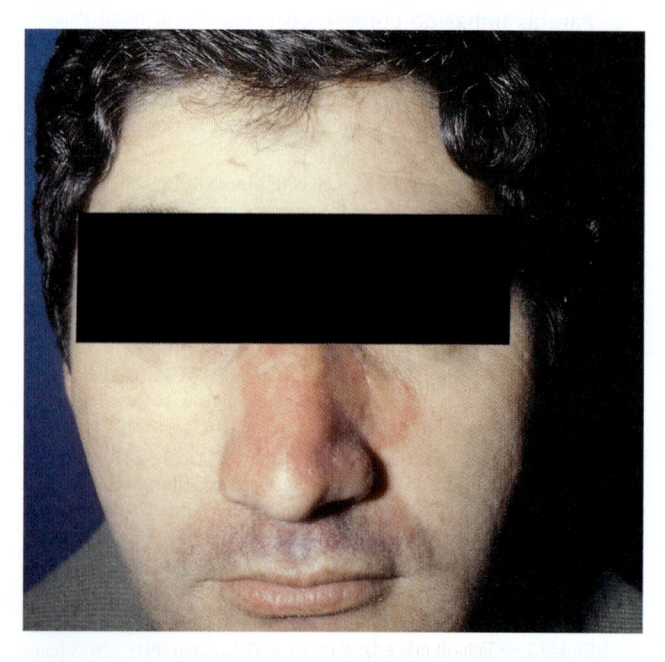

**FIGURA 142.1** → Tinha da face.

## Tinha crural (tinea cruris)

É mais frequente em homens devido ao calor e à umidade encontrados na região inguinocrural. Costuma ser bilateral e extensa, podendo acometer períneo, região glútea e parede abdominal. Caracteriza-se por lesão eritematoescamosa com bordas bem-nítidas. O prurido é intenso, provocando liquenificação e escurecimento da área afetada.

## Tinha da mão e do pé (tinea manum et pedis)

A tinha do pé é bastante frequente, enquanto a da mão é pouco comum (FIGURA 142.2). Podem apresentar-se de três formas: aguda, intertriginosa e crônica. Na forma aguda, encontram-se lesões vesicobolhosas com infecção bacteriana associada. A forma intertriginosa é caracterizada por fissuras e maceração nas pregas interdigitais, acompanhadas de prurido. Além dos dermatófitos, também podem ser encontrados Candida albicans e Corynebacterium minutissimum, como fatores causais. Já na terceira forma, observam-se descamação pruriginosa e reação inflamatória mais discreta, bem como unhas também acometidas pelo fungo.

## Medidas preventivas

As medidas preventivas a serem observadas nas tinhas incluem os cuidados locais, com o objetivo de diminuir a umidade e o calor. Por exemplo, após o banho, secar bem as áreas de dobras, como as regiões inguinocrurais e os pés (mais suscetíveis aos fungos), aplicando talco a seguir; dar preferência a roupas íntimas e meias de tecido natural, como algodão e linho, por serem mais absorventes da umidade; e evitar permanecer com roupas úmidas após a prática de esportes C/D.

Ao frequentar piscinas e vestiários coletivos, é aconselhável usar sandálias e evitar sentar-se em bancos ou cadeiras de praia sem antes forrá-los com uma toalha pessoal C/D.

Para as tinhas do corpo e do couro cabeludo, deve-se observar que o contágio pode se dar a partir do contato com animais domésticos infectados. O exame periódico da pele dos animais de estimação não deve ser negligenciado (principalmente cães e gatos).

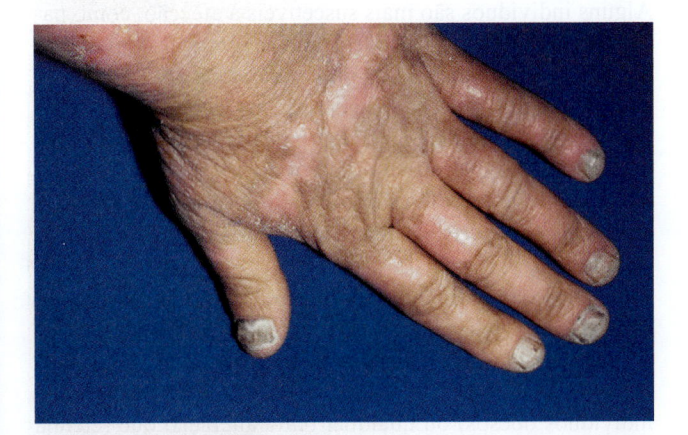

**FIGURA 142.2** → Tinha da mão e das unhas em paciente portador de lúpus eritematoso sistêmico em uso de imunossupressores.

## Tratamento

A escolha do esquema terapêutico a ser empregado está na dependência do tipo de infecção, do grau de comprometimento, da topografia das lesões, dos fatores condicionantes ou agravantes envolvidos e do indivíduo acometido. Pode variar desde cremes ou loções para aplicação tópica até fármacos por via oral. Formas extensas e refratárias aos tratamentos convencionais, frequentes em pacientes imunodeprimidos, demandam abordagem especializada e fármacos de uso parenteral. O tratamento exclusivamente tópico está indicado nas manifestações leves a moderadas das dermatofitoses da pele glabra e intertriginosas, nas dermatomicoses e nas leveduras.

> Com exceção das tinhas do couro cabeludo, as demais, desde que em graus leves ou moderados, deverão receber, inicialmente, tratamento local.[5] Antifúngicos tópicos são eficazes no tratamento de micoses de pele, promovendo a cura em cerca de 80% dos casos (NNT = 2) B.

Derivados azoicos, como o isoconazol, o tioconazol, o clotrimazol e o miconazol, entre outros, contudo, são apresentados em emulsões, suspensões ou soluções para aplicação tópica 1 a 2 vezes ao dia. Os derivados de aliaminas (como a terbinafina) parecem ser superiores aos azóis C/D.[6] O uso da clássica fórmula da solução álcool-iodada (ácido salicílico a 1%, ácido benzoico a 2%, ácido bórico a 3%, iodo metaloide a 0,3% e propilenoglicol a 2%, em álcool 70%) é, ainda hoje, uma opção eficaz e barata para o tratamento das micoses superficiais C/D. Nas dermatofitoses da pele glabra (pele das áreas não pilosas), o tratamento local deve ser continuado, no mínimo, por 2 semanas após o desaparecimento das lesões.

A opção por fármacos de uso sistêmico dependerá sempre da avaliação do custo-benefício de sua indicação, por serem medicamentos caros e que frequentemente apresentam efeitos colaterais. O uso de terapias sistêmicas nas dermatofitoses está indicado apenas nas tinhas do couro cabeludo e no extenso comprometimento da pele nas tinhas corporais. Nas tinhas do couro cabeludo, a griseofulvina, na forma ultramicronizada, é indicada na dose de 500 a 1.000 mg/dia (crianças 15-20 mg/kg/dia), divididos em duas doses diárias durante 40 a 60 dias.[3] Em adultos, para o tratamento sistêmico das dermatofitoses da pele glabra e áreas intertriginosas, é válida a opção pela griseofulvina nas doses recém-descritas, mas a frequência dos efeitos colaterais a ela associados, como cefaleia, dores abdominais, náuseas, vômitos, fotossensibilidade, urticária e eritema multiforme, limita seu uso.[7]

Embora mais caros, os tratamentos com itraconazol (100 mg/dia ou em pulsos de 400 mg/dia, 7 dias por mês) B ou terbinafina (250 mg/dia), ambos até 1 a 2 meses na ausência da cura clínica anteriormente B, são efetivos, além de serem mais seguros. Além disso, a efetividade da terbinafina é comparável à do itraconazol e parece ser superior à da griseofulvina C/D.[3]

Para o tratamento das tinhas do couro cabeludo, a griseofulvina é o fármaco de primeira linha, sendo o único aprovado nos Estados Unidos e em países da Europa para o tratamento oral dessa afecção, apresentando taxa de cura da ordem de 80%. Contudo, outros antifúngicos sistêmicos, como o itraconazol e a terbinafina, são igualmente eficazes **A**.[8-10] As doses terapêuticas para cada fármaco antifúngico normalmente são as mesmas para as diversas manifestações clínicas, e o tempo do tratamento varia em cada caso.

## ONICOMICOSE

O comprometimento da lâmina ungueal é variável conforme o agente envolvido e a imunidade do hospedeiro. Fatores de risco para desenvolvimento são trauma, idade avançada e comorbidades como diabetes, obesidade, imunossupressão e malignidade.

Quatro são os padrões de envolvimento das unhas pelos fungos que, embora distintos, podem apresentar associações: subungueal distal, esbranquiçado superficial, subungueal proximal e candidiásico.[11] *Trichophyton rubrum* é o fungo dermatófito responsável pela maioria das onicomicoses.

O padrão subungueal distal é o mais frequente. A unha se apresenta descolada a partir de sua extremidade distal, onde podem ser observados acúmulos de queratina. A lâmina torna-se friável e espessada. No branqueamento superficial, mais comumente causado pelo *T. mentagrophytes*, toda a lâmina ungueal se mostra branca, seca e pulverulenta. Na onicomicose subungueal proximal, o principal agente é o *T. rubrum*, que penetra pelo espaço sob a cutícula, migrando por baixo da matriz até atingir a porção inferior da lâmina, a qual permanece com a superfície íntegra. O comprometimento da lâmina ungueal por *Candida* sp. é próprio de portadores da síndrome da candidíase mucocutânea; não é raro, no entanto, que essa levedura se estenda aos tecidos periungueais, como na paroníquia candidiásica ou no hiponíquio. O diagnóstico das onicomicoses é primariamente clínico e é válido iniciar o tratamento empírico, pois o exame micológico direto não é conclusivo e o cultural é demorado e caro. Esses exames estão indicados nas manifestações atípicas ou resistentes aos tratamentos.

### Tratamento

O tratamento das onicomicoses ainda é considerado caro, demorado e desanimador, apesar de ser efetivo. Isso se deve às peculiaridades próprias do fâneRo envolvido que, desvitalizado, depende de seu crescimento para a eliminação das porções comprometidas. A probabilidade de cura é frequentemente < 50%[12] e nem sempre indicado. Pessoas assintomáticas e sem preocupação sobre a aparência das unhas não precisam ser tratadas. Como orientação prática, deve ser tentado o tratamento tópico exclusivo apenas quando o padrão de comprometimento ungueal for o superficial brancacento ou até um terço da lâmina ungueal no padrão subungueal distal, envolvendo no máximo 3 ou 4 unhas **C/D**.[11,13]

Nas demais situações, o tratamento sistêmico – associado ou não aos tópicos – é recomendado com itraconazol ou terbinafina durante um período não inferior a 3 meses para as unhas das mãos e 6 meses para as unhas dos pés, nas mesmas doses prescritas para as dermatofitoses. Ambas as medicações, terbinafina e itraconazol, são aprovadas pela Food and Drug Administration (FDA) para o tratamento das onicomicoses. Devido à alta taxa de cura e à pouca interação medicamentosa, a terbinafina (250 mg/dia por 3-6 meses) é mais usada que o itraconazol. Observa-se cura com o uso de fluconazol, 150 a 300 mg/semana, por 4 a 12 meses em 30 a 50% dos pacientes **B**.[11,14] Diagnóstico laboratorial é recomendado antes de iniciar terapia sistêmica.[15,16]

A incorporação de bases potencializadoras de penetração dos ativos antifúngicos, para aumentar sua efetividade, é sugerida, mas pouco avaliada, e produtos dessa natureza já estão disponíveis em nosso meio sob a forma de esmaltes transparentes, contendo amorolfina a 5% (2 ×/semana), tioconazol a 28% (2 ×/dia) ou ciclopirox a 8% (3 ×/semana) **C/D**. Em qualquer das opções, o tratamento deve ser realizado até o desaparecimento da doença.[13]

Em casos extensos, o desbridamento das áreas afetadas da lâmina ungueal é recomendado, mas sua avulsão deve ser evitada pelo risco de distrofias permanentes.

Nas infecções por *Candida*, a prevenção é a medida mais importante. Deve-se evitar a umidade e, especialmente, o contato com sabões e detergentes. O itraconazol (contínuo ou em pulsos, como descrito antes) e o fluconazol (150 mg/semana) são efetivos e curativos se as medidas gerais forem adotadas.[13]

Em caso de falha terapêutica ou de recorrência, o paciente poderá ser encaminhado ao especialista.

## CANDIDÍASE

A candidíase é uma afecção causada por leveduras do gênero *Candida*, cujo principal representante é *C. albicans*, sendo que outros gêneros também são encontrados: *C. tropicalis*, *C. parapsilosis* e *C. guilliermondii*. Acometem a pele, a mucosa e as unhas. Em geral, estão presentes nas mucosas de indivíduos sadios, seja na oral, na intestinal ou na vaginal, as quais, por diminuição da imunidade, facilitam o crescimento do fungo, bem como seu desenvolvimento. Alguns indivíduos são mais suscetíveis à afecção, como pacientes diabéticos, imunodeprimidos, gestantes, mulheres em uso de anticoncepcional oral, indivíduos em uso de corticoides ou antibióticos, pacientes com alguma deficiência nutricional congênita ou endocrinopatias que, por quebra da homeostase, permitem o desenvolvimento desse constituinte da flora até então saprofítica.[17] A umidade é uma das principais características da pele que facilita o crescimento de *Candida*.

Condições comportamentais ou ocupacionais, junto com aspectos individuais de certas regiões anatômicas (cantos da boca caídos, dedos das mãos ou dos pés muito juntos, mamas volumosas, uso de próteses, pregas cutâneas de indivíduos obesos) ou qualquer outra alteração que retenha umidade, como o uso de fraldas não absorventes, também contribuem para a afecção. A alcalinização da pele por sabonetes ou por roupas mal-enxaguadas, lavadas com sabões em pó ou, principalmente, que receberam amaciantes, pode favorecer o desenvolvimento da infecção.

## Manifestações clínicas

As regiões mais atingidas na candidíase são as intertriginosas, que assumem aspecto macerado, sobre base eritematosa e induto esbranquiçado, sugerindo infecções bacterianas muito mais do que micose. A pele glabra só é comprometida em imunodeprimidos. Pápulas eritematosas, satélites às dobras envolvidas, podem ser frequentemente observadas. O prurido é o sintoma mais comum e, na presença de fissuras, a dor costuma ser mais significativa.

O comprometimento da mucosa oral é frequente em neonatos (sobretudo nos prematuros), em idosos e em imunodeprimidos. Clinicamente, as lesões se manifestam com enantema difuso e pequenas lesões papuloerosivas, ovaladas, recobertas por pseudomembrana esbranquiçada que, ao confluírem, assumem aspecto aveludado, circundadas por halo vermelho-vivo.

Na vulvovaginite candidiásica, as lesões são semelhantes às da mucosa oral e costumam apresentar leucorreia e prurido. Os sintomas são mais acentuados antes da menstruação, quando o prurido é mais intenso, levando a erosões. Os homens podem ser contaminados, resultando na balanite prepucial por *Candida*.

O envolvimento ungueal é frequente em donas de casa e trabalhadores em contato com água e sabão (FIGURA 142.3). Os tecidos periungueais são as estruturas mais comprometidas, resultando em edema, eritema e descolamento da cutícula, por onde pode ser observada a drenagem de secreção purulenta à compressão, caracterizando a paroníquia subaguda. A compressão sobre a matriz ungueal leva à distrofia da lâmina. Na onicomicose candidiásica, o descolamento distal da unha (onicólise) é a manifestação mais comum. Nesse caso, o exame micológico cultural é útil na diferenciação com a onicomicose por dermatófitos.

A candidíase mucocutânea crônica é uma síndrome em que a recorrência e a persistência da afecção por *Candida* na pele, nas unhas e nas mucosas são as regras. Várias afecções sistêmicas podem estar associadas, como hipoparatireoidismo com hipoadrenocorticalismo e hipotireoidismo, falência ovariana autoimune, anemia perniciosa, vitiligo, agamaglobulinemia, síndromes imunodeficientes e neoplasias.

## Tratamento

O tratamento da candidíase cutânea exige a manutenção da pele seca, na qual podem ser aplicadas compressas com solução de Thiersch ou banhos com soluções de permanganato de potássio em concentrações 1:10.000 a 1:20.000, bem como loções contendo nistatina ou imidazólicos 2 ×/dia até o desaparecimento das lesões C/D.[17]

A balanite candidiásica requer, além dessas recomendações, boa higiene, loções antifúngicas (p. ex., clotrimazol A ou miconazol B) por 10 dias e cremes com corticoides (ver Capítulo Fundamentos de Terapêutica Tópica) para diminuir a reação inflamatória da afecção, mas com precaução devido ao rebote.[18]

O uso de fluconazol 150 mg em dose única possui efetividade semelhante à do antifúngico tópico e é útil em casos mais sintomáticos C/D.[19]

Para o diagnóstico e o manejo de vulvovaginite por *Candida*, ver Capítulo Secreção Vaginal e Prurido Vulvar. A candidíase oral pode ser tratada com bochechos de nistatina (400.000-600.000 UI 4 ×/dia), no intervalo das refeições, por até 48 horas após o desaparecimento das lesões, tanto para crianças quanto para adultos B. Na ausência de resolução, pode ser utilizado fluconazol oral C/D. Na primeira infância, pode ser utilizado miconazol gel (mais efetivo) ou nistatina B. Para casos de gravidade moderada ou grave, utiliza-se fluconazol 100 a 200 mg por via oral 1 ×/dia por 7 a 14 dias A.[20]

O tratamento da paroníquia crônica classicamente consiste na manutenção da pele seca. O uso de corticoides tópicos mostrou-se superior ao dos antifúngicos sistêmicos B,[21] o que corrobora a hipótese de que a paroníquia consiste primariamente em um processo inflamatório, sendo a infecção fúngica secundária. No entanto, como o corticoide pode favorecer o desenvolvimento da levedura, recomenda-se que, se indicado, seja associado ao antifúngico. Em nosso meio, existem preparações comerciais associando corticoides de média potência com antifúngicos como isoconazol ou cetoconazol, aplicados 1 a 2 ×/dia até a remissão clínica. Alternativa é o itraconazol (100 mg/dia ou em pulsos de 400 mg/dia, 7 dias por mês durante 1-3 meses) C/D.[17] A terbinafina é apenas fungistática para *Candida* e a griseofulvina não é efetiva; portanto, não estão indicadas para esse tipo de infecção fúngica. O fluconazol (150 mg/semana) é usado em pacientes imunodeprimidos com doença grave. Contudo, em determinados casos de paroníquia crônica, é interessante utilizar associação tópica de antifúngico (p. ex., um os derivados azoicos) e corticoide C/D por no máximo 20 dias. Em alguns casos, nas paroníquias crônicas recalcitrantes, há necessidade de remoção cirúrgica em bloco da borda proximal da unha B.[22] Para o manejo de paroníquia aguda, ver Capítulo Cirurgia da Unha.

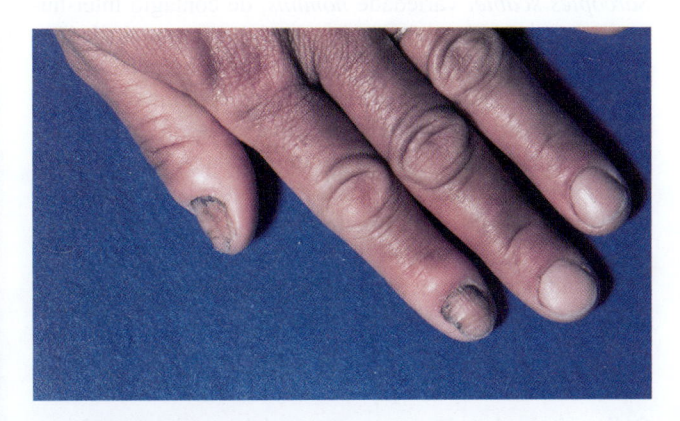

**FIGURA 142.3** → Paroníquia por *Candida* sp.

# REFERÊNCIAS

1. Faergemann J. Atopic dermatitis and fungi. Clin Microbiol Rev. 2002;15(4):545–63.
2. Habif TP. Clinical dermatology: a color guide to diagnosis and therapy. 6th ed. Philadelphia: Elsevier; 2016.
3. Sahoo AK, Mahajan R. Management of tinea corporis, tinea cruris, and tinea pedis: acomprehensive review. Indian Dermatol Online J. 2016;7(2):77–86.
4. Kelly BP. Superficial fungal infections. Pediatr Rev. 2012;33(4):e22-37.
5. El-Gohary M, van Zuuren EJ, Fedorowicz Z, Burgess H, Doney L, Stuart B, et al. Topical antifungal treatments for tinea cruris and tinea corporis. Cochrane Database Syst Rev 2014;(8):CD009992.
6. Crawford F, Hollis S. Topical treatments for fungal infections of the skin and nails of the foot. Cochrane Database Syst Rev. 2007;(3):CD001434.
7. Faergemann J, Mörk NJ, Haglund A, Odegård T. A multicentre (double-blind) comparative study to assess the safety and efficacy of fluconazole and griseofulvin in the treatment of tinea corporis and tinea cruris. Br J Dermatol. 1997;136(4):575–7.
8. U.S. Food and Drug Administration. FDA Drug Safety Communication: FDA warns that prescribing of Nizoral (ketoconazole) oral tablets for unapproved uses including skin and nail infections continues; linked to patient death [Internet]. Silver Spring: FDA; 2019[capturado em 24 mar. 2020]. Disponível em: http://www.fda.gov/drugs/drug-safety-and-availability/fda-drug-safety-communication-fda-warns-prescribing-nizoral-ketoconazole-oral-tablets-unapproved
9. Tey HL, Tan ASL, Chan YC. Meta-analysis of randomized, controlled trials comparing griseofulvin and terbinafine in the treatment of tinea capitis. J Am Acad Dermatol. 2011;64(4):663–70.
10. Chen X, Jiang X, Yang M, González U, Lin X, Hua X, et al. Systemic antifungal therapy for tinea capitis in children. Cochrane Database Syst Rev. 2016;(5):CD004685.
11. Lipner SR, Scher RK. Onychomycosis: clinical overview and diagnosis. J Am Acad Dermatol. 2019;80(4):835–51.
12. U. S. National Library of Medicine. Efficacy safety, and tolerability of topical terbinafine in patients with mild to moderate toenail fungus of the big toenail – study results [Internet]. Bethesda: NIH; 2011 [capturado em 24 mar. 2020]. Disponível em: https://clinicaltrials.gov/ct2/show/results/NCT00443820
13. Ameen M, Lear JT, Madan V, Mohd Mustapa MF, Richardson M. British Association of Dermatologists' guidelines for the management of onychomycosis 2014. Br J Dermatol. 2014;171(5):937–58.
14. Kreijkamp-Kaspers S, Hawke K, Guo L, Kerin G, Bell-Syer SE, Magin P, et al. Oral antifungal medication for toenail onychomycosis. Cochrane Database Syst Rev. 2017;(7):CD010031.
15. Yu SH, Drucker AM, Lebwohl M, Silverberg JI. A systematic review of the safety and efficacy of systemic corticosteroids in atopic dermatitis. J Am Acad Dermatol. 2018;78(4):733-40.e11.
16. American Academy of Dermatology. Ten things physicians and patients should question [Internet]. Washington: AAD; 2019[capturado em 24 mar. 2020]. Disponível em: https://www.choosingwisely.org/wp-content/uploads/2015/02/AAD-Choosing-Wisely-List1.pdf
17. Kaushik N, Pujalte GGA, Reese ST. Superficial fungal infections. Prim Care. 2015;42(4):501-16.
18. Edwards SK, Bunker CB, Ziller F, van der Meijden WI. 2013 European guideline for the management of balanoposthitis. Int J STD AIDS. 2014;25(9):615–26.
19. Stary A, Soeltz-Szoets J, Ziegler C, Kinghorn GR, Roy RB. Comparison of the efficacy and safety of oral fluconazole and topical clotrimazole in patients with candida balanitis. Genitourin Med. 1996;72(2):98–102.
20. Pappas PG, Kauffman CA, Andes DR, Clancy CJ, Marr KA, Ostrosky-Zeichner L, et al. Clinical Practice Guideline for the management of candidiasis: 2016 update by the Infectious Diseases Society of America. Clin Infect Dis Off Publ Infect Dis Soc Am. 2016;62(4):e1-50.
21. Tosti A, Piraccini BM, Ghetti E, Colombo MD. Topical steroids versus systemic antifungals in the treatment of chronic paronychia: an open, randomized double-blind and double dummy study. J Am Acad Dermatol. 2002;47(1):73–6.
22. Grover C, Bansal S, Nanda S, Reddy BSN, Kumar V. En bloc excision of proximal nail fold for treatment of chronic paronychia. Dermatol Surg Off Publ Am Soc Dermatol Surg Al. 2006;32(3):393–8.

# LEITURAS RECOMENDADAS

Azulay-Abulafia L, Bonalumi Filho A, Azulay DR, Leal FRPC. Atlas de dermatologia: da semiologia ao diagnóstico. Rio de Janeiro: Elsevier; 2007.
*Atlas de dermatologia com fotos das principais dermatoses.*

Peixoto I, Francesconi VA, Maquine G, Francesconi F. Dermatofitose por Tricophytonrubrum como infecção oportunista em pacientes com doença de Cushing. An Bras Dermatol. 2010;85(6):888-90.
*Artigo que exemplifica a micose em pacientes com imunodepressão.*

# Capítulo 143
## ZOODERMATOSES

Lucio Bakos
Renato Marchiori Bakos
Elise Botteselle De Oliveira

As zoodermatoses são afecções cutâneas causadas por animais, principalmente artrópodes e helmintos. As mais importantes em nosso meio são a escabiose, as pediculoses, a tungíase, as miíases e a *larva migrans*.[1,2]

## ESCABIOSE

### Etiopatogenia

A escabiose é um problema de saúde pública comum, e afeta 100 milhões de pessoas anualmente.[3] Também conhecida como sarna humana, é uma afecção causada por um ácaro, o *Sarcoptes scabiei* variedade *hominis*, de contágio inter-humano, em geral direto ou, muito raramente, por meio de roupas. O parasita efetua seu ciclo biológico no homem, não sobrevivendo fora do hospedeiro. Ácaros de animais podem, às vezes, acometer o homem, porém apenas em áreas restritas, tendo, em geral, evolução autolimitada. A lesão cutânea é causada pela fêmea fecundada do parasita, que escava um túnel (FIGURA 143.1)[4] sob a camada córnea, para ali depositar os ovos. Estes abrem dentro de aproximadamente 3 a 5 dias, eliminando larvas que, em 15 dias, atingem o estado adulto. Após fecundadas, novas fêmeas perpetuam a moléstia.[1–3,5]

### Diagnóstico

O diagnóstico baseia-se em quatro critérios: sintomatologia, lesões cutâneas, topografia das lesões e epidemiologia.

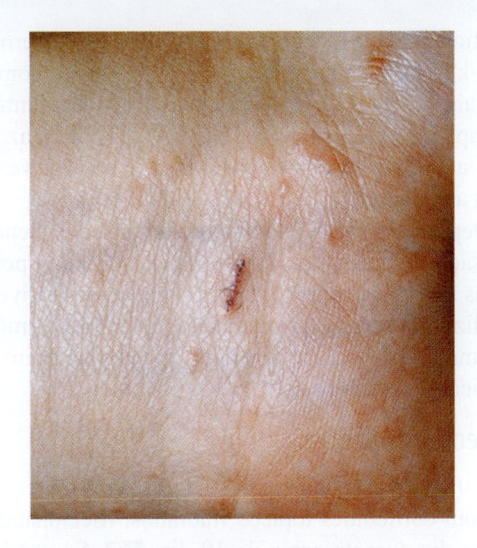

**FIGURA 143.1** → Escabiose. Os túneis são mais provavelmente encontrados nos espaços interdigitais, nos pulsos, nas laterais das mãos e dos pés, no pênis, nas nádegas, no escroto e nas palmas das mãos e plantas dos pés dos lactentes.
Fonte: Habif e colaboradores.[3]

## Sintomatologia

O prurido é o sintoma básico. Geralmente é mais intenso à noite, quando o paciente aquece o corpo na cama, sendo causado não apenas pela presença e pelo deslocamento do parasita no túnel, mas também, em especial, pela sensibilização do indivíduo ao ácaro ou aos seus produtos. Pode haver dor e infecção secundária.[1-4]

## Lesões cutâneas

A lesão cutânea mais típica da escabiose é o túnel escabiótico, pequena pápula linear ou em formato de S, medindo 3 a 8 mm em média (raramente é maior, a não ser em casos tratados com corticoides tópicos, em que pode atingir quase 15 mm). É mais facilmente encontrada em locais onde é difícil coçar, como o pilar posterior das axilas e a região lombar posterior, podendo, entretanto, ser vista com frequência nos punhos, nos interdígitos e/ou na face ulnar das mãos. Os túneis também podem ser encontrados intactos no pênis do adulto e nas regiões plantares das crianças.

Mais frequentes do que os túneis são as micropápulas escoriadas, encimadas por crostículas, com diâmetro médio de 3 a 4 mm e em topografia habitual. São produzidas pela coçagem e podem infectar ou eczematizar, mascarando o quadro.

Em lactentes ou adultos do sexo masculino, podem surgir nódulos acastanhados, extremamente pruriginosos, no dorso, nos membros, no pênis e no escroto. Esses nódulos podem persistir mesmo após o tratamento específico da doença. Em casos com resposta imune intensa ao ácaro, pode haver formação de bolhas.[1,2,5,6]

A escabiose crostosa ou norueguesa – este último nome em desuso, em homenagem a Boeck e Danielsen, autores noruegueses que descreveram a patologia – é uma infecção causada pelo mesmo *Sarcoptes scabiei* em pacientes imunodeprimidos (pessoas vivendo com vírus da imunodeficiência humana [HIV, do inglês *human immunodeficiency virus*], portadores de imunodeficiências congênitas, receptores de transplante ou usuários crônicos de corticoides, infecção pelo vírus T-linfotrópico humano [HTLV, do inglês *human T-lymphotropic virus*], p. ex.), em portadores de retardo mental, de neuropatias periféricas graves ou em deficientes físicos que não conseguem efetuar a coçadura das lesões. Consiste em placas com base eritematosa, descamativas, por vezes psoriasiformes, que se tornam hiperceratóticas, fissuradas, com coloração amarelada, podendo ser difusas, causando um quadro de eritrodermia, ou localizadas em mãos e pés. Extremamente contagiosas, são pouco pruriginosas na maioria dos casos.[1,2,7,8]

## Topografia das lesões

A topografia básica compreende os interdígitos das mãos, as faces internas dos punhos, os antebraços, os cotovelos, o pilar das axilas, as mamas, os flancos, a região periumbilical, o pênis, o escroto **(FIGURA 143.2)**, a face interna das coxas, as nádegas, o sacro e, em lactentes, as regiões palmoplantares. As lesões não confluem e poupam face e pescoço, a não ser em crianças pequenas.[1,2,7]

## Epidemiologia

A epidemiologia é importante no diagnóstico, principalmente em lactentes, que só podem adquirir a moléstia pelo contágio com quem os manuseia. Um quadro pruriginoso à noite, em pessoas da mesma habitação ou de contatos mais íntimos, sempre sugere escabiose.

Para confirmar o diagnóstico, se houver facilidade de laboratório, deve-se raspar os túneis (onde se pode encontrar o parasita ou seus ovos e fezes) com lâmina de bisturi, diluindo o produto em uma gota de óleo mineral e examinando ao microscópio, com pequeno aumento.[1,2,6]

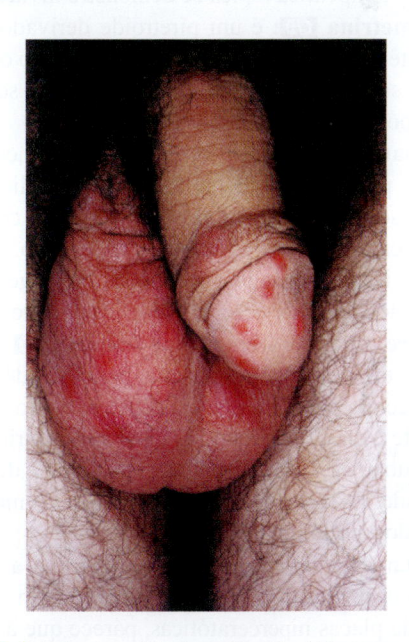

**FIGURA 143.2** → Lesões secundárias da escabiose. Os nódulos ocorrem em áreas cobertas como as nádegas, a virilha, o escroto, o pênis e as axilas.
Fonte: Habif e colaboradores.[3]

## Terapêutica

A terapêutica baseia-se em tratamento específico, tratamento adjuvante, caso haja complicações, e medidas gerais.

### Tratamento específico

Os princípios gerais envolvem a utilização de medicamentos em todo o corpo, mesmo em áreas sem prurido, o cuidado para não ultrapassar o número de aplicações necessárias, o tratamento de todos os contatos domiciliares no mesmo tempo que o paciente e a escolha do produto que mais se adapte a cada caso ou que esteja mais disponível entre os seguintes:

→ **permetrina a 5%:** é um piretroide antiescabiótico de primeira escolha pela sua eficácia, comodidade de uso e pouca toxicidade, sendo superior aos demais tratamentos tópicos disponíveis **B**.[6,9–11] Deve-se aplicá-la à noite, em todo o corpo, do pescoço para baixo, incluindo palmas das mãos e plantas dos pés, regiões interdigitais, periumbilical, genital e áreas sob as unhas, removendo-a com banho após 8 a 14 horas, podendo seu uso ser repetido após 1 a 2 semanas, com maior efetividade. Seu uso é seguro na gestação, durante a amamentação e em crianças a partir de 2 meses de vida;[6,10,11]

→ **ivermectina B:** é usada em dose única de 200 μg/kg, repetida em 7 a 14 dias. A apresentação é em comprimidos de 6 mg. Além de ser eficaz, tem baixo custo e pode ser administrada sob observação médica, aumentando a adesão ao tratamento. Não deve ser administrada em crianças com peso < 15 kg e em gestantes. É particularmente utilizada em pacientes não responsivos à terapia tópica, na escabiose crostosa, em imunossuprimidos, em idosos (com cuidados clínicos), em eczemas generalizados, dermatite atópica e em outras situações nas quais a terapêutica tópica se demonstre inviável;[2,6,9,10]

→ **deltametrina C/D:** é um piretroide derivado do ácido crisantêmico, podendo ser utilizada em todo o corpo, de forma semelhante, por 4 dias consecutivos, sendo repetida após 7 dias, se necessário;

→ **benzoato de benzila a 25% C/D:** é um medicamento eficaz, porém muito irritante. Deve ser aplicado por 3 noites seguidas, removendo-o no outro dia com banho; pode ser repetido após 7 dias, se necessário. Produz ardência intensa quando aplicado em área genital; é irritante local e pode eczematizar com uso prolongado;[9]

→ **enxofre a 5 a 10% em creme Lanette C/D:** apresenta menor eficácia que permetrina, benzoato de benzila e ivermectina oral **B**. Deve ser aplicado em todo o corpo, durante 3 dias, removendo-o com banho diário; deve ser repetido após 7 dias. É um produto eficaz e de baixa toxicidade. É de uso mais restrito por ser cremoso e possuir odor muito marcante.[12]

O tratamento da forma crostosa envolve a utilização das mesmas medicações da escabiose comum. Devido à presença de placas hiperceratóticas, parece que a adição de um ceratolítico (p. ex., ácido salicílico a 3% em vaselina) ao escabicida é mais efetiva na resolução das lesões C/D. O tratamento sugerido pelo Centers for Disease Control and Prevention (CDC) é feito com associação de ivermectina 200 μg/kg por via oral nos dias 1, 2, 8, 9 e 15, com doses adicionais nos dias 22 e 29 para casos graves, juntamente com a aplicação tópica de permetrina a 5% ou benzoato de benzila a 5%, diariamente, por 7 dias, e após, 2 vezes por semana até a cura.[13]

Independentemente da forma da terapia, o paciente deve ser avisado de que o prurido pode persistir ainda por 2 a 4 semanas após o tratamento correto, sem lesões visíveis, por sensibilização acariana, o chamado "prurido mnemônico". O tratamento poderá ser repetido caso permaneçam lesões específicas de escabiose.[1,6,11,13]

### Tratamento adjuvante

Após tratamento específico, os nódulos persistentes são tratados com corticoides tópicos fluorados, friccionando-os 3 vezes ao dia durante cerca de 10 dias C/D. Se persistirem, deve-se realizar a infiltração intralesional de corticoide C/D.

As lesões infectadas são tratadas com antibióticos tópicos e/ou sistêmicos, como cefalexina **B** e/ou cremes com mupirocina a 2% por 5 a 7 dias **B** ou pomadas com ácido fusídico, durante 2 semanas ou até a melhora das lesões **A**.[14]

No caso de eczematização, é necessário tratar a dermatite antes do uso do escabicida para evitar piora do quadro (ver Capítulo Eczemas e Reações Cutâneas Medicamentosas).

### Medidas gerais

É recomendável o uso de sabonetes brandos. Não há necessidade de sabonetes contendo escabicida, que possuem baixa eficácia e aumentam o risco de irritação primária.

Além de serem trocadas com mais frequência, as roupas de uso pessoal, de cama e banho devem ser lavadas com água quente (55-60 °C) por pelo menos 20 minutos e passadas a ferro ou colocadas na máquina de lavar, se disponível. Artigos não laváveis devem ficar por 3 dias em sacos plásticos vedados, para permitir a morte do ácaro.[1–3,5,11]

Contatos pessoais próximos, como coabitantes e indivíduos com contato físico prolongado pele a pele nas 6 semanas anteriores, podem ter escabiose ativa, mesmo que não apresentem sintomas. Portanto, deve-se considerar o tratamento simultâneo desses contatos.[6,11]

# PEDICULOSES

Compreendem basicamente a pediculose do couro cabeludo (FIGURA 143.3), a pubiana e a do corpo.

## Etiopatogenia

A pediculose do couro cabeludo é causada pelo piolho *Pediculus humanus capitis*, um inseto com cerca de 2 a 3 mm que se alimenta de sangue humano. A fêmea vive cerca de 30 dias, durante os quais produz de 5 a 10 ovos diariamente. Estes se aderem ao pelo, junto à pele do couro cabeludo, em que há mais calor, sobremaneira nas regiões mastoides e na nuca, eclodindo as larvas em cerca de 1 semana.[1,2,4]

A pediculose pubiana é produzida pelo *Pthirus pubis* ("chato"), um piolho levemente diferente do *capitis*, por ser

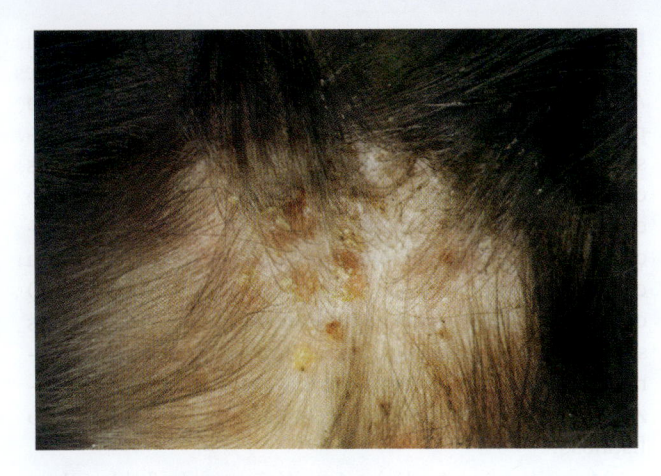

**FIGURA 143.3** → Pediculose do couro cabeludo.
Fonte: Habif e colaboradores.³

menor (cerca de 1 mm) e ter o corpo mais largo e mais curto, conferindo ao inseto o aspecto de um caranguejo. Os adultos permanecem vivos pelo menos 36 horas longe do hospedeiro, e as lêndeas permanecem viáveis por 10 dias.[1,2,4]

Rara na atualidade, a pediculose do corpo é produzida pelo *Pediculus humanus corporis*, encontrado, sobretudo, nas roupas de indivíduos com má higiene, indigentes, moradores de rua e socialmente marginalizados.[1,2]

## Diagnóstico

O diagnóstico da pediculose do couro cabeludo baseia-se em prurido no couro cabeludo, localização das lêndeas (ovos) do parasita aderidas ao pelo e localização dos parasitas em movimento pelo couro cabeludo (mais comumente em pequeno número). Pode haver infecção secundária à coçagem.

A pubiana pode ser diagnosticada pelo prurido em áreas pilosas (púbis, axilas, abdome, região perianal, bigodes, cílios), pela localização das lêndeas aderidas aos pelos, pela identificação do parasita, geralmente em bom número, aderido à base do pelo e em contato com a pele – além de crostículas sanguíneas na pele e nas roupas.

O diagnóstico de pediculose do corpo, rara na atualidade pelas melhorias dos padrões de higiene, evidencia-se por prurido corporal intenso, pápulas urticadas de centros purpúricos, que são mais comuns no dorso, nos ombros e nas nádegas, e localização do parasita e das lêndeas nas dobras das roupas.[1-4]

## Terapêutica

O medicamento mais utilizado na pediculose é a permetrina a 1% **B**, com índices de cura superiores a 90%, no entanto há relatos de resistência. Deixar agir por 10 minutos e enxaguar com água morna. Não lavar o cabelo pelas próximas 24 a 48 horas após a aplicação do produto. O mesmo tratamento deve ser repetido entre 7 e 10 dias, idealmente no 9° dia.[1-3] Pode ser utilizada em gestantes, lactantes e crianças > 2 meses. Para remoção das lêndeas vazias, fazer a retirada manual e com pente fino, a cada 2 a 3 dias, até a completa remoção de todos os ovos. Esse processo pode ser realizado no cabelo úmido com auxílio de um condicionador.³

A deltametrina em xampu pode ser utilizada na pediculose do couro cabeludo ou pubiana. A espuma é deixada no local por 5 minutos, enxaguando-a a seguir, por 4 dias consecutivos. Repete-se o procedimento por mais 4 dias após 1 semana **C/D**.

Da mesma forma que ocorreu com o tratamento da escabiose, o Lindane a 1% caiu em desuso por ser neurotóxico. Aumentar a concentração para 5% de permetrina não aumenta a eficácia em casos de resistência.

Nos casos de suspeita de resistência, as alternativas são:

→ utilizar ivermectina oral (200-400 μg/kg/dia) em dose única e repetir após 7 dias. Pode ser utilizada por crianças com peso > 15 kg **B**;[15]

→ associar sulfametoxazol-trimetoprima (10 mg/kg/dia de trimetoprima, 2 ×/dia, por 10 dias) ao uso da permetrina a 1%, aumentando a eficácia de 72% para 95% **B**;[16]

→ administrar ivermectina loção a 0,5% 120 g (sob manipulação). Aplicar no cabelo seco (toda a extensão dos fios e do couro cabeludo) em aplicação única e enxaguar após 10 minutos. Não é preciso repetir a aplicação. É indicada apenas para crianças com idade > 6 anos **A**;[17]

→ usar dimeticona loção a 4% (sob manipulação). Aplicar no couro cabeludo e nos cabelos secos durante 8 horas e repetir após 7 dias. Realizar a retirada das lêndeas com auxílio de um pente fino antes de retirar o produto **C/D**.[18]

Na pediculose pubiana, o medicamento de escolha é a solução de permetrina a 1%, por sua melhor segurança para a região genital. É recomendável aplicá-la na área afetada e lavar após 10 minutos. Uma segunda aplicação pode ser necessária após 7 a 10 dias **C/D**. Pode ser aconselhada a retirada dos pelos da área afetada. Os pacientes acometidos devem ser avaliados para outras infecções sexualmente transmissíveis (ISTs). As parcerias sexuais também devem ser tratadas. Caso os cílios sejam acometidos, o tratamento pode ser feito com vaselina, (2 ×/dia, por 8-10 dias, com extração manual das lêndeas **C/D**.[1,13,15]

### Medidas gerais para pediculose do couro cabeludo

Medidas como raspar o cabelo são desnecessárias. É importante notificar os casos de pediculose do couro cabeludo em escolas e educandários, em razão da facilidade de transmissão entre crianças. Não é necessário o afastamento da criança da escola. Os familiares e contactantes próximos devem ser examinados e tratados caso apresentem piolhos vivos ou lêndeas até 1 cm do couro cabeludo, de preferência, ao mesmo tempo que o paciente.[19-21]

Outras medidas ambientais podem ser necessárias, como: lavar com água quente e passar as roupas, roupas de cama e toalhas dos últimos 2 dias; mergulhar pentes e escovas em água quente por 5 a 10 minutos; acessórios que não puderam ser lavados devem ser colocados em uma sacola plástica fechada por 2 semanas.[1,19-21]

Na pediculose do corpo, a inutilização das roupas infestadas e a boa higiene são suficientes para a cura do processo.[1,2,4]

## TUNGÍASE

### Etiopatogenia

Conhecida como "bicho de pé", é causada pela penetração, na pele, de uma pulga, a *Tunga penetrans*, que habita locais arenosos, como praias, chiqueiros e estábulos. Produz pápulas amareladas, com ponto preto central correspondendo à porção posterior do parasita que está encravado na camada córnea.

### Diagnóstico

O diagnóstico baseia-se em afecção pruriginosa caracterizada por pápulas arredondadas amareladas, apresentando um ponto preto central, mais facilmente demonstradas por exame com lupa ou dermatoscópio (FIGURA 143.4), acometendo, de forma preferencial, os pés, acrescida de história de contato com praias, chiqueiros e estábulos.[1,2,22]

### Terapêutica

É necessário extrair a pulga grávida com agulha esterilizada ou puncionar a porção amarelada dela e espremer o conteúdo, geralmente formado por minúsculos ovos e um enovelado esbranquiçado C/D.[2,22] Não há medicamentos tópicos ou sistêmicos que tenham efetividade satisfatória para tratamento. Ivermectina oral não se mostrou eficaz B.[23] Nas linfangites e celulites, complicações que podem ser encontradas nas tungíases, é necessário prescrever antibióticos sistêmicos (ver Capítulo Piodermites). O terreno ou local infestado deve ser desinfetado com inseticidas. Os pés devem ser protegidos por calçados B.[24] É importante evitar andar descalço em areias de áreas infestadas.[25]

## MIÍASES

Há basicamente dois tipos a serem considerados: a miíase furunculoide e as miíases secundárias.

### Etiopatogenia e diagnóstico

A miíase furunculoide (FIGURA 143.5) é um processo causado por larvas de uma mosca, a *Dermatobia hominis*, que deposita seus ovos sobre mosquitos e moscas que, por sua vez, os carregam até o hospedeiro. As larvas penetram o tegumento e produzem nódulos inflamatórios dolorosos, com fistulização. Depois de completarem o seu ciclo de maturação nessa cavidade subcutânea, são eliminadas espontaneamente. O diagnóstico é feito por nódulos inflamatórios fistulizados semelhantes a furúnculos, com eliminação de secreção serossanguinolenta, dor em ferroada – episódica – e visualização dos movimentos da extremidade da larva no orifício fistuloso.[22,26,27]

As miíases secundárias (cavitárias ou de feridas abertas), também conhecidas como "bicheiras", consistem na proliferação das larvas de moscas em ulcerações cutâneas. Em geral, são causadas pelos gêneros *Callitroga* ("varejeira"), *Lucilia* e *Musca*.

O aspecto clínico é característico, com as larvas em grande quantidade movimentando-se na superfície da ulceração.

### Terapêutica

O tratamento da miíase furunculoide é feito de forma simples: a larva é asfixiada para facilitar sua remoção, ocluindo-se totalmente o orifício fistuloso com dupla camada de esparadrapo largo por 24 horas; após, a larva morta é removida com pinças sem dentes, junto com leve espremedura do nódulo. Em casos nos quais é impossível ocluir a lesão, alarga-se o orifício com pequena incisão, removendo-se a larva com pinças e leve espremedura do nódulo (FIGURA 143.6).[1,4,22] O manuseio excessivo, com ruptura da larva, pode dar origem a processo inflamatório por liberação de antígenos do parasita.[27]

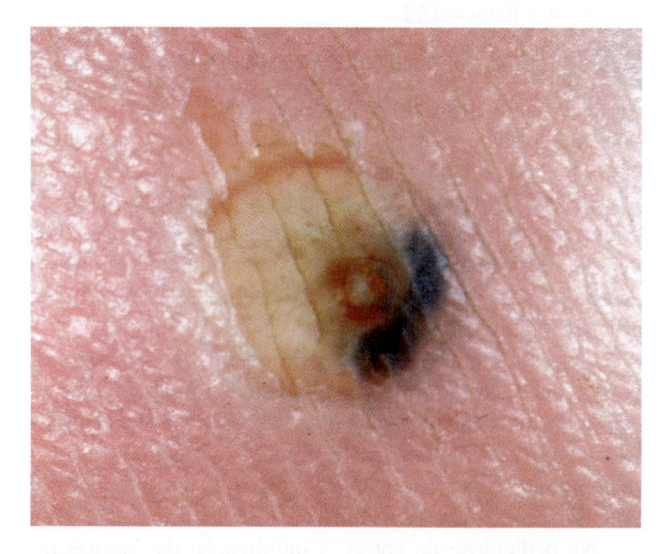

**FIGURA 143.4** → *Tunga penetrans*. Pápula amarelada com ponto central acastanhado, na região plantar.

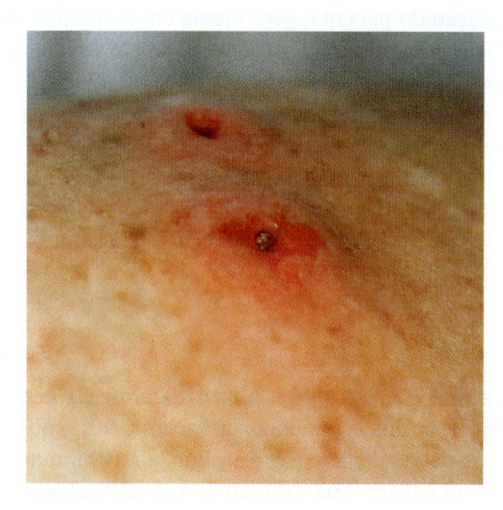

**FIGURA 143.5** → Miíase furunculoide. A lesão lembra um furúnculo ou um cisto inflamado. A cabeça da larva sobe à superfície para respirar cerca de 1 vez por minuto através de um ponto central. O movimento do espiráculo larval (aparato respiratório) pode ser observado.
Fonte: Habif e colaboradores.[3]

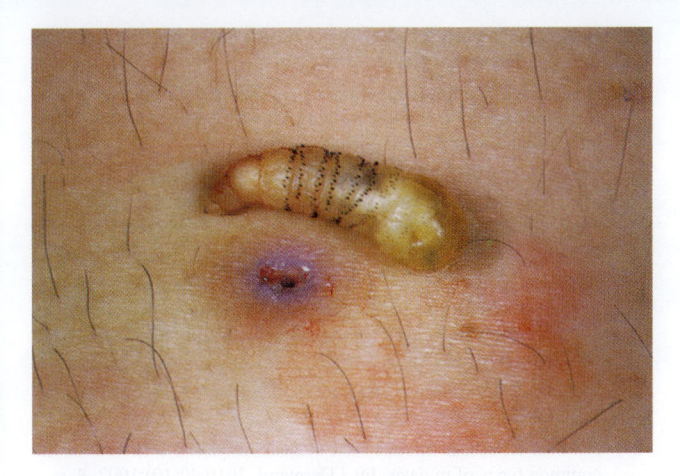

**FIGURA 143.6** → Miíase. Em geral, não é necessário aumentar o orifício, mas, neste caso, um bisturi 11 foi usado para aumentar o furo a fim de que esse berne muito grande pudesse ser extraído com pinça. Xilocaína foi injetada na cavidade para auxiliar na extração.
Fonte: Habif e colaboradores.[3]

O tratamento das miíases secundárias consiste em matar as larvas com éter, que pode ser obtido com receita médica de farmácias de manipulação, removê-las com pinça, fazer curativo e manter cuidados de higiene e curativos para evitar deposição de novos ovos.[26–29]

## LARVA MIGRANS

### Etiopatogenia

Também conhecida como "bicho geográfico", é causada pela penetração, na pele, de larvas do gênero *Ancylostoma*. As larvas são encontradas em lugares úmidos, quentes e arenosos, como praias e caixas de areia. O seu caráter migratório origina trajetos lineares serpiginosos, geralmente com uma pápula pruriginosa em uma das extremidades, local onde se encontra a larva. Essas lesões costumam infectar ou ulcerar (FIGURA 143.7).[1–4]

### Diagnóstico

O diagnóstico baseia-se em lesões papulosas, pruriginosas, lineares, serpiginosas, migratórias, únicas ou múltiplas, com localização preferencial em extremidades ou nas nádegas.

### Terapêutica

Embora seja uma infecção normalmente autolimitada com duração aproximada de 2 a 8 semanas, o tratamento normalmente se faz necessário para alívio do prurido e redução da chance de infecção bacteriana secundária.[1,22,30] Quando a extensão das lesões é pequena (no máximo 2-3 cm) e localizada, a fricção de pomada de tiabendazol a 10 a 15%, 2 a 4 vezes ao dia, durante 10 a 15 dias, é suficiente para sua cura **B**. Entretanto, no Brasil não existem apresentações de tiabendazol com essas concentrações. Apesar de efetivo, o uso do tiabendazol oral não é mais indicado devido ao maior número de efeitos colaterais quando comparado às demais opções disponíveis.[22,31]

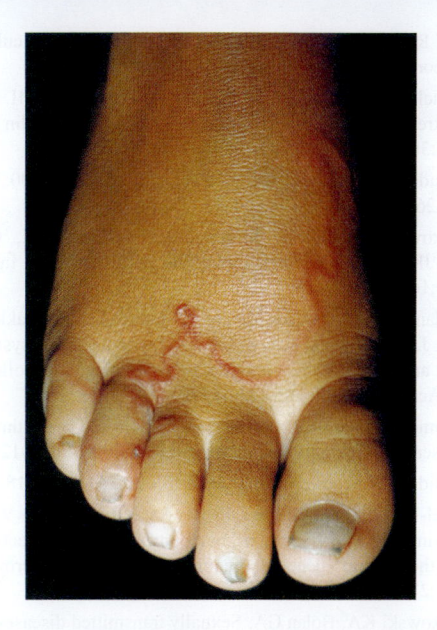

**FIGURA 143.7** → *Larva migrans*. A larva aprisionada avança de alguns milímetros a alguns centímetros por dia lateralmente através da epiderme, de modo aleatório, criando um trajeto semelhante ao contorno de um mapa.
Fonte: Habif e colaboradores.[3]

Em casos com apresentações mais extensas, é necessário o tratamento sistêmico. A ivermectina é o tratamento de escolha, pode ser usada em dose única de 200 μg/kg em adultos e crianças peso > 15 kg **C/D**.[1,32] As taxas de cura variam de 77 a 100%, e há melhora completa dos sinais e sintomas dentro de 7 dias. Em caso de falha terapêutica após 10 dias, deve ser realizada uma segunda dose.[33] Em caso de indisponibilidade da ivermectina, o tratamento alternativo é feito com albendazol **C/D**.[33,34] Para adultos com peso < 60 kg, a dose é de 400 mg/dia por 3 dias; para adultos com peso > 60 kg, a dose é de 400 mg, de 12/12 horas, por 3 dias. Em adultos com acometimento muito extenso, é possível estender o tratamento até 7 dias, com taxas de cura de 92 a 100%. Em crianças com idade > 2 anos, a dose do albendazol é de 10 a 15 mg/kg/dia (dose máxima de 800 mg/dia) por 3 dias.[22,32]

O leitor pode encontrar imagens adicionais no QR code (FIGURAS S143.1 e S143.2).

## REFERÊNCIAS

1. Griffiths C, Barker J, Bleiker T, Chalmers R, Creamer D, organizadores. Rook's textbook of dermatology. 9th ed. Chichester: John Wiley & Sons; 2016. v.4.
2. Kang S, Amagai M, Bruckner AL, Enk AH, Margolis DJ, McMichael AJ, et al., organizadores. Fitzpatrick's dermatology. 9th ed. New York: McGraw-Hill Education/ Medical; 2018.
3. Gunning K, Kiraly B, Pippitt K. Lice and scabies: treatment update. Am Fam Physician. 2019;99(10):635–42.
4. Habif TP, Dinulos JGH, Chapman MS, Zug KA. Doenças da pele: diagnóstico e tratamento. 4. ed. Rio de Janeiro: GEN Guanabara Koogan; 2019.

5. Wolf R, Davidovici B. Treatment of scabies and pediculosis: facts and controversies. Clin Dermatol. 2010;28(5):511–8.
6. Chouela E, Abeldaño A, Pellerano G, Hernández MI. Diagnosis and treatment of scabies: a practical guide. Am J Clin Dermatol. 2002;3(1):9–18.
7. Chosidow O. Scabies and pediculosis. Lancet. 2000;355(9206):819–26.
8. Markova A, Kam SA, Miller DD, Lichtman MK, Cotton D, Rao JK, et al. Common cutaneous parasites. Ann Intern Med. 2014;161(5):ITC1–16.
9. Thadanipon K, Anothaisintawee T, Rattanasiri S, Thakkinstian A, Attia J. Efficacy and safety of antiscabietic agents: a systematic review and network meta-analysis of randomized controlled trials. J Am Acad Dermatol. 2019;80(5):1435–44.
10. Rosumeck S, Nast A, Dressler C. Ivermectin and permethrin for treating scabies. Cochrane Database Syst Rev. 2018;4:CD012994.
11. Chosidow O. Scabies. N Engl J Med. 2006;354(16):1718–27.
12. Abdel-Raheem TA, Méabed EMH, Nasef GA, Abdel Wahed WY, Rohaim RMA. Efficacy, acceptability and cost effectiveness of four therapeutic agents for treatment of scabies. J Dermatol Treat. 2016;27(5):473–9.
13. Workowski KA, Bolan GA. Sexually transmitted diseases treatment guidelines, 2015. Morb Mortal Wkly Rep. 2015;64(RR3):1–137.
14. Koning S, van der Sande R, Verhagen AP, van Suijlekom-Smit LWA, Morris AD, Butler CC, et al. Interventions for impetigo. Cochrane Database Syst Rev. 2012;1:CD003261.
15. Chosidow O, Giraudeau B, Cottrell J, Izri A, Hofmann R, Mann SG, et al. Oral ivermectin versus malathion lotion for difficult-to-treat head lice. N Engl J Med. 2010;362(10):896–905.
16. Hipolito RB, Mallorca FG, Zuniga-Macaraig ZO, Apolinario PC, Wheeler-Sherman J. Head lice infestation: single drug versus combination therapy with one percent permethrin and trimethoprim/sulfamethoxazole. Pediatrics. 2001;107(3):e30–e30.
17. Pariser DM, Meinking TL, Bell M, Ryan WG. Topical 0.5% ivermectin lotion for treatment of head lice. N Engl J Med. 2012;367(18):1687–93.
18. Burgess IF, Brunton ER, Burgess NA. Single application of 4% dimeticone liquid gel versus two applications of 1% permethrin creme rinse for treatment of head louse infestation: a randomised controlled trial. BMC Dermatol. 2013;13:5.
19. Devore CD, Schutze GE, Council on School Health and Committee on Infectious Diseases, American Academy of Pediatrics. Head lice. Pediatrics. 2015;135(5):e1355-1365.
20. Roberts RJ. Head lice. N Engl J Med. 2002;346(21):1645–50.
21. Eisenhower C, Farrington EA. Advancements in the treatment of head lice in pediatrics. J Pediatr Health Care. 2012;26(6):451–61; quiz 462–4.
22. Bolognia JL, Schaffer JV, Cerroni L, organizadores. Dermatology. 4th ed. Edinburgh: Elsevier; 2017.
23. Heukelbach J, Franck S, Feldmeier H. Therapy of tungiasis: a double-blinded randomized controlled trial with oral ivermectin. Mem Inst Oswaldo Cruz. 2004;99(8):873–6.
24. Tomczyk S, Deribe K, Brooker SJ, Clark H, Rafique K, Knopp S, et al. Association between footwear use and neglected tropical diseases: a systematic review and meta-analysis. PLoS Negl Trop Dis. 2014;8(11):e3285.
25. Feldmeier H, Heukelbach J, Ugbomoiko US, Sentongo E, Mbabazi P, von Samson-Himmelstjerna G, et al. Tungiasis – a neglected disease with many challenges for global public health. PLoS Negl Trop Dis. 2014;8(10):e3133.
26. McGraw TA, Turiansky GW. Cutaneous myiasis. J Am Acad Dermatol. 2008;58(6):907–26; quiz 927–9.
27. Robbins K, Khachemoune A. Cutaneous myiasis: a review of the common types of myiasis. Int J Dermatol. 2010;49(10):1092–8.
28. Solomon M, Lachish T, Schwartz E. Cutaneous myiasis. Curr Infect Dis Rep. 2016;18(9):28.
29. Cestari TF, Pessato S, Ramos-e-Silva M. Tungiasis and myiasis. Clin Dermatol. 2007;25(2):158–64.
30. Baple K, Clayton J. Hookworm-related cutaneous larva migrans acquired in the UK. BMJ Case Rep. 2015;2015:bcr2015210165.
31. Hochedez P, Caumes E. Common skin infections in travelers. J Travel Med. 2008;15(4):252–62.
32. Feldmeier H, Schuster A. Mini review: hookworm-related cutaneous larva migrans. Eur J Clin Microbiol Infect Dis. 2012;31(6):915–8.
33. Bouchaud O, Houzé S, Schiemann R, Durand R, Ralaimazava P, Ruggeri C, et al. Cutaneous larva migrans in travelers: a prospective study, with assessment of therapy with ivermectin. Clin Infect Dis. 2000;31(2):493–8.
34. Veraldi S, Rizzitelli G. Effectiveness of a new therapeutic regimen with albendazole in cutaneous larva migrans. Eur J Dermatol. 1999;9(5):352–3.

## LEITURAS RECOMENDADAS

Bolognia JL, Schaffer JV, Cerroni, L. Dermatology. 4th ed. Philadelphia: Elsevier Saunders; 2018.

Habif TP, Dinulos JGH, Chapman MS, Zug KA. Doenças da pele: diagnóstico e tratamento. 4. ed. Elsevier; 2019.

Kang S, Johnson RA, Saavedra AP, Roh EK. Dermatologia de Fitzpatrick: atlas e texto. 8. ed. Porto Alegre: AMGH; 2019. 928 p.

*Livros-texto completos e atualizados, para uma visão geral das patologias.*

# SEÇÃO XII

**Coordenadoras:** *Cristiana M. Toscano*
*Silvia Figueiredo Costa*
*Elise Botteselle de Oliveira*
*Camila Giugliani*

# Problemas Infecciosos

**144.** Doenças Transmissíveis: Condutas Preventivas na Comunidade .................. 1508
*Cristiana M. Toscano, Maria Aparecida Teixeira Lustosa*

**145.** Controle de Infecções Relacionadas à Assistência à Saúde ......................... 1525
*Carlos Magno C. B. Fortaleza*

**146.** Imunizações ................................................................................. 1535
*Juarez Cunha, Ricardo Becker Feijó*

**147.** Doença Febril Exantemática ............................................................. 1553
*Cristiana M. Toscano, Renato de Ávila Kfouri*

**148.** Diarreia Aguda na Criança ............................................................... 1569
*Helena Ayako Sueno Goldani, Clécio Homrich da Silva*

**149.** Infecção Respiratória Aguda na Criança ............................................. 1581
*Clécio Homrich da Silva, Paulo Marostica*

**150.** Infecções de Trato Respiratório em Adultos ........................................ 1597
*Paulo José Zimermann Teixeira, Renata Ullmann de Brito Neves*

**151.** Tuberculose ................................................................................. 1608
*Ethel Leonor Noia Maciel, Geisa Fregona, Valdério V. Dettoni*

**152.** Doença pelo Coronavírus 2019 (Covid-19) ......................................... 1632
*Ana Cláudia Magnus Martins, Elise Botteselle de Oliveira,
Luíza Emília Bezerra de Medeiros*

**153.** Febre Reumática e Prevenção de Endocardite Infecciosa ...................... 1662
*Aloyzio Achutti, Carisi Anne Polanczyk, Maria de Fátima M. P. Leite,
Regina Elizabeth Müller*

**154.** Infecção do Trato Urinário .............................................................. 1674
*Elvino Barros, Carla Di Giorgio, Renato George Eick, Fernando S. Thomé*

**155.** Infecções Sexualmente Transmissíveis: Abordagem Sindrômica .............. 1689
*Ricardo Francalacci Savaris, Valentino Magno, Giovana Fontes Rosin,
Elise Botteselle de Oliveira, Tiago Selbach Garcia*

**156.** Infecção pelo HIV em Adultos ......................................................... 1705
*Rafael Aguiar Maciel, Marcelo Rodrigues Gonçalves,
Maria Helena da Silva Pitombeira Rigatto*

**157.** Hepatites Virais ........................................................................... 1718
*Themis Reverbel da Silveira, Carolina Soares da Silva*

**158.** Parasitoses Intestinais ................................................................... 1736
*Iara Marques de Medeiros, Denise Vieira de Oliveira,
Eliana Lúcia Tomaz do Nascimento*

**159.** Parasitoses Teciduais .................................................................... 1749
*Iara Marques de Medeiros, Eliana Lúcia Tomaz do Nascimento, Denise Vieira de Oliveira*

**160.** Leishmaniose ............................................................................... 1762
*Ana Paula Pfitscher Cavalheiro, Maria Luisa Aronis*

**161.** Doença de Chagas ........................................................................ 1770
*Cinthia Fonseca O'Keeffe, Clarissa Giaretta Oleksinski, Carlos Graeff-Teixeira*

**162.** Dengue, Zika e Chikungunya .......................................................... 1776
*Adriana Oliveira Guilarde, Maria José Timbó*

**163.** Malária ....................................................................................... 1784
*Cor Jesus Fernandes Fontes*

**164.** Febre Amarela ............................................................................. 1798
*Pedro Fernando da Costa Vasconcelos, Marta Heloisa Lopes, Cristiana M. Toscano*

**165.** Hanseníase .................................................................................. 1809
*Ana Laura Grossi de Oliveira, Maria Aparecida de Faria Grossi*

**166.** Leptospirose ................................................................................ 1822
*Fernando Suassuna, Igor Thiago Queiroz, Alexandre Estevam Montenegro Diniz*

**167.** Raiva ......................................................................................... 1831
*Danise Senna Oliveira, Ana Marli C. Sartori*

**168.** Saúde do Viajante ........................................................................ 1837
*Maria Helena da Silva Pitombeira Rigatto, Tânia do Socorro Souza Chaves,
Jessé Reis Alves, Melissa Mascheretti[†]*

# Capítulo 144
## DOENÇAS TRANSMISSÍVEIS: CONDUTAS PREVENTIVAS NA COMUNIDADE

Cristiana M. Toscano
Maria Aparecida Teixeira Lustosa

Denominam-se **doenças transmissíveis** aquelas causadas por agentes infecciosos específicos (ou seus produtos tóxicos), que ocorrem após a transmissão do agente (ou de seu produto tóxico) a partir de uma pessoa, animal infectado ou, ainda, de um reservatório inanimado para um hóspede suscetível. Essa transmissão pode ser direta ou indireta (lê-se: por meio de hóspede intermediário, vetor ou ambiente inanimado).[1]

As doenças que são transmitidas por meio de contato direto são também denominadas "contagiosas". Apesar de ser usado como sinônimo de doença infecciosa, o termo é muito comum em saúde pública, uma vez que enfatiza o potencial de transmissibilidade da doença na comunidade.

Este capítulo aborda as condutas preventivas para evitar a transmissão de doenças, com ênfase na atuação na comunidade. Condutas em serviços de saúde e condutas clínicas específicas para algumas das doenças são abordadas em outros capítulos (ver Capítulo Controle de Infecções Relacionadas à Assistência à Saúde).

A compreensão do processo infeccioso, assim como dos aspectos epidemiológicos de cada doença, é fundamental para identificar, orientar e tornar mais efetivas as estratégias para prevenção e controle das doenças transmissíveis junto à população.

Intrínseco à definição de doença transmissível está o conceito de que, para que ocorra uma infecção, é preciso haver o chamado "tripé", representado por agente infeccioso específico, ambiente propício e hospedeiro suscetível. A doença é um dos possíveis desfechos da infecção, e sua ocorrência está relacionada com fatores tanto do hospedeiro quanto do agente, não sendo infrequente ocorrer infecção sem doença.

Desse modo, a cadeia de infecção resulta da interação entre o agente, o meio e o hospedeiro. Cada um dos componentes dessa cadeia epidemiológica (FIGURA 144.1) deve ser avaliado, a fim de se compreender melhor o processo infeccioso e intervir sobre ele de forma mais efetiva.[2]

## DEFINIÇÕES

A seguir, são listados alguns conceitos fundamentais da patologia infectocontagiosa para melhor aplicação de estratégias de prevenção na comunidade.

**Agente etiológico.** Representa o primeiro componente essencial no processo infeccioso, e pode ser classificado como bactéria, vírus, protozoário, helminto, fungo ou príon. A capacidade de disseminação ou transporte do agente pelo ambiente assim como sua capacidade de produção de infecção e de doença são características de grande importância epidemiológica.

**Reservatório.** Define-se como o local onde vive e se multiplica o agente infeccioso, de forma a poder ser transmitido a um hospedeiro suscetível. Assim, o agente infeccioso depende do reservatório para sua sobrevivência. O reservatório pode ser qualquer ser humano, animal, artrópode, planta, solo, matéria ou uma combinação deles.[1]

Quando o reservatório é representado pelo próprio ser humano, a doença é denominada **antroponose** (p. ex., sarampo, caxumba, infecção meningocócica). Há doenças cujo reservatório é o ambiente, como o botulismo e o tétano, nas quais o reservatório do agente infeccioso é o solo; a doença dos legionários, cujo reservatório é a água; e a paracoccidioidomicose, cujos reservatórios são plantas e o solo. Uma infecção ou doença infecciosa transmissível de animais vertebrados para humanos, em condições naturais, é denominada **zoonose** (p. ex., raiva, peste, febre amarela).

**Portador.** É a pessoa ou animal infectado que alberga um agente infeccioso específico de uma doença, porém não apresenta manifestações clínicas.[1] O estado de portador pode ocorrer em indivíduos durante o curso de uma infecção inaparente (nesse caso, denomina-se "portador sadio") ou durante os períodos de incubação, convalescença ou pós-convalescença (portador crônico) de infecções que se manifestam clinicamente. Um exemplo de portador crônico é o indivíduo que alberga *Salmonella typhi* por um longo período após ter estado doente, resultando em verdadeiro desafio para o controle da propagação da infecção.

**Fonte de infecção.** É definida como a pessoa, o animal, o objeto ou a substância a partir da(o) qual o agente infeccioso é transmitido ao hospedeiro. A fonte de infecção pode ser classificada como primária, quando é também responsável pela sobrevivência do agente infeccioso na natureza (nesse

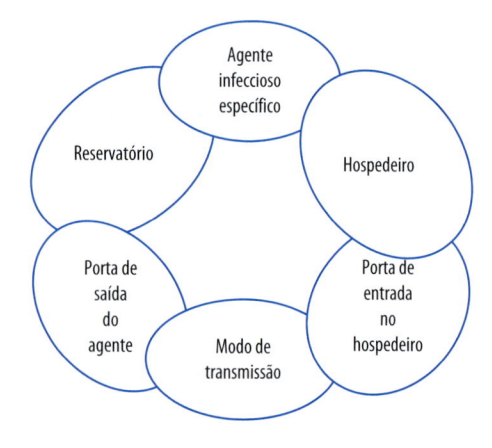

**FIGURA 144.1** → Cadeia epidemiológica das doenças infecciosas.
Fonte: Adaptada de Brasil.[2]

caso, é sinônimo de reservatório); ou secundária, também denominada "veículo", quando é o ser animado ou inanimado quem transporta um determinado agente, mas não é o responsável pela sobrevivência dele na natureza.

**Período de transmissibilidade.** É o intervalo de tempo durante o qual o agente infeccioso pode ser transmitido direta ou indiretamente de uma pessoa infectada a outra, de um animal infectado a uma pessoa ou de uma pessoa infectada a animais (incluindo artrópodes que funcionam como vetores em alguns casos). Esse período varia de acordo com o agente infeccioso em questão.

A transferência do agente infeccioso de um reservatório ou fonte de infecção para um hospedeiro suscetível é denominada "transmissão" e pode ocorrer por via direta ou indireta. A **transmissão direta** é a transferência imediata de agentes infecciosos a uma porta de entrada receptiva no hospedeiro. Ocorre no contato com pele e mucosas, em geral associado ao toque, ao beijo, às relações sexuais ou à projeção direta de fômites (p. ex., gotículas de saliva, escarro, esperma) de um indivíduo infectado a qualquer superfície mucosa (p. ex., mucosa oral, nasal, anal, vaginal) ou conjuntiva de outro indivíduo. As gotículas são partículas que apresentam diâmetro > 5 μm, e depositam-se rapidamente, necessitando de contato próximo entre os indivíduos para sua transmissão, uma vez que, por serem consideradas pesadas, não permanecem em suspensão no ar como acontece com os aerossóis (diâmetro < 5 μm).

Outra forma menos frequente de transmissão direta ocorre quando o tecido de um hospedeiro suscetível é exposto a um agente infeccioso por intermédio da mordida ou lambedura de um reservatório animal (p. ex., mordida de um cão raivoso, lambedura de morcego), ou mediante contato com o solo ou materiais nos quais o agente infeccioso se encontra (p. ex., ferimento perfurocortante com objeto enferrujado ou espinho de rosa contendo esporos de *Clostridium tetani*). Como exemplos de transmissão direta, ainda é possível citar aquela denominada "vertical", que ocorre a partir da mãe para seu feto ou recém-nascido durante a gestação (transplacentária), parto ou amamentação (p. ex., vírus da imunodeficiência humana [HIV, do inglês *human immunodeficiency virus*], hepatite B).

A **transmissão indireta**, por sua vez, ocorre por meio de veículos, vetores ou ar.

**Veículo.** É qualquer objeto ou material que sirva de meio pelo qual o agente infeccioso se transporta a um hospedeiro suscetível. São exemplos de veículos de infecção: brinquedos, roupas, talheres e outros utensílios de cozinha, instrumentos cirúrgicos, mãos de profissionais de saúde, alimentos, água e produtos biológicos (como sangue, urina, tecidos e órgãos), entre outros.

**Vetor.** É um artrópode que pode ser caracterizado como **vetor mecânico**, quando ele funciona como um simples transportador do agente infeccioso, não ocorrendo multiplicação ou desenvolvimento do agente no inseto, seja carregando o agente nas suas patas (p. ex., baratas, formigas, moscas) ou no seu trato gastrintestinal; ou **vetor biológico**, quando ocorre necessariamente uma fase de desenvolvimento e/ou multiplicação do agente infeccioso no artrópode, antes que este possa transmitir a forma infectante do agente infeccioso ao hospedeiro (p. ex., mosquito da dengue – *Aedes aegypti*).

**Transmissão aérea.** Ocorre quando há a disseminação de aerossóis microbianos – que são suspensões aéreas de partículas contendo parte ou totalidade de agentes infecciosos – até a porta de entrada de um hospedeiro suscetível, onde são inalados. Essas partículas são pequenas (< 5 μm) e permanecem em suspensão no ar por longos períodos. Exemplos de agentes infecciosos transmitidos por aerossóis são *Mycobacterium tuberculosis*, vírus do sarampo e vírus da varicela-zóster.

**Porta de entrada.** No hospedeiro, está diretamente relacionada com a via de transmissão do agente infeccioso, podendo ocorrer pelo trato respiratório (sarampo, tuberculose, caxumba), pela pele e mucosas (micoses, HIV), pelo trato gastrintestinal (enterovírus, espécies de *Salmonella*) ou pelo sangue (HIV, hepatite B e doenças transmitidas por vetores, como malária e doença de Chagas).

Assim, chega-se ao elo final da cadeia das doenças infecciosas, o novo hospedeiro. No hospedeiro, a simples presença do agente não é suficiente para que haja infecção; é preciso que esse hospedeiro seja suscetível. Assim como para o agente infeccioso, alguns fatores do hospedeiro são de grande importância epidemiológica, influenciando a probabilidade de exposição e de infecção e a ocorrência e gravidade de doença.

**Período de incubação.** É definido como o intervalo de tempo decorrido entre a exposição de uma pessoa ou animal ao agente infeccioso e o aparecimento da primeira manifestação clínica da doença.

## VIGILÂNCIA EM SAÚDE

A vigilância em saúde pública consiste na coleta, na análise e na interpretação continuada e sistemática de dados de saúde essenciais para o planejamento, a implementação e a avaliação de práticas de saúde pública, integradas à disseminação da informação àqueles que necessitam conhecê-la, em tempo adequado (oportunamente).[3]

De acordo com essa definição, o conceito supracitado não inclui a implementação de medidas de prevenção e controle, mas a intenção de obter uma interconexão com os programas de prevenção e controle.

A Lei nº 8.080, que instituiu em 1990 o Sistema Único de Saúde (SUS) no Brasil, define **vigilância epidemiológica** como "um conjunto de ações que proporcionam o conhecimento, a detecção ou prevenção de qualquer mudança nos fatores determinantes e condicionantes de saúde individual ou coletiva, com a finalidade de recomendar e adotar as medidas de prevenção e controle das doenças ou agravos".[4]

O propósito da vigilância epidemiológica é fornecer orientação técnica permanente para os que têm a responsabilidade de decidir sobre a execução de ações de controle de doenças e agravos, tornando disponíveis, para esse fim, informações atualizadas sobre a ocorrência dessas doenças ou agravos, bem como sobre seus fatores condicionantes em uma área geográfica ou população determinada.

Outra definição sucinta de vigilância é a de que ela é informação para ação.[5] Parece bastante simplista, porém compartilha com os outros conceitos de vigilância a ideia de que esta é fundamental para subsidiar o desencadeamento de ações,[6] como demonstrado na **FIGURA 144.2**.

Com frequência, os sistemas de vigilância são considerados ciclos de informação envolvendo profissionais de saúde, órgãos de saúde pública e população. Esse ciclo inicia quando ocorre o agravo em questão, que é notificado por profissionais de saúde aos órgãos de saúde pública. O ciclo se completa quando as informações de vigilância são interpretadas e disseminadas às pessoas que necessitam conhecê-la. Uma vez que os profissionais de saúde, os órgãos de saúde e a população estão entre aqueles que têm algum grau de responsabilidade pela prevenção e pelo controle de doenças, todos devem receber retroalimentação das informações de vigilância em tempo oportuno.[7]

> **Notificação é a comunicação da ocorrência de determinada doença ou agravo à saúde, feita à autoridade sanitária, por profissionais de saúde ou qualquer cidadão, para fins de adoção de medidas de intervenção pertinentes.**

Historicamente, a notificação compulsória tem sido a principal fonte da vigilância epidemiológica, a partir da qual, na maioria das vezes, desencadeia-se o processo informação-decisão-ação. A listagem das doenças de notificação nacional é estabelecida pelo Ministério da Saúde (MS) entre as consideradas de maior relevância sanitária para o País.

O Regulamento Sanitário Internacional (RSI) foi inicialmente implementado em 1969 pela Organização Mundial da Saúde (OMS), sendo o principal acordo legal de abrangência global a considerar o risco de transmissão internacional de doenças infecciosas. Na época, foram preconizadas atividades de prevenção e controle e notificação obrigatória internacional de quatro doenças infecciosas: peste, cólera, febre amarela e varíola (antes da erradicação global desta). Em 2005, o RSI foi revisado para adequar-se às necessidades e aos riscos atuais de transmissão internacional de doenças no mundo globalizado.[8] Em 2008, o RSI revisado (RSI-2005) passou a vigorar em 194 países, tendo sido acordado pelos países-membros da OMS na 58ª Assembleia Mundial da Saúde, em 2005. De acordo com o RSI-2005, os novos mandatos e obrigações dos países têm o objetivo de prevenir, proteger contra, controlar e dar respostas de saúde pública à transmissão internacional de doenças.[1] O RSI-2005 define emergências em saúde pública de importância internacional (ESPIIs), estabelecendo que devem ser notificados todos os eventos considerados ESPII.[8] Seguindo lógica semelhante, o MS do Brasil define também as emergências em saúde pública de importância nacional (ESPINs) **(TABELA 144.1)**.[4,8]

Atualmente, a Portaria nº 1.061, de 18 de maio de 2020, especifica as doenças, os agravos e os eventos de notificação obrigatória, além das doenças ou eventos de notificação imediata (em 24 horas a partir da suspeita inicial, devendo ser comunicada por *e-mail*, telefone, fax ou *web*) para todo o território nacional. Casos suspeitos ou confirmados das condições de saúde relacionadas na **TABELA 144.2** devem ser notificados às Secretarias Municipais de Saúde (SMS) e às Secretarias Estaduais de Saúde (SES), assim como ao MS. Além das doenças de notificação compulsória, estados e municípios podem incluir outros agravos a serem notificáveis em níveis regional e local, conforme especificado na **TABELA 144.2**.[9-11]

**TABELA 144.1** → Emergências em saúde pública de importância nacional e internacional

**Emergência em saúde pública de importância nacional (ESPIN):** evento que apresenta risco de propagação ou disseminação de doenças para mais de uma unidade federada – estados e Distrito Federal – com priorização das doenças de notificação imediata e outros eventos de saúde pública, independentemente da natureza ou da origem, depois de avaliação de risco, e que possa necessitar de resposta nacional imediata.

**Emergência de saúde pública de importância internacional (ESPII):** evento extraordinário que constitui risco para a saúde pública de outros países, por meio da propagação internacional de doenças, e que potencialmente requer uma resposta internacional coordenada.

Fonte: Brasil[4] e World Health Organization.[8]

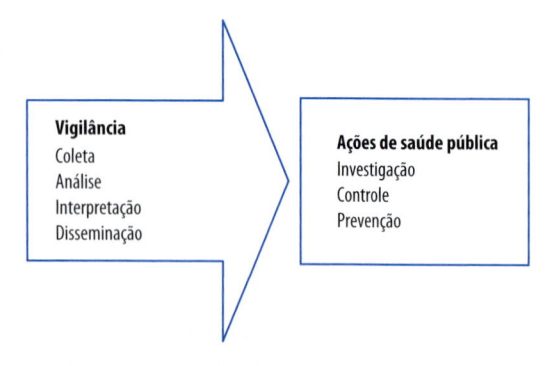

**FIGURA 144.2** → Componentes da vigilância em saúde pública e ações resultantes.
Fonte: Adaptada e traduzida de Centers for Disease Control and Prevention.[6]

**Vigilância**
Coleta
Análise
Interpretação
Disseminação

→

**Ações de saúde pública**
Investigação
Controle
Prevenção

**TABELA 144.2** → Lista nacional de notificação compulsória de doenças, agravos e eventos de saúde pública

| Nº | DOENÇA OU AGRAVO (ORDEM ALFABÉTICA) (REDAÇÃO DADA PELA PORTARIA Nº 1.061, DE 18.5.2020) | PERIODICIDADE DE NOTIFICAÇÃO | | | |
|---|---|---|---|---|---|
| | | IMEDIATA (ATÉ 24 HORAS) PARA* | | | SEMANAL |
| | | MS | SES | SMS† | |
| 1 | a. Acidente de trabalho com exposição a material biológico | | | | X |
| | b. Acidente de trabalho: grave, fatal e em crianças e adolescentes | | X | | |
| 2 | Acidente por animal peçonhento | | | X | |
| 3 | Acidente por animal potencialmente transmissor da raiva | | | X | |
| 4 | Botulismo | X | X | X | |
| 5 | Cólera | X | X | X | |
| 6 | Coqueluche | | X | X | |
| 7 | a. Dengue – casos | | | | X |
| | b. Dengue – óbitos | X | X | X | |
| 8 | Difteria | | X | X | |

*(continua)*

**TABELA 144.2** → Lista nacional de notificação compulsória de doenças, agravos e eventos de saúde pública  *(Continuação)*

| Nº | DOENÇA OU AGRAVO (ORDEM ALFABÉTICA) (REDAÇÃO DADA PELA PORTARIA Nº 1.061, DE 18.5.2020) | IMEDIATA (ATÉ 24 HORAS) PARA* | | | SEMANAL |
|---|---|---|---|---|---|
| | | MS | SES | SMS† | |
| 9 | a. Doença de Chagas aguda | | X | X | |
| | b. Doença de Chagas crônica | | | | X |
| 10 | Doença de Creutzfeldt-Jakob (DCJ) | | | | X |
| 11 | a. Doença invasiva por *Haemophilus influenzae* | | X | X | |
| | b. Doença meningocócica e outras meningites | | X | X | |
| 12 | Doenças com suspeita de disseminação intencional: a. Antraz pneumônico, b. Tularemia, c. Varíola | X | X | X | |
| 13 | Doenças febris hemorrágicas emergentes/reemergentes: a. Arenavírus, b. Ebola, c. Marburg, d. Lassa, e. Febre purpúrica brasileira | X | X | X | |
| 14 | a. Doença aguda pelo vírus da Zika | | | | X |
| | b. Doença aguda pelo vírus da Zika em gestante | | X | X | |
| | c. Óbito com suspeita de doença pelo vírus da Zika | X | X | X | |
| 15 | Esquistossomose | | | | X |
| 16 | Evento de Saúde Pública (ESP) que se constitua ameaça à saúde pública‡ | X | X | X | |
| 17 | Eventos adversos graves ou óbitos pós-vacinação | X | X | X | |
| 18 | Febre amarela | X | X | X | |
| 19 | a. Febre Chikungunya | | | | X |
| | b. Febre Chikungunya em áreas sem transmissão | X | X | X | |
| | c. Óbito com suspeita de Febre Chikungunya | X | X | X | |
| 20 | Febre do Oeste do Nilo e outras arboviroses de importância em saúde pública | X | X | X | |
| 21 | Febre maculosa e outras riquetsioses | X | X | X | |
| 22 | Febre tifoide | | X | X | |
| 23 | Hanseníase | | | | X |
| 24 | Hantavirose | X | X | X | |
| 25 | Hepatites virais | | | | X |
| 26 | HIV/Aids – infecção pelo vírus da imunodeficiência humana ou síndrome da imunodeficiência adquirida | | | | X |
| 27 | Infecção pelo HIV em gestante, parturiente ou puérpera e criança exposta ao risco de transmissão vertical do HIV | | | | X |
| 28 | Infecção pelo HIV | | | | X |
| 29 | *Influenza* humana produzida por novo subtipo viral | X | X | X | |
| 30 | Intoxicação exógena (por substâncias químicas, incluindo agrotóxicos, gases tóxicos e metais pesados) | | | | X |
| 31 | Leishmaniose tegumentar americana | | | | X |
| 32 | Leishmaniose visceral | | | | X |
| 33 | Leptospirose | | X | | |
| 34 | a. Malária na região amazônica | | | | X |
| | b. Malária na região extra-amazônica | X | X | X | |
| 35 | Óbito: a. Infantil, b. Materno | | | | X |
| 36 | Poliomielite por poliovírus selvagem | X | X | X | |
| 37 | Peste | X | X | X | |
| 38 | Raiva humana | X | X | X | |
| 39 | Síndrome da rubéola congênita | X | X | X | |
| 40 | Doenças exantemáticas: a. Sarampo, b. Rubéola | X | X | X | |
| 41 | Sífilis: a. Adquirida, b. Congênita, c. Em gestante | | | | X |
| 42 | Síndrome da paralisia flácida aguda | X | X | X | |
| 43 | Síndrome respiratória aguda grave associada a coronavírus: a. SARS-CoV, b. síndrome respiratória do Oriente Médio associada ao coronavírus (MERS-CoV) | X | X | X | |
| 44 | Tétano: a. Acidental, b. Neonatal | | X | | |
| 45 | Toxoplasmose gestacional e congênita | | | | X |
| 46 | Tuberculose | | | | X |
| 47 | Varicela – caso grave internado ou óbito | | X | X | |
| 48 | a. Violência doméstica e/ou outras violências | | | | X |
| | b. Violência sexual e tentativa de suicídio | | | X | |

| Nº | DOENÇA OU AGRAVO EM ANIMAIS (ORDEM ALFABÉTICA) (REDAÇÃO DADA PELA PORTARIA Nº 782, DE 15.3.2017) |
|---|---|
| **I.** | **Lista das doenças de notificação compulsória imediata, com base na vigilância animal:** |
| 1 | Febre amarela |
| 2 | Raiva |
| 3 | Febre do Oeste do Nilo |
| 4 | Outras arboviroses de importância em saúde pública (encefalomielites equinas do oeste, do leste e venezuelana, febre Oropouche, infecção por vírus Mayaro) |
| 5 | Peste |
| 6 | *Influenza* |
| **II.** | **Eventos de saúde pública (ESPs), epizootias de notificação compulsória imediata:** |
| 1 | Morte de primatas não humanos |
| 2 | Morte ou adoecimento de cães e gatos com sintomatologia neurológica |
| 3 | Morte de aves silvestres |
| 4 | Morte ou adoecimento de equídeos com sintomatologia neurológica |
| 5 | Morte de canídeos silvestres§ |
| 6 | Morte de quirópteros (morcegos) em áreas urbanas‖ |
| 7 | Morte de roedores silvestres em áreas de ocorrência de peste¶ |
| 8 | Morte de animais silvestres sem causa conhecida |

*(continua)*

**TABELA 144.2** → Lista nacional de notificação compulsória de doenças, agravos e eventos de saúde pública    *(Continuação)*

| Nº | DOENÇA OU AGRAVO (ORDEM ALFABÉTICA) (REDAÇÃO DADA PELA PORTARIA Nº 1.061, DE 18.5.2020) | PERIODICIDADE DE NOTIFICAÇÃO | | |
|---|---|---|---|---|
| | | IMEDIATA (ATÉ 24 HORAS) PARA* | | SEMANAL |
| | | MS | SES | SMS[†] |
| Nº | DOENÇA OU AGRAVO MONITORADO PELA ESTRATÉGIA DE VIGILÂNCIA-SENTINELA (REDAÇÃO DADA PELA PORTARIA Nº 205, DE 17.2.2016) | | | |
| **I. Vigilância em saúde do trabalhador** | | | | |
| 1 | Câncer relacionado ao trabalho | | | |
| 2 | Dermatoses ocupacionais | | | |
| 3 | Lesões por esforços repetitivos/distúrbios osteomusculares relacionados ao trabalho (LERs/DORTs) | | | |
| 4 | Perda auditiva induzida por ruído (PAIR) relacionada ao trabalho | | | |
| 5 | Pneumoconioses relacionadas ao trabalho | | | |
| 6 | Transtornos mentais relacionados ao trabalho | | | |
| **II. Vigilância de doenças de transmissão respiratória** | | | | |
| 1 | Doença pneumocócica invasiva | | | |
| 2 | Síndrome respiratória aguda grave (SRAG) | | | |
| 3 | Síndrome gripal (SG) | | | |
| **III. Vigilância de doenças de transmissão hídrica e/ou alimentar** | | | | |
| 1 | Rotavírus | | | |
| 2 | Doença diarreica aguda | | | |
| 3 | Síndrome hemolítico-urêmica | | | |
| **IV. Vigilância de infecções sexualmente transmissíveis** | | | | |
| 1 | Síndrome do corrimento uretral masculino | | | |
| **V. Síndrome neurológica pós-infecção febril exantemática** | | | | |

* As doenças e os eventos devem ser notificados às SES e às SMS em, no máximo, 24 horas a partir da suspeita inicial, e às SES e às SMS, que também deverão informar imediatamente à SVS/MS. A notificação imediata será realizada por telefone como meio de comunicação ao serviço de vigilância epidemiológica da SMS, cabendo a essa instituição disponibilizar e divulgar amplamente o número na rede de serviços de saúde, pública e privada. Na impossibilidade de comunicação à SMS e à SES, principalmente nos fins de semana, nos feriados e no período noturno, a notificação será realizada à SVS/MS por um dos seguintes meios: Disque notifica: 0800 644 6645, E-notifica: notifica@saude.gov.br e Notifica Net: http://j.mp/notificasus.

[†] A notificação imediata no Distrito Federal é equivalente à SMS.

[‡] Evento de Saúde Pública (ESP): situação que pode constituir potencial ameaça à saúde pública, como a ocorrência de surto ou epidemia, doença ou agravo de causa desconhecida, alteração no padrão clínico-epidemiológico das doenças conhecidas, considerando o potencial de disseminação, a magnitude, a gravidade, a transcendência e a vulnerabilidade, bem como epizootias ou agravos decorrentes de desastres ou acidentes.

[§] Raiva: canídeos domésticos ou silvestres que apresentaram doença com sintomatologia neurológica e evoluíram para morte em um período de até 10 dias ou confirmados laboratorialmente para raiva. Leishmaniose visceral: primeiro registro de canídeo doméstico em área indene, confirmado por meio da identificação laboratorial da espécie *Leishmania chagasi*.

[ǁ] Raiva: morcego morto sem causa definida ou encontrado em situação não usual, como voos diurnos, atividade alimentar diurna, incoordenação de movimentos, agressividade, contrações musculares, paralisias, encontrado durante o dia no chão ou em paredes.

[¶] Peste: roedores silvestres mortos em áreas de focos naturais de peste.

MS, Ministério da Saúde; SES, Secretaria Estadual de Saúde; SMS, Secretaria Municipal de Saúde; SVS, Secretaria de Vigilância em Saúde.
Fonte: Brasil.[9-11]

A escolha das doenças de notificação obrigatória obedece a alguns critérios, razão pela qual a lista é periodicamente revisada, tanto em função da situação epidemiológica da doença, como pela emergência de novos agentes, por alterações no RSI e, também, devido a acordos multilaterais entre países.

Define-se como **doença** uma enfermidade ou estado clínico, independentemente de origem ou fonte, que represente ou possa representar um dano significativo para os seres humanos. **Agravo** é definido como qualquer dano à integridade física, mental e social dos indivíduos provocado por circunstâncias nocivas, como acidentes, intoxicações, abuso de drogas e lesões auto ou heteroinfligidas. Por fim, **evento** é a manifestação de doença ou uma ocorrência que apresente potencial para causar doença.

O Sistema de Informação de Agravos de Notificação (Sinan) é um sistema de informações criado entre 1990 e 1993, com o objetivo de coletar e processar dados sobre doenças e agravos de notificação compulsória em todo o território nacional, fornecendo informações para a análise do perfil de morbidade e contribuindo para a tomada de decisões nos três níveis do sistema. Como foi concebido para ser trabalhado desde o nível local, o Sinan pode ser operado a partir das unidades de saúde, das SMS, no nível regional ou, ainda, no nível estadual (SES). As informações provenientes da notificação de casos alimentam o Sinan de forma contínua e sistemática.[4] A entrada de dados no Sinan é feita mediante a utilização de alguns formulários padronizados, disponíveis no *Guia de vigilância epidemiológica* do MS.[4]

É importante ressaltar que a notificação ocorre quando a ficha de notificação/investigação individual é preenchida. A partir do momento em que essa ficha é digitada, a informação entra na base de dados do Sinan. A ficha de notificação/investigação é enviada por meio eletrônico ou em papel à Coordenação de Vigilância Epidemiológica da SMS.

Para várias doenças (poliomielite, meningite, hepatite viral, difteria, tétano, sarampo), é realizada investigação epidemiológica de casos e contatos a partir da notificação. A investigação epidemiológica é um trabalho de campo realizado a partir dos casos notificados, complementando as informações da notificação. Na investigação, é feita a confirmação diagnóstica do caso suspeito, a busca ativa de casos secundários e contatos, e a orientação quanto à interrupção da transmissão e à implementação de medidas de prevenção e controle.

No nível municipal, a ficha de notificação/investigação individual é preenchida pelo profissional responsável pela investigação, e, após digitada, os dados são enviados aos níveis estadual e federal. Pressupõe-se que em todos os níveis esses dados sejam consolidados, analisados e disseminados aos níveis precedentes. No nível federal, os dados agregados de todo o País são analisados e divulgados periodicamente por meio do Boletim Epidemiológico do SUS.[4] Além disso, os Estados e os municípios possuem instrumentos periódicos de divulgação das informações.

As medidas de prevenção e controle de doenças, sejam elas de notificação compulsória ou não, devem ser conhecidas e implementadas por todos os profissionais de saúde, agentes de saúde e mesmo pela população em geral em alguns de seus aspectos.

## ABORDAGEM DAS DOENÇAS TRANSMISSÍVEIS NA COMUNIDADE – MEDIDAS PREVENTIVAS GERAIS

As medidas iniciais a serem adotadas pelo profissional de saúde diante de um indivíduo com uma doença ou com suspeita de apresentar uma doença infecciosa incluem: notificação aos órgãos de vigilância epidemiológica quando indicado; coleta de material para exames laboratoriais confirmatórios, se necessário; início do tratamento, quando indicado; e instituição de medidas de prevenção e controle para minimizar a transmissão da infecção do caso a seus contatos. Medidas de âmbito populacional, sobretudo investigação e controle de epidemias e surtos, devem ser instauradas pelos serviços de epidemiologia ou vigilância epidemiológica, conforme descrito anteriormente, contando com a colaboração e o acompanhamento dos trabalhadores locais de saúde.

### Estratégias de prevenção e controle

Ao serem implementadas estratégias de prevenção e controle para interromper a cadeia de transmissão de determinada doença infecciosa, é importante analisar a cadeia de infecção da doença em questão, a fim de identificar seu elo mais fraco, seja ele o agente, o ambiente (modo de transmissão) ou o hospedeiro.

Embora diferentes estratégias possam ser implementadas concomitantemente, abordagens direcionadas ao elo mais fraco da cadeia de infecção costumam ser mais efetivas. Embora as estratégias variem de acordo com a doença, a comunidade e o momento, há medidas gerais e específicas que devem ser consideradas para o controle de doenças na comunidade, conforme descrito a seguir.

### Lavagem de mãos

A lavagem de mãos é considerada a medida mais simples, econômica e importante para a redução do risco de transmissão de organismos de uma pessoa a outra ou de um local a outro no mesmo indivíduo. A lavagem de mãos deve ser realizada por qualquer pessoa que teve contato com pessoas infectadas ou após o contato com sangue, líquidos corporais e equipamento ou objetos contaminados. Deve-se utilizar água limpa e sabão. O uso de luvas não elimina, em absoluto, a necessidade de lavagem das mãos, antes e depois do contato com um indivíduo colonizado ou infectado por microrganismo infeccioso (ver Capítulo Controle de Infecções Relacionadas à Assistência à Saúde).

### Lençóis e tecidos

Embora lençóis sujos possam estar contaminados com microrganismos patogênicos, o risco de transmissão de infecções é baixo se manuseados, transportados e lavados de maneira a evitar a transferência do organismo a outras pessoas e ao ambiente. O manuseio, o transporte e a lavagem de lençóis, toalhas e outros tecidos sujos com sangue, fluidos corporais, secreções e excreções devem ser feitos de forma a evitar o contato desse material com pele e mucosas, evitando, assim, a transferência de microrganismos. Não há estudos que avaliem a temperatura ideal da água usada para lavagem de roupas, lençóis e outros tecidos.

### Louça, copos, talheres e demais utensílios de cozinha

Não há precauções especiais para uso desses materiais além da lavagem com água e detergente/sabão, que é suficiente para eliminar os microrganismos.[12]

### Limpeza e desinfecção

**Limpeza** é definida como a remoção mecânica de sujeira, que normalmente utiliza água, produtos enzimáticos ou detergentes, podendo, ainda, ser utilizada energia mecânica, química ou térmica.[12] A limpeza é muito efetiva na redução do número de microrganismos presentes em material ou objeto contaminado.

**Desinfecção** é o processo que elimina os microrganismos na sua forma vegetativa (exceto esporos bacterianos) de objetos inanimados. A desinfecção pode ser realizada utilizando processos físicos (pasteurização, radiação ultravioleta, calor) ou químicos (álcool, cloro, glutaraldeído, formaldeído, peróxido de hidrogênio, ácido peracético, etc.).[12]

**Desinfecção concorrente** é a aplicação de medidas desinfetantes no ambiente físico que alberga o indivíduo contaminado. Deve ser realizada o mais rápido possível após a eliminação de material infeccioso ou após a ocorrência de contaminação de objetos por esse material.

**Desinfecção terminal** é aquela que se aplica no ambiente após o indivíduo deixar de constituir fonte de infecção ou ter sido removido do local.

### Precauções padronizadas

De acordo com as recomendações nacionais e internacionais,[1,13,14] precauções devem ser adotadas para a prevenção de transmissão de microrganismos e infecções.

Com o objetivo básico de prevenir a transmissão de um microrganismo de um indivíduo, seja ele portador sadio ou doente, para outra pessoa – profissional de saúde, outro indivíduo ou pessoa da comunidade –, essas medidas se dividem em: precauções-padrão ou padronizadas; precauções de acordo com o modo de transmissão das infecções; e precauções empíricas.

As precauções padronizadas têm o objetivo de reduzir a presença de agentes infecciosos em serviços de saúde. No entanto, podem ser extrapoladas e adaptadas para o atendimento de pacientes ambulatoriais, assim como para o cuidado de pacientes no domicílio ou na comunidade, objetivando a prevenção ou a interrupção da transmissão. Devem ser aplicadas por pessoas (profissionais de saúde, cuidadores, familiares, acompanhantes) ao lidarem com qualquer

## TABELA 144.3 → Precauções padronizadas para prevenção ou interrupção de transmissão de doenças

### LAVAGEM DAS MÃOS

Deve ser realizada antes e depois de qualquer contato com paciente e após contato com superfícies ou equipamentos/materiais contaminados, utilizando água e sabão ou soluções alcoólicas preparadas para esse fim

O uso de luvas não substitui, em absoluto, a lavagem das mãos, que deve ser realizada antes e após o seu uso

A estratégia dos "5 momentos" da higienização das mãos da Organização Mundial da Saúde (OMS) preconiza:[15]
1. Antes do contato com um paciente
2. Antes da realização de procedimentos assépticos
3. Após risco de exposição a fluidos corporais
4. Após contato com um paciente
5. Após contato com as áreas próximas ao paciente (ambiente)

### USO DE LUVAS

Devem ser utilizadas após avaliação de risco, quando houver possibilidade de contato com sangue, fluidos corporais, secreção, excreções ou materiais potencialmente infectantes*

### USO DE AVENTAL

Deve ser usado após avaliação de risco, quando houver possibilidade de contato da pele ou das roupas do profissional de saúde com sangue ou líquidos corporais potencialmente infectantes

### USO DE MÁSCARA, ÓCULOS E PROTETOR FACIAL (*FACE SHIELD*)

Devem ser usados após avaliação de risco, quando houver possibilidade de respingos de sangue ou líquidos corporais potencialmente infectantes atingirem a face do profissional de saúde

### HIGIENE RESPIRATÓRIA

Nariz e boca devem ser cobertos com lenço descartável ao tossir ou espirrar, descartando-se o lenço após o uso e lavando as mãos depois

### DESCARTE DE MATERIAIS PERFUROCORTANTES

Todos os materiais perfurocortantes devem ser descartados em caixas específicas para descarte que devem ser dispostas em locais visíveis e de fácil acesso

O reencape de agulhas é proibido

### DESCONTAMINAÇÃO DE SUPERFÍCIES

Caso haja presença de sangue ou líquidos corporais potencialmente infectantes em superfícies, a descontaminação de superfícies deve ser realizada

---

doente, dentro e fora de serviços de saúde, independentemente de sua condição infecciosa. As precauções padronizadas incluem as medidas descritas na TABELA 144.3 (para mais detalhes, ver Capítulo Controle de Infecções Relacionadas à Assistência à Saúde).

Além das precauções padronizadas, precauções adicionais específicas baseadas no modo de transmissão de cada doença devem ser implementadas para pacientes com suspeita de colonização ou infecção por organismos transmissíveis de importância epidemiológica. Elas são indicadas para reduzir o risco de transmissão direta por contato físico (precauções de contato), transmissão direta por gotículas (precauções respiratórias para gotículas) e transmissão indireta por via aérea (precauções respiratórias para aerossóis), devendo ser adotadas simultaneamente com as precauções padronizadas (ver Capítulo Controle de Infecções Relacionadas à Assistência à Saúde).

### Isolamento

O **isolamento** é aplicado aos indivíduos infectados ou doentes, sendo definido como a colocação de pessoas ou animais infectados em lugares e condições nas quais a transmissão do agente infeccioso a hospedeiros suscetíveis seja evitada ou pelo menos limitada. Para ser efetivo, o isolamento deve ser implementado durante o período de transmissibilidade da infecção.

Ao contrário do isolamento, a **quarentena** é aplicada não aos indivíduos infectados, mas às pessoas sadias que tiveram contato com um indivíduo infectado. É definida como a restrição das atividades de pessoas ou animais sadios que tenham sido expostos a uma determinada infecção durante o período de sua transmissibilidade. Assim sendo, essas pessoas ou animais sadios podem ter sido infectados, porém podem apresentar-se sadios por estarem no período de incubação. Nesse caso, a quarentena evitaria a transmissão da infecção.

O **distanciamento social** é aplicado em pessoas na comunidade para diminuir a interação e, consequentemente, a diminuição da velocidade de transmissão de agentes infecciosos. Essa medida é particularmente relevante para infecções transmitidas por gotículas ou aerossóis, sobretudo quando não há medidas farmacológicas específicas como vacinas ou medicamentos para sua prevenção ou tratamento. O distanciamento social pode ser ampliado, quando não se limita a grupos específicos, ou seletivo, quando apenas os grupos de maior risco ficam isolados, como idosos, imunodeprimidos, pessoas com doenças crônicas, entre outros, a depender da condição em questão e dos riscos relacionados.

# MEDIDAS PREVENTIVAS ESPECÍFICAS EM DOENÇAS TRANSMISSÍVEIS

Além das medidas gerais para prevenção da transmissão de infecções, algumas medidas específicas podem ser direcionadas ao agente infeccioso, ao reservatório da infecção, ao hospedeiro ou diretamente à forma de transmissão. Para tanto, é necessário conhecer as formas de transmissão de cada doença, considerando o agente e a porta de entrada.

Na TABELA 144.4, estão listadas algumas medidas direcionadas às diversas doenças, levando em consideração as respectivas formas de transmissão e a porta de entrada do agente infeccioso no hospedeiro suscetível.

## Doenças transmitidas por via respiratória

Como discutido anteriormente, o conhecimento das formas de transmissão do agente de cada doença em questão, assim como de outros aspectos epidemiológicos das doenças, é de fundamental importância para implementar, na comunidade e nos serviços de saúde, medidas preventivas destinadas a evitar a ocorrência de mais casos, evitando, assim, a disseminação na comunidade.

Na TABELA 144.5, estão descritas algumas doenças que são transmitidas de pessoa a pessoa por meio de transmissão respiratória, incluindo aquelas transmitidas por gotículas e

**TABELA 144.4** → Intervenções sobre algumas doenças infecciosas, considerando a forma de transmissão e a porta de entrada

| FORMA DE TRANSMISSÃO | DOENÇA | PORTA DE ENTRADA | ESTRATÉGIA DE INTERVENÇÃO |
|---|---|---|---|
| **Transmissão direta** | | | |
| Contato sexual | Aids (síndrome da imunodeficiência adquirida), gonorreia | Mucosa | Uso de preservativo |
| Contato cutâneo | Escabiose, molusco contagioso | Pele | Isolamento de contato |
| Contato mucocutâneo | Mononucleose infecciosa | Mucosa oral | Evitar contato próximo |
| Mordedura ou contato com saliva de animal | Raiva | Pele, mucosas | Evitar contato com animais raivosos |
| Gotículas de saliva eliminadas durante a fala, a tosse ou o espirro | Doença meningocócica, coqueluche, rubéola | Mucosa oral/nasal e conjuntiva | Isolamento respiratório (tipo gotícula), uso de máscara cirúrgica |
| **Transmissão indireta** | | | |
| Veículo (mãos) | Infecções por enterobactérias ou enterovírus | Trato gastrintestinal | Lavagem de mãos |
| Veículo (mãos) | Infecção de corrente sanguínea associada a cateter central por *Staphylococcus aureus* | Cateter de acesso venoso central | Lavagem de mãos |
| Vetor mecânico (*Aedes aegypti*) | Dengue | Sangue | Fumigação com inseticidas |
| Vetor biológico (*Anopheles*) | Malária | Sangue | Fumigação com inseticidas |
| Aerossóis | Sarampo, tuberculose, varicela, Covid-19 | Trato respiratório | Isolamento respiratório (tipo aerossóis), uso de máscaras N95 |

Fonte: Associação Paulista de Epidemiologia e Controle de Infecção Relacionada à Assistencia à Saude.[16]

por aerossóis, assim como as medidas de prevenção e controle que devem ser tomadas para cada doença.

## Doenças transmitidas por contato direto

Na **TABELA 144.6**, são apresentadas as medidas de prevenção e controle de algumas doenças que são transmitidas de pessoa a pessoa por contato direto.

## Doenças de transmissão fecal-oral

Na **TABELA 144.7**, são apresentadas algumas doenças de transmissão fecal-oral e as respectivas medidas de notificação, investigação, prevenção e controle. A transmissão fecal-oral pode ser direta (de pessoa a pessoa por mãos contaminadas) ou indireta (por ingestão de água e alimentos contaminados e contato com objetos contaminados, como utensílios de cozinha, acessórios de banheiro, objetos de uso pessoal, etc.).

## Doenças de transmissão sexual ou sanguínea

Para as doenças de transmissão sexual ou sanguínea, como HIV, hepatites B, C e D, gonorreia, sífilis, clamídia, cancro, molusco contagioso e herpes, entre outras, o uso de preservativos e a redução no número de parceiros sexuais são as principais estratégias para a prevenção da transmissão.

Com relação à infecção pelo HIV, mais recentemente têm sido utilizadas duas estratégias fundamentais para reduzir ou mesmo eliminar a chance de aquisição do HIV por via sexual ou pós-acidente ocupacional: a profilaxia pós-exposição (PEP)[22-24] e a profilaxia pré-exposição (PrEP).[25] (Os detalhes sobre essas profilaxias estão no Capítulo Infecção pelo HIV em Adultos.)

O uso de imunoglobulina humana para prevenção de hepatite B em situações específicas está detalhado no Capítulo Hepatites Virais.

## Doenças transmitidas por vetores

As doenças transmitidas por vetores apresentam, ainda, como importante forma de prevenção da transmissão, o controle de vetores, que pode ser realizado por várias técnicas, como controle mecânico, químico ou biológico.

O controle mecânico emprega técnicas que dificultam o desenvolvimento do vetor ou minimizam o contato homem/vetor, como realização de drenagens de água, limpeza de terrenos baldios, destruição de locais de criadouro, etc.

O controle biológico consiste na utilização de predadores ou parasitas que atuam diminuindo a população de vetores.

O controle químico consiste no uso de produtos químicos para controlar os vetores. Comumente são utilizados inseticidas, definidos como quaisquer substâncias químicas empregadas para eliminar insetos. As substâncias podem eliminar larvas dos insetos-vetores (larvicidas), ovos de vetores (ovicidas) ou insetos-vetores adultos (adulticidas ou imagocidas).

Além do controle de vetores, estratégias de educação e comunicação sobre o ciclo de transmissão, situações de risco e formas de evitar criadouros domiciliares dos vetores têm-se mostrado efetivas em diversos ensaios clínicos comunitários.

O controle de vetores é uma estratégia importante de prevenção disponível para prevenir diversas doenças transmitidas por vetores, entre elas febre amarela, malária, dengue, leishmaniose, doença de Chagas e filariose. Além disso, medidas de proteção individual para evitar picadas de insetos, como uso de repelentes, inseticidas aerossóis para o ambiente, mangas e calças compridas durante o horário de maior circulação de vetores e mosquiteiros, sobretudo mosquiteiros tratados com inseticidas, são de grande importância e devem ser orientadas a toda a população residente ou que se dirige a áreas de maior risco de transmissão dessas doenças.

Além disso, para algumas doenças transmitidas por vetores, como a febre amarela, existem vacinas disponíveis que são seguras e eficazes para a prevenção (ver Capítulos Imunizações e Febre Amarela).

**TABELA 144.5** → Medidas de prevenção e controle para doenças transmitidas por via respiratória

| DOENÇA | NOTIFICAÇÃO | ISOLAMENTO E PRECAUÇÕES* | DESINFECÇÃO | ACOMPANHAMENTO DE COMUNICANTES | QUARENTENA | PROFILAXIA PÓS-EXPOSIÇÃO | INVESTIGAÇÃO NA COMUNIDADE |
|---|---|---|---|---|---|---|---|
| **Transmissão respiratória por gotículas** | | | | | | | |
| Difteria (crupe) | Compulsória; surto ou agregação de casos ou agregação de óbitos por difteria devem ser notificados em 24 horas (notificação imediata) | → Precaução-padrão e isolamento respiratório para gotículas (em caso de difteria faríngea) até negativação de culturas (obter 1 amostra antes do início do tratamento e 2 amostras com intervalo mínimo de 24 horas após o tratamento) e 14 dias após o início do tratamento<br>→ Afastar da escola ou creche ou de locais públicos até 14 dias após o início do tratamento<br>→ Isolamento de contato (em caso de difteria cutânea) até negativação de culturas (mesma estratégia para a forma faríngea) e 14 dias após o início do tratamento<br>→ Evitar contato com secreção de lesão e lavar a lesão com água e sabão (em caso de difteria cutânea) | → Desinfecção concorrente dos objetos contaminados com as secreções nasofaríngeas<br>→ Desinfecção terminal¹ | → Realizar cultura de material de naso e orofaringe para *Corynebacterium diphtheriae* e, se for o caso, também para pesquisa de portadores e iniciar quimioprofilaxia pós-exposição dos comunicantes íntimos<br>→ Manter sob vigilância os comunicantes íntimos¹ e domiciliares por 7 dias a partir da última exposição ao doente | Afastar do trabalho comunicantes adultos cujo trabalho envolve manipulação de alimentos (leite, em especial) ou contatante próximo com crianças não imunizadas até negativação das culturas, o que costuma ocorrer após 48 horas do início da antibioticoterapia | → Os contactantes devem realizar quimioprofilaxia caso sejam não vacinados, inadequadamente vacinados ou com estado vacinal desconhecido<br>→ Antibióticos de escolha por ordem de preferência:<br>1. Eritromicina, VO: crianças > 1 mês – 40-50 mg/kg/dia (máximo: 2 g/dia), divididos em 4 doses iguais, por 7 dias; adultos – 500 mg, de 6/6 horas, por 7 dias<br>2. Penicilina G benzatina, IM: idade < 6 anos ou peso < 30 kg – 600.000 UI, dose única; idade ≥ 6 anos ou peso ≥ 30 kg – 1.200.000 UI<br>→ Após a quimioprofilaxia, administrar 1 dose de reforço de toxoide diftérico¹ para comunicantes íntimos que tenham recebido a última dose de vacina há mais de 5 anos<br>→ Se a cultura de controle, após 14 dias do início da quimioprofilaxia, resultar positiva, fazer mais 10 dias de tratamento com eritromicina | → Busca ativa de casos no domicílio, na escola e no local de trabalho, para identificação de casos adicionais e comunicantes<br>→ Vacinação de bloqueio¹ |
| Coqueluche (pertussis) | Compulsória; investigação laboratorial é obrigatória nos surtos e nos casos atendidos nas unidades-sentinelas, previamente determinadas, a fim de identificar a circulação de *Bordetella pertussis* | → Precaução-padrão e isolamento respiratório para gotículas durante 5 dias após o início do tratamento antimicrobiano apropriado; nos casos não submetidos à antibioticoterapia, o tempo de isolamento deve ser de 3 semanas<br>→ Afastar de suas atividades habituais (creche, escola, trabalho) por pelo menos 5 dias após o início do tratamento com antimicrobiano; nos casos não submetidos à antibioticoterapia, o tempo de afastamento deve ser de 3 semanas após o início dos paroxismos | → Desinfecção concorrente dos objetos contaminados com as secreções nasofaríngeas<br>→ Desinfecção terminal | → Acompanhamento de sintomas em comunicantes sem vacinação completa por 14 dias<br>→ Coletar material para diagnóstico laboratorial de comunicantes com tosse | → Afastar de escolas, creches ou do local de trabalho comunicantes domiciliares com idade < 7 anos com vacinação inadequada, durante 14 dias após exposição ou até 1 semana após o início do tratamento<br>→ Afastar do trabalho comunicantes adultos com sintomas, durante 5 dias após o início do tratamento<br>→ Afastar do trabalho durante 5 dias comunicantes adultos que trabalham em profissões que envolvem o contato direto e frequente com bebês com idade < 1 ano ou imunodeprimidos | → Recomenda-se quimioprofilaxia para comunicantes íntimos e para bebês com idade < 1 ano, independentemente da situação vacinal; comunicantes íntimos com idade < 7 anos não vacinados, com situação vacinal desconhecida, ou que tenham tomado menos de 4 doses da vacina DTP ou DTPa; comunicantes adultos que trabalham em profissões que envolvem o contato direto e frequente com grávidas, bebês com idade < 1 ano ou imunodeprimidos, comunicantes adultos que residam com bebês com idade < 1 ano; e comunicantes íntimos imunodeprimidos<br>→ Antibióticos de escolha por ordem de preferência:<br>1. Azitromicina, VO: crianças < 6 meses – 10 mg/kg, dose única, por 5 dias (é o esquema preferido nessa faixa etária); crianças ≥ 6 meses – 10 mg/kg/dia no dia 1 (máximo: 500 mg), e 5 mg/kg/dia do dia 2 ao dia 5 (máximo: 250 mg/dia); adultos – 500 mg no dia 1, e 250 mg do dia 2 ao dia 5<br>Observação importante: em período < 1 mês existe pequeno risco de estenose hipertrófica de piloro associada ao uso de azitromicina<br>2. Claritromicina, VO (apresentação de 125/5 mL): proscrita em RNs com idade < 1 mês; crianças com peso ≤ 8 kg – 7,5 mg/kg, de 12/12 horas, por 7 dias; crianças com peso > 8 kg – 62,5 mg, de 12/12 horas, por 7 dias; crianças 3-6 anos – 125 mg, de 12/12 horas, por 7 dias; 7-9 anos – 187,5 mg, de 12/12 horas, por 7 dias; ≥ 10 anos – 250 mg, de 12/12 horas, por 7 dias; adultos – 500 mg em 1 dose no dia 1, e 250 mg em 1 dose/dia do dia 2 ao dia 5<br>Observação importante: a eritromicina, exceto para RNs com idade < 1 mês, pode ser utilizada em caso de indisponibilidade ou intolerância absoluta aos fármacos de primeira escolha. As doses recomendadas são: 1-24 meses – 125 mg, de 6/6 horas, por 7-14 dias; 2-8 anos – 250 mg, de 6/6 horas, por 7-14 dias; > 8 anos – 250-500 mg, de 6/6 horas, por 7-14 dias; adultos – 500 mg, de 6/6 horas, por 7-14 dias<br>→ Sulfametoxazol (SMZ) + trimetoprima (TMP) pode ser usada (a partir dos 2 meses de idade) como fármaco alternativo em caso de contraindicação aos macrolídeos nas doses: ≥ 6 semanas-5 meses – SMZ 100 mg + TMP 20 mg, de 12/12 horas, por 7 dias; ≥ 6 meses-5 anos – SMZ 200 mg + TMP 40 mg, de 12/12 horas, por 7 dias; 6-12 anos – SMZ 400 mg + TMP 80 mg, de 12/12 horas, por 7 dias; adultos – SMZ 800 mg + TMP 160 mg, de 12/12 horas, por 7 dias<br>→ Administrar 1 dose da vacina a todos os comunicantes íntimos, familiares e escolares, crianças com idade < 7 anos não vacinadas, inadequadamente vacinadas ou com situação vacinal desconhecida | → Visita domiciliar e na escola para busca ativa de casos adicionais e de comunicantes na comunidade<br>→ Vacinação de bloqueio, incluindo GESTANTES, para redução de risco de infecção do RN |

(continua)

**TABELA 144.5** → Medidas de prevenção e controle para doenças transmitidas por via respiratória *(Continuação)*

| DOENÇA | NOTIFICAÇÃO | ISOLAMENTO E PRECAUÇÕES* | DESINFECÇÃO | ACOMPANHAMENTO DE COMUNICANTES | QUARENTENA | PROFILAXIA PÓS-EXPOSIÇÃO | INVESTIGAÇÃO NA COMUNIDADE |
|---|---|---|---|---|---|---|---|
| **Meningites (virais ou bacterianas)** | Compulsória; em caso de surto, aglomerado de casos ou ocorrência de óbito, a notificação deve ser imediata | Precaução-padrão e isolamento respiratório para gotículas até 24 horas após o início do tratamento | Desinfecção concorrente de objetos contaminados por secreções nasofaríngeas | → Acompanhamento de sinais e sintomas em comunicantes íntimos/domiciliares de pacientes com doença meningocócica ou meningite por *Haemophilus influenzae* por 10 dias<br>→ Não colher rotineiramente material de comunicantes para cultura | Nenhuma | → Recomenda-se quimioprofilaxia para contatos íntimos de pacientes com doença meningocócica ou meningite por *H. influenzae*<br>→ Para comunicantes de casos de meningite por *Neisseria meningitidis*, iniciar profilaxia nas primeiras 24-48 horas pós-exposição<br>→ Antibióticos de escolha (por ordem de preferência):<br>1. Rifampicina, VO: < 1 mês – 5 mg/kg, de 12/12 horas, por 2 dias; ≥ 1 mês – 10 mg/kg, de 12/12 horas, por 2 dias (máximo: 600 mg/dia) (não utilizar em pacientes ictéricos ou com história de alergia ao medicamento)<br>2. Ceftriaxona, IM: < 12 anos – 125 mg, dose única; ≥ 12 anos – 250 mg, dose única<br>3. Ciprofloxacino, VO: 500 mg, dose única (apenas para idade > 18 anos); não deve ser utilizado em crianças, gestantes e lactantes<br>→ Para comunicantes de casos de meningite por *H. influenzae* tipo B, realizar profilaxia em 24-48 horas com rifampicina, VO: adultos – 600 mg/dia, por 4 dias; ≥ 1 mês-10 anos – 20 mg/kg/dia (máximo: 600 mg/dia), divididos em 2 tomadas, por 4 dias; < 1 mês – 10 mg/kg, dose única (máximo: 600 mg/dia); realizar a quimioprofilaxia para todos os contatos domiciliares, caso haja entre estes ao menos uma criança com idade ≤ 4 anos que não tenha sido vacinada<br>→ Recomenda-se, ainda, a quimioprofilaxia com rifampicina em serviços de pediatria onde 2 ou mais casos de doença invasiva por *H. influenzae* tipo B tenham ocorrido nos últimos 60 dias, e se tratar de situação de baixa cobertura vacinal; nesse caso, todos os envolvidos devem ser tratados, independentemente da idade e do estado vacinal<br>**Observações importantes:**<br>→ A quimioprofilaxia contra meningite meningocócica não está indicada para pessoal médico ou de enfermagem que tenha atendido pacientes com meningite bacteriana, *a menos que tenha havido exposição das secreções respiratórias sem EPIs, durante procedimentos como respiração boca a boca e/ou intubação.*<br>→ O paciente com meningite meningocócica OU por *H. influenzae* tipo B que não foi tratado com ceftriaxona também deve receber quimioprofilaxia com rifampicina na ocasião da alta hospitalar | → Visita domiciliar e na escola para identificação de comunicantes<br>→ Vacinação de bloqueio em surtos de doença meningogócica (sorogrupo-específica), orientada por análise epidemiológica da epidemia |
| **Infecções respiratórias por estreptococo do grupo A (faringite estreptocócica, escarlatina)** | Não compulsória | → Precaução-padrão e isolamento respiratório para gotículas para pacientes com escarlatina, faringite, pneumonia ou doença invasiva pelo estreptococo do grupo A e de contato + padrão para pacientes com lesões cutâneas, até 24 horas após o início do tratamento<br>→ Pasteurizar o leite consumido, excluir indivíduos infectados do manejo de leite, excluir indivíduos infectados com lesões de pele do manejo de alimentos¹<br>→ Para prevenção de complicação em casos infectados (febre reumática, coreia de Sydenham e glomerulonefrite), é necessário tratamento com antibióticos (penicilina, eritromicina para pacientes com hipersensibilidade à penicilina, clindamicina ou cefalosporina quando há contraindicações ao uso de penicilina ou eritromicina) | → Desinfecção concorrente de objetos contaminados por secreções nasofaríngeas<br>→ Desinfecção terminal | Colher material para cultura de comunicantes sintomáticos | Nenhuma | Nenhuma | → Pronta investigação de qualquer agrupamento de casos para identificar possíveis fontes comuns de infecção<br>→ Identificação e tratamento de portadores assintomáticos em situações epidêmicas |

*(continua)*

**TABELA 144.5** → Medidas de prevenção e controle para doenças transmitidas por via respiratória *(Continuação)*

| DOENÇA | NOTIFICAÇÃO | ISOLAMENTO E PRECAUÇÕES* | DESINFECÇÃO | ACOMPANHAMENTO DE COMUNICANTES | QUARENTENA | PROFILAXIA PÓS-EXPOSIÇÃO | INVESTIGAÇÃO NA COMUNIDADE |
|---|---|---|---|---|---|---|---|
| **Parotidite infecciosa (caxumba ou papeira)** | Não é uma doença de notificação compulsória, ou seja, não consta na Portaria n° 204, de 17 de fevereiro de 2016, porém, cada município ou Estado tem autonomia para instituir uma portaria, tornando-a de notificação compulsória | → Precaução-padrão e isolamento respiratório para gotículas até 5 dias após início do edema de parótida<br>→ Afastar da escola ou do local de trabalho até 5 dias após início do edema de parótida se contatos suscetíveis estiverem presentes nesses ambientes | Concorrente de objetos contaminados por secreções nasofaríngeas | Não coletar de sangue de rotina de comunicantes para sorologia | Afastar da escola ou do trabalho os comunicantes suscetíveis (com vacinação inadequada) do 12° dia após o primeiro contato até 25° dia após a última exposição se outros contatos suscetíveis estiverem presentes nesses ambientes | Nenhuma | → Vacinação seletiva e em conformidade com as indicações do Calendário Nacional de Vacinação<br>→ Administrar 1 dose de vacina tríplice viral (sarampo, caxumba e rubéola) para todos os comunicantes suscetíveis |
| **Rubéola** | → Casos com febre e exantema com suspeita de rubéola devem ser notificados em 24 horas (notificação imediata)<br>→ Casos de SRC são de notificação compulsória; devem ser notificados todos os RNs cuja mãe foi caso suspeito ou confirmado de rubéola durante a gestação e todas as crianças de até 12 meses com sinais clínicos compatíveis com infecção congênita pelo vírus da rubéola, independentemente da história materna | → Isolamento respiratório para gotículas e isolamento de contato para casos com suspeita de rubéola<br>→ Afastar crianças e adultos da escola, da creche ou do local de trabalho durante o período de transmissibilidade (7 dias após o início do exantema)<br>→ Evitar contato de casos com suspeita de rubéola com mulheres gestantes não imunes e crianças com idade < 6 meses<br>→ Isolamento de contato para RNs com suspeita de SRC<br>→ Crianças com SRC devem ser consideradas como potencialmente infectantes até 1 ano, ou até que culturas de urina e nasofaringe resultem negativas | Nenhuma | → Não coletar de sangue de rotina de comunicantes para sorologia<br>→ Deve ser coletado sangue para sorologia de gestantes expostas a casos confirmados de rubéola ou com suspeita de rubéola<br>→ Toda gestante com sorologia IgM-positiva para rubéola deve ser acompanhada durante a gestação para verificar ocorrência de abortos, natimortos ou nascimento de criança com SRC | Nenhuma | Nenhuma | **Diante de casos suspeitos:**<br>→ O bloqueio vacinal é seletivo e a vacina tríplice viral ou tetraviral (sarampo, caxumba, rubéola e varicela) deve ser administrada conforme a situação vacinal dos contatos do caso, como descrito a seguir: contatos com idade a partir dos 6 meses até 11 meses e 29 dias — devem receber 1 dose da vacina tríplice viral (essa dose não será válida para a rotina de vacinação, devendo-se agendar a dose 1 de tríplice viral para os 12 meses de idade e a dose de tetraviral para os 15 meses de idade);** contatos a partir dos 12 meses até 49 anos de idade — devem ser vacinados conforme as indicações do Calendário Nacional de Vacinação vigente, descritas no item "Vacinação de rotina", contatos com idade > 50 anos — os que não comprovarem o recebimento de nenhuma dose de vacina contendo componente rubéola, devem receber 1 dose da vacina tríplice viral<br>**Diante de casos confirmados ou surtos:**<br>→ Operação-limpeza[†]<br>→ Identificar gestantes expostas ao caso durante o período de transmissibilidade<br>→ Para gestantes suscetíveis, vacinação após o parto |

**Transmissão respiratória por aerossóis**

| DOENÇA | NOTIFICAÇÃO | ISOLAMENTO E PRECAUÇÕES* | DESINFECÇÃO | ACOMPANHAMENTO DE COMUNICANTES | QUARENTENA | PROFILAXIA PÓS-EXPOSIÇÃO | INVESTIGAÇÃO NA COMUNIDADE |
|---|---|---|---|---|---|---|---|
| **Sarampo** | Casos com febre e exantema com suspeita de sarampo devem ser notificados em 24 horas (notificação imediata) | → Isolamento domiciliar para pacientes não internados, principalmente no período de transmissibilidade (4-6 dias antes do aparecimento do exantema até 4 dias depois)<br>→ Precaução-padrão e isolamento respiratório para aerossóis em instituições de saúde<br>→ O paciente deve usar máscara cirúrgica enquanto estiver fora do isolamento<br>→ Evitar contato de pacientes com indivíduos suscetíveis (não vacinados) no período de transmissibilidade<br>→ Afastar crianças da escola ou creches, evitar agrupamentos no período de transmissibilidade | Nenhuma | Acompanhamento de sintomas em comunicantes por 21 dias | Afastar profissionais de saúde suscetíveis comunicantes de pacientes, do 5° dia após a primeira exposição ao 21° dia após a última exposição | → Administração da vacina (dupla ou tríplice viral) aos comunicantes em um período de até 72 horas pós-exposição<br>→ Vacinação seletiva de todos os pacientes e profissionais do setor de internação do caso suspeito de sarampo<br>→ Considerar uso de imunoglobulina específica para comunicantes não vacinados que não possam receber a vacina ou que apresentem risco elevado de complicações (especialmente crianças com idade < 1 ano, gestantes ou imunodeficientes); esta deve ser administrada até 6 dias pós-exposição; posologia: 0,25 mL/kg (máximo: 15 mL), SC; para imunodeficientes, 0,5 mL/kg (máximo: 15 mL) | **Diante de casos suspeitos:**<br>→ Busca ativa no domicílio, na vizinhança, em escolas, creches, locais de trabalho, locais de lazer, etc., para identificar casos suspeitos adicionais<br>→ Contatos com idade a partir dos 6 meses até 11 meses e 29 dias — devem receber 1 dose da vacina tríplice viral (essa dose não será válida para a rotina de vacinação, devendo-se agendar a dose 1 de tríplice viral para os 12 meses de idade e a dose de tetraviral para os 15 meses de idade);** contatos a partir dos 12 meses até 49 anos de idade — devem ser vacinados conforme as indicações do Calendário Nacional de Vacinação vigente, descritas no item |

*(continua)*

**TABELA 144.5** → Medidas de prevenção e controle para doenças transmitidas por via respiratória *(Continuação)*

| DOENÇA | NOTIFICAÇÃO | ISOLAMENTO E PRECAUÇÕES* | DESINFECÇÃO | ACOMPANHAMENTO DE COMUNICANTES | QUARENTENA | PROFILAXIA PÓS-EXPOSIÇÃO | INVESTIGAÇÃO NA COMUNIDADE |
|---|---|---|---|---|---|---|---|
| **Sarampo** | | | | | | | "Vacinação de rotina"; contatos com idade > 50 anos – os que não comprovarem o recebimento de nenhuma dose de vacina contendo componente sarampo, devem receber 1 dose da vacina tríplice viral<br>**Diante de casos confirmados ou surtos:**<br>→ Operação-varredura |
| **Tuberculose** | Compulsória | → Precaução-padrão e isolamento respiratório para aerossóis em instituições de saúde, para pacientes até a negativação do escarro<br>→ São considerados prioritários os contactantes: idade < 5 anos, HIV+ e imunodeprimidos<br>→ Orientar os pacientes para que cubram a boca e o nariz ao tossir, utilizando lenço de papel descartável<br>→ Em ambiente domiciliar, manter ventilação e luz nos ambientes<br>→ Evitar ambientes fechados e afastar da escola ou trabalho até negativação do escarro | Nenhuma | → Adultos e crianças com idade > 10 anos assintomáticos devem fazer o teste de Mantoux: ≥ 5 mm – radiografar (radiografia com alteração – investigar TB ativa; radiografia normal – tratar TB latente (quimioprofilaxia); < 5 mm – repetir em 8 semanas (se converter com radiografia normal, tratar latência)<br>→ Crianças com idade < 10 anos assintomáticas devem fazer radiografia e teste de Mantoux: radiografia normal e Mantoux reagente (Mantoux ≥ 5 mm em não vacinados, vacinados há mais de 2 anos ou imunodeprimido OU Mantoux ≥ 10 mm em vacinados há menos de 2 anos)<br>→ Coleta de escarro para identificação de BAAR em comunicantes sintomáticos adultos ou crianças; em crianças sintomáticas, fazer radiografia de tórax | Nenhuma | → Quimioprofilaxia com isoniazida: comunicantes adultos e adolescentes com idade ≥ 10 anos – 5-10 mg/kg/dia (máximo: 300 mg/dia), VO, durante 6 ou 9 meses; comunicantes com idade < 10 anos com intradermorreação positiva – 10 mg/kg/dia, (máximo: 300 mg/dia), VO, durante 6 ou 9 meses; esquema preferencial<br>→ Quimioprofilaxia com rifampicina: comunicantes crianças < 10 anos (15 mg/kg/dia; dose máxima 600 mg/dia); comunicantes > 50 anos e hepatopatas (10 mg/kg/dia; dose máxima 600 mg/dia); duração de 4 meses, podendo-se prolongar até 6 meses<br>→ Quimioprofilaxia com isoniazida + rifapentina: comunicantes adultos (> 14 anos): isoniazida 900 mg + rifapentina 900 mg/semana, preferencialmente com alimentos, em 12 doses semanais, entre 12 a 15 semanas; comunicantes crianças (2 a 14 anos): 10 a 15 kg: isoniazida 300 mg+rifapentina 300 mg/semana; 16 a 23 kg: isoniazida 500 mg+rifapentina 450 mg/semana; 24 a 30 kg: isoniazida 600 mg+rifapentina 600 mg/semana; > 30 kg: isoniazida 700 mg+rifapentina 750 mg/semana. Duração de 3 meses, preferencialmente sob tratamento diretamente observado<br>→ Para outras indicações de uso, casos de intolerância, contatos de monorresistentes, uso em pessoas vivendo com HIV e contraindicações, ver Capítulo Tuberculose<br>→ RNs coabitantes de foco tuberculoso ativo devem receber isoniazida por 3 meses (ou rifampicina, pela facilidade posológica) e realizar teste de Mantoux: se houver viragem – manter isoniazida por mais 3 meses (ou rifampicina por mais 1 mês) e não vacinar com BCG; se não houver viragem – interromper quimioprofilaxia e vacinar com BCG | → Visita domiciliar e na escola para identificação de comunicantes<br>→ Em comunicantes com intradermorreação positiva, realizar radiografia de tórax para identificar lesões pulmonares |
| **Varicela (catapora)††/ herpes-zóster** | Somente os casos graves e óbitos são de notificação compulsória; no entanto, o Sinan está habilitado para notificação individual e na forma de surto, por meio da ficha de notificação/investigação individual e planilha para acompanhamento de surto | → Precaução-padrão e isolamento respiratório para aerossóis e precaução de contato em instituições de saúde<br>→ Afastar crianças e adultos da escola, da creche e do trabalho por até 10 dias após aparecimento do exantema ou até todas as lesões cutâneas estarem crostosas<br>→ Reforçar lavagem de mãos, sobretudo após contato com lesões cutâneas<br>→ Afastar indivíduos com lesões de varicela ou zóster do contactante com indivíduos imunodeprimidos | Concorrente de objetos contaminados por secreções nasofaríngeas | Acompanhamento de sintomas em comunicantes do 8º ao 21º dia pós-exposição | Afastar profissionais de saúde suscetíveis comunicantes de pacientes, do 10º ao 21º dia após a última exposição (ou até o 28º dia se recebeu imunoglobulina) | → Administração da vacina antivaricela aos suscetíveis expostos, de acordo com o Calendário Nacional de Vacinação, em um período de até 5 dias pós-exposição<br>→ Considerar uso de antivirais (aciclovir) durante 7 dias para os comunicantes imunocomprometidos<br>→ Imunoglobulina humana antivaricela-zóster (IGHAV) para comunicantes imunodeprimidos ou que apresentem risco elevado de complicações, até 96 horas pós-exposição (< 9 meses, imunodeprimidos, gestantes, RNs de mães que apresentaram varicela nos últimos 5 dias da gestação ou nos primeiros 2 dias após o parto, RNs prematuros com idade gestacional < 28 semanas); posologia: 1,25 mL/10 kg ou 125 UI/10 kg (máximo: 625 UI), IM | → Vacinação de bloqueio em ambiente hospitalar e controle de surtos em creches; considerando que a varicela em crianças que frequentam creches pode ser mais grave, a vacina está indicada, a partir da ocorrência do primeiro caso, no período máximo de até 4 semanas do último caso<br>**Devem ser vacinadas:**<br>→ Crianças a partir de 9 meses até 11 meses e 29 dias: 1 dose da vacina antivaricela (atenuada); essa dose não será válida para a rotina de vacinação, manter o esquema vacinal aos 15 meses com a tetraviral e aos 4 anos com a vacina antivaricela<br>→ Crianças com idade de 12-14 meses: antecipar a dose de tetraviral naquelas já vacinadas com a primeira dose da tríplice viral e considerar como dose válida para a rotina de vacinação |

*(continua)*

**TABELA 144.5** → Medidas de prevenção e controle para doenças transmitidas por via respiratória  *(Continuação)*

| DOENÇA | NOTIFICAÇÃO | ISOLAMENTO E PRECAUÇÕES* | DESINFECÇÃO | ACOMPANHAMENTO DE COMUNICANTES | QUARENTENA | PROFILAXIA PÓS-EXPOSIÇÃO | INVESTIGAÇÃO NA COMUNIDADE |
|---|---|---|---|---|---|---|---|
| **Varicela (catapora)‡‡/ herpes-zóster** | | | | | | | → Crianças entre 15 meses e < 5 anos: vacinar conforme as indicações do Calendário Nacional de Vacinação<br>→ Crianças com idade de 5-12 anos: administrar 1 dose da vacina antivaricela (atenuada)<br>→ Idade > 13 anos: administrar 1 ou 2 doses, a depender do laboratório produtor; quando houver indicação de 2 doses, considerar um intervalo de 30 dias entre as doses<br>→ Mulheres em idade fértil devem evitar a gravidez até 1 mês após a vacinação<br>→ Após 21 dias sem novos casos, o surto é considerado controlado |
| **Hanseníase**[66] | Compulsória | Não há indicação de restrição ao trabalho ou à escola | → Desinfecção concorrente de objetos contaminados por secreções nasofaríngeas<br>→ Desinfecção terminal | → Detecção precoce dos casos<br>→ Exame clínico inicial dos comunicantes<br>→ Exame dermatoneurológico para comunicantes com lesão de pele com alteração de sensibilidade | Nenhuma | → Vacinação com BCG em todos os comunicantes domiciliares de portadores de hanseníase, independentemente da forma clínica, a depender da situação vacinal do exposto:<br>→ Idade < 1 ano:<br>→ Não vacinados: administrar 1 dose de BCG<br>→ Comprovadamente vacinados que apresentem cicatriz vacinal: não administrar outra dose de BCG<br>→ Comprovadamente vacinados que não apresentem cicatriz vacinal: administrar 1 dose de BCG 6 meses após a última dose Guia de Vigilância em Saúde 325<br>→ Idade > 1 ano:<br>→ Sem cicatriz vacinal: administrar 1 dose<br>→ Vacinados com 1 dose: administrar outra dose de BCG, com intervalo mínimo de 6 meses após a dose anterior<br>→ Vacinados com 2 doses: não administrar outra dose de BCG | Busca de contactantes e identificação de novos casos |
| **Covid-19 Coronavírus 2 associado à SRAG (SARS-CoV-2)** | Compulsória (ESPII); utilizar os CIDs: B34.2 (infecção por coronavírus de localização não especificada), U07.1 (Covid-19, vírus identificado), U07.2 (Covid-19, vírus não identificado) | → A equipe de profissionais de saúde não deve conter funcionários vulneráveis (imunodepressão, idade > 60 anos, gestação, comorbidades)<br>→ Se for clinicamente possível, oferecer máscara cirúrgica ao sintomático respiratório logo ao chegar à unidade de atendimento e levar o paciente para higienizar as mãos<br>→ Aplicar as precauções-padrão e de isolamento respiratório tipo aerossol na realização de **TODOS** os procedimentos (uso de máscara tipo N95 ou PFF2 ou PFF3 e quarto individual com filtro HEPA e pressão negativa), sempre que possível<br>→ Proceder ao isolamento respiratório para gotículas, com uso de máscara cirúrgica, no caso de pacientes fora do tubo e em enfermarias ou leitos de UTI sem filtragem de ar | → A desinfecção das superfícies das unidades de isolamento só deve ser realizada após a limpeza com detergente neutro; os vírus são inativados pelo álcool a 70% e pelo cloro<br>→ Desinfecção concorrente<br>→ Desinfecção terminal | → Indivíduo com diagnóstico de Covid-19 (independentemente de sintomas), ou seu responsável legal, deverá informar ao profissional médico o nome completo das demais pessoas que residem no mesmo endereço, assinando um termo de declaração contendo a relação dos contatos domiciliares, sujeitando-se a responsabilização civil e criminal pela prestação de informações falsas; caso o contato inicie com sintomas e seja confirmada SG, devem ser iniciadas as precauções de afastamento ou tratamento para o paciente, notificar o caso, e reiniciar o período de 10 dias<br>→ O profissional de saúde deve retornar após 10 dias do início dos sintomas, com pelo menos 24 horas sem sintomas e sem os de medicação ou com resolução dos sintomas respiratórios | Os contatos domiciliares ou laborais de paciente com SG confirmada também devem realizar as medidas de isolamento por 14 dias, bem como medidas de higienização<br>Se for necessário emitir atestado, utilizar o CID Z20.9 (contato com e exposição a doença transmissível não especificada) | → Vacinação seguindo os grupos prioritários recomendados pelo Ministério da Saúde, com vacinas registradas e autorizadas em utilização pelo Programa Nacional de Imunizações<br>→ A lavagem das mãos, de acordo com o modelo de "5 momentos" proposto pela OMS (ver **TABELA 144.3**), é medida fundamental e recomendada pela literatura nacional e internacional no combate à pandemia de Covid-19<br>→ O uso de preparados alcoólicos é uma medida de alta eficácia e economia de tempo, porém não substitui a lavagem com água e sabão se houver sujeira visível (inclusive o talco das luvas)<br>→ A desparamentação correta e atenciosa é medida de profilaxia não farmacológica de importância fundamental no manejo de pacientes com Covid-19, pelo alto risco de contaminação pelo profissional de saúde durante esse procedimento; o treinamento constante das equipes é indispensável | Busca de contactantes, identificação de novos casos e orientação de quarentena para contactantes e isolamento para casos |

*(continua)*

**TABELA 144.5** → Medidas de prevenção e controle para doenças transmitidas por via respiratória *(Continuação)*

| DOENÇA | NOTIFICAÇÃO | ISOLAMENTO E PRECAUÇÕES* | DESINFECÇÃO | ACOMPANHAMENTO DE COMUNICANTES | QUARENTENA | PROFILAXIA PÓS-EXPOSIÇÃO | INVESTIGAÇÃO NA COMUNIDADE |
|---|---|---|---|---|---|---|---|
| Covid-19 Coronavírus 2 associado à SRAG (SARS-CoV-2) | | → Precaução de contato em instituições de saúde (uso de avental de mangas longas com punhos, propé, gorro, luvas de procedimento, preferencialmente sem talco) <br> → Proteção ocular com óculos de uso individual ou protetores de face *(face shield)* <br> → Todo EPI deve ser usado por 4-6 horas e trocado mais cedo se houver necessidade <br> → O fim do período de isolamento requer: estar isolado há 10 dias (ou 20 dias em caso de SRAG), ausência de febre há 24 horas sem utilizar antitérmicos, e melhora dos sintomas respiratórios | | | | | |

\* Recomendações de isolamento são direcionadas para pacientes hospitalizados ou institucionalizados. Para pacientes em casa, a implementação das medidas de isolamento é indicada quando possível, podendo ser adaptada para as condições domiciliares.
† A solução indicada para desinfecção é o hipoclorito de sódio a 1%. Após a desinfecção, os objetos devem ser enxaguados em água corrente. Objetos de metal podem ser desinfetados com álcool etílico a 70%.
‡ Comunicantes são as pessoas que tiveram contato com o caso suspeito, estando, portanto, sob o risco de adquirir a doença, quer sejam moradores do mesmo domicílio ou não. Comunicantes íntimos incluem aqueles diretamente expostos a secreções orais do paciente infectado (p. ex., beijo, respiração boca a boca, etc.), geralmente moradores do mesmo domicílio, indivíduos que compartilham o mesmo dormitório, comunicantes de creches.
§ Utilizar dT, DTP ou DTP+Hib, de acordo com a idade dos contatos.
‖ Vacinação de bloqueio para todos os contatos não vacinados, inadequadamente vacinados ou com estado vacinal desconhecido. Vacinação de bloqueio é a vacinação seletiva da população suscetível, visando aumentar a cobertura vacinal na área de ocorrência dos casos.
¶ Embora a principal forma de transmissão do estreptococo do grupo A seja respiratória por gotículas contaminadas, a transmissão também pode ocorrer por meio de leite não pasteurizado contaminado.
\*\* A dose de vacina aplicada às crianças com idade < 1 ano não será considerada como dose válida. Aos 12 meses, a criança deverá ser revacinada com a vacina tríplice viral (dose válida) e receber a segunda dose entre 4 e 6 anos de idade.
†† Busca exaustiva de todos os suscetíveis mediante vacinação casa a casa, incluindo domicílios e estabelecimentos coletivos (escolas, creches, orfanatos, locais de trabalho, canteiro de obras, etc.).
‡‡ Também de transmissão por contato com lesões cutâneas.
§§ Também de transmissão por contato com lesões multibacilares.

BAAR, bacilo álcool-acidorresistente; BCG, bacilo de Calmette-Guérin; dT, difteria e tétano; DTP, difteria, tétano, pertussis (coqueluche); DTP+Hib, difteria, tétano, pertussis (coqueluche) e infecções graves por *H. influenzae* tipo b; DTPa, vacina tríplice bacteriana acelular infantil (difteria, tétano e pertússis [coqueluche]); EPI, equipamento de proteção individual; ESPII, emergência em saúde pública de importância internacional; ESPIN, emergência em saúde pública de importância nacional; HIV, vírus da imunodeficiência humana; IM, intramuscular; OMS, Organização Mundial da Saúde; PVHIV, pessoas vivendo com HIV; RNs, recém-nascidos; SC, subcutâneo; SG, síndrome gripal; Sinan, Sistema de Informação de Agravos de Notificação; SRAG, síndrome respiratória aguda grave; SRC, síndrome da rubéola congênita; TB, tuberculose; UTI, unidade de terapia intensiva; VO, via oral.
Fonte: Heymann;[17,18] Brasil.[4,19-20]

**TABELA 144.6** → Medidas de prevenção e controle para doenças transmitidas por contato

| DOENÇA | NOTIFICAÇÃO | ISOLAMENTO E PRECAUÇÕES | DESINFECÇÃO | QUARENTENA | PROFILAXIA PRÉ-EXPOSIÇÃO | PROFILAXIA PÓS-EXPOSIÇÃO | INVESTIGAÇÃO DE CONTATOS |
|---|---|---|---|---|---|---|---|
| Herpes simples (cutâneo, mucocutâneo ou anogenital)[1] | Não compulsória | → Isolamento de contato<br>→ Orientar paciente a cobrir e não tocar as lesões<br>→ Afastar do trabalho apenas os profissionais de saúde que têm contato com indivíduos de alto risco (p. ex., neonatos, imunocomprometidos, queimados)<br>→ Orientar uso de preservativos para pacientes com lesões anogenitais | Nenhuma | Nenhuma | → Orientar cesariana antes que se rompam as membranas em gestantes com herpes anogenital primário, para prevenção de infecção em recém-nascidos. Para gestantes com infecção recorrente, a cesariana é recomendada apenas se houver lesões ativas<br>→ Uso de preservativos efetivo na prevenção da transmissão sexual de herpes | Considerar uso de aciclovir em recém-nascidos de mães com lesões herpéticas primárias ativas | Não necessária |
| Impetigo, furunculose e abscessos bacterianos não contidos | Não compulsória | → Orientar paciente a não tocar as lesões<br>→ Isolamento de contato<br>→ Pessoas infectadas devem evitar contato com lactentes e imunossuprimidos<br>→ Reforçar a importância de lavagem vigorosa das mãos e higiene pessoal<br>→ Evitar uso comum de objetos pessoais | Desinfecção concorrente de objetos contaminados por secreções de feridas | Nenhuma | Não recomendada | Não recomendada | Não necessária |
| Pediculose | Não compulsória | → Para indivíduos com pediculose corporal, isolamento de contato até 24 horas após início de tratamento efetivo<br>→ Para casos de pediculose de couro cabeludo, evitar contato com cabeça de indivíduos infestados; evitar uso comum de objetos que entraram em contato com a cabeça ou cabelo (pente, chapéu, escovas de cabelo, travesseiros, toalhas, etc.)<br>→ Não há indicação de afastamento do trabalho ou da escola; apenas iniciar o tratamento imediatamente após o diagnóstico | → Lavar roupas de cama e toalhas em água quente (pelo menos 55°C) por 20 minutos e secar em máquina (ciclo quente) ou passar com ferro quente<br>→ Lavar pentes e escovas de cabelo em solução pediculicida ou deixar em imersão em água quente | Nenhuma | Não recomendada | Não recomendada | Inspeção direta de todos os integrantes da família, assim como de outros contatos próximos para identificação dos infestados e início de tratamento |
| Escabiose[2] | Não compulsória | → Afastar da escola ou trabalho por até 24 horas após início do tratamento efetivo<br>→ Evitar uso comum de objetos pessoais e roupas de cama e de vestir<br>→ Isolamento de contato em pacientes hospitalizados por até 24 horas após início do tratamento efetivo | → Lavar roupas de cama e de vestir utilizadas pelo paciente até 4 dias antes em água quente (55°C) por 20 minutos e secar em máquina ou passar com ferro quente | Nenhuma | Não recomendada | Considerar o tratamento profilático de todos os contatantes domiciliares e contatos sexuais. Utilizar permetrina a 5% ou lindano tópico | Busca de outros casos no núcleo familiar e em contatos próximos; são raras as infestações isoladas em uma família |
| Conjuntivites bacterianas | Não compulsória | → Orientar paciente a não tocar os olhos e a manter cuidados higiênicos<br>→ Afastar crianças da escola ou creche durante fase aguda da doença até iniciar tratamento<br>→ Evitar uso compartilhado de colírios, maquiagem, toalhas e outros objetos pessoais que possam entrar em contato com os olhos | → Desinfecção concorrente de materiais contaminados com secreções conjuntivais e nasais<br>→ Desinfecção terminal | Nenhuma | Não recomendada | Não recomendada | Não necessária |

[1] Também de transmissão sexual.
[2] O organismo causador da escabiose não sobrevive mais do que 4 dias no ambiente (sem contato com a pele). A escabiose é também de transmissão sexual.

Fonte: Heymann[1] e Brasil.[4]

**TABELA 144.7** → Medidas de prevenção e controle para doenças de transmissão fecal-oral

| DOENÇA | NOTIFICAÇÃO | ISOLAMENTO | DESINFECÇÃO | QUARENTENA | PROFILAXIA PRÉ-EXPOSIÇÃO | PROFILAXIA PÓS-EXPOSIÇÃO | INVESTIGAÇÃO DE CONTATOS |
|---|---|---|---|---|---|---|---|
| Doenças diarreicas agudas (DDA)[1] | → Casos: deve ser feita somente pelas unidades-sentinelas que tiverem implantada a Monitoração das Doenças Diarreicas Agudas (MDDA)<br>→ Surtos: é compulsória e imediata | → Isolamento de contato em pacientes hospitalizados até término da doença<br>→ Contenção das fezes de crianças acometidas com fraldas<br>→ Reforço da importância de lavagem vigorosa das mãos e higiene pessoal | → Desinfecção concorrente em materiais contaminados com excretas<br>→ Desinfecção terminal<br>→ Solução de álcool a 70% inativa o rotavírus | Nenhuma | Vacina contra rotavírus de acordo com o Calendário Nacional de Vacinação | Nenhuma | Investigação de comunicantes sintomáticos, sobretudo em creches e escolas. |
| Febre tifoide[2] | Compulsória | → Afastamento do paciente de atividades envolvendo manipulação de alimentos e cuidados a pacientes hospitalizados, crianças e idosos<br>→ Isolamento de contato em pacientes hospitalizados até negativação de coproculturas (três consecutivas)<br>→ Reforço da importância de lavagem vigorosa das mãos e higiene pessoal | → Desinfecção concorrente de materiais contaminados com excretas<br>→ Desinfecção terminal | Nenhuma | → Orientar população em relação à desinfecção e abastecimento de água[3] e destino de dejetos<br>→ A vacina é recomendada a viajantes com destino a áreas de alta endemicidade de febre tifoide, trabalhadores que entram em contato com esgotos<br>Indicada para:<br>→ Crianças a partir de 2 anos de idade, adolescentes e adultos que viajam para áreas de alta incidência da doença, em situações específicas de longa permanência e após análise médica criteriosa<br>→ Profissionais que lidam com águas contaminadas e dejetos<br>→ Militares que compõem o contingente brasileiro das missões de paz em regiões com elevado risco epidemiológico para a ocorrência de febre tifoide | Nenhuma | → Realização de coproculturas de comunicantes de casos para identificação de portadores. Prioridade para comunicantes que apresentem maior risco de transmissão à comunidade (trabalhadores de creches, manipuladores de alimentos, etc.), ou em caso de surtos em instituições fechadas como asilos, presídios, etc<br>→ Tratamento de portadores identificados nessas circunstâncias |
| Cólera | Compulsória, de notificação imediata (em 24 horas) | → Isolamento de contato em pacientes hospitalizados<br>→ Evitar contato com fezes de pacientes sem precauções adequadas | → Desinfecção concorrente em materiais contaminados com excretas incluindo roupas de cama<br>→ Desinfecção terminal | Nenhuma | Orientar população em relação à desinfecção e abastecimento de água[3] e destino de dejetos a fim de minimizar contaminação de alimentos por material fecal | Nenhuma | → Busca ativa de casos na comunidade, serviços de saúde e domicílio do caso<br>→ Investigação de contatos domiciliares e na comunidade<br>→ Investigação de possíveis fontes de infecção (água, efluentes ou alimentos contaminados)<br>→ Em situações de surtos, início imediato de distribuição do sal de reidratação oral e hipoclorito de sódio, quando indicado para tratamento da água em nível domiciliar, e ações de educação em saúde para alerta à população |
| Hepatite A | Compulsória. Casos suspeitos de hepatite viral devem ser notificados | → Afastamento da escola ou trabalho durante as primeiras 2 semanas após início dos sintomas (e não mais do que 1 semana após início da icterícia)<br>→ Evitar uso comum de talheres, pratos e copos<br>→ Isolamento de contato em pacientes hospitalizados nas primeiras 2 semanas após início dos sintomas (e não mais do que 1 semana após início da icterícia)<br>→ Reforço da importância de lavagem vigorosa das mãos e higiene pessoal<br>→ Nas residências de pacientes com hepatite A, lavar banheiro com solução de hipoclorito de sódio | → Desinfecção concorrente em materiais contaminados com excretas<br>→ Desinfecção terminal | Nenhuma | → Vacina específica e imunoglobulina inespecífica | → Vacina e imunoglobulina específica para comunicantes íntimos suscetíveis. Posologia: 0,02 mL/kg IM dose única até 2 semanas pós-exposição | → Investigação de comunicantes e realização de buscas de fontes comuns de infecção na comunidade |

[1] Síndrome causada por diferentes agentes etiológicos (bactérias, vírus e parasitas).
[2] Causada pela *Salmonella typhi*.
[3] Tratamento domiciliar da água com hipoclorito de sódio (solução a 2,5%): 0,045 mL (ou 2 gotas) para 1 L de água; ou 2 mL (ou 1 colher de chá) para 20 L de água; ou 15 mL (1 colher de sopa) para 200 L de água; ou 100 mL (2 copinhos de café) para 1.000 L de água; aguardar 30 minutos antes de consumir. Fervura domiciliar da água: ferver durante 1 ou 2 minutos. Como a fervura domiciliar da água é trabalhosa e cara, é recomendada em situações de emergência.
[4] Tratamento domiciliar da água com hipoclorito de sódio (solução a 2,5%): 0,045 mL (ou 2 gotas) para 1 L de água; ou 2 mL (ou 1 colher de chá) para 20 L de água; ou 15 mL (1 colher de sopa) para 200 L de água; ou 100 mL (2 copinhos de café) para 1.000 L de água; aguardar 30 minutos antes de consumir. Em caso de água turva, antes da cloração, recomenda-se mantê-la em repouso, para decantação das partículas em suspensão, as quais irão depositar-se no fundo do recipiente. Após esse processo, deve-se separar a parte superior, mais clara, em outro recipiente, e filtrá-la. Fervura domiciliar da água: ferver durante 1 ou 2 minutos. Como a fervura domiciliar da água é trabalhosa e cara, é recomendada em situações de urgência.

Fonte: Heymann[3] e Brasil.[4]

## REFERÊNCIAS

1. Heymann DL. Control of communicable diseases manual. 20th ed. Washington: American Public Health Association; 2015.

2. Brasil. Ministério da Saúde. Organização Pan-Americana da Saúde. Módulos de princípios de epidemiologia para o controle de enfermidades [Internet]. Brasília: OPAS/MS; 2010[capturado em 30 jun. 2021]. Disponível em: http://bvsms.saude.gov.br/bvs/publicacoes/modulo_principios_epidemiologia_1.pdf

3. Lisa M Lee, Steven M Teutsch, Stephen B Thacker, and Michael E St Louis. Principles and practice of public health surveillance. 3rd ed. New York: Oxford University; 2010.

4. Brasil. Ministério da Saúde. Secretaria de Vigilância em Saúde. Coordenação-Geral de Desenvolvimento da Epidemiologia em Serviços. Guia de Vigilância em Saúde : volume único [Internet]. 3. ed. Brasília: MS; 2019. [capturado em 30 set. 2020]. Disponível em: http://bvsms.saude.gov.br/bvs/publicacoes/guia_vigilancia_saude_3ed.pdf

5. Orenstein WA, Bernier RH. Surveillance: information for action. Pediatr Clin North Am. 1990;37(3):709-34.

6. Centers for Disease Control and Prevention. Principles of epidemiology in public health practice. [Internet]. 3rd ed. Atlanta: CDC; 2011 [capturado em 30 jun. 2021]. Disponível em: https://www.cdc.gov/careerpaths/k12teacherroadmap/classroom/principlesofepi.html

7. Waldman EA, Rosa TE. Vigilância em saúde pública: princípios e práticas: manual para serviços locais de saúde. São Paulo: Faculdade de Saúde Pública da USP; 1998.

8. World Health Organization. International Health Regulations (2005) [Internet]. 3rd ed. Geneva: WHO; 2008. Disponível em: https://www.who.int/publications/i/item/9789241580496

9. Brasil. Ministério da Saúde. Portaria nº 1.061m de 18 de maio de 2020 (Anexos 1 e 3 do Anexo V à Portaria de Consolidação nº 4/GM/MS, de 28 de setembro de 2017) [Internet]. Revoga a Portaria nº 264, de 17 de fevereiro de 2020, e altera a Portaria de Consolidação nº 4/GM/MS, de 28 de setembro de 2017, para incluir a doença de Chagas crônica, na Lista Nacional de Notificação Compulsória de doenças, agravos e eventos de saúde pública nos serviços de saúde públicos e privados em todo o território nacional. Brasília: MS; 2020 [capturado em 20 ago. 2020]. Disponível em: http://bvsms.saude.gov.br/bvs/saudelegis/gm/2020/prt1061_29_05_2020.html.

10. Brasil. Ministério da Saúde. Portaria nº 782, de 15 de março de 2017 [Internet]. Define a relação das epizootias de notificação compulsória e suas diretrizes para notificação em todo o território nacional. Brasília: MS; 2017 [capturado em 20 ago. 2020]. Disponível em: http://bvsms.saude.gov.br/bvs/saudelegis/gm/2017/prt0782_16_03_2017.html.

11. Brasil. Ministério da Saúde. Portaria nº 205, de 17 de fevereiro de 2016 [Internet]. Define a lista nacional de doenças e agravos, na forma do anexo, a serem monitorados por meio da estratégia de vigilância em unidades sentinelas e suas diretrizes. Brasília: MS; 2016[capturado em 20 ago. 2020]. Disponível em: http://bvsms.saude.gov.br/bvs/saudelegis/gm/2016/prt0205_17_02_2016.html.

12. Brasil. Ministério da Saúde. Portaria nº 104, de 25 de janeiro de 2011 [Internet]. Define as terminologias adotadas em legislação nacional, conforme o disposto no Regulamento Sanitário Internacional 2005 (RSI 2005), a relação de doenças, agravos e eventos em saúde pública de notificação compulsória em todo o território nacional e estabelece fluxo, critérios, responsabilidades e atribuições aos profissionais e serviços de saúde. Brasília: MS; 2011 [capturado em 26 set. 2020]. Disponível em: http://bvsms.saude.gov.br/bvs/saudelegis/gm/2011/prt0104_25_01_2011.html.

13. Associação Paulista de Epidemiologia e Controle de Infecção Relacionada à Assistência à Saúde. Limpeza, desinfecção de artigos e áreas hospitalares e anti-sepsia. São Paulo: APECIH; 2010.

14. Siegel JD, Rhinehart E, Jackson M, Chiarello L; Healthcare Infection Control Practices Advisory Committee (2007). Guideline for isolation precautions: preventing transmission of infectious agents in healthcare settings [Internet]. Atlanta: CDC; 2019. [capturado cm 30 set. 2020]. Disponível em: http://www.cdc.gov/hicpac/pdf/isolation/Isolation2007.pdf.

15. World Health Organization. WHO Guidelines on hand hygiene in health care [Internet]. Geneva: WHO; 2009 [capturado em 15 fev. 2021]. Disponível em: https://apps.who.int/iris/bitstream/handle/10665/44102/9789241597906_eng.pdf?sequence=1

16. Associação Paulista de Epidemiologia e Controle de Infecção Relacionada à Assistencia à Saude. Precauções e isolamento. São Paulo: APECIH; 2012.

17. Centers for Disease Control and Prevention. Updated Recommendations for Isolation of Persons with Mumps [Internet]. MMWR. 2008; 57(40);1103-1105. [capturado em 21 ago. 2020]. Disponível em: https://www.cdc.gov/mmwr/preview/mmwrhtml/mm5740a3.htm.

18. Centers for Disease Control and Prevention. Interim infection prevention and control recommendations for measles in healthcare settings [Internet]. Atlanta: CDC; 2019. [capturado em 21 ago. 2020]. Disponível em: https://www.cdc.gov/infectioncontrol/guidelines/measles/index.html.

19. Brasil. Ministério da Saúde. Manual de recomendações para o controle da tuberculose no Brasil. [Internet]. Brasília: MS; 2011 [capturado em 21 ago 2020]. (Série A – normas e manuais técnicos). Disponível em: http://bvsms.saude.gov.br/bvs/publicacoes/manual_recomendacoes_controle_tuberculose_brasil.pdf

20. Brasil. Ministério da Saúde. cuidados no ambiente de assistência hospitalar ao paciente com suspeita ou diagnóstico de Covid-19 [Internet]. Brasília: MS; 2020 [capturado em 30 jun. 2020]. Disponível em: https://portalarquivos.saude.gov.br/images/pdf/2020/May/12/Cuidados-COVID-MS-05-05-2020.pdf

21. Sociedade Brasileira de Imunologia. Febre Tifoide [Internet]. São Paulo: SBIM; 2019 [capturado em 30 jan. 2021]. Disponível em . https://familia.sbim.org.br/doencas/febre-tifoide.

22. McCarty EJ, Quah S, Maw R, Dinsmore WW, Emerson CR. Post-exposure prophylaxis following sexual exposure to HIV: a seven-year retrospective analysis in a regional centre. Int J STD AIDS. 2011;22(7):407-8.

23. Foster R, McAllister J, Read TR, Pierce AB, Richardson R, McNulty A, Carr A. Single-Tablet Emtricitabine-Rilpivirine-Tenofovir as HIV Postexposure Prophylaxis in Men Who Have Sex With Men. Clin Infect Dis. 2015;61(8):1336-41.

24. Camacho-Ortiz A. Failure of HIV postexposure prophylaxis after a work-related needlestick injury. Infect Control Hosp Epidemiol. 2012;33(6):646-7.

25. Fonner VA, Dalglish SL, Kennedy CE, Baggaley R, O'Reilly KR, Koechlin FM, Rodolph M, Hodges-Mameletzis I, Grant RM. Effectiveness and safety of oral HIV preexposure prophylaxis for all populations. AIDS. 2016;30(12):1973-83.

## LEITURAS RECOMENDADAS

Immunization Action Coalition, Centers for Disease Control and Prevention. Advisory Committee on Immunization Practices. Immunization of health-care personnel. [Internet]. Saint Paul: IAC; 2020. [capturado em 02 out. 2020]. Disponível em: https://www.immunize.org/handouts/healthcare-personnel.asp

Link adicional dentro da página supracitada: https://www.immunize.org/catg.d/p2017.pdf

*Recomendações do Comitê de Coalisão (IAC, CDC e ACIP) de Práticas de Imunizações dos Estados Unidos sobre imunização de profissionais de saúde.*

Kimberlin DW, Brady MT, Jackson MA, Long SS. Red book: report of the Committee on Infectious Diseases. 31st ed. Itasca: American Academy of Pediatrics; 2018.

*Livro prático elaborado periodicamente pela Academia Americana de Pediatra com informações e recomendações para a abordagem de doenças infecciosas.*

U.S. Food and Drug Administration: Foodborne Illness Continuing Medical Education Program [Internet]. Silver Spring: FDA; 2020. [capturado em 2 out. 2020]. Disponível em: https://www.fda.gov/food/healthcare-professionals/foodborne-illness-continuing-medical-education-program

*Recomendações para profissionais de saúde sobre abordagem de pacientes com doenças transmitidas por alimentos.*

Centers for Disease Control and Prevention (CDC). Disponível em: http://www.cdc.gov.

*Página eletrônica principal do Centers for Disease Control and Prevention, instituição do governo norte-mericano responsável pelas atividades de saúde pública daquele país.*

Centers for Disease Control and Prevention (CDC). Advisory Committee on Immunization Practices (ACIP). Disponível em: http://www.cdc.gov/nip/publications/ACIP-list.htm.

*O Comitê Assessor de Práticas de Imunizações dos Estados emite recomendações técnicas sobre a prevenção de doenças imunopreveníveis. Nesta página, podem ser encontradas as diretrizes e recomendações do Comitê.*

Centers for Disease Control and Prevention (CDC). Morbidity and Mortality Weekly Report (MMWR). Disponível em: http://www.cdc.gov/mmwr/.

*Publicação semanal do Centro para Controle de Doenças dos Estados Unidos sobre epidemiologia de doenças. A subscrição eletrônica gratuita pode ser feita no site.*

Brasil. Ministério da Saúde. Disponível em: http://www.saude.gov.br.

*Página eletrônica principal do Ministério da Saúde do Brasil, contendo links com informações de interesse do cidadão, profissionais de saúde e gestores de saúde.*

Brasil. Ministério da Saúde. Revista Epidemiologia e Serviços de Saúde. Disponível em: http://portal.saude.gov.br/portal/saude/visualizar_texto.cfm?idtxt=32328.

*O Sistema Único de Saúde tem, nesta revista, seu principal meio de divulgação de estudos de fundo epidemiológico sobre elaboração, implementação, acompanhamento e análise das ações e resultados alcançados pelos serviços de saúde.*

Organização Pan-Americana de Saúde (OPAS). Disponível em: http://www.opas.org.br.

*Página eletrônica principal da Organização Pan-Americana no Brasil.*

Organização Panamericana da Saúde. Disponível em: https://www.paho.org/pt/covid19

*Folha informativa Covid-19 – Escritório da OPAS e da OMS no Brasil, com atualização diária.*

Pan American Health Organization (PAHO). Immunization Newsletter. Disponível em: http://new.paho.org/hq/index.php?option=com_content&task=view&id=3130&Itemid= 3504&lang=en.

*Publicação que teve início em 1979 e é editada a cada 2 meses em inglês, espanhol e francês. Seu objetivo é o de facilitar a troca de ideias e informações referentes aos programas de imunizações das Américas.*

Program for Monitoring Emerging Disease (ProMED). Disponível em: http://fas.org/promed/.

*Rede de notificação aberta eletrônica sobre doenças emergentes e reemergentes. Subscrição eletrônica gratuita.*

Rede Nacional de Informações de Saúde (RNIS). Disponível em: http://www.datasus.gov.br/rnis/datasus.htm.

*O RNIS tem como objetivo integrar e disseminar as informações de saúde no país. Por meio da internet, integra todos os municípios brasileiros, facilitando o acesso e o intercâmbio das informações em saúde.*

World Health Organization (WHO). Global Alert and Response (GAR). Disease Outbreak News: Disponível em: http://www.who.int/csr/don/en/.

*Boletim semanal de distribuição eletrônica com informações sobre epidemias de doenças em todo o mundo.*

World Health Organization (WHO). Weekly Epidemiological Record (WER). Disponível em: www.who.int/wer.

*Publicação semanal da Organização Mundial da Saúde cujo objetivo é a rápida e precisa disseminação de informação epidemiológica sobre casos e epidemias de doenças de importância de saúde pública. É produzida em inglês e francês, e sua versão eletrônica é acessível gratuitamente.*

# Capítulo 145
# CONTROLE DE INFECÇÕES RELACIONADAS À ASSISTÊNCIA À SAÚDE

Carlos Magno C. B. Fortaleza

## DEFINIÇÕES

O reconhecimento dos riscos implicados na assistência à saúde remonta à Antiguidade. Já no Código de Hamurabi, lê-se que "[...] se um médico realizar uma incisão com uma faca e matar o paciente [...] suas mãos serão cortadas; se fizer uma incisão em um escravo e matá-lo, deverá substituí-lo por outro."[1] Na Idade Média, reconhecia-se que as instituições hospitalares eram fonte de pestilências, supurações e febres malignas.[2] Foi, porém, no século XIX, por meio de estudos e recomendações práticas de Ignaz Semmelweis[3] e Florence Nightingale,[4] que a ideia de um "cuidado limpo e seguro" como forma de prevenir morbidade e mortalidade se impôs. O estabelecimento da teoria infecciosa por Louis Pasteur e o desenvolvimento da antissepsia pelo Barão Lister permitiram não só compreender os riscos infecciosos da assistência, como também preveni-los.[5]

No entanto, a fabulosa evolução da medicina no século XX, com o surgimento da terapia intensiva, a proliferação de grandes cirurgias, o uso de medicação imunossupressora e de antimicrobianos, deu origem a populações de alta vulnerabilidade e a patógenos de difícil controle.[6] Em um desdobramento previsível, constatou-se a ocorrência de eventos adversos infecciosos em cenários assistenciais não hospitalares, como hospitais-dia, casas de repouso, unidades básicas de saúde, ambulatórios de especialidade e clínicas de hemodiálise.[7] Tornou-se necessário ampliar o antigo conceito de "infecção hospitalar" para "infecção relacionada à assistência à saúde" (IRAS).

Um estudo revelou uma prevalência de IRAS de 10,8% em pacientes internados em hospitais brasileiros.[8] A instituição de sistemas de vigilância de base hospitalar por autoridades estaduais[9] e federais[10] nos últimos anos criou a base para ações programáticas de controle de infecção em todo o País. Há, no entanto, pouca informação sobre IRAS no contexto da atenção básica. Pode-se afirmar, então, resumidamente, que esses serviços têm grande relevância, seja na prevenção da transmissão de patógenos durante o atendimento, seja na resolutividade sobre as chamadas "condições sensíveis à atenção primária" (p. ex., diabetes, hipertensão, doenças imunopreveníveis), reduzindo internações hospitalares e riscos.[11]

## PRINCIPAIS SÍNDROMES DE INFECÇÕES RELACIONADAS À ASSISTÊNCIA À SAÚDE

Embora o termo IRAS seja um guarda-chuva que abriga as mais diversas síndromes infecciosas (unidas pela relação causal com a assistência à saúde), algumas delas têm tal relevância clínica que justifica sua abordagem diferenciada. Este capítulo discute os seus aspectos epidemiológicos e clinicolaboratoriais, assim como os princípios de sua prevenção e tratamento.

### Pneumonias associadas à assistência

Em senso amplo, pneumonias ocorrem com frequência em pacientes submetidos aos diversos modelos assistenciais, desde instituições de longa permanência até a hemodiálise.[12] Essas pneumonias costumam ter etiologia diferente daquelas adquiridas na comunidade e podem ser divididas em duas categorias: as não associadas à ventilação mecânica e as associadas à ventilação mecânica.

#### Pneumonias não associadas à ventilação mecânica

Essas pneumonias podem acometer desde idosos em casas de repouso a pacientes em pós-operatório. Os casos hospitalares são definidos como quadros pneumônicos ocorrendo pelo menos 48 horas após a internação. Os critérios para outras exposições à saúde são mais frágeis.

A fisiopatologia (naturalmente multicausal) envolve fatores como o rebaixamento do nível de consciência e a supressão (mecânica, fisiológica ou por dor) do reflexo da tosse. Outros, como imunossupressão e uso de sondas nasoenterais, aumentam de forma significativa o risco. Em comum, os indivíduos vulneráveis sofrem alterações quantitativas e qualitativas da microbiota, além de predisposição para micro e macroaspiração de conteúdo oral e gastrintestinal.[13] A **TABELA 145.1** apresenta uma lista de fatores predisponentes.

O quadro clínico, laboratorial e radiológico não difere daquele constatado em pneumonias adquiridas na comunidade. Febre, tosse produtiva e dispneia, além de impacto sobre o estado geral, são comuns. Infiltrados alveolares ou heterogêneos são observados em raios X. A letalidade pode superar 10%. De fato, um estudo de bases secundárias mostrou que, mesmo após ajuste para doenças de base (comorbidades), as pneumonias associadas à assistência apresentavam maior risco de óbito.[14] É importante enfatizar que indivíduos com suspeita de pneumonia associada à assistência procuram com frequência unidades básicas de saúde e serviços de pronto atendimento. A correta avaliação dos fatores de risco e a pronta instituição da terapia apropriada são essenciais para garantir um bom prognóstico.

O guia da Infectious Diseases Society of America (IDSA [Sociedade Americana de Doenças Infecciosa])[15] e as recomendações da Agência Nacional de Vigilância Sanitária (Anvisa)[16] apresentam algumas recomendações para abordagem diagnóstica e terapêutica, descritas a seguir:

→ A escolha do regime antibiótico empírico deve levar em consideração os dados locais de resistência aos antibióticos.
→ Sempre que possível, deve-se obter cultura por método não invasivo (expectoração espontânea, escarro induzido por nebulização, aspirado de secreção traqueal).
→ Em caso de terapia empírica, deve-se considerar cobertura de *Staphylococcus aureus* e *Pseudomonas aeruginosa*.
   → Para pacientes de baixa gravidade e baixo risco de *S. aureus* resistente à meticilina (MRSA [do inglês, *methicillin-resistant S. aureus*]), tratar com uma das seguintes opções intravenosas: cefepima, levofloxacino, piperacilina-tazobactam, imipeném ou meropeném.
      → A gravidade é definida como insuficiência respiratória e choque séptico.
      → O risco de MRSA é definido pela exposição a serviços de saúde em que pelo menos 20% dos *S. aureus* são resistentes à meticilina (no antibiograma, oxacilina).
   → Para pacientes graves e/ou em alto risco de MRSA, acrescentar aos antimicrobianos citados linezolida ou vancomicina.

**TABELA 145.1** → Exemplos de fatores predisponentes para pneumonias não associadas à ventilação mecânica relacionadas à assistência à saúde

| FATORES | ASPECTOS FISIOPATOLÓGICOS RELEVANTES |
| --- | --- |
| Redução do nível de consciência (secundária a doenças do sistema nervoso central ou ao uso de psicotrópicos) | Supressão do *clearance* de microrganismos associada à deglutição; ampliação de micro e macroaspiração |
| Higiene oral precária e mau estado dentário | Alterações quantitativas e qualitativas na microbiota oral |
| Sondas nasogástricas e nasoenterais | Formação de colônias de bactérias (biofilmes); maior risco de aspiração |
| Cirurgias abdominais e torácicas | Supressão da tosse (pela dor), resultando em aspiração |
| Idade elevada | Imunossenescência (associada ou não a comorbidades e aos demais fatores aqui listados) |
| Doença pulmonar obstrutiva crônica ou anatômica | Facilitação de invasão microbiana das vias aéreas inferiores |
| Residência em instituição de saúde de longa permanência | Exposição à transmissão cruzada de patógenos (ocasionalmente resistentes a vários antimicrobianos) |

Observação: A lista não esgota os fatores predisponentes, muitos dos quais são concomitantes.
Fonte: Jain e colaboradores.[13]

Segundo a IDSA, essas recomendações são consideradas "fortes recomendações, com muito baixo nível de evidência". Além disso, adverte que nenhum guia substitui o julgamento clínico para situações particulares. Embora admissível, o tratamento ambulatorial (seja com medicação parenteral ou oral) não é citado. Este requer situações excepcionais de acompanhamento e casos de baixa gravidade.

As medidas preventivas para esta classe de pneumonias têm sido pouco estudadas, quando comparadas àquelas aplicáveis às pneumonias associadas à ventilação mecânica. Limitada evidência dá suporte às seguintes recomendações[16]: (1) higiene das mãos para pacientes e cuidadores; (2) higiene oral diária e cuidado odontológico; (3) incentivo à mobilização dos indivíduos (p. ex., idosos e em pós-operatório); (4) vacinação dos indivíduos e profissionais de saúde contra *influenza*; (5) cessação do tabagismo; (6) nutrição; (7) terapia respiratória. É digno de nota que não há evidência que justifique o uso de antimicrobianos profiláticos em populações de alto risco.

## Pneumonias associadas à ventilação mecânica

A ventilação mecânica (VM) é sem dúvida o principal fator predisponente ao desenvolvimento de pneumonias. A etiopatogenia dessa condição envolve a invasão das vias aéreas inferiores por microrganismos provenientes da cavidade oral ou do trato gastrintestinal (por refluxo).[17] Pneumonias associadas à ventilação mecânica (PAVMs) têm sido associadas a alta mortalidade hospitalar, com letalidade que supera os 70% quando o agente etiológico é uma bactéria resistente a múltiplos fármacos.[18]

Embora a PAVM acometa de 5 a 40% dos pacientes submetidos à ventilação por período superior a 48 horas, seu diagnóstico ainda é controverso. A própria definição tem sido posta em questão, e, dada a subjetividade de critérios, o Centers for Disease Control and Prevention (CDC) aboliu a incidência de PAVM como critério de vigilância de IRAS, substituindo por um conceito mais objetivo (porém de significado clinicamente incerto) de "evento associado à ventilação mecânica". No entanto, para fins de abordagem terapêutica, identifica-se a PAVM com base na presença dos seguintes critérios: (1) suspeita clínica; (2) novo ou progressivo e persistente infiltrado em exames radiográficos; (3) exames microbiológicos positivos em secreções do trato aéreo inferior.[19]

O diagnóstico microbiológico suscita questionamentos, ainda não resolvidos, sobre qual é o material ideal a ser cultivado. A **TABELA 145.2** resume vantagens e desvantagens daqueles mais frequentemente utilizados. Os pontos de corte quantitativos para considerar positividade em culturas são de $10^3$-$10^4$ unidades formadoras de colônias (UFC)/mL para material obtido por broncoscopia e de $10^5$-$10^6$ UFC/mL para aspirado traqueal.

Nos guias de recomendações para abordagem clínica da PAVM, há considerável variação quanto à aceitação do aspirado traqueal não broncoscópico como uma alternativa válida para o diagnóstico etiológico. Essa postura se baseia na possível contaminação da amostra com microrganismos do trajeto do cateter de aspiração (tubo-traqueia). A falsa positividade tem como potencial consequência o uso excessivo de antimicrobianos.[16,19,20]

Com o objetivo de aumentar a acurácia do diagnóstico clínico de PAVM, algumas escalas têm sido propostas;[19] a mais conhecida é o Escore Clínico de Infecção Pulmonar (CPIS [do inglês, *Clinical Pulmonary Infection Score*]),[21] que leva em consideração seis variáveis. A utilização do CPIS tem sido sugerida em conjunto com a dosagem de marcadores séricos de inflamação (como a procalcitonina), de forma a ampliar seu poder preditivo.[22]

Em que pese sua facilidade de aplicação, estudos têm identificado grande variação na acurácia do CPIS. Uma revisão sistemática mostrou que pontuação do CPIS acima de 6 apresentou 75% de sensibilidade e 63% de especificidade para diagnóstico da PAVM, com base em estudos considerados de baixa qualidade metodológica.[23] Novos escores têm sido propostos para ampliar a acurácia. Um deles, o LUPPIS, apresentou sensibilidade e especificidade superiores às do CPIS em estudo recente.[24]

Os desafios diagnósticos da PAVM têm sido avaliados com cautela, especialmente pelo risco do uso inapropriado e excessivo de antimicrobianos. O tratamento deve, portanto, ser considerado tendo por base a solidez da suspeita clínica. Uma vez realizado o diagnóstico, a terapia deve ser direcionada ao agente etiológico identificado em cultura de secreção traqueal ou de lavado broncoalveolar. No entanto, a terapia empírica deve ser instituída até que se disponha do resultado microbiológico. Ela deve ser direcionada à microbiota identificada no serviço onde o paciente está internado, considerando fatores predisponentes do paciente, gravidade do caso e epidemiologia local.[25]

A prevenção da PAVM inclui um grupo de medidas (apresentadas na **TABELA 145.3**) direcionadas à interrupção de fatores implicados na patogênese da doença.[24,25] Em anos recentes, estratégias preventivas têm utilizado pacotes (*bundles*) incluindo entre 3 e 5 dessas medidas, com monitoração intensa de adesão da equipe assistencial. Estudos têm

**TABELA 145.2** → Vantagens e desvantagens da realização de culturas em diferentes materiais obtidos das vias aéreas inferiores para diagnóstico de pneumonia associada à ventilação mecânica

| VANTAGENS | DESVANTAGENS |
| --- | --- |
| **ASPIRADO TRAQUEAL** | |
| Baixo custo | Baixa especificidade |
| Alta tolerância do paciente na coleta | Tende a ampliar o uso de antimicrobianos |
| Fácil realização | Dificulta a confiabilidade de exames moleculares |
| Alta sensibilidade | |
| **LAVADO BRONCOALVEOLAR** | |
| Permite coleta de amostra representativa | Menor sensibilidade em relação ao aspirado |
| Maior especificidade em relação ao aspirado | Maior custo |
| Permite a realização de exames moleculares | Baixa tolerabilidade do paciente |
| | Necessita de habilidades especiais para a realização da coleta |

Fonte: Elaborada com base em Papazian, Klompas e Luyt.[19]

TABELA 145.3 → Intervenções recomendadas para prevenção de pneumonias associadas à ventilação mecânica

| INTERVENÇÕES PREVENTIVAS | NÍVEL DE EVIDÊNCIA | COMENTÁRIOS |
|---|---|---|
| **INTERVENÇÕES SOBRE A MICROBIOTA DE BOCA, NASOFARINGE E TRATO GASTRINTESTINAL** | | |
| Descontaminação seletiva da orofaringe ou estômago pelo uso de antimicrobianos não absorvíveis, administrados por via oral | Alto | Em longo prazo, há risco potencial de aumento da incidência de microrganismos resistentes a múltiplos fármacos e *Clostridioides difficile* |
| Limpeza oral com clorexidina | Moderado | Maior benefício em pós-operatório; aumento de mortalidade em um estudo isolado |
| Uso de probióticos | Moderado | Efeito benéfico identificado em metanálises; riscos de bacteriemia ou fungemia em indivíduos com trato gastrintestinal comprometido |
| **INTERVENÇÕES MECÂNICAS PARA REDUZIR O ACESSO DE MICRORGANISMOS AO TRATO RESPIRATÓRIO** | | |
| Elevar cabeceira da cama em 30° a 45° | Fraco | Possível benefício, mas os dados são insuficientes até o momento |
| Manter circuitos bem posicionados e trocá-los quando úmidos ou mal-funcionantes, com técnica asséptica | Alto | |
| Minimizar o acúmulo de secreções acima do *cuff* do tubo orotraqueal e o extravasamento dessas secreções para o pulmão, mantendo o *cuff* preenchido | Moderado | |
| **INTERVENÇÕES PARA REDUZIR O PERÍODO EM VENTILAÇÃO** | | |
| Evitar sedar o paciente, quando possível | Moderado | |
| Interromper a sedação 1 vez ao dia | Alto | |
| Realizar desmame e extubação precoces | Alto | |
| Usa ventilação não invasiva quando possível | Alto | |

Fonte: Elaborada com base em Brasil;[16] Centers of Control and Prevention;[20] e Cotoia e colaboradores.[26]

identificado redução relevante na incidência de PAVM e na mortalidade causada por ela em decorrência da aplicação desses pacotes.[26]

## Infecções da corrente sanguínea associadas a cateteres vasculares

Os cateteres inseridos em vasos profundos representaram um enorme avanço para a assistência a pacientes criticamente doentes, facilitando a infusão rápida de fármacos vasoativos, nutrição parenteral e outras soluções. No entanto, os mesmos estabelecem uma ampla via de comunicação entre o ambiente externo ao paciente e o espaço intravascular.[27] Microrganismos inseridos por essa via podem facilmente determinar quadros sépticos primários, que, na área de controle de IRAS, são denominados pelo termo "infecção da corrente sanguínea". Grande parte das infecções do sítio cirúrgico (ISCs) está associada à formação de biofilmes intra ou extraluminais **(FIGURA 145.1)**.[29,30] Esses biofilmes são agrupados bacterianos que se assemelham a tecido pluricelular. Aspectos morfofuncionais relevantes dos biofilmes dificultam sua erradicação por antimicrobianos: (a) relativa impermeabilidade da matriz extracelular (*slime*); (b) estado quiescente (metabolismo reduzido e baixa reprodução) das bactérias das camadas profundas; (c) *Quorum sensing*, ou a capacidade de aumentar a reprodução dos microrganismos em resposta à destruição das camadas superficiais do biofilme.[29] A formação dos biofilmes explica, portanto, por que é difícil erradicar a infecção sem a remoção do cateter.

As ISCs têm incidência variável de acordo com o tipo de cateter envolvido e são mais incidentes em acessos profundos de curta duração (p. ex., *intra-cath*). Nestes, são predominantemente associadas à contaminação extraluminal durante a inserção (ver **FIGURA 145.1**).[28] Em cateteres de longa permanência, sejam eles semi-implantáveis (com extremidade inserida no vaso, extensão medial em túnel subcutâneo e outra extremidade externa; p. ex., cateteres de Hickman) ou completamente implantáveis (uma extremidade intravascular e uma bolsa subcutânea puncionável), predominam as infecções intraluminares. Tanto para os cateteres de curta quanto de longa permanência, infecções intraluminares estão associadas à manipulação durante a infusão de medicações ou à contaminação das soluções infundidas.

Os agentes mais frequentemente associados a essas infecções são espécies de estafilococos coagulase-negativos (SCoN), como *S. epidermidis* e *S. hominis*. Esses microrganismos têm baixa patogenicidade, porém grande capacidade de formação de biofilmes.[29] Menos frequentemente, *S. aureus* (inclusive MRSA), bacilos gram-negativos e fungos podem causar ISC. Esses últimos são especialmente relevantes, pois, embora menos frequentes, estão associados a alta letalidade.[30]

O diagnóstico de ISC depende da positividade em hemoculturas. Nesse ponto, é relevante diferenciar critérios utilizados para vigilância daqueles empregados em decisão terapêutica. Para fins de vigilância, o CDC define ISC primária associada a cateter pela presença de hemoculturas positivas (uma para patógenos típicos; duas ou mais para contaminantes, como os SCoN), na ausência de outro foco de infecção e com presença de cateter vascular inserido.[30] No contexto clínico, tanto as recomendações da IDSA[31] quanto as da Anvisa[16] requerem hemocultura periférica positiva associada a crescimento do mesmo microrganismos em cultura da ponta do cateter ou de sangue coletado no cateter.

As opções terapêuticas dependerão do microrganismo identificado. Há, porém, circunstâncias de gravidade (p. ex., instabilidade hemodinâmica) em que a terapia empírica **B**[31] deve ser instituída imediatamente, porém deve-se obter uma hemocultura antes de se iniciar a antibioticoterapia **A**.[31] Nesses casos, deve-se obrigatoriamente utilizar um antimicrobiano com ação contra SCoN (geralmente vancomicina) **B**.[31] A cobertura adicional de outros patógenos deverá ser feita levando em consideração dados epidemiológicos locais (agentes geralmente identificados em ISCs). A **TABELA 145.4** apresenta uma lista de antimicrobianos de escolha para os diferentes patógenos.

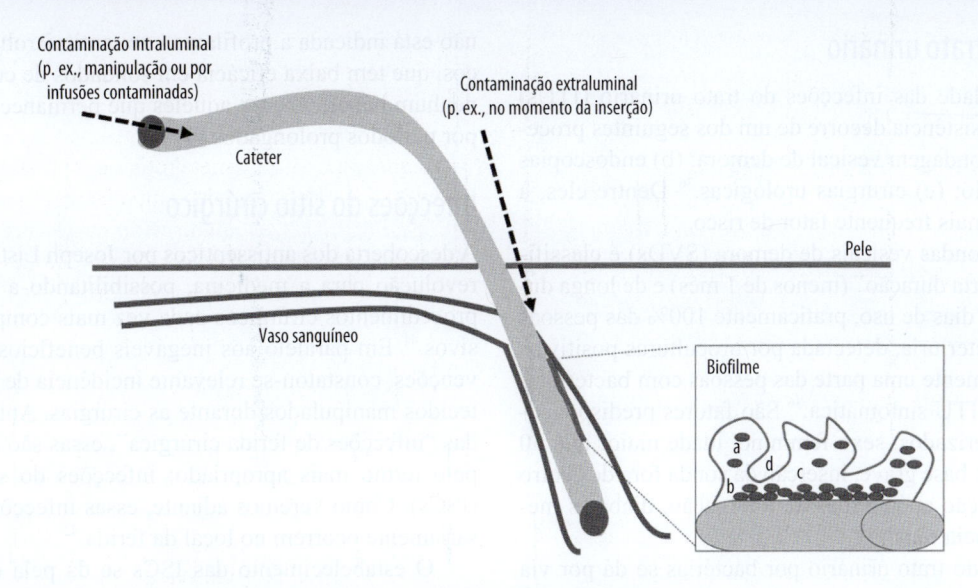

**FIGURA 145.1** → Representação esquemática da patogênese das infecções da corrente sanguínea associadas a cateteres.
Observação: Apresentam-se as vias de contaminação extra ou intraluminais. Essa contaminação pode levar à formação de um biofilme, cuja morfologia é apresentada no canto inferior direito (a – microrganismos em ampla replicação nas camadas superficiais do biofilme; b – microrganismos quiescentes nas camadas profundas; c – as camadas são mantidas unidas por uma matriz extracelular, também chamada de *slime*; d – canais hidrofílicos pelos quais chegam nutrientes, escoam metabólitos celulares e se realiza a comunicação célula a célula).

**TABELA 145.4** → Antimicrobianos de escolha para diferentes agentes de infecções graves por patógenos

| PATÓGENOS | FENÓTIPO DE RESISTÊNCIA | ANTIMICROBIANOS RECOMENDADOS |
|---|---|---|
| Estafilococos coagulase-negativos | Resistentes à meticilina | Vancomicina |
| Staphylococcus aureus | Sensível à meticilina | Oxacilina |
| | Resistente à meticilina | Vancomicina Daptomicina |
| Enterobactérias (*Escherichia coli*, *Klebsiella* spp. e outras) | Sensíveis a cefalosporinas de 3ª geração | Ceftriaxona |
| | Resistentes a cefalosporinas de 3ª geração | Ertapeném Imipeném Meropeném |
| | Resistentes a carbapenêmicos | Ceftazidima-avibactam Polimixina B (+ carbapenêmico ou aminoglicosídeo) |
| Pseudomonas aeruginosa | Sensível à ceftazidima | Ceftazidima Cefepima |
| | Resistente à ceftazidima | Imipeném Meropeném |
| | Resistente a carbapenêmicos | Polimixina B |
| Acinetobacter baumannii | Sensível ao sulbactam | Ampicilina-sulbactam |
| | Resistente ao sulbactam | Imipeném Meropeném |
| | Resistente a carbapenêmicos | Polimixina B (+ carbapenêmico ou aminoglicosídeo) |
| Candida spp. | Sensível ao fluconazol | Fluconazol |
| | Resistente ao fluconazol | Equinocandina (caspofungina, anidulafungina ou micafungina) Anfotericina B |

A remoção do cateter é indicada, sempre que isso for possível. Porém, em situações que envolvem dificuldades técnicas ou devido ao estado do paciente, e nas quais a infecção é presumivelmente intraluminal, pode-se experimentar a *lock therapy*,[31] que consiste em impregnar o cateter com solução antimicrobiana hiperconcentrada no período em que ele não estiver em uso **B**.[31,32] A decisão sobre manutenção do cateter requer caracterização do paciente como "não criticamente doente", pela ausência de choque séptico ou escore de bacteriemia de Pitt < 4. De modo geral, a presença de microrganismos de alta virulência (*S. aureus*, *P. aeruginosa*) e fungos indica a remoção do cateter **B**.[31]

Na avaliação de uma ISC, é importante investigar a presença de complicações, como tromboflebite supurativa, endocardite, artrite séptica, osteomielite ou abscessos de órgãos sólidos. Essas complicações não apenas aumentam a letalidade, mas também são indicação de tratamentos mais prolongados e indicação de remoção do cateter **B**.[31]

A prevenção de ISC associada a cateter envolve as seguintes medidas: (a) técnica asséptica para inserção, com paramentação cirúrgica da equipe, ampla cobertura do paciente com campos estéreis e aplicação oportuna de antisséptico; (b) otimização da técnica de manipulação do cateter para infusões; (c) remoção do cateter logo que possível. Algumas medidas adicionais que reduzem a incidência dessas infecções envolvem a substituição dos cateteres venosos centrais de curta permanência por aqueles profundos de inserção periférica (PICC, *peripherally inserted central catheter*), o emprego de cateteres impregnados com agentes antimicrobianos e a realização de *lock* com etanol, antibióticos (vancomicina) B ou outros agentes com atividade antibacteriana.[33-35]

## Infecções do trato urinário

Quase a totalidade das infecções do trato urinário (ITUs) associadas à assistência decorre de um dos seguintes procedimentos: (a) sondagem vesical de demora; (b) endoscopias do trato urinário; (c) cirurgias urológicas.[36] Dentre eles, a sondagem é o mais frequente fator de risco.

O uso de sondas vesicais de demora (SVDs) é classificado em de "curta duração" (menos de 1 mês) e de longa duração. Após 30 dias de uso, praticamente 100% das pessoas apresentam bacteriúria, detectada por uroculturas positivas. No entanto, somente uma parte das pessoas com bacteriúria evoluirão para ITU sintomática.[36] São fatores predisponentes bem caracterizados: sexo feminino, idade maior que 50 anos, doença de base grave, inserção da sonda fora de centro cirúrgico, inserção após 6 dias de internação, diabetes melito e insuficiência renal.

A invasão do trato urinário por bactérias se dá por via ascendente. Biofilmes são formados na superfície extra ou intraluminal.[37] A maior parte dos patógenos é oriunda do trato gastrintestinal do paciente, mas, em internações prolongadas, pode haver infecção por microrganismos da microbiota hospitalar.

As ITUs associadas à SVD determinam quadros em geral menos graves que as pneumonias e infecções de corrente sanguínea. No entanto, cerca de 4% das pessoas com ITU apresentarão hemoculturas positivas, um quadro denominado "infecção de corrente sanguínea associada a cateter vesical" ou "urossepse", quadro com letalidade relevante.[36] Fatores associados a progressão para urossepse são: sexo masculino, uso de imunossupressores, tabagismo e sondagem vesical tardia durante internação.

Os critérios diagnósticos de ITU incluem sintomas (febre, disúria, polaciúria, tenesmo vesical e/ou dor suprapúbica) associados à cultura positiva, com contagem de colônias $\geq 10^5$ UFC/mL para 1 ou 2 microrganismos (a presença de maior número de microrganismos sugere contaminação da coleta). Os agentes mais frequentemente associados à etiologia da ITU são bacilos gram-negativos, *Enterococcus* spp. e fungos.

O tratamento de ITU associada à SVD inclui a troca da sonda e o uso de antimicrobianos guiados por cultura. Deve-se ter atenção para uso de antimicrobianos de excreção urinária, que determinam maior concentração na mucosa afetada. Assim, para gram-negativos resistentes a carbapenêmicos, deve-se dar preferência ao uso de colistina em vez de polimixina B (que não é excretada na urina). Em casos graves nos quais seja necessária a instituição de terapia empírica, deve-se levar em consideração a microbiota local, selecionando antimicrobianos conforme sugerido na TABELA 145.4.

A prevenção da ITU associada à SVD é baseada nas seguintes estratégias[16]: (a) evitar inserção de SVD e considerar alternativas, como coletor externo C/D; (b) remover SVD logo que possível; (c) usar técnica asséptica para inserção e manuseio da SVD. Outros métodos preventivos incluem sondas impregnadas por agentes antimicrobianos B[38] ou antibiofilme C/D. É importante, nesse ponto, salientar que não está indicada a profilaxia com antimicrobianos sistêmicos, que tem baixa eficácia em sondados de curta duração e nenhum benefício para aqueles que permanecem com SVD por períodos prolongados B.[39,40]

## Infecções do sítio cirúrgico

A descoberta dos antissépticos por Joseph Lister trouxe uma revolução para a medicina, possibilitando a realização de procedimentos cirúrgicos cada vez mais complexos e invasivos.[41] Em paralelo aos inegáveis benefícios dessas intervenções, constatou-se relevante incidência de infecções nos tecidos manipulados durante as cirurgias. Antes denominadas "infecções de ferida cirúrgica", essas são hoje referidas pelo termo mais apropriado: infecções do sítio cirúrgico (ISCs). Como veremos adiante, essas infecções não necessariamente ocorrem no local da ferida.[42]

O estabelecimento das ISCs se dá pela contaminação de tecidos estéreis, tendo como fonte principal a microbiota de pele ou mucosas.[42] Com frequência menor, as infecções podem ser veiculadas pelas mãos dos cirurgiões, instrumentos contaminados ou a partir de focos ambientais. De acordo com a profundidade das áreas acometidas, as ISCs são classificadas como superficiais (acometendo pele e subcutâneo), profundas (que atingem fáscia e músculos) e órgão/cavidade (ou órgão/espaço; aquelas que determinam abscessos em órgãos sólidos ou infecções cavitárias, como a peritonite). A FIGURA 145.2 apresenta os aspectos morfológicos e patogênicos da ISC.

Os microrganismos se desenvolvem com maior facilidade em tecidos desvitalizados, sem irrigação sanguínea, nos quais a imunidade inata (representada por células fagocíticas) está prejudicada. Portanto, a técnica cirúrgica otimizada, com redução máxima da formação de necrose tecidual, é um fator importante para infecção.[42,43] Outros fatores de risco, em conjunto com intervenções preventivas a eles relacionados, são apresentados na TABELA 145.5. Os principais agentes etiológicos da ISC são *S. aureus*, SCoN (em casos de próteses), enterobactérias e anaeróbios (esses dois últimos grupos em casos de manipulação de trato gastrintestinal).[44,45]

A antibioticoprofilaxia cirúrgica é um item relevante da prevenção de ISC. O objetivo dessa profilaxia é manter os tecidos abordados impregnados com antimicrobianos para evitar o crescimento de microrganismos ali inseridos durante o procedimento. O momento ideal de início coincide com a indução anestésica, ou seja, entre 1 hora e 20 minutos antes da incisão C/D[46]. Há diversos guias de recomendação para antimicrobianos, porém, em linhas gerais, são utilizados: (a) cefazolina para os procedimentos limpos (sem abordagem de trato gastrintestinal) ou potencialmente contaminados com baixo risco de infecção (trato respiratório, urogenital e vias biliares e estômago) B[47]; (b) cefoxitina para procedimentos de esôfago ou intestino C/D. Alguns guias recomendam cefuroxima para neurocirurgias e cirurgias cardíacas C/D, porém não há evidência de superioridade em relação à cefazolina B.[48] Uma vez que o objetivo da profilaxia é manter os tecidos impregnados, novas doses intraoperatórias devem ser administradas em caso de cirurgias

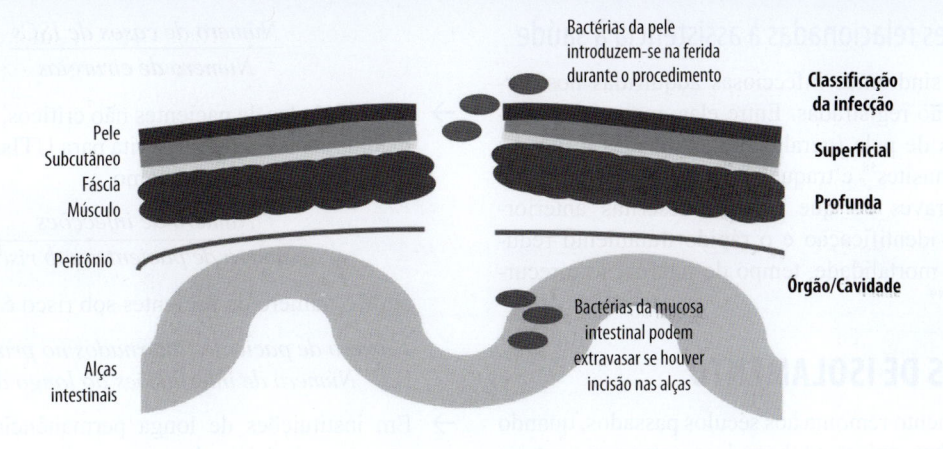

**FIGURA 145.2** → Representação esquemática da anatomopatologia da infecção de sítio cirúrgico.
Observação: Neste caso, toma-se como exemplo uma cirurgia abdominal, em que dois tecidos não estéreis são manipulados – pele e mucosa intestinal. Eles são fontes potenciais das bactérias associadas à infecção.

prolongadas (p. ex., > 4 horas) ou mediante perda intensa do sangue. Em geral, não há indicação para doses adicionais no pós-operatório, embora alguns guias recomendem até 48 horas para procedimentos envolvendo próteses cardíacas e ortopédicas **C/D**.[49]

**TABELA 145.5** → Fatores de risco e medidas preventivas contra infecções de sítio cirúrgico

| FATORES DE RISCO | MECANISMO | MEDIDAS PREVENTIVAS |
|---|---|---|
| **PRÉ-OPERATÓRIOS** | | |
| Diabetes melito descompensado | Déficit de funcionamento de macrófagos | Manter glicemia sob controle no pré-operatório |
| Tabagismo | Vasculopatia com redução da irrigação tecidual | Quando viável, cessar tabagismo 30 dias antes da cirurgia |
| Colonização nasal por *Staphylococcus aureus*\* | Esse achado é indicador da presença de grande carga bacteriana na pele, com aumento das infecções, especialmente em cirurgias grandes e/ou envolvendo próteses | Descolonização nasal com mupirocina; descolonização oral com clorexidina aquosa; banho com clorexidina degermante |
| **PERIOPERATÓRIOS** | | |
| Grande inóculo bacteriano na ferida | Invasão da ferida cirúrgica | Fazer antissepsia com solução alcoólica em ampla região em torno da área onde ocorrerá a incisão; profilaxia antimicrobiana |
| Lesões de pele por tricotomia pré-operatória | Proliferação de bactérias nas lesões | Evitar tricotomia, ou fazê-la no pré-operatório imediato em mínima região ao redor da área onde ocorrerá a incisão |
| Hipotermia no intraoperatório | Reduz integridade dos tecidos e função de macrófagos | Manter normotermia durante a cirurgia |
| Uso de eletrocautério, técnica cirúrgica agressiva | A necrose tecidual extensa em consequência do eletrocautério ou de técnica cirúrgica não otimizada cria espaços ideais para o crescimento bacteriano | Evitar eletrocautério e otimizar técnica cirúrgica |

\*A triagem da colonização nasal por coleta de *swab* ou procedimento de descolonização têm sido indicados para cirurgias com implante de grandes próteses ortopédicas ou vasculares.
Fonte: Elaborada com base em Brasil;[16] e Berríos-Torres e colaboradores.[45]

O tratamento das ISCs deve levar em conta os patógenos de suspeição (conforme o tecido manipulado). Abscessos devem ser drenados e corpos estranhos (inclusive próteses), sempre que possível, removidos.[43]

## *Clostridioides difficile* e outras infecções gastrintestinais

A diarreia causada por *Clostridioides difficile* (DCD) tem aumentado em incidência mundialmente. É possível que esse aumento seja de fato devido a melhorias no diagnóstico, associado ao uso de métodos moleculares.[50] Esses quadros são potencialmente graves e têm como principal fator de risco o uso de antimicrobianos. *C. difficile* é um comensal do trato gastrintestinal que pode se replicar desordenadamente diante do impacto dos antibióticos sobre a microbiota. Além disso, essa bactéria forma endosporos no ambiente (em superfícies inanimadas). Esses endosporos são resistentes a diversos saneantes e podem ser transmitidos por contato a pacientes suscetíveis.[51]

Casos leves de DCD podem ser tratados com a vancomicina[52] **C/D**, administrada por via oral, na dose de 125 mg, de 6/6 horas, ou metronidazol, 500 mg, VO, de 8/8 horas, por 10 dias **A**.[53]

> É importante notar que a vancomicina específica para via oral não é comercializada no Brasil. Dessa forma, deve-se utilizar a solução disponível para infusão intravenosa e diluí-la em água ou suco para obter uma solução contendo 125 mg, que deve, então, ser administrada por via oral.

Os casos graves podem necessitar de abordagem cirúrgica **C/D**[52] ou de transplante de microbiota fecal ("transplante de fezes") **B**.[54,55]

Outros microrganismos, especialmente vírus de transmissão fecal-oral (norovírus, rotavírus), têm sido identificados causando surtos de gastrenterites em pacientes hospitalizados ou internados em instituições de longa permanência.[56] Medidas de barreira (precauções de isolamento) e higiene adequada das mãos são medidas indicadas para contenção desses surtos.

## Outras infecções relacionadas à assistência à saúde

Diversas outras síndromes infecciosas adquiridas nos serviços de saúde são registradas. Entre elas, merecem destaque as infecções de pele (geralmente associadas a úlceras de pressão)[57], sinusites[58] e traqueítes[59]. Embora geralmente sejam menos graves do que aquelas descritas anteriormente, a pronta identificação e o rápido tratamento reduzem morbidade, mortalidade, tempo de internação e recursos hospitalares.[49]

# PRECAUÇÕES DE ISOLAMENTO

A ideia de isolamento remonta aos séculos passados, quando indivíduos com hanseníase e tuberculose passaram a ser internados (muitas vezes compulsoriamente) em lazaretos e sanatórios. Atualmente, as chamadas "precauções de isolamento" representam mais um conjunto de atitudes que um espaço físico determinado.[60] Elas têm como objetivo principal reduzir a transmissão de agentes infecciosos entre pacientes e para os profissionais de saúde.

Desde a década de 1980, estabeleceu-se que em todo cuidado em saúde devem ser aplicadas as "precauções-padrão" (anteriormente denominadas "precauções universais").[61] Elas incluem: (a) os cinco momentos da higiene das mãos (antes do contato com um paciente; antes da realização de procedimentos assépticos; após risco de exposição a fluidos corporais; após contato com um paciente; após contato com as áreas próximas ao paciente); (b) o uso de luvas e aventais para procedimentos com potencial exposição a sangue ou a outros líquidos corporais.

As demais precauções (voltadas aos agentes específicos), suas características e algumas situações nas quais estão indicadas estão apresentadas na **TABELA 145.6**.

# VIGILÂNCIA DAS INFECÇÕES RELACIONADAS À ASSISTÊNCIA À SAÚDE

Segundo regulamentação federal (Portaria do Ministério da Saúde do Brasil nº 2.616 de 1998), as Comissões de Controle de Infecção Hospitalar (CCIHs) ou Comissões de Controle de Infecção Relacionada à Assistência à Saúde (CCIRASs) devem realizar vigilância ativa das IRAs. A busca ativa e a identificação dessas infecções permite o cálculo de taxas representativas do impacto dessas infecções e também (a) estabelecer metas e avaliar seu cumprimento; (b) comparar o hospital com outros semelhantes (*benchmarking*); (c) conhecer o quadro epidemiológico típico (endêmico) e identificar anormalidades (surtos).

A vigilância ativa e prospectiva é feita com base na incidência, representada pelos *casos novos em um período*. O intervalo geralmente utilizado para calcular incidência é mensal. A maior parte dos hospitais utiliza para expressar incidência as proporções e taxas recomendadas pela National Healthcare Safety Network (NHSN) do CDC dos Estados Unidos.[62] Elas são:

→ Para procedimentos cirúrgicos, incidência proporcional, calculada como:

$$\frac{\text{Número de casos de ISCs}}{\text{Número de cirurgias}}$$

→ Para unidades de pacientes não críticos, pode-se utilizar medida semelhante à descrita para UTIs, ou a incidência proporcional, expressa como

$$\frac{\text{Número de infecções}}{\text{Número de pacientes sob risco}}$$

onde o número de pacientes sob risco é igual a

Número de pacientes internados no primeiro dia + Número de internações ao longo do mês

→ Em instituições de longa permanência (e mesmo na atenção primária), algumas condições associadas à assistência devem ser submetidas à vigilância. Elas incluem infecções associadas às úlceras de pressão, pneumonias em indivíduos acamados e ectoparasitoses (escabioses, pediculose), entre outras. Nesse caso, a métrica adequada pode ser aferida de dois modos.

**TABELA 145.6** → Recomendações atuais de precauções de isolamento para agentes infecciosos

| PRECAUÇÕES | RECOMENDAÇÕES | DOENÇAS/PATÓGENOS |
|---|---|---|
| Transmissão por aerossóis (*Partículas menores que 5 µ, que permanecem no ar por longo tempo e se disseminam por grande distância*) | → Quarto individual, preferencialmente com sistema de pressão negativa (mantendo por exaustor pressão inferior à atmosférica)<br>→ Uso de máscara N95 ou PFF2 pelos profissionais de saúde<br>→ Se houver necessidade de transporte do paciente, este deve utilizar máscara cirúrgica | → Tuberculose pulmonar ou laríngea<br>→ Sarampo<br>→ Varicela*<br>→ Influenza (quando forem realizados procedimentos em vias aéreas)<br>→ Covid-19* (quando forem realizados procedimentos em vias aéreas) |
| Transmissão por gotículas (*Partículas maiores que 5 µ, que se disseminam por curta distância e não permanecem no ar por longo tempo*) | → Quarto individual<br>→ Uso de máscara cirúrgica pelos profissionais de saúde<br>→ Se houver necessidade de transporte do paciente, este deve utilizar máscara cirúrgica | → Influenza<br>→ Covid-19*<br>→ Meningite meningocócica ou por Haemophilus<br>→ Escarlatina<br>→ Caxumba<br>→ Rubéola |
| Transmissão por contato | → Quarto individual<br>→ Uso de avental e luvas pelos profissionais de saúde<br>→ Equipamentos de aferição de sinais vitais devem ser individualizados<br>→ A higiene das mãos deve ser preferencialmente realizada com antissépticos, como a clorexidina | → Microrganismos resistentes a múltiplos fármacos**<br>→ Varicela*<br>→ Covid-19*<br>→ Escabiose<br>→ Pediculose |

Observação: As medidas indicadas como "precaução-padrão" acrescentam-se a todas as apresentadas na tabela. O antigo "isolamento protetor" foi abolido, uma vez que pacientes imunossuprimidos fazem infecção principalmente com microrganismos de sua microbiota. No entanto, ainda se indica "ambiente protetor" (*protective environment*), em quartos com pressão positiva e ar filtrado para micropartículas (filtros HEPA) para receptores de transplante alogênico de medula óssea, que fazem infecções graves por *Aspergillus* spp. presentes no ar.
*Para varicela e Covid-19, aplicam-se simultaneamente diferentes tipos de precaução.
**Cabe aos profissionais de controle de infecção, levando em conta a microbiota do hospital e o potencial de transmissão, escolher os microrganismos resistentes a múltiplos fármacos para os quais se indica a precaução de contato. Ver também: Anvisa (http://www.anvisa.gov.br/servicosaude/controle/rede_rm/cursos/rm_controle/opas_web/modulo5/blo_precaucao.htm).
Fonte: Brasil;[16] e Siegel e colaboradores.[61]

No primeiro (especialmente para instituições de longa permanência), podemos calcular a densidade de incidência, tendo como denominadores a soma de dias que todos os pacientes passaram em "exposição" (ou seja, na instituição), conforme a fórmula a seguir:

$$\frac{\text{Número de infecções}}{\text{Número de dias de exposição}} \times 100$$

→ Outro modo é calcular a incidência proporcional, conforme a fórmula a seguir:

$$\frac{\text{Número de infecções}}{\text{Número de pacientes sob risco}}$$

onde o número de pacientes sob risco é o total de pacientes atendidos no serviço naquele mês (ou semana, ano, ou qualquer período que se deseje utilizar).

→ Para infecções em unidades de terapia intensiva (UTIs), especialmente aquelas associadas a dispositivos (pneumonias associadas à ventilação mecânica, infecções da corrente sanguínea associadas a cateteres centrais, ITUs associadas a SVD), utiliza-se a densidade de incidência, ou seja

$$\frac{\text{Número de infecções}}{\text{Número de dias de exposição}} \times 1.000$$

onde "dias de exposição" significa "total de dias que todos os pacientes passaram sob risco", ou "total de dias de uso do dispositivo".

Essas taxas e proporções calculadas são chamadas de "indicadores de resultado", pois medem os resultados indesejados dos processos assistenciais. Em qualquer nível de assistência (desde a atenção primária até os hospitais de alta complexidade) é também aconselhável o uso de "indicadores de processo", ou seja, métricas que medem a adesão a procedimentos de controle de infecção. Essas medidas podem colaborar para o direcionamento e a avaliação de intervenções para prevenção e controle de IRASs. Exemplificando:

$$\text{Adesão à higiene das mãos} = \frac{\text{higiene adequada}}{\text{momentos de indicação da higiene}}$$

De forma análoga, pode-se calcular a adesão dos profissionais de saúde às boas práticas de injeção intramuscular, às precauções de isolamento e a qualquer outro aspecto que colabore para a qualidade e a segurança da assistência.

Não é objetivo deste capítulo descrever de forma detalhada as medidas utilizadas em epidemiologia hospitalar. Os leitores interessados podem consultar a literatura voltada a esse tópico.[63] A **FIGURA 145.3** exemplifica uma situação de cálculo de taxa e *benchmarking*.

## O CONTROLE DE INFECÇÃO NA ATENÇÃO BÁSICA

Embora grande parte dessas infecções discutidas ocorram em hospitais, as unidades básicas de saúde, os serviços ambulatoriais e mesmo o atendimento domiciliar não estão isentos de riscos infecciosos.[11] Há, por exemplo, indícios de transmissão de tuberculose[64] e mesmo de contaminação

**Hospital A** — UTI
6 infecções da corrente sanguínea (ISCs) associadas a cateteres 4,37 dias em uso de cateteres vasculares centrais (CVCs-dia) → 13,7 ISCs/1.000 CVCs-dia

**Hospital B** — UTI
3 infecções da corrente sanguínea (ISCs) associadas a cateteres 117 dias em uso de cateteres vasculares centrais (CVCs-dia) → 25,6 ISCs/1.000 CVCs-dia

Conclusão: Pacientes internados na UTI do hospital B apresentam maior risco de aquisição de ISCs associadas a CVCs

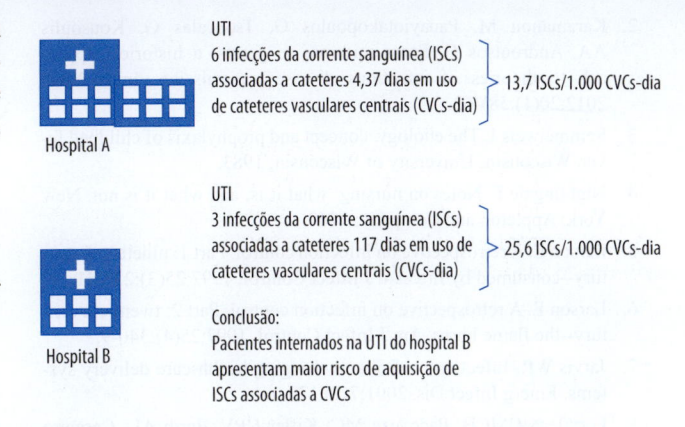

**FIGURA 145.3** → Esquematização simplificada de cálculo de densidade de incidência de infecção da corrente sanguínea e comparação entre diferentes serviços (*benchmarking*). UTI, unidade de terapia intensiva.

cruzada por bactérias resistentes a múltiplos fármacos[65] nessas unidades.

Estudos realizados no Brasil identificaram importantes falhas nos conhecimentos, atitudes e práticas relacionadas às precauções de isolamento em unidades básicas de saúde.[66,67] Outros processos essenciais para prevenir infecções, como esterilização e desinfecção de equipamentos, também apresentaram não conformidades à avaliação.[68]

No momento em que este capítulo é escrito, o Brasil atravessa uma devastadora pandemia de Covid-19. Serviços de atenção primária e saúde da família são essenciais para a resposta a essa emergência de saúde pública.[69] A correta adesão às medidas de precaução é parte essencial de um cuidado seguro para pacientes e profissionais de saúde.[70]

## CONSIDERAÇÕES FINAIS

As IRASs representam um grave evento adverso da assistência à saúde, podendo também ser encaradas como uma medida da qualidade de assistência. Se é verdade que pacientes mais graves e/ou submetidos a procedimentos mais invasivos estão sob risco aumentado de aquisição de infecção, também é certo que, se aplicadas as medidas preventivas corretas, esse risco será reduzido.

Dada a natureza das ações de controle de infecção, as CCIHs/CCIRASs tem grande interface com outros setores estratégicos dos serviços de saúde, como central de material e esterilização, lavanderia e higiene hospitalar.[71] Além disso, há uma aproximação crescente ente o controle de infecção e as áreas voltadas à segurança do paciente, à qualidade e à hotelaria hospitalar.[72] Em outras palavras, está cada vez mais claro que prevenir a aquisição de uma infecção em serviços de saúde é um pilar para o atendimento humanizado, de alta qualidade e com risco mínimo para pacientes e profissionais.

## REFERÊNCIAS

1. Hamurabi. Hammurabi's code of laws (1780 B.C.) [Internet]. In: Fordham University. Ancient History Sourcebook Online. New York: Paul Halsall; 2021 [capturado em 30 set. 2021]. Disponível em: http://www.fordham.edu/halsall/ancient/hamcode.asp#text.

2. Karamanou M, Panayiotakopoulos G, Tsoucalas G, Kousoulis AA, Androutsos G. From miasmas to germs: a historical approach to theories of infectious disease transmission. Infez Med. 2012;20(1):58V62.

3. Semmelweis I. The etiology, concept and prophylaxis of childbed fever. Wisconsin: University of Wisconsin; 1983.

4. Nightingale F. Notes on nursing: what it is, and what it is not. New York: Appleton and Company; 1860.

5. Larson E. A retrospective on infection control. Part 1: nineteenth century--consumed by fire. Am J Infect Control. 1997;25(3):236-41.

6. Larson E. A retrospective on infection control. Part 2: twentieth century--the flame burns. Am J Infect Control. 1997;25(4):340-9.

7. Jarvis WR. Infection control and changing health-care delivery systems. Emerg Infect Dis. 2001;7(2):170-3.

8. Fortaleza CMCB, Padoveze MC, Kiffer CRV, Barth AL, Carneiro IRC, Giamberardingo HIG, et al. Multi-state survey of healthcare-associated infections in acute care hospitals in Brazil. J Hosp Infect. 2017;96(2):139-44.

9. Padoveze MC, Assis DB, Freire MP, Ferreira SA, Valente MG, Fortaleza CMCB. Surveillance Programme for Healthcare Associated Infections in the State of São Paulo, Brazil. Implementation and the first three years' results. J Hosp Infect. 2010;76(4):311-5.

10. Brasil. Agência Nacional de Vigilância Sanitária. Boletim Segurança do Paciente e Qualidade em Serviços de Saúde nº 20: avaliação dos indicadores nacionais das IRAS e RM 2018. Brasília: ANVISA; 2019.

11. Padoveze MC, Figueiredo RM. O papel da atenção primária na prevenção de infecções relacionadas à assistência à saúde. Rev Esc Enferm USP. 2014;48(6):1137-44.

12. Jean SS, Chang YC, Lin WC, Lee WS, Hsueh PR, Hsu CW. Epidemiology, treatment, and prevention of nosocomial bacterial pneumonia. J Clin Med. 2020;9(1):275.

13. Jain V, Vashisht R, Yilmaz G, Bhardwaj A. Pneumonia pathology [Internet]. In: StatPearls. Treasure Island: StatPearls; 2020 [capturado em 30 set. 2021]. Disponível em: https://www.ncbi.nlm.nih.gov/books/NBK526116/.

14. Pahal P, Rajasurya V, Sharma S. Typical bacterial pneumonia [Internet]. In: StatPearls. Treasure Island: StatPearls; 2021 [capturado em 30 set. 2021]. Disponível em: https://www.ncbi.nlm.nih.gov/books/NBK534295/.

15. Kalil AC, Metersky ML, Klompas M, Muscedere J, Sweeney DA, Palmer LB, et al. Management of adults with hospital-acquired and ventilator-associated pneumonia: 2016 Clinical Practice Guidelines by the Infectious Diseases Society of America and the American Thoracic Society. Clin Infect Dis. 2016;63(5):e61-111.

16. Brasil. Agência Nacional de Vigilância Sanitária. Medidas de Prevenção de Infecção Relacionada à Assistência à Saúde. Brasília: ANVISA; 2017.

17. Fernández-Barat L, López-Aladid R, Torres A. Reconsidering ventilator-associated pneumonia from a new dimension of the lung microbiome. EBioMedicine. 2020;60:102995.

18. Feng DY, Zhou YQ, Zhou M, Zou XL, Wang YH, Zhang TT. Risk factors for mortality due to ventilator-associated pneumonia in a chinese hospital: a retrospective study. Med Sci Monit. 2019;25:7660-5.

19. Papazian L, Klompas M, Luyt CE. Ventilator-associated pneumonia in adults: a narrative review. Intensive Care Med. 2020;46(5):888-906.

20. Tablan OC, Anderson LJ, Besser R, Bridges C, Hajjeh R; CDC; Healthcare Infection Control Practices Advisory Committee. Guidelines for preventing health-care--associated pneumonia, 2003: recommendations of CDC and the Healthcare Infection Control Practices Advisory Committee. MMWR Recomm Rep. 2004;53(RR-3):1-36.

21. Wongsurakiat P, Tulatamakit S. Clinical pulmonary infection score and a spot serum procalcitonin level to guide discontinuation of antibiotics in ventilator-associated pneumonia: a study in a single institution with high prevalence of nonfermentative gram-negative bacilli infection. Ther Adv Respir Dis. 2018;12:1753466618760134.

22. Wang Q, Hou D, Wang J, An K, Han C, Wang C. Procalcitonin-guided antibiotic discontinuation in ventilator-associated pneumonia: a prospective observational study. Infect Drug Resist. 2019;12:815-24.

23. Fernando SM, Tran A, Cheng W, Klompas M, Kyeremanteng K, Mehta S, et al. Diagnosis of ventilator-associated pneumonia in critically ill adult patients-a systematic review and meta-analysis. Intensive Care Med. 2020;46(6):1170-9.

24. Haliloglu M, Bilgili B, Bilginer H, Kasapoglu US, Sayan I, Aslan MS, et al. A new scoring system for early diagnosis of ventilator-associated pneumonia: LUPPIS. Arch Med Sci. 2020;16(5):1040-8.

25. Zaragoza R, Vidal-Cortés P, Aguilar G, Borges M, Diaz E, Ferrer R, et al. Update of the treatment of nosocomial pneumonia in the ICU. Crit Care. 2020;24(1):383.

26. Cotoia A, Spadaro S, Gambetti G, Koulenti D, Cinnella G. Pathogenesis-Targeted preventive strategies for multidrug resistant ventilator-associated pneumonia: a narrative review. Microorganisms. 2020;8(6):821.

27. Bell T, O'Grady NP. Prevention of central line-associated bloodstream infections. Infect Dis Clin North Am. 2017;31(3):551-9.

28. Gominet M, Compain F, Beloin C, Lebeaux D. Central venous catheters and biofilms: where do we stand in 2017? APMIS. 2017;125(4):365-75.

29. Iñigo M, Del Pozo JL. Fungal biofilms: from bench to bedside. Rev Esp Quimioter. 2018;31 Suppl 1(Suppl 1):35-8.

30. Watson CM, Al-Hasan MN. Bloodstream infections and central line-associated bloodstream infections. Surg Clin North Am. 2014;94(6):1233-44.

31. Mermel LA, Allon M, Bouza E, Craven DE, Flynn P, O'Grady MP, et al. Clinical practice guidelines for the diagnosis and management of intravascular catheter-related infection: 2009 update by the Infectious Diseases Society of America. Clin Infect Dis. 2009;49(1):1-45. Erratum in: Clin Infect Dis. 2010;50(7):1079. Dosage error in article text. Erratum in: Clin Infect Dis. 2010;50(3):457.

32. Norris LB, Kablaoui F, Brilhart MK, Bookstaver PB. Systematic review of antimicrobial lock therapy for prevention of central-line-associated bloodstream infections in adult and pediatric cancer patients. Int J Antimicrob Agents. 2017;50(3):308-17.

33. Jorgensen SCJ, Trinh TD, Zasowski EJ, et al. Evaluation of the INCREMENT-CPE, pitt bacteremia and qPitt scores in patients with carbapenem-resistant enterobacteriaceae infections treated with ceftazidime-avibactam. Infect Dis Ther. 2020;9(2):291-304.

34. Malek AE, Raad II. Preventing catheter-related infections in cancer patients: a review of current strategies. Expert Rev Anti Infect Ther. 2020;18(6):531-8.

35. Buetti N, Timsit JF. Management and prevention of central venous catheter-related infections in the ICU. Semin Respir Crit Care Med. 2019;40(4):508-23.

36. Shuman EK, Chenoweth CE. Urinary catheter-associated infections. Infect Dis Clin North Am. 2018;32(4):885-97.

37. Iyer MS, Abhinand PA, Hemalatha CR. Protein interaction studies of curli fimbriae in Escherichia coli biofilms. Bioinformation. 2019;15(12):918-21.

38. Fasugba O, Cheng AC, Gregory V, Graves N, Koerner J, Collignon P, et al. Chlorhexidine for meatal cleaning in reducing catheter-associated urinary tract infections: a multicentre stepped-wedge randomised controlled trial. Lancet Infect Dis. 2019;19(6):611-19.

39. Meddings J, Rogers MA, Krein SL, Fakih MG, Olmsted RN, Saint S. Reducing unnecessary urinary catheter use and other strategies to prevent catheter-associated urinary tract infection: an integrative review. BMJ Qual Saf. 2014;23(4):277-89.

40. Bush LM, Kaye D. Catheter-associated urinary tract infection IDSA guidelines: why the levofloxacin? Clin Infect Dis. 2010;51(4):479-81.

41. Lister J. On some cases illustrating the results of excision of the wrist for caries, the treatment of deformity from contracted cicatrix, and antiseptic dressing under circumstances of difficulty, including amputation at the hip-joint. Edinb Med J. 1871;17(2):144-50.

42. Alverdy JC, Hyman N, Gilbert J. Re-examining causes of surgical site infections following elective surgery in the era of asepsis. Lancet Infect Dis. 2020;20(3):e38-e43.
43. Garner BH, Anderson DJ. Surgical site infections: an update. Infect Dis Clin North Am. 2016;30(4):909-29.
44. Wenzel RP. Surgical site infections and the microbiome: an updated perspective. Infect Control Hosp Epidemiol. 2019;40(5):590-6.
45. Berríos-Torres SI, Umscheid CA, Bratzler DW, Bratzler D, Leas B, Stone EC, et al. Centers for Disease Control and Prevention Guideline for the Prevention of Surgical Site Infection, 2017. JAMA Surg. 2017;152(8):784-91.
46. Bratzler DW, Dellinger EP, Olsen KM, Perl TM, Auwaerter PG, Bolon MK, et al. Clinical practice guidelines for antimicrobial prophylaxis in surgery. Am J Health Syst Pharm. 2013;70(3):195-283.
47. Scher KS. Studies on the duration of antibiotic administration for surgical prophylaxis. Am Surg. 1997;63(1):59-62.
48. Galbraith U, Schilling J, von Segesser LK, Carrel T, Turina M, Geroulanos S. Antibiotic prophylaxis in cardiovascular surgery: a prospective randomized comparative trial of one day cefazolin versus single dose cefuroxime. Drugs Exp Clin Res. 1993;19(5):229-34.
49. American Society of Health-System Pharmacists. ASHP therapeutic guidelines on antimicrobial prophylaxis in surgery. Am J Health Syst Pharm. 1999;56(18):1839-88.
50. Mada PK, Alam MU. Clostridium difficile [Internet]. In: StatPearls. Treasure Island: StatPearls; 2021 [capturado em 30 set. 2021]. Disponível em: https://www.ncbi.nlm.nih.gov/books/NBK431054/.
51. Alyousef AA. Clostridium difficile: epidemiology, pathogenicity, and an update on the limitations of and challenges in its diagnosis. J AOAC Int. 2018;101(4):1119-26.
52. McDonald LC, Gerding DN, Johnson S, Bakken JS, Carroll KC, Coffin SE, et al. Clinical Practice Guidelines for Clostridium difficile Infection in Adults and Children: 2017 Update by the Infectious Diseases Society of America (IDSA) and Society for Healthcare Epidemiology of America (SHEA). Clin Infect Dis. 2018;66(7):e1-48.
53. Mounsey A, Lacy Smith K, Reddy VC, Nickolich S. Clostridioides difficile infection: update on management. Am Fam Physician. 2020;101(3):168-75.
54. Gupta A, Saha S, Khanna S. Therapies to modulate gut microbiota: past, present and future. World J Gastroenterol. 2020;26(8):777-88.
55. Tariq R, Pardi DS, Bartlett MG, Khanna S. Low Cure Rates in Controlled Trials of Fecal Microbiota Transplantation for Recurrent Clostridium difficile Infection: A Systematic Review and Meta-analysis. Clin Infect Dis. 2019;68(8):1351-58.
56. Iturriza-Gómara M, Lopman B. Norovirus in healthcare settings. Curr Opin Infect Dis. 2014;27(5):437-43.
57. Peetermans M, de Prost N, Eckmann C, Norrby-Teglund A, Skrede S, De Waele JJ. Necrotizing skin and soft-tissue infections in the intensive care unit. Clin Microbiol Infect. 2020;26(1):8-17.
58. Stein M, Caplan ES. Nosocomial sinusitis: a unique subset of sinusitis. Curr Opin Infect Dis. 2005;18(2):147-50.
59. Nseir S, Ader F, Marquette CH. Nosocomial tracheobronchitis. Curr Opin Infect Dis. 2009;22(2):148-53.
60. Garner JS. Guideline for isolation precautions in hospitals. The Hospital Infection Control Practices Advisory Committee. Infect Control Hosp Epidemiol. 1996;17(1):53-80.
61. Siegel JD, Rhinehart E, Jackson M, Chiarello L; Health Care Infection Control Practices Advisory Committee. 2007 Guideline for Isolation Precautions: Preventing Transmission of Infectious Agents in Health Care Settings. Am J Infect Control. 2007;35(10 Suppl 2):S65-164.
62. U. S. Centers for Disease Control and Prevention. CDC/NHSN Surveillance Definitions for Specific Types of Infections. Atlanta: CDC, 2020.
63. Fortaleza CMCB, Padoveze MC, editores. Epidemiologia para a prevenção e controle de infecções relacionadas a assistência à saúde: princípios e práticas. São Paulo: APECIH; 2016.
64. Zürcher K, Morrow C, Riou J, Ballif M, Koch AS, Bertschinger S, et al. Novel approach to estimate tuberculosis transmission in primary care clinics in sub-Saharan Africa: protocol of a prospective study. BMJ Open. 2020;10(8):e036214.
65. Del Masso Pereira MA, Fortaleza CMCB. Factors associated with community-onset multidrug-resistant organisms in inner Brazil. Am J Infect Control. 2018;46(12):1423-4.
66. Sako MP, Felix AMDS, Kawagoe JY, Padoveze MC, Ferreira SA, Zem-Mascarenhas SH et al. Knowledge about precautions in Primary Health Care: tool validation. Rev Bras Enferm. 2018;71(Suppl 4):1589-95.
67. Maroldi MAC, Felix AMDS, Dias AAL, Kawagoe JY, Padoveze MC, Ferreira AS, et al. Adherence to precautions for preventing the transmission of microorganisms in primary health care: a qualitative study. BMC Nurs. 2017;16:49.
68. Passos IP, Padoveze MC, Roseira CE, de Figueiredo RM. Adaptation and validation of indicators concerning the sterilization process of supplies in Primary Health Care services. Rev Lat Am Enfermagem. 2015;23(1):148-54.
69. Gois-Santos VT, Santos VS, Souza CDF, Tavares CSS, Gurgel RQ, Martins-Filho PR. Primary Health Care in Brasil in the times of Covid-19: changes, challenges and perspectives. Rev Assoc Med Bras. 2020;66(7):876-79.
70. Souza CDF, Gois-Santos VT, Correia DS, Martins-Filho PR, Santos VS. The need to strengthen Primary Health Care in Brazil in the context of the Covid-19 pandemic. Braz Oral Res. 2020;34:e047.
71. Hausemann A, Grünewald M, Otto U, Heudorf U. Cleaning and disinfection of surfaces in hospitals. Improvement in quality of structure, process and outcome in the hospitals in Frankfurt/Main, Germany, in 2016 compared to 2014. GMS Hyg Infect Control. 2018;13:Doc06.
72. Raschka S, Dempster L, Bryce E. Health economic evaluation of an infection prevention and control program: are quality and patient safety programs worth the investment?. Am J Infect Control. 2013;41(9):773-7.

# Capítulo 146
## IMUNIZAÇÕES

Juarez Cunha

Ricardo Becker Feijó

A imunização é considerada uma das medidas com maior custo-benefício na prevenção de doenças infecciosas, estando diretamente relacionada à diminuição de morbimortalidade e ao aumento na expectativa de vida da população. O impacto dos imunobiológicos na prevenção e no controle de diversas doenças pode ser observado em qualquer país do mundo, independentemente das diferenças socioeconômicas e culturais. A erradicação da varíola em escala mundial em 1977 e da poliomielite nas Américas em 1991, bem como a drástica redução na incidência de tétano, difteria, coqueluche, rubéola, caxumba e doenças causadas por *Haemophilus influenzae* tipo b (Hib), são exemplos marcantes do sucesso das imunizações. Por outro lado, o ressurgimento de doenças consideradas controladas ou próximas da erradicação, como o sarampo, demonstram o impacto negativo das baixas coberturas vacinais e a importância de estratégias globais de imunização.

No Brasil, o Ministério da Saúde (MS), por meio do Programa Nacional de Imunizações (PNI), criado em 1973, disponibiliza gratuitamente a maioria das vacinas recomendadas tanto pela Sociedade Brasileira de Pediatria (SBP) como por outras instituições mundiais de referência no assunto. Em 2006, foi incluída, no Calendário de Vacinação Infantil, a vacina contra o rotavírus, e, em 2010, as vacinas conjugadas *Streptococcus pneumoniae* (pneumococo) e *Neisseria meningitidis* (meningococo) sorogrupo C. A partir desse mesmo ano, a vacinação contra *influenza* foi ampliada a outros grupos, como as gestantes e as crianças entre 6 meses e 6 anos de idade. Atualmente, o PNI também oferece, na rotina, vacina contra hepatite A, contra varicela, contra HPV (papilomavírus humano [do inglês, *human papillomavirus*]) para meninos e meninas, contra meningococo C para adolescentes e contra difteria, tétano e coqueluche (acelular) para gestantes.[1]

> Algumas vacinas não disponibilizadas de rotina estão disponíveis nos Centros de Referência para Imunobiológicos Especiais (CRIEs) para grupos considerados de maior risco, com indicações específicas. Os CRIEs são centros especializados, presentes em todos os Estados do País, equipados com produtos de moderna tecnologia e alto custo, destinados à população brasileira que, por algum motivo, necessita de imunobiológicos não disponíveis na rotina da rede pública. As indicações para esses produtos considerados especiais estão normatizadas no Manual dos CRIEs do MS (ver QR code).

É importante salientar que as vacinas não são necessárias apenas na infância. Existem diferentes esquemas vacinais recomendados para adolescentes, adultos, idosos e para uma série de situações, como em gestantes e imunodeprimidos. Além disso, apesar de não terem calendários definidos em nível nacional pelo PNI, grupos específicos, como profissionais de saúde e viajantes, também devem receber vacinas de acordo com as recomendações das sociedades especializadas (SBP e Sociedade Brasileira de Imunizações [SBIm]) (ver Capítulo Saúde do Viajante). Os profissionais de saúde devem conhecer as indicações das diferentes vacinas preconizadas e, em cada oportunidade, devem revisar a situação vacinal das pessoas sob seus cuidados.[2-4] Além do cuidado na avalição do registro vacinal, o profissional de saúde deve estar atento à identificação das informações relacionadas ao ato vacinal: lote do produto, data de validade, fabricante, local de aplicação e profissional responsável.

A ampla divulgação dos calendários e das coberturas vacinais, das incidências das doenças imunopreveníveis e das campanhas de vacinação são iniciativas efetivas para melhorar o desempenho dos programas nacionais de vacinação.[2] A Caderneta da Criança do MS apresenta conteúdo destinado aos pais/cuidadores da criança sobre saúde em geral, inclusive sobre vacinação.

Este capítulo visa contribuir para o aprimoramento das indicações e da segurança no uso dos imunobiológicos, fornecendo informações objetivas e consistentes do ponto de vista técnico e científico. As principais referências utilizadas envolvem consensos de organizações e de especialistas na prevenção de doenças por meio de vacinas.

# CONCEITOS

## Cadeia ou rede de frio

A cadeia ou rede de frio é o processo de armazenagem, conservação, manipulação, distribuição e transporte dos imunobiológicos, desde o laboratório produtor até o momento em que a vacina é administrada.[2] O objetivo da rede de frio é assegurar que todos os imunobiológicos mantenham suas características iniciais a fim de conferir imunidade, considerando a propriedade termolábil desses produtos. Em geral, as vacinas devem ser mantidas entre 2 e 8 °C.[5] No Brasil, o PNI orienta e regula as condições de refrigeração durante todo esse processo.

## Imunização

Imunização é o processo de indução de imunidade por meio da administração de antígenos (p. ex., vacinas) ou anticorpos.

Imunização ativa é a situação na qual a pessoa é estimulada a desenvolver anticorpos por meio da administração de antígenos. Algumas vezes, a proteção alcançada é permanente e, em outras, a proteção é parcial, necessitando de reforços.[5]

Imunização passiva é a transferência de anticorpos produzidos de maneira exógena para proteção temporária. O indivíduo exposto ou com probabilidade de entrar em contato com certos agentes infecciosos recebe anticorpos já formados de origem humana ou animal, com o objetivo de prevenção ou atenuação da doença em potencial (p. ex., soros/imunoglobulinas).[5]

## Toxoide

Toxoide é a toxina bacteriana modificada de modo a tornar-se atóxica, mas retendo a capacidade de estimular a formação de anticorpos.[5]

## Vacina atenuada

É a vacina composta por bactérias ou vírus vivos que perderam a virulência após cultivo sob condições adversas, mas que retiveram as propriedades de replicar-se e produzir imunidade sem causar doença. Em geral, são efetivas com a administração de apenas 1 dose, e a proteção é de longa duração, provavelmente por toda a vida.[5]

## Vacina inativada

É a vacina composta por bactérias ou vírus mortos, que, após replicação em meios de cultura, são inativados por procedimentos químicos ou físicos. São necessárias várias doses para a primovacinação e dose(s) de reforço para manter uma concentração adequada de anticorpos séricos.[5]

## Vacinas combinadas

São vacinas compostas por diferentes antígenos de vários agentes infecciosos na mesma apresentação, sendo aplicadas em uma mesma administração, desde que seja preservada a eficácia de seus diferentes componentes e mantida sua segurança, sem aumento das reações adversas.[5] Esse processo leva a inúmeras vantagens, entre elas a diminuição do número de aplicações, tendo como consequências maiores adesão e cobertura vacinal, diminuição do custo e menos risco de erro e de acidentes com agulhas nos profissionais de saúde.[2,5] As combinações de vacinas disponíveis no Brasil são as seguintes:

→ **difteria, tétano e coqueluche de células inteiras (DTP) ou acelular (DTPa):** a DTPa não está disponível na rotina da rede pública;
→ **DTP + Hib + hepatite B:** vacina pentavalente, disponível na rede pública;
→ **DTPa + vacina inativada injetável contra poliomielite (VIP) + Hib:** vacina pentavalente acelular, não disponível na rede pública;
→ **DTPa + VIP + Hib + hepatite B:** vacina hexavalente acelular, não disponível na rede pública;
→ **difteria, tétano e coqueluche acelular para uso em adolescentes e adultos (dTpa):** disponível na rede pública para gestantes;
→ **dTpa + VIP:** não disponível na rede pública;
→ **hepatite B + hepatite A:** não disponível na rede pública;
→ **sarampo, caxumba e rubéola (SCR) (ou vacina tríplice viral):** disponível na rede pública;
→ **SCR + varicela (ou vacina tetraviral):** disponível na rede pública.

## Vacina polissacarídica

Vacina composta por cadeias longas de moléculas de açúcar da cápsula de algumas bactérias. Estimula resposta imune timo-independente, não sendo imunogênica em crianças com idade < 2 anos. Os anticorpos formados são imunoglobulinas M (IgM), por meio do estímulo da imunidade humoral específica, não resultando em memória imunológica (não há estímulo aos linfócitos relacionados à imunidade celular); portanto, doses repetidas não levam ao aumento nos níveis de anticorpos, característica desejada com dose de reforço[5] (p. ex., vacina pneumocócica 23-valente, vacina contra febre tifoide).

## Vacina polissacarídica conjugada

Vacina na qual o polissacarídeo é conjugado a uma proteína carreadora com capacidade de estimular a resposta imune timo-dependente, tornando-a, assim, imunogênica em crianças com idade < 2 anos e capaz de induzir memória imunológica (envolve células do tipo linfócitos T-dependentes). As vacinas conjugadas provocam níveis de anticorpos na mucosa, os quais impedem a colonização e permitem a diminuição da transmissão e a consequente imunidade coletiva (ou de rebanho [*herd effect*]) para a população não vacinada[5,6] (p. ex., vacinas pneumocócicas 10-valente e 13-valente, vacinas meningocócicas conjugadas C e ACWY).

## Vacina recombinante

Consiste em antígenos vacinais produzidos pela tecnologia de engenharia genética. São produzidos a partir da inserção de um segmento do ácido desoxirribonucleico (DNA, do inglês *deoxyribonucleic acid*), que codifica o antígeno desejado no material genético de um microrganismo, como a levedura. Essa técnica permite a obtenção de antígenos em grande quantidade.[5,6]

## Vacinologia reversa

Vacinologia reversa é uma técnica de sequenciamento genético que permite identificar genes responsáveis pela codificação de antígenos a partir do genoma da bactéria, a fim de isolar antígenos que apresentem propriedades imunogênicas. Esse procedimento foi utilizado na produção da vacina adsorvida meningocócica B recombinante, uma vez que as abordagens capsulares das vacinas contra o meningococo do sorogrupo B falharam porque a cápsula polissacarídica de *Neisseria meningitidis* do sorogrupo B é fracamente imunogênica, provavelmente porque a sua estrutura é semelhante às das moléculas encontradas no tecido neuronal humano.[7]

# CONSIDERAÇÕES GERAIS

## Intercâmbio de vacinas de diferentes fabricantes

Vacinas contra as mesmas doenças, porém de laboratórios diferentes, podem diferir quanto a processo de fabricação, quantidade de antígenos, estabilizadores e preservativos. Portanto, sempre que possível, é desejável que a mesma marca de vacina seja utilizada em todas as doses do esquema vacinal. Caso a informação sobre qual vacina foi usada não seja conhecida ou o mesmo produto não esteja disponível, a vacinação não deve ser atrasada, devendo-se utilizar o produto disponível para completar o esquema vacinal.[2,3,5]

## Atraso, esquecimento ou antecipação de doses

Havendo atraso, não é necessário reiniciar os esquemas vacinais, somente completá-los.[2,5,8] As exceções são as vacinas contra febre tifoide oral e contra cólera, as quais devem ser repetidas em caso de atraso.

Salienta-se a importância de respeitar as idades mínimas recomendadas para a administração de vacinas, assim como os intervalos mínimos entre as doses, possibilitando proteção adequada em relação às doenças passíveis de imunoprevenção.[2] Quando necessário, os intervalos mínimos entre as doses podem ser utilizados para agilizar a atualização do esquema vacinal. Uma vacina aplicada até 4 dias antes da idade mínima ou do intervalo mínimo preconizado deve ser considerada válida. Se a antecipação for de 5 dias ou mais, a dose deverá ser repetida na idade recomendada, respeitando o intervalo mínimo entre as doses.[2,5]

## Estado imunológico desconhecido ou duvidoso

Apenas registros escritos e com data da administração da vacina devem ser aceitos como evidência de vacinação. O desenvolvimento de imunidade conferida pela vacinação pode ser avaliado laboratorialmente para algumas vacinas por intermédio de sorologias para detecção de anticorpos específicos.

Se não houver comprovação de imunidade, deve-se considerar, por precaução, que a vacina não foi aplicada previamente, devendo ser administrada. É importante salientar que a vacinação de uma pessoa já imune não apresenta riscos adicionais além das possíveis reações adversas descritas após a administração da vacina. Devido às baixas taxas de coberturas vacinais e surtos de doenças por ausência de vacinação, atualmente se discute o impacto de regulamentação da obrigatoriedade de vacinação e comprovação do registro vacinal como estratégia na diminuição da incidência das doenças passíveis de imunoprevenção.[2]

## Intervalos de administração de diferentes vacinas e da prova tuberculínica

Vacinas inativadas e de vírus vivos atenuados podem ser aplicadas simultaneamente, em locais diferentes, sem aumento de reações adversas ou diminuição de eficácia.[2,5] Em relação às vacinas de vírus vivos atenuados, a necessidade de intervalo entre elas difere conforme a via de administração. Um estudo demonstrou interferência mútua na resposta imune das vacinas contra a febre amarela e tríplice viral quando administradas no mesmo dia em crianças com idade < 2 anos. Nesse caso, é prudente considerar um intervalo mínimo de 30 dias entre elas.[9]

A **TABELA 146.1** resume as recomendações de intervalo de administração de diferentes vacinas.[5]

As vacinas com o vírus atenuado do sarampo podem interferir na resposta da prova tuberculínica. Se o teste não for realizado no mesmo dia ou no dia seguinte à vacinação, deve-se respeitar intervalo mínimo de 4 semanas após a vacina.[5,6]

## Eventos adversos

Toda pessoa a ser vacinada ou seu responsável legal deve receber informações sobre os benefícios e os riscos das vacinas em linguagem que seja adequada e compreensível. Os eventos adversos podem ocorrer algumas horas após a administração da vacina e persistir por 48 horas ou mais. Os mais frequentes e comuns à maioria dos imunobiológicos são os efeitos colaterais locais. Já os eventos adversos graves são raros e a equipe que administra produtos imunobiológicos deve estar treinada e preparada para reconhecê-los e tratá-los.[2,5,6,10]

Eventos adversos locais incluem dor, edema, eritema e enduração. Eventos adversos sistêmicos incluem febre, choro inconsolável, episódio hipotônico-hiporresponsivo, episódio convulsivo, exantema, síncope, alergia e anafilaxia.[10] Em adolescentes, deve-se estar atento à ocorrência de sintomas antes da aplicação (sudorese, tonturas, náuseas, cefaleia e até síncope) consequente à reação vasovagal após aplicação de vacinas, em geral causada por ansiedade e medo do procedimento vacinal. Para essa população, recomendam-se observação e repouso no ambiente de aplicação durante 15 a 20 minutos, a fim de evitar traumatismos por queda.[11]

De acordo com a American Academy of Pediatrics (AAP),[5] a ocorrência de um evento adverso após imunização não prova que a vacina provocou os sinais ou sintomas. Por isso, utiliza-se o termo "evento adverso", temporalmente relacionado com a vacina, em vez de "reação adversa", que implicaria uma relação de causa com a vacina, que só pode ser estabelecida após avaliação e investigação criteriosas.

Eventos adversos pós-vacinais são condições de notificação que são monitoradas pelo MS por meio do Sistema de Informações de Eventos Adversos Pós-Vacinação (SI-EAPV). Os eventos adversos pós-vacinação sempre devem ser notificados para a Secretaria Municipal de Saúde.[12]

## Contraindicações e precauções

A contraindicação se caracteriza por alguma condição da pessoa a ser vacinada que implique um impeditivo para sua vacinação, em função do aumento de risco de reações adversas graves. É imprescindível que os profissionais de saúde conheçam as contraindicações de cada vacina, sendo capazes de identificar essas condições nos indivíduos a serem vacinados, sempre que presentes. Reação anafilática prévia a uma vacina é contraindicação para aplicação de doses posteriores daquele produto. Essa é uma regra comum à administração de qualquer imunobiológico.[5,10] As vacinas com componentes vivos em geral não devem ser administradas às gestantes e aos indivíduos imunodeprimidos. O uso de imunoglobulinas, sangue e derivados é contraindicação temporária para a aplicação de determinadas vacinas atenuadas (**TABELA 146.2**). Intussuscepção prévia contraindica doses posteriores da vacina de rotavírus.[13]

> O uso de imunodepressores ou corticoides em doses elevadas determina uma contraindicação temporária de vacinas atenuadas. São consideradas doses elevadas ≥ 2 mg/kg/dia de prednisona ou equivalente para crianças com peso de até 10 kg ou ≥ 20 mg/dia para crianças maiores ou adultos, por 14 dias ou mais.[5]

**TABELA 146.1** → Recomendações gerais de intervalo entre diferentes vacinas

| COMBINAÇÃO DE ANTÍGENOS | INTERVALO MÍNIMO NECESSÁRIO |
| --- | --- |
| Vacina inativada + vacina inativada | Nenhum; podem ser administradas simultaneamente* ou com qualquer intervalo |
| Vacina inativada + vacina atenuada parenteral ou oral | Nenhum; podem ser administradas simultaneamente ou com qualquer intervalo |
| Vacina atenuada + vacina atenuada, ambas com administração parenteral | 4 semanas, se não forem administradas simultaneamente† |
| Vacina atenuada parenteral + vacina atenuada oral | Nenhum; podem ser administradas simultaneamente ou com qualquer intervalo |

\* Simultaneamente é considerado como adequado se dentro de até 24 horas.
† Quando não forem administradas simultaneamente e o intervalo não for respeitado, deve-se repetir a segunda vacina aplicada após 4 semanas da dose considerada inválida. Exceção é o uso das vacinas tríplice viral e febre amarela, para as quais é prudente, em crianças com idade < 2 anos, observar um intervalo de 4 semanas, pois estudos demonstram interferência mútua na resposta imune dessas vacinas quando administradas no mesmo dia.

**TABELA 146.2** → Contraindicações e precauções das vacinas comumente utilizadas

| VACINA | CONTRAINDICAÇÕES | PRECAUÇÕES |
|---|---|---|
| Geral para todas as vacinas | → Reação alérgica grave (p. ex., anafilaxia) em dose prévia da vacina específica* | → Doença aguda moderada ou grave, com ou sem febre<br>→ Aplicação antes da idade mínima ou com intervalo menor que o mínimo recomendado entre doses |
| Vacinas atenuadas | → Gestação[†]<br>→ Imunodeficiências graves<br>→ Vacina BCG em crianças com peso < 2 kg<br>→ Pólio oral em ambiente hospitalar<br>→ Rotavírus em indivíduos com história de intussuscepção prévia<br>→ Febre amarela em alérgicos graves a ovo | → SCR e varicela: ter recebido sangue/derivados ou imunoglobulinas nos últimos meses (ver **TABELA 146.9**)<br>→ SCR: necessidade de realizar teste tuberculínico (PPD),[‡] história de trombocitopenia ou púrpura trombocitopênica idiopática<br>→ Rotavírus: doença gastrintestinal crônica, espinha bífida ou extrofia de bexiga; evitar o uso em ambiente hospitalar<br>→ Febre amarela: adiar, se possível, a vacinação de nutrizes até a criança completar 6 meses de idade |
| Vacinas inativadas | → DTP, DTPa e dTpa: encefalopatia sem outra causa identificável, dentro de 7 dias da aplicação de dose prévia | → DTP, DTPa e dTpa: doença neurológica progressiva; apresentar, após dose prévia, febre ≥ 40,5 °C até 48 horas, episódio hipotônico-hiporresponsivo até 48 horas, convulsões até 3 dias, choro persistente e inconsolável por período ≥3 até 48 horas, síndrome de Guillain-Barré até 6 semanas (também para DT, dT e influenza), reação tipo Arthus (também para DT e dT)<br>→ Hepatite B: em crianças com peso < 2 kg ao nascer |

\* Exceção é a vacina da raiva, que, pela gravidade da doença, não tem contraindicações.
[†] A vacina contra febre amarela pode ser administrada em gestantes se houver risco para aquisição da doença.
[‡] Realizar teste tuberculínico no mesmo dia, até 1 dia depois ou 4 semanas após a vacina.
BCG, bacilo de Calmette-Guérin; DT, vacina contra difteria e tétano (dupla bacteriana); dT, vacina contra difteria e tétano para uso em adolescentes e adultos (dupla bacteriana); DTP, vacina contra difteria, tétano e coqueluche de células inteiras (tríplice bacteriana); DTPa, vacina contra difteria, tétano e coqueluche acelular para uso infantil (tríplice bacteriana acelular); dTpa, vacina contra difteria, tétano e coqueluche acelular para uso em adolescentes e adultos (tríplice bacteriana acelular); PPD, derivado proteico purificado; SCR, vacina contra sarampo, caxumba e rubéola (tríplice viral).

Precaução caracteriza-se por condição da pessoa a ser vacinada que possa aumentar o risco de reações adversas ou possa comprometer a capacidade da vacina em produzir imunidade. São precauções comuns à administração de imunobiológicos as doenças agudas moderadas ou graves e as alergias leves ou moderadas aos componentes da vacina. O conhecimento do assunto pelos profissionais, assim como a adequada avaliação e informação sobre riscos, segurança e benefícios da vacinação para os vacinados ou responsáveis,[2] são condições essenciais para o sucesso da vacinação.

## Vias de administração e alívio da dor

As vacinas podem ser administradas pelas vias oral (VO), intramuscular (IM), subcutânea (SC) ou intradérmica (ID), dependendo da característica do imunobiológico. A utilização de outra via que não a recomendada para a aplicação de determinada vacina pode reduzir sua eficácia e/ou aumentar eventos adversos. Pessoas com coagulação alterada devem evitar aplicações por via IM, podendo ser utilizadas as vias SC ou ID, desde que essas vias opcionais sejam autorizadas pelo fabricante. A aspiração prévia no local da inserção da agulha não é recomendada como rotina para aplicações IM, pois os sítios preconizados – face anterolateral da coxa (em crianças com idade < 12-24 meses) e deltoide (em crianças com idade > 2 anos) – não possuem grandes vasos sanguíneos. Quando for necessário aplicar mais de uma injeção no mesmo grupo muscular, deve-se estabelecer distância de aproximadamente 3 cm entre elas. No caso de administração simultânea, seringas, agulhas e locais diferentes devem ser utilizados. É importante salientar que não se pode misturar na mesma seringa vacinas diferentes, a não ser que isso seja autorizado pelo fabricante. Vacinas e imunoglobulinas administradas no mesmo momento devem ser aplicadas em diferentes sítios anatômicos.[14]

**Para aliviar o desconforto e a dor da aplicação de vacinas em crianças, são efetivas medidas como distração ou ingestão de líquidos ou leite materno. Analgésicos tópicos também reduzem a dor na aplicação da imunização em crianças, podendo ser utilizados; não há estudos avaliando o benefício de analgésicos VO.[15,16] Antipiréticos, como paracetamol VO, reduzem a incidência de reações febris vacinais, mas não devem ser usados de rotina, pois podem diminuir a resposta antigênica de algumas vacinas.[17]**

## CALENDÁRIOS DE IMUNIZAÇÕES

Os calendários de imunizações da criança, do adolescente, do adulto e do idoso aqui apresentados (TABELAS 146.3 e 146.4) englobam as principais recomendações de organizações brasileiras e internacionais, como MS, SBP, SBIm, Organização Mundial da Saúde (OMS) e Advisory Committee on Immunization Practices (ACIP). Pelas frequentes atualizações, as indicações e contraindicações das vacinas nas principais situações de vulnerabilidade devem ser consultadas nos Calendários de Vacinação da SBIm – Pacientes Especiais e no Manual dos CRIEs (ver Leituras Recomendadas).[18]

A forma de administrar as vacinas está descrita nos textos específicos neste capítulo, no tópico Particularidades das Vacinas.

## SITUAÇÕES ESPECIAIS

### Crianças nascidas pré-termo (idade gestacional < 37 semanas)

Em geral, as vacinas devem ser utilizadas nas doses usuais e conforme a idade cronológica.[19] As exceções são a vacina contra tuberculose (bacilo Calmette-Guérin [BCG]) e a vacina contra hepatite B, que, embora indicadas ao nascimento, apresentam particularidades. A BCG deve ser aplicada quando o recém-nascido (RN) atingir 2 kg.[3,19] Em relação à hepatite B, existem outras regras além do peso (ver texto específico da vacina neste capítulo, no tópico Particularidades das Vacinas). A vacina contra rotavírus, por ser composta por vírus vivos atenuados, não deve ser administrada enquanto a criança estiver hospitalizada.[3] É indicada imunoprofilaxia com palivizumabe, anticorpo monoclonal específico para o vírus sincicial respiratório, nos meses de

**TABELA 146.3** → Calendário de imunização da criança e do adolescente

| IDADE | VACINAS |
|---|---|
| Recém-nascido | **BCG**; **hepatite B** |
| 2 meses | **Poliomielite;*** **difteria, tétano, coqueluche inteira (DTP)** ou **acelular (DTPa)**; **Hib**; **rotavírus**; **hepatite B**; **pneumocócica conjugada 10-valente** ou **13-valente** |
| 3 meses | **Meningococo C conjugada** ou **ACWY** e **B** |
| 4 meses | **Poliomielite;*** **difteria, tétano, coqueluche inteira (DTP)** ou **acelular (DTPa)**; **Hib**; **rotavírus**; **hepatite B**; **pneumocócica conjugada 10-valente** ou **13-valente** |
| 5 meses | **Meningococo C conjugada** ou **ACWY** e **B** |
| 6 meses | **Poliomielite;*** **difteria, tétano, coqueluche inteira (DTP)** ou **acelular (DTPa)**; **Hib**; **hepatite B**; **pneumocócica conjugada 10-valente** ou **13-valente**; *influenza* **trivalente** ou **quadrivalente**[†] |
| 9 meses | **Febre amarela** |
| 12 meses | **Sarampo, caxumba, rubéola**, **varicela**; **hepatite A**; **pneumocócica conjugada 10-valente** ou **13-valente**; **meningococo C conjugada** ou **ACWY** e **B** |
| 15 meses | **VOP*** ou **VIP**; **difteria, tétano, coqueluche inteira (DTP)** ou **acelular (DTPa)**; **Hib**;[‡] **sarampo, caxumba, rubéola, varicela**; **hepatite A** |
| 18 meses | **Hepatite A** |
| 4-6 anos | **VOP*** ou **VIP**; **difteria, tétano, coqueluche inteira (DTP)** ou **acelular (DTPa)**; **varicela**; **meningococo C conjugada** ou **ACWY**; **febre amarela (4 anos)** |
| 9-19 anos | **Difteria, tétano**, **coqueluche acelular**; **HPV**;[§] **meningococo C conjugada** ou **ACWY** |

**Em azul:** vacinas recomendadas como rotina pelo PNI.
**Em preto:** vacinas ou esquemas recomendados pela SBIm e pela SBP.
Observação: qualquer vacina ou dose não administrada na idade recomendada deve ser aplicada na visita subsequente.
* No Calendário de Vacinação Infantil do Ministério da Saúde, aos 2, 4 e 6 meses, é aplicada a VIP. Já os reforços de 1 ano e 3 meses e 4 anos são feitos com a VOP.
[†] Vacina contra *influenza* (gripe): indicada a partir dos 6 meses de idade. No primeiro ano de vacinação da criança com idade < 9 anos, administrar 2 doses, com 1 mês de intervalo.
[‡] Vacina contra Hib: a SBIm e a SBP indicam a dose de reforço entre 12-15 meses para todas as crianças, em especial quando forem utilizadas vacinas combinadas Hib com DTPa na série básica.
[§] Vacina contra HPV: duas vacinas estão disponíveis no Brasil – HPV4, licenciada para meninas e mulheres de 9-45 anos e meninos e homens de 9-26 anos, e HPV2, licenciada para meninas e mulheres a partir dos 9 anos de idade.
BCG, bacilo de Calmette-Guérin; DTP, vacina contra difteria, tétano e coqueluche de células inteiras (tríplice bacteriana); DTPa, vacina contra difteria, tétano e coqueluche acelular para uso infantil (tríplice bacteriana acelular); Hib, *Haemophilus influenzae* tipo B; HPV, papilomavírus humano; PNI, Programa Nacional de Imunizações; SBIm, Sociedade Brasileira de Imunizações; SBP, Sociedade Brasileira de Pediatria; VIP, vacina inativada contra poliomielite; VOP, vacina oral contra poliomielite.

**TABELA 146.4** → Calendário de imunização do adulto e do idoso

| IDADE | VACINAS |
|---|---|
| 20-59 anos | **Hepatite B**; **difteria, tétano, coqueluche;*** **febre amarela**; **sarampo, caxumba, rubéola**;[†] **varicela**; *influenza*;[‡] **HPV**[§] |
| 60 anos ou mais | **Hepatite B**; **difteria, tétano**, **coqueluche**; **febre amarela**; *influenza*; **pneumocócica 13-valente**; **pneumocócica 23-valente**; **herpes-zóster** |

**Em azul:** vacinas recomendadas como rotina pelo MS.
**Em preto:** vacinas ou esquemas recomendados pela SBIm.
Observação: conforme situação epidemiológica, utilizar as vacinas contra meningococo B, C ou ACWY e hepatite A.
* Vacina contra difteria, tétano e coqueluche acelular (dTpa): está disponível na rede pública para gestantes e alguns profissionais de saúde.
[†] Vacina contra sarampo, caxumba e rubéola: o PNI indica imunização em 2 doses até os 29 anos, e dose única dos 30 aos 59 anos.
[‡] Vacina contra *influenza*: o PNI indica para pessoas a partir dos 60 anos de idade e determinados grupos (comorbidades específicas).
[§] Vacina contra HPV: duas vacinas estão disponíveis no Brasil – HPV4, licenciada para meninas e mulheres de 9-45 anos e meninos e homens de 9-26 anos, e HPV2, licenciada para meninas e mulheres a partir dos 9 anos de idade.
DTP, vacina contra difteria, tétano e coqueluche de células inteiras (tríplice bacteriana); dTpa, vacina contra difteria, tétano e coqueluche acelular para uso em adolescentes e adultos (tríplice bacteriana acelular); HPV, papilomavírus humano; MS, Ministério da Saúde; PNI, Programa Nacional de Imunizações; SBIm, Sociedade Brasileira de Imunizações.

maior circulação do vírus: Região Norte, de janeiro a junho; Região Sul, de março a agosto; Regiões Nordeste, Centro-Oeste e Sudeste, de fevereiro a julho. O MS disponibiliza gratuitamente para crianças nascidas pré-termo até idade gestacional (IG) de 28 semanas, no 1º ano de vida, e para crianças com doença pulmonar crônica da prematuridade e/ou cardiopatia congênita, até o 2º ano de vida. O uso em portadores de doença pulmonar crônica e/ou cardiopatias congênitas está indicado, independentemente da IG ao nascer, até o 2º ano de vida, desde que esteja em tratamento dessas condições nos últimos 6 meses. A SBP e a SBIm ampliam a recomendação para crianças nascidas pré-termo até IG de 32 semanas, nos primeiros 6 meses de vida. A dose deve ser de 15 mg/kg de peso, aplicada IM, mensalmente, no máximo 5 doses. Deve-se utilizar inclusive enquanto a criança estiver hospitalizada.[3]

## Gestação

Tanto as indicações das vacinas como as contraindicações e precauções devem ser de conhecimento dos profissionais que atendem e orientam gestantes.[2]

A vacina dTpa (tríplice bacteriana adulto – difteria, tétano e coqueluche acelular) está indicada rotineiramente durante cada gestação (após IG de 20 semanas, o mais precocemente possível) com o objetivo de proteger o RN, em especial contra tétano e coqueluche.[2,3,20] As vacinas contra hepatite B e *influenza* também são recomendadas para todas as gestantes, podendo ser aplicadas em qualquer momento da gravidez. As demais vacinas inativadas podem ser utilizadas, mas somente em situações de risco para a gestante ou para o feto.[3,5]

Apesar do risco teórico, não tem sido demonstrado que as vacinas de vírus vivos atenuadas em uso atualmente possam acarretar problemas para o feto. Como regra, são contraindicadas, exceto a vacina contra febre amarela, que, caso haja risco para a doença, deve ser aplicada mesmo em gestantes. Quando vacinas de vírus vivos forem indicadas para mulheres em idade fértil, deve-se procurar utilizá-las antes da gestação ou imediatamente após o parto. Em função do risco teórico, recomenda-se que, após a utilização de vacinas atenuadas, a mulher evite engravidar por 28 dias. A vacinação inadvertida de gestantes com vacina de vírus vivos deve ser notificada à Secretaria Municipal de Saúde, com o objetivo de acompanhar eventos adversos para o feto.[21,22]

## Amamentação

Vacinas inativadas, recombinantes, de subunidades, polissacarídicas e toxoides podem ser administradas a mães que amamentam e devem ser utilizadas de acordo com os esquemas recomendados para a idade e a situação imune.[2,5] Vírus contidos em vacinas atenuadas podem ser excretados no leite materno. Por esse motivo, se a situação epidemiológica permitir, a vacina contra febre amarela deve ser adiada até a criança completar 6 meses de idade;[1,3,4,8] caso contrário, a amamentação deverá ser suspensa por 10 dias.[3,5,23] As outras vacinas atenuadas podem ser utilizadas.

## Imunobiológicos na pós-exposição a doenças

Após a exposição a determinadas doenças infecciosas, a administração de vacinas e imunoglobulinas para pessoas suscetíveis, dentro do prazo adequado, pode evitar ou atenuar as manifestações clínicas dessas doenças.[5] Pode-se utilizar imunização ativa e/ou passiva na pós-exposição à hepatite B (TABELA 146.5), ao tétano (TABELA 146.6), ao sarampo, à varicela, à hepatite A (TABELA 146.7) e à raiva (TABELA 146.8). Indivíduos que apresentam história de eventos adversos ao utilizar imunoglobulinas somente devem recebê-las (qualquer das apresentações) sob supervisão médica direta, em local onde seja possível tratar anafilaxia.[5]

**TABELA 146.5** → Profilaxia pós-exposição cutânea ou de mucosas ao vírus da hepatite B

| SITUAÇÃO DA PESSOA EXPOSTA: VACINAÇÃO/RESPOSTA DE ANTICORPOS | SITUAÇÃO DA FONTE DE TRANSMISSÃO | MANEJO |
|---|---|---|
| Não vacinada ou vacinação incompleta | HBsAg positivo | 1 dose de HBIG* e vacina[†] |
| | HBsAg negativo | Vacina[†] |
| | Desconhecida ou HBsAg não testado | Em caso de fonte de alto risco, tratar como HBsAg positivo |
| Vacinada com resposta adequada[‡] | HBsAg positivo | Nenhum tratamento |
| | HBsAg negativo | |
| | Desconhecida ou HBsAg não testado | |
| Vacinada sem resposta adequada[‡] | HBsAg positivo | 2 doses de HBIG,* ou 1 dose de HBIG e revacinar[§] |
| | HBsAg negativo | Revacinar[§] |
| | Desconhecida ou HBsAg não testado | Em caso de fonte de alto risco, tratar como HBsAg positivo |
| Vacinada sem resposta conhecida | HBsAg positivo | Dosar anti-HBs:[‡] Se adequado: nenhum tratamento Se inadequado: HBIG* e revacinar[§] |
| | HBsAg negativo | Nenhum tratamento[ǁ] |
| | Desconhecida ou HBsAg não testado | Dosar anti-HBs:[‡] Se adequado: nenhum tratamento Se inadequado: HBIG* e revacinar |

* No RN, dose de 0,5 mL; nas outras idades, 0,06 mL/kg, IM, de preferência dentro de 24 horas. No contato sexual, aplicar em até 14 dias; nos outros tipos de exposição, em até 7 dias. No indivíduo não responsedor à vacina (6 doses), em caso de acidente percutâneo ou em mucosa, aplicar 2 doses de HBIG, com intervalo de 30 dias. Quando administradas HBIG e vacina, aplicá-las em locais diferentes.
[†] Vacina contra hepatite B; via IM, em 3 doses nos não vacinados (0, 1 e 6 meses) ou atualizar nos incompletos.
[‡] Anti-HBs: título protetor ≥ 10 mUI/mL.
[§] Administrar uma segunda série de até 3 doses naqueles já vacinados e sem resposta adequada.
[ǁ] Dosar anti-HBs se a pessoa exposta for de alto risco.
Anti-HBs, anticorpo contra HBsAg; HBIG, imunoglobulina hiperimune contra hepatite B; HBsAg, antígeno de superfície da hepatite B; IM, intramuscular.

**TABELA 146.6** → Guia para profilaxia do tétano no manejo de ferimentos

| NÚMERO DE DOSES PRÉVIAS DO TOXOIDE TETÂNICO (DTP, DTPa, DT, dT, dTpa OU TOXOIDE TETÂNICO ISOLADO) | FERIMENTOS LIMPOS | FERIMENTOS SUSPEITOS* |
|---|---|---|
| Desconhecido ou menos de 3 doses | Vacinar[†] Não indicada imunização passiva[‡] | Vacinar[†] Indicada imunização passiva: SAT ou IGHAT[‡] |
| Três doses ou mais | Se vacinado há 10 anos ou mais, vacinar[†] Não indicada imunização passiva[‡] | Se vacinado há 5 anos ou mais, vacinar[†] Não indicada imunização passiva[‡] |

* São considerados ferimentos suspeitos aqueles contaminados com sujeira, fezes, terra e saliva, os puntiformes, aqueles com perda de substância e os resultantes de arma de fogo, trituração, queimadura e congelamento.
[†] Vacinar dentro de 3 dias do ferimento. A vacina a ser utilizada depende da idade: < 7 anos, DTP ou DTPa ou DT; ≥ 7 anos, dT ou dTpa. Não vacinados ou com história vacinal desconhecida recebem 3 doses (sendo uma delas, de preferência, dTpa); aqueles com esquema vacinal incompleto devem apenas completá-lo. Reforços são recomendados de rotina a cada 10 anos.
[‡] Imunização passiva: a rede pública utiliza o SAT equino como primeira escolha para a profilaxia passiva do tétano, e IGHAT no caso de reações alérgicas ao soro e em imunodeprimidos, situação em que a administração de IGHAT está recomendada, independentemente de vacinação anterior. Administrar a IGHAT via IM dentro de 3 dias do ferimento.
DT, vacina contra difteria e tétano (dupla bacteriana); dT, vacina contra difteria e tétano para uso em adolescentes e adultos (dupla bacteriana); DTP, vacina contra difteria, tétano e coqueluche de células inteiras (tríplice bacteriana); DTPa, vacina contra difteria, tétano e coqueluche acelular para uso infantil (tríplice bacteriana acelular); dTpa, vacina contra difteria, tétano e coqueluche acelular para uso em adolescentes e adultos (tríplice bacteriana acelular); IGHAT, imunoglobulina humana antitetânica; IM, intramuscular; SAT, soro antitetânico.

**TABELA 146.7** → Profilaxia pós-exposição ao sarampo e à varicela e profilaxia pré e pós-exposição à hepatite A

| PRODUTO | INDICAÇÃO | | PRAZO PARA USO, DOSE E DURAÇÃO DA PROTEÇÃO |
|---|---|---|---|
| Imunoglobulina humana (IGH) | Prevenção de sarampo na pós-exposição | | Aplicar 0,5 mL/kg (dose máxima: 15 mL), IM, entre 3-6 dias do contato; na apresentação IV, dose de 400 mg/kg Até 3 dias do contato, nos imunocompetentes, administrar somente a vacina |
| Imunoglobulina humana antivaricela-zóster (IGHAVZ) | Prevenção de varicela na pós-exposição | | Aplicar 125 UI/10 kg ou 1,25 mL/10 kg (dose máxima: 625 UI), IM, dentro de 4 dias do contato Proteção por, no máximo, 3 semanas Até 5 dias do contato, nos imunocompetentes, administrar somente a vacina |
| Imunoglobulina humana (IGH) | Prevenção de hepatite A | Pré-exposição* | 0,02 mL/kg, IM Proteção por menos de 3 meses |
| | | | 0,06 mL/kg, IM Proteção por 3-5 meses; repetir a cada 5 meses se permanecer em risco |
| | | Pós-exposição | Aplicar 0,02 mL/kg, IM, dentro de 14 dias do contato Entre 1-40 anos, aplicar a vacina, preferencialmente |

* Para idade < 12 meses, utilizar a IGH; para idade entre 12 meses e 40 anos, utilizar somente a vacina; e para idade > 40 anos, utilizar a vacina associada ou não à IGH.
IM, intramuscular; IV, intravenoso.

## Uso recente de imunoglobulinas ou de sangue e seus derivados

O uso de alguns produtos que contêm anticorpos, como sangue total, plasma, plaquetas, concentrado de hemácias,

**TABELA 146.8** → Profilaxia pós-exposição* à raiva para pessoas não imunizadas[†]

| ESPÉCIE ANIMAL | SITUAÇÃO DO ANIMAL NA EXPOSIÇÃO | MANEJO DA PESSOA EXPOSTA |
|---|---|---|
| Cães e gatos | Saudável e com possibilidade de observação por 10 dias | Tratamento local da ferida[‡] Ao primeiro sinal de doença no animal, iniciar vacinação[§] Iniciar SAR[ǁ] ou IGHAR[¶] em caso de acidente grave** |
| | Animal com suspeita clínica de raiva e com possibilidade de observação por 10 dias | Tratamento local da ferida[‡] Iniciar vacinação[††] Iniciar SAR[ǁ] ou IGHAR[¶] em caso de acidente grave** |
| | Desconhecido, fugitivo, raivoso ou morto | Tratamento local da ferida[‡] Iniciar vacinação[§] Iniciar SAR[ǁ] ou IGHAR[¶] em caso de acidente grave** |
| Mico (sagui), macaco, guaxinim, quati, gambá, morcego,[‡‡] raposa, roedores silvestres e outros carnívoros Animais de criação: bovinos, bubalinos, caprinos, ovinos, equinos, suínos e outros[§§] | Considerar como infectados | Tratamento local da ferida[‡] Iniciar vacinação[§] Iniciar SAR[ǁ] ou IGHAR[¶] em caso de acidente grave** |
| Ratazanas de esgoto, rato de telhado, camundongo, cobaia ou porquinho-da-índia, *hamster* e coelho | Considerar como animais de baixo risco | Tratamento local da ferida[‡] Não está indicado tratamento profilático antirrábico |

* Consultar o departamento de saúde local para obter informações sobre os riscos de raiva na área do acidente.
[†] São considerados imunizados os indivíduos que receberam vacina de cultivo celular ou aqueles que receberam outros tipos de vacina e desenvolveram títulos adequados de anticorpos.
[‡] Lavar o ferimento imediatamente com água corrente, sabão e álcool iodado a 1%. Lembrar da profilaxia antitetânica.
[§] Esquema completo de vacinação com 4 doses IM nos dias 0, 3, 7 e 14. O uso alternativo de dose fracionada ID tem sido utilizada em alguns locais da rede pública, devendo ser consultadas as rotinas com as autoridades locais.
[ǁ] O SAR heterólogo é utilizado como primeira escolha na rede pública.
[¶] A IGHAR é fornecida pelo CRIE para pessoas com teste de sensibilidade positivo ao SAR, para pessoas que não completaram o esquema antirrábico por evento adverso e para indivíduos imunodeprimidos na pós-exposição.
** São considerados acidentes graves lambedura em mucosas, mordedura em cabeça, face, pescoço e mãos ou planta dos pés, mordeduras múltiplas e/ou profundas em qualquer parte do corpo, ferimentos profundos provocados por unha de gato ou de outros felinos. O CDC não valoriza, para definir a conduta pós-exposição, o local e o tipo de ferimento, mas sim o tipo de animal e a possibilidade de observá-lo, e orienta administrar também a IGHAR em todas as situações em que a vacina esteja recomendada.
[††] Administrar 2 doses nos dias 0 e 3 e suspender a vacinação se, após o 10º dia de observação, o animal estiver saudável e a raiva for descartada.
[‡‡] As agressões por morcegos são sempre consideradas como graves; portanto, além da vacina contra raiva, a administração de SAR ou IGHAR está indicada, independentemente da gravidade da lesão.
[§§] Considerar todos os animais desse grupo como de risco, mesmo que domiciliados e/ou domesticados, pois a evolução da raiva, nesses animais, não é bem conhecida.
CDC, Centers for Disease Control and Prevention; CRIE, Centro de Referência para Imunobiológicos Especiais; ID, intradérmica; IGHAR, imunoglobulina humana antirrábica; IM, intramuscular; SAR, soro antirrábico.

**TABELA 146.9** → Intervalos sugeridos entre o uso de imunoglobulinas, sangue e derivados e posterior aplicação da vacina contra sarampo (monovalente ou combinada) ou contra varicela

| PRODUTO | | VIA | DOSE | INTERVALO EM MESES |
|---|---|---|---|---|
| Imunoglobulina humana (IGH) | Prevenção de hepatite A | IM | 0,02-0,06 mL/kg | 3 |
| | Prevenção de sarampo | IM | 0,25 mL/kg | 5 |
| | | | 0,5 mL/kg | 6 |
| Imunoglobulina humana antitetânica (IGHAT) | | IM | 250 UI | 3 |
| Imunoglobulina humana anti-hepatite B (IGHAHB) | | IM | 0,06 mL/kg | 3 |
| Imunoglobulina humana antirrábica (IGHAR) | | IM | 20 UI/kg | 4 |
| Imunoglobulina humana antivaricela-zóster (IGHAVZ) | | IM | 20-40 mg/kg | 5 |
| Imunoglobulina humana intravenosa | | IV | 300-2.000 mg/kg | 8-11 |
| Palivizumabe (anticorpo monoclonal para prevenção do vírus sincicial respiratório) | | IM | 15 mg/kg | 0 |
| Hemácias lavadas | | IV | 10 mL/kg | 0 |
| Concentrado de hemácias | | IV | 10 mL/kg | 6 |
| Sangue total | | IV | 10 mL/kg | 6 |
| Plasma | | IV | 10 mL/kg | 7 |
| Plaquetas | | IV | 1 UI/5 kg | 7 |

IM, intramuscular; IV, intravenosa.
Fonte: Modificada de Pickering.[2]

imunoglobulinas intramusculares ou intravenosas e imunoglobulinas hiperimunes específicas, pode interferir na replicação viral de vacinas vivas de uso parenteral.

Vacinas administradas antes do intervalo recomendado devem ser repetidas na época adequada (TABELA 146.9). Caso as vacinas sejam administradas antes, deve-se adiar o uso das imunoglobulinas para, se possível, 3 semanas após a aplicação da vacina contra varicela e 2 semanas após a vacina contra sarampo (monovalente ou combinada). Se esses intervalos não forem respeitados, as vacinas devem ser repetidas após o intervalo recomendado. Vacinas inativadas e toxoides não são, em geral, afetados por anticorpos circulantes e podem, portanto, ser administrados antes, depois ou no mesmo momento que as imunoglobulinas. O palivizumabe (anticorpo monoclonal) é específico para o vírus sincicial respiratório, e não é esperado que interfira na resposta imune de vacinas inativadas ou atenuadas.[3,5]

## Pessoas com alteração na imunidade e seus contatos

Indivíduos imunodeprimidos podem ter maior risco de contrair determinadas doenças passíveis de imunoprevenção ou apresentar formas mais graves dessas doenças. Portanto, devem estar apropriadamente vacinados com os imunobiológicos recomendados no calendário de vacinação próprio para a situação.[2,3,18] Apesar da possibilidade de menor resposta, todas as vacinas inativadas podem ser utilizadas conforme a recomendação do calendário vacinal de rotina para a idade. A utilização das vacinas contra *influenza* (gripe), pneumococo, meningococo e Hib deve ser reforçada nesses casos. Não há risco aumentado de eventos adversos com o uso de vacinas inativadas, e, nessas situações, as doses e os esquemas vacinais são, em geral, os habituais.[5]

**Os indivíduos imunodeprimidos, mesmo quando vacinados adequadamente, podem manter-se suscetíveis pela menor resposta imunológica; em algumas situações de exposição a uma determinada doença, deve-se utilizar proteção passiva com imunoglobulinas.[5,18]**

As vacinas com agentes vivos atenuados são, em geral, contraindicadas nesses indivíduos pela possibilidade de ocorrer replicação viral exacerbada, que pode levar a eventos adversos, inclusive fatais. Tanto as indicações das vacinas como suas contraindicações e precauções devem ser de conhecimento dos profissionais que atendem e orientam pessoas nessas situações.[2,5]

As pessoas que são contatos de indivíduos imunodeprimidos, como familiares, cuidadores e profissionais de saúde, devem receber todas as vacinas preconizadas para a idade, exceto a vacina oral contra poliomielite (VOP) pelo risco de disseminação do vírus vacinal pelas fezes, que pode durar até 4 semanas. Em relação ao rotavírus, preconiza-se adequada higiene das mãos após contato com fezes de crianças vacinadas por pelo menos 1 semana, para diminuir o potencial risco de transmissão vacinal. Além das vacinas de rotina, os contatos das pessoas imunodeprimidas devem receber também as vacinas contra varicela e *influenza* (gripe).[3,5]

## Uso de corticoides e outros fármacos imunossupressores

A quantidade de corticoide sistêmico absorvido ou a duração de administração necessária para suprimir o sistema imune de uma pessoa previamente imunocompetente não são bem conhecidas. O uso de corticoide, nas seguintes situações ou doses, não é considerado imunossupressor; portanto, não contraindica a utilização de vacinas de vírus vivos: tópico cutâneo, aerossol e intra-articular ou ocular; doses fisiológicas de manutenção; doses < 2 mg/kg/dia de prednisona (ou equivalente) ou < 20 mg/dia se peso > 10 kg; doses ≥ 2 mg/kg/dia (ou em dias alternados) de prednisona (ou equivalente) ou ≥ 20 mg/dia se peso > 10 kg, por períodos < 14 dias. Pessoas que recebem doses ≥ 2 mg/kg/dia (ou em dias alternados) de prednisona (ou equivalente) ou ≥ 20 mg/dia se peso > 10 kg, por mais de 14 dias, não devem receber vacinas que contenham organismos vivos. Essas vacinas podem ser utilizadas após 1 mês da suspensão do tratamento com corticoide em dose imunossupressora.[3,5,18]

Pessoas recebendo quimioterapia ou radioterapia para leucemia ou outras doenças hematológicas malignas, tumores sólidos ou após transplante de órgãos sólidos devem ser consideradas imunodeprimidas, sendo contraindicado o uso de vacinas com organismos vivos. Em indivíduos recebendo terapia imunossupressora para câncer, essas vacinas podem ser administradas no mínimo 3 meses após a sua suspensão ou entre 2 semanas e 1 mês antes do seu início.[3,5,18]

O uso crescente de biológicos nos últimos anos, recomendado para diversas situações, inclusive durante a gestação, pode levar à imunodepressão, contraindicando determinadas vacinas temporariamente e reforçando o uso de outras. Isso vai depender da doença de base, do biológico utilizado, de sua dose e tempo.[3] Sugere-se consultar o Calendário de Vacinação SBIm Pacientes Especiais.

## Vacina ocupacional

Profissionais, dependendo de sua área de atuação, podem ter risco aumentado de aquisição de várias doenças, muitas delas passíveis de prevenção por vacinas. No Portal da SBIm, são disponibilizados calendários vacinais ocupacionais que contemplam diversas atividades profissionais. Em relação aos profissionais de saúde, as vacinas mais importantes são hepatite B, *influenza* (gripe), coqueluche, sarampo, caxumba, rubéola e varicela. A atenção à imunidade desses trabalhadores é parte essencial do programa de prevenção e controle de infecção em seus locais de trabalho.[1,3,5,24]

## Viajantes

O viajante deve receber orientações sobre os cuidados de saúde, incluindo as vacinas recomendadas para sua idade, seja pelos órgãos públicos ou pelas sociedades médicas. Dependendo do tipo de viagem e do local a ser visitado, as seguintes vacinas podem estar especialmente indicadas: hepatites A e B, febre amarela, febre tifoide, meningocócica, raiva, cólera, poliomielite, entre outras. As embaixadas, os consulados e demais organismos internacionais devem ser consultados sobre as exigências de cada região. A Agência Nacional de Vigilância Sanitária (Anvisa), assim como outras organizações internacionais, apresenta recomendações atualizadas, específicas por país, disponíveis em suas páginas eletrônicas (ver Capítulo Saúde do Viajante).

A resposta imunológica adequada de algumas vacinas pode exigir esquema de várias doses, devendo ser programado para conferir proteção antes da viagem. A possibilidade de esquemas vacinais rápidos pode ser avaliada[3] (ver Capítulo Saúde do Viajante e Leituras Recomendadas).

# PARTICULARIDADES DAS VACINAS

Para cada imunobiológico, são abordadas as indicações de rotina, os esquemas e as vias de administração, sendo apresentados pela ordem em que aparecem nos calendários vacinais. Apesar de não haver ensaios clínicos avaliando o benefício de diversas intervenções propostas, em especial no âmbito populacional, recomenda-se seguir os calendários vacinais preconizados. Pelas frequentes atualizações, as indicações e contraindicações das vacinas nas principais situações de vulnerabilidade devem ser consultadas no Calendário de Vacinação SBIm Pacientes Especiais.

## Vacina BCG

É uma vacina atenuada composta por bactérias vivas, especificamente o bacilo de Calmette-Guérin (BCG), que protege contra as formas graves de tuberculose, como miliar e meningite tuberculosa (RRR = 85%)[25] **B**.

### Indicações

A BCG é indicada para todas as crianças o mais precocemente possível, de preferência logo após o nascimento. Deve ser administrada 1 dose em crianças com idade < 5 anos, sem indicação de revacinação na ausência de cicatriz vacinal.[1] Também está recomendada para pessoas expostas a *Mycobacterium tuberculosis* resistente a múltiplos fármacos e para contatos assintomáticos intradomiciliares de hanseníase não vacinados.[26,27]

### Via, doses e esquema vacinal

Deve-se administrar por via ID, como rotina em dose única, na altura da inserção inferior do músculo deltoide direito.

RNs expostos a pessoas bacilíferas somente devem ser vacinados após o término da profilaxia com isoniazida.[26,27] RNs pré-termo com IG < 36 semanas devem ser vacinados após atingir 2 kg.[1,3] O PNI recentemente publicou uma Nota Técnica indicando que não é necessário repetir a vacinação em crianças que não desenvolverem cicatriz após a aplicação da vacina. A mudança no protocolo segue posicionamento da OMS, que afirma que a ausência da cicatriz não é indicativa de falta de proteção. Ainda de acordo com a OMS, inexistem ou há poucas evidências de que a repetição traga benefício adicional.[26,28]

Indivíduos que têm contato com pacientes com hanseníase, na ausência de cicatriz vacinal da BCG (ou com 1 cicatriz) devem receber 1 dose da vacina. Para aqueles com 2 cicatrizes, não é recomendada outra dose.[29]

> A vacina BCG tem efeito protetor documentado contra tuberculose disseminada e meningite tuberculosa em crianças pequenas. Ela não protege contra infecção primária nem contra reativação de infecção pulmonar latente. O impacto da BCG na transmissão de *M. tuberculosis* é, portanto, limitado.[26]

## Vacinas contra hepatite B

São vacinas inativadas compostas por DNA recombinante, produzido por engenharia genética, e que protegem contra hepatite causada pelo vírus da hepatite B (HBV, do inglês *hepatitis B virus*)[30] **B**.

Apresentação isolada ou em combinações: DTP + Hib + hepatite B (HepB) (penta da rede pública), DTPa + Hib + VIP (penta acelular), DTPa + Hib + VIP + HepB (hexa acelular) e hepatite A (HepA) + HepB.

### Indicações

O PNI atualmente recomenda e disponibiliza a vacina nas unidades de saúde de forma universal, ou seja, para todas as idades.

### Via, doses e esquema vacinal

Deve-se administrar por via IM; não aplicar na região glútea.

No RN, administrar a 1ª dose da vacina para hepatite B monovalente o mais precocemente possível, nas primeiras 12 a 24 horas de vida (preferencialmente nas primeiras 12 horas após o nascimento) e as demais na forma de vacina penta (DTP + Hib + HepB) aos 2, 4 e 6 meses.[1,3,4] Em qualquer idade, indivíduos imunocompetentes devem receber a vacina no esquema de 3 doses administradas nos intervalos de 0, 1 e 6 meses, sendo que a 2ª dose não deve ser aplicada com intervalo < 4 semanas da 1ª dose, e a última dose não deve ser administrada antes das 24 semanas de idade.[5]

RNs de mãe HBsAg (antígeno de superfície da hepatite B [do inglês *hepatitis B surface antigen*])-positiva devem receber vacina e imunoglobulina hiperimune contra hepatite B (HBIG) nas primeiras 12 horas de vida. Se a HBIG não estiver disponível ao nascimento, ela pode ser administrada até o 7º dia (ver TABELA 146.5).

A avaliação da imunidade pós-vacinal não está recomendada como rotina. Em grupos de risco, recomenda-se mensurar o anticorpo contra HBsAg (anti-HBs) entre 1 e 2 meses após a série completa de vacinas. Título ≥ 10 mUI/mL é considerado protetor, não havendo necessidade de revacinação, mesmo que os títulos diminuam com o tempo, ficando abaixo de 10 mUI/mL ou até mesmo indetectáveis. A maioria das pessoas imunizadas com sucesso (respondedoras) permanece protegida contra a doença sintomática ou assintomática após exposição ao HBV, ainda que ocorra redução dos níveis de proteção com o decorrer do tempo pós-vacinação. Títulos iniciais < 10 mUI/mL não são considerados protetores, e a revacinação está indicada com 3 doses. Filhos de mães HBsAg-positivas devem realizar sorologia para hepatite B 30 a 60 dias após o término do esquema vacinal. Os pacientes em hemodiálise têm recomendação especial, devendo-se dosar o anti-HBs anualmente e fazer reforço quando títulos < 10 mUI/mL. A apresentação combinada das vacinas contra hepatite A e hepatite B é uma boa opção quando a proteção para ambas as doenças é desejável.[31-33]

> Pessoas que não apresentam níveis protetores de anti-HBs em 1 a 3 meses após a revacinação (3 doses do esquema inicial e 3 doses adicionais) são consideradas "não respondedores" e, em caso de exposição, devem receber HBIG.[5]

## Vacinas contra poliomielite

A vacina oral contra poliomielite (VOP) é atenuada, composta por vírus vivos, e é atualmente bivalente, contendo os sorotipos virais 1 e 3. A vacina injetável contra poliomielite (VIP) é inativada, composta por vírus mortos. Ambas protegem contra a paralisia infantil.

A vacina tem apresentação isolada (VOP e VIP) ou combinada como DTPa + Hib +VIP (penta acelular) e DTPa + Hib + VIP + HepB (hexa acelular).

### Indicações

As vacinas contra poliomielite são indicadas para todas as crianças a partir dos 2 meses de idade.[1,3,4,34] O PNI recomenda a VIP na série primária e a VOP nos reforços.[1] A SBP e a SBIm, com o objetivo de diminuir o risco de paralisia associada à VOP, recomendam preferencialmente a VIP em todas as doses.

Nos Estados Unidos, o ACIP recomenda apenas a VIP no seu calendário vacinal infantil[8] e em viajantes para áreas de risco e profissionais que possam ter contato com o vírus selvagem.[34] A OMS recomenda tanto a VOP quanto a VIP para viajantes que se destinam a áreas de risco.[5,35]

Para viajantes, a VOP tem a vantagem de aumentar a imunidade da mucosa intestinal, diminuindo o risco de infecção intestinal pelo poliovírus enquanto estiverem em áreas infectadas, além de diminuir o risco de excreção viral no retorno ao seu país. Viajantes infectados são vetores potenciais de transmissão e de possível reintrodução do vírus em zonas livres da poliomielite.[35]

### Via, doses e esquema vacinal

O MS recomenda administrar a VIP em 3 doses, aos 2, 4 e 6 meses de idade, e a VOP nos reforços aos 15 meses e 4 anos.[1] Se for utilizada a VIP em todas as doses, como recomendado pela SBP e pela SBIm, utiliza-se o mesmo esquema, sendo o segundo reforço na faixa dos 4 a 6 anos. A VIP é administrada por via IM, e a VOP, por VO. Quando indicada para adultos, aqueles não vacinados previamente devem receber 3 doses de VIP (preferencialmente): as 2 primeiras doses com 1 a 2 meses de intervalo, e a 3ª dose, 6 a 12 meses após.[5] Aqueles previamente vacinados com 3 doses de VOP ou VIP devem receber somente 1 dose da vacina.[35]

No Brasil, além da vacinação de rotina, todos os anos são realizadas campanhas de vacinação contra poliomielite com a VOP, para crianças de 1 a 5 anos de idade.

Se a VOP for administrada inadvertidamente a familiares de pessoa com imunodepressão, o contato físico do vacinado com essa pessoa deve ser evitado por 4 a 6 semanas.[5,18]

## Vacinas contra difteria, tétano e coqueluche para uso em crianças com idade < 7 anos

São vacinas inativadas compostas pelos toxoides diftérico e tetânico e por células inteiras de *Bordetella pertussis* (DTP) ou por partículas dessa bactéria, chamada de acelular (DTPa). A DT é uma vacina inativada composta pelos toxoides diftérico e tetânico. De acordo com a faixa etária, indicam-se quantidades diferentes de toxoide diftérico, sendo designado com letra maiúscula uma maior quantidade de antígeno, e com letra minúscula, menor quantidade.

Apresentações: DTP, DTPa, DT, e nas combinações DTP + Hib +HepB (penta da rede pública), DTPa + Hib + VIP (penta acelular), DTPa + Hib + VIP + HepB (hexa acelular).

### Indicações

A DTP ou a DTPa são recomendadas para todas as crianças com idade entre 2 meses e 7 anos incompletos. Pelo fato de conter menor quantidade de antígenos *pertussis*, a DTPa tem menos possibilidade de causar eventos adversos. A SBP e a SBIm recomendam, preferencialmente, as vacinas acelulares, e o ACIP, apenas as acelulares.[1,3,4,8]

### Via, doses e esquema vacinal

São administradas por via IM, em um total de 5 doses, com esquema primário aos 2, 4 e 6 meses, seguido de 2 doses de reforço aos 15 meses de idade e entre 4 (PNI) e 6 anos. Em caso de atraso vacinal, podem-se administrar as 3 doses iniciais com intervalos de 1 mês entre elas, o 1º reforço no mínimo 6 meses após a 3ª dose, e o 2º reforço, entre 4 e 6 anos de idade. Se o 1º reforço for administrado após os 4 anos de idade, não é necessário aplicar o 2º reforço.[1,4,8]

Os reforços com dT/dTpa a cada 10 anos devem ser mantidos. O esquema para profilaxia do tétano no manejo de ferimentos está disposto na TABELA 146.6.

## Vacinas contra difteria, tétano e coqueluche para uso a partir dos 7 anos de idade, inclusive adultos

Vacina inativada composta pelos toxoides diftérico e tetânico e por partículas de *B. pertussis*, chamada de acelular (dTpa). A dT é uma vacina inativada composta pelos toxoides diftérico e tetânico. De acordo com a faixa etária, indicam-se quantidades diferentes de toxoide diftérico, sendo designado com letra maiúscula uma maior quantidade de antígeno, e com letra minúscula, menor quantidade.

Apresentações: dTpa, dTpa +VIP e dT.

### Indicações

Ambas as vacinas são recomendadas para a vacinação de crianças a partir dos 7 anos, adolescentes e adultos não imunizados, parcialmente imunizados ou para reforço.[1,3,4,8,34] O PNI disponibiliza a apresentação dT e oferece a dTpa para gestantes, puérperas, profissionais de saúde e parteiras tradicionais. A dT também é recomendada para completar o esquema de gestantes. Nos Estados Unidos, o ACIP enfatiza a recomendação de vacinar com a dTpa pessoas que terão contato com crianças com idade < 1 ano, estratégia denominada *cocoon*.[20] Segundo o ACIP, a dTpa também está indicada para todos os profissionais de saúde que não receberam essa vacina antes, independentemente do intervalo da última dT.[36]

### Via, doses e esquema vacinal

Deve-se administrar por via IM.

Conforme o PNI, o esquema recomendado para a dT em não vacinados é o de 3 doses, com intervalos de 60 dias. Segundo a SBIm, nesses casos, aplicar a 1ª dose como dTpa e as outras 2 doses com dT. Na gestação, a dTpa deve ser aplicada, em cada gravidez, a partir da 20ª semana de gestação até pelo menos 20 dias antes da data provável do parto. Puérperas que não receberam a vacina durante a gestação devem ser vacinadas.[1,3] Gestantes não vacinadas contra tétano e difteria devem receber 3 doses de vacina, com intervalo de 60 dias entre as doses, sendo uma delas dTpa, administrada de preferência após 20 semanas de gestação. Reforços com dT ou dTpa são preconizados a cada 10 anos e devem ser antecipados para 5 anos em caso de ferimento grave.[1,3,4]

Nos Estados Unidos, o ACIP recomenda dose única de dTpa para pessoas entre 11 e 18 anos que completaram a vacinação infantil com DTP ou DTPa e para adultos com idade entre 19 e 64 anos que não receberam dTpa anteriormente.[34,36] Aqueles com idade ≥ 65 anos que não receberam dTpa anteriormente e terão contato com crianças com idade < 1 ano também devem receber 1 dose de dTpa. Idealmente, esses adolescentes, adultos e idosos devem receber a dTpa no mínimo 15 dias antes de iniciar o contato próximo com lactentes.

Os reforços com dT/dTpa a cada 10 anos devem ser mantidos. O esquema para profilaxia do tétano no manejo de ferimentos está apresentado na TABELA 146.6.

## Vacinas contra *Haemophilus influenzae* tipo b

São vacinas inativadas compostas por polissacarídeos conjugados a uma proteína carreadora que protegem contra pneumonia, epiglotite, meningite, sepse, entre outras síndromes bacterianas invasivas causadas por Hib (RRR = 80%; NNT = 598)[37] **A**.

Apresentações: isolada e nas combinações DTP + Hib + HepB (penta da rede pública), DTPa + Hib + VIP (penta acelular), DTPa + Hib + VIP + HepB (hexa acelular).

### Indicações

O PNI recomenda a vacina contra Hib para todas as crianças no 1º ano de vida e para indivíduos com idade < 19 anos não vacinados ou com determinadas doenças crônicas.[1,18] A SBP e a SBIm indicam a vacina para todas as crianças até os 5 anos de idade e, acima disso, para indivíduos não vacinados com doença de base que predisponha à infecção por Hib.[3]

### Via, doses, esquema vacinal

Administrar por via IM.

O PNI recomenda administrar 3 doses aos 2, 4 e 6 meses de idade, e somente indica o reforço, a partir dos 12 meses de idade, para imunodeprimidos (CRIE). A SBP e a SBIm recomendam o mesmo esquema básico, mas enfatizam a necessidade da dose de reforço após 1 ano de idade, em especial quando foram utilizadas vacinas contra Hib combinadas à DTPa no 1º ano de vida. Pelo PNI, para crianças que iniciam a vacinação após 1 ano de idade, a dose é única. Pela SBIm, iniciando a vacinação entre 7 e 11 meses de idade, administrar 2 doses com 4 semanas de intervalo mínimo e dose de reforço entre 12 e 15 meses de idade (intervalo mínimo de 8 semanas); iniciando a vacinação entre 12 e 14 meses de idade, administrar 2 doses com intervalo mínimo de 8 semanas; iniciando entre 15 e 59 meses de idade, a dose é única.[1,3,4]

Crianças com idade < 2 anos que apresentam doença invasiva causada por Hib não desenvolvem imunidade e devem ter seu esquema vacinal completado, iniciando 1 mês após o começo da doença. As crianças vacinadas que desenvolvem doença invasiva por Hib devem ser avaliadas quanto à sua situação imunológica.[5]

> Pessoas que serão submetidas à esplenectomia, mesmo com vacinação completa, podem beneficiar-se de uma dose extra da vacina, no mínimo 14 dias antes da cirurgia.[5,8,18,34]

## Vacinas contra rotavírus

São vacinas atenuadas compostas por vírus vivos que protegem contra diarreia causada pelo rotavírus, principalmente as formas graves (RRR = 88%; NNT = 69-90)[38] **A**.

Apresentações: vacina monovalente (G1P[8]), utilizada pelo PNI, e vacina pentavalente (G1, G2, G3, G4 e P1A[8]), disponível na rede privada.

### Indicações

As vacinas são indicadas como rotina para as crianças a partir dos 2 meses de idade.[1,3,4,8]

### Via, doses e esquema vacinal

As vacinas são administradas por VO.

A vacina monovalente é administrada em 2 doses, aos 2 e 4 meses de idade. O limite de idade para administrar a 1ª dose é 3 meses e 15 dias, e a 2ª, 7 meses e 29 dias. A vacina rotavírus pentavalente é administrada em 3 doses aos 2, 4 e 6 meses de idade. A idade máxima para iniciar a vacinação é de 3 meses e 15 dias, e a 3ª dose deve ser aplicada no máximo até 8 meses e 0 dias de vida. O intervalo mínimo entre as doses de ambas as vacinas é de 4 semanas.[1,3,4,8]

A AAP, a SBP e a SBIm não expressam preferência entre as duas vacinas disponíveis. Em caso de vômitos ou regurgitação, não se recomenda repetir a vacina. Caso a vacina administrada em uma das doses tenha sido a pentavalente ou o produto utilizado para qualquer dose seja desconhecido, um total de 3 doses deve ser administrado.[3,4,8]

> Não há estudos que tenham demonstrado a transmissão horizontal da vacina contra rotavírus, mas o uso da vacina em ambiente hospitalar deve ser evitado. Para minimizar o potencial risco de transmissão, reforça-se a boa lavagem de mãos após contato direto com as fezes de crianças que receberam a vacina.[5]

## Vacinas pneumocócicas

São vacinas inativadas compostas por polissacarídeos conjugados a proteínas carreadoras com 10 sorotipos de pneumococos (vacina pneumocócica conjugada 10-valente [PCV10, do inglês *pneumococcal conjugate vaccine*]) e 13 sorotipos (vacina pneumocócica conjugada 13-valente [PCV13]) ou por polissacarídeos não conjugados com 23 sorotipos (vacina pneumocócica polissacarídica 23-valente [PPSV23, do inglês *pneumococcal polysaccharide vaccine*]), que protegem contra otites, pneumonia, meningite, sepse e outras síndromes bacterianas invasivas[39] **A**.

### Apresentações

PCV10: sorotipos 1, 4, 5, 6B, 7F, 9V, 14, 18C, 19F e 23F. Conjugadas à proteína D de *H. influenzae*, toxoides tetânico e diftérico.

PCV13: sorotipos 1, 3, 4, 5, 6A, 6B, 7F, 9V, 14, 18C, 19A, 19F e 23F. Conjugadas à proteína CRM197.

PPSV23: sorotipos 1, 2, 3, 4, 5, 6B, 7F, 8, 9N, 9V, 10A, 11A, 12F, 14, 15B, 17F, 18C, 19A, 19F, 20, 22F, 23F e 33F.

### Indicações

A PCV10 é indicada pelo PNI na vacinação de rotina de crianças até os 5 anos incompletos.[1,40] Nos CRIEs, a vacina é indicada para crianças entre 2 e 5 anos, não vacinadas previamente, com risco aumentado de doença invasiva pelo pneumococo, definido pela presença de determinadas doenças crônicas e deficiências imunológicas congênitas ou adquiridas, fístula liquórica, doença neurológica crônica incapacitante, doenças de depósito, trissomia cromossômica e implante de cóclea.[18,40] Recentemente, os CRIEs passaram a disponibilizar também a PCV13 para pacientes de alto risco.[41]

A SBP e a SBIm recomendam as PCVs para crianças com idade < 6 anos, mas salientam a possibilidade do uso da PCV13, inclusive para aquelas que foram anteriormente imunizadas com a PCV10, com o objetivo de ampliar a cobertura dos pneumococos circulantes.[3,4,42] No Brasil, a PCV13 está disponível nas clínicas privadas e nos CRIEs para situações especiais. O PNI indica a PPSV23 a partir dos 60 anos para pessoas hospitalizadas ou institucionalizadas e, nos CRIEs, a partir dos 2 anos de idade em caso de risco de doença invasiva por pneumococo.

**As vacinas conjugadas estimulam resposta imune T-dependente, o que possibilita seu uso em lactentes, conferindo memória imunológica e proteção em longo prazo. Além disso, elimina o estado de portador para os tipos de pneumococos incluídos na vacina, propiciando imunidade coletiva.[5]**

### Via, doses e esquema vacinal

Todas são aplicadas por via IM; a PPSV23 pode ser aplicada também via SC.

A partir de 2016, o PNI alterou o esquema vacinal da PCV10 na rotina da criança para 2 doses aos 2 e 4 meses e reforço aos 12 meses de idade. Não existem estudos de intercambialidade entre a PCV10 e a PCV13.[42] Quando as duas vacinas, conjugada e polissacarídica, estiverem recomendadas, iniciar pela conjugada e no mínimo 2 meses após aplicar a PPSV23. Se a PPSV23 já tiver sido administrada antes, fazer intervalo de 1 ano para a vacina conjugada.[43,44] Nesses casos, tanto o MS como a SBIm preconizam uma 2ª dose da PPSV23 5 anos após a 1ª dose e, pela SBIM, se foram administradas antes dos 65 anos, uma 3ª dose também é recomendada, com intervalo mínimo de 5 anos da dose anterior.[3]

### Vacinas meningocócicas

São vacinas inativadas compostas por polissacarídeos ou por polissacarídeos conjugados a uma proteína carreadora que protegem contra meningite e meningococemia.

No Brasil, estão licenciadas as vacinas conjugadas MenC, MenACWY-TT e MenACWY-CRM a partir de 2 meses de idade, e a vacina MenACWY-D a partir de 9 meses. Também são licenciadas duas apresentações de vacinas recombinantes meningocócicas B: uma vacina com quatro componentes antigênicos (NHBA, NadA, fHbp e PorA) licenciada a partir dos 2 meses de idade até os 50 anos; a outra, com licenciamento mais recente e não disponível comercialmente no Brasil, é uma vacina com duas variantes da forma recombinante da proteína ligante do fator H (fHBP): subfamília A e subfamília B, licenciada dos 10 aos 25 anos de idade.

### Indicações

O PNI indica a vacina MenC para a imunização de rotina das crianças na faixa etária de 3 meses a 5 anos incompletos e em adolescentes com idade entre 11 e 14 anos (o PNI avalia a possibilidade da substituição dessa dose pela vacina MenACWY). O PNI disponibiliza a vacina MenC também nos CRIEs para pessoas com implante de cóclea e portadores de determinadas doenças crônicas e deficiências imunológicas congênitas ou adquiridas.[18,45] A SBP e a SBIm, com o objetivo de ampliar a proteção, recomendam a vacina MenACWY (em substituição à MenC e também para aqueles que receberam a MenC) e a vacina recombinante MenB para todas as crianças e adolescentes. Também indicam em outras faixas etárias de acordo com situações de risco para doença meningocócica.[1,3,4,46]

### Via, doses e esquema vacinal

Devem ser administradas por via IM.

O esquema de doses varia conforme a vacina utilizada e a idade do paciente:

→ **Men C e MenACWY-TT:** 2 doses aos 3 e 5 meses de idade, e reforço entre 12 e 15 meses. Iniciando a vacinação após os 12 meses de idade, administrar dose única;
→ **MenACWY-CRM:** 2 doses aos 3 e 5 meses de idade, e reforço entre 12 e 15 meses. Iniciando entre 7 e 23 meses de idade, administrar 2 doses, sendo que a 2ª dose deve ser obrigatoriamente aplicada após a idade de 1 ano (mínimo 2 meses de intervalo). Iniciando após os 24 meses de idade, administrar dose única;
→ **MenACWY-D:** licenciada a partir de 9 meses de idade no esquema de 2 doses entre 9 e 23 meses, com 3 meses de intervalo mínimo entre elas. Iniciando após 2 anos de idade, administrar dose única.[47]

Doses de reforço são recomendadas com base na rápida diminuição dos títulos de anticorpos associados à proteção, evidenciada com todas as vacinas conjugadas MenC. O PNI recomenda 1 dose de reforço com MenACWY entre 11 e 12 anos (introduzida na rotina do Sistema Único de Saúde [SUS] em 2020).[48] A SBP e a SBIm recomendam doses de reforço 5 anos após a dose dos 12 a 15 meses e outra dose na adolescência (a partir dos 11 anos de idade, ou 5 anos após a dose anterior). Não existem dados sobre intercambialidade entre as vacinas meningocócicas conjugadas.[3,4,47]

A vacina MenB com quatro componentes antigênicos (NHBA, NadA, fHbp e PorA) é recomendada a partir dos 3 meses de idade, no esquema de 2 doses com intervalo de 2 meses entre elas e 1 dose de reforço entre 12 e 15 meses de idade. Em crianças que iniciam vacinação após os 2 anos de idade, adolescentes e adultos, o esquema deve ser de 2 doses, com intervalo de 1 a 2 meses entre elas. Atualmente, é desconhecido o tempo de proteção do atual esquema vacinal, sendo necessários estudos para estabelecer a necessidade ou não da indicação de reforços após a primovacinação.

As vacinas MenACWY e MenB são recomendadas pelo ACIP para adolescentes, em decisões compartilhadas, e em outras situações especiais de vulnerabilidade.[8,34,46,49]

## Vacinas contra *influenza* (gripe)

São vacinas inativadas compostas por vírus inativados (mortos) que protegem contra a gripe (RRR = 59%; NNT = 68-82)[50] **A**. Como os subtipos virais circulantes mudam, a vacina é atualizada a cada ano conforme orientação da OMS. As vacinas contra *influenza* disponíveis no Brasil são todas inativadas (de vírus mortos), portanto sem capacidade de causar doença como evento adverso.

Até 2014, estavam disponíveis no Brasil apenas as vacinas trivalentes, com uma cepa A/H1N1, uma cepa A/H3N2 e uma cepa B (linhagem Yamagata ou Victoria). As vacinas quadrivalentes, licenciadas no País desde 2015, contemplam, além dos três subtipos, uma segunda cepa B contendo, em sua composição, as duas linhagens de *influenza* B: Victoria e Yamagata, ampliando a possibilidade de proteção. Como as vacinas trivalentes, as quadrivalentes licenciadas no Brasil são inativadas (no PNI, está disponibilizada a vacina trivalente e, na rede privada, estão disponibilizadas as duas vacinas – trivalente e tetravalente).

### Indicações

A vacina trivalente é indicada pelo PNI e disponibilizada nos postos de saúde durante a campanha anual de vacinação contra a gripe, para crianças entre 6 meses e 6 anos incompletos, gestantes, puérperas, pessoas com comorbidades, profissionais de saúde, indígenas, professores, pessoas privadas de liberdade ou que trabalhem nessas instituições, pessoas que trabalhem nas forças de segurança e salvamento e pessoas com idade ≥ 60 anos.[51] Em geral, a campanha ocorre nos meses de abril e/ou maio, que antecedem o inverno, época em que a circulação viral é maior. É importante revisar as recomendações anuais da campanha, pois esses grupos têm sido alterados.

O ACIP recomenda o uso universal da vacina a partir dos 6 meses de idade, conduta também seguida pela SBIm.[3,52]

**Para evitar oportunidades perdidas, os profissionais de saúde devem recomendar a vacina contra gripe para a população-alvo durante as consultas de rotina, nos procedimentos ou em hospitalizações.[52]**

### Via, doses e esquema vacinal

São aplicadas por via IM, de forma opcional por via SC.

Devem ser administradas anualmente, de preferência no outono. Gestantes devem ser vacinadas em qualquer momento da gravidez. Em crianças com idade < 9 anos, no primeiro ano de vacinação contra *influenza*, são administradas 2 doses com 30 dias de intervalo. Nos anos posteriores, fazer dose única anual. Em crianças com idade entre 6 meses e < 3 anos, deve ser administrada dose de 0,25 mL ou 0,5 mL/dose, dependendo do produto; a partir dos 3 anos, administrar 0,5 mL/dose. Alergia a ovo não é considerada contraindicação da vacina, não sendo indicado realizar "teste" alimentar com ovo previamente para decidir sobre o uso ou não da vacina.[53]

## Vacina contra febre amarela

É uma vacina atenuada composta por vírus vivos que protege contra a febre amarela.

### Indicações

Indicada pelo PNI, pela SBP e pela SBIm aos 9 meses de idade como rotina e, desde 2020, uma dose de reforço aos 4 anos. A partir de 2017, o PNI passou a ampliar o território com recomendação da vacina contra febre amarela e, em 2020, passou a ser rotina para toda a população brasileira. Se a 1ª dose da vacina tiver sido administrada a partir dos 5 anos, não é necessária dose de reforço; essa dose é válida para a vida toda. Em situação de surto, a vacina pode ser administrada a partir dos 6 meses de idade.[1,3,4]

A vacina está indicada para gestantes somente se o risco da doença se sobrepuser ao risco da vacinação.[1,3] Durante a amamentação, recomenda-se adiar a vacina, se possível, até a criança completar 6 meses de idade.[1,3,4] Se não for possível, recomenda-se suspender o leite materno por 10 dias. Por ser vacina atenuada, deve ser utilizada com cuidado na possibilidade de imunodepressão, levando em consideração o estado imunológico da pessoa e o grau do risco de exposição à doença.[1,4,5] Inúmeros países exigem a comprovação da vacina (em dose única) para viajantes, e, como essa situação é dinâmica, devem-se consultar as recomendações da Anvisa, que fornece informações atualizadas sobre o assunto.[1,3,4,8,54,55]

### Via, doses e esquema vacinal

Deve-se administrar por via SC, no mínimo 10 dias antes da exposição. Desde 2017, o MS recomenda a vacina em dose única. A SBP e a SBIm sugerem uma 2ª dose de acordo com a idade em que foi aplicada a 1ª dose e conforme a situação epidemiológica. O ACIP recomenda revacinação também de acordo com a situação epidemiológica.[56] Alergia grave a ovo de galinha é considerada contraindicação da vacina.[1,3]

**Um estudo demonstrou interferência mútua na resposta imune das vacinas contra febre amarela e tríplice viral quando administradas no mesmo dia em crianças com idade < 2 anos, sendo prudente, se possível, considerar um intervalo de 30 dias entre elas.[9] Nas outras faixas etárias, podem ser aplicadas no mesmo dia ou com intervalo de 30 dias entre elas.**

## Vacinas contra sarampo, caxumba e rubéola (tríplice viral) e contra sarampo, caxumba, rubéola e varicela (tetraviral)

Vacina combinada, tríplice ou tetraviral, atenuada, composta por vírus vivos que protege contra o sarampo (RRR

= 96%) **B**, a caxumba (RRR = 88%) **B** e a rubéola (RRR = 89%) **B**. Na apresentação tetraviral, protege também contra a varicela (RRR = 95%) **A**.[57]

### Indicações

O PNI indica a vacina tríplice viral como rotina para todas as crianças a partir de 1 ano de idade.[1] A vacina contra sarampo pode ser utilizada a partir dos 6 meses de idade (dose zero), para controle de surtos.[1,3,4] A vacina também é indicada para adolescentes e adultos sem evidência de imunidade para qualquer das três doenças, inclusive profissionais de saúde.[1,3,34] Na pós-exposição, é recomendada para suscetíveis imunocompetentes até 72 horas após o contato com o vírus do sarampo (ver TABELA 146.7).[5]

### Via, doses e esquema vacinal

Deve-se administrar por via SC.

No PNI, são recomendadas na rotina da infância em 2 doses, sendo a 1ª dose aos 12 meses e a 2ª dose aos 15 meses de idade na apresentação tetraviral.[1] A SBP e a SBIm recomendam o uso da vacina combinada tetraviral ou, separadamente, vacina tríplice viral com administração simultânea da vacina contra varicela, aos 12 e 15 meses de idade.[3,4] Ainda pelo PNI: adolescentes e adultos até 29 anos, não vacinados anteriormente, devem receber 2 doses da tríplice viral com intervalo mínimo de 30 dias; aqueles com 30 a 59 anos recebem 1 dose, e pessoas com idade > 60 anos não necessitam ser vacinadas pois são consideradas imunes pela alta possibilidade de ter tido a doença no passado.[1] Profissionais de saúde devem receber 2 doses, independentemente da idade. Para profilaxia pós-exposição ao sarampo e à varicela, ver TABELA 146.7. As vacinas combinadas contra sarampo, rubéola, caxumba e varicela (tetraviral) estão licenciadas no Brasil para uso dos 12 meses aos 12 anos de idade.

## Vacinas contra varicela

É uma vacina atenuada composta por vírus vivos que protege contra a varicela (catapora). Também disponível na vacina combinada, tetraviral, atenuada, composta por vírus vivos, que protege contra o sarampo, a caxumba, a rubéola e a varicela.

### Indicações

O PNI indica essa vacina para todas as crianças a partir de 1 ano de idade e < 5 anos.[1] A SBP estende a indicação até a adolescência e a SBIm indica, além da infância e da adolescência, para adultos suscetíveis.[3,4] Na pós-exposição de indivíduos suscetíveis imunocompetentes, a vacina é recomendada até 5 dias após o contato com o vírus da varicela (ver TABELA 146.7).[5]

### Via, doses e esquema vacinal

Deve-se administrar por via SC.

No PNI, são disponibilizadas em 2 doses, sendo a 1ª dose aos 15 meses de idade na apresentação tetraviral: sarampo, caxumba, rubéola e varicela, e a 2ª dose, na apresentação monovalente, aos 4 a 6 anos. A SBP e a SBIm recomendam o uso da vacina combinada tetraviral ou, separadamente, vacina tríplice viral com administração simultânea da vacina contra varicela aos 12 e aos 15 meses de idade.[3,4] Adolescentes e adultos não vacinados anteriormente devem receber 2 doses da vacina contra varicela com intervalo mínimo de 30 dias. Para a profilaxia pós-exposição à varicela, ver TABELA 146.7. A vacina combinada contra sarampo, rubéola, caxumba e varicela (tetraviral) está licenciada no Brasil para uso dos 12 meses aos 12 anos. O esquema de utilização é o mesmo da vacina tríplice viral e vacina contra varicela.

## Vacina contra hepatite A

É uma vacina inativada composta por vírus mortos que protege contra a hepatite causada pelo vírus da hepatite A (HAV, do inglês *hepatitis A virus*). Também está disponível na vacina combinada HepA + HepB.

### Indicações

O PNI indica para todas as crianças a partir de 15 meses de vida, até os 5 anos incompletos.[1] A SBP e a SBIm indicam a partir dos 12 meses de vida e para suscetíveis nas outras faixas etárias.[3,4]

Nos Estados Unidos, o ACIP indica a vacina também para viajantes que se dirijam a áreas com alta ou média endemicidade. Ainda segundo o ACIP, existem duas formas de prevenção após a exposição ao HAV: a vacina, que está recomendada para pessoas saudáveis com idade entre 1 e 40 anos, e a imunoglobulina, indicada para crianças com idade < 1 ano e indivíduos com idade > 40 anos. A imunoglobulina também é o método de escolha para a prevenção de pessoas imunodeprimidas de qualquer faixa etária e para portadores de doença hepática crônica.[58]

### Via, doses e esquema vacinal

Deve ser administrada por via IM.

O PNI disponibiliza em dose única para ser aplicada aos 15 meses. A SBP e a SBIm recomendam esquema vacinal de 2 doses, sendo a 1ª dose aos 12 meses de idade e a 2ª dose com intervalo mínimo de 6 meses da 1ª dose.[3,4] Para a profilaxia pós-exposição à hepatite A, ver TABELA 146.7. A vacina combinada HepA + HepB é uma opção quando a proteção para ambas as doenças é desejável, porém ela está disponível somente na rede privada.

## Vacinas contra papilomavírus humano

São vacinas inativadas compostas por DNA recombinante por meio de VLPs (partículas semelhantes aos vírus [do inglês, *virus-like particle*]) nas apresentações bivalente (sorotipos 16 e 18), que protege contra câncer genital, e quadrivalente (sorotipos 6, 11, 16 e 18), que protege contra câncer e verrugas genitais.[59,60] São produzidas por engenharia genética.

### Indicações

O PNI indica a vacina quadrivalente para meninas de 9 a 14 anos e meninos de 11 a 14 anos (15 anos incompletos).

A vacina contra HPV também está disponível nos CRIEs para indivíduos imunodeprimidos (indivíduos submetidos a transplantes de órgãos sólidos, transplantes de medula óssea e pacientes oncológicos), pessoas vivendo com HIV, homens na faixa etária dos 11 aos 26 anos e mulheres na faixa etária dos 9 aos 45 anos.[61]

A SBP estende a indicação para toda a adolescência; a SBIm, além dessa faixa etária, indica para todas as mulheres, independentemente da idade, e homens até os 26 anos.[3,4]

### Via, doses e esquema vacinal

Devem ser administradas por via IM, em 2 doses com 6 meses de intervalo em indivíduos com idade < 15 anos.[1,3,4,62] Para indivíduos imunodeprimidos e pessoas vivendo com HIV/Aids, o esquema é de 3 doses (0, 2 e 6 meses), em homens entre 9 e 26 anos e em mulheres entre 9 e 45 anos, caso nunca tenham sido vacinados.[1,3,61]

A SBP e a SBIm recomendam os mesmos esquemas preconizados pelo PNI; nas outras faixas etárias, administrar em 3 doses, nos intervalos de 0, 30 a 60 e 180 dias. Nesses casos, a 3ª dose deve ter intervalo mínimo de 24 semanas da 1ª dose.[59]

## Vacina contra herpes-zóster

É uma vacina atenuada composta por vírus vivos da varicela-zóster, pelo menos 19.400 UFP (unidades formadoras de placa) de vírus da cepa Oka/Merck, que protege contra o herpes-zóster, uma manifestação tardia da varicela (RRR = 51%; NNT = 50).[63] É licenciada a partir dos 50 anos.

### Indicações

A SBIm indica a vacina, como rotina, a partir dos 60 anos de idade. Não é recomendada para imunodeprimidos e gestantes.[3,34] Não está disponível pelo PNI. O ACIP recomenda como preferencial outra vacina inativada, ainda não licenciada no Brasil.[34]

### Via, doses e esquema vacinal

Deve ser administrada por via SC, em dose única.

## Vacina contra dengue

É uma vacina atenuada (quimérica) composta por DNA recombinante do vírus da vacina contra febre amarela (17D204) e pelos quatro sorotipos da dengue que protegem contra a doença.

### Indicações

A SBIm indica a vacina dos 9 aos 45 anos para indivíduos que já tiveram infecção prévia por dengue (soropositivos). Não é recomendada para imunodeprimidos e gestantes.[3,4] Não está disponível pelo PNI.

### Via, doses e esquema vacinal

Deve ser administrada por via SC, em 3 doses com intervalos de 6 meses (0, 6 e 12 meses).

## Outras vacinas de interesse

### Vacina contra raiva

É uma vacina inativada composta por vírus mortos que protege contra a raiva.

### Indicações

Na profilaxia pré-exposição, deve ser indicada para pessoas com risco de exposição permanente ao vírus da raiva. Deve-se considerar, também, para pessoas que possam ter contato com animais em região enzoótica, como agricultores e naturalistas e para viajantes que se dirijam a áreas endêmicas, caso o acesso imediato à imunoprofilaxia possa ser difícil. Na pós-exposição, está indicada, em caso de acidente com animal suspeito, após avaliação da epidemiologia da raiva animal local, da espécie animal envolvida, do tipo de exposição e das circunstâncias do incidente (ver **TABELA 146.8**).[5,64,65]

> O uso precoce da imunoprofilaxia aliado ao manejo adequado dos ferimentos é praticamente 100% efetivo em prevenir a raiva, mesmo após exposição de alto risco[66] **B**. Entretanto, o atraso no início da prevenção, sobretudo na presença de lesões graves em cabeça, mãos ou ferimentos múltiplos, pode resultar em morte.[5,64]

Para mais detalhes, incluindo via, doses e esquema vacinal, ver Capítulo Raiva.

### Vacina contra febre tifoide

É uma vacina inativada composta por polissacarídeos capsulares que protege contra as infecções causadas por *Salmonella typhi* e *Salmonella paratyphi*.

### Indicações

O PNI disponibiliza a vacina nos CRIEs para pessoas sujeitas à exposição em decorrência da sua ocupação (profissionais de laboratório com contato habitual com *S. typhi*) e para viajantes a áreas endêmicas.[55] A OMS preconiza a utilização da vacina nos locais onde a doença é endêmica, priorizando grupos ou populações de risco, como escolares e pré-escolares.[67]

### Via, doses e esquema vacinal

Deve-se administrar por via IM ou SC, em dose única, a partir dos 2 anos de idade. Não deve ser administrada no glúteo. Reforço após 2 a 5 anos pode ser considerado, em caso de exposição contínua ou repetida.[67] O CRIE disponibiliza, eventualmente, outra vacina que é atenuada, administrada por VO, com faixas etárias e esquemas vacinais diferenciados.[18] Nesse caso (vacina VO), o esquema deve ser reiniciado se houver atraso em alguma dose.

# REFERÊNCIAS

1. Brasil. Ministério da Saúde. Calendários de vacinação [Internet]. Brasília: MS; 2021[capturado em 18 jun. 2021]. Disponível em: https://portalarquivos.saude.gov.br/campanhas/pni/
2. Pickering LK, Baker CJ, Freed GL, Gall SA, Grogg SE, Poland GA, et al. Immunization programs for infants, children, adolescents, and

adults: clinical practice guidelines by the Infectious Diseases Society of America. Clin Infect Dis. 2009;49(6):817-40.

3. Associação Brasileira de Imunizações. Calendários de Vacinação [Internet]. São Paulo: SBIm; 2019 [capturado em 20 jun. 2021]. Disponível em: https://sbim.org.br/calendarios-de-vacinacao

4. Sociedade Brasileira de Pediatria. Calendário vacinal: manual [Internet]. Rio de Janeiro: SBP; 2019 [capturado em 20 jun. 2021]. Disponível em: https://www.sbp.com.br/fileadmin/user_upload/21273m-DocCient-Calendario_Vacinacao_2019-ok1.pdf

5. American Academy of Pediatrics. Kimberlin DW, Brady MT, Jackson MA, Long SS, eds. Red Book: 2018 Report of the Committee on Infectious Diseases. 31st ed. Itasca: American Academy of Pediatrics; 2018.

6. Ballalai I. Conceitos básicos de imunizações. In: Ballalai I, organizador. Manual Prático de Imunizações. 2. ed. São Paulo: A.C. Farmacêutica; 2016. p. 27-42.

7. Safadi MAP. Doença meningocócica: novas perspectivas de enfrentamento da Meningite B. Rev Imunizações. 2014;7(4):6-8.

8. Centers for Disease Control and Prevention. Advisory Committee on Immunization Practices. Recommended Immunization Schedule for Children and Adolescents Aged 18 Years or Younger – United States, 2019 – United States, 2019. MMWR Morb Mortal Wkly Rep. [Internet]. 2019 [capturado em 20 jun. 2021].;68(5):115–8. Disponível em: https://www.cdc.gov/mmwr/volumes/68/wr/pdfs/mm6805a4-H.pdf

9. Nascimento Silva JR, Camacho LAB, Siqueira MM, Freire MS, Castro YP, Maia M de LS, et al. Mutual interference on the immune response to yellow fever vaccine and a combined vaccine against measles, mumps and rubella. Vaccine. 2011;29(37):6327-34.

10. Brasil. Ministério da Saúde. Secretaria de Vigilância em Saúde. Departamento de Vigilância das Doenças Transmissíveis. Manual de vigilância epidemiológica de eventos adversos pós-vacinação. [Internet]. 3.ed. Brasília: MS; 2014 [capturado em 20 jun. 2021]. Disponível em: http://bvsms.saude.gov.br/bvs/publicacoes/manual_vigilancia_epidemiologica_eventos_adversos_pos_vacinacao.pdf

11. Feijó RB. Vacinação do Adolescente. In: Ballalai I, organizador. Manual prático de imunizações. 2. ed. São Paulo: A.C. Farmacêutica; 2016. p. 392-403.

12. Brasil. Ministério da Saúde. Portaria nº 204, de 17 de fevereiro de 2016. Lista Nacional de Notificação Compulsória. [Internet]. Brasília: MS; 2016 [capturado em 20 jun. 2021]. Disponível em: http://bvsms.saude.gov.br/bvs/saudelegis/gm/2016/prt0204_17_02_2016.html

13. Centers for Disease Control and Prevention. Addition of history of intussusception as a contraindication for rotavirus vaccination. MMWR Morb Mortal Wkly Rep. 2011;60(41):1427.

14. Moura M, Oliveira MMM. Técnica de Aplicação. In: Ballalai I, organizador. Manual prático de imunizações. 2. ed. São Paulo: A.C. Farmacêutica; 2016. p. 86-96.

15. Shah V, Taddio A, McMurtry CM, Halperin SA, Noel M, Riddell RP, et al. Pharmacological and combined interventions to reduce vaccine injection pain in children and adults: systematic review and meta-analysis. Clin J Pain 2015;31(10S):S38-S63.

16. Stevens KE, Marvicsin DJ. Evidence-based recommendations for reducing pediatric distress during vaccination. Pediatr Nurs. 2016;42(6):267-299.

17. Prymula R, Siegrist C-A, Chlibek R, Zemlickova H, Vackova M, Smetana J, et al. Effect of prophylactic paracetamol administration at time of vaccination on febrile reactions and antibody responses in children: two open-label, randomised controlled trials. Lancet. 2009;374(9698):1339-50.

18. Brasil. Ministério da Saúde. Manual dos centros de referência para imunobiológicos especiais [Internet]. 4. ed. Brasília: MS; 2014 [capturado em 20 jun. 2021]. Disponível em: http://portalarquivos2.saude.gov.br/images/pdf/2014/dezembro/09/manual-cries-9dez-14-web.pdf

19. Brasil. Ministério da Saúde. Vacinação: quais são as vacinas, para que servem, porque vacinar, mitos. [Internet]. Brasília: MS; 2019 [capturado em 20 jun. 2021]. Disponível em: https://antigo.saude.gov.br/saude-de-a-z/vacinacao/

20. Centers for Disease Control and Prevention. Updated recommendations for use of tetanus toxoid, reduced diphtheria toxoid, and acellular pertussis vaccine (Tdap) in pregnant women – advisory Committee on Immunization Practices (ACIP), 2012. MMWR Morb Motal Wkly Rep. 2013;62(7):131-35.

21. Soares RC, Siqueira MM, Toscano CM, Maia MLS, Flannery B, Sato HK, et al. Follow-up study of unknowingly pregnant women vaccinated against rubella in Brazil, 2001-2002. J Infect Dis. 2011;204 Suppl 2:S729-36.

22. Sato HK, Sanajotta AT, Moraes JC, Andrade JQ, Duarte G, Cervi MC, et al. Rubella vaccination of unknowingly pregnant women: the São Paulo experience, 2001. J Infect Dis. 2011;204 Suppl 2:S737-44.

23. Brasil. Ministério da Saúde. Febre amarela: sintomas, diagnóstico, tratamento e prevenção. [Internet]. Brasília: MS; 2019. [capturado em 20 jun. 2021]. Disponível em:https://antigo.saude.gov.br/saude-de-a-z/febre-amarela-sintomas-transmissao-e-prevencao

24. Maryland Healthcare Personnel Immunization Initiative. Healthcare personnel vaccination recommendations [Internet]. Saint Paul: Maryland Partnership for Prevention; 2011-2012 [capturado em 20 jun. 2021]. Disponível em: https://phpa.health.maryland.gov/OIDEOR/IMMUN/Shared%20Documents/2011_12_HCP_IZ_Initiative_Toolkit_final.pdf

25. Mangtani P, Abubakar I, Ariti C, Beynon R, Pimpin L, Fine PE, Rodrigues LC, Smith PG, Lipman M, Whiting PF, Sterne JA. Protection by BCG vaccine against tuberculosis: a systematic review of randomized controlled trials. Clin Infect Dis. 2014;58(4):470-80.

26. World Health Organization. BCG vaccine: WHO position paper, Recommendations. Vaccine. 2018;36(24):3408-10.

27. Brasil. Ministério da Saúde. Manual de recomendações para o controle da tuberculose no Brasil. Brasília: MS; 2010.

28. Sociedade Brasileira de Pediatria. Criança sem cicatriz vacinal não precisa revacinar contra tuberculose. [Internet]. Rio de Janeiro; 2019. [capturado em 20 jun. 2021]. Disponível em: https://www.sbp.com.br/imprensa/detalhe/nid/crianca-sem-cicatriz-vacinal-nao-precisa-tomar-nova-dose-contra-tuberculose/

29. Brasil. Ministério da Saúde. Medidas de proteção e controle para hanseníase. Brasília: MS; 2017.

30. World Health Organization. Hepatitis B vaccines: WHO position paper. Vaccine. 2019;37(2):223-5.

31. Brasil. Ministério da Saúde. Protocolo Clínico e Diretrizes Terapêuticas para Prevenção da Transmissão Vertical do HIV, Sífilis e Hepatites Virais [Internet]. Brasília: MS; 2019 [capturado em 22 jun. 2021]. Disponível em: http://www.aids.gov.br/pt-br/pub/2015/protocolo-clinico-e-diretrizes-terapeuticas-para-prevencao-da-transmissao-vertical-de-hiv

32. Brasil. Ministério da Saúde. Hepatites virais: o Brasil está atento. [Internet]. 3. ed. Brasília: MS; 2008. [capturado em 21 jun. 2021]. Disponível em: http://bvsms.saude.gov.br/bvs/publicacoes/hepatites_virais_brasil_atento_3ed.pdf

33. Centers for Disease Control and Prevention. Prevention of Hepatitis B Virus Infection in the United States: Recommendations of the Advisory Committee on Immunization Practices, 2018. MMWR Morb Mortal Wkly Rep. 2018;67(1):1-31.

34. Centers for Disease Control and Prevention. Recommended Child and Adolescent Immunization Schedule for ages 19 years or older United States, 2021. [Internet]. Atlanta: CDC; 2021. [capturado em 20 jun. 2021]. Disponível em: https://www.cdc.gov/vaccines/schedules/downloads/adult/adult-combined-schedule.pdf

35. World Health Organization. Polio vaccines and polio immunization in the pre-eradication era: WHO position paper. Wkly Epidemiol Rec. 2010;85(23):213-28.

36. Centers for Disease Control and Prevention. Prevention of Pertussis, Tetanus, and Diphtheria with Vaccines in the United States: Recommendations of the Advisory Committee on Immunization Practices (ACIP), 2018. MMWR Morb Mortal Wkly Rep. 2018;67(2);1-44.

37. Swingler GH, Michaels D, Hussey GG. WITHDRAWN: Conjugate vaccines for preventing Haemophilus influenzae type B infections. Cochrane Database Syst Rev. 2009;(4):CD001729.
38. Soares-Weiser K, Bergman H, Henschke N, Pitan F, Cunliffe N. Vaccines for preventing rotavirus diarrhoea: vaccines in use. Cochrane Database Syst Rev. 2019;2019(10):CD008521.
39. Lucero MG, Dulalia VE, Nillos LT, Williams G, Parreño RA, Nohynek H, et al. Pneumococcal conjugate vaccines for preventing vaccine-type invasive pneumococcal disease and X-ray defined pneumonia in children less than two years of age. Cochrane Database Syst Rev. 2009;2009(4):CD004977.
40. Brasil. Ministério da Saúde. Proposta para introdução da vacina pneumocócica 10-valente (conjugada) no calendário básico de vacinação da criança [Internet]. Brasília: MS; 2010 [capturado em 21 jun. 2021]. Disponível em: http://www.sgc.goias.gov.br/upload/links/arq_723_infotec.pdf
41. Brasil. Ministério da Saúde. Comissão Nacional de Incorporação de Tecnologias. Vacina Pneumocócica 13-valente contra Doenças Pneumocócicas em Pacientes de Risco. [Internet]. Brasília: CONITEC; 2019 [capturado em 21 jun. 2021]. Disponível em: http://conitec.gov.br/images/Relatorios/2019/Relatorio_Vacina_PneumococicaConjugada_13valente.pdf
42. Sociedade Brasileira de Pediatria, Associação Brasileira de Imunizações. Utilização das diferentes vacinas antipneumocócicas conjugadas: normatização conjunta da sociedade brasileira de pediatria (SBP) e Associação Brasileira de Imunizações (SBIm) para uso prático [Internet]. São Paulo: SBP; 2010 [capturado em 20 jun. 2021]. Disponível em: https://www.sbp.com.br/fileadmin/user_upload/pdfs/norma-PCV-SBIm-e-SBP-Final.pdf
43. Nuorti JP, Whitney CG. Prevention of pneumococcal disease among infants and children: use of 13-valent pneumococcal conjugate vaccine and 23-valent pneumococcal polysaccharide vaccine: recommendations of the Advisory Committee on Immunization Practices (ACIP). MMWR Recomm Rep. 2010;59(RR-11):1-18.
44. Centers for Disease Control and Prevention, Advisory Committee on Immunization Practices. Updated recommendations for prevention of invasive pneumococcal disease among adults using the 23-valent pneumococcal polysaccharide vaccine (PPSV23). MMWR Morb Mortal Wkly Rep. 2010;59(34):1102-6.
45. Brasil. Ministério da Saúde. Introdução da vacina meningocócica C (conjugada) no calendário de vacinação da criança: incorporação – 2o semestre de 2010 [Internet]. Brasília: MS; 2010 [capturado em 22 jun. 2021]. Disponível em: http://www.sgc.goias.gov.br/upload/links/arq_626_menig.pdf
46. Meningococcal Disease. In: Epidemiology and Prevention of Vaccine-Preventable Diseases. The Pink Book: course textbook. [Internet]. 13th ed. Atlanta: CDC; 2015 [capturado em 20 jun. 2021]. Disponível em: https://www.cdc.gov/vaccines/pubs/pinkbook/downloads/table-of-contents.pdf
47. Sociedade Brasileira de Imunizações. Sociedade Brasileira de Pediatria. Vacinas meningocócicas conjugadas no Brasil. [Internet]. Nota Técnica Conjunta SBIm/SBP. São Paulo: SBIm; 2019. [capturado em 10 jun. 2021]. Disponível em: https://sbim.org.br/images/files/notas-tecnicas/nt-meningo-sbim-sbp-220819-at110919-071019.pdf
48. Brasil. Ministério da Saúde. Informe Técnico – Vacina meningocócica ACWY (conjugada) [Internet]. Brasília: MS; 2020 [capturado em 25 jun. 2021]. Disponível em: https://www.cosemsmg.org.br/site/index.php/todas-as-noticias-do-cosems/63-ultimas-noticias-do-cosems/2686-informe-tecnico-vacina-meningococica-acwy-conjugada
49. Updated Recommendations for Use of MenB-FHbp Serogroup B Meningococcal Vaccine. Advisory Committee on Immunization Practices 2016. MMWR Morb Mortal Wkly Rep 2017;66:509-513.
50. Demicheli V, Jefferson T, Ferroni E, Rivetti A, Di Pietrantonj C. Vaccines for preventing influenza in healthy adults. Cochrane Database Syst Rev. 2018;2(2):CD001269.
51. Brasil. Conselho Nacional de Secretários de Saúde. Ministério da Saúde lança Campanha Nacional de Vacinação contra a Gripe 2019. [Internet]. Brasília: MS; 2019 [capturado em 20 jun. 2021]. Disponível em: https://www.conass.org.br/ministerio-da-saude-lanca-campanha-nacional-de-vacinacao-contra-a-gripe/
52. Centers for Disease Control and Prevention. Prevention and Control of Seasonal Influenza with Vaccines: Recommendations of the Advisory Committee on Immunization Practices – United States, 2018-19 Influenza Season. MMWR Recomm Rep 2018;67(No. RR-3):1-20.
53. Sociedade Brasileira de Imunizações. Vacinas Influenza no Brasil em 2019. [Internet]. Nota Técnica 08/03/2019 (Atualizada em 18/03/2019). São Paulo: SBIm; 2019. [capturado em 20 jun. 2021]. Disponível em: https://sbim.org.br/images/files/notas-tecnicas/nota-tecnica-influenza-v2-190318.pdf
54. Brasil. Ministério da Saúde. Emissão do Certificado Internacional de vacinação Febre Amarela. [Internet]. Brasília: MS; 2019 [capturado em 20 jul. 2021]. Disponível em: http://antigo.anvisa.gov.br/en_US/novahome
55. World Health Organization. Vaccines and vaccination against yellow fever. WHO Position Paper. [Internet]. Geneva: WHO; 2013. [capturado em 20 jun. 2021]. Disponível em: https://www.who.int/wer/2013/wer8827.pdf?ua=1
56. Centers for Disease Control and Prevention. Advisory Committee on Immunization Practices, 2015. Yellow Fever Vaccine Booster Doses: Recommendations of the Advisory Committee on Immunization Practices, 2015. MMWR Morb Mortal Wkly Rep 2015;64(23);647-50.
57. Di Pietrantonj C, Rivetti A, Marchione P, Debalini MG, Demicheli V. Vaccines for measles, mumps, rubella, and varicella in children. Cochrane Database Syst Rev. 2020;4(4):CD004407.
58. Centers for Disease Control and Prevention. Advisory Committee on Immunization Practices, 2018. Update: Recommendations of the Advisory Committee on Immunization Practices for Use of Hepatitis A Vaccine for Postexposure Prophylaxis and for Preexposure Prophylaxis for International Travel. MMWR Morb Mortal Wkly Rep 2018;67:1216-20.
59. Centers for Disease Control and Prevention. FDA licensure of bivalent human papillomavirus vaccine (HPV2, Cervarix) for use in females and updated HPV vaccination recommendations from the Advisory Committee on Immunization Practices (ACIP). MMWR Morb Mortal Wkly Rep. 2010;59(20):626-9.
60. Markowitz LE, MD; Gee J, Chesson H, PhD; Stokley S. Ten Years of Human Papillomavirus Vaccination in the United States. Academic Pediatrics. 2018;18:S3-S10.
61. Brasil. Ministério da Saúde. Secretaria de Vigilância em Saúde. Departamento de Imunização e Doenças Transmissíveis. Coordenação-Geral do Programa Nacional de Imunizações. Ofício nº 203/2021/CGPNI/DEIDT/SVS/. Ampliação da faixa etária da vacina HPV para mulheres com imunossupressão até 45 anos [Internet]. Brasília: MS; 2021 [capturado em 25 jun. 2021]. Disponível em: https://mncp.org.br/wp-content/uploads/2021/03/OFICIO_203.pdf.
62. Centers for Disease Control and Prevention. Advisory Committee on Immunization Practices, 2016. Use of a 2-Dose Schedule for Human Papillomavirus Vaccination – Updated Recommendations of the Advisory Committee on Immunization Practices. MMWR Morb Mortal Wkly Rep 2016;65(49): 1405-1408.
63. Gagliardi AM, Andriolo BN, Torloni MR, Soares BG, de Oliveira Gomes J, Andriolo RB, et al. Vaccines for preventing herpes zoster in older adults. Cochrane Database Syst Rev. 2019;2019(11):CD008858.
64. Brasil. Ministério da Saúde. Normas Técnicas de Profilaxia da Raiva Humana [Internet]. Brasília: MS; 2014 [capturado em 20 jun. 2021]. Disponível em:http://portalarquivos.saude.gov.br/images/pdf/2015/outubro/19/Normas-tecnicas-profilaxia-raiva.pdf
65. Rabies vaccines: WHO position paper – April 2018. [Internet]. WHO Weekly Epidemiol 2018[capturado em 20 jun. 2021].;16(93):201-20. Disponível em:https://apps.who.int/iris/bitstream/handle/10665/272371/WER9316.pdf?ua=1
66. World Health Organization. Rabies vaccines: WHO position paper. Vaccine. 2018;36(37):5500-3.
67. Typhoid vaccines: WHO position paper – March 2018. [Internet]. WHO Weekly Epidemiol 2018[capturado em 20 jun.

2021];13(93):153-72. Disponível em: https://apps.who.int/iris/bitstream/handle/10665/272272/WER9313.pdf?ua=1

## LEITURAS RECOMENDADAS

Plotkin S, Orenstein W, Offit P, Edwards KM, editors. Plotkin's vaccines. 7th ed. Philadelphia: Elsevier; 2017.
*Aborda doenças infecciosas e sua prevenção.*

Brasil. Ministério da Saúde. Secretaria de Vigilância em Saúde. Coordenação-Geral de Desenvolvimento da Epidemiologia em Serviços. Guia de Vigilância em Saúde: volume único [Internet]. 3. ed. Brasília: MS; 2019[capturado em 20 jun. 2021]. Disponível em: http://bvsms.saude.gov.br/bvs/publicacoes/guia_vigilancia_saude_3ed.pdf
*Guia de vigilância em saúde elaborado pelo Ministério da Saúde.*

Brasil. Ministério da Saúde. Secretaria de Vigilância em Saúde. Departamento de Vigilância das Doenças Transmissíveis. Manual de Normas e Procedimentos para Vacinação. Brasília: MS; 2014. 176 p.
*Manual de normas para vacinação elaborado pelo Ministério da Saúde.*

Sociedade Brasileira de Imunizações. Calendários de Vacinação SBIm Pacientes Especiais 2020-2021 [Internet]. São Paulo: SBIm; 2021[capturado em 20 jun. 2021]. Disponível em: https://sbim.org.br/images/calendarios/calend-sbim-pacientes-especiais-v2.pdf.
*Calendário de vacinação em pacientes especiais elaborado pela Sociedade Brasileira de Imunizações (SBIm)*

Centers for Disease Control and Prevention. Immunization schedules. Atlanta: CDC; 2021[capturado em 28 jun. 2021]. Disponível em: https://www.cdc.gov/vaccines/schedules/index.html.
*Calendários vacinais elaborados pelo Centers for Disease Control and Prevention (CDC).*

# Capítulo 147
## DOENÇA FEBRIL EXANTEMÁTICA

Cristiana M. Toscano
Renato de Ávila Kfouri

Diversas doenças comuns na infância cursam com febre e exantema. **Exantema**, ou *rash* cutâneo, é a presença de manchas vermelhas na pele, em uma região específica ou em todo o corpo, podendo ser do tipo maculopapular, papulovesicular ou petequial/purpúrico. Pode ser de etiologia infecciosa, alérgica, autoimune, física ou, ainda, tóxica.

O **exantema maculopapular** é a manifestação cutânea mais comum nas doenças infecciosas sistêmicas. Mais frequentemente associado a vírus, também pode ser observado em várias doenças de etiologia bacteriana ou parasitária e em rickettsioses, micoplasmoses e intoxicações medicamentosas ou alimentares.[1] Pode apresentar-se nas seguintes formas:[1]

→ **morbiliforme:** pequenas maculopápulas eritematosas (3-10 mm), avermelhadas, lenticulares ou numulares, permeadas por pele sã, podendo confluir. É o exantema típico do sarampo, porém pode estar presente na rubéola, no exantema súbito, em enteroviroses, em rickettsioses, na dengue, na leptospirose, na toxoplasmose, na hepatite viral, na mononucleose, na síndrome de Kawasaki e em reações medicamentosas;
→ **escarlatiniforme:** eritema micropapular difuso, puntiforme, áspero, vermelho-vivo, sem solução de continuidade, poupando a região perioral. É a erupção típica da escarlatina, porém pode ser observada na rubéola, na síndrome de Kawasaki, em reações medicamentosas, na miliária e em queimaduras solares;
→ **rubeoliforme:** semelhante ao morbiliforme, porém de coloração rósea, com pápulas um pouco menores. É o exantema presente na rubéola, em enteroviroses, em viroses respiratórias e no micoplasma;
→ **urticariforme:** erupção papuloeritematosa de contornos irregulares. É mais típico em algumas reações medicamentosas, em alergias alimentares e em certas coxsackioses, na mononucleose e na malária;
→ **papulovesicular:** pápulas e lesões elementares de conteúdo líquido (vesicular). É comum a transformação sucessiva de maculopápulas em vesículas, vesicopústulas, pústulas e crostas. Pode ser localizado (p. ex., herpes simples e herpes-zóster) ou generalizado (p. ex., varicela, varíola, impetigo, estrófulo, enteroviroses, dermatite herpetiforme, molusco contagioso, brucelose, tuberculose, fungos, candidíase sistêmica);
→ **petequial ou purpúrico:** alterações vasculares com ou sem distúrbios de plaquetas e de coagulação. Podem estar associadas a infecções graves como meningococemia, sepses bacterianas, febre purpúrica brasileira e febre maculosa; presente também em outras infecções, como citomegalovirose, rubéola, enteroviroses, sífilis e dengue, e em reações por drogas.

Os mecanismos envolvidos na gênese das lesões também são diversos: invasão e multiplicação direta do agente na pele, vasculites, ação de toxinas, depósito de imunocomplexos, etc.[2]

Este capítulo aborda as doenças febris exantemáticas mais comuns na infância ou de relevância em saúde pública, incluindo sarampo, rubéola, eritema infeccioso, exantema súbito, escarlatina, varicela e enteroviroses, além de outras doenças consideradas no diagnóstico diferencial de pacientes com febre e exantema (dengue, rickettsioses, reação medicamentosa, doença de Kawasaki). Um estudo realizado no Brasil demonstrou que, em locais com baixa incidência de rubéola e sarampo, outras doenças virais da infância, como eritema infeccioso, exantema súbito, mononucleose e escarlatina, entre outras, são frequentes causas de febre e exantema.[3] Para auxiliar no diagnóstico diferencial das doenças exantemáticas, a TABELA 147.1 apresenta as características do exantema e a faixa etária preferencial das principais doenças febris exantemáticas e outras doenças que se manifestam com exantema.

## SARAMPO

O sarampo é uma doença febril exantemática aguda altamente infecciosa, de etiologia viral, transmitida por via

**TABELA 147.1** → Características do exantema e faixa etária preferencial das principais doenças febris exantemáticas e outras doenças que se manifestam com exantema

| DOENÇA | CARACTERÍSTICAS DO EXANTEMA | GRUPO ETÁRIO ACOMETIDO |
|---|---|---|
| Sarampo | Maculopapular, morbiliforme; início entre o 3º e 7º dia da doença, intensidade máxima depois de 3 dias; começa atrás das orelhas; distribuição centrífuga para todo o corpo, sem acometer palmas das mãos e planta dos pés; desaparece com descamação leve (furfurácea); dura de 4-7 dias | Todos, principalmente crianças e adultos jovens |
| Rubéola | Maculopapular, róseo, discreto; distribuição craniocaudal; intensidade máxima no 2º dia; não há descamação; desaparece até o 6º dia | Todos, principalmente crianças e adultos jovens |
| Eritema infeccioso | Formato de asa de borboleta ou lembrando o aspecto de face esbofeteada; intenso; inicia na face, atinge membros e tronco; pode reaparecer ou intensificar-se com irritantes cutâneos, alteração de temperatura ou exposição ao sol por semanas ou meses após a infecção; não há descamação | Principalmente crianças após o 1º ano de vida (pré-escolares e escolares) |
| Exantema súbito | Maculopapular, róseo; tem início subitamente logo após o desaparecimento da febre; começa no tronco e se estende para o pescoço; não há descamação; desaparece rapidamente; raras vezes dura mais que 48 horas | Crianças com idade < 4 anos, principalmente entre 6 meses e 2 anos |
| Escarlatina | Puntiforme, confluente, áspero; início no 1º ou no 2º dia da doença; disseminação para todo o corpo; desaparece com a pressão dos dedos; descamação extensa em mãos e pés (em dedos de luva); concomitante ou após faringoamigdalite membranosa | Principalmente crianças de 2-10 anos de idade |
| Mononucleose infecciosa | Variável e inconstante, associado ao uso de antibióticos | Crianças e adolescentes |
| Enterovirose | Rubeoliforme, escarlatiniforme ou morbiliforme; discreto | Mais frequente em crianças de pouca idade |
| Febre maculosa brasileira | Purpúrico; ascendente; inicia nos membros inferiores; acomete palmas das mãos e planta dos pés | Todos, principalmente pré-escolares e escolares |
| Febre tifoide | Maculopapular, róseo, medindo 2-3 mm de diâmetro (roséola tífica); 10-20 lesões; clareia sob pressão; predomina no tronco; em geral desaparece dentro de 3-4 dias | Qualquer idade |
| Dengue | Maculopapular, fugaz (1-5 dias); aparece precocemente; inicia no tronco, espalhando-se para a face e, sobretudo, membros; nem sempre presente | Qualquer idade |
| Zika | Maculopapular pruriginoso (em geral, surge no 10º dia) | Qualquer idade |
| Chikungunya | Maculopapular, em geral 2-5 dias após o início da febre | Qualquer idade |
| Micoplasma | Maculopapular, confluente; acomete tronco e dorso | Escolares e adolescentes |
| Adenovírus | Maculopapular, em geral confundível com alergia a antibióticos | Principalmente pré-escolares, em especial crianças de 6 meses a 2 anos que frequentam creche |
| Toxoplasmose | Macular | Qualquer idade |
| Doença de Kawasaki | Polimórfico, escarlatiniforme ou purpúrico; início no tronco; descamação lamelar; hiperemia palmoplantar | Crianças de 1-4 anos |
| Reações medicamentosas | Macular, maculopapular, urticariforme ou eritrodérmico; facilmente confundido com exantema do sarampo ou escarlatina | Qualquer idade |

respiratória. O vírus do sarampo é um vírus de RNA com apenas um sorotipo pertencente ao gênero *Morbillivirus* da família *Paramyxoviridae*. Pode ser classificado em oito diferentes subtipos (A-H) e em mais de 24 genótipos conhecidos.

## Epidemiologia

O vírus do sarampo tem como único reservatório o homem. Soma-se a isso o fato de que existe uma vacina altamente eficaz para a prevenção da doença, sendo, portanto, uma doença erradicável. A distribuição do vírus do sarampo é mundial e sua ocorrência é sazonal, sendo mais comum no fim do inverno e princípio da primavera em regiões de clima temperado.

A transmissão ocorre diretamente de pessoa a pessoa, por meio de secreções nasofaríngeas expelidas por um indivíduo infectado ao tossir, espirrar, falar ou respirar. A disseminação respiratória se dá pela dispersão de gotículas ou, com menos frequência, por aerossóis. Também pode ocorrer transmissão por contato com artigos, superfícies ou equipamentos contaminados por gotículas respiratórias infecciosas. O vírus do sarampo é altamente infeccioso, causando doença em 75 a 90% dos contatos domiciliares suscetíveis de um indivíduo infectado.

A pessoa com sarampo pode transmitir a doença antes mesmo do surgimento dos sintomas (entre 4-6 dias antes do aparecimento do exantema e 1-2 dias antes dos pródromos) até 4 dias depois do início do exantema. O período de maior transmissibilidade ocorre ao redor de 2 dias antes do exantema (período prodrômico).

O tempo de incubação médio é de 10 dias, desde a exposição até os sintomas prodrômicos, e de 14 dias, em média, até o início do exantema (variando entre 7-21 dias).

Todos os indivíduos que não foram vacinados ou não tiveram a doença previamente são suscetíveis ao vírus do sarampo. Lactentes cujas mães já tiveram sarampo ou foram vacinadas contra a doença mantêm altos títulos de anticorpos maternos ao nascimento, adquiridos por via transplacentária; porém, ao redor de 9 meses de idade, a maioria das crianças já perdeu essa imunidade.

## Quadro clínico

O sarampo caracteriza-se por febre alta (> 38,5 °C), tosse, coriza, conjuntivite e exantema maculopapular generalizado. No período prodrômico, há febre, mal-estar, coriza, conjuntivite e tosse, com duração de 2 a 4 dias.[3] As manchas de Koplik, ou enantemas na mucosa oral, são consideradas patognomônicas do sarampo. São manchas pequenas, levemente abauladas, com centro branco sobre uma base eritematosa, medindo entre 2 e 3 mm de diâmetro, localizadas na mucosa bucal, na altura do segundo molar. No início, poucas manchas aparecem 1 a 2 dias antes do exantema; a quantidade de manchas aumenta à medida que se aproxima o exantema, desaparecendo em até 2 dias depois do seu surgimento. Nem todos os indivíduos com sarampo apresentam manchas de Koplik.

A febre sobe de maneira escalonada desde o início do período prodrômico até 4 dias depois. Em todo o período febril, há tosse seca sem catarro, que dura 1 a 2 semanas, se não houver complicações. A tosse é o último sintoma a desaparecer[4] (FIGURA 147.1).

A erupção cutânea caracteriza-se por exantema maculopapular, com locais de confluência. Aparece dentro de 2 a 4 dias após o início dos sintomas prodrômicos (14 dias depois da exposição), inicialmente na região cefálica (rosto, região retroauricular, couro cabeludo, orelhas e pescoço), seguindo distribuição cefalocaudal, atingindo tronco e extremidades. Não acomete palmas das mãos e plantas dos pés. Em crianças negras, sua identificação pode ser mais difícil. O exantema atinge sua intensidade máxima em 3 a 4 dias e se concentra principalmente no tronco e nos membros superiores. Costuma durar entre 4 e 7 dias e termina com descamação de fácil identificação, caracterizada como um pó fino e esbranquiçado observado nos locais onde houve erupção (denominada descamação furfurácea, por lembrar farinha).

A maioria das pessoas com primoinfecção pelo sarampo apresenta doença clinicamente aparente, adquirindo imunidade duradoura. Entretanto, caso a imunidade seja incompleta, pode ocorrer um quadro de sarampo leve, decorrente de nova infecção pelo vírus causador dessa doença. Assim, quando o indivíduo acometido já tem anticorpos contra o sarampo, naturais ou induzidos por uma vacinação, o curso clínico da doença pode apresentar-se de forma diferente, em geral mais brando. O sarampo em recém-nascidos parcialmente protegidos pelos anticorpos maternos e em indivíduos vacinados ou que receberam imunoglobulina antissarampo durante o período de incubação da doença também pode manifestar-se de forma atípica, mais branda e de difícil reconhecimento.

## Complicações

O sarampo é uma doença que compromete a resistência do hospedeiro, facilitando a ocorrência de superinfecção viral ou bacteriana. Por isso, são frequentes as complicações, sobremaneira nas crianças até os 2 anos de idade, em especial as desnutridas, e nos adultos jovens.[6] Febre por período > 3 dias após o aparecimento do exantema é um sinal de alerta e pode indicar o aparecimento de complicações, como infecções respiratórias, otites, doenças diarreicas e neurológicas.

Entre as complicações mais frequentes em crianças com sarampo estão otite média, broncopneumonia, diarreia e laringotraqueobronquite. A encefalite aguda pós-infecciosa frequentemente resulta em lesão cerebral permanente e ocorre em 1 a cada 1.000 casos de sarampo.[6]

A pan-encefalite esclerosante subaguda (PESA) é uma complicação degenerativa tardia do sistema nervoso central (SNC), rara, causada pela persistência da infecção; ocorre em 1 a cada 100 mil casos de sarampo. Os sinais e sintomas aparecem, em média, entre 7 e 10 anos depois da infecção, e ocorre mais em homens. Ocorrem mudanças progressivas de personalidade, convulsões mioclônicas, déficit motor, coma e morte. Os pacientes com PESA não são contagiosos. As altas taxas de vacinação praticamente eliminaram a ocorrência de PESA na última década.

Outras complicações descritas, embora não tão frequentes, incluem trombocitopenia, hepatite, miocardite, pericardite, glomerulonefrite e síndrome de Stevens-Johnson.

Estudos recentes demonstram o efeito prolongado da infecção pelo sarampo na resposta imune, predispondo a potenciais complicações infecciosas por outros agentes em longo prazo.[7]

Em indivíduos imunocomprometidos, a doença pode ter duração prolongada e ser grave, às vezes fatal. Na gestação, o sarampo pode estar associado a uma maior ocorrência de partos prematuros, abortos espontâneos e baixo peso de nascimento.[8]

A morbidade e a mortalidade por sarampo têm características distintas em países industrializados, quando comparadas com as de países em desenvolvimento. Nestes últimos, as taxas de letalidade são maiores.[9]

Pneumonia e diarreia são as causas mais comumente associadas à morte em doentes com sarampo, sobretudo em crianças desnutridas. O sarampo pode causar desnutrição ou agravá-la. A combinação de deficiência de vitamina A com queratite pode resultar em cegueira, que pode ser prevenida com a administração de altas doses dessa vitamina.

## Diagnóstico

A confirmação laboratorial é fundamental para todos os casos suspeitos de sarampo. São considerados testes indicativos de infecção aguda a detecção, por testes sorológicos, de anticorpos IgM específicos contra o sarampo, o aumento significativo nos títulos de IgG em amostras pareadas, colhidas na fase aguda e na fase de convalescença (com pelo menos 10 dias de intervalo), o isolamento do vírus do sarampo, ou a detecção de RNA viral pela reação em cadeia da polimerase com transcrição reversa (RT-PCR) em amostras de urina, sangue ou secreção de oronasofaringe. Os anticorpos IgM costumam permanecer detectáveis por pelo menos 1 mês após o aparecimento do exantema, sendo importante destacar que existe possibilidade de resultados falso-negativos nos primeiros dias após o aparecimento do exantema e em pacientes que previamente receberam a vacina contra sarampo.[6]

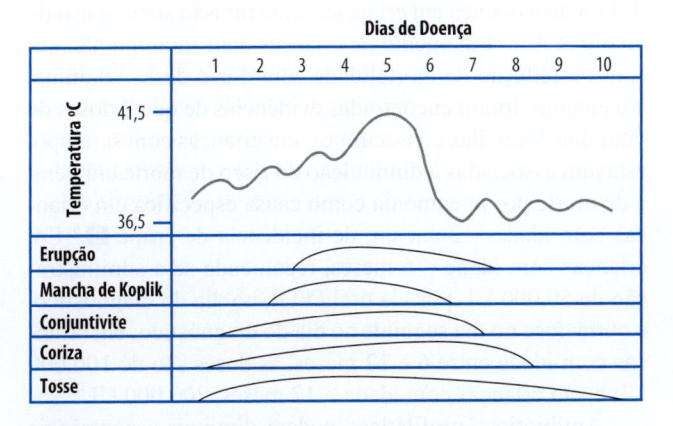

**FIGURA 147.1** → Evolução dos sinais e sintomas do sarampo.
Fonte Brasil.[5]

Os anticorpos específicos da classe IgG podem eventualmente aparecer na fase aguda da doença e, em geral, são detectados ainda por muitos anos após a infecção.[4] Deve-se colher amostra de sangue de todos os indivíduos com suspeita de sarampo, sempre que possível no dia do seu primeiro atendimento. Consideram-se oportunas as amostras coletadas entre o 1º e o 28º dia do aparecimento do exantema; as amostras coletadas após o 28º dia são consideradas tardias, mas, mesmo assim, devem ser examinadas.

É importante ressaltar que as medidas de prevenção da transmissão do sarampo não devem ser adiadas até o recebimento dos resultados de laboratório; elas devem ser implementadas imediatamente.

Um resultado IgM-positivo ou indeterminado, independentemente da suspeita, deve ser comunicado imediatamente à vigilância epidemiológica estadual, para a realização da reinvestigação e da coleta da segunda amostra de sangue, procedimento obrigatório e imprescindível para o diagnóstico final, devendo ser realizado entre 20 e 25 dias após a data da primeira coleta.

Os métodos laboratoriais utilizados para o diagnóstico do sarampo têm sensibilidade e especificidade entre 85 e 98%. Diversas técnicas podem ser utilizadas, incluindo ensaio imunoenzimático (EIE/Elisa) para dosagem de IgM e IgG; inibição da hemaglutinação (HI, do inglês *hemagglutination inhibition*) para dosagem de anticorpos totais; imunofluorescência para dosagem de IgM e IgG; e neutralização em placas. No Brasil, a rede laboratorial de saúde pública de referência para o sarampo utiliza a técnica Elisa para detecção de IgM e IgG.[4]

Para confirmação diagnóstica utilizando anticorpo IgG, é necessária análise de duas amostras pareadas, ou seja, uma amostra de fase aguda e outra de fase convalescente do mesmo indivíduo. Na fase aguda da doença, os títulos de IgG são negativos ou detectados em níveis mínimos; porém, na fase convalescente, deve ocorrer incremento de pelo menos 4 vezes nos títulos de IgG. Níveis elevados de IgG na primeira semana da doença sugerem infecção prévia.

Além da sorologia, técnicas de isolamento viral e genotipagem podem auxiliar no diagnóstico de sarampo. As técnicas de isolamento viral são importantes, sobretudo em vigência das estratégias de eliminação e erradicação da doença, uma vez que permitem identificar os genótipos circulantes do vírus; diferenciar os casos autóctones dos casos importados; e diferenciar o vírus selvagem do vírus vacinal. O isolamento viral pode ser realizado em amostras de urina, secreção nasofaríngea, sangue, líquido cerebrospinal (LCS) ou em tecidos do corpo. O vírus pode ser isolado durante o período final da incubação e nos primeiros dias após o exantema, quando ocorre maior viremia. As amostras dos espécimes clínicos (urina e secreções nasofaríngeas) devem ser coletadas até o 5º dia a partir do início do exantema, preferencialmente nos 3 primeiros dias. A viremia diminui à medida que os títulos de anticorpos séricos aumentam. Material para isolamento viral deve ser colhido em toda a cadeia de transmissão ou em casos esporádicos de sarampo. A coleta simultânea de secreção nasofaríngea e urina aumenta a probabilidade de isolamento viral.

A vigilância laboratorial para sarampo no Brasil é monitorada por meio da realização dos exames pela Rede Nacional de Laboratórios de Saúde Pública (RNLSP). Os Laboratórios Centrais de Saúde Pública (Lacens) realizam tanto a sorologia para diagnóstico laboratorial do sarampo quanto o diagnóstico diferencial, sendo o Elisa a metodologia oficial adotada para o diagnóstico laboratorial do sarampo, devido às suas sensibilidade e especificidade. O Laboratório de Referência Nacional da Fundação Oswaldo Cruz (LRN/Fiocruz) realiza, além da sorologia, a reação em cadeia da polimerase com transcrição reversa (RT-PCR) e o isolamento viral, sendo este último o método mais específico para determinação do genótipo e linhagem do vírus responsável pela infecção[4] (FIGURA 147.2).

## Diagnóstico diferencial

Há muitas doenças caracterizadas por febre, exantema e sintomas prodrômicos inespecíficos. As principais doenças que devem ser consideradas no diagnóstico diferencial do sarampo são rubéola, exantema súbito (*roseola infantum*), dengue, enteroviroses, eritema infeccioso (parvovírus B19) e rickettsioses. Outras doenças, como infecções por adenovírus, rickéttsias, doença de Kawasaki e reações de hipersensibilidade a medicamentos, também podem cursar com quadro clínico similar.

Características clínicas, como sintomas associados, duração e caracterização da febre e do exantema, devem ser avaliadas para apoiar o diagnóstico clínico diferencial. Em áreas com baixa incidência de sarampo, a probabilidade de acerto do diagnóstico diferencial utilizando apenas critérios clínicos é baixa. Assim, a confirmação diagnóstica deve ser sempre realizada laboratorialmente.

## Tratamento

Não existe tratamento específico para o sarampo; ele é basicamente sintomático e de suporte. Costuma-se recomendar o uso de antitérmicos (paracetamol), de colírio antibiótico, se houver secreção ocular purulenta, e de soro fisiológico, para desobstruir e umedecer as fossas nasais, associado a algum repouso e hidratação. Recomenda-se o uso de vitamina A durante a doença em crianças. Uma revisão sobre o uso de vitamina A no tratamento de crianças com sarampo não encontrou redução da mortalidade com o uso dessa vitamina. No entanto, foram encontradas evidências de que 2 doses de vitamina A em dias consecutivos, em crianças com sarampo, estavam associadas à diminuição do risco de morte em geral e de morte por pneumonia como causa específica em crianças com idade < 2 anos, e de incidência de crupe B.[6] Em crianças com idade < 6 meses, recomenda-se a administração de 50.000 UI, por via oral (VO), no dia do diagnóstico, e outra dose no dia seguinte ao dia do diagnóstico; em crianças com idade entre 6 e 12 meses, as doses são de 100.000 UI; e, em crianças com idade > 12 meses, 200.000 UI.[4]

Antibióticos profiláticos podem diminuir a ocorrência de otite média, amigdalite e, possivelmente, pneumonia em crianças e adolescentes com sarampo B.[11]

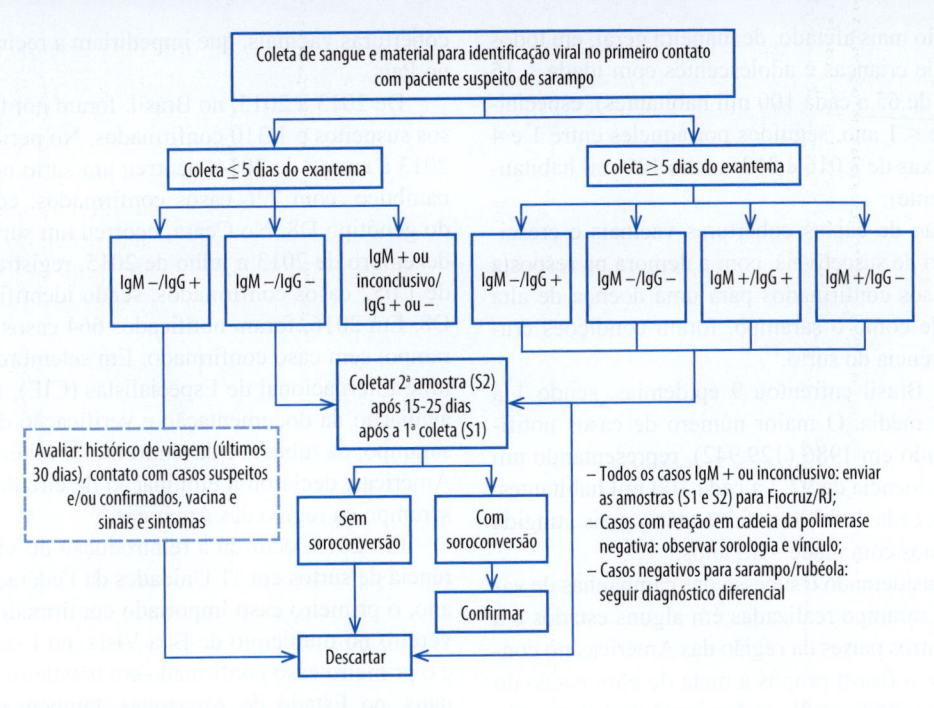

**FIGURA 147.2** → Roteiro para confirmação ou descarte de caso suspeito de sarampo.

É necessário manter a nutrição e a hidratação, com oferta frequente de líquidos e alimentos. As complicações como diarreia, pneumonia e otite média devem ser tratadas de acordo com normas e procedimentos cínicos padronizados (ver capítulos específicos).

A imunoglobulina dentro de 7 dias da exposição ao sarampo em indivíduos suscetíveis pode reduzir a mortalidade relacionada ao sarampo e os casos de sarampo[12] **B** (NNT = 27). A vacina contra sarampo dentro de 72 horas da exposição ao sarampo pode ser mais eficaz do que a imunoglobulina na prevenção de casos de sarampo em indivíduos suscetíveis **B**.[13,14]

## Prevenção e controle

Dispõe-se de vacina segura e altamente eficaz contra o sarampo, já utilizada há várias décadas. Uma dose confere imunidade de 95%, e 2 doses, de 99%.

O sarampo era uma doença endêmica no Brasil, com alta incidência e letalidade até a década de 1990. Em 1994, foi estabelecida a meta de erradicação do sarampo nas Américas para o ano 2000. A Organização Pan-Americana da Saúde (Opas) propôs uma estratégia de vacinação em três etapas.[15] Primeiro, interrompe-se rapidamente a circulação de vírus do sarampo na comunidade por meio de uma campanha única, massiva, dirigida a uma coorte de lactentes, crianças e adolescentes (de 6 meses a 14 anos). Segundo, para manter a interrupção da circulação do vírus em todas as regiões, os programas rotineiros de vacinação devem alcançar coberturas mínimas de 95% em cada nova coorte de lactentes com idade < 2 anos. Finalmente, para combater o inevitável acúmulo de crianças suscetíveis ao sarampo, devem ser realizadas a cada 3 ou 4 anos campanhas indiscriminadas e periódicas de "vacinação de seguimento", em crianças em idade entre 1 e 4 anos. Além disso, recomendam-se campanhas intensivas especiais, conhecidas como "vacinação de varredura", para vacinar populações de alto risco ou que vivem em áreas de difícil acesso.

A região das Américas tem sido líder mundial no controle, na eliminação e na erradicação de doenças preveníveis pela vacinação. Em abril de 2015, a região foi declarada livre da rubéola endêmica e, em setembro de 2016, livre do sarampo endêmico.

Após a exitosa experiência da região das Américas, todas as demais regiões da Organização Mundial da Saúde (OMS) também definiram metas e estratégias de eliminação do sarampo. Em 2018, o esforço global para melhorar a cobertura vacinal resultou em redução de 73% nas mortes. Durante 2000 a 2018, com o apoio da Iniciativa do Sarampo e a Rubéola (M&RI) e da Gavi, a Aliança de Vacinas, a vacinação contra o sarampo evitou cerca de 23,2 milhões de mortes; a maioria das mortes evitadas ocorreu na região africana e em países apoiados pela Aliança.[16]

Em função da alta transmissibilidade do sarampo e da presença da doença em outras regiões, quedas nas coberturas vacinais criam cenário propício para a reintrodução da doença no país e na região. Além disso, alguns países da América do Sul vivem contextos nacionais que afetaram de maneira importante os serviços de saúde e o acesso à vacinação.

Em 2018, mais de 16 mil casos de sarampo foram notificados no continente (16,7 casos a cada 1 milhão de habitantes), a maior taxa no período pós-eliminação, culminando, em julho de 2018, após os surtos iniciados na Venezuela e no Brasil, com o restabelecimento da transmissão endêmica do sarampo no continente.

O grupo etário mais afetado, de maneira geral, em todos os países, foi o de crianças e adolescentes com idade < 15 anos (incidência de 65 a cada 100 mil habitantes), especialmente com idade < 1 ano, seguidos por aqueles entre 1 e 4 anos de idade (taxas de 3.016 e 303 a cada 100 mil habitantes, respectivamente).

A combinação de baixas coberturas vacinais e crescimento no número de suscetíveis, com a demora na resposta aos primeiros casos confirmados para uma doença de alta transmissibilidade como o sarampo, foram condições cruciais para a ocorrência do surto.[17]

Até 1991, o Brasil enfrentou 9 epidemias, sendo 1 a cada 2 anos, em média. O maior número de casos notificados foi registrado em 1986 (129.942), representando um coeficiente de incidência de 97,7 a cada 100 mil habitantes. Até o início da década de 1990, a faixa etária mais atingida era a dos indivíduos com idade < 15 anos.

Em 1992, considerando o sucesso das campanhas de vacinação contra o sarampo realizadas em alguns estados e a experiência de outros países da região das Américas no controle do sarampo, o Brasil propôs a meta de eliminação do sarampo até o ano 2000. O Plano Nacional de Eliminação do Sarampo foi elaborado e foram previstas as estratégias recomendadas pela Opas para a eliminação regional do sarampo. Em 1997, após um período de 4 anos de controle, o País experimentou o ressurgimento do sarampo; mas, em 1999, para alcançar a meta de erradicação, foi implementado o Plano de Ação Suplementar de Emergência contra o Sarampo. Em 1999, dos 10.007 casos suspeitos de sarampo notificados, 908 (8,9%) foram confirmados, sendo 378 (42%) por laboratório. Dos 8.358 casos suspeitos de sarampo notificados em 2000, 36 (0,4%) foram confirmados, 30 (83%) por laboratório e 92% dos casos descartados foram classificados com base em testes laboratoriais. O último surto no País antes da interrupção da transmissão autóctone do sarampo ocorreu em fevereiro de 2000, com 15 casos. Entretanto, mesmo após a interrupção da transmissão autóctone do vírus do sarampo a partir de 2000, era importante a manutenção do sistema de vigilância epidemiológica da doença, com vistas à detecção oportuna de todo caso importado e à adoção de todas as medidas de controle pertinentes ao caso.

Entre 2001 e 2005, foram confirmados 10 casos da doença no Brasil. Destes, 4 foram classificados como casos importados (Japão, Europa e Ásia) e 6 foram vinculados aos casos importados. Já em 2006, foram confirmados 57 casos na Bahia, sendo identificado o vírus D4, porém não foi identificada a fonte primária da infecção. A partir de então, nenhum caso de sarampo foi confirmado no País.

Os últimos registros de casos importados, no ano de 2010 (até o mês de agosto), referem-se a 3 casos em Belém, no Estado do Pará, 5 casos no Rio Grande do Sul e um surto em João Pessoa, no Estado da Paraíba. Em todos esses eventos foram identificados genótipos virais que atualmente circulam em outros países.[18]

A manutenção do controle do sarampo no Brasil só seria possível com a manutenção de elevadas e homogêneas coberturas vacinais, que impediriam a recirculação do vírus no País.

De 2013 a 2015, no Brasil, foram notificados 9.523 casos suspeitos e 1.310 confirmados. No período de março de 2013 a março de 2014, ocorreu um surto no Estado de Pernambuco, com 226 casos confirmados, com identificação do genótipo D8. No Ceará, ocorreu um surto no período de dezembro de 2013 a julho de 2015, registrando-se um total de 1.052 casos confirmados, sendo identificado o genótipo D8. Em 2016, foram notificados 664 casos suspeitos de sarampo, sem caso confirmado. Em setembro de 2016, o Comitê Internacional de Especialistas (CIE), responsável pela avaliação da documentação e verificação da eliminação do sarampo, da rubéola e da síndrome de rubéola congênita nas Américas, declarou a eliminação da circulação do vírus do sarampo na região das Américas.[4,19]

Em 2018, ocorreu a reintrodução do vírus com a ocorrência de surtos em 11 Unidades da Federação (UFs). Neste ano, o primeiro caso importado confirmado ocorreu em fevereiro no município de Boa Vista, no Estado de Roraima, e o primeiro caso confirmado em brasileiro ocorreu em Manaus, no Estado do Amazonas, também em fevereiro de 2018. Durante o ano de 2018, foram confirmados mais de 10 mil casos de sarampo no País. Destes, 93% ocorreram nos meses de maio a setembro. Das 11 UFs com casos confirmados de sarampo em 2018, 7 encerraram o surto, conforme critério estabelecido pela Opas/OMS (período de mais de 12 semanas desde a ocorrência do último caso). Na ocasião, o genótipo identificado foi o D8, sendo o mesmo que estava em circulação na Venezuela.

Nos primeiros meses de 2019, o Ministério da Saúde interrompeu a transmissão do vírus do sarampo na Região Norte do Brasil. Entretanto, a partir de fevereiro de 2019, casos importados de Israel e da Noruega iniciaram novas cadeias de transmissão no País. Os primeiros casos notificados e confirmados de sarampo ocorreram no Estado de São Paulo (SP), em tripulantes de um navio de cruzeiro com bandeira de Malta, atracado no porto da cidade de Santos (SP) com 5.420 passageiros e aproximadamente 1.500 tripulantes. Em abril de 2019, iniciou-se um surto de grandes proporções na região metropolitana de São Paulo, tendo sido registrados mais 16 mil casos confirmados em SP naquele ano. Devido ao grande fluxo de pessoas, nacional e internacionalmente, o vírus do sarampo disseminou-se para 23 UFs, dando início a novas cadeias de transmissão. Em 2019, foram notificados 64.765 casos suspeitos de sarampo, o que culminou, após 1 ano de transmissão sustentada da doença, na perda da certificação de eliminação do sarampo em nossa região. Em 2019, foram registrados 15 óbitos por sarampo no Brasil[20] **(FIGURA 147.3)**.

A partir desse surto, o País passou a recomendar uma dose adicional da vacina contra o sarampo (dose zero) aos 6 meses de idade, em todo o território nacional, com o intuito de reduzir formas graves da doença no 1º ano de vida.

Em 2020, até setembro, o Brasil confirmou 7.856 casos da doença, sendo 60% deles ocorridos no PA. Amapá, SP, Rio de Janeiro (RJ) e Paraná também relataram circulação sustentada do vírus em 2020. As maiores taxas de incidência

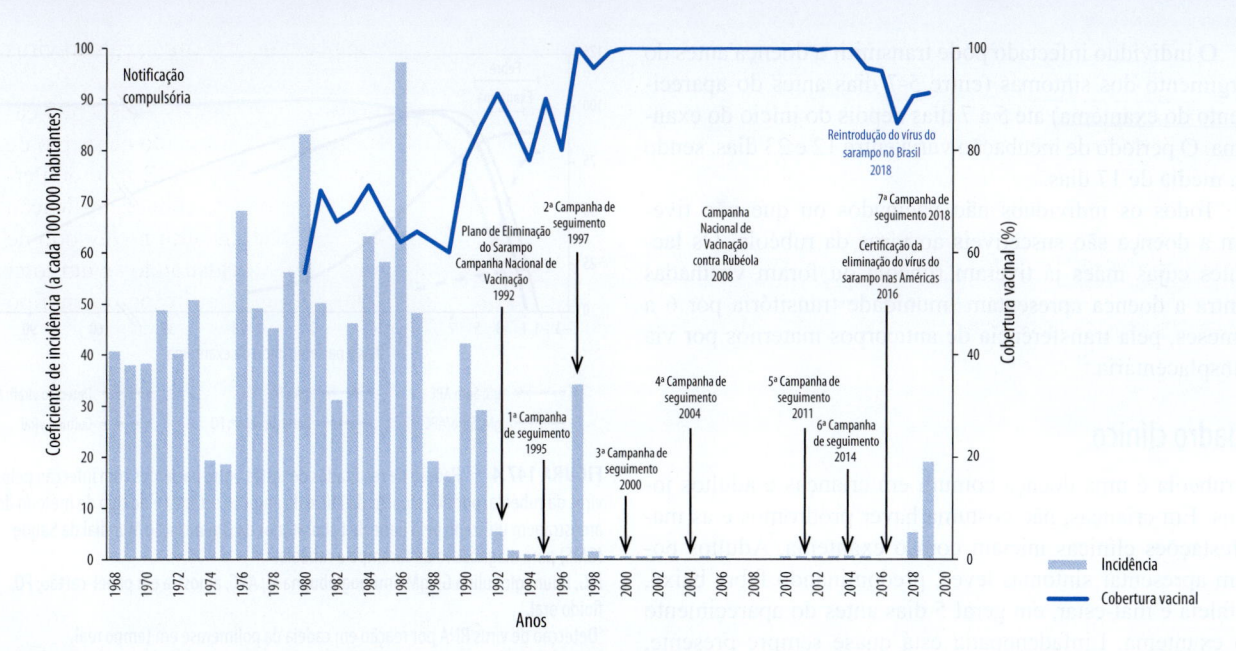

**FIGURA 147.3** → Taxa de incidência de sarampo autóctone e cobertura vacinal. Brasil, 1968-2020.
Fonte: Brasil.[18]

estão entre as crianças com idade < 1 ano (104 a cada 100 mil habitantes), seguidas pelos adolescentes e adultos jovens (15-19 anos e 20-29 anos, respectivamente). Neste último grupo (20-29 anos), concentra-se o maior número de casos.[18]

Neste mesmo ano, ocorreram 5 óbitos por sarampo em crianças com idade < 5 anos em 3 estados.

Uma das mais importantes lições aprendidas no período pós-eliminação do sarampo na região das Américas é que quanto mais rápida e bem organizada for a resposta, mais eficazmente a transmissão do sarampo será interrompida assim que a detecção de um caso importado ocorrer. Para isso, é necessário manter alta cobertura vacinal com 2 doses, um sistema de vigilância sensível capaz de detectar precocemente casos suspeitos, rápida resposta e apropriada intervenção.[19]

Atualmente, no Programa Nacional de Imunizações (PNI) do Brasil, a 1ª dose da vacina contra o sarampo é administrada aos 6 meses de idade, a chamada dose zero, que tem como principal objetivo conferir alguma proteção e prevenir formas graves da doença em lactentes jovens. O esquema vacinal da criança deve ser completado com mais 2 doses aos 12 e aos 15 meses de vida. Adultos com até 29 anos recebem 2 doses, e indivíduos de 30 a 49 anos, apenas 1 dose. (Ver Capítulo Imunizações.)

> É definido como caso suspeito de sarampo todo indivíduo que apresentar febre e exantema maculopapular morbiliforme, de direção cefalocaudal, acompanhados de um ou mais dos seguintes sinais e sintomas: tosse e/ou coriza e/ou conjuntivite, independentemente da idade e da situação vacinal. Também é caso suspeito de sarampo todo indivíduo que se encaixa nos critérios supradescritos com história de viagem para locais com circulação do vírus do sarampo nos últimos 30 dias, ou de contato, no mesmo período, com alguém que viajou para local com circulação viral.[4]

Após a notificação de um caso suspeito de sarampo, é implementada uma série de medidas para prevenir a transmissão da doença na comunidade, a saber: investigação epidemiológica e confirmação da suspeita diagnóstica; identificação da fonte de infecção; identificação de outros casos suspeitos; identificação e investigação de indivíduos expostos ou contatos; e vacinação (ver Capítulo Doenças Transmissíveis: Condutas Preventivas na Comunidade).

# RUBÉOLA

A rubéola é uma doença febril exantemática aguda, de etiologia viral, altamente contagiosa, de curso geralmente benigno. Acomete sobretudo crianças. O vírus da rubéola pertence ao gênero *Rubivirus* da família *Togaviridae*.

## Epidemiologia

A importância epidemiológica da rubéola está relacionada com a síndrome da rubéola congênita (SRC), a qual está associada a abortamento e graves malformações congênitas, como cardiopatias, catarata e surdez. Essa síndrome é discutida no Capítulo Infecções na Gestação.

O vírus da rubéola tem como único reservatório o homem. Sua distribuição é mundial e a ocorrência é sazonal, sendo mais comum na primavera. A transmissão ocorre diretamente de pessoa a pessoa por contato com secreções nasofaríngeas. A disseminação respiratória se dá pela dispersão de gotículas. Embora seja menos frequente, também pode ocorrer transmissão por contato com objetos contaminados por secreções nasofaríngeas, sangue ou urina. A rubéola congênita é transmitida por via transplacentária. As crianças com rubéola congênita podem eliminar o vírus pela urina e por secreções nasofaríngeas por períodos prolongados.

O indivíduo infectado pode transmitir a doença antes do surgimento dos sintomas (entre 5-7 dias antes do aparecimento do exantema) até 5 a 7 dias depois do início do exantema. O período de incubação varia entre 12 e 23 dias, sendo em média de 17 dias.

Todos os indivíduos não vacinados ou que não tiveram a doença são suscetíveis ao vírus da rubéola. Os lactentes cujas mães já tiveram rubéola ou foram vacinadas contra a doença apresentam imunidade transitória por 6 a 9 meses, pela transferência de anticorpos maternos por via transplacentária.[21]

## Quadro clínico

A rubéola é uma doença comum em crianças e adultos jovens. Em crianças, não costuma haver pródromos e as manifestações clínicas iniciam com o exantema. Adultos podem apresentar sintomas leves, predominando febre baixa, cefaleia e mal-estar, em geral 5 dias antes do aparecimento do exantema. Linfadenopatia está quase sempre presente, principalmente retroauricular e occipital. A artralgia é um achado frequente da doença. O exantema é do tipo maculopapular, róseo, difuso, não confluente e discreto, com distribuição craniocaudal, máxima intensidade no 2º dia, desaparecendo até o 6º dia, sem descamação. A infecção subclínica pode ocorrer em cerca de 50% dos infectados, sendo mais frequente em crianças.

## Complicações

As complicações são raras e ocorrem com mais frequência em adultos. Pode ocorrer encefalite (1 a cada 6 mil casos) e manifestações hemorrágicas (1 a cada 3 mil casos).[22,23]

## Diagnóstico

O diagnóstico definitivo da rubéola é feito mediante detecção de anticorpos IgM no sangue, na fase aguda da doença, desde os primeiros dias até 4 semanas após o aparecimento do exantema. Os anticorpos específicos da classe IgG podem eventualmente aparecer na fase aguda da doença e, em geral, são detectados muitos anos após a infecção (FIGURA 147.4).[4]

Assim como no sarampo, deve-se colher amostra de sangue de todos os pacientes com suspeita de rubéola, de preferência no dia do seu primeiro atendimento. Isso é necessário pois a vigilância epidemiológica de sarampo e rubéola é integrada e há metas de eliminação regional em todas as regiões do mundo. São consideradas oportunas as amostras coletadas até o 28º dia do aparecimento do exantema, e tardias as amostras coletadas após esse período. Mesmo sendo colhidas tardiamente, as amostras devem ser avaliadas.

Uma segunda coleta de sangue entre 20 e 25 dias após a data da primeira coleta é obrigatória e imprescindível para a definição final dos casos.

Um teste IgM-positivo ou indeterminado, independentemente da suspeita, deve ser imediatamente comunicado à vigilância epidemiológica estadual, para a realização da reinvestigação e da coleta da segunda amostra de sangue.

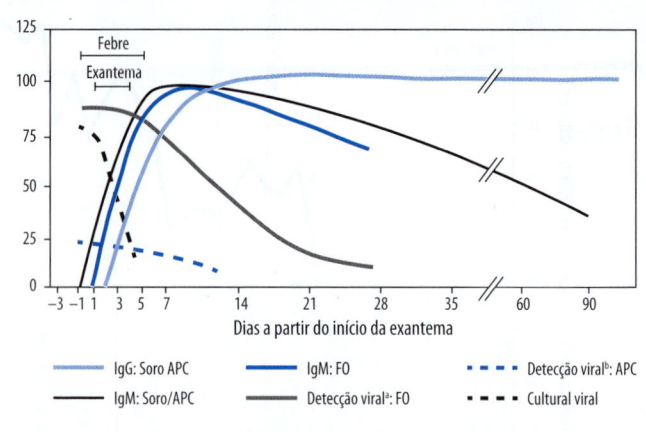

**FIGURA 147.4** → Padrão de resultados de testes entre pacientes com infecção pelo vírus da rubéola, por dia, a partir do início da erupção cutânea e do tipo de método de amostragem utilizado pela Rede de Laboratórios da Organização Mundial da Saúde (OMS) para diagnóstico de sarampo e rubéola.
IgG, imunoglobulina G; IgM, imunoglobulina M; APC, amostra em papel-cartão; FO, fluido oral.
[a]Detecção de vírus RNA por reação em cadeia da polimerase em tempo real.
[b]Período de incubação: aproximadamente 14 a 17 dias.
Obs.: O protocolo do Brasil é pesquisar os anticorpos IgM e IgG para rubéola em amostras de soro, e a detecção viral em amostras de urina e *swabs* combinados da orofaringe e da nasofaringe.
Fonte: Adaptada de Centers for Disease Control and Prevention.[10]

Os métodos utilizados para o diagnóstico laboratorial têm sensibilidade e especificidade entre 85 e 98% e incluem EIE/Elisa para dosagem de IgM e IgG; HI para dosagem de anticorpos totais; imunofluorescência para dosagem de IgM e IgG; e neutralização em placas. No Brasil, utiliza-se a técnica de Elisa para detecção de IgM e IgG.[4]

O vírus da rubéola pode ser isolado em amostras de urina, secreção nasofaríngea, sangue, LCS ou em tecidos do corpo. O isolamento viral é importante, pois permite identificar os genótipos circulantes do vírus, diferenciar os casos autóctones de rubéola dos casos importados e diferenciar o vírus selvagem do vírus vacinal. Amostras dos espécimes clínicos (urina e secreções nasofaríngeas) devem ser coletadas até o 5º dia a partir do início do exantema, preferencialmente nos primeiros 3 dias, nas seguintes situações:
→ surto de rubéola, independentemente da distância do laboratório central;
→ casos importados, independentemente do país de origem;
→ todos os casos com resultado laboratorial IgM-positivo ou indeterminado para a rubéola.

A rubéola, assim como ocorre com o sarampo, foi alvo de um programa de eliminação da transmissão do vírus autóctone no Brasil e nas Américas desde 2009.

## Diagnóstico diferencial

O diagnóstico diferencial deve ser feito com as doenças que cursam com febre e exantema, em particular sarampo, escarlatina, dengue, exantema súbito (crianças até 2 anos), eritema infeccioso, enteroviroses (Coxsackievírus e ecovírus) e outras doenças que podem causar síndromes congênitas, como mononucleose infecciosa, toxoplasmose, doença de Kawasaki e infecção por citomegalovírus.

## Tratamento

O tratamento é basicamente de suporte e sintomático. Não há tratamento específico para a rubéola.

## Prevenção e controle

A vacina é a única forma eficaz de prevenção da rubéola. Uma dose confere imunidade de 95%. Deve-se evitar exposição a outros indivíduos até 7 dias após aparecimento do exantema.

Nos últimos 20 anos, o número de países que introduziram uma dose da vacina contra sarampo, caxumba e rubéola em sua imunização de rotina nos programas aumentou significativamente, de 99 países (51%) em 2000 para 173 (89%) em dezembro de 2019, o que reduziu drasticamente o número de casos de rubéola em nível global. Estima-se que a incidência média da SRC a cada 100 mil nascidos vivos tenha diminuído substancialmente entre 1996 e 2010 em regiões com altas coberturas vacinais, por exemplo, de 56 (IC 95% = 24; 104) a < 0,01 (IC 95% = 0; 1) a cada 100 mil na região das Américas. Ao final de 2019, a rubéola foi eliminada em 81 países. A região das Américas eliminou a rubéola em 2009, e, em 2015, essa região foi declarada livre da rubéola e da SRC.[24]

No Brasil, a rubéola foi introduzida na lista de doenças de notificação compulsória somente na segunda metade da década de 1990. A implementação do Plano de Erradicação do Sarampo no País, a partir de 1999, impulsionou a vigilância e o controle da rubéola. De maneira semelhante ao ocorrido com o sarampo, em 2003 foi estabelecida a meta de eliminação da rubéola e da SRC nas Américas para o ano 2010. As estratégias recomendadas compreendem vigilância da rubéola e da SRC e atividades de vacinação que incluem administração da vacina tríplice viral na rotina aos 12 meses, campanhas de vacinação de seguimento a cada 4 ou 5 anos dirigidas a crianças de 1 a 4 anos e campanhas de vacinação de adolescentes e adultos.

No Brasil, após a implantação gradativa da vacina tríplice viral no período de 1992 a 2000 em todo o território nacional, campanhas de vacinação de seguimento foram realizadas em 2000 e 2004, e a vacinação de mulheres em idade fértil foi concluída em todos os Estados em 2002. Essas estratégias contribuíram para a redução de 43% do número de casos confirmados de rubéola entre 2000 e 2007. No entanto, em função do acúmulo de indivíduos não vacinados ao longo do tempo, persistia a circulação do vírus da rubéola no País, o que contribuiu para a ocorrência de surtos da doença, sobretudo a partir de 2006.

Com as altas coberturas vacinais em crianças, caracterizou-se um novo perfil epidemiológico da rubéola no Brasil, com maior ocorrência de infecção em adultos jovens, do sexo masculino. Para finalizar a eliminação da rubéola e da SRC no País, foi realizada, em 2008, campanha de vacinação massiva contra rubéola, objetivando atingir os grupos suscetíveis: adultos jovens entre 20 e 39 anos de idade. Alguns estados (RJ, Mato Grosso do Sul [MS] e Minas Gerais [MG]) ampliaram a vacinação para grupos etários mais jovens, a partir de 12 anos de idade.[16]

Nessa campanha, foram vacinadas 68 milhões de pessoas, correspondendo a uma cobertura vacinal de 97%. A partir de 2009, não foi confirmado nenhum caso de rubéola por meio do critério laboratorial. Esse conjunto de estratégias, em paralelo com o plano de eliminação do sarampo, levou à interrupção da transmissão do vírus, e o Brasil recebeu, em 2015, o documento de verificação da eliminação da rubéola e da SRC (FIGURA 147.5).

Em relação à SRC, o ano de maior ocorrência na última década foi 2001, quando foram confirmados 95 casos (Acre e SP com maior número), representando incidência de 3,5 casos a cada 100 mil crianças com idade < 1 ano. Como decorrência das atividades de controle e eliminação da rubéola e da SRC já descritas, foi observada redução importante no número de casos entre 2002 e 2006, com recrudescência de casos entre 2007 e 2009, quando foram notificados 611 casos de SRC, dos quais 163 (26,6%) confirmados (FIGURA 147.6). Os 11 casos confirmados de SRC em 2009 ocorreram

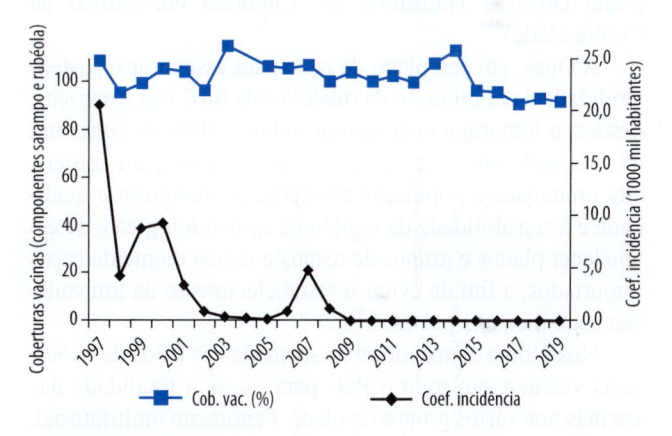

**FIGURA 147.5** → Coeficientes de incidência de rubéola e coberturas vacinais. Brasil, 1997-2019.
Fonte: Brasil.[4]

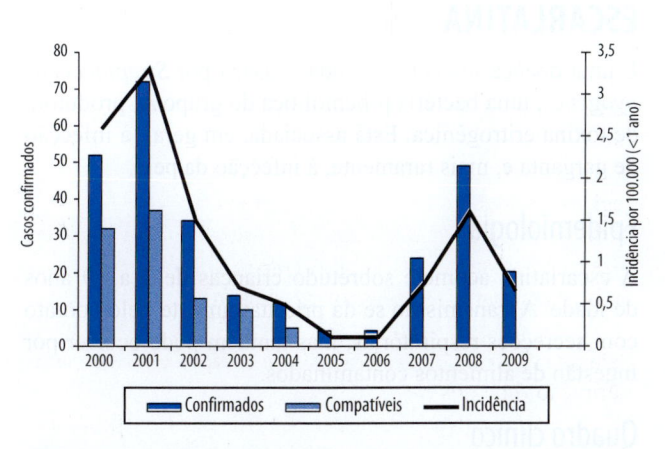

**FIGURA 147.6** → Incidência e número de casos confirmados compatíveis com a síndrome da rubéola congênita. Brasil, 2000-2019.
Fonte: Brasil.[4]

em crianças cujas mães contraíram rubéola ou estiveram em áreas onde foram registrados surtos de rubéola em 2008. Desde 2009, o Brasil não registra mais casos de SRC.[25]

A notificação de casos suspeitos de rubéola é obrigatória e imediata, devendo ser feita por telefone à Secretaria Municipal de Saúde (SMS) dentro das primeiras 24 horas a partir do atendimento do paciente.

> É definido como caso suspeito de rubéola todo paciente que apresentar febre e exantema maculopapular, acompanhado de linfadenopatia retroauricular e/ou occipital e/ou cervical, independentemente da idade e da situação vacinal. Também é caso suspeito de sarampo todo indivíduo que se encaixa nos critérios supradescritos com história de viagem para locais com circulação do vírus da rubéola, nos últimos 30 dias, ou de contato, no mesmo período, com alguém que viajou para local com circulação viral.[4]

Após a notificação de um caso suspeito de rubéola, são implementadas as seguintes medidas para prevenir a transmissão da doença na comunidade: investigação epidemiológica, que deve ser realizada em até 48 horas; confirmação da suspeita diagnóstica; identificação e investigação de indivíduos expostos ou contatos; e vacinação (ver Capítulo Doenças Transmissíveis: Condutas Preventivas na Comunidade).

A Opas, em seu plano de ação para assegurar a sustentabilidade da eliminação da rubéola e da SRC nas Américas, destaca a importância de atingir índice ≥ 95% de cobertura de vacinação em crianças com idade < 5 anos para conferir alta imunidade à população em geral, de monitorar a qualidade e a sensibilidade da vigilância epidemiológica e de estabelecer planos e grupos de resposta rápida diante de casos importados, a fim de evitar o restabelecimento da transmissão endêmica nos países.[21,25]

Nos últimos anos, observa-se queda nas taxas de coberturas vacinais em todo o País para quase a totalidade das vacinas nos vários grupos de idade. Fenômeno multifatorial, essas quedas de coberturas trazem o risco de aumento de casos de doenças já controladas como o sarampo, a rubéola e a SRC (TABELA 147.2).

## ESCARLATINA

É uma doença infecciosa aguda causada por *Streptococcus pyogenes*, uma bactéria β-hemolítica do grupo A, produtora de toxina eritrogênica. Está associada, em geral, à infecção de garganta e, mais raramente, à infecção da pele.

### Epidemiologia

A escarlatina acomete sobretudo crianças de 2 a 10 anos de idade. A transmissão se dá prioritariamente pelo contato com secreções respiratórias, mas também pode ocorrer por ingestão de alimentos contaminados.

### Quadro clínico

O período de incubação é de 2 a 5 dias. A doença ocorre concomitantemente ou após faringoamigdalite membranosa, com febre alta e mal-estar. O exantema surge no primeiro ou no segundo dia da doença e caracteristicamente é eritematoso puntiforme, confluente, áspero ao toque, disseminando-se por todo o corpo. Desaparece com a pressão dos dedos e descama no final da doença.

Classicamente, são descritas as seguintes manifestações: palidez peribucal (sinal de Filatov); linhas marcadas nas dobras de flexão (sinal de Pastia); língua em framboesa, muito avermelhada e com papilas salientes; e descamação extensa em mãos e pés (em dedos de luva).

O indivíduo infectado não tratado e sem complicações pode transmitir a doença por um período de 10 a 21 dias.

O acometimento de crianças menores e formas atípicas da doença têm sido relatadas.[27]

### Complicações

As complicações da infecção por estreptococo β-hemolítico do grupo A são divididas em supurativas e não supurativas. As **supurativas** são mais imediatas e ligadas à contiguidade, como abscesso amigdaliano, mastoidite e otite média. A celulite pode complicar os casos de impetigo. As **não supurativas** acometem órgãos a distância, podem ocorrer dentro de 1 a 5 semanas e incluem glomerulonefrite aguda e febre reumática aguda. Complicações tardias incluem coreia de Sydenham e cardiopatia reumática.

### Diagnóstico laboratorial

Para o diagnóstico laboratorial, deve ser realizada cultura de orofaringe para identificação do estreptococo β-hemolítico do grupo A. Além disso, pode ser realizado teste rápido (aglutinação em látex) em secreção colhida de orofaringe (ver Capítulo Dor de Garganta).

### Diagnóstico diferencial

No diagnóstico diferencial, entram as doenças que cursam com febre e exantema, embora o exantema e o quadro clínico da escarlatina sejam característicos.

### Tratamento

O tratamento específico deve ser realizado com antibióticos durante 10 dias (em geral, a penicilina G benzatina pode ser utilizada, além de outros derivados da penicilina, como a

**TABELA 147.2** → Coberturas vacinais para tríplice viral (vacina combinada contra sarampo, rubéola e pertússis) (1 ano e < 5 anos de idade); Brasil, 2014-2019

| VACINA/DOSE E IDADE CONSIDERADA PARA CÁLCULO DE COBERTURA | COBERTURA POR ANO (%) | | | | | | |
|---|---|---|---|---|---|---|---|
| | 2014 | 2015 | 2016 | 2017 | 2018 | 2019 | 2020 |
| Tríplice viral – 1ª dose (1 ano) | 100* | 96,1 | 95,4 | 86,2 | 92,6 | 93,1 | 79,5 |
| Tríplice viral – 2ª dose (< 5 anos) | 92,9 | 79,9 | 76,7 | 72,9 | 76,9 | 81,6 | 62,7 |

* Coberturas registradas com valores > 100% arredondados para 100%.
Fonte: Brasil.[26]

amoxicilina ou amoxicilina + clavulanato VO). Para pacientes com alergia à penicilina, podem-se utilizar macrolídeos, clindamicina ou cefalosporinas, o que, além de tratar o quadro agudo, previne as complicações.[28]

Os contatos sintomáticos devem ser tratados, assim como os portadores assintomáticos do estreptococo β-hemolítico do grupo A em situações epidêmicas[28] (ver Capítulos Dor de Garganta e Doenças Transmissíveis: Condutas Preventivas na Comunidade).

## Prevenção e controle

A escarlatina não é doença de notificação compulsória (ver Capítulo Doenças Transmissíveis: Condutas Preventivas na Comunidade).

## ERITEMA INFECCIOSO

É uma doença viral causada pelo parvovírus humano B19 (família *Parvoviridae*).

## Epidemiologia, quadro clínico e complicações

O eritema infeccioso acomete principalmente crianças após o 1º ano de vida (pré-escolares e escolares). A transmissão viral se dá por contato com secreções respiratórias ou por meio da placenta de mães infectadas. O período de incubação é variável (4-20 dias), com transmissibilidade máxima da infecção no período que antecede o aparecimento do exantema.

O eritema infeccioso, em geral, não apresenta pródromos, podendo ocorrer sintomas inespecíficos como cansaço, febre, mialgia e cefaleia, 7 a 10 dias antes do aparecimento do exantema.

O sintoma mais característico é o exantema maculopapular, que aparece inicialmente na face, de forma intensa, em formato de asa de borboleta ou lembrando o aspecto de face esbofeteada, distribuindo-se em seguida nos membros e no tronco, com aspecto "rendilhado". Pode reaparecer ou intensificar-se com irritantes cutâneos, alteração de temperatura ou exposição ao sol por semanas ou meses após a infecção. Não há descamação.

## Diagnóstico

O diagnóstico é eminentemente clínico. Confirmação laboratorial pode ser realizada com sorologia para detecção de IgM (Elisa) em amostras de sangue coletadas na fase aguda da doença ou incremento de títulos de IgG em sorologias de amostras pareadas (fases aguda e convalescente). No entanto, o diagnóstico laboratorial não é realizado nem disponibilizado rotineiramente.

## Diagnóstico diferencial

Para o diagnóstico diferencial, devem ser consideradas as doenças que cursam com febre e exantema, em particular as que acometem crianças em idades pré-escolar e escolar.

## Tratamento

Não há tratamento específico para a doença.

Cuidados de suporte são a base do tratamento. Podem-se considerar anti-inflamatórios não esteroides (AINEs) ou um curso curto de corticoides para artropatia.

## Prevenção e controle

Deve-se evitar exposição de indivíduos infectados a outros indivíduos no período prodrômico. Não há vacina contra o eritema infeccioso.

## EXANTEMA SÚBITO (*ROSEOLA INFANTUM*)

É uma doença viral aguda, causada pelos herpesvírus humanos 6 e 7 (família *Herpesviridae*).

## Epidemiologia

O exantema súbito acomete crianças com idade < 4 anos, principalmente entre 6 meses e 2 anos de idade.

A transmissão viral se dá por contato com secreções de um portador assintomático. O período de incubação médio é de 9 a 10 dias, variando entre 5 e 15 dias.

## Quadro clínico e complicações

O período prodrômico dura 3 ou 4 dias, com febre alta (> 39,5 °C) e irritabilidade. O exantema maculopapular róseo inicia no tronco logo após o desaparecimento da febre e se estende para o pescoço sem outros sintomas gerais. Desaparece rapidamente, sem descamação, raras vezes durando mais que 48 horas.

Em função da febre alta, pode levar à convulsão febril. Pode ser acompanhado de hiperemia de tímpanos, o que muitas vezes leva ao diagnóstico de otite média antes do aparecimento do exantema.

## Diagnóstico

O diagnóstico é eminentemente clínico. Confirmação laboratorial pode ser realizada com testes de imunofluorescência indireta (IFI) para detecção de IgM e IgG em amostras de sangue coletadas nas fases aguda e convalescente. Entretanto, o diagnóstico laboratorial não é realizado nem disponibilizado rotineiramente.

## Diagnóstico diferencial

Para o diagnóstico diferencial, devem ser consideradas as doenças que cursam com febre e exantema, em particular as que acometem crianças com idade < 2 anos.

## Tratamento

Não há tratamento específico ou vacina. Deve ser instituído tratamento sintomático, se necessário. O exantema súbito é autolimitado e geralmente se resolve sem sequelas.

O tratamento consiste em cuidados de suporte, incluindo antipiréticos e hidratação.

## VARICELA

É uma infecção viral primária aguda, altamente contagiosa. Também denominada catapora, é causada pelo herpesvírus varicela-zóster, um vírus de RNA da família *Herpetoviridae*.

### Epidemiologia

O vírus da varicela-zóster tem como único reservatório o homem. A transmissão viral ocorre diretamente de pessoa a pessoa, por meio de contato direto ou de secreções respiratórias (disseminação aérea de partículas virais/aerossóis) e, raras vezes, pelo contato com lesões de pele. Indiretamente, é transmitida por objetos contaminados com secreções de vesículas e membranas mucosas de pacientes infectados. Pode ser transmitida da gestante para o feto, causando a síndrome da varicela congênita.

O período de incubação médio é de 14 a 16 dias, podendo variar entre 10 e 21 dias após o contato. Pode ser mais curto em pacientes imunodeprimidos e mais longo após imunização passiva. A transmissão viral ocorre entre 1 e 2 dias antes da erupção até 5 dias após o surgimento do primeiro grupo de vesículas. Enquanto houver vesículas, a transmissão da infecção é possível.

Embora a suscetibilidade ao vírus seja universal, o grupo etário mais afetado é o de crianças com idade entre 5 e 9 anos. A infecção confere imunidade permanente, embora, raramente, possa ocorrer um segundo episódio de varicela. Infecções subclínicas são raras.

A imunidade passiva transferida para o feto pela mãe que já teve varicela assegura, na maioria das vezes, proteção até 4 a 6 meses de vida.

### Quadro clínico e complicações

Em crianças imunocompetentes, a varicela costuma ser benigna e autolimitada, com início repentino. Manifesta-se por febre moderada de 2 a 3 dias, sintomas generalizados inespecíficos e erupção cutânea papulovesicular.

A varicela apresenta período prodrômico caracterizado por febre baixa, cefaleia, anorexia e vômitos, podendo durar poucas horas até 3 dias. Na infância, esses pródromos não costumam ocorrer, sendo o exantema o primeiro sinal da doença.

O exantema tem aspecto maculopapular e distribuição centrípeta, iniciando na face, no couro cabeludo ou no tronco; após algumas horas, torna-se vesicular, evolui rapidamente para pústulas e, em 3 a 4 dias, forma crostas. Pode ocorrer febre moderada e sintomas sistêmicos. A principal característica clínica é o polimorfismo das lesões cutâneas, que se apresentam nas diversas formas evolutivas acompanhadas de prurido.

As lesões aparecem comumente em surtos sucessivos de máculas que evoluem para pápulas, vesículas, pústulas e crostas. Tendem a surgir mais nas partes cobertas do corpo, podendo aparecer no couro cabeludo, na parte superior das axilas e nas membranas mucosas da boca e das vias aéreas superiores. Pode comprometer também as mucosas, cujas lesões maceram, formando úlceras. Lesões na córnea podem levar a deformidades, com distúrbios da visão. Há prurido constante e linfonodomegalia generalizada. A varicela não deixa cicatrizes, a menos que haja contaminação bacteriana secundária das lesões ou remoção precoce das crostas.

Em adolescentes e adultos, o quadro clínico, em geral, é mais exuberante. A febre é mais elevada e prolongada, o estado geral é mais comprometido, o exantema mais pronunciado e as complicações mais comuns, podendo levar a óbito, principalmente devido à pneumonia primária.

A complicação mais frequente é a infecção bacteriana secundária das lesões, como impetigo, abscesso, celulite e erisipela, causadas por *Staphylococcus aureus* e *S. pyogenes*, que podem levar a quadros sistêmicos de sepse, com artrite, pneumonia, endocardite, encefalite ou meningite e glomerulonefrite. Outras complicações mais raras, em geral associadas ao uso de corticoides ou imunodepressores, são pneumonia, púrpura, encefalite e síndrome de Reye. A síndrome de Reye ocorre especialmente em crianças e adolescentes que fazem uso do ácido acetilsalicílico durante a fase aguda. Essa síndrome caracteriza-se por quadro neurológico de rápida progressão e disfunção hepática.

**Está contraindicado o uso de ácido acetilsalicílico em pacientes com varicela.**

Imunocomprometidos podem ter a forma disseminada de varicela e varicela hemorrágica.

O vírus da varicela-zóster também causa herpes-zóster, que costuma ser decorrente da reativação do vírus, o qual permanece em latência e é reativado na idade adulta. A infecção congênita pelo vírus da varicela-zóster pode levar à embriopatia, com síndrome da varicela congênita, que se expressa por um ou mais dos seguintes sinais: microftalmia, catarata e atrofia óptica e do SNC. Deve ser considerado no diagnóstico diferencial de SRC (ver Capítulo Infecções na Gestação).

### Diagnóstico

O diagnóstico de varicela é essencialmente clínico-epidemiológico. A confirmação diagnóstica laboratorial pode ser feita por vários métodos laboratoriais.

A identificação do vírus da varicela-zóster pode ser feita pelo teste direto de anticorpo fluorescente ou por cultura em tecido, por meio de efeito citopático específico; porém, esse método é de alto custo e sua disponibilidade é limitada. A reação em cadeia da polimerase (PCR) é considerada o padrão-ouro para diagnóstico de infecção pelo vírus da varicela-zóster.

Os testes sorológicos são os mais utilizados. A aglutinação em látex (AL) ou Elisa apresentam bons resultados, além de estarem comercialmente disponíveis. Os testes mais utilizados são EIE, AL e IFI. A identificação do vírus da varicela-zóster pode ser realizada por meio da cultura do líquido vesicular. O vírus pode ser isolado das lesões vesiculares durante os primeiros 3 a 4 dias de erupção ou identificado pelas células gigantes multinucleadas, em lâminas preparadas, a partir de material obtido de raspado da lesão, ou pela inoculação do líquido vesicular em culturas de tecido; porém, a identificação das células gigantes multinucleadas não é específica para o vírus da varicela-zóster. Um aumento em 4 vezes da titulação de anticorpos por diversos métodos (imunofluorescência, fixação do complemento, Elisa) também auxilia na confirmação do diagnóstico.

### Diagnóstico diferencial

Devem ser consideradas as doenças que cursam com exantema vesicular, como coxsackioses, infecções cutâneas, dermatite herpetiforme de Duhring-Brocq, impetigo, erupção variceliforme de Kaposi e rickettsioses, entre outras. Na fase inicial, quando há exantema maculopapular, a varicela pode ser confundida com outras doenças exantemáticas da infância descritas neste capítulo.

### Tratamento

A varicela em crianças é, geralmente, uma doença benigna, não necessitando de tratamento específico. O tratamento, na maioria dos casos, é sintomático: antitérmicos, cuidados higiênicos (banhar-se, cortar as unhas), aplicação de antipruriginosos locais (loções de calamina) e, em alguns casos, administração de anti-histamínicos. Podem ser utilizados AINEs (exceto o ácido acetilsalicílico, que deve ser evitado por estar associado ao desencadeamento da síndrome de Reye), paracetamol ou dipirona. Havendo infecção secundária, recomenda-se o uso de antibióticos sistêmicos.

A terapia antiviral específica com aciclovir está indicada em indivíduos que tenham maior risco de desenvolver complicações relacionadas com a varicela, incluindo indivíduos imunocomprometidos[29] **B**, gestantes, adolescentes com idade > 12 anos[30] **B** e adultos, portadores de doenças crônicas, entre outros **C/D**. O uso de aciclovir está associado à redução dos sintomas em cerca de 1 dia[31] **B**, e redução de cerca de 75 lesões no total em crianças e adolescentes com varicela, previamente saudáveis. A posologia recomendada em crianças é de 20 mg/kg/dose (dose máxima: 800 mg/dia), VO, 4 ×/dia, , durante 5 dias **C/D**. Em adultos, utilizar 800 mg, VO, 5 ×/dia, durante 7 dias **C/D**. A terapia antiviral só tem efetividade quando iniciada nas primeiras 24 horas da doença. Em crianças imunocomprometidas ou pessoas com doença grave, está indicada hospitalização para uso intravenoso (IV) de aciclovir.[32]

### Prevenção e controle

A varicela não é doença de notificação compulsória; porém, os casos graves e óbitos devem ser notificados. Surtos da doença também devem ser notificados às SMSs e às Secretarias Estaduais de Saúde (SESs) por meio do módulo de notificação de surtos do Sistema de Informação de Agravos de Notificação (Sinan).

A vacina contra varicela, de vírus vivos atenuados, foi incorporada ao PNI do Brasil em 2013, e está recomendada, atualmente, em 2 doses – aos 15 meses e 4 anos de idade.

Para mais detalhes, ver Capítulos Imunizações e Doenças Transmissíveis: Condutas Preventivas na Comunidade.

## MONONUCLEOSE INFECCIOSA

É uma doença viral causada pelo vírus de Epstein-Barr, um herpesvírus da família *Herpesviridae*.

### Epidemiologia

A mononucleose infecciosa atinge principalmente crianças e adolescentes. A transmissão ocorre sobretudo de pessoa a pessoa por meio de contato com saliva de pessoas infectadas. Crianças pequenas podem infectar-se por contato com saliva em objetos ou mãos. Em adultos jovens, o beijo na boca facilita a transmissão. O período de incubação é longo, variando de 4 a 6 semanas. O período de transmissibilidade também é prolongado, podendo estender-se por período ≥ 1 ano.

### Quadro clínico e complicações

Em 50% dos pacientes, a infecção é subclínica ou assintomática. Em geral, os pródromos são muito discretos ou ausentes. O quadro clínico característico é constituído de febre, odinofagia, linfadenopatia, amigdalite membranosa e hepatoesplenomegalia. Pode haver exantema, variável e inconstante, que está associado ao uso de antibióticos (penicilinas, cefalosporinas e seus derivados).

### Diagnóstico

O diagnóstico laboratorial deve ser realizado com sorologia para detecção de IgM anticapsídeo viral (anti-VCA) em sangue coletado na fase aguda e IgG antiantígeno nuclear (anti-EBNA) em sangue da fase convalescente.

### Tratamento e prevenção

Não há tratamento específico, nem vacina. O tratamento sintomático inclui paracetamol ou AINEs para febre, dor de garganta e mal-estar, além da ingestão adequada de líquidos para prevenir a desidratação.[33,34]

A restrição de atividade física é geralmente recomendada para prevenir a ruptura esplênica, porém não há nenhuma orientação em relação à duração apropriada de evitar esportes de contato.

A prevenção consiste em orientar os contatos próximos a evitar contato com saliva de indivíduo com mononucleose.

## ENTEROVÍRUS

Diversos enterovírus causam doença em humanos. Enteroviroses que se manifestam com febre e exantema em geral estão associadas aos ecovírus ou Coxsackievírus A e B.

### Epidemiologia

O grupo etário mais acometido é o de crianças de pouca idade. A transmissão viral se dá por via fecal-oral ou respiratória. O período de incubação é de 3 a 6 dias. A excreção do vírus ocorre pelas fezes e, consequentemente, a transmissibilidade da doença pode persistir por várias semanas após a infecção.

### Quadro clínico e complicações

A doença manifesta-se comumente como uma doença febril não específica. Podem ocorrer manifestações respiratórias (resfriado, estomatite, herpangina, pneumonia), neurológicas (meningite asséptica) e cutâneas (exantema). O exantema, discreto, ocorre em 5 a 50% das infecções, podendo ser rubeoliforme, escarlatiniforme ou morbiliforme.

A doença ou síndrome mão-pé-boca (MPB) é uma enfermidade de alta contagiosidade, de transmissão fecal-oral e respiratória, causada pelo Coxsackievírus. Embora possa acometer também adultos, a doença MPB é mais frequente em crianças, especialmente nas com idade < 5 anos. A doença é, na grande maioria dos acometidos, benigna e autolimitada, com duração de cerca de 1 semana. Entretanto, recentemente foram relatados surtos com erupções extensas e graves com evolução desfavorável, incluindo óbitos.[35]

### Diagnóstico laboratorial

O diagnóstico é eminentemente clínico. A confirmação laboratorial pode ser realizada com isolamento viral em amostras de orofaringe colhidas nos primeiros 5 dias após o aparecimento do exantema. Além disso, exame de neutralização pode ser realizado em sangue colhido nas fases aguda e convalescente. Contudo, o diagnóstico laboratorial não é realizado nem disponibilizado rotineiramente.

### Tratamento

Não há tratamento específico, nem vacina. Devem ser reforçadas orientações quanto à lavagem de mãos após manipulação de indivíduo infectado, sobretudo após troca de fraldas[36] B.

## FEBRE TIFOIDE

É causada pela bactéria *Salmonella typhi*.

### Epidemiologia

A febre tifoide pode atingir pessoas de qualquer idade, desde que expostas à fonte de contágio. A transmissão ocorre por ingestão de alimentos contaminados ou pelo contato direto com as mãos do doente ou portador, e a doença tem-se apresentado em forma de surtos.

### Quadro clínico e complicações

A doença tem início insidioso, com febre alta, cefaleia, anorexia, dores abdominais, hepatoesplenomegalia e exantema. Em crianças, o início pode ser abrupto, com pródromos durando 2 a 4 dias. Há obstipação intestinal inicial, seguida de diarreia. O exantema ocorre em 10 a 15% das crianças, é característico (roséola tífica) e aparece na 2ª semana da doença. As lesões são do tipo maculopapulares, róseas, de 2 a 3 mm de diâmetro, em número de 10 a 20; clareiam sob pressão, predominam no tronco e geralmente desaparecem em 3 a 4 dias.

### Diagnóstico laboratorial

O diagnóstico laboratorial é feito com a confirmação da identificação de *S. typhi* em hemoculturas coletadas nas fases aguda e convalescente.

### Tratamento

O tratamento consiste em medidas de suporte e antibióticos (quinolonas[37] B, macrolídeos ou carbapenêmicos). A resistência antimicrobiana em febre tifoide vem aumentando em todo o mundo. A vacina contra febre tifoide é uma vacina inativada composta por polissacarídeos da cápsula da bactéria *S. typhi*. A vacina disponível no Brasil é a Typhim Vi®. É indicada para crianças e adultos a partir de 2 anos de idade que se deslocam para regiões de risco, e também para profissionais que lidam com águas contaminadas e dejetos. A vacina é administrada em esquema de 1 dose e a revacinação deve ocorrer a cada 3 anos. A vacina confere boa imunogenicidade após uma única dose.[38] O índice de soroconversão é de 71 a 77% em países endêmicos.[39]

### Prevenção e controle

A febre tifoide é doença de notificação compulsória no Brasil. Considera-se suspeito todo indivíduo com febre persistente, que pode ou não ser acompanhada de um ou mais dos seguintes sinais e sintomas: cefaleia, mal-estar geral, dor abdominal, anorexia, dissociação pulso-temperatura, constipação ou diarreia, tosse seca, roséolas tíficas e esplenomegalia (para mais informações sobre atividades de prevenção e controle, ver Capítulo Doenças Transmissíveis: Condutas Preventivas na Comunidade).

## OUTRAS DOENÇAS A SEREM CONSIDERADAS NO DIAGNÓSTICO DIFERENCIAL DE FEBRE E EXANTEMA

### Febre maculosa brasileira

É uma doença causada por *Rickettsia rickettsii*, transmitida pelo carrapato-estrela. Acomete acidentalmente os humanos, sobretudo crianças pré-escolares e escolares. O período de incubação varia entre 2 e 14 dias.

O exantema é purpúrico, ascendente, iniciando nos membros inferiores, que se encontram edemaciados, não respeitando as palmas das mãos ou as plantas dos pés.

O diagnóstico laboratorial é realizado com a identificação de anticorpos por IFI em amostras colhidas a partir do 7º dia do início dos sintomas.

O tratamento precoce da febre maculosa é essencial para evitar formas mais graves da doença. Assim que surgirem os primeiros sintomas, é importante procurar uma unidade de saúde para avaliação médica; o atraso do início do tratamento está associado com maior mortalidade.⁴⁰ O tratamento é feito com antibióticos específicos, em geral a doxiciclina por um período de pelo menos 3 dias após melhora da febre e até o paciente apresentar melhora clínica, o que corresponde a no mínimo 5 a 7 dias. Em casos graves que necessitem de internação, o cloranfenicol é o medicamento de escolha no Brasil pela indisponibilidade de doxiciclina IV.

A falta ou demora no tratamento da febre maculosa pode afetar o SNC e causar encefalite, confusão mental, delírios, convulsões e coma. Os rins podem ser acometidos, apresentando insuficiência renal aguda e edema por todo o corpo. Os pulmões também podem ser atingidos, em casos mais graves, gerando, muitas vezes, necessidade de suporte respiratório.⁴¹

## Micoplasma

É uma doença altamente contagiosa causada por *Mycoplasma pneumoniae*, podendo manifestar-se em surtos ou epidemias. Acomete sobretudo crianças em idade escolar e adolescentes. A transmissão ocorre por contato com indivíduos infectados, e o período de incubação é de 1 a 4 semanas.

No período prodrômico da doença, há febre, mal-estar e fadiga. Tosse seca tem início em poucos dias, seguida de sintomas respiratórios e pneumonia atípica (intersticial), continuando com tosse prolongada e paroxística. Exantema maculopapular ocorre em 10% dos pacientes, sendo confluente em tronco e dorso.

O diagnóstico laboratorial é feito mediante isolamento de *Mycoplasma* em culturas de materiais biológicos ou técnicas sorológicas, com títulos crescentes de IgG em amostras pareadas (fases aguda e convalescente).

Não há vacina. Bronquite e quadros respiratórios altos e leves se resolvem sem antibióticos em 7 a 10 dias.⁴² Quadros graves exigem antibioticoterapia específica com macrolídeos, tetraciclina ou quinolonas.⁴³

## Adenovírus

É uma doença viral aguda causada pelo vírus do gênero adenovírus (mais de 51 sorotipos).

Acomete principalmente pré-escolares, em especial crianças de 6 meses a 2 anos que frequentam creche. A transmissão ocorre por contato com secreções respiratórias de indivíduos infectados. A incidência é maior no final do inverno, na primavera e no início do verão. O período de incubação varia de 2 a 14 dias e a transmissibilidade é maior nos primeiros dias, podendo durar meses.

Fazem parte do quadro clínico sintomas respiratórios, otite média e conjuntivite, acompanhados de febre. Exantema maculopapular pode ocorrer, geralmente confundível com alergia a antibióticos. Infecções assintomáticas são frequentes, e pode ocorrer reinfecção.

O diagnóstico costuma ser clínico. A confirmação diagnóstica laboratorial pode ser realizada por isolamento viral em amostras de orofaringe colhidas nos primeiros 5 dias após o aparecimento do exantema. Exame de neutralização também pode ser realizado em sangue (fases aguda e convalescente).

O tratamento é de suporte. Não há vacina.

## Dengue

O exantema, quando presente, é maculopapular, aparece precocemente e é fugaz (1-5 dias), iniciando-se no tronco e espalhando-se para a face e, sobretudo, para os membros.⁴⁴

Para mais detalhes sobre a doença, ver Capítulo Dengue, Zika e Chikungunya.

## Vírus da Zika

A febre do vírus da Zika é uma doença causada pelo vírus do gênero *Flavivirus*, transmitida por mosquitos do gênero *Aedes*, sendo *Aedes aegypti* o principal vetor. Pode manifestar-se clinicamente como uma doença febril aguda, com duração de 3 a 7 dias, caracterizada pelo surgimento de exantema maculopapular pruriginoso (surge no 10º dia e está presente em 90% dos pacientes), febre (sem febre, subfebril ou < 38 °C), hiperemia conjuntival não purulenta e sem prurido, artralgia, mialgia, edema periarticular e cefaleia.⁴⁴

Para mais detalhes sobre a doença, ver Capítulo Dengue, Zika e Chikungunya.

## Chikungunya

A febre Chikungunya é uma doença causada por um vírus do gênero *Alphavirus* transmitida por mosquitos do gênero *Aedes*, sendo *Aedes aegypti* o principal vetor. A doença pode manifestar-se clinicamente de três formas: aguda, subaguda e crônica. Na fase aguda, os sintomas aparecem de forma brusca e compreendem febre alta (> 38 °C), artralgia intensa (predominantemente nas extremidades e nas grandes articulações), cefaleia e mialgia. Também é frequente a ocorrência de exantema maculopapular, em geral de 2 a 5 dias após o início da febre em aproximadamente 50% dos doentes. Os sintomas costumam persistir por 7 a 10 dias, mas a dor nas articulações pode durar meses ou anos e, em certos casos, converter-se em uma dor crônica incapacitante.⁴⁴

Para mais detalhes sobre a doença, ver Capítulo Dengue, Zika e Chikungunya.

## Toxoplasmose

É uma doença causada pelo protozoário *Toxoplasma gondii*. A infecção ocorre por ingestão de carne crua ou malpassada (bovina, suína ou ovina) contendo cistos do toxoplasma ou por ingestão acidental de oocistos do solo ou alimentos contaminados. Acomete qualquer grupo etário. O período de incubação médio é de 7 dias.

A infecção durante a gestação pode acometer o feto, causando infecção congênita. Quando adquirida após o nascimento, em geral é assintomática. Na presença de sintomas, eles costumam ser inespecíficos, como febre, mialgia, dor de garganta e cansaço. Ocasionalmente, caracteriza-se como uma síndrome mononucleose-*like*, com exantema macular e hepatoesplenomegalia.

Recém-nascidos com toxoplasmose congênita podem apresentar exantema maculopapular, linfadenopatia generalizada, hepatoesplenomegalia, icterícia e trombocitopenia.

O diagnóstico é feito na presença de sorologia com IgM reagente (Elisa ou IFI) em amostra de sangue de fase aguda ou incremento de títulos de IgG em sorologias de amostras pareadas (fases aguda e convalescente).

O curso clínico é autolimitado e benigno.

## Reações medicamentosas

Reações medicamentosas ocorrem em decorrência de reações de hipersensibilidade do tipo I após exposição a diversos fármacos. Acometem qualquer grupo etário e não apresentam pródromos. Pode ocorrer febre, mialgia e prurido. O exantema pode ser macular, maculopapular, urticariforme ou eritrodérmico. Reações mais graves podem ser facilmente confundidas com exantema do sarampo ou escarlatina. Adenopatia, hepatoesplenomegalia e toxicidade intensa podem ocorrer.

O diagnóstico é essencialmente clínico, e exames laboratoriais podem auxiliar excluindo causas infecciosas de exantema.

## Doença de Kawasaki

Acomete principalmente crianças com idade entre 1 e 4 anos. O quadro clínico caracteriza-se por pródromos, com duração de 3 a 4 dias, com febre alta, adenopatia cervical, irritabilidade e hiperemia conjuntival bilateral. O exantema é polimórfico, escarlatiniforme ou purpúrico, com início no tronco e descamação lamelar. Há alterações de mucosa oral, com hiperemia, edema e ressecamento de lábios com fissuras e edema duro de dedos de mãos e pés, com hiperemia palmoplantar. Não são raros comprometimento articular intenso e complicações cardiovasculares, com aneurisma de coronária e infarto do miocárdio (20% dos casos).

O diagnóstico é clínico.

# REFERÊNCIAS

1. Marques SR, Succi RCM. Diagnóstico diferencial das doenças exantemáticas. In: Farhat CK, Carvalho ES, Carvalho LH, Succi RCM. Infectologia pediátrica. 2. ed. São Paulo: Atheneu; 1999. p. 169.
2. Cherry JD. Cutaneos manifestations of systemic infections. In: Cherry JD, Harrison D, Kaplan SL, Steinbach WJ, Hotez PJ. Textbook of pediatric infectious diseases. 7th ed. Philadelphia: Elsevier Saunders; 2014. p. 741-68.
3. de Moraes JC, Toscano CM, de Barros EN, Kemp B, Lievano F, Jacobson S, et al. Etiologies of rash and fever illnesses in Campinas, Brazil. J Infect Dis. 2011;204 Suppl 2:S627-36.
4. Brasil. Ministério da Saúde. Secretaria de Vigilância em Saúde. Coordenação-Geral de Desenvolvimento da Epidemiologia em Serviços. Guia de Vigilância em Saúde: volume único [Internet]. 3. ed. Brasília: MS; 2019[capturado em 20 set. 2020]. Disponível em: https://bvsms.saude.gov.br/bvs/publicacoes/guia_vigilancia_saude_4ed.pdf.
5. Brasil. Ministério da Saúde. Secretaria de Políticas de Saúde. Departamento de Atenção Básica. Dermatologia na Atenção Básica [Internet]. Brasília: MS; 2002[capturado em 5 jul. 2021]. Disponível em: https://bvsms.saude.gov.br/bvs/publicacoes/guiafinal9.pdf
6. Sociedade Brasileira de Pediatria. Atualização sobre sarampo – guia prático de atualização. Rio de Janeiro: SBP; 2018.
7. Mina MJ, Kula T, Leng Y, Li M, de Vries RD, Knip M, et al. Measles virus infection diminishes preexisting antibodies that offer protection from other pathogens. Science. 2019: 366(6465):599-606.
8. World Health Organization. Weekly epidemiological record. Measles vaccines: WHO position paper – Vaccine. 2019;37(2):219-222.
9. Portnay A, Jit M, Ferrari M, Hanson M, Brenzel L, Verguet S. Estimates of case-fatality ratios of measles in low-income and middle-income countries: a systematic review and modelling analysis. Lancet Glob Health 2019; 7: e472–81.9)
10. Centers for Disease Control and Prevention (CDC). Recommendations from an ad hoc Meeting of the WHO Measles and Rubella Laboratory Network (LabNet) on use of alternative diagnostic samples for measles and rubella surveillance. MMWR Morb Mortal Wkly Rep. 2008;57(24):657-60.
11. Kabra SK, Lodha R. Antibiotics for preventing complications in children with measles. Cochrane Database Syst Rev. 2013;2013(8):CD001477.
12. Young MK, Nimmo GR, Cripps AW, Jones MA. Post-exposure passive immunisation for preventing measles. Cochrane Database Syst Rev. 2014;(4):CD010056.
13. Glyn-Jones R. Measles vaccine gamma globulin in the prevention of cross infection with measles in an acute paediatric ward. Cent Afr J Med. 1972;18(1):4-9.
14. Sheppeard V, Forssman B, Ferson MJ, Moreira C, Campbell-Lloyd S, Dwyer DE, et al. The effectiveness of prophylaxis for measles contacts in NSW. N S W Public Health Bull. 2009;20(5-6):81-5.
15. de Quadros CA, Olivé JM, Hersh BS, Strassburg MA, Henderson DA, Brandling-Bennett D, et al. Measles elimination in the Americas. Evolving strategies. JAMA. 1996;275(3):224-9.
16. World Health Organization. Global measles and rubella strategic plan: 2012[ Internet]. Geneva: WHO; 2012 [capturado em 23 set. 2020]. Disponível em: https://apps.who.int/iris/handle/10665/44855.
17. Pan American Health Organization. 164th session of Executive Committee. Plan of action for the sustainability of measles, rubella, and congenital rubella syndrome elimination in the Americas 2018-2023 Progress Report. Washington: PAHO; 2019[capturado em 20 set. 2020]. Disponível em: https://www.paho.org/hq/index.php?option=com_docman&view=download&alias=49085-ce164-inf-7-b-e-poa-measles&category_slug=164-executive-committee&Itemid=270&lang=en
18. Brasil. Ministério da Saúde. Bol Epidemiol. 2020; 51(37).
19. Pan American Health Organization. 164th session of Executive Committee. Plan of action for the sustainability of measles, rubella, and congenital rubella syndrome elimination in the Americas 2018-2023 Progress Report [Internet]. Washington: PAHO; 2019[capturado em 20 set. 2020]. Disponível em: https://www.paho.org/hq/index.php?option=com_docman&view=download&alias=49085-ce164-inf-7-b-e-poa-measles&category_slug=164-executive-committee&Itemid=270&lang=en
20. Moraes JC et al. Imunização no Sistema Único de Saúde. In: Organização Pan-Americana da Saúde. Relatório 30 anos de SUS, que SUS para 2030? Brasília: OPAS; 2018. p. 203-16.
21. Grant GB, Desai S, Dumolard L, Kretsinger K, Reef SE. Centers for Disease Control and Prevention. Progress Toward Rubella and Congenital Rubella Syndrome Control and Elimination – Worldwide, 2000–2018. MMWR. 2019;68(39):855-9.
22. American Academy of Pediatrics. Rubella. In: Pickering LK, editor. Red Book: 2012 Report of the Committee on Infectious Diseases. 29th ed. Itasca: American Academy of Pediatrics; 2012. p. 629-34.
23. Banatvala JE, Brown DW. Rubella. Lancet. 2004;363(9415):1127-37.
24. World Health Organization. Weekly epidemiological record [Internet]. Rubella vaccines. Wkly Epidemiol Rec. 2020[capturado em 20 set. 2020];95:301–24. Disponível em: https://apps.who.int/iris/bitstream/handle/10665/332950/WER9527-eng-fre.pdf?ua=1.

25. Organização Pan-americana da Saúde. 29ª Conferência Sanitária Pan-americana. 69ª Sessão do Comitê Regional da OMS para as Américas [Internet]. Washington: OPAS; 2017[capturado em 2 set. 2020]. Disponível em: https://iris.paho.org/bitstream/handle/10665.2/34446/CSP29-8-p.pdf?sequence=4&isAllowed=y
26. Brasil. Ministério da Saúde. Sistema Único de Saúde. Datasus – Coberturas vacinais por imunobiológico segundo ano [Internet]. Brasília: MS; 2021 [capturado em 20 jun. 2021]. Disponível em: http://tabnet.datasus.gov.br/cgi/webtabx.exe?bd_pni/cpnibr.def
27. Garcia-Vera C, Javierre BD, Larraz BC, Navarro TA, Guerrero TC, Pastora RR, et al. Scarlet fever: a not so typical exanthematous pharyngotonsillitis (based on 171 cases). Enferm Infecc Microbiol Clin. 2016; 34(7):422–6.
28. Shulman ST, Bisno AL, Clegg HW, Gerber MA, Kaplan EL, Lee G, et al. Clinical Practice Guideline for the Diagnosis and Management of Group A Streptococcal Pharyngitis: 2012 Update by the Infectious Diseases Society of AmericaExternal. Clin Infect Dis. 2012;55(10):e86–e102.
29. Nyerges G, Meszner Z, Gyarmati E, Kerpel-Fronius S. Acyclovir prevents dissemination of varicella in immunocompromised children. J Infect Dis. 1988;157(2):309-13.
30. Balfour Jr HH, Rotbart HA, Feldman S, Dunkle LM, Feder HM Jr, Prober CG, et al. Acyclovir treatment of varicella in otherwise healthy adolescents. The Collaborative Acyclovir Varicella Study Group. J Pediatr. 1992;120(4 Pt 1):627-33.
31. Klassen TP, Hartling L, Wiebe N, Belseck EM. Acyclovir for treating varicella in otherwise healthy children and adolescents. Cochrane Database Syst Rev. 2005;(4):CD002980.
32. American Academy of Pediatrics. Varicella-Zoster virus infection. In: In: Kimberlin DW, Brady MT, Jackson MA. Red Book: 2018 Report of the Committee on Infectious Diseases. 31st ed. Itasca: American Academy of Pediatrics; 2018. p. 869-83.
33. Lennon P, Crotty M, Fenton JE. Infectious mononucleosis. BMJ. 2015;350:h1825.
34. Luzuriaga K, Sullivan JL. Infectious mononucleosis. N Engl J Med. 2010;362(21):1993-2000, correction can be found in N Engl J Med 2010;363(15):1486.
35. American Academy of Pediatrics. Enterovirus (nonpoliovirus) infections (Group A and B coxsackieviruses, echoviruses, and numbered enteroviruses). In: Kimberlin DW, Brady MT, Jackson MA. Red Book: 2018 Report of the Committee on Infectious Diseases. 31st ed. Itasca: American Academy of Pediatrics; 2018. p. 331-4.
36. Ruan F, Yang T, Ma H, Jin Y, Song S, Fontaine RE, Zhu BP. Risk factors for hand, foot, and mouth disease and herpangina and the preventive effect of hand-washing. Pediatrics. 2011;127(4):e898-904.
37. Effa EE, Lassi ZS, Critchley JA, Garner P, Sinclair D, Olliaro PL, Bhutta ZA. Fluoroquinolones for treating typhoid and paratyphoid fever (enteric fever). Cochrane Database Syst Rev. 2011;2011(10):CD004530.
38. Jackson BR, Iqbal S, Mahon B; Centers for Disease Control and Prevention. Updated recommendations for the use of typhoid vaccine--Advisory Committee on Immunization Practices, United States, 2015. MMWR Morb Mortal Wkly Rep. 2015;64(11):305-8.
39. Brasil. Ministério da Saúde. Febre Tifoide. [Internet]. In: Brasil. Ministério da Saúde. Guia de Vigilância em Saúde: volume único [Internet]. 4. ed. Brasília: MS; 2019 [capturado em 202 set. 2020] Disponível em: https://bvsms.saude.gov.br/bvs/publicacoes/guia_vigilancia_saude_4ed.pdf.
40. Kirkland KB, Wilkinson WE, Sexton DJ. Therapeutic delay and mortality in cases of Rocky Mountain spotted fever. Clin Infect Dis. 1995;20(5):1118-21.
41. Brasil. Ministério da Saúde. Febre maculosa brasileira e outras riquetsioses [Internet]. In: Brasil. Ministério da Saúde. Guia de Vigilância em Saúde: volume único. 2. ed. Brasília: MS; 2017 [capturado em 20 set. 2020]. Disponível em: https://portalarquivos2.saude.gov.br/images/pdf/2017/novembro/14/GVS-febre-maculosa-2017.pdf.
42. Bajantri B, Venkatram S, Diaz-Fuentes G. Mycoplasma pneumoniae: a potentially severe infection. J Clin Med Res. 2018;10(7):535-544
43. Centers for Disease Control and Prevention. *Mycoplasma pneumoniae* Infections. Antibiotic Treatment and Resistance [Internet]. Atlanta: CDC; 2020 [capturado em 20 set. 2020]. Disponível em: https://www.cdc.gov/pneumonia/atypical/mycoplasma/hcp/antibiotic-treatment-resistance.html.
44. Paixão ES, Teixeira MG, Rodrigues LC. Zika, chikungunya and dengue: the causes and threats of new and re-emerging arboviral diseases. BMJ Glob Health 2017;3:e000530.

## LEITURAS RECOMENDADAS

Hamborsky J, Kroger A, Wolfe S, editors. Epidemiology and Prevention of Vaccine-Preventable Diseases. In: Centers for Disease Control and Prevention. The Pink Book: course textbook. 13th. ed. Washington: CDC; 2015.

*Manual prático sobre vacinas rotineiramente usadas e epidemiologia de doenças por elas preveníveis.*

Sharland M, editor. Manual of childhood infections (Oxford Specialist Handbooks in Paediatrics): The Blue Book. 4 ed. Oxford: Oxford University; 2016.

*Manual prático de doenças infecciosas na infância da Universidade de Oxford (Reino Unido).*

# Capítulo 148
## DIARREIA AGUDA NA CRIANÇA

Helena Ayako Sueno Goldani

Clécio Homrich da Silva

Doença diarreica aguda (DDA) é uma síndrome causada por diferentes agentes etiológicos (bactérias, vírus e parasitas), cuja manifestação predominante é o aumento do número de evacuações (em geral, mais de 3 ×/dia), com fezes aquosas ou de pouca consistência. Costuma ser autolimitada, com duração de 2 a 14 dias, variando desde as formas leves até as graves, quando são observados desidratação e distúrbios eletrolíticos, sobretudo quando associada à desnutrição. A diarreia de origem infecciosa ocorre em crianças e adultos. É uma doença relacionada com altas taxas de morbimortalidade infantil e é uma causa importante de desnutrição, especialmente em países em desenvolvimento.[1-3]

## DEFINIÇÃO

Diarreia é definida como uma diminuição na consistência das fezes com evacuações amolecidas ou líquidas e/ou um aumento da sua frequência para 3 ou mais evacuações em 24 horas acompanhadas ou não por febre ou vômitos.[4] No entanto, uma mudança na consistência das fezes comparada ao padrão habitual anterior é mais um indicativo de diarreia do que o número de evacuações diárias, particularmente, nos primeiros meses de vida.[1]

## CLASSIFICAÇÃO

### Diarreia aquosa aguda

É caracterizada pela perda de grande quantidade de água durante as evacuações, promovendo alteração na consistência das fezes em um período < 14 dias, podendo estabelecer rapidamente um quadro de desidratação. Na diarreia aquosa aguda, ocorre secreção ativa de água e eletrólitos da corrente circulatória para a luz intestinal. O agente infeccioso não necessariamente causa invasão tecidual, o que explica a ausência de muco, pus e sangue nas fezes. Pode ser causada por bactérias e vírus, na maioria dos casos.

### Diarreia aguda com sangue (disenteria)

É caracterizada pela presença de sangue nas fezes, podendo haver muco e/ou pus devido a uma lesão na mucosa intestinal. Bactérias do gênero *Shigella* são as principais causadoras de disenteria.

## EPIDEMIOLOGIA

Segundo a Organização Mundial da Saúde (OMS), as doenças diarreicas constituem a segunda principal causa de morte em crianças com idade < 5 anos, principalmente em países em desenvolvimento, embora sejam evitáveis e tratáveis.[4] As DDAs são as principais causas de morbimortalidade infantil (em crianças com idade < 1 ano) e constituem um dos mais graves problemas de saúde pública global, com aproximadamente 1,7 bilhão de casos e 525 mil óbitos na infância (em crianças com idade < 5 anos) por ano,[5] com ampla variabilidade regional na incidência e na mortalidade associada a essa doença.[4] Em países com baixo nível de desenvolvimento socioeconômico, os lactentes apresentam uma mediana de 6 episódios/ano, enquanto as crianças maiores, 3. Nos países desenvolvidos, a mortalidade é um desfecho raro, mas a diarreia é a principal causa de consultas e hospitalizações, resultando em uma carga elevada nos custos e nos cuidados em saúde.[6] Além disso, a diarreia está entre as principais causas de desnutrição em crianças com idade < 5 anos.[3]

A incidência da diarreia na Europa varia de 0,5 a 2 episódios/ano em crianças com idade < 3 anos. Mundialmente, a gastrenterite é a maior causa de hospitalizações em crianças nessa faixa etária, sendo o rotavírus o agente mais frequente. Porém, enquanto existe uma elevada cobertura vacinal para o rotavírus, o norovírus está se tornando a principal causa de atendimento médico nos casos de gastrenterite aguda. Entre os agentes bacterianos mais comuns, destacam-se o *Campylobacter* e a *Salmonella*, com variabilidade entre os diversos países.[1]

Nas últimas duas décadas, ocorreu, globalmente, expressiva redução na mortalidade por diarreias infecciosas em crianças com idade < 5 anos. Em 1982, foram 5 milhões de mortes; em 1991, 3,5 milhões; em 2001, 2,5 milhões; e em 2011, 1,5 milhão.[2]

Uma análise mais recente da Global Burden of Disease (GBD) mostrou que vários países têm apresentado um declínio acentuado na mortalidade por doença diarreica entre crianças com idade < 5 anos. Em 2017, a diarreia foi responsável por uma estimativa de 533.768 óbitos. Naquele ano, a taxa de mortalidade foi de 78,4 a cada 100 mil e, no período de 1990 a 2017, ela diminuiu 70%. Entre os fatores de risco considerados nesse estudo, os responsáveis pelos maiores declínios na taxa de mortalidade por diarreia foram redução na exposição a saneamento precário (13,3%), desnutrição (9,9%) e pouca utilização dos sais de reidratação oral (6,9%).[7]

No Brasil, conforme dados da Vigilância Epidemiológica do Ministério da Saúde, mediante o registro no Sistema de Informação de Agravos de Notificação (Sinan) de 2007 a 2018, a DDA vem mantendo uma incidência anual de cerca de 300 mil casos em crianças com idade < 1 ano e de aproximadamente 950 mil casos em crianças de 1 a 4 anos.[8]

Os seguintes comportamentos pessoais aumentam o risco para doenças diarreicas: ingestão de água sem tratamento adequado; consumo de alimentos sem conhecimento da procedência, do preparo e do armazenamento; ingestão de leite *in natura* (e derivados) sem ferver ou pasteurizar; consumo de produtos cárneos e pescados e mariscos crus ou malcozidos; consumo de frutas e hortaliças sem higienização adequada; viagem a locais onde as condições de saneamento e de higiene sejam precárias; falta de higiene pessoal, entre outros.[3]

## ETIOLOGIA E MANIFESTAÇÕES CLÍNICAS

Além da ocorrência de, no mínimo, 3 episódios de diarreia aguda (diminuição da consistência das fezes – fezes líquidas ou amolecidas – e aumento do número de evacuações) no período de 24 horas, os principais sinais e sintomas que podem ser encontrados são: cólicas e/ou dores abdominais, febre, sangue e/ou muco nas fezes, náuseas e vômitos.[8]

Um estudo avaliou o agente etiológico de 9.439 crianças com diarreia moderada a grave na Ásia e na África, e os agentes mais frequentemente encontrados foram: rotavírus, *Shigella*, *Escherichia coli* enterotoxigênica e *Cryptosporidium*. Rotavírus foi o microrganismo mais frequente entre crianças com idade < 2 anos, enquanto *Shigella* foi o mais frequente entre as de 2 a 5 anos. *Cryptosporidium* foi o segundo mais frequente em crianças com idade < 1 ano e pouco frequente nas crianças com idade > 2 anos. *Vibrio cholerae* foi também um importante agente etiológico de diarreia.[9] Diferentemente, na Europa o rotavírus é o agente etiológico mais frequente de diarreia aguda infecciosa (10-35%), enquanto *Campylobacter* e *Salmonella* são os agentes bacterianos mais comuns.[1]

Os agentes etiológicos, as principais manifestações clínicas, o período de incubação e a duração da doença encontram-se na TABELA 148.1.[10]

## TRANSMISSIBILIDADE DA DOENÇA

A transmissão das DDAs pode ocorrer pelas vias oral ou fecal-oral. Essa transmissão pode ser:

→ **indireta:** pelo consumo de água e alimentos contaminados e contato com objetos contaminados, como utensílios de cozinha, acessórios de banheiros, equipamentos hospitalares;

**TABELA 148.1** → Manifestações clínicas, período de incubação e duração da doença causada pelos principais agentes etiológicos envolvidos nas doenças diarreicas agudas

| AGENTE ETIOLÓGICO | MANIFESTAÇÕES CLÍNICAS | | | PERÍODO DE INCUBAÇÃO | DURAÇÃO DA DOENÇA |
|---|---|---|---|---|---|
| | DIARREIA | FEBRE | VÔMITO | | |
| **Bactérias** | | | | | |
| *Bacillus cereus* | Geralmente pouco importante | Rara | Comum | 1-6 horas | 24 horas |
| *Staphylococcus aureus* | Geralmente pouco importante | Rara | Comum | 1-6 horas | 24 horas |
| *Campylobacter* spp. | Pode ser disentérica | Variável | Variável | 1-7 dias | 1-4 dias |
| *Escherichia coli* enterotoxigênica | Aquosa; pode ser profusa | Variável | Eventual | 12 horas a 3 dias | 3-5 dias |
| *Escherichia coli* enteropatogênica | Aquosa; pode ser profusa | Variável | Variável | 2-7 dias | 1-3 semanas |
| *Escherichia coli* enteroinvasiva | Pode ser disentérica | Comum | Eventual | 2-3 dias | 1-2 semanas |
| *Escherichia coli* êntero-hemorrágica | Inicia aquosa, com sangue a seguir | Rara | Comum | 3-5 dias | 1-12 dias |
| *Salmonella* spp. (não tifoide) | Pastosa, aquosa, às vezes com sangue | Comum | Eventual | 8 horas a 2 dias | 5-7 dias |
| *Shigella* spp. | Pode ser disentérica | Comum | Eventual | 1-7 dias | 4-7 dias |
| *Yersinia enterocolitica* | Mucosa, às vezes com presença de sangue | Comum | Eventual | 2-7 dias | 1 dia a 3 semanas |
| *Vibrio cholerae* | Pode ser profusa e aquosa | Geralmente afebril | Comum | 5-7 dias | 5-7 dias |
| **Vírus** | | | | | |
| Astrovírus | Aquosa | Eventual | Eventual | 1-14 dias | 1-14 dias |
| Calicivírus | Aquosa | Eventual | Comum em crianças | 1-3 dias | 1-3 dias |
| Adenovírus entérico | Aquosa | Comum | Comum | 7-8 dias | 8-12 dias |
| Norovírus | Aquosa | Rara | Comum | 18 horas a 2 dias | 12 horas a 2 dias |
| Rotavírus grupo A | Aquosa | Comum | Comum | 1-3 dias | 5-7 dias |
| Rotavírus grupo B | Aquosa | Rara | Variável | 2-3 dias | 3-7 dias |
| Rotavírus grupo C | Aquosa | Ignorado | Ignorado | 1-2 dias | 3-7 dias |
| **Parasitas** | | | | | |
| *Balantidium coli* | Eventual, com muco ou sangue | Rara | Dor | Ignorado | Ignorado |
| *Cryptosporidium* spp. | Abundante e aquosa | Eventual | Cãibra eventual | 1-2 semanas | 4 dias a 3 semanas |
| *Entamoeba histolytica* | Eventual, com muco ou sangue | Variável | Cólica | 2-4 semanas | Semanas a meses |
| *Giardia lamblia* | Incoercível, fezes claras e gordurosas | Rara | Cãibra/distensão | 5-25 dias | Semanas a anos |
| *Cystoisospora belli* | Incoercível | Ignorado | Ignorado | 2-15 dias | 2-3 semanas |

Fonte: Brasil.[10]

→ **direta:** pelo contato com outras pessoas, por meio de mãos contaminadas e contato de pessoas com animais.

Os manipuladores de alimentos e os insetos podem contaminar os alimentos, utensílios e objetos capazes de absorver, reter e transportar organismos contagiantes e infecciosos. Também os locais de uso coletivo, como escolas, creches, hospitais e penitenciárias, apresentam maior risco de transmissão das DDAs.[8]

O período de incubação – ou seja, o tempo para que os sintomas comecem a aparecer a partir do momento da contaminação/infecção – e o período de transmissibilidade das DDAs são específicos para cada agente etiológico (ver **TABELA 148.1**).

**Coproculturas não devem ser realizadas de rotina em crianças com DDA; no entanto, devem ser realizadas em crianças com doença grave ou hospitalizadas.[4]**

Os agentes infecciosos relacionados com as diferentes síndromes diarreicas são transmitidos por meio do ciclo fecal-oral, sobretudo em ambientes precários, com saneamento inadequado e sem abastecimento de água tratada.

Para causar doença, o *Vibrio cholerae* e a *Salmonella* sp., por exemplo, necessitam ser ingeridos em grande quantidade, na ordem de $10^5$ a $10^8$ microrganismos. Por outro lado, agentes como *Giardia lamblia*, *Shigella* sp. ou *Entamoeba* podem causar doença se ingeridos em menores quantidades, de 10 a 100 microrganismos. Os agentes causadores de diarreia são geralmente veiculados na água ou nos alimentos contaminados, mas a *Giardia*, a *Shigella* e a *Entamoeba* também podem ser transmitidas de pessoa para pessoa.

Em relação ao rotavírus, destaca-se o seu mecanismo de transmissão pela via fecal-oral. Estima-se que as fezes de crianças infectadas apresentem altas concentrações desse patógeno a partir de 2 dias antes do início dos sinais e sintomas até 21 dias após esse período. As pessoas infectadas pelo rotavírus excretam até 1 trilhão de partículas por mililitro de fezes e, como a carga viral necessária para infectar o homem é muito baixa (10 partículas), as epidemias são muito comuns. Nesse sentido, vários estudos apontam o rotavírus como uma importante causa de diarreia nosocomial. Portanto, observa-se que esse patógeno possui eficientes mecanismos de contágio universal, os quais ignoram diferenças culturais, regionais e nacionais.[11]

## ABORDAGEM E MANEJO DA DIARREIA AGUDA

A história clínica tem alto valor discriminatório e permite, em pouco tempo, estimar as diferentes síndromes ou apontar outras doenças com apresentações similares. Manifestações clínicas como náuseas e vômitos são sintomas inespecíficos que podem estar associados a uma infecção aguda (doença toxigênica ou toxina pré-formada), a uma doença sistêmica ou a um quadro de obstrução intestinal. A presença de muco, pus e/ou sangue nas fezes sugere doença invasiva. Elaborar perguntas sobre a existência de contatos que tenham a doença é mais rápido e eficaz do que construir uma lista de alimentos ingeridos. Se houver suspeita de fonte comum, determinados alimentos devem ser investigados. A história pode avaliar também a gravidade dos sintomas e o risco de complicações, em especial a desidratação. O número de evacuações, a característica das fezes (presença de restos alimentares, muco, sangue, pus), a presença de febre (com aumento da perda de água) e o relato de náusea e/ou vômitos devem ser considerados.

O exame físico tem duas funções essenciais: avaliar a existência de comorbidades e a presença e o grau de desidratação. Esta última é a consequência mais preocupante da diarreia, além do vômito e da febre. Ela é um grande risco para a saúde da criança e um dos principais motivos de consulta médica, hospitalização e também de morte. Portanto, a avaliação da desidratação de uma maneira confiável e rápida é fundamental para evitar um quadro de desidratação grave e suas consequências, e também para iniciar imediatamente o tratamento.[4]

A desidratação reflete a gravidade da doença. No entanto, em crianças hospitalizadas, embora a desidratação também possa ser considerada, outros parâmetros como dificuldade respiratória, respiração profunda, sinais de choque, incapacidade de beber, sinais neurológicos, anormalidades eletrolíticas ou perda de peso corporal podem ser usados igualmente como marcadores de gravidade.

O percentual de perda de peso é considerado o melhor indicador de desidratação.[1] Considera-se que perda de peso de até 5% represente desidratação leve; entre 5 e 10%, desidratação moderada; e maior que 10%, desidratação grave. Entretanto, na maioria das vezes, a informação sobre o peso anterior ao início da diarreia é inexistente, o que impede estimar a perda de peso. São parâmetros importantes para estimar o grau de desidratação: turgor cutâneo, estado geral, tempo de enchimento capilar e membranas mucosas (TABELA 148.2). Esses parâmetros podem ser incluídos em um escore clínico para estimar o grau de desidratação individualmente. A confiabilidade dessa sintomatologia pode estar reduzida na presença de crianças malnutridas.[4,12]

A European Society for Paediatric Gastroenterology, Hepatology and Nutrition (ESPGHAN) destaca que o escore de desidratação clínica em crianças sem desnutrição é composto pelos parâmetros de alterações do estado mental, olhos fundos, mucosa oral seca e redução da lágrima.[1] Diminuição da perfusão periférica, respiração profunda e diminuição do turgor cutâneo frequentemente estão presentes em casos de desidratação moderada e grave.[4]

## TRATAMENTO

O tratamento das DDAs se fundamenta na prevenção e na rápida correção da desidratação por meio da ingestão de líquidos e solução de sais de reidratação oral (SRO)[14] **B** ou fluidos intravenosos (IV), dependendo do estado de hidratação e da gravidade do caso. Por isso, apenas após a avaliação clínica da criança, o tratamento adequado deve ser

**TABELA 148.2** → Avaliação do estado de hidratação para crianças com doença diarreica

| OBSERVAR | A | B | C |
| --- | --- | --- | --- |
| Condições | Bem alerta | Irritado, intranquilo | Comatoso, hipotônico* |
| Olhos | Normais | Fundos | Muito fundos |
| Lágrimas | Presentes | Ausentes | Ausentes |
| Boca e língua | Úmidas | Secas | Muito secas |
| Sede | Bebe normalmente | Sedento; bebe rápido e avidamente | Bebe mal ou não é capaz de beber* |
| **EXAMINAR** | | | |
| Sinal da prega | Desaparece rapidamente | Desaparece lentamente | Desaparece muito lentamente (> 2 segundos) |
| Pulso | Cheio | Rápido, débil | Muito débil ou ausente* |
| Enchimento capilar† | Normal (até 3 segundos) | Prejudicado (3-5 segundos) | Muito prejudicado (> 5 segundos)* |
| Conclusão | Não tem desidratação | Se apresentar 2 ou mais dos sintomas descritos acima, existe desidratação | Se apresentar 2 ou mais dos sinais descritos acima, incluindo pelo menos 1 dos assinalados com asterisco, existe desidratação grave |
| **TRATAMENTO** | **PLANO A** | **PLANO B** | **PLANO C** |
| | Tratamento domiciliar | Terapia de reidratação oral no serviço de saúde | Terapia de reidratação parenteral |

†Para avaliar o enchimento capilar, a mão da criança deve ser mantida fechada e comprimida por 15 segundos. Abrir a mão da criança e observar o tempo durante o qual a coloração da palma da mão volta ao normal. A avaliação da perfusão periférica é muito importante, principalmente em desnutridos, nos quais a avaliação dos outros sinais de desidratação é muito difícil.
Fonte: Sociedade Brasileira de Pediatria.[2]

# MANEJO DO PACIENTE COM DIARREIA

DISQUE SAÚDE 136 — www.saude.gov.br — SUS — Ministério da Saúde — GOVERNO FEDERAL BRASIL — PAÍS RICO É PAÍS SEM POBREZA

## AVALIAÇÃO DO ESTADO DE HIDRATAÇÃO DO PACIENTE

| ETAPAS | | A | B | C |
|---|---|---|---|---|
| **OBSERVE** | Estado geral | Bem, alerta | Irritado, intranquilo | Comatoso, hipotônico* |
| | Olhos | Normais | Fundos | Muito fundos e secos |
| | Lágrimas | Presentes | Ausentes | Ausentes |
| | Sede | Bebe normal, sem sede | Sedento, bebe rápido e avidamente | Bebe mal ou não é capaz de beber* |
| **EXPLORE** | Sinal da prega | Desaparece rapidamente | Desaparece lentamente | Desaparece muito lentamente (mais de 2 segundos) |
| | Pulso | Cheio | Rápido, fraco | Muito fraco ou ausente* |
| **DECIDA** | | SEM SINAIS DE DESIDRATAÇÃO | Se apresentar dois ou mais sinais: COM DESIDRATAÇÃO | Se apresentar dois ou mais sinais, incluindo pelo menos um dos destacados com asterisco (*): DESIDRATAÇÃO GRAVE |
| **TRATE** | | USE O PLANO A | USE O PLANO B (pese o paciente) | USE O PLANO C (pese o paciente) |

## PLANO A
### PARA PREVENIR A DESIDRATAÇÃO NO DOMICÍLIO

Explique ao paciente ou acompanhante para fazer no domicílio:

1) OFERECER OU INGERIR MAIS LÍQUIDO QUE O HABITUAL PARA PREVENIR A DESIDRATAÇÃO:
   - O paciente deve tomar líquidos caseiros (água de arroz, soro caseiro, chá, suco e sopas) ou Solução de Reidratação Oral (SRO) após cada evacuação diarreica.
   - Não utilizar refrigerantes e não adoçar o chá ou suco.

2) MANTER A ALIMENTAÇÃO HABITUAL PARA PREVENIR A DESNUTRIÇÃO:
   - Continuar o aleitamento materno.
   - Manter a alimentação habitual para as crianças e os adultos.

3) SE O PACIENTE NÃO MELHORAR EM DOIS DIAS OU SE APRESENTAR QUALQUER UM DOS SINAIS ABAIXO, LEVÁ-LO IMEDIATAMENTE AO SERVIÇO DE SAÚDE:

**SINAIS DE PERIGO**
- Piora na diarreia
- Vômitos repetidos
- Muita sede
- Recusa de alimentos
- Sangue nas fezes
- Diminuição da diurese

4) ORIENTAR O PACIENTE OU ACOMPANHANTE PARA:
   - Reconhecer os sinais de desidratação.
   - Preparar e administrar a Solução de Reidratação Oral.
   - Praticar medidas de higiene pessoal e domiciliar (lavagem adequada das mãos, tratamento da água e higienização dos alimentos).

5) ADMINISTRAR ZINCO UMA VEZ AO DIA, DURANTE 10 A 14 DIAS:
   - Até seis (6) meses de idade: 10mg/dia.
   - Maiores de seis (6) meses de idade: 20mg/dia.

| IDADE | Quantidade de líquidos que devem ser administrados/ingeridos após evacuação diarreica |
|---|---|
| Menores de 1 ano | 50-100ml |
| De 1 a 10 anos | 100-200ml |
| Maiores de 10 anos | Quantidade que o paciente aceitar |

## PLANO B
### PARA TRATAR A DESIDRATAÇÃO POR VIA ORAL NA UNIDADE DE SAÚDE

1) ADMINISTRAR SOLUÇÃO DE REIDRATAÇÃO ORAL:
   - A quantidade de solução ingerida dependerá da sede do paciente.
   - A SRO deverá ser administrada continuamente, até que desapareçam os sinais de desidratação.
   - Apenas como orientação inicial, o paciente deverá receber de 50 a 100ml/kg para ser administrado no período de 4-6 horas.

2) DURANTE A REIDRATAÇÃO REAVALIAR O PACIENTE SEGUINDO AS ETAPAS DO QUADRO "AVALIAÇÃO DO ESTADO DE HIDRATAÇÃO DO PACIENTE"
   - Se desaparecerem os sinais de desidratação, utilize o PLANO A.
   - Se continuar desidratado, indicar a sonda nasogástrica (gastróclise).
   - Se o paciente evoluir para desidratação grave, seguir o PLANO C.

3) DURANTE A PERMANÊNCIA DO PACIENTE OU ACOMPANHANTE NO SERVIÇO DE SAÚDE ORIENTAR A:
   - Reconhecer os sinais de desidratação.
   - Preparar e administrar a Solução de Reidratação Oral.
   - Praticar medidas de higiene pessoal e domiciliar (lavagem adequada das mãos, tratamento da água e higienização dos alimentos).

O PLANO B DEVE SER REALIZADO NA UNIDADE DE SAÚDE. OS PACIENTES DEVERÃO PERMANECER NA UNIDADE DE SAÚDE ATÉ A REIDRATAÇÃO COMPLETA.

## PLANO C
### PARA TRATAR A DESIDRATAÇÃO GRAVE NA UNIDADE HOSPITALAR

O PLANO C CONTEMPLA DUAS FASES PARA TODAS AS FAIXAS ETÁRIAS:

**A FASE RÁPIDA E A FASE DE MANUTENÇÃO E REPOSIÇÃO**

#### FASE RÁPIDA – MENORES DE 5 ANOS (fase de expansão)

| SOLUÇÃO | VOLUME | TEMPO DE ADMINISTRAÇÃO |
|---|---|---|
| Soro Fisiológico a 0,9% | Iniciar com 20ml/kg de peso. Repetir essa quantidade até que a criança esteja hidratada, reavaliando os sinais clínicos após cada fase de expansão administrada. | 30 minutos |
| | Para recém-nascidos e cardiopatas graves começar com 10ml/kg de peso. | |

AVALIAR O PACIENTE CONTINUAMENTE

#### FASE RÁPIDA – MAIORES DE 5 ANOS (fase de expansão)

| SOLUÇÃO | VOLUME TOTAL | TEMPO DE ADMINISTRAÇÃO |
|---|---|---|
| 1ª Soro Fisiológico a 0,9% | 30ml/kg | 30 minutos |
| 2ª Ringer Lactato ou Solução Polieletrolítica | 70ml/kg | 2 horas e 30 minutos |

#### FASE DE MANUTENÇÃO E REPOSIÇÃO PARA TODAS AS FAIXAS ETÁRIAS

| SOLUÇÃO | | VOLUME EM 24 HORAS | |
|---|---|---|---|
| Soro Glicosado a 5% + Soro Fisiológico a 0,9% na proporção de 4:1 (manutenção) | + | Peso até 10kg | 100ml/kg |
| | | Peso de 10 a 20kg | 1000ml + 50ml/kg de peso que exceder 10kg |
| | | Peso acima de 20kg | 1500ml + 20ml/kg de peso que exceder 20kg |
| Soro Glicosado a 5% + Soro Fisiológico a 0,9% na proporção de 1:1 (reposição) | + | Iniciar com 50ml/kg/dia. Reavaliar esta quantidade de acordo com as perdas do paciente. | |
| KCl a 10% | | 2ml para cada 100ml de solução da fase de manutenção. | |

AVALIAR O PACIENTE CONTINUAMENTE. SE NÃO HOUVER MELHORA DA DESIDRATAÇÃO, AUMENTAR A VELOCIDADE DE INFUSÃO
- Quando o paciente puder beber, geralmente 2 a 3 horas após o início da reidratação venosa, iniciar a reidratação por via oral com SRO, mantendo a reidratação endovenosa.
- Interromper a reidratação por via endovenosa somente quando o paciente puder ingerir SRO em quantidade suficiente para se manter hidratado. A quantidade de SRO necessária varia de um paciente para outro, dependendo do volume das evacuações.
- Lembrar que a quantidade de SRO a ser ingerida deve ser maior nas primeiras 24 horas de tratamento.
- Observar o paciente por pelo menos seis (6) horas.

OS PACIENTES QUE ESTIVEREM SENDO REIDRATADOS POR VIA ENDOVENOSA DEVERÃO PERMANECER NA UNIDADE DE SAÚDE ATÉ QUE ESTEJAM HIDRATADOS E CONSEGUINDO MANTER A HIDRATAÇÃO POR VIA ORAL.

## IDENTIFICAR DISENTERIA E/OU OUTRAS PATOLOGIAS ASSOCIADAS À DIARREIA

**1- PERGUNTAR SE O PACIENTE TEM SANGUE NAS FEZES**

Em caso positivo e com comprometimento do estado geral:
- Reidratar o paciente de acordo com os planos A, B ou C.
- Iniciar antibioticoterapia.

**Tratamento de crianças:**
- Ciprofloxacino: 15 mg/kg a cada 12 horas, via oral, por 3 dias.
- Ceftriaxona: 50 a 100mg/kg, intramuscular, uma vez ao dia, por 2 a 5 dias, como alternativa.
- Orientar o acompanhante para administrar líquidos e manter a alimentação habitual, caso o tratamento seja realizado no domicílio.
- Se mantiver presença de sangue nas fezes após 48 horas do início do tratamento, encaminhar para internação hospitalar.

Observação: crianças com quadro de desnutrição devem ter o primeiro atendimento em qualquer Unidade de Saúde, devendo-se iniciar hidratação e antibioticoterapia de forma imediata, até que chegue ao hospital.

**Tratamento de adultos:**
- Ciprofloxacino: 500 mg de 12/12h, via oral, por 3 dias.
- Orientar o paciente ou acompanhante para administrar líquidos e manter a alimentação habitual, caso o tratamento seja realizado no domicílio.
- Reavaliar o paciente após 2 dias.
- Se mantiver presença de sangue nas fezes ou melena após 48 horas do início do tratamento:
  - Se o paciente estiver com condições gerais boas, iniciar Ceftriaxona 2g, via intramuscular, 1 vez ao dia, por 2 a 5 dias.
  - Se estiver com condições gerais comprometidas, encaminhar para internação hospitalar.

**2- PERGUNTAR QUANDO INICIOU A DIARREIA**

Se tiver mais de 14 dias de evolução:
a) Encaminhar o paciente para a unidade hospitalar se:
- apresentar sinais de desidratação. Neste caso, reidrate o primeiro e em seguida encaminhe-o a unidade hospitalar.
- menor que seis meses.

Quando não houver condições de encaminhar para a unidade hospitalar, orientar o responsável/acompanhante para administrar líquidos e manter a alimentação habitual no domicílio.

b) Se o paciente não estiver com sinais de desidratação e nem for menor de seis meses, encaminhar para consulta médica para investigação e tratamento.

**3- OBSERVAR SE TEM DESNUTRIÇÃO GRAVE**

Se a criança estiver com desnutrição grave (utilizar para diagnóstico a Caderneta de Saúde da Criança do Ministério da Saúde):
- Em caso de desidratação, iniciar a reidratação e encaminhar o paciente para o serviço de saúde.
- Entregar ao paciente ou responsável envelopes de SRO em quantidade suficiente e recomendar que continue a hidratação até que chegue ao serviço de saúde.

**4- VERIFICAR A TEMPERATURA**

Se o paciente estiver, além da diarreia, com a temperatura de 39ºC ou mais: investigar e tratar outras possíveis causas, por exemplo, pneumonia, otite, amigdalite, faringite, infecção urinária.

### USO DE MEDICAMENTOS EM PACIENTES COM DIARREIA

**Antibióticos:** devem ser usados somente para casos de diarreia com sangue (disenteria) e comprometimento do estado geral ou em casos de cólera grave. Em outras condições, os antibióticos são ineficazes e não devem ser prescritos.

**Antiparasitários:** devem ser usados, somente para:
- Amebíase, quando o tratamento de disenteria por *Shigella* sp fracassar, ou nem casos em que se identifi cam nas fezes trofozoítos de *Entamoeba histolytica* englobando hemácias.
- Giardíase, quando a diarreia durar 14 dias ou mais, se identifi carem cistos ou trofozoítos nas fezes ou no aspirado intestinal.

**Zinco** deve ser administrado, uma vez ao dia, durante 10 a 14 dias:
- Até seis (6) meses de idade: 10mg/dia.
- Maiores de seis (6) meses de idade: 20mg/dia.

**ANTIDIARREICOS E ANTIEMÉTICOS NÃO DEVEM SER USADOS**

**FIGURA 148.1** → Manejo da doença diarreica aguda de acordo com a gravidade da doença (planos A, B e C).
Fonte: Brasil.[8]

estabelecido, conforme os planos A, B e C descritos a seguir, em consonância com a estratégia AIDPI do Ministério da Saúde.[13]

De acordo com essa estratégia, a abordagem inicial da criança com diarreia consiste em perguntar sobre o tempo de duração da diarreia (se 14 dias ou mais) e presença de sangue nas fezes. A seguir, deve-se avaliar a criança quanto ao seu estado geral, hidratação, desnutrição associada e presença de febre. Um dos seguintes planos de tratamento deve ser estabelecido: plano A, para crianças com diarreia e sem sinais de desidratação – tratamento domiciliar; plano B, para crianças com diarreia e com sinais de desidratação – tratamento da desidratação com SRO; e plano C, para crianças com diarreia e desidratação grave – tratamento IV.

> O Ministério da Saúde recomenda adotar a estratégia Atenção Integrada às Doenças Prevalentes na Infância (AIDPI) para a abordagem e o manejo de crianças com diarreia[13] (ver QR code) (FIGURA 148.1).

Para indicar o tratamento é imprescindível a avaliação clínica da criança e do seu estado de hidratação. A abordagem clínica constitui a coleta de dados importantes na anamnese, como: início dos sinais e sintomas, número de evacuações, presença de muco ou sangue nas fezes, febre, náuseas e vômitos; presença de doenças crônicas; presença de parentes ou conhecidos que também adoeceram com os mesmos sinais/sintomas.

O exame físico, com enfoque na avaliação do estado de hidratação, é importante para avaliar a presença de desidratação e a instituição do tratamento adequado; além disso, a criança deve ser pesada, sempre que possível.

Se não houver dificuldade de deglutição e a criança estiver consciente, a alimentação habitual deve ser mantida, com aumento na ingestão de líquidos, especialmente de água.

A FIGURA 148.1 apresenta as condutas a serem tomadas no tratamento da DDA de acordo com a gravidade da doença (planos A, B e C), conforme proposto pelo Ministério da Saúde.[8] A FIGURA 148.2 detalha as condutas a serem tomadas na unidade de saúde em relação à criança com desidratação grave enquanto aguarda a transferência para um hospital.

Nos planos A e B, os líquidos (incluindo a SRO) devem ser administrados com frequência, em pequenos goles. Se a criança vomitar, deve-se aguardar 10 minutos e depois continuar, porém mais lentamente. Os lactentes amamentados devem continuar recebendo leite materno[14] C/D. Os demais, se desidratados, devem receber apenas SRO até completar a reidratação. Os vômitos costumam cessar após 2 a 3 horas do início da reidratação.

É fundamental observar se a ingestão é superior às perdas. Se a criança foi pesada antes do início da hidratação

## Tratar

### Plano C: tratar rapidamente a desidratação grave

**Pode aplicar imediatamente líquidos por via intravenosa (IV)?**
- **SIM:**
  - Começar a dar líquidos imediatamente por via IV. Se a criança consegue beber, dar SRO por via oral enquanto o gotejador estiver sendo montado. Fazer expansão com 100 mL/kg de solução de Ringer com lactato ou soro fisiológico a 0,9%. Em crianças < 1 ano, fazer 30 mL/kg na primeira hora e 70 mL/kg em 5 horas. Em crianças > 1 ano, fazer 30 mL/kg em 30 minutos e 70 mL/kg em 2 horas e 30 minutos.
  - Reavaliar a criança de meia em meia hora. Se não houver melhora no estado de desidratação, aumentar a velocidade do gotejamento.
  - Também dar SRO (cerca de 5 mL/kg/hora) tão logo a criança consiga beber: geralmente em 1 a 2 horas.
  - Classificar desidratação.
  - Escolher a seguir, o Plano apropriado (A, B ou C) para continuar o tratamento.
  - Em seguida fazer a solução de manutenção, com solução glicofisiológica 1:1 no volume de 4 mL/kg/hora enquanto aguarda transferência.

**NÃO → Pode aplicar tratamento por via IV nas proximidades (há uns 30 minutos?)**
- **SIM:**
  - Referir URGENTEMENTE ao hospital para tratamento IV.
  - Se a criança consegue beber, entregar à mãe SRO e mostrar-lhe como administrar goles frequentes durante o trajeto.

**NÃO → Recebeu treinamento para usar sonda nasogástrica (NG) para reidratação?**
- **SIM:**
  - Iniciar a reidratação com SRO, por sonda ou pela boca: dar 20 a 30 mL/kg/hora.
  - Reavaliar a criança a cada 1 a 2 horas:
    - Se houver vômitos repetidos ou aumento da distensão abdominal, dar o líquido mais lentamente.
    - Se, depois de 3 horas, a criança não estiver melhorando, encaminhá-la para terapia IV.
  - Reavaliar a criança 6 horas depois. Classificar a desidratação. A seguir selecionar o Plano apropriado (A, B ou C) para continuar o tratamento.

**NÃO → A criança consegue beber?**
- **SIM:** (mesmas condutas acima)

**NÃO → Referir URGENTEMENTE ao hospital para tratamento IV ou NG.**

NOTA: caso não consiga transferência, observar a criança pelo menos 6 horas após a reidratação a fim de se assegurar que mãe/pai/acompanhante pode manter a hidratação dando a solução de SRO à criança por via oral (Plano A).

**FIGURA 148.2** → Plano C de tratamento para desidratação grave. IV, intravenoso; SRO, solução de reidratação oral.
Fonte: Brasil.[8]

oral, após 2 a 4 horas uma segunda pesagem permite uma avaliação objetiva das perdas e dos ganhos ocorridos nesse espaço de tempo, sendo possível fazer um prognóstico acurado da situação, sobretudo em lactentes.

Os sinais clínicos de desidratação desaparecem aos poucos durante o período de reidratação. Todavia, devido à possibilidade de ocorrer rapidamente maior perda de líquido, as crianças devem ser avaliadas com frequência, para identificar, oportunamente, necessidades eventuais de volumes adicionais de SRO. Durante a reidratação, a reavaliação é importante para decidir pelo plano A se a criança estiver hidratada, ou repetir o plano B por mais 2 horas se ela ainda estiver desidratada. Se houver desidratação grave, o plano C deve ser estabelecido.

A hidratação IV está indicada nos casos de desidratação grave C/D[14] (ver FIGURAS 148.1 e 148.2) ou que não apresentaram reversão da desidratação após 2 horas de terapia com SRO. A terapia IV contempla a fase rápida, cuja duração varia de 30 minutos a 2 horas, e a fase de manutenção, por 24 horas.[15] A terapia com SRO deve ser iniciada assim que a criança puder beber, geralmente após 2 a 3 horas do início da terapia IV, mantendo ainda a reidratação IV[14] C/D.

Na presença de diarreia com sangue e comprometimento do estado geral, além de orientar a reidratação de acordo com os planos A, B ou C, sugere-se considerar o uso de antibiótico, recomendado para infecções por *Shigella* C/D.

> **O tratamento com antibiótico deve ser reservado apenas para crianças com DDA com sangue ou muco nas fezes (disenteria) e comprometimento do estado geral ou em caso de cólera com desidratação grave, sempre com acompanhamento médico.**

Em crianças desidratadas com desnutrição grave, deve-se iniciar a reidratação imediatamente e encaminhar a um serviço de emergência. A terapia com SRO deve ser oferecida enquanto a criança se desloca ao serviço de saúde.

Embora exista uma substancial consistência nas recomendações para o manejo de crianças com diarreia aguda, ainda há grande variabilidade de condutas na prática clínica, além de uma expressiva taxa de intervenções médicas inadequadas tanto nos países em desenvolvimento como nos países desenvolvidos. Nesse sentido, foi criado um grupo de trabalho da Federation of International Societies of Paediatric Gastroenterology, Hepatology, and Nutrition (FISPGHAN), que selecionou protocolos de atendimento no manejo da diarreia aguda em lactentes, crianças e adolescentes com idade entre 1 mês e 18 anos. As principais considerações relacionadas ao tratamento estão descritas a seguir.[4]

## Reidratação oral

A SRO é o tratamento de primeira linha da diarreia aguda[14] B. Conhecimento, atitude e prática sobre reidratação oral pelos prestadores de serviços de saúde são essenciais e devem ser promovidos.

A partir de 2002, a OMS e o Fundo das Nações Unidas para a Infância (Unicef) passaram a recomendar uma formulação com osmolaridade reduzida (75 mmol/L Na$^+$) para evitar possíveis efeitos colaterais de absorção de fluidos hipertônicos. A ESPGHAN[1] recomenda a SRO com menores concentrações de sódio (60 mmol/L Na$^+$) e com osmolaridade semelhante à da nova SRO da OMS em crianças sem desnutrição. As diversas formulações da SRO encontram-se na TABELA 148.3.

A redução da osmolaridade da SRO (60-75 mmol/L Na$^+$) é recomendada como o tratamento de primeira linha da diarreia aguda[14,16] B. Na diarreia por cólera, solução com osmolaridade de 75 mmol/L Na$^+$ é o regime-padrão de reidratação.

Em crianças que não melhoram com a reidratação oral, a administração de líquidos de reidratação deve ser feita por sonda nasogástrica[1] B, ou, naquelas em que a reidratação enteral não for possível ou eficaz, por via IV. Sempre que possível, a reidratação IV deve ser evitada em crianças gravemente desnutridas.

A administração entérica de SRO por sonda nasogástrica é eficaz na reidratação de crianças com diarreia aguda e está associada a menos efeitos colaterais que a reidratação IV, principalmente em crianças desnutridas. Essa medida terapêutica deve ser promovida pelos serviços de saúde para ampliar a sua utilização.

O soro caseiro composto por uma solução à base de água, sal e açúcar é considerado um hidratante oral para prevenir desidratação em crianças com diarreia, como descrito no plano A C/D. Em crianças desidratadas, ele deve ser evitado como reidratante, pois a avaliação da sua composição após seu preparo já demonstrou concentrações de solutos muito variadas e, por vezes, inadequadas, com mais açúcar e/ou sal do que o recomendado pela OMS.[17] Apesar de não ser o ideal, o soro caseiro é bastante utilizado pela população brasileira. É importante que o profissional de saúde oriente a mãe/cuidador quanto à importância da preparação adequada da SRO, tanto a fornecida pelos serviços de saúde quanto, na indisponibilidade desta, o soro caseiro. A Caderneta da Criança contém informações sobre o preparo do soro caseiro (FIGURA 148.3).[18]

## Manejo nutricional

Lactentes com idade < 6 meses não devem interromper a amamentação nem introduzir fórmula diluída ou modificada[14] B. Quando não existe a possibilidade de amamentar,

**TABELA 148.3** → Diferentes composições de sais de reidratação oral

| SOLUÇÃO | GLICOSE (g/L) | SÓDIO (mmol/L) | POTÁSSIO (mmol/L) | CLORO (mmol/L) | OSMOLARIDADE (mOsm/L) |
|---|---|---|---|---|---|
| OMS (1975*) | 20 | 90 | 20 | 80 | 311 |
| OMS (2002†) | 13,5 | 75 | 20 | 65 | 245 |
| ESPGHAN (1992‡) | 16 | 60 | 20 | 60 | 240 |

\* Fórmula de reidratação oral padrão.
† Fórmula de reidratação oral com osmolaridade reduzida.
‡ Fórmula de reidratação oral hipotônica.
ESPGHAN, European Society for Paediatric Gastroenterology, Hepatology and Nutrition; OMS, Organização Mundial da Saúde.
Fonte: Modificada de King.[19]

**Com a colher-medida**

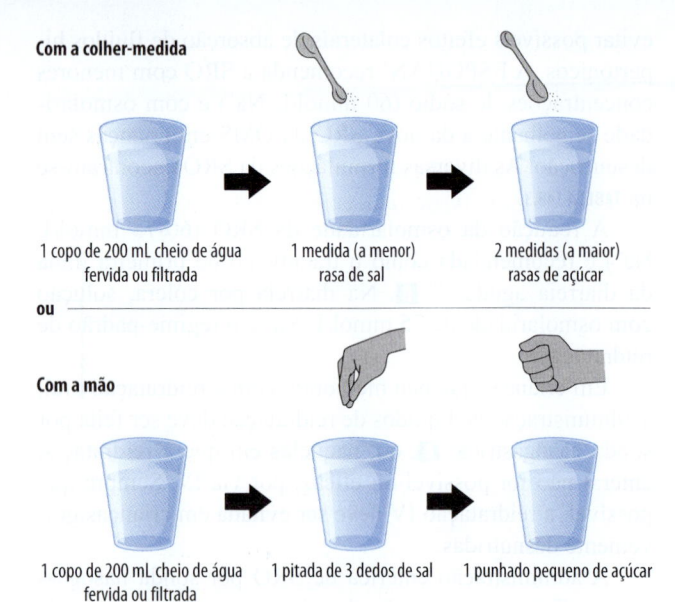

1 copo de 200 mL cheio de água fervida ou filtrada → 1 medida (a menor) rasa de sal → 2 medidas (a maior) rasas de açúcar

ou

**Com a mão**

1 copo de 200 mL cheio de água fervida ou filtrada → 1 pitada de 3 dedos de sal → 1 punhado pequeno de açúcar

**FIGURA 148.3** → Informações contidas na Caderneta da Criança sobre preparação do soro de reidratação oral.
Fonte: Brasil.[18]

geralmente não é necessária a diluição do leite ou o uso da fórmula de leite sem lactose.

As crianças devem ser realimentadas assim que possível durante o curso da diarreia aguda. A alimentação oral regular deve ser reintroduzida precocemente **B**, no máximo em até 4 a 6 horas após o início da reidratação.[20]

Fórmula sem lactose geralmente não é necessária em episódios de diarreia aguda **C/D**. No entanto, dietas restritas à lactose podem ser consideradas em crianças hospitalizadas e em crianças com diarreia com duração > 7 dias[14,21] **C/D**. A fórmula sem lactose deve ser recomendada em crianças com diarreia persistente (≥ 14 dias).

Uma dieta com restrição alimentar geralmente não é indicada para crianças com diarreia aguda e pode prejudicar ainda mais o estado nutricional da criança.

> Na diarreia aguda, o aleitamento materno deve ser mantido sempre que possível **C/D**.

## Tratamento ativo

O tratamento ativo da diarreia consiste na utilização de probióticos e/ou medicamentos. Pode reduzir a intensidade e a duração dos sintomas. Para maximizar sua eficácia, ele deve ser administrado no início do curso da doença. No entanto, a administração de qualquer produto não deve substituir a terapia de reidratação oral e deve ser sempre usada como um complemento ao tratamento com SRO. Diversos outros tratamentos ativos têm sido investigados e sua utilização futura deverá ser baseada nas melhores evidências disponíveis.

> Como os vírus são a principal causa de diarreia aguda, em geral antibióticos não devem ser utilizados empiricamente[14] **C/D**, sendo reservados para infecções bacterianas ou parasitárias estabelecidas. O uso de rotina de agentes antimicrobianos pode levar a aumento de resistência bacteriana.

## Probióticos e prebióticos

Os probióticos são microrganismos vivos – bactérias ou fungos – capazes de colonizar o trato digestivo e exercer efeitos benéficos ou potencialmente benéficos no hospedeiro. São eficazes na redução da duração e da intensidade dos sintomas da diarreia aguda. Se disponível, e de acordo com os cuidadores, cepas probióticas selecionadas (incluindo *Lactobacillus rhamnosus* GG, *Saccharomyces boulardii* e *L. reuteri* DSM 17938) podem ser consideradas em crianças como um complemento à SRO[1,4,22] **B**.

As doses dos principais probióticos com efeito comprovado para reduzir a duração da diarreia aguda são: *Saccharomyces boulardii* – 250 a 750 mg/dia (habitualmente 5-7 dias); *Lactobacillus* GG – $\geq 10^{10}$ unidades formadoras de colônias (UFC)/dia (habitualmente 5-7 dias); *L. reuteri* – $10^8$ a $4 \times 10^8$ (habitualmente 5-7 dias); e *L. acidophilus* LB – mínimo de 5 doses de $10^{10}$ UFC > 48 horas até máximo de 9 doses de $10^{10}$ UFC por 4 a 5 dias.[23]

Os prebióticos são componentes alimentares não digeríveis que participam da estimulação do crescimento e da atividade bacteriana no cólon intestinal. Alguns prebióticos, como os galacto-oligossacarídeos (GOSs) e os fruto-oligossacarídeos (FOSs), não são recomendados no manejo da DDA em crianças[1,14] **C/D**. Novos estudos estão avaliando a eficácia dos prebióticos na prevenção e no tratamento da diarreia aguda.[24]

## Antieméticos

O uso de antieméticos em crianças é controverso. No entanto, quando indicados, eles somente devem ser usados em crianças com idade > 4 anos com diarreia e vômitos[1,14] **B**.

A metoclopramida, embora eficaz, tem efeitos colaterais significativos e, portanto, não é recomendada para crianças com vômito[14] **C/D**. A eficácia da domperidona não tem o respaldo de ensaios clínicos randomizados.

A ondansetrona administrada por via oral (VO) ou IV é eficaz na redução do vômito e pode evitar a internação hospitalar. Uma dose única pode ser considerada em crianças pequenas que vão a serviços de saúde com vômito, para garantir a reidratação oral e reduzir a internação hospitalar. Em crianças com vômitos incoercíveis, a estratégia AIDPI recomenda o uso de ondansetrona 0,2 mg/kg/dose até 3 ×/dia, ou 2 mg em crianças de 6 meses a 2 anos e 4 mg em crianças com idade > 2 anos[13] **C/D**.

O uso da ondansetrona tem sido associado ao prolongamento do intervalo QT e a arritmias cardíacas graves, e o medicamento leva uma etiqueta de advertência pela Food and Drug Administration (FDA) e pela European Medicines Agency, que deve ser levada em consideração pelos prestadores de cuidados de saúde. O custo atual do produto também é um problema que deve ser considerado.

## Antibióticos

O uso rotineiro de antibióticos não é recomendado para o tratamento da diarreia aguda[14] **C/D**.

O uso de antibióticos deve ser iniciado imediatamente e pode ser considerado em situações específicas, incluindo:
→ lactentes com idade < 3 meses;
→ diarreia com sangue e comprometimento do estado geral,[13] visando ao tratamento da *Shigella*, causa frequente de diarreia com sangue. O tratamento também visa reduzir os riscos de complicações da shigelose, entre elas a síndrome hemolítico-urêmica, bem como reduzir a excreção fecal do patógeno (infectividade), importante para crianças institucionalizadas, hospitalizadas ou em creche;[25]
→ crianças com condições crônicas subjacentes, incluindo aquelas com anemia falciforme ou imunodeficiência e com risco de desenvolver disseminação grave ou extraintestinal;
→ isolamento de patógenos específicos como *Shigella*, *Escherichia coli* enterotoxigênica (mas não produtora de toxinas do tipo Shiga), *Escherichia coli*, *V. cholerae*, *Yersinia enterocolitica* e *Entamoeba histolytica*;
→ diarreia por *Campylobacter colitis* pode ser tratada com antibióticos – no entanto, só são eficazes se administrados nos primeiros 2 dias desde o início dos sintomas;
→ não há indicação para utilização de antimicrobianos em crianças saudáveis com DDA por *Salmonella*, porque esses medicamentos podem induzir um estado de portador saudável.

A escolha do antibiótico, quando indicado, deve levar em consideração a possibilidade de infecção por *Shigella*[1,10,26] **C/D**. Os mais indicados são:
→ ciprofloxacino (primeira escolha) 15 mg/kg, VO, 2 ×/dia, por 3 dias;
→ azitromicina 10 a 12 mg/kg no 1º dia e 5 a 6 mg/kg por mais 4 dias, VO;
→ ceftriaxona 50 a 100 mg/kg/dia, IV ou intramuscular (IM), por 3 a 5 dias nos casos graves que requerem hospitalização.

Ampicilina, sulfametoxazol + trimetoprima e ácido nalidíxico foram muito utilizados nas décadas passadas; porém, devido aos altos índices de resistência demonstrados, não são mais recomendados.[25-27]

## Zinco

A deficiência de zinco, comum em países em desenvolvimento, está associada à absorção prejudicada de água e eletrólitos, bem como à diminuição da atividade das enzimas da mucosa intestinal e da imunidade humoral e celular. Por isso, embora a sua disponibilidade seja restrita, o zinco é recomendado como um complemento à terapia de hidratação oral em crianças com idade > 6 meses de países em desenvolvimento ou em áreas de alto risco para deficiência de zinco[4,28] **B**. Sua eficácia não é comprovada por evidências sólidas em crianças bem-nutridas que vivem em países de alta renda. O objetivo do uso de zinco é reduzir a ocorrência de novos episódios de diarreia aguda nos 3 meses subsequentes.[26] Em crianças com idade < 6 meses, o zinco não é efetivo, independentemente do estado nutricional.

A dose recomendada é de 20 mg/dia em crianças com idade > 6 meses, durante 10 a 14 dias.[2,26] Sugere-se utilizar a formulação produzida em farmácia de manipulação com sulfato ou acetato de zinco (diluição sugerida: 1% com 10 mg/mL).[13]

No Brasil, é comercializado um soro de reidratação oral com 6 mg de gliconato de zinco em cada 100 mL. São comercializadas, também, soluções de zinco (solução com 2 mg/0,5 mL na forma de gliconato de zinco; 4 mg/mL na forma de sulfato de zinco) para serem administradas conforme as recomendações da OMS.[2]

## Vitamina A

A vitamina A deve ser administrada em populações com risco de deficiência dessa vitamina (SBP, 2017). Existem evidências de que o seu uso reduziu o risco de hospitalização e a mortalidade por diarreia[29] **B**. No Brasil, o Ministério da Saúde, por meio do Programa Nacional de Suplementação de Vitamina A, recomenda a suplementação profilática de vitamina A para todas as crianças de 6 a 59 meses de idade residentes em áreas consideradas de risco para a deficiência da vitamina A, sobretudo na Região Nordeste e em alguns locais das Regiões Sudeste e Norte.[30]

## Antidiarreicos

O racecadotrila é um agente que pode ser utilizado para reduzir a secreção intestinal de água e eletrólitos, que se encontra aumentada nos quadros de diarreia aguda,[1] porém sem evidência sólida de sua eficácia[31] **B**. A dose recomendada é de 1,5 mg/kg de peso corporal, 3 ×/dia. É contraindicado para crianças com idade < 3 meses. O tratamento com racecadotrila deve ser interrompido tão logo melhore a diarreia.

Os medicamentos com ação intestinal antimotora, como a loperamida, não são indicados no tratamento da gastrenterite aguda em crianças[4,32] **B**.

# PREVENÇÃO

As medidas de prevenção visam reduzir a transmissão dos agentes patogênicos, diminuindo a frequência dos episódios diarreicos, e conservar o estado nutricional da criança. As intervenções para prevenir a diarreia incluem ações institucionais de saneamento e de saúde, além das seguintes ações individuais que devem ser adotadas pela população:[8]
→ lavar sempre as mãos com sabão e água limpa, principalmente antes de preparar ou ingerir alimentos, após ir ao banheiro, após utilizar transporte público ou tocar superfícies que possam estar sujas, após tocar em animais, sempre que voltar da rua, antes e depois de amamentar e trocar fraldas[33] **B**;
→ lavar e desinfetar as superfícies, os utensílios e os equipamentos usados na preparação de alimentos;
→ proteger os alimentos e as áreas da cozinha contra insetos, animais de estimação e outros animais (guardar os alimentos em recipientes fechados);
→ tratar a água para consumo[33] **B** (após filtrar, ferver ou colocar 2 gotas de solução de hipoclorito de sódio a 2,5% para cada litro de água, e aguardar por 30 minutos antes de usar);

→ guardar a água tratada em vasilhas limpas, com "boca" estreita e com tampa;
→ não utilizar água de riachos, rios, cacimbas ou poços contaminados para banhar-se ou beber;
→ evitar o consumo de alimentos crus ou malcozidos (principalmente carnes, pescados e mariscos) e alimentos cujas condições higiênicas, de preparo e acondicionamento, sejam precárias;
→ ensacar e manter a tampa do lixo sempre fechada; quando não houver coleta de lixo, este deve ser enterrado em local apropriado;
→ usar sempre o vaso sanitário ou, se isso não for possível, enterrar as fezes sempre longe dos cursos de água;
→ evitar o desmame precoce.

> O aleitamento materno aumenta a resistência das crianças contra as diarreias C/D (ver Capítulo Aleitamento Materno: Aspectos Gerais).

## Orientações de prevenção coletiva

Uma proporção significativa das doenças diarreicas é transmitida pela água e pode ser prevenida pelo consumo de água potável, condições adequadas de saneamento B e hábitos de higiene B.[3,33-35]

A educação em saúde, principalmente em áreas de elevada incidência de doença diarreica, é fundamental, orientando medidas de higiene e manipulação da água e dos alimentos. Locais como escolas, creches e hospitais, que podem apresentar riscos maximizados quando as condições sanitárias não são adequadas, devem ser alvo de orientações e campanhas específicas.

## Vacina contra o rotavírus

No Brasil, a vacina do tipo RV1 contra o rotavírus faz parte do Calendário Básico de Imunizações para crianças do Ministério da Saúde desde 2006 A. Nos 3 anos consecutivos após a introdução da vacina, foram observadas reduções significativas na mortalidade e na hospitalização por diarreia em crianças com idade < 5 anos.[11] As taxas de mortalidade por diarreia e de hospitalização nessa população foram, respectivamente, 22% e 17% menores do que no período anterior à vacina.[36]

A vacina já demonstrou ser efetiva, prevenindo 84% dos casos graves de diarreia por rotavírus e aproximadamente 41% das diarreias em geral nos primeiros 2 anos de vida.[37]

Países que introduziram a vacina contra o rotavírus em seus programas nacionais de imunização observaram impacto significativo na redução dos casos de diarreia por todas as causas (17-55%), nas hospitalizações por rotavírus (49-92%) e, em alguns cenários, nas taxas de mortalidade por diarreia de todas as causas (22-50%). A análise final de risco/benefício das vacinas contra rotavírus foi extremamente favorável, mas outras estratégias para melhorar a eficácia da vacina, principalmente em países de baixa e média renda, devem ser realizadas. Entre elas, ampliar a cobertura vacinal, incentivar o agendamento das vacinas para a população infantil, monitorar seu calendário de aplicação nas consultas, estimular campanhas de vacinação e divulgar sua importância nos meios de comunicação.[38,39]

Mais detalhes com relação à vacina contra o rotavírus podem ser obtidos no Capítulo Imunizações.

## CÓLERA

O cólera é uma doença infecciosa intestinal aguda, causada pela enterotoxina do *Vibrio cholerae*, com manifestações clínicas variadas. Somente os sorogrupos O1 e O139 causam surtos da doença, sendo que o sorotipo O1 causou os surtos recentes e o sorotipo O139, inicialmente identificado em Bangladesh em 1992, foi identificado recentemente em casos esporádicos.[40]

O *Vibrio cholerae* tem como reservatórios o homem (portador assintomático) e o ambiente aquático. Faz parte da microbiota marinha e fluvial e pode apresentar-se de forma livre ou associado a crustáceos, moluscos, peixes, algas, aves aquáticas, entre outros, incluindo superfícies abióticas. Algumas dessas associações permitem que a bactéria persista no ambiente durante períodos interepidêmicos, além de possibilitar a ocorrência de transmissão do cólera pelo consumo de peixes, mariscos e crustáceos crus.[10]

## Manifestações clínicas, tratamento e prevenção

Cerca de 75% das pessoas infectadas pelo *V. cholerae* não desenvolvem sintomas, apesar de a bactéria estar presente nas fezes por 7 a 14 dias após a infecção. Entre os indivíduos sintomáticos, 80% têm sintomas leves a moderados e 20% desenvolvem diarreia aquosa aguda com desidratação grave, podendo levar à morte, se não tratada.

As manifestações clínicas mais frequentes do cólera são diarreia e vômitos, dor abdominal e, nas formas graves, cãibras, desidratação e choque. Febre não é uma manifestação comum.

> Com hidratação adequada, a mortalidade pode ser reduzida a quase zero. Até 80% das pessoas acometidas pela doença podem ser tratadas com sucesso com pronta administração de SRO. Soluções com baixa osmolaridade são preferíveis em crianças desnutridas.[41]

A reidratação rápida e apropriada é a principal intervenção no tratamento do cólera (VO nos casos leves e moderados e IV nos casos graves). Na presença de desidratação grave, podem ser administrados antibióticos, para diminuir a duração da diarreia, reduzir o volume necessário de fluidos de reidratação e encurtar a duração da excreção de *V. cholerae* (RRR = 89%; = NNT = 2-3)[42] B.

Os antibióticos de primeira escolha em crianças são a eritromicina 12,5 mg/kg (6/6 horas, por 3 dias)[43] B ou a azitromicina 20 mg/kg em dose única[42] A. Outras opções são doxiciclina 2 a 4 mg/kg (dose única) B ou ciprofloxacino 20 mg/kg (dose única)[10] B.

Uma alternativa de tratamento complementar é a suplementação com zinco. Estudo clínico randomizado demonstrou que a utilização de 30 mg de zinco elementar, diariamente, reduziu a duração e o volume da diarreia em crianças com cólera. Entretanto, não houve diferença significativa na redução dos vômitos ou na ingestão de sal de reidratação oral.[44]

## Orientações aos viajantes para áreas afetadas pelo cólera (Ministério da Saúde)

Os seguintes cuidados gerais são recomendados para prevenção do cólera:[45]

→ lavar as mãos antes do preparo e do consumo de alimentos e após urinar ou defecar;
→ consumir preferencialmente água mineral ou de origem conhecida. Em caso de dúvida sobre a qualidade da água, ela deve ser tratada com hipoclorito de sódio a 2,5% nas concentrações indicadas na **TABELA 148.4** ou fervida. Utilizar essa mesma recomendação para a água utilizada na higiene oral;
→ não ingerir alimentos de origem desconhecida ou de locais com condições sanitárias insatisfatórias;
→ evitar consumir alimentos vendidos por ambulantes;
→ evitar o consumo de alimentos crus (saladas) e/ou mal-cozidos/assados em áreas afetadas, especialmente frutos do mar;
→ comer apenas alimentos bem cozidos e ainda quentes, evitando aqueles deixados à temperatura ambiente por mais de 2 horas;
→ em áreas afetadas, evitar contato com coleções hídricas (rios, lagoas, açudes e outros).

## Vacina contra cólera

As vacinas orais de células mortas são preconizadas para uso em áreas endêmicas, apresentando proteção sustentada > 60% nos primeiros 2 anos[45] **A**. Uma nova vacina oral de células vivas atenuadas foi aprovada recentemente pela FDA para adultos que viajam para países de áreas endêmicas, apresentando 88% de proteção após 3 meses[41,47] **C/D**.

As recomendações atuais da OMS em relação ao uso de vacinas contra cólera são:[48]

→ as vacinas orais devem ser utilizadas em áreas endêmicas, em crises humanitárias com alto risco de cólera e nas epidemias de cólera;
→ a vacinação não deve interromper o provimento das ações prioritárias de prevenção de epidemias de cólera.

**TABELA 148.4** → Dosagem e tempo de contato do hipoclorito de sódio segundo o volume de água para consumo humano

| HIPOCLORITO DE SÓDIO A 2,5% | | | |
|---|---|---|---|
| VOLUME DE ÁGUA | DOSAGEM | MEDIDA PRÁTICA | TEMPO DE CONTATO |
| 1.000 litros | 100 mL | 2 copinhos descartáveis de café | 30 minutos |
| 200 litros | 15 mL | 1 colher de sopa | |
| 20 litros | 2 mL | 1 colher de chá | |
| 1 litro | 0,08 mL | 2 gotas | |

Fonte: Brasil.[49]

O cólera é uma doença de notificação compulsória e, em caso de suspeita, deve ser comunicado imediatamente às autoridades sanitárias, a fim de que medidas sejam tomadas para evitar a disseminação.

## REFERÊNCIAS

1. Guarino A, Ashkenazi S, Gendrel D, Lo Vecchio A, Shamir R, Szajewska H. European Society for Pediatric Gastroenterology, Hepatology, and Nutrition/European Society for Pediatric Infectious Diseases Evidence-Based Guidelines for the Management of Acute Grastoenterites in Children in Europe: Updtate 2014. J Pediatr Gastroenterol Nutr. 2014;59(1):132-52.

2. Sociedade Brasileira de Pediatria. Guia Prático de Atualização – Departamento Científico de Gastroenterologia. Diarreia aguda: diagnóstico e tratamento. Rio de Janeiro: SBP; 2017.

3. Brasil. Ministério da Saúde. Saúde de A a Z. Doenças diarreicas agudas (DDA): apresentação de perfil epidemiológico [Internet]. Brasília: MS; 2020 [capturado em 11 jan. 2021]. Disponível em: https://www.gov.br/saude/pt-br/assuntos/saude-de-a-a-z-1/d/doencas-diarreicas-agudas-dda

4. Guarino A, Lo Vecchio A, Dias JA, Berkley JA, Boey C, Bruzzese D, et al. Universal Recommendations for the Management of Acute Diarrhea in Nonmalnourished Children. J Pediatr Gastroenterol Nutr. 2018;67(5):586-93.

5. Liu L, Oza S, Hogan D, Perin J, Rudan I, Lawn JE, et al. Global, regional, and national causes of child mortality in 2000-13, with projections to inform post-2015 priorities: an updated systematic analysis. Lancet 2015;385(9966):430–40.

6. Ogilvie I, Khoury H, Goetghebeur MM, El Khoury AC, Giaquinto C. Burden of community-acquired and nosocomial rotavirus gastroenteritis in the pediatric population of Western Europe: a scoping review. BMC Infect Dis 2012;12:62.

7. GBD 2017 Diarrhoeal Disease Collaborators. Quantifying risks and interventions that have affected the burden of diarrhoea among children younger than 5 years: an analysis of the Global Burden of Disease Study 2017. Lancet. Infect Dis. 2020; 20(1):37-59.

8. Brasil. Ministério da Saúde. Saúde de A a Z. Doenças diarreicas agudas (DDA): causas, sinais e sintomas, tratamento e prevenção [Internet]. Brasília: MS; c2020 [capturado em 7 jan. 2021]. Disponível em: https://antigo.saude.gov.br/saude-de-a-z/doencas-diarreicas-agudas.

9. Kotloff KL, Nataro JP, Blackwelder WC, Nasrin D, Farag TH, Panchalingam S, et al. Burden and aetiology of diarrhoeal disease in infants and young children in developing countries (the Global Enteric Multicenter Study, GEMS): a prospective, case-control study. Lancet. 2013;382(9888):209-22.

10. Brasil. Ministério da Saúde. Secretaria de Vigilância em Saúde. Guia de Vigilância em Saúde: volume único [Internet]. 3. ed. Brasília: MS; 2019 [capturado em 11 jan. 2021]. Disponível em https://portalarquivos2.saude.gov.br/images/pdf/2019/junho/25/guia-vigilancia-saude--volume-unico-3ed.pdf

11. Salvador PTCO, Almeida TJ, Alves KYA, Dantas CN. The rotavirus disease and the oral human rotavirus vaccination in the Brazilian scenario: an integrative literature review. Cien Saude Colet. 2011;16(2):567-74.

12. Falszewska A, Szajewska H, Dziechciarz P. Diagnostic accuracy of three clinical dehydration scales: a systematic review. Arch Dis Child. 2018;103(4):383-8.

13. Brasil. Ministério da Saúde. Manual de quadros de procedimentos: AIDPI criança: 2 meses a 5 anos [Internet]. Brasília: MS; 2017 [capturado em 22 set 2020]. Disponível em: https://bvsms.saude.gov.br/bvs/publicacoes/manual_quadros_procedimentos_aidpi_crianca_2meses_5anos.pdf

14. Shane AL, Mody RK, Crump JA, Tarr PI, Steiner TS, Kotloff K, et al. 2017 Infectious Diseases Society of America Clinical Practice

Guidelines for the Diagnosis and management of infectious diarrhea. Clin Infect Dis. 2017;65(12):e45-80.

15. Iro MA, Sell T, Brown N, Maitland K. Rapid intravenous rehydration of children with acute gastroenteritis and dehydration: a systematic review and meta-analysis. BMC Pediatr. 2018;18(1):44.

16. Hahn S, Kim S, Garner P. Reduced osmolarity oral rehydration solution for treating dehydration caused by acute diarrhoea in children. Cochrane Database Syst Rev. 2002;(1):CD002847.

17. Carvalho FM, Pereira PMS, Widmer MCMR, Palomo V, Ribeiro Jr H. A baixa qualidade do soro caseiro em Salvador, Brasil. Cad Saúde Pública. 1991;7(3):363-9.

18. Brasil. Ministério da Saúde. Caderneta da criança [Internet]. 2. ed. Brasília: MS; 2020 [capturado em 11 jan. 2021]. Disponível em: https://bvsms.saude.gov.br/bvs/publicacoes/caderneta_crianca_menina_2ed.pdf

19. King CK, Glass R, Bresee JS, Duggan C. Managing acute gastroenteritis among children: oral rehydration, maintenance, and nutritional therapy. MMWR Recomm Rep. 2003;52(RR-16):1-16.

20. Gregorio GV, Dans LF, Silvestre MA. Early versus delayed refeeding for children with acute diarrhoea. Cochrane Database Syst Rev. 2011;(7):CD007296.

21. MacGillivray S, Fahey T, McGuire W. Lactose avoidance for young children with acute diarrhoea. Cochrane Database Syst Rev. 2013;2013(10):CD005433.

22. Allen SJ, Martinez EG, Gregorio GV, Dans LF. Probiotics for treating acute infectious diarrhoea. Cochrane Database Syst Rev. 2010;(11): CD003048.

23. Szajewska H, Guarino A, Hojsak I, Indrio F, Kolacek S, Shamir R, et al. Use of probiotics for management of acute gastroenteritis: a position paper by the ESPGHAN Working Group for Probiotics and Prebiotics. J Pediatr Gastroenterol Nutr. 2014;58(4):531-9.

24. Rigo-Adrover MDM, Knipping K, Garssen J, van Limpt K, Knol J, Franch À, et al. Prevention of Rotavirus Diarrhea in Suckling Rats by a Specific Fermented Milk Concentrate with Prebiotic Mixture. Nutrients. 2019;11(1):189.

25. Tickell KD, Brander RL, Atlas HE, Pernica JM, Walson JL, Pavlinac PB. Identification and management of Shigella infection in children with diarrhoea: a systematic review and meta-analysis. Lancet Glob Health. 2017;5(12):e1235-48.

26. World Health Organization. Treatment of Diarrhoea. Geneva: WHO; 2005 [capturado em 12 jan. 2021]. Disponível em: https://apps.who.int/iris/bitstream/handle/10665/43209/9241593180.pdf;jsessionid=070C7D28B4A66CD3A7234809991CD474?sequence=1.

27. World Health Organization. Guidelines for the control of shigellosis, including epidemics due to Shigella dysenteriae type 1. Geneva: WHO; 2005[capturado em 12 jan. 2021]. Disponível em: https://apps.who.int/iris/bitstream/handle/10665/43252/924159330X.pdf?sequence=1.

28. Lazzerini M, Wanzira H. Oral zinc for treating diarrhoea in children. Cochrane Database Syst Rev. 2016; 2016(12): CD005436.

29. Imdad A, Mayo-Wilson E, Herzer K, Bhutta ZA. Vitamin A supplementation for preventing morbidity and mortality in children from six months to five years of age. Cochrane Database Syst Rev. 2017;3:CD008524.

30. Brasil. Ministério da Saúde. Secretaria de Atenção à Saúde. Manual de condutas gerais do Programa Nacional de Suplementação de Vitamina A. Brasília: MS; 2013 [capturado em 12 jan. 2021]. Disponível em: https://bvsms.saude.gov.br/bvs/publicacoes/manual_condutas_suplementacao_vitamina_a.pdf.

31. Liang Y, Zhang L, Zeng L, Gordon M, Wen J. Racecadotril for acute diarrhoea in children. Cochrane Database Syst Rev. 2019;12(12):CD009359.

32. Florez ID, Veroniki AA, Al Khalifah R, Yepes-Nuñez JJ, Sierra JM, Vernooij RWM, et al. Comparative effectiveness and safety of interventions for acute diarrhea and gastroenteritis in children: A systematic review and network meta-analysis. PLoS One. 2018; 13(12):e0207701.

33. Darvesh N, Das JK, Vaivada T, Gaffey MF, Rasanathan K, Bhutta ZA. Water, sanitation and hygiene interventions for acute childhood diarrhea: a systematic review to provide estimates for the Lives Saved Tool. BMC Public Health. 2017;17(Suppl 4):776.

34. Clasen TF, Alexander KT, Sinclair D, Boisson S, Peletz R, Chang HH, et al. Interventions to improve water quality for preventing diarrhoea. Cochrane Database Syst Rev. 2015;2015(10):CD004794.

35. Barreto ML, Genser B, Strina A, Teixeira MG, Assis AM, Rego RF, et al. Effect of city-wide sanitation programme on reduction in rate of childhood diarrhoea in northeast Brazil: assessment by two cohort studies. Lancet. 2007;370(9599):1622-8.

36. do Carmo GM, Yen C, Cortes J, Siqueira AA, de Oliveira WK, Cortez-Escalante JJ, et al. Decline in diarrhea mortality and admissions after routine childhood rotavirus immunization in Brazil: a time-series analysis. PLoS Med. 2011;8(4):e1001024.

37. Soares-Weiser K, Maclehose H, Bergman H, Ben-Aharon I, Nagpal S, Goldberg E, et al. Vaccines for preventing rotavirus diarrhoea: vaccines in use. Cochrane Database Syst Rev. 2012;2:CD008521.

38. Tate JE, Parashar UD. Rotavirus vaccines in routine use. Clin Infect Dis. 2014;59(9):1291–1301.

39. Fernandes EG, Leshem E, Patel M, Flannery B, Pellini AC, Veras MA, Sato HK. Hospital-based surveillance of intussusception among infants. J Pediatr (Rio J). 2016;92(2):181-7.

40. World Health Organization. Cholera [Internet]. Geneva: WHO;2017 [capturado em 11 jan. 2021]. Disponível em: https://www.who.int/en/news-room/fact-sheets/detail/cholera.

41. Center for Disease Control and Prevention (CDC). Travelers' Health: Clinical Update. Cholera Vaccine for Travelers. [capturado em 11 jan. 2021]. Disponível em: https://wwwnc.cdc.gov/travel/news-announcements/cholera-vaccine-for-travelers.

42. Leibovici-Weissman Y, Neuberger A, Bitterman R, Sinclair D, Salam MA, Paul M. Antimicrobial drugs for treating cholera. Cochrane Database Syst Rev. 2014;2014(6):CD008625.

43. Saha D, Khan WA, Karim MM, Chowdhury HR, Salam MA, Bennish ML. Single-dose ciprofloxacin versus 12-dose erythromycin for childhood cholera: a randomised controlled trial. Lancet. 2005;366(9491):1085-93.

44. Roy SK, Hossain MJ, Khatun W, Chakraborty B, Chowdhury S, Begum A, et al. Zinc supplementation in children with cholera in Bangladesh: randomised controlled trial. BMJ. 2008;336(7638):266-8.

45. Brasil. Ministério da Saúde. Cólera: causas, sintomas, transmissão, tratamento e diagnóstico [Internet]. Brasília: MS;c2020 [capturado em 12 dez. 2020]. Disponível em: https://antigo.saude.gov.br/saude-de-a-z/colera.

46. Sinclair D, Abba K, Zaman K, Qadri F, Graves PM. Oral vaccines for preventing cholera. Cochrane Database Syst Rev. 2011;(3):CD008603.

47. McCarty JM, Gierman EC, Bedell L, Lock MD, Bennett S. Safety and immunogenicity of live oral cholera vaccine cvd 103-hgr in children and adolescents aged 6-17 years. Am J Trop Med Hyg. 2020;102(1):48-57.

48. World Health Organization. Cholera vaccines: WHO position paper [Internet]. Geneva: WHO; 2017 [capturado em 12 jan. 2021]. Disponível em: https://apps.who.int/iris/bitstream/10665/258764/1/WER9234-477-498.pdf.

49. Brasil. Ministério da Saúde. Secretaria de Vigilância em Saúde. Departamento de Vigilância em Saúde Ambiental e Saúde do Trabalhador. Qualidade da água para consumo humano: cartilha para promoção e proteção da saúde [Internet]. Brasília: MS; 2018 [capturado em 12 jan. 2021]. Disponível em: https://bvsms.saude.gov.br/bvs/publicacoes/qualidade_agua_consumo_humano_cartilha_promocao.pdf.

# LEITURAS RECOMENDADAS

Brasil. Ministério da Saúde. Secretaria de Atenção à Saúde. Departamento de Atenção Básica.

Acolhimento à demanda espontânea: queixas mais comuns na Atenção Básica [Internet]. Brasília: MS; 2013 [capturado em 12 jan. 2021] (Cadernos de Atenção Básica, 28, v. II).

Disponível em: https://bvsms.saude.gov.br/bvs/publicacoes/acolhimento_demanda_espontanea_queixas_comuns_cab28v2.pdf

*Cadernos de Atenção Básica (número 28, Volume II) do Ministério da Saúde que aborda as queixas mais comuns em Atenção Básica. Nele é apresentada a classificação da diarreia segundo os sintomas, suas principais etiologias, os sinais para avaliação do grau de desidratação e os planos para o seu tratamento.*

World Gastroenterology Organisation. Global Guideline. Diarreia aguda em adultos e crianças: uma perspectiva mundial. Milwaukee; WGO; 2015 [capturado em 12 jan. 2021].

Disponível em: https://www.worldgastroenterology.org/UserFiles/file/guidelines/acute-diarrhea-portuguese-2012.pdf

*Material que aborda de forma objetiva as características epidemiológicas da diarreia descrevendo seus principais agentes causais e mecanismos patogênicos. Ainda traz as principais manifestações clínicas, diagnóstico, opções terapêuticas e prevenção da diarreia.*

# Capítulo 149
## INFECÇÃO RESPIRATÓRIA AGUDA NA CRIANÇA

Clécio Homrich da Silva
Paulo Marostica

As infecções respiratórias agudas (IRAs) são processos infecciosos de etiologia viral ou bacteriana que podem acometer qualquer segmento do trato respiratório. A maioria das crianças tem de 4 a 6 IRAs por ano, principalmente nas áreas urbanas. As IRAs correspondem a um quarto de todas as doenças e mortes entre crianças nos países em desenvolvimento.

De acordo com a Organização Mundial da Saúde (OMS), as IRAs podem ser classificadas conforme suas síndromes clínicas em:

→ **IRA do trato respiratório superior:** resfriados, faringites, tonsilites, otites e sinusites;
→ **IRA do trato respiratório inferior:** epiglotites, laringites, bronquiolites e pneumonias.

Na prática, o diagnóstico etiológico das IRAs é de difícil comprovação. Dessa forma, tem grande importância a identificação das manifestações clínicas dessas infecções e dos seus sinais de gravidade para a definição terapêutica. A **TABELA 149.1** apresenta as manifestações clínicas mais frequentes e os sinais de gravidade das síndromes clínicas mais comuns.

As IRAs são a principal causa de morbimortalidade por doenças infecciosas no mundo. As taxas de mortalidade são particularmente altas em crianças, sobretudo em lactentes, e em idosos, principalmente em países de baixa e média renda. Elas são uma das causas mais frequentes de consulta ou admissão em unidades de saúde, principalmente em serviços pediátricos.[1]

As bactérias são uma das principais causas de infecção do trato respiratório inferior, sendo o *Streptococcus pneumoniae* a bactéria mais comum de pneumonia bacteriana adquirida na comunidade em muitos países. No entanto, os patógenos que mais frequentemente causam IRA são vírus, isoladamente ou associados a bactérias. A incidência das diversas formas de IRA, sua distribuição e consequências variam de acordo com vários fatores, incluindo: condições ambientais (p. ex., poluentes atmosféricos, aglomerações domésticas, umidade, higiene, estação do ano e temperatura); disponibilidade e eficácia dos cuidados médicos; prevenção e controle dessas infecções como medidas para conter a disseminação; vacinas; acesso a serviços de saúde e capacidade de isolamento; fatores do hospedeiro, como idade, tabagismo, capacidade do hospedeiro de transmitir infecção, estado nutricional, infecção prévia ou concomitante com outros patógenos e condições médicas subjacentes; e características patogênicas, incluindo modos de transmissão e transmissibilidade.[1]

No Brasil, em 1990, as infecções do trato respiratório inferior eram a terceira causa de mortalidade em crianças com idade < 5 anos, com uma taxa de 8,17 a cada 1.000 nascidos vivos. Essa taxa reduziu 81% em 2015, quando ficou em 1,55 a cada 1.000 nascidos vivos, tornando-se a quinta principal causa de mortalidade nessa mesma faixa etária no

**TABELA 149.1** → Manifestações clínicas mais frequentes e sinais de gravidade das síndromes clínicas mais comuns das infecções respiratórias agudas

| | DOENÇA | MANIFESTAÇÕES CLÍNICAS MAIS FREQUENTES | SINAIS DE GRAVIDADE E COMPLICAÇÕES |
|---|---|---|---|
| **Vias aéreas superiores** | Tonsilite | → Dor de garganta<br>→ Dificuldade para deglutir<br>→ Hiperemia de orofaringe<br>→ Exsudato em tonsilas palatinas<br>→ Linfadenomegalia cervical anterior dolorosa | → Toxemia<br>→ Placas ou membranas de coloração acinzentada (difteria)<br>→ Obstrução parcial da orofaringe com grande dificuldade para deglutir (abscesso) |
| | Rinofaringite aguda (resfriado comum) | → Hiperemia de orofaringe<br>→ Obstrução e secreção nasal | → Otite média aguda<br>→ Sinusite |
| | Otite média aguda | → Otalgia<br>→ Abaulamento e/ou hiperemia de membrana timpânica | → Mastoidite<br>→ Meningite |
| | Sinusite | → Tosse produtiva prolongada<br>→ Secreção mucopurulenta na orofaringe | → Celulite orbital<br>→ Meningite |
| **Vias aéreas inferiores** | Epiglotite Laringotraqueíte | → Tosse, rouquidão, estridor | → Toxemia<br>→ Dispneia<br>→ Sialorreia<br>→ Obstrução respiratória |
| | Bronquiolite | → Tosse<br>→ Taquipneia<br>→ Dispneia<br>→ Sibilância na ausculta pulmonar | → Toxemia<br>→ Dispneia<br>→ Desidratação<br>→ Gemência<br>→ Cianose<br>→ Atelectasias |
| | Pneumonia | → Tosse<br>→ Taquipneia<br>→ Dispneia<br>→ Estertores crepitantes fixos na ausculta pulmonar | → Toxemia<br>→ Irritabilidade<br>→ Prostração<br>→ Gemência<br>→ Cianose<br>→ Uso de musculatura acessória<br>→ Derrame pleural |

País.[2] A pneumonia está associada a uma alta taxa de hospitalização, sendo que 30 a 50% das crianças que são levadas ao atendimento médico de emergência ou na atenção primária à saúde (APS) apresentam sintomas respiratórios.[3]

Dentro desse contexto, a OMS e o Fundo das Nações Unidas para a Infância (Unicef) propuseram a estratégia Atenção Integrada às Doenças Prevalentes na Infância (AIDPI), adotada no Brasil em 2003 como política pública de redução da mortalidade infantil. Mais recentemente, em 2017, ela foi atualizada e reeditada para crianças na faixa etária entre 2 meses e 5 anos de idade.[4] (Ver QR code.) Essa estratégia de atenção à saúde da criança destina-se, sobremaneira, aos profissionais de saúde que prestam assistência a crianças com idade < 5 anos nos serviços de APS, na tentativa de promover uma rápida e significativa redução da mortalidade na infância. Caracteriza-se pela avaliação simultânea e integrada do conjunto de doenças de maior prevalência na infância, em oposição ao enfoque tradicional que aborda cada doença isoladamente, sem considerar a sua relação com as demais doenças que atingem a criança e o contexto em que ela está inserida. O Ministério da Saúde recomenda que todas as crianças com manifestações clínicas como tosse ou dificuldade respiratória sejam avaliadas conforme preconiza a estratégia (FIGURA 149.1).

## RESFRIADO COMUM

É uma infecção viral aguda e autolimitada do trato respiratório superior. É uma doença respiratória frequentemente confundida com a gripe, mas é causado por vírus diferentes dos da gripe. Os vírus mais comuns associados ao resfriado são rinovírus, vírus da parainfluenza e vírus sincicial respiratório (VSR), que geralmente acometem crianças. Os sintomas do resfriado, apesar de parecidos com os da gripe, são mais brandos e duram menos tempo, entre 2 e 4 dias. Os sintomas incluem tosse, congestão nasal, coriza, dores no corpo e dor de garganta leve. A ocorrência de febre é menos comum e, quando presente, costuma ser baixa.

Em um estudo realizado em um hospital municipal em São Paulo durante 2 anos consecutivos com crianças de idades entre 0 e 9 anos com sintomas respiratórios de duração ≤ 1 semana, foram identificados vírus em 87% das crianças, sendo os principais adenovírus, VSR, metapneumovírus e rinovírus.[5] Lactentes e crianças maiores são infectados com mais frequência e apresentam sintomas mais prolongados do que adultos. As IRAs que se manifestam com tosse, geralmente associada à coriza e/ou à obstrução nasal, e ausência de tiragem, retração subcostal e taquipneia, são consideradas resfriados e podem receber a denominação de rinofaringite aguda.

A transmissão viral pode ocorrer por via inalatória de pequenas partículas de aerossol com deposição de grandes

## Avaliar e classificar
### a tosse ou a dificuldade para respirar

**A criança está com tosse ou dificuldade para respirar?**

Se a resposta for SIM:

| PERGUNTAR: | OBSERVAR/DETERMINAR*: |
|---|---|
| • Há quanto tempo?<br>• A criança tem sibilância? | • Contar a frequência respiratória em um minuto.<br>• Se há tiragem subcostal.<br>• Se há estridor ou sibilância. |

\* ATENÇÃO! A criança deve estar tranquila!

| Idade | Definição de respiração rápida |
|---|---|
| 2 meses a menor de 12 meses. | 50 ou mais por minuto. |
| 1 ano a menor de 5 anos. | 40 ou mais por minuto. |

| AVALIAR | CLASSIFICAR | TRATAR |
|---|---|---|
| **Um dos seguintes sinais:**<br>• Qualquer sinal geral de perigo.<br>• Tiragem subcostal.<br>• Estridor em repouso. | **PNEUMONIA GRAVE OU DOENÇA MUITO GRAVE** | • Dar a primeira dose de um antibiótico recomendado.<br>• Tratar a criança para evitar hipoglicemia.<br>• Referir urgentemente ao hospital.<br>• Oxigênio, se disponível. |
| • Respiração rápida. | **PNEUMONIA** | • Dar um antibiótico recomendado durante sete dias.<br>• Aliviar a tosse com medidas caseiras.<br>• Informar a mãe sobre quando retornar imediatamente.<br>• Marcar o retorno em dois dias. |
| • Nenhum dos sinais acima. | **NÃO É PNEUMONIA** | • Aliviar a tosse com medidas caseiras.<br>• Informar a mãe sobre quando retornar imediatamente.<br>• Seguimento em cinco dias, caso não melhore.<br>• Se tosse há mais de 14 dias, realizar investigação. |

**Obs:** se tiver sibilância, classificar e tratar antes a sibilância conforme o Quadro AVALIAR E TRATAR. Em seguida, voltar para classificar a tosse ou a dificuldade para respirar, exceto em caso de sibilância grave ou doença muito grave.

**FIGURA 149.1** → Avaliação de crianças de 2 meses a 5 anos com manifestações clínicas de tosse ou dificuldade para respirar conforme a estratégia Atenção Integrada às Doenças Prevalentes na Infância (AIDPI) da Organização Mundial da Saúde (OMS) (2017).
Fonte: Brasil.[4]

partículas na mucosa nasal ou conjuntivas ou, ainda, pela transferência direta no contato das mãos. Crianças pequenas cuidadas em instituições/centros de educação infantil parecem ser mais suscetíveis a adquirir IRA quando comparadas às cuidadas em casa, porém são menos vulneráveis quando ingressam na escola.

O quadro clínico do resfriado comum observado nas crianças mostra-se diferente do apresentado em outras faixas etárias. Em crianças, a IRA costuma manifestar-se com febre, em geral nos 3 primeiros dias de evolução, e secreção nasal hialina nos primeiros dias, podendo tornar-se amarelada posteriormente. Outros sintomas que podem ocorrer são dor de garganta, tosse, irritabilidade, dificuldade para dormir e diminuição do apetite. Embora não sejam específicos, alguns sinais podem ser encontrados no exame físico, como hiperemia de orofaringe, edema da mucosa nasal e linfadenomegalias cervicais anteriores.

## Complicações

### Otite média

Disfunções da tuba auditiva, ou tuba de Eustáquio, são comuns no curso do resfriado comum. Em cerca de um terço dos resfriados em crianças mais jovens, principalmente lactentes, ocorre otite média aguda (OMA), que se caracteriza pelo início súbito dos sintomas, com inflamação da membrana timpânica e secreção na orelha média.

### Exacerbação da asma

As viroses das vias aéreas superiores são geralmente associadas à sibilância em crianças suscetíveis, sendo responsáveis por pelo menos 50% das exacerbações das crises asmáticas.

### Sinusite

A persistência de sintomas nasais por período > 10 a 14 dias pode significar infecção bacteriana dos seios paranasais. Estima-se que a incidência de sinusite decorrente de IRA seja de 6 a 13%.[6]

### Doença do trato respiratório inferior

A pneumonia bacteriana pode seguir-se a uma infecção viral respiratória e deve ser considerada quando houver febre de início súbito e agravamento da sintomatologia, associados ou não com dificuldade respiratória, bem como manifestações clínicas constitucionais (inapetência e/ou prostração), após os primeiros dias dos sintomas do resfriado. A persistência de tosse na ausência de novos episódios de febre também pode indicar infecção viral do trato respiratório inferior.

## Tratamento

O tratamento é principalmente direcionado ao alívio dos sintomas. Os principais medicamentos sintomáticos utilizados são os analgésicos e os antitérmicos, que aliviam, respectivamente, a dor B e a febre C.[7,8] As medidas de suporte também podem ser empregadas. Medicamentos usados para o alívio dos sintomas, como anti-histamínicos, descongestionantes, antitussígenos e expectorantes, isoladamente ou em associações, possuem benefício clínico incerto e pouco relevante B.[9-11] Dada a benignidade da doença e os potenciais efeitos colaterais desses medicamentos, o seu uso não é recomendado na maioria das situações.[9,12] Mel pode melhorar a tosse e a qualidade do sono B, mas não deve ser utilizado em crianças com idade < 1 ano, pelo risco de botulismo.[13]

Entre os cuidados gerais recomendados, sobretudo em lactentes, estão manutenção do aquecimento da criança, higiene nasal frequente com soro fisiológico[14] B, hidratação, umidificação do ar[15] B e estímulo à oferta do leite materno (em crianças amamentadas), além de orientação para retorno ao serviço de saúde se houver piora do quadro (dificuldade respiratória ou para alimentar-se ou comprometimento do estado geral).

## INFLUENZA

A *influenza* ou gripe é causada pelo vírus da *influenza* e caracteriza-se por febre alta, seguida de mialgia, dor de garganta, cefaleia, coriza e tosse seca. A febre é o sintoma mais importante e dura em torno de 3 dias; no entanto, em crianças pode ser mais prolongada. Os sintomas respiratórios, como tosse e outros, tornam-se mais evidentes com a progressão da doença e mantêm-se em geral de 3 a 4 dias após o desaparecimento da febre. A rouquidão e a linfadenopatia cervical são mais comuns em crianças. A tosse, a fadiga e o mal-estar frequentemente persistem pelo período de 1 a 2 semanas e raramente podem perdurar por período > 6 semanas.

Na criança, são sinais de agravamento da *influenza*:
→ persistência ou retorno da febre;
→ taquipneia com aumento do esforço respiratório (batimento de asas do nariz, tiragem intercostal, supra/subesternal, supraclavicular e subcostal, contração da musculatura acessória da respiração e movimento paradoxal do abdome);
→ bradipneia e ritmo respiratório irregular (colapso respiratório iminente);
→ gemidos expiratórios (colapso alveolar e de pequenas vias aéreas ocasionado pelo fechamento da glote na expiração na tentativa de aumento da capacidade residual funcional pulmonar);
→ estridor inspiratório (obstrução de vias aéreas superiores);
→ sibilos e aumento do tempo expiratório (obstrução de vias aéreas inferiores);
→ palidez cutânea e hipoxemia (saturação arterial de oxigênio [$SpO_2$] < 95%);
→ alteração do nível de consciência (irritabilidade ou apatia).

O quadro clínico pode ou não ser acompanhado de alterações laboratoriais e radiológicas. Pode ocorrer leucocitose, leucopenia ou neutrofilia, elevação de creatina-fosfoquinase (CPK), alanina-aminotransferase (ALT), aspartato-aminotransferase (AST) e bilirrubinas. A radiografia de tórax pode demonstrar infiltrado intersticial localizado ou difuso ou presença de área de condensação.[16]

Pacientes com sintomas respiratórios ou de síndrome gripal devem ser avaliados para diagnósticos diferenciais, como Covid-19 e resfriado comum (ver Capítulo Doença pelo Coronavírus 2019 [Covid-19]).

## Complicações

Deve-se dar atenção especial aos sinais de agravamento da doença supradescritos, particularmente quando ocorrerem em pacientes que apresentem condições e fatores de risco para complicação por *influenza*.

A evolução da *influenza* geralmente tem resolução espontânea em 7 dias, embora a tosse, o mal-estar e a fadiga possam permanecer por algumas semanas. Alguns casos podem evoluir com complicações, sendo as mais comuns:
→ pneumonia bacteriana;
→ sinusite;
→ otite;
→ desidratação;
→ piora de doenças crônicas como insuficiência cardíaca, asma ou diabetes;
→ pneumonia primária por *influenza*.[16]

## Tratamento

Para o correto manejo clínico da *influenza*, é preciso considerar e diferenciar os casos de síndrome gripal e síndrome respiratória aguda grave.

Na síndrome gripal, o indivíduo apresenta febre de início súbito acompanhada de tosse ou dor de garganta e pelo menos um dos seguintes sintomas: cefaleia, mialgia e/ou artralgia, na ausência de outro diagnóstico específico. Em crianças com idade < 2 anos, considera-se também caso de síndrome gripal quando houver febre de início súbito (mesmo que referida) e sintomas respiratórios (tosse, coriza e obstrução nasal), na ausência de outro diagnóstico específico.

Na síndrome respiratória aguda grave, o indivíduo com síndrome gripal (conforme definição anterior), de qualquer idade, apresenta quadro de insuficiência respiratória aguda, durante período sazonal, ou dispneia ou, ainda, os seguintes sinais de gravidade:
→ $SpO_2$ < 95% em ar ambiente;
→ sinais de desconforto respiratório ou aumento da frequência respiratória (FR) avaliada de acordo com a idade;
→ piora nas condições clínicas de doença de base;
→ hipotensão em relação à pressão arterial habitual do paciente.

Em crianças, além dos itens anteriores, deve-se pesquisar batimentos de asa de nariz, cianose, tiragem intercostal, desidratação e inapetência.

Pacientes com síndrome respiratória aguda grave devem ser hospitalizados.

Poucos estudos identificaram bons resultados em alguns tratamentos utilizados no combate aos vírus da *influenza*. Há evidências de que o inibidor da neuraminidase fosfato de oseltamivir reduz a duração dos sintomas[17] e o risco de otite média[18] B. Além dos medicamentos sintomáticos e da hidratação, o oseltamivir está indicado em todos os casos de síndrome gripal com condições ou fatores de risco para complicação, independentemente da situação vacinal, preferencialmente nas primeiras 48 horas do início dos sintomas, e em todos os casos de síndrome respiratória aguda grave. Todos os pacientes que apresentarem sinais de agravamento devem receber de imediato o tratamento com o fosfato de oseltamivir. A dose e a posologia são apresentadas na TABELA 149.2.[16]

Em recém-nascidos, a dose de oseltamivir varia de acordo com a idade gestacional:
→ **< 38 semanas:** 1 mg/kg/dose, de 12/12 horas, por 5 dias;
→ **38 a 40 semanas:** 1,5 mg/kg/dose, de 12/12 horas, por 5 dias;
→ **> 40 semanas:** 3 mg/kg/dose, de 12/12 horas, por 5 dias.

Caso o pó para suspensão oral não esteja disponível, o responsável pela administração do medicamento pode reconstituir uma solução oral utilizando o conteúdo das cápsulas diluído em água, que pode ser misturado com alimentos açucarados.[16]

São considerados condições e fatores de risco para complicações em crianças:
→ idade < 5 anos (o maior risco de hospitalização é em crianças com idade < 2 anos, especialmente as com idade < 6 meses, com maior taxa de mortalidade);
→ população indígena aldeada ou com dificuldade de acesso;
→ indivíduos com idade < 19 anos em uso prolongado de ácido acetilsalicílico (risco de síndrome de Reye);
→ indivíduos que apresentem:
  → pneumopatias (incluindo asma);
  → tuberculose de todas as formas (há evidências de maior complicação e possibilidade de reativação);
  → cardiovasculopatias;
  → nefropatias;
  → hepatopatias;
  → doenças hematológicas (incluindo anemia falciforme);
  → distúrbios metabólicos (incluindo diabetes melito);
  → transtornos neurológicos e do desenvolvimento que podem comprometer a função respiratória ou aumentar o risco de aspiração (disfunção cognitiva, lesão medular, epilepsia, paralisia cerebral,

**TABELA 149.2** → Tratamento da *influenza* com fosfato de oseltamivir

| FAIXA ETÁRIA | | POSOLOGIA |
| --- | --- | --- |
| Criança com idade > 1 ano | ≤ 15 kg | 30 mg, VO, de 12/12 h, por 5 dias |
| | > 15-23 kg | 45 mg, VO, de 12/12 h, por 5 dias |
| | > 23-40 kg | 60 mg, VO, de 12/12 h, por 5 dias |
| | > 40 kg | 75 mg, VO, de 12/12 h, por 5 dias |
| Criança com idade < 1 ano | 0-8 meses | 3 mg/kg, VO, de 12/12 h, por 5 dias |
| | 9-11 meses | 3,5 mg/kg, VO, de 12/12 h, por 5 dias |

VO, via oral.
Fonte: Adaptada de Brasil.[16]

síndrome de Down, acidente vascular cerebral [AVC] ou doenças neuromusculares);
→ imunossupressão associada a medicamentos (corticoide ≥ 20 mg/dia por período > 2 semanas, quimioterápicos, inibidores do fator de necrose tumoral [TNF, do inglês *tumor necrosis factor*]-α), neoplasias, vírus da imunodeficiência humana (HIV, do inglês *human immunodeficiency virus*)/síndrome da imunodeficiência adquirida (Aids, do inglês *acquired immunodeficiency syndrome*) ou outros;
→ obesidade.[16]

## Prevenção

**A OMS considera a *influenza* um dos grandes desafios de saúde, que afeta todos os países. Por isso, todas as medidas de prevenção e controle devem ser adotadas, sendo a vacinação a maneira mais eficaz de prevenir a doença[19] B, aliada à adoção de medidas simples de cuidados respiratórios e hábitos saudáveis. Essas medidas simples, como a frequente lavagem das mãos com água e sabão, podem minimizar a transmissão de diversas doenças infecciosas.**

São medidas de prevenção da *influenza*:
→ evitar o contato próximo com pessoas que apresentem sinais ou sintomas de gripe;
→ lavar as mãos frequentemente com água e sabão. Se não tiver água e sabão, usar álcool em gel;
→ evitar tocar a boca, o nariz e os olhos;
→ limpar e desinfetar superfícies que possam estar contaminadas, como mesa e corrimão;
→ manter hábitos saudáveis, como alimentação balanceada, ingestão de líquidos e atividade física;
→ procurar um serviço de saúde na presença de sintomas da doença (febre, calafrio, dor de cabeça, tosse, dor de garganta, ou outros sintomas);
→ não compartilhar objetos de uso pessoal, como talheres, pratos, copos ou garrafas;
→ manter os ambientes bem ventilados, com portas e janelas abertas.

Para evitar a transmissão, deve-se orientar o doente portador de *influenza* a:
→ evitar sair de casa enquanto estiver com febre;
→ evitar contato próximo com outras pessoas, quando possível;
→ adotar hábitos saudáveis, como alimentação balanceada e ingestão de líquidos;
→ lavar as mãos frequentemente com água e sabão. Se não tiver água e sabão, usar álcool em gel;
→ cobrir o nariz e a boca com lenço descartável ao tossir ou espirrar, jogar o lenço no lixo e lavar as mãos;
→ não compartilhar objetos de uso pessoal, como talheres, pratos, copos ou garrafas;
→ evitar aglomerações e ambientes fechados, procurando manter os ambientes ventilados;
→ procurar um serviço de saúde.

## LARINGITE, LARINGOTRAQUEÍTE VIRAL E EPIGLOTITE AGUDA

O estridor é um sinal característico dessas síndromes clínico-anatômicas. É o som respiratório produzido pela passagem de ar em uma via aérea de grosso calibre estreitada. Ocorre nas vias aéreas superiores, que se estendem da faringe aos brônquios principais. Anatomicamente, as vias aéreas superiores estão divididas em três áreas principais: via aérea supraglótica (acima das pregas vocais), via aérea glótica e via aérea subglótica.

Diferentes partes das vias aéreas podem sofrer colapso com mais facilidade que outras, o que explica as diferentes apresentações clínicas das doenças das vias aéreas superiores. Por exemplo, o tecido supraglótico não contém cartilagem e sofre colapso mais facilmente na inspiração. Por outro lado, a glote e a traqueia são compostas por cartilagem e sofrem menos colapso, mas quando apresentam obstrução geram estridor durante a inspiração e a expiração.[20]

Na prática clínica, o termo crupe é mais utilizado para descrever episódios de **laringotraqueíte aguda** (crupe viral) e **laringite espasmódica aguda** (crupe espasmódico) do que episódios de epiglotite ou laringite infecciosa aguda, embora estas duas últimas também se enquadrem na definição formal de crupe. As características mais comuns da laringotraqueíte aguda, da laringite espasmódica aguda, da laringotraqueíte bacteriana e da epiglotite encontram-se na TABELA 149.3.

**TABELA 149.3** → Características da laringotraqueíte aguda, da laringite espasmódica aguda, da laringotraqueíte bacteriana e da epiglotite

| CARACTERÍSTICAS | LARINGOTRAQUEÍTE AGUDA E LARINGITE ESPASMÓDICA AGUDA | LARINGOTRAQUEÍTE BACTERIANA | EPIGLOTITE |
|---|---|---|---|
| Etiologia | Viroses respiratórias, incluindo parainfluenza e influenza | *Staphylococcus aureus*, *Streptococcus pyogenes*, *Streptococcus pneumoniae* | *Haemophilus influenzae* tipo B |
| Faixa etária acometida | 3 meses a 3 anos | 3 meses a 5 anos | 2-7 anos |
| **Manifestações clínicas** | | | |
| Início | Variável (12-48 horas) | Gradualmente progressivo (12 horas a 7 dias) | Rápido (4-12 horas), com toxemia importante |
| Febre | 37,7-40,5 °C | 37,7-40,5 °C | Alta (≥ 39,5 °C) |
| Rouquidão e "tosse de cachorro" | Presentes | Presentes | Ausentes |
| Disfagia | Ausente | Ausente | Presente |
| Obstrução da via aérea | Progressão variável | Progressão variável, geralmente grave | Rápida progressão |
| Número de leucócitos | Ligeiramente elevado | Variável, possivelmente aumentado | Geralmente muito elevado |
| Radiografia | Estreitamento subglótico na imagem anteroposterior | Estreitamento subglótico na imagem anteroposterior; tecidos moles da traqueia com densidade irregular | Edema da epiglote na imagem lateral |
| **Tratamento** | | | |
| | Umidificação, adrenalina, corticoide | Umidificação, antibiótico e intubação (casos graves) | Antibiótico, intubação |

O diagnóstico diferencial da laringite aguda ou laringotraqueíte viral inclui edema angioneurótico, aspiração de corpo estranho, traqueíte bacteriana, abscesso retrofaríngeo ou peritonsilar, mononucleose infecciosa, traqueíte bacteriana e supraglotite infecciosa (epiglotite). A epiglotite apresenta obstrução infecciosa das vias aéreas superiores, mas não se caracteriza por síndrome do crupe. Nessa infecção, a obstrução das vias aéreas superiores promove estridor e desconforto respiratório, sem rouquidão e sem tosse ladrante, sintomas típicos do comprometimento das pregas vocais e da traqueia, poupados nessa doença. A criança tem aparência tóxica e alteração de perfusão circulatória, as quais são características típicas de doença bacteriana, mas estão ausentes no quadro viral. Desde a introdução da vacina contra *Haemophilus influenzae* tipo B (Hib) no calendário básico de vacinação da criança do Ministério da Saúde na década de 1990, houve diminuição significativa da incidência da epiglotite (ou supraglotite infecciosa) no Brasil.

## Tratamento

O principal objetivo do tratamento é a manutenção das vias aéreas patentes. O paciente deve ser mantido o mais calmo possível, evitando a manipulação e exames desnecessários. O choro aumenta a pressão torácica negativa, podendo gerar maior colapso das vias aéreas extratorácicas, e transforma o fluxo de ar laminar em turbulento, aumentando a resistência ao influxo de ar nas vias aéreas.[20]

Embora não tenha eficácia comprovada, a nebulização com solução fisiológica ou ar umidificado pode ser utilizada no domicílio para casos leves. Em quadros moderados, quando houver sinais de hipoxemia, a nebulização deve ser realizada com fonte de oxigênio em um serviço de saúde ambulatorial ou de pronto atendimento. Não existem evidências de que a umidificação das vias aéreas melhore o influxo de ar, reduza o processo inflamatório ou torne a secreção das vias aéreas mais fluidas, facilitando, assim, sua eliminação[20,21] B.

Os corticoides sistêmicos (orais ou parenterais), além do seu efeito anti-inflamatório, induzem vasoconstrição com redução da permeabilidade vascular, permitindo, dessa forma, um melhor influxo de ar pela via aérea do paciente. A sua utilização reduz a gravidade dos sintomas, a necessidade de internação hospitalar e a necessidade de associação de outros fármacos, como a adrenalina, no tratamento (RRR = 48%; NNT = 8-20)[22] B.

Para casos mais graves, em ambiente hospitalar, a utilização da adrenalina tem efeito ultrarrápido nos sintomas, diminuindo rapidamente o estridor e os sintomas de falência respiratória[23] B. Entretanto, a duração do seu efeito é cerca de 2 horas. Por isso, com base na experiência clínica, existe a recomendação do uso a cada 2 horas conforme a necessidade e a gravidade do quadro.

Pacientes com sinais de toxemia, desidratação ou incapacidade de ingestão de líquidos, estridor importante com dispneia e falha na resposta à utilização de adrenalina devem ser encaminhados para internação hospitalar.

Informações detalhadas do tratamento da laringotraqueíte viral encontram-se na TABELA 149.4.

**Medicamentos sedativos, opiáceos, expectorantes, broncodilatadores ou anti-histamínicos não devem ser utilizados. Crianças que apresentam doença moderada a grave devem ser encaminhadas para o hospital se forem observados quaisquer dos seguintes sinais: cianose, diminuição do nível de consciência, estridor progressivo ou toxemia.**

## Epiglotite aguda (supraglotite bacteriana)

Crianças com suspeita de terem essa doença devem ser encaminhadas com urgência ao hospital para intubação e administração de antibiótico parenteral devido à toxemia e ao rápido comprometimento do estado geral. Adrenalina inalatória e corticoides são contraindicados.

# BRONQUIOLITE

Bronquiolite é uma infecção viral do trato respiratório inferior de lactentes. É caracterizada por inflamação aguda, edema e necrose de células epiteliais que revestem as pequenas vias aéreas e aumento da produção de muco com estreitamento do diâmetro brônquico, levando à hiperinsuflação e a atelectasias.[24] Lactentes jovens têm maior propensão a desenvolverem atelectasias extensas com o aumento da hipoxia e do sofrimento respiratório quando comparados com crianças mais velhas.

A sintomatologia pode variar de acordo o vírus que infecta o sistema respiratório. A etiologia mais comum da bronquiolite é o VSR, com a maior incidência de infecção ocorrendo nos meses de outono e inverno no hemisfério sul. Estima-se que cerca de 90% das crianças são infectadas com VSR nos primeiros 2 anos de vida e até 40% delas experimentem infecção do trato respiratório mais baixa durante a infecção inicial. A infecção pelo VSR não concede imunidade permanente ou em longo prazo, com reinfecções comuns ao longo da vida. Outros vírus que causam bronquiolite incluem rinovírus humano, metapneumovírus, vírus da *influenza*, adenovírus, coronavírus humano e vírus da parainfluenza.[24]

A doença é a causa mais comum de hospitalização entre lactentes durante os primeiros 12 meses de vida. O pico de

**TABELA 149.4** → Tratamento da laringotraqueíte viral aguda

| GRAVIDADE DOS SINTOMAS | FÁRMACOS, DOSES E VIAS DE ADMINISTRAÇÃO | LOCAL |
| --- | --- | --- |
| Leve | Dexametasona 0,15-0,3 mg/kg, VO | Domicílio |
| Moderada | Nebulização com adrenalina: 5 mL<br>Dexametasona 0,3-0,6 mg/kg, VO ou IM<br>*ou*<br>Budesonida 2 mg (inalatório) | Ambulatório ou pronto atendimento<br>Observação por 3-4 horas<br>Conforme evolução: alta ou internação hospitalar |
| Grave | Nebulização com adrenalina: 5 mL<br>Dexametasona 0,6 mg/kg, IM | Emergência hospitalar ou unidade de terapia intensiva |

IM, intramuscular; VO, via oral.
Fonte: Adaptada de Sociedade Brasileira de Pediatria.[20]

incidência de hospitalização pelo VSR ocorre entre 30 e 60 dias de vida.[24]

Crianças com idade < 2 anos que apresentam episódios recidivantes de sibilância são consideradas "lactentes sibilantes" (ver Capítulo Asma).

O contágio se dá por intermédio das partículas do vírus veiculadas nas mãos, em secreções respiratórias e nos fômites.

## Manifestações clínicas

No início da doença, as manifestações do trato respiratório superior são leves e podem durar vários dias, podendo ser acompanhadas por febre baixa. Segue-se envolvimento do trato respiratório inferior com gradual dificuldade respiratória (sibilância, taquipneia, dispneia, batimento de asas do nariz e, às vezes, cianose), acompanhada de irritabilidade e perda do apetite. Em alguns casos, o fígado pode parecer aumentado na palpação pelo rebaixamento diafragmático resultante da hiperinsuflação pulmonar.

## Diagnóstico

Costuma ser realizado com base na história e no exame físico, não havendo necessidade de exames complementares B. A solicitação de radiografia de tórax não é recomendada de rotina B. Geralmente, os achados clínicos a serem considerados para o diagnóstico são: idade < 2 anos; febre na fase prodrômica, embora sua ausência não exclua o diagnóstico; e tosse – na maioria dos casos, seca.

O quadro evolutivo também pode contribuir para o diagnóstico, iniciando com rinorreia, tosse e febre baixa, seguidos de dificuldade respiratória associada a taquipneia e sinais de obstrução brônquica e sibilância. Conforme o grau de prejuízo da ventilação, pode haver tiragens subcostal, intercostal e supraclavicular e aprisionamento aéreo; além da sibilância difusa, podem ocorrer subcrepitantes inspiratórios e expiratórios.

A presença de cianose indica hipoxia, caracterizando um quadro clínico de maior gravidade, que pode evoluir com episódios de apneia, principalmente em recém-nascidos ou lactentes nascidos pré-termo.

Em crianças com quadros mais graves, sujeitas à internação hospitalar, a radiografia de tórax é útil para avaliar hiperinsuflação, retificação de hemicúpulas diafragmáticas e, ocasionalmente, áreas dispersas de opacidades devido às atelectasias (30% dos casos) ou a outras complicações. A oximetria de pulso pode ser útil na avaliação da gravidade[25] B e no acompanhamento da doença. O padrão-ouro para o diagnóstico etiológico é a cultura viral que, em nosso meio, ainda é de difícil acesso.

No diagnóstico diferencial, é importante afastar asma, insuficiência cardíaca congestiva, aspiração de corpo estranho, displasia broncopulmonar, síndromes aspirativas (distúrbios da deglutição, doença do refluxo gastresofágico, fístula traqueoesofágica), síndrome pertússis, compressão das vias aéreas (anel vascular, cistos congênitos), infecção por *Chlamydia*, fibrose cística e pneumonia bacteriana.

## Fatores de risco para piores desfechos

Intolerância alimentar ou inapetência, letargia, taquipneia com dispneia e cianose são considerados critérios clínicos de gravidade na bronquiolite viral aguda. Lactentes com idade ≤ 3 meses, tabagismo passivo e comorbidades (cardiopatia congênita cianótica, hipertensão pulmonar, imunodeficiências ou prematuridade) são considerados fatores de risco para uma possível evolução com gravidade. Outros fatores também contribuem para avaliação de gravidade, entre eles: evolução rápida do quadro respiratório (< 72 horas), vulnerabilidade social, desmame precoce e o fato de ser portador de síndrome de Down ou doença neuromuscular.

**Constitui-se grande desafio diferenciar bronquiolite de um primeiro episódio de asma. Quando os episódios de sibilância se tornam recorrentes, classifica-se o paciente como lactente sibilante. Isso pode ser devido à apresentação precoce de asma, à hiper-reatividade brônquica induzida por infecção viral ou à redução constitucional do fluxo aéreo. A história familiar para asma ou outras atopias, a presença de eosinofilia, idade > 1 ano e recorrência dos sintomas indicam maior chance de asma[26] (TABELA 149.5).**

## Tratamento

Em lactentes e crianças maiores saudáveis, a bronquiolite costuma ser autolimitada. A maioria das crianças apresenta evolução favorável com a melhora do quadro sem

**TABELA 149.5** → Diagnóstico diferencial do lactente sibilante – principais doenças e suas características

| DOENÇA | CARACTERÍSTICAS |
|---|---|
| Asma | → História familiar de doença alérgica respiratória<br>→ Diagnóstico de dermatite atópica e/ou rinite alérgica<br>→ Sibilância controlada pelo uso de broncodilatadores e corticoides<br>→ Quadro assintomático intercrises |
| Aspiração de corpo estranho | → Episódio de sufocação (alimento ou objeto)<br>→ Início súbito de sibilância<br>→ Ausculta respiratória com assimetria<br>→ Tosse persistente de longa duração |
| Cardiopatia | → História de cansaço durante a alimentação (ao seio ou por mamadeira)<br>→ História de cianose desencadeada por choro ou alimentação (ao seio ou por mamadeira)<br>→ Ganho ponderal insuficiente<br>→ Taquipneia sustentada |
| Displasia broncopulmonar | → Nascimento pré-termo<br>→ Intercorrências neonatais (ventilação mecânica ou oxigenoterapia prolongada)<br>→ Continuidade dos sintomas desde o período neonatal |
| Doença do refluxo gastresofágico | → Sibilância agravada à noite<br>→ Choro intenso de causa inexplicada<br>→ Agravamento dos sintomas durante ou posteriormente à alimentação (ao seio ou por mamadeira)<br>→ Presença de vômitos |
| Sibilância transitória (associada a quadros virais respiratórios) | → Ausência de história familiar ou pregressa de atopia<br>→ Elevada incidência em crianças institucionalizadas (creches e pré-escolas)<br>→ Incidência aumentada nos meses com temperaturas baixas, com redução significativa no verão |

Fonte: Adaptada de Athayde e colaboradores.[26]

necessidade de tratamento ou intervenção. Para estas, o tratamento é domiciliar, com a utilização de antitérmicos, boa hidratação e nutrição, além de monitoramento da evolução do quadro respiratório. Nesse sentido, é importante orientar a família sobre os sinais de piora da doença e, conforme a necessidade, fazer uma reavaliação clínica do paciente em um período combinado.

A internação hospitalar raramente é necessária. É indicada quando houver comprometimento respiratório associado aos fatores de risco anteriormente descritos. Cerca de 10 a 15% das crianças hospitalizadas precisam de tratamento em unidades de terapia intensiva.[25]

Um dos poucos tratamentos farmacológicos efetivos para a bronquiolite é o oxigênio aquecido e umidificado, preferencialmente por cânula nasal[27] **A**. Os broncodilatadores β-adrenérgicos e a adrenalina, embora frequentemente prescritos, não são indicados para o tratamento por não possuírem evidências científicas comprovadas do seu benefício[28] **B**.

A partir de estudos oriundos da fibrose cística, a solução salina hipertônica por via inalatória foi sugerida para melhorar a depuração mucociliar dos pacientes. Entretanto, estudos posteriores demonstraram fraca evidência para sua utilização **A**.[29]

Há fortes evidências de que os corticoides não devem ser utilizados na bronquiolite viral aguda[30] **B**.

O tratamento ambulatorial consiste em cuidados para o suporte respiratório e manutenção de ingestão adequada de líquidos (TABELA 149.6).

## Prevenção

As medidas gerais de prevenção são as mesmas aplicadas às diversas doenças infectocontagiosas respiratórias. Elas incluem lavagem cuidadosa das mãos (com sabão ou álcool em gel), evitar contato com indivíduos portadores de infecções do trato respiratório e exposição passiva à fumaça do cigarro.

A imunoglobulina intravenosa específica (IGIV-VSR)[31] **B** e o anticorpo monoclonal humanizado para VSR (palivizumabe)[32] **B** têm-se mostrado efetivos na prevenção da infecção pelo VSR em populações de risco.

No Brasil, encontra-se comercialmente disponível para uso apenas o palivizumabe. Em 2018, o Ministério da Saúde aprovou e atualizou o "Protocolo de uso de palivizumabe para prevenção da infecção pelo vírus sincicial respiratório".[33]

A posologia recomendada de palivizumabe é 15 mg/kg de peso corporal, administrado 1 ×/mês durante o período de maior prevalência do VSR previsto na respectiva comunidade, no total de, no máximo, 1 aplicação mensal por 5 meses consecutivos, dentro do período sazonal, que é variável em diferentes regiões do Brasil. A 1ª dose deve ser administrada 1 mês antes do início do período de sazonalidade do VSR, e as 4 doses subsequentes devem ser administradas com intervalos de 30 dias durante esse período no total de até 5 doses. Vale ressaltar que o número total de doses por criança depende do mês de início das aplicações, variando, assim, de 1 a 5 doses, não devendo ser aplicadas doses após o período de sazonalidade do VSR.

A administração de palivizumabe está indicada para:
→ crianças pré-termo nascidas com idade gestacional ≤ 28 semanas (até 28 semanas e 6 dias) com idade < 1 ano (até 11 meses e 29 dias);
→ crianças com idade < 2 anos (até 1 ano, 11 meses e 29 dias) com doença pulmonar crônica da prematuridade, displasia broncopulmonar ou doença cardíaca congênita com repercussão hemodinâmica demonstrada.

As doses recomendadas para aplicação de palivizumabe devem seguir os intervalos previstos, independentemente de a criança estar ou não hospitalizada.

Aquelas crianças, mesmo internadas, devem receber a aplicação no ambiente hospitalar, e deve ser respeitado o intervalo de doses subsequentes intra-hospitalar e pós-alta. Infecção aguda ou doença febril moderadas a graves podem ser motivos para atraso no uso.

## COQUELUCHE

A coqueluche é uma doença infecciosa causada por *Bortedella pertussis* que acomete o epitélio ciliado do trato respiratório na traqueia e nos brônquios. Pode causar um quadro de tosse prolongada e, pela sua alta transmissibilidade, pode contagiar 90% dos contatos domiciliares não imunes.

A doença apresenta-se mais grave nas crianças com idade < 1 ano. Aproximadamente 50% dos casos notificados de coqueluche no Brasil estão nessa faixa etária. Nessa mesma faixa etária, a doença é uma das principais causas de óbito.

No Brasil, o cenário epidemiológico da coqueluche, desde a década de 1990, apresentou importante redução na incidência dos casos mediante a ampliação das coberturas vacinais de tetravalente bacteriana (difteria, tétano, coqueluche e meningite causada por *Haemophilus*) e DTP (difteria, tétano e coqueluche; também chamada de tríplice bacteriana). Na década supracitada, a cobertura vacinal alcançada era cerca de 70% e a incidência de 10,6 a cada 100 mil habitantes. À medida que as coberturas vacinais se elevaram para valores próximos a 95 e 100%, no período de 1998 a 2000, observou-se que a incidência reduziu para 0,9 a cada 100 mil habitantes. Com a manutenção das altas coberturas vacinais, a incidência diminuiu progressivamente, atingindo 0,32 a cada 100 mil habitantes em 2010. Entretanto, a partir de meados de 2011, observou-se um aumento súbito de casos da doença no País. Em 2014, foi registrado o maior

**TABELA 149.6** → Medidas de suporte para o tratamento ambulatorial da bronquiolite

| MEDIDA | OBSERVAÇÕES |
| --- | --- |
| Higiene nasal | Soro fisiológico nasal e sucção com pera podem aliviar parcialmente a obstrução nasal |
| | Existem poucas evidências para apoiar a aspiração de rotina da parte inferior da faringe ou laringe em ambiente hospitalar |
| Acompanhamento ambulatorial | A avaliação clínica continuada é o componente mais importante para monitorar a deterioração do estado respiratório |

pico de casos (8.614), com incidência de 4,2 a cada 100 mil habitantes. As razões para esse aumento não são facilmente identificáveis, porém alguns fatores podem ser atribuídos, como aumento da sensibilidade da vigilância epidemiológica e da rede assistencial, maior uso da vacina acelular, falhas de proteção imunológica da população, perda da imunidade e caráter cíclico da doença, que ocorre em intervalos de 3 a 5 anos, elevando, assim, o número de casos. Porém, entre os anos de 2014 e 2017, observou-se um decréscimo de 78,5% na incidência da coqueluche. Alguns fatores podem ter contribuído para esse decréscimo, como inclusão da vacina dTpa (tríplice bacteriana acelular do tipo adulto) para gestantes e profissionais de saúde, ampliação da quimioprofilaxia aos contatos dos casos suspeitos e o próprio ciclo epidêmico da doença.[34]

A OMS estima que ocorram no mundo, todos os anos, cerca de 16 milhões de casos de coqueluche e 195 mil mortes, dos quais 95% ocorrem nos países em desenvolvimento, com maior incidência nos meses de primavera e verão. É uma doença de notificação compulsória. Adolescentes e adultos são a principal fonte de transmissão da coqueluche em surtos intradomiciliares.

## Etiologia, fisiopatologia e formas de contágio

*Bordetella pertussis* é um cocobacilo gram-negativo aeróbio encapsulado que infecta apenas os humanos. As espécies de *Bordetella* incluem *Bordetella pertussis* e *Bordetella parapertussis*. O bacilo possui a hemaglutinina filamentosa que adere às células do epitélio ciliado do trato respiratório. Uma série de fatores de virulência produzidos por *B. pertussis*, como a toxina pertússis, a adenilato-ciclase, a pertactina e a citotoxina traqueal, agem no hospedeiro e são responsáveis pelos sintomas e pela resposta imune. O tecido necrótico decorrente e o dano às células epiteliais recrutam macrófagos, enquanto ocorre a hiperplasia dos linfonodos peribrônquicos e traqueobrônquicos.

A coqueluche é transmitida pelas gotículas de aerossol eliminadas pela tosse ou pelo espirro dos indivíduos contaminados. Muitas crianças são contaminadas pelos irmãos mais velhos, pelos pais ou pelos cuidadores, os quais podem apresentar apenas sintomas leves. Após um período de incubação de 7 a 14 dias, a evolução clínica é previsível, embora a gravidade da doença e o prognóstico sejam bastante variáveis. É necessário que o diagnóstico precoce seja feito quando houver suspeita da doença. Até que ocorra a confirmação ou não do diagnóstico, a criança com suspeita de coqueluche deve ser isolada com máscara. Nos indivíduos que não fazem uso de antibiótico, o período de transmissão inicia 5 dias após o contato e se prolonga por até 3 semanas depois do início da tosse paroxística. Em lactentes com idade < 6 meses, esse período pode ser estendido para 6 semanas.

## Quadro clínico

Os sintomas da coqueluche podem variar de acordo com diversos fatores, entre eles a idade, o início precoce de antibiótico, a presença de comorbidades e a exposição prévia à vacina ou à doença, pois não conferem imunidade permanente. O quadro clínico é dividido em três fases sucessivas:[35]

→ **fase catarral:** com duração de 1 a 2 semanas, inicia-se com manifestações respiratórias e sintomas leves (febre pouco intensa, mal-estar geral, coriza e tosse seca), seguidos pela instalação gradual de surtos de tosse, cada vez mais intensos e frequentes, evoluindo para crises de tosses paroxísticas;

→ **fase paroxística:** geralmente é afebril ou com febre baixa, mas, em alguns casos, ocorrem vários picos de febre no decorrer do dia. Apresenta, como manifestação típica, os paroxismos de tosse seca caracterizados por crise súbita, incontrolável, rápida e curta, com cerca de 5 a 10 tossidas em uma única expiração. Durante os acessos, o paciente não consegue inspirar, apresenta protrusão da língua, congestão facial e, em alguns casos, cianose, que pode ser seguida de apneia e vômitos. A seguir, ocorre uma inspiração profunda pela glote estreitada, podendo originar o som denominado de "guincho". O número de episódios de tosse paroxística pode chegar a 30 em 24 horas, manifestando-se mais frequentemente à noite. A frequência e a intensidade dos episódios de tosse paroxística aumentam nas 2 primeiras semanas e, depois, diminuem paulatinamente. Lactentes com idade < 6 meses com frequência apresentam quadro clínico menos característico. Essa fase dura de 2 a 6 semanas;

→ **fase de convalescença:** os paroxismos de tosse desaparecem e dão lugar a episódios de tosse comum. Essa fase persiste por 2 a 6 semanas e, em alguns casos, pode prolongar-se por até 3 meses. Infecções respiratórias de outra natureza que se instalam durante a convalescença da coqueluche podem provocar o reaparecimento transitório dos paroxismos.[36]

## Diagnóstico

O diagnóstico pode ser realizado pelos achados clínicos e/ou laboratoriais. Conforme o Ministério da Saúde, o diagnóstico laboratorial fenotípico e molecular da coqueluche é realizado mediante o isolamento de *B. pertussis* pela técnica da cultura e/ou pelo diagnóstico rápido pelo método da reação em cadeia da polimerase (PCR, do inglês *polymerase chain reaction*) em tempo real. O material de escolha para a detecção da bactéria é a secreção nasofaríngea, e os procedimentos para coleta e transporte desse material estão descritos no "Guia de vigilância em saúde", de 2019.[36]

É importante salientar que não se dispõe no Brasil, até o momento, de testes sorológicos adequados e padronizados para o diagnóstico complementar da coqueluche. Além disso, os novos métodos em investigação apresentam limitações na interpretação. O isolamento e a detecção de antígenos, produtos bacterianos ou sequências genômicas de *B. pertussis* são aplicáveis ao diagnóstico da fase aguda.

A cultura é considerada o padrão-ouro no diagnóstico da coqueluche. É altamente específica (100%), mas a sensibilidade varia entre 12 e 60%, dependendo de fatores como antibioticoterapia prévia, duração dos sintomas, idade e estado vacinal, coleta de espécime, condições de transporte do material, tipo e qualidade do meio de isolamento e transporte, presença de outras bactérias na nasofaringe, tipo de *swab*, tempo decorrido desde a coleta, transporte e processamento da amostra. Já o método da PCR em tempo real, usado paralelamente à cultura, permite a detecção de um maior número de casos, especialmente quando o paciente está sendo tratado com antimicrobianos no momento da coleta da amostra.

Preferencialmente, a coleta do material de pacientes suspeitos de coqueluche deve ser realizada no início dos sintomas característicos da doença (fase catarral) e antes do início do tratamento ou, no máximo, com até 3 dias de antibioticoterapia eficaz contra *B. pertussis*.

Quando administrados durante a fase paroxística da doença, os fármacos antimicrobianos não alteram o curso clínico, mas podem eliminar a bactéria da nasofaringe e, assim, reduzir a transmissão. Os casos não tratados podem permanecer infecciosos por até 3 semanas após o início dos sintomas.[36]

Além disso, podem ser utilizados os seguintes exames complementares para auxiliar no diagnóstico:
- → **leucograma:** na fase catarral, pode ocorrer linfocitose relativa e absoluta, geralmente acima de 10.000 linfócitos/mm$^3$. Os leucócitos totais atingem valor, em geral, superior a 20.000 leucócitos/mm$^3$ no final dessa fase. Na fase paroxística, o número de leucócitos pode elevar-se para 30.000 ou 40.000/mm$^3$, associado à linfocitose de 60 a 80%. Nos lactentes e nos pacientes com quadro clínico mais leve, a linfocitose pode estar ausente;
- → **radiografia de tórax:** é recomendada em crianças com idade < 4 anos para auxiliar no diagnóstico diferencial e/ou na presença de complicações. É característica a imagem de "coração borrado" ou "franjado", pelas bordas não nítidas da imagem cardíaca, devido às opacidades pulmonares.

**Segundo o Ministério da Saúde, considera-se caso suspeito de coqueluche:**
- → **indivíduo com idade < 6 meses:** qualquer indivíduo, independentemente do estado vacinal, que apresente tosse de qualquer tipo em período ≥ 10 dias associada a um ou mais dos seguintes sintomas: tosse paroxística – tosse súbita incontrolável, com tossidas rápidas e curtas (5 a 10), em uma única expiração; guincho inspiratório; vômitos pós-tosse; cianose; apneia; ou engasgo;
- → **indivíduo com idade ≥ 6 meses:** qualquer indivíduo que, independentemente do estado vacinal, apresente tosse de qualquer tipo em período ≥ 14 dias associada a um ou mais dos seguintes sintomas: tosse paroxística – tosse súbita incontrolável, com tossidas rápidas e curtas (5 a 10), em uma única expiração; guincho inspiratório; ou vômitos pós-tosse.

**Além disso, também é considerado caso suspeito todo indivíduo que apresente tosse, em qualquer período, com história de contato próximo com caso confirmado de coqueluche pelo critério laboratorial.[36]**

Todo caso suspeito deve ser notificado por meio do Sistema de Informação de Agravos de Notificação (Sinan).

## Tratamento

O tratamento e a quimioprofilaxia da coqueluche, até 2005, eram apoiados preferencialmente no uso da eritromicina, um macrolídeo bastante conhecido. Esse antibiótico é bastante eficaz na erradicação, em cerca de 48 horas, de *B. pertussis* da nasofaringe das pessoas com a doença (sintomática ou assintomática). Administrado precocemente, de preferência na fase catarral, o medicamento pode reduzir a intensidade e a duração da doença, e o período de transmissibilidade. Apesar disso, há limitações no seu uso, pois a eritromicina é administrada de 6/6 horas por 7 a 14 dias, dificultando a adesão ao tratamento. Além disso, pode apresentar vários efeitos colaterais, incluindo sintomas gastrintestinais. Em crianças com idade < 1 mês, o uso da eritromicina está associado ao desenvolvimento da síndrome de hipertrofia pilórica, uma doença grave que pode levar à morte.

Mais recentemente, demonstrou-se que a azitromicina e a claritromicina, macrolídeos mais modernos, têm a mesma eficácia da eritromicina no tratamento e na quimioprofilaxia da coqueluche. A azitromicina deve ser administrada 1 ×/dia, durante 5 dias, e a claritromicina, de 12/12 horas, durante 7 dias. Os novos esquemas terapêuticos facilitam a adesão dos pacientes ao tratamento e, especialmente, à quimioprofilaxia dos contatos domiciliares ou íntimos. A azitromicina pode ser usada no tratamento das crianças com idade < 1 mês.

É importante destacar que, embora não haja confirmação da associação entre o uso de azitromicina e o risco de desenvolver a síndrome de hipertrofia pilórica, a criança deve ser acompanhada em consultas posteriores pela equipe de saúde.

Nos casos de contraindicação ao uso da azitromicina e da claritromicina, recomenda-se sulfametoxazol + trimetoprima. A eritromicina ainda pode ser usada, porém é contraindicada para crianças com idade < 1 mês e nas situações em que há intolerância ou dificuldade de adesão.

Os antibióticos não alteram o curso clínico da doença **B**, mas podem reduzir a duração e a gravidade dos sintomas se iniciados precocemente (antes da fase paroxística) e podem ser efetivos para erradicação da bactéria **C/D**, reduzindo o risco de transmissão.[37]

Os antibióticos e suas respectivas posologias indicados para tratamento da coqueluche são os mesmos usados na sua quimioprofilaxia (TABELA 149.7).

Mulheres no último mês de gestação ou puérperas que tiveram contato com caso suspeito ou confirmado e apresentarem tosse por período ≥ 5 dias, independentemente da situação epidemiológica, devem realizar o tratamento para coqueluche. Além de gestantes e puérperas, recém-nascidos também devem ser tratados.

Para crianças com idade < 1 ano, pode-se tornar necessário indicar oxigenoterapia, aspiração de secreção oronasotraqueal, assistência ventilatória não invasiva ou, em casos mais graves, ventilação mecânica, assim como drenagem de decúbito, hidratação e/ou nutrição parenteral.[36]

**TABELA 149.7** → Esquemas terapêuticos e quimioprofiláticos da coqueluche

| IDADE | POSOLOGIA |
|---|---|
| **PRIMEIRA ESCOLHA: AZITROMICINA** | |
| < 6 meses | 10 mg/kg em 1 dose ao dia durante 5 dias<br>É o preferido para esta faixa etária |
| ≥ 6 meses | 10 mg/kg (máximo de 500 mg) em 1 dose no 1º dia e 5 mg/kg (máximo de 250 mg) em 1 dose ao dia do 2º ao 5º dia |
| Adultos | 500 mg em 1 dose no 1º dia e 250 mg em 1 dose ao dia do 2º ao 5º dia |
| **SEGUNDA ESCOLHA: CLARITROMICINA**[a] | |
| < 1 mês | Não recomendado |
| 1-24 meses | ≤ 8 kg:<br>7,5 mg/kg de 12/12 h durante 7 dias<br>> 8 kg:<br>62,5 mg de 12/12 h durante 7 dias |
| 3-6 anos | 125 mg de 12/12 h durante 7 dias |
| 7-9 anos | 187,5 mg de 12/12 h durante 7 dias |
| ≥ 10 anos | 250 mg de 12/12 h durante 7 dias |
| Adultos | 500 mg de 12/12 h durante 7 dias |
| **ERITROMICINA (EM CASO DE INDISPONIBILIDADE DOS MEDICAMENTOS ANTERIORES)** | |
| < 1 mês | Não recomendado devido à associação com a síndrome de hipertrofia pilórica |
| 1-24 meses | 125 mg de 6/6 h durante 7-14 dias |
| 2-8 anos | 250 mg de 6/6 h durante 7-14 dias |
| > 8 anos | 250-500 mg de 6/6 h durante 7-14 dias |
| Adultos | 500 mg de 6/6 h durante 7-14 dias |
| **SULFAMETOXAZOL-TRIMETOPRIMA (SMZ-TMP), NO CASO DE INTOLERÂNCIA A MACROLÍDEO**[b] | |
| < 2 meses | Contraindicado |
| ≥ 6 semanas a 5 meses | SMZ 100 mg e TMP 20 mg de 12/12 h durante 7 dias |
| ≥ 6 meses a 5 anos | SMZ 200 mg e TMP 40 mg de 12/12 h durante 7 dias |
| 6-12 anos | SMZ 400 mg e TMP 80 mg de 12/12 h durante 7 dias |
| Adultos | SMZ 800 mg e TMP 160 mg de 12/12 h durante 7 dias |

[a]Apresentação de 125 mg/5 mL.
[b]Fármaco alternativo se houver contraindicação de azitromicina, claritromicina ou eritromicina.
Fonte: Brasil.[36]

Em relação ao tratamento sintomático da tosse paroxística (com corticoides, anti-histamínicos ou $\beta_2$-agonistas), não existem evidências que demonstrem a sua efetividade[38] C/D.

## Prevenção

### Imunização

A vacina pentavalente – vacina adsorvida difteria, tétano, pertússis, hepatite B (recombinante) e Hib (conjugada) – e a vacina tríplice bacteriana (DTP) devem ser aplicadas em crianças, mesmo quando os responsáveis refiram história da doença[39] B.

Na rotina dos serviços, a vacina pentavalente é indicada em 3 doses para crianças com idade < 1 ano, aos 2, 4 e 6 meses, com intervalo de 30 a 60 dias entre elas. Recomenda-se que a terceira dose não seja aplicada antes dos 6 meses de idade. Essa vacina está disponível para as crianças com até 6 anos, 11 meses e 29 dias. As duas doses de reforços, aos 15 meses e 4 anos de idade, são aplicadas por meio da vacina DTP nas crianças com idade < 7 anos (6 anos, 11 meses e 29 dias).

A vacina DTPa (acelular) é recomendada para crianças com risco aumentado de desenvolver ou que tenham desenvolvido eventos graves adversos à vacina com células inteiras, e está disponibilizada nos Centros de Referência para Imunobiológicos Especiais (CRIEs).

Outra estratégia utilizada na prevenção da coqueluche é vacinar todas as gestantes com a vacina do tipo adulto (dTpa)[40] B. Essa vacina deve ser administrada a cada gestação, a partir da 20ª semana pós-concepcional. A depender da situação vacinal encontrada, deve-se administrar uma dose da vacina dTpa para iniciar e completar o esquema vacinal, ou como dose de reforço. Em gestantes que não foram vacinadas durante a gestação, deve-se aplicar uma dose de dTpa no puerpério o mais precocemente possível.

### Controle dos comunicantes e profilaxia

Comunicante é qualquer pessoa exposta a contato próximo e prolongado no período de até 21 dias antes do início dos sintomas da coqueluche e até 3 semanas após o início da fase paroxística. Contatos íntimos são os membros da família ou pessoas que vivem na mesma casa ou que frequentam habitualmente o local de moradia do caso.

Além dos contatos íntimos, são considerados comunicantes aqueles que passam a noite no mesmo quarto, como pessoas institucionalizadas e trabalhadores que dormem no mesmo espaço físico. Outros tipos de exposições podem definir novos comunicantes, como no caso de situações em que há proximidade entre as pessoas (±1 metro) na maior parte do tempo e rotineiramente (escola, trabalho ou outras circunstâncias que atendam a esse critério).

Em comunicantes, familiares e escolares com idade < 6 anos, 11 meses e 29 dias, não vacinados, com esquema vacinal incompleto ou com situação vacinal desconhecida, deve-se administrar uma dose da vacina contra a coqueluche (DTP ou pentavalente) e fazer a orientação de como proceder para completar o esquema de vacinação.

A quimioprofilaxia é indicada para os comunicantes que apresentam uma das seguintes características:
→ idade < 1 ano, independentemente da situação vacinal. Os recém-nascidos devem ser avaliados pelo médico;
→ idade entre 1 e 7 anos não vacinadas, com situação vacinal desconhecida ou que tenham tomado menos de 4 doses da vacina DTP + Hib, DTP + Hib + hepatite B ou DTP;
→ idade > 7 anos que tiveram contato íntimo e prolongado com um caso suspeito de coqueluche, se tiveram contato com o caso-índice no período de 21 dias que precedeu o início dos sintomas do caso até 3 semanas após o início da fase paroxística, ou se tiveram contato com um comunicante vulnerável no mesmo domicílio;
→ trabalham em serviço de saúde ou com crianças.

Consideram-se comunicantes vulneráveis:

→ recém-nascidos que tenham contato com sintomáticos respiratórios;
→ crianças com idade < 1 ano, com menos de 3 doses de vacina pentavalente ou tetravalente ou DTP;
→ crianças com idade < 10 anos, não imunizadas ou com esquema vacinal incompleto (menos de 3 doses de vacina pentavalente, tetravalente ou DTP);
→ mulheres no último trimestre de gestação;
→ pessoas com comprometimento imunológico;
→ pessoas com doença crônica grave.[36]

Para detalhes sobre a vacina contra coqueluche, ver Capítulo Imunizações.

## PNEUMONIA ADQUIRIDA NA COMUNIDADE

É uma doença do trato respiratório inferior caracterizada por infecção e inflamação do parênquima pulmonar, acometendo bronquíolos, alvéolos e/ou interstício pulmonar. Estima-se que 2 a 3% das IRAs evoluam para pneumonia, das quais 10 a 20% evoluem para óbito.

Em 2020, a pneumonia foi a terceira maior causa de mortes em crianças com idade < 5 anos em todo o mundo, conforme informações da OMS.[41] Embora a implementação de diversas intervenções seguras, eficazes e acessíveis tenha reduzido a mortalidade por pneumonia de 4 milhões em 1981 para pouco mais de 1 milhão em 2013, a doença ainda era responsável por quase um quinto das mortes infantis no mundo em 2014.[42]

O manejo adequado da doença é fundamental nas estratégias para o seu controle. Nesse sentido, é importante identificar e classificar os quadros graves usando sinais clínicos simples, como taquipneia, tiragem subcostal e outros sinais gerais de perigo para promover o pronto tratamento adequado. Além do aconselhamento para manejo domiciliar, a utilização dos antibióticos para terapia ambulatorial ou, nos casos mais graves, o encaminhamento a um serviço de saúde hospitalar é importante para diminuição da morbimortalidade da doença.[42] Os principais fatores de risco para pneumonia associados à mortalidade são: desnutrição, menor idade, comorbidades e gravidade da doença. Outros fatores, como baixo peso ao nascer, permanência em centros de educação infantil, episódios prévios de sibilância e pneumonia, ausência ou curta duração de aleitamento materno, vacinação incompleta e vulnerabilidade socioeconômica ou ambiental também estão relacionados com piores desfechos de morbimortalidade pela doença.

A fumaça do cigarro prejudica a função mucociliar e a atividade dos macrófagos, comprometendo os mecanismos naturais de defesa pulmonar.[43] A exposição à fumaça de cigarro, especialmente se a mãe fuma, aumenta o risco de pneumonia em crianças com idade < 1 ano. O uso de cigarros, álcool e outras substâncias de abuso na adolescência pode elevar o risco de pneumonia, pois aumentam a possibilidade de aspiração, devido ao comprometimento do reflexo da tosse na epiglote. Além disso, o uso de álcool tem sido associado à colonização aumentada da orofaringe com bacilos gram-negativos aeróbios.[43]

## Etiologia

Existem inúmeros agentes etiológicos para a pneumonia, incluindo vírus, bactérias, parasitas e fungos. A maioria das pneumonias é viral (14-35%), com comprometimento mais frequentemente intersticial, sobretudo em lactentes e crianças mais jovens; nas pneumonias bacterianas, mais comuns em crianças mais velhas, há comprometimento alveolar ou broncopneumônico. Entre as pneumonias bacterianas, *Streptococcus pneumoniae* (pneumococo) é o agente etiológico mais comum em todas as faixas etárias pediátricas, seguido por *Mycoplasma pneumoniae* e *Chlamydophila pneumoniae*, sobretudo em crianças com idade > 5 anos. Como a confirmação do patógeno é limitada, a idade da criança tem valor preditivo e é utilizada como indicador do agente etiológico envolvido[44] (TABELA 149.8). Além disso, alguns aspectos adicionais podem ser úteis na abordagem e na investigação do agente etiológico de pneumonia adquirida na comunidade na população infantil (TABELA 149.9).

Também de acordo com a faixa etária, o agente etiológico e a sintomatologia, podem ser descritas as síndromes clínicas mais comuns em pneumonias na infância (TABELA 149.10).

## Fisiopatologia

A doença geralmente começa com infecção das vias aéreas superiores, desencadeando um processo inflamatório dos

**TABELA 149.8** → Principais agentes etiológicos de pneumonia conforme faixa etária

| FAIXA ETÁRIA | AGENTES ETIOLÓGICOS |
|---|---|
| Até 2 meses | Estreptococo do grupo B, enterobactérias, *Listeria monocytogenes*, *Chlamydia trachomatis*, *Staphylococcus aureus*, vírus |
| 2-6 meses | *Chlamydia trachomatis*, vírus, germes da pneumonia afebril, *Streptococcus pneumoniae*, *Staphylococcus aureus*, *Bordetella pertussis* |
| 7 meses a 5 anos | Vírus, *Streptococcus pneumoniae*, *Haemophilus influenzae*, *Staphylococcus aureus*, *Mycoplasma pneumoniae*, *Mycobacterium tuberculosis* |
| > 5 anos | *Mycoplasma pneumoniae*, *Chlamydophila pneumoniae*, *Streptococcus pneumoniae*, *Mycobacterium tuberculosis* |

Fonte: Adaptada de Souza e colaboradores.[44]

**TABELA 149.9** → Aspectos a serem abordados na investigação do agente etiológico de pneumonia adquirida na comunidade

→ Idade
→ Estação do ano
→ Febre
→ Sintomas não respiratórios (cefaleia, conjuntivite, exantema, mialgias, letargia, inflamação de orofaringe, anorexia, vômitos, diarreia)
→ Natureza da tosse, congestão nasal, dor torácica, dificuldade respiratória, asfixia
→ Comorbidades: convulsões, asma, refluxo gastresofágico
→ Risco de aspiração de corpo estranho
→ Possível exposição à tuberculose (contato com prisioneiros, pessoas de rua ou com história de tosse crônica, perda de peso)
→ Cuidadores de crianças doentes
→ Agentes microbiológicos na comunidade
→ História de viagem
→ Cobertura vacinal
→ Exposição a animais/picadas de insetos
→ Episódios prévios de infecção do trato respiratório inferior, doença respiratória alérgica

TABELA 149.10 → Síndromes clínicas mais comuns em pneumonias na infância

| SÍNDROME | AGENTE ETIOLÓGICO | FAIXA ETÁRIA | MANIFESTAÇÕES CLÍNICAS COMUNS |
|---|---|---|---|
| Bacteriana (supurativa) | *Streptococcus pneumoniae*, outros | Todas as idades, mais comum em crianças jovens (idade < 6 anos) | Início súbito, febre alta/toxemia, achados focais na ausculta respiratória, dor torácica/abdominal, radiografia de tórax com infiltrado |
| Atípica (lactentes) | *Chlamydia trachomatis* | Idade < 3 meses | Taquipneia, hipoxemia leve, ausência de febre, sibilância, radiografia de tórax com infiltrado intersticial |
| Atípica (escolares e adolescentes) | *Mycoplasma pneumoniae* | Idade > 5 anos, embora também possa acometer crianças menores | Início gradual, febre baixa, achados difusos na ausculta respiratória, radiografia com infiltrado difuso |
| Viral | Múltiplos vírus | Todas as idades, mais comum entre 3 meses e 5 anos | Sintomas respiratórios das vias áreas superiores proeminentes, febre baixa ou ausente, sibilos ou achados difusos na ausculta respiratória, radiografia com possível infiltrado intersticial |

alvéolos, dos bronquíolos e do interstício pulmonar, o que favorece a colonização de bactérias provenientes do trato respiratório superior. A via aspirativa é a mais comum, sobretudo nas pneumonias por pneumococo. A via hematogênica é mais comum nas pneumonias por *Staphylococcus aureus*, e a pneumonia por contiguidade é mais rara.

## Manifestações clínicas

A sintomatologia das pneumonias pode variar de acordo com a idade da criança, o grau de acometimento pulmonar e a gravidade do quadro clínico. As manifestações clínicas mais comuns são: febre, tosse, taquipneia, dispneia (tiragem intercostal, retração subcostal, batimentos de asas de nariz), estertores finos (crepitantes), hipoxemia, dor torácica e sintomas sistêmicos associados (inapetência, prostração e astenia).

A taquipneia observada em crianças que não apresentam sibilância pode sugerir o diagnóstico de pneumonia. Nesse sentido, todas as crianças que apresentam febre e tosse devem ter a sua FR avaliada. Quando ela for superior ao considerado normal para a idade, a suspeita clínica de pneumonia deve ser considerada[45] (TABELA 149.11).

**A taquipneia é um sinal útil para o diagnóstico de pneumonia na infância. Após a exclusão do diagnóstico de bronquiolite ou asma, a taquipneia é geralmente mais sensível e específica do que as crepitações encontradas na ausculta respiratória.**

TABELA 149.11 → Frequência respiratória considerada normal conforme a faixa etária

| FAIXA ETÁRIA | FREQUÊNCIA RESPIRATÓRIA (mrm) |
|---|---|
| < 2 meses | < 60 |
| 2-11 meses | < 50 |
| 1-4 anos | < 40 |

mrm, movimentos respiratórios por minuto.
Fonte: Adaptada de Sociedade Brasileira de Pediatria.[45]

Há muitos anos a OMS tem indicado internação hospitalar para crianças que apresentam "sinais de alerta". Segundo a OMS, crianças de 2 meses a 5 anos com pneumonia adquirida na comunidade e tiragem subcostal são classificadas como tendo pneumonia grave e aquelas com outros sinais sistêmicos de gravidade como pneumonia muito grave. Em crianças com idade < 2 meses, são considerados sinais de doença muito grave: FR ≥ 60 movimentos respiratórios por minuto (mrm), tiragem subcostal, febre alta ou hipotermia, recusa do seio materno por mais de 3 mamadas, sibilância, estridor em repouso, sensório alterado com letargia, sonolência anormal ou irritabilidade excessiva. Entre as crianças com idade > 2 meses, os sinais são: tiragem subcostal, estridor em repouso, recusa de líquidos, convulsão, alteração do sensório e vômito incoercível.

É importante destacar que a pneumonia adquirida na comunidade deve ser lembrada como diagnóstico diferencial de duas importantes síndromes na infância: quadro infeccioso em foco localizado e insuficiência respiratória aguda. Nestas, a criança apresenta-se com febre, prostração e outros sinais inespecíficos de infecção ou toxemia e, geralmente, o exame físico preliminar não revela a causa. Nesses casos, a pneumonia deve ser investigada mesmo quando houver ausência de taquipneia e tiragem subcostal. Para isso, uma anamnese detalhada com ênfase em informações epidemiológicas e um exame físico minucioso devem contribuir para elucidar o diagnóstico. Em alguns quadros de febre sem sinais de localização, a solicitação de uma radiografia de tórax está indicada.[46]

Nos quadros de insuficiência respiratória aguda, a pneumonia deve ser diagnóstico diferencial de outras condições clínicas como bronquiolite viral aguda, traqueobronquite aguda e crise de asma. Nesses casos, a confirmação diagnóstica, sobretudo em lactentes, por vezes é um desafio na prática clínica. A presença de sibilância é um sinal clínico apontado pela estratégia AIDPI (Atenção Integrada às Doenças Prevalentes da Infância) – como principal achado que diferencia as demais condições da pneumonia adquirida na comunidade, uma vez que a sua presença nesta não é comum. É relevante salientar que, diante de sinais de gravidade, como tiragem subcostal, dificuldade para ingerir líquidos e gemência, a conduta e o manejo clínico devem ser imediatos e resolutivos, independentemente da doença.

## Diagnóstico

O diagnóstico de pneumonia é eminentemente clínico, com base na anamnese e no exame físico, devendo ser consideradas as informações anteriores sobre "sinais de alerta" e avaliação da FR.

A radiografia de tórax não deve ser realizada de rotina para o diagnóstico de pneumonia em crianças sem sinais de gravidade, sem necessidade de tratamento hospitalar, uma vez que não há evidências que alterem o resultado clínico[46] **A**. A sua realização deve ser considerada nas seguintes situações: dúvida quanto ao diagnóstico, embora uma radiografia normal não exclua pneumonia; pneumonia com hipoxemia, desconforto respiratório, entre outros sinais de gravidade; falha de resposta ao tratamento em 48 a 72 horas ou piora progressiva do quadro, para verificar se há complicações (empiema, pneumotórax, escavação); e em pacientes hospitalizados. Em geral, consolidação alveolar, pneumatoceles, derrames pleurais e abscessos sugerem etiologia bacteriana. O padrão intersticial está mais frequentemente associado a vírus e *Mycoplasma pneumoniae* ou *Chlamydophila pneumoniae*. Estes dois últimos são agentes causadores de pneumonias atípicas.

Os demais exames complementares são inespecíficos e de emprego questionável. O leucograma nas pneumonias de etiologia bacteriana em geral apresenta leucocitose e neutrofilia com a presença de formas jovens, embora esses achados não sejam específicos. A eosinofilia (> 300 células/mm$^3$) pode ocorrer na maioria dos pacientes com infecção por *Chlamydia trachomatis*.

## Tratamento

Lactentes e crianças maiores com infecção respiratória leve a moderada do trato inferior podem ser tratados com segurança no domicílio. Nessa situação, recomenda-se que a criança seja examinada dentro de 48 horas após o início do tratamento.

A OMS recomenda que crianças com tiragem sejam hospitalizadas. Outras indicações de hospitalização são apresentadas na **TABELA 149.12**.

**TABELA 149.12** → Critérios para indicação de hospitalização de crianças com pneumonia, segundo as diretrizes da British Thoracic Society

- Saturação de oxigênio < 92%, cianose
- Frequência respiratória > 70 mrm em lactentes, ou > 50 mrm em crianças mais velhas
- Taquicardia significativa para o grau da febre (valores para definição de taquicardia variam com a idade e a temperatura)
- Dificuldade respiratória
- Retardo no preenchimento capilar (> 2 segundos)
- Apneia intermitente (lactente)
- Gemência
- Recusa alimentar (lactente)
- Desidratação em crianças maiores
- Condições crônicas (doença cardíaca congênita, doença pulmonar crônica da prematuridade, condições respiratórias crônicas que levam a infecções como fibrose cística, bronquiectasia e imunodeficiência)

mrm, movimentos respiratórios por minuto.

O tratamento inicial com antibióticos em geral é empírico, pois o isolamento do agente infeccioso raramente é possível de ser realizado, além da demora da sua identificação na maioria dos casos **C/D**. Dessa forma, a escolha é baseada no conhecimento dos principais agentes infecciosos em cada faixa etária, situação clínica e região.

A amoxicilina é a primeira opção terapêutica no tratamento ambulatorial, sendo recomendada para o tratamento das pneumonias em crianças de 2 meses a 5 anos, na dose de 50 mg/kg/dia, de 8/8 horas ou de 12/12 horas[47] **A**. Em crianças com idade > 5 anos, o fármaco de escolha também é amoxicilina, nas mesmas doses **B**.[47] A associação de amoxicilina com inibidor da β-lactamase, como o clavulanato, ou também a cefuroxima, isoladamente, podem ser utilizadas como segunda opção. Devido à possibilidade de infecção por *M. pneumoniae*, pode-se optar pela introdução de macrolídeos (pneumonia atípica), como azitromicina, claritromicina ou eritromicina[45] **(TABELA 149.13)**. O tratamento inicial com macrolídeos em crianças com idade > 5 anos não tem mostrado ser mais eficaz que o tratamento convencional com amoxicilina, sendo indicado nas situações em que houver suspeita clínica de pneumonia atípica **B**. Em crianças com alergia à amoxicilina, é possível realizar o tratamento com amoxicilina com supervisão da primeira dose ou cefuroxima (ambas somente nas alergias não graves) ou uso de macrolídeo **B** (menos eficaz) **C/D** (não disponível na rede pública de saúde).[47]

Toda criança com pneumonia que tenha condições clínicas de ser tratada em seu domicílio deve ter uma consulta de reavaliação agendada após 48 a 72 horas do início do tratamento ou a qualquer momento se houver piora clínica **B**. Caso apresente melhora, o tratamento deve ser mantido até completar 7 dias. Por outro lado, se o quadro piorar ou permanecer inalterado, cabe avaliar internação hospitalar **C/D**.[47,48]

## Complicações

Crianças com febre ou clinicamente instáveis após 48 a 72 horas do início do tratamento de pneumonias adquiridas na comunidade devem ser investigadas para avaliar possíveis

**TABELA 149.13** → Antibióticos utilizados no tratamento de pneumonias em crianças conforme a faixa etária e características clínicas principais

| FAIXA ETÁRIA | CARACTERÍSTICAS CLÍNICAS | TRATAMENTO AMBULATORIAL | DOSE (mg/kg/dia) | DURAÇÃO DO TRATAMENTO | DOSE MÁXIMA |
|---|---|---|---|---|---|
| Neonato | | — | | | |
| 3 semanas a 3 meses | Infiltrado intersticial, ausência de toxemia | Azitromicina<br>Claritromicina<br>Eritromicina | 10 mg – 1º dia (1 ×/dia) – e 5 mg – 2º-5º dia (1 ×/dia)<br>15 mg (2 ×/dia)<br>40 mg (4 ×/dia) | 5 dias<br>10 dias<br>10 dias | |
| 4 meses a 4 anos | | Amoxicilina* | 50-100 mg (2 ou 3 ×/dia) | 10 dias | 4 g/dia |
| ≥ 5 anos | Infiltrado alveolar, derrame pleural, toxemia | Amoxicilina* | 50-100 mg (2 ou 3 ×/dia) | 5-10 dias | 4 g/dia |
| ≥ 5 anos | Infiltrado intersticial | Azitromicina<br><br>Claritromicina<br>Eritromicina | 10 mg – 1º dia (1 ×/dia) – e 5 mg – 2º-5º dia (1 ×/dia)<br><br>15 mg (2 ×/dia)<br>40 mg (4 ×/dia) | 5 dias<br><br>10 dias | 500 mg/dia<br>250 mg/dia<br>1 g/dia<br>2 g/dia |

* Se houver história de alergia à amoxicilina: uso de amoxicilina sob supervisão da primeira dose ou cefuroxima (30-100 mg/kg/dia, VO, de 12/12 h) (ambas somente em casos não graves), ou macrolídeo. VO, via oral.

complicações. A mais frequente é o derrame pleural parapneumônico (desenvolvido durante o curso clínico de uma pneumonia ou abscesso pulmonar), que quando não complicado pode evoluir de forma favorável com antibioticoterapia apropriada, sendo reabsorvido à medida que a pneumonia regride. Outras complicações são empiema, atelectasias, abscesso pulmonar, pneumatocele, pneumonia necrosante, pneumotórax, fístula broncopleural, hemoptise, septicemia e bronquiectasia. Sempre que houver quaisquer complicações, elas devem ser manejadas, necessariamente, em ambiente hospitalar.

## PREVENÇÃO

Do ponto de vista individual, as vacinas têm importante papel na prevenção da doença respiratória, devendo ser administradas a todas as crianças e adolescentes. As vacinas disponíveis para a prevenção de doenças respiratórias na infância são contra Hib, pneumocócica 10-valente (conjugada) e anti-*influenza* (ver Capítulo Imunizações).

Depois de 1 ano da introdução da vacina pneumocócica 10-valente pelo Programa Nacional de Imunizações, foi observada uma redução no número de hospitalizações de crianças por pneumonia no Brasil. Quanto ao impacto da vacinação anti-Hib na comunidade, há evidências de proteção contra a pneumonia na infância. A vacina 13-valente dá uma cobertura estendida a algumas cepas associadas à resistência antimicrobiana.[49]

Do ponto de vista coletivo, conforme orientação do Ministério da Saúde, em consonância com a OMS, existe uma série de medidas preventivas para o controle das IRAs, cujo objetivo principal é diminuir a mortalidade por pneumonia. Os demais objetivos visam:

→ reduzir o uso inapropriado de antibióticos e outros medicamentos no tratamento das IRAs;
→ reduzir a gravidade da doença e evitar as complicações do aparelho respiratório superior (surdez subsequente à otite média, febre reumática e afecções cardíacas decorrentes de faringite estreptocócica);
→ reduzir as complicações das IRAs nas vias aéreas inferiores (pneumonia e bronquiolite), por meio do diagnóstico precoce e do tratamento eficaz.

De forma geral, as principais medidas incluem aumento da cobertura vacinal em toda a população infantil, promoção e estímulo ao aleitamento materno e orientação para evitar exposição da criança ao frio, ao tabagismo passivo ou à fumaça e ao contato com pessoas doentes no seu domicílio ou em instituições.

Além das medidas preventivas, algumas estratégias das políticas de saúde de controle das IRAs para países em desenvolvimento incluem as ações de educação em saúde e a assistência prestada às crianças (TABELA 149.14).

## REFERÊNCIAS

1. World Health Organization. Infection prevention and control of epidemic- and pandemic-prone acute respiratory infections in health care – WHO Guidelines [Internet]. Geneva: WHO; 2014 [capturado em 20 mar. 2021]. Disponível em: https://apps.who.int/iris/bitstream/handle/10665/112656/9789241507134_?sequence=1

**TABELA 149.14** → Estratégias de controle das infecções respiratórias agudas para países em desenvolvimento

| MEDIDAS PREVENTIVAS | EDUCAÇÃO EM SAÚDE | ATENDIMENTO DAS CRIANÇAS DOENTES |
|---|---|---|
| → Imunizações (especialmente vacinas tetravalente, tríplice viral e BCG)<br>→ Controle e melhoria do meio ambiente<br>→ Assistência pré-natal<br>→ Aleitamento materno<br>→ Nutrição adequada<br>→ Proteção da exposição ao frio | → Informação e conscientização das famílias sobre a importância das medidas preventivas<br>→ Capacitação das famílias para reconhecimento dos sinais respiratórios e aplicação dos meios terapêuticos de apoio<br>→ Orientação para evitar contato da criança com outros doentes | → Avaliação das crianças com "tosse ou dificuldade respiratória"<br>→ Classificação da gravidade da doença<br>→ Disponibilização de medicamentos |

2. França EB, Lansky S, Rego MAS, Malta DC, França JS, Teixeira R, et al. Principais causas da mortalidade na infância no Brasil, em 1990 e 2015: estimativas do estudo de Carga Global de Doença. Rev Bras Epidemiol. 2017; 20(Supl 1):46-60.

3. Passos SD, Maziero FF, Antoniassi DQ, Souza LT, Felix AF, Dotta E, et al. Doenças respiratórias agudas em crianças brasileiras: os cuidadores são capazes de detectar os primeiros sinais de alerta? Rev. Paul. Pediatr. 2018;36(1):3-9.

4. Brasil. Ministério da Saúde. Organização Pan-Americana de Saúde. Fundo das Nações Unidas. Manual de procedimentos: AIDIPI Criança: 2 meses a 5 anos [Internet]. Brasília: MS;2017 [capturado em 16 mar. 2021]. Disponível em: http://portalarquivos.saude.gov.br/images/pdf/2017/julho/12/17-0095-Online.pdf

5. Tozaki CH, Lima TA, Guerra CM, Barreto MFS, Lima DM. Perfil epidemiológico das infecções por vírus respiratórios em crianças de um hospital sentinela de síndrome gripal do município de São Paulo. Braz J. Infect. Dis. 2018; 22(Supl 1):123.

6. Revai K, Dobbs LA, Nair S, Patel JA, Grady JJ, Chonmaitree T. Incidence of acute otitis media and sinusitis complicating upper respiratory tract infection: the effect of age. Pediatrics. 2007;119(6):e1408-12.

7. Section on Clinical Pharmacology and Therapeutics, Committee on Drugs, Sullivan JE, Farrar HC. Fever and antipyretic use in children. Pediatrics. 2011;127(3):580-7.

8. United Kingdom. National Institute for Health and Care Excellence NICE Guideline Updates Team (UK). Fever in under 5s: assessment and initial management. London: NICE; 2019.

9. Smith SM, Schroeder K, Fahey T. Over-the-counter medications for acute cough in children and adults in ambulatory settings. Cochrane Database Syst Rev. 2008;(1):CD001831.

10. Bell EA, Tunkel DE. Over-the-counter cough and cold medications in children: are they helpful? Otolaryngol Head Neck Surg. 2010;142(5):647-50.

11. De Sutter AI, van Driel ML, Kumar AA, Lesslar O, Skrt A. Oral antihistamine-decongestant-analgesic combinations for the common cold. Cochrane Database Syst Rev. 2012;(2):CD004976.

12. American Academy of Pediatrics. Recommendations for prevention and control of influenza in children 2019-2020. Pediatrics. 2019; 144(4):1-26

13. Oduwole O, Udoh EE, Oyo-Ita A, Meremikwu MM. Honey for acute cough in children. Cochrane Database Syst Rev. 2018;4(4):CD007094.

14. Slapak I, Skoupá J, Strnad P, Horník P. Efficacy of isotonic nasal wash (seawater) in the treatment and prevention of rhinitis in children. Arch Otolaryngol Head Neck Surg. 2008;134(1):67-74.

15. Paul IM, Beiler JS, King TS, Clapp ER, Vallati J, Berlin Jr CM. Vapor rub, petrolatum, and no treatment for children with nocturnal cough and cold symptoms. Pediatrics. 2010;126(6):1092-9.

16. Brasil. Ministério da Saúde. Secretaria de Vigilância em Saúde. Departamento de Vigilância das Doenças Transmissíveis. Protocolo de tratamento de Influenza – 2017. Brasília: MS; 2018

17. Wang K, Shun-Shin M, Gill P, Perera R, Harnden A. Neuraminidase inhibitors for preventing and treating influenza in children (published trials only). Cochrane Database Syst Rev. 2012;2012(4):CD002744.

18. Falagas ME, Koletsi PK, Vouloumanou EK, Rafailidis PI, Kapaskelis AM, Rello J. Effectiveness and safety of neuraminidase inhibitors in reducing influenza complications: a meta-analysis of randomized controlled trials. J Antimicrob Chemother. 2010;65(7):1330-46.

19. Jain VK, Rivera L, Zaman K, Espos RA Jr, Sirivichayakul C, Quiambao BP. Vaccine for prevention of mild and moderate-to-severe influenza in children. N Engl J Med. 2013;369(26):2481-91.

20. Sociedade Brasileira de Pediatria. Guia Prático de Conduta – Crupe viral e bacteriana. Rio de Janeiro: SBP;2017.

21. Moore M, Little P. Humidified air inhalation for treating croup: a systematic review and meta-analysis. Fam Pract. 2007;24(4):295-301.

22. Gates A, Gates M, Vandermeer B, Johnson C, Hartling L, Johnson DW, Klassen TP. Glucocorticoids for croup in children. Cochrane Database Syst Rev. 2018;8(8):CD001955.

23. Bjornson C, Russell K, Vandermeer B, Klassen TP, Johnson DW. Nebulized epinephrine for croup in children. Cochrane Database Syst Rev. 2013;(10):CD006619.

24. Ralston SL, Lieberthal AS, Meissner HC, Alverson BK, Baley JE, Gadomski AM, et al. Clinical practice guideline: the diagnosis, management, and prevention of bronchiolitis. Pediatrics. 2014;134(5):e1474-502. Erratum in: Pediatrics. 2015;136(4):782.

25. Schuh S, Freedman S, Coates A, Allen U, Parkin PC, Stephens D, et al. Effect of oximetry on hospitalization in bronchiolitis: a randomized clinical trial. JAMA. 2014;312(7):712-8.

26. Athayde RA, Koltermann V, Lumertz M, Marostica PJC. Lactente sibilante. In: Marostica PJC, Villetti MC, Ferrelli RS, Barros E. Pediatria: consulta rápida. 2. ed. Porto Alegre: Artmed; 2018. p. 1031-5.

27. Cunningham S, Rodriguez A, Adams T, Boyd KA, Butcher I, Enderby B, et al. Bronchiolitis of Infancy Discharge Study (BIDS) group. Oxygen saturation targets in infants with bronchiolitis (BIDS): a double-blind, randomised, equivalence trial. Lancet. 2015;386(9998):1041-8.

28. Gadomski AM, Scribani MB. Bronchodilators for bronchiolitis. Cochrane Database Syst Rev. 2014;2014(6):CD001266.

29. Angoulvant F, Bellêttre X, Milcent K, Teglas JP, Claudet I, Le Guen CG, et al. Efficacy of 3% Hypertonic Saline in Acute Viral Bronchiolitis (GUERANDE) study group. effect of nebulized hypertonic saline treatment in emergency departments on the hospitalization rate for acute bronchiolitis: a randomized clinical trial. JAMA Pediatr. 2017;171(8):e171333.

30. Fernandes RM, Bialy LM, Vandermeer B, Tjosvold L, Plint AC, Patel H, et al. Glucocorticoids for acute viral bronchiolitis in infants and young children. Cochrane Database Syst Rev. 2013;2013(6):CD004878.

31. Morris SK, Dzolganovski B, Beyene J, Sung L. A meta-analysis of the effect of antibody therapy for the prevention of severe respiratory syncytial virus infection. BMC Infect Dis. 2009;9:106.

32. Wegzyn C, Toh LK, Notario G, Biguenet S, Unnebrink K, Park C, et al. Safety and effectiveness of Palivizumab in children at high risk of serious disease due to respiratory syncytial virus infection: a systematic review. Infect Dis Ther. 2014;3(2):133-58.

33. Brasil. Ministério da Saúde. Secretaria de Atenção à Saúde. Portaria conjunta nº 23, de 3 de outubro de 2018. Aprova o Protocolo de Uso do Palivizumabe para a Prevenção da Infecção pelo Vírus Sincicial Respiratório. [Internet]. Brasília: MS; 2018[capturado em 22 mar. 2021]. Disponível em: https://www.in.gov.br/materia/-/asset_publisher/Kujrw0TZC2Mb/content/id/44708464/do1-2018-10-10-portaria-conjunta-n-23-de-3-de-outubro--de-2018-44708345

34. Brasil. Ministério da Saúde. Secretaria de Vigilância em Saúde. Informe Epidemiológico – Coqueluche [Internet]. Brasília: MS; 2019 [capturado em 22 mar. 2021]. Disponível em: https://antigo.saude.gov.br/images/pdf/2020/October/13/BR-Informe-Coqueluche-2018-2019.pdf.

35. Snyder J, Fisher D. Pertussis in childhood. Pediatr Rev. 2012;33(9):412-20;quiz 420-1.

36. Brasil. Ministério da Saúde. Secretaria de Vigilância em Saúde. Coordenação Geral de Desenvolvimento da Epidemiologia em Serviços. Guia de Vigilância em Saúde: volume único [Internet]. 3. ed. Brasília: MS; 2019 [capturado em 16 mar. 2021]. Disponível em: https://bvsms.saude.gov.br/bvs/publicacoes/guia_vigilancia_saude_3ed.pdf.

37. Altunaiji S, Kukuruzovic R, Curtis N, Massie J. Antibiotics for whooping cough (pertussis). Cochrane Database Syst Rev. 2007;(3):CD004404.

38. Wang K, Bettiol S, Thompson MJ, Roberts NW, Perera R, Heneghan CJ, et al. Symptomatic treatment of the cough in whooping cough. Cochrane Database Syst Rev. 2014;2014(9):CD003257.

39. Fulton TR, Phadke VK, Orenstein WA, Hinman AR, Johnson WD, Omer SB. Protective effect of contemporary pertussis vaccines: a systematic review and meta-analysis. Clin Infect Dis. 2016;62(9):1100-10.

40. Winter K, Nickell S, Powell M, Harriman K. Effectiveness of prenatal versus postpartum tetanus, diphtheria, and acellular pertussis vaccination in preventing infant pertussis. Clin Infect Dis. 2017;64(1):3-8.

41. World Health Organization. Children: improving survival and well--being [Internet]. Geneva: WHO; 2019 [capturado em 15 mar. 2021.] Disponível em: https://www.who.int/news-room/fact-sheets/detail/children-reducing-mortality

42. World Health Organization. Revised WHO classification and treatment of pneumonia in children at health facilities: evidence summaries [Internet]. Geneva: WHO; 2014 [capturado em 15 mar. 2021]. Disponível em: https://apps.who.int/iris/bitstream/handle/10665/137332/WHO_FWC_MCA_14.9_eng.pdf

43. Donowitz G, Mandell G. Acute pneumonia. In: Mandell GL, Bennett JE, Dolin R. Principles and practice of infectious diseases. New York: Churchill Livingstone; 2000. p. 717.

44. Souza ELS, Ribeiro JD, Ferreira S, March MFBP. Pneumonias comunitárias. In: Burns DAR, Campos Júnior D, Silva LR, Bores WG, organizadores. Tratado de Pediatria. 4. ed. Barueri: Manole; 2017. p. 1735-9.

45. Sociedade Brasileira de Pediatria. Pneumonia adquirida na comunidade na infância [Internet]. Rio de Janeiro: SBP; 2018 [capturado em 22 mar. 2021]. Disponível em: https://www.sbp.com.br/fileadmin/user_upload/Pneumologia_-_20981d-DC_-_Pneumonia_adquirida_na_comunidade-ok.pdf.

46. Rambaud-Althaus C, Althaus F, Genton B, D'Acremont V. Clinical features for diagnosis of pneumonia in children younger than 5 years: a systematic review and meta-analysis. Lancet Infect Dis. 2015;15(4):439-50.

47. Bradley JS, Byington CL, Shah SS, Alverson B, Carter ER, Harrison C, et al. The management of community-acquired pneumonia in infants and children older than 3 months of age: clinical practice guidelines by the Pediatric Infectious Diseases Society and the Infectious Diseases Society of America. Clin Infect Dis. 2011;53(7):e25-76.

48. Harris M, Clark J, Coote N, Fletcher P, Harnden A, McKean M, et al. British Thoracic Society guidelines for the management of community acquired pneumonia in children: update 2011. Thorax. 2011;66(Suppl 2):ii1-23.

49. Scotta MC, Veras TN, Klein PC, Tronco V, Polack FP, Mattiello R, et al. Impact of 10-valent pneumococcal non-typeable Haemophilus influenzae protein D conjugate vaccine (PHiD-CV) on childhood pneumonia hospitalizations in Brazil two years after introduction. Vaccine. 2014;32(35):4495-9.

## LEITURAS RECOMENDADAS

Diretrizes brasileiras em pneumonia adquirida na comunidade em pediatria – 2007. J Bras Pneumol. 2007;33(Suppl 1):s31-50.
*Traz uma abordagem sobre as pneumonias comunitárias em pediatria com informações dos graus de evidência, com aspectos importantes relacionados à epidemiologia (com grau de evidência), à etiologia, aos aspectos clínicos, à avaliação da gravidade (com os sinais clínicos preconizados pela OMS, às indicações de transferência para UTI, à investigação radiológica e laboratorial, à conduta (hospitalar e domiciliar) e ao tratamento, às complicações e, finalmente, à prevenção da doença.*

Ebell MH. Clinical diagnosis of pneumonia in children. Am Fam Physician. 2010;82(2):192-3.
*Um guia objetivo e prático referente aos cuidados de crianças com manifestações clínicas do trato respiratório suscetíveis de desenvolver pneumonia.*

Saux NL, Robinson JL; Canadian Paediatric Society; Infectious Diseases and Immunization Committee. Pneumonia in healthy Canadian children and youth: practice points for management. Paediatr Child Health. 2011;16(7):417-20.
*Uma visão prática e objetiva para o manejo da pneumonia em crianças saudáveis.*

# Capítulo 150
# INFECÇÕES DE TRATO RESPIRATÓRIO EM ADULTOS

Paulo José Zimermann Teixeira
Renata Ullmann de Brito Neves

Conforme dados divulgados pelo Ministério da Saúde (MS) do Brasil, as doenças do sistema respiratório são responsáveis por 13,8% das internações hospitalares em nosso País, estando atrás somente das internações atribuídas à gravidez, ao parto e ao puerpério. Hospitalizações relacionadas com doenças do sistema circulatório e neoplasias ocupam as 3ª e 4ª colocações, respectivamente.[1] Essas informações ressaltam a necessidade de uma assistência ambulatorial adequada no reconhecimento e na abordagem terapêutica das doenças respiratórias.

Neste capítulo, são abordadas as infecções respiratórias agudas (IRAs), que costumam ser chamadas de "gripe". Entre as síndromes clínicas das IRAs, estão a rinofaringite aguda (resfriado comum), a bronquite aguda, a exacerbação de bronquite crônica, a sinusite, a própria gripe e, mais raramente, a pneumonia. Os vírus respiratórios, as bactérias típicas – como *Streptococcus pneumoniae* e *Haemophilus influenzae* – e as atípicas – como *Chlamydia pneumoniae* e *Mycoplasma pneumoniae* – podem ser responsáveis pelas diversas manifestações das doenças do trato respiratório.

Na maioria das vezes, as pessoas apresentam manifestações leves, que podem ser tratadas apenas com medicação sintomática. Algumas, com maior evidência de infecção bacteriana, podem necessitar de tratamento com antibióticos. Poucas manifestações – com pneumonia, exacerbação infecciosa da bronquite crônica ou gripe, principalmente em idosos ou pessoas com doença subjacente – apresentam quadro mais grave, com indicação de hospitalização. A mortalidade nesse grupo é alta, e a indicação adequada do local de tratamento, bem como a instituição de antibioticoterapia precisa e em tempo hábil, pode ser determinante para a evolução do paciente.

Na presença de tosse produtiva prolongada (por período > 2 semanas), sobretudo quando não responsiva aos antibióticos usuais, deve-se pensar na possibilidade de tuberculose, impondo-se a pesquisa de bacilos álcool-ácido-resistentes (BAARs) no escarro (ver Capítulo Tuberculose). Cabe lembrar que quinolonas, como ciprofloxacino, ofloxacino, levofloxacino, gemifloxacino e moxifloxacino, apresentam atividade tuberculostática, podendo atenuar os sintomas da doença, além de reduzir contagens de BAAR no escarro, retardando o diagnóstico.[2]

## INFECÇÕES VIRAIS

### Resfriado comum

O resfriado comum ou rinofaringite aguda é uma infecção viral benigna, autolimitada, em geral restrita às vias aéreas superiores. O resfriado é particularmente frequente em crianças pré-escolares, que apresentam, em média, 6 a 8 resfriados por ano (ver Capítulo Infecção Respiratória Aguda na Criança), enquanto os adultos têm de 3 a 5. O resfriado consiste na primeira causa de absenteísmo escolar e ao trabalho no mundo.[3]

> **Rinorreia, espirros, congestão nasal e ardência na garganta são os sintomas mais comuns; alguns indivíduos se queixam de dor facial ou podem apresentar tosse. A febre, se presente, costuma ser baixa, com temperatura < 38 °C. Pessoas com asma ou bronquite crônica podem apresentar exacerbação dos sintomas.**

O rinovírus é responsável pela maioria dos casos de resfriado em adultos, seguido pelo coronavírus e, em menor proporção, pelo vírus da *influenza*, pelo vírus da parainfluenza, pelo vírus sincicial respiratório e pelo adenovírus. A alta incidência da infecção se deve ao fato de que a imunidade desenvolvida para o rinovírus é do tipo específica e parcial, e esse vírus apresenta mais de 100 sorotipos diferentes. Bactérias atípicas, como clamídia e micoplasma, podem, mais raramente, causar quadro semelhante ao resfriado. A transmissão dos vírus se faz por aerossóis e inalação de micropartículas contaminadas, por depósito de macropartículas na conjuntiva e no trato respiratório e, sobretudo, por contato direto das mãos com secreções e inoculação nas mucosas oral e conjuntival.

O período de incubação é curto, de 2 a 3 dias. Os sintomas duram, em média, de 5 a 7 dias, mas em crianças podem perdurar por 10 dias ou mais. O tratamento é sintomático, sendo a hidratação muito importante, principalmente em idosos e lactentes. Apesar de não possuírem benefício definido, sintomas como mal-estar, cefaleia e dores articulares podem ser aliviados com paracetamol **C/D** ou anti-inflamatório não esteroide (AINE) **B**.[4,5] A combinação de paracetamol e ibuprofeno não parece ser superior ao uso de ambos isoladamente no alívio dos sintomas[9] **B**.

Anti-histamínicos em monoterapia oferecem melhora muito breve dos sintomas gerais do resfriado comum (1-2 dias)[7] **B**. A American Geriatrics Society (AGS) recomenda evitar os anti-histamínicos de primeira geração (como difenidramina, clorfeniramina e prometazina) em função dos potenciais efeitos anticolinérgicos.[8] Se necessário, descongestionantes utilizados por um período curto podem aliviar os sintomas[9,10] **B**, desde que se atente para os efeitos colaterais e as contraindicações, principalmente aqueles relacionados ao uso concomitante de medicamentos com efeito adrenérgico. A associação de anti-histamínico com descongestionante costuma ser bastante efetiva na melhora dos sintomas respiratórios[7] **B**. O brometo de ipratrópio intranasal é capaz de reduzir a rinorreia; porém, não é eficaz na congestão nasal[11] **B**. A ingestão de mel antes de deitar pode reduzir a frequência e a gravidade da tosse, melhorando a qualidade do sono em pacientes com idade < 18 anos[12] **B**.

Os antibióticos são inefetivos[13] **B** e, pelos potenciais efeitos colaterais e preceitos de seu uso racional, são contraindicados, a não ser na presença de complicação bacteriana. Em cerca de 5% dos indivíduos, o resfriado comum evolui para sinusite, sendo o pneumococo e o hemófilo os principais responsáveis pelas complicações bacterianas. Não existe vacina disponível para o resfriado comum, devido ao grande número de agentes causais.

## Gripe

A gripe, ou *influenza*, é uma doença aguda febril, de gravidade variável, com manifestações respiratórias e sistêmicas, causada pelo vírus da *influenza*. Esse vírus pertence à família dos ortomixovírus e compreende quatro tipos – A, B e C e D –, distintos pelas propriedades antigênicas de proteínas internas e externas.

A doença costuma apresentar-se de forma epidêmica na comunidade, no período do inverno. O tipo A é responsável pelas grandes epidemias (pandemias) que afetaram a população do planeta diversas vezes no último século, causando milhares de mortes, em 2009, pelo H1N1. Mais recentemente, houve um aumento da circulação do subtipo H3N2. O vírus, mais notadamente o tipo A, tem capacidade de variar sua antigenicidade, proporcionando a repetição de epidemias. Os vírus circulantes ao final de uma estação serão, em geral, os responsáveis pelas infecções no próximo ano. A infecção é altamente contagiosa, e a disseminação do agente se faz por aerossóis, fômites ou contato direto, habitualmente das mãos contaminadas com secreções. Os vírus causam dano ao epitélio respiratório, com descamação das células colunares ciliadas, e também podem causar pneumonia.

O período de transmissão da *influenza* é de 1 dia antes até o 7º dia do início dos sintomas em adultos, sendo mais prolongado nas crianças (< 12 anos), iniciando 1 dia antes e permanecendo até o 14º dia do início dos sintomas.

São considerados fatores de risco para a infecção pelo H1N1: idade < 5 anos ou > 60 anos, gestação (em qualquer idade gestacional) e puerpério (até 2 semanas após o parto).

Em qualquer época do ano, a *influenza* deveria ser considerada em pessoas imunocompetentes e imunocomprometidas com sintomas respiratórios agudos e febre, epidemiologicamente ligadas ao surto de gripe (p. ex., profissionais de saúde, residentes ou visitantes de instituição com surto de gripe, contatos próximos de pessoas com suspeita de gripe, viajantes retornando de lugares onde o vírus está sabidamente circulando).

## Quadro clínico e diagnóstico

**O quadro clínico da síndrome gripal é o de uma infecção aguda, com febre alta (até 40 °C) de início súbito, acompanhada de tosse ou dor de garganta e pelo menos um dos seguintes sintomas: cefaleia, mialgia e artralgia, que, em geral, precedem as manifestações respiratórias, na ausência de outro diagnóstico específico.[14] Sintomas oculares, como fotofobia e lacrimejamento, também são frequentes. Os sintomas respiratórios, tanto de vias aéreas superiores como inferiores, são proeminentes; coriza abundante, congestão nasal, dor na garganta, rouquidão e tosse costumam estar presentes. A tosse pode causar muito desconforto e, com frequência, é acompanhada por sensação de ardência retroesternal, uma expressão do processo inflamatório traqueobrônquico.**

A febre costuma ceder a partir do 3º dia, ocorrendo melhora simultânea dos sintomas decorrentes do aumento da temperatura corporal. Tosse, cansaço e mal-estar podem perdurar por algumas semanas. Pneumonia pode ocorrer como complicação causada pelo próprio vírus ou por bactéria ou, geralmente, pela conjunção de ambos. A gripe pode favorecer a infecção por estafilococos, causa incomum de pneumonia na comunidade em adultos, a não ser em usuários de drogas. A mortalidade nos pacientes com pneumonia por *influenza* e estafilococos permanece alta, apesar dos recursos terapêuticos atuais.[15]

**De acordo com o MS, deve-se suspeitar de síndrome respiratória aguda grave (SRAG) em indivíduos de qualquer idade com síndrome gripal, caracterizada por febre com temperatura > 38 °C, acompanhada de tosse ou dor de garganta, e cefaleia, mialgia ou artralgia, acompanhada ou não de manifestações gastrintestinais e que apresente os seguintes sinais e sintomas de gravidade:[14]**

→ aumento da frequência respiratória (> 25 incursões respiratórias por minuto [irpm]) ou sinais de desconforto respiratório;
→ saturação arterial de oxigênio por oximetria de pulso (SpO$_2$) < 95% em ar ambiente;
→ hipotensão em relação à pressão arterial habitual do indivíduo;
→ piora das condições clínicas da doença de base;

**OU**

→ indivíduo de qualquer idade com quadro de insuficiência respiratória aguda, durante período sazonal.

O quadro clínico pode ou não ser acompanhado de alterações laboratoriais e radiológicas, listadas a seguir:
→ **alterações laboratoriais:** leucocitose, leucopenia ou neutrofilia;

→ **radiografia de tórax:** infiltrado intersticial localizado ou difuso, ou presença de área de condensação.

Atenção especial deve ser dispensada a essas alterações quando ocorrerem em pessoas que apresentem os seguintes fatores de risco para complicação por *influenza*:

→ imunodepressão: por exemplo, indivíduos transplantados, pacientes com câncer, pessoas vivendo com HIV/Aids ou em uso de medicamento imunossupressor;

→ condições crônicas: por exemplo, hemoglobinopatias, cardiopatias, pneumopatias, doenças renais crônicas, doenças metabólicas (diabetes melito e obesidade mórbida [índice de massa corporal – IMC – > 40]);

→ idade ≥ 60 anos e < 5 anos;

→ população indígena aldeada ou com dificuldade de acesso ao sistema de saúde.

De acordo com o MS, em casos suspeitos de SRAG (apresentando ou não fator de risco para complicações), existe indicação para coleta de amostras para exame. As amostras podem ser coletadas dos seguintes sítios:

→ **secreção nasofaríngea:** para detecção de vírus da *influenza*;

→ **sangue (para hemocultura):** para realização de pesquisa de agentes microbianos e avaliação da resistência antimicrobiana;

→ **outras amostras clínicas:** utilizadas apenas para monitoramento da evolução clínica do paciente e/ou realização de diagnóstico diferencial, conforme indicação do médico assistente e evidências geradas pela investigação epidemiológica.[14]

No surto de *influenza* A (H1N1) pandêmica em 2009, foram descritas manifestações como febre e sintomas respiratórios e, em alguns casos, sintomas gastrintestinais como diarreia, vômitos e dor abdominal. Embora mais raramente, também foi descrita conjuntivite como parte do quadro clínico. Foram observadas manifestações de infecção respiratória de trato inferior, com dispneia iniciada em torno de 5 dias antes do início de sinais como sibilos e escarro, muitas vezes hemoptoico. Nessa pandemia, a evolução da doença para insuficiência respiratória aguda foi comum e associada a infiltrado pulmonar difuso e bilateral em vidro fosco, aparecendo em média 6 dias após o início dos primeiros sintomas. O diagnóstico de pneumonia viral primária foi realizado na maioria dos pacientes. Outras complicações identificadas foram pneumonia associada à ventilação mecânica, hemorragia pulmonar, pneumotórax, pancitopenia, síndrome de Reye e sepse sem bacteriemia documentada. Os achados laboratoriais mais presentes foram leucopenia com linfocitopenia, trombocitopenia e aumento discreto a moderado de transaminases. Podem ocorrer, ainda, hiperglicemia e aumento de creatinina.

O diagnóstico diferencial é feito com outras infecções virais que também se manifestam em forma de surtos, como infecção por rinovírus, vírus da parainfluenza, vírus sincicial respiratório, adenovírus e coronavírus, especialmente o coronavírus 2 associado à síndrome respiratória aguda grave (SARS-CoV-2, do inglês *severe acute respiratory syndrome coronavirus 2*) responsável pela pandemia de Covid-19, que iniciou em 2020. Os sintomas sistêmicos são mais intensos na *influenza* do que nas demais infecções virais que cursam com quadro clínico semelhante; daí a denominação de síndrome gripal. O diagnóstico diferencial feito apenas pela clínica pode ser difícil.[15]

## Manejo

As seguintes medidas devem ser recomendadas para todas as pessoas infectadas:

→ lavar as mãos com água e sabão;

→ evitar tocar olhos, nariz e boca após contato com superfícies;

→ evitar sair de casa enquanto estiver em período de transmissão da doença (até 5 dias após o início dos sintomas);

→ evitar entrar em contato com outras pessoas suscetíveis;

→ evitar aglomerações e ambientes fechados (manter os ambientes ventilados);

→ repousar, ter alimentação balanceada e ingerir bastante líquido.

Em indivíduos saudáveis, a infecção é autolimitada, e o tratamento consiste apenas em medicamentos sintomáticos. Os antivirais – em especial, os inibidores das neuraminidases – são efetivos; contudo, apresentam efeitos modestos, com redução das manifestações do quadro gripal em 1 dia em pacientes previamente hígidos, sem mudança na probabilidade de complicações graves **B**.[16-18] O benefício em desfechos clínicos como hospitalização e mortalidade é incerto. Em geral, o uso sistemático de antivirais para adultos hígidos não é recomendado, apenas em situações de epidemias graves e pandemias. Além disso, os vírus da *influenza* sofrem mutações e desenvolvem resistência aos antivirais.[15]

Historicamente, amantadina e rimantadina eram inibidores da maioria dos vírus da *influenza* A, mas não dos vírus da *influenza* B. Já os inibidores da neuraminidase (oseltamivir e zanamivir) têm atividade contra as *influenzas* A e B, embora tenha sido relatada menor atividade do oseltamivir para a *influenza* B. A partir de 2008 e 2009, foi relatada resistência do vírus da *influenza* A sazonal (H1N1) ao oseltamivir, mas não do vírus H1N1 pandêmico. Considerando que o padrão de sensibilidade dos diversos antivirais modifica-se com o tempo e o uso, recomenda-se consulta periódica para atualização desse padrão (ver QR code).

Com base em orientações dos fabricantes dos medicamentos e da Organização Mundial da Saúde (OMS), o MS do Brasil propõe que o tratamento, quando indicado, seja iniciado o mais breve possível, dentro das primeiras 72 horas após o surgimento dos sintomas. No entanto, o oseltamivir é mais efetivo quando iniciado precocemente, dentro de 48 horas do início dos sintomas[19] **B**. Não há necessidade de aguardar confirmação laboratorial. Na gravidez e no puerpério, o oseltamivir deve ser usado para síndrome gripal, mesmo sem complicações.

O tratamento é indicado para todos os indivíduos que apresentam SRAG. A dose recomendada é de 75 mg, 2 ×/dia, por 5 dias, para adultos. Pacientes que apresentam obesidade mórbida (IMC > 40) devem ter a dose ajustada de acordo com o peso. Também deve ser feito ajuste de dose na insuficiência renal. Em pacientes sondados, é preciso atenção para a necessidade de dobrar a dose indicada.[14] O tratamento com oseltamivir também pode ser indicado na síndrome gripal, mesmo sem SRAG, em indivíduos que tenham condições e fatores de risco para complicações. Em caso de intolerância gastrintestinal grave, alergia e resistência ao fosfato de oseltamivir, pode ser utilizado o zanamivir. O zanamivir é contraindicado em crianças com idade < 5 anos e em pacientes em ventilação mecânica.

No indivíduo com manifestações clínicas compatíveis com SRAG, deve-se orientar o afastamento temporário das atividades de rotina (trabalho, escola, etc.) de acordo com cada caso, avaliando período de transmissibilidade da doença. Além disso, devem-se fazer as seguintes recomendações:

→ higienizar as mãos;
→ utilizar lenço descartável para higiene nasal;
→ cobrir nariz e boca quando espirrar ou tossir;
→ evitar tocar mucosas de olhos, nariz e boca;
→ higienizar as mãos após tossir ou espirrar;
→ realizar avaliação clínica minuciosa;
→ coletar amostra de secreção nasofaríngea e de sangue até o 7º dia do início dos sintomas.

Recomenda-se fortemente internar o paciente, para que tenha monitoramento e cuidados frequentes.

Todo paciente, uma vez instalado o quadro de síndrome gripal, ainda que leve, deve ser orientado a ficar atento a todos os sinais e sintomas de agravamento da doença e, se persistir ou piorar um sinal ou sintoma nas 24 a 48 horas consecutivas, retornar imediatamente ao serviço de saúde para avaliação.

Toda hospitalização por SRAG deve ser notificada. Nos casos de surtos, a vigilância epidemiológica local deverá ser prontamente notificada/informada. O Brasil possui uma rede de unidades-sentinela para vigilância da *influenza*, distribuídas em serviços de saúde em todo o País, que monitoram a circulação do vírus por meio da notificação dos casos de síndrome gripal e SRAG.

### Prevenção

A vacina contra *influenza* sazonal é efetiva na prevenção da doença, reduzindo sua ocorrência em mais de 60% (RRR = 59%; NNT = 68-82)[20,21] **A**.

Ela possui as estirpes virais mais representativas das cepas circulantes a cada ano, conforme o monitoramento realizado pelos programas mundiais de vigilância. No Brasil, existem redes-sentinela de saúde e de laboratórios que monitoram a circulação de cepas virais, a morbidade por infecções respiratórias agudas e a morbimortalidade associada à circulação das cepas virais. A partir dessas informações, são fabricadas as vacinas a serem aplicadas na próxima campanha vacinal.

Após a vacinação em adultos saudáveis, a detecção de anticorpos protetores ocorre entre 1 e 2 semanas, com pico máximo após 4 a 6 semanas. Como a vacina é composta por vírus inativados, ela não tem poder de provocar doença. Casos de gripe eventualmente diagnosticados em pessoas recém-vacinadas podem ser devidos à infecção por outras cepas não presentes na vacina, a falhas de conversão sorológica ou à infecção por outros vírus respiratórios.[15]

Para mais detalhes sobre a vacina, ver Capítulo Imunizações.

### Quimioprofilaxia

A vacinação contra *influenza* é a principal medida para prevenir a gripe, e a quimioprofilaxia não substitui a vacina. Os inibidores das neuraminidases são efetivos na prevenção de *influenza* **B**,[17,22] mas seu uso está contraindicado para prevenção em larga escala. O uso do oseltamivir (75 mg, 1 ×/dia, por 10 dias) para profilaxia pode ser considerado em indivíduos com história de contato com a doença, não vacinados ou vacinados há menos de 2 semanas, no momento do contato com o vírus; em pessoas com graves deficiências imunológicas; em profissionais de laboratório e profissionais de saúde que tenham manipulado amostras clínicas ou se envolvido na realização de procedimentos invasivos (geradores de aerossóis/manipulação de secreções) de um caso suspeito ou confirmado de infecção pela nova *influenza* A (H1N1) sem uso de equipamento de proteção adequado; e em residentes de instituições fechadas ou hospitais em situações de surto.[14,23]

## BRONQUITE AGUDA

A bronquite aguda costuma acompanhar as infecções respiratórias em geral, mesmo as das vias aéreas superiores, sendo frequente no resfriado comum. Sua expressão clínica maior é a tosse, que pode perdurar por algumas semanas, em geral acompanhada por outro sintoma torácico, como expectoração, chiado ou desconforto no peito. É um motivo frequente de consulta médica e de prescrição de antibióticos, ainda que aproximadamente 90% dos casos sejam de etiologia viral.[24,25]

Quando a tosse se torna persistente e arrastada, e sintomas sistêmicos como mal-estar e cansaço são importantes, deve-se considerar a infecção por bactérias atípicas (micoplasma ou clamídia) e *Bordetella pertussis* (agente causal da coqueluche) (ver Capítulo Infecção Respiratória Aguda na Criança). A coqueluche pode comprometer indivíduos vacinados na infância, pois a imunidade se reduz com o tempo e muitos indivíduos ficam suscetíveis a partir da adolescência. Tosse produtiva prolongada também pode ser expressão de sinusite ou sinusobronquite. Obstrução nasal persistente, sensação de corpo estranho na garganta ou execução frequente de manobras de aspiração das vias aéreas superiores são sintomas sugestivos desse diagnóstico, principalmente se há presença de secreção nasal ou faríngea (ver Capítulo Rinossinusite).

Em pacientes com tosse prolongada, a investigação com radiografia de tórax e de seios da face e exame bacteriológico de escarro deve ser considerada, sobretudo se um curso de antibiótico já tiver sido realizado.[25] A tomografia computadorizada é o método de escolha na avaliação das cavidades paranasais, em especial no que se refere ao complexo ostiomeatal e aos seios etmoidais, com sensibilidade superior à da radiografia convencional. É um exame caro e de difícil acesso na atenção primária à saúde (APS); por isso, deve ser realizado apenas em situações especiais (ver Capítulo Rinossinusite).

O diagnóstico de tuberculose deve ser afastado e, se o indivíduo for tabagista, deve-se pensar em neoplasia. Asma, sinusite e refluxo gastresofágico devem ser considerados em pacientes com tosse prolongada e radiografia de tórax normal ou apenas com paredes brônquicas espessadas.

## Tratamento

Na maioria dos casos, a doença é autolimitada e regride em 2 a 4 semanas, independentemente do tratamento instituído. A antibioticoterapia confere muito pouco benefício clínico (aumento relativo de risco [ARR] = 7%)[26] **B**, além de o seu uso estar relacionado a um aumento de efeitos colaterais (ARR = 22%; NNH = 13-75) **A**, não sendo recomendada de rotina; apesar disso, cerca de dois terços dos pacientes recebem prescrição de antibióticos.[27,28]

O uso abusivo de antimicrobianos para as infecções respiratórias é considerado um dos fatores responsáveis pela emergência de patógenos resistentes na comunidade. A prescrição de antibióticos deve ser restrita aos pacientes com suspeita de infecção bacteriana.

Quando utilizado, o antibiótico de escolha é uma aminopenicilina oral. Como alternativas, podem ser usados macrolídeos, tetraciclina, cefalosporinas, cetolídeos ou uma fluoroquinolona antipneumocócica (levofloxacino, moxifloxacino ou gemifloxacino); porém, deve-se tentar evitar a prescrição de uma fluoroquinolona (levofloxacino, moxifloxacino ou gemifloxacino) devido ao recente alerta da Food and Drug Administration (FDA) sobre o potencial risco de efeitos colaterais graves.[29] Se houver alguma possibilidade de ser tuberculose, as fluoroquinolonas devem ser evitadas, pois podem mascarar os sintomas e retardar o diagnóstico. Quando o quadro clínico for muito sugestivo de infecção por bactérias atípicas, com tosse persistente arrastada e sintomas sistêmicos, um macrolídeo é a primeira escolha.

O uso de broncodilatadores do tipo $\beta_2$-agonista pode ser útil em pacientes com hiper-reatividade brônquica, mas não reduz tosse em pacientes sem doença pulmonar; seu uso de rotina não é aconselhado[30,31] **B**. O brometo de ipratrópio é uma boa opção para pacientes com doença pulmonar obstrutiva crônica (DPOC) **C/D**.

Não há evidências sobre o uso de anti-histamínicos na bronquite aguda. Em pacientes com rinite alérgica sazonal, o uso de anti-histamínicos intranasais é considerado de primeira linha **A**, sendo superior aos anti-histamínicos de segunda geração, considerados de segunda linha **B**.[32] Os vasoconstritores (descongestionantes), de uso oral ou tópico, devem ser utilizados com cautela **C**, pelo risco de induzir a rinite por medicamento, causando obstrução nasal permanente pelo vasoconstritor.[32] Em casos de rinossinusite, os anti-histamínicos não estão indicados, a não ser que haja presença de componente alérgico.

## EXACERBAÇÕES AGUDAS DE DOENÇA PULMONAR OBSTRUTIVA CRÔNICA

A exacerbação de DPOC é definida pelo aumento da purulência e do volume do escarro do indivíduo e pela intensificação do seu grau de dispneia. Sua principal causa é a infecção, em especial das vias aéreas inferiores; estima-se que seja o fator desencadeante em mais de 50% dos casos. Embora ainda negligenciado na prática clínica diária, já está bem demonstrado que o aumento de materiais particulados no ar, devido à poluição decorrente da emissão de fábricas e do tráfego de automóveis, é capaz de determinar aumento das exacerbações. Condições que podem favorecer a agudização da doença, ou mesmo mimetizá-la, incluem eventos tromboembólicos pulmonares, pneumotórax, insuficiência cardíaca, reações adversas a medicamentos, entre outros.[33]

Estima-se que as bactérias sejam responsáveis por dois terços das infecções causadoras de exacerbações agudas da DPOC, e os vírus, pelo restante.[33] Os agentes bacterianos mais comumente isolados são *H. influenzae* e *S. pneumoniae* (isolados em cerca de 50% dos casos, sozinhos ou em associação), seguidos de *Moraxella catarrhalis*. Este tem sido identificado em 5 a 15% dos doentes, mais frequentemente em associação com os dois primeiros do que como agente único.

Esses microrganismos, no entanto, também têm sido isolados em secreções de vias aéreas em pessoas com DPOC estável, o que dificulta a valorização das culturas no estabelecimento do agente etiológico das exacerbações agudas da DPOC.[25] Existe correlação entre a gravidade da doença de base e o agente microbiano isolado.[33] Outro fator relacionado com a população bacteriana isolada da árvore brônquica nas exacerbações agudas de DPOC é o uso frequente de corticoides sistêmicos e de antibióticos.

A importância de detectar, tratar e, sobretudo, prevenir a exacerbação de DPOC sustenta-se no fato de sua ocorrência gerar perda de função pulmonar, sendo, assim, um marcador de mau prognóstico da doença.[33,34]

## Tratamento

Antibióticos podem melhorar as exacerbações leves a moderadas de DPOC[35] **B**, e podem reduzir a falha do tratamento em pacientes ambulatoriais (RRR = 28%; NNT = 8-56)[34] **B**. Entretanto, a infecção respiratória pode ser de origem viral, principalmente quando o escarro é mucoide; nesses casos, os antibióticos não são recomendados. Há indicação do uso de antibiótico em pacientes que apresentam aumento da dispneia, aumento do volume do escarro e escarro com aspecto purulento. Em geral, *H. influenzae* é a bactéria responsável, seguida por pneumococo e *Moraxella*. Os germes gram-negativos, sobretudo *Pseudomonas*, devem ser considerados nos doentes mais graves, com produção crônica de escarro, que já tiveram internações hospitalares. A escolha do antibiótico deve prever a cobertura dos agentes etiológicos mais frequentes, levando em consideração as características do paciente e o risco de infecção por *Pseudomonas*.

Para mais detalhes sobre as exacerbações de DPOC, incluindo os demais medicamentos que devem ser utilizados nesses casos, além da sua prevenção, ver Capítulo Doença Pulmonar Obstrutiva Crônica.

## PNEUMONIA

As pneumonias adquiridas na comunidade (PACs) podem ser definidas como infecções agudas do parênquima pulmonar, que acometem indivíduos fora do ambiente hospitalar ou nas primeiras 48 horas após a admissão hospitalar.

Idade > 60 anos, imunodepressão e comprometimento do sistema nervoso central aumentam a chance da doença. Pessoas idosas costumam ter menos sintomas. Nesses indivíduos, a apresentação de pneumonia, ou outra infecção, pode ser atípica, e a doença pode manifestar-se com sintomas gerais, como confusão, mal-estar, sensação de fraqueza, desmaio ou piora de doença subjacente, como insuficiência cardíaca ou renal. Febre pode estar ausente, mas taquipneia e alterações no exame do tórax costumam estar presentes.

### Epidemiologia

As pneumonias ocupam o 2º lugar entre as causas de internação hospitalar na população brasileira.[36] Representam, porém, a 1ª causa de morte por doença respiratória. As taxas de mortalidade por pneumonia podem variar, atingindo porcentagens mais elevadas em crianças de até 4 anos de idade e em adultos com idade > 60 anos.[37] Em pacientes com doença leve, tratados ambulatorialmente, a mortalidade é inferior a 1%; porém, naqueles com doença grave, que necessitam de internação em unidades de terapia intensiva (UTIs), pode ser maior que 30%.

Embora tenha havido uma redução significativa das taxas de mortalidade por infecções do trato respiratório no Brasil, a PAC situa-se como terceira causa de mortalidade no País. Quando a taxa de mortalidade por PAC é padronizada por idade, observa-se uma queda de 25,5% no período compreendido entre 1990 e 2015. Tanto as internações quanto a mortalidade apresentam forte influência sazonal, com maior número de ocorrências nos meses de inverno, entre junho e agosto.[36]

### Etiologia

Em geral, qualquer microrganismo pode causar pneumonia, mas um número relativamente pequeno deles responde pela maioria absoluta dos eventos. *Streptococcus pneumoniae* é o agente mais frequente em todas as formas de apresentação e de gravidade, seguido de *H. influenzae*, *M. pneumoniae*, *C. pneumoniae*, *Legionella* sp., variando de acordo com as séries apresentadas. A confirmação da etiologia raras vezes é obtida. Dados etiológicos de pacientes ambulatoriais demonstraram as seguintes prevalências: *S. pneumoniae* em 22%, *M. pneumoniae* em 18%, *C. pneumoniae* em 16%, vírus em 10%, *H. influenzae* em 4% e *Legionella* sp. em 1% ou menos dos casos.[38-41]

Em um estudo brasileiro, bactérias atípicas ou vírus respiratórios foram identificados em 50% dos pacientes tratados ambulatorialmente.[39] O micoplasma tem sido descrito com maior frequência em adultos jovens em tratamento ambulatorial; já a clamídia tem sido identificada também em idosos e pode ser causa de pneumonia grave nessa população. A infecção por legionela tem sido descrita em pacientes hospitalizados, com doença grave; em Porto Alegre, no Estado do Rio Grande do Sul (RS), foi identificada em 4% dos pacientes hospitalizados por pneumonia.[40]

Algumas condições epidemiológicas e doenças apresentam associações com determinados patógenos. O conhecimento dessas associações pode ajudar o clínico na tomada de decisão terapêutica (TABELA 150.1).[36,42]

As infecções virais podem ser causa primária de pneumonia, como as ocorridas na pandemia de *influenza* A H1N1, mas também podem servir de porta de entrada para bactérias colonizadoras das vias aéreas superiores. Particularmente grave é a associação do vírus da *influenza* e de *Staphylococcus aureus*, que, nesse caso, não costuma se apresentar com lesões escavadas e bilaterais como habitualmente, mas como um infiltrado pulmonar localizado.

*Haemophilus influenzae* é o agente bacteriano mais frequente, após o pneumococo e os patógenos atípicos, sendo mais encontrado em tabagistas e portadores de DPOC.[36,42] Pneumonias por bacilos entéricos gram-negativos são pouco frequentes na comunidade. Idade avançada, residência em instituições, cardiopatia, DPOC, doenças múltiplas e uso recente de antibióticos aumentam os riscos para essas infecções.[36] Bronquiectasias, corticoterapia, desnutrição e hospitalizações repetidas são causas adicionais predisponentes para infecções por *Pseudomonas* sp.

Tuberculose deve sempre ser considerada nos indivíduos com quadro mais arrastado e resposta pouco significativa aos antibióticos. Em estudo realizado em Porto Alegre (RS), o BAAR foi identificado em 6% e o pneumococo em 50% dos casos em que o exame bacteriológico do escarro pôde ser realizado.[36] Em um estudo publicado em 2018, a

**TABELA 150.1** → Condições epidemiológicas e morbidades associadas a patógenos pulmonares específicos

| CONDIÇÕES | PATÓGENOS ENVOLVIDOS |
| --- | --- |
| Alcoolismo | Pneumococo, anaeróbios, bactérias gram-negativas, bacilo da tuberculose |
| DPOC/tabagismo | Pneumococo, hemófilo, *Moraxella*, legionela |
| Instituições geriátricas | Pneumococo, bactérias gram-negativas, hemófilo, estafilococo, anaeróbios, clamídia, bacilo da tuberculose |
| Higiene oral precária | Anaeróbios |
| *Influenza* na comunidade | *Influenza*, pneumococo, estafilococo, hemófilo |
| Aspiração maciça | Anaeróbio |
| Bronquiectasias | *Pseudomonas*, estafilococo |
| Drogadição | Estafilococo, anaeróbios, bacilo da tuberculose, *Pneumocystis carinii* |
| HIV (estágio precoce) | Pneumococo, hemófilo, bacilo da tuberculose, *P. carinii* |

DPOC, doença pulmonar obstrutiva crônica; HIV, vírus da imunodeficiência humana.
Fonte: Metlay e colaboradores[41] e Bartlett e colaboradores[42]

presença de tosse seca antes dos demais sintomas respiratórios e dos sintomas sistêmicos sugeriu o diagnóstico clínico de pneumonia tuberculosa. A presença de bloco de consolidação e pequenos focos isolados adjacentes na radiografia também foi indicativa da condição. Embora a confirmação microbiológica, em geral, ocorra por meio de baciloscopia, às vezes é necessário coletar amostras por meio de broncoscopia. Como esse tipo de lesão frequentemente contém poucos germes, podem ser necessários múltiplos exames de escarro para detectar BAAR.[36]

## Diagnóstico

**Não existem sinais ou sintomas patognomônicos de pneumonia. O quadro clássico da pneumonia pneumocócica – início agudo, febre alta com episódio de calafrio intenso, tosse, dor pleurítica e sinais de consolidação ao exame do tórax – permite maior probabilidade de acerto no diagnóstico, porém poucos doentes apresentam todas essas manifestações. No entanto, na ausência de qualquer alteração dos sinais vitais (temperatura, frequência respiratória ou frequência cardíaca, pressão arterial), o diagnóstico de pneumonia é altamente improvável.**

Ainda que a classificação de pneumonias em típicas e atípicas tenha sido abandonada, devido ao polimorfismo clínico hoje apresentado por hospedeiros com características imunológicas distintas e infecções por um número crescente de microrganismos, alguns quadros mais típicos podem fornecer subsídios para um diagnóstico etiológico presuntivo. Em um indivíduo com quadro clínico de início súbito, temperatura > 39 °C, dor pleurítica, tosse produtiva e história de infecção de vias aéreas superiores recente, o pneumococo é o agente causal mais provável.

As infecções causadas por bactérias atípicas, como clamídia e micoplasma, costumam apresentar quadro mais insidioso, com maior tempo de duração dos sintomas. Embora incidam com maior frequência em adultos jovens, podem ser causa de pneumonia grave em idosos. Cefaleia é queixa frequente em pacientes com infecção por clamídia. A legionela costuma comprometer adultos de meia-idade, fumantes e com história de alcoolismo; o quadro clínico nesses pacientes costuma ser mais grave, com cefaleia importante, diarreia, envolvimento multissistêmico, provas de função hepática alteradas, creatinina elevada e hiponatremia.

## Avaliação da gravidade da pneumonia

Diante da suspeita clínica de PAC, uma das decisões mais importantes a ser tomada, se não a principal, é o local onde será feito o tratamento. Essa decisão, que constitui o passo inicial dos diversos algoritmos atualmente disponíveis, levará a condutas diagnósticas e terapêuticas que influenciarão no resultado final do tratamento, bem como nos seus custos. Nesta e em outras situações, a utilização de um oxímetro de pulso no serviço de APS é de grande importância, junto com o estetoscópio e o esfigmomanômetro, que são indispensáveis ao clínico.

Para a tomada de decisão quanto ao local de tratamento da pneumonia, é necessário avaliar, de maneira objetiva, a gravidade inicial da doença. Entre os sistemas de avaliação atualmente disponíveis, o escore denominado PSI (*Pneumonia Severity Index*) foi derivado e validado em mais de 50 mil pacientes e utilizado em dezenas de publicações como sistema de referência de gravidade (pode ser acessado em http://pda.ahrq.gov/clinic/psi/psicalc.asp).

O PSI é composto por 20 itens, incluindo dados demográficos (sexo, idade e local de residência), comorbidades, alterações laboratoriais e radiológicas e dados do exame físico. A pontuação dos itens presentes em cada situação permite a estratificação da gravidade em cinco classes, com base no risco de morte. O objetivo maior desse escore é identificar pacientes de baixo risco, os quais podem ser tratados ambulatorialmente. As classes I a III foram consideradas de baixo risco e as classes IV e V, de alto risco. As maiores limitações desse escore são pouca praticidade para avaliação da gravidade da doença no contexto da APS devido à necessidade de dados laboratoriais e radiológicos imediatos e impacto exagerado da variável idade, responsável pela avaliação subestimada do risco da pneumonia grave em pacientes jovens portadores da doença e com poucas alterações clínicas iniciais, além de não medir a gravidade específica da PAC. Embora seja amplo ao refletir bem as comorbidades e anormalidades laboratoriais, o PSI foi considerado pouco prático e de difícil utilização nas unidades básicas de saúde (UBSs).

Outro modelo de estratificação de risco, sugerido pela British Thoracic Society (BTS), é o sistema CURB, baseado em quatro itens relacionados com as alterações agudas da PAC. Esse sistema apresenta valor preditivo negativo em torno de 97% para o diagnóstico de pneumonia grave, porém tem baixo valor preditivo positivo (16-39%). Posteriormente, foi acrescentado o item "idade > 65 anos", e o instrumento passou a ser denominado CURB-65 (e sua forma simplificada CRB-65), conferindo uma avaliação do prognóstico de forma mais prática, conforme pontuação de 0 a 5 pontos (1 ponto para cada variável presente) ou 0 a 4 pontos na forma simplificada[36] **(TABELA 150.2** e **FIGURAS 150.1** e **150.2).**

A principal limitação desse escore é a não inclusão das doenças associadas na estratificação do risco de óbito, como alcoolismo, insuficiências cardíaca e hepática e neoplasias, entre outras.

Diretrizes publicadas pela BTS e pela Infectious Diseases Society of America (IDSA) recomendam o uso do PSI ou do CURB como ferramentas adequadas de avaliação da gravidade da PAC,[43] que deve ser complementada pela avaliação das condições sociais e econômico-culturais do

**TABELA 150.2** → Sistemas CURB-65 e CRB-65 e suas pontuações

| ACRÔNIMO | DESCRIÇÃO | PONTUAÇÃO |
|---|---|---|
| C | Confusão mental nova – teste minimental < 8 | 1 |
| U | Ureia > 50 mg/dL | 1 |
| R (*respiratory rate*) | Frequência respiratória ≥ 30/minuto | 1 |
| B (*blood pressure*) | Pressão arterial sistólica < 90 mmHg ou pressão arterial diastólica ≤ 60 mmHg | 1 |
| 65 | Idade > 65 anos | 1 |

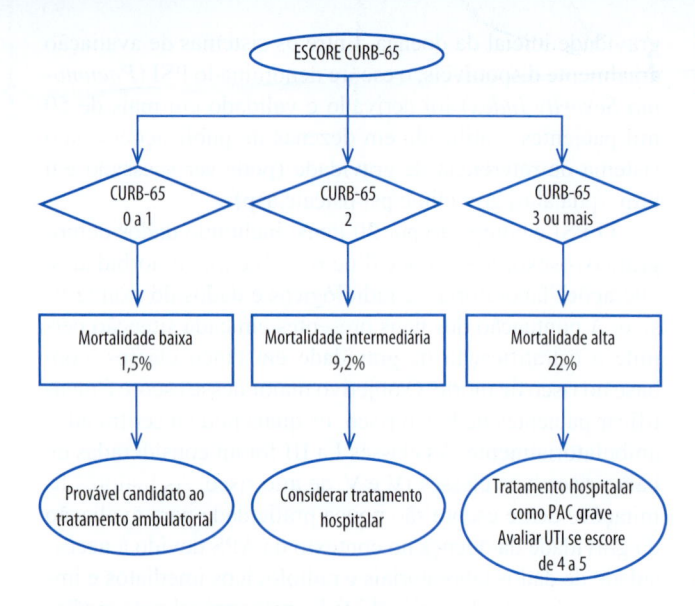

**FIGURA 150.1** → Escore de avaliação CURB-65.
PAC, pneumonia adquirida na comunidade; UTI, unidade de terapia intensiva.

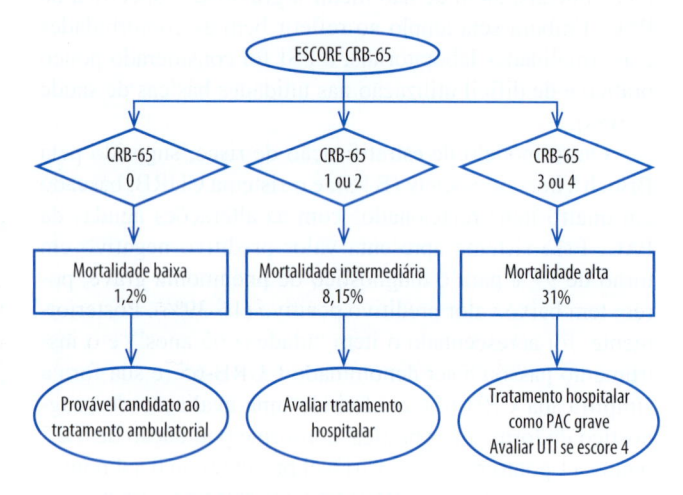

**FIGURA 150.2** → Escore de avaliação CRB-65.
PAC, pneumonia adquirida na comunidade; UTI, unidade de terapia intensiva.

paciente. A Sociedade Brasileira de Pneumologia e Tisiologia (SBPT)[36] recomenda a utilização do CURB-65 ou de sua versão simplificada, o CRB-65, devido à sua simplicidade e facilidade de uso, reprodutibilidade e validação em comparação com escores mais complexos. A avaliação deve ser completada com fatores sociais e demográficos, presença de doenças associadas descompensadas e queda da saturação periférica de oxigênio, os quais são também determinantes na escolha do local ideal de tratamento **(TABELA 150.3)**.

## Diagnóstico radiológico

A radiografia de tórax permite confirmar o diagnóstico de pneumonia, fornece indicações para determinação da gravidade e pode contribuir para um diagnóstico etiológico presuntivo. Comprometimento de mais de um lobo, lesões bilaterais ou rapidamente progressivas, derrame pleural

**TABELA 150.3** → Etapas para avaliação do local de tratamento em pacientes com pneumonia adquirida na comunidade

1. Avaliar a presença de doenças associadas
2. Avaliar CRB-65 ou CURB-65
3. Avaliar grau de oxigenação e comprometimento radiológico, quando possível
   → $SpO_2$ < 90%: indicação de internação
   → Radiografia de tórax:
      → Extensão radiológica da lesão
      → Derrame pleural suspeito de empiema
4. Avaliar fatores sociais e cognitivos
   → Ausência de familiar ou cuidador no domicílio
   → Necessidade de observação da resposta ao tratamento
   → Capacidade de entendimento da prescrição
5. Avaliar fatores econômicos
   → Acesso aos medicamentos
   → Retorno para avaliação
6. Avaliar aceitabilidade do medicamento oral
7. Fazer julgamento clínico

$SpO_2$, saturação arterial de oxigênio por oximetria de pulso.
Fonte: Lim e colaboradores.[45]

moderado ou de grande volume e necrose do parênquima (formação de cavidades) são sinais indicativos de gravidade que, associados a determinadas manifestações clínicas, podem constituir indicação de hospitalização.

Não existem sinais característicos de uma determinada etiologia. Alterações morfológicas básicas de consolidação, focos consolidativos broncopneumônicos e derrame pleural têm sido descritos tanto nas pneumonias causadas por bactérias típicas como nas atípicas. Em estudos comparativos, consolidação lobar, envolvimento de mais de um lobo e derrame pleural foram mais frequentes nas pneumonias pneumocócicas. Lesões consolidativas rapidamente progressivas são descritas nas pneumonias causadas por legionela. Adenomegalias mediastinais podem ser encontradas nas pneumonias por micoplasma.

As lesões descritas nos pacientes que têm clamídia como único patógeno são predominantemente broncopneumônicas, mas áreas consolidativas e infiltração intersticial podem estar presentes. Nas pneumonias por *Klebsiella* pode haver consolidação, com predominância em lobo superior direito, cavitação e abaulamento de cissura. As pneumonias estafilocócicas, pouco frequentes na comunidade, apresentam alguns aspectos peculiares, como consolidações multilobares, lesões rapidamente progressivas, formação de cavidades, pneumotórax espontâneo, derrame pleural e pneumatoceles em crianças. O reconhecimento desses sinais permite tratamento mais precoce e específico desse tipo de pneumonia, que apresenta altos índices de mortalidade. O quadro radiológico da pneumonia tuberculosa pode ser inicialmente muito semelhante ao da pneumonia pneumocócica. A lenta evolução das lesões e o surgimento de focos broncopneumônicos contralaterais ou cavitação, apesar de antibioticoterapia adequada, sugerem esse diagnóstico.

## Diagnóstico etiológico

Uma vez diagnosticada a pneumonia, a próxima etapa é determinar a gravidade clínica para posterior definição do local de tratamento. Quando existe necessidade de internação, deverá ser feito um esforço para identificar o agente causal. Quando o tratamento for domiciliar, não há necessidade de investigar o agente causal. Embora o diagnóstico etiológico permita a escolha do tratamento mais adequado, evitando o uso de antibióticos de largo espectro, raramente ele é exequível no nível ambulatorial. Na rotina de um hospital de bom padrão, a etiologia pode ser definida em 10 a 20% das pneumonias, podendo atingir 50% em pesquisas prospectivas ou até 80% quando técnicas de identificação de antígenos e reação em cadeia da polimerase (PCR, do inglês *polymerase chain reaction*) são utilizadas.[44,45] O diagnóstico etiológico pode ser considerado de certeza, provável ou possível, de acordo com os critérios apresentados na TABELA 150.4. Com a utilização desses critérios, pode-se, na melhor das hipóteses, fazer um diagnóstico "possível" no ambulatório ou na sala de emergência.

## Diagnóstico laboratorial

O diagnóstico laboratorial de pneumonia é bastante limitado na APS. Além da radiografia de tórax, podem ser úteis o hemograma, o exame bacteriológico de escarro e a dosagem de marcadores sanguíneos, sendo que estes últimos se prestam principalmente para o acompanhamento evolutivo do paciente enfermo. Nesse contexto, estudos demonstraram que a velocidade de declínio da proteína C-reativa pode auxiliar a predizer o prognóstico evolutivo da pneumonia – quanto mais rápida a queda, menor a mortalidade.[46] Já o uso da procalcitonina como guia para o início e também para a continuidade do tratamento, resultou em menos risco de mortalidade (RC = 0,83; IC 95% 0,70-0,99), menor tempo de exposição a antibióticos (−2,4 dias; IC 95% 2,71 a −2,15) e menor risco de efeitos colaterais relacionados aos antibióticos (RC = 0,68; IC 95% 0,57-0,82).[47] Um nível elevado de proteína C-reativa é um indicador sensível no diagnóstico de pneumonia, embora não tenha especificidade, podendo estar alterado em qualquer processo inflamatório e infeccioso.[48] Hemograma com mais de 15.000 leucócitos/mm$^3$ sugere fortemente infecção bacteriana, e número de leucócitos > 20.000 ou < 4.000/mm$^3$ é indicativo de doença grave. Na presença de consolidação pulmonar e febre, com hemograma normal e sem resposta ao uso de antibióticos, deve-se suspeitar de outros agentes, não bacterianos, ou outras condições clínicas que possam mimetizar pneumonia.

A indicação do exame bacteriológico do escarro é discutível. Uma amostra de escarro adequadamente colhida (de material proveniente de vias aéreas inferiores), processada e examinada pode fornecer informações valiosas sobre o agente infectante. A cultura deve ser interpretada e valorizada levando em conta o exame direto. O uso prévio de antibióticos pode interferir no resultado do exame, sendo praticamente inviável o crescimento do pneumococo após uma única dose de penicilina.

A presença de diplococos ou cocos gram-positivos em cadeias curtas sugere infecção por pneumococo; cocos gram-positivos em aglomerados sugere estafilococo; cocobacilos gram-negativos sugerem hemófilo; flora mista sugere infecção por anaeróbios; e ausência de germes sugere infecção por vírus ou bactérias atípicas.

## Manejo terapêutico

**O manejo de um paciente com pneumonia envolve três aspectos fundamentais: a decisão do local de tratamento, a escolha dos antimicrobianos e a utilização de medidas de suporte.**

Nos últimos anos, várias sociedades internacionais têm procurado, por meio de consensos, estabelecer regras de conduta baseadas na análise das melhores evidências disponíveis. A SBPT orienta o tratamento em artigo publicado em 2018.[36]

### Tratamento antimicrobiano

Antibioticoterapia empírica deve ser instituída. A duração do tratamento para PAC leve a moderada deve ser de 5 a 7 dias, não havendo benefício em prolongar o tratamento[49] **B**. A antibioticoterapia deve ser dirigida para os microrganismos mais prováveis, considerando-se os fatores de risco individuais e o perfil microbiológico da comunidade de onde o indivíduo provém.

**O início do tratamento não deve ser protelado em função da realização de exames ou por questões administrativas, devido ao risco de aumento da taxa de mortalidade em 30 dias. A recomendação atual consiste em iniciar o tratamento o mais rápido possível, na APS ou no pronto atendimento, onde o paciente está sendo assistido.**

Quando houver identificação do microrganismo, deve-se instituir tratamento mais específico. Além de menor toxicidade, com menor efeito sobre a microbiota normal, a antibioticoterapia de espectro estreito e dirigido reduz os riscos de desenvolvimento de resistência microbiana.

Os antimicrobianos hoje indicados pela SBPT para o tratamento ambulatorial de PAC em indivíduos previamente

**TABELA 150.4** → Diagnóstico etiológico das pneumonias

| DIAGNÓSTICO | CRITÉRIOS |
|---|---|
| De certeza | Isolamento de bactérias típicas no sangue ou líquido pleural<br>OU<br>Elevação de 4 vezes nos níveis de anticorpos para bactérias atípicas em amostras de soro pareadas<br>OU<br>Isolamento de legionela ou vírus da *influenza* em secreção respiratória |
| Provável | Forte correlação entre exame direto e cultura do escarro<br>OU<br>Grande quantidade de microrganismo compatível no exame direto do escarro |
| Possível | Isolamento de um patógeno (exceto legionela) em escarro purulento, na ausência de exame direto compatível<br>OU<br>Predomínio, no exame direto, de diplococos gram-positivos (pneumococo), cocos gram-positivos em aglomerados (estafilococos) ou cocobacilos gram-negativos (hemófilos)<br>OU<br>Título de anticorpos ≥ 1:1.024 para legionela, 1:64 para micoplasma, 1:512 (IgG) ou 1:16 (IgM) para clamídia, em amostra isolada de soro |

Fonte: Marston e colaboradores.[37]

hígidos são os macrolídeos ou betalactâmicos. Caso o paciente apresente outras doenças associadas (diabetes, insuficiência cardíaca, doença renal crônica, câncer, asplenia, DPOC, alcoolismo) ou uso anterior de antibacterianos (em um período de 3 meses), deve-se pesar o custo-benefício da prescrição de uma fluoroquinolona conforme sugerido previamente no manejo das bronquites, tendo em vista recentes efeitos colaterais graves detectados.[50] Nesses casos, pode-se associar um betalactâmico a um macrolídeo[41] **B**. Caso essa combinação não seja possível, pode-se lançar mão de uma fluoroquinolona[41] **B**, considerando que os benefícios superariam os riscos de não tratar o quadro respiratório apresentado. Se o tratamento está sendo realizado em nível ambulatorial, é essencial reavaliar o paciente em 48 a 72 horas (se possível, precedido por um contato por telefone após 24 horas do tratamento), pois esse é o período crítico para evolução desfavorável. Se a opção de antibiótico foi um betalactâmico, que não cobre agentes atípicos, esse contato próximo com o paciente é de fundamental importância.

Entre os betalactâmicos, as cefalosporinas são opções que podem ser utilizadas por via oral. Cefalexina e cefaclor são contraindicados. Se houver suspeita de aspiração de conteúdo digestivo, deve-se considerar flora anaeróbia, optando-se por amoxicilina + clavulanato ou clindamicina como alternativas terapêuticas. Em pacientes residentes em instituições de longa permanência para idosos, pneumopatas crônicos ou alcoolistas, a possibilidade de bacilos entéricos gram-negativos também deve ser considerada. Nesses casos, a monoterapia com fluoroquinolona respiratória ou a associação de betalactâmico com macrolídeo estão indicadas por pelo menos 5 dias. A **TABELA 150.5** apresenta as opções de antimicrobianos para os patógenos mais frequentes nas PACs.[36]

A resposta ao tratamento em pacientes idosos, diabéticos e imunossuprimidos pode ser mais lenta, não justificando mudanças precoces do tratamento sem justificativa clínica. Na ausência desses e de outros fatores que possam complicar a pneumonia, espera-se que o quadro clínico se estabilize por volta do 3º dia da instituição do tratamento. Deterioração rápida em 24 horas ou resposta clínica insatisfatória após 7 dias indicam necessidade de reavaliação minuciosa do paciente, devendo-se lançar mão dos recursos propedêuticos necessários para o esclarecimento diagnóstico. As situações comumente responsáveis por evolução desfavorável são: escolha inadequada do antibiótico; presença de microrganismos não usuais, inclusive oportunistas; presença de complicações, como meningite, artrite, endocardite, pericardite, peritonite ou empiema pleural; e presença de doença não infecciosa, incluindo extensa lista de doenças circulatórias, neoplásicas e inflamatórias.

## Medidas gerais

Além do tratamento com antibiótico, algumas medidas gerais são importantes para o bem-estar e a pronta recuperação do paciente. Cessação do tabagismo, repouso e hidratação adequada são recomendados. A dor pleurítica é, em geral, controlada com paracetamol ou AINE; em alguns doentes, a associação de paracetamol e codeína pode ser necessária. Pacientes com doença pulmonar ou cardíaca ou com pneumonia grave podem necessitar de oxigênio; nesses casos, a hospitalização deve ser considerada.

## Prevenção

Pessoas com risco aumentado para pneumonia devem receber vacina pneumocócica 23-valente[51] **B**, pneumocócica 13-valente[52] **A** e contra vírus da *influenza*[53] **B** (ver Capítulo Imunizações para as indicações de cada vacina). O emprego das duas vacinas é capaz de reduzir a incidência de pneumonia e reduzir a mortalidade pela doença. A cessação do tabagismo[43] **C/D**, principalmente para aqueles que já apresentaram pneumonia, representa estratégia de prevenção adicional importante (ver Capítulo Tabagismo).

## REFERÊNCIAS

1. Brasil. Ministério da Saúde. SIHD: Sistema de Informação Hospitalar Descentralizado [Internet]. Brasília: MS; 2008 [capturado em 10 jul. 2021]. Disponível em: https://www2.datasus.gov.br/SIHD/.
2. Dooley KE, Golub J, Goes FS, Merz WG, Sterling TR. Empiric treatment of community-acquired pneumonia with fluoroquinolones, and delays in the treatment of tuberculosis. Clin Infect Dis.2002;34(12):1607-12.
3. Hendley JO. Epidemiology, pathogenesis, and treatment of the common cold. Semin Pediatr Infect Dis. 1998;9(1):50-5.
4. Kim SY, Chang YJ, Cho HM, Hwang YW, Moon YS. Non-steroidal anti-inflammatory drugs for the common cold. Cochrane Database Syst Rev. 2015;(9):CD006362.
5. Li S, Yue J, Dong BR, Yang M, Lin X, Wu TLi S, et al. Acetaminophen (paracetamol) for the common cold in adults. Cochrane Database Syst Rev. 2013;(7):CD008800.
6. Little P, Moore M, Kelly J, Williamson I, Leydon G, McDermott L, et al. Ibuprofen, paracetamol, and steam for patients with respiratory tract infections in primary care: pragmatic randomised factorial trial. BMJ. 2013;347:f6041.

**TABELA 150.5** → Antibióticos mais usados na pneumonia adquirida na comunidade e posologias habituais

| ANTIBIÓTICO | ESQUEMA |
| --- | --- |
| **BETALACTÂMICOS** | |
| Amoxicilina | 500 mg, VO, de 8/8 horas; ou 875 mg, VO, de 12/12 horas |
| Amoxicilina + ácido clavulânico | 500 mg, VO, de 8/8 horas; ou 875 mg, VO, de 12/12 horas |
| Cefuroxima | 500 mg, VO, de 12/12 horas |
| Ceftriaxona | 1 g, IV, de 12/12 horas |
| **MACROLÍDEOS** | |
| Azitromicina | 500 mg, VO, de 24/24 horas |
| Claritromicina | 500 mg, VO ou IV, de 12/12 horas |
| **FLUOROQUINOLONAS** | |
| Levofloxacino | 500-750 mg, VO ou IV, de 24/24 horas |
| Gemifloxacino | 320 mg, VO, de 24/24 horas |
| Moxifloxacino | 400 mg, VO ou IV, de 24/24 horas |
| **LINCOSAMIDAS** | |
| Clindamicina | 600 mg, VO, de 8/8 a 12/12 horas |

IV, intravenoso; VO, via oral.
Fonte: Corrêa e colaboradores.[36]

7. De Sutter AIM, Saraswat A, van Driel ML. Antihistamines for the common cold. Cochrane Database Syst Rev. 2015;(11):CD009345.

8. By the 2019 American Geriatrics Society Beers Criteria® Update Expert Panel. American Geriatrics Society 2019 Updated AGS Beers Criteria® for Potentially Inappropriate Medication Use in Older Adults. J Am Geriatr Soc. 2019;67(4):674-94.

9. Druce HM, Ramsey DL, Karnati S, Carr AN. Topical nasal decongestant oxymetazoline (0.05%) provides relief of nasal symptoms for 12 hours. Rhinology. 2018;56(4):343-50.

10. Reinecke S, Tschaikin M. Untersuchung der Wirksamkeit von Oxymetazolin auf die Rhinitisdauer. Ergebnisse einer plazebokontrollierten Doppelblindstudie bei akuter Rhinitis [Investigation of the effect of oxymetazoline on the duration of rhinitis. results of a placebo-controlled double-blind study in patients with acute rhinitis]. MMW Fortschr Med. 2005;147 Suppl 3:113-8. German.

11. Albalawi ZH, Othman SS, Alfaleh K. Intranasal ipratropium bromide for the common cold. Cochrane Database Syst Rev. 2011;(7):CD008231.

12. Oduwole O, Udoh EE, Oyo-Ita A, Meremikwu MM. Honey for acute cough in children. Cochrane Database Syst Rev. 2018;4(4):CD007094.

13. Kenealy T, Arroll B. Antibiotics for the common cold and acute purulent rhinitis. Cochrane Database Syst Rev. 2013;2013(6):CD000247.

14. Brasil. Ministério da Saúde. Protocolo de manejo clínico e vigilância epidemiológica da influenza. Brasília: MS; 2017.

15. Uyeki TM, Bernstein HH, Bradley JS, Englund JA, File TM, Fry AM, et al. Clinical Practice Guidelines by the Infectious Diseases Society of America: 2018 Update on Diagnosis, Treatment, Chemoprophylaxis, and Institutional Outbreak Management of Seasonal Influenza. Clin Infect Dis. 2019;68(6):895-902.

16. Jefferson T, Demicheli V, Rivetti D, Jones M, Di Pietrantonj C, Rivetti A. Antivirals for influenza in healthy adults: systematic review. Lancet. 2006 Jan 28;367(9507):303-13. Erratum in: Lancet. 2006;367(9528):2060.

17. Jefferson T, Jones MA, Doshi P, Del Mar CB, Hama R, Thompson MJ, et al. Neuraminidase inhibitors for preventing and treating influenza in adults and children. Cochrane Database Syst Rev. 2014;(4):CD008965.

18. Hernán MA, Lipsitch M. Oseltamivir and risk of lower respiratory tract complications in patients with flu symptoms: a meta-analysis of eleven randomized clinical trials. Clin Infect Dis.2011;53(3):277-9.

19. Hsu J, Santesso N, Mustafa R, Brozek J, Chen YL, Hopkins JP, et al. Antivirals for treatment of influenza: a systematic review and meta-analysis of observational studies. Ann Intern Med. 2012;156(7):512-24.

20. Demicheli V, Jefferson T, Ferroni E, Rivetti A, Di Pietrantonj C. Vaccines for preventing influenza in healthy adults. Cochrane Database Syst Rev. 2018;(2):CD001269.

21. Jefferson T, Di Pietrantonj C, Al-Ansary LA, Ferroni E, Thorning S, Thomas RE. Vaccines for preventing influenza in the elderly. Cochrane Database Syst Rev. 2010;(2):CD004876.

22. Cooper NJ, Sutton AJ, Abrams KR, Wailoo A, Turner D, Nicholson KG. Effectiveness of neuraminidase inhibitors in treatment and prevention of influenza A and B: systematic review and meta-analyses of randomised controlled trials. BMJ. 2003;326(7401):1235.

23. Brasil. Secretaria de Vigilância em Saúde. Boletim Epidemiológico – Influenza. Brasília: MS; 2012.

24. Hirschmann JV. Antibiotics for common respiratory tract infections in adults. Arch Intern Med.2002;162(3):256-64.

25. Albert RH. Diagnosis and treatment of acute bronchitis. Am Fam Physician. 2010;82(11):1345-50.

26. Smith SM, Fahey T, Smucny J, Becker LA Smith SM, Fahey T, Smucny J, Becker LA. Antibiotics for acute bronchitis. Cochrane Database Syst Rev. 2014;(3): CD000245.

27. Gonzales R, Steiner JF, Sande MA. Antibiotic prescribing for adults with colds, upper respiratory tract infections, and bronchitis by ambulatory care physicians. JAMA. 1997;278(11):901-4.

28. Steinman MA, Gonzales R, Linder JA, Landefeld CS. Changing use of antibiotics in community-based outpatient practice, 1991-1999. Ann Intern Med.2003;138(7):525-33.

29. U.S. Department of Health and Human Services; U.S, Food and Drug Administration. FDA advises restricting fluoroquinolone antibiotic use for certain uncomplicated infections; warns about disabling side effects that can occur together [Internet]. Silver Spring: FDA; 2016 [capturado em 6 ago. 2021]. Disponível em: https://www.fda.gov/drugs/drug-safety-and-availability/fda-drug-safety-communication-fda-advises-restricting-fluoroquinolone-antibiotic-use-certain

30. Becker LA, Hom J, Villasis-Keever M, van der Wouden JC. Beta-2-agonists for acute cough or a clinical diagnosis of acute bronchitis. Cochrane Database Syst Rev. 2015;2015(9):CD001726.

31. Harris AM, Hicks LA, Qaseem A. Appropriate antibiotic use for acute respiratory tract infection in adults: advice for high-value care From the American College of Physicians and the Centers for Disease Control and Prevention. Ann Intern Med. 2016;164(6):425-34.

32. Wallace DV, Dykewicz MS, Bernstein DI, Blessing-Moore J, Cox L, Khan DA, et al. The diagnosis and management of rhinitis: an updated practice parameter. J Allergy Clin Immunol. 2008;122(2 Suppl):S1-84.

33. Global Initiative for Chronic Obstructive Lung Disease. Global strategy for diagnosis, management, and prevention of chronic obstructive pulmonary disease [Internet]. Washington: GOLD; 2020 [capturado em 6 ago. 2021]. Disponível em: https://goldcopd.org/gold-reports/

34. Vollenweider DJ, Frei A, Steurer-Stey CA, Garcia-Aymerich J, Puhan MA. Antibiotics for exacerbations of chronic obstructive pulmonary disease. Cochrane Database Syst Rev. 2018;(10):CD010257.

35. Dobler CC, Morrow AS, Beuschel B, Farah MH, Majzoub AM, Wilson ME, et al. Pharmacologic therapies in patients with exacerbation of chronic obstructive pulmonary disease: a systematic review with meta-analysis. Ann Intern Med. 2020;172(6):413-22.

36. Corrêa RA, Costa AN, Lundgren F, Michelin L, Figueiredo MR, Holanda M, et al. 2018 recommendations for the management of community acquired pneumonia. J Bras Pneumol. 2018;44(5):405-423. Erratum in: J Bras Pneumol. 2018;44(6):532. Erratum in: J Bras Pneumol. 2019;45(2):e20180130.

37. Marston BJ, Plouffe JF, File TM Jr, Hackman BA, Salstrom SJ, Lipman HB, et al. Incidence of community-acquired pneumonia requiring hospitalization: results of a population-based active surveillance Study in Ohio. The Community-Based Pneumonia Incidence Study Group. Arch Intern Med.1997;157(15):1709-18.

38. Corrêa RA, José BPS, Malta DC, Passos VMA, França EB, Teixeira RA, et al. Burden of disease by lower respiratory tract infections in Brazil, 1990 to 2015: estimates of the Global Burden of Disease 2015 study. Rev Bras Epidemiol. 2017; 20Suppl 01(Suppl 01):171-181.

39. Rocha RT, Vital AC, Silva COS, Pereira CADC, Nakatani J. Pneumonia adquirida na comunidade em pacientes tratados ambulatorialmente: aspectos epidemiológicos, clínicos e radiológicos das pneumonias atípicas e não atípicas. J Pneumologia. 2000;26(1):5-14.

40. Chedid MBF. Incidência de infecção por Legionella pneumophila em pacientes que internaram no HCPA com pneumonia adquirida na comunidade [tese]. Porto Alegre: UFRGS; 2002.

41. Metlay JP, Waterer GW, Long AC, Anzueto A, Brozek J, Crothers K, et al. Diagnosis and Treatment of Adults with Community-acquired Pneumonia. An Official Clinical Practice Guideline of the American Thoracic Society and Infectious Diseases Society of America. Am J Respir Crit Care Med. 2019;200(7):e45-67.

42. Bartlett JG, Dowell SF, Mandell LA, File TM Jr, Musher DM, Fine MJ. Practice guidelines for the management of community-acquired pneumonia in adults. Infectious Diseases Society of America. Clin Infect Dis.2000;31(2):347-82.

43. Mandell LA, Wunderink RG, Anzueto A, Bartlett JG, Campbell GD, Dean NC, et al. Infectious Diseases Society of America/American Thoracic Society consensus guidelines on the management of community-acquired pneumonia in adults. Clin Infect Dis. 2007;44 Suppl2:S27-72.

44. Macfarlane J, Holmes W, Gard P, Macfarlane R, Rose D, Weston V, et al. Prospective study of the incidence, aetiology and outcome of adult lower respiratory tract illness in the community. Thorax.2001;56(2):109-14.
45. Lim WS, Macfarlane JT, Boswell TC, Harrison TG, Rose D, Leinonen M, et al. Study of community acquired pneumonia aetiology (SCAPA) in adults admitted to hospital: implications for management guidelines. Thorax.2001;56(4):296-301.
46. Coelho LM, Salluh JIF, Soares M, Bozza FA, Verdeal JR, CastroFaria-Neto HC, et al. Patterns of c-reactive protein RATIO response in severe community-acquired pneumonia: a cohort study. Crit Care. 2012;16(2):R53.
47. Schuetz P, Wirz Y, Sager R, Christ-Crain M, Stolz D, Tamm M, et al. Procalcitonin to initiate or discontinue antibiotics in acute respiratory tract infections. Cochrane Database Syst Rev. 2017;(10):CD007498.
48. Macfarlane J, Holmes W, Gard P, Macfarlane R, Rose D, Weston V, et al. Prospective study of the incidence, aetiology and outcome of adult lower respiratory tract illness in the community. Thorax.2001;56(2):109-14.
49. Li JZ, Winston LG, Moore DH, Bent S. Efficacy of short-course antibiotic regimens for community-acquired pneumonia: a meta-analysis. Am J Med. 2007;120(9):783-90.
50. LeMaire SA, Zhang L, Luo W, Ren P, Azares AR, et al. Effect of ciprofloxacin on susceptibility to aortic dissection and rupture in mice. JAMA Surg. 2018;153(9):e181804.
51. Suzuki M, Dhoubhadel BG, Ishifuji T, Yasunami M, Yaegashi M, Asoh N, et al. Serotype-specific effectiveness of 23-valent pneumococcal polysaccharide vaccine against pneumococcal pneumonia in adults aged 65 years or older: a multicentre, prospective, test-negative design study. Lancet Infect Dis. 2017;17(3):313-21.
52. Bonten MJ, Huijts SM, Bolkenbaas M, Webber C, Patterson S, Gault S, et al. Polysaccharide conjugate vaccine against pneumococcal pneumonia in adults. N Engl J Med. 2015;372(12):1114-25.
53. Wang Z, Tobler S, Roayaei J, Eick A. Live attenuated or inactivated influenza vaccines and medical encounters for respiratory illnesses among US military personnel. JAMA. 2009;301(9):945-53.

# Capítulo 151
## TUBERCULOSE

Ethel Leonor Noia Maciel

Geisa Fregona

Valdério V. Dettoni

A tuberculose (TB) é uma doença infecciosa, bacteriana, causada por *Mycobacterium tuberculosis* (bacilo da TB ou bacilo de Koch [BK]). É transmitida por via aérea, por meio de tosse, espirro ou fala de pessoas com doença pulmonar ou laríngea, e afeta preferencialmente os pulmões, mas também pode comprometer outros órgãos.[1] Está entre as 10 principais causas de morte no mundo, sendo a principal causa de morte por agente infeccioso, ultrapassando os óbitos pelo vírus da imunodeficiência humana (HIV, do inglês *human immunodeficiency virus*). A Organização Mundial da Saúde (OMS) estima que um quarto da população mundial esteja infectada por *M. tuberculosis* e, dessa forma, estão sob risco de adoecer, ou seja, de desenvolver doença tuberculosa ativa.[2]

No ano de 2018, foram estimados globalmente 10 milhões de casos de TB, dos quais 500 mil eram casos de TB resistente a múltiplos fármacos (TB-MDR, do inglês *multidrug-resistant*) ou TB monorresistente à rifampicina (TB-RR); 1,2 milhão de mortes ocorreram por TB entre pessoas sem HIV, e 250 mil mortes, por TB em pessoas vivendo com HIV (PVHIVs). A prevalência da coinfecção entre TB e HIV foi de 8,6%.[2]

No Brasil, em 2019, foram notificados 73.864 casos novos de TB, o que corresponde a um coeficiente de incidência de 35 casos a cada 100 mil habitantes. Em 2018, foram registrados 4.490 óbitos por TB, o que equivale a uma taxa de mortalidade de 2,2 óbitos a cada 100 mil habitantes (esse indicador vem mantendo-se estável nos últimos anos). A estimativa de TB-MDR/TB-RR é de 0,9% entre os casos novos e 5,4% entre casos de retratamento, enquanto as estimativas mundiais são de 3,4% e 20%, respectivamente.[3]

O Ministério da Saúde (MS) disponibiliza diagnóstico, tratamento e acompanhamento dos indivíduos com TB em todo o território nacional de forma gratuita por meio da Coordenação-Geral de Vigilância das Doenças de Transmissão Respiratória de Condições Crônicas (CGDR), sendo esse um dos fatores relacionados à baixa proporção de casos de TB-MDR comparada às estimativas mundiais.

Entretanto, a proporção de doentes com TB que completam e alcançam sucesso no tratamento ainda está abaixo da esperada. Em 2016, apenas 74,6% dos casos novos notificados com confirmação laboratorial haviam concluído o tratamento com sucesso, 10,8% abandonaram o tratamento e 4,1% dos registros não tinham informação sobre o desfecho. Assim como em outros países, talvez o maior desafio da CGDR e de cada profissional de saúde que trabalha com TB seja aumentar a adesão de seus pacientes ao tratamento.

## QUADRO CLÍNICO

O risco de adoecimento em pessoas infectadas pelo BK depende das condições em que ocorreu a transmissão, determinando a magnitude da carga bacilar infectante e dos fatores relacionados com a resposta imunitária do hospedeiro infectado. Assim, o adoecimento é mais frequente em contatos próximos dos indivíduos bacilíferos, fato que indica a necessidade de investigação rotineira de TB entre eles.[4]

O risco de adoecer por TB após a infecção inicial é mais elevado em recém-nascidos e idosos, assim como em pessoas que apresentam algum alteração permanente ou transitória nos mecanismos de defesa do organismo contra os bacilos, como os portadores de neoplasias sólidas de cabeça e pescoço e hematológicas, silicose, insuficiência renal crônica e pacientes em hemodiálise, portadores de lesões pulmonares fibróticas antigas e não tratadas previamente, pacientes em uso de fármacos imunossupressores, submetidos à gastrectomia ou anastomose jejunoileal, com síndromes disabsortivas e baixo peso corporal, diabetes melito, entre outros. O tabagismo também é fator de risco para TB.[5-8] Entretanto, o maior risco conhecido para adoecimento em pessoas infectadas pelo BK é a coinfecção com o HIV. Ainda, fatores genéticos ligados à determinação da resposta imunitária contra a TB podem influenciar o risco de adoecimento.[9]

Qualquer pessoa infectada pode adoecer; entretanto, em média, apenas 10 a 15% dos indivíduos infectados desenvolvem a doença, que se manifesta por meio de diferentes formas clínicas. Cerca de 5% deles apresentam formas de TB primária, ou primoinfecção evolutiva, que costuma ocorrer nos primeiros 3 a 12 meses após o contágio. As pessoas infectadas que não adoecem dessa forma podem permanecer por longo tempo assintomáticas com bacilos viáveis latentes no organismo, constituindo o que se denomina infecção latente pelo *M. tuberculosis* (ILTB). A reativação dos focos latentes, com multiplicação bacilar decorrente de alterações na resposta imune local ou sistêmica, origina o adoecimento por TB pós-primária, também conhecida como secundarismo tuberculoso ou TB secundária, fato que ocorre em cerca de 5 a 10% dos infectados. A TB pós-primária também pode ocorrer, com menos frequência, em consequência de uma nova infecção (reinfecção exógena).[10]

A TB pode manifestar-se sob diversas formas clínicas, com acometimento puramente pulmonar, extrapulmonar, pulmonar e extrapulmonar simultâneos ou disseminada. Na maioria das vezes, a doença tem evolução subaguda ou crônica, de caráter consumptivo. O curso clínico costuma ser insidioso, em geral iniciando com sintomas pouco pronunciados, de evolução lenta, agravando-se progressivamente, podendo evoluir até condições mais críticas com risco à vida. O acometimento pulmonar é o mais frequente, e a sua associação com lesões extrapulmonares é mais comum nas formas primárias da doença, na infância ou em pacientes imunossuprimidos expostos à infecção com alta carga bacilar. Em adultos não imunossuprimidos, é mais comum o adoecimento por TB pulmonar pós-primária, decorrente de reinfecção ou reativação de focos micobacterianos endógenos latentes.[5]

## Tuberculose pulmonar

A principal manifestação clínica da TB pulmonar é a tosse, geralmente seca no início, passando a produtiva com o decorrer de poucos dias ou semanas. Alguns indivíduos podem apresentar expectoração hemoptoica ou francamente hemorrágica (hemoptise), em decorrência da ruptura de focos parenquimatosos da doença na árvore brônquica ou mesmo da lesão direta de vasos sanguíneos da mucosa brônquica (TB brônquica).

Indivíduos com tosse persistente por 3 semanas ou mais são identificados como sintomáticos respiratórios para fins de investigação diagnóstica da TB, e devem proceder à coleta de escarro para pesquisa de bacilo álcool-ácido-resistente (BAAR), devendo ser realizados pelo menos dois exames consecutivos.[11] Nos locais que disponham de teste rápido molecular para tuberculose (TRM-TB), a realização desse exame em uma amostra de escarro pode substituir, com vantagem, a baciloscopia, devido à sua maior sensibilidade e especificidade para o diagnóstico da TB.[12,13]

> **Indivíduos portadores de TB pulmonar que eliminam bacilos na expectoração são denominados bacilíferos. Eles são os responsáveis por manter a cadeia de transmissão; por isso, a identificação, o tratamento e a cura desses indivíduos constituem a principal ação para o controle clínico e epidemiológico da doença.**

Além da tosse, outras manifestações podem estar presentes, reforçando a presunção diagnóstica da TB, como emagrecimento, anorexia e adinamia. Febre é um sintoma comum, diária ou intermitente, em geral baixa, não costumando ultrapassar os 38,5 °C, predominantemente vespertina, seguida de sudorese noturna consequente ao descenso da febre. Alguns indivíduos com formas parenquimatosas mais graves, com pneumonia caseosa ou muita necrose tecidual, ou, ainda, com derrame pleural ou outras formas de TB extrapulmonar associadas à doença pulmonar, podem apresentar febre mais elevada e persistente. Nesses casos, a remissão da febre pode demorar alguns dias ou semanas, mesmo após o início do tratamento da TB.[5] Nos pacientes imunossuprimidos, principalmente nas PVHIVs, deve-se estar atento à presença de síndrome de reconstituição imune, que é uma intensa reação inflamatória decorrente da recuperação da resposta imunológica após introdução da terapia específica da doença de base, que pode ser a causa do aparecimento de febre ou de seu recrudescimento após o início do tratamento da TB, e que exigirá medidas apropriadas para o seu controle.[14] A investigação para TB pulmonar ou extrapulmonar deve sempre ser pensada nos pacientes com febre prolongada de origem indeterminada.

Dor torácica, embora menos frequente, pode estar presente na TB pulmonar. Dispneia é um sinal igualmente importante. O grau de desconforto respiratório percebido pelo paciente guarda relação com a extensão das lesões pulmonares, em geral mais graves nos indivíduos com doença avançada ou com enfermidade cardiopulmonar prévia.

Os doentes com TB costumam apresentar perda ponderal. A investigação clínica de emagrecimento de causa inaparente deve sempre incluir a TB como diagnóstico diferencial. Nas formas graves de TB pulmonar ou nas formas disseminadas, é frequente haver emagrecimento acentuado, levando à caquexia quando a doença não é tratada adequadamente. Por outro lado, o ganho ponderal após o início do tratamento da TB pulmonar ou extrapulmonar constitui um dos parâmetros clínicos de avaliação da melhora do paciente. Por esse motivo, e também para o controle das doses dos medicamentos a serem prescritos, recomenda-se a pesagem do paciente na sua chegada ao local de atendimento antes do início da consulta médica ou de enfermagem.

## Tuberculose extrapulmonar

As manifestações clínicas da TB extrapulmonar podem surgir isoladamente ou associadas à TB pulmonar, como costuma acontecer nos casos de TB miliar, com ocorrência de lesões concomitantes em diversos órgãos devido à disseminação bacilar por via linfo-hematogênica. Os sintomas gerais, como febre, anorexia, emagrecimento, anemia e fraqueza geral, podem estar presentes, mas sintomas específicos dependem do sítio acometido. Formas disseminadas da doença em pacientes com TB primária evolutiva grave ou pós-primária com localização múltipla, como na TB miliar, costumam apresentar sintomas de evolução mais rápida ou agressiva, sendo mais frequentes nas PVHIVs ou nos portadores de outras imunodeficiências graves. Nesses casos, é sempre indispensável revisar a presença de sinais de gravidade clínica, principalmente de acometimento do sistema nervoso central (SNC), que determina prognóstico mais reservado e demanda maior urgência na abordagem diagnóstica e terapêutica.

Linfadenite tuberculosa é uma das manifestações mais frequentes de TB extrapulmonar, acometendo comumente linfonodos cervicais, supraclaviculares ou inguinais. Manifesta-se com linfadenomegalia muitas vezes com poucos sinais flogísticos, de evolução lenta, podendo apresentar fistulização. O diagnóstico é feito preferencialmente mediante baciloscopia e cultura em espécimes de aspirado linfonodal com agulha e ou anatomopatológico.

Os indivíduos com formas torácicas de TB extrapulmonar podem apresentar sintomas respiratórios, mesmo sem evidências de lesões pulmonares. Dor torácica está quase sempre presente nas formas com acometimento pleural ou pericárdico. Na espondilite tuberculosa, a dor torácica, de caráter compressivo, é decorrente da lesão de vértebra da coluna torácica. Na TB pleural, além da dor pleurítica, o volume do derrame na cavidade é um importante fator determinante da intensidade da dispneia. Na pericardite tuberculosa, é comum a presença de dispneia associada à dor e ao desconforto ou opressão na região esternal. Na TB peritoneal com grande volume de líquido na cavidade abdominal, pode ocorrer dispneia em consequência da limitação da incursão diafragmática, ou pela presença de derrame pleural associado. Os pacientes com TB do trato digestivo de modo geral apresentam diarreia e emagrecimento importante. Isso também ocorre com pacientes portadores de comorbidades graves, sobretudo os coinfectados com o HIV, nos quais a presença da TB pode ser a definidora do início de um quadro de Aids.

Além das formas citadas, outras apresentações menos frequentes de TB extrapulmonar podem ser observadas. Entre elas, está a TB laríngea, que costuma manifestar-se com tosse e disfonia, e, assim como a TB pulmonar, pode apresentar risco de contágio pela eliminação de bacilos no ar. Outras formas de TB extrapulmonar menos frequentes podem ocorrer, como TB ocular (que comumente apresenta lesões de uveíte, episclerite, coroidite e TB da órbita), TB de vias urinárias (TB renal, ureteral e de bexiga), e genital masculina (epididimite e orquite tuberculosa) ou feminina (TB uterina e salpingite tuberculosa). TB renal deve ser suspeitada em pacientes com piúria e/ou hematúria persistentes com urocultura negativa para os microrganismos habituais, necessitando, nesses casos, de cultura em meio específico para o BK, além de exames de imagem apropriados. São mais raras a TB musculoesquelética, mamária e do sistema endócrino. Lesões esplênicas e hepáticas são geralmente observadas na TB miliar, e, nesses casos, a biópsia hepática transparietal, por agulha, tem maior sensibilidade na identificação de bacilos do que o escarro.[15,16]

No SNC, a TB se apresenta com mais frequência sob a forma de meningoencefalite de evolução lenta, às vezes com sinais clínicos decorrentes de hipertensão intracraniana. Além da febre prolongada, cefaleia, vômitos e acometimento de pares cranianos são sintomas comuns que se apresentam de forma subaguda ao longo de poucas semanas. Ocasionalmente, a presença de lesões parenquimatosas cerebrais nodulares ou pseudotumorais pode evoluir com sintomas compressivos ou alterações motoras. Para o diagnóstico, além dos exames de imagem, são fundamentais análise bioquímica, exame citológico e cultura do líquido cerebrospinal (LCS). Existem, ainda, formas cutâneas com diversas apresentações, como eritema nodoso, eritema indurado de Bazin, TB verrucosa, tuberculíde papulonecrótica, lúpus vulgar e escrofulose ou escrofuloderma, que se forma a partir da fistulização de linfonodos, em geral na região cervical. Lesões cutâneas suspeitas de serem produzidas por TB implicam uma gama de diagnósticos diferenciais dificilmente identificados apenas pelo exame clínico; por isso, sempre que possível, devem ser biopsiadas, com o material obtido sendo submetido a exame histopatológico e enviado para cultura para micobactérias. Mesmo nos indivíduos biopsiados, a realização de prova tuberculínica (PT) e de radiografia de tórax deve sempre ser providenciada, para melhor acurácia do diagnóstico de probabilidade, já que nesses casos a positividade dos exames bacteriológicos é muito baixa, por tratar-se de formas paucibacilares da TB.[16] As formas mais frequentes de TB extrapulmonar, suas respectivas características clínicas e laboratoriais e os principais diagnósticos diferenciais são apresentados na **TABELA 151.1**.[15]

## EXAME FÍSICO

Em indivíduos com TB pulmonar, o exame físico torácico pode ser normal nas formas leves e iniciais da doença, impondo-se a realização de radiografia de tórax para o diagnóstico diferencial nos indivíduos com tosse sem achados anormais no exame físico. O acometimento pulmonar da TB é mais frequente na parte superior do tórax, podendo ser encontrados sinais clínicos de consolidação pulmonar, com estertores, sopro brônquico ou cavitário, aumento de frêmito toracovocal e macicez ou submacicez à percussão. É possível que não haja sinais de consolidação completa. Na TB miliar, a presença de febre, acometimento do estado geral e dispneia costumam ser os sinais mais marcantes, sendo frequente a identificação de sinais clínicos de acometimento extrapulmonar associados.

Na TB extrapulmonar, os achados do exame físico dependem do sítio acometido. Assim, na TB pleural, observam-se os sinais clínicos de derrame, com ou sem atrito pleural, com dispneia variável, podendo estar ausente. A presença de linfonodomegalias cervicais ou supraclaviculares, com ou sem sinais inflamatórios e/ou fistulização, pode ser observada na TB ganglionar. É mais raro o acometimento de outras cadeias linfonodais, como as inguinais e as axilares.

**TABELA 151.1** → Características clínicas e laboratoriais, e diagnósticos diferenciais a serem considerados nas formas mais comuns de tuberculose extrapulmonar

| FORMA CLÍNICA | SINAIS E SINTOMAS | EXAMES COMPLEMENTARES | DIAGNÓSTICOS DIFERENCIAIS |
|---|---|---|---|
| TB pleural | → Curso mais agudo na TB primária e subagudo na TB pós-primária; febre, sudorese noturna, dor pleurítica, emagrecimento, tosse seca, dispneia variável<br>→ Síndrome de derrame pleural no exame físico, com ou sem atrito pleural<br>→ A tosse pode ser produtiva quando associada a lesões pulmonares em atividade | → Radiografia de tórax: derrame pleural, geralmente unilateral; podem haver lesões pulmonares)<br>→ Exame de escarro, quando presente<br>→ Toracocentese: exame bioquímico, citológico e bacteriológico do líquido – exsudato linfomonocitário, ADA > 40 UI/L<br>→ Biópsia pleural: inflamação granulomatosa com necrose caseosa, cultura de fragmento pleural para BK e PT | Empiema pleural, neoplasia metastática pulmonar ou de outra localização, linfoma, doenças do colágeno, insuficiência cardíaca, derrame parapneumônico, mesotelioma pleural |
| TB ganglionar | → Mais comum na região cervical ou supraclavicular, menos frequente na axilar e inguinal; unilateral direita mais frequente, 25% dos casos bilateral, cerca de 40% associada à TB pulmonar<br>→ Linfonodomegalia indolor ou levemente dolorosa; poucos sinais inflamatórios, mas pode fistulizar<br>→ Poucos sintomas gerais | → PAAF e pesquisa de BAAR e cultura para micobactérias no material aspirado<br>→ Biópsia excisional em caso de PAAF negativa, baciloscopia, cultura e exame histopatológico do linfonodo<br>→ Radiografia do tórax e PT | Micobacteriose não tuberculosa, linfoma, sarcoidose, paracoccidioidomicose causada por *Paracoccidioides brasiliensis* |
| TB osteoarticular | → Mais comum na coluna vertebral, torácica ou lombar, quadril e joelho<br>→ Sintomas locais mais importantes que os sistêmicos (febre, fraqueza)<br>→ Abscesso frio paravertebral: sinais neurológicos de compressão radicular ou medular por lesão vertebral | → Radiografia, TC e/ou RM<br>→ Punção por agulha de abscesso paravertebral<br>→ Aspirado de líquido sinovial<br>→ Biópsia sinovial ou óssea, exames citológico e histopatológico e cultura para micobactérias e PT | Lesão articular: artrite piogênica, artrite reumatoide, gota, condrólise idiopática<br>Lesões ósseas líticas: granuloma eosinofílico, mieloma, neoplasia metastática, sarcoidose, angiomatose cística |
| TB disseminada/ TB miliar | → Varia com extensão e órgãos acometidos<br>→ Febre, adinamia, fraqueza, perda ponderal, anemia, cefaleia e sinais de alterações de pares cranianos (meningoencefalite), tosse e dispneia (TB miliar pulmonar), dor ou desconforto abdominal | → Radiografia de tórax (pode ser normal no início)<br>→ TC de tórax e/ou abdome<br>→ Broncoscopia com LBA e biópsia transbrônquica<br>→ Hemograma (anemia, leucopenia ou leucocitose, raramente reação leucemoide)<br>→ Biópsia hepática ou de medula óssea<br>→ Fundo de olho<br>→ Punção lombar para coleta de LCS<br>→ Função hepática e PT | Neoplasia disseminada (carcinomatose), sarcoidose, micobacteriose não TB, microlitíase alveolar; pneumocistose ou histoplasmose no paciente PVHIV |
| TB do SNC | → Sintomas variam com a localização das lesões no SNC; febre, anorexia, fraqueza, cefaleia, evolução com sinais neurológicos, desorientação, alterações de comportamento, com ou sem déficit motor focal, prostração e coma nos casos mais graves | → TC ou RM do crânio<br>→ Punção lombar: LCS claro com celularidade aumentada à custa de mononucleares, proteínas e ADA elevadas, glicose diminuída; exames microbiológicos com cultura para micobactérias e pesquisa de fungos e PT | Meningoencefalite viral ou fúngica/criptocócica |
| TB abdominal | → TBs peritoneal, ileocecal, anorretal e de linfonodos mesentéricos são as mais comuns<br>→ Febre, anorexia, perda ponderal, diarreia nas formas intestinais, desconforto abdominal, dor, ascite | → US de abdome<br>→ TC de abdome<br>→ Paracentese e biópsia peritoneal por agulha ou laparoscopia com biópsia para exame histopatológico e cultura para micobactérias; colonoscopia com biópsia na TB ileocecal e PT | Neoplasia, cirrose hepática com peritonite bacteriana espontânea, micobacteriose não TB, sarcoidose, doença inflamatória intestinal |
| TB pericárdica | → Dor torácica, dispneia, taquicardia, febre, atrito pericárdico, turgência jugular, hepatomegalia, edema, pulso paradoxal, hipofonese de bulhas cardíacas | → ECG com baixa voltagem<br>→ Ecocardiograma: derrame e espessamento pericárdico<br>→ Biópsia e coleta de líquido pericárdico para citologia, histopatologia e cultura para micobactérias e PT | Pericardite viral, bacteriana ou fúngica, doença do colágeno, neoplasia metastática, síndrome pós-infarto do miocárdio, pericardite urêmica, trauma |
| TB urogenital | → Febre, disúria, polaciúria, urgência miccional, hematúria, dor lombar, no flanco ou abdominal, aumento de volume e de sensibilidade dolorosa no testículo e no epidídimo, salpingite, endometrite e infertilidade | → US pélvica, de vias urinárias e testículo<br>→ Radiografia simples de abdome<br>→ Urografia excretora<br>→ Baciloscopia e cultura de urina para micobactérias<br>→ Biópsia de testículo ou epidídimo com exame histopatológico e cultura para micobactérias e PT | Pielonefrite bacteriana, outras infecções do trato urinário, neoplasias benignas e malignas, pielonefrite xantogranulomatosa |

ADA, adenosina-desaminase; BAAR, bacilo álcool-ácido-resistente; BK, bacilo de Koch; ECG, eletrocardiograma; HIV, vírus da imunodeficiência humana; LBA, lavado broncoalveolar; LCS, líquido cerebrospinal; PAAF, punção aspirativa com agulha fina; PT, prova tuberculínica; RM, ressonância magnética; SNC, sistema nervoso central; TB, tuberculose; TC, tomografia computadorizada; US, ultrassonografia; PVHIV, pessoas vivendo com HIV.
Fonte: Adaptada de Lange e Mori.[15]

Dor torácica com atrito pericárdico pode ser encontrada em paciente febril e dispneico com TB pericárdica, mas, nos derrames pericárdicos mais volumosos, algumas vezes se observa apenas abafamento das bulhas cardíacas à ausculta torácica, sem a presença de atrito; nesses casos, a dispneia e o desconforto torácico retrosternal são frequentes.

É importante pesquisar sinais de restrição diastólica ou tamponamento cardíaco, com hipotensão arterial, turgência venosa cervical, sinais de congestão hepática/hepatomegalia dolorosa, que podem ocorrer nos derrames pericárdicos de grande volume. Ascite de volume variável pode ser identificada no exame físico de pacientes com TB peritoneal.

Na TB intestinal, diarreia e dor abdominal são os achados mais comuns, associados a emagrecimento e doença febril.

## DIAGNÓSTICO

### Exames complementares

Nos pacientes com quadro clínico sugestivo de TB, impõe-se a realização de procedimentos visando à confirmação do diagnóstico mediante exames micobacteriológicos. Os exames radiológicos, embora não sejam suficientes para confirmação da TB, devem ser realizados sempre que possível, pois fornecem informações importantes para o diagnóstico e a avaliação da extensão e da gravidade da doença.

Outros exames complementares que auxiliam no diagnóstico são utilizados em algumas situações específicas, em que o diagnóstico bacteriológico é negativo ou de difícil acesso, como na TB infantil e na TB extrapulmonar. Nesses casos, podem ser úteis a realização de PT ou a dosagem sanguínea de ensaio de liberação de interferon-gama (IGRA), bem como exames histopatológicos e de biologia molecular.

### Diagnóstico laboratorial específico

A identificação dos indivíduos bacilíferos é feita mediante a pesquisa de bacilos no escarro de pessoas com sintomas respiratórios. Essa pesquisa deve ser feita em todos os indivíduos sintomáticos respiratórios, tanto na comunidade, principalmente entre os contatos próximos, domiciliares ou não, de pacientes portadores de TB, quanto nas unidades de saúde. A demora na realização dos exames pode resultar em doença mais grave, contribuindo, assim, para a ocorrência de sequelas e a manutenção da cadeia de transmissão da TB, com consequente aumento da incidência e da mortalidade pela doença.[11,17]

No Brasil, o método padronizado para a baciloscopia utiliza a coloração de Ziehl-Neelsen. O exame deve sempre ser realizado em pelo menos duas amostras de escarro coletadas em dias diferentes. Para evitar demora no diagnóstico, a primeira amostra pode ser colhida por ocasião da primeira consulta na própria unidade de atendimento, procedendo-se apenas à higiene bucal antes da coleta, e a segunda no domicílio, ao despertar pela manhã.[11] É muito importante estar atento à coleta adequada das amostras de escarro, pois a positividade do exame baciloscópico depende fundamentalmente da qualidade do espécime coletado, do seu transporte ao laboratório de forma adequada, da qualidade da coloração das lâminas e do exame minucioso delas na procura do BAAR. Os cuidados para observação da coleta do escarro, avaliação da qualidade das amostras e processamento laboratorial encontram-se bem definidos e registrados em detalhes no *Manual nacional de vigilância laboratorial da tuberculose e outras micobactérias*.[18] A baciloscopia do escarro é um método de alta especificidade e alto valor preditivo positivo para o diagnóstico da TB. Entretanto, sua sensibilidade varia nas diferentes formas de apresentação da doença, com positividade média de 60 a 80% considerando duas amostras de escarro. O exame de uma terceira amostra aumenta a sensibilidade em menos de 10%.[19-21] Segundo alguns autores, a positividade chega a cerca de 90% nas formas pulmonares cavitárias e menos de 50% nas formas não cavitárias.[5,22] Nas PVHIVs, a TB costuma manifestar-se de forma não usual no que tange aos aspectos clínicos e radiográficos, e a baciloscopia do escarro possui baixa sensibilidade nesses casos. A sensibilidade da baciloscopia pode ser aumentada mediante centrifugação do escarro ou com utilização de método de microscopia por imunofluorescência com auramina, método tecnicamente mais sofisticado, em geral disponível apenas nos laboratórios de referência.[9,11]

Pacientes sintomáticos portadores de lesões pulmonares com poucos bacilos (paucibacilares) podem ter baciloscopia negativa. Nesses casos, a cultura é o método de diagnóstico bacteriológico capaz de detectar a presença da micobactéria. Pacientes com infecção pulmonar por micobactérias não tuberculosas (MNTs) podem ter sintomas e lesões parenquimatosas semelhantes aos da TB, com baciloscopia positiva no escarro. Nesses casos, somente a cultura com identificação da espécie mediante método de biologia molecular (PRA-hsp65) é capaz de esclarecer o diagnóstico correto.[13]

O desenvolvimento de método automatizado de exame do escarro por meio de reação em cadeia da polimerase (PCR, do inglês *polymerase chain reaction*) em tempo real foi validado pela OMS em 2010 e implantado no Brasil há poucos anos. Esse exame contribuiu muito para melhorar o diagnóstico da TB pulmonar por utilizar tecnologia de fácil execução, capaz de fornecer resultado rápido, com sensibilidade e especificidade maiores do que a baciloscopia, além de informar sobre a resistência à rifampicina. Como consequência, reduziu o tempo para o início do tratamento, possibilitando melhor resultado no controle epidemiológico da doença.[12,23] As indicações de rotina desse método, também conhecido como teste rápido molecular para TB (TRM-TB), e os algoritmos de interpretação dos resultados encontram-se bem detalhados no *Manual de recomendações para o controle da tuberculose no Brasil*, de 2019.[11] Atualmente, o MS disponibiliza para uso na saúde pública o Xpert® MTB/RIF Ultra, que possui maior sensibilidade na detecção da TB, principalmente em amostras paucibacilares, sendo sua sensibilidade comparável à da cultura líquida, considerada hoje o padrão-ouro na detecção do BK. Todas as amostras submetidas à análise por esse método devem ser cultivadas, preferencialmente em meio líquido, e as cepas de micobactérias isoladas devem ser submetidas a testes de sensibilidade aos fármacos anti-TB, independentemente do resultado do teste inicial.[12,13,24,25] Nos locais onde não há a disponibilidade do TRM-TB, o diagnóstico da doença é realizado inicialmente por meio da baciloscopia em duas amostras de escarro, e recomenda-se o envio de pelo menos uma amostra para cultura em laboratório de referência.

**A pesquisa direta de BAAR em espécimes clínicos é o método laboratorial mais difundido para o diagnóstico da TB. É um procedimento de baixo custo e execução simples, podendo ser realizado em pouco tempo em laboratórios de baixa complexidade. O TRM-TB baseia-se em tecnologia mais sofisticada e de maior custo, mas pode ser executado em laboratórios simples de unidades sanitárias de atendimento básico e, quando disponível, pode ser usado em substituição à baciloscopia,**

por apresentar melhor sensibilidade e especificidade. Baciloscopia positiva em casos com TRM-TB negativo sugere o diagnóstico de infecção por MNTs, sendo indispensável a realização de cultura e identificação da espécie e testes de sensibilidade aos fármacos anti-TB.

Quando houver suspeita de TB pulmonar em indivíduos incapazes de produzir expectoração espontânea, recomenda-se a indução do escarro, que é feita por meio de nebulização com solução salina concentrada em nebulizador ultrassônico de alto volume com estímulo da tosse e produção de secreção brônquica mucoide.[18,26] (Ver *Manual de recomendações para o controle da tuberculose no Brasil*, de 2019.) O escarro obtido por indução deve ser submetido aos mesmos procedimentos laboratoriais indicados para as amostras espontâneas, ou seja, baciloscopia ou TRM-TB, e cultura com identificação da espécie de micobactéria. Embora a indução do escarro possa ser feita em unidades de saúde que disponham de condições técnicas e de biossegurança adequadas, é mais apropriada a sua realização em serviço de referência, com equipe devidamente treinada e com local destinado a essa finalidade, equipado para atender a possíveis complicações do procedimento, como broncospasmo, arritmias cardíacas e sangramento de vias aéreas, que podem demandar atendimento em unidade de emergência.[27]

A cultura para micobactérias é um exame mais demorado, mais complexo e de maior custo, estando disponível apenas em laboratório de referência devidamente equipado.[18] De modo geral, a cultura é realizada em meio sólido pelo método Lowenstein-Jensen (LJ), porém existe a possibilidade de realização de cultura com a utilização de método simplificado e de baixo custo, com boa sensibilidade e especificidade, utilizando o meio de Ogawa-Kudoh em estufa comum, que pode ser disponibilizado em unidades sanitárias; nesse caso, as culturas positivas devem ser encaminhadas para um laboratório de referência para identificação da espécie da micobactéria isolada.[28] Atualmente, estão disponíveis meios para cultura automatizada capazes de fornecer resultado em menos tempo, com sensibilidade e especificidade comparáveis às do método LJ. No Brasil, para desenvolvimento do programa de expansão do uso de cultura no diagnóstico e controle da TB, o MS adotou o sistema BACTEC MGIT 960 (*Mycobacteria Growth Indicator Tube*), já implementado nos laboratórios centrais de saúde pública nos Estados da Federação e também disponível em outros laboratórios de referência em micobacteriologia. Esse método baseia-se na cultura em tubos contendo meio de Middlebrook 7H9 modificado e na leitura automatizada da emissão de fluorescência quando ocorre consumo de oxigênio decorrente do crescimento bacteriano.[29]

**A realização de cultura com identificação da micobactéria, além de ter maior sensibilidade, aumenta a especificidade ao permitir a identificação de outros microrganismos que podem ser BAAR-positivos, como é o caso das MNTs e de alguns actinomicetos e *Nocardia*. Além disso, o isolamento de bacilos em cultura permite a realização de testes de sensibilidade aos fármacos anti-TB, produzindo informações importantes para o controle individual nos casos de resistência ou de persistência bacilar na expectoração, e para o controle epidemiológico da TB.**

A realização de cultura para micobactérias com teste de sensibilidade antimicrobiano está indicada nos seguintes indivíduos:[11]

→ com diagnóstico de TB por meio de TRM-TB (com ou sem resistência à rifampicina);
→ suspeitos de TB com resultado negativo no TRM-TB e persistência do quadro clínico;
→ suspeitos de TB sem acesso ao TRM-TB, independentemente do resultado da baciloscopia (realizado em uma das duas amostras coletadas para BAAR).

Havendo suspeita de TB pulmonar sem expectoração ou com expectoração persistentemente negativa à baciloscopia, pode, ainda, ser realizada coleta de espécime de vias respiratórias por meio de broncoscopia com lavado broncoalveolar com ou sem biópsia transbrônquica. Nesses casos, o material obtido deve ser submetido a exame de baciloscopia e/ou TRM-TB, e cultura com identificação bacilar, além do exame histopatológico de fragmento de biópsia. A broncoscopia é um procedimento importante também para o diagnóstico diferencial com outras doenças pulmonares.[22]

Nos pacientes com tosse, com radiografia de tórax normal ou com alterações pouco sugestivas de TB, e exames bacteriológicos negativos, deve-se rever o diagnóstico com o objetivo de identificar outras causas mais comuns de tosse prolongada, como bronquites, sinusites, bronquiectasias, doença pulmonar obstrutiva crônica (DPOC) e refluxo gastresofágico, entre outras. Caso a unidade de atendimento não disponha de acesso a métodos mais avançados de diagnóstico complementar, esses indivíduos devem ser encaminhados para serviço de referência, de maior complexidade, para melhor esclarecimento da doença mediante exames e procedimentos mais sofisticados, como tomografia computadorizada (TC), broncoscopia com lavado broncoalveolar ou até mesmo procedimentos de biópsia pulmonar, entre outros, após a devida avaliação por especialista. A rotina proposta para a abordagem dos pacientes com tosse é apresentada esquematicamente na **FIGURA 151.1**.[17]

O diagnóstico de TB renal é estabelecido pela demonstração de BK na urina; a presença de disúria, piúria estéril, hematúria e achados radiográficos característicos é altamente sugestiva do diagnóstico. Entre os pacientes com TB renal, 30 a 40% dos espécimes de urina são positivos na cultura. A TB renal é uma importante causa tratável de insuficiência renal progressiva.

## Prova tuberculínica

A prova tuberculínica (PT), ou teste tuberculínico (TT), destina-se ao diagnóstico da infecção tuberculosa e consiste na leitura da reação provocada pela injeção intradérmica de um filtrado de culturas de *M. tuberculosis* esterilizado e concentrado. As primeiras tuberculinas obtidas continham impurezas dos meios de cultura, apresentavam grande variedade na sua composição e produziam grande diversidade de reações. Em 1934, Siebert obteve um derivado proteico purificado (PPD, do inglês *purified protein derivative*), que mais tarde foi adotado como padrão pela OMS e denominado PPD-S. Outros derivados obtidos de forma semelhante passaram a

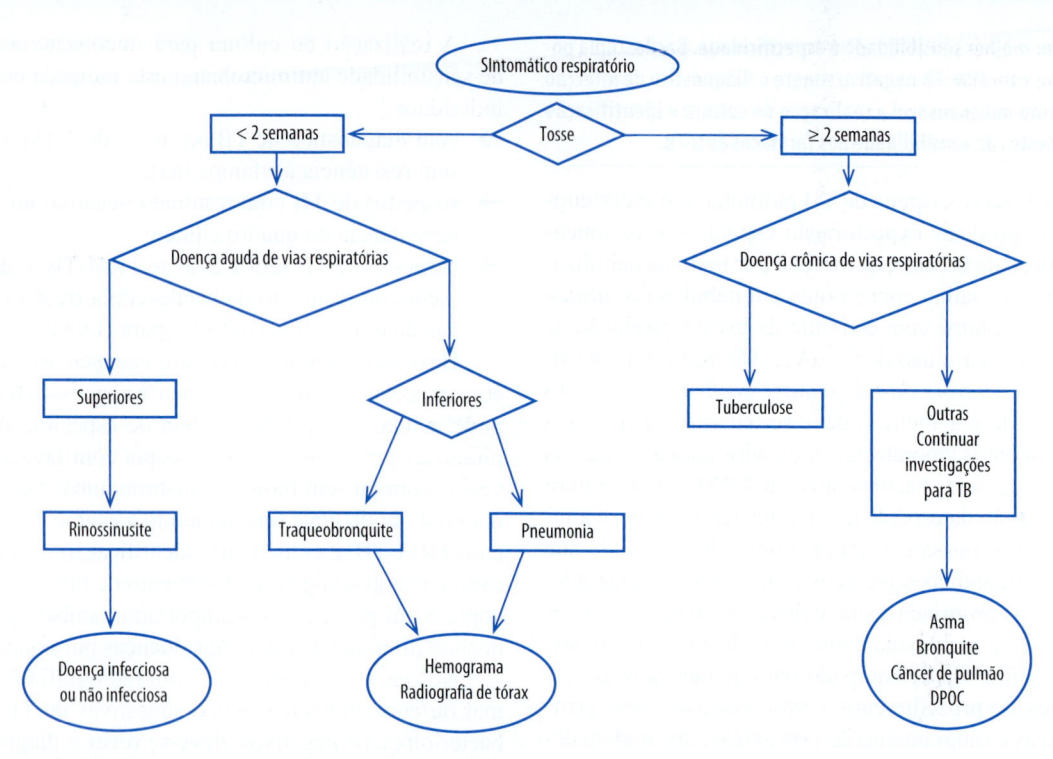

**FIGURA 151.1** → Fluxograma proposto para investigação do diagnóstico em pacientes sintomáticos respiratórios – tosse.
DPOC, doença pulmonar obstrutiva crônica; TB, tuberculose.
Fonte: Conde e colaboradores.[17]

ser referenciados a esse PPD e denominados de acordo com a sua origem.

Hoje, o PPD mais utilizado e recomendado mundialmente pela OMS é o PPD-RT23, que produz reações muito semelhantes ao PPD-S. Apesar de apresentar melhor grau de pureza em relação à tuberculina antiga, o PPD ainda possui uma multiplicidade de componentes que determina uma especificidade incompleta, devido à presença de alguns componentes antigênicos comuns a outras micobactérias, embora obtido de cultivos de *M. tuberculosis*. A padronização do PPD encontra-se sob o controle do *International Laboratory for Biological Standards, Statens Serum Institut*, em Copenhague, na Dinamarca. Atualmente, encontram-se em curso protocolos de estudo visando à validação de testes tuberculínicos de composição diferente daquela do PPD-RT23. Trata-se de espécimes produzidos em outros países e que incluem, em sua composição, proteínas recombinantes específicas do *M. tuberculosis* (ESAT-6, CFP-10) supostamente capazes de conferir maior sensibilidade e especificidade ao teste.[30-33]

O TT consiste na injeção intradérmica de 0,1 mL da solução-padrão; esse volume corresponde a 2 unidades tuberculínicas (UT) do PPD-RT(28) (bioequivalente a 0,1 mg ou 5 UT do PPD-S), que é a dose que identifica o maior número de reatores verdadeiros, ou seja, indivíduos realmente infectados pelo *M. tuberculosis*, e o menor número de falsos reatores.[11] A injeção intradérmica produz, nos indivíduos previamente infectados pelo BK, uma reação local decorrente da resposta inflamatória produzida por linfócitos T sensibilizados, com formação de uma área de hiperemia com enduração central. A leitura do resultado do teste deve ser feita após 72 horas da aplicação, sendo aceita a leitura em 48 horas em algumas situações. A medida em milímetros do diâmetro transverso da enduração dá o resultado da leitura do PPD. Um resultado de 0 a 4 mm é considerado não reator. Resultados > 4 mm (≥ 5 mm) devem ser interpretados de acordo com o contexto clínico, conforme a indicação que motivou a realização do teste.[11]

**O resultado da leitura da PT deve sempre ser registrado em milímetros, evitando-se a emissão de resultados como positivos ou negativos, ou ainda como não reator, reator fraco ou reator forte, tendo em vista que essa interpretação, a ser feita pelo médico, depende do estado clínico e imunológico do paciente e da finalidade a que se destina o teste – se para diagnóstico em indivíduos com evidências de doença, na investigação de contatos ou na investigação de infecção tuberculosa em pessoas portadoras de outras doenças para fins de prevenção da TB.**

A leitura da área de hiperemia não é válida, a não ser que coincida com a área da enduração. A técnica de aplicação e leitura do PPD encontra-se bem definida nas recomendações adotadas pelo MS no Brasil.[11] Recomenda-se que a aplicação e a leitura do PPD sejam feitas por profissional técnico devidamente treinado e qualificado para esse procedimento.

Reações falso-positivas podem ocorrer em pessoas vacinadas com bacilo de Calmette-Guérin (BCG) ou infectadas por MNTs. Em indivíduos vacinados com BCG, a reação atribuível à vacina pode ser de até 10 mm ou mais naqueles vacinados há menos de 2 anos. Após esse período, uma reação > 5 mm já pode ser interpretada como resultante de infecção tuberculosa. Nos contatos de indivíduos bacilíferos vacinados há menos de 2 anos, uma reação de 10 mm é considerada infecção tuberculosa. Resultados falso-negativos, ou seja, uma reação < 5 mm, podem ocorrer em algumas situações, como mostrado na **TABELA 151.2**.[11,34]

As principais indicações para a realização de PT são identificação de casos de ILTB em adultos e crianças e auxílio no diagnóstico de TB ativa em crianças. Não há evidências para utilização de PT como método auxiliar no diagnóstico de TB pulmonar ou extrapulmonar no adulto.[11]

## Ensaio de liberação de interferon-gama (IGRA)

Os ensaios de liberação de interferon-gama (IGRAs, do inglês *interferon-gamma release assays*) representam um avanço no diagnóstico da infecção tuberculosa. Trata-se de testes laboratoriais realizados em amostras de sangue periférico que se baseiam na premissa de que os linfócitos T de indivíduos previamente sensibilizados por antígenos do BK produzem interferon-gama quando expostos novamente a esses antígenos. Dois antígenos do BK que não se encontram presentes no BCG nem em outras micobactérias são utilizados nesses testes: ESAT-6 e CFP-10. Estão disponíveis dois tipos de testes: QuantiFERON®-TB Gold In-Tube (QFT; Cellestis, Victoria, Austrália), no qual a quantidade de interferon produzida pelos linfócitos é dosada por um ensaio imunoenzimático (Elisa), e T-SPOT.TB, que utiliza método imunoenzimático simplificado (ELI SPOT) com quantificação das células T específicas produtoras de interferon após exposição aos antígenos do MTB (Oxford Immunotec, 2013). A utilização de antígenos específicos do BK, ausentes nas outras micobactérias, confere aos IGRAs uma especificidade maior do que o PPD, tornando esses testes

**TABELA 151.2** → Principais causas de resultado falso-negativo na prova tuberculínica (PT)

**TÉCNICAS**
- → Tuberculina malconservada, exposta à luz
- → Contaminação com fungos, diluição errada, manutenção em frascos inadequados, desnaturação
- → Injeção profunda ou quantidade insuficiente; uso de seringa e agulhas inadequadas
- → Administração tardia em relação à aspiração na seringa
- → Leitor inexperiente ou com vício de leitura

**BIOLÓGICAS**
- → Tuberculose grave ou disseminada
- → Outras doenças infecciosas agudas virais, bacterianas ou fúngicas
- → Imunodepressão avançada (HIV/Aids, uso de corticoides, outros imunossupressores e quimioterápicos)
- → Vacinação com vírus vivos
- → Neoplasias, principalmente as de cabeça e pescoço e doenças linfoproliferativas
- → Desnutrição, diabetes melito, insuficiência renal e outras condições metabólicas
- → Gravidez
- → Crianças com idade < 3 meses
- → Idosos (> 65 anos)
- → Luz ultravioleta
- → Febre durante o período da leitura da PT e nas horas que a sucedem
- → Linfogranulomatose benigna ou maligna
- → Desidratação acentuada

Fonte: Brasil.[11]

importantes auxiliares no diagnóstico da infecção tuberculosa, capazes de substituir com vantagens o TT, e já incorporados às ações de saúde em diversos países. Entretanto, o seu alto custo e complexidade técnica ainda inviabilizam a sua inclusão como procedimento de rotina no Sistema Único de Saúde (SUS). As indicações para IGRA são as mesmas para o PPD e os resultados são expressos como teste positivo (interpretado como ILTB presente) ou negativo (ausência de ILTB). Caso o resultado seja indeterminado, recomenda-se a repetição do teste. Esses testes não são indicados para o diagnóstico de ILTB em crianças com idade < 2 anos devido à falta de estudos e à pouca confiabilidade do método em crianças nessa idade.[11] Literatura para melhor compreensão e informações técnicas e científicas sobre os IGRAs está disponível.[30,35-38] Os IGRAs têm sido recomendados nos últimos anos como potenciais substitutos ou complementares à PT nos países de alta renda, mas ainda não estão incorporados ao SUS.[11]

## Diagnóstico radiológico/diagnóstico por imagem

A radiografia de tórax convencional é o exame de imagem mais utilizado para o diagnóstico da TB pulmonar. Possui alta sensibilidade, mas pode ter baixa especificidade devido à grande variedade de formas de apresentação da doença, muitas vezes confundindo-se com outras enfermidades pulmonares. Deve ser indicada na investigação do diagnóstico para todos os indivíduos com suspeita de TB pulmonar.

Na TB primária, em geral há consolidações sob a forma de pneumonia, associada ou não às imagens de linfonodomegalias hilares ou mediastinais paratraqueais. Nesses casos, as lesões pulmonares costumam localizar-se, de preferência, nos lobos inferiores ou no lobo médio do pulmão direito. Pode ocorrer, eventualmente, a formação de cavidades decorrente de necrose do parênquima pulmonar, mas esse achado é mais comum na TB pós-primária. Algumas vezes, encontra-se, na radiografia, apenas a imagem de linfonodomegalia sem a presença do componente pulmonar, que pode estar oculto na radiografia. Além das linfonodomegalias, outras lesões extrapulmonares podem associar-se às pulmonares, sendo frequente o derrame pleural. Nas formas de disseminação linfo-hematogênica, há imagens micronodulares difusas da TB miliar, associadas ou não a linfonodomegalias ou derrame pleural ou pericárdico.[22]

Na TB pulmonar pós-primária, as lesões pulmonares costumam localizar-se preferencialmente nos segmentos apicais e posteriores dos lobos superiores, ocupando o terço superior dos pulmões, ou no segmento apical do lobo inferior, que se projeta no terço médio pulmonar na topografia da região hilar direita ou esquerda no filme de radiografia em incidência posteroanterior, e em topografia retro-hilar, sobre a imagem da coluna vertebral, no exame em perfil. É frequente a presença de cavidades, que podem ocorrer em cerca de 50% dos casos, podendo ser únicas ou múltiplas, unilaterais ou bilaterais, em geral acompanhadas de nódulos e estrias fibróticas; também é comum a presença de bronquiectasias e espessamento pleural adjacente às lesões pulmonares. Focos adjacentes à lesão inicial se formam em consequência da disseminação canalicular da TB por via brônquica, produzindo lesões mais grosseiras, heterogêneas e/ou confluentes, podendo acometer qualquer região dos pulmões, às vezes adquirindo aspecto disseminado, o que se vê nas formas de diagnóstico tardio.

A presença de lesões cavitárias em geral indica grande riqueza bacilar nas lesões, sendo esperado que, nesses casos, a baciloscopia do escarro seja positiva. Na presença de lesões cavitárias pulmonares com baciloscopia persistentemente negativa, deve-se pensar em outras causas de lesão cavitária pulmonar, devendo ser realizada cultura para micobactérias com identificação de cepa eventualmente isolada, pesquisa de fungos e de células neoplásicas; ou, na dependência do contexto clínico, deve-se excluir o diagnóstico de abscesso pulmonar por microrganismo anaeróbio ou estafilococos.

A TB miliar também pode ocorrer na forma pós-primária da doença. Formas com apresentações radiográficas não usuais costumam ocorrer em pacientes idosos ou imunodeprimidos, o que pode contribuir para retardar o diagnóstico da doença. Nesses casos, a persistência de lesões pulmonares em indivíduos com quadro clínico sugestivo de infecção sem melhora clínica e radiológica após tratamento inicial com antibióticos deve alertar para a necessidade de investigação para TB e outras doenças crônicas que se incluem no diagnóstico diferencial. Nos indivíduos coinfectados com HIV com manifestações de imunossupressão e linfócitos T CD4 < 300 células/mm³, costumam ocorrer formas de TB disseminada, miliar ou não, com manifestação radiográfica pulmonar atípica, ou mesmo formas incomuns, com frequência associadas a comprometimento extrapulmonar. Nos pacientes coinfectados que mantêm níveis normais de linfócitos T CD4, a TB costuma manifestar-se de forma usual como ocorre nos indivíduos HIV-negativo (FIGURA 151.2).³⁹

Radiografia normal pode ser encontrada na fase inicial da doença em até 15% dos pacientes com TB ativa, principalmente nas PVHIVs; por isso, deve-se insistir na pesquisa do diagnóstico bacteriológico, incluindo a cultura, caso a baciloscopia esteja negativa, sempre que houver pacientes com tosse prolongada e outros sinais clínicos sugestivos de TB, mesmo que sua radiografia inicial seja normal. Nesses casos, a cultura é importante também para descartar ou demonstrar uma infecção por MNT.

A TC não está indicada de rotina no diagnóstico da TB pulmonar, mas pode ser um instrumento de grande valia na investigação de indivíduos com lesões sugestivas de TB sem confirmação no exame bacteriológico inicial. Também é indicada quando a radiografia de tórax é normal, podendo auxiliar no diagnóstico diferencial com outras doenças pulmonares quando o exame do escarro é negativo, especialmente em pacientes imunossuprimidos. Pode definir a indicação de outros procedimentos visando a outros diagnósticos. A TC de tórax, particularmente com alta resolução, apresenta maior sensibilidade quando comparada à radiografia

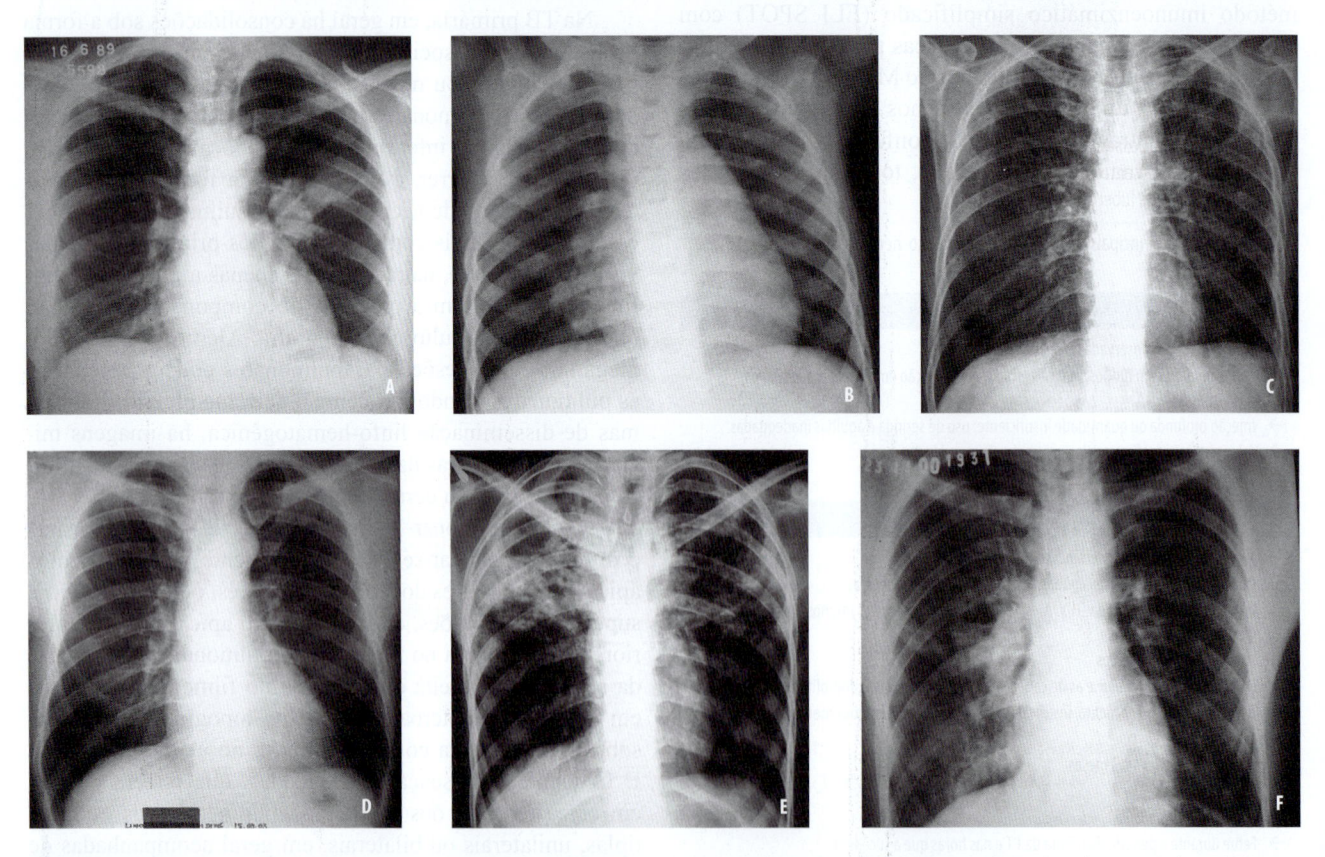

**FIGURA 151.2** → Exames de radiografia de tórax. Em **A** e **B**, tuberculose (TB) primária evolutiva em criança com lesão pulmonar e ganglionar (complexo primário); em **C**, TB miliar; em **D**, TB pós-primária, infiltrado precoce; em **E**, TB pulmonar avançada multicavitária; e, em **F**, TB pulmonar primária cavitária em adulto HIV-positivo.
Fonte: Ambulatório de Tuberculose do Hospital Universitário Cassiano Antonio de Moraes (HUCAM)/Universidade Federal do Espírito Santo (UFES).⁵

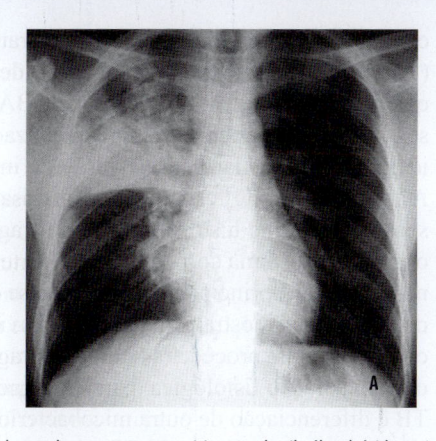

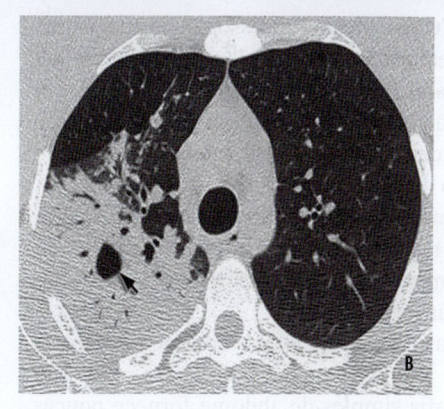

**FIGURA 151.3** → Tuberculose pulmonar, escarro positivo para bacilo álcool-ácido-resistente (BAAR) e cultura com identificação de *Mycobacterium tuberculosis*. Em **A**, radiografia de tórax demonstrando pneumonia caseosa; em **B**, tomografia computadorizada (TC) de tórax demonstrando consolidação com aerobroncograma e cavitação central no lobo superior do pulmão direito.
Fonte: Ambulatório de Tuberculose do Hospital Universitário Cassiano Antonio de Moraes (HUCAM)/Universidade Federal do Espírito Santo (UFES).

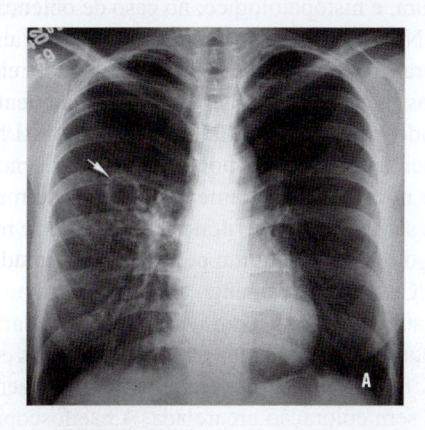

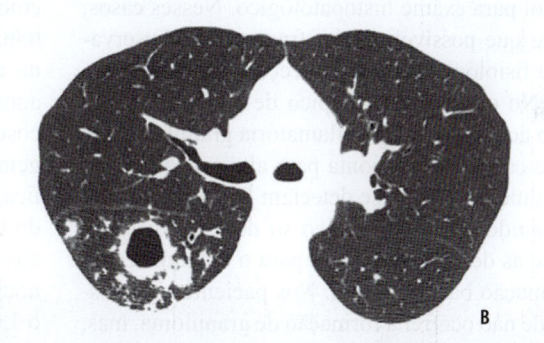

**FIGURA 151.4** → Micobacteriose pulmonar não tuberculosa (*M. abscessus*). Em **A**, radiografia de tórax, e, em **B**, tomografia computadorizada (TC) de tórax, ambas demonstrando lesão cavitária no segmento apical do lobo inferior direito e disseminação canalicular.
Fonte: Ambulatório de Tuberculose do Hospital Universitário Cassiano Antonio de Moraes (HUCAM)/Universidade Federal do Espírito Santo (UFES).

convencional ou digital, sendo capaz de detectar, com melhor acurácia, as lesões pulmonares precoces e as linfonodomegalias mediastinais, bem como auxiliar na determinação da atividade da doença em casos duvidosos **(FIGURAS 151.3 e 151.4)**.[15]

Na suspeita de TB pleural ou pericárdica, também se impõe a realização da radiografia de tórax **(FIGURA 151.5)**. Nas demais formas de TB extrapulmonar, o achado de lesões pulmonares sugestivas de TB pode reforçar a probabilidade do diagnóstico, considerando tratar-se de sítios de TB em geral paucibacilares ou de difícil acesso para coleta de materiais para cultura, excetuando-se a TB de vias urinárias, em que a urina pode ser facilmente coletada e tem boa positividade na cultura. Todavia, nesses casos, o estudo radiológico ou por ultrassonografia (US) das vias urinárias também deve ser realizado. Encontram-se achados anormais de imagem do sistema urinário em radiografia do trato urinário (calcificação distrófica extensiva no rim), na pielografia intravenosa (erosão da ponta dos cálices, preenchimento incompleto, distorção, etc.), na US e na TC (espessamento da mucosa de cálices e da pelve), assim como na cistoscopia.

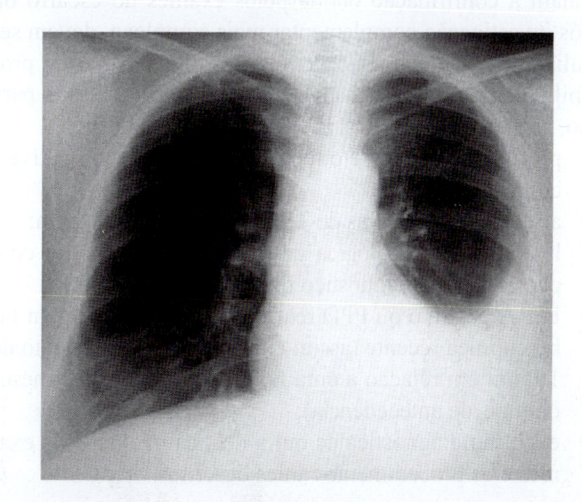

**FIGURA 151.5** → Radiografia de tórax evidenciando derrame pleural à esquerda. Confirmado o diagnóstico de tuberculose (TB) pleural em exame histopatológico e cultura de fragmentos pleurais obtidos mediante biópsia por agulha de Cope.
Fonte: Ambulatório de Tuberculose do Hospital Universitário Cassiano Antonio de Moraes (HUCAM)/Universidade Federal do Espírito Santo (UFES).

Radiografia e TC, ou mesmo a ressonância magnética (RM), devem ser realizadas diante da suspeita de TB osteoarticular, principalmente na TB da coluna vertebral, em que o achado de lesão característica de espondilodiscite em associação com abscesso paravertebral (abscesso frio) são fundamentais para o diagnóstico.

Diante de evidências clínicas sugestivas de TB do SNC, também se impõe a realização de TC ou RM, considerando que a radiografia simples e a US carecem de poder resolutivo nessas circunstâncias.

Excetuando-se as lesões estenóticas com oclusão intestinal e as formas de fistulização com presença de pneumoperitônio, a radiografia simples de abdome fornece poucas informações para o diagnóstico da TB intestinal. Nesses casos, e nas demais formas de acometimento abdominal pela TB, incluindo lesões pélvicas, a US e a TC ou a RM oferecem melhores subsídios diagnósticos.

Na TB extrapulmonar ou nas formas pulmonares em que não se obtenha o diagnóstico microbiológico, pode ser indicada a obtenção de fragmentos de biópsias de tecidos conservados em formol para exame histopatológico. Nesses casos, deve-se, sempre que possível, enviar fragmentos conservados em solução fisiológica para a confecção de cultura para micobactérias. No exame microscópico de tecidos corados para esse fim, o achado de lesão inflamatória granulomatosa com necrose de caseificação aponta para alta probabilidade de TB, principalmente quando se detectam BAAR no tecido examinado; contudo, esse diagnóstico só deve ser firmado considerando-se as demais evidências para o diagnóstico da TB sem confirmação bacteriológica. Nos pacientes imunossuprimidos, pode não ocorrer a formação de granuloma, mas, nesses casos, é comum o achado de BAAR nas lesões.[11]

## Diagnóstico presumido de tuberculose pulmonar

Indivíduos adultos com diagnóstico presumido de TB pulmonar com base em dados clínicos e radiográficos, que não tenham a confirmação obtida pelos exames do escarro ou após investigação complementar mais complexa, devem ser avaliados para tratamento de TB com diagnóstico de probabilidade, caso preencham devidamente os critérios para isso, a saber:
→ presença de sinais e/ou sintomas clínicos compatíveis com TB;
→ alterações sugestivas de TB em exames de imagem;
→ história epidemiológica de exposição a contágio com paciente com diagnóstico de TB;
→ IGRA positivo ou PPD reator ≥ 10 mm ou viragem tuberculínica recente (assim entendido um incremento de 10 mm em relação a uma reação prévia com 12 meses ou mais de antecedência);
→ exclusão diagnóstica de outra doença mediante os exames e os procedimentos antes descritos.

## Diagnóstico de tuberculose extrapulmonar

Na TB extrapulmonar, as lesões costumam ser paucibacilares, sendo pouco frequente o achado de baciloscopia positiva, com exceção da TB ganglionar, em que o exame de esfregaços de aspirado por punção aspirativa por agulha fina (PAAF) costuma ser positivo, e da TB de vias urinárias, em que pode ser observada a presença de BAAR na urina. Nesses casos, recomenda-se sempre a realização da cultura com identificação bacilar para exclusão de infecção por MNTs. A identificação de lesões granulomatosas com necrose caseosa, em exame histopatológico de fragmentos de tecidos orgânicos, costuma correlacionar-se fortemente com o diagnóstico de TB, principalmente quando se observa a presença de BAAR na amostra examinada. Todavia, permanece a recomendação de proceder à cultura de fragmentos, conservados em solução fisiológica, para o diagnóstico definitivo de TB e diferenciação de outra micobacteriose.

Para o diagnóstico de TB pleural, peritoneal, pericárdica ou meningoencefálica, está indicada coleta de líquido das respectivas cavidades, acrescida de biópsia nos três primeiros casos. Os materiais obtidos devem ser encaminhados para exames citológico e bacteriológico, com baciloscopia e cultura, e histopatológico, no caso de obtenção de biópsia.

Na TB pleural, o líquido costuma ser um exsudato de coloração amarelo-citrino com conteúdo elevado de proteínas, lactato desidrogenase (LDH), aumento da atividade da adenosina-desaminase (ADA) > 40 UI/L, celularidade aumentada à custa de mononucleares/linfomonocitária e glicose normal ou ligeiramente diminuída em relação à dosagem sérica. Na TB peritoneal, pericárdica e meningoencefálica, o exame do líquido peritoneal, do líquido pericárdico e do LCS, respectivamente, apresenta resultados semelhantes aos supradescritos, com aumento na celularidade linfomonocitária e nas dosagens da ADA, proteínas e LDH; todavia, o LCS costuma ter aspecto límpido ou ligeiramente turvo, mas sem coloração amarelada. A baciloscopia nesses casos costuma ser negativa, e a cultura, embora possa ser positiva, frequentemente se mostra negativa, devido à escassez de bacilos nessas lesões. Assim, nos casos de TB pleural, pericárdica e peritoneal, o diagnóstico histopatológico, com identificação de lesão granulomatosa necrosante caseosa, adquire importância fundamental, além da cultura de fragmentos de biópsia para pesquisa de micobactérias.

Na suspeita de TB meningoencefálica com LCS claro, impõe-se o diagnóstico diferencial com meningite viral ou fúngica (criptocócica), mediante a pesquisa de fungos e a realização de testes diagnósticos sorológicos para vírus. Para melhor conclusão do diagnóstico diferencial, é de grande importância a avaliação minuciosa e atenta do contexto clínico à procura de outras evidências que possam corroborar ou excluir o diagnóstico de TB. A hemocultura para micobactérias só está indicada nos pacientes imunossuprimidos com suspeita de TB não confirmada pelos métodos de rotina.[22]

O TRM-TB pode ser uma ferramenta útil para o diagnóstico de TB extrapulmonar, embora ainda não seja recomendado para todas as formas da doença. A sensibilidade e a especificidade são melhores nas formas pleural, meníngea, urinária, peritoneal e pericárdica; no entanto, ainda não existe recomendação segura para a utilização do TRM-TB no diagnóstico de outras formas de TB extrapulmonar. Diante da dificuldade de obtenção de espécimes clínicos e isolamento do *M. tuberculosis* na investigação de formas extrapulmonares, deve-se utilizar, sempre que disponível, a PT ou o IGRA como instrumentos auxiliares ao diagnóstico.[40]

## TRATAMENTO

### Princípios gerais

Os princípios que norteiam o tratamento da TB encontram-se bem estabelecidos e bem documentados na literatura, com benefício encontrado sobretudo para rifampicina, isoniazida, pirazinamida, etambutol, quinolonas, além de fármacos de segunda linha, como etionamida e aminoglicosídeos.[41-43]

**O tratamento é oferecido em regime ambulatorial e realizado sob supervisão em unidades básicas de saúde ou unidades de referência secundária para os pacientes portadores de comorbidades graves, que demandem atendimento especializado, ou para aqueles que necessitam de esquemas especiais em decorrência de manifestações de toxicidade grave com o esquema básico ou portadores de cepas de *M. tuberculosis* resistentes a um ou mais fármacos, podendo ser monorresistentes, multirresistentes ou extensivamente resistentes.**

Uma vez definido o diagnóstico, o início do tratamento deve ser acompanhado de ações que busquem garantir a adesão do paciente e minimizar os riscos de irregularidades ou de abandono do tratamento. Nesse sentido, são fundamentais a prescrição clara e as orientações sobre a tomada correta e diária dos medicamentos, bem como a sua supervisão direta sempre que possível, pelo menos para os indivíduos bacilíferos B,[44,45] de acordo com a estratégia operacional e as modalidades de supervisão preconizadas pelo MS.[11,46]

Os pacientes devem ser devidamente esclarecidos sobre a sua doença e o tratamento a ser realizado, sua duração, controles a serem realizados, critérios de cura e os riscos decorrentes do uso irregular ou insuficiente dos medicamentos. É muito importante o acolhimento pela equipe de saúde no sentido de procurar conhecer melhor a realidade sociocultural do paciente e desfazer mitos e preconceitos relacionados com a TB que possam representar entraves ao sucesso do tratamento. No primeiro atendimento, deve-se proceder ao agendamento para exame dos contatos domiciliares, enfatizando a sua importância para o devido controle da enfermidade. A assistência ao paciente e aos seus contatos deve ser realizada na unidade de saúde mais próxima de onde ele reside, que disponha de equipe devidamente treinada para o manejo da TB segundo as normas do MS, excetuando-se pacientes que demandem atendimentos especiais em locais de referência.

A hospitalização pode ser indicada para alguns pacientes, com a menor duração possível, suficiente para a resolução do problema que a motivou. Está recomendada internação hospitalar para indivíduos que apresentem uma das seguintes situações:
→ condições sociais precárias, sem residência fixa, com elevado risco de abandono do tratamento, principalmente em caso de desnutridos graves ou em retratamento por falência de tratamento anterior ou por multirresistência;
→ portadores de formas graves de TB, sobretudo meningoencefalite, sem condições clínicas para tratamento ambulatorial;
→ intercorrências clínicas ou cirúrgicas próprias da TB ou de comorbidades que demandam realização de procedimentos hospitalares;
→ intolerância ou manifestações graves de toxicidade medicamentosa de difícil manejo ambulatorial.

Durante a internação, os pacientes bacilíferos devem permanecer em isolamento respiratório com medidas de precaução para aerossóis (ver Capítulo Controle de Infecções Relacionadas à Assistência à Saúde). O isolamento deve ser mantido até a negativação da baciloscopia do escarro ou pelo menos nos primeiros 15 dias de tratamento, a fim de minimizar o risco de transmissão da TB no ambiente hospitalar. Após a alta hospitalar, os pacientes devem ser encaminhados para acompanhamento em ambulatório até a conclusão do tratamento.[11]

### Bases bacteriológicas e farmacológicas

*Mycobacterium tuberculosis* é um microrganismo de crescimento lento, cuja atividade metabólica varia ao longo do tempo e na dependência das condições do ambiente no interior das lesões, principalmente no que se refere à oferta de oxigênio e nutrientes específicos e ao pH. Nas lesões tuberculosas, essas condições são variáveis e, como consequência, existem bacilos em diferentes estágios metabólicos: em franca atividade metabólica e replicação celular contínua, o que resulta na produção de grandes populações bacterianas e na frequente ocorrência de mutações espontâneas, que podem conferir resistência bacilar aos fármacos; e inativos, que podem entrar em atividade a qualquer tempo, ou apresentar atividade intermitente, responsáveis pela persistência bacilar nas lesões e pela sua reativação, podendo ocasionar recidiva da doença após o tratamento.

A fim de atingir todas as populações bacterianas nas lesões, os esquemas de tratamento da TB necessitam de fármacos com boa penetração tecidual, inclusive com ação no interior de macrófagos, e com propriedades antimicrobianas específicas que garantam melhor eficácia. Os principais pré-requisitos para a eficácia dos fármacos anti-TB são:
→ atividade bactericida precoce, definida como a propriedade dos fármacos de eliminar rapidamente os bacilos nos primeiros dias do tratamento, reduzindo em curto espaço de tempo a população bacteriana e, como consequência, o risco de contágio;
→ atividade esterilizante, que consiste na capacidade de eliminar os bacilos ditos "persistentes" e, assim, reduzir as chances de recidiva da doença após a conclusão do tratamento;
→ capacidade de prevenir o desenvolvimento de resistência, conferindo proteção aos demais fármacos usados em associação no esquema e aumentando as chances de cura.

Para conseguir esses objetivos, são necessários esquemas de tratamento compostos por associação de fármacos com ação bactericida, utilizados por tempo suficiente para permitir a eliminação dos bacilos persistentes e completa esterilização das lesões. A composição dos esquemas e a duração do tratamento são definidas a partir de ensaios clínicos controlados e baseiam-se na taxa de resistência natural das cepas bacterianas predominantes na população aos fármacos em uso e na determinação da eficácia.

## Esquemas de tratamento recomendados

O consenso atual preconiza a combinação de fármacos como forma de potencializar a efetividade e diminuir os índices de resistência. O esquema básico de tratamento atualmente recomendado pela OMS e adotado no Brasil encontra-se na TABELA 151.3. É composto por uma fase inicial, de ataque, com quatro fármacos – rifampicina, isoniazida, pirazinamida e etambutol – fornecidos em dose fixa combinada, com tomada do medicamento por via oral em dose única diária, com duração de 2 meses, seguido de uma fase de manutenção com dois fármacos – rifampicina e isoniazida –, com tomada diária por 4 meses[47] **B**. Esse esquema está indicado para o tratamento de todos os pacientes com idade > 10 anos, com TB pulmonar ou extrapulmonar. Nas crianças com idade < 10 anos, recomenda-se o esquema sem o etambutol (TABELA 151.4), devido ao risco de toxicidade com comprometimento da visão. Na meningoencefalite tuberculosa, a fase de manutenção tem duração de 10 meses, totalizando 12 meses[48] **C/D** (TABELA 151.5). Os medicamentos são fornecidos gratuitamente nas unidades de saúde onde o paciente é acompanhado durante o tratamento. A TABELA 151.6 sumariza os esquemas de tratamento em diversas situações e local do tratamento.

Para o sucesso do tratamento, devem ser seguidas orientações especiais referentes à tomada do medicamento e ao controle da evolução do caso:

1. na primeira consulta, proceder ao registro dos dados de identificação, endereço, etc., e notificação do caso em formulário próprio fornecido pelo MS. Recomenda-se, para todos os casos, a realização de teste rápido ou Elisa para HIV após o devido esclarecimento e consentimento do paciente;
2. sempre que possível, realizar o tratamento diretamente observado (TDO), pelo menos nos 2 primeiros meses, ou seja, a tomada diária do medicamento deve ser feita sob supervisão de um profissional de saúde na unidade de atendimento ao paciente ou por um agente comunitário de saúde no domicílio do paciente[47] **B**. Durante a fase de manutenção, se possível, manter a supervisão diária ou pelo menos 2 a 3 ×/semana;
3. agendar consulta médica mensal durante todo o tratamento. Devem ser registrados os dados referentes à evolução clínica e eventuais efeitos colaterais e respectivas condutas adotadas; realizar coleta de escarro para controle baciloscópico em cada consulta. Em caso de baciloscopia positiva no final do 2º mês de tratamento, deve ser coletada nova amostra para cultura e teste de sensibilidade aos fármacos do esquema básico;
4. encaminhar para unidade de referência caso seja detectado efeito colateral grave, necessidade de uso de esquema especial de tratamento por intolerância/

**TABELA 151.3** → Esquema básico para o tratamento da tuberculose em adultos e adolescentes (idade ≥ 10 anos)

| REGIME* | FÁRMACOS | FAIXA DE PESO | UNIDADE/DOSE | DURAÇÃO |
|---|---|---|---|---|
| RHZE | RHZE 150/75/400/275 mg (comprimidos em doses fixas combinadas) | 20-35 kg | 2 comprimidos | 2 meses (fase intensiva ou de ataque) |
| | | 36-50 kg | 3 comprimidos | |
| | | 51-70 kg | 4 comprimidos | |
| | | > 70 kg | 5 comprimidos | |
| RH | RH 300/150 mg[†] ou 150/75 mg (comprimidos em doses fixas combinadas) | 20-35 kg | 1 comprimido de 300/150 mg ou 2 comprimidos de 150/75 mg | 4 meses (fase de manutenção) |
| | | 36-50 kg | 1 comprimido de 300/150 mg + 1 comprimido de 150/75 mg ou 3 comprimidos de 150/75 mg | |
| | | 51-70 kg | 2 comprimidos de 300/150 mg ou 4 comprimidos de 150/75 mg | |
| | | > 70 kg | 2 comprimidos de 300/150 mg + 1 comprimido de 150/75 mg ou 5 comprimidos de 150/75 mg | |

* R, rifampicina; H, isoniazida; Z, pirazinamida; E, etambutol.
[†] As apresentações em comprimidos de rifampicina/isoniazida de 300/150 mg devem ser adotadas assim que possível.
Fonte: Brasil.[11]

**TABELA 151.4** → Esquema básico para o tratamento da tuberculose em crianças (idade < 10 anos)

| REGIME*/DURAÇÃO | FÁRMACOS | FAIXA DE PESO | | | | | | |
|---|---|---|---|---|---|---|---|---|
| | | ATÉ 20 kg | ≥ 21-25 kg | ≥ 26-30 kg | ≥ 31-35 kg | ≥ 36-39 kg | ≥ 40-44 kg | ≥ 45 kg |
| | | mg/kg/dia | mg/dia | mg/dia | mg/dia | mg/dia | mg/dia | mg/dia |
| RHZ (2 meses) | Rifampicina | 15 (10-20) | 300 | 450 | 500 | 600 | 600 | 600 |
| | Isoniazida | 10 (7-15) | 200 | 300 | 300 | 300 | 300 | 300 |
| | Pirazinamida | 35 (30-40) | 750 | 1.000 | 1.000 | 1.500 | 1.500 | 2.000 |
| RH (4 meses) | Rifampicina | 15 (10-20) | 300 | 450 | 500 | 600 | 600 | 600 |
| | Isoniazida | 10 (7-15) | 200 | 300 | 300 | 300 | 300 | 300 |

* R, rifampicina; H, isoniazida; Z, pirazinamida; E, etambutol.
Fonte: Brasil.[11]

**TABELA 151.5** → Esquema básico para o tratamento da tuberculose meningoencefálica e osteoarticular em adultos e adolescentes (idade ≥ 10 anos)

| REGIME* | FÁRMACOS | FAIXA DE PESO | UNIDADE/DOSE | DURAÇÃO |
|---|---|---|---|---|
| RHZE | RHZE 150/75/400/275 mg (comprimidos em doses fixas combinadas) | 20-35 kg | 2 comprimidos | 2 meses (fase intensiva ou de ataque) |
| | | 36-50 kg | 3 comprimidos | |
| | | 51-70 kg | 4 comprimidos | |
| | | > 70 kg | 5 comprimidos | |
| RH | RH 300/150 mg[†] ou 150/75 mg (comprimidos em doses fixas combinadas) | 20-35 kg | 1 comprimido de 300/150 mg ou 2 comprimidos de 150/75 mg | 10 meses (fase de manutenção) |
| | | 36-50 kg | 1 comprimido de 300/150 mg + 1 comprimido de 150/75 mg ou 3 comprimidos de 150/75 mg | |
| | | 51-70 kg | 2 comprimidos de 300/150 mg ou 4 comprimidos de 150/75 mg | |
| | | > 70 kg | 2 comprimidos de 300/150 mg + 1 comprimido de 150/75 mg ou 5 comprimidos de 150/75 mg | |

* R, rifampicina; H, isoniazida; Z, pirazinamida; E, etambutol.
[†] As apresentações em comprimidos de rifampicina/isoniazida de 300/150 mg devem ser adotadas assim que possível.
Fonte: Brasil.[11]

**TABELA 151.6** → Esquemas de tratamento preconizados segundo situação de tratamento do paciente e local de manejo clínico preferencial

| SITUAÇÃO | ESQUEMA INDICADO | LOCAL DE REALIZAÇÃO |
|---|---|---|
| Caso novo* | Esquema básico | Atenção primária à saúde |
| **Retratamento**[†] Recidiva após cura Reingresso após abandono | Esquema básico | Atenção primária à saúde |
| **Tuberculose meningoencefálica e osteoarticular** | Esquema básico para meningoencefalite e osteoarticular | Hospital inicialmente e atenção secundária após alta hospitalar[‡] |
| **Tratamentos especiais** Toxicidade, intolerância ou impedimentos ao uso do esquema básico e avaliação de falência terapêutica[§] | Esquemas especiais | Referência secundária[‡] |
| **Falência terapêutica por resistência e Resistência comprovada** | Esquemas especiais para resistências | Referência terciária[‡] |

* Caso novo ou virgem de tratamento (VT): paciente nunca submetido ao tratamento anti-TB ou realização de tratamento por período < 30 dias.
[†] Retratamento: paciente que já fez o tratamento anti-TB por período > 30 dias e que necessita de novo tratamento após abandono ou por recidiva (após a cura ou tratamento completo).
[‡] Recomendado tratamento diretamente observado (TDO) compartilhado com a atenção primária.
[§] Falência terapêutica: paciente que apresenta persistência de baciloscopia de escarro positiva ao final do tratamento; paciente que inicialmente apresentava baciloscopia fortemente positiva (++ ou +++) e mantém essa positividade até o 4º mês de tratamento; e paciente com baciloscopia inicialmente positiva, seguida de negativação e nova positividade, por 2 meses consecutivos, a partir do 4º mês de tratamento.
Fonte: Brasil.[11]

toxicidade ou comorbidade grave, ou quando for identificada cepa de BK resistente aos fármacos do esquema básico;

5. não realizar radiografia de tórax para o controle do tratamento, exceto por ocasião da alta, caso seja necessária comparação com a radiografia inicial, como nos pacientes com formas iniciais de TB com lesões pulmonares muito extensas, TB miliar ou TB pulmonar com escarro negativo tratados com diagnóstico de probabilidade com base em achados radiográficos.

Concluídos os 6 meses de tratamento regular com exames bacteriológicos de controle negativos e evolução clínica e radiológica satisfatórias, o paciente pode receber alta por cura. Indivíduos com tratamentos especiais decorrentes de toxicidade do esquema básico ou de comorbidades graves ou com falência do tratamento detectada mediante exames bacteriológicos persistentemente positivos devem ser imediatamente encaminhados para unidades de referência secundária, a fim de proceder à investigação de resistência bacteriana mediante cultura e teste de sensibilidade a fármacos, havendo indicação, nesses casos, de reiniciar o tratamento com esquemas apropriados para cada caso.

Doentes que venham a morrer no decorrer do tratamento devem ter o caso encerrado como óbito por TB ou por causa não relacionada à doença, quando for o caso.

Deve ser considerado abandono de tratamento quando o paciente permanece faltoso por período > 30 dias após a data da última consulta ou quando deixa de tomar o medicamento por período ≥ 30 dias. Aqueles que mudarem de residência no decurso do tratamento devem ser transferidos para unidades de saúde mais próximas da nova moradia. Para os doentes faltosos em risco de abandono do tratamento, recomenda-se busca ativa e reinserção na sua rotina de tratamento, procurando sempre atuar nos motivos que o levaram a ter essa atitude.

## Efeitos colaterais ao tratamento

A maioria dos pacientes submetidos ao tratamento da TB consegue finalizá-lo sem efeitos colaterais relevantes. Os fatores relacionados com as reações adversas são diversos e, entre os descritos na literatura, os maiores determinantes dessas reações são: dose e horários de administração do medicamento, idade, estado nutricional, alcoolismo, gravidez, condições da função hepática e renal, e coinfecção pelo HIV.[49]

De modo geral, as principais reações adversas incluem as de natureza irritativa, alérgica e tóxica. A intolerância gastrintestinal ocorre pela ação irritativa dos medicamentos. As reações alérgicas podem ser leves (urticária, *rash*, prurido) ou graves (choque anafilático, discrasias sanguíneas, vasculites, nefrite intersticial). Reações adversas mais graves podem ocorrer, principalmente lesões hepáticas, com icterícia colestática ou hepatite medicamentosa grave, nefrite intersticial por rifampicina e outras.[50] Nas **TABELAS 151.7** e **151.8**, estão relacionados, respectivamente, os efeitos colaterais menores e maiores que podem ser esperados durante o tratamento e as condutas preconizadas em cada caso.

**TABELA 151.7** → Efeitos colaterais menores ao tratamento antituberculose

| EFEITO COLATERAL | PROVÁVEL(IS) FÁRMACO(S) RESPONSÁVEL(IS)* | CONDUTA |
|---|---|---|
| Náusea, vômito, dor abdominal | R H Z E | Reformular o horário da administração do medicamento (2 horas após o café da manhã ou com o café da manhã); considerar o uso de medicamento sintomático; avaliar a função hepática |
| Suor/urina de cor avermelhada | R | Orientar |
| Prurido ou exantema leve | H R | Medicar com anti-histamínico |
| Dor articular | Z H | Prescrever analgésicos ou anti-inflamatórios não esteroides |
| Neuropatia periférica | H (comum) E (incomum) | Prescrever piridoxina (vitamina B₆) na dose de 50 mg/dia |
| Hiperuricemia sem sintomas | Z | Orientar dieta hipopurínica |
| Hiperuricemia com artralgia | Z E | Orientar dieta hipopurínica e medicar com alopurinol e colchicina, se necessário |
| Cefaleia, ansiedade, euforia, insônia | H | Orientar |
| Febre | H R | Orientar e prescrever antitérmico |

* R, rifampicina; H, isoniazida; Z, pirazinamida; E, etambutol.
Fonte: Brasil.[11]

## Tuberculose resistente a múltiplos fármacos e extensivamente resistente

Embora a resistência aos fármacos anti-TB seja um fenômeno já conhecido e descrito desde a década de 1950, como a resistência à estreptomicina no início da era quimioterápica, apenas nas últimas duas décadas o fato passou a representar um importante fator de morbimortalidade por TB e assumiu dimensões alarmantes em várias regiões do mundo.[2] A definição de tuberculose resistente a múltiplos fármacos (TB-MDR), segundo critérios internacionais, refere-se à doença causada por *M. tuberculosis* que apresenta resistência in vitro à rifampicina e à isoniazida.[2,51]

Entretanto, uma ameaça ainda mais grave tem mobilizado e exigido medidas emergenciais mais efetivas em relação ao avanço e ao controle da TB resistente por parte das autoridades em saúde pública e da comunidade científica. Em 2006, foram registrados os primeiros casos de TB extensivamente resistente (TB-XDR, do inglês *extensively drug-resistant*),[11] em uma província da África do Sul. Os casos caracterizavam-se por gravidade extrema, em sua maioria em pacientes coinfectados pelo HIV, com alto índice de letalidade.[52] Após os casos ocorridos na África do Sul, a OMS definiu como casos de TB-XDR aqueles produzidos por cepas resistentes à rifampicina e à isoniazida, uma fluoroquinolona e um dos três fármacos injetáveis de segunda linha – amicacina, canamicina ou capreomicina.[52,53]

Embora o fenômeno conhecido como resistência a fármacos anti-TB seja um fenômeno natural, que ocorre de forma aleatória em colônias de *M. tuberculosis* com elevado

**TABELA 151.8** → Efeitos colaterais maiores ao tratamento antituberculose

| EFEITO COLATERAL | PROVÁVEL(IS) FÁRMACO(S) RESPONSÁVEL(IS)* | CONDUTA |
|---|---|---|
| Exantema ou hipersensibilidade de moderada a grave | R H Z E S | Suspender o tratamento; reintroduzir os medicamentos um a um após a resolução do quadro; substituir o esquema nos casos reincidentes ou graves por esquemas especiais sem o medicamento causador do efeito |
| Psicose, crise convulsiva, encefalopatia tóxica ou coma | H | Suspender a H; reiniciar esquema especial sem o referido medicamento (referência secundária) |
| Neurite óptica | E | Suspender o E; reiniciar esquema especial sem o referido medicamento (referência secundária). É dose-dependente; quando detectada precocemente, é reversível; raramente causa toxicidade ocular durante os 2 primeiros meses com as doses recomendadas |
| Hepatotoxicidade | Z H R | Suspender o tratamento; aguardar a melhora dos sintomas e a redução dos valores das enzimas hepáticas; reintroduzir um a um após avaliação da função hepática, considerar a possibilidade de reintrodução do esquema básico ou substituto (referência secundária) |
| Hipoacusia, vertigem, nistagmo | S | Suspender a S; reiniciar esquema especial sem o referido medicamento (referência secundária) |
| Trombocitopenia, leucopenia, eosinofilia, anemia hemolítica, agranulocitose, vasculite | R | Suspender a R; reiniciar esquema especial sem o referido medicamento (referência secundária) |
| Nefrite intersticial | R | Suspender a R; reiniciar esquema especial sem o referido medicamento (referência secundária) |
| Rabdomiólise com mioglobinúria e insuficiência renal | Z | Suspender a Z; reiniciar esquema especial sem o referido medicamento (referência secundária) |

* R, rifampicina; H, isoniazida; Z, pirazinamida; E, etambutol; S, estreptomicina.
Fonte: Brasil.[11]

número de organismos (resultante de mutações espontâneas no genoma do *M. tuberculosis*), a ocorrência de cepas TB-MDR é um fenômeno produzido, também, pela ação do homem.[54-56] Conhecida como pressão seletiva aos fármacos anti-TB, subpopulações resistentes do microrganismo são selecionadas na presença de fármacos anti-TB, em grande parte porque são inadequadamente administrados, devido à combinação inapropriada, à subdose, à baixa qualidade dos fármacos produzidos ou, ainda, a problemas intrínsecos ao paciente, como má absorção, uso irregular dos medicamentos e abandono da terapia prescrita. Esses casos constituem a resistência adquirida.[54,55]

Em 2018, a OMS estimou globalmente 500 mil casos de TB-MDR/TB-RR, sendo que apenas um terço destes foram registrados para tratamento, com uma taxa de sucesso de 56%.[2] No Brasil, no mesmo período foram registrados 548 casos de TB-MDR/TB-RR. Apesar da baixa prevalência de casos de TB-MDR no País, há risco potencial de disseminação desses casos. O surgimento de novos casos de TB-MDR está fortemente relacionado com a dificuldade dos serviços de saúde em promover um controle efetivo dos novos casos de TB. A identificação da resistência do *M. tuberculosis* aos fármacos é realizada laboratorialmente mediante cultura e testes de sensibilidade em meio sólido ou no MGIT. O TRM-TB é uma importante ferramenta na triagem da resistência à rifampicina nos casos recém-diagnosticados e naqueles com falência do tratamento inicial ou com recidiva da TB. A cultura é recomendada em todos os casos encaminhados para tratamento nas unidades de referência terciária para confirmação da resistência detectada (ver algoritmos de recomendações para uso e interpretação do resultado do TRM-TB no *Manual de recomendações para o controle da tuberculose no Brasil*, PNCT/MS, 2ª edição, 2019).[11]

## TUBERCULOSE EM SITUAÇÕES ESPECIAIS
### Coinfecção com HIV/Aids

Desde a década de 1980, a pandemia do HIV tem sido um dos principais fatores que contribui para o aumento do número de casos de TB, tanto nos países desenvolvidos quanto nos países em desenvolvimento. O HIV alterou o equilíbrio entre o homem e o BK, com impacto evidente na epidemiologia, na história natural e na evolução clínica da TB. A coinfecção TB/HIV resulta em taxas de mortalidade mais altas do que as da infecção somente pelo HIV. PVHIVs têm maior risco de reativação da ILTB devido à resposta imunológica deficiente.[57]

> A CGDR recomenda que todos os pacientes diagnosticados com TB sejam submetidos à investigação para o HIV, e toda PVHIV deve ser submetida à investigação de ILTB por meio da PT e/ou IGRA. PVHIVs com linfócitos CD4+ < 350 células/mm³ devem receber tratamento para ILTB independentemente do TT.[11]

No Brasil, os programas de controle da TB e HIV/Aids são normativos e o MS recomenda ações integradas para o alcance de metas estabelecidas, como realização da PT e acesso ao tratamento da ILTB quando indicado, diagnóstico e tratamento precoce para TB, e acesso ao tratamento antirretroviral.[11]

A investigação de TB em PVHIV é semelhante ao que se recomenda para a população em geral; contudo, dependendo do grau de imunossupressão, achados incomuns podem ocorrer, especialmente em caso de contagem de linfócitos CD4+ < 200 células/mm³. Esse fato pode acarretar atraso no diagnóstico e, consequentemente, no início do tratamento com impactos negativos na recuperação do paciente e na taxa de letalidade por TB.[11] Por isso, recomenda-se para todas as PVHIVs, adultos e adolescentes atendidos nos serviços de saúde, o questionamento quanto à presença de tosse – independentemente da duração –, febre, perda de peso e sudorese noturna. A presença de um ou mais desses sintomas justifica proceder à investigação de TB ou de outras doenças oportunistas.

Apesar da gravidade da TB em indivíduos com HIV, ainda há muitas pessoas para as quais o teste rápido ou exame sorológico para HIV não é solicitado, dificultando o manejo clínico e retardando a cura do paciente. Conforme observado em alguns estudos,[11,58] exames de escarro negativos em pacientes com TB pulmonar podem ser atribuídos à imunodeficiência. Essa tendência deve indicar a necessidade de TRM-TB e cultura com teste de sensibilidade para todas as PVHIVs.[11,17]

Assim que se estabelece o diagnóstico de coinfecção TB/HIV, recomenda-se o início imediato de tratamento anti-TB. A introdução da terapia antirretroviral (TARV) deve obedecer a contagem de linfócitos CD4+. Para pacientes virgens de tratamento de TARV, com sinais avançados de imunossupressão, ou seja, com contagem de CD4+ < 50 células/mm³, é recomendado o início da TARV em até 2 semanas após o início do tratamento anti-TB **A**. Para os pacientes com CD4+ > 50 células/mm³, recomenda-se o início da TARV até a 8ª semana do início do tratamento anti-TB[59] **A**. O motivo do adiamento do tramento com TARV nesses casos é a possibilidade de eventos adversos tanto relacionados com os medicamentos anti-TB quanto com os ARV, além de reações paradoxais.[40,60,61] Os esquemas de tratamento recomendados são os mesmos para os pacientes HIV-negativo, com a possibilidade de substituição da rifampicina pela rifabutina em paciente utilizando ARV incompatível com rifampicina **B**.[11,61] Recomenda-se a realização da genotipagem do HIV pré-tratamento nos pacientes com coinfecção TB/HIV virgens de tratamento com ARV.[11,59]

> Pacientes com diagnóstico de meningoencefalite tuberculosa devem iniciar TARV 8 semanas após o início do tratamento anti-TB, devido à maior possibilidade de ocorrência de evento adverso e elevação da pressão intracraniana. Dessa forma, apesar de grave, o início precoce da TARV não traz benefício imediato.[11,61]

### Crianças (tuberculose na infância)

O diagnóstico de TB na criança ainda é um grande desafio quando comparado ao do adulto. Isso ocorre porque os sinais, sintomas e padrões radiológicos dessa doença na infância são inespecíficos, além da baixa positividade bacteriológica em materiais como escarro e lavado gástrico, dificultando a suspeição clínica e postergando o diagnóstico da doença.[48,62]

O espectro clínico da doença em crianças varia desde formas assintomáticas até formas graves disseminadas, com emagrecimento importante, podendo ser letal. O achado que mais chama a atenção é a febre moderada prolongada, frequentemente vespertina. Também podem estar presentes astenia, adinamia, irritabilidade, perda de peso, tosse e sudorese noturna; a hemoptise é rara. Outro ponto importante é a investigação sobre história recente de contato com pessoas com TB bacilífera.[62-65]

O exame radiológico de tórax, apesar de pouco específico, é um dos pilares para o diagnóstico de TB na infância. Costuma apresentar infiltrado parenquimatoso pulmonar, associado ou não à adenomegalia hilar ou paratraqueal, diferentemente do observado na TB pós-primária em adultos, sendo mais comum a localização nos terços médios e inferiores dos pulmões.[62] Por outro lado, a apresentação radiológica em adolescentes assemelha-se àquela observada nos adultos, com apresentação cavitária e acometimento das porções superiores dos pulmões.[63]

Os achados micobacteriológicos são muito importantes para o diagnóstico presuntivo ou para a confirmação da doença, embora seja difícil obtê-los. Contudo, há indicação de coleta de amostras de escarro espontâneo, principalmente em adolescentes (> 10 anos). Para as crianças menores, em especial aquelas com idade < 5 anos, a coleta de material de origem pulmonar por meio de lavado gástrico é uma possibilidade, devendo ser encaminhado para TRM-TB associado à cultura, podendo ser realizada em nível ambulatorial sem perda da acurácia, quando comparada ao mesmo procedimento realizado em ambiente hospitalar.[62]

O uso da técnica de escarro induzido para obtenção de espécime clínico em crianças também é possível. Esse método foi descrito com ótimos resultados quando comparado com amostras sequenciais de lavado gástrico. Entretanto, ainda que a técnica se mostre segura, rápida, realizada em nível ambulatorial e aparentemente custo-efetiva, não é um procedimento comum em nosso meio, uma vez que exige condições adequadas de biossegurança.[66]

A PT pode ser especialmente útil no diagnóstico da infecção tuberculosa em crianças vacinadas ou não com BCG. Desvio para a esquerda e anemia no hemograma podem auxiliar na elucidação do diagnóstico de TB na infância.

O MS adotou um sistema de pontuação para auxiliar no diagnóstico de TB pulmonar em crianças, já validado, baseado em achados clínicos e radiológicos, na PT, em história de contato prévio com pessoa sabidamente tuberculosa e no estado nutricional (TABELA 151.9).[63,65]

As formas extrapulmonares de TB na infância são menos frequentes, em torno de 20%, sobressaindo-se as formas ganglionar periférica, pleural, óssea e meningoencefálica. Na maioria das vezes, a TB extrapulmonar é consequente à disseminação hematogênica no período de ocorrência da primoinfecção tuberculosa, podendo manifestar-se como doença muitos anos depois do contato inicial.[62] Crianças com coinfecção com HIV podem apresentar sintomas não clássicos, o que pode retardar o diagnóstico da doença.

**A indicação de esquema padronizado para o tratamento de TB em crianças independe da forma clínica. Para as crianças (idade < 10 anos), o esquema continua sendo com três fármacos: rifampicina (10 mg/kg), isoniazida (10 mg/kg) e pirazinamida (35 mg/kg) (47) B. Uma das justificativas para a não utilização do etambutol é a dificuldade de identificar precocemente a neurite óptica nessa faixa etária. Para os adolescentes (idade ≥ 10 anos), utiliza-se o esquema básico (rifampicina, isoniazida, pirazinamida e etambutol) ajustado conforme o peso. Para o tratamento de TB meningoencefálica e osteoarticular preconiza-se um período de 12 meses, sendo uma fase de ataque de 2 meses seguida de manutenção por 10 meses C/D.[47] Crianças com TB vivendo com HIV ou desnutridas devem receber suplementação de piridoxina (vitamina $B_6$) (5-10 mg/dia) C/D.[11]**

Para melhor compreensão das diretrizes para o controle da TB na população pediátrica, sugere-se leitura do documento da OMS específico para essa população,[48] bem como as normas brasileiras vigentes.

## Gestação

A TB congênita, embora rara, dá-se pela disseminação transplacentária do BK ou pela aspiração ou deglutição de material infectado durante a passagem da criança pelo canal de parto. A prevenção é possível por meio de diagnóstico precoce e instituição do tratamento adequado para a gestante.[62]

**TABELA 151.9** → Diagnóstico da tuberculose (TB) pulmonar em crianças e adolescentes com baciloscopia negativa ou teste rápido molecular para tuberculose (TRM-TB) não detectado

| QUADRO CLÍNICO E RADIOLÓGICO | | CONTATO DE ADULTO COM TUBERCULOSE | PROVA TUBERCULÍNICA (PT) | ESTADO NUTRICIONAL |
|---|---|---|---|---|
| Febre ou sintomas como tosse, adinamia, expectoração, emagrecimento, sudorese por período ≥ 2 semanas | Adenomegalia hilar ou padrão miliar e/ou Condensação ou infiltrado (com ou sem escavação) inalterado por período ≥ 2 semanas e/ou Condensação ou infiltrado (com ou sem escavação) por período ≥ 2 semanas, evoluindo com piora ou sem melhora com antibióticos para germes comuns | Próximo, nos últimos 2 anos | PT entre 5-9 mm **5 pontos** PT ≥ 10 mm | Desnutrição grave (peso/altura < percentil 10) |
| 15 pontos | 15 pontos | 10 pontos | 10 pontos | 5 pontos |
| Assintomático ou com sintomas há um período < 2 semanas | Condensação ou infiltrado de qualquer tipo por período < 2 semanas | Ocasional ou negativo | PT < 5 mm | Peso/altura ≥ percentil 10 |
| 0 pontos | 5 pontos | | | |
| Infecção respiratória com melhora após o uso de antibióticos para germes comuns ou sem antibióticos | Radiografia normal | | | |
| −10 pontos | −5 pontos | 0 ponto | 0 ponto | 0 ponto |

Interpretação:
→ ≥ 40 pontos (diagnóstico muito provável): recomenda-se iniciar tratamento para TB.
→ 30-45 pontos (diagnóstico provável): indicativo de TB, orienta-se iniciar tratamento a critério médico.
→ < 25 pontos (diagnóstico pouco provável): deve-se prosseguir com a investigação na criança. Deve ser feito diagnóstico diferencial com outras doenças pulmonares e podem ser empregados métodos complementares de diagnóstico, como baciloscopia e cultura de escarro induzido ou de lavado gástrico, broncoscopia, histopatológico de punções e outros exames de métodos rápidos.

Fonte: Adaptada de Sant'Anna e colaboradores;[62] Brasil.[11]

O diagnóstico de TB na gravidez é feito do mesmo modo que em mulheres não grávidas. Na presença de sintomatologia respiratória, deve-se iniciar a investigação de rotina para o diagnóstico da TB com realização de baciloscopia e cultura de escarro ou TRM-TB (se disponível); caso sejam negativas e persista a suspeita clínica, está indicada radiografia de tórax, com proteção específica para o abdome (com avental de chumbo).[11,67]

**O esquema básico pode ser administrado a gestantes nas doses habituais, adicionando-se piridoxina (50 mg/dia) pelo risco de comprometimento neurológico no recém-nascido, devido à isoniazida C/D. É contraindicado o uso de estreptomicina e quinolonas nesse período.[11,17]**

Sempre que possível, a mãe bacilífera deve evitar permanecer no mesmo ambiente que o recém-nascido até que seu escarro se torne negativo. Quando em contato com a criança, é recomendável o uso de máscaras cirúrgicas e de preferência em locais ventilados. Segundo o *Manual de recomendações para o controle da tuberculose no Brasil*,[11] não há contraindicação à amamentação, desde que a mãe não seja portadora de mastite tuberculosa. Recomenda-se o uso de máscara cirúrgica na mãe ao amamentar e cuidar da criança, caso ainda esteja bacilífera. Nesses casos, é indispensável observar as recomendações de quimioprofilaxia primária com isoniazida para a criança recém-nascida e a postergação da aplicação da vacina BCG.[11]

## Doença hepática

Sabe-se que os medicamentos utilizados no tratamento da TB apresentam interações com outros fármacos e podem aumentar o risco de hepatotoxicidade, mesmo quando usados de forma isolada. Em um pequeno número de pessoas, observa-se, nos 2 primeiros meses de tratamento, elevação assintomática dos níveis séricos das enzimas hepáticas (alanina-aminotransferase [ALT] e aspartato-aminotransferase [AST]), seguida de normalização espontânea, sem que se estabeleça qualquer manifestação clínica e sem necessidade de interrupção do tratamento-padrão.[11] O tratamento só deve ser interrompido quando os valores das enzimas hepáticas atingirem 5 vezes o valor normal em pacientes sem sintomas digestivos ou 3 vezes o valor normal, acompanhado de início de sintomas ou logo que a icterícia se manifeste. Nesse caso, o paciente deve ser encaminhado a uma unidade de referência secundária para acompanhamento clínico e laboratorial até que tenha seu quadro estabilizado.

Após a normalização das enzimas, o mesmo esquema básico deve ser utilizado, reintroduzindo os medicamentos na seguinte sequência: rifampicina + etambutol, seguida pela isoniazida e, por fim, a pirazinamida. A cada nova tentativa de reintrodução, o intervalo deve ser de 3 a 7 dias, antecedido de prova de função hepática. O tempo de tratamento é considerado a partir da data em que foi possível retomar o esquema terapêutico completo. Se os níveis das enzimas hepáticas não reduzirem para menos de 3 vezes o limite superior da normalidade em 4 semanas ou em casos graves de TB, deve-se iniciar esquema alternativo conforme descrito na **TABELA 151.10**.[11]

Recomenda-se solicitar exames laboratoriais (ALT/AST, bilirrubinas e fosfatase alcalina) no início e no decorrer do tratamento em pacientes adultos com idade > 60 anos, baixo peso, mau estado geral, história prévia de abuso de álcool, doença hepática ou hepatite, uso de outros medicamentos potencialmente hepatotóxicos e na coinfecção com HIV. Essa conduta tem papel decisivo para auxiliar o clínico quanto à necessidade do ajuste de doses e à prevenção de alterações hepáticas importantes que poderiam comprometer o tratamento da TB.[11,17,55]

## Doença renal

Para os indivíduos com TB e nefropatia, é necessário fazer ajustes nos medicamentos. Para isso, deve-se conhecer a depuração de creatinina, que é calculada da seguinte maneira:
- Para homens:
  - Depuração de creatinina = (140 – idade) × peso (kg)/72 × creatinina (mg/dL)
- Para mulheres:
  - Depuração de creatinina = (140 – idade) × peso (kg) × 0,85/72 × creatinina (mg/dL)

Na **TABELA 151.11**, encontram-se os ajustes nas doses e frequências dos medicamentos recomendados para uso em

**TABELA 151.10** → Tratamento da tuberculose (TB) em pacientes com doença hepática ou hepatotoxicidade

| CONDIÇÃO CLÍNICA | | ESQUEMA E TEMPO DE TRATAMENTO DE ACORDO COM ALT/AST | |
|---|---|---|---|
| Com doença hepática prévia: hepatite viral aguda, hepatopatia crônica (viral, autoimune, criptogênica), hepatopatia alcoólica, esteatose hepática | Sem cirrose | ALT/AST > 5 × LSN | 9 RELfx* ou 5 $Cm_3$ E Lfx / 7 E Lfx* |
| | | ALT/AST < 5 × LSN | Esquema básico |
| | Com cirrose | 5 $Cm_3$ E Lfx / 7 E Lfx* | |
| Sem doença hepática prévia: hepatotoxicidade ao esquema básico | ALT/AST ≥ 5 × LSN (sem sintomas) | Interromper o tratamento Monitorar a função hepática (a cada 3-7 dias) até normalização | Reintrodução do esquema básico (sequencial) RE RE + H REH + Z ou início de esquema especial pela referência secundária |
| | ALT/AST ≥ 3 × LSN (com sintomas, incluindo a presença de icterícia) | | |
| Casos graves de TB ou hepatotoxicidade grave | | Monitorar função hepática (a cada 3-7 dias) até normalização | 5 $Cm_3$ E Lfx / 7 E Lfx* |
| Níveis de ALT/AST ≥ 3 × LSN | | Se após 4 semanas mantiver ALT/AST ≥ 3 × LSN | |

Observações:
- As fluoroquinolonas induzem a resistência microbiana em curto espaço de tempo; sendo assim, recomenda-se tratamento diretamente observado (TDO).
- É possível substituir a capreomicina por estreptomicina quando sensível no TS e sem história de utilização prévia da estreptomicina.

* O primeiro número indica o tempo de tratamento (em meses); o segundo número indica a quantidade de dias durante a semana. Quando não há indicação, consideram-se 7 dias na semana.
ALT, alanina-aminotransferase; AST, aspartato-aminotransferase; Cm, capreomicina; E, etambutol; H, isoniazida; Lfx, levofloxacino; LSN, limite superior da normalidade; R, rifampicina; Z, pirazinamida.
Fonte: Brasil.[11]

**TABELA 151.11** → Ajuste das doses dos medicamentos em pacientes com nefropatia

| MEDICAMENTOS | AJUSTE EM IR (DEPURAÇÃO DE CREATININA < 30 mL/min) |
|---|---|
| Capreomicina | 12-15 mg/kg/dose, 2-3 ×/semana |
| Estreptomicina | 12-15 mg/kg/dose, 2-3 ×/semana |
| Etambutol | 15-25 mg/kg/dose, 3 ×/semana |
| Isoniazida | Nenhum ajuste é necessário |
| Levofloxacino | 750-1.000 mg/dose, 3 ×/semana |
| Pirazinamida | 25-35 mg/kg/dose, 3 ×/semana |
| Rifampicina | Nenhum ajuste é necessário |

Observação: Os medicamentos devem ser administrados preferencialmente após a diálise.

Fonte: Brasil.

pacientes nefropatas com depuração de creatinina < 30 mL/min ou para pacientes em diálise.

Atualmente, a Sociedade Brasileira de Nefrologia recomenda, para o cálculo da depuração de creatinina, os métodos MDRD GFR ou Cockcroft-Gault, disponíveis em https://sbn.org.br/utilidades/calculadoras/.

## Diabetes melito

Em países onde a taxa de incidência de casos de TB é alta, como o Brasil, há maior oportunidade de associação entre TB e diabetes melito (DM). De acordo com a OMS, 10% das pessoas com TB no mundo têm diabetes.[68] Indivíduos portadores de DM têm risco aproximadamente 3 vezes maior de apresentar TB ativa em algum momento de suas vidas, quando comparados com não portadores da doença.[69,70] O risco entre os pacientes que utilizam altas doses de insulina (> 40 unidades) parece ser maior do que naqueles que usam doses menores.[70]

Quando associada ao diabetes, a TB costuma ser mais grave, com maior grau de extensão e comprometimento pulmonar bilateral, fugindo ao padrão radiológico clássico, com maior probabilidade de localizações basais das lesões e com cavitações frequentes.[70] A positividade na baciloscopia e na cultura de escarro e o tempo de negativação da cultura após o início do tratamento, entre 2 e 3 meses, não são diferentes, quando comparados com pacientes não diabéticos.[70,71]

Outra preocupação diz respeito ao controle da glicemia. Infecções, de modo geral, pioram o controle glicêmico, e a TB não é uma exceção. Pacientes que inicialmente faziam uso de hipoglicemiantes orais podem necessitar de insulina durante o tratamento da TB, devido à interação entre a rifampicina e os hipoglicemiantes orais. A rifampicina é um indutor potente de uma série de enzimas metabolizadoras, incluindo o citocromo P450, o que pode acelerar o metabolismo dos hipoglicemiantes do tipo sulfonilureias (glibenclamida, glimepirida, glipizida) e, como consequência, reduzir o nível sérico desses medicamentos.[11,70] Por sua vez, a isoniazida pode diminuir a ação da metformina. Desse modo, cuidados especiais devem ser tomados em pacientes diabéticos com TB, como maior controle glicêmico durante todo o tratamento; caso este não seja alcançado, considerar a utilização de insulinoterapia. Na situação de maior tempo para negativação da baciloscopia nesses doentes, considerar o prolongamento da fase de manutenção do tratamento para 3 meses.[11] Recomenda-se, ainda, o uso de piridoxina (vitamina $B_6$), na dose de 50 mg/dia, durante o tratamento com isoniazida para pacientes com risco de neuropatia periférica **C/D**.[72]

Além disso, estudos constataram maior risco de falha no tratamento, de recidiva da TB e de morte entre os pacientes portadores de DM.[72]

## Idosos

Idosos são mais propensos a desenvolver formas extrapulmonares e atípicas da doença que, muitas vezes, são mais difíceis de diagnosticar do que a TB pulmonar nos pacientes bacilíferos. Os cuidados com idosos com TB são complicados por eventos adversos mais frequentes relacionados a fármacos e a multimorbidades, o que pode ser difícil de gerenciar em regiões onde os recursos de saúde já estão limitados.

Muitos pacientes idosos podem não apresentar as características clássicas da TB, como tosse, hemoptise, febre, sudorese noturna e perda de peso. Nessa população, a TB pode apresentar-se clinicamente com alterações na capacidade funcional, como atividades de vida diária, fadiga crônica, comprometimento cognitivo, anorexia ou febre baixa.

# PREVENÇÃO E CONTROLE

Entre as medidas disponíveis de prevenção e controle da TB, encontram-se a vacinação com BCG (bacilo de Calmette-Guérin), a busca ativa de casos (exame de contatos) com diagnóstico e tratamento precoce, e o tratamento da ILTB.

## Vacinação com BCG

A vacina BCG foi desenvolvida no início do século XX, no Instituto Pasteur, em Paris, França. Trata-se de uma vacina de bacilo vivo atenuado, que não impede a infecção e o adoecimento em pessoas com exposição a um grande inóculo já infectadas com *M. tuberculosis*. No entanto, é eficaz ao proteger crianças contra formas graves de TB, como a meningoencefalite tuberculosa e a TB miliar (RRR = 85%)[73] **B**, assim como reduz os óbitos por TB[74] **B**. Para a TB pulmonar, ensaios clínicos realizados em diversas partes do mundo mostram variação do efeito protetor de 0 a 80%. A vacina reduz o risco de TB pulmonar em neonatos **B** (RRR = 59%) e em crianças em idade escolar[73,75] **B** (RRR=64%).

Medidas sumarizadas de metanálise apontam para proteção contra todas as formas de TB, similares em ensaios clínicos controlados randomizados e estudos de caso-controle, em torno de 50%.

A vacina BCG é administrada por via intradérmica, na dose de 0,1 mL, na inserção do músculo deltoide direito. Essa localização evita reações ganglionares na região axilar, além de poder ser administrada simultaneamente com outras vacinas do Calendário Nacional de Vacinação.[76] Mais informações sobre a vacina, como indicações, vias de administração, doses e esquema vacinal, encontram-se no Capítulo Imunizações.

Crianças vivendo com HIV também devem ser vacinadas ao nascer ou o mais precocemente possível, desde que não apresentem sinais ou sintomas de imunossupressão. Caso isso aconteça, a vacinação é contraindicada, assim como em casos de imunodeficiência congênita ou adquirida, neoplasias malignas, crianças em tratamento com corticoides com doses elevadas (equivalente à dose de prednisona de 2 mg/kg/dia, para crianças até 10 kg de peso ou 20 mg/dia ou mais, para indivíduos acima de 10 kg de peso) por período > 2 semanas, quimioterapia antineoplásica, radioterapia, entre outras. Nas PVHIVs com idade > 5 anos, a vacina BCG é contraindicada em qualquer situação.[11,77]

As seguintes situações são consideradas contraindicações relativas, ou seja, a vacinação deve ser adiada até que a situação em questão seja resolvida:

→ recém-nascidos com peso < 2 kg;
→ afecções dermatológicas no local da vacinação;
→ recém-nascidos contatos de casos bacilíferos; nesse caso, deverão ser vacinados somente após o tratamento da TB ou da quimioprofilaxia primária;
→ até 3 meses após o uso de imunossupressor ou corticoides em doses elevadas.[11,77]

A evolução da reação vacinal com nódulo local que evolui para pústula, seguida de úlcera e crosta, com duração habitual de 6 a 12 semanas, dando origem quase sempre a uma pequena cicatriz, deve ser avaliada em todas as visitas da criança ao serviço de saúde.[77]

No Brasil, a revacinação não é indicada, assim como a realização de PT para a administração da vacina BCG, com exceção da profilaxia primária, em que a PT pode ser necessária.[11]

A partir dos 5 anos de idade, nenhuma pessoa deve ser vacinada com BCG (mesmo profissionais de saúde e/ou grupos de maior vulnerabilidade), exceto pessoas que sejam contato prolongado de caso de hanseníase (ver indicações no Calendário Nacional de Vacinação do MS).[77]

## Tratamento da infecção latente

O tratamento preventivo da TB ou tratamento da ILTB adquire importância na proteção de pessoas vulneráveis à doença ativa causada pelo *M. tuberculosis*. Logo, o maior interesse reside em proteger crianças, idosos, PVHIVs, portadores de algum tipo de imunossupressão e diabéticos, entre outros.

A utilização de terapia medicamentosa para ILTB parte do princípio de que a TB infecção (tanto em indivíduos recém-expostos a pessoas com TB bacilífera quanto nos já infectados) pode evoluir para TB doença em função de mudanças na resposta imunológica do indivíduo suscetível (imunidade celular) em algum momento de sua vida.

Em indivíduos recém-expostos a pessoas com TB bacilífera, trata-se de prevenção da infecção latente ou quimioprofilaxia primária; em indivíduos já infectados, trata-se de tratamento de infecção latente ou quimioprofilaxia secundária. Em ambas as situações, a recomendação de tratamento é, preferencialmente, com isoniazida (H) (5-10 mg/kg/dia até a dose máxima de 300 mg/dia),[11] por 6 ou 9 meses, reduzindo em 60% o risco de desenvolvimento de TB ativa (RRR = 60%; NNT = 86-124) **A**.[77] No regime de tratamento com H, o mais importante é o número de doses e não somente o tempo de tratamento. Recomenda-se a utilização de 270 doses, que poderão ser tomadas em um período que varia de 9 a 12 meses. Em casos individuais, após avaliação da adesão, pode-se considerar a prescrição de 180 doses, que devem ser tomadas entre 6 e 9 meses. Há evidências de que o uso de 270 doses protege mais do que o uso de 180 doses. Para fazer a opção entre 6 e 9 meses de tratamento, devem-se considerar a viabilidade operacional e a adesão do paciente à terapia prescrita.[11]

É importante lembrar que o paciente deve ser encorajado a completar o total de doses ainda que o tratamento seja feito de modo irregular, mesmo que ultrapasse o prazo previsto. Entretanto, essa prorrogação não deve exceder 3 meses do período inicial programado.[11]

A rifampicina (R) também pode ser indicada para tratamento da ILTB[78,79] **B** nas seguintes situações: crianças (idade < 10 anos), na dose de 15 mg/kg/dia até dose máxima de 600 mg/dia; e pessoas com idade > 50 anos e hepatopatas, na dose de 10 mg/kg/dia até dose máxima de 600 mg/dia. Recomenda-se a utilização de no mínimo 120 doses, que devem ser tomadas idealmente em 4 meses, podendo-se prolongar até 6 meses.[11] Outras indicações do uso de R incluem contatos de monorresistentes à H e casos de intolerância à H. Para pessoas vivendo com HIV em uso de inibidores de protease (atazanavir, darunavir) a R está contraindicada.[11] O dolutegravir deve ter sua dose ajustada para 50 mg, 12/12h, quando usado em concomitância com rifampicina.[80]

Em junho de 2020 foi incorporado ao SUS o uso semanal de isoniazida + rifapentina por 3 meses[81], para todas as indicações da ILTB, incluindo PVHIV, sob TDO durante todo o tratamento ou com tratamento autoadministrado sendo organizadas estratégias de adesão. A posologia para adultos (>14 anos) é de isoniazida 900 mg + rifapentina 900 mg/semana, preferencialmente com alimentos, em 12 doses semanais, entre 12 a 15 semanas. Em crianças (2 a 14 anos) a dose é de:
10 a 15 kg – isoniazida 300 mg + rifapentina 300 mg/semana;
16 a 23 kg – isoniazida 500 mg + rifapentina 450 mg/semana;
24 a 30 kg – isoniazida 600 mg + rifapentina 600 mg/semana;
> 30kg – isoniazida 700 mg + rifapentina 750 mg/semana.
Esse esquema não deve ser utilizado em contatos de pessoas com TB monorresistente à H e intolerância à H. Não é recomendado para gestantes, por falta de estudos nessa população. Contraindicado o uso com inibidores de protease, nevirapina e TAF. Pode ser usado com tenofovir, efavirenz, dolutegravir e raltegravir sem necessidade de ajuste da dose.

> Antes de indicar tratamento para ILTB, deve-se sempre investigar sinais e sintomas clínicos de doença ativa tuberculosa. Na presença de sinais sugestivos, está indicado avançar na investigação, mas não iniciar tratamento para ILTB nesse momento.[11,17]

## Prevenção da infecção latente ou quimioprofilaxia primária

Recomenda-se prevenção da ILTB em recém-nascidos que coabitam com caso-índice bacilífero. Nesses casos, a criança não deve ser vacinada ao nascer e deve receber isoniazida por 3 meses **C/D**. Após esse período, deve realizar a PT: se o resultado ≥ 5 mm, o tratamento deve ser mantido até a criança completar 6 meses; caso o teste seja negativo, < 5 mm, pode-se interromper o uso de isoniazida e administrar a vacina BCG.[11] Outra possibilidade, pela facilidade posológica, é a utilização de rifampicina suspensão pediátrica em vez de isoniazida C/D. Nesse caso, o medicamento deve ser administrado por 3 meses e, após, aplicar a PT, se resultado ≥ 5 mm, a rifampicina deve ser mantida por mais 1 mês; se o resultado < 5 mm, deve-se suspender a rifampicina e vacinar o lactente com BCG.[11] Caso o recém-nascido tenha sido inadvertidamente vacinado, recomenda-se o uso de H por 6 meses ou R por 4 meses, não estando indicado realizar a PT.[11]

### Tratamento da infecção latente ou quimioprofilaxia secundária

A indicação para o tratamento da ILTB depende do resultado da PT ou do IGRA, da probabilidade de ILTB, incluindo contatos próximos de casos de TB, da idade e do risco de adoecimento (TABELA 151.12).[11,17,82]

### Exame de contatos

Recomenda-se que todos os contatos de indivíduos com TB pulmonar ou laríngea sejam examinados, independentemente da forma clínica, sobretudo crianças com idade < 5 anos, PVHIVs, indivíduos que apresentam alguma condição de risco para adoecimento por TB e gestantes C/D.[83] Há estudos epidemiológicos de base populacional que demonstram a utilidade da busca ativa na descoberta de casos novos e redução da transmissão da doença.[12,84]

Considera-se contato de TB toda pessoa que convive no mesmo ambiente com o caso-índice no momento do diagnóstico da doença. O convívio pode ser domiciliar e/ou em ambientes de trabalho, instituições de longa permanência, escola ou pré-escola.[11]

Considerando quaisquer das definições mencionadas, o exame de contatos deve seguir as seguintes recomendações (FIGURAS 151.6 e 151.7):

→ inicialmente, identificar, junto com o caso-índice, quem são considerados contatos. A visita domiciliar realizada por equipe de Saúde da Família pode auxiliar muito nesse processo, avaliando o contexto em que se estabelece o convívio entre o caso-índice e o contato mencionado;

→ agendar consulta no serviço de saúde para os contatos (crianças e adultos, incluindo PVHIVs), onde serão criteriosamente avaliados por meio de anamnese, exame físico, PT e radiografia de tórax;

→ proceder à investigação de doença ativa para contatos que apresentam sintomas respiratórios;

→ seguir as recomendações do tratamento para ILTB antes mencionado (tratamento da infecção latente) para aqueles em que há recomendação de quimioprofilaxia;

**TABELA 151.12** → Indicações para tratamento da infecção latente por *Mycobacterium tuberculosis* (ILTB) de acordo com a prova tuberculínica (PT) e o grupo de risco

| |
|---|
| **PT ≥ 5 mm ou IGRA positivo** |
| PVHIV com contagem de linfócitos T CD4+ > 350 células/mm³* |
| Crianças com idade < 10 anos, contato de casos de TB, independentemente do tempo decorrido da vacinação com BCG |
| Contatos de TB adultos e adolescentes (idade ≥ 10 anos) |
| Alterações radiológicas fibróticas sugestivas de sequela de TB |
| Candidatos a transplantes ou transplantados |
| Pessoas em uso de inibidores do TNF-α |
| Pessoas em uso de corticoides (equivalente a dose > 15 mg/dia de prednisona por período > 1 mês) |
| **PT ≥ 10 mm ou IGRA positivo** |
| Silicose |
| Neoplasia de cabeça e pescoço, linfomas e outras neoplasias hematológicas |
| Insuficiência renal em diálise |
| Quimioterapia imunossupressora |
| Diabetes melito |
| Baixo peso (< 85% do peso ideal) |
| Tabagista (> 20 cigarros/dia) |
| Calcificação isolada, sem fibrose, na radiografia de tórax |
| **Conversão (2ª PT com incremento de 10 mm em relação à 1ª)** |
| Contatos de TB confirmada por critério laboratorial |
| Profissional de saúde |
| Profissional de laboratório de micobactéria |
| Trabalhador do sistema prisional e de instituições de longa permanência |

*As PVHIVs têm indicação de tratamento para ILTB, independentemente da PT ou do IGRA ou quando a contagem de linfócitos T CD4+ ≤ 350 células/mm³ ou for desconhecida.
BCG, bacilo de Calmette-Guérin; IGRA, ensaio de liberação de interferon-gama; PVHIV, pessoa vivendo com HIV; TNF, fator de necrose tumoral.
Fonte: Brasil.[11]

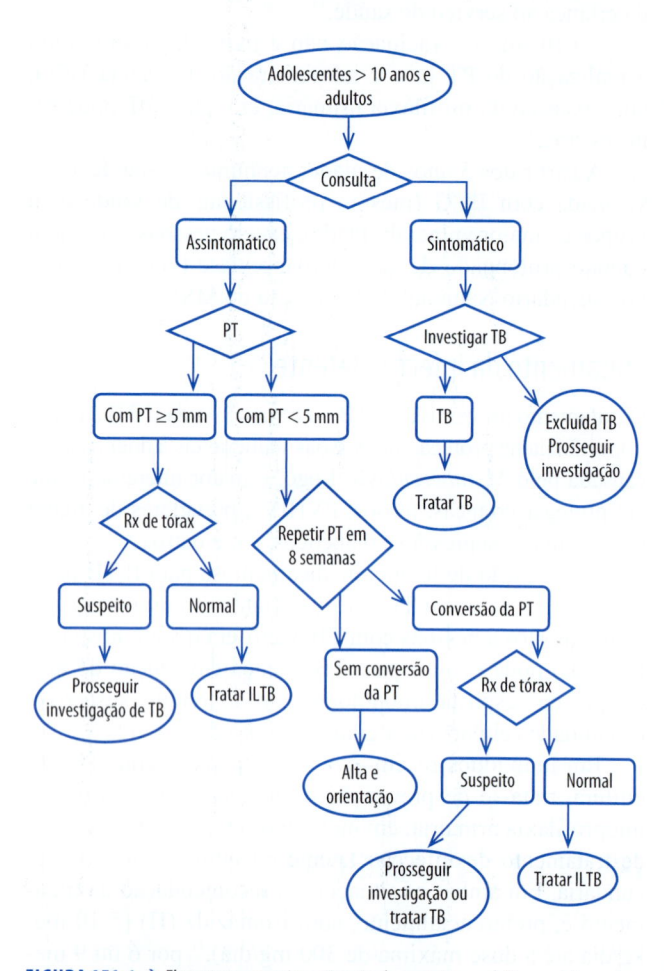

**FIGURA 151.6** → Fluxograma para investigação de contatos – adultos e adolescentes. ILTB, infecção latente pelo *M. tuberculosis*; PT, prova tuberculínica; TB, tuberculose.
Fonte: Brasil.[11]

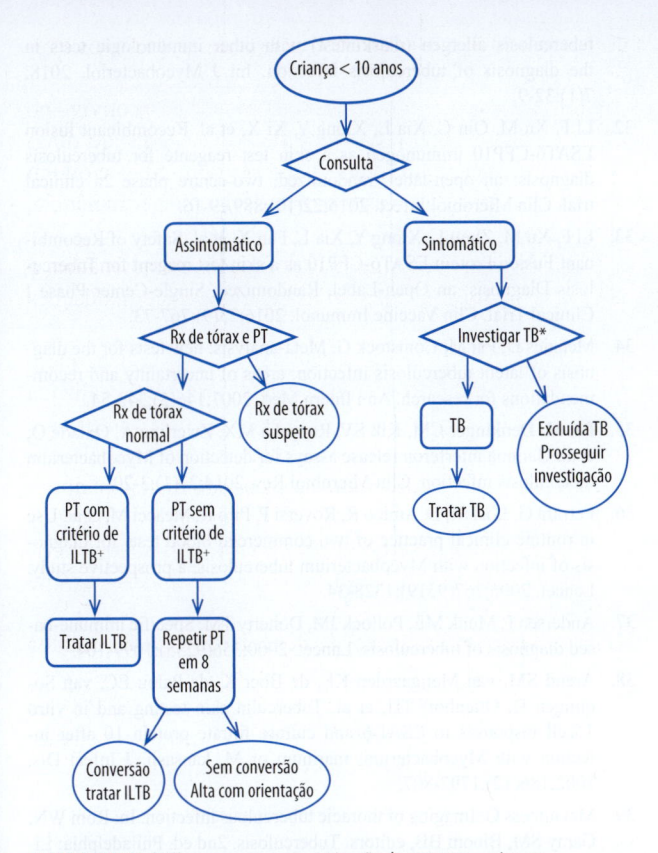

**FIGURA 151.7** → Fluxograma para investigação de contatos – crianças.
\* Empregar o quadro de pontuação (diagnóstico de tuberculose pulmonar em crianças e adolescentes).
ILTB, infecção latente pelo *M. tuberculosis*; PT, prova tuberculínica; TB, tuberculose.
Fonte: Brasil.[11]

→ não tratar novamente contatos com história anterior de tratamento de ILTB com qualquer resultado de PT;
→ tratar ILTB em contato de caso-índice vivendo com HIV, independentemente do resultado da PT (ver **TABELA 151.12**);
→ seguir orientação para prevenção da infecção latente ou quimioprofilaxia primária em contatos recém-nascidos, coabitantes de indivíduo bacilífero;
→ orientar contatos para os quais não houve indicação de tratamento para ILTB ou TB a procurar serviço de saúde ou membro da equipe de Saúde da Família se apresentarem sinais e sintomas da TB, especialmente respiratórios.

**Para a efetivação do controle da TB, devem ser observadas as medidas de prevenção e tratamento adequadas, de forma a cumprir as ações previstas para todos os profissionais de atenção primária e, quando necessário, o manejo dos pacientes em serviços de referência.**

## INFORMAÇÕES ADICIONAIS

A CGDR está estruturada nos níveis municipal, estadual e federal, que funcionam integrados por meio de um sistema de informação permanentemente atualizado, de forma a permitir o planejamento e a execução das ações de controle da TB no País. As unidades básicas de saúde dos municípios são a principal porta de entrada do sistema de saúde, e as normas técnicas de condutas relacionadas ao diagnóstico, ao tratamento e ao controle da TB estão contidas em manuais próprios elaborados pela equipe da CGDR e disponibilizados na internet no Portal do MS.

A TB é uma doença de notificação compulsória. Para que as ações de controle se desenvolvam de maneira adequada, é fundamental que as informações coletadas no nível local sejam devidamente registradas e transmitidas aos demais níveis. Portanto, é obrigatório o preenchimento da ficha de notificação padronizada em 3 vias e o seu envio ao nível de controle municipal, que procederá ao encaminhamento para os níveis superiores.

Além disso, é importante salientar que todas as ações de controle de TB baseiam-se nas informações obtidas pelas notificações e, portanto, é de fundamental importância que as fichas de notificação sejam preenchidas pelo médico ou enfermeiro de forma adequada, e que contenham todas as informações para garantir a completude dos dados. Todas as informações, após serem processadas no nível federal, são disponibilizadas no portal do DATASUS/MS. Esses dados são de acesso aberto e podem ser utilizados para o planejamento do controle da TB.

## REFERÊNCIAS

1. Bloom BR, Small PM. The evolving relation between humans and Mycobacterium tuberculosis. N Engl J Med. 1998;338(10):677-8.
2. World Health Organization. Global Tuberculosis Report 2019 [Internet]. Geneva: WHO; 2019 [capturado em 7 maio 2021]. Disponível em: https://apps.who.int/iris/bitstream/handle/10665/329368/9789241565714-eng.pdf.
3. Brasil. Ministério da Saúde. Secretaria de Vigilância em Saúde. Boletim Epidemiológico. Tuberculose. Brasília: MS; 2020.
4. Cailleaux-Cezar M, De A Melo D, Xavier GM, De Salles CLG, De Mello FCQ, Ruffino-Netto A, et al. Tuberculosis incidence among contacts of active pulmonary tuberculosis. Int J Tuberc Lung Dis. 2009;13(2):190-5.
5. Caminero Luna JC. Diagnóstico de la tuberculosis. In: Unión Internacional Contra la Tuberculosis y Enfermedades Respiratorias. Guia de la tuberculosis para médicos especialistas. Paris: UICTER; 2003 [capturado em 13 jan. 2021]. Disponível em: https://tbrieder.org/publications/books_spanish/specialists_sp.pdf
6. Den Boon S, Van Lill SWP, Borgdorff MW, Verver S, Bateman ED, Lombard CJ, et al. Association between smoking and tuberculosis infection: a population survey in a high tuberculosis incidence area. Thorax. 2005;60(7):555-7.
7. Shang S, Ordway D, Henao-Tamayo M, Bai X, Oberley-Deegan R, Shanley C, et al. Cigarette smoke increases susceptibility to tuberculosis: evidence from in vivo and in vitro models. J Infect Dis. 2011;203(9):1240-8.
8. Chan ED, Keane J, Iseman MD. Should cigarette smoke exposure be a criterion to treat latent tuberculous infection? Am J Respir Crit Care Med. 2010;182(8):990
9. Palomino JC, Leão SC, Ritacco V, editors. Tuberculosis 2007: from basic science to patient care. Antwerpen: Institute of Tropical Medicine; 2007.
10. Garay SM. Pulmonary tuberculosis. In: Rom WN, Garay SM, Bloom BB, editors. Tuberculosis. 2nd ed. Philadelphia: Lippincott Williams & Wilkins; 2004. p. 345-94.
11. Brasil. Ministério da Saúde. Secretaria de Vigilância em Saúde. Departamento de Vigilância das Doenças

Transmissíveis. Manual de recomendações para o controle da tuberculose no Brasil. 2. ed. Brasília: Ministério da Saúde, 2019. Disponível em: http://bvsms.saude.gov.br/bvs/publicacoes/manual_recomendacoes_controle_tuberculose_brasil_2_ed.pdf

12. Agizew T, Boyd R, Auld AF, Payton L, Pals SL, Lekone P, et al. Treatment outcomes, diagnostic and therapeutic impact: Xpert vs. smear. A systematic review and meta-analysis. Int J Tuberc Lung Dis. 2019;23(1):82-92.

13. Silva TM, Soares VM, Ramos MG, Santos A. Acurácia do teste rápido molecular para tuberculose em amostras de escarro, lavado broncoalveolar e aspirado traqueal obtidos de pacientes com suspeita de tuberculose pulmonar em um hospital de referência terciária. J Bras Pneumol. 2019; 45(2):e20170451.

14. Iseman MD, Fischer A. Tumor necrosis factor-alpha at the intersection of mycobacterial immunity and pathogenesis: an important new address in medicine. Clin Infect Dis. 2008;46(11):1741-2.

15. Lange C, Mori T. Advances in the diagnosis of tuberculosis. Respirology. 2010;15(2):220-40.

16. Burgin S, Pomeranz MK, Orbuch P, Shupack JL, Brand RS. Mycobacteria and the skin. In: Rom WN, Garay SM, Bloom BB, editor. Tuberculosis. 2nd ed. Philadelphia: Lippincott Williams & Wilkins; 2004. p. 593-608.

17. Conde MB, Melo FAF de, Marques AMC, Cardoso NC, Pinheiro VGF, Dalcin PTR, et al. III Brazilian Thoracic Association guidelines on tuberculosis. J Bras Pneumol. 2009;35(10):1018-48.

18. Brasil. Ministério da Saúde. Manual nacional de vigilância laboratorial da tuberculose e outras micobactérias. Brasília: MS; 2008.

19. Styblo K, Enarson DA. Epidemiology of tuberculosis: epidemiology of tuberculosis in HIV prevalent countries. Den Haag: Royal Netherlands Tuberculosis Association; 1991

20. World Health Organization. Laboratory services in tuberculosis control: part III: culture. Geneva: WHO; 1999.

21. Siddiqi K, Lambert M-L, Walley J. Clinical diagnosis of smear-negative pulmonary tuberculosis in low-income countries: the current evidence. Lancet Infect Dis. 2003;3(5):288-96.

22. Conde MB, Pinheiro VGF, Marques AMC. Tuberculose. In: Sociedade Brasileira de Pneumologia e Tisiologia. Prática pneumológica. Rio de Janeiro: Guanabara Koogan; 2010. p. 270-94.

23. Denkinger CM, Schumacher SG, Boehme CC, Dendukuri N, Pai M, Steingart KR. Xpert MTB/RIF assay for the diagnosis of extrapulmonary tuberculosis: a systematic review and meta-analysis. Eur Respir J. 2014;44(2):435-46.

24. World Health Organization. Meeting report of a technical expert consultation: non-inferiority analysis of Xpert MTF/RIF Ultra compared to Xpert MTB/RIF. Geneva: WHO; 2017.

25. Yoon C, Dowdy DW, Esmail H, MacPherson P, Schumacher SG. Screening for tuberculosis: time to move beyond symptoms. Lancet Respir Med. 2019;7(3):202-4.

26. Conde MB, Soares SL, Mello FC, Rezende VM, Almeida LL, Reingold AL, et al. Comparison of sputum induction with fiberoptic bronchoscopy in the diagnosis of tuberculosis: experience at an acquired immune deficiency syndrome reference center in Rio de Janeiro, Brazil. Am J Respir Crit Care Med. 2000;162(6):2238-40.

27. Chang KC, Leung CC, Yew WW, Tam CM. Supervised and induced sputum among patients with smear-negative pulmonary tuberculosis. Eur Respir J. 2008;31(5):1085-90.

28. Takao EKH, Nocchi SR, Siqueira VLD, Cardoso MA, Peron MLD, Callefi KR, et al. Comparação de métodos de cultivo para o diagnóstico laboratorial da tuberculose pulmonar. Acta Scientiarum Health Science. 2008;27(2):183-8.

29. Palomino JC. Newer diagnostics for tuberculosis and multi-drug resistant tuberculosis. Curr Opin Pulm Med. 2006;12(3):172-8.

30. Pai M, Zwerling A, Menzies D. Systematic Review: T-Cell-based Assays for the Diagnosis of Latent Tuberculosis Infection: An Update. Ann Intern Med. 2008; 149(3):177-84.

31. Starshinova A, Zhuravlev V, Dovgaluk I, Panteleev A, Manina V, Zinchenko U, et al. A comparison of intradermal test with recombinant tuberculosis allergen (diaskintest) with other immunologic tests in the diagnosis of tuberculosis infection. Int J Mycobacteriol. 2018; 7(1):32-9.

32. Li F, Xu M, Qin C, Xia L, Xiong Y, Xi X, et al. Recombinant fusion ESAT6-CFP10 immunogen as a skin test reagente for tuberculosis diagnosis: an open-label, randomized, two-centre phase 2a clinical trial. Clin Microbiol Infect. 2016;22(10):889.e9-16.

33. Li F, Xu M, Zhou L, Xiong Y, Xia L, Fan X, et al. Safety of Recombinant Fusion Protein ESAT6-CFP10 as a skin test reagent for Tuberculosis Diagnosis: an Open-Label, Randomized, Single-Center Phase I Clinical Trial. Clin Vaccine Immunol. 2016;23(9):767-73.

34. Menzies D, Pai M, Comstock G. Meta-analysis: new tests for the diagnosis of latent tuberculosis infection: areas of uncertainty and recommendations for research. Ann Intern Med. 2007;146(5):340-54.

35. Pai M, Denkinger CM, Kik SV, Rangaka MX, Zwerling A, Oxlade O, et al. Gamma interferon release assays for detection of Mycobacterium tuberculosis infection. Clin Microbiol Rev. 2014;27(1):3-20.

36. Ferrara G, Losi M, D'Amico R, Roversi P, Piro R, Meacci M, et al. Use in routine clinical practice of two commercial blood tests for diagnosis of infection with Mycobacterium tuberculosis: a prospective study. Lancet. 2006;367(9519):1328-34.

37. Andersen P, Munk ME, Pollock JM, Doherty TM. Specific immune-based diagnosis of tuberculosis. Lancet. 2000;356(9235):1099-104.

38. Arend SM, van Meijgaarden KE, de Boer K, de Palou EC, van Soolingen D, Ottenhoff TH, et al. Tuberculin skin testing and in vitro T cell responses to ESAT-6 and culture filtrate protein 10 after infection with Mycobacterium marinum or M. kansasii. J Infect Dis. 2002;186(12):1797-807.

39. McGuiness G. Imaging of thoracic tuberculous infection. In: Rom WN, Garay SM, Bloom BB, editors. Tuberculosis. 2nd ed. Philadelphia: Lippincott Williams & Wilkins; 2004. p. 395-425.

40. Ramirez-Lapausa M, Menendez-Saldana A, Noguerado-Asensio A. Extrapulmonary tuberculosis: an overview. Rev Esp Sanid Penit 2015; 17:3-11.

41. Ziganshina LE, Squire SB. Fluoroquinolones for treating tuberculosis. Cochrane Database Syst Rev. 2008;(1):CD004795.

42. World Health Organization. Treatment of tuberculosis: guidelines [Internet]. 4th ed. Geneva: WHO; 2010 [capturado em 13 jan. 2021]. Disponível em: http://whqlibdoc.who.int/publications/2010/9789241547833_eng.pdf.

43. National Institute for Health and Clinical Excellence. Tuberculosis: clinical diagnosis and management of tuberculosis, and measures for its prevention and control [Internet]. London: NICE; 2011 [capturado em 13 jan. 2021]. Disponível em: http://www.nice.org.uk/nicemedia/live/13422/53638/53638.pdf.

44. Alipanah N, Jarlsberg L, Miller C, Linh NN, Falzon D, Jaramillo E, et al. Adherence interventions and outcomes of tuberculosis treatment: a systematic review and meta-analysis of trials and observational studies. PLoS Med. 2018;15(7):e1002595.

45. Müller AM, Osório CS, Silva DR, Sbruzzi G, de Tarso P, Dalcin R. Interventions to improve adherence to tuberculosis treatment: systematic review and meta-analysis. Int J Tuberc Lung Dis. 2018;22(7):731-40.

46. Brasil. Ministério da Saúde. Tratamento diretamente observado (TOD) da tuberculose na atenção básica: protocolo de enfermagem [Internet]. Brasília: MS; 2011 [capturado em 13 jan. 2021]. Disponível em: http://bvsms.saude.gov.br/bvs/publicacoes/tratamento_diretamente_observado_tuberculose.pdf___http://portal.saude.gov.br/portal/arquivos/pdf/original_tdo_enfermagem_junho_2010.pdf

47. World Health Organization. Guidelines for treatment of drug-susceptible tuberculosis and patient care, 2017. Geneva: WHO; 2017 [capturado em 7 maio 2021]. Disponível em: https://apps.who.int/iris/bitstream/handle/10665/255052/9789241550000-eng.pdf?sequence=1

48. World Health Organization. Guidance for national tuberculosis programmes on the management of tuberculosis in children. 2nd ed. Geneva: WHO; 2014 [capturado em 7 maio 2021]. Disponível em: https://apps.who.int/iris/bitstream/handle/10665/112360/9789241548748_eng.pdf?sequence=1

49. Bisaglia JB, Santussi WM, Guedes AGM, Gomes AP, Oliveira PC de, Siqueira- Batista R. Atualização terapêutica em tuberculose: principais efeitos adversos dos fármacos. Bol Pneumol Sanit. 2003;11(2):53-9.

50. Nachega JB, Chaisson RE. Tuberculosis drug resistance: a global threat. Clin Infect Dis. 2003;36(Suppl 1):S24-30.

51. Madariaga MG, Lalloo UG, Swindells S. Extensively drug-resistant tuberculosis. Am J Med. 2008;121(10):835-44.

52. Gandhi NR, Nunn P, Dheda K, Schaaf HS, Zignol M, Van Soolingen D, et al. Multidrug-resistant and extensively drug-resistant tuberculosis: a threat to global control of tuberculosis. Lancet. 2010;375(9728):1830-43.

53. Dye C, Espinal MA. Will tuberculosis become resistant to all antibiotics? Proc Biol Sci. 2001;268(1462):45-52.

54. Fiúza-de-Melo AF. Tuberculose. In: Veronesi R, Focaccia R, editors. Tratado de infectologia. 4. ed. São Paulo: Atheneu; 2010. p. 1263-307.

55. Dalcolmo MP, Andrade MKN, Picon PD. Multiresistant tuberculosis in Brazil: history and control. Rev Saúde Pública. 2007;41(Suppl 1):34-42.

56. Kritski AL. Multidrug-resistant tuberculosis emergence: a renewed challenge. J Bras Pneumol. 2010;36(2):157-8.

57. Prado TN do, Caus AL, Marques M, Maciel EL, Golub JE, Miranda AE. Epidemiological profile of adult patients with tuberculosis and AIDS in the state of Espírito Santo, Brazil: cross-referencing tuberculosis and AIDS databases. J Bras Pneumol. 2011;37(1):93-9.

58. Churchyard GJ, Scano F, Grant AD, Chaisson RE. Tuberculosis preventive therapy in the era of HIV infection: overview and research priorities. J Infect Dis. 2007;196 (Suppl 1):S52-62.

59. Center for Disease Control. Department of Health and Human Services. Panel on antirretroviral guidelines for adults and adolescentes. Guidelines for the use of antirretroviral agentes in adults and adolescentes with HIV. Rockville: HIVInfo; 2019 [capturado em 7 maio 2021]. Disponível em: https://clinicalinfo.hiv.gov/en/guidelines/adult-and-adolescent-arv/tuberculosishiv-coinfection.

60. Abdool Karim SS, Naidoo K, Grobler A, Padayatchi N, Baxter C, Gray A, et al. Timing of initiation of antiretroviral drugs during tuberculosis therapy. N Engl J Med. 2010;362(8):697-706.

61. Török ME, Yen NT, Chau TT, Mai NT, Phu NH, Mai PP, et al. Timing of initiation of antiretroviral therapy in human immunodeficiency virus (HIV)--associated tuberculous meningitis. Clin Infect Dis. 2011;52(11):1374-83.

62. Sant'Anna CC, Orfaliais CTS, March MFP, Conde MB. Evaluation of a proposed diagnostic scoring system for pulmonary tuberculosis in Brazilian children. Int J Tuberc Lung Dis. 2006;10(4):463-5.

63. Maciel ELN, Dietze R, Lyrio RP, Vinhas SA, Palaci M, Rodrigues RR, et al. Accuracy of inpatient and outpatient gastric lavage in the diagnosis of pulmonary tuberculosis in children. J Bras Pneumol. 2008;34(6):404-11.

64. Pedrozo C, Sant'Anna CC, March MFBP, Lucena SC. Efficacy of the scoring system, recommended by the Brazilian National Ministry of Health, for the diagnosis of pulmonary tuberculosis in children and adolescents, regardless of their HIV status. J Bras Pneumol. 2010;36(1):92-8.

65. Zar HJ, Hanslo D, Apolles P, Swingler G, Hussey G. Induced sputum versus gastric lavage for microbiological confirmation of pulmonary tuberculosis in infants and young children: a prospective study. Lancet. 2005;365(9454):130-4.

66. Sant'Anna C, March MF, Barreto M, Pereira S, Schmidt C. Pulmonary tuberculosis in adolescents: radiographic features. Int J Tuberc. Lung Dis. 2009;13(12):1566-8.

67. World Health Organization. Collaborative framework for care and control of tuberculosis and diabetes [Internet]. Geneva: WHO; 2011 [capturado em 13 jan. 2021]. Disponível em: http://www.worlddiabetesfoundation.org/sites/default/files/tb%20framework.pdf.

68. Jeon CY, Murray MB. Diabetes mellitus increases the risk of active tuberculosis: a systematic review of 13 observational studies. PLoS Med. 2008;5(7):e152.

69. Dooley KE, Chaisson RE. Tuberculosis and diabetes mellitus: convergence of two epidemics. Lancet Infect Dis. 2009;9(12):737-46.

70. Rosemberg J, Tarantino AB. Tuberculose. In: Tarantino AB. Doenças pulmonares. Rio de Janeiro: Guanabara Koogan; 2002. p. 294-380.

71. Baker MA, Harries AD, Jeon CY, Hart JE, Kapur A, Lönnroth K, et al. The impact of diabetes on tuberculosis treatment outcomes: a systematic review. BMC Med. 2011;9:81.

72. Jørgensen ME, Faurholt-Jepsen D. Is there an effect of glucose lowering treatment on incidence and prognosis of tuberculosis? A systematic review. Curr Diab Rep. 2014;14(7):505.

73. Mangtani P, Abubakar I, Ariti C, Beynon R, Pimpin L, Fine PE, et al. Protection by BCG vaccine against tuberculosis: a systematic review of randomized controlled trials. Clin Infect Dis. 2014;58(4):470-80.

74. Abubakar I, Pimpin L, Ariti C, Beynon R, Mangtani P, Sterne JA. Systematic review and meta-analysis of the current evidence on the duration of protection by bacillus Calmette-Guérin vaccination against tuberculosis. Health Technol Assess. 2013;17(37):1-372, v-vi.

75. Roy A, Eisenhut M, Harris RJ, Rodrigues LC, Sridhar S, Habermann S, et al. Effect of BCG vaccination against Mycobacterium tuberculosis infection in children: systematic review and meta-analysis. BMJ. 2014;349:g4643.

76. Brasil. Ministério da Saúde. Secretaria de Vigilância em Saúde. Departamento de Vigilância das Doenças Transmissíveis. Manual de Normas e Procedimentos para Vacinação. Brasilia: MS; 2016.

77. Smieja MJ, Marchetti CA, Cook DJ, Smaill FM. Isoniazid for preventing tuberculosis in non-HIV infected persons. Cochrane Database Syst Rev. 2000;(2):CD001363.

78. Sharma SK, Sharma A, Kadhiravan T, Tharyan P. Rifamycins (rifampicin, rifabutin and rifapentine) compared to isoniazid for preventing tuberculosis in HIV-negative people at risk of active TB. Cochrane Database Syst Rev. 2013;2013(7):CD007545.

79. Menzies D, Adjobimey M, Ruslami R, Trajman A, Sow O, Kim H, et al. Four months of rifampin or nine months of isoniazid for latent tuberculosis in adults. N Engl J Med. 2018;379(5):440-53.

80. Brasil. Ministério da Saúde. Secretaria de Vigilância em Saúde. Departamento de Doenças de Condições Crônicas e Infecções Sexualmente Transmissíveis. Coordenação-Geral de Vigilância das Doenças de Transmissão Respiratória de Condições Crônicas. Nota informativa nº 5/2021-CGDR/.DCCI/SVS/MS [Internet]. Dispõe sobre atualização das Recomendações do Tratamento da Infecção Latente pelo Mycobacterium tuberculosis com a disponibilização da rifapentina. Brasília: MS; 2021 [capturado em 21 set. 2021]. Disponível em: http://www.aids.gov.br/pt-br/legislacao/nota-informativa-no-52021-cgdrdccisvsms.

81. World Health Organization. Latent tuberculosis infection: updated and consolidated guidelines for programmatic management [Internet]. Geneva: WHO; 2018 [capturado em 9 nov. 2021]. Disponível em: https://apps.who.int/iris/bitstream/handle/10665/260233/9789241550239-eng.pdf.

82. Fox GJ, Dobler CC, Marks GB. Active case finding in contacts of people with tuberculosis. Cochrane Database Syst Rev. 2011;(9):CD008477.

83. Golub JE, Mohan CI, Comstock GW, Chaisson RE. Active case finding of tuberculosis: historical perspective and future prospects. Int J Tuberc Lung Dis. 2005;9(11):1183-203.

84. Becerra MC, Pachao-Torreblanca IF, Bayona J, Celi R, Shin SS, Kim JY, et al. Expanding tuberculosis case detection by screening household contacts. Public Health Rep. 2005;120(3):271-7.

# LEITURAS RECOMENDADAS

Brasil. Ministério da Saúde. Secretaria de Vigilância em Saúde. Departamento de Vigilância das Doenças Transmissíveis. Manual de Recomendações para o Controle da Tuberculose no Brasil. Brasília: MS; 2019.

*Manual de normas brasileiras para o controle da TB adaptado à situação epidemiológica, disponibilidade tecnológica e de organização do sistema de saúde no Brasil, no que tange ao atendimento à população nas unidades básicas e de referência secundária e terciária. Contém as orientações de condutas para o diagnóstico, tratamento e controle da TB no Brasil.*

Domínguez J, Boettger EC, Cirillo D, Cobelens F, Eisenach KD, Gagneux S, et al. Clinical implications of molecular drug resistance testing for Mycobacterium tuberculosis: a TBNET/RESIST-TB consensus statement. Int J Tuberc Lung Dis. 2016;20(1):24-42.

*Relatório final de consenso reunindo uma sequência de publicações sobre resistência do M. tuberculosis aos fármacos anti-TB, com execelente revisão sobre os mecanismos genéticos da resistência, situação epidemiológica referente à carga de TB-MDR no mundo, recomendações sobre testes de sensibilidade e decisões clínicas baseadas em seus resultados.*

Getahun H, Matteelli A, Chaisson RE, Raviglione M. Latent Mycobacterium tuberculosis infection. N Engl J Med. 2015;372(22):2127-35.

*Excelente artigo de revisão sobre TB latente.*

World Health Organization. Global Tuberculosis Report 2020. Geneva: WHO; 2020. [capturado em 7 maio 2021]. Disponível em: https://apps.who.int/iris/bitstream/handle/10665/336069/9789240013131-eng.pdf.

*Relatório oficial detalhado da Organização Mundial da Saúde sobre a situação da tuberculose no mundo, no que se refere à incidência de casos novos, mortalidade, TB-MDR e TB-XDR, e associação com HIV.*

# Capítulo 152
# DOENÇA PELO CORONAVÍRUS 2019 (COVID-19)

Ana Cláudia Magnus Martins
Elise Botteselle de Oliveira
Luíza Emília Bezerra de Medeiros

A doença pelo coronavírus 2019 (Covid-19, do inglês *coronavirus disease 2019*) é uma doença causada por um novo tipo de coronavírus (coronavírus 2 associado à síndrome respiratória aguda grave [SARS-CoV-2, do inglês *severe acute respiratory syndrome coronavirus 2*]), identificado pela primeira vez em humanos em dezembro de 2019, na cidade de Wuhan, na China. Após o rápido aumento do número de casos e a disseminação para outros continentes, em 11 de março de 2020, a Organização Mundial da Saúde (OMS) classificou a Covid-19 como uma pandemia.

No Brasil, o primeiro caso foi confirmado no dia 26 de fevereiro de 2020. Em 20 de março do mesmo ano, foi declarada transmissão comunitária do SARS-CoV-2 em todo o território nacional.

Este capítulo foi escrito de acordo com as recomendações atualizadas até outubro de 2021. Pesquisas estão em andamento e o assunto está em constante mudança e atualização.

## ETIOPATOGENIA

Os coronavírus causam infecções em animais e humanos, que variam de resfriado comum a doenças mais graves, como a síndrome respiratória do Oriente Médio (SROM ou, na sigla em inglês, MERS [*Middle East respiratory syndrome*]) e a síndrome respiratória aguda grave (SRAG ou, na sigla em inglês, SARS [*severe acute respiratory syndrome*]). O SARS-CoV-2 entra nas células por meio da ligação entre a proteína viral da espícula (*spike*) e o receptor nos hospedeiros, a enzima conversora da angiotensina 2 (ECA-2).[1] O início da infecção acomete as células epiteliais nasais e brônquicas e os pneumócitos. Em estágios mais avançados, a aceleração da replicação viral e o comprometimento da integridade da barreira endotelial resultam em uma resposta inflamatória intensa e desregulada, além de um estado de hipercoagulabilidade.[2]

Algumas linhagens do SARS-CoV-2 carregam mutações específicas na proteína *spike*, que se correlacionam com alterações de importância biológica. Quando essas mutações têm potencial de causar alterações de comportamento do vírus com risco à saúde pública, a cepa é chamada de variante de interesse (VOI, do inglês *variant of interest*). Porém, quando há evidência de impacto em transmissibilidade, gravidade, resposta dos anticorpos neutralizantes, testes diagnósticos ou eficácia de tratamentos e vacinas, essas cepas são chamadas de variantes de preocupação (VOCs, do inglês *variants of concern*).[3]

## TRANSMISSÃO

O SARS-CoV-2 tem alta transmissibilidade, sendo mais contagioso que o vírus da *influenza*, mas menos que o do sarampo, por exemplo. A transmissão ocorre principalmente de pessoa a pessoa em contato próximo por meio de gotículas respiratórias, que normalmente não viajam mais de 2 metros, pois se depositam em superfícies. O vírus é liberado quando uma pessoa com infecção respira, tosse, espirra ou fala e pode infectar outras pessoas se for inalado ou se entrar em contato direto com as membranas mucosas.[4] O risco de transmissão aumenta com a proximidade e a duração do contato, com a longa permanência em ambientes fechados, bem como na ausência de equipamentos de proteção individual (EPIs). A transmissão do vírus pelo ar para pessoas que não estejam em contato próximo é possível durante procedimentos que gerem aerossóis realizados no suporte clínico ou em ambientes fechados, cheios e malventilados, principalmente se uma pessoa infectada produzir muitas partículas, em atividades como cantar ou se exercitar. A transmissão por outros fluidos corporais de uma pessoa infectada, como fezes, sangue ou sêmen, é improvável. Transmissão vertical e transplacentária já foi documentada, embora seja rara. A infecção também pode ocorrer por contato com superfícies contaminadas se uma pessoa tocar o local e depois levar a mão aos olhos, ao nariz ou à boca, embora essa não seja uma via comum de infecção.[4]

O pico de carga viral ocorre no início da doença, entre 1 dia antes e 5 dias após o início dos sintomas, havendo maior risco de transmissão nesse momento. A transmissão no período pré-sintomático, quando as pessoas ainda estão no período de incubação, pode ocorrer de 1 a 3 dias antes do início dos sintomas, e ajuda a explicar a alta transmissibilidade em domicílio e ambientes fechados. A transmissão por pessoas assintomáticas que nunca desenvolvem sintomas é possível, embora seja menos provável.[5,6] O período de incubação da Covid-19 é, em média, de 5 a 7 dias, mas pode variar de 1 até 14 dias.[7] Apesar de alguns pacientes com formas leves a moderadas apresentarem ácido ribonucleico (RNA, do inglês *ribonucleic acid*) viral detectável em *swab* de orofaringe e nasofaringe por até 12 semanas após o início dos sintomas, nenhum vírus vivo foi isolado em cultura além do 9º dia.[5] Já pessoas com formas graves demonstraram ter detecção de RNA viral por tempo mais prolongado, inclusive com isolamento de vírus viável por até 20 dias entre casos internados por doença crítica.[6]

## QUADRO CLÍNICO

A Covid-19 tem apresentação clínica variável. Na maioria dos casos, os sintomas são semelhantes a outras infecções respiratórias virais, não sendo possível distingui-las. Nas formas leves ou moderadas (80% dos casos), apresenta-se como um resfriado comum, síndrome gripal ou pneumonia viral. Nas formas graves (15% dos casos), apresenta-se com dispneia, hipoxia ou mais de 50% de envolvimento pulmonar, evoluindo, em uma minoria de casos (5%), com necessidade de cuidados intensivos por insuficiência respiratória, choque e disfunção de múltiplos órgãos.[7]

Os sinais e sintomas mais comuns são febre, tosse seca e alterações do olfato (anosmia/hiposmia) e do paladar (disgeusia). Outros sintomas de frequência variável incluem fadiga, anorexia, cefaleia, dispneia, mialgia, dor de garganta, tosse produtiva, sensação de pressão/dor torácica e sintomas gastrintestinais (náusea e diarreia). Menos frequentemente, também podem ocorrer manifestações cutâneas, neurológicas, rinorreia e conjuntivite (TABELA 152.1).[8,9]

Apesar da documentação da infecção assintomática, ainda não se sabe ao certo a proporção de indivíduos que nunca desenvolvem sintomas. Uma revisão sistemática sugere que um terço das infecções por SARS-CoV-2 é assintomática.[10]

**TABELA 152.1** → Sinais e sintomas mais frequentes da Covid-19

| SINTOMAS | FREQUÊNCIA (VARIAÇÃO) |
| --- | --- |
| Febre | 78% (73-82%) |
| Tosse | 58% (51-64%) |
| Anosmia | 52% (29-75%) |
| Disgeusia | 43% (20-68%) |
| Fadiga | 34% (27-40%) |
| Expectoração | 23% (18-29%) |
| Anorexia | 22% (14-32%) |
| Pressão/dor torácica | 22% (16-30%) |
| Dispneia | 33% (24-44%) |
| Mialgias | 33% (26-40%) |
| Náuseas/vômitos | 21% (9-44%) |
| Cefaleia | 15% (11-19,6%) |
| Dor de garganta | 13% (7-20%) |
| Calafrios/tremores | 10% (5-17%) |
| Diarreia | 9% (6-12%) |
| Rinorreia | 7% (4-11,3%) |
| Dor abdominal | 3% (2-5%) |

Fonte: Adaptada de Zhu e colaboradores;[8] Tong, Wong e Zhu;[9] Mao e colaboradores.[11]

Apesar de ser o sinal mais comum, a febre pode ser baixa (< 38 °C) e apresentar-se dias após o início do quadro clínico. Além disso, estudos envolvendo somente pacientes ambulatoriais têm menor prevalência de febre – 34 a 40%.[12,13] Pessoas idosas e com comorbidades podem ter apresentação tardia de febre e sintomas respiratórios.[14]

A dispneia, um marcador de gravidade, apresenta tempo médio de estabelecimento de 5 a 8 dias a partir do início dos sintomas. Idosos tendem a apresentar mais frequentemente dispneia se comparados com pacientes mais jovens.[14]

Anosmia e disgeusia são sintomas comuns em pacientes com Covid-19, mas não são exclusivos dessa doença. Eles também são encontrados em outras condições, como rinossinusite e pólipos nasais, além de outras viroses, como causadas por parainfluenza e rinovírus, embora sejam bem menos frequentes nessas infecções do que na Covid-19.

Sintomas gastrintestinais têm prevalência de 15%, sendo que diarreia, náuseas e anorexia foram os sintomas mais comumente encontrados, e podem também se apresentar como manifestação inicial da doença. Pacientes com manifestações clínicas gastrintestinais tiveram, em geral, mais complicações, risco aumentado de SRAG e quadros mais graves da doença.[11] Também podem ocorrer diversas manifestações cutâneas, como erupções maculopapulares, *rash*, petéquias, urticária, vesículas e livedo reticular transitório. Lesões roxo-avermelhadas distais nos dedos, similares ao eritema pérnio, também foram encontradas, principalmente em crianças e adultos jovens com doença leve. Já lesões isquêmicas distais e exantema maculopapular foram vistos em pacientes com doença mais grave.[15] Conjuntivite também foi descrita.[16]

As manifestações neurológicas relatadas, sobretudo em pacientes com Covid-19 grave, são cefaleia e tontura, sensação de raciocínio lentificado (*brain fog*) e complicações como *delirium*, encefalopatia, acidente vascular cerebral, síndrome de Guillain-Barré e meningoencefalite.[17,18]

Outras complicações incluem: tromboembolismo, alterações cardíacas (arritmias e isquemia miocárdica), renais (hematúria, proteinúria e insuficiência renal), hepáticas (aumento de transaminases e bilirrubinas) e endócrinas (hiperglicemia e cetoacidose diabética).[2]

O período de recuperação da Covid-19 é bastante variável e depende da faixa etária, das comorbidades e da gravidade da doença. É esperado que indivíduos com infecções leves se recuperem em cerca de 2 semanas, enquanto aqueles com doença mais grave tendem a cursar com uma recuperação mais prolongada, que pode durar meses.[7] Uma parcela considerável dos pacientes acometidos pela doença apresenta sintomas persistentes, que duram ou iniciam mais de 3 meses após o início do quadro agudo. Manifestações clínicas novas, recorrentes ou que continuam por mais de 3 meses e não são explicadas por diagnósticos alternativos são chamadas de condições pós-Covid-19.[19]

## DEFINIÇÃO DE CASO

As definições de casos da Covid-19 no Brasil estão listadas na TABELA 152.2.

**TABELA 152.2** → Critérios para definição de caso de Covid-19

**CASO SUSPEITO**

**Definição 1 – síndrome gripal (SG)**
Indivíduo com quadro respiratório agudo, caracterizado por pelo menos 2 dos seguintes sinais e sintomas:
→ Febre* (mesmo que referida)
→ Calafrios
→ Dor de garganta
→ Dor de cabeça
→ Tosse
→ Coriza
→ Distúrbios olfativos
→ Distúrbios gustativos

Na suspeita de Covid-19, a febre pode estar ausente e sintomas gastrintestinais (como diarreia) podem estar presentes
**Em crianças:** além dos itens anteriores, considera-se também obstrução nasal, na ausência de outro diagnóstico específico
**Em idosos:** devem-se considerar também critérios específicos de agravamento, como síncope, confusão mental, sonolência excessiva, irritabilidade e inapetência

**Definição 2 – síndrome respiratória aguda grave (SRAG)**
Indivíduo com SG que apresente os seguintes sinais de gravidade:
→ Dispneia ou sinais de desconforto respiratório OU
→ Pressão ou dor persistente no tórax OU
→ Saturação de $O_2$ < 95% em ar ambiente OU
→ Coloração azulada (cianose) dos lábios ou do rosto

**Em crianças:** além dos itens anteriores, observar os batimentos de asa de nariz, cianose, tiragem intercostal, desidratação e inapetência

**CASO CONFIRMADO**

**Por critério clínico:** caso de SG ou SRAG associado à anosmia (disfunção olfativa) OU à ageusia (disfunção gustatória) aguda sem outra causa pregressa
**Por critério clínico-epidemiológico:** caso de SG ou SRAG com história de contato próximo[†] ou domiciliar,[‡] nos 14 dias anteriores ao aparecimento dos sinais e sintomas, com caso confirmado para Covid-19
**Por critério clínico-imaginológico:** caso de SG ou SRAG ou óbito por SRAG que não foi possível confirmar por critério laboratorial E que apresente pelo menos uma das seguintes alterações tomográficas:
→ Opacidade em vidro fosco periférico, bilateral, com ou sem consolidação ou linhas intralobulares visíveis ("pavimentação") OU
→ Opacidade em vidro fosco multifocal de morfologia arredondada com ou sem consolidação ou linhas intralobulares visíveis ("pavimentação") OU
→ Sinal de halo reverso ou outros achados de pneumonia em organização (observados posteriormente na doença)

**Por critério laboratorial em indivíduo não vacinado contra Covid-19:** caso de SG ou SRAG com teste de:
→ Biologia molecular: resultado DETECTÁVEL para SARS-CoV-2 realizado pelos seguintes métodos:
   → RT-PCR em tempo real
   → RT-LAMP
→ Imunológico: resultado REAGENTE para IgM, IgA e/ou IgG**** realizado pelos seguintes métodos:
   → Ensaio imunoenzimático (Elisa)
   → Imunocromatografia (teste rápido) para detecção de anticorpos
   → Imunoensaio por eletroquimioluminescência (Eclia)
   → Imunoensaio por quimioluminescência (Clia)

Pesquisa de antígeno: resultado REAGENTE para SARS-CoV-2 pelo método de imunocromatografia para detecção de antígeno
**Por critério laboratorial em indivíduo vacinado contra Covid-19:** indivíduo que recebeu a vacina contra Covid-19 e apresentou quadro posterior de SG ou SRAG com resultado de exame:
→ Biologia molecular: resultado DETECTÁVEL para SARS-CoV-2 realizado pelo método RT-PCR em tempo real ou RT-LAMP
→ Pesquisa de antígeno: resultado REAGENTE para SARS-CoV-2 pelo método de imunocromatografia para detecção de antígeno

**Por critério laboratorial em indivíduo assintomático:** indivíduo ASSINTOMÁTICO com resultado de exame:
→ Biologia molecular: resultado DETECTÁVEL para SARS-CoV-2 realizado pelo método RT-PCR em tempo real ou RT-LAMP
→ Pesquisa de antígeno: resultado REAGENTE para SARS-CoV-2 pelo método de imunocromatografia para detecção de antígeno

*(continua)*

**TABELA 152.2** → Critérios para definição de caso de doença pelo coronavírus 2019 (Covid-19)   *(Continuação)*

**CASO DESCARTADO**

Caso de SG para o qual houve identificação de outro agente etiológico confirmada por método laboratorial específico, excluindo-se a possibilidade de uma coinfecção, OU confirmação por causa não infecciosa, atestada pelo médico responsável
→ Ressalta-se que um exame negativo para Covid-19 isoladamente não é suficiente para descartar um caso para Covid-19
→ O registro de casos descartados de SG para Covid-19 deve ser feito no e-SUS Notifica

**CASO DE SG OU SRAG NÃO ESPECIFICADA**

Caso de SG ou de SRAG para o qual não houve identificação de nenhum outro agente etiológico, OU em que não foi possível coletar/processar amostra clínica para diagnóstico laboratorial, OU que não foi possível confirmar por critério clínico-epidemiológico, clínico-imaginológico ou clínico

*Febre: considera-se febre em caso de temperatura > 37,8 °C. Considerar a febre relatada pelo paciente, mesmo não mensurada. Na suspeita de Covid-19, a febre pode não estar presente. Nessas situações, a avaliação clínica deve ser levada em consideração, e a decisão deve ser registrada na ficha de notificação.
[†]Contato próximo de caso suspeito ou confirmado:
→ Teve contato físico direto (p. ex., apertando as mãos).
→ Esteve a menos de 1 metro de distância, por um período mínimo de 15 minutos, ambos sem máscara facial ou utilizando-a de forma incorreta.
→ Profissional de saúde que prestou assistência ao caso de Covid-19 sem utilizar EPIs, conforme preconizado, ou com EPIs danificados.
[‡]Contato domiciliar de casos suspeitos ou confirmados: pessoa que reside na mesma casa/ambiente (dormitórios, creche, alojamento, entre outros).
[§]Considerar o resultado IgG reagente como critério laboratorial confirmatório somente em indivíduos não vacinados e sem diagnóstico laboratorial anterior para Covid-19 e que tenham apresentado sinais e sintomas compatíveis, no mínimo 8 dias antes da realização desse exame.
EPIs, equipamentos de proteção individual; IgA, imunoglobulina A; IgG, imunoglobulina G; IgM, imunoglobulina M; RT-LAMP, amplificação isotérmica mediada por *loop* com transcriptase reversa; RT-PCR, reação em cadeia da polimerase com transcriptase reversa; SARS-CoV-2, coronavírus 2 associado à síndrome respiratória aguda grave.
Fonte: Brasil.[20]

## NOTIFICAÇÃO

Devem ser notificados todos os casos de SG, SRAG hospitalizados e óbito por SRAG, independentemente de hospitalização, que atendam à definição de caso. Além disso, devem ser notificados os indivíduos assintomáticos com confirmação laboratorial por biologia molecular, por pesquisa de antígeno ou teste imunológico de infecção recente por Covid-19.[20]

A notificação deve ser realizada por profissionais e instituições de saúde do setor público ou privado, em todo o território nacional. O prazo de notificação é de 24 horas após o atendimento inicial do caso suspeito. Todos os laboratórios das redes pública, privada, universitários e quaisquer outros, em território nacional, devem notificar os resultados de testes diagnósticos para detecção da Covid-19, sejam positivos, negativos ou inconclusivos, dentro do prazo de 24 horas após a data do resultado do teste.[20]

## DIAGNÓSTICO

### Diagnóstico clínico

A suspeita clínica depende de anamnese, exame físico e investigação epidemiológica. A história de contato próximo ou domiciliar com casos suspeitos ou confirmados para Covid-19, nos últimos 14 dias antes do surgimento dos sintomas, deve ser considerada e registrada, assim como a exposição a ambientes de alto risco (aglomerações, hospitais, abrigos). Indivíduos com sintomas típicos, mesmo sem vínculo epidemiológico identificável, devem ser considerados como altamente suspeitos. História clínica detalhada e comorbidades também são importantes para avaliação de outros diagnósticos diferenciais possíveis.[7,21]

No exame físico, a ausculta pulmonar pode revelar crepitantes inspiratórios, estertores ou sopro tubário em pacientes com pneumonia ou desconforto respiratório. Pacientes com quadros mais graves podem apresentar taquicardia, taquipneia ou cianose acompanhando a hipoxia.[21]

A saturação de oxigênio é um importante sinal a ser avaliado nas consultas, e é preciso estar atento para o fato de que níveis baixos de saturação podem ocorrer sem a presença de sinais óbvios de insuficiência respiratória.[22]

## Diagnóstico laboratorial

O diagnóstico laboratorial para a identificação do SARS-CoV-2 é realizado por meio de técnicas que detectam:

→ partículas virais, como reação em cadeia da polimerase com transcriptase reversa (RT-PCR, do inglês *reverse transcriptase polymerase chain reaction*) em tempo real, amplificação isotérmica mediada por *loop* com transcriptase reversa (RT-LAMP, do inglês *reverse transcription loop-mediated isothermal amplification*) e teste de antígeno; ou
→ anticorpos, como os testes sorológicos.

### Biologia molecular

→ **RT-PCR em tempo real:** teste padrão-ouro para o diagnóstico de Covid-19. A técnica detecta o RNA viral em amostras coletadas, sendo o teste de escolha para confirmar a infecção em pacientes sintomáticos na fase aguda. É recomendado que o teste seja coletado até o 8º dia do início dos sintomas em pacientes com SG, por meio de *swab* de nasofaringe, e até o 14º dia em casos graves hospitalizados, por meio de amostras do trato respiratório inferior, como escarro, aspirado da nasofaringe e lavado broncoalveolar.[7] A sensibilidade e a especificidade podem variar de acordo com a origem da amostra e a fase da doença, sendo maior nos primeiros dias de sintomas. Em geral, tem sensibilidade de 87,8% para *swab* nasal e especificidade de 87 a 100%.[23,24] Após o 7º dia de doença, a positividade da RT-PCR começa a cair, chegando a 45% entre os dias 15 e 39.[25] Apresenta como desvantagens o tempo necessário entre a coleta e a disponibilização do resultado, além da necessidade de estrutura laboratorial e de equipe técnica qualificada para sua realização. Casos com resultado de RT-PCR positivo não necessitam realizar investigação diagnóstica complementar e devem ser tratados como casos confirmados de Covid-19. Porém, testes falso-negativos são possíveis. Vários fatores podem levar a um resultado negativo em um indivíduo infectado, incluindo:[26]

→ má qualidade da amostra, contendo pouco material do paciente;
→ amostra coletada em uma fase muito precoce ou tardia da infecção;
→ amostra enviada inadequadamente ao laboratório;
→ razões técnicas inerentes ao teste, como mutação do vírus ou inibição das reações de transcrição reversa.

Em casos de alta suspeita clínica com resultado negativo, o teste deve ser repetido, preferencialmente com materiais de amostras de vias respiratórias inferiores. Nos casos de SRAG, sugere-se aproveitar a mesma amostra de material já com RNA extraído para investigar *influenza* e outros vírus respiratórios.[7]

→ **RT-LAMP:** detecta a presença do SARS-CoV-2 durante o período de infecção ativa do vírus em amostras de saliva ou de outros locais das vias respiratórias. É uma técnica que utiliza temperaturas constantes para amplificação do ácido nucleico viral, dispensando o uso de termociclador. Ela é mais simples, rápida e tem menor custo, além de apresentar sensibilidade e especificidade semelhantes ao RT-PCR.[27]

**Teste rápido para pesquisa de antígeno viral.** Usa método de imunocromatografia para identificação do antígeno, proteína do SARS-CoV-2. O teste é realizado com amostras de *swab* de nasofaringe ou nasal, com o propósito de detectar indivíduos com infecção aguda, do 1º ao 7º dia após início dos sintomas, com melhor acurácia se realizada nos primeiros dias de doença. As vantagens da técnica são disponibilizar o resultado em aproximadamente 15 minutos, e ser mais simples e mais barata que o RT-PCR. Como desvantagem, apresenta sensibilidade menor, e resultados negativos não excluem a infecção por SARS-CoV-2. Pacientes com alta suspeita clínica e um teste de antígeno negativo devem prosseguir investigação com RT-PCR.[26,28]

**Testes imunológicos (teste rápido ou sorologia por métodos de ensaio imunoenzimático [Elisa], imunoensaio por eletroquimioluminescência [Eclia] e imunoensaio por quimioluminescência [Clia]).** São testes que detectam anticorpos IgM, IgA e IgG e anticorpos neutralizantes para SARS-CoV-2 em pacientes que já tiveram Covid-19. Os testes sorológicos também podem ser úteis para pacientes sintomáticos com infecção atual que se apresentam tardiamente no curso da doença, após o 8º dia do início dos sintomas, especialmente em caso de RT-PCR negativo ou indisponível, desde que não tenham história de Covid-19 prévia ou antecedente de vacinação contra a doença. Como os testes sorológicos são menos propensos a serem positivos nos primeiros dias a semanas de infecção, eles têm pouca utilidade para o diagnóstico de doença aguda. Portanto, os testes sorológicos não devem ser utilizados, de forma isolada, para estabelecer a presença ou a ausência da infecção pelo SARS-CoV-2, nem como critério para isolamento ou sua suspensão, independentemente do tipo de anticorpo (IgA, IgM ou IgG) identificado.[26,28] A reatividade cruzada com outros coronavírus pode existir, e anticorpos IgM estão especialmente mais suscetíveis a falsos-positivos, especialmente em populações com baixa prevalência. O resultado deve ser interpretado com auxílio dos dados clínicos e outros exames laboratoriais confirmatórios.

Os anticorpos neutralizantes são a fração de anticorpos que é produzida pelo organismo induzido pela proteína viral *spike*, sendo capazes de neutralizar a ação do vírus e impedir a infecção de novas células. No entanto, os exames que mensuram o nível de anticorpos neutralizantes não são recomendados para avaliar a imunidade após infecção nem para determinar a proteção vacinal. Não há embasamento científico que relacione a presença desses anticorpos com proteção à infecção, em razão da complexidade do sistema imunológico contra a Covid-19, que envolve, além da imunidade humoral com anticorpos, a imunidade celular, realizada por linfócitos T. Além disso, não existe definição da quantidade mínima de anticorpos neutralizantes necessária para conferir proteção imunológica contra a infecção pelo SARS-CoV-2.[28,29]

O uso dos testes imunológicos na população geral assintomática pode ser útil para determinar a prevalência de infecções por SARS-CoV-2 por meio de inquéritos sorológicos, conforme decisão de gestores e equipes de vigilância.[28]

A presença de anticorpos IgM ou IgG aumenta quase simultaneamente após a 1ª semana de doença, estando presente em 30%, 72% e 91% dos pacientes na 1ª, 2ª e 3ª semanas após a infecção, respectivamente.[30,31] Pacientes que foram testados em até 1 semana após o início dos sintomas tiveram uma proporção considerável no número de resultados falso-negativos.[25] O tempo de duração dos anticorpos após a infecção ainda é incerto, embora o IgG persista na maioria das pessoas por vários meses, enquanto o IgM decai mais rapidamente. Pessoas com doença mais grave tendem a apresentar títulos mais altos e anticorpos mais duradouros.[31]

Os testes sorológicos podem ser realizados por várias metodologias, sendo que os testes pelos métodos Elisa e Clia, realizados em ambiente laboratorial automatizado, têm desempenho analítico superior aos testes rápidos (imunocromatográficos).

A FIGURA 152.1 mostra a variação estimada ao longo do tempo em testes de diagnóstico para detecção de infecção por SARS-CoV-2.

## Interpretação dos testes

A interpretação dos testes e as ações recomendadas para a população geral a partir dos seus resultados estão resumidas na TABELA 152.3.

## Exames complementares

Pacientes com quadros leves não necessitam de exames complementares. Conforme avaliação clínica e comorbidades, pode-se solicitar radiografia de tórax ou tomografia computadorizada (TC) de tórax, hemograma, avaliação da função renal, proteína C-reativa e outros exames laboratoriais.[21]

## Exames radiológicos

Junto com a apresentação clínica, o resultado de exames de imagem do tórax pode auxiliar na avaliação da gravidade da doença e no direcionamento do tratamento. Exames de imagem estão indicados para indivíduos que apresentam dispneia, sinais e/ou sintomas de gravidade ou fatores de risco para progressão da doença. Sugere-se inicialmente a realização de radiografia de tórax.[22,34]

Quando a radiografia é positiva, o achado mais comum é o infiltrado pulmonar, com distribuição pulmonar periférica e inferior. Eles podem ser unilaterais ou bilaterais e, à

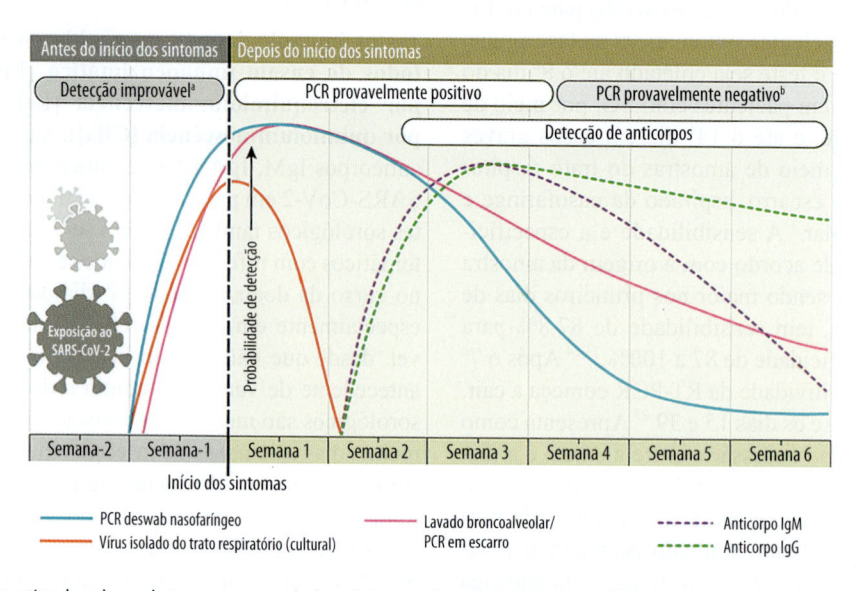

**FIGURA 152.1** → Variação estimada ao longo do tempo em testes de diagnóstico para detecção de infecção por SARS-CoV-2.
*Detecção mais provável se o paciente for acompanhado prospectivamente após a exposição ou se o teste de PCR for repetido após início dos sintomas.
†É mais provável ter um resultado negativo do que positivo quando testado por PCR de *swab* nasofaríngeo nesta fase.
PCR, reação em cadeia da polimerase; SARS-CoV-2, coronavírus 2 associado à síndrome respiratória aguda grave.
Fonte: Adaptada de Sethuraman, Jeremiah e Ryo.[32]

**TABELA 152.3** → Aplicabilidade, interpretação e conduta dos testes diagnósticos para Covid-19

| TESTE | POPULAÇÃO-ALVO | RESULTADO | INTERPRETAÇÃO | CONDUTA |
|---|---|---|---|---|
| **RT-PCR/RT-LAMP ou teste de antígeno** (diagnóstico de infecção aguda) *Síndrome gripal (SG)* RT-PCR/RT-LAMP: coletar entre o 1º e o 8º dia de sintomas Antígeno: coletar entre o 1º e o 7º dia de sintomas *Síndrome respiratória aguda grave (SRAG)* RT-PCR/RT-LAMP: coletar entre o 1º e o 14º dia de sintomas *Se assintomático e contato próximo de caso confirmado:* coletar entre 5-7 dias após o último contato | → Pessoas com suspeita de infecção aguda | Positivo | Provável infecção atual por Covid-19 e possibilidade de transmissão* | → Sintomáticos: monitoramento e manejo clínico de casos sintomáticos; recomenda-se o isolamento domiciliar, podendo ser suspenso após 10 dias do início dos sintomas, desde que esteja há 24 horas afebril sem uso de antitérmicos e com melhora dos sintomas respiratórios;§ orientar investigação e afastamento de contatos <br> → Assintomáticos: recomendado isolamento domiciliar por 10 dias a partir da data do teste;§ monitorar desenvolvimento de sintomas; orientar investigação e quarentena de contatos |
| | | Negativo | Provável ausência de infecção atual por Covid-19† | → Sintomáticos: monitoração e manejo clínico de sintomas, considerar diagnósticos diferenciais; isolamento e afastamento do trabalho conforme a clínica; se não for possível confirmar por meio de outros critérios (clínico, clínico-epidemiológico ou clínico-imaginológico), o isolamento poderá ser suspenso, desde que passe 24 horas de resolução da febre sem uso de antitérmicos e melhora dos sintomas respiratórios; em caso de alta suspeita clínica, é recomendado prosseguir investigação com nova coleta ou amostras do trato respiratório inferior, principalmente em pacientes graves <br> → Assintomáticos: não é necessário isolamento; monitorar desenvolvimento de sintomas; se for **contato próximo** de caso confirmado e o exame realizado for RT-PCR/RT-LAMP, a quarentena poderá ser suspensa, se necessário, mas devem-se manter o monitoramento e as medidas de prevenção até o 14º dia após o último contato |
| **Teste sorológico ou teste rápido de anticorpos** (diagnóstico de infecção passada ou atual em fase tardia) Coletar a partir do 8º dia de início dos sintomas, com maior sensibilidade após o 14º dia | → Pessoas que se apresentam tardiamente após o início dos sintomas <br> → Suspeita clínica para Covid-19, mas com resultado de RT-PCR negativo <br> → Inquéritos populacionais <br> Não deve ser realizado em vacinados | Positivo | Provável infecção prévia por Covid-19; a presença de anticorpos significa que houve exposição prévia ao vírus, não sendo possível definir apenas pelo resultado do teste se há ou não infecção ativa no momento da testagem | → Sintomáticos: ao resultado do teste, é imprescindível a identificação de sinais e sintomas de SG e a avaliação clínica subsequente; recomenda-se o isolamento domiciliar, podendo ser suspenso após 10 dias do início dos sintomas, desde que esteja há 24 horas afebril sem uso de antitérmicos e com melhora dos sintomas respiratórios;§ orientar investigação e quarentena de contatos <br> → Assintomáticos: pessoas assintomáticas que apresentam positividade para testes sorológicos e que não têm história recente de doença compatível com Covid-19 têm baixa probabilidade de infecção ativa; seguir recomendações gerais para prevenir a infecção por SARS-CoV-2 e continuar com as atividades normais, incluindo o trabalho |
| | | Negativo | Provável ausência de infecção prévia por Covid-19 | → Sintomáticos: avaliar se o teste foi coletado em tempo oportuno; pacientes com SG e clínica compatível que fazem o teste antes de 8-10 dias provavelmente terão teste negativo; fazer manejo clínico de sintomas e considerar diagnósticos diferenciais; mesmo com resultado negativo do teste, sugere-se a manutenção do isolamento, podendo ser suspenso após 10 dias de 24 horas afebril sem uso de antitérmicos e com melhora dos sintomas respiratórios; orientar investigação e quarentena de contatos <br> → Assintomáticos: indivíduo provavelmente não teve exposição prévia ao vírus; manter recomendações gerais para prevenir a infecção por SARS-CoV-2 |
| **Ambos os testes** (RT-PCR/RT-LAMP/antígeno e teste sorológico) | | RT-PCR/RT-LAMP/antígeno positivo, E sorologia positiva‡ | Provável infecção atual por Covid-19 e possibilidade de transmissão* | → Sintomáticos: monitoramento e manejo clínico de casos sintomáticos; recomenda-se o isolamento domiciliar, podendo ser suspenso após 10 dias do início dos sintomas desde que esteja há 24 horas afebril sem uso de antitérmicos e com melhora dos sintomas respiratórios;§ orientar investigação e quarentena de contatos <br> → Assintomáticos: recomendado isolamento domiciliar por 10 dias a partir da data do primeiro teste RT-PCR/RT-LAMP/antígeno;§ monitorar desenvolvimento de sintomas; orientar investigação e quarentena de contatos |
| | | RT-PCR/antígeno positivo, E sorologia negativa | | |
| | | RT-PCR/RT-LAMP/antígeno negativo, E sorologia positiva | Provável infecção prévia por Covid-19; a presença de anticorpos significa que houve exposição ao vírus | → Sintomáticos: ao resultado do teste, é imprescindível a identificação de sinais e sintomas de SG e a avaliação clínica subsequente; recomenda-se o isolamento domiciliar, podendo ser suspenso após 10 dias do início dos sintomas, desde que esteja há 24 horas afebril sem uso de antitérmicos e com melhora dos sintomas respiratórios;§ orientar investigação e quarentena de contatos <br> → Assintomáticos: pessoas assintomáticas que apresentam positividade para testes sorológicos e que não têm história recente de doença compatível com Covid-19 têm baixa probabilidade de infecção ativa; seguir recomendações gerais para prevenir a infecção por SARS-CoV-2 e continuar com as atividades normais, incluindo trabalho |
| | | RT-PCR/RT-LAMP/antígeno negativo, E sorologia negativa | Provável ausência de infecção prévia por Covid-19 | → Sintomáticos: avaliar se o teste foi coletado em tempo oportuno; fazer manejo clínico de sintomas e considerar diagnósticos diferenciais; o isolamento poderá ser suspenso, desde que passe 24 horas de resolução de febre sem uso de medicamentos antitérmicos e remissão dos sintomas respiratórios <br> → Assintomáticos: indivíduo provavelmente não teve exposição prévia ao vírus; manter recomendações gerais para prevenir a infecção por SARS-CoV-2 |

*Embora pessoas infectadas possam ter amostras positivas de PCR por até 12 semanas, é improvável que essas amostras tardias representem a presença de vírus infeccioso, mas indicam apenas fragmentos de RNA viral detectável.
†Podem ocorrer falsos-negativos em até 37% das coletas de *swab* nasal para PCR. Considerar recoletar exame em caso de alta suspeita clínica ou em casos graves. O teste de antígeno é menos sensível que o PCR; portanto, em caso de suspeita clínica, prosseguir investigação com PCR.
‡Os anticorpos contra SARS-CoV-2 podem positivar de 1-3 semanas a partir do início dos sintomas, com tempo mediano de conversão de 12-14 dias.
§Para casos graves ou pessoas gravemente imunocomprometidas, a duração recomendada do isolamento é de 20 dias.
¶A OMS não recomenda a utilização do teste de antígeno para suspender a quarentena devido à sua menor sensibilidade. Dessa forma, o resultado negativo não exclui a necessidade de manter a quarentena de contatos próximos de casos confirmados por 14 dias.
OMS, Organização Mundial da Saúde; RT-LAMP, amplificação isotérmica mediada por *loop* com transcriptase reversa; RT-PCR, reação em cadeia da polimerase com transcriptase reversa; SARS-CoV-2, coronavírus 2 associado à síndrome respiratória aguda grave.
Fonte: Adaptada de World Health Organization[7] e Centers for Disease Control and Prevention.[33]

medida que a doença progride, pode haver acometimento dos terços médios e superiores. Embora sejam incomuns, opacidades isoladas podem aparecer nos lobos superiores na doença leve.[35]

Apesar de a radiografia torácica continuar sendo uma ferramenta de triagem e avaliação adequada para pneumonia por Covid-19, ela tem altos índices de falso-negativo, especialmente no início da doença. Já a TC de tórax, sem contraste intravenoso, pode detectar doença precoce e, por isso, deve ser considerada em casos hospitalizados, especialmente naqueles com radiografias normais ou com alterações indeterminadas.[35,36] Sua sensibilidade como ferramenta diagnóstica é maior em pacientes com alta suspeita clínica de Covid-19 (sensibilidade de 87,9%, IC 95% 84,6-90,6%; especificidade de 80%, IC 95% 74,9-84,3%).[37]

As anormalidades da TC de tórax progridem rapidamente após o início dos sintomas e apresentam pico entre o 6º e o 13º dia de doença. Os achados mais comumente observados são múltiplas consolidações ou áreas lobulares e subsegmentares com padrão de atenuação em vidro fosco, em geral com distribuição periférica ou posterior, principalmente nos lobos inferiores bilateralmente. Achados menos frequentes incluem opacidades consolidativas sobrepostas a áreas de atenuação em vidro fosco (especialmente em idosos), espessamento interlobular (pavimentação em mosaico) ou septal (liso ou irregular), espessamento da pleura adjacente e broncogramas aéreos. Alguns pacientes podem, ainda, apresentar derrame pleural, linfadenopatia e alterações císticas circulares.[22,35,38,39] Em crianças, as alterações mais comuns são pequenas opacidades nodulares em vidro fosco e consolidações com sinal do halo.[22]

Além disso, a TC de tórax pode identificar diagnósticos alternativos ou simultâneos, principalmente em pacientes com múltiplas comorbidades.[35] Contudo, nenhum achado tomográfico pode confirmar ou descartar completamente a possibilidade diagnóstica de Covid-19.[34]

Embora grande parte dos casos se recupere sem sequelas, observou-se que as alterações radiológicas podem persistir após 1 ano da alta hospitalar em pacientes internados por formas graves da doença.[40]

## Exames laboratoriais

Em casos moderados, com febre e tosse persistente, ou naqueles com comorbidades de risco para complicações, os principais exames a serem solicitados são: hemograma, avaliação da função renal, proteína C-reativa e outros exames complementares conforme avaliação clínica e comorbidades. Em pacientes de maior gravidade, podem ser adicionados exames como gasometria arterial, coagulograma (tempo de protrombina [TP], tempo de tromboplastina parcial ativada [TTPa], fibrinogênio, D-dímero), perfil metabólico completo (aspartato-aminotransferase [AST], alanina-aminotransferase [ALT], gamaglutamiltransferase [gama-GT], creatinina, ureia, albumina), glicemia, ferritina, lactato desidrogenase (LDH), biomarcadores cardíacos (troponina, CK-MB, pró-BNP), íons (Na/K/Ca/Mg), hemoculturas e culturas de escarro.[22,41]

As anormalidades laboratoriais mais comuns em pacientes hospitalizados com pneumonia por SARS-CoV-2 são: linfopenia, leucocitose, trombocitopenia, elevação de transaminases hepáticas, LDH e proteína C-reativa, entre outros marcadores inflamatórios (como ferritina e procalcitonina).[14,22] Outras menos frequentes incluem neutrofilia, diminuição da hemoglobina e da albumina e insuficiência renal.[22]

Pacientes com Covid-19 podem apresentar queda na saturação de oxigênio, evoluindo com insuficiência respiratória aguda sem a presença de sinais óbvios de desconforto respiratório. Por isso, a gasometria arterial é recomendada para pacientes com desconforto respiratório, presença de cianose ou baixa saturação arterial de oxigênio por oximetria de pulso ($SpO_2 < 90\%$).[22]

Hemoculturas e culturas de escarro podem ser indicadas em pacientes graves para descartar outras causas de infecção do trato respiratório inferior, especialmente quando não for possível definir história epidemiológica. A coleta deve ser feita antes do início da antibioticoterapia empírica, se possível. Esses exames são mais úteis quando houver risco de infecção secundária por patógenos multirresistentes.[22]

Achados laboratoriais associados a formas mais graves da doença incluem linfopenia, leucocitose, trombocitopenia e proteína C-reativa elevada. Em uma série de casos internados em Wuhan, na China, aqueles que evoluíram para o óbito apresentaram níveis significativamente mais altos de D-dímero e maior alargamento do TP e do TTPa em comparação com os sobreviventes.[42-45]

## Diagnósticos diferenciais

Pacientes com sintomas respiratórios ou de SG devem ser avaliados para diagnósticos diferenciais de coronavírus, como *influenza* e resfriado comum, ou complicações concomitantes, como pneumonia bacteriana. O tratamento empírico para outras doenças pode ser indicado conforme o diagnóstico clínico e a epidemiologia local, enquanto se aguarda que o caso seja confirmado ou descartado para coronavírus. A terapia empírica deve ser reavaliada conforme resultados dos testes microbiológicos e complementares e quadro clínico do paciente.

Os principais diagnósticos diferenciais de Covid-19 são SG por *influenza*, resfriado comum, pneumonia bacteriana, tuberculose, coqueluche, rinossinusite, exacerbação de doença pulmonar obstrutiva crônica (DPOC) e asma.

Pacientes com pneumonia bacteriana adquirida na comunidade (PAC) têm maior probabilidade de apresentar rápido desenvolvimento de sintomas e tosse produtiva, e apresentam, com menos frequência, anosmia, ageusia e mialgia. Os achados em exame de imagem também são diferentes; enquanto na PAC há demonstração de consolidação ou infiltrado pulmonar, na pneumonia viral por Covid-19 são comuns o infiltrado bilateral e o padrão de atenuação em vidro fosco na TC de tórax. A infecção por *influenza* pode ser bem semelhante clinicamente, sendo o achado de anosmia/ageusia mais frequente em pacientes com Covid-19.[22]

Tuberculose deve ser sempre considerada em pessoas com sintomas mais prolongados, como tosse por período ≥ 3 semanas, e pode estar associada à perda de peso, à febre e à sudorese noturna.²² Se houver suspeita de tuberculose, deve-se coletar escarro com instruções específicas (realizar a coleta em áreas abertas fora de casa e longe de outras pessoas) ou em um espaço aberto e bem ventilado, de preferência fora das unidades de saúde. A equipe não deve ficar perto do paciente durante a coleta de amostras de escarro.⁷

Em áreas com outras infecções endêmicas que causam febre, como malária, dengue e chikungunya, como parte da avaliação, pacientes febris devem ser testados para Covid-19 de acordo com os protocolos de rotina, independentemente da presença de sinais respiratórios e sintomas. Dengue e chikungunya também devem ser considerados no diagnóstico diferencial de doença febril indiferenciada, principalmente quando houver trombocitopenia. Um teste diagnóstico positivo para dengue ou outra doença não exclui o diagnóstico de Covid-19, pois pode haver coinfecção.⁷

# MANEJO CLÍNICO

## Identificação de grupos de risco

Para definir o tratamento e o nível de atenção onde o paciente com suspeita ou diagnóstico de Covid-19 deverá ser manejado, é preciso estratificar a gravidade do caso de acordo com os sinais e sintomas apresentados e com a presença de fatores de risco para formas graves e complicações da doença, descritos na TABELA 152.4.

## Classificação clínica

A classificação da gravidade dos sintomas da infecção pelo SARS-CoV-2 está descrita na TABELA 152.5.

## Manejo de casos leves

Na ausência de condições de risco para evolução de gravidade (ver TABELA 152.4), pacientes com apresentação clínica leve deverão ser acompanhados na atenção primária à saúde (APS), desde que seja possível manter as medidas de precaução, isolamento domiciliar e atenção a possíveis complicações.⁷,¹⁴

**TABELA 152.4** → Fatores de risco para doença pelo Covid-19 grave

| | |
|---|---|
| Associações apoiadas por revisões sistemáticas e/ou metanálises | → Câncer<br>→ Doença cerebrovascular<br>→ Doença renal crônica*<br>→ DPOC<br>→ Diabetes melito, tipo 1 e tipo 2*<br>→ Doenças cardíacas (como insuficiência cardíaca, doença arterial coronariana ou miocardiopatias)<br>→ Obesidade (IMC ≥ 30 kg/m²)*<br>→ Gravidez e puerpério<br>→ Tabagismo |
| Associações apoiadas por estudos observacionais | → Síndrome de Down<br>→ HIV<br>→ Condições neurológicas, incluindo demência<br>→ Sobrepeso (IMC ≥ 25 kg/m², mas < 30 kg/m²)<br>→ Outras doenças pulmonares (incluindo doença pulmonar intersticial, fibrose pulmonar, hipertensão pulmonar)*<br>→ Doença falciforme<br>→ Transplante de órgãos sólidos ou células-tronco sanguíneas<br>→ Transtornos por uso de substâncias<br>→ Uso de corticoides ou outros medicamentos imunossupressores |
| Associações apoiadas por relatos de caso ou estudos observacionais com amostras pequenas | → Fibrose cística<br>→ Talassemia |
| Associações apoiadas por evidências mistas | → Asma<br>→ Hipertensão*<br>→ Deficiências imunológicas<br>→ Doença hepática |

*Condições subjacentes com evidências para pessoas grávidas e não grávidas.
DPOC, doença pulmonar obstrutiva crônica; IMC, índice de massa corporal; HIV, vírus da imunodeficiência humana.
Fonte: Adaptada de Centers for Disease Control and Prevention.⁴⁶

**TABELA 152.5** → Critérios de gravidade e local de manejo

| | ESTRATIFICAÇÃO DE RISCO | | |
|---|---|---|---|
| | **CASOS LEVES** | **CASOS MODERADOS** | **CASOS GRAVES** |
| Quadro clínico | Sintomáticos que preencham definição de caso para Covid-19 sem evidência de pneumonia viral ou hipoxia | Achados clínicos compatíveis com pneumonia, como febre, tosse, dispneia e taquipneia, alteração na ausculta respiratória, com SpO₂ ≥ 90% em ar ambiente e sem outros sinais de gravidade | Achados clínicos compatíveis com pneumonia associados a pelo menos 1 dos seguintes sinais:<br>→ FR > 30 mrpm<br>→ Dispneia intensa<br>→ SpO₂ < 90% em ar ambiente<br>→ Sinais de esforço respiratório grave (uso de musculatura acessória, incapacidade de falar frases completas)<br>Infiltrado pulmonar > 50%†<br>Em crianças: taquipneia (FR ≥ 60 mrpm se idade < 2 meses; FR ≥ 50 mrpm se 2-11 meses; FR ≥ 40 mrpm se 1-5 anos); hipoxemia; desconforto respiratório; alteração da consciência; desidratação; dificuldade para se alimentar; cianose, letargia, convulsões, lesão miocárdica; elevação de enzimas hepáticas; disfunção da coagulação; rabdomiólise; qualquer outra manifestação de lesão em órgãos vitais |
| Local de atendimento recomendado | APS/atenção ambulatorial | Hospital/centro de referência* | Hospital/centro de referência |

*Em contexto de limitação de recursos hospitalares, os pacientes que não forem hospitalizados poderão manter acompanhamento ambulatorial, porém deve ser considerada a apresentação clínica, a necessidade de cuidados de suporte, a presença de fatores de risco para complicações (ver TABELA 152.4), a capacidade de manter isolamento e o acompanhamento na APS.⁷
†O NIH e o CDC consideram que a presença de infiltrado pulmonar > 50% também pode indicar maior gravidade do quadro.¹⁴,⁴⁷
APS, atenção primária à saúde; CDC, Centers for Disease Control and Prevention; FR, frequência respiratória; NIH, National Institutes of Health; SpO₂, saturação arterial de oxigênio por oximetria de pulso.
Fonte: Adaptada de World Health Organization.⁷

Esses casos não necessitam de avaliação com exames complementares, e o tratamento inclui medidas como repouso, manutenção da ingesta de líquidos por via oral, alimentação adequada, prescrição de sintomáticos como antitérmicos e analgésicos, além de isolamento domiciliar por pelo menos 10 dias a contar da data de início dos sintomas e recuperação clínica (estar há 24 horas afebril sem uso de antitérmicos e com melhora dos sintomas).[7,14]

Como há possibilidade de SG por *influenza*, pacientes com fatores de risco para complicações por *influenza* e que se apresentam com febre associada a pelo menos um dos seguintes sintomas – tosse, mialgia, artralgia ou cefaleia – têm indicação de uso de oseltamivir, preferencialmente nas primeiras 48 horas do início dos sintomas. O antiviral também está indicado para todos os casos de SRAG ou para os que apresentam sinais de agravamento do quadro clínico. Nessas situações, a medicação poderá ser iniciada mesmo após 48 horas do início dos sintomas. O uso do oseltamivir poderá ser suspenso em caso de exclusão do diagnóstico de *influenza*.[47] Para informações sobre fatores de risco para complicações da *influenza* que indicam uso de oseltamivir e dosagens, ver Capítulos Infecções de Trato Respiratório em Adultos e Infecção Respiratória Aguda na Criança.

A revisão e o acompanhamento devem ser realizados a cada 24 horas em pessoas com condições de risco para evolução grave (ver **TABELA 152.4**), e a cada 48 horas nos demais, até completar o período de isolamento e recuperação clínica. O acompanhamento pode ser feito presencialmente, conforme necessidade clínica, ou por teleatendimento, à distância.[7,14]

Deve ser disponibilizado acesso por um meio de comunicação rápido para eventuais dúvidas ou comunicados. Além disso, o profissional da APS deve dar instruções antecipadas sobre quando e onde procurar atendimento se um contato domiciliar desenvolver sintomas ou em caso de deterioração clínica.[7,14]

Os sinais ou sintomas que sugerem piora da doença e indicam avaliação presencial, idealmente em serviço de urgência/emergência, incluem tonturas, dispneia, taquipneia, esforço respiratório, dor torácica, desidratação, alteração de estado mental, febre persistente e, especificamente em lactentes, gemência, dificuldade de amamentação e cianose.[7,14]

Vale destacar que não existem, até o momento, evidências científicas que indiquem qualquer terapia específica com antivirais, antiparasitários, antibióticos ou imunomoduladores, incluindo corticoides, em pacientes com formas leves de Covid-19.[7,47]

## Casos moderados ou graves

Dado que a doença pode progredir rapidamente em pacientes com Covid-19, aqueles com quadro clínico moderado a grave, ainda que suspeito, devem ser avaliados em serviços de maior densidade tecnológica. Essa avaliação é necessária para identificar possíveis diagnósticos diferenciais ou complicações que indiquem terapias específicas, internação hospitalar ou necessidade de cuidados intensivos.[7,47]

Contudo, em cenários de escassez de recursos hospitalares, podem ser considerados o isolamento domiciliar e o acompanhamento ambulatorial, presencial ou por consulta remota, para indivíduos com formas graves e sem fatores de risco para complicações. Nesses casos, orientam-se isolamento, monitoramento por oximetria de pulso e reavaliação clínica a cada 24 horas.[7,21,47] É importante ressaltar que a oximetria só deve ser interpretada dentro do contexto da apresentação clínica do paciente, pois ela pode não estar alterada em pessoas de pele negra com hipoxemia oculta. Assim, ela não deve ser utilizada isoladamente como parâmetro de triagem ou de monitoramento, especialmente em caso de valores normais de $SpO_2$ em pessoas com queixa de dispneia.[47] Na presença de qualquer critério para doença grave, o paciente deverá ser encaminhado ao serviço de emergência. O manejo terapêutico inclui repouso, hidratação, analgésicos e antitérmicos e isolamento domiciliar. Deve-se, ainda, considerar possíveis diagnósticos diferenciais e avaliar a indicação de oseltamivir.[7,47]

Com base em recomendações de especialistas sobre o uso de pronação acordada ou autopronação (*awake proning* ou *self-proning*) em pacientes hospitalizados por Covid-19 grave a crítica recebendo oxigenoterapia com objetivo de melhorar a ventilação e a perfusão das vias áreas posteriores dos pulmões, pode-se indicar essa manobra em casos moderados mantidos em tratamento domiciliar por colapso do sistema de saúde **C/D**.[48,49]

Apesar da falta de evidências robustas e de incertezas sobre a duração de sua aplicação, sugere-se manter o indivíduo de 8 a 12 horas por dia nessa posição, divididas ao longo do dia. Para avaliar a resposta, o paciente deve medir a saturação de 5 a 15 minutos após iniciar a pronação.[48,49] Ela não deve ser mantida caso não haja melhora da respiração e/ou a pessoa esteja desconfortável.[47]

As contraindicações absolutas da realização da posição prona são:[47]

→ pacientes hemodinamicamente instáveis;
→ insuficiência respiratória e necessidade de intubação imediata;
→ pacientes com cirurgia abdominal recente;
→ trauma raquimedular ou fraturas de coluna instáveis;
→ vômitos ou náuseas recentes.

Se pacientes com formas graves se apresentarem inicialmente na APS, a equipe deverá proceder à estabilização e encaminhá-los para atendimento conforme fluxos locais.[7,50] Se houver dificuldade respiratória, hipoxemia ou choque, deve ser iniciada oxigenoterapia com alvo em $SpO_2$ de 92 a 96%, enquanto se aguarda transferência para centro de referência. A oxigenoterapia deve ser ofertada com óculos ou cateter nasal a 5 L/min, avaliando as taxas de fluxo para atingir a meta de $SpO_2 \geq 92\%$. Outra opção é o uso de máscara facial não reinalante com bolsa reservatório (10-15 L/min). Caso haja necessidade, administrar hidratação intravenosa.[50]

No centro de referência ou na emergência hospitalar, deverão ser realizados testes diagnósticos específicos, idealmente o RT-PCR para Covid-19 e, se necessário, para outros vírus respiratórios. Também poderão ser solicitados outros exames complementares, como radiografia ou TC de tórax, hemograma, avaliação da função renal, proteína C-reativa e outros exames laboratoriais.[14,47]

O manejo desses casos inclui medidas de suporte, como oxigenoterapia, ventilação mecânica, terapia com medicamentos vasopressores em caso de choque hipovolêmico, tromboprofilaxia medicamentosa e corticoterapia em pacientes que demandam oxigenoterapia. A antibioticoterapia está indicada na suspeita de sepse ou infecção bacteriana e deve ser sempre reavaliada caso essas hipóteses sejam descartadas. O uso de anticoagulantes em doses terapêuticas está indicado na presença de eventos trombóticos, como trombose venosa profunda ou tromboembolismo pulmonar.[7,47]

Em caso de alta, a APS deve monitorar a evolução clínica, preferencialmente por telefone, a cada 24 horas, até completar 20 dias do início dos sintomas, considerando o possível risco de progressão para doença grave na 2ª semana após o início dos sintomas.[7,14]

## Tratamentos farmacológicos

Desde o início da pandemia, estuda-se o reaproveitamento de fármacos já existentes para outras indicações terapêuticas como opções para o tratamento da Covid-19. Essa estratégia tem a vantagem de o perfil de segurança desses fármacos ser conhecido, sendo mais ágil do que o desenvolvimento de novos medicamentos. Já foram testados mais de 400 fármacos diferentes, em mais de 280 mil pacientes.[51] Contudo, à exceção do uso de dexametasona e tocilizumabe, não há unanimidade por parte das diretrizes internacionais no que se refere a terapias específicas contra a Covid-19.[21,22,47,52]

Grandes ensaios multicêntricos, como RECOVERY e Solidarity, que testaram vários medicamentos, evidenciaram que hidroxicloroquina, azitromicina, lopinavir + ritonavir e interferon não apresentam redução de mortalidade **B**.[53,54] Além disso, com base nos dados desses estudos, agências de saúde internacionais e o Ministério da Saúde (MS) desaconselham o uso de agentes sem evidência de benefício, como ivermectina e nitazoxanida, fora dos ensaios clínicos.[7,21,47]

## Corticoides

O estudo RECOVERY mostrou que o tratamento com 6 mg de dexametasona, 1 ×/dia, por até 10 dias, reduziu a mortalidade em 28 dias naqueles em uso de oxigênio suplementar (RRR = 18%; NNT = 35) ou ventilação mecânica (RRR = 36%; NNT = 9) **B**. Apesar disso, não foi encontrado nenhum benefício entre os que não fizeram uso de oxigenoterapia. Inclusive, os autores apontam a possibilidade de dano com uso nesses casos.[55]

Com base nesses achados, há recomendação do uso de corticoterapia em pacientes com Covid-19 e que estejam em uso de oxigênio suplementar. As opções estão descritas na **TABELA 152.6**.

## Anticoagulantes

Sabe-se que a Covid-19 associa-se com uma síndrome inflamatória sistêmica e com aumento de marcadores séricos de estado protrombótico, levando à piora de desfechos clínicos. Uma metanálise encontrou prevalência geral de 14,1% de eventos tromboembólicos entre indivíduos internados por causa da doença.[56]

Considerando os conhecimentos prévios à pandemia, que mostram que pacientes internados têm risco de tromboembolismo venoso e que o uso de profilaxia com anticoagulantes está associado à redução desses eventos e da mortalidade intra-hospitalar, várias organizações médicas recomendam a tromboprofilaxia para pacientes internados com Covid-19 (ver opções terapêuticas na **TABELA 152.7**) **C/D**.[7,47,52] Essa orientação não se estende para pacientes que realizaram o tratamento em ambiente ambulatorial ou que receberam alta após tratamento hospitalar. A indicação do uso de anticoagulantes no período pós-alta deve seguir os mesmos critérios do paciente não Covid-19. Além disso, o acometimento pela Covid-19 não altera as recomendações de pacientes com outras indicações para anticoagulação.[7,47]

Vale ressaltar que não se devem utilizar doses intermediárias ou anticoagulação terapêutica em pacientes com Covid-19 sem evidência de tromboembolismo.[7,21,47]

## Tocilizumabe

O tocilizumabe, um anticorpo monoclonal que reduz inflamação por inibição da interleucina-6, parece efetivo no controle da cascata inflamatória observada nas formas graves da Covid-19. As recomendações para a utilização desse fármaco baseiam-se em achados de dois principais ensaios clínicos randomizados: REMAP-CAP e RECOVERY. Os seus

**TABELA 152.6** → Corticoides no tratamento da Covid-19*

| PRIMEIRA ESCOLHA |
|---|
| → Dexametasona, 6 mg, IV ou VO, 1 ×/dia, por 10 dias |
| **ALTERNATIVAS, NA INDISPONIBILIDADE DE DEXAMETASONA** |
| → Hidrocortisona, 50 mg, IV, de 6/6 horas, por 10 dias OU |
| → Metilprednisolona, 40 mg, IV, 1 ×/dia, por 10 dias OU |
| → Prednisona, 40 mg, VO, 1 ×/dia, por 10 dias |

*Recomendados apenas para pacientes com formas graves que necessitam de oxigenoterapia.
IV, intravenoso; VO, via oral.
Fonte: Adaptada de National Institutes of Health.[47]

**TABELA 152.7** → Exemplos de anticoagulantes profiláticos

| MEDICAMENTO | DOSE SUGERIDA |
|---|---|
| Heparina não fracionada | → Dose-padrão: 5.000 UI, SC, de 8/8 ou 12/12 horas |
|  | → > 120 kg ou IMC > 40 kg/m²: 7.500 UI, SC, de 12/12 horas, ou 5.000 UI, SC, de 8/8 horas |
| Enoxaparina | → Dose-padrão: 40 mg, SC, de 24/24 horas |
|  | → > 120 kg ou IMC > 40 kg/m²: 40 mg, SC, de 12/12 horas |
|  | → eTFG < 30 mL/min: avaliar riscos e benefícios |
| Fondaparinux | → Dose-padrão: 2,5 mg, SC, de 24/24 horas |
|  | → eTFG 20-50 mL/min: 1,5 mg, SC, de 24/24 horas |
|  | → eTFG < 20 mL/min: não utilizar |

eTFG, taxa de filtração glomerular estimada; IMC, índice de massa corporal; SC, subcutâneo; UI, unidades internacionais.
Fonte: Adaptada de World Health Organization.[7]

resultados mostraram benefício de mortalidade para o tocilizumabe entre pacientes que sofreram descompensação respiratória rápida e foram prontamente admitidos na unidade de terapia intensiva (UTI), incluindo aqueles que necessitaram de ventilação mecânica invasiva.[57,58] Entretanto, não está claro se há benefício clínico de seu uso naqueles que receberam ventilação mecânica invasiva 24 horas após a admissão na UTI. Além disso, corticoides foram administrados para a maioria dos participantes de ambos os estudos.

Uma metanálise posterior evidenciou o benefício do medicamento, independentemente do uso concomitante com dexametasona, na redução de mortalidade, tempo de internação e diminuição de progressão de gravidade da doença em pacientes hospitalizados B.[59] A partir disso, instituições como OMS,[60] National Institutes of Health (NIH),[47] National Institute for Health and Care Excellence (Nice)[21] e Infectious Diseases Society of America (IDSA)[61] passaram a recomendar o seu uso para tratamento de pacientes hospitalizados com Covid-19 em franca deterioração clínica, em uso de oxigenoterapia suplementar, iniciada nas últimas 48 horas ou com elevação de marcadores inflamatórios, desde que estejam em uso ou já tenham completado corticoterapia (p. ex., dexametasona) e não apresentem sinais de infecção bacteriana ou viral.

Atualmente, no Brasil, não há aprovação em bula para essa indicação e há incertezas no acesso ao medicamento devido à indisponibilidade para suprir a demanda potencial.[52]

## Rendesivir

O rendesivir apresenta ação análoga à do trifosfato de adenosina (ATP, do inglês *adenosine triphosphate*) e age competindo com o ATP endógeno, impedindo que este se incorpore às cadeias de RNA, o que resulta na terminação prematura dessa cadeia, impedindo a replicação do RNA viral do SARS-CoV-2. Apesar desse efeito, as evidências que sugerem sua eficácia são controversas, gerando conflitos de recomendações entre diferentes diretrizes de saúde.[22]

Ensaios clínicos randomizados mostram redução no tempo de internação em pacientes tratados com esse fármaco. Contudo, esses achados foram observados apenas entre os casos que fizeram uso de oxigênio em baixo fluxo B,[62] o que parece estar relacionado à brevidade do diagnóstico e à forma leve da doença e não à sua ação farmacológica. Além disso, não foram encontrados efeitos em termos de redução de mortalidade ou gravidade da doença B.[53,62]

Esse medicamento recebeu aprovação condicional pela Agência Nacional de Vigilância Sanitária (Anvisa) em pessoas com idade > 12 anos que apresentam pneumonia pelo SARS-CoV-2 e requerem administração suplementar de oxigênio, mas que não estejam em ventilação mecânica ou oxigenação por membrana extracorpórea (ECMO, do inglês *extracorporeal membrane oxygenation*) ao início do tratamento. Apesar disso, seguindo orientações da OMS, seu uso não é recomendado para o tratamento da Covid-19 pelo MS, devido às incertezas sobre seu benefício e sua significância clínica.[52]

## Plasma convalescente

Ensaios clínicos randomizados em pacientes hospitalizados não demonstraram benefício clínico do plasma convalescente. Uma metanálise de quatro ensaios randomizados não detectou diferença na mortalidade, no tempo de internação ou no uso de ventilação mecânica com plasma convalescente em comparação com placebo ou tratamento-padrão B.[63]

O National Health Service (NHS; do Reino Unido), o IDSA e a Anvisa recomendam seu uso apenas em contexto de ensaio clínico, além de se posicionarem contra seu uso em cenário hospitalar, tanto em casos leves a moderados, como casos graves e críticos.[47,61,64]

## Outros medicamentos no contexto da Covid-19

### Inibidores da enzima conversora da angiotensina (IECAs) ou bloqueadores de receptores da angiotensina (BRAs)

Os estudos populacionais iniciais mostraram que a presença de doenças cardiovasculares e diabetes eram fatores de risco para Covid-19, e, como o receptor viral do SARS-CoV-2 é a ECA-2, foi sugerido que anti-hipertensivos inibidores do sistema renina-angiotensina-aldosterona, medicamentos amplamente utilizados por essa população, causam potencial risco para a infecção pelo novo coronavírus.[7]

Essa plausibilidade vem do fato de o vírus utilizar o receptor ECA-2 no mecanismo de infecção e por esses medicamentos aumentarem a disponibilidade de ECA-2 *in vitro*.[65] Porém, em estudos maiores e com populações diversas, não há evidências que demonstrem associação do uso desses medicamentos com aumento de incidência ou de gravidade da doença por Covid-19 B.[66] O uso desses fármacos por pacientes com doença cardiovascular e diabéticos está associado a benefícios extensamente comprovados para redução da mortalidade.[67] Assim, não está indicada a suspensão de IECA ou BRA no cenário da Covid-19, a não ser que haja outro motivo para sua retirada, como hipercalemia, hipotensão ou insuficiência renal aguda.[67]

### Anti-inflamatórios não esteroides

Em uma revisão realizada pela OMS para avaliar efeitos colaterais do uso de anti-inflamatórios não esteroides (AINEs) por pacientes com infecções respiratórias virais agudas (nenhum abordava especificamente Covid-19, SRAG ou MERS), a maioria dos estudos relata que não houve eventos adversos graves ou que apenas eventos adversos leves ou moderados foram observados. Assim, não há motivos para evitar o uso de AINE no manejo sintomático da Covid-19.[47,68] Ressalta-se que ele deve ser mantido pelo menor tempo possível, e antes da prescrição é necessário avaliar se não há alguma contraindicação, interação com medicamentos de uso contínuo ou condições de risco para formas graves da infecção pelo SARS-CoV-2.[68]

### Nebulização

Em casos de broncoespasmo, deve-se dar preferência ao uso de broncodilatador em *spray* inalatório (a "bombinha"), com espaçador individual ou esterilizado a cada uso. Contudo, na impossibilidade de substituição, a nebulização deve ser utilizada. Para isso, colocar o paciente em sala isolada e bem ventilada. O profissional de saúde presente deve utilizar EPI-padrão, incluindo máscara N95/PFF2.[7,47] Após o procedimento, realizar a limpeza e a desinfecção do nebulizador conforme rotina do serviço.[69]

## ÓBITO

### Investigação de Covid-19 após o óbito

Óbitos suspeitos, independentemente de internação, devem ser notificados imediatamente com a vigilância epidemiológica do município e no Sistema de Informação da Vigilância Epidemiológica da Gripe (Sivep-Gripe).[20] A equipe de vigilância em saúde deverá proceder com a investigação caso a caso.

Diante de um caso suspeito, mas sem confirmação prévia de infecção pelo SARS-CoV-2, avaliar a necessidade de coletar amostras *post-mortem*.[26,70] Caso a coleta de material biológico não tenha sido realizada em vida, é recomendado coletar *swab* da cavidade nasal e de orofaringe. Quando houver resultado anterior negativo para o *swab* nasal/orofaríngeo, em virtude da possibilidade de falso-negativo, discutir com a equipe de vigilância, considerando a clínica e os resultados de exames de imagem, como a TC, para confirmação de morte por Covid-19. Caso seja necessário e possível, encaminhar ao Serviço de Verificação de Óbito (SVO) para autópsia minimamente invasiva, ou punção pulmonar para coleta de fragmentos de tecido e envio à análise laboratorial. Diante da necessidade do envio de corpos ao SVO, deve ser realizada a comunicação prévia ao gestor do serviço para certificação de capacidade para o recebimento.[70]

Se, no momento do preenchimento da declaração de óbito (DO), a causa da morte ainda não estiver confirmada para Covid-19, mas houver suspeição, o médico deverá registrar o termo "Suspeita de Covid-19" na parte I. Na parte II, deverão ser registradas as comorbidades, se existirem. É importante ressaltar que pessoas com Covid-19 podem morrer de outras doenças ou acidentes, o que não será morte devido à Covid-19. Caso o médico considere que a Covid-19 tenha agravado ou contribuído para a morte, poderá relatá-la na parte II da DO.[71] Mais informações sobre preenchimento da DO se encontram no Capítulo Registros Médicos, Certificados, Atestados e Laudos.

### Codificação da Covid-19

Os códigos da *Classificação estatística internacional de doenças e problemas relacionados à saúde* (CID-10) utilizados pela vigilância epidemiológica para registrar casos de Covid-19 são:[20]
→ **B34.2 (infecção pelo coronavírus de localização não especificada):** atribuído aos casos suspeitos ou confirmados de Covid-19. O código B34.2 é um marcador inespecífico e anterior à pandemia, portanto, deve sempre vir acompanhado de um dos seguintes códigos específicos, definidos pela OMS:
→ **U07.1 (Covid-19, vírus identificado):** atribuído aos casos com diagnóstico de Covid-19 confirmados por testes de laboratório;
→ **U07.2 (Covid-19, vírus não identificado):** atribuído aos casos com diagnóstico clínico ou epidemiológico de Covid-19, em que a confirmação laboratorial não foi realizada, é inconclusiva ou o resultado ainda não está disponível.

Os novos códigos U07.1 e U07.2 são os marcadores oficiais da pandemia. Ambos os códigos complementam o código B34.2. O código B34.2 e o código U07.1 ou U07.2 devem ser alocados na mesma linha de documentos oficiais, como a DO.[71]

## RECOMENDAÇÕES PARA GRUPOS ESPECÍFICOS

### Crianças e adolescentes

Crianças e adolescentes acometidos pela Covid-19 costumam ter quadro clínico leve, com sintomas mais brandos que em adultos, e muitos casos de infecção assintomática. Crianças assintomáticas podem apresentar alterações radiológicas semelhantes às das crianças sintomáticas.[72,73] O registro de formas graves na faixa etária pediátrica é menos comum e parece associar-se à preexistência de morbidades crônicas.[73]

No entanto, foram relatados casos graves de crianças ou adolescentes previamente hígidos apresentando uma síndrome inflamatória multissistêmica.[7] O quadro inclui febre elevada e persistente, de início súbito (39-40 °C), associada a sintomas inespecíficos, como vômitos, dor abdominal, diarreia, hiperemia conjuntival, sinais de inflamação mucocutânea e evolução para insuficiência circulatória, com necessidade de cuidados intensivos.[74] Essa síndrome é chamada de síndrome inflamatória multissistêmica pediátrica (SIM-P) temporalmente associada à Covid-19 e assemelha-se à doença de Kawasaki ou à síndrome do choque tóxico.[74-77] A maioria dos casos relatados apresenta exames laboratoriais que indicam marcadores inflamatórios elevados e infecção atual ou recente pelo SARS-CoV-2 ou vínculo epidemiológico com caso confirmado de Covid-19.[78]

### Gestantes

Devido à imunossupressão relativa e às mudanças fisiológicas da gestação (elevação de cúpulas diafragmáticas, aumento do consumo de oxigênio e edema de mucosa do trato respiratório), gestantes podem ser mais suscetíveis a infecções respiratórias virais. Mulheres grávidas têm maior probabilidade de complicações maternas ligadas à Covid-19, principalmente no último trimestre da gravidez e no puerpério, e de mortalidade materna. As gestantes infectadas têm maior risco de hospitalização, admissão em UTI e necessidade de ventilação mecânica.[79] O MS orienta que gestantes e puérperas sejam consideradas como grupo de risco.[80] Até o momento, não foi observado aumento da frequência de anomalias congênitas ou de aborto espontâneo. A ocorrência de restrição do crescimento intrauterino foi relatada entre 7 e 10% dos casos.[81] Gestantes com Covid-19 podem ter uma frequência aumentada de trabalho de parto pré-termo e de partos cesáreos por condição fetal não tranquilizadora.[82] Esses achados estão relacionados à doença materna grave, não havendo, até o momento, evidências suficientes para relacioná-los diretamente à infecção por SARS-CoV-2. O risco de eventos tromboembólicos também parece ser aumentado em gestantes e puérperas.[82]

O quadro clínico apresentado por uma gestante com Covid-19 é semelhante ao observado em não gestantes. Quadros moderados a graves necessitam de avaliação hospitalar, exames laboratoriais e de imagem (TABELA 152.8).[80,83]

O intervalo de tempo entre as consultas de pré-natal deverá ser individualizado, de acordo com idade gestacional, presença de doenças maternas ou fetais e evolução da gestação. Podem-se utilizar ferramentas de atendimento à distância a fim de permitir o espaçamento das consultas presenciais e idas desnecessárias ao serviço de saúde, tanto de pré-natal como do puerpério, durante a pandemia. É recomendada a triagem de sintomas gripais ou contato recente com casos suspeitos antes do atendimento presencial, por meio de contato telefônico 48 horas antes do atendimento e presencialmente na recepção da unidade. Se apresentar SG, contato com caso suspeito ou temperatura axilar ≥ 37,5 °C, a gestante deverá ser atendida na área destinada ao atendimento de casos suspeitos de Covid-19.[80]

O MS recomenda realizar a testagem com RT-PCR em gestantes assintomáticas a fim de melhor programar os cuidados durante a internação. O período em que o teste será realizado depende do tempo para obter o resultado do RT-PCR, conforme a seguir:[80]

→ se o resultado do RT-PCR estiver disponível após 7 dias da coleta: realizar o teste entre 37 e 38 semanas no local de atendimento do pré-natal;
→ se o resultado do RT-PCR estiver disponível entre 2 e 7 dias após a coleta: realizar o teste na internação hospitalar independentemente do motivo (abortamento, gravidez ectópica, mola hidatiforme, parto, cerclagem, cesariana eletiva, controle de doença associada, entre outros) e 3 dias antes do parto cesárea ou outro procedimento eletivo.

Caso o exame de RT-PCR seja positivo, a gestante deve ficar em isolamento e ser monitorada quanto ao surgimento de sintomas. Seus contatos próximos também devem ser isolados e orientados a procurar atendimento em caso de sintomas.[80]

## Lactantes

Como ainda não há evidências da transmissão dessa doença pelo leite materno, as mães com suspeita ou confirmação de Covid-19 devem ser encorajadas a iniciar e continuar a amamentação. Essa prática tem benefícios amplamente conhecidos e não deve ser postergada na ausência de contraindicações.[7] Se for necessária a separação da mãe com suspeita ou diagnóstico de Covid-19 de seu bebê, a tomada de decisão deve ser individualizada e compartilhada entre a mãe e a equipe clínica.[14] Ao amamentar ao seio, realizar boa higiene das mãos, utilizar máscara cirúrgica para impedir a transmissão do vírus para o bebê por gotículas respiratórias, evitar tossir ou falar durante a amamentação e trocar a máscara caso a lactante tenha tossido ou espirrado.[14]

As mulheres que pretendem amamentar e que são temporariamente separadas de seus filhos devem extrair o leite, de preferência a partir de uma bomba de extração, com adequada higiene das mãos antes e depois do procedimento, e considerar ter uma pessoa sem a doença para alimentar o bebê, idealmente no copinho.[7,14] Se a lactante não se sentir segura para amamentar, o leite pode ser retirado e ofertado à criança por outra pessoa.

É imprescindível que a lactante seja informada sobre sinais clínicos de piora e sobre a necessidade de observar o surgimento de sinais e sintomas sugestivos de infecção nos lactentes e buscar atendimento em caso de sinais de alerta.[7]

**TABELA 152.8** → Recomendações para o atendimento de gestantes com sintomas de Covid-19

→ Realizar notificação, conforme orientação da vigilância local
→ Na presença de SG, definida pela presença de febre + tosse + mialgia, artralgia ou cefaleia, prescrever oseltamivir 75 mg, VO, de 12/12 horas, por 5 dias, desde que os sintomas tenham iniciado há menos de 48 horas, independentemente da situação vacinal, devido ao risco aumentado de SRAG por *influenza* em gestantes; manter a prescrição até que a infecção pelo vírus da *influenza* tenha sido excluída
→ Fazer contato telefônico a cada 24 horas para acompanhamento da evolução da doença; orientar vigilância entre o 7º e 10º dia do início dos sintomas (período mais propenso à piora clínica); se houver piora clínica, orientar a procurar a emergência hospitalar de referência
→ Prescrever antitérmico (paracetamol 500 mg, de 4/4 horas, em caso de febre), pois a hipertermia é um fator de risco para malformações congênitas, especialmente defeitos do tubo neural e abortamentos
→ Referenciar para avaliação na emergência ou em centro de referência/atenção especializada em casos moderados a graves
→ Casos moderados:
  → Tosse persistente + febre persistente OU
  → Tosse persistente + piora progressiva de outro sintoma relacionado à Covid-19 (adinamia, prostração, hipotermia, diarreia)
→ Casos graves – SG acompanhada de:
  → Saturação de SpO2 < 95% em ar ambiente
  → Sinais de dispneia, desconforto respiratório ou FR > 24 mrpm (mesmo podendo representar manifestação fisiológica da gravidez, a queixa de dispneia deve ser valorizada na presença de SG)
  → Pressão persistente no tórax ou cianose
  → Piora nas condições clínicas de doenças de base
  → Hipotensão ou oligúria
→ Além disso, deve ser encaminhada à emergência a gestante de alto risco para a qual não é possível acompanhamento clínico frequente da evolução do quadro e que não tenha acesso rápido ao sistema de saúde em caso de piora
→ Orientar isolamento para a gestante por ao menos 10 dias a contar do início dos sintomas e até estar há 24 horas afebril sem o uso de antitérmicos e com melhora dos sintomas respiratórios; casos graves e imunodeprimidas requerem isolamento por 20 dias; os contatos domiciliares deverão realizar quarentena domiciliar por 14 dias a partir do último contato com o caso-índice
→ Adiar em 10 dias procedimentos eletivos (coleta de exames, realização de US obstétrica, consulta de pré-natal), mas, se necessário atendimento nesse período, realizá-lo em local isolado dos demais pacientes
→ Para gestantes confirmadas para Covid-19, considerar US obstétrica mensal, após 24 semanas, pelo risco aumentado de restrição de crescimento intrauterino; se não for disponível, reforçar a necessidade de medida de fundo uterino no acompanhamento; se disponível, realizar US morfológica de 2º trimestre, devido à insuficiência de dados para afastar teratogênese

FR, frequência respiratória; SG, síndrome gripal; SpO$_2$, saturação arterial de oxigênio por oximetria de pulso; SRAG, síndrome respiratória aguda grave; US, ultrassonografia; VO, via oral.
Fonte: Adaptada de Brasil.[80]

## Portadores de doenças crônicas

Os portadores de doenças crônicas, independentemente da suspeita ou diagnóstico de infecção pelo SARS-CoV-2, devem manter seus medicamentos de uso habitual, desde que não apresentem complicações que os contraindiquem ou que isso seja discutido com o médico assistente. De forma geral, não há necessidade de suspensão das medicações em uso no contexto da Covid-19, incluindo imunobiológicos. Entretanto, isso deve ser avaliado individualmente, de acordo com quadro clínico, comorbidades e fármacos utilizados.[14]

Sempre que possível, revisar calendário vacinal e atualizá-lo em tempo oportuno, especialmente em idosos e naqueles em risco de complicações por *influenza* e infecção por pneumococo.[14] É importante também oferecer formas de os pacientes conseguirem medicamentos por tempo prolongado e manter contato com sua equipe assistente por vias alternativas ao contato presencial.[7] Os profissionais devem orientar sobre sinais e sintomas de morbidades prévias que indiquem avaliação emergencial. Esta não deve ser adiada, mas os serviços deverão se adequar para reduzir a possibilidade de infecção nesses pacientes.[14]

## Povos indígenas

Diante de casos suspeitos ou confirmados de Covid-19 em populações indígenas que, após avaliação médica, não necessitem de hospitalização, recomenda-se o tratamento domiciliar. Se o caso com diagnóstico laboratorial ou clínico-epidemiológico estiver fora da aldeia, recomenda-se manter o tratamento fora da aldeia até a cura. Já se o indígena com suspeita ou diagnóstico de Covid-19 estiver aldeado, a equipe deve buscar estratégias de tratamento domiciliar eficiente e manter o paciente em isolamento por até 14 dias.[84]

Todos os moradores do domicílio do paciente confirmado ou suspeito devem permanecer também em isolamento domiciliar, mesmo sem apresentar sintomas, para evitar transmissão do vírus para outros moradores da aldeia. As Equipes Multidisciplinares de Saúde Indígena (EMSIs) deverão orientar o paciente sobre a importância das medidas de prevenção da transmissão para contatos e sinais de alerta para possíveis complicações. Nesse contexto, o agente indígena de saúde tem papel fundamental para monitorar o caso. A presença de qualquer sinal de alerta deverá determinar a remoção imediata do indivíduo para unidade de referência hospitalar.[84]

Considerando as especificidades étnicas, culturais e de modos de vida dos povos indígenas, faz-se necessário que a EMSI realize a avaliação caso a caso, devendo observar se o ambiente é adequado e se o paciente é capaz de seguir as medidas de precaução recomendadas.[84]

Ver QR code para acompanhamento dos casos de Covid-19 nas populações indígenas.

# MEDIDAS DE PREVENÇÃO E CONTROLE PARA PROFISSIONAIS DE SAÚDE

## Medidas de prevenção na unidade de saúde

A identificação precoce de todos os casos com sintomas respiratórios na recepção da unidade básica de saúde (UBS) é indispensável, para que o paciente receba uma máscara cirúrgica imediatamente, se não estiver utilizando. Preferencialmente, a pessoa deve ser conduzida para uma área separada ou para uma sala específica, visando ao isolamento respiratório. A sala deve ser mantida com a porta fechada, janelas abertas e ar-condicionado desligado. Caso não haja sala disponível na UBS para isolamento, propiciar área externa com conforto para pacientes com sintomas respiratórios, que deverão ser atendidos o mais rápido possível. Os pacientes devem ficar separados por pelo menos 1 metro de distância.[7]

O uso universal de máscaras em serviços de saúde deve ser uma exigência para todos os profissionais de saúde e por qualquer pessoa dentro de unidades de saúde, independentemente das atividades realizadas. Os profissionais de saúde e os cuidadores que atuam em áreas clínicas devem utilizar máscaras cirúrgicas, de modo contínuo, durante toda a atividade de rotina.[85,86]

## Medidas de prevenção para profissionais de saúde

Os profissionais de saúde envolvidos nos cuidados de pacientes sintomáticos respiratórios devem tomar precauções específicas para proteção pessoal e para não se tornarem vetores de propagação da doença. As recomendações são:
→ lavar as mãos com frequência;
→ usar máscara cirúrgica para evitar a contaminação da boca e do nariz do profissional por gotículas respiratórias, quando ele atuar a uma distância inferior a 1 metro do paciente suspeito ou confirmado de Covid-19 **B**;[61,87]
→ utilizar máscara de proteção respiratória do tipo N95, N99, N100, PFF2 ou PFF3 quando necessários procedimentos indutores de aerossóis **C/D**.[61,85] São considerados procedimentos geradores de aerossóis:[88-90]
  → intubação, extubação e procedimentos relacionados;
  → traqueotomia/traqueostomia;
  → ventilação manual;
  → aspiração aberta;
  → reanimação cardiorrespiratória (compressões e desfibrilação);
  → ventilação não invasiva, como pressão positiva da via respiratória em dois níveis (BiPAP, do inglês *bi-level positive airway pressure*) e pressão positiva contínua nas vias respiratórias (CPAP, do inglês *continuous positive airway pressure*);
  → procedimentos de cirurgia e *post mortem* nos quais são utilizados dispositivos de alta velocidade;
  → fisioterapia respiratória;
  → inserção de tubo nasogástrico;
  → broncoscopia;
  → ventilação oscilante de alta frequência;

→ oxigenoterapia de alto fluxo (*high-flow nasal oxygen*);
→ indução de escarro;
→ alguns procedimentos dentários;
→ nebulização;
→ coleta de *swab* nasofaríngeo ou orofaríngeo;
→ utilizar luvas de procedimento, avental (preferencialmente descartável, quando disponível) e protetor ocular ou protetor de face em todos os atendimentos ao paciente em consultório. Não é necessário o uso na recepção/triagem, desde que mantida distância de 1 metro. O uso de luvas não substitui a higiene das mãos;
→ manter ambientes limpos e arejados. Limpar e desinfetar objetos e superfícies tocados com frequência.[85,91,92]

O tipo de EPI é determinado pela forma de contágio, mas também pelo tipo de exposição e função exercida pelo profissional. A **TABELA 152.9** resume as recomendações para cada tipo de atuação nos serviços de saúde.

Para realização de oroscopia em pacientes sintomáticos respiratórios, o profissional de saúde deve utilizar máscara cirúrgica, pois a inspeção da cavidade oral não é considerada procedimento gerador de aerossol.

Quando for necessário realizar visita domiciliar para acompanhamento de pessoa em isolamento domiciliar, o profissional deve usar EPI – protetor ocular ou protetor de face, luvas de procedimento, capote/avental, máscara cirúrgica – e tomar as medidas de precauções de higiene.[88,93]

Ver material complementar sobre medidas específicas para cirurgiões-dentistas no QR code.

## Medidas de prevenção para agentes comunitários de saúde

As visitas domiciliares são uma importante ferramenta para informar e fazer busca ativa de suspeitos e acompanhamento de casos, mas, para a realização dessa atividade, é importante considerar alguns cuidados para garantir a segurança do paciente e do profissional:[94]

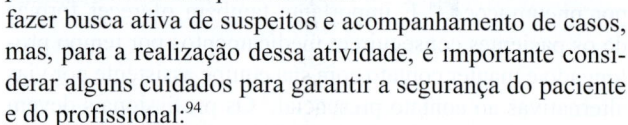

→ não realizar atividades dentro do domicílio. A visita estará limitada apenas à área peridomiciliar (frente, lados e fundo do quintal ou terreno);

**TABELA 152.9** → Recomendações para uso de equipamento de proteção individual (EPI) de acordo com o cenário, a atividade e o público*

| CENÁRIO/ CONTEXTO | SUJEITO | ATIVIDADE | EPI RECOMENDADO |
|---|---|---|---|
| **ATENDIMENTO AMBULATORIAL** | | | |
| Consultório | Profissionais da área da saúde | Atendimento de pacientes com sintomas respiratórios | Máscara cirúrgica, avental descartável, luvas de procedimento, proteção ocular (óculos ou *face shield*) |
| | | Atendimento de pacientes sem sintomas respiratórios | EPI específico para Covid-19 não é necessário |
| | Pacientes com sintomas respiratórios | Qualquer | Máscara cirúrgica (se tolerado pelo paciente) |
| | Pacientes sem sintomas respiratórios | Qualquer | Máscara de tecido |
| | Higienização | Entre e após consultas de pacientes com sintomas respiratórios | Máscara cirúrgica, avental descartável, botas de proteção, luvas de proteção de acordo com limpeza a ser realizada, proteção ocular (óculos ou *face shield*) |
| Sala de espera | Pacientes com sintomas respiratórios | Qualquer | Máscara cirúrgica (se tolerado pelo paciente), deixar paciente em área separada ou ao menos 1 metro de distância dos demais pacientes |
| | Pacientes sem sintomas respiratórios | Qualquer | Máscara de tecido |
| Área administrativa | Todos | Tarefas administrativas | Máscara de tecido |
| Triagem | Profissionais da área da saúde | Contato preliminar sem necessidade de avaliação próxima (distância de cerca de 1 metro) | EPI específico para Covid-19 não é necessário |
| | Pacientes com sintomas respiratórios | Qualquer | Máscara cirúrgica (se tolerado pelo paciente); deixar paciente em área separada ou ao menos 1 metro de distância dos demais pacientes |
| | Pacientes sem sintomas respiratórios | Qualquer | Máscara de tecido |
| **COMUNIDADE** | | | |
| Domicílio | Pacientes com sintomas respiratórios | Qualquer | Máscara cirúrgica (se tolerado pelo paciente) – exceto quando dormindo; deixar paciente em área separada ou ao menos 1 metro de distância dos demais pacientes |
| | Cuidador | Entrar no quarto do paciente, mas sem contato direto | Máscara cirúrgica |
| | Cuidador | Cuidado direto do paciente ou com secreções | Máscara cirúrgica, avental hidrofóbico se houver risco de respingos, luvas |
| | Profissionais da área da saúde | Cuidado de pacientes com Covid-19 no domicílio | Máscara cirúrgica, avental descartável, luvas de procedimento, proteção ocular (óculos ou *face shield*) |
| Áreas públicas | Pacientes sem sintomas respiratórios | Qualquer | Máscara de tecido |

*Adaptadas para os EPIs mais disponíveis no contexto brasileiro.
Fonte: Adaptada de World Health Organization.[88]

→ priorizar visita aos pacientes de risco (pessoas com idade ≥ 60 anos ou com doenças crônicas). Por serem grupo de risco, também são os que precisam de mais cuidado;
→ manter distanciamento do paciente de no mínimo 1 metro. Se não houver possibilidade de distanciamento, utilizar máscara cirúrgica;
→ higienizar as mãos com álcool em gel;
→ nos casos de visita às pessoas com suspeita de Covid-19, sempre utilizar máscara cirúrgica e garantir o uso de EPI apropriado.

## MEDIDAS DE ISOLAMENTO

Isolamento é uma medida que visa separar as pessoas doentes (sintomáticos respiratórios, casos suspeitos ou confirmados de infecção por coronavírus) das não doentes, para evitar a propagação do vírus. O isolamento pode ocorrer em domicílio ou em ambiente hospitalar, conforme o estado clínico da pessoa.[95] Todas as pessoas que se enquadrem na definição de caso suspeito ou confirmado (ver TABELA 152.2) deverão realizar isolamento até cumprimento dos critérios apresentados na TABELA 152.10, de acordo com as precauções baseadas na transmissão.[33]

Para indivíduos com quadro de SG para os quais não foi possível a confirmação pelos critérios clínico, clínico-epidemiológico ou clínico-imaginológico, que apresentem resultado de exame laboratorial negativo pelo método RT-PCR, RT-LAMP ou teste de antígeno para SARS-CoV-2, o isolamento poderá ser suspenso, desde que o paciente esteja há 24 horas afebril sem uso de medicamentos antitérmicos e com remissão dos sintomas respiratórios. No entanto, para indivíduos com quadro de SRAG na mesma situação, caso um primeiro teste de RT-PCR seja negativo, o isolamento poderá ser suspenso somente após um segundo teste da mesma metodologia, preferencialmente com material de via aérea baixa, realizado 48 horas após o primeiro.

Mesmo após a resolução da infecção viral aguda, é comum a persistência de sintomas residuais ou prolongados além do período indicado para isolamento. No entanto, sintomas como tosse, coriza, cefaleia, dispneia, fadiga, entre outros, são diferentes de persistência de febre e mal-estar geral, indicativos de infecção ativa. O paciente só deve ser liberado para retorno das atividades se tiver passado o período recomendado de isolamento e, após avaliação clínica, for constatado que se trata de sintomas persistentes ou condição pós-Covid-19.[7]

Não é indicada a realização de testes diagnósticos (testes moleculares, antígeno ou sorológicos) para pessoas com diagnóstico de Covid-19 já confirmado, com o objetivo de acompanhamento ou liberação para retorno ao trabalho ou outra atividade. A estratégia baseada em negativação do teste de RT-PCR para liberação do isolamento é desencorajada, por possibilidade de persistência do RT-PCR por até 12 semanas, sem necessariamente significar doença ativa ou transmissibilidade.[26,33] Para casos confirmados de Covid-19 em indivíduos gravemente imunocomprometidos, a estratégia baseada em testagem laboratorial (RT-PCR) para descontinuidade do isolamento pode ser considerada, a critério médico.

A prescrição de isolamento idealmente deverá ser acompanhada dos seguintes documentos assinados pela pessoa sintomática:

→ termo de consentimento livre e esclarecido, previsto na Portaria nº 356/GM/MS, de 11 de março de 2020;
→ termo de declaração, contendo a relação das pessoas que residem ou trabalham no mesmo endereço, previsto na Portaria MS nº 454, de 20 de março de 2020.

A equipe sempre deve avaliar se as medidas de isolamento domiciliar do caso suspeito ou confirmado estão sendo seguidas. (Ver QR codes.)

## Orientações para o isolamento domiciliar

Os pacientes que forem monitorados em domicílio deverão receber orientações de controle de infecção, prevenção de transmissão para contatos, avaliação da capacidade de seguir as medidas de precaução domiciliar e sinais de alerta para possíveis complicações, assim como acesso rápido e planejamento para retorno e hospitalização imediata do paciente, se necessário.[7,93]

As medidas para cuidado do paciente no domicílio incluem:[93]

→ quarto bem ventilado e individual, se for possível, ou com distância de 1 metro da pessoa doente;

**TABELA 152.10** → Critérios para a suspensão do isolamento em casos suspeitos ou confirmados de Covid-19

| QUADRO CLÍNICO | ISOLAMENTO INDICADO |
| --- | --- |
| **SINTOMÁTICOS** | |
| Síndrome gripal (doença leve/moderada) | → Ao menos 10 dias a partir do início dos sintomas E<br>→ 24 horas afebril, sem uso de antitérmicos E<br>→ Melhora dos sintomas respiratórios |
| Síndrome respiratória aguda grave/hospitalizados (doença grave ou gravemente imunocomprometidos) | → Ao menos 20 dias a partir do início dos sintomas E<br>→ 24 horas afebril, sem uso de antitérmicos E<br>→ Melhora dos sintomas respiratórios |
| **PESSOAS ASSINTOMÁTICAS COM TESTE VIRAL POSITIVO (RT-PCR/RT-LAMP OU TESTE DE ANTÍGENO)** | |
| Sem imunodepressão | → 10 dias a partir da data do teste |
| Gravemente imunocomprometidos | → 20 dias a partir da data do teste |

RT-LAMP, amplificação isotérmica mediada por *loop* com transcriptase reversa; RT-PCR, reação em cadeia da polimerase com transcriptase reversa.
Fonte: Adaptada de Centers for Disease Control and Prevention.[33]

→ permanecer o máximo possível no quarto, longe dos demais habitantes da casa;
→ limitar número de cuidadores, preferencialmente cuidador com bom estado de saúde, e não permitir visitas;
→ uso de máscara cirúrgica pelo paciente e pelos cuidadores/familiares;
→ reforçar medidas de higiene de superfícies e higiene das mãos;
→ uso de luvas e máscaras para cuidados com secreções, e uso de lixeira separada para descartar resíduos de infecção;
→ uso exclusivo de utensílios do paciente; lavar roupas separadamente.

Ver mais informações no QR code.

## Identificação e quarentena dos contatos próximos/domiciliares

Após avaliação de um caso suspeito ou confirmado de Covid-19, deve-se identificar todas as pessoas que tiveram ou têm contato próximo com o caso, a partir de 2 dias antes e até 10 dias do início dos sintomas da doença, ou até 10 dias após a data da coleta com PCR positivo para Covid-19 em pacientes assintomáticos, e apoiar a equipe da vigilância na realização de busca ativa. As pessoas identificadas como contatos devem ter seus sintomas monitorados por 14 dias após o último dia de contato. É considerado contato se a pessoa:
→ esteve a menos de 1 metro de distância por um período mínimo de 15 minutos com um caso confirmado sem ambos utilizarem máscara facial ou a utilizarem de forma incorreta;
→ esteve em contato físico direto (p. ex., apertando as mãos) com um caso confirmado;
→ é profissional de saúde que prestou assistência ao caso de Covid-19 sem utilizar EPI, conforme preconizado, ou com EPIs danificados;
→ for contato domiciliar ou residente da mesma casa/ambiente (dormitórios, creche, alojamento, entre outros) de um caso confirmado.

Caso os contatos desenvolvam sinais e sintomas, devem procurar o serviço de saúde ou realizar consulta remota para avaliação e investigação.[7,14]

Para o atestado médico, pode ser utilizado o seguinte código da CID-10, para contatos domiciliares assintomáticos: Z20.9 (contato com e exposição a doença transmissível não especificada). Se houver também classificação pela Classificação Internacional de Atenção Primária – Segunda Edição (CIAP2), pode-se utilizar o código R74 (infecção aguda do aparelho respiratório superior).[20]

Deve-se fornecer atestado pelo período de 14 dias para os contatos domiciliares, mesmo que não estejam presentes na consulta. A pessoa sintomática ou responsável deverá informar ao profissional o nome completo dos demais residentes do mesmo endereço, além de preencher e assinar o termo de declaração contendo a relação dos contatos, sujeitando-se à responsabilização civil e criminal pela prestação de informações falsas.

Caso algum contato comece a apresentar sintomas respiratórios, deverão ser iniciadas as precauções de isolamento para o novo paciente e reiniciar a contagem do período de isolamento de 14 dias. Entretanto, o período de isolamento das demais pessoas do domicílio é mantido: o caso-índice do domicílio e os contatos que se mantenham assintomáticos por 14 dias não reiniciam seu isolamento, mesmo que outra pessoa da casa inicie com sintomas durante o período.[7,14]

## Afastamento laboral de pessoas com fatores de risco

Não há orientação de afastamento compulsório do trabalho presencial para pessoas pertencentes ao grupo de risco (ver TABELA 152.4) que não estejam infectadas e não tenham contato com casos confirmados/suspeitos de Covid-19.[96] Entretanto, respeitados os limites estabelecidos na Constituição Federal, empregados e empregadores podem celebrar acordo individual. É recomendado que o trabalhador em grupo de risco tenha priorizada a sua permanência no domicílio em teletrabalho ou, ainda, em atividade ou local que reduza o contato com outros trabalhadores e o público, quando possível. Se isso não for viável, deve ser priorizado cada turno de trabalho. A Portaria Conjunta nº 20, de 18 de junho de 2020, descreve, de forma detalhada, outras medidas para prevenção, controle e mitigação do risco de Covid-19 em ambientes de trabalho.[97] (Ver QR code acima.) Em nível federal, a Lei nº 14.151, de 12 de maio de 2021, prevê que as trabalhadoras que estão gestantes devem permanecer em trabalho remoto, à disposição do empregador, até o fim do estado de emergência em saúde pública (ver QR code). Contudo, é importante estar atento às normas publicadas pelas autoridades governamentais de cidades e Estados, as quais devem ser seguidas e podem conter orientações adicionais ou distintas para a proteção de pacientes de grupos de risco.[96] Ver no QR code as "Medidas de distanciamento social e evolução da Covid-19 no Brasil".[98]

Quanto a profissionais de saúde que apresentam condições que aumentam o risco de doença grave, as organizações de saúde devem decidir se esses trabalhadores, incluindo médicos, devem ser afastados. Diante da impossibilidade de eliminar completamente o risco e da pouca oferta de recursos humanos capacitados, ajustes podem ser necessários, como realocação para áreas de menor risco, como atividades de gestão, serviços de telemedicina, linhas de orientações aos pacientes e sistemas de triagem por telefone ou assistência em áreas onde não são atendidos pacientes suspeitos ou confirmados de Covid-19.[99]

## MEDIDAS DE PREVENÇÃO E CONTROLE POPULACIONAIS

A melhor maneira de prevenir a doença é evitar ser exposto ao SARS-CoV-2, com medidas para diminuir a propagação do vírus, como:
→ manter a etiqueta respiratória;
→ usar máscara que cubra a boca e o nariz;
→ lavar as mãos frequentemente com água e sabão ou utilizar álcool em gel a 70%;
→ limpar e desinfetar as superfícies frequentemente tocadas;
→ manter distanciamento social de pelo menos 2 metros.

### Etiqueta respiratória

É recomendado cobrir a boca e o nariz ao tossir ou espirrar com lenço descartável, e descartar o lenço imediatamente em uma lixeira fechada. Quando não for disponível, flexionar o cotovelo à frente. Higienizar as mãos após tossir ou espirrar. É necessário também evitar tocar mucosas de olhos, nariz e boca.[7,69]

### Uso de máscaras pela população

As pessoas devem usar máscaras de tecido em ambientes públicos, em especial quando não for possível manter as recomendações de distanciamento social e em regiões com alta transmissão comunitária.[69,86] O uso de máscaras pela população por pessoas saudáveis pode reduzir o risco potencial de exposição a uma pessoa infectada durante a fase pré-sintomática[87,100] B. No Brasil, seu uso tornou-se obrigatório desde julho de 2020 por meio de legislação federal.[98]

No entanto, há potenciais riscos do uso, como autocontaminação por uso e manuseio incorreto, dificuldade respiratória, desconforto, dor de cabeça, lesões de pele, dificuldade para comunicar-se com clareza e, principalmente, uma falsa sensação de segurança, que pode levar à diminuição da adesão a outras medidas preventivas, como o distanciamento social e a higiene das mãos.[86] Alguns cuidados na utilização da máscara devem ser seguidos com atenção, do contrário há risco de perda de efetividade ou mesmo aumento do risco de infecção:[69,86]
→ uso individual, não deve ser compartilhada;
→ cobrir o nariz e a boca, sem espaços nas laterais;
→ nunca tocar a parte frontal da máscara;
→ remover a máscara pelo elástico ou pela parte traseira, após lavagem das mãos;
→ lavar a máscara à mão após imersão em solução com água sanitária ou na máquina de lavar.

Máscaras não devem ser colocadas em crianças com idade < 2 anos ou em qualquer pessoa que tenha dificuldade respiratória, que esteja inconsciente ou que seja incapaz de remover a máscara sem assistência.[69]

As máscaras cirúrgicas e N95 devem ser priorizadas para uso por profissionais de saúde, para que não haja o desabastecimento desse EPI.[86]

### Lavagem de mãos

Lavar as mãos com água e sabão por pelo menos 20 segundos ou limpar as mãos com higienizador à base de álcool a 70% (álcool em gel a 70%), se não tiver água e sabão disponíveis, especialmente depois de estar em um local público ou depois de assoar o nariz, tossir ou espirrar. Evitar tocar nos olhos, na boca ou no nariz sem antes lavar as mãos. A higiene das mãos é uma medida importante para frear a disseminação do vírus.[85]

### Limpeza de superfícies

Recomenda-se limpeza rotineira de superfícies frequentemente utilizadas, como maçanetas, interruptores de luz, mesas, banheiros, torneiras, pias e eletrônicos. Se houver a possibilidade de uma superfície estar infectada, deve-se limpá-la com água e sabão, seguido de um desinfetante à base de álcool a 70% ou hipoclorito de sódio a 0,1%. Se a superfície contiver sangue ou fluidos corporais em serviços de saúde, deverá ser descontaminada com hipoclorito de sódio a 0,5% (água sanitária).[101] A inativação do vírus pode ser alcançada após 1 minuto com o uso desses desinfetantes. Para limpeza, devem-se utilizar luvas, deixar o ambiente ventilado e esperar secar bem para evitar acúmulo de líquidos.[85,101]

### Medidas populacionais de distanciamento social

O distanciamento social é caracterizado pela diminuição da interação entre as pessoas de uma comunidade, com o objetivo de diminuir a velocidade de transmissão do vírus. É considerado uma estratégia importante quando há indivíduos já infectados, mas ainda assintomáticos ou oligossintomáticos, que não se sabem portadores da doença e não estão em isolamento. Manter distância de mais de 1 metro diminui a taxa de transmissão (RRR = 85%) B.[87] É indicado quando há transmissão comunitária, bem como quando a ligação entre os casos já não pode ser rastreada e o isolamento das pessoas expostas é insuficiente para frear a transmissão.

O distanciamento social pode ser ampliado (não se limita a grupos específicos) ou seletivo (apenas os grupos de maior risco ficam isolados – idosos, imunodeprimidos, pessoas com doenças crônicas descompensadas). No distanciamento social ampliado (RRR = 62%), podem ser orientados pelas autoridades locais: o fechamento de escolas (RRR = 63%) e mercados públicos, o cancelamento de eventos de massa (RRR = 65%) e de trabalho em escritórios e o estímulo ao teletrabalho, a fim de evitar aglomerações de pessoas B.[102] A combinação de fechamento de escolas, fechamento de locais de trabalho e restrições a eventos de massa com ou sem fechamento de transporte público foi associada à diminuição da incidência de Covid-19 (RRR = 87%) B.[103] No distanciamento ampliado, os serviços essenciais devem ser mantidos. Atividades como sair para passear com o cachorro, andar de bicicleta e caminhar na rua não são proibidas, desde que não haja aproximação de menos de 1 metro entre as pessoas. As orientações das autoridades locais podem ser mais ou menos restritivas,[98] de acordo com a situação epidemiológica local, com a disponibilidade de recursos e com o funcionamento do sistema de saúde (leitos, ventiladores mecânicos, EPIs) de uma região ou Estado.[95,98]

Quando as diversas medidas não farmacológicas de distanciamento social forem insuficientes, pode ser necessário o bloqueio total (também chamado de quarentena comunitária ou *lockdown*, em inglês). Essa medida tem como objetivo restringir a interação entre as pessoas dentro de uma comunidade, uma cidade ou uma região, com interrupção de qualquer atividade por um período, com exceção de saídas para atividades básicas como comprar mantimentos ou remédios. Trata-se de uma progressão das medidas de distanciamento social, como ocorreu na cidade de Wuhan, na China, e em diversos outros países durante a pandemia de Covid-19.[95,103,104]

Os gestores devem adaptar essas recomendações para a sua realidade, de acordo com o nível de risco medido localmente. Sua adoção na totalidade ou parcialmente deve se dar de acordo com a progressão do número de casos, a depender do seu cenário epidemiológico e da sua capacidade de resposta diante da emergência de saúde pública pela Covid-19.

## Cessação do tabagismo

A OMS recomenda que a cessação do tabagismo seja encorajada, dados os riscos comprovados do uso e da exposição passiva do tabaco, juntamente com o relato de risco aumentado de doença grave e morte em pacientes hospitalizados com a Covid-19. Intervenções comprovadas para cessação do tabagismo devem ser utilizadas (ver Capítulo Tabagismo).[105]

# VACINAÇÃO

A vacinação é considerada a abordagem mais promissora para controlar a pandemia da doença causada pelo SARS-CoV-2. No entanto, o impacto da vacinação depende de vários fatores, como a eficácia dos imunizantes, a rapidez com que são aprovados, fabricados e distribuídos, além da proporção de indivíduos que serão imunizados.

A eficácia global das vacinas é avaliada após resultados em ensaios clínicos randomizados de fase III, ambientes controlados que mostraram redução de infecção e desfechos graves.[106] Esses dados são necessários para o registro sanitário e a autorização do uso emergencial da vacina no país. Após a implantação da imunização na população, são feitas avaliações de efetividade que refletem o desempenho das vacinas no mundo real em médio e longo prazos. Os estudos de efetividade objetivam abordar lacunas nas evidências de ensaios clínicos (incluindo efetividade em subgrupos, efetividade contra VOCs e duração da proteção), monitorar efeitos colaterais e fornecer confirmação da autorização dos produtos aprovados condicionalmente.[106,107] Não é necessário que sejam realizadas avaliações de efetividade da vacina por todos os países que estão introduzindo as vacinas contra a Covid-19, pois os resultados podem ser aplicáveis a outros países com populações, epidemiologia e sistemas de imunização semelhantes.[106] O mapeamento global sobre as vacinas contra Covid-19 com dados relevantes e mais recentes sobre efetividade pode ser acessado no QR code.

As vacinas contra a Covid-19 desenvolvidas no mundo até o momento empregam uma das seguintes plataformas tecnológicas:[107]

→ **vetor viral:** utiliza um vírus geneticamente modificado para não causar doenças, que produz proteínas do SARS-CoV-2, induzindo resposta imunológica;
→ **genética:** baseia-se no uso de RNA ou DNA geneticamente modificado para gerar uma proteína que induz resposta imunológica com segurança;
→ **vírus inativado:** utiliza uma forma do vírus que foi inativada e não causa doença, mas que é capaz de induzir resposta imune;
→ **vírus vivo atenuado:** utiliza o vírus vivo, porém atenuado, de forma que possa estimular a resposta imune sem desenvolver a doença;
→ **proteica:** composta por proteínas virais ou partículas proteicas que estimulam a resposta imune contra o SARS-CoV-2.

A **TABELA 152.11** mostra as características das vacinas contra a infecção pelo SARS-CoV-2 com uso autorizado pela Anvisa e aprovadas pela OMS, com base em dados que comprovam a qualidade, a eficácia e a segurança desses imunizantes.

## Grupos prioritários para vacinação

Considerando a urgência de vacinar toda a população, mas sobretudo as pessoas mais vulneráveis às formas graves da Covid-19, a OMS sugere que, em um cenário de limitado suprimento de imunizantes, os seguintes grupos sejam priorizados:[112]

1. trabalhadores da saúde com alto risco de infecção e transmissão do SARS-CoV-2, devido à alta exposição e à importância para manter os serviços de saúde em funcionamento;
2. pessoas com características sociodemográficas de maior risco para Covid-19 grave ou óbito, como idosos, pessoas institucionalizadas ou com comorbidades;
3. pessoas ou trabalhadores com alto risco para infecção e transmissão em razão de não ser possível o distanciamento social, como trabalhadores de serviços essenciais.

Seção XII → Problemas Infecciosos

**TABELA 152.11** → Vacinas contra Covid-19 aprovadas pela Organização Mundial de Saúde em uso no Brasil

| VACINA/LABO-RATÓRIO CARACTERÍSTICA | CHADOX1-S NCOV-19 OU COVISHIELD® (ASTRAZENECA/FIOCRUZ)[108] | CORONAVAC® (SINOVAC/BUTANTAN)[109] | JANSSEN-CILAG/JANSSEN® (JOHNSON & JOHNSON)[110] | COMIRNATY® PFIZER/BIONTECH/WYETH[111] |
|---|---|---|---|---|
| Tecnologia | Vetor viral (adenovírus) | Vírus inativado | Vetor viral (adenovírus) | RNAm |
| Eficácia global* | 66,7-76% | 51,4% | 66,9% | 95% |
| Indicação | Imunização ativa de indivíduos com idade ≥ 18 anos | | | Imunização ativa de indivíduos com idade ≥ 12 anos |
| Doses e intervalos recomendados | IM, 2 doses, intervalo de 8-12 semanas (MS recomenda segunda dose com intervalo de 8 semanas) | IM, 2 doses, intervalo de 4 semanas | IM, 1 dose | IM, 2 doses, intervalo de 3 semanas (MS orienta intervalo de 8 semanas)[113] |
| Contraindicações | → Hipersensibilidade à substância ativa ou a qualquer excipiente<br>→ Reação anafilática à dose anterior<br>→ Trombose venosa e/ou arterial associada à trombocitopenia após vacinação com qualquer vacina contra Covid-19 | → Hipersensibilidade à substância ativa ou a qualquer excipiente<br>→ Reação alérgica imediata à 1ª dose de um esquema de 2 doses (não deve receber a 2ª dose) | → Hipersensibilidade à substância ativa ou a qualquer excipiente | → Hipersensibilidade à substância ativa ou a qualquer excipiente<br>→ Reação alérgica imediata à 1ª dose de um esquema de 2 doses (não deve receber a 2ª dose) |
| Precauções | → Adiar vacinação em caso de doença febril aguda (temperatura corporal > 38,5 °C)<br>→ História de anafilaxia a qualquer outra vacina ou terapia injetável não é uma contraindicação à vacinação, porém recomenda-se observação por 30 minutos após a vacinação em estabelecimentos de saúde onde a anafilaxia pode ser tratada imediatamente | → Adiar vacinação em caso de doença febril aguda (temperatura corporal > 38,5 °C) | → Adiar vacinação em caso de doença febril aguda (temperatura corporal > 38,5 °C) | → Adiar vacinação em caso de doença febril aguda (temperatura corporal > 38,5 °C)<br>→ História de anafilaxia a qualquer outra vacina ou terapia injetável não é uma contraindicação à vacinação, porém recomenda-se observação por 30 minutos após a vacinação em estabelecimentos de saúde onde a anafilaxia pode ser tratada imediatamente |
| Efeitos adversos | Comuns: cefaleia, artralgia, mialgia, reações no local da aplicação, dor nos membros, fadiga, mal-estar, febre, calafrios, náusea, vômitos, diarreia, doença semelhante à gripe (influenza) | Comuns: dor no local da aplicação, edema, eritema, inchaço, enduração e prurido, fadiga, febre, calafrios, mialgia, diarreia, náusea, cefaleia, artralgia, rinorreia, odinofagia, congestão nasal, perda de apetite | Comuns: reações no local da injeção, cefaleia, tosse, fadiga, mialgia, artralgia, náusea, febre, calafrios | Comuns: cefaleia, artralgia, mialgia, reações no local da injeção, fadiga, febre, calafrios, náuseas, vômitos, diarreia |

*Eficácia em prevenir infecção sintomática em pessoas com 16 ou 18 anos ou mais (dependendo da vacina) de acordo com os ensaios clínicos.
IM, intramuscular; MS, Ministério da Saúde.
Fonte: Adaptada de World Health Organization.[108-111]

À medida que a capacidade de produção de vacinas aumenta e novos produtos são autorizados, os critérios de alocação são ampliados, até que o fornecimento permita o uso generalizado das vacinas. No Brasil, o Plano Nacional de Operacionalização da Vacinação contra a Covid-19 deve ser consultado para informações referentes às atualizações sobre os grupos prioritários para vacinação conforme o cenário epidemiológico e a disponibilidade das vacinas no País.[113] (Ver QR code.) Com o avanço da campanha de vacinação contra a Covid-19, doses de reforço têm sido recomendadas aos esquemas atuais para prolongar e ampliar a imunidade contra a Covid-19.

## Coadministração com outras vacinas

As vacinas contra a Covid-19 poderão ser administradas de maneira simultânea com as demais vacinas do calendário vacinal ou em qualquer intervalo entre as aplicações. Se houver administração simultânea de diferentes vacinas, cada vacina deve ser administrada, preferencialmente, em um grupo muscular diferente. No entanto, caso seja necessário, é possível a administração de mais de uma vacina em um mesmo grupo muscular, respeitando-se a distância de 2,5 cm entre uma vacina e outra, para permitir diferenciar eventuais eventos adversos locais.[113]

## Vacinas heterólogas

A intercambialidade de vacinas contra a Covid-19, ou uso de vacinas heterólogas, consiste na administração de uma 2ª dose com produto diferente da 1ª dose aplicada. Essa situação deve ser considerada, principalmente, em cenário de indisponibilidade do imunizante no país ou de contraindicações específicas no momento de receber a 2ª dose, como gestação.[114,115]

## Vacinação e infecção por Covid-19

Indivíduos com história prévia de Covid-19 ou infecção assintomática pelo SARS-CoV-2 devem ser vacinados. O MS recomenda que, para indivíduos com suspeita ou diagnóstico de infecção, a vacinação seja adiada até a recuperação clínica total e pelo menos 4 semanas após o início dos sintomas ou 4 semanas do primeiro exame viral positivo, como RT-PCR ou teste de antígeno.[116]

A vacina contra Covid-19 tem como objetivo principal evitar casos graves e óbitos. Algumas vacinas também reduzem o risco de infecção. No entanto, é importante ressaltar que indivíduos vacinados podem ser infectados e transmitir a infecção, embora o risco seja substancialmente menor. Dessa forma, independentemente do estado vacinal, todos os indivíduos, mesmo que vacinados, devem usar máscaras em espaços públicos fechados, dado o potencial de transmissão após infecção, particularmente por VOCs. Além disso, mesmo em áreas com baixo risco de transmissão, indivíduos com imunocomprometimento ou pertencentes a grupos mais vulneráveis, como idosos e portadores de comorbidades de risco, podem ter respostas subótimas à vacinação contra Covid-19. Assim, recomenda-se que eles mantenham medidas preventivas pessoais, particularmente quando é possível o contato com indivíduos não vacinados.[117-119]

Novas variantes do SARS-CoV-2 com potencial para escape imunológico foram identificadas. Apesar disso, as vacinas desenvolvidas têm eficácia preservada contra formas graves, especialmente em áreas de transmissão da variante delta.[120]

## IMUNIDADE E RISCO DE REINFECÇÃO

O risco de reinfecção nos primeiros meses após a infecção inicial pelo SARS-CoV-2 é baixo, especialmente nos primeiros 3 meses. A infecção anterior parece reduzir o risco de infecção nos 6 a 7 meses subsequentes em 80 a 85%.[121,122] Entretanto, a reinfecção por VOCs, que são menos suscetíveis a anticorpos neutralizantes gerados contra o vírus do tipo selvagem, tem sido relatada, mas ainda não se sabe o risco geral de reinfecção com essas variantes. Imunidade protetora de curta duração e reexposição a formas geneticamente distintas da mesma cepa também foram encontradas em outras infecções respiratórias leves causadas por outros coronavírus (229E, NL63 e OC43) e demonstram plausibilidade para a reinfecção no cenário da Covid-19.[123]

Para confirmar uma reinfecção é importante realizar não apenas um teste viral, já que há registro de positividade por tempo prolongado sem que isso determine a presença de vírus viável, mas também o sequenciamento do RNA.[7] Apesar dessa necessidade para demonstração de uma cepa diferente no momento da reinfecção presumida, o MS definiu operacionalmente casos suspeitos de reinfecção por Covid-19 como todo indivíduo com 2 resultados positivos de RT-PCR para o SARS-CoV-2, com intervalo ≥ 90 dias entre os 2 episódios de infecção respiratória, independentemente da condição clínica observada nos 2 episódios.[20]

Quando se confirma a reinfecção, deve-se proceder ao manejo clínico de acordo com a gravidade da sintomatologia apresentada. Já os indivíduos que apresentarem novos sintomas consistentes com Covid-19 durante os 3 primeiros meses após o início dos sintomas do primeiro episódio devem realizar um novo teste viral somente se outras etiologias não puderem ser identificadas. Nessas situações, pode ser necessário repetir o isolamento e o rastreamento de contatos, particularmente se os sintomas iniciaram após contato com caso confirmado. Se o teste for positivo, deve-se discutir a conduta a ser tomada com a vigilância epidemiológica local. O contato nos últimos 14 dias com caso confirmado para Covid-19, a presença de sinais e sintomas sugestivos da doença, o tempo do primeiro teste positivo inicial e outras avaliações individuais auxiliarão na decisão ao considerar reinfecção.[20]

Apesar da evolução de exames para a detecção de anticorpos após a Covid-19, ainda não há relação clínica entre os níveis de detecção de anticorpos neutralizantes e a imunidade protetora contra novas infecções pelo SARS-CoV-2 selvagem e suas variantes.[31] Assim, a utilização desses exames para determinar a proteção contra a doença é uma conduta inadequada e não deve embasar condutas referentes à isenção de vacinação contra a Covid-19 em pessoas com infecção anterior ou para a definição de imunidade contra a doença, seja em pacientes com história prévia de infecção, seja naqueles vacinados.[31]

## CONDIÇÕES PÓS-COVID-19

A Covid-19 pode causar doença persistente, com impacto na qualidade de vida, no retorno ao trabalho e na vida social após o quadro agudo. Cerca de um quarto das pessoas apresenta sintomas por pelo menos 1 mês após o início do quadro, mas 1 a cada 10 pessoas mantêm sintomas após 12 semanas.[124] O espectro clínico da Covid-19 pode ser classificado em:[125]

→ **Covid-19 aguda:** sinais e sintomas que duram até 4 semanas;
→ **Covid-19 longa:** sinais e sintomas que persistem ou surgem após 4 semanas do início da doença, e inclui:
  → **sintomas persistentes da Covid-19:** sinais e sintomas que duram de 4 a 12 semanas;
  → **síndrome pós-Covid-19:** sinais e sintomas que se desenvolvem durante ou após a infecção por SARS-CoV-2, e que continuam por mais de 12 semanas, que não são explicados por outros diagnósticos.

A condição pós-Covid-19 geralmente se apresenta com sintomas sobrepostos, que podem flutuar e mudar com o tempo e afetar qualquer sistema do corpo.[124] Pacientes hospitalizados por Covid-19 grave apresentam efeitos semelhantes aos da hospitalização prolongada por outras infecções e descondicionamento físico.[126] Os sintomas mais comuns são fadiga (58%), cefaleia (44%), distúrbio de atenção (27%), perda de cabelo (25%), dispneia (24%), ageusia (23%), anosmia (21%), tosse (19%) e dor articular (19%).[127]

A avaliação clínica, a investigação e o manejo dos sintomas mais frequentes são apresentados na **TABELA 152.12**.

A maioria dos sintomas que persistem após doença aguda tem resolução lenta e gradual. São recomendados, além do manejo do sintoma em questão, a avaliação e o tratamento integral e empático do paciente. O cuidado integral de um paciente condição pós-Covid-19 deve abordar: compensação de comorbidades existentes, alimentação adequada, prática de atividade física conforme tolerância, cessação do tabagismo, medidas para higiene do sono e atenção à saúde mental.[125,130]

Pacientes que passam por cuidados em terapia intensiva podem experimentar uma ampla gama de complicações secundárias aos procedimentos de ventilação mecânica, sedação, bloqueio neuromuscular e imobilização prolongada, chamada de síndrome pós-cuidado intensivo, incluindo descondicionamento físico e respiratório, perda de massa muscular, desnutrição, problemas de deglutição, polineuropatia, lesões de decúbito, déficits cognitivos e condições psiquiátricas. Pacientes idosos e com doenças crônicas, independentemente da idade, têm maior risco de desenvolver essas complicações. Devem-se avaliar os déficits presentes e encaminhar para reabilitação com equipe multidisciplinar (fisioterapia motora ou respiratória, nutrição, fonoaudiologia, terapia ocupacional) em atenção especializada, conforme o déficit apresentado e as morbidades associadas.[125,126,128,130,132]

# ORGANIZAÇÃO DOS SERVIÇOS DE SAÚDE EM ATENÇÃO PRIMÁRIA À SAÚDE

O objetivo principal da resposta global à Covid-19 é retardar e interromper a transmissão, encontrar, isolar e testar os casos suspeitos e fornecer atendimento adequado aos pacientes com a doença. A APS tem papel fundamental no combate à pandemia. Como porta de entrada do sistema de saúde, ela é capaz de proporcionar atendimento oportuno e resolver até 80% dos casos, e deve atuar conjuntamente com a vigilância epidemiológica no monitoramento dos doentes e seus contatos.[7]

## Organização da demanda e acesso

Conhecer e estabelecer fluxos para atendimento ao paciente suspeito ou confirmado de Covid-19 é extremamente importante, pois possibilita a realização de um atendimento rápido e resolutivo, com maior controle da disseminação da doença. Durante um surto na comunidade, as seguintes recomendações podem auxiliar na organização dos serviços:[94,99]

→ designar profissionais dedicados exclusivamente para o acolhimento e a indicação de fluxo diferenciado para pacientes com sintomas respiratórios;
→ realizar classificação de risco na porta de entrada do serviço e encaminhamento subsequente para atendimento em sala separada, objetivando diminuir o fluxo de pessoas em circulação e o tempo de contato entre pacientes;
→ estabelecer horários de funcionamento estendidos dos serviços de saúde, minimizando, sempre que possível, a aglomeração de pessoas;
→ organizar a agenda médica e de enfermagem para garantir que pelo menos 70% das consultas estejam disponíveis para atendimento em demanda espontânea (de acordo com a necessidade e a demanda local);
→ substituir reuniões e atendimentos presenciais (orientações, triagem e monitoramento) por atendimento telefônico ou comunicações virtuais, quando possível;
→ ao realizar visitas domiciliares, recomenda-se que a visita ocorra em região peridomiciliar (frente, lados da casa e fundo do quintal ou terreno), mantendo distância de pelo menos 1 metro do paciente. Priorizar visita aos pacientes de risco (pessoas com idade > 60 anos ou com doenças crônicas de risco).

## Outros atributos da atenção primária à saúde, trabalho em equipe e proximidade com o território

São parte do papel da APS a educação em saúde e o incentivo a medidas de prevenção de contágio (etiqueta respiratória, higiene das mãos, uso de máscaras, distanciamento social e isolamento domiciliar de casos suspeitos ou confirmados), principalmente pelos agentes comunitários de saúde (ACSs) em seu trabalho na comunidade. A abordagem interdisciplinar e multissetorial também é fundamental no combate às consequências da pandemia. Cabe à APS perceber os grupos com maior vulnerabilidade e abordar problemas oriundos do isolamento social prolongado e da precarização da vida social e econômica, como transtornos mentais, violência doméstica, insegurança alimentar e agudização ou desenvolvimento de agravos crônicos, exigindo cuidados integrados longitudinais. Os ACSs têm importante atuação diante da promoção, da prevenção e do controle de agravos a partir da orientação comunitária e, sendo membros da comunidade, são estratégicos na identificação dessas situações e de famílias em risco.

É necessária a articulação dos serviços sociais e comunitários para levantamento de medidas de apoio e suporte à comunidade. Em resposta à crise econômica subsequente, a busca de auxílios econômicos e sociais, doações, voluntariado e criação de formas alternativas de renda para as famílias mais atingidas se torna tão importante quanto o atendimento clínico da doença. Além das consequências diretas da pandemia sobre a saúde e a economia, um período de crise aprofunda as desigualdades já existentes na sociedade e expõe as populações mais frágeis a maiores agravos.

Muitas recomendações para a prevenção da Covid-19 nem sempre são factíveis para uma parcela significativa da população que vive em condições precárias em periferias e favelas. O Grupo de Trabalho de Saúde da População Negra da Sociedade Brasileira de Medicina de Família e Comunidade (SBMFC) e a Associação de Medicina de Família e Comunidade do Estado do Rio de Janeiro (AMFaC-RJ) disponibilizam um manual de orientações para populações em condições de vulnerabilidade, com dicas viáveis de acordo

**TABELA 152.12** → Avaliação e manejo da condição pós-Covid-19

| SISTEMA AFETADO OU TIPO DE SINTOMA | SINTOMA | AVALIAÇÃO CLÍNICA | EXAMES COMPLEMENTARES | MANEJO |
|---|---|---|---|---|
| Respiratório | Dispneia (> 4 semanas) | → Teste de dessaturação* | → Hemograma, TSH, glicemia, creatinina, eletrólitos<br>→ Espirometria em 3 meses<br>→ Radiografia ou TC de tórax em 3 meses<br>→ Considerar TCAR (suspeita de fibrose pulmonar), angio-TC (suspeita de tromboembolismo pulmonar) ou ecocardiograma (suspeita de hipertensão pulmonar) conforme avaliação inicial de 3 meses | → Orientar exercícios respiratórios (ver **TABELA 152.13**)<br>→ Exercícios aeróbicos leves, com aumento gradual em intensidade conforme tolerância<br>→ Reabilitação/fisioterapia respiratória para casos graves de Covid-19, com hospitalização em UTI, em idosos ou pessoas com múltiplas comorbidades |
| | Tosse (≥ 3 semanas) | → Avaliar condições associadas, como doença do refluxo gastresofágico, asma, sinusite bacteriana e rinite alérgica | → Espirometria em 12 semanas<br>→ TC em 12 semanas<br>→ BAAR em escarro em 4-6 semanas | → Orientar exercícios respiratórios<br>→ Tratar doenças associadas |
| Circulatório | Dor torácica | → Avaliar características da dor<br>→ Avaliar doença musculoesquelética | → ECG | → Encaminhar à emergência em caso de suspeita de evento agudo grave (embolia pulmonar, infarto, dissecção de aorta, miocardite)<br>→ Uso de AINE se descartada outra doença aguda grave e sintoma persistente que prejudique a qualidade de vida |
| | Palpitações | → GAD-7 (questionário para avaliação rápida dos sintomas de ansiedade) | → Hemograma, TSH, eletrólitos<br>→ ECG | → Tratamento de arritmias, se presente |
| | Sintomas de insuficiência cardíaca | | → ECG<br>→ Radiografia de tórax<br>→ Considerar ecocardiograma | → Tratamento de insuficiência cardíaca, se presente. |
| Neurológico | Déficit cognitivo (*brain fog*, dificuldade de concentração, perda de memória) | → Miniexame do estado mental<br>→ Teste do desenho do relógio<br>→ Teste da fluência por categoria semântica | | → Manejo de suporte<br>→ Monitoramento do sintoma e cuidado integral em saúde: avaliação de comorbidades, alimentação adequada, exercício físico conforme tolerância, suporte em saúde mental |
| | Tontura | → Avaliar hipotensão postural†<br>→ Teste de dessaturação* | | → Em caso de hipotensão ortostática: hidratação, meias elásticas de compressão, fisioterapia e medidas comportamentais |
| | Cefaleia | → Avaliar característica da cefaleia | | → Tratamento conforme o tipo de cefaleia<br>→ Considerar profilaxia para cefaleia |
| | Polineuropatia | | → TSH, glicemia, creatinina, aminotransferases, vitamina $B_{12}$, proteína C-reativa, VHS, eletrólitos, anti-HIV (ou teste rápido)<br>→ Considerar eletroneuromiografia | → Tratamento conforme achados da investigação<br>→ Reabilitação multidisciplinar se for parte de síndrome pós-cuidado intensivo |
| Musculoesquelético/ generalizado | Fadiga | → Teste de dessaturação*<br>→ Escala de gravidade de fadiga | → Hemograma, TSH | → Orientar atividade física gradual e regular<br>→ Orientar higiene do sono<br>→ Planejamento e priorização das atividades diárias |
| | Descondicionamento físico | | → Hemograma, TSH, proteína C-reativa | → Reabilitação motora física |
| | Dor articular/mialgia | → Escala de dor<br>→ Avaliar sinais e sintomas de doenças reumatológicas | → Considerar proteína C-reativa, CPK | → Manejo de dor crônica<br>→ Fisioterapia/reabilitação<br>→ Orientar atividade física gradual e regular |
| Psiquiátrico | Depressão | → PHQ-9 (escala para triagem de depressão na população geral) | | → Psicoeducação, orientação e escuta empática<br>→ Tratamento farmacológico em casos moderados a graves<br>→ Avaliação e manejo do risco de suicídio |
| | Ansiedade | → GAD-7 (questionário para avaliação rápida dos sintomas de ansiedade) | | → Psicoeducação, orientação e escuta empática<br>→ Tratamento farmacológico em casos moderados a graves<br>→ Avaliação e manejo do risco de suicídio |
| Otorrinolaringologia | Alteração do paladar (disgeusia) | → Avaliar doenças associadas: diabetes, doença de refluxo gastresofágico, hipotireoidismo, depressão<br>→ Avaliar lesões bucais, hipossalivação, xerostomia e síndrome da ardência bucal<br>→ Avaliar peso | | → Tratar doenças associadas<br>→ Discutir/considerar uso de medicamentos utilizados para síndrome da ardência bucal, quando associada |
| | Alteração do olfato (anosmia/hiposmia/parosmia) | → Avaliar rinite/rinossinusite | | → Orientar treinamento olfativo‡<br>→ Tratar condições nasais associadas |

*(continua)*

**TABELA 152.12** → Avaliação e manejo da condição pós-Covid-19  *(Continuação)*

| SISTEMA AFETADO OU TIPO DE SINTOMA | SINTOMA | AVALIAÇÃO CLÍNICA | EXAMES COMPLEMENTARES | MANEJO |
|---|---|---|---|---|
| Dermatológico | Alopecia | → Avaliar outras causas de eflúvio telógeno: estresse, perda de peso rápida, uso de medicamentos | → Hemograma, TSH, ferritina | → Orientar caráter autolimitado, até 6 meses |
| Gastrintestinal | Diarreia (> 4 semanas) | → Avaliar sinais de alerta<br>→ Avaliar suspeita e fatores de risco para *Clostridioides difficile* (uso de antibiótico recente)<br>→ Avaliar intolerâncias alimentares, parasitoses, intestino irritável, doença inflamatória intestinal e má absorção | → Hemograma, glicemia, TSH, anti-HIV (ou teste rápido), EPF, coprocultura, leucócitos fecais e pesquisa de sangue oculto nas fezes<br>→ Pesquisa de toxina do *C. difficile*, em caso de suspeita clínica | → Considerar tratamento empírico para *C. difficile* em caso de suspeita clínica e exame não disponível |

*Medir a oximetria antes e após o paciente realizar caminhada (cerca de 40 passos) em superfície plana, ou após fazer o teste de sentar e levantar durante 1 minuto, ambos o mais rápido que conseguir, com supervisão. Uma queda > 3% na saturação é anormal e requer investigação.
†Medir a pressão arterial após 5 minutos de repouso em decúbito dorsal e após 3 minutos na posição sentada ou em pé. Uma queda ≥ 20 mmHg na pressão arterial sistólica ou ≥ 10 mmHg na pressão arterial diastólica configura hipotensão ortostática.
‡O paciente deve respirar 4 odores diferentes por 20 segundos cada, 2×/dia, por pelo menos 12 semanas. Alternar odores e aumentar o tempo de exposição pode melhorar a eficácia. Sugere-se fazer ciclos com odores de 4 categorias diferentes: frutado, floral, resinoso e condimentado; são exemplos: limão, laranja, banana, baunilha, rosas, eucalipto, canela e cravo.
AINE, anti-inflamatório não esteroide; angio-TC, angiotomografia computadorizada; BAAR, bacilo álcool-acidorresistente; CPK, creatinofosfoquinase; ECG, eletrocardiograma; EPF, exame parasitológico de fezes; GAD-7, *General Anxiety Disorder-7*; HIV, vírus da imunodeficiência humana; PHQ-9, *Patient Health Questionnaire-9*; TC, tomografia computadorizada; TCAR, tomografia computadorizada de alta resolução; TSH, hormônio estimulante da tireoide; UTI, unidade de terapia intensiva; VHS, velocidade de hemossedimentação.
Fonte: Adaptada de National Health Service;[125] Centers for Disease Control and Prevention;[126] Wilbur e colaboradores;[128] Nalbandian e colaboradores;[129] Greenhalgh e colaboradores;[130] George e colaboradores;[131] Varatharaj e colaboradores.[132]

**TABELA 152.13** → Exercícios respiratórios para manejo de tosse e dispneia persistentes

O padrão respiratório pode ser alterado depois da doença aguda, com maior uso de musculatura do pescoço e dos ombros e menor uso do diafragma, o que promove uma respiração mais superficial, aumentando fadiga, dispneia e gasto de energia

A técnica de exercícios respiratórios visa normalizar os padrões de respiração e aumentar a eficiência dos músculos respiratórios (incluindo o diafragma), resultando em menor gasto de energia, menos irritação das vias aéreas e redução da fadiga e da dispneia

Como fazer: esses exercícios podem ser usados com frequência ao longo do dia, em séries de 2-5 minutos (ou mais, se for útil)

**Exercícios de respiração com lábios franzidos (apertados)**
1. Sentado ereto ou ligeiramente reclinado, relaxe os músculos do pescoço e dos ombros
2. Com a boca fechada, inspire pelo nariz por 2 segundos, como se estivesse cheirando uma flor
3. Após, expire lentamente por 4 segundos com os lábios franzidos, como se estivesse soprando velas de aniversário
4. Repita o ciclo por 2 minutos, várias vezes ao dia

**Exercícios de respiração profunda/diafragmática**
1. Recline-se na cama ou no sofá com um travesseiro sob a cabeça e sob os joelhos; se não for possível reclinar-se, faça-o sentado na vertical
2. Coloque uma das mãos na barriga e a outra no peito
3. Inspire lentamente pelo nariz e deixe seus pulmões se encherem de ar, permitindo que sua barriga se eleve (a mão na barriga deve mover-se mais que a mão do peito)
4. Expire pelo nariz e, ao expirar, sinta a barriga abaixar
5. Repita os ciclos por 2-5 minutos várias vezes ao dia

Fonte: Adaptada de American Lung Association.[133]

com a realidade vivida por essas pessoas (ver Leituras Recomendadas, no fim do capítulo).[134] A divulgação dessas informações deve ser promovida pelas equipes da Estratégia Saúde da Família (ESF) que atuam em áreas de vulnerabilidade social, como medida para mitigar os efeitos da transmissão nessas condições.[135]

Em decorrência do isolamento domiciliar e do aumento de tensões familiares, houve expressivo crescimento nos casos de violência doméstica. É importante que as equipes estejam atentas às famílias em risco, divulguem contínua e repetidamente informações sobre os canais oficiais existentes para denúncia e ajuda (Ligue 180, Disque 100 e outros canais locais), dando visibilidade ao assunto na comunidade, em locais como mercados e farmácias. Outras ações recomendadas são a possibilidade de atendimento remoto (telefônico ou *on-line*), manter o acesso a serviços de saúde sexual e reprodutiva, promover ambiente acolhedor para que a mulher sinta-se segura, ter profissionais que saibam identificar essa possível agenda oculta durante o atendimento e instrumentalizar os ACSs para mapear as mulheres em situação de violência no território.[136] Também se deve fazer a notificação compulsória de todos os casos com suspeita ou confirmação de violência contra a mulher atendida em serviços de saúde públicos ou privados. Mais informações sobre abordagem da violência contra a mulher durante a pandemia de Covid-19 podem ser encontradas em cartilha própria (ver Leituras Recomendadas, no fim do capítulo).[137]

No contexto da Covid-19, também é crescente o impacto de problemas relacionados à saúde mental, tanto da população quanto da equipe de saúde. Os trabalhadores da saúde estão expostos a altos níveis de estresse, ansiedade e depressão, levando ao esgotamento relacionado a múltiplos fatores, como exaustão, eventual falta de EPIs, medo de contrair a infecção e sensação de impotência diante da doença. O apoio psicológico institucional de retaguarda, o diálogo entre gestores e profissionais e a criação de sentimentos de cooperação entre os próprios profissionais são importantes ações de psicoprofilaxia em tempos de pandemia de Covid-19.[136] Na população, alguns grupos estão mais vulneráveis a apresentar sofrimento psíquico e problemas de saúde mental, como idosos e pessoas com comorbidades, crianças e adolescentes, pessoas com condições de saúde mental preexistentes e mulheres. Algumas medidas estratégicas podem auxiliar tanto os profissionais de saúde quanto a população no enfrentamento da ansiedade relacionada à pandemia: manter hábitos de vida saudáveis (praticar exercício físico regularmente – mesmo adaptado para realizar em casa –, manter uma alimentação saudável, evitar uso de álcool e outras drogas, manter qualidade do sono), realizar técnicas de relaxamento, meditação e alongamento, manter-se conectado com outras pessoas via telefone, videochamadas ou mensagens de texto, utilizar serviços de suporte psicológico e aconselhamento (mesmo à distância) e diminuir a frequência com que escuta, assiste ou lê notícias sobre a pandemia, inclusive nas redes sociais.[138]

## USO DA TELEMEDICINA

É importante que os médicos da APS evitem a avaliação presencial de pacientes com suspeita de Covid-19, quando possível, para diminuir a disseminação da infecção. A maioria dos pacientes com sintomas leves pode ser avaliada e orientada remotamente, por telefone ou videochamada.[22] Foram autorizadas as ações de telemedicina no Brasil como forma de regulamentar e operacionalizar as medidas de enfrentamento da emergência de saúde pública decorrente da pandemia da Covid-19, como avaliação pré-clínica, diagnóstico, suporte, consultas remotas e monitoramento à distância. O MS também criou outras estratégias, como aplicativos para telefones celulares com orientações, *chat on-line*, número de WhatsApp e ligação gratuita, para dúvidas e atendimento em tempo real dos pacientes. Disponibilizou, ainda, ferramenta *on-line* para que os profissionais da APS pudessem realizar consulta remotas, medidas que favoreceram a ampliação do acesso, o atendimento oportuno, a longitudinalidade do cuidado, o estímulo ao isolamento domiciliar e a diminuição da sobrecarga dos serviços de saúde.[7,20,21]

A consulta remota poderá ser feita pelo canal com o qual o indivíduo tem mais afinidade, e sua escolha está condicionada à situação clínica, cabendo a decisão ao profissional e ao paciente. Os atendimentos deverão garantir a integridade, a segurança e o sigilo das informações. Deverão também ser registrados em prontuário clínico, com as seguintes informações:[7,20]

→ dados clínicos necessários para a boa condução do caso, sendo preenchidos em cada contato com o paciente;
→ dados de telefone e *e-mail*, se houver;
→ data, hora, tecnologia da informação e comunicação utilizada para o atendimento, incluindo telefone atualizado do paciente e outras formas de contato, como endereço eletrônico (*e-mail*), se houver;
→ número do Conselho Regional Profissional e sua unidade da federação.

## LIÇÕES PARA O FUTURO

Países de todo o mundo enfrentam o desafio do aumento da demanda por atendimento a pessoas com Covid-19, agravado pelo medo, pela desinformação (a chamada "infodemia") e pelas limitações de mobilidade que prejudicam a prestação de serviços para todas as condições de saúde. Foram necessárias alternativas capazes de prevenir, detectar e responder às demandas locais para atender casos de Covid-19, em uma tentativa de mitigar sua transmissão na comunidade e em instalações de saúde.

Diante disso, os sistemas de saúde tiveram que ajustar a forma de realizar triagem, avaliação e cuidados dos pacientes, usando métodos que não dependem de encontros presenciais.[139,140] Embora a telemedicina e seu uso não sejam novos, até o surgimento da Covid-19, a legislação brasileira não permitia a sua utilização para interação rotineira entre médicos e pacientes. Com a pandemia, essa modalidade foi autorizada em caráter excepcional e temporário.[20] Entretanto, vale ressaltar que após o controle da infecção pelo SARS-CoV-2, a manutenção da telemedicina e o incentivo à sua expansão serão essenciais para promover a reforma, a transformação e a organização do sistema de saúde em um país tão extenso e desigual como o Brasil, com redução de custos, ganhos na qualidade e aumento no acesso e na satisfação do usuário.[141]

Além disso, em locais onde outras doenças infectocontagiosas são endêmicas, com sinais e sintomas que se sobrepõem aos da Covid-19, somados à carga de doença causada pelas condições crônicas, é importante reforçar e criar estratégias para que a população não tarde em procurar atendimento, tanto para a infecção causada pelo novo coronavírus como para outras doenças potencialmente fatais.

Diante de uma pandemia, com muitos óbitos e sobrecarga de sistemas de saúde, pode haver dificuldades para o andamento de estudos com metodologia rigorosa.[142,143] Entretanto, a urgência para desenvolvimento de soluções para enfrentamento de condições desconhecidas, como tratamentos específicos e vacinas, não autoriza a utilização de dados provenientes de pesquisas com métodos inadequados e, em consequência, resultados duvidosos para a tomada de decisão clínica.

O cenário atual, assim como ocorreu anteriormente em situações semelhantes, mostra que certos padrões devem ser combatidos, como a resposta negacionista e autoritária de alguns governos e a estigmatização relacionada com a infecção em pessoas de origem asiática.[144] Com o agravamento da crise de saúde, medidas sociais, como distribuição de alimentos, subsídios econômicos e distribuição de renda mínima social, mostram-se necessárias para manter o isolamento social e, por consequência, controle da disseminação da infecção.[145]

De forma geral, a cobertura universal de saúde e políticas de Estado para melhoria nos determinantes sociais de saúde são impreteríveis ao combate mais eficaz a possíveis futuras epidemias e pandemias. Considerando, ainda, que o mundo está cada vez mais globalizado, tornam-se essenciais as ações de cooperação multinacional no campo político, econômico e técnico-científico, especialmente no desenvolvimento de pesquisas, produção e distribuição de recursos de saúde, de modo a mitigar os efeitos da pandemia na população mundial.[146]

## REFERÊNCIAS

1. Zhou P, Yang X-L, Wang X-G, Hu B, Zhang L, Zhang W, et al. A pneumonia outbreak associated with a new coronavirus of probable bat origin. Nature. 2020;579(7798):270–3.
2. Wiersinga WJ, Joost Wiersinga W, Rhodes A, Cheng AC, Peacock SJ, Prescott HC. Pathophysiology, transmission, diagnosis, and treatment of coronavirus disease 2019 (Covid-19). JAMA. 2020;324(8):782.
3. World Health Organization. Tracking SARS-CoV-2 variants [Internet]. Geneva: WHO; 2021 [capturado em 31 ago. 2021]. Disponível em: https://www.who.int/activities/tracking-SARS-CoV-2-variants.
4. Centers for Disease Control and Prevention. Scientific Brief: SARS-CoV-2 Transmission [Internet]. Coronavirus Disease 2019 (Covid-19): Science. Georgia: CDC; 2021 [capturado em 7 set. 2021].

Disponível em: https://www.cdc.gov/coronavirus/2019-ncov/science/science-briefs/sars-cov-2-transmission.html.

5. Cevik M, Tate M, Lloyd O, Maraolo AE, Schafers J, Ho A. SARS--CoV-2, SARS-CoV, and MERS-CoV viral load dynamics, duration of viral shedding, and infectiousness: a systematic review and meta-analysis. Lancet Microbe. 2021;2(1):e13–22.

6. Meyerowitz EA, Richterman A, Gandhi RT, Sax PE. Transmission of SARS-CoV-2: a review of viral, host, and environmental factors. Ann Intern Med. 2021;174(1):69–79.

7. World Health Organization. Covid-19 Clinical management: living guidance [Internet]. Geneva: WHO; 2021 [capturado em 7 set. 2021]. Disponível em: https://www.who.int/publications/i/item/WHO-2019-nCoV-clinical-2021-1.

8. Zhu J, Zhong Z, Ji P, Li H, Li B, Pang J, et al. Clinicopathological characteristics of 8697 patients with Covid-19 in China: a meta-analysis. Fam Med Community Health. 2020;8(2):e000406. http://dx.doi.org/10.1136/fmch-2020-000406

9. Tong JY, Wong A, Zhu D, Fastenberg JH, Tham T. The prevalence of olfactory and gustatory dysfunction in Covid-19 patients: a systematic review and meta-analysis. Otolaryngol Head Neck Surg. 2020;163(1):3-11.

10. Byambasuren O, Cardona M, Bell K, Clark J, McLaws M-L, Glasziou P. Estimating the extent of asymptomatic Covid-19 and its potential for community transmission: Systematic review and meta-analysis. J. Assoc. Med. Microbiol. Infect. Dis. Can.. 2020;5(4):223–34.

11. Mao R, Qiu Y, He J-S, Tan J-Y, Li X-H, Liang J, et al. Manifestations and prognosis of gastrointestinal and liver involvement in patients with Covid-19: a systematic review and meta-analysis. Lancet Gastroenterol Hepatol. 2020; 5(7):667-78.

12. Menni C, Valdes AM, Freidin MB, Sudre CH, Nguyen LH, Drew DA, et al. Real-time tracking of self-reported symptoms to predict potential Covid-19. Nat Med. 2020; 26(7):1037-40.

13. Lechien JR, Chiesa-Estomba CM, Hans S, Barillari MR, Jouffe L, Saussez S. Loss of smell and taste in 2013 European patients with mild to moderate Covid-19. Ann Intern Med. 2020; 173(8):672-5.

14. Centers for Disease Control and Prevention. Interim clinical guidance for management of patients with confirmed coronavirus disease (Covid-19) [Internet]. Coronavirus Disease 2019 (Covid-19): healthcare workers. Georgia: CDC; 2021 [capturado em 7 set. 2021]. Disponível em: https://www.cdc.gov/coronavirus/2019-ncov/hcp/clinical-guidance-management-patients.html.

15. Wollina U, Karadağ AS, Rowland-Payne C, Chiriac A, Lotti T. Cutaneous signs in Covid-19 patients: a review. Dermatol Ther. 2020;33(5):e13549.

16. Loffredo L, Pacella F, Pacella E, Tiscione G, Oliva A, Violi F. Conjuntivitis and Covid-19: A meta-analysis. J Med Virol. 2020; 92(9):1413-4.

17. Ahmad I, Rathore FA. Neurological manifestations and complications of Covid-19: a literature review. J Clin Neurosci. 2020;77:8-12.

18. Mao L, Jin H, Wang M, Hu Y, Chen S, He Q, et al. Neurologic manifestations of hospitalized patients with coronavirus disease 2019 in Wuhan, China. JAMA Neurol. 2020; 77(6):683-90.

19. World Health Organization. A clinical case definition of post Covid-19 condition by a Delphi consensus [Internet]. Geneva: WHO; 2021 [capturado em 19 out. 2021]. Disponível em: https://www.who.int/publications/i/item/WHO-2019-nCoV-Post_COVID-19_condition-Clinical_case_definition-2021.1

20. Brasil. Ministério da Saúde. Secretaria de Vigilância em Saúde. Guia de vigilância epidemiológica: emergência de saúde pública de importância nacional pela doença pelo coronavírus 2019 – Covid-19 [Internet]. Brasília: MS; 2021 [capturado em 10 set. 2021]. Disponível em: https://www.conasems.org.br/wp-content/uploads/2021/03/Guia-de-vigila%CC%82ncia-epidemiolo%CC%81gica-da-covid_19_15.03_2021.pdf.

21. National Institute for Health and Care Excellence (United Kingdom). Covid-19 rapid guideline: managing Covid-19 [Internet]. London: NICE; 2021 [capturado em 4 ago. 2021]. Disponível em: https://www.nice.org.uk/guidance/ng191.

22. Beeching NJ, Fletcher TE, Fowler R. Coronavirus disease 2019 (Covid-19) [Internet]. BMJ Best Practice. 2021 [capturado em 19 ago. 2021]. Disponível em: https://bestpractice.bmj.com/topics/en-gb/3000168

23. Watson J, Whiting PF, Brush JE. Interpreting a Covid-19 test result. BMJ. 2020;369:m1808.

24. Jarrom D, Elston L, Washington J, Prettyjohns M, Cann K, Myles S, et al. Effectiveness of tests to detect the presence of SARS-CoV-2 virus, and antibodies to SARS-CoV-2, to inform Covid-19 diagnosis: a rapid systematic review. BMJ Evid Based Med. 2020; bmjebm-2020-111511.

25. Zhao J, Yuan Q, Wang H, Liu W, Liao X, Su Y, et al. Antibody responses to SARS-CoV-2 in patients of novel coronavirus disease 2019. Clin Infect Dis. 2020;71(16):2027-34.

26. World Health Organization. Diagnostic testing for SARS-CoV-2: interim guidance [Internet]. Geneva: WHO; 2020 [capturado em 7 de set. 2021]. Disponível em: https://www.who.int/publications/i/item/diagnostic-testing-for-sars-cov-2.

27. Subali AD, Wiyono L. Reverse Transcriptase Loop Mediated Isothermal AmplifiCation (RT-LAMP) for Covid-19 diagnosis: a systematic review and meta-analysis. Pathog Glob Health. 2021;1–11.

28. Centers for Disease Control and Prevention. Overview of testing for SARS-CoV-2 (Covid-19) [Internet]. Coronavirus Disease 2019 (Covid-19): Healthcare Workers. Georgia: CDC; 2021 [capturado em 7 set. 2021]. Disponível em: https://www.cdc.gov/coronavirus/2019-ncov/hcp/testing-overview.html.

29. Brasil. Agência Nacional de Vigilância Sanitária. Nota técnica n° 33/2021. Informações sobre os produtos para diagnóstico in vitro para detecção de ancorpos neutralizantes contra o vírus SARS-Cov-2 (Covid-19) [Internet]. Processo n° 25351.900003/2021-29. Brasília: ANVISA; 2021[capturado em 7 set. 2021]. Disponível em: http://antigo.anvisa.gov.br/documents/33868/6282561/Nota+T%C3%A9cnica+33+GEVIT/014b150d-3cf3-4f3c-b873-2441316945a8.

30. Deeks JJ, Dinnes J, Takwoingi Y, Davenport C, Spijker R, Taylor--Phillips S, et al. Antibody tests for identification of current and past infection with SARS-CoV-2. Cochrane Database Syst Rev. 2020;6(6):CD013652.

31. Centers for Disease Control and Prevention. Interim Guidelines for Covid-19 Antibody Testing [Internet]. Coronavirus Disease 019 (Covid-19): Healthcare Workers. Georgia: CDC; 2021 [capturado em 7 set. 2021]. Disponível em: https://www.cdc.gov/coronavirus/2019-ncov/lab/resources/antibody-tests-guidelines.html?deliveryName=USCDC_2067-DM29085

32. Sethuraman N, Jeremiah SS, Ryo A. Interpreting diagnostic tests for SARS-CoV-2. JAMA 2020; 323(22):2249-51.

33. Centers for Disease Control and Prevention. Interim Guidance on Ending Isolation and Precautions for Adults with Covid-19 [Internet]. Coronavirus Disease 2019 (Covid-19): Healthcare Workers. Georgia: CDC; 2021 [capturado em 7 set. 2021]. Disponível em: https://www.cdc.gov/coronavirus/2019-ncov/hcp/duration-isolation.html.

34. World Organization of Health. Use of chest imaging in Covid-19: a rapid advice guide [Internet]. Geneva: WHO; 2020 jun [capturado em 14 ago. 2021]. Disponível em: https://www.who.int/publications/i/item/use-of-chest-imaging-in-covid-19.

35. Manna S, Wruble J, Maron SZ, Toussie D, Voutsinas N, Finkelstein M, et al. Covid-19: a multimodality review of radiologic techniques, clinical utility, and imaging features. Radiol Cardiothorac Imaging. 2020;2(3):e200210.

36. Ai T, Yang Z, Hou H, Zhan C, Chen C, Lv W, et al. Correlation of Chest CT and RT-PCR testing for Coronavirus Disease 2019 (Covid-19) in China: a report of 1014 cases. Radiology. 2020;296(2):E32–40.

37. Islam N, Ebrahimzadeh S, Salameh J-P, Kazi S, Fabiano N, Treanor L, et al. Thoracic imaging tests for the diagnosis of Covid-19. Cochrane Database Syst Rev. 2021;3(3): CD013639.

38. McIntosh K. Covid-19: clinical features [Internet]. UpToDate. Waltham: UpToDate; 2021 [capturado em 7 set. 2021]. Disponível em: https://www.uptodate.com/contents/covid-19-clinical-features.

39. Wong HYF, Lam HYS, Fong AH-T, Leung ST, Chin TW-Y, Lo CSY, et al. Frequency and distribution of chest radiographic findings in Covid-19 positive patients. Radiology. 2020;E73–8.

40. Wang Y, Dong C, Hu Y, Li C, Ren Q, Zhang X, et al. Temporal changes of CT findings in 90 patients with Covid-19 pneumonia: a longitudinal study. Radiology. 2020;296(2):E55–64.

41. Kim AY, Gandhi RT. Covid-19: Management in hospitalized adults [Internet]. UpToDate. Waltham: UpToDate; 2021 [capturado em 12 ago. 2021]. Disponível em: https://www.uptodate.com/contents/covid-19-management-in-hospitalized-adults.

42. Tang N, Li D, Wang X, Sun Z. Abnormal coagulation parameters are associated with poor prognosis in patients with novel coronavirus pneumonia. J Thromb Haemost. 2020;18(4):844–7.

43. Tan C, Huang Y, Shi F, Tan K, Ma Q, Chen Y, et al. C-reactive protein correlates with computed tomographic findings and predicts severe Covid-19 early. J Med Virol. 2020; 92(7):856-62.

44. Huang G, Kovalic A, Graber C. Prognostic Value of Leukocytosis and Lymphopenia for Coronavirus Disease Severity. Emerg Infect Dis. 2020;26(8):1839.

45. Tan L, Wang Q, Zhang D, Ding J, Huang Q, Tang Y-Q, et al. Lymphopenia predicts disease severity of Covid-19: a descriptive and predictive study. Signal Transduct Target Ther. 2020;5(1):33.

46. Centers for Disease Control and Prevention. Underlying Medical Conditions Associated with High Risk for Severe Covid-19: Information for Healthcare Providers [Internet]. Coronavirus Disease 2019 (Covid-29): Healthcare Workers. Georgia: CDC; 2021 [capturado em 7 set. 2021]. Disponível em: https://www.cdc.gov/coronavirus/2019-ncov/hcp/clinical-care/underlyingconditions.html.

47. National Institutes of Health (United States). Covid-19 treatment guidelines panel. Coronavirus Disease 2019 (Covid-19) treatment guidelines [Internet]. Bethesda: NIH; 2021 [capturado em 7 set. 2021]. Disponível em: https://www.covid19treatmentguidelines.nih.gov.

48. Bentley SK, Iavicoli L, Cherkas D, Lane R, Wang E, Atienza M, et al. Guidance and patient instructions for proning and repositioning of awake, nonintubated Covid-19 patients. Acad Emerg Med. 2020;27(8):787–91.

49. Thompson AE, Ranard BL, Wei Y, Jelic S. Prone Positioning in Awake, Nonintubated Patients With Covid-19 Hypoxemic Respiratory Failure. JAMA Intern Med. 2020;180(11):1537–9.

50. Brasil. Ministério da Saúde. Orientações para manejo de pacientes com Covid-19 [Internet]. Brasília: MS; 2020. Disponível em: https://portalarquivos.saude.gov.br/images/pdf/2020/June/18/Covid19-Orientac--o--esManejoPacientes.pdf

51. Venkatesan P. Repurposing drugs for treatment of Covid-19. Lancet Respir Med. 2021;9(7):e63.

52. Brasil. Ministério da Saúde. Diretrizes Brasileiras para Tratamento Hospitalar do Paciente com Covid-19 – Capítulo 2: Tratamento Medicamentoso [Internet]. Brasília: MS; 2021[capturado em 7 set. 2021]. Relatótio de recomendação – Protocolos clínicos e Diretrizes Terapêuticas, n° 638. Disponível em: http://conitec.gov.br/images/Relatorios/DiretrizesBrasileiras_TratamentoHospitalarPaciente_CapII.pdf.

53. WHO Solidarity Trial Consortium, Pan H, Peto R, Henao-Restrepo A-M, Preziosi M-P, Sathiyamoorthy V, et al. Repurposed antiviral drugs for Covid-19 – Interim WHO Solidarity Trial Results. N Engl J Med. 2020;384: 497-511. http://dx.doi.org/10.1056/NEJMoa2023184

54. RECOVERY Collaborative Group. Azithromycin in patients admitted to hospital with Covid-19 (RECOVERY): a randomised, controlled, open-label, platform trial. Lancet. 2021;397(10274):605–12.

55. RECOVERY Collaborative Group, Horby P, Lim WS, Emberson JR, Mafham M, Bell JL, et al. Dexamethasone in Hospitalized Patients with Covid-19. N Engl J Med. 2021;384(8):693–704.

56. Nopp S, Moik F, Jilma B, Pabinger I, Ay C. Risk of venous thromboembolism in patients with Covid-19: a systematic review and meta-analysis. Res Pract Thromb Haemost. 2020; 4(7):1178-91.

57. REMAP-CAP Investigators, Gordon AC, Mouncey PR, Al--Beidh F, Rowan KM, Nichol AD, et al. Interleukin-6 Receptor Antagonists in Critically Ill Patients with Covid-19. N Engl J Med. 2021;384(16):1491–502.

58. RECOVERY Collaborative Group. Tocilizumab in patients admitted to hospital with Covid-19 (RECOVERY): a randomised, controlled, open-label, platform trial. Lancet. 2021;397(10285):1637–45.

59. WHO Rapid Evidence Appraisal for Covid-19 Therapies (REACT) Working Group, Shankar-Hari M, Vale CL, Godolphin PJ, Fisher D, Higgins JPT, et al. Association between administration of IL-6 antagonists and mortality among patients hospitalized for Covid-19: A Meta--analysis. JAMA. 2021;326(6):499-518.

60. World Health Organization. Therapeutics and Covid-19: living guideline [Internet]. Geneva: WHO; 2021 [capturado em 6 set. 2021]. Disponível em: https://app.magicapp.org/#/guideline/nBkO1E.

61. Bhimraj A, Morgan RL, Shumaker AH, Lavergne V, Baden L, Cheng VC-C, et al. Infectious Diseases Society of America Guidelines on the Treatment and Management of Patients with Covid-19 [Internet]. Arlington: IDSA; 2021 [capturado em 7 set. 2021]. Disponível em: https://www.idsociety.org/practice-guideline/covid-19-guideline-treatment-and-management/.

62. Kaka AS, MacDonald R, Greer N, Vela K, Duan-Porter W, Obley A, et al. Major update: Remdesivir for adults with Covid-19: a living systematic review and meta-analysis for the American College of Physicians Practice Points. Ann Intern Med. 2021;174(5):663-72.

63. Janiaud P, Axfors C, Schmitt AM, Gloy V, Ebrahimi F, Hepprich M, et al. Association of convalescent plasma treatment with clinical outcomes in patients with Covid-19: a systematic review and meta-analysis. JAMA. 2021; 325(12):1185-95.

64. Brasil. Agência Nacional de Vigilância Sanitária. Nota técnica nº 33/2021 -SEI/GSTCO/DIRE1/ANVISA. Atualização das recomendações sobre o uso de plasma de doador convalescente para o tratamento da Covid-19 e a doação deste tipo de plasma por indivíduos vacinados contra a Covid-19. [Internet]. Processo nº 25351.912548/2020-05. Brasília: ANVISA; 2021 [capturado em 7 set. 2021]. Disponível em: https://www.gov.br/anvisa/pt-br/centraisdeconteudo/publicacoes/sangue-tecidos-celulas-e-orgaos/notas-tecnicas/nota-tecnica-33-2021-gstco.

65. Vaduganathan M, Vardeny O, Michel T, McMurray JJV, Pfeffer MA, Solomon SD. Renin-Angiotensin-Aldosterone System Inhibitors in Patients with Covid-19. N Engl J Med. 2020;382(17):1653–9.

66. Mackey K, King VJ, Gurley S, Kiefer M, Liederbauer E, Vela K, et al. Risks and impact of angiotensin-converting enzyme inhibitors or angiotensin-receptor blockers on SARS-CoV-2 infection in adults. Ann Intern Med. 2020;173(3):195-203.

67. National Institute for Health and Care Excellence (United Kingdom). Covid-19 rapid evidence summary: angiotensin-converting enzyme inhibitors (ACEIs) or angiotensin receptor blockers (ARBs) in people with or at risk of Covid-19 [Internet]. London: NICE; 2020 [capturado em 7 set. 2021]. Disponível em: https://www.nice.org.uk/advice/es24.

68. National Institute for Health and Care Excellence (United Kingdom). Covid-19 rapid evidence summary: long-term use of non-steroidal anti-inflammatory drugs (NSAIDs) for people with or at risk of Covid-19 [Internet]. London: NICE; 2020 [capturado em 7 set. 2021]. Disponível em: https://www.nice.org.uk/advice/es25.

69. Centers for Disease Control and Prevention. Updated Healthcare Infection Prevention and Control Recommendations in Response to Covid-19 Vaccination [Internet]. Coronavirus Disease 2019 (Covid-19): Healthcare Workers. Georgia: CDC; 2021 [capturado em 7 set. 2021]. Disponível em: https://www.cdc.gov/coronavirus/2019-ncov/hcp/infection-control-after-vaccination.html.

70. Brasil. Ministério da Saúde. Secretaria de Vigilância em Saúde. Departamento de Análise em Saúde e Doenças não Transmissíveis. Manejo de corpos no contexto da doença causada pelo coronavírus SARS-CoV-2 Covid-19 [Internet]. 2.http://paperpile.com/b/SFJaCT/4fy6M ed. Brasília: MS; 2020 [capturado em 21 jul. 2021]. Disponível em: https://bvsms.saude.gov.br/bvs/publicacoes/manejo_corpos_coronavirus_covid19.pdf.

71. Brasil. Ministério da Saúde. Secretaria de Vigilância em Saúde. Departamento de Análise em Saúde e Vigilância de Doenças não

71. Transmissíveis. Orientações para codificação das causas de morte no contexto da Covid-19 [Internet]. Brasília: MS; 2020 [capturado em 8 set. 2021]. Disponível em: http://plataforma.saude.gov.br/cta-br-fic/codificacao-Covid-19.pdf.

72. Castagnoli R, Votto M, Licari A, Brambilla I, Bruno R, Perlini S, et al. Severe acute respiratory syndrome Coronavirus 2 (SARS-CoV-2) infection in children and adolescents: a systematic review. JAMA Pediatr. 2020; 174(9):882-9.

73. Mehta NS, Mytton OT, Mullins EWS, Fowler TA, Falconer CL, Murphy OB, et al. SARS-CoV-2 (Covid-19): What do we know about children? A systematic review. Clin Infect Dis. 2020; 71(9):2469-79.

74. Riphagen S, Gomez X, Gonzalez-Martinez C, Wilkinson N, Theocharis P. Hyperinflammatory shock in children during Covid-19 pandemic. Lancet. 2020;395(10237):1607–8.

75. Verdoni L, Mazza A, Gervasoni A, Martelli L, Ruggeri M, Ciuffreda M, et al. An outbreak of severe Kawasaki-like disease at the Italian epicentre of the SARS-CoV-2 epidemic: an observational cohort study. Lancet. 2020;395(10239):1771–8.

76. Whittaker E, Bamford A, Kenny J, et al. Clinical characteristics of 58 children with a pediatric inflammatory multisystem syndrome temporally associated with SARS-CoV-2. JAMA. 2020;324(3):259–69.

77. Cheung EW, Zachariah P, Gorelik M, Boneparth A, Kernie SG, Orange JS, et al. Multisystem inflammatory syndrome related to Covid-19 in previously healthy children and adolescents in New York City. JAMA. 2020; 324(3):294-96.

78. Centers for Disease Control and Prevention. Multisystem Inflammatory Syndrome in Children (MIS-C) Associated with Coronavirus Disease 2019 (Covid-19) [Internet]. Emergency Preparedness and Response. Georgia: CDC; 2020 [capturado em 7 set. 2021]. Disponível em: https://emergency.cdc.gov/han/2020/han00432.asp

79. Rasmussen SA, Smulian JC, Lednicky JA, Wen TS, Jamieson DJ. Coronavirus disease 2019 (Covid-19) and pregnancy: what obstetricians need to know. Am J Obstet Gynecol. 2020;222(5):415–26.

80. Brasil. Ministério da Saúde. Secretaria de Atenção Primária à Saúde. Departamento de Ações Programáticas e Estratégicas. Nota informativa nº 13/2020 – SE/GAB/SE/MS. Manual de recomendações para a assistência à gestante e puérpera frente à pandemia de Covid-19 [Internet]. Brasília: MS; 2020 [capturado em 7 set. 2021]. Disponível em: https://sgorj.org.br/wp-content/uploads/gestantes.pdf

81. Dashraath P, Wong JLJ, Lim MXK, Lim LM, Li S, Biswas A, et al. Coronavirus disease 2019 (Covid-19) pandemic and pregnancy. Am J Obstet Gynecol. 2020;222(6):521–31.

82. Zambrano LD, Ellington S, Strid P, Galang RR, Oduyebo T, Tong VT, et al. Update: Characteristics of Symptomatic Women of Reproductive Age with Laboratory-Confirmed SARS-CoV-2 Infection by Pregnancy Status – United States, January 22-October 3, 2020. MMWR Morb Mortal Wkly Rep. 2020;69(44):1641–7.

83. American College of Obstetricians and Gynecologists. Practice Advisory: Novel Coronavirus 2019 (Covid-19) [Internet]. Washington: ACOG; 2021 [capturado em 7 set. 2021]. Disponível em: https://www.acog.org/clinical/clinical-guidance/practice-advisory/articles/2020/03/novel-coronavirus-2019.

84. Brasil. Ministério da Saúde. Centro de Operações de Emergências em Saúde Pública. Plano de contingência nacional para infecção humana pelo novo Coronavírus Covid-19 [Internet]. Brasília: MS; 2021 [capturado em 7 set. 2021]. Disponível em: https://portalarquivos2.saude.gov.br/images/pdf/2020/fevereiro/13/plano-contingencia-coronavirus-Covid19.pdf.

85. Centers for Disease Control and Prevention. Infection Control Guidance for Healthcare Professionals about Coronavirus (Covid-19) [Internet]. Coronavirus Disease 2019 (Covid-19): Healthcare Workers. Georgia: CDC; 2020 [capturado em 7 set. 2021]. Disponível em: https://www.cdc.gov/coronavirus/2019-nCoV/hcp/infection-control.html.

86. World Health Organization. Mask use in the context of Covid-19: interim guidance [Internet]. Geneva: WHO; 2020 [capturado em 7 set. 2021]. Disponível em: https://apps.who.int/iris/handle/10665/337199.

87. Chu DK, Akl EA, Duda S, Solo K, Yaacoub S, Schünemann HJ, et al. Physical distancing, face masks, and eye protection to prevent person-to-person transmission of SARS-CoV-2 and Covid-19: a systematic review and meta-analysis. Lancet. 2020;395(10242);1973-87.

88. World Health Organization. Rational use of personal protective equipment for coronavirus disease (Covid-19) and considerations during severe shortages: interim guidance [Internet]. 4th ed. Geneva: WHO; 2020. Disponível em: https://apps.who.int/iris/bitstream/handle/10665/331498/WHO-2019-nCoV-IPCPPE_use-2020.2-eng.pdf.

89. Poon LC, Yang H, Kapur A, Melamed N, Dao B, Divakar H, et al. Global interim guidance on coronavirus disease 2019 (Covid-19) during pregnancy and puerperium from FIGO and allied partners: Information for healthcare professionals. Int J Gynaecol Obstet. 2020;149(3):273–86.

90. Coia JE, Ritchie L, Adisesh A, Makison Booth C, Bradley C, Bunyan D, et al. Guidance on the use of respiratory and facial protection equipment. J Hosp Infect. 2013;85(3):170–82.

91. Brasil. Agência Nacional de Vigilância Sanitária. Nota técnica nº 04/2020. Orientações para serviços de saúde: medidas de prevenção e controle que devem ser adotadas durante a assistência aos casos suspeitos ou confirmados de infecção pelo novo coronavírus (SARS-CoV-2) [Internet]. Brasília: ANVISA; 2021 [capturado em 17 set. 2021]. Disponível em: https://www.gov.br/anvisa/pt-br/centraisdeconteudo/publicacoes/servicosdesaude/notas-tecnicas/nota-tecnica-gvims_ggtes_anvisa-04_2020-25-02-para-o-site.pdf.

92. Brasil. Agência Nacional de Vigilância Sanitária. Gerência Geral de Tecnologia em Serviços de Saúde. Gerência de Vigilância e Monitoramento em Serviços de Saúde. Nota técnica nº 07/2020. Orientações para prevenção da transmissão de Covid-19 dentro dos serviços de saúde (complementar à nota técnica GVIMS/GGTES/ANVISA nº 04/2020) [Internet]. Brasília: ANVISA; 2021 [capturado em 18 jun. 2020]. Disponível em: http://www.crosp.org.br/uploads/arquivo/152d7e2fc9238d290e6977bde5b6025a.pdf.

93. World Health Organization. Home care for patients with Covid-19 presenting with mild symptoms and management of their contacts: interim guidance [Internet]. Geneva: WHO; 2020 [capturado em 7 set. 2021]. Disponível em: https://www.who.int/publications/i/item/home-care-for-patients-with-suspected-novel-coronavirus-(ncov)-infection-presenting-with-mild-symptoms-and-management-of-contacts.

94. Brasil. Ministério da Saúde. Secretaria de Atenção Primária à Saúde. Orientações gerais sobre a atuação do ACS frente à pandemia de Covid-19 e os registros a serem realizados no e-SUS APS [Internet]. Brasília: MS; 2020 [capturado em 7 set. 2021]. Disponível em: https://www.gov.br/saude/pt-br/coronavirus/publicacoes-tecnicas/recomendacoes/orientacoes-gerais-sobre-a-atuacao-do-acs-frente-a-pandemia-de-covid-19-e-os-registros-a-serem-realizados-no-e-sus-aps/view

95. Wilder-Smith A, Freedman DO. Isolation, quarantine, social distancing and community containment: pivotal role for old-style public health measures in the novel coronavirus (2019-nCoV) outbreak. J Travel Med. 2020;27(2): taaa020.

96. Brasil. Ministério da Saúde. Secretaria de Gestão do Trabalho e da Educação na Saúde. Associação Nacional de Medicina do Trabalho. Guia prático de gestão em saúde no trabalho para Covid-19 [Internet]. Brasília: MS; 2020 [capturado em 7 set. 2021]. Disponível em: https://www.gov.br/saude/pt-br/coronavirus/publicacoes-tecnicas/guias-e-planos/guia-pratico-de-gestao-em-saude-no-trabalho-para-covid-19.pdf/view.

97. Brasil. Ministério da Economia, Ministério da Saúde. Portaria Conjunta nº 20, de 18 de junho de 2020. Estabelece as medidas a serem observadas visando à prevenção, controle e mitigação dos riscos de transmissão da Covid-19 nos ambientes de trabalho (orientações gerais). (Processo nº 19966.100581/2020-51) [Internet]. Brasília: MS; 2020 [capturado em 7 set. 2021]. Disponível em: https://www.in.gov.br/en/web/dou/-/portaria-conjunta-n-20-de-18-de-junho-de-2020-262408085

98. Toscano CM, Lima AFR, Silva LLS, Razia PFS, Pavão LFA, Polli DA, et al. Medidas de distanciamento social e evolução da Covid-19 no Brasil [Internet]. 2020 [capturado em 7 set. 2021]. Disponível em: https://medidas-covidbr-iptsp.shinyapps.io/painel/.

99. Brasil. Ministério da Saúde. Secretaria de Vigilância em Saúde. Recomendações de proteção aos trabalhadores dos serviços de saúde no

atendimento de Covid-19 e outras síndromes gripais [Internet]. Brasília: MS; 2020 [capturado em 7 set. 2021]. Disponível em: https://www.saude.go.gov.br/files/banner_coronavirus/GuiaMS-Recomendacoes-deprotecaotrabalhadores-COVID-19.pdf.

100. Gonçalves MR, dos Reis RCP, Tólio RP, Pellanda LC, Schmidt MI, Katz N, et al. Social distancing, mask use and the transmission of SARS-CoV-2: a population-based case-control study. Emerg Infect Dis. 2021; 27(8): 2135–43.

101. World Health Organization. Water, sanitation, hygiene, and waste management for SARS-CoV-2, the virus that causes Covid-19: interim guidance [Internet]. Geneva: WHO; 2020 [capturado em 7 set. 2021]. Disponível em: https://www.who.int/publications/i/item/WHO-2019-nCoV-IPC-WASH-2020.4.

102. Jüni P, Rothenbühler M, Bobos P, Thorpe KE, da Costa BR, Fisman DN, et al. Impact of climate and public health interventions on the Covid-19 pandemic: a prospective cohort study. CMAJ. 2020; 192(21):E566-73.

103. Islam N, Sharp SJ, Chowell G, Shabnam S, Kawachi I, Lacey B, et al. Physical distancing interventions and incidence of coronavirus disease 2019: natural experiment in 149 countries. BMJ. 2020;370:m2743.

104. Nussbaumer-Streit B, Mayr V, Dobrescu AI, Chapman A, Persad E, Klerings I, et al. Quarantine alone or in combination with other public health measures to control Covid-19: a rapid review. Cochrane Database Syst Rev. 2020;4(4):CD013574.

105. World Health Organization. Smoking and Covid-19 [Internet]. Geneva: WHO; 2020 [capturado em 7 set. 2021]. Disponível em: https://apps.who.int/iris/bitstream/handle/10665/332895/WHO-2019-nCoV-Sci_Brief-Smoking-2020.2-eng.pdf?sequence=1&isAllowed=y.

106. Organização Pan-Americana da Saúde. Avaliação de efetividade das vacinas contra a Covid-19: orientação provisória [Internet]. Brasília: OPAS; 2021 [capturado em 7 set. 2021]. Disponível em: https://iris.paho.org/bitstream/handle/10665.2/54793/OPASWBRAPHECOVID-19210068_por.pdf?sequence=1&isAllowed=y.

107. World Health Organization. Research and Development Blueprint. Covid-19 – Landscape of novel coronavirus candidate vaccine development worldwide [Internet]. Covid-19 vaccine tracker and landscape. Geneva: WHO; 2021 [capturado em 7 set. 2021]. Disponível em: https://www.who.int/publications/m/item/draft-landscape-of-covid-19-candidate-vaccines.

108. World Health Organization. Strategic Advisory Group of Experts on Immunization. Interim recommendations for use of the ChAdOx1-S [recombinant] vaccine against Covid-19 (AstraZeneca Covid-19 vaccine AZD1222 Vaxzevria™, SII COVISHIELD™) [Internet]. Geneva: WHO; 2021 [capturado em 7 set. 2021]. Disponível em: https://www.who.int/publications/i/item/WHO-2019-nCoV-vaccines-SAGE_recommendation-AZD1222-2021.1.

109. World Health Organization. Strategic Advisory Group of Experts on Immunization. Interim recommendations for use of the inactivated Covid-19 vaccine, CoronaVac, developed by Sinovac [Internet]. Geneva: WHO; 2021 [capturado em 7 set. 2021]. Disponível em: https://www.who.int/publications/i/item/WHO-2019-nCoV-vaccines-SAGE_recommendation-Sinovac-CoronaVac-2021.1.

110. World Health Organization. Strategic Advisory Group of Experts on Immunization. Interim recommendations for the use of the Janssen Ad26.COV2.S (Covid-19) vaccine [Internet]. Geneva: WHO; 2021 [capturado em 7 set. 2021]. Disponível em: https://www.who.int/publications/i/item/WHO-2019-nCoV-vaccines-SAGE-recommendation-Ad26.COV2.S-2021.1.

111. World Health Organization. Strategic Advisory Group of Experts on Immunization. Interim recommendations for use of the Pfizer–BioNTech Covid-19 vaccine, BNT162b2, under Emergency Use Listing [Internet]. Geneva: WHO; 2021 [capturado em 7 set. 2021]. Disponível em: https://www.who.int/publications/i/item/WHO-2019-nCoV-vaccines-SAGE_recommendation-BNT162b2-2021.1.

112. World Health Organization. Strategic Advisory Group of Experts on Immunization. WHO SAGE Roadmap For Prioritizing Uses Of Covid-19 Vaccines In The Context Of Limited Supply [Internet]. Geneva: WHO; 2021 [capturado em 7 set. 2021]. Disponível em: https://www.who.int/publications/i/item/who-sage-roadmap-for-prioritizing-uses-of-covid-19-vaccines-in-the-context-of-limited-supply.

113. Brasil. Ministério da Saúde. Secretaria de Vigilância em Saúde. Departamento de Imunização e Doenças Transmissíveis. Coordenação-Geral do Programa Nacional de Imunizações. Plano Nacional de Operacionalização da Vacinação contra Covid-19 [Internet]. 9.http://paperpile.com/b/SFJaCT/hVcBm ed. Brasília; MS; 2021 [capturado em 7 set. 2021]. Disponível em: https://www.gov.br/saude/pt-br/coronavirus/publicacoes-tecnicas/guias-e-planos/plano-nacional-de-vacinacao-covid-19/view.

114. Brasil. Ministério da Saúde. Secretaria Extraordinária de Enfrentamento à Covid-19. Nota técnica nº 6/2021-SECOVID/GAB/SECOVID/MS. Assunto: orientações referentes a intercambialidade das vacinas Covid-19 [Internet]. Brasília: MS; 2021 [capturado em 7 set. 2021]. Disponível em: https://midias.agazeta.com.br/2021/07/23/saude-autoriza-pfizer-ou-coronavac-para-2-dose-de-gravidas-que-tomaram-astrazeneca-565032.pdf.

115. World Health Organization. Interim statement on heterologous priming for Covid-19 vaccines [Internet]. News. Geneva: WHO; 2021 [capturado em 7 set. 2021]. Disponível em: https://www.who.int/news/item/10-08-2021-interim-statement-on-heterologous-priming-for-covid-19-vaccines.

116. Brasil. Ministério da Saúde. Secretaria de Vigilância em Saúde. Departamento de Imunizações e Doenças Transmissíveis. Manual de vigilância epidemiológica de eventos adversos pós-vacinação [Internet]. 4. ed. Brasília: MS; 2020 [capturado em 7 set. 2021]. Disponível em: http://bvsms.saude.gov.br/bvs/publicacoes/manual_vigilancia_epidemiologica_eventos_vacinacao_4ed.pdf.

117. Edwards KM. Covid-19: vaccines to prevent SARS-CoV-2 infection [Internet]. UpToDate. Waltham: UpToDate; 2021 [capturado em 7 set. 2021]. Disponível em: https://www.uptodate.com/contents/covid-19-vaccines-to-prevent-sars-cov-2-infection?search=covid-19%20reinfection&topicRef=126981&source=see_link.

118. Jefferson T, Del Mar CB, Dooley L, Ferroni E, Al-Ansary LA, Bawazeer GA, et al. Physical interventions to interrupt or reduce the spread of respiratory viruses. Cochrane Database Syst Rev. 2020;11(11):CD006207.

119. Johansson MA, Quandelacy TM, Kada S, Prasad PV, Steele M, Brooks JT, et al. SARS-CoV-2 Transmission From People Without Covid-19 Symptoms. JAMA Netw Open. 2021;4(1):e2035057.

120. Lopez Bernal J, Andrews N, Gower C, Gallagher E, Simmons R, Thelwall S, et al. Effectiveness of Covid-19 Vaccines against the B.1.617.2 (Delta) Variant. N Engl J Med. 2021;385(7):585-94.

121. Hansen CH, Michlmayr D, Gubbels SM, Mølbak K, Ethelberg S. Assessment of protection against reinfection with SARS-CoV-2 among 4 million PCR-tested individuals in Denmark in 2020: a population-level observational study. Lancet. 2021;397(10280):1204–12.

122. Hall VJ, Foulkes S, Charlett A, Atti A, Monk EJM, Simmons R, et al. SARS-CoV-2 infection rates of antibody-positive compared with antibody-negative health-care workers in England: a large, multicentre, prospective cohort study (SIREN). Lancet. 2021;397(10283):1459–69.

123. Kirkcaldy RD, King BA, Brooks JT. Covid-19 and postinfection immunity: limited evidence, many remaining questions. JAMA. 2020;323(22):2245-6.

124. World Health Organization. European Observatory on Health Systems and Policies. In the wake of the pandemic: preparing for Long Covid (2021) [Internet]. Geneva: WHO; 2021 [capturado em 7 set. 2021]. Disponível em: https://www.euro.who.int/en/health-topics/health-emergencies/coronavirus-covid-19/publications-and-technical-guidance/2021/in-the-wake-of-the-pandemic-preparing-for-long-covid-2021.

125. National Health Service (United Kingdom). National guidance for post-Covid syndrome assessment clinics [Internet]. London: NHS; 2021 [capturado em 7 set. 2021]. Disponível em: https://www.england.nhs.uk/coronavirus/publication/national-guidance-for-post-covid-syndrome-assessment-clinics/.

126. Centers for Disease Control and Prevention. Evaluating and Caring for Patients with Post-Covid Conditions: Interim Guidance [Internet]. Coronavirus Disease 2019 (Covid-29): Healthcare Workers. Georgia: CDC; 2021 [capturado em 7 set. 2021]. Disponível em: https://www.cdc.gov/coronavirus/2019-ncov/hcp/clinical-care/post-covid-index.html.

127. Lopez-Leon S, Wegman-Ostrosky T, Perelman C, Sepulveda R, Rebolledo PA, Cuapio A, et al. More than 50 long-term effects of Covid-19: a systematic review and meta-analysis. Sci Rep. 2021;11(1):16144.

128. Wilbur J, Rockafellow J, Shian B. Post-ICU care in the outpatient setting. Am Fam Physician. 2021;103(10):590–6.

129. Nalbandian A, Sehgal K, Gupta A, Madhavan MV, McGroder C, Stevens JS, et al. Post-acute Covid-19 syndrome. Nat Med. 2021;27(4):601–15.

130. Greenhalgh T, Knight M, A'Court C, Buxton M, Husain L. Management of post-acute covid-19 in primary care. BMJ. 2020;370:m3026.

131. George PM, Barratt SL, Condliffe R, Desai SR, Devaraj A, Forrest I, et al. Respiratory follow-up of patients with Covid-19 pneumonia. Thorax. 2020;75(11):1009–16.

132. Varatharaj A, Thomas N, Ellul MA, Davies NWS, Pollak TA, Tenorio EL, et al. Neurological and neuropsychiatric complications of Covid-19 in 153 patients: a UK-wide surveillance study. Lancet Psychiatry. 2020;7(10):875-82.

133. American Lung Association. Breathing Exercises [Internet]. Kansas City: ALA; 2020 [capturado em 7 set. 2021]. Disponível em: https://www.lung.org/lung-health-diseases/wellness/breathing-exercises

134. Borret RH, Vieira RC, Oliveira DOPS. Orientações para favelas e periferias. 2. ed. Rio de Janeiro: SBMFC/AMFaC-RJ; 2020 [capturado em 17 set. 2021]. Disponível em: https://www.sbmfc.org.br/wp-content/uploads/2020/05/orientac%CC%A7o%CC%83es-para-favelas-e-periferias_2edic%CC%A7a%CC%83o_Versa%CC%83ofinal.pdf.

135. Farias LABG, Luis Arthur Brasil, Colares MP, De Almeida Barreto FK, de Góes Cavalcanti LP. O papel da atenção primária no combate ao Covid-19 Rev Bras Med Fam Comunidade. 2020;15(42):2455.

136. Sociedade Brasileira de Medicina de Família e Comunidade. Recomendações da SBMFC para a APS durante a Pandemia de Covid-19 [Internet]. 4. ed. Rio de Janeiro: SBMFC; 2021 [capturado em 23 jul. 2021]. Disponível em: https://www.sbmfc.org.br/wp-content/uploads/2021/05/4_edic%CC%A7a%CC%83o_recomendac%CC%A7o%CC%83esSBMFC_ISBN.pdf.

137. Sociedade Brasileira de Medicina de Família e Comunidade. Abordagem da violência contra a mulher no contexto da Covid 19. Versão para profissionais [Internet]. 2.http://paperpile.com/b/SFJaCT/KM3V7 ed. Rio de Janeiro: SBMFC; 2020 [capturado em 23 jul. 2021]. Disponível em: https://www.sbmfc.org.br/wp-content/uploads/2020/12/Cartilha-viole%CC%82ncia-contra-mulher.pdf.

138. Universidade Federal do Rio Grande do Sul. Faculdade de Medicina. Programa de Pós-Graduação em Epidemiologia. TelessaúdeRS (TelessaúdeRS-UFRGS). Saúde Mental e Covid-19: como lidar com a ansiedade e o impacto psicológico [Internet]. Porto Alegre: TelessaúdeRS-UFRGS; 2020 [capturado em 23 jul. 2021]. Disponível em: https://www.ufrgs.br/telessauders/documentos/material_saude-mental_covid19_001.pdf.

139. Hollander JE, Carr BG. Virtually Perfect? Telemedicine for Covid-19. N Engl J Med. 2020; 382(18):1679-1681.

140. Greenhalgh T, Koh GCH, Car J. Covid-19: a remote assessment in primary care. BMJ. 2020;368:m1182.

141. Harzheim E, Chueiri PS, Umpierre RN, Gonçalves MR, Siqueira AC da S, D'Avila OP, et al. Telessaúde como eixo organizacional dos sistemas universais de saúde do século XXI. Rev Bras Med Fam Comunidade. 2019;14(41):1881.

142. Alexander PE, Debono VB, Mammen MJ, Iorio A, Aryal K, Deng D, et al. Covid-19 coronavirus research has overall low methodological quality thus far: case in point for chloroquine/hydroxychloroquine. J Clin Epidemiol. 2020;123:120-6.

143. Rubin EJ, Harrington DP, Hogan JW, Gatsonis C, Baden LR, Hamel MB. The urgency of care during the Covid-19 Pandemic – learning as we go. N Engl J Med. 2020;382(25):2461-2.

144. Jones DS. History in a Crisis – Lessons for Covid-19. N Engl J Med. 2020;382(18):1681–3.

145. United Nations. Department of Global Communications. Learning from the past: UN draws lessons from Ebola, other crises to fight Covid-19 [Internet]. New York: UN; 2020 [capturado em 7 set. 2021]. Disponível em: https://www.un.org/en/coronavirus/learning-past-un-draws-lessons-ebola-other-crises-fight-covid-19

146. Vigo D, Thornicroft G, Gureje O. The Differential Outcomes of Coronavirus Disease 2019 in Low- and Middle-Income Countries vs High-Income Countries. JAMA Psychiatry. 2020; 77(12):1207-8.

# LEITURAS RECOMENDADAS

Brasil. Ministério da Saúde. Secretaria de Vigilância em Saúde. Secretaria de Atenção Primária à Saúde. Guia de orientação para atenção odontológica no contexto da Covid-19. Brasília: MS; 2020 [capturado em 17 set. 2021]. Disponível em: https://www.gov.br/saude/pt-br/media/pdf/2020/novembro/17/17_12_guia-de-orientacaoes-para-atencao-odontologica-no-contexto-da-covid-19.pdf.

*Guia para orientações de atendimento odontológico no contexto da Covid-19.*

Brasil. Ministério da Saúde. Secretaria de Atenção Primária à Saúde. Recomendações para adequação das ações dos Agente comunitários de Saúde frente à atual situação epidemiológica referente ao Covid-19. Brasília: MS; 2020 [capturado em 17 set. 2021]. Disponível em: https://www.gov.br/saude/pt-br/coronavirus/publicacoes-tecnicas/recomendacoes/orientacoes-gerais-sobre-a-atuacao-do-acs-frente-a-pandemia-de-covid-19-e-os-registros-a-serem-realizados-no-e-sus-aps/view.

*Manual de recomendações para o trabalho dos Agentes Comunitários de Saúde no contexto da Covid-19.*

Porto Alegre. Secretaria Municipal da Saúde. Diretoria Geral de Atenção Primária à Saúde; Universidade Federal do Rio Grande Do Sul. Programa de Pós-Graduação em Epidemiologia. TelessaúdeRS (TelessaúdeRS-UFRGS). Manual de teleconsulta na APS. Porto Alegre: SMS; 2020 [[capturado em 17 set. 2021]. Disponível em: https://www.ufrgs.br/telessauders/documentos/Manual_teleconsultas.pdf.

*Manual de orientações para realização de teleconsulta na Atenção Primária à Saúde.*

World Health Organization. Home care for patients with suspected novel coronavirus (nCoV) infection presenting with mild symptoms and management of contacts: Interim guidance. Geneva: WHO; 2020 [capturado em 17 set. 2021]. Disponível em: https://apps.who.int/iris/bitstream/handle/10665/330671/9789240000834-eng.pdf?sequence=1&isAllowed=y.

*Orientações da Organização Mundial de Saúde sobre isolamento domiciliar e cuidados no domicílio.*

World Health Organization. Strategic Advisory Group of Experts on Immunization (SAGE). Geneva: WHO; c2021 [capturado em 17 set. 2021]. Disponível em: https://www.who.int/groups/strategic-advisory-group-of-experts-on-immunization/covid-19-materials.

*Apresenta documentos e diretrizes sobre vacinação da Organização Mundial da Saúde.*

Zampar B, Teixeira DS, Pereira DO, Oliveira S, Esperandio EG, Vieira RC. Abordagem da violência contra a mulher no contexto da Covid 19. Versão para profissionais. 2. ed. Rio de Janeiro: SBMFC; 2020 [capturado em 17 set. 2021]. Disponível em: https://www.sbmfc.org.br/wp-content/uploads/2020/12/Cartilha-viole%CC%82ncia-contra-mulher.pdf.

*Cartilha com informações sobre abordagem da violência contra a mulher durante a pandemia de Covid-19.*

Repositório de publicações da Organização Pan-Americana da Saúde. https://iris.paho.org/handle/10665.2/2870.

*Orientações e guias da Organização Pan-Americana da Saúde/ Organização Mundial da Saúde.*

Plataforma Covid-19 do Ministério da Saúde. https://covid.saude.gov.br/.

*Apresenta informações atualizadas sobre o número de casos e óbitos no Brasil, por Unidades da Federação, segundo o Ministério da Saúde.*

# Capítulo 153
## FEBRE REUMÁTICA E PREVENÇÃO DE ENDOCARDITE INFECCIOSA

Aloyzio Achutti
Carisi Anne Polanczyk
Maria de Fátima M. P. Leite
Regina Elizabeth Müller

## FEBRE REUMÁTICA

### Conceito e etiopatogenia

A febre reumática (FR) é uma doença inflamatória, não supurativa, desencadeada a partir de uma infecção de orofaringe causada pelo *Streptococcus pyogenes* ou estreptococo β-hemolítico do grupo A de Lancefield (EBGA), em indivíduos geneticamente predispostos, envolvendo sobretudo articulações, coração, tecido subcutâneo e sistema nervoso central.

Embora ainda não seja completamente compreendida, sabe-se hoje que a patogenia da FR e da cardiopatia reumática, sua sequela, é decorrente de uma rede complexa de interações imunes desencadeadas pelo EBGA, as quais levam a lesões autoimunes, órgão-específicas, progressivas e permanentes, mediadas por linfócitos T e reguladas por citocinas inflamatórias. O mecanismo básico é de mimetismo molecular entre antígenos do EBGA e proteínas humanas.[1,2]

Numerosos fatores de virulência no código genético do EBGA, modulados por estresses ambientais, e outras influências sobre a sua expressividade interagem com elementos do hospedeiro humano, fazendo a FR ocorrer em 1 a 5% dos indivíduos suscetíveis com estreptococcia não tratada. Vários genes estão envolvidos nesse processo, particularmente os ligados aos antígenos leucocitários humanos (HLA, do inglês *human leukocyte antigen*) da classe II situados no cromossomo 6. O conhecimento atual indica a participação de diferentes alelos da série DR, sendo que no Brasil foi o alelo HLA-DR7 que mostrou maior associação com FR e cardiopatia reumática. Também foi identificada associação entre o gene *HLA-DRB4* do alelo DR53 em pacientes brasileiros.[3]

### Epidemiologia

A doença costuma manifestar-se em crianças e adolescentes na faixa etária entre 5 e 18 anos de idade, ocorrendo sobretudo em famílias de nível socioeconômico mais baixo, em que o acesso aos serviços de saúde é mais difícil, a alimentação frequentemente é inadequada e a convivência em aglomerados é comum, o que facilita a disseminação do EBGA e a ocorrência de maior número de casos de faringoamigdalite. A Organização Mundial da Saúde (OMS) chama atenção para a ausência de informação da comunidade sobre a doença e a falta de preparo das equipes de saúde para o reconhecimento e o tratamento adequado das faringoamigdalites e da FR.[4]

Embora a prevenção da FR por meio do tratamento adequado das faringoamigdalites estreptocócicas seja conhecida há muitos anos, e os países desenvolvidos tenham conseguido realizar o controle da doença, ainda é muito significativo o número de casos novos da doença no Brasil e nos países em desenvolvimento. A cardiopatia reumática (CR) figura ainda hoje como a principal causa de doença cardiovascular adquirida em crianças e adultos jovens em todo o mundo.[4] Estimativas da OMS apontavam, em 2015, para 30 milhões de portadores de CR, e 305 mil mortes por ano diretamente atribuíveis a essa enfermidade no mundo.[5]

No Brasil, de acordo com o modelo epidemiológico da OMS e utilizando dados do censo do Instituto Brasileiro de Geografia e Estatística (IBGE) do ano de 2000, estima-se que ocorram 10 milhões de casos de faringoamigdalite por EBGA por ano, o que representa cerca de 30 mil novos casos de FR, dos quais 15 mil podem evoluir com cardite reumática.[6] Segundo o sistema de informação do Departamento de Informática do Sistema Único de Saúde (Datasus), verificaram-se, entre novembro de 2018 e novembro de 2019, 2.035 óbitos por FR e CR crônica e um gasto de R$ 2.139.854,00 com internações por FR somente na forma aguda.[7]

A prevalência da FR vem caindo progressivamente, de forma mais significativa nos países desenvolvidos, fenômeno atribuído à melhoria das condições de vida da população, ao uso de antibióticos para o tratamento da faringoamigdalite bacteriana e à mudança de características dos sorotipos do EBGA (menos reumatogênicos) presentes nas populações.[8] No entanto, a prevalência da CR parece estar aumentando em todo o mundo, principalmente pelos avanços nos tratamentos médicos e cirúrgicos, proporcionando maior sobrevida a esses pacientes, mas também pelo diagnóstico de maior número de casos crônicos por meio da avaliação ecocardiográfica.[8,9] Um estudo brasileiro baseado no exame clínico encontrou prevalência de 3,6 a cada 1.000 de CR em crianças em idade escolar. O estudo PROVAR (Programa de Rastreamento da Valvopatia Reumática) avaliou 12.048 crianças brasileiras com a mesma faixa etária para rastreamento ecocardiográfico e verificou prevalência de CR de 40 a cada 1.000, com diagnóstico definitivo de 5 a cada 1.000.[10] No Brasil, ainda não existe um sistema de notificação da doença.

### Diagnóstico

**O quadro clínico clássico da FR inicia-se entre 4 e 6 semanas após a infecção pelo EBGA, sendo as manifestações mais comuns a artrite e a cardite. A coreia, principal manifestação do sistema nervoso, pode manifestar-se até 7 meses após a infecção estreptocócica.[4]**

As manifestações clínicas articulares costumam ceder espontaneamente após alguns dias do início da doença.

**O acometimento cardiovascular é o mais temido: pode durar até 6 meses e ser acompanhado por um processo de inflamação e fibrose das válvulas cardíacas, deixando, como sequela, a CR crônica, que é a forma de cardiopatia adquirida mais comum entre escolares e adolescentes no Brasil.**

A doença tende a recorrer e as sequelas cardiológicas pioram diante de novos surtos agudos (recidivas), sendo fundamental evitar novas faringoamigdalites por EBGA por meio da prevenção das infecções da orofaringe.

**O diagnóstico é fundamentalmente clínico e não existem exames complementares patognomônicos da FR.**

Em 1944, para aumentar a especificidade do diagnóstico da FR, foram criados os critérios de Jones, que reúnem uma série de manifestações clínicas e laboratoriais. São utilizados principalmente no primeiro surto, na fase aguda da doença. Foram divididos em critérios maiores (de maior peso no diagnóstico) e menores (de menor peso).

Os critérios de Jones passaram por várias revisões e modificações,[11] sendo a última revisão realizada pela American Heart Association (AHA) em 2015.[12] Nesta última revisão, foram consideradas populações de alto e baixo risco de acordo com a incidência/prevalência da doença, e o reconhecimento de uma variabilidade nas apresentações clínicas nas populações de maior risco, passando a poliartralgia e a cardite subclínica a serem consideradas como critérios maiores para esse grupo de pacientes (TABELA 153.1). Além disso, o ecocardiograma com Doppler é incluído como ferramenta essencial para o diagnóstico da cardiopatia.[12]

**Na presença de 2 critérios maiores ou 1 maior e 2 menores, associados à evidência de infecção estreptocócica recente, o diagnóstico de FR aguda é muito provável.[11] Para avaliação de recidiva da cardite, podem-se também aceitar 3 critérios menores para fazer o diagnóstico.**

A designação "maior" ou "menor" está relacionada com a especificidade da manifestação, e não com a sua frequência. Contudo, muitas vezes o diagnóstico é dificultado pela semelhança de suas manifestações clínicas com as de outras doenças.[4]

## Critérios maiores

### Artrite

É a manifestação clínica maior mais comum, ocorrendo em até 75% das pessoas com FR. É quase sempre uma poliartrite migratória, não cumulativa, a não ser que sua expressão clínica seja abortada pela administração prematura de anti-inflamatórios. É assimétrica, atingindo grandes articulações, como joelho, tornozelo, cotovelo e punho, e provocando dor e outras manifestações inflamatórias variáveis. Dura, em geral, de 1 a 5 dias em cada articulação, e o comprometimento articular total tem duração de cerca de 1 a 3 semanas. Sua evolução é autolimitada e em geral não deixa sequelas.

**TABELA 153.1** → Critérios de Jones modificados

| A – PARA TODOS OS PACIENTES COM EVIDÊNCIA DE INFECÇÃO ESTREPTOCÓCICA PRÉVIA | |
|---|---|
| Diagnóstico: primeiro episódio de FR aguda | 2 critérios maiores; OU<br>1 critério maior e 2 menores |
| Diagnóstico: recorrência de FR aguda | 2 critérios maiores; OU<br>1 critério maior e 2 menores; OU<br>2 critérios menores, com doença cardíaca reumática prévia |

| B – CRITÉRIOS MAIORES | |
|---|---|
| **POPULAÇÕES DE BAIXO RISCO*** | **POPULAÇÕES DE ALTO RISCO OU RISCO MODERADO** |
| Cardite<br>  Clínica ou subclínica[†] | Cardite<br>  Clínica ou subclínica[†] |
| Artrite<br>  Poliartrite somente | Artrite<br>  Poliartrite ou monoartrite<br>  Poliartralgia |
| Coreia | Coreia |
| Eritema marginado | Eritema marginado |
| Nódulos subcutâneos | Nódulos subcutâneos |

| C – CRITÉRIOS MENORES | |
|---|---|
| **POPULAÇÕES DE BAIXO RISCO*** | **POPULAÇÕES DE ALTO RISCO OU RISCO MODERADO** |
| Poliartralgia | Monoartralgia |
| Febre (≥ 38,5 °C) | Febre (≥ 38 °C) |
| VHS ≥ 60 mm na 1ª hora e/ou proteína C-reativa ≥ 3 mg/dL | VHS ≥ 30 mm na 1ª hora e/ou proteína C-reativa ≥ 3 mg/dL |
| Intervalo PR do ECG prolongado para a idade (exceto se houver cardite) | Intervalo PR do ECG prolongado para a idade (exceto se houver cardite) |

*População de baixo risco: incidência de FR ≤ 2:100.000 crianças em idade escolar ou prevalência de CR ≤ 1:1.000 da população em todas as idades.
[†]Cardite subclínica: valvulite detectada ao ecocardiograma conforme tabela de alterações do ecocardiograma.
CR, cardiopatia reumática; ECG, eletrocardiograma; FR, febre reumática; VHS, velocidade de hemossedimentação.
Fonte: Gewitz e colaboradores.[12]

A artrite diferencia-se da artralgia por apresentar sinais inflamatórios, como edema, dor, calor e rubor. No caso da artrite da FR, caracteristicamente há poucos sinais flogísticos, com edema, calor e rubor não muito proeminentes. O que chama atenção é o quadro de intensa dor com impotência funcional, ou seja, importante dificuldade de movimentar as articulações comprometidas. A apresentação típica está presente em cerca de 80% dos casos; porém, podem ocorrer formas atípicas, como a presença concomitante de artrite de pequenas articulações e o envolvimento da coluna vertebral, sobretudo a cervical. Atualmente, os novos critérios de Jones consideram a monoartrite e a poliartralgia critérios maiores para quem mora em comunidade de alto risco para FR.[12]

A artrite reativa pós-estreptocócica (AREPE) merece consideração especial, pois aparece em qualquer faixa etária. Ela envolve mais de uma articulação, podendo comprometer grandes e pequenas articulações, sem preencher os critérios de Jones. O tempo entre a faringite estreptocócica e o início da artrite é de cerca de 10 dias, portanto menor do que o da artrite da FR, e a resposta aos anti-inflamatórios não é satisfatória. O envolvimento cardiovascular é incerto, porém, quando os critérios de Jones são alcançados, a AREPE pode ser considerada parte do espectro da FR.

### Cardite

É a complicação mais temida, pois é a única que deixa sequelas, podendo levar ao óbito. Ocorre com muita frequência, em 40 a 70% dos indivíduos com FR. É caracteristicamente uma pancardite, com acometimento do pericárdio, miocárdio e endocárdio, sendo o endocárdio, por meio da lesão orovalvar, a forma mais comum de apresentação. Não é comum o acometimento isolado do miocárdio ou do pericárdio. Ocorre 4 a 6 semanas após a infecção de orofaringe e pode ser classificada como cardite subclínica, cardite leve, moderada ou grave, conforme o grau de comprometimento do coração.[6]

Considera-se a cardite como subclínica quando o diagnóstico é realizado por meio da detecção das lesões orovalvares pelo ecocardiograma, mas sem a presença de sintomatologia associada. Para se enquadrar nesse grupo, o ecocardiograma deve demonstrar regurgitação mitral e/ou aórtica patológicas, fazendo diagnóstico diferencial com as regurgitações fisiológicas.

Na cardite leve, as manifestações são brandas e caracterizam-se por taquicardia em repouso desproporcional à febre, abafamento da primeira bulha e presença de sopro sistólico mitral. A área cardíaca permanece normal, assim como a radiografia de tórax e o eletrocardiograma (ECG). Pode haver aumento do intervalo PR (critério menor). O ecocardiograma mostra, na maioria das vezes, insuficiência mitral leve, com espessamento e diminuição da mobilidade do folheto posterior da válvula mitral. A insuficiência aórtica isolada pode ocorrer, mas é menos comum.

A cardite moderada apresenta sinais de insuficiência cardíaca, com taquicardia persistente e galope (terceira bulha), abafamento da primeira bulha, sopro de insuficiência mitral mais intenso, porém sem frêmito, acompanhado ou não de sopro diastólico de insuficiência aórtica. O sopro de Carey Coombs é um sopro diastólico mitral, característico da atividade inflamatória valvar em curso, na fase aguda da FR (não significa estenose mitral). Além disso, podem aparecer sinais clínicos de congestão pulmonar. Os exames complementares mostram aumento da área cardíaca na radiografia de tórax e no ECG, sinais de sobrecarga de cavidades esquerdas, extrassístoles e aumento dos intervalos PR e QTc. O ecocardiograma mostra aumento leve a moderado das cavidades esquerdas, com regurgitação mitral moderada, podendo ou não ser acompanhada de regurgitação aórtica, que pode ser leve ou moderada. Em geral, a função ventricular é normal.

Na cardite grave, ocorre piora da insuficiência cardíaca, com sinais de acometimento do miocárdio e do pericárdio. Nesse caso, há exacerbação dos sinais e sintomas da cardite moderada e aumento da intensidade dos sopros; pode-se notar a presença de atrito pericárdico, além de sinais de congestão pulmonar importante. A radiografia de tórax mostra aumento da área cardíaca, principalmente do átrio e do ventrículo esquerdos, além de marcada congestão pulmonar. O ECG mostra sobrecarga de cavidades esquerdas e, muitas vezes, de direitas, e alterações da repolarização ventricular; podem ocorrer extrassístoles, prolongamento do intervalo QTc e até mesmo arritmias cardíacas. O ecocardiograma detecta regurgitação mitral e/ou aórtica moderada a grave, com aumento significativo de cavidades esquerdas; pode haver derrame pericárdico, em geral leve, e disfunção ventricular.

> **As alterações valvares mais comuns da fase aguda são, em ordem de frequência, regurgitação mitral isolada, regurgitação mitral e aórtica, regurgitação aórtica isolada, e regurgitação mitral, aórtica e tricúspide associadas.**

Podem ser observados também nódulos nas cúspides valvares, os quais podem ser confundidos com vegetações, sendo necessário, nesses casos, o diagnóstico diferencial com endocardite infecciosa. Alguns pacientes evoluem com processo inflamatório valvar intenso e apresentam ruptura de cordoalhas da válvula mitral de graus variados, sendo por vezes necessária cirurgia cardíaca de urgência para controle da insuficiência cardíaca.[6]

### Coreia de Sydenham

A coreia de Sydenham aparece tardiamente (pode surgir até 7 meses após a infecção). O início costuma ser insidioso e sua evolução, prolongada. Outras manifestações da FR podem não estar mais presentes e, em geral, não se consegue mais a evidência da infecção estreptocócica precedente. Caracteriza-se pelo aparecimento de transtornos de conduta, da fala e da motricidade, com movimentos involuntários e incoordenados que duram por tempo mais ou menos longo, acentuando-se com as tensões emocionais e melhorando com o repouso. É mais comum no sexo feminino, em crianças e em adolescentes, sendo rara após os 20 anos de idade.

O diagnóstico diferencial da coreia inclui doenças bastante raras para o grupo etário dos pacientes com FR, como lúpus eritematoso, coreia de Huntington e coreia gravídica. Devem ser excluídas também as enfermidades que evoluem com tiques, como a síndrome PANDAS (do inglês *pediatric autoimmune neuropsychiatric disorders associated with streptococcal infections* [distúrbios neuropsiquiátricos autoimunes pediátricos associados a infecções estreptocócicas]) e a síndrome de Tourette, ambas relacionadas com transtorno obsessivo-compulsivo após infecção pelo EBGA, além de reações a fármacos. A coreia é considerada um elemento clínico muito específico para o diagnóstico da FR, mas sua sensibilidade é baixa (está presente em menos de 20% dos casos diagnosticados).

### Eritema marginado

O eritema marginado é raro, aparecendo em cerca de 3% dos pacientes com FR, no início da doença. Consiste em eritema com bordas nítidas, contorno arredondado ou irregular, de aspecto serpiginoso, não pruriginoso e de duração fugaz **(FIGURA 153.1)**. Em geral, poupa a face e aparece em tronco e membros superiores e inferiores. Em indivíduos de pele negra, sua identificação é mais difícil. Está associado à presença de cardite, mas não à sua gravidade. Desaparece espontaneamente, sem deixar sequelas.

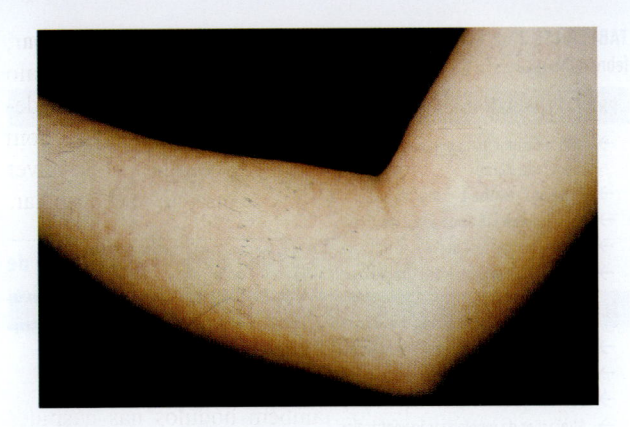

**FIGURA 153.1** → Lesões de eritema marginado em braço e antebraço.
Fonte: Cortesia do Dr. Flávio Sztajnbok.

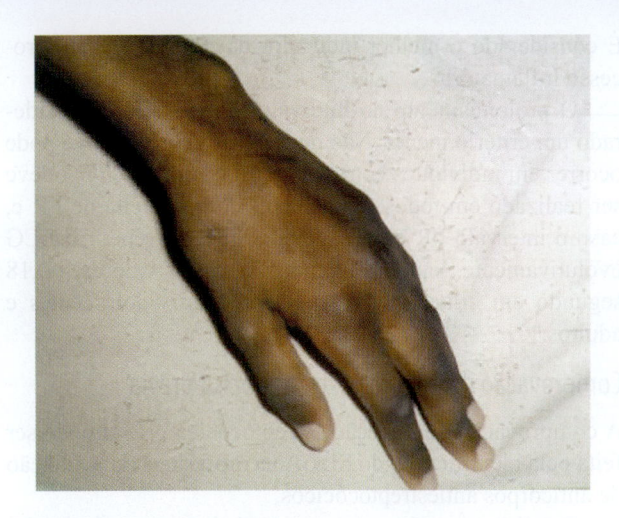

**FIGURA 153.2** → Nódulo subcutâneo sobre a mão.
Fonte: Cortesia do Dr. Flávio Sztajnbok.

### Nódulos subcutâneos

Os nódulos subcutâneos são nódulos indolores de consistência firme, medindo 0,5 a 2 cm, que aparecem na superfície extensora de algumas articulações, sem comprometimento da pele que os recobre (FIGURAS 153.2 e 153.3). São raros, ocorrendo em 2 a 5% dos indivíduos com FR, e têm relação com a cardite grave. Tendem a coalescer e aparecem na fase mais tardia da doença, melhorando rapidamente com a instituição do tratamento da cardite.

Assim como o eritema marginado, os nódulos subcutâneos não são tão frequentes e podem passar despercebidos se não forem pesquisados no exame clínico.

### Critérios menores

Os critérios menores são menos específicos, porém muito frequentes em indivíduos com FR. Visto que aparecem também em várias outras situações, seu valor diagnóstico é limitado, mas servem como suporte para o diagnóstico quando somente uma das manifestações maiores estiver presente.

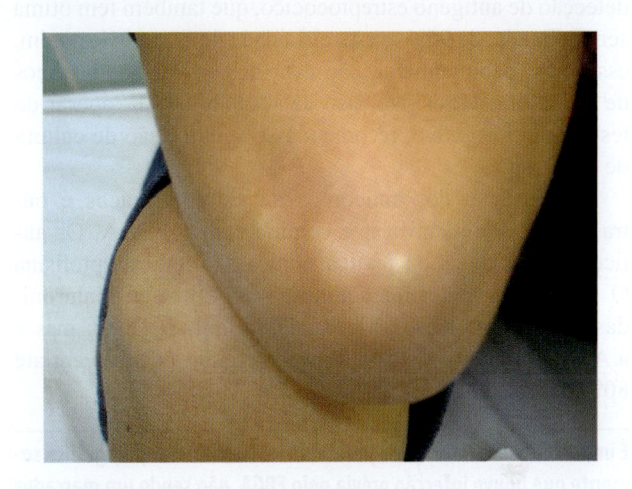

**FIGURA 153.3** → Nódulo subcutâneo no cotovelo.
Fonte: Cortesia do Dr. Flávio Sztajnbok.

> Embora dê nome à doença, a febre nem sempre está presente e não tem padrão típico. Ocorre com mais frequência associada à artrite, podendo ser baixa na presença de cardite e inexistente na coreia.

A artralgia caracteriza-se pela dor, mas sem impotência funcional, ocorrendo nas grandes articulações, de forma migratória e assimétrica na maioria dos casos. Frequentemente está associada à cardite.[13]

As alterações nas provas inflamatórias laboratoriais (reações de fase aguda) também são consideradas manifestações menores. São provas inespecíficas, mas que auxiliam na caracterização e no acompanhamento de um surto agudo de FR. A avaliação das reações de fase aguda deve incluir velocidade de hemossedimentação (VHS) e/ou proteína C-reativa.[12] Quando for possível, a avaliação de $\alpha_1$-glicoproteína ácida e/ou mucoproteínas e a eletroforese de proteínas auxiliam no acompanhamento do caso.[6]

A VHS eleva-se na fase inicial do processo e, por volta da 3ª semana, costuma retornar aos níveis normais. Insuficiência cardíaca, anemia e uso de anti-inflamatórios podem alterar seus valores. É um exame bastante sensível, porém inespecífico.[6,14] No entanto, é importante por elevar-se no início da fase aguda, ter excelente relação custo-benefício e ser acessível na maioria das unidades de saúde.

A proteína C-reativa é outra prova inespecífica, porém muito sensível. Altera-se nas primeiras semanas do processo inflamatório, está elevada em praticamente 100% dos pacientes ao final da 2ª semana de doença e desaparece de forma espontânea. Não sofre influência de anti-inflamatórios ou de outros medicamentos. É mais fidedigna do que a VHS.[14]

A $\alpha_1$-glicoproteína ácida começa a elevar-se no final da 2ª semana e acompanha a evolução do processo inflamatório mais intenso. Está elevada em 95% dos pacientes e não se altera com o uso de medicamentos, exceto quando ocorrem reações gerais ou locais devido ao uso repetido de penicilina intramuscular (IM). Sua normalização indica controle das alterações inflamatórias mais importantes.

A fração $\alpha_2$-globulina na eletroforese de proteínas eleva-se no final da 1ª semana e seus níveis mantêm-se aumentados por mais tempo do que os da $\alpha_1$-glicoproteína ácida.

É considerado o melhor indicador da importância do processo inflamatório.[14]

O prolongamento do intervalo PR também é considerado um critério menor. Não define cardite e inclusive pode ocorrer em indivíduos com o coração normal. O ECG deve ser realizado em todos os pacientes com suspeita de FR e, caso o intervalo PR esteja alterado, deve-se repetir o ECG evolutivamente. São considerados anormais valores > 0,18 segundo em crianças e 0,20 segundo em adolescentes e adultos.[6]

## Comprovação de infecção estreptocócica prévia

A comprovação de infecção estreptocócica prévia pode ser feita pela identificação do EBGA na orofaringe ou avaliação de anticorpos antiestreptocócicos.

O padrão-ouro da comprovação de infecção pelo EBGA é a cultura de orofaringe, cuja sensibilidade chega a 95%. Outra forma de evidência é a realização do teste rápido para detecção de antígeno estreptocócico, que também tem ótima sensibilidade, de 95%, e especificidade de 80 a 90%; porém, esse teste habitualmente não está disponível nos serviços de saúde brasileiros. No caso de suspeita de FR, apesar do teste rápido negativo, recomenda-se a realização de cultura de orofaringe.

A elevação dos anticorpos antiestreptocócicos é outra maneira de identificar o contato com o EBGA. Os anticorpos tituláveis na prática clínica são antiestreptolisina O (ASLO), antiestreptoquinase (AEQ), anti-hialuronidase (AH) e antidesoxirribonuclease (anti-DNAse), mas é a ASLO o anticorpo mais utilizado, sendo positivo em até 80% dos pacientes.

> É importante observar que a positividade desse anticorpo significa somente que houve infecção prévia pelo EBGA, não sendo um marcador da FR. Portanto, é necessária a presença de 2 manifestações maiores ou 1 maior e 2 menores para o diagnóstico de FR. ASLO negativo não afasta o diagnóstico dessa doença.

Após o surto agudo de FR, os títulos de ASLO voltam ao normal em 4 a 6 meses. No entanto, podem demorar até 1 ano para retornar aos valores habituais. A persistência de títulos elevados por tempo prolongado não indica permanência da atividade da doença.[14]

A **TABELA 153.2** resume as alterações encontradas em exames laboratoriais e de imagem em pacientes com FR.

## Diagnóstico de recorrência

Todos os indivíduos com diagnóstico de FR devem iniciar a profilaxia secundária após o primeiro surto da doença. Quando há falha na profilaxia, pode haver recorrência da doença. Nesse caso, faz-se necessário o diagnóstico diferencial com a descompensação do quadro cardiológico crônico e com a endocardite infecciosa, complicação temida nesse grupo de pacientes.

Em 2004, após revisão dos critérios de Jones para que eles pudessem ser utilizados também no diagnóstico de recorrência de FR com CR prévia, a OMS determinou que, nesse caso, bastam 2 critérios menores e a evidência da estreptococcia prévia para firmar o diagnóstico da recidiva reumática. Outras situações de exceção na regra da utilização dos critérios de Jones foram a ocorrência de coreia de Sydenham e o diagnóstico ecocardiográfico de lesões valvares crônicas consideradas altamente sugestivas de etiologia reumática, como a estenose mitral e a lesão valvar mitral e aórtica. Nesses casos, não é necessário comprovar outros critérios associados, bastando esses diagnósticos para firmar a etiologia reumática.[4]

A **TABELA 153.3** apresenta os critérios de Jones modificados sugeridos pela OMS para o diagnóstico do primeiro surto e recorrência da FR e da CR crônica.

**TABELA 153.2** → Achados de exames laboratoriais e de imagens em pacientes com febre reumática

### PROVAS INFLAMATÓRIAS OU REAGENTES DE FASE AGUDA

→ VHS ≥ 60 mm (para populações de baixo risco) ou ≥ 30 mm (para populações de risco moderado a alto)
→ Proteína C-reativa ≥ 3 mg/dL
→ $\alpha_1$-Glicoproteína ácida ≥ 1,2 g/L
→ Mucoproteínas ≥ 4 mg% – só utilizar se a $\alpha_1$-glicoproteína não estiver disponível
→ Eletroforese de proteínas – fração $\alpha_2$-globulina ≥ 0,9 g/dL

### ELETROCARDIOGRAFIA

→ Intervalo PR ≥ 0,18 segundo (crianças) e ≥ 0,20 segundo (adolescentes e adultos)
→ Taquicardia sinusal
→ Sobrecarga de cavidades esquerdas e por vezes direitas (cardite grave)
→ Alterações da repolarização ventricular
→ Prolongamento do intervalo QTc
→ Baixa voltagem QRS (em caso de derrame pericárdico)
→ Extrassístoles
→ Arritmias cardíacas

### RADIOGRAFIA DE TÓRAX

→ Cardiomegalia
→ Aumento principalmente do átrio e do ventrículo esquerdos
→ Sinais de congestão pulmonar
→ Derrame pleural à direita – em caso de cardite grave e insuficiência cardíaca

### ECOCARDIOGRAFIA COM DOPPLER

→ Aumento dos diâmetros do átrio esquerdo e do ventrículo esquerdo
→ Espessamento e diminuição da mobilidade do folheto posterior da válvula mitral – mais característico
→ Regurgitação mitral patológica – leve, moderada ou grave
→ Regurgitação aórtica patológica – leve, moderada ou grave
→ Regurgitação tricúspide funcional ou patológica – leve, moderada ou grave
→ Nódulos valvares mitral e/ou aórtico
→ Ruptura de cordoalhas da válvula mitral – rara
→ Hipertensão arterial pulmonar
→ Derrame pericárdico – de leve até sinais de tamponamento cardíaco
→ Disfunção ventricular esquerda

### COMPROVAÇÃO DE INFECÇÃO ESTREPTOCÓCICA ANTERIOR

→ Cultura do *swab* da orofaringe positiva – considerada o padrão-ouro
→ Teste rápido para detecção do antígeno antiestreptocócico positivo
→ Anticorpos antiestreptocócicos elevados
  → Antiestreptolisina O (ASLO) – mais utilizado na prática clínica
  → Antiestreptoquinase (AEQ)
  → Anti-hialuronidase (AH)
  → Antidesoxirribonuclease (anti-DNAse)

VHS, velocidade de hemossedimentação.
Fonte: Gewitz e colaboradores.[12]

**TABELA 153.3** → Critérios da Organização Mundial da Saúde (2004) para o diagnóstico do primeiro surto, recorrência e cardiopatia reumática crônica (com base nos critérios de Jones modificados)

| CATEGORIAS DIAGNÓSTICAS | CRITÉRIOS |
|---|---|
| Primeiro surto de FR* | 2 critérios maiores ou 1 maior e 2 menores + evidência de estreptococcia prévia |
| Recorrência de FR em paciente sem doença cardíaca reumática estabelecida[†] | 2 critérios maiores ou 1 maior e 2 menores + evidência de estreptococcia prévia |
| Recorrência de FR em paciente com doença cardíaca reumática estabelecida | 2 critérios menores + evidência de estreptococcia prévia[‡] |
| Coreia de Sydenham Cardite reumática de início insidioso[†] | Não se exige a presença de outra manifestação maior ou evidência de estreptococcia anterior |
| Cardiopatia reumática crônica: diagnóstico inicial de estenose mitral pura ou dupla lesão mitral e/ou doença da valva aórtica, com características de envolvimento reumático[§] | Não há necessidade de critérios adicionais para o diagnóstico de cardiopatia reumática crônica |

* Poliartrite ou monoartrite + 3 ou mais sinais menores + evidência de estreptococcia prévia devem ser considerados como "febre reumática provável"; devem fazer acompanhamento e profilaxia secundária.
[†] Afastar endocardite infecciosa.
[‡] Alguns pacientes não preenchem esses critérios.
[§] Excluir cardiopatia congênita.
FR, febre reumática.
Fonte: Sociedade Brasileira de Cardiologia.[6]

## Tratamento

**Os objetivos do tratamento da FR aguda são a erradicação do estreptococo da orofaringe (profilaxia primária), o alívio dos principais sintomas e o controle da inflamação. Nas cardites moderada e grave, soma-se, ainda, o controle da insuficiência cardíaca (ver Capítulo Insuficiência Cardíaca). Para todos os pacientes, está indicado o início da profilaxia secundária já a partir do tratamento da fase aguda da doença.[6,15]**

Cabe aos profissionais da atenção primária à saúde (APS) proceder à investigação diagnóstica e iniciar o tratamento da FR. Esses profissionais devem ser capazes de orientar a erradicação da infecção estreptocócica, o repouso e a terapia com anti-inflamatórios. No entanto, todos os pacientes com FR aguda devem ser encaminhados a profissionais com experiência para confirmação do diagnóstico.

Embora no Brasil não estejam estabelecidos formalmente centros de referência para o atendimento dos pacientes com suspeita de FR, muitos serviços em hospitais universitários e em outros hospitais gerais têm realizado o acompanhamento desses pacientes. Entretanto, nem sempre é possível garantir atendimento imediato nesses serviços ou agendar consultas com especialistas, como reumatologistas ou cardiologistas pediátricos, em tempo oportuno.

**Todo doente com cardite, sobretudo se moderada ou grave, artrite incapacitante, coreia, suspeita de complicação ou evolução desfavorável deve ser hospitalizado e ter acompanhamento especializado.[6,13,15-17]**

Os elementos principais do tratamento da FR aguda são os mesmos, mas a duração da terapia e o tipo de medicamento anti-inflamatório variam de acordo com a apresentação clínica: sem cardite; com cardite leve (sem cardiomegalia); com cardite moderada (com cardiomegalia, sem insuficiência cardíaca); e com cardite grave (com insuficiência cardíaca e/ou pericardite).

Apesar de estudos mais antigos terem demonstrado que o repouso no leito estava associado à redução do tempo e da intensidade do surto agudo,[17] não existem estudos randomizados comprovando sua eficácia. Recomenda-se repouso para todos os pacientes por um período de 2 semanas, podendo ser hospitalar ou ambulatorial **C/D**. Nos pacientes com cardite, recomendam-se 4 semanas de repouso **C/D**.[6,18] Na cardite grave, podem ser necessários 2 a 4 meses de repouso, até que as reações da fase aguda tenham normalizado ou diminuído **C/D**.[19,20] O retorno às atividades normais deve ser gradual.[6,20]

A infecção estreptocócica que desencadeou o surto agudo deve ser erradicada, seguindo-se a mesma conduta adotada para a prevenção primária da FR, descrita adiante neste capítulo.

Para o controle da febre, deve-se evitar o uso de anti-inflamatórios não esteroides (AINEs) até que sejam realizados exames de reações de fase aguda, pois esses medicamentos podem interferir nos resultados desses exames. Recomenda-se o uso de paracetamol ou dipirona para o controle da temperatura **C/D**.[6,15]

O tratamento da artrite deve ser feito com paracetamol, codeína ou AINE, que propicia melhora importante dos sintomas em cerca de 2 a 3 dias de tratamento.[6,13] Pode ser utilizado o ácido acetilsalicílico **B**, com doses maiores nas primeiras 2 semanas e manutenção com doses menores por mais 2 semanas **C/D**, tempo da atividade inflamatória da doença. Outra opção mais conveniente e igualmente eficaz é o naproxeno **B**, na dose de 10 a 20 mg/kg/dia, dividida em 2 tomadas diárias,[21,22] que também deve ser mantido por 4 semanas **C/D**.[6] Também pode ser utilizado ibuprofeno 30 mg/kg/dia (máximo de 1.600 mg/dia) até melhora dos sintomas **C/D**. Os doentes que não respondem adequadamente ao tratamento com AINE, como aqueles com artrites reativas pós-estreptocócicas, devem ser tratados com indometacina **C/D**.[6] A posologia desses medicamentos encontra-se na **TABELA 153.4**.

O paciente com coreia deve ser mantido em ambiente calmo, sem barulho ou luz excessiva. Na coreia grave, em que os movimentos incoordenados interferem nas atividades diárias do indivíduo, está indicado o uso de fármacos para o seu controle. Estudos clínicos randomizados compararam a eficácia de ácido valproico **B**, carbamazepina **C/D** e haloperidol **C/D**, não havendo diferença significativa na resposta terapêutica nem nos efeitos colaterais nas doses recomendadas[23,24] (ver **TABELA 153.4**). No entanto, recomenda-se evitar o uso de haloperidol devido aos seus efeitos extrapiramidais. Um estudo duplo-cego randomizado evidenciou a eficácia do uso do corticoide na coreia, sendo observada resposta clínica mais rápida.[25] É frequente a associação de coreia com cardite, sendo comum o uso do corticoide nesses casos.

Apesar de ensaios clínicos não mostrarem benefício do uso de corticoides **C/D**[9,26] em pacientes com cardite, recomenda-se o seu uso por ser um agente anti-inflamatório mais potente.[27,28] Diretrizes recomendam o seu uso por 4 a 8

TABELA 153.4 → Tratamento da febre reumática aguda

| MANIFESTAÇÃO | FÁRMACO, DOSE E DURAÇÃO |
|---|---|
| Artrite | → Ácido acetilsalicílico, 80-100 mg/kg/dia, VO, 6/6 horas, por 2 semanas (até 3-4 g/dia); após 2 semanas, 60 mg/kg/dia, VO, 6/6 horas, por mais 2 semanas<br>→ Naproxeno 10-20 mg/kg/dia, VO, 12/12 horas, por 4 semanas ou até melhora dos sintomas (máximo: 1.250 mg/dia)<br>→ Ibuprofeno 30 mg/kg/dia, VO, 8/8 horas, por 4 semanas ou até melhora dos sintomas (máximo: 1.600 mg/dia)<br>→ Indometacina 2-3 mg/kg/dia, VO, 6/6 horas, por 4 semanas ou até melhora dos sintomas |
| Cardite | → Prednisona 1-2 mg/kg/dia, VO, 1×/dia, por 3 semanas (máximo 80 mg/dia); após, redução de 20-25% por semana |
| Coreia | → Haloperidol 1 mg, VO, 12/12 horas, por 3 semanas; aumentar 0,5 mg a cada 3 dias até melhora clínica (máximo: 5 mg/dia)<br>→ Ácido valproico 10 mg/kg/dia, VO, 6/6 ou 8/8 horas, por 3 semanas; aumentar 10 mg/kg/semana (máximo: 30 mg/kg/dia)<br>→ Carbamazepina 7-20 mg/kg/dia, VO, 6/6 ou 8/8 horas, por 3 semanas |

VO, via oral.

semanas na cardite leve e por 12 semanas nas cardites moderada e grave, com redução gradual após 3 semanas de tratamento C/D[4,6,14] (ver TABELA 153.4).

Antes de iniciar o tratamento com corticoide, deve ser realizada anamnese direcionada à história epidemiológica de tuberculose, e está indicado o tratamento com anti-helmíntico para estrongiloidíase.[14] Nos indivíduos com doença mais grave, que cursa com insuficiência cardíaca, pode ser utilizado corticoide intravenoso em dose correspondente à dose da prednisona, ou na forma de pulsoterapia,[4,6,15,29-31] o que deve ser feito com o paciente hospitalizado. Em todos os casos, recomenda-se o uso de protetores da mucosa gástrica, como antiácidos e inibidores H2,[14] durante o período da corticoterapia C/D.

Excepcionalmente, devido à evolução do paciente para insuficiência cardíaca de difícil controle, seja por ruptura de cordoalha mitral e insuficiência mitral grave ou pela impossibilidade de controle clínico medicamentoso em função da gravidade do quadro inflamatório em si, pode ser indicada cirurgia cardíaca de reparo e/ou troca valvar durante a fase aguda da doença,[6] mesmo o risco cirúrgico sendo maior nesse período.

## Prevenção

A prevenção da FR se dá em quatro níveis possíveis de atuação,[32] conforme a fase da doença.

É chamada de prevenção primordial a melhoria das condições de moradia e higiene, o que diminui a possibilidade de disseminação das cepas de estreptococos e da ocorrência das faringoamigdalites bacterianas, considerados importantes determinantes sociais e ambientais da FR pela OMS.[4]

A prevenção primária ideal seria a administração de uma vacina antiestreptocócica, ainda não disponível na prática clínica, mas em desenvolvimento.[6,33]

> A profilaxia primária com o tratamento adequado das faringoamigdalites estreptocócicas é essencial para o controle da doença.

Embora as evidências apontem para impetigo como causa de FR, provavelmente esses casos são a minoria, sendo discutível o controle do impetigo como medida de prevenção da FR.[32]

A prevenção secundária diz respeito à prevenção da ocorrência de novos surtos em indivíduos que já apresentaram o primeiro surto da doença.

Finalmente, a prevenção terciária é objeto de discussão e destina-se aos pacientes portadores de CR crônica, para evitar evolução para insuficiência cardíaca (IC), complicações como acidente vascular cerebral e óbito. É realizada por meio de terapêutica específica para IC, anticoagulação nos casos de fibrilação atrial, cirurgia cardíaca de reparo ou troca valvar, entre outros.[32]

### Profilaxia primária

A profilaxia primária da FR baseia-se no tratamento de infecções respiratórias altas causadas pelo EBGA para prevenir um ataque inicial de FR aguda.[4] Essas infecções são mais frequentes em crianças em idade escolar. Nessa faixa etária, estima-se que cerca de 20% dos episódios de infecção respiratória alta sejam causados pelo EBGA. O tratamento deve ser iniciado precocemente, mas é efetivo para a prevenção da FR se instituído até 9 dias após o início do quadro clínico. Em geral, a infecção pode ser erradicada com uma injeção única de penicilina benzatina IM ou com tratamento por via oral (VO) com penicilina por 10 dias [6,20,34-36] (TABELA 153.5).

O tratamento antibiótico é efetivo na resolução da faringite estreptocócica, prevenindo FR aguda em cerca de 60% dos casos (RRR = 63%) B;[37] a efetividade das alternativas terapêuticas é semelhante.

> A primeira opção terapêutica continua sendo a penicilina benzatina, por ser capaz de erradicar o estreptococo com uma única injeção IM (mantém nível sérico por pelo menos 15 dias), estar disponível na rede básica de saúde, possuir baixo espectro bacteriano e não existir, até o momento, relato de cepas do EBGA resistentes à penicilina na literatura.[34-36]

TABELA 153.5 → Profilaxia primária da febre reumática

| MEDICAMENTO | DOSE, VIA DE ADMINISTRAÇÃO E DURAÇÃO |
|---|---|
| Penicilina G benzatina | 600.000 UI, IM (peso < 20 kg), em dose única<br>1.200.000 UI, IM (peso ≥ 20 kg), em dose única |
| Amoxicilina | 30-50 mg/kg/dia, VO, 8/8 ou 12/12 horas, por 10 dias<br>Adulto: 500 mg, VO, 8/8 horas, por 10 dias |
| Penicilina V | 25.000-50.000 UI/kg/dia, VO, 8/8 ou 12/12 horas, por 10 dias<br>Adulto: 500.000 UI, VO, 8/8 horas, por 10 dias |
| Ampicilina | 100 mg/kg/dia, VO, 8/8 horas, por 10 dias |
| **Em caso de alergia à penicilina** | |
| Estearato de eritromicina | 40 mg/kg/dia, VO, 8/8 ou 12/12 horas, por 10 dias; dose máxima: 1 g/dia |
| Clindamicina | 15-25 mg/kg/dia, VO, 8/8 horas, por 10 dias; dose máxima: 1,8 g/dia |
| Azitromicina | 20 mg/kg/dia, VO, 1×/dia, por 3 dias, ou 12 mg/kg/dia, VO, 1×/dia, por 5 dias; dose máxima: 500 mg/dia |

IM, intramuscular; UI, unidades internacionais; VO, via oral.
Fonte: Adaptada de Sociedade Brasileira de Cardiologia.[6]

Antes de optar pelo tratamento VO, deve-se avaliar a adesão do paciente (e sua família) ao tratamento, uma vez que a melhora clínica se dá nos primeiros dias de tratamento, mas a erradicação do EBGA só é garantida com 10 dias de terapêutica.[38] Na escolha do antibiótico VO, deve-se levar em conta a tolerabilidade para a criança e o esquema posológico, dando preferência aos medicamentos com menor número de tomadas diárias[38] (ver TABELA 153.5).

Para os pacientes alérgicos à penicilina, a eritromicina é o fármaco de escolha, devendo ser mantida também por 10 dias.[6,20,34,35] Vários estudos foram realizados buscando terapêutica oral com menor tempo de tratamento. Atualmente, é possível o emprego de macrolídeos (azitromicina) em esquema de 3 ou 5 dias de tratamento,[36,39] desde que utilizando o dobro da dose recomendada para outras infecções (ver TABELA 153.5). No entanto, esse medicamento deve ser reservado apenas para pacientes alérgicos à penicilina, uma vez que já foram relatados casos de resistência do EBGA à azitromicina no Brasil.

**Contatos próximos devem ser evitados nas primeiras 24 horas após o início do tratamento, mantendo o paciente afastado de atividades escolares e laborativas pelo risco de transmissão da bactéria.[6,38]**

Na profilaxia primária, está contraindicado o uso das tetraciclinas, que apresentam altos índices de resistência para o EBGA; das sulfas, por não terem eficácia bactericida; e do cloranfenicol, pela alta toxicidade demonstrada.[6,38,40] Para mais informações sobre o diagnóstico e o tratamento da faringite estreptocócica, ver Capítulo Dor de Garganta.

## Profilaxia secundária – prevenção de recorrências

A abordagem preventiva em indivíduos que tiveram FR aguda ou sequela de CR crônica consiste na administração regular de um antibiótico, com o objetivo de evitar a colonização e/ou infecção das vias aéreas superiores pelo EBGA, com potencialidade de desencadear novamente o processo autoimune e suas complicações. A identificação de pacientes suscetíveis e a manutenção de profilaxia continuada são essenciais para controlar a doença.[4]

Vários estudos demonstraram taxa de recorrência de até 30% no acompanhamento de pacientes após um primeiro surto, sem a cobertura da profilaxia. A profilaxia com penicilina benzatina reduz em até 55% o risco de recorrência de FR B.[41]

A penicilina é o antibiótico de escolha há 50 anos. A maior eficácia da penicilina benzatina IM, comparada com a penicilina VO, foi confirmada na última revisão da Cochrane, em 2008 B.[41] A penicilina benzatina IM é recomendada pela OMS e por várias diretrizes nacionais e internacionais.[4,6,13,15,16,20,35,36]

**Portanto, a profilaxia secundária deve ser feita com penicilina benzatina IM em intervalos de 21 dias (a cada 3 semanas), uma vez que já foi evidenciado que a administração mensal leva a falhas na profilaxia, pois o nível sérico não se mantém de forma adequada na 4ª semana.[42]**

Excepcionalmente, apenas para pacientes com doenças hematológicas ou síndrome do pânico relacionada com a administração de medicamento parenteral, pode ser recomendada a profilaxia com penicilina V por via oral, uma vez que a adesão a essa terapia tem-se mostrado muito baixa e tem sido observado maior número de recorrências nessa modalidade de profilaxia.[41]

**A adesão à profilaxia secundária é um grande desafio para as equipes que acompanham os pacientes reumáticos crônicos, e todo esforço deve ser feito para orientar o paciente e sua família e oferecer o maior suporte possível ao indivíduo que receberá o tratamento.**

As seguintes particularidades devem ser observadas para a aplicação correta da penicilina benzatina:[6,17]

→ evitar agitar o frasco na diluição da penicilina, utilizando-se a técnica do rolamento para uma boa homogeneização do fármaco;
→ utilizar agulha 30 × 8 mm ou 25 × 8 mm para evitar a obstrução da agulha durante a aplicação;
→ aplicar a injeção em músculo da região glútea, já que a aplicação no músculo deltoide é formalmente contraindicada;
→ evitar friccionar o local após a aplicação.

Recomenda-se, também, a adição de lidocaína a 2% sem vasoconstritor na dose de 0,5 mL por injeção para reduzir a dor durante a aplicação e nas primeiras 24 horas após a aplicação B.[6,43] A lidocaína não interfere no nível sérico da penicilina B,[44] e tem sido observada melhora da adesão ao tratamento nos centros que a utilizam de rotina.

Para os pacientes alérgicos à penicilina, está indicada a profilaxia secundária com sulfadiazina e/ou eritromicina VO.[4,6,13,16] No entanto, esses medicamentos só devem ser indicados nessa situação, uma vez que sua eficácia tem-se mostrado muito inferior à da penicilina benzatina IM[6,41] (ver TABELA 153.5).

A gravidez não contraindica a continuidade da profilaxia nem o uso de anticoagulante VO, necessário para os pacientes submetidos à cirurgia cardíaca com implante de próteses mecânicas.[6,17]

A TABELA 153.6 apresenta os esquemas terapêuticos utilizados na profilaxia secundária da FR.

A duração da profilaxia secundária deve ser adaptada a cada indivíduo, já que há muitas variáveis que afetam a chance de recorrência, como idade do paciente, intervalo do último surto, presença de cardite no surto inicial, número de

**TABELA 153.6** → Profilaxia secundária da febre reumática

| MEDICAMENTO | DOSE E VIA DE ADMINISTRAÇÃO | INTERVALO |
| --- | --- | --- |
| Penicilina G benzatina | Peso < 20 kg: 600.000 UI, IM | A cada 21 dias |
| | Peso ≥ 20 kg: 1.200.000 UI, IM | A cada 21 dias |
| Penicilina V | 250 mg, VO | A cada 12 horas |
| **Em caso de alergia à penicilina** | | |
| Sulfadiazina | Peso < 30 kg: 500 mg, VO | 1×/dia |
| | Peso ≥ 30 kg: 1 g, VO | 1×/dia |
| Eritromicina | 250 mg, VO | A cada 12 horas |

IM, intramuscular; UI, unidades internacionais; VO, via oral.
Fonte: Adaptada de Sociedade Brasileira de Cardiologia.[6]

surtos anteriores, condição social, local de moradia, atividade laborativa e gravidade da CR residual. Sabe-se que a maioria das recorrências ocorre nos 5 primeiros anos após o ataque anterior.

Os pacientes que tiverem atividades laborativas em ambiente com maior risco de contágio, como professores de ensino fundamental ou monitores de creche, por exemplo, devem ter o período de profilaxia estendido enquanto se mantiverem nesse ambiente independentemente da situação inicial da doença.[6,36] É prudente que o médico considere a duração da profilaxia para cada paciente, discutindo as dúvidas com um profissional experiente na área e os riscos da interrupção com o próprio paciente.[4]

A TABELA 153.7 apresenta a duração recomendada para profilaxia secundária da FR nas diversas situações.

## Alergia à penicilina

Embora a alergia à penicilina seja motivo de temor por parte de equipes multidisciplinares da rede básica de saúde e frequentemente cause dificuldades para a realização das profilaxias primária e secundária da FR, essa condição é rara, sendo muito mais comum a ocorrência de reações do tipo vasovagal pela dor decorrente da administração do fármaco e pânico do paciente.[6]

Reações anafiláticas à penicilina podem ocorrer em 0,01% dos casos e são muito raras em indivíduos com idade < 12 anos.[20,45] No entanto, é fundamental realizar anamnese dirigida à história de alergia à penicilina e a outros fármacos, principalmente antibióticos, antes da administração da injeção. Indivíduos com história sugestiva de alergia à penicilina com faringoamigdalite estreptocócica (profilaxia primária) não devem receber penicilina: devem receber eritromicina ou outro macrolídeo em seu lugar. Caso seja um paciente com suspeita de FR e indicação de profilaxia secundária, ele deve ser encaminhado a um centro especializado, onde possa realizar testes específicos para investigação de possível alergia, em ambiente hospitalar.

> **Os testes para identificação de hipersensibilidade à penicilina não devem ser realizados de rotina em serviços de saúde não especializados.**[6]

O Ministério da Saúde normatizou, por meio da Portaria nº 3.161, de 27 de dezembro de 2011, o uso da penicilina benzatina em toda a rede de saúde, incluindo as unidades básicas de saúde (UBSs).

**TABELA 153.7** → Duração da profilaxia secundária da febre reumática

| CATEGORIA | DURAÇÃO |
| --- | --- |
| FR sem cardite | Até 21 anos ou 5 anos após o último surto |
| FR com cardite Insuficiência mitral leve residual ou resolução da lesão valvar | Até 25 anos ou 10 anos após o último surto |
| Lesão valvar residual moderada ou grave | Até os 40 anos ou por toda a vida |
| Após cirurgia valvar | Por toda a vida |

Fonte: Adaptada de Sociedade Brasileira de Cardiologia.[6]

## Acompanhamento

Esforços têm sido envidados pelos especialistas, pelas universidades e pelas sociedades médicas para a criação e a implementação de um programa nacional de controle e prevenção da FR no Brasil. Um recente estudo de custo-benefício demonstrou que, de acordo com a realidade brasileira, o gasto relativo a 1 ano de tratamento de cardite reumática seria suficiente para o custeio da profilaxia secundária (penicilina benzatina a cada 3 semanas) em 22.574 pessoas por 10 anos.[46]

Entretanto, enquanto isso não ocorre, algumas condutas precisam ser compartilhadas entre os centros de referência e as UBSs para o cuidado desses pacientes:

→ priorização e garantia de atendimento pela UBS para a aplicação da penicilina benzatina a cada 3 semanas, sem necessidade de a pessoa aguardar por longos períodos para atendimento regular pelo médico ou liberação do medicamento;
→ para melhor controle da administração das injeções de penicilina, recomenda-se utilizar um "Cartão de Identificação do Paciente Reumático";
→ retorno anual dos pacientes sem cardiopatia residual nos ambulatórios especializados (centros de referência);
→ retorno dos pacientes com cardiopatia residual a cada 6 meses ou anualmente, dependendo da gravidade da lesão valvar;
→ ecocardiograma com Doppler de controle com periodicidade de acordo com os sintomas, a alteração do exame físico ou a gravidade do comprometimento valvular, em pacientes com cardiopatia residual. Deve ser, no máximo, anual;
→ encaminhamento de todos os pacientes para acompanhamento odontológico;
→ profilaxia de endocardite infecciosa.

# PREVENÇÃO DE ENDOCARDITE INFECCIOSA

A endocardite infecciosa é uma condição relativamente rara, mas com alta morbimortalidade, resultante da colonização de microrganismos no endotélio cardiovascular previamente anormal ou danificado.

> **Os principais fatores de risco em países desenvolvidos são as cardiopatias congênitas; nos países em desenvolvimento, porém, as lesões orovalvares da FR têm importante participação na etiologia dessa doença.**

A suspeita clínica é fundamental diante de um indivíduo com febre sem outro foco aparente. Algumas manifestações sistêmicas são sugestivas de endocardite, como a presença de nódulos de Osler (nódulos dolorosos, violáceos, encontrados nas polpas digitais dos dedos das mãos e dos pés), petéquias, hemorragias ungueais, lesões de Janeway (lesões maculares, não dolorosas, eritematosas nas palmas das mãos e plantas dos pés), esplenomegalia e sopro cardíaco, e facilitam o diagnóstico. Porém, na prática clínica, nem sempre é o que ocorre. Para auxiliar no diagnóstico da endocardite infecciosa, podem-se utilizar os critérios de Duke,[47] os quais são critérios clínicos, ecocardiográficos e laboratoriais que definem ou excluem o diagnóstico (TABELA 153.8).[47]

Assim como para a FR, são sugeridos critérios diagnósticos maiores e menores para o diagnóstico de endocardite infecciosa. Considera-se diagnóstico definitivo dessa doença quando estiverem presentes 2 critérios maiores; 1 critério maior e 2 menores; ou 5 critérios menores (TABELA 153.9).[47]

> Salienta-se que, no caso de suspeita diagnóstica de endocardite infecciosa, a conduta mais apropriada é realizar a investigação clínica com o paciente hospitalizado, já que se trata de uma doença grave, potencialmente letal se não diagnosticada e tratada de maneira adequada. O tratamento consiste no uso de antibioticoterapia apropriada, com base no resultado das hemoculturas.

Para a APS, o aspecto mais importante é a profilaxia da endocardite. Embora seja reconhecido que a maioria das endocardites não é antecedida de procedimentos invasivos, e que a eficácia da profilaxia com antibióticos antes de procedimentos capazes de causarem bacteriemia seja discutível, recomenda-se administrar antibioticoterapia profilática em pacientes de risco.

As lesões cardíacas podem ser de alto, moderado e baixo risco, de acordo com a possibilidade de complicações diante da ocorrência de infecção. A recomendação de profilaxia deve considerar o risco subjacente da condição cardíaca de cada indivíduo, o risco aparente de bacteriemia de cada procedimento e o potencial de reações adversas da terapia antimicrobiana C/D.

Situações de alto risco incluem próteses valvulares cardíacas, endocardite bacteriana prévia e doença cardíaca congênita cianótica complexa, como tetralogia de Fallot e transposição de grandes vasos. São considerados de risco moderado os pacientes com comunicação interventricular (CIV), ducto arterioso persistente (PCA), válvula aórtica bicúspide, estenose ou regurgitação aórtica, estenose

**TABELA 153.8** → Critérios de Duke para o diagnóstico de endocardite infecciosa

**ENDOCARDITE DEFINITIVA**

*Critério patológico*

→ Microrganismos: demonstrados em uma vegetação por exame histológico ou cultura, em uma vegetação que tenha embolizado ou em abscesso intracardíaco; OU
→ Lesões patológicas: vegetação ou presença de abscesso intracardíaco, confirmado histologicamente como endocardite ativa

*Critério clínico*

→ 2 critérios maiores ou 1 critério maior e 3 menores ou 5 critérios menores (ver TABELA 153.9)

**ENDOCARDITE POSSÍVEL**

→ Achados compatíveis com endocardite infecciosa, mas não suficientes para definir ou excluir o diagnóstico

**ENDOCARDITE EXCLUÍDA**

→ Diagnóstico alternativo sólido; OU
→ Resolução das manifestações de endocardite com antibioticoterapia por ≥ 4 dias; OU
→ Nenhuma evidência patológica de endocardite infecciosa em cirurgia ou autópsia após período < 4 dias de antibioticoterapia

Fonte: Adaptada de Durack e colaboradores.[47]

**TABELA 153.9** → Definição dos termos utilizados nos critérios de Duke para o diagnóstico de endocardite infecciosa

**CRITÉRIOS MAIORES**

1. Hemocultura positiva
   a. Microrganismos típicos de endocardite infecciosa em 2 hemoculturas distintas, a saber:
      i. *Streptococcus viridans*, *Streptococcus bovis*, ou grupo HACEK; OU
      ii. *Staphylococcus aureus* ou enterococo adquirido na comunidade, na ausência de foco primário; OU
   b. Microrganismos consistentes com endocardite infecciosa em hemocultura persistentemente positiva definida como:
      i. 2 ou mais culturas positivas de amostras de sangue coletadas com intervalo > 12 horas
      ii. todas de 3 ou a maioria de 4 ou mais hemoculturas separadas positivas (com a primeira e a última culturas coletadas com um intervalo > 1 hora)
2. Evidência de envolvimento endocárdico
   a. Ecocardiograma positivo, definido como:
      i. massa intracardíaca oscilante em valva ou aparelho valvar, no trajeto de jatos regurgitantes ou em material implantado na ausência de uma justificativa anatômica alternativa; OU
      ii. abscesso; OU
      iii. nova deiscência parcial de prótese valvar; OU
   b. Nova regurgitação valvar (piora ou mudança de sopro preexistente não é suficiente)

**CRITÉRIOS MENORES**

1. Predisposição: condição cardíaca predisponente ou uso de fármacos intravenosos
2. Febre: temperatura ≥ 38 °C
3. Fenômenos vasculares: êmbolos arteriais maiores, infartos pulmonares sépticos, aneurisma micótico, hemorragia intracraniana, hemorragia conjuntival e lesões de Janeway
4. Fenômenos imunológicos: glomerulonefrite, nódulos de Osler, manchas de Roth e fator reumatoide
5. Evidência microbiológica: hemocultura positiva que não preencha critério maior, ou evidência sorológica de infecção ativa com microrganismo consistente com endocardite infecciosa
6. Achados ecocardiográficos de possível endocardite, mas sem preencher os critérios maiores

Fonte: Adaptada de Durack e colaboradores.[47]

pulmonar, miocardiopatia hipertrófica, prolapso da válvula mitral com regurgitação mitral e doença valvar reumática. As situações de baixo risco, em que a profilaxia não é recomendada, incluem comunicação interatrial (CIA) tipo *ostium secundum* isolada, correção cirúrgica de CIA, CIV e PCA sem defeito residual após 6 meses, cirurgia prévia de *bypass* coronariano, prolapso mitral sem regurgitação, FR prévia sem lesão orovalvar, doença de Kawasaki prévia sem lesão orovalvar, marca-passos cardíacos (epicárdico ou endocárdico) e desfibriladores implantados. O maior risco está nos pacientes com próteses valvulares e o menor, naqueles com defeito do septo atrial.

A TABELA 153.10 mostra as recomendações para a profilaxia de endocardite bacteriana da AHA, de 2007,[48] de acordo com o procedimento invasivo. O fármaco profilático recomendado para procedimentos dentários, orais e do trato respiratório é a amoxicilina; associa-se a gentamicina para os procedimentos gastrintestinais e urogenitais. Apesar das recomendações sobre profilaxia de endocardite não serem baseadas em estudos duplo-cegos randomizados, o uso mais restrito é adotado por outras sociedades e diretrizes.[49,50]

> Estima-se que o risco de endocardite após procedimentos médicos seja muito baixo, sendo necessárias milhares de doses de antibioticoprofilaxia para realmente prevenir um caso de endocardite infecciosa.

**TABELA 153.10** → Profilaxia antimicrobiana para a prevenção de endocardite bacteriana, segundo orientação da American Heart Association, 2007

| SITUAÇÃO | FÁRMACO | DOSAGEM* |
|---|---|---|
| **Procedimentos dentários, orais e de trato respiratório ou esofágico** | | |
| Profilaxia geral | Amoxicilina | → 2 g, VO, 1 hora antes do procedimento<br>→ Crianças: 50 mg/kg |
| Sem via oral | Ampicilina | → 2 g, IM ou IV, 30 minutos antes do procedimento<br>→ Crianças: 50 mg/kg |
| Alérgicos às penicilinas | Clindamicina OU | → 600 mg, VO, 1 hora antes do procedimento<br>→ Crianças: 20 mg/kg |
| | Cefalexina OU Cefadroxila | → 2 g, VO, 1 hora antes do procedimento<br>→ Crianças: 50 mg/kg |
| Alérgicos às penicilinas sem via oral | Clindamicina OU | → 600 mg, IV, 30 minutos antes do procedimento<br>→ Crianças: 20 mg/kg |
| | Cefazolina | → 1 g, IM ou IV, 30 minutos antes do procedimento<br>→ Crianças: 25 mg/kg |
| **Procedimentos urogenitais e gastrintestinais (excluindo procedimentos esofágicos)** | | |
| Pacientes de alto risco | Ampicilina e gentamicina | → Adultos: ampicilina 2 g, IM ou IV + gentamicina[†] 1,5 mg/kg, 30 minutos antes do procedimento; 6 horas após: ampicilina 1 g, IM ou IV, ou amoxicilina 1 g, VO<br>→ Crianças: ampicilina 50 mg/kg + gentamicina[†] 1,5 mg/kg; 6 horas após: ampicilina 25 mg/kg, IM ou IV, ou amoxicilina 25 mg/kg, VO |
| Alto risco alérgico à ampicilina | Vancomicina e gentamicina | → Adultos: vancomicina 1 g, IV, 1 a 2 horas + gentamicina[†] 1,5 mg/kg; completar a infusão 30 minutos antes do procedimento<br>→ Crianças: vancomicina 20 mg/kg, IV + gentamicina[†] 1,5 mg/kg |
| Risco moderado | Amoxicilina ou ampicilina | → Adultos: amoxicilina 2 g, VO, 1 hora, ou ampicilina 2 g, IV, 30 minutos antes do procedimento<br>→ Crianças: amoxicilina 50 mg/kg, VO, ou ampicilina 50 mg/kg, IV |
| Risco moderado alérgico à ampicilina | Vancomicina | → Adultos: 1 g, IV, em 1 a 2 horas; completar a infusão 30 minutos antes do procedimento<br>→ Crianças: 20 mg/kg, IV |

* A dose máxima de antibióticos preconizada para crianças é a dose utilizada para adultos.
[†] A dose máxima de gentamicina não deve ultrapassar 120 mg.
IM, intramuscular; IV, intravenosa; VO, via oral.
Fonte: Wilson e colaboradores.[48]

Apesar da alta plausibilidade biológica, nenhum estudo em humanos definitivamente comprovou que a profilaxia antibiótica previne endocardite após procedimentos invasivos.[51,52] A profilaxia sempre foi baseada na lógica de que quando os pacientes de risco desenvolvem bacteriemia, tornam-se mais suscetíveis à endocardite bacteriana. Experimentos em animais confirmam essa hipótese; porém, ensaios clínicos para testar a eficácia dos diversos esquemas nunca foram realizados.

> Segundo a recomendação vigente, deve ser mantida a profilaxia para pacientes com lesões cardíacas de alto risco para endocardite infecciosa; fica suspensa a profilaxia em pacientes com risco moderado ou baixo, bem como em procedimentos respiratórios, urogenitais, gastrintestinais e de pele **C/D**.

**TABELA 153.11** → Condições cardíacas com indicação para profilaxia de endocardite infecciosa, segundo a American Heart Association, 2007

**Pacientes com prótese valvar (mecânica ou biológica) ou material protético usado para plastia valvar**

**Endocardite infecciosa prévia**

**Cardiopatias congênitas***
→ Cardiopatias cianóticas não corrigidas ou corrigidas com condutos ou *shunts*
→ Cardiopatias congênitas corrigidas com material protético ou dispositivo implantados por cirurgia ou cateterismo, durante os 6 primeiros meses após o procedimento[†]
→ Cardiopatias congênitas corrigidas com defeitos residuais locais, ou adjacentes ao local de material protético ou dispositivos protéticos (que inibem a endotelização)

**Receptores de transplante cardíaco que tenham desenvolvido doença valvar**

* À exceção das cardiopatias listadas, as outras não têm mais indicação de profilaxia.
[†] A profilaxia é recomendada porque a endotelização do material protético acontece nos primeiros 6 meses após o procedimento.
Fonte: Wilson e colaboradores[48] e Habib e colaboradores.[49]

Exceções são feitas em situações de manipulação de tecido infectado. Na **TABELA 153.11**, estão listadas as principais cardiopatias em que a profilaxia deve ser mantida. Com relação aos procedimentos odontológicos, a profilaxia está indicada quando esses procedimentos envolvem tecidos da gengiva ou região periapical do dente, ou perfuração da mucosa oral. Não necessitam de profilaxia os seguintes procedimentos: injeções anestésicas de rotina em tecido não infectado, radiografias odontológicas, implantação ou remoção de dispositivos prostodônticos ou ortodônticos, ajuste de dispositivos ortodônticos, colocação de *brackets*, queda de dente decíduo e sangramento de lábio ou mucosa oral pós-trauma **C/D**.

No Brasil, essas recomendações estão sendo implantadas com alguma restrição, tendo em vista a precária saúde oral da população, muito diferente daquela de países desenvolvidos. Porém, observa-se tendência à adoção dessas recomendações no País.

Para a APS, o ponto mais importante da profilaxia de endocardite infecciosa é a manutenção de uma adequada saúde da cavidade oral, pois já está amplamente divulgado que o risco de bacteriemia no indivíduo com saúde oral precária nas atividades diárias (escovação, mastigação e uso de fio dental) é muito maior do que aquele da realização de procedimentos odontológicos.

> Assim, para o indivíduo com cardiopatia congênita de alto risco ou de risco moderado, e nos pacientes portadores de próteses valvares, deve-se dar atenção especial ao cuidado contínuo da saúde da cavidade oral, sendo esta a melhor medida profilática para a endocardite infecciosa.

## REFERÊNCIAS

1. Karthikeyan G, Guilherme L. Seminar – Acute rheumatic fever. Lancet 2018;392(10142): 161-74.
2. Guilherme L, Köhler KF, Kalil J. Rheumatic heart disease: genes, inflammation and autoimmunity. Rheumatol Curr Res 2012;53:31-50.
3. Guilherme L, Weidebach W, Kiss MH, Snitcowsky R, Kalil J. Association of human leukocyte class II antigens with rheumatic fever

or rheumatic heart disease in a Brazilian population. Circulation. 1991;83(6):1995-8.
4. World Health Organization. Rheumatic fever and rheumatic heart disease: report of a WHO Expert Consultation. Geneva: WHO; 2004.
5. World Health Organization. Rheumatic fever and rheumatic heart disease: report by the Director-General. WHO; 2018.
6. Sociedade Brasileira de Cardiologia. Diretrizes Brasileiras para o diagnóstico, tratamento e prevenção da febre reumática. Arq Bras Cardiol. 2009;93(3 Supl 4):3-18.
7. Brasil. Ministério da Saúde. Sistema de Informações sobre Mortalidade – SIM. Brasília: MS; 2020 [capturado em 14 jan. 2021]. Disponível em: http://svs.aids.gov.br/dantps/cgiae/sim/relatorios/
8. Ordunez P, Martinez R, Soliz P, Giraldo G, Mujica OJ, Nordet P. Rheumatic heart disease burden, trends, and inequalities in the Americas, 1990-2017: a population-based study. Lancet Glob Health. 2019;7(10):e1388-e1397.
9. Marijon E, Ou P, Celermajer DS, Ferreira B, Mocumbi AO, Jani D, et al. Prevalence of rheumatic heart disease detected by echocardiographic screening. N Engl J Med. 2007;357(5):470-6.
10. Nascimento BR, Beaton AZ, Nunes MC, Diamantino AC, Carmo GA, Oliveira KK, et al. Echocardiographic prevalence of rheumatic heart disease in Brazilian schoolchildren: data from the PROVAR study. Int J Cardiol. 2016;219:439–45.
11. Guidelines for the diagnosis of rheumatic fever. Jones Criteria, 1992 update. Special Writing Group of the Committee on Rheumatic Fever, Endocarditis, and Kawasaki Disease of the Council on Cardiovascular Disease in the Young of the American Heart Association. JAMA. 1992;268(15):2069-73.
12. Gewitz MH, Baltimore RS, Tani LY, Sable CA, Shulman ST, Carapetis J, et al. American Heart Association Committee on Rheumatic Fever, Endocarditis, and Kawasaki Disease of the Council on Cardiovascular Disease in the Young. Revision of the Jones Criteria for the Diagnosis of Acute Rheumatic Fever in the Era of Doppler Echocardiography. Circulation. 2015;131(20):1806-18.Erratum in: Circulation. 2020;142(4):e65.
13. National Heart Foundation of Australia. Diagnosis and management of acute rheumatic fever and rheumatic heart disease in Australia: an evidence-based review. Darwin: RHD Australia; 2020. [capturado em 20 jan. 2021]. Disponível em: https://www.rhdaustralia.org.au/arf-rhd-guideline.
14. Vidotti MH, Saraiva JFK. Valor dos exames laboratoriais no diagnóstico e no seguimento de pacientes com febre reumática. Rev Soc Cardiol Estado de São Paulo. 2005;15(1):34-9.
15. Sociedade Brasileira de Pediatria. Novos critérios para diagnóstico de Febre Reumática [Internet]. Rio de Janeiro: SBP; 2016 [capturado em 18 jan. 2021]. Disponível em: https://www.sbp.com.br/fileadmin/user_upload/2012/12/Novos-critrios-para-Febre-Reumtica--Site-003.pdf.
16. Working Group on Pediatric Acute Rheumatic Fever and Cardiology Chapter of Indian Academy of Pediatrics, Saxena A, Kumar RK, Gera RP, Radhakrishnan S, Mishra S, et al. Consensus guidelines on pediatric acute rheumatic fever and rheumatic heart disease. Indian Pediatr. 2008;45(7):565-73.
17. Barlow JB, Marcus RH, Pocock WA, Barlow CW, Essop R, Sareli P. Mechanisms and management of heart failure in active rheumatic carditis. S Afr Med J. 1990;78(4):181-6.
18. Da Silva NA, Pereira BA. Acute rheumatic fever: still a challenge. Rheum Dis Clin North Am. 1997;23(3):545-68.
19. Lennon D. Acute rheumatic fever in children: recognition and treatment. Paediatr Drugs. 2004;6(6):363-73.
20. Atatoa-Carr P, Lennon D, Wilson N. Rheumatic fever diagnosis, management, and secondary prevention: a New Zealand guideline. N Z Med J. 2008;121(1271):59-69.
21. Uziel Y, Hashkes PJ, Kassem E, Padeh S, Goldman R, Wolach B, et al. The use of naproxen in the treatment of children with rheumatic fever. J Pediatr. 2000;137(2):269- 71.
22. Hashkes PJ, Tauber T, Somekh E, Brik R, Barash J, Mukamel M, et al. Naproxen as an alternative to aspirin for the treatment of arthritis of rheumatic fever: a randomized trial. J Pediatr. 2003;143(3):399-401.
23. Peña J, Mora E, Cardozo J, Molina O, Montiel C. Comparison of the efficacy of carbamazepine, haloperidol and valproic acid in the treatment of children with Sydenham's chorea: clinical follow-up of 18 patients. Arq Neuropsiquiatr. 2002;60(2- B):374-7.
24. Genel F, Arslanoglu S, Uran N, Saylan B. Sydenham's chorea: clinical findings and comparison of the efficacies of sodium valproate and carbamazepine regimens. Brain Dev. 2002;24(2):73-6.
25. Paz JA, Silva CAA, Marques-Dias MJ. Randomized double-blind study with prednisone in Sydenham's chorea. Pediatr Neurol. 2006;34(4):264-9.
26. Burch J, Gruenebaum D. How do corticosteroids compare with aspirin for improving outcomes in people presenting with acute rheumatic fever with associated carditis? Cochrane Clinical Answers [Internet]. 2016 [capturado em 18 jan. 2021]. Disponível em: https://www.cochranelibrary.com/cca/doi/10.1002/cca.345/full.
27. Cilliers A, Adler AJ, Saloojee H. Anti-inflammatory treatment for carditis in acute rheumatic fever. Cochrane Database Syst Rev. 2015;5:CD003176.
28. Albert DA, Harel L, Karrison T. The treatment of rheumatic carditis: a review and meta-analysis. Medicine (Baltimore). 1995;74(1):1-12.
29. Câmara EJN, Braga JCV, Alves-Silva LS, Câmara GF, Da Silva Lopes AA. Comparison of an intravenous pulse of methylprednisolone versus oral corticosteroid in severe acute rheumatic carditis: a randomized clinical trial. Cardiol Young. 2002;12(2):119-24.
30. Torres RPA, Torres RFA, Torres RA, Torres RSLA. Pulse therapy combined with oral corticosteroids in the management of severe rheumatic carditis and rebound. Cardiol Young 2018;28(2):309−14.
31. Herdy GVH, Gomes RS, Silva AEA, Silva LS, Lopes VGS. Follow--up of rheumatic carditis treated with steroids. Cardiol Young. 2012;22(3):263-9.
32. Carapetis JR. Rheumatic heart disease in developing countries. N Engl J Med. 2007;357(5):439-41.
33. Vekemans J, Gouvea-Reis F, Kim JH, Excler JL, Smeesters PR, O'Brien KL, et al. The path to group a streptococcus vaccines: World Health Organization Research and Development Technology Roadmap and Preferred Product Characteristics. Clin Infect Dis. 2019;69(5):877-83.
34. Robertson KA, Volmink JA, Mayosi BM. Antibiotics for the primary prevention of acute rheumatic fever: a meta-analysis. BMC Cardiovasc Disord. 2005;5(1):11.
35. Beggs S, Peterson G, Tompson A. Antibiotic use for the prevention and treatment of rheumatic fever and rheumatic heart disease in children. Geneva: WHO; 2008.
36. Gerber MA, Baltimore RS, Eaton CB, Gewitz M, Rowley AH, Shulman ST, et al. Prevention of rheumatic fever and diagnosis and treatment of acute streptococcal pharyngitis: a scientific statement from the American Heart Association Rheumatic Fever, Endocarditis, and Kawasaki Disease Committee of the Council on Cardiovascular Disease in the Young, the Interdisciplinary Council on Functional Genomics and Translational Biology, and the Interdisciplinary Council on Quality of Care and Outcomes Research: endorsed by the American Academy of Pediatrics. Circulation. 2009;119(11):1541-51.
37. Lennon D, Kerdemelidis M, Arroll B. Meta-analysis of trials of streptococcal throat treatment programs to prevent rheumatic fever. Pediatr Infect Dis J. 2009;28(7):e259- 64.
38. Mota CCC, Müller RE. Febre reumática. In: Croti UA, Mattos AS, Pinto Jr VC, Aiello VD. Cardiologia e cirurgia cardiovascular pediátrica. São Paulo: Rocca; 2008. p. 602.
39. Cohen R, Reinert P, De La Rocque F, Levy C, Boucherat M, Robert M, et al. Comparison of two dosages of azithromycin for three days versus penicillin V for ten days in acute group A streptococcal tonsillopharyngitis. Pediatr Infect Dis J. 2002;21(4):297-303.
40. Torres, RSLA, Torres, RPA, Smeesters, PR, Palmeiro JK, de Messias-Reason IJ, Dalla-Costa LM. Group A Streptococcus antibiotic

resistance in southern Brazil: a 17-year surveillance study. Microb Drug Resist. 2011; 17(2):313–9.

41. Manyemba J, Mayosi BM. Penicillin for secondary prevention of rheumatic fever. Cochrane Database Syst Rev. 2002;2002(3):CD002227.

42. Lue HC, Wu MH, Wang JK, Wu FF, Wu YN. Long-term outcome of patients with rheumatic fever receiving benzathine penicillin G prophylaxis every three weeks versus every four weeks. J Pediatr. 1994;125(5 Pt 1):812-6.

43. Bycroft TC, O'Connor T, Hoff C, Bohannon A. When choosing injectable penicillin for the treatment of group A beta-hemolytic streptococcal pharyngitis, there is a less painful choice. Pediatr Emerg Care. 2000;16(6):398-400.

44. Amir J, Ginat S, Cohen YH, Marcus TE, Keller N, Varsano I. Lidocaine as a diluent for administration of benzathine penicillin G. Pediatr Infect Dis J. 1998;17(10):890-3.

45. Allergic reactions to long-term benzathine penicillin prophylaxis for rheumatic fever. International Rheumatic Fever Study Group. Lancet. 1991;337(8753):1308-10.

46. Figueiredo ET, Azevedo L, Rezende ML, Alves CG. Febre reumática: uma doença sem cor. Arq Bras Cardiol. 2019;113(3):345-54.

47. Durack DT, Lukes AS, Bright DK. New criteria for diagnosis of infective endocarditis: utilization of specific echocardiographic findings. Duke Endocarditis Service. Am J Med. 1994;96(3):200-9.

48. Wilson W, Taubert KA, Gewitz M, Lockhart PB, Baddour LM, Levison M, et al. Prevention of infective endocarditis: guidelines from the American Heart Association: a guideline from the American Heart Association Rheumatic Fever, Endocarditis, and Kawasaki Disease Committee, Council on Cardiovascular Disease in the Young, and the Council on Clinical Cardiology, Council on Cardiovascular Surgery and Anesthesia, and the Quality of Care and Outcomes Research Interdisciplinary Working Group. Circulation. 2007;116(15):1736-54.

49. Habib G, Hoen B, Tornos P, Thuny F, Prendergast B, Vilacosta I, et al. Guidelines on the prevention, diagnosis, and treatment of infective endocarditis (new version 2009): the Task Force on the Prevention, Diagnosis, and Treatment of Infective Endocarditis of the European Society of Cardiology (ESC). Endorsed by the European Society of Clinical Microbiology and Infectious Diseases (ESCMID) and the International Society of Chemotherapy (ISC) for Infection and Cancer. Eur Heart J. 2009;30(19):2369-413.

50. Tarasoutchi F, Montera MW, Grinberg M, Barbosa MR, Piñeiro DJ, Sánchez CRM, Barbosa MM, Barbosa GV et al. Diretriz Brasileira de Valvopatias – SBC 2011 / I Diretriz Interamericana de Valvopatias – SIAC 2011. Arq Bras Cardiol 2011; 97(5 supl. 1): 1-67.

51. Morris AM. Coming clean with antibiotic prophylaxis for infective endocarditis. Arch Intern Med. 2007;167(4):330-2; discussion 333-4.

52. Seto TB. The case for infectious endocarditis prophylaxis: time to move forward. Arch Intern Med. 2007;167(4):327-30.

## LEITURAS RECOMENDADAS

Kumar RK, Antunes MJ, Beaton A, Mirabel M, Nkomo VT, Okello E, et al. Contemporary Diagnosis and Management of Rheumatic Heart Disease: Implications for Closing the Gap: A Scientific Statement From the American Heart Association. Circulation. 2020;142(20):e337-e357.
*Posicionamento de entidades internacionais de cardiologia para enfretamento da febre reumática no moundo, com revisão atualizada do manejo no diagnóstico e tratamento da doença, bem como apontamento dos desafios e dúvidas da literatura.*

Diretrizes da Sociedade Europeia de Cardiologia (ESC). Disponível em: https://www.escardio.org/Guidelines/Clinical-Practice-Guidelines/Infective-Endocarditis-Guidelines-on-Prevention-Diagnosis-and-Treatment-of
*Diretrizes europeias sobre prevenção, diagnóstico e manejo de endocardite infecciosa.*

Pereira BAP, Belo AR, Silva NA. Rheumatic fever: update on the Jones criteria according to the American Heart Association review – 2015. Rev Bras Reumatol. [Internet]. 2017 [capturado em 18 jan. 2021];57(4):364–8. Disponível em: https://www.scielo.br/pdf/rbr/v57n4/0482-5004-rbr-57-04-0364.pdf
*Artigo de revisão que atualiza e discute os critérios de Jones para febre reumática.*

# Capítulo 154
# INFECÇÃO DO TRATO URINÁRIO

Elvino Barros
Carla Di Giorgio
Renato George Eick
Fernando S. Thomé

Este capítulo aborda aspectos clínicos e terapêuticos das infecções do trato urinário (ITUs). Tendo em vista as particularidades dessa infecção em crianças, o tema é abordado em tópicos específicos para adultos e crianças.

## INFECÇÃO DO TRATO URINÁRIO EM ADULTOS

Infecção do trato urinário é uma condição comumente diagnosticada em pacientes hospitalizados, nas salas de emergência, nos consultórios médicos e nas unidades básicas de saúde. Ainda que várias diretrizes sobre o tema, de diferentes sociedades médicas, incluindo urologia, nefrologia, infectologia e ginecologia/obstetrícia, tenham tentado consenso na definição de infecção urinária, não foi possível, até o momento, uma definição precisa.

Habitualmente, o aparelho urinário é estéril, exceto na porção distal do ureter. Em um sentido amplo, infecção urinária é a presença de germes nas porções estéreis do trato urinário. A ITU sintomática pode ser definida como uma condição em que ocorre multiplicação de um microrganismo e invasão de mucosa (ou tecido profundo) em algum segmento do trato urinário, causando determinados sinais e sintomas. Difere da colonização bacteriana, em que o microrganismo está presente, mas não causa lesão da mucosa, por isso não causa sintomas.

Infecção urinária compreende várias síndromes clínicas, incluindo cistite, pielonefrite, abscesso renal e perinefrético, prostatite, uretrite e bacteriúria assintomática, podendo ou não estar associada a sintomas sistêmicos, em diversos contextos de apresentação.[1-4]

Na vida adulta, o predomínio no sexo feminino, já existente em crianças, mantém-se, e a incidência de ITU se eleva, com picos de maior acometimento relacionados com a atividade sexual (18-24 anos). A partir dos 60 anos, ocorre aumento da incidência em homens devido à hipertrofia prostática.[2,4-6]

## Classificação

Existem diferentes formas de classificação da ITU, descritas a seguir:
- → **classificação anatômica:** tem caráter prático, pois define situações com diferentes prognósticos e manejos clínicos:
  - → baixa – invasão superficial de mucosas: cistite, uretrite;
  - → alta – invasão tecidual (parênquima) ou abscesso renal ou perirrenal: pielonefrite, abscesso perirrenal;
- → **classificação por sintomas:**
  - → assintomática: pode ser definida como a presença de $10^5$ ou mais unidades formadoras de colônias (UFC) por mL, da mesma bactéria, em duas amostras consecutivas de urina.[7] Com a idade, aumentam a prevalência e a incidência de bacteriúria assintomática. O déficit de estrogênio, na pós-menopausa, e a menor colonização vaginal por lactobacilos favorecem a colonização vaginal por bactérias patogênicas;[4]
  - → sintomática: quando ocorre algum tipo de sintoma decorrente do processo infeccioso. Os sintomas variam de acordo com o tipo e o local da infecção. Por exemplo, na cistite aguda simples, os principais sintomas são disúria, polaciúria, dor suprapúbica baixa e urgência urinária;
- → **classificação por presença de alterações estruturais ou funcionais do trato urinário:**
  - → não complicada (trato urinário normal): é definida como a presença de bacteriúria sintomática na ausência de anormalidades anatômicas ou funcionais do trato urinário e de condições como imunossupressão;[3,8]
  - → complicada: ocorre em indivíduos com anormalidade funcional ou estrutural do trato urinário, como obstrução (tumores, hipertrofia prostática, urolitíase), instrumentação (cateteres vesicais ou ureterais, cistoscopia, nefrostomia, derivações urinárias, cirurgias urológicas, etc.) e anormalidades funcionais (bexiga neurogênica, refluxo vesicoureteral), entre outras (imunossupressão, insuficiência renal) **(TABELA 154.1)**. Essas situações se caracterizam por envolvimento de grande variedade de microrganismos e maior resistência destes aos antimicrobianos;[5,6,8]
- → **classificação por recorrência da infecção:**
  - → reinfecção: quando uma infecção sintomática ocorre após a resolução clínica de um episódio anterior.[9] É definida como a erradicação da bacteriúria com tratamento adequado, seguida, após intervalo de tempo variável, por nova infecção com patógeno de cepa diferente. É muito mais frequente do que a recidiva. Em geral, a reinfecção é relevante quando ocorrem 3 ou mais episódios por ano. Vale salientar que cada indivíduo parece ter um modelo de recorrência particular, apresentando episódios esporádicos ou únicos, com ou sem relação com o intercurso sexual;[4,6]
  - → recidiva: é definida como a recorrência da infecção com o mesmo germe anterior em um período de 2 semanas após o tratamento. Significa falha em erradicar a infecção. Em geral, a causa é a curta duração do tratamento, estando indicada realização de urocultura com teste de sensibilidade e uso de antimicrobiano adequado por mais 7 dias.[9] Particularmente nos tratamentos de terapia com dose única, a persistência da bactéria colonizando a vagina ou região periuretral favorece uma rápida recorrência da infecção pelo mesmo microrganismo.[2,10]

**TABELA 154.1** → Fatores complicadores de infecção do trato urinário

| DISTÚRBIOS DO FLUXO URINÁRIO |
|---|
| → Anatômicos |
| → Neurogênicos |
| **DOENÇAS ASSOCIADAS** |
| → Rins policísticos |
| → Diabetes melito |
| → Prostatite |
| → Anemia falciforme |
| → Imunossupressão (incluindo pacientes transplantados) |
| **OUTROS** |
| → Abuso de analgésicos |
| → Gravidez |
| → Cateterização urinária |

## Fatores de risco

Os fatores de risco mais comuns para ITU são intercurso sexual recente, uso de espermicidas com ou sem diafragma, ter mãe com história de infecções urinárias e início precoce (antes dos 15 anos) de infecções urinárias.[4,9] Padrões de micção em relação ao coito, frequência de micção, uso de duchas e padrões de limpeza anal e genital não são fatores de risco comprovados.[4] Após a menopausa, fatores mecânicos que interferem no esvaziamento vesical e deficiência de estrogênio, na mulher, são fatores importantes.[1-3]

O maior problema na mulher com infecção recorrente é a colonização vaginal com uropatógenos. Mulheres com ITU recorrente têm, em geral, maior propensão à adesão de uropatógenos às células uroepiteliais.

## Etiopatogenia

Entre as enterobactérias da flora intestinal normal, *Escherichia coli* está presente em 75 a 90% das ITUs. Essa bactéria coloniza o cólon, a região perianal e, nas mulheres, o introito vaginal e a região periuretral. O microrganismo pode ascender através da uretra e da bexiga, atingindo o parênquima renal. *Escherichia coli* apresenta propriedades uropatogênicas específicas, responsáveis pela invasão do trato urinário de pessoas hígidas. O segundo patógeno mais comum é *Staphylococcus saprophyticus*, encontrado em 5 a 10% das mulheres jovens sexualmente ativas.

Outros microrganismos menos comuns são *Proteus mirabilis*, *Klebsiella*, *Enterobacter* e *Serratia*, e os gram-positivos

*Enterococcus*, *Staphylococcus aureus* e *Streptococcus*. As cepas não patogênicas, por sua vez, também podem causar ITU, em particular nos indivíduos com anormalidades do trato urinário ou quando os mecanismos de defesa estão comprometidos. Isso é mais comum em crianças, idosos, gestantes, diabéticos e indivíduos imunocomprometidos.[3,6]

As uretrites associadas a infecções sexualmente transmissíveis (ISTs) são mais comumente causadas por *Neisseria gonorrhoeae* (20%) ou agentes não gonocócicos (80%), incluindo *Chlamydia trachomatis*, *Mycoplasma genitalium* e *Ureaplasma urealyticum*.

Existem inúmeros fatores de risco associados ao desenvolvimento de ITU, que podem ser dependentes da bactéria, do tipo de infecção e/ou do hospedeiro:

→ **virulência do agente infeccioso:** está relacionada com sua capacidade de aderir às células epiteliais do trato urinário. *Escherichia coli*, como protótipo desse mecanismo, possui estruturas chamadas *pili* ou fímbrias, que interagem com glicolipoproteínas de receptores do uroepitélio. As adesinas das fímbrias tipo I (FimH) ligam-se a receptores que expressam manose no sítio de ligação, colonizando o uroepitélio. As fímbrias tipo II ou P (PapG) são resistentes à manose, ligando-se a glicoesfingolipídeos no receptor que expressa galactose (Gala1-4Galb), iniciando a cascata inflamatória. Mais de 90% de *E. coli* associado à pielonefrite expressa fímbria tipo P;

→ **fatores do hospedeiro:** a maioria das ITUs ocorre em mulheres hígidas, nas quais há um desequilíbrio entre a virulência do agente e os sistemas inatos de defesa do hospedeiro;

→ **resposta imune:** os receptores Gal1-4Galb e Toll-4 ativados pela bactéria iniciam a cascata inflamatória por meio da liberação de citocinas e quimiocinas, com a interleucina (IL)-8 promovendo o acúmulo de neutrófilos, ativação de complemento e produção de imunoglobulina A (IgA). Peptídeos antimicrobianos, como defensinas e catelicidinas, protegem contra a invasão bacteriana;

→ **osmolaridade e pH:** osmolaridade urinária > 800 mOsmol/kg e pH < 5 são condições adversas para a sobrevivência da bactéria;

→ **colonização da uretra distal e região periuretral:** as bactérias microaerofílicas e anaeróbias (*Staphylococcus epidermidis*, lactobacilos, corinebactéria, estreptococo, *Bacteroides* sp.) são comensais e promovem a defesa normal do hospedeiro. Diversos fatores, como atividade sexual, sondagem vesical, uso de antibióticos e diminuição da imunidade, rompem essa defesa e predispõem à colonização de enterobactérias e à infecção urinária;

→ **eliminação de bactérias:** a defesa mais importante que mantém a esterilidade da urina é a micção normal desobstruída. O fluxo urinário e o esvaziamento vesical são fatores protetores contra a ITU, e a estase urinária é fator predisponente. Aumento da ingestão hídrica está associado com menor incidência de infecção urinária nas mulheres com infecção urinária recorrente;[7]

→ **uroepitélio:** é coberto por glicocálice, muco com proteínas manosiladas (Tamm-Horsfall) que ligam e eliminam bactérias. A esfoliação de células por colonização bacteriana ou a lesão de mucosa por trauma na relação sexual contribuem para a infecção;

→ **antígenos de grupo sanguíneo:** mulheres não secretoras de antígenos do grupo sanguíneo ABO não codificam para a enzima glicosiltransferase, não transferindo resíduos de frutose a receptores protetores da mucosa, o que resulta na presença de antígenos detectáveis em células do uroepitélio e em secreções, facilitando a infecção bacteriana.

Os patógenos entram na bexiga pela uretra por via ascendente, com uma fase de colonização periuretral. A colonização é caracterizada pela substituição da flora local por *E. coli* e outros agentes. Os mecanismos de aderência facilitam a permanência da bactéria no uroepitélio. Estudos em animais têm demonstrado a internalização de *E. coli* nessas células, constituindo um reservatório bacteriano para a recorrência da infecção.

A ascensão da bactéria por via ascendente – bexiga ao ureter e ureter ao rim – causa a pielonefrite, condição em que ocorre exuberante reação inflamatória do hospedeiro com infiltração de polimorfonucleares e mononucleares no compartimento tubulointersticial do rim. Embora rara (< 5%), a infecção pode ocorrer por via hematogênica, principalmente em indivíduos imunodeprimidos, diabéticos e com tuberculose miliar.

Na mulher, a maioria dos uropatógenos origina-se da flora intestinal. A suscetibilidade à ITU na mulher é amplificada pela uretra mais curta e pela maior proximidade do ânus com o vestíbulo vaginal e a uretra.

## Diagnóstico

As estratégias de investigação e tratamento da ITU têm mudado nos últimos anos, procurando-se diminuir custos. Exemplo disso é o questionamento da necessidade de urocultura, com teste de sensibilidade, em todos os indivíduos com suspeita de infecção urinária não complicada.[1,2] No passado, essa prática fazia parte da investigação de todos os indivíduos com suspeita de ITU.[4,6,11] Hoje, muitos médicos começam e mantêm o tratamento sem a urocultura, com base somente nos achados clínicos e do exame comum de urina.[4] No entanto, à medida que a resistência bacteriana aumenta, é mais prudente realizar cultura e antibiograma, sobretudo em pacientes com infecção de repetição e uso frequente de antibióticos.[4,12]

### Avaliação clínica

Inclui **história clínica** e **exame físico completo**, pesquisando sinais e sintomas que sugiram ITU; ITU no passado; fatores de risco associados à ITU; história familiar de ITU; uso prévio de antibióticos; e manipulação do trato urinário (sondagem vesical, instrumentação cirúrgica ou endoscópica).

Se sinais e sintomas persistirem por mais de 48 a 72 horas após o início do tratamento, deve-se pensar na possibilidade de ITU complicada, estando, nesse caso, indicada a realização de exames complementares[1,2,11] (ver adiante).

O quadro clínico é variável e depende do tipo e do local da ITU.

## ITU não complicada
### Cistite
Estas são as manifestações clínicas da ITU baixa:
→ dor, desconforto ou ardência para urinar (disúria);
→ polaciúria;
→ urgência miccional;
→ dor suprapúbica;
→ hematúria macroscópica (30% dos casos);
→ urina fétida.

A ocorrência de disúria e polaciúria tem valor preditivo positivo de 90% para cistite B.[13]

O diagnóstico diferencial de cistite inclui ISTs e vulvovaginite nas mulheres com corrimento vaginal.

### Uretrite
Os sintomas de uretrite são de início gradual, em geral com vários dias de evolução antes de o indivíduo procurar assistência médica. As manifestações mais comuns são:
→ disúria e polaciúria;
→ secreção uretral;
→ mudança recente de parceiro sexual, história de múltiplos parceiros (exposição a ISTs).

As uretrites inespecíficas causadas por *C. trachomatis*, *M. genitalium* e *U. urealyticum* costumam ser assintomáticas, e esses microrganismos tornam-se comensais permanentes (ver Capítulo Infecções Sexualmente Transmissíveis: Abordagem Sindrômica).

### Síndrome uretral
Em 50% das mulheres com disúria e polaciúria recorrentes e urina estéril ou com baixas contagens de bactérias ($< 10^5$ UFC/mL), sem resposta a antimicrobianos, é encontrada vaginite por *Candida* ou *Trichomonas* (30%), *Gardnerella vaginalis*, herpes simples e uretrite aguda.

### Infecção urinária recorrente não complicada em mulheres
A American Urological Association (AUA) estabeleceu diretrizes para o diagnóstico e tratamento de infecções urinárias recorrentes não complicadas em mulheres adultas sadias.[3] Define-se ITU recorrente quando ocorrem 2 episódios separados de cistite bacteriana aguda comprovados por urocultura e com sintomas em 6 meses, ou 3 episódios em 1 ano. Nesses casos, recomenda-se confirmar os diagnósticos prévios de infecção urinária, obter exame comum de urina e urocultura com teste e realizar exame físico pélvico, além de obter dados completos de história. Exames de imagem, cistoscopia ou estudos urodinâmicos não são recomendados rotineiramente, a não ser que haja suspeita de fatores complicadores.

### Pielonefrite
Os sinais e sintomas de pielonefrite aguda são:
→ dor no ângulo costovertebral no lado afetado;
→ febre;
→ calafrios;
→ náuseas e vômitos;
→ mialgias;
→ punho-percussão lombar positiva no lado afetado;
→ dor à palpação abdominal profunda.

Esses achados podem ou não estar associados a sintomas urinários de cistite.

Alguns indivíduos podem ter sintomas leves, como dor lombar com febre discreta (< 38 °C), enquanto outros podem apresentar doença grave com febre alta, dor intensa associada a náuseas, vômitos e sinais de bacteriemia (hipotensão), decorrentes de sepse por enterobactéria, que ocorre em 15 a 20% dos casos. Idosos podem apresentar sintomas pouco característicos; assim, nessa população, não é raro que quadros de pielonefrite aguda se manifestem com sintomas gastrintestinais, como dores abdominais inespecíficas, náuseas e vômitos. Podem também apresentar quadro neurológico de confusão mental, em que a febre pode estar ausente, assim como a leucocitose, devido à resposta orgânica anormal do idoso.

Na pielonefrite grave e complicada (imunossuprimidos, diabéticos, alcoolistas), pode ocorrer insuficiência renal aguda e formação de microabscessos no rim (ou massa que origina um carbúnculo). Ocasionalmente, ocorre necrose de papila renal e, raras vezes, pielonefrite enfisematosa por germes produtores de gás; ambas as condições mais prevalentes em diabéticos.[14]

### Prostatite
As síndromes de prostatite incluem as formas bacterianas (aguda ou crônica) e a dor pélvica crônica (com ou sem quadro inflamatório – piúria).

O homem com prostatite bacteriana aguda pode apresentar um quadro agudo caracterizado por:
→ febre;
→ mal-estar;
→ dor ou desconforto perineal/suprapúbico;
→ urgência urinária, aumento da frequência urinária e disúria;
→ secreção uretral.

Nesses casos, não é recomendado realizar o toque retal.

A forma crônica pode ser assintomática ou manifestar-se por dor perineal, genital ou lombar, e por desconforto na micção (cistite associada). A prostatite crônica causa sintomas recorrentes.

## ITU complicada
### Cálculo urinário
A presença de cálculo obstrutivo no trato urinário provoca estase e risco de ITU. Em caso de pH urinário > 7, deve-se suspeitar de germe produtor de urease (p. ex., *Proteus*) e cálculo coraliforme.

### ITU associada a cateter
A ITU é responsável por 40% das infecções adquiridas em hospital. Após 2 semanas de cateterização vesical, ocorre bacteriúria em 90% dos pacientes, e cerca de 10% desenvolvem ITU sintomática em curto prazo após uma cateterização. A contaminação bacteriana persistente em biofilme na superfície externa do cateter e o uso de antibióticos

selecionando bactérias multirresistentes são causas de sepse. Outros dispositivos e procedimentos urológicos também se associam à ITU.

### Bacteriúria na gravidez

A bacteriúria ocorre em 4 a 7% das mulheres grávidas e está associada a parto prematuro e baixo peso do recém-nascido B.[15] Ela causa pielonefrite em 30 a 40% das gestantes com bacteriúria não tratada (vs. 1-2% das gestantes sem bacteriúria).

### Uropatia obstrutiva e nefropatia do refluxo

Qualquer processo obstrutivo do trato urinário promove estase e predispõe à ITU, como hipertrofia prostática, uropatias congênitas e tumores urogenitais. A presença de refluxo vesicoureteral em crianças, sem tratamento de ITU associada, resulta em cicatrizes corticais no rim afetado e evolução posterior para nefropatia do refluxo, manifestada por proteinúria, perda crônica de função renal e hipertensão arterial.

ITU em indivíduos com insuficiência renal avançada, doença renal policística do adulto, prejuízo imunológico e disfunção vesical de origem neurológica deve ser considerada ITU complicada.

## Avaliação laboratorial

### Exame qualitativo de urina e urocultura

O diagnóstico de ITU, no passado, era feito na presença de urocultura com contagem $\geq 10^5$ UFC/mL de urina, com base em estudos realizados em mulheres assintomáticas ou com pielonefrite. Entretanto, 30 a 50% das mulheres com sintomas típicos de ITU têm contagens mais baixas ($10^3$-$10^5$ UFC/mL), e 10 a 20% das sintomáticas têm urocultura negativa (contagem inferior ao limiar de isolamento laboratorial). O quadro com início agudo dos sintomas (disúria, polaciúria e urgência), sem bacteriúria significativa (crescimento $< 10^5$ UFC/mL), conhecido como síndrome uretral, é também chamado de bacteriúria com baixa contagem de bactérias.[6] Essa condição pode representar uma fase transitória, em que a uretra é o local primário da colonização e da inflamação. Já a punção suprapúbica (PSP) percutânea é considerada positiva com qualquer crescimento de germes.

> Assim, pela bacteriologia previsível na presença de quadro clínico característico, pelas limitações e demora do resultado da urocultura quantitativa e, mais importante, pela acurácia do diagnóstico clínico, a recomendação atual é fazer o diagnóstico pelo quadro clínico B.[13]

Entretanto, o exame físico-químico (fita reagente) e o teste do sedimento da urina (microscopia) agregam elementos importantes para o diagnóstico, tendo baixo custo e elevada especificidade, embora menor sensibilidade (exceto piúria) B.[16] A TABELA 154.2 apresenta a sensibilidade e a especificidade de alguns achados dos testes da fita reagente e do sedimento urinário para o diagnóstico de ITU. Como a ausência desses achados não afasta o diagnóstico na presença de sintomas consistentes, esses testes não são rotineiramente recomendados ou necessários para o manejo clínico.

**TABELA 154.2** → Sensibilidade e especificidade de alguns achados no exame de urina (teste da fita reagente e teste do sedimento urinário) para o diagnóstico de infecção do trato urinário

| ACHADO | SENSIBILIDADE (%) | ESPECIFICIDADE (%) |
|---|---|---|
| Piúria* | 95 | 71 |
| Esterase leucocitária† | 75-96 | 94-98 |
| Nitrito†,‡ | 60-80 | 80-85 |
| Bactéria* | 40-70 | 85-95 |

*Teste do sedimento urinário.
†Teste da fita reagente.
‡Negativo para germes não redutores de nitrato (p. ex., *Enterococci*, *Staphylococcus saprophyticus*, *Acinetobacter*).

Bacteriúria assintomática é definida como a presença de contagem $> 10^5$ UFC/mL em 2 uroculturas consecutivas em mulheres, ou em 1 urocultura em homens, ou, ainda, a presença de 100 UFC/mL em pacientes com cateter vesical, em ambos os sexos, na ausência de sintomas urinários.

### Exames de imagem

A avaliação urológica ou por exames de imagem não se mostrou efetiva em mulheres com ITU, exceto em infecções recorrentes (> 2 episódios) ou quadros graves de pielonefrite aguda ou acompanhadas de hematúria persistente.

A investigação com exames de imagem deve ser feita sempre nas seguintes situações:

→ homens;
→ pielonefrite grave (para excluir obstrução ou abscesso);
→ mulheres com infecção urinária recorrente e recidivas frequentes;
→ ITU complicada.

**Ultrassonografia (US) de vias urinárias.** Exame indicado para avaliar obstrução, cálculos, malformações congênitas e medida do volume residual de urina (pós-miccional).

**Radiografia simples de abdome.** É útil para avaliar cálculos com densidade cálcica.

**Uretrocistografia retrógrada e miccional.** É útil para avaliar obstrução urinária baixa e suspeita de refluxo vesicoureteral. A cistografia direta radioisotópica é mais sensível para detecção de refluxo vesicoureteral de baixo grau.

**Tomografia computadorizada (TC) com contraste.** Na presença de sintomas persistentes em que a avaliação inicial foi negativa, é o exame de escolha para excluir abscesso, obstrução e cálculos urinários.

**Urografia venosa.** É útil em situações selecionadas nas quais é importante o detalhamento anatômico de cálices, pelve e ureter.

**Cintilografia renal com DMSA (ácido dimercaptossuccínico marcado com tecnécio-99).** Identifica com precisão cicatrizes corticais renais, mais frequentemente causadas por nefropatia do refluxo e obstrução crônica do trato urinário.

Pacientes com ITU complicada devem ser encaminhados para um especialista (nefrologista ou urologista, dependendo da situação). Nas outras situações em que a investigação de imagem está indicada, a necessidade de encaminhamento depende da capacidade resolutiva do serviço de atenção primária à saúde (APS).

## Tratamento

### Cistite

A cistite não complicada aguda permanece como uma das causas mais comuns de prescrição de antimicrobianos. Apesar de diretrizes orientando a melhor seleção do antimicrobiano e duração dos tratamentos, estudos demonstram grande variação na prescrição desses medicamentos.[2,3,14,17,18] A Infectious Diseases Society of America (IDSA) publicou atualização das orientações para tratamento antimicrobiano de mulheres com cistite e pielonefrite.[1]

A escolha inicial do antimicrobiano e a duração do tratamento da ITU são muito variáveis e dependem de vários fatores, como custo, disponibilidade do medicamento, farmacocinética, padrão de resistência, condição clínica e imunidade do hospedeiro. Medicamentos com excreção urinária, ou com excreção de seus metabólitos ativos (penicilinas, cefalosporinas, quinolonas, aminoglicosídeos, sulfas, nitrofurantoína), são a primeira escolha, devido às altas concentrações no trato urinário e na secreção vaginal.

É relatado que pelo menos um terço dos pacientes com bacteriúria com baixa contagem de bactérias apresenta infecção vesical,[3] estando, portanto, indicado o uso de antimicrobianos. Apesar de muitas mulheres adultas com sintomas não apresentarem, de fato, ITU, elas se beneficiam com o tratamento na presença de clínica sugestiva e piúria.[3,6] Todos os pacientes sintomáticos devem receber tratamento com antimicrobianos, não sendo recomendável apenas tratamento sintomático ou caseiro com simples observação (FIGURA 154.1 e TABELA 154.3).[5]

Diversos antimicrobianos são efetivos no tratamento de cistite, sendo sulfametoxazol + trimetoprima, betalactâmicos e fluoroquinolonas os mais utilizados, não havendo, em geral, diferença na efetividade entre eles **B**.[19–22] A escolha deve ser realizada com base no perfil de resistência local, nos custos, nos efeitos colaterais, na preferência do paciente e em outros fatores, conforme referido a seguir.

Em mulheres, sugere-se tratar cistite por 3 dias, sem solicitação de cultura, uma vez que o tratamento com essa duração possui efetividade semelhante ao tratamento por 7 dias **B**,[19,22] reduzindo a incidência de eventos adversos. Além disso, essa conduta diminui os custos em até 35%.[23] Como na maioria das vezes essa condição é causada por *E. coli*, que é suscetível a um grande número de antibióticos usados por via oral (VO), são várias as opções de antimicrobianos.

**TABELA 154.3** → Principais esquemas terapêuticos usados na cistite

|  | ANTIMICROBIANO | DOSE (mg) | INTERVALO (HORAS) | TEMPO DE TRATAMENTO (DIAS) |
|---|---|---|---|---|
| **Primeira escolha** | Nitrofurantoína | 100 | 6/6 | 5 |
|  | Fosfomicina trometamol | 3.000 | Dose única | 1 |
|  | Sulfametoxazol + trimetoprima | 800 + 160 | 12/12 | 3 |
| **Alternativas** | Norfloxacino | 400 | 12/12 | 3 |
|  | Amoxicilina + clavulanato | 500 + 125 | 8/8 | 7 |
|  | Cefalexina | 500 | 6/6 | 3 |

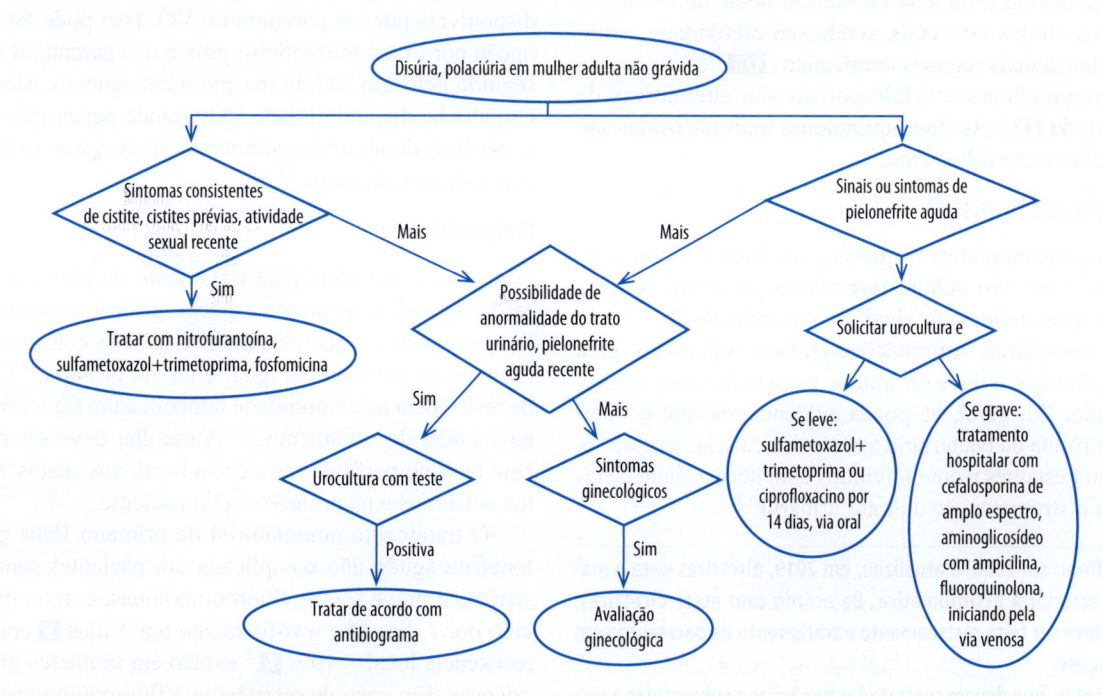

**FIGURA 154.1** → Manejo da infecção do trato urinário na mulher adulta.

É importante observar que a resistência às fluoroquinolonas está crescendo rapidamente no mundo e também no Brasil;[24,25] assim, a prescrição desses fármacos deve ser mais criteriosa, considerando o contexto local. O uso de sulfametoxazol + trimetoprima só é recomendado se a resistência local não for maior que 20%[2] ou se o patógeno for suscetível.

Outro aspecto que deve ser considerado é a ocorrência de efeitos colaterais. Além dos efeitos alérgicos e tóxicos específicos dos fármacos, uma complicação pouco valorizada é a infecção fúngica, sobretudo a candidose vaginal, aumentada com o uso de antibióticos.[23]

O tratamento antimicrobiano por um período de 3 dias em geral é suficiente em pacientes com cistite **B**.[19,22] Tratamentos por período inferior, como dose única, não devem ser utilizados devido à alta taxa de recorrência e ao aumento de resistência bacteriana. O esquema terapêutico de 3 dias traz um ótimo balanço entre eficácia e incidência de efeitos colaterais, comparado com o tratamento em dose única ou por 7 a 10 dias.[2,7,26] Na mulher, a falha em erradicar a infecção e especialmente a persistência da colonização vaginal ou periuretral estão associadas à alta taxa de recorrência.[7]

A nitrofurantoína, na dose de 100 mg, de 6/6 horas, é uma escolha apropriada, por ter mínima indução de resistência e apresentar poucos efeitos colaterais, exceto para pacientes com taxa de filtração glomerular (TFG) < 60 mL/min. Recomenda-se seu uso por 5 a 7 dias, sendo efetiva em cerca de 90 a 95% dos casos.[22,27] No Brasil, apenas a apresentação em macrocristais está disponível, e os laboratórios recomendam a posologia de 4 ×/dia.

Outra opção em locais onde há alta resistência a sulfametoxazol + trimetoprima é o uso de fosfomicina trometamol (3 g, em dose única), o único antibiótico recomendado em dose única para o tratamento de cistite. Sua escolha é apropriada devido à mínima resistência desse antibiótico e aos poucos efeitos colaterais, sendo sua efetividade semelhante à dos demais regimes terapêuticos **C/D**.[28,29]

Fluoroquinolonas e cefalosporinas são alternativas de tratamento da ITU. As fluoroquinolonas mais utilizadas são norfloxacino e ciprofloxacino.

## Bacteriúria assintomática

Bacteriúria assintomática é a presença de bactérias com pelo menos $10^5$ UFC em cultura (urocultura positiva), com ou sem piúria, na ausência de sinais ou sintomas de ITU.[1]

São necessárias informações clínicas adicionais para decidir sobre quem deve ser tratado e quem deve ser apenas monitorado. Em geral, há pouca evidência de que o tratamento de rotina da bacteriúria assintomática seja necessário, exceto em gestantes e em indivíduos com necessidade de cirurgia ou instrumentação do trato urinário.[1,4,11]

> A IDSA definiu, em 2006, e atualizou, em 2019, diretrizes para o manejo da bacteriúria assintomática. De acordo com essas diretrizes, somente deve ser feito rastreamento e tratamento da bacteriúria em duas situações:
> → gestantes, que devem ser tratadas por 7 dias e submetidas a rastreamento periódico até o final da gestação;
> → instrumentação do trato urinário, cirúrgica ou endoscópica, devendo-se iniciar o antibiótico no pré-operatório.

Em gestantes, por sua vez, o benefício do tratamento está bem documentado. O tratamento da bacteriúria assintomática na gestação diminui a incidência de pielonefrite (RRR = 76%; NNT = 6-9) **B**. Além disso, reduz a incidência de restrição de crescimento intrauterino (RRR = 64%; NNT = 13-102) e de partos pré-termo (RRR = 66%; NNT = 7-49) **B**[15] (ver Capítulo Infecções na Gestação).

Não está indicado rastreamento ou tratamento da bacteriúria assintomática em indivíduos diabéticos,[30] idosos,[31] institucionalizados, com cateter vesical ou lesão raquimedular **B**.[32]

Para tratamento e profilaxia em gestantes, ver Capítulo Infecções na Gestação.

## Infecção urinária complicada

Na ausência de doença grave, é preferível aguardar o resultado da urocultura e dos testes de sensibilidade. Em pacientes com sintomas leves ou moderados, a terapia VO é adequada e o tratamento empírico pode ser iniciado com quinolonas **C/D**. Em pacientes com quadro mais grave, está indicada hospitalização, com instituição de terapia parenteral inicial com aminoglicosídeo, quinolona, betalactâmico com inibidor da betalactamase ou cefalosporina de espectro estendido.[5] A grande resistência dos patógenos urinários à ampicilina, à amoxicilina, às sulfonamidas e às cefalosporinas de primeira geração faz desses medicamentos opções pouco atrativas para o tratamento de infecções urinárias complicadas. As fluoroquinolonas são especialmente úteis no manejo de infecções complicadas em pacientes ambulatoriais, por terem amplo espectro, alta potência e baixa prevalência de resistência.[7,8] Alguns desses fármacos são disponíveis por via parenteral e VO. Isso pode favorecer a opção por esses antibióticos, pois o uso parenteral pode ser seguido pelo uso VO do mesmo medicamento. Além disso, têm alta biodisponibilidade VO, grande penetração tecidual e, no caso de algumas quinolonas mais novas (moxifloxacino), meia-vida longa.[33]

## Pielonefrite

O medicamento ideal para tratamento da pielonefrite deve ser bactericida e ter amplo espectro de ação e características farmacocinéticas que permitam uma alta concentração do fármaco no parênquima renal e na via urinária.[26] O padrão de resistência na comunidade também é um fator importante na escolha do tratamento.[7,26] A escolha deve ser realizada com base no perfil de resistência local, nos custos, nos efeitos colaterais e na preferência do paciente.

O tratamento ambulatorial de primeira linha para pielonefrite aguda não complicada em pacientes sem doença sistêmica grave são as fluoroquinolonas, como ciprofloxacino por 7 dias **A** e levofloxacino por 5 dias **B** em caso de resistência local < 10% **A**,[2] exceto em mulheres grávidas e crianças. Em caso de resistência à fluoroquinolona > 10%, deve-se associar dose única inicial de ceftriaxona 1 g ou de um aminoglicosídeo **B**.² A associação sulfametoxazol + trimetoprima por 14 dias pode ser utilizada se o patógeno for suscetível **A**.² Ciprofloxacino parece ser mais efetivo que sulfametoxazol + trimetoprima no tratamento da pielonefrite não complicada **B**.²

A ampicilina, que era utilizada no tratamento da pielonefrite na década de 1970, deixou de ser uma alternativa terapêutica devido ao aumento significativo da resistência e à alta taxa de recorrência.²⁶ Amoxicilina, ampicilina + sulbactam ou amoxicilina + clavulanato são opções quando o germe é gram-positivo.³¹ Betalactâmicos VO são menos efetivos para tratamento de pielonefrite aguda **B**; portanto, se forem utilizados, assim como se for utilizada a associação sulfametoxazol + trimetoprima sem conhecer a sensibilidade do patógeno, é necessário o uso concomitante de ceftriaxona ou um aminoglicosídeo intravenoso (IV) ou intramuscular (IM) em dose única **B**.² Nitrofurantoína e fosfomicina não devem ser utilizadas para tratar pielonefrite **A**. A TABELA 154.4 apresenta os medicamentos e as doses utilizadas para tratamento de pielonefrite.

O tratamento inicial do paciente com pielonefrite aguda associada à bacteriemia e ao comprometimento do estado geral deve ser feito em nível hospitalar, por via IV. Esse tipo de tratamento é efetivo na grande maioria dos casos de infecção adquirida na comunidade ou mesmo nas de origem hospitalar.⁷,²⁶

Possíveis complicações da pielonefrite aguda são abscessos renais ou perirrenais. Um quadro clínico insidioso, com febre, anorexia, dor lombar, perda de peso e sudorese noturna, pode ocorrer tanto em abscessos primários (por disseminação hematogênica) como nos secundários à pielonefrite aguda, à obstrução urinária, aos cálculos, aos cistos ou à infecção de vísceras adjacentes.⁷ Alguns pacientes têm uma apresentação mais dramática, com febre alta, dor lombar e evidência de bacteriemia. Nas situações de maior gravidade, deve-se pensar em abscesso, obstrução urinária (com pionefrose) ou necrose papilar aguda (sobretudo em diabéticos). O diagnóstico (por US, TC ou cintilografia com gálio) deve ser feito rapidamente, e o tratamento cirúrgico é, em geral, indicado.²,⁵,⁷

## Infecção urinária associada a cateter

A cateterização prolongada leva à bacteriúria assintomática em mais de 90% dos pacientes,¹,⁷ não sendo recomendado o seu tratamento, já que é pouco efetivo e há grande probabilidade de selecionar germes resistentes. A prevenção é a conduta mais importante **B**³⁴ e inclui inserção do cateter de forma estéril, troca periódica do cateter para evitar formação de biofilme, remoção do cateter o mais rápido possível e uso de sistema fechado, entre outras medidas.⁵

Os antimicrobianos devem ser usados quando houver sintomas ou evidência de bacteriemia.²,⁵

## ITU na gestação

Ver Capítulo Infecções na Gestação.

## ITU em homens

A ITU em homens ocorre mais frequentemente após os 40 anos de idade e, muitas vezes, está associada à obstrução prostática do trato urinário. A contaminação da amostra urinária ocorre com muito menos frequência do que em mulheres, tanto que uma única contagem $\geq 10^5$ UFC/mL de urina já é suficiente para fazer o diagnóstico de bacteriúria em homens. No caso de urina coletada por cateter, o diagnóstico se dá a partir de 1.000 UFC/mL, assim como nas mulheres.¹,³⁵

Como as infecções urinárias em homens são, por definição, infecções complicadas, a avaliação do trato urinário é necessária. A avaliação inicial é feita com US de aparelho urinário. A avaliação urológica deve ser feita em pacientes com alterações no exame de imagem, em particular naqueles com idade > 50 anos. A avaliação é especialmente importante quando estão presentes febre e/ou hematúria, bem como nas infecções recorrentes com intervalos curtos e envolvendo a mesma cepa bacteriana. A prostatite bacteriana é a causa mais comum de ITU complicada aguda ou recorrente crônica. Pacientes com prostatite aguda em geral apresentam sintomas clínicos típicos e podem desenvolver retenção urinária,⁴,¹¹,³⁵ que requer, frequentemente, sondagem vesical (para mais detalhes sobre prostatite, incluindo tratamento, ver Capítulo Problemas Urológicos Comuns).

Os uropatógenos predominantes são *E. coli* e outras enterobactérias. Em homens idosos, são prevalentes *Proteus*, *Klebsiella*, *Serratia*, *Pseudomonas* e *Enterococcus*.

Há poucos estudos avaliando o tratamento em homens com infecção urinária; contudo, é recomendado o tratamento por 7 a 10 dias para cistite e 10 a 14 dias para pielonefrite, devido à possibilidade de prostatite associada **B**.³⁶

**TABELA 154.4** → Principais esquemas terapêuticos usados no tratamento da pielonefrite

| ANTIMICROBIANO | DOSE | INTERVALO (HORAS) | VIA DE ADMINISTRAÇÃO | TEMPO DE TRATAMENTO (DIAS) |
|---|---|---|---|---|
| Amoxicilina + clavulanato | 875 + 125 mg | 12/12 | VO | 10-14 |
| Sulfametoxazol + trimetoprima | 800/160 mg | 12/12 | VO | 14 |
| Levofloxacino | 750 mg | 24/24 | VO | 5 |
| Ciprofloxacino | 500 mg | 12/12 | VO | 7 |
| Ciprofloxacino de liberação lenta | 1.000 mg | 24/24 | VO | 7 |
| Cefixima | 400 mg | 24/24 | VO | 10-14 |
| Ceftriaxona | 1 g | 24/24 | IV ou IM | 7-10 |
| Ceftazidima | 2 g | 8/8 | IV | 7-14 |
| Cefepima | 1-2 g | 8/8 ou 12/12 | IV | 7-10 |
| Piperacilina + tazobactam | 3,375-4,5 g | 6/6 | IV | 10-14 |
| Imipeném | 500 mg | 6/6 | IV | 10-14 |
| Ertapeném | 1 g | 24/24 | IV | 7-10 |
| Meropeném | 1 g | 8/8 | IV | 7-10 |
| Gentamicina | 5-7,5 mg/kg | 24/24 | IV | 7-10 |

IM, intramuscular; IV, intravenoso; VO, via oral.

Podem ser utilizados sulfametoxazol + trimetoprima ou fluoroquinolonas. A nitrofurantoína deve ser evitada em homens, em caso de suspeita de prostatite associada C/D. A eficácia da fosfomicina para tratamento de ITU em homens não foi estudada.

> A infecção urinária simples em homens é tratada com os antibióticos comumente usados nas mulheres, porém por pelo menos 7 dias C/D.

### Infecção urinária recorrente não complicada em mulheres

O manejo da ITU recorrente compreende o tratamento do episódio isolado e a profilaxia da recorrência. Deve-se realizar urocultura com teste em cada episódio sintomático de cistite antes de iniciar o tratamento; porém, testes de rastreamento em mulheres assintomáticas não são recomendados. O episódio isolado deve ser tratado com fármacos de primeira linha. Mulheres com história de boa adesão podem iniciar terapia por si mesmas após coleta da cultura. Não se recomenda coletar urocultura de controle, a não ser que os sintomas persistam por mais de 7 dias, quando a cultura poderá guiar novo tratamento, ou antes de iniciar profilaxia.

### Profilaxia

Na profilaxia da recorrência, em mulheres, pode-se usar antibióticos após discussão dos riscos e benefícios. O efeito protetor dura enquanto a paciente estiver utilizando o fármaco, não se estendendo após cessação do uso. Riscos potenciais são toxicidade hepática e toxicidade pulmonar da nitrofurantoína (0,0003% e 0,001% respectivamente), distúrbios gastrintestinais e erupções cutâneas. A duração da profilaxia é de 6 a 12 meses, na maioria dos casos B;[37] porém, pode durar 2 anos ou mais, a critério clínico, dependendo da situação. Os esquemas mais usados estão na TABELA 154.5.[3,38] Em mulheres com ITU relacionada à atividade sexual, pode-se realizar profilaxia intermitente do antibiótico, após a relação B.[39,40] A profilaxia intermitente apresenta menos eventos adversos.

Em homens sem anormalidades urológicas ou com anormalidades já tratadas, mas que persistem com episódios de ITU recorrentes, pode ser utilizada profilaxia antibiótica.

O não uso de antibióticos tem sido sugerido como alternativa para profilaxia de ITU, com o objetivo de reduzir a resistência bacteriana. Várias opções de tratamento foram testadas,[41,42] entre elas: probióticos C/D,[43] chás medicinais C/D, vacinas C/D,[44] imunoestimulantes C/D[45] e D-manose B.[46,47] Uma das substâncias mais utilizadas é o *cranberry* (oxicoco, mirtilo-vermelho),[33] cuja função é reduzir a aderência bacteriana. Produtos do *cranberry*, incluindo suco ou cápsulas, não parecem reduzir a recorrência de infecção urinária C/D. O uso de lactobacilos também não parece reduzir a recorrência C/D. A metenamina se mostrou menos efetiva que a nitrofurantoína C/D. Em mulheres após a menopausa com ITU recorrente, pode-se recomendar o uso de estrogênios vaginais tópicos para prevenção da infecção, sem risco de eventos adversos significativos B. Estrogênios sistêmicos não têm efeito na prevenção de ITU A.[48] As evidências são limitadas ou insuficientes para a maioria das intervenções comportamentais, mas é aconselhável considerar essas intervenções, apresentadas na TABELA 154.6, antes ou juntamente com as intervenções farmacológicas C/D.[38]

A FIGURA 154.2 mostra estratégias para profilaxia de ITU recorrente.

### Prognóstico

Estima-se que 50 a 60% das mulheres terão pelo menos um episódio de ITU durante a sua vida e um quarto delas apresentará recorrência da infecção. A cistite aguda em mulheres é uma condição benigna *a priori*, mas afeta, de modo

**TABELA 154.6** → Recomendações não medicamentosas no manejo de infecções do trato urinário recorrentes

- → Aplicar estrogênio intravaginal em mulheres pós-menopáusicas
- → Evitar o uso de diafragma ou espermicida
- → Aumentar a ingestão de líquidos
- → Urinar com intervalos de 2-3 horas (sem evidência de eficácia)
- → Urinar antes de dormir e após o coito (sem evidência de eficácia)

**TABELA 154.5** → Profilaxia medicamentosa da infecção do trato urinário

| FÁRMACO* | CONTÍNUA | | INTERMITENTE | |
|---|---|---|---|---|
| | DOSE (mg) | FREQUÊNCIA | DOSE (mg) | FREQUÊNCIA |
| Sulfametoxazol + trimetoprima | 200 + 40 | Diária ou 3 ×/semana | 200 + 40-400 + 80 | Pós-coital |
| Nitrofurantoína | 50-100 | Diária | 50-100 | Pós-coital |
| Cefalexina | 125-250 | Diária | 250 | Pós-coital |
| Fosfomicina | 3.000 | 10/10 dias | - | - |

*Todos os fármacos podem ser administrados apenas após o coito em mulheres cujas infecções parecem associadas ao ato sexual.
Fonte: Hooton[38] e Anger e colaboradores.[3]

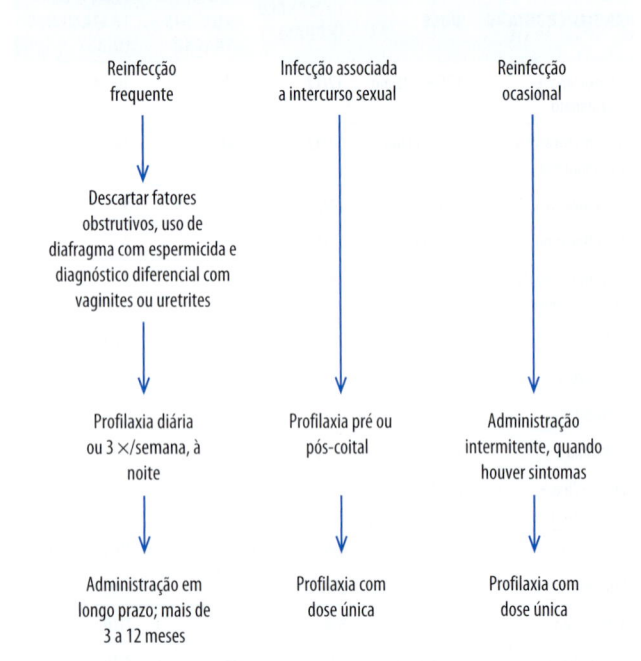

**FIGURA 154.2** → Estratégias para profilaxia de infecção do trato urinário recorrente.

significativo, o trabalho e a capacidade produtiva, e restringe as atividades diárias. Portanto, apresenta alta morbidade, mas baixa mortalidade, diferentemente da pielonefrite, que é uma situação mais grave, por apresentar bacteriemia e, eventualmente, choque com morte.

# INFECÇÃO DO TRATO URINÁRIO EM CRIANÇAS

A ITU é uma doença comum em crianças, ocorrendo em todas as idades. Sua prevalência varia conforme faixa etária e gênero: em meninos, 3% em idade < 1 ano e 2% depois dessa idade; e em meninas, 7% em idade < 1 ano e 8% nas maiores.[35,49]

O risco de recorrência nos primeiros 6 a 12 meses do primeiro episódio é de 12 a 30%.[50]

*Escherichia coli* é a bactéria mais encontrada em ITU em crianças, identificada em 80% dos casos. Outros patógenos encontrados são *Klebsiella*, *Proteus*, *Enterobacter*, *Citrobacter*, *Staphylococcus saprophyticus*, *Enterococcus* e, raramente, *Staphylococcus aureus*.

## Fisiopatogenia

A ITU é causada principalmente pela ascensão das bactérias situadas na região periuretral. Porém, em recém-nascidos, a via hematogênica sempre foi considerada a forma mais importante de contaminação devido à associação da ITU com bacteriemia e meningite, quadros que ocorrem com maior frequência em recém-nascidos pré-termo. Entretanto, a incidência de 30 a 50% de anormalidades no trato urinário de recém-nascidos a termo com ITU sugere que a via ascendente também seja responsável pela infecção nessa faixa etária.

## Diagnóstico

### Quadro clínico

A diferenciação entre pielonefrite e cistite nem sempre é clinicamente evidente em crianças com idade < 2 anos.

A **pielonefrite** aguda caracteriza-se pelo envolvimento do parênquima renal, em geral associado a sintomas sistêmicos, podendo causar dano renal definitivo com repercussão em longo prazo.

Febre alta é a principal manifestação da pielonefrite. Outros sintomas comumente associados são vômitos, dor abdominal, irritabilidade e recusa alimentar em lactentes. Crianças maiores podem queixar-se de dor lombar e calafrios.

Em recém-nascidos, as manifestações da doença podem ser inespecíficas, o que dificulta o diagnóstico. Pode ocorrer febre, recusa alimentar, baixo ganho ponderal, dor abdominal, hematúria e icterícia.

A **cistite**, caracterizada por infecção limitada à bexiga e à uretra, é mais comum em meninas com idade > 2 anos e, em geral, manifesta-se por disúria, urgência miccional e polaciúria, mas também pode causar desconforto abdominal baixo e enurese.

A presença de crescimento bacteriano em urina coletada em crianças sem quadro clínico de ITU é classificada como **bacteriúria** assintomática e pode ocorrer em até 1% das crianças em idade escolar.[4] É causada, na maioria das vezes, por cepas de *E. coli* de baixa virulência, que colonizam o trato urinário inferior e não causam dano renal.[51]

Segundo o National Institute for Health and Care Excellence (NICE),[52] a ITU em crianças é considerada atípica quando apresenta as seguintes características: quadro clínico grave, jato urinário fraco, massa abdominal ou vesical, creatinina elevada, sepse, ausência de resposta ao tratamento em 48 horas, e ITU por outro germe que não *E. coli*. O NICE classifica a ITU em recorrente quando a criança apresenta 2 ou mais episódios de ITU com pielonefrite aguda, ou 1 episódio de ITU com pielonefrite aguda mais 1 ou mais episódios de ITU baixa/cistite, ou 3 ou mais episódios de ITU baixa/cistite.

### Exames complementares

#### Exame de urina

> A urocultura é sempre necessária para o diagnóstico de ITU em crianças, e a coleta adequada da urina é muito importante para evitar resultados falso-positivos por contaminação da amostra.

Em lactentes e crianças sem controle esfincteriano, a coleta deve ser realizada por PSP ou sondagem vesical.

O uso da US para guiar a PSP reduz o número de complicações, embora esse procedimento, quando executado por profissionais treinados, orientados pela palpação da bexiga, seja de muito baixo risco.[53]

A urina pode ser obtida por jato médio nas demais crianças, sendo recomendado desprezar o primeiro jato, que pode estar contaminado com bactérias colonizadoras da uretra distal. O mesmo cuidado deve ser observado na sondagem vesical, desprezando as primeiras gotas de urina.

A coleta por saco coletor não é considerada adequada para urocultura, pois tem um índice de até 86% de resultados falso-positivos, levando a tratamento e investigação desnecessários.

Em crianças com suspeita de ITU febril, em estado grave, que requeiram uso imediato de antibióticos, uma coleta adequada de urina para urocultura deve ser feita antes do início do tratamento.

Nas crianças com suspeita de ITU consideradas clinicamente estáveis, o início do tratamento, após a coleta de urina para urocultura, pode ser baseado na probabilidade de ITU avaliada por exame qualitativo de urina (EQU) ou fita-teste.[54]

A **TABELA 154.7** apresenta a sensibilidade e a especificidade de alguns achados do EQU e da fita-teste.

É importante lembrar que a urocultura deve ser realizada sempre, mesmo com triagem positiva pela fita teste ou EQU; e que, em crianças com forte suspeita clínica de ITU, o tratamento não deve ser postergado até que se conheça o resultado da cultura.

A interpretação da urocultura depende do método da coleta e do quadro clínico da criança. Na coleta por jato médio, a probabilidade de infecção é de 80% em caso de contagem de colônias de um único germe > 100.000 UFC/mL; essa

**TABELA 154.7** → Sensibilidade e especificidade dos componentes do exame qualitativo de urina e da fita-teste em crianças com suspeita de infecção do trato urinário

| TESTE | SENSIBILIDADE % (VARIAÇÃO) | ESPECIFICIDADE % (VARIAÇÃO) |
|---|---|---|
| Esterase leucocitária | 83 (67-94) | 78 (64-92) |
| Nitrito positivo* | 53 (15-82) | 98 (90-100) |
| Esterase e nitrito positivo | 93 (90-100) | 72 (58-91) |
| Leucócitos na microscopia | 73 (32-100) | 81 (45-98) |
| Bacteriúria na microscopia | 81 (16-99) | 83 (11-100) |
| Esterase, nitrito e microscopia positivos | 99,8 (99-100) | 70 (60-92) |

*O teste de nitrito pode ser falso-negativo se a urina tiver permanecido menos de 4 horas na bexiga antes da coleta de urina.
Fonte: The American Academy of Pediatrics.[54]

probabilidade sobe para 90% se for obtido o crescimento do mesmo germe em uma segunda amostra. Na urina coletada por PSP, qualquer crescimento de bacilos gram-negativos ou crescimento > 1.000 UFC/mL de cocos gram-positivos tem probabilidade de infecção de 99%. Já nas coletas realizadas por sondagem vesical, o crescimento > 100.000 UFC/mL de germe único tem probabilidade de infecção de 95%.[55]

O crescimento de mais de um tipo de bactéria sugere contaminação da amostra e exige recoleta.

A American Academy of Pediatrics (AAP) revisou, em 2011, e reafirmou, em 2016, as diretrizes para o diagnóstico e o manejo da ITU em crianças de 2 meses a 2 anos, sugerindo como critério diagnóstico de ITU o crescimento de pelo menos 50.000 UFC/mL de uma mesma bactéria, obrigatoriamente associado à presença de piúria (> 5 leucócitos/campo ou > 10 leucócitos/mL) ou bacteriúria nas coletas por sondagem ou PSP. O crescimento bacteriano na ausência de piúria e de sintomas relacionáveis com a ITU deve ser interpretado como bacteriúria assintomática.[54]

### Outros exames laboratoriais

Leucocitose, velocidade de hemossedimentação e proteína C-reativa elevadas estão comumente associadas à pielonefrite, com sensibilidade de 80 a 100%, mas especificidade muito baixa (< 28%).[52] A dosagem elevada de procalcitonina sérica foi validada como marcador de comprometimento do parênquima renal, podendo ser utilizada no diagnóstico de pielonefrite aguda e na avaliação do risco de cicatriz renal.[56]

### Exames de imagem

**Ultrassonografia do aparelho urinário.** É um método não invasivo e amplamente disponível, que identifica abscessos renais, hidronefrose, anormalidades congênitas e cálculos renais. Na pielonefrite aguda, pode revelar edema renal difuso ou focal, aumento da ecogenicidade cortical e perda da diferenciação corticomedular. Não é um método adequado para identificar cicatrizes renais.

**Cintilografia com DMSA.** É o método de escolha para diagnóstico da pielonefrite aguda em crianças. Quando realizada na fase aguda, confirma o diagnóstico demonstrando hipocaptação focal ou difusa do radioisótopo. O exame tem sensibilidade de 90%, porém não é capaz de diferenciar lesões novas de cicatrizes prévias nem distinguir lesões que terão resolução espontânea das que formarão cicatrizes renais. A avaliação de lesões definitivas exige um intervalo de pelo menos 3 a 6 meses entre o episódio de infecção e a realização do exame.

**Uretrocistografia miccional (UCM).** É considerada um exame invasivo pela necessidade de sondagem vesical e exposição à radiação ionizante. Foi bastante utilizada no diagnóstico de refluxo vesicoureteral e na sua classificação em graus I a V. Atualmente, não é considerada um exame de primeira linha na investigação de ITU e vem sendo recomendada nas crianças com suspeita de uropatia obstrutiva ou naquelas com US e cintilografia alteradas, pela maior probabilidade de refluxo de grau elevado. Não deve ser realizada na vigência da infecção.

Várias publicações anteriores recomendavam a realização de US e UCM de rotina em todas as crianças com idade < 2 anos após o primeiro episódio de ITU febril.[57] O objetivo era identificar anormalidades do trato urinário que pudessem predispor à recorrência da infecção e/ou dano renal.

Alguns autores sugerem que a cintilografia com DMSA, quando alterada, pode identificar crianças com maior probabilidade de refluxo vesicoureteral de grau elevado (III-V) e, portanto, mais predispostas a cicatrizes renais, recomendando a cintilografia como exame inicial na investigação após ITU febril, restringindo a UCM às crianças com DMSA alterado (*top-down investigation*).[58-60]

Hoje, é consenso que a presença de refluxo vesicoureteral grau I ou II tem baixa probabilidade de causar dano renal e que a chance de recorrência de ITU nessas crianças não difere da chance de recorrência do grupo sem refluxo.

O NICE publicou, em 2007, diretrizes que sugerem a investigação por imagem apenas em um grupo selecionado de crianças com maior risco de anormalidades do trato urinário.[52] São consideradas crianças com maior risco aquelas com:

→ procalcitonina elevada na fase aguda;
→ febre alta em crianças com idade < 6 meses;
→ infecção recorrente;
→ sinais clínicos como jato urinário fraco ou rins palpáveis;
→ infecção por organismo atípico;
→ bacteriemia ou sepse;
→ curso clínico prolongado ou falha na resposta clínica após 48 a 72 horas de antibioticoterapia;
→ anormalidade prévia em US pré-natal;
→ apresentação clínica não usual, como ITU em meninos com idade > 1 ano.

As **TABELAS 154.8**, **154.9** e **154.10** apresentam as recomendações quanto à realização de exames de imagem nas diferentes faixas etárias.

Segundo as diretrizes da AAP, a US é indicada em todas as crianças com idade < 2 anos com ITU febril, devendo ser realizada precocemente na presença de quadro clínico grave ou na ausência de melhora após 48 horas de tratamento. De acordo com a AAP, não está indicada a realização de UCM após o primeiro episódio de ITU febril. A recomendação atual é adiar a realização da UCM até o segundo episódio

**TABELA 154.8** → Recomendação quanto à realização de exames de imagem em crianças com idade < 6 meses após infecção do trato urinário (ITU)

| EXAME | BOA RESPOSTA AO TRATAMENTO EM 48 HORAS | ITU ATÍPICA* | ITU RECORRENTE |
|---|---|---|---|
| US na fase aguda | Não | Sim‡ | Sim |
| US em 6 semanas | Sim† | Não | Não |
| Cintilografia com DMSA em 4-6 meses após infecção aguda | Não | Sim | Sim |
| UCM | Não | Sim | Sim |

*Quadro clínico grave, jato urinário fraco, massa abdominal ou vesical, creatinina elevada, sepse, ausência de resposta ao tratamento em 48 horas, ITU por outro germe que não *Escherichia coli*.
†Se alterado, considerar UCM.
‡Em crianças ou lactentes com ITU por outro germe que não *E. coli* respondendo bem ao tratamento e sem outros fatores considerados atípicos, a US pode ser feita em até 6 semanas.
DMSA, ácido dimercaptossuccínico marcado com tecnécio-99; UCM, uretrocistografia miccional; US, ultrassonografia.
Fonte: National Collaborating Centre for Women and Children's Health.[52]

**TABELA 154.9** → Recomendação quanto à realização de exames de imagem em crianças com idade entre 6 meses e 3 anos após infecção do trato urinário (ITU)

| EXAME | BOA RESPOSTA AO TRATAMENTO EM 48 HORAS | ITU ATÍPICA* | ITU RECORRENTE |
|---|---|---|---|
| US na fase aguda | Não | Sim† | Não |
| US em 6 semanas | Não | Não | Sim |
| Cintilografia com DMSA em 4 a 6 meses após a infecção aguda | Não | Sim | Sim |
| UCM | Não | Não | Não‡ |

*Quadro clínico grave, jato urinário fraco, massa abdominal ou vesical, creatinina elevada, sepse, ausência de resposta ao tratamento em 48 horas, ITU por outro germe que não *Escherichia coli*.
†Em crianças ou lactentes com ITU por outro germe que não *E. coli* respondendo bem ao tratamento e sem outros fatores considerados atípicos, a US pode ser feita em até 6 semanas.
‡A UCM deve ser considerada em caso de dilatação na US, jato urinário fraco, ITU por outro germe que não *E. coli* e história familiar de refluxo.
DMSA, ácido dimercaptossuccínico marcado com tecnécio-99; UCM, uretrocistografia miccional; US, ultrassonografia.
Fonte: National Collaborating Centre for Women and Children's Health.[52]

de ITU, a menos que ocorram complicações clínicas, situações atípicas ou alterações na US que sugiram refluxo vesicoureteral de grau elevado ou uropatia obstrutiva.[54]

Já as diretrizes da European Association of Urology (EAU)[61] recomendam a realização de investigação (com US e UCM) somente após o segundo episódio de ITU em meninas e após o primeiro episódio em meninos. Exames de imagem de rotina em crianças com um primeiro episódio de ITU não complicada não parecem melhorar desfechos.[62]

Quando houver anormalidades nos exames complementares, sugere-se o encaminhamento a um especialista. A decisão pelo encaminhamento deve considerar a estrutura do serviço de APS e o acesso aos exames complementares necessários para a investigação.

## Tratamento

O tratamento da ITU depende da localização da infecção (pielonefrite ou cistite), da idade da criança, da gravidade da doença e do padrão de resistência antimicrobiana local.

**TABELA 154.10** → Recomendação quanto à realização de exames de imagem em crianças com idade > 3 anos após infecção do trato urinário (ITU)

| EXAMES | BOA RESPOSTA AO TRATAMENTO EM 48 HORAS | ITU ATÍPICA* | ITU RECORRENTE |
|---|---|---|---|
| US na fase aguda | Não | Sim†,‡ | Não |
| US em 6 semanas | Não | Não | Sim† |
| Cintilografia com DMSA em 4-6 meses após a infecção aguda | Não | Não | Sim |
| UCM | Não | Não | Não |

*Quadro clínico grave, jato urinário fraco, massa abdominal ou vesical, creatinina elevada, sepse, ausência de resposta ao tratamento em 48 horas, ITU por outro germe que não *Escherichia coli*.
†Em crianças com controle esfincteriano, a US deve ser realizada com a bexiga cheia e vazia para avaliar a capacidade vesical.
‡Em crianças ou lactentes com ITU por outro germe que não *E. coli* respondendo bem ao tratamento e sem outros fatores considerados atípicos, a US pode ser feita em até 6 semanas.
DMSA, ácido dimercaptossuccínico marcado com tecnécio-99; UCM, uretrocistografia miccional; US, ultrassonografia.
Fonte: National Collaborating Centre for Women and Children's Health.[52]

O tratamento empírico direcionado aos germes mais comumente associados à ITU deve ser iniciado após a coleta adequada de amostra de urina. Crianças com idade < 2 anos com suspeita de ITU apresentando episódio febril devem ser tratadas considerando o diagnóstico de pielonefrite.

### Cistite

O tratamento da cistite deve ser feito por via oral. O tratamento-padrão é realizado por 7 a 10 dias, sendo efetivo na erradicação da infecção **B**;[63–66] contudo, um curso curto 3 a 7 dias parece ser tão efetivo quanto o tratamento por 10 a 14 dias **B**.[63–65] Para crianças com idade entre 2 e 24 meses, a AAP recomenda duração de 7 a 14 dias **B**.[54] Dose única não é recomendada **B**.[65] A **TABELA 154.11**[67,68] apresenta sugestões

**TABELA 154.11** → Sugestões de antibióticos para o tratamento de pielonefrite e cistite em crianças

| | VIA ORAL | VIA INTRAVENOSA |
|---|---|---|
| **Pielonefrite** | → Cefuroxima 20-30 mg/kg/dia, de 12/12 horas<br>→ Cefaclor 50-100 mg/kg/dia, de 8/8 horas ou 12/12 horas<br>→ Ciprofloxacino 20-40 mg/kg/dia, de 12/12 horas* | → Cefuroxima 30-100 mg/kg/dia, de 8/8 horas<br>→ Gentamicina 5-7,5 mg/kg/dia, 1×/dia<br>→ Cefotaxima 100-200 mg/kg/dia, de 6/6 ou 8/8 horas<br>→ Cefepima 100 mg/kg/dia, de 12/12 horas<br>→ Ceftriaxona 75 mg/kg/dia, 1×/dia |
| **Cistite** | → Nitrofurantoína 3-5 mg/kg/dia, de 6/6 horas<br>→ Cefalexina 50 mg/kg/dia, de 6/6 horas<br>→ Sulfametoxazol + trimetoprima 6-12 mg TMP/kg/dia, de 12/12 horas<br>→ Amoxicilina + clavulanato 20-45 mg/kg/dia, de 12/12 horas<br>→ Amoxicilina 50-100 mg/kg/dia, de 8/8 ou 12/12 horas | |

Fonte: Stein e colaboradores[67] e National Institute for Health and Care Excellence.[68]

para a escolha do antibiótico no tratamento de pielonefrite e cistite em crianças; os diferentes antibióticos parecem ter efetividade semelhante no tratamento da cistite, não havendo uma escolha preferencial **B**.[64,65]

### Pielonefrite

Lactentes com idade > 2 meses e crianças podem ser tratados em nível ambulatorial com antibióticos VO, desde que sejam monitorados e que haja garantia de aceitação do medicamento, não sendo necessário tratamento IV de rotina **B**.[54]

> O início do tratamento deve ser precoce, preferencialmente antes de 72 horas do surgimento dos sintomas. A demora no início do antibiótico está associada à maior gravidade do quadro infeccioso e ao aumento da probabilidade de dano renal **C/D**.[69–73] O tempo de tratamento da pielonefrite deve ser de 7 a 14 dias **C/D**.[49,74]
>
> Bacteriemia, sepse, imunossupressão, intolerância ao antibiótico VO ou falha na resposta ao tratamento ambulatorial são indicações de hospitalização e administração IV de antibióticos. ITU em crianças nos primeiros 2 meses de vida, febril, também deve ser tratada no nível hospitalar.

Os diferentes antibióticos utilizados no tratamento da pielonefrite em crianças parecem ter efetividade semelhante **C/D**. A literatura norte-americana recomenda o uso de cefalosporinas de terceira geração, sulfametoxazol + trimetoprima, amoxicilina (com ou sem clavulanato) e ciprofloxacino para tratamento VO e cefalosporinas de terceira e quarta gerações, ampicilina, ciprofloxacino ou aminoglicosídeos monitorados e que haja garantia de aceitação do medicamento, não sendo necessário tratamento IV de rotina **B**.[54]

Cefalosporinas de segunda geração, como cefuroxima e cefaclor, têm sido usadas para o tratamento de pielonefrite no Brasil, embora não existam estudos que comprovem a sua eficácia no tratamento da ITU em crianças.

Cefalexina e sulfametoxazol + trimetoprima não devem ser usados no tratamento empírico da pielonefrite pelo alto índice de resistência normalmente encontrado em nosso meio. Medicamentos que são excretados pelo rim e atingem grandes concentrações na urina, mas baixa concentração sérica (nitrofurantoína e ácido nalidíxico), não são adequados para o tratamento da pielonefrite.

### Profilaxia

A eficácia da administração de antibióticos profiláticos para evitar a recorrência de ITU vem sendo questionada; os estudos apresentam resultados inconsistentes, e, atualmente, o seu benefício é incerto **C/D**.[75] Uma metanálise envolvendo 6 estudos randomizados com crianças de 2 a 24 meses com ITU e refluxo graus I a IV e sem refluxo não demonstrou benefício da profilaxia na prevenção da recorrência. Não foram incluídas crianças com refluxo grau V.[54] No entanto, um estudo com melhor delineamento demonstrou efetividade moderada da profilaxia na recorrência sintomática de ITU (11% vs. 17%). A redução do risco absoluto foi maior em crianças com refluxo graus III a V.[76]

Vários autores ainda recomendam a profilaxia da ITU em crianças com refluxo vesicoureteral graus III a V ou na recorrência de infecção.

A AAP não recomenda a profilaxia após o primeiro episódio de ITU em crianças de 2 meses a 2 anos.[54] O NICE não recomenda a profilaxia após o primeiro episódio de ITU, mas sugere o seu uso na recorrência.[52]

### Disfunção miccional

É definida como uma alteração funcional e/ou de comportamento da musculatura da pelve, bexiga e esfíncter, que impede o armazenamento adequado de urina e/ou o esvaziamento completo da bexiga. Ocorre em crianças na idade escolar e pode persistir por meses ou anos, com prevalência de cerca de 15%.

Os sintomas são urgência miccional, polaciúria, enurese noturna e/ou diurna, retenção urinária, incontinência, manobras de contenção urinária, ITU e constipação. É uma causa muitas vezes esquecida na fisiopatogenia da ITU **B**.[77] Os sintomas de disfunção miccional estão presentes em até 40% das crianças já com controle esfincteriano no primeiro episódio de ITU e 80% nas crianças com ITU recorrente (3 ou mais episódios).[78,79] A disfunção miccional também é considerada fator de risco para persistência de refluxo vesicoureteral e cicatriz renal.[52,55]

**TABELA 154.12** → Recomendações para o diagnóstico e o manejo da infecção do trato urinário (ITU) em crianças

→ Crianças com febre sem foco aparente, em bom estado geral, que não requeiram início imediato de antibióticos, devem ser investigadas para ITU

→ Em crianças com suspeita de ITU febril, em estado grave, que requeiram uso imediato de antibióticos, coletar urocultura adequada (PSP ou sonda vesical) antes do início do tratamento

→ Em crianças com baixo risco para ITU, o acompanhamento clínico, sem uso de testes diagnósticos para ITU, é adequado

→ Crianças do grupo de risco para ITU podem ser investigadas de duas formas:
  → Coleta imediata por PSP ou sonda vesical e aguardar resultados
  → Coleta inicial por saco coletor seguida de coleta confirmatória por PSP ou sonda vesical quando o exame inicial sugerir o diagnóstico de ITU

→ O diagnóstico de ITU exige confirmação pela urocultura

→ Os tratamentos oral e parenteral são igualmente eficazes; a escolha do antimicrobiano deve ser baseada, se possível, nos padrões locais de resistência; o antimicrobiano deve ser ajustado conforme resultados da cultura e antibiograma assim que disponíveis

→ A duração da antibioticoterapia é de 3-5 dias para cistite e 10-14 dias para pielonefrite

→ Crianças com idade < 2 anos com ITU febril devem ser submetidas à US do aparelho urinário para detectar anormalidades urológicas

→ A UCM não deve ser realizada logo após o primeiro episódio de ITU febril, exceto quando a US demonstrar presença de hidronefrose, cicatrizes renais ou achados que sugiram refluxo vesicoureteral ou uropatia obstrutiva; esse exame pode ser indicado em crianças com ITU recorrente

→ Após a primeira ITU com febre, deve-se investigar a presença de ITU em todos os próximos episódios de febre sem causa aparente, em até 48 horas do início do quadro para assegurar que novas ITUs sejam diagnosticadas e tratadas prontamente

→ Recomenda-se uso de antibiótico profilático após o primeiro episódio de ITU com febre até completar a investigação com exames de imagem
  → Se US normal, suspende-se a profilaxia
  → Se US anormal, deve ser mantida até a realização da UCM

→ Recomenda-se profilaxia nas crianças com refluxo vesicoureteral graus III, IV e V

→ Crianças com ITU recorrentes com exames de imagem normais devem ser avaliadas quanto à presença de disfunção de eliminações e uso de profilaxia

PSP, punção suprapúbica; UCM, uretrocistografia miccional; US, ultrassonografia.

O diagnóstico e tratamento precoces da ITU e a identificação e tratamento da disfunção intestinal e vesical que frequentemente predispõem à ITU em crianças talvez sejam os fatores mais importantes para evitar a cicatriz renal e a recorrência das infecções.

## Recomendações finais

A **TABELA 154.12** resume as principais recomendações para o diagnóstico e o manejo da ITU em crianças.

# REFERÊNCIAS

1. Nicolle LE, Gupta K, Bradley SF, Colgan R, DeMuri GP, Drekonja D, et al. Clinical Practice Guideline for the Management of Asymptomatic Bacteriuria: 2019 Update by the Infectious Diseases Society of Americaa. Clin Infect Dis. 2019;68(10):1611–5.
2. Gupta K, Hooton TM, Naber KG, Wullt B, Colgan R, Miller LG, et al. International clinical practice guidelines for the treatment of acute uncomplicated cystitis and pyelonephritis in women: A 2010 update by the Infectious Diseases Society of America and the European Society for Microbiology and Infectious Diseases. Clin Infect Dis. 2011;52(5):e103-120.
3. Anger J, Lee U, Ackerman AL, Chou R, Chughtai B, Clemens JQ, et al. Recurrent uncomplicated urinary tract infections in women: AUA/CUA/SUFU guideline. J Urol. 2019;202(2):282–9.
4. Stamm WE. Evaluating guidelines. Clin Infect Dis. 2007;44(6):775–6.
5. Foxman B. Epidemiology of urinary tract infections: incidence, morbidity, and economic costs. Am J Med. 2002;113 Suppl 1A:5S-13S.
6. Stamm WE. Scientific and clinical challenges in the management of urinary tract infections. Am J Med. 2002;113 Suppl 1A:1S-4S.
7. Hooton TM, Vecchio M, Iroz A, Tack I, Dornic Q, Seksek I, et al. Effect of Increased Daily Water Intake in Premenopausal Women With Recurrent Urinary Tract Infections: A Randomized Clinical Trial. JAMA Intern Med. 2018;178(11):1509–15.
8. Nicolle LE. A practical guide to antimicrobial management of complicated urinary tract infection. Drugs Aging. 2001;18(4):243–54.
9. Gupta K. Addressing antibiotic resistance. Am J Med. 2002;113 Suppl 1A:29S-34S.
10. Fihn SD. Clinical practice. Acute uncomplicated urinary tract infection in women. N Engl J Med. 2003;349(3):259–66.
11. Giamarellou H. Uncomplicated urinary tract infections. Nephrol Dial Transplant. 2001;16(suppl_6):129–31.
12. Superti S, Dias C, Barros EJ, Rowe A. Prevalência e padrões de resistência aos antimicrobianos em infecções do trato urinário da comunidade. J Bras Pat Med Lab. 2000;20(3):69–75.
13. Bent S, Nallamothu BK, Simel DL, Fihn SD, Saint S. Does this woman have an acute uncomplicated urinary tract infection? JAMA. 2002;287(20):2701–10.
14. Johnson JR, Russo TA. Acute pyelonephritis in adults. N Engl J Med. 2018;378(1):48–59.
15. Smaill FM, Vazquez JC. Antibiotics for asymptomatic bacteriuria in pregnancy. Cochrane Database Syst Rev. 2019;2019(11):CD000490.
16. Kayalp D, Dogan K, Ceylan G, Senes M, Yucel D. Can routine automated urinalysis reduce culture requests? Clin Biochem. 2013;46(13–14):1285–9.
17. Kallen AJ, Welch HG, Sirovich BE. Current antibiotic therapy for isolated urinary tract infections in women. Arch Intern Med. 2006;166(6):635–9.
18. Wigton RS, Longenecker JC, Bryan TJ, Parenti C, Flach SD, Tape TG. Variation by specialty in the treatment of urinary tract infection in women. J Gen Intern Med. 1999;14(8):491–4.
19. Zalmanovici Trestioreanu A, Green H, Paul M, Yaphe J, Leibovici L. Antimicrobial agents for treating uncomplicated urinary tract infection in women. Cochrane Database Syst Rev. 2010;(10):CD007182.
20. Rafalsky V, Andreeva I, Rjabkova E. Quinolones for uncomplicated acute cystitis in women. Cochrane Database Syst Rev. 2006;(3):CD003597.
21. Kim DK, Kim JH, Lee JY, Ku NS, Lee HS, Park J-Y, et al. Reappraisal of the treatment duration of antibiotic regimens for acute uncomplicated cystitis in adult women: a systematic review and network meta-analysis of 61 randomised clinical trials. Lancet Infect. Dis. 2020;20(9):1080–8.
22. Milo G, Katchman EA, Paul M, Christiaens T, Baerheim A, Leibovici L. Duration of antibacterial treatment for uncomplicated urinary tract infection in women. Cochrane Database Syst Rev. 2005;(2):CD004682.
23. Franz M, Hörl WH. Common errors in diagnosis and management of urinary tract infection. II: clinical management. Nephrol Dial Transplant. 1999;14(11):2754–62.
24. Menezes KMP de, Góis MAG, Oliveira ID, Pinheiro MS, Brito AMG de. Avaliação da resistência da Escherichia coli frente a Ciprofloxacina em uroculturas de três laboratórios clínicos de Aracaju-SE. Rev Bras Anal Clin. 2009;41(3):239–42.
25. Kiffer CRV, Camargo ECG, Shimakura SE, Ribeiro PJ, Bailey TC, Pignatari ACC, et al. A spatial approach for the epidemiology of antibiotic use and resistance in community-based studies: the emergence of urban clusters of Escherichia coli quinolone resistance in Sao Paulo, Brasil. Int J Health Geogr. 2011;10:17.
26. Manges AR, Johnson JR, Foxman B, O'Bryan TT, Fullerton KE, Riley LW. Widespread distribution of urinary tract infections caused by a multidrug-resistant Escherichia coli clonal group. N Engl J Med. 2001;345(14):1007–13.
27. Iravani A, Klimberg I, Briefer C, Munera C, Kowalsky SF, Echols RM. A trial comparing low-dose, short-course ciprofloxacin and standard 7 day therapy with co-trimoxazole or nitrofurantoin in the treatment of uncomplicated urinary tract infection. J Antimicrob Chemother. 1999;43 Suppl A:67–75.
28. Huttner A, Kowalczyk A, Turjeman A, Babich T, Brossier C, Eliakim-Raz N, et al. Effect of 5-Day Nitrofurantoin vs Single-Dose Fosfomycin on Clinical Resolution of Uncomplicated Lower Urinary Tract Infection in Women: A Randomized Clinical Trial. JAMA. 2018;319(17):1781–9.
29. Rodríguez-Baño J, Alcalá JC, Cisneros JM, Grill F, Oliver A, Horcajada JP, et al. Community infections caused by extended-spectrum beta-lactamase-producing Escherichia coli. Arch Intern Med. 2008;168(17):1897–902.
30. Harding GKM, Zhanel GG, Nicolle LE, Cheang M, Manitoba Diabetes Urinary Tract Infection Study Group. Antimicrobial treatment in diabetic women with asymptomatic bacteriuria. N Engl J Med. 2002;347(20):1576–83.
31. Abrutyn E, Berlin J, Mossey J, Pitsakis P, Levison M, Kaye D. Does treatment of asymptomatic bacteriuria in older ambulatory women reduce subsequent symptoms of urinary tract infection? J Am Geriatr Soc. 1996;44(3):293–5.
32. Zalmanovici Trestioreanu A, Lador A, Sauerbrun-Cutler M-T, Leibovici L. Antibiotics for asymptomatic bacteriuria. Cochrane Database Syst Rev. 2015;4:CD009534.
33. Jepson RG, Williams G, Craig JC. Cranberries for preventing urinary tract infections. Cochrane Database Syst Rev. 2012;10:CD001321.
34. Mody L, Krein SL, Saint S, Min LC, Montoya A, Lansing B, et al. A targeted infection prevention intervention in nursing home residents with indwelling devices: a randomized clinical trial. JAMA Intern Med. 2015;175(5):714–23.
35. The American Academy of Pediatrics. Subcommittee on Urinary Tract Infection. Reaffirmation of AAP clinical practice guideline: the diagnosis and management of the initial urinary tract infection in febrile infants and young children 2-24 months of age. Pediatrics. 2016;138(6):e20163026.

36. Ulleryd P, Sandberg T. Ciprofloxacin for 2 or 4 weeks in the treatment of febrile urinary tract infection in men: a randomized trial with a 1 year follow-up. Scand J Infect Dis. 2003;35(1):34–9.

37. Albert X, Huertas I, Pereiró II, Sanfélix J, Gosalbes V, Perrota C. Antibiotics for preventing recurrent urinary tract infection in non-pregnant women. Cochrane Database Syst Rev. 2004;(3):CD001209.

38. Hooton TM. Clinical practice. Uncomplicated urinary tract infection. N Engl J Med. 2012;366(11):1028–37.

39. Stapleton A, Latham RH, Johnson C, Stamm WE. Postcoital antimicrobial prophylaxis for recurrent urinary tract infection. A randomized, double-blind, placebo-controlled trial. JAMA. 1990;264(6):703–6.

40. Melekos MD, Asbach HW, Gerharz E, Zarakovitis IE, Weingaertner K, Naber KG. Post-intercourse versus daily ciprofloxacin prophylaxis for recurrent urinary tract infections in premenopausal women. J Urol. 1997;157(3):935–9.

41. Sihra N, Goodman A, Zakri R, Sahai A, Malde S. Nonantibiotic prevention and management of recurrent urinary tract infection. Nat Rev Urol. 2018;15(12):750–76.

42. Barclay J, Veeratterapillay R, Harding C. Non-antibiotic options for recurrent urinary tract infections in women. BMJ. 2017;359:j5193.

43. Schwenger EM, Tejani AM, Loewen PS. Probiotics for preventing urinary tract infections in adults and children. Cochrane Database Syst Rev. 2015;(12):CD008772.

44. Yang B, Foley S. First experience in the UK of treating women with recurrent urinary tract infections with the bacterial vaccine Uromune®. BJU Int. 2018;121(2):289–92.

45. Wagenlehner FME, Ballarini S, Pilatz A, Weidner W, Lehr L, Naber KG. A randomized, double-blind, parallel-group, multicenter clinical study of Escherichia coli-lyophilized lysate for the prophylaxis of recurrent uncomplicated urinary tract infections. Urol Int. 2015;95(2):167–76.

46. Kranjčec B, Papeš D, Altarac S. D-mannose powder for prophylaxis of recurrent urinary tract infections in women: a randomized clinical trial. World J Urol. 2014;32(1):79–84.

47. Lenger SM, Bradley MS, Thomas DA, Bertolet MH, Lowder JL, Sutcliffe S. D-mannose vs other agents for recurrent urinary tract infection prevention in adult women: a systematic review and meta-analysis. Am J Obstet Gynecol. 2020;223(2):265.e1-265.e13.

48. Perrotta C, Aznar M, Mejia R, Albert X, Ng CW. Oestrogens for preventing recurrent urinary tract infection in postmenopausal women. Cochrane Database Syst Rev. 2008;(2):CD005131.

49. Downs SM. Technical report: urinary tract infections in febrile infants and young children. The Urinary Tract Subcommittee of the American Academy of Pediatrics Committee on Quality Improvement. Pediatrics. 1999;103(4):e54.

50. Conway PH, Cnaan A, Zaoutis T, Henry BV, Grundmeier RW, Keren R. Recurrent urinary tract infections in children: risk factors and association with prophylactic antimicrobials. JAMA. 2007;298(2):179–86.

51. Linshaw M. Asymptomatic bacteriuria and vesicoureteral reflux in children. Kidney Int. 1996;50(1):312–29.

52. National Collaborating Centre for Women and Children´s Health. Urinary tract infection in under 16s: diagnosis and management. London: NICE; 2018.

53. Chu RWP, Wong YC, Luk SH, Wong SN. Comparing suprapubic urine aspiration under real-time ultrasound guidance with conventional blind aspiration. Acta Paediatr. 2002;91(5):512–6.

54. Subcommittee on Urinary Tract Infection, Steering Committee on Quality Improvement and Management, Roberts KB. Urinary tract infection: clinical practice guideline for the diagnosis and management of the initial UTI in febrile infants and children 2 to 24 months. Pediatrics. 2011;128(3):595–610.

55. Hoberman A, Wald ER, Reynolds EA, Penchansky L, Charron M. Pyuria and bacteriuria in urine specimens obtained by catheter from young children with fever. J Pediatr. 1994;124(4):513–9.

56. Smolkin V, Koren A, Raz R, Colodner R, Sakran W, Halevy R. Procalcitonin as a marker of acute pyelonephritis in infants and children. Pediatr Nephrol. 2002;17(6):409–12.

57. Committee on Quality Improvement. Subcommittee on Urinary Tract Infection. Practice parameter: the diagnosis, treatment, and evaluation of the initial urinary tract infection in febrile infants and young children. Pediatrics. 1999;103(4):843–52.

58. Hansson S, Dhamey M, Sigström O, Sixt R, Stokland E, Wennerström M, et al. Dimercapto-succinic acid scintigraphy instead of voiding cystourethrography for infants with urinary tract infection. J Urol. 2004;172(3):1071–3; discussion 1073-1074.

59. Preda I, Jodal U, Sixt R, Stokland E, Hansson S. Normal dimercaptosuccinic acid scintigraphy makes voiding cystourethrography unnecessary after urinary tract infection. J Pediatr. 2007;151(6):581–4, 584.e1.

60. Tseng M-H, Lin W-J, Lo W-T, Wang S-R, Chu M-L, Wang C-C. Does a normal DMSA obviate the performance of voiding cystourethrography in evaluation of young children after their first urinary tract infection? J Pediatr. 2007;150(1):96–9.

61. Bonkat G, Bartoletti R, Bruyère F, Cai T, Geerlings SE, Köves B, et al. EAU guidelines on urological infections. Arnhem: European Association of Urology; 2021.

62. Alper BS, Curry SH. Urinary tract infection in children. Am Fam Physician. 2005;72(12):2483–8.

63. Fitzgerald A, Mori R, Lakhanpaul M, Tullus K. Antibiotics for treating lower urinary tract infection in children. Cochrane Database Syst Rev. 2012;(8):CD006857.

64. Strohmeier Y, Hodson EM, Willis NS, Webster AC, Craig JC. Antibiotics for acute pyelonephritis in children. Cochrane Database Syst Rev. 2014;(7):CD003772.

65. Michael M, Hodson EM, Craig JC, Martin S, Moyer VA. Short versus standard duration oral antibiotic therapy for acute urinary tract infection in children. Cochrane Database Syst Rev. 2003;(1):CD003966.

66. Hodson EM, Willis NS, Craig JC. Antibiotics for acute pyelonephritis in children. Cochrane Database Syst Rev. 2007;(4):CD003772.

67. Stein R, Dogan HS, Hoebeke P, Kočvara R, Nijman RJM, Radmayr C, et al. Urinary tract infections in children: EAU/ESPU guidelines. Eur Urol. 2015;67(3):546–58.

68. National Institute for Health and Care Excellence. Pyelonephritis (acute): antimicrobial prescribing [Internet]. NICE; 2019 [capturado em 21 ago. 2021]. Disponível em: https://www.nice.org.uk/guidance/ng111/resources/visual-summary-pdf-6544161037.

69. Hiraoka M, Hashimoto G, Tsuchida S, Tsukahara H, Ohshima Y, Mayumi M. Early treatment of urinary infection prevents renal damage on cortical scintigraphy. Pediatr Nephrol. 2003;18(2):115–8.

70. Doganis D, Siafas K, Mavrikou M, Issaris G, Martirosova A, Perperidis G, et al. Does early treatment of urinary tract infection prevent renal damage? Pediatrics. 2007;120(4):e922-928.

71. Fernández-Menéndez JM, Málaga S, Matesanz JL, Solís G, Alonso S, Pérez-Méndez C. Risk factors in the development of early technetium-99m dimercaptosuccinic acid renal scintigraphy lesions during first urinary tract infection in children. Acta Paediatr. 2003;92(1):21–6.

72. Smellie JM, Poulton A, Prescod NP. Retrospective study of children with renal scarring associated with reflux and urinary infection. BMJ. 1994;308(6938):1193–6.

73. Oh MM, Kim JW, Park MG, Kim JJ, Yoo KH, Moon DG. The impact of therapeutic delay time on acute scintigraphic lesion and ultimate scar formation in children with first febrile UTI. Eur J Pediatr. 2012;171(3):565–70.

74. Cheng C-H, Tsau Y-K, Lin T-Y. Effective duration of antimicrobial therapy for the treatment of acute lobar nephronia. Pediatrics. 2006;117(1):e84-89.

75. Hewitt IK, Pennesi M, Morello W, Ronfani L, Montini G. Antibiotic prophylaxis for urinary tract infection-related renal scarring: a systematic review. Pediatrics. 2017;139(5):e20163145.

76. Craig JC, Simpson JM, Williams GJ, Lowe A, Reynolds GJ, McTaggart SJ, et al. Antibiotic prophylaxis and recurrent urinary tract infection in children. N Engl J Med. 2009;361(18):1748–59.
77. Keren R, Shaikh N, Pohl H, Gravens-Mueller L, Ivanova A, Zaoutis L, et al. Risk factors for recurrent urinary tract infection and renal scarring. Pediatrics. 2015;136(1):e13-21.
78. Naseer SR, Steinhardt GF. New renal scars in children with urinary tract infections, vesicoureteral reflux and voiding dysfunction: a prospective evaluation. J Urol. 1997;158(2):566–8.
79. Mazzola BL, von Vigier RO, Marchand S, Tönz M, Bianchetti MG. Behavioral and functional abnormalities linked with recurrent urinary tract infections in girls. J Nephrol. 2003;16(1):133–8.

## LEITURAS RECOMENDADAS

Wilson WR, Henry NK. Infecções do trato urinário. In: Wilson WR, Sande MA. Doenças infecciosas: diagnóstico e tratamento. Porto Alegre: Artmed; 2004. cap. 16, p. 236-46.
*Trata-se de texto básico para infecções de trato urinário adquiridas na comunidade.*

# Capítulo 155
## INFECÇÕES SEXUALMENTE TRANSMISSÍVEIS: ABORDAGEM SINDRÔMICA

Ricardo Francalacci Savaris
Valentino Magno
Giovana Fontes Rosin
Elise Botteselle de Oliveira
Tiago Selbach Garcia

As infecções sexualmente transmissíveis (ISTs) são responsáveis por uma epidemia de grande magnitude, sendo consideradas um dos problemas de saúde pública mais comuns em todo o mundo. Na população sexualmente ativa, com idades entre 15 e 49 anos, mundialmente são registrados, a cada dia, mais de 1 milhão de novos casos de ISTs. No Brasil, segundo a Organização Mundial da Saúde (OMS), ocorreram 127 milhões de novos casos de clamídia, 87 milhões de gonorreia, 156 milhões de tricomoníase e 6,3 milhões de novos casos de sífilis em 2016.[1]

As ISTs têm repercussões nas esferas psíquica e econômica (pelos dias de trabalho perdidos e pelos gastos com o tratamento)[2,3] e podem levar a problemas de infertilidade,[4] gravidez ectópica[5] e dor pélvica crônica, cuja prevalência, no Reino Unido e na Nova Zelândia, varia entre 16 e 29,4 a cada 1.000.[6,7]

O Centers for Disease Control and Prevention (CDC),[8] a OMS[9] e o Ministério da Saúde do Brasil[10] têm recomendações semelhantes quanto à prevenção e ao controle das ISTs, que incluem:

→ anamnese, englobando educação e aconselhamento, e exame físico;
→ diagnóstico e tratamento efetivos das pessoas infectadas;
→ vigilância epidemiológica, com identificação de casos assintomáticos ou não, independentemente de terem buscado serviços de diagnóstico ou tratamento;[10]
→ vacinação das pessoas com risco para ISTs, quando disponível.

## SERVIÇOS DE SAÚDE E AS INFECÇÕES SEXUALMENTE TRANSMISSÍVEIS

Visando não só à cura, mas também à prevenção da transmissão e do surgimento de complicações, os serviços devem prover o atendimento de pessoas com ISTs o mais rápido possível. Ao agendar a consulta para outro dia, pode ocorrer o desaparecimento dos sintomas, desestimulando a busca por tratamento. A unidade de saúde deve garantir o acolhimento adequado, com privacidade, aproveitando o tempo de espera para a realização de ações de educação em saúde individual e coletiva, por meio de vídeos educativos, conversas de sala de espera e dinâmicas de grupo, por exemplo. Aqui, destaca-se a importância de o serviço ter um sistema funcional de atendimento à demanda espontânea.

Todos os profissionais de saúde podem atuar em atividades de aconselhamento, avaliação de situações de risco e educação para saúde das pessoas com ISTs e suas parcerias, bem como daquelas vulneráveis a essas condições.

O atendimento aos portadores de ISTs deve estar organizado de forma a não perder a oportunidade de diagnóstico, tratamento e aconselhamento dessas pessoas, assim como para contribuir na diminuição da sua vulnerabilidade a esses agravos.

Também é fundamental a disponibilidade de medicamentos para o tratamento adequado das ISTs a partir da abordagem sindrômica. A aquisição desses medicamentos, tendo sido pactuada, é de responsabilidade dos Estados e dos municípios.

Os diferentes serviços da rede de atenção à saúde devem funcionar de forma integrada e coordenada, garantindo acesso aos cuidados conforme a necessidade. O ponto de atenção secundária deve proporcionar acesso ao atendimento ginecológico e/ou a outras especialidades clínicas, além de enfermeiros e/ou psicólogos e/ou assistentes sociais. O ponto de atenção terciária, de maior densidade tecnológica, deve constituir-se na referência técnica do sistema de atenção para diagnóstico etiológico das ISTs.[10]

## ANAMNESE

A anamnese e o aconselhamento efetivos, os quais são caracterizados por empatia, respeito e atitude sem julgamento, são essenciais para a obtenção de uma boa história sexual e para orientar a prevenção eficaz. As principais técnicas que podem facilitar a relação médico-paciente incluem:

→ perguntas abertas ("Fale-me de quaisquer novas parcerias sexuais que você já teve desde sua última visita" e "Como tem sido a sua experiência com o uso de preservativos?");
→ linguagem compreensível ("Alguma vez você já teve uma ferida ou cicatriz no seu pênis/na sua vagina?");
→ naturalidade ao tratar do assunto ("Algumas pessoas que atendo têm dificuldade em usar preservativo quando transam. Como é isso para você?").

O CDC sugere os 5 "Ps" (parcerias, prevenção da gravidez, proteção contra ISTs, práticas sexuais e passado de ISTs) para a obtenção de uma história sexual satisfatória,[9] expostos a seguir, acrescidos de perguntas específicas que constam nas recomendações brasileiras.[10]

1. Parcerias
    → Você já teve relações sexuais?
    → Você faz sexo com homens, mulheres ou ambos?
    → Nos últimos 12 meses, com quantas parcerias você teve relações sexuais?
    → É possível que alguma das suas parcerias nos últimos 12 meses tenha tido relações sexuais com outras pessoas, enquanto estava tendo um relacionamento sexual com você?
    → Nos últimos 3 meses, você teve relações sexuais com alguém que não conhecia ou acabou de conhecer?
    → Você já foi forçado(a) ou pressionado(a) a ter relações sexuais?
    
    Com base nesta última pergunta, o profissional deve estar sensível e atento à possibilidade de ocorrência de violência sexual. (Ver Capítulo Atenção à Saúde da Mulher em Situação de Violência.)

2. Prevenção da gravidez (planejamento reprodutivo)
    → Você deseja ter (mais) filhos(as) no momento?
    → Se não, o que você está fazendo para evitar a gravidez?

3. Proteção contra ISTs
    → O que você faz para se proteger de ISTs, como o HIV?
    → Quando você usa essa proteção? Sempre, às vezes, nunca? Com quais parcerias? Se o paciente responder "nunca": Por que você não usa preservativo? Se o paciente responder "às vezes": Em quais situações (ou com quem) você não usa preservativo?
    → Você fez as vacinas contra hepatite B, hepatite A e HPV?

4. Práticas sexuais
    Para entender os seus riscos para ISTs, preciso perguntar sobre o tipo de sexo que você teve nos últimos tempos:
    → Nos últimos 3 meses, que tipo de sexo você teve? Vaginal, anal, oral? Passivo (receptivo), ativo (insertivo) ou ambos? (Para deixar claro o que significa cada prática, o profissional deve usar linguagem simples e natural: sexo anal significa pênis no reto/ânus; sexo oral significa boca no pênis/vagina.)
    → Você (ou sua parceria) usou álcool ou drogas ao fazer sexo?
    → Você (ou alguma de suas parcerias) já injetou drogas?
    → Você (ou alguma de suas parcerias) já trocou sexo por drogas ou dinheiro?
    → Existe algo mais sobre suas práticas sexuais que eu precise saber?

5. Passado de ISTs
    → Você já teve uma IST? Se o paciente responder sim: Qual? Onde foi a infecção? Quando foi? Você tratou? Sua parceria tratou?
    → Alguma das suas parcerias teve uma IST?
    → Você já foi testado(a) para HIV, sífilis e hepatites B e C? Se o paciente responder sim: Há quanto tempo foi feito esse teste? Qual foi o resultado?

No Brasil, o Protocolo Clínico e Diretrizes Terapêuticas para Atenção Integral às Pessoas com Infecções Sexualmente Transmissíveis, do Ministério da Saúde,[10] acrescenta, além das perguntas que integram os 5 "Ps", aspectos de identificação sexual, os quais devem fazer parte da abordagem, rotineiramente:

→ O que você se considera ser (orientação sexual)? Homossexual (gay, lésbica), heterossexual, bissexual, outra, não sabe?
→ Qual é a sua identidade de gênero? Homem, mulher, homem trans, mulher trans, travesti, outra?
→ Qual sexo você foi designado no nascimento? Como está registrado na sua certidão de nascimento?

Dessa forma, a conversa poderá contemplar as especificidades de cada indivíduo, aumentando as oportunidades para orientações realmente efetivas de prevenção.

Além disso, o profissional de saúde deve considerar sentimentos, valores e práticas da pessoa, bem como sua atitude diante do conselho ou tratamento recomendado. Deve verificar a presença de outras doenças (p. ex., diabetes, dermatoses, imunodeficiências), o estado nutricional e o uso de medicamentos que possam interferir no diagnóstico ou no tratamento das ISTs.

A consulta é uma oportunidade para pôr em prática ações de educação e aconselhamento, como:
→ abordar cuidados de higiene;
→ aconselhar sobre redução de riscos;
→ promover uso de preservativos (masculinos e femininos);
→ oferecer teste para gonorreia, clamídia, sífilis, vírus da imunodeficiência humana (HIV, do inglês *human immunodeficiency virus*), hepatite A, hepatite B e hepatite C, preferencialmente com testes rápidos, e vacinas contra hepatite B, hepatite A e papilomavírus humano (HPV, do inglês *human papillomavirus*), quando indicado;
→ estimular adesão ao tratamento;
→ convocar as parcerias sexuais para tratamento.

## EXAME FÍSICO

No exame físico, deve-se observar a pele e as mucosas e palpar os gânglios de todos os segmentos corporais (cabeça, tronco e membros). É importante inspecionar as palmas das mãos, as plantas dos pés, a mucosa orofaríngea e os órgãos genitais. Quaisquer lesões (ulceradas ou não, em baixo ou alto relevo, hiperêmicas, hipercrômicas, circulares, irregulares, circinadas) no abdome, no dorso, no couro cabeludo e, principalmente, na região perineal devem ser consideradas e correlacionadas com a história em questão.

Deve-se procurar por outras doenças, verificar pressão arterial e realizar exame minucioso da genitália. Infecções como sífilis podem manifestar-se em outros locais além da região genital. Da mesma forma, a gonorreia pode manifestar-se em regiões não genitais (p. ex., faringite, osteoartrite, conjuntivite, peri-hepatite). O eritema multiforme e a cefaleia podem acompanhar o linfogranuloma venéreo.

Para uma melhor inspeção da genitália masculina, tanto da região inguinal quanto dos órgãos genitais externos, o homem deve estar em pé, com as pernas afastadas, e o médico deve estar sentado. É importante observar tumorações, ulcerações, fístulas, fissuras, desvios do eixo peniano, aberturas anômalas da uretra, assimetria testicular e processo inflamatório da bolsa escrotal.

Na mulher, o exame ginecológico deve incluir a inspeção das mamas, da vulva, do ânus e da distribuição dos pelos. Deve-se realizar a palpação das mamas e da vulva, o exame especular e a colheita de material (secreção vaginal, citopatológico). No toque vaginal, deve-se observar a elasticidade vaginal, o tamanho do útero e a presença de tumorações e dor à mobilização do colo do útero, dos anexos e dos ligamentos.

O toque retal deve ser realizado para verificar a presença de massas. Utilizando a palpação bimanual, procura-se identificar novamente as estruturas pélvicas. Nesse momento, é possível encontrar massas na escavação retouterina (ou fundo de saco de Douglas).

## ABORDAGEM SINDRÔMICA DAS INFECÇÕES SEXUALMENTE TRANSMISSÍVEIS

As ISTs não devem ser pesquisadas por sinais isolados, mas sim por um conjunto de informações e de dados clínicos que possam sugerir o diagnóstico. Isso caracteriza a sua abordagem sindrômica. Neste capítulo, as ISTs são abordadas a partir da apresentação sindrômica, com a utilização de fluxogramas. Apesar da baixa acurácia, essa abordagem é recomendada pela OMS por ter uma boa relação custo-benefício em locais com recursos limitados. Os fluxogramas apresentados aqui são baseados nos adotados pela OMS[9] e pelo Ministério da Saúde do Brasil.[10] É importante enfatizar que a abordagem sindrômica deve ser adaptada de acordo com a prevalência local das infecções.

Para o tratamento eficaz das pessoas infectadas, a escolha dos fármacos deve ser baseada nos seguintes princípios:[9]

→ alta eficácia (no mínimo 95%);
→ baixo custo;
→ tolerância e toxicidade aceitáveis;
→ desenvolvimento improvável ou tardio de resistência pelo organismo;
→ dose única;
→ administração por via oral (VO);
→ ausência de contraindicação na gestação ou na lactação.

A OMS não recomenda o uso de dois tipos de fármacos – um mais barato para populações carentes e outro mais caro para centros de referência – devido às altas taxas de complicações e de falhas no tratamento.[9]

As principais apresentações sindrômicas das ISTs, seus agentes, transmissão e cura estão apresentados na **TABELA 155.1**.

> Diante de um caso de IST, seja qual for a apresentação, além do tratamento, é importante oferecer testes rápidos para HIV, sífilis e hepatites B e C, com aconselhamento. Deve-se oferecer, também, teste molecular para clamídia e gonococo, quando disponível, e vacina contra hepatite B, hepatite A e HPV, quando indicado, bem como notificar o caso e convocar as parcerias para avaliação e tratamento.[10]

A vacinação contra hepatite A deverá ser ampliada, mas ainda não está disponível para todo o País.

**TABELA 155.1** → Resumo das apresentações sindrômicas das infecções sexualmente transmissíveis (ISTs)

| SÍNDROME | IST | AGENTE | TIPO | TRANSMISSÃO SEXUAL | CURÁVEL |
|---|---|---|---|---|---|
| Úlceras | Sífilis | *Treponema pallidum* | Bactéria | Sim | Sim |
| | Cancro mole | *Haemophilus ducreyi* | Bactéria | Sim | Sim |
| | Herpes | Herpesvírus simples 2 (HSV-2) | Vírus | Sim | Não |
| | Donovanose | *Klebsiella granulomatis* | Bactéria | Sim | Sim |
| | Linfogranuloma venéreo | *Chlamydia trachomatis* | Bactéria | Sim | Sim |
| Corrimento | Vaginose bacteriana | Múltiplos | Bactéria | Não | Sim |
| | Candidíase | *Candida albicans* | Fungo | Não | Sim |
| | Gonorreia | *Neisseria gonorrhoeae* | Bactéria | Sim | Sim |
| | Clamídia | *Chlamydia trachomatis* | Bactéria | Sim | Sim |
| | Tricomoníase | *Trichomonas vaginalis* | Protozoário | Sim | Sim |
| Verrugas | Condiloma | Papilomavírus humano (HPV) | Vírus | Sim | Não |
| Dor ou edema escrotal | Gonorreia | *Neisseria gonorrhoeae* | Bactéria | Sim | Sim |
| | Clamídia | *Chlamydia trachomatis* | Bactéria | Sim | Sim |
| Dor pélvica | Doença inflamatória pélvica | Múltiplos | Bactéria | Sim | Sim |

## Úlcera genital

Nem todas as úlceras genitais são causadas por IST,[8] mas, na maioria dos casos, as úlceras estão relacionadas com herpes genital, sífilis ou cancro mole. Portadores dessas infecções têm risco aumentado para infecção pelo HIV. Por isso, o teste para esse vírus deve ser considerado e oferecido para todas as pessoas com úlceras genitais. É importante verificar a presença de adenopatia inguinal. No entanto, os aspectos clínicos das úlceras genitais são bastante variados e têm baixo poder preditivo do agente etiológico (baixa relação de sensibilidade e especificidade).

Diante da identificação de uma úlcera genital, deve ser oferecido o teste rápido para sífilis, HIV e hepatites B e C, disponível nas unidades básicas de saúde (UBSs).[10] Alternativamente, e se houver disponibilidade, o profissional pode solicitar exames laboratoriais (sorologia para sífilis, HIV, hepatites B e C, clamídia e gonococo).

**Como indicado no fluxograma apresentado na FIGURA 155.1, a partir do diagnóstico sindrômico de úlcera genital e na ausência de lesões vesiculosas sugestivas de herpes, recomenda-se o tratamento presuntivo para as duas causas mais frequentes de úlcera genital: sífilis primária e cancro mole. Se a lesão tiver mais de 4 semanas, deve-se suspeitar de**

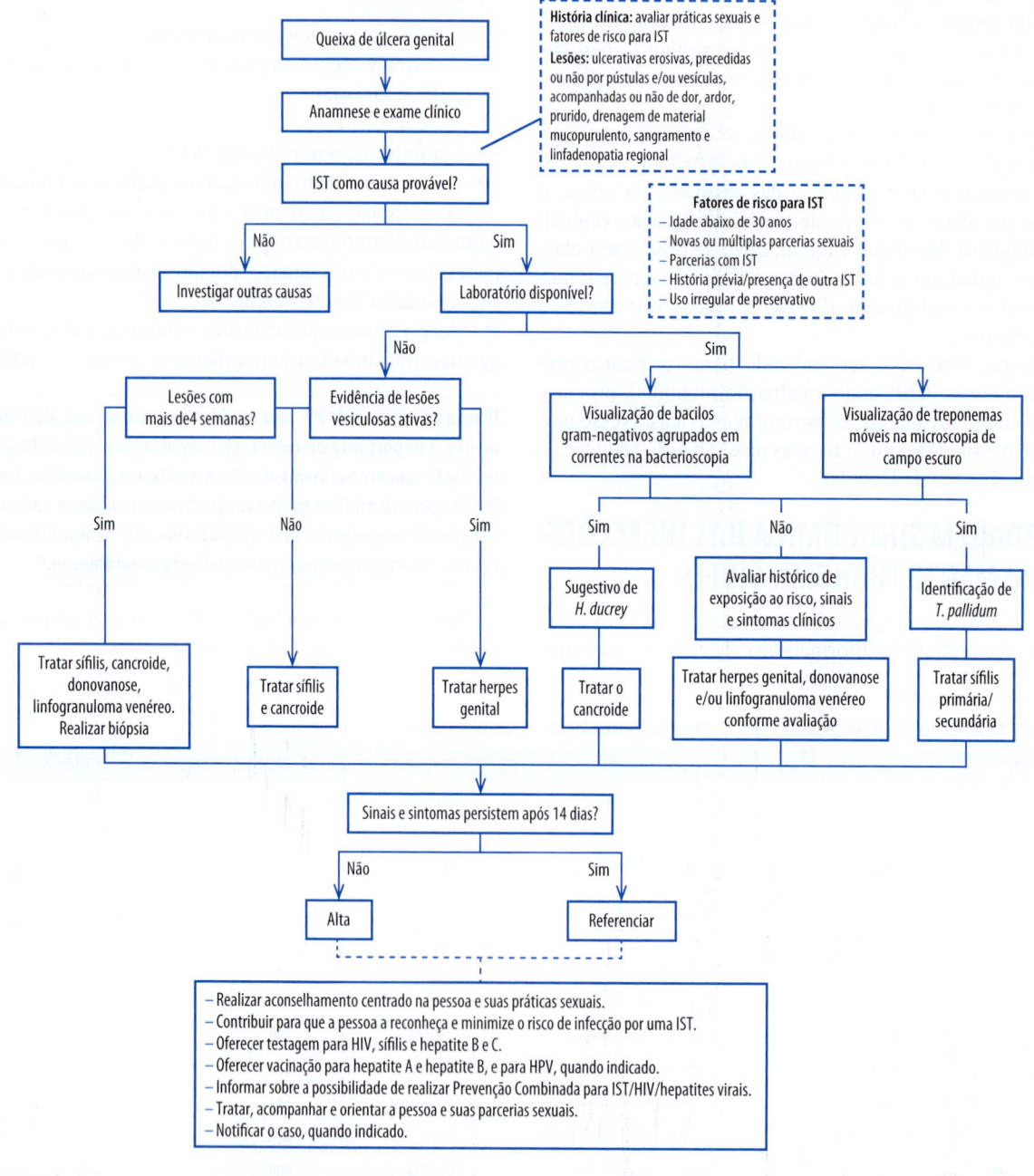

**FIGURA 155.1** → Fluxograma para manejo de indivíduos com úlcera genital ou adenopatia inguinal.
HIV, vírus da imunodeficiência humana; HPV, papilomavírus humano; IST, infecção sexualmente transmissível.
Fonte: Brasil.[10]

donovanose, linfogranuloma venéreo ou neoplasias. Nesse caso, deve-se iniciar tratamento para donovanose e encaminhar o paciente para investigação.[10]

## Sífilis

É uma doença sistêmica causada pelo *Treponema pallidum*. Em geral, as pessoas buscam o médico porque apresentam uma úlcera indolor e única (infecção primária) ou erupção cutânea, lesões mucocutâneas ou linfadenopatia (infecção secundária). Mais raramente, podem procurar atendimento por anomalias cardíacas (aneurisma de aorta), neurológicas (demência, *tabes dorsalis*) ou lesões mucocutâneas tipo tubérculos ou goma (infecção terciária).

### Diagnóstico

A pesquisa direta (campo escuro) está indicada para material de lesão ulcerada suspeita, podendo ser positiva em condiloma plano e em placas mucosas da fase secundária. A sorologia não treponêmica inclui o *Venereal Disease Research Laboratory* (VDRL) e o teste de reagina plasmática rápida (RPR). Ambos são exames qualitativos e quantitativos e servem para diagnóstico e acompanhamento pós-terapêutico. Os testes treponêmicos incluem o teste rápido, o FTA-ABS (do inglês *fluorescent treponemal antibody-absorption* [anticorpo treponêmico fluorescente, absorvido]) e o MHA-TP (do inglês *microhemagglutination assay for T. pallidum* [ensaio de microemaglutinação para *T. pallidum*]). Estes são testes qualitativos e importantes para a confirmação do diagnóstico, positivando a partir do 15º dia da infecção. Entretanto, não são úteis para o acompanhamento. Resultados falso-positivos podem ocorrer em casos de hanseníase, malária, mononucleose, leptospirose e lúpus eritematoso sistêmico.

O VDRL passa a ser positivo após a 2ª semana do aparecimento do cancro duro e costuma atingir os seus valores mais elevados na fase secundária. Os títulos tendem a negativar após 9 meses de tratamento. No entanto, algumas pessoas podem permanecer com títulos baixos por toda a vida ("memória" ou "cicatriz" sorológica). Os testes não treponêmicos, cujos resultados devem ser quantitativos, podem correlacionar-se com a atividade da doença. Uma diferença de pelo menos quatro vezes – o que equivale a uma diferença de duas titulações (p. ex., de 1:16 para 1:4, ou de 1:8 para 1:32), nos resultados de dois testes não treponêmicos utilizando o mesmo método (VDRL ou RPR) e, de preferência, realizados no mesmo laboratório – é considerada clinicamente significativa.

Considerando a epidemia de sífilis no Brasil e a sensibilidade dos fluxos de diagnóstico, recomenda-se, sempre que possível, iniciar a investigação por um teste treponêmico, que é o primeiro a ficar reagente, preferencialmente o teste rápido. O objetivo da combinação de testes sequenciais é aumentar o valor preditivo positivo de um resultado reagente no teste inicial.

O diagnóstico de neurossífilis depende da combinação de vários resultados. O VDRL no líquido cerebrospinal (LCS) é sensível, mas inespecífico. Contudo, na ausência de contaminação por sangue, é considerado diagnóstico de neurossífilis.[8] LCS com valor > 5 leucócitos/mm³ é encontrado na neurossífilis.

O diagnóstico diferencial da sífilis primária deve ser feito com cancro mole, herpes genital, donovanose e linfogranuloma venéreo, e o da sífilis secundária, com farmacodermias, doenças exantemáticas não vesiculosas, hanseníase virchowiana e colagenoses.

As diferentes fases da sífilis e sua apresentação sorológica são mostradas na **FIGURA 155.2**.

### Manejo e acompanhamento

A benzilpenicilina benzatina é o fármaco de escolha para todos os estágios da doença. O tratamento recomendado pelo Ministério da Saúde está apresentado na **TABELA 155.2**.[9,10] Um ensaio clínico de 2017 confirmou que não existe diferença entre aplicar uma dose única de penicilina benzatina de 2,4 milhões de unidades internacionais (UI), quando comparado com 3 doses (7,2 milhões de UI) para casos de sífilis primária, secundária ou latente recente, em pacientes coinfectados com HIV **B**.[11]

Pessoas vivendo com HIV (PVHIVs) devem fazer o mesmo tratamento conforme o estágio da sífilis.

A administração de benzilpenicilina benzatina deve ser intramuscular (IM), de preferência em região ventroglútea, por provocar menos efeitos colaterais e dor local, além de ser livre de vasos e nervos importantes. Alternativas para aplicação são o músculo vasto lateral da coxa, o músculo reto femoral e a região dorsoglútea. A presença de silicone (prótese ou silicone líquido industrial) nos locais recomendados pode impossibilitar a aplicação IM do medicamento. Optar por medicamento alternativo somente quando nenhum dos locais recomendados estiver disponível.[10]

A aplicação da penicilina benzatina deve ser realizada na atenção primária à saúde (APS). A reação anafilática à penicilina é muito rara (possibilidade de 0,002%), e deve ser manejada com adrenalina. A probabilidade de sua

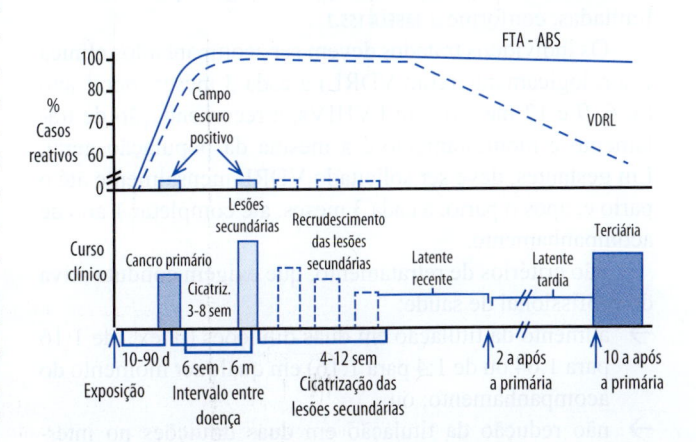

**FIGURA 155.2** → Curso da sífilis não tratada.
a, anos; d, dias; FTA-ABS, anticorpo treponêmico fluorescente, absorvido; m, meses; sem, semanas; VDRL, *Venereal Disease Research Laboratory*.
Fonte: Brasil.[10]

TABELA 155.2 → Tratamento da sífilis

| ESTÁGIO DA SÍFILIS | TRATAMENTO DE ESCOLHA C/D | TRATAMENTO ALTERNATIVO |
| --- | --- | --- |
| Sífilis recente: sífilis primária, secundária e latente recente (com até 1 ano de evolução) | Benzilpenicilina benzatina 2,4 milhões de UI (1,2 milhão em cada glúteo), IM, dose única | Doxiciclina 100 mg, 1 comprimido, VO, de 12/12 horas, por 15 dias C/D |
| Sífilis tardia: sífilis latente tardia (com mais de 1 ano de evolução) ou latente com duração ignorada e sífilis terciária | Benzilpenicilina benzatina 2,4 milhões de UI (1,2 milhão em cada glúteo), IM, 1 dose semanal, por 3 semanas (total: 7,2 milhões de UI)* | Doxiciclina 100 mg, 1 comprimido, VO, de 12/12 horas, por 30 dias C/D |
| Na gravidez | Benzilpenicilina benzatina, de acordo com o estágio; em caso de diagnóstico apenas laboratorial, com duração desconhecida, tratar como sífilis latente com duração desconhecida | A benzilpenicilina benzatina é a única opção segura e eficaz para tratamento adequado das gestantes |
| Neurossífilis | Benzilpenicilina potássica/cristalina 18-24 milhões de UI, 1 ×/dia, IV, administrada em doses de 3-4 milhões de UI, de 4/4 horas ou por infusão contínua, por 14 dias | Ceftriaxona 2 g, IV, 1 ×/dia, por 10-14 dias B[50] |

* O intervalo entre as doses é de 7 dias para completar o tratamento. Caso o intervalo entre as doses ultrapasse 14 dias em não gestantes ou 7 dias em gestantes, o esquema deve ser reiniciado.[9]
IM, intramuscular; IV, intravenoso; UI, unidades internacionais; VO, via oral.
Fonte: Brasil.[10]

ocorrência é bem mais baixa do que a de muitos medicamentos prescritos na prática clínica (como anti-inflamatórios não esteroides [AINEs] e lidocaína) ou até mesmo de alimentos (nozes, frutos do mar, corantes). O receio de ocorrência de reações adversas não é impeditivo para a administração de penicilina benzatina nos serviços de saúde, especialmente na APS.[10] A reação de Jarisch-Herxheimer é uma reação febril aguda acompanhada por cefaleia, mialgia e outros sintomas, que pode ocorrer dentro de 24 horas após o início do tratamento para sífilis. Essa reação não significa hipersensibilidade ao fármaco, e o seu manejo deve ser apenas sintomático.

Alternativas para pacientes com alergia à penicilina são limitadas, conforme a TABELA 155.2.

Os indivíduos tratados devem ser acompanhados clínica e sorologicamente (com VDRL) a cada 3 meses, por 1 ano (3, 6, 9 e 12 meses). Em PVHIVs, a recomendação de tratamento e monitoramento é a mesma da população geral. Em gestantes, deve ser solicitado VDRL mensalmente até o parto e, após o parto, a cada 3 meses, até completar 1 ano de acompanhamento.

São critérios de retratamento, que exigem conduta ativa do profissional de saúde:
→ aumento da titulação em duas diluições (p. ex., de 1:16 para 1:64 ou de 1:4 para 1:16) em qualquer momento do acompanhamento; ou
→ não redução da titulação em duas diluições no intervalo de 6 meses (sífilis primária, secundária e latente recente) ou 12 meses (sífilis tardia) após o tratamento adequado (p. ex., de 1:32 para 1:8, ou de 1:128 para 1:32); ou
→ persistência ou recorrência de sinais e sintomas de sífilis em qualquer momento do acompanhamento.

Diante de um caso com possibilidade de falha terapêutica ou reinfecção, é sempre importante reavaliar os seguintes aspectos: excluir infecção pelo HIV, considerar possibilidade de reinfecção, reavaliar esquema terapêutico utilizado e excluir neurossífilis. Caso seja confirmada a reinfecção, tratar com dose única de penicilina G benzatina 2,4 milhões de UI, IM (1,2 milhão em cada glúteo). Caso não haja evidência de reinfecção e seja excluída neurossífilis, há indicação de retratamento com 3 doses de benzilpenicilina benzatina 2,4 milhões de UI, IM (1 ×/semana, por 3 semanas).

A investigação de neurossífilis por meio de punção lombar está indicada nas seguintes situações:[10]
→ presença de sintomas neurológicos ou oftalmológicos;
→ evidência de sífilis terciária ativa;
→ falha ao tratamento clínico sem reexposição sexual.

Para PVHIVs, a punção lombar está indicada após falha ao tratamento (e em todos os casos de retratamento), independentemente da história de exposição sexual.

Indivíduos tratados para neurossífilis devem ser submetidos à punção liquórica de controle após 6 meses do término do tratamento. Na persistência de alterações do LCS, recomenda-se retratamento e punções de controle em intervalos de 6 meses, até a normalização da celularidade e VDRL não reagente. Em PVHIVs, essa resposta pode ser mais lenta, sendo necessária uma avaliação caso a caso. A normalização de testes não treponêmicos em amostras de sangue (queda da titulação em pelo menos duas diluições ou sororreversão para não reagente) pode ser um parâmetro a ser considerado como resposta ao tratamento da neurossífilis, principalmente em um cenário de indisponibilidade de realização da punção lombar.

As parcerias das pessoas diagnosticadas com sífilis devem ser tratadas, conforme TABELA 155.3.[12]

Para abordagem da sífilis em gestantes, ver Capítulo Infecções na Gestação.

## Cancro mole (cancroide)

É uma infecção bacteriana aguda causada por um bacilo aeróbio gram-negativo – *Haemophilus ducreyi*.

### Diagnóstico

O diagnóstico definitivo requer a identificação do *H. ducreyi*. A cultura é difícil e o uso da reação em cadeia da polimerase não está aprovado pela Food and Drug Administration (FDA). Um diagnóstico provável pode ser feito se todos os seguintes critérios forem contemplados:
→ uma ou mais úlceras genitais dolorosas;
→ ausência de evidência de infecção pelo *T. pallidum* (exame da secreção em campo escuro ou por sorologia no mínimo 7 dias após o início das lesões);
→ presença de linfadenopatia regional;

**TABELA 155.3** → Tratamento das parcerias sexuais de pessoas diagnosticadas com sífilis

| | DIAGNÓSTICO DO PACIENTE (CASO-ÍNDICE) | TEMPO DE CONTATO | TRATAMENTO DAS PARCERIAS SEXUAIS |
|---|---|---|---|
| Sífilis adquirida no adulto (não gestante) | Sífilis primária, secundária ou latente recente (até 1 ano de evolução) | Último contato até 90 dias antes do diagnóstico | Tratar com penicilina G benzatina, dose única de 2,4 milhões de UI, IM (1,2 milhão em cada glúteo), independentemente do resultado dos testes sorológicos |
| | | Último contato há mais de 90 dias antes do diagnóstico | Em caso de teste negativo, não tratar<br>Em caso de teste positivo, tratar conforme avaliação clínica e diagnóstico |
| | Sífilis latente tardia (com duração > 1 ano), latente com duração ignorada e sífilis terciária | Independentemente do tempo de contato | |
| Gestante com sífilis (sempre tratar as parcerias) | Sífilis primária, secundária ou latente recente (até 1 ano de evolução) | Último contato até 90 dias antes do diagnóstico | Tratar com penicilina G benzatina, dose única de 2,4 milhões de UI, IM (1,2 milhão em cada glúteo), independentemente do resultado dos testes sorológicos |
| | | Último contato há mais de 90 dias antes do diagnóstico | Em caso de teste negativo, tratar com penicilina G benzatina, dose única de 2,4 milhões de UI, IM (1,2 milhão em cada glúteo)<br>Em caso de teste positivo, tratar conforme avaliação clínica e testes sorológicos |
| | Sífilis latente tardia (com duração > 1 ano), latente com duração ignorada e sífilis terciária | Independentemente do tempo de contato | |

IM, intramuscular; UI, unidades internacionais.
Fonte: Universidade Federal do Rio Grande do Sul.[12]

→ teste negativo para herpesvírus simples (HSV, do inglês *herpes simplex virus*) realizado na secreção da ulceração.

A presença de úlceras e adenopatia inguinal dolorosas é sugestiva de cancro mole, mas essa combinação só ocorre em um terço dos doentes. Úlcera acompanhada por adenopatia inguinal supurativa é quase patognomônica de cancro mole.

No momento do diagnóstico de cancro mole, devem ser solicitados testes rápidos para HIV, sífilis e hepatites virais. Se negativos, devem ser repetidos em 3 meses.

## Manejo

O tratamento adequado visa à cura da infecção, à resolução dos sintomas clínicos e à prevenção da transmissão para outras pessoas. Em indivíduos com doença avançada, podem permanecer cicatrizes, apesar do sucesso do tratamento. A antibioticoterapia com azitromicina, ceftriaxona e ciprofloxacino é efetiva na resolução da infecção, apresentando taxas de cura > 90%, não havendo claro benefício de um regime terapêutico diante dos demais **C/D**.[13]

Os esquemas terapêuticos recomendados são:
→ **primeira opção:** azitromicina 500 mg, 2 comprimidos, VO, dose única;[14]
→ **segunda opção:** ceftriaxona 250 mg, IM, dose única[15] **ou** ciprofloxacino 500 mg, 1 comprimido, VO, de 12/12 horas, por 3 dias.[8]

Em gestantes, os antibióticos recomendados são ceftriaxona e azitromicina. O ciprofloxacino não deve ser usado nessa situação.[10]

Deve-se verificar a sensibilidade do *H. ducreyi* devido à variabilidade local. O paciente deve ser visto novamente em 3 a 7 dias após o início da terapia. Se não houver melhora significativa nesse período, os seguintes aspectos devem ser considerados:
→ O diagnóstico está correto?
→ Há outra IST associada?
→ O paciente tem HIV?

→ O tratamento foi realizado adequadamente?
→ O *H. ducreyi* é resistente ao medicamento utilizado?

A cura completa das úlceras pode levar mais de 2 semanas. Os bubões da linfadenopatia podem necessitar de drenagem cirúrgica (preferível) ou aspiração por punção com agulha na pele sadia.[16]

Se houve contato sexual nos 10 dias que precederam os sintomas, as parcerias devem ser tratadas, independentemente da presença de sintomas.

As PVHIVs em tratamento para cancro mole devem ser monitoradas de perto, pois nessa circunstância há, com mais frequência, falha de tratamento, e as úlceras tendem a curar mais lentamente. Essas pessoas podem necessitar de tratamentos mais prolongados.

## Donovanose (granuloma inguinal)

É uma doença genital progressiva e crônica que causa lesões granulomatosas destrutivas, cujo agente etiológico é *Klebsiella granulomatis*. A doença inicia com uma lesão nodular subcutânea única ou múltipla que evolui para úlcera bem definida e indolor, a qual sangra facilmente.

### Diagnóstico

O diagnóstico é feito quando corpúsculos de Donovan estão presentes em esfregaço ou biópsia da lesão, corado com Giemsa ou Wright.

### Manejo

Qualquer uma das opções a seguir deve ser mantida até a cura clínica das lesões, em geral por, no mínimo, 3 semanas **C/D**:
→ **tratamento preferencial (primeira escolha):**[17] azitromicina 500 mg, 2 comprimidos, VO, semanalmente por 3 semanas ou até cicatrização das lesões **B**;
→ **outras opções:**
  → doxiciclina 100 mg, 1 comprimido, VO, de 12/12 horas, por 21 dias **C/D**;[13,17] **ou**

→ ciprofloxacino 500 mg, 1 e ½ comprimido, VO, de 12/12 horas, por 21 dias C/D; ou
→ sulfametoxazol-trimetoprima 400/80 mg, 2 comprimidos, VO, de 12/12 horas, por 21 dias B.

Se não houver resposta na aparência da lesão nos primeiros dias de tratamento, recomenda-se adicionar um aminoglicosídeo, como a gentamicina 1 mg/kg/dia, intravenoso (IV), de 8/8 horas, por pelo menos 3 semanas C/D.[18]

A donovanose tem baixa incidência na gestação e não há relatos de infecção congênita. Quando a doença ocorrer em gestantes, ela deve ser tratada com azitromicina 500 mg, 2 comprimidos, VO, semanalmente, por 3 semanas C/D, apesar da escassez de estudos em gestantes.

A pessoa deve ser alertada sobre a longa duração do tratamento e sobre a importância do acompanhamento semanal para avaliação da evolução clínica. PVHIVs podem necessitar de tratamento mais prolongado e apresentar resolução mais lenta das lesões, podendo ser necessário o uso de gentamicina nos casos mais graves. Não havendo melhora do quadro, deve ser encaminhada a um serviço especializado. As parcerias dos últimos 60 dias devem ser examinadas; não é necessário fazer tratamento empírico, devido à baixa infectividade.

## Linfogranuloma venéreo

O linfogranuloma venéreo (LGV) é popularmente conhecido como mula. É uma doença infecciosa de transmissão exclusivamente sexual, causada por *Chlamydia trachomatis*, sorotipos L1, L2 e L3. A doença se apresenta em três fases:
→ lesão de inoculação;
→ disseminação linfática regional.
→ sequelas.

A lesão de inoculação inicia com uma pápula, pústula ou ulceração indolor, que desaparece sem deixar sequela. A disseminação linfática regional se desenvolve entre 1 e 6 semanas após a lesão inicial, sendo geralmente unilateral (em 70% dos casos). Costuma ser o principal motivo da consulta. Na mulher, a localização da adenopatia depende do local da lesão de inoculação, podendo acometer linfonodos inguinais superficiais, pélvicos ou ilíacos. Os gânglios podem fundir-se, com supuração e fistulização por orifícios múltiplos. Podem aparecer sintomas gerais como febre, mal-estar, anorexia, emagrecimento, artralgia, sudorese noturna e meningismo. O contato orogenital pode causar glossite ulcerativa difusa, com linfadenopatia regional.

Como sequelas, pode ocorrer a elefantíase genital, que na mulher é denominada estiômeno (obstrução linfática crônica). Podem ocorrer também fístulas retais, vaginais ou vesicais e estenose retal. A lesão na região anal pode levar à proctite e à proctocolite hemorrágica.

### Diagnóstico

O diagnóstico de LGV deve ser considerado sempre que houver adenite inguinal, elefantíase genital e estenose uretral ou retal. Na maioria das vezes, o diagnóstico é clínico. Não há necessidade rotineira de comprovação laboratorial.

O teste de fixação de complemento (um tipo de teste sorológico) é grupo-específico, ou seja, identifica anticorpos contra todas as infecções por clamídia, havendo, portanto, reação cruzada com uretrite, cervicite, conjuntivite, tracoma e psitacose. O teste torna-se positivo após 4 semanas de infecção. Um aumento de quatro vezes nos títulos de anticorpos tem valor diagnóstico.

Títulos altos de sorologia para clamídia (fixação do complemento > 1:64) apoiam o diagnóstico de LGV na suspeita dessa condição. Dados comparativos entre os diferentes tipos de testes sorológicos são escassos, e a utilidade diagnóstica de outros métodos sorológicos de fixação do complemento e de microimunofluorescência ainda não foi estabelecida. A interpretação dos testes sorológicos para o LGV não é padronizada. Os testes não foram validados para casos de proctite, e os testes sorológicos específicos para os sorotipos de *C. trachomatis* não são amplamente disponíveis.

Na ausência de testes diagnósticos específicos para LGV, pessoas com síndrome clínica compatível, incluindo retocolite ou úlcera genital com linfadenopatia, devem ser tratadas para LGV.

### Manejo

O tratamento visa à cura da infecção e à prevenção das lesões teciduais. Os bubões podem ser aspirados ou drenados para prevenir a formação de ulcerações inguinais.[16]

O tratamento recomendado é doxiciclina 100 mg, 1 comprimido, VO, de 12/12 horas, por 21 dias C/D.[19]

Em gestantes, recomenda-se azitromicina 500 mg, 2 comprimidos, VO, 1 ×/semana, por 21 dias C/D.[10]

PVHIVs devem receber o mesmo esquema antimicrobiano que os não infectados, podendo ser necessário um período mais prolongado de tratamento. Espera-se que a resolução dos sintomas seja mais demorada. O acompanhamento deve ser feito até a cura clínica dos sinais e sintomas.

As pessoas que tiveram contato sexual dentro dos últimos 60 dias antes do início dos sintomas devem ser examinadas, testadas para infecção por clamídia, seja uretral ou cervical, e tratadas, se necessário, com azitromicina 1 g, VO, dose única, ou doxiciclina 100 mg, de 12/12 horas, por 7 dias. Se os testes não forem disponíveis, realizar tratamento empírico por 7 dias. Se a parceria for sintomática, realizar o mesmo tratamento do caso-índice. Os testes rápidos para sífilis, HIV e hepatites B e C sempre devem ser oferecidos.

## Herpes genital simples

O herpesvírus simples (HSV), que causa o herpes genital, é responsável por uma infecção recorrente. Há dois sorotipos: HSV-1 e HSV-2.

Nos Estados Unidos, mais de 400 milhões de pessoas têm herpes genital causado pelo tipo HSV-2.[20]

### Diagnóstico

A apresentação típica do herpes genital é a presença de múltiplas lesões vesiculares ou ulcerativas, dolorosas, com base avermelhada e intensamente pruriginosas. No entanto, esses achados estão ausentes em muitas pessoas. Até 30% das primeiras infecções por herpes genital são causadas pelo HSV-1. Prevalências menores desse sorotipo são encontradas nas infecções recorrentes, cujo agente causal é principalmente o HSV-2.

O isolamento do HSV em células de cultura é o teste mais preciso para o diagnóstico etiológico de úlceras genitais ou lesões mucocutâneas, porém ainda não está disponível na maioria dos laboratórios. A sensibilidade da cultura cai drasticamente à medida que as lesões começam a regredir. A detecção citológica das mudanças celulares tem baixas especificidade e sensibilidade, tanto nas lesões genitais (preparado de Tzanck) como no raspado cervical e, por isso, o diagnóstico de HSV não deve ser baseado nesses resultados.

Após as primeiras semanas da primoinfecção, o organismo desenvolve anticorpos específicos e não específicos contra o HSV. Quase todas as infecções pelo HSV-2 são adquiridas sexualmente, e a presença de anticorpos contra esse vírus indica infecção anogenital. A presença de anticorpos contra HSV-1 não distingue a infecção anogenital da orolabial. Os ensaios laboratoriais devem basear-se na presença da glicoproteína G2 para o diagnóstico de HSV-2 e da glicoproteína G1 para o diagnóstico de HSV-1. A sensibilidade dos testes é de 80 a 90%, e a especificidade é superior a 95%.[8] Resultados falso-negativos podem ocorrer nas lesões muito iniciais.

## Manejo

A quimioterapia antiviral é o principal tratamento em indivíduos sintomáticos. Aciclovir, valaciclovir e fanciclovir são efetivos na redução da duração do primeiro episódio [B], dos episódios recorrentes [B] e na prevenção de recidivas [B].[21]

A terapia tópica com fármacos antivirais oferece poucos benefícios, e seu uso não deve ser recomendado [C/D].

O tratamento é diferenciado para o primeiro episódio, episódios recorrentes e terapia supressiva, conforme descrito a seguir.[20]

→ **Primeiro episódio:**
  → aciclovir 400 mg, 1 comprimido, VO, de 8/8 horas, por 7 a 10 dias; ou
  → aciclovir 200 mg, 1 comprimido, VO, 5 ×/dia, por 7 a 10 dias; ou
  → fanciclovir 250 mg, 1 comprimido, VO, de 8/8 horas, por 7 a 10 dias; ou
  → valaciclovir 500 mg, 2 comprimidos, VO, de 12/12 horas, por 7 a 10 dias.

→ **Episódios recorrentes:**
  → aciclovir 200 mg, 2 comprimidos, VO, de 8/8 horas, por 5 dias; ou
  → aciclovir 400 mg, 2 comprimidos, VO, de 12/12 horas, por 5 dias; ou
  → aciclovir 200 mg, 4 comprimidos, VO, de 8/8 horas, por 2 dias; ou
  → fanciclovir 250 mg, 1 comprimido, VO, de 12/12 horas, por 5 dias [A]; ou
  → valaciclovir 500 mg, 2 comprimidos, VO, por dia por 5 dias [B].[20]

É importante salientar que o tratamento deve ser iniciado quando surgirem os pródromos ou no primeiro dia do surgimento das lesões.

**Terapia supressiva por 6 a 12 meses:**[22]
→ aciclovir 400 mg, 2 comprimidos, VO, 1 ×/dia, diariamente; ou
→ fanciclovir 250 mg, 1 comprimido, VO, de 12/12 horas, diariamente; ou
→ valaciclovir 500 mg, 1 a 2 comprimidos, VO, 1 ×/dia, diariamente [A].

A terapia supressiva está indicada quando ocorrerem 6 ou mais episódios de herpes genital ao ano, pois pode reduzir a sua recorrência em cerca de 70 a 80%. Após 1 ano de terapia supressiva, deve-se suspender o tratamento. Na ocorrência de novos episódios, encaminhar a um especialista.

A eficácia e a segurança foram documentadas com o uso por até 6 anos de aciclovir e por até 1 ano de valaciclovir ou fanciclovir.

Raras vezes, podem ocorrer alergia e reações adversas com aciclovir, valaciclovir ou fanciclovir. A dessensibilização para o aciclovir já foi descrita.[23]

Na decisão sobre o tratamento, devem-se levar em conta aspectos relacionados à preferência do paciente e à adesão à medicação, como custo, disponibilidade na rede de atenção, número de tomadas diárias e perfil de efeitos colaterais.

Para abordagem da infecção por herpes em gestantes, ver Capítulo Infecções na Gestação.

Nas PVHIVs, as lesões causadas por herpes (genital, perineal ou oral) podem apresentar-se de forma atípica, e a infecção tende a ser mais prolongada e grave. Nesses casos, a terapia episódica ou supressiva é benéfica e consiste no uso de um dos esquemas terapêuticos descritos a seguir.[24]

**Episódio:**
→ aciclovir 400 mg, 1 comprimido, VO, de 8/8 horas, por 5 a 10 dias; ou
→ fanciclovir 500 mg, 1 comprimido, VO, de 12/12 horas, por 5 a 10 dias; ou
→ valaciclovir 500 mg, 2 comprimidos, VO, de 12/12 horas, por 5 a 10 dias.

**Tratamento supressivo:**
→ aciclovir 400 mg, 1 a 2 comprimidos, VO, de 8/8 horas ou de 12/12 horas; ou
→ fanciclovir 500 mg, 1 comprimido, VO, de 12/12 horas; ou
→ valaciclovir 500 mg, 1 comprimido, VO, de 12/12 horas.

## Corrimento uretral masculino

É a presença de secreção na uretra anterior, algumas vezes acompanhada de disúria ou desconforto uretral. Se ao exame não houver presença de secreção, deve-se realizar a ordenha da uretra (compressão da base do pênis em direção à glande). Os principais agentes etiológicos são o gonococo e a clamídia.[25] Na Europa, a infecção pela bactéria *C. trachomatis* é a infecção de transmissão sexual mais prevalente, e em segundo lugar está a infecção pela bactéria *Neisseria gonorrhoeae*. De acordo com o European Centre for Disease Prevention and Control (ECDC), foram reportados 75.349

novos casos em 27 países da Europa em 2016, o que representa 18,8 casos a cada 100 mil habitantes, um aumento de 53% comparado com o ano de 2008.[26]

A condução de situações em que há corrimento uretral masculino está apresentada na **FIGURA 155.3**. História de corrimento uretral, mesmo que ausente ao exame, é suficiente para iniciar o tratamento.

Em qualquer situação, é imprescindível que o profissional de saúde dialogue com o homem sobre a prevenção das ISTs. Sempre que possível, devem ser oferecidos os testes rápidos para HIV, sífilis e hepatites virais, disponíveis nas UBSs, além de convocar as parcerias para tratamento e agendar retorno em 7 dias, se os sintomas persistirem.

## Diagnóstico para clamídia e gonorreia

O exame da secreção uretral com coloração de Gram confirma uretrite gonocócica (diplococos gram-negativos intracelulares). O valor ≥ 5 leucócitos por campo na microscopia com imersão em óleo, na ausência de diplococos gram-negativos intracelulares, sugere uretrite não gonocócica. Teste positivo de esterase leucocitária na primeira urina da manhã com valor ≥ 10 leucócitos em campo de grande aumento é sugestivo de uretrite.[8] O exame a fresco da secreção uretral pode confirmar uretrite causada por *Trichomonas vaginalis*.

O teste padrão-ouro para diagnóstico de clamídia e gonococo é feito na urina, utilizando as técnicas NAAT (do inglês *nucleic acid amplification test* [teste de amplificação de ácido nucleico]), reação em cadeia da polimerase ou TMA (do inglês *transcription-mediated amplification* [amplificação mediada por transcrição]); porém, não costumam estar disponíveis na APS.

## Manejo

Nos Estados Unidos, os homens infectados com gonococo, em geral, estão coinfectados com clamídia. A terapia combinada sem teste para clamídia pode ser vantajosa em locais onde ocorre infecção simultânea em 10 a 30% dos casos de gonococcia.[8] No Brasil, a infecção concomitante de *N. gonorrhoeae* com *C. trachomatis* é de 4,4% em homens.[27] No entanto, as diretrizes internacionais recomendam associar um fármaco eficaz para gonococo a um para clamídia **C/D**.[8,28] O esquema terapêutico recomendado (também para retite) inclui as opções descritas a seguir, possuindo efetividade semelhante, com taxas de cura > 90% **C/D**.[8,28]

**Uretrite gonocócica e clamídia não complicada (uretrite, proctite):**

→ ceftriaxona 500 mg, IM, dose única, **mais** doxiciclina 100 mg, 1 comprimido, VO, de 12/12 horas, por 7 dias; **ou**
→ ceftriaxona 500 mg, IM, dose única, **mais** azitromicina 500 mg, 2 comprimidos, VO, dose única.

O tratamento em monoterapia com azitromicina não é recomendado pela possibilidade de emergência de resistência a esse antibiótico. Deve ser usado exclusivamente no caso de alergia comprovada a cefalosporinas, na posologia de azitromicina 500 mg, 4 comprimidos, em dose única.[10]

**Uretrite por clamídia:**

→ doxiciclina 100 mg, 1 comprimido, VO, de 12/12 horas, por 7 dias **B**; **ou**

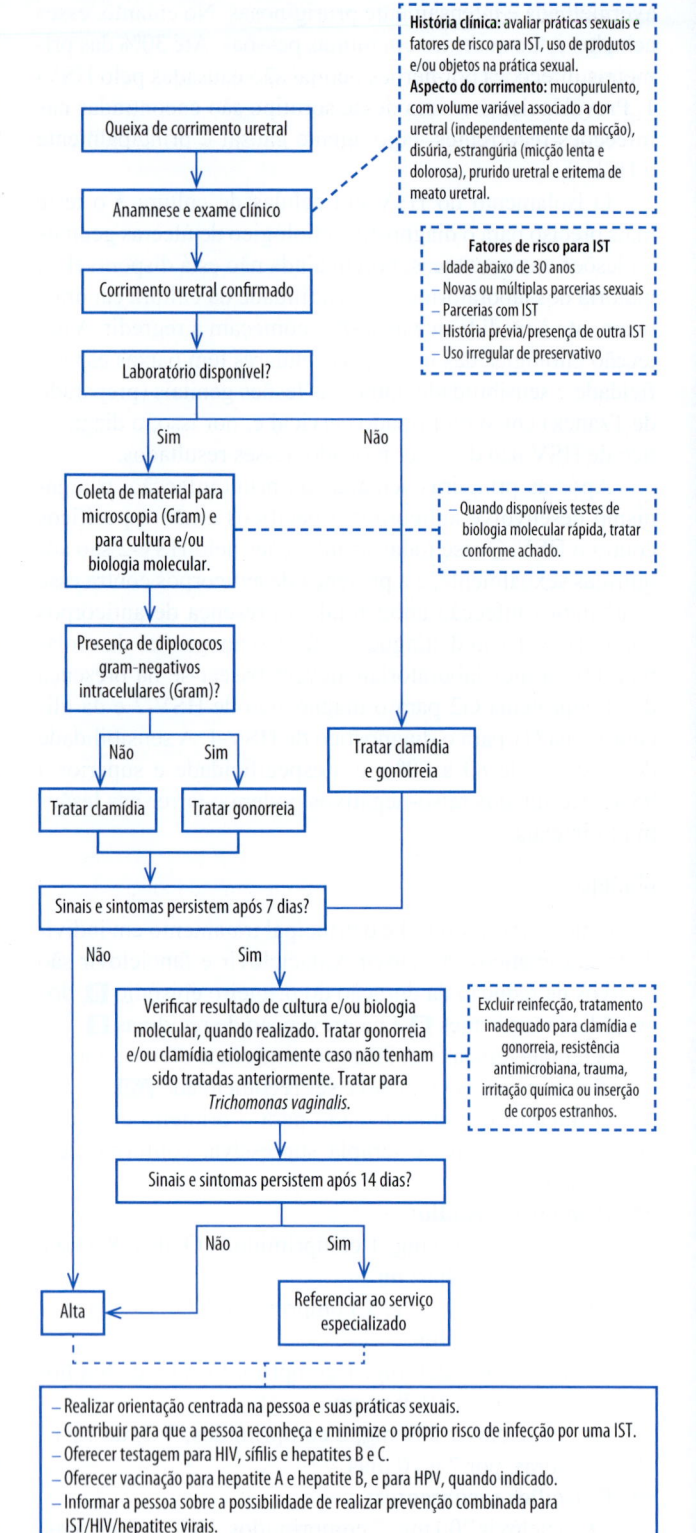

**FIGURA 155.3** → Fluxograma para manejo de indivíduos com corrimento uretral ou disúria.
HIV, vírus da imunodeficiência humana; HPV, papilomavírus humano; IST, infecção sexualmente transmissível.
Fonte: Brasil.[10]

→ azitromicina 500 mg, 2 comprimidos, VO, dose única[8,29] B;

**Uretrite por *Mycoplasma genitalium*:** azitromicina 500 mg, 2 comprimidos, VO, dose única C/D.[30]

Nos casos de falha de tratamento ou de possíveis reinfecções, os esquemas são: ceftriaxona 500 mg, IM, dose única, **mais** azitromicina 500 mg, 4 comprimidos, VO, dose única C/D.[31]

Nos casos de alergia grave a cefalosporinas, deve-se usar:[10] gentamicina 240 mg, IM, dose única, **mais** azitromicina 500 mg, 4 comprimidos, VO, dose única C/D.[31]

Caso o corrimento persista, é importante verificar se houve reinfecção ou falta de adesão ao tratamento. Se essas condições forem excluídas, o seguinte esquema terapêutico é recomendado para cobrir *T. vaginalis* e *Ureaplasma urealyticum* resistentes à tetraciclina:[8]

→ metronidazol 250 mg, 2 comprimidos, VO, de 12/12 horas, por 7 dias C/D; **ou**
→ clindamicina 300 mg, 2 comprimidos, VO, de 12/12 horas, por 7 dias C/D.

Parcerias sexuais sempre devem ser tratadas, uma vez que, mesmo assintomáticas, podem ser portadoras da bactéria e perpetuar a transmissão da doença. O tratamento de todos os contatos sexuais dentro dos últimos 60 dias também deve ser feito com ceftriaxona 500 mg, IM, dose única, **mais** azitromicina 500 mg, 2 comprimidos, dose única.[10]

Os pacientes e as parcerias devem abster-se de relações sexuais desprotegidas até que o tratamento de ambos esteja completo (i.e., após o término do tratamento com múltiplas doses ou por 7 dias após a terapia com dose única).

## Edema ou dor escrotal

A inflamação do epidídimo (epididimite) costuma manifestar-se por dor testicular súbita unilateral, acompanhada por edema do epidídimo e do vaso deferente. O edema pode ser acompanhado de eritema no local.

Homens com idade < 35 anos têm maior chance de contrair IST do que os mais velhos. Quando a epididimite está acompanhada de corrimento uretral, deve-se pensar em gonococo ou clamídia. Em geral, o testículo adjacente está inflamado (orquite), caracterizando a orquiepididimite.

Em homens mais velhos, outros agentes infecciosos podem ser responsáveis por edema ou dor escrotal, como *Escherichia coli*, espécies de *Klebsiella*, *Pseudomonas aeruginosa*, *Brucella melitensis*, *Brucella abortus*, *Mycobacterium tuberculosis* e vírus da caxumba. A orquiepididimite devido à caxumba costuma ser identificada dentro de algumas semanas após o aumento das parótidas.

É importante considerar outras causas de edema escrotal, como trauma, tumor e torção testicular. Esta deve ser suspeitada quando a dor for súbita, o testículo estiver mais elevado e o epidídimo, anteriorizado. A suspeita de torção testicular é uma emergência cirúrgica.

O fluxograma para manejo de indivíduos com edema ou dor escrotal pode ser visto na **FIGURA 155.4**.

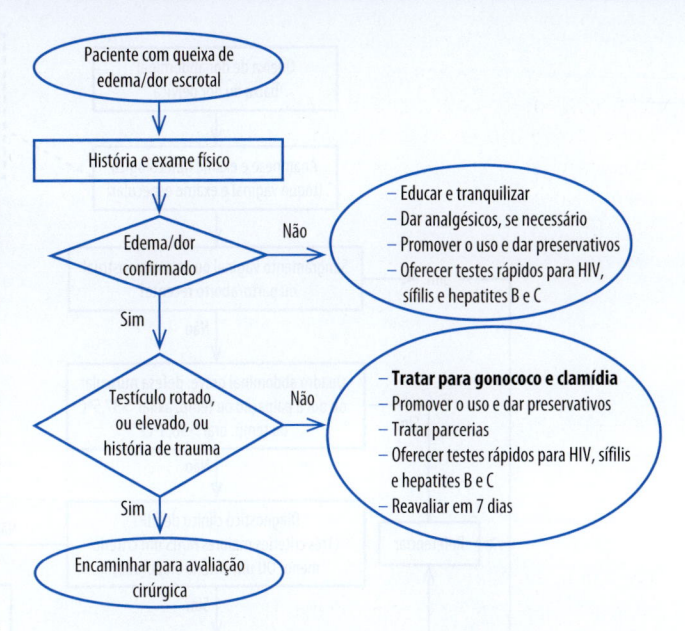

**FIGURA 155.4** → Fluxograma para manejo de indivíduos com edema ou dor escrotal. HIV, vírus da imunodeficiência humana.
Fonte: World Health Organization.[9]

## Manejo

Se houver suspeita de transmissão sexual, o tratamento é feito com:

→ ceftriaxona 500 mg, IM, dose única B; **mais**[32]
→ doxiciclina 100 mg, 1 comprimido, VO, de 12/12 horas, por 10 dias B **ou** azitromicina 500 mg, 2 comprimidos, VO, em dose única C/D (preferir doxiciclina).

Se houver suspeita de organismos entéricos, com baixo risco de ISTs, o tratamento é feito com levofloxacino 500 mg, 1 comprimido, VO, 1 ×/dia, por 10 dias.

Alternativamente, pode ser utilizado sulfametoxazol-trimetoprima 400/80 mg, 2 comprimidos, VO, de 12 em 12 horas, por 10 dias.

Na possibilidade de a epididimite ser causada por IST e organismos entéricos (relação sexual anal), o tratamento de escolha é:

→ ceftriaxona 500 mg, IM, dose única; **mais**
→ levofloxacino 500 mg, 1 comprimido, VO, 1 ×/dia, por 10 dias.

Para manejo da dor, pode ser utilizado paracetamol ou AINEs, aplicação de gelo no local e elevação escrotal com suspensórios. Para abordagem da dor escrotal em adolescentes, ver Capítulo Problemas Comuns de Saúde na Adolescência.

## Dor pélvica/corrimento vaginal

A abordagem sindrômica para dor pélvica e corrimento vaginal se encontra nas **FIGURAS 155.5** e **155.6**, respectivamente. Para mais detalhes, incluindo critérios diagnósticos e esquemas terapêuticos recomendados, ver Capítulos Dor Pélvica e Secreção Vaginal e Prurido Vulvar.

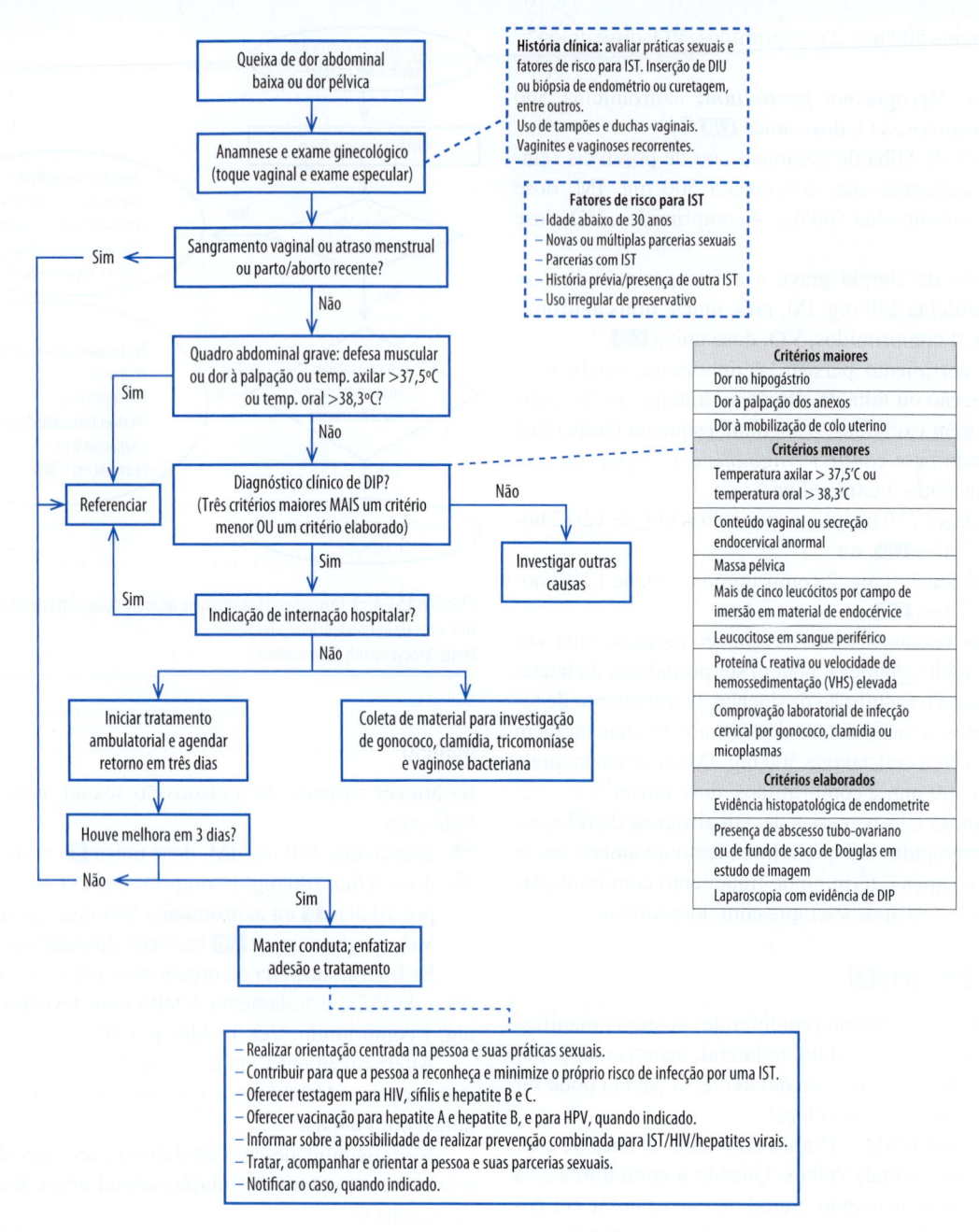

**FIGURA 155.5** → Fluxograma para manejo de mulher com dor pélvica.
DIP, doença inflamatória pélvica; DIU, dispositivo intrauterino; HIV, vírus da imunodeficiência humana; HPV, papilomavírus humano; IST, infecção sexualmente transmissível.
Fonte: Brasil.[10]

## Verrugas genitais

As verrugas vaginais e vulvares, ou condilomas acuminados, representam uma das manifestações da infecção pelo HPV. São disseminadas pelo contato físico direto e afetam principalmente a genitália externa. A infecção acomete áreas de trauma, com inoculação viral da camada basal do epitélio até vários meses antes dos primeiros sintomas. Cerca de 90% dessas lesões são causadas por HPV de baixo potencial oncogênico (HPV-6 e HPV-11), mas outros tipos de vírus podem coexistir.[33]

As lesões verrucosas, em geral, são pouco sintomáticas. Podem ser isoladas ou múltiplas e confluentes. Pode haver sensação de ardência e prurido, sangramento após o coito, queda de pelos e, nos casos mais graves, obstrução do canal vaginal e da uretra.[34]

O diagnóstico das verrugas genitais é feito por meio de inspeção visual e vulvoscopia (não disponível na APS). A confirmação com biópsia pode ser necessária quando houver dúvida quanto ao diagnóstico ou falha terapêutica.[8] A maioria das infecções verrucosas apresenta resolução espontânea, devido à resposta imunológica contra o vírus; porém, o tratamento está indicado nos casos persistentes.[35]

O manejo das lesões inclui aconselhamento epidemiológico, prevenção da infecção e escolha da melhor modalidade terapêutica. Apesar de os tratamentos disponíveis erradicarem as verrugas, existe risco significativo de recorrência. Tratamento e acompanhamento prolongados serão necessários, pois a erradicação total de todas as células infectadas não ocorre em nenhuma modalidade terapêutica.[8] O uso de preservativo não protege a infecção de áreas não cobertas.[36]

As abordagens terapêuticas incluem métodos destrutivos locais das lesões (citodestrutivos) e métodos que estimulam o sistema imunológico a eliminar as lesões (imunoterapia). Nenhum tratamento é indicado com o objetivo de prevenir câncer genital, pois raramente existe associação entre verrugas genitais e câncer. Todos os tratamentos trazem algum grau de desconforto local e não existe uma única primeira opção para todos os casos, pois a modalidade terapêutica deve ser individualizada conforme a clínica. O acompanhamento após o tratamento é essencial, pois pode haver recorrência, independentemente do tipo de terapia utilizada. A eliminação dos condilomas não significa erradicação total do HPV.[8,37] Além disso, é muito importante que toda mulher submetida a tratamento de condiloma tenha uma avaliação adequada do colo do útero, de acordo com os protocolos de cada instituição.

## Tratamento com métodos citodestrutivos

**Podofilotoxina.** Possui mínima absorção sistêmica, pode ser autoadministrada e é mais efetiva do que a podofilina. Tem mecanismo antimitótico sobre a célula infectada. É aplicada na forma de creme, pela manhã e à noite, por 3 dias consecutivos, com pausa de 4 dias, totalizando 4 a 6 ciclos. Seu uso em gestantes ou em mucosas está contraindicado. Os efeitos colaterais variam de leve irritação cutânea até ulcerações dolorosas. São bastante efetivas no tratamento de verrugas genitais, com taxas de cura variando em torno de 50 a 90% **B**.[38,39]

**Ácido tricloroacético (ATA) 80 a 90%.** Substância cáustica que destrói o tecido verrucoso pela coagulação química das proteínas, sendo efetivo no tratamento **C/D**. Em geral, é aplicado semanalmente por um profissional de saúde, por 4 a 6 semanas ou até o desaparecimento das lesões. Nas lesões muito grandes ou queratinizadas, o efeito é pouco satisfatório, estando mais indicado em lesões pequenas. Os dois ensaios clínicos que avaliaram seu uso apresentaram taxa de cura de aproximadamente 70%,[40,41] sendo seu benefício um pouco inferior ao da crioterapia. Apesar das poucas evidências provenientes da literatura, devido ao seu custo e à facilidade de aplicação, é considerado, empiricamente, tratamento de primeira linha e pode ser usado em mucosas (vagina), crianças e gestantes.

**5-Fluoruracila a 5%.** Antimetabólito que age com a proliferação celular (síntese do DNA), inibindo a replicação viral e promovendo cura em torno de 65% dos casos, apesar de

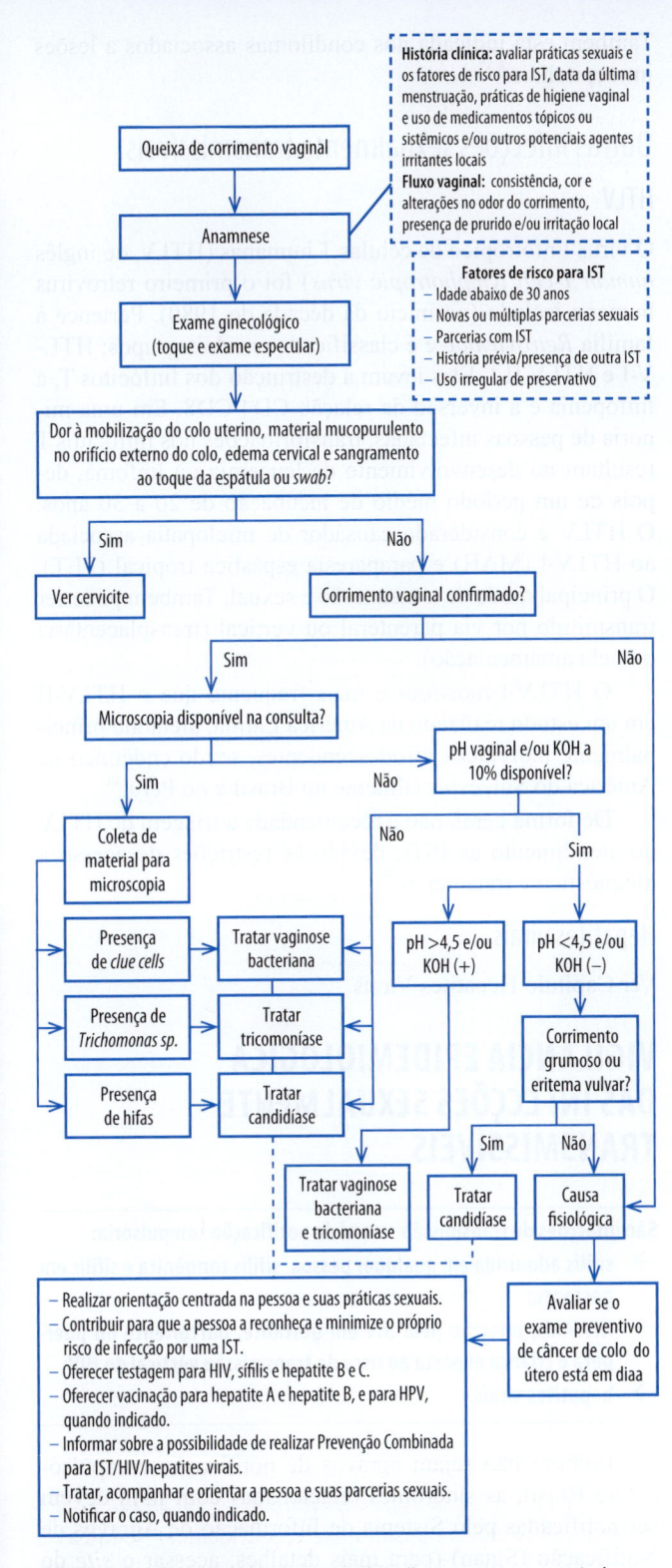

**FIGURA 155.6** → Fluxograma para manejo de mulher com corrimento vaginal. HIV, vírus da imunodeficiência humana; HPV, papilomavírus humano; IST, infecção sexualmente transmissível; KOH, hidróxido de potássio.
Fonte: Brasil.[10]

as taxas de recorrência serem altas **B**.⁴² É efetivo para lesões extensas e pacientes imunossuprimidos; porém, o uso crônico pode causar úlceras refratárias ao tratamento. A formulação consiste em gel aplicado a cada 10 a 15 dias por até 6 semanas. Não deve ser utilizado em gestantes, e seu uso deve ser suspenso diante de efeitos colaterais locais graves.⁴³ A taxa de cura fica em torno de 65%, mas as taxas de recorrência são altas.⁴⁴

### Imunoterapia

**Imiquimode a 5%.** Induz a liberação local de citocinas. Não produz destruição física da verruga, mas elimina o causador (HPV). O tratamento local aumenta a produção local de interferon e reduz a contagem viral. O creme com imiquimode deve ser aplicado e mantido por 6 a 10 horas, 3 ×/semana, por 4 a 16 semanas. Geralmente ocorre reação inflamatória local, o que é desejável, pois demonstra a atividade do creme. Em caso de efeitos colaterais locais graves, o creme deve ser descontinuado. Não existe informação suficiente sobre a segurança do imiquimode na gravidez, e seu uso deve ser evitado nesse período.⁸,⁴⁵ É efetivo no tratamento de verrugas genitais, com taxas de cura dos condilomas chegando a 80%, e recidiva em torno de 15% (RRI = 303%; NNT = 2-13) **B**.⁴⁵ Também é eficaz no tratamento das neoplasias intraepiteliais vulvares.

**Interferon.** Possui atividade antiviral e antiproliferativa, além de efeito estimulador sobre a imunidade local. Pode ser usado como terapia sistêmica, tópica ou como injeção local diretamente na lesão (mais efetivo) (RRI = 168%; NNT = 2-8) **B**. No entanto, devido aos efeitos colaterais, taxas de cura variáveis e alto custo, é pouco utilizado e não disponível na APS. Atualmente, é usado apenas como terapia adjuvante associada a outras modalidades terapêuticas em lesões refratárias aos demais tratamentos. É contraindicado na gravidez.⁸

### Outras modalidades terapêuticas

**Crioterapia.** Realizada com nitrogênio líquido ou óxido nítrico, destrói a lesão por congelamento e lise celular. É aplicada diretamente sobre a lesão vulvar semanalmente. Seu uso deve ser evitado em lesões vaginais, pelo risco de perfuração e formação de fístulas. A aplicação costuma ser dolorosa, e, na fase de recuperação, alguns sintomas locais podem estar presentes.³⁴,⁴⁶

**Eletrocauterização.** Causa destruição da lesão pelo calor. É usada como método ablativo, possuindo a vantagem de uma única sessão eliminar as lesões na maioria dos casos **C/D**; porém, é dolorosa e deve ser realizada em ambiente hospitalar. Além disso, pode gerar cicatrizes, alterações cutâneas e perda de pelos.⁸,³⁷

**Laser.** É um método útil nos casos de lesões extensas, multifocais e com retirada cirúrgica tecnicamente difícil **B**. Porém, seu uso é limitado pelo alto custo do aparelho.⁸,³⁷

**Cirurgia.** Reservada para os casos refratários aos tratamentos descritos antes e lesões extensas e multicêntricas **C/D**.

Também está indicada nos condilomas associados a lesões intraepiteliais.⁸,³⁷

## Outras infecções sexualmente transmissíveis

### HTLV

O vírus linfotrópico de células T humanas (HTLV, do inglês *human T-cell lymphotropic virus*) foi o primeiro retrovírus humano isolado (no início da década de 1980). Pertence à família *Retroviridae* e é classificado em dois grupos: HTLV-I e HTLV-II.⁴⁷ Eles levam à destruição dos linfócitos T, à linfopenia e à inversão da relação CD4/CD8. Em uma minoria de pessoas infectadas, transformações nos linfócitos T resultam no desenvolvimento de leucemia ou linfoma, depois de um período médio de incubação de 20 a 30 anos. O HTLV é considerado causador de mielopatia associada ao HTLV-I (MAH) e paraparesia espástica tropical (PET). O principal modo de transmissão é sexual. Também pode ser transmitido por via parenteral ou vertical (transplacentária ou pela amamentação).

O HTLV-I mostrou-se mais frequente que o HTLV-II em um estudo realizado na América Latina, afetando principalmente indivíduos afrodescendentes, sendo endêmico na América do Sul, especialmente no Brasil e no Peru.⁴⁸

De forma geral, não é recomendada a triagem de HTLV no atendimento às ISTs, devido às restrições de acesso a diagnóstico e tratamento.¹⁰

### Hepatites virais

Ver Capítulo Hepatites Virais.

## VIGILÂNCIA EPIDEMIOLÓGICA DAS INFECÇÕES SEXUALMENTE TRANSMISSÍVEIS

São infecções de transmissão sexual de notificação compulsória:
→ sífilis adquirida em qualquer pessoa, sífilis congênita e sífilis em gestante;
→ HIV/Aids, infecção pelo HIV em gestante, parturiente ou puérpera e criança exposta ao risco de transmissão vertical do HIV;
→ hepatites virais.

Embora não sejam agravos de notificação compulsória no Brasil, as síndromes relacionadas com ISTs devem ser notificadas pelo Sistema de Informação de Agravos de Notificação (Sinan) (para mais detalhes, acessar o *site* do Sinan).⁴⁹

## PREVENÇÃO DAS INFECÇÕES SEXUALMENTE TRANSMISSÍVEIS

Para prevenir as ISTs, é preciso abordar os seus fatores de risco (ver seção Anamnese, anteriormente), com ênfase no uso de preservativo em todas as relações sexuais, não só vaginais ou anais, mas também orais. Os preservativos masculinos e femininos podem ser usados.

É importante enfatizar o uso de preservativo como barreira em relações sexuais entre mulheres, para impedir o contato direto entre as mucosas. Nesse caso, o profissional deve orientar que o preservativo masculino seja cortado com tesoura no sentido do comprimento, e, após, seja desenrolado e esticado sobre a vulva da parceira. O plástico-filme não deve ser usado para esse fim, pois é uma membrana semipermeável, não funcionando como barreira efetiva.

# RASTREAMENTO DAS INFECÇÕES SEXUALMENTE TRANSMISSÍVEIS

O rastreamento das ISTs, além de possibilitar o diagnóstico precoce de pessoas assintomáticas (prevenção secundária), interrompe a cadeia de transmissão e reduz o risco de reinfecção. O Ministério da Saúde orienta o rastreamento de sífilis, HIV, hepatites B e C e, mais recentemente, de clamídia e gonococo, para população de adolescentes e jovens com idade ≤ 30 anos com vida sexualmente ativa, gestantes e outros subgrupos populacionais, conforme a **TABELA 155.4**.[10]

**TABELA 155.4** → Rastreamento de infecções sexualmente transmissíveis (ISTs)

| QUEM | QUANDO | | | |
|---|---|---|---|---|
| | HIV* | SÍFILIS[†] | CLAMÍDIA E GONOCOCO[‡] | HEPATITE B[§] E HEPATITE C[ǀ] |
| Adolescentes e jovens (idade ≤ 30 anos) | Anualmente | | Ver frequência conforme outros subgrupos populacionais ou práticas sexuais | |
| Gestantes | Na primeira consulta do pré-natal (idealmente no 1º trimestre da gestação) No início do 3º trimestre (28ª semana) No momento do parto, independentemente de exames anteriores Em caso de aborto/natimorto, testar para sífilis, independentemente de exames anteriores | | Na primeira consulta do pré-natal (gestantes com idade ≤ 30 anos) | Hepatite B: na primeira consulta do pré-natal (idealmente no 1º trimestre)[¶] Hepatite C: de acordo com história de exposição de risco para hepatite C** |
| Gays e homens que fazem sexo com homens Trabalhadores(as) do sexo Travestis/transexuais Pessoas que usam álcool e outras drogas | Semestralmente | | Ver frequência conforme outros subgrupos populacionais ou práticas sexuais | Semestralmente |
| Pessoas com diagnóstico de IST | No momento do diagnóstico e 4-6 semanas após o diagnóstico de IST | | No momento do diagnóstico | No momento do diagnóstico |
| Pessoas com diagnóstico de hepatites virais | No momento do diagnóstico | – | – | – |
| Pessoas com diagnóstico de tuberculose | No momento do diagnóstico | – | – | – |
| Pessoas vivendo com HIV | – | Semestralmente | No momento do diagnóstico | Anualmente |
| Pessoas com prática sexual anal receptiva (passiva) sem uso de preservativos | Semestralmente | | | |
| Pessoas privadas de liberdade | Anualmente | Semestralmente | – | Semestralmente |
| Violência sexual | No atendimento inicial; 4-6 semanas após exposição e 3 meses após exposição | No atendimento inicial e 4-6 semanas após exposição | | No atendimento inicial e aos 3 e 6 meses após a exposição |
| Pessoas em uso de PrEP ao HIV | Em cada visita ao serviço | Trimestralmente | Semestralmente | Trimestralmente |
| Pessoas com indicação de PEP ao HIV | No atendimento inicial; 4-6 semanas após exposição e 3 meses após exposição | No atendimento inicial e 4-6 semanas após exposição | No atendimento inicial e 4-6 semanas após exposição (exceto nos casos de acidente com material biológico) | No atendimento inicial e 6 meses após exposição |

* HIV: preferencialmente com teste rápido.
[†] Sífilis: preferencialmente com teste rápido.
[‡] Clamídia e gonococo: detecção de clamídia e gonococo por biologia molecular. Pesquisa de acordo com a prática sexual: urina (uretral), amostras endocervicais, secreção genital. Para amostras extragenitais (anais e faríngeas), utilizar testes com validação para esses sítios de coleta.
[§] Hepatite B: preferencialmente com teste rápido. Recomenda-se vacinar toda pessoa suscetível (que não possui registro de esquema vacinal completo e que apresenta HBsAg não reagente ou teste rápido para hepatite B não reagente).
[ǀ] Hepatite C: preferencialmente com teste rápido.
[¶] Caso a gestante não tenha realizado rastreamento no pré-natal, proceder à testagem rápida para hepatite B no momento do parto. A vacina para hepatite B é segura durante a gestação, e mulheres suscetíveis devem ser vacinadas.
** Recomenda-se realizar sorologia em gestantes com fatores de risco para infecção por hepatite C, como: infecção pelo HIV, uso de drogas ilícitas, antecedentes de transfusão ou transplante antes de 1993, realização de hemodiálise e elevação de aminotransferases sem outra causa clínica evidente.
HBsAg, antígeno de superfície da hepatite B; HIV, vírus da imunodeficiência humana; PEP, profilaxia pós-exposição; PrEP, profilaxia pré-exposição.
Fonte: Brasil.[10]

# REFERÊNCIAS

1. Nações Unidas Brasil. OMS: 1 milhão de novos casos de ISTs curáveis são registrados diariamente no mundo [Internet]. Notícias. 2019 [capturado em 21 maio. 2020]. Disponível em: https://brasil.un.org/pt-br/83361-oms-1-milhao-de-novos-casos-de-ists-curaveis-sao-registrados-diariamente-no-mundo.

2. Blandford JM, Gift TL. Productivity losses attributable to untreated chlamydial infection and associated pelvic inflammatory disease in reproductive-aged women. Sex Transm Dis. 2006;33(10 Suppl):S117-121.

3. Chesson HW, Gift TL, Pulver ALS. The economic value of reductions in gonorrhea and syphilis incidence in the United States, 1990-2003. Prev Med. 2006;43(5):411–5.

4. Lepine LA, Hillis SD, Marchbanks PA, Joesoef MR, Peterson HB, Westrom L. Severity of pelvic inflammatory disease as a predictor of the probability of live birth. Am J Obstet Gynecol. 1998;178(5):977–81.

5. Weström L, Joesoef R, Reynolds G, Hagdu A, Thompson SE. Pelvic inflammatory disease and fertility. a cohort study of 1,844 women with laparoscopically verified disease and 657 control women with normal laparoscopic results. Sex Transm Dis. 1992;19(4):185–92.

6. Grace VM, Zondervan KT. Chronic pelvic pain in New Zealand: prevalence, pain severity, diagnoses and use of the health services. Aust N Z J Public Health. 2004;28(4):369–75.

7. Zondervan KT, Yudkin PL, Vessey MP, Dawes MG, Barlow DH, Kennedy SH. Prevalence and incidence of chronic pelvic pain in primary care: evidence from a national general practice database. Br J Obstet Gynaecol. 1999;106(11):1149–55.

8. Centers for Disease Control and Prevention. 2015 STD treatment guidelines [Internet]. Sexually Transmitted Diseases. Atlanta: CDC; 2021 [capturado em 27 maio. 2021]. Disponível em: https://www.cdc.gov/std/tg2015/default.htm.

9. World Health Organization. WHO guidelines for the treatment of Treponema pallidum (syphilis). Geneva: WHO; 2016.

10. Brasil. Ministério da Saúde. Secretaria de Vigilância em Saúde. Departamento de Doenças de Condições Crônicas e Infecções Sexualmente Transmissíveis. Protocolo clínico e diretrizes terapêuticas para atenção integral às pessoas com infecções sexualmente transmissíveis (IST). Brasília: MS; 2020.

11. Andrade R, Rodriguez-Barradas MC, Yasukawa K, Villarreal E, Ross M, Serpa JA. Single dose versus 3 doses of intramuscular benzathine penicillin for early syphilis in HIV: a randomized clinical trial. Clin Infect Dis. 2017;64(6):759–64.

12. Universidade Federal do Rio Grande do Sul. Faculdade de Medicina. Programa de Pós-Graduação em Epidemiologia. TeleCondutas: Sífilis: versão digital 2020. Porto Alegre: TelessaúdeRS; 2020.

13. Roett MA, Mayor MT, Uduhiri KA. Diagnosis and management of genital ulcers. Am Fam Physician. 2012;85(3):254–62.

14. Tyndall MW, Agoki E, Plummer FA, Malisa W, Ndinya-Achola JO, Ronald AR. Single dose azithromycin for the treatment of chancroid: a randomized comparison with erythromycin. Sex Transm Dis. 1994;21(4):231–4.

15. Martin DH, Sargent SJ, Wendel GD, McCormack WM, Spier NA, Johnson RB. Comparison of azithromycin and ceftriaxone for the treatment of chancroid. Clin Infect Dis. 1995;21(2):409–14.

16. Ernst AA, Marvez-Valls E, Martin DH. Incision and drainage versus aspiration of fluctuant buboes in the emergency department during an epidemic of chancroid. Sex Transm Dis. 1995;22(4):217–20.

17. Pfennig CL. Sexually transmitted diseases in the emergency department. Emerg Med Clin North Am. 2019;37(2):165–92.

18. Copeland NK, Decker CF. Other sexually transmitted diseases chancroid and donovanosis. Dis Mon. 2016;62(8):306–13.

19. de Vries HJC, de Barbeyrac B, de Vrieze NHN, Viset JD, White JA, Vall-Mayans M, et al. 2019 European guideline on the management of lymphogranuloma venereum. J Eur Acad Dermatol Venereol. 2019;33(10):1821–8.

20. Groves MJ. Genital herpes: a review. Am Fam Physician. 2016;93(11):928–34.

21. World Health Organization. WHO guidelines for the treatment of genital herpes simplex virus. Geneva: WHO; 2016.

22. Heslop R, Roberts H, Flower D, Jordan V. Interventions for men and women with their first episode of genital herpes. Cochrane Database Syst Rev. 2016;(8):CD010684.

23. Henry RE, Wegmann JA, Hartle JE, Christopher GW. Successful oral acyclovir desensitization. Ann Allergy. 1993;70(5):386–8.

24. Centers for Disease Control and Prevention. Genital HSV infections [Internet]. Sexually Transmitted Diseases. Atlanta; 2015 [capturado em 21 maio. 2020]. Disponível em: https://www.cdc.gov/std/tg2015/herpes.htm.

25. Brasil. Ministério da Saúde. Prevalências e frequências relativas de doenças sexualmente transmissíveis DST em populações selecionadas de seis capitais brasileiras, 2005. Brasília: MS; 2008.

26. Drago F, Ciccarese G, Broccolo F, Sartoris G, Stura P, Esposito S, et al. A new enhanced antibiotic treatment for early and late syphilis. J Glob Antimicrob Resist. 2016;5:64–6.

27. Barbosa MJ, Moherdaui F, Pinto VM, Ribeiro D, Cleuton M, Miranda AE. Prevalence of Neisseria gonorrhoeae and Chlamydia trachomatis infection in men attending STD clinics in Brazil. Rev Soc Bras Med Trop. 2010;43(5):500–3.

28. Bignell C, Unemo M, European STI Guidelines Editorial Board. 2012 European guideline on the diagnosis and treatment of gonorrhoea in adults. Int J STD AIDS. 2013;24(2):85–92.

29. Manhart LE, Gillespie CW, Lowens MS, Khosropour CM, Colombara DV, Golden MR, et al. Standard treatment regimens for nongonococcal urethritis have similar but declining cure rates: a randomized controlled trial. Clin Infect Dis. 2013;56(7):934–42.

30. Lau A, Bradshaw CS, Lewis D, Fairley CK, Chen MY, Kong FYS, et al. The efficacy of azithromycin for the treatment of genital mycoplasma genitalium: a systematic review and meta-analysis. Clin Infect Dis. 2015;61(9):1389–99.

31. World Health Organization. WHO guidelines for the treatment of Neisseria gonorrhoeae. Geneva: WHO; 2016.

32. Street E, Joyce A, Wilson J, Clinical Effectiveness Group, British Association for Sexual Health and HIV. BASHH UK guideline for the management of epididymo-orchitis, 2010. Int J STD AIDS. 2011;22(7):361–5.

33. Aubin F, Prétet J-L, Jacquard A-C, Saunier M, Carcopino X, Jaroud F, et al. Human papillomavirus genotype distribution in external acuminata condylomata: a Large French National Study (EDiTH IV). Clin Infect Dis. 2008;47(5):610–5.

34. Ault KA. Epidemiology and natural history of human papillomavirus infections in the female genital tract. Infect Dis Obstet Gynecol. 2006;2006 Suppl:40470.

35. Saslow D, Solomon D, Lawson HW, Killackey M, Kulasingam S, Cain J, et al. American Cancer Society, American Society for Colposcopy and Cervical Pathology, and American Society for Clinical Pathology screening guidelines for the prevention and early detection of cervical cancer. J Low Genit Tract Dis. 2012;16(3):175–204.

36. Manhart LE, Koutsky LA. Do condoms prevent genital HPV infection, external genital warts, or cervical neoplasia? a meta-analysis. Sex Transm Dis. 2002;29(11):725–35.

37. Federação Brasileira das Associações de Ginecologia e Obstetrícia. Manual de orientação trato genital inferior: colposcopia normal e alterada. Rio de Janeiro: FEBRASGO; 2010.

38. Beutner KR, Conant MA, Friedman-Kien AE, Illeman M, Artman NN, Thisted RA, et al. Patient-applied podofilox for treatment of genital warts. Lancet. 1989;1(8642):831–4.

39. Kirby P, Dunne A, King DH, Corey L. Double-blind randomized clinical trial of self-administered podofilox solution versus vehicle in the treatment of genital warts. Am J Med. 1990;88(5):465–9.
40. Godley MJ, Bradbeer CS, Gellan M, Thin RN. Cryotherapy compared with trichloroacetic acid in treating genital warts. Genitourin Med. 1987;63(6):390–2.
41. Abdullah AN, Walzman M, Wade A. Treatment of external genital warts comparing cryotherapy (liquid nitrogen) and trichloroacetic acid. Sex Transm Dis. 1993;20(6):344–5.
42. Batista CS, Atallah AN, Saconato H, da Silva EM. 5-FU for genital warts in non-immunocompromised individuals. Cochrane Database Syst Rev. 2010;(4):CD006562.
43. Speck NMG, Ribalta JCL, Focchi J, Costa RRL, Kesselring F, Freitas VG. Low-dose 5-fluorouracil adjuvant in laser therapy for HPV lesions in immunosuppressed patients and cases of difficult control. Eur J Gynaecol Oncol. 2004;25(5):597–9.
44. Swinehart JM, Skinner RB, McCarty JM, Miller BH, Tyring SK, Korey A, et al. Development of intralesional therapy with fluorouracil/adrenaline injectable gel for management of condylomata acuminata: two phase II clinical studies. Genitourin Med. 1997;73(6):481–7.
45. Grillo-Ardila CF, Angel-Müller E, Salazar-Díaz LC, Gaitán HG, Ruiz-Parra AI, Lethaby A. Imiquimod for anogenital warts in non-immunocompromised adults. Cochrane Database Syst Rev. 2014;(11):CD010389.
46. Ting PT, Dytoc MT. Therapy of external anogenital warts and molluscum contagiosum: a literature review. Dermatol Ther. 2004;17(1):68–101.
47. Brasil. Ministério da Saúde. Infecção pelo HTLV [Internet]. Departamento de Doenças de Condições Crônicas e Infecções Sexualmente Transmissíveis. Brasília; 2018 [capturado em 21 maio. 2020]. Disponível em: http://www.aids.gov.br/pt-br/publico-geral/o-que-sao-ist/infeccao-pelo-htlv.
48. Eusebio-Ponce E, Candel FJ, Anguita E. Human T-cell lymphotropic virus type 1 and associated diseases in Latin America. Trop Med Int Health. 2019;24(8):934–53.
49. Brasil. Ministério da Saúde. Secretaria de Vigilância em Saúde. Sistema de informação de agravos de notificação [Internet]. SINANWEB. Brasília: MS; 2020 [capturado em 21 maio. 2020]. Disponível em: http://www.portalsinan.saude.gov.br/.
50. Galindo J, Mier JF, Miranda CA, Rivas JC. Neurosyphilis: an age-old problem that is still relevant today. Rev colomb psiquiatr. 2017;46(Suppl 1):69–76.

## LEITURAS RECOMENDADAS

Royal College of General Practitioners. Sexually transmitted infections in primary care [Internet]. London: RCGP; 2020 [capturado em 6 fev. 2021]. Disponível em: http://www.bashh.org/documents/Sexually%20Transmitted%20Infections%20in%20Primary%20Care%202013.pdf.
*Diretrizes da British Association for Sexual Health and HIV, voltadas para o profissional da atenção primária.*

World Health Organization. Sexual and reproductive health [Internet]. Geneva: WHO; 2020 [capturado em 6 fev. 2021]. Disponível em: https://www.who.int/reproductivehealth/topics/rtis/en/.
*Diretrizes sobre saúde sexual e reprodutiva da Organização Mundial da Saúde.*

British Association for Sexual Health and HIV (BASHH). Disponível em: http://www.bashh.org/.
*Apresenta as diretrizes para o tratamento das ISTs, educação para profissionais de saúde, pacientes e cursos para treinamento.*

Centers for Disease Controland Prevention. Sexually Transmitted Diseases (STDs). Disponível em: http://www.cdc.gov/STD/.
*Apresenta várias ferramentas para o manejo, informações para profissionais de saúde e para pacientes, figuras, entre outros recursos.*

World Health Organization. Training modules for thesyndromic management ofsexuallytransmittedinfections. Disponível em: https://www.who.int/reproductivehealth/publications/sexual_health/en/
*Módulos educativos para profissionais de saúde sobre saúde sexual e reprodutiva.*

TelessaúdeRS-UFRGS. Disponível em: https://www.ufrgs.br/telessauders/
*Apresenta materiais sobre sífilis, HIV e outras ISTs.*

# Capítulo 156
# INFECÇÃO PELO HIV EM ADULTOS

Rafael Aguiar Maciel
Marcelo Rodrigues Gonçalves
Maria Helena da Silva Pitombeira Rigatto

## CONSIDERAÇÕES EPIDEMIOLÓGICAS E O MODELO DE CUIDADO

Em 2019, a estimativa da Unaids (Programa Conjunto das Nações Unidas sobre HIV/Aids) era de que 37,9 milhões de pessoas viviam com vírus da imunodeficiência humana (HIV, do inglês *human immunodeficiency virus*) no mundo. O número total de pessoas com HIV tem tendência crescente desde que iniciaram as estimativas da Unaids, em 1990, porém a taxa anual de novas infecções e o número de mortes associadas ao HIV é decrescente.[1]

Os números globais não são homogeneamente distribuídos, havendo diferenças regionais importantes na epidemia. No Brasil, o número total de pessoas vivendo com HIV (PVHIVs) é estimado em torno de 900 mil, e a incidência da infecção pelo HIV aumentou em 21% entre 2010 e 2018, diferentemente da tendência mundial de queda. A taxa de mortalidade no mesmo período foi apenas estável, e a relação incidência/prevalência no País ainda é alta. Este último indicador é considerado um preditor da diminuição do tamanho da epidemia e, para tal, deve estar abaixo de 3. A estimativa da razão incidência/prevalência brasileira está entre 5 e 10.[1]

A meta de enfrentamento da epidemia proposta pela Unaids baseia-se no aumento da cobertura antirretroviral (ARV) e no conceito de tratamento como prevenção, os quais predizem que o tratamento de um número maior de pessoas pode ter impacto na epidemia por diminuir a transmissibilidade. Denominada meta 90-90-90, ela pressupõe diagnóstico de pelo menos 90% das pessoas infectadas pelo HIV, tratamento de pelo menos 90% das pessoas diagnosticadas e controle da replicação viral em pelo menos 90% das que estão em tratamento. Na proposta inicial, da qual o Brasil é signatário, o alcance dessa meta até 2020 tem o objetivo de diminuir a epidemia do HIV como um problema de saúde pública até 2030.[2]

Em estudos clínicos contemporâneos, a chance de controle da replicação viral em pessoas que utilizam ARVs está em torno de 90%.[3-5] Logo, com garantia de acesso ao início de terapia e retenção ao tratamento, a meta da Unaids relacionada à supressão viral é viável. Isso é corroborado pelo fato de a terceira meta do 90-90-90 ter sido a mais precocemente alcançada em alguns países, como o Brasil.

Entretanto, o diagnóstico e a retenção das pessoas em tratamento ainda estão aquém dos objetivos. A maioria das novas infecções provém de pessoas ainda não diagnosticadas ou daquelas com diagnóstico e que não estão em tratamento regular. Ainda, algumas populações-chave permanecem com elevada incidência em relação às demais. Portanto, os desafios atuais, no nível epidemiológico, são a ampliação do diagnóstico e a retenção, para que o benefício do tratamento possa ser oferecido a todos os pacientes e, além disso, que se ampliem medidas preventivas para as populações vulneráveis e em risco.[6]

O desenvolvimento da terapia antirretroviral (TARV) eficaz foi responsável pela diminuição da mortalidade por síndrome da imunodeficiência adquirida (Aids) e pelo aumento da expectativa de vida das PVHIVs, a qual se aproxima da população em geral atualmente.[7] Houve modificação das causas de mortalidade em PVHIVs, com diminuição da mortalidade por doenças oportunistas e aumento da proporção de patologias não relacionadas ao HIV, como doenças cardiovasculares e hepáticas.[8,9] A infecção pelo HIV, se adequadamente tratada, pode ser caracterizada como uma doença crônica. Como consequência, o conceito do cuidado modificou-se do cuidado especializado e centralizado para uma perspectiva mais global de saúde da PVHIV, tendo a atenção primária à saúde (APS) um papel cada vez mais essencial no combate à epidemia.

A APS, com sua experiência acumulada em ações de promoção, prevenção e adequação das intervenções de acordo com cada território, desenvolvidos por meio de seus atributos essenciais – acesso, longitudinalidade, integralidade e coordenação do cuidado – , é fundamental na evolução do modelo de cuidado às PVHIVs. O médico infectologista não é mais o único ponto de acesso da PVHIV ao sistema. Hoje se percebe claramente a necessidade de a PVHIV ter acesso a um cuidado integral e multidisciplinar.[10]

O matriciamento, a educação permanente em saúde e a divisão das ações de cuidado de acordo com a complexidade complementam um novo modelo de atenção, denominado cuidado compartilhado. O envolvimento da APS no cuidado aumenta os pontos de acesso das PVHIVs, formando o modelo ideal de cuidado em rede, e ajuda não só no alcance das metas de diagnóstico e tratamento da PVHIV, mas também na ampliação de medidas preventivas aos indivíduos expostos ao HIV e às populações vulneráveis (FIGURA 156.1). O uso da tecnologia tem sido um aliado essencial nessa mudança de modelo, seja por meio do apoio clínico aos profissionais da APS por meio de teleconsultorias, aplicativos e ensino a distância, a exemplo dos projetos Telessaúde RS e ECHO (ver QR codes), ou do contato direto com os pacientes (teleconsultas), com diversos estudos evidenciando melhora na adesão ao

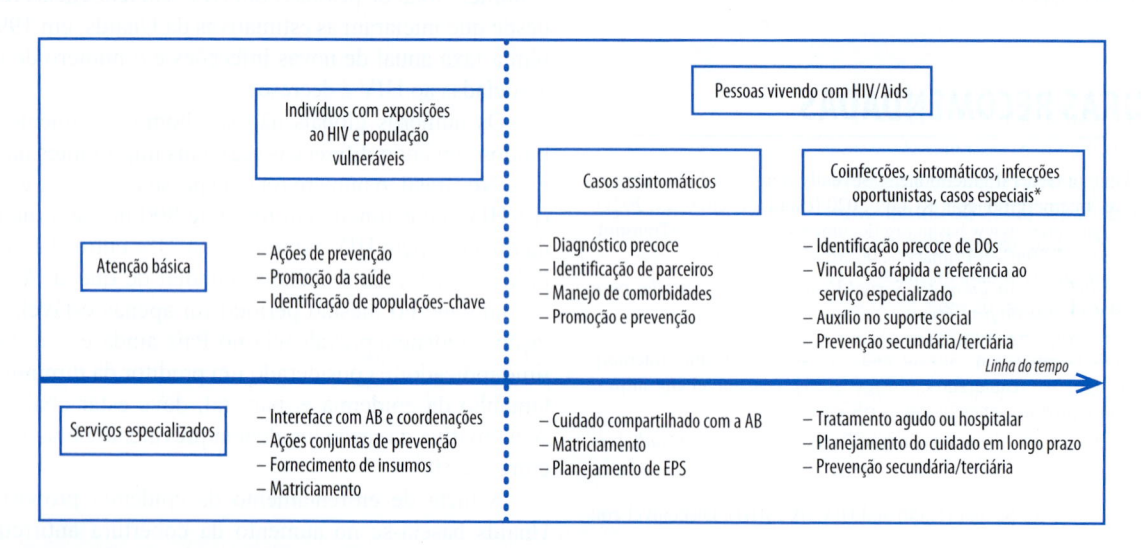

**FIGURA 156.1** → Linha do tempo do cuidado das pessoas vivendo com HIV.
AB, atenção básica; DOs, doenças oportunistas; EPS, educação permanente em saúde; HIV, vírus da imunodeficiência humana.
* Pacientes com necessidade de uso de esquemas antirretrovirais mais complexos, por resistência ou interações medicamentosas.

tratamento, na supressão da carga viral (CV), entre outros desfechos, nas mais variadas populações.[11-14]

# DIAGNÓSTICO

O diagnóstico é a primeira das metas da Unaids; porém, ainda se estima uma porcentagem de subdiagnóstico de 13 a 15%.[15] Para que o diagnóstico do HIV tenha seu benefício individual e coletivo, é necessário que aumente não só o número de diagnósticos, mas também que estes sejam feitos em momento oportuno. No Brasil, 25% dos diagnósticos ainda são feitos de forma tardia, e são definidos como pessoas com CD4 < 200 ou já com manifestações de Aids. O diagnóstico tardio leva a piores desfechos, como maior mortalidade, maior dificuldade de adesão ao tratamento, aumento nos custos totais de saúde e aumento das transmissões pelas pessoas que ainda não sabem que estão infectadas.[16-18]

Na APS, algumas estratégias reconhecidamente aumentam o número de diagnósticos e contribuem para que estes sejam feitos mais precocemente. São elas: a ampliação de testagem para todos os indivíduos cadastrados em uma unidade de saúde[19] e o oferecimento do teste na forma de *opt-out*, na qual o teste é solicitado e só não será realizado se o paciente recusar. Ela difere da abordagem de *opt-in*, na qual o teste é oferecido pelo profissional de saúde e será realizado se o paciente concordar com a solicitação.[20] É importante ressaltar que o aconselhamento pré e pós-teste deve ser realizado em ambas as estratégias.

Além disso, eventuais barreiras ao diagnóstico devem ser investigadas nos serviços,[21] conforme a TABELA 156.1.

Tecnicamente, os métodos disponíveis para diagnóstico podem der baseados em detecção direta do vírus ou detecção de anticorpos contra o vírus. São exemplos dos testes de detecção direta a CV e a detecção de antígeno p24. Já os testes de detecção de anticorpos têm como principais exemplos o ensaio imunoenzimático (Elisa), o *Western blot* e os imunoensaios rápidos.

Estes últimos são os mais utilizados na prática da APS e possuem elevado rendimento no contexto de infecção crônica pelo HIV acima dos 18 meses de idade.[22]

Além disso, a Portaria nº 29 do Ministério da Saúde, de 17 de dezembro de 2013, estabelece os imunoensaios rápidos, ou simplesmente testes rápidos (TRs), como a estratégia para ampliação da testagem no Sistema Único de Saúde (SUS). Os TRs permitem um resultado no máximo em 30 minutos, não exigem infraestrutura laboratorial e podem ser realizados por profissionais de saúde após capacitações breves, presenciais ou a distância. Os mais utilizados em serviços de saúde são feitos por meio de uma amostra de sangue total por punção digital.

Para que o resultado seja seguro e confiável, as recomendações de testagem são esquematizadas em fluxogramas, que ilustram o processo diagnóstico, mantendo a acurácia, e fornecem subsídios de investigação complementar em casos discordantes. Dessa forma, sua sensibilidade e especificidade superam os 99%. O fluxograma de diagnóstico baseado em TR está ilustrado na FIGURA 156.2. Ele prevê a realização sequencial de dois testes para confirmação de casos positivos, sendo o segundo teste de fabricante diferente do primeiro. Já os casos negativos podem ser definidos após o resultado do primeiro teste negativo. Os demais fluxogramas podem ser consultados na bibliografia complementar.[22]

Os testes de fluido oral também têm sua metodologia baseada na detecção de anticorpos e podem auxiliar no diagnóstico em ações extramuros, em pessoas em situação de vulnerabilidade, podendo ser realizados por profissionais como agentes de saúde, redutores de danos, educadores de saúde, entre outros. Sua indicação nesses casos provém da baixa complexidade da coleta, pois esta é não invasiva. Juntamente com o autoteste, são considerados testes de triagem e exigem confirmação posterior por outras metodologias em caso de positividade.

Os autotestes ampliam ainda mais a possibilidade diagnóstica com coleta do material a ser testado pelo próprio indivíduo.[23] A estratégia de autotestagem tem o objetivo de alcançar populações com dificuldade de acesso a testes em unidades de saúde, como parcerias de PVHIVs, populações-chave e distribuição por organizações não governamentais (ONGs). No Brasil, há alguns modelos de autoteste aprovados para uso e disponíveis comercialmente, e o Ministério

TABELA 156.1 → Barreiras ao diagnóstico de HIV

| POLÍTICA DE TESTAGEM | PROFISSIONAL DE SAÚDE | PACIENTES |
| --- | --- | --- |
| → Disponibilidade de teste rápido | → Ausência de matriciamento ou capacitação | → Estigma |
| → Testagem universal *versus* testagem na suspeita clínica | → Crenças sobre teste apenas em populações em risco | → Desconhecimento sobre locais de testagem |
| → Ausência de ações em populações-chave | → Falta de tempo | → Baixa percepção de risco |
| → Infraestrutura (deficitária) dos serviços | → Menor experiência em oferecer teste | → Preocupação com sigilo |
| → Horários (restritos) de funcionamento dos serviços de saúde | → Falta de conhecimento da epidemiologia local | → Medo do diagnóstico |

Fonte: Adaptada de Leblanc e colaboradores.[21]

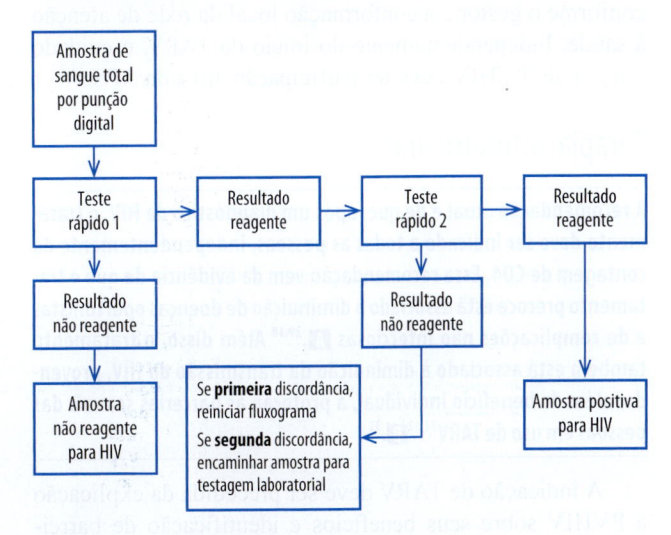

FIGURA 156.2 → Fluxograma de diagnóstico por testes rápidos. HIV, vírus da imunodeficiência humana.
Fonte: Brasil.[22]

da Saúde iniciou, em 2019, um projeto-piloto de autotestagem em algumas cidades prioritárias.

Os testes supracitados podem apresentar limitações para diagnóstico da infecção aguda ou recente pelo HIV, enquanto o paciente está no período denominado janela imunológica. Este é o tempo entre o momento da infecção e a possibilidade de detecção de anticorpos por meio dos testes disponíveis. Como regra geral, considera-se como janela imunológica o período em torno de 30 dias para os TRs com sangue total e de 90 dias para os testes com fluido oral. A recomendação nesses casos, na persistência de suspeita de infecção pelo HIV, é de que o teste seja repetido após o período de janela imunológica ou, em casos de necessidade de diagnóstico mais urgente, que seja realizado um teste de detecção direta do vírus, como a CV.[24]

## AVALIAÇÃO CLÍNICO-LABORATORIAL, TRATAMENTO E ACOMPANHAMENTO

### Princípios do tratamento

O conceito atual de tratamento das PVHIVs é baseado, além do cuidado-padrão com a TARV e a profilaxia de doenças oportunistas (DOs), no cuidado integral com ações de promoção de saúde, prevenção e tratamento de comorbidades não infecciosas e prevenção primária de doenças imunopreveníveis.[25]

No modelo de cuidado compartilhado, a APS é corresponsável em todos esses momentos do tratamento, de forma organizada em rede. Enquanto os pacientes com complicações específicas da infecção pelo HIV devem ter a avaliação pelo serviço especializado com maior brevidade (TABELA 156.2), os pacientes estáveis em cuidado crônico têm o foco principal de seu cuidado nas medidas de promoção e prevenção.[10]

Em relação ao início da TARV pela APS, essa estratégia tem sido cada vez mais difundida, com experiências exitosas em diversos serviços. Entretanto, a recomendação varia conforme o gestor e a conformação local da rede de atenção à saúde. Independentemente do início da TARV, o cuidado integral da PVHIV deve ter participação ativa da APS.[26,27]

### Terapia antirretroviral

A recomendação atual é de que, após um diagnóstico de HIV, o tratamento deve ser indicado a todas as pessoas, independentemente da contagem de CD4. Essa recomendação vem da evidência de que o tratamento precoce está associado à diminuição de doenças oportunistas e de complicações não infecciosas A.[29,30] Além disso, o tratamento também está associado à diminuição da transmissão do HIV, provendo, além do benefício individual, a proteção às parcerias sexuais das pessoas em uso de TARV[31,32] B.[33]

A indicação de TARV deve ser precedida da explicação à PVHIV sobre seus benefícios e identificação de barreiras à adesão ao tratamento A[29] e deve ser sempre acompanhada da concordância do paciente. Porém, pacientes com sinais de doença sintomática, imunodepressão e gestantes merecem uma abordagem mais enfática para início rápido da TARV.

Na avaliação inicial, a anamnese tem os objetivos de avaliação de risco para doenças oportunistas e complicações não infecciosas, detecção de comorbidades, avaliação de vulnerabilidades para transmissão de outras infecções sexualmente transmissíveis (ISTs) e avaliação de suporte social. O exame físico pode fornecer subsídios para diagnóstico precoce de imunodepressão e doenças preexistentes.[34]

Além da avaliação clínica, alguns exames complementares estão indicados na ocasião do diagnóstico (TABELA 156.3).

Para a escolha dos medicamentos, o esquema ARV padrão atual é composto por dois medicamentos da classe dos inibidores da transcriptase reversa (TR) análogos dos nucleos(t)ídeos (ITRNs), associadas a um terceiro fármaco. Este pode ser das classes dos inibidores da integrase (INIs), inibidores da protease (IPs) ou inibidores da TR não análogos dos nucleos(t)ídeos (ITRNNs). No Brasil, o *Protocolo clínico e diretrizes terapêuticas para manejo da infecção pelo HIV em adultos*, publicado pelo Ministério da Saúde em 2018, traz recomendações de escolha entre esses medicamentos e orienta o esquema de primeira linha adequado à maioria das PVHIVs, com tenofovir (TDF) + lamivudina (3TC + dolutegravir [DTG]) A.[35] Em alguns casos, há necessidade de individualização da terapêutica, de acordo com o perfil de segurança dos medicamentos (TABELA 156.4).[34]

**TABELA 156.2** → Critérios de encaminhamento para atenção especializada

| QUANDO ENCAMINHAR AO SERVIÇO DE ASSISTÊNCIA ESPECIALIZADA (SAE) EM HIV/AIDS OU INFECTOLOGIA (QUANDO NÃO HOUVER SAE DE REFERÊNCIA OU O SAE NÃO TRATAR ESSAS CONDIÇÕES) |
|---|
| → Imunodeficiência avançada ou moderada e/ou CD4 < 200 células/mm³ (inclui pacientes com doenças definidoras de Aids e doenças oportunistas) |
| → Neoplasia não definidora de Aids com indicação de quimioterapia ou radioterapia |
| → Contraindicação ao esquema ARV de primeira linha (por resistência evidenciada em genotipagem, histórico de uso prévio de esquema de segunda ou terceira linha, comorbidades ou interações medicamentosas) |
| → Falha terapêutica comprovada após trabalhada a adesão |
| → Intolerância ao esquema ARV de primeira linha por efeitos colaterais, após tentativa de manejo do efeito colateral |
| → Coinfecção com vírus da hepatite B ou C |
| → Coinfecção com tuberculose ou indicação de ILTB com rifampicina |
| → Suspeita ou diagnóstico de neurossífilis (após avaliação em serviço de emergência, se necessário) |
| → Pessoa com HIV e comorbidades graves como: |
|    → Doença renal crônica (TFG < 60 mL/min/1,73 m² ou proteinúria); ou |
|    → Miocardiopatia (insuficiência cardíaca classe III e IV, miocardiopatia isquêmica, outras miocardiopatias); ou |
|    → Alterações neurológicas ou psiquiátricas – quadros demenciais, depressão grave, transtorno de humor bipolar, esquizofrenia, outras condições neurológicas ou psiquiátricas incapacitantes ou de difícil manejo medicamentoso por interações com a TARV |
| → Gestantes (cuidado compartilhado entre atenção básica e SAE) |
| → Mulheres em idade fértil com plano de gestar |
| → Crianças |
| → Preocupação do paciente relativa ao sigilo da doença e local de atendimento na APS (após explicação sobre questões éticas e ambiente de segurança da unidade de saúde) |

APS, atenção primária à saúde; ARV, antirretroviral; HIV, vírus da imunodeficiência humana; ILTB, infecção latente por tuberculose; TARV, terapia antirretroviral; TFG, taxa de filtração glomerular.
Fonte: Universidade Federal do Rio Grande do Sul.[28]

TABELA 156.3 → Avaliação complementar na primeira consulta

| EXAMES | OBSERVAÇÕES |
|---|---|
| → Carga viral do HIV | Prediz a velocidade de progressão da doença pelo HIV e serve de parâmetro basal para controle do tratamento |
| → Contagem de CD4 | Fornece informação sobre o grau de imunodepressão e risco de DOs<br>Como regra geral:<br>→ CD4 > 500: imunodepressão leve<br>→ 350 < CD4 < 500: imunodepressão moderada<br>→ CD4 < 200: imunodepressão grave |
| → Hemograma e plaquetas<br>→ Creatinina e EQU<br>→ ALT, AST, bilirrubinas<br>→ Glicose em jejum<br>→ Colesterol total e frações | Avaliação de patologias preexistentes e parâmetro basal para comorbidades não infecciosas e toxicidade dos ARVs |
| → Anti-HCV, anti-HBc total, HBsAg, anti-HBs, anti-HAV total, testagem para sífilis, anti-HTLV I e II, sorologia para Chagas (áreas endêmicas) | Avaliação de coinfecções e de oportunidades para imunizações |
| → Radiografia de tórax, teste tuberculínico | Avaliação de coinfecção com tuberculose e identificação de indivíduos com indicação de tratamento da ILTB |
| → IgG para toxoplasmose | Avaliação de infecção prévia pelo *Toxoplasma gondii* e indicação de profilaxia primária quando CD4 < 100 |
| → Genotipagem pré-tratamento | Indicado para gestantes, mulheres em idade fértil que pretendem iniciar o processo de engravidar, casos novos com coinfecção TB/HIV, crianças/adolescentes e pessoas com indicação de início de TARV com efavirenz |

ALT, alanina-aminotransferase; anti-HBc, anticorpo do *core* da hepatite B; ARVs, antirretrovirais; AST, aspartato-aminotransferase; DOs, doenças oportunistas; EQU, exame qualitativo de urina; HAV, vírus da hepatite A; HBsAg, antígeno de superfície da hepatite B; HCV, vírus da hepatite C; HIV, vírus da imunodeficiência humana; HTLV, vírus linfotrópico de células T humanas; ILTB, infecção latente por tuberculose; TARV, terapia antirretroviral; TB, tuberculose.
Fonte: Brasil.[34]

Nas recentes recomendações, a escolha de um INI como terceiro fármaco tem sido uniformizada nos principais guias internacionais, devido à sua maior eficácia, maior incremento de CD4, melhor perfil de segurança e menor risco de interações medicamentosas, quando comparada aos IPs e aos ITRNNs.[36]

Na **TABELA 156.4**, constam a orientação esquemática de formulação de um esquema de primeira linha e as recomendações de terapia inicial no Brasil. Eventualmente, esquemas ARVs com estruturação diferente, com número maior ou menor de medicamentos e com outras combinações de classes poderão ser prescritos pelo infectologista, de acordo com o paciente, para adequação do medicamento a um perfil de resistência viral e/ou toxicidades. A posologia, as apresentações e os principais efeitos colaterais dos ARVs de primeira e segunda linhas disponíveis no Brasil são listados na **TABELA 156.5**.[37] Os medicamentos para uso em terapia de resgate de pacientes com múltiplas falhas estão além do escopo deste capítulo e devem ser discutidos com os serviços de referência.

**No acompanhamento de indivíduos em TARV, as consultas médicas são realizadas a cada 6 meses em pacientes estáveis e assintomáticos, porém devem acontecer de forma mais frequente nos pacientes com alguma alteração clínica ou naqueles com início recente da TARV.**

TABELA 156.4 → Esquemas antirretrovirais para o tratamento do HIV

| | ESQUEMA ANTIRRETROVIRAL PADRÃO | |
|---|---|---|
| | 2 ITRNs | TERCEIRO FÁRMACO |
| Recomendação de primeira linha no Brasil | → Tenofovir (TDF) + lamivudina (3TC) | → Dolutegravir (DTG) – classe: INI |
| Alternativas | → Zidovudina (AZT) + lamivudina (3TC)<br>→ Abacavir (ABC) + lamivudina (3TC) | → Atazanavir/r (ATV/r) ou darunavir/r (DRV/r) – classe: IP<br>→ Efavirenz – classe: ITRNN |

INI, inibidor da integrase; IP, inibidor da protease; ITRNs, inibidores da transcriptase reversa análogos dos núcleos(t)ídeos; ITRNN, inibidor da transcriptase reversa não análogo dos núcleos(t)ídeos.
Fonte: Brasil.[34]

A monitoração do controle de replicação viral é feita por meio do exame de CV, o qual tem como resultado desejado "não detectável" ou "abaixo do limite de detecção". Define-se falha virológica quando esse resultado não é alcançado no período de 6 meses após início ou da modificação da TARV ou em pacientes que possuíam CV indetectável (< 50 cópias/mL) e ela volta a ser detectada, na vigência de tratamento. Nessas situações, a CV sempre deve ser confirmada em nova coleta com intervalo mínimo de 4 semanas em relação à coleta anterior. Se a nova CV for indetectável na coleta após 4 semanas, repetir CV em 6 meses. Se baixa viremia (CV < 200 cópias/mL) for detectada na coleta após 4 semanas, realizar uma nova CV em 12 semanas, com o objetivo de avaliar a permanência de baixa viremia e a necessidade de troca futura da TARV.[28] A detecção precoce da falha virológica é essencial para que a causa seja esclarecida, como má adesão ao tratamento ou resistência viral, e assim a conduta adequada ao caso seja tomada com brevidade. A não detecção da falha virológica está associada a acúmulo de resistência viral, transmissão de vírus resistente e risco de adoecimento pelo HIV.[38]

O parâmetro de avaliação da imunidade é a contagem de células CD4. Ele é usado para a definição de profilaxias para doenças oportunistas e para estimar o risco de complicações relacionadas à Aids. Em pacientes sintomáticos ou com intercorrências, o conhecimento da contagem de CD4 auxilia no diagnóstico diferencial, pois há relação inversa entre a contagem de CD4 e o risco de uma intercorrência estar relacionada à Aids.

Outros exames laboratoriais estão indicados como monitoramento de toxicidade dos ARVs, de risco para IST e de desenvolvimento de patologias crônicas. Sua periodicidade e indicação está resumida na **TABELA 156.6**.[34]

## Profilaxias

As profilaxias instituídas para a PVHIV visam reduzir a incidência de reativação de infecções oportunistas em pacientes com exposição prévia a esses patógenos, especialmente quando linfócitos CD4 < 200 células/mm³.

As profilaxias primárias devem ser iniciadas em todos os pacientes que apresentarem critérios de risco para

**TABELA 156.5** → Eventos adversos comuns e interações medicamentosas das terapias antirretrovirais

| NOME | APRESENTAÇÃO | POSOLOGIA | EFEITOS COLATERAIS/INTERAÇÕES MEDICAMENTOSAS |
|---|---|---|---|
| **INIBIDORES DA TRANSCRIPTASE REVERSA ANÁLOGOS AOS NUCLEOSÍDEOS/NUCLEOTÍDEOS** | | | |
| Abacavir (ABC) | Comprimidos de 300 mg | 300 mg, 12/12 horas, ou 2 comprimidos de 300 mg, 1 ×/dia | Reação de hipersensibilidade (2-7%) com febre, mal-estar, náuseas, vômitos e *rash* morbiliforme; algumas vezes, aparecem artralgias e tosse, mais comuns em indivíduos brancos, associadas à presença do alelo HLA-B*5701. O ABC deve ser suspenso e o fármaco não deve ser reintroduzido pela potencial gravidade do quadro; seu uso pode estar associado a aumento de eventos cardiovasculares em pacientes com outros fatores de risco |
| Lamivudina (3TC) | Comprimidos de 150 mg | 150 mg, 12/12 horas, ou 300 mg, 1 ×/dia | Medicamento bem tolerado; raramente, está associado à pancreatite medicamentosa |
| Zidovudina (ZDV ou AZT) | Cápsulas de 100 mg | 300 mg, 12/12 horas, ou 200 mg, 8/8 horas | Mielossupressão, em particular anemia e neutropenia; mais de 95% dos indivíduos apresentam macrocitose após 3 meses de uso; náuseas e vômitos, astenia. Uso crônico: miopatia, lipodistrofia, hiperpigmentação cutânea, ungueal e de mucosas. Deve ser utilizado com cautela quando associado a outros medicamentos com potencial de mielossupressão |
| Tenofovir (TDF) | Comprimidos de 300 mg | 1 comprimido, 1 ×/dia | Bem tolerado e pouco relacionado a efeitos colaterais; apresenta risco de nefrotoxicidade, principalmente quando associado ao ritonavir e em indivíduos com outros fatores de risco, a qual pode manifestar-se por insuficiência renal e/ou síndrome de Fanconi (caracterizada por hipofosfatemia, hipouricemia, proteinúria, glicosúria normoglicêmica); também está associado à diminuição da densidade mineral óssea |
| TDF + 3TC | Comprimido com DFC de 300 mg + 300 mg | 1 comprimido, 1 ×/dia | Somam-se os efeitos associados aos dois fármacos |
| 3TC + AZT | Comprimido com DFC de 150 mg + 300 mg | 1 comprimido, 12/12 horas | Somam-se os efeitos associados aos dois fármacos |
| **INIBIDORES DA TRANSCRIPTASE REVERSA NÃO ANÁLOGOS AOS NUCLEOSÍDEOS** | | | |
| Efavirenz (EFZ) | Comprimidos de 600 e cápsulas de 200 mg (estas para uso pediátrico) | 1 comprimido, 1 ×/dia (à noite, de preferência) | Sintomas neuropsiquiátricos são frequentes: distúrbios do sono, sonolência, pesadelos, tonturas, vertigem, irritabilidade, agitação, depressão, euforia, dificuldade de concentração, alucinações e associação com risco de suicídio; exantema pode ser manejado sem a suspensão do fármaco; síndrome de Stevens-Johnson é rara; 10-20% dos indivíduos apresentam elevação nos triglicerídeos |
| Nevirapina (NVP) | Comprimidos de 200 mg | 200 mg, 12/12 horas; iniciar com 200 mg/dia, durante 14 dias e, na ausência de exantema, aumentar para dose total | Exantema, síndrome de Stevens-Johnson; elevação de transaminases até quadros graves de hepatites; para minimizar esse risco, não deve ser prescrita em mulheres com nadir de CD4 ≥ 250 células/mm³ e homens com nadir de CD4 ≥ 400 células/mm³; evitar em pacientes com doença hepática preexistente |
| **INIBIDORES DA PROTEASE** | | | |
| Atazanavir (ATZ) | Comprimidos de 200 e 300 mg | 400 mg, 1 ×/dia, ou 300 mg + 100 mg, RTV, 1 ×/dia | O ATZ inibe a UDP-glicuronil-transferase hepática e diminui a conjugação das bilirrubinas, o que leva, de forma quase universal, ao aumento nos níveis destas; pode estar associado a icterícia sem repercussão clínica (apenas prejuízo estético); é considerado o IP menos vinculado à toxicidade metabólica, porém há associação com aumento de nefropatia, com insuficiência renal e nefrolitíase; o uso do ATZ, associado ou não ao RTV, não está relacionado a aumento do risco de doença cardiovascular; evitar o uso com inibidor da bomba de prótons |
| Darunavir (DRV) | Comprimidos de 600 mg | 600 mg, 12/12 horas, associado ao RTV 100 mg, 12/12 horas | *Rash* cutâneo é pouco frequente, mas está associado à história prévia de alergia a sulfas, por haver um radical semelhante nesses fármacos; também está associado a dislipidemia, aumento de risco cardiovascular e efeitos colaterais gastrintestinais |
| Ritonavir (RTV) | Cápsulas de 100 mg | 100-200 mg/dia | Atualmente, esse medicamento não é utilizado com o objetivo de inibir replicação viral, mas sim como um *booster* farmacológico dos outros IPs; essa característica deve-se ao seu bloqueio do citocromo P450 no fígado e à elevação, como consequência, do nível sérico de outros medicamentos; outros medicamentos, como algumas estatinas, também podem ter seu nível sérico aumentado se coadministrados |
| **INIBIDOR DA INTEGRASE** | | | |
| Raltegravir (RAL) | Comprimidos de 400 mg | 400 mg, 12/12 horas | Agente antirretroviral com baixa barreira genética; fármaco geralmente seguro em curto e médio prazos; cefaleia, náuseas e fadiga são os efeitos mais comuns; foram descritos alguns casos de miopatia e rabdomiólise; dislipidemia e intolerância à glicose podem ocorrer, embora sejam menos comuns |
| Dolutegravir (DTG) | Comprimidos de 50 mg | 50 mg, 1 ×/dia | Efeitos colaterais não são comuns; pode estar associado a alterações gastrintestinais, cefaleia e insônia; pacientes em uso de metformina devem ter a dose desta limitada a 1 g/dia pelo aumento de suas concentrações na coadministração; pacientes que utilizam antiácidos com Mg ou Al ou que utilizam complementos de Fe ou Ca, devem ingerir o DTG pelo menos 2 horas antes ou 6 horas após; a coadministração com rifampicina, carbamazepina, oxcarbazepina, fenitoína e fenobarbital (indutores da UGTA1A) reduz seus níveis séricos; em alguns casos, é possível a coadministração com aumento da dose para 50 mg, 2 ×/dia, porém esses casos devem ser discutidos com o serviço de referência; a creatinina pode elevar-se em 10-15%, sem alteração real da TFG, pela inibição do transportador OCT2 nos túbulos renais |

DFC, dose fixa combinada; IPs, inibidores da protease; TFG, taxa de filtração glomerular.
Fonte: Adaptada de Brasil;[34] Cavalheiro e colaboradores.[37]

a reativação da doença, ainda que nunca tenham tido manifestações clínicas. As profilaxias secundárias são instituídas apenas após o término de tratamento de infecção oportunista clinicamente manifesta e mantidas enquanto o paciente estiver imunossuprimido com risco de reativação do quadro infeccioso. Os principais patógenos oportunistas e as respectivas profilaxias são citados a seguir.

TABELA 156.6 → Avaliação laboratorial no acompanhamento da PVHIV

| EXAME | PERIODICIDADE |
|---|---|
| CV | → Semestral<br>→ Após início ou troca de ARV: 8 semanas<br>→ Confirmação de falha virológica: após 4 semanas da primeira CV detectável |
| CD4 | → Semestral*<br>→ Pacientes imunodeprimidos em uso de profilaxia para DO: 3 meses |
| Hemograma e plaquetas | → Anual[†]<br>→ Repetir em 2-8 semanas em caso de início ou troca para TARV contendo AZT; em caso de uso de AZT ou outros fármacos mielotóxicos, solicitar a cada 3-6 meses |
| Creatinina, EQU e estimativa de TFG | → Semestral<br>→ Anual em caso de paciente sem uso de tenofovir (TDF), atazanavir (ATV) ou outros fármacos nefrotóxicos, sem risco aumentado para doença renal (DM, HAS) e TFG > 60 mL/min<br>→ Início ou modificação de TARV: após 8 semanas |
| Perfil lipídico | → Anual<br>→ Em caso de alterações prévias, a cada 6 meses |
| Glicemia de jejum | → Anual<br>→ Solicitar teste de tolerância à glicose caso o resultado da glicemia de jejum esteja entre 100 e 125 mg/dL |
| ALT, AST, fosfatase alcalina, bilirrubinas | → Semestral<br>→ A cada 3-6 meses em caso de uso de fármacos hepatotóxicos, doença hepática ou coinfecção por hepatites virais |
| Teste imunológico para sífilis | → Semestral<br>→ Mais frequente em pessoas com alto risco ou exposição |
| Testes para hepatites virais | → Anual<br>→ Mais frequente em pessoas com alto risco ou exposição<br>→ Pacientes imunizados (anti-HBs positivos) não necessitam de nova triagem para hepatite B |
| Teste tuberculínico | → Anual, em caso de exame inicial < 5 mm<br>→ Em caso de exame inicial > 5 mm, indicar tratamento para infecção latente, desde que descartada tuberculose em atividade |

* O Ministério da Saúde, na sua recomendação atual, não orienta repetir a contagem de CD4 para PVHIVs que tenham atingido contagens > 350 em 2 exames consecutivos, estejam em uso de TARV com CV indetectável e sejam assintomáticas.
[†] Os exames podem ser repetidos com mais frequência em casos de alterações, presença de fatores de risco ou patologias em tratamento.
ALT, alanina-aminotransferase; ARV, antirretroviral; AST, aspartato-aminotransferase; AZT, zidovudina; CV, carga viral; DM, diabetes melito; DO, doença oportunista; EQU, exame qualitativo de urina; HAS, hipertensão arterial sistêmica; HIV, vírus da imunodeficiência humana; PVHIV, pessoa vivendo com HIV; TARV, terapia antirretroviral; TFG, taxa de filtração glomerular.
Fonte: Universidade Federal do Rio Grande do Sul;[28] Brasil.[34]

## Profilaxia primária

### Pneumocystis jiroveci

Na era pré-TARV, a pneumocistose (PCP) era responsável por dois terços de todas as infecções oportunistas, e o risco estimado de uma PVHIV desenvolver a doença ao longo da vida era de 75%. Esse risco diminuiu substancialmente após a instituição de profilaxia primária e início precoce de TARV; porém, a PCP ainda representa a segunda doença oportunista mais prevalente. Segundo o *Multicenter AIDS Cohort Study*, 43% dos pacientes que se apresentam com PCP desconhecem o diagnóstico de HIV previamente.[39]

**A profilaxia para PCP deve ser realizada com sulfametoxazol + trimetoprima (SMX-TMP) 800 + 160 mg, 3x/semana, em todos os pacientes com linfócitos CD4+ < 200 células/mm³ A ou < 14% B, candidíase orofaríngea A e febre indeterminada por período ≥ 2 semanas ou doença definidora de Aids B. Esquema com dose diária de SMX-TMP 400 + 80 mg também pode ser utilizado A.** [40]**Deve ser mantida até os linfócitos CD4+ estarem acima desse valor por um período de 3 meses. Reintroduzir a profilaxia se CD4 < 200 células/mm³. Dapsona 100 mg/dia é uma alternativa em caso de intolerância a SMX + TMP B.**[41]

### Toxoplasma gondii

O risco estimado mundial de coinfecção por HIV e toxoplasmose é de 35,8%, chegando a 49,1% na América Latina.[42] Toxoplasmose é a infecção oportunista mais comum no sistema nervoso central em PVHIVs e pode ter consequências devastadoras. A triagem com sorologia IgG para toxoplasmose deve ser, portanto, realizada de rotina em todas as PVHIVs.[43]

**A profilaxia para toxoplasmose deve ser realizada com SMX-TMP 800 + 160 mg, 1 ×/dia, em todos os pacientes com linfócitos CD4+ < 100 células/mm³ e IgG anti-*T. gondii* reagente A.**[40] **Deve ser mantida até os linfócitos CD4+ atingirem valor > 200 células/mm³ por um período de 3 meses. Reintroduzir a profilaxia se CD4 < 100 células/mm³. Alternativa em caso de intolerância é dapsona 50 mg/dia + pirimetamina 50 mg/semana+ ácido folínico 10 mg, 3 ×/semana B.**[40]

### Mycobacterium tuberculosis (tuberculose latente)

Segundo dados da Organização Mundial da Saúde (OMS) de 2017, estima-se que 46% dos casos reportados de tuberculose (TB) no mundo ocorrem em PVHIVs. O risco de adoecimento por TB é 28 vezes maior nessa população.[44] A realização de prova tuberculínica (PT) ou ensaio de liberação de gamainterferona (IGRA, do inglês *interferon gamma release assay*) está indicada anualmente em todos os pacientes com CD4+ > 350 células/mm³ que não apresentaram TB prévia.

**A profilaxia para TB deve ser realizada em todos os pacientes com PT > 5 mm, PT < 5 mm com registro documental de PT ≥ 5 mm anterior, CD4+ < 350 células/mm³ no momento do diagnóstico, contato intradomiciliar/institucional com pacientes bacilíferos ou radiografia de tórax com cicatriz de TB sem tratamento prévio. Os medicamentos utilizados são isoniazida 5 mg/kg/dia (até 300 mg/dia) por 6 a 9 meses (preferencialmente a utilização de 270 doses) B ou rifampicina na dose de 10 mg/kg (até 600 mg/dia) por 4 meses B.**[41] **Não há indicação de repetição da profilaxia. O uso concomitante de piridoxina 50 mg/dia pode reduzir o risco de neuropatia por isoniazida A.**

### Complexo Mycobacterium avium

A profilaxia para o complexo *Mycobacterium avium* deve ser realizada em todos os pacientes com CD4 < 50 células/mm³ com azitromicina 1.500 mg, 1 ×/semana A.[41] Deve ser mantida até os linfócitos CD4+ atingirem valor > 100 células/mm³ por um período de 3 meses. Reintroduzir a profilaxia se CD4 < 50 células/mm³.

## Profilaxia secundária

A profilaxia secundária deve ser instituída após o término do tratamento de determinadas doenças até que haja recuperação do CD4, evitando o risco de reativação precoce destas enquanto o paciente ainda estiver imunossuprimido. Indica-se profilaxia secundária para infecções por *Pneumocystis jiroveci*, *Toxoplasma gondii*, complexo *Mycobacterium avium*, *Cryptococcus* sp., *Isospora belli*, citomegalovírus (retinite) ou histoplasmose (doença disseminada ou em sistema nervoso central [SNC]). Essas infecções manifestam-se quase na sua totalidade em pacientes com CD4+ < 200 células/mm³. O manejo clínico desses pacientes e a manutenção de profilaxia secundária está além do escopo de atuação da APS, devendo ser manejado em parceria com o médico infectologista.

## Imunizações

As imunizações de PVHIVs com linfócitos CD4+ > 350 células/mm³ (> 20%) devem seguir as recomendações do calendário nacional. Em pacientes com CD4+ entre 200 e 350 células/mm³ (15-19%), deve-se avaliar o risco epidemiológico e decidir individualmente. Nos pacientes com CD4+ < 200 células/mm³, deve-se avaliar o benefício da vacinação e, se possível, adiá-la devido à baixa resposta imunológica protetora obtida nesses casos e também pelo risco de reações adversas vacinais em casos de vacinas de bactérias ou vírus vivos atenuados[34] (ver Capítulo Imunizações).

No Brasil, além das vacinas geralmente recomendadas, indica-se, para todas as PVHIVs, a realização das vacinas descritas a seguir.

### Vacina pneumocócica

O risco de infecção invasiva pneumocócica é 60 vezes mais comum em PVHIVs mesmo na era pós-TARV **C/D**.[45] A avaliação de resposta imunológica da vacina pneumocócica 23-valente polissacarídica *versus* vacina pneumocócica conjugada 13-valente foi estudada em PVHIVs com CV indetectável e mediana de CD4+ de 650 células/mm³. Embora diferenças menores tenham favorecido a imunogenicidade da vacina pneumocócica conjugada 13-valente em 5 anos, ambas as vacinas proporcionaram resposta sorológica sustentada adequada.[46]

O Ministério da Saúde do Brasil recomenda a realização da vacina pneucocócica 13-valente em dose única, a partir dos 5 anos de idade. Não está recomendada para aquele que foi imunizado previamente com vacina pneumocócica 10- valente. Para quem já recebeu uma dose de pneumo 23, deve-se respeitar o intervalo mínimo de 1 ano para a administração da pneumo 13. O Ministério da Saúde recomenda também a vacina pneumocócica 23-valente em 2 doses, com intervalo de 5 anos, em qualquer faixa etária para PVHIVs. Para aqueles não vacinados com pneumo 10 na infância, administrar preferencialmente após a dose única de pneumo 13 (com no mínimo 8 semanas de intervalo).

### Vacina meningocócica

Conforme situação vacinal encontrada, devem-se aplicar 2 doses com intervalo de 8 semanas **C/D**. Revacinar a cada 5 anos. Indivíduos que já receberam a vacina meningo C podem ser vacinados com a meningo ACWY, respeitando intervalo mínimo de 1 mês após a última dose da meningo C.

### Vacina anual da *influenza*[47]

PVHIVs têm maior risco de infecção grave e prolongada por *influenza*; portanto, a vacinação anual é recomendada. A vacina inativada trivalente contra *influenza* previne a doença em pacientes com infecção pelo HIV **A**.[48] A resposta imunogênica à vacina pode ser inferior à de indivíduos saudáveis, variando de acordo com o valor de CD4+ e com a CV.

Um estudo mostrou taxas de soroproteção em torno de 80% para *influenza* A em indivíduos imunorreconstituídos (CD4+ médio 483 células/mm³ e CV < 50 cópias/mL).

### Vacina da hepatite B

A vacina deve ser administrada em 4 doses (0, 1, 2 e 6 a 12 meses), em dose dobrada em relação à recomendação do fabricante em todos os indivíduos suscetíveis (anti-HBc total negativo, anti-HBs negativo), devido à baixa imunogenicidade para a vacina realizada em doses usuais **C/D**.[34,49]

### Vacina do papilomavírus humano (HPV)

A vacina do papilomavírus humano (HPV, do inglês *human papillomavirus*) com esquema de 3 doses (0, 1 a 2 e 6 meses) é recomendada para homens entre 9 e 26 anos e mulheres entre 9 e 45 anos, caso nunca tenham sido vacinados. Dados diretos sobre eficácia da vacinação contra o HPV em pessoas imunocomprometidas são escassos e ainda inconclusivos **C/D**.[50]

Independentemente da vacinação, sabe-se que manter rastreamento do câncer de colo de útero é uma medida fundamental. A periodicidade desse exame varia de acordo com a contagem de CD4. Para as mulheres com contagens < 200 células/mL, o exame citopatológico deve ser realizado semestralmente. Naquelas com contagens > 200 células/mL, a periodicidade deve ser anual, após 2 exames semestrais iniciais negativos.

As demais vacinas são apresentadas na **TABELA 156.7**.

Indivíduos que convivem com PVHIVs devem receber vacina contra poliomielite 1, 2 e 3 inativada (VIP), quando indicado; vacina contra varicela, vacina contra sarampo, caxumba e rubéola, se suscetíveis; e vacina contra *influenza* inativada. Essa orientação também se aplica ao profissional de saúde e a outros profissionais que cuidam de PVHIVs.[51]

## Comorbidades

### Alterações metabólicas e doenças cardiovasculares

A exposição ao HIV leva à ativação imune persistente, gerando um estado inflamatório crônico associado a estresse oxidativo aumentado e, em consequência, maior risco de doenças cardiovasculares. A CV cumulativa à qual o paciente foi exposto ao longo da vida, assim como a CV de base na ocasião do diagnóstico do HIV, foram associadas a maior risco de infarto agudo do miocárdio.[52] Estudo realizado no sul do Brasil em indivíduos com idade ≥ 50 anos em acompanhamento na APS mostrou risco significativamente maior de multimorbidades na população infectada pelo HIV (63% vs. 43%, $p < 0,001$).[53]

## TABELA 156.7 → Esquema vacinal para a PVHIV

| VACINA | RECOMENDAÇÃO |
|---|---|
| Dupla do tipo adulto (dT) | 3 doses (0, 2, 4 meses) e reforço a cada 10 anos |
| Febre amarela* | Dose única; se houver registro de dose anterior, não é necessário revacinar; individualizar o risco/benefício conforme a situação imunológica da pessoa e a situação epidemiológica da região e, em caso de exposição, vacinar somente quando LT-CD4 ≥ 200 células/mm³ |
| *Haemophilus influenzae* tipo b (Hib) | 2 doses com intervalo de 2 meses em indivíduos com idade entre 1 e 19 anos nunca vacinados |
| Hepatite A | 2 doses (0 e 6 meses) em indivíduos suscetíveis à hepatite A (anti-HAV negativo), portadores de hepatopatia crônica, incluindo portadores crônicos do vírus da hepatite B e/ou C |
| Hepatite B† | Dose dobrada recomendada pelo fabricante, administrada em 4 doses (0, 1, 2 e 6 a 12 meses) em todos os indivíduos suscetíveis à hepatite B (anti-HBc total negativo, anti-HBs negativo) |
| Influenza | 1 dose anual da vacina inativada contra o vírus *influenza* |
| Meningo C ou ACWY | Conforme situação vacinal encontrada, 2 doses com intervalo de 8 semanas; revacinar a cada 5 anos; indivíduos que já receberam a vacina meningo C podem ser vacinados com a meningo ACWY, respeitando intervalo mínimo de 1 mês após a última dose da meningo C |
| Pneumo 13 *Streptococcus pneumoniae* | Dose única, a partir de 5 anos de idade; não está recomendada para aquele que foi imunizado previamente com vacina pneumocócica 10-valente. Para quem já recebeu 1 dose de pneumo 23, deve-se respeitar o intervalo mínimo de 1 ano para a administração da pneumo 13 |
| Pneumo 23 *Streptococcus pneumoniae* | 1 dose e 1 reforço após 5 anos; para aqueles não vacinados com pneumo 10 na infância, administrar preferencialmente após a dose única de pneumo 13 (com no mínimo 8 semanas de intervalo) |
| Tríplice viral‡ | 2 doses em suscetíveis até 29 anos, com LT-CD4 ≥ 200 células/mm³; 1 dose em suscetíveis entre 30 e 49 anos, com LT-CD4 ≥ 200 células/mm³ |
| Vacina HPV 6, 11, 16 e 18 (recombinante) – HPV quadrivalente | Homens entre 9 e 26 anos e mulheres entre 9 e 45 anos, desde que tenham contagem de LT-CD4 ≥ 200 células/mm³; vacina administrada em 3 doses (0, 2 e 6 meses) |
| Varicela§ | 2 doses com intervalo de 1 mês nos suscetíveis com LT-CD4 ≥ 200 células/mm³ |

* Contraindicada para gestantes. Em regiões de risco elevado pode ser considerada, a partir do 3º trimestre, em gestantes com LT-CD4 ≥ 200 células/mm³, sempre considerando a relação risco-benefício.

† A imunogenicidade e a eficácia da vacina contra hepatite B são inferiores em pessoas imunodeprimidas em relação aos imunocompetentes. Doses maiores e número aumentado de doses são necessários para indução de anticorpos em níveis protetores. Por esse motivo, são recomendadas 4 doses de vacina contra hepatite B, com o dobro da dose habitual.

‡ Considerando os atuais surtos de sarampo na Europa e nos Estados Unidos, eventuais viajantes HIV+ que receberam apenas uma dose em seu histórico vacinal devem receber uma segunda dose se estiverem com LT-CD4 ≥ 200 células/mm³.

§ Há poucos dados respaldando seu uso de rotina em adultos e adolescentes com HIV suscetíveis à varicela. É contraindicada para gestantes.

anti-HBc, anticorpo do *core* da hepatite B; HIV, vírus da imunodeficiência humana; HPV, papilomavírus vírus; PVHIV, pessoa vivendo com HIV.
Fonte: Universidade Federal do Rio Grande do Sul.[28]

Além da própria infecção pelo HIV, alguns ARVs podem contribuir para o aumento do risco cardiovascular por mecanismos distintos. Dos ARVs disponíveis para uso no Brasil, atenção especial deve ser dada para o possível aumento de dislipidemia e risco cardiovascular relacionado a fármacos específicos de acordo com a classe a que pertencem. Dos ITRNs, zidovudina e abacavir apresentam maior risco quando comparados ao tenofovir; dos ITRNNs, efavirenz está relacionado com aumento do colesterol total e triglicerídeos; dos IPs, darunavir/r foi relacionado a maior número de eventos cardiovasculares independentemente do perfil lipídico. Os INIs apresentam um perfil favorável, com pouca alteração lipídica. Trocas na TARV visando obter um esquema associado a menor risco cardiovascular podem ser consideradas, mas essa decisão deve ser cuidadosa e preferencialmente compartilhada com o especialista, devido ao risco de falha virológica em consequência da troca.[54] É importante ressaltar que o esquema inicial de tratamento proposto no Brasil de TDF + 3TC + DTG apresenta um perfil favorável do ponto de vista metabólico. Além disso, os benefícios associados ao uso de TARV e supressão da CV superam eventuais efeitos colaterais relacionados a fármacos específicos **B**.[55]

É recomendado abordar, durante o acompanhamento de PVHIVs, tanto na consulta inicial como nas ocasiões de troca de TARV:

→ mudar estilo de vida: estimular atividade física e hábitos alimentares saudáveis **B**, assim como cessação do tabagismo **B**;[56,57]
→ avaliar índice de massa corporal (IMC) e circunferência abdominal;
→ avaliar pressão arterial sistêmica;
→ fazer avaliação laboratorial de níveis de lipídeos e presença de diabetes melito/resistência à insulina;
→ aplicar escala de risco de Framingham.

O Ministério da Saúde do Brasil recomenda reavaliação do risco cardiovascular a cada 2 anos em pacientes de baixo risco pela escala de Framingham (< 10% e sem uso de IP), a cada 6 a 12 meses em pacientes de médio risco (> 10% e < 20%, independentemente do uso de IP) e após 1 mês, seguido de avaliações a cada 3 meses em pacientes de alto risco (> 20%, independentemente do uso de IP).[34] O tratamento da dislipidemia em PVHIVs com risco cardiovascular médio e alto deve ser iniciado pela orientação de mudança do estilo de vida e reavaliação em 3 meses.

O uso de estatinas está recomendado em pessoas com alto risco cardiovascular (escore de Framingham ≥ 20%). Em pessoas com risco moderado, a decisão deve ser individualizada e compartilhada, informando sobre riscos e benefícios relacionados ao tratamento, sempre atentando para as interações medicamentosas com a TARV. A presença de história familiar de doença cardiovascular precoce pode auxiliar na tomada de decisão. Quando necessário utilizar estatinas, deve-se iniciar em baixas doses, visando minimizar os eventos adversos. Pessoas em uso de TARV devem utilizar sinvastatina e lovastatina com cautela, devido à interação medicamentosa e ao risco de toxicidade. O risco de interação com essas estatinas é variável, de acordo com a classe de ARVs em uso, sendo menor em pacientes em uso de INIs e proibitivo nos pacientes em uso de IPs. Se o paciente estiver em uso de IP (p. ex., atazanavir, darunavir), optar por pravastatina (20-40 mg/dia) **C/D**[58] ou atorvastatina (10-80 mg/dia) **C/D**.[28,59] O risco de cada interação específica pode ser consultado em *sites* específicos (ver QR code).

O uso de fibratos está indicado quando triglicerídeos > 500 mg/dL, e opções para o tratamento incluem fenofibrato 200 mg, 1 ×/dia, ou genfibrozila 600 mg, 2 ×/dia antes do café da manhã e do jantar C/D.[28,60] A vantagem dessa classe de medicamento é que ela não costuma causar interação medicamentosa com os ARVs.[34]

### Doenças neurocognitivas

Estima-se que as alterações neurocognitivas associadas ao HIV (HAND, do inglês *HIV-associated neurocognitive disorders*) ocorram em 20 a 50% das PVHIVs. Embora as formas graves de complexo demencial relacionado ao HIV tenham reduzido na era pós-TARV, manifestações mais brandas de domínio subcortical com acometimento de atenção, concentração e memória ainda são frequentes. Alta viremia e queda de CD4+ na ocasião da infecção primária pelo HIV e início tardio de TARV, já com comprometimento imunológico, são fatores de risco para desenvolvimento de HAND. Além disso, idade > 50 anos, fatores de risco para doenças cerebrovasculares, doenças psiquiátricas e abuso de substâncias são condições que podem coexistir e agravar esse processo. A evolução clínica é insidiosa, e a avaliação dessa condição deve ser feita após descartadas doenças oportunistas ou doenças sistêmicas agudas capazes de comprometer o estado mental.[61]

Segundo o protocolo do Ministério da Saúde, a triagem para HAND deve ser feita na consulta inicial e, após, anualmente (ou semestralmente se houver fatores de risco), questionando sobre:

→ **alterações de memória:** "Você tem perda de memória frequente?", "Costuma esquecer de eventos especiais ou encontros, inclusive os mais recentes?";
→ **lentificação psicomotora:** "Você sente que está mais lento quando pensa, planeja atividades ou resolve problemas?";
→ **falhas na atenção:** "Você tem dificuldades para prestar atenção, por exemplo, para conversar, ler um jornal ou assistir a um filme?".[34]

Se a resposta a qualquer uma dessas perguntas for positiva, o paciente deve ser encaminhado para avaliação neuropsicológica formal ou, na impossibilidade desta, aplicar o teste *International HIV Dementia Scale*,[62] disponível em português no *Protocolo clínico e diretrizes terapêuticas para manejo da infecção pelo HIV em adultos*.[34] A avaliação complementar pode envolver realização de exames de imagem e exame liquórico para escape virológico em SNC e deve ser feito em conjunto com o especialista.

O tratamento da HAND envolve, inicialmente, controle de comorbidades (depressão, diabetes, dislipidemia), além de modificação de estilo de vida, incluindo cessação do tabagismo e do abuso de álcool ou de substâncias ilícitas. O ajuste do esquema ARV visando o uso de TARV com melhor penetração no SNC é uma abordagem possível e deve ser compartilhada com o médico infectologista.

### Outras comorbidades

Alterações renais, hepáticas e ósseas podem ocorrer em função do processo inflamatório relacionado à exposição ao HIV ou por patologias concomitantes acometendo esses órgãos. Com o uso de TARV, a lesão direta pelo HIV tornou-se menos frequente; no entanto, toxicidade relacionada ao uso de TARV ou à presença de outros fatores de risco concomitantes exige monitoramento rotineiro desses pacientes. As alterações relacionadas aos principais medicamentos utilizados no tratamento do HIV e o monitoramento recomendado estão sumarizados na **TABELA 156.8**.

## PREVENÇÃO

A prevenção da infecção pelo HIV é um alvo fundamental para o controle da epidemia. Medidas isoladas mostraram-se ineficazes do ponto de vista populacional, e diversas estratégias combinadas são atualmente utilizadas para essa finalidade.

A ampla testagem e o início precoce de tratamento para indivíduos infectados pelo HIV evitam a propagação da

**TABELA 156.8** → Alterações relacionadas ao uso da TARV e recomendações

| | ALTERAÇÕES RELACIONADAS AO USO DA TARV | RECOMENDAÇÕES |
| --- | --- | --- |
| Nefrotoxicidade | **Tenofovir:** acometimento tubular (incluindo síndrome de Fanconi), proteinúria glomerular, acidose metabólica, glicosúria e hipofosfatemia<br>**Atazanavir/r:** nefrolitíase<br>**Dolutegravir:** inibição tubular dos transportadores de creatinina; elevação da creatinina sem piora da filtração glomerular medida pelo padrão-ouro (iomalato ou inulina) | → Avaliar creatinina e TFG a cada 6 meses em pacientes em uso de TARV/outros fármacos potencialmente nefrotóxicos ou com fatores de risco para doença renal (DM, hipertensão)<br>→ Monitorar fosfato sérico a cada 6 meses em pacientes em uso de tenofovir para excluir hipofosfatemia relacionada ao uso do fármaco<br>→ Solicitar exame qualitativo de urina; em caso de proteinúria ou hematúria, quantificar a relação albuminúria/creatininúria em 24 horas ou amostra isolada<br>→ Uso de IECA ou BRA em pacientes com albuminúria significativa (> 30 mg/dia em diabéticos ou > 300 mg/dia em não diabéticos)<br>→ Monitoramento e controle da pressão arterial |
| Hepatotoxicidade | **Zidovudina:** esteatose hepática e acidose láctica<br>**Efavirenz:** hepatotoxicidade por lesão direta<br>**Atazanavir:** causa hiperbilirrubinemia indireta não associada a lesão hepática; não necessita de ajuste do tratamento | → Monitorar transaminases e bilirrubinas anualmente<br>→ Descartar outras causas de hepatopatia como hepatites virais, doença hepática alcoólica ou doença gordurosa não alcoólica do fígado<br>→ Em caso de ALT > 5-10 × o limite superior da normalidade ou aumento de bilirrubina direta, deve-se suspender a TARV e discutir troca para esquema com menor potencial de hepatotoxicidade com o especialista |
| Alteração de massa óssea | Tenofovir: redução da densidade mineral óssea ocorre em 2-6% dos pacientes nos primeiros 2 anos em diversos esquemas de TARV; essa perda é mais acentuada em pacientes em uso de tenofovir | → Avaliar escala de FRAX a cada 2-3 anos em homens com idade > 40 anos e mulheres pré-menopausa com idade > 40 anos com baixo risco para fraturas<br>→ Realizar densitometria óssea se FRAX com risco intermediário (> 10%), mulheres pós-menopausa, homens com idade > 50 anos e pacientes com alto risco de osteoporose (fraturas prévias, corticoide [prednisona > 5 mg/dia ou dose equivalente] por período > 3 meses, alto risco de quedas) |

ALT, alanina-aminotransferase; BRA, bloqueador do receptor de angiotensina; DM, diabetes melito; FRAX, ferramenta de avaliação de risco de fratura; IECA, inibidor da enzima conversora da angiotensina; TARV, terapia antirretroviral; TFG, taxa de filtração glomerular.
Fonte: Brasil.[19]

doença. Não há documentação de que indivíduos com CV abaixo do limite de detecção para o HIV transmitam a infecção, o que estabeleceu o conceito U = U (*undetectable = untransmittable* [indetectável = intransmissível]).[63,64] Pronto diagnóstico e tratamento, assim como estratégias para reforço de adesão à TARV, são pontos fundamentais para o controle da epidemia. Nesse sentido, são necessárias a identificação de indivíduos vulneráveis e a adoção de estratégias voltadas para essa população.

O uso de preservativos é uma medida barata e eficaz para evitar a contaminação pelo vírus, com redução de 80% na transmissão **B**.[65] porém com baixa adesão e com inúmeras falhas no longo prazo. Embora seu uso deva ser estimulado, é preciso reconhecer indivíduos com comportamento de risco em que estratégias adicionais preventivas devam ser adotadas.

**Uma vez identificado um indivíduo com exposição potencial ao HIV dentro das últimas 72 horas, a profilaxia pós-exposição para o HIV (PEP) está indicada.**

É necessário, no entanto, excluir infecção prévia por HIV do paciente exposto por meio da realização do teste rápido. As principais formas de exposição ao HIV são acidente ocupacional e via sexual (violência ou relação consentida com risco de infecção), embora estas não sejam as únicas. É importante ter em mente que quando há exposição ao HIV também há risco de contração de outras ISTs, como hepatites B e C, sífilis, gonorreia e clamídia.

**O esquema recomendado para a PEP é tenofovir (TDF) 300 mg, 1 comprimido + lamivudina (3TC) 150 mg, 2 comprimidos + dolutegravir (DTG) 50 mg, 1 comprimido, tomados juntos, 1 ×/dia, por 28 dias. TDF + 3TC estão disponíveis no comprimido coformulado. A adesão ao tratamento completo é essencial para a efetividade da profilaxia.[28]**

As mesmas contraindicações aos ARVs devem ser observadas ao iniciar PEP (gestantes no 1º trimestre, mulheres em idade fértil com desejo de gestar, coinfecção HIV/TB, insuficiência renal crônica, uso de medicamentos anticonvulsivantes). Nesses casos, devem ser usados esquemas alternativos que podem ser consultados na versão vigente do *Protocolo clínico e diretrizes terapêuticas para profilaxia pós-exposição (PEP) de risco à infecção pelo HIV, IST e hepatites virais*, do Ministério da Saúde. Caso a pessoa seja portadora de hepatite B concomitante, deve-se iniciar a PEP e, em seguida, encaminhar para o serviço de referência.[28]

Em caso de necessidade recorrente de uso de PEP ou identificação de pessoas com exposição de risco repetida, a profilaxia pré-exposição (PrEP) com tenofovir e entricitabina (TDF/FTC 300 mg + 200 mg) deve ser considerada. Orientar o usuário de que são necessários 7 dias de PrEP para alcançar a eficácia na profilaxia em relações anais e 20 dias em relações vaginais, além de reforçar a necessidade de uso do preservativo de barreira durante esse período. Diversos estudos[66] mostraram eficácia dessa estratégia, com redução do risco de aquisição do HIV superior a 50% na maioria deles **A**.[67] A efetividade da PrEP está diretamente relacionada à adesão adequada. O Brasil foi pioneiro na América Latina em disponibilizar PrEP gratuitamente para grupos populacionais prioritários. A avaliação "em vida real" do estudo PrEP Brasil em homens que fazem sexo com homens (HSH) e mulheres transgênero mostrou efetividade e boa adesão pelos pacientes.[68] Atualmente, no Brasil, a PrEP está recomendada para as seguintes populações:

→ *gays* e outros HSH; pessoas trans e profissionais do sexo; se houver:
  → relação sexual anal (receptiva ou insertiva) ou vaginal, sem uso de preservativo, nos últimos 6 meses; E/OU
  → episódios recorrentes de IST; E/OU
  → uso repetido de PEP;
→ parcerias sorodiscordantes para o HIV: em caso de relação sexual anal ou vaginal com uma pessoa infectada pelo HIV sem preservativo.

Na consulta inicial de PrEP, deve-se realizar, além de teste rápido para HIV, testagem para sífilis, preferencialmente por teste rápido, pesquisa para clamídia e gonorreia (quando disponível), hepatites B e C, dosagem de creatinina, exame qualitativo de urina, alanina-aminotransferase (ALT) e aspartato-aminotransferase (AST), além de orientar vacinação para hepatite B. Indivíduos com indicação de PrEP apresentam maior risco de outras ISTs. Recomenda-se a identificação e o tratamento de ISTs nessa oportunidade.[28]

A PrEP deve ser utilizada de modo contínuo. Indivíduos candidatos a PrEP devem ser identificados e encaminhados para serviço de atenção secundária para triagem laboratorial e acompanhamento. O reconhecimento dos indivíduos que se beneficiariam dessa estratégia e o diálogo aberto sobre isso são o primeiro passo fundamental para a implementação efetiva da PrEP. O médico da APS tem um papel fundamental nesse cenário.

A prevenção da transmissão vertical é outra medida essencial que não deve ser negligenciada.

O uso de TARV pela mãe durante o pré-natal está associado a altas taxas de supressão viral e baixa transmissão de mãe para filho da infecção pelo HIV **B**.[69] As reduções nas taxas de novos casos verificadas nos últimos anos, com implementação de acesso universal ao pré-natal na APS, identificação precoce por meio de testagem rápida e acompanhamento compartilhado em serviços especializados, com uso de TARV no período adequado para o binômio mãe-bebê, são reflexo das políticas públicas adotadas ao longo dos anos, que colocam o Brasil em um patamar de referência no manejo de HIV/Aids. (Ver Capítulo Infecção pelo HIV em Gestantes.)

# REFERÊNCIAS

1. Joint United Nations Programme on HIV/AIDS. UNAIDS data 2019 [Internet]. Geneva: UNAIDS, 2019[capturado em 19 jan. 2021]. Disponível em: https://www.unaids.org/sites/default/files/media_asset/2019-UNAIDS-data_en.pdf

2. Joint United Nations Programme on HIV/AIDS. 90-90-90 An ambitious treatment target to help end the AIDS epidemic [Internet]. Geneva: UNAIDS; c2014 [capturado em 19 jan. 2021]. Disponível em: https://www.unaids.org/sites/default/files/media_asset/90-90-90_en.pdf.

3. Walmsley SL, Antela A, Clumeck N, Duiculescu D, Eberhard A, Gutiérrez F, et al. Dolutegravir plus Abacavir–Lamivudine for the Treatment of HIV-1 Infection. N Engl J Med 2013; 369(19):1807–18.

4. Raffi F, Rachlis A, Stellbrink HJ, Hardy WD, Torti C, Orkin C, et al. Once-daily dolutegravir versus raltegravir in antiretroviral-naive adults with HIV-1 infection: 48 week results from the randomised, double-blind, non-inferiority SPRING-2 study. Lancet. 2013;381(9868):735-43.

5. DeJesus E, Rockstroh JK, Henry K, Molina JM, Gathe J, Ramanathan S, et al. Co-formulated elvitegravir, cobicistat, emtricitabine, and tenofovir disoproxil fumarate versus ritonavir-boosted atazanavir plus co-formulated emtricitabine and tenofovir disoproxil fumarate for initial treatment of HIV-1 infection: a randomised, double-blind, phase 3, non-inferiority trial. Lancet. 2012;379(9835):2429-38.

6. Brasil. Ministério da Saúde. Relatório de monitoramento clínico do HIV [Internet]. Brasília: MS; 2018 [capturado em 19 jan. 2021]. Disponível em: http://www.aids.gov.br/pt-br/pub/2018/relatorio-de-monitoramento-clinico-do-hiv-2018

7. Antiretroviral Therapy Cohort C. Survival of HIV-positive patients starting antiretroviral therapy between 1996 and 2013: a collaborative analysis of cohort studies. Lancet HIV 2017; 4(8):e349-56.

8. Croxford S, Kitching A, Desai S, Kall M, Edelstein M, Skingsley A, et al. Mortality and causes of death in people diagnosed with HIV in the era of highly active antiretroviral therapy compared with the general population: an analysis of a national observational cohort. Lancet Public Health. 2017;2(1):e35-46.

9. Bloomfield GS, Khazanie P, Morris A, Rabadán-Diehl C, Benjamin LA, Murdoch D, et al. HIV and noncommunicable cardiovascular and pulmonary diseases in low- and middle-income countries in the ART era: what we know and best directions for future research. J Acquir Immune Defic Syndr. 2014;67 Suppl 1(1):S40-53.

10. Brasil. Ministério da Saúde. 5 passos para implementação do Manejo da Infecção pelo HIV na Atenção Básica, Guia para Gestores [Internet]. Brasília: MS; 2014 [capturado em 19 jan. 2021]. Disponível em: http://www.aids.gov.br/pt-br/pub/2014/5-passos-para-implementacao-do-manejo-da-infeccao-pelo-hiv-na-atencao-basica.

11. Oliveira-Ciabati L, Vieira CS, Franzon ACA, Alves D, Zaratini FS, Braga GC, et al. PRENACEL – a mHealth messaging system to complement antenatal care: a cluster randomized trial. Reprod Health. 2017;14(1):146.

12. Dillingham R, Ingersoll K, Flickinger TE, Waldman AL, Grabowski M, Laurence C, et al. Positive links: a mobile health intervention for retention in HIV care and clinical outcomes with 12-month follow-up. AIDS Patient Care STDS. 2018;32(6):241-50.

13. Anand T, Nitpolprasert C, Kerr SJ, Muessig KE, Promthong S, Chomchey N, et al. A qualitative study of Thai HIV-positive young men who have sex with men and transgender women demonstrates the need for eHealth interventions to optimize the HIV care continuum. AIDS Care. 2017;29(7):870-875.

14. Muessig KE, Nekkanti M, Bauermeister J, Bull S, Hightow-Weidman LB. A systematic review of recent smartphone, Internet and Web 2.0 interventions to address the HIV continuum of care. Curr HIV/AIDS Rep. 2015;12(1):173-90.

15. Brasil. Ministério da Saúde. Manual técnico de elaboração da cascata de cuidado contínuo [Internet]. Brasília; MS; 2017 [capturado em 21 jan. 2021]. Disponível em: http://www.aids.gov.br/pt-br/pub/2017/manual-tecnico-de-elaboracao-da-cascata-de-cuidado-continuo

16. Guaraldi G, Zona S, Menozzi M, Brothers TD, Carli F, Stentarelli C, et al. Late presentation increases risk and costs of non-infectious comorbidities in people with HIV: an Italian cost impact study. AIDS research and therapy. 2017;14(1):8;

17. Li Z, Purcell DW, Sansom SL, Hayes D, Hall HI. Vital signs: HIV transmission along the cotinuum of care – United States 2016. MMWR Morb Mortal Wkly Rep. 2019;68(11):267-72.

18. Prabhu S, Harwell JI, Kumarasamy N. Advanced HIV: diagnosis, treatment, and prevention. Lancet HIV. 2019; 6(8):e540–51.

19. Leber W, McMullen H, Anderson J, Marlin N, Santos AC, Bremner S, et al. Promotion of rapid testing for HIV in primary care (RHIVA2): a cluster-randomised controlled trial. Lancet HIV. 2015;2(6):e229-35.

20. Gebrezgi MT et al. Acceptance of Opt-Out HIV screening in Outpatient Settings in the United States: a systematic review and meta-analysis. Public Health Reports. 2019;134(5): 1-9.

21. Leblanc NM, Flores DD, Barroso J. Facilitators and barriers to HIV screening: a qualitative meta-synthesis. Qual Health Res. 2016;26(3):294-306.

22. Brasil. Ministério da Saúde. Manual técnico para o diagnóstico da infecção pelo HIV em adultos e crianças [Internet]. Brasília: MS; 2018 [capturado em 19 jan. 2021]. Disponível em: http://www.aids.gov.br/pt-br/node/57787.

23. Celum C, Barnabas R. Reaching the 90-90-90 target: lessons from HIV self-testing. Lancet, 2018;6(2): e68-9.

24. Parekh BS, Ou CY, Fonjungo PN, Kalou MB, Rottinghaus E, Puren A, et al. Diagnosis of Human Immunodeficiency Virus Infection. Clin Microbiol Rev. 2018;32(1):e00064-18.

25. Guaraldi G, Palella Jr FJ. Clinical implications of aging with HIV infection: perspectives and the future medical care agenda. AIDS. 2017;31(Suppl 2):S129-35.

26. Zambenedetti G, Silva RAN. Descentralização da atenção em HIV-Aids para a atenção básica: tensões e potencialidades. Physis Rev Saúde Coletiva. 2016;26(3):785-806.

27. Melo EA, Maksud I, Agostini F. Cuidado, HIV/Aids e atenção primária no Brasil: desafio para a atenção no Sistema Único de Saúde. Rev Panam Salud Publica. 2018; 42:e151.

28. Universidade Federal do Rio Grande do Sul. Faculdade de Medicina. Programa de Pós-Graduação em Epidemiologia. TelessaúdeRS. TeleCondutas: HIV: acompanhamento e tratamento de pessoas vivendo com HIV/AIDS na Atenção Primária à Saúde: versão digital 2020 [Internet]. Porto Alegre: TelessaúdeRS-UFRGS; 2020 [capturado em 19 jan. 2021]. Disponível em: https://www.ufrgs.br/telessauders/teleconsultoria/0800-644-6543/#telecondutas-0800.

29. Guidelines for the use of antiretroviral agents in adults and adolescents living with HIV: initiation of antiretroviral therapy [Internet]. AIDSInfo; 2020 [capturado em 19 jan. 2021]. Disponível em: https://aidsinfo.nih.gov/guidelines/html/1/adult-and-adolescent-arv/10/initiation-of-antiretroviral-therapy

30. The INSIGHT START Study Group. Initiation of Antiretroviral Therapy in Early Asymptomatic HIV Infection. N Engl J Med 2015; 373:795-807.

31. Rodger AJ. Risk of HIV transmission through condomless sex in serodifferent gay couples with the HIV-positive partner taking suppressive antiretroviral therapy (PARTNER): final results of a multicentre, prospective, observational study. Lancet 2019; 393: 2428–38.

32. Cohen MS. Antiretroviral Therapy for the Prevention of HIV-1 Transmission. N Engl J Med 2016; 375:830-839.

33. LeMessurier J, Traversy G, Varsaneux O, Weekes M, Avey MT, Niragira O, et al. Risk of sexual transmission of human immunodeficiency virus with antiretroviral therapy, suppressed viral load and condom use: a systematic review. CMAJ. 2018;190(46):E1350-60.

34. Brasil. Ministério da Saúde. Protocolo clínico e diretrizes terapêuticas para manejo da infecção pelo HIV em adultos [Internet]. Brasília: MS; 2018 [capturado em 19 jan. 2021]. Disponível em: http://www.aids.gov.br/pt-br/pub/2013/protocolo-clinico-e-diretrizes-terapeuticas-para-manejo-da-infeccao-pelo-hiv-em-adultos

35. Panel on Antiretroviral Therapy and Medical Management of Children Living with HIV. Guidelines for the Use of Antiretroviral Agents in Pediatric HIV Infection [Internet]. AIDSInfo; 2020 [capturado em 19 jan. 2021]. Disponível em: https://clinicalinfo.hiv.gov/sites/default/files/inline-files/pediatricguidelines.pdf.

36. Saag MS. Antiretroviral drugs for treatment and prevention of hiv infection in adults 2018 Recommendations of the International Antiviral Society–USA Panel. JAMA. 2018;320(4):379-96.
37. Cavalheiro AP, Larentis D, Maciel RA, Sprinz E. HIV. In: Stephani S, Barros E, organizadores. Clínica médica: consulta rápida. 5. ed. Porto Alegre: Artmed; 2020. p. 272-4.
38. Brasil. Ministério da Saúde. Manual técnico para avaliação de exames de genotipagem do HIV. Brasília: MS; 2019 [capturado em 19 jan. 2021]. Disponível em: http://www.aids.gov.br/pt-br/pub/2019/manual-tecnico-para-avaliacao-de-exames-de-genotipagem-do-hiv
39. Detels R, Tarwater P, Phair JP, Margolick J, Riddler SA, Muñoz A. Effectiveness of potent antiretroviral therapies on the incidence of opportunistic infections before and after AIDS diagnosis. AIDS. 2001;15(3):347-55.
40. Panel on Opportunistic Infections in Adults and Adolescents with HIV. Guidelines for the prevention and treatment of opportunistic infections in adults and adolescents with HIV: recommendations from the Centers for Disease Control and Prevention, the National Institutes of Health, and the HIV Medicine Association of the Infectious Diseases Society of America [Internet]. AIDSInfo; 2020 [capturado em 19 jan. 2021]. Disponível em: http://aidsinfo.nih.gov/contentfiles/lvguidelines/adult_oi.pdf
41. Panel on Opportunistic Infections in Adults and Adolescents with HIV. Guidelines for the Use of Antiretroviral Agents in Adults and Adolescents Living with HIV: what´s new? [Internet]. AIDSInfo; 2020 [capturado em 19 jan. 2021]. Disponível em: https://clinicalinfo.hiv.gov/en/guidelines/adult-and-adolescent-arv/whats-new-guidelines
42. Wang ZD, Wang SC, Liu HH, Ma HY, Li ZY, Wei F, et al. Prevalence and burden of Toxoplasma gondii infection in HIV-infected people: a systematic review and meta-analysis. Lancet HIV. 2017;4(4):e177-88.
43. Porter SB, Sande MA. Toxoplasmosis of the central nervous system in the acquired immunodeficiency syndrome. N Engl J Med. 1992;327(23):1643-8.
44. Brasil. Ministério da Saúde. Manual de recomendações para o controle da tuberculose no Brasil [Internet]. 2. ed. Brasília: MS; 2019 [capturado em 19 jan. 2021]. Disponível em: https://bvsms.saude.gov.br/bvs/publicacoes/manual_recomendacoes_controle_tuberculose_brasil_2_ed.pdf
45. Jordano Q, Falcó V, Almirante B, Planes AM, del Valle O, Ribera E, et al. Invasive pneumococcal disease in patients infected with HIV: still a threat in the era of highly active antiretroviral therapy. Clin Infect Dis. 2004;38(11):1623-8.
46. Belmont S. Long-term serological response to 13-Valent Pneumococcal Conjugate Vaccine versus 23-Valent Polysaccharide Vaccine in HIV-infected adults. Infect Dis Ther. 2019;8(3):453-62.
47. Seo YB, Lee J, Song JY, Choi HJ, Cheong HJ, Kim WJ. Safety and immunogenicity of influenza vaccine among HIV-infected adults: conventional vaccine vs. intradermal vaccine. Hum Vaccin Immunother. 2016; 12(2):478–84.
48. Madhi SA, Maskew M, Koen A, Kuwanda L, Besselaar TG, Naidoo D, et al. Trivalent inactivated influenza vaccine in African adults infected with human immunodeficient virus: double blind, randomized clinical trial of efficacy, immunogenicity, and safety. Clin Infect Dis. 2011;52(1):128-37.
49. Ni JD, Xiong YZ, Wang XJ, Xiu LC. Does increased hepatitis B vaccination dose lead to a better immune response in HIV-infected patients than standard dose vaccination: a meta-analysis? Int J STD AIDS. 2013;24(2):117-22.
50. Giacomet V, Penagini F, Trabattoni D, Viganò A, Rainone V, Bernazzani G, et al. Safety and immunogenicity of a quadrivalent human papillomavirus vaccine in HIV-infected and HIV-negative adolescents and young adults. Vaccine. 2014;32(43):5657-61.
51. Brasil. Ministério da Saúde. Secretaria de Vigilância em Saúde. Departamento de Imunização e Doenças Transmissíveis. Manual dos centros de referência para imunobiológicos especiais [Internet]. Brasília: MS; 2019 [capturado em 19 jan. 2021]. Disponível em: https://portalarquivos2.saude.gov.br/images/pdf/2019/dezembro/11/manual-centros-referencia-imunobiologicos-especiais-5ed.pdf.
52. Delaney JA. Cumulative human immunodeficiency viremia, antiretroviral therapy, and incident myocardial infarction. Epidemiology. 2019;30(1):69-74.
53. Maciel RA, Klück HM, Durand M, Sprinz E. Comorbidity is more common and occurs earlier in persons living with HIV than in HIV--uninfected matched controls, aged 50 years and older: a cross-sectional study. Int J Infect Dis. 2018;70:30-35.
54. Maggi P, Di Biagio A, Rusconi S, Cicalini S, D'Abbraccio M, d'Ettorre G, et al. Cardiovascular risk and dyslipidemia among persons living with HIV: a review. BMC Infect Dis. 2017;17(1):551.
55. Strategies for Management of Antiretroviral Therapy (SMART) Study Group, El-Sadr WM, Lundgren J, Neaton JD, Gordin F, Abrams D, et al. CD4+ count-guided interruption of antiretroviral treatment. N Engl J Med. 2006;355(22):2283-96.
56. Lazzaretti RK, Kuhmmer R, Sprinz E, Polanczyk CA, Ribeiro JP. Dietary intervention prevents dyslipidemia associated with highly active antiretroviral therapy in human immunodeficiency virus type 1-infected individuals: a randomized trial. J Am Coll Cardiol. 2012;59(11):979-88.
57. Petoumenos K, Worm S, Reiss P, de Wit S, d'Arminio Monforte A, Sabin C, et al. Rates of cardiovascular disease following smoking cessation in patients with HIV infection: results from the D:A:D study(*). HIV Med. 2011;12(7):412-21.
58. Aberg JA, Zackin RA, Brobst SW, Evans SR, Alston BL, Henry WK, et al. A randomized trial of the efficacy and safety of fenofibrate versus pravastatin in HIV-infected subjects with lipid abnormalities: AIDS Clinical Trials Group Study 5087. AIDS Res Hum Retroviruses. 2005;21(9):757-67.
59. Soler A, Deig E, Guil J, Rodríguez-Martín M, Guelar A, Pedrol E. Eficacia y tolerancia de la atorvastatina en el tratamiento de la dislipemia secundaria a tratamiento antirretroviral [Effectiveness and tolerance of atorvastatin for antiretroviral therapy-secondary dyslipemia]. Med Clin (Barc). 2006;127(7):250-2.
60. Calza L, Manfredi R, Colangeli V, Tampellini L, Sebastiani T, Pocaterra D, et al. Substitution of nevirapine or efavirenz for protease inhibitor versus lipid-lowering therapy for the management of dyslipidaemia. AIDS. 2005;19(10):1051-8.
61. Eggers C, Arendt G, Hahn K, Husstedt IW, Maschke M, Neuen-Jacob E, et al. HIV-1-associated neurocognitive disorder: epidemiology, pathogenesis, diagnosis, and treatment. J Neurol. 2017;264(8):1715-27.
62. Sacktor NC, Wong M, Nakasujja N, Skolasky RL, Selnes OA, Musisi S, et al. The International HIV Dementia Scale: a new rapid screening test for HIV dementia. AIDS. 2005;19(13):1367-74.
63. Cohen MS, Chen YQ, McCauley M, Gamble T, Hosseinipour MC, Kumarasamy N, et al. Prevention of HIV-1 infection with early antiretroviral therapy. N Engl J Med. 2011;365(6):493-505.
64. Mayer KH, de Vries HJ. HIV and sexually transmitted infections: reconciling estranged bedfellows in the U = U and PrEP era. J Int AIDS Soc. 2019;22(Suppl 6):e25357.
65. Weller S, Davis K. Condom effectiveness in reducing heterosexual HIV transmission. Cochrane Database Syst Rev. 2002;(1):CD003255.
66. Spinner CD, Boesecke C, Zink A, Jessen H, Stellbrink HJ, Rockstroh JK, et al. HIV pre-exposure prophylaxis (PrEP): a review of current knowledge of oral systemic HIV PrEP in humans. Infection. 2016;44(2):151-8.
67. Fonner VA, Dalglish SL, Kennedy CE, Baggaley R, O'Reilly KR, Koechlin FM, et al. Effectiveness and safety of oral HIV preexposure prophylaxis for all populations. AIDS. 2016;30(12):1973-83.
68. Galea JT, Baruch R, Brown B. ¡PrEP Ya! Latin America wants PrEP, and Brazil leads the way. Lancet HIV. 2018;5(3):e110–2.
69. Shapiro RL, Hughes MD, Ogwu A, Kitch D, Lockman S, Moffat C, et al. Antiretroviral regimens in pregnancy and breast-feeding in Botswana. N Engl J Med. 2010;362(24):2282-94.

# Capítulo 157
## HEPATITES VIRAIS

Themis Reverbel da Silveira
Carolina Soares da Silva

## ASPECTOS GERAIS DAS HEPATITES VIRAIS

As hepatites virais constituem um importante problema de saúde pública, atingindo centenas de milhões de pessoas, com morbidade e mortalidade significativas. Consistem em inflamação do fígado cujas manifestações clínico-laboratoriais são decorrentes da disfunção hepática e com possibilidade de complicações extra-hepáticas. Os indivíduos infectados podem ser portadores assintomáticos ou desenvolver hepatite aguda, hepatite crônica, cirrose e carcinoma hepatocelular.

O termo "hepatite viral" é utilizado geralmente em referência aos vírus hepatotrópicos das hepatites A, B, C, D e E, que são responsáveis por mais de 90% das hepatites. Os vírus que causam essas hepatites têm em comum o fato de os hepatócitos lesados desencadearem respostas imunológicas e inflamatórias, porém determinam expressões clínicas com consequências diversas. Na diferenciação desses agentes, a característica clínica mais importante é a capacidade de possibilitar a cronificação, ou não, da doença. Vírus não hepatotrópicos, como os da febre amarela, varicela, caxumba, rubéola, sarampo, mononucleose infecciosa, dengue e Coxsackie, entre outros, podem, raramente, ocasionar inflamação aguda do fígado (TABELA 157.1).

Dados apresentados pela Organização Mundial da Saúde (OMS)[1] indicam que as hepatites virais causaram 1,34 milhão de mortes em 2015, um número comparável ao das mortes por tuberculose e pelo vírus da imunodeficiência humana (HIV, do inglês *human immunodeficiency virus*). Enquanto a mortalidade por essas enfermidades têm diminuído, as mortes por hepatites virais estão aumentando. Estima-se que em 2040 as mortes por hepatites crônicas excedam a mortalidade associada à infecção por HIV, tuberculose e malária, combinadas.[2]

**Recentemente, um relatório da OMS considerou a hepatite A uma ameaça à saúde pública e definiu as estratégias para a sua eliminação até 2030.**

Foi estabelecida a meta de 90% na redução global da incidência e de 65% no número de mortes, com base nos dados de 2015. Em relação à hepatite B, o objetivo é passar de 4,7 milhões de novos casos e 884 mil mortes para 470 mil novos casos e 309 mil mortes por ano. Para isso, deve-se diagnosticar 90% das pessoas infectadas no mundo e oferecer terapia para 80% das que necessitam. Atualmente, menos de 30% dos infectados pelo vírus da hepatite B (HBV, do inglês *hepatitis B virus*) são tratados. Em relação à hepatite C, a meta da OMS é reduzir de 1,75 milhão de casos novos e 400 mil mortes por ano para 175 mil e 140 mil, respectivamente. A eliminação do vírus da hepatite C (HCV, do inglês *hepatitis C virus*) já ocorreu em subpopulações de vários países por meio de testes diagnósticos sistemáticos, tratamentos e prevenção em grupos de risco. Margaret Chan, ex-diretora-geral da OMS, afirmou que as hepatites virais são reconhecidas como o grande desafio de saúde pública que requer uma resposta urgente, que existem vacinas e medicamentos para combatê-las e que a OMS está empenhada em ajudar a garantir que essas ferramentas cheguem a todos os que delas necessitam.

Atualmente, o diagnóstico de hepatite viral só é completo quando o agente causal é identificado. Apesar do crescente uso de técnicas laboratoriais cada vez mais disponíveis e sensíveis, até 20% das hepatites agudas permanecem sem definição etiológica. Nas hepatites de evolução fulminante, essa porcentagem é ainda maior.

Um relatório global sobre hepatites da OMS afirma que, em 2015, foram diagnosticadas apenas 9% de todas as infecções pelo HBV e 20% das infecções pelo HCV. Uma fração ainda menor (8%) das pessoas diagnosticadas com a infecção pelo HBV (1,7 milhão) estava em tratamento e apenas 7% das pessoas com infecção pelo HCV (1,1 milhão) tinham iniciado tratamento naquele ano.[1]

**No Brasil, as hepatites virais estão incluídas na lista de doenças de notificação compulsória, sendo necessário fazer a notificação em até 7 dias e realizar a investigação dos casos suspeitos e confirmados e dos surtos de hepatite aguda.**

**TABELA 157.1** → Características dos vírus, período de incubação, aspectos clínicos e potencial evolutivo para a cronicidade das hepatites virais

| CARACTE-RÍSTICAS | VÍRUS DA HEPATITE A | VÍRUS DA HEPATITE B | VÍRUS DA HEPATITE C | VÍRUS DA HEPATITE D | VÍRUS DA HEPATITE E |
|---|---|---|---|---|---|
| Família | Picornaviridae | Hepadnaviridae | Flaviviridae | Deltaviridae | Hepeviridae |
| Genoma | RNA | DNA | RNA | RNA | RNA |
| Incubação (dias) | 15-45 | 30-180 | 15-150 | 30-180 | 15-45 |
| Idade preferencial da infecção | Crianças e adolescentes | Qualquer idade | Qualquer idade | Qualquer idade | Adultos jovens |
| Forma ictérica | < 10% em crianças com idade < 6 anos 60-80% em adultos | 20-30% | 10-15% | Variável | Variável |
| Mortalidade na infecção aguda | 0,1-2% | < 1% | < 1% | Alta na superinfecção | 1-4% |
| Mortalidade na gestação | 0,1-2% | < 1% | < 1% | 0,1-2% | Até 20% |
| Cronificação | Não | Sim | Sim | Sim | Raramente, em imunodeprimidos |
| Prevenção | Vacina | Vacina | Não há | Vacina para hepatite B | Vacina |

Os relatos devem ser encaminhados ao Sistema de Informação de Agravos de Notificação (Sinan).[3] O fato de muitos casos cursarem de forma assintomática favorece a subnotificação, mas têm ocorrido avanços no número de notificações.[3,4] Entre 1999 e 2017, foram notificados e confirmados 587.821 casos de hepatite viral no Brasil.[3]

## OS AGENTES VIRAIS DAS HEPATITES

O **vírus da hepatite A** (**HAV**, do inglês *hepatitis A virus*) origina uma infecção aguda, contagiosa, autolimitada, anteriormente denominada "hepatite infecciosa". O agente, do tipo RNA, é um pequeno vírus sem envelope que pertence à família Picornaviridae, denominado hepatovírus.[2] Apenas um sorotipo do HAV é reconhecido, embora existam diferenças genotípicas nos vírus isolados de diversos locais geográficos.

O genoma do HAV é constituído por uma molécula de RNA de fita simples, com polaridade positiva, que também funciona como RNA mensageiro. Estudos de variabilidade genética do HAV permitiram sua classificação em 7 genótipos, dos quais 4 são capazes de infectar seres humanos. A distribuição geográfica dos genótipos é variável, mas o genótipo I é de distribuição global. Na América do Norte, na China, no Japão e em diversos países da Europa, os subgenótipos IA e IB são os mais frequentes. Diferentemente do restante da América do Sul, no Brasil também foi possível identificar os genótipos IA e IB em circulação.[5]

O HAV penetra no organismo, na grande maioria das vezes pela via oral, atinge o fígado pela veia porta e pela circulação sistêmica para replicar-se no citoplasma dos hepatócitos. Pela via biliar, é eliminado do fígado para o intestino, de onde é reabsorvido ou excretado nas fezes. O dano ao fígado não é determinado pelo vírus, e sim pela resposta imune das células T do hospedeiro.

O **vírus da hepatite B** (**HBV**), pertencente à família Hepadnaviridae, infecta seres humanos e algumas espécies animais, como chimpanzés, marmotas, patos-de-Pequim e esquilos. Foram definidos dois gêneros: *Orthohepadnavirus*, que infecta os seres humanos e outros mamíferos, e *Avihepadnavirus*, que infecta outras espécies animais.

O HBV é constituído pelo genoma DNA circular de dupla-hélice e pela DNA-polimerase, ambos envolvidos por um invólucro lipoproteico constituído por três proteínas de superfície que formam o antígeno de superfície da hepatite B (HBsAg, do inglês *hepatitis B surface antigen*), o antígeno do *core* da hepatite B (HBcAg, do inglês *hepatitis B core antigen*) e o antígeno e da hepatite B (HBeAg, do inglês *hepatitis B e antigen*), que está associado à replicação viral; além da proteína X, considerada um cofator carcinogênico. O vírus penetra no hepatócito e, após eliminar o invólucro (envelope), libera o DNA para o núcleo da célula, onde é, então, convertido em DNA circular covalente (cccDNA), um "minicromossomo viral" que serve como molde para a transcrição do HBV no núcleo das células infectadas, mantendo a infecção. O vírus utiliza a transcriptase reversa para replicar o seu genoma.

Já foram identificados 10 genótipos do HBV (A a J), com distribuição geográfica variada. Há relato de associação entre o genótipo D e a forma fulminante da hepatite B.[6]

Um aspecto de importância clínica é a emergência de cepas mutantes do HBV que alteram a história natural da infecção viral. Essas cepas surgem a partir da pressão do sistema imune do hospedeiro contra o vírus, em condições naturais e/ou como consequência do uso de imunoprofiláticos e de terapias específicas. Algumas mutações conferem vantagens aos vírus, dando-lhes maior sobrevivência, confundindo a resposta do hospedeiro ao determinar modificações na estrutura dos epítopos virais. As cepas mutantes mais observadas são as das regiões pré-*core*, S e pré-S (superfície) e P (polimerase). Há estudos demonstrando relação positiva entre risco de evolução para hepatocarcinoma e presença de certos mutantes virais.[7]

O HBV não é um agente citopático direto: as lesões estão relacionadas à interação entre o vírus e o hospedeiro. A lesão hepática é determinada pela resposta imune (celular e humoral) diante dos antígenos virais expressos nas membranas dos hepatócitos. Quanto mais ativa a resposta do hospedeiro, mais intensa é a lesão. Observam-se partículas virais no soro do indivíduo infectado durante a fase prodrômica da doença e com exames laboratoriais normais. Indivíduos cuja resposta imunológica não é plenamente satisfatória (recém-nascidos, pacientes transplantados em imunossupressão) podem apresentar o vírus no soro e nos tecidos, com níveis de transaminases normais. A cronificação da hepatite B é inversamente proporcional à idade: quanto mais jovem for o indivíduo ao ser contaminado, maior é a probabilidade de a doença evoluir para a forma crônica.[8,9]

Depois do isolamento do HBV, na década de 1960, e do HAV, na década de 1970, ficou evidente a existência de quadros clínicos de hepatite para os quais, até então, não havia definição do agente etiológico. A grande maioria desses casos ocorria após transfusão de produtos hemoderivados ou em usuários de drogas injetáveis. Foi cunhada, então, a expressão "hepatite não A, não B", atualmente em desuso.

O **vírus da hepatite C** (**HCV**), principal agente da "hepatite não A, não B", foi identificado em 1989/1990.[10] É um vírus RNA pertencente à família Flaviviridae que tem 7 genótipos (numerados de 1 a 7), cujas prevalências variam de acordo com as zonas geográficas. No Brasil, podem ser encontrados os genótipos 1, 2, 3, 4 e 5, com as seguintes frequências: 64,9%, 4,6%, 30,2%, 0,2% e 0,1%, respectivamente.[11]

No genoma viral, há regiões de alta variabilidade. A presença de mutações nessas regiões impede a neutralização do HCV pelos anticorpos e confunde o sistema imunológico do hospedeiro, culminando, muitas vezes, com o escape viral. Além de ser hepatotrópico, o HCV é também linfotrópico, o que pode explicar muitas das manifestações clínico-patológicas extra-hepáticas da doença. A história natural da infecção pelo HCV ficou bem conhecida, principalmente pelos estudos retrospectivos das hepatites pós-transfusionais. A infecção pode ser sintomática ou assintomática, aguda ou crônica. A forma aguda da doença raras vezes é diagnosticada, pois a maioria é assintomática. Na grande maioria dos casos, o diagnóstico é feito tardiamente, já em fase de cronicidade da infecção.

Em 1977, outro antígeno viral foi observado em núcleos hepatocitários de pessoas com hepatite crônica pelo HBV – então conhecido como "agente Delta".[12,13] O **vírus da hepatite D** (**HDV**, do inglês *hepatitis D virus*), ou vírus Delta, é uma partícula incompleta constituída por RNA circular, único representante da família Deltaviridae, gênero *Deltavirus*, que depende do HBV para o hepatotropismo e sua replicação. Apresenta alto grau de heterogeneidade genética. São descritos 8 genótipos (HDV-1 a HDV-8) com variada distribuição geográfica. O HDV-3 é exclusivo da América do Sul. Como satélite do HBV, infecta apenas os indivíduos que também apresentam positividade para o HBV. O HBV envolve o vírus Delta pelas partículas do HBsAg, assegurando a integridade viral e a manutenção da capacidade infectante. O vírus causa lesão citopática direta dos hepatócitos e pode ocasionar quadros muito graves da infecção.

Na década de 1980, na União Soviética, foram identificadas partículas virais, até então desconhecidas, nas fezes de 3 pacientes; essas partículas, após ingeridas por voluntários, determinaram quadros de hepatite aguda. O responsável, identificado como o **vírus da hepatite E** (**HEV**, do inglês *hepatitis E virus*), foi recentemente reconhecido como pertencente a uma nova família de vírus: Hepeviridae, gênero *Hepevirus*. É um vírus pequeno, sem envelope, cujo genoma é formado por uma fita simples positiva de RNA. Há 2 gêneros do HEV: *Piscihepevirus* (com uma única espécie) e *Orthohepevirus*, com 4 espécies (A a D) com 7 genótipos, dos quais 5 interessam à saúde pública. Os genótipos HEV-1 e HEV-2 infectam somente seres humanos e os genótipos 3 e 4 são capazes de infectar animais e humanos, sendo os porcos o principal reservatório. A identificação de apenas um sorotipo facilitou a pesquisa para vacinas anti-HEV. O HEV é uma importante causa de surtos e de grandes epidemias antes atribuídas ao HAV. As infecções causadas pelo HEV podem ser epidêmicas ou esporádicas. O vírus assemelha-se, em muitos aspectos, ao HAV, sendo também de transmissão entérica fecal-oral. Distingue-se, no entanto, em um aspecto importante: embora a imensa maioria dos casos não evolua para a forma crônica, são descritos casos de doença crônica. A cronificação foi descrita em pacientes imunossuprimidos e transplantados de órgãos sólidos. A ação deletéria do HEV parece ocorrer por mecanismo basicamente citopático.[14]

## CONSIDERAÇÕES EPIDEMIOLÓGICAS

### Hepatite A

Diversos inquéritos clínico-epidemiológicos validaram o conceito de que a frequência da hepatite A está diretamente relacionada com o padrão de saneamento da região. Os indivíduos infectados disseminam o HAV quando apresentam más condições de higiene. Nas fezes das pessoas infectadas, há alta concentração do vírus (100 milhões de partículas por grama de fezes). Embora a dose infectante não esteja bem definida, acredita-se que se situe entre 10 a 100 partículas virais. O pico de infecciosidade ocorre antes do início da icterícia, quando há alta concentração de vírus nas fezes; por isso, o isolamento dos indivíduos infectados e de seus contatos não influencia a disseminação da doença de maneira significativa. Os lactentes podem apresentar excreção fecal do vírus por longos períodos (vários meses).[15] O período de viremia é curto, variando de 2 a 4 semanas.

O HAV é encontrado no mundo todo, e os indivíduos expostos a condições sanitárias deficientes e/ou que consomem alimentos contaminados apresentam risco maior de adquirir hepatite viral A. Os vírus eliminados em grande quantidade pelas fezes de indivíduos contaminados podem alcançar as águas destinadas ao consumo e à recreação, mantendo-se viáveis por vários meses. Uma das formas de contágio é o banho em locais poluídos, como as praias que recebem grande quantidade de esgoto. Embora o HAV não seja capaz de multiplicar-se fora do hospedeiro, sua estabilidade permite que sobreviva no meio ambiente, principalmente quando associado à matéria orgânica, contaminando os alimentos e a água. A transmissão vertical é rara, e a transmissão pelas vias percutânea e parenteral também tem sido relatada, mas é pouco frequente devido à menor concentração do agente no sangue.[16,17] A transmissão é primariamente fecal-oral por meio do contato pessoal e da ingestão de vários tipos de comida e água contaminadas. Fontes menos frequentes de contaminação são o uso de drogas injetáveis, transfusões de sangue e hemoderivados, homens que fazem sexo com homens e transmissão vertical.

Há diferentes padrões de prevalência do anticorpo anti-HAV que refletem o nível de desenvolvimento econômico e social. Em áreas de alta endemicidade, 90% das crianças de até 10 anos já foram infectadas, e as infecções são comumente assintomáticas. Nas áreas de endemicidade intermediária, em que taxas de soroprevalência de 90% não são atingidas até o início da idade adulta, a doença ocorre em faixas etárias variáveis (crianças, adolescentes e adultos jovens).[17] Essas populações apresentam epidemias em intervalos regulares, que persistem por longos períodos, ou têm taxas elevadas e sustentadas da doença por muitos anos. Nos países mais desenvolvidos, a endemicidade é baixa. Taxas maiores de prevalência de anticorpos ocorrem em pessoas com mais idade, refletindo exposição histórica.[18]

Nas últimas décadas, o padrão epidemiológico da hepatite A está mudando em todo o mundo.[19-23] Estima-se o surgimento, no mundo, de 1,4 milhão de novos casos de hepatite A anualmente.[1] Na Europa, houve uma queda significativa da prevalência, atribuída ao maior desenvolvimento sanitário e às condições de vida, passando de 15,1 casos a cada 100 mil habitantes em 1996 para 3,9 a cada 100 mil habitantes em 2006 e 2,8 a cada 100 mil habitantes em 2007.[20]

Na década de 1990, estudo realizado em 4 regiões brasileiras (Manaus, Fortaleza, Rio de Janeiro e Porto Alegre) mostrou soroprevalência de HAV de 64,7%, com grande variação – 92,8% na Região Norte a 55% nas Regiões Sul e Sudeste. A prevalência foi de 35% entre crianças de 1 a 5 anos e superior a 90% nas coortes mais velhas (31-40 anos), sugerindo o desvio para um padrão de endemicidade intermediária.[19] Outro estudo, realizado cerca de 10 anos depois em 6 diferentes países da América Latina, ratificou que o patamar da endemicidade estava mudando de alto para intermediário.[24] Esse dado é importante, pois populações com endemicidade intermediária devem constituir um dos principais alvos de vacinação contra a doença. Nos países onde há boas condições sanitárias, a infecção ocorre principalmente quando as pessoas viajam para áreas endêmicas e/ou recebem imigrantes oriundos de zonas de alta prevalência de agentes virais. É interessante notar que diferentes padrões epidemiológicos da doença podem ocorrer em grupos de uma comunidade e apresentar variações dentro de um mesmo país na dependência do nível socioeconômico e condições de vida.[17,25]

Dos 587.821 casos confirmados de hepatite no Brasil de 1999 a 2017, o HAV foi responsável por 164.892 casos (28%).[3] No ano de 2007, a taxa de incidência de hepatite A era superior à das demais hepatites (B, C e D); contudo, após esse período, a proporção caiu de maneira importante, embora continue com diferentes prevalências entre as regiões. Os casos se concentram nas Regiões Norte e Nordeste, correspondendo a 56,2% do total. A incidência continua elevada em crianças com idade < 10 anos. Uma particularidade interessante foi observada em 2017, quando taxas elevadas de hepatite A foram obtidas em homens (aumento de 128% em comparação ao ano anterior). A transmissão sexual não é rara com a prática sexual oral-anal e entre homens que fazem sexo com homens.[3]

## Hepatite B

O agente responsável pela hepatite B pode ser encontrado em todos os líquidos orgânicos (sangue, urina, lágrima, sêmen, secreção vaginal, leite materno, bile, sucos digestivos, líquido cerebrospinal e líquidos pleural, sinovial e ascítico), mas raramente nas fezes. A transmissão do vírus ocorre principalmente pelas vias parenteral e sexual, e pelo contato com sangue e/ou outros fluidos corporais contaminados. A hepatite B é definida como infecção sexualmente transmissível (IST). O compartilhamento de agulhas e seringas, tatuagens, *piercings*, procedimentos odontológicos ou cirúrgicos, etc. também podem conter o vírus e constituir fontes de infecção. Os profissionais de saúde podem, às vezes, infectar pacientes, mas a obrigatoriedade da vacina contra o HBV nesse grupo diminuiu muito essa possibilidade. Pessoas com infecção aguda e as portadoras do HBV apresentam altas concentrações do agente viral no sangue e nos fluidos serosos, e postula-se que o HBV seja disseminado mais facilmente que o HIV e o HCV. Concentrações de viremia de até 12 $\log_{10}$ UI/mL do HBV em comparação com a de 5 a 7 $\log_{10}$ UI/mL do HIV e a possibilidade de o HBV permanecer ativo por vários dias fora do corpo humano provavelmente estão implicadas na facilidade de disseminação do vírus.[8] Hoje em dia, a transmissão por transfusões de hemoderivados e transplantes de órgãos é rara.

O HBV pode ocasionar viremia transitória e/ou crônica e causar infecção assintomática, sintomática, cirrose e hepatocarcinoma. Estima-se que mais de 2 bilhões de pessoas no mundo tenham sido infectadas e que cerca de 400 mil estejam cronicamente infectadas, 70% delas residentes na Ásia.[8]

De acordo com a OMS, a infecção crônica pelo HBV ocorre em aproximadamente 350 milhões de pessoas no mundo, sendo a principal causa de cirrose e carcinoma hepatocelular. No período de 1999 a 2018, foram notificados 233.027 casos confirmados de hepatite B no Brasil; destes, a maioria está concentrada na Região Sudeste (34,9%), seguida das Regiões Sul (31,6%), Norte (14,4%), Nordeste (9,9%) e Centro-Oeste (9,1%). A maioria dos indivíduos infectados era homens com idade > 25 anos. Entre os casos notificados no Sinan no período de 1999 a 2018, o provável mecanismo de transmissão/fonte em mais da metade (58,6%) dos casos foi registrado como "fonte ignorada". Entre aqueles cuja provável fonte era conhecida, a maioria ocorreu por via sexual (21,2%).[3]

A distribuição da infecção pelo HBV no mundo pode ser dividida em áreas de endemicidade alta, intermediária e baixa, de acordo com a prevalência dos marcadores sorológicos na população. Nos países com alta endemicidade, mais de 8% das pessoas apresentam HBsAg positivo; nas regiões de positividade intermediária, entre 2 e 7%; e nas de baixa prevalência, menos de 2%. A taxa de hepatite crônica pelo HBV varia de 0,1 a 20% nas diferentes áreas do mundo, sendo definida pela positividade de HBsAg por mais de 6 meses.[9,26-28] No Brasil, estudos realizados a partir da década de 1990 mostram mudanças importantes na endemicidade da infecção, devido principalmente à instituição, em 1998, da vacina contra o HBV.[29,30] De 2008 a 2018, as taxas de detecção de hepatite B nas Regiões Sul, Norte e Centro-Oeste foram superiores à taxa nacional (6,7 casos a cada 100 mil habitantes em 2018), enquanto as menores taxas foram observadas na Região Nordeste.[3]

A transmissão vertical é causa frequente de disseminação do HBV em regiões de alta endemicidade. A prevenção da infecção, sobretudo no início da vida, é de extrema importância; por isso, a via de transmissão vertical (mãe/bebê) merece consideração especial. Do ponto de vista clínico-epidemiológico, a forma de transmissão perinatal é de máxima importância. É por meio dessa via que o HBV se mantém na população.[8,31] Além disso, o risco de progressão para formas crônicas é inversamente relacionado com a idade na qual foi adquirida a infecção: 90% quando a transmissão é vertical, 25 a 50% para infecção em pré-escolares e menos de 10% em adultos. A infecção do feto depende do estado imune e da carga viral da mãe, pois estes são fatores decisivos para permitir que o vírus atravesse a barreira placentária. Em um estudo realizado em 4 capitais brasileiras com adolescentes de ambos os sexos na década de 1990, foi constatado um aumento da soroprevalência para o HBV nessa população, sugerindo a via sexual como uma significativa via de transmissão entre os adolescentes.[19]

A transmissão do HBV mãe-bebê pode ocorrer intraútero (antenatal) ou durante o parto. A transmissão intraútero é infrequente. Os recém-nascidos infectados pelo HBV, filhos de mães HBsAg-positivas, raras vezes desenvolvem hepatite aguda; entretanto, com enorme frequência a doença progride para a forma crônica.[8,9,31] Os fatores mais associados à positividade de HBsAg em recém-nascidos (na ausência de profilaxia efetiva) são carga materna viral elevada, período da gravidez no qual a mãe contraiu a hepatite (sobretudo o 3º trimestre) e positividade do HBeAg da mãe. Cerca de 90% dos recém-nascidos de mães HBeAg-positivas desenvolvem hepatite crônica; em mães HBeAg-negativas, essa taxa foi de aproximadamente 20%.[32] Estudos clínicos randomizados recentes mostraram que tenofovir e telbivudina podem reduzir o risco de transmissão vertical se o tratamento for iniciado no 3º trimestre da gestação.[33]

O estudo de soroprevalência supracitado feito em 4 capitais brasileiras mostrou que 3,1% das crianças com 1 ano de idade já eram positivas para o anticorpo do *core* da hepatite B (anti-HBc), sugerindo transmissão vertical.[19] Do total de casos de hepatite B notificados no Brasil entre 1999 e 2017, 23.928 (10,9%) ocorreram em mulheres gestantes, a maioria com idade entre 20 e 29 anos. No período de 2007 a 2017, observou-se queda nas prevalências de hepatite B nas gestantes muito jovens (10-14 anos) e aumento naquelas com idade > 30 anos.[3]

## Hepatite C

A infecção pelo HCV apresenta distribuição universal, com prevalência variável nas populações. Estima-se que cerca de 71 milhões de pessoas no mundo estejam infectadas pelo HCV e que aproximadamente 400 mil venham a óbito todo ano.[1] As mortes decorrem principalmente por cirrose e carcinoma hepatocelular.

São três as principais vias pelas quais o HCV é transmitido: parenteral (a mais frequente e comum entre usuários de drogas ilícitas e transfundidos com hemoderivados contaminados), vertical (intraútero, intraparto ou pós-parto) e pelas mucosas (geralmente na transmissão sexual).[29] Em significativo percentual dos indivíduos contaminados, não se consegue definir a fonte da infecção. A transmissão costuma ocorrer por via parenteral, sendo incomuns as vias sexual e vertical.[34]

Tal como ocorre com muitas infecções, a infecção pelo HCV é mais frequente em países pobres e em grupos especiais (p. ex., usuários de drogas injetáveis, pacientes com múltiplas transfusões e pacientes que fazem hemodiálise). Em certas regiões da África, mais de 10 a 20% dos habitantes apresentam anti-HCV positivo; já nos Estados Unidos, a soroprevalência é inferior a 2%.

A identificação da via sexual como única fonte de contaminação pelo HCV não é comum. Ela ocorre sobretudo em pessoas com múltiplos parceiros sexuais e com práticas sexuais desprotegidas. Entre parcerias estáveis, monogâmicas, as taxas de infecção pelo HCV são inferiores a 1%. O risco de contaminação é estimado em 0,03 a 0,06% por ano para casais monogâmicos, e de 1% para aqueles com múltiplas parcerias sexuais.[35] A coexistência com alguma IST aumenta o risco de transmissão. Infecção por hepatite C em pessoa em parceria sexual de portador crônico do HCV não exclui a possibilidade de a infecção ter sido adquirida de outras maneiras.[35] A análise molecular do HCV em casais infectados revela homologia em cerca de 50% dos pares estudados. A prevalência entre os familiares de indivíduos HCV-reagentes costuma ser bem maior do que a encontrada na população.

A transmissão vertical é possível durante a gestação, o parto e o período pós-natal, mas é bem menos comum do que a transmissão vertical da hepatite B. Gestantes com carga viral do HCV elevada ou coinfectadas pelo HIV apresentam risco mais elevado de transmissão da doença para os recém-nascidos. Cerca de 5% dos filhos de mães HCV-positivas adquirem hepatite C, mas essa porcentagem sobe para 14% quando houver coinfecção materna com HIV. O diagnóstico de infecção em crianças nascidas de mães anti-HCV reagentes não deve ser firmado em crianças com idade < 1 ano, pois o anticorpo pode desaparecer nos primeiros 2 a 3 anos de vida em até 30% das crianças acompanhadas adequadamente.[29,34,36]

A transmissão de HCV por meio de transfusão está praticamente erradicada onde os voluntários são avaliados para anticorpos e RNA. No mundo, apenas cerca de 3% das transfusões são pouco seguras. Estudo de casos e controles para identificar fatores de risco para infecção pelo HCV em doadores de sangue da cidade de Porto Alegre, no Estado do Rio Grande do Sul (RS), revelou que os doadores anti-HCV reagentes, mais frequentemente do que os controles, eram doadores primários, de menor nível socioeconômico, menor escolaridade e menor qualificação profissional, e apresentavam características de comportamento social facilitador da transmissão do vírus.[37]

No Brasil, de 1999 a 2018, foram notificadas 359.673 pessoas reagentes ao anti-HCV ou HCV-RNA.[3] Destas, o número dos casos notificados com ambos os marcadores reagentes foi de 174.703. Esse registro é importante porque foi a partir de 2015 que a notificação de casos de hepatite C foi aceita com apenas 1 dos marcadores. Na distribuição por regiões, considerando os 174.703 casos (com HCV-RNA reagente e anti-HCV positivo), observaram-se 63,1% no Sudeste, 25,2% no Sul, 6,1% no Nordeste, 3,2% no Centro-Oeste e 2,5% no Norte. Entre as capitais brasileiras, em 2017, a maior taxa de detecção de hepatite C foi em Porto Alegre (RS) (90,7 casos a cada 100 mil habitantes), seguida por São Paulo, no Estado de São Paulo (SP) (36,1 casos a cada 100 mil habitantes); a menor taxa foi em Brasília, no Distrito Federal (DF) (4,2 casos a cada 100 mil habitantes). Dos casos confirmados, a maioria foi constatada entre homens (58%). Em todo o período avaliado (2003-2017), a faixa etária mais atingida foi acima de 60 anos para ambos os sexos. Em relação à provável fonte/mecanismo de infecção, houve falta de informação em 53,7% dos casos notificados, e o maior percentual foi uso de drogas (13,2%), seguido de transfusão de sangue (11,4%) e de relação sexual não protegida (8,9%). Coinfecção com HIV foi detectada em 9,4% dos casos notificados entre 2007 e 2017.[3]

## Hepatite D

O HDV encontra-se disseminado no mundo e manifesta-se por diferentes quadros clínicos, incluindo formas assintomáticas, hepatite aguda e hepatite crônica em indivíduos HBsAg-positivos. Estima-se que, das cerca de 350 milhões de pessoas portadoras crônicas do HBV, aproximadamente 17 milhões sejam infectados pelo vírus Delta. A região mais afetada no Brasil é a mesma cuja população apresenta altas taxas de HBV – a Amazônia Ocidental; mas há locais com elevada taxa de positividade do HBV sem a presença do HDV.

O controle significativo da infecção pelo HBV nas duas últimas décadas também levou à redução do HDV em certos lugares. As taxas de prevalência do vírus nos portadores de HBsAg foram reduzidas à metade (de 20-25% para menos de 10%) em países desenvolvidos do sul da Europa. Na Itália, na Alemanha, na França e no Reino Unido, as taxas de infecção em portadores de HBsAg estavam se mantendo estáveis, entre 7 e 10%.[13] Nos últimos anos, porém, as taxas voltaram a subir, provavelmente devido a imigrantes provenientes de países onde a infecção por HBV e HDV é elevada.[38]

No Brasil, no período de 1999 a 2017, foram confirmados 3.833 casos de hepatite D, sendo observada maior prevalência na Região Norte (75%),[3] a maioria em homens (57,7%), embora a diferença entre os sexos esteja diminuindo ao longo dos anos. A população com hepatite D é jovem: 51,6% dos indivíduos têm idade entre 20 e 39 anos. O HDV compartilha as mesmas vias de transmissão do HBV. A transmissão vertical existe, mas é incomum e depende da carga do HBV.[13]

## Hepatite E

Os resultados de estudos de prevalência baseados na presença de anti-HEV revelam alta heterogeneidade, não apenas relacionada à população avaliada, mas também aos exames sorológicos utilizados para o estudo. Por ser uma doença de transmissão fecal-oral, a hepatite E ocorre, com frequência, em surtos epidêmicos e após calamidades que levam à contaminação da água. Tem ampla distribuição geográfica e, embora seja mais comum nos locais com baixo desenvolvimento socioeconômico, não está limitada aos países pobres. O HEV é um dos principais agentes virais de hepatite aguda, sendo autolimitada, mas que pode evoluir em grupos especiais para insuficiência hepática aguda. É considerada hiperendêmica em algumas regiões, como na Índia e na China.[39-41]

A transmissão interpessoal não é frequente, e, em muitos casos, os fatores de risco não são identificados.

A OMS estima que 2,3 bilhões de pessoas já foram infectadas pelo HEV e que a hepatite E cause aproximadamente 70 mil mortes anualmente.[1] Na última década, houve aumento expressivo na notificação do HEV em alguns países industrializados.[42,43] Na Europa, em torno de 0,04 a 0,12% das amostras coletadas de doadores de sangue foram positivas para o HEV-RNA.[43]

Nas Américas, a soroprevalência de anti-HEV-IgG se situa entre 3 e 31%. Os genótipos 1, 2 e 3 foram documentados em animais e em humanos no Uruguai, na Colômbia, na Argentina, no México (só humanos), nos Estados Unidos e na Venezuela. Nos Estados Unidos, foi constatada alta prevalência de sorologia positiva em homens que fazem sexo com homens (15,9%), usuários de drogas injetáveis (23%) e doadores de sangue (21,3%).[44]

Os estudos realizados no Brasil demostram grande heterogeneidade na positividade do anti-HEV e revelam, na imensa maioria, ausência de identificação do agente viral. A prevalência global no Brasil é baixa. As maiores prevalências foram relatadas em estudos feitos nas Regiões Nordeste e Sul do País, e os casos com teste HEV-RNA reagente foram identificados, basicamente, entre transplantados e usuários de drogas injetáveis.[45,46]

## QUADRO CLÍNICO E DIAGNÓSTICO

Os quadros clínicos das hepatites virais agudas são muito diversificados, variando desde formas assintomáticas até aqueles que evoluem para insuficiência hepática aguda grave. As variações do quadro clínico estão relacionadas com o tipo de vírus e as características do hospedeiro, das quais a idade e o estado imunológico são as mais importantes. Os grupos de indivíduos que apresentam maior risco de contrair hepatite viral estão listados na TABELA 157.2.

A maioria dos casos subclínicos cursa com anorexia, náuseas, desconforto abdominal, fadiga e mal-estar geral. Nos pacientes sintomáticos, há colúria seguida por icterícia e, às vezes, fezes esbranquiçadas. Em alguns indivíduos (geralmente adultos), as queixas mais intensas são artralgias e/ou mialgias no início do quadro.

Nas formas ictéricas das hepatites agudas, o quadro clínico costuma ser dividido em três períodos: fase prodrômica, que é anictérica, seguida pela fase com icterícia e colúria e, por fim, o período de convalescença. O período de incubação tem duração e intensidade diferentes, dependendo do tipo de vírus e da faixa etária da pessoa infectada. Em crianças, a fase prodrômica é mais rica em sinais e sintomas, como anorexia, vômitos, dor abdominal (às vezes tão intensa que simula abdome cirúrgico) e febre, que em geral não ultrapassa 38 a 38,5 °C. Com o surgimento da icterícia, os sintomas praticamente desaparecem. Havendo manutenção da febre após o aparecimento da colúria e/ou da

**TABELA 157.2** → Indivíduos que apresentam maior risco de adquirir hepatite viral

| PROFISSIONAIS DE SAÚDE |
|---|
| → Enfermeiros |
| → Médicos |
| → Dentistas e cirurgiões bucofaciais |
| → Técnicos de laboratório |

| POPULAÇÃO SELECIONADA |
|---|
| → Imunodeprimidos |
| → Frequentadores de unidades de hemodiálise |
| → Usuários de sangue e/ou hemoderivados |
| → Homens que fazem sexo com homens com comportamento de risco |
| → Trabalhadoras do sexo |
| → Usuários de drogas injetáveis |
| → Filhos de mães HBsAg-positivas |
| → Salva-vidas |
| → Institucionalizados |
| → Originários de zonas de alta endemicidade |

HBsAg, antígeno de superfície da hepatite B.

icterícia, na ausência de causa extra-hepática que a justifique (otites, amigdalites, pneumonia, etc.), sugere-se reavaliar a suspeita diagnóstica de hepatite viral.

No exame físico, a icterícia é o sinal mais significativo e, em geral, o motivo da procura do atendimento médico. Há aumento das dimensões do fígado, cuja borda é aguda, com superfície lisa e sensibilidade aumentada à palpação e à percussão. O baço pode aumentar de volume em cerca de 10 a 20% dos casos, e a adenomegalia costuma limitar-se à zona de drenagem linfática do fígado. Quando o aumento dos gânglios é muito significativo, deve-se suspeitar de hepatite causada pelo vírus da mononucleose infecciosa.

Em relação às alterações laboratoriais, nas hepatites virais agudas de evolução benigna, observa-se linfocitose relativa, comumente associada à leucopenia no início do quadro. A velocidade de hemossedimentação não costuma estar muito elevada. As alterações do fígado são avaliadas pelos testes de (dis)função hepatocelular. As aminotransferases – alanina-aminotransferase (ALT) e aspartato-aminotransferase (AST) – são marcadores sensíveis para detecção de alteração do parênquima hepático, mas não são específicas para nenhum tipo de lesão hepática/hepatite. O maior aumento ocorre 1 a 2 semanas antes do início dos sintomas, com redução de seus níveis logo após a instalação do quadro sintomático. Os valores das aminotransferases podem ultrapassar 10 a 20 vezes os valores normais, mas a elevação dos níveis séricos não guarda relação com a gravidade da doença. Em geral, as aminotransferases voltam a seus valores pré-infecção em 8 a 12 semanas após o início da doença.

Muitas vezes, o diagnóstico de hepatite é feito apenas a partir de alterações nos exames de rotina dos indivíduos ou na triagem de bancos de sangue. Assim, o diagnóstico das hepatites B e C pode ocorrer tardiamente, na maioria das vezes após o período agudo das infecções. As formas crônicas das hepatites virais costumam ser oligossintomáticas, razão pela qual muitas vezes se reconhece a doença apenas quando surgem as manifestações das complicações decorrentes da progressão para cirrose ou para carcinoma hepático.

O tipo de agente determinante da hepatite é definido pelos marcadores virais. O conhecimento do seu significado é essencial para entender a história natural das hepatites (TABELA 157.3).

Os dados laboratoriais que permitem sugerir maior gravidade da doença são apresentados na TABELA 157.4.

## Hepatite A

A infecção pelo HAV é a mais benigna das hepatites e não evolui para formas crônicas. O determinante mais importante da expressão clínica da hepatite A é a idade da pessoa infectada. A infecção é frequentemente assintomática em jovens. As formas mais graves da hepatite A ocorrem em indivíduos coinfectados com outros vírus (sobretudo HIV e HCV) e com mais de 50 anos. O início costuma ser abrupto, com febre alta, prostração e sintomas inespecíficos, como anorexia, náuseas, cefaleia e dor abdominal. Dor de intensidade variável no quadrante superior direito e hepatomegalia estão presentes em 85% dos doentes, e adenopatia

**TABELA 157.3** → Marcadores sorológicos da hepatite viral e seu significado

| TIPO/ANTICORPOS | SIGNIFICADO |
| --- | --- |
| **Hepatite tipo A** | |
| Anti-HAV IgM | Hepatite aguda |
| Anti-HAV IgG | Imune à hepatite A |
| **Hepatite tipo B** | |
| HBsAg | Hepatite aguda<br>Portador crônico |
| Anti-HBc IgM | Hepatite aguda (título alto)<br>Hepatite crônica (título baixo) |
| Anti-HBc IgG | Exposição anterior (com HBsAg-negativo)<br>Hepatite crônica (com HBsAg-positivo) |
| Anti-HBs | Imune à hepatite |
| HBeAg | Hepatite aguda<br>Infecciosidade presente |
| Anti-HBe | Convalescença |
| HBV-DNA | Infecciosidade presente |
| **Hepatite tipo C** | |
| Anti-HCV | Fase tardia da hepatite aguda<br>Hepatite crônica |
| HCV-RNA | Infecciosidade presente |
| **Hepatite tipo Delta** | |
| Anti-HDV IgM | Hepatite aguda |
| Anti-HDV IgG | Hepatite crônica<br>Infecção no passado causada pelo vírus Delta |
| **Hepatite tipo E** | |
| Anti-HEV IgM | Hepatite aguda |
| Anti-HEV IgG | Imune à hepatite E |

anti-HBc, anticorpo do *core* da hepatite B; anti-HBe, anticorpo e da hepatite B; anti-HBs, anticorpo de superfície da hepatite B; HAV, vírus da hepatite A; HBeAg, antígeno e da hepatite B; HBsAg, antígeno de superfície da hepatite B; HBV, vírus da hepatite B; HCV, vírus da hepatite C; HDV, vírus da hepatite D; HEV, vírus da hepatite E; IgG, imunoglobulina G; IgM, imunoglobulina M.

e esplenomegalia, em proporção bem menor. Em crianças com idade < 2 anos, apenas cerca de 20% desenvolvem icterícia; em contrapartida, ocorre icterícia em cerca de 80% dos indivíduos a partir dos 6 anos.[3,47] Os exames laboratoriais costumam ficar alterados por um período que varia de 2 a 4 semanas. A alteração mais marcante é a elevação das aminotransferases, em especial a ALT, que pode chegar a apresentar atividade de 100 vezes o valor normal.

**TABELA 157.4** → Achados clínico-laboratoriais que costumam indicar maior gravidade da hepatite

- → Faixa etária: recém-nascidos, lactentes e pessoas idosas
- → Desnutrição
- → Gravidez
- → Indivíduos em uso de imunossupressores
- → Indivíduos em uso de medicamento hepatotóxico
- → Presença de edema e/ou ascite e/ou encefalopatia
- → Presença de vômitos e/ou diarreia incoercíveis
- → Alterações laboratoriais
  - → Bilirrubinemia total > 20 mg/dL
  - → Tempo de protrombina > 50 segundos
  - → Hipoglicemia persistente
  - → Hipoalbuminemia

O aparecimento de anticorpo-HAV de tipo IgM no soro confirma o diagnóstico. Esse anticorpo está presente em praticamente todos os indivíduos infectados pelo HAV, atingindo valores máximos no 1º mês de doença, declinando de maneira gradativa; em geral, os níveis elevados cessam após 3 a 6 meses do início da doença. O anticorpo anti-HAV IgG surge a partir do 2º ou 3º mês, e persiste indefinidamente, conferindo imunidade contra as reinfecções do HAV.

Cada vez mais têm sido descritos na literatura casos de hepatite pelo HAV com padrão clínico diverso da forma monofásica habitual (caracterizada pelos três períodos – prodrômico, ictérico e de convalescença). No entanto, o aparecimento de formas clínicas especiais não tem nenhuma relação com a cronificação da hepatite A. As principais modalidades clínico-laboratoriais "atípicas" da hepatite A são: (1) **forma colestática**, na qual os doentes apresentam icterícia persistente e evidências bioquímicas de colestase intra-hepática intensa, com alteração muito discreta das aminotransferases; (2) **forma prolongada**, na qual a duração das alterações é bem superior a 2 meses; e (3) **forma polifásica**, na qual se sucedem um ou mais episódios sintomáticos, separados por períodos sem alterações clínico-laboratoriais expressivas, mas podendo apresentar HAV nas fezes por vários meses.[47]

As taxas de mortalidade atribuídas ao HAV estão associadas à idade dos indivíduos: 0,1% em indivíduos com idade < 15 anos, 0,3% entre aqueles com 15 a 39 anos e 1,8% para indivíduos com idade > 40 anos.[1,18,23] No Brasil, entre os anos 2000 e 2016, foram identificados 1.110 óbitos associados à hepatite A, e a faixa etária mais frequente foi a de indivíduos entre 50 e 59 anos. Na distribuição entre as regiões, verificou-se que a maior proporção de óbitos ocorreu na Região Nordeste.

O HAV também pode, às vezes, determinar manifestações clínicas extra-hepáticas, as quais podem evoluir de forma grave: pancreatite, anemia aplástica, necrose tubular aguda, miocardite, vasculite, artrite, trombocitopenia e mielite transversa, entre outras.

A forma mais grave da hepatite A aguda é a hepatite fulminante que, embora rara, ocorre com mais frequência em crianças e idosos.[48-50] Nessas circunstâncias, após o início do quadro clínico, há piora expressiva com alteração do sensório e comprometimento importante da coagulação sanguínea. Pode progredir muito rapidamente, não dando tempo para o aparecimento de icterícia. Em populações pediátricas de países da América do Sul, o HAV foi causa comum de insuficiência hepática e de indicação de transplante de fígado de urgência. Estudo realizado em Porto Alegre (RS), quando a vacina contra hepatite A não era disponibilizada na rede pública, mostrou número expressivo de crianças com maior suscetibilidade para a doença entre a classe socioeconômica baixa e maior prevalência de anticorpo anti-HAV nas classes mais favorecidas (46,1% vs. 37,6%). A hipótese dos autores do estudo é de que a maior prevalência de anti-HAV nas crianças de nível socioeconômico mais elevado tenha sido resultante do efeito cumulativo da exposição à vacina contra hepatite A nessa população (efeito de coorte).[51]

## Hepatite B

A infecção pelo HBV causa hepatite nas formas aguda e crônica, e ambas costumam permanecer oligossintomáticas por longos períodos.[8,31] O tempo de incubação varia de poucas semanas a meses. Essa variação parece estar relacionada com o tamanho do inóculo: quanto maior, menor o tempo de aparecimento dos sintomas. Estima-se que a infecção crônica pelo HBV ocorra em aproximadamente 350 a 400 milhões de pessoas no mundo, sendo a principal causa de cirrose e carcinoma hepatocelular.

Um achado clínico relativamente comum (~10%) na hepatite B é a presença, na fase prodrômica, de manifestações semelhantes às descritas na "doença do soro": alterações cutâneas tipo urticária ou maculopapulares, febre e dores articulares. Imunocomplexos circulantes (antígeno/anticorpo de superfície) ativam o sistema do complemento e se depositam nas paredes dos vasos sanguíneos da pele e das membranas sinoviais. As reações cutâneas de tipo papular são conhecidas como síndrome de Gianotti-Crosti.

No soro de doentes com hepatite B, há três tipos de partículas: HBsAg, partículas numerosas e não infecciosas; HBcAg, partículas grandes que representam o vírion intacto, cujo anticorpo correspondente é o anti-HBc; e HBeAg, relacionadas com a infecciosidade.

Em 2017, foram disponibilizados testes de triagem rápida para o HBV na rede pública de saúde. O resultado é obtido em cerca de 30 minutos e, quando positivo, deve ser seguido pela solicitação de HBsAg[3] **(TABELA 157.5)**.

Em geral, os níveis séricos das aminotransferases e do HBsAg diminuem e desaparecem concomitantemente; em cerca de 80% dos pacientes adultos não se detecta mais o HBsAg em 3 meses. A persistência desse marcador por mais de 6 meses configura estado de portador crônico.

O anti-HBc tipo IgM ocorre precocemente após o início dos sintomas e permanece por 3 a 6 meses. Em torno de

**TABELA 157.5** → Significado clínico dos marcadores sorológicos na hepatite B

| SIGLAS OU ABREVIAÇÕES | DESCRIÇÃO | SIGNIFICADO CLÍNICO |
|---|---|---|
| HBsAg | Antígeno de superfície da hepatite B | Primeiro marcador sorológico da infecção pelo HBV; associado a anti-HBc+ indica presença da infecção. Quando desaparece nos primeiros 6 meses, indica cura; se persiste por mais de 6 meses, indica cronificação |
| Anti-HBc IgG ou total | Anticorpo IgG contra HBsAg | Marcador de contato prévio com o HBV; presente nos casos com ou sem infecção atual |
| Anti-HBc IgM | Anticorpo IgM contra HBsAg | Marcador de infecção aguda recente; surge com o início dos sintomas; não é induzido pela vacinação |
| HBeAg | Antígeno de replicação viral (ou antígeno e da hepatite B) | Marcador de alta infecciosidade; surge pouco antes dos sintomas; indica replicação viral |
| Anti-HBe | Anticorpo contra HBeAg | Marcador que indica declínio da infecciosidade; surge semanas após o desaparecimento do HBeAg |
| Anti-HBs | Anticorpo contra HBsAg | Marcador que indica imunidade à hepatite B; surge 1-3 meses após vacinação ou após recuperação da infecção aguda |

HBV, vírus da hepatite B; IgG, imunoglobulina G; IgM, imunoglobulina M.

10% dos pacientes mantêm a positividade desse marcador por períodos longos, superiores a 1 ano. O anti-HBc da subclasse IgG é de aparecimento mais tardio, com redução dos seus níveis com o passar do tempo. A maioria dos pacientes adultos, expostos ao HBV (em torno de 80-85%) e previamente sadios, ao recuperar-se da hepatite, passa a apresentar o anticorpo de superfície da hepatite B (anti-HBs), que confere imunidade a reinfecções. Destes, 5 a 10% evoluem para a forma crônica da hepatite, taxa muito inferior àquela encontrada em recém-nascidos e lactentes (85-90%) expostos ao HBV.[3,8,9]

Os marcadores virais da hepatite B podem ser separados em dois grandes grupos: os de valor basicamente diagnóstico e os utilizados com a finalidade de avaliar a infecciosidade e o prognóstico. Os marcadores HBsAg, anti-HBs e anti-HBc são utilizados, simultaneamente, para diagnóstico e prognóstico.

O curso clínico das hepatites crônicas pelo HBV é um processo dinâmico, possuindo 5 fases que não são necessariamente apresentadas por todos os pacientes.[52]

Na **primeira fase** – anteriormente denominada fase imunotolerante e atualmente chamada de infecção crônica HBeAg-positiva –, os pacientes apresentam níveis elevados de HBV-DNA e níveis normais de ALT. Essa fase é mais frequente e prolongada em indivíduos infectados no período perinatal, com taxa de perda espontânea de HBeAg muito baixa. Os níveis elevados de HBV-DNA conferem alto poder de contágio.

A **segunda fase**, denominada hepatite crônica HBeAg-positiva, pode ocorrer vários anos após a primeira fase e é mais frequentemente atingida em indivíduos infectados durante a idade adulta. Caracteriza-se pelos elevados níveis de HBV-DNA e ALT. A maioria dos pacientes pode atingir a soroconversão do HBeAg e a supressão do HBV-DNA, entrando na **terceira fase**, denominada infecção crônica HBeAg-negativa (antes denominada portador inativo). Essa fase caracteriza-se pela presença do anticorpo e da hepatite B (anti-HBe) detectável, níveis baixos ou indetectáveis de HBV-DNA (< 2.000 UI/mL) e níveis normais de ALT. No entanto, alguns pacientes nessa fase podem apresentar níveis de HBV-DNA > 2.000 UI/mL e níveis de ALT persistentemente normais. Esses pacientes têm baixo risco de progressão para cirrose ou hepatocarcinoma se permanecerem nessa fase, mas a progressão para a próxima fase, de hepatite crônica, pode ocorrer. A perda de HBsAg e/ou soroconversão ocorre espontaneamente em 1 a 3% dos casos por ano.

A **quarta fase**, chamada de hepatite B crônica HBeAg-negativa, é caracterizada pela reativação do vírus, com níveis moderados a altos de HBV-DNA. Nessa fase, os pacientes apresentam ausência de HBeAg sérico, geralmente com anti-HBe detectável, níveis moderados a altos de HBV-DNA (persistentes ou flutuantes), porém frequentemente menores do que aqueles dos pacientes HBeAg-positivos (fase 2), e valores de ALT flutuantes ou persistentemente elevados. A reativação do vírus pode ocorrer espontaneamente, pode ser devida à presença de mutantes virais (mutação *pré-core*) ou, mais comumente, pode ser desencadeada por terapias imunossupressoras. Pacientes que recebem fármacos imunossupressores devem sempre ser testados quanto a HBsAg e anti-HBc, pois há risco de reativação do HBV, com graves consequências. Os antivirais de ação direta (AADs) indicados na coinfecção HBV + HCV também foram identificados como importante causa de reativação do HBV. Essa fase está associada a baixas taxas de remissão espontânea da doença.

A **quinta fase** é reconhecida como "infecção oculta" por HBV, sendo caracterizada por HBsAg sérico não reagente e anticorpos positivos para HBcAg (anti-HBc), com ou sem anticorpos detectáveis para HBsAg (anti-HBs), níveis normais de ALT e níveis geralmente indetectáveis de HBV-DNA. Os pacientes permanecem em risco de progressão para cirrose e hepatocarcinoma; portanto, a vigilância deve continuar. A imunossupressão pode levar à reativação do HBV nesses pacientes.

O intervalo de tempo entre a doença aguda e a eventual transformação cirrogênica é muito variável, podendo levar de alguns meses até 20 a 30 anos. Há fatores genéticos e comportamentais, entre outros, que aumentam o risco de cirrose e de hepatocarcinoma nos indivíduos com hepatite crônica, como tabagismo, sexo masculino, consumo de álcool, extremos de idade, história familiar de neoplasia de fígado, e contato com carcinógenos tipo aflatoxina.[53]

Um número crescente de variantes do HBV vem sendo descrito.[26] As que guardam relação com a região pré-C (*core*) do vírus merecem destaque, pois os indivíduos que a possuem expressam padrões "atípicos" do ponto de vista sorológico (são HBeAg-negativos) e de resposta à terapêutica. Os mutantes pré-C induziriam formas fulminantes com mais frequência do que os HBVs "clássicos". Variantes relacionadas com o gene S também podem determinar respostas alteradas à vacinação.

## Hepatite C

A infecção pelo HCV geralmente é assintomática. A hepatite C aguda é difícil de reconhecer do ponto de vista clínico e diagnóstico, pois os sintomas da doença são discretos e inespecíficos.[29] Os anticorpos específicos anti-HCV apresentam 96 a 99% de sensibilidade e especificidade, mas levam 4 a 24 semanas para se tornarem positivos nas infecções agudas. Adota-se a reação em cadeia da polimerase para identificar o agente viral (HCV-RNA), que pode ser detectado poucos dias após a exposição. Em 2017, os testes de triagem rápida para o HCV passaram a ser disponibilizados na rede pública de saúde no Brasil. O resultado é obtido em cerca de 30 minutos e, quando positivo, deve ser seguido pela solicitação de avaliação de anti-HCV e da carga viral HCV-RNA.

O período de incubação é variável, de 2 a 20 semanas, e os achados clínicos não permitem diferenciar essa infecção das outras hepatites virais. Do ponto de vista laboratorial, os níveis das transaminases não costumam ultrapassar 10 vezes o limite superior da normalidade (LSN). Um dos aspectos mais chamativos do ponto de vista clínico é o prolongado período no qual as enzimas apresentam-se anormais. Na prática, muitas vezes o diagnóstico da hepatite C crônica é incidental ou feito pela testagem de indivíduos que pertencem a grupos de risco.

O risco da forma fulminante é baixo (1%). Embora cerca de 15 a 20% dos indivíduos com cirrose devida ao HCV desenvolvam carcinoma hepatocelular, acredita-se que o vírus não seja oncogênico *per se*. Diferentemente do HBV, ele não se integra no genoma do hospedeiro. A neoplasia seria uma consequência da cirrose e não do vírus propriamente dito. Contudo, tanto a morbidade quanto a mortalidade dos indivíduos com hepatite tipo C são bastante elevadas.

A persistência do HCV-RNA por mais de 6 meses caracteriza sua cronicidade. Não há consenso em relação à taxa de cronificação do HCV, mas calcula-se que oscile entre 60 e 85% dos indivíduos infectados, com transformação cirrogênica em pelo menos 10 a 20% desses indivíduos. Em uma década (2000-2010), as hepatites foram responsáveis por 20.771 mortes no Brasil, mais de 70% delas (14.873) devido ao HCV.[3,29]

Sintomas inespecíficos associados à infecção crônica são astenia, fadiga crônica, artralgias e mialgia. O exame físico não costuma revelar alterações significativas nas fases iniciais da doença crônica além de hepatomegalia. A existência de esplenomegalia indica progressão para cirrose. Várias manifestações extra-hepáticas de natureza autoimune e/ou linfoproliferativa têm sido descritas na infecção crônica pelo HCV. A presença de crioglobulinemia mista é observada em 30 a 50% dos pacientes; em geral, essa condição é assintomática, mas em alguns indivíduos há comprometimento clínico importante, com alterações renais, articulares e vasculares. Entre outras manifestações extra-hepáticas determinadas pelo HCV, são descritos porfiria cutânea tardia, tireoidite autoimune, linfoma de células B, neuropatia, líquen plano e glomerulopatia.

Em 15 a 30% dos indivíduos com a doença aguda, o agente viral desaparece do sangue nos primeiros 6 meses após o início da infecção. No entanto, a expressiva maioria evolui, de maneira silenciosa, para a doença crônica.

O prazo para a instalação da hepatopatia crônica costuma ser bastante longo, e as pessoas infectadas, em geral, não apresentam qualquer manifestação clínica por 2 a 3 décadas. Os fatores que influenciam a progressão da doença são ligados tanto ao hospedeiro quanto ao vírus: sexo masculino, idade > 40 anos no momento da infecção, uso/abuso de álcool, coinfecção com outros vírus (HBV/HIV), presença de esteatose hepática, imunossupressão, atividade inflamatória intensa dos hepatócitos, diabetes.[54,55]

Foi desenvolvido um modelo de progressão da fibrose em indivíduos com hepatite C crônica de grande interesse prognóstico, que permitiu caracterizar três tipos de doentes:[55] os progressores rápidos, nos quais a cirrose ocorre em menos de 20 anos; os progressores intermediários, que apresentam cirrose em 20 a 50 anos; e os progressores lentos ou não progressores, cuja doença progride lentamente ou não progride, levando mais de 50 anos para desenvolverem cirrose. Os autores admitem que cada categoria pode corresponder a um terço dos casos.

## Hepatite D

O HDV encontra-se disseminado no mundo e manifesta-se por diferentes quadros clínicos, incluindo formas assintomáticas, hepatite aguda e hepatite crônica em indivíduos HBsAg-positivos. A transmissão do HDV pode ser simultânea com a do HBV (coinfecção), ou o HDV pode infectar os indivíduos já portadores da infecção pelo HBV (superinfecção). A infecção aguda, em geral, é indistinguível das hepatites causadas por outros vírus. Nas coinfecções (HBV + HDV) em adultos sem imunodepressão, observam-se altas taxas de recuperação. Na superinfecção, o cenário é mais sombrio: as hepatites costumam ser mais graves, com icterícia intensa, evoluindo rapidamente para insuficiência hepática.[12,13] A infecção crônica pelo vírus Delta é causa importante de hepatopatia crônica em crianças e adultos jovens em áreas endêmicas como na região amazônica.

A infecção pelo HDV pode resultar em doença aguda ou crônica. A hepatite causada pelo vírus Delta é considerada a hepatite de maior morbimortalidade e de manejo clínico mais complexo entre as hepatites virais. Há pelo menos dois padrões de infecção com diferentes cursos clínicos: a coinfecção (quando o contágio é simultâneo com o HBV) e a superinfecção (em pacientes HBsAg-positivos). A primeira é, em geral, autolimitada, embora com morbidade elevada; a segunda tem maior tendência à cronificação. O período de incubação da superinfecção está estimado em 4 a 8 semanas; o período da coinfecção é similar àquele do HBV (45-160 dias).[29]

A infecção crônica por HDV e HBV tem duas características básicas: a replicação do HBV é baixa, devido ao efeito inibidor do agente Delta; e, a despeito da baixa replicação do HBV, a atividade da hepatite crônica é grande, como consequência do efeito citotóxico direto do HDV. De grande importância clínica é o conhecimento da evolução das diferentes fases da doença. Há, por um lado, os efeitos citopáticos do vírus Delta, e, por outro lado, as alterações hepáticas de base imunológica decorrente da infecção pelo HBV. Na fase aguda da doença, pode ser observado um padrão bifásico de elevação das transaminases. O primeiro pico corresponde à resposta da lesão hepatocelular causada pelo HBV; o segundo é decorrente do agente Delta. O teste para detectar o anticorpo anti-HDV está amplamente disponível, enquanto a demonstração do HDV-RNA e do antígeno Delta no tecido hepático e no soro durante a fase aguda da doença está restrita a laboratórios de investigação. A transmissão vertical desse tipo de hepatite é incomum, mas a disseminação intrafamiliar ocorre, com frequência, entre os portadores de HBsAg.

## Hepatite E

A forma mais comum de transmissão do HEV é a via fecal-oral, mas há transmissão vertical e parenteral. Ao contrário da hepatite A, que também é de transmissão entérica, a infecção é mais comum entre adultos jovens. Casos esporádicos têm sido observados em crianças e adolescentes.

O período médio de incubação é de cerca de 40 dias, com uma variação entre 15 e 60 dias. A infecção pelo HEV é geralmente assintomática, e poucos indivíduos desenvolvem sintomas de hepatite aguda. Manifesta-se, então, como uma doença aguda, com sinais e sintomas inespecíficos, como anorexia, febre e dor abdominal. Nas áreas endêmicas, o quadro é mais intenso e a icterícia é comum. Quadros muito graves ocorrem em populações especiais, particularmente as gestantes no 3º trimestre.[56]

O diagnóstico da infecção costuma ser realizado pela detecção de anticorpos anti-HEV ou do HEV-RNA no soro das pessoas infectadas, e é confirmado quando anticorpos do tipo anti-HEV IgM (fase aguda) ou IgG (infectado ou curado) são detectados no soro. O período de viremia é curto. Em pacientes com infecção aguda por HEV, o RNA é detectável durante o período de incubação e persiste por 4 a 6 semanas,[41] tornando-se indetectável no sangue cerca de 3 semanas após o início dos sintomas. Nas fezes, pode-se detectar a eliminação do vírus por reação em cadeia da polimerase por mais 2 semanas após a negativação da viremia.

Deve-se suspeitar de infecção pelo HEV nos indivíduos que retornam de zonas com condições inadequadas de saneamento, abastecimento de água e conservação de alimentos.

As **FIGURAS 157.1** a **157.6** apresentam os fluxogramas que orientam o diagnóstico dos diversos tipos de hepatite.

## TRATAMENTO

### Hepatites agudas

A imensa maioria das pessoas com hepatite aguda pode ser tratada no domicílio. De maneira geral, não há tratamento farmacológico específico para as hepatites virais agudas. A terapia resume-se às medidas de suporte, à exclusão de agentes lesivos para o fígado e, raramente, ao transplante hepático nas situações de insuficiência hepática de extrema

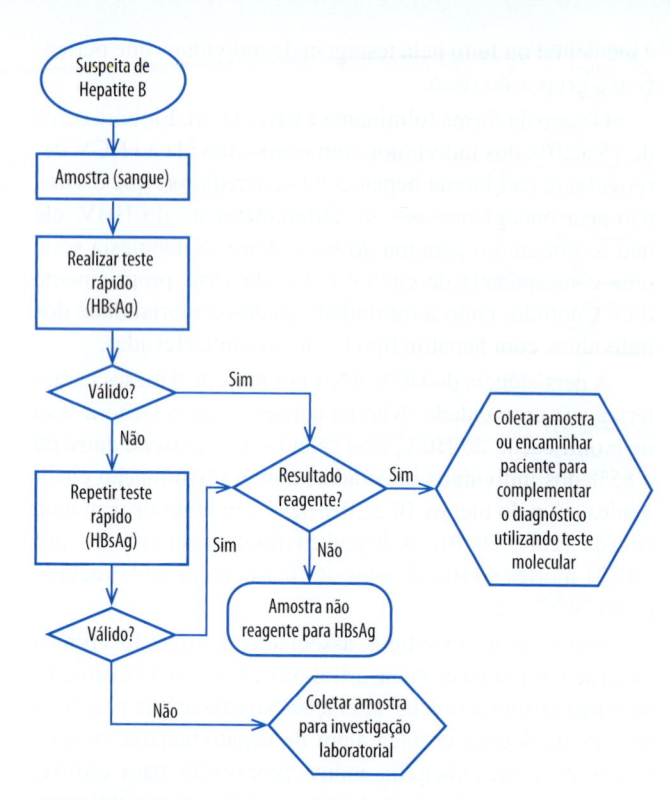

**FIGURA 157.2** → Fluxograma para o diagnóstico de hepatite B utilizando testes rápidos (TR-HBsAg).
HBsAg, antígeno de superfície da hepatite B.
Fonte: Brasil.[73]

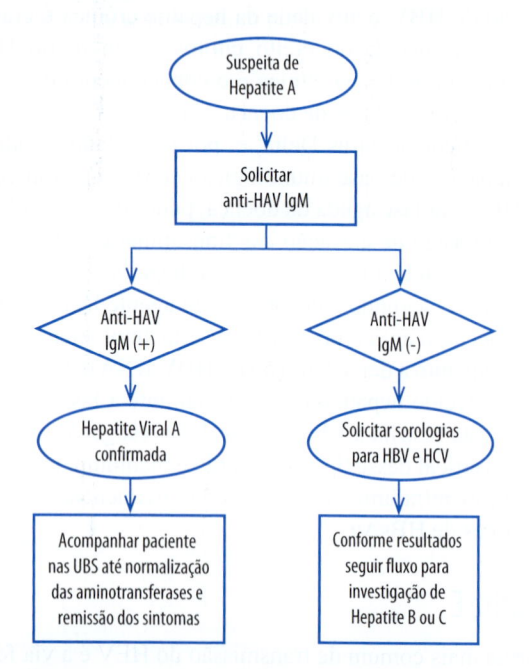

**FIGURA 157.1** → Fluxograma para o diagnóstico de hepatite viral A.
HAV, vírus da hepatite A; HBV, vírus da hepatite B; HCV, vírus da hepatite C; UBS, Unidade Básica de Saúde.
Fonte: Baseada nas recomendações de Brasil.[73]

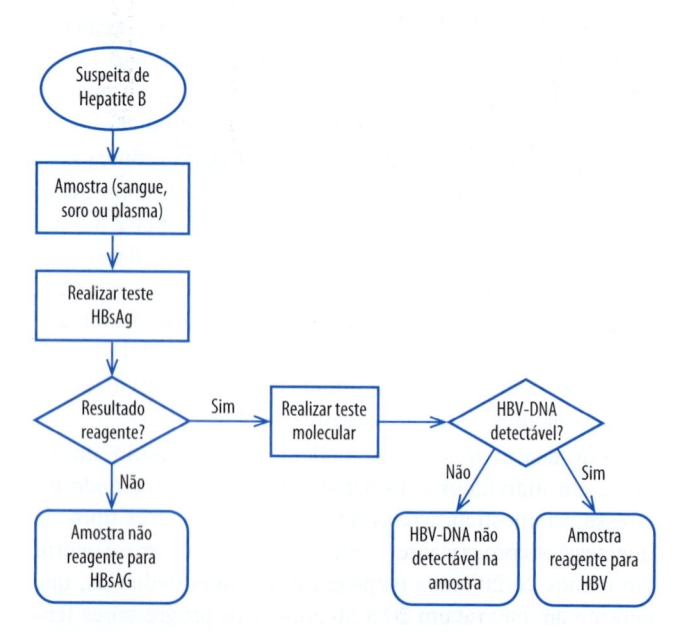

**FIGURA 157.3** → Fluxograma para o diagnóstico de hepatite B utilizando teste HBsAg e teste molecular (HBV-DNA).
HBsAg, antígeno de superfície da hepatite B; HBV, vírus da hepatite B.
Fonte: Brasil.[73]

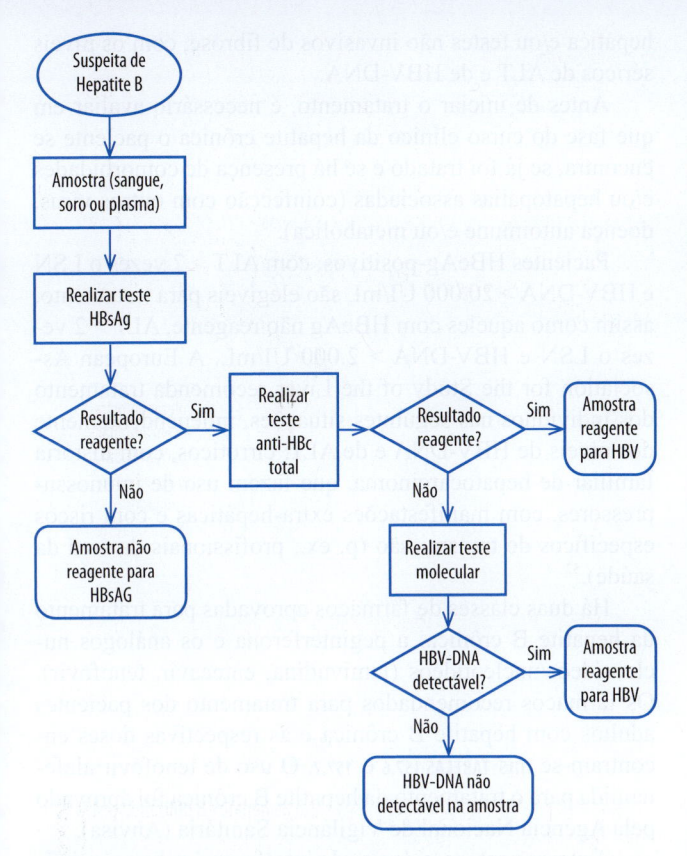

**FIGURA 157.4** → Fluxograma para diagnóstico da infecção pelo vírus da hepatite B (HBV) utilizando teste HBsAg e anti-HBc total.
anti-HBc, anticorpo do *core* da hepatite B; HBsAg, antígeno de superfície da hepatite B;
Fonte: Brasil.[73]

gravidade[57,58] C/D. Durante a fase aguda, se ocorrerem vômitos muito intensos, o uso de antieméticos e de hidratação parenteral pode ser necessário[36,57,58] C/D.

O curso da doença não é alterado por dieta especial ou repouso no leito. A retomada das atividades físicas deve ser considerada individualmente. Recomenda-se repouso relativo até a normalização das aminotransferases ou diminuição de seus níveis, não ultrapassando 1 a 3 vezes o LSN D.

Os fármacos conhecidos popularmente como "hepatoprotetores" ou antioxidantes, associados ou não a vitaminas, não trazem qualquer benefício nas formas habituais das hepatites C/D. Entretanto, se as manifestações de colestase intensa (prurido, icterícia com colúria, hipocolia ou acolia) ultrapassarem 2 a 3 meses, a absorção das vitaminas lipossolúveis (A, D, E, K) pode ficar prejudicada, e a indicação de coleréticos (ácido ursodesoxicólico ou colestiramina)[57] C/D pode ser estudada. A utilização de narcóticos, tranquilizantes e/ou analgésicos deve ser evitada; medicamentos que podem interferir no metabolismo da bilirrubina devem ser administrados com cuidado[57,58] C/D. O consumo de álcool deve ser abolido completamente durante a doença aguda e por um período de pelo menos 6 meses após a alta, conforme definido mais adiante[57,58] C/D.

No acompanhamento ambulatorial das hepatites virais agudas, as consultas devem ser realizadas quinzenalmente no início da doença, e depois devem ser programadas

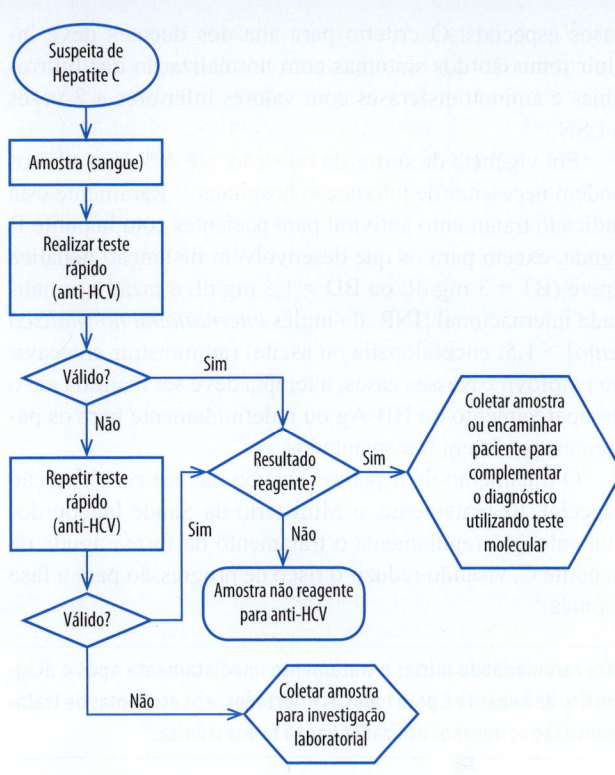

**FIGURA 157.5** → Fluxograma para o diagnóstico de hepatite C utilizando testes rápidos (TR anti-HCV).
HCV, vírus da hepatite C.
Fonte: Brasil.[73]

conforme a evolução da doença. Os exames solicitados no acompanhamento são: hemograma, ALT, AST, bilirrubina total (BT), bilirrubina direta (BD) e gamaglutamiltransferase (gama-GT). Outros exames podem ser solicitados em

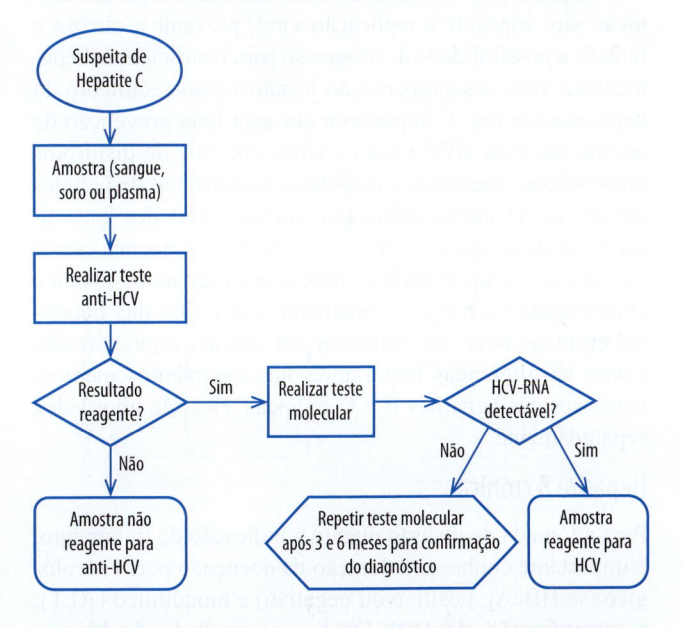

**FIGURA 157.6** → Fluxograma para o diagnóstico da infecção pelo vírus da hepatite C (HCV) utilizando teste para detecção do anti-HCV e teste molecular (HCV-RNA).
Fonte: Brasil.[73]

casos especiais. O critério para alta dos doentes deve incluir remissão dos sintomas com normalização das bilirrubinas e aminotransferases com valores inferiores a 2 vezes o LSN.[3,36]

Em vigência de surtos da infecção, até 20% dos adultos podem necessitar de internação hospitalar.[59] Raramente está indicado tratamento antiviral para pacientes com hepatite B aguda, exceto para os que desenvolvem disfunção hepática grave (BT = 3 mg/dL ou BD > 1,5 mg/dL e razão normalizada internacional [INR, do inglês *international normalized ratio*] > 1,5; encefalopatia ou ascite) (administrar entecavir ou tenofovir). Nesses casos, a terapia deve ser mantida até o desaparecimento do HBsAg ou indefinidamente para os pacientes que forem transplantados.

O tratamento da hepatite C aguda merece consideração especial. Recentemente, o Ministério da Saúde lançou documento que regulamenta o tratamento da forma aguda da hepatite C, visando reduzir o risco de progressão para a fase crônica.[3]

> **Está recomendado iniciar o tratamento imediatamente após o diagnóstico de hepatite C para todos os infectados, e os esquemas de tratamento são os mesmos utilizados para a forma crônica.[29]**

Para a realização do tratamento específico o paciente pode ser encaminhado para serviço especializado.

## Hepatites crônicas

Nos últimos anos, grandes avanços foram feitos na prevenção e no tratamento das hepatites virais, sobretudo as hepatites crônicas B e C. Os AADs contra o HCV se constituíram em estratégia de grande valor, possibilitando a cura da infecção.[2,36]

Os principais objetivos do tratamento das hepatites crônicas são: suprimir a replicação viral, prevenir a cirrose e reduzir a possibilidade de progresso para insuficiência hepatocelular com descompensação hepática e aparecimento do hepatocarcinoma. É importante que seja feita prevenção de coinfecção com HIV e outros vírus, controle de distúrbios metabólicos, obesidade e diabetes e do consumo de bebidas alcoólicas. O acompanhamento ambulatorial dos pacientes depende do estágio em que se encontra a doença (ativo ou inativo) e das condições clínicas dos indivíduos (doença compensada ou não). O tratamento específico das hepatites crônicas deve ser realizado em serviço especializado. Como há diferenças importantes nos tratamentos medicamentosos das hepatites B e C crônicas, eles são abordados separadamente.

## Hepatite B crônica

Para a tomada de decisão quanto à indicação de tratamento, é importante conhecer a duração da doença, o perfil sorológico (se HBeAg positivo ou negativo) e bioquímico (ALT), a quantificação do HBV-DNA e o resultado da biópsia hepática e/ou dos testes não invasivos de fibrose. Os critérios para indicar tratamento envolvem a combinação de dados clínicos que avaliem a gravidade da doença, biópsia hepática e/ou testes não invasivos de fibrose, com os níveis séricos de ALT e de HBV-DNA.

Antes de iniciar o tratamento, é necessário avaliar em que fase do curso clínico da hepatite crônica o paciente se encontra, se já foi tratado e se há presença de comorbidades e/ou hepatopatias associadas (coinfecção com outros vírus, doença autoimune e/ou metabólica).[36]

Pacientes HBeAg-positivos, com ALT > 2 vezes o LSN e HBV-DNA > 20.000 UI/mL são elegíveis para tratamento, assim como aqueles com HBeAg não reagente, ALT > 2 vezes o LSN e HBV-DNA > 2.000 UI/mL. A European Association for the Study of the Liver recomenda tratamento dos indivíduos nas seguintes situações, independentemente dos níveis de HBV-DNA e de ALT: cirróticos, com história familiar de hepatocarcinoma, que fazem uso de imunossupressores, com manifestações extra-hepáticas e com riscos específicos de transmissão (p. ex., profissionais da área da saúde).[52]

Há duas classes de fármacos aprovadas para tratamento da hepatite B crônica: a peginterferona e os análogos nucleosídeos/nucleotídeos (lamivudina, entecavir, tenofovir). Os fármacos recomendados para tratamento dos pacientes adultos com hepatite B crônica e as respectivas doses encontram-se nas **TABELAS 157.6** e **157.7**. O uso de tenofovir alafenamida para o tratamento da hepatite B crônica foi aprovado pela Agência Nacional de Vigilância Sanitária (Anvisa).

A maior vantagem do uso do interferon é a duração definida de tratamento (48 semanas), mas há muitas contraindicações **(TABELA 157.8)**. Por outro lado, os antivirais apresentam menos efeitos colaterais, mas são usados por tempo indefinido, muitas vezes permanentemente. A opção por fármaco antiviral deve considerar sua potência e a barreira genética para resistência. Assim, a lamivudina determina rápida inibição da replicação viral, mas provoca altas taxas de resistência. Por isso, esse fármaco não é mais considerado de primeira linha no tratamento da hepatite B crônica.

Tenofovir e entecavir são os fármacos considerados de primeira linha, pois apresentam alta potência para inibição viral e baixa indução de resistência. A infecção pelo HBV requer tratamento ao longo da vida, e atualmente a OMS recomenda o medicamento tenofovir, já amplamente utilizado no tratamento do HIV. O tenofovir é bem tolerado, mas está associado à toxicidade renal e à desmineralização

**TABELA 157.6** → Tratamento de primeira linha para hepatite B crônica

| TRATAMENTO | PREFERENCIAL | CARACTERÍSTICAS |
|---|---|---|
| Entecavir 0,5-1 mg/dia, VO | Sim | Alta potência, alta barreira genética de resistência |
| Tenofovir 300 mg/dia, VO | Sim | Alta potência, alta barreira genética de resistência |
| Peginterferona, SC Alfapeginterferona 2a: 180 µg/semana Alfapeginterferona 2b: 1,5 µg/kg/semana | Sim | Contraindicada em cirrose descompensada |
| Lamivudina | Não | Baixa barreira genética de resistência |
| Adefovir | Não | Baixa barreira genética de resistência |

SC, subcutâneo; VO, via oral.

**TABELA 157.7** → Eficácia dos fármacos de primeira linha no tratamento da hepatite B crônica

| RESULTADO | PEGINTER-FERONA* | ENTECAVIR[†] | TENOFOVIR[†] |
|---|---|---|---|
| **HBeAg positivo** | | | |
| → Supressão de HBV-DNA UI/mL % | 30-42 | 61 | 76 |
| → Perda de HBeAg % | 32-36 | 22-25 | – |
| → Soroconversão HBeAg % | 29-36 | 21-22 | 21 |
| → Normalização de ALT %[‡] | 43-52 | 68-81 | 68 |
| → Perda de HBsAg % | 2-7 | 4-5 | 8 |
| **HBeAg negativo** | | | |
| → Supressão de HBV-DNA UI/mL % | 43 | 90-91 | 93 |
| → Normalização de ALT % | 59 | 78-88 | 76 |
| → Perda de HBsAg % | 4 | | 0 |

\* Avaliada 6 meses após completar 12 meses de tratamento.
[†] Avaliado após 3 anos de terapia contínua.
[‡] Normalização de ALT definida como menos de 35 UI/L para homens e menos de 25 UI/L para mulheres.
ALT, alanina-aminotransferase; HBeAg, antígeno e da hepatite B; HBsAg, antígeno de superfície da hepatite B; HBV, vírus da hepatite B.
Fonte: Terrault.[35]

**TABELA 157.8** → Contraindicações ao uso do interferon

- → Neoplasia recente
- → Gestação
- → Doenças autoimunes não controladas
- → Disfunção tireoidiana não controlada
- → Cardiopatias graves não controladas
- → Diabetes tipo 1 de difícil controle
- → Imunodeficiência primária
- → Cirrose descompensada
- → Doenças psiquiátricas não controladas
- → Pacientes transplantados de órgãos sólidos (exceto fígado)
- → Doenças pulmonares graves não controladas
- → Convulsões de difícil controle
- → Hemoglobinopatias graves

óssea. O entecavir é equivalente em eficácia ao tenofovir e especialmente indicado para pacientes em tratamento com imunossupressores e quimioterápicos. O tratamento da hepatite B crônica, ao contrário da causada pelo HCV, raramente cura a infecção. O tratamento é difícil, de duração indefinida, e está indicado em apenas 10 a 30% das pessoas infectadas.[2] As gestantes com hepatite crônica, HBsAg-reagentes e com HBV-DNA > 200.000 UI/mL devem ser tratadas com antivirais visando à prevenção da transmissão perinatal. Nesses casos, o fármaco indicado é o tenofovir. O aleitamento materno é permitido, e o bebê deve receber a vacina e a imunoglobulina.[36]

Para grupos especiais de pacientes, como aqueles aguardando transplantes, crianças e adolescentes, coinfectados com HIV, cirróticos descompensados ou com insuficiência renal crônica em diálise, a orientação terapêutica deve ser analisada em centros de referência.

## Hepatite C crônica

O diagnóstico de hepatite C crônica é feito na presença de persistência de anti-HCV reagente por período > 6 meses e a confirmação do diagnóstico por meio de HCV-RNA detectável por período > 6 meses.[29,36] O anti-HCV persiste por toda a vida, independentemente da resolução da infecção.

Atualmente, há indicação de tratamento da hepatite C crônica para todos os pacientes. Os esquemas terapêuticos atuais são eficazes, de curta duração (a maioria com 12 semanas de duração) e praticamente sem efeitos colaterais significativos. Sabe-se, hoje, que a erradicação da hepatite C é possível; os AADs constituem estratégia de grande valor e permitem a eliminação do vírus em cerca de 95 a 100% dos casos.[2]

**Os AADs suplantaram o uso dos esquemas terapêuticos com interferon, que não estão mais presentes nos protocolos atuais.**

Por orientação do *Protocolo clínico e diretrizes terapêuticas para hepatite C e coinfecções* do Ministério da Saúde de 2019, a escolha do tratamento da hepatite C crônica depende do genótipo viral, da carga viral e da avaliação da fibrose. Em pacientes com genótipo 1, sem cirrose ou com cirrose Child-Pugh A, o tratamento de escolha é sofosbuvir e ledipasvir por 12 semanas. Naqueles com genótipo 1 e cirrose Child-Pugh B ou C, o tratamento é feito com os mesmos medicamentos por 24 semanas.[29]

Em pacientes com genótipos 2 a 6 sem cirrose ou com cirrose Child-Pugh A, o tratamento é feito com sofosbuvir e velpatasvir por 12 semanas. Para aqueles com genótipos 2 a 6 com cirrose Child-Pugh B ou C, devem ser usados os mesmos medicamentos por 24 semanas. Em todos os esquemas citados, o uso associado da ribavirina fica a critério do médico.[29]

O tratamento atual amplamente recomendado para a hepatite crônica pelo HCV, com alta efetividade terapêutica, é disponibilizado pelo Sistema Único de Saúde (SUS).[29] O objetivo do tratamento é obter resposta virológica sustentada (RVS), ou seja, a ausência de HCV-RNA na 12ª ou 24ª semana após o tratamento. A mensuração do HCV-RNA deve ser realizada utilizando reação em cadeia da polimerase em tempo real com limite de detecção < 12 UI/mL. A RVS é equivalente à cura da infecção.

Em função da complexidade dos casos e da necessidade de monitoramento permanente, os candidatos a tratamento devem ser encaminhados aos especialistas, que decidem quais AADs são utilizados e se devem ou não ser combinados com ribavirina. O esquema terapêutico escolhido sempre deve levar em conta as múltiplas interações medicamentosas possíveis, sobretudo em pessoas com comorbidades. Antes de iniciar a terapia, é aconselhável avaliar a gravidade das manifestações clínicas, o estadiamento da fibrose hepática, se os pacientes foram submetidos previamente a tratamentos com AADs, a existência de coinfecções e comorbidades e, quando o paciente for cirrótico, se está descompensado.

A **TABELA 157.9** apresenta os medicamentos e as respectivas posologias utilizados no tratamento da hepatite C crônica.

Embora atualmente a hepatite C crônica seja uma doença curável, o HCV continua sendo uma causa comum de progressão para carcinoma hepatocelular e de indicação

TABELA 157.9 → Medicamentos e posologia utilizados no tratamento da hepatite C crônica

| MEDICAMENTO | POSOLOGIA |
| --- | --- |
| Alfapeginterferona 2a | 180 µg/1,73 m², SC, 1 ×/semana |
| Daclatasvir 60 mg | 1 comprimido, VO, 1 ×/dia |
| Daclatasvir 30 mg | 1 comprimido, VO, 1 ×/dia |
| Sofosbuvir 400 mg | 1 comprimido, VO, 1 ×/dia |
| Glecaprevir 100 mg/pibrentasvir | 3 comprimidos, VO, 1 ×/dia |
| Sofosbuvir 400 mg/velpatasvir 100 mg | 1 comprimido, VO, 1 ×/dia |
| Sofosbuvir 400 mg/ledipasvir 90 mg | 1 comprimido, VO, 1 ×/dia |
| Elbasvir 50 mg/grazoprevir 100 mg | 1 comprimido, VO, 1 ×/dia |
| Ribavirina 250 mg | Adultos: 11 mg/kg/dia ou 1 g (pacientes com peso corporal < 75 kg) e 1,25 g (pacientes com peso corporal > 75 kg), VO<br>Crianças: 15 mg/kg/dia, VO |

SC, subcutâneo; VO, via oral.
Fonte: Brasil.[29]

para transplante hepático no mundo ocidental. O Brasil, no entanto, está entre os 9 países que estão no rumo certo para erradicar a hepatite C até 2030, de acordo com a OMS (TABELA 157.10).

Há exceções e/ou casos especiais, para os quais o tratamento deve ser analisado caso a caso. Os principais são: pacientes oncológicos, adultos com cirrose descompensada, crianças com idade < 3 anos, gestantes, pacientes com doença renal crônica e presença de coinfecção (HBV e/ou HIV). Esses pacientes devem ser acompanhados em centros de referência.

## Hepatite E

O tratamento da infecção pelo HEV justifica-se pela existência dos casos crônicos, geralmente causados pelo genótipo 3, e que envolve pacientes imunocomprometidos como receptores de órgãos sólidos, HIV e pacientes que fazem hemodiálise. Os esquemas terapêuticos atuais incluem ribavirina e peginterferona, que podem propiciar RVS após 3 a 6 meses de tratamento. Esquema com uso de ribavirina em monoterapia é indicado para tratar a hepatite aguda quando envolve indivíduos imunocomprometidos; a duração de 3 a 4 semanas revelou normalização das enzimas hepáticas.[60] Outros medicamentos para cura da infecção estão em estudos, entre eles, os AADs (como sofosbuvir) e os inibidores de calcineurina.

# PREVENÇÃO

## Hepatite A

O HAV é inativado pelo aquecimento com temperaturas > 85 °C por período > 1 minuto, pela exposição ao glutaraldeído a 2% ou hipoclorito de sódio e por exposição a micro-ondas. As medidas gerais que devem ser adotadas nos domicílios incluem higiene pessoal rigorosa e desinfecção dos banheiros (p. ex., com hipoclorito). Cuidado especial deve ser adotado nas creches para lactentes sem controle esfincteriano, pois o HAV na temperatura ambiente tem capacidade de sobreviver por algumas semanas na superfície dos objetos. Os indivíduos na fase aguda da doença devem ser afastados das comunidades (creches, escolas, quartéis), lembrando que o período de contágio, em geral, permanece por 7 a 10 dias após o início dos sintomas. É importante lembrar que as pessoas com hepatite A não devem cuidar do preparo de alimentos.[59]

### Imunização passiva

A imunoglobulina administrada antes da exposição ou durante o período de incubação protege contra as manifestações clínicas da doença e previne a infecção nos contatos de indivíduos com hepatite A.[61] Tem bom desempenho em casos isolados, mas, como a infecção frequentemente é assintomática e subnotificada, as epidemias e os surtos da doença podem continuar ocorrendo na comunidade.

O valor profilático da imunoglobulina é máximo (80-90%) quando é administrada precocemente, no período de incubação. Tem efeito nulo quando administrada após 2 semanas do contato com o vírus. A eficácia da imunização passiva está associada à concentração de anticorpos existente nas preparações comerciais.

A profilaxia pós-exposição com imunoglobulina está recomendada para todos os contatos domésticos ou que tiveram contato íntimo com doentes com hepatite A, porém esse medicamento não está disponível pelo SUS. Os contatos devem receber 0,02 mL/kg de imunoglobulina logo após a exposição viral, até no máximo 2 semanas após o contato com o vírus.[61] Recém-nascidos de mães infectadas podem receber 0,02 mL/kg de imunoglobulina se a mãe estiver ictérica por ocasião do parto. Não há necessidade de interromper a amamentação. O uso rotineiro de imunoglobulina não é necessário para colegas de crianças em idade escolar.

Quando um caso de hepatite A é detectado em creches, a indicação de utilização da imunoglobulina é variável, de acordo com a idade das crianças. Se todas tiverem idade

TABELA 157.10 → Metas e intervenções primárias projetadas pela Organização Mundial da saúde (OMS) para eliminar a hepatite viral crônica até 2030

| INTERVENÇÃO | INDICADOR | BASE 2015 | META 2020 | META 2030 |
| --- | --- | --- | --- | --- |
| Vacinação HBV | % de lactentes com 3 doses da vacina | 84 | 90 | 90 |
| Prevenção da transmissão vertical de HBV | % de lactentes vacinados até 12 horas após o nascimento | 39 | 50 | 90 |
| Segurança do sangue | % de doadores avaliados com segurança | 97 | 98 | 100 |
| Segurança das injeções | % de injeções inseguras | 5 | 0 | 0 |
| Redução de danos | Quantidade de seringas e agulhas distribuídas para usuários de drogas injetáveis por ano | 27 | 200 | 300 |
| Diagnóstico HBV | % de diagnóstico nos infectados | 9 | 30 | 90 |
| Diagnóstico HCV | % de diagnóstico nos infectados | 20 | 30 | 90 |
| Tratamento HBV | % de tratamento nos infectados | 8 | – | 80 |
| Tratamento HCV | % de tratamento nos infectados | 7 | – | 80 |

Fonte: World Health Organization.[1]

> 2 anos e apresentarem controle esfincteriano, a dose recomendada é de 0,02 mL/kg para as crianças e os funcionários em contato direto com a criança infectada. Tratando-se de criança com idade < 2 anos, a administração de imunoglobulina é preconizada a todas as demais crianças e a todos os funcionários da instituição. (Para mais informações sobre profilaxia pré e pós-exposição da hepatite A com imunoglobulina, ver Capítulo Imunizações.)

### Imunização ativa: vacinação

Com a propagação do vírus em culturas de células, foi possível fabricar vacinas muito imunogênicas contra o HAV.[62] O HAV existe, no mundo todo, como um único sorotipo, com um pequeno grau de variações antigênicas. A imunidade, adquirida naturalmente ou por meio de vacinas inativadas, protege contra todas as diferentes cepas do vírus, e os anticorpos resultantes da vacina têm a mesma capacidade neutralizante dos anticorpos naturalmente produzidos após a infecção. Para conferir proteção durável, os níveis desses anticorpos devem ser consideravelmente mais elevados do que aqueles adquiridos com a imunoglobulina. A vacinação para a hepatite A é altamente efetiva para a prevenção da doença, reduzindo em mais de 90% o risco de contrair a infecção[63,64] **A**. Estudo recente mostrou que inclusive pessoas vivendo com HIV responderam a 2 doses da vacina contra hepatite A, embora com concentrações de anticorpos protetores e duração destes inferiores àquelas dos controles.[18]

De acordo com modelos de cinética viral, a proteção da vacina inativada dura de 10 a 15 anos, mas pode continuar protegendo até 20 anos após a vacinação.[41,61,65,66] O principal efeito colateral é dor, de fraca intensidade, no local de aplicação.

Em pessoas com idade > 1 ano, a vacina é a principal forma de proteção pré e pós-exposição ao vírus. Geralmente são indicadas 2 doses da vacina, com intervalo de 6 meses entre as doses, a partir de 1 ano de idade. Essas 2 doses podem ser feitas nos Centros de Referência para Imunobiológicos Especiais (Cries). O Ministério da Saúde disponibiliza a vacina em dose única, aos 15 meses de idade, como rotina do calendário vacinal da criança.[67] A vacina também está indicada nas seguintes situações, se suscetíveis: hepatopatias crônicas de qualquer etiologia (incluindo portadores do HCV), portadores crônicos do HBV, coagulopatias, pacientes com HIV/Aids, imunossupressão terapêutica ou por doença imunossupressora, doenças de depósito, fibrose cística, trissomias, candidatos a transplante de órgãos sólidos (cadastrados em programas de transplante), transplantados de órgão sólido ou de células-tronco hematopoiéticas (transplante de medula óssea), doadores de órgão sólido ou de medula óssea (cadastrados em programas de transplante), e hemoglobinopatias.[68]

A única contraindicação é a existência de reação alérgica prévia a algum componente da vacina. A gravidez não é considerada contraindicação.

Para casos pós-exposição, em pacientes com idade > 12 meses e < 40 anos, sem história de imunossupressão ou de hepatopatia crônica, a vacina contra hepatite A pode ser realizada até 2 semanas após o contato. Para pacientes com idade < 1 ano, imunocomprometidos ou com doença hepática crônica, a imunoglobulina é indicada como profilaxia pós-exposição.[67]

Excelente resultado foi obtido na Argentina, onde, em 2005, foi iniciado programa de vacinação universal para crianças de 12 meses de idade, com administração de apenas 1 dose da vacina. Os resultados foram animadores. Após 2 anos de implantação do programa, houve redução de 88% da taxa de incidência da doença com reflexo positivo na redução da infecção em crianças de outras faixas etárias, adolescentes e idosos e ausência de transplantes hepáticos devido à hepatite fulminante.[69]

## Hepatites B e D

A incidência global da infecção pelo HBV é majoritariamente dependente da transmissão mãe-bebê. O tratamento de gestantes com hepatite e a proteção dos recém-nascidos são muito importantes, e o controle da infecção pode ser realizado com o uso adequado da vacina contra o HBV. Há robusta comprovação clínico-epidemiológica de que a intervenção com maior efeito é a vacinação dos recém-nascidos.

**Todas as gestantes com hepatite B HBeAg-reagentes, com níveis de HBV-DNA > 200.000 UI/mL ou ALT > 2 vezes o LSN devem receber terapia profilática com tenofovir (300 mg, 1 ×/dia, via oral) a partir de 28 a 32 semanas de gestação (3º trimestre).[70]**

Nos países ocidentais, a maioria das infecções ocorre em pessoas adultas com comportamento "de risco", que comumente não aderem aos programas de proteção à saúde, dificultando o controle da infecção. É oportuno considerar que as providências tomadas em relação ao HBV são eficazes também para a hepatite D. Por outro lado, o risco de desenvolver hepatocarcinoma é 100 vezes maior nos portadores do HBV quando comparados aos não portadores do vírus. Essa é a razão de a vacina contra o HBV ser considerada a primeira "vacina contra câncer".

Em 2015, o Ministério da Saúde instituiu a universalização da vacina contra a hepatite B, expandindo a indicação para todas as faixas etárias. Após as 3 doses intramusculares da vacina contra hepatite B, 90 a 95% dos adultos e 95% das crianças e adolescentes sadios desenvolvem anticorpos adequados anti-HBs. Porém, quando a vacinação é realizada a partir dos 60 anos, a resposta protetora apresenta taxas < 80%. O nível do anticorpo protetor pós-vacinal reduz com o tempo, mas a proteção fica assegurada pela memória imunológica que permanece por mais de 15 anos após a vacinação. Nessas condições, a exposição ao HBV resulta em resposta anamnéstica anti-HBs que previne a doença.

As vacinas contra o HBV atualmente disponíveis são feitas por técnica de DNA recombinante, contendo HBsAg purificado. Elas induzem à formação de anti-HBs e não de anti-HBc. O Ministério da Saúde recomenda a aplicação de 4 doses, intramusculares, ao nascimento, e com 2, 4 e 6 meses de vida. A primeira dose, ao nascimento, deve ser aplicada idealmente nas primeiras 12 horas de vida. As demais doses (2, 4 e 6 meses) estão incluídas na vacina pentavalente, também disponibilizada pelo Ministério da Saúde.[67] Pessoas sem comprovação vacinal devem receber 3 doses da vacina, com intervalo de 30 dias entre a 1ª e a 2ª dose e intervalo de 6 meses entre a 1ª e a 3ª dose. Quando o indivíduo tem o esquema vacinal incompleto, recomenda-se completar as 3 doses preconizadas (não é necessário recomeçar o esquema de vacinação).

Em pacientes imunodeprimidos, é recomendado aplicar doses mais elevadas da vacina (geralmente o dobro da dose) e em maior número de vezes que os esquemas habituais, citados anteriormente, pois nesses indivíduos a resposta imunológica é menor. Por exemplo, o esquema para pessoas HIV-positivas compreende 4 doses, aos 0, 2, 6 e 12 meses, com o dobro da dose.[68]

A realização de teste sorológico para comprovação da soroconversão após a vacinação não é rotineiramente indicado para indivíduos que não pertencem a grupos de risco, devido à alta eficácia da vacina. Os indivíduos que pertencem a grupos de risco e não respondem com níveis adequados de anticorpos após a vacina devem ser revacinados com mais 3 doses da vacina. Aqueles que permanecem com anti-HBs negativo após os 2 esquemas com 3 doses são considerados não respondedores e suscetíveis, em caso de exposição.[68]

A realização de anti-HBs após a vacinação está indicada para os seguintes indivíduos: com hepatopatia crônica (incluindo portadores de HCV); com diabetes melito; transplantados de órgãos sólidos e com neoplasia e/ou que fazem quimioterapia, radioterapia e corticoterapia; transplantados de medula óssea; com doenças hemorrágicas e politransfundidos; com doença renal crônica, pré-diálise e em hemodiálise; e profissionais de saúde.[68]

A imunoglobulina humana anti-hepatite tipo B está indicada em pessoas não vacinadas ou com o esquema vacinal incompleto, e que foram expostas ao HBV em situações específicas:

→ recém-nascidos de mães portadoras de HBV;
→ vítimas de violência sexual (até 2 semanas após a relação sexual);
→ vítimas de exposição sanguínea (acidentes perfurocortantes ou com exposição de mucosas) quando o caso-fonte for portador do HBV ou de grupo de alto risco;
→ comunicantes sexuais de casos agudos de hepatite B.

Há fatores associados à falta de resposta à vacina contra hepatite B, alguns ligados à vacina, outros ao hospedeiro. Os principais fatores relacionados com a vacina são dose, esquema adotado, local da injeção e conservação da vacina. Os fatores relacionados com os hospedeiros são tabagismo, sexo masculino, idade > 40 anos, obesidade e comprometimento do estado de saúde.

As vacinas contra hepatite B são seguras, mas há contraindicação quando existe ocorrência de reação anafilática após a aplicação de dose anterior. Reações adversas graves já foram descritas, como síndrome de Guillain-Barré, síndromes desmielinizantes, poliartrite e esclerose múltipla, sem comprovação científica da relação. As reações adversas mais comuns são dor, eritema e edema no local da aplicação,

e febre. Para mais detalhes sobre a vacina contra a hepatite B, ver Capítulo Imunizações.

## Hepatite C

Não há vacinas profiláticas ou terapêuticas contra HCV. Há relatos de reinfecção após a recuperação espontânea ou induzida por terapia. Considerando que entre as causas de transmissão do HCV estão o compartilhamento de seringas, agulhas, lâminas de barbear e depilar, escovas de dente, alicates de unha, confecção de tatuagem e colocação de *piercings*, a exclusão dessas ações é obrigatória. Recomenda-se utilizar preservativo nas relações sexuais, bem como manter hábitos saudáveis, sem consumo de álcool e com alimentação adequada. O monitoramento clínico dos pacientes deve ser mantido mesmo após a cura da hepatite. Estudo recente mostrou que cerca de metade dos pacientes que curaram hepatite C crônica mantiveram gordura hepática (esteatose) elevada.[71] Recomenda-se vacinação contra o HAV e o HBV para todos os indivíduos infectados pelo HCV.[67]

## Hepatite E

A prevenção é feita com medidas higiênicas válidas para as doenças transmitidas por água contaminada. Considerando que o HEV já foi detectado em várias espécies de animais, a ingestão de carne crua contaminada é considerada uma fonte de infecção.[72] A hepatite E pode cronificar em imunodeprimidos; portanto, deve-se evitar que esses indivíduos entrem em contato com animais infectados e que consumam carne crua, sobretudo de porco.

As partículas virais são vulneráveis à fervura, tornando-se inativas após 5 minutos em temperatura > 90 °C. Cozinhar alimentos em temperaturas > 70 °C por 20 minutos inativa completamente o vírus. O HEV é suscetível à desinfecção de fômites por cloro.

Vacinas contra hepatite E estão sendo testadas e algumas já foram produzidas. A única disponível comercialmente (Hecolin®- [HEV-239]) foi registrada na China em 2011, mas ainda não foi aprovada em outros países.

# REFERÊNCIAS

1. World Health Organization. Global Hepatitis Report, 2017. Geneva: WHO; 2017.
2. Thomas D. Global elimination of chronic Hepatitis. N Engl J Med. 2019; 380(41):2041-50.
3. Brasil. Ministério da Saúde. Secretaria de Vigilância em Saúde. Departamento de Vigilância Prevenção e Controle das IST/Aids e das Hepatites Virais. Bol Epidemiol. Hepatites Virais. 2019; 50(17).
4. Vitral CL, Yoshida CF, Lemos ER, Teixeira CS, Gaspar AM. Age-specific prevalence of antibodies to hepatitis A in children and adolescents from Rio de Janeiro, Brazil, 1978 and 1995: relationship of prevalence to environmental factors. Mem Inst Oswaldo Cruz. 1998;93(1):1-5.
5. Villar LM, de Paula VS, Diniz-Mendes L, Guimarães FR, Ferreira FFM, et al. Molecular detection of hepatitis A vírus in urban sewage in Rio de Janeiro, Brazil. Lett Appl Microbiol. 2007;45(2):168-72.

6. Anastasiou OE, Widera M, Westhaus S, Timmer L, Korth J, et al. Clinical outcome and viral genome variability of Hepatites B vírus-induced Acute Liver Failure. Hepatology. 2019;69(3):993-1003.

7. Yang H-I, Yeh S-H, Chen P-J, Iloeje UH, Jen C-L, Su J, et al. Associations between hepatitis B virus genotype and mutants and the risk of hepatocellular carcinoma. J Natl Cancer Inst. 2008;100(16):1134-43.

8. Lok A. Hepatitis B. In: Dooley JS, Lok ASF, Burroughs AK, Heathcote EJ, editors. Sherlock's disease of the liver and biliary system. 13. ed. Oxford: Blackwell; 2018. Cap. 21.

9. Bortolotti F, Jara P, Crivellaro C, Hierro L, Cadrobbi P, Frauca E, et al. Outcome of chronic hepatitis B in Caucasian children during a 20-year observation period. J Hepatol. 1998;29(2):184-90.

10. Choo QL, Kuo G, Weiner AJ, Overby LR, Bradley DW, Houghton M. Isolation of a cDNA clone derived from a blood-borne nona non-B viral hepatitis genoma. Science 1989;244(4902):359-362.

11. Campiotto S, Pinho JRR, Carrilho FJ, Silva LC, Souto FJ, Spinelli D, et al. Geographic distribution of hep´patitis C vírus genotypes in Brazil. Braz J Med Biol Res. 2005;38(1):41-9.

12. Paraná R, Vitvitski L, Andrade Z, Trepo C, Cotrim H, Bertillon P, et al. Acute sporadic non-A, non-B hepatitis in Northeastern Brazil: etiology and natural history. Hepatology. 1999;30(1):289-93.

13. Rizzetto M. Hepatitis D: thirty years after. J Hepatol. 2009;50(5):1043-50.

14. Kamar N, Garrouste C, Haagsma EB, Garrigue V, Pischke S, Chauvet C, et al. Factors associated with chronic hepatites in patients with Hepayitis E vírus infection who received solid organs ytranmsplants. Gastroenterology. 2011;140(5) 1481-89.

15. Rosemblum LS, Villarino ME, Nainam OV, Melish ME, Hadler SC, Pinsky PP, et al. Hepatitis A outbreak in a neonatal intensive care unit: risk factors for transmission and evidence of prolonged viral excretion among preterm infants. J Infect Dis. 1991;164(3):476-82.

16. Purcell RH, Emerson SU. Hepatitis E: an emerging awareness of an old disease. J Hepatol. 2008;48(3):494-503.

17. Ferreira CT, Silva GL da, Barros FC, Ferreira-Lima J. Soroepidemiologia da hepatite A em dois grupos populacionais economicamente distintos de Porto Alegre. GED Gastroenterol Endosc Dig. 1996;15(3):85-90.

18. Huang S-H, Huang CH, Wang N-C, Chen T-C, Lee Y-T, Lin S-P, et al. Early seroconversion after 2 doses of Hepatitis A vaccination in Human Immunodeficiency vírus-positive patients: incidence and associated factors. Hepatology 2019;70(2):465-75.

19. Clemens SAC, Fonseca JC, Azevedo T, Calvacanti A, Silveira TR, Castilhos MC, et al. Hepatitis A and hepatitis B seroprevalence in four centers in Brazil. Rev Soc Bras Med Trop. 2000;33(1):1-10.

20. Cilla G, Pérez-Trallero E, Artieda J, Serrano-Bengoechea E, Montes M, Vicente D. Marked decrease in the incidence and prevalence of hepatitis A in the Basque Country, Spain, 1986-2004. Epidemiol Infect. 2007;135(3):402-8.

21. Jacobsen KH, Wiersma ST. Hepatitis A virus seroprevalence by age and world region, 1990 and 2005. Vaccine. 2010;28(41):6653-7.

22. Chung GE, Yim JY, Kim D, Lim SH, Park MJ, Kim YS, et al. Seroprevalence of hepatitis a and associated socioeconomic factors in young healthy korean adults. Gut Liver. 2011;5(1):88-92.

23. World Health Organization. The global prevalence of hepatitis A virus infection and susceptibility: a systematic review. Geneva: WHO; 2010.

24. Tapia-Conyer R, Santos JL, Cavalcanti AM, Urdaneta E, Rivera L, Manterola A, et al. Hepatitis A in Latin America: a changing epidemiologic pattern. Am J Trop Med Hyg. 1999;61(5):825-9.

25. Markus JR, Cruz CR, Maluf EMCP, Tahan TT, Hoffmann MM. Seroprevalence of hepatitis A in children and adolescents. J Pediatr (Rio J). 2011;87(5):419-24.

26. Xing YF, Zhou DQ, He JS, Wei CS, Zhong WC, Han ZY, et al. Clinical and histopathological features of chronic hepatitis B virus infected patients with high HBV-DNA viral load and normal alanine aminotransferase level: A multicentre-based study in China. PLoS One. 2018;13(9):e0203220.

27. Galizzi F J, Teixeira R, Fonseca JCF, Souto FJD. Clinical profile of hepatitis B virus chronic infection in patients of Brazilian liver reference units. Hepatol Int. 2010;4(2):511-5.

28. Chang M-H. Hepatitis B virus infection. Semin Fetal Neonatal Med. 2007;12(3):160-7.

29. Brasil. Ministério da Saúde. Secretaria de Vigilância em Saúde. Departamento de Vigilância, Prevenção e Controle das Infecções Sexualmente Transmissíveis, do HIV/Aids e das Hepatites virais. Protocolo clínico e diretrizes terapêuticas para hepatite C e coinfecções. brasília: ms; 2019.

30. Braga EL, Lyra AC, Ney-Oliveira F, Nascimento L, Silva A, Brites C, et al. Clinical and epidemiological features of patients with chronic hepatitis C co-infected with HIV. Braz J Infect Dis. 2006;10(1):17-21.

31. Dienstag JL. Hepatitis B vírus infection. N Engl J Med. 2008; 359(14):1486-1500.

32. Hwang LY, Roggendorf M, Beasley RP, Deinhardt F. Perinatal transmission of hepatitis B virus: role of maternal HBeAg and anti-HBc IgM. J Med Virol. 1985;15(3):265-9.

33. Pan CQ, Duan Z, Dai E, Zhang S, Han G, Wang Y, et al. Tenofovir to prevent hepatitis B transmission in mothers with high viral load. N Engl J Med. 2016;374(24):2324-34.

34. Roberts EA, Yeung L. Maternal-infant transmission of hepatitis C virus infection. Hepatology. 2002;36(5 Suppl 1):S106-13.

35. Terrault NA. Sexual activity as a risk factor for hepatitis C. Hepatology. 2002;36(5 Suppl 1):S99-105.

36. Abdel-Hady M, Tong CYW. Viral hepatitis. In: Kelly DA, editor. Diseases of the liver and biliary system. 4th ed. Chichester: John Wiley & Sons; 2017. Chapter 13.

37. Brandão ABM, Fuchs SC. Risk factors for hepatitis C virus infection among blood donors in southern Brazil: a case-control study. BMC Gastroenterol. 2002; 2(18):1-8.

38. Smedile A, Oliveiro A, Ciancio A, Rizzetto M. Hepatite Delta: história natural, transmissão e imunodiagnóstico. In: Foccacia R, editor. Tratado de hepatites virais e doenças associadas. 3. ed. São Paulo: Ateneu; 2013. p. 939-55.

39. Acharya SK, Batra Y, Hazari S, Choudhury V, Panda SK, Dattagupta S. Etiopathogenesis of acute hepatic failure: Eastern versus Western countries. J Gastroenterol Hepatol. 2002;17(Suppl 3):S268-73.

40. Kamar N, Dalton HR, Abravanel F, Izopet J. Hepatitis E virus infection. Clin Microbiol Rev. 2014;27(1):116-38.

41. FitzSimons D, Hendrickx G, Vorsters A, Van Damme P. Hepatitis A and E: update on prevention and epidemiology. Vaccine. 2010;28(3):583-8.

42. Mirazo S, Ramos N, Mainardi V, Gerona S, Arbiza J. Transmission diagnosis and management of hepatites E: an update. Hepatic Medicine Evid Res. 2014;6:45-59.

43. Westhölter D, Hiller J, Denzer U, Polywka S, Ayuk F, Rybczynski M, et al. HEV-positive blood donations represent a relevant infection risk for immunossupressed recipients. J Hepatol. 2018; 69(1):36-42.

44. Thomas DL, Yarbough PO, Vlahov D, Tsarev SA, Nelson KE, Saah AJ, et al. Seroreactivity to hepatitis E virus in areas where the disease is not endemic. J Clin Microbiol. 1997;35(5):1244-7.

45. Passos-Castillo AM, Sena A, Domingues AL, Lopes-Neto EP, Medeiros TB, Granato CF, et al. Hepatitis E vírus seroprevalence among patients in Northeastern Brazil. Braz J Infect Dis. 2016;20(3):262-6.

46. Costa MB. Soroprevalência do vírus da hepatite E em pacientes imunocomprometidos no estado do Rio Grande do Sul. [Tese de Doutorado em Gastroenterologia e Hepatologia]. Porto Alegre: Universidade Federal do Rio Grande do Sul; 2019.

47. Sjogren MH, Tanno H, Fay O, Sileoni S, Cohen BD, Burke DS, et al. Hepatitis A virus in stool during clinical relapse. Ann Intern Med. 1987;106(2):221-6.

48. Moreira-Silva SF, Frauches DO, Almeida AL, Mendonça HFMS, Pereira FEL. Acute liver failure in children: observations in Vitória, Espírito Santo State, Brazil. Rev Soc Bras Med Trop. 2002;35(5):483-6.

49. Zacarías J, Brinck P, Cordero J, Velasco M. Etiologies of fulminant hepatitis in pediatric patients in Santiago, Chile. Pediatr Infect Dis J. 1987;6(7):686-7.
50. Ferreira CT, Vieira SMG, Kieling CO, Silveira TR. Hepatitis A acute liver failure: follow-up of paediatric patients in southern Brazil. J Viral Hepat. 2008;15(Suppl 2):66-8.
51. Krebs LS, Ranieri TMS, Kieling CO, Ferreira CT, Silveira TR. Shifting susceptibility to hepatitis A among children and adolescents over the past decade. J Pediatr (Rio J). 2011;87(3):213-8.
52. Lampertico P, Agarwal K, Berg T, Buti M, Janssen H, Papatheodoridis G, et al. Clinical Practice Guidelines on the management of hepatites B virus infection. J Hepatol. 2017;67(2):370-398.
53. van Bremen K, Boesecke C, Wasmuth JC. Hepatitis B. In: Mauss S, Berg T, Rockstroh J, Sarrazin C, Wedemeyer H, editors. Hepatology: a clinical textbook [Internet]. 10th ed. Düsseldorf: All editors; c2020 [capturado em 25 mar. 2021]. p. 37-50. Disponível em: https://www.hepatologytextbook.com/information.php
54. Marchesini AM, Prá-Baldi ZP, Mesquita F, Bueno R, Buchalla CM. Hepatitis B and C among injecting drug users living with HIV in São Paulo, Brazil. Rev Saúde Pública. 2007;41(Suppl 2):57-63.
55. Massard J, Ratziu V, Thabut D, Moussalli J, Lebray P, Benhamou Y et al. Natural history and predictors of disease severiry in chronic hepatitis C. J Hepatol. 2006; 44(Suppl. 1):S19-24.
56. Patra S, Kumar A, Trivedi SS, Puri M, Sarin SK. Maternal and fetal outcomes in pregnant women with acute hepatitis E virus infection. Ann Intern Med. 2007;147(1):28-33.
57. Shin EC, Jeong SH. Natural history, clinical manifestations, and pathogenesis of hepatitis a. Cold Spring Harb Perspect Med. 2018;8(9):a031708.
58. Lok AS, McMahon BJ. Chronic hepatitis B: update 2009. Hepatology. 2009;50(3):661-2.
59. Wheeler C, Vogt TM, Armstrong GL, Vaughan G, Weltman A, Nainan OV, et al. An outbreak of hepatitis A associated with green onions. N Engl J Med. 2005;353(9):890-7.
60. Pischke S, Hardtke S, Bode U, Birkner S, Chatzikyrkou C, Kauffmann W, et al. Ribavirin treatment of acute and chronic hepatitis E: a single-centre experience. Liver Int. 2013;33(5):722-6.
61. Liu JP, Nikolova D, Fei Y. Immunoglobulins for preventing hepatitis A. Cochrane Database Syst Rev. 2009;(2):CD004181.
62. Cederna JB, Klinzman D, Stapleton JT. Hepatitis A virus-specific humoral and cellular immune responses following immunization with a formalin-inactivated hepatitis A vaccine. Vaccine. 1999;18(9-10):892-8.
63. Innis BL, Snitbhan R, Kunasol P, Laorakpongse T, Poopatanakool W, Kozik CA, et al. Protection against hepatitis A by an inactivated vaccine. JAMA. 1994;271(17):1328- 34.
64. Irving GJ, Holden J, Yang R, Pope D. Hepatitis A immunisation in persons not previously exposed to hepatitis A. Cochrane Database Syst Rev. 2012;7:CD009051.
65. Ferreira CT, da Silveira TR. Viral hepatitis prevention by immunization. J Pediatr (Rio J). 2006;82(Suppl 3):S55-66.
66. Ramonet M, Silveira TR, Lisker-Melman M, Rüttimann R, Pernambuco E, Cervantes Y, et al. A two-dose combined vaccine against hepatitis A and hepatitis B in healthy children and adolescents compared to the corresponding monovalent vaccines. Arch Med Res. 2002;33(1):67-73.
67. Silva LR, Ferreira CT, Carvalho E. Manual de residência em gastroenterologia pediátrica. São Paulo: Manole; 2018.
68. Brasil. Ministério da Saúde. Secretaria de Vigilância em Saúde. Departamento de Imunizações e Doenças Transmissíveis. Manual dos Centros de Referência para Imunobiológicos Especiais. 5. ed. Brasília: MS; 2019.
69. Vacchino MN. Incidence of hepatitis A in Argentina after vaccination. J Viral Hepat. 2008;15(Suppl 2):47-50.
70. Brasil. Ministério da Saúde. Secretaria de Ciência, Tecnologia, Inovação e Insumos Estratégicos em Saúde. Departamento de Gestão e Incorporação de Tecnologias e Inovação em Saúde. Protocolo Clínico e Diretrizes Terapêuticas para prevenção de transmissão vertical do HIV, Sífilis e Hepatites Virais. Brasília: MS; 2020.
71. Nouredin M, Wong M, Todo T, Lu SC, Sanyal A, Mena E. Fatty liver in hepatites C patients post-sustained virological response with direct-acting antivirals. World J Gastroenterol. 2018; 24(11):1269-77.
72. European Association for the Study of the Liver. EASL clinical practice guidelines on hepatitis E virus infection. J Hepatol. 2018;68(6):1256-71.
73. Brasil. Ministério da Saúde. Secretaria de Vigilância em Saúde. Departamento de Vigilância, Prevenção e Controle das Doenças Sexualmente Transmissíveis, do HIV/AIDS e das Hepatites Virais. Manual técnico para o diagnóstico das hepatites virais. 2. ed. Brasília: MS; 2018.

## LEITURAS RECOMENDADAS

World Health Organization. Guidelines for the prevention, care and treatment of persons with chronic hepatitis B virus infection. Geneva: WHO; 2015.
*Diretrizes da OMS para prevenção, cuidados e tratamento de pacientes com hepatite B crônica.*

World Health Organization. Guidelines for the care and treatment of persons diagnosed with chronic hepatitis C virus infection. Geneva: WHO; 2018.
*Diretrizes que fornecem informações baseadas em evidências sobre os cuidados e tratamento de pacientes com hepatite C crônica.*

World Health Organization. Guidelines for the screening, care and treatment of persons with hepatitis C infection. Geneva: WHO; 2016.
*Diretrizes da OMS que fornecem recomendações atualizadas baseadas em evidências para o tratamento de pessoas com infecção por hepatite C. Este documento também inclui recomendações sobre a triagem para a infecção pelo HCV e o atendimento de pessoas infectadas pelo HCV.*

# Capítulo 158
# PARASITOSES INTESTINAIS

Iara Marques de Medeiros
Denise Vieira de Oliveira
Eliana Lúcia Tomaz do Nascimento

As parasitoses intestinais acometem milhões de pessoas no mundo, sendo mais prevalentes nos países em desenvolvimento, sobretudo entre os indivíduos economicamente desfavorecidos. Estão nitidamente relacionadas com pobreza, condições precárias de saneamento básico e de moradia, má qualidade da água consumida e baixo grau de escolaridade da população. A elevada ocorrência de parasitoses em determinada região é um marcador de subdesenvolvimento. Estimativas globais indicam que mais de um quarto da população mundial está infectada com um ou vários desses parasitas, sendo os mais prevalentes os geo-helmintos *Ascaris lumbricoides*, *Necator americanus/Ancylostoma duodenale* e *Trichuris trichiura*.[1]

Crianças de áreas endêmicas têm grandes chances de adquirir parasitoses intestinais logo após o período de aleitamento materno exclusivo e de desenvolver várias reinfecções ao longo da vida. Em áreas subdesenvolvidas, é possível que as parasitoses intestinais impeçam muitas crianças de atingir seu potencial genético físico e intelectual, e isso pode ter profundas consequências para as populações que vivem nessas áreas e para as futuras gerações.

As parasitoses intestinais (incluindo helmintos e protozoários) são mais prevalentes em crianças que frequentam creches e escolas públicas e que são provenientes de famílias com menor renda e baixa escolaridade.[2]

As geo-helmintíases (helmintíases adquiridas por meio de contato com o solo contaminado) podem influenciar o crescimento e o ganho ponderal, modificar a resposta imune a vários agentes infecciosos, contribuir para anemia por depleção de ferro e déficit de vitaminas e micronutrientes, além de provocar ou acentuar déficits cognitivos.[1]

No Brasil, um grande estudo de prevalência foi realizado na década de 1980, demonstrando elevado percentual de parasitoses entre as crianças (55%). Entre as infectadas, as principais enfermidades identificadas foram ascaridíase (56,5%), tricuríase (51%) e ancilostomíase (11%). Apesar de antigo, esse estudo permanece um marco, pois não há estudos posteriores com abrangência nacional.[3]

## ETIOLOGIA

As helmintíases e protozooses intestinais estão entre as infecções mais comuns em todo o mundo. Os helmintos que parasitam o homem incluem os nematódeos (*Ascaris lumbricoides, Trichuris trichiura, Ancylostoma duodenale/Necator americanus, Strongyloides stercoralis* e *Enterobius vermicularis*), os platelmintos cestódeos (*Taenia solium, T. saginata* e *Hymenolepis nana*) e os platelmintos trematódeos (*Schistosoma mansoni, S. haematobium, S. japonicum* e *S. mekongi*). Entre os protozoários intestinais, encontram-se *Entamoeba histolytica, E. dispar, E. moshkovskii, Giardia lamblia, Cryptosporidium, Isospora* e Microsporidia. Estes três últimos são responsáveis por diarreia esporádica e autolimitada em imunocompetentes, doença crônica e grave em imunocomprometidos, bem como diarreia e desnutrição em crianças pequenas em países em desenvolvimento, sobretudo nos primeiros 2 anos de vida. Também podem causar a diarreia dos viajantes.

A **TABELA 158.1** lista as parasitoses mais prevalentes no Brasil, abordadas neste capítulo e no Capítulo Parasitoses Teciduais.

## QUADRO CLÍNICO

Os sinais e sintomas das parasitoses muitas vezes são vagos e inespecíficos, o que dificulta o diagnóstico clínico, salvo exceções, como prurido anal na enterobíase ou eliminação de vermes na ascaridíase. No entanto, algumas manifestações (síndromes) podem estar associadas a determinados parasitas, suscitando a suspeita clínica **(TABELA 158.2)**.

## DIAGNÓSTICO

O exame parasitológico de fezes (EPF), aliado aos dados clínico-epidemiológicos, é a ferramenta mais útil para o diagnóstico das parasitoses intestinais, por ser exequível, simples e de baixo custo. Entretanto, considerando que a sensibilidade do método aumenta de acordo com o número de amostras, o ideal é que pelo menos 3 amostras sejam avaliadas.

O EPF pode ser macroscópico ou microscópico. Algumas parasitoses intestinais podem ser identificadas pelo reconhecimento do próprio verme adulto eliminado pelo intestino, quando suas dimensões o tornam visível a olho nu, como no caso de *Ascaris lumbricoides, Enterobius vermicularis* e proglotes de *Taenia* sp. Em outras circunstâncias, a identificação de ovos, larvas ou cistos, oocistos e trofozoítas só é possível por microscopia.

O exame de uma única amostra fecal é insuficiente para o diagnóstico da maioria das parasitoses intestinais, pois a eliminação de ovos, larvas e cistos/oocistos ocorre de modo intermitente. Recomenda-se a coleta de pelo menos 3 amostras de fezes em dias separados (consecutivos ou alternados). Em alguns casos, como na esquistossomose mansônica, a sensibilidade do EPF é baixa, sendo recomendável examinar pelo menos 6 amostras fecais. Diante de suspeita clínica, caso o EPF persista negativo, o diagnóstico da parasitose pode ser confirmado por retossigmoidoscopia/colonoscopia com biópsia intestinal e/ou sorologia.

São inúmeros os métodos de exames coprológicos descritos na literatura, os quais podem ser qualitativos ou quantitativos, com diferentes sensibilidades na detecção de ovos e larvas de helmintos e cistos/oocistos de protozoários.[4] A seguir, são descritos alguns dos métodos mais usados na prática médica e suas principais indicações:

**TABELA 158.1** → Classificação das principais parasitoses intestinais

| **1. PROTOZOÁRIOS** |
|---|
| 1.1 Acometimento exclusivamente digestivo<br>**Giardíase:** *Giardia lamblia* |
| 1.2 Acometimento digestivo e potencialmente extraintestinal<br>**Amebíase:** *Entamoeba histolytica, E. dispar, E. moshkovskii*<br>**Criptosporidiose:** *Cryptosporidium parvum, C. hominis*<br>**Microsporidiose:** Microsporidia<br>**Isosporidiose:** *Cystoisospora belli* |
| **2. HELMINTOS** |
| 2.1 Nematódeos<br>  2.1.1 Acometimento exclusivamente digestivo<br>**Oxiuríase:** *Enterobius vermicularis*<br>**Tricuríase:** *Trichuris trichiura*<br>  2.1.2 Acometimento digestivo e pulmonar<br>**Ascaridíase:** *Ascaris lumbricoides*<br>**Ancilostomíase:** *Ancylostoma duodenale*<br>  2.1.3 Acometimento cutâneo, digestivo e pulmonar<br>**Estrongiloidíase:** *Strongyloides stercoralis* |
| 2.2 Platelmintos cestódeos<br>  2.2.1 Acometimento exclusivamente digestivo<br>**Himenolepsíase:** *Hymenolepis nana*<br>**Teníase:** *Taenia saginata*<br>  2.2.2 Acometimento digestivo e potencialmente extraintestinal<br>**Cisticercose:** *Taenia solium* |
| 2.3 Platelmintos trematódeos<br>  2.3.1 Acometimento digestivo e potencialmente extraintestinal<br>**Esquistossomose mansônica:** *Schistosoma mansoni* |

TABELA 158.2 → Principais sinais e sintomas (síndromes) associados às parasitoses intestinais

| | |
|---|---|
| Diarreia | É mais frequente nas infecções por protozoários intestinais, na tricuríase e na estrongiloidíase |
| | Os enteroparasitas que habitam o intestino grosso, como *Entamoeba histolytica*, *Trichuris trichiura* e *Schistosoma mansoni*, podem causar diarreia com muco e sangue |
| | Os parasitas que se localizam preferencialmente no intestino delgado, como *Strongyloides stercoralis* e *Giardia lamblia*, provocam diarreia do tipo osmótico, enquanto *Cryptosporidium*, *Isospora* e Microsporidia causam diarreia no imunossuprimido |
| Dor abdominal, náuseas e vômitos | A giardíase pode provocar dor abdominal recorrente associada à diarreia, à plenitude pós-prandial e a náuseas |
| Síndrome dispéptica | Dor epigástrica, anorexia, perda ponderal e diarreia intermitente, simulando doença ulcerosa péptica, têm sido descritas na estrongiloidíase |
| Hepatoesplenomegalia | É encontrada em vários graus na forma crônica da esquistossomose mansônica; pode ser maciça, associada a sinais de hipertensão portal (ascite e varizes esofágicas) |
| Prurido anal/vulvar | Queixa frequente na oxiuríase, de ocorrência principalmente noturna; é decorrente da migração das fêmeas para as regiões anal e vulvar, onde podem ser visualizadas |
| Prolapso retal | Ocorre na tricuríase maciça; a mucosa encontra-se prolabada, edemaciada, ulcerada e, às vezes, com vermes fixados |
| Anemia | Por espoliação crônica de ferro; associada à ancilostomíase e à tricuríase |
| Déficit de desenvolvimento pondoestatural e cognitivo | Descrito em crianças com infestações intensas por geo-helmintos (áscaris, ancilóstomos e *trichuris*). |
| Desnutrição e perda de peso | Depende da intensidade e da cronicidade do parasitismo; pode ocorrer nas formas graves de ancilostomíase, estrongiloidíase e tricuríase |
| | Na giardíase, pode haver síndrome de má absorção caracterizada por perda de peso, distensão abdominal e esteatorreia, simulando doença celíaca |
| | *Cryptosporidium*, *Isospora* e Microsporidia podem causar grave desnutrição em imunossuprimidos |
| Tosse, crises asmatiformes, com ou sem tradução radiológica: síndrome de Loeffler | Ocorre nas helmintíases com ciclo larvário pulmonar: áscaris, ancilóstomo, estrongiloides e esquistossoma; é confundida com asma e pneumonia bacteriana de repetição |
| | Eosinofilia moderada a intensa chama atenção para a causa parasitária; na asma, quando ocorre, a eosinofilia é leve |
| Urticária e/ou edema angioneurótico | Principalmente na ascaridíase e na estrongiloidíase |
| | Na esquistossomose, pode ocorrer a "coceira do nadador", relacionada com a penetração das cercárias |
| Eliminação dos parasitas | Na ascaridíase, é comum a eliminação de vermes cilíndricos pelas fezes e, às vezes, pelo vômito |
| | Na oxiuríase, os vermes podem ser visualizados nas fezes ou na região perianal como "finas linhas brancas móveis" |
| | As proglotes da *Taenia saginata* podem ser vistas nas fezes como vermes pequenos e chatos |
| Obstrução ou semiobstrução intestinal | Ocorre na superinfestação por áscaris |

→ **pesquisa de trofozoítas nas fezes frescas:** exame direto;
→ **método de Hoffman, Pons e Janer ou da sedimentação espontânea:** um dos mais realizados pelos laboratórios de rotina. Possibilita a pesquisa de cistos de protozoários e ovos e larvas de helmintos nas fezes;
→ **método de Faust ou da centrífugo-flutuação:** pesquisa de cistos de protozoários e ovos de helmintos;
→ **método de Baermann-Moraes:** pesquisa de larvas de *Strongyloides* sp. nas fezes e de larvas de nematoides do solo;
→ **método de Kato-Katz:** usado principalmente na pesquisa qualitativa e quantitativa de ovos de *Schistosoma mansoni* e outros helmintos;
→ **método de Graham (método da fita adesiva ou fita gomada):** pesquisa de ovos de *Enterobius vermicularis*;
→ **método da tamisação das fezes:** pesquisa das proglotes de *Taenia* sp.;
→ **colorações de Ziehl-Neelsen modificada, de Kinyoun e de ácido tricrômico:** oocistos.

As seguintes recomendações sobre a coleta e o transporte das fezes são importantes para melhorar o desempenho do EPF:
→ evacuar em recipiente limpo e seco e transferir uma pequena porção para o frasco coletor. Não misturar as fezes com urina;
→ não colher as fezes do vaso sanitário ou do solo;
→ encaminhar as fezes para exame o mais breve possível, pois cistos sofrem degeneração 30 minutos após a coleta. Quanto maior o intervalo entre a coleta e o exame, maior a chance de resultado falso-negativo;
→ colher as fezes de preferência pela manhã. Caso não seja possível, conservá-las em recipiente fechado na geladeira (não no congelador) por até 12 horas ou adicionar conservante às fezes (10-15 volumes de formol a 10%, solução de MIF [mercúrio, iodo e formol] ou de SAF [acetato de sódio, ácido acético e formol]);
→ usar supositório de glicerina em pacientes com constipação crônica para facilitar a coleta. Evitar outros laxantes (óleo mineral ou magnésio até 48 horas antes da coleta);
→ não administrar contraste (bário) por via oral por um período de, no mínimo, 7 dias antes da coleta.[5]

Às vezes, o profissional de saúde depara-se com o achado de eosinofilia no hemograma de um indivíduo sintomático ou não sintomático. Na TABELA 158.3, encontram-se as principais causas de eosinofilia, com destaque para as helmintíases em nosso meio.

## PREVENÇÃO E CONTROLE

As orientações quanto às medidas preventivas são fundamentais para o controle das parasitoses, tanto do ponto de vista individual quanto coletivo. Melhoria do nível educacional, vermifugação regular, acesso à água de boa qualidade e melhoria das condições de saneamento básico e da coleta de lixo podem ter forte impacto na prevalência dessas enfermidades. Medidas individuais, como higiene do ambiente doméstico, lavagem das mãos, combate aos insetos, higiene dos alimentos, estímulo ao aleitamento materno, uso de calçados, vermifugação dos animais de estimação e prática de sexo seguro, devem ser preconizadas.

### Tratamento empírico regular

Em áreas com precárias condições de moradia, higiene e saneamento básico, há evidências de que o tratamento empírico

## TABELA 158.3 → Principais causas de eosinofilia

| SECUNDÁRIAS | |
|---|---|
| **Infecciosas** | |
| → Parasitárias* | São as mais comuns, devem sempre ser investigadas – pesquisar exposição a coleções d'água, viagens, condições de vida, qualidade da água e saneamento |
| → Bacterianas/virais | Raras – escarlatina, triquinose, HIV |
| **Não infecciosas** | |
| → Alergias | Asma, rinite, alergia alimentar |
| → Medicamentos | Sulfas, anticonvulsivantes, anti-inflamatórios, outros |
| → Doenças autoimunes/idiopáticas | Doença inflamatória intestinal Vasculites – Churg-Strauss, Wegener |
| → Doenças endócrinas | Doença de Addison |
| **PRIMÁRIAS** | |
| Malignidades hematológicas | Leucemias, linfomas e distúrbios mieloides crônicos |

* A ausência de eosinofilia não exclui o diagnóstico de parasitoses, inclusive aquelas com invasão tecidual, como é o caso da estrongiloidíase disseminada.
HIV, vírus da imunodeficiência humana.

regular das helmintíases traz benefícios em curto e longo prazos, contribuindo para o desenvolvimento dos indivíduos afetados **C/D**.[6-9] Os medicamentos anti-helmínticos disponíveis são de baixo custo, seguros e de fácil administração, o que faz a vermifugação em massa ser uma boa estratégia para reduzir morbidade e promover melhor desenvolvimento físico e cognitivo das crianças. Recomendações atuais incentivam governantes e gestores públicos a investir no controle das helmintíases como um dos passos para o desenvolvimento. Há vasta experiência com o uso clínico dos principais fármacos anti-helmínticos disponíveis (albendazol e mebendazol), inclusive em crianças pré-escolares **C/D**.[8,10]

Devido ao perfil de segurança e à excelente tolerabilidade desses medicamentos, a Organização Mundial da Saúde (OMS) recomenda sua administração em larga escala, inclusive por professores e agentes comunitários de saúde treinados, em locais onde o acesso aos serviços de saúde é precário, a despeito da ausência de manifestações clínicas e de confirmação diagnóstica laboratorial de parasitose.[11]

Os quatro anti-helmínticos citados podem ser administrados em dose única e não devem ser prescritos, via de regra, para crianças com idade < 1 ano. Alguns países adotam a estratégia de coadministrar os anti-helmínticos ao programa de suplementação de vitamina A ou durante campanhas de vacinação.

A depender da prevalência e das condições locais, pode-se optar pela vermifugação regular (a cada 6-12 meses) de toda a comunidade ou pela vermifugação regular dos grupos de maior prevalência das parasitoses (pré-escolares e escolares, mulheres em idade fértil, agricultores, sendo esta última estratégia mais custo-efetiva.[11]

É essencial reconhecer que, em áreas endêmicas, a reinfecção é regra e que o principal objetivo da vermifugação regular não é curar os indivíduos, mas sim reduzir a carga parasitária **B**,[12] o que contribui para menor morbidade **B**.[13,14]

O risco potencial de desenvolvimento de resistência aos anti-helmínticos pelo seu uso em larga escala deve sempre ser considerado. Entretanto, até o presente momento, esse fato não foi evidenciado.

A seguir, são feitas considerações acerca de cada parasitose em particular. A **TABELA 158.4** relaciona cada parasita, seu modo de transmissão e sua localização preferencial no intestino.

# AS PARASITOSES

## Ascaridíase

Parasita humano de alta prevalência, o *Ascaris lumbricoides* é cosmopolita, embora seja mais frequente em países tropicais. Estima-se que ocorram anualmente, no mundo, 12 milhões de casos e 10 mil mortes.

### Modos de transmissão e ciclo de vida

Uma única fêmea pode eliminar 200 mil ovos por dia. No solo, eles se tornam infectantes. Depois de ingeridos, os ovos eclodem no intestino delgado. As larvas liberadas migram para o fígado ou vão diretamente para o coração direito, chegando aos pulmões. Rompem os capilares pulmonares, chegam à faringe e, se deglutidas, voltam ao intestino, onde completam seu desenvolvimento e iniciam nova postura.

Os áscaris não são hematófagos. Eles causam dano ao homem por lesão tecidual direta, pela resposta imunológica do hospedeiro e por fenômenos obstrutivos.

### Quadro clínico

Na maioria dos casos, a ascaridíase intestinal é bem tolerada e indistinguível das outras helmintíases intestinais. Caracteriza-se por dor abdominal, náuseas, vômitos, diarreia, astenia, anorexia, desnutrição, acentuação da lordose lombar e

## TABELA 158.4 → Modo de transmissão e localização dos parasitas intestinais humanos

| PARASITA | MODO DE TRANSMISSÃO | TRANSMISSÃO PESSOA-PESSOA | LOCALIZAÇÃO DO VERME ADULTO |
|---|---|---|---|
| *Ascaris lumbricoides* | Ingestão de ovos infectantes | Não | Intestino delgado (luz) |
| *Trichuris trichiura* | Ingestão de ovos infectantes | Não | Intestino grosso (mucosa do ceco e cólon) |
| *Ancylostoma duodenale/ Necator americanus* | Penetração de larvas filarioides pela pele | Não | Primeira e segunda porções do intestino delgado (mucosa) |
| *Strongyloides stercoralis* | Penetração de larvas filarioides pela pele ou pela mucosa intestinal | Sim | Primeira e segunda porções do intestino delgado (mucosa) |
| *Enterobius vermicularis* | Ingestão de ovos infectantes | Sim | Ceco, apêndice e cólon adjacente (luz) |
| *Taenia saginata/ Taenia solium* | Ingestão de carne de gado/porco crua ou malpassada | Não | Intestinos |
| *Giardia lamblia* | Ingestão de cistos | Sim | Intestino delgado |
| *Entamoeba hystolitica* | Ingestão de cistos | Sim | Intestino grosso |

protrusão abdominal. Uma grave complicação da ascaridíase é a obstrução intestinal, que é mais comum em crianças e está associada a intenso parasitismo. A infecção por áscaris é a causa mais frequente da síndrome de Löeffler (pneumonite intersticial eosinofílica) e contribui para a ocorrência de hipovitaminose A.[15,16]

Na fase de migração hepática, as larvas podem causar hepatomegalia, mal-estar, febre, icterícia; na migração pulmonar, tosse seca, dor ou desconforto retroesternal, dispneia, febre, urticária e broncospasmo. O quadro pulmonar costuma regredir espontaneamente. Devido ao caráter migratório do verme adulto, é possível ocorrer colecistite, pancreatite, abscesso hepático, otite e eliminação espontânea do helminto pela boca ou pela narina. O relato da eliminação do verme pela boca, pela narina ou pelas fezes esclarece a etiologia.[15,16]

## Diagnóstico

Em geral, o diagnóstico é feito pela identificação de ovos nas fezes (método de Hoffman, Pons e Janer). No parasitismo apenas por vermes machos, a pesquisa de ovos nas fezes é reiteradamente negativa. O hemograma costuma mostrar eosinofilia.

Na síndrome de Löeffler, podem-se detectar larvas no escarro ou no lavado gástrico, que devem ser diferenciadas das de estrongiloides, além dos cristais de Charcot-Leyden. Nesses casos, há leucocitose, neutrofilia e eosinofilia de até 30 a 50%. A radiografia do tórax pode revelar infiltrados pulmonares uni ou bilaterais migratórios, às vezes confundindo-se com pneumonia bacteriana.

Quando há obstrução intestinal, o exame radiológico de abdome mostra o enovelado de áscaris e distensão de alças intestinais, com ou sem nível líquido. Na migração do helminto para a árvore biliar ou pancreática, a endoscopia digestiva e a colangiopancreatografia retrógrada ajudam a elucidar o diagnóstico.

## Tratamento

Todos os indivíduos infectados por áscaris, sintomáticos ou não, devem ser tratados, preferencialmente com albendazol ou mebendazol, com taxas de cura > 90% **B**.[17] A ivermectina também é efetiva contra o áscaris **B**,[18] mas não é o medicamento de escolha. Nitazoxanida por 3 dias também pode ser utilizada, com taxa de cura similar ao albendazol **B**.[19]

Diante da possibilidade de poliparasitismo, recomenda-se prescrever primeiro um medicamento ascaricida ou polivalente com atividade ascaricida, pelo risco de migração do áscaris sob efeito de outros antiparasitários. As opções terapêuticas utilizadas na ascaridíase estão listadas na **TABELA 158.5**.

Na obstrução intestinal por áscaris, a melhor alternativa seria piperazina (100 mg/kg/dia), acompanhada de óleo mineral (40-60 mL/dia) **C/D**. Esse esquema pode ser repetido até a resolução do quadro **C/D**. Após desobstrução, manter piperazina (50-100 mg/kg/dia) por 5 dias **C/D**. A piperazina provoca a morte do helminto por paralisia, diminuindo o risco de enovelamento e consequente piora do quadro obstrutivo. No entanto, a piperazina não se encontra mais disponível no Brasil, restando, como opções, o mebendazol, o albendazol e a nitazoxanida, porém estes não têm o mesmo mecanismo de ação.

**TABELA 158.5** → Opções terapêuticas nas parasitoses intestinais

| MEDICAMENTO E APRESENTAÇÃO | AÇÃO TERAPÊUTICA | DOSAGEM |
| --- | --- | --- |
| **Albendazol** Comprimidos de 200 ou 400 mg Suspensão 40 mg/1 mL | Ascaridíase* | 1-2 anos: 200 mg, dose única |
| | | ≥ 2 anos: 400 mg, dose única |
| | Tricuríase[†] | 400 mg, dose única |
| | Ancilostomíase* | 1-2 anos: 200 mg, dose única |
| | | ≥ 2 anos: 400 mg, dose única |
| | Enterobíase* | 1-2 anos: 200 mg; repetir após 14 dias |
| | | ≥ 2 anos: 400 mg/dia; repetir após 14 dias |
| | Estrongiloidíase[†] | 400 mg/dia, por 3 dias |
| | Teníase[‡] | 200 mg/dia, por 3 dias (crianças < 10 kg) |
| | | 400 mg/dia, por 3 dias (crianças ≥ 10 kg) |
| | Giardíase* | 400 mg/dia, por 5 dias |
| | | crianças: 10 a 15 mg/kg/dia por 5 dias (máximo 400 mg/dia) |
| **Mebendazol** Comprimidos de 100 mg Suspensão 100 mg/5 mL | Ascaridíase* | 100 mg, 2×/dia, por 3 dias |
| | Tricuríase[†] | 100 mg, 2×/dia, por 3 dias |
| | Ancilostomíase[†] | 100 mg, 2×/dia, por 3 dias |
| | Enterobíase* | 100 mg, 2×/dia, por 3 dias; repetir após 14 dias |
| | Giardíase* | 200 mg, 3×/dia, por 5 dias |
| **Ivermectina** Comprimidos de 6 mg | Ascaridíase* | 200 µg/kg, dose única |
| | Tricuríase[†] | 200 µg/kg, dose única |
| | Enterobíase* | 200 µg/kg; repetir após 14 dias |
| | Estrongiloidíase* | 200 µg/kg, dose única ou 2 dias |
| **Metronidazol** Comprimidos de 250, 400 ou 500 mg Suspensão oral 40 mg/mL | Giardíase* | Crianças: 15 mg/kg/dia, 3×/dia, por 5-7 dias (máximo: 250 mg/dose) |
| | | Adultos: 250 mg, 3×/dia, por 5-7 dias |
| | | 50 mg/kg/dia, ou 750 mg, 3×/dia, por 7-10 dias |
| | | 750 mg, 3×/dia, ou 50 mg/kg/dia |
| | Colite amebiana* | VO ou IV dependendo da gravidade, por 7-10 dias |
| **Secnidazol** Comprimidos de 500 ou 1.000 mg Suspensão oral 450 mg/15 mL ou 900 mg/30 mL | Giardíase* | Crianças: 30 mg/kg, dose única |
| | Colite amebiana* | Adultos: 2 g, dose única |
| **Tinidazol** Drágeas de 500 mg | Giardíase* | Adultos: 2 g, dose única |
| | Colite amebiana* | ≥ 3 anos: 50 mg/kg/dia, por 3-5 dias |
| | | Adultos: 2 g/dia, por 2 dias (3 dias se extraintestinal) |
| **Tiabendazol** Comprimidos de 500 mg | Estrongiloidíase[†] | 50 mg/kg/dia, por 3 dias |
| **Nitazoxanida** Comprimidos de 500 mg Suspensão oral 20 mg/mL | Ascaridíase* | 1-3 anos: 100 mg, 2×/dia, por 3 dias |
| | Giardíase* | 4-11 anos: 200 mg, 2×/dia, por 3 dias |
| | Teníase* | Adultos: 500 mg, 2×/dia, por 3 dias |

* ≥ 80% de taxa de cura ou redução da eliminação de ovos nas fezes.
[†] 50 a 80% de taxa de cura ou redução da eliminação de ovos nas fezes.
[‡] < 50% de taxa de cura ou redução da eliminação de ovos nas fezes.
IV, intravenoso; VO, via oral.

Tratamento cirúrgico ou procedimentos endoscópicos podem ser necessários em situações em que há migrações erráticas.

## Tricuríase

*Trichuris trichiura* é um parasita frequente em todo o mundo, predominando em regiões tropicais. Ocorre mais em crianças. Vive no ceco e no cólon ascendente, podendo ser encontrado em todo o cólon, no reto, no íleo, no apêndice e na vesícula biliar.

### Modos de transmissão e ciclo de vida

Os ovos do *Trichuris trichiura* são eliminados nas fezes do hospedeiro e, no solo, tornam-se infectantes. Quando ingeridos, liberam as larvas que vão até o ceco, onde completam seu desenvolvimento. Não há migração pulmonar.

O verme adulto implanta-se no intestino, penetrando sua extremidade cefálica profundamente na mucosa intestinal. O helminto secreta substâncias líticas que liquefazem os tecidos que o circundam e dos quais se alimenta. As lesões da mucosa, que variam de simples erosões a múltiplas ulcerações, são porta de entrada para bactérias. Quando há grande carga parasitária, a anemia ocorre pela ingestão de sangue pelo verme ou pelo sangramento das lesões intestinais.[15,16]

### Quadro clínico

Geralmente, o homem alberga poucos vermes, e a infecção é assintomática. Os sintomas são mais frequentes em crianças com carga parasitária moderada, que costumam apresentar diarreia, náuseas, vômitos, anorexia e déficit de desenvolvimento. Nas infecções intensas, pode haver disenteria, tenesmo, enterorragia, anemia, desnutrição, hipodesenvolvimento físico e cognitivo, além de prolapso retal decorrente da diarreia crônica associada à hipotonia muscular e ao relaxamento do esfincter anal. O verme pode ser visto na mucosa retal prolabada.

### Diagnóstico

O diagnóstico da tricuríase é dado pela constatação de ovos nas fezes (método de Hoffman, Pons e Janer). O hemograma pode revelar anemia e eosinofilia.

### Tratamento

Nas infecções leves a moderadas, albendazol ou mebendazol são efetivos. O uso por 3 dias confere taxa de cura de cerca de 80%, enquanto a dose única é eficaz em menos de 80% dos casos **B**.[11,20] Nas infecções intensas, o tratamento pode ser estendido por 5 a 7 dias **B**.

As opções terapêuticas utilizadas na tricuríase estão listadas na **TABELA 158.5**.

## Enterobíase (oxiuríase)

Doença causada pelo *Enterobius vermicularis*, que se localiza preferencialmente no ceco, no apêndice, no cólon e no reto. Esse helminto já foi encontrado também na vagina, no útero e na bexiga feminina. Cosmopolita, é parasita exclusivamente humano, acometendo sobremaneira crianças.

### Modos de transmissão e ciclo de vida

Esse parasita não faz postura no intestino do hospedeiro. As fêmeas repletas de ovos caem na luz intestinal e chegam às porções inferiores do intestino grosso. Elas podem ser expulsas nas fezes (cheias de ovos) ou podem fixar-se às margens do ânus, onde liberam os ovos embrionados. A migração das fêmeas nas margens do ânus provoca prurido.

Ao coçar, o indivíduo parasitado contamina os dedos com ovos que, se levados à boca e ingeridos pelo próprio hospedeiro, causam reinfecção. No duodeno, os ovos liberam as larvas que chegam ao intestino grosso, onde completam seu desenvolvimento.

A transmissão do helminto pode ocorrer diretamente da região anal para a boca (mais frequente em crianças), pela contaminação de alimentos, pela poeira (inalação dos ovos – comum em escolas, habitações coletivas) ou pela retroinfecção (os ovos eclodem na borda do ânus; as larvas migram para as porções superiores do intestino grosso e alcançam o ceco, onde atingem o estágio adulto), e, excepcionalmente, as larvas são liberadas no intestino e continuam seu desenvolvimento (autoinfecção interna). Na mucosa intestinal, o verme pode causar reação inflamatória.[16]

### Quadro clínico

O prurido anal é o sintoma mais comumente associado à enterobíase. Pode ser intenso e levar à proctite, caracterizada pela presença de material mucossanguinolento contendo ovos, com vermes na mucosa retal. O indivíduo também pode apresentar náuseas, vômitos e dor abdominal. Em meninas, pode haver invasão vaginal, com queixas de disúria, prurido vulvar e leucorreia.

### Diagnóstico

O diagnóstico da oxiuríase é essencialmente clínico. O EPF é negativo, pois não há oviposição no intestino. Os vermes podem ser visualizados pelo teste da fita gomada.

### Tratamento

Dose única de albendazol ou mebendazol são altamente eficazes **C/D**. Ivermectina é uma opção eficaz, mas não costuma ser usada para esse fim.[21] É recomendável repetir o tratamento após 2 semanas e tratar os contactantes do caso-índice, pois os ovos podem ser transmitidos de pessoa para pessoa e resistem por cerca de 14 dias no meio ambiente, possibilitando frequentes reinfecções **C/D**. É fundamental também orientar práticas de higienização das mãos, troca de roupa de cama e manutenção das unhas limpas e aparadas **C/D**.[22,23]

## Ancilostomíase

Parasitose humana causada pelo *Ancylostoma duodenale* e pelo *Necator americanus*, com predomínio do último na América tropical.

*Ancylostoma brasiliensis* é parasita de cães e gatos. Suas larvas podem penetrar na pele humana e locomover-se entre a derme e a epiderme, causando a dermatite serpiginosa ou *larva migrans* cutânea.

A ancilostomíase acomete sobretudo crianças pré-escolares, adolescentes e adultos jovens. Predomina no sexo masculino, provavelmente pela maior exposição.

### Modos de transmissão e ciclo de vida

Os ovos lançados no solo liberam larvas que penetram ativamente na pele do hospedeiro, migram para o pulmão e chegam ao intestino, onde se tornam adultos e iniciam nova postura. As larvas liberadas no solo também podem penetrar de forma passiva pela boca, entrar na mucosa intestinal e passar para o intestino, onde terminam seu desenvolvimento.

A fase de invasão larvária provoca desde lesões cutâneas irritativas leves até lesões eritematopapulares. Durante a migração pulmonar, podem ocorrer pequenas hemorragias por ruptura de capilares pulmonares. No intestino, os vermes se fixam por meio de dentes ou placas cortantes, causando erosões, ulcerações, hemorragias e necrose. Nesse local, liberam enzimas de ação lítica e substâncias anticoagulantes. Como eles se deslocam continuamente, as lesões intestinais se estendem. Pode haver invasão bacteriana dessas lesões. No caso de parasitismo intenso, a perda sanguínea intestinal é significativa, levando a consequente anemia.

### Quadro clínico

Clinicamente, a fase de penetração larvária pode manifestar-se por prurido local, às vezes intenso, acompanhado ou não por máculas eritematosas, pápulas, edema, lesões urticariformes e infecção bacteriana secundária. A fase pulmonar costuma ser assintomática, podendo, no entanto, cursar com tosse seca, febre, dor torácica, astenia, dispneia, rouquidão e broncospasmo (síndrome de Löeffler). A fase intestinal apresenta sintomatologia de intensidade variável: anorexia, náuseas, vômitos, constipação ou diarreia, dor abdominal, perversão do apetite (geofagia), melena e enterorragia. A anemia, de intensidade variada, é manifestação importante dessa parasitose e pode ser caracterizada por palidez, astenia, cefaleia, cansaço fácil, tontura, dor precordial, sopro cardíaco, edema de membros inferiores, anasarca (cor anêmico), sonolência, hipotensão e déficit do desenvolvimento físico e intelectual.[15,16]

### Diagnóstico

O diagnóstico da ancilostomíase é confirmado pela constatação de ovos nas fezes pelo método de Hoffman, Pons e Janer. Quando há demora no processamento da amostra fecal, é frequente encontrar larvas no EPF, que devem ser diferenciadas das de *Strongyloides stercoralis*. O hemograma pode mostrar leucocitose com eosinofilia e anemia hipocrômica e microcítica. Na fase de migração pulmonar, além de eosinofilia, podem ser encontrados cristais de Charcot-Leyden no escarro e infiltrados difusos ou localizados migratórios na radiografia de tórax. Hipoalbuminemia pode ocorrer na infecção grave.

### Tratamento

A reposição de ferro pode melhorar os níveis de hemoglobina nos pacientes parasitados, mas a anemia voltará a se estabelecer caso a helmintíase não seja tratada. O tratamento preferencial deve ser feito com albendazol em dose única, uma vez que os demais tratamentos possuem taxa de cura baixa B.[11,17,18]

Demais opções terapêuticas utilizadas na ancilostomíase estão listadas na **TABELA 158.5**.

## Estrongiloidíase

Doença causada pelo *Strongyloides stercoralis*, um parasita intestinal cosmopolita, prevalente em regiões tropicais e subtropicais. A infecção pode traduzir-se apenas por eosinofilia nos pacientes imunocompetentes ou doença disseminada de elevada letalidade nos imunocomprometidos.

Fatores de risco para aquisição da infecção incluem: morar ou visitar áreas endêmicas, contato com o solo e uso de imunossupressores. Imunossupressão por corticoide, inibidores de fator de necrose tumoral (TNF, do inglês *tumor necrosis factor*)-α, doenças hematológicas, alcoolismo, Aids, transplante de medula óssea ou órgãos sólidos e coinfecção com o vírus linfotrópico de células T humanas (HTLV-1, do inglês *human T-cell lymphotropic virus*) aumentam o risco de doença disseminada.

### Modos de transmissão e ciclo de vida

O modo primário de transmissão ocorre quando larvas filarioides (infectantes), presentes no solo, penetram na pele, embora também possa se dar por via fecal-oral (ingestão de água ou alimentos contaminados por larvas) ou sexual. Após a penetração na pele, as larvas migram por via hematogênica até os alvéolos pulmonares, ascendem pela árvore traqueobrônquica, são deglutidas e tornam-se vermes adultos no intestino delgado. A fêmea partenogenética habita a mucosa ou submucosa do intestino delgado, principalmente duodeno e jejuno proximal. Elimina ovos embrionados que logo liberam as larvas rabditoides (não infectantes), as quais são eliminadas pelas fezes e, no solo, transformam-se em filarioides. Em alguns casos, as larvas rabditoides podem sofrer mudas ainda na luz intestinal, e assim, penetrar na mucosa intestinal (autoinfecção interna) ou na pele da região perineal (autoinfecção externa), completando o ciclo sem passar pelo solo. A transformação da larva ainda no intestino pode ser acelerada por fatores como constipação, doença diverticular e uso de corticoides. Em indivíduos imunocompetentes, esse fenômeno ocorre em baixo grau, mas pode perpetuar a infecção por décadas. Entretanto, em pacientes com imunossupressão celular, a autoinfecção pode determinar hiperinfecção ou doença disseminada.

Na hiperinfecção, os parasitas aumentam em número e passam a ocupar qualquer porção do intestino delgado, estômago, esôfago, vias biliares e apêndice, havendo maior migração larvária pulmonar. Na forma disseminada, há migração sistêmica de larvas filarioides sem haver passagem pulmonar obrigatória, podendo ocorrer invasão de qualquer órgão: músculos esqueléticos, coração, pele, vesícula, linfonodos mesentéricos, rins, ovários, encéfalo, meninges, pâncreas, fígado.

### Quadro clínico

A maioria dos indivíduos é assintomática ou apresenta manifestações leves e transitórias, sejam gastrintestinais, cutâneas ou respiratórias. Em alguns, a eosinofilia é o único indício da infecção, apesar de esta não ocorrer em 100% dos infectados e estar ausente, frequentemente, nas formas graves da doença.

A penetração das larvas pode ser assintomática ou determinar o surgimento de lesões papulares pruriginosas locais (mais comuns nos pés). Na autoinfecção externa, pode ser vista lesão urticariforme linear migratória em região perineal ou nádegas (*larva currens*). Durante a migração larvária pulmonar, alguns apresentam desde sintomas respiratórios leves, como tosse seca e sibilos, a broncospasmo mais evidente, infiltrados pulmonares e eosinofilia periférica. São descritas púrpura periumbilical, eritrodermia, urticária e angioedema, aparentando farmacodermia.

Os vermes adultos causam duodenite, que pode ser confundida com doença dispéptica. Entretanto, a dor piora com a alimentação. Pode haver anorexia, vômitos e diarreia. Episódios recorrentes de febre com presença de infiltrados pulmonares, com ou sem eosinofilia, simulam pneumonia bacteriana de repetição. Além disso, podem ocorrer crises asmatiformes, que pioram com o uso de corticoides.

Na forma disseminada, observam-se febre, náuseas, vômitos, diarreia, dor abdominal, síndrome de má absorção, dispneia, sibilância, infiltrados pulmonares, insuficiência respiratória e hemoptise. Nos quadros mais graves, podem ocorrer bacteriemia por gram-negativos entéricos, sepse e meningite bacteriana. Eosinofilia pode estar ausente, sendo necessária elevada suspeição clínica, pois a letalidade pode chegar a 80%.

## Diagnóstico

O diagnóstico da estrongiloidíase é confirmado pela constatação das larvas rabditoides nas fezes ou pela detecção de anticorpos por métodos sorológicos. O EPF tem baixa sensibilidade, sendo necessárias pelo menos 3 amostras coletadas em dias intermitentes e analisadas pelo método de Baermann-Morais. Nas formas disseminadas, as larvas podem ser detectadas no escarro, no lavado broncoalveolar, no aspirado duodenal, no derrame pleural, na ascite ou em espécime de biópsia. Detecção de anticorpos (ensaio imunoenzimático [Elisa]) pode ser útil (sensibilidade de 82-95% e especificidade > 97%), mas não distingue infecção atual de antiga, e pode ser falso-positiva (reação cruzada com outros helmintos) ou falso-negativa naqueles com grave imunossupressão.

A endoscopia digestiva com biópsia pode revelar duodenite e/ou colite leve a grave, com infiltrado eosinofílico e presença de larvas nas criptas gástricas ou glândulas duodenais.

Reação de amplificação em cadeia da polimerase da amostra fecal é útil, porém pouco disponível. Eosinofilia (> 600 eosinófilos/mL) ocorre em mais de 70% dos pacientes, mas pode estar ausente nas formas disseminadas.

## Tratamento

O medicamento de escolha para o tratamento de todas as formas de estrongiloidíase é a ivermectina (200 µg/kg), seja em dose única ou em 2 doses (em dias consecutivos ou com intervalo de 1 semana) **B**. Uma metanálise mostrou que ivermectina é mais eficaz que albendazol (400 mg, por 3 dias, ou 800 mg, por 7 dias) (RRR = 79%; NNT = 2-4) **B** e tem taxa de cura similar, porém apresenta menos efeitos colaterais que o tiabendazol[24] (50 mg/kg/dia, por 3 dias) (RRR = 69%; NNT = 2-3) **B**.[25,26]

Nas formas disseminada e de hiperinfecção, a melhor opção terapêutica é incerta. Recomenda-se, se possível, reduzir a imunossupressão, usar ivermectina isoladamente ou associada a albendazol por 7 ou mais dias, até que haja melhora clínica e cura parasitológica por ao menos 2 semanas **C/D**. Para pacientes críticos, com dificuldade de receber medicamento via oral, pode-se administrar ivermectina por via subcutânea (200 µg/kg) ou via retal. Nesses pacientes, muitas vezes, ocorre sepse e/ou meningite bacterianas, sendo necessário associar cobertura antimicrobiana de amplo espectro.

Nos imunossuprimidos, a resposta ao tratamento deve ser assegurada por melhora clínica, desaparecimento da eosinofilia (se houver), cura parasitológica (após 2-4 semanas) e queda dos títulos sorológicos (aos 6 e 12 meses).[27] A cura parasitológica não é um bom indicador de eficácia do tratamento, por apresentar baixa sensibilidade.

## Teníase

Teníase é a infecção humana causada por cestódeos adultos do gênero *Taenia*. Ocorre em todas as partes do mundo, estando sua distribuição relacionada com os hábitos das populações de ingerirem carne de porco e de gado malcozidas, reservatórios intermediários de *Taenia solium* e *Taenia saginata*, respectivamente.

Estima-se que 77 milhões de pessoas no mundo estejam infectadas por *T. saginata*, sendo 2 milhões na América do Sul. No Brasil, os dados são escassos, mas há registro da infecção em todas as regiões do País.

### Modos de transmissão e ciclo de vida

As tênias são vermes hermafroditas que habitam o intestino delgado. Apenas um parasita é habitualmente encontrado no homem, daí a expressão popular "solitária" dada ao verme. São constituídos de cabeça (escólex), colo (estróbilo) e corpo (proglotes). As proglotes sofrem maturação ao longo do corpo, ocorrendo autofertilização ou fertilização cruzada. Uma vez grávidas, são eliminadas para o exterior pelo processo denominado apólise.

Milhares de ovos (50 mil na *T. solium* e 80 mil na *T. saginata*) são liberados no solo, permanecendo viáveis por meses se ficarem em ambiente úmido e ao abrigo da luz. Ingeridos pelos hospedeiros intermediários (porco – *T. solium* – e boi – *T. saginata*), os ovos liberam as larvas (oncosferas) no intestino, onde penetram pelas vilosidades, alcançam a circulação e atingem o local de implantação por bloqueio capilar. Atravessando a parede dos vasos, as oncosferas instalam-se nos tecidos circunvizinhos transformando-se em cisticercos, em especial nos tecidos moles, como músculos esqueléticos e cardíacos, olhos, cérebro, pele, etc. Por sua vez, o homem, ao ingerir carne crua ou malcozida, de porco ou de gado, adquire o cisticerco. Este se fixa à mucosa intestinal pelo escólex e evolui para a forma adulta, podendo atingir até 8 metros.

Cerca de 3 meses após a infecção, inicia-se a eliminação das proglotes grávidas.

## Quadro clínico

A infecção intestinal por *Taenia* é frequentemente assintomática. Entretanto, pode determinar sintomatologia inespecífica, como dores ou desconforto abdominal leves, náuseas, alteração do apetite (anorexia ou bulimia), flatulência, diarreia ou constipação e perda de peso. Em crianças, podem ocorrer alterações do crescimento e do desenvolvimento. Hemorragias intestinais podem acontecer devido à fixação do escólex. Raras vezes, há complicações como apendicite e obstrução do colédoco ou ducto pancreático devido ao crescimento exagerado do parasita. Ovos viáveis da tênia, após passarem pelo estômago, podem, via corrente sanguínea, alcançar diversos tecidos (músculos, coração, olhos e cérebro), onde se desenvolverá o cisticerco (larva). Ao atingir o cérebro, causam a neurocisticercose, que é a forma mais grave da infecção.

As manifestações clínicas da cisticercose dependem da localização, do tipo morfológico e do número de larvas que infectaram o indivíduo, podendo ser assintomática ou apresentar sintomas como cefaleia, convulsões, hipertensão craniana, entre outros.[28]

## Diagnóstico

O diagnóstico de teníase pode ser suspeitado pelo relato de eliminação das proglotes pelo indivíduo (nas fezes ou nas roupas íntimas ou de cama). No hemograma, eosinofilia pode estar presente. A confirmação é feita pela detecção de proglotes e/ou ovos no EPF (método de Hoffman, Pons e Janer) ou detecção de proglotes no *swab* anal pela fita gomada. A distinção entre as espécies requer tratamento especial das fezes (tamisação ou peneiração das fezes) para identificação das ramificações uterinas da proglote madura. No momento, métodos imunológicos e moleculares estão sendo desenvolvidos, mas ainda não estão disponíveis comercialmente. A pesquisa de antígenos nas fezes é promissora, mas pouco exequível.

A pesquisa de anticorpos no soro e no líquor pode ser utilizada de forma complementar ao diagnóstico por imagem da neurocisticercose. Anticorpos podem persistir positivos por anos; portanto, o achado de sorologia e/ou reação imune positiva em pacientes com lesões calcificadas não significa a presença de parasitas vivos. Reações cruzadas com resultados falso-positivos e falso-negativos podem ocorrer com *Echinococcus* e em pacientes com baixa parasitemia, respectivamente.[28]

## Tratamento

As teníases podem ser eficazmente tratadas com praziquantel ou niclosamida C/D.[29] Ambos agem na luz intestinal e são bem tolerados. A nitazoxanida C/D é uma opção terapêutica disponível no Brasil, apesar de ter custo mais elevado, pois a niclosamida não é comercializada no País e o praziquantel é utilizado no Brasil somente para tratamento de esquistossomose. Evidências escassas apoiam o uso de albendazol para tratamento de teníase em crianças, na dose de 200 mg/dia, por 3 dias (crianças com peso < 10 kg), e 400 mg/dia, por 3 dias (crianças com peso ≥ 10 kg).[30]

As opções terapêuticas para as teníases estão listadas na TABELA 158.5.

Deve-se considerar realização de EPF entre 1 e 3 meses após o tratamento para confirmação de cura.

## Giardíase

É a infecção causada pelo protozoário *Giardia lamblia*, que atinge principalmente a porção inicial do intestino delgado. Acomete indivíduos de qualquer idade, porém é mais frequente em crianças com idade < 5 anos. Ocorre nas áreas temperadas e tropicais, estando intimamente relacionada com más condições sociossanitárias da população.

A TABELA 158.6 apresenta os grupos de maior risco para ocorrência de giardíase.

### Modos de transmissão e ciclo de vida

A via mais comum de transmissão é a oral, por meio da ingestão de água e/ou alimentos contaminados com cistos do parasita. Estes são destruídos pela fervura, mas resistem à cloração. Assim, água não filtrada ou não fervida e alimentos crus mal-higienizados são fonte comum de infecção. É possível, ainda, a transmissão dos cistos de pessoa para pessoa por via fecal-oral, seja por práticas não higiênicas (crianças) ou por sexo oroanal.

Os portadores assintomáticos são o principal reservatório da infecção, além dos animais domésticos e silvestres. Os cistos persistem viáveis durante meses em ambientes úmidos e frescos e, ao serem ingeridos, entram em contato com o conteúdo ácido do estômago, liberando 1 a 2 trofozoítas. Estas infectam o intestino superior (sobretudo o duodeno) e, à medida que caminham para o cólon, sofrem novo encistamento, sendo eliminadas nas fezes. As trofozoítas causam as manifestações clínicas da giardíase, mas não invadem a mucosa intestinal.

### Quadro clínico

As manifestações clínicas associadas à giardíase são muito variáveis e ocorrem 1 a 3 semanas após a ingestão dos cistos. Apesar de a diarreia ser a característica mais marcante, quase metade dos infectados é assintomática, sejam adultos ou crianças. Outros apresentam a forma aguda da doença, caracterizada por diarreia aquosa, fezes malcheirosas,

**TABELA 158.6** → Grupos de risco para aquisição da giardíase

→ Crianças – especialmente com idade < 5 anos, que frequentam escolas ou creches; é mais rara nos bebês com idade < 6 meses em aleitamento materno exclusivo
→ Residentes ou viajantes para áreas com más condições sanitárias
→ Cuidadores de crianças ou de pessoas com incontinência fecal sem os devidos cuidados higiênicos
→ Portadores de imunodeficiência comum variável (agamaglobulinemia ou hipogamaglobulinemia) – apresentam a forma crônica; é menos prevalente em portadores de Aids do que outros enteropatógenos intracelulares, como *Cryptosporidium parvum*, Microsporidia e *Cycloisospora*
→ Portadores de hipocloridria ou acloridria

sensação de desconforto e dores abdominais, hipermeteorismo, distensão, flatulência e perda de peso. Raras vezes, ocorrem febre, vômitos e diarreia mucossanguinolenta. Esse quadro, via de regra, é brando e autolimitado, durando 2 a 4 semanas.

A forma crônica da giardíase pode suceder a forma aguda. Caracteriza-se por fezes amolecidas, esteatorreia, intensa perda de peso (10-20% do peso basal), síndrome de má absorção, cólicas, borborigmo, flatulência, eructação, distensão abdominal, depressão e fadiga. Indivíduos com parasitismo intenso podem apresentar sinais e sintomas relativos à hipovitaminose (vitaminas A, $B_{12}$ e ácido fólico), edema periférico (hipoalbuminemia e anemia) e, em crianças, retardo do desenvolvimento físico e intelectual. Intolerância adquirida à lactose, caracterizada por piora dos sintomas após ingestão de leite e derivados, ocorre em 40% dos pacientes e pode persistir por semanas a meses após a erradicação do parasita. Fenômenos de hipersensibilidade, como urticária, úlceras orais de repetição e artrite, têm sido raramente descritos como manifestações da giardíase.[31]

> No Brasil, a giardíase deve sempre ser incluída no diagnóstico diferencial de problemas do desenvolvimento infantil, desnutrição, doenças diarreicas agudas, doenças inflamatórias intestinais e doença celíaca.

## Diagnóstico

O diagnóstico laboratorial da giardíase pode ser feito pela pesquisa dos cistos em fezes formadas, pelas técnicas de centrífugo-flutuação em sulfato de zinco (método de Faust), flutuação em cloreto de sódio (método de Willis) ou sedimentação espontânea (Hoffman, Pons e Janer) ou, ainda, pela pesquisa de trofozoítas em fezes diarreicas (exame direto).

Os cistos são eliminados de modo intermitente; por isso, as amostras fecais devem ser coletadas em dias alternados. O EPF coletado em 3 amostras tem sensibilidade de 90% e é o método de eleição para a maioria dos casos, pois é exequível nos vários níveis de atenção à saúde. O hemograma é inespecífico, não sendo habitual a eosinofilia, exceto nos indivíduos poliparasitados.

### Exames diagnósticos complementares

Os exames listados a seguir podem ser realizados em casos excepcionais, quando o quadro clínico é sugestivo e o EPF seriado é negativo. No entanto, diante da disponibilidade de medicamentos de baixo custo, eficazes, seguros e administrados em dose única para o tratamento da giardíase, o médico deve analisar o custo-benefício do teste terapêutico nessas situações e considerar a solicitação dos seguintes exames na ausência de resposta ao teste:

→ **pesquisa do parasita em espécime coletado por biópsia da segunda porção do duodeno:** esse exame tem elevada sensibilidade (92%), porém é invasivo, nem sempre é acessível e, quando negativo, não exclui o diagnóstico. A pesquisa do parasita a fresco e/ou seus antígenos no fluido duodenal é uma variante desse exame, sendo o material obtido por sondagem nasofaríngea ou por endoscopia digestiva alta, porém apresenta baixa sensibilidade (43%);

→ **pesquisa de antígenos nas fezes (Elisa):** tem alta sensibilidade (90-100%), porém é de custo elevado e não se encontra disponível na rede pública. Tem a desvantagem de não pesquisar simultaneamente outros parasitas, como se dá com o EPF.

## Tratamento

O tratamento da giardíase é recomendado, especialmente, para os indivíduos sintomáticos. A recomendação de tratar indivíduos assintomáticos, sobretudo em áreas endêmicas, nas quais a taxa de reinfecção é muito elevada, não é consenso. Contudo, o não tratamento dos indivíduos assintomáticos pode contribuir para a disseminação do parasita na comunidade. No Brasil, a recomendação é tratar todos os indivíduos infectados, independentemente da sintomatologia. De qualquer modo, o tratamento deve sempre ser aliado a medidas individuais e coletivas de prevenção. Medidas de suporte são necessárias para os doentes com diarreia e distúrbios hidreletrolíticos e/ou nutricionais.

As duas classes de medicamentos mais usadas para o tratamento da giardíase são nitroimidazólicos (metronidazol, tinidazol e secnidazol) e nitrofuranos (furazolidona), porém este último não está disponível no Brasil (ver **TABELA 158.5**).[32,33]

O tinidazol em dose única, o secnidazol em dose única e o metronidazol por 5 dias têm eficácia > 90% no tratamento da giardíase **B**.[34,35] O tinidazol está disponível sob a forma de comprimidos, que podem ser manipulados e misturados a um xarope para tornarem-se mais palatáveis para as crianças, porém não é disponibilizado na rede pública. Os nitroimidazólicos podem desencadear efeito antabuse; portanto, deve-se recomendar abstinência alcoólica durante o tratamento e por até 4 dias após o uso do medicamento (tinidazol e secnidazol) e 24 horas após uso do metronidazol, mesmo para os esquemas de dose única. Eles costumam provocar gosto metálico na boca e intolerância gástrica, o que pode ser minimizado pela sua ingestão durante ou logo após as refeições.

O albendazol possui efetividade semelhante à do metronidazol e menos efeitos colaterais **B**.[36] Ambos estão disponíveis na rede pública. Seu uso na dose de 400 mg/dia durante 5 dias é uma alternativa para indivíduos poliparasitados com idade > 2 anos em áreas endêmicas, devido à sua ação anti-helmíntica de largo espectro.[31,32] O mebendazol também pode ser utilizado, porém os estudos realizados são pequenos e sujeitos a vieses **C/D**.[36]

A nitazoxanida é um novo antiparasitário de amplo espectro, com atividade antigiárdia, administrada de 12/12 horas, por 3 dias **C/D**.[36] É uma alternativa no tratamento da giardíase, porém não é mais eficaz do que os imidazólicos, é de custo elevado e não está disponível na rede pública.

Nos indivíduos que respondem à terapia, os sintomas melhoram em 5 a 7 dias (nas formas crônicas, a resolução dos sintomas pode ser mais lenta). Caso persistam as manifestações diarreicas, os pacientes devem ser aconselhados a evitar alimentos ricos em lactose por pelo menos 1 mês após o tratamento. Simultaneamente, o EPF de controle pode descartar persistência da infecção.

## Amebíase

A amebíase é uma parasitose de amplo espectro clínico, causada pelo protozoário *Entamoeba histolytica*. É uma doença de distribuição mundial, porém nitidamente mais prevalente em países com más condições socioeconômicas e sanitárias. A maioria dos indivíduos infectados é assintomática, mas pode haver invasão tecidual, resultando em colite amebiana, abscesso hepático e, inclusive, disseminação hematogênica para órgãos distantes. É mais prevalente em populações aglomeradas, vivendo em más condições de saneamento, pessoas institucionalizadas, imigrantes de áreas de alta endemicidade e homossexuais promíscuos.

A amebíase pode ser mais grave quando acomete crianças (em especial, neonatos), desnutridos, grávidas, puérperas, indivíduos com doenças malignas ou usuários de corticoides e imunossupressores. Deve ser considerada no diagnóstico diferencial da diarreia do viajante e em pessoas vivendo com HIV/Aids.[37]

Nos últimos anos, com os avanços na biologia molecular (análise isoenzimática), foram identificadas mais duas espécies de amebas indistinguíveis da *E. histolytica*: a *E. dispar* e a *E. moshkovskii*. Essa descoberta é importante, pois tem implicações clínicas e epidemiológicas. Sabe-se que 10% da população mundial é infectada por *Entamoeba* sp., a maioria pela espécie não patogênica *E. dispar*. Estudos atuais apontam que *E. dispar* é 10 vezes mais frequente em indivíduos assintomáticos de áreas endêmicas que *E. histolytica*. *Entamoeba moshkovskii*, mais recentemente identificada, é também morfologicamente idêntica à *E. histolytica*, porém seu papel patogênico e epidemiológico ainda é incerto.

### Modos de transmissão e ciclo de vida

*Entamoeba histolytica* é a espécie sabidamente patogênica, que pode infectar indivíduos de qualquer sexo e idade. Seu ciclo de vida começa com a ingestão dos cistos pela água ou por alimentos contaminados. Após a passagem pelo estômago, os cistos transformam-se em trofozoítas ao chegar ao intestino grosso. Estas se multiplicam e voltam a encistar-se, sendo eliminadas nas fezes. Em ambiente úmido, os cistos permanecem viáveis por semanas a meses e podem infectar novos indivíduos.

Em geral, o parasita sobrevive na luz do intestino grosso, porém pode invadir os tecidos e disseminar-se, provocando doença sistêmica.

### Quadro clínico

Mais de 90% das infecções permanecem assintomáticas, sendo a invasão tecidual uma eventualidade. A maioria dos indivíduos tem doença intestinal não disentérica ou é portador assintomático e melhora espontaneamente da infecção ao final de 1 ano. Um número menor de indivíduos evolui para doença invasiva, cujas características são colite, abscesso hepático, envolvimento pleuropulmonar e, mais raramente, envolvimento cerebral ou cutâneo.

#### Amebíase intestinal assintomática

Constitui a maioria dos casos de infecção causada por *E. histolytica*, *E. dispar* e *E. moshkovskii*, sendo diagnosticada pelo achado ocasional de cistos no EPF. Os indivíduos parasitados por *E. histolytica* podem tornar-se sintomáticos (inclusive com doença invasiva) e são fonte de transmissão das formas císticas do protozoário.

O EPF não diferencia as espécies de ameba entre si, mas como a produção de anticorpos só ocorre nas infecções por *E. histolytica* e não por *E. dispar* e *E. moshkovskii*, a sorologia e a pesquisa de antígenos podem nortear a decisão de tratar indivíduos assintomáticos. Na atenção primária à saúde (APS), esses exames nem sempre estão disponíveis.

#### Amebíase intestinal sintomática

A amebíase intestinal não disentérica manifesta-se por alternância entre diarreia e constipação, flatulência, dor abdominal tipo cólica, perda ponderal e anorexia. Pode ser confundida com doença inflamatória intestinal, e o uso inadequado de imunossupressores pode levar a graves complicações, sendo prudente, nesses casos, sempre excluir amebíase.

A colite amebiana aguda tem início súbito, com dor abdominal tipo cólica, febre, calafrios, prostração, náuseas e tenesmo. Há diarreia com fezes líquidas e mucossanguinolentas, podendo haver desidratação. O hemograma revela leucocitose com neutrofilia, e a pesquisa de hemácias nas fezes frescas é invariavelmente positiva. Ao contrário da disenteria bacilar, os leucócitos nas fezes estão reduzidos ou ausentes.

Colite fulminante pode ocorrer em desnutridos, gestantes, usuários de corticoides e crianças. Tais doentes apresentam-se gravemente enfermos, com febre, diarreia profusa mucossanguinolenta, dor abdominal, hipotensão e sinais de peritonite. Pode associar-se ao abscesso hepático, à perfuração intestinal e à necrose parcial ou total do cólon. O diagnóstico pode ser estabelecido pela constatação de trofozoítas ou antígenos amebianos nas fezes. O diagnóstico diferencial deve ser feito com gastrenterites bacterianas, colite isquêmica, doença inflamatória intestinal e diverticulite. No cólon, sobretudo à direita, é possível observar as típicas úlceras em "casa de botão".

A colite necrotizante fulminante, a forma mais grave da doença intestinal, costuma ser fatal e tem sido descrita nos extremos de idade, gestantes, desnutridos e usuários crônicos de corticoides. Não é certo se formas graves de amebíase são mais frequentes em doentes com Aids.

A colite crônica é caracterizada por diarreia, dor abdominal recorrente e perda ponderal. Apresenta, como complicações intestinais, obstrução, formação de fístulas, amebomas, perfuração, peritonite e megacólon tóxico. O ameboma pode simular carcinoma de cólon (lesão anelar ou massa), linfoma e tuberculose intestinal, e o megacólon tóxico, que é uma condição rara, em geral está associado ao uso de corticoide e requer, muitas vezes, tratamento com colectomia.

#### Amebíase extraintestinal

O abscesso hepático é a forma mais comum da amebíase extraintestinal. O lobo direito hepático é quatro vezes mais acometido, pois recebe a maior parte da drenagem venosa do cólon. Caracteriza-se por necrose tecidual progressiva, habitualmente com lesão única (65-75% dos casos), mas pode haver formação de abscessos múltiplos, sendo mais comum em adultos jovens do sexo masculino. O conteúdo do abscesso é, em geral, acelular, inodoro, com aspecto de "pasta de anchovas". As trofozoítas raramente são identificadas no material aspirado do abscesso, pois se localizam na periferia da lesão.

A doença manifesta-se por febre, dor no hipocôndrio direito, anemia, perda de peso, leucocitose e elevação da fosfatase alcalina e gamaglutamiltransferase (gama-GT). O fígado está aumentado de tamanho e doloroso à palpação e à percussão (sinal de Torres-Homem). Icterícia e queixas relativas à colite são incomuns, assim como o achado de cistos e/ou trofozoítas nas fezes. A doença pode durar semanas a meses. Nos casos tardiamente diagnosticados, pode ocorrer ruptura do abscesso para as cavidades pleural, pericárdica ou peritoneal.

A radiografia do tórax pode revelar derrame pleural e/ou elevação da hemicúpula diafragmática direita. Entretanto, a ultrassonografia de abdome é o exame de eleição para o diagnóstico, pois é sensível (> 90%), não invasivo e de baixo custo. Tomografia computadorizada e ressonância magnética de abdome podem ser de valia na detecção de coleções pequenas. A punção do abscesso (indicada em casos selecionados) pode ser guiada por qualquer dos três métodos citados. No entanto, nenhum deles é capaz de diferenciar o abscesso amebiano do abscesso piogênico. Nesse sentido, a cintilografia com gálio pode contribuir, pois como o abscesso amebiano não possui leucócitos para captar o traçador, em geral é "frio", enquanto o piogênico é "quente". A aspiração transcutânea guiada por ultrassonografia é mais um recurso terapêutico que diagnóstico. Em geral, o material aspirado é achocolatado, inodoro (ao contrário do piogênico) e estéril: é rara a presença de bactérias e trofozoítas nesse material. O abscesso amebiano deve, ainda, ser diferenciado dos tumores hepáticos primários e metastáticos, da equinococose e da tuberculose hepática.

A amebíase pleuropulmonar é a complicação mais frequente do abscesso hepático. Caracteriza-se por dor torácica, tosse seca ou com esputo achocolatado, dispneia, febre e leucocitose. Pode ocorrer derrame pleural seroso ou ruptura do abscesso para a cavidade pleural (empiema pleural).

## Diagnóstico laboratorial

Do ponto de vista clínico, é interessante distinguir E. histolytica de E. dispar e de E. moshkovskii, pois apenas a primeira é patogênica para o homem. No entanto, os testes laboratoriais variam muito quanto à sensibilidade, à especificidade, ao custo e à capacidade de distinguir as três espécies.

O EPF, seja a fresco (pesquisa de trofozoítas) ou fixado (cistos), não diferencia as espécies entre si, e a OMS recomenda que o achado desses parasitas em amostra fecal seja relatado como E. histolytica/E. dispar (e, mais recentemente, E. moshkovskii), devendo o clínico fazer a interpretação do resultado do exame de acordo com o contexto clínico/epidemiológico do indivíduo. É o exame mais acessível na APS; entretanto, é de baixa sensibilidade e especificidade para o diagnóstico da infecção por E. histolytica. Como a eliminação de cistos é irregular, recomenda-se a coleta de 3 amostras fecais em dias alternados (sensibilidade de 70-90%). No exame a fresco, as fezes devem ser processadas em 15 a 30 minutos e a visualização de trofozoítas fagocitando hemácias (achado incomum) indica amebíase invasiva.

Quando possível, a espécie de ameba deve ser identificada por meio de pesquisa de antígenos fecais, testes sorológicos ou detecção de DNA pela reação em cadeia da polimerase. O isolamento em cultura com identificação por isoenzimas é o padrão-ouro para o diagnóstico, porém não é uma técnica simples, sendo realizada por poucos laboratórios. Os testes sorológicos (pesquisa de anticorpos séricos espécie-específicos por Elisa) são muito úteis em áreas não endêmicas, muito sensíveis (> 95%) e, quando positivos, confirmam o diagnóstico de amebíase invasiva. Entretanto, há variações de especificidade de acordo com os kits comercialmente disponíveis, e o clínico deve familiarizar-se com eles. Como a maioria detecta IgG, que permanece positiva por anos após a infecção, esses testes não distinguem infecção pregressa de aguda em áreas endêmicas. Todavia, um teste negativo a partir do sétimo dia de doença praticamente exclui a possibilidade de amebíase invasiva.

A pesquisa de antígenos amebianos pode ser feita nas fezes e no material obtido por punção de abscesso hepático. É bastante sensível e específica para E. histolytica.

Retossigmoidoscopia ou colonoscopia possibilita a visualização das úlceras típicas da amebíase invasiva, permite a coleta de material para exame direto (pesquisa de trofozoítas) e pesquisa de antígenos, além de ajudar no diagnóstico diferencial com doença inflamatória intestinal **B**.[38] É exame de exceção na amebíase, pois pode levar à perfuração do cólon. Os amebomas devem ser diferenciados do carcinoma de cólon, do linfoma gastrintestinal e da tuberculose entérica.

## Tratamento

Todos os indivíduos infectados por E. histolytica devem sempre ser tratados, mesmo que sejam assintomáticos, pelo risco de doença invasiva e de transmissão a outros indivíduos **C/D**.[39] Em locais com poucos recursos diagnósticos, indica-se tratamento para os indivíduos com cistos ou trofozoítas nas fezes, sem testes adicionais, porém essa abordagem pode aumentar o risco de resistência aos amebicidas.

O tratamento da amebíase depende da forma clínica que se apresenta: se aguda ou crônica, sintomática ou não. Indivíduos com amebíase assintomática deveriam ser tratados, preferencialmente, com amebicidas de ação intraluminal (derivados da dicloroacetamida, paromomicina e diloxanida) **C/D**.[40] Esses medicamentos eliminam a ameba da luz intestinal e evitam posterior invasão tecidual e disseminação dos cistos do parasita. Porém, nenhum deles está disponível no Brasil, restando, como opções, o metronidazol, o secnidazol e o tinidazol. Estes, por serem muito bem absorvidos no intestino delgado, têm elevada taxa de insucesso na erradicação dos cistos, mas são as alternativas disponíveis. A nitazoxanida tem benefício incerto.

As formas sintomáticas intestinal e extraintestinal devem ser tratadas com amebicidas com ação tecidual, como os nitroimidazólicos (metronidazol, tinidazol, secnidazol) B.⁴⁰,⁴¹ Dada a baixa concentração desses agentes no cólon, seria recomendado complementar o tratamento com um amebicida de ação luminal para erradicar potencial reservatório intestinal (falha de 40-60% na eliminação de cistos) C/D; porém, nenhuma das opções está disponível no nosso meio. Os nitroimidazólicos podem provocar náuseas, vômitos, tonturas, dores abdominais, perda de coordenação, ataxia e leucopenia. Todos interagem com o álcool, provocando efeito antabuse, e têm excelente absorção quando administrados por via oral. A eficácia desses medicamentos é elevada; porém, uma metanálise recente mostrou que o tinidazol parece ter eficácia superior ao metronidazol nos casos de colite, com menos efeitos colaterais B.⁴⁰ Recomenda-se abstinência alcoólica durante o tratamento e por até 4 dias após o uso de tinidazol e secnidazol e por 24 horas após o uso do metronidazol.

A TABELA 158.5 fornece os detalhes do tratamento da amebíase.

A prevenção da amebíase se dá pela ingestão de água potável (a cloração é insuficiente para destruir os cistos), frutas e verduras bem lavadas, destino adequado dos dejetos, lavagem das mãos, combate às moscas e outros vetores e prática de sexo seguro.

# REFERÊNCIAS

1. Hall A, Hewitt G, Tuffrey V, de Silva N. A review and meta-analysis of the impact of intestinal worms on child growth and nutrition. Matern Child Nutr. 2008;4 (Suppl 1):118- 236.
2. Machado RC, Marcari EL, Cristante SFV, Carareto CMA. Giardiasis and helminthiasis in children of both public and private day-care centers and junior and high schools in the city of Mirassol, São Paulo State, Brazil. Rev Soc Bras Med Trop. 1999;32(6):697-704.
3. Campos R, Briques W. Levantamento multicêntrico de parasitoses intestinais no Brasil. São Paulo: Rhodia; 1998.
4. Aquino JL. Amebíase. In: Ferreira AW, Ávila SLM. Diagnóstico laboratorial das principais doenças infecciosas e autoimunes. 2. ed. Rio de Janeiro: Guanabara Koogan; 2013. cap. 21.
5. Centers for Diseases Control and Prevention. Laboratory Identification of Parasites of Public Health Concern. Stool Specimens – Specimen Collection [Internet]. Washington: CDC; 2016 [capturado em 20 jan. 2021]. Disponível em: https://www.cdc.gov/dpdx/diagnosticprocedures/stool/specimencoll.html
6. Moncayo AL, Vaca M, Amorim L, Rodriguez A, Erazo S, Oviedo G, et al. Impact of long-term treatment with ivermectin on the prevalence and intensity of soil-transmitted helminth infections. PLoS Negl Trop Dis. 2008;2(9):e293.
7. Albonico M, Allen H, Chitsulo L, Engels D, Gabrielli A-F, Savioli L. Controlling soil-transmitted helminthiasis in pre-school-age children through preventive chemotherapy. PLoS Negl Trop Dis. 2008;2(3):e126.
8. de Silva NR. Impact of mass chemotherapy on the morbidity due to soil-transmitted nematodes. Acta Trop. 2003;86(2-3):197-214.
9. Clarke NE, Clements AC, Doi SA, Wang D, Campbell SJ, Gray D, et al. Differential effect of mass deworming and targeted deworming for soil-transmitted helminth control in children: a systematic review and meta-analysis. Lancet. 2017;389(10066):287-97.
10. Keiser J, Utzinger J. Efficacy of current drugs against soil-transmitted helminth infections: systematic review and meta-analysis. JAMA. 2008;299(16):1937-48.
11. World Health Organization. Assessing the effi cacy of anthelminthic drugs gainst schistosomiasis and soil-transmitted helminthiases [Internet]. Geneva: WHO; 2013 [capturado em 20 jan. 2021]. Disponível em: https://apps.who.int/iris/bitstream/handle/10665/79019/9789241564557_eng.pdf;jsessionid=0A1A43F-C442A990B8E77747080970ECF?sequence=1
12. Reddy M, Gill SS, Kalkar SR, Wu W, Anderson PJ, Rochon PA. Oral drug therapy for multiple neglected tropical diseases: a systematic review. JAMA. 2007;298(16):1911-24.
13. Taylor-Robinson DC, Maayan N, Donegan S, Chaplin M, Garner P. Public health deworming programmes for soil-transmitted helminths in children living in endemic areas. Cochrane Database Syst Rev. 2019;9(9):CD000371.
14. Gulani A, Nagpal J, Osmond C, Sachdev HP. Effect of administration of intestinal anthelmintic drugs on haemoglobin: systematic review of randomised controlled trials. BMJ. 2007;334(7603):1095
15. Hinrichsen SL. Parasitoses intestinais (protozoários e helmintos). In: Hinrichsen SL. Doenças infecciosas e parasitárias. Rio de Janeiro: Guanabara Koogan; 2005. p. 368-77.
16. Neves J. Helmintíases intestinais. In: Hinrichsen SL. Doenças infecciosas e parasitárias. Rio de Janeiro: Guanabara Koogan; 2005. p. 865-80.
17. Moser W, Schindler C, Keiser J. Efficacy of recommended drugs against soil transmitted helminths: systematic review and network meta-analysis. BMJ. 2017;358:j4307.
18. Wen LY, Yan XL, Sun FH, Fang YY, Yang MJ, Lou LJ. A randomized, double-blind, multicenter clinical trial on the efficacy of ivermectin against intestinal nematode infections in China. Acta Trop. 2008;106(3):190-4.
19. Juan JO, Lopez Chegne N, Gargala G, Favennec L. Comparative clinical studies of nitazoxanide, albendazole and praziquantel in the treatment of ascariasis, trichuriasis and hymenolepiasis in children from Peru. Trans R Soc Trop Med Hyg. 2002;96(2):193-6.
20. Steinmann P, Utzinger J, Du ZW, Jiang JY, Chen JX, Hattendorf J, et al. Efficacy of single-dose and triple-dose albendazole and mebendazole against soil-transmitted helminths and Taenia spp.: a randomized controlled trial. PLoS One. 2011;6(9):e25003.
21. Heukelbach J, Wilcke T, Winter B, Sales de Oliveira FA, Sabóia Moura RC, et al. Efficacy of ivermectin in a patient population concomitantly infected with intestinal helminths and ectoparasites. Arzneimittelforschung. 2004;54(7):416-21.
22. St Georgiev V. Chemotherapy of enterobiasis (oxyuriasis). Expert Opin Pharmacother. 2001;2(2):267-75.
23. Grencis RK, Cooper ES. Enterobius, trichuris, capillaria, and hookworm including ancylostoma caninum. Gastroenterol Clin North Am. 1996;25(3):579-97.
24. Henriquez-Camacho C, Gotuzzo E, Echevarria J, White AC Jr, Terashima A, Samalvides F, et al. Ivermectin versus albendazole or thiabendazole for Strongyloides stercoralis infection. Cochrane Database Syst Rev. 2016;2016(1):CD007745.
25. Suputtamongkol Y, Premasathian N, Bhumimuang K, Waywa D, Nilganuwong S, Karuphong E, et al. Efficacy and safety of single and double doses of ivermectin versus 7-day high dose albendazole for chronic strongyloidiasis. PLoS Negl Trop Dis. 2011;5(5):e1044.
26. Bisoffi Z, Buonfrate D, Angheben A, Boscolo M, Anselmi M, Marocco S, et al. Randomized clinical trial on ivermectin versus thiabendazole for the treatment of strongyloidiasis. PLoS Negl Trop Dis. 2011;5(7):e1254.
27. Greaves D, Coggle S, Pollard C, Aliyu SH, Moore EM. Strongyloides stercoralis infection. BMJ 2013;347:f4610.
28. Togoro SY, Souza EM, Sato NS. Diagnóstico laboratorial da neurocisticercose: revisão e perspectivas. J Bras Patol Med Lab. 2012;48(5):345-55.

29. Lohiya GS, Tan-Figueroa L, Crinella FM, Lohiya S. Epidemiology and control of enterobiasis in a developmental center. West J Med. 2000;172(5):305-8.
30. World Health Organization. WHO model formulary for children 2010: based on the second model list of essential medicines for children 2009 [Internet]. Geneva: WHO; 2010 [capturado em 20 jan. 2021]. Disponível em: https://apps.who.int/iris/bitstream/handle/10665/44309/9789241599320_eng.pdf?sequence=1&isAllowed=y
31. Pawłowski ZS. Efficacy of low doses of praziquantel in taeniasis. Acta Trop. 1990;48(2):83-8.
32. Michael JG, Farthing MD. Giardiasis. Gastroenterol Clin North Am. 1996;25(3):493-515.
33. Gardner TB, Hill DR. Treatment of giardiasis. Clin Microbiol Rev. 2001;14(1):114-28.
34. Zaat JOM, Mank THG, Assendelft WJJ. WITHDRAWN: drugs for treating giardiasis. Cochrane Database Syst Rev. 2007;1998(2):CD000217.
35. Pasupuleti V, Escobedo AA, Deshpande A, Thota P, Roman Y, Hernandez AV. Efficacy of 5-nitroimidazoles for the treatment of giardiasis: a systematic review of randomized controlled trials. PLoS Negl Trop Dis. 2014;8(3):e2733
36. Granados CE, Reveiz L, Uribe LG, Criollo CP. Drugs for treating giardiasis. Cochrane Database Syst Rev. 2012;12(12):CD007787.
37. Solaymani-Mohammadi S, Genkinger JM, Loffredo CA, Singer SM. A meta-analysis of the effectiveness of albendazole compared with metronidazole as treatments for infections with Giardia duodenalis. PLoS Negl Trop Dis. 2010;4(5):e682.
38. Nagata N, Shimbo T, Akiyama J, Nakashima R, Niikura R, Nishimura S, et al. Predictive value of endoscopic findings in the diagnosis of active intestinal amebiasis. Endoscopy. 2012;44(4):425-8.
39. Amoebiasis. Wkly Epidemiol Rec. 1997;72(14):97-9.
40. Pritt BS, Clark CG. Amebiasis. Mayo Clin Proc. 2008;83(10):1154-9; quiz 1159-60.
41. Gonzales MLM, Dans LF, Sio-Aguilar J. Antiamoebic drugs for treating amoebic colitis. Cochrane Database Syst Rev. 2019;1(1):CD006085.

## LEITURAS RECOMENDADAS

World Health Organization. Helminth control in school-age children: a guide for managers of control programmes. 2nd. ed. Geneva: WHO; 2011.
*Excelente guia para educação infantil e em saúde.*

Ziegelbauer K, Speich B, Mäusezahl D, Bos R, Keiser J, Utzinger J. Effect of sanitation on soil-transmitted helminth infection: systematic review and meta-analysis. PLoS Med. 2012;9(1):e1001162.
*Revisão baseada nas melhores evidências sobre a importância das ações de saneamento básico para o controle das geo-helmintíases.*

Centers for Disease Control and Prevention (CDC). Parasites. Disponível em: http://www.cdc.gov/parasites/sth/.
*O site do Centers for Disease Control and Prevention traz informações detalhadas sobre várias helmintíases.*

Water Supply & Sanitation Collaborative Council (WSSCC). Disponível em: http://www.wsscc.org/.
*Programa sobre tecnologia sobre saneamento e suprimento de água.*

WHO/UNICEF Joint Monitoring Programme (JMP) for Water Supply and Sanitation. Disponível em: http://www.wssinfo.org/.
*Programa de promoção do acesso à água de boa qualidade e ao saneamento.*

World Health Organization (WHO). Intestinal worms. Disponível em: http://www.who.int/intestinal_worms/en/.

*O site da Organização Mundial de Saúde traz informações em geo-helmintíases, incluindo estratégias de controle das helmintíases e permissão de acesso a excelentes manuais: Partners for Parasite Control newsletter, Action Against Worms e A Lively and Healthy Me (sobre educação de crianças para controle de verminoses).*

World Health Organization (WHO). Water Sanitation Health. Disponível em: http://www.who.int/water_sanitation_health/en/.
*Programa de promoção do acesso à água de boa qualidade e ao saneamento.*

# Capítulo 159
# PARASITOSES TECIDUAIS

Iara Marques de Medeiros
Eliana Lúcia Tomaz do Nascimento
Denise Vieira de Oliveira

Neste capítulo, são abordadas parasitoses teciduais de importância em nosso meio: cisticercose, esquistossomose mansônica, angiostrongiloidíase, larva *migrans* visceral e hidatidose. Outras parasitoses teciduais relevantes, como doença de Chagas, malária e toxoplasmose, são tratadas em capítulos específicos.

## CISTICERCOSE

A cisticercose é uma entidade clínica decorrente da presença da forma larvária de tênias nos tecidos de suínos, bovinos e humanos. No homem, é causada apenas pela larva de *Taenia solium*, denominada *Cysticercus cellulosae*. Na cisticercose, o homem é hospedeiro intermediário acidental.

A cisticercose desapareceu da Europa no século passado, graças à melhoria das condições sanitárias e da assistência à saúde. Entretanto, continua endêmica em vários países em desenvolvimento. Em países desenvolvidos, tem-se apresentado como doença emergente em decorrência das migrações humanas e do turismo. No Brasil, tem caráter endêmico de alta prevalência. Afeta, principalmente, adultos na 3ª e 4ª décadas de vida, sendo incomum na infância e em idosos.

### Ciclo de vida e modo de transmissão

A cisticercose ocorre por ingestão de ovos de *T. solium* presentes na água e em alimentos contaminados. Os ovos são liberados no meio ambiente por intermédio das fezes de indivíduos com teníase e maus hábitos de higiene, os quais podem infectar água ou alimentos, seja naturalmente ou pela manipulação de alimentos. Ao ingerir os ovos, o indivíduo adquire a cisticercose.

Outra forma de infecção, a teníase, se dá quando o homem ingere carne de porco ou de gado malcozida, parasitada por larvas teciduais de *Taenia* (cisticercos) (ver Capítulo

Parasitoses Intestinais). Eventualmente, o indivíduo com teníase pode desenvolver cisticercose, caso haja eclosão das proglotes de *T. solium* ainda no intestino.

Os ovos eclodem no estômago após 1 a 3 dias de sua ingestão, liberando as oncosferas (larvas), as quais invadem a mucosa intestinal e, por meio da circulação, atingem os tecidos. Os principais sítios da infecção são olhos e anexos (46%), sistema nervoso (41%), pele e tecido subcutâneo (6,3%), músculos estriados e cardíaco (3,5%) e outros órgãos (3,2%). Após se localizarem nos tecidos, os cisticercos completam seu ciclo depois de passarem por várias fases de desenvolvimento (vesicular, coloidal, granular e calcificada, sucessivamente). Dependendo da fase evolutiva do cisticerco e de sua localização, observa-se uma resposta perilesional específica, com manifestações clínicas e patológicas correspondentes.

Na primeira fase (vesicular), a reação inflamatória é discreta e as manifestações clínicas são escassas ou ausentes. A reação inflamatória torna-se mais intensa à medida que há degeneração do cisto, evoluindo para reação granulomatosa crônica envolvendo a larva, que pode permanecer viável por anos, sobretudo no sistema nervoso central (SNC). Existe uma forma anômala da larva – o *Cysticercus racemosus* –, descrita apenas no homem, constituída por várias membranas agrupadas, semelhantes a um cacho de uvas, e que se aloja sobretudo no quarto ventrículo cerebral.

## Quadro clínico

Os cistos podem atingir qualquer órgão ou tecido, mas, na maioria das vezes, a cisticercose é assintomática. Entretanto, quando acometem o SNC ou o olho, podem provocar manifestações incapacitantes e, às vezes, fatais.

O diagnóstico clínico é difícil, pois o quadro é muito variável e pode ser confundido com outras condições. A apresentação clínica depende do número, do tamanho, da localização e do estágio evolutivo do cisticerco, assim como da compressão mecânica provocada por ele e da intensidade da resposta inflamatória do hospedeiro.

A neurocisticercose é a infecção parasitária mais comum do SNC. É mais frequente na 3ª e 4ª décadas da vida, sendo rara em crianças e idosos. A quantidade de larvas no SNC pode variar de 10 a 2.000, distribuídas de modo aleatório. Na maioria dos indivíduos, a neurocisticercose provoca sintomas anos após a invasão do SNC, devido à inflamação ao redor do parasita, ao efeito de massa ou à formação de cicatriz residual (calcificação). Muitas síndromes clínicas têm sido descritas, entre elas disfunção cerebral, ataxia cerebelar, déficits do sensório, movimentos involuntários, sintomas semelhantes ao acidente vascular cerebral (AVC), sinais extrapiramidais e demência. Outras mais raras são as síndromes da sela túrcica e do pseudotumor cerebral.[1]

É curioso notar que a maioria dos indivíduos alberga as larvas no SNC sem apresentar sintomas. Entre os indivíduos sintomáticos, convulsão com cefaleia e, às vezes, sinais neurológicos focais são as manifestações mais comuns, sendo descritas em mais de 70% dos pacientes. A crise convulsiva pode ser do tipo generalizada ou parcial com generalização, única ou repetida. Sinais neurológicos focais, quando presentes, são transitórios. Cefaleia e aumento da pressão intracraniana são frequentes em pacientes com lesões extraparenquimatosas (um terço dos casos), sendo mais comumente relacionadas com hidrocefalia aguda (cistos intraventriculares) ou crônica (aracnoidite ou ependidimite). A hipertensão intracraniana é descrita ainda na forma racemosa e encefalítica da neurocisticercose. A cisticercose espinal é rara e pode apresentar-se como síndrome compressiva medular ou de nervo periférico.[2]

Quando há morte dos cisticercos, a degeneração dos cistos resulta em reação inflamatória intensa, com exacerbação (ou mesmo aparecimento) das manifestações clínicas da neurocisticercose. Sequelas como epilepsia, hidrocefalia e demência podem ocorrer. As formas parenquimatosas de neurocisticercose são menos graves do que as formas ventriculares e endovasculares.

A cisticercose muscular é, em geral, assintomática; porém, quando causada por várias larvas, provoca dor, fadiga e cãibras. Quando afeta o músculo cardíaco, pode causar palpitações e dispneia. No tecido subcutâneo, as larvas são frequentemente confundidas com cistos sebáceos e lipomas.

O comprometimento ocular ocorre em 1 a 3% das infecções; pode causar irite, opacificação do vítreo, descolamento de retina e perda visual por perfuração da retina. Também pode ocorrer alteração da visão por uveíte crônica.

## Diagnóstico

Para o diagnóstico de cisticercose, deve ser considerada a procedência do indivíduo e seus hábitos alimentares (consumo de carne de porco malpassada, de água não tratada e/ou de verduras cruas mal higienizadas, ou contato com portadores de teníase).

O diagnóstico clínico é impreciso, pois os sintomas são comuns a várias outras condições. Além disso, os testes sorológicos são insensíveis e pouco específicos. O diagnóstico de certeza só pode ser definido por exame anatomopatológico de material obtido por biópsia ou necropsia, o que nem sempre é factível.

> Os achados radiológicos não são patognomônicos de neurocisticercose. No entanto, nas formas neurológicas, o padrão-ouro para o diagnóstico é o exame de imagem, seja tomografia computadorizada (TC) ou ressonância magnética (RM), que revelam o achado típico da neurocisticercose: a presença de cistos viáveis com nódulo mural (escólex), associados a cistos degenerados e/ou calcificados.

Indivíduos com suspeita clínica de neurocisticercose e cisticercose ocular devem ser encaminhados para o especialista (neurologista ou oftalmologista, respectivamente) para diagnóstico e tratamento. O tratamento específico é feito no nível hospitalar, devido à possibilidade de liberação antigênica e consequente resposta inflamatória, que pode ser deletéria para o SNC ou para a visão. Nas formas com acometimento subcutâneo e de musculatura esquelética, o tratamento pode ser feito na atenção primária à saúde (APS), desde que descartado o acometimento neurológico e ocular.

Nas formas parenquimatosas de neurocisticercose, a TC e a RM permitem classificar a fase evolutiva do cisticerco no parênquima cerebral, o que é fundamental para o entendimento das manifestações clínicas e para a decisão terapêutica apropriada. A princípio, podem ser identificadas quatro fases: vesicular (larva viva), coloidal, granular-nodular (larva degenerada ou em transição) e calcificada (larva morta). Na fase vesicular, os cistos medem 10 a 20 mm de diâmetro, têm paredes finas e são preenchidos por fluido isodenso com o líquido cerebrospinal (LCS), com pouca ou nenhuma evidência de reação inflamatória perilesional e sem realce após o contraste. Quando ocorre reação imune à presença do cisto, há inflamação e edema perilesional, traduzido por lesões com realce após o contraste (reforço anelar), caracterizando a fase granulomatosa ou coloidal. Na maioria das vezes, os sintomas (convulsão) coincidem com essa fase. Finalmente, as lesões podem desaparecer ou calcificar, quando não há mais parasita viável. Cistos gigantes (> 50 mm) são descritos, sobretudo localizados na fissura sylviana. Encefalite cisticercótica é uma condição rara e caracterizada pela presença de numerosos cisticercos inflamados, determinando grave edema cerebral difuso.[1]

Nas formas extraparenquimatosas, os cisticercos presentes nos ventrículos ou nas cisternas basais (forma racemosa) podem não ser visualizados à TC, pois têm paredes finas e conteúdo isodenso com o LCS, e à RM determinam apenas sinais indiretos: hidrocefalia, ependimite ou meningite basal. O parasita localizado no espaço subaracnóideo provoca reação meníngea (aracnoidite), aumento da pressão intracraniana, hiperproteinorraquia e hipercitose linfomonocitária moderada (5-50 células/mm$^3$), com presença de eosinófilos. A eosinofilia liquórica tem alto significado diagnóstico. Essa forma é de difícil diagnóstico diferencial com meningite tuberculosa.

Vários métodos imunológicos estão disponíveis para a pesquisa de anticorpos (indicam infecção atual ou pregressa) ou de antígenos (infecção atual).

Anticorpos podem ser detectados no sangue, por reação de fixação do complemento, hemaglutinação indireta, ensaio imunoenzimático (Elisa) e *immunoblot* enzimático (EITB). Atualmente, o EITB é o melhor teste disponível para o diagnóstico de cisticercose; entretanto, o Elisa continua sendo o mais usado, por ser de execução mais simples. Esse teste tem baixa sensibilidade (50%) e baixa especificidade (65%), sendo necessário interpretar os seus resultados com cautela. O EITB tem elevada sensibilidade (> 90%) **B**.[3] porém depende da fase e do número de cisticercos (pacientes com vermes mortos e únicos podem ter resultados negativos). Além disso, a reação pode ser positiva em pacientes com teníase.

Em áreas endêmicas, um resultado do EITB reagente não confirma o diagnóstico de cisticercose, e um resultado negativo em paciente com lesão cerebral única ou calcificada não exclui o diagnóstico.

A presença de anticorpos detectáveis por qualquer método significa apenas infecção, e não necessariamente doença atual ou pregressa. Dois terços dos indivíduos em áreas endêmicas têm anticorpos detectáveis, porém sem evidência de lesões à TC.[4]

Devido a essas limitações, a sorologia não é utilizada na prática clínica para o diagnóstico definitivo de cisticercose. Várias tentativas foram feitas para desenvolver ensaios imunológicos capazes de detectar antígenos que indiquem a presença de parasitas vivos e ativos, porém seu uso clínico ainda é limitado.

Em 2017,[5] um grupo de especialistas revisou os critérios diagnósticos da neurocisticercose, que são apresentados na TABELA 159.1. Assim, de acordo com a presença desses critérios, o diagnóstico da neurocisticercose pode ser estabelecido como definitivo ou provável, conforme mostra a TABELA 159.2. Com relação à versão anterior, do ano 2000, as principais modificações seguiram dois princípios principais: (1) estudos de neuroimagem são essenciais para o diagnóstico; e (2) informações sobre manifestações clínicas, testes imunodiagnósticos e contextos epidemiológicos somente agregam evidências indiretas que favorecem o diagnóstico de neurocisticercose.

## Tratamento

A terapia antiparasitária na neurocisticercose não é uma urgência, sendo apropriado esperar até que o paciente esteja sem sintomas para iniciá-la.

**TABELA 159.1** → Critérios para diagnóstico da neurocisticercose

| CRITÉRIOS ABSOLUTOS |
|---|
| → Demonstração histológica do parasita em biópsia de lesão cerebral ou medular |
| → Visualização direta do parasita na retina (fundoscopia) |
| → Lesão cística com escólex em TC ou RM de crânio |

| CRITÉRIOS DE NEUROIMAGEM |
|---|
| **Maiores** |
| → Lesões císticas sem escólex discernível |
| → Lesões com realce de contraste |
| → Lesões císticas multilobuladas no espaço subaracnóideo |
| → Calcificações típicas no parênquima cerebral |
| **Confirmatórios** |
| → Resolução das lesões císticas após tratamento com fármacos cisticidas |
| → Resolução espontânea de pequenas lesões únicas com realce de contraste |
| → Migração de cistos ventriculares documentada em exames de neuroimagem sequenciais |
| **Menores** |
| → Hidrocefalia obstrutiva (simétrica ou assimétrica) ou realce de contraste anormal das leptomeninges basais |

| CRITÉRIOS CLÍNICOS/DE EXPOSIÇÃO |
|---|
| **Maiores** |
| → Detecção de anticorpos anticisticerco específicos ou antígenos de cisticerco por testes imunodiagnósticos padronizados (EIBT ou Elisa) |
| → Cisticercose fora do SNC (radiografia de tecidos moles com calcificações, lesão "em charuto"; visualização do cisticerco na câmara anterior do olho) |
| → Evidência de contato domiciliar com teníase |
| **Menores** |
| → Manifestações clínicas sugestivas de neurocisticercose (principalmente convulsões, mas outros sintomas incluem cefaleia crônica, déficits neurológicos focais, hipertensão intracraniana e declínio cognitivo) |
| → Indivíduos residentes ou procedentes de área endêmica |

EIBT, *immunoblot* enzimático; Elisa, ensaio imunoenzimático; RM, ressonância magnética; SNC, sistema nervoso central; TC, tomografia computadorizada.
Fonte: Del Brutto e colaboradores.[5]

**TABELA 159.2** → Probabilidade do diagnóstico da neurocisticercose

**DIAGNÓSTICO DEFINITIVO**

1. Presença de 1 critério absoluto OU
2. Presença de 2 critérios de neuroimagem maiores + qualquer critério clínico/de exposição OU
3. Presença de 1 critério de neuroimagem maior E 1 critério de neuroimagem confirmatório + qualquer critério clínico/de exposição OU
4. Presença de 1 critério de neuroimagem maior + 2 critérios clínicos/de exposição (incluindo pelo menos 1 critério clínico/de exposição maior), junto com a exclusão de outras patologias que produzam achados de neuroimagem semelhantes

**DIAGNÓSTICO PROVÁVEL**

1. Presença de 1 critério de neuroimagem maior + 2 critérios clínicos/de exposição quaisquer
2. Presença de 1 critério de neuroimagem menor + pelo menos 1 critério clínico/de exposição maior

Fonte: Adaptada de Del Brutto e colaboradores.[5]

Ainda há inúmeras controvérsias acerca do tratamento da neurocisticercose, no que se refere aos tipos de lesões que devem ser tratadas, ao fármaco mais eficaz, à dose e à duração da terapia e à relação risco/benefício da terapia específica.[6]

Deve-se instituir tratamento sintomático adequado com medicamentos anticonvulsivantes, antiedema cerebral, analgésicos e corticoides. O manejo da hipertensão intracraniana, quando presente, é crucial. Os corticoides são efetivos, promovendo a melhora sintomática e acelerando a melhora radiológica **C/D**.[7–9] Apesar da necessidade de melhores evidências sobre o efeito dos anticonvulsivantes na neurocisticercose, esses medicamentos parecem reduzir a incidência de crises convulsivas, e são indicados para pacientes que apresentam crises **B**.[10] Não existem evidências que apoiem o uso profilático de anticonvulsivantes em pacientes assintomáticos ou sem história de convulsão,[10] mas o benefício dessa conduta pode ser considerado, caso a caso, à luz do risco envolvido (p. ex., múltiplas lesões, degenerativas, com halo inflamatório). O controle das crises convulsivas costuma ocorrer com monoterapia, seja com fenitoína, carbamazepina ou valproato.

Fármacos cisticidas, como o albendazol e o praziquantel, são efetivos no tratamento da neurocisticercose, em especial em doentes com lesões císticas **C/D**,[11] reduzindo a frequência de crises generalizadas **B**.[12,13] Entre os fármacos cisticidas, o albendazol é o mais efetivo na resolução das lesões ativas e no controle de crises **B**.[13,14]

Quando há acometimento subaracnóideo, recomenda-se o uso de cisticida (albendazol 15 mg/kg/dia, por 4 semanas, às vezes em ciclos repetidos) associado a corticoide (prednisona 60 mg/dia, por 10 dias, reduzindo 5 mg a cada 5 dias) e derivação ventriculoperitoneal, se necessária **C/D**.[12]

Diante da possibilidade de infecção ativa parenquimatosa (parasitas viáveis), o tratamento específico da cisticercose é feito com albendazol (15 mg/kg/dia, VO, durante 7-14 dias) ou, alternativamente, com praziquantel (50-100 mg/kg/dia, durante 15 dias).[15,16] O albendazol tem ação cisticida mais eficaz. Além disso, os níveis séricos do praziquantel são reduzidos se o medicamento for usado em concomitância com corticoides. Esses medicamentos penetram rapidamente no LCS e lentamente nos cisticercos.[17] O praziquantel é contraindicado na cisticercose ocular isolada ou associada a cistos em qualquer outra localização. Deve-se sempre realizar avaliação oftalmológica para descartar cistos intraoculares antes de utilizar medicamentos cisticidas.

Entre o 2º e o 5º dia do início da terapia antiparasitária, os pacientes costumam apresentar exacerbação das manifestações neurológicas, decorrente da morte das larvas do parasita. Pode ocorrer grave hipertensão intracraniana, levando ao óbito.

> O tratamento antiparasitário da neurocisticercose deve ser realizado no nível hospitalar, precedido e acompanhado do uso de corticoide (dexametasona 0,1 mg/kg/dia, instituído 1 dia antes até o final da terapia específica).[7,15] Pacientes assintomáticos ou com cisticercos mortos/calcificados não devem ser tratados com antiparasitários **C/D**.

A terapia combinada de albendazol com praziquantel tem sido proposta, mas requer melhores evidências para sua indicação **C/D**.[18]

O advento da neurocirurgia minimamente invasiva (neuroendoscopia) tem mudado o manejo dos cistos intraventriculares. A extração neuroendoscópica com fenestração da parede anterior do terceiro ventrículo pode evitar a necessidade de derivação ventriculoperitoneal.[19]

A **TABELA 159.3** resume as recomendações para o tratamento da neurocisticercose.[20]

## Prevenção e controle

Para profilaxia e controle da cisticercose, são essenciais as medidas de prevenção das teníases, incluindo diagnóstico precoce e tratamento dos infectados. Medidas de educação sanitária devem alertar as pessoas para o risco de ingerir carne crua ou malcozida, bem como ensiná-las a reconhecer as proglotes eliminadas e orientá-las a praticar higienização correta de frutas e verduras.

A cisticercose não é doença de notificação compulsória. Entretanto, os casos diagnosticados de teníase e neurocisticercose devem ser informados aos serviços de saúde, visando mapear as áreas afetadas, para que possam ser adotadas as medidas sanitárias indicadas.

# ESQUISTOSSOMOSE MANSÔNICA

A esquistossomose mansônica é uma helmintíase causada por vermes trematódeos da espécie *Schistosoma mansoni*. A doença é endêmica em diversas regiões do mundo, ocorrendo em 52 países e territórios, sobretudo na América do Sul, no Caribe, na África Subsaariana e no leste do Mediterrâneo. No Brasil, a transmissão ocorre em 19 Estados, estendendo-se continuamente ao longo do litoral nordestino (do Rio Grande do Norte à Bahia), alcançando, na Região Sudeste, o interior do Espírito Santo e Minas Gerais (**FIGURA 159.1**).[21]

Classicamente descrita como uma doença rural, incide na atualidade também em áreas urbanas da América do Sul e da África, como consequência da migração populacional e das transformações ambientais produzidas pelo homem.

**TABELA 159.3** → Guia para a indicação de terapia antiparasitária na neurocisticercose, conforme painel de especialistas

| TIPO DE LESÃO | INTENSIDADE DA INFECÇÃO | RECOMENDAÇÃO* |
|---|---|---|
| Cistos viáveis | Leve (1-5 cistos) | (a) Terapia antiparasitária (TA) + corticoide<br>(b) TA + corticoide, somente em caso de efeitos colaterais da TA<br>(c) Não fazer TA; acompanhamento com neuroimagem |
| | Moderada (> 5 cistos) | Consenso: TA + corticoide |
| | Intensa (> 100 cistos) | (a) TA + corticoide em altas doses<br>(b) Corticoterapia prolongada; não fazer TA; acompanhamento com neuroimagem |
| Cistos degenerados (com edema perilesional) | Leve a moderada | (a) Não fazer TA; acompanhamento com neuroimagem<br>(b) TA + corticoide<br>(c) TA + corticoide, somente em caso de efeitos colaterais da TA |
| | Intensa (encefalite) | Consenso: não fazer TA; corticoide em altas doses e diurético osmótico |
| Cistos calcificados | Qualquer número | Consenso: não fazer TA |
| Ventricular | – | Consenso: remoção neuroendoscópica, se disponível<br>Caso não:<br>(a) Derivação ventriculoperitoneal seguida de TA + corticoide<br>(b) Cirurgia aberta |
| Subaracnóidea (incluindo racemosa, gigante e meníngea crônica) | | Consenso: TA + corticoide; derivação ventriculoperitoneal em caso de hidrocefalia |
| Hidrocefalia sem cistos viáveis | | Consenso: derivação ventriculoperitoneal; não fazer TA |
| Medular (intra ou extra) | | Consenso: tratamento cirúrgico<br>Relatos anedóticos com albendazol + corticoide |
| Ocular | | Consenso: remoção cirúrgica dos cistos |

* Quando não há consenso, (a), (b) e (c) correspondem às opções dadas pelo painel de especialistas, em ordem de preferência, conforme número de especialistas que defendiam cada opção.
Fonte: Adaptada de Garcia e colaboradores.[20]

Contudo, a distribuição geográfica da esquistossomose está diretamente relacionada com a presença de caramujos do gênero *Biomphalaria*, hospedeiros intermediários do parasita. Criadouros aquáticos desses moluscos constituem focos de transmissão da esquistossomose mansônica, sobretudo em regiões onde não há saneamento ambiental adequado e a população elimina dejetos a céu aberto, contaminando coleções hídricas.[22]

## Ciclo de vida e modo de transmissão

O homem é o único reservatório de *S. mansoni*, eliminando os ovos do parasita junto com as fezes. Em contato com a água com altas temperaturas, luz intensa e boa oxigenação, os ovos liberam os miracídios, os quais penetram nos hospedeiros intermediários – moluscos do gênero *Biomphalaria*, transformando-se em cercárias. Estas, em até 30 dias, são eliminadas na água, onde sobrevivem por no máximo 48 horas, até alcançarem seu hospedeiro definitivo – o homem.

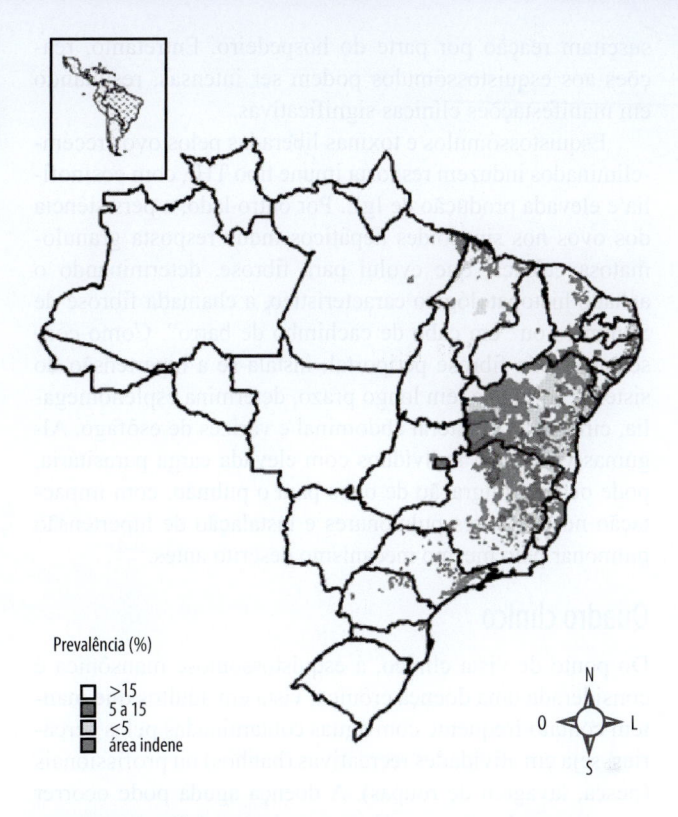

**FIGURA 159.1** → Áreas endêmicas da esquistossomose mansônica no Brasil.
Fonte: Amaral e colaboradores.[21]

A penetração ocorre através da pele e das mucosas, com perda da cauda das cercárias e evolução para esquistossômulos, os quais migram pelo tecido subcutâneo até atingirem um vaso sanguíneo, por intermédio do qual são levados até os pulmões, via coração direito. Dos pulmões, seguem pelas veias pulmonares até o coração esquerdo e, a partir daí, dirigem-se para o sistema porta.

Uma vez no sistema porta intra-hepático, os esquistossômulos, 25 a 28 dias após a penetração, evoluem para vermes adultos, machos e fêmeas, que migram, já acasalados, para a veia mesentérica inferior, onde a fêmea faz a oviposição. Apenas um único casal de vermes se estabelece, e a fêmea elimina cerca de 400 ovos por dia, na parede de capilares e vênulas. Após 1 semana, os ovos tornam-se maduros (miracídio formado) e apenas 50% alcançam a luz intestinal após um período de 6 dias. Dessa forma, os primeiros ovos são vistos nas fezes, em média, 42 dias após a penetração das cercárias. Os 50% restantes sofrem degeneração na mucosa intestinal ou são levados, de maneira retrógrada, ao fígado, impactando nos sinusoides hepáticos.

Todos os eventos ocorridos, desde a penetração das cercárias até a eliminação dos ovos nas fezes, marcam a fase pré-postural da infecção. A partir de então, tem início a fase pós-postural. Os vermes adultos sobrevivem por 5 a 8 anos no sistema vascular humano. A migração errática de vermes adultos para o SNC é descrita, porém infrequente.[23,24]

Os efeitos patogênicos desse parasita no homem decorrem, principalmente, da reação do sistema imune aos ovos presentes nos tecidos. Em geral, os vermes adultos não suscitam reação por parte do hospedeiro. Entretanto, reações aos esquistossômulos podem ser intensas, resultando em manifestações clínicas significativas.

Esquistossômulos e toxinas liberadas pelos ovos recém-eliminados induzem resposta imune tipo $TH_2$, com eosinofilia e elevada produção de IgE. Por outro lado, a persistência dos ovos nos sinusoides hepáticos induz resposta granulomatosa crônica, que evolui para fibrose, determinando o achado histopatológico característico, a chamada fibrose de Symmers ou "em cabo de cachimbo de barro". Como consequência da fibrose periportal, instala-se a hipertensão do sistema porta que, em longo prazo, determina esplenomegalia, circulação colateral abdominal e varizes de esôfago. Algumas vezes, em indivíduos com elevada carga parasitária, pode ocorrer migração de ovos para o pulmão, com impactação nos capilares pulmonares e instalação de hipertensão pulmonar pelo mesmo mecanismo descrito antes.[23–25]

## Quadro clínico

Do ponto de vista clínico, a esquistossomose mansônica é considerada uma doença crônica, vista em adultos que mantêm contato frequente com águas contaminadas pelas cercárias, seja em atividades recreativas (banhos) ou profissionais (pesca, lavagem de roupas). A doença aguda pode ocorrer em crianças das áreas endêmicas e em turistas.

Observa-se amplo espectro clínico, que varia de acordo com a forma morfológica do parasita, a resposta do hospedeiro e o órgão onde ele se encontra.

**Doença aguda.** A fase pré-postural em geral é assintomática. Contudo, sintomas inespecíficos podem ocorrer, como mal-estar com ou sem febre, tosse, desconforto abdominal e quadro de hepatite aguda provocada pelos produtos de destruição dos esquistossômulos. A infecção cercariana pode causar dermatite urticariforme, com erupção papular, eritema, edema e prurido, que surgem 12 a 24 horas após a penetração, podendo durar até 5 dias (**FIGURA 159.2**).[26] A fase pós-postural pode cursar de modo grave, caracterizando a forma aguda toxêmica ou febre de Katayama, que coincide com a chegada dos vermes adultos à veia mesentérica inferior e com o início da postura. Depois de 4 a 8 semanas da infecção cercariana, surge febre alta intermitente, acompanhada de calafrios, sudorese noturna, mialgia, poliartralgia, tosse seca, broncospasmo, diarreia com ou sem sangue nas fezes e dor em hipocôndrio direito. Ao exame físico, percebe-se hepatoesplenomegalia, micropoliadenopatia generalizada e, por vezes, exantema cutâneo pruriginoso. Deve-se suspeitar dessa condição em pacientes com quadro febril agudo associado à leucocitose e marcante eosinofilia (> 20%), com história recente de contato com águas naturais em áreas de risco de transmissão da esquistossomose mansônica. O quadro agudo em geral é autolimitado, com evolução para a forma crônica. Entretanto, alguns pacientes podem evoluir para morte já na fase aguda.[27]

**Doença crônica.** Inicia 6 meses após a infecção e evolui progressivamente por vários anos. Podem surgir sinais de acometimento de diversos órgãos, caracterizando diferentes formas clínicas da esquistossomose:

→ hepatointestinal: são comuns sintomas dispépticos como eructações, plenitude gástrica, náuseas, vômitos, pirose e anorexia, além de dor abdominal tipo cólica difusa, ou localizada em fossa ilíaca direita, acompanhada de surtos diarreicos. Ao exame clínico, percebe-se hepatomegalia à custa do lobo esquerdo e sigmoide doloroso e endurecido. A eosinofilia está presente, mas é menos pronunciada;

→ hepatoesplênica compensada: os sintomas dispépticos persistem e surge aumento do volume abdominal devido à hepatoesplenomegalia e queda progressiva do estado geral do paciente. O fígado pode ser doloroso à palpação, com consistência aumentada, tamanho variável e superfície lisa. O baço cresce em direção à fossa ilíaca direita, com consistência firme e superfície lisa ou irregular;

→ hepatoesplênica descompensada: tardiamente, dependendo do grau de hipertensão portal, inicia-se a formação de circulação colateral e varizes esofágicas. Nessa fase, o fígado já está contraído, a esplenomegalia é volumosa e instala-se a ascite. O paciente apresenta-se desnutrido e episódios de hemorragia digestiva são frequentes, agravando a anemia consequente ao hiperesplenismo. Algumas vezes, ocorre hematêmese fulminante, mas habitualmente a hemorragia é constante, sob a forma de melena. Sucessivos episódios de descompensação clínica culminam com insuficiência hepática, caracterizada por eritema palmar, aranhas vasculares, ginecomastia e icterícia. Na fase final, instala-se a encefalopatia hepática, quando ocorre a maioria dos óbitos;

→ pulmonar: ocorre em 20 a 30% dos doentes, com ou sem sintomas, em geral associada à forma hepatoesplênica. O quadro hipertensivo deve-se à oclusão do leito arterial pulmonar pelos ovos, causando insuficiência cardíaca direita, que pode evoluir para *cor pulmonale*. Há cianose discreta e baqueteamento digital, em consequência de microfístulas arteriovenosas. De ocorrência não desprezível, a esquistossomose pulmonar deve ser incluída no diagnóstico diferencial das causas de hipertensão pulmonar em áreas endêmicas;

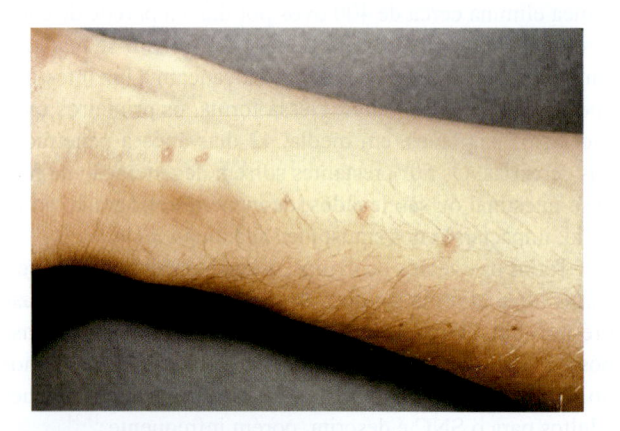

**FIGURA 159.2** → Reação inicial à penetração de várias larvas de *Schistosoma* (cercárias) na pele do braço. Através de cada marca entrou uma larva.
Fonte: Centers for Disease Control and Prevention.[26]

→ renal: ocorre em 12 a 15% dos indivíduos com a forma hepatoesplênica. Caracteriza-se por síndrome nefrótica, mediada pela deposição de imunocomplexos nos glomérulos, com evolução para insuficiência renal crônica em 50 a 60% dos doentes;

→ neuroesquistossomose: é causada pela embolização de ovos para o SNC ou oviposição, in situ, por migração anômala dos vermes. Embora possa acometer o encéfalo e o cerebelo, o quadro mais comum é o de mielorradiculopatia esquistossomótica (MRE) com acometimento toracolombar. É uma forma grave e incapacitante, atingindo jovens em plena fase produtiva. O reconhecimento da esquistossomose mansônica como causa de mielite possibilita a instituição precoce do tratamento, o que pode reparar lesões instaladas e evitar incapacidades. Salienta-se que os portadores da MRE em geral apresentam poucos ovos por grama de fezes e, muitas vezes, são provenientes de áreas de baixa prevalência. O Ministério da Saúde recomenda a implantação da vigilância epidemiológica da MRE em todo o País, mesmo em Estados não endêmicos, já que é livre a circulação de pessoas no território nacional, incluindo portadores de S. mansoni;[28]

→ pseudoneoplásica: pode apresentar-se como pólipos únicos ou múltiplos, estenoses ou vegetações tumorais simulando neoplasia de cólon;

→ ectópica: excepcionalmente, os ovos podem alcançar o apêndice, a tireoide, as glândulas suprarrenais, o trato genital e o miocárdio, determinando reação inflamatória tipo granulomatosa. É possível que essas formas sejam subdiagnosticadas nas áreas endêmicas, impedindo a oferta de tratamento específico e comprometendo o prognóstico desses pacientes.

É descrito que, em indivíduos cronicamente infectados por S. mansoni, as enterobactérias do gênero Salmonella e Escherichia coli podem aderir-se à superfície do verme adulto e ser translocadas, provocando quadro de enterobacteriose septicêmica prolongada, caracterizado por hepatoesplenomegalia febril prolongada associada à leucocitose neutrofílica e eosinofilia, além de hipergamaglobulinemia. Nas pessoas que vivem com vírus da imunodeficiência humana (HIV, do inglês human immunodeficiency virus), observou-se pior progressão da infecção por esse vírus e aumento da suscetibilidade a reinfecções por Schistosoma. Também há evidências de que a associação com infecção por HIV, infecção por vírus linfotrópico de células T humanas (HTLV, do inglês human T-cell lymphotropic virus) e por vírus das hepatites B e C, assim como a hepatite alcoólica, pioram a evolução da doença hepática.

Por fim, os dados disponíveis na literatura sobre a esquistossomose mansônica na gravidez apontam para ocorrência de anemia materna mais pronunciada e maior possibilidade de baixo peso ao nascer.[22]

## Diagnóstico

O diagnóstico diferencial da esquistossomose mansônica varia de acordo com a fase evolutiva da doença. Assim, a dermatite cercariana pode ser confundida com dermatite por larvas de outros helmintos (ancilóstomo e estrongiloides), por produtos químicos lançados nas coleções hídricas ou, ainda, por cercárias de parasitas de aves. A febre de Katayama pode ser confundida com diversas outras doenças infecciosas, como estrongiloidíase, febre tifoide, mononucleose, hepatites virais anictéricas, malária, brucelose, tuberculose miliar e doença de Chagas aguda. Finalmente, a esquistossomose crônica na forma hepatointestinal pode ser confundida com outras parasitoses intestinais (amebíase e giardíase) e doenças inflamatórias intestinais, e, na forma hepatoesplênica, com calazar, leucemia, linfomas, salmonelose prolongada, forma hiper-reativa da malária (esplenomegalia tropical), neoplasia de fígado e cirrose.[23,24,28]

A esquistossomose nas fases iniciais costuma ser assintomática e, em outras fases, pode ser confundida com muitas doenças. Portanto, a possibilidade de esquistossomose deve ser aventada em qualquer indivíduo com história de exposição a coleções hídricas em áreas de risco de transmissão, independentemente das manifestações clínicas, o que inclui os indivíduos assintomáticos.

## Diagnóstico laboratorial

O diagnóstico de esquistossomose mansônica pode ser confirmado por exame parasitológico das fezes (EPF), de preferência com uso de técnicas quantitativas e qualitativas de sedimentação. Em investigações epidemiológicas, o método de Kato-Katz é o de escolha, pois permite a visualização dos ovos e a sua contagem por grama de fezes, possibilitando avaliar a intensidade da infecção e a eficácia do tratamento. Na maioria das situações clínicas, o método da sedimentação espontânea (Hoffman) permite identificar a presença e a viabilidade dos ovos. Para maior sensibilidade (80%), recomendam-se a coleta e a análise de pelo menos 6 amostras de fezes coletadas diariamente **B**.[29]

A biópsia retal ou hepática, para identificação de ovos e/ou granulomas em mucosa intestinal ou tecido hepático, pode ser útil em indivíduos com suspeita da doença com EPF negativo.

A detecção de anticorpos por Elisa ou imunofluorescência indireta pode ser realizada em serviços de referência em indivíduos com EPF ou biópsia retal negativos. Entretanto, a interpretação dos resultados dos exames sorológicos é difícil, pois pode haver reação cruzada com outras helmintíases e persistência dos anticorpos anos após tratamento efetivo. Diante de um exame sorológico positivo, pode-se firmar o diagnóstico de esquistossomose se o paciente em questão nunca tiver recebido qualquer tratamento para a doença.

A ultrassonografia (US) é útil na identificação de hepatoesplenomegalia e ascite, podendo, ainda, revelar sinais sugestivos de fibrose periportal e dilatação do sistema porta.

A esquistossomose é doença de notificação compulsória nas áreas não endêmicas, segundo a Portaria MS nº 2.472, de 31 de agosto de 2010.[30] Entretanto, recomenda-se que todas as formas graves nas áreas endêmicas sejam notificadas, assim como todos os casos com focos isolados (Pará, Piauí, Rio de Janeiro, São Paulo, Paraná, Santa Catarina, Goiás,

Distrito Federal e Rio Grande do Sul). Os casos confirmados devem ser notificados e investigados por meio da ficha de investigação de caso de esquistossomose, do Sistema de Informação de Agravos de Notificação (Sinan).

Nas áreas endêmicas, é empregado o Sistema de Informação do Programa de Vigilância e Controle da Esquistossomose (SISPCE) para os registros de dados operacionais e epidemiológicos dos inquéritos coproscópicos.

## Tratamento

O praziquantel é o antiparasitário disponível no Brasil para o tratamento de crianças e adultos portadores de S. mansoni. A oxamniquina não é mais disponibilizada no Brasil, por ser menos eficaz que o praziquantel e por estar associada à maior ocorrência de efeitos colaterais.

O praziquantel, na apresentação de comprimidos de 600 mg, é administrado por via oral, em dose única de 50 mg/kg de peso corporal para adultos e 60 mg/kg de peso corporal para crianças. Tem ação sobre vermes adultos, mas não sobre vermes jovens. Promove cura em aproximadamente 75% dos pacientes (RRI = 213%; NNT = 1-37), sendo o medicamento de escolha, salvo contraindicações A.[31,32] Deve-se orientar repouso por pelo menos 3 horas após a ingestão do medicamento, para prevenir náuseas e tonturas.

O praziquantel é bem tolerado e apresenta efeitos colaterais leves, predominando diarreia e dor abdominal. Constituem-se contraindicações ao uso do praziquantel: gravidez, lactação, insuficiência hepática grave – inclusive a fase descompensada da forma hepatoesplênica –, insuficiência renal e outras situações graves de descompensação clínica. Durante a amamentação; se a nutriz for medicada, ela só deve amamentar a criança 72 horas após a administração do medicamento; o risco/benefício do tratamento deve ser avaliado.[22] A distribuição do praziquantel é gratuita para o tratamento da esquistossomose, estando disponível na rede de APS dos municípios ou nas unidades de referência.[22]

Para avaliar a cura parasitológica, devem ser realizados 3 exames de fezes no 4º mês após o tratamento. A biópsia retal negativa para ovos vivos entre o 4º e o 6º mês após o tratamento também é um método confiável para confirmação da cura parasitológica.[33]

## Prevenção e controle

O controle da esquistossomose mansônica depende de diversas ações norteadas pelo Programa de Vigilância e Controle da Esquistossomose. Para controle dos portadores, deve-se realizar a sua identificação por meio de inquéritos coproscópicos e quimioterapia específica, com o intuito de impedir o aparecimento de formas graves.

> Todos os portadores devem ser tratados, mesmo os assintomáticos, visto que constituem fonte importante de transmissão.

O uso de moluscicidas e o controle biológico são alternativas para o controle dos hospedeiros intermediários, devendo-se realizar pesquisa do parasita em coleções hídricas para determinação do seu potencial de transmissão. O combate à esquistossomose mansônica envolve também iniciativas de educação em saúde e mobilização comunitária, além de adequado saneamento ambiental nas áreas de risco.

## LARVA *MIGRANS* VISCERAL

É uma doença cosmopolita em expansão, decorrente da migração prolongada de larvas de nematódeos parasitas de outros mamíferos em tecidos humanos. É causada por parasitas da família Ascaridea, gênero Toxocara: *Toxocara canis*, parasita de cães e mais importante agente etiológico; e *Toxocara cati*, parasita de gatos. Outros agentes são implicados na etiologia dessa doença, mas têm menor importância, como *Ancylostoma caninum*, *Ascaris suum*, *Toxocara leonina* e *Gnathostoma spinigerum*.

### Modos de transmissão e ciclo de vida

A doença predomina em regiões tropicais, sendo mais frequente em populações rurais. Ocorre mais em crianças, especialmente nas com idade < 6 anos. O hábito de levar mãos e objetos sujos à boca, a geofagia e o contato íntimo com animais de estimação tornam as crianças mais suscetíveis à infecção e à ingestão de maior número de ovos. Pessoas sem história de contato com cães podem contaminar-se em praças, escolas (caixas de areia) e parques frequentados por esses animais.

Os cães contaminam-se pela ingestão de ovos infectantes presentes no solo ou em alimentos contaminados. As larvas L2 (segundo estágio) saem dos ovos no intestino, atravessam a parede do ceco, invadem o fígado e chegam aos capilares arteriais pulmonares; passam para os capilares venosos pulmonares, veia pulmonar e coração esquerdo, de onde se disseminam por todo o organismo. Nos cães machos, as larvas terminam aí seu ciclo evolutivo. Nas fêmeas, as larvas permanecem encistadas nos tecidos, principalmente no fígado.

Durante a gravidez de cadelas infectadas, as larvas reiniciam a migração, atingem o coração direito e os pulmões. Migram para a traqueia, evoluem para L3 e L4 (terceiro e quarto estágios) e são deglutidas. No intestino delgado, atingem a maturidade sexual, a fêmea é fecundada e inicia a postura dos ovos. Além da migração traqueal, as larvas na cadela grávida migram por via transplacentária, atingindo o fígado dos filhotes. Depois do nascimento, as larvas completam a migração: fígado, coração direito, pulmões, brônquios e traqueia. Deglutidas, atingem a maturidade sexual no intestino do novo hospedeiro. Os filhotes eliminam ovos de *Toxocara* depois de 3 a 4 semanas do nascimento. As larvas na glândula mamária da cadela podem contaminar o filhote por meio do colostro ou do leite. Nos gatos, não ocorre transmissão transplacentária.

O homem infecta-se acidentalmente, ingerindo os ovos de *Toxocara*. O ciclo no homem é semelhante ao do *Ascaris lumbricoides*. Por seu pequeno tamanho, as larvas de

*Toxocara* passam pelos capilares pulmonares, chegam à artéria pulmonar, ao coração esquerdo e se disseminam por todo o organismo. Quando a larva é maior que o diâmetro dos capilares pulmonares, ela atravessa a parede celular e segue uma migração errática e contínua pelos tecidos do hospedeiro. No homem, as larvas são encontradas sobretudo no fígado, nos pulmões, nos olhos, no miocárdio e no SNC.

Durante a migração tecidual, as larvas de *Toxocara canis* continuam metabolicamente ativas e liberam produtos antigênicos denominados antígenos de secreção-excreção, que são uma complexa mistura de proteínas glicosiladas. Esses antígenos apresentam uma fração alergênica responsável pela estimulação de eosinófilos.

Os antígenos de secreção-excreção presentes na epicutícula das larvas funcionam como receptores de anticorpos e são eliminados, junto com os anticorpos ligados, quando a larva "troca de pele", o que dificulta sua eliminação.

Nos tecidos, ocorre reação inflamatória que se organiza em torno das larvas e de seus metabólitos. Forma-se reação granulomatosa com centro necrótico, onde se encontram restos larvários, rodeados por células gigantes, neutrófilos e eosinófilos.

## Quadro clínico

As manifestações clínicas variam conforme o número de ovos infectantes ingeridos, o órgão acometido e a intensidade da resposta inflamatória do hospedeiro. Pode-se ter a forma assintomática, a clássica ou síndrome da larva *migrans* visceral (SLMV) e a ocular. A SLMV deve ser incluída no diagnóstico diferencial de pacientes (especialmente crianças) com manifestações clínicas compatíveis, leucocitose com eosinofilia e hipergamaglobulinemia.

Na forma clássica, ocorre eosinofilia persistente sem manifestações clínicas, durante até 2 anos ou mais, quando desaparece de maneira espontânea. Acomete principalmente crianças entre 1 e 4 anos, caracterizando-se por febre, hepatomegalia, eosinofilia persistente, hipergamaglobulinemia e aumento de isoaglutininas A e B. Pode ocorrer irritabilidade, mal-estar, anorexia e lesões urticariformes em tronco e membros inferiores. Com frequência, o pulmão é comprometido, ocorrendo tosse, dispneia, sibilos ou outros estertores. A radiografia de tórax é anormal em 30 a 40% dos casos, com infiltrados transitórios, comumente bilaterais. Pode ser confundida com asma brônquica, havendo alguma evidência de que maior efeito terapêutico pode ser alcançado em crianças com crises asmatiformes quando o tratamento anti-helmíntico é associado ao tratamento da asma. O acometimento hepático pode traduzir-se por hepatite granulomatosa, com elevação de transaminases e fosfatase alcalina.

O comprometimento do SNC caracteriza-se por convulsões focais ou generalizadas, distúrbios de comportamento e mielites. O exame do LCS mostra aumento de eosinófilos. Pode ocorrer artrite, miocardite, miosite, meningite e uma síndrome clínica caracterizada por astenia, dor abdominal e vários sintomas alérgicos.

A forma ocular acomete adultos e crianças maiores e caracteriza-se pela formação de lesão granulomatosa ao redor da larva, o que determina diminuição da acuidade visual (geralmente unilateral), dor ocular e estrabismo. Na maioria dos casos, não está associada a manifestações sistêmicas. Pode ocorrer uveíte, papilite, granuloma do polo posterior ou periférico do olho, catarata e endoftalmite. Pode haver descolamento de retina e cegueira. O diagnóstico diferencial deve ser feito com retinoblastoma, para evitar a desnecessária enucleação do olho afetado.

## Diagnóstico

Os achados laboratoriais incluem leucocitose, eosinofilia (que pode persistir anos após o desaparecimento dos sintomas), hipergamaglobulinemia (em especial, IgG, IgM e IgE) e títulos aumentados de isoaglutininas. O EPF não evidencia ovos ou larvas do parasita, que não atingem a forma adulta no organismo humano.

A US de abdome mostra múltiplas áreas hipoecoicas no fígado, que aparecem, à TC, como áreas de baixa densidade. A TC de tórax pode mostrar nódulos subpleurais multifocais com halo de opacidade em vidro fosco, com margens maldefinidas. Os granulomas do SNC aparecem na RM como áreas de hiperdensidade frequentemente localizadas em áreas corticais e subcorticais. A US ocular pode revelar massas, alterações vítreas e descolamento de retina.

O diagnóstico específico costuma ser feito pela pesquisa de anticorpos (Elisa), utilizando antígenos de secreção-excreção. Na SLMV, a sensibilidade e a especificidade do teste (títulos > 1:32) são de 78 e 92%, respectivamente **B**.[34,35]

O resultado de sorologia positiva deve ser interpretado no contexto clínico-epidemiológico, pois necessariamente não indica infecção atual, além de poder traduzir reação cruzada com antígenos de outros helmintos **B**.[35] O diagnóstico definitivo da SLMV somente é estabelecido pela demonstração do granuloma eosinofílico circundando a larva, em material obtido de biópsia tecidual. Entretanto, esse método raras vezes é usado na prática clínica.[36]

Na forma ocular, os pacientes podem ter títulos séricos baixos ou negativos; nesse caso, pode-se fazer a pesquisa dos anticorpos no humor aquoso, sendo considerada diagnóstica uma relação entre os títulos de IgG no humor aquoso/IgG total sérica > 3.[37]

## Tratamento

A melhor abordagem terapêutica para toxocaríase não está claramente definida na literatura, pois os estudos são escassos. Formas assintomáticas e leves podem ter curso autolimitado, independentemente da terapêutica, não sendo recomendado tratamento como rotina **C/D**. A resolução da eosinofilia pode demorar meses após a cura clínica, pois reflete reação aos antígenos liberados pelas larvas mortas. Indivíduos com formas moderadas a graves devem ser tratados com albendazol (400 mg, 2 ×/dia, por 5 dias) **B**.[38,39] Tratamentos de longa duração, de 4 a 8 semanas, foram documentados, com taxas de cura maiores (76,1% para duração < 4 semanas vs. 81,3% para duração de 8 semanas), sem aumento significativo de eventos adversos. No Japão, por exemplo, o tratamento recomendado é de 4 semanas, seguido de mais 4 semanas após 2 semanas de intervalo sem medicação.[39]

Quando há acometimento grave pulmonar, cardíaco ou do SNC, é necessário acrescentar prednisona (0,5-1 mg/kg/dia) ao esquema antiparasitário C/D.[38] O melhor tratamento para a forma ocular também é incerto e baseia-se em relatos de série de casos. Recomenda-se albendazol (adultos: 800 mg, 2 ×/dia, durante 2 semanas; crianças: 400 mg, 2 ×/dia, durante 2 semanas) associado à prednisona (0,5-1 mg/kg/dia) C/D, com retirada gradual, de acordo com a resposta observada no exame ocular, o que pode acontecer em semanas ou meses.[40] Também pode ser necessário o uso de corticoide tópico. Em situações complicadas, às vezes é necessária intervenção cirúrgica.[41]

O mebendazol (100-200 mg, 2 ×/dia, durante 5 dias) é uma alternativa ao albendazol, mas é preferido nas formas oculares e neurológicas, pois atravessa a barreira hematencefálica C/D. A ivermectina é pouco eficaz e não constitui alternativa terapêutica para a toxocaríase.

## ANGIOSTRONGILOIDÍASE ABDOMINAL

É uma zoonose causada pelo nematódeo *Angiostrongylus costaricensis*, descrita na América Latina e no Caribe. Os dados quanto à incidência da doença no Brasil são escassos. Há relatos de casos provenientes dos Estados do Paraná, Santa Catarina, Rio Grande do Sul, São Paulo, Minas Gerais e Espírito Santo.[42]

O homem é hospedeiro acidental. O verme adulto geralmente parasita as artérias mesentéricas de roedores silvestres, em especial *Sigmodon hispidus* e *Rattus rattus*. Os hospedeiros intermediários são moluscos terrestres da família Veronicellidae, conhecidos como lesmas-lixa por serem desprovidos de concha.

A contaminação humana costuma ocorrer pela ingestão dos próprios moluscos crus ou malpassados ou de frutas e verduras contaminadas com secreções dos moluscos, que podem conter larvas do parasita.[42]

A doença caracteriza-se clinicamente por sinais e sintomas semelhantes aos da apendicite aguda. Alguns indivíduos permanecem doentes durante meses, com episódios recorrentes de dor abdominal. Em geral, há leucocitose com eosinofilia. Às vezes, ocorre obstrução, perfuração e/ou hemorragia intestinal.[43,44]

O diagnóstico é confirmado pelos achados anatomopatológicos típicos em peças cirúrgicas ou de necropsia, ou seja, presença de vermes adultos nos vasos mesentéricos e/ou larvas ou ovos na parede intestinal. A maioria dos casos envolve o intestino, principalmente a região ileocecal. Acometimento hepático e testicular tem sido descrito.[43,44]

Não há tratamento antiparasitário eficaz. Às vezes, a ressecção cirúrgica é diagnóstica e curativa.

Deve-se evitar a ingestão de moluscos crus ou malpassados. As frutas e verduras devem ser lavadas e higienizadas, mas não se sabe se esse processo é eficaz para erradicar as larvas.

## HIDATIDOSE

É uma doença causada pela invasão tecidual da forma larvária de cestódeos do gênero *Echinococcus*, que pode acometer animais domésticos, animais silvestres e o homem.

A espécie mais importante de *Echinococcus granulosus* consiste em diminutas tênias, parasitas do intestino delgado de cães, seus hospedeiros definitivos. Os hospedeiros intermediários são sobretudo os ovinos e, em menor proporção, o porco e a vaca, além de canídeos silvestres e, acidentalmente, o homem. A sua forma larvária, ao desenvolver-se, produz vesícula única, esférica e tensa, com conteúdo líquido, denominada cisto hidático, responsável pela hidatidose cística.

A doença ocorre nas regiões ao norte e ao sul do paralelo 35 (Argentina, Rio Grande do Sul, Austrália e Nova Zelândia), onde há grande criação de ovinos e cães de pastoreio, além de clima frio ou temperado, com umidade elevada e irradiação solar escassa. Os costumes regionais de criar cães pastores e de alimentá-los com vísceras de animais (infectados) abatidos no ambiente peridomiciliar são elementos importantes na manutenção dessa zoonose.[45]

Outras 3 espécies são capazes de causar doença humana com baixa prevalência: *Echinococcus vogeli*, presente na América do Sul e na América Central, cuja larva, ao desenvolver-se, produz múltiplos cistos, causando a hidatidose policística; *Echinococcus oligarthus*, também causadora de hidatidose policística, que ocorre na América Latina, mas raramente acomete o homem; e *Echinococcus multilocularis*, restrita à região holoártica (Canadá, Alasca, Sibéria, norte da China, Alemanha, Suíça e França), responsável pela hidatidose alveolar, pois sua larva produz cistos multivesiculares.

Estima-se que haja 500 mil indivíduos infectados na América Latina, com alta prevalência em áreas rurais do Chile, da Argentina, do Uruguai, do Peru e do Brasil. No Brasil, a hidatidose é endêmica no Rio Grande do Sul, e há relatos isolados em São Paulo, Mato Grosso, Goiás, Minas Gerais, Bahia e Maranhão. Um estudo retrospectivo de casos que ocorreram no Rio Grande do Sul no período de 1981 a 2001 detectou que 73% deles ocorreram em indivíduos com idade entre 16 e 60 anos.[46]

### Modos de transmissão e ciclo de vida

Os cães infectam-se ao ingerir vísceras de hospedeiros intermediários contendo cistos hidáticos férteis. Os hospedeiros intermediários, inclusive o homem, infectam-se ao ingerir alimentos contaminados por ovos eliminados no ambiente pelos cães parasitados.

Os ovos eliminados com as fezes de cães, isoladamente ou em proglotes grávidas, já são infectantes e permanecem viáveis por vários meses em locais úmidos e sombrios, com temperaturas entre 1 e 2 °C. São resistentes a desinfetantes comuns, como álcool, formol e água sanitária, mas são destruídos por temperaturas elevadas (70 °C por 5 minutos e 100 °C por 1 minuto). Compõem-se de um envoltório quitinoso (embrióforo) contendo a larva (embrião hexacanto ou oncosfera). Ao serem ingeridos pelos hospedeiros intermediários, são digeridos de forma parcial pelo suco gástrico, e no duodeno, por ação da bile, há ruptura do embrióforo e liberação da larva. Esta penetra na mucosa intestinal, alcançando a circulação venosa e chegando, assim, ao fígado. Se vencer a barreira hepática, cai na veia cava inferior e é levada aos pulmões ou alcança a circulação sistêmica, podendo ser levada a qualquer órgão. Ao fixar-se aos tecidos, o embrião inicia o seu crescimento e no 4º dia começa a vacuolização, de modo que, ao final de 1 semana, já é uma hidátide definitiva, embora pequena. O crescimento se dá em média de 1 mm por mês, chegando a 4 ou 5 mm de diâmetro. O cisto está maduro em média 6 meses após a infecção e permanece viável por vários anos.[47]

O cisto hidático é formado por 3 membranas e outras estruturas. Localizada externamente, está a membrana adventícia, constituída de tecido fibroso; a seguir, a membrana anista ou hialina, formada por proteínas e mucopolissacarídeos. Mais internamente, está a membrana germinativa ou prolígera, a partir da qual são formados todos os componentes do cisto. Sua superfície é rugosa, constituída por inúmeras microvilosidades e vesículas prolígeras. Estas últimas são formadas por brotamento (reprodução assexuada por poliembrionia) e permanecem presas à membrana por um pedúnculo; no seu interior, são formados de 2 a 60 protoescóleces.

O cisto é cheio de um líquido cristalino (líquido hidático) altamente antigênico e contaminante, composto por mucopolissacarídeos, colesterol, lecitinas e aminoácidos. Dentro do cisto, também há a areia hidática, constituída de vesículas prolígeras, fragmentos de membrana germinativa e protoescóleces que se desprendem e ficam livres dentro do cisto. Nos cistos férteis, 1 cm³ de areia hidática pode conter até 40 mil protoescóleces.

Em situações especiais, como traumatismo, envelhecimento, perda de líquido por ruptura ou punção, infecção bacteriana e contaminação com bile ou urina, há formação de cistos anômalos denominados cistos hidáticos secundários (filhos), que podem ser endógenos, quando passam a apresentar diversas cavidades (cisto multivesicular), ou exógenos, quando acometem outros tecidos (em geral, ossos) por ruptura do cisto primário.

Ao serem ingeridos pelos cães, os cistos viáveis presentes em vísceras, principalmente de ovinos e bovinos, liberam no intestino, por evaginação, os protoescóleces, os quais se fixam à mucosa, determinando a equinococose no animal. O processo de maturação até vermes adultos, fertilização e formação de proglotes grávidas até a eliminação de ovos ocorre em 2 meses.[47]

## Quadro clínico

As manifestações clínicas ocorrem somente quando o cisto atinge grandes proporções, o que acontece após anos de infecção. Indivíduos com cistos pequenos, capsulados e calcificados em geral são assintomáticos.

O quadro clínico varia de acordo com os órgãos acometidos, a localização, o tamanho e o número de cistos. Alterações nas funções dos órgãos acometidos resultam de mecanismos compressivos, irritativos e/ou alérgicos.

As formas clínicas mais comuns da hidatidose são:

→ **hepática:** o fígado é o principal órgão acometido na hidatidose, em especial o lobo direito. Os cistos podem localizar-se em região subcapsular ou mais profundamente. Nesse caso, podem comprimir o parênquima, os vasos e as vias biliares, levando à sensação de plenitude gástrica, à congestão portal e à estase biliar, com surgimento de icterícia e ascite;

→ **pulmonar:** o pulmão é o segundo sítio acometido mais comum. Como há pouca resistência ao crescimento dos cistos, estes podem tornar-se bastante volumosos, comprimindo brônquios e alvéolos. Os sintomas mais comuns são dispneia e tosse com expectoração. Pode ocorrer ruptura dos cistos com expectoração de seu conteúdo (hidatidoptise), com presença de protoescóleces e fragmentos de membranas prolígeras no material de expectoração;

→ **cerebral:** o acometimento do cérebro é raro; entretanto, quando ocorre, o quadro é bastante grave pelo rápido crescimento dos cistos. As manifestações clínicas dependem da localização dos cistos;

→ **óssea:** também é uma forma rara, porém sua evolução costuma ser demorada e silenciosa. Pode ser diagnosticada apenas quando há fratura do osso acometido. Os cistos podem permanecer viáveis no tecido ósseo por até 20 anos. O fêmur é o osso longo mais acometido. O comprometimento da coluna ocorre em um terço dos indivíduos com hidatidose óssea, e da pelve, em um quinto dos indivíduos.

Em qualquer forma clínica de hidatidose, o paciente pode apresentar reações alérgicas intermitentes por extravasamento de líquido hidático para os tecidos. Em caso de contaminação da cavidade abdominal e/ou peritoneal, pode ocorrer choque anafilático, muitas vezes fatal. A presença de massas palpáveis ao exame físico de indivíduos provenientes de área endêmica associada a manifestações hepáticas e pulmonares crônicas é sugestiva de hidatidose.

## Diagnóstico

Os exames de imagem (radiografia simples, US, cintilografia, TC e RM) são utilizados de rotina no diagnóstico da hidatidose em diferentes sítios. Entretanto, em algumas situações, o diagnóstico diferencial com tumores e outras doenças (cisticercose, toxoplasmose) pode ser difícil. Os testes sorológicos (imunodifusão, imunofluorescência e Elisa) são fundamentais, tanto no diagnóstico inicial como na monitoração pós-operatória. Melhores resultados são obtidos com testes que utilizam antígenos do líquido hidático.[48]

A pesquisa de protoescóleces no escarro (quando há suspeita de ruptura de cistos pulmonares) e a laparotomia exploradora constituem métodos diagnósticos auxiliares para elucidação de casos intra-abdominais de difícil diagnóstico.

## Tratamento

O tratamento pode ser de três tipos: medicamentoso; por punção, aspiração, injeção e reaspiração do cisto (PAIR); e cirúrgico.[49]

### Tratamento medicamentoso

É a primeira opção terapêutica, podendo ou não ser acompanhado dos outros tipos de tratamento. O medicamento de escolha é o albendazol C/D,[50] mas 40% dos cistos permanecem ativos ou recidivam em até 2 anos.[51,52]

O albendazol pode ser usado em um dos seguintes esquemas:

→ **contínuo:** 400 mg, 2 ×/dia, por 3 a 6 meses;
→ **intermitente:** 400 mg, 2 ×/dia, em ciclos de 28 dias intercalados por 14 dias sem medicamento;
→ **auxiliar da PAIR e cirurgia:** 400 mg, 2 ×/dia, 4 dias antes e até 30 dias após os procedimentos;
**combinado com praziquantel:** em discussão na literatura.[49]

### PAIR (punção, aspiração, injeção e reaspiração do cisto)

Consiste na punção e na aspiração do líquido hidático, seguidas de injeção de uma substância protoescolicida (solução salina hipertônica a 20%, etanol, citridina ou sulfóxido de albendazol) e reaspiração após 10 minutos. Esse procedimento é recomendado para tratamento de indivíduos com cistos simples e múltiplos de 5 a 15 cm de diâmetro C/D,[53] e contraindicado naqueles com cistos pulmonares e cerebrais.

### Tratamento cirúrgico

É o método mais utilizado no Brasil, sendo indicado para indivíduos com cistos volumosos e acessíveis C/D.[54,55]

## Prevenção e controle

O tratamento de cães infectados é uma das principais medidas na prevenção da hidatidose humana. O diagnóstico de infecção canina pode ser feito pela detecção de antígenos do parasita nas fezes, utilizando a técnica de Elisa ou pelo exame morfológico do parasita adulto, após expulsão provocada pela administração de bromidrato de arecolina. Na prática, recomenda-se tratar periodicamente os cães de propriedades rurais. O praziquantel é o fármaco de escolha pela sua excelente ação sobre o verme adulto. Recomenda-se manter o animal infectado em isolamento por 24 horas após o tratamento e incinerar as fezes eliminadas por ele para evitar a contaminação do ambiente com ovos do parasita.

Outras medidas importantes são restrição à população de cães na área rural, educação sanitária, inspeção sanitária de carne e produtos derivados, entre outras.

## REFERÊNCIAS

1. Carpio A. Neurocysticercosis: an update. Lancet Infect Dis. 2002;2(12):751–62.
2. Ndimubanzi PC, Carabin H, Budke CM, Nguyen H, Qian Y-J, Rainwater E, et al. A systematic review of the frequency of neurocyticercosis with a focus on people with epilepsy. PLoS Negl Trop Dis. 2010;4(11):e870.
3. Rodriguez S, Dorny P, Tsang VCW, Pretell EJ, Brandt J, Lescano AG, et al. Detection of Taenia solium antigens and anti-T. solium antibodies in paired serum and cerebrospinal fluid samples from patients with intraparenchymal or extraparenchymal neurocysticercosis. J Infect Dis. 2009;199(9):1345–52.
4. Schantz PM, Wilkins PP, Tsang VCW. Immigrants, imaging, and immunoblots: the emergence of neurocysticercosis as a significant public health problem. In: Scheld WM, Craig WA, Hughes JM, organizadores. Emerging infections. 2nd ed. Washington: ASM Press; 1998. p. 213–42.
5. Del Brutto OH, Nash TE, White AC, Rajshekhar V, Wilkins PP, Singh G, et al. Revised diagnostic criteria for neurocysticercosis. J Neurol Sci. 2017;372:202–10.
6. Abba K, Ramaratnam S, Ranganathan LN. Anthelmintics for people with neurocysticercosis. Cochrane Database Syst Rev. 2010;(1):CD000215.
7. Garcia HH, Nash TE, Del Brutto OH. Clinical symptoms, diagnosis, and treatment of neurocysticercosis. Lancet Neurol. 2014;13(12):1202–15.
8. Garg RK, Potluri N, Kar AM, Singh MK, Shukla R, Agrawal A, et al. Short course of prednisolone in patients with solitary cysticercus granuloma: a double blind placebo controlled study. J Infect. 2006;53(1):65–9.
9. Prakash S, Garg RK, Kar AM, Shukla R, Agarwal A, Verma R, et al. Intravenous methyl prednisolone in patients with solitary cysticercus granuloma: a random evaluation. Seizure. 2006;15(5):328–32.
10. Verma A, Misra S. Outcome of short-term antiepileptic treatment in patients with solitary cerebral cysticercus granuloma. Acta Neurol Scand. 2006;113(3):174–7.
11. Romo ML, Wyka K, Carpio A, Leslie D, Andrews H, Bagiella E, et al. The effect of albendazole treatment on seizure outcomes in patients with symptomatic neurocysticercosis. Trans R Soc Trop Med Hyg. 2015;109(11):738–46.
12. Proaño JV, Madrazo I, Avelar F, López-Félix B, Díaz G, Grijalva I. Medical treatment for neurocysticercosis characterized by giant subarachnoid cysts. N Engl J Med. 2001;345(12):879–85.
13. Abba K, Ramaratnam S, Ranganathan LN. Anthelmintics for people with neurocysticercosis. Cochrane Database Syst Rev. 2010;(3):CD000215.
14. Matthaiou DK, Panos G, Adamidi ES, Falagas ME. Albendazole versus praziquantel in the treatment of neurocysticercosis: a meta-analysis of comparative trials. PLoS Negl Trop Dis. 2008;2(3):e194.
15. García HH, Gonzalez AE, Evans CAW, Gilman RH, Cysticercosis Working Group in Peru. Taenia solium cysticercosis. Lancet. 2003;362(9383):547–56.
16. Garcia HH, Pretell EJ, Gilman RH, Martinez SM, Moulton LH, Del Brutto OH, et al. A trial of antiparasitic treatment to reduce the rate of seizures due to cerebral cysticercosis. N Engl J Med. 2004;350(3):249–58.
17. Garcia HH, Gonzalez AE, Gilman RH. Cysticercosis of the central nervous system: how should it be managed? Curr Opin Infect Dis. 2011;24(5):423–7.
18. Garcia HH, Gonzales I, Lescano AG, Bustos JA, Zimic M, Escalante D, et al. Efficacy of combined antiparasitic therapy with praziquantel and albendazole for neurocysticercosis: a double-blind, randomised controlled trial. Lancet Infect Dis. 2014;14(8):687–95.
19. Rajshekhar V. Surgical management of neurocysticercosis. Int J Surg. 2010;8(2):100–4.
20. García HH, Evans CAW, Nash TE, Takayanagui OM, White AC, Botero D, et al. Current consensus guidelines for treatment of neurocysticercosis. Clin Microbiol Rev. 2002;15(4):747–56.

21. Amaral RS do, Tauil PL, Lima DD, Engels D. An analysis of the impact of the Schistosomiasis Control Programme in Brazil. Mem Inst Oswaldo Cruz. 2006;101:79–85.
22. Brasil. Ministério da Saúde. Guia de vigilância em saúde. 3. ed. Brasília: MS; 2019.
23. Gryseels B, Polman K, Clerinx J, Kestens L. Human schistosomiasis. Lancet. 2006;368(9541):1106–18.
24. Ross AGP, Bartley PB, Sleigh AC, Olds GR, Li Y, Williams GM, et al. Schistosomiasis. N Engl J Med. 2002;346(16):1212–20.
25. Laosebikan AO, Thomson SR, Naidoo NM. Schistosomal portal hypertension. J Am Coll Surg. 2005;200(5):795–806.
26. Centers for Disease Control and Prevention. Public Health Image Library – ID# 5249 [Internet]. Washington: PHIL; 1986 [capturado em 7 abr. 2021]. Disponível em: https://phil.cdc.gov/details.aspx?pid=5249.
27. Ross AG, Vickers D, Olds GR, Shah SM, McManus DP. Katayama syndrome. Lancet Infect Dis. 2007;7(3):218–24.
28. Brasil. Ministério da Saúde. Guia de vigilância epidemiológica e controle da mielorradiculopatia esquistossomótica. Brasília: Ministério da Saúde; 2006.
29. Yu JM, de Vlas SJ, Yuan HC, Gryseels B. Variations in fecal Schistosoma japonicum egg counts. Am J Trop Med Hyg. 1998;59(3):370–5.
30. Brasil. Ministério da Saúde. Portaria nº 2.472, de 31 de agosto de 2010 [Internet]. Brasília; 2010 [capturado em 5 abr. 2021]. Disponível em: http://bvsms.saude.gov.br/bvs/saudelegis/gm/2010/prt2472_31_08_2010.html.
31. Danso-Appiah A, Olliaro PL, Donegan S, Sinclair D, Utzinger J. Drugs for treating Schistosoma mansoni infection. Cochrane Database Syst Rev. 2013;(2):CD000528.
32. Liu R, Dong H-F, Guo Y, Zhao Q-P, Jiang M-S. Efficacy of praziquantel and artemisinin derivatives for the treatment and prevention of human schistosomiasis: a systematic review and meta-analysis. Parasit Vectors. 2011;4:201.
33. Brasil. Ministério da Saúde. Vigilância da esquistossomose Mansoni: diretrizes técnicas. 4. ed. Brasília: MS; 2014.
34. Hotez PJ, Wilkins PP. Toxocariasis: America's most common neglected infection of poverty and a helminthiasis of global importance? PLoS Negl Trop Dis. 2009;3(3):e400.
35. Jin Y, Shen C, Huh S, Sohn W-M, Choi M-H, Hong S-T. Serodiagnosis of toxocariasis by ELISA using crude antigen of Toxocara canis larvae. Korean J Parasitol. 2013;51(4):433–9.
36. Rubinsky-Elefant G, Hirata CE, Yamamoto JH, Ferreira MU. Human toxocariasis: diagnosis, worldwide seroprevalences and clinical expression of the systemic and ocular forms. Ann Trop Med Parasitol. 2010;104(1):3–23.
37. de Visser L, Rothova A, de Boer JH, van Loon AM, Kerkhoff FT, Canninga-van Dijk MR, et al. Diagnosis of ocular toxocariasis by establishing intraocular antibody production. Am J Ophthalmol. 2008;145(2):369–74.
38. Drugs for parasitic infections. Treat Guidel Form Med Lett. 2013;11(Suppl):e1–31.
39. Hombu A, Yoshida A, Kikuchi T, Nagayasu E, Kuroki M, Maruyama H. Treatment of larva migrans syndrome with long-term administration of albendazole. J Microbiol Immunol Infect. 2019;52(1):100–5.
40. Barisani-Asenbauer T, Maca SM, Hauff W, Kaminski SL, Domanovits H, Theyer I, et al. Treatment of ocular toxocariasis with albendazole. J Ocul Pharmacol Ther. 2001;17(3):287–94.
41. Giuliari GP, Ramirez G, Cortez RT. Surgical treatment of ocular toxocariasis: anatomic and functional results in 45 patients. Eur J Ophthalmol. 2011;21(4):490–4.
42. Pena GPM, Andrade Filho J de S, Assis SC de. Angiostrongylus costaricensis: first record of its occurrence in the State of Espirito Santo, Brazil, and a review of its geographic distribution. Rev Inst Med Trop São Paulo. 1995;37(4):369–74.
43. Rodriguez R, Dequi RM, Peruzzo L, Mesquita PM, Garcia E, Fornari F. Abdominal angiostrongyliasis: report of two cases with different clinical presentations. Rev Inst Med Trop São Paulo. 2008;50(6):339–41.
44. Kramer MH, Greer GJ, Quiñonez JF, Padilla NR, Hernández B, Arana BA, et al. First reported outbreak of abdominal angiostrongyliasis. Clin Infect Dis. 1998;26(2):365–72.
45. Coelho C, Carvalho AR. Cisticercose. In: Manual de parasitologia humana. Canoas: Editora da ULBRA; 2005. p. 161–7.
46. Rue ML de L. Cystic echinococcosis in southern Brazil. Rev Inst Med Trop São Paulo. 2008;50(1):53–6.
47. Stojkovic M, Gottstein B, Junghanss T. Echinococcosis. In: Farrar J, Hotez PJ, Junghanss T, Kang G, Lalloo D, White NJ, organizadores. Manson's tropical diseases. 23rd ed. Elsevier; 2014. p. 795–819.
48. Batista G, Magalhães Z, Abreu R, Caria E, Almeida A. Avaliação de dois métodos laboratoriais para diagnóstico de hidatidose. Saúde E Tecnol. 2009;(3):15–8.
49. Moreno MJ, Urrea-París MA, Casado N, Rodriguez-Caabeiro F. Praziquantel and albendazole in the combined treatment of experimental hydatid disease. Parasitol Res. 2001;87(3):235–8.
50. Salinas JL, Vildozola Gonzales H, Astuvilca J, Arce-Villavicencio Y, Carbajal-Gonzalez D, Talledo L, et al. Long-term albendazole effectiveness for hepatic cystic echinococcosis. Am J Trop Med Hyg. 2011;85(6):1075–9.
51. Ul-Bari S, Arif SH, Malik AA, Khaja AR, Dass TA, Naikoo ZA. Role of albendazole in the management of hydatid cyst liver. Saudi J Gastroenterol. 2011;17(5):343–7.
52. Stojkovic M, Zwahlen M, Teggi A, Vutova K, Cretu CM, Virdone R, et al. Treatment response of cystic echinococcosis to benzimidazoles: a systematic review. PLoS Negl Trop Dis. 2009;3(9):e524.
53. Nasseri-Moghaddam S, Abrishami A, Taefi A, Malekzadeh R. Percutaneous needle aspiration, injection, and re-aspiration with or without benzimidazole coverage for uncomplicated hepatic hydatid cysts. Cochrane Database Syst Rev. 2011;(1):CD003623.
54. Pandey A, Chandra A, Masood S. Abdominal echinococcosis: outcomes of conservative surgery. Trans R Soc Trop Med Hyg. 2014;108(5):264–8.
55. Mohapatra B, Sivakumar P, Bhattacharya S, Dutta S. Surgical treatment of pulmonary hydatidosis: a single-centre experience of four years. Indian J Thorac Cardiovasc Surg. 2015;31(1):8–12.

# LEITURAS RECOMENDADAS

Centers for Disease Control and Prevention (CDC). Parasites. Disponível em: www.cdc.gov/parasites/az/index.html.
*Site que fornece informações detalhadas (epidemiológicas, clínicas, diagnóstico, tratamento e prevenção, entre outras) sobre todas as doenças parasitárias, a partir de um índice de A a Z.*

Global Network Neglected Tropical Diseases. Disponível em: http://www.globalnetwork.org/.
*O site oferece informações sobre controle e erradicação das doenças negligenciadas.*

WHO/UNICEF Joint Monitoring Programme (JMP) for Water Supply and Sanitation. Disponível em: http://www.wssinfo.org/.
*Programa de promoção do acesso a água de boa qualidade e saneamento.*

World Health Organization (WHO). Water Sanitation Health. Disponível em: http://www.who.int/water_sanitation_health/en/.
*Programa de promoção do acesso a água de boa qualidade e saneamento.*

# Capítulo 160
# LEISHMANIOSE

Ana Paula Pfitscher Cavalheiro
Maria Luisa Aronis

A leishmaniose é uma zoonose com espectro heterogêneo de manifestações clínicas, com quatro principais apresentações: lesões ulcerativas surgidas no local da picada do flebotomíneo (leishmaniose cutânea localizada), múltiplos nódulos não ulcerativos (leishmaniose cutânea difusa), inflamação destrutiva da mucosa (leishmaniose mucosa, também chamada de espúndia) e, na apresentação mais grave, infecção disseminada visceral (leishmaniose visceral ou calazar).[1,2]

O espectro clínico observado nos pacientes com leishmaniose é resultado da complexidade da doença: diversas espécies de *Leishmania* podem causar doença e, de acordo com a localização geográfica, vários flebotomíneos e mamíferos foram implicados como vetores e reservatórios animais, respectivamente.[2]

## PATOGENIA

No Brasil, o principal agente causador da leishmaniose visceral (LV) é *Leishmania chagasi* (*Leishmania infantum*); da leishmaniose tegumentar (LT), que engloba as manifestações cutâneas e mucosas, *Leishmania braziliensis*, *Leishmania guyanensis* e *Leishmania amazonensis*. O protozoário tem como vetor a fêmea do flebotomíneo do gênero *Lutzomyia*, um pequeno inseto hematófago popularmente conhecido como mosquito-palha, birigui, tatuquira, entre outros nomes. O flebotomíneo pode ser encontrado intra ou peridomicílio ou em abrigos de animais domésticos. Sua atividade é crepuscular e noturna. O ciclo de vida de *Leishmania* inicia quando a fêmea do inseto se infecta ao sugar o sangue de um animal contaminado e, após um período de incubação, ao alimentar-se novamente, inocula o parasita na forma promastigota na epiderme do hospedeiro. Essas formas promastigotas são fagocitadas por macrófagos e células dendríticas, iniciando, então, sua replicação na forma amastigota. A reprodução do parasita causa o rompimento da célula, causando infecção de novas células do sistema reticuloendotelial e disseminação linfo-hematogênica para outros tecidos ricos em células do sistema mononuclear fagocitário, como linfonodos, fígado, baço e medula óssea.[1-4]

> O principal reservatório urbano é o cão doméstico, que pode ou não desenvolver os sintomas da doença, sendo os mais comuns emagrecimento, queda de pelos, nódulos ou ulcerações cutâneas, hemorragia intestinal, paralisia de membros posteriores e cegueira. No ambiente silvestre, os reservatórios são as raposas (*Dusicyon vetulus* e *Cerdocyon thous*) e os marsupiais (*Didelphis albiventris*).

Não há registro de transmissão direta da doença de pessoa para pessoa.

## EPIDEMIOLOGIA

Estima-se que em todo o mundo existam 1 bilhão de pessoas morando em áreas endêmicas, ocorrendo em torno de 600 mil a 1 milhão de novos casos por ano da LT. A incidência global da LV diminuiu consideravelmente na última década: de 200 mil a 400 mil novos casos em 2012 para 50 mil a 90 mil em 2017. Tanto a LV quanto a LT são endêmicas no Brasil, que está entre os cinco países com maior número de casos globalmente. Há 30 anos, a ocorrência de leishmaniose era limitada a áreas rurais e pequenas localidades urbanas, mas, nos últimos anos, com a crescente urbanização e o desmatamento, houve expansão da zona endêmica para a periferia dos grandes centros.[1,4-7]

São registrados em torno de 2.500 novos casos de LV por ano no Brasil, sendo as Regiões Norte e Nordeste as com maior incidência. O coeficiente de incidência da doença no Brasil, em 2019, foi de 1,2 a cada 100 mil habitantes. Os estados com maior incidência são, em ordem decrescente, Tocantins, Maranhão, Piauí e Pará, com incidências variando de 10,4 a 3,6 a cada 100 mil habitantes.[8] A **FIGURA 160.1** mostra a situação do Brasil com relação à LV, por município.

Casos humanos de LV não eram comumente descritos na Região Sul do Brasil. Entretanto, no Rio Grande do Sul, desde 2009, casos têm sido relatados na região oeste e metropolitana de Porto Alegre, demonstrando a importância da doença como diagnóstico diferencial na região.

Entre as populações mais atingidas pela LV estão crianças, idosos e adultos imunocomprometidos, emergindo

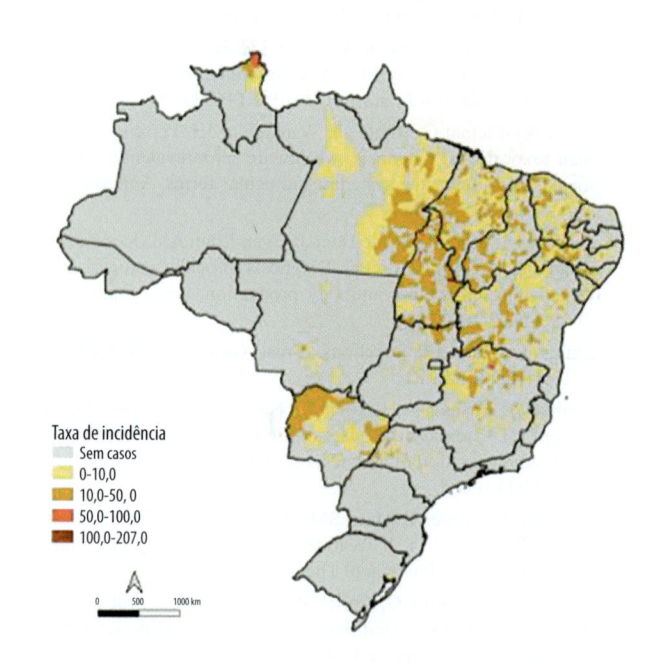

**FIGURA 160.1** → Incidência de leishmaniose visceral por 100.000 habitantes por município no Brasil (2019).
Fonte: Brasil.[8]

como uma importante infecção oportunista em pessoas vivendo com vírus da imunodeficiência humana (HIV, do inglês *human immunodeficiency virus*) (PVHIVs) e em transplantados de órgãos.[4] Baixas condições socioeconômicas, moradias precárias e desnutrição também aumentam as chances de transmissão e desenvolvimento da doença.

A LT está presente em todos os estados do País, porém a incidência é maior na Região Norte. O coeficiente de detecção de casos no Brasil em 2019 foi de 7,4 casos a cada 100 mil habitantes. As regiões mais afetadas são Norte (35,9 a cada 100 mil habitantes) e Centro-Oeste (14,5 a cada 100 mil), e as menos afetadas são Sul (0,6 a cada 100 mil) e Sudeste (2,3 a cada 100 mil). Em 2019, ocorreram mais de 15 mil novos casos de LT no Brasil.[9] A **FIGURA 160.2** mostra a situação do Brasil com relação à LT, por município.

## APRESENTAÇÃO CLÍNICA

### Leishmaniose visceral

Deve haver suspeita de LV em todos os indivíduos provenientes de ou vivendo em regiões endêmicas que apresentam febre persistente, astenia, adinamia e desnutrição. É uma doença com amplo espectro de apresentações clínicas. A grande maioria dos indivíduos tem a forma assintomática; alguns apresentam infecções autolimitadas, com sintomas leves como febre e pequena hepato e/ou esplenomegalia, que podem ser confundidas com outros processos infecciosos; e uma pequena proporção desenvolve a forma clássica e grave da LV, que pode levar a óbito em até 90% dos casos.[1,4,10]

O período de incubação é bastante variável, de 10 dias a 24 meses (média de 2-6 meses) e, mesmo nas pessoas assintomáticas ou tratadas, os antígenos permanecem presentes no organismo infectado durante longo tempo depois da infecção inicial. Por essa razão, indivíduos imunossuprimidos podem apresentar período de incubação muito mais longo.

Nas apresentações agudas, pode haver febre alta e tremores, com periodicidade que se assemelha à da malária. Há aumento progressivo do baço e, posteriormente, do fígado, ambos de consistência elástica, não endurecida, podendo ser dolorosos. Pode ocorrer edema nos estágios avançados, assim como hemorragias (epistaxe, sangramento gengival, petéquias e equimoses em membros inferiores), anemia e caquexia. Fadiga e astenia são exacerbadas pela anemia.[1,11]

> Considera-se com LV grave todo indivíduo com idade < 6 meses ou > 65 anos, com desnutrição grave, comorbidades ou uma das seguintes manifestações clínicas: icterícia, fenômenos hemorrágicos (exceto epistaxe), edema generalizado, sinais de toxemia (letargia, má perfusão, cianose, taquicardia ou bradicardia, hipoventilação ou hiperventilação e instabilidade hemodinâmica).

Muitas vezes, os pacientes com LV apresentam pneumonia, diarreia e/ou tuberculose, que podem confundir o profissional de saúde no momento do diagnóstico. As manifestações podem persistir por várias semanas ou meses antes de o indivíduo infectado procurar atendimento médico. As causas mais comuns que levam à morte são complicações bacterianas, como pneumonia, sepse e disenteria, além de hemorragias, desnutrição e anemia graves.

Nas formas subagudas ou crônicas, são comuns febre de início insidioso, emagrecimento, atraso no desenvolvimento em crianças, pancitopenia e distensão abdominal devido à hepatoesplenomegalia. A febre pode ser intermitente ou, menos frequentemente, contínua.

Muitas doenças podem ser confundidas com a LV, destacando-se a enterobacteriose de curso prolongado (associação de esquistossomose com salmonela ou outra enterobactéria), cujas manifestações clínicas se sobrepõem perfeitamente às da LV. Muitas vezes, o diagnóstico diferencial só pode ser concluído por meio de provas laboratoriais, já que as áreas endêmicas das duas doenças se sobrepõem em grandes faixas do território brasileiro. Outras doenças que podem ser confundidas com a LV são tuberculose, malária, brucelose, febre tifoide, esquistossomose hepatoesplênica, forma aguda da doença de Chagas, linfoma, mieloma múltiplo e anemia falciforme.[1,11]

Os achados laboratoriais incluem anemia, leucopenia, plaquetopenia, hipergamaglobulinemia, hipoalbuminemia e inversão da razão albumina/globulina. A anemia é de causa multifatorial, ocorrendo pelo persistente estado inflamatório, hiperesplenismo, hemólise, infiltração da medula por *Leishmania* e hemorragias. Leucopenia com eosinofilia é frequente. O envolvimento renal é comum, podendo haver glomerulonefrite, síndrome nefrótica e proteinúria. Pode haver elevação das transaminases e bilirrubinas, sendo a icterícia um indicativo de gravidade.[1,12]

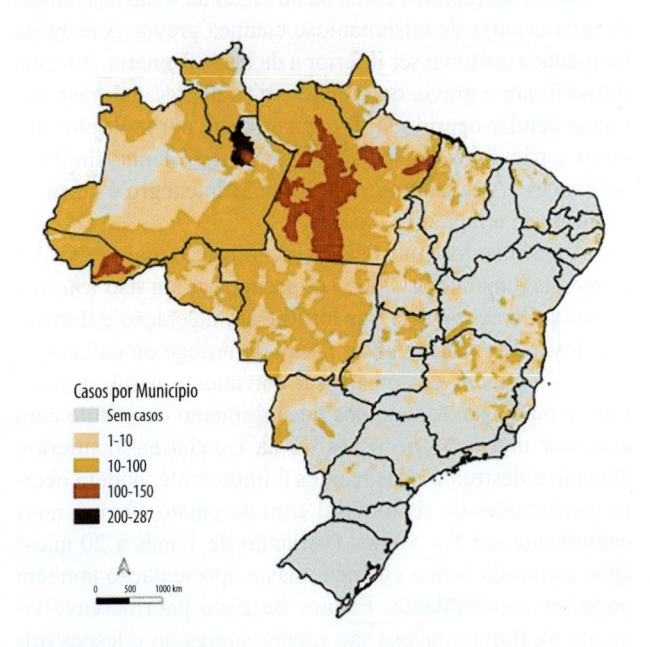

**FIGURA 160.2** → Incidência de casos de leishmaniose tegumentar por município no Brasil (2019).
Fonte: Brasil.[9]

> Apesar da cura clínica, geralmente não há completa erradicação do parasita. Portanto, há risco de reativação na presença de imunodeficiência.[3]

Indivíduos com LV são atendidos nos níveis primário, secundário ou terciário de atenção. A **TABELA 160.1** destaca as ações que devem ser realizadas na atenção primária à saúde (APS).

### Leishmaniose visceral em pessoas vivendo com HIV

A coinfecção LV/HIV tem implicações clínicas, diagnósticas e epidemiológicas importantes, pois uma doença reforça a gravidade da outra. As PVHIV são particularmente vulneráveis à LV, enquanto a LV acelera a replicação do HIV e a progressão para Aids. O quadro clínico pode ser atípico, com manifestações pouco usuais (p. ex., ausência de hepatoesplenomegalia) e/ou disseminadas, com envolvimento pleuropulmonar, cardíaco, renal, suprarrenal, sinovial, cerebral e/ou de trato gastrintestinal.[13] É importante ressaltar que, no contexto de coinfecção *Leishmania*-HIV, a gravidade das manifestações clínicas, a resposta ao tratamento, a evolução e o prognóstico estão diretamente associados à condição imunológica do paciente, avaliada pela contagem de linfócitos T CD4+. Também é válido destacar que a sensibilidade e a especificidade dos métodos diagnósticos podem ser alteradas no contexto dessa coinfecção. Além disso, o risco de falha no tratamento é alto, independentemente do medicamento utilizado, e todos os indivíduos coinfectados terão recaídas a menos que sejam tratados com antirretrovirais.[13]

Devido ao fato de o maior número dessa coinfecção ocorrer em paciente com CD4+/mL < 200 células/mm³, pode haver associação com outras doenças oportunistas. As mais comuns são candidíase esofágica, pneumonia por *Pneumocystis jirovecii*, infecção por *Mycobacterium tuberculosis*, neurotoxoplasmose e meningoencefalite criptocócica. A LV deve ser incluída no diagnóstico diferencial com doenças oportunistas como tuberculose disseminada, linfomas, salmoneloses, citomegalovírus, toxoplasmose, pneumocistose, histoplasmose, coccidioidomicose, entre outras.[14]

Recomenda-se oferecer teste rápido ou sorologia para HIV para todos os pacientes com LV.[1]

### Leishmaniose tegumentar

Há duas formas de apresentação clínica: a leishmaniose cutânea e a leishmaniose mucosa. A forma cutânea pode ser classificada em localizada, disseminada, recidiva cútis e difusa.

A forma localizada é a mais comum e, assim como na forma visceral, a infecção pode ser assintomática. Quando sintomática, o primeiro sinal é classicamente uma pequena pápula que surge após um período de incubação de, em média, 2 a 3 meses (variando de 2 meses a 2 anos) no local onde houve a picada do flebotomíneo. A pápula progride para nódulo, que progressivamente ulcera em um período de 2 semanas a 6 meses. A úlcera costuma ser indolor, de crescimento lento, com formato arredondado ou ovalado, apresentando base eritematosa, infiltrada e de consistência firme, bordas bem delimitadas e elevadas, fundo avermelhado e com granulações grosseiras.[1,14]

As lesões podem ser múltiplas, originadas de várias picadas do flebotomíneo em sítios distintos ou por disseminação linfática, mimetizando esporotricose, e geralmente estão localizadas em áreas expostas do corpo. Formas atípicas com placas, aspecto psoriasiforme ou verrucoso já foram descritas. Podem ocorrer adenomegalias precedendo o desenvolvimento da lesão cutânea em 1 a 12 semanas, associadas ou não a manifestações constitucionais (anorexia, emagrecimento, febre baixa, mal-estar), que costumam ceder com o aparecimento da úlcera. Em indivíduos imunocompetentes, a resolução espontânea costuma ocorrer em 2 a 15 meses, porém resulta em cicatriz permanente, que pode ser desfigurante e incapacitante.[2]

A forma disseminada é incomum (2% dos casos) e caracteriza-se por pápulas acneiformes, nódulos ou úlceras (às vezes, centenas) que se disseminam do sítio inicial de infecção e podem cobrir todo o corpo, inclusive mucosas. A disseminação ocorre rapidamente após o aparecimento das lesões primárias, às vezes em 24 horas, causando lesões distantes do local da picada. A disseminação pode ocorrer após tratamento já iniciado para a forma cutânea localizada. Comparada com a forma localizada, a difusa é mais difícil de tratar e não há resolução espontânea.[2,14]

Na forma recidiva cútis, há ativação da lesão nas bordas de uma cicatriz de leishmaniose cutânea prévia. A resposta terapêutica costuma ser inferior à da lesão primária. A forma difusa é rara e grave, ocorrendo em pacientes com resposta imune celular deprimida. É caracterizada por múltiplos nódulos e pápulas não ulceradas de evolução lenta, similar à hanseníase. A intradermorreação de Montenegro é negativa e a resposta terapêutica é pobre.[2,14]

A leishmaniose mucosa é a complicação mais grave das formas tegumentares. Pode ser secundária ou não à forma cutânea. Caracteriza-se por infiltração, ulceração e destruição dos tecidos da cavidade nasal, da faringe ou da laringe. Os sinais iniciais costumam ser corrimento nasal, desconforto e/ou epistaxe, seguidos de surgimento de nódulo com posterior ulceração no septo ou na concha nasal inferior. Quando a destruição dos tecidos é importante, podem ocorrer perfurações do septo nasal e/ou do palato. Ocorre mais comumente até 1 a 5 anos (variando de 1 mês a 20 anos) após a cura da forma cutânea, mas a apresentação também pode ser concomitante. Fatores de risco para desenvolvimento da forma mucosa são imunossupressão e lesões primárias acima da cintura, grandes ou múltiplas, apresentando retardo na cura. Nas formas graves, pode haver disfagia, disfonia, insuficiência respiratória por edema de glote,

**TABELA 160.1** → Ações realizadas na atenção primária à saúde no atendimento a pacientes com leishmaniose visceral

- → Suspeitar da doença e encaminhar os pacientes para atendimento especializado
- → Notificar os casos suspeitos
- → Apoiar o serviço nas demais ações de vigilância epidemiológica da leishmaniose visceral
- → Aplicar o antimonial pentavalente (Sb+5)
- → Acompanhar o paciente durante e após o tratamento
- → Observar possíveis reações adversas ao medicamento
- → Realizar busca de pacientes faltosos no acompanhamento do tratamento

pneumonia por aspiração e morte. Essa forma nunca cura espontaneamente.[2,14]

Não há uma apresentação clínica definida em PVHIV. Pacientes coinfectados por *Leishmania*-HIV podem apresentar achados não usuais, como o encontro de espécies de *Leishmania* em pele íntegra, e sobrepondo lesão de sarcoma de Kaposi, ou em lesões de herpes simples e herpes-zóster. Também pode haver acometimento do trato gastrintestinal e do trato respiratório para a coinfecção *Leishmania*-HIV. Recomenda-se solicitar teste rápido ou sorologia para HIV em todos os pacientes com LT.[1]

Para completa fonte de imagens das lesões cutâneas e mucosas, sugere-se o *Atlas de leishmaniose tegumentar americana* (ver QR code).

## DIAGNÓSTICO

### Leishmaniose visceral

O diagnóstico clínico pode ser feito na presença de manifestações típicas em moradores de áreas endêmicas. A confirmação deve ser realizada preferencialmente por exame parasitológico ou imunofluorescência indireta reativa com título 1:80 ou mais, concomitante ao aparecimento de manifestações clínicas sugestivas, conforme a definição de casos confirmados pelo *Guia de vigilância epidemiológica* do Ministério da Saúde (MS).[1] (Ver QR code.)

O diagnóstico definitivo é feito pela detecção da forma amastigota do parasita pelo exame microscópico de material obtido da medula óssea (preferencialmente), linfonodos ou baço.

Embora a especificidade seja alta, a sensibilidade da microscopia varia, sendo maior para o aspirado de baço (93-99%) do que para a medula óssea (53-86%) ou linfonodo (53-65%). Entretanto, a aspiração do baço está associada a hemorragias graves em aproximadamente 0,1% dos procedimentos e requer profissionais experientes, sendo necessário que o procedimento seja feito no bloco cirúrgico com suporte disponível caso haja complicações.[15] O exame em amostras de sangue tem baixa sensibilidade, exceto em indivíduos coinfectados com HIV, devido à alta parasitemia nesses pacientes.[16]

A detecção do parasita no sangue ou em órgãos por cultura ou pelo uso de técnicas moleculares, como a reação em cadeia da polimerase, tem alta sensibilidade (93%) e especificidade (95,6%), porém ainda não é um exame padronizado ou amplamente disponível.[12]

Diversos exames sorológicos, além da imunofluorescência indireta, foram desenvolvidos para o diagnóstico da LV, mas eles possuem algumas limitações. Embora os níveis séricos de anticorpos caiam após o tratamento bem-sucedido, eles permanecem detectáveis até muitos anos após a cura. Além disso, uma proporção significativa de indivíduos sadios morando em áreas endêmicas sem história de LV tem anticorpos antileishmânia reagentes devido à infecção assintomática. Portanto, um exame positivo sem manifestações clínicas não é indicação para tratamento.

A detecção de anticorpos antileishmânia pode ser feita por imunofluorescência indireta (RIFI), teste rápido imunocromatográfico (k39) ou ensaio imunoenzimático (Elisa). Na imunofluorescência, são considerados positivos títulos a partir de 1:80. Quando os títulos forem iguais a 1:40, com clínica sugestiva de LV, recomenda-se a solicitação de nova amostra em 30 dias.

Habitualmente, na LV, há grande número de parasitas, ausência de resposta imune celular (anergia) e fácil detecção de anticorpos. Falsos-positivos nos testes sorológicos podem ocorrer por reação cruzada em portadores de doenças como hanseníase, Chagas, leishmaniose cutânea e outras infecções. Os títulos de anticorpos são mais baixos em PVHIV/Aids, podendo resultar em falsos-negativos.

### Leishmaniose tegumentar

O diagnóstico laboratorial pode ser feito por exames parasitológicos (pesquisa de amastigotas em exame direto), imunológicos (intradermorreação de Montenegro, Elisa ou imunofluorescência) ou moleculares (reação em cadeia da polimerase).

O diagnóstico parasitológico é o padrão-ouro, pela alta especificidade, baixo custo e fácil execução. Porém, a sensibilidade depende da experiência do examinador, da técnica utilizada e das características do parasita (p. ex., exame do material direto coletado da borda da lesão mostrou sensibilidade de 90%, em comparação com 78% da amostra coletada da base da úlcera). No exame microscópico com coloração de Giemsa, pode-se visualizar a forma amastigota. No exame direto, a probabilidade de encontrar o parasita é inversamente proporcional ao tempo de evolução da lesão cutânea, sendo rara após 1 ano. A infecção secundária contribui para diminuir a sensibilidade do método; dessa forma, a infecção secundária deve ser tratada primeiramente. Para a pesquisa direta, são utilizados os seguintes procedimentos: escarificação da borda da lesão, biópsia com impressão do fragmento cutâneo em lâmina por aposição e punção aspirativa. A sensibilidade dessa técnica pode ser aumentada pela repetição do exame e pela leitura de várias lâminas.

Na cultura de biópsia ou aspirado (raramente disponível), visualiza-se a forma promastigota.[15]

O exame histológico típico é uma dermatite granulomatosa difusa ulcerada. Os granulomas vistos na maioria dos casos são classificados como "tuberculoides", com infiltrado inflamatório linfoplasmocitário associado e, ocasionalmente, necrose. A reação em cadeia da polimerase tem alta sensibilidade e especificidade, sendo útil sobretudo quando há baixa parasitemia (p. ex., forma mucosa). As desvantagens das técnicas moleculares são relacionadas ao seu custo elevado e à necessidade de infraestrutura laboratorial especializada. As técnicas estão disponíveis atualmente em laboratórios de instituições de pesquisa e, se houver indicação para a sua realização, o laboratório de referência mais próximo deve ser consultado.[14]

O diagnóstico sorológico é raramente usado na forma tegumentar por causa da variabilidade da sensibilidade e da especificidade. Entretanto, pode ser útil para o diagnóstico de lesões cutaneomucosas antigas, em que o número de parasitas é pequeno e, portanto, difíceis de serem detectados.

A intradermorreação de Montenegro avalia resposta de hipersensibilidade tardia, em que o antígeno de *Leishmania* é aplicado intradermicamente, com avaliação após 48 horas para medição da induração no local. Quando a induração medir mais que 5 mm, o resultado do teste é positivo e indica resposta imune celular. Pode ser negativo nas primeiras 4 a 6 semanas após o surgimento da lesão cutânea. Após esse período, costuma ser positivo em mais de 90% dos pacientes. Uma reação negativa em pacientes com lesões com mais de 6 semanas de evolução indica a necessidade de outras provas diagnósticas e diagnóstico diferencial. Pode ser positiva nos indivíduos com infecção assintomática ou após a cura. Esse teste não é usado para diagnóstico da LV.[14]

## TRATAMENTO

A confirmação parasitológica da doença deve preceder o tratamento, sempre que for possível. Porém, o tratamento deve ser iniciado quando os exames sorológicos ou parasitológicos não estiverem disponíveis ou quando houver demora para liberação dos resultados.[1]

O tratamento é feito com o uso de fármacos antileishmânia, associado ao manejo agressivo de qualquer infecção bacteriana, anemia, hipovolemia e desnutrição concomitantes.

O tratamento de leishmaniose depende de vários fatores, incluindo a forma da doença (apresentação clínica), comorbidades do paciente, espécie do parasita e localização geográfica. A doença é curável, mas requer um sistema imunológico competente, já que os medicamentos não eliminam o parasita do organismo, de forma que recidivas podem ocorrer caso haja um quadro de imunodepressão.[17]

### Leishmaniose visceral

No Brasil, os medicamentos utilizados são o antimonial pentavalente **A** e a anfotericina B (desoxicolato ou lipossomal) **A**, ambos por via intravenosa, sendo o tratamento preferencialmente hospitalar.[18] O MS[1] recomenda o antimoniato de *N*-metilglucamina como fármaco de primeira escolha. Nos casos de recidiva da doença, deve ser instituído um segundo tratamento com a mesma dose, porém por tempo mais prolongado (no máximo, 40 dias), antes de rotular a doença como refratária ao tratamento com os antimoniais pentavalentes. Somente a partir disso, devem ser tentados esquemas alternativos, com fármacos ditos de segunda linha.[11] A TABELA 160.2 resume os tratamentos para LV.

Porém, na presença de gestação, doença grave, HIV, contraindicações aos antimoniais ou toxicidade ou refratariedade relacionadas com o uso dos antimoniais pentavalentes, a anfotericina B é o fármaco recomendado. Se o indivíduo apresentar hipersensibilidade ou falha terapêutica ao antimonial pentavalente e não se enquadrar em nenhum dos critérios de indicação para utilização da anfotericina B lipossomal (TABELA 160.3), pode ser adotado, como alternativa terapêutica, o desoxicolato de anfotericina B.[1]

Com o arsenal de fármacos atualmente disponível, não existe mais indicação para a esplenectomia como medida terapêutica na LV.[11]

Devido à cardiotoxicidade (inversão e achatamento da onda T e aumento do intervalo QTc) dos antimoniais, deve-se realizar monitoramento com eletrocardiograma em todos os indivíduos que são submetidos a tratamento com esses fármacos. Caso haja alguma evidência de toxicidade cardíaca, o medicamento deve ser imediatamente suspenso, o paciente sendo tratado com fármacos alternativos.

Não há testes parasitológicos ou imunológicos para controle de cura, mas doentes que respondem à terapia têm resolução da febre, melhora do estado geral e retorno do apetite em 1 semana, e melhora da anemia e leucopenia em 2 semanas. A esplenomegalia pode levar algumas semanas para desaparecer. O acompanhamento do paciente tratado deve ser feito aos 3, 6 e 12 meses após o tratamento, e, na última avaliação, se permanecer estável, pode ser considerado curado.[1] O aparecimento de eosinofilia ao final do tratamento ou ao longo do acompanhamento é sinal de bom prognóstico. Recaídas costumam ocorrer nos primeiros 6 meses e são mais comuns nas PVHIVs. Esses pacientes devem receber tratamento com antirretrovirais, além da terapia para a leishmaniose.[11]

> As infecções assintomáticas não devem ser tratadas em razão da toxicidade dos medicamentos atualmente disponíveis.

### Leishmaniose tegumentar

O tratamento é elaborado conforme a apresentação clínica da LT e a espécie de *Leishmania* envolvida na infecção, devendo ser realizado em nível de atenção primária, secundária ou terciária, de acordo com a condição clínica do paciente e da gravidade do quadro.[14]

Quando houver infecção secundária de lesões ulceradas, deve-se recomendar limpeza com água e sabão, além de compressa com permanganato de potássio (com o cuidado de diluir até que seja obtida uma solução com coloração rosa-claro, para evitar queimadura química).

Os fármacos disponíveis para tratamento da LT são: miltefosina (primeira linha), antimonial pentavalente (no Brasil, a formulação disponível é o antimoniato de *N*-metilglucamina) **C/D**, anfotericina B (desoxicolato ou lipossomal) **C/D**, pentamidina **C/D** e pentoxifilina (associada ao antimonial) **A**.[14,19]

A miltefosina é a primeira opção para o tratamento da LT. É um medicamento de uso oral, ao contrário das outras opções terapêuticas, porém com perfil teratogênico, razão pela qual é proibida para gestantes e somente pode ser prescrita para pacientes em idade fértil com possibilidade de gravidez sob controle e monitoramento eficientes. As reações adversas mais comuns são náuseas, vômitos e diarreia, porém são leves e de caráter autolimitado na maioria dos casos. O aumento discreto e transitório de ureia, creatinina e transaminases pode ocorrer em até um terço dos pacientes; portanto, recomenda-se monitoração laboratorial dos níveis de ureia, creatinina e transaminases durante o tratamento.

**TABELA 160.2** → Tratamento da leishmaniose visceral

| | ANTIMONIATO DE N-METILGLUCAMINA | ANFOTERICINA B LIPOSSOMAL | DESOXICOLATO DE ANFOTERICINA B |
|---|---|---|---|
| **Apresentação** | Ampolas de 5 mL contendo 1.500 mg (300 mg/mL) de antimoniato de N-metilglucamina, equivalentes a 405 mg (81 mg/mL) de antimônio pentavalente ($Sb^{+5}$) | Frasco/ampola com 50 mg de anfotericina B lipossomal liofilizada | Frasco com 50 mg de desoxicolato sódico de anfotericina B liofilizada |
| **Dose e via de aplicação** | 20 mg/$Sb^{+5}$/kg/dia, por via IV ou IM, 1×/dia, por no mínimo 20 e no máximo 40 dias<br>A dose prescrita refere-se ao antimônio pentavalente ($Sb^{+5}$)<br>Dose máxima diária de 3 ampolas | 3 mg/kg/dia, durante 7 dias, ou 4 mg/kg/dia, durante 5 dias em infusão venosa, em 1 dose/dia | 1 mg/kg/dia por infusão venosa, durante 14-20 dias<br>A duração do tratamento deve ser baseada na evolução clínica, considerando a velocidade da resposta e a presença de comorbidades<br>Dose máxima diária de 50 mg |
| **Diluição/administração** | IV ou IM<br>Administrar preferencialmente por via IV lenta; a dose pode ser diluída em soro glicosado a 5% (100 mL) para facilitar a infusão IV | Reconstituir o pó em 12 mL de água estéril para injeção, agitando vigorosamente o frasco por 15 segundos; obtém-se uma solução contendo 4 mg/mL de anfotericina B lipossomal; essa solução pode ser guardada por até 24 horas à temperatura de 2 a 8 °C, e protegida contra a exposição à luz<br>Rediluir a dose calculada na proporção de 1 mL (4 mg) de anfotericina B lipossomal para 1 a 19 mL de soro glicosado a 5%; a concentração final será de 2 a 0,2 mg de anfotericina B lipossomal/mL<br>A infusão deve ser iniciada em, no máximo, 6 horas após a diluição final | Reconstituir o pó em 10 mL de água destilada para injeção; agitar o frasco imediatamente até que a solução se torne límpida; essa diluição inicial tem 5 mg de anfotericina B/mL e pode ser conservada à temperatura de 2 a 8 °C e protegida da exposição luminosa por, no máximo, 1 semana, com perda mínima de potência e limpidez<br>Para preparar a solução para infusão, é necessária uma nova diluição; diluir cada 1 mg (0,2 mL) de anfotericina B da solução anterior em 10 mL de soro glicosado a 5%<br>A concentração final será de 0,1 mg/mL de anfotericina B |
| **Tempo de infusão** | | 30-60 minutos | 2-6 horas |
| **Eventos adversos mais frequentes** | Artralgias, mialgias, inapetência, náuseas, vômitos, plenitude gástrica, epigastralgia, pirose, dor abdominal, dor no local da aplicação, febre, cardiotoxicidade, hepatotoxicidade, nefrotoxicidade e pancreatite | Febre, cefaleia, náusea, vômitos, tremores, calafrios e dor lombar | Febre, cefaleia, náuseas, vômitos, hiporexia, tremores, calafrios, flebite, cianose, hipotensão, hipopotassemia, hipomagnesemia e alteração da função renal |
| **Recomendações** | Monitorar enzimas hepáticas, função renal, amilase e lipase sérica<br>Em pacientes com idade > 40 anos ou que tenham antecedentes familiares de cardiopatia, deve-se realizar eletrocardiograma no início, durante (semanalmente) e ao final do tratamento para monitorar o intervalo QT corrigido, arritmias e achatamento da onda T | Monitorar função renal, potássio e magnésio séricos; repor potássio, quando indicado<br>Seguir as orientações quanto à diluição e ao tempo de infusão; em caso de eventos adversos durante a infusão do medicamento, administrar antitérmicos ou anti-histamínicos 30 minutos antes da infusão, evitando o uso de ácido acetilsalicílico<br>Na disfunção renal, com níveis de creatinina 2 × acima do maior valor de referência, o tratamento deve ser suspenso por 2-5 dias e reiniciado em dias alternados, quando os níveis de creatinina diminuírem | Monitorar função renal, potássio e magnésio séricos (GR-A); repor potássio quando indicado<br>Seguir as orientações quanto à diluição e ao tempo de infusão; em caso de eventos adversos durante a infusão do medicamento, administrar antitérmicos ou anti-histamínicos 30 minutos antes da infusão, evitando o uso de ácido acetilsalicílico<br>Na disfunção renal, com níveis de creatinina 2 × acima do maior valor de referência, o tratamento deve ser suspenso por 2-5 dias e reiniciado em dias alternados, quando os níveis de creatinina diminuírem |

IM, intramuscular; IV, intravenoso.
Fonte: Brasil.[1]

Devido ao potencial teratogênico, o tratamento com esse medicamento só deve ser prescrito após teste de β-hCG (gonadotrofina coriônica humana [do inglês *human chorionic gonadotropin*]) e na presença de anticoncepção altamente eficaz por até 4 meses após o término da medicação.

A primeira opção de tratamento para PVHIVs é a anfotericina lipossomal. Pacientes imunocomprometidos poderão usar a miltefosina se houver falha terapêutica do tratamento convencional, já que a experiência do uso terapêutico desse medicamento nessa população é limitada. O tratamento desse grupo de pacientes deve dar-se preferencialmente em centros de referência.

A pentoxifilina é um vasodilatador periférico indicado como um coadjuvante (imunomodulador) no tratamento de LT, não tendo papel como medicamento isolado, mas sim em associação ao antimoniato de meglumina.

A **TABELA 160.4** resume as características dos principais medicamentos antileishmânia, e a **TABELA 160.5** apresenta os tratamentos indicados no tratamento da coinfecção *Leishmania*-HIV.

O critério de cura é clínico, sendo indicado o acompanhamento regular por 12 meses. Entretanto, para fins de encerramento do caso no Sistema de Informação de Agravos de Notificação (Sinan), não é necessário aguardar o término do acompanhamento.

**TABELA 160.3** → Indicações de uso da anfotericina B lipossomal

- → Idade < 1 ano
- → Idade > 50 anos
- → Escore de gravidade: clínico > 4 ou clínico-laboratorial > 6
- → Insuficiência renal
- → Insuficiência hepática
- → Insuficiência cardíaca
- → Intervalo QT corrigido > 450 ms
- → Uso concomitante de medicamentos que alteram o intervalo QT
- → Hipersensibilidade ao antimonial pentavalente ou a outros medicamentos utilizados para o tratamento da LV
- → Infecção pelo HIV
- → Comorbidades que comprometem a imunidade
- → Uso de medicamento imunossupressor
- → Falha terapêutica ao antimonial pentavalente ou a outros medicamentos utilizados para o tratamento da LV
- → Gestantes

HIV, vírus da imunodeficiência humana; LV, leishmaniose visceral.
Fonte: Brasil.[1]

**TABELA 160.4** → Tratamento e acompanhamento da leishmaniose tegumentar americana cutânea localizada ou disseminada, mucosa e difusa

| FÁRMACO | DOSE | VIA | DURAÇÃO | MONITORAMENTO DURANTE TRATAMENTO | ACOMPANHAMENTO APÓS TRATAMENTO |
|---|---|---|---|---|---|
| **1ª ESCOLHA** | | | | | |
| Miltefosina | 2,5 mg/kg/dia, VO, divididos em 2-3 doses/dia, até o limite de 150 mg/dia (3 cápsulas/dia) ≥ 30 kg e ≤ 45 kg: 1 cápsula, 2 ×/dia, junto com as refeições ≥ 45 kg: 1 cápsula, 3 ×/dia, junto com as refeições | VO | 28 dias | No 13º e no 28º dia de tratamento | Mensal, por 3 meses |
| **ALTERNATIVAS** | | | | | |
| Antimoniato de N-metilglucamina | Cutânea localizada ou disseminada: 15 mg/kg/dia (10-20 mg $Sb^{+5}$/kg/dia) Mucosa: 20 mg/$Sb^{+5}$/kg/dia Difusa: 20 mg/$Sb^{+5}$/kg/dia | IV ou IM | Cutânea localizada ou disseminada: 20 dias Mucosa: 30 dias Difusa: 20 dias | < 50 anos: semanal ≥ 50 anos: acompanhamento eletrocardiográfico, 2 ×/semana Demais exames, semanalmente | Mensal, por 3 meses Se não houver resposta satisfatória, utilizar os fármacos alternativos |
| Desoxicolato de anfotericina B | 1 mg/kg/dia todos os dias ou em dias alternados (dose máxima diária de 50 mg) Deve ser administrada até atingir as seguintes doses totais: Cutânea: 1-1,5 g Mucosa: 2,5-3 g | IV | Doses aplicadas em períodos variáveis; depende da tolerância | Diário | Mensal, por 3 meses |
| Anfotericina B lipossomal* | 1-4 mg/kg/dia | IV | Diariamente, até completar 1-1,5 g de dose total | | |
| Isetionato de pentamidina | 4 mg/kg/dia, em dias alternados | IV ou IM | 3-10 aplicações† | 2 ×/semana | |

*Este fármaco está registrado na Anvisa para uso no tratamento da LV, mas não existe registro para uso na LTA, sendo considerado um fármaco *off-label* para essa indicação, pois ainda não há eficácia comprovada por meio de ensaios clínicos controlados que possam respaldar o seu uso rotineiro. O uso *off-label* de qualquer medicamento pode ser realizado por conta e risco do médico que o prescreve. A recomendação está baseada em experiências relatadas na literatura que permitem indicar o uso da anfotericina B lipossomal para LTA, nos casos em que todas as demais opções terapêuticas tenham sido utilizadas sem sucesso ou contraindicadas.

†Três aplicações para pacientes infectados por *Leishmania (Viannia) guyanensis* e 10 aplicações para pacientes infectados por *Leishmania (Viannia) braziliensis* ou *Leishmania (Leishmania) amazonensis*.

Anvisa, Agência Nacional de Vigilância Sanitária; IM, intramuscular; IV, intravenoso; LTA, leishmaniose tegumentar americana; LV, leishmaniose visceral; VO, via oral.
Fonte: Brasil.[1,19]

Os critérios de cura para pacientes acometidos pela forma cutânea são definidos pela epitelização das lesões ulceradas, com regressão total da infiltração e do eritema, até 3 meses após a conclusão do esquema terapêutico. Na ausência desses critérios, sugere-se o prolongamento da observação até se completarem 6 meses. Já o critério de cura para os acometidos pela forma mucosa é definido pela regressão de todos os sinais e comprovado pelo exame otorrinolaringológico até 6 meses após a conclusão do esquema terapêutico.

Para mais detalhes sobre o manejo específico de cada forma clínica, sugerimos a consulta ao *Manual de vigilância da leishmaniose tegumentar* do MS (ver QR code).

## VIGILÂNCIA EPIDEMIOLÓGICA

**Leishmaniose visceral e leishmaniose tegumentar são doenças de notificação compulsória no Brasil.**

Todo caso confirmado de LT deverá ser notificado e investigado pelos serviços de saúde por meio da ficha de investigação padronizada pelo Sinan. No caso da LV, o mesmo procedimento deve ser realizado para todo caso suspeito ou suspeita de óbito por essa doença. Além disso, eventos adversos aos antimoniais também devem ser notificados.[1,11]

Detalhes sobre as definições de caso suspeito ou confirmado podem ser encontrados no *Guia de vigilância em saúde* do MS.[1] (Ver QR code.)

## PREVENÇÃO

Até o momento, apesar dos estudos em andamento, ainda não existe uma vacina disponível para humanos, nem está indicada quimioprofilaxia para viajantes dirigindo-se a áreas endêmicas. Nesses casos, recomenda-se o uso de repelentes, bem como outras medidas de proteção, como usar mosquiteiros e evitar exposição em horários de maior atividade do vetor (crepúsculo e noite).[11]

No nível comunitário, é necessário realizar medidas para controle de proliferação do vetor, como limpeza urbana com eliminação de matéria orgânica e vegetações em abundância peridomiciliares. Além disso, são recomendadas medidas dirigidas à população canina, como controle da população canina errante, uso de telas em canis, uso de coleiras impregnadas com deltametrina a 4% e eutanásia de cães infectados. Ha uma vacina para cães licenciada para uso no Brasil; entretanto, a eficácia é baixa e nao há comprovação de que proteja contra a infecção em humanos, não sendo indicada como uma ferramenta de saúde pública.[11]

**TABELA 160.5** → Tratamento e acompanhamento das formas cutânea localizada ou disseminada, mucosa ou cutaneomucosa da leishmaniose tegumentar americana em pacientes com a coinfecção Leishmania-HIV

| FÁRMACO | DOSE | VIA | DURAÇÃO | MONITORAMENTO DURANTE TRATAMENTO | ACOMPANHAMENTO APÓS TRATAMENTO |
|---|---|---|---|---|---|
| **1ª ESCOLHA** | | | | | |
| Desoxicolato de anfotericina B | 1 mg/kg/dia (dose máxima diária de 50 mg) | IV | Doses aplicadas em períodos variáveis; depende da tolerância. Dose total acumulada de pelo menos 1,5 g | Diário | Cutânea localizada ou disseminada: mensal, por 3 meses. Mucosa ou cutaneomucosa: mensal, por 6 meses |
| **ALTERNATIVAS** | | | | | |
| Miltefosina | 2,5 mg/kg/dia, VO, divididos em 2-3 doses/dia, até o limite de 150 mg/dia (3 cápsulas/dia) ≥ 30 kg e ≤ 45 kg: 1 cápsula, 2 ×/dia, junto com as refeições ≥ 45 kg: 1 cápsula, 3 ×/dia, junto com as refeições | VO | 28 dias | No 13º e no 28º dia de tratamento | Mensal, por 3 meses |
| Antimoniato de N-metilglucamina | Cutânea localizada ou disseminada: 15 mg/kg/dia Mucosa ou cutaneomucosa: 20 mg/kg/dia de Sb$^{+5}$ | IV ou IM | Cutânea localizada ou disseminada: 20 dias Mucosa ou cutaneomucosa: 30 dias | Semanal | Cutânea localizada ou disseminada: mensal, por 3 meses Mucosa ou cutaneomucosa: mensal, por 6 meses |
| Isetionato de pentamidina | 4 mg/kg/dia, em dias alternados | IV ou IM | Cutânea localizada ou disseminada: 3-10 aplicações* Cutânea localizada ou disseminada: 10 aplicações* | Cutânea localizada ou disseminada: semanal (2 ×) Cutânea localizada ou disseminada: semanal | |
| Anfotericina B lipossomal[†] | Cutânea localizada ou disseminada: 4 mg/kg/dia Mucosa ou cutaneomucosa: 1-4 mg/kg/dia | IV | Cutânea localizada ou disseminada: diariamente, até completar 1-1,5 g de dose total Mucosa ou cutaneomucosa: 3 g de dose total | Diário | Mensal, por 3 meses |

*Três aplicações para pacientes infectados por Leishmania (Viannia) guyanensis e 10 aplicações para pacientes infectados por Leishmania (Viannia) braziliensis ou Leishmania (Leishmania) amazonensis.
[†]Este fármaco está registrado na Anvisa para uso no tratamento da LV, mas não existe registro para uso na LTA, sendo considerado um fármaco off-label para essa indicação, pois ainda não há eficácia comprovada por meio de ensaios clínicos controlados que possam respaldar o seu uso rotineiro. O uso off-label de qualquer medicamento pode ser realizado por conta e risco do médico que o prescreve. A recomendação está baseada em experiências relatadas na literatura que permitem indicar o uso da anfotericina B lipossomal para LTA, nos casos em que todas as demais opções terapêuticas tenham sido utilizadas sem sucesso ou contraindicadas.
Anvisa, Agência Nacional de Vigilância Sanitária; HIV, vírus da imunodeficiência humana; IM, intramuscular; IV, intravenoso; LTA, leishmaniose tegumentar americana; LV, leishmaniose visceral; VO, via oral.
Fonte: Brasil.[1,19]

As estratégias de controle da leishmaniose devem ser flexíveis, adequando-se a cada região ou foco, conforme investigação. O diagnóstico precoce e o tratamento adequado dos casos humanos e as atividades educativas devem ser priorizados em todas as situações.[14]

# REFERÊNCIAS

1. Brasil. Ministério da Saúde. Secretaria de Vigilância em Saúde. Coordenação-Geral de Desenvolvimento da Epidemiologia em Serviços. Guia de vigilância em saúde: volume único. 3. ed. Brasília: MS; 2019.
2. Burza S, Croft S L, Boelaert M. Seminar Leishmaniasis. Lancet Infect Dis. 2018; 392(10151):P951-70.
3. Ryan ET, Hill DR, Solomon T, Aronson NE, Endy TP, editors. Hunter's tropical medicine and emerging infectious diseases. 10th ed. New York: Elsevier; 2020.
4. World Health Organization. Leishmaniasis [Internet]. Geneva: WHO; 2017 [capturado em 9 jul. 2021]. Disponível em: https://www.who.int/leishmaniasis/Unveiling_the_neglect_of_leishmaniasis_infographic.pdf?ua=1.
5. World Health Organization. Weekly epidemiological record Relevé épidémiologique hebdomadaire [Internet]. Wkly Epidemiol Rec. 2016 [capturado em 9 ago. 2021];22(91):285-96. Disponível em: https://www.who.int/wer/2016/wer9122.pdf?ua=1.
6. Alvar J, Vélez ID, Bern C, Herrero M, Desjeux P, Cano J, et al. Leishmaniasis worldwide and global estimates of its incidence. PLoS One. 2012;7(5):e35671.
7. Organização Pan-Americana da Saúde. Leishmanioses – Informe Epidemiológico nas Américas [Internet]. Washington: OPAS; 2019 [capturado em 9 ago. 2021]. Disponível em: www.paho.org/leishmaniasis.
8. Brasil. Ministério da Saúde. Leishmaniose visceral [Internet]. Brasília: MS; c2021 [capturado em 8 jul. 2021]. Disponível em: http://antigo.saude.gov.br/saude-de-a-z/leishmaniose-visceral.
9. Brasil. Ministério da Saúde. Lieshmaniose tegumentar [Internet]. Brasília: MS; c2021 [capturado em 8 jul. 2021]. Disponível em: http://antigo.saude.gov.br/saude-de-a-z/leishmaniose-tegumentar.
10. Drumond KO, Costa FA. Forty years of visceral leishmaniasis in the State of Piauí: a review. Rev Inst Med Trop Sao Paulo. 2011;53(1):3-11.
11. Brasil. Ministério da Saúde. Secretaria de Vigilância em Saúde. Departamento de Vigilância Epidemiológica. Manual de vigilância e controle da leishmaniose visceral. Brasília: MS; 2014.
12. de Ruiter CM, van der Veer C, Leeflang MM, Deborggraeve S, Lucas C, Adams ER. Molecular tools for diagnosis of visceral leishmaniasis: systematic review and meta-analysis of diagnostic test accuracy. J Clin Microbiol. 2014;52(9):3147-55.
13. Brasil. Ministério da Saúde. Secretaria de Vigilância em Saúde. Departamento de Vigilância das Doenças Transmissíveis. Manual de recomendações para diagnóstico, tratamento e acompanhamento de pacientes com a coinfecção leishmania-HIV. Brasília: MS, 2015.

14. Brasil. Ministério da Saúde. Secretaria de Vigilância em Saúde. Departamento de Vigilância das Doenças Transmissíveis. Manual de vigilância da leishmaniose tegumentar. Brasília: MS; 2017.
15. Organização Pan-Americana da Saúde.Organização Mundial da Saúde. Manual de procedimientos para vigilancia y control de las leishmaniasis en las Américas. Washington: OPAS; 2019.
16. Martinez P, de la Vega E, Laguna F, et al. Diagnosis of visceral leishmaniasis in HIV-infected individuals using peripheral blood smears. AIDS 1993; 7: 227–30.
17. World Health Organization. Leishmaniasis. Geneva: WHO; 2019.
18. Aronson N, Herwaldt BL, Libman M, Pearson R, Lopez-Velez R, Weina P, et al. Diagnosis and Treatment of Leishmaniasis: Clinical Practice Guidelines by the Infectious Diseases Society of America (IDSA) and the American Society of Tropical Medicine and Hygiene (ASTMH). Clin Infect Dis. 2016;63(12):e202-e264.
19. Brasil. Ministério da Saúde. Secretaria de Vigilância em Saúde. Departamento de Imunização e Doenças Transmissíveis. Coordenação-Geral de Vigilância de Zoonoses e Doenças de Transmissão Vetorial. Nota informativa nº 13 [Internet]. Orientações sobre o uso da miltefosina para o tratamento da leishmaniose tegumentar no âmbito do Sistema Único de Saúde. Brasília: MS; 2020 [capturado em 8 jul. 2021]. Disponível em: https://www.gov.br/saude/pt-br/media/pdf/2020/dezembro/17/nota-informativa-miltefosina.pdf.

## LEITURAS RECOMENDADAS

Brasil. Ministério da Saúde. Atlas de leishmaniose tegumentar americana: diagnósticos clínico e diferencial [Internet]. Brasília: MS; 2006 [capturado em 9 jul. 2021]. Disponível em: http://bvsms.saude.gov.br/bvs/publicacoes/atlas_lta.pdf.
Este atlas visual é uma importante ferramenta auxiliar no diagnóstico da leishmaniose cutânea e mucosa.

Organização Pan-Americana da Saúde. Organização Mundial da Saúde. Leishmanioses tegumentar no Brasil: diagnóstico e tratamento. Rio de Janeiro: Fiocruz; c2021.
Módulo I – Disponível em: https://aulas.cvspbrasil.fiocruz.br/enrol/index.php?id=2
Módulo II – Disponível em: https://aulas.cvspbrasil.fiocruz.br/enrol/index.php?id=4
Curso on-line, de acesso livre e gratuito realizado pela Organização Pan-Americana da Saúde/Organização Mundial da Saúde (OPAS/OMS) e Ministério da Saúde do Brasil para apoiar as ações de vigilância e controle das leishmanioses.

# Capítulo 161
# DOENÇA DE CHAGAS

Cinthia Fonseca O'Keeffe
Clarissa Giaretta Oleksinski
Carlos Graeff-Teixeira

A doença de Chagas (ou tripanossomíase americana) é causada por um protozoário intracelular, o *Trypanosoma cruzi*, que é um parasita de vertebrados com mais de 150 espécies de mamíferos como reservatórios, destacando-se o gambá e os edentados (tatus) como hospedeiros bem adaptados. Uma parte do ciclo ocorre em hospedeiros invertebrados, mais de 140 espécies de insetos da ordem Hemiptera, popularmente conhecidos como "barbeiros" e vetores biológicos do protozoário. O parasita, o ciclo biológico, o modo de transmissão e a patologia foram descritos por Carlos Chagas a partir de 1909.

A doença ocorre sobretudo na América Latina, mas, nas últimas décadas, a detecção de indivíduos infectados com doença na fase crônica em países da Europa, nos Estados Unidos e no Canadá está crescendo, possivelmente pela migração de pessoas com doença na fase crônica oriundas das zonas endêmicas da América Latina. Estima-se que cerca de 8 milhões de pessoas no mundo estão infectadas pela doença e mais 25 milhões têm risco de contraí-la, com cerca de 10 mil mortes causadas pela doença por ano.[1] É uma das quatro maiores causas de morte por doenças infecciosas e parasitárias, além de ser uma das principais doenças negligenciadas no Brasil.[2]

A tripanossomíase americana é uma infecção persistente e possui uma fase aguda e uma fase crônica. As fases são definidas por critério de tempo, enquanto as formas da doença representam diagnósticos sindrômicos ou dominância de lesões em determinado órgão ou sistema. Na maior parte da fase crônica, não ocorrem manifestações clínicas (forma indeterminada). Nos indivíduos sintomáticos, destacam-se as formas cardíacas e digestivas da doença.

## SITUAÇÃO EPIDEMIOLÓGICA

A doença de Chagas é endêmica no Brasil, não apresentando variações cíclicas ou sazonais de importância epidemiológica. Sua situação epidemiológica mudou substancialmente nas últimas décadas, como resultado das ações de controle e das transformações ambientais e de ordem econômica e social.[3] Atualmente, estima-se a existência de cerca de 2 a 3 milhões de indivíduos infectados no Brasil, a maioria com infecções crônicas adquiridas no passado, quando a intensidade de transmissão era grande. O reflexo disso é a elevada carga de morbidade e de mortalidade por doença de Chagas no País.

Nos últimos anos, a maior parte dos casos registrados de doença de Chagas aguda (DCA) ocorreu na Amazônia Legal, em sua maioria por transmissão oral, por meio da ingestão de alimentos contaminados pelo triatomíneo. Entre os alimentos contaminados são incluídos sopas, caldos, sucos de cana-de-açúcar, açaí e bacaba, comida caseira, leite e carne de caça semicrua.[4]

Os casos de transmissão oral ocorreram principalmente em surtos. Em 2005, houve um surto de DCA em Santa Catarina, com transmissão por caldo de cana contaminado, com 24 casos notificados, dos quais três evoluíram para óbito. Foram notificados 94 casos de transmissão por via oral em 2006, ocorridos nas Regiões Norte e Nordeste. Outros surtos ou casos isolados têm sido detectados no Brasil.

De 2010 a 2017, foram notificados 1.829 novos casos de DCA no Brasil, sendo 95% na Região Norte, com destaque para o Estado do Pará (TABELA 161.1). Em relação às principais formas prováveis de transmissão ocorridas no País, 72% foram por transmissão oral, 9% por transmissão vetorial e em 18% não foi identificada a forma de transmissão.

**TABELA 161.1** → Casos confirmados por ano segundo Região/UF de notificação, Brasil, 2010-2017, pelo Sistema de Informação de Agravos de Notificação (Sinan Net), em 08/08/2019

| REGIÃO/UF DE NOTIFICAÇÃO | 2010 | 2011 | 2012 | 2013 | 2014 | 2015 | 2016 | 2017 | TOTAL |
|---|---|---|---|---|---|---|---|---|---|
| TOTAL | 136 | 170 | 199 | 152 | 209 | 288 | 355 | 320 | 1.829 |
| Região Norte | 112 | 148 | 196 | 146 | 205 | 269 | 351 | 315 | 1.742 |
| → Rondônia | 1 | 1 | – | – | 1 | – | 2 | – | 5 |
| → Acre | 5 | – | – | 1 | 2 | 6 | 16 | 1 | 31 |
| → Amazonas | 23 | – | 6 | 5 | 19 | 10 | 3 | 9 | 75 |
| → Roraima | – | – | 1 | – | – | 2 | – | – | 3 |
| → Pará | 76 | 116 | 177 | 130 | 171 | 241 | 321 | 281 | 1.513 |
| → Amapá | 7 | 14 | 12 | 10 | 10 | 8 | 7 | 24 | 92 |
| → Tocantins | – | 17 | – | – | 2 | 2 | 2 | – | 23 |
| Região Nordeste | 9 | 14 | – | 2 | 1 | 19 | 3 | 1 | 49 |
| → Maranhão | – | 10 | – | 1 | 1 | 10 | 1 | 1 | 24 |
| → Piauí | – | 1 | – | – | – | – | – | – | 1 |
| → Rio Grande do Norte | – | – | – | – | – | 9 | 2 | – | 11 |
| → Pernambuco | 9 | 3 | – | – | – | – | – | – | 12 |
| → Sergipe | – | – | – | 1 | – | – | – | – | 1 |
| Região Sudeste | – | – | 2 | 2 | 1 | – | 1 | 2 | 8 |
| → Espírito Santo | – | – | 1 | – | – | – | – | – | 1 |
| → Rio de Janeiro | – | – | 1 | – | – | – | – | – | 1 |
| → São Paulo | – | – | – | 2 | 1 | – | 1 | 2 | 6 |
| Região Sul | 1 | – | 1 | 1 | 1 | – | – | – | 4 |
| → Rio Grande do Sul | 1 | – | 1 | 1 | 1 | – | – | – | 4 |
| Região Centro-Oeste | 14 | 8 | – | 1 | 1 | – | – | 2 | 26 |
| → Mato Grosso | – | – | – | – | – | – | – | 2 | 2 |
| → Goiás | 14 | 8 | – | 1 | – | – | – | – | 23 |
| → Distrito Federal | – | – | – | – | 1 | – | – | – | 1 |

Fonte: Brasil.[10]

## TRANSMISSÃO

A transmissão da doença de Chagas pode acontecer de várias maneiras:
- → **vetorial:** por meio das fezes dos barbeiros infectados, que são eliminadas enquanto o inseto está picando a pele e contaminam o orifício da picada ou uma área de mucosa, possibilitando a penetração do *T. cruzi*;
- → **vertical:** por meio da passagem de parasitas de mulheres infectadas por *T. cruzi* para seus bebês durante a gravidez ou durante o parto;
- → **oral:** por meio da ingestão de alimentos contaminados com parasitas provenientes de triatomíneos infectados;
- → **transfusional/transplante:** por meio da transfusão de sangue ou transplante de órgãos de doadores infectados a receptores sadios;
- → **acidental:** pelo contato da pele ferida ou de mucosas com material contaminado durante manipulação em laboratório ou na manipulação de caça.

Barbeiros que costumam viver dentro das casas, como *Triatoma infestans*, são os vetores mais importantes da infecção. O sucesso recente das medidas de eliminação da espécie *T. infestans* no Brasil torna cada vez mais rara a transmissão vetorial.

A transmissão pós-natal por meio do aleitamento materno foi relatada, sendo provavelmente relacionada com lesões traumáticas das mamas.[5] Não há necessidade de restringir a amamentação em mães cronicamente infectadas, mas aquelas com DCA só devem amamentar após terem sido tratadas.[5] A pasteurização do leite inativa o *T. cruzi*.[6]

A DCA transmitida oralmente emergiu como a principal forma de transmissão em locais onde o controle vetorial intradomiciliar e peridoméstico foi efetivo. Desde 2005, é a principal via de transmissão da doença.[7]

A transmissão por transfusão/transplante é rara devido aos protocolos de testagem de doadores antes de realizar o procedimento. A transmissão acidental também é considerada rara.

## QUADRO CLÍNICO

Na fase aguda da doença de Chagas, predomina o parasita em número elevado circulante na corrente sanguínea. A manifestação mais característica é a febre constante, inicialmente elevada (38,5-39 °C), podendo apresentar picos vespertinos ocasionais.[8] As manifestações de síndrome febril podem persistir por até 12 semanas. Quando aparente, a doença é caracterizada por miocardite que, na maioria das vezes, só é detectável pelo eletrocardiograma (ECG). Outras manifestações incluem mal-estar geral, cefaleia, astenia, edema e hiporexia, além de aumento de linfonodos. Frequentemente ocorre hepato e esplenomegalia. Pode ocorrer a forma meningoencefálica, mais comum em crianças, porém é pouco frequente.[9]

O sinal de entrada do parasita pode estar aparente sob a forma de edema ocular bipalpebral (unilateral, podendo, por vezes, expandir para a face) elástico e indolor, de início, em geral, abrupto, dando coloração violácea às pálpebras, conhecido como **sinal de Romaña**. Também pode haver congestão conjuntival, enfartamento dos linfonodos-satélites e, com menos frequência, secreção conjuntival e inflamação da glândula lacrimal. A lesão de porta de entrada na pele é o **chagoma de inoculação**: uma formação cutânea ligeiramente saliente, arredondada, eritematosa, dura, incolor, quente e circundada por edema elástico, acompanhado por linfonodos-satélites.

As alterações eletrocardiográficas estão vinculadas ao maior ou menor acometimento do coração (ver Apêndice Eletrocardiograma: Interpretação, Principais Alterações e Uso na Prática Ambulatorial). Em geral, são reversíveis, passada a fase aguda da doença. Nos casos mais graves, há cardiomegalia acentuada devido à miocardite e derrame pericárdico com insuficiência cardíaca congestiva, que pode ser, algumas vezes, súbita e de curso letal (FIGURA 161.1).[10] Esses casos ocorrem, via de regra, em crianças com idade < 3 anos, com parasitemia elevada e comprometimento do coração, alcançando letalidade de 2 a 7%; quando há meningoencefalite, a mortalidade pode chegar a 50%.[5]

Os sintomas e sinais clínicos da DCA transmitida oralmente exibem algumas peculiaridades: síndrome febril indiferenciada sem chagoma, febre de 38 a 39 °C, mialgias, cefaleia, vômitos, artralgias e prostração; envolvimento do sistema fagocítico mononuclear, incluindo hepatomegalia, esplenomegalia e adenopatia; síndrome íctero-hemorrágica (epistaxe, melena, hematêmese); e, raras vezes, choque. Exantema maculopapular ou petequial, eritema nodoso,

manifestações cardíacas, como derrame pericárdico ou pleural, e icterícia são mais frequentes na forma transmitida oralmente do que naquela por vetores.[11] Ressalta-se que a mortalidade é mais elevada nos casos de transmissão oral do que naqueles por transmissão vetorial.[8]

A infecção fetal resultante da transmissão transplacentária é, em geral, assintomática, mas pode determinar quadros clínicos semelhantes aos que ocorrem com outras formas da fase aguda. De modo mais peculiar, destacam-se microcefalia, calcificações cerebrais, alterações oculares e sequelas neurológicas variadas, como costuma ocorrer com outras infecções congênitas. Pode haver aparecimento precoce de lesões próprias da fase crônica, como megaesôfago, insuficiência cardíaca e disritmias. A doença de Chagas congênita é causa de abortamento, natimortalidade, restrição do crescimento intrauterino e prematuridade. Todas essas alterações na criança pressupõem a infecção do feto, não havendo problemas para o concepto quando o parasita infectou a mãe, mas não cruzou a barreira placentária.[12]

A associação da tripanossomíase com a infecção pelo vírus da imunodeficiência humana (HIV, do inglês *human immunodeficiency virus*), sobretudo quando o número de linfócitos CD4 < 200 células por mm$^3$, pode determinar a reativação da infecção pelo *T. cruzi*. Há proliferação e disseminação do parasita como costuma ocorrer na fase aguda, aparecendo febre, astenia, anorexia, mialgias e manifestações de cardite aguda. Meningoencefalite ou encefalite agudas são os acometimentos mais peculiares nessa situação, com manifestações neurológicas variadas, na dependência da localização e da gravidade das lesões. Quadro similar pode ocorrer após reativação no paciente transplantado em uso de imunossupressão. A reativação ocorre mais frequentemente após o primeiro mês do transplante de órgão sólido e no transplante de célula-tronco hematopoiética durante a linfopenia no primeiro mês ou naqueles que usam corticoide devido à doença do enxerto *versus* hospedeiro. Paniculite e forma disseminada da doença são descritas na população submetida a transplante.[3,13]

Após a fase aguda, a infecção pode seguir assintomática por muitos anos, o que é denominado "forma indeterminada" da fase crônica. Nessa fase, o paciente permanece sem sinais de acometimento do aparelho circulatório ou digestivo. Os acometimentos do coração e do tubo digestivo constituem as duas formas clínicas mais importantes na fase crônica.

A forma cardíaca é a principal causa de morte pela doença. Pode apresentar-se como síndrome de insuficiência cardíaca progressiva, insuficiência cardíaca fulminante ou arritmias graves com morte súbita. Quando presentes, os sinais e sintomas incluem palpitação, dispneia, edema, dor precordial, dispneia paroxística noturna, tosse, tonturas, desmaios, acidentes embólicos, extrassistolias, desdobramento de segunda bulha, sopro sistólico e hipofonese de segunda bulha.

As principais alterações eletrocardiográficas são bloqueio completo do ramo direito, hemibloqueio anterior esquerdo, bloqueios atrioventriculares de primeiro, segundo e terceiro graus, extrassístoles ventriculares, sobrecarga de cavidades cardíacas e alterações de repolarização ventricular,

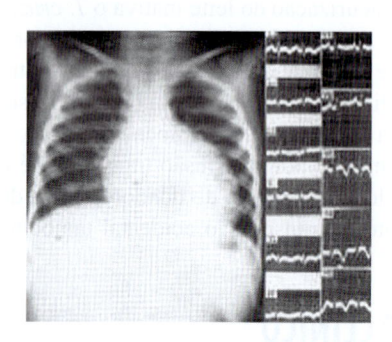

**FIGURA 161.1** → Cardiopatia aguda: cardiomegalia acentuada e alterações da repolarização ao eletrocardiograma.
Fonte: Brasil.[7]

entre outras. A radiografia de tórax pode revelar cardiomegalia global, aumento isolado de ventrículo esquerdo, aumento biventricular e congestão vascular pulmonar.

A forma digestiva caracteriza-se por alterações ao longo do trato digestivo ocasionadas por lesões dos plexos nervosos (destruição neuronal simpática), com consequentes alterações da motilidade e da morfologia do trato digestivo, levando ao megaesôfago e ao megacólon. Cursa com dificuldades progressivas para engolir e para evacuar.

## COMPLICAÇÕES

Os casos mais graves de cardiopatia chagásica crônica ocorrem com frequência maior na terceira e na quarta décadas de vida, sendo importantes causas de morte em áreas endêmicas. As complicações são insuficiência cardíaca congestiva (com predominância do tipo direto), derrame pericárdico e arritmias. Fenômenos tromboembólicos estão associados ao aneurisma cardíaco de ponta e contribuem significativamente para a letalidade da infecção.

O megaesôfago e o megacólon são as complicações digestivas mais comuns. Os sinais e sintomas do megaesôfago são disfagia (sintoma mais frequente e dominante), regurgitação, epigastralgia ou dor retroesternal, odinofagia, soluço, ptialismo (excesso de salivação), emagrecimento e hipertrofia das parótidas. O megacólon envolve constipação intestinal (instalação lenta e insidiosa), meteorismo e distensão abdominal. No megaesôfago, as alterações vão de uma simples dificuldade de seu esvaziamento até o dolicomegaesôfago (esôfago com grande volume, alongado e atônico, dobrando-se sobre a cúpula diafragmática e produzindo sombra paracardíaca direita observada na radiografia de tórax simples).

As complicações mais frequentes do megaesôfago são esofagite por estase, desnutrição, rompimento do esôfago, fístula e alterações pulmonares decorrentes de regurgitação e aspiração de conteúdo gástrico. As complicações do megacólon são volvos, torções e fecalomas com obstruções agudas.

## DIAGNÓSTICO

O diagnóstico laboratorial da fase aguda pode ser feito por meio de exame parasitológico ou por métodos sorológicos:
→ **método parasitológico:** é o mais indicado nesta fase. Detecta a presença do *T. cruzi* pela análise do sangue periférico (exame a fresco, gota espessa, esfregaço corado, creme leucocitário e xenodiagnóstico); a visualização do parasita estabelece diagnóstico confirmado da infecção. Recomenda-se a realização simultânea de diferentes exames parasitológicos diretos. Quando o resultado dos exames a fresco e de concentração forem negativos na primeira coleta, devem-se realizar novas coletas até a confirmação do diagnóstico ou o desaparecimento dos sintomas na fase aguda, ou até a confirmação de outra hipótese diagnóstica;
→ **métodos sorológicos:** constituem métodos indiretos, não sendo os mais indicados para o diagnóstico de fase aguda. Podem ser realizados quando os exames parasitológicos forem negativos e a suspeita clínica persistir.
→ IgG: para confirmação, são necessárias duas coletas com intervalo mínimo de 15 dias entre uma e outra, sendo preferencialmente de execução pareada (inclusão da 1ª e 2ª amostras no mesmo ensaio para efeitos comparativos);
→ IgM: é uma técnica complexa e pode apresentar resultados falso-positivos em várias doenças febris. Para realizá-la, o paciente deve apresentar alterações clínicas compatíveis com DCA e história epidemiológica sugestiva.[8]

O exame parasitológico do recém-nascido de mãe sorreagente deve ser realizado prioritariamente nos 10 primeiros dias de vida. Se o resultado for positivo, a criança será submetida imediatamente ao tratamento específico. No caso de recém-nascidos com exame microscópico direto negativo e com alterações clínicas compatíveis com a doença, também é indicado o tratamento específico. Os casos de recém-nascidos com exame parasitológico negativo e sem sintomatologia compatível com DCA devem retornar aos 9 meses, para realizar dois testes sorológicos para pesquisa de anticorpos anti-*T. cruzi* da classe IgG. Antes desse período, o resultado pode apresentar interferência da imunidade passiva. Se ambas as sorologias forem negativas, descarta-se a possibilidade de transmissão vertical; caso haja discordância entre os resultados dos testes, um terceiro teste de princípio diferente deve ser realizado, como é preconizado para o diagnóstico da fase crônica.[8]

Na fase crônica da infecção, não há indicação de exames parasitológicos, devido à pequena quantidade de parasitas circulantes. Nessa situação, é mandatória a sorologia, utilizando pelo menos duas técnicas diferentes: imunofluorescência indireta e teste imunoenzimático (Elisa); quando os resultados dessa primeira etapa são discordantes, utiliza-se uma terceira técnica, geralmente a inibição de hemaglutinação.

Além dos métodos sorológicos convencionais, recentemente os testes rápidos têm sido utilizados como estratégia para avaliação diagnóstica. Apesar de não substituírem o diagnóstico convencional, podem ser considerados uma alternativa para busca ativa por casos em áreas remotas ou sem infraestrutura laboratorial adequada. O teste possui alta sensibilidade; portanto, resultados negativos podem ser utilizados para descartar o diagnóstico da doença. No entanto, resultados positivos necessitam de confirmação sorológica com os testes anteriores, devido ao elevado número de resultados falso-positivos.[14]

As alterações no ECG de 12 derivações costumam preceder as manifestações clínicas da forma cardíaca; esse exame constitui avaliação indispensável em indivíduos sintomáticos. As alterações mais comuns são alargamento do espaço PR, redução de voltagem do QRS, extrassístoles ventriculares, baixa voltagem da onda T e retificação de ST. Embora não existam alterações patognomônicas no ECG, o bloqueio de ramo direito de terceiro grau é considerado diagnóstico da cardiopatia chagásica em indivíduos residentes nas áreas endêmicas. Teste ergométrico, ECG de alta resolução, ecodopplercardiografia e outros exames têm indicação de acordo com os achados clínicos e no ECG convencional. Na fase cardíaca inicial, ocorrem alterações no ECG; no entanto, a fração de ejeção é normal (> 40%), com ausência de insuficiência cardíaca e de arritmias graves.

O estudo radiológico simples de tórax é recomendado na avaliação inicial dos pacientes, junto com o ECG. Especialmente em indivíduos assintomáticos, não está indicado solicitar exames radiológicos mais sofisticados nessa etapa inicial, que deve ocorrer na atenção primária à saúde (APS). A avaliação complementar depende dos achados do exame físico e do ECG. Pacientes sintomáticos ou assintomáticos com alterações em ECG devem ter avaliação complementar com radiografia de tórax (caso não tenha sido realizado previamente), ecocardiografia e Holter, se disponível. Pode ser considerado teste de esforço/ergometria em caso de indisponibilidade do Holter, para avaliação de arritmias.

Pacientes com sintomas gastrintestinais altos (disfagia, odinofagia, regurgitação, dor torácica) devem ser submetidos, inicialmente, a radiografia contrastada de esôfago; nos pacientes com disfagia persistente, há indicação de realização de endoscopia e manometria esofágica, geralmente na atenção secundária.

Em pacientes com constipação, levantando suspeita clínica de megacólon, o estudo radiológico simples do abdome pode preceder o enema opaco, se este não estiver disponível. A confirmação do diagnóstico é feita por meio de imagens revelando dilatação do órgão. Inicialmente, a dilatação é discreta, podendo ser evidente apenas um alongamento de segmentos do intestino grosso. A pressão exercida pela introdução do contraste pode produzir alargamentos e levar a falso diagnóstico. Mais do que ocorre com o megaesôfago, no megacólon há dificuldades para fazer estadiamento do grau de comprometimento, exigindo a avaliação por especialistas.

## Diagnóstico diferencial

No diagnóstico diferencial da fase aguda, devem ser consideradas leishmaniose visceral, malária, dengue, febre tifoide, toxoplasmose, mononucleose infecciosa, esquistossomose aguda, infecção por coxsackievírus, sepse e doenças autoimunes. Além disso, são incluídas doenças que podem cursar com eventos íctero-hemorrágicos, como leptospirose, dengue, febre amarela e outras arboviroses, meningococemia, sepse, hepatites virais, febre purpúrica brasileira, hantaviroses e riquetsioses.

## TRATAMENTO

O manejo clínico precoce do paciente chagásico é fundamental para o aumento da expectativa e da qualidade da sobrevida, sobretudo nas formas cardíacas. O tratamento específico objetiva suprimir a parasitemia e seus efeitos ao organismo. Apesar de não existirem ensaios clínicos randomizados que avaliem o benefício do tratamento com benzonidazol, esse medicamento está indicado na fase aguda da doença **B**, em casos congênitos **B**, na reativação da parasitemia por imunossupressão **B**, em indivíduos transplantados que receberam órgão de doador infectado e/ou com infecção prévia que pode reativar e na profilaxia pós-exposição acidental **C/D**.[3,15]

O esquema terapêutico atualmente disponível consiste em benzonidazol (para adultos, 5 mg/kg/dia, por 60 dias; para crianças, 5-10 mg/kg/dia, por 60 dias). A posologia diária deve ser dividida em 2 ou 3 tomadas, com intervalos de 8 ou 12 horas. Em pessoas com peso > 60 kg, limita-se à dose máxima de 300 mg/dia, estendendo o esquema até atingir a dosagem alvo inicial, até o máximo de 80 dias. Efeitos colaterais incluem dermatite e *rash* cutâneo (30-44%), alopecia, cefaleia, tontura, anorexia, perda de peso, cansaço, parestesias, neutropenia e depleção das células da série vermelha; cerca de 18% dos pacientes não toleram o tratamento.[13,14]

O nifurtimox, na dose de 10 mg/kg/dia em adultos e 15 mg/kg/dia em crianças, por 90 dias, é uma alternativa terapêutica **D**. Está indicado diante das raras situações de impossibilidade de uso do benzonidazol, embora seja um medicamento de difícil obtenção na atualidade. Apresenta efeitos colaterais em cerca de 85% dos casos – os mais comuns são intolerância gastrintestinal, artralgias e alterações dermatológicas.[15,16]

As contraindicações do tratamento com benzonidazol incluem gestantes **C/D**, pois, além de não impedir a infecção congênita, o fármaco pode causar danos ao feto; portadores de insuficiência renal ou hepática **C/D**; e pacientes com doença cardíaca avançada **C/D**.[15] Em 2018, o Ministério da Saúde passou a indicar o tratamento de gestantes na fase aguda grave da doença em qualquer trimestre e nos casos agudos não graves, a partir do segundo trimestre, com decisão compartilhada e informação dos riscos e benefícios.[15]

O tratamento de pacientes na fase crônica ou indeterminada da doença tem sido objeto de debates há décadas. Em indivíduos assintomáticos com infecção crônica pelo tripanossoma, o tratamento antiparasitário com benzonidazol não reduz mortalidade ou progressão para miocardiopatia **B**.[13,18,19] Recomenda-se considerar o tratamento de mulheres em idade fértil **C/D**, adultos com idade < 50 anos na fase indeterminada **B** ou digestiva **C/D** e na forma cardíaca em fase inicial **B**. Deve-se compartilhar a decisão de tratamento em pessoas com idade > 50 anos sem doença cardíaca avançada **C/D**.

Estudos em animais de laboratório e em humanos indicam que a presença dos parasitas no músculo cardíaco está associada a processo inflamatório, e alguns estudos sugerem que o aparecimento e/ou progressão das lesões cardíacas é menor em indivíduos tratados do que em não tratados.[20,21]

O tratamento específico dos indivíduos com doença de grau leve, sem complicações, e das formas indeterminadas pode ser feito na APS, sendo encaminhados para serviço especializado os indivíduos que apresentam complicações, como cardiopatia aguda grave, sangramento digestivo, intolerância ou reações adversas ao benzonidazol (dermopatia grave, neuropatia, lesões em mucosa, hipoplasia medular).[8]

Pessoas que vivem com HIV, com doença de Chagas assintomática, devem ser tratadas com o mesmo tratamento recomendado para pessoas HIV-negativo **B**. Nos soropositivos para HIV com doença neurológica grave e evidência de reativação parasitária, há indicação de tratamento hospitalar C/D.[14-16]

Não há estudos que avaliem a efetividade da profilaxia em pessoas coinfectadas com HIV e *T. cruzi*. A terapia antirretroviral é a medida mais importante para prevenir a reativação C/D.[22] A negativação sorológica é o indicador de cura. Entretanto, não há como garantir a cura parasitológica.

Não existem critérios clínicos que possibilitem definir com exatidão a cura de pacientes com doença de Chagas aguda. Conforme o critério sorológico, a cura é a negativação sorológica. Em casos agudos, recomenda-se realizar exames sorológicos convencionais (IgG) anualmente, por 5 anos, devendo-se encerrar a pesquisa quando dois exames sucessivos forem não reagentes. Não se recomenda, como rotina, a realização de sorologia para monitoramento de cura em pessoas na fase crônica da doença.[8]

A insuficiência cardíaca, complicação mais comum, deve ser tratada de forma semelhante a outras etiologias, embora o seu prognóstico pareça ser pior. São utilizados os mesmos medicamentos, extrapolando resultados de estudos de insuficiência cardíaca hipertensiva e isquêmica: diuréticos para congestão C/D, inibidores da enzima conversora da angiotensina C/D e bloqueadores do receptor da angiotensina C/D; já o uso de betabloqueadores deve ser feito com cautela, e em doses inferiores às utilizadas em outras cardiopatias B.[23] (Para mais detalhes do manejo, ver Capítulo Insuficiência Cardíaca.)

Megaesôfago e megacólon são complicações relativamente comuns, devendo ser manejadas de forma semelhante aos casos sem doença de Chagas. Inicialmente, pode-se orientar adequação de hábitos alimentares (mastigar bem os alimentos, ingerir pequenos volumes por vez, dar preferência a alimentos líquidos e pastosos, evitar a ingestão de alimentos irritantes e antes de deitar) e, se necessário, indicar o uso de medicamentos como nifedipino e dinitrato de isossorbida C/D, para alívio sintomático, quando não houver resposta às medidas não farmacológicas. O dinitrato de isossorbida é recomendado na dose de 2,5 a 5 mg, por via sublingual, 15 minutos antes de cada refeição. O uso do nifedipino é recomendado na dose de 10 mg, por via sublingual, 30 minutos antes de cada refeição. Esses fármacos apresentam efeitos colaterais, que podem comprometer a adesão. O nifedipino é mais bem tolerado; no entanto, não deve ser utilizado em cardiopatia grave, devido ao risco de hipotensão e retenção hidrossalina. Em casos refratários, pode ser necessário uso de toxina botulínica, dilatação por balão pneumático ou sonda e tratamento cirúrgico. Constipação causada pelo megacólon pode ser manejada inicialmente com medidas dietéticas: dietas com alto teor de fibras, elevada ingestão de líquidos e restrição de alimentos constipantes. Deve-se atender sistematicamente ao desejo de evacuar e evitar medicamentos constipantes (como opioides, diuréticos, anti-histamínicos e anticonvulsivantes). Medidas farmacológicas para constipação incluem laxativos emolientes ou osmóticos e supositórios com glicerol. (Para mais informações sobre manejo de constipação, ver Capítulo Problemas Digestivos Baixos.) Podem ser necessários enemas e tratamento cirúrgico em casos mais graves, como remoção de fecaloma, redução de volvo e tratamento cirúrgico de perfurações.

## VIGILÂNCIA EPIDEMIOLÓGICA E MEDIDAS DE CONTROLE

Os princípios básicos da prevenção da doença de Chagas são aqueles que visam interromper a cadeia de transmissão. No Brasil, ações sistematizadas de combate do vetor e controle de qualidade dos hemocomponentes foram implantadas a partir de 1975. Nos países do Cone Sul, Andes, América Central e Bacia Amazônica, estratégias de controle vetorial levaram à redução de 70% no número de novas infecções transmitidas por vetores.[11]

As ações realizadas pelo Ministério da Saúde do Brasil reduziram a área de risco para transmissão vetorial, tendo sido reconhecida pela Organização Pan-Americana da Saúde (Opas) a interrupção da transmissão vetorial da doença de Chagas pelo *T. infestans* em Estados historicamente endêmicos, como Bahia, Goiás, Mato Grosso, Mato Grosso do Sul, Minas Gerais, Paraíba, Paraná, Pernambuco, Piauí, Rio de Janeiro, Rio Grande do Sul, São Paulo e Tocantins. Os Estados do Rio Grande do Sul e Bahia apresentavam resíduos do *T. infestans* na época da certificação, sendo necessário fortalecer a vigilância nessas áreas.

Com relação à transmissão oral, as principais medidas são: intensificar ações de vigilância sanitária e inspeção, em todas as etapas da cadeia de produção de alimentos passíveis de contaminação, com especial atenção ao local de manipulação de alimentos; instalar a fonte de iluminação distante dos equipamentos de processamento do alimento, para evitar a contaminação acidental por vetores atraídos pela luz; e realizar ações de capacitação para manipuladores de alimentos e para profissionais de informação, educação e comunicação. Resfriamento ou congelamento de alimentos não previne a transmissão oral por *T. cruzi*, mas a cocção acima de 45 °C, a pasteurização e a liofilização são métodos que podem ser utilizados.[8]

Desde 1996, a doença está incluída no Sistema Nacional de Vigilância Epidemiológica, e todos os casos agudos devem ser notificados em até 24 horas. Atualmente, os casos crônicos também são de notificação compulsória, com periodicidade semanal. Os surtos também devem ser notificados.[8,24]

De 2001 a 2008, foi realizado o Inquérito Nacional de Soroprevalência para *T. cruzi* em crianças com idade < 5 anos. Foram coletadas mais de 100 mil amostras em 2.201 municípios sorteados na zona rural de todo o território nacional, tendo como resultado uma prevalência de 0,01%. Isso representa redução importante em relação ao inquérito realizado entre 1975 e 1980, que indicava prevalência de 4,2%.

## REFERÊNCIAS

1. World Health Organization. Chagas disease (American trypanosomiasis) [Internet]. Geneva: WHO; 2019 [capturado em 4 ago 2020]. Disponível em: https://www.who.int/chagas/en/

2. Martins-Melo FR, Ramos AN Jr, Alencar CH, Heukelbach J. Mortality from neglected tropical diseases in Brazil, 2000-2011. Bull World Health Organ. 2016;94(2):103-10.
3. Dias JCP, Ramos Jr. AN, Gontijo ED, Luquetti A, Shikanai-Yasuda MA, Rodrigues JC, et al. II Consenso Brasileiro em Doença de Chagas, 2015. Epidemiol. Serv. Saúde. 2016;25(esp.): 7-86.
4. Brasil. Ministério da Saúde. Saúde Brasil 2009: uma análise da situação de saúde e da agenda nacional e internacional de prioridade em saúde. Brasília: MS; 2010.
5. Ortega-Barría E. Trypanosoma species (trypanosomiasis). In: Long SS, Pickering LK, Prober CG. Principles and practice of pediatric infectious diseases. 2nd ed. Philadelphia: Churchill Livingstone; 2003. p. 1324-30.
6. Ferreira CS, Martinho PC, Amato V Neto, Cruz RR. Pasteurization of human milk to prevent transmission of Chagas disease. Rev Inst Med Trop São Paulo. 2001;43(3):161-2.
7. Brasil. Ministério da Saúde. Secretaria de Vigilância em Saúde. Doença de Chagas aguda e distribuição espacial dos triatomíneos de importância epidemiológica, Brasil 2012 a 2016. Bol Epidemiol. 2019;50(2):1-10.
8. Brasil. Ministério da Saúde. Guia de Vigilância em Saúde: volume único [Internet]. 3. ed. Brasília: MS; 2019 [capturado em 4 set 2020]. Disponível em: http://portalarquivos2.saude.gov.br/images/pdf/2019/junho/25/guia-vigilancia-saude-volume-unico-3ed.pdf.
9. Prata A. Clinical and epidemiological aspects of Chagas disease. Lancet Infect Dis. 2001;1(2):92-100.
10. Brasil. Ministério da Saúde. Doença de Chagas aguda: manual prático de subsídio à notificação obrigatória no SINAN [Internet]. Brasília: MS; 2004 [capturado em 12 mar 2020]. Disponível em: https://telelab.aids.gov.br/index.php/biblioteca-telelab/item/download/32_5ecf6938d08a5276946b8dba6ce3e0d5
11. Shikanai-Yasuda MA, Carvalho NB. Oral transmission of Chagas disease. Clin Infect Dis. 2012;54(6):845-52.
12. Bittencourt AL, Brener Z, Andrade Z, Barral-Neto M. Transmissão vertical da doença de Chagas. In: Brener Z, Andrade ZA, Barral-Netto M. Trypanosoma cruzi e Doença de Chagas. Rio de Janeiro: Guanabara Koogan; 2000. p. 16-20.
13. Pérez-Molina JA, Pérez-Ayala A, Moreno S, Fernández-González MC, Zamora J, López-Velez R. Use of benznidazole to treat chronic Chagas' disease: a systematic review with a meta-analysis. J Antimicrob Chemother. 2009;64(6):1139-47.
14. Brasil. Ministério da Saúde. Protocolo Clínico e Diretrizes Terapêuticas Doença de Chagas: relatório de recomendação nº 397.[Internet]. Brasília: MS; 2018 [capturado em 4 set 2020]. Disponível em: http://conitec.gov.br/images/Protocolos/Relatorio_PCDT_Doenca_de_Chagas.pdf.
15. Bern C, Montgomery SP, Herwaldt BL, Rassi A Jr, Marin-Neto JA, Dantas RO, Maguire JH, Acquatella H, Morillo C, Kirchhoff LV, Gilman RH, Reyes PA, Salvatella R, Moore AC. Evaluation and treatment of chagas disease in the United States: a systematic review. JAMA. 2007;298(18):2171-81.
16. Le Loup G, Pialoux G, Lescure FX. Update in treatment of Chagas disease. Curr Opin Infect Dis. 2011;24(5):428-34.
17. de Andrade AL, Zicker F, de Oliveira RM, Almeida Silva S, Luquetti A, Travassos LR, et al. Randomised trial of efficacy of benznidazole in treatment of early Trypanosoma cruzi infection. Lancet. 1996;348(9039):1407-13.
18. Villar JC, Marin-Neto JA, Ebrahim S, Yusuf S. Trypanocidal drugs for chronic asymptomatic Trypanosoma cruzi infection. Cochrane Database Syst Rev. 2002;(1):CD003463.
19. Fuentes B R, Maturana AM, de la Cruz M R. Efficacy of nifurtimox for the treatment of chronic Chagas disease. Rev Chilena Infectol. 2012;29(1):82-6.
20. Urbina JA, Docampo R. Specific chemotherapy of Chagas disease: controversies and advances. Trends Parasitol. 2003;19(11):495-501.
21. Kirchoff LV. Trypanosoma cruzi (american trypanosomiasis or Chagas disease). In: Yu VL, Weber R, Raoult D, Rex JH, Seenivasan MH. Antimicrobial therapy and vaccines. 2nd ed. New York: Apple Tree; 2003. p. 1723-8.
22. U. S. Department of Health and Human Services. Guidelines for the prevention and treatment of opportunistic infections in adults and adolescents with HIV. [Internet]. Rockville: AIDS Info; 2019 [capturado em 6 ago 2020]. Disponível em: https://aidsinfo.nih.gov/guidelines/html/4/adult-and-adolescent-opportunistic-infection/351/chagas-disease
23. Andrade JP, Marin Neto JA, Paola AA, Vilas-Boas F, Oliveira GM, Bacal F, et al. I Latin American Guidelines for the diagnosis and treatment of Chagas' heart disease: executive summary. Arq Bras Cardiol. 2011;96(6):434-42.
24. Brasil. Ministério da Saúde. Portaria nº 264, de 17 de fevereiro de 2020 [Internet]. Brasília: MS; 2020 [capturado em 4 set 2020]. Disponível em: https://bvsms.saude.gov.br/bvs/saudelegis/gm/2020/prt0264_19_02_2020.html

## LEITURAS RECOMENDADAS

Memórias do Instituto Oswaldo Cruz. Rio de Janeiro: Fundação Oswaldo Cruz. Vol. 94, Suppl 1, 1999.
*Suplemento que reúne conferências do simpósio realizado em homenagem aos 90 anos da descoberta da doença de Chagas.*

Cancado JR. Long term evaluation of etiological treatment of Chagas disease with benznidazole. Rev Inst Med Trop S Paulo. 2002;44(1):29-37.

Organizacíon Panamericana de la Salud. Tratamiento etiologico de la enfermedad de Chagas: conclusiones de una consulta tecnica. Washington: OPS; 1998.

Reyes PA, Vallejo M. Trypanocidal drugs for late stage, symptomatic Chagas disease (Trypanosoma cruzi infection). Cochrane Database Syst Rev. 2005;(4):CD004102.

Schijman AG. Molecular diagnosis of Trypanosoma cruzi. Acta Trop. 2018;184:59-66.

# Capítulo 162
## DENGUE, ZIKA E CHIKUNGUNYA

Adriana Oliveira Guilarde

Maria José Timbó

A dengue é uma doença febril aguda, causada por um arbovírus (vírus isolado em artrópodes) do grupo B, do gênero *Flavivirus*, da família Togaviridae, transmitido por artrópodes hematófagos. Existem quatro sorotipos virais antigenicamente distintos, designados DEN-1, DEN-2, DEN-3 e DEN-4, capazes de causar desde febre indiferenciada até formas graves, das quais se destaca o choque pelo extravasamento de plasma para o terceiro espaço, bem como comprometimento grave de órgão-alvo, com hepatite grave, miocardite, entre outros.[1]

Outras arboviroses de extrema relevância atualmente são as infecções pelos vírus chikungunya e zika, que se destacam, respectivamente, pela elevada morbidade e pela síndrome da zika congênita.[2,3]

## EPIDEMIOLOGIA

A dengue representa a principal arbovirose do mundo, sendo hoje considerada um problema de saúde pública internacional, com hiperendemicidade em vários centros urbanos localizados em regiões tropicais e subtropicais A doença é endêmica em mais de 100 países e as Américas, Sudeste Asiático e Oeste do Pacífico são as regiões mais afetadas, sendo que a região asiática representa 70% da carga global da doença. Os mosquitos do gênero *Aedes* estão entre os vetores predominantes implicados em sua expansão, notadamente a espécie *Aedes aegypti*. A infecção confere imunidade permanente para o sorotipo homólogo, e imunidade cruzada transitória para os demais sorotipos.[4]

No Brasil, desde 2011 circulam os quatro sorotipos virais, com aumento na incidência, chegando em 2020 a 462,1 casos a cada 100 mil habitantes, com maior incidência nas regiões Centro-Oeste e Sul. A partir da semana epidemiológica 12 houve uma redução expressiva dos casos notificados em relação ao ano anterior, provavelmente relacionada à mobilização da vigilância no enfrentamento da pandemia da Covid-19 e na subnotificação de casos.[5]

A incidência da doença no Brasil é predominante em adultos jovens, sendo que os casos com maior risco de complicações ocorrem em crianças com idade < 10 anos, idosos e nas infecções causadas pelo sorotipo 2. Também há uma tendência de maior hospitalização em indivíduos com idade > 65 anos.[6] A presença de comorbidades, entre as quais se destaca a hipertensão arterial sistêmica, tem sido associada a uma maior dificuldade de manejo e a desfechos desfavoráveis nessa população.[7] Diabetes melito, asma brônquica, doenças hematológicas ou renais crônicas, hepatopatias, doença acidopéptica ou doenças autoimunes também têm sido descritas como preditoras de pior prognóstico.[1]

A transmissão autóctone de chikungunya no Brasil foi detectada em setembro de 2014, em Feira de Santana, na Bahia (BA), e no Oiapoque, no Amapá (AP). A partir dessa data, houve uma larga disseminação da doença, porém em menor escala quando comparada às proporções da dengue. No entanto, o sistema de vigilância da dengue é bem mais antigo e estruturado, de modo que os dados da chikungunya podem ser subestimados, bem como os desfechos desfavoráveis relacionados à doença, que muitas vezes não são imediatos.[8]

A identificação do vírus da zika ocorreu em 1947, mas a doença não apresentava notoriedade, em função dos casos discretos relatados. No entanto, por ocasião do surto ocorrido na Polinésia Francesa, observou-se um aumento significativo de casos de síndrome de Guillain-Barré, e a zika ganhou destaque, com seu potencial de complicações neurológicas.[9] No Brasil, durante a investigação do aumento de recém-nascidos com microcefalia na Região Nordeste do País em outubro de 2015, um estudo de caso-controle evidenciou a associação dos casos com infecção pelo vírus da zika durante a gestação, sendo responsável por um conjunto de sinais e sintomas graves em fetos, posteriormente descritos como síndrome da zika congênita.[3,10] O vírus da zika se mostrou teratogênico e, assim como outros flavivírus, também é neurotrópico, com aumento do número de casos de distúrbios neurológicos graves, como síndrome de Guillain-Barré.[11]

As três arboviroses circulam simultaneamente no País, mostrando o potencial de um vetor urbano, bem como as limitações da modernidade no enfrentamento dessas doenças.

## QUADRO CLÍNICO

A **TABELA 162.1** mostra a comparação dos achados mais frequentemente observados nas três arboviroses: dengue, chikungunya e zika.[12]

### Dengue

Após período de incubação, em média de 4 a 10 dias, a dengue pode evoluir de forma assintomática ou como febre indiferenciada, podendo manifestar-se como dengue sem sinais de alerta, dengue com sinais de alerta e dengue grave, conforme **FIGURA 162.1**.[1,11]

### Dengue sem sinais de alerta

Caracteriza-se pela presença dos seguintes sinais e sintomas: febre alta – geralmente acima de 38°C, de início abrupto que

**TABELA 162.1** → Principais sinais e sintomas da infecção por dengue, chikungunya e zika

| SINAIS/SINTOMAS | DENGUE | CHIKUNGUNYA | ZIKA |
|---|---|---|---|
| Febre | Febre alta (>38°C) | Febre alta (>38,5°C) | Sem febre ou febre baixa (≤38°C) |
| Duração | 2-7 dias | 2-3 dias | 1-2 dias subfebril |
| Exantema | Surge do 3° ao 6° dia | Surge do 2° ao 5° dia | Surge no 1° ou 2° dia |
| Mialgias (frequência) | +++ | ++ | ++ |
| Artralgia (frequência) | + | +++ | ++ |
| Artralgia (intensidade) | Leve | Moderada/intensa | Leve/moderada |
| Edema da articulação (frequência) | Raro | Frequente | Frequente |
| Edema da articulação (intensidade) | Leve | Moderado a intenso | Leve |
| Conjuntivite | Rara | 30% | 50 a 90% dos casos |
| Cefaleia | +++ | ++ | ++ |
| Linfonodomegalia | + | ++ | +++ |
| Discrasia hemorrágica | ++ | + | Ausente |
| Acometimento neurológico | + | ++ | +++ |
| Leucopenia | +++ | ++ | ++ |
| Linfopenia | Incomum | Frequente | Incomum |
| Trombocitopenia | +++ | ++ | + |

Fonte: Adaptada de Brito e colaboradores.[12]

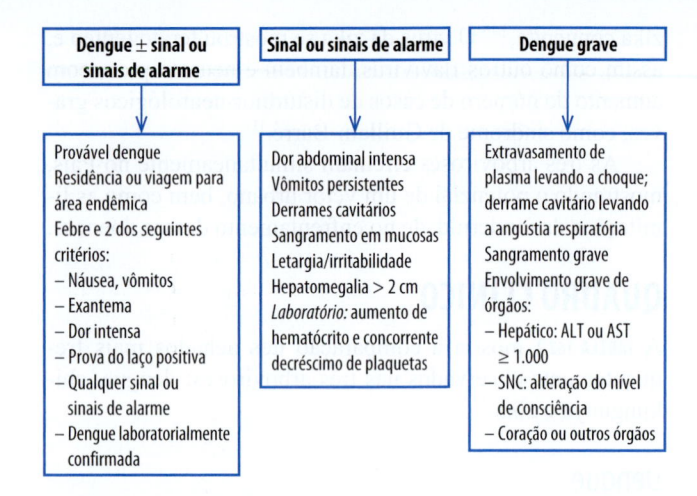

```
┌─────────────────┐   ┌─────────────────┐   ┌─────────────────┐
│ Dengue ± sinal ou│   │Sinal ou sinais  │   │  Dengue grave   │
│ sinais de alarme │   │   de alarme     │   │                 │
└────────┬────────┘   └────────┬────────┘   └────────┬────────┘
         ▼                     ▼                     ▼
┌─────────────────┐   ┌─────────────────┐   ┌─────────────────┐
│Provável dengue  │   │Dor abdominal    │   │Extravasamento de│
│Residência ou    │   │intensa          │   │plasma levando a │
│viagem para área │   │Vômitos          │   │choque; derrame  │
│endêmica         │   │persistentes     │   │cavitário levando│
│Febre e 2 dos    │   │Derrames         │   │a angústia       │
│seguintes        │   │cavitários       │   │respiratória     │
│critérios:       │   │Sangramento em   │   │Sangramento grave│
│– Náusea, vômitos│   │mucosas          │   │Envolvimento     │
│– Exantema       │   │Letargia/        │   │grave de órgãos: │
│– Dor intensa    │   │irritabilidade   │   │– Hepático: ALT  │
│– Prova do laço  │   │Hepatomegalia    │   │  ou AST ≥ 1.000 │
│  positiva       │   │> 2 cm           │   │– SNC: alteração │
│– Qualquer sinal │   │Laboratório:     │   │  do nível de    │
│  ou sinais de   │   │aumento de       │   │  consciência    │
│  alarme         │   │hematócrito e    │   │– Coração ou     │
│– Dengue         │   │concorrente      │   │  outros órgãos  │
│  laboratorial-  │   │decréscimo de    │   │                 │
│  mente          │   │plaquetas        │   │                 │
│  confirmada     │   │                 │   │                 │
└─────────────────┘   └─────────────────┘   └─────────────────┘
```

**FIGURA 162.1** → Características da dengue e níveis de gravidade.
ALT, alanina-aminotransferase; AST, aspartato-aminotransferase; SNC, sistema nervoso central.
Fonte: Adaptada de World Health Organization[1] e Brasil.[11]

dura de 2 a 7 dias –, cefaleia intensa, mialgia, artralgia, dor retro-orbitária, manifestações gastrintestinais, anorexia, alterações do paladar, exantema maculopapular ou escarlatiniforme e prurido. Podem surgir manifestações hemorrágicas, como epistaxe, petéquias, gengivorragia, metrorragia, entre outras.[1,4,11]

### Dengue com sinais de alerta

Entre o 3º e o 7º dia do início da doença, mais frequentemente durante a defervescência, podem surgir sinais de alerta, que prenunciam evolução desfavorável da doença: vômitos incoercíveis, dor abdominal intensa e contínua, hepatomegalia dolorosa, desconforto respiratório, sonolência ou irritabilidade excessiva, hipotermia, sangramento importante de mucosas (hematêmese e/ou melena), diminuição da diurese e diminuição repentina da temperatura corporal. Os sinais de alerta devem ser rotineiramente pesquisados, e os pacientes devem ser orientados a procurar assistência médica na presença desses sinais.[13]

### Dengue grave

O extravasamento de plasma para o terceiro espaço repercute em redução do volume intravascular e choque, associado a derrames cavitários (derrame pleural, ascite) e/ou desconforto respiratório. Além disso, são consideradas situações de gravidade: aumento de transaminases ≥ 1.000, miocardite, encefalite, rebaixamento do nível de consciência e/ou sangramento importante, notadamente hemorragia interna (hematêmese, melena, enterorragia, hematúria, metrorragia). Quando os pacientes não respondem bem à reposição de fluidos, é importante considerar algumas complicações, como acidose, sangramento, hipocalcemia e hipoglicemia. A fase de extravasamento de plasma pode durar 24 a 48 horas, e atenção deve ser dada à fase que segue de reabsorção dos fluidos do terceiro espaço, que ocorre 12 a 24 horas após a fase de hipotensão/choque. Nessa ocasião, podem ocorrer desconforto respiratório, edema agudo de pulmão e/ou insuficiência cardíaca.[13]

## Chikungunya

A chikungunya segue um curso semelhante ao da dengue. No entanto, a doença pode ter evolução arrastada, notadamente com comprometimento articular incapacitante e, às vezes, definitivo. O período de incubação varia de 1 a 12 dias.

Na fase aguda, também conhecida como fase febril, ocorrem febre alta de início súbito (> 38,5°C) e surgimento de intensa poliartralgia, geralmente acompanhada de dorsalgia, exantema, cefaleia, mialgia e fadiga, com duração variável. A febre é de curta duração e, ao contrário da dengue, a queda de temperatura não é associada à piora dos sintomas.

Na fase pós-aguda, normalmente a febre desaparece, mas pode haver recorrência. Pode haver melhora da artralgia (com ou sem recorrências), persistência ou agravamento desta, incluindo poliartrite distal e tenossinovite hipertrófica pós-aguda nas mãos (mais frequentemente nas falanges e nos punhos) e nos tornozelos.[11]

Artralgia e dor neuropática ou muscular 3 meses após o início dos sintomas caracterizam a forma crônica da doença. Quadros graves atípicos também podem ocorrer, sendo descritos: meningite, encefalite, nefrite, miocardite, entre outros.[8]

## Zika

O período de incubação do vírus da zika é, em média, de 2 a 7 dias. A infecção pelo vírus da zika pode ser assintomática ou sintomática. Habitualmente, é uma doença autolimitada, com duração de 4 a 7 dias. A infecção pós-natal pelo vírus da zika manifesta-se geralmente por febre baixa (≤ 38,5 °C) ou ausente, exantema (geralmente pruriginoso e maculopapular craniocaudal) de início precoce, conjuntivite não purulenta, artralgias, edema periarticular, cefaleia, linfonodomegalia, astenia e mialgia. Porém, quadros neurológicos durante e após o período virêmico são descritos.[11] Na infecção congênita, várias apresentações são observadas, como artrogripose, criptorquidia, déficit neurológico, surdez e microcefalia.[14]

# ETIOPATOGENIA

## Dengue

Há algumas teorias para explicar a patogenia da dengue grave, entre as quais se destacam:[15]

→ **imunoamplificação:** a infecção primária por um sorotipo viral leva à produção de anticorpos não neutralizantes, que, na presença de infecção secundária por outro sorotipo, induzem a ligação dos anticorpos prévios ao receptor Fc das células apresentadoras de antígeno, facilitando a entrada do vírus na célula e promovendo aumento da viremia, com consequente agravamento da doença. Essa é a hipótese mais difundida para explicar casos graves, porém, não explica os casos graves

na primoinfecção, nem os casos leves nas infecções subsequentes;
- → **imunidade mediada por células T:** antígenos são apresentados às células CD4 e CD8 de memória, sensibilizados por infecção prévia, levando à proliferação celular e à ativação de citocinas pró-inflamatórias e fator de necrose tumoral α (TNF-α, do inglês *tumor necrosis factor*), que atuam no endotélio vascular, levando ao extravasamento plasmático observado nas formas graves da doença;
- → **citocinas:** a ativação de citocinas induzindo lesão endotelial tem sido demonstrada pelas altas concentrações de interferon, TNF-α e interleucinas 2, 6, 1, 8 e 10 em paciente com dengue grave;
- → **hipótese de análise integral:** alia outros fatores às teorias de infecção sequencial e da virulência da cepa. Sendo assim, a interação entre os seguintes fatores de risco poderia promover as condições ideais para o aparecimento da síndrome:
    - → fatores individuais: lactentes e indivíduos com idade < 15 anos, adultos do sexo feminino, etnia branca, presença de enfermidades crônicas (hipertensão, diabetes, asma brônquica, anemia falciforme), existência prévia de anticorpos e intensidade da resposta imune anterior;
    - → fatores virais: virulência da cepa e sorotipo viral;
    - → fatores epidemiológicos: existência de pessoas suscetíveis, elevada densidade vetorial, espaço de tempo entre 3 meses e 5 anos entre as infecções por sorotipos diferentes e sequência das infecções.

Duas alterações fisiopatológicas principais ocorrem na dengue grave: aumento da permeabilidade vascular, provocando perda de plasma para o terceiro espaço, o que resulta em hemoconcentração, hipotensão e outros sinais de choque; e disfunção na hemostasia, envolvendo alterações vasculares, trombocitopenia e coagulopatia.[16]

## DIAGNÓSTICO

### Dengue

A definição de um caso suspeito de dengue consiste em indivíduo que resida em área onde se registram casos de dengue ou que tenha viajado nos últimos 14 dias para área com ocorrência de transmissão ou presença de *A. aegypti*. Deve apresentar febre, geralmente entre 2 e 7 dias, e duas ou mais das seguintes manifestações:
- → náusea/vômitos;
- → exantema;
- → mialgia/artralgia;
- → cefaleia/dor retro-orbital;
- → petéquias/prova do laço positiva;
- → leucopenia.

Também pode ser considerado caso suspeito toda criança proveniente de (ou residente em) área com transmissão de dengue, com quadro febril agudo, geralmente entre 2 e 7 dias, e sem sinais e sintomas indicativos de outra doença.[11]

Para o diagnóstico de dengue, devem ser considerados dados epidemiológicos, manifestações clínicas e exames complementares. A avaliação clínica minuciosa é essencial, com verificação da hidratação das mucosas, turgor da pele, volume urinário e perfusão periférica. A aferição da pressão arterial (PA) é importante na detecção de convergência da PA sistólica e diastólica (≤ 20 mmHg), bem como na avaliação de hipotensão postural (aferir PA deitado e em pé); a presença de uma dessas alterações pode preceder o choque.

Um dado importante que auxilia no diagnóstico clínico da doença é a prova de resistência capilar positiva (prova do laço). Esse achado não é patognomônico da doença, porém é mais encontrado na dengue do que em outras viroses. A prova do laço parece ter moderada sensibilidade (62%) e especificidade (60%) para diagnóstico de dengue hemorrágica **B**.[17] Entretanto, mesmo não tendo valor na predição de gravidade da doença, tem valor preditivo positivo para o diagnóstico.[1]

A prova do laço deve ser realizada na ausência de sangramento espontâneo e consiste em:[12]
1. verificar a PA do paciente;
2. somar a PA máxima e a PA mínima e dividir por 2;
3. deixar o manguito na pressão média durante 5 minutos;
4. verificar o aparecimento de petéquias no antebraço e na mão.

O resultado da prova do laço é positivo se houver a presença de 20 ou mais petéquias em adultos ou 10 ou mais petéquias em crianças, no local de pressão ou abaixo, em uma área de 2,5 cm² (FIGURA 162.2).

A confirmação laboratorial da dengue pode ser feita a partir dos seguintes testes diagnósticos:[1]
- → **testes sorológicos para detecção de anticorpos (IgM e IgG):** devem ser solicitados para indivíduos com suspeita de dengue a partir do 6º dia de doença. Entre as técnicas disponíveis, há testes de inibição da hemaglutinação (IH), fixação do complemento (FC), imunofluorescência (IF), imunocromatografia e Mac-Elisa (em inglês, *enzyme-linked immunosorbent assay*) para captura de IgM. Os dois últimos são amplamente utilizados

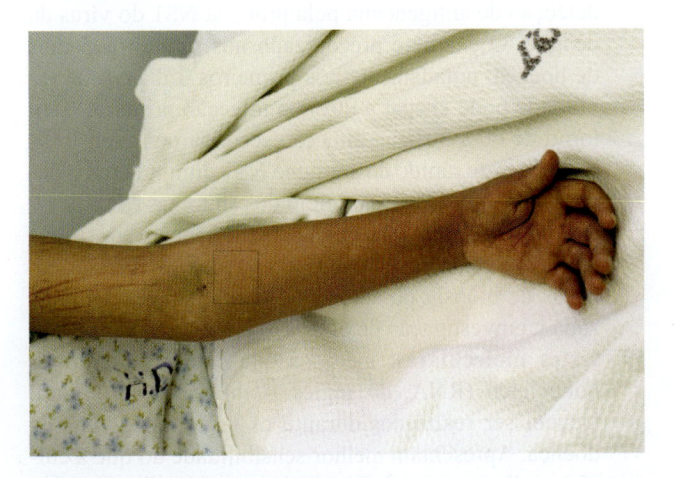

**FIGURA 162.2** → Prova do laço positiva.
Fonte: Hospital de Doenças Tropicais, Goiânia, GO.

em função da alta sensibilidade (~90%) e pelo fato de não necessitarem de amostra sérica pareada, visto que detectam IgM que perdura por cerca de 60 a 90 dias após o início da doença. As demais técnicas (IH, FC, IF) necessitam de amostras pareadas para avaliação de quadruplicação dos títulos de IgG, a fim de confirmar a infecção aguda. Na rede pública, o teste disponível nos Laboratórios Centrais de Saúde Pública (Lacens) é o Mac-Elisa.[1] Ressalta-se que os testes sorológicos podem fornecer resultados falso-positivos, sobretudo em áreas endêmicas da doença e em indivíduos com infecção ou imunização anterior por outro flavivírus;

→ **testes rápidos para detecção de anticorpos (IgM e IgG):** esses testes utilizam técnica de imunocromatografia para detecção qualitativa de anticorpos no plasma e permitem o diagnóstico em até 20 minutos. A utilização de testes rápidos em atenção primária à saúde nas áreas endêmicas, em especial associada ao treinamento dos profissionais, pode aumentar a qualidade diagnóstica, e reduz a prescrição desnecessária de antibióticos;

→ **relação IgM/IgG:** a relação entre os títulos de IgM e IgG fornece dados para inferir se a infecção corrente é primária ou secundária, e pode ser utilizada a partir do 6º dia da doença. Nas infecções primárias, os títulos de IgM são maiores, promovendo relação IgM/IgG com valores maiores. Desse modo, se a relação apresentar resultado > 1,2 (com diluição do soro de 1/100), a infecção é considerada primária. Se a relação IgM/IgG tiver resultado < 1,2, considera-se infecção secundária. O teste de avidez de IgG também pode auxiliar na distinção entre infecção primária e secundária;

→ **cultura viral:** deve ser solicitada até o 5º dia de doença, indicada em casos graves ou quando houver suspeita de entrada de novo sorotipo na região. O isolamento é feito recuperando-se o vírus pela inoculação em mosquitos adultos, células de artrópodes ou camundongos. Como a viremia nos seres humanos é muito breve, o isolamento em geral é difícil de ser obtido. A sensibilidade do exame é de cerca de 40%;

→ **detecção de antígeno NS1:** essa técnica possibilita a detecção de antigenemia pela proteína NS1 do vírus da dengue. O exame é preconizado nos primeiros 5 dias de doença, notadamente nos primeiros 3 dias. A sensibilidade pode chegar a 90% na infecção primária e em torno de 60 a 80% na infecção secundária. A sensibilidade do teste rápido do antígeno NS1 diminui com o decorrer do tempo desde o início dos sintomas **A**;[18]

→ **imuno-histoquímica:** imunofluorescência em peças criopreservadas (fragmentos de tecidos), realizada em peças de biópsia ou autópsia. Na prática, é mais utilizada na investigação de óbitos;

→ **testes moleculares:** métodos que detectam ácido ribonucleico (RNA, do inglês *ribonucleic acid*) viral. Devem ser realizados durante os primeiros 7 dias de doença. Apresentam melhor sensibilidade do que a cultura viral, em torno de 80 a 100%, com possibilidade de resultados bem mais rápidos. Resultados falso-positivos podem ocorrer devido à contaminação de *amplicons* de amplificações prévias. Entre os métodos disponíveis, destacam-se reação em cadeia da polimerase–transcriptase reversa (RT-PCR, do inglês *reverse transcription polymerase chain reaction*), técnica que amplifica sequências específicas do RNA viral, e RT-PCR em tempo real, que possibilita a quantificação da viremia, correlacionada com o prognóstico da doença.

As seguintes alterações laboratoriais inespecíficas podem ser encontradas na dengue:

→ **hemograma:** leucopenia. Pode ocorrer linfocitose com atipia linfocitária;

→ **bioquímica:** aumento das transaminases, em geral aspartato-aminotransferase (AST) > alanina-aminotransferase (ALT).

Mais frequentemente, na dengue grave, podem ser observados aumento do hematócrito e trombocitopenia; aumento nos tempos de protrombina, tromboplastina parcial e trombina; diminuição do fibrinogênio e fatores VIII e XII; hipoproteinemia e albuminúria.

Exames de imagem são indicados quando há alterações clínicas que os justifiquem. Em particular, são sugeridas:

→ **radiografias de tórax:** quando o paciente apresenta desconforto respiratório ou ausculta que sugira derrame pleural;

→ **ultrassonografia de abdome:** para investigação de ascite ou suspeita de complicações (p. ex., ruptura de baço).

## Chikungunya

A definição de um caso suspeito de chikungunya consiste em indivíduo com febre de início súbito (> 38,5 °C) e artralgia ou artrite intensa de início agudo, não explicado por outras condições, residente em (ou que tenha visitado) áreas com transmissão até 2 semanas antes do início dos sintomas, ou que tenha vínculo epidemiológico com caso importado confirmado.[11]

### Métodos diretos[2]

→ Isolamento viral (cultura).
→ Teste de biologia molecular: RT-PCR no sangue durante a fase virêmica.

### Métodos indiretos

→ Pesquisa de anticorpos IgM/IgG por testes sorológicos (Elisa).
→ Teste de neutralização por redução de placas (PRNT, do inglês *plaque reduction neutralization test*).
→ Inibição da hemaglutinação (IH).
→ Em tecidos: imuno-histoquímica.

## Zika

A definição de um caso suspeito de zika consiste em indivíduo que apresente exantema maculopapular pruriginoso acompanhado de um dos seguintes sinais e sintomas:

→ febre;

→ hiperemia conjuntival/conjuntivite não purulenta;
→ artralgia/poliartralgia;
→ edema periarticular.[11]

### Métodos diretos[19]

→ Isolamento viral (cultura).
→ Teste de biologia molecular: RT-PCR em sangue na fase virêmica; outros líquidos corporais, como líquido cerebrospinal, urina e sêmen, nos quais o vírus pode ser recuperado após mais tempo de doença, havendo registro de positividade por até 30 a 120 dias após o início dos sintomas.

### Métodos indiretos

→ Pesquisa de anticorpos IgM/IgG por testes sorológicos (Elisa).
→ Teste de neutralização por redução de placas (PRNT).
→ Inibição da hemaglutinação (IH).
→ Em tecidos: imuno-histoquímica.

## TRATAMENTO

### Dengue

**O tratamento da dengue é essencialmente de suporte; a medicação é sintomática, com analgésicos e antitérmicos C/D. Os salicilatos devem ser evitados, por sua ação anticoagulante e irritativa da mucosa gástrica, facilitando as hemorragias. É importante orientar hidratação rigorosa quando as três arboviroses estão sendo inicialmente avaliadas, pois, em geral, não há disponibilidade de fechar o diagnóstico etiológico em um primeiro momento, e a dengue é mais comumente relacionada com piores desfechos, sendo a hidratação um ponto-chave em seu manejo. Em relação ao tratamento específico, antivirais vêm sendo testados, mas os estudos disponíveis ainda não sustentam seu uso rotineiro.[1]**

A ingestão de líquidos por via oral deve ser estimulada, dentro do tolerado – de preferência, sais de reidratação oral –, por promoverem a reposição de eletrólitos C/D. A hidratação parenteral também pode ser instituída, sobretudo em pacientes com a via oral comprometida ou em risco de desenvolver choque C/D. Cristaloides (soro fisiológico [SF] a 0,9%) são efetivos, sendo adequados na maioria dos casos; os coloides devem ser reservados aos pacientes que não responderam ao cristaloide ou àqueles com choque profundo B.[20] É importante observar, a fim de que, após a fase de extravasamento, a reabsorção de líquidos para o meio intravascular não resulte em sobrecarga hídrica, com complicações cardiopulmonares.

Detalhes do manejo de acordo com o estágio da doença estão disponíveis no guia *Dengue: diagnóstico e manejo clínico: adulto e criança*, do Ministério da Saúde (MS) do Brasil.[13] Os protocolos devem estar disponíveis nos serviços de assistência à saúde, a fim de que a conduta apropriada para cada grupo clínico seja viabilizada em cada setor, desde a rede básica até hospitais terciários. O fluxograma de classificação de risco proposto pelo MS (FIGURA 162.3) sistematiza os níveis de acompanhamento, conforme o estágio da doença.

Entre as recomendações de acordo com o grupo clínico, destacam-se:

→ **grupo A:** hidratação oral com 60 mL/kg/dia – um terço com sais de reidratação oral, dois terços com outros líquidos (água, sucos);
→ **grupo B:** hidratação oral conforme o grupo A. Observação clínica e reavaliação com exames (hemograma e outros, conforme indicação clínica);
→ **grupoC:** reposição volêmica com SF 0,9%, 10 mL/kg/hora. Exames: hemograma, albumina, transaminases. Manter em leito de internação com reavaliação de sinais vitais e hematócrito;
→ **grupo D:** reposição volêmica com SF 0,9%, 20 mL/kg em 20 minutos. Reavaliação a cada 15 a 30 minutos; repetir hematócrito em 2 horas. Repetir a expansão até 3 vezes, se necessário. Se não houver resposta e/ou hematócrito em ascensão, proceder expansão volêmica com albumina ou coloides sintéticos.[13]

A transfusão de sangue fresco total (10 mL/kg/dose) é indicada na vigência de sangramento importante (trato gastrintestinal, metrorragia, hematúria), com o objetivo de melhorar a oxigenação tecidual C/D. Caso haja sobrecarga hídrica, pode ser transfundido concentrado de hemácias (5 mL/kg/dose).[13]

**A transfusão profilática de plaquetas não é recomendada, mesmo na vigência de plaquetopenia importante.** Estudos randomizados apontam mais riscos que benefícios na transfusão profilática,[21,22] podendo não diminuir o risco de sangramento em pacientes plaquetopênicos B.[23] A transfusão profilática deve ser considerada em caso de plaquetopenia < 10.000, em pacientes com doença de base que predisponha ao sangramento, como hipertensão arterial ou uso de anticoagulantes.[13]

### Chikungunya

**Fase aguda.** Uso de sintomáticos, como dipirona ou paracetamol, hidratação e repouso C/D. Em casos de dor moderada a intensa, pode ser associado um opioide ao analgésico, como codeína 30 mg, por via oral (VO), de 6/6 horas, ou tramadol 50 a 100 mg, VO, de 6/6 horas C/D. Nessa fase, evitar anti-inflamatórios, ácido acetilsalicílico e corticoides, pois podem agravar complicações hemorrágicas da doença. Quando detectado padrão de dor neuropática, indica-se amitriptilina 25 a 50 mg/dia ou gabapentina 300 mg, VO, de 12/12horas.

**Fase subaguda.** Utilizar anti-inflamatório não esteroide, como ibuprofeno 30 a 40 mg/kg/dia, 3 a 4×/dia (máximo de 2.400 mg/dia), ou naproxeno 20 mg/kg/dia, VO, 2×/dia (máximo de 1.000 mg/dia) C/D. Pode ser necessário o uso de corticoterapia, com prednisona 0,5 mg/kg/dia pela manhã, com duração de 3 a 5 dias após a remissão da dor; não ultrapassar 21 dias de tratamento C/D. Observar os fatores de risco para o uso do corticoide, como diabetes, hipertensão arterial não controlada, entre outros.

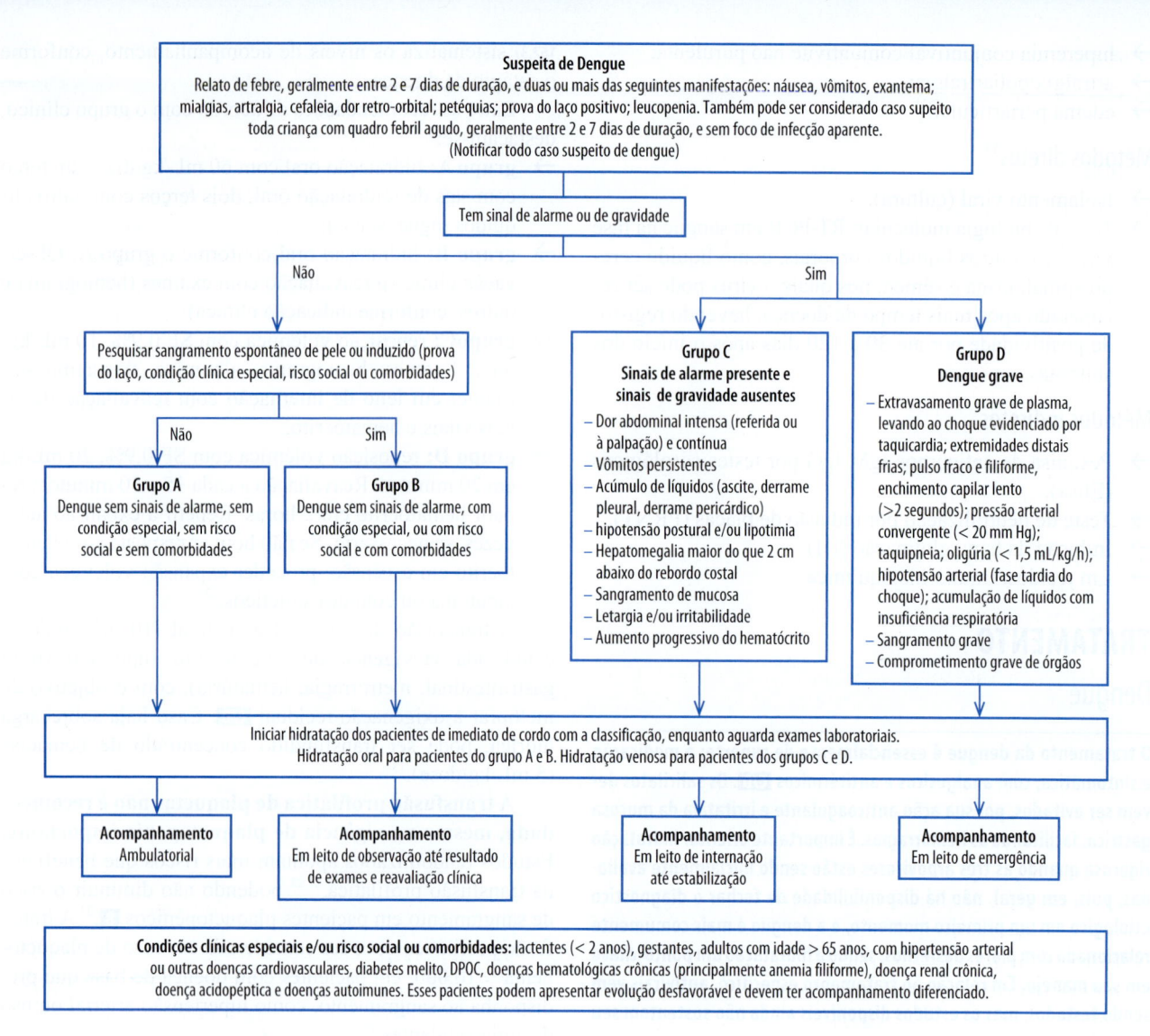

```
┌─────────────────────────────────────────────────────────────────────┐
│                         Suspeita de Dengue                          │
│ Relato de febre, geralmente entre 2 e 7 dias de duração, e duas ou  │
│ mais das seguintes manifestações: náusea, vômitos, exantema;        │
│ mialgias, artralgia, cefaleia, dor retro-orbital; petéquias; prova  │
│ do laço positivo; leucopenia. Também pode ser considerado caso      │
│ supeito toda criança com quadro febril agudo, geralmente entre 2 e  │
│ 7 dias de duração, e sem foco de infecção aparente.                 │
│              (Notificar todo caso suspeito de dengue)               │
└─────────────────────────────────────────────────────────────────────┘
```

**Tem sinal de alarme ou de gravidade**

- **Não** →
  - Pesquisar sangramento espontâneo de pele ou induzido (prova do laço, condição clínica especial, risco social ou comorbidades)
    - **Não** → **Grupo A**: Dengue sem sinais de alarme, sem condição especial, sem risco social e sem comorbidades
    - **Sim** → **Grupo B**: Dengue sem sinais de alarme, com condição especial, ou com risco social e com comorbidades

- **Sim** →
  - **Grupo C** — Sinais de alarme presente e sinais de gravidade ausentes
    - Dor abdominal intensa (referida ou à palpação) e contínua
    - Vômitos persistentes
    - Acúmulo de líquidos (ascite, derrame pleural, derrame pericárdico)
    - hipotensão postural e/ou lipotimia
    - Hepatomegalia maior do que 2 cm abaixo do rebordo costal
    - Sangramento de mucosa
    - Letargia e/ou irritabilidade
    - Aumento progressivo do hematócrito
  - **Grupo D** — Dengue grave
    - Extravasamento grave de plasma, levando ao choque evidenciado por taquicardia; extremidades distais frias; pulso fraco e filiforme, enchimento capilar lento (>2 segundos); pressão arterial convergente (< 20 mm Hg); taquipneia; oligúria (< 1,5 mL/kg/h); hipotensão arterial (fase tardia do choque); acumulação de líquidos com insuficiência respiratória
    - Sangramento grave
    - Comprometimento grave de órgãos

Iniciar hidratação dos pacientes de imediato de cordo com a classificação, enquanto aguarda exames laboratoriais. Hidratação oral para pacientes do grupo A e B. Hidratação venosa para pacientes dos grupos C e D.

- **Acompanhamento** Ambulatorial
- **Acompanhamento** Em leito de observação até resultado de exames e reavaliação clínica
- **Acompanhamento** Em leito de internação até estabilização
- **Acompanhamento** Em leito de emergência

**Condições clínicas especiais e/ou risco social ou comorbidades:** lactentes (< 2 anos), gestantes, adultos com idade > 65 anos, com hipertensão arterial ou outras doenças cardiovasculares, diabetes melito, DPOC, doenças hematológicas crônicas (principalmente anemia filiforme), doença renal crônica, doença acidopéptica e doenças autoimunes. Esses pacientes podem apresentar evolução desfavorável e devem ter acompanhamento diferenciado.

**FIGURA 162.3** → Fluxograma para classificação de risco de dengue.
Fonte: Brasil.[13]

**Fase crônica.** Pode-se utilizar terapia extrapolada das medicações usadas em doenças reumatológicas crônicas, como hidroxicloroquina ou metotrexato em associação B,[24] estando indicado acompanhamento em serviço especializado.[12] Também se recomenda fisioterapia motora C/D.

## Zika

Administrar apenas tratamento de suporte nos casos agudos em infecção pós-natal, com repouso, hidratação e controle da dor e da febre C/D. Anti-inflamatórios e ácido acetilsalicílico devem ser evitados até exclusão de dengue, pelo risco de hemorragia. Na infecção congênita, indicam-se medidas para estímulo das funções neurológicas, motoras, entre outras, a depender do tipo de comprometimento do paciente, sendo essencial o trabalho multidisciplinar para alcançar os melhores desfechos C/D. Não há tratamento antiviral disponível até o momento.[19]

## PREVENÇÃO E CONTROLE

As medidas de prevenção e controle da dengue baseiam-se, fundamentalmente, na vigilância epidemiológica e no combate ao vetor. Isso auxilia na prevenção das três arboviroses.

## Notificação

Dengue, chikungunya e zika são doenças de notificação compulsória. Todos os casos suspeitos e/ou confirmados devem ser notificados em ficha de notificação/investigação específica. Os casos de malformação congênita devem ser notificados e investigados conforme normas estabelecidas no documento *Orientações integradas de vigilância e atenção à saúde no âmbito da Emergência de Saúde Pública de Importância Nacional* (ver QR code).

Os casos de manifestações neurológicas suspeitos de infecção prévia por dengue, chikungunya e zika devem ser informados por meio de instrumento específico.[11]

## Combate ao vetor

A garantia contra a ocorrência de dengue em uma localidade é a ausência de vetores. Apesar de não existir um nível de infestação vetorial abaixo do qual se possa ter certeza de que não ocorrerão surtos de dengue, sabe-se que esse limite deve ser bem próximo de zero. O MS realiza levantamento rápido de índices para *A. aegypti* (LIRAa), que estratifica grupos dentro dos municípios para avaliar o índice de infestação predial de *A. aegypti*. Índices de infestação < 1% são considerados satisfatórios; de 1 a 3,9%, situação de risco; > 4%, risco de surto.[22] Sendo assim, deve-se buscar incessantemente a redução da densidade vetorial, utilizando as seguintes estratégias:[19]

→ **controle químico:** é a utilização de diferentes inseticidas, dependendo da fase de evolução do vetor. Na sua fase larvar, são empregadas substâncias larvicidas, aplicadas em todos os depósitos de água capazes de desenvolver o mosquito, processo conhecido como "tratamento focal". No combate à forma alada, os inseticidas são empregados com o objetivo de reduzir rapidamente a densidade do vetor, baixando, assim, os níveis de infestação dos mosquitos infectados. O método mais utilizado é a borrifação do inseticida ao redor dos focos/pontos estratégicos e as aplicações no ambiente a ultrabaixo volume, o qual deve ter uso restrito em situações de epidemias, como forma complementar para a interrupção da transmissão da doença;

→ **controle biológico:** essa medida utiliza o emprego de predadores, como peixes larvófagos, microcrustáceos, parasitas (como nematoides) e agentes infecciosos (como fungos, bactérias e vírus). Atualmente, a medida mais aceita e utilizada em maior escala tem sido o uso do peixe *Bettasplendens*, colocados em depósitos como poços, tanques, caixas d'água, etc.;

→ **método Wolbachia:** consiste na liberação do *A. aegypti* com o microrganismo Wolbachia na natureza, reduzindo sua capacidade de transmitir doenças. O método está em sua etapa final, e ocorre na Fiocruz em parceria com o MS;

→ **manejo ambiental:** consiste na utilização de medidas que possam produzir mudanças no meio ambiente de modo a evitar ou destruir os criadouros potenciais do *A. aegypti*, impedindo ou minimizando a propagação do vetor.

O controle de vetores com o uso de telas em janelas e tampas de reservatórios de água impregnados com inseticida mostrou-se efetivo em reduzir a densidade dos vetores, tendo impacto sobre a transmissão da doença.[1]

## Educação em saúde e participação comunitária

A população deve ser informada sobre a doença, o vetor e as medidas de prevenção para que adquira consciência do problema e, assim, participe efetivamente das ações de controle. Considerando que 80 a 90% dos focos do mosquito estão situados dentro das habitações ou no peridomicílio, é indispensável a participação efetiva da população sob risco, colaborando e complementando os trabalhos realizados pelos órgãos que fazem o controle de vetores.

Entre as medidas recomendadas, destacam-se armazenar baldes e garrafas vazias de cabeça para baixo, manter as lixeiras e os vasos sanitários tampados, colocar areia nos pratos de vasos de plantas, realizar limpeza semanal de piscinas com cloro e lavar tonéis e depósitos de água com esponja e sabão. Também são recomendados o uso de telas nas janelas e o uso de repelentes, notadamente em mulheres gestantes. Orienta-se o uso de preservativo a fim de proteger gestantes, para não veicular a infecção pelo vírus da zika por via sexual.[19]

Em maio de 2019, a Food and Drug Administration (FDA) aprovou a vacina tetravalente contra dengue da Sanofi Pasteur; a vacina é de vírus atenuado, indicada para pessoas de 9 a 16 anos, que tenham confirmação de dengue prévia e vivam em área endêmica da doença.[25,26] O National Institutes of Health (NIH) está conduzindo um estudo em fase 3, que avalia uma vacina atenuada com melhor imunogenicidade, administrada em dose única, avaliada em pessoas entre 2 e 59 anos **B**.[27,28] (Ver Capítulo Imunizações para mais detalhes sobre vacina.)

Ações para consciência individual e coletiva devem ser constantemente desenvolvidas, a fim de que as estratégias tenham impacto na redução e no controle dessas doenças.

## REFERÊNCIAS

1. World Health Organization. Dengue: guidelines for diagnosis, treatment, prevention, and control. Geneva: WHO; 2009.
2. Vairo F, Haider N, Kock R, Ntoumi F, Ippolito G, Zumla A. Chikungunya: Epidemiology, Pathogenesis, Clinical Features, Management, and Prevention. Infect Dis Clin North Am. 2019;33(4):1003–25.
3. Araújo TVB de, Rodrigues LC, Ximenes RA de A, Miranda-Filho D de B, Montarroyos UR, Melo APL de, et al. Association between Zika virus infection and microcephaly in Brazil, January to May, 2016: preliminary report of a case-control study. Lancet Infect Dis. 2016;16(12):1356–63.
4. World Health Organization. Dengue and severe dengue [Internet]. Fact Sheets. Geneva; 2021 [capturado em 28 maio 2021]. Disponível em: https://www.who.int/news-room/fact-sheets/detail/dengue-and-severe-dengue.
5. Brasil. Ministério da Saúde. Monitoramento dos casos de arboviroses urbanas transmitidas pelo Aedes Aegypti (dengue, chikungunya e zika), semanas epidemiológicas 1 a 46, 2020. Bol epidemiol. 2020;51(48):1–33.
6. Burattini MN, Lopez LF, Coutinho FAB, Siqueira-Jr JB, Homsani S, Sarti E, et al. Age and regional differences in clinical presentation and risk of hospitalization for dengue in Brazil, 2000-2014. Clinics. 2016;71(8):455–63.
7. Romanholi IH, Fabbro MMFJD, Croda J, Ferraz AF, Capillé R dos S, Hoscher LA, et al. Arterial hypertension in the worsening clinical condition of dengue. Int J Develop Res. 2017;07(12):18049–53.
8. Cavalcanti LP de G, Freitas ARR, Brasil P, Cunha RV da. Surveillance of deaths caused by arboviruses in Brazil: from dengue to chikungunya. Mem Inst Oswaldo Cruz. 2017;112(8):583–5.

9. Cao-Lormeau V-M, Blake A, Mons S, Lastère S, Roche C, Vanhomwegen J, et al. Guillain-Barré Syndrome outbreak associated with Zika virus infection in French Polynesia: a case-control study. Lancet. 2016;387(10027):1531–9.
10. Marques V de M, Santos CS, Santiago IG, Marques SM, Nunes Brasil M das G, Lima TT, et al. Neurological complications of congenital Zika virus infection. Pediatr Neurol. 2019;91:3–10.
11. Brasil. Ministério da Saúde. Guia de vigilância em saúde. 3. ed. Brasília: MS; 2019.
12. Brito CAA de, Sohsten AKA von, Leitão CC de S, Brito R de CCM de, Valadares LDDA, Fonte CAM da, et al. Pharmacologic management of pain in patients with Chikungunya: a guideline. Rev Soc Bras Med Trop. 2016;49(6):668–79.
13. Brasil. Ministério da Saúde. Dengue : diagnóstico e manejo clínico: adulto e criança. 5. ed. Brasília: MS; 2016.
14. van der Linden V, Filho ELR, Lins OG, van der Linden A, Aragão M de FVV, Brainer-Lima AM, et al. Congenital Zika syndrome with arthrogryposis: retrospective case series study. BMJ. 2016;354:i3899.
15. Kalayanarooj S, Rothman AL, Srikiatkhachorn A. Case Management of Dengue: Lessons Learned. J Infect Dis. 2017;215(suppl_2):S79–88.
16. Simmons CP, Farrar JJ, Nguyen van VC, Wills B. Dengue. N Engl J Med. 2012;366(15):1423–32.
17. Grande AJ, Reid H, Thomas E, Foster C, Darton TC. Tourniquet test for Dengue diagnosis: systematic review and meta-analysis of diagnostic test accuracy. PLoS Negl Trop Dis. 2016;10(8):e0004888.
18. Hang VT, Nguyet NM, Trung DT, Tricou V, Yoksan S, Dung NM, et al. Diagnostic accuracy of NS1 ELISA and lateral flow rapid tests for dengue sensitivity, specificity and relationship to viraemia and antibody responses. PLoS Negl Trop Dis. 2009;3(1):e360.
19. Baud D, Gubler DJ, Schaub B, Lanteri MC, Musso D. An update on Zika virus infection. Lancet. 2017;390(10107):2099–109.
20. Ngo NT, Cao XT, Kneen R, Wills B, Nguyen VM, Nguyen TQ, et al. Acute management of dengue shock syndrome: a randomized double-blind comparison of 4 intravenous fluid regimens in the first hour. Clin Infect Dis. 2001;32(2):204–13.
21. Lye DC, Lee VJ, Sun Y, Leo YS. Lack of efficacy of prophylactic platelet transfusion for severe thrombocytopenia in adults with acute uncomplicated dengue infection. Clin Infect Dis. 2009;48(9):1262–5.
22. Khan Assir MZ, Kamran U, Ahmad HI, Bashir S, Mansoor H, Anees SB, et al. Effectiveness of platelet transfusion in dengue Fever: a randomized controlled trial. Transfus Med Hemother. 2013;40(5):362–8.
23. Lye DC, Archuleta S, Syed-Omar SF, Low JG, Oh HM, Wei Y, et al. Prophylactic platelet transfusion plus supportive care versus supportive care alone in adults with dengue and thrombocytopenia: a multicentre, open-label, randomised, superiority trial. Lancet. 2017;389(10079):1611–8.
24. Amaral JK, Sutaria R, Schoen RT. Treatment of chronic Chikungunya arthritis with methotrexate: a systematic review. Arthritis Care Res. 2018;70(10):1501–8.
25. Villar L, Dayan GH, Arredondo-García JL, Rivera DM, Cunha R, Deseda C, et al. Efficacy of a tetravalent dengue vaccine in children in Latin America. N Engl J Med. 2015;372(2):113–23.
26. U. S. Food & Drug Administration. First FDA-approved vaccine for the prevention of dengue disease in endemic regions [Internet]. FDA News Release. Washington: FDA; 2019 [capturado em 20 maio 2021]. Disponível em: https://www.fda.gov/news-events/press-announcements/first-fda-approved-vaccine-prevention-dengue-disease-endemic-regions.
27. Durbin AP, Kirkpatrick BD, Pierce KK, Carmolli MP, Tibery CM, Grier PL, et al. A 12-Month-Interval Dosing Study in Adults Indicates That a Single Dose of the National Institute of Allergy and Infectious Diseases Tetravalent Dengue Vaccine Induces a Robust Neutralizing Antibody Response. J Infect Dis. 2016;214(6):832–5.
28. Hadinegoro SR, Arredondo-García JL, Capeding MR, Deseda C, Chotpitayasunondh T, Dietze R, et al. Efficacy and long-yerm dafety of a Dengue vaccine in regions of endemic disease. N Engl J Med. 2015;373(13):1195–206.

## LEITURA RECOMENDADA

Brasil. Ministério da Saúde. Orientações integradas de vigilância e atenção à saúde no âmbito da Emergência de Saúde Pública de Importância Nacional: procedimentos para o monitoramento das alterações no crescimento e desenvolvimento a partir da gestação até a primeira infância, relacionadas à infecção pelo vírus da Zika e outras etiologias infecciosas dentro da capacidade operacional do SUS. Brasília: MS; 2017 [capturado em 15 maio 2021]. Disponível em: https://portalarquivos.saude.gov.br/images/pdf/2016/dezembro/12/orientacoes-integradas-vigilancia-atencao.pdf

*Guia sobre monitoramento das alterações causadas pela infecção congênita pelo vírus da zika no Sistema Único de Saúde.*

# Capítulo 163
## MALÁRIA

Cor Jesus Fernandes Fontes

A malária é uma doença infecciosa aguda, causada por protozoários do gênero *Plasmodium* e transmitida ao homem pela picada da fêmea de mosquitos do gênero *Anopheles*. Também é conhecida como paludismo, febre palustre, impaludismo, maleita ou sezão. Apesar de ser uma doença muito antiga, continua sendo um dos principais problemas de saúde pública no mundo, com 228 milhões de novos casos e 405 mil mortes registrados em 2018, principalmente entre crianças com idade < 5 anos e mulheres grávidas do continente africano.[1]

## ETIOLOGIA

Os parasitas causadores de malária são protozoários intracelulares obrigatórios, sendo atualmente conhecidas cerca de 150 espécies que podem causar doença em diferentes hospedeiros vertebrados. Porém, apenas 5 espécies parasitam o homem: *Plasmodium vivax, P. falciparum, P. malariae, P. ovale* e *P. knowlesi*.

*Plasmodium knowlesi*, de ocorrência menos frequente, é uma espécie originalmente parasita de símios, e sua ocorrência predomina no continente asiático. A emergência dessa espécie parasitando o homem fez a malária, antes exclusivamente uma antroponose, passar a compor o grupo das antropozoonoses. *Plasmodium ovale* ocorre apenas em regiões restritas do continente africano.

A espécie mais prevalente no Brasil é *P. vivax*, seguida de *P. falciparum* e *P. malariae*.

## CICLO EVOLUTIVO DO PLASMÓDIO
### Hospedeiro vertebrado – o homem

A infecção natural ocorre quando formas infectantes dos parasitas da malária (esporozoítos) são inoculadas na pele do homem pelo inseto-vetor. Acredita-se que, em cada picada infectante, o anofelino deposite 15 a 200 esporozoítos sob a pele do indivíduo, os quais vão migrar para a corrente sanguínea. Essas formas desaparecem da circulação do indivíduo suscetível dentro de 30 a 60 minutos, sendo sequestradas nos sinusoides hepáticos.[2] Após sua instalação no hepatócito, os esporozoítos se diferenciam em trofozoítos pré-eritrocíticos e, por reprodução assexuada esquizogônica, dão origem aos esquizontes teciduais e, posteriormente, a milhares de merozoítos. Essa primeira fase do ciclo é denominada exoeritrocítica, pré-eritrocítica ou tecidual (hepática) e precede o ciclo sanguíneo do parasita. Após iniciado o ciclo eritrocítico, os parasitas não mais invadem as células hepáticas.

O desenvolvimento do parasita nas células do fígado requer por volta de 1 semana para *P. falciparum* e *P. vivax* e cerca de 2 semanas para *P. malariae*. Entretanto, nas infecções por *P. vivax* e *P. ovale*, o mosquito-vetor transmite populações geneticamente distintas de esporozoítos: algumas desenvolvem a esquizogonia pré-eritrocítica natural, enquanto outras ficam em estado de latência no hepatócito, sendo, por isso, denominadas hipnozoítos.[3] Os hipnozoítos são responsáveis pelas recaídas tardias da doença, que ocorrem após períodos variáveis de incubação, em geral dentro de 6 meses para a maioria das cepas de *P. vivax*. As recaídas são, portanto, ciclos eritrocíticos consequentes da esquizogonia tecidual tardia de parasitas dormentes no interior dos hepatócitos.

O ciclo eritrocítico (esquizogonia sanguínea), também assexuado, inicia quando os merozoítos teciduais migram para a corrente sanguínea e invadem as hemácias. Em geral, *P. vivax* parasita as células jovens (reticulócitos), e a interação dos seus merozoítos com a célula hospedeira necessita da presença da glicoproteína do grupo sanguíneo *Duffy*, que promove a sua interiorização. Por essa razão, indivíduos que não expressam essa glicoproteína na membrana eritrocítica, como certas populações negras da África Ocidental, são naturalmente resistentes à malária por *P. vivax*. *Plasmodium falciparum* pode parasitar hemácias de várias idades, e o processo de invasão envolve diversos tipos de receptores.[3]

O desenvolvimento intraeritrocítico do parasita se dá por esquizogonia, com consequente formação de merozoítos que invadem novas hemácias. Depois de algumas gerações de merozoítos sanguíneos, ocorre a sua diferenciação em estágios sexuados, os macrogametócitos (femininos) e os microgametócitos (masculinos), que não mais se dividem e que, depois de ingeridos pelo mosquito-vetor, seguem o seu desenvolvimento, dando origem aos esporozoítos, que são as formas infectantes para o homem (FIGURA 163.1).

O ciclo sanguíneo se repete sucessivas vezes, a cada 48 horas nas infecções por *P. falciparum*, *P. vivax* e *P. ovale* e a cada 72 horas nas infecções por *P. malariae*.[2]

A principal fonte de nutrição de trofozoítos e esquizontes sanguíneos é a hemoglobina. A ingestão e a digestão da hemoglobina pelo parasita produzem a formação do pigmento malárico (ou hemozoína), que é liberado no plasma ao término da esquizogonia, sendo posteriormente fagocitado pelas células de Kupffer no fígado ou pelos macrófagos do baço e de outros órgãos. Alterações genéticas da molécula de hemoglobina, como na anemia falciforme, podem prejudicar o desenvolvimento do ciclo sanguíneo do parasita, sobretudo do *P. falciparum*. Esse fato é responsável pela alta prevalência de hemoglobinopatia S em algumas regiões da África que são endêmicas para a malária por *P. falciparum*, resultante do processo seletivo induzido pela alta letalidade da malária em indivíduos homozigotos para a hemoglobina A.[3]

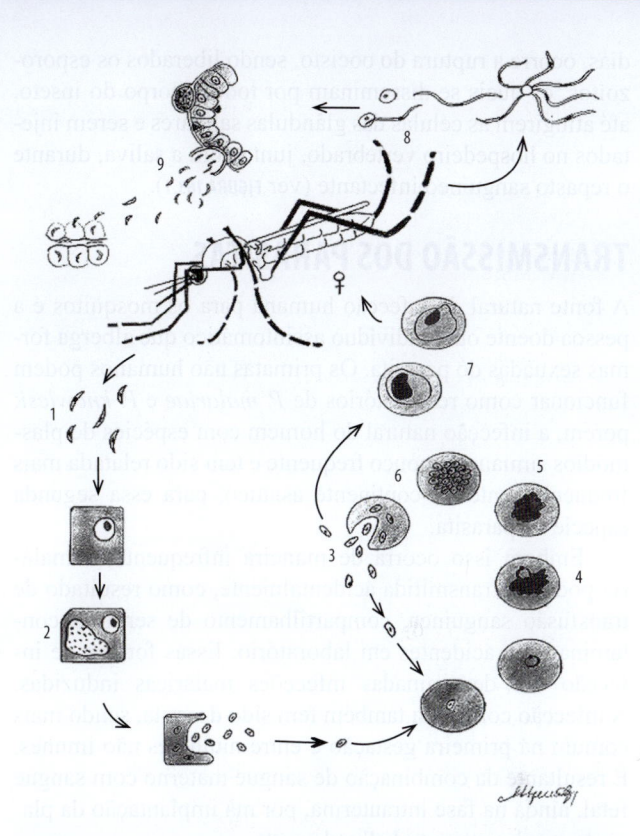

**FIGURA 163.1** → Ciclo biológico do *Plasmodium*. *No homem:* esporozoítas infectantes são inoculados na pele pelo inseto-vetor (**1**); após atravessarem várias células, os esporozoítas finalmente alojam-se em um hepatócito, no qual formam um vacúolo parasitóforo, onde se multiplicam por esquizogonia (assexuada), dando origem aos esquizontes teciduais (**2**) e, posteriormente, a milhares de merozoítas (**3**) que invadem as hemácias. Após invadir a hemácia, o merozoíta transforma-se em trofozoíta jovem (**4**), o qual se multiplica e forma o esquizonte sanguíneo (**5**), que posteriormente se divide em merozoítas (**6**) que invadem novas hemácias. Após algumas gerações de merozoítas sanguíneos, ocorre a diferenciação dos estágios sexuados, os gametócitos (**7**). *No vetor:* no intestino médio do inseto, o gametócito masculino e o gametócito feminino transformam-se em gametas (**8**). Após a fecundação, o ovo encista na camada epitelial do órgão, formando o oocisto (**9**). Por divisão esporogônica, são produzidos os esporozoítas que, quando liberados, atingem as glândulas salivares do mosquito.
Fonte: Braga e Fontes.[3]

## Hospedeiro invertebrado – o mosquito

Embora várias espécies de anofelinos sejam potentes transmissores da malária, o *Anopheles darlingi* é o principal vetor da doença no Brasil. Durante o repasto sanguíneo, a fêmea do mosquito anofelino ingere as formas sanguíneas sexuadas do parasita, dando origem ao ciclo sexuado ou esporogônico. No intestino médio do mosquito, ocorre a fecundação dos gametas e, após 24 horas, o zigoto se adere à camada epitelial do órgão, formando o oocisto. Após 9 a 14 dias, ocorre a ruptura do oocisto, sendo liberados os esporozoítos, os quais se disseminam por todo o corpo do inseto, até atingirem as células das glândulas salivares e serem injetados no hospedeiro vertebrado, junto com a saliva, durante o repasto sanguíneo infectante (ver **FIGURA 163.1**).

## TRANSMISSÃO DOS PARASITAS

A fonte natural de infecção humana para os mosquitos é a pessoa doente ou o indivíduo assintomático que alberga formas sexuadas do parasita. Os primatas não humanos podem funcionar como reservatórios de *P. malariae* e *P. knowlesi*; porém, a infecção natural do homem com espécies de plasmódios simianos é pouco frequente e tem sido relatada mais frequentemente no continente asiático, para essa segunda espécie de parasita.

Embora isso ocorra de maneira infrequente, a malária pode ser transmitida acidentalmente, como resultado de transfusão sanguínea, compartilhamento de seringas contaminadas e acidentes em laboratório. Essas formas de infecção são denominadas infecções maláricas induzidas. A infecção congênita também tem sido descrita, sendo mais comum na primeira gestação e entre mulheres não imunes. É resultante da combinação de sangue materno com sangue fetal, ainda na fase intrauterina, por má implantação da placenta, ou durante o trabalho de parto.

## EPIDEMIOLOGIA

A malária é uma doença que ocorre nas áreas tropicais e subtropicais do planeta, e, mesmo nessas regiões, sua distribuição não é homogênea. Acomete sobremaneira populações de países de menor desenvolvimento socioeconômico. Metade dos quase 90 países endêmicos situa-se no continente africano, ao sul do deserto do Saara, onde ocorrem 85% do total de casos e mortes por malária do mundo, principalmente de crianças pequenas.[1]

Nas Américas, 21 países têm áreas com transmissão ativa de malária: Argentina, Belize, Bolívia, Brasil, Colômbia, Costa Rica, Equador, El Salvador, Guiana Francesa, Guatemala, Guiana, Haiti, Honduras, México, Nicarágua, Panamá, Paraguai, Peru, República Dominicana, Suriname e Venezuela.[1]

No Brasil, quase todos os casos de malária incidem na chamada Amazônia Legal, que compreende os Estados do Acre, Amapá, Amazonas, Maranhão, Mato Grosso, Pará, Rondônia, Roraima e Tocantins **(FIGURA 163.2)**.

Essa região, denominada endêmica para malária no Brasil, tem sido responsável pelo aumento progressivo e sustentado de casos da doença no País desde a primeira década de 2000 **(FIGURA 163.3)**. Em 2018, foram confirmados 193.838 casos da doença no Brasil, dos quais 99,8% foram notificados na Amazônia Legal. Esse número, embora ainda não oficialmente finalizado, caiu para 151.966 no ano de 2019. Desses, 89,1% foram causados por *P. vivax*.[4]

Nos últimos anos no Brasil, a transmissão do *P. falciparum* – espécie sabidamente mais grave e letal – tem apresentado redução importante, enquanto o *P. vivax* tem contribuído para o aparecimento de casos considerados complicados, inclusive com mortes, motivo pelo qual seu controle não deve ser menos importante.[5]

Áreas de risco para infecção por malária no Brasil são definidas em função do indicador incidência parasitária anual (IPA). A IPA é calculada considerando-se o número de lâminas positivas para malária no numerador e o número de população sob risco no denominador. A IPA é apresentada a cada 1.000 habitantes. Os critérios para a classificação de risco consideram alto risco os níveis de IPA > 49,9 a cada 1.000 habitantes, médio risco os níveis de IPA entre 10 e 49,9 a cada 1.000 habitantes e baixo risco os níveis de IPA até 9,9 a cada 1.000 habitantes.[6] Na região endêmica, ainda há áreas onde o risco de transmissão é alto, com localidades apresentando IPA > 100 casos a cada 1.000 habitantes.

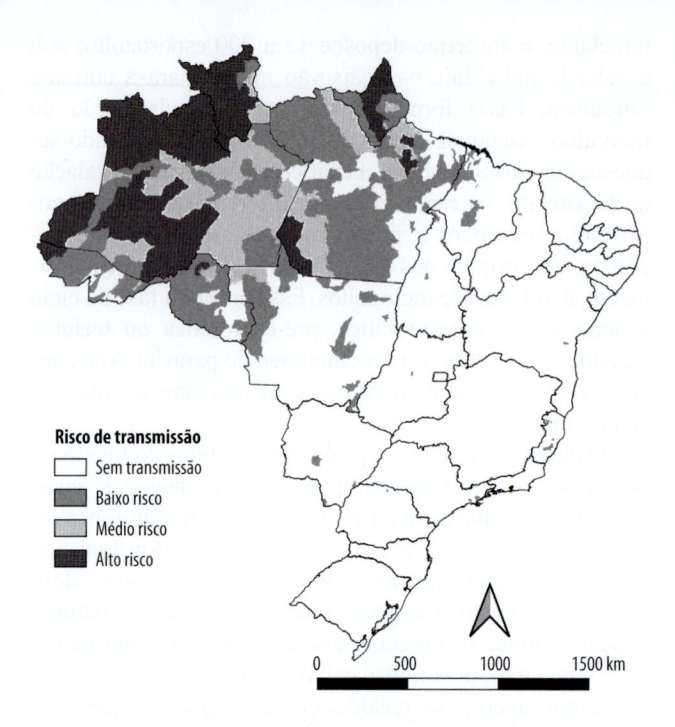

**FIGURA 163.2** → Mapa de risco da transmissão da malária no Brasil.
Fonte: Brasil.[4]

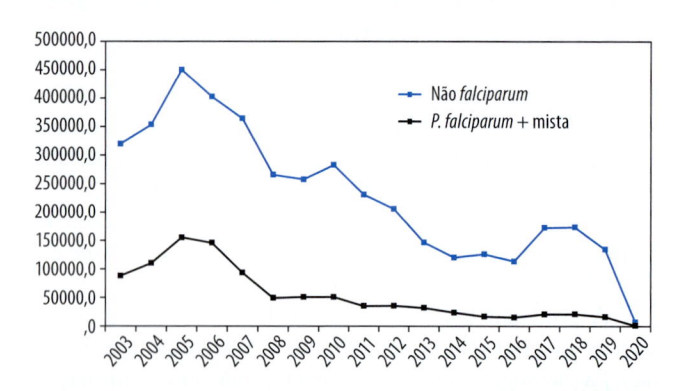

**FIGURA 163.3** → Série histórica do número anual de casos de malária no Brasil, 2003-2020.
Observação: Dados incompletos no ano de 2020.
Fonte: Brasil.[4]

A malária apresenta distribuição heterogênea. O perfil de endemicidade de uma região é determinado por fatores que interferem na dinâmica da transmissão da doença e produzem diferentes níveis de risco de contrair a infecção, como fatores biológicos, ecológicos, socioculturais e político-econômicos, como a imunidade de rebanho da população exposta, a existência de ambientes favoráveis à multiplicação do vetor, a mobilidade populacional, a prática da utilização de medidas de proteção contra o vetor, o tipo de moradias e a modificação ambiental com objetivos econômicos. Destacam-se, como exemplos deste último fator, a pavimentação de estradas, a construção de usinas hidrelétricas, a implantação progressiva de tanques de piscicultura na periferia das grandes cidades amazônicas e o desflorestamento da Região para a comercialização de madeiras. Também são importantes as atividades ocupacionais desenvolvidas por diversas populações da Amazônia, como a de garimpeiros e de trabalhadores de projetos agropecuários e de colonização.[7]

Tanto adultos como crianças são suscetíveis à infecção e representam as principais fontes de gametócitos (hemácias contendo os gametas do parasita) para o mosquito-vetor. No entanto, em áreas de alta transmissão de malária, crianças e adolescentes são considerados as principais fontes de infecção para o mosquito-vetor, por apresentarem níveis de gametócitos circulantes superiores aos observados entre indivíduos adultos imunes.

Do total de casos notificados no Brasil em 2018, apenas 354 ocorreram na região não amazônica. Destes, a grande maioria, embora diagnosticada fora da Região Amazônica, adquiriu a infecção nessa região. A transmissão de infecção autóctone fora da Região Amazônica está praticamente interrompida, limitando-se a pequenos focos residuais e novos focos de pequena magnitude, resultantes da reintrodução da transmissão por indivíduos infectados provenientes de área endêmica. Na região não amazônica, no período de 2007 a 2018, houve uma média anual de 833 casos autóctones registrados em 60 municípios de 17 Estados. Espírito Santo e São Paulo contribuíram com mais de 80% dos casos não amazônicos desse período.[6] O intenso e constante fluxo de pessoas provenientes de áreas endêmicas pode ser um dos fatores para o surgimento de surtos de malária fora da área amazônica.[3] Além disso, nas últimas décadas, tem sido observada certa urbanização da malária, em decorrência da instalação de grandes aglomerados populacionais na periferia de grandes cidades como Belém e Manaus.[7]

**Indivíduos adultos e com história de exposição prolongada ao parasita podem tornar-se resistentes aos efeitos da doença e apresentar infecções oligo ou assintomáticas. Nessa condição, é provável que não procurem tratamento e, portanto, representam portadores sadios do parasita e fontes de infecção para a população.**

## PATOGENIA

As alterações fisiopatológicas consequentes à presença do parasita da malária no hospedeiro humano ocorrem somente no decorrer da esquizogonia sanguínea. A evolução dos parasitas no hepatócito e a circulação sanguínea dos gametócitos não determinam alterações patogênicas de relevância e, portanto, não causam danos ao hospedeiro. Os mecanismos determinantes da agressão patológica da malária baseiam-se na interação dos seguintes fenômenos biológicos: multiplicação do parasita e destruição das hemácias parasitadas e não parasitadas; capacidade de citoaderência das hemácias parasitadas, levando ao seu sequestro na rede capilar de órgãos vitais, interferindo na microcirculação e no metabolismo tecidual; potencial de induzir liberação excessiva de citocinas durante a resposta inflamatória aguda, com consequente disfunção endotelial; e lesão celular induzida por imunocomplexos.[8,9]

### Multiplicação dos parasitas e destruição das hemácias

A destruição das hemácias e a consequente liberação dos parasitas e de seus metabólitos na circulação provocam resposta inflamatória no hospedeiro, a qual determina as principais alterações morfológicas e funcionais observadas no indivíduo com malária. A destruição de hemácias contribui, em algum grau, para o desenvolvimento da anemia. Entretanto, na maior parte dos casos, a anemia não se correlaciona com a parasitemia, indicando que a sua gênese seja devida a outros fatores, como: sequestro esplênico de hemácias, consequente ao desenvolvimento da esplenomegalia; participação de autoanticorpos com afinidades tanto pelo parasita como pela hemácia; disfunção da medula óssea estimulada por ação de citocinas (diseritropoiese); e hemólise induzida por ação de anticorpos específicos, dirigidos contra antígenos do parasita que são adsorvidos na superfície de hemácias normais, não parasitadas.[9]

### Sequestro das hemácias parasitadas e obstrução microvascular

Durante o ciclo sanguíneo, *P. falciparum* induz uma série de modificações na superfície da célula parasitada, o que altera a sua forma bicôncava e permite a sua adesão à parede endotelial dos capilares. Esse fenômeno de citoaderência é mediado por proteínas do parasita expressas na superfície das hemácias infectadas, que interagem com diferentes proteínas do hospedeiro. Ocorre principalmente nas vênulas do novelo capilar de órgãos vitais (substância branca do cérebro, coração, fígado, rins e intestino). Dependendo da intensidade, pode levar à obstrução da microcirculação e consequente redução do fluxo de oxigênio, acarretando metabolismo anaeróbico e acidose láctica.[9]

### Resposta inflamatória aguda com disfunção endotelial

Durante a esquizogonia sanguínea, ocorre grande liberação de antígenos do parasita, com ativação e mobilização de células imunocompetentes e produção de citocinas com ação direta ou indireta sobre o parasita, mas que simultaneamente podem ser nocivas ao hospedeiro. O fator de necrose tumoral (TNF, do inglês *tumor necrosis factor*) e várias outras citocinas, em geral detectadas no soro de pacientes durante o paroxismo da doença, estão associados a muitos dos sintomas da malária aguda, em particular a febre, o calafrio e o mal-estar.

Acredita-se que o TNF também atue de forma direta sobre o endotélio microvascular, resultando em lesão endotelial. Nesse caso, pode haver extravasamento de líquido para o espaço intersticial de alvéolos e glomérulos, produzindo graves manifestações pulmonares e renais, respectivamente. Já foi demonstrado também que algumas citocinas aumentam a liberação de mediadores químicos, como o óxido nítrico, que são inibidores da função celular, e podem estar implicadas na patogenia de algumas complicações da malária grave, sobretudo o coma e a anemia grave.

## Lesão celular induzida por imunocomplexos

Apesar da grande quantidade de antígenos liberados durante a esquizogonia sanguínea, com extensa formação de imunocomplexos e variável depleção de proteínas do sistema complemento, existem poucas evidências que comprovem o envolvimento de mecanismos imunopatológicos na determinação de quadros graves de malária. Nas infecções crônicas por *P. malariae*, é descrita a ocorrência de glomerulonefrite lentamente progressiva, porém de mau prognóstico, a qual se apresenta com síndrome nefrótica. A lesão glomerular é produzida pela deposição de imunocomplexos e componentes do complemento nos glomérulos, alterando a sua permeabilidade e induzindo a perda maciça de proteína.

# QUADRO CLÍNICO

O período de incubação da malária varia de acordo com a espécie de plasmódio, sendo de 8 a 12 dias para *P. falciparum*, 13 a 17 dias para *P. vivax* e 18 a 30 dias para *P. malariae*.[6]

Uma fase sintomática inicial, caracterizada por mal-estar, cefaleia, cansaço e mialgia, em geral precede a clássica febre da malária. Esses sintomas são comuns a muitas outras infecções, não permitindo um diagnóstico clínico seguro.

O ataque paroxístico agudo, coincidente com a ruptura das hemácias ao final da esquizogonia sanguínea, costuma ser acompanhado de calafrios, sudorese, palidez e cianose labial. Essa fase "fria", típica de descarga adrenérgica, dura de 15 minutos a 1 hora, sendo seguida por uma fase febril ("quente"), com temperatura corporal podendo atingir 40 °C ou mais. Cefaleia e mialgia intensas em geral acompanham essa fase, podendo ainda ocorrer taquicardia, taquipneia, tosse, lombalgia, náusea, vômitos, dor abdominal e até mesmo delírio. Dentro de 2 a 6 horas, ocorre defervescência da febre e o paciente sente-se melhor.

Após a fase inicial, a febre assume caráter intermitente relacionado com o tempo de ruptura de uma quantidade suficiente de hemácias contendo esquizontes maduros. A periodicidade dos sintomas está na dependência do tempo de duração dos ciclos eritrocíticos de cada espécie de plasmódio: 48 horas para *P. falciparum*, *P. vivax*, *P. knowlesi* e *P. ovale*, e 72 horas para *P. malariae*. Entretanto, a constatação dessa regularidade é pouco comum nos dias atuais, em decorrência de tratamento precoce, sendo a febre cotidiana e irregular o padrão mais observado na malária.[4,9]

Ao exame físico, o paciente costuma apresentar-se pálido e com fígado e baço palpáveis. Com a persistência da infecção, o paciente torna-se anêmico e perde peso. A anemia, apesar de frequente, apresenta-se em graus variáveis, sendo mais intensa nas infecções por *P. falciparum*. O exame dos sistema circulatório e respiratório é normal na maioria dos pacientes. Entretanto, taquicardia e sopro sistólico podem estar presentes em consequência de febre, anemia e desidratação. Outros achados físicos, de ocorrência menos frequente, incluem icterícia, hemorragia conjuntival, urticária e *rash* cutâneo petequial.

Em áreas endêmicas de malária, inclusive na Amazônia brasileira, tem sido cada vez mais frequente a existência de indivíduos clinicamente imunes à doença, embora haja portadores de parasitemia em geral discreta. Esses indivíduos podem evoluir com quadros oligossintomáticos ou mesmo assintomáticos da infecção. Queixam-se, na maioria das vezes, de simples indisposição, cefaleia branda e fraqueza, sendo rara a febre. Esses casos passam despercebidos ao exame clínico, seja porque não demandam atenção médica ou porque são atribuídos a outras etiologias.[6,10]

## Malária por *Plasmodium vivax*

Em geral, a malária por *P. vivax* tem evolução benigna e raramente é fatal. Entretanto, na fase aguda e sobretudo em indivíduos não imunes, suas manifestações clínicas são debilitantes. Complicações como anemia e trombocitopenia são comuns, porém ambas são autolimitadas e regridem com o tratamento antimalárico. Discreta hepatoesplenomegalia pouco dolorosa é observada, podendo estar associada à icterícia discreta. Em raras ocasiões, o baço pode apresentar rápido aumento de volume, podendo complicar com ruptura esplênica, associada ou não a trauma abdominal. Essa complicação evolui com dor abdominal, anemia aguda e choque, sendo responsável pela maior parte dos óbitos causados por essa espécie de parasita.[9]

Nas últimas décadas, têm surgido vários relatos de infecção grave e complicada pelo *P. vivax*, inclusive com mortes associadas à insuficiência respiratória e à insuficiência renal agudas, motivo pelo qual a sua abordagem clínica não deve ser considerada menos importante do que a do *P. falciparum*.[5]

Em cerca de 60% dos pacientes não tratados ou inadequadamente tratados para *P. vivax*, os sintomas clínicos recorrem após um período variável de latência (mesmo sem terem tido nova infecção). Esse fenômeno, provocado pela reativação de hipnozoítos, caracteriza as recaídas da malária por *P. vivax*, que ocorrem, na maioria das vezes, entre 30 a 70 dias após o ataque inicial da infecção. No entanto, em áreas endêmicas temperadas do planeta, essas recaídas são mais tardias, isto é, entre a 30ª e 40ª semana, podendo ocorrer até mesmo após vários anos do ataque inicial.

## Malária grave e complicada por *Plasmodium falciparum*

Adultos não imunes, bem como crianças e gestantes, podem apresentar manifestações graves da infecção, sendo letal em cerca de 1% dos casos. Embora complicações graves sejam mais frequentes na infecção por *P. falciparum*, elas também podem ser causadas por *P. vivax*.[6]

**O principal fator determinante da gravidade é o atraso do diagnóstico e da terapêutica específica, geralmente após 1 semana do início dos sintomas.**

**São sinais de alerta para a suspeição de evolução grave da malária: hiperpirexia (temperatura > 41 °C), hiperparasitemia (> 200.000/mm³), confusão mental, convulsões, anemia intensa, sangramentos, dispneia, vômitos repetidos, hipotensão arterial, oligúria e icterícia.[6]**

### Malária cerebral

Estima-se que ocorra em cerca de 2% dos indivíduos não imunes e parasitados por *P. falciparum*. O paciente evolui para um quadro de sonolência, delírio, desorientação e coma. As pupilas tornam-se contraídas e os reflexos corneano e oculoencefálico ficam comprometidos, podendo ocorrer desvio divergente do olhar. Com frequência, há comprometimento dos reflexos profundos, com resposta plantar extensora (sinal de Babinski) em cerca de 50% dos casos. Nessa fase, o paciente pode apresentar convulsões e postura em descorticação ou em descerebração.

Mesmo nos indivíduos tratados, a letalidade permanece alta, sendo 15% para crianças, 20% para adultos e 50% para gestantes. Nas crianças sobreviventes, a recuperação neurológica é rápida e completa, porém 10% delas podem apresentar algum tipo de sequela.[9,10]

### Insuficiência renal aguda

É uma complicação praticamente limitada aos adultos e crianças maiores e tem sido descrita como a complicação grave mais frequente de áreas de transmissão instável, como o Brasil. Seu diagnóstico é feito quando o nível sérico de creatinina é superior a 3 mg/dL. Em geral, é reversível e pode ser diagnosticada tanto em concomitância com outras disfunções orgânicas, ainda na fase inicial da doença, como surgir no decorrer da evolução clínica, durante a recuperação do paciente. No primeiro caso, a insuficiência renal tem pior prognóstico e costuma ser associada a comprometimento da função hepática, acidose metabólica e edema agudo de pulmão. A insuficiência renal que surge durante a recuperação do paciente tem evolução mais benigna e, muitas vezes, incide durante o declínio ou negativação da parasitemia.

O tratamento dialítico é necessário quando há hipercalemia ou alguma complicação da uremia, como sangramento, derrame pleural ou pericárdico, encefalopatia ou vômitos intratáveis.

### Febre hemoglobinúrica

A insuficiência renal da malária também pode ser consequência de intensa hemoglobinúria que ocorre em alguns pacientes que apresentam hemólise intravascular aguda maciça, acompanhada por hiper-hemoglobinemia e hemoglobinúria. Essa é uma complicação principalmente de indivíduos não imunes e primoinfectados, sendo fatal em 20 a 30% dos casos, sobretudo se outra disfunção orgânica estiver associada.[9,10]

### Edema pulmonar agudo

É particularmente comum em gestantes e inicia com hiperventilação e febre alta. O prognóstico é reservado, sobremaneira porque o edema pulmonar ocorre em associação com outros fatores favorecedores de malária grave, como a hiperparasitemia, a gravidez e a insuficiência renal. Acredita-se que a administração não criteriosa de líquidos a pacientes com malária por *P. falciparum* seja um importante fator de risco para precipitar o edema pulmonar agudo. É importante fazer o diagnóstico diferencial com pneumonia ou broncopneumonia, haja vista a grande frequência de infecções durante a evolução da malária grave.

### Hipoglicemia

Mais frequente em crianças e gestantes,[9] geralmente ocorre em associação com outras complicações da doença, sobretudo a malária cerebral. Os níveis de glicose sanguínea costumam ser inferiores a 40 mg/dL, e a sintomatologia pode estar ausente ou ser mascarada pelos sintomas da malária.

A hipoglicemia é decorrente dos seguintes fatores: aumento do consumo da glicose pelo hipercatabolismo e necessidade metabólica do parasita; inibição da glicogenólise e gliconeogênese hepáticas em consequência da função hepática comprometida, acidose e hiperinsulinemia; e estimulação da secreção pancreática de insulina por fármacos como a quinina. Em geral, esses fatores atuam em associação em um mesmo paciente, potencializando o seu efeito hipoglicemiante. Porém, em gestantes, a hipoglicemia pode ocorrer mesmo nas formas não complicadas da doença e mesmo antes da terapêutica com a quinina.

### Acidose láctica

A acidose metabólica na malária grave, consequente ao aumento da concentração sanguínea de ácido láctico, ocorre como fator de mau prognóstico da doença. Os mecanismos responsáveis pela elevação do ácido láctico podem ser resumidos em: produção de lactato pelo parasita; redução da depuração hepática de lactato, decorrente da menor perfusão sanguínea do fígado; produção de lactato como resposta metabólica celular ao processo inflamatório de fase aguda; e redução da oferta de oxigênio aos tecidos. Essa complicação é suspeitada quando bicarbonato plasmático < 15 mmol/L ou lactato > 5 mmol/L.[9]

### Icterícia e disfunção hepática

É mais comum em adultos do que em crianças, e cursa com hiperbilirrubinemia direta e elevação de ambas as aminotransferases (alanina-aminotransferase [ALT] e aspartato-aminotransferase [AST]). Sinais clínicos de insuficiência hepática são raros e, se ocorrem, provavelmente não são consequência apenas da malária, devendo-se buscar outros fatores associados, como hepatopatias crônicas virais ou hepatites tóxicas. Na prática, pacientes com icterícia e bilirrubinemia total > 3 mg/dL devem ser considerados graves por essa complicação.

### Coagulação intravascular disseminada e sangramento espontâneo

Cerca de 5 a 10% dos pacientes com malária grave apresentam algum tipo de sangramento espontâneo ou distúrbio da coagulação, devido à plaquetopenia ou à coagulação intravascular disseminada. Podem ocorrer gengivorragia, epistaxe, petéquias e hemorragia subconjuntival. A coagulação intravascular disseminada é uma complicação pouco comum e tende a ser mais frequente em pacientes com malária cerebral e em gestantes, estando geralmente associada a infecções bacterianas complicando a malária grave.

### Anemia

É uma manifestação comum a todos os tipos de malária, sendo mais importante em crianças e mulheres grávidas. Em vários pacientes, a ocorrência de anemia grave (hemoglobina < 7 g/dL em adultos, ou < 5 g/dL em crianças) pode ser consequência de infecções bacterianas associadas. Pela alta prevalência de desnutrição e parasitoses intestinais nas localidades onde a malária é endêmica, a anemia pode ter, muitas vezes, origem multifatorial. Na malária grave causada por *P. falciparum*, a anemia pode ser consequente à hemólise maciça, à diseritropoiese resultante do processo inflamatório agudo, ao sequestro de hemácias pelo baço e, menos comumente, a sangramentos espontâneos.[9,10]

### Hipertermia contínua (hiperpirexia)

Temperatura corporal muito elevada e constante (41 °C ou mais), que pode causar sequelas neurológicas graves em pacientes com estresse térmico, é pouco frequente na malária. Entretanto, a constatação de alta temperatura corporal (39-40 °C) é comum em crianças com malária grave, podendo desencadear convulsões e alterações da consciência. Em gestantes, a temperatura corporal elevada de forma contínua pode causar prejuízos ao feto.

## Malária por *Plasmodium malariae*

A participação do *P. malariae* como espécie causadora de malária no Brasil tem sido pequena nos últimos anos. Essa espécie de plasmódio tende a apresentar parasitemias baixas e sintomatologia mais branda, podendo prolongar-se, se não tratada, por 20 a 30 anos. Não infrequente, a malária por *P. malariae* pode apresentar recrudescência tardia, indicando a existência de perfeito equilíbrio entre parasita e hospedeiro, capaz de manter parasitemia assintomática durante muitos anos após o episódio primário da doença. A persistente estimulação antigênica nesses casos pode provocar glomerulonefrite de imunocomplexos, acarretando síndrome nefrótica.

## DIAGNÓSTICO LABORATORIAL

Uma vez que a malária apresenta sintomas inespecíficos, comuns a várias doenças infecciosas agudas, o diagnóstico clínico é insuficiente para o seu correto manejo clínico, o qual exige diagnóstico precoce e acurado. O diagnóstico de certeza da infecção malárica só é possível pela demonstração do parasita ou de antígenos relacionados no sangue periférico do paciente.[6] Em geral, a parasitemia é detectável após 11 dias da inoculação do esporozoíto, quando a concentração no sangue periférico excede 20 a 50 parasitas/μL.

> **A suspeita clínica de malária deve surgir sempre que o paciente relatar, em sua anamnese, procedência ou estadia em áreas ou regiões onde a doença é endêmica. Isso inclui a Região Amazônica, no Brasil, e países das Américas do Sul e Central, do Sudeste Asiático e de toda a África Subsaariana.**

O método laboratorial convencional estabelecido para o diagnóstico da malária é a visualização direta do parasita no sangue por meio da microscopia. Os dois métodos de exame são esfregaço delgado e esfregaço espesso, denominados, mais comumente, "esfregaço" e "gota espessa", respectivamente. O método da gota espessa é o mais empregado. A microscopia requer condições técnicas para a sua execução, exige pessoal capacitado e possui baixa sensibilidade, porém é barata e permite a diferenciação de todas as espécies de *Plasmodium* e a quantificação da parasitemia.[6]

A técnica baseia-se na visualização do parasita por meio de microscopia óptica, após coloração com corante vital (azul de metileno e Giemsa), permitindo a diferenciação específica dos parasitas a partir da análise da sua morfologia e dos seus estádios de desenvolvimento encontrados no sangue periférico. A determinação da densidade parasitária, útil para a avaliação prognóstica, deve ser realizada em todos os indivíduos com malária, especialmente nos portadores de *P. falciparum*. Para isso, o exame-padrão da gota espessa deve ser realizado em 100 campos microscópicos, examinados com aumento de 600 a 700 vezes, o que equivale a 0,25 μL de sangue. Um método semiquantitativo de avaliação da parasitemia, expresso em "cruzes", pode ser aplicado. Uma forma mais precisa de quantificar a parasitemia consiste em realizar a contagem simultânea de parasitas e de leucócitos em 200 a 500 campos da gota espessa. Se a contagem global de leucócitos for conhecida, a razão parasitas/leucócitos da lâmina permitirá estimar a parasitemia por mm$^3$ de sangue.[4]

Resultados falso-positivos da microscopia não são frequentes e podem ser consequência de artefatos – como precipitação de corantes ou *debris* celulares – ou de confundimento com plaquetas. Em geral, só ocorrem quando os microscopistas têm menos experiência. A probabilidade de resultados falso-negativos, por outro lado, é um grande dilema no diagnóstico da malária, porque é inversamente proporcional à densidade parasitária, isto é, é mais frequente em condições de baixa parasitemia. Esse tipo de erro pode ser reduzido quando se examinam mais campos com maior tempo por exame de cada campo.[11]

Métodos de diagnóstico rápido também estão disponíveis e apresentam adequada sensibilidade para o diagnóstico. São testes imunocromatográficos e baseiam-se na detecção de antígenos específicos (proteínas) secretados pelos parasitas da malária, presentes no sangue das pessoas infectadas. Para detecção desses antígenos, utiliza-se uma membrana de nitrocelulose impregnada com anticorpos monoclonais específicos para algumas proteínas secretadas pelo parasita, como a proteína 2 rica em histidina (HRP2, do inglês *histidine-rich protein 2*), a lactato-desidrogenase parasítica (pLDH, do inglês *parasite lactate dehydrogenase*) e a aldolase.[10]

A sensibilidade e a especificidade dos testes de diagnóstico rápido (TDRs) são, em geral, altas (i.e., > 90%), quando realizados em boas condições de armazenamento e com parasitemias > 100 parasitas/µL para *P. falciparum* e > 500 parasitas/µL para *P. vivax*. Por essa razão, a Organização Mundial da Saúde (OMS) recomenda que os TDRs sejam aplicados apenas quando sua sensibilidade e especificidade forem superiores a 95% e para populações de pacientes com parasitemias > 100 parasitas/µL.[10] No Brasil, o Programa Nacional de Prevenção e Controle da Malária (PNCM) indica o uso dos TDRs como alternativa para o diagnóstico da doença, principalmente para áreas endêmicas remotas e de difícil acesso da Amazônia brasileira, ou para as áreas de transmissão ocasional, como a região não amazônica brasileira, com objetivo de ampliar a capacidade diagnóstica.[4]

No decorrer das últimas décadas, uma variedade de novas técnicas moleculares de diagnóstico da malária foram introduzidas, como as baseadas em polimorfismo do comprimento do fragmento de restrição (RFLP, do inglês *restriction fragment length polymorphism*), amplificação baseada em sequência de ácidos nucleicos (NASBA, do inglês *nucleic acid sequence-based amplification*), reação em cadeia da polimerase e amplificação isotérmica mediada por alça (LAMP, do inglês *loop-mediated isothermal amplification*). No entanto, as desvantagens dessas técnicas moleculares são o longo tempo para realização, a exigência de pessoal qualificado e de equipamentos caros e as instalações complexas, tornando-as inaplicáveis na prática clínica.

## DIAGNÓSTICO DIFERENCIAL

A malária pode ser considerada no diagnóstico diferencial de qualquer doença febril aguda em pacientes com relato de viagem para área endêmica, hemotransfusão, contato com agulhas contaminadas ou transplante de órgãos. Os sinais e os sintomas provocados pelo *Plasmodium* não são específicos, assemelhando-se aos de outras doenças febris agudas, como dengue, chikungunya, zika, febre amarela, leptospirose, febre tifoide, infecção urinária, gripe e muitas outras. Essa ausência[4] de especificidade dos sinais dificulta o diagnóstico clínico da doença.

A TABELA 163.1 resume o diagnóstico diferencial de acordo com as principais manifestações clínicas presentes na malária.[2]

**TABELA 163.1** → Diagnóstico diferencial de acordo com as principais manifestações presentes na malária

| SINTOMA | DIAGNÓSTICO DIFERENCIAL |
| --- | --- |
| Febre | Outras doenças infecciosas febris agudas<br>Em gestantes, considerar infecções do trato urinário, do útero e da mama |
| Ataques febris paroxísticos agudos, com calafrio | Pneumonia pneumocócica, colangite, pielonefrite aguda e hepatite viral |
| Torpor, obnubilação, confusão mental e coma | Meningoencefalites virais, bacterianas e micóticas<br>Abscesso cerebral, trauma cerebral, hemorragia intracraniana, intoxicação exógena, hiperosmolaridade, hipoglicemia, hiponatremia, uremia e insuficiência hepática |
| Convulsões | Encefalites, encefalopatia metabólica, acidentes cerebrovasculares, epilepsia e intoxicação por drogas ou álcool<br>Em gestantes, considerar eclâmpsia; em crianças, considerar convulsão febril |
| Distúrbios da coagulação e sangramentos | Sepse, meningococemia, febre hemorrágica viral e riquetsioses |
| Transtornos do comportamento | Psicose, intoxicação/abstinência alcoólica, intoxicação por outras substâncias e encefalite viral |
| Icterícia | Hepatite viral, febre amarela, leptospirose, sepse, hemólise, obstrução biliar e hepatite tóxica<br>Se gestante, colestase gravídica<br>Se recém-nascido, incompatibilidade Rh e infecções congênitas |
| Náuseas, vômitos e diarreia | Diarreia do viajante, infecção gastrintestinal e doença inflamatória intestinal |
| Febre hemoglobinúrica | Hemólise induzida por fármacos e reação transfusional |
| Insuficiência renal aguda | Sepse, febre amarela, leptospirose, intoxicação por drogas e desidratação por outras causas |
| Choque (malária álgida) | Choque séptico, choque hemorrágico, perfuração intestinal, desidratação e miocardiopatias |

Fonte: Adaptada de Gilles.[2]

## TRATAMENTO

O tratamento da malária visa atingir o parasita em pontos-chave de seu ciclo evolutivo, os quais podem ser didaticamente resumidos em:[4]

→ interrupção da esquizogonia sanguínea, responsável pela patogenia e manifestações clínicas da infecção;
→ destruição de formas latentes do parasita no ciclo tecidual (hipnozoítos) das espécies *P. vivax* e *P. ovale*, evitando as recaídas tardias;
→ interrupção da transmissão do parasita, pelo uso de fármacos que eliminam as formas sexuadas dos parasitas (gametócitos).

O sucesso do tratamento depende de fatores relacionados com o parasita, o paciente e o serviço de saúde. Uma vez que os medicamentos preconizados para o tratamento da malária apresentam alta eficácia terapêutica, todo esforço deve ser investido pelos profissionais de saúde para garantir a boa adesão do paciente ao tratamento. A orientação da prescrição deve ser feita em linguagem compreensível e, sempre que possível, deve incluir também os acompanhantes ou responsáveis pelo paciente. Os agentes comunitários de saúde devem ser orientados para a checagem frequente do cumprimento do esquema terapêutico pelos pacientes.

Para atingir os objetivos do tratamento, diversos medicamentos são empregados, cada um deles agindo de forma específica, tentando impedir o desenvolvimento do parasita no hospedeiro. Os fármacos antimaláricos mais utilizados são classificados de acordo com o seu grupo químico em arilaminoálcoois (quinina, mefloquina, halofantrina e lumefantrina), 4-aminoquinolinas (cloroquina e amodiaquina), 8-aminoquinolinas (primaquina), peróxido de lactona sesquiterpênica (derivados da artemisinina), naftoquinonas (atovaquona), biguanidas (proguanil), ou conforme sua função terapêutica, em antibióticos (tetraciclina, doxiciclina e clindamicina).

Três principais mecanismos de ação desses medicamentos são identificados: degradação da hemoglobina no vacúolo lisossômico do parasita; depressão da atividade metabólica mitocondrial do parasita; e interferência na via metabólica das purinas. Entretanto, na prática clínica, essa ação medicamentosa é geralmente identificada pelo seu efeito no ciclo biológico do plasmódio, que pode ser um dos seguintes:

→ fármacos esquizonticidas teciduais ou hipnozoiticidas, utilizados para a cura radical do P. vivax e do P. ovale;
→ fármacos esquizonticidas sanguíneos, que promovem a cura clínica da malária;
→ fármacos gametocitocidas, que bloqueiam a transmissão do parasita ao vetor.

Os esquemas de tratamento da malária variam entre as diferentes áreas endêmicas do mundo, sobretudo em função do perfil de endemicidade, o qual gera perfis diferenciados de imunidade, e da suscetibilidade do parasita aos antimaláricos. No Brasil, a seleção e a recomendação dos fármacos antimaláricos, assim como todas as informações sobre o tratamento da malária, são periodicamente revisadas e disponibilizadas aos profissionais de saúde por meio de manuais técnicos editados pelo Ministério da Saúde.[4]

Detalhes sobre doses e administração dos medicamentos utilizados para o tratamento da malária causada pelas espécies de Plasmodium prevalentes no Brasil são apresentados na TABELA 163.2 e podem ser detalhadamente consultados, pela internet, nas páginas do Ministério da Saúde[4] e da OMS.[11]

**TABELA 163.2** → Esquemas de tratamento da malária preconizados no Brasil pelo Ministério da Saúde

| ESPÉCIE DE PLASMODIUM/FÁRMACO | DOSE | OBSERVAÇÕES |
|---|---|---|
| **P. vivax e P. ovale** | | |
| Cloroquina (comprimidos de 150 mg base) + | → 25 mg base/kg de dose total em 3 dias, sendo 10 mg/kg no 1º dia, 7,5 mg/kg no 2º e 3º dias | → Tomar os comprimidos junto com as refeições<br>→ Limitar a dose total de cloroquina em 1.500 mg para pessoas com peso > 60 kg |
| Primaquina (comprimidos de 5 e 15 mg) | → 0,5 mg/kg/dia, durante 7 dias<br>→ Um esquema prático para adultos seria 600 mg base no 1º dia, seguidos de 300 mg base no 2º e 3º dias | → Limitar a dose total de primaquina a 350 mg para pessoas com peso > 100 kg<br>→ A primaquina não deve ser usada em gestantes ou bebês com idade < 6 meses<br>→ Ajustar a dose pelo peso para pacientes obesos, tendo como teto o peso de 120 kg<br>→ Em caso de recaída entre 7 e 60 dias, o tempo de uso da primaquina deve ser de 14 dias |
| Arteméter + lumefantrina ou Artesunato + mefloquina | → Consultar a dose do tratamento do P. falciparum | → Apenas para crianças com idade < 1 ano ou em casos de recaídas entre 7 e 60 dias |
| **P. malariae** | | |
| Cloroquina | → 25 mg base/kg de dose total em 3 dias, sendo 10 mg/kg no 1º dia, 7,5 mg/kg no 2º e 3º dias | → Tomar os comprimidos junto com as refeições<br>→ Limitar a dose total de cloroquina em 1.500 mg para pessoas com peso > 60 kg |
| **P. falciparum** | | |
| Arteméter + lumefantrina (comprimidos contendo a combinação fixa dos dois medicamentos) ou | → Arteméter 3-4 mg/kg/dia + lumefantrina 15-20 mg/kg/dia<br>→ em 2 tomadas diárias, durante 3 dias | → A segunda dose deve ser administrada 8 horas após a primeira dose<br>→ O esquema é mais bem absorvido se ingerido junto com alimentos gordurosos |
| Artesunato + mefloquina (comprimidos contendo a combinação fixa dos dois medicamentos) + | → Artesunato 3 mg/kg/dia<br>→ Mefloquina 25 mg/kg<br>→ em tomada diária única, durante 3 dias | → Apenas em áreas de baixa ou média transmissão<br>→ Tem a mesma eficácia da combinação de artemeter + lumefantrina |
| Primaquina | → 0,5 mg/kg em dose única apenas no primeiro dia de tratamento | → NÃO administrar em gestantes e em bebês com idade < 6 meses |
| **P. falciparum + P. vivax (mista)** | | |
| Arteméter + lumefantrina (comprimidos contendo a combinação fixa dos dois medicamentos) ou | → Artemeter 3-4 mg/kg/dia + lumefantrina 15-20 mg/kg/dia<br>→ em 2 tomadas diárias, durante 3 dias | → A segunda dose deve ser administrada 8 horas após a primeira dose<br>→ O esquema é mais bem absorvido se ingerido junto com alimentos gordurosos |
| Artesunato + mefloquina (comprimidos contendo a combinação fixa dos dois medicamentos) + | → Artesunato 3 mg/kg/dia<br>→ Mefloquina 25 mg/kg<br>→ em tomada diária única, durante 3 dias + | → Apenas em áreas de baixa ou média endemicidade, como gametocitocida, para reduzir a transmissão do parasita ao mosquito-vetor |
| Primaquina | → 0,5 mg/kg em dose única apenas no primeiro dia de tratamento | → NÃO administrar em gestantes e em bebês com idade < 6 meses |

Fonte: Brasil.[6]

## Tratamento da malária causada por *P. vivax*, *P. ovale* e *P. malariae*

Desde a década de 1970, vem sendo demonstrada a ocorrência de multirresistência do *P. falciparum* aos antimaláricos. Embora também haja relato de resistência do *P. vivax* à cloroquina, sua magnitude ainda não foi suficiente para indicar a sua substituição. Dessa forma, *P. vivax*, *P. malariae*, *P. ovale* e *P. knowlesi* devem ser tratados com cloroquina [A], que é ativa contra as formas sanguíneas e também contra os gametócitos dessas espécies.[11] Apenas as 8-aminoquiloninas têm atividade contra os hipnozoítos (primaquina é a única dessa classe atualmente em uso no Brasil). Um segundo fármaco bastante promissor, a tafenoquina, foi recentemente aprovado no Brasil e encontra-se em fase de implementação gradual para sua utilização clínica.

O objetivo do tratamento de *P. vivax* e *P. ovale* é curar tanto a forma sanguínea quanto a forma hepática (cura radical) do parasita e, assim, prevenir recrudescência (recidiva antes de 28 dias) e recaída, respectivamente.

> A cura radical para as espécies que desenvolvem hipnozoítos no ciclo tecidual hepático (*P. vivax* e *P. ovale*) é obtida pela adição de um fármaco esquizonticida tecidual, como a primaquina, ao esquema terapêutico da cloroquina.

Para isso, usa-se a combinação de dois medicamentos: cloroquina e primaquina, a qual tem sido uma alternativa eficaz, reduzindo de forma importante a incidência de recaídas [A]. O tratamento é realizado com cloroquina por 3 dias (10 mg/kg no dia 1 e 7,5 mg/kg nos dias 2 e 3). Pela indisponibilidade de formulação líquida da cloroquina e pela sua baixa solubilidade aquosa, o tratamento esquizonticida sanguíneo de crianças pequenas torna-se impraticável. Por essa razão, crianças com idade < 1 ano devem ser tratadas com a combinação arteméter + lumefantrina ou artesunato + mefloquina, nas mesmas doses praticadas para *P. falciparum*, descritas adiante (ver TABELA 163.2).

Para o tratamento radical de *P. vivax* ou *P. ovale*, utiliza-se a primaquina, na dose de 0,5 mg/kg/dia, por 7 dias. No Brasil, o esquema de 7 dias é usado para melhorar a adesão à primaquina, já que o esquema de 0,25 mg/kg por 14 dias (utilizado em vários países) não pareceu ser superior ao de 7 dias.[12] No entanto, mesmo em pessoas que usaram a primaquina de forma correta, cerca de 30% ainda podem recair, o que está possivelmente ligado à predisposição genética do indivíduo, que não metaboliza o fármaco para a sua forma ativa,[13] ou à resistência do parasita, o que ainda não está bem descrito na literatura. Nesses casos, uma solução para evitar as frequentes recaídas é o aumento da dose da primaquina [C/D].

Caso o paciente volte a apresentar malária por *P. vivax* do 7º ao 60º dia após o início do tratamento, pode ter havido uma falha tanto da cloroquina quanto da primaquina, ou de ambos. Nesses casos, o ideal é utilizar um novo esquema que seja mais eficaz. O tratamento recomendado é o uso de arteméter + lumefantrina ou artesunato + mefloquina durante 3 dias, e primaquina (0,5 mg/kg/dia) por 14 dias, que é um esquema com maior eficácia na ação anti-hipnozoítos[14] [C/D]. As doses são semelhantes às aplicadas para *P. falciparum*, descritas adiante (ver TABELA 163.2).

A primaquina precisa ter sua dose corrigida também pelo peso do paciente, porque sua distribuição acontece em todos os tecidos do corpo, diferentemente da cloroquina. Por isso, pacientes com peso > 70 kg, quando usam primaquina nas doses habituais, apresentam mais recaídas do que pacientes com menor peso.[15]

Devido à sua ação sinérgica com a cloroquina, a primaquina também tem ação contra as formas assexuadas do *P. vivax*. Portanto, quando ela não é utilizada, o clareamento da parasitemia é mais lento e a chance de recrudescência é maior, isto é, a chance de o exame microscópico de acompanhamento positivar, geralmente dentro dos primeiros 42 dias após o início do tratamento.[16] Essa é a razão pela qual se utiliza a cloroquina semanal para prevenir recaídas em gestantes e crianças com idade < 6 meses (5 mg/kg/dose, até o máximo de 2 comprimidos) tratadas para *P. vivax* ou *P. ovale* apenas com esse fármaco, já que não se pode usar a primaquina como hipnozoicida nesse grupo populacional.

A tafenoquina, uma nova 8-aminoquinolina já aprovada para uso, porém ainda não disponível no Brasil, substituirá a primaquina como esquizonticida tecidual para a cura radical de *P. vivax* e *P. ovale*. No entanto, seu uso deve ser precedido da pesquisa de deficiência de glicose-6-fosfato-desidrogenase (G6PD) no paciente, haja vista o seu grande potencial hemolítico nessa condição.

## Tratamento da malária por *Plasmodium falciparum*

Após o surgimento da resistência do *P. falciparum* à cloroquina, constantes mudanças têm sido observadas no perfil de resposta desse plasmódio aos antimaláricos convencionais. Nas últimas décadas, a OMS tem recomendado a combinação de diferentes antimaláricos como estratégia para tratar a malária causada por *P. falciparum*.[11] O princípio fundamental dessa estratégia é o reconhecimento do potencial antimalárico sinergístico ou aditivo de dois ou mais fármacos, com vistas a incrementar a eficácia e também retardar o desenvolvimento da resistência aos componentes da combinação. Assim, o tratamento deve ser realizado com combinações utilizando derivados da artemisinina [A].[11] A TABELA 163.2 apresenta as doses ajustadas ao peso do paciente.

> O Ministério da Saúde brasileiro recomenda a associação de arteméter + lumefantrina ou de artesunato + mefloquina como esquemas de primeira escolha para tratamento da malária não complicada pelo *P. falciparum*.[4] Ambos apresentam eficácia e tolerabilidade comprovadas em outras áreas endêmicas do mundo [A] e têm contribuído muito para a redução da transmissão dessa espécie de parasita no Brasil.[11]

O arteméter e o artesunato são medicamentos derivados da artemisinina, que é um princípio ativo extraído de uma planta chinesa denominada *Artemisia annua*, tradicionalmente utilizada como antitérmico e antimalárico naquela região. A combinação artesunato + mefloquina possui a vantagem de ter apenas uma administração diária, além da maior meia-vida da mefloquina, o que permite prevenção de reinfecção pós-tratamento e menor risco de indução de resistência.[17] Além disso, a apresentação pediátrica na forma de comprimido que se degrada em água facilita a administração para crianças menores.

Uma preocupação com o uso da mefloquina é a possibilidade de distúrbios psiquiátricos como efeito colateral. No entanto, na dose fracionada em 3 dias, já se comprovou menor risco desse tipo de evento adverso ou, se presente, torna-se mais brando.[18]

Em áreas de transmissão ativa, o tratamento da malária por *P. falciparum* com os esquemas de fármacos esquizonticidas sanguíneos citados deve ser complementado com fármacos gametocitocidas, visando à redução da transmissão C/D.[11] Nesse caso, a primaquina, único medicamento com ação sobre os gametócitos do *P. falciparum* A, deve ser administrada na dose de 0,5 mg/kg, em uma única tomada no primeiro dia de tratamento com as combinações contendo derivados da artemisinina.[19,20]

## Tratamento da malária grave e complicada

Para os casos graves de malária por *P. falciparum*, os derivados da artemisinina em administração parenteral reduzem em cerca de 40% e 25% a mortalidade de pacientes adultos e crianças, respectivamente, devendo ser utilizados como primeira opção nesses pacientes A.[11,21]

Pacientes com pelo menos um dos sinais de alerta (TABELA 163.3) devem ser hospitalizados, e as vias de administração parenteral devem ser preferidas, sendo a intramuscular (IM) para o arteméter e a intravenosa (IV) para artesunato ou quinina. Para ambas as escolhas, deve-se associar outro antimalárico, como um antibiótico com ação antimalárica que tenha opção para a via parenteral, como a clindamicina C/D.[11] A internação hospitalar também deve ser recomendada para todas as gestantes, para pessoas que se apresentam muito doentes e em situação de hipoglicemia constatada, mesmo que ausentes os sinais de alerta antes citados.

A orientação da OMS e do Ministério da Saúde é tratar adultos, gestantes, nutrizes e crianças com peso > 20 kg com malária grave com artesunato IV (na dose de 2,4 mg/kg/dia) ou IM (na dose de 3 mg/kg/dia), juntamente com um antimalárico potente e de ação rápida, por no mínimo 24 horas e até que possam tomar medicamento oral. Então, deve-se completar o tratamento preconizado para malária não complicada pela via oral, por espécie parasitária – respeitando as restrições de uso da primaquina. Crianças com peso < 20 kg devem receber uma maior dose parenteral de artesunato (3 mg/kg/dose) do que crianças com peso > 20 kg e adultos (2,4 mg/kg/dose), para garantir uma exposição equivalente ao medicamento.[4,6]

Ver, no QR code, um esquema ilustrativo para tratamento da malária grave, de acordo com a OMS. Em situação de indisponibilidade de derivados da artemisinina, a malária deve ser tratada com quinina injetável, sempre associada a outro antimalárico de uso parenteral. A quinina pode ser utilizada em qualquer trimestre da gestação. A clindamicina injetável tem sido utilizada como o segundo antimalárico nesses casos.

A **FIGURA 163.4** apresenta fluxograma para diagnóstico, avaliação da gravidade e conduta terapêutica na suspeita de malária.

## Tratamento das infecções mistas

Para doentes com infecção mista causada por *P. falciparum* + *P. vivax*, o tratamento deve incluir medicamento esquizonticida sanguíneo eficaz para *P. falciparum*, associado à primaquina como esquizonticida tecidual. Se a infecção mista é causada por *P. falciparum* + *P. malariae*, o tratamento deve ser dirigido apenas para *P. falciparum* C/D.

## Tratamento da malária na gravidez

Sabe-se que a placenta favorece o desenvolvimento do parasita na gestante, e que a gravidez é causa conhecida de depressão da resposta imune. Portanto, a malária durante a gravidez constitui risco substancial para a mãe, o feto e o recém-nascido. Em geral, no 2º e 3º trimestres, mulheres grávidas são mais suscetíveis aos quadros graves e complicados da malária causada por *P. falciparum*, o que pode resultar em abortamento espontâneo ou morte fetal, prematuridade, baixo peso ao nascer e morte materna. Por essa razão, o tratamento da malária deve ser precoce, a fim de impedir essas complicações. Além disso, é recomendável avaliar criteriosamente o recém-nascido durante as 4 primeiras semanas de vida, pelo risco de malária congênita.

A gestante portadora de malária causada por *P. vivax* deve ser tratada apenas com cloroquina, que é um fármaco seguro na gravidez C/D.[22,23] O uso da primaquina como

**TABELA 163.3** → Sinais de alerta para malária grave e complicada

**Manifestações clínicas**
- → Dor abdominal intensa (ruptura de baço, mais frequente em *P. vivax*)
- → Icterícia
- → Mucosas muito hipocoradas
- → Redução do volume de urina a menos de 400 mL em 24 horas
- → Vômitos persistentes que impeçam a tomada do medicamento por via oral
- → Qualquer tipo de sangramento
- → Dispneia
- → Cianose
- → Taquicardia (avaliar fora do acesso malárico)
- → Convulsão ou desorientação (não confundir com o ataque paroxístico febril)
- → Prostração (em crianças)
- → Comorbidades descompensadas

**Manifestações laboratoriais**
- → Anemia grave (hemoglobina < 7 g/dL em adultos ou < 5 g/dL em crianças)
- → Hipoglicemia (glicose < 40 mg/dL)
- → Acidose metabólica (bicarbonato plasmático < 15 mmol/L) e hiperlactatemia (lactato plasmático > 5 mmol/L)
- → Insuficiência renal (creatinina sérica > 3 mg/dL)
- → Hiperparasitemia (> 250.000/mm³ para *P. falciparum*; sem parâmetro para *P. vivax*)

Fonte: Adaptada de Brasil.[4]

## Seção XII → Problemas Infecciosos

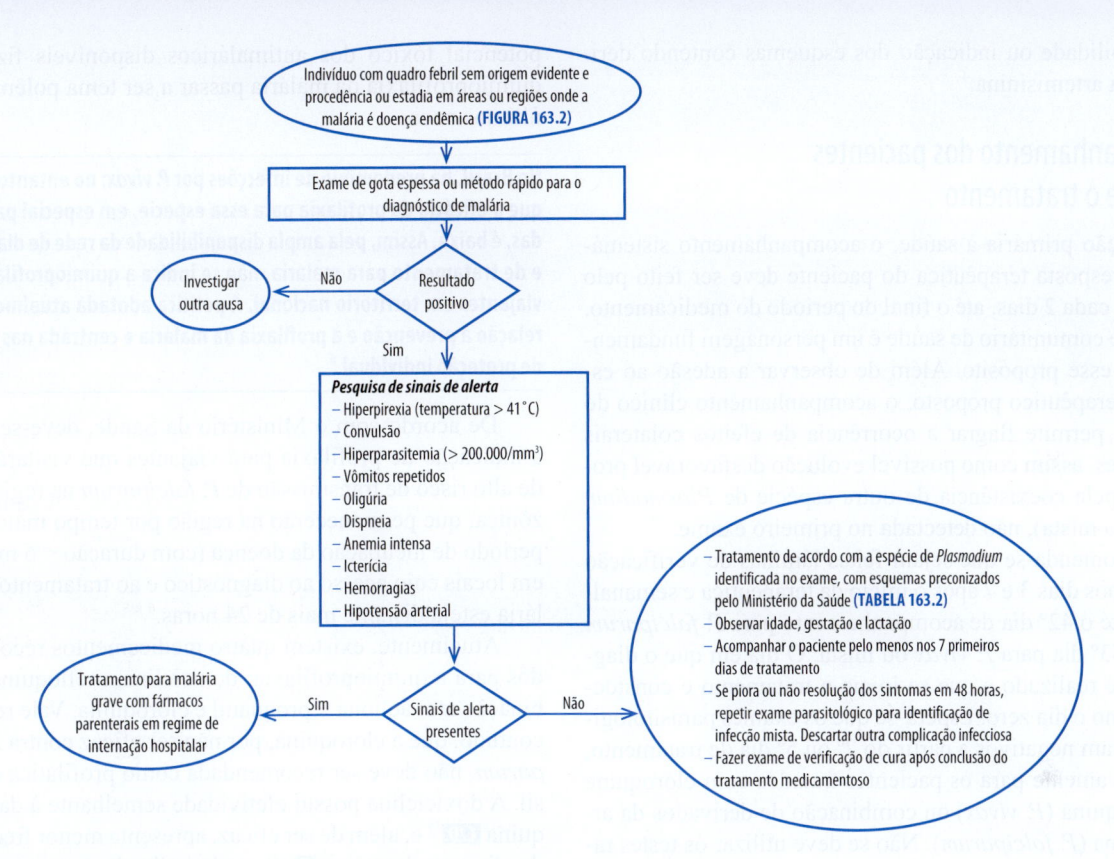

```
┌─────────────────────────────────────────┐
│ Indivíduo com quadro febril sem origem  │
│ evidente e procedência ou estadia em    │
│ áreas ou regiões onde a malária é       │
│ doença endêmica (FIGURA 163.2)          │
└─────────────────────────────────────────┘
                    ↓
┌─────────────────────────────────────────┐
│ Exame de gota espessa ou método rápido  │
│ para o diagnóstico de malária           │
└─────────────────────────────────────────┘
                    ↓
   ┌──────────────┐   Não    ◇ Resultado ◇
   │ Investigar   │ ←──────  ◇ positivo  ◇
   │ outra causa  │          ◇           ◇
   └──────────────┘              ↓ Sim
                    
┌─────────────────────────────────────────┐
│ Pesquisa de sinais de alerta            │
│  – Hiperpirexia (temperatura > 41°C)    │
│  – Convulsão                            │
│  – Hiperparasitemia (> 200.000/mm³)     │
│  – Vômitos repetidos                    │
│  – Oligúria                             │
│  – Dispneia                             │
│  – Anemia intensa                       │
│  – Icterícia                            │
│  – Hemorragias                          │
│  – Hipotensão arterial                  │
└─────────────────────────────────────────┘
```

┌───────────────────┐           ┌─────────────────────────────────────────┐
│ Tratamento para   │   Sim     │ – Tratamento de acordo com a espécie    │
│ malária grave com │ ←── ◇ Sinais ◇ Não →│   de Plasmodium identificada no exame, │
│ fármacos          │     ◇ de alerta ◇   │   com esquemas preconizados pelo       │
│ parenterais em    │     ◇ presentes ◇   │   Ministério da Saúde (TABELA 163.2)   │
│ regime de         │                     │ – Observar idade, gestação e lactação  │
│ internação        │                     │ – Acompanhar o paciente pelo menos nos │
│ hospitalar        │                     │   7 primeiros dias de tratamento       │
└───────────────────┘                     │ – Se piora ou não resolução dos        │
                                          │   sintomas em 48 horas, repetir exame  │
                                          │   parasitológico para identificação de │
                                          │   infecção mista. Descartar outra      │
                                          │   complicação infecciosa               │
                                          │ – Fazer exame de verificação de cura   │
                                          │   após conclusão do tratamento         │
                                          │   medicamentoso                        │
                                          └─────────────────────────────────────────┘

**FIGURA 163.4** → Fluxograma para diagnóstico, avaliação da gravidade e conduta terapêutica na suspeita de malária.

---

esquizonticida tecidual deve ser postergado até o final do 1º mês de lactação[4] **C/D**. A paciente deve ser conscientizada de que recaídas podem acontecer durante a gravidez e que o tratamento com cloroquina deve ser repetido, em caso de recidiva. Para prevenção de recaídas, recomenda-se utilizar cloroquina na dose de 5 mg/kg em 2 tomadas durante a semana, até o momento adequado para uso da primaquina[24] **C/D**.

Para o tratamento de infecção por *P. falciparum* na gestação, as associações arteméter + lumefantrina e artesunato + mefloquina são indicadas, no 2º e 3º trimestres da gravidez[23] **B**. Contudo, não há evidências robustas para o uso desses esquemas em gestantes no 1º trimestre e em crianças com idade < 6 meses. Gestantes no 1º trimestre da gravidez e bebês com idade < 6 meses não devem receber primaquina nem derivados da artemisinina; nesses casos, faz-se o tratamento com quinina e clindamicina **C/D**[4,11] estando recomendado o acompanhamento da mulher ao longo de toda a gestação, com realização mensal de exame parasitológico de verificação de cura e monitoramento do bebê após o nascimento.

## Efeitos colaterais

O evento adverso mais grave associado ao uso de antimaláricos é a hemólise, que acontece após uso de primaquina em pessoas com deficiência de G6PD. A hemólise geralmente acontece após 2 dias de uso da primaquina, o que faz pacientes e profissionais de saúde não associarem o quadro ao uso do medicamento. O primeiro sinal de hemólise é o escurecimento da urina, sendo que mal-estar, fadiga, icterícia (pele e olhos amarelados), ausência de urina e até mesmo febre podem aparecer. Muitas vezes, o quadro é confundido com anemia da malária ou hepatite após malária.

Cerca de 20% dos pacientes podem apresentar prurido após o uso de cloroquina, sendo rara a interrupção do tratamento por esse efeito colateral. O sintoma pode ser minimizado pelo fracionamento da dose diária. Conforme a intensidade do prurido e a possibilidade de controlá-lo, sugere-se que, em novos episódios de malária, esses pacientes sejam tratados com derivados da artemisinina.

Arteméter e artesunato são muito bem tolerados, existindo relatos esporádicos dos seguintes efeitos colaterais: sonolência, distúrbios gastrintestinais, zumbido, reticulocitopenia, neutropenia, elevação das enzimas hepáticas e alterações do eletrocardiograma, incluindo bradicardia e prolongamento do intervalo QT. Durante o uso de artesunato injetável, os derivados da artemisinina podem induzir importante anemia até 1 mês após o término do tratamento. Isso ocorre com mais frequência em primoinfectados, com elevação da LDH, sugerindo um processo hemolítico associado.

Embora seja eficaz contra *P. falciparum*, a quinina, associada a antibióticos como clindamicina ou doxiciclina, está associada à menor adesão dos pacientes e à maior frequência de efeitos colaterais. Por isso, representa atualmente o esquema de segunda escolha para o tratamento dessa espécie de *Plasmodium*, devendo ser indicada quando não há disponibilidade ou indicação dos esquemas contendo derivados da artemisinina.[4]

## Acompanhamento dos pacientes durante o tratamento

Na atenção primária à saúde, o acompanhamento sistemático da resposta terapêutica do paciente deve ser feito pelo menos a cada 2 dias, até o final do período do medicamento. O agente comunitário de saúde é um personagem fundamental para esse propósito. Além de observar a adesão ao esquema terapêutico proposto, o acompanhamento clínico do paciente permite flagrar a ocorrência de efeitos colaterais relevantes, assim como possível evolução desfavorável provocada pela coexistência de outra espécie de *Plasmodium* (infecção mista), não detectada no primeiro exame.

Recomenda-se que sejam feitas lâminas de verificação de cura nos dias 3 e 7 após o início da terapêutica e semanalmente até o 42º dia de acompanhamento para *P. falciparum* e até o 63º dia para *P. vivax* ou mista. O dia em que o diagnóstico é realizado e que se inicia o tratamento é considerado como o dia zero. Espera-se que os exames parasitológicos estejam negativos a partir do 2º ou 5º dia de tratamento, respectivamente para os pacientes tratados com cloroquina + primaquina (*P. vivax*) ou combinação de derivados da artemisinina (*P. falciparum*). Não se deve utilizar os testes rápidos para o acompanhamento clínico do paciente, porque ainda podem ser positivos, mesmo na ausência de parasitas viáveis. Isso pode, portanto, gerar o falso diagnóstico de resistência parasitária. Deve-se ter cautela com o uso de testes rápidos até 1 mês após diagnóstico prévio confirmado.[4]

## NOTIFICAÇÃO

Na região amazônica, a malária é uma doença de notificação compulsória regular e todo caso suspeito deve ser notificado em até 7 dias às autoridades de saúde pelo Sistema de Informação de Vigilância Epidemiológica da Malária (Sivep-Malária). Os exames de controle de cura também devem ser registrados.

Na região extra-amazônica, a malária é uma doença de notificação compulsória imediata, portanto, todo caso suspeito deve ser notificado às autoridades de saúde em até 24 horas. A notificação também deve ser registrada no Sistema de Informação de Agravos de Notificação (Sinan), e o encerramento do registro da notificação deve ser completado no sistema no prazo máximo de 30 dias. Também devem ser registrados todos os exames de controle de cura.[6]

## MEDIDAS PREVENTIVAS

### Quimioprofilaxia

Como ainda não está disponível uma vacina ou um fármaco profilático causal para a malária, a ação esquizonticida sanguínea de alguns antimaláricos tem sido usada como forma de prevenir as manifestações clínicas da doença. Entretanto, a progressiva expansão do *P. falciparum* resistente e o maior potencial tóxico dos antimaláricos disponíveis fizeram a quimioprofilaxia da malária passar a ser tema polêmico nos últimos anos.

> No Brasil, há predomínio de infecções por *P. vivax*; no entanto, sabe-se que a eficácia da profilaxia para essa espécie, em especial para recaídas, é baixa. Assim, pela ampla disponibilidade da rede de diagnóstico e de tratamento para malária, não se indica a quimioprofilaxia para viajantes em território nacional. A política adotada atualmente com relação à prevenção e à profilaxia da malária é centrada nas medidas de proteção individual.[6]

De acordo com o Ministério da Saúde, deve-se avaliar a indicação de profilaxia para viajantes que visitarão áreas de alto risco de transmissão de *P. falciparum* na região amazônica, que permanecerão na região por tempo maior que o período de incubação da doença (com duração < 6 meses), e em locais cujo acesso ao diagnóstico e ao tratamento de malária esteja distante mais de 24 horas.[6]

Atualmente, existem quatro medicamentos recomendados para a quimioprofilaxia: doxiciclina, mefloquina, combinação atovaquona + proguanil e cloroquina. Vale ressaltar, contudo, que a cloroquina, por não ser eficaz contra *P. falciparum*, não deve ser recomendada como profilática no Brasil. A doxiciclina possui efetividade semelhante à da mefloquina C/D [25] e, além de ser eficaz, apresenta menor frequência de efeitos colaterais[25] B. Quando indicada, a quimioprofilaxia com doxiciclina (100 mg/dia), deve ser iniciada 1 dia antes da partida e interrompida 4 semanas após a chegada do viajante. O mais importante é que o viajante, ao retornar, comunique ao médico se tiver sintomas e que esteve em área endêmica de malária, para que seja realizado exame oportuno para diagnóstico e tratamento. Orientações sobre fármacos e esquemas de quimioprofilaxia estão disponíveis no *Guia para profissionais de saúde sobre prevenção da malária em viajantes*.[26] (Ver QR code.)

Como o mosquito-vetor tem, em geral, hábitos noturnos de alimentação, recomenda-se evitar permanecer nas áreas de risco após o entardecer e logo ao amanhecer C/D. O uso de repelentes nas áreas expostas do corpo, de telas nas portas e nas janelas e de mosquiteiros também consiste em medidas com esse objetivo C/D.

### Ações nacionais de prevenção e controle

Como medidas coletivas, algumas estratégias têm sido consideradas para reduzir os níveis de transmissão nas áreas endêmicas. Destacam-se medidas de combate ao vetor adulto, por meio da borrifação das paredes dos domicílios com inseticidas de ação residual; medidas de combate às larvas, sobretudo mediante controle biológico, utilizando *Bacillus thuringiensis* e *B. sphaericus*; medidas de saneamento básico para evitar a formação de criadouros de mosquitos, que surgem principalmente a partir das águas pluviais e das modificações ambientais provocadas pelo homem; e medidas para melhorar as condições de vida, por meio de ações de informação, educação e comunicação, a fim de provocar mudanças de atitude da população em relação aos fatores que facilitam a exposição à transmissão.

A Secretaria de Vigilância em Saúde (SVS) do Ministério da Saúde, por meio do PNCM,[4] estabelece uma política permanente para a prevenção e o controle da doença no Brasil. Os objetivos do PNCM são: reduzir a incidência da malária; reduzir a mortalidade por malária; reduzir as formas graves da doença; eliminar a transmissão da malária em áreas urbanas nas capitais; e manter a ausência da transmissão da doença nos locais onde tiver sido interrompida a sua transmissão. Os componentes principais do PNCM são vigilância; diagnóstico e tratamento; capacitação de recursos humanos; controle seletivo de vetores; educação em saúde, comunicação e mobilização social; e apoio à estruturação dos serviços locais de saúde.

Por recomendação da OMS, a proposta de eliminação de malária no Brasil, com enfoque inicial na malária por *P. falciparum*, vem sendo amplamente discutida desde o ano de 2013 em diferentes fóruns.[27] O sucesso de um programa de eliminação depende prioritariamente de um eficiente sistema de saúde, que deve ser capaz de garantir diagnóstico de excelente qualidade, detectar praticamente todos os casos de infecção por *P. falciparum* e garantir que sejam tratados adequadamente todos os pacientes, antes de infectarem novos mosquitos e gerarem novos casos na localidade.

No *site* da OMS, são disponibilizadas informações constantemente atualizadas sobre as principais medidas de controle da malária no mundo, incluindo revisões sobre fármacos e esquemas de tratamento e de quimioprofilaxia (ver QR code).

## REFERÊNCIAS

1. World Health Organization. World malaria report 2019 [Internet]. Geneva: WHO; 2019 [capturado em 19 out. 2020]. Disponível em: https://www.who.int/publications-detail/world-malaria-report-2019.
2. Gilles HM. The malaria parasites. In: Gilles HM, Warrell DA. Bruce-Chwatt's essential malariology. 3rd ed. London: Edward Arnold; 1993. p. 13-35.
3. Braga ME, Fontes FCJ. *Plasmodium* – malária. In: Neves PD, organizador. Parasitologia humana. 13. ed. São Paulo: Atheneu; 2016. p. 237-259.
4. Brasil. Ministério da Saúde. Guia de tratamento da malária no Brasil [Internet]. Brasília: MS; 2020 [capturado em 19 out. 2020]. Disponível em: https://portalarquivos2.saude.gov.br/images/pdf/2020/janeiro/29/af-guia-tratamento-malaria-28jan20-isbn.pdf
5. Siqueira AM, Mesones-Lapouble O, Marchesini P, Sampaio VS, Brasil P, Tauil PL, et al. *Plasmodium vivax* landscape in Brazil: scenario and challenges. Am J Trop Med Hyg. 2016;95(6 Suppl):87–96.
6. Brasil. Ministério da Saúde. Guia de Vigilância em Saúde: volume único [Internet]. 3. ed. Brasília: MS; 2019 [capturado em 19 out. 2020]. Disponível em: https://portalarquivos2.saude.gov.br/images/pdf/2019/junho/25/guia-vigilancia-saude-volume-unico-3ed.pdf.
7. Ferreira MU, Castro MC. Challenges for malaria elimination in Brazil. Malar J. 2016;15(1):284.
8. Moxon CA, Gibbins MP, McGuinness D, Milner DA Jr, Marti M. New insights into malaria pathogenesis. Annu Rev Pathol. 2020;15:315–43.
9. Ashley EA, Pyae Phyo A, Woodrow CJ. Malaria. Lancet. 2018;391(10130):1608-21.
10. Suh KN, Kain KC, Keystone JS. Malaria. CMAJ. 2004;170(11):1693-702.
11. World Health Organization. Guidelines for the treatment of malaria [Internet]. 3rd ed. Geneva: WHO; 2015 [capturado em 9 out. 2020]. Disponível em: https://www.who.int/malaria/publications/atoz/9789241549127/en/
12. Daher A, Silva JCAL, Stevens A, Marchesini P, Fontes CJ, Ter Kuile FO, et al. Evaluation of *Plasmodium viva*x malaria recurrence in Brazil. Malar J. 2019;18(1):18.
13. Silvino AC, Costa GL, Araújo FC, Ascher DB, Pires DE, Fontes CJ, et al. Variation in human cytochrome P-450 drug-metabolism genes: A gateway to the understanding of *Plasmodium vivax* relapses. PLoS One. 2016;11(7):e0160172.
14. Goller JL, Jolley D, Ringwald P, Biggs BA. Regional differences in the response of Plasmodium vivax malaria to primaquine as anti-relapse therapy. Am J Trop Med Hyg. 2007;76(2):203–207.
15. Duarte EC, Pang LW, Ribeiro LC, Fontes CJ. Association of subtherapeutic dosages of a standard drug regimen with failures in preventing relapses of vivax malaria. Am J Trop Med Hyg. 2001;65(5):471-6.
16. Commons RJ, Simpson JA, Thriemer K, Humphreys GS, Abreha T, Alemu SG, et al. The effect of chloroquine dose and primaquine on *Plasmodium vivax* recurrence: a WorldWide Antimalarial Resistance Network systematic review and individual patient pooled meta-analysis. Lancet Infect Dis. 2018;18(9):1025-34.
17. Peixoto HM, Marchesini PB, de Oliveira MR. Efficacy and safety of artesunate-mefloquine therapy for treating uncomplicated *Plasmodium falciparum* malaria: systematic review and meta-analysis. Trans R Soc Trop Med Hyg. 2016;110(11):626-36.
18. Frey SG, Chelo D, Kinkela MN, Djoukoue F, Tietche F, Hatz C, et al. Artesunate-mefloquine combination therapy in acute Plasmodium falciparum malaria in young children: a field study regarding neurological and neuropsychiatric safety. Malar J. 2010;9:291.
19. White NJ, Qiao LG, Qi G, Luzzatto L. Rationale for recommending a lower dose of primaquine as a *Plasmodium falciparum* gametocytocide in populations where G6PD deficiency is common. Malar J. 2012;11:418.
20. Graves PM, Gelband H, Garner P. Primaquine for reducing *Plasmodium falciparum* transmission. Cochrane Database Syst Rev. 2012;(9):CD008152.
21. Sinclair D, Donegan S, Isba R, Lalloo DG. Artesunate versus quinine for treating severe malaria. Cochrane Database Syst Rev. 2012;2012(6):CD005967.
22. Orton LC, Omari AA. Drugs for treating uncomplicated malaria in pregnant women. Cochrane Database Syst Rev. 2008;2008(4):CD004912.
23. PREGACT Study Group, Pekyi D, Ampromfi AA, Tinto H, Traoré-Coulibaly M, Tahita MC, et al. Four Artemisinin-Based Treatments in African Pregnant Women with Malaria. N Engl J Med. 2016;374(10):913-27.
24. Radeva-Petrova D, Kayentao K, ter Kuile FO, Sinclair D, Garner P. Drugs for preventing malaria in pregnant women in endemic areas: any drug regimen versus placebo or no treatment. Cochrane Database Syst Rev. 2014;2014(10):CD000169
25. Tickell-Painter M, Maayan N, Saunders R, Pace C, Sinclair D. Mefloquine for preventing malaria during travel to endemic areas. Cochrane Database Syst Rev. 2017;10(10):CD006491.
26. Brasil. Ministério da Saúde. Guia para profissionais de saúde sobre prevenção da malária em viajantes [Internet]. Brasília: MS; 2008 [capturado em 20 out. 2020]. Disponível em: https://portalarquivos2.saude.gov.br/images/pdf/2014/maio/30/Guia-para-profissionais-de-sa--de-sobre-preven----o-da-mal--ria-em-viajantes.pdf.

27. Brasil. Ministério da Saúde. Plano de eliminação da malária no Brasil [Internet]. Brasília: MS; 2019. [capturado em 19 out. 2020]. Disponível em: https://portalarquivos2.saude.gov.br/images/pdf/2017/janeiro/04/Plano-eliminacao-malaria-pub.pdf.

# Capítulo 164
## FEBRE AMARELA

Pedro Fernando da Costa Vasconcelos
Marta Heloisa Lopes
Cristiana M. Toscano

A febre amarela é uma doença infecciosa febril aguda, transmitida por vetores artrópodes, sendo o protótipo das febres hemorrágicas. A doença possui dois ciclos epidemiológicos distintos (silvestre e urbano). O agente causal é um arbovírus (vírus transmitido pela picada de artrópodes), pertencente à família Flaviviridae, gênero *Flavivirus*,[1] que é transmitido ao homem e aos primatas não humanos (PNHs) pela picada de mosquitos dos gêneros *Aedes*, *Haemagogus* e *Sabethes*.[1] Hoje se sabe que o vírus da febre amarela é de origem africana e que, com o comércio de escravos, foi trazido para o Novo Mundo, onde se adaptou aos mosquitos locais, mas passou a ser transmitido em sua forma urbana pela picada do *Aedes aegypti*.[2]

Nos séculos XVII, XIX e na primeira metade do século XX, foi responsável por epidemias que dizimaram enormes populações dos principais núcleos urbanos das Américas e da África.[3] Com a descoberta do ciclo silvestre, a campanha de erradicação da forma urbana e a descoberta da vacina e seu uso em saúde pública, a incidência da doença caiu drasticamente.

Entretanto, desde o início do século XXI, surtos de febre amarela silvestre têm sido observados no Brasil. Em 2008 e 2009, ocorreram pequenos surtos em áreas não endêmicas, nos Estados de São Paulo e Rio Grande do Sul. De 1980 a 2015, ocorreram 792 casos de febre amarela silvestre e 421 mortes.[4] Apesar de não terem ocorrido surtos entre 2010 e 2015, em 2016 teve início um grande surto, com intensa circulação do vírus em estados da Região Sudeste do Brasil, em regiões silvestres próximas de regiões densamente povoadas.[5]

Entre 2016 e 2018, a reemergência de casos de febre amarela tem sido observada na África e na América do Sul, em áreas não endêmicas e endêmicas, com histórico de baixa atividade do vírus, todas com baixa cobertura vacinal. Entre 2016 e 2017, o pior surto de febre amarela urbana dos últimos 30 anos ocorreu em Angola, onde a atividade do vírus da febre amarela era infrequente e a cobertura vacinal era baixa. Esse surto se disseminou para a República Democrática do Congo.

# EPIDEMIOLOGIA
## Vetores reservatórios

Os principais transmissores da febre amarela silvestre na região das Américas são mosquitos dos gêneros *Haemagogus* e *Sabethes*, enquanto na África são artrópodes do gênero *Aedes*.

No Brasil e em grande parte da América Latina, o mosquito *Haemagogus janthinomys* é considerado o principal transmissor. Esse mosquito, de hábitos silvestres e que habita a copa das árvores, pica o homem quando este penetra nas matas.

Outras espécies de *Haemagogus* têm sido associadas à transmissão do vírus amarílico, como vetores secundários. Entre elas, encontram-se *H. leucocelaenus* (sul do Brasil e Argentina),[6,7] *H. albomaculatus* (região do Baixo Amazonas no Estado do Pará e nas Guianas), *H. tropicalis* e *H. spegazzini*, os dois últimos com pouca importância atualmente como transmissores da febre amarela. *Haemagogus janthinomys* e *H. leucocelaenus* ocasionalmente podem ser encontrados no nível do solo em áreas próximas ou distantes de florestas, uma vez que podem percorrer distâncias relativamente longas – 5,7 e 11,5 km, respectivamente.[8] *Haemagogus leucocelaenus* pode se adaptar ao meio ambiente modificado pelo homem, como áreas urbanas e periurbanas. *Haemagogus janthinomys* já foi identificado em amostras coletadas em regiões próximas a bairros urbanos.[8] Já as espécies do gênero *Sabethes* (*S. chloropterus*, *S. cyaneus*, *S. soperi* e outros) têm sido apontadas como vetores secundários, sobretudo no Brasil; suas taxas de infecção são baixas, não sendo capazes de manter a circulação viral isoladamente.

*Aedes aegypti* é o vetor da forma urbana da doença. Esse mosquito, com hábitos peridomésticos, é o único implicado nas epidemias graves da forma urbana verificadas no passado. *Aedes albopictus*, em estudos experimentais, tem demonstrado boa suscetibilidade ao vírus amarílico e a outros arbovírus, mas não foi encontrado infectado naturalmente. Essa espécie, por ter capacidade de se manter tanto em áreas urbanas como rurais e possivelmente silvestres, pode ser, no futuro, um vetor de ligação entre as formas silvestre e urbana da doença, papel que na África é desempenhado pelo *A. simpsoni*. Apesar dos altos índices de infestação por *A. aegypti* e *A. albopictus*, em áreas urbanas e periurbanas no Brasil, não há evidência de transmissão do vírus da febre amarela por *A. aegypti* desde a erradicação da doença urbana no Brasil, em 1942.[8]

## Hospedeiros

Na febre amarela silvestre, os PNHs (macacos) são os hospedeiros principais do vírus. Muitos desses animais morrem durante a infecção, enquanto outros, mais resistentes, sobrevivem e ficam imunes. Anticorpos para o vírus da febre amarela têm sido encontrados em quase todas as espécies investigadas no Novo Mundo, reforçando o papel dos PNHs como hospedeiros primários do vírus amarílico. No Velho Mundo, os macacos também são suscetíveis; no entanto, demonstram maior resistência do que os equivalentes do Novo Mundo e habitualmente não morrem de febre amarela.

Além dos PNHs, tem-se sugerido que os marsupiais arboreais podem comportar-se como hospedeiros do vírus. De fato, como os transmissores principais habitam a copa das árvores, é de se esperar que esses animais também sejam picados pelos mosquitos transmissores. Entretanto, como os mosquitos dos gêneros *Haemagogus* e *Sabethes* são primariamente primatofílicos, os macacos constituem, sem nenhuma dúvida, os principais hospedeiros. O papel desses primatas é apenas de hospedeiro amplificador, e não de reservatório, como muitos ainda acreditam. Com efeito, os macacos, assim como os humanos, ao se infectarem, ou morrem ou evoluem para cura, produzindo anticorpos protetores que impedem a reinfecção. O papel de reservatório cabe aos transmissores (mosquitos) que, uma vez infectados, assim permanecem por toda a vida.

Na febre amarela urbana, o homem é o único hospedeiro com importância epidemiológica, e a transmissão se dá a partir de vetores urbanos infectados. Surtos recentes de febre amarela ocorridos no Brasil permitiram investigar uma variedade de PNHs fora da Bacia Amazônica. Seguindo padrão previamente observado, a maioria dos PNHs infectados são *Alouatta* spp. e *Callithrix* spp. Silva e colaboradores consideram que os PNHs são hospedeiros amplificadores do vírus da febre amarela, e não reservatórios virais, porque morrem ou desenvolvem imunidade humoral e celular contra o vírus.[8]

## Ciclos de transmissão

O ciclo urbano do vírus da febre amarela é do tipo *A. aegypti*-homem-*A. aegypti*, sem necessidade de participação de outros hospedeiros. O homem desempenha o papel de hospedeiro amplificador. Os animais domésticos carecem de importância, e apenas excepcionalmente cachorros se infectam e desenvolvem viremia. O vírus é transmitido pela picada dos mosquitos transmissores infectados. Apenas as fêmeas transmitem o vírus, pois o repasto sanguíneo provê nutrientes essenciais para a maturação dos ovos e, consequentemente, a completude do ciclo gonotrófico. Nos mosquitos, a transmissão também ocorre de forma vertical, na qual as fêmeas podem transferir o vírus para a sua prole, favorecendo a manutenção do vírus na natureza.[9] Não há transmissão de pessoa a pessoa.

Os ciclos silvestres são complexos. O ciclo primário é feito entre macacos e mosquitos. O homem se infecta ao penetrar na floresta em áreas endêmicas onde existem mosquitos infectados, caso não seja vacinado. O risco aumenta durante a ocorrência de epizootias, surtos e epidemias, quando as taxas de infecção dos vetores encontram-se elevadas.[1,6] Na ausência de macacos ou após epizootias, quando a população de macacos suscetíveis reduz de maneira acentuada, ciclos secundários envolvendo marsupiais arboreais e preguiças podem temporariamente substituir os ciclos primários.

Os vírus da febre amarela circulantes na região da cidade de São Paulo, durante a epidemia de 2017/2018, foram variantes genéticas silvestres do genótipo tipo I sul-americano. Eles estão relacionados aos vírus previamente isolados, em 2017, em outros locais do Brasil, como nos Estados de Minas Gerais, Espírito Santo, Bahia e Rio de Janeiro. O vírus circulou em regiões periurbanas, próximo de região de mata, sem que tenha ocorrido transmissão de humanos para humanos.[5]

A estação chuvosa prolongada está associada com abundância de vetores, podendo estar ligada ao aumento da circulação do vírus da febre amarela. Além disso, o desmatamento associado ao uso do solo para agricultura e criação de gado também pode estar associado à emergência de surtos de febre amarela.[1] A ausência de políticas de manejo da população de mosquitos e a expansão das atividades humanas nas áreas endêmicas do vírus da febre amarela podem representar fatores adicionais para a reemergência desse vírus. Com o aumento da temperatura e da intensidade das chuvas, o aquecimento global possivelmente favorece a reprodução de mosquitos e o surgimento do vírus da febre amarela em áreas anteriormente não afetadas.[4]

## Suscetibilidade

A suscetibilidade ao vírus da febre amarela é geral e independe de etnia e sexo. A infecção provavelmente confere imunidade permanente. Nas zonas endêmicas, são comuns as infecções leves e inaparentes. Em relação à idade, tem sido observado que crianças menores, filhas de mães vacinadas ou naturalmente infectadas, que receberam anticorpos durante a gestação, apresentam resistência à infecção. À medida que crescem, no entanto, tornam-se suscetíveis, pois perdem, de modo gradual, os anticorpos passivamente adquiridos da mãe. Assim, necessitam de vacinação para impedir a infecção.

Pelas características do ciclo silvestre de transmissão do vírus, a febre amarela silvestre acomete pessoas não vacinadas, com maior frequência do sexo masculino e na faixa etária entre 20 e 50 anos, em função da maior vulnerabilidade, relacionada com o maior risco de exposição por atividade profissional em áreas com recomendação de vacinação. Pessoas não vacinadas que residem próximo aos ambientes silvestres ou que praticam atividades recreativas (ecoturismo, pescarias, acampamento, etc.) nesses ambientes também constituem grupo de risco. A proximidade entre ambientes urbanos e silvestres e a elevada infestação e dispersão do vetor *A. aegypti*, associadas à exposição do homem às áreas silvestres com circulação do vírus, devido à atividade profissional ou mesmo recreativa, são motivos de preocupação das autoridades sanitárias, devido ao risco de reurbanização da febre amarela.[10]

Os surtos de febre amarela que têm ocorrido no mundo desde 2016 podem ser considerados únicos. Além de estarem ocorrendo em escala não observada por décadas, estão acontecendo em áreas historicamente com baixa ou nenhuma atividade do vírus. Baixas coberturas vacinais contribuíram para esse panorama, mas fatores adicionais que também poderiam ter contribuído para essa reemergência súbita do vírus da febre amarela nos últimos anos são desconhecidos.[4] As complexas interações entre vírus, vetores, hospedeiro, clima e meio ambiente são, até hoje, superficialmente entendidas.[1]

## Sazonalidade

A febre amarela silvestre se apresenta, em geral, sob a forma de surtos com intervalos de 5 a 7 anos, alternados por períodos com menor número de registros. Na população humana, o aparecimento de casos é geralmente precedido de epizootias em PNHs. A febre amarela é uma doença sazonal, com maior incidência nos períodos de maior pluviosidade. No Brasil, a grande maioria dos casos notificados ocorre no período de maior intensidade de chuvas, correspondendo aos meses de dezembro a maio.

O período anual de monitoramento da febre amarela no Brasil inicia em julho e encerra em junho do ano seguinte, de modo que os processos de transmissão que irrompem durante os períodos sazonais (dezembro a maio) possam ser detectados.[11]

# PATOGENIA E PATOLOGIA

O período de incubação entre a picada do inseto e o início das manifestações clínicas é habitualmente de 3 a 6 dias. Porém, em situações esporádicas, considera-se que pode se estender por até 15 dias.[4,9] A viremia humana dura em torno de 7 dias, iniciando entre 24 e 48 horas antes do aparecimento dos sintomas e se estendendo até 3 a 5 dias após o início da doença. Nesse período, o homem pode infectar os mosquitos transmissores. Nos PNHs, a doença ocorre de forma similar ao homem, com período de transmissibilidade semelhante.[9]

Após a infecção, o vírus atinge os linfonodos regionais, onde se replica nas células linfoides e, por via hematogênica e de forma sistêmica, chega aos órgãos-alvo. O principal órgão acometido é o fígado. A lesão fundamental causada pelo vírus da febre amarela é a necrose hepatocelular, inicialmente nas células de Kupffer e depois nos hepatócitos. Além de atingir o tecido hepático, o vírus causa lesão no baço, no coração, nos pulmões, nos linfonodos e nos rins. No baço, causa necrose das células linfoides dos centros germinativos. No coração, além da necrose das células musculares cardíacas, pode acarretar pericardite, edema do interstício do miocárdio e, excepcionalmente, tamponamento cardíaco, responsável pelos casos de morte súbita em pacientes amarílicos; nos demais órgãos, as lesões são voltadas para as células do sistema fagocítico-mononuclear.

O processo inflamatório, em muitos casos, não é bem caracterizado, pois o infiltrado inflamatório é discreto e, por vezes, insignificante ou ausente. Quando presente, caracteriza-se por células mononucleares nas fases iniciais e por polimorfonucleares nas fases tardias das formas graves da infecção.

A necrose no fígado é bem característica, situando-se nos lóbulos hepáticos. Não é uniforme nem atinge todas as células; afeta mais aquelas localizadas no meio do lóbulo hepático, ocasionando necrose mediozonal, que poupa as áreas próximas ao espaço porta-hepático e à veia centrolobular. Por vezes, entretanto, quando a lesão é mais intensa, a necrose pode ser mais difusa, tomando praticamente todo o lóbulo. Esses quadros muitas vezes são indistinguíveis das hepatites fulminantes causadas pelos vírus das hepatites B e D. Outro achado importante é a degeneração dos hepatócitos, que, nas preparações coradas pela hematoxilina-eosina (HE), coram-se intensamente de vermelho devido aos corpúsculos de Councilman-Rocha Lima, que correspondem à apoptose dos hepatócitos.

Em muitos pacientes, as lesões hepáticas são discretas e não justificam, *per se*, a sua morte. Nessas condições, a morte se dá por lesão cardíaca ou por insuficiência renal aguda. No coração, as lesões se concentram no miocárdio. As fibras cardíacas sofrem necrose e esgarçamento, pelo edema intersticial. Processo inflamatório mononuclear e/ou polimorfonuclear costuma acompanhar essas lesões nos casos mais arrastados. Menos comum é a ocorrência de pericardite. Quando presente, agrava o quadro de miocardite e contribui para a morte dos doentes.

Ao contrário do que ocorre no fígado, no coração e no baço, cujas lesões teciduais resultam da ação direta do vírus, nos rins as lesões observadas decorrem da insuficiência renal que se instala de maneira progressiva em maior ou menor intensidade na maioria dos pacientes amarílicos. A diminuição do fluxo sanguíneo nos rins causa necrose tubular aguda. Durante a fase inicial, a diminuição do fluxo provoca perda da capacidade de filtração glomerular, resultando, inicialmente, na retenção de escórias nitrogenadas e de água, e, mais tarde, os rins passam a eliminar proteínas, o que provoca albuminúria.

Em 20 pacientes submetidos à autópsia na Faculdade de Medicina da Universidade de São Paulo, durante o surto de febre amarela em 2017/2018 em São Paulo, 17 tiveram o diagnóstico confirmado por exame histopatológico e análise molecular. Em todos esses pacientes, a causa da morte foi falência hepática causada por hepatite panlobular. Os principais achados extra-hepáticos foram hemorragia pulmonar, pneumonia, necrose tubular aguda e glomerulonefrite. Necrose tubular aguda estava presente em 94% dos casos e glomerulonefrite proliferativa mesangial, em 88%.[12,13]

Em uma série de estudos, foi demonstrado que, na febre amarela, o principal mecanismo de morte celular é a apoptose, e que um aumento significativo na expressão de várias citocinas, como fator de necrose tumoral (TNF, do inglês *tumor necrosis factor*)-α, fator de transformação do crescimento (TGF, do inglês *transforming growth factor*)-β e gamainterferona (IFN-γ), está associado aos eventos fisiopatológicos da doença. Embora tenha sido demonstrado que o TGF-β é a principal citocina associada à indução de apoptose e à inibição da resposta celular anti-inflamatória, é provável que, na infecção pelo vírus selvagem, a síndrome inflamatória sistêmica grave também contribua para a letalidade.

A análise de dados clínicos e laboratoriais de 62 pacientes com quadro grave de febre amarela atendidos em um hospital da cidade de São Paulo, em 2018, mostrou que o aumento de lipase e a alteração do fator V da coagulação foram correlacionados com risco de morte. Sugere-se que mecanismos imunopatológicos contribuam para a morte nos estágios finais da doença.[1]

## QUADRO CLÍNICO

**Estima-se que cerca de um terço das infecções seja assintomática. Em sua forma clássica, a doença se manifesta por quadro hemorrágico grave, causando falência hepatorrenal, que resulta em morte em cerca de 50% dos doentes. Didaticamente, a doença pode ser classificada em leve, moderada, grave ou maligna.[1] O quadro clínico clássico da febre amarela é caracterizado pelo início súbito de febre alta, cefaleia intensa e duradoura, inapetência, náuseas e mialgia. O sinal de Faget (bradicardia acompanhando febre alta) pode ou não estar presente.[9]**

Nas formas leves, observa-se quadro febril inespecífico acompanhado de mal-estar passageiro, com ou sem cefaleia de pouca intensidade. Esse quadro costuma evoluir em algumas horas até 2 a 4 dias, com rápida recuperação. A forma leve raramente é diagnosticada, sendo geralmente identificada durante surtos e epidemias.

Nas formas moderadas, as manifestações são mais visíveis do que nas formas leves, podendo-se observar, além do quadro febril um pouco mais intenso, a ocorrência de cefaleia e mialgias de intensidade variável. Também podem ser observadas, embora não obrigatoriamente, discreta icterícia ou pequenas hemorragias. O quadro também evolui por 2 a 4 dias, e os pacientes se recuperam de forma satisfatória.

Nas formas grave e maligna, o quadro é exuberante. Na forma grave, o início é abrupto, com febre elevada e mal-estar. A cefaleia é intensa, e as dores musculares, sobretudo na região lombar, são queixas frequentes. Náuseas e vômitos costumam fazer parte do quadro, assim como tontura e astenia. Pelo menos um dos sintomas clássicos – hematêmese, icterícia ou oligúria/anúria – costuma acompanhar o quadro. Com efeito, icterícia franca é comum, hemorragias discretas quase sempre são observadas, e diminuição do volume urinário pode estar presente. Raramente essas três manifestações ocorrem de forma simultânea. Esse quadro evolui por até 5 dias, quando, então, inicia o período de convalescença.

Na forma maligna, o quadro é completo. Caracteriza-se por manifestações de insuficiência hepática e renal, tendo, em geral, apresentação bifásica, com um período inicial prodrômico (infecção), seguido de um toxêmico, que surge após aparente remissão e, em muitos casos, evolui para óbito em cerca de 1 semana.

A apresentação inicial é similar à da forma grave, com febre elevada de início abrupto. Muitas vezes, o paciente refere ter realizado durante o dia seus afazeres normais, até sentir-se subitamente doente. A febre é acompanhada de mal-estar, calafrios intensos e cefaleia holocraniana. Algumas horas mais tarde, surgem as dores musculares, que pioram à medida que o quadro evolui. As dores musculares são generalizadas, porém mais intensas na região lombar. Por vezes, os pacientes reclamam de dificuldade respiratória por causa das dores no tórax. Outros referem artralgias, que pioram o quadro muscular. Náuseas e vômitos estão presentes e podem surgir abruptamente ou após tentativas de alimentar-se. Anorexia, prostração e tontura costumam estar presentes. A sede é intensa e decorre da desidratação provocada pela febre e pelos vômitos, o que tende a piorar com o tempo, exigindo reposição hídrica intravenosa (IV). Esse quadro evolui por 3 a 5 dias, período em que é fácil isolar o vírus, pois nessa fase ele é facilmente encontrado na corrente sanguínea (viremia) durante todo o período febril.

Após esse período, alguns pacientes se sentem melhor, referindo alívio dos sintomas e sensação de cura. É o período de remissão, que perdura algumas horas até 2 dias. Passado esse período, por vezes difícil de caracterizar, ocorre piora do quadro, com início do período de intoxicação ou localização da febre amarela, que se caracteriza por manifestações de falência hepatorrenal. A icterícia se torna franca, e a dor no hipocôndrio direito (loja hepática) é intensa. Instala-se insuficiência renal com oligúria ou anúria. Em consequência, as escórias nitrogenadas se acumulam,[1] e os valores séricos de ureia e creatinina aumentam cerca de 5 a 10 vezes, com proteinúria e formação de cilindros na urina. É comum ocorrer hematêmese, melena, gengivorragia, otorragia, uretrorragia e metrorragia. A hematêmese, com vômitos negros, representa a forma hemorrágica mais grave. Quando a icterícia é intensa, pode ocorrer querníctero, ou seja, impregnação do sistema nervoso central com bilirrubina, resultando em convulsões decorrentes da encefalopatia que se instala. Essa situação agrava ainda mais o quadro clínico, levando, muitas vezes, ao óbito do paciente.

Um estudo revisando aspectos clínicos e laboratoriais da febre amarela no Brasil constatou que a letalidade em casos notificados continua elevada, próximo de 50%. Além disso, demonstrou maior risco de óbito em doentes com elevados níveis de ureia (> 100 mg/dL), bilirrubina total (> 7 mg/dL), bilirrubina direta (> 5 mg/dL), alanina-aminotransferase (ALT) (> 1.500 UI/dL) e aspartato-aminotransferase (AST) (> 1.200 UI/dL).

Dos 114 pacientes admitidos em unidade de terapia intensiva (UTI), em Minas Gerais, durante o surto de 2017/2018, 47,4% foram a óbito. O prognóstico foi pior em pacientes com grave dano hepático, falência de órgãos extra-hepáticos e apresentações subagudas da doença. O reconhecimento precoce de pacientes com encefalopatia é essencial para determinar a gravidade clínica e o risco de morte.[14]

De 52 pacientes hospitalizados no Rio de Janeiro, entre março de 2017 e junho de 2018, a maioria era do sexo masculino (86,5%), com média de idade de 49,5 anos, sendo 40,4% trabalhadores rurais. Os sinais e sintomas mais frequentes foram febre (90,4%), icterícia (86,5%), náuseas e/ou vômitos (69,2%), alterações renais (53,8%), sangramento (50%) e dor abdominal (48,1%). A letalidade foi de 40,4%.[15]

Em estudo analisando as características clínicas de 79 pacientes com febre amarela internados em UTI, na cidade de São Paulo, de janeiro a março de 2018, 67% foram a óbito. Pacientes com diabetes apresentaram índice mais alto de letalidade. Na admissão, os níveis médios de AST e ALT eram de 7.000 UI/L e 3.936 UI/L, respectivamente, acompanhados de bilirrubina total de 5,3 mg/dL, plaquetopenia (média de 74.000/mm$^3$) e alteração dos fatores de coagulação. Foram observadas alta frequência de pancreatite e grave acidose metabólica rapidamente progressiva. Os sintomas mais frequentemente relatados foram febre (89%), náuseas (87%) e dor abdominal (72%). No momento da admissão, a icterícia foi observada apenas em 19% dos pacientes, sendo que 76% já tinham algum grau de comprometimento renal, com elevação dos níveis de creatinina sérica. Após a admissão, 24% dos pacientes apresentaram convulsões, mesmo sem altos níveis de amônia. Manifestações hemorrágicas ocorreram em 65% dos pacientes, sendo a mais frequente a hemorragia digestiva. As principais causas que levaram ao óbito foram sangramento gastrintestinal, acidose metabólica, estado de mal epilético, pancreatite necro-hemorrágica e falência de múltiplos órgãos.[16]

Em epidemias recentes no Brasil, tem-se observado alta incidência de pancreatite.[8] Mais raramente, também têm sido relatadas manifestações clínicas incomuns, como comprometimento ocular. Durante surto em Minas Gerais, 13 de 64 pacientes com febre amarela (20%) apresentaram, concomitantemente ao quadro febril, retinopatia. Os achados mais comuns foram infartos da camada de fibras nervosas da retina e hemorragias superficiais. A retinopatia parece estar associada a casos mais graves de febre amarela.[17]

As manifestações clínicas e laboratoriais comuns da febre amarela são apresentadas na TABELA 164.1.

## DIAGNÓSTICO

### Diagnóstico diferencial

As formas leve e moderada da febre amarela são de difícil diagnóstico diferencial, pois podem ser confundidas com outras doenças infecciosas que atingem os sistemas respiratório, digestório e urinário.

Nas formas graves, com quadro clínico clássico ou fulminante, todas as doenças febris infecciosas que evoluem com icterícia e hemorragias devem ser consideradas para o diagnóstico diferencial. As mais importantes, por se assemelharem clinicamente com a febre amarela, são as seguintes: malária (em especial por *Plasmodium falciparum*), hepatites virais (hepatite fulminante e superinfecção pelos vírus B e D), leptospirose íctero-hemorrágica, dengue hemorrágica, febre hemorrágica por arenavírus, febre tifoide e sepse.

Todas elas podem ser confundidas com febre amarela, mas as hepatites virais são as que impõem mais dificuldades na diferenciação clínica, sobretudo as formas fulminantes comuns nas áreas endêmicas ou enzoóticas de febre amarela. Muitas vezes, apenas os exames laboratoriais específicos definem o diagnóstico. Além disso, a febre maculosa brasileira e a hantavirose com síndrome renal, assim como outras arboviroses associadas à hemorragia, como febre de Lassa ou quadros febris como o oropouche, devem ser consideradas como diagnóstico diferencial.

Púrpura trombocitopênica idiopática, envenenamentos exógenos e acidentes por animais peçonhentos, como serpentes e larvas de mariposas, são outros diagnósticos diferenciais diante da hemorragia que costuma acompanhar esses quadros, especialmente se associada à febre e a outros sintomas gerais. Uma história clínica detalhada com dados de exposição a outros agentes químicos e ocorrência de acidentes com animais peçonhentos pode ser suficiente para orientar o diagnóstico na maioria dos casos.

### Diagnóstico laboratorial

O diagnóstico laboratorial pode ser específico, como os métodos virológicos e sorológicos, ou inespecífico. As amostras a serem examinadas devem ser sangue total, soro e, em caso de morte, fragmento de tecido hepático.

Os métodos virológicos são os mais precisos, pois demonstram a presença do vírus ou de componentes virais no espécime examinado. Estes incluem o isolamento viral e a reação em cadeia da polimerase. O isolamento viral é feito em células ou animais de laboratório sensíveis ao vírus amarílico (camundongos e *hamsters* recém-nascidos) e deve ser realizado no período agudo da doença (até 5 dias após o início dos sintomas). Uma vez isolado, o vírus da febre amarela é identificado por testes de fixação do complemento, imunofluorescência indireta, entre outros. A técnica de transcrição reversa (RT) com PCR (RT-PCR) permite o diagnóstico rápido mediante a reação em cadeia da polimerase que amplifica o ácido ribonucleico (RNA, do inglês *ribonucleic acid*) viral a partir do sangue e dos tecidos infectados, permitindo a detecção de fragmentos do ácido nucleico viral presentes nos tecidos. Atualmente, técnicas mais sensíveis de RT-PCR em tempo real foram desenvolvidas, o que aumentou a sensibilidade e a especificidade no diagnóstico molecular da febre amarela.[18] Recomenda-se a coleta de material para realização do RT-PCR a partir do 1º dia até o 10º dia do início dos sintomas.[8,9] Atualmente, já está disponível o RT-PCR específico para diagnóstico de infecção pelo vírus vacinal, além do RT-PCR usado para diagnóstico de infecções pelo vírus selvagem.[19]

Outro método específico que detecta antígenos virais em tecidos parafinizados é o exame anatomopatológico com imuno-histoquímica, restrito aos casos fatais em que amostras de fígado são obtidas. Os achados incluem necrose mediozonal dos lóbulos hepáticos, esteatose, degeneração eosinofílica dos hepatócitos (corpúsculos de Councilman) e discreta reação inflamatória do tipo mononuclear. A reação de imuno-histoquímica permite a detecção de antígenos

**TABELA 164.1** → Manifestações clínicas e laboratoriais comuns da febre amarela

| FORMA | SINAIS E SINTOMAS | ALTERAÇÕES LABORATORIAIS |
|---|---|---|
| Leve/moderada | → Febre, cefaleia, mialgia, náuseas, icterícia ausente ou leve | → Plaquetopenia<br>→ Elevação moderada de transaminases<br>→ Bilirrubinas normais ou discretamente elevadas (predomínio de direta) |
| Grave | → Todos os anteriores<br>→ Icterícia intensa<br>→ Manifestações hemorrágicas<br>→ Oligúria<br>→ Diminuição de consciência | → Plaquetopenia intensa<br>→ Aumento de creatinina<br>→ Elevação importante de transaminases |
| Maligna | → Todos os sintomas clássicos da forma grave intensificados | → Todos os anteriores<br>→ Coagulação intravascular disseminada |

Fonte: Brasil.[23]

específicos nos tecidos infectados quando estes reagem com anticorpos específicos do vírus amarílico na presença de enzimas.

Os métodos sorológicos incluem diversos testes, como a identificação de imunoglobulina M (IgM), inibição da hemaglutinação, neutralização ou fixação de complemento. Entre eles, o ensaio imunoenzimático para captura de IgM (Elisa-IgM) é o exame sorológico mais sensível e mais utilizado, apresentando também boa especificidade na fase aguda da doença. Como os anticorpos IgM aparecem no sangue dentro de 5 a 7 dias após o início da doença, o material para realização de sorologia deve ser coletado a partir do 7º dia do início dos sintomas.[9]

A vacina contra a febre amarela também induz a formação de anticorpos IgM. Assim, é crucial saber o estado vacinal prévio de todo indivíduo com suspeita de infecção pelo vírus da febre amarela para interpretar corretamente o resultado da sorologia.[20] Os casos que apresentarem resultado reagente para febre amarela também devem ser avaliados quanto à possibilidade de infecções recentes por outros flavivírus, como dengue e zika. Todos esses procedimentos laboratoriais estão disponíveis no Brasil no Instituto Evandro Chagas do Ministério da Saúde, em Belém, no Estado do Pará – laboratório nacional de referência para arboviroses no Brasil. O teste de Elisa-IgM é realizado em todos os Laboratórios Centrais de Saúde Pública (Lacens) dos Estados.[9]

Os exames laboratoriais inespecíficos são importantes para ajudar na avaliação clínica e no prognóstico da infecção. Os exames mais indicados são: hemograma completo, bilirrubinas, aminotransferases (transaminases), fosfatase alcalina, gamaglutamiltransferase, ureia, creatinina, plaquetas, fatores de coagulação e exame de urina tipo I.

Na fase inicial da febre amarela, ocorre leucopenia com linfocitose, com valores médios de 3.000 a 4.000 leucócitos/cm$^3$, porém valores < 2.000 células/cm$^3$ não são raros. À medida que o quadro evolui, há tendência de leucocitose com neutrofilia e linfopenia, em função de infecção bacteriana secundária. Nesses casos, os leucócitos apresentam valores > 15.000/cm$^3$, podendo chegar a 30.000/cm$^3$. As plaquetas, em geral, encontram-se com valores em torno de 50.000/cm$^3$. Os níveis de plaquetas não costumam estar associados à gravidade do sangramento, haja vista que pacientes com plaquetas < 20.000/cm$^3$ por vezes não sangram, enquanto outros com valores > 100.000/cm$^3$ podem apresentar hemorragias de difícil controle.[1]

As bilirrubinas comumente estão bastante alteradas, sobretudo a fração direta, com valores > 5 mg/dL, podendo chegar até 20 a 30 mg/dL. As aminotransferases sempre apresentam valores muito alterados, podendo atingir 5.000 UI/cm$^3$ ou mais. No entanto, diferentemente do que acontece nas hepatites virais, a ALT encontra-se menos alterada do que a AST. Isso ocorre porque esta última também aumenta em decorrência de alterações musculares (músculos esqueléticos e coração), comuns na febre amarela. A fosfatase alcalina e a gamaglutamiltransferase também se encontram alteradas, refletindo a grave lesão hepática provocada pelo vírus.[1] Em estudo realizado em Minas Gerais, valores de AST de 7.516 UI/L foram um ponto de corte de grande sensibilidade (74,1%) e especificidade (75%) para previsão da ocorrência de morte.[14]

A ureia pode atingir valores 4 a 5 vezes acima do normal, chegando a mais de 200 mg/dL. A creatinina também sobe, e valores > 4 mg/dL são frequentes, indicando a gravidade da insuficiência renal. Valores de creatinina > 4 mg/dL e de ureia > 200 mg/dL indicam a necessidade de hemodiálise ou diálise peritoneal. O exame de urina pode revelar proteinúria, hematúria e cilindrúria.

Nas formas graves da doença, ocorre aumento do tempo de protrombina, do tempo de tromboplastina parcial e do tempo de coagulação. Os fatores de coagulação sintetizados no fígado (II, V, IX e X) se apresentam diminuídos. Na presença de coagulação intravascular disseminada, há diminuição de fator VIII e de fibrinogênio.

A análise de dados laboratoriais de pacientes com quadro grave de febre amarela atendidos em um hospital da cidade de São Paulo, em 2018, mostrou que aumento de lipase e alteração do fator V da coagulação foram correlacionados com risco de morte.[21]

## TRATAMENTO

Não existe tratamento específico para a febre amarela. Nenhum fármaco está aprovado para tratamento da doença. Embora alguns fármacos tenham mostrado ação *in vitro* contra o vírus, faltam estudos clínicos que provem sua efetividade em humanos.[22] Assim, o tratamento é sintomático, voltado para combater os sintomas e sinais apresentados pelos pacientes, com terapia de suporte precoce e agressiva.

Quando o paciente se encontra em bom estado geral, hidratado ou com leve desidratação, sem vômitos, sem hemorragias, com nível de consciência normal e exames laboratoriais normais ou com alterações discretas, o tratamento pode ser feito ambulatorialmente.[9] O manejo da febre deve ser feito com antitérmicos convencionais nas doses geralmente utilizadas C/D. Contraindica-se o uso de ácido acetilsalicílico e anti-inflamatórios não esteroides (AINEs), em função da possibilidade de esses fármacos induzirem ou agravarem hemorragias gástricas C/D. Também está indicada hidratação oral C/D. A cefaleia e as mialgias podem ser tratadas com analgésicos convencionais C/D. O paciente deve ser orientado a retornar em caso de persistência de febre alta (> 39 °C) por mais de 4 dias e/ou qualquer dos seguintes sinais: aparecimento de icterícia, hemorragias, vômitos ou diminuição de diurese. Também deve ser orientado a evitar exposição a mosquitos C/D.

Uma das complicações mais graves da febre amarela é a hemorragia gástrica, que se instala nos casos graves. Assim, medidas que protejam a mucosa do estômago podem ajudar a prevenir essa complicação, que está associada a mau prognóstico na maioria dos pacientes. Os inibidores da bomba de prótons, como omeprazol, ou bloqueadores H2, como cimetidina e ranitidina, podem ser utilizados para prevenir sangramento C/D. Mesmo nos pacientes que apresentam hematêmese, esses medicamentos ajudam a reduzir ou estancar a hemorragia. As doses são as mesmas habitualmente usadas para pacientes com gastrite e/ou úlcera péptica. Como esses pacientes em geral apresentam vômitos, o que pode dificultar a absorção do fármaco, recomenda-se, no início, a administração IV em concomitância com lavagem gástrica por sonda e aplicação local desses fármacos. Indica-se a via oral somente após cessarem os vômitos. Antieméticos também ajudam a prevenir hematêmese. A metoclopramida é o fármaco de eleição para o combate de náuseas e vômitos C/D. Pelos mesmos motivos, recomenda-se usar inicialmente a via IV e depois a via oral.

O tratamento da insuficiência renal deve ser feito com hidratação e expansão volêmica, seguidas de diuréticos, como furosemida, se não ocorrer resposta adequada C/D. O manitol também pode ser utilizado se a furosemida ou outro diurético não apresentarem bons resultados C/D. O uso de diuréticos deve ser precoce para prevenir a ocorrência de insuficiência renal, que, quando instalada, requer diálise peritoneal ou hemodiálise. Não existe parâmetro fixo para indicar a diálise, mas valores de creatinina ≥ 4 mg/dL, mesmo com diurese normal, indicam a perda da capacidade de filtração de escórias nitrogenadas, especialmente se acompanhada de ureia sérica > 200 mg/dL.

No tratamento de pacientes com febre amarela internados em UTI, na cidade de São Paulo, em 2018, foram usados fármacos anticonvulsivantes em pacientes com qualquer sintoma de encefalopatia hepática ou níveis arteriais de amônia > 70 µmol/L, o que diminuiu a frequência de convulsões de 28% para 17%. Outras novas abordagens terapêuticas incluíram troca plasmática e administração IV de inibidores da bomba de prótons, devido à alta frequência de sangramento gástrico.[16] Nessa mesma epidemia de 2018, 7 pacientes em estado muito grave foram submetidos ao transplante hepático.[12]

## PREVENÇÃO E CONTROLE

### Vigilância epidemiológica

Na América do Sul, nos últimos 20 anos, casos de febre amarela têm sido notificados na Argentina, Bolívia, Brasil, Colômbia, Equador, Guiana Francesa, Paraguai, Peru e Venezuela. As áreas costais da América do Sul são consideradas livres de febre amarela. Em 2008, epidemias ocorreram na Argentina e no Paraguai, após ausência de casos por mais de 40 anos. Na Argentina, os casos foram de febre amarela silvestre, enquanto, no Paraguai, além dos casos silvestres, um surto de febre amarela urbana foi registrado em Lauretil (grande Assunção) e controlado após ações de combate vetorial e vacinação universal na região metropolitana de Assunção.

> Não há registro de febre amarela urbana (vírus transmitido por *A. aegypti*) no Brasil desde o ano de 1942. Entretanto, o ciclo de transmissão silvestre do vírus continua a ocorrer, emergindo na população humana sob a forma de casos isolados ou surtos. A partir de 2000, observou-se expansão progressiva da circulação viral, com registro de epizootias e surtos humanos esporádicos nas Regiões Sudeste e Sul – áreas onde não era registrada a circulação do vírus amarílico havia muitos anos.

Até o final da década de 1990, as áreas de circulação endêmica do vírus da febre amarela eram bem delimitadas nas Regiões Norte e Centro-Oeste, incluindo parte do Maranhão, com ocorrência de casos isolados no oeste de Minas Gerais. Os surtos de febre amarela registrados no século XXI ocorreram em 2000 e 2001 (85 e 41 casos, respectivamente), 2003 (65 casos), 2008 (46 casos) e 2009 (47 casos). A letalidade dos casos registrados nesses anos variou entre 30 e 60%. Contudo, acredita-se que a letalidade seja superestimada, pelo fato de a vigilância epidemiológica detectar apenas os casos mais graves. No período de 2000 a 2009, todas as regiões tiveram registro de circulação viral, com destaque para o Sudeste, que registrou o maior número de casos acumulados (133). Entre as unidades federadas, Minas Gerais foi o Estado onde houve maior frequência de transmissão no período (101), seguido de Goiás (77), São Paulo (32), Rio Grande do Sul (21) e Mato Grosso (20).[10]

No período de 2014/2015, a reemergência do vírus da febre amarela foi registrada além dos limites da área considerada endêmica (região amazônica), manifestando-se por epizootias em PNHs confirmadas por critério laboratorial. Novos registros de epizootias e casos humanos isolados na Região Centro-Oeste e Sudeste (Goiás, Minas Gerais, São Paulo) demonstraram o avanço da área de circulação do vírus, percorrendo os caminhos de dispersão nos sentidos sul e leste do País, aproximando-se de grandes regiões metropolitanas densamente povoadas, com populações não vacinadas.[23]

Do final de 2016 até maio de 2017, um grande surto de febre amarela silvestre ocorreu envolvendo principalmente os estados de Minas Gerais e Espírito Santo, com 792 casos confirmados entre dezembro de 2016 e maio de 2017, com 274 óbitos (índice de letalidade: 34,5%). O perfil demográfico dos casos confirmados era coincidente com aquele geralmente observado nos surtos de febre amarela silvestre, com a maior parte dos casos em pacientes do sexo masculino e idade economicamente ativa. Nesse mesmo período, foram confirmadas 642 epizootias para febre amarela por critério laboratorial ou vínculo epidemiológico com epizootias em PNHs ou casos humanos confirmados em áreas afetadas (municípios com evidência de circulação viral).[24] No ano de 2017, foram confirmados 99 casos de febre amarela em PNHs no município de São Paulo. Em janeiro de 2018, ocorreram os primeiros casos autóctones de febre amarela no município de São Paulo, na zona norte, em áreas próximas de mata. Dos 13 casos autóctones ocorridos em 2018, 6 foram a óbito (letalidade: 46,2%).[25]

No ano de 2018, a epidemia persistiu na Região Sudeste do Brasil, envolvendo principalmente o Estado de São Paulo. Durante esse período, foram confirmados 502 casos autóctones no Estado de São Paulo, com 175 mortes (índice de letalidade: 34,9%). Entre os casos confirmados, 83,3% eram do sexo masculino, com mediana de idade de 45 anos, e 83,3% eram trabalhadores rurais. Em relação à ocorrência de febre amarela em PNHs, a partir de janeiro de 2018, foram notificadas, no Estado de São Paulo, epizootias em 281 municípios, sendo que em 46 foi confirmada a circulação do vírus, com 261 animais positivos para febre amarela.[26]

No ano de 2018, o número total de casos humanos de febre amarela registrados no Brasil foi de 1.309.[27]

De janeiro a maio de 2019, foram registrados casos humanos confirmados nos Estados de São Paulo (68), Paraná (13) e Santa Catarina (1). A maioria dos casos ocorreu em trabalhadores rurais e/ou com exposição em área silvestre, sendo 73 (89%) do sexo masculino, com idades entre 8 e 87 anos. Entre os casos confirmados, 14 evoluíram para óbito (17,1%).[27]

No monitoramento 2019/2020, iniciado em julho de 2019, as detecções do vírus amarílico em PNHs foram registradas nos Estados de São Paulo, Paraná e Santa Catarina. Conforme previsão do modelo de corredores ecológicos, a manutenção da transmissão nessas áreas corrobora a dispersão do vírus nos sentidos oeste do Paraná e sudoeste de Santa Catarina, com possibilidade de dispersão para o Rio Grande do Sul. No monitoramento 2019/2020, foram confirmados 18 casos humanos, todos em não vacinados do sexo masculino, com exceção de um dos casos, com idades entre 18 e 57 anos.[28]

A **FIGURA 164.1** mostra a série histórica de casos humanos de febre amarela de acordo com o ano de início dos sintomas no Brasil, nos anos de 1980 a 2017.

## Notificação

**A febre amarela é uma doença de notificação compulsória imediata no Brasil, devendo ser notificada em 24 horas. Qualquer caso suspeito deve ser notificado às autoridades locais de saúde pública. Caso suspeito é definido como um indivíduo não vacinado contra febre amarela ou com estado vacinal ignorado, com quadro febril agudo (geralmente até 7 dias), de início súbito, acompanhado de icterícia e manifestações hemorrágicas, residente ou procedente de área de risco para febre amarela ou de locais com ocorrência de epizootias em PNHs ou isolamento de vírus em vetores nos últimos 15 dias.[9]**

Além da notificação, deve haver a investigação imediata de qualquer caso suspeito, com coleta de amostra de sangue para realização de exames laboratoriais para confirmação diagnóstica, visita ao domicílio e peridomicílio dos casos suspeitos, buscando identificar outros possíveis casos suspeitos, e vacinação de bloqueio na área.

A vigilância de epizootias, implantada com sucesso no Brasil em 2005, é um dos componentes da vigilância epidemiológica da febre amarela, junto com a vigilância entomológica e de casos humanos. Assim, com o objetivo de prevenir a ocorrência de casos de febre amarela humana por meio da identificação precoce da circulação do vírus da febre amarela em seu ciclo epizoótico (transmissão entre PNHs), todos os óbitos em PNHs de qualquer espécie em ambiente silvestre de qualquer local do território nacional devem ser notificados às autoridades locais de saúde.

A investigação de óbitos ocorridos em PNHs, com a identificação de óbitos decorrentes da infecção pela febre amarela, representa um sinal precoce de que está ocorrendo a circulação viral e, assim, o risco de ocorrerem casos em humanos na região é grande. Dessa forma, é possível a implementação precoce de medidas para prevenir a ocorrência da febre amarela humana, incluindo ações de educação em saúde, vacinação de bloqueio da população residente nas áreas adjacentes à ocorrência da epizootia que não tenha comprovação de vacinação prévia e busca ativa de casos.

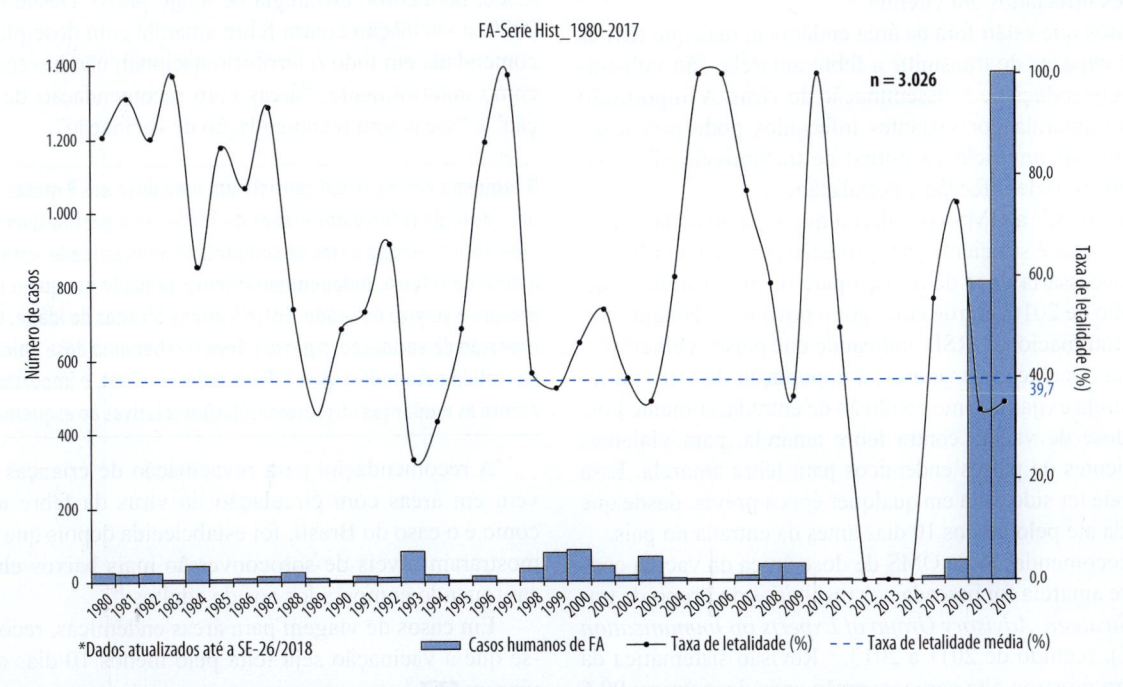

**FIGURA 164.1** → Série histórica de casos humanos de febre amarela de acordo com o ano de início dos sintomas – Brasil, 1980-2017.
Fonte: Brasil.[9]

## Vacina antiamarílica

A febre amarela é uma das doenças transmitidas por vetores para a qual existe uma vacina altamente eficaz e segura. A vacina contra a febre amarela atualmente em uso é a vacina derivada da cepa 17D obtida da amostra selvagem Asibi, sendo produzida a partir de vírus vivos atenuados em ovos embrionados e formulada como um pó liofilizado. Sendo uma vacina viva que contém a cepa 17D, ela é preparada mediante passagem do vírus selvagem em cultura para atenuar as características neurotrópicas e viscerotrópicas do vírus, porém mantendo a sua imunogenicidade.[29] O número de partículas virais da vacina contra febre amarela cepa 17DD formulada em Bio-Manguinhos/Fiocruz e pré-qualificada pela Organização Mundial da Saúde (OMS) é cerca de 12 vezes maior que o mínimo estabelecido pela OMS.[27]

Essa vacina é altamente eficaz e bem tolerada e está em uso no mundo todo há mais de 60 anos. A vacina é administrada por via subcutânea, volume de 0,5 mL, aplicada na região do deltoide. A vacina precisa ser mantida em temperatura entre 2 e 8 °C e deve ser usada até 4 horas após a reconstituição. Após esse período, deve ser desprezada.

**A vacinação antiamarílica é a medida mais eficaz para a prevenção da doença, com eficácia vacinal > 95% C/D.[30,33] Anticorpos protetores aparecem entre 7 e 10 dias após a vacinação e podem persistir por até 30 a 35 anos.**

Atualmente, a vacinação contra a febre amarela é realizada por três motivos: 1) para proteger populações que vivem em áreas com transmissão endêmica e epidêmica da doença; 2) para proteger viajantes que se destinam a essas áreas; e 3) para prevenir a disseminação internacional, minimizando o risco de importação e translocação do vírus por viajantes infectados em viremia.[31]

Países que estão fora da área endêmica, mas que têm os vetores capazes de transmitir a febre amarela, são vulneráveis à reintrodução e à disseminação do vírus. A importação de febre amarela por viajantes infectados pode potencialmente iniciar um ciclo enzoótico de transmissão silvestre, trazendo risco de infecção à população.[31]

Em 2013,[32] a OMS considerou que uma dose da vacina febre amarela é suficiente para proteção por toda a vida, não sendo necessária dose de reforço para manter a imunidade. Em junho de 2016, entrou em vigor o novo Regulamento Sanitário Internacional (RSI), indicando que países vulneráveis (onde há circulação de vetores) à importação do vírus da febre amarela exijam, como condição de entrada, somente uma única dose de vacina contra febre amarela, para viajantes provenientes de países endêmicos para febre amarela. Essa dose pode ter sido feita em qualquer época prévia, desde que realizada até pelo menos 10 dias antes da entrada no país.

A recomendação da OMS de dose única da vacina contra febre amarela foi baseada nos resultados do grupo de trabalho *Strategic Advisory Group of Experts on Immunization* (SAGE), reunido de 2011 a 2013.[33] Revisão sistemática da literatura mostrou alta soroconversão após dose única: 90,6 a 94,9% em crianças e 98,6 a 99,3% em adultos. Persistência de títulos de anticorpos por mais de 30 anos pós-vacinação foi verificada em 80,6% de veteranos da Segunda Guerra Mundial. Os títulos de anticorpos nos revacinados não diferiam dos títulos encontrados nos vacinados com uma única dose. Porém, esse documento apontava que mais estudos eram necessários em certos grupos que podem ter soroconversão subótima, como crianças, pessoas vivendo com vírus da imunodeficiência humana (HIV, do inglês *human immunodeficiency virus*)/Aids, gestantes e desnutridos graves. Pessoas com essas condições poderiam se beneficiar de uma única dose de reforço.[33]

No Brasil, a vacina contra febre amarela vem sendo usada desde 1937. Hoje, a vacinação antiamarílica faz parte do calendário nacional de vacinação. Em função da expansão da circulação do vírus amarílico no País, várias reformulações foram feitas no calendário vacinal nos últimos anos, assim como a revisão e a reclassificação das áreas de risco. Em abril de 2017, em decorrência do grande surto de febre amarela silvestre, envolvendo principalmente os Estados de Minas Gerais e Espírito Santo e da necessidade de ampliar as áreas com indicação de vacinação, o que implicava a disponibilidade de grande número de doses, o Ministério da Saúde do Brasil passou a indicar apenas a dose única de vacina contra febre amarela para todas as faixas etárias.[34] Além disso, em 2018, em algumas regiões do País, como no município de São Paulo, a vacinação para controle do surto foi realizada com dose fracionada da vacina. Havia necessidade de vacinar grande número de pessoas e estudo prévio mostrava que a vacina contra febre amarela Bio-Manguinhos/Fiocruz podia ser usada em doses mais baixas que a habitual.[29] A campanha de vacinação utilizando 0,1 mL (um quinto da dose habitual) foi realizada seguindo as recomendações da OMS. No entanto, essa estratégia não substitui as práticas de imunização de rotina, não devendo ser utilizada em crianças de até 2 anos de idade, nem como estratégia de longo prazo. Desde o ano de 2020, a vacinação contra febre amarela com dose plena é recomendada em todo o território nacional, não havendo mais, como anteriormente, "áreas com recomendação de vacinação" e "áreas sem recomendação de vacinação".

**O esquema vacinal atual consiste em uma dose aos 9 meses de vida e uma dose de reforço aos 4 anos de idade. Se a pessoa tiver recebido uma dose da vacina antes de completar 5 anos de idade, está indicada a dose de reforço, independentemente da idade em que o indivíduo procure o serviço de saúde. Entre 5 anos e 59 anos de idade, sem comprovação de vacinação, a pessoa deve receber uma dose única da vacina, válida para toda a vida.[35] Para todos os casos, é importante estar atento às mudanças nas recomendações relativas ao esquema vacinal.**

A recomendação para revacinação de crianças que vivem em áreas com circulação do vírus da febre amarela, como é o caso do Brasil, foi estabelecida depois que estudos mostraram níveis de soroconversão mais baixos em crianças, quando comparados aos de adultos.[36,37]

Em casos de viagem para áreas endêmicas, recomenda-se que a vacinação seja feita pelo menos 10 dias antes da viagem C/D.[9]

A vacinação contra febre amarela pode ser administrada simultaneamente com outras vacinas, como as vacinas contra pólio, DTP (difteria, tétano e coqueluche) e hepatite B. Pesquisadores brasileiros demonstraram, em crianças com idade < 2 anos, interferência da vacina contra sarampo, caxumba e rubéola (SCR) (tríplice viral) na resposta imune à vacina contra febre amarela e interferência da vacina da febre amarela na resposta aos componentes rubéola e caxumba, da vacina tríplice viral.[38] Por esse motivo, recomenda-se que as vacinas SCR ou tetraviral (sarampo, caxumba, rubéola e varicela) não sejam administradas simultaneamente com a vacina contra febre amarela em crianças primovacinadas, com idade < 2 anos. Deve haver um intervalo de 30 dias entre a aplicação da vacina SCR ou tetraviral e da vacina contra febre amarela.[39] Para a criança que recebeu anteriormente as vacinas tríplice viral e contra febre amarela, não há evidências de interferência na imunogenicidade entre elas: as duas podem ser administradas simultaneamente ou sem intervalo mínimo entre as doses.

A vacina contra febre amarela é bem tolerada, e os eventos pós-vacinais mais frequentes são dor e vermelhidão no local da administração da vacina, cefaleia, fadiga e mialgia, sendo observados em cerca de 2 a 5% dos vacinados, por volta do 5º ao 10º dia. Essas reações costumam durar 1 a 2 dias. Muito mais raramente, podem ocorrer reações graves pós-vacinação, como hipersensibilidade imediata (1 a cada 1 milhão de doses aplicadas), doença neurotrópica associada à vacina e doença viscerotrópica associada à vacina. De 67 eventos neurológicos notificados ao Ministério da Saúde do Brasil de 2007 a 2012, 55 (82,1%) foram classificados como meningoencefalite e 12 (17,9%) como doença neurológica autoimune.[29]

No Brasil, 2 casos de reações graves e fatais à vacinação contra febre amarela ocorreram durante os anos de 1999 a 2000, quando foram vacinadas 34 milhões de pessoas.[40] Durante os anos de 2001 a 2002, mais 2 casos fatais foram identificados, após a implementação do sistema de vigilância de eventos adversos pós-vacinais no País. Durante a epidemia de 2008 a 2009, vários outros casos de reação adversa grave do tipo doença viscerotrópica pós-vacinação foram registrados nos Estados do Rio Grande do Sul e São Paulo, respectivamente. O risco de doença viscerotrópica associada à vacina contra febre amarela é estimado em 0,4 a cada 100 mil doses aplicadas.[1]

Estudos de sequenciamento dos vírus isolados em casos de doença viscerotrópica e neurotrópica associada à vacina contra febre amarela sugerem que a reação grave pós-vacinal deve representar uma resposta atípica do hospedeiro à vacina, e não a reversão do vírus à forma selvagem ou instabilidade do genoma do vírus vacinal, já que mutações não foram encontradas nos genomas dos isolamentos virais dos casos vacinais. Considerando que o risco de uma pessoa não vacinada adquirir a febre amarela se estiver em áreas de risco é bem maior do que o risco de ocorrência de eventos adversos graves à vacinação, recomenda-se a vacina em todos aqueles que estiverem sob risco C/D.[41-43]

São contraindicações à vacinação contra febre amarela:
→ crianças com idade < 6 meses de idade;
→ pacientes em tratamento com imunobiológicos (infliximabe, etanercepte, golimumabe, certolizumabe, abatacepte, belimumabe, ustequinumabe, canaquinumabe, tocilizumabe, rituximabe, inibidores de CCR5 como maraviroque). Em pacientes que interromperam o uso desses medicamentos, é necessária avaliação médica para definir o intervalo para vacinação;
→ pacientes submetidos a transplante de órgãos sólidos;
→ pacientes com imunodeficiências primárias graves;
→ pacientes com história pregressa de doenças do timo (miastenia grave, timoma, casos de ausência de timo ou remoção cirúrgica);
→ pacientes portadores de doença falciforme em uso de hidroxiureia e contagem de neutrófilos < 1.500 células/mm³;
→ pacientes recebendo corticoides em doses imunossupressoras (prednisona 2 mg/kg/dia nas crianças com peso até 10 kg por mais de 14 dias ou 20 mg/dia por mais de 14 dias em adultos).[44]

Algumas condições têm sido identificadas como de maior risco para eventos adversos graves após a vacinação contra febre amarela, como pessoas portadoras de doenças autoimunes, doença neurológica de natureza desmielinizante e idosos. Nessas situações, a vacinação requer avaliação médica e análise do risco *versus* benefício da vacinação considerando o risco da doença.[9,44]

A vacina contra febre amarela é habitualmente contraindicada em pacientes imunossuprimidos (doenças reumatológicas, neoplasias malignas, transplantados de órgão sólidos, transplantados de células-tronco hematopoiéticas). No entanto, dependendo do grau de imunossupressão e do risco epidemiológico, ela pode ser considerada em certas situações, sendo necessário, nesses casos, avaliação médica criteriosa. A indicação da vacina contra febre amarela em pessoas vivendo com HIV/Aids deve ser realizada conforme avaliação clínica e imunológica. Pessoas com alteração imunológica pequena ou ausente devem ser vacinadas, pessoas com alteração imunológica moderada podem receber a vacinação a depender da avaliação clínica e do risco epidemiológico, e pessoas com alteração imunológica grave têm a vacina contraindicada[44] (ver Capítulo Infecção pelo HIV em Adultos).

Há relato de encefalite em recém-nascido por transmissão do vírus vacinal pelo leite materno. Deve-se contraindicar a vacinação de mulheres que estão amamentando até a criança completar 6 meses de idade. Na impossibilidade de adiar a vacinação, deve-se interromper a amamentação por no mínimo 10 dias.[44,45]

A vacinação está contraindicada em gestantes, no entanto, na impossibilidade de adiar a vacinação, como em situações de emergência epidemiológica, vigência de surtos ou epidemias, o serviço de saúde deve avaliar a pertinência da vacinação. Um estudo brasileiro com 488 mulheres grávidas vacinadas inadvertidamente para febre amarela demonstrou 98% de soroconversão e ausência de eventos adversos graves.[46] Do mesmo modo, em situações de alto risco de doença pelo vírus selvagem, a vacina contra febre amarela pode ser aplicada às pessoas com alergia a componentes do ovo, sob estrita supervisão e seguindo protocolos de dessensibilização.[47]

## Controle de vetores

Outra medida que pode prevenir a urbanização da febre amarela é o combate ao transmissor *A. aegypti*, em geral realizado mediante combate às larvas e à forma alada. O combate às larvas é realizado com inseticidas piretroides. Devido à crescente observação de resistência dos vetores aos inseticidas, o combate larval tem sido gradualmente substituído por técnicas de controle biológico utilizando o *Bacillus thuringiensis* var. *israelensis* ou BTI, um bacilo que não causa infecção em humanos e tem-se mostrado altamente eficaz no combate ao *A. aegypti*. Já o combate às formas aladas (adultas) de *A. aegypti* tem sido preconizado durante a ocorrência de epidemias (de dengue), com o objetivo de reduzir rapidamente o tamanho da população adulta (que transmite o vírus) e o nível de transmissão, sendo realizado com Malathion em ultrabaixo volume (UBV). Não há medida de controle para combater os transmissores da febre amarela silvestre, já que esses mosquitos vivem na floresta, onde não se indica o uso de inseticidas.

**Medidas de proteção individual para evitar picadas de insetos, como uso de repelentes, inseticidas aerossóis para o ambiente, mangas e calças compridas durante o horário de maior circulação de vetores e mosquiteiros, são de grande importância e devem ser orientadas a toda a população residente ou que se dirige a áreas de maior risco de transmissão da febre amarela C/D.**

Para mais informações sobre febre amarela, os sites da OMS e do CDC podem ser consultados (ver QR codes).

## REFERÊNCIAS

1. Monath TP. Monath TP, Vasconcelos PF. Yellow fever. J Clin Virol. 2015;64:160–73.
2. Mutebi JP, Wang H, Li L, Bryant JE, Barrett AD. Phylogenetic and evolutionary relationships among yellow fever virus isolates in Africa. J Virol. 2001;75(15):6999–7008.
3. Benchimol JL. Febre amarela: a doença e a vacina, uma história inacabada. Rio de Janeiro: Fiocruz; 2001.
4. Douam F, Ploss A. Yellow Fever Virus: Knowledge Gaps Impeding the Fight Against an Old Foe. Trends Microbiol. 2018;26(11):913–28.
5. Cunha MP, Duarte-Neto AN, Pour SZ, Ortiz-Baez AS, Černý J, Pereira BBS, et al. Origin of the São Paulo Yellow Fever epidemic of 2017–2018 revealed through molecular epidemiological analysis of fatal cases. Sci Rep. 2019;9(1):20418.
6. Vasconcelos PF, Sperb AF, Monteiro HA, Torres MA, Sousa MR, Vasconcelos HB, et al. Isolations of yellow fever virus from Haemagogus leucocelaenus in Rio Grande do Sul State, Brazil. Trans R Soc Trop Med Hyg. 2003;97(1):60–2.
7. Cardoso JC, de Almeida MAB, dos Santos E, da Fonseca DF, Sallum MAM, Noll CA, et al. Yellow fever virus in Haemagogus leucocelaenus and Aedes serratus mosquitoes, southern Brazil, 2008. Emerging Infect Dis. 2010;16(12):1918–24.
8. Silva NIO, Sacchetto L, de Rezende IM, Trindade GS, LaBeaud AD, de Thoisy B, Drumond BP. Recent sylvatic yellow fever virus transmission in Brazil: the news from an old disease. Virol J. 2020;23;17(1):9.
9. Brasil. Ministério da Saúde. Secretaria de Vigilância em Saúde. Coordenação-Geral de Desenvolvimento da Epidemiologia em Serviços. Guia de Vigilância em Saúde: volume único [Internet]. 3. ed. Brasília: MS; 2019 [capturado em 21 out. 2020]. Disponível em: https://portalarquivos2.saude.gov.br/images/pdf/2019/junho/25/guia-vigilancia-saude-voluúnicoico-3ed.pdf
10. Toscano CM, Oliveira WK de, Carmo EH. Morbidade e mortalidade por doenças transmissíveis no Brasil. In: Brasil. Saúde Brasil 2009: uma análise da situação de saúde e da agenda nacional e internacional de prioridades em saúde. Brasília: MS; 2010.
11. Fiocruz. Bio-Manguinhos. Febre Amarela: sintomas, tratamento, diagnóstico e prevenção [Internet]. Rio de Janeiro: Bio-Manguinhos/Fiocruz; 2020 [capturado em 22 out. 2020]. Disponível em: https://www.bio.fiocruz.br/index.php/br/febre-amarela-sintomas-transmissao-e-prevencao
12. Duarte-Neto AN, Monteiro RAA, Johnsson J, Cunha MDP, Pour SZ, Saraiva AC, et al. Ultrasound-guided minimally invasive autopsy as a tool for rapid post-mortem diagnosis in the 2018 Sao Paulo yellow fever epidemic: Correlation with conventional autopsy. PLoS Negl Trop Dis. 2019;13(7):e0007625.
13. Lopes RL, Pinto JR, Silva Junior GBD, Santos AKT, Souza MTO, Daher EF. Kidney involvement in yellow fever: a review. Rev Inst Med Trop Sao Paulo. 2019;61:e35.
14. Ávila RE, Fernandes HJ, Barbosa GM, Araújo AL, Gomes TCC, Barros TG, et al. Clinical profiles and factors associated with mortality in adults with yellow fever admitted to an intensive care unit in Minas Gerais, Brazil. Int J Infect Dis. 2020; 93:90–7.
15. Escosteguy CC, Pereira AGL, Marques MRVE, Lima TRA, Galliez RM, Medronho RA. Yellow fever: profile of cases and factors associated with death in a hospital in the State of Rio de Janeiro, 2017-2018. Rev Saude Publica. 2019;53:89.
16. Ho YL, Joelsons D, Leite GFC, Malbouisson LMS, Song ATW, Perondi B, et al. Severe yellow fever in Brazil: clinical characteristics and management. J Travel Med. 2019;26(5):taz040.
17. Brandão-de-Resende C, Cunha LHM, Oliveira SL, Pereira LS, Oliveira JGF, Santos TA, et al. Characterization of retinopathy among patients with yellow fever during 2 outbreaks in southeastern Brazil. JAMA Ophthalmol. 2019;137(9):996–1002.
18. Nunes MRT, Nunes JP Neto, Casseb SMM, Nunes KNB, Martins LC, Rodrigues SG, et al. Evaluation of an immunoglobulin M-specific capture enzyme-linked immunosorbent assay for rapid diagnosis of dengue infection. J Virol Methods. 2011;171(1):13–20.
19. Hughes HR, Russell BJ, Mossel EC, Kayiwa J, Lutwama J, Lambert AJ. Development of a real-time reverse transcription-pcr assay for global differentiation of yellow fever virus vaccine-related adverse events from natural infections. J Clin Microbiol. 2018;56(6):e00323–18.
20. Nunes MRT, Palacios G, Nunes KNB, Casseb SMM, Martins LC, Quaresma JAS, et al. Evaluation of two molecular methods for the detection of yellow fever virus genome. J Virol Methods. 2011;174(1-2):29–34.
21. Casadio LVB, Salles APM; Malta FM, Leite GF, Ho YL, Gomes-Gouvêa MS, et al. Lipase and factor V (but not viral load) are prognostic factors for the evolution of severe yellow fever cases. Mem. Inst. Oswaldo Cruz. 2019;114:e190033.
22. Ferreira MS. Yellow Fever. Ann Hepatol. 2019;18(6):788–9.
23. Brasil. Ministério da Saúde. Febre amarela: guia para profissionais de saúde [Internet]. Brasília: MS; 2018 [capturado em 22 out. 2020]. Disponível em: https://portalarquivos2.saude.gov.br/images/pdf/2018/janeiro/18/Guia-febre-amarela-2018.pdf.
24. Brasil. Ministério da Saúde Secretaria de Vigilância em Saúde. Centro de Operações de Emergências em Saúde Pública Sobre Febre Amarela. Informe – nº 43/2017 [Internet]. Brasília: COES;2017 [capturado em 22 out. 2020]. Disponível em: https://portalarquivos2.saude.gov.br/images/pdf/2017/junho/02/COES-FEBRE-AMARELA---INFORME-43---Atualiza----o-em-31maio2017.pdf

25. São Paulo (Município). Boletim arboviroses 19/12/2018 – semana 51/2018 [Internet]. São Paulo: Secretaria Municipal de Saúde; 2018 [capturado em 26 set. 2020]. Disponível em: https://www.prefeitura.sp.gov.br/cidade/secretarias/upload/saude/Boletim%20Arboviroses_SE_51_19_12_18.pdf
26. São Paulo (Estado). Secretaria de Saúde. Boletim Epidemiológico Febre Amarela – 21/01/2019 [Internet]. São Paulo: CVE; 2019 [capturado em 21 fev. 2020]. Disponível em: http://www.saude.sp.gov.br/resources/cve-centro-de-vigilancia-epidemiologica/areas-de-vigilancia/doencas-de-transmissao-por-vetores-e-zoonoses/doc/famarela/2019/fa19_boletim_epid_210119.pdf
27. Brasil. Ministério da Saúde. Secretaria de Vigilância em Saúde. Informe nº 18 – 9 junho 2019 – Monitoramento de Febre Amarela Brasil 2019 [Internet]. Brasília: MS; 2019 [capturado em 26 fev. 2020]. Disponível em: https://portalarquivos2.saude.gov.br/images/pdf/2019/junho/13/Informe-de-Monitoramento-de-Febre-Amarela-Brasil--n-18.pdf
28. Brasil. Saúde do Viajante. Monitoramento da febre amarela – 2019/2020 Alertas. Brasília: Ministério da Saúde; 2020 [capturado em 26 out. 2020]. Disponível em: http://www.saudedoviajante.pr.gov.br/modules/noticias/makepdf.php?storyid=89
29. Martins RM, Maia Mde L, Farias RH, Camacho LA, Freire MS, Galler R et al. 17DD yellow fever vaccine: a double blind, randomized clinical trial of immunogenicity and safety on a dose-response study. Hum Vaccin Immunother. 2013;9(4):879-88.
30. Galler R, Pugachev KV, Santos CL, Ocran SW, Jabor AV, Rodrigues SG, et al. Phenotypic and molecular analyses of yellow fever 17DD vaccine viruses associated with serious adverse events in Brazil. Virology. 2001;290(2):309–19.
31. World Health Organization. Revised recommendations for yellow fever vaccination for international travellers, 2011. Wkly Epidemiol Rec. 2011;86(37):401–16.
32. World Health Organization. Vaccines and vaccination against yellow fever – WHO position paper – June 2013. Wkly Epidemiol Rec. 2013;88(27):269–83.
33. Gotuzzo E, Yactayo S, Córdova E. Efficacy and duration of immunity after yellow fever vaccination: systematic review on the need for a booster every 10 years. Am J Trop Med Hyg. 2013;89(3):434–44.
34. Brasil. Ministério da Saúde. Norma informativa nº 94 de 2017 – Orientações e indicação de dose única da vacina da febre amarela [Internet]. Brasília: MS; 2017 [capturado em 22 out. 2020]. Disponível em: http://portalarquivos.saude.gov.br/images/pdf/2017/abril/13/Nota-Informativa-94-com-acordo.pdf
35. Brasil. Ministério da Saúde. Secretaria de Vigilância em Saúde. Bol Epidemiol. [Internet]. 2020[capturado em 22 out. 2020]; 51(17). Disponível em: https://antigo.saude.gov.br/images/pdf/2020/April/24/Boletim-epidemiologico-SVS-17-.pdf
36. de Noronha TG, de Lourdes de Sousa Maia M, Geraldo Leite Ribeiro J, Campos Lemos JA, Maria Barbosa de Lima S, Martins-Filho OA, et al. Duration of post-vaccination humoral immunity against yellow fever in children. Vaccine. 2019;37(48):7147–54.
37. Campi-Azevedo AC, Reis LR, Peruhype-Magalhães V, Coelho-Dos-Reis JG, Antonelli LR, Fonseca CT, et al. Short-lived immunity after 17DD Yellow Fever single dose indicates that booster vaccination may be required to guarantee protective immunity in children. Front Immunol. 2019;10:2192.
38. Nascimento Silva JR, Camacho LA, Siqueira MM, Freire MS, Castro YP, Maia ML, et al. Mutual interference on the immune response to yellow fever vaccine and a combined vaccine against measles, mumps and rubella. Vaccine. 2011;29(37):6327–34.
39. São Paulo (Estado). Sarampo Nota informativa nº 1/2019 – 09 de agosto [Internet]. São Paulo: CVE; 2019 [capturado em 22 out. 2020]. Disponível em: http://www.saude.sp.gov.br/resources/cve-centro-de-vigilancia-epidemiologica/areas-de-vigilancia/imunizacao/doc/imuni19_nota_informativa_1.pdf
40. Vasconcelos PF, Luna EJ, Galler R, Silva LJ, Coimbra TL, Barros VL, et al. Serious adverse events associated with yellow fever 17DD vaccine in Brazil: a report of two cases. Lancet. 2001;358(9276):91–7.
41. Thomas RE, Lorenzetti DL, Spragins W, Jackson D, Williamson T. The safety of yellow fever vaccine 17D or 17DD in children, pregnant women, HIV+ individuals, and older persons: systematic review. Am J Trop Med Hyg. 2012;86(2):359–72.
42. Monath TP. Review of the risks and benefits of yellow fever vaccination including some new analyses. Expert Rev Vaccines. 2012;11(4):427–48.
43. Thomas RE, Lorenzetti DL, Spragins W, Jackson D, Williamson T. Reporting rates of yellow fever vaccine 17D or 17DD-associated serious adverse events in pharmacovigilance data bases: systematic review. Curr Drug Saf. 2011;6(3):145–54.
44. Brasil. Ministério da Saúde. Secretaria de Vigilância Sanitária. Instrução normativa referente ao calendário nacional de vacinação [Internet]. Brasília: MS; 2020 [capturado em 22 out. 2020]. Disponível em: https://portalarquivos2.saude.gov.br/images/pdf/2019/abril/24/Site-Instrucao-Normativa-Calendario-.pdf
45. Centers for Disease Control and Prevention. Transmission of Yellow Fever vaccine virus through breast-feeding – Brazil, 2009. MMWR. 2010 [capturado em 17 out. 2020]; 59(05);130-2. Disponível em: https://www.cdc.gov/mmwr/preview/mmwrhtml/mm5905a2.htm
46. Suzano CE, Amaral E, Sato HK, Papaiordanou PM, Campinas Group on Yellow Fever Immunization during Pregnancy. The effects of yellow fever immunization (17DD) inadvertently used in early pregnancy during a mass campaign in Brazil. Vaccine. 2006;24(9):1421–6.
47. Cancado B, Aranda C, Mallozi M, Weckx L, Sole D. Yellow fever vaccine and egg allergy. Lancet Infect Dis. 2019;19(9):e301.

## LEITURAS RECOMENDADAS

Brasil. Ministério da Saúde. Guia de vigilância de epizootias em primatas não humanos e entomologia aplicada à vigilância da febre amarela. [Internet]. 2. ed. atual. Brasília: MS; 2014 [capturado em 22 out. 2020]. Disponível em: http://bvsms.saude.gov.br/bvs/publicacoes/guia_vigilancia_epizootias_primatas_entomologia.pdf
*Manual de vigilância de epizootia em primatas não humanos elaborado pelo Ministério da Saúde.*

World Health Organization. Yellow fever vaccines position. Geneva: WHO; 2017 [capturado em 22 out. 2020]. Disponível em: https://www.who.int/immunization/policy/position_papers/yellow-fever/en/
*Posicionamento da Organização Mundial da Saúde sobre a vacina contra febre amarela.*

# Capítulo 165
## HANSENÍASE

Ana Laura Grossi de Oliveira
Maria Aparecida de Faria Grossi

**A hanseníase é uma condição crônica, cujo cuidado requer acesso adequado ao serviço de saúde, integralidade da atenção, orientação familiar, vínculo longitudinal do cuidado e vigilância adequada no tratamento e na alta. Seu diagnóstico e tratamento estão normatizados para simplificá-los. Dessa forma, a pessoa acometida pela hanseníase deve ser, sempre que possível, tratada e acompanhada na atenção primária à saúde (APS).**

A hanseníase é uma doença infecciosa, causada por *Mycobacterium leprae*, ou bacilo de Hansen, o qual tem predileção pela pele e pelos nervos periféricos, e caracterizada por manifestações clínicas típicas. O seu diagnóstico é simples na maioria dos indivíduos, mas a doença pode ser confundida com outras neuropatias e dermatoses.[1] Embora não represente causa básica de óbito, a hanseníase se destaca entre as morbidades incapacitantes, com milhões de pessoas sofrendo com as suas sequelas em todo o mundo.[2]

A hanseníase ocorre em pessoas de todos os níveis socioeconômicos, com maior incidência nos níveis mais baixos, pois a multiexposição está ligada a menores níveis de instrução, moradia e nutrição.[3] O diagnóstico precoce e o tratamento oportuno dos acometidos pela doença, juntamente com o desenvolvimento social, configuram-se como estratégias fundamentais para reduzir a prevalência da hanseníase em todo o mundo.

A hanseníase acomete ambos os sexos, porém os homens apresentam formas mais graves e sofrem mais deformidades.[3] Embora fatores biológicos pareçam desempenhar papel importante, os fatores socioculturais, econômicos e os referentes aos serviços de saúde são igualmente relevantes. A doença ocorre em todas as idades, sobretudo em adultos entre 20 e 50 anos – a faixa etária economicamente ativa. A ocorrência de doença em indivíduos com idade < 15 anos indica exposição precoce ao agente etiológico, determinada pelo maior nível de endemicidade.[4]

A prevalência da hanseníase registrada pela Organização Mundial da Saúde (OMS) no final de 2019 foi de 22,4 casos a cada 1 milhão de habitantes (177.175 casos), tendo sido detectados 202.185 casos novos (25,9 a cada 1 milhão de habitantes) nesse ano. Dos 160 países com informações disponíveis, apenas 3 registraram mais de 10 mil casos novos: Índia, Indonésia e Brasil. Entre os casos novos, 7,4% eram crianças e adolescentes com idade < 15 anos e 5,3% foram diagnosticados tardiamente, com grau 2 de incapacidade.[5]

Em 2019, foram registrados 27.864 casos novos no Brasil, representando uma taxa de detecção de 13,23 casos novos a cada 100 mil habitantes, com maior concentração em estados das regiões Norte e Centro-Oeste e em algumas regiões metropolitanas da Região Nordeste. Do total de casos novos, 5,5% foram diagnosticados em indivíduos com idade < 15 anos e 8,4% tardiamente (2.351 pessoas), com grau 2 de incapacidade. O coeficiente de detecção de casos diagnosticados com grau 2 de incapacidade alcançou 11,16 casos a cada 1 milhão de habitantes em 2018.[6]

## TRANSMISSÃO

A hanseníase é transmitida, predominantemente, pela mucosa do trato respiratório, por meio de aerossóis e secreções nasais, por um doente da forma contagiosa sem tratamento para outra pessoa de seu convívio. Quanto mais próxima e prolongada for a exposição, mais frequente é a transmissão. As vias de transmissão do *M. leprae* ainda não são totalmente compreendidas. Evidências científicas relatam que o contato pele a pele, o desprendimento de bactérias por aerossol ou gotículas no ambiente e a dispersão por meio de poeira em pequenas feridas permanecem como opções possíveis de transmissão da infecção.[7] A hipótese de transmissão respiratória tem sido validada por estudos que observaram que certas moléculas de adesão presentes na superfície do *M. leprae*, como a hemaglutinina ligadora de heparina (HBHA, do inglês *heparin-binding hemagglutinin*) e a proteína semelhante à histona (Hlp, do inglês *histone-like protein*), podem ligar-se em células epiteliais alveolares e nasais e, assim, tornam-se capazes de sustentar a sobrevivência bacteriana.[8] O período de incubação é, em média, de 2 a 7 anos. *Mycobacterium leprae* caracteriza-se por alta infectividade e baixa patogenicidade (i.e., muitos se infectam e poucos adoecem); 90 a 95% da população geral têm boa resistência imunológica (natural) contra *M. leprae*.[1,7,9]

A resposta imune do hospedeiro é de primordial importância para a suscetibilidade ou resistência à doença, para a defesa do organismo contra a exposição do bacilo e a definição das formas clínicas da hanseníase. Os mecanismos imunológicos determinam não somente as diferentes formas clínicas, mas também o desenvolvimento dos episódios reacionais nos pacientes.[7] As respostas estão associadas a mecanismos específicos para o reconhecimento de antígenos, mediados por receptores presentes nas membranas dos linfócitos T e B, caracterizando-se em celular, ou do tipo Th1, e humoral, ou do tipo Th2. A diferenciação dos linfócitos T CD4+, ou linfócito T auxiliar (Th, do inglês *T helper*), para induzir respostas celulares ou humorais está relacionada aos tipos de citocinas secretadas no local da inflamação. A predominância de uma resposta imune celular ou humoral à infecção pelo bacilo pode influenciar a evolução da doença.[9]

Na resposta imune inata, apesar da existência de tipos predominantes de macrófagos entre as formas polares da hanseníase, sabe-se que os macrófagos podem apresentar um amplo espectro de estados de diferenciação de acordo com sinais provenientes do microambiente. Em conjunto com a dicotomia Th1-Th2, os macrófagos foram classificados em M1 e M2. A estimulação com citocinas pró-inflamatórias como gamainterferona (IFN-γ) ativa macrófagos M1, caracterizados por propriedades antimicrobianas, inflamatórias e de apresentação de antígenos aumentadas, enquanto citocinas como interleucina (IL)-4 e IL-13 ativam macrófagos M2, que retratam ações anti-inflamatórias associadas a reparo tecidual e fibrose.[10]

A ocorrência de doença depende da competência da imunidade celular do indivíduo infectado pelo *M. leprae*; contudo, quando não há resposta celular específica, tem-se a proliferação bacteriana com presença de linfócitos do tipo T CD8+ proporcionando um perfil supressor, o que leva ao aparecimento de muitas lesões e extensa infiltração de pele e nervos.[11] A produção de anticorpos específicos contra *M. leprae* não participa da eliminação dos bacilos, pois estes estão alojados dentro das células. Assim, as diferentes manifestações clínicas da hanseníase estão relacionadas com a competência da resposta imune Th1 do hospedeiro. Indivíduos com resistência ao bacilo poderão evoluir para cura espontânea ou para formas paucibacilares (PB), não contagiosas. Os indivíduos com a forma multibacilar (MB) sem tratamento, nem sempre com sinais clínicos aparentes, são considerados a mais importante fonte de infecção.[12]

O homem é considerado o único reservatório natural do bacilo, porém demonstrou-se que os tatus são importantes fontes de infecção silvestre e, por abrigarem *M. leprae*, tornaram-se modelo experimental de pesquisas, permitindo avanços na compreensão da patogênese da hanseníase.[13]

O bacilo tem predileção pelas células de Schwann e da pele, porém sua disseminação para outros tecidos pode ocorrer nas formas MB da doença, afetando os olhos, os linfonodos, os testículos, o fígado e outros órgãos que podem abrigar grande quantidade de bacilos. Entre os diversos aspectos que podem estar associados à transmissão da hanseníase, estão os fatores socioeconômicos,[3,14,15] os imunológicos[16] e os genéticos,[17–19] que acabam influenciando na relação parasita–hospedeiro, podendo determinar o desfecho de resistência ou suscetibilidade à doença.

## DIAGNÓSTICO

O diagnóstico de uma pessoa com hanseníase é essencialmente clínico e epidemiológico, sendo realizado por meio da anamnese e das condições de vida do indivíduo e do exame dermatoneurológico.

**O exame dermatoneurológico identifica a presença de um ou mais dos três sinais cardinais da doença: lesão(ões) e/ou área(s) da pele com alteração de sensibilidade térmica e/ou dolorosa e/ou tátil; espessamento de nervo periférico, associado a alterações sensitivas e/ou motoras e/ou autonômicas; e presença de bacilos *M. leprae*, confirmada na baciloscopia de esfregaço intradérmico ou biópsia de pele. A baciloscopia negativa não afasta o diagnóstico de hanseníase. Essa definição não inclui os casos curados com sequelas.**

As lesões cutâneas podem apresentar-se como manchas hipocrômicas, eritemato-hipocrômicas ou eritematosas, infiltrações, nódulos, tubérculos, lesões foveolares, placas eritematovioláceas, com presença ou ausência de distúrbio de sensibilidade, perda de pelos no local e alteração da sudorese.[7,20,21]

As alterações neurológicas podem ocorrer tanto nos ramos superficiais da pele quanto nos nervos periféricos, levando a distúrbios de sensibilidade, inicialmente hiperestesia, depois hipoestesia e anestesia. O envolvimento de fibras motoras resulta em incapacidades e deformidades em olhos, mãos e pés. O acometimento das fibras autonômicas pode levar, ainda, à alopecia e à anidrose. Os nervos mais acometidos pelo bacilo de Hansen são ramo oftálmico do trigêmeo, facial, auricular, radial, ulnar, mediano, radial cutâneo, fibular comum, sural e tibial. Na ausência de diagnóstico e tratamento oportunos, essas alterações podem agravar-se.[7,20,21]

Cerca de 70% das pessoas com hanseníase podem ser diagnosticadas com base em lesões cutâneas com perda da sensibilidade; porém, em 30%, incluindo casos multibacilares, esses sinais clínicos não estão presentes. A demora na detecção desses casos pode ser a maior causa da não interrupção da cadeia de transmissão da doença. A escassez de sintomas no início da doença pode contribuir para a demora no diagnóstico ou para o subdiagnóstico.[22] Não existe padrão-ouro para o diagnóstico de hanseníase, pois seu agente etiológico não pode ser cultivado em meios sintéticos ou em culturas de células, e nem sempre é encontrado em exames bacterioscópicos, como a baciloscopia de raspado dérmico e a histopatologia.[7,20,21,23]

**Assim, a hanseníase é considerada uma doença de diagnóstico eminentemente clínico.**

Em crianças, o diagnóstico de hanseníase exige exame criterioso, diante da dificuldade de aplicação e interpretação dos testes de sensibilidade. Recomenda-se aplicar o Protocolo Complementar de Investigação Diagnóstica de Casos de Hanseníase em Menores de 15 anos (PCID < 15) e encaminhar os suspeitos para confirmação diagnóstica por profissionais ou serviços com mais experiência em hanseníase.[7,20,21]

Os indivíduos com suspeita de comprometimento neural, sem lesão cutânea, suspeita de hanseníase neural primária e aqueles que apresentam área(s) com alteração sensitiva e/ou autonômica duvidosa e sem lesão cutânea evidente devem ser encaminhados aos serviços de referência (municipal, regional, estadual ou nacional) para confirmação diagnóstica. Recomenda-se que, nessas unidades, os casos sejam submetidos novamente ao exame dermatoneurológico, à avaliação neurológica, à coleta de material (baciloscopia ou histopatologia cutânea ou de nervo periférico sensitivo) e, sempre que possível, a exames eletrofisiológicos e/ou outros mais complexos para identificação de comprometimento cutâneo ou neural discreto e avaliação por ortopedista, neurologista e outros especialistas para diagnóstico diferencial com outras neuropatias periféricas. Para a biópsia de nervos, são utilizados, principalmente, o cutâneo dorsal do ulnar, no dorso da mão, o sural ou ramos do fibular superficial, no dorso do pé.[7]

**O exame anatomopatológico, os testes sorológicos e a reação em cadeia da polimerase não são usados na rotina dos serviços de APS, e sim nos serviços de referência e em pesquisas.**

O exame clínico dermatoneurológico deve ser realizado em toda a superfície corporal e em local com boa iluminação – se possível, natural. Além da inspeção da pele, testam-se as sensibilidades térmica, dolorosa e tátil das lesões suspeitas, verificando a presença de alopecia e anidrose. Devem ser examinados os nervos mais frequentemente acometidos por *M. leprae* e verificados, por palpação, a existência de dor, o espessamento, a forma e a simetria, bem como alterações sensitivas, motoras e autonômicas na área inervada.[7,20,21]

## Teste de sensibilidade

O teste de sensibilidade é de execução simples, podendo ser utilizado em qualquer ambulatório ou consultório médico. Existem vários testes de sensibilidade e o método mais utilizado é o que segue:

→ o paciente, com os olhos abertos, deve ser orientado sobre o procedimento, testando-se, aleatoriamente, a lesão ou área suspeita e áreas não afetadas. Em seguida, com os olhos fechados, o paciente é solicitado a responder sobre a sensibilidade térmica, dolorosa e tátil;

→ a sensibilidade térmica pode ser testada tocando-se a pele com tubos de ensaio contendo água quente e água fria. A temperatura ideal para água quente e água fria é de 45 °C e 25 °C, respectivamente. Recomenda-se cuidar para que o tubo com água aquecida não esteja em temperatura superior a 45 °C, pois acima desse limite o estímulo térmico poderia causar sensação de dor, e não de calor, ou seja, estaria sendo testada a sensibilidade dolorosa e não a sensibilidade térmica. O paciente deve identificar as temperaturas – quente ou fria. Na impossibilidade de fazer o teste com água quente e água fria, pode ser usado um procedimento alternativo, com algodão embebido em éter, que corresponderá à sensação de frio, e outro algodão seco.

→ a sensibilidade dolorosa pode ser pesquisada com alfinete ou agulha de injeção descartável e esterilizado, devendo o paciente identificar se é a ponta ou o fundo da agulha ou alfinete que está tocando a sua pele;

→ a sensibilidade tátil pode ser testada com uma fina mecha de algodão seco, solicitando-se que o paciente aponte a área tocada.

A estesiometria de lesões cutâneas e de áreas da pele para detecção de lesão neural com os monofilamentos de Semmes-Weinstein tem sido utilizada tanto nos serviços de APS quanto nos centros de referência. É um método quantitativo, de fácil aplicação, seguro, de relativo baixo custo, com grande sensibilidade, especificidade e reprodutibilidade, quando comparado a outros métodos eletrofisiológicos.[7]

Os critérios convencionais para confirmação laboratorial do diagnóstico são constituídos pelos exames baciloscópicos e histopatológicos, que, além das restrições de aspecto operacional, só revelam a doença já polarizada e, em geral, já identificável por suas características clínicas.[1,7,20,21]

## Baciloscopia

A baciloscopia é o exame complementar mais útil no diagnóstico da hanseníase, de execução simples e de relativo baixo custo, porém necessita de laboratório e de profissionais treinados, nem sempre existentes nos serviços de APS. A baciloscopia, quando positiva, demonstra diretamente a presença do *M. leprae*, e indica o grupo de pacientes mais infectantes, com especificidade de 100%; entretanto, sua sensibilidade é baixa, pois raramente ocorre em mais de 50% dos casos novos diagnosticados e, algumas vezes, chega a 10%.[2]

O raspado dérmico é coletado nas lesões suspeitas, nos lóbulos e nos cotovelos, sendo padronizado pelo Ministério da Saúde o exame direto dos esfregaços dérmicos em quatro sítios: de lesão cutânea, de cotovelo contralateral a essa lesão e dos lóbulos auriculares. A coloração da lâmina contendo os esfregaços é feita pelo método de Ziehl-Neelsen. O índice baciloscópico (IB), proposto por Ridley em 1962, representa a escala logarítmica de cada esfregaço examinado, constituindo a média dos índices dos esfregaços, e é o método de avaliação quantitativo mais correto e utilizado na leitura da baciloscopia em hanseníase. Os bacilos observados em cada campo microscópico são contados e o número de campos examinados é anotado. O resultado é expresso conforme a escala logarítmica de Ridley, variando de 0 a 6+:[24]

IB = (0): não há bacilos em nenhum dos 100 campos examinados;

IB = (+1): 1 a 10 bacilos, a cada 100 campos examinados;

IB = (+2): 1 a 10 bacilos, a cada 10 campos examinados;

IB = (+3): 1 a 10 bacilos, em média, a cada campo examinado;

IB = (+4): 10 a 100 bacilos, em média, a cada campo examinado;

IB = (+5): 100 a 1.000 bacilos, em média, a cada campo examinado;

IB = (+6): mais de 1.000 bacilos, em média, a cada campo examinado.

A média do número de bacilos será o IB do esfregaço. O IB do paciente será a média dos índices dos esfregaços. A baciloscopia tem importância no diagnóstico e na classificação das diversas formas de hanseníase. Mostra-se negativa nos pacientes PB, indeterminados e tuberculoides, é fortemente positiva na forma virchowiana, e os resultados são variáveis nos dimorfos.[23,24] O Ministério da Saúde disponibiliza o *Guia de procedimentos técnicos: baciloscopia em hanseníase*.[23] (Ver QR code.)

## Histopatologia

Na forma indeterminada, encontra-se infiltrado inflamatório de linfócitos e mononucleares ao redor dos vasos, dos anexos e dos filetes nervosos. O laudo histopatológico é apenas de compatibilidade com a clínica. Ocasionalmente, podem ser vistos alguns raros bacilos.

Na forma tuberculoide, são encontrados granulomas ricos em células epitelioides, com células gigantes e halo linfocitário. O infiltrado inflamatório pode agredir a epiderme, os anexos e os filetes nervosos.

Na forma virchowiana, a epiderme encontra-se atrófica separada da derme por uma faixa livre de infiltrado inflamatório denominado faixa de Unna ou zona de Grenz. A derme e o tecido celular subcutâneo são tomados por histiócitos, muitos deles repletos de bacilos e em processo de degeneração lipóidica. Os histiócitos são denominados células de Virchow. É possível visualizar macrófagos com citoplasma eosinofílico abundante, contendo numerosos bacilos. As colorações de Fite-Faraco e Wade revelam bacilos íntegros ou granulares dispostos em grandes agrupamentos basofílicos, chamados globias. O IB varia de 5 a 6+.

Na forma dimorfa, existem granulomas frouxos difusamente distribuídos e com células epitelioides de citoplasma claro. Os linfócitos são escassos e os filetes nervosos estão mais preservados. Há grande número de bacilos, tanto nas terminações quanto nas células epitelioides.[7,25]

## Sorologia

A sorologia ainda não pode ser utilizada como teste-padrão de diagnóstico para hanseníase por causa da baixa sensibilidade entre os indivíduos PB,[26,27] cuja resposta imune contra M. leprae é primariamente celular. Por outro lado, várias tentativas de predição de proteínas específicas do M. leprae para uso em testes sorológicos têm sido desenvolvidas para detectar anticorpos circulantes como o glicolipídeo fenólico 1 (PGL-1, do inglês *phenolic glycolipid 1*), *leprosy Infectious Disease Research Institute (IDRI) diagnostic-1* (LID-1) e seu conjugado NDO-LID, entre outros que se mostraram satisfatórios para detecção de MB, pois esses indivíduos respondem melhor produzindo imunidade humoral.[28,29]

Há evidências de que o teste de fluxo lateral (ML *Flow*) que detecta anticorpos IgM contra PGL-1 do *M. leprae* pode ser útil como instrumento adicional para a correta classificação de casos novos de hanseníase em PB e MB.[30,31] Esse teste é de fácil execução, com resultado imediato, podendo ser utilizado diretamente pelos profissionais de saúde, não necessitando de laboratório. Além disso, foi demonstrado que os contatos PGL-1-positivos de pacientes com hanseníase têm maior risco de desenvolver hanseníase em comparação aos contatos soronegativos com PGL-1 e que, quando desenvolvem a doença, são primariamente MB.[28,32]

## Classificação

Da interação entre *M. leprae* e o ser humano resultam diferentes manifestações clínicas, com sinais e sintomas variados. Os diversos mecanismos imunofisiopatológicos, os diferentes níveis de contagiosidade e as variações na evolução e no prognóstico originaram numerosas classificações. Aqui são mencionadas as mais frequentes.[7]

A classificação de Madrid, de 1953, considera dois polos estáveis e opostos (tuberculoide e virchowiano) e dois grupos instáveis (indeterminado e dimorfo), que, na evolução natural da doença, evoluiriam para um dos polos.[33]

A classificação proposta por Ridley e Jopling, em 1966, é a mais utilizada em pesquisas e leva em consideração a imunidade, dentro de um espectro de resistência do hospedeiro, e a histopatologia, sendo, portanto, difícil a sua utilização nos serviços de APS. São descritas as formas tuberculoide, *borderline*-tuberculoide, *borderline-borderline*, *borderline*-virchowiana e virchowiana.[34]

Para escolher o esquema terapêutico para os indivíduos com hanseníase, a OMS e o Ministério da Saúde utilizam um método simplificado, baseado na contagem do número de lesões cutâneas. Indivíduos com até 5 lesões de pele são classificados como paucibacilares (PB), e aqueles com mais de 5 lesões, como multibacilares (MB).[7]

A baciloscopia de pele (esfregaço intradérmico), sempre que disponível, deve ser utilizada como exame complementar para a classificação dos casos como PB ou MB. A baciloscopia positiva classifica o caso como MB, independentemente do número de lesões. O resultado negativo não exclui o diagnóstico de hanseníase.[7]

## FORMAS CLÍNICAS

Para a descrição das formas clínicas, foi adotada a classificação de Madrid, por ser esta a utilizada na ficha de notificação no Brasil.[7,20,21]

### Indeterminada

A forma indeterminada muitas vezes aparece como manifestação inicial da doença após período de incubação que varia, em média, de 2 a 7 anos. Pode passar despercebida por meses ou anos e evoluir para cura espontânea ou para outra forma clínica. Caracteriza-se por uma ou poucas manchas hipocrômicas ou eritemato-hipocrômicas com alteração de sensibilidade térmica pelo comprometimento dos ramos terminais da pele, sem acometimento dos nervos periféricos. A forma inicial pode manifestar-se apenas por áreas com distúrbios de sensibilidade, sem alteração da cor da pele. A baciloscopia é negativa.[7,23,35]

### Tuberculoide

A forma tuberculoide evolui a partir da forma indeterminada não tratada, em indivíduos com alta resistência ao bacilo. Apresenta tendência a não se disseminar, ficando limitada às áreas iniciais e podendo evoluir para cura espontânea. Manifesta-se por uma ou poucas lesões eritemato-hipocrômicas ou eritematosas, com limites bem definidos ou discretamente elevados ou micropapulosos, com marcada alteração da sensibilidade térmica, dolorosa e tátil. O comprometimento dos anexos cutâneos pode levar à alopecia e à anidrose nas lesões e nas áreas acometidas, mesmo na ausência de manchas. Alguns nervos periféricos podem ser afetados. A baciloscopia é negativa.[7,23,35]

### Dimorfa

A forma dimorfa decorre da evolução de pacientes com hanseníase indeterminada, com resistência intermediária, podendo aproximar-se do polo tuberculoide ou virchowiano. Manifesta-se por lesões eritematosas, eritematovioláceas, ferruginosas, infiltradas, edematosas, brilhantes, escamosas, com contornos internos bem delimitados e externos maldefinidos (lesões foveolares), com centro deprimido e aparentemente poupado, hipocrômicas ou de coloração normal da pele, hipoestésicas ou anestésicas.[7,35]

O caráter instável da hanseníase dimorfa causa grande variedade morfológica em sua apresentação clínica; as lesões podem ser semelhantes às bem delimitadas da hanseníase tuberculoide e/ou às disseminadas da hanseníase virchowiana. Nódulos e infiltrações na face e nos pavilhões auriculares são comuns na forma dimorfa que se aproxima do polo virchowiano, enquanto lesões cutâneas menos numerosas e assimétricas ocorrem nos pacientes que tendem para o polo tuberculoide. O acometimento de nervos periféricos e os estados reacionais são frequentes, acarretando elevado potencial incapacitante. A baciloscopia pode ser negativa ou positiva, com IB variável.[7,23]

Casos de hanseníase unicamente com comprometimento de nervo, sem lesões cutâneas, são chamados de hanseníase neural primária e podem ser encontrados nas formas tuberculoide e dimorfa. As manifestações neurais são, em geral, assimétricas, envolvendo um ou, algumas vezes, vários nervos periféricos. O nervo ulnar é o mais afetado. As alterações sensitivas costumam ocorrer mais cedo do que as motoras, iniciando com dormência, perda do tato, da sensibilidade ao calor, da dor e da pressão e, posteriormente, hipotrofia, atrofia e paralisia muscular nas mãos e nos pés. Outras alterações incluem pele seca, anidrótica e presença de fissuras e úlceras.[7,35]

## Virchowiana

A forma virchowiana representa, em geral, a evolução de indivíduos com a forma indeterminada, não tratados, com imunidade celular incompetente. As manchas, no início hipocrômicas, tornam-se eritematosas, infiltradas e ferruginosas, disseminando-se simetricamente por todo o tegumento. Surgem pápulas, nódulos, tubérculos e infiltrações em placas, acometendo, com frequência, face, orelhas e extremidades, levando à perda das sobrancelhas e dos cílios (madarose). Ocorre comprometimento dos nervos superficiais da pele, da inervação vascular e dos nervos periféricos, levando a deformidades de aparecimento mais tardio.[7,35]

A hanseníase virchowiana é uma doença sistêmica, com manifestações mucosas e viscerais importantes. Olhos, nariz, rins, fígado, baço, linfonodos, testículos, glândulas suprarrenais e ossos podem ser afetados, determinando complicações na ausência de tratamento precoce e/ou adequado.

É frequente e precoce o acometimento da mucosa nasal, com o surgimento de sintomas semelhantes aos da gripe ou da rinite alérgica (congestão nasal, coriza e epistaxe) e, na ausência de tratamento específico e orientações adequadas, pode evoluir para perfuração de septo e desabamento nasal. No diagnóstico tardio, outras mucosas podem ser acometidas pela presença do bacilo, levando à infiltração nos lábios, na língua, no palato, na faringe e na laringe.[7,35]

As complicações oculares, pela presença direta ou indireta do bacilo (por processo inflamatório nas reações), são frequentes: infiltração dos anexos, lagoftalmo (lesão do nervo facial), anestesia da córnea (lesão do ramo oftálmico do nervo trigêmeo), entrópio, ectrópio, triquíase, conjuntivite, ceratite, irite, iridociclite, glaucoma e catarata. Podem ser evitadas com tratamento precoce e orientações quanto aos autocuidados.[7,35]

A baciloscopia é fortemente positiva e os doentes sem tratamento constituem importante foco na manutenção da cadeia de transmissão da doença.[23,35]

## Episódios reacionais

A evolução crônica da hanseníase pode cursar, às vezes, com a intercorrência de fenômenos clínicos agudos ou subagudos, devido à hipersensibilidade dos antígenos do M. leprae. Esses fenômenos são denominados episódios reacionais ou reações hansênicas e guardam relação direta com a imunidade celular do indivíduo. Dependendo da intensidade e do órgão atingido, podem deixar sequelas se não forem diagnosticados cedo e tratados oportuna e adequadamente.[7,20]

Cerca de metade dos doentes que estão sob poliquimioterapia específica pode desenvolver episódios reacionais durante o período de tratamento. Mesmo após a interrupção do tratamento, por período médio de 3 anos, cerca de 30% podem apresentar reações imunológicas. Há relação direta entre a frequência de reações e o IB.[7,20,21]

Nos episódios reacionais, são descritas as reações tipo 1 ou reação reversa e tipo 2, cuja manifestação clínica mais frequente é o eritema nodoso.[7,20,21]

A reação tipo 1 ocorre nos indivíduos com a forma tuberculoide ou dimorfa e tende a surgir mais precocemente, depois de iniciado o tratamento, entre o 2º e o 6º mês, em especial no grupo dimorfo. As lesões preexistentes ficam hiperestésicas, mais salientes, brilhantes e quentes, lembrando erisipela, podendo ocorrer necrose, ulceração e escamação ao involuir. As neurites são frequentes e podem ser silenciosas – isto é, o dano neural ocorre sem dor ou espessamento do nervo. Os nervos mais acometidos são ulnar, mediano, fibular e tibial. Os sintomas sistêmicos são poucos comuns.[7,20,21]

A reação tipo 2, cuja manifestação clínica mais frequente é o eritema nodoso hansênico (ENH), aparece na forma virchowiana e algumas vezes na dimorfa. Em geral, está associada a fatores precipitantes, como infecções intercorrentes, traumatismos, estresse físico ou psíquico, imunizações, gravidez, parto, diminuição da imunidade por exposição solar, uso de iodetos, entre outros. Pode ser recidivante e ocorrer antes, durante e após o tratamento específico da hanseníase. Caracteriza-se por reação inflamatória desencadeada por imunocomplexos, que acompanha alterações iniciais da imunidade celular. Observa-se aumento das citocinas séricas, como fator de necrose tumoral alfa (TNF-α, do inglês tumor necrosis factor) e IFN-γ, mas sem alteração da situação imunológica anterior do paciente.[7,20,21] As lesões cutâneas específicas permanecem inalteradas e surgem as lesões de ENH: brilhantes, muito dolorosas ao menor toque, de tamanhos variados, numerosas, superficiais ou profundas, com distribuição simétrica e bilateral, acometendo sobretudo face, braços e coxas. A lesão de ENH, além de ser a mais frequente, pode ser a única manifestação da reação tipo 2. Porém, em casos graves, podem aparecer lesões bolhosas, evoluindo para ulceração e necrose. Também podem ocorrer lesões de eritema polimorfo e edema de face, mãos e pés.[7,20,21]

As alterações sistêmicas e laboratoriais são frequentes. Podem ser discretas, moderadas ou graves, manifestando-se por febre, mal-estar, neurite, mialgia, artralgia, rinite, epistaxe, irite, iridociclite uni ou bilateral, dactilite, linfadenite dolorosa, epidídimo-orquite uni ou bilateral, glomerulonefrite, vasculite, hepatite, entre outras.[7,20,21]

As reações de ENH podem se repetir e evoluir em episódios subintrantes, por meses ou anos, e tendem a recorrer nos mesmos locais.[7,20,21]

## DIAGNÓSTICO DIFERENCIAL

Algumas dermatoses e neuropatias se assemelham e devem ser consideradas no diagnóstico diferencial da hanseníase.[7,20,21]

### Diagnóstico diferencial dermatológico

As seguintes dermatoses podem assemelhar-se a algumas das formas clínicas da hanseníase ou aos seus episódios reacionais e, portanto, exigem diferenciação: eczemátides, nevo acrômico, pitiríase versicolor, vitiligo, pitiríase rósea de Gilbert, eritema solar, eritrodermias e eritemas difusos, psoríase, eritema polimorfo, eritema nodoso, eritema anular, granuloma anular, lúpus eritematoso, farmacodermias, fotodermatites polimorfas, pelagra, sífilis, alopécia *areata* (pelada), sarcoidose, tuberculose, xantomas, hemoblastoses, esclerodermias e neurofibromatose de von Recklinghausen.[7,20]

### Diagnóstico diferencial neurológico

As principais neuropatias que fazem diagnóstico diferencial com hanseníase são: polineuropatias (com alterações sensitivas e motoras como no diabetes melito), alcoolismo, síndrome do túnel do carpo, traumas em nervos e intoxicações.[7,20]

Doenças hereditárias, como a camptodactilia, caracterizada por flexão congênita do dedo mínimo, sem alteração da sensibilidade e da força muscular, a acropatia ulceromutilante de Thévenard e a ausência congênita da dor, devem ser lembradas no diagnóstico diferencial.[7,20]

Doenças inflamatórias, como a artrite reumatoide, a psoríase artropática, a esclerodermia e a doença de Dupuytren, podem levar a deformidades em mãos e pés, semelhantes às da hanseníase.[7,20]

A síndrome de Bernhardt-Roth, ou meralgia parestésica, é descrita como uma disestesia ou anestesia na distribuição do nervo cutâneo femoral lateral. Trata-se de uma mononeuropatia compressiva desse nervo, mais comum nos homens, e caracteriza-se frequentemente por dor em queimação ou sensação de desconforto na face anterolateral da coxa, mas não se observam alterações motoras e/ou de força muscular.[7,20]

Além da hanseníase, o espessamento de nervos periféricos é encontrado em neuropatias, muito pouco frequentes, como a de Charcot-Marie-Tooth, a doença de Déjèrine-Sottas e a doença de Refsum, que devem ser consideradas no diagnóstico diferencial.[7,20,21]

## TRATAMENTO

O tratamento da pessoa com hanseníase deve ser feito em regime ambulatorial, nos serviços de APS, sempre que possível, independentemente da forma clínica. Em caso de intercorrências clínicas ou cirúrgicas, decorrentes ou não da hanseníase, deve-se realizar o encaminhamento para um serviço de referência.[7,20,21]

**Desde 2018, a OMS recomenda o tratamento com um regime único de 3 medicamentos – rifampicina, clofazimina e dapsona – para todos os pacientes com hanseníase, com duração de 6 meses para hanseníase PB C/D e 12 meses para hanseníase MB C/D.**[36,37]

A poliquimioterapia recomendada pela OMS é padronizada e distribuída pelo Ministério da Saúde, que passou a recomendar esse esquema único a partir de setembro de 2020. Os objetivos dessa recomendação são simplificar o tratamento e prevenir uma possível classificação errônea da hanseníase MB, pois todos os pacientes passam a receber o mesmo esquema de tratamento.[37]

Os medicamentos são fornecidos em cartelas individuais, que contêm a dose mensal supervisionada e as doses diárias autoadministradas, adulto ou infantil. O esquema terapêutico é padronizado e único. A **TABELA 165.1** detalha as doses do esquema único, o tempo de tratamento de acordo com a classificação operacional em PB e MB[7,20,21] e a apresentação dos medicamentos.

**TABELA 165.1** → Esquema único para tratamento da hanseníase e apresentação dos medicamentos

| FAIXA ETÁRIA | ESQUEMA TERAPÊUTICO | APRESENTAÇÃO (CARTELA)* |
|---|---|---|
| Adulto | Rifampicina: dose mensal de 600 mg (2 cápsulas de 300 mg) com administração supervisionada | Cápsulas de 300 mg (2) |
| | Dapsona: dose mensal de 100 mg (1 comprimido de 100 mg) com administração supervisionada e 1 dose diária de 100 mg autoadministrada | Comprimidos de 100 mg (28) |
| | Clofazimina: dose mensal de 300 mg (3 cápsulas de 100 mg) com administração supervisionada e 1 dose diária de 50 mg autoadministrada | Cápsulas de 100 mg (3) e 50 mg (27) |
| Infantil | Rifampicina: dose mensal de 450 mg (1 cápsula de 150 mg e 1 cápsula de 300 mg) com administração supervisionada | Cápsulas de 150 mg (1) e 300 mg (1) |
| | Dapsona: dose mensal de 50 mg com administração supervisionada e 1 dose diária de 50 mg autoadministrada | Comprimidos de 50 mg (28) |
| | Clofazimina: dose mensal de 150 mg (3 cápsulas de 50 mg) com administração supervisionada e 1 dose de 50 mg autoadministrada em dias alternados | Cápsulas de 50 mg (16) |

Acompanhamento dos casos: comparecimento mensal para dose supervisionada.
Critério de alta de casos paucibacilares (PB): o tratamento estará concluído com 6 doses supervisionadas em até 9 meses. Na 6ª dose, os pacientes devem ser submetidos a exame dermatológico e avaliações neurológicas simplificadas e do grau de incapacidade física e receber alta por cura.
Critério de alta de casos multibacilares (MB): o tratamento estará concluído com 12 doses supervisionadas em até 18 meses. Na 12ª dose, os pacientes devem ser submetidos a exame dermatológico e avaliações neurológicas simplificadas e do grau de incapacidade física e receber alta por cura.
Os pacientes MB que excepcionalmente não apresentarem melhora clínica, com presença de lesões ativas da doença, no final do tratamento preconizado de 12 doses (cartelas), devem ser encaminhados para avaliação em serviço de referência a fim de verificar a conduta mais adequada para o caso.

* Os números entre parênteses se referem à quantidade de cápsulas ou comprimidos em cada cartela.
Fonte: Brasil.[7,20,21,37]

A gravidez e o aleitamento materno não contraindicam o tratamento com poliquimioterapia-padrão. Em mulheres em idade reprodutiva, deve-se atentar ao fato de que a rifampicina pode interagir com anticoncepcionais orais, diminuindo a sua efetividade.[7,20,21]

Em crianças ou adultos com peso < 30 kg, a dose deve ser ajustada de acordo com o peso corporal, conforme a **TABELA 165.2**.[7,20,21]

Nos pacientes com hanseníase neural primária, o tratamento consiste em poliquimioterapia de acordo com a classificação (PB ou MB) definida pelo serviço de referência e tratamento adequado do dano neural.

Os doentes devem ser orientados para retorno imediato à unidade de saúde em caso de aparecimento de lesões de pele e/ou de dores nos trajetos dos nervos periféricos e/ou piora da função sensitiva e/ou motora, mesmo após a alta por cura.[7,20,21]

Quando disponíveis, exames laboratoriais complementares, como hemograma e funções hepática e renal, podem ser solicitados no início do tratamento para acompanhamento dos pacientes. A análise dos resultados desses exames não deve retardar o início da poliquimioterapia, exceto nos casos em que a avaliação clínica sugerir doenças que contraindiquem o tratamento.[7,20,21]

A rifampicina é um medicamento com potente ação bactericida para *M. leprae*, enquanto a dapsona e a clofazimina têm ação bacteriostática. Essa associação torna o esquema terapêutico eficaz, com baixas taxas de recidiva. Em geral, são medicamentos bem tolerados, e os efeitos colaterais mais frequentes não impedem a continuidade do tratamento.[7,20,21]

Embora a poliquimioterapia já seja utilizada há quase 40 anos e milhões de pacientes já tenham feito uso dela sem relatos quantitativamente expressivos, que inviabilizem seu uso em larga escala na saúde pública, nenhum medicamento é inócuo. Portanto, os pacientes devem ser bem orientados quanto à possibilidade de ocorrência de efeitos colaterais dos medicamentos específicos e antirreacionais, e a procurar o serviço de saúde por ocasião de seu aparecimento. Os profissionais de saúde de unidades básicas de saúde (UBSs) devem estar sempre atentos para essas situações, devendo, na maioria das vezes, encaminhar o paciente à unidade de referência para receber o tratamento adequado.[7,20,21]

## Principais efeitos colaterais de medicamentos e condutas

### Rifampicina

→ Cutâneos: rubor de face e pescoço, prurido e *rash* cutâneo generalizado.
→ Gastrintestinais: diminuição do apetite e náuseas; ocasionalmente, podem ocorrer vômitos, diarreia e dor abdominal leve.
→ Hepáticos: mal-estar, perda do apetite, náuseas, podendo ocorrer também icterícia. São descritos dois tipos de icterícias: leve ou transitória e grave, com repercussão hepática importante. O medicamento deve ser suspenso, e o paciente, encaminhado à unidade de referência se as transaminases e/ou bilirrubinas aumentarem mais de 2 vezes o valor normal.
→ Hematopoiéticos: trombocitopenia, púrpuras ou sangramentos anormais, como epistaxes; também podem ocorrer hemorragias gengivais e uterinas. Nesses casos, o paciente deve ser encaminhado ao hospital.
→ Anemia hemolítica: tremores, febre, náuseas, cefaleia e, às vezes, choque, podendo também ocorrer icterícia leve; raramente ocorre a síndrome "pseudogripal", quando o paciente apresenta febre, calafrios, astenia, mialgias, cefaleia e dores ósseas. Esse quadro pode evoluir com eosinofilia, nefrite intersticial, necrose tubular aguda, trombocitopenia, anemia hemolítica e choque. Essa síndrome, muito rara, manifesta-se a partir da 2ª ou da 4ª dose supervisionada, devido à hipersensibilidade por formação de anticorpos antirrifampicina, quando o medicamento é utilizado em dose intermitente.

A coloração avermelhada da urina não deve ser confundida com hematúria; a secreção pulmonar avermelhada não deve ser confundida com escarros hemoptoicos; e a pigmentação conjuntival não deve ser confundida com icterícia.[7,20,21]

### Clofazimina

→ Cutâneos: ressecamento da pele, que pode evoluir para ictiose, alteração na coloração da pele e suor; nas pessoas de pele escura, a cor pode acentuar-se e, nas pessoas claras, a pele pode ficar com uma coloração avermelhada ou adquirir um tom acinzentado, devido à impregnação e ao ressecamento. Esses efeitos ocorrem de forma mais acentuada nas lesões específicas e regridem lentamente após a suspensão do medicamento.
→ Gastrintestinais: diminuição da peristalse e dor abdominal, devido ao depósito de cristais de clofazimina nas submucosas e nos linfonodos intestinais, resultando na inflamação da porção terminal do intestino delgado. Esses efeitos podem ser encontrados, com mais frequência, na utilização de doses de 300 mg/dia por períodos prolongados, superiores a 90 dias.[7,20]

### Dapsona

→ Cutâneos: síndrome de Stevens-Johnson, dermatite esfoliativa ou eritrodermia.
→ Hepáticos: icterícias, náuseas e vômitos.
→ Hemolíticos: tremores, febre, náuseas, cefaleia e, às vezes, choque; pode ocorrer icterícia leve, metemoglobinemia, cianose, dispneia, taquicardia, fadiga, desmaios, anorexia e vômitos.

Outros efeitos colaterais raros podem ocorrer, como insônia e neuropatia motora periférica.[7,20,21]

**TABELA 165.2** → Ajustes de dose do tratamento da hanseníase para crianças e adultos com peso < 30 kg

| DOSE MENSAL | | DOSE DIÁRIA | |
|---|---|---|---|
| Rifampicina | 10-20 mg/kg | — | |
| Dapsona | 1-2 mg/kg | Dapsona | 1-2 mg/kg |
| Clofazimina | 5 mg/kg | Clofazimina | 1 mg/kg |

Fonte: Brasil.[7,20,21]

## Condutas no caso de efeitos colaterais

Em casos de náuseas e vômitos incontroláveis, icterícia com valores de transaminases 2 vezes os normais, anemia hemolítica, metemoglobinemia e síndrome pseudogripal, deve-se suspender o tratamento e encaminhar o paciente para unidade de referência.

No caso de efeitos cutâneos provocados pela clofazimina, prescrever a aplicação diária de óleo mineral ou creme de ureia após o banho e orientar para evitar exposição solar, a fim de minimizar esses efeitos.

Diante de quadros de farmacodermia leve até síndrome de Stevens-Johnson, dermatite esfoliativa ou eritrodermia provocados pela dapsona, deve-se interromper definitivamente o tratamento e encaminhar o paciente à unidade de referência ou para internação hospitalar.

Ao referenciar a pessoa em tratamento para outro serviço, deve-se enviar, por escrito, todas as informações disponíveis: quadro clínico, tratamento com poliquimioterapia, resultados de exames laboratoriais (baciloscopia e outros), número de doses tomadas, se apresentou episódios reacionais e de que tipo, se apresentou ou apresenta efeitos colaterais a algum medicamento, causa provável do quadro, entre outras.

Os esquemas terapêuticos substitutivos devem ser utilizados somente nos casos de intolerância grave ou contraindicação a um ou mais fármacos do esquema-padrão de poliquimioterapia. Eles são disponibilizados apenas nos serviços de referência municipais, regionais, estaduais ou nacionais.[7,20,21]

## Tratamento específico dos episódios reacionais

O diagnóstico oportuno e o tratamento adequado e precoce dos episódios reacionais constituem medidas importantes para a prevenção de incapacidades físicas. Os episódios reacionais devem ser abordados como situações de urgência, para evitar o dano neural permanente, que leva às incapacidades físicas responsáveis pela manutenção do estigma. Sendo assim, essas ocorrências devem ser encaminhadas aos serviços de referência para tratamento nas primeiras 24 horas. Em geral, o tratamento dos estados reacionais é ambulatorial e deve ser prescrito e supervisionado por médico.[7,20,21,23]

Nos episódios reacionais tipo 1 ou tipo 2, se o paciente ainda estiver sob poliquimioterapia, ela deve ser mantida caso o doente ainda esteja em tratamento específico; e, caso esteja de alta, não está indicada a reintrodução da poliquimioterapia.[7,20,21]

Nas situações em que há dificuldade de encaminhamento imediato, os seguintes procedimentos devem ser aplicados até a avaliação:[7,20,21]

→ orientar repouso do membro afetado em caso de suspeita de neurite;
→ iniciar prednisona na dose 1 mg/kg/dia, uma vez que corticoides podem ter efeito benéfico na neurite em longo prazo[38,39] **C/D**. Quando o doente for portador de hipertensão arterial sistêmica ou insuficiência cardíaca, pode-se utilizar a dexametasona na dosagem equivalente (0,15 mg/kg/dia). Nesses casos, devem-se tomar as seguintes precauções: garantia de acompanhamento médico, registro de peso, pressão arterial e glicemia de jejum, além dos tratamentos profiláticos para estrongiloidíase e osteoporose.[7,20,21]

A profilaxia para infecção por estrongiloides pode ser feita com ivermectina 200 μg/kg/dia, por 2 dias consecutivos[40] **B**, ou tiabendazol 50 mg/kg/dia, em 3 tomadas por 2 dias; ou 1,5 g em dose única.[7] Esses medicamentos apresentam eficácia semelhante, porém a ivermectina tem menos efeitos colaterais[40] **B**. A ivermectina é mais efetiva que o albendazol, mas se somente este estiver disponível, ele pode ser utilizado na dose de 400 mg/dia durante 3 a 5 dias consecutivos.[41] A profilaxia para osteoporose é feita com cálcio 1.000 mg/dia associado à vitamina D 600 a 800 UI/dia[42] **B** e/ou bisfosfonatos[43] **B** (alendronato 70 mg/semana, administrado com água, pela manhã, em jejum).

O acompanhamento dos indivíduos com reação deve ser realizado por profissionais com mais experiência ou por unidades de referência. Para o encaminhamento, deve ser utilizada a Ficha de Referência e Contrarreferência padronizada pela Secretaria Municipal de Saúde, contendo todas as informações necessárias, incluindo data do início do tratamento, esquema terapêutico, número de doses administradas e tempo de tratamento.[7,20,21]

O membro afetado deve ser imobilizado com tala gessada em caso de neurite associada. O monitoramento das funções neural, sensitiva e motora deve ser realizado sistematicamente por meio de inspeção da pele; palpação dos nervos, observando o espessamento e a presença de dor; mapeamento da sensibilidade; e avaliação da força muscular e da mobilidade articular. Ações de prevenção de incapacidades devem ser programadas.[7,20,21]

### Reação do tipo 1 ou reação reversa

Quando houver comprometimento de nervos, recomenda-se o uso de corticoides, mais comumente a prednisona na dose de 1 mg/kg/dia ou dexametasona 0,15 mg/kg/dia, conforme avaliação clínica, até a melhora acentuada do quadro reacional; a partir daí, a dosagem deve ser reduzida, de maneira gradual e lenta. É fundamental programar e realizar ações de prevenção de incapacidades[7,20,21,44] **C/D**.

Pacientes com neurites resistentes ao tratamento clínico podem beneficiar-se de cirurgia. Para melhora dos demais sintomas, quando não houver comprometimento neural, recomenda-se o uso de anti-inflamatórios não esteroides nos esquemas usuais.[7,20,21]

### Reação do tipo 2

A apresentação clínica é variada, mas a manifestação mais frequente é ENH, que pode ocorrer de modo insidioso, recidivante, podendo durar meses ou anos.[7,20,21,44]

A talidomida é o medicamento de primeira escolha, na dose de 100 a 400 mg/dia, conforme a intensidade do quadro,[45] mantendo-se a dose até a remissão clínica do quadro reacional[47,46] **B**. Está formalmente contraindicada em gestantes.

> Devido a seus conhecidos e graves efeitos teratogênicos, a talidomida somente pode ser prescrita para mulheres em idade fértil após avaliação médica, com exclusão de gravidez por meio de método sensível e mediante a comprovação da utilização de, no mínimo, dois métodos efetivos de contracepção, sendo pelo menos um método de barreira.[47,48]

Na impossibilidade do uso da talidomida, como em gestantes, pode-se usar prednisona na dose 1 mg/kg/dia ou dexametasona 0,15 mg/kg/dia **C/D**.[7,20,21,46] Além disso, os corticoides estão indicados nas seguintes situações: presença de lesões oculares reacionais com manifestações de hiperemia conjuntival com ou sem dor e embaçamento visual, acompanhadas ou não de manifestações cutâneas; edema inflamatório de mãos e pés (mãos e pés reacionais); glomerulonefrite; orquiepididimite; artrite; vasculites; eritema nodoso necrotizante; neurites; e reações tipo eritema polimorfo-símile ou síndrome de Sweet-símile.[7,49]

Em doentes com neurite associada, deve-se imobilizar o membro afetado e monitorar as funções neurais sensitiva e motora. A dose da talidomida e/ou do corticoide deve ser reduzida conforme resposta terapêutica. Quando houver associação de talidomida com corticoide, está indicado o uso de ácido acetilsalicílico 100 mg/dia como profilaxia para tromboembolismo **C/D**.[7,20,21,50] Deve-se, sempre, programar e realizar ações de prevenção de incapacidades.

A pentoxifilina pode ser uma opção quando a talidomida for contraindicada ou nos quadros com predomínio de vasculites **C/D**. Ela deve ser utilizada após a alimentação, na dose de 1.200 mg/dia, dividida em doses de 400 mg, de 8/8 horas, associada ao corticoide, pois seu benefício terapêutico na hanseníase necessita de doses cumulativas e inicia após 15 dias. Sugere-se iniciar com a dose de 400 mg/dia, com aumento de 400 mg a cada semana, por 3 semanas, para alcançar a dose máxima e minimizar os efeitos gastrintestinais. A redução da dose deve ser feita conforme resposta terapêutica, após pelo menos 30 dias de uso da dose plena, observando a regressão dos sinais e sintomas gerais e dermatoneurológicos. Anti-inflamatórios não hormonais também são úteis em reações leves.[7,20,21]

### Reação crônica ou subintrante

A reação subintrante é a reação intermitente, cujos surtos são tão frequentes que, antes de terminado um, surge outro. Os pacientes com essa condição respondem ao tratamento com corticoides e/ou talidomida, mas assim que a dose é reduzida ou retirada, a fase aguda recrudesce. Isso pode acontecer mesmo na ausência de doença ativa e perdurar por muitos anos após o tratamento da doença. Nesses casos, recomenda-se investigar fatores predisponentes, como parasitose intestinal, infecções concomitantes (incluindo infecção periodontal), distúrbios hormonais, estresse emocional, fatores metabólicos, diabetes descompensado, sinusopatia e contato com doente MB sem diagnóstico e tratamento.[7,20,21]

### Tratamento cirúrgico das neurites

Esse tratamento deve ser indicado quando o paciente não responde aos tratamentos clínicos para reduzir a compressão do nervo periférico por estruturas anatômicas constritivas próximas. No entanto, pode não ocorrer melhora sensitiva e/ou motora com o tratamento[51] **B**. O paciente deve ser encaminhado para avaliação em unidade de referência para descompressão neural cirúrgica, de acordo com as seguintes indicações:[7,20,21]

→ abscesso de nervo;
→ neurite que não responde ao tratamento clínico padronizado dentro de 4 semanas;
→ neurites subintrantes ou reentrantes;
→ neurite do nervo tibial, por ser geralmente silenciosa e nem sempre responder bem ao corticoide. A cirurgia, por atuar na descompressão do plexo neurovascular, pode auxiliar na prevenção e/ou cicatrização de úlceras plantares, por melhorar a vascularização;
→ neurite com outras comorbidades associadas que contraindicam o uso do corticoide, como glaucoma, diabetes, hipertensão.

## PREVENÇÃO E CONTROLE DA HANSENÍASE

> A hanseníase é doença de notificação compulsória em todo o território nacional e de investigação obrigatória. Ao diagnosticar um caso de hanseníase, o profissional deve preencher a Ficha de Notificação/Investigação do Sistema de Informação de Agravos de Notificação/Investigação (Sinan), importante para estudos e análises epidemiológicas, por parte do próprio serviço local, distrito, município, região, estado, país e da OMS, para propiciar o planejamento e a avaliação das ações de controle.[7,20,21]

O diagnóstico de hanseníase deve ser informado ao paciente de modo semelhante aos diagnósticos de outras doenças curáveis e, se causar impacto psicológico tanto em quem adoeceu como nos familiares ou pessoas de sua rede social, a equipe de saúde deve buscar uma abordagem apropriada da situação, de modo a favorecer a aceitação do problema, a superação das dificuldades e uma maior adesão aos tratamentos. Essa abordagem deve ser oferecida desde o momento do diagnóstico, bem como no decorrer do tratamento da doença e, se necessário, após a alta por cura.[7]

O diagnóstico, a classificação correta e a interpretação das inúmeras manifestações clínicas tornam-se indispensáveis para o tratamento e o controle da hanseníase. O diagnóstico tardio aumenta a chance de a doença se disseminar para a comunidade, além de propiciar maior risco de deformidades.[7,20,21]

As ações de controle de hanseníase fazem parte das diversas atividades a serem executadas pelas equipes de APS, incluindo as equipes da Estratégia Saúde da Família, ampliando, assim, o acesso do paciente ao diagnóstico e ao tratamento. Pacientes com intercorrências clínicas e/ou cirúrgicas, decorrentes ou não da hanseníase, devem ser encaminhados aos serviços de referência existentes no município, na região e no estado, de acordo com a necessidade do paciente.[7,20,21]

É fundamental que todos os profissionais de saúde, de todas as especialidades, reconheçam os sinais e sintomas iniciais da hanseníase, para propiciar o diagnóstico e o tratamento precoces e, quando necessário, o encaminhamento oportuno para a assistência nos serviços de referência, incluindo a reabilitação cirúrgica.[52]

A investigação epidemiológica tem como objetivo a descoberta de doentes, e é feita por meio de atendimento da demanda espontânea, busca ativa de casos novos e vigilância de contatos.[7,20,21]

O atendimento da demanda compreende o exame dermatoneurológico de pessoas suspeitas de hanseníase que procuram a unidade de saúde espontaneamente, exames de indivíduos com dermatoses e/ou neuropatias periféricas e assistência aos indivíduos encaminhados por meio de triagem.[7,20,21]

A finalidade da vigilância de contatos é a descoberta precoce de casos novos entre aqueles que convivem ou conviveram de forma prolongada com o doente. Assim, pode-se identificar suas possíveis fontes de infecção no domicílio ou fora dele, isto é, familiar ou social, independentemente da classificação operacional do doente, se paucibacilar (PB) ou multibacilar (MB).[7,20,21]

Contato domiciliar é toda e qualquer pessoa que resida ou tenha residido com o doente de hanseníase; e contato social é qualquer pessoa que conviva ou tenha convivido em relações familiares ou não, de forma próxima e prolongada. Os contatos sociais, que incluem vizinhos, colegas de trabalhos e de escola, entre outros, devem ser investigados de acordo com o grau e o tipo de convivência, ou seja, aqueles que tiveram contato muito próximo e prolongado com o paciente não tratado. Atenção especial deve ser dada aos contatos familiares do paciente, isto é, pais, irmãos, avós, tios, etc.[7,20,21]

Contatos familiares recentes ou antigos de pacientes MB e PB devem ser examinados, independentemente do tempo de convívio. Todos os contatos não doentes, quer sejam familiares ou sociais, devem ser avaliados anualmente, durante 5 anos. Após esse período, os contatos devem ser liberados da vigilância, com o devido esclarecimento quanto à possibilidade de aparecimento, no futuro, de sinais e sintomas sugestivos da hanseníase.[7,20,21]

A investigação epidemiológica de contatos consiste em:[7,20,21]

→ anamnese dirigida aos sinais e sintomas da hanseníase;
→ exame dermatoneurológico de todos os contatos domiciliares e sociais dos casos novos, independentemente da classificação operacional;
→ orientações sobre transmissão, período de incubação, sinais e sintomas da hanseníase e retorno ao serviço para exame dermatoneurológico, 1 ×/ano, por 5 anos, e sempre que necessário;
→ vacinação BCG (bacilo de Calmette-Guérin) para os contatos sem presença de sinais e sintomas de hanseníase no momento da avaliação, não importando se são contatos de casos PB ou MB.

A vacina BCG-ID é efetiva na prevenção da hanseníase, diminuindo o risco de contrair a doença.[55-59] Todo contato de hanseníase deve ser informado que a vacina BCG não é específica para hanseníase.[7,20,21]

A aplicação da vacina BCG depende da história vacinal. Contatos de hanseníase com idade < 1 ano, já vacinados, não necessitam da aplicação de outra dose de BCG; contatos com idade > 1 ano, já vacinados com a primeira dose, devem seguir as instruções da **TABELA 165.3**. Na incerteza de cicatriz vacinal, recomenda-se aplicar uma dose, independentemente da idade.[7,20,21]

As contraindicações para aplicação da vacina BCG são as mesmas referidas pelo Programa Nacional de Imunização (ver Capítulo Imunizações). É importante considerar a situação de risco dos contatos possivelmente expostos ao vírus da imunodeficiência humana (HIV, do inglês *human immunodeficiency virus*) e outras situações de imunodepressão, incluindo corticoterapia. Para indivíduos HIV-positivo, deve-se seguir as recomendações específicas para imunização com agentes biológicos vivos ou atenuados (ver Capítulo Imunizações).

Indivíduos em tratamento para tuberculose e/ou já tratados para essa doença não necessitam de vacinação BCG profilática para hanseníase.[7,20,21]

## PREVENÇÃO E TRATAMENTO DE INCAPACIDADES

A prevenção e o tratamento das incapacidades são parte integrante das ações de controle da hanseníase e devem ser realizadas por todos os profissionais de saúde, abordando os aspectos biopsicossociais e, sempre que possível, envolvendo o paciente, a família e a comunidade.[7,20,21] O objetivo da prevenção de incapacidades é evitar ou minimizar a ocorrência de danos físicos, emocionais e socioeconômicos, bem como proporcionar ao paciente, durante o tratamento e após a alta, a manutenção ou a melhora das condições observadas no momento do diagnóstico e por ocasião da alta. Em caso de danos já existentes, a prevenção significa adotar medidas que visam evitar complicações.

A principal forma de prevenir a instalação de deficiências e incapacidades físicas é o diagnóstico oportuno. A prevenção de deficiências (temporárias) e incapacidades (permanentes) não deve ser dissociada do tratamento poliquimioterápico. Essas ações devem fazer parte da rotina dos serviços de saúde e ser recomendadas para todos os doentes.

**TABELA 165.3** → Prescrição da vacina BCG (bacilo de Calmette-Guérin) para prevenção da hanseníase de acordo com a avaliação da cicatriz vacinal

| AVALIAÇÃO DA CICATRIZ VACINAL | CONDUTA |
| --- | --- |
| Sem cicatriz | Prescrever 1 dose |
| Com 1 cicatriz de BCG | Prescrever 1 dose |
| Com 2 cicatrizes de BCG | Não prescrever nenhuma dose |

Fonte: Brasil.[7,20,21]

As seguintes ações fazem parte da prevenção de incapacidades:[7,20,21]
→ educação em saúde;
→ diagnóstico precoce da doença e tratamento oportuno e regular com poliquimioterapia;
→ avaliação dos contatos e aplicação de BCG;
→ detecção precoce e tratamento adequado das reações e neurites;
→ realização de autocuidados, incluindo exercícios e utilização de adaptações para as atividades da vida diária;
→ apoio emocional e integração social na família, na escola, no trabalho e nos grupos sociais;
→ identificação das necessidades de reabilitação e encaminhamento oportuno.

É imprescindível avaliar a integridade da função neural e o grau de incapacidade física no momento do diagnóstico de hanseníase e do estado reacional, sendo recomendada a utilização do Formulário para Avaliação Neurológica Simplificada.[7,20,21]

Para determinar o grau de incapacidade física, deve-se realizar o teste de sensibilidade de olhos, mãos e pés. Recomenda-se utilizar o conjunto de monofilamentos de Semmes-Weinstein (seis monofilamentos: 0,05 g, 0,2 g, 2 g, 4 g, 10 g e 300 g) nos pontos de avaliação de sensibilidade para mãos e pés e do fio dental (sem sabor) para os olhos. Quando não houver disponibilidade de estesiômetro ou monofilamento lilás (2 g), deve-se fazer o teste de sensibilidade de mãos e pés com a ponta da caneta esferográfica. Considera-se grau 1 de incapacidade a ausência de resposta ao monofilamento igual ou mais pesado que o de 2 g (cor lilás) ou ausência de resposta ao toque da caneta.[7,20,21]

O Formulário para Avaliação do Grau de Incapacidade deve ser preenchido de acordo com os critérios do Ministério da Saúde e da OMS expressos na **TABELA 165.4**.

Para a prevenção de incapacidades, é fundamental a avaliação e o monitoramento da função neural com a seguinte frequência:[7,20,21]
→ no início do tratamento;
→ a cada 3 meses durante o tratamento, se não houver queixas;
→ sempre que houver queixas, como dor em trajeto de nervos, fraqueza muscular, início ou piora de queixas parestésicas;
→ no controle periódico de pacientes em uso de corticoides, em estados reacionais e neurites;
→ na alta do tratamento específico;
→ no acompanhamento pós-operatório de descompressão neural com 15, 45, 90 e 180 dias.

A prevenção e o tratamento das incapacidades físicas são realizados pelas unidades de saúde, mediante utilização de técnicas simples: educação em saúde, exercícios preventivos, adaptações de calçados, férulas, adaptações de instrumentos de trabalho e cuidados com os olhos. Os casos de incapacidade física que requerem técnicas complexas devem ser encaminhados aos serviços especializados ou serviços gerais de reabilitação.[7,20,21]

## Autocuidado apoiado

Autocuidados são procedimentos, técnicas e exercícios que o próprio paciente, devidamente apoiado, incentivado e capacitado, pode realizar de maneira regular no seu domicílio e em outros ambientes.[7,20,21] Os pacientes devem ser orientados a fazer a autoinspeção diária e, se necessário, estimulados a usar proteção, especialmente voltada para olhos, nariz, mãos e pés.[20,21]

A prevenção das incapacidades e deformidades decorrentes da hanseníase é realizada por meio de técnicas simples, que devem ser aplicadas e ensinadas nas UBSs durante o acompanhamento do paciente e após a alta. Detalhes sobre o conjunto de procedimentos que o paciente deve ser orientado a realizar regularmente estão disponíveis em materiais do Ministério da Saúde.[20,21,53]

## Reabilitação

A reabilitação de pessoas com hanseníase e/ou suas sequelas não é um processo simples. Seu objetivo é corrigir e/ou compensar danos físicos, emocionais, espirituais e socioeconômicos, considerando a capacidade e a necessidade de cada indivíduo, adaptando-a à sua realidade.[7,20,21]

O paciente com incapacidade instalada, apresentando mão em garra, pé caído, lagoftalmo, madarose superciliar, desabamento da pirâmide nasal, queda do lóbulo da orelha ou atrofia cutânea da face, deve ser encaminhado para avaliação e indicação de cirurgia de reabilitação em centros de atenção especializada hospitalar, de acordo com os seguintes critérios: ter completado o tratamento de poliquimioterapia e não ter apresentado estados inflamatórios reacionais e/ou uso de medicamentos antirreacionais há pelo menos 1 ano.[7,20,21]

**TABELA 165.4** → Critérios para avaliação e classificação do grau de incapacidade física

| GRAU | CARACTERÍSTICAS |
|---|---|
| 0 | **Olhos:** força muscular das pálpebras e sensibilidade da córnea preservadas; conta dedos a 6 metros ou acuidade visual ≥ 0,1 ou 6:60<br>**Mãos:** força muscular das mãos preservada e sensibilidade palmar; sente o monofilamento de 2 g (lilás) ou o toque da ponta da caneta esferográfica<br>**Pés:** força muscular dos pés preservada e sensibilidade plantar; sente o monofilamento de 2 g (lilás) ou o toque da ponta da caneta esferográfica |
| 1 | **Olhos:** diminuição da força muscular das pálpebras sem deficiências visíveis e/ou diminuição ou perda da sensibilidade da córnea; resposta demorada ou ausente ao toque do fio dental ou diminuição/ausência do piscar<br>**Mãos:** diminuição da força muscular das mãos sem deficiências visíveis e/ou alteração da sensibilidade palmar; não sente o monofilamento de 2 g (lilás) ou o toque da ponta da caneta esferográfica<br>**Pés:** diminuição da força muscular dos pés sem deficiências visíveis e/ou alteração da sensibilidade plantar; não sente o monofilamento de 2 g (lilás) ou o toque da ponta da caneta esferográfica |
| 2 | **Olhos:** deficiência(s) visível(is) causada(s) pela hanseníase, como lagoftalmo; ectrópio; entrópio; triquíase; opacidade corneana central; iridociclite e/ou não conta dedos a 6 metros ou acuidade visual < 0,1 ou 6:60, excluídas outras causas<br>**Mãos:** deficiência(s) visível(is) causada(s) pela hanseníase, como garras, reabsorção óssea, atrofia muscular, mão caída, contratura, feridas<br>**Pés:** deficiência(s) visível(is) causada(s) pela hanseníase, como garras, reabsorção óssea, atrofia muscular, pé caído, contratura, feridas |

Fonte: Coordenação-Geral de Hanseníase e Doenças em Eliminação – CGHDE/DEVIT/SVS/MS.[7,20,21]

## EDUCAÇÃO EM SAÚDE

As ações de educação em saúde são fundamentais para a divulgação das informações sobre hanseníase dirigidas às equipes de saúde, aos casos suspeitos e doentes, aos contatos de casos-índices, aos líderes da comunidade e ao público em geral.[20]

As práticas de educação em saúde visam prioritariamente: incentivar a demanda espontânea de doentes e contatos nos serviços de saúde para exame dermatoneurológico; eliminar falsos conceitos relativos à hanseníase; informar quanto aos sinais e sintomas da doença e importância do tratamento oportuno; adoção de medidas de prevenção de incapacidades; estimular a regularidade do tratamento do doente e a realização do exame de contatos; informar os locais de tratamento; e orientar o paciente quanto às medidas de autocuidado.[20]

As três esferas de governo devem trabalhar em parceria com as demais instituições e entidades da sociedade civil para a divulgação de informações atualizadas sobre a hanseníase e atenção integral à pessoa com hanseníase e/ou suas sequelas. Atenção especial deve ser dada ao desenvolvimento de ações educativas sobre hanseníase voltadas à população geral.[20]

## REFERÊNCIAS

1. Araújo MG. Hanseníase no Brasil. Rev Soc Bras Med Trop. 2003;36(3):373–82.
2. Britton WJ, Lockwood DNJ. Leprosy. Lancet. 2004;363(9416):1209–19.
3. Nery JS, Ramond A, Pescarini JM, Alves A, Strina A, Ichihara MY, et al. Socioeconomic determinants of leprosy new case detection in the 100 Million Brazilian Cohort: a population-based linkage study. Lancet Glob Health. 2019;7(9):e1226–36.
4. Ferreira MAA. Evolução das taxas de detecção de casos de hanseníase em menores de 15 anos no estado de Minas Gerais de 2001 a 2010 [Tese (Doutorado em Ciências da Saúde)]. [Belo Horizonte]: Universidade Federal de Minas Gerais; 2012.
5. World Health Organization. Global leprosy (Hansen disease) update, 2019: time to step-up prevention initiatives. Wkly Epidemiol Rec. 2020;95(36):417–40.
6. Brasil. Ministério da Saúde. Hanseníase: 2020. Bol epidemiol. 2020;(especial):1–51.
7. Brasil. Ministério da Saúde. Guia de vigilância em saúde. 3. ed. Brasília: MS; 2019.
8. Araujo S, Freitas LO, Goulart LR, Goulart IMB. Molecular evidence for the aerial route of infection of mycobacterium leprae and the role of asymptomatic carriers in the persistence of leprosy. Clin Infect Dis. 2016;63(11):1412–20.
9. Pinheiro RO, Schmitz V, Silva BJ de A, Dias AA, de Souza BJ, de Mattos Barbosa MG, et al. Innate immune responses in leprosy. Front Immunol. 2018;9:518.
10. Sica A, Erreni M, Allavena P, Porta C. Macrophage polarization in pathology. Cell Mol Life Sci. 2015;72(21):4111–26.
11. Rodrigues RW de P, Ribeiro AB, Berber G de CM, Sheng L, Damazo AS, Rodrigues RW de P, et al. Analysis of clinical data and T helper 1/T helper 2 responses in patients with different clinical forms of leprosy. Rev Soc Bras Med Trop. 2017;50(2):208–15.
12. Gaschignard J, Grant AV, Thuc NV, Orlova M, Cobat A, Huong NT, et al. Pauci- and multibacillary leprosy: two distinct, genetically neglected diseases. PLoS Negl Trop Dis. 2016;10(5):e0004345.
13. Balamayooran G, Pena M, Sharma R, Truman RW. The armadillo as an animal model and reservoir host for Mycobacterium leprae. Clin Dermatol. 2015;33(1):108–15.
14. Houweling TAJ, Karim-Kos HE, Kulik MC, Stolk WA, Haagsma JA, Lenk EJ, et al. Socioeconomic inequalities in neglected tropical diseases: a systematic review. PLoS Negl Trop Dis. 2016;10(5):e0004546.
15. Pescarini JM, Strina A, Nery JS, Skalinski LM, Andrade KVF de, Penna MLF, et al. Socioeconomic risk markers of leprosy in high--burden countries: a systematic review and meta-analysis. PLoS Negl Trop Dis. 2018;12(7):e0006622.
16. Silva MB da, Portela JM, Li W, Jackson M, Gonzalez-Juarrero M, Hidalgo AS, et al. Evidence of zoonotic leprosy in Pará, Brazilian Amazon, and risks associated with human contact or consumption of armadillos. PLoS Negl Trop Dis. 2018;12(6):e0006532.
17. Oliveira ALG de, Chaves AT, Menezes CAS, Guimarães NS, Bueno LL, Fujiwara RT, et al. Vitamin D receptor expression and hepcidin levels in the protection or severity of leprosy: a systematic review. Microbes Infect. 2017;19(6):311–22.
18. Araújo TG, Oliveira GP, de Matos Oliveira F, Neves AF, Soares Mota ST, Goulart IMB, et al. A novel vitamin D receptor polymorphism associated with leprosy. J Dermatol Sci. 2018;89(3):304–7.
19. Barbieri RR, Manta FSN, Moreira SJM, Sales AM, Nery JAC, Nascimento LPR, et al. Quantitative polymerase chain reaction in paucibacillary leprosy diagnosis: a follow-up study. PLoS Negl Trop Dis. 2019;13(3):e0007147.
20. Brasil. Ministério da Saúde. Secretaria de Vigilância em Saúde. Departamento de Vigilância das Doenças Transmissíveis. Diretrizes para vigilância, atenção e eliminação da hanseníase como problema de saúde pública : manual técnico-operacional. Brasília: MS; 2016.
21. Brasil. Ministério da Saúde. Secretaria de Vigilância em Saúde. Departamento de Vigilância das Doenças Transmissíveis. Guia prático sobre a hanseníase. Brasília: Ministério da Saúde; 2017.
22. Lyon S, Lyon-Moreira H. Marcadores biológicos na hanseníase. In: Lyon S, Grossi MA de F, organizadores. Hanseníase. Rio de Janeiro: MedBook; 2013. p. 49–56.
23. Brasil. Ministério da Saúde. Secretaria de VigilâncIa em Saúde. Departamento de Vigilância Epidemiológica. Guia de procedimentos técnicos: baciloscopia em hanseníase. Brasília: MS; 2010.
24. Ridley DS, Jopling WH. A classification of leprosy for research purposes. Lepr Rev. 1962;33(2):119–28.
25. Lyon-Moreira H, Pedrosa MS. Histopatologia da hanseníase. In: Lyon S, Grossi MA de F, organizadores. Hanseníase. Rio de Janeiro: MedBook; 2013. p. 95–103.
26. Duthie MS, Balagon MF, Maghanoy A, Orcullo FM, Cang M, Dias RF, et al. Rapid quantitative serological test for detection of infection with Mycobacterium leprae, the causative agent of leprosy. J Clin Microbiol. 2014;52(2):613–9.
27. Amorim FM, Nobre ML, Ferreira LC, Nascimento LS, Miranda AM, Monteiro GRG, et al. Identifying leprosy and those at risk of developing leprosy by detection of antibodies against LID-1 and LID-NDO. PLoS Negl Trop Dis. 2016;10(9):e0004934.
28. Lobato J, Costa MP, Reis EDM, Gonçalves MA, Spencer JS, Brennan PJ, et al. Comparison of three immunological tests for leprosy diagnosis and detection of subclinical infection. Lepr Rev. 2011;82(4):389–401.
29. Leturiondo AL, Noronha AB, do Nascimento MOO, Ferreira C de O, Rodrigues F da C, Moraes MO, et al. Performance of serological tests PGL1 and NDO-LID in the diagnosis of leprosy in a reference Center in Brazil. BMC Infect Dis. 2019;19(1):22.
30. Grossi MA de F, Leboeuf MAA, Andrade ARC de, Lyon S, Antunes CM de F, Bührer-Sékula S. A influência do teste sorológico ML Flow na classificação da hanseníase. Rev Soc Bras Med Trop. 2008;41:34–8.
31. Bührer-Sékula S. Sorologia PGL-I na hanseníase. Rev Soc Bras Med Trop. 2008;41:3–5.
32. Bührer-Sékula S, Visschedijk J, Grossi MAF, Dhakal KP, Namadi AU, Klatser PR, et al. The ML flow test as a point of care test for

leprosy control programmes: potential effects on classification of leprosy patients. Lepr Rev. 2007;78(1):70–9.
33. Gobierno de España, Asociacion Interanacional de la Lepra. Memoria del VI Congreso Internacional de Leprología. Madrid; 1953.
34. Ridley DS, Jopling WH. Classification of leprosy according to immunity. a five-group system. Int J Lepr Other Mycobact Dis. 1966;34(3):255–73.
35. Lyon S. Classificação e formas clínicas da hanseníase. In: Lyon S, Grossi MA de F, organizadores. Hanseníase. Rio de Janeiro: MedBook; 2013. p. 57–66.
36. Organização Mundial da Saúde. Diretrizes para o diagnóstico, tratamento e prevenção da hanseníase. Nova Deli: OMS; 2018.
37. Brasil. Ministério da Saúde. Departamento de Doenças de Condições Crônicas e Infecções Sexualmente Transmissíveis. Nota técnica nº 4/2020-cgde/.dcci/svs/ms [Internet]. Brasília: MS; 2020 [capturado em 11 maio. 2021]. Disponível em: http://www.aids.gov.br/pt-br/legislacao/nota-tecnica-no-42020-cgdedccisvsms.
38. Van Veen NHJ, Nicholls PG, Smith WCS, Richardus JH. Corticosteroids for treating nerve damage in leprosy. Cochrane Database Syst Rev. 2016;(5):CD005491.
39. Rao PSSS, Sugamaran DST, Richard J, Smith WCS. Multi-centre, double blind, randomized trial of three steroid regimens in the treatment of type-1 reactions in leprosy. Lepr Rev. 2006;77(1):25–33.
40. Bisoffi Z, Buonfrate D, Angheben A, Boscolo M, Anselmi M, Marocco S, et al. Randomized clinical trial on ivermectin versus thiabendazole for the treatment of strongyloidiasis. PLoS Negl Trop Dis. 2011;5(7):e1254.
41. Suputtamongkol Y, Premasathian N, Bhumimuang K, Waywa D, Nilganuwong S, Karuphong E, et al. Efficacy and safety of single and double doses of ivermectin versus 7-day high dose albendazole for chronic strongyloidiasis. PLoS Negl Trop Dis. 2011;5(5):e1044.
42. Tu KN, Lie JD, Wan CKV, Cameron M, Austel AG, Nguyen JK, et al. Osteoporosis: a review of treatment options. P T. 2018;43(2):92–104.
43. Allen CS, Yeung JH, Vandermeer B, Homik J. Bisphosphonates for steroid-induced osteoporosis. Cochrane Database Syst Rev. 2016;10:CD001347.
44. Brasil. Ministério da Saúde. Secretaria de Vigilância em Saúde. Departamento de Vigilância Epidemiológica. Orientações para uso: corticoides em hanseníase. Brasília: MS; 2010.
45. Guerra JG, Penna GO, Castro LCM de, Martelli CMT, Stefani MMA. Eritema nodoso hansênico: atualização clínica e terapêutica. An bras dermatol. 2002;77(4):389–407.
46. Van Veen NHJ, Lockwood DNJ, van Brakel WH, Ramirez J, Richardus JH. Interventions for erythema nodosum leprosum. Cochrane Database Syst Rev. 2009;(3):CD006949.
47. Brasil. Ministério da Saúde. Agência Nacional de Vigilância Sanitária. Resolução nº 11, de 22 de março de 2011 [Internet]. Brasília: MS; 2011 [capturado em 11 maio. 2021]. Disponível em: http://bvsms.saude.gov.br/bvs/saudelegis/anvisa/2011/res0011_21_03_2011.html.
48. Brasil. Presidência da República. Lei nº 10.651, de 16 de abril de 2003 [Internet]. Brasília: MS; 2003 [capturado em 11 maio. 2021]. Disponível em: http://www.planalto.gov.br/ccivil_03/Leis/2003/L10.651.htm.
49. Lyon DT, Lyon-Freire F. Manifestações oftalmológicas na hanseníase. In: Lyon S, Grossi MA de F, organizadores. Hanseníase. Rio de Janeiro: MedBook; 2013. p. 183–9.
50. Pôrto LAB, Grossi MA de F, de Alecrim ES, Xavier MH de SB, Paiva E Silva F, Pires AS, et al. Deep venous thrombosis in patients with erythema nodosum leprosum in the use of thalidomide and systemic corticosteroid in reference service in Belo Horizonte, Minas Gerais. Case Rep Dermatol Med. 2019;2019:8181507.
51. Van Veen NHJ, Schreuders TAR, Theuvenet WJ, Agrawal A, Richardus JH. Decompressive surgery for treating nerve damage in leprosy. Cochrane Database Syst Rev. 2012;12:CD006983.
52. Grossi MAF. Hanseníase. In: Lyon S, Lyon de Moura AC, Grossi MAF, Silva RC, organizadores. Dermatologia tropical. Rio de Janeiro: Medbook; 2015. p. 57–87.
53. Brasil. Ministério da Saúde. Secretaria de Vigilância Epidemiológica. Manual de prevenção de incapacidades. Brasília: MS; 2008.

# LEITURAS RECOMENDADAS

Brasil. Ministério da Saúde. Secretaria de Vigilância em Saúde. Autocuidado em hanseníase: face, mãos e pés (usuários). Brasília: MS; 2010.
*Orientações de autocuidado para pessoas com hanseníase e/ou suas sequelas.*

Brasil. Ministério da Saúde. Secretaria de Vigilância em Saúde. Departamento de Vigilância Epidemiológica. Orientações para uso: corticoides em hanseníase. Brasília: MS; 2010.
*Orientações práticas para uso adequado de corticoides em pessoas com hanseníase.*

Brasil. Ministério da Saúde. Secretaria de Vigilância em Saúde. Eu me cuido e vivo melhor (usuários). Brasília: MS; 2009.
*Cartilha destinada a usuários para monitoramento das práticas individuais de autocuidados para pessoas com hanseníase e/ou suas sequelas.*

Brasil. Ministério da Saúde. Secretaria de Vigilância em Saúde. Guia de apoio para grupos de autocuidado em hanseníase. Brasília: MS; 2010.
*Guia com orientações práticas para a formação de grupos de autocuidado para pessoas com hanseníase e/ou suas sequelas.*

Brasil. Ministério da Saúde. Secretaria de Vigilância em Saúde. Manual: o que os agentes comunitários podem fazer para controlar a hanseníase? Brasília: MS; 2009.
*Manual prático para agentes comunitários de saúde.*

Brasil. Ministério da Saúde. Secretaria de Vigilância em Saúde. Manual de condutas para tratamento de úlceras em hanseníase e diabetes. Brasília: MS; 2008.
*Manual prático para tratamento de feridas em pessoas com hanseníase e diabetes.*

Brasil. Ministério da Saúde. Secretaria de Vigilância em Saúde. Manual de prevenção de incapacidades. Brasília: MS; 2008.
*Manual de prevenção de incapacidades em hanseníase.*

# Capítulo 166
# LEPTOSPIROSE

Fernando Suassuna

Igor Thiago Queiroz

Alexandre Estevam Montenegro Diniz

Leptospirose é uma antropozoonose, ou seja, doença infecciosa que acomete animais e que acidentalmente infecta o homem. É de distribuição geográfica universal, sendo mais prevalente nos países em desenvolvimento, principalmente naqueles de clima tropical e subtropical. É considerada a antropozoonose mais frequente do mundo. No Brasil, ocorrem cerca de 3 mil a 5 mil casos por ano, com uma taxa de letalidade variando entre 7 e 10%.[1-4] A doença é subnotificada, em especial as formas anictéricas, pois são facilmente confundidas com dengue e *influenza*.

A leptospirose é uma doença reemergente em países desenvolvidos, mas comporta-se como endêmica nos países em desenvolvimento. Está amplamente relacionada com as condições socioeconômicas da população e com as condições climáticas, além da exposição ocupacional, como na agricultura ou na prática de esportes aquáticos em coleções naturais.[1] A doença tem evolução aguda no homem e crônica na maioria dos animais.[1]

## ETIOLOGIA E CICLO DE VIDA

O agente etiológico da leptospirose humana pertence ao gênero *Leptospira*, grupo taxonômico da família Leptospiraceae da ordem Spirochaetales. Historicamente, divide-se em duas espécies, *L. interrogans* e *L. biflexa*, sendo patogênica e não patogênica, respectivamente. Os espiroquetas possuem forma espiralada com corpo celular bastante delgado, o que impede a sua visualização por métodos comuns de coloração. Por isso, esses agentes devem ser observados em microscopia de campo escuro ou nos tecidos com impregnação por prata. A leptospira possui dois flagelos periplásmicos que permitem o seu movimento ativo por ocasião da penetração no hospedeiro.[2] Tem um envoltório celular com dupla membrana plasmática, sendo a interna revestida por uma espessa camada de peptidoglicano (característica de agente gram-positivo) e a externa, por várias moléculas de lipopolissacarídeos (LPSs) (característica de agente gram-negativo).[4] Apresenta sensibilidade às penicilinas e não produz betalactamases.

A diferença entre as leptospiras e os demais espiroquetas está na disposição terminal de seu corpo, em formato de gancho. Na superfície da membrana externa, verifica-se a presença de várias pequenas moléculas de LPSs, de grande importância epidemiológica (sorotipagem) e clínica (endotoxinas ou bacterianas)[5]. As leptospiras apresentam grande variabilidade genética, o que lhes permite adaptação a uma grande diversidade de ambientes e hospedeiros, dividindo o espaço do meio abiótico com os túbulos renais dos vertebrados. É dentro deste último ambiente que se desenvolve a sua adaptação à vida parasitária.

Tanto as leptospiras patogênicas como as saprófitas podem viver e multiplicar-se nos túbulos renais de vertebrados tetrápodes, sobretudo os mamíferos, embora somente as patogênicas atravessem as barreiras imunológicas da resposta inata de seus hospedeiros e produzam doença. A grande diversidade de antígenos nas leptospiras e de receptores celulares nos diversos hospedeiros permite a expressão de um grande número de fenótipos da doença, desde formas totalmente assintomáticas até as de evolução fatal.[6]

Atualmente, são identificados mais de 300 sorotipos (sorovares) de *L. interrogans*, com diferentes frações de carboidrato do LPS. Com base em uma hibridização DNA-DNA, uma classificação genômica da *Leptospira* separou duas diferentes espécies em 22 genoespécies distintas, sendo 10 patogênicas, 5 potencialmente patogênicas (intermediárias) e 7 saprófitas.[7] Estas são reunidas em 23 sorogrupos, utilizados para o diagnóstico etiológico da doença. *Leptospira interrogans*, sorovares *Icterohaemorrhagiae* e *Copenhageni*, são responsáveis pelas formas mais graves em humanos (TABELA 166.1).

Os roedores são os principais hospedeiros da bactéria. São portadores assintomáticos, que disseminam a bactéria pela urina durante toda a sua vida. Entre os animais domésticos e de criação, os de maior importância epidemiológica são o cão, o boi e o porco. O gado bovino é a segunda fonte de infecção mais importante na propagação das leptospiras ao meio abiótico em ambiente rural. Mesmo com a vacinação dos rebanhos, esses animais continuam a eliminar bactérias pela urina.[8]

A transmissão ocorre pelo contato direto do parasita com a pele lesada ou com a mucosa. As fontes de infecção são água doce alcalina (lama), lixo e tecidos animais.[1]

A infecção humana subclínica é muito frequente, tendo sido encontrados elevados títulos de anticorpos aglutinantes em populações de zonas endêmicas. A doença é mais comum em adultos do sexo masculino, provavelmente devido à maior exposição ocupacional desse gênero e faixa etária. As crianças são pouco afetadas e apresentam curso da doença mais benigno.[9,10] A doença não está relacionada com raças ou etnias. Como as mulheres se expõem menos do que os homens, a leptospirose na gestação é muito rara. Mesmo assim, a doença pode ser transmitida verticalmente via placenta e, com menor frequência, pelo leite materno. A mortalidade intraútero é maior que 50%, devido a aborto precoce ou morte fetal.

## PATOGENIA

A leptospira exerce os seus efeitos patogênicos por meio de três mecanismos: capacidade de multiplicação no meio extracelular; poder de fixação à superfície das células do hospedeiro (adesinas); e liberação de endotoxinas (Lp3) com padrão semelhante às infecções graves por gram-negativos. Os dois últimos mecanismos são característicos das cepas patogênicas.

A barreira mecânica da pele e das mucosas é o primeiro mecanismo de defesa contra a infecção. As leptospiras penetram pela pele lesada e/ou mucosa íntegra. A suscetibilidade à doença depende não apenas da resposta imune inata

**TABELA 166.1** → Principais espécies de *Leptospira* classificadas por técnica de homologia genética

| PATOGÊNICA | INTERMEDIÁRIA | SAPRÓFITA |
| --- | --- | --- |
| *L. interrogans* | *L. licerasiae* | *L. biflexa* |
| *L. kirschneri* | *L. wolffii* | *L. wolbachii* |
| *L. noguchii* | *L. fainei* | *L. vanthielii* |
| *L. santarosai* | *L. inadai* | *L. yanagawae* |
| *L. weilii* | *L. broomii* | *L. meyeri* |
| *L. borgpetersenii* | | *L. terpstrae* |
| *L. alexanderi* | | *L. idonii* |
| *L. alstonii* | | |
| *L. kmetyi* | | |
| *L. mayottensis* | | |

(fagocitose e complemento), mas sobretudo da imunidade mediada por anticorpos (IgM [imunoglobulina M] e IgG [imunoglobulina G]), que ocorre a partir da 2ª semana, eliminando as bactérias do sangue. Apesar da resposta imune específica, questiona-se a imunidade conferida pela doença a novas infecções.

> A leptospirose pode ser considerada uma doença bifásica, com uma fase septicêmica e uma fase imune. O período de incubação médio é de 5 a 14 dias, mas pode variar de 1 a 30 dias.[11]

Após penetrar, invadir e multiplicar-se no tegumento do hospedeiro, o poder cinético e inflamatório da bactéria inicia um processo inflamatório local e sistêmico, que propicia o acesso do invasor à circulação sanguínea, dando início ao período septicêmico da doença. A fase septicêmica é provocada principalmente pela ação das toxinas (adesinas e endotelinas) sobre o endotélio capilar, resultando em capilarite sistêmica (pancapilarite), responsável pela maioria das manifestações clínicas dessa fase (febre, cefaleia, mialgia e hiperemia conjuntival). Nas formas graves com envolvimento pulmonar, pode haver alterações na coagulação e na fibrinólise, agravando o prognóstico.

A fase imune inicia na 2ª semana após o aparecimento dos sinais e sintomas e evolui para a localização dos efeitos da doença para órgãos-alvo: fígado, rins, pulmões, meninges, músculos estriados e pâncreas. No fígado, ocorre discreta inflamação com edema intersticial; nas formas graves, associa-se à colestase centrolobular, responsável pela icterícia rubínica (hiperbilirrubinemia com capilarite conjuntival).[12] As alterações das aminotransferases (alanina-aminotransferase [ALT] e aspartato-aminotransferase [AST]) são discretas, em geral não ultrapassando 100 UI/L. Por haver necrose em musculatura esquelética, a creatinofosfoquinase (CPK) está aumentada, e a AST se encontra mais elevada do que a ALT nesses casos.

A colestase determina alteração na atividade protrombínica; junto com a plaquetopenia e a capilarite, são responsáveis pelas hemorragias sistêmicas observadas, principalmente em conjuntivas, pulmões, miocárdio e rins. Têm sido encontrados graves distúrbios da coagulação nas formas graves da doença, com ativação da coagulação e da fibrinólise e diminuição dos fatores anticoagulantes. Apesar de as alterações do tempo e da atividade protrombínica ocorrerem nas formas graves, não há relação direta dessas alterações com o prognóstico da doença. A ocorrência de coagulação intravascular disseminada, apesar de contestada, foi observada em 22% dos pacientes com forma hemorrágica pulmonar em um estudo realizado na Indonésia.[13]

O comprometimento renal é marcado por edema tubulointersticial, com alterações morfológicas em toda a extensão do néfron, mais pronunciadas nos túbulos contorcidos proximais. Nesse local, que é o hábitat da bactéria em todos os seus hospedeiros, ocorrem as alterações funcionais da leptospirose. A função da porção distal do túbulo é preservada. As alterações glomerulares são basicamente inflamatórias, com repercussão clínica mínima.[14,15] Desse modo, a hipovolemia, o edema intersticial (túbulo proximal) e a desidratação provocam insuficiência renal poliúrica hipocalêmica, devido a alterações no transporte de água e de sódio, podendo evoluir para necrose tubular aguda com insuficiência renal aguda oligúrica, com danos irreversíveis para o parênquima renal se não for corrigida em tempo hábil. Ocorrem perdas urinárias importantes de sódio, potássio e magnésio, sendo este último o responsável pela astenia observada na convalescência.[12] Os níveis de ureia e creatinina podem estar acima do esperado para o quadro clínico do paciente.

A capilarite e os distúrbios da coagulação nos pulmões determinam edema e hemorragia nas formas graves, principal causa de óbito na doença. Ocorre mais raramente comprometimento miocárdico, pancreático e ocular, sendo este último de aparecimento tardio, sob a forma de uveíte anterior bilateral.

A imunidade inata é a principal responsável pelas alterações fisiopatológicas da leptospirose. O papel do complemento e da coagulação no processo é evidente, estando a capilarite mais presente do que a vasculite.

A FIGURA 166.1 resume a patogenia da leptospirose, desde a penetração da leptospira, até a fase imune, passando pela fase septicêmica.

## QUADRO CLÍNICO

A leptospirose pode ser anictérica (autolimitada) ou ictérica (grave), embora algumas formas graves com comprometimento pulmonar possam cursar sem icterícia. As formas anictéricas podem apresentar-se sob as formas gripal e meníngea. As formas hepatorrenal e íctero-hemorrágica cursam com icterícia, hemorragia (pulmonar) e insuficiência renal.

### Formas autolimitadas – anictéricas

A forma gripal é a apresentação clínica mais comum entre as formas anictéricas de leptospirose. Seu diagnóstico é mais frequente durante surtos epidêmicos, pois os casos isolados em áreas endêmicas são facilmente confundidos com dengue ou *influenza* e, portanto, subnotificados. O início é súbito, com febre alta, calafrios, cefaleia, mialgia, anorexia e hiperemia conjuntival. É frequente a associação com sintomas digestivos como náuseas e vômitos. Pode surgir exantema macular, maculopapular ou petequial na 2ª semana de doença, mas é raro em nosso meio.[16] Podem ocorrer também diarreia, artralgia, dor ocular e tosse.

Ao exame físico, o paciente pode estar desidratado, com hiperemia conjuntival e temperatura corporal elevada. Em epidemias na área rural, tem-se observado a presença de hipotensão, principal motivo que leva os doentes a procurarem o serviço de saúde.[17] A semiologia cardiopulmonar é pobre, e no abdome pode haver discreta hepatomegalia, assim como esplenomegalia e linfadenopatia. A presença de sufusão hemorrágica na conjuntiva (dilatação dos vasos conjuntivais sem exsudato purulento) é bastante característica da doença, no entanto ocorre em apenas cerca de 30% dos casos.[6] A dor nas panturrilhas, espontânea ou durante a palpação, é um achado relevante para o diagnóstico. A segunda fase da forma gripal da leptospirose (fase imune) é frequentemente assintomática e costuma durar 3 a 7 dias.[18]

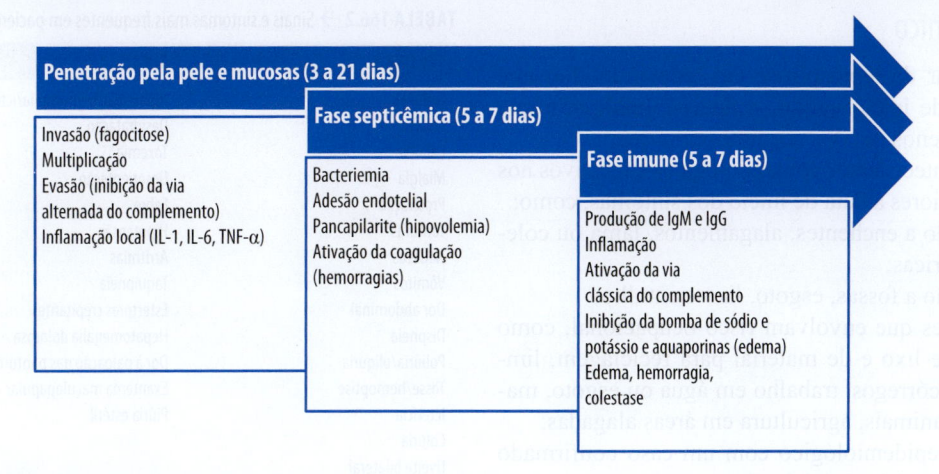

```
┌─────────────────────────────────────────────────────────────┐
│ Penetração pela pele e mucosas (3 a 21 dias)                │
│  ┌──────────────────────────────────────────────────────┐   │
│  │ Invasão (fagocitose)   Fase septicêmica (5 a 7 dias) │   │
│  │ Multiplicação   ┌─────────────────────────────────┐  │   │
│  │ Evasão (inibição da via  │ Bacteriemia   Fase imune (5 a 7 dias) │
│  │ alternada do complemento)│ Adesão endotelial ┌──────────────┐
│  │ Inflamação local (IL-1, IL-6, TNF-α) │ Pancapilarite (hipovolemia) │ Produção de IgM e IgG
│  │                          │ Ativação da coagulação │ Inflamação
│  │                          │ (hemorragias)        │ Ativação da via
│  │                          │                      │ clássica do complemento
│  │                          │                      │ Inibição da bomba de sódio e
│  │                          │                      │ potássio e aquaporinas (edema)
│  │                          │                      │ Edema, hemorragia,
│  │                          │                      │ colestase
└─────────────────────────────────────────────────────────────┘
```

**FIGURA 166.1** → Patogenia da leptospirose.
IgG, imunoglobulina G; IgM, imunoglobulina M; IL, interleucina; TNF, fator de necrose tumoral.

A cefaleia é um sintoma frequente em todas as formas clínicas da leptospirose, sendo descrita geralmente como latejante, bitemporal, associada com fotofobia e dor retro-orbitária.[6] Em uma minoria de pacientes com a forma anictérica benigna da doença, ocorre uma forma de meningite asséptica, mais arrastada do que as de etiologia viral, que evolui, na 2ª semana da doença, com o agravamento da dor de cabeça e o aparecimento de vômitos "em jato". Em geral, a leptospirose é associada à intensa mialgia, principalmente em região lombar e nas panturrilhas. Entretanto, nenhum desses sinais clínicos da fase precoce é suficientemente sensível ou específico para diferenciá-la de outras causas de febre aguda.[11]

Podem aparecer leucocitose e neutrofilia com desvio à esquerda após o 3º dia de doença, e a análise do líquido cerebrospinal (LCS) pode apresentar hipercitose moderada (< 500 células), com predomínio de linfócitos, uma leve hiperproteinorraquia (50-100) e glicose normal.[18] A análise do LCS na 1ª semana da doença revela alteração de celularidade com predomínio de polimorfonucleares.

Na forma anictérica, há comprometimento renal assintomático, embora os níveis de ureia e creatinina possam estar elevados e o exame de urina se encontre bastante alterado, notadamente na análise do sedimento. Além da proteinúria, observa-se presença de leucocitúria, hematúria e cilindrúria com predominância dos cilindros hialinos.[19] Isso decorre do fato de o túbulo contorcido proximal do rim ser o hábitat favorito das leptospiras nos seus hospedeiros, local onde podem viver e multiplicar-se por muito tempo, provocando lesões subclínicas.

## Formas graves

Em aproximadamente 15% dos pacientes com leptospirose, ocorre evolução para manifestações clínicas graves. Na maioria dos doentes, os quadros clínicos das formas graves pulmonar e hepatorrenal se sobrepõem, com evolução muito grave, caracterizada por comprometimento hepático, renal, pulmonar e hemorrágico, levando frequentemente ao óbito.[11,20,21]

**A forma clássica da leptospirose grave é a síndrome de Weil, caracterizada pela tríade icterícia, insuficiência renal e hemorragias, geralmente pulmonar. Nos pacientes que desenvolvem hemorragia pulmonar, a letalidade pode ser maior que 50%.[18]**

O início do quadro é súbito, com febre alta, cefaleia holocraniana intensa, mialgia generalizada, mais concentrada em membros inferiores, e hiperemia conjuntival. Segue-se a poliúria, que caracteriza a insuficiência pré-renal por lesão tubular endotóxica. A icterícia geralmente aparece entre o 3º e o 7º dia da doença, sendo considerada um sinal característico e apresentando uma tonalidade alaranjada muito intensa (icterícia rubínica). A icterícia também é um preditor de pior prognóstico. Contudo, as manifestações graves da leptospirose, como hemorragia pulmonar e insuficiência renal, podem ocorrer em pacientes anictéricos. O comprometimento pulmonar da leptospirose se apresenta com tosse seca, dispneia, expectoração hemoptoica e, ocasionalmente, dor torácica e cianose. A hemoptise pode ser súbita e indica quadro grave, podendo levar ao óbito. A desidratação resultante pode atingir intensidade máxima, sobrevindo os sinais de comprometimento hemodinâmico, como hipotensão e choque. Se não houver hidratação generosa, o paciente pode desenvolver necrose tubular aguda oligúrica, que contribui para o edema e a hemorragia pulmonar.[31] Também pode haver dor abdominal intensa, devendo-se afastar a possibilidade de pancreatite. A gravidade do quadro esconde, muitas vezes, uma miocardite aguda com sinais e sintomas de arritmias, devido à injúria vascular provocada por lesões segmentares nas paredes dos vasos. Nesses casos, o prognóstico também costuma ser desfavorável.[12,22]

## DIAGNÓSTICO

**O diagnóstico da leptospirose é baseado sobretudo em critérios clínicos, uma vez que ainda não há um marcador microbiológico ou sorológico ideal. Assim, anamnese e exame físico adequados, associados a exames complementares corretamente solicitados e interpretados, podem sustentar o diagnóstico clínico em até 85% dos casos.[23]**

## Diagnóstico clínico

Deve-se suspeitar de leptospirose em todo indivíduo que apresente febre de início agudo, cefaleia e mialgia, e que apresente pelo menos um dos seguintes critérios:[11,18]

→ **critério 1:** antecedentes epidemiológicos sugestivos nos 30 dias anteriores à data de início dos sintomas, como:
   → exposição a enchentes, alagamentos, lama ou coleções hídricas;
   → exposição a fossas, esgoto, lixo e entulho;
   → atividades que envolvam risco ocupacional, como coleta de lixo e de material para reciclagem, limpeza de córregos, trabalho em água ou esgoto, manejo de animais, agricultura em áreas alagadas;
   → vínculo epidemiológico com um caso confirmado por critério laboratorial;
   → residência ou local de trabalho em área de risco para leptospirose;
→ **critério 2:** presença de pelo menos um dos seguintes sinais ou sintomas:
   → sufusão conjuntival;
   → sinais de insuficiência renal aguda (incluindo alterações no volume urinário);
   → icterícia (e/ou aumento de bilirrubinas);
   → fenômeno hemorrágico.

Deve-se suspeitar de leptospirose em todo paciente que apresentar quadro febril agudo (temperatura > 37,8 °C) com menos de 15 dias de duração com um dos seguintes sintomas maiores: cefaleia, mialgia ou prostração; e com pelo menos um dos sinais: hiperemia ou hemorragia conjuntival, piúria estéril, oligúria, icterícia, hemorragias ou dor à compressão das panturrilhas[24,25] **(FIGURA 166.2)**. A **TABELA 166.2** lista os sinais e sintomas mais frequentes na leptospirose.[19,26]

## Diagnóstico laboratorial

Em relação aos exames complementares de maior relevância para o diagnóstico de leptospirose, as alterações mais frequentes estão no exame de urina e de sedimento.

**TABELA 166.2** → Sinais e sintomas mais frequentes em pacientes com leptospirose

| SINTOMAS | SINAIS |
|---|---|
| Febre alta | Hiperemia/hemorragia/icterícia rubínica |
| Calafrio | Desidratação |
| Cefaleia | Toxemia |
| Mialgia | Desorientação |
| Prostração | Febre |
| Tonturas | Hipotensão |
| Náuseas | Arritmias |
| Vômitos | Taquipneia |
| Dor abdominal | Estertores crepitantes |
| Dispneia | Hepatomegalia dolorosa |
| Poliúria/oligúria | Dor à palpação das panturrilhas |
| Tosse/hemoptise | Exantema maculopapular |
| Icterícia | Piúria estéril |
| Colúria | |
| Uveíte bilateral | |

Fonte: Suassuna e colaboradores[19] e Toyokawa e colaboradores.[26]

Em mais de 70% dos casos, observa-se a presença de hematúria e proteinúria, além do aumento de leucócitos e da presença de cilindros hialinos, resultado da lesão tubular. Alguns autores chamam essa condição de piúria estéril, devido ao fato de as uroculturas serem negativas.[19,27] Hemograma completo, provas de função hepática e renal e radiografia de pulmão, nos casos anictéricos, são importantes para o acompanhamento da evolução da doença. A **TABELA 166.3** mostra as principais alterações nos exames laboratoriais de pacientes com as formas anictéricas e ictéricas da leptospirose.

Um dos procedimentos de rotina utilizados na avaliação clínica de pacientes com leptospirose é a avaliação do comprometimento pulmonar por meio de exames de imagem. O estudo radiológico do tórax mostra desde infiltrados intersticiais bilaterais, mais localizados nos lobos inferiores, até imagens de consolidação pulmonar decorrente da hemorragia pulmonar.

O diagnóstico etiológico da leptospirose se baseia na identificação do agente etiológico por meio de culturas (sangue, LCS, urina, líquido peritoneal), pesquisa de seus antígenos e dosagem de anticorpos específicos. Na fase

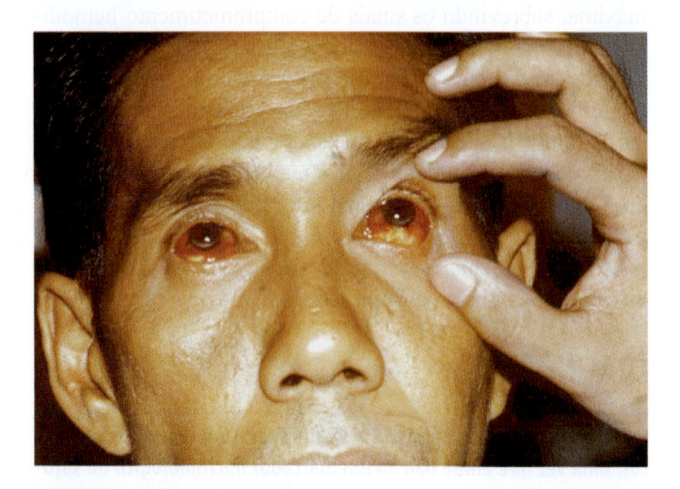

**FIGURA 166.2** → Icterícia rubínica e hemorragia conjuntival em paciente com leptospirose íctero-hemorrágica.
Fonte: Arquivos do Hospital Giselda Trigueiro – Natal, Rio Grande do Norte.

**TABELA 166.3** → Principais achados nos exames complementares de pacientes com as formas anictérica e ictérica da leptospirose

| EXAMES | FORMAS ANICTÉRICAS | FORMAS ICTÉRICAS |
|---|---|---|
| Hemograma | Normal | Leucocitose/plaquetopenia |
| EAS | Alterado (piúria estéril) | Alterado (piúria estéril) |
| Proteína C-reativa | Elevada | Elevada |
| Ureia | Normal ou elevada | Elevada |
| Creatinina | Normal ou elevada | Elevada |
| Bilirrubinas | Normais | Elevadas (BD/BI > 3) |
| ALT e AST | Pouco elevadas (< 100) | Elevadas (< 300) |
| TAP | Normal | Aumentado/diminuído |
| Amilase | Normal | Elevada |

ALT, alanina-aminotransferase; AST, aspartato-aminotransferase; BD, bilirrubina direta; BI, bilirrubina indireta; EAS, sumário de urina com sedimentoscopia; TAP, tempo e atividade protrombínica.

septicêmica, é relativamente fácil obter hemoculturas positivas, mas os meios de observação (campo escuro, imunofluorescência) e cultivo (meios especiais de resultados tardios) dificultam a utilização desses métodos na prática médica. É nessa fase que o diagnóstico permite a instituição precoce do tratamento, com resultados efetivos.

Métodos moleculares de reação em cadeia da polimerase foram desenvolvidos para identificar o DNA da bactéria, com destaque para a reação em cadeia da polimerase em tempo real para o diagnóstico precoce. O exame mostrou elevadas especificidade e sensibilidade, ainda que com percentual significativo de falsos-negativos.[28] No entanto, o seu custo torna proibitiva a sua utilização em saúde pública, principalmente nos países em desenvolvimento, onde a leptospirose é endêmica.

O diagnóstico etiológico da leptospirose depende, portanto, da pesquisa de anticorpos a partir da 2ª semana, que coincide com a fase imunológica da doença, evoluindo para cura ou localização visceral nas formas graves.

O teste padrão-ouro é a reação de microaglutinação específica (MAT), que possui elevada especificidade (quanto mais tardiamente for realizada), com menor sensibilidade (se realizada na 1ª semana de sintomas).[7] Esse exame tem a vantagem de identificar os sorovares implicados (diferenciando as cepas patogênicas das saprófitas) e a titulação do anticorpo (diagnóstico da doença). As desvantagens incluem ocorrência de reações cruzadas com vários sorovares e positividade a partir do final da 2ª semana, além de somente ser realizado em laboratórios de referência, pois depende de culturas de leptospiras já sorotipadas. A positividade para o diagnóstico em áreas endêmicas e não endêmicas é, respectivamente, de 1 a cada 200 e 1 a cada 100, mas recomenda-se examinar soros pareados, com no mínimo 2 semanas de diferença, devendo haver ascensão de títulos ≥ 4 diluições. Um único soro com título ≥ 1 a cada 800 fecha o diagnóstico.

O exame sorológico mais utilizado na prática para o diagnóstico da leptospirose é o ensaio imunoenzimático (Elisa) para a pesquisa de anticorpos IgM, que se torna positivo a partir do início da 2ª semana de doença. Tem baixa especificidade, porque utiliza, como antígenos, LPSs de cepas saprófagas que são encontradas na maioria das cepas patogênicas (mas não em todas). Também apresenta baixa sensibilidade, o que levou ao desenvolvimento de uma nova técnica utilizando proteínas recombinantes como a p32, de grande afinidade por anticorpos e presente tanto na fase aguda como na convalescente.[29]

Alguns serviços ainda utilizam o teste de macroaglutinação (sMAT) como teste confirmatório para os casos clinicamente suspeitos. Tem baixa especificidade e sensibilidade, e não é mais considerado um teste-padrão para o diagnóstico.

> O diagnóstico etiológico da leptospirose pode ser confirmado por meio de cultura ou RT-PCR positivos em amostras de sangue, LCS ou urina; ou pela positividade do Elisa-IgM ou, ainda, pela positividade do MAT (soro único > 1/800 ou soros pareados com aumento em quatro vezes do título de anticorpos no intervalo de 15 dias).

A **FIGURA 166.3** apresenta a correlação clinicolaboratorial da leptospirose em suas duas fases: septicêmica e imune.

## Diagnóstico diferencial

O diagnóstico diferencial da leptospirose deve ser realizado de acordo com a apresentação clínica da doença. A **TABELA 166.4** mostra as principais doenças que devem ser consideradas.

> O principal diagnóstico diferencial da leptospirose anictérica deve ser feito com a dengue.

Na dengue, o início do quadro pode ser idêntico ao da leptospirose, em especial nos dois primeiros dias da doença, com exceção da hiperemia conjuntival na leptospirose.[6] A partir do 3º dia, surgem, na dengue, as manifestações gastrintestinais e/ou o exantema maculopapular intensamente pruriginoso. Na leptospirose, o exantema,

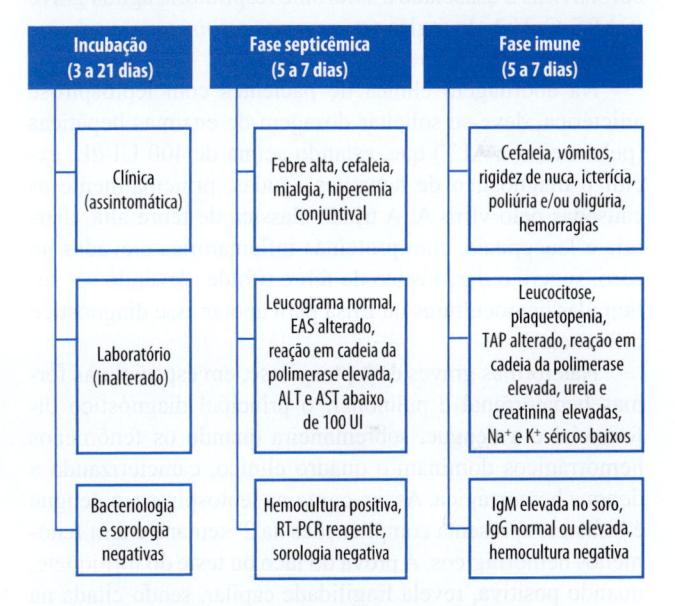

| Incubação (3 a 21 dias) | Fase septicêmica (5 a 7 dias) | Fase imune (5 a 7 dias) |
|---|---|---|
| Clínica (assintomática) | Febre alta, cefaleia, mialgia, hiperemia conjuntival | Cefaleia, vômitos, rigidez de nuca, icterícia, poliúria e/ou oligúria, hemorragias |
| Laboratório (inalterado) | Leucograma normal, EAS alterado, reação em cadeia da polimerase elevada, ALT e AST abaixo de 100 UI | Leucocitose, plaquetopenia, TAP alterado, reação em cadeia da polimerase elevada, ureia e creatinina elevadas, Na+ e K+ séricos baixos |
| Bacteriologia e sorologia negativas | Hemocultura positiva, RT-PCR reagente, sorologia negativa | IgM elevada no soro, IgG normal ou elevada, hemocultura negativa |

**FIGURA 166.3** → Correlação clinicolaboratorial da leptospirose humana.
ALT, alanina-aminotransferase; AST, aspartato-aminotransferase; EAS, sumário de urina com sedimentoscopia; IgG, imunoglobulina G; IgM, imunoglobulina M; RT-PCR, teste rápido de reação em cadeia da polimerase; TAP, tempo e atividade protrombínica.

**TABELA 166.4** → Principais doenças que devem ser lembradas no diagnóstico diferencial da leptospirose, de acordo com a forma clínica da doença

| FORMA ANICTÉRICA | FORMA ICTÉRICA |
|---|---|
| Dengue | Febre hemorrágica da dengue |
| Influenza | Hepatite aguda fulminante |
| Hepatite viral (anictérica) | Febre amarela |
| Malária (*Plasmodium vivax*) | Sepse por bactérias gram-negativas |
| Febre tifoide | Malária (*Plasmodium falciparum*) |
| Hantavírus (síndrome cardiopulmonar)* | Hantavírus (síndrome hepatorrenal)[†] |
| Riquetsiose (em inglês, *scrub thyphus*)[‡] | |
| Covid-19 | |

\* Forma grave.
[†] Rara no Brasil.
[‡] Não existe no Brasil.

além de ocorrer raramente, não é pruriginoso e se manifesta na 2ª semana de doença. O hemograma mostra leucopenia acentuada na dengue e, em geral, não se altera ou apresenta leucocitose nessa forma clínica da leptospirose. O aumento do hematócrito e a plaquetopenia são típicos da dengue; na leptospirose, podem ocorrer nas formas graves. Plaquetas < 100.000 representam fator de risco para sangramento e estão associadas a pior prognóstico na leptospirose. Uma revisão sistemática mostrou que os principais marcadores inflamatórios presentes na leptospirose e ausentes nas viroses não complicadas são a proteína C-reativa e a pró-calcitonina.[30]

No que se refere à *influenza* (gripe), deve-se pesquisar sempre a presença de sintomas congestivos e inflamatórios de vias aéreas superiores nos primeiros dias de doença. Leucopenia auxilia a excluir o diagnóstico de leptospirose. Em relação à Covid-19, a presença da tosse seca, dispneia, anosmia e ageusia são sintomas que sugerem infecção pelo coronavírus 2 associado à síndrome respiratória aguda grave (SARS-CoV-2, do inglês *severe acute respiratory syndrome coronavirus 2*).

Na abordagem clínica de pacientes com leptospirose anictérica, deve-se solicitar dosagem de enzimas hepáticas (pelo menos a ALT) que, estando acima de 400 UI/dL, exclui o diagnóstico de hepatites agudas, principalmente as causadas pelo vírus A. A tríade clássica de febre alta, diarreia e leucopenia, com proteínas inflamatórias elevadas no soro, sugere o diagnóstico de febre tifoide, devendo ser solicitadas hemoculturas ou Elisa para apoiar esse diagnóstico diferencial.

Nas formas graves de leptospirose, em especial nas formas hepatorrenal e pulmonar, o principal diagnóstico diferencial é a dengue, sobremaneira quando os fenômenos hemorrágicos dominam o quadro clínico, caracterizando a dengue hemorrágica. Assim como na leptospirose, a dengue é bifásica, apresenta complicações na 2ª semana e tem fenômenos hemorrágicos. A prova do laço ou teste do torniquete, quando positiva, revela fragilidade capilar, sendo citada na literatura como tendo valor no diagnóstico diferencial em favor da dengue.[31] Na leptospirose, ocorre leucocitose com neutrofilia, elevação dos níveis de ureia e creatinina e diminuição de sódio, potássio e magnésio. Nessa condição clínica, a proteína C-reativa e a contagem de plaquetas não têm valor como critério diferencial. Hepatite fulminante, febre amarela e hantavírus têm padrões clinicopatológicos de uma síndrome de insuficiência hepática aguda, que podem evoluir para insuficiência renal, dificultando o diagnóstico diferencial com a leptospirose.

## TRATAMENTO

O tratamento da leptospirose consiste no uso de antimicrobiano e instituição de medidas de suporte.

### Tratamento antimicrobiano

A leptospirose é uma doença bacteriana aguda, autolimitada e que se resolve espontaneamente, na maioria das vezes, sem o uso de antimicrobianos. As leptospiras são sensíveis *in vitro* à grande maioria dos antimicrobianos, sejam betalactâmicos, macrolídeos ou tetraciclinas, apresentando praticamente a mesma eficácia *in vivo*.[21]

Mesmo com impacto incerto sobre a mortalidade, recomenda-se o uso de antibióticos na 1ª semana da doença, de preferência até o 5º dia, por via oral (VO), durante 7 dias, pois reduzem o tempo de doença em cerca de 2 dias **C/D**.[32] A escolha terapêutica é determinada por disponibilidade, facilidade posológica, custo e perfil de efeitos colaterais. Há controvérsias, entretanto, quanto ao tratamento das formas tardias de evolução grave que chegam ao hospital já na 2ª semana, embora a maioria dos serviços de doenças infecciosas do País utilizem antibióticos nessas condições.

Na fase precoce da leptospirose, podem ser utilizadas doxiciclina ou amoxicilina. A doxiciclina é administrada na dose habitual de 100 mg, 12/12 horas, por 5 a 7 dias **B**.[33] Suas limitações estão relacionadas com as toxicidades gástrica e hepática, além das restrições ao seu uso em crianças com idade < 8 anos e em gestantes. A amoxicilina é utilizada na dose de 500 mg, 8/8 horas, por 5 a 7 dias em adultos, ou 50 mg/kg/dia, 8/8 horas, por 5 a 7 dias em crianças **B**.[32] Esse deve ser o esquema preferido em gestantes e em crianças pequenas. Em pacientes alérgicos aos betalactâmicos e intolerantes às tetraciclinas, deve ser utilizado um macrolídeo: azitromicina 500 mg/dia por 3 dias em adultos, e 10 mg/kg/dia no 1º dia (máximo: 500 mg/dia), seguido de 5 mg/kg/dia por 2 dias (máximo: 250 mg/dia) em crianças **B**.[18,33]

O tratamento antimicrobiano das formas graves deve ser instituído o mais precocemente possível, sempre por via intravenosa (IV), com um tempo de tratamento que deve durar de 7 a 10 dias. A preferência é para os betalactâmicos, sendo sugeridos penicilina G cristalina 1,5 milhão de unidades, IV, 6/6 horas **C/D**, ou ampicilina 1 g, IV, 6/6 horas **C/D**, ou ceftriaxona 1 g, IV, 24/24 horas **B**,[34] ou cefotaxima 1 g, IV, 6/6 horas **C/D**,[18] ou alternativamente azitromicina 500 mg, IV, 24/24 horas **C/D**. A TABELA 166.5 mostra as principais opções e posologias para o tratamento de adultos com leptospirose.

### Medidas de suporte

A terapia de suporte deve incluir medidas para manutenção dos sinais vitais e da volemia do paciente, mediante balanço hídrico rigoroso, com risco de poder precipitar um edema pulmonar que, juntamente com a hemorragia, constituem as principais causas de óbito nessa doença. É contraindicada a utilização de diuréticos (agravam a hipopotassemia) e da dopamina (induz arritmia). Distúrbios hidreletrolíticos e acidobásicos devem ser corrigidos e, se houver alteração

**TABELA 166.5** → Opções terapêuticas para o tratamento da leptospirose em adultos

| ANTIMICROBIANO | FORMAS AMBULATORIAIS (5-7 DIAS, VO) | FORMAS HOSPITALARES (7-10 DIAS, IV) |
|---|---|---|
| Primeira opção | Doxiciclina (100 mg, 12/12 horas) | Penicilina G cristalina (1,5 milhão de unidades, 6/6 horas) |
| Segunda opção | Amoxicilina (500 mg, 8/8 horas) | Ceftriaxona (1 g/dia) |

IV, intravenoso; VO, via oral.

importante da atividade protrombínica, vitamina K deve ser administrada C/D.

No caso de insuficiência renal aguda não oligúrica, deve ser realizada diálise de imediato, pois a diálise precoce melhora a sobrevida do doente C/D.[35] Ademais, a hemodiálise está indicada em estados hipercatabólicos com acentuada hipercalemia. Outros métodos dialíticos como a hemofiltração podem ser utilizados nas formas graves com comprometimento pulmonar. A insuficiência respiratória aguda devido ao edema e à hemorragia pulmonar deve ser tratada com oxigênio e ventilação mecânica, quando necessário.

As formas graves de leptospirose, com elevada mortalidade, têm levado à utilização de várias intervenções imunomoduladoras, como o uso de imunoglobulina IV e corticoides. As poucas publicações sobre o assunto atestam bons resultados com a utilização da metilprednisolona ou dexametasona em bólus durante 3 dias (1 g, IV), seguido de prednisona 1 mg/kg/dia, VO, durante 7 dias C/D.[36] Em um estudo, a mortalidade foi de 18% nos pacientes que receberam metilprednisolona contra 62% no grupo que não recebeu corticoide.[37] Apesar dos resultados apresentados, ainda não existe evidência suficiente para sustentar essa medida.

O controle das hemorragias está relacionado com os fatores de coagulação, com a utilização de transfusões de plasma fresco, de acordo com a monitoração das provas hemostáticas.

**Os pacientes com icterícia, sinais de insuficiência respiratória ou renal e hemorragias devem ser encaminhados para hospital e internados em unidade de terapia intensiva.**

## NOTIFICAÇÃO

A leptospirose é uma doença de notificação compulsória no Brasil. Tanto a ocorrência de casos suspeitos isolados como a de surtos devem ser notificadas, o mais rapidamente possível, para que seja possível iniciar ações de vigilância epidemiológica e controle.[11]

## PROGNÓSTICO

Embora a leptospirose seja uma doença autolimitada, a mortalidade é elevada nas formas graves, como na síndrome de Weil, com letalidade variando entre 5 e 40%, e na síndrome pulmonar hemorrágica, com letalidade ultrapassando os 50%.

Os fatores preditores de mortalidade são idade > 40 anos, oligúria, insuficiência respiratória, hemorragia pulmonar, plaquetas < 70.000, creatinina > 3 mg/dL, arritmia cardíaca e alteração do estado mental.[15,38] O acompanhamento de pacientes acometidos tem mostrado que as funções hepática e renal retornam ao nível basal dentro de 1 e 6 meses, respectivamente, enquanto o comprometimento ocular (uveíte bilateral) pode persistir por meses ou anos.

## PREVENÇÃO

As principais medidas disponíveis para prevenção da leptospirose estão ligadas ao controle dos reservatórios, com foco nos animais domésticos ou de criação, e à consequente diminuição de contaminação ambiental, levando à redução do número de casos humanos de leptospirose. As medidas incluem controle dos roedores urbanos e silvestres (antirratização e desratização); segregação e tratamento de animais infectados; cuidados com a higiene animal; armazenamento apropriado de alimentos em locais inacessíveis aos roedores; cuidados com terrenos baldios e em fase de construção; e coleta, condicionamento e destino adequado do lixo, principal fonte de alimento para roedores. É importante salientar que animais infectados ou vacinados persistem eliminando as leptospiras na urina por muito tempo.

Em relação às vias de transmissão, devem-se considerar cuidados com a água para consumo direto (cloração); limpeza de reservatórios domésticos de água; cuidados com os alimentos, principalmente nas enchentes, evitando-se o contato com a água e o desassoreamento, limpeza e canalização de córregos, além da conservação permanente de galerias pluviais e de esgotos.

Quanto às medidas ligadas aos indivíduos sob risco de infecção, devem-se considerar medidas de proteção individual para trabalhadores em risco (uso de botas e luvas); diminuição do risco de exposição de ferimentos às águas/lama de enchentes ou outra situação de risco; imunização de animais domésticos (cães, bovinos e suínos); e quimioprofilaxia com doxiciclina semanalmente C/D.[39] No entanto, devido à falta de evidências científicas sobre os riscos e benefícios da quimioprofilaxia, o Ministério da Saúde do Brasil não indica a sua utilização como medida de prevenção em saúde pública em casos de exposição populacional em massa, como em enchentes.[11,18]

Não existe vacina contra a leptospirose humana disponível no Brasil, embora em países como Cuba e China sejam utilizadas vacinas para grupos de alto risco, com eficácia variável.

Animais domésticos e de produção (cães, bovinos e suínos) podem ser vacinados para evitar adoecimento e transmissão da doença pelos sorovares cobertos pela vacina, que está disponível em serviços particulares. Vale como estratégia de proteção individual, ficando a critério do proprietário vacinar ou não o animal.[40]

## REFERÊNCIAS

1. Centers for Disease Control and Prevention. Leptospirosis [Internet]. Atlanta: CDC; c2020 [capturado em 16 mar. 2020]. Disponível em: https://www.cdc.gov/leptospirosis/index.html
2. Fraga TR, Barbosa AS, Isaac L. Leptospirosis: aspects of innate immunity, immunopathogenesis and immune evasion from the complement system. Scand J Immunol. 2011;73(5):408-19.
3. Brasil. Ministério da Saúde. Óbitos por Leptospirose. Brasil, Regiões e Unidades Federadas (residência). 2007 – 2019 [Internet]. Brasília: MS; 2020 [capturado em 16 mar. 2020]. Disponível em:

https://portalarquivos2.saude.gov.br/images/pdf/2020/fevereiro/07/ubli-lepto-2007-2019.pdf

4. Brasil. Ministério da Saúde. Casos confirmados de Leptospirose. Brasil, Regiões e Unidades Federadas (residência). 2007 – 2019[Internet]. Brasília: MS; 2020 [capturado em 13 mar. 2020]. Disponível em: https://portalarquivos2.saude.gov.br/images/pdf/2020/fevereiro/07/casos-conf-lepto-2007-2019.pdf.

5. Cameron CE. Leptospiral structure, physiology, and metabolism. Curr Top Microbiol Immunol. 2015;387:21-41.

6. Haake DA, Levett PN. Leptospirosis in humans. Curr Top Microbiol Immunol. 2015;387:65-97.

7. Marquez A, Djelouadji Z, Lattard V, Kodjo A. Overview of laboratory methods to diagnose Leptospirosis and to identify and to type leptospires. Int Microbiol 2017;20(4):184-193.

8. Schelotto F, Hernández E, González S, Del Monte A, Ifran S, Flores K, et al. A ten- year follow-up of human leptospirosis in Uruguay: an unresolved health problem. único Inst Med Trop São Paulo. 2012;54(2):69-7

9. Tullu MS, Karande S. Leptospirosis in children: a review for family physicians. Indian J Med Sci. 2009;63(8):368-7

10. Spichler A, Athanazio DA, Vilaça P, Seguro A, Vinetz J, Leake JAD. Comparative analysis of severe pediatric and adult leptospirosis in São Paulo, Brazil. Am J Trop Med Hyg. 2012;86(2):306-

11. Brasil. Ministério da Saúde. Secretaria de Vigilância em Saúde. Coordenação-Geral de Desenvolvimento da Epidemiologia em Serviços. Guia de Vigilância em Saúde: volume único [Internet]. 3. ed. Brasília: MS; 2019 [capturado em 21 out. 2020]. Disponível em: https://portalarquivos2.saude.gov.br/images/pdf/2019/junho/25/guia-vigilancia-saude-voluúnicoico-3ed.pdf

12. De Brito T, Silva AMGD, Abreu PAE. Pathology and pathogenesis of human leptospirosis: a commented review. Rev. Inst. Med. trop. S. Paulo. 2018;60:e2

13. Wagenaar JFP, Goris MGA, Partiningrum DL, Isbandrio B, Hartskeerl RA, Brandjes DPM, et al. Coagulation disorders in patients with severe leptospirosis are associated with severe bleeding and mortality. Trop Med Int Health. 2010;15(2):152-9.

14. Araujo ER, Seguro AC, Spichler A, Magaldi AJ, Volpini RA, De Brito T. Acute kidney injury in human leptospirosis: an immunohistochemical study with pathophysiological correlation. Virchows Arch. 2010;456(4):367-7

15. Brito T, Abidukader RCRM. Leptospirose. In: Brasileiro Filho G. Bogliolo patologia. 8. ed. Rio de Janeiro: Guanabara Koogan; 2011. p. 1425-9.

16. Damasco PV, Menezes VM, Friedrich AW. Leptospirose. In: Tavares W, Marinho LA, editores. Rotinas de Diagnóstico e Tratamento das Doenças Infecciosas e Parasitárias. 4. ed. São Paulo: Atheneu; 2015. p. 753-6

17. Brasil. Ministério da Saúde. Investigação de surto de leptospirose em Várzea Alegre-CE. Bol Epidemiol. 2008;8(20):1-4.

18. Brasil. Ministério da Saúde. Secretaria de Vigilância em Saúde. Departamento de Vigilância das Doenças Transmissíveis. Leptospirose: diagnóstico e manejo clínico [Internet]. Brasília: MS; 2014 [capturado em 21 out. 2020]. Disponível em: http://bvsms.saude.gov.br/bublicaçõesoes/leptospirose-diagnostico-manejo-clinico2.pd

19. Suassuna F, Tavares SC, Paiva AS, Oliveira MSM. Surto epidêmico de leptospirose em plantadores de arroz na região oeste do estado do Rio Grande do Norte de março a junho de 1985. Rev Soc Bras Med Trop. 1986;19:116.

20. Pereira da Silva JJ. Leptospirose. In: Tavares W, Marinho LAC. Rotinas de diagnóstico e tratamento das doenças infecciosas e parasitárias. 2. ed. São Paulo: Atheneu; 2007. p. 672-9.

21. Ferreira MS. Leptospirose. In: Lopes AC. Tratado de clínica médica. 2. ed. São Paulo: Roca; 2009. p. 3907-14.

22. Dassanayake DLB, Wimalaratna H, Nandadewa D, Nugaliyadda A, Ratnatunga CN, Agampodi SB. Predictors of the development of myocarditis or acute renal failure in patients with leptospirosis: an observational study. BMC Infect Dis. 2012;12:4.

23. Suputtamongkol Y, Pongtavornpinyo W, Lubell Y, Suttinont C, Hoontrakul S, Phimda K, et al. Strategies for diagnosis and treatment of suspected leptospirosis: a cost-benefit analysis. PLoS Negl Trop Dis. 2010;4(2):e610.

24. Albuquerque APL Filho, Araújo JG de, Souza IQ de, Martins LC, Oliveira MI de, Silva MJB da, et al. Validation of a case definition for leptospirosis diagnosis in patients with acute severe febrile disease admitted in reference hospitals at the State of Pernambuco, Brazil. Rev Soc Bras Med Trop. 2011;44(6):735-9.

25. Agampodi SB, Nugegoda DB, Thevanesam V. Determinants of leptospirosis in Sri Lanka: study protocol. BMC Infect Dis. 2010;10:332.

26. Toyokawa T, Ohnishi M, Koizumi N. Diagnosis of acute leptospirosis. Expert Rev Anti Infect Ther. 2011;9(1):111-21.

27. Yang H-Y, Hsu P-Y, Pan M-J, Wu M-S, Lee C-H, Yu C-C, et al. Clinical distinction and evaluation of leptospirosis in Taiwan: a case-control study. J Nephrol. 2005;18(1):45-53.

28. Thaipadungpanit J, Chierakul W, Wuthiekanun V, Limmathurotsakul D, Amornchai P, Boonslip S, et al. Diagnostic accuracy of real-time PCR assays targeting 16S rRNA and lipL32 genes for human leptospirosis in Thailand: a case-control study. PLoS ONE. 2011;6(1):e16236.

29. Chalayon P, Chanket P, Boonchawalit T, Chattanadee S, Srimanote P, Kalambaheti T. Leptospirosis serodiagnosis by ELISA based on recombinant outer membrane protein. Trans R Soc Trop Med Hyg. 2011;105(5):289-97.

30. Van den Bruel A, Thompson MJ, Haj-Hassan T, Stevens R, Moll H, Lakhanpaul M, et al. Diagnostic value of laboratory tests in identifying serious infections in febrile children: systematic review. BMJ. 2011;342:d3082.

31. Gregory CJ, Lorenzi OD, Colón L, García AS, Santiago LM, Rivera RC, et al. Utility of the tourniquet test and the white blood cell count to differentiate dengue among acute febrile illnesses in the emergency room. PLoS Negl Trop Dis. 2011;5(12):e140

32. Brett-Major DM, Coldren R. Antibiotics for leptospirosis. Cochrane Database Syst Rev. 2012;2:CD008264.

33. Phimda K, Hoontrakul S, Suttinont C, Chareonwat S, Losuwanaluk K, Chueasuwanchai S, et al. Doxycycline versus azithromycin for treatment of leptospirosis and scrub typhus. Antimicrob Agents Chemother. 2007;51(9):3259-6

34. Daher Ede F, Soares DS, de Menezes Fernandes AT, Girão MM, Sidrim PR, et al. Risk factors for intensive care unit admission in patients with severe leptospirosis: a comparative study according to patie'ts' severity. BMC Infect Dis. 2016;16:40

35. Andrade L, Cleto S, Seguro AC. Door-to-dialysis time and daily hemodialysis in patients with leptospirosis: impact on mortality. Clin J Am Soc Nephrol. 2007;2(4):739-44

36. Rodrigo C, Lakshitha de Silva N, Goonaratne R, Samarasekara K, Wijesinghe I, Parththipan B, et al. High dose corticosteroids in severe leptospirosis: a systematic review. Trans R Soc Trop Med Hyg. 2014;108(12):743-50.

37. Niwattayakul K, Kaewtasi S, Chueasuwanchai S, Hoontrakul S, Chareonwat S, Suttinont C, et al. An open randomized controlled trial of desmopressin and pulse dexamethasone as adjunct therapy in patients with pulmonary involvement associated with severe leptospirosis. Clin Microbiol Infect. 2010;16(8):1207-12.

38. Spichler AS, Vilaça PJ, Athanazio DA, Albuquerque JO, Buzzar M, Castro B, et al. Predictors of lethality in severe leptospirosis in urban Brazil. Am J Trop Med Hyg. 2008;79(6):911-4.

39. Brett-Major DM, Lipnick RJ. Antibiotic prophylaxis for leptospirosis. Cochrane Database Syst Rev. 2009;(3):CD007342.

40. Brasil. Ministério da Saúde. Leptospirose: o que é, causas, sintomas, tratamento, diagnóstico e prevenção [Internet]. Brasília: MS; 2020. Disponível em: http://antigo.saude.gov.br/saude-de-a-z/leptospirose

# Capítulo 167
## RAIVA

Danise Senna Oliveira
Ana Marli C. Sartori

Raiva é uma doença viral aguda transmitida para o homem pela inoculação do vírus da saliva do animal infectado. O vírus está presente em todos os continentes e infecta mamíferos domésticos e silvestres. A doença é caracterizada por manifestações neurológicas de rápida progressão e tem letalidade de aproximadamente 100%, na ausência de profilaxia pós-exposição (PPE) adequada.[1]

Apesar de prevenível por imunização, a raiva continua sendo um problema de saúde pública em muitos países. A doença é responsável por 59 mil mortes humanas por ano, com a maioria dos casos ocorrendo na Ásia e na África e aproximadamente 40% em indivíduos com idade < 15 anos.[2]

**Raiva é uma urgência médica. As decisões em relação à PPE não devem ser postergadas.[3]**

O vírus rábico pertence à ordem Mononegavirales, família Rhabdoviridae e gênero *Lyssavirus*. É um vírus constituído por ácido ribonucleico (RNA, do inglês *ribonucleic acid*) e adaptado à replicação no sistema nervoso central (SNC) de mamíferos.[4]

## CICLOS DE TRANSMISSÃO

Apenas os mamíferos são suscetíveis ao vírus da raiva e os únicos capazes de transmiti-lo. A transmissão da raiva se dá pela penetração do vírus contido na saliva do animal infectado, principalmente pela mordedura e, mais raramente, pela arranhadura e pela lambedura de mucosas.[5] A doença apresenta quatro ciclos de transmissão (FIGURA 167.1): urbano, rural, aéreo e silvestre, sendo o ciclo urbano passível de controle, pois medidas eficientes de prevenção, tanto em relação ao ser humano, quanto à fonte de infecção, estão disponíveis. No ciclo urbano, a principal fonte de infecção é o cão. O ciclo rural tem como reservatório o morcego hematófago e caracteriza-se pela transmissão da raiva aos animais domésticos de interesse econômico do meio rural, como bovinos, equídeos, caprinos, ovinos e suínos. O ciclo aéreo apresenta como fonte de infecção o morcego, que, além de transmitir a doença, também apresenta sintomatologia e evolui para morte, não se constituindo em "portador são". No ciclo silvestre, a transmissão da raiva pode ocorrer entre diferentes espécies de animais, na dependência das características geográficas do país ou da região. Na América do Sul, merece destaque a raposa-cinzenta do norte da Colômbia; e, no Brasil, o cachorro-do-mato, o guaxinim e o sagui-do-tufo-branco, este de importância no nordeste do País.[5] Em cães e gatos infectados, a eliminação de vírus pela saliva inicia 2 a 5 dias antes do aparecimento dos sinais clínicos e persiste durante toda a evolução da doença, sendo esse o período de transmissibilidade.[7]

## EPIDEMIOLOGIA

Globalmente, a raiva ocorre em mais de 100 países e territórios. Cães são fonte de transmissão da quase totalidade (99%) de casos de raiva em humanos que evoluem para óbito no mundo. Campanhas de vacinação em massa de cães constituem a principal estratégia para o controle e a interrupção da infecção pelo vírus da raiva entre cães, além de reduzir a transmissão para outros mamíferos. Essa estratégia tem sido efetiva em diferentes regiões da Ásia, da África, da Europa e das Américas. A raiva transmitida por outras fontes, embora rara, tornou-se mais facilmente notada nas Américas. Espécies selvagens carnívoras e morcegos (Carnivora e Chiroptera) são reservatórios virais e representam alto risco de transmissão da infecção. A transmissão de raiva entre humanos nunca foi confirmada, exceto em condições extremamente raras, como tecido infectado pelo vírus em transplante de órgãos.[2]

No Brasil, na última década, houve marcante redução dos casos de raiva humana. No período de 2010 a 2020, foram registrados 38 casos: 9 transmitidos por cão, 20 por morcegos, 4 por primatas não humanos, 4 por felinos e 1 sem identificação do animal transmissor. De 2015 a 2020, não houve registro de raiva humana por variante canina. Em 2018, foram registrados 11 casos de raiva humana, dos quais 10 relacionados a um surto em uma área ribeirinha do município de Melgaço, no Pará (PA), todos com transmissão por morcegos e sem realização de PPE antirrábica; o 11º caso registrado foi um morador do Estado do Paraná (PR), mas com transmissão por morcego em Ubatuba, no Estado de São Paulo (SP). Em 2019, foi registrado um caso de raiva humana transmitido por felino no município de Gravatal, em Santa Catarina (SC), e, em 2020, um caso transmitido

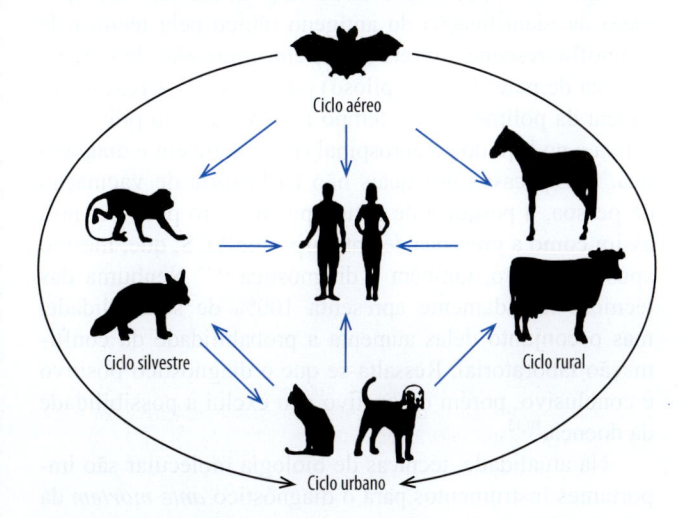

**FIGURA 167.1** → Cadeia epidemiológica de transmissão da raiva: ciclos urbano, rural, silvestre e aéreo.
Fonte: Kotait e colaboradores.[5]

por morcego no município de Angra dos Reis, no Rio de Janeiro (RJ) e um segundo caso transmitido por raposa no município de Catolé do Rocha, na Paraíba (PB).[8] Nenhum dos casos recebeu profilaxia adequada.

## PATOGENIA E QUADRO CLÍNICO

A infecção pelo vírus da raiva causa encefalite viral aguda progressiva. Após a inoculação, pode demorar alguns dias ou semanas para o vírus alcançar o SNC por meio dos nervos periféricos. Durante esse período inicial, o vírus é vulnerável a anticorpos neutralizantes, o que permite a PPE.[9] Depois de atingir o SNC, ocorre rápida disseminação. O vírus localiza-se preferencialmente no tronco encefálico, tálamo, gânglios basais e medula espinal.[10] Em geral, o período de incubação é de 1 a 3 meses, com média de 45 dias, mas pode variar de dias a meses, sendo raramente maior que 1 ano. O período de incubação depende do tamanho do inóculo viral, do grau de inervação do sítio de inoculação e da proximidade do ferimento com o SNC. A sintomatologia clínica é complexa e comumente causa confusão nos profissionais de saúde.[10] Os pródromos, que duram de 2 a 4 dias, são inespecíficos: mal-estar, febre, prurido ou sensação de queimação no local da ferida.

A doença pode apresentar-se em duas formas clássicas: furiosa e paralítica. Na forma furiosa, a infecção progride com manifestações de hiperexcitabilidade crescente, delírios, febre, espasmos musculares generalizados e/ou convulsões, hidrofobia e aerofobia. Na forma paralítica, ocorre paresia a partir do sítio de inoculação do agente e evolução para paralisia muscular flácida precoce; a febre é marcante e não se observa claramente hidrofobia. O paciente com raiva furiosa e/ou paralítica deve ser isolado e a equipe médica do hospital deve usar equipamentos de proteção individual (EPIs).[7,11]

## TESTES DIAGNÓSTICOS

O diagnóstico laboratorial da raiva pode ser realizado por meio da identificação do antígeno rábico pela técnica de imunofluorescência direta (IFD) em impressão de córnea, biópsia de pele (folículo piloso) ou saliva.[12,13] A reação em cadeia da polimerase em tempo real no folículo piloso, na saliva e no líquido cerebrospinal (LCS) também é diagnóstica.[4,14] Em casos nos quais não há história de vacinação da pessoa, a pesquisa de anticorpos no soro pode ser útil, assim como a presença de anticorpos no LCS, que, mesmo após vacinação, também é diagnóstica.[14,15] Nenhuma das técnicas isoladamente apresenta 100% de sensibilidade, mas o conjunto delas aumenta a probabilidade da confirmação laboratorial. Ressalta-se que o diagnóstico positivo é conclusivo, porém o negativo não exclui a possibilidade da doença.[10,13]

Na atualidade, técnicas de biologia molecular são importantes instrumentos para o diagnóstico *ante mortem* da raiva em humanos, inclusive para identificação da fonte da infecção, otimização das ações de investigação, vigilância e controle de foco. O diagnóstico *post mortem* é realizado por meio da detecção do vírus rábico em tecido cerebral pela técnica de IFD.[7]

## TRATAMENTO

Uma vez estabelecido o quadro clínico, não existe terapia antirrábica eficaz estabelecida.[16] Diversos agentes, como imunoglobulina específica, antivirais, interferon-alfa e anticorpos monoclonais, podem ser considerados; contudo, o tratamento segue sendo essencialmente paliativo, e seu objetivo é proporcionar conforto ao doente e à sua família.[10]

Em 2004, nos Estados Unidos, foi relatado o primeiro caso de cura da raiva em um paciente que não havia recebido PPE adequada, com tratamento baseado em antivirais e sedação profunda (protocolo de Milwaukee).[17] Em 2008, em Recife, Pernambuco (PE), foi utilizado tratamento semelhante em um jovem de 15 anos, com eliminação viral e recuperação clínica. Desde 2004, 39 pacientes foram tratados com os princípios básicos do protocolo de Milwaukee, incluindo o brasileiro, dos quais 11 sobreviveram, todos com sequelas (5 com sequelas leves, 2 com sequelas moderadas e 4 com sequelas graves).[18] Para orientar a condução clínica de pacientes suspeitos de raiva, na tentativa de reduzir a mortalidade da doença, o Ministério da Saúde disponibiliza o *Protocolo de tratamento da raiva humana no Brasil*, de 2011.[19] Os protocolos exigem tratamento intensivo em grandes centros, porém a doença frequentemente ocorre em locais com infraestrutura e recursos escassos.[18]

## PROFILAXIA DA RAIVA HUMANA

### Profilaxia pós-exposição

A profilaxia após o reconhecimento da exposição ao vírus da raiva por acidente com cães e gatos ou outros animais transmissores da doença incluem cuidados com o ferimento e administração de vacinas e imunoglobulina ou soro antirrábico (imunização ativa e passiva, respectivamente). Os cuidados com ferimento por mordeduras, incluindo uso profilático de antibióticos, são abordados no Capítulo Ferimentos Cutâneos. Além dos cuidados com o ferimento, é importante checar o estado vacinal do indivíduo ferido e indicar a profilaxia antitetânica adequada.

A PPE da raiva varia de acordo com a classificação do acidente e o agente agressor[20] (TABELA 167.1). Desde 2017, o Ministério da Saúde adota o esquema de quatro doses das vacinas de cultura celular (nos dias 0, 3, 7 e 14), recomendado pela Organização Mundial da Saúde (OMS).[2] O esquema de quatro doses foi adotado nos Estados Unidos, em 2009, após análise das evidências clínico-epidemiológicas e da vacina.[3] Dados de imunogenicidade da vacina contra raiva mostraram que a 5ª dose não aumenta substancialmente os títulos de anticorpos obtidos com a 4ª dose.[9] Na TABELA 167.2, estão detalhados os procedimentos de imunização ativa (vacina) e passiva (imunoglobulina ou soro) que devem ser realizados após a exposição. As medidas de PPE são eficazes, mesmo após exposição de alto risco **B**.[2,3,21] Raras falhas

**TABELA 167.1** → Esquema para profilaxia da raiva humana pós-infecção com vacina de cultivo celular

| TIPO DE EXPOSIÇÃO / CONDIÇÕES DO ANIMAL AGRESSOR | CÃO OU GATO SEM SUSPEITA DE RAIVA NO MOMENTO DA AGRESSÃO | CÃO OU GATO CLINICAMENTE SUSPEITO DE RAIVA NO MOMENTO DA AGRESSÃO | CÃO OU GATO RAIVOSO, DESAPARECIDO OU MORTO; ANIMAIS SILVESTRES† (INCLUSIVE OS DOMICILIADOS); ANIMAIS DOMÉSTICOS DE INTERESSE ECONÔMICO OU DE PRODUÇÃO | MORCEGOS E OUTROS ANIMAIS SILVESTRES (INCLUSIVE OS DOMICILIADOS) |
|---|---|---|---|---|
| **Contato indireto** Por exemplo: manipulação de utensílios potencialmente contaminados, lambedura da pele íntegra e acidentes com agulhas durante aplicação de vacina animal não são considerados acidentes de risco e não exigem esquema profilático | | Lavar com água e sabão e não tratar | | |
| **Acidentes leves** Ferimentos superficiais, pouco extensos, geralmente únicos, em tronco e membros (exceto mãos e polpas digitais e plantas dos pés); podem acontecer em decorrência de mordeduras ou arranhaduras causadas por unha ou dente Lambedura de pele com lesões superficiais | → Lavar com água e sabão<br>→ Observar o animal durante 10 dias após a exposição*<br>→ Se o animal permanecer sadio no período de observação, encerrar o caso<br>→ Se o animal morrer, desaparecer ou se tornar raivoso, administrar 4 doses de vacina (dias 0, 3, 7 e 14) por via IM ou nos dias 0, 3, 7 e 28, pela via ID† | → Lavar com água e sabão<br>→ Iniciar esquema profilático com 2 doses da vacina, uma no dia 0 e outra no dia 3<br>→ Observar o animal durante 10 dias após a exposição*<br>→ Se a suspeita de raiva for descartada após o 10º dia de observação, suspender o esquema profilático e encerrar o caso<br>→ Se o animal morrer, desaparecer ou tornar-se raivoso, completar o esquema até 4 doses; aplicar uma dose entre os dias 7 e 10 e uma dose no dia 14, pela via IM,† ou uma dose entre os dias 7 e 10 e uma dose no dia 28, pela via ID† | → Lavar com água e sabão<br>→ Iniciar imediatamente o esquema profilático com 4 doses de vacina administradas nos dias 0, 3, 7 e 14, pela via IM,† ou nos dias 0, 3, 7 e 28, pela via ID† | → Lavar com água e sabão<br>→ Iniciar imediatamente o esquema profilático com soro§ e 4 doses de vacina administradas nos dias 0, 3, 7 e 14, pela via IM,† ou nos dias 0, 3, 7 e 28, pela via ID† |
| **Acidentes graves** Ferimentos na cabeça, na face, no pescoço, nas mãos, nas polpas digitais e/ou nas plantas dos pés Ferimentos profundos, múltiplos ou extensos, em qualquer região do corpo Lambedura de mucosas Lambedura de pele onde já existe lesão grave Ferimento profundo causado por unha de animal | → Lavar com água e sabão<br>→ Observar o animal durante 10 dias após exposição*,‡<br>→ Iniciar esquema profilático com 2 doses: uma no dia 0 e outra no dia 3<br>→ Se o animal permanecer sadio no período de observação, encerrar o caso<br>→ Se o animal morrer, desaparecer ou tornar-se raivoso, dar continuidade ao esquema profilático, administrando o soro§,∥ e completando o esquema com 4 doses da vacina; aplicar uma dose entre os dias 7 e 10 e uma dose no dia 14, pela via IM,† ou uma dose entre os dias 7 e 10 e uma dose no dia 28, pela via ID† | → Lavar com água e sabão<br>→ Iniciar o esquema profilático com soro§ e 4 doses de vacina nos dias 0, 3, 7 e 14, pela via IM,† ou nos dias 0, 3, 7 e 28, pela via ID†<br>→ Observar o animal durante 10 dias após a exposição<br>→ Se a suspeita de raiva for descartada após o 10º dia de observação, suspender o esquema profilático e encerrar o caso | → Lavar com água e sabão<br>→ Iniciar imediatamente o esquema profilático com soro§ e 4 doses de vacina administradas nos dias 0, 3, 7 e 14, pela via IM,† ou nos dias 0, 3, 7 e 28, pela via ID† | |

Fonte: Brasil.[7]

* É necessário orientar o paciente para que ele notifique imediatamente a unidade de saúde se o animal morrer, desaparecer ou tornar-se raivoso, uma vez que podem ser necessárias novas intervenções de forma rápida, como a aplicação de soro ou o prosseguimento do esquema de vacinação.

† O volume a ser administrado varia conforme o laboratório produtor da vacina, podendo ser frasco-ampola na apresentação de 0,5 ou 1 mL. No caso da via IM profunda, deve-se aplicar a dose total do frasco-ampola para cada dia; para utilização da via ID, fracionar o frasco-ampola para 0,1 mL/dose. Na via ID, o volume total da dose/dia é de 0,2 mL; no entanto, considerando que pela via ID o volume máximo a ser administrado é de 0,1 mL, serão necessárias 2 aplicações de 0,1 mL cada/dia, em regiões anatômicas diferentes. Assim, deve-se aplicar nos dias 0, 3, 7 e 28 – 2 doses, sempre em 2 locais distintos (sítios de administração). A via ID não está recomendada para pacientes imunodeprimidos ou que estejam utilizando o medicamento cloroquina, por não proporcionar resposta imune adequada.

‡ É preciso avaliar, sempre, os hábitos do cão e do gato e os cuidados recebidos. Podem ser dispensados do esquema profilático pessoas agredidas pelo cão ou pelo gato que, com certeza, não tem risco de contrair a infecção rábica. Por exemplo, animais que vivem dentro do domicílio (exclusivamente); que não tenham contato com outros animais desconhecidos; e que somente saem à rua acompanhados dos seus donos e que não circulem em área com a presença de morcegos. Em caso de dúvida, iniciar o esquema de profilaxia indicado. Se o animal for procedente de área de raiva controlada, não é necessário iniciar o esquema profilático. Manter o animal sob observação durante 10 dias e somente iniciar o esquema profilático indicado (soro + vacina) se o animal morrer, desaparecer ou tornar-se raivoso.

§ O soro deve ser infiltrado na(s) porta(s) de entrada. Quando não for possível infiltrar toda a dose, aplicar o máximo possível, e a quantidade restante, a menor possível, aplicar pela via IM, podendo ser utilizada a região glútea. Sempre aplicar em local anatômico diferente da que aplicou a vacina. Quando as lesões forem muito extensas ou múltiplas, a dose do soro a ser infiltrada pode ser diluída, o menos possível, em soro fisiológico para que todas as lesões sejam infiltradas.

∥ Nos casos em que se conhece tardiamente a necessidade do uso do soro antirrábico, ou quando não há soro disponível no momento, aplicar a dose recomendada de soro no máximo em até 7 dias após a aplicação da 1ª dose de vacina de cultivo celular, ou seja antes da aplicação da 3ª dose da vacina. Após esse prazo, o soro não é mais necessário.

ID, intradérmica; IM, intramuscular.

Nota: a nota Técnica do Instituto Pasteur[6] define que, em caso de animal passível de observação, não iniciar profilaxia, independentemente do tipo de exposição. Ou seja, a conduta em caso de acidente grave é igual à de acidente leve. Porém, em caso de acidente com animal que caça ou toca em morcego, situação que pode ocorrer principalmente com o gato, como há risco de transmissão direta, a profilaxia deve ser iniciada se o acidente ocorrer em até 48 horas após o contato do animal com o morcego. Acidente leve: vacina; acidente grave: vacina e soro antirrábico ou imunoglobulina antirrábica. É importante salientar que não houve mudança de conduta por parte do Ministério da Saúde.

**TABELA 167.2** → Imunização ativa e passiva – imunobiológicos

| IMUNIZAÇÃO ATIVA | | |
|---|---|---|
| **Vacinas** | Produtos | Vacinas liofilizadas, constituídas de vírus rábico inativado produzido em cultura celular[8] |
| | Via/local de aplicação*/dose | Intramuscular (IM), em deltoide ou vasto lateral da coxa (em crianças até 2 anos de idade)/2,5 UI/dose (0,5 mL/dose ou 1 mL/dose, dependendo do fabricante)[8] Intradérmica (ID),[‡] em deltoide e vasto lateral da coxa – 0,1 mL/dose (em cada sítio)[8] |
| | Esquemas de profilaxia pós-exposição[†] | 4 doses IM, nos dias 0, 3, 7 e 14, ou 4 doses ID, nos dias 0, 3, 7 e 28[‡8] |
| IMUNIZAÇÃO PASSIVA | | |
| **Imunoglobulina antirrábica (IGAR)** | Produtos | IGAR humana[§] |
| | Esquema[¶] | Quando recomendada, deve ser administrada em dose única, o mais breve possível após o acidente[8] |
| | Local de aplicação | A solução deve ser infiltrada ao redor do ferimento, no local da exposição; se não for possível administrar o volume todo em torno do sítio de exposição, o restante (a menor quantidade possível) pode ser administrado IM na região glútea[8] |
| | Dose | 20 UI/kg de peso corporal[8] |
| **Soro antirrábico** | Produto | Soro antirrábico de origem equina[¶] |
| | Indicação | Pode ser utilizado nas mesmas indicações da imunoglobulina humana, quando esta não está disponível[2,8] |
| | Local de aplicação | A solução deve ser infiltrada ao redor das feridas, no local da exposição; se não for possível administrar o volume todo em torno do sítio de exposição, o restante (a menor quantidade possível) pode ser administrado IM na região glútea[8] |
| | Dose | 40 UI/kg de peso corporal[7] |

\* A vacina não deve ser aplicada em região glútea, devido a uma possível deposição no tecido adiposo e, potencialmente, menor distribuição sistêmica.[7] Quando administrada concomitantemente à imunoglobulina antirrábica, a vacina deve ser administrada em grupo muscular diferente do utilizado para a imunoglobulina.[7]

[‡] A administração ID da vacina é uma alternativa considerada adequada pela Organização Mundial da Saúde (OMS). Permite o uso de menor quantidade de antígeno (0,1 mL/dose), diminuindo os custos, porém exige profissional qualificado para a administração.[2]

[§] A IGAR é o produto preferencial para imunização passiva, pois é mais segura e bem tolerada e apresenta meia-vida relativamente longa (em torno de 21 dias).[2] O uso da IGAR não é necessário quando o paciente recebeu esquema profilático completo anteriormente. No entanto, em situações especiais, como pacientes imunodeprimidos ou em caso de dúvidas com relação ao esquema prévio, se houver indicação, a IGAR deve ser recomendada.[7]

[¶] A partir do 7º dia após o início do esquema vacinal, a IGAR não é mais indicada (desde que realizado o esquema vacinal como recomendado), pois é presumida resposta de anticorpos à vacinação.[2]

[¶] Possui meia-vida menor do que a da imunoglobulina humana e, por ser heterólogo, envolve risco de reação anafilática (1 a cada 45.000).[2] Não há fundamento científico para a realização de teste cutâneo antes da administração do soro equino. O profissional de saúde deve, entretanto, estar preparado para conduta diante da anafilaxia, que pode ocorrer em qualquer momento da administração do soro.[2]

foram relatadas após o indivíduo ter completado a profilaxia recomendada.[2]

Não existem ensaios clínicos randomizados, placebo-controlados, realizados com PPE para raiva humana. As falhas da PPE são descritas em estudos tipo série de casos e, para a maioria delas, questiona-se se a profilaxia foi usada de maneira adequada. Desde o advento da utilização de rotina da vacina antirrábica de cultivo celular e da imunoglobulina humana, não foram registradas falhas nos Estados Unidos e na Europa Ocidental. Falhas associadas com a administração adequada de PPE consideradas "verdadeiras", embora sejam impossíveis de quantificar, são eventos considerados extremamente raros.[21–23]

As vacinas de vírus inativado (morto) produzidas em cultura celular são imunogênicas, potentes e seguras.[24,25] Podem ser utilizadas culturas de vários tipos celulares, como células diploides humanas, células Vero (renais de macacos), células renais de *hamster* e células de embriões de galinha e de pato.[2,7] Eventos adversos no local da injeção, como eritema, dor e edema, podem ocorrer em 15 a 25% dos vacinados, particularmente após dose de reforço. Eventos adversos sistêmicos, principalmente cefaleia, mas também febre, tonturas e sintomas gastrintestinais, foram observados em 5 a 8% dos vacinados.[9] Reações adversas graves a componentes da vacina constituem contraindicação para a profilaxia pré-exposição com vacina de igual composição. Entretanto, por ser uma doença fatal, não há contraindicação à profilaxia após exposição de alto risco.[7]

A vacina, a imunoglobulina e o soro antirrábico estão disponíveis nos Centros de Referência para Imunobiológicos Especiais (CRIEs) do País e, a depender do local, também estão disponíveis em outros estabelecimentos de saúde.

Vacinas de vírus inativados cultivados em cérebro de camundongo (Fuenzalida e Palácios modificada), menos imunogênicas e mais reatogênicas que as vacinas produzidas em cultura celular, não são mais utilizadas no Brasil.[7,8]

A demora para iniciar a PPE ou a falha em completar o esquema pode levar à morte, principalmente em indivíduos com ferimentos graves.[2,3] A PPE deve ser administrada sempre que houver indicação, independentemente do tempo transcorrido entre a exposição e o acesso à profilaxia.[1]

Em caso de exposição de pessoas que receberam profilaxia pré-exposição completa ou PPE adequada anteriormente há mais de 90 dias, o esquema pós-exposição consiste em 2 doses adicionais de vacina (nos dias 0 e 3), sem necessidade de imunização passiva, mesmo em caso de acidente grave com animal com suspeita de raiva ou morcego. Se a profilaxia pré-exposição completa foi realizada há menos de 90 dias, não se faz necessário novo esquema profilático.[2,3,5,7] A **TABELA 167.3** mostra a conduta em caso de reexposição em indivíduos que receberam previamente a profilaxia pré-exposição.

**TABELA 167.3** → Esquemas de reexposição com uso de vacina de cultivo celular

| TIPO DE ESQUEMA | TEMPO | ESQUEMA DE REEXPOSIÇÃO |
|---|---|---|
| **Completo** | Até 90 dias | Não realizar esquema profilático |
| | Após 90 dias | Realizar 2 doses, uma no dia 0 e outra no dia 3 |
| **Incompleto** | Até 90 dias | Completar o número de doses |
| | Após 90 dias | Ver esquema de pós-exposição (conforme o caso) |

Em caso de reexposição, com história de esquema anterior completo, não se faz necessário administrar o soro antirrábico. O soro pode ser indicado se houver dúvidas ou conforme análise de cada caso (exceto pacientes imunodeprimidos que devem receber soro e vacina e avaliação sorológica após o 14º dia da aplicação da última dose).
Devem ser avaliados, individualmente, os pacientes que receberam muitas doses da vacina (esquema completo de pós-vacinação e vários esquemas de reexposição). O risco de reações adversas às vacinas aumenta com o número de doses aplicadas. Nesses casos, se possível, deve-se solicitar a avaliação sorológica do paciente.

Fonte: Adaptada de Elkhoury e colaboradores.[7]

Visto que grande parte das pessoas com possível exposição ao vírus da raiva não requer profilaxia ativa/passiva, elas podem, em sua maioria, ser avaliadas e manejadas no nível da atenção primária à saúde (APS). Havendo indicação de profilaxia ativa/passiva, o indivíduo deve ser encaminhado para unidade de referência para a profilaxia de raiva; e, na suspeita clínica de raiva, deve ser encaminhado para a unidade hospitalar de referência.

É importante salientar que os indivíduos com indicação de PPE devem ser acompanhados sob supervisão da equipe de APS; os faltosos devem ser contatados por meio de busca ativa.[1]

No esquema recomendado (dias 0, 3, 7 e 14), deve-se ajustar o aprazamento das doses, conforme as seguintes orientações:[20]
1. no caso de o paciente faltar para a 2ª dose, aplicar no dia em que comparecer e agendar a 3ª dose com intervalo mínimo de 2 dias;
2. no caso de o paciente faltar para a 3ª dose, aplicar no dia em que comparecer e agendar a 4ª dose com intervalo mínimo de 7 dias;
3. no caso de o paciente faltar para a 4ª dose, aplicar no dia em que comparecer.

Se não forem aplicadas nas datas agendadas, as doses de vacinas devem sempre ser aplicadas em datas posteriores às agendadas, nunca adiantadas.

## Profilaxia pré-exposição

A vacinação antirrábica pré-exposição é recomendada para pessoas com maior risco de exposição, como veterinários, biológos, estudantes de veterinária, biologia e agrotecnia, funcionários de laboratórios que manipulam o vírus da raiva, pessoas que trabalham na captura, vacinação, identificação e classificação de mamíferos passíveis de portarem o vírus, funcionários de zoológicos, zoólogos e outros profissionais que trabalham em áreas de risco, guias de ecoturismo, pescadores, entre outros **B**.[2,5,7] A profilaxia pré-exposição protege contra exposição inaparente, desencadeia resposta imune específica (*booster*) à vacinação mais rapidamente em caso de exposição e simplifica a PPE.[7]

O Ministério da Saúde recomenda três doses da vacina, administradas nos dias 0, 7 e 28. Em novembro de 2020, o Instituto Pasteur e a Secretaria de Estado da Saúde de São Paulo passaram a recomendar duas doses da vacina contra raiva, administradas nos dias 0 e 7, para a profilaxia pré--exposição,[6] seguindo recomendação da OMS, de 2018.[2] A partir do dia 14º dia após a última dose, deve ser coletada amostra de sangue para dosagem de anticorpos. Pessoas com exposição continuada devem ser avaliadas com teste sorológico periódico, conforme o risco do profissional.[2,5,7] Aqueles que trabalham em condições de alto risco, como os que atuam em laboratórios de raiva e na captura de morcegos, devem realizar o teste a cada 6 meses.[6] A OMS considera títulos ≥ 0,5 UI/mL como indicadores de proteção adequada. Praticamente todas as pessoas saudáveis que recebem vacinas produzidas em cultura celular apresentam títulos de anticorpos neutralizantes ≥ 0,5 UI/mL no 14º dia do esquema profilático pós-exposição, com ou sem administração de imunoglobulina antirrábica e independentemente da idade.[2,3] No caso de profilaxia pré-exposição continuada, uma dose de reforço da vacina deve ser administrada caso o título de anticorpos seja menor que 0,5 UI/mL,[2,5,7] e deve-se repetir a sorologia a partir do 14º dia após a dose de reforço.

## MEDIDAS DE PREVENÇÃO E CONTROLE

Logo que se tenha conhecimento da suspeita de um caso de raiva canina, deve-se notificar imediatamente o caso à vigilância epidemiológica municipal da Secretaria Municipal de Saúde, Unidade de Vigilância de Zoonoses (quando existir) e Coordenação Estadual do Programa de Vigilância Epidemiológica/Ambiental, Controle e Profilaxia da Raiva, das Secretarias Estaduais de Saúde.

> É necessário investigar o caso, analisar a situação e definir as intervenções em até 72 horas após a notificação.

As medidas podem incluir, entre outras ações, a investigação de animais com contato direto com o caso suspeito, a retirada desses animais, a intensificação do envio de amostras para diagnóstico laboratorial e a vacinação de cães e gatos casa a casa. As informações sobre as coberturas vacinais dos animais da área endêmica, quando disponíveis, são importantes para o processo de decisão quanto à extensão inicial e seletividade do bloqueio. Em áreas urbanas, nos bloqueios de focos de cães e/ou gatos que envolvam a vacinação desses animais, a determinação da extensão territorial para esse bloqueio deve avaliar o risco de transmissão da raiva para outros cães e/ou gatos, assim como aos seres humanos da área considerada. Os cães e gatos que tenham sido mordidos por animais raivosos devem ser submetidos à eutanásia. O isolamento e o reforço vacinal só podem ser aplicados em áreas consideradas controladas para raiva canina das variantes 1 e 2 do vírus rábico.[7]

Em áreas de relevância epidemiológica para a raiva canina por variantes 1 e 2, impõe-se cobertura vacinal acima de 80% na população canina estimada e a necessidade da constituição de serviço de recolhimento de cães sem controle.[7]

No caso de morcegos infectados pelo vírus da raiva, encaminhar, de imediato, as pessoas que tiveram contato direto com o animal ou que sofreram agressão, para unidades básicas de saúde ou unidades de referência, para que as medidas profiláticas sejam aplicadas de acordo com norma técnica de profilaxia antirrábica vigente. Não é recomendado o bloqueio vacinal em cães e gatos, nem a busca ativa de outros morcegos (colônias) para envio ao laboratório, diante de um caso positivo de raiva em morcegos.[7]

Devem ser organizadas ações de esclarecimento à população, utilizando-se meios de comunicação de massa, visitas domiciliares e palestras. Os agentes comunitários de saúde, quando disponíveis, podem desempenhar um papel importante na execução dessas atividades e na sensibilização da população. É importante informar à população sobre o ciclo de transmissão e sobre a gravidade da doença, e esclarecer sobre o risco e as ações que requerem a participação efetiva da comunidade.[7]

## VIGILÂNCIA EPIDEMIOLÓGICA

A vigilância epidemiológica é fundamental para: determinar as áreas de risco para raiva; monitorar a raiva animal com intuito de evitar ocorrência de casos humanos; investigar todos os casos suspeitos de raiva humana e animal e determinar sua fonte de infecção; realizar e avaliar os bloqueios de foco diante da suspeita de raiva; realizar e avaliar campanhas de vacinação antirrábica animal, onde elas são realizadas; normatizar as condutas de atendimento antirrábico humano e garantir a assistência e a realização do esquema profilático da raiva em tempo oportuno; suprir a rede do Sistema Único de Saúde (SUS) com imunobiológicos e medicamentos específicos para profilaxia e tratamento da raiva; e propor e avaliar as medidas de prevenção e controle.[7]

Toda suspeita de raiva humana é de notificação individual, compulsória e imediata nos níveis municipal, estadual e federal, por telefone, meio eletrônico ou fax. Esta deve ser investigada pelos serviços de saúde por meio da ficha de investigação, padronizada pelo Sistema de Informação de Agravos de Notificação (Sinan).[26] Todo atendimento antirrábico também deve ser notificado, independentemente de o indivíduo ter ou não ter indicação de receber vacina e/ou soro antirrábico. Existe ficha específica padronizada pelo Sinan (disponível em http://portalsinan.saude.gov.br/raiva-humana), que constitui um instrumento fundamental para decisão da conduta de profilaxia a ser adotada pelo profissional de saúde.[7] É necessário, ainda, informar à autoridade sanitária local sobre ocorrência de morte de animais, bem como agressões a pessoas e animais. Conforme Portaria nº 5 de 21 de fevereiro de 2006 da Secretaria de Vigilância em Saúde, as epizootias e/ou mortes que podem preceder a ocorrência de doenças em humanos são de notificação compulsória.[1]

A redução dos casos humanos de raiva resulta, em grande parte, das atividades de prevenção e controle da raiva, que incluem profilaxia de raiva humana em pessoas possivelmente expostas ao vírus, monitoramento de circulação viral, campanhas de vacinação antirrábica animal, notificação imediata de epizootias e casos humanos suspeitos.[27]

## REFERÊNCIAS

1. Brasil. Ministério da Saúde. Secretaria de Vigilância em Saúde. Departamento de Vigilância Epidemiológica. Normas técnicas de profilaxia da raiva humana. Brasília: MS; 2014.
2. World Health Organization. Rabies vaccines: WHO position paper – April 2018. Wkly Epidemiol Rec. 2018;93(16):201–20.
3. Rupprecht CE, Briggs D, Brown CM, Franka R, Katz SL, Kerr HD, et al. Use of a reduced (4-dose) vaccine schedule for postexposure prophylaxis to prevent human rabies: recommendations of the advisory committee on immunization practices. MMWR Recomm Rep. 2010;59(RR-2):1–9.
4. Davis BM, Rall GF, Schnell MJ. Everything you always wanted to know about rabies virus (but were afraid to ask). Annu Rev Virol. 2015;2(1):451–71.
5. Kotait I, Carrieri ML, Takaoka NY. Manual técnico do Instituto Pasteur: raiva – aspectos gerias e clínica. 2. ed. São Paulo: Instituto Pasteur; 2010.
6. São Paulo. Secretaria da Saúde. Coodenadoria de Controle de Doenças. Instituto Pasteur. Nota técnica 03 – IP/CCD/SES-SP – 30/11/2020 [Internet]. São Paulo: SMS; 2020 [capturado em 13 maio 2021]. Disponível em: https://www.saude.sp.gov.br/resources/instituto-pasteur/pdf/nota-tecnica/notatecnica03-ip_ccd_ses-sp_30.11.2020.pdf.
7. Elkhoury ANSM, Caldas EP, Lima Junior FEF, Silva GF, Kotait I, Pereira LRM, et al. Raiva. In: Brasil. Guia de vigilância epidemiológica. 7. ed. Brasília: MS; 2009. Cap. 13, p. 754–84.
8. Brasil. Ministério da Saúde. Raiva: o que é, causas, sintomas, tratamento, diagnóstico e prevenção [Internet]. Saúde de A a Z. Brasília: MS; 2020 [capturado em 13 maio 2021]. Disponível em: http://antigo.saude.gov.br/saude-de-a-z/raiva.
9. Rupprecht CE, Nagarajan T, Ertl H. Rabies vaccines. In: Plotkin SA, Orenstein WA, Offit PA, Edwards KM, editors. Plotkin's vaccines. 7th ed. Philadelphia: Elsevier; 2018. p. 918–42.
10. Hemachudha T, Laothamatas J, Rupprecht CE. Human rabies: a disease of complex neuropathogenetic mechanisms and diagnostic challenges. Lancet Neurol. 2002;1(2):101–9.
11. Warrell MJ, Warrell DA. Rabies and other lyssavirus diseases. Lancet. 2004;363(9413):959–69.
12. Crepin P, Audry L, Rotivel Y, Gacoin A, Caroff C, Bourhy H. Intravitam diagnosis of human rabies by PCR using saliva and cerebrospinal fluid. J Clin Microbiol. 1998;36(4):1117–21.
13. Zaidman GW, Billingsley A. Corneal impression test for the diagnosis of acute rabies encephalitis. Ophthalmology. 1998;105(2):249–51.
14. Macedo CI, Carnieli Jr P, Brandão PE, Rosa EST da, Oliveira R de N, Castilho JG, et al. Diagnosis of human rabies cases by polymerase chain reaction of neck-skin samples. Braz J Infect Dis. 2006;10(5):341–5.
15. Smith JS, Yager PA, Baer GM. A rapid reproducible test for determining rabies neutralizing antibody. Bull World Health Organ. 1973;48(5):535–41.
16. Jackson AC. Update on rabies diagnosis and treatment. Curr Infect Dis Rep. 2009;11(4):296–301.
17. Willoughby RE, Tieves KS, Hoffman GM, Ghanayem NS, Amlie-Lefond CM, Schwabe MJ, et al. Survival after treatment of rabies with induction of coma. N Engl J Med. 2005;352(24):2508–14.
18. Ledesma LA, Lemos ERS, Horta MA, Ledesma LA, Lemos ERS, Horta MA. Comparing clinical protocols for the treatment of human rabies: the Milwaukee protocol and the Brazilian protocol (Recife). Rev Soc Bras Med Trop. 2020;53:e20200352.
19. Brasil. Ministério da Saúde. Secretaria de Vigilância em Saúde. Departamento de Vigilância Epidemiológica. Protocolo de tratamento da raiva humana no Brasil. Brasília: MS; 2011.
20. Brasil. Ministério da Saúde. Nota Informativa nº 26-SEI/2017-CGPNI/DEVIT/SVS/MS [Internet]. Brasília: MS; 2017 [capturado em 13 maio 2021]. Disponível em: https://portalarquivos.saude.gov.br/images/pdf/2017/agosto/04/Nota-Informativa-N-26_SEI_2017_CGPNI_DEVIT_SVS_MS.pdf.
21. Rupprecht CE, Briggs D, Brown CM, Franka R, Katz SL, Kerr HD, et al. Evidence for a 4-dose vaccine schedule for human rabies post-exposure prophylaxis in previously non-vaccinated individuals. Vaccine. 2009;27(51):7141–8.
22. Wilde H, Sirikawin S, Sabcharoen A, Kingnate D, Tantawichien T, Harischandra PA, et al. Failure of postexposure treatment of rabies in children. Clin Infect Dis. 1996;22(2):228–32.
23. Wilde H. Failures of post-exposure rabies prophylaxis. Vaccine. 2007;25(44):7605–9.
24. Chhabra M, Ichhpujani RL, Bhardwaj M, Tiwari KN, Panda RC, Lal S. Safety and immunogenicity of the intradermal Thai red cross (2-2-2-0-1-1) post exposure vaccination regimen in the Indian population using purified chick embryo cell rabies vaccine. Indian J Med Microbiol. 2005;23(1):24–8.

25. Liu H, Huang G, Tang Q, Li J, Cao S, Fu C, et al. The immunogenicity and safety of vaccination with purified Vero cell rabies vaccine (PVRV) in China under a 2-1-1 regimen. Hum Vaccin. 2011;7(2):220–4.
26. Brasil. Ministério da Saúde. Portaria nº 104, de 25 de Janeiro de 2011 [Internet]. Brasília: MS; 2011 [capturado em 13 maio 2021]. Disponível em: http://bvsms.saude.gov.br/bvs/saudelegis/gm/2011/prt0104_25_01_2011.html.
27. Toscano CM, Oliveira WK, Carmo EH. Morbidade e mortalidade por doenças transmissíveis no Brasil. In: Brasil. Ministério da Saúde. Secretaria de Vigilância em Saúde. Departamento de Análise de Situação de Saúde. Saúde Brasil 2009 : uma análise da situação de saúde e da agenda nacional e internacional de prioridades em saúde. Brasília: MS; 2010. p. 73–110.

# Capítulo 168
## SAÚDE DO VIAJANTE

Maria Helena da Silva Pitombeira Rigatto
Tânia do Socorro Souza Chaves
Jessé Reis Alves
Melissa Mascheretti[†]

A medicina de viagem surgiu como uma resposta necessária ao crescente deslocamento humano observado nas últimas décadas. Dados mundiais registram o aumento exponencial do número de viagens e a diversificação crescente dos destinos do turismo internacional. A Organização Mundial do Turismo (OMT) contabilizou, só no ano de 2019, 1,466 milhão de chegadas internacionais no mundo, representando um crescimento médio de 5,1% ao ano na última década. As regiões da Ásia e do Pacífico, o Oriente Médio e a África foram responsáveis por aproximadamente um terço dos destinos.[1]

O número de brasileiros que viajam tem aumentado significativamente. Em 2015, cerca de 9 milhões de brasileiros viajaram para o exterior comparados a 3 milhões no ano de 2005. O número de turistas estrangeiros no Brasil também segue crescendo, e chegou a 6,6 milhões em 2018 (23,8% a mais em relação a 2008).[2]

A medicina de viagem está voltada para medidas de prevenção, diagnóstico e tratamento dos agravos à saúde relacionados aos deslocamentos da população humana. Sua prática consiste na abordagem individual do viajante. Também desempenha importante papel na saúde coletiva, uma vez que medidas de prevenção individuais, como a imunização do viajante, são capazes de evitar a importação e a exportação de doenças entre países. Poliomielite, sarampo e febre amarela são exemplos de doenças com risco de disseminação internacional passíveis de prevenção por vacinas.

A investigação dos surtos de sarampo ocorridos nos Estados do Pará, do Rio Grande do Sul e da Paraíba em 2010 identificou a presença de genótipos virais semelhantes aos vírus circulantes na Europa e na África do Sul, indicando que os casos-índices foram possivelmente importados e responsáveis pela ocorrência desses surtos no País.[3] Em 2018, 10.262 casos de sarampo foram confirmados no Brasil, concentrados nos Estados do Amazonas (9.779) e Roraima (349), ligados ao genótipo D8 que circulou na Venezuela em 2017.[4,5] Populações em migração merecem especial atenção por frequentemente apresentarem-se em situação de vulnerabilidade social com risco aumentado para agravos à saúde. Prevalência aumentada de vírus da imunodeficiência humana (HIV, do inglês *human immunodeficiency virus*)/Aids, leishmaniose e malária foi documentada em imigrantes venezuelanos no Brasil entre 2015 e 2017.[6] Uma área com concentração de imigrantes bolivianos dentro da cidade de São Paulo foi identificada como de alto risco para tuberculose.[7] Esses são exemplos da importância de manter suporte social e vigilância epidemiológica a fim de evitar surtos relacionados ao fenômeno mundial da migração.

> Estima-se que 50% dos viajantes de países industrializados que se deslocam para regiões de clima tropical e que permanecem nesses locais por 1 mês apresentarão algum problema de saúde no seu retorno.[8,9]

As doenças infecciosas apresentam alta morbidade – porém, baixa mortalidade – entre viajantes. Entre os agravos infecciosos, a diarreia é o problema mais prevalente, ocorrendo em 30 a 70% dos viajantes, seguida por doença febril aguda, problemas dermatológicos e doenças do trato respiratório.[8,10]

Na TABELA 168.1, observam-se os possíveis riscos de exposição e as principais doenças a eles relacionadas.[11]

Grande parte dos agravos pode ser prevenida por meio de aconselhamento e orientação pré-viagem, incluindo a vacinação.[12] Além disso, a orientação pré-viagem é uma oportunidade para atualização do calendário vacinal, conforme estudo realizado por serviço especializado de atendimento ao viajante.[13]

A busca por aconselhamento pré-viagem ainda é prática incipiente no Brasil e no mundo. Estudos realizados com viajantes que retornaram à Europa doentes demonstraram que apenas 45,4% haviam recebido aconselhamento pré--viagem.[10] Dados publicados nessa área ainda são escassos, sobretudo no Brasil.[14]

É necessário estimular a prática de medicina de viagem no Brasil. Embora as políticas públicas com foco em viajantes não estejam plenamente consolidadas, o tema vem sendo discutido nas três esferas de governo. A Carta de São Paulo e a criação da Sociedade Brasileira de Medicina de Viagem (SBMV) corroboraram a necessidade de implementação de políticas públicas direcionadas a essa área de atuação. Nesse contexto, o médico de atenção primária à saúde (APS) pode desempenhar importante papel para identificar indivíduos expostos ao risco de adoecer durante viagens e propor medidas de prevenção dos principais agravos à saúde. A atenção à saúde do viajante pode ocorrer antes, durante ou após a viagem, e cada um desses momentos tem as suas particularidades.

**TABELA 168.1** → Condições de exposição e doenças endêmicas relacionadas

| EXPOSIÇÃO | DOENÇA |
| --- | --- |
| Área urbana | Dengue, malária, chikungunya, zika |
| Contato com água limpa (*rafting*, nadar) | Esquistossomose, leptospirose, hepatite A |
| Rios, estuários | Helmintíase, oncocercose, leptospirose |
| Floresta tropical | Malária, filariose, febre hemorrágica viral |
| Cavernas | Histoplasmose, raiva, leptospirose |
| Parques ecológicos (África) | Tripanossomíase africana |
| Safáris | Riquetsioses (febre do carrapato) |
| Consumo de carne ou peixe crus | Hepatite A, toxoplasmose, parasitoses intestinais |
| Consumo de água e alimentos contaminados | Febre entérica, hepatites A e E, gastrenterites, parasitoses intestinais, doença de Chagas aguda |
| Consumo de produtos não pasteurizados | Salmonelose, brucelose, febre entérica |
| Exposição sexual | HIV, hepatites B e C, sífilis, gonorreia |
| Viagem em grupo, exposição a pessoas doentes, ambientes fechados e cheios | Doença meningocócica, *influenza*, tuberculose, infecções virais por coronavírus: SARS-CoV-1, MERS-CoV, SARS-CoV-2; HCoV-NL63, HCoV-OC43 |
| Exposição a vetores (mosquito, carrapato) | Malária, dengue, febre amarela, arboviroses, riquetsioses, filariose, encefalite japonesa, Crimean-Congo, doença de Lyme, leishmanioses, tripanossomíase africana, doença de Chagas, oncocercose, tularemia |

HIV, vírus da imunodeficiência humana; MERS-CoV, coronavírus associado à síndrome respiratória do Oriente Médio; SARS-CoV, coronavírus associado à síndrome respiratória aguda grave.
Fonte: Adaptada de Clerinx e Gompel.[11]

Neste capítulo, são abordados principalmente aspectos relacionados com a orientação pré-viagem.

## ACONSELHAMENTO PRÉ-VIAGEM

O aconselhamento pré-viagem consiste em consulta médica antes da viagem e tem os seguintes objetivos: verificar as condições de saúde do viajante; conhecer o itinerário detalhado da viagem; realizar recomendações gerais e específicas; e indicar as vacinas necessárias.[9] A avaliação do risco é a base que fundamenta as recomendações pré-viagem. As perguntas-chave da anamnese nesse contexto são: **quem?** – questão referente ao viajante, condições de saúde, histórico vacinal e de uso de medicamentos; **onde?** – riscos da área geográfica de destino, o que exige uma atualização da epidemiologia das doenças e ocorrência de surtos; **quando?** – avaliar risco de doenças sazonais; **como?** – avaliar meios de transporte e hospedagem; **por quê?** – objetivo da viagem e atividades a serem realizadas; e **duração da viagem?** – informação fundamental, pois o risco de aquisição de doenças é proporcional ao tempo de exposição.

Para que a orientação pré-viagem seja oportuna, é recomendável que a consulta seja realizada 4 a 6 semanas antes da partida.

## Condições de saúde do viajante

Durante a anamnese, devem ser colhidas informações sobre a presença de morbidades, uso crônico de medicamentos, alergias, histórico de vacinação e gestação. É recomendável que viajantes com doenças agudas sintomáticas com risco de transmissibilidade adiem suas viagens. Em gestantes, deve-se reforçar que o período mais seguro para viagens é o 2º trimestre. A maioria das companhias aéreas proíbe a viagem nas 4 últimas semanas de gestação (ver Capítulo Acompanhamento de Saúde da Gestante e da Puérpera).

## Itinerário de viagem

Conhecer o itinerário completo e detalhado da viagem, bem como os seus objetivos, é essencial para um aconselhamento adequado. Informações importantes são o objetivo da viagem (lazer, estudo, trabalho ou visita a familiares); as características da região visitada (urbana ou rural); os meios de transporte que serão utilizados; as escalas (locais e duração); o tempo de permanência em cada localidade; as condições climáticas; as condições de acomodação (hotéis com ar-condicionado, acampamentos); e a descrição das atividades planejadas (safári, caminhadas, escaladas, mergulho, ajuda humanitária, etc.).[9,15]

## Recomendações gerais e específicas

A partir do conhecimento das informações sobre o viajante e sua viagem, o profissional de saúde pode direcionar as orientações gerais e específicas a fim de minimizar os riscos de agravo e adoecimento do indivíduo relacionados com a viagem.

## Cuidados com água, alimentos e diarreia do viajante

Para a prevenção de doenças transmitidas por água e alimentos, o viajante deve ser orientado quanto aos cuidados alimentares e manejo da diarreia do viajante.[9,16]

O consumo de água e alimentos contaminados pode transmitir doenças como poliomielite, febre tifoide, cólera, hepatite A, doença de Chagas, parasitoses intestinais e diarreia do viajante. O cuidado com alimentos e a higiene das mãos diminuem o risco de adoecimento.

Recomenda-se o consumo de água potável ou esterilizada por fervura ou uso de desinfetante (à base de cloro ou iodo). O hipoclorito de sódio a 2,5% (deve-se observar sempre a concentração de hipoclorito de sódio que consta na bula de cada produto) pode ser utilizado na seguinte diluição: 5 gotas de hipoclorito em 1 litro de água (correspondendo a 6 mg de cloro por litro de água). As frutas e verduras devem ficar imersas nessa solução antes de serem consumidas **C/D**. Quando possível, deve-se consumir água engarrafada, de preferência com gás, em razão de as bebidas gaseificadas apresentarem menor possibilidade de falsificação do frasco. Recomenda-se evitar o uso de gelo de procedência desconhecida, bem como o consumo de alimentos crus e malcozidos, leite não pasteurizado, alimentos preparados em más condições de higiene e frutos do mar crus ou não frescos **C/D**.[2,11] Para o consumo de frutas, o viajante deve higienizá-las ou descascá-las. Não se aconselha consumir água de fontes naturais ou das montanhas.

> Os viajantes desconhecem a maioria das orientações aqui descritas.[8,17]
> A diarreia do viajante representa o principal agravo durante as viagens

a despeito das orientações e da possibilidade de proteção com o uso de vacinas.

A diarreia do viajante é definida como a presença de 3 ou mais episódios de fezes líquidas em 24 horas, acompanhados de 1 ou mais dos seguintes sintomas: febre, calafrios, dor abdominal ou cólicas, urgência e presença de muco, pus ou sangue nas fezes. Hidratação com sais de reidratação oral, além do uso de antibióticos, podem ser recomendados durante a consulta de orientação pré-viagem ao viajante.[9,16] Recomenda-se o tratamento sintomático da diarreia não disentérica com loperamida – 2 comprimidos de 4 mg inicialmente e, após, 2 mg depois de cada evacuação diarreica (máximo de 16 mg/dia) B.[18] A combinação loperamida + simeticona (2 mg + 125 mg) produz resposta mais rápida no alívio da diarreia aguda não específica ou desconforto abdominal devido a gases do que a loperamida isoladamente B.

*Escherichia coli* enterotoxigênica é responsável por cerca de 60% das etiologias bacterianas das diarreias que acometem os viajantes. Vírus, protozoários e helmintos também podem estar relacionados com quadros diarreicos, sendo estes últimos os principais responsáveis pelas formas crônicas das diarreias no retorno de viajantes.[10,19] Embora o cólera seja raro entre viajantes, a vacinação contra a doença está recomendada para viajantes que se deslocam para regiões onde ela ocorre sob a forma epidêmica. Apesar da baixa eficácia da vacina atualmente disponível, ela pode fornecer proteção cruzada para *E. coli* enterotoxigênica.[20] (Ver Capítulo Imunizações.)

O tratamento autoadministrado (utilização de esquemas terapêuticos pelo próprio viajante com a devida orientação médica) para diarreia deve ser recomendado aos viajantes com maior risco. Nesse caso, as fluoroquinolonas integram o arsenal de antimicrobianos de escolha, sendo geralmente recomendado o ciprofloxacino, na dose de 500 mg, de 12/12 horas, durante 3 dias B.[21,22] A azitromicina parece ter a mesma eficácia que o ciprofloxacino no tratamento da diarreia do viajante B.[23] É o tratamento de escolha nas diarreias graves, incluindo disenteria e diarreia febril. O tratamento consiste em dose única de 1 g; caso a diarreia persista após 24 horas, recomenda-se repetir a dose por até 3 dias. Em crianças, recomendam-se 10 mg/kg/dia, 1 ×/dia, por 3 dias.

O médico deve orientar de maneira clara em que momento o viajante deve utilizar o antibiótico; ou seja, quando houver diarreia (3 ou mais episódios de fezes líquidas, em um período de 24 horas), acompanhada de pelo menos 1 dos seguintes sintomas: náuseas e/ou vômitos, dor abdominal, calafrios ou febre.

Vale destacar que o Sudeste Asiático é reconhecido pela emergência de enterobactérias resistentes aos antimicrobianos da classe das fluoroquinolonas e, por essa razão, a azitromicina deve ser recomendada como alternativa B.[24] Outro antibiótico que pode ser utilizado é a rifaximina B,[25] porém ainda não está disponível em nosso meio. Deve-se ressaltar que a quimioprofilaxia para diarreia do viajante não é recomendada.[19,26]

## Prevenção de doenças transmitidas por picadas de insetos

Doenças como malária, dengue, febre amarela, leishmaniose, encefalite japonesa e chikungunya são exemplos de doenças transmitidas por picadas de insetos. As medidas de proteção individual contra picadas de insetos devem ser recomendadas para viajantes que se deslocam para áreas de transmissão dessas doenças. A febre amarela é a única que dispõe de vacina, sendo obrigatória para viajantes que se destinam às áreas de risco segundo recomendação do Regulamento Sanitário Internacional (2005) (ver Capítulos Febre Amarela e Imunizações).

Os repelentes contendo como princípio ativo o DEET (dietilmetilbenzamida) ou a picaridina (também conhecida como icaridina) têm se mostrado como os mais eficazes.[27] Atualmente, são encontrados no Brasil repelentes eficazes contendo em sua formulação a icaridina, que confere proteção por aproximadamente 10 horas. As crianças com idade > 6 meses e as gestantes podem usar icaridina a 20% de acordo com as instituições de vigilância sanitária do país. A icaridina é eficaz contra a picada das seguintes espécies de mosquitos: *Culex*, *Aedes aegypti*, *Aedes albopictus* e *Anopheles*. O IR3535 é uma loção recomendada para uso em crianças com idades entre 6 meses e 2 anos; no entanto, tem um tempo de ação menor – no máximo, 4 horas.

O intervalo entre as aplicações depende da concentração do princípio ativo de cada formulação. A aplicação deve ser mais frequente em situações de temperatura e umidade altas e em locais com elevada concentração de insetos. Usar mosquiteiros impregnados com permetrina e vestir roupas claras e que deixem o mínimo possível de pele exposta também são medidas que contribuem para a redução de picadas de insetos. Evitar a exposição no amanhecer, no anoitecer e durante toda a noite (horários de maior atividade dos mosquitos, especialmente para os anofelinos vetores da malária) é outra medida que pode ser adotada pelo viajante. Ambientes climatizados com ar-condicionado e uso de telas nas portas e nas janelas reduzem a entrada dos mosquitos no domicílio. É importante ressaltar que em outras doenças de transmissão vetorial, como a dengue, o horário de atividade dos mosquitos é diferente, acontecendo durante todo o dia.[16,28,29]

As medidas específicas de prevenção da malária incluem o conhecimento do risco de transmissão da doença, a adoção de medidas de proteção individual contra picada de mosquito, quimioprofilaxia (QPX) e/ou tratamento autoadministrado e acesso precoce ao diagnóstico e ao tratamento.[30]

A QPX consiste no uso de fármacos antimaláricos em doses subterapêuticas, a fim de reduzir formas clínicas graves e óbito por malária causada por *Plasmodium falciparum*. Deve ser indicada quando o risco de doença grave e/ou morte por malária por *P. falciparum* for superior ao risco de eventos adversos da medicação profilática e o acesso aos serviços de saúde não for possível dentro das primeiras 24 horas do início dos sintomas. Os estudos que avaliam os principais fármacos utilizados para QPX demonstram eficácia entre 75 e 95%, variando de acordo com o esquema empregado, a espécie de *Plasmodium* e a adesão do viajante à profilaxia C/D.[29,31] As situações em que a indicação de QPX deve ser avaliada e os fármacos usados são apresentados no Capítulo Malária.

O tratamento autoadministrado, considerado uma alternativa para prevenção de formas clínicas graves e morte por malária, deve ser reservado para situações de risco elevado de infecção por *P. falciparum* e quando não houver assistência médica disponível para o diagnóstico confirmatório da doença em um período de até 24 horas após o aparecimento dos sintomas.[29] Para esquemas terapêuticos, ver Capítulo Malária.

Informações detalhadas sobre prevenção de malária em viajantes podem ser obtidas no *Guia para profissionais de saúde sobre prevenção da malária em viajantes* do Ministério da Saúde.[29] (Ver QR code.)

## Prevenção de doenças causadas por animais peçonhentos

A adoção de medidas de prevenção contra picadas é a principal maneira de minimizar os riscos. Essas medidas incluem utilizar proteção mecânica, como calça comprida, bota e perneira em caminhadas de risco; não manipular pedra ou tronco de árvore com os membros desprotegidos; não colocar mãos ou pés em locais que não possam ser observados com clareza, como tocas, buracos ou galhos de árvores; observar o local antes de sentar-se ao ar livre; e não colocar o saco de dormir próximo a rochas ou cavernas. Em caso de acidentes por animais peçonhentos, deve-se lavar o local da lesão com água e sabão, não fazer garrote, incisão ou expressão, e procurar o serviço de saúde o mais rápido possível para avaliar indicação de soroterapia específica C/D. Se possível, é importante levar o animal para identificação, desde que não haja risco adicional durante a captura dele, ou registrá-lo com fotografia[32] (ver Capítulo Acidentes por Animais Peçonhentos).

Em caso de contato com animais selvagens, é importante adotar postura de defesa, manter-se em local de segurança e não se aproximar de animais que pareçam estar doentes ou machucados ou que tenham comportamento agressivo. Acidentes com animais potencialmente transmissores de raiva, como morcegos, cães, gatos e primatas não humanos, devem ser lembrados aos viajantes. Orientações específicas de prevenção devem ser fornecidas, e, caso ocorra acidente por mordedura, arranhadura ou lambedura em mucosas, o viajante deve procurar assistência médica para realizar profilaxia pós-exposição de raiva. Em situações de risco elevado da doença, o esquema de vacinação pré-exposição para raiva pode ser proposto, caso haja tempo hábil antes da viagem[29] (ver Capítulos Raiva e Imunizações).

## Prevenção de infecções respiratórias virais

Nas últimas duas décadas, houve crescente preocupação com a emergência de infecções respiratórias agudas de etiologia viral, com surtos identificados simultaneamente em diferentes regiões e países.[33]

Em fevereiro de 2003, a Organização Mundial da Saúde (OMS) relatou a ocorrência de múltiplos casos de síndrome respiratória aguda grave (SRAG; em inglês, SARS [*severe acute respiratory syndrome*]), posteriormente atribuída à família dos coronavírus e identificado como SARS-CoV.[34] Em 2012, outra cepa de coronavírus se espalhou no Oriente Médio, então identificado como MERS-CoV (do inglês *Middle East respiratory syndrome coronavirus* [coronavírus associado à síndrome respiratória do Oriente Médio]). Ao final de 2019, o surgimento de uma nova onda de casos de pneumonia e SRAG de rápido avanço em diferentes países evoluiu para uma pandemia – a pandemia da doença do coronavírus 2019 (Covid-19, do inglês *coronavirus disease 2019*). O agente identificado nessa ocasião foi uma nova cepa de coronavírus, nomeada SARS-CoV-2 (do inglês *severe acute respiratory syndrome coronavirus 2* [coronavírus 2 associado à síndrome respiratória aguda grave]).

Da mesma forma, os vírus da família *influenza* A também são responsáveis por surtos, entre eles H5N1, H7N9, H7N2 e H9N2.[1] Em 2009, uma pandemia de *influenza* A H1N1 também foi responsável por milhares de casos de infecção e mortes, inclusive no Brasil.[35] Hoje, a vacinação contra *influenza* A acontece anualmente para grupos de risco (ver Capítulo Imunizações).

A preocupação com a infectividade e rápida propagação desses vírus aumenta junto com o crescente deslocamento de viajantes em rotas internacionais e domésticas. São consideradas medidas preventivas padrão: a lavagem frequente das mãos com água e sabão ou álcool saneante (p. ex., 70%), manter ambientes arejados, cobrir a boca ao tossir ou espirrar e a utilização de máscaras por pacientes com infecção respiratória aguda que se encontrem em deslocamento.

## *Kit* básico de saúde para o viajante

O risco de adoecimento durante os deslocamentos está intimamente relacionado com a duração da viagem. Estudos apontam que para cada dia adicional de viagem o risco de adoecimento aumenta em 3 a 4%. A diarreia do viajante, os sintomas respiratórios, as dermatoses, os sintomas desencadeados pelo movimento (cinetose) e as síndromes febris figuram entre os principais agravos observados durante as viagens. Assim, o *kit* médico básico de saúde do viajante

**TABELA 168.2** → *Kit* básico de saúde para o viajante

- → Medicamentos de uso rotineiro (anti-hipertensivos, hipoglicemiantes, etc.)
- → Analgésicos (de preferência aqueles que já sejam de uso do viajante)
- → Anti-histamínico
- → Álcool-gel (para higienização das mãos)
- → Antibioticoterapia para diarreia (tratamento autoadministrado, fornecido durante a consulta pré-viagem)
- → Sais de reidratação oral
- → Filtro solar com fator de proteção solar (FPS) ≥ 15
- → Repelente
- → Mosquiteiros impregnados com permetrina (para viajantes que permanecerão em áreas endêmicas de doenças como a malária)
- → Antiácido
- → Termômetro
- → Hipoclorito de sódio
- → Antifúngico (creme)
- → Corticoide (creme)

Fonte: Adaptada de World Health Organization.[36]

deve conter medicamentos indicados para os agravos mais frequentes observados durante as viagens (TABELA 168.2).[36]

Além disso, é importante lembrar o viajante de levar todos os medicamentos de uso rotineiro, devidamente prescritos com receita médica nominal de cada um deles, em quantidade adequada para o período de viagem, mantendo a embalagem original, já que isso poderá ser exigido nas alfândegas. Outras informações que devem ser fornecidas ao viajante são *sites* com endereços de serviços de saúde no local de destino, em caso de necessidade de consulta médica no decorrer da viagem. Deve-se estimular a aquisição de seguro-saúde para viagens ao exterior.

## Outros cuidados

Alguns cuidados com agravos não infecciosos também devem ser discutidos com os viajantes. Viagens para locais de maior altitude podem ocasionar problemas para o viajante, especialmente pela baixa concentração de oxigênio ($PO_2$) do ar. Os sintomas vão desde cefaleia, fadiga e náusea até edemas pulmonar e cerebral, variando conforme a altitude, a velocidade de subida e o tempo de exposição. O período de aclimatização é de 3 a 5 dias para altitudes > 2.750 metros. Recomenda-se evitar subidas > 500 metros para pernoite e planejar dia extra de aclimatização a cada 1.000 metros. Pode-se considerar uso de acetazolamida quando a subida rápida é inevitável, sobretudo nos indivíduos com história de sintomas prévios relacionados com a altitude. Recomenda-se também evitar uso de álcool nas primeiras 48 horas ou exercícios extenuantes nesse período.[37]

Cuidados com exposição à luz solar, extremos de temperaturas, alterações decorrentes de grandes mudanças de fusos horários (*jet lag*), medidas de proteção contra trombose venosa profunda, acidentes automobilísticos, violência e doenças sexualmente transmissíveis também devem ser abordados na consulta. O destaque dado a cada uma dessas orientações varia conforme o perfil do viajante e da viagem, e o profissional de saúde deve ter em mente que todas essas orientações demandam tempo considerável e muitas vezes devem ser complementadas com material impresso ou disponibilizadas em páginas da internet.[9,19] (Para o manejo do *jet lag*, ver Capítulo Alterações do Sono.)

## Indicação das vacinas necessárias

A decisão quanto à indicação de vacinas depende do destino, do risco de adquirir a doença, das condições de saúde, incluindo presença de alergias, gestação e imunossupressão, e dos antecedentes vacinais do viajante.

As vacinas para viajantes podem ser divididas em três categorias: de rotina, recomendadas e obrigatórias, conforme apresentado na TABELA 168.3.[16,19,20,38,39] As vacinas podem ser administradas de maneira simultânea. Vacinas de vírus vivos atenuados, quando não administradas simultaneamente, devem ser realizadas com intervalo de 4 semanas entre elas.

A Agência Nacional de Vigilância Sanitária (Anvisa) possui um portal (Civnet) para consulta de exigências de viagem para aqueles que visitarão outros países, no qual é possível acessar informações de viagem atualizadas de cada país.[40]

## ACONSELHAMENTO PÓS-VIAGEM

A consulta médica pós-viagem é indicada para viajantes que apresentem qualquer sinal ou sintoma de doença no retorno. A avaliação deve levar em consideração o roteiro da viagem, as atividades realizadas, as vacinas prévias, a epidemiologia de doenças endêmicas no destino e o período de incubação destas. Doenças virais e bacterianas costumam ter

**TABELA 168.3** → Vacinas de rotina, recomendadas e obrigatórias aos viajantes*

| CATEGORIA | VACINA | INDICAÇÃO | CONSIDERAÇÕES IMPORTANTES |
|---|---|---|---|
| **Vacinas de rotina** | Difteria e tétano (dT) ou dTpa | Universal<br>Seguir calendário vacinal | |
| | Sarampo, caxumba e rubéola (SCR) | Seguir calendário vacinal | Em alguns países desenvolvidos, como Dinamarca, Alemanha, Espanha e Suíça, ainda ocorrem surtos de sarampo, assim como na Ásia e na África e mais recentemente na América do Sul<br>Confere proteção individual e evita que os vírus sejam reintroduzidos em regiões livres da doença |
| | *Influenza* | Conforme critérios<br>Viagem para regiões no período de circulação do vírus | Vacina com as cepas do Hemisfério Norte |
| | Antipneumocócica 23-valente | Seguir calendário vacinal | A vacina está indicada para população indígena e grupos-alvo específicos, como pessoas com idade ≥ 60 anos não vacinadas que vivem acamadas e/ou em instituições fechadas |
| | Antipneumocócica 10-valente e 13-valente | Seguir calendário vacinal | |
| | Poliomielite | Universal<br>Seguir calendário vacinal<br>Dose de reforço em caso de viagem para países onde não foi erradicado o vírus da poliomielite, para viajantes com esquema completo com mais de 10 anos da última dose; em caso de esquema incompleto, completar | A doença ainda é importante problema de saúde pública em países como Índia, Paquistão, Afeganistão e Nigéria<br>Viajantes brasileiros que se destinam a áreas endêmicas devem estar protegidos, pois os indivíduos infectados são potenciais transmissores, tornando possível a reintrodução do vírus em regiões livres da doença |

*(continua)*

**TABELA 168.3** → Vacinas de rotina, recomendadas e obrigatórias aos viajantes* *(Continuação)*

| CATEGORIA | VACINA | INDICAÇÃO | CONSIDERAÇÕES IMPORTANTES |
|---|---|---|---|
| **Vacinas recomendadas** | Hepatite A | Indicada a viajantes que se destinam a regiões onde a doença é endêmica e onde há baixa cobertura de saneamento básico | Cerca de 94% formam anticorpos protetores 2 semanas após a primeira dose<br>Das doenças passíveis de prevenção por vacinas, a hepatite é a mais comum entre viajantes que se deslocam para as áreas de risco |
| | Hepatite B | Viagem para regiões endêmicas, devido ao risco de contágio sexual | Esquema acelerado de vacinação pode ser utilizado<br>Existem vários esquemas; 0, 7 e 21 dias, 4ª dose após 6 meses |
| | Vacina antimeningocócica | Deslocamento para regiões endêmicas (África subsaariana, onde há predomínio dos subtipos A e W135)<br>A vacina quadrivalente (A, C, Y e W135) é obrigatória para aqueles que viajam à Meca e Medina (Arábia Saudita) durante o período de peregrinações (Hajj e Umrah) | |
| | Raiva | Vacina pré-exposição: viajantes para áreas endêmicas, com possível contato com animal de risco, com dificuldade de acesso à imunoprofilaxia imediata | |
| | Cólera | Viajantes para áreas de risco, especialmente pessoas com acloridria ou hipocloridria | Eficácia de 80-85% nos primeiros 6 meses e de 63% em 3 anos |
| | Febre tifoide | Viagem para áreas de risco, por período > 1 mês ou onde a taxa de resistência antimicrobiana seja elevada (na Ásia, especialmente a Índia) | Proteção a partir do 7º dia<br>Eficácia: 62-77%, não duradoura |
| | Encefalite japonesa | Viajantes que se deslocam para regiões endêmicas da Ásia, principalmente em áreas rurais (cultivo de arroz), por período > 30 dias, de maio a setembro nas regiões temperadas e após as chuvas nas regiões tropicais | Nova vacina: de vírus inativado cultivada em células vero; eficácia: 98%<br>Aprovada nos Estados Unidos em 2009 a partir de 17 anos<br>Esquema: 2 doses com intervalo de 30 dias<br>Não está disponível no Brasil |
| **Vacina obrigatória** | Febre amarela | Viajantes que se deslocam para regiões com risco de transmissão (América do Sul e África Central)<br>Viajantes para países que exigem o Certificado Internacional de Vacinação contra Febre Amarela (emitido em portos, aeroportos e fronteiras) | Em casos de contraindicação, deve-se emitir Atestado de Isenção de Vacinação<br>Realizar a vacina pelo menos 4 semanas antes da viagem |

* Para mais detalhes, ver Capítulo Imunizações.
Fonte: Hill e colaboradores,[16] de la Cabada Bauche e Dupont,[19] Bennett e colaboradores,[20] Brasil.[38,39]

período de incubação mais curto (1-2 semanas). Períodos de incubação prolongados podem ocorrer com parasitas intestinais (giardíase e amebíase), hepatites virais, malária e tuberculose.

**Pessoas que apresentem febre e tenham retornado de regiões endêmicas para malária devem obrigatoriamente realizar pesquisa de hematozoários no sangue periférico (gota espessa para pesquisa de *Plasmodium* sp.).**

Exames específicos, como exame parasitológico e cultura de fezes, cultura de escarro e pesquisa de bacilo álcool-ácido resistente (BAAR), além de exames para dengue, leptospirose, hepatites, HIV, entre outros, devem ser realizados conforme o quadro clínico.[20,41]

# REFERÊNCIAS

1. United Nations. World Tourism Organization. Global and regional tourism performance [Internet]. Madrid: UNWTO; 2021 [capturado em 11 maio. 2021]. Disponível em: https://www.unwto.org/global-and-regional-tourism-performance.
2. Brasil. Ministério do Turismo. Página inicial [Internet]. Dados e Fatos. Brasília: MT; 2021 [capturado em 11 maio. 2021]. Disponível em: http://www.dadosefatos.turismo.gov.br/dadosefatos/.
3. Brasil. Ministério da Saúde. Nota técnica n.º 3/2011/URI/CGDT/DEVEP/SVS/M: finalização dos surtos de sarampo no Brasil em 2010. Brasília: MS; 2011.
4. Brasil. Ministério da Saúde. Informe nº37: situação do sarampo no Brasil – 2018 [Internet]. Brasília: MS; 2018 [capturado em 11 maio. 2021]. Disponível em: https://portalarquivos2.saude.gov.br/images/pdf/2018/dezembro/14/Informe-Sarampo-n34-12dez18.pdf.
5. Goldani LZ, Goldani LZ. Measles outbreak in Brazil, 2018. Braz J Infect Dis. 2018;22(5):359–359.
6. Lima Junior MM de, Rodrigues GA, Lima MR de, Lima Junior MM de, Rodrigues GA, Lima MR de. Evaluation of emerging infectious disease and the importance of SINAN for epidemiological surveillance of Venezuelans immigrants in Brazil. Braz J Infect Dis. 2019;23(5):307–12.
7. Pinto PFPS, Neto FC, de Almeida Ribeiro MCS. Tuberculosis among South American immigrants in São Paulo municipality: an analysis in space and time. Int J Tuberc Lung Dis. 2018;22(1):80–5.
8. Rack J, Wichmann O, Kamara B, Günther M, Cramer J, Schönfeld C, et al. Risk and Spectrum of Diseases in Travelers to Popular Tourist Destinations. J Travel Med. 2005;12(5):248–53.
9. Spira AM. Preparing the traveller. Lancet. 2003;361(9366):1368–81.
10. Field V, Gautret P, Schlagenhauf P, Burchard G-D, Caumes E, Jensenius M, et al. Travel and migration associated infectious diseases morbidity in Europe, 2008. BMC Infect Dis. 2010;10:330.
11. Clerinx J, Gompel AV. Post-travel screening. In: Keystone JS, Kozarsky P, Freedman DO, Connor BA, Nothdurft HD, organizadores. Travel medicine. 2nd ed. Philadelphia: Mosby; 2008. p. 505–21.
12. McIntosh IB, Reed JM, Power KG. Travellers' diarrhoea and the effect of pre-travel health advice in general practice. Br J Gen Pract. 1997;47(415):71–5.
13. Chinwa Lo S, Mascheretti M, Chaves T do SS, Lopes MH. Vacinação dos viajantes: experiência do Ambulatório dos Viajantes do Hospital das Clínicas da Faculdade de Medicina da Universidade de São Paulo. Rev Soc Bras Med Trop. 2008;41(5):474–8.

14. Matos V, Barcellos C. Relações entre turismo e saúde: abordagens metodológicas e propostas de ação. Rev Panam Salud Publica. 2010;28:128–34.
15. ACOG Committee on Obstertic Practice. Committee opinion: number 264, December 2001. Air travel during pregnancy. Obstet Gynecol. 2001;98(6):1187–8.
16. Hill DR, Ericsson CD, Pearson RD, Keystone JS, Freedman DO, Kozarsky PE, et al. The practice of travel medicine: guidelines by the Infectious Diseases Society of America. Clin Infect Dis. 2006;43(12):1499–539.
17. Steffen R, Tornieporth N, Clemens S-AC, Chatterjee S, Cavalcanti A-M, Collard F, et al. Epidemiology of travelers' diarrhea: details of a global survey. J Travel Med. 2004;11(4):231–7.
18. Johnson PC, Ericsson CD, DuPont HL, Morgan DR, Bitsura JA, Wood LV. Comparison of loperamide with bismuth subsalicylate for the treatment of acute travelers' diarrhea. JAMA. 1986;255(6):757–60.
19. de la Cabada Bauche J, DuPont HL. New developments in traveler's diarrhea. Gastroenterol Hepatol. 2011;7(2):88–95.
20. Bennett JE, Dolin R, Blaser MJ. Mandell, Douglas, and Bennett's principles and practice of infectious diseases. 9th ed. Philadelphia: Elsevier; 2019.
21. Salam I, Katelaris P, Leigh-Smith S, Farthing MJ. Randomised trial of single-dose ciprofloxacin for travellers' diarrhoea. Lancet. 1994;344(8936):1537–9.
22. DuPont HL, Ericsson CD, Mathewson JJ, DuPont MW. Five versus three days of ofloxacin therapy for traveler's diarrhea: a placebo-controlled study. Antimicrob Agents Chemother. 1992;36(1):87–91.
23. Kuschner RA, Trofa AF, Thomas RJ, Hoge CW, Pitarangsi C, Amato S, et al. Use of azithromycin for the treatment of Campylobacter enteritis in travelers to Thailand, an area where ciprofloxacin resistance is prevalent. Clin Infect Dis. 1995;21(3):536–41.
24. Tribble DR, Sanders JW, Pang LW, Mason C, Pitarangsi C, Baqar S, et al. Traveler's diarrhea in Thailand: randomized, double-blind trial comparing single-dose and 3-day azithromycin-based regimens with a 3-day levofloxacin regimen. Clin Infect Dis. 2007;44(3):338–46.
25. Steffen R, Sack DA, Riopel L, Jiang ZD, Stürchler M, Ericsson CD, et al. Therapy of travelers' diarrhea with rifaximin on various continents. Am J Gastroenterol. 2003;98(5):1073–8.
26. Rendi-Wagner P, Kollaritsch H. Drug prophylaxis for travelers' diarrhea. Clin Infect Dis. 2002;34(5):628–33.
27. Fradin MS, Day JF. Comparative efficacy of insect repellents against mosquito bites. N Engl J Med. 2002;347(1):13–8.
28. Massad E, Behrens RH, Burattini MN, Coutinho FAB. Modeling the risk of malaria for travelers to areas with stable malaria transmission. Malar J. 2009;8:296.
29. Brasil. Ministério da Saúde. Secretaria de Vigilância em Saúde. Guia para profissionais de saúde sobre prevenção da malária em viajantes. Brasília: MS; 2008.
30. Mattila L, Peltola H, Siitonen A, Kyrönseppä H, Simula I, Kataja M. Short-term treatment of traveler's diarrhea with norfloxacin: a double-blind, placebo-controlled study during two seasons. Clin Infect Dis. 1993;17(4):779–82.
31. Nakato H, Vivancos R, Hunter PR. A systematic review and meta-analysis of the effectiveness and safety of atovaquone proguanil (Malarone) for chemoprophylaxis against malaria. J Antimicrob Chemother. 2007;60(5):929–36.
32. Mascheretti M, Pierrotti LC, Chaves TSS. Medicina de viagem. In: Martins M de A, Carrilho FJ, Alves VAF, Castilho EA de, Cerri GG, Wen CL, organizadores. Clínica médica. São Paulo: Manole; 2009. p. 696–705.
33. World Health Organization. Infection prevention and control of epidemic-and pandemic prone acute respiratory infections in health care. Geneva: WHO; 2014.
34. McIntosh K. Severe acute respiratory syndrome (SARS) [Internet]. UpToDate. Waltham; 2021 [capturado em 11 abr. 2021]. Disponível em: https://www.uptodate.com/contents/severe-acute-respiratory-syndrome-sars.
35. Codeço CT, Cordeiro J da S, Lima AW da S, Colpo RA, Cruz OG, Coelho FC, et al. The epidemic wave of influenza A (H1N1) in Brazil, 2009. Cad Saúde Pública. 2012;28(7):1325–36.
36. World Health Organization. International travel and health: situation as on January 2012. Geneva: World Health Organization; 2012.
37. Hackett PH, Shlim DR. High-altitude travel & altitude illness. In: Brunette GW, Nemhauser JB, organizadores. CDC Yellow Book 2020. New York: Oxford University Press; 2019.
38. Brasil. Ministério da Saúde. Secretaria de Vigilância em Saúde. Manual dos centros de referência para imunobiológicos especiais. 5. ed. Brasília: MS; 2019.
39. Brasil. Ministério da Saúde. Calendário nacional de vacinação [Internet]. Ministério da Saúde. Brasília; 2020 [capturado em 11 maio. 2021]. Disponível em: https://www.gov.br/saude/pt-br/assuntos/saude-de-a-a-z-1/c/calendario-de-vacinacao.
40. Brasil. Agência Nacional de Vigilância Sanitária. Tirar o certificado internacional de vacinação [Internet]. Brasília; 2021 [capturado em 11 maio. 2021]. Disponível em: https://www.gov.br/pt-br/servicos/obter-o-certificado-internacional-de-vacinacao-e-profilaxia.
41. Spira AM. Assessment of travellers who return home ill. Lancet. 2003;361(9367):1459–69.

## LEITURAS RECOMENDADAS

Centers for Disease Control and Prevention. Yellow Book. Health information for international travel. Atlanta: CDC; 2020.

*O Yellow Book é publicado a cada 2 anos pelo CDC como referência para profissionais que trabalham com Medicina de Viagem.*

World Health Organization. International Travel and Health: 2012 edition [Internet]. Geneva: WHO; 2012 [capturado em 14 mar. 2020]. Disponível em: https://www.who.int/publications/i/item/9789241580472

*Também conhecido como "Green Book". é o livro da OMS de Medicina de Viagem. Pode ser acessado gratuitamente.*

# SEÇÃO XIII

**Coordenadores:** *Maria Helena P. P. Oliveira*
*Guilherme Nabuco Machado*

# Saúde Mental

**169.** Avaliação de Problemas de Saúde Mental na Atenção Primária ................. 1846
*Guilherme Nabuco Machado, Maria Helena P. P. Oliveira,
Diego Espinheira da Costa Bomfim*

**170.** Transtornos Relacionados à Ansiedade ................. 1858
*Giovanni Abrahão Salum Júnior, Natan Pereira Gosmann,
Aristides V. Cordioli, Gisele Gus Manfro*

**171.** Depressão ................. 1881
*Fernanda Lucia Capitanio Baeza, Tadeu Assis Guerra, Marcelo Pio de Almeida Fleck*

**172.** Transtorno do Humor Bipolar ................. 1895
*Pedro Domingues Goi, Silvia Bassani Schuch-Goi, Marcia Kauer-Sant'Anna*

**173.** Psicoses ................. 1908
*Maria Helena P. P. Oliveira, Guilherme Nabuco Machado*

**174.** Abordando os Sintomas Físicos de Difícil Caracterização ................. 1919
*Sandra Fortes, Daniel Almeida Gonçalves, Naly Soares de Almeida,
Luís Fernando Tófoli, Luiz Fernando Chazan*

**175.** Abordagem da Sexualidade e de suas Alterações ................. 1931
*Carmita H. N. Abdo*

**176.** Drogas: Uso, Uso Nocivo e Dependência ................. 1948
*Ingrid Hartmann, Anne Orgler Sordi, Melina N. de Castro,
Pedro Domingues Goi, Thiago Casarin Hartmann*

**177.** Abordagem da Saúde Mental na Infância ................. 1960
*Michael Schmidt Duncan, Guilherme Nabuco Machado,
Maria Helena P. P. Oliveira, Flávio Dias Silva, Renato M. Caminha*

**178.** Transtornos Relacionados a Dificuldades de Aprendizagem
e Problemas Associados à Agressividade ................. 1977
*Maria Helena P. P. Oliveira, Guilherme Nabuco Machado*

**179.** Problemas de Saúde Mental em Adolescentes e Adultos Jovens ................. 1990
*Christian Kieling, Pedro Mario Pan, Marcelo Rodrigues Gonçalves*

**180.** Intervenções Psicossociais na Atenção Primária à Saúde ................. 1997
*Daniel Almeida Gonçalves, Dinarte Ballester, Luiz Fernando Chazan,
Naly Soares de Almeida, Sandra Fortes*

# Capítulo 169
## AVALIAÇÃO DE PROBLEMAS DE SAÚDE MENTAL NA ATENÇÃO PRIMÁRIA

Guilherme Nabuco Machado
Maria Helena P. P. Oliveira
Diego Espinheira da Costa Bomfim

O conceito de saúde mental ainda é controverso. Já foi concebido como a capacidade de adequação às normas sociais de uma determinada época, e qualquer definição corre o risco de se tornar normativa. Em geral, falar em saúde mental remete a sensações de bem-estar, mas a capacidade de sentir e tolerar uma ampla variedade de sentimentos, incluindo aqueles considerados negativos, como raiva, tristeza e infelicidade, é fundamental.[1] Uma saúde mental considerada adequada ou a definição de sofrimento psíquico também depende do contexto cultural em que um determinado indivíduo está inserido.[1]

Muito além da ausência de transtorno mental, a saúde mental é cada vez mais compreendida como o conjunto de fatores biológicos, psicológicos e sociais que contribuem para o estado mental do indivíduo e o seu funcionamento no mundo.[2] Definições ainda mais abrangentes, como a da Public Health Agency of Canada, apresentada a seguir, incluem o desenvolvimento intelectual, espiritual e emocional.[2,3]

> **Saúde mental é a habilidade de cada um de nós de sentir, pensar e agir de forma a melhorar nossa capacidade de aproveitar a vida e lidar com os desafios que enfrentamos. É um sentido de bem-estar emocional e espiritual que respeita a importância da cultura, equidade, justiça social, relações interpessoais e dignidade pessoal.[3]**

Mas quais são as características necessárias para uma boa saúde mental? Algumas características individuais são apresentadas na **FIGURA 169.1**, porém não são suficientes, já que a saúde mental também depende de elementos externos ao indivíduo.[1,2]

Diferentemente das outras condições de saúde, os transtornos mentais parecem mobilizar mais comumente subjetividades e resistências, tanto entre profissionais, quanto na população em geral, afetando diretamente a forma como são tratados. O efeito direto dessas resistências se expressa no paradoxo do cuidado em saúde mental. Se, por um lado, há o excesso de tratamento (sobretratamento) ou medicalização de situações normais da vida, por outro lado, há o pouco reconhecimento e tratamento do sofrimento mental (subtratamento) de milhões de pessoas, gerando graves consequências.[4]

O sobretratamento ocorre principalmente quando condições da vida normal são consideradas doenças. A medicalização de situações de vida (como o luto normal ou a menopausa) gera riscos desnecessários, com intervenções médicas que poderiam ser evitadas ou substituídas por soluções menos invasivas.[4] O subtratamento está relacionado ao não reconhecimento e, consequentemente, ao não tratamento de pessoas com transtornos mentais.

O referido paradoxo do cuidado em saúde mental é percebido universalmente. No entanto, a balança pode pender mais para a negligência, sobretudo nos países de baixa e média renda, os quais são responsáveis por mais de 70% da carga global de doença relacionada ao adoecimento mental.[4]

## POR QUE CLASSIFICAR O SOFRIMENTO MENTAL? O PAPEL DO DIAGNÓSTICO

O diagnóstico dos transtornos mentais se baseia na observação e no agrupamento de comportamentos e emoções julgadas disfuncionais pelas suas relações com o ambiente. Não há a possibilidade, por exemplo, de fazer correlações anatomopatológicas ou fisiopatológicas, isolar patógenos, observar lesões, seja com as mãos, o estetoscópio ou o tomógrafo. Assim, os diagnósticos são sempre algo artificiais (quando comparados com a complexidade da realidade), são convenções e padronizações que buscam diminuir a subjetividade da observação clínica. Vale ressaltar que, apesar do esforço de objetividade, o diagnóstico dos transtornos mentais sofre invariavelmente forte influência da sociedade/cultura na qual ele é desenvolvido.

O diagnóstico na prática clínica exerce algumas funções, como o direcionamento do tratamento adequado, o entendimento do curso da doença, a avaliação de um recurso terapêutico, além da organização do sistema de saúde. Essencialmente, o diagnóstico é uma classificação clinicamente útil e, ao mesmo tempo, é uma linguagem que possibilita a comunicação em diferentes contextos. Diferentemente dos outros campos da saúde, na saúde mental o diagnóstico é frequentemente controverso, com opiniões polarizadas.[5]

Anteriormente ao desenvolvimento dos manuais da CID-6 (*Classificação estatística internacional de doenças e problemas relacionados à saúde*) e do DSM-I (*Manual diagnóstico e estatístico de transtornos mentais*), cada profissional usava sua própria forma de descrever e nomear os fenômenos observados. A confusão gerada a partir dessa heterogeneidade impulsionou a elaboração de manuais diagnósticos, como o DSM e a seção de saúde mental da CID.[6]

Na atenção primária à saúde (APS), situações clínicas pouco definidas são muito comuns, mesmo fora da saúde

| | | | |
|---|---|---|---|
| Autonomia | Capacidade de lidar com estressores | Flexibilidade para sentir | Adaptabilidade |
| Estabilidade/ equilíbrio | Relacionamentos significativos | Dignidade | Capacidade de sentir prazer |
| Esperança | Capacidade de aproveitar a vida | Otimismo | Capacidade de refletir |

**FIGURA 169.1** → Características individuais associadas à boa saúde mental.

mental. Por essa razão, a classificação na APS deve contemplar, além das doenças, também os problemas ou situações que levam a pessoa a buscar ajuda. Considerando que a CID e o DSM não são adequados para classificar problemas indiferenciados, a World Organization of Family Doctors (Wonca) desenvolveu o sistema de Classificação Internacional de Atenção Primária, que se encontra atualmente na segunda versão (CIAP 2).[7] Este é mais adequado para o contexto da APS, permitindo classificações mais dimensionais que categoriais.

O normal e o patológico na saúde mental não estão necessariamente em grupos separados. Em geral, o sofrimento mental é uma linha contínua que vai desde manifestações normais da vida como a tristeza, até extremos de anedonia, desânimo e tentativas de suicídio (FIGURA 169.2). Em algum ponto desse *continuum* foi convencionada uma divisão entre o normal e o patológico. Essa divisão leva em conta a intensidade do sofrimento, o prejuízo provocado e a persistência dos sintomas. Mas é importante deixar claro que o ponto a partir do qual algo é considerado patológico não está estabelecido na natureza, e que algumas situações clínicas que se aproximam desse ponto de corte são nebulosas e envolvem a subjetividade do examinador e do paciente.[2]

Outra questão importante é a divisão dos diagnósticos em categorias rígidas e com separações muito bem estabelecidas. Essas divisões não são compatíveis com a clínica, por vezes excluindo pessoas que estão em sofrimento mental, mas que não se encaixam em critérios diagnósticos; e, em outras situações, atribuem diferentes diagnósticos para uma mesma expressão de sofrimento.[8] Como exemplo, podemos destacar a falta de clareza da fronteira entre depressão e ansiedade, que frequentemente se apresentam juntas, e o fato de que sua separação em categorias distintas pouco impacta sua abordagem.

Considerando essas limitações relacionadas à classificação dos transtornos mentais, há uma tendência de as rígidas categorias diagnósticas serem substituídas por espectros de manifestações. Esses espectros se aproximam mais da realidade percebida na prática clínica, sobrepondo algumas categorias diagnósticas atuais.[8] Seguindo essa tendência, o DSM-5 agrupou em uma mesma categoria, por exemplo, as várias categorias de autismo, como Asperger, autismo infantil e síndrome de Rett, que é agora chamado de transtorno do espectro autista.

## POR QUE SAÚDE MENTAL NA ATENÇÃO PRIMÁRIA À SAÚDE?

O impacto dos transtornos mentais nas populações ao redor do mundo tem ganhado atenção nas últimas décadas. As estimativas mais recentes apontam prevalência > 10% em todas as 21 regiões avaliadas pelos estudos da Global Burden of Disease (GBD).[9] No Brasil, esse valor foi ainda maior, com a prevalência de transtornos mentais na população em geral para o ano de 2017 chegando a 15,2%.[10]

No entanto, pouca prioridade vinha sendo historicamente destinada à saúde mental no campo da saúde global, realidade que começou a mudar ainda na década de 1990, quando iniciaram-se os primeiros estudos da GBD.[11] Os crescentes avanços na expectativa de vida e na redução global de mortes prematuras estimularam o desenvolvimento de uma estratégia que agrupou os anos de vida perdidos por mortes prematuras e os anos vividos com incapacidade em uma única medida – DALY (do inglês *disability-adjusted life years*). Esta quantifica os anos de vida saudáveis perdidos por morte ou incapacidade, sendo a base da chamada carga global de doenças. Desse modo, foi destacada a importância epidemiológica dos transtornos mentais e de abuso de substâncias, com a constatação de que esse grupo de transtornos respondia conjuntamente por 7,4% de toda a carga mundial de problemas de saúde e 22,9% dos anos vividos com incapacidade em todo o mundo.[11]

Em 2014, foi publicado o primeiro estudo brasileiro multicêntrico sobre transtornos mentais comuns na APS.[12] Nesse trabalho, evidenciou-se que os problemas mais comuns estão relacionados à depressão e à ansiedade. Considerando as quatro capitais que participaram do estudo – Rio de Janeiro, São Paulo, Fortaleza e Porto Alegre –, a taxa de transtornos mentais nos usuários da APS foram, respectivamente, 51,9%, 53,3%, 64,3% e 57,7%. Os problemas de saúde mental foram especialmente altos em pessoas com baixa escolaridade, baixa renda, mulheres e desempregados.

Apesar da alta prevalência e impacto causado pelos transtornos mentais, muitas pessoas doentes ainda não recebem tratamento adequado ou diagnóstico de seu problema, mesmo havendo tratamento eficaz para grande parte dos transtornos.[13] Essa lacuna de acesso e tratamento para as demandas de saúde mental tornou-se mundialmente conhecida como *mental health gap*.[14] Estima-se que a média global da lacuna em relação aos transtornos depressivos seja de 56%; para o transtorno de pânico, 56%; para a ansiedade generalizada, 58%; e para o abuso e dependência de álcool, 78%.[15]

Com a finalidade de reduzir a referida lacuna de acesso e tratamento em saúde mental, uma das principais estratégias é a efetiva integração do cuidado em saúde mental aos serviços de APS.[16] Essa integração se justifica pela elevada carga de doença dos transtornos mentais, pela conexão entre problemas de saúde física e mental, além da enorme lacuna

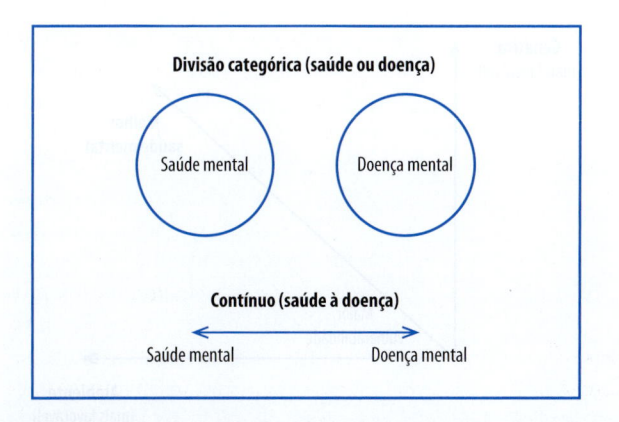

**FIGURA 169.2** → Diferentes visões sobre a relação entre saúde e doença mental.
Fonte: Adaptada de Manwell e colaboradores.[2]

de acesso e tratamento para os transtornos mentais. O cuidado da saúde mental na APS aumenta o acesso, promove os direitos humanos nesse campo, e apresenta bons resultados clínicos, maior disponibilidade e custo-efetividade.[17]

São bem estabelecidas na literatura as fortalezas da APS para a oferta de cuidados em saúde mental,[18] considerando seus atributos essenciais (acesso, longitudinalidade, coordenação do cuidado e integralidade) e derivados (abordagem familiar, competência cultural e abordagem comunitária). Os cuidados no primeiro nível de atenção, próximo da casa dos usuários e contextualizado para a realidade familiar e comunitária, têm sido avaliados como equivalentes ou superiores ao do nível especializado,[18] em função da não fragmentação do indivíduo, ou cisão entre saúde física e mental, relacionando-se aos atributos de acesso e integralidade. Já o acompanhamento contínuo, passando pelos diferentes ciclos de vida, além do aumento progressivo do vínculo, características que fazem parte do atributo da longitudinalidade, favorecem maior adesão e sucesso ao tratamento instituído. Pode-se, ainda, acrescentar o uso dos recursos da comunidade e a presença da equipe no território, favorecendo o desenvolvimento da competência cultural. No modelo brasileiro de APS, merece destaque a presença dos agentes comunitários de saúde (ACSs), compondo as equipes de Estratégia Saúde da Família (ESF) – importante diferencial que permite maior integração e melhor comunicação do serviço de saúde com a comunidade.

Como a saúde mental não está dissociada da saúde geral, é importante reconhecer as demandas de saúde mental no cotidiano dos pacientes que procuram as unidades de APS. As ações de saúde mental, realizadas no próprio contexto do território das equipes, não exigem necessariamente um trabalho para além daquele já demandado aos profissionais de saúde. Estando a unidade de APS inserida no mesmo território onde o indivíduo com adoecimento mental vive, é possível uma leitura mais ampla dos contextos, dos determinantes e da situação, bem como uma ação mais rápida, efetiva e integrada com seu meio.[19]

Para assumir a responsabilidade com o cuidado de saúde mental em seu território, a APS, além de treinamento técnico, necessita de adequadas condições de trabalho e integração com o restante da rede de saúde. Entre estas, podem-se destacar: políticas específicas que ordenem e garantam financeiramente a organização da rede de saúde para viabilizar processo integrativo; APS estabelecida e resolutiva; adequação às particularidades do território; treinamento dos profissionais envolvidos; garantia de suporte contínuo de especialistas e serviços especializados de referência; e adequada e regular oferta de psicofármacos.[16]

## VULNERABILIDADE E ADOECIMENTO MENTAL

Cerca de 75% dos transtornos mentais diagnosticados na vida adulta iniciam antes dos 24 anos.[20] A maioria desses transtornos tem suas raízes na infância, podendo o ambiente abrandar ou agravar a expressão do adoecimento.[21] É importante reconhecer também que os transtornos mentais têm fortes associações familiares (genética). Os transtornos mentais menos prevalentes, como esquizofrenia e transtorno bipolar, são mais herdáveis, e os mais prevalentes, como depressão e ansiedade, menos herdáveis.[22]

É provável que a genética e o ambiente, em suas múltiplas possibilidades de apresentações e associações, sejam corresponsáveis pela saúde mental de um indivíduo (FIGURA 169.3).[23] Também existe a interação ambiente-ambiente, expressa, por exemplo, quando a vivência de experiências adversas torna um indivíduo mais frágil diante de novas exposições no futuro, como se não conseguisse desenvolver respostas de enfrentamento para aquele tipo de exposição.[23]

Outro componente fundamental relacionado à maturação da saúde mental de um indivíduo diz respeito ao seu desenvolvimento, entendido como uma transformação complexa, contínua, dinâmica e progressiva, envolvendo crescimento físico, amadurecimento e aprendizagem dos aspectos psíquicos e sociais. O processo do desenvolvimento é maleável e constantemente influenciado pela interação de fatores internos e externos (incluindo genéticos e ambientais), o que acrescenta a noção de processo à saúde mental.[21]

Desde os anos 1960, estudos demonstram grande associação entre ambientes adversos (especialmente na infância) e o desenvolvimento de transtornos mentais.[23] No entanto, por mais que existam experiências de vida que aumentem o risco do adoecimento mental, as evidências mostram ser improvável que um único fator ambiental seja suficiente para causar um transtorno mental.[24] Da mesma forma, é provável que múltiplas variantes genéticas moldem a suscetibilidade ao ambiente, ou seja, não existe uma expressão genética específica associada a um determinado transtorno mental.[25]

Considerando os múltiplos cruzamentos possíveis de fatores de risco, desenvolvimento do indivíduo, genética e ambientes responsáveis pela melhor ou pior saúde mental de um indivíduo,[23] faz pouco sentido, na prática clínica, buscar uma associação específica para justificar o sofrimento mental de uma pessoa. Simplificações, como atribuir uma depressão exclusivamente à perda de um pai na infância, podem limitar a busca de recursos terapêuticos que poderiam atuar sobre a complexidade dos fatores que se entrecruzam para produzir a doença.

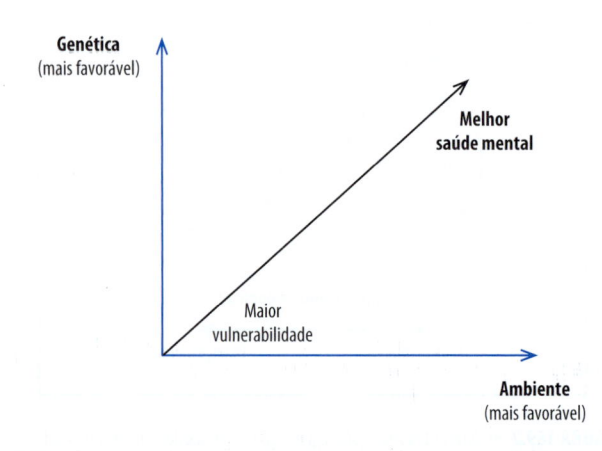

**FIGURA 169.3** → Interação genética-ambiente e sua relação com a saúde mental.

## Personalidade

A personalidade também compõe a saúde mental de um indivíduo, trazendo os fatores de vulnerabilidade e de resiliência. Pode ser definida como um padrão de características psíquicas, em grande parte inconscientes e difíceis de serem alteradas, e que se manifestam automaticamente em todas as facetas da vida do indivíduo. É a forma como o indivíduo percebe, pensa, sente e lida com as situações e seu comportamento. A personalidade é constituída por aspectos biológicos e por aprendizados de vivências prévias.[26]

As personalidades variam tanto quanto existem variações na anatomia humana, ou seja, cada personalidade é única. No entanto, manifestações extremas de características individuais (p. ex., rigidez ou instabilidade emocional extremas) podem trazer sofrimento e dificuldade de adaptação, caracterizando transtornos de personalidade. É importante salientar que essa dificuldade de adaptação está diretamente relacionada com o contexto. Por exemplo, na nossa sociedade, o comportamento agressivo é pouco aceito, mas, em um contexto de guerra, pode ser desejado e até exaltado.[27]

Os transtornos de personalidade estão presentes em 10% da população, com frequência maior em populações clínicas. A personalidade do indivíduo interfere diretamente no cuidado de saúde, mesmo no cuidado da saúde física. Um exemplo recorrente é o indivíduo com tendências autodestrutivas, que raramente adere ao tratamento proposto, mas que mesmo assim busca ajuda de forma incessante.[27]

Algumas características da personalidade do indivíduo podem dificultar o vínculo e a adesão ao serviço de saúde – por exemplo: desconfiança, instabilidade emocional, agressividade, dificuldade de interação, arrogância, teatralidade, sedução, excesso de cuidado, dependência extrema da equipe de saúde, além de medo e desconfiança das intervenções propostas.[28]

Mesmo que esses encontros provoquem sentimentos desconcertantes, é importante que o profissional de saúde compreenda que o comportamento do paciente é uma manifestação da sua forma cotidiana de se relacionar. Uma expressão de agressividade desproporcional é um exemplo. Nessas situações, apesar da dificuldade de estabelecer um bom vínculo, torna-se ainda mais importante o exercício da empatia. Em geral, o indivíduo tem pouca consciência do impacto que suas atitudes têm nos outros, e até mesmo na manutenção do seu próprio sofrimento. Um vínculo respeitoso e seguro com a equipe, dentro de limites previamente estabelecidos, é fundamental para que qualquer tratamento de saúde se desenvolva.[29]

## Pobreza: causa ou consequência?

A correlação entre pobreza e saúde mental está solidamente estabelecida.[30] Seu entendimento é bidirecional (pobreza gera transtorno mental, e vice-versa), isto é, a determinação social dos transtornos mentais e a seleção social resultante são dois mecanismos de um círculo vicioso entre pobreza e saúde mental.[30,31]

A importância relativa de cada mecanismo pode variar de acordo com o transtorno estudado. Pacientes com esquizofrenia, por exemplo, apresentam maior risco de empobrecimento,[30,32] ao passo que condições socioeconômicas desfavoráveis predispõem aos transtornos mentais comuns.[30,33] Entretanto, a pobreza também pode ser fator de risco para esquizofrenia, e pacientes de classes sociais desfavorecidas têm internações mais prolongadas, menor taxa de recuperação e maior risco de institucionalização.[32] Adicionalmente, pessoas deprimidas tendem a melhorar de condição socioeconômica após tratamento psicossocial (associado ou não ao uso de medicação).[30]

## Situações de opressão

Pessoas LGBTI+, negros e mulheres possuem risco elevado para desenvolver sofrimento psíquico e diversos transtornos mentais. Ao longo da história, diferentes concepções tentaram explicar esse fenômeno a partir de explicações biologicistas ou essencialistas. Eugenia e racismo científico,[34] preponderância dos hormônios sexuais sobre o comportamento feminino e a patologização da identidade homossexual como perversão ou como um código no DSM[35] são alguns exemplos.

É importante dizer que, apesar de descartadas pela ciência, essas concepções não estão distantes dos nossos tempos e suas influências podem ser percebidas ainda hoje, em modelos explicativos de suscetibilidade ao sofrimento psíquico que frequentemente dedicam pouca atenção ao impacto do racismo, do sexismo e da homofobia na saúde mental, moldando práticas e serviços de saúde.

Torna-se, portanto, imperativo que profissionais de saúde estabeleçam iniciativas concretas de combate à reprodução das opressões possivelmente engendradas em suas práticas. A criação de um ambiente institucional que não reproduza discriminações é obrigação legal e ética e passa por ações simples como a sensibilização das equipes para a temática, o registro em prontuário e outros documentos do quesito raça/cor por meio da autodeclaração,[36] o respeito absoluto ao direito de que pessoas transexuais usem seu nome social, a notificação sanitária dos casos de violência contra a mulher e a garantia de acesso a serviços de saúde sexual e reprodutiva.[37]

Profissionais de saúde costumam ter pouco *insight* sobre seus próprios preconceitos e sobre como estes podem impactar negativamente na saúde dos pacientes.[38] É fundamental uma postura de observação honesta de seus próprios sentimentos durante atendimentos a mulheres, pessoas negras (ou outros grupos raciais subalternizados) e população LGBTI+,[38,39] avaliando a abertura para uma escuta empática e sem julgamentos, a posição corporal e o tempo de consulta e corrigindo-se sempre que houver risco de estar reproduzindo racismo, machismo ou homofobia na relação terapêutica.[37-40]

### População LGBTI+

Estudos avaliando a saúde mental da população LGBTI+ demonstram maior prevalência de transtornos mentais comuns e abuso de substâncias.[41] Subgrupos específicos dentro da população LGBTI+ podem apresentar vulnerabilidades diferentes para distintos transtornos. No campo do uso abusivo de substâncias, por exemplo, homens *gays* ou bissexuais costumam utilizar mais estimulantes, e mulheres lésbicas ou bissexuais, drogas de prescrição.[35] Entretanto, da mesma forma que na população heterossexual, as substâncias mais consumidas são o álcool e o tabaco.[27] A ideação e a tentativa de suicídio são consistentemente mais prevalentes na população LGBTI+, com destaque para adolescentes homossexuais ou bissexuais[41] e para a população transexual.[35]

Como fica claro até aqui, o perfil dos transtornos é bastante semelhante ao da população heterossexual, sendo as prevalências aumentadas explicáveis pela teoria do estresse de minorias. Segundo essa teoria, estressores distais, como vivências de discriminação e violência ao longo da vida, produzem estressores proximais, como alta expectativa de rejeição social e a internalização da homofobia.[35] Enquanto os estressores proximais dependem da autopercepção de pertencimento a um grupo minoritário, os estressores distais dependem, de forma geral, do olhar externo.[35]

É comum que as pessoas LGBTI+ internalizem a LGBTIfobia presente na sociedade hegemônica muito precocemente (na infância), podendo levar a um processo de menor ou maior direcionamento das atitudes sociais negativas para o próprio *self*.[42] Ademais, a percepção do estigma nas relações sociais costuma levar à ansiedade e à insegurança no contato interpessoal com pessoas dos grupos hegemônicos, e a sentimentos de desarmonia com a sociedade em geral.[42] Os efeitos deletérios dos estressores proximais sobre a saúde mental das pessoas LGBTI+ podem manter-se mesmo na ausência dos estressores distais responsáveis pelo seu surgimento.[35] O modelo teórico do estresse de minorias também incorpora fatores protetores, como a assunção de uma forte identidade LGBTI+, bem como o suporte familiar e de pares, elementos promotores de maior resiliência.[35]

Atitudes simples podem ser incorporadas à prática clínica, na tentativa de promover um atendimento mais adequado às pessoas LGBTI+. Primeiramente, o profissional de saúde deve analisar as suas próprias crenças e entendimentos, tentando identificar a influência das narrativas midiáticas e religiosas sobre suas próprias concepções e como estas podem prejudicar as pessoas sob seus cuidados. Algumas perguntas podem ser úteis nesse percurso: "Considero relações homossexuais tão válidas quanto as heterossexuais?", "Tendo a entender homens *gays* como pessoas promíscuas?", "O que sinto quando a pessoa relata suas experiências homossexuais na consulta?".[38]

Considerando essas reflexões, durante uma consulta ou anamnese, deve-se sempre evitar pressupor heterossexualidade, e usar perguntas como "Você tem alguém?", "Fale-me um pouco sobre essa pessoa" ou "Você transa com homens, com mulheres ou com homens e mulheres?". É importante, ainda, estar atento aos momentos no ciclo de vida das pessoas LGBTI+ de revelação da identidade sexual e de gênero, por seu potencial ansiogênico, reforçando os pontos positivos desse processo e ajudando-as a avaliar, de forma sensível e cuidadosa, como manejar potenciais riscos envolvidos.[38]

Ver Capítulo Abordagem Integral da Sexualidade e Cuidados Específicos da População LGBTI+.

## População negra

A literatura demonstra clara associação entre vivência de racismo e maior prevalência de sofrimento psíquico, de transtornos depressivos e de ansiedade, além de baixa autoestima e menor percepção de bem-estar geral,[39,43] mesmo após ajuste para diversos confundidores.[43] Sabe-se, ainda, que fatores como identidade racial solidamente construída e atitudes de enfrentamento à discriminação exercem efeito protetivo para a saúde mental.[43]

Para compreender os efeitos do racismo na saúde mental, é fundamental analisar como ele opera por dentro das instituições. A chance de um homem negro desarmado ser morto pela polícia, por exemplo, é 5 vezes maior, e o forte impacto negativo desses eventos sobre a saúde mental da população negra está demonstrado na literatura.[44] A preocupação antecipada quanto aos riscos de que seus filhos venham a sofrer violência policial tem mantido mães negras hipervigilantes,[45] com efeitos deletérios sobre a saúde mental encontrados já durante a gravidez.[46]

Pesquisadores também têm-se perguntado sobre o impacto do racismo no processo de elaboração diagnóstica. Na Inglaterra, o dado de que homens negros têm 3 vezes mais chances de ser internados em um hospital psiquiátrico e taxas desproporcionalmente mais altas de diagnósticos de esquizofrenia e transtorno bipolar levantaram o chamado para que se feche outra lacuna, o de pesquisas sobre possíveis vieses racistas na própria avaliação psiquiátrica.[22] Cabe pontuar que homens negros podem, por exemplo, preencher critérios de sintomas paranoides, não por serem psicóticos, mas pela necessidade aprendida de permanecerem desconfiados e vigilantes nas relações sociais.[47] Profissionais pouco dispostos a reconhecer e validar essa experiência poderão, portanto, enquadrá-la como um transtorno.

Exemplo ilustrativo desse debate é a história de como a esquizofrenia passou a ser desproporcionalmente diagnosticada entre homens negros nos Estados Unidos.[48] Conhecida desde a década de 1970 como um dos transtornos de prevalência mais estável nas diversas nações e culturas, o número de diagnósticos de esquizofrenia em homens negros disparou no mesmo período em que o Partido dos Panteras Negras ganhou a cena pública. Naquela conjuntura, a propaganda do Haldol® (haloperidol) retratava um jovem negro vestindo jaqueta de couro e com o punho cerrado, enquanto psiquiatras norte-americanos se esforçavam para definir uma "psicose de protesto".[48]

Os profissionais de saúde frequentemente reconhecem o racismo como fenômeno nocivo e comum na sociedade, mas apresentam pouca abertura para reconhecê-lo como presente nas instituições de saúde também por meio das suas práticas profissionais.[34,36,39] Estudos demonstram que médicos frequentemente reproduzem preconceitos raciais na sua relação com os pacientes, ainda que de forma inconsciente.[49]

No cuidado à saúde mental da população negra, sugere-se que o profissional comece a questionar a aplicabilidade universal de testes e intervenções, buscando compreender de que maneira as múltiplas formas de racismo podem estar relacionadas aos problemas de saúde mental de seus pacientes, dando especial atenção a sinais de hipervigilância e sintomas depressivos e ansiosos.[39] Recomenda-se, ainda, uma abordagem cuidadosa e humanizada em relação ao uso de medicamentos, pois a população negra está exposta, por um lado, a dificuldades de acesso impostas pela realidade social e, por outro, à hipermedicalização de seu sofrimento psíquico, como discutido previamente.

Por último, deve-se ter em mente que a população negra, assim como a branca, não é culturalmente homogênea,[39] apresentando profundas variações de identidade étnica, crenças religiosas e espirituais, costumes sociais e posição socioeconômica. Cada pessoa poderá se encontrar em fases distintas do processo de "tornar-se negra". Este último elemento, o processo de "tornar-se negro", deve ser cuidadosamente observado para que as intervenções sejam apropriadas ao momento de cada pessoa.[50] O simples hábito de registrar o quesito raça a partir da autodeclaração (e não da percepção do profissional) pode ser útil no processo de autorreconhecimento por parte do paciente e, ainda, dar pistas ao entrevistador.

## Mulheres

A prevalência de transtornos mentais comuns é de aproximadamente 1,5 a 2 vezes superior nas mulheres quando comparadas aos homens.[51,52] No entanto, essa diferença se reduz quando variáveis como posição socioeconômica, *status* e papéis sociais são controlados.[52] Em contrapartida, homens apresentam risco aumentado para uso abusivo de substâncias psicoativas,[52] o que apresenta forte associação com violência doméstica, em especial o consumo de álcool.

Mais do que diferenças biológicas, destaca-se na literatura a importância das iniquidades de gênero e dos papéis sociais a eles atribuídos como explicação para o fenômeno.[51,52] Desde a década de 1980, estudos têm encontrado dificuldades em demonstrar correlação entre transtorno mental e taxas de hormônios sexuais.[53] Mesmo na depressão pós-parto, a evidência da influência hormonal não é robusta, e a prevalência desse transtorno diminui em culturas que dão mais suporte para as puérperas e aumenta em países onde a mulher tem menos controle sobre sua vida sexual e reprodutiva.[54]

Fatores como baixa autonomia para tomada de decisões e violência sofrida dentro da relação são importantes fatores de risco para transtorno mental comum, sendo a violência sexual dentro do relacionamento o fator de maior correlação.[55] Pesquisa da Organização Mundial da Saúde (OMS) em 10 países demonstrou prevalência de 15 a 71% de agressões físicas e sexuais perpetradas pelo parceiro sexual ao longo da vida das mulheres e que homens controladores têm maior probabilidade de agredir suas parceiras.[56]

Diante do impacto dos papéis de gênero e da violência doméstica na saúde mental das mulheres, é fundamental manter-se alerta quando se está diante de situações de sofrimento mental, queixas somáticas inespecíficas e atrasos para consultas ou dificuldade de acesso e comunicação com o serviço de saúde.[37,51,55]

Garantia de confidencialidade no atendimento, conhecimento das possibilidades de apoio na rede de saúde e atitude não julgadora sobre as decisões da paciente são recomendados, uma vez que a denúncia às autoridades policiais nem sempre será possível ou desejada pela vítima.[37] Acesso à contracepção de emergência, ao aborto legal e a orientações de saúde para prevenção de complicações quando diante de abortos ilegais inevitáveis também é sustentado na literatura.[57]

Se as mulheres em geral estão sob risco de violência física e sexual por parte de seus parceiros, as mulheres negras correm um risco ainda maior. No Brasil, entre os anos de 2008 e 2018, a taxa de homicídios de mulheres negras subiu 12,4%, ao passo que a mesma taxa para mulheres não negras caiu praticamente na mesma proporção.[58] Mesmo dados consagrados, como o da expectativa de vida comparativa entre os gêneros, em que homens em geral têm menor expectativa de vida que as mulheres, podem sofrer importantes modificações ao analisar a raça/cor dessas mulheres, uma vez que o recorte racial evidencia que, em geral, homens brancos vivem mais que mulheres negras.[59]

Por questões históricas e econômicas associadas às mesmas opressões, mulheres negras têm ainda maior risco para distúrbios de autoestima, com níveis mais altos de insatisfação com a própria aparência,[60] e ocupam mais frequentemente a posição de cuidadoras, função social já por si atrelada a uma carga importante de sofrimento psíquico. Desse modo, atenção redobrada deve ser destinada à escuta e ao cuidado dessas mulheres, para além das recomendações já realizadas anteriormente.

Observa-se que um olhar interseccional ajuda a melhor compreender e abordar a situação da mulher negra, bem como de outros grupos, articulando, ainda, estigmas e opressões para além dos engendrados por meio da raça, do gênero, da sexualidade e da classe social.[61] Desse modo, será sempre fundamental buscar compreender o intrincado processo de intersecção de estigmas e vulnerabilidades que vão compor o sofrimento psíquico das pessoas, como uma mulher trans portadora de alguma deficiência, ou do homem *gay*, negro e idoso, por exemplo.

Diversos outros grupos subalternizados poderiam ter sido abordados neste capítulo: populações indígenas (aldeadas ou não), refugiados, quilombolas, população privada de liberdade, etc. A opção pelo foco nas populações aqui debatidas deveu-se à sua presença mais frequente nos diferentes contextos de equipes de saúde da família do País e ao entendimento de que a abordagem desses outros grupos frequentemente se dá em arranjos institucionais e de cuidado com especificidades que fugiriam ao escopo deste capítulo.

## APRESENTAÇÃO DAS DEMANDAS DE SAÚDE MENTAL NA ATENÇÃO PRIMÁRIA À SAÚDE

Os serviços de APS, como porta de entrada e local de cuidados integrais à saúde, trabalham em um contexto em que os pacientes não são previamente selecionados de acordo com síndromes ou sintomas, fazendo os profissionais se depararem com uma ampla gama de demandas, em diferentes estágios de apresentação clínica. É menos comum, portanto, que uma pessoa procure uma unidade de saúde expondo, de forma direta, seu sofrimento mental, sendo este mais frequentemente identificado "nas entrelinhas".

## Sintomas físicos

É irrealista esperar que os pacientes com sofrimento mental necessariamente cheguem à consulta na APS claramente motivados pelas queixas psíquicas, como seria esperado nos serviços especializados de saúde mental. Ao contrário, já foi demonstrado que a principal forma de manifestação dos transtornos mentais comuns na população geral e especificamente na população atendida na APS são as queixas somáticas.[51,62] Esse fato não deveria causar surpresa, uma vez que sensações físicas como taquicardia, tontura, falta de ar, tensão e dores musculares (entre outras) frequentemente acompanham as síndromes ansiosas e depressivas,[62] fazendo parte inclusive de seus critérios diagnósticos.

Aproximadamente um terço dos sintomas somáticos relatados pelos pacientes na APS (p. ex., dor e tontura) permanecerão sem explicação médica, mesmo após investigação adequada,[51] apresentando importante associação com sofrimento mental e não apenas com transtornos propriamente ditos. Cerca de um terço desses pacientes com sintomas sem explicação médica não possuem comorbidades de saúde mental,[51] podendo representar somatizações agudas a estresses emocionais e sofrimento inespecífico.[62]

É fundamental que os profissionais conheçam essa realidade, estando preparados para suspeitar de questões psicossociais subjacentes a quadros sintomáticos comumente associados ao sofrimento mental. É importante pôr em suspensão a noção de que é imprescindível descartar primeira e exaustivamente todas as possibilidades orgânicas, para apenas posteriormente pensar nos aspectos psicossociais.[63] Esse tipo de raciocínio desvia o foco para investigações complementares e encaminhamentos exagerados, muitas vezes atrasando o cuidado das questões causadoras do sofrimento,[62] estando inclusive comumente mais associado à insegurança do profissional de saúde em lidar com questões de saúde mental ou com o inerente grau de incerteza da sua prática clínica do que com suspeitas orgânicas fundamentadas em um raciocínio clínico baseado nas evidências encontradas na consulta.[63]

Nesse campo, o equilíbrio é fundamental. Não se trata de atribuir precocemente sintomas orgânicos a questões psicossociais subjacentes, o que também seria outro grave erro. Trata-se de adotar uma práxis clínica mais complexa,[63] capaz de considerar as possibilidades biológicas e psicossociais em paralelo, utilizando estratégias de entrevista clínica que contemplem, de forma integrada, aspectos semiológicos e de comunicação, biológicos e psicossociais,[63] sendo fundamental o domínio do método clínico centrado na pessoa e do modelo emotivo-racional do ato clínico, criado exatamente a partir da reflexão sobre prevenção do erro clínico.[63] (Ver Capítulos Método Clínico Centrado na Pessoa e Modelo de Consulta e Habilidades de Comunicação.)

## Crise

Em outras ocasiões, o contato do indivíduo com o serviço de APS pode ocorrer durante uma crise. Segundo Caplan, a crise é desencadeada por uma ou mais circunstâncias que podem ultrapassar a capacidade do indivíduo de manter a sua homeostase. Pode ser uma desorganização temporária ou que permanece desestabilizando o equilíbrio psíquico, sendo desencadeada pelos estressores ambientais ou mudanças do ciclo de vida.[64] Nessa perspectiva, o adoecimento é entendido como uma forma de adaptação e de reação do sujeito, diante dos estímulos, podendo relacionar-se a contextos imprevisíveis (desemprego, doença, morte) ou previsíveis (adolescência, gravidez, envelhecimento), demandando ou não tratamento específico.[65] (Ver Capítulo Abordagem Familiar.)

Há, portanto, uma ruptura na crise, exigindo adaptação e flexibilidade, e muitas vezes o desenvolvimento de novos mecanismos de resposta. Ao mesmo tempo em que é um momento de grande estresse, a crise pode ser vista como uma oportunidade para o cuidado. Como objetivos para apoiar a restituição da crise, destacam-se:[66] proteger o indivíduo de atitudes impulsivas com consequências graves e duradouras; minimizar perdas funcionais; construir saídas para a crise (principalmente quando ela envolve conflitos interpessoais); e amenizar sintomas agudos (p. ex., insônia). (Ver Capítulo Intervenções Psicossociais na Atenção Primária à Saúde.)

## Uso problemático de álcool

O uso problemático de álcool está entre os mais prevalentes problemas de saúde do mundo, afetando principalmente os homens. É associado a uma alta carga de doença e mortalidade, principalmente relacionada à cirrose hepática, a acidentes e à violência. Apesar de sua alta prevalência, o uso problemático de álcool segue como um dos mais negligenciados problemas de saúde.[67] A APS tem importante papel para mudar esse cenário, sobretudo ampliando o acesso. O reconhecimento, o aconselhamento e o tratamento da maioria dos casos são responsabilidades desse nível de atenção.[67,68] (Ver Capítulo Problemas Relacionados ao Consumo de Álcool.)

## Infância e adolescência

A maioria dos problemas de saúde mental começa na infância e na adolescência. Estima-se que, no Brasil, cerca de 13% da população de crianças e adolescentes sofram com diagnósticos relacionados à saúde mental, e que, entre os casos moderados a graves, apenas 37% recebam algum atendimento.[69]

As apresentações do sofrimento mental na infância são amplamente variáveis. Na APS, existe a vantagem de acompanhar o desenvolvimento da criança e o seu ambiente, sendo que qualquer desvio do desenvolvimento normal pode ser um sinal de alerta, seja em aspectos do desenvolvimento social, acadêmico ou de aquisição de habilidades. Se considerarmos as prevalências, podemos destacar as maiores demandas de saúde mental na infância na APS: ansiedade, alterações de humor, dificuldades de aprendizagem e agressividade.[70]

## AVALIAÇÃO DA SAÚDE MENTAL NA ATENÇÃO PRIMÁRIA À SAÚDE

Não existe uma estrutura ou duração do tempo de consulta definidos como modelo para avaliação em saúde mental. A extensão da entrevista e o acesso a informações são variáveis, dependendo do estado do paciente e da presença/colaboração de um acompanhante. A avaliação pode ser considerada um processo que ocorre de forma longitudinal, não sendo necessária a coleta de todas as informações para iniciar uma intervenção. Também é importante criar um ambiente em que o paciente se sinta à vontade e seguro.

A presença de um familiar ou pessoa que conheça o paciente é de extrema relevância, devendo ser buscada sempre que possível. Isso aumenta a confiabilidade das informações levantadas que serão importantes para a definição de estratégias de apoio e tratamento. Por isso, pode ser útil que a equipe de saúde viabilize também um espaço de escuta reservado para o acompanhante, deixando-o à vontade para esclarecer dúvidas e compartilhar informações adicionais. A construção desse espaço de escuta deve ser cuidadosa para não comprometer a confiança do paciente.

O estabelecimento do vínculo entre o profissional de saúde e o paciente baseia-se em confiança mútua e respeito. O vínculo faz os pacientes não apenas terem maior adesão e envolvimento no seu tratamento, como também os torna mais comunicativos e abertos para compartilhar informações pessoais que podem ser fundamentais para o melhor entendimento e abordagem do seu problema. Vários estudos reforçam que a formação de um bom vínculo possui importante efeito terapêutico, gerando resultados positivos no cuidado de pessoas em sofrimento mental.[71]

A realização da anamnese e do exame do estado mental de um paciente não demandam habilidades que vão além das habilidades clínicas esperadas de um médico generalista. Para tanto, o profissional simplesmente registra sua percepção a respeito do que observou do paciente ao longo de toda a consulta, podendo inclusive contemplar elementos observados já na sala de espera. Um mesmo cenário pode ter diferentes significados, a depender do paciente e do seu contexto. Podem-se obter dados a partir da aparência do paciente (postura, vestimentas, autocuidado), de sua expressão corporal (reação aos estímulos do ambiente) e de sua interação com outros e com o profissional (hostil, colaborativo, envergonhado).[72] É importante ressaltar que essa observação busca melhor compreensão do paciente, e não julgamento.

A linguagem é o espelho do nosso mundo interno. Portanto, para avaliar os processos mentais, o profissional precisa escutar. Deixar que o paciente fale livremente é uma boa forma de perceber o que está se passando. Além da escuta empática, o profissional deve perceber a velocidade do discurso, o ritmo, o volume, o tom, as associações formadas (se existe lógica e encadeamento das ideias) e, finalmente, o conteúdo falado.[72]

Depois da escuta passiva, o profissional pode sentir a necessidade de direcionar a entrevista, investigando pontos que chamaram atenção e explorando questões importantes para a definição de uma intervenção inicial:[73]

→ identificar os sintomas e impactos na vida do paciente;
→ identificar riscos (exposição à violência, agressividade, suicídio, etc.);
→ investigar doença orgânica (tireoidopatia, tumor, *delirium*, demência, etc.), quando houver suspeita clínica;
→ investigar o uso de substâncias;
→ avaliar a rede do paciente.

Outras avaliações são igualmente relevantes, mas podem ser realizadas ou aprofundadas ao longo do acompanhamento do paciente e sua família. Essa avaliação mais minuciosa realizada longitudinalmente tem como objetivo obter informações sobre a história do desenvolvimento dos sintomas e seu impacto no indivíduo e em sua família, além de avaliar as estratégias já utilizadas para lidar com o adoecimento. Ela permite ampliar o olhar sobre os aspectos físicos, mentais e sociais do indivíduo.[19,21]

A avaliação objetiva do transtorno mental, bem como a quantificação da resposta a um tratamento, é muito mais complexa e subjetiva do que na maioria das doenças físicas. Apesar de serem uma simplificação da experiência individual, o uso de escalas padronizadas para mensurar os sintomas é uma ferramenta que permite maior objetividade.[74]

O uso desses instrumentos de aferição (escalas) para quantificar sintomas, o chamado tratamento baseado em medidas (*measurement-based care*), vem ganhando cada vez mais força. Em ensaio clínico randomizado para tratamento de depressão, por exemplo, a medida objetiva de sintomas mostra melhores resultados e melhora mais rápida (*measurement-based treatment*). Existem escalas específicas para cada transtorno, podendo auxiliar no diagnóstico e/ou na avaliação da terapêutica instituída.[75]

A TABELA 169.1 resume os principais aspectos do exame do estado mental.[76]

## CUIDADOS EM SAÚDE MENTAL NA ATENÇÃO PRIMÁRIA À SAÚDE

Uma grande relutância e constrangimento em ser visto como quem sofre de doença mental parece ser um fenômeno universal. Segundo Thornicroft, não existe país, sociedade ou

**TABELA 169.1** → Exame do estado mental

| | |
|---|---|
| Aparência e comportamento | Aparência, autocuidado, forma de interação, comportamento motor |
| Discurso | Quantidade, velocidade, volume e tom, coerência |
| Humor e afeto | Descrição do próprio paciente<br>Percepção do profissional sobre o humor do paciente |
| Curso do pensamento | Como o pensamento flui (velocidade e ritmo) |
| Forma do pensamento | Estrutura do pensamento (associação das ideias) |
| Conteúdo do pensamento | Temas predominantes |
| Alterações da sensopercepção | Presença de alucinações |
| Juízo crítico | Presença de delírios<br>Reconhecimento das consequências de suas ações |

cultura em que uma pessoa com transtorno mental seja aceita e considerada como tendo o mesmo valor que uma pessoa que não tem doença mental,[77] fato que destaca o estigma relacionado. Este pode ser entendido como o encadeamento de três principais problemas: ignorância, que alimenta preconceitos, culminando em discriminação. A combinação desses elementos tem grande poder de gerar exclusão social.[78] Pessoas com doença mental sofrem frequente estigmatização, tanto no convívio em sociedade quanto no relacionamento com familiares e amigos. Essa constante exposição traz numerosas consequências negativas, como baixa qualidade de vida, maior dificuldade para conseguir emprego, resistência para procurar ajuda profissional e baixa adesão ao tratamento.[79]

Esse estigma, incluindo aquele existente tanto na sociedade como entre profissionais e serviços de saúde, tem sido identificado como a principal barreira de acesso ao cuidado em saúde mental.[80] Porém, é importante destacar que a resistência para iniciar um cuidado em saúde mental não é responsabilidade apenas do paciente. Os profissionais de saúde influenciam bastante nas atitudes e crenças da sociedade sobre o tratamento em saúde mental. Por essa razão, para alcançar uma melhor cobertura de cuidado em saúde mental, é necessário atuar sobre o desconhecimento e os preconceitos da população geral e também dos trabalhadores de saúde.

O estigma relacionado aos próprios profissionais de saúde e que compromete o cuidado oferecido em saúde mental está associado principalmente a dois fatores: falta de ferramentas ou treinamento para lidar com o adoecimento mental;[81] e insegurança, descrença ou pessimismo em relação ao tratamento desses casos.[82] A associação desses fatores gera sensação de impotência e frustração, retroalimentando o estigma da saúde mental.

Para realizar o cuidado em saúde mental, os profissionais da APS estão em posição privilegiada, tanto em função da vivência e da compreensão que acumulam sobre a comunidade e o território onde atuam, quanto pelo conhecimento do contexto sociocultural e do histórico de saúde das famílias que acompanham. Outro aspecto positivo desse cuidado oferecido na APS diz respeito ao fato de esse serviço não estar associado exclusivamente ao tratamento de doenças mentais, reduzindo estigmas quando comparados a serviços de saúde especializados[83] e permitindo uma atuação e olhar mais integral sobre as demandas apresentadas.[84] Há descrição, por exemplo, de adolescentes com transtornos mentais que se sentem mais confortáveis ao serem acompanhados pelo médico de família do que pelo psiquiatra, justamente pela estigmatização associada ao cuidado com estes profissionais.[85]

O cuidado de saúde mental oferecido na APS deve ser adaptado às especificidades do contexto em que se aplica e deve levar em conta a necessidade dos profissionais que nela atuam de receber adequado e qualificado treinamento e supervisão. Nesse sentido, a educação em saúde revela-se indispensável para o bom desenvolvimento do trabalho em saúde mental no primeiro nível de atenção e, para tanto, a articulação entre generalistas e especialistas é fundamental.

## Cuidados colaborativos – matriciamento

A articulação institucionalizada entre a APS e os especialistas em saúde mental é conhecida genericamente como cuidados colaborativos. Podem acontecer de diferentes formas, sendo influenciados pela cultura, pela política e pela geografia do cenário onde atuam.

No contexto do sistema de saúde brasileiro, o modelo adotado de cuidados colaborativos é o apoio matricial, uma tecnologia de gestão e de educação, que atua de forma complementar ao processo de trabalho das equipes de Estratégia Saúde da Família (ESF). Ele induz uma metodologia de trabalho para além daquela preconizada pelo sistema hierarquizado, enrijecido em mecanismos de referência e contrarreferência, protocolos e centros de regulação, adequando-se às reais necessidades do território e da rede de relações que nele acontecem, bem como das famílias e dos sujeitos.[86]

Além de oferecer apoio técnico-pedagógico, o matriciamento também apresenta dimensão de suporte assistencial. Essas duas dimensões podem e devem misturar-se nos diversos momentos. A dimensão técnico-pedagógica oferece ação de apoio educativo para a equipe, e a dimensão assistencial permite ação clínica direta com os usuários.

Os cuidados colaborativos/matriciamento otimizam, portanto, a comunicação entre os diferentes pontos de atenção à saúde mental, potencializando a troca de conhecimento e qualificando os profissionais, permitindo, assim, progressiva ampliação da responsabilização, da resolutividade e da autonomia da APS no cuidado de pessoas com adoecimento mental.[87]

## Cuidados comunitários

Anteriormente à reforma psiquiátrica brasileira, processo iniciado no final dos anos 1970, pessoas com adoecimentos mentais crônicos eram internadas em hospitais psiquiátricos/manicômios. Estes eram caracterizados por baixa qualidade dos cuidados, utilizando o isolamento como estratégia terapêutica, e pela ocorrência frequente de violações dos direitos humanos.[88]

Com a desinstitucionalização, em que o modelo manicomial foi alterado para um modelo de cuidados comunitários, o papel dos serviços de saúde e dos familiares no cuidado da pessoa com sofrimento mental também sofreu modificações. As pessoas institucionalizadas voltaram a viver com suas famílias, tornando os familiares responsáveis por acompanhar a administração dos medicamentos, por lidar com os sintomas e por coordenar suas atividades cotidianas. Nesse contexto, a atuação longitudinal, interdisciplinar e intersetorial das equipes de APS ganham maior relevância para otimizar esse cuidado.[89]

A partir de programas existentes em outros países, é possível pensar nos requisitos de um cuidado comunitário exitoso, mesmo que em arranjos variados, dependendo da disponibilidade de serviços em cada território e adaptado

às necessidades de cada pessoa e sua doença. Os atributos incluem:[90]
→ planejamento do tratamento para todas as fases da doença;
→ oferta de várias intervenções (familiar, psicoterapia, terapia ocupacional);
→ busca ativa e verificação de adesão;
→ intervenção em crise, para evitar hospitalização;
→ hospitalização, quando necessária e inevitável, em hospital geral e Centro de Atenção Psicossocial (Caps) III;
→ programas de emprego e moradia.

## Psicoeducação

Além dos tratamentos usualmente oferecidos em saúde mental, como psicoterapia, práticas integrativas e psicofármacos, que são discutidos nos demais capítulos desta seção (Saúde Mental), daremos ênfase à psicoeducação por sua importância, sendo muitas vezes o diferencial para o sucesso no cuidado em saúde mental. De forma simplificada, ela pode ser entendida como orientação/educação direcionada à pessoa em adoecimento mental e seus familiares (ou cuidadores) sobre o transtorno, seu tratamento e prognóstico. Entre os objetivos da psicoeducação, também está a validação do sofrimento mental vivenciado pelo paciente.

A psicoeducação está relacionada à maior adesão ao tratamento, à diminuição de recaídas, à menor estigmatização, à maior autonomia e funcionalidade do paciente, além de menor sobrecarga e adoecimento dos cuidadores.[91] É importante destacar que realizar psicoeducação não se trata simplesmente de compartilhar informações, mas estabelecer comunicação acessível e efetiva que empodere o paciente (e a família) a manejar e lidar melhor com o transtorno mental.[92]

Existem várias formas de psicoeducação, com modelos estruturados, desde intervenções breves, de apenas um encontro, até longos, com duração de 18 semanas. Ela pode ser focada em diferentes aspectos, como fortalecimento do vínculo, facilitação de *insight*, explicação sobre a doença, adesão ao tratamento, apoio à reabilitação, etc.[92] No entanto, para realizar a psicoeducação e alcançar os benefícios dessa ferramenta, não é necessário adotar uma estrutura pré-concebida, fazer treinamento específico e nem dedicar um longo tempo de consulta. Ela pode ser desenvolvida, direcionada e adaptada de acordo com cada contexto e demanda do paciente e sua família.

Não é incomum, por exemplo, que um paciente com crises de pânico procure excessivamente serviços de emergência acreditando ter cardiopatia grave e seja liberado após exames com a frase "Você não tem nada". Em situações como essa, a psicoeducação pode, em um primeiro encontro, validar o sofrimento daquela pessoa, destacando, por exemplo, que ela "não tem nada de problema no coração", mas que sabemos que ela tem crises com muito mal-estar e sensação de morte. Explicar que as crises assustam, mas que ela não vai morrer em função delas, já pode, por si só, gerar grande alívio.

Outra situação rotineira em que a psicoeducação apresenta bastante relevância é, por exemplo, no início de um tratamento medicamentoso para depressão. Explicar que o antidepressivo não apresenta efeito imediato, podendo levar até 4 semanas para obter o efeito terapêutico e que, inclusive, nas primeiras semanas podem surgir mais efeitos colaterais, costuma ser um grande diferencial para que o paciente consiga aderir ao tratamento.

## Atuação sobre os determinantes sociais

É compreensível que pesquisadores e trabalhadores da saúde busquem focar seus esforços exclusivamente no tratamento de condições da saúde, em detrimento da atuação sobre os determinantes sociais. Essa escolha, no entanto, carrega consequências. No âmbito político e epistemológico, corre-se o risco da medicalização do conflito social que se desdobrará em uma prática de cuidado pouco integral.

As evidências sobre o impacto de medidas de mitigação da pobreza sobre a saúde mental das famílias beneficiadas vêm-se acumulando nos últimos anos. Variáveis ligadas à pobreza, como segurança alimentar, acesso à educação e à moradia, classe social e nível socioeconômico, apresentaram associação inequívoca com boa saúde mental.[33] Programas de transferência de renda foram capazes de aumentar a sensação subjetiva de bem-estar das famílias,[93] potencializando sentimentos de esperança, dignidade e autoestima.[94] Também foi possível observar melhoria no acesso à educação[93,94] e na segurança alimentar,[95] redução da prevalência de sintomas depressivos em jovens[93] e puérperas das famílias beneficiadas e, ainda, redução das taxas de suicídio em estudo ecológico longitudinal sobre os impactos do Bolsa Família em mais de 5 mil municípios brasileiros.[96]

Até muito recentemente, o mais duradouro programa de transferência de renda brasileiro (o Bolsa Família) esteve conectado à APS por meio do cumprimento de exigências de acompanhamento regular de saúde para manutenção do benefício. Independente de qual programa de transferência se encontre em vigor, a escuta e o acolhimento das famílias em descumprimento das condicionalidades do programa podem ser realizados pela equipe em espaços coletivos, colaborando para o entendimento geral do programa, para o acolhimento do sofrimento e para o compartilhamento de estratégias entre as famílias para o enfrentamento dos problemas que podem levar ao desligamento do programa.[97]

É preciso, ainda, construir estratégias para redução do estigma e promoção da socialização, como estimular a participação de usuários com transtorno mental em grupos tradicionalmente frequentados por outros usuários, como os grupos de caminhada e convivência. Também é importante estimular a participação em associações de pessoas e familiares que lutam pelos direitos das pessoas com transtornos mentais[98] e em projetos governamentais de transferência de renda. A criação de grupos de geração de renda na própria APS, associada ao uso eficaz das redes sociais, também pode ser interessante (ver QR code).

A complexidade do processo de determinação social das doenças não pode ser reduzida às condições econômicas da vida das pessoas. Segundo o modelo conceitual da Comissão sobre Determinantes Sociais da Saúde da OMS, o contexto político e social, onde estão inclusos políticas públicas e valores sociais e culturais, configuram hierarquias sociais que operam por meio de marcadores como classe social, gênero e raça/etnia, entre outros.

Os profissionais de saúde ocupam posição de confiança na sociedade, e já se postula que, para que essa confiança se renove no contexto da saúde planetária, é fundamental a ampliação de seu compromisso ético-profissional para uma perspectiva que reconheça a importância de abarcar o combate às mudanças climáticas e às iniquidades de classe, raça, gênero e sexualidade como ações com potencial importante de impacto na saúde física e mental das pessoas.[99]

Assim, recomenda-se que as equipes de saúde enfrentem as diferentes opressões institucionalizadas em seus fazeres e abordem o racismo, o machismo e a homofobia nas comunidades, nas escolas e demais espaços. Para isso, deve-se lançar mão de parcerias com grupos organizados da sociedade civil que já debatem essas pautas, buscando estratégias para a redução das discriminações e, consequentemente, do processo de adoecimento mental delas decorrente.

# REFERÊNCIAS

1. Galderisi S, Heinz A, Kastrup M, Beezhold J, Sartorius N. Toward a new definition of mental health. World Psychiatry. 2015;14(2):231–3.
2. Manwell LA, Barbic SP, Roberts K, Durisko Z, Lee C, Ware E, et al. What is mental health? Evidence towards a new definition from a mixed methods multidisciplinary international survey. BMJ Open. 2015;5(6):1–12.
3. Canada. The human face of mental health and mental illness in Canada 2006 [Internet]. Ottawa: Minister of Public Works and Government Services Canada; 2006 [capturado em 23 jul. 2021]. Disponível em: http://www.phac-aspc.gc.ca/publicat/human-humain06/index-eng.php
4. Barbour V, Clark J, Connell L, Ross A, Simpson P, Winker M. The Paradox of mental health: over-treatment and under-recognition. PLoS Med. 2013;10(5):1–4.
5. McGorry P, van Os J. Redeeming diagnosis in psychiatry: timing versus specifi city. Lancet. 2013;381(9863):343–5.
6. Mullins-Sweatt SN, Lengel GJ, Deshong HL. The importance of considering clinical utility in the construction of a diagnostic manual. Annu Rev Clin Psychol. 2016;12:133–55.
7. Gusso G. Classificação Internacional de Atenção Primária: capturando e ordenando a informação clínica. Cienc e Saude Coletiva. 2020;25(4):1241–50.
8. Adam D. Mental health: on the spectrum. Nature. 2013;496(7446):416–8.
9. James SL, Abate D, Abate KH, Abay SM, Abbafati C, Abbasi N, et al. Global, regional, and national incidence, prevalence, and years lived with disability for 354 Diseases and Injuries for 195 countries and territories, 1990-2017: a systematic analysis for the Global Burden of Disease Study 2017. Lancet. 2018;392(10159):1789–858.
10. Institute for Health Metrics and Evaluation. Global Health Data Exchange [Internet]. Washington: IHME; 2020 [capturado em 28 jul. 2021]. Disponível em: http://ghdx.healthdata.org/gbd-results-tool

11. Whiteford HA, Degenhardt L, Rehm J, Baxter AJ, Ferrari AJ, Erskine HE, et al. Global burden of disease attributable to mental and substance use disorders: findings from the Global Burden of Disease Study 2010. Lancet. 2013;382(9904):1575–86.
12. Gonçalves DA, Campos M, Mari J de J, Bower P, Gask L, Tófoli LF, et al. Estudo multicêntrico brasileiro sobre transtornos mentais comuns na atenção primária: prevalência e fatores sociodemográficos relacionados. Cad Saúde Pública. 2014;30(3):623–32.
13. World Health Organization. mhGAP intervention – version 2.0: guide for mental, neurological and substance use disorders in non-Specialized health settings. Genebra: WHO; 2016. 164 p.
14. Kohn R, Saxena S, Levav I, Saraceno B. The treatment gap in mental health care. Bull World Health Organ. 2004;82(11):858–66.
15. Saxena S, Thornicroft G, Knapp M, Whiteford H. Resources for mental health: scarcity, inequity, and inefficiency. Lancet. 2007;370(9590):878–89.
16. Rebello TJ, Marques A, Gureje O, Pike KM. Innovative strategies for closing the mental health treatment gap globally. Curr Opin Psychiatry. 2014;27(4):308–14.
17. World Health Organization. World Organization of Family Doctors. Integrating mental health into primary care: a global perspective. Integrating mental health into primary care: a global perspective. Genebra: WHO, WONCA; 2008.
18. Ivbijaro G, Funk M. No mental health without primary care. Ment Health Fam Med. 2008;5(3):127–8.
19. Carvalho BR, Ferreira JBB, Fausto MCR, Forster AC. Avaliação do acesso às unidades de atenção primária em municípios brasileiros de pequeno porte. Cad Saúde Coletiva. 2018;26(4):462–9.
20. Lu C, Li Z, Patel V. Global child and adolescent mental health: the orphan of development assistance for health. PLoS Med. 2018;15(3):1–12.
21. Pollak SD. Developmental psychopathology: recent advances and future challenges. World Psychiatry. 2015;14(3):262–9.
22. Polderman TJC, Benyamin B, De Leeuw CA, Sullivan PF, Van Bochoven A, Visscher PM, et al. Meta-analysis of the heritability of human traits based on fifty years of twin studies. Nat Genet. 2015;47(7):702–9.
23. Uher R, Zwicker A. Etiology in psychiatry: embracing the reality of poly-gene-environmental causation of mental illness. World Psychiatry. 2017;16(2):121–9.
24. Padmanabhana JL, Shah JL, Tandona N, Keshavan MS. The "polyenviromic risk score": aggregating environmental risk factors predicts conversion to psychosis in familial high-risk subjects. Schizophr Res. 2017;181(1):17–22.
25. Cross-Disorder Group of the Psychiatric Genomics Consortium. Identification of risk loci with shared effects on five major psychiatric disorders: A genome-wide analysis. Lancet. 2013;381:1371–9.
26. Newlin E, Weinstein B. Personality disorders. Contin J. 2015;21(3):806–17.
27. American Psychiatry Association. Manual diagnóstico e estatístico de transtornos mentais: DSM-5. 5. ed. Porto Alegre: Artmed; 2014.
28. Dubovsky AN, Kiefer MM. Borderline personality disorder in the primary care setting. Med Clin North Am. 2014;98(5):1049–64.
29. Lund C, De Silva M, Plagerson S, Cooper S, Chisholm D, Das J, et al. Poverty and mental disorders: Breaking the cycle in low-income and middle-income countries. Lancet. 2011;378(9801):1502–14.
30. Angeles G, de Hoop J, Handa S, Kilburn K, Milazzo A, Peterman A, et al. Government of Malawi's unconditional cash transfer improves youth mental health. Soc Sci Med. 2019;225:108–19.
31. Saraceno B, Levav I, Kohn R. The public mental health significance of research on socio-economic factors in schizophrenia and major depression. World Psychiatry. 2005;4(3):181–5.
32. Lund C, Breen A, Flisher AJ, Kakuma R, Corrigall J, Joska JA, et al. Poverty and common mental disorders in low and middle income countries: a systematic review. Soc Sci Med. 2010;71(3):517–28.

33. Damasceno MG, Zanello VML. Saúde mental e racismo contra negros: produção bibliográfica brasileira dos últimos quinze anos. Psicol Ciência e Profissão. 2018;38(3):450–64.
34. Lehman JR, Martinez AR, Zhou AN, Carlson S. Psychiatry and Neurology. In: Lehman JR, Diaz K, Ng H, Petty EM, Thatikunta M, Eckstrand K, editors. The equal curriculum: The student and educator guide to LGBTQ health. Cham: Springer; 2020.
35. Brasil. Ministério da Saúde. Política Nacional de Saúde Integral da População Negra: uma política do SUS. 3. ed. Brasília: MS; 2017.
36. Zampar B, Teixeira DS, Oliveira DOPS, Esperandio EG, Vieira RC. Abordagem da violência contra a mulher no contexto da Covid 19. Rio de Janeiro: Sociedade Brasileira de Medicina de Família e Comunidade; 2020.
37. Makadon HJ, Mayer KH, Potter J, Goldhammer H. Mental health care for LGBT people. In: Makadon HJ, Mayer KH, Potter J, Goldhammer H, American College of Physicians. Fenway guide to lesbian, gay, bissexual, and transgender health. 2nd ed. Philadelphia: American College of Physicians; 2015.
38. Cénat JM. Comment How to provide anti-racist mental health care. Lancet Psychiatry. 2020;0366(20):8–10.
39. Cohan D. Racist Like Me – A Call to Self-Reflection and Action for White Physicians. N Engl J Med. 2019;380(9):805–7.
40. Jorm AF, Korten AE, Rodgers B, Jacomb PA, Christensen H. Sexual orientation and mental health: Results from a community survey of young and middle-aged adults. Br J Psychiatry. 2002;180:423–7.
41. Meyer IH. Minority stress and mental health in gay men. J Health Soc Behav. 1995;36(1):38–56.
42. Paradies Y. A systematic review of empirical research on self-reported racism and health. Int J Epidemiol. 2006;35(4):888–901.
43. Bor J, Venkataramani A, Williams D, Tsai A. Police killings and their spillover effects on the mental health of black Americans: a population-based, quasi-experimental study. Physiol Behav. 2018;392(3):139–48.
44. Yimgang DP, Wang Y, Paik G, Hager ER, Black MM. Civil unrest in the context of chronic community violence: Impact on maternal depressive symptoms. Am J Public Health. 2017;107(9):1455–62.
45. Jackson FM, James SA, Owens TC, Bryan AF. Anticipated negative police-youth encounters and depressive symptoms among pregnant African American women: a brief report. J Urban Heal. 2017;94(2):259–65.
46. Mosley D V., Owen KH, Rostosky SS, Reese RJ. Contextualizing behaviors associated with paranoia: Perspectives of black men. Psychol Men Masculinity. 2017;18(2):165–75.
47. Metzl JM. The protest psychosis: how schizophrenia became a black disease. Boston: Beacon; 2009.
48. Hall WJ, Chapman M V., Lee KM, Merino YM, Thomas TW, Payne BK, et al. Implicit racial/ethnic bias among health care professionals and its influence on health care outcomes: a systematic review. Am J Public Health. 2015;105(12):e60–76.
49. Tavares JSC, Kuratani SM de A. Manejo Clínico das Repercussões do Racismo entre Mulheres que se "Tornaram Negras." Psicol Ciência e Profissão. 2019;39:1–13.
50. Prince M, Patel V, Saxena S, Maj M, Maselko J, Phillips MR, et al. No health without mental health. Lancet. 2007;370(9590):859–77.
51. Seedat S, Scott KM, Angermeyer MC, Berglund P, Bromet EJ, Brugha TS, et al. Cross-national associations between gender and mental disorders in the World Health Organization World Mental Health Surveys. Arch Gen Psychiatry. 2009;66(7):785–95.
52. Jenkins R, Clare W A. Women and mental illness. BMJ. 1985;(6508):1521–2.
53. Kuehner C. Gender differences in unipolar depression: An update of epidemiological findings and possible explanations. Acta Psychiatr Scand. 2003;108(3):163–74.
54. Patel V, Kirkwood BR, Pednekar S, Pereira B, Barros P, Fernandes J, et al. Gender disadvantage and reproductive health risk factors for common mental disorders in women: A community survey in India. Arch Gen Psychiatry. 2006;63(4):404–13.
55. Garcia-Moreno C, Jansen H, Ellsberg M, Heise L, Watts C. Prevalence of intimate partner violence: findings from the WHO multi-country study on women's health and domestic violence. Lancet. 2006;368(2):1269–69.
56. Giugliani C, Ruschel AE, Belomé da Silva MC, Maia MN, Pereira Salvador de Oliveira DO. O direito ao aborto no Brasil e a implicação da Atenção Primária à Saúde. Rev Bras Med Família e Comunidade. 2019;14(41):1791.
57. Cerqueira D, Bueno S, coordenadores. Atlas da violência 2020. Brasília: IPEA; 2020.
58. Zilberman ML, Blume SB. Domestic violence, alcohol and substance abuse. Rev Bras Psiquiatr. 2005;27(2):51–5.
59. Cruz ICF. A sexualidade, a saúde reprodutiva e a violência contra a mulher negra: aspectos de interesse para assistência de enfermagem. Rev da Esc Enferm da USP. 2004;38(4):448–57.
60. Akotirene C. Interseccionalidade. São Paulo: Jandaíra; 2019. 152 p.
61. Almeida D, Tófoli LF, Fortes S. Somatização e sintomas sem explicação médica. In: Gusso G, Lopes JMC, Dias LC, organizadores. Tratado de medicina de família e comunidade: princípios, formação e prática. 2. ed. Porto Alegre: Artmed; 2019.
62. Carrió FB. Entrevista clínica: habilidades de comunicação para profissionais de saúde. Porto Alegre: Artmed; 2012. 344 p.
63. Caplan G. Princípios de psiquiatria preventiva. Rio de Janeiro: Zahar; 1980.
64. Ferigato SH, Campos RTO, Ballarin MLGS. O atendimento à crise em saúde mental: ampliando conceitos. Rev Psicol da UNESP. 2017;6(1):31–44.
65. Stuart MR, Lieberman JA. The fifteen minute hour: efficient and effective patient-centered consultation skills. 6th ed. Boca Raton: CRC; 2018. 228 p.
66. Carvalho AF, Heilig M, Perez A, Probst C, Rehm J. Alcohol use disorders. Lancet. 2019;394:781–92.
67. Anderson P, O'Donnell A, Kaner E. Managing Alcohol Use Disorder in Primary Health Care. Curr Psychiatry Rep. 2017;19(11):1–10.
68. Fatori D, Brentani A, Grisi SJFE, Miguel EC, Graeff-Martins AS. Childhood mental health problems in primary care. Cienc e Saude Coletiva. 2018;23(9):3013–20.
69. Wissow LS, van Ginneken N, Chandna J, Rahman A. Integrating Children's Mental Health into Primary Care. Pediatr Clin North Am. 2016;63(1):97–113.
70. Barbosa CD, Balp MM, Kulich K, Germain N, Rofail D. A literature review to explore the link between treatment satisfaction and adherence, compliance, and persistence. Patient Prefer Adherence. 2012;6:39–48.
71. Ivbijaro GO, Kolkiewicz LA, Palazidou E, Parmentier H. Look, listen and test: mental health assessment – the WONCA culturally sensitive depression guideline. Prim Care Ment Heal. 2005;3(2):145–7.
72. Silverman JJ, Galanter M, Jackson-Triche M, Jacobs DG, Lomax JW, Riba MB, et al. Practice guidelines for the psychiatric evaluation of adults. 3rd ed. Arlington: American Psychiatric Association; 2016. 164 p.
73. Möller HJ. Standardised rating scales in Psychiatry: Methodological basis, their possibilities and limitations and descriptions of important rating scales. World J Biol Psychiatry. 2009;10(1):6–26.
74. Guo T, Xiang YT, Xiao L, Hu CQ, Chiu HFK, Ungvari GS, et al. Measurement-based care versus standard care for major depression: A randomized controlled trial with blind raters. Am J Psychiatry. 2015;172(10):1004–13.
75. Dalgalarrondo P. Psicopatologia e semiologia dos transtornos mentais. 3. ed. Porto Alegre: Artmed; 2018. 999 p.
76. Thornicroft G. Stigma and discrimination limit access to mental health care. Epidemiol Psichiatr Soc. 2008;17(1):14–9.

77. Thornicroft G. Actions speak louder ... Tackling discrimination against people with mental illness. London: Mental Health Foundation; 2006. 77 p.
78. Mannarini S, Rossi A. Assessing mental illness stigma: a complex issue. Front Psychol. 2019;9:1–5.
79. Knaak S, Patten S, Ungar T. Mental illness stigma as a quality-of--care problem. Lancet Psychiatry. 2015;2(10):863–4.
80. Beaulieu T, Patten S, Knaak S, Weinerman R, Campbell H, Lauria-Horner B. Impact of Skill-Based Approaches in Reducing Stigma in Primary Care Physicians: Results from a Double-Blind, Parallel-Cluster, Randomized Controlled Trial. Can J Psychiatry. 2017;62(5):327–35.
81. Corrigan PW, Druss BG, Perlick DA. The impact of mental illness stigma on seeking and participating in mental health care. Psychol Sci Public Interes. 2014;15(2):37–70.
82. What is primary care mental health? WHO and Wonca Working Party on Mental Health. Ment Health Fam Med. 2008;5:9–13.
83. Oliveira MA de C, Pereira IC. Atributos essenciais da Atenção Primária e a Estratégia Saúde da Família. Primary Health Care essential attributes and the Family Health Strategy. Rev Bras Enferm. 2013;66:158–64.
84. Brahmbhatt K, Hilty DM, Han J, Angkustsiri K, Schweitzer J. Diagnosis and Treatment of ADHD During Adolescence in the Primary Health Care Setting: Rewiew and Future Directions. J Adolesc Heal. 2016;59(2):135–43.
85. Campos GW de S, Domitti AC. Apoio matricial e equipe de referência : uma metodologia para gestão do trabalho interdisciplinar em saúde. Cad Saúde Pública. 2007;23(2):399–407.
86. Lima M, Dimenstein M. O apoio matricial em saúde mental: Uma ferramenta apoiadora da atenção à crise. Interface Comun Saúde, Educ. 2016;20(58):625–35.
87. Almeida JMC de. Política de saúde mental no Brasil : o que está em jogo nas mudanças em curso. Cad Saúde Pública. 2019;35(11).
88. Brasil. Ministério da Saúde. Saúde mental. Brasília: MS; 2013. 176 p. (Cadernos de Atenção Básica, 34).
89. Addington D, Anderson E, Kelly M, Lesage A, Summerville C. Canadian Practice Guidelines for comprehensive community treatment for schizophrenia and schizophrenia spectrum disorders. Can J Psychiatry. 2017;62(9):662–72.
90. Srivastava P. Psychoeducation an effective tool as treatment modality in mental health. Int J Indian Psychol. 2017;4(1):123–30.
91. Sarkhel S, Singh OP, Arora M. Clinical Practice Guidelines for Psychoeducation in Psychiatric Disorders General Principles of Psychoeducation. Indian J Psychiatry. 2020;62(4):319–23.
92. Angeles G, de Hoop J, Handa S, Kilburn K, Milazzo A, Peterman A, et al. Government of Malawi's unconditional cash transfer improves youth mental health. Soc Sci Med. 2019;225(August 2018):108–19.
93. Fisher E, Attah R, Barca V, O'Brien C, Brook S, Holland J, et al. The livelihood impacts of cash transfers in Sub-saharan Africa: beneficiary perspectives from six countries. World Dev. 2017;99:299–319.
94. Coelho PL, Melo ASSDA. The impact of the "Bolsa família" program on household diet quality, Pernambuco state, Brazil. Cienc e Saude Coletiva. 2017;22(2):393–402.
95. Alves FJO, Machado DB, Barreto ML. Effect of the Brazilian cash transfer programme on suicide rates: a longitudinal analysis of the Brazilian municipalities. Soc Psychiatry Psychiatr Epidemiol. 2019;54(5):599–606.
96. Souza XR de, Marin AH. Intervention with families in breach of the conditions imposed by the Brazilian family allowance program. Saude e Soc. 2017;26(2):596–605.
97. Jacob JD, Gagnon M, Mccabe J. From distress to illness: a critical analysis of medicalization and its effects in clinical practice. J Psychiatr Ment Health Nurs. 2014;21(3):257–63.
98. Wabnitz KJ, Gabrysch S, Guinto R, Haines A, Herrmann M, Howard C, et al. A pledge for planetary health to unite health professionals in the Anthropocene. Lancet. 2020;396(10261):1471–3.

# Capítulo 170
## TRANSTORNOS RELACIONADOS À ANSIEDADE

Giovanni Abrahão Salum Júnior
Natan Pereira Gosmann
Aristides V. Cordioli
Gisele Gus Manfro

A ansiedade é uma emoção que representa um "sinal de alerta" ao perigo. É caracterizada pela presença de sintomas físicos, na maioria das vezes acompanhados de pensamentos catastróficos e associados a modificações no comportamento. Em geral, é desencadeada por situações de ameaça à integridade física ou moral ou ao sucesso pessoal ou em circunstâncias que representem frustração de planos e de projetos pessoais, perda de posição social ou de entes queridos, expectativas de desamparo, abandono ou punição, embora também possa ocorrer de forma espontânea.

Em diversas ocasiões, essa resposta emocional, cognitiva e comportamental constitui um mecanismo evolutivo que auxilia o indivíduo a adotar as medidas necessárias para lidar com os desafios, de modo que certo grau de ansiedade é esperado e adaptativo. A ansiedade passa a ser caracterizada como um transtorno mental quando se torna uma emoção desagradável e incômoda, que surge sem um estímulo externo definido ou proporcional para explicá-la. Nesses casos, intensidade, duração ou frequência são desproporcionais, causam sofrimento ao sujeito e estão associadas a prejuízo no desempenho social ou profissional.

**Sintomas de ansiedade podem ocorrer secundariamente ao uso de drogas, em situações de abstinência de substâncias ou ainda em associação com doenças clínicas ou outros transtornos mentais (p. ex., transtornos psicóticos e transtornos do humor). No entanto, também podem ser uma manifestação primária ou principal, dentro dos quadros chamados de transtornos de ansiedade.**

A 5ª edição do *Manual diagnóstico e estatístico de transtornos mentais* (DSM-5)[1] classifica os transtornos de ansiedade em transtorno de pânico (TP), agorafobia (AG), fobias específicas (FEs), transtorno de ansiedade social (TAS) ou fobia social, transtorno de ansiedade generalizada (TAG) e transtorno de ansiedade de separação. O transtorno obsessivo-compulsivo (TOC) e o transtorno de estresse pós--traumático (TEPT) estão categorizados dentro de outros capítulos específicos do DSM-5, mas por serem altamente comórbidos com os demais transtornos de ansiedade serão tratados em conjunto neste capítulo.

## PREVALÊNCIA E IMPACTO

Os transtornos de ansiedade são os transtornos mentais mais prevalentes.[2-4] Estimativas de prevalência ao longo da vida dos transtornos de ansiedade no mundo variam de 4,8 a 31%.[3] No entanto, não é possível afirmar se as variações nas taxas de prevalência são reais ou decorrentes de variações metodológicas. No Brasil, não há estudos de abrangência nacional, mas um estudo de base comunitária na região metropolitana de São Paulo revelou prevalência ao longo da vida de 28,1% e de 19,9% em um período de 12 meses, com mais da metade dos casos iniciando antes dos 13 anos de idade.

Embora sejam altamente prevalentes, os sintomas de ansiedade muitas vezes não são reconhecidos como transtornos pelos pacientes e familiares, tampouco são diagnosticados e tratados pelos médicos. Além de causarem sofrimento e prejuízo, esses transtornos estão associados a uma série de outros desfechos negativos, o que faz deles um importante problema de saúde pública. Pacientes com transtornos de ansiedade têm maiores taxas de absenteísmo e menor produtividade no trabalho, maiores taxas de utilização dos serviços de saúde, procedimentos, consultas e testes laboratoriais, risco aumentado – independentemente das comorbidades – de ideação suicida, tentativas de suicídio e suicídio consumado, além de abuso e dependência de álcool e drogas. Os transtornos de ansiedade estão associados a importantes custos econômicos e sociais diretos e indiretos. Estão relacionados com comorbidades clínicas, morbidade e mortalidade cardiovasculares e mortalidade por todas as causas.

## ETIOPATOGENIA

Assim como os demais transtornos mentais, os modelos teóricos atuais mais aceitos na psiquiatria descrevem os transtornos de ansiedade como resultados de alterações no neurodesenvolvimento, com início na infância precoce a partir de modificações estruturais e funcionais do cérebro que ocorrem como resultado de uma série de complexas relações entre genes e ambiente. Estudos prospectivos demonstraram que, entre os casos de ansiedade com diagnóstico na vida adulta, mais de 90% tinham história psiquiátrica prévia antes dos 18 anos.[5] Segundo esse modelo neurodesenvolvimental, o transtorno de ansiedade na infância pode preceder tanto o transtorno de ansiedade na vida adulta quanto outras doenças psiquiátricas, como depressão ou abuso de álcool.[5-9]

É muito provável que a participação dos genes nos transtornos de ansiedade se dê por meio da influência de muitos genes de pequeno efeito, com contribuição importante de mutações comuns no genoma. No que concerne aos fatores ambientais, sabe-se que baixa escolaridade, baixa renda familiar, fatores estressores na infância (abuso, negligência, maus-tratos, etc.) e eventos negativos de vida (perda parental, perda do emprego, etc.) estão consistentemente associados aos transtornos de ansiedade.

Além disso, há algumas evidências de alterações tanto em neuroimagem estrutural quanto em neuroimagem funcional relacionada com os transtornos de ansiedade, demonstrando que o fenótipo observado na clínica pode ter uma representação anatômica ou funcional no substrato neural. A consistência desses achados tem sido contestada no campo. No entanto, até o momento, ainda não há aplicação clínica para nenhum achado de genética ou de neuroimagem para o manejo dos transtornos de ansiedade.

## PROGNÓSTICO

Para uma grande parcela dos pacientes, os transtornos de ansiedade têm o prognóstico de um transtorno crônico,[10] com recaídas e agudizações frequentes, que, em geral, estão associadas aos eventos estressores de vida e à presença de sintomas residuais.[11] Os transtornos de ansiedade também possuem fases de remissão parcial ou completa dos sintomas, que podem ocorrer de forma espontânea. Vários estudos mostraram claramente que a descontinuação precoce de medicamentos resulta em recaída em um substancial número de pacientes. Portanto, uma manutenção do tratamento em longo prazo é necessária para evitar os prejuízos associados à cronicidade.

## AVALIAÇÃO CLÍNICA

### Rastreamento e detecção de casos

Em razão de sua elevada prevalência e da eficácia do tratamento, alguns autores recomendam o rastreamento de rotina para transtornos de ansiedade. Contudo, até o momento, não há evidências consistentes que deem suporte a essa conduta.

Para detectar casos de ansiedade, com potencial terapêutico, alguns autores sugerem a focalização em pacientes com alta probabilidade de transtornos mentais comuns, entre eles os transtornos de ansiedade, como nas situações listadas a seguir:
→ paciente que tem sintomas somáticos sem explicação médica, levando-se em consideração que esta é a principal forma de apresentação dos transtornos de ansiedade nos serviços de atenção primária à saúde (APS);
→ paciente que parece ansioso, seja isso trazido como queixa pelo próprio paciente ou pelos familiares, ou por uma avaliação subjetiva por parte do médico;
→ paciente que foi submetido a um estresse importante, para avaliar a possibilidade de reação aguda ao estresse e também porque pacientes com transtornos de ansiedade reagem de forma diferente a situações de estresse em comparação com outras pessoas sem esses transtornos;
→ paciente que hiperutiliza o serviço de saúde, pois este apresenta elevada prevalência de transtornos mentais comuns;
→ na infância, quando a criança apresenta sintomas de ansiedade desproporcionais e com limitação para a realização de tarefas simples de sua fase do desenvolvimento, como, por exemplo, dificuldade para separar-se dos pais nas interações sociais ou nas atividades escolares.

Para detectar casos de ansiedade, pode-se iniciar com um teste de rastreamento que envolve um conjunto de quatro perguntas simples sobre sintomas de ansiedade abrangendo os principais transtornos e uma pergunta sobre sintomas depressivos, com frequência associados aos quadros de ansiedade. Essa estratégia, aplicada rotineiramente, de forma não seletiva, tem sensibilidade de 92 a 96% e especificidade de 57 a 82% para detecção de transtornos de ansiedade na APS.[12]

A **FIGURA 170.1** apresenta um fluxograma para a avaliação diagnóstica da ansiedade, que inicia pela aplicação de uma versão modificada dessas perguntas, acrescida de uma pergunta sobre sintomas obsessivos e compulsivos.

## Diagnóstico diferencial

O próximo passo consiste em afastar a possibilidade de que os sintomas sejam devidos a um problema clínico. O diagnóstico diferencial deve ser orientado pela avaliação clínica por meio de anamnese e exame físico, realizando exames somente de forma complementar, quando necessário em caso de suspeita clínica. A lista de doenças clínicas e de exames que podem ajudar na diferenciação está descrita na **TABELA 170.1**.

Deve-se, ainda, excluir a possibilidade de que o quadro seja um efeito colateral de medicamentos. A retirada ou abstinência de drogas (álcool, cocaína, anfetaminas) ou mesmo de alguns psicofármacos pode produzir sintomas semelhantes aos de um quadro de ansiedade. Ocorrem com razoável frequência: acatisia com antipsicóticos, inquietude com inibidores seletivos da recaptação da serotonina (em geral, de apresentação transitória, não sendo justificada a suspensão na maioria dos casos), reações paradoxais com benzodiazepínicos, etc. Os principais fármacos que podem causar sintomas de ansiedade são apresentados na **TABELA 170.2**.

Conhecer a história pregressa do paciente e verificar se ele sofreu episódios semelhantes no passado ou outros episódios de transtornos mentais é extremamente importante. A presença de sintomas ansiosos na infância e a história familiar positiva para transtornos de ansiedade em familiares são alguns indicadores de transtorno primário.

## Classificação dos transtornos de ansiedade

A avaliação clínica deve determinar qual ou quais transtornos de ansiedade estão presentes. É importante salientar que a coocorrência de mais de um transtorno é tão ou mais frequente do que a apresentação isolada.[2,13] Os padrões gerais que caracterizam os transtornos estão sumarizados na **FIGURA 170.1**, e os critérios diagnósticos específicos estão listados nas próximas tabelas ao longo deste capítulo.

É fundamental lembrar que, ao checar os critérios diagnósticos dos transtornos de ansiedade, deve-se considerar a intensidade, a duração e a frequência dos sintomas ansiosos, o contexto de aparecimento dos sintomas, assim como a interferência na funcionalidade do indivíduo, nas esferas interpessoal, ocupacional/educacional, nas atividades de lazer, no sono, na alimentação e na sexualidade. Essa avaliação pode ser mais importante que aplicar os critérios diagnósticos em si, dado que há evidências de que avaliações embasadas em modelos de apresentação clínica podem ser equivalentes ou superiores aos critérios do DSM para identificar pessoas com problemas na vida em virtude de transtornos de ansiedade.

## Identificação de comorbidades e riscos

As comorbidades também são frequentes entre os transtornos de ansiedade e outros transtornos mentais.[4,13,14] Embora uma avaliação ampla deva sempre ser idealmente realizada, a comorbidade com transtornos do humor (depressão e transtorno bipolar), uso problemático de álcool e dor crônica precisa ser pesquisada de forma sistemática. Além disso, é de extrema importância a avaliação do risco de suicídio, tendo em vista a prevalência aumentada de mortalidade por suicídio nesse grupo de pacientes, independentemente de outras comorbidades psiquiátricas.

A comorbidade com transtornos de humor pode ser facilmente investigada por meio do questionamento sobre a perda de interesse nas atividades. A avaliação de transtornos de humor, em geral, exige um acompanhamento longitudinal do paciente para que um diagnóstico seja realizado, sobretudo no caso de transtorno de humor bipolar. No entanto, é provável que perguntas abertas e gerais ajudem no

**TABELA 170.1** → Condições médicas e exames complementares correspondentes

| CONDIÇÃO MÉDICA | INVESTIGAÇÃO INICIAL RECOMENDADA |
| --- | --- |
| **Cardiovascular:** síndromes coronarianas agudas, insuficiência cardíaca, arritmias | Eletrocardiograma (especialmente em pacientes com idade > 40 anos com palpitações ou dor torácica) |
| **Pulmonar:** asma, doença pulmonar obstrutiva crônica | Teste de função pulmonar, radiografia de tórax |
| **Endócrina:** disfunção tireoidiana, hiperparatireoidismo, hipoglicemia, menopausa, doença de Cushing, insulinoma, feocromocitoma | Hormônio estimulante da tireoide (TSH), eletrólitos |
| **Hematológica:** anemia | Hemograma |
| **Neurológica:** epilepsia, encefalopatia, tremor essencial | Eletrencefalograma, ressonância magnética |
| **Abuso e dependência de substâncias** | Exame toxicológico de urina |

**TABELA 170.2** → Fármacos que podem causar sintomas de ansiedade

- → Corticoides
- → Anticonvulsivantes: carbamazepina
- → Antimicrobianos: cefalosporinas
- → Broncodilatadores
- → Tiroxinas
- → Dopaminérgicos: amantadina, bromocriptina, levodopa, metoclopramida, antipsicóticos
- → Simpaticomiméticos: efedrina, adrenalina, pseudoefedrina
- → Digitálicos
- → Anti-histamínicos
- → Bloqueadores do canal de cálcio
- → Antidepressivos (inibidores seletivos da recaptação da serotonina, antidepressivos tricíclicos)*
- → Insulina (associada à hipoglicemia)
- → Indometacina
- → Anticolinérgicos: meperidina, oxibutinina
- → Estimulantes: cafeína, anfetamina, aminofilina, cocaína, teofilina, metilfenidato
- → Descontinuação de barbitúricos, benzodiazepínicos, narcóticos, álcool e sedativos

*O uso de antidepressivos pode estar associado a um aumento transitório de ansiedade. Esse efeito é intensificado por aumentos realizados em espaços mais curtos de tempo e com frações de dose por aumento maiores do que o recomendado.

Seção XIII → Saúde Mental   1861

## Rastreamento/detecção de casos

**Situações de alta probabilidade para transtornos de ansiedade***
1) Sintomas físicos de difícil caracterização
2) Queixa ou impressão clínica de ansiedade
3) Paciente submetido a estresse importante
4) Paciente que hiperutiliza o serviço de saúde

**Perguntas para detecção/rastreamento de casos de ansiedade**
1) Você teve alguma crise ou ataque de ansiedade, em que, de uma hora para outra, se sentiu muito assustado, ansioso e desconfortável?
2) Você diria que está com os "nervos à flor da pele", muito preocupado e ansioso com tudo ou no limite?
3) Você diria que ficar desconfortável e ansioso perto de outras pessoas é um problema para você?
4) Nesses últimos meses, você vem tendo sonhos ou pesadelos repetidos sobre uma situação traumática na sua vida, pensamentos repetidos e teve *flashbacks*, isto é, sentiu como se o fato estivesse ocorrendo novamente?
5) Você tem "manias" ou "rituais" de checar ou verificar coisas, contar, limpar ou organizar? Se sim, essas manias incomodam você e tomam ao menos 1 hora do seu dia?†

*Pergunta adicional sobre sintomas depressivos*
1) Você teve algum período que durou mais de 1 semana em que perdeu o interesse pela maioria das coisas como trabalho, atividades de lazer ou outras que normalmente gostava de fazer?

## Diagnóstico diferencial

Sim para qualquer pergunta ↓

**Alguma condição clínica do diagnóstico diferencial pode explicar os sintomas?** — Sim → Tratar condição clínica e reavaliar persistência ou não dos sintomas de ansiedade após tratamento

Não ↓

**Os sintomas podem ser explicados por uso de medicamentos, abuso de substâncias ou síndrome de abstinência?** — Sim → Reavaliar necessidade dos medicamentos, tratar abuso de substância ou síndrome de abstinência e, após, reavaliar persistência ou não dos sintomas ansiosos

Não ↓

## Classificação

- Medo ou constrangimento em situações sociais ou de desempenho? **Checar critérios para Transtorno de ansiedade social**
- Medo despertado por objetos ou situações? **Checar critérios para Fobia específica**
- Ansiedade intensa com preocupações excessivas, inquietude com problemas da vida cotidiana? **Checar critérios para Transtorno de ansiedade generalizada**
- Obsessões e/ou compulsões? **Checar critérios para Transtorno obsessivo-compulsivo**
- Trauma grave com revivência, hipervigilância e esquiva? **Checar critérios para Transtorno de estresse agudo e Transtorno de estresse pós-traumático**
- Ataques súbitos de ansiedade com medo de outros episódios? **Checar critérios para Transtorno de pânico**

## Identificação de comorbidades e riscos

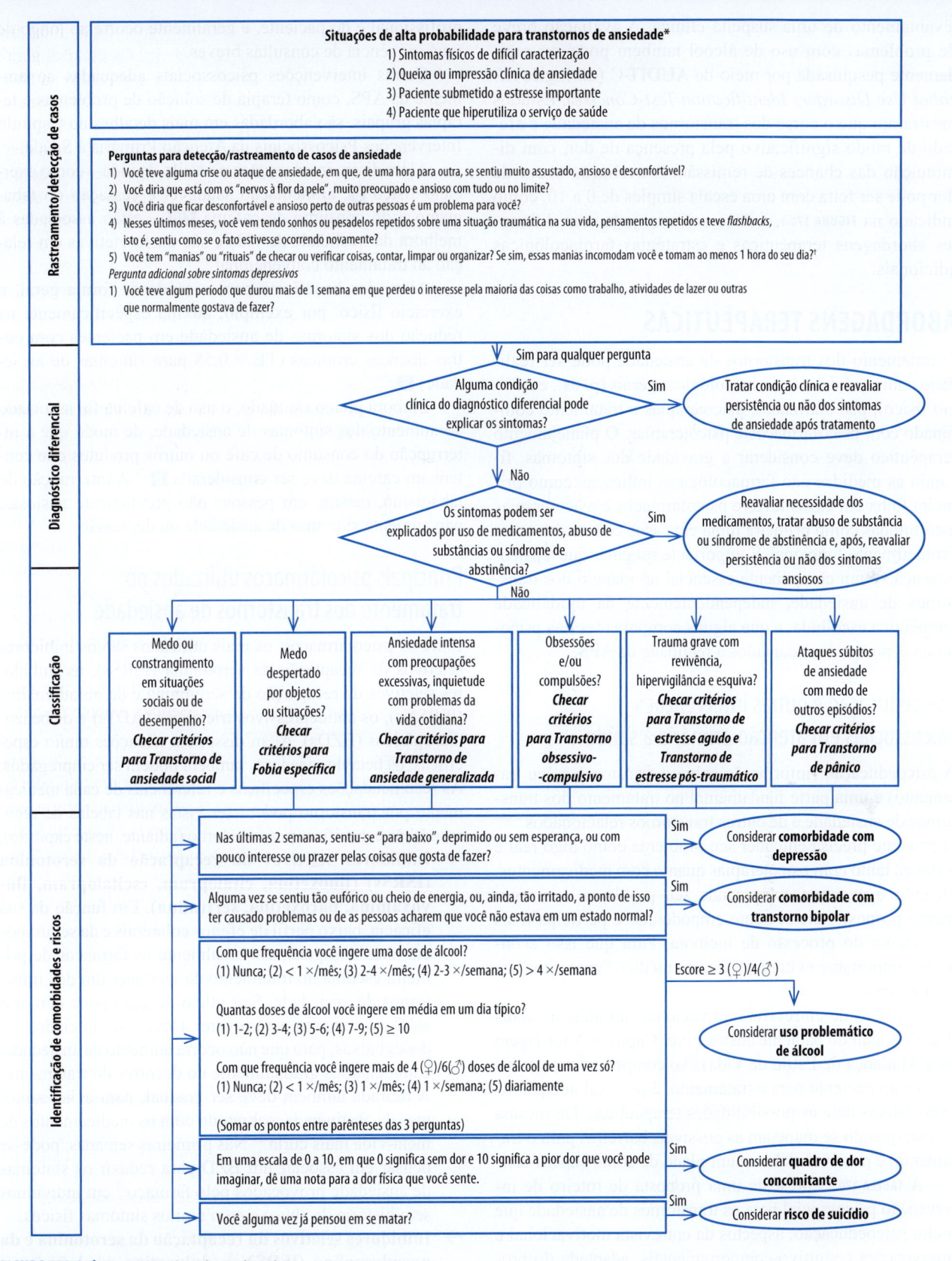

- Nas últimas 2 semanas, sentiu-se "para baixo", deprimido ou sem esperança, ou com pouco interesse ou prazer pelas coisas que gosta de fazer? — Sim → Considerar **comorbidade com depressão**
- Alguma vez se sentiu tão eufórico ou cheio de energia, ou, ainda, tão irritado, a ponto de isso ter causado problemas ou de as pessoas acharem que você não estava em um estado normal? — Sim → Considerar **comorbidade com transtorno bipolar**
- Com que frequência você ingere uma dose de álcool? (1) Nunca; (2) < 1 ×/mês; (3) 2-4 ×/mês; (4) 2-3 ×/semana; (5) > 4 ×/semana
- Quantas doses de álcool você ingere em média em um dia típico? (1) 1-2; (2) 3-4; (3) 5-6; (4) 7-9; (5) ≥ 10
- Com que frequência você ingere mais de 4 (♀)/6 (♂) doses de álcool de uma vez só? (1) Nunca; (2) < 1 ×/mês; (3) 1 ×/mês; (4) 1 ×/semana; (5) diariamente
- (Somar os pontos entre parênteses das 3 perguntas) — Escore ≥ 3 (♀)/4 (♂) → Considerar **uso problemático de álcool**
- Em uma escala de 0 a 10, em que 0 significa sem dor e 10 significa a pior dor que você pode imaginar, dê uma nota para a dor física que você sente. — Sim → Considerar **quadro de dor concomitante**
- Você alguma vez já pensou em se matar? — Sim → Considerar **risco de suicídio**

**FIGURA 170.1** → Fluxograma de avaliação diagnóstica.
*Em função da alta prevalência, alguns autores recomendam rastreamento universal.
†Questão adicional acerca de obsessões e compulsões (não originalmente inserida no instrumento de triagem).

levantamento de uma suspeita clínica. A avaliação breve de problemas com uso de álcool também pode ser rapidamente pesquisada por meio do AUDIT-C (do inglês *Alcohol Use Disorders Identification Test-Concise*). Estudos mostraram que o curso dos transtornos de ansiedade é afetado de modo significativo pela presença de dor, com diminuição das chances de remissão. A avaliação breve de dor pode ser feita com uma escala simples de 0 a 10, como indicado na **FIGURA 170.1**, e deve ser manejada com diferentes abordagens terapêuticas e estratégias farmacológicas adicionais.

## ABORDAGENS TERAPÊUTICAS

O tratamento dos transtornos de ansiedade pode ser realizado com medidas não farmacológicas gerais (p. ex., exercício físico), psicofármacos, psicoterapias e tratamento combinado com psicofármacos e psicoterapias. O planejamento terapêutico deve considerar a gravidade dos sintomas, ficando as medidas não farmacológicas indicadas como primeira linha em casos leves e psicofármacos e psicoterapias estruturadas como primeira linha em casos com maior comprometimento funcional. É importante salientar que a psicoeducação é um componente essencial no manejo dos transtornos de ansiedade, independentemente da modalidade terapêutica escolhida, e que alguns componentes das psicoterapias podem ser adaptados à realidade da APS.

### Psicoeducação e outras intervenções psicossociais em atenção primária à saúde

A psicoeducação (informação sobre o transtorno e seu tratamento) é uma parte fundamental no tratamento dos transtornos de ansiedade e de outros transtornos relacionados.[15,16] O paciente precisa entender seu problema como algo real e tratável, tanto com psicoterapias quanto com medicamentos. Quando o paciente compreende seu problema e o tratamento proposto, ele se sente empoderado e participa mais ativamente do processo de melhora. Para que isso aconteça, é importante evitar a prática do médico "prescritor" ou "autoritário".

Técnicas de entrevista motivacional são úteis na abordagem inicial do paciente ansioso (ver Capítulo Abordagem para Mudança de Estilo de Vida). Ao compreender as motivações do paciente para o tratamento, é possível adequar as expectativas dele às possibilidades terapêuticas. Da mesma forma, quando se mapeiam as possíveis barreiras para o tratamento, é possível elaborar um plano de como superá-las.

A **TABELA 170.3** apresenta uma proposta de roteiro de intervenção psicossocial para os transtornos de ansiedade que inclui psicoeducação, aspectos da entrevista motivacional e intervenções cognitivo-comportamentais, adaptada do programa originalmente proposto por Roy-Byrne e colaboradores[17,18] e acrescida de algumas técnicas adicionais de terapia cognitivo-comportamental (TCC). O uso dessas técnicas não deve obedecer a um roteiro rígido, devendo ser adaptado de acordo com as circunstâncias e as preferências do profissional e do paciente, e geralmente ocorre ao longo de uma sequência de consultas breves.

Outras intervenções psicossociais adequadas ao ambiente da APS, como terapia de solução de problemas e terapias grupais, são abordadas em mais detalhes no Capítulo Intervenções Psicossociais na Atenção Primária à Saúde.

Além disso, intervenções no estilo de vida – como exercício físico **B**, alimentação saudável e cessação do tabagismo e do consumo de cafeína **C/D** – estão associadas à melhora da qualidade de vida e são custo-efetivas em relação ao tratamento convencional.[19]

Além dos benefícios para a saúde de forma geral, o exercício físico, por exemplo, auxilia especificamente na redução dos sintomas de ansiedade em pacientes com outras doenças crônicas (TE = 0,58 para sintomas de ansiedade) **B**.[20]

Embora pouco estudado, o uso de cafeína foi associado ao aumento dos sintomas de ansiedade, de modo que a interrupção do consumo de café ou outros produtos que contenham cafeína deve ser considerada **D**.[21] A interrupção do tabagismo, mesmo em pessoas não previamente ansiosas, não aumenta sintomas de ansiedade ou depressão.

### Principais psicofármacos utilizados no tratamento dos transtornos de ansiedade

Entre os psicofármacos, os mais utilizados são os inibidores seletivos da recaptação da serotonina (ISRSs), os inibidores seletivos da recaptação da serotonina e da noradrenalina (ISRSNs), os antidepressivos tricíclicos (ADTs) e os benzodiazepínicos (BZDs). Além disso, em situações muito específicas, os betabloqueadores também podem ser empregados. As recomendações específicas e referências de cada medicamento por transtorno podem ser vistas nas tabelas de recomendação específicas por transtorno (adiante, neste capítulo).

→ **Inibidores seletivos da recaptação da serotonina (ISRSs) (fluoxetina, citalopram, escitalopram, fluvoxamina, paroxetina, sertralina).** Em função da sua eficácia, baixo perfil de efeitos colaterais e da segurança em altas dosagens, são atualmente os fármacos de primeira escolha no tratamento de qualquer um dos transtornos de ansiedade. Seu início de ação pode demorar até 2 a 6 semanas para ocorrer. Devem ser iniciados em doses baixas, para que não ocorra aumento de ansiedade, e aumentados gradualmente no decorrer do tratamento. A retirada também deve ser gradual, para evitar sintomas de abstinência, sobretudo com os medicamentos de meia-vida mais curta.[22] Nas primeiras semanas, pode-se pensar em associar um BZD para reduzir os sintomas de ansiedade provocados pelo fármaco[23] em indivíduos sem história de abuso e com muitos sintomas físicos.

→ **Inibidores seletivos da recaptação da serotonina e da noradrenalina (ISRSNs) (duloxetina, venlafaxina e desvenlafaxina).** Nas doses convencionais, são usados no tratamento de vários transtornos de ansiedade (TAG, TP, TAS e TEPT), enquanto, no TOC, doses maiores parecem ser necessárias. Eles são potentes inibidores da serotonina e, em doses maiores, inibem a noradrenalina.

**TABELA 170.3** → Intervenção psicoeducativa/psicossocial em atenção primária à saúde

| | | |
|---|---|---|
| **PARA TODOS** | **Psicoeducação**<br>O primeiro passo é explicar ao paciente o que de fato ele tem e a lógica por trás do tratamento. Materiais de apoio, como *a figura do ciclo do medo*, disponível na **FIGURA 170.2**, podem ser úteis. Use a figura para ilustrar que a vulnerabilidade genética, os estressores da vida e os comportamentos não adaptativos em conjunto contribuem para a ansiedade. Diga que a ansiedade é uma emoção normal do dia a dia, representando um sinal de alerta para situações de perigo. O problema do paciente é não desligar esse sinal de alerta quando não há "perigo". Os tratamentos, tanto medicamentosos quanto comportamentais, ajudam o paciente a "consertar" o sinal de alerta, que dispara quando não deve. É importante deixar claro que esses tratamentos foram bem estudados e que sua eficácia foi comprovada em pacientes semelhantes a ele. | |
| | **Abordar motivações para o tratamento**<br>→ Quais são as expectativas do paciente acerca do tratamento?<br>→ Qual é o papel dele nesse processo de melhora?<br>→ Liste os aspectos negativos relacionados com a ansiedade e os aspectos positivos de estar livre de sintomas ansiosos. Mapeie as barreiras ao tratamento e elabore um plano de como ultrapassá-las. Evite postura autoritária com o paciente. Faça-o entender o balanço entre os aspectos negativos relacionados com a ansiedade e os aspectos positivos de estar livre dos sintomas. | |
| Para pacientes com **comportamentos evitativos** e "medos" (p. ex., situações sociais em pacientes com TAS, lugares fechados em pacientes com agorafobia, tocar em objetos que considera contaminados no TOC) | **Adicionar instruções sobre como enfrentar as situações temidas e elaborar plano de enfrentamento**<br>→ Elabore, com o paciente, uma lista das situações temidas. Planeje com ele um plano de enfrentamento que vai da situação menos temida para a mais temida. Esse enfrentamento deve ser gradual; no entanto, todos os dias o paciente deve ter uma tarefa de enfrentamento. Avise-o de que, durante o enfrentamento, pensamentos catastróficos e não realistas surgirão. Trabalhe com ele para buscar dados da realidade e ver que os pensamentos não têm uma fundamentação lógica (ver a seguir como lidar com pensamentos negativos ou desagradáveis). | |
| Para pacientes com **pensamentos negativos ou desagradáveis** (p. ex., preocupação excessiva no TAG, pensamentos de contaminação no TOC, pensamentos de morte em um ataque de pânico) | **Adicionar instruções sobre como enfrentar pensamentos negativos ou desagradáveis**<br>→ **Questione a fundamentação lógica dos pensamentos catastróficos.** Pacientes com ansiedade tendem a tirar conclusões precipitadas e catastróficas acerca de pequenas coisas. Ajude o paciente a desenvolver processos para refletir sobre a fundamentação lógica dos pensamentos. Por exemplo, pensamentos de morte durante crises de pânico podem ser questionados avaliando-se episódios prévios, vendo que eles foram sempre passageiros, sem repercussões na saúde física.<br>→ **Não tente afastar pensamentos negativos; o segredo é não dar importância a eles.** Mostre ao paciente como não é produtivo tentar afastar os pensamentos. Como exemplo, instrua-o a tentar "não pensar em um elefante cor-de-rosa" e após pergunte o que ele pensou no último minuto. Invariavelmente, a resposta será que ele pensou em um elefante cor-de-rosa, pois é muito difícil e quase impossível tentar "não pensar" em alguma situação. Portanto, o importante é "Não dar importância aos pensamentos desagradáveis" e *não* tentar afastá-los, pois isso aumenta a frequência e a intensidade desses pensamentos. Se o paciente não der importância a esses pensamentos negativos, eles desaparecem ao longo do tempo. | |
| Para pacientes com **muitos sintomas físicos** ou **ataques de ansiedade** (p. ex., sintomas de ansiedade durante uma apresentação em público no TAS, sintomas de ansiedade em um ataque de pânico no TP) | **Adicionar instruções sobre como lidar com sintomas físicos**<br>→ **Ensine a respiração diafragmática e o controle da respiração.** Instrua o paciente a colocar uma mão na barriga e outra no peito, e oriente-o para que apenas a mão que está sobre a barriga se mexa enquanto ele respira lentamente pelo nariz. É importante que o paciente saiba que não eliminará os sintomas de ansiedade completamente, pois a ansiedade é uma emoção normal que todos sentem. Os pacientes com transtornos de ansiedade às vezes interpretam estímulos normais do corpo como ameaçadores, mesmo que nenhum problema físico esteja acontecendo. O importante é que ele seja capaz de controlar e perceber que "o sinal de alerta disparou, mas não há nenhum incêndio" e, assim, ele possa se acalmar novamente. | |
| Para pacientes com **compulsões** (p. ex., verificações no TOC) | **Adicionar instruções sobre como lidar com as compulsões/rituais**<br>→ **Faça um esquema para prevenir rituais.** Pacientes com TOC se sentem compelidos a realizar determinados rituais em resposta a pensamentos negativos. A tarefa é bem simples: deve-se orientar o paciente a não fazer esses rituais e impedir que eles ocorram. Instrua o paciente a interromper rituais ou ruminações com a palavra "Pare" e a procurar distrair-se com algo que prenda mais a atenção. No TOC, a aflição costuma desaparecer entre 15 minutos e 3 horas. A cada exercício, a intensidade e a duração do desconforto são menores. A exposição e a prevenção desses rituais são partes essenciais do tratamento. | |
| Para pacientes que iniciarão tratamento com **psicofármacos** (p. ex., antidepressivos ou BZDs) | **Adicionar informações sobre o tratamento com psicofármacos**<br>→ **Informe o paciente sobre o tempo de início de ação dos medicamentos** (os antidepressivos costumam demorar 1 mês para ter sua ação terapêutica). Informe sobre os **possíveis efeitos colaterais** (como a possibilidade de retardo da ejaculação e diminuição da libido com os antidepressivos e sonolência com os BZDs), lembrando que essas situações são manejáveis com alterações na dose e uso de outros medicamentos. Avise que **os medicamentos não podem ser descontinuados de forma abrupta**, em função da possibilidade de síndrome de abstinência. Explique que o tratamento será iniciado com **doses baixas** e com **aumento gradual até resposta ótima**. Informe que **a duração do tratamento adequado deve levar pelo menos 1 ano** após a remissão dos sintomas pelo maior risco de recaída. Explique que **os antidepressivos não causam dependência** e que se deve **ter cuidado com os BZDs pelo risco de dependência com o uso**.<br>→ **"Os medicamentos funcionam e são capazes de alterar o comportamento."** Uma boa parcela dos pacientes não acredita que os medicamentos funcionem ou sejam capazes de mudar comportamentos e emoções. Além disso, mesmo quando acreditam, alguns não creem que sejam necessários para o seu caso específico. Portanto, é importante ressaltar que esses medicamentos já foram testados em pacientes muito semelhantes a ele e enfatizar os benefícios com o tratamento. | |
| Para pacientes que iniciarão tratamento com **psicoterapias** (p. ex., TCC, psicodinâmica) | **Adicionar informações sobre o tratamento com psicoterapias**<br>→ **Informe como funciona a terapia escolhida.** Na TCC, informe sobre os formatos disponíveis (individual ou em grupo; presencial ou *on-line*), bem como sobre a necessidade de comprometimento com as tarefas repassadas pelo terapeuta. Explique os objetivos das terapias, o foco em comportamentos e exposições na TCC e em conflitos e o funcionamento da psicodinâmica. | |

BZDs, benzodiazepínicos; TAG, transtorno de ansiedade generalizada; TAS, transtorno de ansiedade social; TCC, terapia cognitivo-comportamental; TOC, transtorno obsessivo-compulsivo; TP, transtorno de pânico.

Entretanto, não inibem receptores muscarínicos, histamínicos e adrenérgicos, resultando em um perfil de efeitos colaterais favorável, se comparados aos ADTs. A maioria das evidências refere-se à venlafaxina. No TAG, há evidências preliminares de eficácia da duloxetina, sendo que apenas um estudo preliminar mostrou redução de sintomas ansiosos em pacientes com sintomas de depressão com a desvenlafaxina.[24,25]

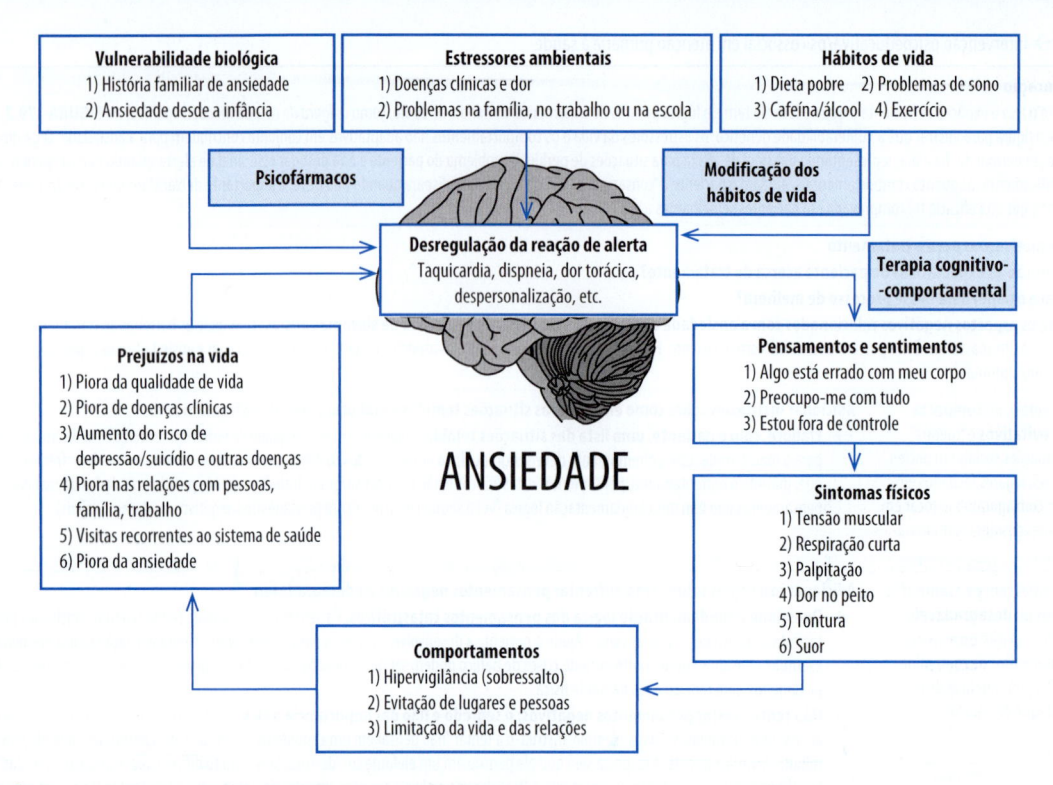

**FIGURA 170.2** → Fisiopatologia dos transtornos de ansiedade: material para psicoeducação.

A venlafaxina é bastante similar aos ISRSs quanto ao tempo de início de ação. É relativamente segura em superdosagem e apresenta perfil de efeitos colaterais favorável. A retirada também deve ser gradual (25 mg/dia, durante 1-2 semanas).

→ **Antidepressivos tricíclicos (ADTs) (amitriptilina, imipramina, clomipramina, nortriptilina).** Também são eficazes no tratamento dos transtornos de ansiedade, porém apresentam efeitos colaterais (anticolinérgicos) mais proeminentes do que os ISRSs e os ISRSNs e maior risco de vida associado à superdosagem.[26] Pode-se conseguir melhor adesão iniciando-os em doses baixas, e aumentando-as gradualmente. Isso tem importância especial para os pacientes com TP, que apresentam maior sensibilidade aos efeitos dos fármacos nas primeiras semanas de uso. A clomipramina, por possuir maior ação serotoninérgica, é particularmente útil no manejo de sintomas de TOC.

→ **Benzodiazepínicos (BZDs) (clonazepam, diazepam, alprazolam, bromazepam, lorazepam).** Possuem rápido início de ação e são eficazes no tratamento dos transtornos de ansiedade (TAG, TAS, TP), embora não demonstrem essa eficácia no TOC e no TEPT. Contudo, o uso prolongado está associado à dependência e, portanto, é contraindicado em pacientes com suscetibilidade para dependência e abuso de substâncias. Além disso, não são eficazes em quadros de depressão associada (o que frequentemente ocorre). Podem ser usados em quadros de ansiedade muito intensa ou, ainda, associados aos antidepressivos, durante o período de latência deles, aumentando a resposta terapêutica inicial.[27]

→ **Betabloqueadores (propranolol).** Atuam no controle dos sintomas autonômicos, como palpitações e tremores, mas não na ansiedade propriamente dita. São utilizados em pacientes com TAS do tipo circunscrita (de desempenho), antes de apresentações públicas.[28,29] Recomendam-se 20 a 80 mg/dia de propranolol, 30 minutos antes da situação de desempenho. Além disso, é recomendado realizar um teste terapêutico com o fármaco alguns dias antes da situação de desempenho para avaliar a resposta ao medicamento e monitorar o surgimento de possíveis sintomas adversos.

A duração ideal da terapia farmacológica após remissão dos sintomas (terapia de continuação) é controversa. Não há evidências consistentes para essa recomendação; no entanto, a maioria das diretrizes internacionais aponta para um tempo de duração mínimo de 1 a 2 anos após a remissão dos sintomas **C/D**.[30,31] A retirada deve ser gradual para todos os psicofármacos e especialmente para os BZDs com o objetivo de prevenir efeito-rebote ou recidivas **C/D**.[32]

Em pacientes que já realizaram algum tratamento para transtornos de ansiedade, a resposta prévia pode ser um bom ponto de partida para a escolha do medicamento. Em pacientes com boa resposta prévia a um ISRS ou ISRSN, o medicamento prévio deve ser o medicamento de preferência. Se a boa resposta prévia foi com um BZD, um ISRS ou um ISRSN ainda são o tratamento de primeira escolha. Em caso de história de má resposta a um ISRS ou ISRSN, outro medicamento da mesma classe deve ser tentado. É sempre importante investigar se as tentativas prévias atingiram a dose máxima (tolerada ou sugerida pelo fabricante) e se tiveram tempo de duração adequado (mínimo de 4-8 semanas).

As **TABELAS 170.4** e **170.5** apresentam recomendações de uso dos medicamentos, incluindo posologias, doses iniciais e usuais e principais vantagens e desvantagens dos fármacos mais utilizados no tratamento dos transtornos de ansiedade.

## Principais psicoterapias utilizadas no tratamento dos transtornos de ansiedade

Entre as formas de psicoterapia para os transtornos de ansiedade, a terapia cognitivo-comportamental (TCC) é a que apresenta maiores evidências de eficácia para o tratamento dos transtornos de ansiedade. Essa psicoterapia visa corrigir os pensamentos automáticos catastróficos, as crenças errôneas, a percepção distorcida das reações fisiológicas, a atenção excessiva e a hipervigilância para a possível presença de objetos e situações fóbicas e para as sensações corporais. Podem ser usadas, também, técnicas para enfrentar a ansiedade, como a respiração diafragmática e o relaxamento muscular, avaliadas como efetivas em alguns transtornos. A TCC é particularmente importante para auxiliar o paciente a vencer as consequências da ansiedade, como a antecipação, a hipervigilância e, em especial, a agorafobia (esquiva fóbica).[32,33]

Quanto às demais psicoterapias, há evidências preliminares de eficácia de tratamentos breves de base psicodinâmica focados para alguns transtornos de ansiedade, como o TP[34] e

**TABELA 170.4** → Principais medicamentos utilizados no tratamento dos transtornos de ansiedade (inibidores seletivos da recaptação da serotonina [ISRSs] e inibidores seletivos da recaptação da serotonina e da noradrenalina [ISRSNs])

| | DOSE NOS TRANSTORNOS DE ANSIEDADE | PRINCIPAIS CARACTERÍSTICAS (VANTAGENS/DESVANTAGENS) |
|---|---|---|
| **ISRSs** | **Indicações:** TP, TAG, TAS, TEPT, TOC<br>**Contraindicações:** uso de IMAOs, uso de pimozida, hipersensibilidade ao fármaco<br>**Efeitos colaterais mais comuns:** náuseas, cefaleia, sonolência, insônia, tonturas, diminuição do apetite, dor abdominal, nervosismo, sudorese excessiva, boca seca, tremor, inquietude, diminuição do desejo sexual, anorgasmia, retardo na ejaculação, astenia, sangramento (agregação plaquetária) | |
| **Fluoxetina**<br>Comprimidos de 10 ou 20 mg<br>Solução oral de 20 mg/mL | Recomenda-se iniciar com 10 mg/dia, em dose única, preferencialmente pela manhã junto com a alimentação, por 1 semana; aumentar para 20 mg/dia e aguardar resposta terapêutica (4-6 semanas), com aumentos na dose (+10 mg/dia a cada semana) conforme resposta clínica e tolerância até 40 mg/dia (até 80 mg/dia no TOC); em caso de indisponibilidade de comprimidos de 10 mg ou de solução oral, pode-se adotar a utilização do uso de cápsulas de 20 mg em dias alternados | → Metabolização: inibe substancialmente o p450 (CYP2D6 e CYP3A4)<br>→ Dos ISRSs, é a $t_{1/2}$ mais longa ($t_{1/2}$ = 4-6 dias; metabólito = 4-16 dias)<br>→ Dos ISRSs, é o mais estimulante<br>→ A administração com alimentos diminui a náusea<br>→ ISRS de preferência durante a gestação (especialmente no 1º trimestre) |
| **Paroxetina**<br>Comprimidos de 10, 20 ou 30 mg | Recomenda-se iniciar com 10 mg/dia, em dose única, preferencialmente à noite, por 1 semana; aumentar para 20 mg/dia e aguardar resposta terapêutica (4-6 semanas), com aumentos na dose (+10 mg/dia a cada semana) conforme resposta clínica e tolerância até 40 mg/dia (até 60 mg/dia no TOC) | → Metabolização: inibe substancialmente o p450 (CYP2D6)<br>→ Dos ISRSs, é a $t_{1/2}$ mais curta ($t_{1/2}$ = 21 horas; síndrome de retirada)<br>→ Dos ISRSs, é o menos estimulante e o mais sedativo<br>→ Dos ISRSs, é o que tem maiores efeitos anticolinérgicos e causa maior ganho de peso<br>→ Deve ser evitada na gestação e na lactação (faltam estudos clínicos/é excretada no leite) |
| **Sertralina**<br>Comprimidos de 25, 50 e 100 mg | Recomenda-se iniciar com 25 mg/dia, em dose única, junto com a alimentação, por 1 semana; aumentar para 50 mg/dia e aguardar resposta terapêutica (4-6 semanas), com aumentos na dose (+25 mg/dia a cada semana) conforme resposta clínica e tolerância até 200 mg/dia (até 200 mg/dia no TOC) | → Metabolização: poucos efeitos no p450 (CYP2D6) e mínimos no CYP3A4; poucas interações<br>→ $t_{1/2}$ intermediária = 26 horas (metabólito = 64-104 horas)<br>→ Dos ISRSs, é o que mais causa náusea<br>→ Pode ser estimulante<br>→ A absorção do fármaco aumenta quando ingerido com a alimentação<br>→ Está entre os ISRSs preferíveis durante a gestação e a lactação |
| **Citalopram**<br>Comprimidos de 20 ou 40 mg | Recomenda-se iniciar com 10 mg/dia, por 1 semana; aumentar para 20 mg/dia e aguardar resposta terapêutica (4-6 semanas), com aumentos na dose (+10 mg/dia a cada semana) conforme resposta clínica e tolerância até 60 mg/dia (até 80 mg/dia no TOC) | → Metabolização: mínimos efeitos no p450 (CYP2D6 e CYP3A4); mínimas interações<br>→ $t_{1/2}$ intermediária = 35 horas (metabólito = 3 horas)<br>→ Menos efeitos colaterais<br>→ A absorção não é afetada pela alimentação<br>→ Medicamento pouco estudado em ansiedade<br>→ Preferível em idosos, em função de menor $t_{1/2}$ e poucas interações<br>→ Deve ser evitado na gestação e na lactação (poucos estudos clínicos) |
| **Escitalopram**<br>Comprimidos de 10 ou 20 mg<br>Solução oral de 10 ou 20 mg/mL | Recomenda-se iniciar com 5 mg/dia, por 1 semana; aumentar para 10 mg/dia e aguardar resposta terapêutica (4-6 semanas), com aumentos na dose (+5 mg/dia a cada semana) conforme resposta clínica e tolerância até 20 mg/dia (até 40 mg/dia no TOC) | → Metabolização: mínimos efeitos no p450 (CYP2D6 e CYP3A4); mínimas interações<br>→ $t_{1/2}$ intermediária = 30 horas<br>→ A absorção não é afetada pela alimentação<br>→ Preferível em idosos, em função de menor $t_{1/2}$ e poucas interações<br>→ Deve ser evitado na gestação e na lactação (poucos estudos clínicos) |
| **ISRSNs** | **Indicações:** TP, TAG, TAS, TEPT, TOC (apenas venlafaxina em doses elevadas)<br>**Contraindicações:** uso de IMAOs<br>**Efeitos colaterais:** náuseas, vômitos, sonolência, insônia, tremor, disfunção sexual, sudorese, sudorese noturna, boca seca, hipertensão arterial, sangramento | |
| **Venlafaxina** (liberação imediata)<br>**Venlafaxina LP** (liberação prolongada)<br>Comprimidos de 37,5, 75 ou 150 mg | Recomenda-se iniciar com 37,5 mg/dia, por 1 semana; aumentar para 75 mg/dia e aguardar resposta terapêutica (4-6 semanas), com aumentos na dose (+37,5 mg/dia a cada semana) conforme resposta clínica até 150 mg/dia (até 225 mg/dia no TOC)<br>**Liberação imediata:** 2 doses diárias<br>**Liberação prolongada:** dose única (pela manhã) | → Metabolização: poucos efeitos no p450 (CYP2D6) e mínimos no CYP3A4; poucas interações<br>→ $t_{1/2}$ = 5 horas (síndrome de retirada frequente)<br>→ Associada a aumento de PA (em doses > 225 mg) – monitorar<br>→ No TOC, evidências de eficácia apenas em altas doses<br>→ Deve ser evitada na gestação e na lactação (poucos estudos clínicos)<br>→ A venlafaxina LP não deve ser partida ou mastigada |

IMAOs, inibidores da monoaminoxidases; PA, pressão arterial; $t_{1/2}$, meia-vida; TAG, transtorno de ansiedade generalizada; TAS, transtorno de ansiedade social; TEPT, transtorno de estresse pós-traumático; TOC, transtorno obsessivo-compulsivo; TP, transtorno de pânico.

**TABELA 170.5** → Principais medicamentos utilizados no tratamento dos transtornos de ansiedade (antidepressivos tricíclicos [ADTs] e benzodiazepínicos [BZDs])

| | DOSE NOS TRANSTORNOS DE ANSIEDADE | PRINCIPAIS CARACTERÍSTICAS (VANTAGENS/DESVANTAGENS) |
|---|---|---|
| **ADTs** | **Indicações:** TP, TAG, TAS, TEPT, TOC<br>**Contraindicações:** cardiopatia, íleo paralítico, glaucoma de ângulo fechado, prostatismo ou retenção urinária, feocromocitoma, uso de IMAO<br>**Contraindicação relativa:** idosos, risco de suicídio importante (janela terapêutica estreita – doses > 1 g são tóxicas, e > 2 g, potencialmente letais)<br>**Efeitos colaterais:** boca seca, constipação, ganho de peso, hipotensão postural, sedação, tontura, visão borrada, sudorese, sonolência, tremores, fadiga, retardo na ejaculação; no eletrocardiograma, prolongam intervalo QT e PR e alargam QRS | |
| **Imipramina**<br>Comprimidos de 10, 25, 75 ou 150 mg | Recomenda-se iniciar com 25 mg/dia, em dose única, à noite; aumentar 25 mg a cada 3 dias até 100 mg e aguardar resposta terapêutica (4-6 semanas), com aumentos na dose (+25 mg/dia a cada 3 dias) conforme resposta clínica e tolerância até 300 mg/dia; no TP, iniciar com 10 mg/dia, com aumentos de 10 mg/dia a cada 3 dias até 75-150 mg/dia | → Metabolização: inibe substancialmente o p450 (CYP2D6)<br>→ $t_{1/2}$ = 12 horas<br>→ Bastante estudada em transtornos de ansiedade, especialmente em TP e TAG<br>→ Deve-se evitar o uso durante a gestação (1º trimestre); pode ser usada durante a lactação |
| **Clomipramina**<br>Comprimidos de 10, 25, 50 ou 75 mg | Recomenda-se iniciar com 25 mg/dia, em dose única, ao final do dia; aumentar 25 mg a cada 3 dias até 100 mg/dia (no TOC, até 150 mg/dia) e aguardar resposta terapêutica (4-6 semanas), com aumentos na dose (+25 mg/dia a cada 3 dias) conforme resposta clínica e tolerância até 250 mg/dia (no TOC, até 300 mg/dia); no TP, iniciar com 10 mg/dia, com aumentos de 10 mg/dia a cada 3 dias até 75-150 mg/dia | → Metabolização: inibe substancialmente o p450 (CYP2D6)<br>→ $t_{1/2}$ = 96 horas<br>→ É um dos ADTs mais estudados em ansiedade e particularmente eficaz no TOC<br>→ É um dos ADTs mais estudados na gestação e relativamente seguro na lactação |
| **Nortriptilina**<br>Comprimidos de 10, 25, 50 ou 75 mg<br>Solução oral de 2 mg/mL | Recomenda-se iniciar com 25 mg/dia, em dose única, à noite; aumentar para 50 mg após 3 dias e aguardar resposta terapêutica (4-6 semanas), com aumentos na dose (+25 mg/dia a cada 3 dias) conforme resposta clínica e tolerância até 150 mg/dia | → Pouco estudada em ansiedade;* deve-se preferir imipramina e clomipramina<br>→ Metabolização: inibe substancialmente o p450 (CYP2D6)<br>→ $t_{1/2}$ = 12-56 horas (conforme idade/peso)<br>→ Dos ADTs, é o mais recomendado para idosos (em dose baixa e com aumento gradual)<br>→ Segurança na gestação controversa; dos ADTs, é o mais recomendado durante a lactação |
| **Amitriptilina**<br>Comprimidos de 25 ou 75 mg | Recomenda-se iniciar com 25 mg/dia, em dose única, à noite; aumentar 25 mg a cada 3 dias até 100 mg e aguardar resposta terapêutica (4-6 semanas), com aumentos na dose (+25 mg/dia a cada 3 dias) conforme resposta clínica e tolerância até 300 mg/dia | → Pouco estudada em ansiedade;* deve-se preferir imipramina e clomipramina<br>→ Metabolização: inibe substancialmente o p450 (CYP2D6)<br>→ $t_{1/2}$ = 21 horas<br>→ Ação sedativa logo nas primeiras semanas/ação em dor crônica (doses menores)<br>→ Deve ser evitada na gestação; é relativamente segura durante a lactação |
| **BZDs** | **Indicações:** tratamento adjuvante aos ISRSs ou ADTs por curtos períodos (ou em monoterapia para casos especiais)<br>**Contraindicações:** gestantes, lactentes, idosos, pacientes com risco para dependência/abuso de substância, pacientes com prejuízo cognitivo e pacientes deprimidos<br>**Efeitos colaterais:** sonolência, sedação, ataxia, desatenção, fadiga, perda de memória, retardo psicomotor | |
| **Clonazepam**<br>Comprimidos de 0,25, 0,5 ou 2 mg<br>Solução oral de 2,5 mg/mL | Recomenda-se iniciar tratamento adjuvante com 0,25 mg, 1-2 ×/dia; aumentos na dose (+0,5 mg/dia a cada 3 dias) podem ser feitos se persistirem muitos sintomas físicos e ansiedade intensa após a primeira semana de uso até a dose máxima de 6 mg/dia, durante, idealmente, menos de 4 semanas | → $t_{1/2}$ de distribuição (início da ação após dose oral): intermediária<br>→ $t_{1/2}$ de eliminação (persistência do fármaco): 18-50 horas (longa)<br>→ Em geral, exige doses menos frequentes (1-2 ×/dia), menos variações nas concentrações plasmáticas e fenômeno de supressão menos grave |
| **Diazepam**<br>Comprimidos de 5 ou 10 mg<br>Ampolas de 5 mg/mL | Recomenda-se iniciar tratamento adjuvante com 5 mg, 1-2 ×/dia; aumentos na dose (+5 mg/dia a cada 3 dias) podem ser feitos se persistirem muitos sintomas físicos e ansiedade intensa após a primeira semana de uso até a dose máxima de 40 mg/dia, durante, idealmente, menos de 4 semanas | → $t_{1/2}$ de distribuição (início da ação após dose oral): muito rápida<br>→ $t_{1/2}$ de eliminação (persistência do fármaco): 20-50 horas (longa)<br>→ Em geral, exige doses menos frequentes, menos variações nas concentrações plasmáticas e fenômeno de supressão menos grave |
| **Alprazolam**<br>Comprimidos de 0,25, 0,5, 1 ou 2 mg | Recomenda-se iniciar tratamento adjuvante com 0,5 mg, 2-4 ×/dia; aumentos na dose (+0,5 mg/dia a cada 3 dias) podem ser feitos se persistirem muitos sintomas físicos e ansiedade intensa após a primeira semana de uso até a dose máxima de 6 mg/dia, durante, idealmente, menos de 4 semanas; no TAG, doses habitualmente menores: 0,75-1,5 mg/dia; no TP, doses geralmente maiores: 4-6 mg/dia | → $t_{1/2}$ de distribuição (início da ação após dose oral): intermediária<br>→ $t_{1/2}$ de eliminação (persistência do fármaco): 12-15 horas (intermediária) – efeitos de retirada podem ser graves em razão da meia-vida curta |
| **Lorazepam**<br>Comprimidos de 1 ou 2 mg<br>Disponíveis apresentações de uso sublingual | Recomenda-se iniciar tratamento adjuvante com 1 mg, 2-3 ×/dia; aumentos na dose (+1 mg/dia a cada 3 dias) podem ser feitos se persistirem muitos sintomas físicos e ansiedade intensa após a primeira semana de uso até a dose máxima de 6 mg/dia, durante, idealmente, menos de 4 semanas | → $t_{1/2}$ de distribuição (início da ação após dose oral): intermediária<br>→ $t_{1/2}$ de eliminação (persistência do fármaco): 10-14 horas (curta/intermediária)<br>→ Sem interações no p450, preferível em idosos e em pacientes tomando múltiplos medicamentos<br>→ O uso sublingual proporciona início de ação mais rápido (15 minutos), mantendo tempo de ação da apresentação oral |
| **Bromazepam**<br>Comprimidos de 3, 6 ou 9 mg<br>Solução oral de 2,5 mg/mL<br>**Bromazepam LP** (liberação prolongada) | Recomenda-se iniciar tratamento adjuvante com 1,5 mg, 2-3 ×/dia; aumentos na dose (+1,5 mg/dia a cada 3 dias) podem ser feitos se persistirem muitos sintomas físicos e ansiedade intensa após a primeira semana de uso até a dose máxima de 18 mg/dia, durante, idealmente, menos de 4 semanas | → $t_{1/2}$ de distribuição (início da ação após dose oral): rápida<br>→ $t_{1/2}$ de eliminação (persistência do fármaco): 8-19 horas (curta/intermediária)<br>→ Os comprimidos de liberação prolongada não podem ser partidos ou mastigados |

*Evidência extrapolada dos outros medicamentos da mesma classe.

IMAOs, inibidores da monoaminoxidase; ISRSs, inibidores seletivos da recaptação da serotonina; $t_{1/2}$, meia-vida; TAG, transtorno de ansiedade generalizada; TAS, transtorno de ansiedade social; TEPT, transtorno de estresse pós-traumático; TOC, transtorno obsessivo-compulsivo; TP, transtorno de pânico.

o TAS.³² Algumas evidências preliminares também dão suporte para o uso de *mindfulness* para sintomas mais relacionados ao estresse em pacientes com transtornos de ansiedade, mas não para o tratamento de sintomas fóbicos.³⁵ Os métodos de tratamento usando realidade virtual estão sendo cada vez mais pesquisados, com algumas evidências preliminares de benefício, mas as evidências ainda são insuficientes para recomendar tratamento de uma forma ampla. O uso de métodos de autoajuda para lidar com sintomas de ansiedade pode ser útil para um grupo selecionado de pacientes.

## Tratamento combinado

Apenas para o TP e para o TOC parece haver uma superioridade estabelecida da combinação TCC e ISRS em comparação com os tratamentos utilizados de forma isolada.³⁶⁻³⁸ No TAS, existe evidência da superioridade da TCC em relação à terapia combinada, embora esses resultados sejam conflitantes com estudos prévios. Nos demais transtornos de ansiedade, não há evidências suficientes para estabelecer se a combinação da TCC com medicamento é superior a uma dessas terapias isoladas em curto prazo.³⁹,⁴⁰

## Monitoramento da resposta clínica

Um ponto importante do tratamento é o registro e a avaliação quantitativa da melhora dos pacientes. Alguns estudos mostraram que a monitorização dos pacientes de forma sistemática melhora os desfechos em saúde em doenças crônicas.⁴¹ Um instrumento útil para esse acompanhamento é a escala de gravidade e prejuízo da ansiedade (EGPA). A tradução para o português brasileiro pode ser encontrada na **TABELA S170.1**, do QR code.

Embora a utilização de escalas possa ser de grande valia, especialmente em ambiente de APS, ela não substitui o papel atento do profissional de saúde para as queixas do paciente e seu sofrimento, nem deve se sobrepor ao julgamento clínico. Sugere-se que a utilização de escalas para triagem ou monitoramento da resposta clínica não ocupe mais que 10% do tempo total da consulta.

## Manejo de comorbidades frequentes

Em razão da alta prevalência de transtornos comórbidos, a investigação e o tratamento das comorbidades são de extrema importância para o sucesso terapêutico. Como regra, sempre se deve tentar conciliar tratamentos que sejam eficazes para todas as comorbidades em um mesmo momento. Alguns estudos mostram que o tratamento de um transtorno mental tem efeito sobre comorbidades psiquiátricas. No entanto, sobremaneira no que concerne aos tratamentos psicoterapêuticos, às vezes é necessário concentrar-se em um dos transtornos ou sintomas mais especificamente. Como norma, deve-se dar prioridade ao transtorno mais grave e que está causando mais prejuízo para o sujeito. Em geral, depressão, abuso e dependência de álcool e transtorno de humor bipolar causam maior impacto e devem receber prioridade no tratamento, mas essa avaliação deve ser realizada caso a caso.

## Disfunção sexual associada ao uso de ISRS

Os ISRSs podem estar associados à redução da libido em homens e mulheres, causar anorgasmia em mulheres e aumentar a latência para ejaculação em homens. A prevalência de disfunção sexual associada ao uso de ISRS pode chegar a 50% ou mais, e esse efeito colateral deve ser prontamente manejado para evitar a não adesão ao tratamento.

Não há ensaios clínicos comparando as estratégias terapêuticas. Entre elas, pode-se considerar o seguinte: diminuir a dose do ISRS (em pacientes utilizando altas doses, essa estratégia pode ser bastante efetiva) e monitorar a resposta terapêutica; acrescentar bupropiona (iniciando com 100-150 mg/dia, podendo chegar a 300 mg/dia); trocar por um ISRSN; e trocar por outro ISRS **C/D**. O uso de sildenafila 50 a 100 mg antes da relação pode melhorar o desempenho sexual de homens **A**, e o uso de bupropiona (150 mg, 2 ×/dia) está associado à melhora da disfunção sexual associada ao uso de ISRS em homens e mulheres (TE = 1,6) **C/D**.⁴²

## Dependência de benzodiazepínicos e síndrome de abstinência

Quando detectada dependência, os BZDs devem ser retirados de forma gradual. A retirada abrupta pode ocasionar síndrome de abstinência caracterizada por tremores, ansiedade, disforia, alterações na sensopercepção e convulsões. O plano de retirada depende da dose em uso e do grau de dependência; no entanto, deve-se elaborar esquemas de descontinuação que não ultrapassem 2 (para doses baixas a moderadas) a 6 meses (para doses muito altas) **C/D**.⁴³ O início de TCC concomitante pode ser uma alternativa terapêutica, tendo em vista que sua prática demonstrou eficácia na redução do uso de BZD em curto prazo. Entretanto, esse benefício não parece ser sustentado por períodos mais longos do que 6 meses **B**.⁴⁴

Se a síndrome de abstinência for desencadeada e grave, deve-se encaminhar para avaliação de possível tratamento hospitalar com medicamento intravenoso; se a síndrome for leve ou moderada, pode-se tratar com a reintrodução de BZD de longa meia-vida de eliminação, como o diazepam. Outra opção é reintroduzir o BZD que estava sendo utilizado cronicamente e iniciar esquema de redução gradual após término dos sintomas **C/D** (ver Capítulo Drogas: Uso, Uso Nocivo e Dependência).⁴³

## Alternativas de manejo para casos refratários ao tratamento

### Otimização da dose e duração

Alguns pacientes necessitam de doses maiores dos medicamentos para obtenção da resposta clínica, provavelmente tanto por questões farmacocinéticas quanto farmacodinâmicas.⁴⁵ Alguns pacientes também demoram mais tempo para responder às medicações.

Ensaios clínicos randomizados que avaliaram a otimização da dose ou uso prolongado de ISRSs indicaram benefício de ambas as intervenções, demonstrando que, talvez, caso haja alguma melhora clínica inicial, a otimização e a manutenção da estratégia terapêutica possam ser opções.[46]

### Troca entre antidepressivos de mesma classe ou de classes diferentes

Acompanhando alguns resultados dos ensaios clínicos em depressão maior, certos estudos demonstraram que a troca de um ISRS por outro pode ser uma opção para casos em que há falta de eficácia ou tolerabilidade C/D,[47] contrariando o senso comum. Também há algumas evidências, embora escassas, que justificam a troca por antidepressivos de classe diferente (um ISRS por um ISRSN) em alguns transtornos de ansiedade C/D.[48]

### Adição e combinação de antidepressivos

Além das estratégias já mencionadas, ensaios abertos e relatos de caso apoiam a combinação de diferentes ISRSs ou a combinação de um ISRS com um ISRSN, como a venlafaxina C/D.[49] A combinação de ADT com ISRS também pode ser uma opção, assim como o uso de anticonvulsivantes e antipsicóticos, embora essa estratégia deva ser reservada a casos específicos em que os benefícios suplantam os riscos do uso desses medicamentos C/D.[50,51]

### Terapia cognitivo-comportamental para casos refratários

Além das estratégias farmacológicas, a TCC tem-se mostrado uma estratégia eficaz para pacientes refratários aos medicamentos, assim como uma estratégia interessante para descontinuação de medicamentos de uso crônico, como os BZDs.[44]

### Outros tratamentos para transtornos de ansiedade

Embora o extrato de *kava* tenha mostrado um pequeno efeito sobre sintomas de ansiedade (NNT = 6) C/D, faltam estudos comprovando a sua segurança; portanto, o uso não é recomendado.[52] Em relação a valeriana C/D,[53] passiflora C/D[54] ou toque terapêutico C/D,[55] o benefício é incerto para o tratamento dos transtornos de ansiedade, não havendo evidências suficientes para recomendar o uso.

A **FIGURA 170.3** resume a abordagem terapêutica dos transtornos de ansiedade.

## ABORDAGEM POR TRANSTORNO

Nas **TABELAS 170.6** a **170.13**, podem ser encontrados os resumos dos critérios diagnósticos do DSM-5, dados epidemiológicos, comorbidades e evidências de eficácia do tratamento para cada transtorno de ansiedade isoladamente. Em relação aos critérios diagnósticos, é importante ressaltar que o sofrimento ou prejuízo social ou ocupacional deve estar presente para qualquer diagnóstico. Além disso, nenhum dos diagnósticos pode ser realizado caso exista suspeita diagnóstica de doença clínica ou de transtorno relacionado com o uso ou abstinência de substância, embora não exista indicação de investigação adicional por exames complementares quando também não existe suspeita clínica justificada por anamnese e exame físico.

### Transtornos de ajustamento com humor ansioso

Os transtornos de ajustamento com humor ansioso em geral não são classificados junto com os demais transtornos de ansiedade. Caracterizam-se por angústia decorrente de mudanças significativas de vida em consequência a eventos estressantes ou a problemas típicos das diferentes fases do ciclo vital que interferem no desempenho social e profissional do indivíduo. Manifestam-se até 3 meses depois do início do estressor e duram não mais do que 6 meses após o fator estressor ter cessado ou suas consequências terem diminuído. Costumam ser diagnósticos de exclusão em psiquiatria.

Os estressores podem ser eventuais ou acidentais, como morte de um ente querido, separação ou divórcio, conflitos nas relações interpessoais, perda do emprego, doença, sobrecarga decorrente de novas responsabilidades – ou resultante dos conflitos típicos de cada fase do ciclo vital –, início da vida escolar, início da sexualidade, saída de casa, início da vida profissional, casamento, nascimento de um filho, perda dos pais, aposentadoria, saída dos filhos de casa, entre outros.

Acredita-se que os tratamentos mais adequados para os transtornos de ajustamento sejam psicoterapia breve, psicoterapia de apoio, TCC ou psicodinâmica, dependendo do tipo de problema C/D.[56] O objetivo é explorar o significado emocional do estressor, auxiliar o paciente a descobrir as alternativas existentes e os recursos de que dispõe para lidar com o problema ou situação e auxiliá-lo a mobilizar esses recursos (ver tópico Terapia de Solução de Problemas no Capítulo Intervenções Psicossociais na Atenção Primária à Saúde).

Às vezes, é útil a mobilização de recursos da comunidade, como grupos de autoajuda, e sobretudo o apoio da família bem como dos amigos (rede social). Quando os sintomas de ansiedade são muito intensos, podem ser usados BZDs por curtos períodos, dando preferência aos de meia-vida longa (clonazepam, diazepam), em pacientes sem risco para dependência C/D.[56]

## ANSIEDADE EM CRIANÇAS E ADOLESCENTES

Os transtornos de ansiedade estão entre os mais comuns entre as crianças e os adolescentes, com prevalência estimada de 6,5%.[57] O transtorno de ansiedade de separação e as FEs comumente se desenvolvem na infância. O TAS tem apresentação inicial na adolescência ou no início da vida adulta, enquanto os demais transtornos têm apresentação mais tardia e com maior variação na faixa etária de início de sintomas.

Considerando a alta prevalência e o impacto social, na funcionalidade, bem como no desenvolvimento de outros transtornos mentais, a APS tem papel central no reconhecimento e no tratamento precoce de pacientes diagnosticados

# Seção XIII → Saúde Mental

```
                    Transtorno de ansiedade diagnosticado
                                    ↓
                                                            Sim    Avaliar a possibilidade de escolha de
                         Há alguma comorbidade              →      tratamento eficaz para as duas condições;
                         presente que exija tratamento?            caso não seja possível, tratar primeiro
                                    ↓                              a condição que causa mais prejuízo
                                   Não                             e sofrimento
                                    ↓
                         Avaliação objetiva da gravidade    EGPA < 5    Reavaliar necessidade de
                         dos sintomas (p. ex., EGPA)        →           tratamento dos sintomas
                                    ↓ EGPA ≥ 5
```

**Para escolha da modalidade terapêutica, considerar:**
1) Preferência do paciente
2) Resposta a tratamentos prévios
3) Disponibilidade de tratamento
4) Relação custo/efetividade
5) Comorbidades psiquiátricas
6) Comorbidades clínicas
7) Objetivos do paciente

**Intervenção psicossocial em APS** [D]
1) Psicoeducação
2) Motivações/barreiras para o tratamento
   + / – componentes cognitivos, dependendo dos sintomas e transtorno apresentado pelo paciente e da modalidade terapêutica escolhida

**Encorajar modificação do estilo de vida**
1) Melhora dos hábitos alimentares [D]
2) Exercício físico regular [B]
3) Cessação do tabagismo, álcool e cafeína [D]
   *Em caso de insônia: higiene do sono e controle de estímulos [D]

**Para escolha da medicação, considerar:**
1) Idade do paciente
2) Preferência
3) Perfil de efeitos colaterais
4) Resposta prévia (própria/familiares)
5) Tolerabilidade
6) Relação custo/efetividade
7) Comorbidades clínicas e psiquiátricas
8) Farmacocinética e farmacodinâmica

↓
**Escolha da modalidade terapêutica específica**
↓

**Psicoterapia (se disponível)**
A) TCC [A]
  – Para pacientes com TEPT, deve focar no trauma [B]
  – Para pacientes com FE, deve focar na exposição [B]
B) Terapia psicodinâmica [C]
  – Evidências preliminares no TP [C] e no TAS-G [B] para formato de curto prazo
C) Terapia de dessensibilização e reprocessamento e manejo do estresse [B]
  – Há evidência mais consistente para o TEPT [B]
  – Há evidências preliminares para a FE [C]

**Terapia combinada (se disponível)**
A) TCC + psicofármaco [B]
  – Considerar ISRS + TCC para TP [A]
  – Considerar IMAO + TCC para TAS [B]

**Psicofármacos** [A] – exceto para FE
**Primeira linha:** ISRS [A] ou ISRSN [A] (ISRSN, exceto no TOC)
**Segunda linha:** ADT (se ISRS ou ISRSN indisponíveis) [B]
  – Preferência por imipramina no TAG e no TP [B]
  – Preferência por clomipramina no TOC [B]

*Se houver muitos sintomas físicos de ansiedade*
**Considerar acréscimo de BZD nas primeiras semanas** (em pacientes sem história de abuso ou dependência de substâncias) [B]

Reavaliar adesão ao tratamento e dificuldades das primeiras semanas de tratamento com psicofármacos

↓
**Reavaliação objetiva (p. ex., EGPA) em 4 semanas**
  → Remissão (EGPA ≤ 5) → **Manutenção**
  → **Não resposta** (redução < 25% na EGPA) ou **Resposta parcial** (redução > 25% na EGPA)

**Otimização da dose** (máxima tolerada ou máxima) e da duração (8-12 semanas)

**Reavaliação do paciente**
 – Avaliação da tolerância/adesão e manejo dos efeitos colaterais
 – Reavaliação diagnóstica e manejo de comorbidades

**Estratégias para pacientes resistentes a tratamento**
 – Mudar para outra medicação de mesma classe (ISRS por ISRS)
 – Mudar para medicação de outra classe (ISRS por ISRSN)
 – Combinar ISRS + ISRSN ou ISRS + ADT
 – Combinar ISRS + antipsicótico

**Outras estratégias para pacientes resistentes a tratamento**
 – Combinação de medicações ISRS + ISRSN ou ISRS + ADT ou antipsicóticos

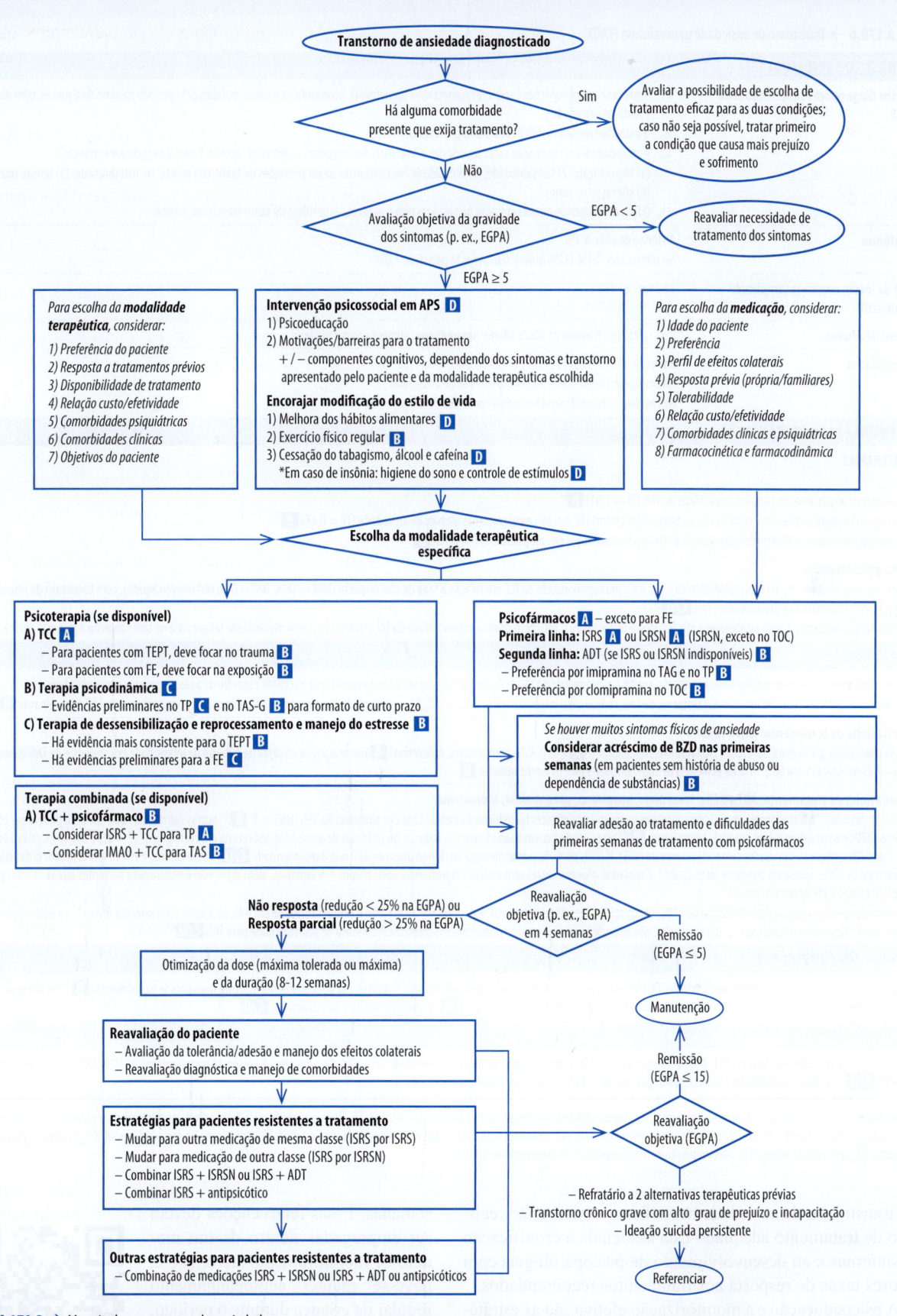

Remissão (EGPA ≤ 15)
↑
**Reavaliação objetiva (EGPA)**

 – Refratário a 2 alternativas terapêuticas prévias
 – Transtorno crônico grave com alto grau de prejuízo e incapacitação
 – Ideação suicida persistente
↓
**Referenciar**

**FIGURA 170.3** → Manejo dos transtornos de ansiedade.
ADT, antidepressivo tricíclico; APS, atenção primária à saúde; BZD, benzodiazepínico; EGPA, escala de gravidade e prejuízo da ansiedade; FE, fobia específica; IMAO, inibidor da monoaminoxidase; ISRSN, inibidor seletivo da recaptação da serotonina e da noradrenalina; ISRS, inibidor seletivo da recaptação da serotonina; TAG, transtorno de ansiedade generalizada; TAS, transtorno de ansiedade social; TAS-G, transtorno de ansiedade social (generalizado); TCC, terapia cognitivo-comportamental; TEPT, transtorno de estresse pós-traumático; TOC, transtorno obsessivo-compulsivo; TP, transtorno de pânico.

**TABELA 170.6** → Transtorno de ansiedade generalizada (TAG)

| DIAGNÓSTICO E EPIDEMIOLOGIA | |
|---|---|
| Critérios diagnósticos simplificados do DSM-5 | A. Ansiedade e preocupações excessivas (expectativa apreensiva), ocorrendo na maioria dos dias pelo período mínimo de 6 meses, com diversos eventos ou atividades<br>B. O indivíduo considera difícil controlar a preocupação<br>C. A ansiedade e a preocupação estão associadas a 3 ou mais dos seguintes 6 sintomas (apenas 1 item é exigido para crianças): (1) Inquietação; (2) fatigabilidade; (3) dificuldade em concentrar-se ou sensações de branco na mente; (4) irritabilidade; (5) tensão muscular; (6) alteração no sono<br>D. O foco da ansiedade ou preocupação não está restrito a aspectos específicos de outro transtorno mental |
| Prevalência | Ao longo da vida: 5,7%<br>No último ano: 3,1% (32% grave)[2]/em atenção primária: 7,6% |
| Idade de início, mediana (amplitude interquartil) | 31 anos (20-47) |
| Homens:Mulheres | 2:1 – platô nos homens na idade adulta; nas mulheres, aumenta com a idade |
| Comorbidades | Em geral: TAS (34%), FEs (35%), TP (24%) e depressão (62%)<br>Nas mulheres: depressão e outros transtornos de ansiedade<br>Nos homens: abuso/dependência de álcool e uso de drogas |

### EVIDÊNCIAS PARA O TRATAMENTO

**PSICOTERAPIAS**

**TCC**
A TCC é superior ao placebo em sintomas específicos do TAG (TE = 1,01) **B**[64]
Mostrou superioridade também na melhora dos sintomas depressivos (TE = 0,69) e em sintomas globais de ansiedade (TE = 0,68) **B**[64]
Evidências apontam para a eficácia dessa modalidade terapêutica por meio do computador (TE = 0,70) **B**[65]

**Terapia psicodinâmica**
Um estudo comparativo entre terapia psicodinâmica e TCC mostrou superioridade da TCC em relação à taxa de não resposta (RRR = 18%; NNT= 6 no tratamento agudo), com baixa taxa de resposta para a terapia de orientação psicodinâmica (7%) **C/D**[66]
Mais estudos são necessários para estabelecer a eficácia dessa técnica para o TAG, bem como a superioridade da TCC em relação a essa modalidade terapêutica no que concerne à resposta clínica

**PSICOFÁRMACOS**

*Nenhum medicamento mostrou superioridade em relação a outro no tratamento do TAG* (a definição das opções de tratamento leva em conta espectro de ação, segurança e tolerabilidade)
Os antidepressivos são eficazes na redução dos sintomas de TAG, reduzindo a intensidade dos sintomas **B**;[67] a efetividade dos diferentes antidepressivos no tratamento do TAG é semelhante **B**[67]

**Primeira linha de tratamento: ISRSs, ISRSNs**
Os ISRSs (fluoxetina, paroxetina, sertralina, citalopram e escitalopram) **A** e os ISRSNs (venlafaxina, duloxetina) **A** mostraram-se eficazes na redução da intensidade dos sintomas de TAG (sintomas –3,1 a –2,2 em escala de 0 a 56);[66] não há evidência de superioridade entre os medicamentos **B**

**Segunda linha de tratamento: ADTs, BZDs, trazodona, buspirona, pregabalina, hidroxizina**
Os ADTs (imipramina), a trazodona e a pregabalina também se mostraram eficazes na redução da intensidade dos sintomas do TAG (NNT = 4) **B**;[67] outras substâncias que também podem ser utilizadas são os BZDs e as azapironas (em especial, a buspirona) **B**;[67] esses medicamentos são efetivos na redução de sintomas de ansiedade, sobretudo em curto prazo (TE = 2,3 e 2,4, respectivamente) **B**;[68-70] os BZDs, em geral, são usados como adjuvantes de ISRSs, ISRSNs ou ADTs; a monoterapia em longo prazo de BZD não é recomendada **C/D**;[71] a buspirona, embora tenha menor potencial de abuso que os BZDs, apresenta tempo de latência de 1-2 semanas, algumas vezes com melhora significativa apenas após 4-6 semanas; além disso, não é efetiva para pacientes que já usaram previamente BZDs e não é eficaz na sua retirada[72]
Alguns estudos avaliaram o uso de hidroxizina para TAG, e uma metanálise demonstrou sua superioridade ao placebo e comparabilidade em relação a outros tratamentos ativos;[67] no entanto, em razão da presença de vieses importantes nos estudos incluídos, não se pode recomendar o uso da hidroxizina como medicamento de primeira linha para TAG **C/D**[67]

**TRATAMENTOS COMBINADOS**

Não há evidências de que o tratamento combinado de TCC com medicamentos ofereça vantagens adicionais à monoterapia utilizando uma ou outra modalidade isoladamente **B**;[36] no entanto, essa estratégia pode ser uma boa alternativa, especialmente para crianças e adolescentes (NNT = 2-5) **B**[73] e casos resistentes ao tratamento **C/D**

**OUTROS TRATAMENTOS**

O extrato especial de *Ginkgo biloba* (EGb 761, 240 ou 480 mg/dia) foi eficaz em reduzir os sintomas de ansiedade (TE = 0,62) e a taxa de não resposta no tratamento do TAG (RRR = 38%; NNT = 5 em 4 semanas) **C/D**;[74] todavia, mais estudos são necessários para recomendação desse medicamento para o TAG

ADTs, antidepressivos tricíclicos; BZDs, benzodiazepínicos; DSM, *Manual diagnóstico e estatístico de transtornos mentais*; FEs, fobias específicas; ISRSNs, inibidores seletivos da recaptação da serotonina e da noradrenalina; ISRSs, inibidores seletivos da recaptação da serotonina; NNT, número necessário para tratar; RRR, redução do risco relativo; TAS, transtorno de ansiedade social; TCC, terapia cognitivo-comportamental; TE, tamanho de efeito; TOC, transtorno obsessivo-compulsivo; TP, transtorno de pânico.

com transtornos de ansiedade nessa faixa etária. A não realização de tratamento adequado está associada à cronificação dos sintomas e ao desenvolvimento de psicopatologias com menores taxas de resposta aos tratamentos recomendados.

A psicoeducação e a monitorização efetiva são as estratégias de escolha para pacientes com sintomatologia leve **B**.[58] Essas intervenções envolvem apoio e auxílio no manejo de situações estressoras na escola e em casa, as quais podem ser utilizadas como manejo inicial por um período de 4 a 6 semanas. Essas intervenções devem ser empregadas dentro de um modelo de monitoramento ativo, isto é, deve-se manter acompanhamento regular da criança durante o período, estando atento para a eventual necessidade de modificação da estratégia. Materiais psicoeducativos para cada situação clínica podem ser

## TABELA 170.7 → Transtorno de ansiedade social (TAS, ou fobia social)

### DIAGNÓSTICO E EPIDEMIOLOGIA

| | |
|---|---|
| **Critérios diagnósticos simplificados do DSM-5** | A. Medo acentuado e persistente de uma ou mais situações sociais ou de desempenho<br>B. O indivíduo teme agir de forma a demonstrar sintomas de ansiedade que serão avaliados negativamente<br>C. A exposição à situação temida quase invariavelmente causa ansiedade intensa, que pode se apresentar como um ataque de pânico<br>D. As situações temidas são evitadas ou enfrentadas com intensa ansiedade ou sofrimento<br>E. Medo ou ansiedade é desproporcional à ameaça real apresentada pela situação social e contexto sociocultural<br>F. O medo, ansiedade ou esquiva é persistente, geralmente durante mais de 6 meses<br>G. Há interferência significativa na rotina, no funcionamento ocupacional ou social ou nos relacionamentos do indivíduo, ou sofrimento acentuado<br><br>**Especificador**<br>→ Somente desempenho: se o medo está restrito à fala ou ao desempenho em público |
| **Prevalência** | Ao longo da vida: 12%<br>No último ano: 6,8% (30% grave)[2]/em atenção primária: 6,2% |
| **Idade de início, mediana (amplitude interquartil)** | 13 anos (8-15) |
| **Homens:Mulheres** | O TAS envolvendo poucas situações temidas (1-4) é mais comum em homens<br>O TAS envolvendo múltiplas situações temidas (> 4) é mais comum em mulheres (ver situações adiante) |
| **Comorbidades** | O TAS se associou à maior chance de apresentar todos os transtornos investigados no NCS-R, incluindo outros transtornos de ansiedade, do humor, de controle de impulsos e de uso de substâncias |
| **Medos mais comuns em pacientes com TAS** | → Falar em público: 85-88%  → Entrar em uma sala cheia: 61%<br>→ Encontrar pessoas novas: 80%  → Expressar discordância: 60%<br>→ Falar com pessoas em posição de autoridade: 72%  → Ir a um encontro romântico: 60%<br>→ Ir a festas: 67%  → Escrever/comer/beber sendo observado: 44%<br>→ Entrevistas/provas: 67%  → Usar banheiros públicos: 28%<br>→ Falar com estranhos: 66% |

### EVIDÊNCIAS PARA O TRATAMENTO

#### PSICOTERAPIAS

**TCC**
A TCC é um tratamento de primeira linha para o TAS, com benefícios tanto em intervenções individuais (TE = 1,19) como em intervenções de grupo (TE = 0,92) **B**;[40] evidências apontam para a eficácia dessa modalidade por meio do computador (TE = 0,92) **B**[65]

**Psicodinâmica e terapia interpessoal**
Terapia psicodinâmica breve manualizada produz melhoras no tratamento do TAS (TE = 0,62), embora poucos ensaios clínicos tenham avaliado a eficácia desse modelo de terapia para o TAS **B**[40,75]
Há evidência de que a terapia interpessoal é eficaz para sintomas de ansiedade social (TE = 0,43), embora a TCC tenha mostrado superioridade em relação à eficácia (RRR = 24%; NNT = 4) **B**[40,76]

### PSICOFÁRMACOS

*Nenhum medicamento mostrou superioridade em relação a outro no tratamento do TAS (a definição das opções de tratamento leva em conta espectro de ação, segurança e tolerabilidade)*

**TAS-G (GENERALIZADO)**
**Primeira linha: ISRSs e ISRSNs**
Os ISRSs e os ISRSNs (venlafaxina) são eficazes no tratamento do TAS (TE = 0,91), não havendo diferença significativa entre esses medicamentos **B**;[40] estudos abertos sugerem eficácia para a duloxetina **C/D**;[77] a combinação de ISRS e BZD pode ser uma opção para melhora terapêutica **C/D**[78]

**Segunda linha: IMAOs, moclobemida, BZDs, gabapentina, pregabalina**
Os IMAOs também são eficazes no tratamento do TAS, reduzindo a intensidade dos sintomas (TE = 1) **B**,[40] assim como a moclobemida (TE = 0,74) **B**;[79] os BZDs, como o alprazolam e o clonazepam, também são eficazes no tratamento do TAS-G (NNT = 1-4) **C/D**[40]
Outros medicamentos como a gabapentina **C/D**[40] e a pregabalina **C/D**[40] se mostraram eficazes em ensaios controlados; a olanzapina também apresenta eficácia em um pequeno ensaio controlado **C/D**;[80] os ADTs,[81] a mirtazapina[82] e os betabloqueadores[83] não se mostraram eficazes no tratamento do TAS-G **C/D**

**TAS-NG (NÃO GENERALIZADO – SOMENTE DESEMPENHO): BETABLOQUEADORES, BZDs**
No TAS-NG, os sintomas são limitados a situações de desempenho ou circunstâncias específicas; por essa razão, o tratamento é estabelecido em uma base "quando necessário"; os betabloqueadores são os medicamentos de escolha nesse caso, embora as evidências que sustentem a indicação sejam escassas **C/D**;[84,85] os BZDs em dose baixa também podem ser utilizados, porém como segunda escolha, pois a sedação pode prejudicar o desempenho **C/D**; em ambos os casos, sugere-se realizar um teste terapêutico com o fármaco alguns dias antes da situação de desempenho para avaliar a resposta ao medicamento e monitorar o surgimento de possíveis sintomas adversos

### TRATAMENTOS COMBINADOS

A terapia combinada é eficaz na redução de sintomas do TAS (TE = 1,3); entretanto, não foi demonstrada superioridade em relação à monoterapia com medicamento de primeira linha ou TCC **B**[40,86]

ADTs, antidepressivos tricíclicos; BZDs, benzodiazepínicos; DSM, *Manual diagnóstico e estatístico de transtornos mentais*; IMAOs, inibidores da monoaminoxidase; ISRSNs, inibidores seletivos da recaptação da serotonina e da noradrenalina; ISRSs, inibidores seletivos da recaptação da serotonina; NCS-R, National Comorbidity Survey-Replication; NNT, número necessário para tratar; RRR, redução do risco relativo; TCC, terapia cognitivo-comportamental; TE, tamanho de efeito.

## TABELA 170.8 → Transtorno de pânico (TP)

| DIAGNÓSTICO E EPIDEMIOLOGIA | |
|---|---|
| Critérios diagnósticos simplificados do DSM-5 | A. Presença de ataques de pânico recorrentes e espontâneos (inesperados). Pelo menos um ataque foi seguido das seguintes características:<br>1. Preocupação persistente com ataques adicionais<br>2. Preocupação com as implicações do ataque ou com suas consequências (perder o controle, ter um ataque cardíaco, etc.)<br>3. Alteração significativa do comportamento, relacionada com as crises |
| Prevalência | Ataques de pânico isolados ao longo da vida: 22,7%<br>TP ao longo da vida: 4,7%<br>No último ano: 2,7% (44% grave)$^2$/em atenção primária: 6,8% |
| Idade de início, mediana (amplitude interquartil) | 24 anos (16-40) |
| Homens:Mulheres | 1:2 |
| Comorbidades | Aumenta a chance de todos os outros transtornos de ansiedade, de todos os transtornos do humor, de transtornos do comportamento e de uso de substância |

| EVIDÊNCIAS PARA O TRATAMENTO |
|---|
| **PSICOTERAPIAS**<br>**TCC**<br>A TCC é um tratamento de primeira linha para o TP, reduzindo sintomas de pânico (TE = 0,38) e de ansiedade global (TE = 0,29) **B**,$^{64,87}$ as terapias de autoajuda, baseadas na TCC, também têm eficácia **C/D**,$^{87}$ adicionalmente, técnicas de TCC por meio do computador demonstram benefício **B**.$^{65}$<br>A TCC parece ser uma boa opção para pacientes que não responderam previamente à farmacoterapia **C/D**,$^{88,89}$ alguns autores sugerem que, considerando resposta terapêutica e taxa de abandono, a TCC pode ser superior à farmacoterapia **C/D**.$^{90}$<br><br>**Psicodinâmica**<br>Terapias psicodinâmicas possivelmente reduzem sintomas de TP (RRR = 34%; NNT = 3) **C/D**,$^{91}$ esse tipo de abordagem terapêutica pode ter um papel importante, especialmente em pacientes com comorbidade com transtornos de personalidade, baixa autoestima ou relações interpessoais pobres **C/D** |
| **PSICOFÁRMACOS** |
| *Nenhum medicamento mostrou superioridade em relação a outro no tratamento do TP (a definição das opções de tratamento leva em conta espectro de ação, segurança e tolerabilidade)* |
| **Primeira linha: ISRSs, ISRSNs**<br>Os ISRSs são medicamentos de primeira linha para o tratamento do TP, sendo efetivos no aumento das taxas de remissão (RRR = 19% para remissão; NNT = 7-15) **B**.$^{92}$<br>Estudos controlados apoiam a eficácia de fluvoxamina, paroxetina, sertralina, escitalopram e fluoxetina;$^{92}$ a venlafaxina, um ISRSN, também tem sua eficácia comprovada em estudos controlados;$^{92}$ há estudos abertos com evidências preliminares de uso da duloxetina$^{93}$ |
| **Segunda linha: ADTs, BZDs, IMAOs**<br>Os ADTs, como a imipramina e a clomipramina, mostraram eficácia em estudos prévios (TE = 0,5) **B**,$^{92}$ com uma possível superioridade da clomipramina **C/D**,$^{94}$ os BZDs também são eficazes no tratamento do TP (NNT = 3-7) **B**.$^{95}$ os IMAOs (fenelzina e tranilcipromina) também parecem eficazes para o tratamento do TP **C/D**$^{92}$ |
| **TRATAMENTOS COMBINADOS** |
| A terapia combinada mostrou-se mais eficaz do que os antidepressivos e a TCC em monoterapia nas taxas de resposta em curto prazo **B**,$^{96}$ no entanto, esse efeito parece não se manter em longo prazo, não havendo diferenças nas taxas de resposta quando comparada à TCC em monoterapia **C/D**$^{96}$<br>A vantagem da combinação de TCC com BZD também é controversa; alguns estudos indicam pequeno benefício **C/D**,$^{97}$ mas não há evidências suficientes que apoiem o uso dessa associação de forma rotineira **C/D**$^{98}$ |

ADTs, antidepressivos tricíclicos; BZDs, benzodiazepínicos; DSM, *Manual diagnóstico e estatístico de transtornos mentais*; IMAOs, inibidores da monoaminoxidase; ISRSNs, inibidores seletivos da recaptação da serotonina e da noradrenalina; ISRSs, inibidores seletivos da recaptação da serotonina; NNT, número necessário para tratar; RRR, redução do risco relativo; TCC, terapia cognitivo-comportamental; TE, tamanho de efeito.

---

encontrados em *site* especializado. Em caso de não melhora, entre as intervenções não farmacológicas, a TCC deve ser a estratégia indicada (TE = 0,67; NNT = 3) demonstrando eficácia equivalente aos ISRSs **B**.$^{59,60}$ Em pacientes com sintomatologia leve, o benefício de intervenções farmacológicas não está bem estabelecido nessa faixa etária.

Os ISRSs são considerados os psicofármacos de primeira linha no tratamento farmacológico dos pacientes com sintomatologia moderada a grave (TE = 0,65), não havendo evidência de superioridade entre os medicamentos dessa classe. A venlafaxina é o medicamento de segunda linha para pacientes com transtornos de ansiedade refratários. No TOC, a clomipramina apresenta eficácia comparável aos ISRSs, mas é considerada um medicamento de segunda linha por seu perfil desfavorável de efeitos colaterais.

As doses efetivas dos fármacos no tratamento dos transtornos relacionados à ansiedade em adolescentes com idade > 12 anos são equivalentes às utilizadas em adultos e crianças, e adolescentes com idade < 12 anos devem utilizar o equivalente à metade das doses utilizadas nas demais faixas etárias. A terapia combinada de ISRS e TCC demonstrou eficácia superior em relação à monoterapia, sendo preferível em casos graves ou refratários a intervenções em monoterapia **B**.

Existe uma associação significativa entre transtornos de ansiedade na infância e psicopatologia parental, maus-tratos, negligência familiar, situações de crise familiar por contexto social e estilos parentais agressivos ou superprotetores. Dessa forma, a avaliação do contexto psicossocial e a realização de intervenções no contexto familiar e social por profissionais de saúde na APS têm efeito significativo

## TABELA 170.9 → Transtorno de estresse pós-traumático (TEPT) e transtorno de estresse agudo (TEA)

### DIAGNÓSTICO E EPIDEMIOLOGIA

| | |
|---|---|
| **Critérios diagnósticos simplificados do DSM-5** | A. Exposição envolvendo vivência, testemunho, confronto ou informação quanto a evento traumático de ente próximo, envolvendo episódio concreto de ameaça de morte, lesão grave ou violência sexual<br>B. O evento traumático é persistentemente revivido<br>C. Esquiva persistente de estímulos associados ao trauma<br>D. Sentimentos persistentes de excitabilidade aumentada<br>E. Alterações negativas em cognições e no humor associadas ao evento traumático<br>F. Se a duração for superior a 1 mês, considerar **transtorno de estresse pós-traumático**<br><br>**Se a duração for inferior a 1 mês:**<br>Considerar **transtorno de estresse agudo** se:<br>A. Enquanto vivenciava ou após vivenciar o evento traumático, o indivíduo apresenta 3 ou mais sintomas dissociativos por no mínimo 2 dias: (1) Sentimento subjetivo de anestesia, distanciamento ou ausência de resposta emocional; (2) redução da consciência; (3) desrealização (sentir como se estivesse em um sonho); (4) despersonalização (sentir como se não fosse você mesmo); (5) amnésia dissociativa (incapacidade de recordar um aspecto importante do trauma)<br><br>**Especificadores**<br>**Com sintomas dissociativos:** o indivíduo preenche os critérios diagnósticos para TEPT e, além disso, em resposta ao estressor, tem sintomas persistentes ou recorrentes de despersonalização ou desrealização<br>**Com expressão tardia:** se todos os critérios diagnósticos não forem atendidos até pelo menos 6 meses depois do evento (embora a manifestação inicial e a expressão de alguns sintomas possam ser imediatas) |
| **Prevalência** | Ao longo da vida: 6,8%<br>No último ano: 3,5% (37% grave)/em atenção primária: 8,6% |
| **Idade de início, mediana (amplitude interquartil)** | 23 anos (15-39) |
| **Homens:Mulheres** | 1:3 |
| **Comorbidades** | Associado a cefaleia crônica diária e migrânea (RC = 3,1), principalmente em homens (RC = 6,9)<br>Associado aos outros transtornos de ansiedade |

### EVIDÊNCIAS PARA O TRATAMENTO

**PSICOTERAPIAS**
**TCC focada no trauma**
Há evidências de eficácia da TCC focada no trauma individual e em grupo, dessensibilização e reprocessamento dos movimentos oculares, meditação transcendental e terapia de autoajuda com suporte profissional para sintomas de TEPT **B**;[100,101] ainda é incerta a consistência da eficácia em curto e médio prazo das demais intervenções psicoterápicas **C/D**[100]

**PSICOFÁRMACOS**
*Nenhum medicamento mostrou superioridade em relação a outro no tratamento do TEPT (a definição das opções de tratamento leva em conta espectro de ação, segurança e tolerabilidade)*

**Primeira linha: ISRSs e ISRSNs**
Os ISRSs e ISRSNs são eficazes no tratamento em curto prazo, promovendo melhora sintomática em comparação com placebo, tendo sua eficácia avaliada por diversos ensaios clínicos **B**;[102] os benefícios são mais claros com fluoxetina, paroxetina, sertralina e venlafaxina, quando comparadas com o placebo, no tratamento de sintomas de TEPT (TE = 0,23-0,38)

**Segunda linha: ADTs, IMAOs, antipsicóticos atípicos**
A desipramina mostrou-se eficaz na redução de alguns sintomas do TEPT em certos estudos **C/D**;[103] a fenelzina, um IMAO, também mostrou eficácia na redução de alguns sintomas **C/D**;[103] a risperidona apresentou discreto benefício para sintomas de TEPT, mas os estudos incluídos tinham pequeno tamanho amostral e discreto TE (TE = 0,27), tendo questionável benefício clínico **C/D**;[103] a mirtazapina, a lamotrigina e a brofaromina não se mostraram eficazes no tratamento do TEPT **C/D**;[58] os BZDs também não têm eficácia comprovada em reduzir os sintomas próprios do TEPT e podem estar associados com a piora de sintomas relacionados ao TEPT em pacientes expostos a um trauma **B**;[104] alguns estudos apontam para uma eficácia da prazosina para pesadelos isolados, embora alguns estudos sugiram resultados conflitantes em paciente com TEPT crônico, sem ação clara nos demais sintomas do TEPT **B**[105]

**TERAPIA COMBINADA**
A terapia combinada mostrou-se mais eficaz que a farmacoterapia isolada em desfechos relacionados ao TEPT em longo prazo (TE = 0,96); no entanto, esses achados são baseados em poucos ensaios clínicos randomizados reportando dados de acompanhamento, limitando uma conclusão definitiva acerca da terapia combinada[106]

ADTs, antidepressivos tricíclicos; BZDs, benzodiazepínicos; DSM, *Manual diagnóstico e estatístico de transtornos mentais*; IMAOs, inibidores da monoaminoxidase; ISRSNs, inibidores seletivos da recaptação da serotonina e da noradrenalina; ISRSs, inibidores seletivos da recaptação da serotonina; RC, razão de chances; TCC, terapia cognitivo-comportamental; TE, tamanho de efeito.

---

na melhora dos sintomas e da qualidade de vida dos pacientes.[29] Situações clínicas com sintomatologia moderada ou grave e ausência de resposta a intervenções ao tratamento clínico otimizado com intervenções de primeira linha podem indicar a necessidade de encaminhamento para atendimento especializado. Esse encaminhamento deve ser considerado após o diagnóstico de transtornos relacionados à ansiedade em crianças com idade < 12 anos.

## MANEJO IMEDIATO DO ATAQUE DE PÂNICO

Os ataques ou crises de pânico são extremamente comuns na população em geral, sendo que 22% das pessoas apresentarão ao menos um ataque de pânico ao longo da vida, ao contrário do TP, que ocorre apenas em uma pequena parcela desses pacientes. Os ataques de pânico podem acontecer em qualquer transtorno de ansiedade e não apenas no TP, no

**TABELA 170.10** → Transtorno obsessivo-compulsivo (TOC)

## DIAGNÓSTICO E EPIDEMIOLOGIA

| | |
|---|---|
| **Critérios diagnósticos simplificados do DSM-5** | A. Presença de obsessões e/ou compulsões<br>**Obsessões:** pensamentos, impulsos ou imagens, recorrentes e persistentes, experimentados como intrusivos e inadequados, causando acentuada ansiedade e desconforto; a pessoa tenta ignorar, suprimir ou neutralizar com outro pensamento ou ação; a pessoa reconhece que as obsessões são produtos da própria mente (não impostos a partir de fora)<br>**Compulsões:** comportamentos repetitivos ou atos mentais que a pessoa se sente compelida a executar em resposta a uma obsessão ou de acordo com regras rígidas que devem ser aplicadas; as compulsões visam prevenir ou reduzir o sofrimento ou evitar algum evento ou situação temida; no entanto, não têm conexão realista com o que visam evitar ou são claramente excessivas<br>B. Os sintomas obsessivo-compulsivos não se devem ao efeito fisiológico de uma substância ou a outra condição médica<br>C. Provocam acentuado sofrimento, consomem tempo (> 1 hora/dia) ou interferem significativamente nas rotinas, nas atividades ou nos relacionamentos sociais |
| | **Especificadores**<br>**Com *insight* bom ou razoável:** o indivíduo reconhece que as crenças do TOC são definitiva ou provavelmente não verdadeiras ou que podem não ser verdadeiras<br>**Com *insight* pobre:** o indivíduo acredita que as crenças do TOC são provavelmente verdadeiras<br>**Com *insight* ausente ou crenças delirantes:** o indivíduo está completamente convencido de que as crenças do TOC são completamente verdadeiras<br>**Relacionado a tique:** o indivíduo tem história atual ou passada de um transtorno de tique |
| **Prevalência** | Ao longo da vida: 1,6%<br>No último ano: 1% (51% grave) |
| **Idade de início, mediana (amplitude interquartil)** | 19 anos (14-30)<br>Casos de TOC precoce são mais comuns em homens (25% dos homens iniciam TOC antes dos 10 anos) e estão associados a tiques; o pico de incidência para mulheres ocorre na adolescência |
| **Homens:Mulheres** | 1:2 |
| **Comorbidades** | É altamente comórbido, sendo que cerca de 90% têm ao menos outra comorbidade psiquiátrica; cerca de 76% dos pacientes com TOC têm outro transtorno de ansiedade, 63% têm um transtorno de humor comórbido, 56% apresentam um transtorno relacionado com alterações do comportamento, e 38%, um transtorno relacionado com abuso de substância; está associado também à tricotilomania e à síndrome de Tourette |
| **Sintomas mais comuns em pacientes com TOC** | → Checagem: 80%<br>→ Colecionismo: 62%<br>→ Ordenamento/simetria: 57%<br>→ Pensamentos perturbadores (questões morais): 43%<br>→ Pensamentos perturbadores (sexuais/religiosos): 30%<br>→ Pensamentos perturbadores (prejuízo a pessoas queridas ou a si próprio): 24%<br>→ Contaminação: 26%<br>→ Doenças: 15% |

## EVIDÊNCIAS PARA O TRATAMENTO

**Psicoterapias**

Entre as intervenções psicoterápicas, a terapia cognitiva e a terapia comportamental mostraram-se eficazes quando comparadas ao placebo psicoterápico, sendo superiores também quando comparadas a medicamentos de primeira linha **B**[107]

A presença de tiques tem impacto importante nos desfechos de farmacoterapia para TOC; nos casos de tique associado, deve-se optar por TCC ou terapia combinada como primeira escolha **C/D**[108]

## PSICOFÁRMACOS

**Primeira linha: ISRSs**

Os ISRSs, comparados com placebo, são efetivos no tratamento do TOC (TE = 3,49) **B**[107]

**Segunda linha: clomipramina, ISRSNs e antipsicóticos**

A clomipramina é uma boa opção para o tratamento do TOC, superior a placebo (TE = 4,72) **B**[109] e com efetividade semelhante à dos ISRSs **B**;[110] casos refratários de TOC podem se beneficiar de antipsicóticos e anticonvulsivantes **C/D**[111]

## TRATAMENTO COMBINADO

O tratamento com terapia combinada foi superior a medicamento em monoterapia, mas não houve diferença em relação à terapia por exposição e prevenção de resposta utilizada isoladamente **C/D**[112]

## OUTRAS

Para casos muito graves e crônicos, alguns estudos mostraram benefício da estimulação profunda do cérebro e da neurocirurgia clássica ou com o uso de raios gama[113,114]

DSM, *Manual diagnóstico e estatístico de transtornos mentais*; ISRSNs, inibidores seletivos da recaptação da serotonina e da noradrenalina; ISRSs, inibidores seletivos da recaptação da serotonina; TCC, terapia cognitivo-comportamental; TE, tamanho de efeito.

## TABELA 170.11 → Fobia específica (FE)

### DIAGNÓSTICO E EPIDEMIOLOGIA

| | |
|---|---|
| **Critérios diagnósticos simplificados do DSM-5** | A. Medo acentuado e persistente, excessivo ou irracional, revelado pela presença ou antecipação de contato com um objeto ou situação<br>B. A exposição ao estímulo fóbico provoca uma resposta imediata de ansiedade, que pode assumir a forma de um ataque de pânico<br>C. O medo ou ansiedade é desproporcional em relação ao perigo real imposto pelo objeto ou situação específica e ao contexto sociocultural<br>D. A situação fóbica é evitada ou suportada com intensa ansiedade ou sofrimento<br>E. Esquiva, antecipação ansiosa ou sofrimento na situação temida interferindo significativamente na rotina, na ocupação ou nos relacionamentos interpessoais, ou acentuado sofrimento por ter fobia<br>F. Duração mínima de 6 meses |
| **Prevalência** | Ao longo da vida: 12,1%<br>No último ano: 8,7% (21,9% grave) |
| **Idade de início, mediana (amplitude interquartil)** | 7 anos (5-12) |
| **Homens:Mulheres** | Animal: 1:2<br>Ambiente natural (situacional): 1:1<br>Sangue/injeção: 1:1 |
| **Comorbidades** | O diagnóstico de fobia específica está associado a transtornos relacionados com uso abusivo/dependência de álcool (RC = 1,8), drogas (RC = 2,3), nicotina (RC = 2,4), transtorno do humor (RC = 3), outro transtorno de ansiedade (RC = 6), qualquer transtorno de personalidade (RC = 4,1) |
| **Prevalência dos principais tipos de fobia na população em geral** | → Inseto, cobra e outros animais: 4,7%<br>→ Altura: 4,5%<br>→ Espaços fechados: 3,2%<br>→ Voar de avião: 2,9%<br>→ Dentista: 2,4%<br>→ Água: 2,4%<br>→ Sangue ou injeção: 2,1%<br>→ Tempestade, trovão, raios: 2%<br>→ Multidões: 1,6%<br>→ Hospital: 1,4%<br>→ Viajar de carro, ônibus, trem: 0,7% |

### EVIDÊNCIAS DE EFICÁCIA PARA O TRATAMENTO

**Psicoterapias**

As terapias que envolvem exposição são as psicoterapias de escolha para o tratamento da FE, sendo a exposição *in vivo* (TE = 0,72) e a TCC para FE (TE = 0,49) as intervenções psicoterápicas que detêm maior evidência de uso **B**

As técnicas de exposição mais utilizadas são as seguintes:
1. Inundação: o paciente é exposto ao estímulo na sua forma mais assustadora, com exposição continuando até a ansiedade se dissipar
2. Exposição *in vivo*: envolve a exposição *in vivo* ao objeto temido de maneira gradual (da menos para a mais temida)
3. Modelação: o terapeuta estimula o paciente a ter contato com o estímulo fóbico por meio de demonstrações de abordagens possíveis de lidar com o estímulo em um ambiente de consultório, por exemplo
4. Dessensibilização sistemática: envolve relaxamento muscular progressivo para manejar a ansiedade durante imaginação de exposição ao estímulo fóbico[115,116]

### PSICOFÁRMACOS

Não são o tratamento de primeira escolha; sempre que terapias de exposição puderem ser realizadas, elas são a preferência terapêutica

Nos centros onde não haja possibilidade, os ISRSs podem ser uma alternativa, embora as evidências para sua eficácia sejam oriundas de estudos com um pequeno número de pacientes **C/D**[117]

Os BZDs parecem não ser eficazes no tratamento da FE **C/D**

### TRATAMENTO COMBINADO

Estudos prévios avaliaram a eficácia da combinação de TCC e D-ciclosserina; no entanto, não foi definido benefício relacionado à combinação dessas intervenções **C/D**[118]

BZDs, benzodiazepínicos; DSM, *Manual diagnóstico e estatístico de transtornos mentais*; ISRSs, inibidores seletivos da recaptação da serotonina; RC, razão de chances; TCC, terapia cognitivo-comportamental; TE, tamanho de efeito.

---

qual eles aparecem de forma espontânea, sem um claro desencadeante, ao menos uma vez.

O manejo imediato dos ataques de pânico baseia-se principalmente na tranquilização de que os sintomas são provenientes de um ataque de ansiedade, não sendo oriundos de uma condição clínica grave com risco de morte iminente (no caso de ataques relacionados a transtornos mentais), bem como na comunicação do reconhecimento de que a crise é realmente muito desagradável e causa mal-estar muito forte, ressaltando que isso também ocorre com um grande número de pessoas.[61] É importante reforçar o caráter passageiro (10-30 minutos) e especialmente instruir o paciente a respirar pelo nariz, e não pela boca.[62] Ele precisa tentar controlar a frequência de inspirações no intuito de não hiperventilar. Em grande parte das vezes, a tranquilização rápida e o caráter autolimitado dos sintomas são suficientes para terminar com a crise. Nos pacientes com sintomas de predominância respiratória, relacionados provavelmente com a hiperventilação, pode-se utilizar a respiração diafragmática, na qual o paciente é instruído a respirar com o diafragma e limitar o uso da musculatura intercostal. Deve-se estimulá-lo a respirar lentamente até que os sintomas de hiperventilação desapareçam. A reafirmação da disponibilidade da unidade de saúde de referência para atendimento imediato em casos de crise de pânico reduz a possibilidade de possíveis iatrogenias realizadas em contexto de emergências clínicas sem vínculo prévio com o paciente.

## TABELA 170.12 → Agorafobia (AG)

| DIAGNÓSTICO E EPIDEMIOLOGIA | |
|---|---|
| Critérios diagnósticos simplificados do DSM-5 | A. Medo ou ansiedade marcantes acerca de 2 ou mais das 5 situações seguintes:<br>  1. Uso de transporte público<br>  2. Permanecer em espaços abertos<br>  3. Permanecer em locais fechados<br>  4. Permanecer em uma fila ou em meio a uma multidão<br>  5. Sair de casa sozinho<br>B. O indivíduo tem medo ou evita essas situações devido a pensamentos de que pode ser difícil escapar ou obter ajuda<br>C. As situações agorafóbicas quase sempre provocam medo ou ansiedade<br>D. As situações agorafóbicas são ativamente evitadas ou são enfrentadas com intenso medo ou ansiedade<br>E. O medo ou ansiedade é desproporcional ao perigo real apresentado<br>F. Duração mínima de 6 meses |
| Prevalência | No último ano: 1,7% em adolescentes e adultos jovens e 0,4% em idosos |
| Idade de início, média | 17 anos; em dois terços de todos os casos, o início ocorre antes dos 35 anos, ocorrendo um segundo pico de incidência após os 40 anos |
| Homens:Mulheres | 1:2 |
| Comorbidades | Em geral, o diagnóstico de agorafobia está associado a algum outro transtorno mental; as comorbidades mais frequentes são outros transtornos de ansiedade, TEPT, transtorno depressivo maior e transtorno por uso de álcool |

### EVIDÊNCIAS DE EFICÁCIA PARA O TRATAMENTO

**PSICOTERAPIAS**
**TCC**
Embora a terapia de exposição *in vivo* seja mais utilizada na prática clínica (TE = 0,9) **B**, a exposição por realidade virtual também se mostrou eficaz na redução de sintomas agorafóbicos (TE = 0,99) **B**[116]

**PSICOFÁRMACOS**
Ainda não há ensaios clínicos direcionados a avaliar a eficácia de psicofármacos na AG de forma isolada; no entanto, há evidência prévia de superioridade dos ISRSs em relação ao placebo para pacientes com diagnóstico de TP com e sem AG, sendo efetivos no aumento das taxas de remissão (NNT = 7-15) **B**[92]

**TRATAMENTO COMBINADO**
Não há evidência disponível para apoiar ou refutar a efetividade da terapia combinada sobre psicoterapias ou medicamentos utilizados isoladamente

DSM, *Manual diagnóstico e estatístico de transtornos mentais*; ISRSs, inibidores seletivos da recaptação da serotonina; NNT, número necessário para tratar; TCC, terapia cognitivo-comportamental; TE, tamanho de efeito; TEPT, transtorno de estresse pós-traumático; TP, transtorno de pânico.

---

Algumas técnicas de relaxamento também podem ser utilizadas. O paciente é orientado a permanecer deitado, com os olhos fechados, respirando lenta e profundamente, tentando relaxar os diferentes grupos musculares e concentrando-se em um cenário tranquilo. No entanto, se a crise for muito intensa ou prolongada, o uso de psicofármacos pode ser aconselhado. Os BZDs de ação curta são a primeira escolha nesses casos.[61]

O manejo farmacológico das crises de ansiedade carece de evidências que suportem afirmações mais encorajadoras, mas na prática clínica é bastante utilizado. Há algumas evidências da utilidade dos BZDs especialmente na dor torácica cardíaca e não cardíaca, mostrando que esses medicamentos diminuem ansiedade, dor e ativação cardiovascular.[63] Nesses estudos, os BZDs mostraram-se seguros ao serem administrados isoladamente ou com outros medicamentos, embora devam ser prescritos com parcimônia, considerando o risco de ocasional dependência de BZD após o uso repetido.

## ENCAMINHAMENTO

É importante que, antes de encaminhar em razão da não resposta ao tratamento, o profissional de APS certifique-se de que seguiu as recomendações de realização de adequada psicoeducação; instruiu sobre o aumento gradual da dose dos medicamentos; atingiu a dose máxima do medicamento utilizado; e aguardou o tempo de efeito dos medicamentos para escalonar a próxima decisão dentro do tratamento. Sugere-se o encaminhamento para serviço especializado ou tratamento psiquiátrico nas seguintes situações:

→ transtorno relacionado à ansiedade resistente a duas alternativas terapêuticas prévias;
→ ideação suicida persistente.

## ACOMPANHAMENTO DO TRATAMENTO DOS TRANSTORNOS DE ANSIEDADE

No caso de início de tratamento medicamentoso, sugere-se que o paciente seja novamente visto na semana subsequente para assegurar adesão e continuar a psicoeducação e a instrução acerca das técnicas breves de manejo dos transtornos de ansiedade. Sugere-se que o paciente seja avaliado mais uma vez na 4ª semana, para verificar a resposta terapêutica. Caso haja remissão dos sintomas, pode-se avaliá-lo novamente na 8ª e na 12ª semanas e, depois da estabilização, a cada 2 meses. Sempre que um novo tratamento for instituído, a resposta inicial à modificação deve ser observada a cada 2 semanas.

Recomendam-se 1 a 2 anos de manutenção dos medicamentos antidepressivos no sentido de prevenir as recaídas em TP, TAS, TOC, TEPT e FE. Após tratamento de manutenção, deve-se descontinuar o medicamento gradualmente para evitar sintomas de descontinuação.

## TABELA 170.13 → Transtorno de ansiedade de separação

### DIAGNÓSTICO E EPIDEMIOLOGIA

| | |
|---|---|
| **Critérios diagnósticos simplificados do DSM-5** | A. Medo ou ansiedade impróprios e excessivos em relação ao estágio do desenvolvimento, envolvendo a separação daqueles com quem o indivíduo tem apego, evidenciado por no mínimo 3 dos seguintes aspectos:<br>　1. Sofrimento excessivo e recorrente diante da ocorrência ou da previsão de afastamento de casa ou de figuras de apego<br>　2. Preocupação persistente e excessiva acerca da possível perda ou exposição a perigos envolvendo figuras de apego<br>　3. Preocupação persistente e excessiva de que um evento inesperado leve à separação de uma figura de apego<br>　4. Relutância persistente ou recusa a sair, afastar-se de casa, ir para a escola, para o trabalho ou para qualquer outro lugar, em virtude do medo de separação<br>　5. Temor persistente e excessivo ou relutância em ficar sozinho ou sem as figuras importantes de apego em casa ou em outros contextos<br>　6. Relutância ou recusa persistente em dormir longe de casa ou dormir sem estar próximo de uma figura de apego<br>　7. Pesadelos repetidos envolvendo o tema de separação<br>　8. Repetidas queixas de sintomas somáticos quando a separação de figuras importantes de apego ocorre ou é prevista<br>B. O medo, a ansiedade ou a esquiva é persistente, durante pelo menos 4 semanas em crianças e adolescentes e geralmente 6 meses ou mais em adultos<br>C. A perturbação causa sofrimento clinicamente significativo ou prejuízo social, acadêmico, profissional ou em outras áreas importantes da vida do indivíduo<br>D. A perturbação não é mais bem explicada por algum outro transtorno psiquiátrico |
| **Prevalência** | No último ano: 4% em crianças, 1,6% em adolescentes e 0,9-1,9% em adultos |
| **Idade de início, mediana (amplitude interquartil)** | 7 anos (3-11 anos) |
| **Homens:Mulheres** | 1:2 |
| **Comorbidades** | Na infância, o transtorno de ansiedade de separação é altamente comórbido com TAG e FEs; em adultos, as comorbidades mais frequentes são com FEs, TOC, transtornos de personalidade, transtornos depressivos e do humor bipolar |

### EVIDÊNCIAS DE EFICÁCIA PARA O TRATAMENTO

**PSICOTERAPIAS**
**TCC**
A TCC é efetiva (TE = 1,27), sendo a psicoterapia mais indicada **B**[60,119]

**PSICOFÁRMACOS**

Foram realizados ensaios clínicos randomizados avaliando a eficácia de fluoxetina, sertralina e fluvoxamina, demonstrando eficácia superior ao placebo **B**[73]

**TRATAMENTO COMBINADO**

A terapia combinada de TCC e ISRS é indicada pela evidência prévia de superioridade em relação à psicoterapia ou à terapia farmacológica isoladamente **B**[73]

DSM, Manual diagnóstico e estatístico de transtornos mentais; FEs, fobias específicas; ISRSs, inibidores seletivos da recaptação da serotonina; TAG, transtorno de ansiedade generalizada; TCC, terapia cognitivo-comportamental; TE, tamanho de efeito; TOC, transtorno obsessivo-compulsivo.

# REFERÊNCIAS

1. American Psychiatric Association. Manual diagnóstico e estatístico de transtornos mentais: DSM-5. 5.ed. Porto Alegre: Artmed; 2014.
2. Kessler RC, Chiu WT, Demler O, Merikangas KR, Walters EE. Prevalence, severity, and comorbidity of 12-month DSM-IV disorders in the National Comorbidity Survey Replication. Arch Gen Psychiatry. 2005;62(6):617–27.
3. Kessler RC, Angermeyer M, Anthony JC, DE Graaf R, Demyttenaere K, Gasquet I, et al. Lifetime prevalence and age-of-onset distributions of mental disorders in the World Health Organization's World Mental Health Survey Initiative. World Psychiatry. 2007;6(3):168–76.
4. Kessler RC, Berglund P, Demler O, Jin R, Merikangas KR, Walters EE. Lifetime prevalence and age-of-onset distributions of DSM-IV disorders in the National Comorbidity Survey Replication. Arch Gen Psychiatry. 2005;62(6):593–602.
5. Kim-Cohen J, Caspi A, Moffitt TE, Harrington H, Milne BJ, Poulton R. Prior juvenile diagnoses in adults with mental disorder: developmental follow-back of a prospective-longitudinal cohort. Arch Gen Psychiatry. 2003;60(7):709–17.
6. Babinski LM, Hartsough CS, Lambert NM. Childhood conduct problems, hyperactivity-impulsivity, and inattention as predictors of adult criminal activity. J Child Psychol Psychiatry. 1999;40(3):347–55.
7. Ferdinand RF, Verhulst FC. Psychopathology from adolescence into young adulthood: an 8-year follow-up study. Am J Psychiatry. 1995;152(11):1586–94.
8. Hofstra MB, Van der Ende J, Verhulst FC. Continuity and change of psychopathology from childhood into adulthood: a 14-year follow-up study. J Am Acad Child Adolesc Psychiatry. 2000;39(7):850–8.
9. Hofstra MB, van der Ende J, Verhulst FC. Child and adolescent problems predict DSM-IV disorders in adulthood: a 14-year follow-up of a Dutch epidemiological sample. J Am Acad Child Adolesc Psychiatry. 2002;41(2):182–9.
10. Colman I, Wadsworth MEJ, Croudace TJ, Jones PB. Forty-year psychiatric outcomes following assessment for internalizing disorder in adolescence. Am J Psychiatry. 2007;164(1):126–33.
11. Heldt E, Kipper L, Blaya C, Salum GA, Hirakata VN, Otto MW, et al. Predictors of relapse in the second follow-up year post cognitive-behavior therapy for panic disorder. Braz J Psychiatry. 2011;33(1):23–9.
12. Means-Christensen AJ, Sherbourne CD, Roy-Byrne PP, Craske MG, Stein MB. Using five questions to screen for five common mental disorders in primary care: diagnostic accuracy of the Anxiety and Depression Detector. Gen Hosp Psychiatry. 2006;28(2):108–18.
13. Stein DJ, Scott KM, de Jonge P, Kessler RC. Epidemiology of anxiety disorders: from surveys to nosology and back. Dialogues Clin Neurosci. 2017;19(2):127–36.
14. Noyes R. Comorbidity in generalized anxiety disorder. Psychiatr Clin North Am. 2001;24(1):41–55.
15. Donker T, Griffiths KM, Cuijpers P, Christensen H. Psychoeducation for depression, anxiety and psychological distress: a meta-analysis. BMC Med. 2009;7:79.

16. Wong SYS, Yip BHK, Mak WWS, Mercer S, Cheung EYL, Ling CYM, et al. Mindfulness-based cognitive therapy v. group psychoeducation for people with generalised anxiety disorder: randomised controlled trial. Br J Psychiatry. 2016;209(1):68–75.

17. Roy-Byrne P, Veitengruber JP, Bystritsky A, Edlund MJ, Sullivan G, Craske MG, et al. Brief intervention for anxiety in primary care patients. J Am Board Fam Med. 2009;22(2):175–86.

18. Roy-Byrne P, Craske MG, Sullivan G, Rose RD, Edlund MJ, Lang AJ, et al. Delivery of evidence-based treatment for multiple anxiety disorders in primary care: a randomized controlled trial. JAMA. 2010;303(19):1921–8.

19. Sarris J, Moylan S, Camfield DA, Pase MP, Mischoulon D, Berk M, et al. Complementary medicine, exercise, meditation, diet, and lifestyle modification for anxiety disorders: a review of current evidence. Evid Based Complement Alternat Med. 2012;2012:809653.

20. Stubbs B, Vancampfort D, Rosenbaum S, Firth J, Cosco T, Veronese N, et al. An examination of the anxiolytic effects of exercise for people with anxiety and stress-related disorders: A meta-analysis. Psychiatry Res. 2017;249:102–8.

21. Vilarim MM, Rocha Araujo DM, Nardi AE. Caffeine challenge test and panic disorder: a systematic literature review. Expert Rev Neurother. 2011;11(8):1185–95.

22. Horowitz MA, Taylor D. Tapering of SSRI treatment to mitigate withdrawal symptoms. Lancet Psychiatry. 2019;6(6):538–46.

23. Baldwin DS, Anderson IM, Nutt DJ, Allgulander C, Bandelow B, den Boer JA, et al. Evidence-based pharmacological treatment of anxiety disorders, post-traumatic stress disorder and obsessive-compulsive disorder: a revision of the 2005 guidelines from the British Association for Psychopharmacology. J Psychopharmacol. 2014;28(5):403–39.

24. Tourian KA, Jiang Q, Ninan PT. Analysis of the effect of desvenlafaxine on anxiety symptoms associated with major depressive disorder: pooled data from 9 short-term, double-blind, placebo-controlled trials. CNS Spectr. 2010;15(3):187–93.

25. Maity N, Ghosal MK, Gupta A, Sil A, Chakraborty S, Chatterjee S. Clinical effectiveness and safety of escitalopram and desvenlafaxine in patients of depression with anxiety: a randomized, open-label controlled trial. Indian J Pharmacol. 2014;46(4):433–7.

26. Nelson JC, Spyker DA. Morbidity and mortality associated with medications used in the treatment of depression: an analysis of cases reported to U.S. Poison Control Centers, 2000-2014. Am J Psychiatry. 2017;174(5):438–50.

27. Pollack MH, Van Ameringen M, Simon NM, Worthington JW, Hoge EA, Keshaviah A, et al. A double-blind randomized controlled trial of augmentation and switch strategies for refractory social anxiety disorder. Am J Psychiatry. 2014;171(1):44–53.

28. Varigonda AL, Jakubovski E, Bloch MH. Systematic review and meta-analysis: early treatment responses of selective serotonin reuptake inhibitors and clomipramine in pediatric obsessive-compulsive disorder. J Am Acad Child Adolesc Psychiatry. 2016;55(10):851-859.e2.

29. Monga S, Rosenbloom BN, Tanha A, Owens M, Young A. Comparison of child-parent and parent-only cognitive-behavioral therapy programs for anxious children aged 5 to 7 years: short- and long-term outcomes. J Am Acad Child Adolesc Psychiatry. 2015;54(2):138–46.

30. Kendrick T, Pilling S. Common mental health disorders – identification and pathways to care: NICE clinical guideline. Br J Gen Pract. 2012;62(594):47–9.

31. Andrews G, Bell C, Boyce P, Gale C, Lampe L, Marwat O, et al. Royal Australian and New Zealand College of Psychiatrists clinical practice guidelines for the treatment of panic disorder, social anxiety disorder and generalised anxiety disorder. Aust N Z J Psychiatry. 2018;52(12):1109–72.

32. Knijnik DZ, Blanco C, Salum GA, Moraes CU, Mombach C, Almeida E, et al. A pilot study of clonazepam versus psychodynamic group therapy plus clonazepam in the treatment of generalized social anxiety disorder. Eur Psychiatry. 2008;23(8):567–74.

33. Cordioli AV. A terapia cognitivo-comportamental no transtorno obsessivo-compulsivo. Rev Bras Psiquiatr. 2008;30(Suppl 2):s65-72.

34. Milrod B, Leon AC, Busch F, Rudden M, Schwalberg M, Clarkin J, et al. A randomized controlled clinical trial of psychoanalytic psychotherapy for panic disorder. Am J Psychiatry. 2007;164(2):265–72.

35. Costa M de A, Oliveira GSD de, Tatton-Ramos T, Manfro GG, Salum GA. Anxiety and stress-related disorders and mindfulness-based interventions: a systematic review and multilevel meta-analysis and meta-regression of multiple outcomes. Mindfulness. 2019;10(6):996–1005.

36. Cuijpers P, Sijbrandij M, Koole SL, Andersson G, Beekman AT, Reynolds CF. Adding psychotherapy to antidepressant medication in depression and anxiety disorders: a meta-analysis. World Psychiatry. 2014;13(1):56–67.

37. Bandelow B, Seidler-Brandler U, Becker A, Wedekind D, Rüther E. Meta-analysis of randomized controlled comparisons of psychopharmacological and psychological treatments for anxiety disorders. World J Biol Psychiatry. 2007;8(3):175–87.

38. Wetherell JL, Petkus AJ, White KS, Nguyen H, Kornblith S, Andreescu C, et al. Antidepressant medication augmented with cognitive-behavioral therapy for generalized anxiety disorder in older adults. Am J Psychiatry. 2013;170(7):782–9.

39. Nordahl HM, Vogel PA, Morken G, Stiles TC, Sandvik P, Wells A. Paroxetine, cognitive therapy or their combination in the treatment of social anxiety disorder with and without avoidant personality disorder: a randomized clinical trial. Psychother Psychosom. 2016;85(6):346–56.

40. Mayo-Wilson E, Dias S, Mavranezouli I, Kew K, Clark DM, Ades AE, et al. Psychological and pharmacological interventions for social anxiety disorder in adults: a systematic review and network meta-analysis. Lancet Psychiatry. 2014;1(5):368–76.

41. Trivedi MH, Rush AJ, Wisniewski SR, Nierenberg AA, Warden D, Ritz L, et al. Evaluation of outcomes with citalopram for depression using measurement-based care in STAR*D: implications for clinical practice. Am J Psychiatry. 2006;163(1):28–40.

42. Taylor MJ, Rudkin L, Bullemor-Day P, Lubin J, Chukwujekwu C, Hawton K. Strategies for managing sexual dysfunction induced by antidepressant medication. Cochrane Database Syst Rev. 2013;(5):CD003382.

43. Lader M, Tylee A, Donoghue J. Withdrawing benzodiazepines in primary care. CNS Drugs. 2009;23(1):19–34.

44. Darker CD, Sweeney BP, Barry JM, Farrell MF, Donnelly-Swift E. Psychosocial interventions for benzodiazepine harmful use, abuse or dependence. Cochrane Database Syst Rev. 2015;(5):CD009652.

45. Stein DJ, Baldwin DS, Bandelow B, Blanco C, Fontenelle LF, Lee S, et al. A 2010 evidence-based algorithm for the pharmacotherapy of social anxiety disorder. Curr Psychiatry Rep. 2010;12(5):471–7.

46. Simon NM, Otto MW, Worthington JJ, Hoge EA, Thompson EH, Lebeau RT, et al. Next-step strategies for panic disorder refractory to initial pharmacotherapy: a 3-phase randomized clinical trial. J Clin Psychiatry. 2009;70(11):1563–70.

47. Pallanti S, Quercioli L. Resistant social anxiety disorder response to Escitalopram. Clin Pract Epidemiol Ment Health. 2006;2:35.

48. Allard P, Gram L, Timdahl K, Behnke K, Hanson M, Søgaard J. Efficacy and tolerability of venlafaxine in geriatric outpatients with major depression: a double-blind, randomised 6-month comparative trial with citalopram. Int J Geriatr Psychiatry. 2004;19(12):1123–30.

49. Bystritsky A. Treatment-resistant anxiety disorders. Mol Psychiatry. 2006;11(9):805–14.

50. Ipser JC, Carey P, Dhansay Y, Fakier N, Seedat S, Stein DJ. Pharmacotherapy augmentation strategies in treatment-resistant anxiety disorders. Cochrane Database Syst Rev. 2006;(4):CD005473.

51. Menezes GB de, Fontenelle LF, Mululo S, Versiani M. Resistência ao tratamento nos transtornos de ansiedade: fobia social, transtorno de ansiedade generalizada e transtorno do pânico. Rev Bras Psiquiatr. 2007;29(Suppl 2):S55-60.

52. Pittler MH, Ernst E. Kava extract for treating anxiety. Cochrane Database Syst Rev. 2003;(1):CD003383.
53. Miyasaka LS, Atallah AN, Soares BGO. Valerian for anxiety disorders. Cochrane Database Syst Rev. 2006;(4):CD004515.
54. Miyasaka LS, Atallah AN, Soares BGO. Passiflora for anxiety disorder. Cochrane Database Syst Rev. 2007;(1):CD004518.
55. Robinson J, Biley FC, Dolk H. Therapeutic touch for anxiety disorders. Cochrane Database Syst Rev. 2007;(3):CD006240.
56. O'Donnell ML, Metcalf O, Watson L, Phelps A, Varker T. A Systematic review of psychological and pharmacological treatments for adjustment disorder in adults. J Trauma Stress. 2018;31(3):321–31.
57. Polanczyk GV, Salum GA, Sugaya LS, Caye A, Rohde LA. Annual research review: A meta-analysis of the worldwide prevalence of mental disorders in children and adolescents. J Child Psychol Psychiatry. 2015;56(3):345–65.
58. Schwartz C, Barican JL, Yung D, Zheng Y, Waddell C. Six decades of preventing and treating childhood anxiety disorders: a systematic review and meta-analysis to inform policy and practice. Evid Based Ment Health. 2019;22(3):103–10.
59. James AC, Reardon T, Soler A, James G, Creswell C. Cognitive behavioural therapy for anxiety disorders in children and adolescents. Cochrane Database Syst Rev. 2020;11:CD013162.
60. Wang Z, Whiteside SPH, Sim L, Farah W, Morrow AS, Alsawas M, et al. Comparative effectiveness and safety of cognitive behavioral therapy and pharmacotherapy for childhood anxiety disorders: a systematic review and meta-analysis. JAMA Pediatr. 2017;171(11):1049–56.
61. Salum GA, Blaya C, Manfro GG. Transtorno do pânico. Rev. psiquiatr. Rio Gd. Sul. 2009;31(2):86–94.
62. American Psychiatric Association. Practice guideline for the treatment of patients with panic disorder [Internet]. 2. ed. Arlington: APA; 2009 [capturado em 11 mar. 2021]. Disponível em: https://psychiatryonline.org/pb/assets/raw/sitewide/practice_guidelines/guidelines/panicdisorder.pdf
63. Beitman BD, Basha IM, Trombka LH, Jayaratna MA, Russell BD, Tarr SK. Alprazolam in the treatment of cardiology patients with atypical chest pain and panic disorder. J Clin Psychopharmacol. 1988;8(2):127–30.
64. Carpenter JK, Andrews LA, Witcraft SM, Powers MB, Smits JAJ, Hofmann SG. Cognitive behavioral therapy for anxiety and related disorders: A meta-analysis of randomized placebo-controlled trials. Depress Anxiety. 2018;35(6):502–14.
65. Andrews G, Basu A, Cuijpers P, Craske MG, McEvoy P, English CL, et al. Computer therapy for the anxiety and depression disorders is effective, acceptable and practical health care: An updated meta-analysis. J Anxiety Disord. 2018;55:70–8.
66. Durham RC, Fisher PL, Trevling LR, Hau CM, Richard K, Stewart JB. One year follow-up of cognitive therapy, analytic psychotherapy and anxiety management training for generalized anxiety disorder: symptom change, medication usage and attitudes to treatment. Behav Cogn Psychother. 1999;27(1):19–35.
67. Slee A, Nazareth I, Bondaronek P, Liu Y, Cheng Z, Freemantle N. Pharmacological treatments for generalised anxiety disorder: a systematic review and network meta-analysis. Lancet. 2019;393(10173):768–77.
68. Lydiard RB, Rickels K, Herman B, Feltner DE. Comparative efficacy of pregabalin and benzodiazepines in treating the psychic and somatic symptoms of generalized anxiety disorder. Int J Neuropsychopharmacol. 2010;13(2):229–41.
69. Hidalgo RB, Tupler LA, Davidson JRT. An effect-size analysis of pharmacologic treatments for generalized anxiety disorder. J Psychopharmacol. 2007;21(8):864–72.
70. Chessick CA, Allen MH, Thase M, Batista Miralha da Cunha ABC, Kapczinski FFK, de Lima MSML, et al. Azapirones for generalized anxiety disorder. Cochrane Database Syst Rev. 2006;(3):CD006115.
71. Stevens JC, Pollack MH. Benzodiazepines in clinical practice: consideration of their long-term use and alternative agents. J Clin Psychiatry. 2005;66 Suppl 2:21–7.
72. Denis C, Fatséas M, Lavie E, Auriacombe M. Pharmacological interventions for benzodiazepine mono-dependence management in outpatient settings. Cochrane Database Syst Rev. 2006;(3):CD005194.
73. Walkup JT, Albano AM, Piacentini J, Birmaher B, Compton SN, Sherrill JT, et al. Cognitive behavioral therapy, sertraline, or a combination in childhood anxiety. N Engl J Med. 2008;359(26):2753–66.
74. Woelk H, Arnoldt KH, Kieser M, Hoerr R. Ginkgo biloba special extract EGb 761 in generalized anxiety disorder and adjustment disorder with anxious mood: a randomized, double-blind, placebo-controlled trial. J Psychiatr Res. 2007;41(6):472–80.
75. Leichsenring F, Salzer S, Beutel ME, Herpertz S, Hiller W, Hoyer J, et al. Psychodynamic therapy and cognitive-behavioral therapy in social anxiety disorder: a multicenter randomized controlled trial. Am J Psychiatry. 2013;170(7):759–67.
76. Stangier U, Schramm E, Heidenreich T, Berger M, Clark DM. Cognitive therapy vs interpersonal psychotherapy in social anxiety disorder: a randomized controlled trial. Arch Gen Psychiatry. 2011;68(7):692–700.
77. Simon NM, Worthington JJ, Moshier SJ, Marks EH, Hoge EA, Brandes M, et al. Duloxetine for the treatment of generalized social anxiety disorder: a preliminary randomized trial of increased dose to optimize response. CNS Spectr. 2010;15(7):367–73.
78. Seedat S, Stein MB. Double-blind, placebo-controlled assessment of combined clonazepam with paroxetine compared with paroxetine monotherapy for generalized social anxiety disorder. J Clin Psychiatry. 2004;65(2):244–8.
79. Williams T, Hattingh CJ, Kariuki CM, Tromp SA, van Balkom AJ, Ipser JC, et al. Pharmacotherapy for social anxiety disorder (SAnD). Cochrane Database Syst Rev. 2017;10:CD001206.
80. Barnett SD, Kramer ML, Casat CD, Connor KM, Davidson JRT. Efficacy of olanzapine in social anxiety disorder: a pilot study. J Psychopharmacol. 2002;16(4):365–8.
81. Simpson HB, Schneier FR, Campeas RB, Marshall RD, Fallon BA, Davies S, et al. Imipramine in the treatment of social phobia. J Clin Psychopharmacol. 1998;18(2):132–5.
82. Schutters SIJ, Van Megen HJGM, Van Veen JF, Denys DAJP, Westenberg HGM. Mirtazapine in generalized social anxiety disorder: a randomized, double-blind, placebo-controlled study. Int Clin Psychopharmacol. 2010;25(5):302–4.
83. Liebowitz MR, Schneier F, Campeas R, Hollander E, Hatterer J, Fyer A, et al. Phenelzine vs atenolol in social phobia. A placebo-controlled comparison. Arch Gen Psychiatry. 1992;49(4):290–300.
84. Hartley LR, Ungapen S, Davie I, Spencer DJ. The effect of beta adrenergic blocking drugs on speakers' performance and memory. Br J Psychiatry. 1983;142:512–7.
85. James IM, Burgoyne W, Savage IT. Effect of pindolol on stress-related disturbances of musical performance: preliminary communication. J R Soc Med. 1983;76(3):194–6.
86. Blanco C, Heimberg RG, Schneier FR, Fresco DM, Chen H, Turk CL, et al. A placebo-controlled trial of phenelzine, cognitive behavioral group therapy, and their combination for social anxiety disorder. Arch Gen Psychiatry. 2010;67(3):286–95.
87. Lewis C, Pearce J, Bisson JI. Efficacy, cost-effectiveness and acceptability of self-help interventions for anxiety disorders: systematic review. Br J Psychiatry. 2012;200(1):15–21.
88. Manfro GG, Heldt E, Cordioli AV, Otto MW. Terapia cognitivo-comportamental no transtorno de pânico. Rev Bras Psiquiatr. 2008;30(Suppl 2):s81-87.
89. Rodrigues H, Figueira I, Gonçalves R, Mendlowicz M, Macedo T, Ventura P. CBT for pharmacotherapy non-remitters--a systematic review of a next-step strategy. J Affect Disord. 2011;129(1–3):219–28.
90. Navarro-Mateu F, Garriga-Puerto A, Sánchez-Sánchez JA. Análisis de las alternativas terapéuticas del trastorno de pánico en

atención primaria mediante un árbol de decisión. Aten Primaria. 2010;42(2):86–94.

91. Pompoli A, Furukawa TA, Imai H, Tajika A, Efthimiou O, Salanti G. Psychological therapies for panic disorder with or without agoraphobia in adults: a network meta-analysis. Cochrane Database Syst Rev. 2016;4:CD011004.

92. Bighelli I, Castellazzi M, Cipriani A, Girlanda F, Guaiana G, Koesters M, et al. Antidepressants versus placebo for panic disorder in adults. Cochrane Database Syst Rev. 2018;4:CD010676.

93. Simon NM, Kaufman RE, Hoge EA, Worthington JJ, Herlands NN, Owens ME, et al. Open-label support for duloxetine for the treatment of panic disorder. CNS Neurosci Ther. 2009;15(1):19–23.

94. Modigh K, Westberg P, Eriksson E. Superiority of clomipramine over imipramine in the treatment of panic disorder: a placebo-controlled trial. J Clin Psychopharmacol. 1992;12(4):251–61.

95. Breilmann J, Girlanda F, Guaiana G, Barbui C, Cipriani A, Castellazzi M, et al. Benzodiazepines versus placebo for panic disorder in adults. Cochrane Database Syst Rev. 2019;3:CD010677.

96. Furukawa TA, Watanabe N, Churchill R. Combined psychotherapy plus antidepressants for panic disorder with or without agoraphobia. Cochrane Database Syst Rev. 2007;(1):CD004364.

97. Watanabe N, Churchill R, Furukawa TA. Combined psychotherapy plus benzodiazepines for panic disorder. Cochrane Database Syst Rev. 2009;(1):CD005335.

98. Otto MW, Tolin DF, Simon NM, Pearlson GD, Basden S, Meunier SA, et al. Efficacy of d-cycloserine for enhancing response to cognitive-behavior therapy for panic disorder. Biol Psychiatry. 2010;67(4):365–70.

99. Kroenke K, Spitzer RL, Williams JBW, Monahan PO, Löwe B. Anxiety disorders in primary care: prevalence, impairment, comorbidity, and detection. Ann Intern Med. 2007;146(5):317–25.

100. Mavranezouli I, Megnin-Viggars O, Daly C, Dias S, Welton NJ, Stockton S, et al. Psychological treatments for post-traumatic stress disorder in adults: a network meta-analysis. Psychol Med. 2020;50(4):542–55.

101. Nidich S, Mills PJ, Rainforth M, Heppner P, Schneider RH, Rosenthal NE, et al. Non-trauma-focused meditation versus exposure therapy in veterans with post-traumatic stress disorder: a randomised controlled trial. Lancet Psychiatry. 2018;5(12):975–86.

102. Cipriani A, Williams T, Nikolakopoulou A, Salanti G, Chaimani A, Ipser J, et al. Comparative efficacy and acceptability of pharmacological treatments for post-traumatic stress disorder in adults: a network meta-analysis. Psychol Med. 2018;48(12):1975–84.

103. Wang HR, Woo YS, Bahk W-M. Atypical antipsychotics in the treatment of posttraumatic stress disorder. Clin Neuropharmacol. 2013;36(6):216–22.

104. Guina J, Rossetter SR, DeRHODES BJ, Nahhas RW, Welton RS. Benzodiazepines for PTSD: A Systematic Review and Meta-Analysis. J Psychiatr Pract. 2015;21(4):281–303.

105. Raskind MA, Peskind ER, Chow B, Harris C, Davis-Karim A, Holmes HA, et al. Trial of Prazosin for Post-Traumatic Stress Disorder in Military Veterans. N Engl J Med. 2018;378(6):507–17.

106. Merz J, Schwarzer G, Gerger H. Comparative efficacy and acceptability of pharmacological, psychotherapeutic, and combination treatments in adults with posttraumatic stress disorder: a network meta-analysis. JAMA Psychiatry. 2019;76(9):904–13.

107. Skapinakis P, Caldwell D, Hollingworth W, Bryden P, Fineberg N, Salkovskis P, et al. A systematic review of the clinical effectiveness and cost-effectiveness of pharmacological and psychological interventions for the management of obsessive-compulsive disorder in children/adolescents and adults. Health Technol Assess. 2016;20(43):1–392.

108. March JS, Franklin ME, Leonard H, Garcia A, Moore P, Freeman J, et al. Tics moderate treatment outcome with sertraline but not cognitive-behavior therapy in pediatric obsessive-compulsive disorder. Biol Psychiatry. 2007;61(3):344–7.

109. Clomipramine in the treatment of patients with obsessive-compulsive disorder. The Clomipramine Collaborative Study Group. Arch Gen Psychiatry. 1991;48(8):730–8.

110. Milanfranchi A, Ravagli S, Lensi P, Marazziti D, Cassano GB. A double-blind study of fluvoxamine and clomipramine in the treatment of obsessive-compulsive disorder. Int Clin Psychopharmacol. 1997;12(3):131–6.

111. Zhou D-D, Zhou X-X, Li Y, Zhang K-F, Lv Z, Chen X-R, et al. Augmentation agents to serotonin reuptake inhibitors for treatment-resistant obsessive-compulsive disorder: A network meta-analysis. Prog Neuropsychopharmacol Biol Psychiatry. 2019;90:277–87.

112. Foa EB, Liebowitz MR, Kozak MJ, Davies S, Campeas R, Franklin ME, et al. Randomized, placebo-controlled trial of exposure and ritual prevention, clomipramine, and their combination in the treatment of obsessive-compulsive disorder. Am J Psychiatry. 2005;162(1):151–61.

113. Lopes AC, Greenberg BD, Canteras MM, Batistuzzo MC, Hoexter MQ, Gentil AF, et al. Gamma ventral capsulotomy for obsessive-compulsive disorder: a randomized clinical trial. JAMA Psychiatry. 2014;71(9):1066–76.

114. Denys D, Mantione M, Figee M, van den Munckhof P, Koerselman F, Westenberg H, et al. Deep brain stimulation of the nucleus accumbens for treatment-refractory obsessive-compulsive disorder. Arch Gen Psychiatry. 2010;67(10):1061–8.

115. van Dis EAM, van Veen SC, Hagenaars MA, Batelaan NM, Bockting CLH, van den Heuvel RM, et al. Long-term Outcomes of Cognitive Behavioral Therapy for Anxiety-Related Disorders: A Systematic Review and Meta-analysis. JAMA Psychiatry. 2020;77(3):265–73.

116. Wechsler TF, Kümpers F, Mühlberger A. Inferiority or even superiority of virtual reality exposure therapy in phobias? A systematic review and quantitative meta-analysis on randomized controlled trials specifically comparing the efficacy of virtual reality exposure to gold standard in vivo exposure in agoraphobia, specific phobia, and social phobia. Front Psychol. 2019;10:1758.

117. Benjamin J, Ben-Zion IZ, Karbofsky E, Dannon P. Double-blind placebo-controlled pilot study of paroxetine for specific phobia. Psychopharmacology (Berl). 2000;149(2):194–6.

118. Ori R, Amos T, Bergman H, Soares-Weiser K, Ipser JC, Stein DJ. Augmentation of cognitive and behavioural therapies (CBT) with d-cycloserine for anxiety and related disorders. Cochrane Database Syst Rev. 2015;(5):CD007803.

119. James AC, James G, Cowdrey FA, Soler A, Choke A. Cognitive behavioural therapy for anxiety disorders in children and adolescents. Cochrane Database Syst Rev. 2013; (6):CD004690.

# LEITURAS RECOMENDADAS

Bandelow B, Sher L, Bunevicius R, Hollander E, Kasper S, Zohar J, Möller HJ; WFSBP Task Force on Mental Disorders in Primary Care; WFSBP Task Force on Anxiety Disorders, OCD and PTSD. Guidelines for the pharmacological treatment of anxiety disorders, obsessive-compulsive disorder and posttraumatic stress disorder in primary care. Int J Psychiatry Clin Pract. 2012;16(2):77-84.

*Diretrizes da British Association for Psychopharmacology e da World Federation of Societies of Biological Psychiatry. Uma revisão extensa das principais evidências relacionadas com o tratamento dos transtornos de ansiedade em geral.*

Chagas MH, Nardi AE, Manfro GG, Hetem LA, Andrada NC, Levitan MN, et al. Guidelines of the Brazilian Medical Association for the diagnosis and differential diagnosis of social anxiety disorder. Rev Bras Psiquiatr. 2010;32(4):444-52.

Levitan MN, Chagas MH, Linares IM, Crippa JA, Terra MB, Giglio AT, et al. Brazilian Medical Association guidelines for the diagnosis and differential diagnosis of panic disorder. Braz J Psychiatry. 2013;35(4):406-15.

*Diretrizes brasileiras de diagnóstico e diagnóstico diferencial do transtorno de ansiedade social e transtorno de pânico.*

Katzman MA, Bleau P, Blier P, Chokka P, Kjernisted K, Van Ameringen M, et al. Canadian clinical practice guidelines for the management of anxiety, posttraumatic stress and obsessive-compulsive disorders. BMC Psychiatry. 2014;14 Suppl 1(Suppl 1):S1.
*Diretrizes canadenses de reconhecimento, diagnósticos e tratamento dos transtornos de ansiedade.*

National Collaborating Centre for Mental Health (UK). Generalised anxiety disorder in adults: management in primary, secondary and community care. Leicester: British Psychological Society; 2011.
*Diretrizes britânicas de reconhecimento, diagnósticos e tratamento dos transtornos de ansiedade, dentro do sistema de saúde britânico.*

Hirschtritt ME, Bloch MH, Mathews CA. Obsessive-compulsive disorder: advances in diagnosis and treatment. JAMA. 2017;317(13):1358-1367.
*Artigo voltado para o diagnóstico e o manejo do transtorno obsessivo-compulsivo.*

Abejuela HR, Osser DN. The psychopharmacology algorithm project at the Harvard South Shore Program: an algorithm for generalized anxiety disorder. Harv Rev Psychiatry. 2016;24(4):243-56.
*Algoritmo de tratamento do transtorno de ansiedade generalizada.*

Cordioli AV, Gallois CB, Isolan L, organizadores. Psicofármacos: consulta rápida. 5. ed. Porto Alegre: Artmed; 2015.
*Descreve diretrizes e algoritmos para o tratamento farmacológico do transtorno de pânico, transtorno de ansiedade social e transtorno obsessivo-compulsivo, além de outros transtornos psiquiátricos. Também traz informações detalhadas sobre o uso dos medicamentos referidos neste capítulo.*

Cordioli AV, Grevet EH, organizadores. Psicoterapias: abordagens atuais. 4. ed. Porto Alegre: Artmed; 2019.
*Livro abrangente e voltado para a prática clínica, com capítulos direcionados às terapias cognitivo-comportamentais utilizadas nos transtornos de ansiedade.*

Cordioli AV, Vivan AS, Braga DT. Vencendo o transtorno obsessivo-compulsivo: manual de terapia cognitivo-comportamental para pacientes e terapeutas. 3. ed. Porto Alegre: Artmed; 2017.
*Livro que descreve a terapia cognitivo-comportamental em linguagem acessível, indicado tanto para pacientes como para terapeutas.*

# Capítulo 171
# DEPRESSÃO

Fernanda Lucia Capitanio Baeza
Tadeu Assis Guerra
Marcelo Pio de Almeida Fleck

A depressão é uma condição médica relativamente comum, de curso crônico[1] e recorrente.[2,3] Muitas vezes, está associada à incapacidade funcional e ao comprometimento da saúde física. Pessoas deprimidas apresentam limitação das suas atividades e comprometimento do bem-estar, além de utilizarem mais os serviços de saúde.

No entanto, a depressão segue sendo subdiagnosticada e subtratada. Entre 30 e 60% dos casos de depressão não são detectados na atenção primária à saúde (APS).[4] Muitas vezes, os pacientes deprimidos também não recebem tratamentos suficientemente adequados e específicos.

A Organização Mundial da Saúde (OMS) estima que 4,4% da população mundial tenha depressão.[5] No Brasil, dados recentes mostram prevalência de 3,57%.[6] Embora possa ocorrer em qualquer faixa etária, adultos de meia-idade e idosos são os mais atingidos (entre 55-74 anos).[5] Estudos populacionais indicam que a condição é 2 vezes mais comum em mulheres que em homens.[2] Na APS, os dados disponíveis indicam prevalência em torno de 11%, com incidência de 13,89 casos a cada 1.000 pessoas-ano.[7]

A detecção, o manejo inicial de pessoas sofrendo com depressão, a coordenação do cuidado e a assistência longitudinal em casos de transtornos depressivos recorrentes são atribuições da APS.[8]

## IMPACTO

Os sintomas depressivos geralmente comprometem muito a qualidade de vida dos pacientes. A previsão para 2030 é que a depressão seja a primeira causa específica de incapacidade. No Brasil, a depressão aparece como a 4ª causa de incapacidade e a 12ª causa de anos de vida perdidos por incapacidade.[9]

Pacientes com uma ou mais condições médicas crônicas têm 3 a 7 vezes mais chance de terem depressão como comorbidade em relação a pessoas sem outras condições clínicas.[10] Em pessoas com doenças crônicas, a comorbidade com depressão está associada a piora sintomática, prejuízo na funcionalidade e maiores dificuldades de adesão ao tratamento,[10] havendo correlação entre intensidade de sintomas depressivos e nível de comprometimento do funcionamento geral dos pacientes.[11]

Em mulheres que são mães, a depressão pode ter impacto negativo no desenvolvimento dos filhos. A melhora com tratamento da depressão maior em mães até a remissão foi associada à diminuição de sintomas psiquiátricos e à melhora funcional nos filhos C/D.[12]

## ETIOPATOGENIA

Não há uma causa específica definida e nem um modelo fisiopatológico único para os transtornos depressivos. A depressão é considerada um transtorno mental de determinação multifatorial, associada a uma combinação de fatores genéticos, ambientais, biológicos, culturais e psicológicos.[13]

## PROGNÓSTICO

Dados internacionais obtidos na APS indicam que 43% dos pacientes diagnosticados com depressão atingem a remissão, 40% têm um curso flutuante e 17% dos pacientes têm um curso crônico. Dados brasileiros constatam que 46,5% dos pacientes que têm um episódio depressivo apresentarão um segundo episódio em suas vidas, sendo 4 a mediana de episódios ao longo da vida.[14] Quanto mais longo é o período sintomático, menor é a chance de recuperação. O percentual de recuperação nos primeiros 6 meses de sintomas é de 50%, caindo agudamente com o passar dos meses.

## DIAGNÓSTICO

O diagnóstico de episódio depressivo deve ser entendido como uma categoria arbitrariamente definida dentro de um fenômeno dimensional. Em um extremo, tem-se a tristeza "normal", fenômeno humano universal, e no outro, as depressões graves com sintomas psicóticos. O que define o limite da normalidade é a duração, a persistência, a abrangência e a interferência no funcionamento fisiológico e psicológico do indivíduo.

De forma geral, o paciente com depressão apresenta-se com humor deprimido, com perda de interesse e/ou cansaço na maior parte dos dias, na maioria dos dias. Esse quadro deve durar pelo menos 2 semanas para caracterizar um episódio depressivo.[15,16] Além desses sintomas cardinais, podem estar presentes indiferença afetiva, irritabilidade, concentração reduzida, baixa autoestima, ideias de culpa e inutilidade, pessimismo e ruminação de erros e dificuldades passados. O paciente pode apresentar-se também com insônia e diminuição do apetite (e, menos comumente, com hipersonia e excesso de apetite). Ideias relacionadas à morte podem estar presentes, desde a sensação de que não vale a pena estar vivo até ideação suicida franca.

Em casos graves, o episódio depressivo pode apresentar-se também com sintomas psicóticos, que são caracterizados por ideias de culpa, miséria ou hipocondríacas de nível delirante (i.e., ideias que não estão embasadas na realidade ou são completamente desproporcionais a ela). Além disso, podem estar presentes alucinações auditivas complexas com conteúdo negativo ou depreciativo ou, ainda, comportamento desorganizado, como falar sozinho ou andar a esmo.

Com os dados disponíveis atualmente, o valor do rastreamento sistemático para depressão em toda a população é controverso. A triagem para sintomas depressivos em todos os pacientes na APS tem um impacto mínimo sobre detecção, manejo e desfechos da depressão.[17] Sendo assim, recomenda-se submeter a rastreamento pacientes que pertençam a grupos sabidamente de risco para depressão (TABELA 171.1) **C/D**.

Além de pessoas com uma ou mais características da **TABELA 171.1**, pacientes com queixas relativas ao humor devem ser avaliados quanto à possibilidade de episódio depressivo. Uma maneira sistemática de rastreamento é o uso do instrumento PHQ-9 (em inglês, *Patient Health Questionnaire-9*) (TABELA 171.2). (Ver também QR code.) Pontuações ≥ 9 indicam rastreamento positivo para episódio depressivo.[13,18,19] O PHQ-9 é o instrumento mais estudado e validado para rastreamento de depressão na população geral. Em estudo realizado na população brasileira, o ponto de corte de 9 teve sensibilidade de 77,5% e especificidade de 86,7%.[18]

A confirmação diagnóstica pode ser realizada pelos critérios da *Classificação estatística internacional de doenças e problemas relacionados à saúde*, 10ª revisão (CID-10) (TABELA 171.3).

Pelas suas características psicométricas, o PHQ-9 pode ser usado também para quantificar os sintomas depressivos no momento do diagnóstico e no monitoramento de resposta às intervenções propostas.[20]

Além do diagnóstico de episódio depressivo, existem outras apresentações de depressão frequentes na APS. O transtorno depressivo persistente (**distimia**) é um transtorno depressivo crônico, com sintomas presentes por pelo menos 2 anos com períodos ocasionais e curtos de bem-estar (não mais de 2 meses). Além do humor depressivo, devem

**TABELA 171.1** → Grupos de alto risco para o desenvolvimento de episódios depressivos

- → Episódio prévio de depressão[14]
- → Maus-tratos e negligência na infância
- → História de outro transtorno mental, especialmente de transtorno por uso de substâncias
- → Condição clínica crônica, especialmente doença cardiovascular, diabetes e doenças neurológicas[10]
- → Mudanças hormonais (p. ex., gestação, puerpério e menopausa)
- → Eventos estressores recentes, em especial perda de pessoas queridas
- → Desemprego
- → Baixo suporte psicossocial
- → Violência doméstica
- → Uso exagerado dos serviços de saúde
- → Sintomas físicos sem explicação

**TABELA 171.2** → *Patient Health Questionnaire-9* (PHQ-9): versão brasileira

| NAS ÚLTIMAS 2 SEMANAS, QUANTOS DIAS VOCÊ: | NENHUM DIA | MENOS DE 7 DIAS | 7 DIAS OU MAIS | QUASE TODOS OS DIAS |
|---|---|---|---|---|
| Teve pouco interesse ou pouco prazer em fazer as coisas? | 0 | 1 | 2 | 3 |
| Se sentiu para baixo, deprimido(a) ou sem perspectiva? | 0 | 1 | 2 | 3 |
| Teve dificuldade para pegar no sono e permanecer dormindo, ou dormiu mais do que de costume? | 0 | 1 | 2 | 3 |
| Se sentiu cansado(a) ou com pouca energia? | 0 | 1 | 2 | 3 |
| Teve falta de apetite ou comeu demais? | 0 | 1 | 2 | 3 |
| Se sentiu mal consigo mesmo(a), ou achou que é um fracasso, ou achou que decepcionou sua família ou a você mesmo(a)? | 0 | 1 | 2 | 3 |
| Teve dificuldade para se concentrar nas coisas (como ler jornal ou assistir à televisão)? | 0 | 1 | 2 | 3 |
| Teve lentidão para se movimentar ou falar (a ponto de outras pessoas perceberem) ou, ao contrário, esteve tão agitado(a) que você ficava andando de um lado para o outro mais do que de costume? | 0 | 1 | 2 | 3 |
| Pensou em se ferir de alguma maneira ou que seria melhor estar morto(a)? | 0 | 1 | 2 | 3 |

**Pontos de corte:**
- → 5-8: sintomas muito leves, subsindrômicos.
- → ≥ 9: rastreamento positivo para episódio depressivo atual:
    - → 9-14: episódio leve.
    - → 15-19: episódio moderado.
    - → ≥ 20: episódio grave.

**TABELA 171.3** → Critérios diagnósticos de episódio depressivo, segundo a CID-10

**SINTOMAS FUNDAMENTAIS**
1. Humor deprimido
2. Perda de interesse
3. Fatigabilidade

**SINTOMAS ACESSÓRIOS**
1. Concentração e atenção reduzidas
2. Autoestima e autoconfiança reduzidas
3. Ideias de culpa e inutilidade
4. Visões desoladas e pessimistas do futuro
5. Ideias ou atos autolesivos ou suicídio
6. Sono perturbado
7. Apetite diminuído

CID-10, *Classificação estatística internacional de doenças e problemas relacionados à saúde*, 10ª revisão.
Fonte: Organização Mundial da Saúde.[15]

estar presentes pelo menos 2 das seguintes características: diminuição do apetite ou alimentação em excesso; insônia ou hipersonia; falta de energia ou fadiga; baixa autoestima; dificuldade de concentração ou em tomar decisões; sentimentos de desesperança.[16]

No contexto da APS, são comuns algumas situações em que os sintomas depressivos são mais tênues. A **depressão leve** é aproximadamente 2 vezes mais prevalente do que a depressão maior moderada ou grave.[21] Está associada a significativo comprometimento funcional, e mais de 18% desses indivíduos preencherão critério para depressão maior após 1 ano de acompanhamento.[22] Já na **depressão subsindrômica**, os sintomas depressivos não são suficientes para preencher um diagnóstico, mas sua presença pode representar um risco para futuros episódios depressivos. No **transtorno misto de ansiedade e depressão**, os pacientes apresentam sintomas de ansiedade e depressão sem que nenhum dos dois conjuntos de sintomas considerados separadamente seja intenso o suficiente para justificar um diagnóstico. Nesse transtorno, alguns sintomas autonômicos (tremor, palpitação, boca seca, dor de estômago) podem estar presentes, mesmo que de forma intermitente. Sua prevalência é de 4,1% em serviços de APS.[23]

## Questões centrais a serem avaliadas após o diagnóstico de depressão

**Risco de suicídio.** Deve-se perguntar abertamente a respeito de ideação suicida e avaliar o risco de o paciente vir a fazer uma tentativa. O diagnóstico de depressão é um importante fator de risco para suicídio (ver tópico Situações de Emergência: Risco de Suicídio, neste capítulo).

**Avaliação da história prévia de episódio maníaco.** Antes de instituir tratamento antidepressivo, é importante excluir história prévia de episódios maníacos, dado o risco de antidepressivos desencadearem mania em pacientes com transtorno bipolar (ver Capítulo Transtorno do Humor Bipolar). Entretanto, deve-se ter em mente que a depressão unipolar é muito mais prevalente que o transtorno bipolar tipo I (este último com prevalência estimada em 0,6%). Deve-se ser criterioso ao avaliar a presença de episódio maníaco para não deixar de tratar pacientes deprimidos com sintomas passados pouco claros. A **TABELA 171.4** ajuda a identificar um episódio maníaco.

Sendo assim, deve-se evitar o uso de antidepressivos em pacientes com história clara de episódio maníaco anterior. Havendo dúvida, o mais indicado é tratar o episódio como unipolar.

**Possibilidade de os sintomas depressivos serem devidos ou estarem piorados por outra condição médica.** Muitas condições, como hipotireoidismo, diabetes, acidente vascular cerebral (AVC), demência, doença coronariana ou câncer, podem tanto agravar um quadro depressivo quanto apresentar sintomas similares à depressão. Nessas circunstâncias, deve-se estar ainda mais atento aos critérios diagnósticos do episódio depressivo e tratá-lo de maneira usual, se presente. Já a presença de sintomas como fadiga, diminuição do apetite e da concentração sem associação clara com humor deprimido e tristeza deve conduzir o raciocínio clínico para a possível presença de outra condição médica ou da descompensação de condição preexistente. Nesses casos, recomenda-se que o clínico otimize o tratamento da doença clínica, reavalie a condição do paciente e trate a depressão como doença independente se ela ainda estiver presente. Antidepressivos são efetivos e seguros em pacientes com outras condições médicas.[24,25]

**Efeitos colaterais de fármacos que podem gerar ou piorar sintomas depressivos.** O uso de alguns medicamentos, como benzodiazepínicos, β-bloqueadores, narcóticos, esteroides, antipsicóticos, etc., pode desencadear sintomas similares aos sintomas depressivos ou piorar os sintomas da depressão. Deve-se estar atento especialmente a sintomas como fadiga, sonolência diurna, dificuldades de atenção e memória. Esses sintomas podem ser resolvidos não com a prescrição de um novo fármaco, mas sim com "desprescrição" e redução da polifarmácia.[26]

## TRATAMENTO

O objetivo principal do tratamento da depressão deve ser remissão completa dos sintomas. Existe uma consistente

**TABELA 171.4** → Definição de episódio maníaco

Um episódio maníaco é definido por um período distinto (i.e., não é o "jeito de ser" do paciente, mas um período em que ele esteve diferente) de humor elevado, expansivo ou irritável e aumento anormal de atividades ou energia por pelo menos 1 semana. Além dessas características, para considerarmos que um episódio é maníaco, a pessoa deve apresentar 3 (ou 4, se o humor for apenas irritável) destes sintomas:

→ Grandiosidade ou autoestima inflada
→ Necessidade de sono reduzida: a pessoa dorme menos e não se sente cansada
→ Pressão para falar: a pessoa fala mais que o habitual e é difícil interromper
→ Fuga de ideias ou sensação de pensamentos acelerados
→ Distratibilidade: perde a atenção ao mínimo estímulo externo
→ Agitação psicomotora ou aumento da atividade motora
→ Envolvimento excessivo em atividades com potencial para danos, como compras desmedidas (diferente do padrão da pessoa ou incompatíveis com a renda dela), indiscrições sexuais, investimentos financeiros insensatos

Esse episódio deve ser grave a ponto de causar prejuízo no funcionamento do paciente – tem consequências negativas – ou levar a uma internação psiquiátrica ou estar associada a sintomas psicóticos.

Fonte: Adaptada de American Psychiatric Association.[16]

evidência de que a permanência de sintomas residuais de depressão está associada a pior prognóstico em longo prazo,[27] com maior risco de recaída, pior qualidade de vida e funcionalidade, maior risco de suicídio e mais uso de serviços de saúde.

Nesse sentido, o uso de instrumentos de aferição para quantificar os sintomas depressivos pode contribuir para alcançar melhores resultados. Um ensaio clínico randomizado demonstrou que o tratamento baseado em medida (TBM, do inglês *measurement-based care*), quando comparado ao tratamento baseado apenas em decisão clínica, foi mais efetivo em atingir remissão dos sintomas depressivos (73,8% vs. 28,8%). Além disso, pacientes tratados com TBM responderam em menos tempo (10,2 semanas vs. 19,2 semanas).[28]

A descrição detalhada do passo a passo do tratamento do episódio depressivo encontra-se na **FIGURA 171.1**.

## Tratamento farmacológico

**Existem evidências de que os antidepressivos são eficazes no tratamento da depressão moderada a grave, melhorando os sintomas (resposta) ou eliminando-os (remissão). No entanto, os antidepressivos não mostraram vantagens em relação ao placebo em depressões leves B.**[29]

### Escolha do fármaco

Os diversos antidepressivos disponíveis têm eficácia semelhante para a maioria dos pacientes deprimidos, variando, em linhas gerais, em relação ao perfil de efeitos colaterais e potencial de interação com outros medicamentos **B**. Fármacos como amitriptilina, paroxetina, escitalopram e venlafaxina são 19 a 96% mais efetivos em relação a outros antidepressivos. Citalopram, escitalopram, fluoxetina e sertralina são os mais bem tolerados, com taxas de desistência 23 a 57% menores.[30]

A escolha do fármaco pode considerar os aspectos descritos na **TABELA 171.5**.

Considerando todos os aspectos, os inibidores seletivos da recaptação da serotonina (ISRSs) são recomendados como medicamentos de primeira linha no tratamento da depressão moderada a grave na APS **C/D**.[31] Entretanto, os profissionais da APS não devem ficar restritos a essa classe de fármacos. A **TABELA 171.6** mostra as principais características dos antidepressivos recomendados no tratamento da depressão no âmbito da APS. A seleção desses fármacos foi realizada a partir de dados de eficácia, tolerabilidade, custo e disponibilidade.[30,31] Para qualquer fármaco eleito, recomenda-se iniciar com doses baixas e aumentá-las de forma gradual até chegar à dose mínima efetiva em 7 a 14 dias.

## Psicoterapia

Intervenções psicoterápicas específicas são efetivas no tratamento da depressão,[32] podendo ser utilizadas como intervenção isolada (especialmente nos quadros leves) ou em combinação com intervenções farmacológicas. As psicoterapias embasadas com evidências no tratamento da depressão são: terapia interpessoal (TIP), terapia de solução de problemas e terapia cognitivo-comportamental (TCC).

Na realidade brasileira, a disponibilidade de profissionais treinados para a aplicação dessas técnicas ainda é bastante limitada. Entretanto, alguns conceitos dessas psicoterapias merecem destaque e podem ajudar os profissionais da APS a lidar com pacientes com depressão.[31]

### Terapia interpessoal

O modelo teórico da TIP propõe que os sintomas depressivos estão intimamente relacionados a disfunções no campo interpessoal do indivíduo. A TIP considera que existem três áreas básicas associadas aos sintomas depressivos: luto, disputas interpessoais (conflitos conjugais, conflitos no ambiente de trabalho) e mudanças de papéis (assumir novas funções, receber um diagnóstico de uma doença, aposentar-se). O objetivo da TIP é proporcionar alívio dos sintomas por meio do aprimoramento do funcionamento interpessoal do sujeito.

É uma psicoterapia breve com eficácia tanto no tratamento agudo (TE = 0,6; NNT = 3) quanto em prevenir novos episódios (RRR = 53%; NNT = 6) **B**.[33] A TIP em grupo para depressão foi manualizada e tem um interesse crescente, sendo recomendada pela OMS.[34]

Uma das tarefas centrais da TIP consiste em clarificar e reconhecer a rede de afetos interpessoais, por meio do inventário interpessoal. Este consiste no mapeamento do contexto interpessoal do paciente, elencando cada pessoa da rede do paciente, considerando o grau de proximidade, a frequência de contato, a reciprocidade do relacionamento e os aspectos satisfatórios ou insatisfatórios dos relacionamentos.

Algumas técnicas específicas da TIP podem ser adaptadas e aplicadas na APS mesmo fora de um contexto de psicoterapia formal, especialmente no luto pelo falecimento de alguém importante. Nessas situações, algumas estratégias da TIP podem ajudar o paciente a aliviar e elaborar a dor da perda da pessoa querida:

→ abrir espaço para que o paciente fale abertamente sobre como essa perda está causando sofrimento;
→ relacionar os sintomas apresentados à morte da pessoa querida;
→ investigar, de modo a reconstruir, o relacionamento do paciente com a pessoa falecida;

**TABELA 171.5** → Aspectos a serem considerados na escolha do antidepressivo

| |
|---|
| **Disponibilidade** e facilidade de acesso ao fármaco |
| **Custos** para o paciente e/ou para o sistema de saúde |
| **Resposta prévia:** se o paciente foi tratado com sucesso com um fármaco bem-tolerado no passado, pode-se eleger o mesmo medicamento para um novo episódio; se o paciente não respondeu bem a um medicamento específico em doses otimizadas ou teve efeitos colaterais intoleráveis, como regra esse fármaco deve ser evitado |
| **Comorbidades específicas:** por exemplo, a amitriptilina deve ser evitada em idosos com problemas cardíacos quando não for possível fazer eletrocardiograma periodicamente |
| **Perfil de efeitos colaterais e sua repercussão na vida do paciente:** por exemplo, pacientes com insônia podem beneficiar-se do uso de um fármaco mais sedativo |
| **Toxicidade:** os antidepressivos tricíclicos são tóxicos em superdosagem, ao contrário da fluoxetina e de outros inibidores seletivos da recaptação da serotonina (ISRSs), que são menos perigosos e podem ser prescritos a pacientes com alto risco de autoagressão |

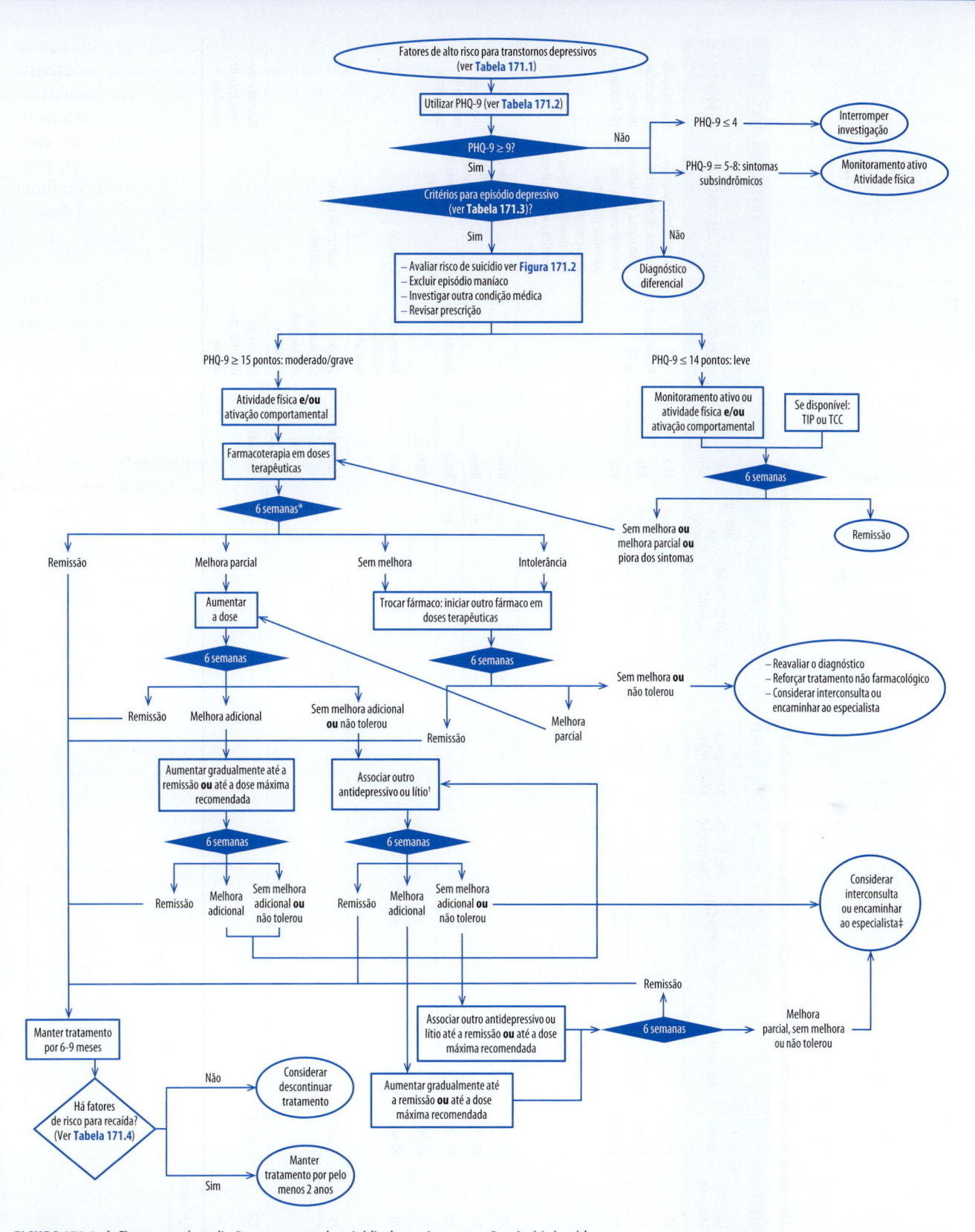

**FIGURA 171.1** → Fluxograma de avaliação e tratamento do episódio depressivo na atenção primária à saúde.
*O intervalo de 6 semanas se refere ao tempo para observar objetivamente o resultado de cada intervenção implementada. Recomenda-se intervalo de 2-3 semanas entre cada avaliação clínica no início do tratamento.
†Como potencializador, o lítio pode ser usado em doses menores do que as usuais (300-600 mg), embora alguns pacientes possam necessitar de doses maiores para obter o efeito terapêutico.
‡Considerando que alguns pacientes podem vir a ter melhora tardia, para encaminhar ao especialista espera-se que o paciente não tenha respondido a pelo menos duas intervenções terapêuticas efetivas implementadas por 8 semanas cada.
PHQ-9, *Patient Health Questionnaire-9*; TCC, terapia cognitivo-comportamental; TIP, terapia interpessoal.

**TABELA 171.6** → Principais fármacos recomendados no tratamento da depressão na atenção primária à saúde: modo de usar, principais características e contraindicações

| FÁRMACO | DOSES (mg) | | | EFEITOS COLATERAIS | | | | | | | | CONTRAINDICAÇÕES | |
|---|---|---|---|---|---|---|---|---|---|---|---|---|---|
| | INICIAL | MÍNIMA EFETIVA | USUAL | ANTICOLINÉRGICOS* | SEDAÇÃO | INSÔNIA/ AGITAÇÃO | HIPOTENSÃO POSTURAL | NÁUSEA | DISFUNÇÃO SEXUAL | GANHO DE PESO | SUPERDO- SAGEM | ESPECÍFICOS | USO COM CAUTELA | ABSOLUTAS |
| Amitriptilina | 25 | 75 | 75-300 | +++ | ++ | – | +++ | + | +++ | +++ | Alta | | Alterações na condução cardíaca, doença arterial coronariana, prostatismo, retenção urinária, íleo paralítico, glaucoma de ângulo estreito, hipertireoidismo, doença hepática e renal, diabetes, idosos | Infarto agudo do miocárdio recente (3-4 semanas) |
| Imipramina | 25 | 75 | 75-300 | +++ | + | + | +++ | + | + | +++ | Alta | Prolongamento do QT | | |
| Nortriptilina | 10 | 75 | 25-100 | + | + | – | ++ | + | + | + | Alta | | | |
| Citalopram | 20 | 20 | 20-40 | – | – | + | – | ++ | ++ | + | Baixa | | Condições associadas a sangramento gastrintestinal alto | Uso concomitante de tamoxifeno |
| Escitalopram | 10 | 10 | 10-20 | – | – | + | – | ++ | ++ | + | Baixa | | | |
| Sertralina | 25 | 50 | 50-200 | – | – | ++ | – | ++ | ++ | + | Baixa | Diarreia | | |
| Fluoxetina | 20 | 20 | 20-80 | – | – | ++ | – | ++ | ++ | + | Baixa | | | |
| Paroxetina | 10 | 20 | 20-60 | + | + | + | – | ++ | +++ | ++ | Baixa | Sintomas de retirada mais marcados | Gestação | |
| Venlafaxina | 37,5 | 75 | 75-375 | – | – | + | – | +++ | +++ | – | Moderada | Sudorese Sintomas de retirada mais marcados | Hipertensão arterial sistêmica | |
| Bupropiona | 75 | 150 | 150-300 | – | – | ++ | – | – | – | – | Moderada | Diminuição do limiar convulsivo | | Bulimia e anorexia, risco de convulsão |

Fonte: Taylor,[1] Ramanuj,[31] Cordioli[3] e Cipriani.[30]

→ ajudar o paciente a descrever a sequência de eventos antes, durante e depois da morte;
→ ponderar com o paciente as possíveis maneiras de envolver-se com outras pessoas significativas.

Ver Capítulo Intervenções Psicossociais na Atenção Primária à Saúde.

### Terapia de solução de problemas

É baseada na teoria de que a depressão está associada a dificuldades em resolver problemas. Nessa técnica, o terapeuta ajuda o paciente a identificar áreas problemáticas e desmembrá-las em partes menores, elaborando estratégias factíveis para resolvê-las.[31]

A terapia de solução de problemas para adultos deprimidos demonstrou benefício em comparação com grupos-controle e outras psicoterapias (TE = 0,28; NNT = 12), ao considerar estudos com baixo risco de viés **B**.[35] Há potencial para seu uso na APS, especialmente em pacientes cuja depressão está associada a questões situacionais.[31]

Ver Capítulo Intervenções Psicossociais na Atenção Primária à Saúde.

### Terapia cognitivo-comportamental

A TCC considera as cognições como o elemento central para o início, a manutenção e a recorrência da depressão. Segundo esse modelo, o funcionamento geral do indivíduo em relação às suas emoções é determinado por estruturas cognitivas ("esquemas"), formados ao longo da vida do indivíduo. As cognições de pacientes deprimidos costumam ser predominantemente negativas em relação a si, ao mundo e ao futuro. A atenção do indivíduo fica voltada para os aspectos negativos das vivências, o que reforça o registro de memórias de experiências negativas.

A eficácia da TCC no tratamento da depressão é moderada (TE = 0,53; NNT = 4) **B**, e a combinação de TCC com farmacoterapia é mais efetiva se comparada com farmacoterapia isoladamente (TE = 0,49; NNT = 4).[36]

A aplicação da técnica completa, por meio de sessões estruturadas e de número limitado, demanda treinamento específico de terapeutas, mas demonstra boas taxas de resposta (NNT = 3-19) e melhor qualidade de vida (TE = 0,97). Em todo o conjunto de procedimentos que compõem a TCC, a técnica de ativação comportamental (AC) é uma das poucas que foi testada isoladamente[37] e pode ser aplicada com menos treinamento no âmbito da APS **B**. A AC visa ajudar as pessoas a se envolverem com mais frequência em atividades agradáveis. Considerando que pacientes deprimidos em geral estão desanimados e bastante inativos, motivá-los para tornarem-se mais ativos é uma forma de melhorar o humor. A sensação de incapacidade para diversas atividades perpetua a inatividade, o que, por sua vez, reforça a ideia de incapacidade. A AC fortalece a sensação de domínio do paciente sobre a sua vida, reduzindo as cognições negativas e melhorando, assim, o humor.

Técnicas simples de AC podem ser aplicadas pelos profissionais da APS tanto para pacientes recém-diagnosticados com depressão quanto para pacientes já em tratamento.

Sugere-se romper o ciclo de inatividade iniciando com atividades prazerosas para o paciente:
→ ajudar o paciente a lembrar-se de atividades que eram prazerosas antes da depressão (p. ex., passear com o cachorro, molhar a grama, cuidar de plantas, andar de bicicleta);
→ escolher, primeiramente, as atividades mais fáceis de executar;
→ estimular o paciente a realizar essas atividades mesmo sem ter vontade, explicando que muitas vezes é preciso primeiro fazer (agir) para que a vontade surja ("a ação precede a motivação");
→ estabelecer, em colaboração com o paciente, um plano de quando e como realizará as atividades até a próxima consulta;
→ na revisão, avaliar a impressão do paciente sobre o resultado obtido em termos de bem-estar. Aplicar o PHQ-9 para averiguar objetivamente se houve redução dos sintomas.

À medida que o paciente percebe melhora ao retomar atividades mais simples, pode-se progredir para aquelas mais difíceis de executar ou aquelas menos prazerosas.

### Atividade física

A atividade física produz importante melhora nos sintomas da depressão (TE = −1,24), sendo recomendada como tratamento adjuvante (TE = −0,5)[38] para todos os pacientes com depressão, em qualquer faixa etária. Além disso, há evidências de que a atividade física tem papel protetor contra a incidência de depressão.[39]

O efeito da atividade física é mais robusto na realização de atividades aeróbicas, de intensidade moderada a vigorosa e quando supervisionada por profissionais **B**. Entretanto, quando existem barreiras para a realização de atividade física nos moldes ideais, os profissionais da APS podem abordar o paciente a partir de estratégias motivacionais (ver Capítulo Intervenções Psicossociais na Atenção Primária à Saúde), buscando compreender quais são as barreiras e removendo-as, quando possível. Outro aspecto importante é adaptar a prescrição de atividade física à realidade do paciente. Uma boa estratégia para que o exercício físico seja agregado ao estilo de vida do paciente consiste em começar devagar, iniciando por atividades mais factíveis e estimulando continuamente o paciente a aumentar a frequência e a intensidade da atividade.

### Psicoeducação

Psicoeducação é a intervenção que visa prover informação e suporte para o paciente e seus familiares sobre uma determinada condição de saúde presente. Ao fornecer suporte, explicar o que é a depressão, dar esperança e monitorar os efeitos colaterais e terapêuticos em um clima geral de otimismo, cria-se uma relação de confiança entre médico e paciente que pode ser um agente terapêutico e um fator importante na adesão ao tratamento proposto **C/D**. Além disso, é importante engajar o paciente a compartilhar decisões sobre o próprio tratamento, esclarecendo quais são as opções disponíveis, bem como as vantagens ou desvantagens de cada tratamento. Pode-se ajudar o paciente esclarecendo os seguintes pontos a respeito da depressão e seu tratamento:

→ é uma condição comum, associada a sintomas emocionais e físicos (cansaço, dor de cabeça, dor abdominal, tensão muscular);
→ os sintomas são parte do quadro, e não características do paciente;
→ o tratamento geralmente diminui o tempo e a intensidade dos sintomas;
→ os fármacos utilizados para o tratamento da depressão levam pelo menos 3 a 4 semanas para produzir algum efeito terapêutico;
→ antidepressivos não viciam;
→ a adesão é um aspecto crucial para o sucesso do tratamento.

Além de oferecer informação, o médico deve estar aberto a ouvir as percepções e dúvidas do paciente sobre a condição.

## Monitoramento ativo

Trata-se do acompanhamento longitudinal e sistemático de pacientes que não desejam ou não recebem outras intervenções por qualquer razão. O monitoramento ativo é especialmente útil em pacientes com quadros subsindrômicos ou em episódio depressivo leve. É importante destacar que o monitoramento ativo é, em si, uma intervenção.[31,40]

## Tratamento do transtorno depressivo persistente (distimia)

Há evidências de que o comprometimento funcional e ocupacional do transtorno depressivo persistente é maior do que o dos episódios depressivos, sugerindo que o prejuízo esteja mais relacionado com o tempo de permanência dos sintomas do que com sua intensidade. O tratamento dessa condição é análogo ao do episódio depressivo moderado a grave.[41]

## Tratamento baseado em medida

Além dos procedimentos clínicos usuais de consultas de acompanhamento, pode ser útil basear as decisões a respeito do tratamento do paciente em avaliação objetiva dos sintomas depressivos (TBM) como rotina.[28] Recomenda-se o uso do PHQ-9 também para essa finalidade. Uma redução quantitativa de 50% dos sintomas, considerando a pontuação basal, é indicativa de **resposta** ao tratamento. Já a redução até 8 pontos (i.e., o paciente chega ao ponto de não ter mais critérios objetivos para episódio depressivo) corresponde à **remissão** do transtorno.

Uma resposta clinicamente significativa ao antidepressivo não é imediata e costuma ocorrer entre a 2ª e a 4ª semana de uso. A melhora nas primeiras 2 semanas de tratamento está associada a uma maior chance de resposta,[42] embora alguns pacientes possam responder em 6 semanas ou mais. Não há dados baseados em evidência nem consenso na literatura a respeito do intervalo de tempo adequado entre reavaliações dos sintomas depressivos. Considerando-se o tempo necessário para que fármacos e outras intervenções gerem mudança sintomática, recomenda-se um intervalo de 6 semanas entre cada avaliação objetiva. Entretanto, consultas mais frequentes estão associadas a melhor adesão e resultados em curto prazo.[41] Por isso, recomendam-se reavaliações a cada 2 ou 3 semanas no início do tratamento, com o intuito de favorecer a relação médico-paciente, verificar a adesão e avaliar possíveis efeitos colaterais e tolerabilidade.

## Duração do tratamento

O tratamento antidepressivo por período > 6 meses reduz o risco de recaída para a metade (RRR = 58%; NNT = 5). Em um episódio agudo, recomenda-se que o medicamento siga sendo usado por pelo menos 6 a 9 meses **C/D**.[43]

Cerca de 50% dos pacientes com episódio depressivo e remissão inicial recaem no primeiro ano de acompanhamento. As maiores taxas de recaída concentram-se nos 6 primeiros meses após o episódio-índice, diminuindo com o passar do tempo. Os fatores associados a maior risco de recaída são o número de episódios prévios, a presença de sintomas residuais e a baixa capacidade para lidar com problemas. O benefício de um tratamento por período > 6 meses após a remissão foi demonstrado apenas para pacientes com história de episódios depressivos recorrentes – 3 ou mais episódios nos últimos 5 anos.[44] Há uma tendência na literatura a propor tratamentos cada vez mais prolongados (pelo menos 2 anos e indefinidamente para alguns casos), dado o caráter crônico e recorrente dos transtornos depressivos. O tratamento de manutenção deve ser considerado nas circunstâncias listadas na **TABELA 171.7**.

No tratamento de manutenção, deve-se manter as mesmas doses que foram necessárias para atingir a remissão. Há maior chance de recorrência se o tratamento de manutenção for realizado com a metade da dose do tratamento agudo **C/D**.[45]

## O paciente que não responde

Existem evidências limitadas sobre qual estratégia seria a melhor quando não há resposta a um tratamento inicial.[79] As estratégias utilizadas nos casos em que o paciente não responde ao tratamento com medicamento antidepressivo após 6 semanas consistem em (ver **FIGURA 171.1**):

→ **aumento de dose:** este parece ser um passo lógico, considerando que há grande variação individual na concentração plasmática de antidepressivos e que não há certeza sobre qual seria a dose adequada para um dado indivíduo[46] **B**;
→ **associação de antidepressivos:** evidência da avaliação das mais variadas associações de antidepressivos

**TABELA 171.7** → Fatores que justificam tratamento antidepressivo de manutenção (≥ 2 anos)

→ Episódios recorrentes (≥ 3)
→ Sintomas residuais
→ Transtorno depressivo persistente

sugere efetividade, ainda que limitada, dessa estratégia após a falha das anteriores **C/D**.⁴⁷ Não há significativa superioridade de uma combinação de fármacos sobre outras **C/D**,⁴⁸ existindo diversas combinações possíveis. Um exemplo de associação comum na prática clínica é a combinação de um ISRS em dose efetiva (como a fluoxetina) com um antidepressivo tricíclico (ADT) (como a amitriptilina);

→ **potencialização:** respostas parciais com antidepressivos podem ser otimizadas com outros medicamentos, como o lítio.⁴⁹,⁵⁰ Como potencializador, o lítio pode ser usado em doses menores do que as usuais (300-600 mg), embora alguns pacientes possam necessitar de doses maiores para obter o efeito terapêutico **B**;⁵¹

→ **troca de antidepressivo:** essa estratégia não é mais efetiva do que a manutenção do primeiro tratamento **B**.⁵²,⁵³ Em geral, a troca é utilizada quando uma estratégia não funcionou (mesmo após otimização ou potencialização) ou quando os efeitos colaterais impedem a continuação do uso do primeiro fármaco.

## Descontinuação do medicamento antidepressivo

A suspensão abrupta de antidepressivos está associada ao surgimento de alterações do sono, sintomas gastrintestinais, ansiedade e alterações do humor com padrão diferente do apresentado pelo ressurgimento de um episódio depressivo. Esses sintomas ocorrem entre os primeiros dias até 3 semanas da suspensão.⁵⁴

Assim, ao realizar a suspensão eletiva de um antidepressivo (fim do tratamento ou troca para outro fármaco), a suspensão deve ser realizada de forma progressiva, se possível ao longo de um período ≥ 2 meses. Quanto mais gradual for a retirada, maior a chance de evitar um novo episódio depressivo, caso o paciente volte a apresentar sintomas. Suspensões abruptas são recomendadas apenas quando há efeitos colaterais intoleráveis ou em caso de desencadeamento de episódio hipomaníaco ou maníaco **C/D**. Os antidepressivos têm pouco potencial para abuso e não há evidências de que as reações de descontinuação façam parte de uma síndrome de adicção a antidepressivos.⁵⁵

## POPULAÇÕES ESPECIAIS

### Idosos

Em idosos, a depressão é mais frequente entre aqueles com condições como hipertensão, diabetes, sequelas de AVC, infarto e câncer.¹⁰,⁵⁶ Isolamento social, sexo feminino, dor crônica, baixa renda, insônia e comprometimento funcional e cognitivo são fatores de risco específicos para depressão nessa população.⁵⁷ Nessa faixa etária, o diagnóstico da depressão pode ser dificultado por condições clínicas e seus tratamentos que se sobrepõem a sintomas depressivos, por dificuldades de comunicação entre médico e paciente, por múltiplas queixas somáticas e pela relutância do paciente em aceitar o diagnóstico devido ao estigma dos transtornos mentais.

As linhas gerais de tratamento farmacológico e não farmacológico dos transtornos depressivos em idosos não diferem daquelas relacionadas à população adulta. Entretanto, algumas especificidades devem ser consideradas:

→ a população idosa é a mais acometida por problemas relacionados à polifarmácia. Ainda que o diagnóstico de depressão esteja confirmado, é uma boa prática revisar cautelosamente toda a prescrição de fármacos psiquiátricos e não psiquiátricos do paciente. Medicamentos com perfil anticolinérgico e sedativo, como amitriptilina, imipramina, antipsicóticos de baixa potência (p. ex., clorpromazina) e anti-histamínicos (p. ex., prometazina), devem ser evitados e/ou suspensos, quando possível;

→ embora as doses efetivas sejam similares entre adultos e idosos, é recomendável ter mais cautela quanto às doses ao iniciar um novo fármaco em idosos, devido a alterações fisiológicas próprias do envelhecimento. Pode-se, por exemplo, iniciar com doses menores que as recomendadas em adultos (p. ex., iniciar com 10 mg de fluoxetina ou 25 mg de sertralina) e aumentar as doses gradualmente, até atingir a dose mínima efetiva;

→ idosos podem demorar mais tempo para responder ao tratamento medicamentoso.⁵⁸ Portanto, recomenda-se aguardar pelo menos 8 ou até 12 semanas antes de considerar que uma estratégia terapêutica falhou.

Atividade física também é uma forma de tratamento que se mostra eficaz no tratamento de quadros depressivos em idosos, e sugere-se que seja um adjuvante no tratamento (NNT = 3-4) **B**.⁵⁹

### Gestantes e puérperas

Todas as mulheres que estão considerando engravidar, estão grávidas ou estão no puerpério devem ser questionadas sobre história de depressão (ver **TABELA 171.2**) e receber rastreamento para episódio depressivo atual.⁶⁰ Gestantes com depressão não tratada têm mais chance de não realizar o pré-natal adequadamente, ter dieta inadequada, apresentar comprometimento nos relacionamentos familiares e usar tabaco, álcool e outras substâncias.⁶⁰ Além de história prévia de episódio depressivo, gestantes que sofreram maus-tratos na infância, têm idade < 20 anos, mais de 3 filhos, baixa renda ou baixo suporte social, são tabagistas ou sofrem violência doméstica estão em maior risco para depressão.⁶⁰

A depressão pós-parto está relacionada com dificuldades no vínculo entre mãe e bebê, aumento das chances de abandono do aleitamento materno, além de vacinação incompleta, problemas de desenvolvimento e prejuízos cognitivos e psicológicos na criança.⁶⁰,⁶¹ No puerpério, o pico de incidência de depressão se concentra no primeiro mês após o parto. Eventos estressores durante a gestação, multiparidade, gestação indesejada, baixo suporte social e problemas conjugais aumentam o risco para depressão nesse período.⁶²

O *blues* puerperal é uma condição comum que inicia nos primeiros 3 dias após o parto, quando a mulher pode apresentar sintomas como tristeza, choro, ansiedade, irritabilidade, insônia e anedonia. No entanto, essa condição é autolimitada, e as pacientes costumam apresentar melhora dentro de até 2 semanas.[63] Apesar da natureza benigna, puérperas com sintomas de *baby blues* devem ser monitoradas quanto à possível evolução para um episódio depressivo.

### Tratamento da depressão na gestação e na lactação

Em gestantes e lactantes com depressão leve a moderada, intervenções psicoterápicas baseadas em evidências são a primeira linha de tratamento C/D.[64,65] No entanto, em situações em que a psicoterapia não está disponível, para aquelas que não desejam ou não têm disponibilidade, o tratamento com medicamentos está recomendado. Para o tratamento da depressão grave em gestantes e lactantes, recomenda-se o uso de medicamentos antidepressivos como primeira linha de tratamento, já que os benefícios do uso de medicamentos suplantam os possíveis riscos.[51,66]

**Escolha do fármaco antidepressivo na gestação.** Evidências atuais indicam que todos os ISRSs, com exceção da paroxetina, são igualmente seguros durante a gestação. Dentro dessa classe, a principal sugestão de escolha para pacientes sem tratamento anterior é a sertralina, pela sua tolerabilidade e meia-vida curta. O uso da fluoxetina, um ISRS amplamente disponível em nosso meio, é seguro e recomendável. A paroxetina costuma ser evitada como primeira escolha pois alguns estudos sugerem que possa estar relacionada a um pequeno aumento do risco de malformação cardíaca em fetos.[51,66]

Para gestantes que não respondem a um ISRS em doses terapêuticas, sugere-se tentar outro fármaco da mesma classe e, em caso de insucesso, utilizar venlafaxina. Em caso de pacientes que já vinham em tratamento medicamentoso com sucesso antes de engravidar, a interrupção do tratamento ou troca por outro fármaco não é necessária. Sugere-se esclarecer riscos e benefícios entre manutenção ou troca e compartilhar a decisão com a paciente.

**Escolha do fármaco antidepressivo na lactação.** Estudos demonstram que os ISRSs são seguros durante a lactação e, entre eles, paroxetina e sertralina parecem ter os melhores perfis em avaliações feitas em lactentes expostos a ISRS via leite materno.[67] Entretanto, o uso da fluoxetina ou de ISRS também está indicado em nutrizes. Para pacientes que já utilizavam outro ISRS ou venlafaxina, a preferência é permanecer com o mesmo medicamento, pois a troca pode aumentar o risco de recaída.[68] Entre os ADTs, a nortriptilina é o fármaco com maior número de estudos mostrando segurança durante a lactação.[51,69]

### Crianças e adolescentes

Nessa faixa etária, a maioria dos estudos reporta uma prevalência de depressão entre 1 e 2% para pré-púberes e em torno de 5% entre adolescentes.[70] A APS tem um papel importante na identificação desses casos, assim como no tratamento inicial desses pacientes. A TABELA 171.8 descreve os aspectos importantes no diagnóstico da depressão na infância e na adolescência.

**TABELA 171.8** → Critérios diagnósticos para episódio depressivo na infância e na adolescência

| Sintomas cardinais | Sintomas associados |
|---|---|
| → Tristeza ou infelicidade persistente e pervasiva* <br> → Perda do prazer nas atividades da vida diária <br> → Irritabilidade[†] | → Negatividade do pensamento e baixa autoestima <br> → Desesperança <br> → Ideias inapropriadas de culpa, remorso ou inutilidade <br> → Dificuldade de concentração ou indecisão <br> → Alteração do apetite (diminuição ou aumento) <br> → Problemas de sono (insônia ou hipersonia) <br> → Falta de energia, fadiga, diminuição da atividade <br> → Pensamento suicida ou ideias de morte |
| **O diagnóstico é realizado quando:** | **Gravidade do episódio** |
| → Pelo menos 1 sintoma cardinal e 4 sintomas associados estão presentes <br> → Os sintomas duram pelo menos 2 semanas e estão presentes todos os dias, na maior parte do dia <br> → Os sintomas são pervasivos, isto é, estão presentes todos os dias, na maior parte dos dias, e causam perturbação significativa no comportamento <br> → Os sintomas não são mais bem explicados pelo efeito de substâncias ou por outra condição médica | **Leve** <br> → Presença de 5 sintomas (pelo menos 1 cardinal) <br> → Comprometimento leve da funcionalidade (as atividades podem ser realizadas com um esforço extra) <br><br> **Moderado** <br> → 6 ou 7 sintomas (pelo menos 1 cardinal) <br> → Considerável dificuldade em manter atividades escolares, sociais e familiares <br><br> **Grave** <br> → Mais de 7 sintomas <br> → Presença de alucinações ou delírios <br> → Comprometimento grave do funcionamento social, familiar e escolar <br> → Risco de suicídio está frequentemente presente |

*Muitas vezes, a reatividade do humor está mantida (p. ex., fica alegre quando algo bom acontece).
[†]A irritabilidade pode manifestar-se como hostilidade, mau-humor ou crises de raiva.
Fonte: Adaptada de Rey e colaboradores.[71]

Após o diagnóstico em pessoas dessa faixa etária, os profissionais de saúde devem estar atentos para: possível depressão; uso de substâncias ou outros problemas de saúde mental nos pais ou cuidadores; possíveis maus-tratos no ambiente doméstico; doença ou perda de pessoas queridas para o jovem; situações de crise familiar como divórcio ou crises econômicas; ou problemas com *bullying* na escola.[72] De forma análoga, jovens que sabidamente têm esses fatores devem ser investigados ativamente para depressão.

A TABELA 171.9 descreve o tratamento inicial para depressão nessa faixa etária.

As doses efetivas dos fármacos no tratamento da depressão em crianças e adolescentes são similares às utilizadas para adultos. Quando indicado, o tratamento medicamentoso pode e deve ser implementado na APS.

## SITUAÇÕES DE EMERGÊNCIA

### Risco de suicídio

No Brasil, dados mais recentes mostram incidência anual de 5,2 mortes por suicídio para cada 100 mil habitantes.[74] Os transtornos depressivos são um importante fator de risco para o suicídio.[75] Tratar adequadamente pacientes com depressão é uma estratégia preventiva para suicídio.[76]

**TABELA 171.9** → Tratamento clínico otimizado para episódios depressivos na infância e na adolescência

**DEPRESSÃO LEVE**

→ **Intervenções não farmacológicas**, como apoio e manejo das situações estressoras na escola e em casa, podem ser utilizadas como primeira escolha por um período de 4-6 semanas; essas intervenções devem ser empregadas dentro de um modelo de **monitoramento ativo**, isto é, deve-se manter acompanhamento regular da criança durante o período, estando atento para a eventual necessidade de modificação da estratégia
→ **Psicoterapias** como TCC e TIP podem ser indicadas, se disponíveis (RRR = 10%; NNT = 10) **B**
→ Na depressão leve, a eficácia dos antidepressivos não está bem estabelecida

**DEPRESSÃO MODERADA A GRAVE**

→ A fluoxetina é o fármaco com melhor evidência de efetividade **C/D**
→ Outros ISRSs, como sertralina, citalopram e escitalopram, têm evidências menos robustas de efetividade, podendo ser indicados em casos de não resposta à fluoxetina; o escitalopram está aprovado para uso na depressão na adolescência
→ A fluoxetina pode ser utilizada a partir dos 8 anos de idade, com dose inicial de 2,5-10 mg/dia, ajustada gradualmente conforme tolerância e resposta, até a dose máxima de 60 mg/dia
→ A sertralina pode ser utilizada a partir dos 6 anos de idade, com dose inicial de 12,5-25 mg/dia, ajustada gradualmente conforme tolerância e resposta, até a dose máxima de 200 mg/dia
→ O escitalopram pode ser utilizado a partir dos 12 anos de idade, com dose inicial de 2,5-10 mg, ajustada gradualmente conforme tolerância e resposta, até a dose máxima de 20 mg/dia
→ O citalopram pode ser utilizado a partir dos 8 anos de idade, com dose inicial de 2,5-10 mg, ajustada gradualmente conforme tolerância e resposta, até a dose máxima de 40 mg/dia
→ **Psicoterapias** como TCC e TIP podem ser indicadas, se disponíveis

ISRSs, inibidores seletivos da recaptação da serotonina; NNT, número necessário para tratar; RRR, redução do risco relativo; TCC, terapia cognitivo-comportamental; TIP, terapia interpessoal.
Fonte: National Institute for Health and Care Excellence,[72] Rey e colaboradores[71] e Clarke e colaboradores.[73]

A **TABELA 171.10** apresenta os principais fatores de risco para suicídio. O risco de ocorrência de uma tentativa de suicídio é cerca de 6 vezes maior entre os indivíduos que em algum momento tiveram ideação suicida. Além disso, a tentativa anterior é o principal fator de risco para suicídio

**TABELA 171.10** → Fatores de risco e fatores protetores para suicídio

**FATORES DE RISCO**

→ Tentativa de suicídio prévia[77]
→ Doença psiquiátrica (em especial depressão, transtorno bipolar, esquizofrenia e transtornos de personalidade)[77-79]
→ Alcoolismo e abuso de outras substâncias[80,81]
→ Sexo masculino[82]
→ Desemprego[83]
→ Dor crônica, cirurgia recente, doença terminal[84]
→ Abuso e outros eventos adversos na infância[85]
→ História familiar de suicídio[86]
→ Ser solteiro, viúvo ou separado
→ Viver sozinho (isolamento social)
→ Alta hospitalar psiquiátrica recente

**FATORES PROTETORES**

→ Apoio da família, de amigos e de outras pessoas significativas
→ Crenças religiosas, culturais e étnicas
→ Envolvimento na comunidade
→ Vida social satisfatória
→ Rede social significativa
→ Acesso a serviços e cuidados de saúde mental

consumado.[77] Ter diagnóstico de transtorno mental é um forte preditor de suicídio.[77,78] Um estudo que avaliou diagnóstico psiquiátrico em indivíduos que cometeram suicídio na população geral mostrou que 35,8% deles tinham diagnóstico de transtorno de humor; 22,4%, transtornos relacionados com uso de substância; 10,6%, esquizofrenia; e 11,6%, transtorno de personalidade.[75] As mulheres tentam suicídio 4 vezes mais do que os homens, mas os homens são 3 vezes mais efetivos.

## Avaliação e intervenção em situações de risco de suicídio

Apesar de os fatores de risco associados ao suicídio serem conhecidos, não há, até o momento, um instrumento capaz de predizer o risco de suicídio com precisão. Portanto, a avaliação deve basear-se nas características presentes em cada situação clínica, o que ajudará a determinar as intervenções mais adequadas para cada caso.

A **FIGURA 171.2** resume o passo a passo da avaliação e intervenção no risco de suicídio na APS.

> É importante salientar que perguntar sobre suicídio não induz o paciente a pensar em suicídio.

## MANEJO DAS COMORBIDADES FREQUENTES

### Ansiedade

Até 60% dos pacientes com depressão maior têm transtorno de ansiedade associado.[2] Atualmente, os ISRSs também são a primeira escolha no tratamento dos transtornos de ansiedade (ver Capítulo Transtornos Relacionados à Ansiedade).

### Abuso de álcool e outras substâncias

É a segunda comorbidade mais comum dos transtornos depressivos (24%).[2] A presença de abuso ou dependência de substâncias não contraindica o tratamento da depressão com medicamentos e pode ajudar no tratamento dos transtornos associados ao uso de substâncias (ver Capítulo Drogas: Uso, Uso Nocivo e Dependência).

## ENCAMINHAMENTO

Existem evidências de que os desfechos do tratamento inicial para depressão são semelhantes aos cuidados fornecidos por médico da APS ou por psiquiatra.[87] As seguintes situações sugerem necessidade de encaminhar o paciente a um serviço especializado:[88]

→ episódio depressivo refratário: ausência de resposta ou resposta parcial a pelo menos duas estratégias terapêuticas efetivas por pelo menos 8 semanas cada (ver **FIGURA 171.1** e **TABELA 171.6**);
→ episódio depressivo associado a sintomas psicóticos;
→ episódio depressivo em paciente com episódios prévios graves (sintomas psicóticos, tentativa de suicídio ou hospitalização psiquiátrica);
→ ideação suicida persistente.

## EM QUEM INVESTIGAR

- Pessoas com diagnóstico de transtorno mental atual
- Pessoas com doença crônica incapacitante
- Pessoas que referem sentimentos de inutilidade e desesperança
- Pessoas que referem ideias de morte espontaneamente

## COMO INVESTIGAR

1) Você está desanimado com seu estado de saúde?
2) Nos momentos difíceis, o que passa pela sua cabeça?
3) Você tem sentido que a vida não vale a pena?
4) Você tem pensado em pôr fim à sua vida?
5) Você chegou a pensar em alguma forma de pôr fim à sua vida?
6) Você tem acesso a meios de fazer isso?
7) Você já tomou alguma providência para isso?

## AVALIAR CARACTERÍSTICAS DA IDEAÇÃO SUICIDA

**BAIXA LETALIDADE**
- Ideação suicida sem plano
- Ideias crônicas de morte
- Planos vagos ou de baixa letalidade

**ALTA LETALIDADE**
- Plano concreto, com data
- Plano de alta letalidade: pular de local alto, arma de fogo, enforcamento, ingestão de veneno, ingestão de grande quantidade de fármaco
- Acesso a meios letais
- Carta de despedida
- Procedimentos para não ser descoberto

## AVALIAR FATORES DE RISCO E FATORES DE PROTEÇÃO

**FATORES DE PROTEÇÃO**
- Vínculos familiares
- Vínculos comunitários
- Religiosidade e espiritualidade
- Pouco acesso a meios letais

**FATORES DE RISCO DE LONGO PRAZO**
- Tentativa prévia de suicídio
- Presença de transtorno mental, especialmente: transtornos por uso de substâncias, transtorno bipolar, depressão, esquizofrenia e transtornos de personalidade
- História familiar de suicídio, especialmente em familiar de primeiro grau

**FATORES DE RISCO ATUAIS**
- Perdas recentes: emprego, relacionamento, morte de pessoa significativa
- Doenças crônicas, especialmente as que cursam com dor crônica
- Sinais e sintomas atuais de intoxicação por substâncias
- Sintomas psicóticos como autodenegrição delirante ou vozes de comando para suicídio
- Alta recente de internação psiquiátrica
- Agitação psicomotora, lentificação e ansiedade perceptíveis
- Sinais de intoxicação por drogas ou fármacos

## DETERMINAÇÃO DO PERFIL DO PACIENTE

| BAIXA LETALIDADE + FATORES DE PROTEÇÃO E SEM FATORES DE RISCO | BAIXA LETALIDADE + FATORES DE RISCO ATUAIS | BAIXA LETALIDADE + FATORES DE RISCO DE LONGO PRAZO | BAIXA LETALIDADE + FATORES DE RISCO ATUAIS E DE LONGO PRAZO | ALTA LETALIDADE + FATORES DE RISCO DE LONGO PRAZO | ALTA LETALIDADE + FATORES DE RISCO ATUAIS |

## INTERVENÇÕES IMEDIATAS

- Oferecer escuta empática
- Investigar ativamente transtornos mentais
- Tratar se transtorno mental estiver presente OU otimizar tratamento de transtorno mental já identificado
- Acionar familiar
- Remoção de meios
- Aumento de vigilância
- Avaliação em emergência
- Avaliação imediata em emergência

## INTERVENÇÕES EM MÉDIO E LONGO PRAZOS

- Monitoramento ativo
- Intervenções focadas em bem-estar, ampliação da rede de apoio e vínculos comunitários
- Considerar encaminhamento para serviço especializado em saúde mental
- Investigar ativamente transtornos mentais
- Encaminhamento para serviço especializado em saúde mental

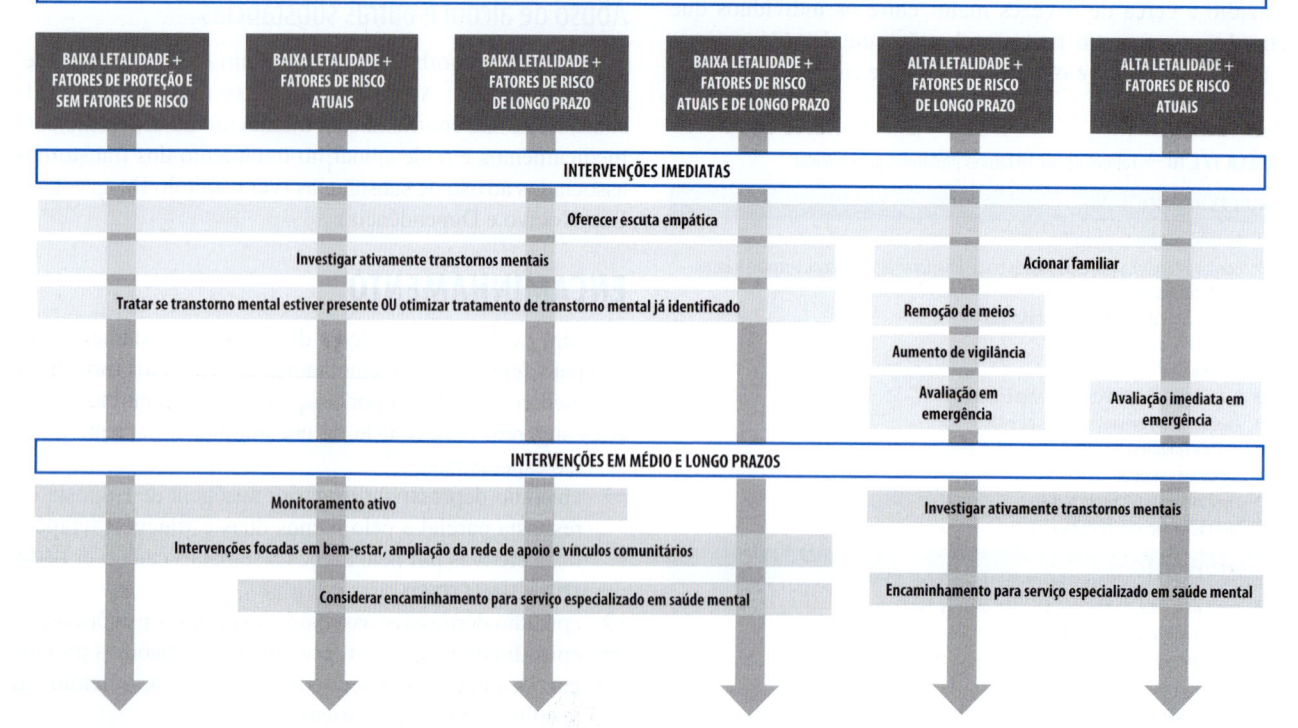

**FIGURA 171.2** → Diagrama de avaliação e intervenção no risco de suicídio em adultos na atenção primária à saúde.

# CONSIDERAÇÕES FINAIS

O adequado manejo da depressão na APS é um dos maiores desafios para a redução da morbidade causada por essa condição. Nesse sentido, a implementação de boas práticas para tratamento da depressão na APS, como uso de intervenções efetivas baseadas em evidência, prescindir de intervenções desnecessárias ou danosas (prevenção quaternária), uso rotineiro de instrumentos de aferição objetiva (TBM) e coordenação do cuidado, é um elemento crucial na assistência integral de pessoas que sofrem com depressão.

# REFERÊNCIAS

1. Mueller TI, Leon AC, Keller MB, Solomon DA, Endicott J, Coryell W, et al. Recurrence after recovery from major depressive disorder during 15 years of observational follow-up. Am J Psychiatry. 1999;156(7):1000–6.
2. Kessler RC, Berglund P, Demler O, Jin R, Koretz D, Merikangas KR, et al. The epidemiology of major depressive disorder: results from the National Comorbidity Survey Replication (NCS-R). JAMA. 2003;289(23):3095–105.
3. Posternak MA, Solomon DA, Leon AC, Mueller TI, Shea MT, Endicott J, et al. The naturalistic course of unipolar major depression in the absence of somatic therapy. J Nerv Ment Dis. 2006;194(5):324–9.
4. Ronalds C, Creed F, Stone K, Webb S, Tomenson B. Outcome of anxiety and depressive disorders in primary care. Br J Psychiatry. 1997;171:427–33.
5. World Health Organization. Depression and other common mental disorders: global health estimates [Internet]. Geneva: WHO; 2017 [capturado em 15 jun. 2021]; Disponível em: https://apps.who.int/iris/handle/10665/254610.
6. Global Health Data Exchange | GHDx [Internet]. Seattle: University of Washington; c2021 [capturado em 15 jun. 2021]. Disponível em: http://ghdx.healthdata.org/.
7. Martín-Merino E, Ruigómez A, Johansson S, Wallander M-A, García-Rodriguez LA. Study of a cohort of patients newly diagnosed with depression in general practice: prevalence, incidence, comorbidity, and treatment patterns. Prim Care Companion J Clin Psychiatry. 2010;12(1):PCC.08m00764.
8. Brasil. Ministério da Saúde. Carteira de Serviços da Atenção Primária à Saúde [Internet]. Brasília: MS; 2019 [capturado em 18 nov. 2020]. Disponível em: http://biblioteca.cofen.gov.br/carteira-atencao-primaria-saude/.
9. Institute for Health Metrics and Evaluation. GBD Compare Data Visualization [Internet]. Seattle: IHME, University of Washington; 2020 [capturado em 21 jun. 2021]. Disponível em: http://vizhub.healthdata.org/gbd-compare.
10. Moussavi S, Chatterji S, Verdes E, Tandon A, Patel V, Ustun B. Depression, chronic diseases, and decrements in health: results from the World Health Surveys. Lancet. 2007;370(9590):851–8.
11. Schmitz N, Wang J, Malla A, Lesage A. Joint effect of depression and chronic conditions on disability: results from a population-based study. Psychosom Med. 2007;69(4):332–8.
12. Pilowsky DJ, Wickramaratne P, Talati A, Tang M, Hughes CW, Garber J, et al. Children of depressed mothers 1 year after the initiation of maternal treatment: findings from the STAR*D-Child Study. Am J Psychiatry. 2008;165(9):1136–47.
13. Ferenchick EK, Ramanuj P, Pincus HA. Depression in primary care: part 1—screening and diagnosis. BMJ. 2019;l794.
14. Andrade L, Caraveo-Anduaga JJ, Berglund P, Bijl RV, De Graaf R, Vollebergh W, et al. The epidemiology of major depressive episodes: results from the International Consortium of Psychiatric Epidemiology (ICPE) Surveys. Int J Methods Psychiatr Res. 2003;12(1):3–21.
15. Organização Mundial da Saúde. CID-10 – Classificação Estatística Internacional de Doenças e Problemas Relacionados à Saúde. 10. ed. São Paulo: Edusp; 2017. v. 1.
16. American Psychiatric Association. Manual diagnóstico e estatístico de transtornos mentais: DSM-5. 5. ed. Porto Alegre: Artmed; 2014.
17. Gilbody S, Sheldon T, House A. Screening and case-finding instruments for depression: a meta-analysis. CMAJ. 2008;178(8):997–1003.
18. Santos IS, Tavares BF, Munhoz TN, Almeida LSP de, Silva NTB da, Tams BD, et al. [Sensitivity and specificity of the Patient Health Questionnaire-9 (PHQ-9) among adults from the general population]. Cad Saude Publica. 2013;29(8):1533–43.
19. Moriarty AS, Gilbody S, McMillan D, Manea L. Screening and case finding for major depressive disorder using the Patient Health Questionnaire (PHQ-9): a meta-analysis. Gen Hosp Psychiatry. 2015;37(6):567–76.
20. Kroenke K, Spitzer RL, Williams JB. The PHQ-9: validity of a brief depression severity measure. J Gen Intern Med. 2001;16(9):606–13.
21. Ackermann RT, Williams JW. Rational treatment choices for non-major depressions in primary care: an evidence-based review. J Gen Intern Med. 2002;17(4):293–301.
22. Maier W, Gänsicke M, Weiffenbach O. The relationship between major and subthreshold variants of unipolar depression. J Affect Disord. 1997;45(1–2):41–51.
23. Weisberg RB, Maki KM, Culpepper L, Keller MB. Is anyone really M.A.D.?: the occurrence and course of mixed anxiety-depressive disorder in a sample of primary care patients. J Nerv Ment Dis. 2005;193(4):223–30.
24. Gill D, Hatcher S. Antidepressants for depression in medical illness. Cochrane Database Syst Rev. 2000;(4):CD001312.
25. Lespérance F, Frasure-Smith N, Koszycki D, Laliberté M-A, van Zyl LT, Baker B, et al. Effects of citalopram and interpersonal psychotherapy on depression in patients with coronary artery disease: the Canadian Cardiac Randomized Evaluation of Antidepressant and Psychotherapy Efficacy (CREATE) trial. JAMA. 2007;297(4):367–79.
26. Gupta S, Cahill JD. A Prescription for "Deprescribing" in Psychiatry. Psychiatr Serv. 2016;67(8):904–7.
27. Rush AJ, Trivedi MH, Wisniewski SR, Nierenberg AA, Stewart JW, Warden D, et al. Acute and longer-term outcomes in depressed outpatients requiring one or several treatment steps: a STAR*D report. Am J Psychiatry. 2006;163(11):1905–17.
28. Guo T, Xiang Y-T, Xiao L, Hu C-Q, Chiu HFK, Ungvari GS, et al. Measurement-Based Care Versus Standard Care for Major Depression: A Randomized Controlled Trial With Blind Raters. Am J Psychiatry. 2015;172(10):1004–13.
29. Fournier JC, DeRubeis RJ, Hollon SD, Dimidjian S, Amsterdam JD, Shelton RC, et al. Antidepressant drug effects and depression severity: a patient-level meta-analysis. JAMA. 2010;303(1):47–53.
30. Cipriani A, Furukawa TA, Salanti G, Chaimani A, Atkinson LZ, Ogawa Y, et al. Comparative efficacy and acceptability of 21 antidepressant drugs for the acute treatment of adults with major depressive disorder: a systematic review and network meta-analysis. Lancet. 2018;391(10128):1357–66.
31. Ramanuj P, Ferenchick EK, Pincus HA. Depression in primary care: part 2-management. BMJ. 2019;365:l835.
32. Cuijpers P, Noma H, Karyotaki E, Vinkers CH, Cipriani A, Furukawa TA. A network meta-analysis of the effects of psychotherapies, pharmacotherapies and their combination in the treatment of adult depression. World Psychiatry. 2020;19(1):92–107.
33. Cuijpers P, Donker T, Weissman MM, Ravitz P, Cristea IA. Interpersonal psychotherapy for mental health problems: a comprehensive meta-analysis. Am J Psychiatry. 2016;173(7):680–7.
34. World Health Organization. Group Interpersonal Therapy (IPT) for Depression [Internet]. Geneva: WHO; 2016 [capturado em 15 jun. 2021]. Disponível em: https://www.who.int/publications-detail-redirect/WHO-MSD-MER-16.4.

35. Cuijpers P, de Wit L, Kleiboer A, Karyotaki E, Ebert DD. Problem-solving therapy for adult depression: an updated meta-analysis. Eur Psychiatry. 2018;48:27–37.

36. Cuijpers P, Berking M, Andersson G, Quigley L, Kleiboer A, Dobson KS. A meta-analysis of cognitive-behavioural therapy for adult depression, alone and in comparison with other treatments. Can J Psychiatry. 2013;58(7):376–85.

37. Uphoff E, Pires M, Barbui C, Barua D, Churchill R, Cristofalo D, et al. Behavioural activation therapy for depression in adults with non-communicable diseases. Cochrane Database Syst Rev. 2020;8:CD013461.

38. Kvam S, Kleppe CL, Nordhus IH, Hovland A. Exercise as a treatment for depression: A meta-analysis. J Affect Disord. 2016;202:67–86.

39. Schuch FB, Vancampfort D, Firth J, Rosenbaum S, Ward PB, Silva ES, et al. Physical Activity and Incident Depression: A Meta-Analysis of Prospective Cohort Studies. Am J Psychiatry. 2018;175(7):631–48.

40. National Institute for Health and Care Excellence. Depression in adults: recognition and management | Guidance [Internet]. London: NICE; 2019 [capturado em 15 jun. 2021]. Disponível em: https://www.nice.org.uk/guidance/cg90.

41. Lima MS, Moncrieff J. Drugs versus placebo for dysthymia. Cochrane Database Syst Rev. 2000;(4):CD001130.

42. Szegedi A, Jansen WT, van Willigenburg APP, van der Meulen E, Stassen HH, Thase ME. Early improvement in the first 2 weeks as a predictor of treatment outcome in patients with major depressive disorder: a meta-analysis including 6562 patients. J Clin Psychiatry. 2009;70(3):344–53.

43. Hansen R, Gaynes B, Thieda P, Gartlehner G, Deveaugh-Geiss A, Krebs E, et al. Meta-analysis of major depressive disorder relapse and recurrence with second-generation antidepressants. Psychiatr Serv. 2008;59(10):1121–30.

44. Montgomery SA. Long-term treatment of depression. Br J Psychiatry Suppl. 1994;(26):31–6.

45. Frank E, Kupfer DJ, Perel JM, Cornes C, Mallinger AG, Thase ME, et al. Comparison of full-dose versus half-dose pharmacotherapy in the maintenance treatment of recurrent depression. J Affect Disord. 1993;27(3):139–45.

46. Ruhé HG, Huyser J, Swinkels JA, Schene AH. Dose escalation for insufficient response to standard-dose selective serotonin reuptake inhibitors in major depressive disorder: systematic review. Br J Psychiatry. 2006;189:309–16.

47. Thase ME, Friedman ES, Biggs MM, Wisniewski SR, Trivedi MH, Luther JF, et al. Cognitive therapy versus medication in augmentation and switch strategies as second-step treatments: a STAR*D report. Am J Psychiatry. 2007;164(5):739–52.

48. McGrath PJ, Stewart JW, Fava M, Trivedi MH, Wisniewski SR, Nierenberg AA, et al. Tranylcypromine versus venlafaxine plus mirtazapine following three failed antidepressant medication trials for depression: a STAR*D report. Am J Psychiatry. 2006;163(9):1531–41; quiz 1666.

49. Crossley NA, Bauer M. Acceleration and augmentation of antidepressants with lithium for depressive disorders: two meta-analyses of randomized, placebo-controlled trials. J Clin Psychiatry. 2007;68(6):935–40.

50. Nierenberg AA, Fava M, Trivedi MH, Wisniewski SR, Thase ME, McGrath PJ, et al. A comparison of lithium and T(3) augmentation following two failed medication treatments for depression: a STAR*D report. Am J Psychiatry. 2006;163(9):1519–30; quiz 1665.

51. MacQueen GM, Frey BN, Ismail Z, Jaworska N, Steiner M, Lieshout RJV, et al. Canadian Network for Mood and Anxiety Treatments (CANMAT) 2016 Clinical Guidelines for the Management of Adults with Major Depressive Disorder: Section 6. Special Populations: Youth, Women, and the Elderly. Can J Psychiatry. 2016;61(9):588–603.

52. Bschor T, Kern H, Henssler J, Baethge C. Switching the Antidepressant After Nonresponse in Adults With Major Depression: A Systematic Literature Search and Meta-Analysis. J Clin Psychiatry. 2018;79(1).

53. Rush AJ, Trivedi MH, Wisniewski SR, Stewart JW, Nierenberg AA, Thase ME, et al. Bupropion-SR, sertraline, or venlafaxine-XR after failure of SSRIs for depression. N Engl J Med. 2006;354(12):1231–42.

54. Rosenbaum JF, Fava M, Hoog SL, Ascroft RC, Krebs WB. Selective serotonin reuptake inhibitor discontinuation syndrome: a randomized clinical trial. Biol Psychiatry. 1998;44(2):77–87.

55. Anderson IM. Selective serotonin reuptake inhibitors versus tricyclic antidepressants: a meta-analysis of efficacy and tolerability. J Affect Disord. 2000;58(1):19–36.

56. Zhang Y, Chen Y, Ma L. Depression and cardiovascular disease in elderly: current understanding. J Clin Neurosci. 2018;47:1–5.

57. Zis P, Daskalaki A, Bountouni I, Sykioti P, Varrassi G, Paladini A. Depression and chronic pain in the elderly: links and management challenges. Clin Interv Aging. 2017;12:709–20.

58. Nelson JC, Delucchi K, Schneider LS. Efficacy of second generation antidepressants in late-life depression: a meta-analysis of the evidence. Am J Geriatr Psychiatry. 2008;16(7):558–67.

59. Miller KJ, Gonçalves-Bradley DC, Areerob P, Hennessy D, Mesagno C, Grace F. Comparative effectiveness of three exercise types to treat clinical depression in older adults: A systematic review and network meta-analysis of randomised controlled trials. Ageing Res Rev. 2020;58:100999.

60. Stewart DE. Clinical practice. Depression during pregnancy. N Engl J Med. 2011;365(17):1605–11.

61. Friedman SH, Resnick PJ. Child murder and mental illness in parents: implications for psychiatrists. J Clin Psychiatry. 2011;72(5):587–8.

62. Altemus M, Neeb CC, Davis A, Occhiogrosso M, Nguyen T, Bleiberg KL. Phenotypic differences between pregnancy-onset and postpartum-onset major depressive disorder. J Clin Psychiatry. 2012;73(12):e1485-1491.

63. O'Hara MW, Wisner KL. Perinatal mental illness: definition, description and aetiology. Best Pract Res Clin Obstet Gynaecol. 2014;28(1):3–12.

64. Meltzer-Brody S, Jones I. Optimizing the treatment of mood disorders in the perinatal period. Dialogues Clin Neurosci. 2015;17(2):207–18.

65. Stuart S, Koleva H. Psychological treatments for perinatal depression. Best Pract Res Clin Obstet Gynaecol. 2014;28(1):61–70.

66. Koren G, Nordeng H. Antidepressant use during pregnancy: the benefit-risk ratio. Am J Obstet Gynecol. 2012;207(3):157–63.

67. Orsolini L, Bellantuono C. Serotonin reuptake inhibitors and breastfeeding: a systematic review. Hum Psychopharmacol. 2015;30(1):4–20.

68. Stewart DE, Vigod SN. Postpartum Depression: Pathophysiology, Treatment, and Emerging Therapeutics. Annu Rev Med. 2019;70:183–96.

69. Wisner KL, Hanusa BH, Perel JM, Peindl KS, Piontek CM, Sit DKY, et al. Postpartum depression: a randomized trial of sertraline versus nortriptyline. J Clin Psychopharmacol. 2006;26(4):353–60.

70. Costello EJ, Egger H, Angold A. 10-year research update review: the epidemiology of child and adolescent psychiatric disorders: I. Methods and public health burden. J Am Acad Child Adolesc Psychiatry. 2005;44(10):972–86.

71. Rey JM, Bella-Awusah TT, Liu J. Depression in children and adolescents [Internet]. In: Rey JM, Martin A. IACAPAP e-Textbook of Child and Adolescent Mental Health. Geneva: International Association for Child and Adolescent Psychiatry and Allied Professions; 2015 [capturado em 15 jun. 2021]. Disponível em: https://iacapap.org/iacapap-textbook-of-child-and-adolescent-mental-health/.

72. National Institute for Health and Care Excellence. Depression in children and young people: identification and management: guidance [Internet]. Seattle: NICE; 2019 [capturado em 15 jun. 2021]. Disponível em: https://www.nice.org.uk/guidance/ng134.

73. Clarke G, DeBar LL, Pearson JA, Dickerson JF, Lynch FL, Gullion CM, et al. Cognitive Behavioral Therapy in Primary Care for Youth Declining Antidepressants: A Randomized Trial. Pediatrics. 2016;137(5).

74. World Health Organization. WHO Mortality Database [Internet]. Geneva: WHO; 2018 [capturado em 15 jun. 2021]. Disponível em: https://www.who.int/data/data-collection-tools/who-mortality-database.
75. Bertolote JM, Fleischmann A. Suicide and psychiatric diagnosis: a worldwide perspective. World Psychiatry. 2002;1(3):181–5.
76. Rihmer Z, Gonda X. Pharmacological prevention of suicide in patients with major mood disorders. Neurosci Biobehav Rev. 2013;37(10 Pt 1):2398–403.
77. Haukka J, Suominen K, Partonen T, Lönnqvist J. Determinants and outcomes of serious attempted suicide: a nationwide study in Finland, 1996-2003. Am J Epidemiol. 2008;167(10):1155–63.
78. Tidemalm D, Långström N, Lichtenstein P, Runeson B. Risk of suicide after suicide attempt according to coexisting psychiatric disorder: Swedish cohort study with long term follow-up. BMJ. 2008;337:a2205.
79. Palmer BA, Pankratz VS, Bostwick JM. The lifetime risk of suicide in schizophrenia: a reexamination. Arch Gen Psychiatry. 2005;62(3):247–53.
80. Pompili M, Serafini G, Innamorati M, Dominici G, Ferracuti S, Kotzalidis GD, et al. Suicidal behavior and alcohol abuse. Int J Environ Res Public Health. 2010;7(4):1392–431.
81. Bolton JM, Belik S-L, Enns MW, Cox BJ, Sareen J. Exploring the correlates of suicide attempts among individuals with major depressive disorder: findings from the national epidemiologic survey on alcohol and related conditions. J Clin Psychiatry. 2008;69(7):1139–49.
82. Mello-Santos C de, Bertolote JM, Wang Y-P. Epidemiology of suicide in Brazil (1980-2000): characterization of age and gender rates of suicide. Braz J Psychiatry. 2005;27(2):131–4.
83. Heikkinen ME, Isometsä ET, Marttunen MJ, Aro HM, Lönnqvist JK. Social factors in suicide. Br J Psychiatry. 1995;167(6):747–53.
84. Juurlink DN, Herrmann N, Szalai JP, Kopp A, Redelmeier DA. Medical illness and the risk of suicide in the elderly. Arch Intern Med. 2004;164(11):1179–84.
85. Dube SR, Anda RF, Felitti VJ, Chapman DP, Williamson DF, Giles WH. Childhood abuse, household dysfunction, and the risk of attempted suicide throughout the life span: findings from the Adverse Childhood Experiences Study. JAMA. 2001;286(24):3089–96.
86. Qin P, Agerbo E, Mortensen PB. Suicide risk in relation to family history of completed suicide and psychiatric disorders: a nested case-control study based on longitudinal registers. Lancet. 2002;360(9340):1126–30.
87. Gaynes BN, Rush AJ, Trivedi MH, Wisniewski SR, Balasubramani GK, McGrath PJ, et al. Primary versus specialty care outcomes for depressed outpatients managed with measurement-based care: results from STAR*D. J Gen Intern Med. 2008;23(5):551–60.
88. Harzheim E, Agostinho MR, Katz N. Protocolos de Encaminhamento para Psiquiatria Pediátrica. 2016.

## LEITURAS RECOMENDADAS

World Health Organization, Columbia University. Group Interpersonal Therapy (IPT) for Depression (WHO generic field-trial version 1.0) [Internet]. Geneva: WHO; 2016. [capturado em 10 jun. 2021]; Disponível em: https://apps.who.int/iris/bitstream/handle/10665/250219/WHO-MSD-MER-16.4-eng.pdf?sequence=1.
*Manual de terapia interpessoal em grupo da OMS.*

World Health Organization. National suicide prevention strategies: progress, examples and indicators. Geneva: WHO; 2018 [capturado em 10 jun. 2021]. Disponível em: https://apps.who.int/iris/bitstream/handle/10665/279765/9789241515016-eng.pdf?ua=1
*Material para inspirar políticas públicas de prevenção do suicídio.*

World Health Organization – Mental Health. Disponível em: http://www.who.int/mental_health/en/.
*Página de saúde mental no portal da OMS.*

World Health Organization – Suicide Prevention. Disponível em: https://www.who.int/health-topics/suicide#tab=tab_1.
*Página do programa de prevenção do suicídio (SUPRE) no portal da OMS.*

# Capítulo 172
# TRANSTORNO DO HUMOR BIPOLAR

Pedro Domingues Goi
Silvia Bassani Schuch-Goi
Marcia Kauer-Sant'Anna

O transtorno bipolar (TB) é uma condição frequentemente subdiagnosticada, sendo de grande importância a suspeição e adequada avaliação na APS. Entre os pacientes com depressão maior refratários ou com pobre resposta ao tratamento, em torno de 25% podem ter TB não diagnosticado. A característica fundamental do TB é, além dos episódios depressivos, a presença de quadros de elevação do humor, que podem ser classificados como episódios maníacos ou hipomaníacos, dependendo da gravidade e da duração.[1]

A maior dificuldade no diagnóstico e no manejo de pacientes com elevação do humor, impulsividade e aumento de energia é que eles raramente procuram ajuda em razão dos sintomas de humor por conta própria. Em geral, esses pacientes não percebem os sintomas como um problema, pois é comum ter o juízo crítico prejudicado como parte do quadro. No entanto, sem tratamento adequado, podem buscar alívio dos sintomas no uso de álcool e outras substâncias, apresentando frequentemente piora da irritabilidade, da agressividade, de sintomas psicóticos e, até mesmo, de múltiplas comorbidades psiquiátricas e clínicas.[2]

Muitas vezes, o médico da APS é o primeiro a ser informado acerca das alterações de humor do paciente, por meio de queixas indiretas ou por intermédio de seus familiares. Neste momento, há uma oportunidade importante de suspeitar de TB e fazer um diagnóstico diferencial correto. O atraso no diagnóstico e no tratamento do TB pode causar grande prejuízo, aumentando a gravidade dos sintomas e o declínio cognitivo e funcional em longo prazo. O difícil diagnóstico diferencial com depressão unipolar pode expor esses pacientes ao uso de antidepressivos em monoterapia em vez de estabilizadores de humor, com o consequente risco de virada maníaca, piora dos sintomas e aceleração do curso da doença. A diferenciação entre quadros psicóticos também pode ser um desafio, mas o diagnóstico correto de TB é capaz de evitar uso prolongado de antipsicóticos em doses altas.

Dessa forma, é fundamental investigar cuidadosamente a história de sintomas de TB em pacientes e seus familiares para diagnóstico diferencial e planejamento do tratamento em casos que se apresentam com sintomas depressivos, psicose ou abuso de substâncias.

## EPIDEMIOLOGIA

A prevalência do TB ao longo da vida é de aproximadamente 0,6% para o TB tipo I (TBI) e de 0,4% para o TB tipo II (TBII).[3] Ao considerar formas mais leves de oscilações de humor, como os transtornos do espectro bipolar e TB sem outra especificação, as prevalências somadas ao longo da vida chegam a cerca de 3,8%.[4] No Brasil, essas taxas são semelhantes, sendo de 0,9% para TBI e 0,2% para TBII.[4]

A idade de início do TB, segundo os maiores estudos epidemiológicos comunitários em psiquiatria, é, em média, 18 anos para TBI e 22 anos para TBII.[5,6] Em relação ao sexo, as prevalências de TB são similares entre homens e mulheres, principalmente no TBI. Alguns estudos sugerem maior prevalência do TBII em mulheres, mas outros autores não encontraram essa diferença.[7] Após o primeiro episódio de mania, cerca de 50% dos pacientes apresentarão recorrência de sintomas de humor no primeiro ano de acompanhamento, sobretudo de sintomas depressivos, mesmo com tratamento. Ao longo da vida, a chance de apresentar recorrência dos sintomas de humor no TB é de 90%. O tratamento reduz a recorrência dos episódios de humor; de forma geral, os tratamentos disponíveis hoje são mais efetivos na prevenção de sintomas maníacos, e têm resultados mais modestos na prevenção dos episódios de depressão bipolar.

## DIAGNÓSTICO

De forma característica, o transtorno tem seu início com pequenas flutuações de humor que podem durar dias ou, às vezes, semanas, antes de eventualmente cristalizarem-se em um episódio depressivo ou maníaco. A fase depressiva é semelhante ao quadro descrito no Capítulo Depressão. O episódio maníaco costuma ser precedido por um breve período de aumento de energia, impulsividade e elevação do humor concomitante com a sensação de aceleração do pensamento e diminuição da necessidade de sono.[1]

Assim, os episódios maníacos – e, principalmente, os hipomaníacos – nas fases iniciais não costumam representar queixas para o paciente, sendo, em geral, percebidos primeiro pela família.[1]

O marco diferencial do TB em relação à depressão unipolar é a presença de episódios de mania ou hipomania. Embora sejam semelhantes, a mania e a hipomania diferem quanto à intensidade e à duração dos sintomas. Na hipomania, os sintomas são, em geral, mais breves e causam menos prejuízo funcional agudamente do que os quadros de mania, ainda que em longo prazo estejam associados a importante sofrimento. Pelos critérios da 5ª edição do *Manual diagnóstico e estatístico de transtornos mentais* (DSM-5), a mania tem duração de pelo menos 1 semana, enquanto a hipomania dura cerca de 4 dias (FIGURA 172.1).[8] A hipomania não apresenta sintomas psicóticos e, em geral, não requer hospitalização.

Essa diferenciação tem relevância clínica, pois indica o tipo de TB, I ou II, e, assim, tem implicações para o tratamento e o prognóstico. O tipo de TB é determinado pelo seu curso longitudinal e alternância de episódios. O **TBI** caracteriza-se pela presença de pelo menos um episódio de mania. O **TBII**, caracterizado pela hipomania, mais frequentemente tem predomínio de episódios depressivos, além de ter menos risco de virada maníaca com antidepressivos quando associados a estabilizadores. Entretanto, o TBII não é necessariamente "mais leve" que o TBI, pois a sua apresentação crônica acarreta prejuízos de funcionamento em longo prazo, especialmente associados aos sintomas depressivos e à presença de impulsividade. A **ciclotimia** define os casos mais crônicos de alternância de humor, de duração de cerca de 2 anos, mas com sintomas mais brandos, que não preenchem completamente os critérios para episódio depressivo ou hipomaníaco, mas geram grande sofrimento devido à frequência e à duração dos sintomas subsindrômicos.[8]

Na avaliação dos transtornos do humor, é muito importante o diagnóstico diferencial entre: depressão unipolar, quando apenas episódios depressivos estão presentes (ver Capítulo Depressão); TBI, quando episódios de depressão se alternam com mania e hipomania; TBII, quando hipomanias se alternam com depressão e nunca houve um episódio de mania; TB induzido por substância ou relacionado a uma condição médica; e transtorno de personalidade *borderline*.

O risco de não detectar manias ou hipomanias prévias diante de um episódio depressivo e não diagnosticar TB é que este não responderá adequadamente ao tratamento ou poderá até mesmo piorar.

## Quadro clínico

As alterações de humor no TB podem oscilar entre mania, hipomania e depressão (FIGURA 172.2).

**Transtorno bipolar**
- **Transtorno bipolar tipo I:** Pelo menos um episódio maníaco
- **Transtorno bipolar tipo II:** Pelo menos um episódio hipomaníaco; Ausência de episódio maníaco
- Transtorno ciclotímico
- Transtorno bipolar induzido por substância/medicamento
- Transtorno bipolar devido a outra condição médica
- Outro transtorno bipolar
- Transtorno bipolar não especificado

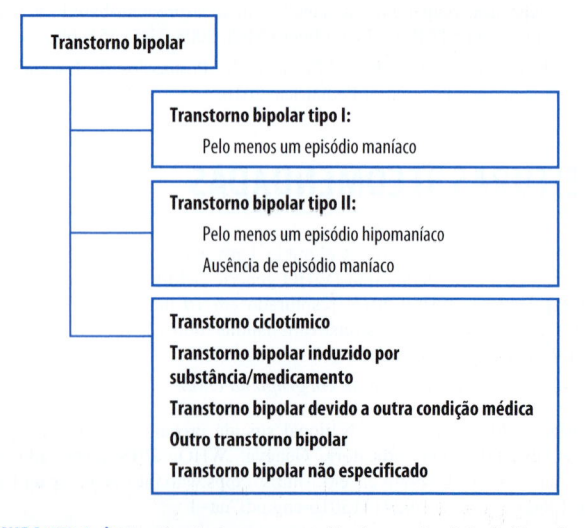

**FIGURA 172.1** → Classificação dos transtornos bipolares na 5ª edição do *Manual diagnóstico e estatístico de transtornos mentais* (DSM-5).
Fonte: American Psychiatric Association.[8]

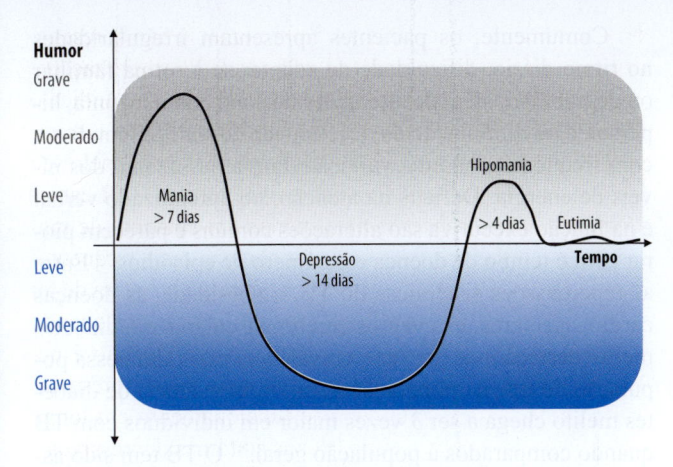

**FIGURA 172.2** → Representação gráfica bidimensional dos episódios de humor no transtorno bipolar.

Os sintomas de TB durante o episódio depressivo são os mesmos descritos no Capítulo Depressão. Nos quadros iniciais, em geral, há remissão dos sintomas entre os episódios; no entanto, com o aumento do número de episódios, déficits cognitivos e sintomas subsindrômicos, principalmente depressivos, podem persistir por longos períodos.

Segundo o DSM-5, a mania é um período de humor anormal, elevado, expansivo ou irritável. Os sintomas mais importantes para o diagnóstico são o aumento anormal da energia, autoestima inflada ou grandiosidade, redução da necessidade de sono (e não insônia), pressão para continuar falando, fuga de ideias ou pensamentos acelerados, distratibilidade (atenção desviada muito facilmente por estímulos externos irrelevantes), aumento da atividade dirigida a objetivos (seja socialmente, no trabalho ou escola, seja sexualmente) ou agitação psicomotora, e envolvimento excessivo em atividades com elevado potencial para consequências dolorosas ou prejudiciais. Na mania, os sintomas devem durar pelo menos 7 dias, ou necessitar de internação hospitalar. Na hipomania, estes devem durar pelo menos 4 dias. A seguir, descrevemos mais detalhadamente esses quadros.[8]

## Humor, afeto e pensamento

As características da mania e da hipomania são opostas às observadas na depressão, ou seja, humor "para cima" ou irritável, com sentimentos predominantemente positivos e ativação psicomotora (aceleração dos processos psíquicos e aumento de energia). Há ideias supervalorizadas de grandeza, que podem ou não ser delirantes. A aparência pode tornar-se mais extravagante, colorida, até mesmo inadequada para a idade, a ocupação ou o clima, eventualmente bizarra ou fora do comum. Às vezes, ocorrem riscos exagerados ou à toa, e há grande entusiasmo por contatos interpessoais, sexuais ou profissionais. É comum a labilidade do humor com crises de choro e/ou hostilidade, sensação de intenso bem-estar ou energização e otimismo.[1] Em quadros mais graves, a desconfiança ou otimismo inespecífico inicial pode evoluir para delírios estruturados e a agressividade pode ficar mais evidente. Além disso, o bem-estar inicial pode ser substituído pelo predomínio de disforia, irritabilidade e ansiedade.

O paciente em mania exibe ideias de conteúdo predominantemente positivo, religioso ou persecutório, podendo tornar-se muito articulado e convincente. Ocorre taquipsiquismo; muitas ideias podem surgir à mente com rapidez ou profusão, gerando construções mentais grandiosas, associações de ideias, conclusões precipitadas e errôneas, e formulações teóricas com lógica aparente, mas pouca consistência real. Em quadros mais graves, as associações podem estabelecer-se menos pelo conteúdo e mais por assonância, gerando rimas e jogos de palavras. A mania muitas vezes é um estado psicótico, porque falta o juízo crítico do estado mórbido, o juízo de realidade está alterado e delírios são frequentes.[1]

## Sintomas comportamentais

A diminuição da necessidade de sono, diferentemente da insônia, está entre os sintomas maníacos mais frequentes e importantes para o diagnóstico. O paciente pode dormir poucas horas e sentir-se bem disposto e cheio de energia no dia seguinte. Alguns podem passar dias sem dormir, o que exacerba o quadro maníaco e pode gerar esgotamento. O paciente faz várias coisas excessiva ou obstinadamente. A conduta social torna-se desinibida e inadequada; o paciente fica indiscreto e invasivo. Entre os sintomas de aumento da impulsividade, podem ocorrer aumento do consumo de álcool e/ou drogas, aumento de gastos com itens desnecessários (frequentemente gerando dívidas) e aumento da libido (desde comportamento sedutor e conteúdo erotizado do discurso até necessidade de atividade sexual e exposição moral).[1]

## Estados mistos, ciclagem rápida e espectro bipolar

Frequentemente, alguns sintomas depressivos estão presentes nos quadros de mania, e quando sintomas de mania e de depressão se sobrepõem durante vários dias, o quadro clínico passa a chamar-se de episódio de mania com características mistas.[1] Da mesma forma, não é incomum identificar aceleração do pensamento, agitação e disforia em quadros de depressão bipolar, caracterizando o que chamamos de episódio depressivo com características mistas. Esses quadros com características mistas precisam ser identificados, pois podem influenciar no planejamento do tratamento.

No DSM-5, os sintomas mistos tornaram-se simples especificadores de um episódio maníaco ou depressivo, tanto do TBI e do TBII, quanto do transtorno depressivo maior. Assim, a classificação se aproxima da prática clínica, em que a presença de sintomas opostos em um episódio maníaco ou depressivo, ainda que não preencham critérios para o episódio, é levada em consideração no planejamento do tratamento. Para incluir o especificador "misto", além de serem atendidos todos os critérios para um episódio de humor (predominante), deve-se ter pelo menos três sintomas da polaridade contrária presentes durante a maioria dos dias do episódio atual ou mais recente.[8] Por exemplo, um quadro com características mistas poderia ser diagnosticado em um paciente que preenche critérios para episódio depressivo (está triste, com vontade de morrer, sentindo-se culpado por erros passados, com fadiga, desmotivado para suas atividades usuais, e sem apetite), mas apresenta-se com elevada angústia associada a pensamentos acelerados; apresenta redução do sono, pois quer resolver suas preocupações; tem distratibilidade e até aumento de energia associada ao volume de pensamentos, podendo apresentar-se irritável com inquietude motora. Com prevalência de até 10 a 20% dos episódios, as características mistas também estão associadas ao maior risco de suicídio.[1] O diagnóstico das características mistas no episódio pode ser difícil e requer atenção.

A ciclagem rápida é um especificador do curso do TB, definido pela ocorrência de no mínimo 4 episódios de mania, hipomania ou depressão maior ao longo de 12 meses, independentemente de ordem ou combinação.[9] Pode ocorrer pela influência do uso de substâncias, antidepressivos ou alterações hormonais, como um fenômeno transitório em muitos pacientes e, em alguns casos, pode estar associada ao uso prolongado de antidepressivo.[1] No entanto, a diminuição do intervalo entre os episódios pode indicar gravidade, progressão da doença ou má resposta ao tratamento.

Nas últimas décadas, diferentes grupos propuseram a caracterização de quadros de oscilação do humor, que, por não preencherem critérios clássicos de diagnóstico, ficariam dentro de um quadro chamado de "espectro bipolar". Inicialmente, o grupo de Akiskal e colaboradores[10] sugeriu que várias apresentações sintomáticas, subliminares, que não preenchem os critérios do DSM-IV-TR/DSM-5 para TB, podem ser consideradas como fazendo parte de um *continuum* entre os transtornos de humor. Nessa classificação, entrariam sintomas hipomaníacos induzidos por antidepressivos ou substâncias; sintomas maníacos, hipomaníacos ou comportamentais isolados que não preenchem critérios para mania; depressões atípicas ou resistentes ou com muita ansiedade; e até traços de personalidade e temperamento.[10] Essa proposta se baseou no fato de que alguns desses pacientes respondem aos estabilizadores do humor, embora o assunto seja controverso. Outros pesquisadores, como o grupo de trabalho da International Society for Bipolar Disorders (ISBD), propuseram estágios latentes de TB, em que familiares de alto risco para TB poderiam ter sintomas prodrômicos ou ainda ter maior risco de desenvolver TB se expostos a antidepressivos.[11] Muitas vezes, nesses casos, o diagnóstico fica classificado pelo DSM-5 como outro transtorno bipolar ou transtorno bipolar não especificado. Essa inclusão de sintomas subsindrômicos de humor nas classificações pode ter o mérito de aumentar a sensibilidade na detecção do TB, mas deve-se ter muito cuidado para não perder a confiabilidade do diagnóstico e, consequentemente, o valor preditivo.

## Abordagem multidimensional do transtorno bipolar

O TB, além de ser classificado como um transtorno do humor, mais recentemente tem sido descrito como uma patologia multidimensional e sistêmica. Os principais domínios dos sintomas do TB importantes de serem identificados em uma avaliação diagnóstica incluem, além dos sintomas de humor, a instabilidade do ritmo circadiano, a disfunção cognitiva e as consequências na saúde em geral.

Comumente, os pacientes apresentam irregularidades no ritmo diário, dificuldade de adaptar-se à rotina familiar ou de trabalho, além de alterações do sono como insônia, hipersonia ou diminuição da necessidade de sono. Além disso, com frequência, há uma variação diurna ou sazonal dos níveis de energia. Déficits na atenção, no aprendizado verbal e na função executiva são alterações comuns e parecem piorar com o tempo de doença e o número de episódios.[12] Entre as repercussões sistêmicas do TB, a obesidade, as doenças cardiovasculares, os eventos cerebrovasculares e o diabetes melito destacam-se por uma prevalência mais alta nessa população do que na população geral. A prevalência de diabetes melito chega a ser 3 vezes maior em indivíduos com TB quando comparados à população geral.[5,7] O TB tem sido associado à obesidade,[6] independentemente do peso pré-mórbido autorrelatado.[1,13]

Essa nova caracterização dos sintomas parte do princípio de que o TB é multissistêmico, tendo alterações em vários domínios que não estão presentes apenas durante os episódios maníacos ou depressivos, mas que perduram nos períodos entre os episódios, contribuindo para o prognóstico em longo prazo. Nessa nova abordagem, quadros alimentares, cognitivos, sintomas ansiosos, abuso de substâncias e até mesmo o comprometimento clínico podem não ser entidades separadas ou comorbidades, mas sim fazer parte do TB,[14] devendo, assim, ser incluídos no planejamento terapêutico.

## Avaliação diagnóstica inicial para transtorno bipolar[1]

### Quem deve ser investigado?

→ Pacientes com sintomas depressivos ou ansiosos com história de impulsividade, abuso de substâncias, irritabilidade ou humor elevado (indícios de sintomas maníacos ou hipomaníacos).
→ Pacientes com depressão ou ansiedade e com pobre resposta ao tratamento ou refratariedade.
→ Considerar um transtorno de humor subjacente em pacientes apresentando sintomas somáticos vagos/inespecíficos e/ou sintomatologia vegetativa reversa (p. ex., hiperfagia e hipersonia).

### Como investigar?

→ Ouvir o relato espontâneo das queixas do paciente (e dos familiares).
→ Fazer perguntas abertas sobre os sintomas de depressão e mania, complementando com perguntas diretas para extrair do paciente informações como duração dos sintomas do episódio atual, duração de episódios prévios, e se causaram prejuízo na vida funcional ou social do paciente.
→ Sempre perguntar sobre ideação suicida.
→ Perguntar sobre sintomas psicóticos.
→ Perguntar sobre história familiar de transtornos psiquiátricos.

→ Entrevistar familiares ou amigos a respeito de episódios prévios de mania ou hipomania.

### Diagnósticos alternativos a serem considerados

→ Condições médicas que podem produzir sintomas similares (ver tópico Outros Diagnósticos Diferenciais, adiante).
→ Uso e abuso de álcool ou outras substâncias.
→ Uso de medicamentos que podem produzir sintomas similares (ver tópico Outros Diagnósticos Diferenciais, adiante).

Nas situações em que a entrevista direta traz informações limitadas, estas devem ser obtidas com a família, amigos ou mesmo a partir do prontuário médico.[1]

Recentemente foi validado para a língua portuguesa o questionário de transtornos do humor (TABELA 172.1),[15] um instrumento para a identificação de sintomas suspeitos do TB, bastante recomendado e com potencial utilidade para o clínico de atenção básica, que consiste em 13 questões. Esse instrumento não tem o objetivo de estabelecer o diagnóstico, mas sim indicar que a suspeita de TB deve ser investigada. Em uma validação do instrumento na população brasileira, é sugerido o ponto de corte de 8 ou mais itens positivos como indicador de que TB é provável, com sensibilidade de 0,91, especificidade de 0,7 e valor preditivo positivo de 0,82.[15]

Por fim, é importante certificar-se de que os sintomas ocorreram em um mesmo momento da vida do paciente, e que afetaram seu funcionamento geral.[1,15]

# DIAGNÓSTICO DIFERENCIAL

## Depressão unipolar

A confusão entre a depressão do transtorno depressivo maior (unipolar) e a depressão do TB é um dos maiores problemas de diagnóstico diferencial nos transtornos de humor. Estima-se que até metade dos casos sejam diagnosticados equivocadamente. O fato de mais da metade dos casos de TB iniciar com um episódio depressivo, a dificuldade em identificar episódios hipomaníacos ou maníacos no passado e a avaliação apenas transversal – e não longitudinal – da doença do paciente são fatores que favorecem os vieses diagnósticos. A identificação de características sugestivas de bipolaridade, além dos sintomas maníacos, pode permitir maior acurácia no diagnóstico, como descrito na TABELA 172.2.[16]

## Transtorno de personalidade *borderline*

A definição do transtorno de personalidade *borderline* surgiu a partir de 1930, quando psiquiatras clínicos descreveram pacientes que não eram tão doentes a ponto de receber um diagnóstico de psicose, mas tinham características de personalidade muito perturbadas para submeterem-se à psicanálise clássica. Esses pacientes, com diversos prejuízos no funcionamento, nas relações interpessoais, no planejamento executivo de forma realista, com dificuldade de controle de impulsos e instabilidade afetiva, acabavam ficando na fronteira entre os sintomas psicóticos e neuróticos.

Apesar de o TB e o transtorno de personalidade *borderline* serem diagnosticados de forma distinta,[8,9] um grande número de aspectos fenomenológicos em comum favorece a confusão entre esses dois diagnósticos. Essa confusão aumenta em relação ao TBII, em que episódios clássicos de mania estão ausentes. A instabilidade afetiva e a impulsividade são características centrais dos dois transtornos, mas a natureza e o curso desses sintomas são diferentes. A dificuldade em controlar a raiva, presente no transtorno de personalidade *borderline*, também pode ser confundida com a irritabilidade de um episódio maníaco. A instabilidade das relações interpessoais, comum a ambos, também é uma característica do transtorno de personalidade *borderline*

**TABELA 172.1** → Questionário de transtornos do humor

| Já ocorreu algum período na sua vida em que seu jeito de ser mudou? E que... |
|---|
| ... você se sentia tão bem ou tão para cima a ponto de as outras pessoas pensarem que você não estava no seu jeito normal, ou estava tão para cima a ponto de se envolver em problemas? |
| ... você ficava tão irritado a ponto de gritar com as pessoas ou começava brigas e discussões? |
| ... você se sentia muito mais confiante em si mesmo do que o normal? |
| ... você dormia menos do que de costume e nem sequer sentia falta do sono? |
| ... você falava muito mais ou falava mais rápido que o seu normal? |
| ... os pensamentos corriam rapidamente em sua cabeça ou você não conseguia acalmar sua mente? |
| ... você se distraía com tanta facilidade com as coisas ao seu redor, a ponto de ter dificuldade em manter a concentração ou o foco em uma atividade? |
| ... você se sentia com muito mais energia que o seu normal? |
| ... você ficava mais sociável com as pessoas e mais expansivo que o seu normal, por exemplo, telefonava para os amigos no meio da noite? |
| ... você ficava mais interessado em sexo que o normal? |
| ... você fazia coisas que não eram comuns para você ou que faziam outras pessoas pensarem que você era exagerado, bobo ou se arriscava mais? |
| ... gastar dinheiro causava problemas para você ou para sua família? |

**TABELA 172.2** → Características de episódios depressivos que indicam alto risco para transtorno bipolar

| MAIOR PROBABILIDADE PARA O DIAGNÓSTICO DE DEPRESSÃO BIPOLAR (5 OU MAIS CARACTERÍSTICAS PRESENTES) | MAIOR PROBABILIDADE PARA O DIAGNÓSTICO DE DEPRESSÃO UNIPOLAR (4 OU MAIS CARACTERÍSTICAS PRESENTES) |
|---|---|
| Hipersonia e/ou maior tempo dormindo durante o dia | Insônia inicial/redução do sono |
| Hiperfagia e/ou aumento de peso | Perda de peso e/ou do apetite |
| Outros sintomas atípicos de depressão | |
| Retardo psicomotor | Atividade cognitiva normal |
| Sintomas psicóticos | Queixas somáticas |
| Labilidade afetiva/sintomas maníacos | |
| Início precoce do primeiro episódio (< 25 anos) ou no puerpério | Início tardio do primeiro episódio (> 25 anos) |
| Múltiplos episódios prévios (≥ 5) | Longa duração do episódio atual (> 6 meses) |
| História familiar positiva de transtorno bipolar | História familiar negativa de transtorno bipolar |
| Refratariedade ao tratamento antidepressivo | |

Fonte: Adaptada de Mitchell e colaboradores.[16]

comumente atribuída de forma inadequada ao TB, e vice-versa.[17] Na **TABELA 172.3**, estão demonstradas diferenças úteis na distinção dessas patologias.[1] A principal ferramenta para diagnóstico diferencial entre os dois transtornos é a observação longitudinal do fenômeno e o entendimento de que o transtorno de personalidade tende a uma apresentação mais gradual ao longo do desenvolvimento, enquanto o TB apresenta-se de forma mais episódica. No entanto, é importante ressaltar que estes não são diagnósticos excludentes. Ao contrário, a alta taxa de comorbidade entre transtorno de personalidade *borderline* e TB é um alerta para que sejam considerados no mesmo paciente e avaliados cuidadosamente, pois os sintomas de um podem estar piorando a apresentação do outro transtorno.

## Outros diagnósticos diferenciais

Outros transtornos podem ter apresentações que, em uma avaliação transversal, podem mimetizar o TB.

**Condições médicas gerais, como esclerose múltipla, hipotireoidismo, hipertireoidismo, deficiência de folato e vitamina $B_{12}$, acidente vascular cerebral, lesões expansivas de lobos frontal e temporal, epilepsias temporais, encefalites, lúpus, uso agudo de corticoide, síndrome da imunodeficiência adquirida, neurossífilis, câncer de cabeça de pâncreas, doenças de depósito (hemocromatose) ou síndromes urêmicas, podem induzir ou mimetizar sintomas de humor.**

Nesses casos, a presença de alterações neurológicas e imunes deve ser observada. Além disso, esses quadros diferenciam-se do TB, pois os sintomas coincidem com o início da doença clínica.

Substâncias, medicamentos ou drogas ilícitas também podem induzir sintomas maníacos ou depressivos e, em geral, remitem com sua retirada. Os medicamentos mais associados ao comportamento semelhante à mania são os estimulantes e as anfetaminas – comumente identificados pelo paciente como "remédios para emagrecer". Mais recentemente, o uso de estimulantes também tem sido associado à busca de "melhora cognitiva ou foco", mesmo naqueles que não têm diagnóstico de déficit de atenção.

Transtornos psicóticos, como esquizofrenia, transtorno esquizoafetivo e transtornos delirantes, também podem ser confundidos com TB, pois os episódios de mania ou depressão não raras vezes cursam com sintomas psicóticos. Os estágios mais tardios do TB, com acentuada deterioração, também podem mimetizar esses quadros ou quadros demenciais. Entretanto, nesses transtornos, os sintomas psicóticos e a desorganização ocorrem mesmo na ausência de sintomas de humor. Além disso, sintomas prévios, idade de início, história familiar e os outros sintomas presentes no quadro auxiliam na diferenciação do diagnóstico.[1]

## MANEJO INICIAL

O manejo inicial de todos os casos começa com a avaliação adequada, que compreende formulação diagnóstica, avaliação de risco e segurança e uma breve investigação clínica inicial **(TABELA 172.4)**, e com o desenvolvimento de um plano terapêutico.[1]

O tratamento deverá envolver estratégias para alcançar a remissão dos sintomas de um episódio agudo de mania ou depressão, bem como a manutenção em longo prazo, visando otimizar o funcionamento social e ocupacional do paciente e a prevenção de recaídas.

**A farmacoterapia segue sendo, indiscutivelmente, a principal modalidade terapêutica. Porém, uma boa aliança terapêutica, alcançada pela formação do vínculo médico-paciente, é essencial para manter o paciente engajado no tratamento, evitando um dos principais fatores associados à deterioração, que é o abandono do tratamento. Além disso, a abordagem medicamentosa pode ser complementada por intervenções psicológicas ou psicoterápicas B.[2]**

No caso de episódio maníaco mais grave, a agitação psicomotora, os sintomas psicóticos e o comportamento hostil

**TABELA 172.3** → Diferenças relativas entre transtorno bipolar tipo II e transtorno de personalidade *borderline*

| TRANSTORNO BIPOLAR TIPO II | TRANSTORNO DE PERSONALIDADE *BORDERLINE* |
|---|---|
| Início na adolescência ou logo após os 20 anos | Sem início definido |
| Mudança observável e inequívoca de humor predominante | Geralmente não observável |
| Mudanças de humor espontâneas | Mudanças no humor quase exclusivamente precipitadas por fatores desencadeantes (internos ou externos; em geral, frustrações) |
| Mudanças de humor durante dias ou semanas | Mudanças de humor durante horas ou até dias (em geral, há associação temporal com mudança no fator desencadeante) |
| Alternâncias de humor eutímico para ansioso, deprimido, disfórico ou elevado; humor irritável ocorrendo mais comumente com uso de antidepressivos | Alternâncias de humor eutímico para ansioso, deprimido, disfórico ou irritável, mas humor elevado é raro |
| Egodistônico | Egossintônico |
| Impulsividade e comportamento de risco episódicos | Impulsividade e comportamento de risco crônicos |
| Comer compulsivo como parte de um episódio de depressão atípica | Várias alterações do comportamento alimentar como manifestação comum |
| Tentativas de suicídio relacionadas com episódio depressivo ou maníaco (proporcional à gravidade) | Comportamento suicida recorrente relacionado com sintomas depressivos e/ou precipitantes externos e internos (frustrações) |
| Automutilação é rara | Automutilação é comum |
| Confirmar "humor deprimido" como descritor do quadro | Confirmar "sentimento de vazio" como descritor do quadro |
| Não sente necessidade de sono | Sente-se muito excitado para conseguir dormir |
| Aceleração do pensamento associada a humor elevado ou induzida por antidepressivos | Aceleração do pensamento associada à ansiedade |
| História familiar confirmada de transtorno bipolar ou depressão recorrente | História familiar negativa para transtorno bipolar ou depressão recorrente. História de trauma precoce, abandono ou abuso e pouca estrutura familiar (vínculos pobres) |
| Boa resposta à farmacoterapia | Boa resposta à psicoterapia |

Fonte: Adaptada de Yatham e colaboradores.[1]

**TABELA 172.4** → Investigação clínico-laboratorial inicial no transtorno bipolar (TB)*

- → Hemograma completo
- → Glicemia de jejum
- → Perfil lipídico (colesterol total, triglicerídeos, colesterol LDL, colesterol HDL)
- → Eletrólitos
- → Enzimas hepáticas
- → Bilirrubina sérica
- → Tempo de protrombina
- → Exame qualitativo de urina
- → Creatinina sérica
- → Função tireoidiana (TSH)
- → Prolactina
- → Beta-hCG (se mulher em idade fértil)
- → Eletrocardiograma (> 40 anos, se indicado)
- → Considerar avaliação de diagnóstico diferenciais comuns: VDRL, FTA-ABS, HIV, $B_{12}$, LDH, ferritina

*A investigação laboratorial inicial no TB leva em consideração os principais diagnósticos diferenciais clínicos; o estabelecimento de um padrão basal para acompanhamento dos principais efeitos colaterais de medicamentos mais comumente utilizados (hiperprolactinemia, hepatotoxicidade, alteração da função renal, hipotireoidismo, agranulocitose); indicadores de segurança para uso de medicamentos como antipsicóticos, estabilizadores e alguns antidepressivos (eletrocardiograma, beta-hCG); e fatores associados ao TB e seu tratamento, como síndrome metabólica e diabetes melito.
Beta-hCG, fração beta da gonadotrofina coriônica humana; FTA-ABS, anticorpo treponêmico fluorescente, absorvido; HDL, lipoproteína de alta densidade; HIV, vírus da imunodeficiência humana; LDL, lipoproteína de baixa densidade; LDH, lactato-desidrogenase; TSH, hormônio estimulante da tireoide; VDRL, *Venereal Disease Research Laboratory*.
Fonte: Adaptada de Yatham e colaboradores.[1]

podem tornar a abordagem inicial mais difícil. Nesses casos, a segurança da equipe deve ser considerada, e o manejo da agitação psicomotora segue as recomendações usuais para os quadros psicóticos (ver Capítulo Psicoses). Em geral, há necessidade de contenção farmacológica, encaminhamento a uma emergência especializada e/ou hospitalização.

## TRATAMENTO MEDICAMENTOSO

A complexidade no tratamento do TB está associada ao fato de que, diferentemente da maioria das psicopatologias, seu manejo engloba pelo menos três fases diferentes no planejamento terapêutico, cada uma com diretrizes próprias: mania/hipomania, depressão, e manutenção. As comorbidades com ansiedade e abuso de substâncias também são frequentes e acrescentam mais um desafio.

Ainda que "estabilizadores do humor" sejam um termo muito utilizado quando pensamos em tratamento do TB, as diretrizes mais recentes[1] sugerem evitar o termo por gerar confusão após a descoberta de que os antipsicóticos atípicos também podem ser usados na manutenção (estabilizadores) do TB em monoterapia, ao mesmo tempo que podem ser tratamentos agudos para psicose, mania e depressão em alguns casos. Sugere-se o uso das classes farmacológicas, por exemplo, os anticonvulsivantes, os antipsicóticos, os antidepressivos e o lítio – este como categoria separada devido às suas propriedades únicas.[1] O lítio é o que melhor sintetiza a definição anterior de estabilizador do humor por ter eficácia na mania e em estados mistos, tratar depressão aguda bipolar, reduzir a frequência e/ou gravidade de recorrências maníacas e/ou depressivas, não piorar mania nem depressão,

e não induzir mudanças do humor nem ciclagem rápida. Mais recentemente, o divalproato (ácido valproico) e a quetiapina também demonstraram evidências de eficácia em todas as fases do tratamento do TB.[1]

Apresentações, doses e cuidados com os principais fármacos estão resumidos na **TABELA 172.5**.[2,18]

### Episódio depressivo

Apesar de o diagnóstico do TB ser definido pelos sintomas maníacos, os pacientes passam um terço de suas vidas em episódios depressivos no TBI e metade no TBII.[19,20] Em comparação com a mania, a farmacoterapia da depressão bipolar é mais complexa, e os dados que a embasam, menos claros.[2] A **FIGURA 172.3** apresenta o manejo inicial da depressão bipolar na forma de fluxograma.[1,21]

As diretrizes recentes contraindicam o uso de antidepressivos em monoterapia no TBI.[1] Isso se deve ao fato de que, com o uso do tratamento de manutenção (p. ex., lítio ou divalproato) em nível sérico adequado, reduz-se significativamente o risco de virada maníaca mesmo se houver uso concomitante de antidepressivos no TB, tornando-se semelhante ao grupo de tratamento de manutenção + placebo.[22]

O lítio está bem indicado na depressão bipolar, embora as evidências formais sejam escassas **C/D**.[1] No entanto, há evidência de seu papel na redução da mortalidade por todas as causas dessa população, incluindo suicídio **B**.[23] Na prática clínica, seu custo-benefício, disponibilidade no

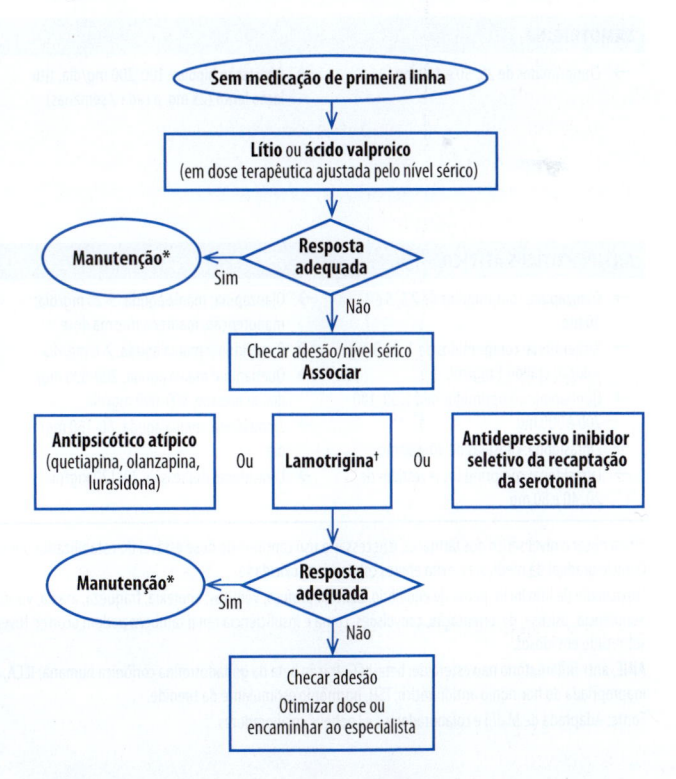

**FIGURA 172.3** → Fluxograma do manejo inicial da depressão bipolar em nível de atenção primária à saúde.
*Ver tópico Tratamento de Manutenção, neste capítulo.
†Atenção ao risco na interação entre lamotrigina e ácido valproico. É uma melhor opção quando associada ao lítio.
Fonte: Adaptada de Yatham[1] e American Psychiatric Association.[21]

**TABELA 172.5** → Medicamentos comumente utilizados no transtorno bipolar

| APRESENTAÇÃO | VARIAÇÃO DE DOSES E NÍVEL SÉRICO* | EFEITOS COLATERAIS | OBSERVAÇÕES |
|---|---|---|---|
| **CARBONATO DE LÍTIO** | | | |
| → Comprimidos de 300 e 450 mg | → Mania aguda: 300 mg, a cada 2 dias, até 900 mg; dosar nível sérico<br>→ Manutenção: ajuste de dose para manter nível sérico terapêutico (0,6-1,2 mEq/L)<br>→ A redução abrupta de mais de 0,2 mEq/L aumenta o risco de recaída | → Náuseas, vômitos, dor epigástrica, boca seca, gosto metálico, diarreia, ganho de peso, tremores finos, cansaço, cefaleia, exacerbação da psoríase e da acne, hipotireoidismo<br>→ O risco de toxicidade aumenta consideravelmente com nível sérico > 1,5 mEq/L[†] | → O nível sérico pode ser afetado por outros medicamentos (IECA, AINE) e depleção de sódio<br>→ Pode demorar de 6-8 semanas para surtir o efeito antidepressivo |
| | | | |

O carbonato de lítio, como fármaco ímpar, merece atenção especial quanto ao seu manejo. Antes de iniciá-lo, é importante realizar avaliação laboratorial de tireoide, função renal, eletrocardiograma, beta-hCG em mulheres férteis, e avaliação das medicações concomitantes. Inicia-se com 300 mg, aumentando 300 mg a cada 2-3 dias, conforme tolerância, até a dose de 600-900 mg/dia (podendo ser em dose única após o jantar, para melhor adesão). Em indivíduos com idade > 65 anos, pode-se iniciar com 150 mg e aumentar até 300-450 mg/dia e avaliar nível sérico, uma vez que o risco de intoxicação aumenta com a idade devido à queda da função renal. Recomenda-se ingesta adequada de líquidos. O nível sérico deve ser dosado após 5-7 dias de uso contínuo em dose estável, e intervalo de 10-12 horas da última tomada até a coleta do sangue (não necessita de jejum). Na fase aguda, o alvo é litemia de 0,8-1,2 mEq/L, na manutenção de 0,6-1 mEq/L. A toxicidade é maior com níveis > 1,5 mEq/L. Ajustar a dose de 300/300 mg, e nunca ultrapassar 2.100 mg/dia. Recomenda-se repetir a litemia no início do tratamento a cada 6-12 semanas, ou diante de ajustes de dose. Na manutenção, a litemia deve ser feita a cada 6 meses. Também se recomenda dosar ureia/creatinina a cada 3-6 meses, e TSH, cálcio sérico e peso em 6 meses e, depois, anualmente. Investigação de urina de 24 horas está recomendada na suspeita de diabetes insípido. O PTH pode ser útil em pacientes com uso de longo prazo com alterações no cálcio.

| | | | |
|---|---|---|---|
| **ÁCIDO VALPROICO** | | | |
| → Comprimidos de 250, 300 e 500 mg, também disponíveis em apresentações de liberação entérica<br>→ Cápsulas de 250 mg<br>→ Xarope de 50 mg/mL<br>→ Solução oral de 200 mg/mL | → Mania aguda: 250 mg, a cada 2 dias, até 750 mg; dosar nível sérico<br>→ Manutenção: 1.000-1.200 mg/dia; dividir doses<br>→ Nível terapêutico: 50-125 μg/mL | → Náuseas, vômitos, cólicas abdominais, anorexia, diarreia, indigestão, aumento do apetite, ganho de peso, sedação, tremores, queda de cabelo, trombocitopenia, elevação das transaminases | |
| **CARBAMAZEPINA** | | | |
| → Comprimidos de 200 e 400 mg<br>→ Suspensão a 2% (5 mL equivalem a 100 mg) | → Mania aguda: aumentar 200 mg, a cada 2 dias, até 600 mg; dosar nível sérico<br>→ Manutenção: 200-800 mg/dia<br>→ Níveis terapêuticos: 8-12 μg/mL | → Boca seca, vômitos, anorexia, constipação, dor abdominal, tonturas, cefaleia, ataxia, sonolência, visão borrada, *rash*<br>→ Raros: anemia aplástica, agranulocitose, SIADH, arritmias, hepatite | → Metabolizada pelo citocromo P450; pode afetar outros fármacos que atuam na mesma via (antidepressivos, anticonvulsivantes, risperidona, haloperidol) |
| **LAMOTRIGINA** | | | |
| → Comprimidos de 25, 50 e 100 mg | → Depressão bipolar: 100-200 mg/dia, titulação lenta (25 mg, a cada 2 semanas) | → Boca seca, náuseas, vômitos, diplopia, tonturas, ataxia, visão borrada, cefaleia, irritabilidade, sonolência, tremores, astenia, insônia, *rash* maculopapular, Stevens-Johnson, artralgia<br>→ Raros: falência hepática, discrasias sanguíneas, reações lúpus-*like* | → Para prevenir reações de pele, iniciar com baixas doses e aumentar lentamente |
| **ANTIPSICÓTICOS ATÍPICOS** | | | |
| → Olanzapina: comprimidos de 2,5, 5 e 10 mg<br>→ Risperidona: comprimidos de 1, 2 e 3 mg; solução oral de 1 mg/mL<br>→ Quetiapina: comprimidos de 25, 50, 100, 200 e 300 mg<br>→ Ziprasidona: cápsulas de 40 e 80 mg<br>→ Lurasidona: comprimidos revestidos de 20, 40 e 80 mg | → Olanzapina: mania aguda, 5-20 mg/dia; manutenção, manter a mesma dose<br>→ Risperidona: mania aguda, 2-6 mg/dia<br>→ Quetiapina: mania aguda, 200-800 mg/dia; depressão, 300-600 mg/dia<br>→ Ziprasidona: mania aguda, 80-160 mg/dia<br>→ Lurasidona: depressão, 20-120 mg/dia | → Ganho de peso, dislipidemia, hiperglicemia, hiperprolactinemia, tremores, acatisia, rigidez, distonia, constipação, boca seca, visão borrada, retenção urinária, sedação, aumento do apetite, disfunção sexual, hipotensão ortostática<br>→ Raros: síndrome neuroléptica maligna, convulsões, discinesia tardia, aumento do intervalo QT, discrasias sanguíneas | |

*Para dosar o nível sérico dos fármacos, é necessário uso contínuo de dose estável do estabilizador por pelo menos 5-7 dias, e intervalo de 12 horas da última tomada até o horário da coleta de sangue. O início gradual da medicação evita efeitos colaterais e toxicidade.

[†]Toxicidade de lítio inclui perda de equilíbrio, diarreia profusa, vômitos, anorexia, fraqueza, ataxia, visão borrada, zumbido, poliúria, tremor grosseiro, contrações musculares, irritabilidade e agitação. Sonolência, psicose, desorientação, convulsões, coma e insuficiência renal também podem ocorrer. Níveis séricos > 3,5 mEq/L são potencialmente fatais; a toxicidade pode ocorrer em níveis terapêuticos, sobretudo em idosos.

AINE, anti-inflamatório não esteroide; beta-hCG, fração beta da gonadotrofina coriônica humana; IECA, inibidor da enzima conversora da angiotensina; PTH, paratormônio; SIADH, síndrome da secreção inapropriada do hormônio antidiurético; TSH, hormônio estimulante da tireoide.

Fonte: Adaptada de Malhi e colaboradores,[2] e Loebel e colaboradores.[18]

sistema de saúde e menor risco de virada maníaca reforçam essa indicação. O ácido valproico também é uma opção. Em estudos mais recentes, mostrou ter boa resposta clínica (NNT = 4-5).[24,25] Isso é particularmente útil por sua versatilidade, baixo custo e disponibilidade na rede básica.

Além disso, a psicoeducação e a terapia cognitivo-comportamental (TCC) demonstram o melhor nível de evidência de eficácia entre as intervenções psicológicas e também podem ser empregadas, ainda que sempre de maneira adjunta ao tratamento medicamentoso, especialmente no TBI **B**.[1,22,26] A psicoeducação para o paciente e seus familiares deve ser iniciada o mais breve possível, pois atinge maior eficácia nos estágios iniciais do transtorno,[27] reduzindo o risco de recaídas (RRR de recaída = 34%) **B**.[28] Assim, o médico generalista pode iniciar esse processo com foco no uso correto dos medicamentos e boa adesão, identificação precoce de recaída de sintomas depressivos ou maníacos, boa higiene do sono e organização de rotinas, além da monitorização de exames para segurança.

Outros fármacos que demonstraram boa resposta clínica foram a quetiapina (NNT = 5-10 para 300 mg/dia, e NNT = 5-12 para 600 mg/dia) **B**,[29] a olanzapina (NNT = 11 em 6 semanas) **B**,[30] a lamotrigina (NNT = 11-12 para redução > 50% em escala de depressão) **B**,[31] e a carbamazepina **C/D**.[32] A lurasidona, um antipsicótico atípico que entrou mais recentemente no mercado, tem demonstrado bons resultados em monoterapia na redução dos sintomas depressivos e boa tolerabilidade (TE = 0,51; NNT = 5) **B**.[18,25,33] Isso já o colocou como primeira linha no tratamento da depressão bipolar, tanto em monoterapia quanto em associação ao lítio ou ao ácido valproico.[1] Infelizmente, é um medicamento que não está disponível na rede do Sistema Único de Saúde (SUS).

A associação de olanzapina e fluoxetina, para melhora de sintomas depressivos, mostrou-se levemente superior à lamotrigina (TE = 0,24)[34] e à olanzapina isoladamente (TE = 0,32) **B**,[35] mas as evidências são insuficientes para indicar seu uso rotineiro. As diretrizes rebaixaram a posição de recomendação da olanzapina para segunda linha, principalmente pelos riscos metabólicos e de diabetes devido ao potencial ganho de peso em médio prazo, ainda que demonstre boa eficácia.[1]

Alguns pacientes bipolares, especificamente aqueles com 4 ou mais episódios em 12 meses, não se beneficiam do uso adjunto de antidepressivos ou até notam piora de sintomas de angústia, ciclagem rápida e disforia **C/D**.[36,37] Estes responderiam melhor ao ajuste de estabilizadores como lítio, divalproato, lamotrigina ou antipsicóticos atípicos. No entanto, esse mesmo consenso identifica que alguns pacientes se beneficiam do tratamento com antidepressivos, especialmente quando os fármacos estabilizadores estão em níveis adequados.[1] A maioria dos estudos sugere pouca eficácia dos antidepressivos na depressão bipolar ou um TE pequeno, ainda que o risco de virada maníaca não tenha sido tão significativo quando no uso adjunto aos estabilizadores.[37] Há ensaios clínicos que demonstram que antidepressivos em combinação com tratamento de manutenção são pouco efetivos no tratamento dos sintomas depressivos no TB, reduzindo em 36% a ausência de resposta clínica (NNT = 5) **C/D** e em 17% a ausência de remissão dos sintomas (NNT = 9) **C/D** no período de 4 a 10 semanas. Os antidepressivos com maior experiência de uso em ensaios clínicos são a fluoxetina e a paroxetina, e a resposta clínica dos inibidores seletivos da recaptação da serotonina (ISRSs) é levemente superior à obtida com os antidepressivos tricíclicos **C/D**. Além disso, a ocorrência de virada maníaca é superior com os tricíclicos em relação aos demais antidepressivos **C/D**.[38] Na prática clínica, diante da complexidade do exposto anteriormente, a recomendação na depressão bipolar é de, primeiro, otimizar o tratamento de manutenção que o paciente já está usando, em relação ao nível sérico e às doses. Depois, sugere-se o início de um medicamento aprovado para depressão bipolar que não seja da classe dos antidepressivos e que o paciente não estava usando (p. ex., lítio, divalproato, quetiapina, lurasidona, lamotrigina). Então, se os sintomas persistirem e um antidepressivo for considerado, que seja um ISRS ou bupropiona e que, entre estes, aqueles com tempo de meia-vida mais curto (p. ex., sertralina, paroxetina ou escitalopram) sejam priorizados, pois, no caso de uma virada maníaca, o manejo/retirada fica mais fácil.

O manejo do risco de suicídio está detalhado no Capítulo Depressão.

## Episódio maníaco

Estudos avaliando o benefício do tratamento farmacológico na mania aguda são escassos e, em sua maioria, com pequeno número de participantes.

Entre os fármacos efetivos na redução das taxas de ausência de melhora no tratamento da mania, destacam-se o lítio (NNT = 5-8) **B**,[39] o haloperidol (RRR = 25%; NNT = 7) **B**, a carbamazepina (RRR = 34%; NNT = 4) **B** e o ácido valproico (RRR = 33%; NNT = 3) **B** (estes dois últimos com eficácia comparável ao lítio).[21,40,41] A cariprazina foi incluída como primeira linha no tratamento da mania, embora, em 2021, ainda não esteja disponível no Brasil.[1] A carbamazepina, por questões relacionadas à tolerabilidade, a eventos adversos e ao perfil de interações medicamentosas, tem seu uso limitado. Ela teve o pior desempenho entre todos os estabilizadores e antipsicóticos estudados em uma recente metanálise sobre tolerabilidade ao tratamento da mania aguda no TB, com NNH = 19 **B**.[42]

Antipsicóticos atípicos, como olanzapina, quetiapina, risperidona, aripiprazol e ziprasidona, também têm demonstrado bons resultados no tratamento da mania, apresentando taxas de melhora clínica 67% superiores ao placebo (TE = 0,45; NNT = 5) **B**, não havendo diferença entre os diversos medicamentos avaliados **C/D**. Esses fármacos também apresentam melhora de sintomas discretamente superior à dos estabilizadores do humor (TE = 0,26) **B**. Não há superioridade demonstrada dos antipsicóticos atípicos se comparados com os antipsicóticos típicos, como haloperidol **B**.[43]

> O tratamento com antipsicóticos atípicos associados ao lítio ou ao divalproato é mais eficaz do que os estabilizadores isoladamente, apresentando maiores taxas de resposta clínica (RC = 1,6) **B**. Logo, são recomendados principalmente em casos que exigem uma ação mais rápida (redução dos sintomas maníacos nos primeiros dias), devido aos riscos envolvidos na mania aguda (como risco de exposição, de acidentes, de autoagressão e de heteroagressão).[44]

Juntando esses dados, o manejo dos episódios de mania é apresentado na **FIGURA 172.4**.[1,21] Vale ressaltar que a mania aguda é diferente da agitação psicomotora. O manejo da agitação psicomotora nos episódios de mania é semelhante ao

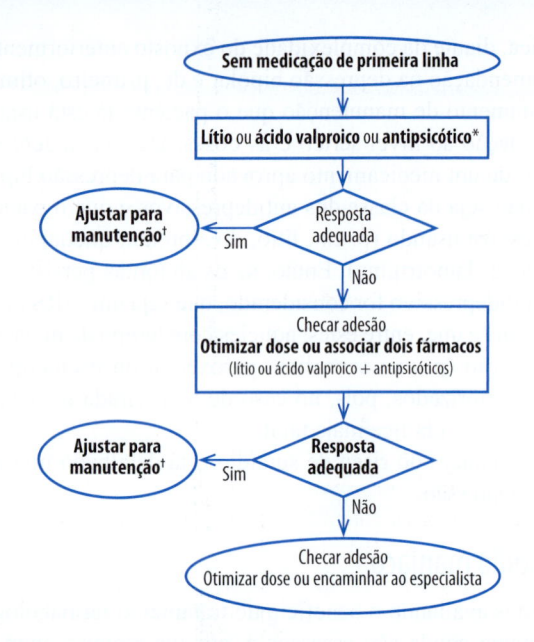

**FIGURA 172.4** → Fluxograma do manejo inicial da mania em nível de atenção primária à saúde.
*Em caso de necessidade de resposta mais rápida, em paciente com risco, já iniciar com a associação de lítio ou ácido valproico + antipsicótico. Os antipsicóticos com mais eficácia são: haloperidol, olanzapina, quetiapina, risperidona, aripiprazol e ziprasidona.
†Ver tópico Tratamento de Manutenção, neste capítulo.
Fonte: Adaptada de Yatham[1] e American Psychiatric Association.[21]

da agitação dos quadros psicóticos, e, em geral, esse manejo deve ser feito em ambiente de emergência (ver Capítulo Psicoses para o manejo da agitação psicomotora).

## Tratamento de manutenção

Na manutenção, o principal objetivo é a prevenção de recaídas. Idealmente, a monoterapia deve ser buscada, apesar de ser difícil atingi-la na prática clínica **C/D**.[2,13]

O carbonato de lítio ainda é o estabilizador de humor padrão-ouro na manutenção, reduzindo o risco de recidiva de mania (RRR = 48%) **B** e, de maneira menos potente, de depressão (RRR = 22%), e segue sendo recomendado em diretrizes de especialistas.[1,45,46] Ao lado do lítio, também estão recomendados como primeira linha no tratamento de manutenção do TB o divalproato **B** e a quetiapina **B**, com evidências consistentes de eficácia em todas as fases do TB.[1]

Há um aumento gradual nas evidências para uso de outros agentes na fase de manutenção do TB, com a capacidade de prevenir tanto episódios depressivos quanto maníacos. Especificamente na fase de manutenção, também apresentam eficácia o aripiprazol, a asenapina e a lamotrigina (previne apenas episódios depressivos). As diretrizes deixam, em segunda opção, a olanzapina e a carbamazepina, por razões de segurança, e a risperidona por um menor número de estudos, assim como a lurasidona.

É importante ressaltar que o risco de recaída em 1 ano do TB é alto e justifica, uma vez estabelecido o diagnóstico, a recomendação de tratamento de manutenção prolongado ou por décadas. No entanto, os ensaios clínicos randomizados oferecem tempo de acompanhamento relativamente limitado e podem não ser a única fonte de informação clinicamente útil, principalmente na avaliação da terapia de manutenção.

A primeira medida indicada na fase de manutenção é a descontinuação gradual de todos os agentes eventualmente utilizados como adjuvantes no manejo do episódio agudo e que não são indicados na manutenção – como benzodiazepínicos, antipsicóticos sedativos ou antipsicóticos típicos (que podem aumentar risco de recorrência depressiva) e antidepressivos – assim que não forem mais úteis ou já estiverem causando paraefeitos.[2] Essa regra não se aplica à associação de um antipsicótico atípico a lítio/valproato após um episódio maníaco. Terapia adjuvante com risperidona ou olanzapina a um estabilizador do humor (lítio ou ácido valproico) por 6 meses após um episódio maníaco é benéfica e reduz o risco de recaídas em qualquer polo (RRR = 47%) **B**.[47] Essa associação pode ou não ser mantida por mais tempo, dependendo da avaliação clínica, e variando caso a caso. Esquemas possíveis na manutenção encontram-se na **TABELA 172.6**.[1]

Nos quadros agudos, mas principalmente na manutenção, a monitorização do tratamento farmacológico é indispensável, já que, após um diagnóstico definido de TBI, o tratamento deverá ser de longo prazo, com evidências de que deve ser continuado ao longo de 20 anos ou por toda a vida. Recomendações desse manejo estão descritas na **TABELA 172.7**.[48]

## Episódios com características mistas

É importante identificar características mistas, pois podem alterar a recomendação de tratamento.[49] A **TABELA 172.8** lista as opções terapêuticas com maior evidência para os episódios com características mistas **C/D**.[1,49] A maioria das diretrizes sugere iniciar com antipsicótico atípico em monoterapia ou em associação com divalproato como primeira escolha para mania com características mistas.[49] Na depressão com

**TABELA 172.6** → Esquemas terapêuticos para o tratamento de manutenção do transtorno bipolar

| PRIMEIRA LINHA | SEGUNDA LINHA |
| --- | --- |
| **No TBI** | **No TBI** |
| → Lítio | → Olanzapina |
| → Quetiapina | → Carbamazepina |
| → Lamotrigina | → Risperidona (IM de depósito) |
| → Ácido valproico | → Paliperidona |
| → Aripiprazol | → Lítio + ácido valproico |
| → Lítio + quetiapina | → Lítio + carbamazepina |
| → Ácido valproico + quetiapina | → Lítio + risperidona |
| → Lítio + aripiprazol | → Lítio + lamotrigina |
| → Ácido valproico + aripiprazol | → Lítio ou ácido valproico + lurasidona |
| | → Lítio ou ácido valproico + olanzapina |
| | → Lítio ou ácido valproico + ziprasidona |
| **No TBII** | **No TBII** |
| → Quetiapina | → Lítio/ácido valproico/lamotrigina + antidepressivo (preferencialmente bupropiona, sertralina ou venlafaxina) |
| → Lítio | |
| → Lamotrigina | |

IM, intramuscular; TBI, transtorno bipolar tipo I; TBII, transtorno bipolar tipo II.
Fonte: Adaptada de Yatham e colaboradores.[1]

**TABELA 172.7** → Diretrizes de monitorização do tratamento de manutenção da International Society for Bipolar Disorders (ISBD)

| MONITORIZAÇÃO DO TRATAMENTO NO TRANSTORNO BIPOLAR | | |
|---|---|---|
| Todos os fármacos | \multicolumn{2}{l}{História médica pregressa: comorbidades clínicas (incluindo fatores de risco cardiovasculares), tabagismo, uso de álcool, gravidez/anticoncepção, história familiar de doenças cardiovasculares} | |
| | Dados de exames físico/complementares: circunferência abdominal, índice de massa corporal, pressão arterial, hemograma, eletrólitos, ureia, creatinina, função hepática, glicemia de jejum, perfil lipídico | |
| **FÁRMACO** | **INVESTIGAÇÃO PRÉVIA ESPECÍFICA** | **MONITORIZAÇÃO ESPECÍFICA NO ACOMPANHAMENTO** |
| Lítio | Hormônio estimulante da tireoide (TSH) Cálcio sérico | → Ureia/creatinina a cada 3-6 meses<br>→ TSH, cálcio sérico, peso em 6 meses e, depois, anualmente |
| Valproato/ácido valproico | História de doenças hematológicas ou hepáticas | → Peso, hemograma, função hepática, alterações da menstruação a cada 3 meses no primeiro ano; depois, anualmente<br>→ Orientação quanto à saúde óssea |
| Carbamazepina | História de doenças hematológicas ou hepáticas | → Hemograma, função hepática, creatinina, ureia e eletrólitos mensalmente por 3 meses; depois, anualmente<br>→ Revisar eficácia da contracepção oral<br>→ Alertar quanto a possíveis reações dermatológicas (cessar medicação e procurar emergência)<br>→ Orientação quanto à saúde óssea |
| Lamotrigina | Nenhuma | → Alertar quanto a possíveis reações dermatológicas (cessar medicação e procurar emergência) |
| Antipsicóticos atípicos | História familiar de doença cardiovascular, incluindo síndrome do QT longo congênito | → Peso: mensal por 3 meses; depois, a cada 3 meses<br>→ Pressão arterial e glicemia de jejum a cada 3 meses por 1 ano; depois, anualmente<br>→ Perfil lipídico: em 3 meses; depois, anualmente<br>→ Eletrocardiograma e prolactina quando clinicamente indicados |

Fonte: Adaptada de Ng e colaboradores.[48]

**TABELA 172.8** → Resumo das opções terapêuticas para quadros com características mistas

| Episódio de mania com características mistas | → Antipsicóticos atípicos (cariprazina, olanzapina, asenapina, ziprasidona, clozapina)<br>→ Valproato + antipsicóticos atípicos |
|---|---|
| Episódio depressivo com características mistas | → Antipsicóticos atípicos (lurasidona,* quetiapina,* cariprazina, olanzapina, olanzapina + fluoxetina, ziprasidona)<br>→ Lítio,* lamotrigina*<br>→ Menor número de estudos positivos: valproato, aripiprazol, asenapina |

*Dados obtidos a partir de análise secundária em estudos de depressão bipolar.
Fonte: Adaptada de Verdolini e colaboradores[49] e Yatham e colaboradores.[1]

características mistas, muitos dados são obtidos de ensaios para depressão bipolar e sugerem uso de antipsicóticos atípicos. Entre estes, aqueles com maior força de evidência são lurasidona, cariprazina e olanzapina, mas também há evidências para quetiapina, aripiprazol e ziprasidona. A escassez de estudos específicos para avaliar eficácia em episódios com características mistas dificulta a recomendação de tratamentos de primeira linha, e o uso das análises secundárias de outros estudos traz limitações, mas podem ajudar a guiar a decisão terapêutica.

## Outros tratamentos

O tratamento adjunto com benzodiazepínicos não está associado à melhora da eficácia dos tratamentos usuais para TBI e TBII, e esses remédios apresentam paraefeitos e riscos de abuso **B**. No entanto, clinicamente, o uso de benzodiazepínicos em curto prazo (p. ex., clonazepam, diazepam ou lorazepam) pode ser útil no manejo de sintomas ansiosos pontuais ou insônia recente, ou quando são necessários efeitos sedativos imediatos e o paciente não tolera doses maiores de antipsicóticos. Em geral, são retirados gradativamente assim que houver melhora desses sintomas.[2,50]

A eletroconvulsoterapia é eficaz tanto em pacientes com TBI quanto com TBII, nos diferentes episódios da doença, com melhora clínica mais rápida e com potencial de reduzir o número de fármacos para manutenção. Apresenta segurança para ser o tratamento de escolha em gestantes, dependendo do risco/benefício. Além disso, é utilizada na manutenção e na prevenção de recaídas, principalmente como tratamento alternativo de pacientes com TB resistente ou intolerantes a medicamentos e nos pacientes que tenham risco de suicídio com medicamentos.[51]

As psicoterapias são tratamentos complementares à farmacologia e são de grande utilidade, tendo como principais objetivos a melhora da adesão ao tratamento medicamentoso, o manejo de sintomas subsindrômicos e de estressores psicossociais, a prevenção de recorrências, e a melhora no relacionamento social e no desempenho laboral, a melhora na qualidade de vida e na identificação e manejo de distorções cognitivas e reações desadaptativas. Entre elas, destacam-se a psicoeducação (NNT = 3-9) **B**[52] e a TCC (TE [sintomas depressivos] = 0,49; RRR [recaída] = 49%) **B**.[53]

## COMORBIDADES

### Transtornos de ansiedade

Estudos clínicos e epidemiológicos já demonstraram a alta prevalência de sintomas ansiosos no TB, maior até do que aquela existente na depressão unipolar. Estes ocorrem tanto nos episódios maníacos como nos depressivos e nem sempre fecham critérios para um transtorno de ansiedade.[54] Segundo o National Comorbidity Survey Replication (NCS-R), os transtornos de ansiedade têm prevalência para a vida de 86,7% no TBI e 89,2% no TBII, sendo a comorbidade mais comum do TB.[55] Essa alta prevalência não diminui ao longo do tratamento, o que reflete o fato de o TB com ansiedade ser uma forma de transtorno mais resistente ao tratamento, levando a maiores taxas de dependência química, risco de suicídio e prejuízo cognitivo.[54]

Há possível benefício de tratamento com olanzapina, com TCC modificada **C/D**,[56,57] com a combinação olanzapina + fluoxetina **C/D**,[35,58] e com as combinações olanzapina + lítio e lamotrigina + lítio **C/D**.[59] O benefício da quetiapina é questionável **C/D**.[60]

## Transtornos por uso de substâncias

A comorbidade com transtornos por uso de substâncias é uma das mais altas do TB, atingindo 40% no TBII e 60% no TBI, sendo o álcool a mais prevalente (36% e 56%, respectivamente).[55]

As principais hipóteses levantadas para explicar esta coocorrência sugerem que:
→ o uso de substâncias ocorre como um sintoma do TB;
→ o uso de substâncias é uma tentativa de automedicação para alívio dos sintomas do TB;
→ o uso de substâncias desencadeia o TB;
→ o uso de substâncias e o TB dividem fatores de risco comuns.

Salienta-se que, na maioria dos pacientes com essa comorbidade, o início do uso de substâncias se dá em decorrência de sintomas de humor e ansiedade, ou para manter a sensação de euforia e aumento de energia.[61]

As características mais importantes do curso do TB comórbido com transtorno de uso de substâncias incluem história familiar de TB de curso mais grave; início mais precoce da doença; mais recorrências, com mais dias de vida com doença; mais sintomas mistos e viradas de humor; mais comorbidades com transtornos de ansiedade; e maior impulsividade, comportamento mais violento, maior criminalidade e mais risco de suicídio.[61]

As melhores abordagens para essa população específica são aquelas envolvendo intervenções psicossociais combinadas com manejo farmacológico (ver Capítulo Drogas: Uso, Uso Nocivo e Dependência). No manejo farmacológico, a adição de valproato ao tratamento usual de pacientes com TB e alcoolismo mostrou redução nos padrões da ingesta alcoólica **C/D**.[62] Porém, não parece haver benefício específico de nenhum fármaco nas comorbidades com o uso de outras substâncias.[61]

## Transtornos alimentares

Pacientes com TB, em especial as mulheres, podem apresentar transtornos alimentares comórbidos, o que está associado a início mais precoce e curso mais severo do transtorno de humor. Cerca de 15% dos pacientes apresentam algum transtorno alimentar, sendo os mais frequentes compulsão alimentar (*binge eating*), bulimia e anorexia, respectivamente. As evidências disponíveis não demonstraram diferenças na presença de transtornos alimentares entre o TBI e o TBII.[63]

## Comorbidades clínicas

Existem várias causas que contribuem para a sobreposição entre o TB e as comorbidades clínicas. Pacientes com TB constituem um grupo de risco para inúmeros distúrbios médicos, que são frequentemente subdiagnosticados e deixados sem tratamento. Entre os fatores de risco comuns para doenças clínicas gerais, destacam-se dificuldade de organização para obter acesso aos cuidados de saúde primários e preventivos, baixo nível socioeconômico, pouca adesão aos tratamentos médicos, autocuidado deficiente, tabagismo, pouca atividade física, abuso de substâncias, comer compulsivo e alta ingesta calórica. Além disso, a atividade da doença afetiva está acoplada a uma hiperatividade do eixo hipotálamo-hipófise-suprarrenal e do sistema nervoso simpático, supressão do hormônio do crescimento (GH, do inglês *growth hormone*) e dos hormônios gonadais, e ineficiência da leptina.[64] A investigação laboratorial necessária está resumida na **TABELA 172.4**.[1]

Por outro lado, o tratamento medicamentoso utilizado no TB exerce uma ampla gama de efeitos colaterais sobre a saúde física, incluindo hipotireoidismo (lítio), diabetes melito e síndrome metabólica (antipsicóticos atípicos) e síndrome dos ovários policísticos (valproato).[64]

As taxas de mortalidade também são mais elevadas no TB do que na população em geral, basicamente devido ao suicídio. Entretanto, bipolares também apresentam mortalidade 84% maior por doenças cardiovasculares, 37% maior por doenças cerebrovasculares e 87% maior por acidentes. As taxas de mortalidade por todas as causas são maiores no TBI do que no TBII e na depressão unipolar. Essa diferença não é explicada pelas taxas de suicídio, mas sim por causas vasculares.[65]

## EVOLUÇÃO E CURSO

Ao contrário do que se pensava antes, o curso em longo prazo do TB mostra alto grau de comprometimento para alguns pacientes. A duração dos períodos de eutimia diminui progressivamente, conforme aumenta o número de episódios. Além disso, quanto maior o tempo de doença, pior a resposta desses pacientes ao tratamento, particularmente ao lítio. Estágios iniciais, com poucos episódios e/ou anos com o transtorno, podem apresentar períodos interepisódio completamente assintomáticos e sem quaisquer prejuízos no funcionamento social. Também respondem melhor ao manejo inicial, tendo prognóstico dependente da intervenção precoce, da adesão ao tratamento e do controle das comorbidades.

Estágios mais avançados do TB caracterizam-se por prejuízo da funcionalidade e das capacidades cognitivas, sendo os pacientes muitas vezes incapazes de trabalhar, ou até de viverem sozinhos sem um cuidador. Nesses estágios, os tratamentos requerem mais associações ou alternativas farmacológicas, e mais abordagens psicossociais, como hospitais-dia e Centros de Atenção Psicossocial (Caps).[11]

## ENCAMINHAMENTO

Como já foi dito, a farmacoterapia é a base do tratamento do transtorno bipolar, devendo ser direcionada à fase atual da doença. Os casos descritos a seguir deverão ser encaminhados para tratamento especializado (considerar avaliação em emergência psiquiátrica para risco de suicídio, agitação psicomotora, auto ou heteroagressividade, risco de exposição moral ou presença de sintomas psicóticos agudos):
→ riscos que não podem ser manejados na APS;
→ não resposta à terapia otimizada;
→ dúvida diagnóstica.

# REFERÊNCIAS

1. Yatham LN, Kennedy SH, Parikh SV, Schaffer A, Bond DJ, Frey BN, et al. Canadian Network for Mood and Anxiety Treatments (CANMAT) and International Society for Bipolar Disorders (ISBD) 2018 guidelines for the management of patients with bipolar disorder. Bipolar Disord. 2018;20(2):97-170.

2. Malhi GS, Adams D, Berk M. The pharmacological treatment of bipolar disorder in primary care. Med J Aust. 2010;193(S4):S24-30.

3. Merikangas KR, Jin R, He JP, Kessler RC, Lee S, Sampson NA, et al. Prevalence and correlates of bipolar spectrum disorder in the World Mental Health Survey Initiative. Arch Gen Psychiatry. 2011;68(3):241-51.

4. Moreno DH, Andrade LH. The lifetime prevalence, health services utilization and risk of suicide of bipolar spectrum subjects, including subthreshold categories in the São Paulo ECA study. J Affect Disord. 2005;87(2-3):231-41.

5. Kessler RC, Berglund P, Demler O, Jin R, Merikangas KR, Walters EE. Lifetime prevalence and age-of-onset distributions of DSM-IV disorders in the National Comorbidity Survey Replication. Arch Gen Psychiatry. 2005;62(6):593-602.

6. Regier DA, Farmer ME, Rae DS, Locke BZ, Keith SJ, Judd LL, et al. Comorbidity of mental disorders with alcohol and other drug abuse: results from the Epidemiologic Catchment Area (ECA) Study. JAMA. 1990;264(19):2511-8.

7. Schaffer A, Cairney J, Cheung A, Veldhuizen S, Levitt A. Community survey of bipolar disorder in Canada: lifetime prevalence and illness characteristics. Can J Psychiatry. 2006;51(1):9-16.

8. American Psychiatric Association. Manual diagnóstico e estatístico de transtornos mentais: DSM-5. 5.ed. Porto Alegre: Artmed; 2014.

9. American Psychiatric Association. Manual diagnóstico e estatístico de transtornos mentais: DSM-IV, texto revisado. 4.ed. Porto Alegre: Artmed; 2003.

10. Lara DR, Bisol LW, Ottoni GL, e Carvalho HW, Banerjee D, Golshan S, et al. Validation of the "rule of three", the "red sign" and temperament as behavioral markers of bipolar spectrum disorders in a large sample. J Affect Disord. 2015;183:195-204.

11. Kapczinski F, Magalhães PVS, Balanzá-Martinez V, Dias VV, Frangou S, Gama CS, et al. Staging systems in bipolar disorder: An International Society for Bipolar Disorders Task Force Report. Acta Psychiatr Scand. 2014;130(5):354-63.

12. Torres IJ, DeFreitas VG, DeFreitas CM, Kauer-Sant'Anna M, Bond DJ, Honer WG, et al. Neurocognitive functioning in patients with bipolar I disorder recently recovered from a first manic episode. J Clin Psychiatry. 2010;71(9):1234-42.

13. Goodwin GM, Haddad PM, Ferrier IN, Aronson JK, Barnes T, Cipriani A, et al. Evidence-based guidelines for treating bipolar disorder: Revised third edition recommendations from the British Association for Psychopharmacology. Psychopharmacol. 2016;30(6):495-553.

14. Soreca I, Frank E, Kupfer DJ. The phenomenology of bipolar disorder: what drives the high rate of medical burden and determines long-term prognosis? Depress Anxiety. 2009;26(1):73-82.

15. Castelo MS, Carvalho ER, Gerhard ES, Costa CMC, Ferreira ED, Carvalho AF. Validity of the mood disorder questionnaire in a Brazilian psychiatric population. Rev Bras Psiquiatr. 2010;32(4):424-8.

16. Mitchell PB, Goodwin GM, Johnson GF, Hirschfeld RMA. Diagnostic guidelines for bipolar depression: a probabilistic approach. Bipolar Disord. 2008;10(1 pt 2):144-52.

17. Ruggero CJ, Zimmerman M, Chelminski I, Young D. Borderline personality disorder and the misdiagnosis of bipolar disorder. J Psychiatr Res. 2010;44(6):405-8.

18. Loebel A, Cucchiaro J, Silva R, Kroger H, Hsu J, Sarma K, et al. Lurasidone monotherapy in the treatment of bipolar i depression: A randomized, double-blind, placebo-controlled study. Am J Psychiatry. 2014;171(2):160-8.

19. Judd LL, Akiskal HS, Schettler PJ, Endicott J, Maser J, Solomon DA, et al. The long-term natural history of the weekly symptomatic status of bipolar I disorder. Arch Gen Psychiatry. 2002;59(6):530-7.

20. Judd LL, Akiskal HS, Schettler PJ, Coryell W, Endicott J, Maser JD, et al. A prospective investigation of the natural history of the long-term weekly symptomatic status of bipolar II disorder. Arch Gen Psychiatry. 2003;60(3):261-9.

21. American Psychiatric Association. Practice guideline for the treatment of patients with bipolar disorder (revision). Am J Psychiatry. 2002;159(4S):1-50.

22. Van Lieshout RJ, MacQueen GM. Efficacy and acceptability of mood stabilisers in the treatment of acute bipolar depression: systematic review. Br J Psychiatry. 2010;196(4):266-73.

23. Toffol E, Hätönen T, Tanskanen A, Lönnqvist J, Wahlbeck K, Joffe G, et al. Lithium is associated with decrease in all-cause and suicide mortality in high-risk bipolar patients: a nationwide registry-based prospective cohort study. J Affect Disord. 2015;183:159-65.

24. Muzina DJ, Gao K, Kemp DE, Khalife S, Ganocy SJ, Chan PK, et al. Acute efficacy of divalproex sodium versus placebo in mood stabilizer-naive bipolar I or II depression: a double-blind, randomized, placebo-controlled trial. Clin Psychiatry. 2011;72(6):813-9.

25. Selle V, Schalkwijk S, Vázquez GH, Baldessarini RJ. Treatments for acute bipolar depression: Meta-analyses of placebo-controlled, monotherapy trials of anticonvulsants, lithium and antipsychotics. Pharmacopsychiatry. 2014;47(2):43-52.

26. National Institute for Health and Care Excellence. Bipolar disorder: assessment and management: guidance. London: NICE; 2014.

27. Reinares M, Pacchiarotti I, Solé B, Garcia-Estela A, Rosa A, Bonnín CM, et al. A prospective longitudinal study searching for predictors of response to group psychoeducation in bipolar disorder. J Affect Disord. 2020;274:1113-21.

28. Oud M, Mayo-Wilson E, Braidwood R, Schulte P, Jones SH, Morriss R, et al. Psychological interventions for adults with bipolar disorder: systematic review and meta-analysis. Br J Psychiatry. 2016;208(3):213-22.

29. Suttajit S, Srisurapanont M, Maneeton N, Maneeton B. Quetiapine for acute bipolar depression: a systematic review and meta-analysis. Drug Des Devel Ther. 2014;8:827-38.

30. Tohen M, McDonnell DP, Case M, Kanba S, Ha K, Fang YR, et al. Randomised, double-blind, placebo-controlled study of olanzapine in patients with bipolar i depression. Br J Psychiatry. 2012;201(5):376-82.

31. Geddes JR, Calabrese JR, Goodwin GM. Lamotrigine for treatment of bipolar depression: Independent meta-analysis and meta-regression of individual patient data from five randomised trials. Br J Psychiatry. 2009;194(1):4-9.

32. Grunze A, Amann BL, Grunze H. Efficacy of carbamazepine and its derivatives in the treatment of bipolar disorder. Medicina (Kaunas). 2021;57(5):433.

33. Ostacher M, Ng-Mak D, Patel P, Ntais D, Schlueter M, Loebel A. Lurasidone compared to other atypical antipsychotic monotherapies for bipolar depression: a systematic review and network meta-analysis. World J Biol Psychiatry. 2018;19(8):586-601.

34. Brown EB, McElroy SL, Keck PE, Deldar A, Adams DH, Tohen M, et al. A 7-week, randomized, double-blind trial of olanzapine/fluoxetine combination versus lamotrigine in the treatment of bipolar I depression. J Clin Psychiatry. 2006;67(7):1025-33.

35. Tohen M, Vieta E, Calabrese J, Ketter TA, Sachs G, Bowden C, et al. Efficacy of olanzapine and olanzapine-fluoxetine combination in the treatment of bipolar I depression. Arch Gen Psychiatry. 2003;60(11):1079-88.

36. Tada M, Uchida H, Mizushima J, Suzuki T, Mimura M, Nio S. Antidepressant dose and treatment response in bipolar depression: reanalysis of the Systematic Treatment Enhancement Program for Bipolar Disorder (STEP-BD) data. J Psychiatr Res. 2015;68:151-6.

37. El-Mallakh RS, Völinger PA, Ostacher MM, et al. Antidepressants worsen rapid-cycling course in bipolar depression: A STEP-BD randomized clinical trial. J Affect Disord. 2015;184:318-321.
38. Gijsman HJ, Geddes JR, Rendell JM, Nolen WA, Goodwin GM. Antidepressants for bipolar depression: A systematic review of randomized, controlled trials. Am J Psychiatry. 2004;161(9):1537-47.
39. McKnight RF, de La Motte de Broöns de Vauvert SJGN, Chesney E, Amit BH, Geddes J, Cipriani A. Lithium for acute mania. Cochrane Database Syst Rev. 2019;6(6):CD004048.
40. Ceron-Litvoc D, Soares BG, Geddes J, Litvoc J, de Lima MS. Comparison of carbamazepine and lithium in treatment of bipolar disorder: a systematic review of randomized controlled trials. Hum Psychopharmacol. 2009;24(1):19-28.
41. Jochim J, Rifkin-Zybutz RP, Geddes J, Cipriani A. Valproate for acute mania. Cochrane Database Syst Rev. 2019;10(10):CD004052.
42. Bai Y, Yang H, Chen G, Gao K. Acceptability of acute and maintenance pharmacotherapy of bipolar disorder: a systematic review of randomized, double-blind, placebo-controlled clinical trials. J Clin Psychopharmacol. 2020;40(2):167-79.
43. Smith LA, Cornelius V, Warnock A, Tacchi MJ, Taylor D. Pharmacological interventions for acute bipolar mania: A systematic review of randomized placebo-controlled trials. Bipolar Disord. 2007;9(6):551-60.
44. Glue P, Herbison P. Comparative efficacy and acceptability of combined antipsychotics and mood stabilizers versus individual drug classes for acute mania: network meta-analysis. Aust N Z J Psychiatry. 2015;49(12):1215-20.
45. Severus E, Taylor MJ, Sauer C, Pfennig A, Ritter P, Bauer M, et al. Lithium for prevention of mood episodes in bipolar disorders: systematic review and meta-analysis. Int J Bipolar Disord. 2014;2:15.
46. Miura T, Noma H, Furukawa TA, Mitsuyasu H, Tanaka S, Stockton S, et al. Comparative efficacy and tolerability of pharmacological treatments in the maintenance treatment of bipolar disorder: a systematic review and network meta-analysis. Lancet Psychiatry. 2014;1(5):351-9.
47. Yatham LN, Beaulieu S, Schaffer A, Kauer-Sant'Anna M, Kapczinski F, Lafer B, et al. Optimal duration of risperidone or olanzapine adjunctive therapy to mood stabilizer following remission of a manic episode: a CANMAT randomized double-blind trial. Molecular Psychiatry. 2016;21(8):1050-6.
48. Ng F, Mammen OK, Wilting I, Sachs GS, Ferrier IN, Cassidy F, et al. The International Society for Bipolar Disorders (ISBD) consensus guidelines for the safety monitoring of bipolar disorder treatments. Bipolar Disord. 2009;11(6):559-95.
49. Verdolini N, Hidalgo-Mazzei D, Murru A, Pacchiarotti I, Samalin L, Young AH, et al. Mixed states in bipolar and major depressive disorders: systematic review and quality appraisal of guidelines. Acta Psychiatr Scand. 2018;138(3):196-222.
50. Bobo WV, Reilly-Harrington NA, Ketter TA, Brody BD, Kinrys G, Kemp DE, et al. Effect of adjunctive benzodiazepines on clinical outcomes in lithium- or quetiapine-treated outpatients with bipolar i or II disorder: results from the Bipolar CHOICE trial. J Affect Disord. 2014;161:30-5.
51. Bahji A, Hawken ER, Sepehry AA, Cabrera CA, Vazquez G. ECT beyond unipolar major depression: systematic review and meta-analysis of electroconvulsive therapy in bipolar depression. Acta Psychiatr Scand. 2019;139(3):214-26.
52. Bond K, Anderson IM. Psychoeducation for relapse prevention in bipolar disorder: a systematic review of efficacy in randomized controlled trials. Bipolar Disord. 2015;17(4):349-62.
53. Chiang KJ, Tsai JC, Liu D, Lin CH, Chiu HL, Chou KR. Efficacy of cognitive-behavioral therapy in patients with bipolar disorder: a metaanalysis of randomized controlled trials. PLoS ONE. 2017;12(5):e0176849.
54. Kauer-Sant'Anna M, Flavio Kapczinski F, Vieta E. Epidemiology and management of anxiety in patients with bipolar disorder. CNS Drugs. 2009;23(11):953–64.
55. Merikangas KR, Akiskal HS, Angst J, Greenberg PE, Hirschfeld RM, Petukhova M, et al. Lifetime and 12-month prevalence of bipolar spectrum disorder in the national comorbidity survey replication. Arch Gen Psychiatry. 2007;64(5):543-52.
56. Chu CS, Stubbs B, Chen TY, Tang CH, Li DJ, Yang WC, et al. The effectiveness of adjunct mindfulness-based intervention in treatment of bipolar disorder: a systematic review and meta-analysis. J Affect Disord. 2018;225:234-45.
57. Seeberg I, Nielsen IB, Jørgensen CK, Eskestad ND, Miskowiak KW. Effects of psychological and pharmacological interventions on anxiety symptoms in patients with bipolar disorder in full or partial remission: a systematic review. J Affect Disord. 2021;279:31-45.
58. Weisler RH, Calabrese JR, Thase ME, Arvekvist R, Stening G, Paulsson B, et al. Efficacy of quetiapine monotherapy for the treatment of depressive episodes in bipolar I disorder: a post hoc analysis of combined results from 2 double-blind, randomized, placebo-controlled studies. J Clin Psychiatry. 2008;69(5):769-82.
59. Maina G, Albert U, Rosso G, Bogetto F. Olanzapine or lamotrigine addition to lithium in remitted bipolar disorder patients with anxiety disorder comorbidity: A randomized, single-blind, pilot study. J Clin Psychiatry. 2008;69(4):609-16.
60. Gao K, Wu R, Kemp DE, Chen J, Karberg E, Conroy C, et al. Efficacy and safety of quetiapine-XR as monotherapy or adjunctive therapy to a mood stabilizer in acute bipolar depression with generalized anxiety disorder and other comorbidities: a randomized, placebo-controlled trial. J Clin Psychiatry. 2014;75(10):1062-8.
61. Balanzá-Martínez V, Crespo-Facorro B, González-Pinto A, Vieta E. Bipolar disorder comorbid with alcohol use disorder: focus on neurocognitive correlates. Front Physiol. 2015;6:108.
62. Salloum IM, Cornelius JR, Daley DC, Kirisci L, Himmelhoch JM, Thase ME. Efficacy of valproate maintenance in patients with bipolar disorder and alcoholism. Arch Gen Psychiatry. 2005;62(1):37-45.
63. McElroy SL, Frye MA, Hellemann G, Altshuler L, Leverich GS, Suppes T, et al. Prevalence and correlates of eating disorders in 875 patients with bipolar disorder. J Affect Disord. 2011;128(3):191-8.
64. McIntyre RS, Konarski JZ, Soczynska JK, Wilkins K, Panjwani G, Bouffard B, et al. Medical comorbidity in bipolar disorder: Implications for functional outcomes and health service utilization. Psychiatr Serv. 2006;57(8):1140-4.
65. Goldstein BI, Baune BT, Bond DJ, Chen PH, Eyler L, Fagiolini A, Gomes F, et al. Call to action regarding the vascular-bipolar link: A report from the Vascular Task Force of the International Society for Bipolar Disorders. Bipolar Disord. 2020;22(5):440-60.

# Capítulo 173
## PSICOSES

Maria Helena P. P. Oliveira

Guilherme Nabuco Machado

A psicose pode ser caracterizada por alterações da percepção, do pensamento ou das crenças ou por experiência pessoal de distorção importante da realidade. Essa distorção pode ser considerada excitante, como em um episódio de mania, ou assustadora, como em uma psicose com conteúdo persecutório.[1] Manifesta-se principalmente por meio de delírios e alucinações.

**Delírios** são crenças falsas ou distorcidas, mantidas com grande convicção, mesmo havendo evidências contrárias.[2,3] Definir e diferenciar crenças não patológicas e delírios pode ser um desafio. **Crenças** são suposições sobre o mundo geradas de forma dinâmica e compartilhadas por grupos. Embora as crenças permeiem o nosso dia a dia com temas gerais, em algumas situações são mais perceptíveis, cristalizadas e mobilizam emoções, como crenças religiosas e político-ideológicas.[4] Alguns dos delírios mais frequentes na prática clínica estão relacionados na TABELA 173.1.

**Alucinações** são definidas como percepções sensoriais na ausência de estímulo externo correspondente.[5,6] A experiência alucinatória é comum em várias situações psicopatológicas (psicóticas ou não), neurológicas e na população geral. Explorar características específicas das alucinações nos diferentes contextos pode esclarecer se há necessidade de tratamento. Para tanto, deve-se levar em conta como a alucinação é interpretada pela pessoa, bem como o sofrimento provocado e o comprometimento funcional.[7]

Na psicose, as alucinações são mais vívidas, podendo ocorrer em qualquer modalidade sensorial. No entanto, as alucinações auditivas são as mais comuns. Frequentemente são percebidas como vozes diferentes do próprio pensamento. Em geral, têm conteúdo pejorativo sobre a pessoa, como "você não vale nada", ou dão comandos como "mate sua mãe".[5,6] Mesmo em contextos de sofrimento mental em que não há psicose, as experiências alucinatórias também podem ocorrer. A distinção entre uma alucinação psicótica e fenômenos clínicos similares não psicóticos nem sempre é fácil.[2,8] A TABELA 173.2 destaca regras gerais para essa diferenciação, porém, não absolutas.[8]

**TABELA 173.1** → Principais tipos de delírio

| TIPOS DE DELÍRIOS | CARACTERÍSTICAS |
|---|---|
| Persecutório | Crença de ser vítima de complô, ou de estar sendo perseguido por pessoas conhecidas ou desconhecidas; pode sentir-se espionado, ridicularizado ou traído, ficar com receio de ter sido envenenado, etc. |
| De grandeza | Crença de possuir poderes, talentos, conhecimentos ou habilidades especiais; acredita ser superior, dominado pela ideia de poder e grandeza; autoestima extremamente elevada |
| Místico ou religioso | Crença de ser um deus ou alguma figura mística; frequentemente apresenta aspecto de grandiosidade exacerbada |
| Interferência do pensamento | Crença de que as pessoas podem controlar e acessar seus pensamentos ou de que estes possam ser transmitidos |
| De referência | Crença de que eventos, objetos e fenômenos do cotidiano são direcionados ou ocorrem em função de si |
| Somático | Crença de que a aparência ou o funcionamento do corpo está anormal |

**TABELA 173.2** → Diferença entre alucinações psicóticas e não psicóticas

| ALUCINAÇÃO PSICÓTICA | ALUCINAÇÃO PROVAVELMENTE NÃO PSICÓTICA |
|---|---|
| → Vívida | → Pouco nítida |
| → Ausência de crítica | → Crítica preservada |
| → Vozes conversando entre si<br>→ Vozes de comando<br>→ Vozes comentando as ações do indivíduo, ecos do pensamento | → Vozes chamando o paciente<br>→ Vozes de entes queridos falecidos<br>→ Alucinações que ocorrem na transição sono-vigília |

Além das alucinações e dos delírios, as alterações do pensamento, o comportamento motor anormal e os sintomas negativos são facetas comuns às psicoses.[2,3,9] Suas principais características são:

→ **alteração da forma do pensamento (é percebida no discurso do paciente):** mudança de velocidade (bloqueio do pensamento, lentificação ou aceleração), associação ilógica das ideias (fuga de ideias, incoerência do pensamento, afrouxamento das associações), completa desagregação;
→ **comportamento motor anormal:** agitação, agressividade, estereotipias, catatonia;
→ **sintomas negativos:** expressão emocional reduzida, falta de motivação, empobrecimento do discurso, isolamento social.

Outro aspecto marcante é a crítica prejudicada. Essas características associadas tornam o envolvimento da pessoa com seu tratamento um grande desafio para a equipe de saúde.[1]

## PREVALÊNCIA E IMPACTO

Uma metanálise recente, com foco nos estudos de prevalência de transtornos psicóticos publicados desde 1990, mostrou grande variação de resultados, devido, principalmente, a diferenças metodológicas e a mudanças nas classificações diagnósticas. A estimativa (mediana combinada) de prevalência de transtornos psicóticos no mundo é de 7,49 a cada 1.000 pessoas ao longo da vida e de 4,03 a cada 1.000 nos últimos 12 meses.[10]

Pessoas com transtornos psicóticos têm maior risco de vivenciar situação de rua, violências e tentativas de suicídio. Além disso, têm maior risco de cometer atos de violência quando comparados com a população geral.[11] Apesar de ser considerada uma condição rara, a esquizofrenia, por exemplo, está entre os 20 principais adoecimentos que contribuem para anos vividos com incapacidade no mundo.[12]

## COMORBIDADES

Pessoas com transtorno psicótico e outras doenças mentais graves apresentam taxas desproporcionais de morbidade e mortalidade quando comparadas com a população geral. Tabagismo, obesidade, diabetes e doença cardiovascular são 2 a 3 vezes mais prevalentes em indivíduos com psicose. Nessa população, pode haver redução de 15 a 20 anos da expectativa de vida.[13]

A mortalidade prematura, nesses casos, parece estar relacionada ao estilo de vida com dieta pobre, uso excessivo de álcool e tabaco, sedentarismo, efeitos colaterais dos antipsicóticos (APs), comorbidades clínicas negligenciadas e câncer, bem como alto risco de suicídio e de acidentes.[14]

Atuar sobre as iniquidades vivenciadas pelas pessoas com psicose é fundamental. Para tanto, é necessária abordagem integral com intervenção assertiva nos sintomas psicóticos e com minimização dos efeitos colaterais, além do cuidado em relação às comorbidades e aos fatores de risco associados à doença.

A FIGURA 173.1 apresenta os fatores relacionados à morbimortalidade nos transtornos psicóticos.

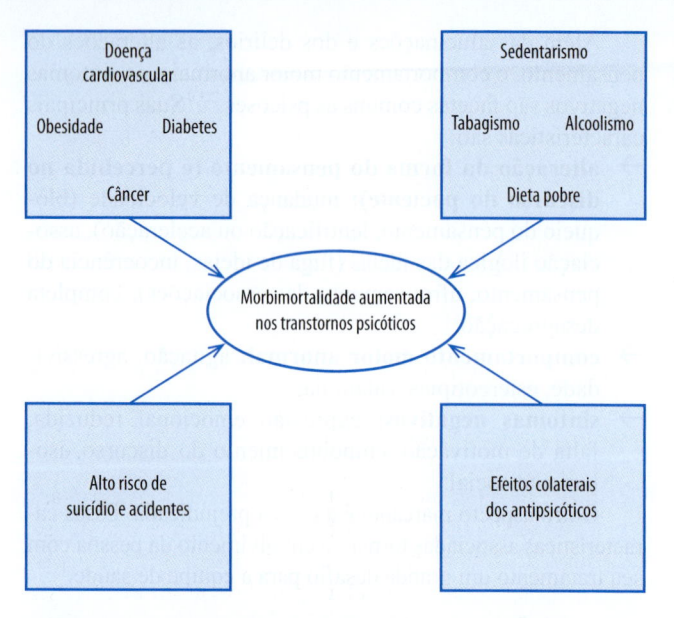

**FIGURA 173.1** → Fatores relacionados à morbimortalidade nos transtornos psicóticos.
Fonte: Adaptada de Henderson e colaboradores.[14]

**TABELA 173.3** → Principais transtornos psicóticos

| TRANSTORNO PSICÓTICO | APRESENTAÇÃO | COMO DIFERENCIAR |
|---|---|---|
| Transtorno de humor bipolar | Delírios e alucinações | Sintomas psicóticos durante episódio de mania |
| Esquizofrenia | Delírios e alucinações (principalmente auditivas), pensamento e/ou comportamento desorganizados | Duração > 6 meses, declínio funcional |
| Depressão com sintomas psicóticos | Delírios e alucinações | Sintomas psicóticos durante episódio depressivo |
| Transtorno delirante | Delírios | Sem impacto na funcionalidade, exceto pelo impacto do próprio delírio |
| Transtorno psicótico breve | Delírios e alucinações (principalmente auditivas), pensamento e/ou comportamento desorganizados | Duração < 1 mês |
| Psicose induzida por substâncias | Delírios e alucinações | Sintomas psicóticos que tenham relação temporal com intoxicação ou abstinência de substâncias psicoativas |
| Transtorno esquizoafetivo | Delírios e alucinações (principalmente auditivas), pensamento e/ou comportamento desorganizados | Sintomas psicóticos associados a sintomas de humor ocorrendo simultaneamente ou não |

## PSICOSE E AS CATEGORIAS DIAGNÓSTICAS

Apesar da frequente confusão, psicose não é sinônimo de esquizofrenia. A esquizofrenia representa cerca de 30% dos transtornos psicóticos, mas recebe quase 70% da produção de pesquisa sobre o tema.[15]

Tradicionalmente, os transtornos psicóticos são subdivididos nos manuais diagnósticos (*Manual diagnóstico e estatístico de transtornos mentais* [DSM] e *Classificação estatística internacional de doenças e problemas relacionados à saúde* [CID]). Os principais diagnósticos e suas características estão descritos na **TABELA 173.3**. Essa classificação é baseada em algumas diferenças clínicas nem sempre nítidas durante a avaliação do paciente na fase aguda.[11] É comum que um mesmo indivíduo receba diagnósticos diferentes, dependendo do momento em que é avaliado.[15]

Na prática clínica, essas fronteiras entre os diagnósticos são pouco nítidas. Há muito mais semelhanças do que diferenças entre o transtorno bipolar e a esquizofrenia; isso também pode ser dito sobre os outros transtornos psicóticos.[15]

Portanto, no cuidado de uma pessoa com psicose, a classificação diagnóstica imediata é pouco relevante. O diagnóstico será definido ao longo do tempo, com acompanhamento longitudinal, e, mesmo assim, muitos casos não se encaixam perfeitamente nas categorias diagnósticas existentes.

## AVALIAÇÃO

A formação de uma aliança terapêutica com um paciente apresentando sintomas de psicose exige que o médico perceba tanto as motivações quanto as limitações (cognitivas ou impostas pelos próprios sintomas psicóticos) do paciente para buscar ajuda. Agitação e desconfiança, por exemplo, são sinais importantes de serem identificados, mas comprometem a coleta inicial de dados. A extensão da primeira entrevista e o acesso a informações dependem do estado do paciente e da presença/colaboração de um acompanhante. Por isso, a entrevista no contexto de psicose demanda maleabilidade da equipe de saúde.[16]

Deve-se criar um ambiente em que o paciente se sinta à vontade e seguro. Antes mesmo da entrada no consultório, é possível observar a atitude, a aparência, a relação com os outros à sua volta e sinais de agitação. Como em qualquer consulta, deve-se estimular o paciente a falar sobre as suas demandas, não interrompendo inicialmente o seu discurso. O discurso livre pode ser uma peça fundamental para avaliar o pensamento e suas alterações.[17] Questionamentos sobre delírios e alucinações podem ter melhor colaboração do paciente quando tangenciais e indiretos. Perguntas como "Você tem a sensação de que as pessoas possam estar tramando algo contra você?" podem ser mais efetivas do que "Você está paranoico?".[17]

A presença de um familiar ou de uma pessoa que conheça o paciente é de extrema relevância, devendo ser buscada sempre que possível, pois aumenta a confiabilidade das informações levantadas, as quais são importantes para a definição de estratégias de apoio e tratamento. Por isso, pode ser útil que a equipe de saúde viabilize também um espaço de escuta reservado para o acompanhante, deixando-o à vontade para esclarecer dúvidas e compartilhar informações adicionais. A construção desse espaço de escuta deve ser cuidadosa para não exacerbar possíveis sintomas persecutórios do paciente.

Diante de um caso suspeito, os seguintes itens são importantes para definir uma intervenção inicial:[6,16-20]
→ confirmar a presença de psicose, buscando algum dos cinco sinais-chave: alucinações, delírios, pensamento desorganizado, comportamento motor desorganizado e/ou sintomas negativos;
→ identificar riscos:
  → agressividade: pergunta direta ou indireta ao paciente e a seus familiares sobre ideação ou comportamentos auto e heteroagressivos (Você está irritado? Pensa em bater nos outros? Chegou a bater em alguém?);
  → suicídio: pergunta direta ao paciente sobre ideação, planos ou tentativas;
→ investigar:
  → uso de substâncias: podem produzir impacto direto nos sintomas psicóticos, tanto no abuso quanto na abstinência. Está comumente associado à psicose;
  → *delirium* e demência: devem ser excluídos em idosos;
  → patologia intracraniana com exame de imagem apenas se apresentar sinais sugestivos (cefaleia, náuseas, vômitos, convulsões, início tardio de sintomas). Não solicitar rotineiramente, pois não influenciam ou alteram a conduta clínica;
→ avaliar a rede do paciente: a natureza da intervenção (hospitalização ou cuidado comunitário) depende diretamente da rede social do paciente. A rede permite maior continência emocional e supre necessidades práticas de intervenção durante o processo de recuperação.

Outras avaliações são igualmente relevantes, mas podem ser realizadas ou aprofundadas ao longo do acompanhamento do paciente e sua família. Essa avaliação mais minuciosa realizada longitudinalmente tem como objetivo obter informações sobre a história do desenvolvimento dos sintomas e seu impacto no indivíduo e em sua família, além de avaliar as estratégias já utilizadas para lidar com o adoecimento. Permite ampliar o olhar sobre os aspectos físicos, mentais e sociais do indivíduo.[19,21] Portanto, essa avaliação longitudinal deve explorar:
→ história do primeiro episódio de psicose (duração e desencadeantes): a duração desse episódio sem tratamento tem fator prognóstico;
→ funcionalidade e autonomia do indivíduo (acadêmica, laboral e social): permitem avaliar a gravidade e o impacto da doença;
→ comorbidades clínicas e história de saúde mental;
→ revisão de tratamentos realizados anteriormente (medicamento, dose, duração, efeitos colaterais, resposta terapêutica, adesão): pode ser de grande valia na definição de uma nova terapia;
→ avaliação contínua de riscos (agressividade e suicídio) e uso de substâncias.

Os sintomas psicóticos propriamente ditos podem ser acompanhados no início e ao longo do tratamento e reavaliados quanto à intensidade, por meio da escala de Gravidade das Dimensões de Sintomas de Psicose Avaliada pelo Clínico, presente na seção III do DSM-5.[5] Essa escala permite registrar o nível de comprometimento dos pacientes quanto a alucinações, delírios, discurso desorganizado, comportamento psicomotor anormal, sintomas negativos, cognição prejudicada, depressão e mania.[22] Portanto, pode servir como parâmetro para avaliação de resposta ao tratamento.

## PRIMEIRO EPISÓDIO E INTERVENÇÃO PRECOCE

Ao longo dos últimos 30 anos, o reconhecimento precoce de episódios psicóticos tem sido um foco primordial de pesquisas e de organização do cuidado.[23] O primeiro episódio de psicose (PEP) é acompanhado por medo, confusão e uma ruptura no funcionamento anterior do paciente e da família.[24]

Comumente ocorre importante demora entre o início da apresentação de sintomas e a identificação do PEP, provocando atraso no início do tratamento.[25] Antes do PEP, existe uma fase prolongada de sintomas inespecíficos, sintomas psicóticos atenuados e prejuízo funcional, conhecida como a fase de pródromos. Existem sintomas prodrômicos comuns a vários transtornos mentais, e não exclusivamente para psicose. Essa falta de especificidade dos sintomas dificulta o diagnóstico e a intervenção.[23,26]

A fase de pródromos não deve ser entendida como um diagnóstico, mas como um período de identificação de risco. Esse grupo de pacientes, quando identificado, deve ser acompanhado atentamente pela equipe de saúde. Em geral, são adolescentes e adultos jovens que chegam ao serviço de saúde trazidos pela família ou pela escola, ou até mesmo encaminhados pelo sistema de justiça, pela assistência social e por entidades religiosas.[27] São sinais de alerta:[23,28]
→ manifestações psicóticas subclínicas, no último ano, como crenças supervalorizadas e alterações da sensopercepção;
→ episódio psicótico franco com duração < 1 semana;
→ história familiar de transtorno psicótico (parente de primeiro grau);
→ traços de isolamento social ou comportamentos socialmente pouco adaptados (crenças, pensamentos e percepções não compartilhadas socialmente);
→ história de prejuízo funcional recente ou crônico.

O acompanhamento dos pacientes em risco para desenvolvimento de psicose (pródromos) mostrou que, no acompanhamento de 3 anos, cerca de 22% apresentaram o PEP propriamente dito.[23]

O curso da doença a partir de um episódio inicial é imprevisível. Os desfechos variam desde remissão precoce sustentada até psicoses refratárias a APs. No entanto, a maioria dos pacientes que apresentam um episódio inicial de psicose terá um curso episódico da doença. A frequência dos episódios, o número e os tipos de sintomas apresentados variam, bem como a gravidade do prejuízo funcional.[11,29,30]

Tomando a esquizofrenia como o protótipo do transtorno psicótico, a **FIGURA 173.2** apresenta a história natural da doença e a importância da identificação e do tratamento precoces.

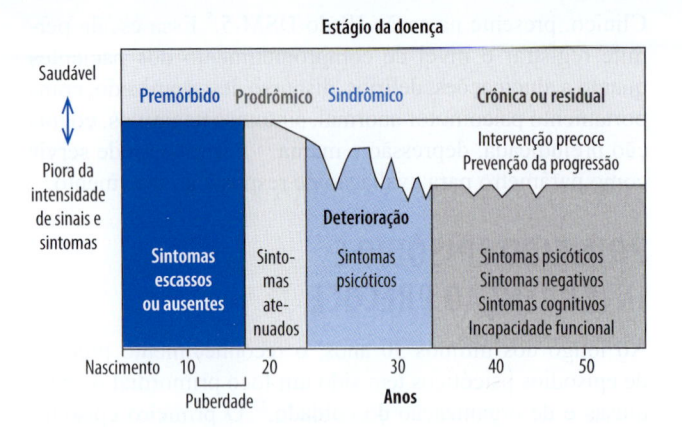

**FIGURA 173.2** → Estágios da psicose tomando como modelo clínico a esquizofrenia.
Fonte: Adaptada de Lieberman e First.[11]

O período de psicose não tratada (PPNT) – tempo entre a eclosão do episódio psicótico e o início do tratamento efetivo – tem importante impacto na vida do paciente e de seus familiares. Diversas metanálises demonstraram evidências da associação entre longo PPNT e pior prognóstico.[25]

O tratamento nos estágios iniciais da doença, o mais próximo possível do PEP, diminui a duração do episódio, reduz a chance de recaídas e impede a progressão do declínio funcional C/D.[11,31] Assim, a intervenção precoce, reduzindo o PPNT, é desejável,[32] estando o médico da atenção primária à saúde (APS) em posição privilegiada para isso.

A intervenção precoce pode melhorar o desfecho de um PEP pelos seguintes mecanismos:[33]
→ redução do PPNT;
→ melhor resposta ao tratamento;
→ aumento da funcionalidade e das habilidades sociais;
→ redução de demanda para os familiares;
→ proteção e tratamento do uso abusivo de substâncias;
→ prevenção secundária para o avanço da doença.

> Cada novo episódio de psicose é traumático por si só, reforçando a necessidade de assertividade no tratamento do PEP e de evitar episódios subsequentes. Para muitos pacientes, a repetição de recaídas implica progressivo declínio funcional e social. Além disso, os próprios sintomas psicóticos podem tornar-se mais persistentes e menos responsivos ao tratamento.[1]

## CUIDADO COMUNITÁRIO

Anteriormente à reforma psiquiátrica brasileira, processo iniciado no final dos anos 1970, pessoas com psicose (e outros adoecimentos mentais crônicos) eram internadas em hospitais psiquiátricos/manicômios. Estes eram caracterizados por baixa qualidade dos cuidados, utilizando o isolamento como estratégia terapêutica, e pela ocorrência frequente de violações dos direitos humanos.[34,35]

Com a desinstitucionalização, em que o modelo manicomial foi alterado para um modelo de cuidados comunitários, o papel dos serviços de saúde e dos familiares no cuidado da pessoa com sofrimento mental também passou por modificações. As pessoas institucionalizadas voltam a viver com suas famílias, tornando os familiares responsáveis por acompanhar a administração dos medicamentos, por lidar com os sintomas e por coordenar suas atividades cotidianas. Nesse contexto, a atuação longitudinal, interdisciplinar e intersetorial das equipes de APS ganham maior relevância para otimizar esse cuidado.[36]

A partir de programas existentes em outros países, é possível pensar nos requisitos de um cuidado comunitário exitoso, mesmo que em arranjos variados, dependendo da disponibilidade de serviços em cada território. Os atributos seriam:[21]
→ planejamento do tratamento para todas as fases da doença;
→ oferta de várias intervenções (familiar, psicoterapia, terapia ocupacional);
→ busca ativa e verificação de adesão;
→ intervenção em crise, para evitar hospitalização;
→ hospitalização, quando necessária e inevitável;
→ programas de emprego e moradia.

Os profissionais da APS estão em posição privilegiada para a identificação dos casos e coordenação do cuidado, em função do conhecimento prévio da comunidade e do território, além da história de saúde e do contexto sociocultural das famílias.[37]

## ABORDAGENS TERAPÊUTICAS

Os transtornos psicóticos manifestam-se em fases diferentes, exigindo, do sistema de saúde, cuidados específicos desenhados para cada etapa da doença. O objetivo da intervenção deve ser a recuperação do indivíduo. De forma abrangente, a recuperação pode ser definida como a capacidade de viver e desenvolver-se, apesar das limitações provocadas pela doença. Outra forma mais objetiva de caracterizar a recuperação envolve melhora sintomática e funcional.[21]

É fundamental que os serviços ofertados evitem barreiras de acesso e não reforcem estigmas. A internação é um recurso importante, por vezes inevitável, e deve ser usada com cautela. Também é uma recomendação primordial que o cuidado de pessoas com psicose inclua o cuidado da família como um todo.[21]

É importante ressaltar que as intervenções psicossociais e psicoterápicas não substituem o tratamento medicamentoso. Elas são importantes ferramentas que se somam aos medicamentos na obtenção de melhores resultados.[38] A psicoeducação deve atravessar todos os processos e momentos de tratamento do indivíduo.

Em resumo, os objetivos do tratamento são: remissão dos sintomas, desenvolvimento da autonomia (estudo, trabalho, moradia, renda, etc.) e fortalecimento de redes sociais.

### Psicoeducação

A psicoeducação pode ser considerada a base de todo cuidado em saúde mental. Relaciona-se à maior adesão ao tratamento e à diminuição das recaídas nos transtornos mentais graves, incluindo as psicoses.[39] Objetiva validar o sofrimento mental vivenciado e compartilhar informações sobre a doença para o paciente e seus familiares, de forma efetiva e acessível.[40,41] Muitas vezes, a rede do paciente não é a família, mas sim a vizinhança ou os colegas de trabalho. Também é necessário incluir essas pessoas no plano de psicoeducação, com o cuidado de não expor o paciente, evitando hostilização e estigmatização em contextos de crise.

Como discutido adiante neste capítulo, a adesão ao tratamento costuma ser um grande desafio nos quadros de psicose, e a psicoeducação é um componente fundamental para o sucesso terapêutico.[42] No entanto, sabe-se que, em função da distorção da realidade que os indivíduos com psicose frequentemente vivenciam, a realização da psicoeducação deve ser especialmente adaptada ao contexto. No momento de crise, por exemplo, o próprio paciente pode não identificar a necessidade de tratamento, e confrontá-lo pode comprometer o vínculo e a adesão. Por outro lado, nesses casos, a psicoeducação com os familiares torna-se ainda mais importante para assegurar a adesão ao tratamento. À medida que o paciente apresenta melhora, pode-se progressivamente otimizar a psicoeducação, pois o indivíduo terá melhor condição de assimilação.

Modelos de psicoeducação direcionados aos familiares diminuem a taxa de recaída em 7 a 12 meses (RRR = 0,45; NNT = 6-8), o risco de internação (RRR = 0,22; NNT = 7-124) e a não adesão (RRR = 40%; NNT = 5-9).[43] Existem vários programas estruturados, mas com componentes comuns facilmente aplicáveis ao contexto da APS que incluem informações sobre psicose, medicamentos e manejo de longo prazo; atenção às reações emocionais de todos os membros da família; adequação das expectativas da família; estratégias de melhora na comunicação familiar; e expansão da rede social da família.[41,44]

A **FIGURA 173.3** apresenta um resumo dos componentes mais importantes da psicoeducação sobre as psicoses.

## Psicoterapia

Apesar de recomendada nas principais diretrizes clínicas, evidências mais recentes questionam o impacto da terapia cognitivo-comportamental (TCC) sobre os sintomas positivos. No entanto, formas adaptadas de TCC podem ter impacto sobre sintomas negativos.[45] Se for uma opção disponível e acordada com o paciente, é importante que a TCC seja oferecida por profissionais devidamente treinados, com protocolos já estabelecidos. Estima-se uma média de 16 sessões. As sessões incluem avaliação de sintomas, comportamentos, percepções e crenças, e promovem formas adaptativas de lidar com os sintomas, reduzir o estresse e melhorar a funcionalidade.[38] Adicionar a TCC aos demais cuidados evita casos sem melhoras (RRR = 56%; NNT = 6-53) e reduz recaídas (RRR = 47%; NNT = 7-14) **B**.[43]

Um conjunto de técnicas, conhecido como remediação cognitiva – cujo objetivo é a melhora da cognição e da funcionalidade do indivíduo –, está se mostrando promissor como um tratamento para sintomas negativos **C/D**.[46] Outra técnica útil é o treinamento de habilidades sociais, o qual pode ser oferecido a pacientes que experimentam

**Sobre a psicose:**
– Paciente tem convicção de seus pensamentos delirantes, mesmo quando apresentadas evidências contrárias
– Paciente costuma não colaborar no início do tratamento, mas à medida que melhora oferece menos resistência
– Diagnóstico é estabelecido ao longo do tempo
– Rapidez para iniciar o tratamento está associada a melhores resultados

**Sobre a medicação:**
– Disponibilidade no SUS/custo da medicação
– Tempo esperado para resposta
– Duração do tratamento
– Efeitos colaterais

**Estratégias para otimizar a comunicação familiar:**
– Diminuição da comunicação relacionada a cobranças e julgamentos
– Incentivo aos elogios
– Respeito à fala do paciente

**Adequação das expectativas da família:**
– Prejuízos funcionais e mudanças de comportamento fazem parte da doença
– Demandas e expectativas das famílias muitas vezes não são atingíveis
– Estabelecimento de objetivos realistas e graduais

**FIGURA 173.3** → Psicoeducação para psicose.
SUS, Sistema Único de Saúde.

dificuldade na interação social **C/D**. A técnica ajuda a aprimorar estratégias de conversação e de assertividade, tanto para situações sociais quanto para entrevistas de emprego, por exemplo.[47]

## Tratamento farmacológico

Nos quadros de psicose, os antipsicóticos (APs) são usados para o tratamento de episódios agudos, prevenção de recaída e agitação psicomotora.[19] De forma geral, os APs exercem sua função por meio do bloqueio de receptores D2 de dopamina. O que diferencia um AP de outro da mesma classe é principalmente o efeito que exerce em outros receptores.[48]

A prescrição de APs deve basear-se nas seguintes recomendações:[49]
→ usar a menor dose possível;
→ usar apenas um AP, deixando as associações para casos refratários;
→ evitar o uso de AP como sedativo sob demanda, preferindo, nesses casos, benzodiazepínicos ou anti-histamínicos por curto período;
→ avaliar a resposta ao tratamento (pode ser feita com apoio de escalas validadas);
→ monitorar regularmente os pacientes (peso, pressão arterial, perfil lipídico, glicemia e eletrocardiograma).

Um fluxograma do tratamento farmacológico é apresentado na **FIGURA 173.4**.

Os APs são divididos em típicos e atípicos. Os APs típicos (como haloperidol, clorpromazina e levomepromazina) estão mais associados a efeitos extrapiramidais, enquanto os APs atípicos (como risperidona, olanzapina e quetiapina), a efeitos metabólicos.[48,50]

Em metanálise recente, 32 APs orais foram avaliados quanto ao desfecho primário de melhora geral nos sintomas

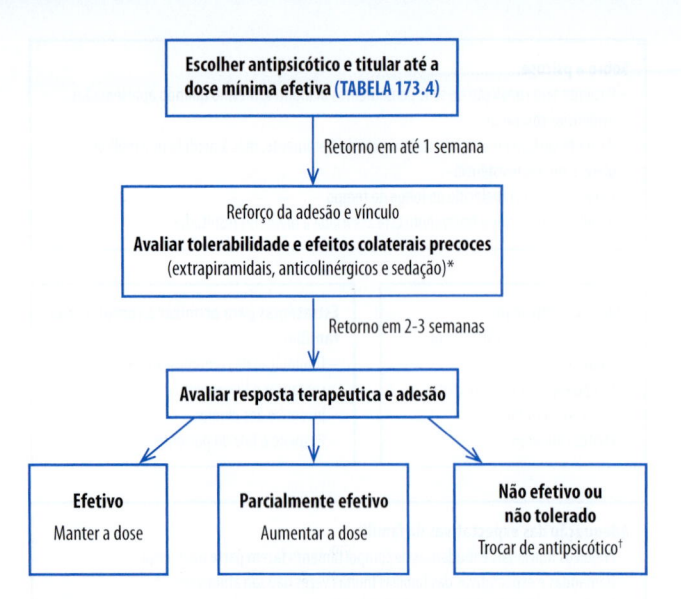

```
┌─────────────────────────────────────┐
│ Escolher antipsicótico e titular até a │
│ dose mínima efetiva (TABELA 173.4)    │
└─────────────────────────────────────┘
              │ Retorno em até 1 semana
              ▼
┌─────────────────────────────────────┐
│ Reforço da adesão e vínculo           │
│ Avaliar tolerabilidade e efeitos      │
│ colaterais precoces                   │
│ (extrapiramidais, anticolinérgicos e  │
│ sedação)*                             │
└─────────────────────────────────────┘
              │ Retorno em 2-3 semanas
              ▼
┌─────────────────────────────────────┐
│ Avaliar resposta terapêutica e adesão │
└─────────────────────────────────────┘
```

| Efetivo | Parcialmente efetivo | Não efetivo ou não tolerado |
|---|---|---|
| Manter a dose | Aumentar a dose | Trocar de antipsicótico† |

**FIGURA 173.4** → Fluxograma de tratamento farmacológico de psicose.
*Ver **TABELA 173.5**.
†Ver **TABELA 173.6**.

de esquizofrenia, havendo variação no tamanho de efeito (TE) entre os vários APs. A clozapina apresentou maior TE – 0,89 (0,71-1,08). No entanto, por estar associada a efeitos colaterais graves,[49,51,52] tem sido reservada para casos refratários.

A **TABELA 173.4** destaca os APs mais usados na prática clínica em ordem decrescente de TE, bem como as doses mínimas efetivas e máximas recomendadas.[49,51,53] Vale ressaltar que a prescrição de um AP deve também levar em consideração a disponibilidade no Sistema Único de Saúde (SUS), os efeitos colaterais e o contexto do paciente.[51]

A eficácia dos APs parece ser ótima em doses relativamente baixas. É importante ressaltar que doses mais altas produzem pouca resposta terapêutica e aumentam efeitos adversos. O haloperidol e a risperidona, representantes dos APs típicos e atípicos, respectivamente, são comumente usados em doses mais altas do que necessário. Para ambos, a dose ótima está em torno de 4 mg/dia.[54,55]

Tanto a clorpromazina quanto a levomepromazina raramente são toleradas em doses terapêuticas para tratamento de psicose **B**. Por essa razão, apesar da recomendação de evitar usar APs como sedativos, na prática clínica pode-se lançar mão desses medicamentos em doses baixas (25-100 mg/dia) em associação com outro AP para aliviar agitação e potencializar a sedação.[53] Nesses casos, os benzodiazepínicos, por curto período, também podem ser uma boa opção.[49]

### Efeitos adversos

Todos os APs estão associados a efeitos adversos, mas sua apresentação e intensidade variam de acordo com o indivíduo e o medicamento em uso. Os efeitos adversos mais importantes incluem:[19]

→ efeitos extrapiramidais (apresentação e manejo estão especificados na **TABELA 173.5**);
→ anticolinérgicos (turvação visual, aumento da pressão intraocular, ressecamento dos olhos e da boca, constipação e retenção urinária);
→ elevação dos níveis de prolactina (galactorreia e dismenorreia);
→ elevação da glicemia;
→ prolongamento do intervalo QT no eletrocardiograma (maior risco de arritmias ventriculares);
→ redução do limiar para convulsão;
→ sedação;
→ ganho de peso.

A **TABELA 173.6** relaciona os APs mais usados na prática clínica com a intensidade dos principais efeitos adversos.[49,51]

As recomendações básicas para monitoramento da saúde física de um paciente em uso de APs[16] estão descritas na **TABELA 173.7**.

### Medicamento de depósito

Está cada vez mais evidente que a não adesão ao tratamento é muito comum, chegando a 74%.[56] A adesão do paciente e a verificação da adesão pela equipe de saúde podem ser facilitadas pelo uso de formulações de longa ação e de depósito.[57,58] A formulação de depósito do haloperidol, o decanoato de haloperidol, é a mais acessível na realidade brasileira[59] **C/D**. Também já existem APs atípicos de depósito disponíveis.

O decanoato de haloperidol tem a vantagem de possibilitar a administração intramuscular (IM) a cada 4 semanas. Uma ampola de 70,52 mg/mL desse medicamento equivale a 50 mg de haloperidol.[60] Com base em vastos estudos de conversão, a dose de depósito mensal corresponde a 20 vezes a dose por via oral (VO) diária de haloperidol.[57] Portanto, uma dose mensal de 1 ampola de decanoato de haloperidol IM é equivalente a uma dose diária de 2,5 mg de haloperidol VO.

O uso de APs de depósito não é recomendado para pacientes que nunca experimentaram o medicamento VO. A tolerância ao fármaco pode ser estabelecida com o uso VO por 2 semanas, antes da conversão para depósito.[49]

**TABELA 173.4** → Principais antipsicóticos: doses mínimas e máximas recomendadas

| MEDICAMENTO | DOSE MÍNIMA EFETIVA (mg) | DOSE MÁXIMA RECOMENDADA (mg) | TAMANHO DE EFEITO* (REDUÇÃO DE SINTOMAS) |
|---|---|---|---|
| Olanzapina | 5 | 20 | 0,56 (0,50-0,62) |
| Risperidona | 2 | 8 | 0,55 (0,48-0,62) |
| Haloperidol | 1 | 20 | 0,47 (0,41-0,53) |
| Clorpromazina | 200 | 1.000 | 0,44 (0,31-0,57) |
| Quetiapina | 150 | 750 | 0,42 (0,33-0,50) |
| Aripiprazol | 10 | 30 | 0,41 (0,32-0,50) |
| Levomepromazina | 200 | 1.000 | 0,03 (0,52-0,59) |

*Tamanho de efeito: pequeno: 0,2-0,3; moderado: ≅ 0,5; grande: > 0,8.

## TABELA 173.5 → Efeitos extrapiramidais: apresentação e manejo

| | APRESENTAÇÃO | MAIOR PREVALÊNCIA | TEMPO DE INÍCIO | MANEJO* |
|---|---|---|---|---|
| **Distonia aguda** | Espasmos musculares dolorosos em qualquer parte do corpo<br>Desvio prolongado dos olhos para cima<br>Contração involuntária do pescoço | Homens<br>Primeiro uso de AP<br>Fármacos de alta potência, como haloperidol | Horas | Anticolinérgicos:<br>→ Biperideno 2-4 mg, VO<br>→ Biperideno 1 ampola (5 mg), IM<br>→ Prometazina 25-50 mg, VO (casos leves) |
| **Parkinsonismo** | Tremor e/ou rigidez, lentificação, redução da mímica facial, salivação excessiva<br>Pode ser confundido com depressão ou sintomas negativos | Mulheres idosas<br>Doença neurológica prévia (AVC, TCE) | Dias a semanas | Uso de anticolinérgico (curto período), reavaliando a cada 3 meses:<br>→ Biperideno 2-4 mg, VO† |
| **Acatisia** | Estado subjetivo de desconforto e inquietação, provocando forte desejo de movimentar-se<br>→ Bater os pés no chão<br>→ Cruzar e descruzar as pernas<br>→ Balançar o corpo trocando o apoio dos pés no chão<br>→ Andar inquietante<br>Pode ser confundido com agitação psicótica<br>Pode estar associado à ideação suicida | – | Horas a semanas | Benzodiazepínicos e propranolol podem ser úteis:<br>→ Clonazepam ou diazepam em doses baixas<br>→ Propranolol 40-80 mg/dia, VO<br>Anticolinérgicos não são úteis |
| **Discinesia tardia** | Movimentos involuntários, geralmente de início tardio e crônicos; pioram com estresse<br>→ Movimentos mastigatórios<br>→ Protrusão da língua<br>→ Movimentos coreiformes | Mulheres idosas<br>Sintomas extrapiramidais agudos prévios | Meses a anos | Interromper anticolinérgico<br>Manejo complexo, comumente realizado pelo especialista focal<br>Metade dos casos é irreversível |

*Para todos os casos, reduzir dose do AP ou substituir por AP com menos efeitos extrapiramidais.
†Usar pela manhã pelo potencial de prejudicar o sono, além do fato de os efeitos extrapiramidais ocorrerem predominantemente no período de vigília.
AP, antipsicótico; AVC, acidente vascular cerebral; IM, intramuscular; TCE, traumatismo craniencefálico; VO, via oral.

## TABELA 173.6 → Principais antipsicóticos e a intensidade de seus efeitos adversos

| | ARIPIPRAZOL | CLORPROMAZINA | HALOPERIDOL | LEVOMEPROMAZINA | OLANZAPINA | QUETIAPINA | RISPERIDONA |
|---|---|---|---|---|---|---|---|
| **Sedação** | + | ++++ | ++ | +++ | +++ | ++++ | ++ |
| **Ganho de peso** | – | ++ | + | ++ | ++++ | ++ | ++ |
| **Acatisia** | + | + | ++++ | + | – | – | ++ |
| **Parkinsonismo** | – | ++ | ++++ | ++ | – | – | + |
| **Anticolinérgico** | – | +++ | + | +++ | ++ | +++ | – |
| **Hipotensão** | – | +++ | + | +++ | + | ++ | ++ |
| **Elevação da prolactina** | – | ++ | ++ | ++ | + | – | ++++ |

Incidência: ++++, muito alta; +++, alta; ++, moderada; +, baixa; –, muito baixa.

## Idosos

O envelhecimento provoca mudanças farmacocinéticas e farmacodinâmicas; portanto, a prescrição de APs para pacientes idosos deve seguir algumas recomendações:[61]

→ uso da dose mais baixa possível e pelo menor tempo possível;
→ monitorização mais frequente;
→ avaliação cuidadosa de comorbidades.

Além disso, há evidências de aumento de mortalidade para pacientes com demência. Ainda assim, a prescrição de APs para sintomas comportamentais e psicose na demência é muito comum na prática clínica, mas deve ser reservada para situações extremas e sem resposta a outras intervenções[62] (ver Capítulo Síndromes Demenciais e Comprometimento Cognitivo Leve).

## Gestação e amamentação

O período perinatal é de maior risco para episódios de psicose e doenças mentais graves em geral. Portanto, para mulheres em idade fértil com história de psicose, a discussão sobre gravidez e a oferta de contracepção devem ser sempre foco de atenção durante o tratamento.[63]

A análise dos riscos e benefícios de mudanças no esquema medicamentoso da mulher, considerando efeitos teratogênicos, deve ser individualizada. Contudo, apesar das dificuldades e considerações éticas no estudo de gestantes, os APs típicos e atípicos não foram implicados em aumento significativo de teratogenicidade.[49,63,64] Outros possíveis desfechos negativos na gestação ainda foram pouco investigados, mas sugerem aumento de risco de diabetes gestacional (especialmente APs atípicos), baixo peso ao nascer, aumento de cesáreas e de prematuridade.[65,66]

Em relação à teratogenicidade, as evidências disponíveis apontam algumas diferenças entre APs específicos:[65,67]

→ haloperidol, olanzapina, quetiapina e aripiprazol não aumentam malformações;
→ clorpromazina em doses baixas não foi associada a maior risco de malformações;

**TABELA 173.7** → Recomendações para monitoramento da saúde física do paciente em uso de antipsicóticos

| AVALIAÇÃO | BASAL | ACOMPANHAMENTO |
|---|---|---|
| Diabetes | → Avaliar fatores de risco adicionais<br>→ Glicemia de jejum | → Glicemia de jejum ou hemoglobina glicada 4 meses depois do início de um AP<br>→ Glicemia de jejum ou hemoglobina glicada anual |
| Dislipidemia | → Perfil lipídico | → Perfil lipídico 4 meses depois do início de um AP<br>→ Perfil lipídico anual |
| Síndrome metabólica | → Avaliar critérios para síndrome metabólica | → Avaliar critérios para síndrome metabólica 4 meses depois do início de um AP<br>→ Avaliação anual |
| Prolongamento do intervalo QTc | → Avaliar fatores de risco adicionais<br>→ ECG antes de iniciar AP típico | → ECG se houver aumento de dose de AP típico, ou prescrição de outros medicamentos que possam alterar QTc |
| Hiperprolactinemia | → Prolactina se houver sintomas ou história prévia de hiperprolactinemia | → Avaliação clínica de sintomas de hiperprolactinemia a cada aumento de dose<br>→ Prolactina se a história sugerir hiperprolactinemia |

AP, antipsicótico; ECG, eletrocardiograma.

→ risperidona pode estar associada com pequeno risco de teratogenicidade.

Para mais detalhes, ver Apêndice Uso de Medicamentos na Gestação e na Lactação.

Na amamentação, uma quantidade muito menor de fármaco é transferida para o bebê. Nos poucos estudos sobre efeitos adversos em lactentes, os efeitos foram mínimos. Sedação, atraso no desenvolvimento e irritabilidade foram relatados em casos em que houve combinação de APs ou prescrição concomitante de sedativos[58] (ver Apêndice Uso de Medicamentos na Gestação e na Lactação).

## Manutenção

A manutenção de APs diminui recaídas depois de um episódio de psicose (NNT = 4) **B**. No entanto, desconhecemos os sinais clínicos para definir pacientes de maior risco e que se beneficiariam de manutenção do medicamento por tempo prolongado.[29,68,69]

Apesar de eficazes, deve-se pesar os prejuízos do uso crônico de APs. Além dos efeitos adversos, alguns estudos já mostram piores desfechos cognitivos e funcionais com a manutenção de APs por tempo indeterminado.[70] Evidências recentes também sugerem que o número de pacientes que ficam estáveis ao longo do tempo, mesmo sem uso de APs, é maior do que o esperado anteriormente.[71] Considerando essas informações, as diretrizes atuais recomendam a manutenção do AP por pelo menos 2 anos após um primeiro episódio, seguida por tentativa de retirada gradual do medicamento **C/D**.[58]

Sabe-se que, a cada episódio de psicose, ocorre deterioração do funcionamento basal do paciente, demandando doses cada vez maiores para o tratamento.[72] Por essa razão, para o paciente com múltiplos episódios, recomenda-se o uso contínuo de AP.[58]

Mesmo com as recomendações gerais para casos de primeiro e de múltiplos episódios, a conduta em cada caso deve ser individualizada e compartilhada com o paciente e os familiares. Os riscos e os benefícios da retirada do medicamento devem ser pesados. De um lado, estão a duração, a refratariedade e a gravidade dos episódios; do outro, os efeitos adversos do AP.[58] Antes da interrupção do tratamento medicamentoso, é recomendada redução gradual de dose com monitoramento contínuo e frequente.[39]

## O DESAFIO DA ADESÃO

Na prática de saúde mental, são comuns pacientes que se recusam a tomar medicamento, principalmente no contexto de psicose. Alguns não têm crítica sobre seus sintomas e podem perder a capacidade de tomar uma decisão consciente acerca de seu tratamento.[1] Para lidar com essas particularidades relacionadas ao cuidado de pessoas com psicose e criar um vínculo efetivo com o paciente, são necessárias persistência, flexibilidade e sensibilidade à perspectiva do indivíduo.[38]

Em situações como as supradescritas, a equipe de saúde pode questionar-se se, para o bem do paciente, caberia a administração do medicamento escondido na bebida ou na comida. Essa prática, conhecida na literatura internacional como *covert medication*, quando adotada, deve ser acompanhada de reflexões éticas, considerando quatro aspectos fundamentais:[19,73]

1. considerar como último recurso antes da internação psiquiátrica;
2. compartilhar a decisão com a equipe multiprofissional, os familiares e os cuidadores;
3. fazer reavaliação periódica;
4. usar pelo menor tempo possível.

Os riscos envolvidos quando essa prática é descoberta pelo paciente incluem a perda da confiança no cuidador, além do comprometimento do vínculo com sua equipe de saúde.[74]

No contexto brasileiro, a Resolução nº 2.057 do Conselho Federal de Medicina, de 12 de novembro de 2013, sobre tratamento psiquiátrico, traz as seguintes orientações:

> Art. 14. Nenhum tratamento será administrado à pessoa com doença mental sem consentimento esclarecido, salvo quando as condições clínicas não permitirem sua obtenção ou em situações de emergência, caracterizadas e justificadas em prontuário, para evitar danos imediatos ou iminentes ao paciente ou a terceiro.
>
> Parágrafo único. Na impossibilidade de se obter o consentimento esclarecido do paciente, ressalvada a condição prevista na parte final do *caput* deste artigo, deve-se buscar o consentimento do responsável legal.
>
> Art. 15. As modalidades de atenção psiquiátrica extra-hospitalar devem ser prioritárias e, na hipótese da necessidade de internação, esta se dará pelo tempo necessário à recuperação do paciente.[75]

| TABELA 173.8 → Procedimentos em caso de emergência – agitação psicomotora |
|---|
| **Passo 1**[49,79] |
| → Certifique-se da segurança da equipe de saúde e dos familiares |
| → Procure acalmar o paciente, se possível, com intervenções verbais |
| → Se o paciente ainda não está em tratamento para psicose, iniciar o uso de antipsicótico |
| → Se o paciente já está em uso de antipsicótico, otimizar a dose |
| **Passo 2:**[47] medicamento oral para tranquilização/sedação imediata (se necessário, repetir em 45-60 minutos) **C/D** |
| → Diazepam 5-10 mg |
| → Clonazepam 0,25-0,5 mg |
| → Lorazepam 1-2 mg |
| → Prometazina 25-50 mg |

O uso de medicamento injetável, como haloperidol e prometazina intramuscular, deve ser reservado para os poucos casos em que persiste agitação, mesmo após a sequência dos passos apresentados **C/D**. Nessas situações, pode ser necessário o apoio de serviço de emergência/especializado.

A não adesão compromete não apenas o tratamento do episódio agudo de psicose, mas é também o principal fator de risco para recaídas.[1,23,43,57]

## AGITAÇÃO PSICOMOTORA

A agitação psicomotora pode ser dividida em cinco fases: o gatilho, a escalada, a crise, a recuperação e a fase depressiva. Existem técnicas verbais e não verbais que podem ser aplicadas durante a escalada, a fim de evitar a crise e a necessidade de intervenção medicamentosa e contenção mecânica.[76] Em linhas gerais, as técnicas de interrupção de escalada incluem:[77,78]

→ reconhecer sinais precoces de agitação;
→ compreender possíveis gatilhos de agitação que podem ser evitados. Podem ser gerais (afetam todos os pacientes; p. ex., o tempo de espera) ou individuais (gatilhos para um paciente específico, quando a equipe já o conhece). Com o reconhecimento precoce de irritação ou agitação, a equipe pode optar por minimizar a espera do paciente;
→ responder à agitação sempre de forma calma e sem provocação. Isso exige que a equipe consiga conter suas próprias emoções e reações, entendendo que a agitação é um sintoma e não uma afronta aos profissionais;
→ não aumentar o tom de voz, e manter contato visual e postura física que demonstre firmeza;
→ convidar o paciente a sair de ambiente agitado e com muita exposição, como a sala de espera;
→ usar técnicas para distrair o indivíduo e tirar o foco do gatilho;
→ negociar com o paciente agitado uma resolução adequada para o seu incômodo.

A **TABELA 173.8** apresenta os procedimentos que devem ser seguidos em caso emergencial de agitação psicomotora.

## REFERÊNCIAS

1. Morrison P, Taylor DM, McGuire P. The Maudsley guidelines on advanced prescribing in psychosis. Hoboken: Wiley-Blackwell; 2020.
2. Arciniegas DB. Psychosis. Am Acad Neurol. 2015;21(3):715–36.
3. Dalgalarrondo P. Psicopatologia e semiologia dos transtornos mentais. 3. ed. Porto Alegre: Artmed; 2019.
4. Bentall RP. Delusions in context. Cham: Palgrave Macmillan; 2018.
5. American Psychiatry Association. Manual diagnóstico e estatístico de transtornos mentais: DSM-5. 5.ed. Porto Alegre: Artmed; 2014.
6. Schrimpf LA, Aggarwal A, Lauriello J. Psychosis. Am Acad Neurol. 2018;24(3):845–60.
7. Connell M, Scott JG, Mcgrath JJ, Waters F, Larøi F, Alati R, et al. A comparison of hallucinatory experiences and their appraisals in those with and without mental illness. Psychiatry Res J. 2019;274:294–300.
8. Wearne D, Genetti A. Pseudohallucinations versus hallucinations: wherein lies the difference? Australas Psychiatry. 2015;23(3):254–7.
9. Radanovic M, Sousa RT, Valiengo LL, Gattaz WF, Forlenza OV. Formal Thought Disorder and language impairment in schizophrenia. Arq Neuropsiquiatr. 2013;71(1):55–60.
10. Moreno-Küstner B, Martín C, Pastor L. Prevalence of psychotic disorders and its association with methodological issues. A systematic review and meta-analyses. PLoS One. 2018;13(4):1–25.
11. Lieberman JA, First MB. Psychotic disorders. N Engl J Med. 2018;379(3):270–80.
12. Anderson KK. Towards a public health approach to psychotic disorders. Lancet. 2019;4(5):212–3.
13. Shiers D, Bradshaw T, Campion J. Health inequalities and psychosis: time for action. Br J Psychiatry. 2015;207:471–3.
14. Henderson DC, Vincenzi B, Andrea N V, Ulloa M, Copeland PM. Pathophysiological mechanisms of increased cardiometabolic risk in people with schizophrenia and other severe mental illnesses. Lancet. 2015;2(5):452–64.
15. Guloksuz S, Os J Van. The slow death of the concept of schizophrenia and the painful birth of the psychosis spectrum. Psychol Med. 2017;48(2):1–16.
16. Lehman AF, Lieberman JA, Dixon LB, McGlashan TH, Miller AL, Perkins DO, et al. Practice guideline for the treatment of patients with schizophrenia. 2nd ed. Arlington: American Psychiatric Association; 2010.
17. Freudenreich O. Psychotic disorders: a practical guide. 2nd ed. Cham: Springer Nature; 2020.
18. Addington D, Abidi S, Garcia-Ortega I, Honer WG, Ismail Z. Canadian Guidelines for the assessment and diagnosis of patients with schizophrenia spectrum and other psychotic disorders. Can J Psychiatry. 2017;62(9):594–603.
19. National Institute for Health and Care Excellence. Psychosis and schizophrenia in adults: the NICE guideline on treatment and management. London: NICE; 2014.
20. Salehi A, Ehrlich C, Kendall E, Sav A. Bonding and bridging social capital in the recovery of severe mental illness: a synthesis of qualitative research. J Ment Heal. 2019;28(3):331–9.
21. Addington D, Anderson E, Kelly M, Lesage A, Summerville C. Canadian practice guidelines for comprehensive community treatment for schizophrenia and schizophrenia spectrum disorders. Can J Psychiatry. 2017;62(9):662–72.
22. Baptista MN, Muniz M, Reppold CT, Nunes CHSS, Carvalho LF, Primi R, et al. Compêndio de avaliação psicológica. Petrópolis: Vozes; 2019.
23. Nelson B, McGorry P. The prodrome of psychotic disorders: identification, prediction, and preventive treatment. Child Adolesc Psychiatr Clin N Am. 2020;29(1):57–69.
24. Wright A, Browne J, Mueser KT, Cather C. Evidence-Based Psychosocial Treatment for Individuals with Early Psychosis. Child Adolesc Psychiatr Clin N Am. 2020;29(1):211–23.
25. Chen Y, Farooq S, Edwards J, Chew-graham CA, Shiers D, Frisher M, et al. Patterns of symptoms before a diagnosis of first episode psychosis : a latent class analysis of UK primary care electronic health records. 2019;17(227):1–13.

26. Mchugh MJ, Mcgorry PD, Yuen HP, Hickie IB, Thompson A, L DH, et al. The Ultra-High-Risk for psychosis groups : Evidence to maintain the status quo. Schizophr Res. 2018;195:543–8.
27. Anderson KK, Fuhrer R, Malla AK. The pathways to mental health care of first-episode psychosis patients : a systematic review. Psychol Med. 2010;40(10):1585–97.
28. Basseer M, Shiers D, Latif S, Bhattacharyya S. Early psychosis for the non-specialist doctor. Br Med J. 2017;357:1–12.
29. Suvisaari J, Mantere O, Keinänen J, Mäntylä T, Rikandi E, Lindgren M, et al. Is it possible to predict the future in first-episode psychosis? Front Psychiatry. 2018;9:1–15.
30. Lally J, Ajnakina O, Stubbs B, Cullinane M, Murphy KC, Gaughran F, et al. Remission and recovery from first-episode pychosis in adults: systematic review and meta-analysis os long- term outcome studies. Br J Psychiatry. 2017;211(6):350–8.
31. Penttilä M, Jääskeĺainen E, Hirvonen N, Isohanni M, Miettunen J. Duration of untreated psychosis as predictor of long-term outcome in schizophrenia: systematic review and meta-analysis. Br J Psychiatry. 2014;205(2):88–94.
32. Connor C, Greenfield S, Lester H, Channa S, Palmer C, Barker C, et al. Seeking help for first-episode psychosis: a family narrative. Early Interv Psychiatry. 2014;10(4):1–12.
33. Fusar-Poli P, Mcgorry PD, Kane JM. Improving outcomes of first-episode psychosis : an overview. World Psychiatry. 2017;16(3):251–65.
34. Almeida JMC. Política de saúde mental no Brasil: o que está em jogo nas mudanças em curso. Cad Saude Publica. 2019;35(11):e00129519.
35. Pitta AMF, Guljor AP. A violência da contrarrefora psiquiátrica no Brasil: um ataque à democracia em tempos de luta pelos direitos humanos e justiça social. Cad do CEAS Rev Crítica Humanidades. 2019;246:6–14.
36. Brasil. Ministério da Saúde. Saúde mental. Brasília: MS; 2013. (Cadernos de Atenção Básica, 34).
37. Griswold KS, Regno P Del, Berger RC. Recognition and differential diagnosis of psychosis in primary care. Am Fam Physician 857. 2015;91(12):856–63.
38. Norman R, Lecomte T, Addington D, Anderson E. Treatment guidelines on psychosocial treatment of schizophrenia in adults. Can J Psychiatry. 2017;62(9):617–23.
39. Zhao S, Sampson S, Xia J, Jayaram M. Psychoeducation ( brief ) for people with serious mental illness. Cochrane Database Syst Rev. 2015;9(4):CD010823.
40. Sin J, Gillard S, Spain D, Cornelius V, Chen T, Henderson C. Effectiveness of psychoeducational interventions for family carers of people with psychosis: a systematic review and meta-analysis. Clin Psychol Rev. 2017;56:13–24.
41. Sarkhel S, Singh OP, Arora M. Clinical practice guidelines for psychoeducation in psychiatric disorders general principles of psychoeducation. Indian J Psychiatry. 2020;62(8):319–23.
42. Yesufu-Udechuku A, Harrison B, Mayo-Wilson E, Young N, Woodhams P, Shiers D, et al. Interventions to improve the experience of caring for people with severe mental illness: systematic review and meta-analysis. Br J Psychiatry. 2015;206(4):268–74.
43. Pharoah F, Mari J, Rathbone J, Wong W. Family intervention for schizophrenia. Cochrane Database Syst Rev. 2010;(12):CD000088.
44. McFarlane WR. Family interventions for schizophrenia and the psychoses: a review. Fam Process. 2016;55(3):460–82.
45. Jauhar S, Mckenna PJ, Radua J, Fung E, Salvador R, Laws KR. Cognitive – behavioural therapy for the symptoms of schizophrenia : systematic review and meta-analysis with examination of potential bias. Br J Psychiatry. 2014;204(1):20–9.
46. Cella M, Wykes T. The nuts and bolts of cognitive remediation: exploring how different training components relate to cognitive and functional gains. Schizophr Res. 2017;203:12–6.
47. Turner DT, Mcglanaghy E, Cuijpers P, Gaag M Van Der, Karyotaki E, Macbeth A. A meta-analysis of social skills training and related interventions for psychosis. Schizophr Bull 2018;44(3)475–99.
48. Meltzer HY. Update on typical and atypical antipsychotic drugs. Annu Rev Med. 2013;64:393–406.
49. Taylor D, Barnes TRE, Young AH. The Maudsley prescribing guidelines in psychiatry. 13th ed. Hoboken: Wiley-Blackwell; 2018.
50. Pereira L, Budovich A, Claudio-Saez M. Monitoring of metabolic adverse effects associated with atypical antipsychotics use in an outpatient psychiatric clinic. J Pharm Pract. 2019;32(4):388–93.
51. Huhn M, Nikolakopoulou A, Schneider-Thoma J, Krause M, Samara M, Peter N, et al. Comparative efficacy and tolerability of 32 oral antipsychotics for the acute treatment of adults with multi-episode schizophrenia: a systematic review and network meta-analysis. Lancet. 2019;394(10202):939–51.
52. Lundblad W, Azzam PN, Gopalan P, Ross CA. Medical management of patients on clozapine: a guide for internists. J Hosp Med. 2015;10(8):537–43.
53. Stahl SM. Stahl's prescriber's guide. 6th ed. Cambridge: Cambridge University; 2017.
54. Ezewuzie N, Taylor D. Establishing a dose-response relationship for oral risperidone in relapsed schizophrenia. J Psychopharmacol. 2006;20(1):86–90.
55. Stone CK, Garver DL, Griffith J, Hirschowitz J, Bennett J. Further evidence of a dose-response threshold for haloperidol in Psychosis. Am J Psychiatry. 1995;152(8):1210–2.
56. Lieberman JA, Stroup TS, McEvoy JP, Swartz MS, Rosenheck RA, Perkins DO, et al. Effectiveness of Antipsychotic Drugs in Patients with. N Engl J Med. 2005;353(12):1209–23.
57. Meyer JM. Converting oral to long-acting injectable antipsychotics: a guide for the perplexed. CNS Spectr. 2018;23(2):186.
58. Barnes TRE, Drake R, Paton C, Cooper SJ, Deakin B, Ferrier IN, et al. Evidence-based guidelines for the pharmacological treatment of schizophrenia: updated recommendations from the British Association for Psychopharmacology. J Psychopharmacol. 2020;34(1):3–78.
59. Quraishi S, David A, Brasil M, Alheira F. Depot haloperidol decanoate for schizophrenia (review). Cochrane Database Syst Rev. 2000;1999(2):CD001361.
60. Haldol decanoato: decanoato de haloperidol. [Bula de medicamento] [Internet]. São José dos Campos: Janssen-Cilag Farmacêutica; 2018 [capturado em 13 out 2020]. Disponível em: https://img.drogasil.com.br/raiadrogasil_bula/HaldolDecanoato-Janssen.pdf
61. Gareri P, Segura-García C, Manfredi VGL, Bruni A, Ciambrone P, Cerminara G, et al. Use of atypical antipsychotics in the elderly: a clinical review. Clin Interv Aging. 2014;9:1363–73.
62. Bessey LJ, Walaszek A. Management of behavioral and psychological symptoms of dementia. Curr Psychiatry Rep. 2019;21(8):66.
63. Jones I, Chandra PS, Dazzan P, Howard LM. Perinatal mental health 2: bipolar disorder, affective psychosis, and schizophrenia in pregnancy and the post-partum period. Lancet. 2014;384(9956):1789–99.
64. Huybrechts KF, Hernández-díaz S, Patorno E, Desai RJ, Mogun H, Dejene SZ, et al. Antipsychotic Use in Pregnancy and the Risk for Congenital Malformations. JAMA Psychiatry. 2016;73(9):938–46.
65. Damkier P, Videbech P. The safety of second-generation antipsychotics during pregnancy: a clinically focused review. CNS Drugs. 2018;32(4):351–66.
66. Galbally M, Snellen M, Power J. Antipsychotic drugs in pregnancy: a review of their maternal and fetal effects. Ther Adv Drug Saf. 2014;5(2):100–9.
67. Einarson A, Boskovic R. Use and Safety of Antipsychotic Drugs During Pregnancy. J Psychiatr Pract. 2009;15(3):183–92.
68. Emsley R, Kilian S, Phahladira L. How long should antipsychotic treatment be continued after a single episode of schizophrenia? Curr Opin Psychiatry. 2016;29(3):224–9.
69. Thompson A, Winsper C, Marwaha S, Haynes J, Alvarez-Jimenez M, Hetrick S, et al. Maintenance antipsychotic treatment versus discontinuation strategies following remission from first episode psychosis: systematic review. BJPsych Open. 2018;4(4):215–25.

70. Wunderink L, Nieboer RM, Wiersma D, Sytema S, Nienhuis FJ. Recovery in remitted first-episode psychosis at 7 years of follow-up of an early dose reduction/discontinuation or maintenance treatment strategy: long-term follow-up of a 2-year randomized clinical trial. JAMA Psychiatry. 2013;70(9):913–20.
71. Morgan C, Lappin J, Heslin M, Donoghue K, Lomas B, Reininghaus U, et al. Reappraising the long-term course and outcome of psychotic disorders: the AEPSOP-10 study. Psychol Med. 2014;44(13):2713–26.
72. Haddad PM, Correll CU. The acute efficacy of antipsychotics in schizophrenia: a review of recent meta-analyses. Ther Adv Psychopharmacol Antipsychotics. 2018;8(11):303–18.
73. Hutchinson C, Lindon A, Chapman P. Covert medication guidance [Internet]. Lancashire: NHS; 2018 [capturado em 13 out. 2020]. Disponível em: http://www.lancashiresafeguarding.org.uk/media/39265/LSAB-Covert-Medication-Guidance-FINAL-Feb-18-.pdf
74. Guidry-Grimes L, Dean M, Victor EK. Covert administration of medication in food: a worthwhile moral gamble? Br Med J. 2020:medethics-2019-105763.
75. Conselho Federal de Medicina. Resolução CFM nº. 2.057/ 2013, de 12 de novembro de 2013 [Internet]. Brasília: CFM; 2013 [capturado em 13 out. 2020]. Disponível em: https://sistemas.cfm.org.br/normas/visualizar/resolucoes/BR/2013/2057
76. Du M, Wang X, Yin S, Shu W, Hao R, Zhao S, et al. De-escalation techniques for psychosis-induced aggression or agitation (Review). Cochrane Database Syst Rev. 2017;4(4): CD009922.
77. National Institute for Health and Care Excellence. Violence and aggression: short-term management in mental health, health and community settings [Internet]. London: NICE; c2020 [capturado em 13 out. 2020]. Disponível em: https://www.nice.org.uk/guidance/ng10/resources/violence-and-aggression-shortterm-management-in--mental-health-health-and-community-settings-pdf-1837264712389
78. Spencer S, Johnson P. De-escalation techniques for managing aggression (Protocol). Cochrane Database Syst Rev. 2016;(1):CD012034.
79. Mantovani C, Migon MN, Alheira FV, Del-Ben CM. Management of the violent or agitated patient. Rev Bras Psiquiatr. 2010;32(Suppl 2):S96–103.

# Capítulo 174
## ABORDANDO OS SINTOMAS FÍSICOS DE DIFÍCIL CARACTERIZAÇÃO

Sandra Fortes
Daniel Almeida Gonçalves
Naly Soares de Almeida
Luís Fernando Tófoli
Luiz Fernando Chazan

Pessoas com sintomas físicos sem qualquer evidência de doença orgânica que os justifique podem tomar tempo exagerado da equipe de saúde e, mesmo assim, não receber o alívio almejado. Essas pessoas vão a consultas médicas com grande frequência, sobrecarregam as agendas dos profissionais e podem, muitas vezes, apresentar graves problemas emocionais e sociais.

Erroneamente chamados de "poliqueixosos", esses pacientes trazem queixas que têm por trás histórias de vida sofridas, merecendo atenção, tanto no sentido humano quanto no clínico. Entretanto, a incongruência entre as queixas apresentadas por esses pacientes e os modelos médicos das doenças pode gerar grande dificuldade em seu manejo.[1] Saber lidar com essas pessoas, além de qualificar o atendimento de quem sofre com os sintomas sem explicação orgânica, proporciona também maior satisfação ao profissional de saúde envolvido.

Neste capítulo, pretende-se orientar a como lidar com esses pacientes de forma natural e resolutiva, evitando o excesso de investigação e o uso exagerado e inadequado de medicação, em especial de benzodiazepínicos.

## CONCEITOS

Consideram-se, neste capítulo, **sintomas físicos de difícil caracterização** aqueles que não são facilmente explicados por alterações anatomopatológicas ou que são desproporcionais a elas, os quais têm sido tradicionalmente abarcados pelo conceito de somatização.

A **somatização** é definida como uma tendência pessoal a se apresentar e comunicar queixas somáticas, sem justificativa anatomopatológica adequada, mas com sofrimento emocional que leva ao atendimento médico.[2,3] Ela é mais bem compreendida como um processo do que como um diagnóstico específico. O processo de somatização pode se dar de forma aguda, também chamada de somatização de apresentação, ou crônica, como abordado adiante no tópico Apresentações Clínicas de Sintomas Físicos de Difícil Caracterização. As formas agudas geralmente estão associadas à presença de sofrimento psíquico inespecífico ou de transtornos depressivos e ansiosos. Já as somatizações crônicas incluem os quadros conversivos, os quadros funcionais (síndromes funcionais como fibromialgia e cólon irritável) e a hipocondria/transtorno de ansiedade de doença.

Outros termos relacionados, bastante utilizados em estudos conduzidos na atenção primária à saúde (APS), são **queixas somáticas inexplicáveis**, **sintomas físicos sem explicação médica** e **sintomas funcionais**.

## PROCESSO ETIOLÓGICO

### Sensações corporais normais e anormais

As sensações corporais representam a dimensão consciente de múltiplos e complexos processos relacionados à manutenção da homeostase, sendo fundamentais para induzir comportamentos necessários à defesa do corpo, como alimentar-se, ingerir líquidos, urinar, evacuar, proteger-se do calor ou do frio ou proteger o corpo contra lesões teciduais. O sentido que capta sinais relacionados ao estado e ao funcionamento do corpo e produz as sensações corporais é denominado **interocepção**.[4]

As sensações corporais fisiológicas (p. ex., fome e frio) geralmente têm uma motivação clara (p. ex., comer, agasalhar-se) e costumam se resolver quando esta é atendida. Entretanto, quando não se consegue atribuir a sensação a algum evento fisiológico ou quando ela está associada a maior desconforto, passa-se a considerá-la anormal, uma categorização altamente subjetiva e dependente das individualidades da pessoa.

Estimativas da década de 1970 sugerem que a maioria das pessoas tem sensações somáticas consideradas anormais pelo menos 1 vez por semana.[5] Na maioria das vezes, as sensações categorizadas como anormais não estão associadas a alguma doença, tendendo a se resolver espontaneamente. Entretanto, em alguns casos, as sensações corporais anormais podem levar a pessoa a assumir o papel de doente, o que é caracterizado por comportamentos que envolvem medidas de autocuidado, busca por fontes informais de cuidado ou mesmo a busca por atendimento no sistema formal de atenção à saúde.

Assumir o papel de doente envolve uma interpretação de que há algo de errado no corpo que precisa ser resolvido.[6] Alguns fatores importantes para que isso ocorra são o comprometimento funcional, a redução da qualidade de vida e o prejuízo da capacidade laborativa, do autocuidado ou mesmo do convívio social. O comportamento de doente também aciona expectativas e, consequentemente, respostas fisiológicas que têm como objetivo responder ou se adaptar à doença, mas que podem, por vezes, acabar contribuindo para prolongar o adoecimento.

## Desencadeantes das sensações corporais anormais

As sensações corporais anormais podem ter múltiplos desencadeantes, incluindo infecções agudas, lesões traumáticas, alterações metabólicas e estressores emocionais. Transtornos depressivo-ansiosos também são causa importante de sensações corporais, embora muitas vezes as pessoas acometidas não percebam essa relação inicialmente. Ademais, o estresse crônico produz alterações fisiopatológicas que geram manifestações físicas, como sintomas gastrintestinais, cardiovasculares, musculoesqueléticos e outros sintomas gerais, como cefaleia, fadiga, além de alterações psíquicas, como comprometimento da capacidade de concentração e memória. Esses quadros podem evoluir para síndromes funcionais, como fibromialgia, cefaleia crônica, intestino irritável, entre outras, que apresentam sobreposição dos sintomas entre si.

## Padrões explicativos sobre as sensações corporais

Um elemento importante no processo de sensação corporal é como a pessoa reage à presença dos sintomas. Ela pode apresentar uma tendência a padrões explicativos normalizadores (p. ex., estou com dor nas costas porque dormi em má posição), psicologizadores (p. ex., sinto-me mal porque estou tenso) ou somatizadores (p. ex., devo estar com um problema na coluna). Pessoas com padrão explicativo somatizador tendem a considerar os sintomas como indicadores de uma doença grave. A excessiva preocupação com sua saúde e o aumento do grau de comprometimento funcional tornam o prognóstico mais reservado.

## Agregação de diferentes sintomas: síndrome corporal do estresse e transtorno do desconforto corporal

Estudos epidemiológicos mostram que diferentes sintomas físicos podem se agregar nos mesmos pacientes,[7-10] o que, como visto anteriormente, frequentemente ocorre em situações de estresse e associado a transtornos mentais comuns (TMCs), como ansiedade e depressão. Nessas situações, podem ser delimitados quatro grupos de sintomas: cardiovasculares, gastrintestinais, musculoesqueléticos e gerais (fadiga, cefaleia e sintomas cognitivos, como dificuldades de memória e concentração). Esses grupos se correlacionam com as síndromes funcionais das diferentes especialidades (p. ex., dor torácica atípica, dispepsia funcional, fibromialgia e síndrome da fadiga crônica). Um paciente pode apresentar predomínio de um determinado grupo de sintomas ou uma mistura deles. Quanto mais sintomas estiverem e mais sistemas envolvidos, piores serão o comprometimento funcional e o prognóstico.

Em uma ponta do espectro, há um foco principal na vivência dos sintomas, sem haver necessariamente uma preocupação com estar doente, caracterizando a síndrome corporal do estresse, recentemente introduzida na *Classificação internacional de doenças para a atenção primária*, 11ª edição (CID-11-AP). Quando os casos evoluem em gravidade e na necessidade de atendimento especializado em saúde mental, o que se observa é a crescente presença do componente cognitivo-afetivo relacionado à preocupação com estar doente, sendo esse um requisito para o diagnóstico do transtorno do desconforto corporal da CID-11 e da transtorno de sintomas somáticos do *Manual diagnóstico e estatístico de transtornos mentais*, 5ª edição (DSM-5). Esse componente pode vir a se tornar preponderante no quadro e se associa a um comprometimento funcional mais intenso. Quando essa preocupação com estar doente é o principal sintoma, ela caracteriza a ansiedade com a saúde. (Ver, adiante, tópico Desafios na Classificação Nosológica.)

## Fatores de risco associados e cronificação

Fatores individuais, familiares/coletivos e do serviço de saúde (TABELA 174.1) podem determinar que queixas somáticas sejam a forma de apresentação do sofrimento emocional, podendo também contribuir para a cronificação do papel de somatizador.

A presença desses fatores não determina necessariamente que alguém seja um somatizador. No entanto, conhecer os riscos de cada paciente em se cronificar na posição de doente, o que é altamente comprometedor do ponto de vista funcional, auxilia a compreender a realidade de cada paciente e a construir o projeto terapêutico.

## Modelo fisiopatológico

Para compreender de uma forma integrada a fisiopatologia dos processos de somatização (FIGURA 174.1), é útil pensar em uma sequência de fatores predisponentes, precipitantes e perpetuantes.

**TABELA 174.1** → Fatores de risco para a presença de sintomas físicos de difícil caracterização médica

**FATORES INDIVIDUAIS**

- → Sexo feminino
- → Comportamento anormal de adoecimento (adesão ao papel de doente com ganhos secundários)
- → Amplificação de sensações somáticas
- → Atribuição somática de sensações físicas anormais
- → Autoconceito de pessoa fraca e incapaz
- → Dificuldade de elaboração verbal do sofrimento psíquico
- → Transtornos mentais comuns (ansiedade/depressão)
- → História pessoal de adoecimento físico, em especial na infância
- → História pessoal de abuso físico e sexual, em especial na infância

**FATORES FAMILIARES/COLETIVOS**

- → História familiar de doenças graves, com ganho de atenção diferenciada por esse motivo
- → História familiar de somatização/transtornos mentais comuns
- → Atribuição somática de sensações físicas anormais pelo grupo familiar e social
- → Estruturas sociais que favorecem situações de submissão e desempoderamento
- → Culturas latino-americanas

**FATORES LIGADOS AOS SERVIÇOS DE SAÚDE**

- → Condutas excessivamente centradas no adoecimento físico
- → Falta de manejo terapêutico para queixas físicas inexplicáveis
- → Diálogo médico sem sensibilidade psicossocial
- → Sistema de saúde pouco organizado
- → Vínculos frouxos ou inexistentes com o paciente

Fonte: Elaborada com base em Lipowski,[2] Kirmayer e Robbins,[3] Kellner e Sheffield,[5] Barsky e colaboradores,[11] Kroenke e colaboradores,[12] Fortes,[13] Goldberg e Huxley,[14] Simon e colaboradores,[15] Ring e colaboradores[16,17] e Reilly e colaboradores.[18]

Entre os predisponentes (ver TABELA 174.1), destacam-se os seguintes fatores de vulnerabilidade:[19] doença orgânica subliminar atual, perfis (epi)genéticos, doença orgânica prévia, experiências adversas na infância, estressores prévios e crenças culturais. Esses fatores determinam como os diferentes estímulos sensoriais são interpretados ao longo da trajetória de vida do paciente e as expectativas que se tem em relação a esses estímulos, suas causas e prognósticos. Algumas pessoas são condicionadas por sua genética e trajetória de vida a buscar e valorizar mais os estímulos e a esperar pior evolução; outras são condicionadas a normalizar os estímulos e a esperar evolução favorável.

Os fatores precipitantes são variados, desde físicos, como doença aguda e acidentes, até estressores psicossociais. Esses gatilhos ativam os aprendizados prévios sobre como vivenciar e interpretar as sensações corporais, permitindo construir, nesse novo episódio de doença, a percepção e a vivência do desconforto corporal.

Após ativado um episódio agudo de desconforto corporal, alguns fatores perpetuantes podem contribuir para sua manutenção ou agravamento, por meio da intensificação da percepção dos estímulos sensoriais e condicionamento de expectativas desfavoráveis, levando a um desconforto corporal crônico e incapacitante. Esses fatores, também listados na TABELA 174.1, incluem sequelas de tratamentos prévios inapropriados, evitação/descondicionamento, fatores cognitivos, experiências com os serviços de saúde e ganho secundário.

## APRESENTAÇÕES CLÍNICAS DE SINTOMAS FÍSICOS DE DIFÍCIL CARACTERIZAÇÃO

Pacientes com quadros de somatização podem pertencer a três subgrupos, dependendo do quadro mental associado aos sintomas físicos de difícil caracterização. Os grupos não correspondem a categorias diagnósticas, mas caracterizam agrupamentos com particularidades diversas em termos do sofrimento emocional associado.

No primeiro grupo, o sofrimento mental é inespecífico, não preenchendo critérios para presença de transtorno mental. No segundo, há um TMC (ansiedade e/ou depressão)

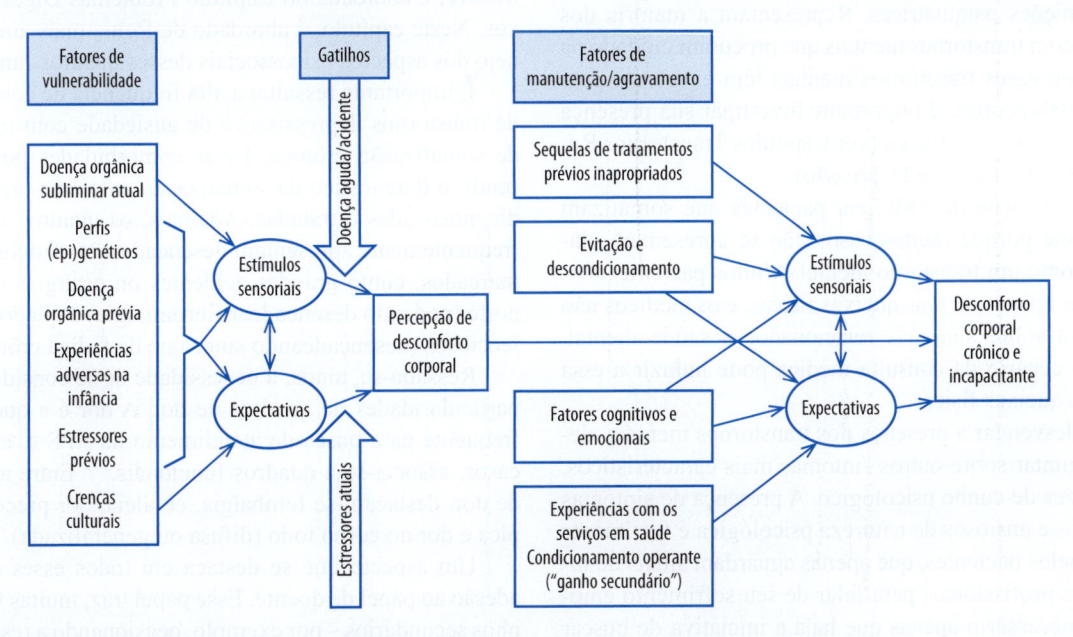

**FIGURA 174.1** → Modelo fisiopatológico para as queixas somáticas.
Fonte: Adaptada de Henningsen e colaboradores.[19]

que pode explicar os sintomas físicos. E, no terceiro, o quadro clínico é crônico e apresenta síndromes especificamente associadas à presença de sintomas somáticos, com participação variável de fatores emocionais. Esses pacientes são tradicionalmente considerados os somatizadores "verdadeiros".

## Grupo 1: associados a sofrimento mental inespecífico

Essa apresentação é bastante frequente; nela, o sofrimento está associado a fases difíceis da vida, ao aumento dos problemas e ao estresse do cotidiano, sem caracterizar transtorno mental específico. Pode ser referida pelos termos "sofrimento psíquico", "sofrimento difuso" ou "sofrimento mental" (traduções do termo em inglês *emotional distress*).

A maioria desses pacientes apresenta quadros transitórios e associados a eventos desencadeantes, como crises vitais esperadas (dificuldades relacionadas a adolescência, casamento, senescência, etc.) e acidentais (rompimento de relacionamentos, mortes inesperadas, mudanças de *status* social, etc.) (ver Capítulo Abordagem Familiar). Muitas vezes, o quadro tem resolução rápida e espontânea.

No entanto, como os sintomas físicos são um bilhete de acesso ao sistema de saúde, esses pacientes costumam estar entre os grandes frequentadores das unidades de saúde. É importante levá-los a compreender que os sintomas físicos estão associados ao sofrimento psicossocial.

## Grupo 2: associados a transtornos mentais comuns

Trata-se de apresentação também frequente, englobando os transtornos de ansiedade e depressivos (TMC), geralmente acompanhados de diversos sintomas físicos (cansaço, astenia, fadiga, palpitações, dores, dispneia, sudorese de extremidades, entre outros), alguns deles fazendo parte das próprias definições psiquiátricas. Representam a maioria dos pacientes com transtornos mentais que procuram cuidado na APS. Como esses transtornos mentais têm excelente possibilidade terapêutica, é importante investigar sua presença em pacientes que somatizam (ver Capítulos Transtornos Relacionados à Ansiedade e Depressão).

A investigação de TMC em pacientes que somatizam é importante porque muitos casos não se apresentam claramente como um transtorno mental. Muitos pacientes tendem a falar apenas de suas queixas físicas, e os médicos não questionam sobre sintomas relacionados à saúde mental. O próprio cenário da consulta médica pode induzir a essa ênfase nas queixas físicas.

Para desvendar a presença dos transtornos mentais, deve-se perguntar sobre outros sintomas mais característicos, muitas vezes de cunho psicológico. A presença de sintomas depressivos e ansiosos de natureza psicológica é facilmente revelada pelos pacientes, que apenas aguardam sinais de interesse dos profissionais para falar de seu sofrimento emocional. É necessário apenas que haja a iniciativa de buscar sua presença em pacientes com sintomas físicos sem justificativa orgânica.

## Grupo 3: associados a síndromes específicas

Esses pacientes são menos frequentes e em geral com curso crônico e grave comprometimento funcional (social, laborativo e pessoal), havendo frequentemente dificuldade em aceitar a associação entre o sofrimento emocional e o quadro clínico.

O entendimento e a classificação nosológica desses casos têm-se modificado profundamente nas últimas décadas, e ainda não há um consenso sobre sua correta caracterização, o que dificulta seu cuidado efetivo.

Optou-se, neste capítulo, por discutir esses casos de uma forma mais abrangente, identificando três subtipos: as síndromes funcionais, os quadros hipocondríacos/ansiedade com a saúde e as conversões/dissociações.

### Síndromes funcionais

Existem, em quase todas as especialidades clínicas, pacientes que apresentam sintomas físicos sem explicação orgânica (ao menos naquele momento), sendo esses quadros, por essa razão, referidos como funcionais. Com o tempo, várias síndromes foram descritas, e algumas delas passaram a receber atenção especial por sua relevância e grau de incapacidade.

Em geral, as síndromes incluem um grupo comum de sintomas: dor muscular difusa, fadiga, alterações gastrintestinais, cefaleia, insônia, depressão, ansiedade, alterações de memória e um comprometimento geral do funcionamento social. As mais conhecidas são a fibromialgia, a síndrome do intestino irritável e a síndrome da fadiga crônica. Esses casos são encontrados sob os cuidados de variadas especialidades médicas, e sua etiologia e definição não estão claramente estabelecidas. Cada uma das síndromes é abordada em diferentes capítulos deste livro. Fibromialgia é abordada no Capítulo Dores Crônicas, síndrome da fadiga crônica é abordada no Capítulo Cansaço ou Fadiga e síndrome do intestino irritável é abordada no Capítulo Problemas Digestivos Baixos. Neste capítulo, é abordado de forma mais ampla o manejo dos aspectos psicossociais desses quadros funcionais.

É importante ressaltar a alta frequência de comorbidade de transtornos depressivos e de ansiedade com os quadros de somatização crônica. Essas comorbidades podem confundir o diagnóstico da somatização crônica e precisam ser diagnosticadas e tratadas. Ademais, os quadros funcionais frequentemente apresentam desencadeantes físicos bem-demarcados, como grandes acidentes ou cirurgias de grande porte (podendo desencadear fibromialgia) e quadros pós-infecciosos (desencadeando síndrome da fadiga crônica).

Ressalta-se, ainda, a necessidade de se considerarem as particularidades de quadros de dor. A dor é a queixa mais frequente para busca de atendimento na APS e, em muitos casos, associa-se a quadros funcionais.[3,13] Entre as queixas de dor, destacam-se lombalgia, cefaleia, dor precordial atípica e dor no corpo todo (difusa ou generalizada).

Um aspecto que se destaca em todos esses casos é a adesão ao papel de doente. Esse papel traz, muitas vezes, ganhos secundários – por exemplo, ocasionando a resolução de situações conflitivas ao assumi-lo. A percepção dessa identidade de doente pode gerar desconforto nos profissionais responsáveis pelo seu cuidado. É preciso lembrar que, em grande parte das situações, a frágil estrutura de personalidade dos somatizadores crônicos, muitas vezes vítimas de abuso físico e sexual, encontra uma alternativa de empoderamento na posição de doente.

### Hipocondria e ansiedade com a saúde

A discussão sobre os quadros de somatização crônica e sua classificação[20] destaca a presença de um padrão cognitivo de **preocupação permanente e desproporcional** com a própria saúde, **amplificação das sensações somáticas** e **interpretação de sensações físicas normais como indicadoras de doença física**.

Esse padrão cognitivo tem sido tradicionalmente associado à hipocondria, considerada de maneira errônea como uma "mania de doenças". Na verdade, o conceito de hipocondria se caracteriza pela convicção de ter uma determinada doença, não confirmada pelo médico. Esse padrão cognitivo pode ser visto como uma patologia na representação de ser doente, ou seja, a hipocondria está mais associada a se sentir fraco, incapaz e doente do que à presença em si de sintomas sem explicação médica. O que ocorre, portanto, é uma convicção sobre os sintomas e uma preocupação permanente com a saúde.

No DSM-5, a hipocondria passou a ser denominada transtorno de ansiedade de doença e, na CID-11-AP, ansiedade com a saúde.

### Conversão e dissociação

Outro tipo especial é constituído pelos quadros dissociativos, incluídos na CID-10, com o nome de transtornos dissociativos/conversivos. Caracterizam-se por perda da integração entre funções neuropsicológicas, neurológicas superiores ou neurológicas periféricas, sem causas orgânicas definidas.

Em alguns casos, quadros dissociativos não se caracterizam exatamente pela presença de sintomas físicos, mas sim por alterações da consciência e da memória. No caso específico dos transtornos dissociativos de movimento e sensação, é necessário, para seu diagnóstico, a presença de sintomas de natureza pseudoneurológica, que, em geral, apresentam-se isolados e de forma abrupta, com evidentes desencadeantes psicossociais. Em geral, são queixas que atingem o sistema motor voluntário, ou funções sensitivas e pares cranianos, como anestesias, paresias, paralisias, mutismo, cegueira, etc. Esses pacientes são vistos com mais frequência em emergências médicas. Eventualmente, são vistos no ambiente da APS, muitas vezes com resolução espontânea dos sintomas.

## DESAFIOS NA CLASSIFICAÇÃO NOSOLÓGICA

### *Manual diagnóstico e estatístico de transtornos mentais* e *Classificação estatística internacional de doenças e problemas relacionados à saúde*

A inclusão de pacientes com sintomas físicos de difícil caracterização em categorias nosológicas tem sido um grande desafio na elaboração de classificações como a CID e o DSM. Desde a adoção do DSM-III até o atual, e com o advento da CID-11, os grupos nosológicos que envolvem esses pacientes foram sempre diferentes nas várias classificações. A inclusão do transtorno de somatização no DSM-III na década de 1980, dos quadros de transtorno de sintomas somáticos no DSM-5 e do transtorno do desconforto corporal da CID-11 nunca foi consensual, e a classificação mais apropriada continua em debate.

Na medicina, abundância costuma ser sinal de penúria. Tantas categorias e variações entre as diversas classificações apenas confirmam o desconhecimento sobre o que de fato ocorre com esses pacientes. Eles representam um desafio na prática clínica e fonte de frustração para os profissionais. Não obstante, apresentam intenso sofrimento e requerem um cuidado respeitoso e qualificado.

Por esse motivo, optou-se por não abordar os sintomas físicos de difícil caracterização neste capítulo a partir das categorias e classificações nosológicas. Contudo, a seguir são apontadas algumas características das diversas categorias atuais para ilustrar as diferenças entre as formas como os pacientes estão sendo considerados no DSM-5 e na CID-11, incluindo a CID-11-AP. As classificações diferem eminentemente pelo subtipo de paciente e pela sintomatologia que está sendo valorizada em cada uma delas.

É possível destacar quatro eixos de análise clínica:

1. **valorização das queixas físicas e de suas distribuições entre os sistemas corporais, sua associação com estresse e sua evolução para quadros crônicos:** a síndrome corporal do estresse da CID-11-AP evolui para o transtorno de desconforto corporal da CID-11 e se relaciona às diversas síndromes funcionais, como fibromialgia e intestino irritável;
2. **queixas de origem neurológica classicamente denominadas conversão:** esses diagnósticos persistem tanto no DSM-5 quanto na CID-11-AP e na CID-11. Entretanto, são classificados em diferentes grupos, dependendo da valorização – presente na CID-11, mas não no DSM-5 – de sua associação com o fenômeno da dissociação;
3. **queixas crônicas:** desde o DSM-III, elas caracterizam o transtorno de somatização, mas, no DSM-5, passam a caracterizar o transtorno de sintomas somáticos;
4. **hipocondria, transtorno de ansiedade de doença e ansiedade com a saúde:** a hipocondria persiste na CID-11, porém passa a ser denominada transtorno de ansiedade de doença no DSM-5 e ansiedade com a saúde na CID-11-AP. A presença desse tipo de preocupação passa a ser considerada como sintoma associado aos quadros relacionados a sintomas físicos, trazendo maior gravidade e um prognóstico mais reservado quando presente. No entanto, pode também ser detectada sem a presença de quaisquer queixas físicas, quando então será uma categoria diagnóstica *per se*, porém incluída em diferentes grupos diagnósticos no DSM-5 e na CID-11, onde foi incluída no espectro dos transtornos obsessivos, junto com o transtorno dismórfico corporal da CID-10.[8-10]

## Classificação internacional de atenção primária

Para uso na APS, há ainda a *Classificação internacional de atenção primária* (CIAP 2). Suas vantagens incluem, além de maior simplicidade, a codificação sistematizada de sintomas e medos de doenças. Dentro de cada sistema, os primeiros códigos (até o número 20) correspondem a sintomas, o 26 corresponde ao medo de câncer e o 27 corresponde ao medo de outra doença relacionada àquele sistema.

A maioria das síndromes funcionais tem códigos próprios (p. ex., fadiga crônica e síndrome do intestino irritável). Entretanto, não há código próprio para fibromialgia, e a orientação é classificá-la como dores musculares.

A somatização (P75) é descrita como "uma preocupação com a apresentação repetida de sintomas e queixas físicas, assim como pedidos insistentes de exames médicos, apesar de vários resultados negativos e garantias por parte dos médicos". É necessário a pessoa apresentar queixas múltiplas e limitantes por pelo menos 1 ano.[21]

# AVALIAÇÃO MULTIDIMENSIONAL

A TABELA 174.2 apresenta parâmetros que podem ajudar a distinguir entre os tipos de somatização e a nortear o tratamento de pessoas com sintomas físicos de difícil caracterização: presença de evento desencadeante, presença de TMC, presença de fatores de risco específicos para somatização, atribuição etiológica, duração do quadro e grau de incapacidade.

## Eventos desencadeantes

Devem-se investigar desencadeantes psicossociais que podem estar associados ao sofrimento emocional, identificando eventos significativos na vida dessas pessoas (crises vitais, esperadas ou acidentais). Em geral, esses pacientes não costumam negar seus problemas emocionais e a influência de fatores psicossociais.

## Transtornos de ansiedade ou depressivos

Os quadros ansiosos e depressivos (TMC) podem causar queixas médicas de difícil caracterização ou estar presentes como comorbidade nos casos de somatização crônica. Seu pronto diagnóstico e tratamento pode prevenir uma evolução desfavorável (ver Capítulos Transtornos Relacionados à Ansiedade e Depressão).

## Fatores de risco: conhecendo a história de vida e de doenças do paciente

Ao fazer uma abordagem integral e centrada na pessoa, o médico da APS avalia a história de vida do paciente e de suas relações familiares, identificando fatores de risco para a presença de transtornos de somatização e para cronificação, conforme discutido anteriormente. Dois fatores de risco merecem atenção especial: a presença de abuso físico e sexual e a valorização do papel de doente.

Embora seja necessário diferenciar o paciente somatizador daquele que simula sintomas em busca de benefícios (emocionais ou materiais), a pessoa que somatiza também corre o risco de assumir uma postura passiva, supervalorizando a sua incapacidade funcional. O profissional envolvido poderá atuar na prevenção dessa incapacidade, estimulando a pessoa a manter-se em atividade, apesar dos sintomas. Em alguns casos, porém, o grau de incapacidade será maior, com grande comprometimento da capacidade funcional e laboral.

## Padrão de atribuição etiológica (somática ou psicológica)

Os pacientes apresentam diferentes graus de atribuição somática ou psicológica para a origem dos sintomas físicos.[22] Esses padrões de atribuição sofrem influência da família e da comunidade. Da mesma forma, os sistemas de saúde – e, em especial, os médicos – também têm um papel fundamental em como se processará essa atribuição. Quanto mais o paciente puder reconhecer a natureza psicossocial de suas queixas, melhor será a evolução. Assim, como se vê adiante, grande parte das intervenções na APS é direcionada a aumentar a consciência do paciente somatizador sobre a origem não orgânica de suas aflições, deslocando-o do polo da atribuição puramente somática para a direção da compreensão psicológica dos sintomas.

**TABELA 174.2** → Parâmetros para o diagnóstico diferencial de sintomas físicos de difícil caracterização

| | EVENTO VITAL DESENCADEANTE | TRANSTORNO MENTAL COMUM | RISCOS DE SOMATIZAÇÃO CRÔNICA | ATRIBUIÇÃO | DURAÇÃO | COMPROMETIMENTO FUNCIONAL |
|---|---|---|---|---|---|---|
| Sintomas físicos de difícil caracterização associados a transtornos mentais inespecíficos | Sim | Não | Se presentes os fatores de risco | Psicossocial | < 6 meses | Pouco |
| Sintomas físicos de difícil caracterização associados a transtorno mental comum | Frequentemente, mas não necessariamente presente | Sim | Se presentes os fatores de risco | Psicossocial | Variável | Depende de duração e gravidade |
| Hipocondria e preocupações somáticas | Frequentemente em associação com doença física | Pode estar presente | Sim | Psicológica/somática | > 6 meses | Moderado |
| Conversão/dissociação | Sim, para as crises | Pode estar presente | Sim | Inicialmente somática, aceitando psicossocial | Variável; início precoce | Grave |
| Síndromes funcionais | Frequentemente em associação com doença física | Pode estar presente | Sim | Somática | > 6 meses | Grave |

Os pacientes com síndromes funcionais apresentam baixa aceitação de que seus sintomas possam ser de origem não física. Os quadros dissociativos e conversivos costumam ter um grau intermediário no curso, em especial aqueles que frequentam os serviços de emergência, embora costume existir uma aceitação maior de causas psicológicas – até por questões diagnósticas.

Quando a associação com sofrimento emocional é bem trabalhada e um modelo explicativo que o inclua consegue ser construído com o paciente, ele passa a aceitar intervenções terapêuticas psicossociais, sejam elas conduzidas na APS ou por especialista em saúde mental, podendo evoluir com menor incapacidade funcional e menor risco de cronicidade.

## Curso e grau de incapacitação dos sintomas

A maioria dos pacientes com sintomas físicos de difícil caracterização que consultam no âmbito da APS apresenta quadros agudos ou subagudos, com duração < 6 meses. Como se pode ver adiante, os profissionais da APS têm um papel importante em evitar a cronificação.

A cronicidade dos quadros de somatização é diretamente proporcional à sua gravidade, medida sobretudo em termos de incapacidade social. Quanto maior a cronicidade dos quadros, maior a adesão ao papel de doente adotada pelo paciente, já com ganhos secundários e uma profunda dificuldade em se confrontar com suas questões pessoais. Isso terá implicações específicas no manejo desses pacientes, como é descrito a seguir.

## TRATAMENTO

Após a avaliação dos diversos fatores que compõem as dimensões da somatização e o posicionamento do paciente em alguma das apresentações clínicas, é possível traçar um plano terapêutico. A **FIGURA 174.2** resume, na forma de um

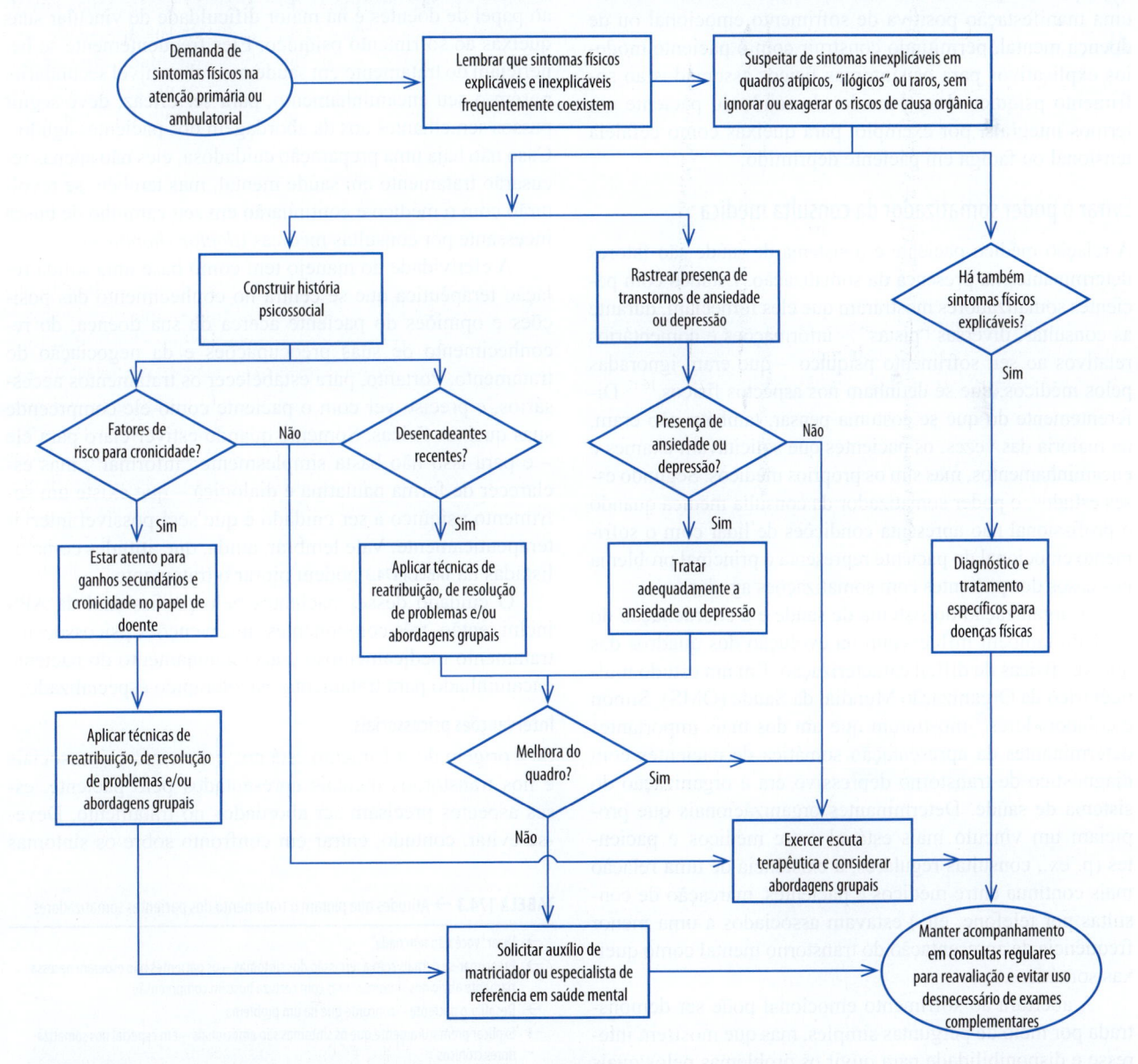

**FIGURA 174.2** → Fluxograma de avaliação e conduta para sintomas físicos sem explicação médica.

fluxograma, a abordagem e o tratamento das apresentações somáticas descritas neste capítulo.

## Princípios

**O tratamento é fundamentado, especialmente, em dois princípios: superar o modelo doença-lesão e evitar o poder somatizador da consulta médica.**

### Superar o modelo doença-lesão

A somatização caracteriza-se pela ausência de lesão física, mas é preciso superar esse princípio de exclusão, transformando a detecção e o tratamento em um processo positivo de diagnóstico. O médico não deve aguardar afastar a possibilidade de causas físicas para somente então considerar a contribuição de fatores psicossociais. Assim, pistas que apontam para esses fatores passam a ser vistas como uma manifestação positiva de sofrimento emocional ou de doença mental, permitindo construir com o paciente modelos explicativos para os sintomas físicos associados ao sofrimento psíquico. Isso é cuidar da saúde do paciente em termos integrais, por exemplo, para queixas como cefaleia tensional ou fadiga em paciente deprimido.

### Evitar o poder somatizador da consulta médica

A relação médico-paciente e o sistema de saúde são fatores determinantes na presença da somatização. Estudos com pacientes somatizadores mostraram que eles forneciam, durante as consultas, diversas "pistas" – informações e comentários relativos ao seu sofrimento psíquico – que eram ignoradas pelos médicos, que se detinham nos aspectos físicos.[16,17] Diferentemente do que se costuma pensar, também não eram, na maioria das vezes, os pacientes que solicitavam exames e encaminhamentos, mas sim os próprios médicos. Segundo esses estudos, o poder somatizador da consulta médica quando o profissional não apresenta condições de lidar com o sofrimento emocional do paciente representa o principal problema nos casos dos pacientes com somatizações agudas.

A organização do sistema de saúde e a coordenação do cuidado também influenciam na evolução dos quadros das queixas físicas de difícil caracterização. Em um estudo multicêntrico da Organização Mundial da Saúde (OMS), Simon e colaboradores[15] mostraram que um dos mais importantes determinantes da apresentação somática de pacientes com diagnóstico de transtorno depressivo era a organização do sistema de saúde. Determinantes organizacionais que propiciam um vínculo mais estável entre médicos e pacientes (p. ex., consultas regulares, a existência de uma relação mais contínua entre médicos e pacientes, marcação de consultas por telefone, etc.) estavam associados a uma menor frequência de apresentação do transtorno mental como queixas somáticas.

A abertura ao sofrimento emocional pode ser demonstrada por meio de perguntas simples, mas que mostrem interesse e disponibilidade para ouvir os problemas pelos quais o paciente está passando, como:

→ Está acontecendo alguma coisa que você relacione com esse seu sofrimento?
→ O que você acha que está causando esse mal-estar?

Essas perguntas devem estar integradas de forma orgânica no modelo de consulta, como discutido no Capítulo Modelo de Consulta e Habilidades de Comunicação, em relação à exploração sistemática das ideias, preocupações e expectativas.

## Abordagem terapêutica

O manejo dos pacientes com queixas físicas de difícil caracterização pelo médico da APS depende do tipo de paciente que se apresenta com essas queixas. Os pacientes com quadros agudos (sintomas somáticos associados a sofrimento mental inespecífico ou aos TMCs) responderão de forma rápida e eficaz a uma abordagem que inclua apoio psicossocial realizado já na APS.

Os somatizadores crônicos normalmente estão aderidos ao papel de doentes e há maior dificuldade de vincular suas queixas ao sofrimento psíquico. Eles frequentemente se beneficiam do tratamento em saúde mental no nível secundário, porém o seu encaminhamento, para ser eficaz, deve seguir passos semelhantes aos da abordagem dos pacientes agudos. Caso não haja uma preparação cuidadosa, eles não apenas recusarão tratamento em saúde mental, mas também se revoltarão com o médico e continuarão em seu caminho de busca incessante por consultas médicas (*doctor shopping*).

A efetividade do manejo tem como base uma sólida relação terapêutica que se centra no conhecimento das posições e opiniões do paciente acerca de sua doença, do reconhecimento de suas preocupações e da negociação do tratamento. Portanto, para estabelecer os tratamentos necessários, é preciso ver com o paciente como ele compreende suas queixas físicas. Somente quando estiver claro para ele – e para isso não basta simplesmente "informar", mas esclarecer de forma paulatina e dialógica – que existe um sofrimento psíquico a ser cuidado é que será possível intervir terapeuticamente. Vale lembrar, ainda, que atitudes como as listadas na **TABELA 174.3** podem piorar o tratamento.

O cuidado desses pacientes pelo profissional da APS inclui, então, três componentes: intervenções psicossociais, tratamento medicamentoso e acompanhamento do paciente encaminhado para tratamento psicoterápico especializado.

### Intervenções psicossociais

Se a origem do sofrimento está nos problemas psicossociais e nos transtornos mentais apresentados pelo paciente, esses aspectos precisam ser abordados no tratamento. Deve-se evitar, contudo, entrar em confronto sobre os sintomas

**TABELA 174.3** → Atitudes que pioram o tratamento dos pacientes somatizadores

→ Dizer "você não tem nada"
→ Preocupar-se demais com a remissão dos sintomas – os pacientes não esperam necessariamente alívio dos sintomas, mas com certeza buscam compreensão
→ Desafiar o paciente – concorde que há um problema
→ Explicar prematuramente que os sintomas são emocionais – em especial nos somatizadores crônicos
→ Informar diagnósticos orgânicos positivos quando eles não existem

serem psicológicos e não físicos. Essa visão de oposição, eminentemente biomédica, obscurece a capacidade de entender de forma correta o processo de adoecer. Nesses pacientes, os sintomas físicos são parte do adoecer psíquico e, portanto, reais, constituindo objeto da intervenção terapêutica. Todavia, a intervenção não deve se restringir a eles, devendo-se abordar também o sofrimento psíquico associado.

A seguir, são abordadas algumas intervenções terapêuticas que podem ser realizadas pela equipe da APS.

### Reatribuindo e recodificando o sintoma

Uma das primeiras linhas de abordagem terapêutica dos pacientes com queixas médicas inexplicáveis foi delineada por Goldberg, Gask e Sartorius.[23] Ela se centra na reatribuição, o que inclui a modificação do sentido dos sintomas dentro da relação terapêutica, sendo um processo de abordagem dos sintomas físicos sem explicação médica no qual o profissional de saúde ajuda o paciente a relacionar suas queixas somáticas com o seu sofrimento psíquico.

A abordagem foi pouco avaliada, mas os estudos realizados em geral não mostram melhora nos desfechos de alívio de sintomas e qualidade de vida dos pacientes **C/D**.[24] Entretanto, o treinamento para realizar a reatribuição facilita a vinculação com os pacientes e melhora as habilidades de comunicação dos médicos nessas situações.[25]

O processo está dividido em quatro etapas, descritas a seguir.

1. **Sentindo-se compreendido.** A partir das queixas trazidas pelo paciente, constrói-se uma "história" da apresentação da queixa a partir de um dia típico e de exemplos específicos, cuidando para não se perder na miríade de queixas apresentadas. Nesse processo, geralmente o paciente acaba trazendo queixas psicológicas e "pistas" sobre seus problemas emocionais. O profissional deve também investigar os antecedentes psicossociais e as consequências dos problemas que motivaram a consulta. Sempre deve ser realizado um exame físico breve e focar nas queixas do paciente.
2. **Ampliando a agenda.** Após esse(s) primeiro(s) atendimento(s), é preciso dar o *feedback* dos resultados dos exames e das investigações, com o reconhecimento da realidade da dor/sintomas. Em seguida, é necessário iniciar a recodificação das queixas, resumindo todos os sintomas (físicos e psicológicos) e investigando a possibilidade de vínculo desses sintomas com eventos vitais/fatores psicossociais.
3. **Fazendo o vínculo e construindo um modelo explicativo.** Essa etapa é o ponto central do processo de reatribuição e envolve construir um modelo explicativo dos sintomas que faça sentido tanto para o profissional quanto para o paciente. Alguns padrões culturais que explicam a presença de queixas físicas em situações de sofrimento emocional devem ser discutidos. Entre eles, destacam-se:
   → situações de estresse desencadeiam sintomas autonômicos;
   → o estado emocional reduz o limiar da dor;
   → tensões musculares causam dor física;
   → o "estado nervoso" se acompanha de queixas físicas.

   Nesse processo, é importante explorar as formas de manifestação do sofrimento emocional. Eventos de vida estressantes e transtornos mentais, como ansiedade e depressão, podem produzir sintomas físicos, que fazem o paciente se sentir doente e ainda mais deprimido e ansioso, criando um círculo vicioso. Essa discussão deve ser focada no "aqui e agora", evitando, nesse momento, fazer associações com problemas mais antigos na vida dessas pessoas. Pessoas próximas, em geral os familiares, frequentemente incomodados e mobilizados pelo intenso sofrimento do paciente, também devem ser incluídos nessa abordagem. Tendo conseguido que o paciente associe o sofrimento físico ao sofrimento emocional, é chegada a hora de negociar o tratamento adequado.
4. **Negociando o tratamento.** Tendo construído um modelo explicativo em comum entre o profissional e o paciente, é possível construir um projeto terapêutico com maior aceitação por parte do paciente.

Essa sequência pode ser feita no decorrer de várias consultas, que podem ser de curta duração (até mesmo 15 minutos), pois a base das intervenções terapêuticas de apoio na APS está na longitudinalidade do cuidado e no acolhimento ao sofrimento emocional dos pacientes, muito mais do que no aprofundamento das questões em cada consulta.

Detectar e associar eventos de vida aos sintomas é um caminho para abordar os casos com sintomas físicos inexplicáveis. Construir essa ponte pode ser fácil nos casos agudos, que rapidamente estabelecem essas conexões por meio de associações temporais, bastando que eles percebam a disponibilidade da equipe para escutar e acolher. Mas pode ser difícil com os casos crônicos, que costumam aderir às queixas somáticas e se recusam a discutir seus problemas pessoais. Em todos os casos, é importante construir um modelo explicativo que associe o sofrimento físico ao sofrimento emocional.

Alguns conceitos e figuras de linguagem podem ser especialmente úteis e devem ser utilizados no processo de construção de uma visão mais integrada da mente com o corpo, como pode ser visto na **TABELA 174.4**.

### Oferecendo espaços de apoio psicossocial

O cuidado longitudinal proporciona fortes vínculos. A medicina de família e comunidade tem, entre seus princípios, a intensificação da relação médico-pessoa, na qual o vínculo é elemento-chave. Esse vínculo, por si só, é terapêutico – e com frequência leva os pacientes a trazerem seus problemas pessoais para serem discutidos com seus médicos. Nessas ocasiões, intervenções de apoio podem ser usadas para ajudar os pacientes a superarem os diversos problemas psicossociais que se associam às suas queixas.

A utilização da técnica de solução de problemas (ver Capítulo Intervenções Psicossociais na Atenção Primária à Saúde), geralmente associada a outras intervenções de caráter cognitivo-comportamental, pode ser útil no manejo

**TABELA 174.4** → Conceitos e figuras de linguagem que podem ser úteis para a construção de uma visão integrada mente-corpo

*Estresse.* O conceito de estresse é amplamente difundido, e sabe-se que sintomas autonômicos ocorrem na sua presença. A busca de estressores na vida do paciente também facilita que sejam identificados fatores desencadeantes de transtornos depressivos e de ansiedade e situações problemáticas.

*Nervos ou nervoso.* Esse conceito se apresenta de várias formas nas consultas, em geral como queixas físicas associadas a problemas psicossociais. Esse tipo de queixa, tradicional na cultura brasileira, pode ser muito útil na recodificação dos sintomas. A queixa de "nervos" é um tipo de sofrimento que integra componentes físicos e psíquicos. Utilizar esse conceito, trabalhando dentro das representações culturais dos pacientes, facilita a abordagem dos sofrimentos psicológicos associados às queixas físicas.

*Tensões musculares.* Tensões musculares causam dor física e, como a depressão, podem baixar o limiar da dor. Construir explicações que demonstrem que ansiedade e depressão causam alterações somáticas abre espaço para trabalhar o sofrimento psíquico, sem que as queixas somáticas sejam descartadas como simulações ou invenções.

Fonte: Tófoli e colaboradores.[26]

desses pacientes pelos profissionais não especializados em psicoterapias.

### Grupos terapêuticos

Técnicas grupais têm sido aplicadas com sucesso na APS, como a terapia comunitária, os grupos de convivência e as terapias grupais breves baseadas nas técnicas cognitivo-comportamentais e de solução de problemas. Não há estudos que comprovem a sua eficácia na realidade brasileira, mas, em outros países, há bons resultados dessas técnicas para tratamento dos quadros de TMC com queixas somáticas **C/D**.[27] Mais do que cuidar das queixas apresentadas, essas técnicas são eficazes no tratamento dos transtornos mentais de base.

### Técnicas de relaxamento/exercício físico

Técnicas que envolvem relaxamento permitem uma redução da ansiedade, o que é benéfico nesses casos, pois reduzem os sintomas físicos relacionados com estresse e tensão, como dores cervicais, torácicas e lombares e cefaleias. As atividades físicas, como caminhada, ginástica e alongamento, que não necessariamente envolvem profissionais especializados para serem realizadas, trazem bem-estar imediato aos pacientes. Também se pode aproveitar a presença de professores de educação física nas equipes do Núcleo Ampliado de Saúde da Família e Atenção Básica (NASF-AB) como apoio matricial para essas experiências. Melhora sintomática foi observada com atividade física de múltiplas modalidades em indivíduos com fibromialgia **C/D**.[28]

### Mindfulness

*Mindfulness* se origina de técnicas milenares orientais de meditação, apropriadas pela ciência ocidental, dando-lhe um formato laico, possível à maioria dos indivíduos, trazendo a possibilidade de adquirir a capacidade de estar atento ao que acontece no presente, com abertura, aceitação e percepção do aqui e agora, sem julgamento, vivenciando a experiência.

O sofrimento mental e sua sintomatologia são construídos pelo indivíduo por meio de rememorações de fatos e histórias passadas e/ou preocupações com o futuro. Assim, no mundo atual, cheio de informações, com excesso de atividade, o indivíduo permanece longe do aqui e agora, ficando muito longe do momento presente, perdendo sua atenção do meio e de si mesmo. A prática de *mindfulness* leva o indivíduo a praticar estar no aqui e agora, melhorando sua atenção, foco e discernimento, estando tranquilo para fazer melhores escolhas, percebendo a realidade com mais clareza, melhorando suas relações e as atividades da vida cotidiana.

Existem vários modelos da prática, e muitos estudos mostram seus benefícios tanto para a saúde mental quanto para a saúde física. Essa prática pode ser treinada e gerar melhoras clínicas, dando autonomia para que o indivíduo possa aprender a se cuidar, a se conhecer e a estar no momento presente. Estudos nos últimos 10 anos têm demonstrado sua importância no tratamento complementar de vários quadros clínicos,[29,30] como dores crônicas, depressão, ansiedade, adicções e queixas relacionadas ao estresse, entre outras.

### Abordagem familiar

A família é um fator importante para entender e poder tratar os pacientes com queixas físicas de difícil caracterização e deve ser incluída pelo médico no processo de abordagem, diagnóstico e tratamento (ver Capítulo Abordagem Familiar).

Frequentemente as queixas somáticas representam um padrão de comunicação que se origina na família de origem e que pode ser mantido e reforçado em núcleos familiares posteriores. Essa atitude familiar inicia-se reforçando os ganhos secundários com o papel de doente, mas pode acabar gerando conflitos quando os familiares se sentem manipulados pelas queixas e pela crescente incapacidade dos pacientes que cronificam a somatização. Essa alternância de reforço inicial e posterior rejeição da família é parte do quadro dos somatizadores crônicos e deve ser diretamente abordada, sob risco de fracasso das outras intervenções terapêuticas. Convocar a família, elucidar conflitos existentes, conversar e esclarecer sobre as queixas e o grau de sofrimento emocional podem abrir novos caminhos de resolução dos problemas, levando à redução do estado depressivo-ansioso e das queixas somáticas **C/D**.

### Tratamento medicamentoso

A correta detecção e tratamento dos TMCs, principalmente ansiedade e depressão, é fundamental para que se possa iniciar o uso apropriado de antidepressivos e ansiolíticos (ver Capítulos Transtornos Relacionados à Ansiedade e Depressão).

Os antidepressivos, além de melhorarem os sintomas de somatização em pacientes deprimidos, também são efetivos em pacientes com queixas somáticas na ausência de sintomas depressivos, especialmente dor[31,32] **C/D**. Uma medicação frequentemente utilizada na Europa para o manejo de queixas somáticas sem explicação médica é a sulpirida, que parece apresentar efeitos benéficos, em especial nas queixas dolorosas e nos distúrbios gastrintestinais **C/D**.[33,34] A resposta ocorre com doses mais baixas do que as usadas para tratar a esquizofrenia. Inicia-se com doses de 50 mg, 1 a 2 ×/dia, com aumento gradual até resposta clínica, podendo chegar a 150 a 175 mg/dia, não devendo exceder 200 mg/dia. Seu principal efeito colateral é a galactorreia.

A hipocondria/ansiedade com a saúde responde também a antidepressivos, embora a primeira linha de tratamento seja a psicoterapia. As evidências se concentram predominantemente no uso de fluoxetina C/D.[35]

Cabe ressaltar que, entre os pacientes somatizadores crônicos, que são uma porcentagem pequena dos somatizadores na APS (em torno de 7% em amostra de estudo brasileiro),[13] verifica-se uma extrema sensibilidade a qualquer alteração somática, que é ampliada de forma sistemática. Isso os torna particularmente sensíveis aos efeitos colaterais dessas medicações, em especial os antidepressivos. É necessário ter paciência, esclarecimento e perseverança para que suas dúvidas sejam superadas e a adesão ao tratamento ocorra. Muitas vezes, o paciente suporta certos efeitos colaterais apenas para "agradar" o médico que se preocupa com ele, o que reforça a importância do vínculo.

### Coordenação do cuidado de pacientes em acompanhamento especializado

Como indicado na FIGURA 174.2, alguns pacientes requerem atenção especializada, mas o acompanhamento pelo médico da APS deve ser mantido.

Casos crônicos são frequentemente fontes de estresse para o profissional da APS, pois frustram as expectativas de resolução rápida dos sintomas. Os pacientes não referem melhora, queixam-se de que nada resolve (nem o médico) e, caso aceitem tomar medicamentos, é comum apresentarem os efeitos colaterais. Na maior parte das vezes, questionam a origem psicológica dos sintomas. Fica implícito que há algo que o médico não consegue descobrir, e isso provoca uma incômoda sensação de impotência no profissional.

Exatamente por isso é fundamental a manutenção do acompanhamento pelo médico da APS, pois se evita a busca e a realização excessivas de consultas e exames desnecessários.

Como são casos difíceis, é importante considerar a contratransferência. A frustração vivenciada pelo médico pode levar a condutas inadequadas e que têm por objetivo, inconscientemente, livrar-se do paciente e, assim, terminar com o sentimento de impotência gerado. Alguns pontos merecem consideração.

O primeiro é que o paciente não tem controle consciente sobre seus sintomas. Se o paciente volta, ele está recebendo algo que faz sentido para sua vida, mesmo que isso não termine com as queixas. Por isso, o vínculo deve ser valorizado, e as queixas não tanto. Se os sintomas melhorarem, ótimo; se não, a melhor opção é suportar e acolher o sofrimento, sem culpa ou ideias de incompetência. Cabe ressaltar ainda que os pacientes não informam suas melhoras, muitas vezes por não conseguirem perceber a relação dessas mudanças com o atendimento.

Outro ponto é que vale refletir sobre um ensinamento da antiga medicina grega. Segundo ele, os sentidos (olfato, visão, tato, audição e paladar) captam a nossa relação com o mundo. Essa captação é conduzida para a *kardia* (καρδι'α), que, para os gregos, era o centro das emoções. A partir daí, dois caminhos se apresentam: ou viram *logos* (λο'γος; palavra, pensamento) ou vão para o corpo e produzem sensações que esses pacientes tendem a hipervalorizar. Portanto, uma tarefa de cunho psicológico é contribuir para que ampliem sua capacidade de falar e de relacionar os eventos da vida com as suas emoções.

Na TABELA 174.5, encontra-se um resumo de boas práticas que o médico da APS deve exercer nos casos de somatização crônica sob sua responsabilidade.

### Tratamentos especializados para a somatização crônica

Alguns pacientes com quadros crônicos, como os portadores de fibromialgia, síndrome do intestino irritável e outras síndromes dolorosas, beneficiam-se de intervenções psicoterápicas de base cognitivo-comportamental.[19] Alguns estudos com terapias psicodinâmicas breves demonstram redução dos sintomas somáticos associados à presença de ansiedade e depressão.[36] De maneira geral, essas intervenções podem reduzir o número de queixas físicas, o comprometimento funcional e a adesão ao papel de doente.

É importante ressaltar que essas intervenções, mesmo quando realizadas na APS, geralmente são ações de profissionais de saúde mental, sugerindo que a participação de profissionais especializados seja necessária para a realização de intervenções psicoterápicas com esse subgrupo de pacientes crônicos.

## GRUPOS BALINT PARA QUALIFICAR O ATENDIMENTO MÉDICO DESSES PACIENTES

Como dito anteriormente, o poder somatizador da consulta médica tem, na sua gênese, além da organização dos serviços, o próprio médico. Como dizia Balint,[37] o médico é o medicamento mais prescrito e a sua posologia precisa ser

**TABELA 174.5** → Papéis do médico da atenção primária à saúde nos casos de somatização crônica

- → Preparar adequadamente o encaminhamento para atendimento especializado em saúde mental por meio da reatribuição das queixas para que o tratamento pela saúde mental faça sentido para o paciente
- → Atender regularmente, de preferência mensalmente, esses pacientes, evitando que novas queixas surjam como forma de conseguir atendimento e reforçando a importância do acompanhamento pela saúde mental; a manutenção do tratamento com o médico clínico aumenta a adesão ao tratamento na saúde mental
- → Evitar exames desnecessários e encaminhamentos a especialistas para que não haja reforço da convicção do paciente de que pode estar havendo algo errado; ao contrário do que se esperaria, essas intervenções não tranquilizam esses pacientes, apenas fortalecem fantasias acerca de possíveis doenças a serem investigadas de forma mais profunda
- → Manter comunicação com as equipes de saúde mental que atendem o paciente; discussões interdisciplinares sobre esses casos entre as equipes da APS e da saúde mental são importantes para a construção de um projeto terapêutico comum
- → Organizar o tratamento na APS, envolvendo toda a equipe, favorecendo paulatinamente ações interdisciplinares, em especial recursos não farmacológicos disponíveis no serviço e na comunidade; envolver a família do paciente no tratamento
- → Usar técnicas que mantenham boa comunicação médico-paciente, como esclarecer na consulta quais são as áreas sobre as quais você e o paciente concordam/discordam, elaborando uma agenda consensual; reforçar sempre com o paciente as associações entre queixas físicas e sofrimento psíquico; e fornecer um modelo claro e abrangente ao paciente sobre seus sofrimentos
- → Não esperar uma cura; estamos diante de uma patologia crônica; mais do que a eliminação do sintoma, o objetivo é possibilitar ao paciente conviver com seus sofrimentos de uma forma equilibrada, reestruturar uma vida ativa e diminuir a adesão ao papel de doente

conhecida e administrada adequadamente. Como outros fármacos, tanto a subdose quanto a dose excessiva são nocivas.

Balint,[37] já na década de 1950, trazia a questão dos pacientes que "encontravam" no adoecer a "solução" para a sua vida. Segundo ele, os pacientes inicialmente apresentam sintomas inespecíficos, que ele chamava de "estado não organizado". Com a ajuda do médico, que não percebia as dificuldades psicossociais do paciente, uma doença era "organizada". Quando o médico fixa seu interesse e conhecimento na biologia, por falhas na formação ou por defesa psicológica diante da complexidade das relações humanas, a dimensão da prática clínica fica reduzida e favorece um sem número de iatrogenias.

É frequente que esses pacientes sejam vistos como "difíceis", o que tende à criação de um círculo vicioso: o paciente não melhora como o médico espera e este se sente incomodado; por sua vez, o paciente não se sente acolhido e compreendido, o que o faz persistir ou amplificar os sintomas, que é a sua forma de comunicar; o médico, então, vê o paciente como um demandante, fica mais insatisfeito, frustrado e irritado; atendê-lo passa a ser um sofrimento e o círculo continua.

Muitas dessas dificuldades podem se dar em função de o médico ter captado inconscientemente a impotência e a desesperança que o paciente vive cotidianamente. Esse processo é chamado na psicanálise de contratransferência (ver Capítulo Intervenções Psicossociais na Atenção Primária à Saúde). É exatamente nesse contexto que o método dos Grupos Balint demonstra sua potência, uma vez que eles permitem "estender a compreensão dos estados mentais inconscientes à atmosfera da prática médica comum".[38]

Os Grupos Balint têm uma metodologia que visa facilitar o contato com o mundo inconsciente no contexto clínico. Consistem em reuniões com 8 a 12 participantes, um líder e, se possível, um colíder. Um voluntário apresenta um caso escolhido que destoa, positiva ou negativamente, de outros da sua clínica. Depois todos os participantes procuram deixar a mente livre para fazer qualquer associação que o caso tenha suscitado. Frequentemente, o apresentador ouve, nessas comunicações, algo que ele não havia pensado e que amplia sua consciência sobre sua relação com o paciente do caso apresentado.

Os Grupos Balint têm hoje um reconhecido papel na melhora da qualidade da relação médico-paciente, no suporte emocional e na ampliação da resiliência[39] do médico, assim como na prevenção de *burnout*.[40-42]

## REFERÊNCIAS

1. Johansen M-L, Risor MB. What is the problem with medically unexplained symptoms for GPs? A meta-synthesis of qualitative studies. Patient Educ Couns. 2017;100(4):647–54.
2. Lipowski ZJ. Somatization: the concept and its clinical application. Am J Psychiatry. 1988;145(11):1358–68.
3. Kirmayer LJ, Robbins JM, editors. Current concepts of somatization: research and clinical perspectives. Washington: APA; 1991. (Progress in psychiatry).
4. Duncan MS. Contribuições da interocepção e do processamento preditivo para a compreensão sobre sintomas na atenção primária à saúde. [dissertação]. Rio de Janeiro: UERJ; 2021.
5. Kellner R, Sheffield BF. The one-week prevalence of symptoms in neurotic patients and normals. Am J Psychiatry. 1973;130(1):102–5.
6. Freeman TR. Manual de Medicina de Família e Comunidade de McWhinney. 4. ed. Porto Alegre: Artmed; 2018.
7. Budtz-Lilly A, Vestergaard M, Fink P, Carlsen AH, Rosendal M. Patient characteristics and frequency of bodily distress syndrome in primary care: a cross-sectional study. Br J Gen Pract. 2015;65(638):e617–23.
8. Goldberg DP, Reed GM, Robles R, Bobes J, Iglesias C, Fortes S, et al. Multiple somatic symptoms in primary care: A field study for ICD-11 PHC, WHO's revised classification of mental disorders in primary care settings. J Psychosom Res. 2016;91:48–54.
9. Fortes S, Ziebold C, Reed GM, Robles-Garcia R, Campos MR, Reisdorfer E, et al. Studying ICD-11 Primary Health Care bodily stress syndrome in Brazil: do many functional disorders represent just one syndrome? Braz J Psychiatry. 2019;41(1):15–21.
10. Fortes S, Tófoli LF, Gask L. New categories of bodily stress syndrome and bodily distress disorder in ICD-11. J Bras Psiquiatr. 2018;67(4):211–2.
11. Barsky AJ, Orav EJ, Bates DW. Somatization increases medical utilization and costs independent of psychiatric and medical comorbidity. Arch Gen Psychiatry. 2005;62(8):903–10.
12. Kroenke K, Spitzer RL, Williams JB, Linzer M, Hahn SR, deGruy FV 3rd, et al. Physical symptoms in primary care. Predictors of psychiatric disorders and functional impairment. Arch Fam Med. 1994;3(9):774–9.
13. Fortes S. Transtornos mentais na atenção primária: suas formas de apresentação, perfil nosológico e fatores associados em unidades do programa de saúde da família do município de Petrópolis/Rio de Janeiro, Brasil. [tese]. Rio de Janeiro: UERJ; 2004.
14. Goldberg DP, Huxley P. Common mental disorders: a bio-social model. Alameda: Tavistock/Routledge; 1992.
15. Simon GE, VonKorff M, Piccinelli M, Fullerton C, Ormel J. An international study of the relation between somatic symptoms and depression. N Engl J Med. 1999;341(18):1329–35.
16. Ring A, Dowrick C, Humphris G, Salmon P. Do patients with unexplained physical symptoms pressurise general practitioners for somatic treatment? A qualitative study. BMJ. 2004;328(7447):1057.
17. Ring A, Dowrick CF, Humphris GM, Davies J, Salmon P. The somatising effect of clinical consultation: what patients and doctors say and do not say when patients present medically unexplained physical symptoms. Soc Sci Med. 2005;61(7):1505–15.
18. Reilly J, Baker GA, Rhodes J, Salmon P. The association of sexual and physical abuse with somatization: characteristics of patients presenting with irritable bowel syndrome and non-epileptic attack disorder. Psychol Med. 1999;29(2):399–406.
19. Henningsen P, Zipfel S, Sattel H, Creed F. Management of Functional somatic syndromes and bodily distress. Psychother Psychosom. 2018;87(1):12–31.
20. Mayou R, Kirmayer LJ, Simon G, Kroenke K, Sharpe M. Somatoform disorders: time for a new approach in DSM-V. Am J Psychiatry. 2005;162(5):847–55.
21. World Organization of National Colleges, Academies, and Academic Associations of General Practitioners/Family Physicians (Wonca). Classificação Internacional de Atenção Primária (CIAP 2). Florianópolis : Sociedade Brasileira de Medicina de Família e Comunidade; 2009.
22. Wright BK, Kelsall HL, Clarke DM, McFarlane AC, Sim MR. Symptom attribution and treatment seeking in Australian veterans. J Health Psychol. 2020;25(10-11):1498–510.
23. Goldberg D, Gask L, Sartorius N. Training physicians in mental health skills. Geneva: World Psychiatric Association; 2001.
24. Leaviss J, Davis S, Ren S, Hamilton J, Scope A, Booth A, et al. Behavioural modification interventions for medically unexplained

symptoms in primary care: systematic reviews and economic evaluation. Health Technol Assess. 2020;24(46):1–490.
25. Olde Hartman TC, Rosendal M, Aamland A, van der Horst HE, Rosmalen JG, Burton CD, et al. What do guidelines and systematic reviews tell us about the management of medically unexplained symptoms in primary care? BJGP Open. 2017;1(3):bjgpopen17X101061.
26. Tófoli LF, Fortes S, Gonçalves D, Chazan LF, Ballester D. Somatização e sintomas físicos inexplicáveis para o médico de família e comunidade. PROMEF. 2007;2(3):9–56.
27. Araya R, Rojas G, Fritsch R, Gaete J, Rojas M, Simon G, et al. Treating depression in primary care in low-income women in Santiago, Chile: a randomised controlled trial. Lancet. 2003;361(9362):995–1000.
28. Bidonde J, Busch AJ, Schachter CL, Webber SC, Musselman KE, Overend TJ, et al. Mixed exercise training for adults with fibromyalgia. Cochrane Database Syst Rev. 2019;5:CD013340.
29. Goldberg SB, Tucker RP, Greene PA, Davidson RJ, Wampold BE, Kearney DJ, et al. Mindfulness-based interventions for psychiatric disorders: A systematic review and meta-analysis. Clin Psychol Rev. 2018;59:52–60.
30. Demarzo MMP, Montero-Marin J, Cuijpers P, Zabaleta-del-Olmo E, Mahtani KR, Vellinga A, et al. The Efficacy of Mindfulness-Based Interventions in Primary Care: A Meta-Analytic Review. Ann Fam Med. 2015;13(6):573–82.
31. Urits I, Peck J, Orhurhu MS, Wolf J, Patel R, Orhurhu V, et al. Off-label antidepressant use for treatment and management of chronic pain: evolving understanding and comprehensive review. Curr Pain Headache Rep. 2019;23(9):66.
32. Kleinstäuber M, Witthöft M, Steffanowski A, van Marwijk H, Hiller W, Lambert MJ. Pharmacological interventions for somatoform disorders in adults. Cochrane Database Syst Rev. 2014;(11):CD010628.
33. Rouillon F, Rahola G, Van Moffaert M, Lopes RG, Dunia I, Soma-D Study Team. Study Observing Multicultural Attitudes to Dogmatil. Sulpiride in the treatment of somatoform disorders: results of a European observational study to characterize the responder profile. J Int Med Res. 2001;29(4):304–13.
34. Ferreri M, Florent C, Gerard D. Sulpiride: study of 669 patient presenting with pain of psychological origin. Encephale. 2000;26(4):58–66.
35. Fallon BA, Ahern DK, Pavlicova M, Slavov I, Skritskya N, Barsky AJ. A Randomized controlled trial of medication and cognitive-behavioral therapy for hypochondriasis. Am J Psychiatry. 2017;174(8):756–64.
36. Abbass A, Town J, Holmes H, Luyten P, Cooper A, Russell L, et al. Short-term psychodynamic psychotherapy for functional somatic disorders: a meta-analysis of randomized controlled trials. Psychother Psychosom. 2020;89(6):363–70.
37. Balint M. O médico: seu paciente e a doença. Rio de Janeiro: Atheneu; 1984. 331 p.
38. Sklar J. Balint Matters: Psychosomatics and the Art of Assessment. London: Routledge; 2018. 254 p.
39. Roberts M. Balint groups: a tool for personal and professional resilience. Can Fam Physician. 2012;58(3):245–7.
40. Benson J, Magraith K. Compassion fatigue and burnout: the role of Balint groups. Aust Fam Physician. 2005;34(6):497–8.
41. Nielsen HG, Tulinius C. Preventing burnout among general practitioners: is there a possible route? Educ Prim Care. 2009;20(5):353–9.
42. Calcides DAP, Didou R da N, Melo EV de, Oliva-Costa EF de. Burnout Syndrome in medical internship students and its prevention with Balint Group. Rev Assoc Med Bras. 2019;65(11):1362–7.

## LEITURA RECOMENDADA

Olde Hartman T, Lam CL, Usta J, Clarke D, Fortes S, Dowrick C. Addressing the needs of patients with medically unexplained symptoms: 10 key messages. Br J Gen Pract. 2018;68(674):442-443.
*Sumário de orientações sobre sintomas sem explicação encaminhado ao Wonca Working Party on Mental Health.*

# Capítulo 175
## ABORDAGEM DA SEXUALIDADE E DE SUAS ALTERAÇÕES

Carmita H. N. Abdo

A saúde sexual é definida pela Organização Mundial da Saúde (OMS) como "a integração dos elementos somáticos, emocionais, intelectuais e sociais do ser sexual, por meios que sejam positivamente enriquecedores e que potencializem a personalidade, a comunicação e o amor".[1] Desse ponto de vista, e considerando o direito à informação e ao prazer, deve-se valorizar nos pacientes os elementos básicos de saúde sexual enumerados pela OMS, quais sejam:[1]

→ atitude para desfrutar da atividade sexual e reprodutiva e para controlá-la em conformidade com a ética pessoal e social;
→ ausência de transtornos orgânicos, doenças ou deficiências que prejudiquem a atividade sexual e reprodutiva;
→ ausência de temores, vergonha ou culpa, crenças infundadas e outros fatores psicológicos que inibam a resposta sexual ou perturbem as relações sexuais.

Este capítulo aborda os elementos básicos para uma vida sexual saudável e satisfatória, os recursos que permitem a identificação e o diagnóstico das disfunções sexuais e dos transtornos parafílicos, e o tratamento ou encaminhamento necessários. Ênfase é dada às disfunções sexuais, cuja elevada prevalência configura um problema de saúde pública mundialmente, incluindo o Brasil.[2] A incongruência de gênero (*Classificação estatística internacional de doenças e problemas relacionados à saúde* [CID-11]) ou disforia de gênero (*Manual diagnóstico e estatístico de transtornos mentais* [DSM-5]), antes consideradas transtornos de identidade de gênero (ou sexual) nas classificações diagnósticas do DSM-IV-TR e da CID-10, não são mais consideradas transtornos da sexualidade, mas sim condições relacionadas à saúde sexual. (Ver Capítulo Abordagem Integral da Sexualidade e Cuidados Específicos da População LGBTI+.)

## O CICLO DE RESPOSTA SEXUAL

Na década de 1960, o ginecologista William Masters e a psicóloga Virginia Johnson formularam um modelo para a compreensão do ciclo de resposta sexual. Esse modelo era composto por quatro fases: excitação, platô, orgasmo e resolução **(FIGURA 175.1)**.[3]

De acordo com esse modelo, o estímulo sexual (fantasias ou sensações físicas) promoveria a excitação, manifestada por ereção (no homem) e por vasocongestão vulvovaginal (na mulher). A manutenção do estímulo elevaria o nível de tensão, conduzindo o indivíduo à fase de platô e, na sequência, ao orgasmo, acompanhado de ejaculação, no

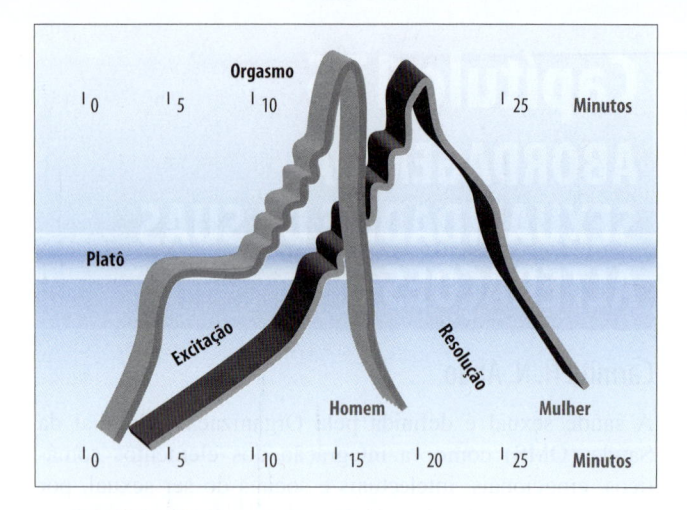

**FIGURA 175.1** → Primeiro modelo de ciclo de resposta sexual.
Fonte: Masters e Johnson.[3]

**TABELA 175.1** → Classificação dos transtornos da sexualidade, de acordo com o DSM-5

| CÓDIGO | DESCRIÇÃO |
|---|---|
| **DISFUNÇÕES SEXUAIS** | |
| 302.71 | Transtorno do desejo sexual masculino hipoativo |
| 302.72 | Transtorno do interesse/excitação sexual feminino |
| 302.72 | Transtorno erétil |
| 302.74 | Ejaculação retardada |
| 302.73 | Transtorno do orgasmo feminino |
| 302.75 | Ejaculação prematura (precoce) |
| 302.76 | Transtorno da dor genitopélvica/penetração Disfunção sexual induzida por substância/medicamento |
| 302.70 | Disfunção sexual não especificada |
| 302.79 | Outra disfunção sexual especificada |
| **TRANSTORNOS PARAFÍLICOS** | |
| 302.2 | Transtorno pedofílico |
| 302.3 | Transtorno transvéstico |
| 302.4 | Transtorno exibicionista |
| 302.81 | Transtorno fetichista |
| 302.82 | Transtorno voyeurista |
| 302.83 | Transtorno do masoquismo sexual |
| 302.84 | Transtorno do sadismo sexual |
| 302.89 | Transtorno frotteurista |
| 302.89 | Outro transtorno parafílico especificado |
| 302.9 | Transtorno parafílico não especificado |

DSM, Manual diagnóstico e estatístico de transtornos mentais.
Fonte: Adaptada de American Psychiatric Association.[5]

homem. Haveria, então, um período refratário (fase de resolução), mais definido no homem do que na mulher, quando o organismo retornaria às condições habituais de repouso.[3]

Na década de 1970, Helen Kaplan valorizou o desejo por sexo como "gatilho" para o início do ciclo de resposta sexual, antecedendo a fase de excitação. Considerou que a fase de platô não se justifica, em vista de um contínuo crescente de excitação que se segue ao desejo, culminando com o orgasmo. O ciclo de resposta sexual, então proposto, englobaria desejo, excitação e orgasmo.[4]

A American Psychiatric Association (APA) passou a adotar, a partir de 1980, um esquema constituído de quatro fases – desejo, excitação, orgasmo e resolução –, o qual vem sendo aceito até os dias atuais:[5]

→ **1ª fase – desejo:** inclui as fantasias sexuais e o interesse em praticar a atividade sexual;
→ **2ª fase – excitação:** caracterizada pelo prazer e pelas mudanças fisiológicas associadas;
→ **3ª fase – orgasmo:** o clímax do prazer;
→ **4ª fase – resolução:** distinguida pela sensação de bem-estar geral, relaxamento e retorno às condições fisiológicas anteriores ao início da atividade sexual.

## CLASSIFICAÇÃO DOS TRANSTORNOS DA SEXUALIDADE

O DSM-5 trouxe mudanças relevantes na classificação e nos critérios diagnósticos dos transtornos sexuais, dividindo-os em dois capítulos: Disfunções Sexuais e Transtornos Parafílicos.[5] A **TABELA 175.1** apresenta a classificação desses transtornos, que são os temas deste capítulo.

A partir do DSM-5, as disfunções sexuais passaram a ser classificadas distintamente, de acordo com o gênero. Além disso, as dificuldades de desejo e de excitação da mulher, categorias independentes no DSM-IV-TR, passaram a constituir uma única disfunção (do interesse/excitação sexual feminino). Isso também ocorreu com o vaginismo e a dispareunia, unificados como transtorno da dor genitopélvica/penetração.[5]

Quanto às parafilias e aos transtornos parafílicos, o DSM-5 distingue as duas condições. Segundo a APA, parafilia é definida como qualquer interesse sexual intenso e persistente que não aquele voltado para a estimulação genital ou para as carícias preliminares com parceiros humanos fenotipicamente normais e fisicamente maduros, capazes de dar consentimento. Portanto, um comportamento sexual pode ser não convencional (i.e., não é normativo ou prevalente em determinada cultura). Quando as parafilias são consensuais entre adultos (sadomasoquismo, p. ex.), por si só, não configuram transtorno mental ou sexual. Assim, não necessariamente justificam ou requerem intervenção clínica. No entanto, quando por mais de 6 meses o interesse parafílico causar **sofrimento/prejuízo** ao indivíduo e a satisfação sexual resultar em **danos** pessoais/risco de danos a terceiros e/ou ao ter/executar o interesse parafílico o indivíduo o fizer **sem o consentimento** da outra pessoa, estabelece-se o diagnóstico de transtorno parafílico.[5] Vale salientar, entretanto, que pedofilia, voyeurismo, frotteurismo e exibicionismo são sempre transtornos parafílicos, porque não contemplam a possibilidade de consenso entre os envolvidos. Os demais, se não houver sofrimento e/ou forem consensuais, serão parafilias, que não exigem tratamento.[5]

Quadros relacionados à sexualidade constam na CID-11[6] nos Capítulos 6 – Transtornos Mentais, Comportamentais ou do Neurodesenvolvimento (Transtorno de Comportamento Sexual Compulsivo, 6C72) – e 17 – Condições Relacionadas à Saúde Sexual (Disfunções Sexuais, HA00-HA0Z; Incongruência de Gênero, HA60-HA6Z; e Transtornos Parafílicos, 6D30-6D3Z), em consonância com a classificação do DSM-5.

## Disfunções sexuais

A **disfunção sexual** é a incapacidade do indivíduo de participar do ato sexual com satisfação. Isso significa que a dificuldade é persistente ou recorrente e que é vivenciada como algo indesejável, desconfortável e incontrolável, com sofrimento significativo.[5]

A disfunção impede que o ciclo de resposta sexual (desejo, excitação, orgasmo e resolução) se processe com êxito. Dependendo da(s) fase(s) em que incide(m) essa(s) dificuldade(s), a disfunção se denomina do desejo e/ou da excitação e/ou do orgasmo. Esses quadros constituem a grande maioria dos transtornos da sexualidade, manifestando-se por meio de **falta**, cujos exemplos são disfunção erétil (falta de ereção), inibição do desejo sexual (desejo sexual hipoativo) e ausência de orgasmo (anorgasmia); **excesso**, exemplificado pelo comportamento sexual compulsivo; **desconforto**, representado pela ejaculação precoce e pelo vaginismo; e **dor à relação** (dispareunia), que pode atingir mulheres e homens.[5]

As dificuldades sexuais femininas alcançam altos índices em qualquer população. O Estudo da Vida Sexual do Brasileiro (EVSB) indica que a dificuldade para o orgasmo atinge 26,2% das mulheres e a dispareunia, 17,8%.[2] As queixas são dificuldade de excitação (26,6%)[2] e desejo sexual prejudicado (9,5%).[7] Esses percentuais variam conforme a faixa etária avaliada. A dificuldade de excitação ocorre em 28% das mulheres brasileiras com idade entre 18 e 25 anos, e em 38,1% daquelas com idade > 60 anos.[2]

Quanto às dificuldades sexuais masculinas, a falha de ereção acomete 52% dos homens norte-americanos com idade > 40 anos;[8] e a ejaculação precoce, em torno de 30% para qualquer faixa etária em diferentes países.[9] No Brasil, 25,8% dos homens se queixam de precocidade ejaculatória e 45,1% não obtêm ou mantêm a ereção.[2]

Esses déficits na função sexual só serão considerados disfunções sexuais se acompanhados de desconforto e sofrimento.[5] Pouco desejo, por exemplo, por si só não caracteriza disfunção do desejo sexual.

## Transtornos parafílicos

**Parafilia**, no DSM-5, é: "qualquer interesse sexual intenso e persistente que não seja o interesse sexual por carícias preliminares e/ou estimulação genital, com parceiros humanos fenotipicamente normais, fisicamente maduros e capazes de dar consentimento" (p. 685).[5] Já o **transtorno parafílico** constitui "uma parafilia que usualmente causa sofrimento ou prejuízo para o indivíduo, ou, ainda, uma parafilia cuja satisfação implica dano ou risco de dano a outro" (p. 686).[5] Embora seja evidente por que alguns tipos de parafilia se inserem nessa categoria – como a pedofilia –, os valores subjacentes a essas definições são desafiadores.

A prevalência das parafilias e dos transtornos parafílicos na população geral não é conhecida.[5] Os indivíduos com transtorno parafílico raramente buscam tratamento, o que contribui para a ausência de dados. As taxas de pacientes parafílicos em clínicas e hospitais psiquiátricos e de ofensores sexuais em presídios não são representativas da população geral.[10] Além disso, algumas práticas parafílicas são caracterizadas como ofensas sexuais e têm implicações legais, o que inibe as respostas dos indivíduos em estudos epidemiológicos. O amplo mercado de pornografia *hardcore* e infantil, a grande disponibilidade de acessórios parafílicos e a alta incidência de violência sexual contra crianças e mulheres sugerem que a prevalência seja subestimada.[11]

Os transtornos parafílicos parecem ser mais prevalentes em homens,[5,12] embora mais mulheres estejam sendo identificadas mais recentemente.[13-15] A população jovem é a mais acometida, com início na adolescência e curso crônico.[5] Os transtornos pedofílico, voyeurista e exibicionista são os que mais frequentemente se apresentam na prática clínica.[16]

O transtorno pedofílico, segundo o DSM-5, acomete 3 a 5% da população masculina, reconhecendo menor proporção em mulheres. O transtorno exibicionista é estimado em 2 a 4% dos homens, e o transtorno voyeurista, em 12% dos homens e 4% das mulheres. Dados sobre transtorno do sadismo sexual provêm da população forense, variando de 2 a 30%.[5]

Dados recentes revelam que comportamentos sexuais atípicos, não necessariamente patológicos, são praticados por uma parcela da sociedade. Estudo populacional conduzido na Austrália mostrou que 2,2% dos homens e 1,3% das mulheres haviam se engajado em práticas sadomasoquistas nos últimos 12 meses. Não foi encontrada associação com dificuldades sexuais ou ausência de atividade sexual convencional.[17] No Brasil, 30,4% das mulheres e 52,3% dos homens referiram um comportamento sexual não convencional ao longo da vida; 9,4%, dois desses comportamentos.[18] Em outro estudo populacional, 62,4% de homens alemães afirmaram ter fantasias e comportamentos parafílicos. Apenas 1,7% deles referiram sofrimento com a condição, e 3,9% disseram que essas fantasias e comportamentos constituíam um problema.[19]

## INVESTIGAÇÃO DA ATIVIDADE SEXUAL EM ATENÇÃO PRIMÁRIA À SAÚDE

Como a saúde sexual é um marcador da saúde geral, é recomendável que o profissional da atenção primária à saúde (APS) pergunte ao(à) paciente sobre alguma queixa em sua função sexual.

Por constrangimento, vergonha ou timidez, a maioria das dificuldades de ordem sexual não é comunicada ao médico pelo(a) paciente e costuma não ser identificada. Esses transtornos são frequentes, causando sofrimento pessoal e conjugal, o que afeta, também, a qualidade de vida e a convivência familiar e social.

Algumas disfunções sexuais podem ter origem em transtornos afetivos e de ansiedade ou vice-versa. Outras estão associadas a patologias orgânicas, especialmente as cardiovasculares, endocrinológicas e neurológicas. Os transtornos parafílicos, por sua vez, causam repercussões negativas sobre a saúde e a vida do(a) paciente, além de desdobramentos que acometem os familiares e a sociedade. A par disso, investigar a atividade sexual do(a) paciente pode elucidar casos de violência de gênero e de abuso sexual, bem como avaliar a saúde sexual e reprodutiva, o que favorece ações preventivas na APS.

Apesar do crescente conhecimento médico sobre os transtornos da sexualidade, raros são os profissionais brasileiros que investigam sistematicamente a atividade sexual de seus(suas) pacientes (cerca de 11%). Menor número ainda (um quarto desses) toma essa iniciativa com regularidade.[20] Dificuldades do médico e/ou do(a) paciente em abordar problemas associados à sexualidade resultam em prejuízo à investigação da saúde sexual, o que, consequentemente, leva ao subdiagnóstico na prática clínica.

## Anamnese sexual em atenção primária à saúde

Antes de iniciar a anamnese sexual, deve-se criar um clima empático e confidencial, considerando o impacto emocional que o problema sexual causa ao(à) paciente e à parceria. As perguntas devem ser diretas, sem meias palavras e sem comentários a respeito. Se o(a) parceiro(a) acompanha a consulta, também deve ser inquirido(a), para que se possa avaliar a coincidência ou não das versões. Em um primeiro momento, deve-se optar por uma escuta passiva, à qual se segue um tempo de escuta ativa, para coleta de outros dados (complementares) que aclarem o raciocínio clínico.

Cabe ressaltar que as experiências sexuais do profissional não podem contaminar a abordagem sexológica ao(à) paciente, devendo-se cuidar inclusive da linguagem não verbal. Juízo de valor não deve ser emitido. Diante da resistência do(a) paciente, recomenda-se não insistir na anamnese sexual, mas aguardar um melhor momento. Se a resistência ocorre em função do gênero a que pertence o médico, ela precisa ser respeitada e, sendo possível, deve-se oferecer ao(à) paciente a possibilidade de falar com um profissional de outro gênero. As dificuldades relativas à anamnese sexual encontradas pelo médico da APS e pelo sistema de saúde e as dificuldades do(a) paciente são sintetizadas na **TABELA 175.2**.[21]

Informações essenciais para a investigação da saúde sexual encontram-se na **TABELA 175.3**.[22]

Há situações nas quais se recomenda uma atitude ativa, no sentido da investigação da atividade sexual, mesmo não sendo esse o motivo da consulta. Se o paciente é homem, a anamnese sexual se impõe quando há sintomas urinários, prostáticos ou genitais; sintomas de deficiência androgênica; ou parceiro de mulher que solicita contracepção pós-coito.[23] No caso de mulheres, demandam investigação sexual antecedentes de gravidez indesejada; ciclos menstruais irregulares; solicitação de contraceptivos ou seu uso sem controle médico; contracepção de emergência; gravidez; puerpério; climatério; ou sintomas ginecológicos.[22]

**TABELA 175.2** → Dificuldades para a anamnese sexual

| DO MÉDICO |
|---|
| → Conhecimento escasso sobre o tema |
| → Interesse centrado nas doenças sistêmicas (p. ex., diabetes, hipertensão arterial, dislipidemias) |
| → Resistência, devido ao temor de julgamento negativo por parte dos colegas e/ou dos(as) pacientes |
| → Concepção de que a atividade sexual se restringe à reprodução e à função erétil |
| → Crença de que a atenção primária à saúde não pode aportar qualquer benefício a pacientes com queixas sexuais |
| → Falta de atenção a grupos mais vulneráveis (p. ex., adolescentes) que se beneficiariam pela prevenção de risco e promoção da atividade sexual responsável |
| **DO(A) PACIENTE** |
| → Constrangimento e vergonha de falar sobre esse tema |
| → Receio de que conheçam suas tendências e/ou dificuldades |
| → Desconhecimento dos sintomas físicos secundários às disfunções sexuais |
| → Negação da sexualidade como dimensão da saúde e da qualidade de vida |
| → Convicções morais e crenças religiosas que identificam a função sexual apenas como reprodutora |
| → Dificuldade em vencer a barreira de comunicação colocada pelo profissional de saúde |
| **DO SISTEMA DE SAÚDE** |
| → Bem-estar sexual não constitui prioridade |
| → Detectado o problema sexual, não há recursos públicos para sua abordagem |
| → Atividades preventivas e de orientação pouco priorizadas |
| → Falta de integração entre os sistemas de saúde e educacional |
| → Falta de infraestrutura para garantir a confidencialidade necessária à consulta |

Fonte: Adaptada de Benítez Moreno e colaboradores.[21]

Independentemente do gênero, deve-se fazer a anamnese sexual ativa nos casos de insuficiência coronariana ou respiratória; infecções genitais ou urinárias; infecção ou lesões proctológicas; incontinência urinária; antecedente de cirurgia pélvica; lesões dermatológicas sugestivas de infecções sexualmente transmissíveis (ISTs); depressão, ansiedade, pânico; transtorno obsessivo-compulsivo; anorexia ou bulimia; transtornos de personalidade; uso de medicamentos que inibem a libido; dependência química; suspeita de violência de gênero ou abuso sexual; soropositividade para vírus da imunodeficiência humana (HIV, do inglês *human immunodeficiency virus*); sífilis; ou papilomavírus humano (HPV, do inglês *human papillomavirus*) (do[a] paciente e/

**TABELA 175.3** → Elementos da anamnese sexual

| |
|---|
| → Idade do(a) paciente (em pacientes idosos, o risco de disfunção sexual é maior; nos mais jovens, o risco é a prática de sexo desprotegido) |
| → Nível educacional do(a) paciente e da família de origem |
| → Existência ou não de parceria estável |
| → Motivo da consulta (queixa sexual é a principal ou não?) |
| → Antecedentes de doenças |
| → Presença ou não de fatores de risco para disfunção sexual |
| → Gravidez indesejada (anterior ou atual) |
| → História de infecção sexualmente transmissível (IST) |
| → Antecedentes de violência sexual |
| → Uso de medicamentos e/ou drogas ilícitas |
| → Estado mental e afetivo (p. ex., ansiedade, depressão) |
| → Idade da menarca ou das poluções noturnas |
| → Primeiras experiências sexuais |
| → Relacionamentos atuais |
| → Ciclo de resposta sexual (fases comprometidas no passado e atualmente) |

Fonte: Adaptada de Sadovsky e Nusbaum.[22]

ou de sua[seu] parceira[o]).[21,22] O impacto dessas condições clínicas sobre as diferentes fases do ciclo de resposta sexual é apresentado na TABELA 175.4.[24-32]

No caso de pacientes adolescentes, é conveniente que o médico avalie o grau de esclarecimento e proteção contra o sexo de risco (gravidez indesejada e IST). Deve-se evitar fazer o interrogatório na presença dos pais ou de outros acompanhantes, pois assim o(a) adolescente sente-se mais confortável em fornecer informações acerca de sua vida sexual e solicitar esclarecimento de dúvidas. Orientações específicas para adolescentes são apresentadas no Capítulo Acompanhamento de Saúde do Adolescente.

Desaconselha-se a anamnese sexual na APS quando o(a) paciente se apresentar em condições mais sensíveis, como sintomatologia paranoide, maníaca ou delirante, bem como em circunstâncias particulares (p. ex., caso de violência sexual, gravidez indesejada).[21] Nesses casos, deve-se aguardar o controle da sintomatologia ou das circunstâncias para fazer essa avaliação.

## Como conduzir a entrevista

Em momento oportuno da entrevista clínica, o médico pergunta, de forma direta e respeitosa: "Você considera satisfatórias suas relações sexuais?". Caso o(a) paciente responda que sim, segue-se a pergunta: "Tanto para você quanto para sua(seu) parceira(o)?". Outra resposta afirmativa do(a) paciente enseja que se converse com ele(a) abertamente sobre os diversos aspectos médicos da atividade sexual (métodos contraceptivos, sexo protegido, ciclo de resposta sexual e satisfação sexual).

Caso o(a) paciente se apresente pouco receptivo(a), cabe uma breve explicação sobre a inter-relação entre saúde geral e saúde sexual; após, o médico comenta que voltará ao tema em outra oportunidade.

Se o(a) paciente responde que suas relações sexuais não são satisfatórias, deve-se orientar a entrevista, de modo que o(a) paciente responda:
→ qual é o problema (alteração em alguma fase do ciclo de resposta sexual, dúvida quanto à orientação sexual, desconforto com parafilia);
→ desde quando (ao longo da vida ou adquirido);
→ quando se manifesta (generalizado ou situacional);
→ ao que acredita que se deve (doenças e/ou fatores psicológicos e/ou drogas e medicamentos e/ou parceiro[a]);
→ como o(a) paciente e sua(seu) parceira(o) reagem diante do problema.

## Abordagem ao(à) paciente homossexual e bissexual

Tal como o(a) paciente heterossexual, o(a) homossexual ou bissexual pode interpor barreiras emocionais para uma comunicação eficaz com o médico e vice-versa. A conduta do profissional de saúde deve ser a mesma adotada com outros pacientes: auxiliá-lo(a) a se sentir à vontade para discutir questões sexuais. Gerenciar os aspectos emocionais de pacientes homo ou bissexuais nada mais é do que uma expansão das habilidades que o médico exercita em cada encontro em sua prática clínica.[33,34]

**TABELA 175.4** → Doenças e condições clínicas gerais associadas às disfunções sexuais

| INFLUEM NO DESEJO E NA EXCITAÇÃO | |
|---|---|
| **Homens** | |
| → Deficiência androgênica | |
| **Mulheres** | |
| → Gravidez e lactação | → Menopausa e pós-menopausa |
| → Histerectomia | → Ooforectomia bilateral |
| **Homens e mulheres** | |
| → Acidente vascular cerebral | → Infertilidade |
| → Ansiedade | → Insuficiência renal |
| → Câncer | → Hiperprolactinemia |
| → Depressão | → Hipo/hipertireoidismo |
| → Diabetes melito | → Obesidade |
| → Doença arterial coronariana | → Síndrome metabólica |
| → Doença de Parkinson | → Sintomas do trato urinário inferior |
| → Doenças cardiovasculares | → Transtornos psicóticos |
| → Esclerose múltipla | → Trauma craniencefálico |
| → Estresse pós-traumático | |

| INFLUEM NO ORGASMO E NA EJACULAÇÃO | |
|---|---|
| **Homens** | |
| → Cálculo renal | → Prostatectomia |
| → Epididimite | → Prostatite |
| → Hiperplasia prostática benigna | → Uretrite |
| → Obstrução dos ductos ejaculatórios | |
| **Mulheres** | |
| → Diminuição dos esteroides sexuais | → Hiperprolactinemia |
| → Distúrbios do assoalho pélvico | → Histerectomia |
| → Doença inflamatória pélvica | → Menopausa e pós-menopausa |
| → Endometriose | → Obesidade |
| **Homens e mulheres** | |
| → Ansiedade | → Hipertensão arterial |
| → Depressão | → Lesão medular |
| → Diabetes melito | → Sintomas do trato urinário inferior |
| → Doenças cardiovasculares | → Traumas pélvicos |
| → Esclerose múltipla | |

| INFLUEM NA FUNÇÃO ERÉTIL | |
|---|---|
| → Apneia obstrutiva do sono | → Hiperplasia prostática benigna |
| → Aterosclerose | → Hiperprolactinemia |
| → Deficiência androgênica | → Hipertensão arterial |
| → Depressão | → Insuficiência hepática |
| → Diabetes melito | → Lesão medular |
| → Doença arterial coronariana | → Obesidade |
| → Doença pulmonar crônica | → Síndrome metabólica |
| → Doenças cardiovasculares | → Sintomas do trato urinário inferior |
| → Doenças neurológicas | → Tabagismo |
| → Hiperlipidemia | |

| INFLUEM NA DOR À RELAÇÃO SEXUAL (DISPAREUNIA) | |
|---|---|
| **Mulheres** | |
| → Aderências clitoridianas | → Fibromialgia |
| → Atrofia vulvovaginal | → Gravidez |
| → Cistite | → Hipertonicidade do assoalho pélvico |
| → Diabetes melito | → Leucorreia |
| → Dismenorreia | → Menopausa e pós-menopausa |
| → Dor crônica abdominal | → Vaginismo |
| → Endometriose | → Vulvodinia |
| → Fase pré-ovulatória | |
| **Homens e mulheres** | |
| → Carcinoma *in situ* | → Radioterapia pélvica |
| → Doenças dermatológicas | → Sintomas do trato urinário inferior |
| → Infecções urogenitais | → Traumatismos pélvicos e perineais |
| → Infecções sexualmente transmissíveis | |

Fonte: Hatzichristou e colaboradores,[24] Abdo e colaboradores,[25] Basson e Schultz,[26] Manolis e Doumas,[27] Krychman e colaboradores,[28] Payne e colaboradores,[29] Schultz e Van De Wiel,[30] Verit e colaboradores[31] e Esposito e colaboradores.[32]

A recomendação básica para o acesso a esses pacientes é tomar a história sexual de forma neutra e atenciosa, formular perguntas abertas, usar linguagem verbal e corporal que transmita empatia, demonstrar respeito pelos valores do(a) paciente e não julgar suas respostas, como em qualquer atendimento.[35]

O ciclo de resposta sexual não se altera com a orientação sexual. A conduta diagnóstica das disfunções sexuais é, portanto, igual à praticada em pacientes heterossexuais.

Há aspectos inerentes a essa população que prejudicam a avaliação na prática clínica: hesitação dos médicos em indagar sobre a orientação sexual do(a) paciente; hesitação de pacientes homo e bissexuais em descrever sua orientação sexual, por temer discriminação e homofobia; e falta de conhecimento médico sobre questões de saúde e ambientais (família, parceiro[a], relacionamento social) próprias de homo e bissexuais.[36] (Ver Capítulo Abordagem Integral da Sexualidade e Cuidados Específicos da População LGBTI+.)

## DISFUNÇÕES SEXUAIS

### Avaliação e diagnóstico

A queixa sexual do(a) paciente e/ou da(o) parceira(o) deve ser avaliada na anamnese. Deve-se observar um mínimo de 6 meses de sintomatologia como critério indispensável para a caracterização de disfunção sexual.[5,24] Some-se a isso a investigação das condições do(a) parceiro(a), para afastar possíveis erros de interpretação, diante do quadro apresentado e/ou referido pelo(a) paciente.

Para o diagnóstico, o planejamento terapêutico e o prognóstico, é relevante distinguir entre disfunção sexual ao longo da vida e adquirida, bem como entre disfunção generalizada (presente em qualquer circunstância) e situacional (manifestada somente em determinadas circunstâncias e/ou parcerias). A intensidade de sofrimento (leve, moderada ou grave) também tipifica as disfunções sexuais e auxilia no plano terapêutico.[5,24]

Recomenda-se, ainda, considerar a idade e a experiência sexual do(a) paciente. Jovens ou principiantes podem apresentar, de forma temporária, dificuldades de ereção, do controle da ejaculação (homens) e da lubrificação/relaxamento (mulheres), o que é compreensível e não significa disfunção, mas falta de experiência.

Assim, é importante que o médico pesquise rotineiramente a função sexual do(a) paciente, o(a) qual, muitas vezes, não traz a queixa espontaneamente, por constrangimento, vergonha ou timidez. Essa investigação se justifica em função do diagnóstico e da recuperação da atividade sexual do(a) paciente e de sua(seu) parceira(o), mas também porque a disfunção sexual costuma refletir doenças orgânicas e/ou mentais subjacentes.[24]

A **TABELA 175.5** sintetiza o raciocínio diagnóstico das disfunções sexuais no DSM-5.

Também é importante identificar fatores de risco e situações que podem se associar à presença de disfunções sexuais, principalmente idade avançada, baixo nível educacional, antecedentes de abuso ou violência sexual, conflitos de casal, isolamento social, dificuldades de adaptação e transtornos mentais.[24,25]

A disfunção sexual exige avaliação em três níveis: exame clínico, avaliação do vínculo e avaliação da parceria. Quando o vínculo é saudável, não há necessidade de orientar o casal a um especialista dessa área. Vale lembrar, também, que a disfunção sexual de um parceiro muitas vezes afeta o outro. Por exemplo, parceiras de homens com disfunção erétil frequentemente apresentam algum tipo de disfunção sexual.

À medida que o profissional se interessa pela saúde sexual de seu(sua) paciente e percebe a relação direta com a saúde geral – se instrumentalizado –, ele tem condições de distinguir os aspectos biológicos, psicológicos e socioculturais que envolvem a vida sexual e aqueles que determinam os transtornos. Por exemplo, a disfunção erétil acomete a fase de excitação sexual, impedindo que a ereção se processe. Esse bloqueio pode comprometer secundariamente o desejo sexual do homem (a falha de ereção pode levá-lo a não desejar fazer sexo). O contrário também pode ocorrer, ou seja, o desejo sexual inibido pode impedir que a excitação ocorra, bloqueando a ereção. Na prática clínica, observa-se, também, que algumas disfunções sexuais têm um componente orgânico mais provável, como disfunção erétil e dispareunia em pacientes mais maduros; outras, como a ejaculação precoce adquirida e a anorgasmia feminina, são mais psicossexuais.

---

**TABELA 175.5** → Critérios diagnósticos das disfunções sexuais, segundo o DSM-5

O DSM-5 estabeleceu uma série de critérios para cada disfunção sexual, sendo 4 deles comuns a todas elas para confirmar o diagnóstico

**Critérios principais**

A. Dificuldade sexual persistente ou recorrente (estão incluídos descritores específicos dos sintomas de cada disfunção)
B. Duração mínima de *6 meses* dos sintomas do Critério A
C. Presença de *sofrimento* pessoal clinicamente significativo
D. Não é mais bem explicado por outro transtorno mental não sexual, *não está relacionado a grave conflito no relacionamento ou a outros estressores*, nem é atribuído a efeitos de substância/medicamento ou a condição médica geral

**Especificadores**

→ Quanto ao início da disfunção sexual
  → Ao longo da vida
  → Adquirida
→ Quanto à ocorrência da disfunção sexual
  → Generalizada
  → Situacional
→ Quanto à intensidade (sofrimento)
  → Mínima
  → Moderada
  → Grave

**Investigação de fatores associados que desencadeiam ou agravam as disfunções sexuais**

→ Parceria (disfunção sexual da parceria, condição de saúde da parceria, p. ex.)
→ Relacionamento (comunicação precária, divergência quanto ao desejo por atividade sexual)
→ Vulnerabilidade individual (autoimagem corporal insatisfatória, história de abuso sexual ou emocional), comorbidades mentais (depressão ou ansiedade) ou estressores (desemprego, privações, p. ex.)
→ Cultura/religião (proibições/inibições quanto à atividade sexual, atitudes a respeito da sexualidade)
→ Presença de condições clínicas relevantes para prognóstico, curso e tratamento

DSM, *Manual diagnóstico e estatístico de transtornos mentais*.
Fonte: Adaptada de American Psychiatric Association.[5]

O(a) paciente deve descrever as características de seu relacionamento e o início dos sintomas, a repercussão em cada uma das fases do ciclo de resposta sexual e os mecanismos utilizados para solucionar ou amenizar o problema. O(a) paciente e a(o) parceira(o) devem ser entrevistados, sempre que possível, juntos e separadamente.

É importante ter em mente que a disfunção sexual desencadeia um círculo vicioso de auto-observação, ansiedade de desempenho e antecipação de fracasso após falhas sucessivas. Com isso, o(a) paciente desfoca sua atenção dos estímulos eróticos e a resposta sexual se compromete ainda mais. Diante dessa insatisfação sexual, pode passar a evitar o relacionamento, o que gera conflitos com a(o) parceira(o).

## Roteiro para investigação das disfunções sexuais

### Queixa

Homens jovens ou principiantes apresentam habitualmente um período de dificuldade de ereção e/ou do controle da ejaculação. Já as jovens se ressentem de falta de lubrificação/relaxamento na iniciação sexual. Ambos os casos são compreensíveis e não significam disfunção, mas pouca experiência.

A queixa do(a) paciente e/ou da(o) parceira(o), associada à presença de outros elementos de anamnese, é fundamental para a avaliação das disfunções sexuais, a qual é essencialmente clínica. Um período mínimo de 6 meses de sintomatologia, persistente ou recorrente, é critério indispensável para a caracterização dessas disfunções.[5] Além disso, importa saber as condições sexuais do(a) parceira(a), para afastar possíveis equívocos de interpretação, diante do quadro apresentado e/ou referido pelo(a) paciente. Exemplificando: no caso de parceiro com ejaculação precoce (i.e., ejacula em menos de 1 minuto após a penetração, medida essa denominada tempo de latência ejaculatória intravaginal) a mulher pode equivocadamente se considerar anorgásmica, quando de fato ocorre falta de controle dele, resultando em precocidade ejaculatória que a impede de concluir o ciclo de resposta sexual com êxito.

Ao registrar a queixa sexual, o profissional de APS deve contemplar os seguintes aspectos:[21]

- → **descrição da queixa:** com as palavras do(a) paciente e de forma detalhada, o quanto possível. A frequência e as circunstâncias devem ser explicitadas;
- → **desenvolvimento:** início e evolução do quadro, agravamento ou abrandamento com o tempo;
- → **a causa**, segundo o(a) paciente;
- → **tentativas de resolução:** tratamentos prévios ou outros recursos utilizados e respectivos resultados, quando houver;
- → **expectativas do(a) paciente e/ou da(o) parceira(o):** com que objetivo estão buscando ajuda ou por que não a buscam.

### História pregressa

Tanto para homens como para mulheres, doenças cardiovasculares, urogenitais e metabólicas e outras doenças crônicas, bem como transtornos mentais, uso de medicamentos, condições socioeconômicas precárias e maus hábitos de vida são fatores de risco predisponentes, desencadeadores ou mantenedores de disfunções sexuais.[24,25] A depressão, por exemplo, está presente em 17 a 26% das mulheres com desejo sexual hipoativo.[37] Diabetes, hipertensão arterial e outras comorbidades previamente não diagnosticadas foram encontradas em 30% dos homens com disfunção erétil.[38] Mulheres com obesidade, diabetes ou hipotireoidismo apresentaram maior comprometimento de desejo, excitação, orgasmo, lubrificação, satisfação sexual e dor à relação, quando comparadas a controles.[39] Na **TABELA 175.4**, são apresentadas, de modo esquemático, doenças e condições clínicas gerais que frequentemente exercem impacto negativo sobre a função sexual.[24–32] Recomenda-se investigação ativa sobre queixas sexuais em pacientes com essas condições.

Vários medicamentos podem induzir disfunções sexuais como efeito colateral **(TABELA 175.6)**.[24,26,40–42] O tratamento com inibidores seletivos da recaptação da serotonina (ISRSs) apresenta taxas de disfunção sexual em homens e mulheres (desejo hipoativo, dificuldade orgástica e disfunção erétil, principalmente) que variam entre 30 e 50% dos casos.[40] Agentes betabloqueadores e diuréticos têm potencial para induzir a disfunção erétil em homens tratados de hipertensão, e sua troca pode ser experimentada nesses casos.[41,42] Pequenos ensaios clínicos sugerem que, entre os betabloqueadores, o nebivolol pode preservar função erétil **C/D**.[41]

Devem ser investigados, portanto, além da presença de doenças, quais medicamentos são utilizados pelo(a) paciente. É importante salientar que o efeito colateral sobre a função sexual é uma das razões mais relatadas pelos(as) pacientes para a descontinuação do medicamento utilizado no tratamento da doença de base física ou mental. Um estudo com pacientes

**TABELA 175.6** → Medicamentos com efeitos adversos sobre a função sexual

- → Agentes quimioterapêuticos e radioterapia
- → Alfabloqueadores (tansulosina)
- → Antiarrítmicos (digoxina)
- → Anticonvulsivantes (ácido valproico, carbamazepina, fenitoína, fenobarbital, primidona, gabapentina)
- → Antidepressivos atípicos (trazodona)
- → Antidepressivos tricíclicos (clomipramina, amitriptilina, doxepina, imipramina, protriptilina)
- → Anti-hipertensivos (metildopa, reserpina, guanetidina, clonidina, atenolol, propranolol, labetalol)
- → Antilipidêmicos (genfibrozila, clofibrato)
- → Antiparkinsonianos (levodopa)
- → Antipsicóticos (fenotiazina, clorpromazina, tioridazina, haloperidol, flufenazina, clozapina, olanzapina, risperidona, ziprasidona, quetiapina)
- → Benzodiazepínicos (clonazepam, diazepam, oxazepam, alprazolam)
- → Bloqueadores $H_2$ (cimetidina, ranitidina)
- → Contraceptivos orais combinados
- → Diuréticos (tiazida, clortalidona, acetazolamida, indapamida, espironolactona)
- → Estabilizadores de humor (lítio)
- → Hormônios (agonistas do hormônio liberador de gonadotrofinas [GnRH], antiandrogênicos, inibidores da 5α-redutase, esteroides anabólicos)
- → Inibidores da bomba de prótons (omeprazol)
- → Inibidores da monoaminoxidase (fenelzina, isocarboxazida, tranilcipromina)
- → Inibidores seletivos da recaptação da serotonina (fluoxetina, sertralina, paroxetina, fluvoxamina)
- → Opioides (metadona, buprenorfina)
- → Terapia antirretroviral

Fonte: Hatzichristou e colaboradores,[24] Basson e Schultz,[26] Montejo e colaboradores,[40] Viigimaa e colaboradores[41] e La Torre e colaboradores.[42]

tratados com psicotrópicos mostrou que 41,7% dos homens e 15,4% das mulheres interromperam a medicação após prejuízo à função sexual.[43] No tratamento com antidepressivos, as razões para não adesão mais referidas são a dificuldade de lembrar-se de tomá-lo (43%), o ganho de peso (27%), a falta de orgasmo (20%) e a perda do interesse sexual (20%).[44]

### Exame físico

É importante identificar ou descartar elementos físicos quando há queixas do tipo perda de sensibilidade genitopélvica ou dor no ato sexual.[45] Somente após o exame físico minucioso devem ser solicitados exames laboratoriais, se necessário.

Na mulher, o exame ginecológico deve incluir: avaliação do controle voluntário e do tônus da musculatura do assoalho pélvico; presença de prolapso da parede vaginal; sinais de atrofia ou hipertrofia vaginal; tamanho do introito; presença de corrimento ou evidência de infecção (aguda ou crônica); alterações do epitélio e/ou dor; e perda sensorial vulvar. Devem ser investigados também traumatismos de pelve ou períneo e cirurgias (bexiga, colorretal).[46-48]

Para o homem, devem-se investigar: pulsos periféricos; presença de edema em membros inferiores (investigação de arteriopatias periféricas); distribuição de pelos (investigação de patologias genéticas ou disfunções hormonais); exame do pênis para identificar placas fibróticas na túnica albugínea (doença de Peyronie, acompanhada de dor e curvatura do pênis na ereção) e processos inflamatórios (balanopostites); fimose; doenças urogenitais (priapismo, hiperplasia prostática benigna, prostatite, IST); traumatismos de pelve, períneo ou pênis; e cirurgias (próstata, bexiga, colorretal).[49-51]

Em homens e mulheres, deve-se proceder ao exame cardiovascular, para avaliar pressão arterial, pulso e ausculta cardíaca, além do exame neurológico, para detectar a presença de neuropatia periférica, a qual pode conduzir à disfunção sexual. Deve-se pesquisar o reflexo bulbocavernoso e a sensibilidade genital e perineal. O exame físico também deve buscar manifestações de doenças que tenham impacto negativo na função sexual[26] (ver **TABELA 175.4**).

Homens e mulheres que apresentam lesões de pele ou circunscritas aos lábios, cavidade oral, genitais e região perineal demandam investigação sobre IST e sua repercussão sobre a atividade sexual.

### Investigação laboratorial

Uma relação de exames laboratoriais básicos é apresentada na **TABELA 175.7**. Geralmente, os testes laboratoriais não fornecem a etiologia definitiva da disfunção sexual, mas indicam se há alguma condição anômala que mereça ser mais bem investigada.[52,53] Por exemplo, níveis < 300 ng/dL para testosterona total e < 7,3 ng/dL para testosterona livre são sugestivos de hipogonadismo no homem, a partir de 40 anos, com sintomatologia que inclua redução da libido e/ou disfunção erétil, sendo necessárias duas dosagens hormonais (com intervalo de, no mínimo, 15 dias) para confirmar o diagnóstico.[52]

Outros exames auxiliam na identificação de comorbidades desconhecidas pelo(a) paciente, como diabetes, dislipidemias e alterações hormonais, os quais podem ter impacto negativo sobre a função sexual.

**TABELA 175.7** → Exames laboratoriais auxiliares para o diagnóstico de disfunções sexuais

| EXAMES | INDICAÇÕES |
|---|---|
| **RECOMENDADOS** | |
| Estradiol plasmático | Transtorno da excitação sexual feminina, dispareunia feminina |
| Testosterona total e testosterona livre | Desejo hipoativo masculino e feminino, disfunção erétil |
| SHBG | Desejo hipoativo masculino e feminino |
| FSH, LH | Desejo hipoativo masculino e feminino, disfunção erétil |
| Prolactina | Desejo hipoativo masculino e feminino, disfunção erétil |
| **COMPLEMENTARES** | |
| Perfil lipídico (colesterol, triglicerídeos) | Disfunção erétil, transtorno da excitação sexual feminina |
| DHEA | Desejo hipoativo masculino |
| Glicemia de jejum | Disfunção erétil, transtorno da excitação sexual feminina |
| HbA1C | Disfunção erétil, transtorno da excitação sexual feminina |
| Perfil tireoidiano | Desejo hipoativo masculino e feminino |
| Hemograma completo | Desejo hipoativo masculino e feminino, disfunção erétil, transtorno da excitação sexual feminina |

DHEA, desidroepiandrosterona; FSH, hormônio folículo-estimulante; HbA1C, hemoglobina glicada; LH, hormônio luteinizante; SHBG, globulina carreadora de hormônios sexuais.
Fonte: Adaptada de Bhasin e colaboradores[52] e Derogatis.[53]

### Avaliação da saúde mental

Doenças mentais, especialmente transtornos depressivos, de ansiedade e psicóticos, bem como seus respectivos tratamentos medicamentosos (antidepressivos, ansiolíticos e neurolépticos), podem resultar em disfunções sexuais.[40,44,54] Nesses casos, a resposta sexual é afetada nas suas diferentes fases, em proporção variável, de paciente para paciente. Para os homens, baixa excitação e dificuldade para a ejaculação e para o orgasmo são as queixas mais frequentes. Mulheres se queixam mais de diminuição do desejo, falta de lubrificação vaginal e dificuldade para atingir o orgasmo.[55]

Para prevenir a falta de adesão ao tratamento da doença mental, os(as) pacientes devem ser alertados(as) quanto aos efeitos adversos dos medicamentos, os quais – à medida que exercem sua ação terapêutica – podem ser benéficos, inclusive para a função sexual, visto que também melhoram o estado de ânimo.[56] Orientações referentes ao manejo de efeitos adversos de antidepressivos sobre a função sexual são abordadas nos Capítulos Depressão e Transtornos Relacionados à Ansiedade.

Vale lembrar que a depressão e a ansiedade da(o) parceira(o) repercutem negativamente na disposição sexual do casal. Portanto, deve-se investigar a respeito. A identificação desses quadros exige iniciar seu tratamento antes de tratar a disfunção sexual.

### Avaliação do estilo de vida

**Determinados hábitos de vida (vida sedentária, estresse, tabagismo, dieta desbalanceada, consumo excessivo de álcool) constituem fatores de risco para doenças que causam disfunção sexual, entre elas: diabetes, hipertensão arterial, doenças cardiovasculares, dislipidemias, obesidade e síndrome metabólica.**[24,32,57,58]

Uma parcela da população geral consome álcool e/ou drogas ilícitas no intuito de melhorar a desinibição e o desempenho sexual.[57] Contudo, está bem estabelecido que a ingestão crônica de álcool interfere negativamente na ereção, na lubrificação vaginal e no orgasmo, bem como na fertilidade e no ciclo menstrual.[59] O uso em longo prazo de maconha, cocaína, *crack*, heroína, metanfetaminas e psicotrópicos autoadministrados é fator de risco para prejuízo de desejo, excitação, ejaculação e ereção, sendo esse efeito potencializado quando essas substâncias são ingeridas com álcool.[57,60] Por outro lado, a ação desinibitória induzida pelo álcool e por drogas ilícitas pode afetar o controle dos impulsos, levando a um estado de hipersexualidade.[61] O uso dessas substâncias, antes ou durante a atividade sexual, está associado ao sexo de risco (IST e gravidez indesejada), independentemente de gênero, idade, etnia e orientação sexual.

O tabagismo é deletério à função sexual (risco relativo [RR] = 1,5 para disfunção erétil), pois a nicotina é um potente vasoconstritor, o que afeta a fase de excitação (ereção no homem e lubrificação vaginal na mulher), a qual requer fluxo sanguíneo preservado.[59,62] Na mulher, os efeitos negativos do tabaco sobre a função sexual estão menos documentados, porém foi encontrado que mulheres fumantes têm significativamente mais dificuldade de excitação, lubrificação e orgasmo do que as não fumantes.[63]

### História psicossexual

A investigação deve priorizar as atitudes referentes à sexualidade, ao tipo de educação sexual recebida, à presença de padrões religiosos rígidos, aos mitos, às expectativas reais ou irreais quanto ao desempenho sexual e aos relacionamentos anteriores e atuais, bem como as características da(o) parceira(o).[24]

### Fatores ambientais

A falta de privacidade interfere na tranquilidade e no tempo para o sexo. Casais com filhos pequenos ou que compartilham o espaço com outros adultos podem não ter a intimidade necessária para a satisfação sexual.

Desemprego, perdas afetivas ou financeiras, cansaço e preocupações de diversas ordens também podem repercutir negativamente na vida sexual.

## Questionários para diagnóstico de disfunções sexuais na clínica

Questionários padronizados de autorrelato podem ser úteis para agilizar a identificação dos aspectos relevantes e para fornecer direção ou maior foco para a entrevista e a avaliação de acompanhamento. Embora os instrumentos não substituam a entrevista clínica, que é muito mais abrangente e empática, eles podem ser úteis para auxiliar no diagnóstico e no tratamento.

Dois desses instrumentos foram elaborados e validados no Brasil, para facilitar a identificação das disfunções sexuais masculinas e femininas na prática clínica. Esses instrumentos receberam a denominação de Quociente Sexual – Versão Masculina (QS-M)[64,65] e Quociente Sexual – Versão Feminina (QS-F),[66] respectivamente. (Ver QR codes.) Como suas questões abrangem todas as fases do ciclo de resposta sexual, os instrumentos têm a capacidade de indicar em quais fases e domínios (aspectos) se situam as dificuldades de cada paciente. Possuem linguagem acessível e aplicação extremamente simples.

## Intervenções terapêuticas

### Orientação e aconselhamento

É comum que pacientes desconheçam os aspectos básicos da atividade sexual, da anatomia dos genitais, da reprodução e da proteção contra o sexo de risco, além de revelarem concepções equivocadas, preconceitos e crenças em mitos, adquiridos por influência sociofamiliar.[21,67] Essa falta de informação pode resultar em graves consequências, como gravidez indesejada, IST e comprometimento de uma ou mais das fases do ciclo de resposta sexual.

A informação correta pode solucionar parte dos problemas sexuais, principalmente alguns de etiologia psicogênica. Essa abordagem inclui uma breve explicação sobre a anatomia genital, o mecanismo de cada fase do ciclo de resposta sexual e respectivas reações do corpo, e a influência dos fatores ambientais na vida sexual (estresse, cansaço, perdas, preocupações). Deve-se orientar sobre a importância de reduzir a ansiedade de desempenho, de não restringir a atividade sexual somente à ereção ou ao orgasmo e estimular a comunicação entre os parceiros quanto às preferências sexuais.[24,68]

O(a) paciente também deve ser alertado(a) a corrigir os fatores de risco que contribuem para a disfunção sexual, modificando hábitos prejudiciais. O estilo de vida a ser incentivado consiste em atividade física, dieta balanceada, supressão do tabagismo e de drogas ilícitas, uso moderado de bebidas alcoólicas e evitação do estresse.

### Técnicas comportamentais

Ao aconselhamento, o médico pode agregar a sugestão de técnicas comportamentais a serem empregadas pelo(a) paciente, individualmente ou com sua parceria, nos diversos tipos de disfunções sexuais.

#### Ejaculação precoce

É importante esclarecer o paciente de que a falta de controle ejaculatório se deve mais à ansiedade e a um condicionamento do que à hipersensibilidade peniana. Pode-se sugerir técnicas de relaxamento, mais tempo nas preliminares e nos jogos sexuais, masturbação mútua e mais frequência sexual. O envolvimento da(o) parceira(o) é fundamental para o sucesso do tratamento.[69]

Desenvolvida por Masters e Johnson,[3] a técnica *squeeze* é específica para retardar a ejaculação C/D. A parceria estimula manualmente o pênis até que o homem atinja a ereção completa e comece a sentir urgência ejaculatória. A estimulação é interrompida e a parceria pressiona a glande do pênis por alguns segundos, o suficiente para retardar a ejaculação, mas sem que haja perda da ereção. O procedimento deve ser repetido 2 a 3 vezes até que o homem consiga atrasar a ejaculação por alguns minutos, quando a penetração pode ocorrer. É mais apropriado que a parceria assuma a posição "por cima", movendo-se o menos possível, de modo que o parceiro mantenha a ereção por mais tempo sem ejacular. Progressivamente, ao longo do tratamento, a intensidade dos movimentos pode aumentar até que se obtenha um tempo ejaculatório adequado.

Outra técnica, denominada *stop-start*, foi desenvolvida para prolongar o reflexo neuromuscular responsável pela ejaculação. O casal é orientado a iniciar a excitação mútua, até o homem atingir a urgência ejaculatória. Nesse momento, a estimulação deve ser interrompida, esperando que se dissipe nele a sensação subjetiva de grande excitação. O procedimento é repetido durante a atividade sexual, no intuito de o homem conseguir atrasar a ejaculação.[70] Em um estudo que investigou as duas técnicas em conjunto, a latência ejaculatória aumentou em 7 minutos C/D.[71]

### Disfunção erétil

O médico deve estimular a comunicação entre os parceiros, para que falem sem constrangimento sobre o problema sexual. Deve recomendar preliminares mais demoradas que favoreçam gradualmente a ereção. O objetivo é reduzir a ansiedade de desempenho e o sentimento de fracasso antecipatório do homem, transferir o foco exclusivo na ereção para o prazer e resgatar a intimidade, aumentando, assim, a excitação sexual.[23]

Homens obesos que alcançaram perda de peso (> 10%), por meio de dieta com restrição calórica e exercícios físicos, obtiveram melhora da disfunção erétil (NNT = 4) A.[72] Atividade física, exercícios pélvicos ou combinação das duas intervenções melhoraram a função erétil, tanto em curto quanto em longo prazo B.[73] Exercícios para o assoalho pélvico (ver QR code) combinados com mudanças nos hábitos de vida resultaram em retorno à função erétil adequada (40%) ou melhora da ereção (35,5%) após 6 meses de intervenção B.[74]

### Transtornos da excitação e do desejo sexual

Instrui-se o(a) paciente a valorizar as fantasias sexuais e a associá-las a sensações positivas. Estimula-se a comunicação e favorece-se o aprendizado de habilidades que intensifiquem a intimidade do casal. Trabalha-se a ansiedade antecipatória e o medo de um novo fracasso, o que leva a serem identificadas e combatidas as condutas evitativas de atividade sexual.[75] Recomendam-se exercícios de focalização sensorial, que permitam ao(à) paciente concentrar-se com tranquilidade nas sensações prazerosas obtidas pela estimulação genital e não genital. Sugere-se renovação do repertório sexual, de modo a variar práticas, lugares e horários, criando condições para relações sexuais menos estereotipadas B.[76]

### Transtornos do orgasmo

É importante esclarecer que o orgasmo não se constitui no único objetivo do ato sexual, transferindo-se o foco para o prazer de toda a experiência. Devem-se modificar atitudes e cognições disfuncionais que mantêm a anorgasmia, bem como estimular a comunicação do casal, de modo que cada um compartilhe suas preferências e em quais aspectos da relação sexual há mais dificuldade.[77] O uso de fantasias eróticas deve ser sugerido, e deve ser estimulada a superação de mitos e preconceitos sobre o orgasmo. Recomenda-se a autoexploração dos genitais e das zonas erógenas, para melhor conhecimento do próprio corpo, e incentiva-se a automasturbação e a masturbação mútua. Propõe-se, também, que sejam experimentadas várias formas de estimulação genital para obtenção do orgasmo (manual, oral e penetração). Orienta-se o homem de que a estimulação direta do clitóris e/ou a penetração, antes de preliminares bem-trabalhadas que levem à excitação, pode resultar em anorgasmia na mulher. Recomendam-se exercícios para controle dos músculos pélvicos C/D.[78]

A psicoeducação é essencial em todas as intervenções psicológicas baseadas em evidências para transtornos do orgasmo, sendo, por si só, um processo terapêutico C/D.[78] Em geral, os pacientes são receptivos a informações esclarecedoras sobre anatomia e fisiologia sexual, variações na resposta sexual e técnicas de estimulação para obtenção do orgasmo.

A terapia cognitivo-comportamental (TCC) está indicada para o paciente lidar com cognições, emoções e ansiedade que exercem impacto negativo na expectativa de obtenção do orgasmo C/D.[79]

Várias estratégias psicossociais, portanto, são propostas para o tratamento de disfunções do orgasmo. Intervenções que visam ao aumento de habilidades, particularmente a masturbação dirigida A[78] e exercícios de foco sensorial C/D,[79] têm-se mostrado eficazes. Outras abordagens, como técnicas de controle da ansiedade e terapia cognitiva, podem ser benéficas, especialmente quando a distração em relação ao ato sexual for o problema C/D.[79] Terapia combinada de masturbação dirigida em conjunto com outras intervenções, como educação sexual, técnicas de redução da ansiedade e TCC, é recomendada como ferramenta terapêutica mais eficaz C/D.[78]

### Vaginismo e dispareunia

Quanto ao vaginismo, deve-se esclarecer a paciente e o seu parceiro de que essa condição é involuntária e não intencional. É importante encorajar a paciente a conhecer e aceitar seus genitais, observando-os com um espelho, e sugerir o treinamento de autoestimulação, masturbação e identificação das zonas erógenas. Deve-se recomendar abstenção de penetração na fase inicial da abordagem de dessensibilização genital, que consiste em orientar a paciente a introduzir um dedo na vagina, com auxílio de lubrificante à base de água, e depois dois dedos, devendo movê-los e abri-los (podem também ser usados dilatadores vaginais para essa finalidade). A mulher deve repetir o exercício até que se sinta confortável. Esse mesmo exercício, depois de bem aceito pela mulher, deve ser repetido pela parceria, que gradualmente introduzirá os dedos na vagina dela. Bem-sucedidas essas etapas, o coito pode ser tentado, com a mulher por cima, de modo a controlar a penetração e sem movimentos copulatórios. Se a penetração ocorrer satisfatoriamente, iniciam-se os movimentos, controlados pela mulher.[80,81]

Em resumo, mulheres com vaginismo se beneficiam de vários tratamentos (terapia sexual, TCC e fisioterapia para o assoalho pélvico) em quase 80% dos casos; nenhuma abordagem provou ser superior às outras em possibilitar relações sexuais com penetração C/D.[82]

Na dispareunia, deve-se alertar para a ansiedade que pode estar associada a essa condição. É essencial orientar o casal para proceder à masturbação mútua, melhorar a comunicação, retomar/incentivar a intimidade e dedicar-se a preliminares mais longas para propiciar mais lubrificação. Deve-se indicar a dessensibilização sistemática com uso dos dedos dentro da vagina e exercícios de Kegel, para que a mulher vá perdendo o medo da penetração. É necessário recomendar que a penetração seja gradual, com auxílio de lubrificantes e controlada pela mulher. Iniciado o coito, deve-se fazer movimentos suaves e experimentar diferentes posições, gradativamente.[83]

Abordagens de fisioterapia com exercícios do assoalho pélvico, *biofeedback* por eletromiografia, estimulação elétrica e dessensibilização com uso de dilatadores vaginais têm apresentado resultados positivos no tratamento da dispareunia C/D.[84] Psicoterapia também tem sido associada a desfechos favoráveis, em particular a TCC e práticas de atenção plena (*mindfulness*) C/D.[85]

### Tratamento medicamentoso das disfunções sexuais

As **TABELAS 175.8** e **175.9** apresentam o plano terapêutico das disfunções sexuais. A ação dos fármacos utilizados no

**TABELA 175.8** → Esquemas de tratamento das disfunções sexuais masculinas

#### EJACULAÇÃO PRECOCE

1. *Antidepressivos (inibidores seletivos da recaptação da serotonina [ISRSs]):* paroxetina, fluoxetina, sertralina (dose variável); iniciar com doses menores do que as indicadas para o tratamento da depressão e adequar gradativamente, até a remissão dos sintomas, e manter essa dose B
2. *Antidepressivo tricíclico:* clomipramina (dose variável) B; iniciar com doses baixas e adequar gradativamente, até a remissão dos sintomas, e manter essa dose
3. *Ansiolíticos:* alprazolam ou bromazepam (dose variável), para a ansiedade de desempenho
4. *Aplicações tópicas de cremes de lidocaína:* exigem uso do preservativo (para evitar prejuízo à sensibilidade da mucosa vaginal da parceira) C/D
5. *Inibidores da fosfodiesterase-5 (IPDE-5) associados a ISRSs:* mantêm a rigidez peniana, reduzindo a urgência ejaculatória, em alguns casos C/D
6. *Opioide analgésico de ação central (tramadol):* utilizado sob demanda, eleva o tempo de latência intravaginal; uso ainda limitado a estudos clínicos; há risco de dependência C/D
7. *Dapoxetina:* 60 mg, por via oral, uso sob demanda; disponível na Europa e no México; aprovada, mas não comercializada no Brasil
8. *Psicoterapia/terapia sexual/terapia de casal:* terapia comportamental isolada ou em conjunto com medicação pode aumentar o tempo de latência intravaginal em homens com ejaculação precoce B

#### DISFUNÇÃO ERÉTIL

**Tratamento de primeira linha**
1. *Educação/mudanças no estilo de vida/adoção de hábitos saudáveis:* bebida alcoólica em excesso, tabagismo, sedentarismo, estresse, alimentação hipercalórica, obesidade, uso de drogas ilícitas
2. *Psicoterapia/terapia sexual/terapia de casal:* em casos de disfunção psicogênica ou mista (orgânica com repercussão psicogênica) B
3. *Agentes orais (IPDE-5)* B, *uso sob demanda:*
   → Tadalafila: 1 cp, 2-3 ×/semana (20 mg)
   → Citrato de sildenafila: 1 cp/dia (25, 50 ou 100 mg, conforme gravidade)
   → Cloridrato de vardenafila: 1 cp/dia (5, 10 ou 20 mg, conforme gravidade)
   → Carbonato de lodenafila: 1 cp/dia (80 mg)
   → Udenafila: 1 cp/dia (100 mg)
4. *Agentes orais (IPDE-5)* B, *uso diário:* tadalafila (2,5-5 mg)

*(continua)*

**TABELA 175.8** → Esquemas de tratamento das disfunções sexuais masculinas *(Continuação)*

**Tratamento de segunda linha (quando a primeira linha for ineficaz)**
*Agentes injetáveis* C/D
1. *Aplicação intracavernosa de substâncias vasoativas:* papaverina, fentolamina, clorpromazina ou prostaglandinas, combinadas ou isoladas
2. *Medicamentos intrauretrais:* alprostadil – uso restrito no Brasil
3. *Dispositivos a vácuo, aplicados ao pênis:* uso restrito no Brasil

**Tratamento de terceira linha (quando a primeira e a segunda linhas forem ineficazes):** implante de prótese peniana

#### DESEJO SEXUAL HIPOATIVO

1. *Tratamento da depressão, se esta for a causa da disfunção do desejo sexual*
   → Sempre que possível, utilizar um antidepressivo de menor prejuízo à função sexual (p. ex., bupropiona, mirtazapina, agomelatina, trazodona, vortioxetina) C/D
   → Se necessário, associar "antídotos", caso o tratamento de eleição seja com ISRS B:
      → Bupropiona (150-300 mg/dia): não é indicada se houver história de anorexia, bulimia, antecedentes de convulsão, inquietação, insônia, abuso de álcool ou uso de drogas ilícitas
      → Buspirona (30-60 mg/dia)
      → Mirtazapina (15-45 mg/dia)
      → Trazodona (200-400 mg/dia)
      → IPDE-5 (ver agentes orais para disfunção erétil)
   → Adequar a dose do antidepressivo (quando possível) ou trocar por outro com menor efeito negativo sobre a libido
2. *Terapia androgênica:* somente quando houver quadro clínico característico de distúrbio androgênico do envelhecimento masculino e níveis de testosterona < 300 ng/dL (2 testagens, intervalo de 15 dias) B
   → Benefícios e riscos devem ser monitorados a cada 3 meses
   → Todas as opções de tratamento devem ser discutidas com o paciente
   → Observar as contraindicações para a terapia hormonal:
      → Absolutas: câncer de próstata não tratado, câncer de mama ativo, hiperplasia prostática benigna não tratada
      → Relativas: apneia do sono não tratada, insuficiência cardíaca grave, sintomas do trato urinário inferior e policitemia

| FORMULAÇÕES UTILIZADAS NA TERAPIA ANDROGÊNICA MASCULINA | | |
|---|---|---|
| **FÁRMACO** | **VIA** | **DOSE/INTERVALO** |
| Undecilato de testosterona | Oral | 120-160 mg em várias doses diárias |
| Gel de testosterona hidroalcoólica | Transdérmica – gel | 50-100 mg/dia |
| Testosterona | Transdérmica – solução tópica | 60 mg/dia |
| Ésteres de testosterona | Intramuscular | 50-250 mg, por 2-4 semanas |
| Cipionato de testosterona | Intramuscular | 50-400 mg, por 2-4 semanas |
| Undecilato de testosterona | Intramuscular | 1.000 mg, por 3 meses |

3. *Psicoterapia/terapia sexual/terapia de casal:* em casos de disfunção psicogênica ou mista (orgânica com repercussão psicogênica)

#### ANORGASMIA

1. *Antidepressivo:* em caso de anorgasmia por depressão, dose variável que não interfira negativamente na função sexual C/D
2. *Buspirona (30-60 mg/dia) ou alprazolam (0,5-2 mg/dia):* em caso de anorgasmia por ansiedade C/D
3. *Amantadina ou ciproeptadina (uso sob demanda):* em caso de anorgasmia induzida por ISRS C/D
4. *Psicoterapia/terapia sexual/terapia de casal:* para compreensão/reestruturação da competência sexual C/D

Fonte: Adaptada de Montejo e colaboradores,[40] Sociedade Brasileira de Urologia,[49] McCarthy e Fucito,[68] de Carufel e Trudel,[71] McMahon e colaboradores,[77] Hatzimouratidis e colaboradores,[92] Diem e colaboradores,[94] Taylor e colaboradores,[97] Abdo,[88] Abdo e colaboradores,[98] Melnik e colaboradores[107] e Trost e colaboradores.[108]

**TABELA 175.9** → Esquemas de tratamento das disfunções sexuais femininas

### DESEJO SEXUAL HIPOATIVO E/OU INIBIÇÃO DA EXCITAÇÃO

1. *Se forem devidos à depressão*
   → Sempre que possível, utilizar antidepressivo de menor prejuízo à função sexual (p. ex., bupropiona, mirtazapina, agomelatina, vortioxetina) **C/D**
   → Se necessário, acrescentar "antídotos", caso o tratamento de eleição seja com ISRS **B**:
      → Bupropiona (150-300 mg/dia) **B**: não é indicada se houver história de anorexia, bulimia, antecedentes de convulsão, inquietação, insônia, abuso de álcool ou uso de drogas ilícitas
      → Buspirona (30-60 mg/dia)
      → Mirtazapina (15-45 mg/dia)
      → Trazodona (200-400 mg/dia)
   → Adequação da dose do antidepressivo utilizado (quando possível) ou troca por outro com menor efeito negativo sobre a libido
2. *Terapia androgênica criteriosa:* pode ser indicada para mulheres na pós-menopausa, ooforectomizadas bilateralmente, sob radioterapia ou quimioterapia e sob uso de estrogênio, desde que não haja contraindicação (câncer de mama ou de útero, síndrome do ovário policístico, níveis baixos de estrogênio, dislipidemia, insuficiência hepática, acne ou hirsutismo grave) **C/D**

| FORMULAÇÕES UTILIZADAS NA TERAPIA ANDROGÊNICA FEMININA | | | |
|---|---|---|---|
| **FÁRMACO** | **VIA** | **DOSE** | **CARACTERÍSTICAS** |
| Metiltestosterona | Oral | 1,25-2,5 mg | Uso diário; meia-vida curta; potencial de hepatotoxicidade; níveis suprafisiológicos de testosterona após absorção |
| Gel/adesivo de testosterona | Transdérmica | 1,25-2,5 mg 150-300 µg | Uso diário; meia-vida variável com o tipo de preparação; farmacocinética mais favorável; melhor perfil metabólico; ajuste de dose; preparação preferencial |

3. *Terapia estrogênica:* estrogênio isolado ou estrogênio-progestogênio promove melhora leve a moderada do desejo sexual, quando este estiver prejudicado pelo intercurso doloroso, decorrente de atrofia da mucosa vaginal (por deficiência estrogênica), em mulheres na peri e pós-menopausa **C/D**
4. *Flibanserina:* 100 mg/dia ao deitar; indicada para mulher na pré-menopausa, com desejo sexual hipoativo não causado por condições orgânicas ou mentais, uso de medicamentos que interfiram na libido ou conflitos no relacionamento; aprovada pela FDA (Food and Drug Administration); não disponível no Brasil
5. *Psicoterapia/terapia sexual/terapia de casal:* em casos de disfunção psicogênica ou mista (orgânica com repercussão psicogênica); intervenções psicológicas diminuem a gravidade do desejo sexual hipoativo, mas parecem não exercer o mesmo efeito sobre a satisfação sexual **B**

*(continua)*

**TABELA 175.9** → Esquemas de tratamento das disfunções sexuais femininas *(Continuação)*

### ANORGASMIA

1. *Antidepressivos:* em caso de anorgasmia por depressão (p. ex., bupropiona), dose variável que não interfira negativamente na função sexual
2. *Inibidores da fosfodiesterase-5 (IPDE-5):* têm sido reportados efeitos positivos sobre o orgasmo e a lubrificação vaginal em relação ao placebo
3. *Buspirona (30-60 mg/dia) ou alprazolam (0,5-2 mg/dia):* em caso de anorgasmia por ansiedade
4. *Psicoterapia/terapia sexual/terapia de casal:* para compreensão/reestruturação da competência sexual **C/D**

### DISPAREUNIA (DOR GENITOPÉLVICA/PENETRAÇÃO) E DIFICULDADE DE LUBRIFICAÇÃO

1. *Antidepressivo:* em baixas doses, de maneira que não interfira na função sexual (indicado para redução de dor neuropática) **C/D**
2. *Ansiolítico:* dose variável, conforme o caso **C/D**
3. *Gel hidrossolúvel:* em caso de lubrificação diminuída **C/D**
4. *Cremes de estrogênio (uso tópico):* contra atrofia e falta de lubrificação vaginal **B**
5. *Desidroepiandrosterona (DHEA) 0,5-1%:* para mulheres na pós-menopausa; age contra atrofia e secura vaginal, melhorando a dispareunia (uso diário intravaginal)
6. *Tibolona:* alternativa à terapia hormonal convencional; melhora a lubrificação de mulheres na pós-menopausa **C/D**
7. *IPDE-5:* aumenta a resposta congestiva, mas com efeito "irregular" sobre a excitação **C/D**
8. *Fisioterapia específica para o assoalho pélvico e os genitais* **C/D**
9. *Psicoterapia/terapia sexual/terapia de casal:* em casos de disfunção psicogênica ou mista (orgânica com repercussão psicogênica) **C/D**

Fonte: Adaptada de Montejo e colaboradores,[40] Günzler e Berner,[76] Laan e colaboradores,[78] Kingsberg e colaboradores,[79] Morin e colaboradores,[84] Al-Abbadey e colaboradores,[85] Segraves e colaboradores,[86] Wierman e colaboradores,[87] Abdo,[88] Clayton e West[89] e Labrie e colaboradores.[90]

---

tratamento das disfunções sexuais resgata a fisiologia do ciclo de resposta sexual.

Para a ejaculação precoce, utilizam-se medicamentos que interfiram na transmissão serotoninérgica (ISRSs), retardando a ejaculação (primeira escolha: sertralina, fluoxetina, paroxetina e fluvoxamina) **B**.[91] A clomipramina, um antidepressivo tricíclico, também pode ser utilizada. Neste caso, usar na dose de 25 a 50 mg para evitar os efeitos adversos dos tricíclicos **C/D**.[91]

Para a disfunção erétil, a primeira escolha são os inibidores da fosfodiesterase tipo 5 (IPDE-5), que recuperam e mantêm a resposta erétil diante do estímulo sexual (NNT = 2-3) **B**.[92,93] Na ausência do estímulo sexual, os IPDE-5 não são capazes de iniciar ou manter a ereção. A utilização pode ser sob demanda, a qual possibilita que o homem se engaje em atividade sexual dentro de 1 hora, ou por dose diária (apenas tadalafila), uma alternativa para os casais que preferem atividade sexual espontânea, sem horário definido para ocorrer. Os IPDE-5 têm contraindicação absoluta em pacientes usuários de qualquer nitrato orgânico (nitroglicerina, mononitrato de isossorbida e dinitrato de isossorbida, p. ex.) ou doadores de óxido nítrico (p. ex., preparações de nitrato usadas para tratar angina, bem como nitrito de amila ou nitrato de amila, utilizados como drogas recreacionais). Nesses casos, a interação medicamentosa leva à hipotensão, pois IPDE-5 e nitratos são vasodilatadores. Outros efeitos adversos incluem dor de cabeça, dispepsia, rubor, mialgia, dor nas costas, congestão nasal e distúrbios visuais, que tendem a minimizar com o uso.[49]

A inibição do desejo sexual masculino por níveis baixos de testosterona pode receber tratamento hormonal (testosterona = 0,35 para função sexual total; 0,27 para disfunção erétil) **B**.[94]

Em mulheres, a falta de excitação ou inibição do desejo sexual, independentemente do estado menopáusico, pode ser tratada com inibidores da recaptação da dopamina (p. ex., bupropiona), os quais estimulam a libido prejudicada de pacientes que não apresentam deficiência hormonal ou doenças sistêmicas que ocasionem disfunções sexuais **B**.[86,95] Para mulheres sob uso de estrogênio na pós-menopausa e que apresentam desejo sexual hipoativo, uma diretriz norte-americana e europeia sugere terapia androgênica. Os níveis androgênicos devem ser mensurados a cada 6 meses, para monitorar sinais virilizantes. Se não houver resposta em 6 meses, a terapia deve ser suspensa, por falta de dados de segurança em longo prazo **C/D**.[87] Não é recomendado prescrever apresentações formuladas para homens no tratamento das mulheres, por dificuldade de ajuste da dose e risco de doses suprafisiológicas.[96]

Dispareunia, vaginismo e dificuldade de lubrificação podem se beneficiar da administração de antidepressivos C/D, ansiolíticos C/D, cremes e lubrificantes tópicos C/D e encaminhamento para fisioterapia específica C/D, dependendo de etiologia e sintomatologia.[84,85]

### Manejo da depressão e uso de antidepressivos

A depressão e o tratamento antidepressivo podem agravar a disfunção sexual (inibindo o desejo e retardando o orgasmo), o que exige que o perfil do(a) paciente seja previamente avaliado para poder prescrever medicamento efetivo e que ofereça maior probabilidade de adesão. O manejo dos efeitos adversos dos antidepressivos sobre a função sexual inclui as seguintes estratégias C/D:[97]

→ **aguardar pela tolerância:** exige pelo menos 6 meses de tratamento;
→ **reduzir a dose:** deve ser lenta e gradual, em função do risco de dosagens subterapêuticas e recaídas;
→ **interromper o uso do antidepressivo nos finais de semana:** pode gerar síndrome de descontinuação e comprometer doses adequadas. Não é útil com fluoxetina, por exemplo, devido à farmacocinética desse medicamento;
→ **substituir um antidepressivo por outro com menor prejuízo à função sexual (p. ex., trazodona, bupropiona, agomelatina, mirtazapina, vortioxetina):** oferece maior risco de síndrome de descontinuação, se a troca for abrupta. Essa síndrome pode ser interpretada como efeito colateral do novo medicamento, o que desfavorece a adesão. Portanto, a substituição deve ser gradual, monitorando os efeitos adversos e as interações dos medicamentos;
→ **utilizar outro antidepressivo associado (p. ex., bupropiona) que atue como "antídoto" para a disfunção sexual induzida por ISRS:** baseia-se no estímulo a vias antagônicas às serotoninérgicas, favorecendo os níveis de noradrenalina e dopamina no sistema nervoso central. Devem ser considerados possíveis efeitos adversos e interações medicamentosas. As **TABELAS 175.8** e **175.9** apresentam as doses sugeridas para cada "antídoto".

### Psicoterapia

A disponibilidade de medicamentos eficazes para o tratamento das disfunções sexuais não dispensa as abordagens psicoterápicas para esse fim.[95] O médico pode indicá-las nos casos em que os(as) pacientes apresentam disfunções sexuais com componente psicogênico (primário ou secundário a uma disfunção de origem orgânica), podendo ser aplicadas em combinação com a farmacoterapia C/D.[76,98,99] Psicoterapia individual, terapia sexual e/ou terapia de casal devem ser consideradas, conforme o caso. Disfunções sexuais de origem orgânica também se beneficiam desse expediente, quando o quadro disfuncional abala a autoestima e a autoimagem C/D.[99]

# TRANSTORNOS PARAFÍLICOS

## Avaliação e diagnóstico

A condição geral a ser observada quando se avalia o comportamento sexual de um indivíduo é se ela não causa danos a si, à(ao) parceira(o) ou a terceiros (sociedade).

Segundo o DSM-5, interesses sexuais atípicos (comportamentos parafílicos consensuais entre adultos), por si só, não configuram transtorno mental e não justificam ou requerem intervenção clínica. Entretanto, quando a parafilia causar sofrimento ou prejuízo ao indivíduo ou resultar em danos pessoais ou risco de dano para terceiros, configura transtorno parafílico. Portanto, parafilia é condição necessária, porém não suficiente para esse diagnóstico.[5]

> Portadores de transtornos parafílicos raramente buscam tratamento em serviços de APS. Entretanto, é importante que o médico saiba reconhecer as características desses transtornos para encaminhar o(a) eventual paciente ao especialista.

O diagnóstico é fundamentalmente clínico, baseado na entrevista, no exame mental e na anamnese sexual. Para a formulação diagnóstica, devem ser investigados: desenvolvimento psicossexual, abuso sexual na infância e na adolescência, percepções do paciente sobre as relações familiares, primeiras lembranças das fantasias e das práticas sexuais, uso de álcool ou outras drogas, envolvimentos afetivos, orientação sexual, disfunções sexuais, tipo de estímulos e frequência de masturbação, idade de início dos sintomas parafílicos e sua evolução, atitude egodistônica ou egossintônica, comorbidades mentais, prejuízo das fantasias e práticas parafílicas sobre a vida familiar, acadêmica e profissional, presença e intensidade de sofrimento e expectativas do paciente a respeito desse transtorno e do tratamento.[5,100] Esse diagnóstico se consolida quando preenche dois critérios, segundo o DSM-5:[5]

→ **critério A:** especifica a natureza do interesse parafílico (exibicionismo, pedofilia, sadismo sexual, p. ex.), expresso por impulsos, fantasias ou comportamentos sexuais recorrentes e intensos, por pelo menos 6 meses;
→ **critério B:** ao manifestar ou executar o interesse parafílico do critério A, o indivíduo o faz sem o consentimento da outra pessoa. Os impulsos e fantasias sexuais causam sofrimento clinicamente significativo ou prejuízo social, profissional ou em outras áreas importantes da vida.

O critério B deve especificar: (1) se o sofrimento causado pelo interesse sexual atípico não é decorrente apenas da desaprovação da sociedade; ou (2) se o desejo ou o comportamento sexual resulta em sofrimento (psicológico, lesões ou morte) de outro indivíduo, ou envolve pessoas que não querem ou são incapazes de dar o consentimento legal às práticas parafílicas.[5]

Além dos critérios A e B, o DSM-5 inclui outros, específicos para cada transtorno parafílico, como ilustra a **TABELA 175.10**. Como ilustrado na tabela, é importante fazer a distinção entre pedófilos e agressores sexuais que eventualmente

| TABELA 175.10 → Critérios diagnósticos do transtorno pedofílico |
|---|
| A. Por um período > 6 meses, fantasias sexualmente excitantes, intensas e recorrentes, impulso sexual ou comportamentos envolvendo atividade sexual com criança pré-púbere ou crianças (geralmente com idade < 13 anos)
B. O indivíduo agiu sob impulso sexual ou o impulso sexual ou as fantasias causam sofrimento ou dificuldade interpessoal
C. O indivíduo tem no mínimo 16 anos e é pelo menos 5 anos mais velho do que a criança ou crianças do critério A (ver texto)
**Nota:** não incluir indivíduo no final da adolescência envolvido em relacionamento sexual de longa duração com alguém entre 12-13 anos
*Especificar se:*
→ Tipo exclusivo (atração apenas por crianças)
→ Tipo não exclusivo
*Especificar se:*
→ Atração sexual por meninos
→ Atração sexual por meninas
→ Atração sexual por ambos
*Especificar se:*
→ Limitado ao incesto
*Características de apoio ao diagnóstico*
→ Uso intensivo de pornografia que envolva crianças pré-púberes é um indicador diagnóstico útil para transtorno pedofílico; este é um exemplo de que esses indivíduos tendem a escolher o tipo de pornografia que corresponde aos seus interesses sexuais |

Fonte: Adaptada de American Psychiatric Association.[5]

vitimizam crianças. Como critério essencial para o diagnóstico de pedofilia, o indivíduo deve ter idade ≥ 16 anos (ou ser 5 anos mais velho que a criança), com atração sexual persistente, de forma exclusiva ou parcial, por crianças pré-púberes. O pedófilo geralmente é desconhecido da família da criança. Ele aproxima-se e ganha a confiança da vítima.

Nem todos os que abusam de menores são pedófilos. Podem fazê-lo de forma oportunista, ao encontrar uma criança disponível e vulnerável. O abuso sexual (relacionamento que, por violência física ou psicológica, inclua atividade sexual sem escolha e mutualidade entre os parceiros) ocorre dentro da própria família, na maioria das vezes.

Vale salientar que há indivíduos que preenchem critérios para pedofilia, mas não praticam o abuso de crianças. Ou seja, ter fantasias sexuais que envolvam crianças já é suficiente para fazer o diagnóstico.[5]

Portadores de transtorno parafílico podem apresentar duas ou mais parafilias concomitantes, além de comorbidades mentais, como transtornos do humor ou de ansiedade, psicoses, transtorno de déficit de atenção com hiperatividade, personalidade antissocial e abuso de álcool e drogas ilícitas.[10,101,102]

Cabe ressaltar, ainda, que sintomas parafílicos podem resultar de trauma neurológico no lobo frontal ou no hipocampo, autismo, esclerose múltipla, demência, tumores ou de efeito do tratamento da doença de Parkinson.[103-105] Nesses casos, impõe-se o diagnóstico diferencial.

### Intervenções terapêuticas

O tratamento de portadores de transtorno parafílico é feito pelo especialista, em longo prazo.

Os objetivos da conduta terapêutica para os transtornos parafílicos são: 1) controlar as fantasias e os comportamentos parafílicos, de modo a reduzir o risco de recidiva; 2) controlar a urgência sexual do ato parafílico; e 3) reduzir o nível de sofrimento do indivíduo com esse transtorno.

O tratamento compõe-se de psicoterapia (TCC) associada a medicamentos.[10] No Brasil, os medicamentos autorizados para esses casos são exclusivamente os antidepressivos (especialmente ISRSs) e os neurolépticos (fenotiazinas e butirofenonas), em doses crescentes até o controle da sintomatologia. Embora não sejam formalmente aprovados para transtornos parafílicos, os ISRSs se consagraram na prática clínica com uso *off-label*. Apesar da falta de estudos controlados, há evidência clínica de que pelo menos a sertralina e a fluoxetina reduzem o comportamento sexual parafílico em casos leves, com uma relação risco/benefício razoável **C/D**.[10]

Em alguns países, também é permitida a administração de substâncias antiandrogênicas (acetato de ciproterona e acetato de medroxiprogesterona), isoladamente, em associação a ISRS ou a agonistas do hormônio liberador de gonadotrofinas (GnRH, do inglês *gonadotropin-releasing hormone*). O tipo de medicamento utilizado depende da gravidade do transtorno parafílico e do respectivo risco de comportamento que coloque outras pessoas em risco. Em outros países, o tratamento com análogo de GnRH é o mais relevante para pacientes com transtornos parafílicos graves. A prescrição de tratamento hormonal, na maioria dos casos, não altera o conteúdo da parafilia (p. ex., no caso de pedofilia exclusiva) e a ação terapêutica é principalmente sintomática.[10]

No caso da pedofilia, a administração de antidepressivos tricíclicos (clomipramina, desipramina) ou ISRSs (fluoxetina ou paroxetina, especialmente) em doses efetivas é o recurso terapêutico mais utilizado.[10]

Novas possibilidades terapêuticas estão sendo pesquisadas, como os hormônios antiandrogênicos e os análogos sintéticos do GnRH (acetato de leuprorrelina, gosserrelina e triptorrelina), principalmente para tratamento de pedófilos abusadores sexuais.[10]

## ENCAMINHAMENTO

Algumas situações podem exigir encaminhamento para especialistas, como psiquiatra, urologista, ginecologista, fisioterapeuta e terapeuta sexual:[106]

→ **condições físicas:** se o(a) paciente com queixa sexual for jovem com antecedente de traumatismo pélvico ou perineal; ou quando houver suspeita de patologia de base ou concomitante (vascular, neurológica, endócrina, ginecológica, urológica);

→ **condições emocionais/mentais:** quando o(a) paciente ou o casal estiver em um relacionamento deteriorado e desejar aconselhamento especializado; ou se houver transtorno mental associado, sem resposta satisfatória com as intervenções adotadas na APS;

→ **condições complexas:** por exemplo, casos de transtornos parafílicos (devem ser encaminhados a centros de referência);

→ **ausência de resposta à intervenção terapêutica inicial:** o(a) paciente e/ou sua(seu) parceira(o) requerem avaliação sexual especializada, se a evolução for insatisfatória após 3 meses do tratamento inicial.

# REFERÊNCIAS

1. World Health Organization. Defining sexual health: report of a technical consultation on sexual health, 28–31 January 2002, Geneva. Geneva: WHO; 2006.
2. Abdo CHN. Descobrimento sexual do Brasil: para curiosos e estudiosos. São Paulo: Summus; 2004.
3. Masters WH, Johnson VE. Human sexual response. Boston: Little Brown; 1966.
4. Kaplan HS. Disorders of sexual desire. New York: Brunner Mazel; 1977.
5. American Psychiatric Association. Manual diagnóstico e estatístico de transtornos mentais: DSM-5. 5. ed. Porto Alegre: Artmed; 2014.
6. World Health Organization. International classification of diseases and related health problems. 11th ed. Geneva: WHO; 2019.
7. Abdo CHN, Valadares ALR, Oliveira WM, Scanavino MT, Afif-Abdo J. Hypoactive sexual desire disorder in a population-based study of Brazilian women: associated factors classified according to their importance. Menopause. 2010;17(6):1114–21.
8. Feldman HA, Goldstein I, Hatzichristou DG, Krane RJ, McKinlay JB. Impotence and its medical and psychosocial correlates: results of the Massachusetts male aging study. J Urol. 1994;151(1):54–61.
9. Laumann EO, Nicolosi A, Glasser DB, Paik A, Gingell C, Moreira E, et al. Sexual problems among women and men aged 40-80 y: prevalence and correlates identified in the Global Study of Sexual Attitudes and Behaviors. Int J Impot Res. 2005;17(1):39–57.
10. Thibaut F, Cosyns P, Fedoroff JP, Briken P, Goethals K, Bradford JMW, et al. The World Federation of Societies of Biological Psychiatry (WFSBP) 2020 guidelines for the pharmacological treatment of paraphilic disorders. World J Biol Psychiatry Off J World Fed Soc Biol Psychiatry. 2020;21(6):412–90.
11. Osborne CS, Wise TN. Paraphilias. In: Handbook of sexual dysfunction. Boca Raton: Taylor and Francis; 2005. p. 293–330.
12. Konrad N, Welke J, Opitz-Welke A. Paraphilias. Curr Opin Psychiatry. 2015;28(6):440–4.
13. Bouchard KN, Moulden HM, Lalumière ML. Assessing paraphilic interests among women who sexually offend. Curr Psychiatry Rep. 2019;21(12):121.
14. Långström N, Seto MC. Exhibitionistic and voyeuristic behavior in a Swedish national population survey. Arch Sex Behav. 2006;35(4):427–35.
15. Långström N, Zucker KJ. Transvestic fetishism in the general population: prevalence and correlates. J Sex Marital Ther. 2005;31(2):87–95.
16. Kafka MP, Hennen J. Hypersexual desire in males: are males with paraphilias different from males with paraphilia-related disorders? Sex Abuse J Res Treat. 2003;15(4):307–21.
17. Richters J, Visser ROD, Rissel CE, Grulich AE, Smith AMA. Demographic and psychosocial features of participants in bondage and discipline, "sadomasochism" or dominance and submission (BDSM): data from a national survey. J Sex Med. 2008;5(7):1660–8.
18. Oliveira Júnior WM de, Abdo CHN. Unconventional sexual behaviors and their associations with physical, mental and sexual health parameters: a study in 18 large Brazilian cities. Braz J Psychiatry. 2010;32(3):264–74.
19. Ahlers CJ, Schaefer GA, Mundt IA, Roll S, Englert H, Willich SN, et al. How unusual are the contents of paraphilias? Paraphilia-associated sexual arousal patterns in a community-based sample of men. J Sex Med. 2011;8(5):1362–70.
20. Abdo CHN, Moreira Jr. ED. Pesquisa nacional sobre disfunção erétil: projeto avaliar. In: Disfunção erétil (Encontro Internacional de Especialistas). São Paulo: BG Cultural; 2003. p. 13–8.
21. Benítez Moreno JM, Brenes Bermúdez FJ, Casado Pérez P, González Correales R, Sánchez Sánchez F, Villalva Quintana E. Salud sexual. Madrid: SEMERGEN; 2005.
22. Sadovsky R, Nusbaum M. Sexual health inquiry and support is a primary care priority. J Sex Med. 2006;3(1):3–11.
23. Sadovsky R. Asking the questions and offering solutions: the ongoing dialogue between the primary care physician and the patient with erectile dysfunction. Rev Urol. 2003;5(Suppl 7):S35–48.
24. Hatzichristou D, Kirana P-S, Banner L, Althof SE, Lonnee-Hoffmann RAM, Dennerstein L, et al. Diagnosing sexual dysfunction in men and women: sexual history taking and the role of symptom scales and questionnaires. J Sex Med. 2016;13(8):1166–82.
25. Abdo CHN, Oliveira Júnior WM de, Moreira Jr ED, Fittipaldi JA. Prevalence of sexual dysfunctions and correlated conditions in a sample of Brazilian women--results of the Brazilian study on sexual behavior (BSSB). Int J Impot Res. 2004;16(2):160–6.
26. Basson R, Schultz WW. Sexual sequelae of general medical disorders. Lancet Lond Engl. 2007;369(9559):409–24.
27. Manolis A, Doumas M. Sexual dysfunction: the 'prima ballerina' of hypertension-related quality-of-life complications. J Hypertens. 2008;26(11):2074–84.
28. Krychman ML, Pereira L, Carter J, Amsterdam A. Sexual oncology: sexual health issues in women with cancer. Oncology. 2006;71(1–2):18–25.
29. Payne KA, Binik YM, Amsel R, Khalifé S. When sex hurts, anxiety and fear orient attention towards pain. Eur J Pain Lond Engl. 2005;9(4):427–36.
30. Dizon DS, Suzin D, McIlvenna S. Sexual health as a survivorship issue for female cancer survivors. Oncologist. 2014;19(2):202-10.
31. Verit FF, Verit A, Yeni E. The prevalence of sexual dysfunction and associated risk factors in women with chronic pelvic pain: a cross-sectional study. Arch Gynecol Obstet. 2006;274(5):297–302.
32. Esposito K, Giugliano F, Ciotola M, De Sio M, D'Armiento M, Giugliano D. Obesity and sexual dysfunction, male and female. Int J Impot Res. 2008;20(4):358–65.
33. Plöderl M, Tremblay P. Mental health of sexual minorities. a systematic review. Int Rev Psychiatry Abingdon Engl. 2015;27(5):367–85.
34. Bonvicini KA, Perlin MJ. The same but different: clinician-patient communication with gay and lesbian patients. Patient Educ Couns. 2003;51(2):115–22.
35. Makadon HJ. Improving health care for the lesbian and gay communities. N Engl J Med. 2006;354(9):895–7.
36. Mravcak SA. Primary care for lesbians and bisexual women. Am Fam Physician. 2006;74(2):279–86.
37. van Lankveld JJ, Grotjohann Y. Psychiatric comorbidity in heterosexual couples with sexual dysfunction assessed with the composite international diagnostic interview. Arch Sex Behav. 2000;29(5):479–98.
38. Guirao Sánchez L, García-Giralda Ruiz L, Sandoval Martínez C, Mocciaro Loveccio A. Disfunción eréctil en atención primaria como posible marcador del estado de salud: factores asociados y respuesta al sildenafilo. Aten Primaria. 2002;30(5):290–6.
39. Veronelli A, Mauri C, Zecchini B, Peca MG, Turri O, Valitutti MT, et al. Sexual dysfunction is frequent in premenopausal women with diabetes, obesity, and hypothyroidism, and correlates with markers of increased cardiovascular risk. a preliminary report. J Sex Med. 2009;6(6):1561–8.
40. Montejo AL, Prieto N, de Alarcón R, Casado-Espada N, de la Iglesia J, Montejo L. Management strategies for antidepressant-related sexual dysfunction: a clinical approach. J Clin Med. 2019;8(10).

41. Viigimaa M, Vlachopoulos C, Doumas M, Wolf J, Imprialos K, Terentes-Printzios D, et al. Update of the position paper on arterial hypertension and erectile dysfunction. J Hypertens. 2020;38(7):1220–34.
42. La Torre A, Giupponi G, Duffy D, Conca A, Catanzariti D. Sexual dysfunction related to drugs: a critical review. Part IV: cardiovascular drugs. Pharmacopsychiatry. 2015;48(1):1–6.
43. Rosenberg KP, Bleiberg KL, Koscis J, Gross C. A survey of sexual side effects among severely mentally ill patients taking psychotropic medications: impact on compliance. J Sex Marital Ther. 2003;29(4):289–96.
44. Ashton AK, Jamerson BD, L Weinstein W, Wagoner C. Antidepressant-related adverse effects impacting treatment compliance: results of a patient survey. Curr Ther Res Clin Exp. 2005;66(2):96–106.
45. Monforte M, Mimoun S, Droupy S. Douleurs sexuelles de l'homme et de la femme. Prog En Urol. 2013;23(9):761–70.
46. Huffman LB, Hartenbach EM, Carter J, Rash JK, Kushner DM. Maintaining sexual health throughout gynecologic cancer survivorship: a comprehensive review and clinical guide. Gynecol Oncol. 2016;140(2):359–68.
47. Seehusen DA, Baird DC, Bode DV. Dyspareunia in women. Am Fam Physician. 2014;90(7):465–70.
48. Parish SJ, Hahn SR, Goldstein SW, Giraldi A, Kingsberg SA, Larkin L, et al. The international society for the study of women's sexual health process of care for the identification of sexual concerns and problems in women. Mayo Clin Proc. 2019;94(5):842–56.
49. Sociedade Brasileira de Urologia. Consenso brasileiro de disfunção erétil. São Paulo: BG Cultural; 2002.
50. Maggi M, Buvat J, Corona G, Guay A, Torres LO. Hormonal causes of male sexual dysfunctions and their management (hyperprolactinemia, thyroid disorders, GH disorders, and DHEA). J Sex Med. 2013;10(3):661–77.
51. Irwin GM. Erectile dysfunction. Prim Care. 2019;46(2):249–55.
52. Bhasin S, Brito JP, Cunningham GR, Hayes FJ, Hodis HN, Matsumoto AM, et al. Testosterone therapy in men with hypogonadism: an endocrine society clinical practice guideline. J Clin Endocrinol Metab. 2018;103(5):1715–44.
53. Derogatis LR. Clinical and research evaluations of sexual dysfunctions. Adv Psychosom Med. 2008;29:7–22.
54. Reichenpfader U, Gartlehner G, Morgan LC, Greenblatt A, Nussbaumer B, Hansen RA, et al. Sexual dysfunction associated with second-generation antidepressants in patients with major depressive disorder: results from a systematic review with network meta-analysis. Drug Saf. 2014;37(1):19–31.
55. Clayton AH, Croft HA, Handiwala L. Antidepressants and sexual dysfunction: mechanisms and clinical implications. Postgrad Med. 2014;126(2):91–9.
56. Piazza LA, Markowitz JC, Kocsis JH, Leon AC, Portera L, Miller NL, et al. Sexual functioning in chronically depressed patients treated with SSRI antidepressants: a pilot study. Am J Psychiatry. 1997;154(12):1757–9.
57. McKay A. Sexuality and substance use: the impact of tobacco, alcohol, and selected recreational drugs on sexual function. Can J Hum Sex. 2005;14(1–2):47–56.
58. Maiorino MI, Bellastella G, Esposito K. Lifestyle modifications and erectile dysfunction: what can be expected? Asian J Androl. 2015;17(1):5–10.
59. Allen MS, Walter EE. Health-related lifestyle factors and sexual dysfunction: a meta-analysis of population-based research. J Sex Med. 2018;15(4):458–75.
60. Johnson SD, Phelps DL, Cottler LB. The association of sexual dysfunction and substance use among a community epidemiological sample. Arch Sex Behav. 2004;33(1):55–63.
61. Abdo CHN. Disfunções sexuais e dependência química. In: Figlie NB, Bordin S, Laranjeira R, organizadores. Aconselhamento em Dependência Química. 3. ed Rio de Janeiro: Roca; 2015. p. 383–95.
62. Cao S, Yin X, Wang Y, Zhou H, Song F, Lu Z. Smoking and risk of erectile dysfunction: systematic review of observational studies with meta-analysis. PloS One. 2013;8(4):e60443.
63. Choi J, Shin DW, Lee S, Jeon MJ, Kim SM, Cho B, et al. Dose-response relationship between cigarette smoking and female sexual dysfunction. Obstet Gynecol Sci. 2015;58(4):302–8.
64. Abdo CHN. Elaboração e validação do quociente sexual – versão masculina, uma escala para avaliar a função sexual do homem. Rev Bras Med. 2006;63(1/2):42–6.
65. Abdo CHN. The male sexual quotient: a brief, self-administered questionnaire to assess male sexual satisfaction. J Sex Med. 2007;4(2):382–9.
66. Abdo CHN. Elaboração e validação do quociente sexual – versão feminina: uma escala para avaliar a função sexual da mulher. Rev Bras Med. 2006;477–82.
67. Beckwith ACE, Green J, Goldmeier D, Hetherton J. Dysfunctional ideas ('male myths') are a result of, rather than the cause of, psychogenic erectile dysfunction in heterosexual men. Int J STD AIDS. 2009;20(9):638–41.
68. McCarthy BW, Fucito LM. Integrating medication, realistic expectations, and therapeutic interventions in the treatment of male sexual dysfunction. J Sex Marital Ther. 2005;31(4):319–28.
69. Rowland DL. Psychological impact of premature ejaculation and barriers to its recognition and treatment. Curr Med Res Opin. 2011;27(8):1509–18.
70. Glina S, Abdo CHN, Waldinger MD, Althof SE, Mc Mahon C, Salonia A, et al. Premature ejaculation: a new approach by James H. Semans. J Sex Med. 2007;4(4 Pt 1):831–7.
71. de Carufel F, Trudel G. Effects of a new functional-sexological treatment for premature ejaculation. J Sex Marital Ther. 2006;32(2):97–114.
72. Esposito K, Giugliano F, Di Palo C, Giugliano G, Marfella R, D'Andrea F, et al. Effect of lifestyle changes on erectile dysfunction in obese men: a randomized controlled trial. JAMA. 2004;291(24):2978–84.
73. Silva AB, Sousa N, Azevedo LF, Martins C. Physical activity and exercise for erectile dysfunction: systematic review and meta-analysis. Br J Sports Med. 2017;51(19):1419–24.
74. Dorey G, Speakman MJ, Feneley RCL, Swinkels A, Dunn CDR. Pelvic floor exercises for erectile dysfunction. BJU Int. 2005;96(4):595–7.
75. Brotto L, Atallah S, Johnson-Agbakwu C, Rosenbaum T, Abdo CHN, Byers ES, et al. Psychological and interpersonal dimensions of sexual function and dysfunction. J Sex Med. 2016;13(4):538–71.
76. Günzler C, Berner MM. Efficacy of psychosocial interventions in men and women with sexual dysfunctions--a systematic review of controlled clinical trials: part 2--the efficacy of psychosocial interventions for female sexual dysfunction. J Sex Med. 2012;9(12):3108–25.
77. McMahon CG, Jannini E, Waldinger M, Rowland D. Standard operating procedures in the disorders of orgasm and ejaculation. J Sex Med. 2013;10(1):204–29.
78. Laan E, Rellini AH, Barnes T, International Society for Sexual Medicine. Standard operating procedures for female orgasmic disorder: consensus of the International Society for Sexual Medicine. J Sex Med. 2013;10(1):74–82.
79. Kingsberg SA, Althof S, Simon JA, Bradford A, Bitzer J, Carvalho J, et al. Female sexual dysfunction-medical and psychological treatments, committee 14. J Sex Med. 2017;14(12):1463–91.
80. Engman M, Wijma K, Wijma B. Long-term coital behaviour in women treated with cognitive behaviour therapy for superficial coital pain and vaginismus. Cogn Behav Ther. 2010;39(3):193–202.
81. Wijma B, Wijma K. A cognitive behavioural treatment model of vaginismus. Scand J Behav Ther. 1997;26(4):147–56.
82. Maseroli E, Scavello I, Rastrelli G, Limoncin E, Cipriani S, Corona G, et al. Outcome of medical and psychosexual interventions for vaginismus: a systematic review and meta-analysis. J Sex Med. 2018;15(12):1752–64.

83. Lindström S, Kvist LJ. Treatment of provoked vulvodynia in a Swedish cohort using desensitization exercises and cognitive behavioral therapy. BMC Womens Health. 2015;15(108):9.

84. Morin M, Carroll M-S, Bergeron S. Systematic review of the effectiveness of physical therapy modalities in women with provoked vestibulodynia. Sex Med Rev. 2017;5(3):295–322.

85. Al-Abbadey M, Liossi C, Curran N, Schoth DE, Graham CA. Treatment of female sexual pain disorders: a systematic review. J Sex Marital Ther. 2016;42(2):99–142.

86. Segraves RT, Clayton A, Croft H, Wolf A, Warnock J. Bupropion sustained release for the treatment of hypoactive sexual desire disorder in premenopausal women. J Clin Psychopharmacol. 2004;24(3):339–42.

87. Wierman ME, Arlt W, Basson R, Davis SR, Miller KK, Murad MH, et al. Androgen therapy in women: a reappraisal: an Endocrine Society clinical practice guideline. J Clin Endocrinol Metab. 2014;99(10):3489–510.

88. Abdo CHN. Terapia para disfunções sexuais. In: Sexualidade Humana e Seus Transtornos. 5. ed São Paulo: Leitura Médica; 2014. p. 337–52.

89. Clayton AH, West SG. The effects of antidepressants on human sexuality. Prim Psychiatry. 2003;10(12):62–70.

90. Labrie F, Archer DF, Koltun W, Vachon A, Young D, Frenette L, et al. Efficacy of intravaginal dehydroepiandrosterone (DHEA) on moderate to severe dyspareunia and vaginal dryness, symptoms of vulvovaginal atrophy, and of the genitourinary syndrome of menopause. Menopause N Y N. 2018;25(11):1339–53.

91. Cooper K, Martyn-St James M, Kaltenthaler E, Dickinson K, Cantrell A. Interventions to treat premature ejaculation: a systematic review short report. Health Technol Assess Winch Engl. 2015;19(21):1–180, v–vi.

92. Hatzimouratidis K, Giuliano F, Moncada I, Muneer A, Salonia A, Verze P. EAU guidelines on erectile dysfunction, premature ejaculation, penile curvature and priapism [Internet]. Arnhem: European Association of Urology; 2019 [citado 26 mar. 2021]. Disponível em: https://uroweb.org/wp-content/uploads/EAU-Guidelines-on-Male-Sexual-Dysfunction-2019.pdf.

93. Tsertsvadze A, Fink HA, Yazdi F, MacDonald R, Bella AJ, Ansari MT, et al. Oral phosphodiesterase-5 inhibitors and hormonal treatments for erectile dysfunction: a systematic review and meta-analysis. Ann Intern Med. 2009;151(9):650–61.

94. Diem SJ, Greer NL, MacDonald R, McKenzie LG, Dahm P, Ercan-Fang N, et al. Efficacy and safety of testosterone treatment in men: an evidence report for a clinical practice guideline by the American College of Physicians. Ann Intern Med. 2020;172(2):105–18.

95. Safarinejad MR, Hosseini SY, Asgari MA, Dadkhah F, Taghva A. A randomized, double-blind, placebo-controlled study of the efficacy and safety of bupropion for treating hypoactive sexual desire disorder in ovulating women. BJU Int. 2010;106(6):832–9.

96. Wender MC, Rudkin L, Bullemor-Day P, Lubin J, Chukwujekwu C, Hawton K. Consenso brasileiro de terapêutica hormonal da menopausa – Associação Brasileira de Climatério (SOBRAC). São Paulo: Leitura Médica; 2014.

97. Taylor MJ, Rudkin L, Bullemor-Day P, Lubin J, Chukwujekwu C, Hawton K. Strategies for managing sexual dysfunction induced by antidepressant medication. Cochrane Database Syst Rev. 2013;(5):CD003382.

98. Abdo CHN, Afif-Abdo J, Otani F, Machado AC. Sexual satisfaction among patients with erectile dysfunction treated with counseling, sildenafil, or both. J Sex Med. 2008;5(7):1720–6.

99. Berner M, Günzler C. Efficacy of psychosocial interventions in men and women with sexual dysfunctions--a systematic review of controlled clinical trials: part 1-the efficacy of psychosocial interventions for male sexual dysfunction. J Sex Med. 2012;9(12):3089–107.

100. Peggy J. Kleinplatz PJ. The paraphilias: an experiential approach to "dangerous" desires. In: Binik YM, Hall KS. Principles and practice of sex therapy. 5th ed. New York: Guilford; 2014. p. 184-204.

101. Seto MC. Pedophilia. Annu Rev Clin Psychol. 2009;5:391–407.

102. Balon R. General information: history, etiology and theory (e.g., courtship), diagnosis, comorbidity and prevalence. In: Balon R, organizador. Practical Guide to Paraphilia and Paraphilic Disorders. Cham: Springer; 2016. p. 15–29.

103. Burns JM, Swerdlow RH. Right orbitofrontal tumor with pedophilia symptom and constructional apraxia sign. Arch Neurol. 2003;60(3):437–40.

104. Frohman EM, Frohman TC, Moreault AM. Acquired sexual paraphilia in patients with multiple sclerosis. Arch Neurol. 2002;59(6):1006–10.

105. Solla P, Bortolato M, Cannas A, Mulas CS, Marrosu F. Paraphilias and paraphilic disorders in Parkinson's disease: a systematic review of the literature. Mov Disord Off J Mov Disord Soc. 2015;30(5):604–13.

106. García-Giralda Ruiz L, San Martín Blanco C. Sexualidad y enfermedad: consejo sexual. In: Toquero de la Torre F, Zarco Rodríguez J, organizadores. Guía de buena práctica clínica en disfunciones sexuales: atención primaria de calidad. Madrid: Ministerio de Sanidad y Consumo; 2004. p. 15–38.

107. Melnik T, Althof S, Atallah ÁN, Puga ME dos S, Glina S, Riera R. Psychosocial interventions for premature ejaculation. Sao Paulo Med J. 2012;130(2):132–132.

108. Trost LW, Munarriz R, Wang R, Morey A, Levine L. External mechanical devices and vascular surgery for erectile dysfunction. J Sex Med. 2016;13(11):1579–617.

## LEITURAS RECOMENDADAS

Althof SE, McMahon CG, Waldinger MD, Serefoglu EC, Shindel AW, Adaikan PG, et al. An update of the International Society of Sexual Medicine's guidelines for the diagnosis and treatment of premature ejaculation (PE). J Sex Med. 2014;11(6):1392-422.

*Consenso da International Society for Sexual Medicine (ISSM) sobre a definição, diagnóstico e tratamento da ejaculação precoce.*

Balon R, editor. Practical guide to paraphilia and paraphilic disorders. Cham: Springer; 2016.

*Guia prático atualizado que aborda etiologia, diagnóstico e tratamento dos transtornos parafílicos mais prevalentes.*

Ciocanel O, Power K, Eriksen A. Interventions to treat erectile dysfunction and premature ejaculation: an overview of systematic reviews. Sex Med. 2019;7(3):251-269.

*Revisão sistemática a respeito do tratamento da ejaculação precoce e da disfunção erétil, ou seja, as duas disfunções sexuais masculinas de maior prevalência no Brasil e no mundo.*

Levenson JS, Willis GM, Vicencio CP. Obstacles to help-seeking for sexual offenders: implications for prevention of sexual abuse. J Child Sex Abus. 2017;26(2):99-120.

*O estudo revela que, em uma amostra de 372 portadores de transtorno pedofílico, apenas 20% deles tentaram obter auxílio antes da prisão. São discutidos os fatores que contribuíram para que esses indivíduos não buscassem tratamento e o consequente abuso sexual de crianças.*

Marshall WL, Kingston DA. Diagnostic Issues in the Paraphilias. Curr Psychiatry Rep. 2018;20(8):54.

*O estudo aprofunda o debate sobre a distinção entre parafilias, hipersexualidade, adicção sexual e transtornos parafílicos, para fins diagnósticos e implicações no tratamento.*

# Capítulo 176
## DROGAS: USO, USO NOCIVO E DEPENDÊNCIA

Ingrid Hartmann
Anne Orgler Sordi
Melina N. de Castro
Pedro Domingues Goi
Thiago Casarin Hartmann

A busca por substâncias psicoativas (SPAs) viciantes foi atestada já nos primeiros registros humanos. Historicamente, SPAs têm sido usadas por sacerdotes em cerimônias religiosas (cogumelo *Amanita muscaria*), por curandeiros para fins medicinais (ópio) ou pela população de forma social (álcool, nicotina e cafeína). O refinamento de compostos mais potentes e a criação de vias de administração mais rápidas contribuíram para o uso nocivo dessas substâncias. Seu uso patológico já era descrito na antiguidade clássica. No século XVII, já era discutida a perda de controle, anunciando o conceito atual de dependência.[1]

O III Levantamento Nacional Sobre o Uso de Drogas (III LNUD), concluído em 2017, mostra que o uso de alguma substância ilícita na vida foi reportado por 15 milhões de pessoas com idades entre 12 e 65 anos (~10%) e, nos 12 meses anteriores à pesquisa, por 4,9 milhões (3,2%). O consumo era maior entre os homens e entre jovens de 18 a 24 anos.[2] As **FIGURAS 176.1** e **176.2**[2] mostram as taxas de uso das diferentes substâncias segundo esse levantamento. Cabe destacar que o uso de opiáceos sem prescrição nos últimos 30 dias era um dos mais frequentes, o que se alinha com os dados da epidemia dos opiáceos atualmente enfrentada pelos países da América do Norte.[2]

O aumento do consumo e dos tipos de drogas vem impactando a demanda relacionada aos problemas do uso ou da dependência de drogas na atenção primária à saúde (APS), o que exige um embasamento adequado para planejar sua abordagem inicial, tratamento e prevenção de recaída.[1]

Os transtornos relacionados ao consumo de álcool e tabaco, pela sua relação direta com as doenças crônicas, são abordados em capítulos específicos, na Seção Promoção da Saúde do Adulto e Prevenção de Doenças Crônicas.

## REDE DE ATENÇÃO À SAÚDE PARA PESSOAS COM TRANSTORNOS POR USO DE SUBSTÂNCIA

De acordo com a Portaria nº 3.088, de 23 de dezembro de 2011, os pacientes com transtornos mentais e os dependentes de álcool e outras drogas são assistidos, no âmbito do Sistema Único de Saúde (SUS), pela Rede de Atenção Psicossocial (Raps). A criação da Raps teve como objetivo a articulação dos serviços responsáveis pelo cuidado dessas pessoas, considerando que são casos complexos, e que exigem a colaboração constante dos pontos da rede. A Raps inclui a APS, com suas unidades básicas de saúde (UBSs) e com serviços específicos, como os Consultórios na Rua (CnaRs), e os serviços especializados, com as múltiplas modalidades de Centro de Atenção Psicossocial (Caps), além de serviços de urgência e emergência, e a rede hospitalar.

Sendo assim, a APS pode atender e acompanhar indivíduos com todo o espectro de problemas relacionados ao uso de substâncias, realizando o encaminhamento daqueles mais necessitados para atendimento em Caps-AD (Caps – Álcool e Drogas) e outros serviços especializados, sem, contudo, interromper seu acompanhamento na APS.[3,4]

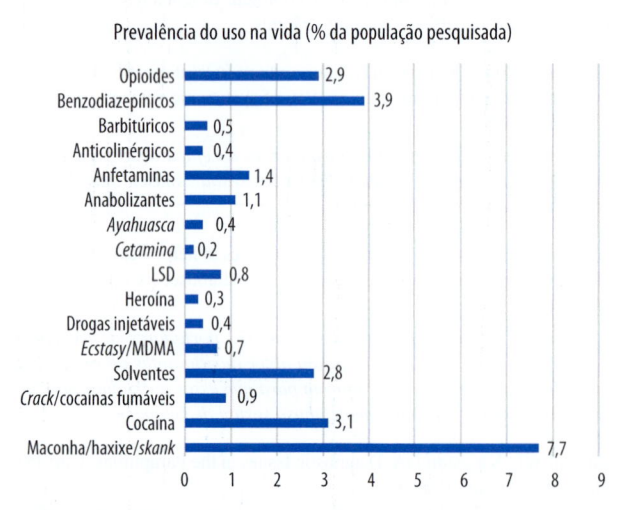

**FIGURA 176.1** → Prevalência do uso de substâncias ilícitas, ou lícitas (medicamentos) sem prescrição médica, na vida.
Fonte: Bastos.[2]

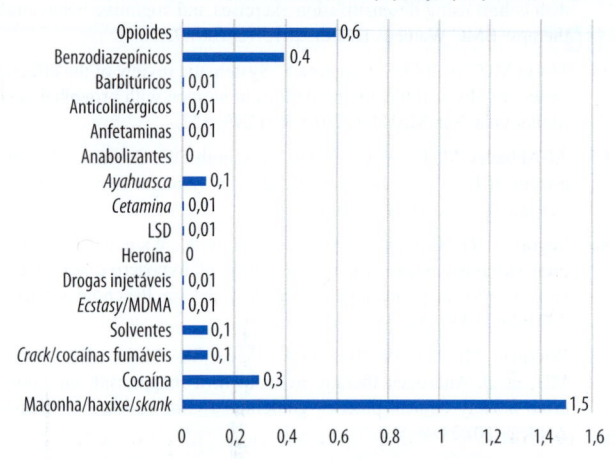

**FIGURA 176.2** → Prevalência do uso de substâncias ilícitas, ou lícitas (medicamentos) sem prescrição médica, nos últimos 30 dias anteriores à pesquisa.
Fonte: Bastos.[2]

# CLASSIFICAÇÃO DAS SUBSTÂNCIAS DE ABUSO

No Brasil, as substâncias podem ser classificadas como lícitas (p. ex., anorexígenos, analgésicos, sedativos, tabaco, álcool) ou ilícitas (p. ex., maconha, cocaína, *crack*, heroína, *ecstasy*, LSD [dietilamida do ácido lisérgico]). Quanto à sua ação no sistema nervoso central (SNC), podem ser classificadas em:[5]

→ **substâncias depressoras:** reduzem a atividade mental, diminuindo a atenção, a concentração, a expressão emocional e a capacidade intelectual (p. ex., ansiolíticos, tranquilizantes, álcool, inalantes, cola, morfina, heroína);

→ **substâncias estimulantes:** aumentam a atividade cerebral, acelerando processos de pensamento e linguagem, causando euforia, deixando a pessoa em estado de alerta por longos períodos e reduzindo os reflexos de fome e sede (p. ex., cafeína, tabaco, anfetaminas, cocaína e *crack*);

→ **substâncias alucinógenas:** são perturbadoras da atividade do SNC. Alteram a percepção, causando despersonalização e desrealização, e podem mimetizar uma psicose (p. ex., LSD, *ecstasy*, maconha e outras substâncias derivadas de plantas ou cogumelos – *ayahuasca*, ibogaína, sálvia, mescalina, psilocibina, etc.).

# EFEITOS DAS SUBSTÂNCIAS

Os efeitos agudos das substâncias de abuso variam conforme o tipo de substância e a via de administração utilizada. A interrupção ou redução do uso de uma substância após período prolongado de consumo pode desencadear um conjunto de sinais e sintomas característicos e desagradáveis, que constituem a síndrome de abstinência. Os sintomas mais comumente observados durante a intoxicação e a síndrome de abstinência estão descritos na TABELA 176.1.[6-8]

O uso de substâncias está associado a diversas complicações, agudas e crônicas, envolvendo tanto a saúde mental quanto a saúde física. Entre as complicações agudas, a *overdose* (uso que produz efeitos adversos graves e ameaçadores à vida) merece destaque, e requer atenção médica imediata.

A título de exemplo, o uso de cocaína, entre outras complicações, está associado à ocorrência de dano ao septo nasal com o uso aspirado (cheirado) e de abscessos cutâneos e endocardite bacteriana com o uso intravenoso, bem como ao maior risco de contágio pelo vírus da imunodeficiência humana (HIV, do inglês *human immunodeficiency virus*) e por vírus de hepatites decorrentes de comportamentos sexuais de risco (independentemente da via de administração) e do compartilhamento de seringas e agulhas (na administração intravenosa).[6,7] Entre suas possíveis consequências psicossociais, o uso crônico de cocaína pode acarretar um prejuízo nas relações familiares e profissionais, incluindo o eventual envolvimento em atividades ilícitas para manutenção do consumo.

O uso de substâncias durante a gestação, além de afetar a saúde da gestante de modo negativo, pode trazer prejuízos para o desenvolvimento fetal. Algumas substâncias, como os opioides, podem levar ao desenvolvimento de uma síndrome de abstinência neonatal potencialmente grave, com necessidade de hospitalização e tratamento farmacológico do bebê.[9]

# SISTEMA DE RECOMPENSA CEREBRAL E MECANISMOS DA DEPENDÊNCIA

As diferentes SPAs com potencial de causar dependência possuem, em comum, a capacidade de estimular o sistema de recompensa cerebral. Alguns dos indivíduos expostos repetidamente a essa estimulação farão a transição do uso ocasional e voluntário para a dependência química (transtorno crônico e recidivante, caracterizado, entre outros, pela perda de controle sobre o consumo). Essa transição é influenciada por uma complexa interação de fatores biológicos e ambientais, e envolve o desenvolvimento de alterações neuroplásticas duradouras no sistema de recompensa cerebral e em circuitos que interagem com ele, como os relacionados à regulação da resposta ao estresse e ao funcionamento executivo. Essas alterações neurobiológicas resultam, de modo bastante resumido, no aumento da influência de circuitos que motivam o indivíduo para o uso da substância, e na disfunção de circuitos envolvidos no autocontrole e na tomada de decisões.[10-14]

O entendimento dessas alterações neurobiológicas contribui para a compreensão de algumas características típicas da dependência química observadas na prática clínica, como a dificuldade que indivíduos dependentes enfrentam quando tentam parar de usar drogas, mesmo quando experimentam as consequências negativas do uso, e a vulnerabilidade a recaídas, que persiste mesmo anos após a interrupção do consumo.

# CONCEITOS, PADRÕES DE USO E DIAGNÓSTICO DOS TRANSTORNOS POR USO DE SUBSTÂNCIA

**Droga** é qualquer substância exógena que interfira em um ou mais sistemas do organismo. **Droga psicotrópica** ou substância psicoativa são as drogas que atuam no funcionamento cerebral, provocando alterações psíquicas e comportamentais. **Fissura** (*craving*) significa um desejo intenso e quase incontrolável de consumir uma substância, muitas vezes com sintomas físicos associados. **Uso experimental** corresponde ao uso eventual de uma substância para experimentar seus efeitos, sem recorrência sistemática. **Uso ocasional** ou **recreacional** é um uso intermitente em que há algum padrão de consumo, sem causar problemas (físicos, psíquicos, legais, familiares e sociais) sistemáticos.[15]

O diagnóstico de "uso nocivo" na *Classificação estatística internacional de doenças e problemas relacionados à saúde*, 10ª revisão (CID-10) requer que um dano real tenha sido causado às saúdes física e mental do usuário. Indivíduos que fazem uso nocivo frequentemente recebem críticas de seus pares, muitas vezes levando a consequências sociais adversas. O diagnóstico de uso nocivo é semelhante

**TABELA 176.1** → Efeitos das principais substâncias

| | EFEITOS AGUDOS | SÍNDROME DE ABSTINÊNCIA* |
|---|---|---|
| **Cocaína e *crack*** | Euforia, grandiosidade, aumento de energia, aumento do estado de alerta, diminuição da necessidade de sono, ansiedade, irritabilidade, inquietação, comportamento imprevisível e violento, ideação paranoide, comportamento estereotipado e repetitivo<br>Dilatação de pupilas, aumento da temperatura corporal, da FC e da PA, vasoconstrição, tremores, espasmos musculares, náuseas, cefaleia, convulsões<br>*Overdose*: algumas das complicações mais frequentemente observadas são arritmia cardíaca, isquemia miocárdica, convulsões, acidente vascular cerebral | Humor disfórico, anedonia, cansaço, insônia, sonhos vívidos e desagradáveis, inquietação, fissura, aumento do apetite |
| **Opioides[†]** | Euforia inicial seguida de apatia e sonolência<br>Prejuízo da memória e da atenção (desatenção quanto ao ambiente a ponto de ignorar eventos potencialmente perigosos)<br>Analgesia, constrição pupilar, fala arrastada, diminuição da FR e da FC, sensação de peso nos braços e nas pernas, boca seca, pele ruborizada e quente, náuseas e vômitos, constipação, prurido<br>*Overdose* (ou superdosagem, no caso de medicamentos): depressão respiratória, constrição pupilar (porém, na *overdose* [ou superdosagem] grave, pode ocorrer dilatação pupilar devido à anoxia), diminuição do nível de consciência/coma<br>Observação: há maior risco de *overdose* (ou superdosagem) no caso de:<br>→ Usuários inexperientes<br>→ Associação com outros depressores do SNC, como álcool e benzodiazepínicos<br>→ Reinício do uso após período de abstinência (por diminuição da tolerância) | Ansiedade, irritabilidade, inquietação, insônia, fissura<br>Dor abdominal, náuseas e vômitos, diarreia, lacrimejamento, rinorreia, taquicardia, sudorese, dilatação pupilar, piloereção, febre, tremores, bocejos, dores musculares e em articulações |
| **Benzodiazepínicos e drogas Z[†]** | Diminuição da ansiedade, sonolência, sedação, tonturas, relaxamento muscular<br>Prejuízo da memória (amnésia anterógrada) e da atenção<br>Tempo de reação e coordenação motora prejudicados (em níveis que podem interferir na capacidade de condução de veículos), marcha instável<br>Fala arrastada, diminuição da FR, da FC e da PA<br>Superdosagem: pode ocorrer sedação severa e diminuição da FR | Ansiedade, irritabilidade, inquietação, insônia, fissura, agitação, alucinações ou ilusões visuais, táteis ou auditivas transitórias, *delirium*<br>Tensão, cefaleia, dores musculares, tremores, náuseas ou vômitos, reflexos hiperativos, sudorese, aumento da FC e da FR, aumento da PA e da temperatura corporal, convulsões |
| **Maconha** | Euforia seguida de relaxamento e sonolência; aumento da percepção sensorial (p. ex., cores parecem mais brilhantes), alteração da percepção de passagem do tempo, hilaridade<br>Observação: alguns indivíduos, em vez de experiências de bem-estar e relaxamento, podem experimentar ansiedade (chegando a crises de pânico), medo, desconfiança e sintomas psicóticos agudos (transitórios); esses efeitos são mais comuns em usuários inexperientes, após o uso de doses elevadas ou após o uso de maconha com elevada concentração de THC<br>Prejuízo da memória de curto prazo, da atenção e do aprendizado; dificuldade na execução de processos mentais complexos<br>Prejuízos na coordenação motora e lentificação do tempo de reação (levando a prejuízo na capacidade de dirigir veículos)<br>Aumento do apetite, hiperemia conjuntival, aumento da FC, hipotensão ortostática, boca seca | Ansiedade, irritabilidade, inquietação, humor deprimido, insônia, diminuição do apetite |
| **MDMA (*ecstasy*)** | Bem-estar, desinibição, aumento de energia, sensação de proximidade emocional e empatia, alteração na percepção da passagem do tempo, experiências sensoriais mais prazerosas<br>Aumento da FC e da PA, sudorese, náuseas, cãibras musculares, diminuição do apetite, contração involuntária da mandíbula, visão borrada, convulsões<br>Hipertermia, algumas vezes levando à rabdomiólise e à insuficiência renal | Embora o DSM-5 não reconheça uma síndrome de abstinência, alguns usuários regulares podem apresentar fadiga, humor deprimido e dificuldade de concentração ao interromper o consumo |
| **Anfetaminas** | Euforia, aumento do estado de alerta, da atenção e da energia, aumento da atividade física, ansiedade, inquietação, irritabilidade<br>Hostilidade, comportamento agressivo e sintomas psicóticos podem ocorrer<br>Diminuição do apetite, aumento da FC, da FR, da PA e da temperatura corporal<br>*Overdose* (ou superdosagem, no caso de medicamentos): hipertermia, convulsões, arritmias cardíacas e colapso cardiovascular podem ocorrer | Ansiedade, sintomas depressivos, fadiga, insônia, fissura |
| **Inalantes** | Excitação inicial seguida de desinibição, sonolência, tonturas, agitação, fala arrastada, incoordenação motora, confusão; náuseas e vômitos são comuns; alucinações e delírios podem ocorrer<br>Doses elevadas podem levar à perda de consciência, à depressão respiratória e a convulsões<br>A ocorrência de morte súbita após o uso ("morte súbita por inalação") tem sido atribuída a arritmias cardíacas; a morte por asfixia inadvertida também tem sido descrita (relacionada a aspiração de vômitos ou à perda de consciência ao utilizar a substância em sacos plásticos colocados sobre a face ou a cabeça) | Embora o DSM-5 não reconheça o diagnóstico de abstinência de inalantes, usuários regulares podem apresentar náusea, tremores, irritabilidade, insônia, alterações de humor e sudorese ao interromper o consumo |

*As características das substâncias (como tempo de meia-vida), dose e tempo de uso influenciam início, gravidade e duração da síndrome de abstinência.
[†]Opioides e benzodiazepínicos: em pacientes que fazem uso de opioides e benzodiazepínicos prescritos, tolerância (necessidade de doses maiores do medicamento para obtenção do mesmo efeito) e síndrome de abstinência podem ocorrer sem que isso caracterize necessariamente um transtorno por uso de substâncias. Nesses pacientes, a cuidadosa avaliação da presença de outras características sugestivas de transtorno por uso de substâncias é necessária para o diagnóstico adequado.
DSM-5, Manual diagnóstico e estatístico de transtornos mentais, 5ª edição; FC, frequência cardíaca; FR, frequência respiratória; PA, pressão arterial; SNC, sistema nervoso central; THC, tetra-hidrocanabinol.
Fonte: National Institute on Drug Abuse,[6] Rastegar e Fingerhood[7] e American Psychiatric Association.[8]

na CID-10 e no *Manual diagnóstico e estatístico de transtornos mentais*, 4ª edição (DSM-IV) (chamado de abuso de substâncias). Em ambas as recomendações, é desconsiderado o diagnóstico de uso nocivo em um indivíduo que atualmente preenche critérios para dependência. Entretanto, o DSM-IV exclui o diagnóstico de uso nocivo em um indivíduo com diagnóstico de dependência no passado, mas isso não ocorre na CID-10.[16]

As edições anteriores do DSM identificavam duas categorias separadas de transtorno por uso de substância – **abuso** e **dependência** – mas o novo manual de diagnóstico combina esses distúrbios em apenas um. O DSM-5 também faz algumas alterações nos critérios de diagnóstico, removendo os termos "abuso" e "dependência" e incluindo termos como **transtornos relacionados a substâncias**, **transtorno por uso de substância** e **adicção**.[8] Já na proposta para a CID-11, o "uso nocivo" foi incluído em um capítulo separado, como fator de risco à saúde (não na seção principal de transtornos por uso de substância). Nesse contexto, o uso nocivo é definido como "um padrão de uso que aumenta consideravelmente o risco de consequências prejudiciais à saúde física ou mental para o usuário ou para outros, a uma extensão que justifique a atenção e o conselho de profissionais de saúde".[16] A TABELA 176.2 compara os critérios diagnósticos para dependência de substâncias e transtorno por uso de substância de acordo com os três sistemas de classificação.[16]

A característica essencial de um transtorno por uso de substância é a presença de sintomas cognitivos, comportamentais e fisiológicos indicativos do uso contínuo apesar dos problemas significativos a ele relacionados. De modo geral, os critérios diagnósticos do DSM-5 para um transtorno por uso de substância baseiam-se em um padrão patológico de comportamentos relacionados ao seu uso, como baixo controle, deterioração social, uso arriscado, tolerância e abstinência. O indivíduo passa a consumir a substância em quantidades maiores ou ao longo de um período maior do que pretendido originalmente. Pode relatar esforços malsucedidos para diminuir ou cessar o uso e pode gastar muito tempo para obter a substância, para usá-la ou para recuperar-se de seus efeitos. Nas fases mais avançadas do transtorno, quase todas as atividades diárias do indivíduo giram em torno da substância. Ele passa a apresentar fissura, que pode ocorrer a qualquer momento. É mais provável de acontecer em ambientes ou situações em que a substância foi adquirida ou usada anteriormente.[8]

O uso recorrente de substâncias pode prejudicar o cumprimento das tarefas no trabalho, na escola ou em casa, mas o uso é mantido, mesmo com evidentes problemas sociais e pessoais, como o comprometimento de atividades de natureza social, profissional ou recreativa. Isso faz o usuário se afastar da família e de outras atividades para fazer uso da substância. O uso passa a ser arriscado, ocorrendo em situações que envolvem risco à integridade física. O risco também pode estar relacionado aos problemas físicos ou psicológicos causados ou exacerbados pela substância.

O indivíduo desenvolve tolerância à substância quando uma dose cada vez maior é necessária para obter o efeito desejado, ou quando um efeito cada vez menor é obtido após o uso da dose habitual. A síndrome de abstinência ocorre quando os níveis séricos da substância diminuem após uso intenso prolongado. Neste momento, o indivíduo tende a consumir a substância para aliviar os sintomas.[8]

## COMORBIDADES

Uma das questões fundamentais a se considerar na avaliação de indivíduos com transtorno por uso de substância é que aproximadamente 50% dessas pessoas apresentam algum outro transtorno mental. A correta avaliação e o tratamento das comorbidades colaboram para o sucesso no tratamento das adicções. Cerca de 35 a 45% das pessoas que procuram um serviço de saúde por um primeiro episódio psicótico

**TABELA 176.2** → Comparação entre os critérios diagnósticos para dependência de substâncias e transtorno por uso de substâncias segundo três sistemas de classificação vigentes

| CID-11 (PREVISTA) | CID-10 | DSM-5 |
|---|---|---|
| Dois ou mais critérios devem ser preenchidos concomitantemente dentro de 1 mês, ou devem ocorrer repetida e concomitantemente em um período de 12 meses, para o diagnóstico de dependência | Três ou mais critérios devem ser preenchidos concomitantemente dentro de 1 mês, ou devem ocorrer repetida e concomitantemente em um período de 12 meses, para o diagnóstico de dependência | Pelo menos 2 critérios ocorrendo em um período de 12 meses, para o diagnóstico de transtorno por uso de substância |
| Perda do controle sobre o uso da substância, em termos de início de uso, nível de uso, circunstâncias do uso, ou cessação do uso | Dificuldade em controlar o comportamento de uso da substância em termos de início de uso, cessação do uso, ou nível de uso (perda de controle) | A substância é utilizada em quantidades maiores e por períodos mais longos do que o planejado |
| Geralmente, mas não necessariamente, acompanhada pela sensação subjetiva de urgência/fissura/*craving* pelo uso da substância | Forte desejo ou senso de compulsão para usar a substância psicoativa | Existe um desejo persistente de, ou tentativas malsucedidas para, interromper ou controlar o uso |
| A substância começa a ter cada vez mais importância na vida da pessoa, e seu uso começa a ter prioridade diante de outros interesses, prazeres, atividades, responsabilidades ou autocuidado | Negligência progressiva a outras fontes de prazer e a responsabilidades devido ao uso da substância, ou aumento na quantidade de tempo necessário para obter ou usar a substância, ou para recuperar-se dos efeitos dela | Urgência, fissura ou intenso desejo pelo uso |
| O uso da substância continua apesar da ocorrência de problemas relacionados | Persistência do uso da substância apesar de clara evidência de consequências prejudiciais | O uso recorrente da substância resulta na falha em cumprir os seus papéis ou obrigações |
| Aspectos fisiológicos: manifestados por (a) tolerância, (b) sintomas de abstinência após cessar ou reduzir a substância, (c) uso repetido da substância para prevenir ou aliviar os sintomas de abstinência | Tolerância: são necessárias doses cada vez maiores da substância para atingir os efeitos anteriormente produzidos por doses menores | Atividades sociais, ocupacionais ou recreacionais são abandonadas ou reduzidas devido ao uso da substância |
| | Estado fisiológico de abstinência quando a substância é cessada ou reduzida, evidenciado por sintomas de abstinência | Uma quantidade grande de tempo é utilizada em atividades para obtenção da substância, para o uso da substância, ou para recuperar-se dos efeitos dela |
| | | Uso continuado da substância apesar dos problemas sociais e interpessoais causados ou exacerbados pelo uso |
| | | Tolerância: similar à CID |
| | | Abstinência: similar à CID |
| | | O uso da substância continua apesar de se ter um problema físico ou psicológico persistente ou recorrente, que provavelmente tenha sido causado ou exacerbado pela substância |
| | | Uso recorrente em situações que trazem alto risco à integridade física |

CID, Classificação estatística internacional de doenças e problemas relacionados à saúde; DSM, Manual diagnóstico e estatístico de transtornos mentais.
Fonte: Saunders.[16]

usam maconha.[17,18] A TABELA 176.3 fornece um panorama da extensão da prevalência das comorbidades e dos riscos para o desenvolvimento de um segundo transtorno.[19-23]

A FIGURA 176.3 simplifica o raciocínio diagnóstico na presença de sintomas de humor em um paciente com transtorno por uso de substância. Esse raciocínio também pode ser naturalmente utilizado no diagnóstico de outras comorbidades.[24]

## ABORDAGEM DO PACIENTE
### Abordagem inicial

Muitas vezes, o paciente usuário de substâncias vai à APS por outras queixas não relacionadas ao uso, situando-se na fase pré-contemplativa (i.e., não vê problema no próprio uso nem necessidade de tratamento). A primeira preocupação do

**TABELA 176.3** → Dados compilados de prevalência das comorbidades e dos riscos para a coocorrência de transtornos aditivos e outros transtornos psiquiátricos

| OUTROS TRANSTORNOS PSIQUIÁTRICOS | RISCO ENTRE DEPENDENTES DE QUALQUER SUBSTÂNCIA | RISCO ENTRE DEPENDENTES DE ÁLCOOL | RISCO ENTRE DEPENDENTES DE OUTRAS DROGAS (EXCETO ÁLCOOL) |
| --- | --- | --- | --- |
| Depressão | 4,1 | 3,7 | 9 |
| Distimia | 3,4 | 2,8 | 11,3 |
| Mania | 6,4 | 5,7 | 13,9 |
| Hipomania | 5,1 | 5,2 | 4,4 |
| Pânico (com agorafobia) | 4,2 | 3,6 | 10,5 |
| Fobia social | 2,8 | 2,5 | 5,4 |
| TAG | 3,8 | 3,1 | 10,4 |

Observação: RC em 12 meses de outro transtorno mental entre pacientes adictos.

| OUTROS TRANSTORNOS PSIQUIÁTRICOS | PREVALÊNCIA ENTRE DEPENDENTES DE QUALQUER SUBSTÂNCIA | PREVALÊNCIA ENTRE DEPENDENTES DE ÁLCOOL | PREVALÊNCIA ENTRE DEPENDENTES DE OUTRAS DROGAS (EXCETO ÁLCOOL) |
| --- | --- | --- | --- |
| Depressão | 21,82% | 20,48% | 39,99% |
| Distimia | 5,43% | 4,63% | 16,68% |
| Mania | 8,25% | 7,63% | 18% |
| Hipomania | 4,94% | 4,99% | 4,81% |
| Pânico (com agorafobia) | 2,05% | 1,84% | 5,35% |
| Fobia social | 6,83% | 6,25% | 12,91% |
| TAG | 6,74% | 5,69% | 17,22% |

Observação: prevalência em 12 meses de outro transtorno mental entre pacientes adictos.

| | RISCO PARA DEPENDÊNCIA DE QUALQUER SUBSTÂNCIA | RISCO PARA DEPENDÊNCIA DE ÁLCOOL | RISCO PARA DEPENDÊNCIA DE OUTRAS DROGAS (EXCETO ÁLCOOL) |
| --- | --- | --- | --- |
| RC ajustada para a vida de transtornos aditivos entre pacientes com um transtorno psicótico | 4,76 | 4,4 | 8,32 |
| | RISCO ENTRE DEPENDENTES DE MACONHA | RISCO ENTRE DEPENDENTES DE TABACO | |
| RC para a vida de um transtorno psicótico entre pacientes adictos | 5,17 | 2,19 | |
| | RISCO ENTRE USUÁRIOS DE QUALQUER SUBSTÂNCIA | | |
| RR para a vida de esquizofrenia entre pacientes adictos | 10 | | |
| | PREVALÊNCIA DE DEPENDÊNCIA DE QUALQUER SUBSTÂNCIA | PREVALÊNCIA DE DEPENDÊNCIA DE ÁLCOOL | PREVALÊNCIA DE DEPENDÊNCIA DE OUTRAS DROGAS (EXCETO ÁLCOOL) |
| Entre pacientes com um transtorno psicótico | 41,5% | 38,2% | 18,9% |
| | PREVALÊNCIA ENTRE DEPENDENTES DE ÁLCOOL | | |
| Prevalência na vida de um transtorno psicótico | 4% | | |

RC, razão de chances; RR, razão de risco; TAG, transtorno de ansiedade generalizada.
Fonte: Grant e colaboradores,[19] Hunt e colaboradores,[20] Radua e colaboradores,[21] Plana-Ripoll e colaboradores[22] e Moggi.[23]

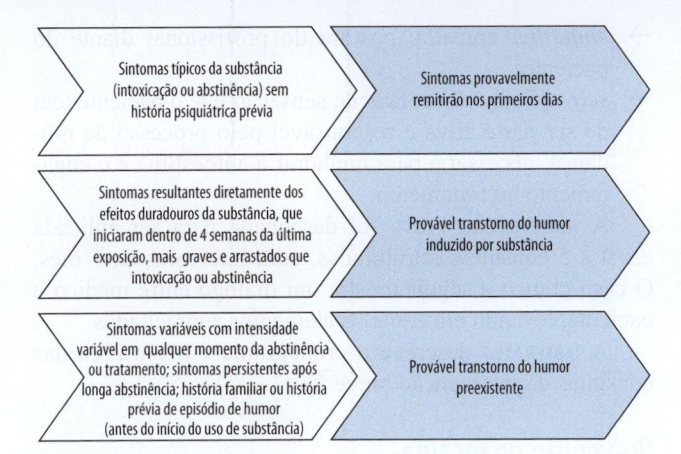

**FIGURA 176.3** → Diagnóstico diferencial de sintomas de humor que se apresentam em um paciente com uso de substâncias.
Fonte: Quello e colaboradores.[24]

- Sintomas típicos da substância (intoxicação ou abstinência) sem história psiquiátrica prévia → Sintomas provavelmente remitirão nos primeiros dias
- Sintomas resultantes diretamente dos efeitos duradouros da substância, que iniciaram dentro de 4 semanas da última exposição, mais graves e arrastados que intoxicação ou abstinência → Provável transtorno do humor induzido por substância
- Sintomas variáveis com intensidade variável em qualquer momento da abstinência ou tratamento; sintomas persistentes após longa abstinência; história familiar ou história prévia de episódio de humor (antes do início do uso de substância) → Provável transtorno do humor preexistente

profissional que atende o paciente nesta ou em qualquer situação será estabelecer o vínculo terapêutico, pois este é um bom indicador de sucesso no tratamento. Portanto, é importante respeitar a motivação do paciente ao considerar a intervenção, sob risco de quebra do vínculo inicial e comprometimento de abordagens mais estruturadas posteriormente.[25]

Todas as pessoas têm opiniões muito particulares a respeito das mais diversas substâncias ou comportamentos potencialmente aditivos. Os profissionais devem esforçar-se ao máximo para despir-se de julgamentos morais quando avaliam esses pacientes, pois isso também pode acarretar quebra do vínculo. Todos os pacientes devem ser questionados abertamente sobre uso de substâncias lícitas ou ilícitas, como parte de uma boa anamnese geral (ver questão sugerida no tópico Instrumentos de Avaliação, a seguir). Incluir esse tipo de questionamento corriqueiramente no rol de perguntas da avaliação inicial torna o profissional mais apto a não abordar o tema de uma forma julgadora ou moralista, porque o inclui como necessidade de informação clínica.[26]

Outra avaliação útil é a entrevista com familiares ou pessoas próximas assim que possível, pois os pacientes omitem informações e minimizam prejuízos com o uso. Novamente, essas omissões devem ser entendidas como parte do transtorno e não abordadas de forma moralista, pelos mesmos motivos descritos anteriormente.[26]

A abordagem inicial também deve incluir uma breve avaliação dos riscos (suicídio, agressão e exposição moral), além de aspectos clínicos (comorbidades e consequências clínicas da intoxicação ou da abstinência), a fim de que os devidos encaminhamentos possam ser dados quando necessários.[26]

## Instrumentos de avaliação

O uso de substâncias ilícitas e o uso não médico de medicamentos prescritos são frequentes e tendem a ser pouco reportados e pouco investigados pelos profissionais de saúde em geral. Entrevistas de rastreamento para substâncias de abuso permitem que o clínico detecte o problema.

A simples pergunta "Quantas vezes no último ano você usou uma droga ilícita ou um medicamento de prescrição médica para uso não médico?" foi avaliada como 100% sensível, quando a entrevista estruturada para fins diagnósticos CIDI (*Composite International Diagnostic Interview*) foi usada como padrão-ouro.[27] Para pacientes com respostas positivas, como ocorre em geral com testes de triagem, a incerteza diagnóstica é grande, indicando a necessidade de investigação (especificidade = 73,5%; IC 95%, 67,7-78,6%; e razão de verossimilhança = 3,4). Deve-se ressaltar que essa triagem foi avaliada em amostra de adultos com idade média de 49 anos, não podendo ser generalizada para adolescentes. Além disso, o contexto em que foi realizada a pesquisa pode ser bem diferente daquele do leitor. Na padronização da entrevista, quando os pacientes perguntavam o que era "não médico", a orientação seguida no estudo era "por exemplo, por causa da experiência ou da sensação que a droga ou o medicamento causou".

Diferentemente dos instrumentos de triagem descritos a seguir, essa questão foca exclusivamente nas substâncias ilícitas e no uso não médico de medicamentos de prescrição, isto é, exclui-se álcool e tabaco. Também inclui o uso de maconha, visto que o estudo foi desenvolvido antes da legalização do uso recreacional em Estados norte-americanos, podendo incluir essa substância aqui no Brasil.

Para instrumentos de rastreamento, o National Institute on Drug Abuse (NIDA), órgão governamental dos Estados Unidos vinculado ao National Institutes of Health (NIH), disponibiliza em seu *site* uma versão modificada e atualizada do NIDA-ASSIST para ser utilizada na própria internet (*link* nas Referências).[28] Outro questionário com a mesma finalidade e um pouco mais breve é o *Drug Abuse Screening Test* (DAST-10),[29] descrito nas **TABELAS 176.4** e **176.5**. Ambos os instrumentos já dão uma ideia da gravidade do uso, o que norteia a intervenção breve, descrita com mais detalhes a seguir.

**TABELA 176.4** → DAST-10 (*Drug Abuse Screening Test*) – questões para o paciente

| QUESTÕES (REFEREM-SE AOS ÚLTIMOS 12 MESES) | NÃO | SIM |
|---|---|---|
| 1. Você usou outras substâncias além daquelas necessárias por razões médicas? | 0 | 1 |
| 2. Você abusou de 2 ou mais substâncias ao mesmo tempo? | 0 | 1 |
| 3. Você sempre consegue parar de usar substâncias quando quer? (Se nunca usou, responder "Sim".) | 1 | 0 |
| 4. Você já teve "apagões" ou "*flashbacks*" como resultado do uso de substâncias? | 0 | 1 |
| 5. Você já se sentiu mal ou culpado sobre seu uso de substâncias? (Se nunca usou, responder "Não".) | 0 | 1 |
| 6. Seu(sua) cônjuge (ou pais) já reclamou sobre seu envolvimento com substâncias? | 0 | 1 |
| 7. Você já negligenciou sua família por causa do seu uso de substâncias? | 0 | 1 |
| 8. Você já se envolveu em atividades ilegais para obter substâncias? | 0 | 1 |
| 9. Você já experimentou sintomas de abstinência (sentiu-se doente) quando parou de usar substâncias? | 0 | 1 |
| 10. Você já teve problemas médicos como resultado de seu uso de substâncias (p. ex., perda de memória, hepatite, convulsões, sangramento, etc.)? | 0 | 1 |

Fonte: Skinner.[29]

**TABELA 176.5** → DAST-10 (*Drug Abuse Screening Test*) – interpretação

| ESCORE DO DAST-10 | GRAU DE PROBLEMAS RELACIONADOS AO USO DE SUBSTÂNCIAS | AÇÃO SUGERIDA |
|---|---|---|
| 0 | Nenhum problema reportado | Nenhuma no momento |
| 1-2 | Nível baixo | Monitorar, reavaliar em outra data |
| 3-5 | Nível moderado | Maior investigação |
| 6-8 | Nível substancial | Avaliação intensiva |
| 9-10 | Nível grave | Avaliação intensiva |

Fonte: Skinner.[29]

## Intervenção breve

A intervenção breve mostrou-se efetiva na redução do consumo de risco de álcool (redução em média de ~1,5 dose/semana, ~10% do consumo), apesar da qualidade moderada das evidências analisadas na revisão B.[30]

A extrapolação da intervenção breve para o uso de substâncias ilícitas pode ser efetiva.[31] A abordagem utiliza técnicas da entrevista motivacional e da terapia cognitivo-comportamental de uma maneira condensada e estruturada em 4 consultas para melhor aplicabilidade, principalmente na APS.[32]

Após uma adequada triagem, por exemplo, aplicando um dos questionários citados anteriormente, é necessária uma avaliação do estágio de motivação do paciente (TABELA 176.6).[33] Pacientes que não conseguem enxergar os problemas relacionados ao uso da substância não devem ser confrontados diretamente, sendo necessária uma postura empática, ativa e firme do profissional de saúde, aliada à paciência.

A seguir, são descritos seis elementos da intervenção breve, identificados por meio do acrônimo FRAMES:

→ *feedback*: retroalimentação; consiste em dar o retorno da avaliação de triagem inicial ao paciente;
→ *responsibility*: responsabilidade; a qual é dada ao paciente, por exemplo, por meio de decisões de seguir ou não o tratamento;
→ *advice*: conselho; orientações técnicas e desprovidas de juízo moral que o profissional fornece;
→ *menu*: lista de alternativas; construir a lista com o paciente para ele tomar sua decisão;
→ *empathy*: empatia; postura do profissional diante do paciente;
→ *self-efficacy*: autoeficácia; sensação que o paciente tem de ser parte ativa e responsável pelo processo de mudança, necessária para melhorar a autoestima e o engajamento no tratamento.

A intervenção breve foi desenhada para ser aplicada em 4 a 5 consultas estruturadas, com intervalos de 1 mês. O caso clínico a seguir mostra um diálogo entre médico e paciente, levando em conta os elementos supracitados.[34]

A TABELA 176.7 descreve o cronograma e a estrutura das consultas da intervenção breve.[32]

## Prevenção de recaída

A terapia cognitivo-comportamental (TCC) é a principal vertente teórica dos tratamentos psicossociais direcionados para os transtornos por uso de substância. Sua eficácia consolidou-se ao longo dos anos, principalmente quando associada à entrevista motivacional (EM)[35] (ver Capítulo Abordagem para Mudança no Estilo de Vida).

A prevenção de recaída (PR) é um dos modelos teóricos de compreensão e de tratamento derivados da TCC, sendo o principal modelo utilizado no tratamento das adicções.[36] Para familiarizar o leitor e contribuir para educar o paciente sobre o processo terapêutico, a TABELA 176.8 apresenta alguns dos conceitos do modelo teórico da PR.[37]

**TABELA 176.6** → Estágios de motivação para mudança

| Pré-contemplação | A pessoa não vê problema com o uso, não deseja modificar seu comportamento |
|---|---|
| Contemplação | Começa a haver preocupação com o uso, mas ainda não há planos para mudança |
| Preparação | Há preocupação e busca por um plano para mudar o comportamento-problema |
| Determinação | O plano para mudança é colocado em prática |
| Ação | Há interrupção do comportamento-problema com o plano em prática |
| Manutenção | Mantém-se a interrupção e rediscutem-se as metas |
| Recaída | Há a volta do comportamento-problema e/ou regressão a um estágio anterior de motivação |

Fonte: Prochaska e colaboradores.[33]

**TABELA 176.7** → Estrutura e descrição das consultas da intervenção breve

| CONSULTAS | INTERVENÇÕES |
|---|---|
| Primeira | Questões sobre o consumo, visando estabelecer algum nível de gravidade (quanto usa, com quem, com que frequência, quais ocasiões, fatores de risco e consequências); fornecer retorno da escala aplicada |
| | Avaliação médica geral; se identificado risco psiquiátrico ou algum outro problema médico, considerar encaminhamento para atendimento especializado |
| | Exames complementares (função hepática, transaminases, hemograma, função renal – uso de álcool normalmente associado a substâncias ilícitas –, radiografia em caso de sintomas respiratórios ou carga tabágica muito alta) |
| | Estabelecimento de meta: abstinência total ou parcial, recuperação de algum aspecto da vida prejudicado pelo uso? |
| Segunda | Avaliação do consumo desde a última consulta; se o paciente não conseguiu cumprir a meta, apontar as dificuldades que encontrou |
| | Avaliação do resultado dos exames complementares |
| | Fornecimento de material para leitura e autoajuda |
| | Reforço da meta; preencher quadro com duas colunas: vantagens e desvantagens de usar (orientar o paciente a terminar em casa, quando necessário) |
| Terceira | Avaliação do consumo desde a última consulta; repetir exames, se necessário (em alguns casos, quando os exames são alterados pelo consumo, é possível mostrar a melhora ao paciente) |
| | Avaliação do quadro de vantagens e desvantagens |
| Quarta | Avaliação do consumo desde a última consulta |
| | Reavaliação dos pontos de maior dificuldade para enfrentar as situações de risco e discussão de estratégias para encará-las |
| | Avaliação do progresso do tratamento e encaminhamento para especialista, se necessário |

Fonte: Silva e Miguel.[32]

## Caso clínico: diálogo entre médico e paciente, mostrando a postura e os elementos da intervenção breve

Thiago, um advogado desempregado de 29 anos, procurou atendimento médico pois estava estudando para concursos e nos dois últimos que fez não conseguiu terminar a prova pois sentiu-se nauseado, chegando a vomitar no segundo. Relatou dificuldade de concentração nos estudos e perguntou ao médico se ele poderia receitar algo para aumentar sua concentração, visto que vários concorrentes usavam medicamentos para essa finalidade, segundo já tinha ouvido falar. Não tinha doenças prévias e nem fatores de risco importantes para doenças comuns, exceto história familiar positiva para carcinoma de esôfago. Ao exame, apresentou-se hipertenso, sem outras alterações. Ao ser indagado sobre o consumo de substâncias, disse que fumava maconha para relaxar, já tinha usado LSD e cocaína uma vez cada, e detestava cigarro e álcool – "coisas que só fazem mal". Aceitou preencher o ASSIST, em que pontuou consumo de baixo risco para todas as substâncias, exceto maconha, e apresentou um escore de risco moderado.

**Médico:** Obrigado por aceitar preencher o questionário. Vamos analisar o resultado juntos, ok? *(convida o paciente a ser parte do processo [empatia e responsabilidade])*

**Thiago:** Claro!

**M:** Bom, segundo o questionário, seu consumo de maconha caiu na categoria que significa risco moderado de desenvolver problemas de saúde secundários ao uso dela *(feedback)*. O que você acha sobre isso? *(coloca a responsabilidade da decisão no paciente, sem induzir)*

**T:** Pois é, estranho... maconha. Não acho que eu realmente tenha algum problema com maconha...

**M:** Como é seu consumo? *(sonda o padrão de uso, a fim de construir alternativas posteriores)*

**T:** Costumo acordar para estudar, e pouco antes do almoço fumo um baseado para abrir o apetite, aí só depois no fim da tarde fumo mais 1 ou 2. Às vezes, no fim de semana, é um pouco mais, porque aí não estudo.

**M:** Entendi... Você disse antes que não acha ter algum problema com esse padrão de consumo; no entanto, o teste apontou consumo de risco moderado. O que fazer com essa informação? *(pergunta aberta colocando a responsabilidade no paciente e, dessa vez, evidenciando a discrepância entre o que ele acha e o resultado da avaliação objetiva)*

**T:** Não sei, talvez o teste não esteja atualizado. Afinal, a maconha tem sido usada como remédio para várias coisas...

**M:** Bom, de repente vamos procurar algum material atualizado sobre benefícios e malefícios da maconha, podemos cada um procurar os dois, ou dividir. Por exemplo, eu procuro benefícios e você procura malefícios. Aí, vemos na próxima consulta. O que acha? *(procura informações neutras e sem juízo moral [conselho]; oferece alternativas para ele ser parte do processo [lista de alternativas e autoeficácia]; note que o médico não confronta o paciente diretamente com seu preconceito em relação ao teste ou à clara relação do seu consumo com a dificuldade de concentração e a ansiedade)*

**T:** Acho uma boa! Na verdade, acho que eu nunca procurei ler coisas técnicas sobre maconha. Sei mais por conversar com amigos ou assistir a reportagens na televisão...

*(Nessa vinheta, o médico habilmente procura estabelecer a meta em consulta posterior, visto que o paciente está em pré-contemplação, sendo necessário primeiro evidenciar os prejuízos do consumo para mudar o estágio de motivação.)*

Fonte: Henry-Edwards e colaboradores.[34]

## Quando encaminhar

Alguns pacientes podem ser compartilhados com serviços especializados mesmo no início do acompanhamento, como os que apresentam importante comorbidade psiquiátrica, falha da abordagem disponível na APS ou história de múltiplas tentativas de abstinência sem sucesso.[15]

Uma internação pode ser necessária, mas a avaliação da indicação depende do contexto do tratamento, e deve ser decidida conjuntamente, com a participação do paciente, da família e da equipe. Algumas situações podem indicar a necessidade de internação:

→ condições que requeiram observação constante (estados psicóticos graves, ideação suicida ou homicida, debilitação ou abstinência grave), complicações orgânicas devidas ao uso ou à cessação do uso da substância;
→ dificuldade para cessar o uso de drogas, apesar dos esforços terapêuticos;
→ ausência de adequado apoio psicossocial que possa facilitar o início da abstinência;
→ necessidade de interromper uma situação externa que reforce o uso da droga.[15]

É de suma importância que as internações sejam cuidadosamente indicadas e o máximo possível em concordância com a vontade do paciente, pois tratamentos compulsórios ou involuntários podem causar danos ao paciente quando mal indicados.[38]

**TABELA 176.8** → Prevenção de recaída – conceitos

| | |
|---|---|
| Lapso | Uso isolado da substância, com cessação espontânea, após período de abstenção |
| Recaída | Retorno ao padrão de comportamento anterior e mais grave relacionado ao uso da substância, associado a alguns determinantes de funcionamento psicológico, como diminuição da motivação para a mudança (p. ex., paciente estava no estágio de ação e retornou ao da contemplação) |
| Efeitos da violação da abstinência (EVAs) | Conjunto de emoções, pensamentos e atitudes do paciente diante de um uso da substância após período de abstenção; em outras palavras, como o paciente lida com o uso: ele vai na direção de continuá-lo ou cessá-lo? |
| Situações de alto risco (SARs) | Quaisquer situações, tanto intra quanto interpessoais ou ambientais, que podem desencadear um processo de recaída (p. ex., encontrar um conhecido usuário ativo de substâncias [interpessoal] ou sentimento de frustração [intrapessoal]) |
| Expectativa de resultados | Crenças (desencadeadas pelas SARs) de que o uso da substância vai ser bom, e os desfechos negativos serão facilmente manejados (p. ex., após ser convidado ao uso por um amigo, o indivíduo pensa que será só um uso e que ele irá para casa após) |
| Autoeficácia | Sensação subjetiva do próprio paciente de que ele é capaz de abortar o processo de recaída a qualquer momento, utilizando as respostas (ou estratégias) de enfrentamento, que são treinadas, aprendidas ou aperfeiçoadas no curso do tratamento (p. ex., após ser convidado ao uso por um amigo, o indivíduo nega assertivamente o convite e sente-se bem por ter evitado o uso) |
| Decisões aparentemente irrelevantes (DAIs) | Decisões que colocam o paciente cada vez mais perto do uso, mesmo que no momento ele não esteja pensando em usar a substância (p. ex., o adicto que telefona para um ex-companheiro usuário de substâncias por qualquer outro motivo que não o uso) |
| Fissura | Entendida como a vontade de usar a substância e seus determinantes psicológicos e fisiológicos, como ansiedade e tremores, respectivamente; a fissura não necessariamente é um processo consciente e pode ser desencadeada por meio de estímulos pareados, como visitar um local de uso |

Fonte: Zanelatto.[37]

## Família e adicções

A família de um paciente com dependência química é afetada por essa patologia. Mas o ambiente familiar também pode ser parte da etiologia de um comportamento aditivo, bem como de sua manutenção. Fatores genéticos, padrões de comportamentos aprendidos e a dinâmica familiar exercem sua influência nesses processos.

Desde o princípio da estruturação dos grupos de Alcoólicos Anônimos (AA), foi sendo desenvolvido o conceito de codependência.[39] Trata-se de um fenômeno intra e interpessoal que afeta o bem-estar emocional, físico e profissional dos familiares e dos cuidadores.[40] Codependentes demonstram resignação em "salvar" seu familiar, abdicando dos próprios interesses ou da própria vida,[41] e, em geral, eles têm dificuldade de perceber esse problema sem ajuda.[42]

Considerando a complexidade dessas relações e a importância que a família exerce como principal ligação entre o indivíduo e a sociedade, é notória a necessidade de investir terapeuticamente nesse sistema. Mesmo em situações de famílias carentes de recursos em diferentes níveis, é a partir de intervenções nesse ambiente que são pensadas soluções iniciais para lidar com o problema identificado.

São diversas as abordagens terapêuticas para famílias de pacientes com adicções. Elas seguem pressupostos da terapia sistêmica, da EM e da TCC para casais.

Pensando na escolha da forma de intervenção, é importante considerar os recursos do local de tratamento onde o paciente se encontra. Apesar de uma pequena parcela de pacientes ter acesso à terapia familiar, é possível alcançar boa parte das famílias, inicialmente, com intervenções breves que incluam, por exemplo, psicoeducação sobre comportamentos aditivos. Além disso, uma forma de ampliar o alcance das intervenções em locais com redução de equipe profissional são os grupos multifamiliares coordenados por um técnico capacitado.

Independentemente do modelo teórico seguido, as intervenções devem oferecer acolhimento e orientação, detectar com a família suas competências, motivar a família a participar do processo de tratamento, e evitar julgamentos e preconceitos. Também se deve entender que todo o sistema familiar necessita de ajuda;[43] dessa forma, mesmo nas situações em que o paciente identificado não apresenta motivação para o tratamento, pode-se auxiliar a família a desenvolver a mudança de padrões de comportamento necessária e incentivar a potencialização de seus recursos.[44] Nas situações que carecem de rede familiar, outras pessoas da comunidade que sejam referência afetiva para os pacientes podem auxiliar no processo de tratamento.[45]

As intervenções com a rede de cuidados do paciente mostram pontos favoráveis na literatura e na prática clínica, como adesão ao tratamento e redução do impacto da dependência química nos membros familiares.[46]

## Redução de danos

As estratégias de redução de danos não focam exclusivamente na abstinência da substância, mas sim na redução dos comportamentos de risco associados ao uso desta.

Os programas de redução de danos podem ser uma etapa importante dentro do processo de mudança nos usuários de substâncias,[47] podendo representar uma possibilidade de adesão ao tratamento e motivação para a mudança.

Objetivando a construção do vínculo quando o paciente ainda se encontra sem motivação para o tratamento, a redução de danos pode acontecer no próprio ambiente de uso de substância. Nesse sentido, estratégias como o engajamento de equipes de saúde da família, especialmente considerando a figura do agente comunitário, e a criação dos Consultórios na Rua (CnaRs) foram pensadas para reforçar essa interação com o paciente.[48]

Os CnaRs consistem em uma política relativamente recente. Trata-se de um equipamento itinerante de saúde que integra a Rede de Atenção Primária e desenvolve ações de atenção psicossocial. Os CnaRs trabalham em parceria com as UBSs e com os Caps, priorizando a realização dos cuidados no próprio território de rua. A assistência em saúde oferecida direciona-se para acolher demandas diversificadas e complexas e descentraliza suas intervenções do foco somente na "doença". É apresentado também, como intenção, o resgate da qualidade de vida.[49,50]

Equipes de saúde alocadas nas UBSs, mesmo distantes da cena de consumo de drogas dos pacientes, também podem lançar mão de estratégias de redução de danos. A partir de uma abordagem psicoeducativa, que esclarece os danos relativos ao uso de cada SPA, e de uma abordagem motivacional, que, de maneira empática e não confrontativa, auxilia o paciente a refletir sobre seu comportamento, é possível desenvolver junto ao usuário um plano factível, de curto prazo, que envolva, por exemplo, a redução da quantidade e da frequência de uso da droga de escolha, a evitação do uso em situações de trabalho ou a escolha de uma forma de uso que ofereça menor risco.[51]

## Grupos de autoajuda

Intervenções de base espiritual/religiosa, que seguem o modelo dos Doze Passos, como Alcoólicos Anônimos (AA) e Narcóticos Anônimos (NA), podem fazer parte do tratamento para problemas relacionados ao uso de SPAs.

Uma vez que são autossustentáveis e independem de instituições políticas e religiosas e de profissionais de saúde, muitas vezes são o recurso de tratamento existente em algumas localidades, como municípios pouco populosos e distantes dos grandes centros.

Dados recentes apontam para a importância de as equipes de saúde envolvidas na assistência ao usuário de drogas se familiarizarem com intervenções terapêuticas baseadas no modelo dos Doze Passos, já que esses programas demonstraram superioridade em reduzir ou cessar o uso de SPAs quando comparados com outras técnicas aplicadas ao tratamento da dependência química.[52]

## Centro de Atenção Psicossocial – Álcool e Drogas

Uma importante estratégia diante dos problemas ocasionados pelo consumo de SPAs é o Centro de Atenção Psicossocial para tratamento de usuários de álcool e outras drogas

(Caps-AD), o qual utiliza as estratégias de redução de danos enquanto ferramenta nas ações de prevenção e promoção da saúde. É um serviço de atenção diária, focado não somente no problema relacionado ao uso de SPAs, mas também na reinserção familiar, social e comunitária do usuário.[4]

## Comunidade terapêutica

As comunidades terapêuticas (CTs) foram introduzidas como uma modalidade terapêutica na década de 1960. A proposta das CTs no Brasil foi discutida pelo Ministério da Saúde em sua "Política para a atenção integral a usuários de álcool e outras drogas" e regulamentada pela Agência Nacional de Vigilância Sanitária (Anvisa).[4]

O conceito dessa estratégia de tratamento é desenvolver ambientes livres de drogas que seguem um modelo hierárquico de atendimento, onde a "comunidade" é o principal agente de mudança e, por meio dela, são desenvolvidas habilidades sociais mais eficazes, como o aprendizado e a aceitação de regras de convivência. São poucas as evidências de que as CTs ofereçam benefícios superiores em relação a outros espaços de tratamento.[53]

De acordo com a American Psychiatric Association (APA),[54] esses programas geralmente são reservados para indivíduos com baixa probabilidade de se beneficiar de tratamento ambulatorial, como pacientes com história de múltiplas falhas nessa modalidade de tratamento ou com significativo comprometimento nas habilidades sociais.

No Brasil, o movimento das CTs tem sofrido críticas na última década, assim como denúncias e rigorosas fiscalizações. Práticas que violam os direitos humanos já foram identificadas. Certas situações lembram algumas vividas nos primeiros hospitais psiquiátricos, combatidos pelo movimento da reforma psiquiátrica, embora, em sua origem histórica, conceitual e metodológica, o movimento das CTs tenha mais semelhanças que diferenças com o proposto por essa reforma e pelo Movimento de Luta Antimanicomial.[55]

## TRATAMENTO FARMACOLÓGICO

A utilização de fármacos é um recurso muito importante em diversos estágios do tratamento dos transtornos por uso de substância. Eles podem ser administrados com diferentes objetivos, dependendo do momento em que o indivíduo se encontra:

→ **intoxicação:** reverter ou atenuar os sintomas causados pela substância;
→ **síndrome de abstinência:** atenuar os sintomas decorrentes da retirada da substância, bem como prevenir possíveis complicações clínicas dessa retirada;
→ **manutenção da abstinência:** estabilizar o humor, atenuar comportamentos compulsivos e impulsivos característicos de quem usa drogas e prevenir o aparecimento da fissura intensa pela substância.

Além disso, o tratamento farmacológico das comorbidades associadas ao uso da substância tem um papel fundamental para o sucesso no tratamento, visto que a desestabilização psíquica do indivíduo o deixa muito mais propenso a recaídas no uso da substância. Diferentemente do tratamento da dependência de álcool e nicotina, o tratamento farmacológico para outras dependências carece de evidências consistentes quanto ao benefício oferecido pelos diversos fármacos.

Assim, a seguir apontaremos as poucas evidências que existem na literatura, bem como as medidas que, apesar de não apresentarem evidências consistentes, acabam sendo aplicadas na prática clínica. Como as substâncias químicas têm diferentes mecanismos de ação no SNC, o tratamento farmacológico também deve ser diferenciado para cada caso.

### Cocaína e *crack*

Infelizmente não existem evidências robustas para o manejo farmacológico da dependência de cocaína e *crack*. O correto diagnóstico e tratamento das comorbidades associadas ao uso dessas substâncias são, provavelmente, os fatores de maior impacto no sucesso no tratamento.

**Intoxicação e síndrome de abstinência.** Os sintomas de fissura, agitação e agressividade que ocorrem nestes momentos podem ser controlados com o uso de benzodiazepínicos (BZDs). Em casos de psicose, pode-se usar um antipsicótico de baixa potência, mas sempre atentando para o fato de que o uso de cocaína, assim como o de antipsicóticos, pode diminuir o limiar anticonvulsivante **C/D**.[56] Pacientes que apresentarem quadros de agitação intensa, convulsões, psicose grave, hipertermia ou alterações da pressão arterial devem ser encaminhados para um serviço de emergência.

**Manutenção.** Não existe evidência robusta para tratamento medicamentoso da manutenção da abstinência de cocaína e *crack*. A indicação do fármaco deve ser individualizada conforme os sintomas e as comorbidades apresentadas pelo paciente. Estudos feitos com topiramato, modafinila e bupropiona encontraram resultados controversos em relação à sua eficácia **C/D**. O uso de antipsicóticos parece ter um efeito moderado para o não abandono de tratamento **C/D**.[57]

É importante atentar para o fato de que frequentemente os pacientes intoxicados por cocaína também podem estar intoxicados por álcool. Nesses casos, o uso de BZDs deve ser feito com cautela.

### Benzodiazepínicos

A questão mais importante em relação aos BZDs é a prescrição adequada e o acompanhamento. Quando isso não ocorre, aumentam muito as chances de o paciente tornar-se dependente da substância.

**Intoxicação.** O manejo deve ser realizado em uma sala de emergência e inclui medidas gerais de suporte. O flumazenil é um antagonista dos BZDs e pode ser administrado até 2 mg em infusão lenta, a cada 1 ou 2 horas, conforme a evolução do paciente. Atentar para o fato de que o flumazenil pode desencadear convulsões e síndrome de abstinência, especialmente em usuários crônicos de BZDs.[58]

**Síndrome de abstinência.** A retirada deve ser feita em regime ambulatorial, exceto para pacientes que tenham história de abstinência severa, convulsões ou comorbidades importantes. Deve-se trocar o BZD em uso por um de tempo de meia-vida mais longo C/D. A dose não deve ultrapassar o equivalente a 40 mg de diazepam. Divide-se essa dose em 3 tomadas fixas ao longo do dia, e faz-se a redução de 10 a 15% da dose por semana. As tomadas devem ser supervisionadas, e o medicamento deve ficar preferencialmente com algum familiar do paciente.[58,59] Uma sugestão é a troca do diazepam por clonazepam, visto que este tem apresentação em solução oral, podendo ser titulado em gotas para facilitar a retirada. Não existe um consenso sobre a equivalência de doses desses medicamentos, mas podemos considerar que 10 mg de diazepam equivalem a 1 mg de clonazepam.

### Opioides

Apesar de o uso de heroína ser infrequente no Brasil, é bastante comum em indivíduos que desenvolvem a dependência de medicamentos analgésicos com opiáceos em sua composição (p. ex., morfina, codeína, metadona). Dessa forma, a melhor maneira de prevenir transtornos relacionados ao seu uso é a correta indicação, monitoramento e retirada programada do medicamento. Sempre que surgir um paciente solicitando receita de um medicamento à base de opiáceos, o uso abusivo deve ser investigado. Muitas vezes, a simples orientação e suspensão do medicamento que o paciente vem usando podem ser suficientes. Mas naqueles que já desenvolveram tolerância ao medicamento e apresentam sintomas de abstinência com a retirada, as estratégias farmacológicas podem ser importantes.[60] A intoxicação por opioides é uma condição grave e deve ser considerada uma emergência médica, podendo necessitar de medicamentos específicos como a naloxona B.[61]

A síndrome de abstinência deve ser manejada preferencialmente em um serviço especializado, como foco na troca por outro opioide com tempo de meia-vida mais longo, como a metadona, e redução gradual da dose.[62]

### Maconha

Existem poucas evidências sobre a eficácia de medicamentos para o tratamento da dependência de maconha. Dessa forma, as terapias comportamentais são as mais indicadas B. Alguns estudos experimentais estão sendo realizados com formas sintéticas de tetra-hidrocanabinol (THC) e canabidiol (CBD) para atenuação dos sintomas de abstinência.[63] Porém, ainda não é uma prática regularmente implementada no Brasil, especialmente na atenção básica. A N-acetilcisteína também parece ser um medicamento promissor para evitar a recaída no uso da maconha durante o tratamento de manutenção C/D.[64] Apesar disso, o tratamento medicamentoso é focado principalmente no manejo das comorbidades associadas ao uso da maconha, ou no tratamento de sintomas decorrentes da abstinência, como insônia e ansiedade.

A intoxicação por maconha pode ser caracterizada por quadros de agitação e ansiedade intensa. Nesses casos, indica-se o uso de BZDs e propranolol para controle dos sintomas C/D.[65] Antipsicóticos podem ser indicados se ocorrer o surgimento de pensamento paranoide ou alucinações C/D. Quando os sintomas psicóticos são graves, a internação é recomendada.[65] Também podem acontecer casos de hiperêmese, especialmente em usuários crônicos. Esses quadros tendem a melhorar com o uso de ondansetrona e hidratação intravenosa C/D.[66]

### Outras substâncias

O manejo da dependência de anfetaminas assemelha-se ao da cocaína, pois ambas são substâncias estimulantes. As evidências a respeito do tratamento farmacológico para dependência de substâncias sintéticas e solventes são bastante controversas. As evidências apontam principalmente para os tratamentos focados em TCC e manejo das comorbidades. Os casos de intoxicação por essas substâncias devem ser primeiramente avaliados na emergência, pois são situações que podem provocar importante risco à vida. Quando não apresentar alterações fisiológicas mais importantes, a intoxicação é tratada de maneira sintomática.

## REFERÊNCIAS

1. Crocq M-A. Historical and cultural aspects of man's relationship with addictive drugs. Dialogues Clin Neurosci. 2007;9(4):355–61.
2. Bastos FIPM. III Levantamento Nacional sobre o uso de drogas pela população brasileira [Internet]. Rio de Janeiro: ICICT/FIOCRUZ; 2017 [capturado em 10 mar. 2021]. Disponível em: https://www.arca.fiocruz.br/handle/icict/34614.
3. Brasil. Ministério da Saúde. Secretaria de Atenção à Saúde. Departamento de Ações Programáticas Estratégicas. Guia estratégico para o cuidado de pessoas com necessidades relacionadas ao consumo de álcool e outras drogas: guia AD [Internet]. Brasília: MS; 2015 [capturado em 14 jul. 2021]. Disponível em: https://portalarquivos2.saude.gov.br/images/pdf/2015/dezembro/15/Guia-Estrat--gico-para-o-Cuidado-de-Pessoas-com-Necessidades-Relacionadas-ao-Consumo-de---lcool-e-Outras-Drogas--Guia-AD-.pdf.
4. Brasil. Ministério da Saúde. Secretaria Executiva. Coordenação Nacional de DST/Aids. A Política do Ministério da Saúde para atenção integral a usuários de álcool e outras drogas. Brasília: MS; 2003.
5. Nutt DJ, King LA, Phillips LD. Drug harms in the UK: a multicriteria decision analysis. Lancet. 2010;376(9752):1558–65.
6. National Institute on Drug Abuse. Drugs of abuse [Internet]. Washigton: NIDA; c2021 [capturado em 10 mar. 2021]. Disponível em: https://www.drugabuse.gov/drugs-abuse.
7. Rastegar D, Fingerhood M. The American Society of Addiction Medicine Handbook of Addiction Medicine. New York: Oxford University; 2016.
8. American Psychiatric Association. Manual diagnóstico e estatístico de transtornos mentais: DSM-5. 5. ed. Porto Alegre: Artmed; 2014.
9. World Health Organization. Guidelines for the identification and management of substance use and substance use disorders in pregnancy. Geneva: WHO; 2014.
10. Volkow ND, Koob GF, McLellan AT. Neurobiologic advances from the brain disease model of addiction. N Engl J Med. 2016;374(4):363–71.
11. Koob GF, Volkow ND. Neurobiology of addiction: a neurocircuitry analysis. The Lancet Psychiatry. 2016;3(8):760–73.
12. Volkow ND, Boyle M. Neuroscience of addiction: Relevance to prevention and treatment. Am J Psychiatry. 2018;175(8):729–40.
13. Nestler EJ, Lüscher C. The Molecular Basis of Drug Addiction: Linking Epigenetic to Synaptic and Circuit Mechanisms. Neuron. 2019;102(1):48–59.

14. Kalivas PW, Volkow ND. The neural basis of addiction: A pathology of motivation and choice. Am J Psychiatry. 2005;162(8):1403–13.
15. Sordi AO, von Diemen L, Kessler FHP, Pechansky F. Drogas: uso, abuso e dependência. In: Duncan BB, Schmidt MI, Giugliani ERJ, Duncan MS, Giugliani C, organizadores. Medicina ambulatorial: condutas de atenção primária baseadas em evidências. 4. ed. Porto Alegre: Artmed; 2013.
16. Saunders JB. Substance use and addictive disorders in DSM-5 and ICD 10 and the draft ICD 11. Curr Opin Psychiatry. 2017;30(4):227–37.
17. Johnson S, Sheridan Rains L, Marwaha S, Strang J, Craig T, Weaver T, et al. A randomised controlled trial of the clinical and cost-effectiveness of a contingency management intervention compared to treatment as usual for reduction of cannabis use and of relapse in early psychosis (CIRCLE): a study protocol for a randomised contro. Trials. 2016;17(1):515.
18. Barnes TRE, Mutsatsa SH, Hutton SB, Watt HC, Joyce EM. Comorbid substance use and age at onset of schizophrenia. Br J Psychiatry. 2006;188(3):237–42.
19. Grant BF, Stinson FS, Dawson DA, Chou SP, Dufour MC, Compton W, et al. Prevalence and co-occurrence of substance use disorders and independent mood and anxiety disorders: results from the National Epidemiologic Survey on Alcohol and Related Conditions. Arch Gen Psychiatry. 2004;61(8):807–16.
20. Hunt GE, Large MM, Cleary M, Lai HMX, Saunders JB. Prevalence of comorbid substance use in schizophrenia spectrum disorders in community and clinical settings, 1990-2017: Systematic review and meta-analysis. Drug Alcohol Depend. 2018;191:234–58.
21. Radua J, Ramella-Cravaro V, Ioannidis JPA, Reichenberg A, Phiphopthatsanee N, Amir T, et al. What causes psychosis? An umbrella review of risk and protective factors. World Psychiatry. 2018;17(1):49–66.
22. Plana-Ripoll O, Pedersen CB, Holtz Y, Benros ME, Dalsgaard S, de Jonge P, et al. Exploring comorbidity within mental disorders among a danish national population. JAMA psychiatry. 2019;76(3):259–70.
23. Moggi F. Epidemiologie, Ätiologie und Behandlung von Patienten mit Psychosen und komorbider Suchterkrankung. Ther Umschau. 2018;75(1):37–43.
24. Quello SB, Brady KT, Sonne SC. Mood disorders and substance use disorder: a complex comorbidity. Sci Pract Perspect. 2005;3(1):13–21.
25. Meier PS, Donmall MC, McElduff P, Barrowclough C, Heller RF. The role of the early therapeutic alliance in predicting drug treatment dropout. Drug Alcohol Depend. 2006;83(1):57–64.
26. Marques ACPR, Ramos S de P, Ramos F de P, Lemos T. A avaliação inicial: identificação, triagem e intervenção mínima para o uso de substâncias. In: Diehl A, Cordeiro DC, Laranjeira R, organizadores. Dependência química: prevenção, tratamento e políticas públicas. 2. ed. Porto Alegre: Artmed; 2019. p. 50–9.
27. Smith PC, Schmidt SM, Allensworth-Davies D, Saitz R. A single-question screening test for drug use in primary care. Arch Intern Med. 2010;170(13):1155–60.
28. NIDA. NIDA Drug Screening Tool [Internet]. Washington: National Institute on Drug Abuse; c2021 [capturado em 10 mar. 2021]. Disponível em: https://www.drugabuse.gov/nmassist/.
29. Skinner HA. The drug abuse screening test. Addict Behav. 1982;7(4):363–71.
30. Kaner EF, Beyer FR, Muirhead C, Campbell F, Pienaar ED, Bertholet N, et al. Effectiveness of brief alcohol interventions in primary care populations. Cochrane database Syst Rev. 2018;(2):CD004148.
31. Babor TF, Del Boca F, Bray JW. Screening, brief intervention and referral to treatment: implications of SAMHSA's SBIRT initiative for substance abuse policy and practice. Addiction. 2017;112 Suppl:110–7.
32. Silva CJ, Miguel AQC. Intervenção Breve. In: Diehl A, Cordeiro DC, Laranjeira R, organizadores. Dependência química: prevenção, tratamento e políticas públicas. 2. ed. Porto Alegre: Artmed; 2019. p. 222–30.
33. Prochaska JO, DiClemente CC. Transtheoretical therapy: toward a more integrative model of change. Psychother Theory, Res Pract. 1982;19(3):276–88.
34. Henry-Edwards S, Humeniuk R, Ali R, Monteiro M, Poznyak V. Brief intervention for substance use: a manual for use in primary care. (draft version 1.1 for field testing). Geneva: World Health Organization; 2003.
35. Gates PJ, Sabioni P, Copeland J, Le Foll B, Gowing L. Psychosocial interventions for cannabis use disorder. Cochrane database Syst Rev. 2016;(5):CD005336.
36. Hendershot CS, Witkiewitz K, George WH, Marlatt GA. Relapse prevention for addictive behaviors. Subst Abuse Treat Prev Policy. 2011;6:17.
37. Zanelatto N. Prevenção da recaída. In: Diehl A, Cordeiro DC, Laranjeira R, organizadores. Dependência química: prevenção, tratamento e políticas públicas. 2. ed. Porto Alegre: Artmed; 2019. p. 258–69.
38. Werb D, Kamarulzaman A, Meacham MC, Rafful C, Fischer B, Strathdee SA, et al. The effectiveness of compulsory drug treatment: a systematic review. Int J Drug Policy. 2016;28:1–9.
39. Gómez AP, Delgado DD. La codependencia en familias de consumidores y no consumidores de drogas: estado del arte y construcción de un instrumento. Psicothema. 2003;15(3):381–7.
40. Martins-D'Angelo RM, Montañés MCM, Gómez-Benito J, Peralta YFS. Codependencia y sus instrumentos de evaluación: un estudio documental. Avaliação Psicológica. 2011;10(2):139–50.
41. Camargo CCO. Codependência familiar. In: Payá R, organizadora. Intervenções familiares para abuso e dependência de álcool e outras drogas. Rio de Janeiro: Roca; 2017. Cap. 3, p. 33-42.
42. Carvalho L de S, Negreiros F. A co-dependência na perspectiva de quem sofre. Bol Psicol. 2011;61(135):139–48.
43. Silveira P, Silva EA. Família, sociedade e uso de drogas: prevenção, inclusão social e tratamento familiar. In: Ronzani TM, editor. Ações integradas sobre drogas- prevenção, abordagens e políticas públicas. Juiz De Fora: UFJF; 2013.
44. Smith JE, Meyers RJ. Motivating substance abusers to enter treatment: working with family members. New York: Guilford; 2004.
45. Oliveira LFLS. Intervenções comunitárias – uma importante alternativa para familiares que convivem com abuso e dependência de substâncias. In: Payá R, organizadora. Intervenções familiares para abuso e dependência de álcool e outras drogas. Rio de Janeiro: Roca; 2017. Cap. 10, p. 149-57.
46. Vetere A, Henley M. Integrating couples and family therapy into a community alcohol service: a pantheoretical approach. J Fam Ther. 2001;23(1):85–101.
47. Queiroz IS. Os programas de redução de danos como espaços de exercício da cidadania dos usuários de drogas. Psicol Ciência e Profissão. 2001;21(4):2–15.
48. Simões TRBA, Couto MCV, Miranda L, Delgado PGG. Missão e efetividade dos Consultórios na Rua: uma experiência de produção de consenso. Saúde debate. 2017;41(114):963–75.
49. Brasil. Ministério da Saúde. Secretaria de Atenção à Saúde. Departamento de Atenção Básica. Política Nacional de Atenção Básica. Brasília: MS; 2012.
50. Brasil. Ministério da Saúde. Secretaria de Atenção à Saúde. Departamento de Atenção Básica. Manual sobre o cuidado à saúde junto a população em situação de rua. Brasília: MS; 2012.
51. Diminuir para Somar – Cartilha de Redução de Danos para Agentes Comunitários de Saúde [Internet]. Disponível em: http://fileserver.idpc.net/library/Diminuir-para-somar.pdf
52. Hai AH, Franklin C, Park S, DiNitto DM, Aurelio N. The efficacy of spiritual/religious interventions for substance use problems: A systematic review and meta-analysis of randomized controlled trials. Drug Alcohol Depend. 2019;202:134–48.
53. Smith LA, Gates S, Foxcroft D. Therapeutic communities for substance related disorder. Cochrane Database Syst Rev. 2006;(1):CD005338.

54. Work Group on Substance Use Disorders, Kleber HD, Weiss RD, Anton RF, Rounsaville BJ, George TP, et al. Treatment of patients with substance use disorders, second edition. American Psychiatric Association. Am J Psychiatry. 2006;163(8 Suppl):5–82.
55. Perrone PAK. A comunidade terapêutica para recuperação da dependência do álcool e outras drogas no Brasil: mão ou contramão da reforma psiquiátrica? Cien Saude Colet. 2014;19(2):569–80.
56. Zimmerman JL. Cocaine Intoxication. Crit Care Clin. 2012;28(4):517–26.
57. De Mulder I, Dom G. [Disulfiram as a treatment for cocaine dependency]. Tijdschr Psychiatr. 2012;54(1):51–8.
58. Soyka M. Treatment of benzodiazepine dependence. N Engl J Med. 2017;376(24):2399–400.
59. Kaiser Permanente. Benzodiazepine and Z-drug safety guideline [Internet]. Washington: Kaiser Foundation Health Plan of Washington; 2019 [capturado em 10 mar. 2021]. Disponível em: https://wa.kaiserpermanente.org/static/pdf/public/guidelines/benzo-zdrug.pdf
60. Thomas I. A Brief Overview of Identification and Management of Opiate Use Disorder in the Primary Care Setting. Nurs Clin North Am. 2019;54(4):495–501.
61. Baltieri DA, Strain EC, Dias JC, Scivoletto S, Malbergier A, Nicastri S, et al. Diretrizes para o tratamento de pacientes com síndrome de dependência de opióides no Brasil. Rev Bras Psiquiatr. 2004;26(4):259–69.
62. Blanco C, Volkow ND. Management of opioid use disorder in the USA: present status and future directions. Lancet. 2019;393(10182):1760–72.
63. Werneck MA, Kortas GT, de Andrade AG, Castaldelli-Maia JM. A systematic review of the efficacy of cannabinoid agonist replacement therapy for cannabis withdrawal symptoms. CNS Drugs. 2018;32(12):1113–29.
64. Gray KM, Carpenter MJ, Baker NL, DeSantis SM, Kryway E, Hartwell KJ, et al. A double-blind randomized controlled trial of N-Acetylcysteine in cannabis-dependent adolescents. Am J Psychiatry. 2012;169(8):805–12.
65. Gorelick DA. Pharmacological treatment of cannabis-related disorders: a narrative review. Curr Pharm Des. 2016;22(42):6409–19.
66. Richards JR. Cannabinoid Hyperemesis Syndrome: Pathophysiology and Treatment in the Emergency Department. J Emerg Med. 2018;54(3):354–63.

# Capítulo 177
## ABORDAGEM DA SAÚDE MENTAL NA INFÂNCIA

Michael Schmidt Duncan
Guilherme Nabuco Machado
Maria Helena P. P. Oliveira
Flávio Dias Silva
Renato M. Caminha

A infância é uma fase fundamental para o desenvolvimento da saúde mental. A intensa maturação cerebral e a aquisição de habilidades cognitivas e socioemocionais que ocorrem nesse período impactam a saúde mental futura e os papéis que a criança desempenhará na sociedade quando for adulta. A qualidade do ambiente em que ela vive – contexto familiar, escola e comunidade – condiciona o seu bem-estar e o seu desenvolvimento, com implicações no adoecimento mental.[1]

Os profissionais da atenção primária à saúde (APS) acompanham, de forma integral, a saúde mental das crianças sob seu cuidado. Isso inclui o acompanhamento da puericultura, a abordagem das crises vitais, a identificação oportuna de problemas emocionais, a abordagem terapêutica das queixas mais frequentes, bem como o encaminhamento de casos mais graves para atendimento especializado.

Este capítulo tem como objetivos principais instrumentalizar o leitor para compreender os determinantes da saúde mental infantil e para abordar clinicamente as principais queixas relacionadas à saúde mental e ao comportamento de crianças, com foco especial naquelas queixas que não configuram transtorno mental e que se beneficiam de intervenções transdiagnósticas, incluindo, quando possível, ações intersetoriais.

A promoção da saúde mental e a triagem de problemas comportamentais dentro das consultas de puericultura são vistas nos Capítulos Puericultura: do Nascimento à Adolescência, Promoção do Desenvolvimento da Criança e Promoção da Saúde Mental na Primeira Infância. Além disso, problemas de saúde mental específicos são abordados nos seus respectivos capítulos.

## MODELO TRANSACIONAL E O DESENVOLVIMENTO DA CRIANÇA

No que tange à saúde mental infantil, há grandes debates em relação à dicotomia entre os aspectos intrínsecos ao desenvolvimento de uma criança e a influência do ambiente, em especial o familiar (*nature* vs. *nurture*). Por um lado, as famílias frequentemente tendem a querer culpabilizar a criança pelo seu comportamento; por outro, muitos profissionais de saúde tendem a querer colocar a culpa na família. Inúmeras evidências apontam que uma visão mais adequada pressupõe que a forma como os problemas se manifestam e o seu impacto dependem da interação (ou "encaixe") entre os aspectos biológicos intrínsecos à criança e o ambiente.

Um modelo bastante útil para compreender esse processo é o modelo transacional,[2] que propõe que o desenvolvimento da criança é produto das interações que ela vivencia com seu ambiente social, que inclui predominantemente a família, mas também a escola e outros ambientes pelos quais a criança transita. Quando o sistema está estável, sem mudanças na criança ou no ambiente, há uma interação de continuidade. Essa continuidade pode tanto ser positiva (p. ex., família funcional) quanto negativa (p. ex., problemas comportamentais da criança motivando respostas da família que reforçam o problema). Quando há mudanças na criança (p. ex., quando ela atinge um novo marco no seu desenvolvimento ou contrai uma doença) ou no ambiente (p. ex., quando os pais se separam ou a criança entra em uma nova escola), passa a ocorrer um novo padrão de interações, ou trocas (transação), que também pode ser tanto positivo quanto negativo.

Essa visão sistêmica do desenvolvimento abre caminho para um leque amplo de intervenções possíveis de serem realizadas na consulta ambulatorial de APS, que são relevantes para a promoção do desenvolvimento, para a prevenção de problemas de saúde mental e para a abordagem de problemas já instalados. Essa visão instrumentaliza também a abordagem intersetorial, como se vê adiante. A **FIGURA 177.1** ilustra esse modelo, indicando os fatores relacionados à criança e ao ambiente que participam dessas interações e que podem ser foco de ações clínicas.

## ABORDAGENS INTERSETORIAIS PARA A PROMOÇÃO DA SAÚDE MENTAL NA INFÂNCIA

As ações clínicas sobre a saúde mental têm alcance limitado quando não integradas a estratégias mais amplas, de cunho intersetorial, incluindo família, escola, comunidade e realidade socioeconômica. Um importante centro de disseminação de programas de abordagem intersetorial é o *Blueprints for Healthy Youth Development* (ver QR code), projeto da Universty of Colorado, em Boulder, nos Estados Unidos, que tem identificado e avaliado programas para jovens, famílias e comunidades e que tem fortes evidências de efetividade.

A seguir, são apresentadas algumas ações intersetoriais que devem ser promovidas enquanto políticas públicas, mas que também podem ser avaliadas e indicadas durante o acompanhamento clínico.

### Intervenções relacionadas à pré-escola ou à escola

A escola é um dos principais componentes da rede de proteção social da criança. Para além do aprendizado de conteúdos escolares, que contribuem para o desenvolvimento cognitivo e têm repercussões sobre a vida social e profissional futura, a escola é um importante espaço de socialização, além de amortecer fatores de risco presentes nos outros cenários de convivência da criança, em especial no ambiente familiar. Para crianças vulneráveis, a escola pode contribuir para a segurança nutricional, quando oferece almoço e lanche aos alunos; além disso, pode ser uma oportunidade para a criança vivenciar relações mais saudáveis quando há importantes disfunções familiares, e mesmo para vigilância de fatores de risco, como violência. Ademais, pode trazer benefícios indiretos à família, como liberar tempo para familiares procurarem emprego, o que permite aumento de renda e empoderamento da família.

No caso de crianças pequenas de famílias mais vulneráveis, estimular a matrícula em creches e pré-escolas pode trazer benefícios duradouros. Um estudo clássico foi conduzido nos Estados Unidos, na região de Orange County, Estado da Carolina do Norte, entre 1972 e 1977, com lactentes em vulnerabilidade socioeconômica, em que um grupo foi inserido em um programa experimental de educação infantil, e outro grupo, em intervenção-controle. No acompanhamento, com visitas frequentes ao longo dos 30 anos subsequentes, o grupo que foi matriculado na educação infantil teve benefícios superiores acadêmicos, sociais e de saúde.[3] Entretanto, os benefícios variam entre os diferentes estudos, sendo que os programas que mais trouxeram benefícios foram aqueles altamente estruturados, com maior carga horária na escola e geralmente acompanhados de cointervenções.[4]

A identificação e a abordagem de barreiras para o aprendizado, sejam elas relacionadas à escola, à família ou a transtornos de aprendizagem da criança, são de grande importância para o sucesso escolar (ver Capítulo Transtornos Relacionados a Dificuldades de Aprendizagem e Problemas Associados à Agressividade). Além disso, intervenções escolares focadas na interação entre professor e aluno na pré-escola e nos primeiros anos do ensino fundamental melhoram a função executiva e a capacidade de autorregulação das crianças, havendo maior benefício na capacidade de autorregulação emocional. Os efeitos são mais proeminentes em crianças vulneráveis ou oriundas de famílias de classe socioeconômica mais baixa.[5]

### Atividades culturais e esportivas

Atividades culturais e esportivas disponíveis na comunidade, na escola ou como parte da rotina familiar têm grande papel na promoção da saúde mental na infância, podendo ser potente ferramenta também para crianças com problemas de saúde mental já instalados. Todas essas experiências oferecem oportunidades para treinamento de habilidades que podem ser estendidas para fora dessa modalidade cultural ou esportiva.[6]

Atividades esportivas estão associadas a benefícios físicos, psicológicos[7] e de qualidade de vida.[8] Aulas de música estão associadas à melhoria em habilidades cognitivas.[9] Aulas de teatro têm o potencial de promover empatia e melhorar habilidades sociais.[10] De uma forma geral, o treinamento de habilidades criativas (p. ex., teatro, dança, música, desenho) está associado a benefícios no comportamento, na autoconfiança, na autoestima e no nível de atividade física.[11]

### Programas de transferência de renda

Já está bem demonstrado o impacto negativo da pobreza e das iniquidades sociais sobre a saúde mental da população, incluindo a população infantil. Entretanto, apenas

**MODELO TRANSACIONAL**
**(ou INTERACIONAL)**

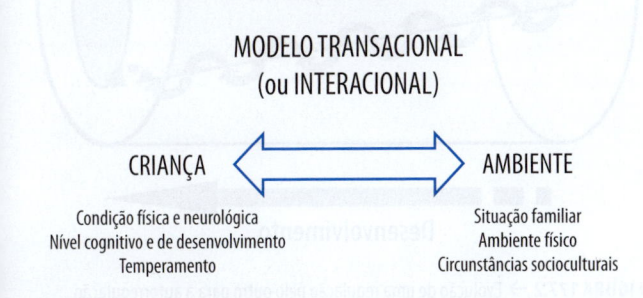

CRIANÇA ⇄ AMBIENTE

Condição física e neurológica
Nível cognitivo e de desenvolvimento
Temperamento

Situação familiar
Ambiente físico
Circunstâncias socioculturais

**FIGURA 177.1** → Modelo transacional.

recentemente se começou a estudar o papel de programas de transferência de renda sobre a saúde mental. Tradicionalmente, os desfechos avaliados em estudos sobre esses programas concentram-se na frequência escolar, nos parâmetros nutricionais e no uso de serviços de saúde. Uma revisão sistemática recente demonstrou benefícios consistentes em diversos desfechos relacionados à saúde mental de crianças e jovens, sem nenhum efeito deletério nesse aspecto.[12]

Alguns fatores podem afetar a capacidade dos programas de transferência de renda em impactar a saúde mental. Primeiramente, destaca-se o valor do benefício transferido à família; quando o valor é muito pequeno, acaba sendo integralmente gasto com alimentos, com menor impacto sobre desfechos não nutricionais. Além disso, as condicionalidades dos programas ajudam a assegurar a frequência escolar e uma maior integração com a rede de apoio social.

Para além da transferência de renda propriamente dita, esses programas oferecem uma excelente oportunidade para aproximar as famílias mais vulneráveis das equipes de saúde e dos serviços sociais, apontando aos profissionais as crianças que mais se beneficiam de intervenções de promoção da saúde mental, sejam elas clínicas, sejam intersetoriais.

## TEMPERAMENTO E AUTORREGULAÇÃO

A abordagem da saúde mental na APS se beneficia de modelos multidimensionais e dinâmicos, que permitem compreender os processos que estão ocorrendo e como eles, inseridos em um determinado contexto, tornam-se desadaptativos e provocam repercussão funcional. Aliados ao modelo transacional, dois conceitos que são muito úteis para compreender as dificuldades relacionadas ao comportamento infantil são o temperamento e a autorregulação.

### Temperamento e suas variações

O temperamento consiste nas características inatas do estilo comportamental de uma criança. Grande parte do temperamento de uma criança é determinado geneticamente, por meio de um modelo de múltiplos genes com pequeno efeito, tendo também importância aspectos relacionados à gestação, ao parto e ao pós-parto imediato.

Como as crianças menores não expressam verbalmente o que estão sentindo, a descrição do temperamento costuma se basear no comportamento observável. Há vários modelos de temperamento. Um modelo bastante útil clinicamente é o proposto pelos psiquiatras norte-americanos Alexander Thomas e Stella Chess, com base em uma coorte de crianças do *New York Longitudinal Study*.[13] Esse modelo identifica nove traços de temperamento: atividade, regularidade do ritmo, aproximação/retraimento, capacidade de adaptação, intensidade, humor, persistência/atenção, distratibilidade e limiar de responsividade. Cada um desses traços pode ser pensado como um espectro, podendo a criança expressá-los muito ou pouco (p. ex., uma criança pode ser muito ativa ou pouco ativa, muito adaptável ou pouco adaptável).

Esses traços podem se organizar em *clusters* que estão associados à vulnerabilidade da criança à psicopatologia.[13] Crianças com um temperamento fácil geralmente têm ritmo regular, boa capacidade de adaptação e humor positivo e não têm excesso de intensidade nas reações. Por outro lado, crianças com temperamento difícil apresentam hiperatividade, dificuldade de adaptação, humor negativo e reações intensas, sendo mais vulneráveis à psicopatologia. Um terceiro padrão possível é caracterizado como a criança "lenta para aquecer", que tem muito em comum com as crianças de temperamento "difícil", porém com menores níveis de atividade e intensidade, predominando uma reação inicial de retraimento, dificuldade de adaptação e humor negativo; esse padrão se correlaciona com uma maior tendência a isolamento social. Embora esses padrões sejam úteis para compreender as crianças, há que se ter cautela em atribuir prognóstico com base nos *clusters*. Além disso, é criticável a rotulação de uma criança como "difícil" ou "lenta para aquecer".[13]

A caracterização do temperamento pode guiar orientações que podem ser dadas durante as consultas de puericultura. Por exemplo, uma criança muito ativa poderá requerer ampla oportunidade para exercício físico, enquanto uma criança pouco ativa pode precisar de bastante estímulo e paciência por parte da família; uma criança com ritmo regular poderá precisar de rotinas bem-estabelecidas desde cedo; uma criança com ritmo irregular pode não se adaptar bem a uma rotina muito rígida no início e posteriormente pode se beneficiar de inclusão em rotinas.

A **TABELA 177.1** resume os traços de temperamento conforme esse modelo, com propostas de intervenção quando ocorrerem dificuldades relacionadas a cada traço.

### Desenvolvimento da autorregulação

Sob uma perspectiva transacional, a família e outros atores envolvidos no cuidado da criança (p. ex., escola) são fundamentais para que haja, à medida que a criança se desenvolve, uma redução da regulação pelo outro e um aumento da autorregulação[2] **(FIGURA 177.2)**.

Em recém-nascidos, muitas vezes os cuidadores têm que auxiliá-los a pegar no sono, havendo também incapacidade

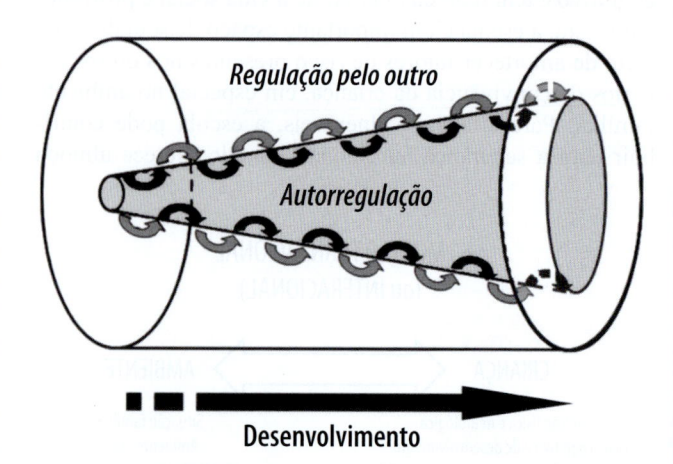

**FIGURA 177.2** → Evolução de uma regulação pelo outro para a autorregulação.
Fonte: Sameroff, 2014.[2]

**TABELA 177.1** → Traços de temperamento conforme descrição de Thomas e Chess e orientações para acomodar suas variações

| QUANDO EM EXCESSO | QUANDO HÁ DE MENOS |
|---|---|
| **Atividade:** grau de agitação física dormindo, comendo, vestindo-se, brincando, etc. | |
| Hiperatividade:<br>→ Oferecer opções de atividade física<br>→ Evitar restrições desnecessárias nas atividades<br>→ Praticar restrição de movimentação excessiva conforme faixa etária | Hipoatividade:<br>→ Permitir tempo extra para completar as tarefas<br>→ Estabelecer limites realistas para demoras e atrasos<br>→ Não criticar a lentidão da criança para cumprir as tarefas |
| **Regularidade no ritmo:** regularidade das funções fisiológicas (p. ex., fome, sono, eliminações) | |
| Rigidez na regularidade:<br>→ Para crianças pequenas, assegurar que as refeições e outras atividades obedeçam a uma regularidade de horário<br>→ Para crianças mais velhas, orientar que pode haver mudanças na programação | Ritmo muito irregular:<br>→ No lactente, tentar acomodar sua irregularidade e, aos poucos, inserir a criança em uma rotina mais regular<br>→ Na criança, espera-se uma maior regularidade, progressivamente, quanto ao horário das refeições e de dormir, mesmo se não sentir fome ou vontade de dormir na hora esperada |
| **Aproximação/retraimento:** natureza das respostas iniciais a novos estímulos (p. ex., pessoas, lugares, procedimentos) | |
| Reação inicial positiva:<br>→ Elogiar quando for positiva<br>→ Lembrar que a reação inicial pode não ser duradoura<br>→ Atentar-se para o fato de que essa reação inicial fácil pode tornar a criança mais vulnerável em situações de perigo | Reação inicial de inibição:<br>→ Evitar sobrecarga de novas experiências<br>→ Preparar a criança para novas situações e introduzi-las de forma gradual<br>→ Não pressionar em demasia<br>→ Elogiá-la quando superar medos de situações novas<br>→ Encorajar o autoconhecimento e o automanejo dessas situações à medida que ela cresce |
| **Capacidade de adaptação:** facilidade ou dificuldade de modificar a reação a estímulos da forma desejada | |
| Adaptação fácil:<br>→ Atentar para a suscetibilidade a influências negativas na escola e em outros cenários | Adaptação difícil:<br>→ Evitar pressão excessiva para adaptação<br>→ Reduzir ou espaçar as adaptações necessárias, permitindo mudanças graduais, em estágios<br>→ Avisar com antecedência o que ela deve esperar<br>→ Ensinar habilidades sociais para facilitar a adaptação<br>→ Ter expectativas razoáveis sobre mudanças<br>→ Apoiar e elogiar o esforço |
| **Intensidade:** nível de energia das respostas | |
| Grande intensidade:<br>→ A intensidade pode superestimar a importância aparente das respostas<br>→ Evitar reagir à criança na mesma intensidade<br>→ Tentar identificar a real necessidade da criança e responder com calma a essa necessidade<br>→ Não ceder apenas para acalmar a situação<br>→ Aproveitar as reações positivas intensas | Pouca intensidade:<br>→ Tentar identificar as reais necessidades da criança e não interpretá-las como triviais simplesmente porque a criança está sendo pouco enfática<br>→ Levar as queixas a sério |
| **Humor:** quantidade de comportamento agradável e amigável ou desagradável e não amigável em diferentes situações (refere-se ao comportamento manifesto, e não aos sentimentos) | |
| Humor positivo:<br>→ Encorajar respostas positivas e amigáveis<br>→ Atentar para situações em que a postura agradável e tranquila da criança pode mascarar sofrimento real, como dor<br>→ Atentar para situações em que ser muito amigável pode não ser desejável, como com estranhos | Humor negativo:<br>→ Lembrar que é apenas o estilo da criança, a não ser que haja por trás algum problema comportamental ou emocional<br>→ Não deixar o humor da criança fazer você se sentir culpado ou irritado; o humor da criança não é sua culpa<br>→ Ignorar respostas pouco amigáveis, quando possível, porém tentando identificar situações reais de sofrimento<br>→ À medida que a criança cresce, estimulá-la a tentar ser mais agradável com as pessoas |
| **Persistência/atenção:** quanto tempo a criança persiste nas atividades apesar de haver obstáculos | |
| Alta persistência/atenção:<br>→ Redirecionar a criança pequena cuja persistência for excessiva; em crianças mais velhas, avisar para interromper uma atividade que se prolongou demais<br>→ Lembrar que deixar algumas tarefas não concluídas é aceitável | Baixa persistência/atenção:<br>→ A criança pode precisar de ajuda para organizar as tarefas em segmentos menores com pausas periódicas; entretanto, a responsabilidade por concluir a tarefa pertence à criança<br>→ Valorizar o fato de a tarefa ter sido concluída, e não a velocidade em que foi feita |
| **Distratibilidade:** capacidade de estímulos externos interferirem no comportamento | |
| Elevada distratibilidade:<br>→ Em crianças mais velhas, tentar eliminar ou reduzir estímulos competidores<br>→ Com calma, redirecionar a criança à tarefa quando necessário; entretanto, encorajar a criança a assumir a responsabilidade por fazer isso<br>→ Elogiar quando a criança consegue completar a tarefa | Baixa distratibilidade:<br>→ Se a criança ignorar interrupções necessárias, não se deve interpretar como desobediência deliberada |
| **Limiar de responsividade:** nível necessário de estímulo para produzir resposta da criança | |
| Grande sensibilidade:<br>→ Evitar estímulos excessivos<br>→ Eliminar estímulos muito incômodos<br>→ Evitar superestimar respostas extremas aos estímulos<br>→ Ajudar a criança mais velha a compreender esse traço como uma característica sua<br>→ Apoiar e encorajar a sensibilidade da criança aos sentimentos de outras pessoas | Baixa sensibilidade:<br>→ Atentar para o sub-relato de dor ou de outros desconfortos<br>→ Ajudar a criança a desenvolver consciência de estímulos internos e externos importantes<br>→ Ajudar a criança a desenvolver maior sensibilidade aos sentimentos de outros |

Fonte: Adaptada de Carey.[13]

de controlar as necessidades fisiológicas, como urinar e evacuar. A comunicação ainda é bastante primitiva, baseada em sinais, como o choro, sendo o contato físico com os cuidadores importante para ajudar o bebê a regular esse choro. Para além das ações dos cuidadores, outros fatores ambientais também influem, como presença de ruído ou silêncio, nível de iluminação e disponibilidade de brinquedos estimulantes.

À medida que as crianças crescem, seu grau de autonomia para a autorregulação aumenta; porém, ao longo desse processo, as ações dos cuidadores e os fatores ambientais seguem importantes. Os familiares, professores e outros adultos responsáveis pelo cuidado das crianças seguem precisando tomar decisões, estipular regras e intervir em momentos de maior dificuldade de autorregulação ou em situações de risco para a integridade da criança. As trocas (transações) que ocorrem em um determinado contexto (p. ex., intervenções comportamentais em casa) costumam se traduzir em novas trocas em contextos distintos (p. ex., na escola).

Os mesmos princípios se aplicam à regulação emocional, que pode ser definida como a capacidade de sentir as emoções, retornando, após, a um estado prévio.[14] Nos primeiros meses de vida, os recursos da criança para autorregular suas emoções ainda são bastante primitivos, inicialmente com a comunicação sendo centrada no choro. Com o passar do tempo, a criança vai adquirindo novos recursos, incluindo aqueles relacionados à comunicação não verbal e verbal. Recursos mais complexos relacionados à regulação emocional são determinados culturalmente, e a criança os aprende com a família e na escola; por exemplo, como nomear as emoções e regras sobre formas aceitáveis e inaceitáveis de expressar essas emoções, habilidades sociais e estratégias de resolução de problemas. Os episódios em que a criança vivencia agudamente as experiências emocionais são excelentes oportunidades para educá-la para a regulação emocional, tendo a família e a escola importante papel nesse processo. (Ver, adiante, o tópico Abordagem Transdiagnóstica para Todas as Queixas, Incluindo as de Menor Repercussão Funcional.)

## COMO OS PROBLEMAS DE SAÚDE MENTAL NA INFÂNCIA SE MANIFESTAM NAS CONSULTAS

Apesar de frequentes, os problemas de saúde mental em crianças são muitas vezes subdiagnosticados na APS. Uma revisão sistemática mostrou que alguns fatores associados à sua maior detecção incluem composição familiar diferente de pais casados, problemas de saúde mental de maior gravidade, história prévia de problemas mentais, meninos nos primeiros anos do ensino fundamental, consultas desencadeadas por preocupação dos pais com questões psicossociais, consultas de puericultura, treinamento prévio dos profissionais de APS em saúde mental e habilidade desses profissionais em abordar esses problemas.[15]

A seguir, são descritas as principais formas de apresentação inicial dos problemas de saúde mental infantil na APS.

### Triagem nas consultas de puericultura

As consultas de puericultura são uma excelente oportunidade para o monitoramento de aspectos relacionados à saúde mental. Registrar no prontuário as características do temperamento da criança e como ela enfrentou as diferentes fases do seu desenvolvimento no que tange à saúde mental permite um olhar longitudinal para as dificuldades e fatores de resiliência da criança. Para cada fase do desenvolvimento da criança, há elementos mais estratégicos para orientação antecipatória (ver Capítulos Puericultura: do Nascimento à Adolescência e Promoção do Desenvolvimento da Criança). Existem instrumentos que podem ser usados para a triagem de problemas de saúde mental (ver QR code). (ver, adiante, o tópico Avaliação de Queixas Específicas com Maior Repercussão Funcional, com o Apoio de Escalas).

Alguns elementos que são identificados ao longo do acompanhamento longitudinal permitem direcionar uma maior atenção a crianças com maior risco para sofrimento emocional, como disfunções familiares, pobreza, história de violência e traços mais difíceis de temperamento.

### Problemas de saúde mental identificados por meio de consultas realizadas por outros motivos

Assim como ocorre com adultos, muitas vezes as crianças com problemas de saúde mental vão à consulta devido a queixas físicas, e não pelo problema de saúde mental propriamente dito. Sintomas físicos inclusive fazem parte dos critérios diagnósticos de diversos transtornos mentais (p. ex., taquicardia na ansiedade). Outras vezes, a sensação de vulnerabilidade que acompanha o sofrimento emocional pode levar a uma maior preocupação com as queixas físicas.

Vergonha, tabu, presença dos pais nas consultas, violência intrafamiliar e outros segredos na família também podem fazer sintomas físicos serem a forma de apresentação de transtornos mentais. Alguns sintomas físicos funcionais associados a sofrimento mental podem ter curso mais prolongado e motivar grande número de consultas e extensa investigação diagnóstica, como ocorre na dor abdominal recorrente, que frequentemente acompanha quadros ansiosos e depressivos em crianças.[16] De forma geral, crianças com múltiplas queixas físicas tendem a ter pior funcionamento emocional do que aquelas com poucas queixas.[17] (Ver Capítulo Abordando os Sintomas Físicos de Difícil Caracterização.)

### Solicitação da escola

Em sistemas de saúde com coordenação do cuidado pela APS, frequentemente as queixas aparecem por solicitação de avaliação pela escola, geralmente na forma de uma requisição de avaliação por profissional de saúde. Muitas vezes, esse encaminhamento já vem direcionado para algum profissional de saúde específico e com suspeita diagnóstica por parte dos profissionais da escola.

Nessas situações, sugere-se solicitar um relatório mais detalhado por parte da escola, com descrição pormenorizada dos problemas identificados, contextualizados de acordo com o desenvolvimento evolutivo da criança, fatores que a escola acredita que podem estar contribuindo e intervenções dentro do ambiente escolar que já foram implementadas. Os instrumentos de rastreamento ou avaliação de problemas comportamentais possuem versões para professores, podendo ser úteis como complemento de informações. Quando há solicitação da escola para o acompanhamento, é sempre importante avaliar também a impressão da criança e da família sobre os problemas apontados pela escola.

Para além da comunicação por meio de relatórios, essas situações são importantes oportunidades para o amadurecimento das relações intersetoriais (unidade de APS e escola).

## Consulta motivada diretamente pela queixa emocional ou comportamental

Há grande variabilidade na tendência de uma pessoa em sofrimento emocional buscar atendimento informando diretamente o componente psicológico. Uma relação prévia de confiança com a equipe de APS e a demonstração por parte desta de que os aspectos emocionais são acolhidos e valorizados (p. ex., por meio de conversas sobre esses temas nas consultas de puericultura) podem contribuir para que haja uma maior abertura para abordar esses temas.

Além disso, a presença de comportamentos externalizantes e maior repercussão funcional são outros fatores que podem facilitar que o paciente e sua família busquem atendimento diretamente pela queixa psicológica.

# CARACTERIZAÇÃO DA QUEIXA

## Formulação narrativa da queixa

É comum que a queixa já chegue como um diagnóstico fechado, seja pela família ou pela escola, ou mesmo por profissionais de saúde que atenderam anteriormente a criança. Esse diagnóstico pode seguir uma lógica biomédica (p. ex., transtorno de déficit de atenção/hiperatividade [TDAH] ou autismo) ou reproduzir uma interpretação mais contextual, que, inclusive, pode apontar pistas para fatores contribuintes, como uma mãe relatando que as crises de agressividade de uma criança com pais separados se devem à falta de limites impostos pelo pai; nesse exemplo, destacam-se o fato de os pais estarem separados e a discordância entre eles em relação a métodos de disciplina.

Quando a queixa chega já com um diagnóstico formulado, mesmo que ele tenha sido feito por um profissional de saúde, é fundamental inicialmente desconsiderar esse diagnóstico e obter uma descrição detalhada da queixa, desde o início até o momento atual. Uma melhor caracterização do problema em si é mais importante do que o próprio diagnóstico.

## Determinação da temporalidade dos sintomas

É fundamental determinar se o problema é recente, o que geralmente ocorre como resposta a situações estressantes, ou se é crônico ou recorrente, o que geralmente decorre de problemas antigos ou de fatores relacionados ao neurodesenvolvimento. Entretanto, é necessário cautela nessa distinção, pois, às vezes, um problema que parece ser recente na verdade é uma exacerbação de um problema antigo. Além disso, um fator contextual (p. ex., iniciar ensino fundamental) pode fazer características previamente adaptativas do temperamento de uma criança se tornarem desadaptativas.

## Circunstâncias de surgimento, agravamento ou melhora dos sintomas

Tão ou mais importante do que obter uma descrição pormenorizada do problema é identificar as circunstâncias que estão associadas à sua exacerbação ou melhora. Circunstâncias desencadeantes podem envolver um cenário específico (p. ex., em casa, na escola, na casa dos avós), um padrão de gatilho (p. ex., transição de uma atividade para outra) ou outros fatores contextuais (p. ex., muito tempo sem comer, cansaço). Frequentemente, a criança e os pais não conseguem identificar essas circunstâncias em um primeiro momento, especialmente quando o comportamento desadaptativo tem padrão externalizante, e acaba-se direcionando toda a atenção ao conteúdo desse comportamento.

Para além das circunstâncias de surgimento ou agravamento, é útil identificar em que situações o problema melhora, o que pode auxiliar no plano terapêutico. Por exemplo, em uma criança de 6 anos com dor abdominal e vômitos recorrentes e que tem como fator de exacerbação a ida à escola, pode-se identificar que, nos dias em que a criança brinca com um determinado colega, os sintomas melhoram, o que sugere investir na construção de uma rede maior de amigos na escola.

## Repercussão funcional

Uma forma prática para avaliar a repercussão funcional é questionar diretamente sobre o impacto da queixa em termos psicológicos, sociais e escolares, o que faz parte de vários modelos de consulta adequados à APS (ver Capítulo Modelo de Consulta e Habilidades de Comunicação).

Dois aspectos importantes na repercussão funcional são o número de cenários em que o problema se manifesta (p. ex., apenas na escola ou em múltiplos locais) e os prejuízos de maior impacto em vários domínios da vida da criança (p. ex., socialização restrita, mau desempenho escolar, prejuízo na frequência escolar, perda ou ganho de peso, autoestima).

Podem também ser utilizadas escalas específicas para cada tipo de comportamento ou transtorno, que são repetidas ao longo do acompanhamento, permitindo quantificar a gravidade do quadro de forma evolutiva.

## Como o problema é interpretado pela criança, por seus familiares e pela escola

A forma como o problema é interpretado pelas diferentes pessoas envolvidas na vida de uma criança (incluindo a própria criança) é de fundamental importância para sua compreensão. Essas pessoas podem ter concepções distintas sobre um mesmo problema, o que pode evidenciar novas dimensões para o problema que não haviam sido consideradas antes. Além disso, conhecer as diferentes perspectivas das pessoas que participam das trocas (transações) com a criança permite compreender, de forma mais contextualizada, como ocorre o encaixe da criança em seu meio familiar, escolar e social.

### Contexto familiar e social

Explorar o contexto familiar e social permite compreender fatores sistêmicos que podem estar contribuindo para o problema, bem como apontar elementos que podem ser acionados como recursos terapêuticos. É importante explorar em que fases do ciclo de vida estão os demais integrantes da família, bem como as crises do ciclo de vida esperadas e acidentais que a família enfrentou ou está enfrentando. Fazer isso de forma mais sistemática pode permitir identificar fatores contribuidores que não haviam sido cogitados inicialmente. Ferramentas de abordagem familiar, como o genograma e o ecomapa, também são de grande relevância para essa tarefa. (Ver Capítulo Abordagem Familiar.)

### Antecedentes desenvolvimentais e psicopatológicos

Explorar a história desenvolvimental da criança e os antecedentes psicopatológicos ajuda a situar os quadros que ela vem apresentando em um contexto neurodesenvolvimental. Assim, por exemplo, crises de birra são normais em uma criança de 2 a 3 anos, podendo assumir diferentes intensidades de acordo com a variabilidade do temperamento, mas geralmente apontam para problemas quando ocorrem em uma criança de 6 anos. É importante avaliar com que idade a criança atingiu cada um dos principais marcos do desenvolvimento, uma vez que atrasos no desenvolvimento podem apontar para possíveis causas de problemas comportamentais. Alterações neurodesenvolvimentais, como déficits intelectuais, transtornos do aprendizado e transtornos do espectro autista, estão frequentemente associadas a problemas de comportamento (ver Capítulo Transtornos Relacionados a Dificuldades de Aprendizagem e Problemas Associados à Agressividade).

### Antecedentes familiares

Os transtornos mentais costumam ter forte componente genético, e, além disso, a presença de transtornos mentais na família interfere no aprendizado que as crianças têm sobre como lidar com as adversidades da vida. Explorar a história familiar, especialmente no que tange aos transtornos mentais, permite qualificar as hipóteses diagnósticas, destacando quando é mais provável que queixas atualmente mais indiferenciadas estejam associadas a um diagnóstico futuro de um transtorno mental. É necessário, entretanto, cautela para não exagerar no uso da história familiar para fins diagnósticos e prognósticos, pois o processo é multicausal.

## ABORDAGEM DE EVENTOS ESTRESSANTES E TRANSIÇÕES DIFÍCEIS

Eventos estressantes e transições difíceis são fatos esperados na vida. Alguns exemplos de eventos/transições difíceis para uma criança incluem a morte de alguém querido, o encarceramento de um familiar, a separação dos pais, a perda de estabilidade financeira da família ou a mudança de cidade ou escola. Na maioria das vezes, esses eventos afetam simultaneamente toda a família. A capacidade dos pais de enfrentá-los de forma resiliente, com boa resolução de problemas e adequado ajuste emocional, serve de modelo para a capacidade de enfrentamento por parte da criança. Sabidamente, há fatores que influenciam a capacidade de adaptação de uma criança,[18] incluindo:

→ **história prévia de estressores para a criança e sua família:** por um lado, o somatório de múltiplos estressores aumenta a carga para a criança e sua família e dificulta o seu enfrentamento; por outro, ter passado com sucesso por dificuldades anteriores amplia o repertório de habilidades de resolução de problemas;

→ **temperamento:** como destacado anteriormente, algumas crianças adaptam-se melhor às circunstâncias do que outras por variações no temperamento;

→ **estágio desenvolvimental:** o estágio de desenvolvimento de uma criança condiciona sua capacidade de compreender e reagir ao que ocorre à sua volta, o que é importante na escolha da linguagem a ser usada, das informações que serão compartilhadas e das habilidades que se espera que a criança tenha ou esteja em condições de desenvolver;

→ **cultura:** diferenças socioeconômicas, étnicas, religiosas e culturais são importantes na determinação de quais fatores são mais ou menos estressantes na realidade de uma família. O sistema de crenças de uma família, incluindo aquelas relacionadas à religião, pode constituir fator de proteção.

A seguir, são apresentados princípios gerais para a orientação dos pais diante de uma criança que está apresentando dificuldade em lidar com eventos/transições estressantes:[18]

1. **os pais precisam enfrentar o problema primeiro:** além de isso ser importante para que os pais consigam oferecer suporte emocional para a criança, ela se espelha na capacidade de resolução de problemas por parte de seus cuidadores adultos;

2. **apoiar sem superproteger:** nenhuma mãe ou pai quer que seu filho sofra, sendo uma atitude natural tentar proteger a criança da dor emocional. Entretanto, omitir informações pode muitas vezes ter efeito deletério; a criança percebe que algo está acontecendo de errado e pode sentir que estão escondendo algo dela. O melhor a fazer é apoiar a criança nesse processo, dosando a quantidade de informação fornecida, conforme a demanda da criança e do momento, para que ela consiga desenvolver paulatinamente as habilidades necessárias para enfrentar essa nova situação. É importante que a criança se sinta autorizada a sentir tristeza, raiva, medo e todas

as emoções decorrentes do evento estressante. Ela deve saber também que terá todo o apoio necessário de seus cuidadores;
3. **reforçar a importância de manter e, muitas vezes, intensificar as rotinas:** a previsibilidade de rotinas, como refeições, hora de dormir e outras atividades do dia a dia, fornece uma rede de segurança para a criança, um lugar seguro, que pode ajudar a amortecer o sofrimento decorrente de eventos estressantes;
4. **os pais devem verificar com a criança como ela está:** é importante não patologizar o sofrimento. Deve-se reconhecer que a resposta emocional da criança pode ser normal dadas as circunstâncias. Uma conversa franca sobre os sentimentos pode ser de grande auxílio;
5. **ajudar os pais a identificar as diferentes formas como as crianças podem demonstrar seu sofrimento:** nem sempre a resposta da criança aos seus sentimentos é óbvia. Os pais devem ser orientados a pensar sobre como historicamente a criança responde a situações de estresse, o que pode envolver comportamentos como alterações do sono, regressões em marcos do desenvolvimento, comportamento agressivo, isolamento social, sintomas físicos ou mesmo uma tentativa de demonstrar uma maturidade incompatível com a idade, escondendo os sentimentos, em uma tentativa de proteger os pais. Os pais devem cuidar para não interpretar equivocadamente esses comportamentos e reagir de forma a piorar o enfrentamento da criança.

Estratégias específicas para a abordagem do luto com crianças são discutidas no Capítulo Abordagem da Morte e do Luto. Muitas das estratégias discutidas no tópico seguinte também são úteis.

## ABORDAGEM TRANSDIAGNÓSTICA PARA TODAS AS QUEIXAS, INCLUINDO AS DE MENOR REPERCUSSÃO FUNCIONAL

A seguir, são apresentadas orientações simples que podem ser fornecidas em consultas breves de APS, por profissionais sem formação específica em saúde mental. A maioria delas tem aplicabilidade transdiagnóstica, podendo ser suficientes para problemas menores e complementar intervenções mais estruturadas e especializadas para problemas de maior gravidade.

### Mudanças de estilo de vida: rotinas, sono, atividade física e outras atividades extraescolares

#### Rotinas e rituais

As rotinas e os rituais são elementos estruturantes na vida de uma família.[19] As rotinas são aquelas atividades esperadas no dia a dia, que possibilitam previsibilidade e um senso de lugar conhecido e seguro. Incluem, por exemplo, os conjuntos de ações que acompanham o horário de dormir, os passeios regulares, cuidar de uma planta ou animal, ajudar na rotina da casa, bem como as refeições em família. Já os rituais são aquelas atividades às quais é atribuído um significado simbólico, podendo fazer parte da rotina ou ocorrer em ocasiões especiais (p. ex., celebrações). A previsibilidade, o significado simbólico e a oportunidade de socializar que as rotinas e os rituais proporcionam tornam essas atividades potentes ferramentas para o manejo de problemas de saúde mental na família, em especial em crianças. Devem-se estimular horários regulares para dormir, refeições em família à mesa e a valorização de rituais que tenham significado para a família. As rotinas e os rituais podem ser atividades individuais da criança, mas são também uma excelente oportunidade para promover tempo de qualidade em família.

#### Rotinas de sono

Entre as rotinas, aquelas relacionadas ao sono são de especial importância para o desenvolvimento da criança. Essas rotinas têm impacto direto na qualidade do sono e já foram associadas, por exemplo, à maior capacidade de aprendizagem. A leitura, como parte da rotina antes de dormir, aumenta o interesse e a fluência da criança nas atividades escolares de leitura. Os rituais que levam ao sono também aumentam o vínculo criança-cuidador.[20]

Os ritos do sono variam em cada família e dependem da cultura e dos aprendizados familiares. Mas algumas características são importantes e podem ser ensinadas aos pais que procuram os serviços de APS: consistência ao longo da semana; horário adequado para a idade; escovar os dentes; evitar lanches e bebidas na hora do sono; minimizar o uso de aparelhos eletrônicos e televisão; e banho antes de deitar. Incluir leitura na rotina, como se viu, tem benefícios adicionais.[20]

Uma das questões mais controversas sobre o sono na infância diz respeito ao leito compartilhado (ou cama compartilhada). O debate foi polarizado ao longo dos anos, com muita especulação, mas com evidências limitadas. Historicamente, os humanos seguiram os hábitos dos mamíferos, com o bebê dormindo sempre próximo à mãe. E, em várias culturas, essa segue sendo a norma.[21]

No entanto, no mundo ocidental, desde o início do século XIX, o desenvolvimento de berços, mamadeiras e outras ferramentas tornou o bebê mais independente da mãe, tornando-se mais comum que eles durmam separados.[21]

No início dos anos 1990, estudos sugeriram a associação entre leito compartilhado e a síndrome da morte súbita do lactente (SMSL), provocando campanhas extensivas contrárias a esse hábito. No entanto, sabe-se, atualmente, que o leito compartilhado foi supervalorizado como fator de risco e que outros fatores (como tabagismo, uso de álcool e outras drogas pelos pais) estão associados à SMSL. Não há, portanto, evidências para confirmar a associação entre leito compartilhado e SMSL.[21]

Recomenda-se que as equipes de saúde esclareçam dúvidas e orientem os pais para que tomem uma decisão informada. Deve-se evitar o leito compartilhado nas seguintes situações: uso de superfícies moles, cadeiras ou sofás; pais que fazem uso de medicações ou substâncias que provocam sedação; e bebês prematuros ou com baixo peso ao nascer.[22] A abordagem da equipe deve ser de apoio à decisão dos pais, considerando que não há uma única forma correta, e que a decisão envolve aspectos culturais, aprendizados familiares e estilos parentais.

### Atividade física e outras atividades extracurriculares

Está bem demonstrada a associação entre sedentarismo e problemas de saúde mental em crianças. Entretanto, embora os estudos de intervenção que envolveram aumento de atividade física tenham demonstrado benefícios em adolescentes, esse benefício não está clara e sistematicamente demonstrado em crianças.[23] Mesmo assim, estimular uma atividade física que seja de agrado da criança pode ter um papel importante dentro de um plano terapêutico mais amplo.

Como discutido anteriormente, o envolvimento em outras atividades extracurriculares, como as artísticas, pode também trazer benefícios à saúde mental.[24] A escolha da modalidade de exercício físico ou atividade artística deve levar em conta as preferências da criança, mas também os benefícios estratégicos de cada modalidade, como o desenvolvimento da autoestima, de habilidades sociais, empatia, redução da timidez, entre outros.

## Educação parental positiva

Os efeitos das atitudes dos cuidadores no desenvolvimento da criança são bem documentados. Essas atitudes incluem o tempo compartilhado com a criança e a forma de disciplinar e demonstrar afeto. Quanto mais violência os cuidadores empregam na disciplina, maior a chance de a criança desenvolver comportamentos agressivos. Além disso, o uso de punição corporal está associado a menor desenvolvimento cognitivo e maior risco de sofrimento mental, perdurando até a vida adulta.[25,26]

No entanto, é importante salientar que a relação não é unidirecional. Crianças mais agitadas e agressivas também provocam estilos de parentalidade mais agressivos e menos efetivos, criando, assim, um círculo vicioso. É comum que pais sobrecarregados e estressados busquem a APS pedindo ajuda na forma de lidar com os filhos, sendo fundamental que os profissionais de saúde ofereçam ferramentas básicas para essas famílias. Quanto mais desafiador é o comportamento da criança, mais benéfica se torna a intervenção no sistema familiar com programas de educação parental e disciplina positiva.[26]

O conceito de disciplina positiva é abrangente. Em linhas gerais, preconiza o desenvolvimento de uma relação cuidador-criança baseada no cuidado e na comunicação. É fundamental que os cuidadores mostrem consistência na forma de cuidar e disciplinar. A disciplina positiva não ensina pelo medo, mas mostra para a criança que suas ações têm consequências, estimulando um senso de responsabilidade. Maior sucesso nas intervenções com os filhos é alcançado por pais considerados carinhosos, porém firmes.[26] No QR code há dicas de disciplina positiva adequadas para cada idade.

No Brasil, medidas vêm sendo tomadas no sentido de conscientizar e minimizar o uso de punição corporal. A lei conhecida como "lei da palmada", de 2014 (Lei nº 13.010, de 26 de junho de 2014), tem como objetivo proibir o uso de castigos físicos e tratamentos degradantes contra crianças e adolescentes.

## Educação sobre as emoções e regulação emocional

A nossa cultura tradicionalmente é muito invalidante com relação às emoções. Expressões emocionais vistas como negativas, como aquelas relacionadas à raiva, à tristeza ou ao medo, tendem a ser combatidas. As crianças aprendem que é feio sentir raiva; que a tristeza é sinal de fraqueza; e que o medo é uma bobagem, algo que deve ser enfrentado. As próprias intervenções em saúde mental tradicionalmente dão pouca ênfase às emoções, concentrando-se na modificação de comportamentos e na reestruturação cognitiva.

Mais recentemente, isso vem mudando, com uma maior atenção agora sendo dedicada às emoções e ao processo da regulação emocional, geralmente no contexto de psicoterapias ou da educação socioemocional nas escolas. Existem também bons livros abordando esse tema, voltados para os pais.[27,28]

A seguir, são apresentados conhecimentos que permitem aos profissionais de APS realizar intervenções relacionadas à psicoeducação sobre emoções, bem como orientar os pais sobre como apoiar a regulação emocional de seus filhos.

### Educação sobre as emoções

A comunidade científica está longe de chegar a um consenso sobre como definir emoção. Entretanto, alguns elementos estão presentes na maioria das definições. Em geral, a emoção é compreendida como um fenômeno transitório, desencadeado em determinadas situações, com componentes cognitivos, bem como reações fisiológicas incontroláveis, envolvendo expressões faciais e sensações físicas, que correspondem aos seus marcadores somáticos. Esses componentes cognitivos e os marcadores somáticos induzem comportamentos que se relacionam à situação que motivou a emoção. As emoções podem ser comparadas a fenômenos como fome, sede, calor e vontade de urinar, que também têm componentes cognitivos e reações fisiológicas incontroláveis e induzem determinados comportamentos. Alguns autores, inclusive, classificam esses outros fenômenos como emoções homeostáticas.[29] Em termos de neurobiologia, já está bem estabelecido o papel do córtex cerebral, do sistema límbico e de alguns neurotransmissores na modulação emocional.[30]

Uma informação sobre as emoções bastante útil na conversa com a família é que elas são importantes para a proteção da vida.[14] O medo auxilia no planejamento de comportamentos de esquiva de ameaças; a raiva fomenta a agressividade necessária para a defesa contra um agressor ou para a persistência na busca de algo (como alimento); e a tristeza revela uma necessidade de descanso e mudança de estratégia para se conseguir algo. Por outro lado, emoções agradáveis, como o amor e a alegria, parecem ter um papel especial no interesse pela reprodução e no interesse pela vida. O processo civilizatório ampliou essas funções clássicas das emoções, de caráter mais instrumental, tornando as emoções elementos estruturantes da vida em sociedade. Assim, a raiva acaba tendo um papel na constituição do senso de justiça; o medo e a tristeza passam a estar bastante presentes nas relações sociais, caracterizando medo de perda de confiança ou de não dar conta das tarefas esperadas e a tristeza por rompimento de vínculos ou não satisfação de expectativas. Por sua vez, a alegria e o amor são essenciais para a construção do tecido social, por meio da empatia.

Discutir com as famílias que as emoções que a criança está apresentando, mesmo que sejam um pouco exacerbadas, podem ser funcionais e naturais às situações pode ser extremamente útil na amenização da resposta de pais e cuidadores aos comportamentos decorrentes delas. Mais do que isso, validar a experiência emocional da criança como algo legítimo e justo permite acessar melhor a sua perspectiva a respeito do problema, o que empodera a criança e evita que ela perceba a emoção como uma falha de caráter. Assim, evita-se que a criança "vista a roupa da emoção", isto é, interprete que sente raiva porque é má, que está triste porque é fraca ou que tem medo porque é covarde.

Uma metáfora útil para falar com crianças é dizer que as emoções são como ondas, fenômenos de curta duração. Ninguém é bom, ruim ou diferente por sentir essa emoção. Ninguém é o que sente, assim como o barco não é a onda. A onda vai passar, sacudir o barco, mas o barco vai voltar ao normal. Os cuidadores (família e escola), por vezes com o apoio especializado da psicoterapia, podem ajudar a criança a desenvolver ferramentas para conseguirem "suportar a onda da emoção", por meio da autorregulação emocional.

## Autorregulação emocional

A regulação emocional pode ser conceitualizada de diversas formas, porém uma definição prática é de que ela consiste na capacidade de sentir todas as emoções, com intensidades diversas, com retorno a uma pré-emoção caracterizada por bem-estar.[14] Intervenções que apoiam a pessoa na sua autorregulação emocional vêm sendo estruturadas em modelos recentes de psicoterapia, especialmente as de orientação cognitivo-comportamental de terceira onda. Em geral, elas têm um foco grande em educação sobre as emoções, aceitação e técnicas de atenção plena (*mindfulness*). Alguns exemplos internacionais de terapias nessa linha que estão embasadas em evidências são a terapia comportamental dialética e a terapia de aceitação e compromisso.

Um protocolo de psicoterapia infantil desenvolvido no Brasil e que tem grande foco na empatia e na regulação emocional é o denominado terapia de regulação infantil (TRI) e se baseia na definição de regulação emocional apresentada no início deste tópico. O TRI foi recentemente ampliado para o protocolo da Tríade da Regulação, cujos pontos de partida são a psicoeducação sobre as emoções e o desenvolvimento da autoconsciência emocional e da empatia.[14]

Entretanto, intervenções sobre a regulação emocional podem ser realizadas mesmo fora do contexto de uma psicoterapia estruturada. Nas consultas em atenção primária, os pais podem ser instruídos sobre como proceder durante os momentos de desregulação de seus filhos, de modo a ajudá-los a superar o episódio, aproveitando para ensinar habilidades.[27,28] De maneira prática, por exemplo, sabe-se que nos momentos de maior intensidade das emoções, não é produtivo entrar em discussão com a criança, reforçando que ela está errada. Essa afirmação baseia-se no fato de que, uma vez intensamente desencadeadas, as emoções tardam alguns minutos a amenizarem-se. Nesses momentos, podem ser adequadas outras possibilidades. Uma opção pode ser deixá-la inicialmente sozinha ou ficar junto a ela, em silêncio, conectando-se a ela por meio da linguagem não verbal, da escuta ou mesmo do toque, por volta de 15 a 30 minutos. Outra alternativa é tentar traduzir em palavras para a criança o que o adulto acha que ela está sentindo, nomeando as emoções e demonstrando empatia (p. ex., "eu percebo que você está com muita raiva porque o seu irmão não quis compartilhar o brinquedo dele, e realmente não deve ser legal estar se sentindo assim"). Após a redução da intensidade emocional, é possível conversar mais racionalmente sobre os problemas que motivaram a emoção (p. ex., "mas ele também queria brincar com esse brinquedo, e o brinquedo é dele; você pode brincar depois").

## Estratégias comportamentais simples

As intervenções mais tradicionalmente ensinadas na orientação parental são aquelas relacionadas à modificação de comportamentos indesejados em crianças, por sua simplicidade e rápida resposta. Na base dessas estratégias, está uma avaliação bem-feita, que deve esclarecer os seguintes elementos: o comportamento-problema, o contexto que o antecede, o possível gatilho e a consequência daquele comportamento (reação dos cuidadores). O entendimento dessa sequência de eventos apoia o planejamento da intervenção, que envolve a prevenção do comportamento da criança e seu manejo pelos pais. Entender o que leva ao comportamento é a chave para uma intervenção efetiva.[31] A FIGURA 177.3 exemplifica, de forma esquemática, uma sequência de eventos e possíveis intervenções. A TABELA 177.2 apresenta outros exemplos de intervenções a partir de gatilhos comuns.

Qualificar a comunicação estabelecida com a criança é um dos pilares do manejo dos comportamentos-problema.

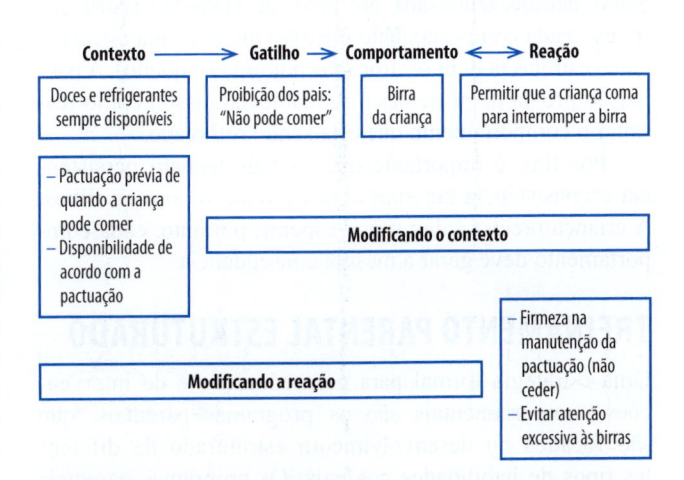

**FIGURA 177.3** → Exemplo de sequência de eventos associados a um comportamento-problema e possíveis intervenções.

**TABELA 177.2** → Exemplos de ações dos pais para modificar comportamentos-problema

| GATILHOS | AÇÃO DOS PAIS | |
|---|---|---|
| | PREVENINDO O COMPORTAMENTO | REAGINDO DE FORMA DIFERENTE |
| Negativa dos pais, expressa em comandos como: "Não pode" ou "Pare" | → Evitar o contato da criança com o estímulo que provoca o comportamento indesejado<br>→ Pactuar regras consistentes<br>→ Tirar o foco da criança, envolvendo-a em outra atividade | → Remover a criança do contexto<br>→ Firmeza ao solicitar o cumprimento das regras<br>→ Evitar atenção excessiva ao comportamento |
| Solicitação de apoio nas tarefas domésticas | → Pactuar rotina de responsabilidades (realistas) com a criança<br>→ Orientar e ajudar nas tarefas (especialmente nas primeiras vezes) | → Firmeza ao solicitar o cumprimento das responsabilidades pactuadas<br>→ Estímulos com elogios e/ou recompensas |
| Contextos ansiogênicos ou que causam medo (recusa escolar, medo do escuro) | → Abrir espaço de diálogo<br>→ Enfrentamento gradual das situações evitadas com apoio dos pais | → Estímulo com elogios e/ou recompensas |

Portanto, ao comunicar uma instrução, algumas orientações simples ajudam a torná-la mais efetiva:[31]

1. garantir que a criança esteja prestando atenção e fazendo contato visual, evitando instruções enquanto a criança está entretida com outra atividade;
2. as instruções devem ser simples, em linguagem compreensível;
3. dar orientações de forma diretiva (preferir "É hora de arrumar a bagunça!", em vez de "Vamos arrumar a bagunça?");
4. evitar comandos negativos (preferir "Vamos caminhar!", em vez de "Não corra!");
5. dar comandos específicos (preferir "Sente aqui!", em vez de "Comporte-se!").

Os comportamentos almejados podem e devem ser reforçados positivamente, inclusive com recompensas. Alguns exemplos de reforçadores: elogios verbais, figurinhas, concessão de tempo extra em atividades prazerosas (videogame, parque, televisão), presentes previamente acordados (p. ex., cada comportamento positivo merece uma estrela, e cinco estrelas podem ser trocadas por um brinquedo). A pactuação prévia de presentes é fundamental, assim como ressaltar o comportamento que está sendo reforçado.[32]

Por fim, é importante que os pais tenham persistência e consistência em suas ações e relação com os filhos. A criança precisa saber o que esperar; portanto, cada comportamento deve gerar a mesma consequência.

## TREINAMENTO PARENTAL ESTRUTURADO

Uma estratégia formal para psicoeducação e de intervenções comportamentais são os programas parentais, que são focados no desenvolvimento estruturado de diferentes tipos de habilidades nos pais. Os programas parentais têm efetividade ricamente comprovada, e a maioria deles tem-se baseado nas teorias comportamentais, mas também nas cognitivas. Exemplos incluem o Programa Anos Incríveis e o Triplo P – Programa de Parentalidade Positiva.[33] No Brasil, há menor oferta de certificação para esses programas de treinamento parental estruturado, porém um programa que vem ganhando popularidade é o da educação parental positiva, com grande potencial de aplicação na APS. (Ver QR code.)

## PROBLEMAS COMPORTAMENTAIS COMUNS EM CRIANÇAS

A seguir relacionamos alguns dos problemas comportamentais mais comuns na atenção primária e orientações para uma intervenção inicial efetiva.

### Alterações do sono

Os padrões de sono sofrem grandes mudanças ao longo do desenvolvimento da criança, acompanhando o desenvolvimento neurológico. Os recém-nascidos passam a maior parte do tempo dormindo, porém têm o sono fragmentado, acordando a cada ciclo de algumas horas. A partir de aproximadamente 5 meses de idade, os bebês conseguem dormir por mais horas consecutivas, havendo progressivamente uma maior facilidade de consolidar o sono.[34] Entretanto, mesmo entre crianças da mesma faixa etária, existe grande variabilidade nesses padrões, o que pode ser explicado por fatores intrínsecos (p. ex., variações no temperamento) ou extrínsecos (condições ambientais e práticas parentais, fortemente moldadas pela cultura).[35]

Consequências de sono insuficiente em crianças incluem irritabilidade, problemas comportamentais, dificuldades de aprendizagem, acidentes automobilísticos em adolescentes que dirigem e baixo desempenho acadêmico.[34] Além disso, está bem demonstrado que a criança ter sono insuficiente está associado aos pais também terem sono insuficiente, embora a direcionalidade não esteja clara.[36]

A insônia comportamental da infância pode ser dividida em dois tipos, que frequentemente se sobrepõem.[34] O primeiro, denominado distúrbio de associação, é caracterizado pela dificuldade ou recusa em pegar no sono ou em voltar a dormir, a não ser que seja satisfeita alguma condição, por exemplo o pai ou a mãe ficarem no quarto ou embalarem a criança. É mais comum entre os 6 meses e os 3 anos de idade. O segundo tipo está relacionado a uma recusa inicial da criança de ir dormir, porém, quando o faz, dorme sem dificuldades. O manejo da insônia comportamental é não farmacológico, com reforço da higiene do sono e das rotinas de sono (ver tópico Mudanças de Estilo de Vida: Rotinas, Sono, Atividade Física e Outras Atividades Extraescolares, anteriormente). Uma intervenção eficaz consiste em o adulto colocar a criança acordada no berço ou na cama, dar boa noite e sair do quarto; a conduta após varia conforme diferentes modalidades da intervenção, podendo ser não retornar até a manhã seguinte ou retornar em intervalos regulares (p. ex., a cada 5-10 minutos, ou em intervalos crescentes de 1 minuto a 10 minutos) e sair logo em seguida. Geralmente tem excelente resposta, com o padrão de sono normalizando em poucos dias. Uma variação, mais adequada para crianças mais velhas, é retornar ao quarto periodicamente apenas quando a criança demonstra comportamento adequado na cama, até que a criança pegue no sono. A eficácia dessas estratégias está mais bem demonstrada para crianças pequenas (< 5 anos) B do que para crianças mais velhas C/D.[37] Além disso, essas técnicas podem encontrar resistência em algumas famílias que não consideram adequado deixar a criança chorando no berço, sendo uma alternativa, nesses casos, o adulto permanecer no quarto da criança, porém mantendo pouco contato.

A apneia obstrutiva do sono é frequente em crianças, com prevalências estimadas entre 1 e 5%, com pico de incidência entre 2 e 8 anos de idade, o que coincide com o período de maior aumento das amígdalas. A investigação diagnóstica, assim como nos adultos, é feita por meio da polissonografia (ver Capítulo Alterações do Sono). A principal intervenção é a amigdalectomia, que mostra reversão da apneia em mais de 70% das crianças com peso normal, porém em menos de 50% das obesas. A utilização de um aparelho que promove pressão positiva contínua nas vias aéras (CPAP, do inglês *continuous positive airway pressure*) pode ser indicada se o paciente não tiver resposta satisfatória com a amigdalectomia ou caso ela não tenha sido feita.[34]

Parassonias são eventos indesejáveis relacionados ao sono que costumam ocorrer nas transições sono-vigília, podendo afetar até 50% das crianças, geralmente desaparecendo na puberdade.[34] Incluem caminhar durante o sono (sonambulismo), falar durante o sono (soniloquio), despertar confusional, terror noturno e pesadelo. Os principais fatores precipitantes são a privação do sono, outros distúrbios do sono, como a apneia obstrutiva, e certos medicamentos (p. ex., antidepressivos e anti-histamínicos). A maioria das parassonias ocorre na primeira metade do sono, e, nesse caso, as crianças geralmente não se lembram do evento; o pesadelo, no entanto, costuma ocorrer com mais frequência na segunda metade do sono, durante o sono REM, e as crianças costumam lembrar-se do evento.[34]

É frequente a confusão entre o despertar confusional e o terror noturno:[38]

→ **despertar confusional:** é mais comum até os 5 anos de idade. Geralmente ocorre nas primeiras 2 a 3 horas de sono ou mais tarde, quando alguém tenta acordar a criança. Ela fica sentada na cama, parecendo estar acordada e confusa, porém irresponsiva e chorosa, ficando frequentemente mais agitada quando alguém tenta confortá-la. O episódio dura de 5 a 30 minutos, e não é lembrado no dia seguinte;

→ **terror noturno:** ocorre geralmente entre 4 e 12 anos de idade. Inicia com um grito e a criança fica muito agitada, chorosa, inconsolável, com rubor facial e sudorese. O episódio costuma durar de 10 a 20 minutos, e não é lembrado no dia seguinte.

É relevante fazer o diagnóstico diferencial com crises convulsivas durante o sono; caso a distinção não fique clara na história, pode estar indicado fazer um eletrencefalograma.

O tratamento, quando os episódios são esporádicos, envolve tranquilização e evitar fatores precipitantes, em especial a privação de sono. Quando os episódios são mais frequentes, convém investigar outros fatores precipitantes relacionados ao sono por meio da polissonografia. Caso estejam descartadas causas secundárias e a parassonia seja muito frequente e incômoda, pode estar indicado tratamento com benzodiazepínico (p. ex., clonazepam antes de dormir).

## Sucção do polegar

O uso de chupetas e a sucção do polegar (ou de outros dedos) sempre foi uma preocupação para pais e cuidadores. Cerca de 50% dos bebês de 15 meses praticam alguma forma de sucção não nutritiva, entre uso de chupetas e sucção dos dedos.

A sucção não nutritiva é um reflexo natural, com início ainda na vida intrauterina. Ela também é um recurso do bebê para se acalmar, que pode ser usado em situações estressantes e de dor. Alguns estudos mostram que o uso de chupetas reduz a ocorrência da SMSL, mas o possível mecanismo de proteção não foi esclarecido. As maiores preocupações em relação ao uso de chupetas são a sua associação com menor duração do aleitamento materno e as alterações na cavidade oral. Deve-se discutir com os pais/cuidadores os prós e os contras do uso desse acessório para que eles tomem decisões informadas. Caso seja introduzido, recomenda-se que isso ocorra apenas depois da consolidação da amamentação.[39]

Em geral, o hábito da sucção não nutritiva é abandonado espontaneamente pela criança ou com incentivos simples dos pais. No entanto, quando a criança começa a adquirir a dentição permanente e o hábito ainda não foi abandonado, ele pode se tornar um problema, alterando o formato do palato e a dentição.

Não existe uma única intervenção estabelecida para a cessação do hábito, e estudos sobre o tema são escassos e de baixa qualidade.

Os pais podem encorajar a criança usando reforço positivo (pequenas recompensas quando a criança não estiver repetindo o hábito) e lembranças carinhosas e gentis para cessar a sucção. Também é importante identificar situações estressantes que fazem a criança precisar de uma ferramenta para se acalmar, e oferecer alternativas, como um abraço. A substituição por bichos de pelúcia ou cobertinhas pode ser uma estratégia interessante. Intervenções psicológicas como essas diminuem o hábito (RRR = 84%) C/D.[40]

Quando estratégias psicológicas de reforço ou a substituição por outro hábito não são efetivas, existem aparelhos ortodônticos que impedem a realização da sucção e que podem ser úteis em casos extremos (RRR = 85%).[40]

## Seletividade alimentar

Não existe uma definição universalmente aceita para a seletividade alimentar; no entanto, as manifestações estão associadas à recusa em experimentar alimentos novos, além de preferência extrema por alguns alimentos. A seletividade alimentar pode estar presente em até 80% das crianças com transtorno do espectro autista e em até 10% da população pediátrica geral.

Na maior parte dos casos, a seletividade não gera maiores problemas para a criança. No entanto, pode levar à pobreza nutricional, com repercussões no crescimento, e está também associada a grande estresse parental. Os desfechos em longo prazo são pouco conhecidos. Muitas crianças passam por uma fase transitória de maior seletividade.[41]

As preferências alimentares são influenciadas por questões genéticas, alimentação dos pais, além do processo de introdução alimentar (ver Capítulo Práticas Alimentares Saudáveis na Infância). Parece existir uma associação entre menor seletividade alimentar e alimentação materna com maior variedade. Aleitamento materno exclusivo até os 6 meses também está associado a uma maior variedade alimentar posteriormente.[42]

Algumas estratégias são importantes para estimular a alimentação saudável e reduzir a seletividade alimentar:[41]
→ ter expectativas realistas sobre as porções adequadas para a idade;
→ exposição gradual e progressiva a alimentos novos, com repetidas exposições (podem ser necessárias de 10-15 experiências positivas com o alimento);
→ usar reforços positivos não alimentares;
→ evitar a pressão para comer;
→ os cuidadores devem dar o exemplo, tendo uma alimentação variada;
→ limitar lanches e bebidas energéticas entre as refeições (leite, suco, refrigerantes);
→ vivenciar a alimentação como uma experiência social, fazendo as refeições em família e de forma prazerosa, com todos se alimentando com a mesma comida;
→ persistência e consistência no processo.

Uma revisão sistemática avaliou a eficácia de diversas estratégias para aumentar o consumo de vegetais em crianças de 2 a 5 anos, demonstrando benefício com as seguintes intervenções: ensinar seu valor nutricional, oferecer múltiplas oportunidades de experimentar o novo alimento e juntar o novo alimento com alimentos de que a criança gosta e fornecer recompensas. A estratégia mais eficaz parece ser oferecer múltiplas (8-10) oportunidades de experimentar o novo vegetal (TE = 0,5) C/D.[43]

## Enurese

A perda de urina involuntária durante o período noturno em crianças com 5 anos ou mais é chamada de enurese (ou enurese noturna). O desenvolvimento do controle do fluxo urinário durante o sono costuma ocorrer até os 5 a 7 anos de idade. Cerca de 25% das crianças com 5 anos de idade apresentam enurese, e essa taxa diminui para menos de 10% aos 7 anos. A taxa anual de cura espontânea é de 15%.[44]

Apesar de a enurese tender à melhora espontânea com o avançar da idade, as crianças e seus familiares frequentemente apresentam diminuição da qualidade de vida. A enurese, quando negligenciada, impacta negativamente na autoestima da criança. Os meninos costumam ser mais acometidos que as meninas, em uma relação de 3:1.[44]

A enurese é classificada em primária ou secundária, de acordo com seu início e curso. Ela é **primária** se a criança nunca teve períodos de continência > 6 meses (ocorre em 80% dos casos), e **secundária** se a perda de urina involuntária retorna após a criança ficar mais de 6 meses sem urinar na cama (20% dos casos).[44]

Outra subdivisão relevante da enurese é feita de acordo com a apresentação clínica. Ela é **monossintomática** quando o único sintoma presente é a perda involuntária de urina (ausência de sintomas urinários no período diurno), e **não monossintomática** quando há pelo menos mais um sintoma associado à micção involuntária (sinais de disfunção do trato urinário no período diurno, como urgência, polaciúria e disúria).[45]

A enurese noturna primária é consequente à falha na capacidade de despertar do sono diante de um estímulo associado à produção excessiva de urina, baixo volume da bexiga ou hiperatividade do detrusor. Existe uma predisposição genética para esse problema. Se um dos pais teve enurese quando criança, o filho tem aproximadamente 44% de chance de desenvolvê-la.[44]

Enurese noturna secundária pode estar relacionada a algum estresse emocional que a criança pode estar sofrendo ou associada a outras condições clínicas, como infecção do trato urinário, apneia obstrutiva do sono, diabetes melito, hipotireoidismo e diabetes insípido.[44]

A avaliação inicial inclui história clínica e exame físico, com o intuito de identificar sinais e sintomas que podem estar associados a alguma condição orgânica. É importante levantar informações, especialmente relacionadas à micção e ao sono. Investigar possíveis fontes de estresse é relevante, sobretudo nos casos de enurese secundária.

De forma geral, o exame físico de pacientes com enurese noturna monossintomática é normal. No entanto, nas crianças não monossintomáticas ou com enurese secundária, o exame físico pode indicar o problema clínico subjacente. Exames de urina ou de imagem podem ser solicitados se a história clínica demandar maior investigação.

Considerando que o tratamento da enurese não monossintomática e secundária é direcionado para a condição clínica ou situação de estresse que está causando o problema na criança, destaca-se aqui a abordagem terapêutica da enurese monossintomática primária.

O primeiro e fundamental passo do tratamento é o envolvimento da família e principalmente da criança no cuidado. Inicia-se, portanto, com psicoeducação e abordagem comportamental. Destacam-se as seguintes ações C/D:[44]
→ enfatizar aos pais que a enurese é involuntária e que a maioria dos casos se resolve com o tempo;
→ orientar sobre o cuidado em evitar falas e ações que constranjam ou culpabilizem a criança;
→ destacar que punições, mais do que inúteis, são contraproducentes;
→ o envolvimento da criança na higiene pode ser interessante como estímulo ao autocuidado, e não usado como punição;
→ é importante estimular a criança a esvaziar a bexiga com maior frequência durante o dia e antes de ir para a cama;
→ a limitação da ingestão de líquidos no período noturno pode ser útil para algumas crianças, mas não deve ser mantida nas situações em que não se observa melhora;

→ bebidas diuréticas ou que contenham cafeína devem ser evitadas, sobretudo no período da noite;
→ recompensas podem reforçar o comportamento esperado (desde que a meta proposta esteja ao alcance da criança);
→ anotar em um calendário os dias em que a criança conseguiu a continência pode ser utilizado como reforço positivo, celebrando os dias de sucesso.

Existem dois tratamentos considerados de primeira linha: os alarmes para enurese e a desmopressina.[46] O primeiro, que reduz o número de noites afetadas em 2,7 por semana,[47] tem a vantagem de apresentar menor taxa de recaída após o fim do tratamento (RRR = 50%), no entanto demanda necessariamente que a criança e os pais estejam motivados a utilizá-lo,[47] com relato de 30 a 50% de não adesão **B**.[48]

O alarme para enurese é composto por um sensor de umidade que é colocado na roupa da criança e apita para despertá-la quando em contato com a urina. No início, os pais precisarão ajudar a criança a conseguir levantar da cama. Nessas situações, a criança deverá ser encorajada a terminar a micção no banheiro e participar da própria limpeza e troca da roupa de cama. O alarme deve ser mantido até que se alcancem 14 noites seguidas sem enurese. A maioria das crianças responde entre 12 e 16 semanas.[44]

A desmopressina é um análogo da vasopressina que deve ser tomado à noite (1 hora antes de dormir) para diminuir a produção de urina durante o sono. Efeitos adversos são incomuns.[49] Apresenta boa resposta em 80% dos pacientes, mas tem alta taxa de reincidência após a suspensão da medicação (65%). Para evitar isso, sugere-se um desmame lento da medicação. Na apresentação de comprimido, a dose terapêutica varia de 0,2 a 0,4 mg.[44,46]

Como segunda linha de tratamento farmacológico, destaca-se a imipramina (antidepressivo tricíclico; RRR = 23%; TE = −0,92) **B**.[50] A oxibutinina (anticolinérgico) é também uma escolha, usada em associação com a desmopressina **C/D**. São opções mais econômicas de tratamento, no entanto estão associadas a mais efeitos adversos. Quando indicadas, devem ser tomadas no período noturno. A TABELA 177.3 apresenta as doses terapêuticas e os principais efeitos adversos dessas medicações.[44,46]

## Encoprese

A continência fecal deve ser atingida até os 4 anos de idade. A encoprese é definida como a eliminação voluntária ou não de fezes, sem causa orgânica. A eliminação pode variar desde pequenas quantidades, que apenas sujam a roupa, até uma evacuação completa.

Existe uma diferença entre a criança que evacua na roupa (ou em locais inapropriados) voluntariamente e aquela que suja a roupa involuntariamente. A primeira parece estar mais relacionada a questões psíquicas, levando a um comportamento disfuncional, requerendo intervenção especializada; já a segunda está associada à constipação intestinal, e é certamente a mais frequente (cerca de 80% dos casos).[51]

A encoprese associada à constipação é provocada pela retenção crônica das fezes. Ela pode ser desencadeada por uma defecação dolorosa ou pela dificuldade de evacuar fora de casa, fazendo a criança evitar defecar. Outra causa frequente de encoprese é o desfralde precoce.

O manejo da encoprese funcional associada à constipação é comportamental, associado a manejos farmacológicos e nutricionais para manter as fezes com a consistência adequada.

A criança deve ser orientada a sentar no vaso sanitário durante 10 minutos depois das refeições, aproveitando o reflexo gastrocólico. O vaso sanitário deve ser adequado para o tamanho da criança (pode ser adaptado com banquinho para os pés ou adaptadores de assento). Para que a criança permaneça durante os 10 minutos, é interessante que ela leve brinquedos, livros ou revistas. O objetivo inicial não é necessariamente evacuar, mas criar um hábito. Um quadro de comportamento com recompensas simples pode ser útil para incentivar o comportamento (uma estrela para cada vez que a criança cumprir o combinado, e a soma de estrelas pode levar a uma recompensa, como um passeio ou um brinquedo).[52]

A formação do hábito é lenta e, muitas vezes, com recaídas. Em geral, depois de 6 meses, a criança consegue atingir um movimento intestinal regular e evitar os episódios de encoprese.

## Birras

As crises de birra são um comportamento frequente e normal durante o desenvolvimento da criança.[53] Elas são caracterizadas por uma demonstração intensa de raiva ou frustração, externalizadas verbal ou fisicamente. Em geral, as birras acontecem porque a criança ainda não tem outros recursos para expressar suas emoções. Elas são mais frequentes entre os 2 e 3 anos de idade, mas ocorrem entre os 12 meses e os 4 anos de idade.

Os motivos relacionados às crises são variados, podendo envolver mal-estar físico (fome, cansaço), frustração e busca por atenção.[54] Nas birras, a reação da criança é desproporcional. As manifestações de birra, na maioria dos casos, estão dentro do esperado no desenvolvimento da criança, com variação de intensidade de acordo com seu temperamento; no entanto, alguns sinais chamam a atenção para uma maior necessidade de avaliação e intervenção.[55] A TABELA 177.4 apresenta características que diferenciam esses dois casos.

É importante reforçar para os pais que a existência de birras não significa uma falha no cuidado ou nos limites. Elas são um processo normal do desenvolvimento e desaparecem à medida que a criança aprende outras formas de expressão.

**TABELA 177.3** → Dose terapêutica e principais efeitos adversos das medicações de segunda linha para tratamento de enurese monossintomática primária

| | DOSE (mg) | EFEITOS ADVERSOS |
|---|---|---|
| Imipramina | 25-50 | Tontura, sonolência, boca seca, constipação e potencial cardiotoxicidade |
| Oxibutinina | 2,5-5 | Constipação, retenção urinária, boca seca |

**TABELA 177.4** → Características das crises de birra e sinais de alerta para gravidade

| | CARACTERÍSTICAS DAS BIRRAS | |
|---|---|---|
| | **TÍPICAS** | **COM SINAIS DE ALERTA** |
| Idade | Entre 1-4 anos | A partir dos 5 anos |
| Tipo de comportamento | Chorar, gritar, jogar-se no chão, balançar pernas e braços | Machucar-se ou machucar terceiros |
| Duração | < 5 minutos | > 5 minutos |
| Frequência | Até 1 ×/dia | 2 ×/dia ou mais |
| Humor | Normal entre as crises | Mau humor entre as crises |

Algumas dicas são úteis para evitar as birras ou reduzi-las:[54]

→ encontrar uma distração. Se a crise está começando, tentar engajar a criança em alguma atividade de interesse dela;

→ manter a calma, não argumentar ou ameaçar a criança durante a crise. Depois que a criança estiver calma, conversar sobre a crise. É sempre importante conversar sobre o comportamento e reconhecer os sentimentos da criança. Deve ser reforçado que o comportamento não é aceitável, mas que os sentimentos dela são legítimos;

→ ignorar o comportamento, mostrando que ele não é aceitável;

→ manter a segurança – levar a criança para um ambiente onde ela não possa se machucar ou machucar outros.

## Bullying

*Bullying* consiste em uma agressão sistemática, repetitiva e intencional que ocorre entre pares, em um contexto de desequilíbrio de poder, estando a vítima limitada para se defender.[56] Manifesta-se de diferentes formas, com ações individuais ou de um grupo contra uma única pessoa. Envolve ataques abertos (tapas, cuspes, submissão a atividades servis), agressões verbais (insultos em público, apelidos maldosos, comentários ofensivos, intimidações, humilhações) e agressões indiretas (exclusão social, discriminação, espalhar boatos). A agressão pode extrapolar os muros da escola, ocorrendo em qualquer ambiente de convívio na comunidade. Pode se dar presencialmente ou por meio de mensagens de textos ou espaços de redes sociais (*cyberbullying*).[57]

As diferentes formas de agressão do *bullying* podem levar a sofrimento mental tanto para vítimas quanto para agressores, com destaque para ansiedade, depressão, baixa autoestima, isolamento social, recusa escolar e uso abusivo de substâncias. Além disso, as vítimas apresentam alguns sintomas físicos, sendo os mais comuns dor abdominal, insônia e cefaleia.[58] Existe associação direta entre sofrer *bullying* e baixo rendimento acadêmico, especialmente relacionado a absenteísmo escolar. Outra associação importante diz respeito aos comportamentos autolesivos e à maior taxa de suicídio entre as vítimas.[57]

Aproximadamente 50% das crianças relatam experiência de *bullying*, com 10 a 14% sofrendo cronicamente como vítima por um período > 6 meses.[59] No entanto, o risco de sofrer *bullying* não é igual nos diferentes grupos de jovens. Vários estudos indicam que crianças com deficiências, obesas ou pertencentes a grupos étnicos/sexuais minoritários estão em maior risco de serem agredidas por seus pares.[60] O *bullying*, portanto, não é simplesmente a manifestação do comportamento agressivo de um indivíduo; ele reflete a dinâmica e os valores de uma sociedade. Não por acaso se manifesta atrelado à opressão de populações vulnerabilizadas (LGBTQfobia e racismo), reforçando preconceitos (gordofobia) e ancorado em uma cultura de violência.

A abordagem contra o *bullying* se inicia com a identificação precoce. Para tanto, os profissionais de saúde precisam estar atentos aos sinais e sintomas (físicos, sociais e mentais) mais comumente associados ao *bullying*, bem como ao grupo de crianças que apresentam maior risco de sofrerem agressões. Deve-se considerar que, na maioria dos casos, as crianças que são vítimas tendem a minimizar ou ocultar a violência que sofrem por se sentirem fragilizadas, constrangidas ou com medo das consequências.[61] É importante destacar que a violência doméstica é 2 vezes mais comum em jovens envolvidos com *bullying* (agressores e vítimas).[62]

Uma vez que o *bullying* é suspeito ou identificado, deve-se elucidar o contexto com mais detalhes, junto à criança e à família, para melhor direcionar o cuidado. Possíveis perguntas a serem feitas incluem: Há quanto tempo acontece? Com que frequência? Em que lugares ou contextos? De que forma? Qual é o sentimento/impacto provocado?[62] Enquanto os sintomas e riscos individuais devem ser manejados de acordo com o quadro da criança em acompanhamento, estratégias de longo prazo devem ser traçadas. Considerando que o *bullying* é um fenômeno complexo e um problema relacional, a estratégia de longo prazo será mais bem-sucedida com o apoio de equipe interdisciplinar e com ações intersetoriais.

Ao se discutir a abordagem, é importante compreender que existe uma tríade de relações que alimentam o *bullying*. Além do agressor e da vítima, é importante destacar o papel do espectador que testemunha a agressão. Agressores demandam intervenções para interromper o comportamento agressivo, promover empatia e desestimular padrões de violência. Vítimas necessitam desenvolver estratégias assertivas de defesa, que incluem apoio institucional, além do envolvimento em atividades e grupos que aumentem a autoestima.[62] A atuação sobre os espectadores é considerada fundamental, pois eles têm o poder de encorajar o agressor a perpetuar a violência ou de ajudar a vítima a se defender.[60]

Existem programas estruturados para o enfrentamento do *bullying*, como o KiVa, desenvolvido na Finlândia, que foca no trabalho com os espectadores, estimulando a empatia e uma maior consciência para apoiar os colegas vítimas de *bullying*, além do desenvolvimento da comunicação dos professores, condenando e inibindo ações de violência.[60] Os programas desenvolvidos para escolas considerados efetivos na redução de agressores e vítimas incluem três elementos principais: presença dos pais e professores no treinamento; normas rigorosas para lidar com o *bullying* em sala de aula; e implementação de uma política antibullying em toda a escola. Observa-se que a ocorrência de agressões é menor nas escolas em que a equipe tem as seguintes condutas: compreende o que é *bullying*; desenvolve habilidades de comunicação para impedir comportamentos inaceitáveis; intervém de forma não agressiva, mas assertiva; documenta e acompanha sistematicamente os incidentes na escola; e se comunica aberta e frequentemente com os pais dos alunos.[61]

**TABELA 177.5** → Sintomas-sentinela e instrumentos de avaliação para situações de maior gravidade

| GRUPO | SINTOMAS | INSTRUMENTO DE AVALIAÇÃO SUGERIDO | | CAPÍTULO CORRESPONDENTE |
|---|---|---|---|---|
| Gerais | Mudança de comportamento, mau desempenho escolar, recusa escolar | SDQ | PSC | |
| Ansiedade | Mutismo, ansiedade de separação, gagueira, enurese, bruxismo, terror noturno, sonambulismo | Spence | | Transtornos Relacionados à Ansiedade |
| Depressão | Tristeza, perda de interesse nas atividades, desleixo da aparência, sintomas somáticos, irritabilidade, sintomas opositores, crises de raiva, retraimento social, abuso de substâncias | MFQ | | Depressão |
| Autismo | Déficits em habilidades sociais, comportamentos e interesses com padrões restritos e estereotipados | M-CHAT-R | | Transtornos Relacionados a Dificuldades de Aprendizagem e Problemas Associados à Agressividade |
| Violência | Marcas de violência, alterações de comportamento | | | Atenção à Saúde da Criança e do Adolescente em Situação de Violência |
| Transtorno de déficit de atenção/hiperatividade | Agitação, comprometimento do aprendizado, distratibilidade, agitação psicomotora durante a consulta | SNAP IV | | Transtornos Relacionados a Dificuldades de Aprendizagem e Problemas Associados à Agressividade |

## AVALIAÇÃO DE QUEIXAS ESPECÍFICAS COM MAIOR REPERCUSSÃO FUNCIONAL, COM O APOIO DE ESCALAS

Quando, desde o início da busca por ajuda, é detectado um prejuízo maior na vida da criança, é possível que haja a presença de situações contextuais mais complexas (famílias multiproblemáticas, psicopatologia parental) ou transtornos comportamentais mais estruturados na criança. Alguns sintomas e sinais podem servir como sentinelas da presença dessas situações. Nesses casos, é importante ampliar a avaliação diagnóstica para incluir diagnósticos específicos. O uso de escalas pode ser útil nesse processo diagnóstico, bem como para estratificar o risco. A TABELA 177.5 apresenta um resumo dos sintomas-sentinela e das principais escalas que podem ser usadas para avaliar situações de maior gravidade.

Da mesma forma, está cada vez mais claro que a identificação e o tratamento de eventuais problemas mentais dos pais ou cuidadores têm efeitos benéficos na saúde mental de crianças e adolescentes.[63,64] Identificar a possibilidade de problemas mentais parentais e fazer uma abordagem adequada destes pode ser diferencial no cuidado da criança e/ou adolescente.

## REFERÊNCIAS

1. World Health Organization. Improving the mental and brain health of children and adolescents [Internet]. Geneva: WHO; c2021 [capturado em 22 set. 2021]. Disponível em: https://www.who.int/activities/improving-the-mental-and-brain-health-of-children-and-adolescents
2. Sameroff AJ. A Dialectic integration of development for the study of psychopathology. In: Lewis M, Rudolph KD, editors. Handbook of Developmental Psychopathology. Boston: Springer; 2014. p. 25–43.
3. Stoesz D. The abecedarian project. In: Stoesz D. Building better social programs: how evidence is transforming public policy. Oxford: Oxford University; 2020. p. 124–38.
4. Dalziel KM, Halliday D, Segal L. Assessment of the cost–benefit literature on early childhood education for vulnerable children: what the findings mean for policy. SAGE Open. 2015;5(1):2158244015571637.
5. Sankalaite S, Huizinga M, Dewandeleer J, Xu C, de Vries N, Hens E, et al. Strengthening executive function and self-regulation through teacher-student interaction in preschool and primary school children: a systematic review. Front Psychol. 2021;12:718262.
6. Tomporowski PD, Pesce C. Exercise, sports, and performance arts benefit cognition via a common process. Psychol Bull. 2019;145(9):929–51.
7. Eime RM, Young JA, Harvey JT, Charity MJ, Payne WR. A systematic review of the psychological and social benefits of participation in sport for children and adolescents: informing development of a conceptual model of health through sport. Int J Behav Nutr Phys Act. 2013;10:98.
8. Vella SA, Cliff DP, Magee CA, Okely AD. Sports participation and parent-reported health-related quality of life in children: longitudinal associations. J Pediatr. 2014;164(6):1469–74.
9. Degé F. Music lessons and cognitive abilities in children: how far transfer could be possible. Front Psychol. 2020;11:557807.
10. Stavrou C. An investigation into how drama is used to develop young people's empathy and social skills in secondary schools [Thesis]. London: University of East London; 2010.
11. Bungay H, Vella-Burrows T. The effects of participating in creative activities on the health and well-being of children and young people: a rapid review of the literature. Perspect Public Health. 2013;133(1):44–52.
12. Zimmerman A, Garman E, Avendano-Pabon M, Araya R, Evans-Lacko S, McDaid D, et al. The impact of cash transfers on mental health in children and young people in low-income and middle-income countries: a systematic review and meta-analysis. BMJ Glob Health. 2021;6(4):e004661.
13. Carey WB, Crocker AC, Elias ER, William P. Coleman IIM. Developmental-behavioral pediatrics: expert consult – online and print. Philadelphia: Elsevier Health Sciences; 2009.
14. Caminha RM. Darwin para psicoterapeutas: socialização, emoções, empatia e psicoterapia. Novo Hamburgo: Sinopsys; 2019.
15. Koning NR, Büchner FL, Verbiest MEA, Vermeiren RRJM, Numans ME, Crone MR. Factors associated with the identification of child mental health problems in primary care-a systematic review. Eur J Gen Pract. 2019;25(3):116–27.
16. Gieteling MJ, Lisman-van Leeuwen Y, Passchier J, Koes BW, Berger MY. The course of mental health problems in children presenting with abdominal pain in general practice. Scand J Prim Health Care. 2012;30(2):114–20.
17. Jellesma FC, Rieffe C, Terwogt MM, Kneepkens CMF. Somatic complaints and health care use in children: Mood, emotion awareness and sense of coherence. Soc Sci Med. 2006;63(10):2640–8.
18. Augustyn M, Zuckerman BS, Caronna EB. The Zuckerman Parker handbook of developmental and behavioral pediatrics for primary care. New York: Lippincott Williams & Wilkins; 2010. 521 p.
19. Harrist AW, Henry CS, Liu C, Morris AS. Family resilience: The power of rituals and routines in family adaptive systems. In: APA handbook of contemporary family psychology: Foundations, methods, and contemporary issues across the lifespan. Washington: American Psychological Association; 2019. v. 1, p. 223–39.
20. Kitsaras G, Goodwin M, Allan J, Kelly MP, Pretty IA. Bedtime routines child wellbeing & development. BMC Public Health. 2018;18(1):386.
21. Mileva-Seitz VR, Bakermans-Kranenburg MJ, Battaini C, Luijk MPCM. Parent-child bed-sharing: The good, the bad, and the burden of evidence. Sleep Med Rev. 2017;32:4–27.
22. Straw J, Jones P. Parent-infant co-sleeping and the implications for sudden infant death syndrome. Nurs Child Young People. 2017;29(10):24–9.
23. Rodriguez-Ayllon M, Cadenas-Sánchez C, Estévez-López F, Muñoz NE, Mora-Gonzalez J, Migueles JH, et al. Role of physical activity and sedentary behavior in the mental health of preschoolers, children and adolescents: a systematic review and meta-analysis. Sports Med. 2019;49(9):1383–410.
24. O'Loughlin K, Althoff RR, Hudziak JJ. Health promotion and prevention in child and adolescent mental health. IACAPAP e-textbook of child and adolescent mental health Geneva: International Association for Child and Adolescent Psychiatry and Allied Professions; 2017. p. 1–25.
25. Knerr W, Gardner F, Cluver L. Improving positive parenting skills and reducing harsh and abusive parenting in low- and middle-income countries: a systematic review. Prev Sci. 2013;14(4):352–63.
26. Hornor G, Quinones SG, Boudreaux D, Bretl D, Chapman E, Chiocca EM, et al. Building a safe and healthy america: eliminating corporal punishment via positive parenting. J Pediatr Health Care. 2020;34(2):136–44.
27. DeClaire J, Goteman J. inteligência emocional e a arte de educar nossos filhos. Rio de Janeiro: Objetiva; 1997. 231 p.
28. Siegel DJ, Bryson TP. O cérebro da criança: 12 estratégias revolucionárias para nutrir a mente em desenvolvimento do seu filho e ajudar sua família a prosperar. São Paulo: nVersos; 2015. 237 p.
29. Craig AD. A new view of pain as a homeostatic emotion. Trends Neurosci. 2003;26(6):303–7.
30. Sadock BJ, Sadock VA, Ruiz P. Compêndio de psiquiatria: ciência do comportamento e psiquiatria clínica. 11. ed. Porto Alegre: Artmed; 2016. 1490 p.

31. Voigt RG, Macias MM, Myers SM, Tapia CD. AAP Developmental and behavioral pediatrics. Itasca: American Academy of Pediatrics; 2018. 671 p.
32. Kavan MG, Saxena SK, Rafiq N. General Parenting strategies: practical suggestions for common child behavior issues. Am Fam Physician. 2018;97(10):642–8.
33. Haslam D, Mejia A, Sanders M, de Vries P. Parenting programs. In: Rey JM, editor. Switzerland: International Association for Child and Adolescent Psychiatry and Allied Professions; 2016. p. 1–29.
34. Carter KA, Hathaway NE, Lettieri CF. Common sleep disorders in children. Am Fam Physician. 2014;89(5):368–77.
35. Mindell JA, Owens JA. A clinical guide to pediatric sleep: diagnosis and management of sleep problems. 3rd ed. Philadelphia: Lippincott Williams & Wilkins; 2015.
36. Varma P, Conduit R, Junge M, Jackson ML. Examining sleep and mood in parents of children with sleep disturbances. Nat Sci Sleep. 2020;12:865–74.
37. Meltzer LJ, Mindell JA. Systematic review and meta-analysis of behavioral interventions for pediatric insomnia. J Pediatr Psychol. 2014;39(8):932–48.
38. Kotagal S. Parasomnias of childhood, including sleepwalking [Internet]. UpToDate. Waltham: UpToDate; 2019.
39. Sociedade Brasileira de Pediatria. Uso de chupeta: guia prático de atualização [Internet]. Rio de Janeiro: SBP; 2017 [capturado em 6 out. 2021]. Disponível em: https://www.sbp.com.br/fileadmin/user_upload/Aleitamento-_Chupeta_em_Criancas_Amamentadas.pdf.
40. Borrie FRP, Bearn DR, Innes NPT, Iheozor-Ejiofor Z. Interventions for the cessation of non-nutritive sucking habits in children. Cochrane Database Syst Rev. 2015;(3):CD008694.
41. Taylor CM, Emmett PM. Picky eating in children: causes and consequences. Proc Nutr Soc. 2019;78(2):161–9.
42. Taylor CM, Wernimont SM, Northstone K, Emmett PM. Picky/fussy eating in children: Review of definitions, assessment, prevalence and dietary intakes. Appetite. 2015;95:349–59.
43. Nekitsing C, Blundell-Birtill P, Cockroft JE, Hetherington MM. Systematic review and meta-analysis of strategies to increase vegetable consumption in preschool children aged 2-5 years. Appetite. 2018;127:138–54.
44. Walker RA. Nocturnal Enuresis. Prim Care. 2019;46(2):243–8.
45. Vande Walle J, Rittig S, Tekgül S, Austin P, Yang SS, Lopez PJ, et al. Enuresis: practical guidelines for primary care. Br J Gen Pract. 2017;67(660):328-329.
46. Nevéus T, Fonseca E, Franco I, Kawauchi A, Kovacevic L, Nieuwhof-Leppink A, et al. Management and treatment of nocturnal enuresis—an updated standardization document from the International Children's Continence Society. J Pediatr Urol. 2020;16(1):10–9.
47. Caldwell PH, Codarini M, Stewart F, Hahn D, Sureshkumar P. Alarm interventions for nocturnal enuresis in children. Cochrane Database Syst Rev. 2020;5:CD002911.
48. Peng CC-H, Yang SS-D, Austin PF, Chang S-J. Systematic review and meta-analysis of alarm versus desmopressin therapy for pediatric monosymptomatic enuresis. Sci Rep. 2018;8(1):16755.
49. Gasthuys E, Dossche L, Michelet R, Nørgaard JP, Devreese M, Croubels S, et al. Pediatric pharmacology of desmopressin in children with enuresis: a comprehensive review. Paediatr Drugs. 2020;22(4):369–83.
50. Caldwell PHY, Deshpande AV, Von Gontard A. Management of nocturnal enuresis. BMJ. 2013;347:f6259.
51. Vuletic B. Encopresis in children: an overview of recent findings. Serb. J. Exp. Clin. Res. 2017;18(2):157–61.
52. Har AF, Croffie JM. Encopresis. Pediatr Rev. 2010;31(9):368–74; quiz 374.
53. Umami DA, Sari LY. Confirmation of five factors that affect temper tantrums in preschool children: a literature review. Journal of Global Research in Public Health. 2020;5(2):151–7.
54. Sravanti L, Karki U, Seshadari S. Rhythm of tantrums. JPAN. 2018;7(1), 5–9.
55. Daniels E, Mandleco B, Luthy KE. Assessment, management, and prevention of childhood temper tantrums. J Am Acad Nurse Pract. 2012;24(10):569–73.
56. Zych I, Farrington DP, Llorent VJ, Ribeaud D, Eisner MP. Childhood risk and protective factors as predictors of adolescent bullying roles. Int J Bullying Prev. 2021;3(2):138–46.
57. Stephens MM, Cook-Fasano HT, Sibbaluca K. Childhood bullying: implications for physicians. Am Fam Physician. 2018;97(3):187–92.
58. Hutson E, Melnyk B, Hensley V, Sinnott LT. Childhood bullying: screening and intervening practices of pediatric primary care providers. J Pediatr Health Care. 201;33(6):e39–45.
59. P views on their role in bullying disclosure by children and young people in the community: a cross-sectional qualitative study in English primary care. Br J Gen Pract. 2019;69(688):e752-9.
60. Menesini E, Salmivalli C. Bullying in schools: the state of knowledge and effective interventions. Psychol Health Med. 2017;22(sup1):240–53.
61. Rettew DC, Pawlowski S. Bullying. Child Adolesc Psychiatr Clin N Am. 2016;25(2):235–42.
62. Lamb J, Pepler DJ, Craig W. Approach to bullying and victimization. Can Fam Physician. 2009;55(4):356–60.
63. Schwenck C, Christiansen H, Goetz M. Crianças de pais com doenças mentais (CDPDM). In: Rey JM editor. IACAPAP eTextbook of Child and Adolescent Mental Health. (ed. em português de Dias Silva F). Genebra: International Association for Child and Adolescent Psychiatry and Allied Professions; 2020.
64. Siegenthaler E, Munder T, Egger M. Effect of preventive interventions in mentally ill parents on the mental health of the offspring: systematic review and meta-analysis. J Am Acad Child Adolesc Psychiatry. 2012;51(1):8-17.e8.

# Capítulo 178
## TRANSTORNOS RELACIONADOS A DIFICULDADES DE APRENDIZAGEM E PROBLEMAS ASSOCIADOS À AGRESSIVIDADE

Maria Helena P. P. Oliveira
Guilherme Nabuco Machado

Este capítulo aborda um conjunto de diagnósticos que apresentam em comum o comprometimento do aprendizado na fase escolar, além de importantes repercussões nas relações interpessoais e familiares. Entre eles, destacaremos os principais transtornos do neurodesenvolvimento e os transtornos disruptivos. Vale destacar que não é incomum que estes se apresentem associados, sugerindo que podem se tratar de problemas com origens semelhantes e/ou inter-relacionados.

Os transtornos do neurodesenvolvimento são um grupo de condições caracterizadas por déficits no desenvolvimento associados a prejuízos no funcionamento pessoal, social, acadêmico ou profissional. Em geral, manifestam-se cedo no desenvolvimento, antes do período escolar. Os déficits de desenvolvimento se expressam com distintas formas e intensidades. Variam desde casos brandos e pouco perceptíveis até situações com grave impacto na qualidade de vida da pessoa e de sua família. Vão desde limitações muito específicas na aprendizagem até prejuízos globais em habilidades sociais ou inteligência. Costumam estar interligados, sendo a comorbidade entre eles mais regra que exceção. Pessoas com transtorno de déficit de atenção e hiperatividade (TDAH), por exemplo, costumam apresentar também um transtorno específico de aprendizagem (TEAp), e pessoas com transtorno do espectro autista (TEA) frequentemente apresentam deficiência intelectual (DI).[1]

Os transtornos disruptivos das emoções e da conduta incluem diagnósticos que se apresentam principalmente como dificuldade da regulação emocional e do comportamento. A manifestação comportamental dos transtornos disruptivos viola os direitos dos outros ou coloca o indivíduo em conflito com as regras.[1] Os diagnósticos incluem, entre outros, o transtorno de oposição desafiante (TOD) e o transtorno da conduta (TC). Cabe frisar, ainda, que as causas subjacentes a essa desregulação variam e são apresentações possíveis de outros diagnósticos, como os transtornos de humor e até mesmo os transtornos do neurodesenvolvimento. Por essa razão, neste capítulo discutiremos o tema de forma mais ampla, indo além dos transtornos disruptivos, abordando os problemas relacionados à agressividade (auto e heteroagressão).

## TRANSTORNO DE DÉFICIT DE ATENÇÃO E HIPERATIVIDADE

As primeiras descrições relacionadas ao problema conhecido atualmente como transtorno de déficit de atenção e hiperatividade (TDAH), no início do século XX, caracterizavam o fenômeno como dificuldade moral para aceitação de regras e limites, acompanhado de inquietação e desatenção.[2] Como reflexo dessa visão, em que se considerava o transtorno como dificuldade moral, ainda hoje persistem crenças de que as crianças com TDAH não apresentam qualquer problema de saúde mental. Esse pensamento, além de desconsiderar um fator biológico atuante no comportamento, muitas vezes leva à culpabilização dos pais pelo que se considera "má educação" dos filhos. Outras crenças invalidam o sofrimento de quem apresenta o distúrbio, como as que justificam seu comportamento, exclusivamente, como consequência de alguma violência sofrida ou do convívio em ambiente ou em família considerada desorganizada, quando as evidências apontam que a etiologia do TDAH apresenta integração de diferentes fatores (genéticos e ambientais).[3]

Entre os fatores ambientais associados ao TDAH, estão o consumo de tabaco, de álcool e de cocaína no período gestacional. Sofrimento fetal, baixo peso e prematuridade são outros fatores ligados ao TDAH, que podem acontecer nos períodos perinatal e pós-natal.[4]

A característica essencial do TDAH é um padrão persistente de desatenção e/ou de hiperatividade-impulsividade (não compatível com a idade ou com o estágio de formação da criança), que interfere no desenvolvimento ou no funcionamento do indivíduo. Vale ressaltar que crianças, sobretudo pré-escolares, são inquietas e imprudentes, sendo essas características próprias dos estágios iniciais do desenvolvimento, devendo-se, em parte, ao processo neurobiológico de maturação das áreas pré-frontais do cérebro e à falta de suficiente controle inibitório, durante os primeiros 4 anos de vida.[5]

A simples presença de desatenção ou de hiperatividade não determina diagnóstico de TDAH, pois são características relativamente comuns na população em geral. Para adequado diagnóstico do transtorno deve-se atentar para a magnitude dos sintomas, a idade de início, o contexto, e a notória evidência de prejuízos e de impactos negativos em diferentes contextos da vida do indivíduo.[6]

## Impacto

Dada sua alta prevalência, o TDAH é considerado um dos principais e mais negligenciados transtornos mentais.[7] Os prejuízos relacionados à falta de acesso e de abordagem adequada ao problema são evidentes: desempenho escolar insatisfatório, que limita o futuro profissional; relações sociais conflituosas; e baixa autoestima. Crianças sem tratamento apresentam elevado risco de lesões acidentais.[8] Há descrição de maiores dificuldades nas relações interpessoais, especialmente no âmbito da vida conjugal, nos indivíduos com TDAH.[6,9]

Estudantes com TDAH frequentemente apresentam mau desempenho acadêmico e maior taxa de advertências e de mudança de escola.[10] Em função dos sintomas de impulsividade, adolescentes com TDAH não tratados apresentam maior risco de abuso de álcool e de outras drogas[11,12] e maior taxa de mortalidade por causas não naturais, especialmente acidentes de trânsito.[13,14]

A alta prevalência de TDAH sem tratamento entre os jovens em conflito com a lei reforça que existe influência biológica para a falta de autocontrole.[15] A prevalência de TDAH na população carcerária é 5 vezes maior do que na população em geral, chegando a 30%.[16]

## Epidemiologia

Existe grande variação da prevalência do TDAH encontrada em estudos realizados em diferentes países e continentes, levando a um frequente debate a respeito tanto de seu sobrediagnóstico quanto de subdiagnóstico.[12,17–19] No entanto, quando controladas as diferenças metodológicas desses estudos, as variações de prevalência do TDAH ao redor do mundo são minimizadas.[20,21]

Portanto, as taxas são similares em culturas e sociedades diferentes. Um estudo de metanálise de 2015 encontrou prevalência global de TDAH de 7,2%,[19] confrontando os resultados encontrados em 2007, cuja prevalência foi de 5,29%.[20]

O TDAH possui alta herdabilidade. Estima-se que 60 a 90% dos filhos de pessoas com TDAH herdem o transtorno de seus pais.[22] Assim, a presença de história familiar positiva é um importante fator de risco para a doença.[23]

## Quadro clínico

De forma geral, a desatenção no TDAH manifesta-se comportamentalmente como divagação em tarefas, falta de persistência, dificuldade de manter o foco e desorganização. A hiperatividade é expressa por atividade motora excessiva em contextos considerados inapropriados ou por ações como remexer, batucar ou conversar em excesso. A impulsividade manifesta por pessoas com TDAH refere-se a ações precipitadas sem premeditação e com elevado potencial de autodano. Comportamentos impulsivos podem expressar-se com intromissão e tomada de decisões importantes sem avaliação das consequências em longo prazo.[1]

A manifestação dos sintomas inicia-se na infância – os meninos mais diagnosticados que as meninas, em uma razão de 2:1.[12,24] Os sintomas de hiperatividade normalmente reduzem-se com o avançar da idade; no entanto, há evidências de que os sintomas do TDAH persistem, causando prejuízo também na vida adulta.[25] Algumas pessoas expressam mais hiperatividade/impulsividade, enquanto outras podem ser predominantemente desatentas. Meninos costumam ser mais hiperativos, e meninas, mais desatentas. Por essa razão, as meninas costumam ser ainda mais negligenciadas em seu diagnóstico.[26]

Não havendo marcadores biológicos específicos, o diagnóstico do TDAH é essencialmente clínico; portanto, para esse fim, não se realizam exames de imagem ou laboratoriais, nem testes neuropsicológicos.[27] Para alcançar o diagnóstico, é fundamental acessar e integrar informações de distintas fontes, com destaque para os professores e os familiares, considerando os diferentes contextos de vida da pessoa.[28]

Para caracterizar o TDAH, em crianças ou adolescentes, faz-se necessária a presença frequente, por pelo menos 6 meses, de, no mínimo, 6 sintomas de desatenção (TABELA 178.1) ou sintomas de hiperatividade-impulsividade (TABELA 178.2), com evidência de impacto negativo em atividades sociais e acadêmicas/profissionais. A manifestação dos sintomas deve haver iniciado antes dos 12 anos de idade e ocorrer em mais de um ambiente, comumente casa e escola.[1]

**TABELA 178.1** → Sintomas de desatenção

- → Erros por descuido em tarefas
- → Dificuldade em manter a atenção em tarefas ou em atividades lúdicas
- → Aparente dificuldade para ouvir, quando alguém lhe dirige a palavra diretamente
- → Incapacidade de seguir instruções até o fim, abandonando trabalhos antes de terminar
- → Dificuldade para organizar tarefas e atividades
- → Evitação ou relutância em envolver-se com tarefas que exijam esforço mental prolongado
- → Perda de objetos necessários às tarefas ou às atividades
- → Fácil distração por estímulos externos
- → Esquecimento em relação a atividades cotidianas

**TABELA 178.2** → Sintomas de hiperatividade-impulsividade

- → Movimentação excessiva, remexendo ou batucando com as mãos ou com os pés, ou contorcendo-se na cadeira
- → Incapacidade de permanecer sentado em situações em que isso é esperado
- → Agitação, correndo e subindo em lugares ou móveis, em situações em que isso é inapropriado
- → Incapacidade de brincar ou de envolver-se em atividades de lazer em estado calmo
- → Inquietação, agindo como se estivesse "com um motor ligado"
- → Fala excessiva
- → Resposta antes de as pessoas terminarem de fazer uma pergunta
- → Dificuldade em aguardar a vez
- → Interrupção e intromissão nas ações de outras pessoas

O Questionário SNAP-IV (ver QR code) constitui ferramenta útil no rastreio do TDAH, apoiando tanto no diagnóstico quanto na avaliação da resposta terapêutica. Foi desenvolvido a partir dos sintomas elencados no *Manual diagnóstico e estatístico de transtornos mentais* (DSM), sendo composto pela descrição de 18 sintomas do TDAH, entre sintomas de desatenção (ver TABELA 178.1) e hiperatividade/impulsividade (ver TABELA 178.2), os quais devem ser pontuados por pais e/ou professores, em uma escala de 4 níveis de gravidade.[29]

## Comorbidades

Há consenso na literatura de que a coexistência de outros transtornos mentais com TDAH é mais a regra que a exceção.[24] Os principais transtornos comórbidos com TDAH são: transtornos disruptivos (transtorno de oposição desafiante e transtorno da conduta); transtornos do neurodesenvolvimento (transtorno específico de aprendizagem, transtorno do espectro autista e deficiência intelectual); transtorno depressivo; transtorno de ansiedade; além das perturbações do sono.[30,31]

### Transtornos disruptivos

Na infância, o TDAH frequentemente se sobrepõe aos transtornos disruptivos, que incluem o transtorno de oposição desafiante (TOD) e o transtorno da conduta (TC).

Na população em geral, o TOD é comórbido com o TDAH em cerca de 50% das crianças com a apresentação combinada (desatenção e hiperatividade) e em cerca de 25% daquelas com a apresentação predominantemente desatenta. Transtorno da conduta é comórbido com TDAH em aproximadamente 25% daqueles com apresentação combinada, dependendo da idade e do ambiente.[1]

### Transtornos do neurodesenvolvimento

Transtorno do neurodesenvolvimento é um grupo de condições que se manifestam cedo no desenvolvimento, incluindo o TDAH. Os déficits de desenvolvimento variam desde prejuízos globais em habilidades sociais ou inteligência até limitações muito específicas na aprendizagem ou no controle de funções executivas.[1]

A sobreposição de mais de um transtorno do neurodesenvolvimento é frequente. Transtornos específicos da aprendizagem, como discalculia e dislexia, são encontrados em 31 a 45% das crianças com TDAH.[32]

### Perturbações do sono

A prevalência de alterações no sono em pacientes com TDAH varia entre 25 e 55%. As queixas subjetivas mais comuns são de atividade motora durante o sono (mais comum na apresentação predominantemente hiperativa) ou sonolência diurna (mais comum na apresentação predominantemente desatenta). No entanto, a relação entre o sono e o TDAH é complexa e multidirecional: as perturbações do sono podem ser caraterísticas intrínsecas ao TDAH, como também podem ser parte da causa ou consequência do transtorno.[33] Outro fator importante é o uso de estimulantes, que podem prejudicar o sono, mas, paradoxalmente, em muitas crianças têm a capacidade de acalmar e facilitar o sono.[34,35]

## Abordagens terapêuticas

Como não existe terapêutica curativa para o TDAH, uma condição considerada crônica, o objetivo do tratamento é diminuir a intensidade e a frequência dos sintomas, melhorando, assim, a qualidade de vida da pessoa.[6] O tratamento é multimodal, incluindo psicoeducação, ação farmacológica e abordagem comportamental, com a participação de múltiplos agentes sociais, como pais, outros familiares, educadores, profissionais de saúde, além da própria criança.[12,23,36,37]

Outros tratamentos não farmacológicos que têm se popularizado, como o *neurofeedback*, não mostraram eficácia em ensaios controlados C/D. O uso de tratamentos dietéticos, meditação e prática de exercícios físicos mostraram efeitos muito discretos na redução de sintomas.[27]

### Psicoeducação

Levando em conta as controvérsias na mídia relacionadas a esse transtorno e, especialmente, sobre sua terapia farmacológica,[18] a psicoeducação no TDAH torna-se ainda mais relevante. É, portanto, fundamental esclarecer em linguagem acessível o que é o TDAH e como funciona seu tratamento. Além disso, compreender o impacto do transtorno e validar o sofrimento vivenciado não apenas pela criança, mas por toda a família, possibilita melhor vínculo (ver QR code) e adesão ao tratamento. Com maior entendimento sobre os sintomas do TDAH, desmistificando a crença de que a criança não quer estudar ou de que os pais não sabem impor limites, é possível aumentar a autoestima da família (pais e filhos), bem como melhorar a comunicação e relação entre eles.[38]

Algumas orientações podem ser dadas pelos profissionais de saúde de forma a minimizar o impacto dos sintomas de TDAH no cotidiano da criança. De forma geral, sugere-se:[23]

→ manter uma rotina diária;
→ minimizar as distrações;
→ garantir locais específicos para a criança guardar brinquedos, material escolar e roupas;
→ estabelecer conjuntamente metas claras e alcançáveis;
→ evitar o excesso de opções para a criança, a fim de facilitar as escolhas;
→ encontrar atividades de que a criança goste e que desenvolva bem C/D.

Ainda em relação às orientações, algumas são mais específicas para o contexto familiar ou escolar. Aquelas que podem ser adotadas pelos pais incluem: o estabelecimento de regras simples e bem-explicadas em casa; comunicação com frases curtas, estabelecendo contato visual; e elogios e recompensas para os comportamentos desejados. Os comportamentos indesejados, como agressões, devem ser pontuados e impedidos.[23]

No ambiente escolar, as abordagens incluem: ações que minimizem distrações, como colocar a criança sentada próximo ao professor, não havendo obstrução entre eles. As tarefas escolares devem ter objetivos claros, com orientações curtas, incluindo pausas preestabelecidas.[23]

### Abordagem comportamental

O tratamento comportamental tem o foco na mudança de comportamentos relacionados ao TDAH, com atuação no manejo de comportamentos pelos pais e pelas escolas. Embora bem avaliado, não há consenso sobre seu benefício.

Existem vários programas manualizados e testados de treinamento de pais. O princípio básico da técnica é o condicionamento operante, ou seja, a probabilidade de um comportamento se repetir depende dos eventos que seguem o comportamento. Por exemplo, se uma criança tem uma crise de birra e consegue o que ela pretendia inicialmente, a chance de as crises de birra se tornarem mais frequentes é grande. Assim, o treinamento de pais foca nas interações entre pais e criança que geram ou reforçam comportamentos problemáticos. Por exemplo, sabe-se que alguns comportamentos parentais pioram os comportamentos infantis, como disciplina muito rígida (repreensão verbal frequente ou punição corporal) e disciplina inconsistente. Reforçar comportamentos desejados com elogios ou recompensas tende a ser muito mais efetivo, lembrando que um dos reforçadores mais importantes do comportamento infantil é a atenção dos pais. Sem perceber, muitas vezes os pais dão mais atenção ao comportamento disruptivo do que aos comportamentos desejáveis.[39]

### Tratamento farmacológico

A farmacoterapia é parte importante da estratégia de tratamento multimodal para o TDAH, considerada pelos protocolos a primeira escolha de tratamento, ao menos para os casos moderados e graves ou nas situações em que a intervenção não farmacológica foi insatisfatória.[17] Os medicamentos psicoestimulantes são considerados a primeira linha, tendo o metilfenidato como fármaco de escolha B.[40,41] No Brasil, além dos estimulantes (metilfenidato e lisdexanfetamina), estão disponíveis a clonidina, os antidepressivos tricíclicos, a modafinila e a bupropiona.

Os psicoestimulantes são os mais usados e estudados no tratamento do TDAH, com centenas de ensaios publicados acerca de sua eficácia e segurança. Apresentam grande tamanho de efeito (TE = −0,77, avaliação dos professores; e TE = −0,61, avaliação dos pais) **B**, estando entre as intervenções consideradas mais eficazes na psiquiatria.[42] A **TABELA 178.3** especifica as apresentações de psicoestimulantes disponíveis no Brasil.

O psicoestimulante mais usado no Brasil é o metilfenidato. A formulação de liberação imediata é a mais utilizada em função de seu menor custo, na apresentação convencional de 10 mg, com duração de efeito de 3 a 4 horas. Deve-se iniciar o metilfenidato com 5 a 10 mg, 1 a 2 ×/dia, depois das refeições. O objetivo do tratamento é a redução de sintomas, e o ajuste de dose deve ser feito gradualmente de acordo com a resposta, quando houver necessidade. As doses são divididas ao longo do dia, a fim de manter o efeito da medicação nos horários de maior necessidade (p. ex., período escolar), preferindo a tomada depois das refeições e evitando o horário noturno. A dose máxima diária recomendada varia entre 0,8 a 1,8 mg/kg/dia.[45]

É comum que pais fiquem reticentes diante da prescrição de psicoestimulantes devido ao estigma, à desinformação, aos efeitos adversos e à preocupação com efeitos de longo prazo. Sabe-se muito sobre a segurança dessas medicações em curto prazo. Estudos de longo prazo são mais escassos; no entanto, efeitos adversos graves são raros **C/D**.[23,46] A **TABELA 178.4** apresenta os efeitos adversos mais comumente relacionados ao uso de psicoestimulantes e como minimizá-los.

A interrupção do uso do medicamento durante as férias escolares ou fins de semana é uma possibilidade, mas não uma regra, podendo ser adotada para minimizar possíveis efeitos adversos, bem como avaliar a necessidade de continuidade do medicamento.[47] Em crianças com maior intensidade dos sintomas de hiperatividade e impulsividade, em geral o medicamento é mantido sem interrupção, já que o prejuízo não está restrito ao ambiente escolar.

Apesar de o TDAH ser um transtorno crônico, com a necessidade de tratamento perdurando por muitos anos, o curso do transtorno é variável.[27] Por isso, o uso do medicamento pode ser reavaliado anualmente, levando em conta os riscos e os benefícios. Uma dica importante para a necessidade de manutenção é o retorno dos sintomas nos dias em que uma dose foi esquecida, ou nas interrupções acordadas.[23] A decisão sobre possíveis interrupções deve ser consensual, considerando as demandas e o contexto da família, além da opinião da criança ou do adolescente.

Os psicoestimulantes melhoram não apenas os sintomas de desatenção e hiperatividade, mas também repercutem positivamente sobre problemas associados, como irritabilidade, mudanças bruscas de humor, baixa autoestima, e limitações cognitivas e nas relações conflituosas.[6] Além disso, é fator protetor para o abuso de substâncias (RRR = 31%), para o envolvimento com atividades ilícitas e para acidentes de trânsito **C/D**.[15]

## Intersetorialidade – integração com a escola

A proximidade da unidade básica de saúde (UBS) com a escola, favorecendo a articulação intersetorial dos profissionais de saúde e da educação, reforça a atenção primária à saúde (APS) como *locus* estratégico para o cuidado integral de escolares com TDAH. A importância e a riqueza dessa parceria estão relacionadas à posição privilegiada dos professores para identificação de possíveis casos de TDAH em

**TABELA 178.3** → Apresentações dos psicoestimulantes disponíveis no Brasil

|  | MÉTODO DE LIBERAÇÃO | DURAÇÃO DA AÇÃO (HORAS) | DOSES DISPONÍVEIS (mg) |
|---|---|---|---|
| **Metilfenidato** | Imediato | 3-4 | 10 |
|  | Prolongado | 8 (Ritalina LA®)* | 20 |
|  |  |  | 30 |
|  |  |  | 40 |
|  |  | 12 (Concerta®)† | 18 |
|  |  |  | 36 |
|  |  |  | 54 |
| **Lisdexanfetamina** | Imediato | 10-12 (Venvanse®)‡ | 30 |
|  |  |  | 50 |
|  |  |  | 70 |

*Liberação de 22% da dose nas primeiras 4 horas e liberação prolongada de 78% da dose a partir de 4 horas.[43]

†Liberação bifásica: liberação imediata de 50% da dose, e liberação prolongada de 50% da dose depois de cerca de 4 horas.[43]

‡O conteúdo da cápsula pode ser dissolvido em água.[44]

**TABELA 178.4** → Características e manejo dos efeitos adversos mais comuns dos psicoestimulantes

| EFEITOS ADVERSOS | CARACTERÍSTICAS | ORIENTAÇÕES |
|---|---|---|
| Redução do apetite e atraso do crescimento | A alteração do crescimento parece estar relacionada à redução do apetite; os estimulantes parecem provocar um atraso inicial do crescimento, não impactando na altura final **C/D** | Prescrever o medicamento após a refeição, minimizando possível diminuição do apetite<br>Acompanhar a curva de crescimento<br>Estimular e garantir nutrição adequada |
| Alterações do sono | Estimulantes podem provocar insônia, com agitação e dificuldade para iniciar o sono; no entanto, as perturbações do sono podem ser caraterísticas intrínsecas ao TDAH | Ajustar horário do medicamento, evitando seu efeito no período noturno |
| Efeitos cardiovasculares | O risco de eventos cardiovasculares graves com o uso de estimulantes é raro; os estimulantes costumam provocar aumento mínimo da pressão arterial (+5 mmHg) e da frequência cardíaca (até 10 bpm); os efeitos do uso mais prolongado (> 2 anos) ainda estão em estudo | Ao iniciar o medicamento, assegurar ausculta cardíaca sem alterações e avaliar história cardiovascular pessoal e familiar<br>Exames complementares devem ser solicitados conforme indicação clínica, e não de rotina |
| Tiques | Podem ser desencadeados em pessoas vulneráveis (história familiar) ou exacerbar em indivíduos com história prévia de tiques **B** | Avaliar o risco e o benefício do uso do medicamento; quando o prejuízo associado aos tiques supera o benefício, considerar substituir por medicamento de segunda linha |
| Alterações de humor | Há relatos de sensação de afeto plano ou apatia, além de aumento da ansiedade durante o efeito do medicamento; esses efeitos ainda são pouco estudados de forma sistemática, mas devem ser monitorados **C/D** | Formulações de liberação prolongada podem amenizar essas sensações |

sala de aula. Destaca-se o fato de estes possuírem grande amostra de referência para comparação, convivendo e trabalhando com diferentes crianças de mesma faixa etária, expostas a condições e estímulos semelhantes.[48]

As informações vindas da escola devem ser valorizadas, não apenas para o diagnóstico, mas também para o tratamento. A observação e o relato dos professores podem ser bastante úteis para definir ajustes na posologia da medicação, porque são eles que estão, cotidianamente, observando a criança quando a medicação atinge seu pico. Portanto, a equipe da escola encontra-se na melhor e mais estratégica posição para compartilhar informações sobre a eficácia de um tratamento estabelecido e também para sinalizar a ocorrência de efeitos adversos.[49]

### Diretriz para linha de cuidado aos escolares com transtorno de déficit de atenção e hiperatividade

O desenho de uma linha de cuidado é a proposta para vencer o desafio de uma atenção integral aos escolares com TDAH. Este começa pela reorganização dos processos de trabalho na APS, e soma-se a todas as outras ações assistenciais.

Ao propor uma diretriz para linha de cuidado aos escolares com TDAH – repensando cada serviço como uma estação percorrida para o alcance do cuidado integral –, é necessário definir os pontos da rede que podem contribuir para lograr a integralidade. No contexto do TDAH, os principais pontos dessa linha são aqueles responsáveis por: identificação de possíveis casos; estabelecimento do diagnóstico; instituição do tratamento; e cuidado continuado. A FIGURA 178.1 ilustra a linha de cuidado para escolares com TDAH no contexto da Estratégia Saúde da Família (ESF).[6,12,29,50]

### Transtorno de déficit de atenção e hiperatividade em pré-escolares

O reconhecimento do TDAH em crianças de 2 a 5 anos é mais complicado devido às características do próprio desenvolvimento, sendo o diagnóstico diferencial com o desenvolvimento normal o maior desafio. No entanto, a presença de hiperatividade e impulsividade como uma característica da fase pré-escolar frequentemente leva a uma atitude expectante. Ao mesmo tempo, a presença de dificuldades de comportamento na fase pré-escolar é preditora de dificuldades acadêmicas e de socialização durante a vida escolar e até a vida adulta, tornando a intervenção precoce cada vez mais almejada.[51]

Os sintomas de TDAH em pré-escolares são ligeiramente diferentes, tornando os critérios diagnósticos pouco adequados para essa faixa etária. A diferença mais evidente é a dificuldade de observar sintomas de desatenção em crianças que ainda não ingressaram em um sistema educacional mais estruturado.[52]

Em pré-escolares, é desejável que, antes de iniciar um tratamento farmacológico, seja oferecida a possibilidade de tratamento comportamental com os pais (TE = 0,68) **B**. O objetivo do tratamento é a redução de sintomas, bem como a melhora da interação entre pais e criança. Quando não há resposta, o tratamento com uso de estimulantes (metilfenidato) está recomendado (TE = 0,83) **C/D**.[51,52]

## TRANSTORNO DO ESPECTRO AUTISTA

A apresentação de pessoas com autismo é bastante heterogênea, tornando sua identificação um desafio para os profissionais de saúde.[53] O entendimento do transtorno como um espectro – transtorno do espectro autista (TEA) –, agrupando em uma mesma categoria diferentes diagnósticos (Asperger, autismo infantil, e atraso global do desenvolvimento) com características semelhantes, privilegia o acesso, a identificação e a abordagem dos casos.

Apesar de os indivíduos com TEA serem muito diferentes uns dos outros, duas características principais os aproximam: dificuldade na interação social; e comportamentos restritos ou repetitivos – independentemente do contexto socioeconômico e cultural onde estão inseridos. Como não há marcadores biológicos, o diagnóstico de TEA é clínico e se baseia na avaliação do comportamento.[54]

**1 – Identificação de possíveis casos**

O levantamento da suspeição de possíveis casos pode ser realizado pelo professor na escola, por pessoas da comunidade e por todos os membros da equipe ESF.

Além do técnico de enfermagem, médico e enfemeiro, o ACS, por meio de maior inserção na comunidade, pode identificar possíveis situações de vulnerabilidade associadas ao transtorno.

Para os escolares que apresentam características que levam à suspeição de TDAH, deve ser agendada consulta na UBS.

**2 – Estabelecimento do diagnóstico**

Com a avaliação da criança e integração de informações de diferentes fontes, com destaque para pais e professores, o médico da atenção primária tomando como referência os critérios do DSM-5 e/ou se apoiando no questionário SNAP IV, poderá confirmar ou excluir o diagnóstico de TDAH.

Com a devida qualificação, o médico da APS torna-se apto a realizar o diagnóstiro, não sendo necessário, para este fim, que a UBS referencie à um outro servço.

**3 – Instituição do tratamento**

Serão referenciados à atenção especializada, os casos de TDAH com múltiplas comorbidades ou ausência de resposta ao tratamento farmacológico proposto.

Nos demais casos o ponto da rede responsável pela instituição do tratamento farmacológico será a própria APS.

As abordagens psicossociais que compõem o tratamento multimodal dos escolares com TDAH podem ser desenvolvidas na UBS pelo enfermeiro, profissionais do NASF ou pelo médico da equipe.

**4 – O cuidado continuado**

O cuidado continuado é otimizado, quando da comunicação entre a equipe de saúde e escola. As informações dos professores em sala de aula são muito valiosas para a avaliação da resposta ao tratamento, bem como para o ajuste da posologia da medicação.

Considerando o desenvolvimento de trabalho intersetorial realizado no contexto da APS, especialmente com o setor de educação, a UBS é o ponto da linha de cuidado preferencial para a realização do seguimento ou do cuidado continuado dos escolares.

**FIGURA 178.1** → Linha de cuidado para escolares com transtorno de déficit de atenção e hiperatividade (TDAH).
ACS, agente comunitário de saúde; APS, atenção primária à saúde; DSM-5, 5ª edição do *Manual diagnóstico e estatístico de transtornos mentais*; ESF, Estratégia Saúde da Família; NASF, Núcleo de Apoio à Saúde da Família; UBS, unidade básica de saúde.

Para o diagnóstico de TEA, o indivíduo deve apresentar déficit persistente na interação e na comunicação social (dificuldade de compreender as convenções sociais e de relacionar-se a partir delas) e padrões restritos e repetitivos de comportamento, interesses ou atividades, apresentando pelo menos 2 dos seguintes:
→ fala, movimento ou uso de objetos de forma estereotipada ou repetitiva;
→ padrões rígidos de comportamento com inflexibilidade a mudanças;
→ interesses excessivamente circunscritos;
→ hiper ou hiporreatividade a estímulos sensoriais.

A TABELA 178.5 traz exemplos ilustrativos de comportamentos tipicamente observados nesses casos. É importante ressaltar que as situações apresentadas no quadro não esgotam as possibilidades de expressão do TEA; além disso, um determinado comportamento pode dar-se por diferentes razões. A característica clássica de dificuldade em fazer amigos, por exemplo, pode ser motivada tanto por inabilidade social, quanto por simples desinteresse no outro. Em crianças com TEA, são comuns as brincadeiras não imaginativas, inclusive com o uso de brinquedos de forma predominantemente concreta.[55] Nessas situações, bonecas e carrinhos não são explorados da forma usual, mas empilhados ou alinhados de acordo com as cores ou com o tamanho, por exemplo.

Como consequência dessa ampla variabilidade de apresentações, os indivíduos com TEA trazem diferentes níveis de autonomia. A gravidade do TEA pode ser classificada em três níveis, de acordo com a demanda de apoio exigida:[1]
→ **nível 1:** exige apoio;
→ **nível 2:** apoio substancial;
→ **nível 3:** apoio muito substancial.

Em crianças com idade < 3 anos, o atraso no desenvolvimento, sobretudo da fala, é a característica (ver QR code) que mais chama atenção para a possibilidade de TEA.[56] A TABELA 178.6 destaca os marcos esperados do desenvolvimento (típico) até os 2 anos, além de sinais de alerta para um possível diagnóstico de TEA.

**TABELA 178.5** → Comportamentos típicos no transtorno do espectro autista

| | |
|---|---|
| Comunicação direta e sincera | Incompreensão de ironias e piadas |
| Repetição de palavras ou frases fora de contexto | Dificuldade de adequação aos diferentes contextos |
| Desconforto em situações sociais | Preferência por realizar sozinho atividades ou brincadeiras |
| Evitação de contato visual | Interação social que provoca estranheza aos outros |
| Brincadeiras não imaginativas, como alinhamento de brinquedos | Resistência a mudanças na rotina |
| Hipersensibilidade aos sons | Hipossensibilidade térmica e dolorosa |
| Concentração duradoura em foco específico | Dificuldade para fazer e manter amizades |
| Reações emocionais extremas | Movimentos estereotipados |

**TABELA 178.6** → Marcos do desenvolvimento típico até os 2 anos de vida e sinais de alerta para transtorno do espectro autista (TEA)

| | MARCOS DO DESENVOLVIMENTO TÍPICO | SINAIS DE ALERTA PARA TEA |
|---|---|---|
| Até 12 meses de vida | → Faz contato visual quando chamado<br>→ Pede objetos apontando com as mãos<br>→ Balbucia<br>→ Interage por meio da imitação de sons<br>→ Acena "tchau" com a mãos<br>→ Estica os braços para pedir colo | → Apega-se a objetos poucos usuais (pedras, canetas, galhos)<br>→ Faz movimentos estereotipados ou repetitivos<br>→ Tem comportamentos autolesivos<br>→ Tem reações emocionais extremas (sem motivo aparente) |
| Até 24 meses de vida | Os marcos anteriores mais:<br>→ Aponta com as mãos para demonstrar um interesse e chamar a atenção<br>→ Envolve-se em brincadeiras de "faz de conta" (imaginativos) | Os sinais de alerta anteriores mais:<br>→ Ecolalia (repetição do que ouve)<br>→ Regressão no desenvolvimento da linguagem |

A prevalência de TEA na população é estimada em 1,5%,[57] e a relação entre meninos e meninas é de 4:1. Os motivos para essa diferença ainda são pouco conhecidos e eram atribuídos exclusivamente a questões genéticas ou hormonais. Porém, está cada vez mais evidente a dificuldade de diagnosticar meninas com TEA, levando a um provável subdiagnóstico. Acredita-se que meninas têm maior capacidade de camuflar sintomas e usar mecanismos compensatórios na comunicação social, buscando tratamento por outras queixas (depressão ou ansiedade).[58,59] Por essas razões, o diagnóstico de TEA pode ser negligenciado.

Estima-se a herdabilidade do TEA em 50%. Além da genética, alguns fatores ambientais já foram associados ao aumento de risco: idade paterna e materna avançadas; alterações metabólicas na gravidez (diabetes, hipertensão e obesidade); exposição intraútero a valproato e pesticida; baixo peso ao nascer; e prematuridade.[56]

O prognóstico de crianças diagnosticadas com TEA é amplamente variável, indo desde adultos que permanecerão não verbais (grande comprometimento), até aqueles com sintomas leves ou imperceptíveis. Sabe-se que o melhor prognóstico está associado à ausência de déficit intelectual e à maior capacidade de aquisição de linguagem.

As intervenções devem ser individualizadas e direcionadas às áreas de maior dificuldade da criança, levando em conta a idade e a fase do desenvolvimento.[60] Essa oferta de intervenções para crianças dependerá da disponibilidade nos diferentes cenários. Os serviços com acesso a uma equipe multiprofissional, com destaque para psicologia, fonoaudiologia e terapia ocupacional, permitem ampliar o leque de cuidado. As intervenções objetivam minimizar os déficits centrais (interação social e interesses/comportamentos restritos); desenvolver a autonomia; e atuar sobre sintomas ou transtornos associados.[54]

Entre as intervenções, incluem-se abordagens comportamentais, terapias para auxiliar o desenvolvimento (fonoaudiologia e terapia ocupacional), e apoio pedagógico. Programas bem-estruturados, principalmente baseados na análise do comportamento aplicada, são utilizados para intervenções precoces, com o foco primordial na estimulação do desenvolvimento de habilidades (p. ex., linguagem e interação social), e também para amenizar comportamentos que causem problemas, como a agressividade C/D.[56,60]

À medida que a criança cresce, as intervenções devem envolver também o ambiente escolar, tanto para melhora da interação social quanto para o acesso a apoio pedagógico. Uma das intervenções mais utilizadas para crianças em idade escolar é o treinamento de habilidades sociais em grupo, mas seus benefícios foram demonstrados por curto período.[60] Para crianças que apresentam sintomas importantes de ansiedade, a terapia cognitivo-comportamental (TCC) apresenta evidências de melhora.[56]

Não há evidências robustas sobre o impacto dessas intervenções para o desenvolvimento das habilidades para crianças com TEA.[54,61] É possível que a maior aquisição de habilidades dependa menos dessas intervenções e mais de características do ambiente e intrínsecas da própria criança (genética).

Não há abordagem farmacológica específica que atue sobre os déficits centrais do TEA (interação social e interesses/comportamentos restritos); no entanto, o uso de medicamentos pode ser necessário para manejar alguns comportamentos disfuncionais e transtornos associados.[56]

Irritabilidade e agressividade (autoagressão e heteroagressão) são sintomas bastante comuns em indivíduos com autismo (25%).[54] Embora não haja evidências para o uso rotineiro de antipsicóticos, a risperidona e o aripiprazol são os medicamentos de escolha para aliviar esses sintomas B.[62]

O TDAH é a comorbidade mais comum em crianças com TEA (28-53%).[62] Nesses casos, os psicoestimulantes (metilfenidato) estão indicados e podem ser benéficos (TE = −0,78 para hiperatividade; TE = −2,72 para desatenção) C/D.[56]

Ansiedade, depressão e deficiência intelectual também são transtornos mentais frequentemente associados com o TEA. Além destes, algumas comorbidades clínicas costumam estar presentes, como distúrbios do sono e convulsões.[55,56,60] O tratamento para esses transtornos comórbidos segue as mesmas recomendações da população geral (sem TEA); no entanto, a resposta terapêutica tende a ser menor, e os efeitos adversos, maiores, especialmente com o uso de antidepressivos e psicoestimulantes.[62]

## DEFICIÊNCIA INTELECTUAL

O termo deficiência intelectual (DI), ou transtorno do desenvolvimento intelectual, é atualmente usado em substituição a retardo mental, a fim de minimizar o estigma relacionado à nomenclatura anterior. A DI pode ser resumida em três critérios: limitação no desenvolvimento intelectual (raciocínio, aprendizagem); limitação nas funções adaptativas (capacidade de socializar e de resolver problemas); e sintomas presentes desde a fase do desenvolvimento infantil.[1]

O nível do comprometimento da DI é classificado em leve, moderado, grave ou profundo. Essa classificação é definida com base no funcionamento do indivíduo e não em escores de coeficiente intelectual (quociente de inteligência [QI]), sendo que isso determina o nível de autonomia.[1] Há, portanto, um grande espectro de possíveis manifestações clínicas dentro desse mesmo diagnóstico, podendo ir desde um indivíduo com certa dificuldade de aprendizagem, imaturo nas relações sociais, mas com boa autonomia, até uma pessoa com dependência em todas as atividades diárias, incluindo as básicas (higiene e alimentação).

As etiologias são muito variadas e incluem fatores genéticos e ambientais. Em grande parte dos casos, a causa nunca é identificada.[63]

O diagnóstico costuma ser mais perceptível a partir dos 5 anos de idade, quando há maior possibilidade de avaliar as funções cognitivas.[64] Quando avaliamos crianças com idade < 5 anos, a suspeita clínica de DI ocorre quando há atraso nos marcos do desenvolvimento motor, cognitivo, de linguagem ou social, sendo chamado de atraso global do desenvolvimento.[63]

Tão abrangentes quanto as manifestações clínicas, podem ser as intervenções terapêuticas adaptadas às necessidades de cada indivíduo. Crianças com DI têm grande benefício em intervenções multidisciplinares precoces.[64] Ou seja, o foco da intervenção não é a deficiência em si, mas o comprometimento específico de cada indivíduo. Uma criança com atraso na linguagem, por exemplo, demanda apoio fonoaudiológico, enquanto outra com dificuldade de aprendizagem pode demandar apoio pedagógico.

A presença de DI aumenta o risco de comportamentos que desafiam o cuidado (desobediência, dificuldade para lidar com frustrações, agressividade e crises de birra), sendo estes, muitas vezes, o foco da intervenção. Crianças com DI também apresentam prevalências aumentadas de outros transtornos mentais, como TDAH, transtornos de humor, ansiedade e psicose.[64]

A intervenção farmacológica, quando necessária, é direcionada pelos sintomas.[64] A **TABELA 178.7** apresenta possíveis sintomas na DI e sua respectiva intervenção farmacológica.

## TRANSTORNOS ESPECÍFICOS DA APRENDIZAGEM

É comum que crianças sejam encaminhadas para atendimento clínico na APS com queixas relacionadas à aprendizagem, colocando em dúvida o papel dos serviços de saúde, uma vez que a manifestação principal é no campo da educação. No entanto, nesses casos, a intervenção da saúde é justificada, uma vez que a etiologia das dificuldades de aprendizagem muitas vezes envolve fatores biológicos. São

**TABELA 178.7** → Possíveis sintomas na deficiência intelectual e sua intervenção farmacológica

| SINTOMAS | INTERVENÇÃO FARMACOLÓGICA |
| --- | --- |
| Agressividade, irritabilidade, comportamentos autolesivos | Antipsicótico (haloperidol ou risperidona) |
| Humor deprimido, ansiedade | Inibidores seletivos da recaptação da serotonina (fluoxetina ou sertralina) |
| Hiperatividade, impulsividade, dificuldade de aprendizagem | Estimulantes (metilfenidato) |

dificuldades muito comuns, com prevalência em torno de 7%,[65] e trazem prejuízos muito significativos para o funcionamento global da criança e para sua saúde mental.

Dificuldade na escola ou dificuldade para aprender podem ser atribuídas a vários transtornos mentais, ou mesmo a situações ambientais e familiares adversas. No entanto, existe um grupo de transtornos, chamados de transtornos específicos de aprendizagem (TEAp), que são definidos como uma aquisição de habilidades abaixo do esperado para a idade em uma ou mais áreas curriculares, como leitura, escrita ou matemática. Também são conhecidos, respectivamente, como dislexia, disgrafia e discalculia.[1]

Para diagnosticar um TEAp, é necessária a presença de uma dificuldade não esperada para a idade na aquisição de habilidades (leitura, escrita, habilidades matemáticas). É importante descartar deficiência intelectual, dificuldades sensoriais (auditiva ou visual), ou mesmo impossibilidade de aprender por contextos adversos.[66]

A dificuldade deve perdurar por pelo menos 6 meses, e é estabelecida no dia a dia da criança, idealmente por testes padronizados. Os testes permitem uma comparação das habilidades esperadas para uma criança de determinada faixa etária, em determinado contexto. No entanto, essa padronização não está disponível para o contexto brasileiro.

O papel da APS diante de uma criança com TEAp é de extrema importância, mesmo considerando que a intervenção principal consiste em programas pedagógicos para a aceleração da aprendizagem. A equipe deve:[66]

→ comunicar-se adequadamente com todos os envolvidos no cuidado da criança, reduzindo o estigma da dificuldade para aprender. Ou seja, existe uma questão biológica envolvida, e deve-se evitar o juízo moral sobre a criança. Também é importante ajustar as expectativas;
→ comunicar-se diretamente com a própria criança, explicando o problema, o tratamento e a expectativa. É muito comum que essas crianças apresentem crenças cristalizadas de que são incapazes de aprender;
→ intervir diretamente nas comorbidades. Em cerca de 60% das crianças com TEAp, existe outro transtorno associado, com destaque especial para o TDAH em 35 a 60% dos casos.[67,68] A alta taxa de comorbidade entre os dois transtornos sugere uma relação íntima, com fatores de risco e, possivelmente, etiológicos comuns.[32] Investigar ativamente e tratar TDAH têm impacto direto no prognóstico;
→ intervir em fatores como acuidade auditiva ou visual.

> Déficit no processamento auditivo central (DPAC) é um possível resultado para o exame de processamento auditivo que se propõe a avaliar a habilidade de um indivíduo em interpretar e analisar as informações que escutou. Apesar de ser uma demanda frequente das escolas, são escassas e controversas as indicações para a realização desse exame. Evidências sugerem que o DPAC seja a consequência de dificuldades cognitivas (linguagem e atenção), tratando-se do mesmo grupo de crianças com transtornos do neurodesenvolvimento (TDAH, DI, TEA, TEAp).[69] As evidências também indicam que a intervenção direta no DPAC não tem impacto no aprendizado, reforçando que não há benefícios estabelecidos nessa avaliação.[70,71]

# AGRESSIVIDADE

Comumente associada à raiva e à irritabilidade, a agressividade pode ser definida como um comportamento que leva o indivíduo a machucar outros ou a si mesmo. Ela pode ser reativa, como consequência de um sentimento intenso de raiva, ou proativa, quando é premeditada ou planejada.[72]

A queixa de agressividade é um motivo frequente de busca de atendimento na infância e na adolescência. Comportamento opositor e/ou agressivo é comum em crianças em idade escolar. Da mesma forma, a necessidade de testar limites, discordar de adultos e quebrar regras faz parte do processo normal da adolescência. No entanto, quando essas características se tornam persistentes e prejudicam o indivíduo ou o seu ambiente, é necessária uma avaliação criteriosa da regulação emocional e do comportamento.[73]

A agressividade excessiva pode levar a uma série de consequências negativas para o indivíduo e seu meio, estando documentada a associação com uso de substâncias, pobreza, subemprego, isolamento social e suicídio.[74]

Clinicamente, é muito útil entender a irritabilidade/agressividade como um sintoma que atravessa as fronteiras das classificações diagnósticas. Cabe um paralelo com a febre, que é um sinal de alerta, mas que precisa de um entendimento de sua causa subjacente para que possa ser tratada adequadamente.[74]

A população que apresenta sintomas de irritabilidade e agressividade é heterogênea, podendo apresentar vários diagnósticos diferentes. Os principais transtornos relacionados a essas características são classificados como transtornos disruptivos. Os diagnósticos incluem, entre outros, o transtorno de oposição desafiante (TOD) e o transtorno da conduta (TC), que são frequentemente comórbidos com TDAH. Cabe frisar, ainda, que os transtornos de humor, ansiedade e traumas são muito associados ao surgimento de agressividade e que diagnósticos como deficiência intelectual, autismo, psicose e uso de substâncias também precisam ser considerados.[74]

Vários estudos já mostraram a associação genética da agressividade, chegando a uma herdabilidade de 50%. Alguns fatores ambientais também já foram associados à agressividade. No período pré-natal, destacam-se tabagismo e uso de substâncias, estresse e depressão maternos; depois do nascimento, destacam-se pobreza, condições sociais adversas e ambientes violentos. A família e o ambiente social também podem exercer potente ação protetora para comportamentos agressivos, e a regulação desses fatores é a base do tratamento psicossocial para agressividade.[75] A **TABELA 178.8** apresenta os fatores familiares de promoção e proteção relacionados a comportamentos disruptivos.[75] A dificuldade para construir esses fatores chama a atenção para possível adoecimento dos pais e necessidade de apoio.

## Transtorno de oposição desafiante

O TOD é caracterizado por um padrão persistente de humor irritável, comportamento argumentativo, desafiante ou vingativo, com duração de pelo menos 6 meses. Crianças

**TABELA 178.8** → Fatores familiares de promoção e proteção relacionados a comportamentos disruptivos

| |
|---|
| Promoção de ambiente estruturado com rotinas, supervisão e disciplinas consistentes; também é relevante a busca por alinhamento entre os cuidadores na forma de interação com a criança |
| Disponibilidade, interesse e flexibilidade às necessidades específicas de cada criança; uma criança tímida, por exemplo, demanda estímulo à socialização, ao passo que uma criança agitada requer limites às ações que envolvam riscos |
| Coerência da interação dos pais com a criança, atentando-se à importância da expressão tanto de carinho como de limites, de forma que a criança saiba o que esperar |
| Promoção e estímulo às aspirações da criança em campos como educação, cultura, esporte e lazer, além de contexto familiar que desaprova a violência |

e adolescentes com TOD têm dificuldade de controlar suas reações e são frequentemente desobedientes.[76]

Os sintomas geralmente iniciam na idade escolar, mas podem aparecer precocemente, em pré-escolares, ou tardiamente, em adolescentes.[76] A prevalência do transtorno varia entre 1 e 12,3% entre estudos, com prevalência maior entre meninos.[77]

Como em todos os transtornos diagnosticados na infância, é importante levar em consideração a fase do desenvolvimento em que a criança se encontra. Por exemplo, é comum que pré-escolares tenham dificuldade de controlar crises de raiva, mas se as crises são quase diárias e com consequências importantes, é preciso considerar o diagnóstico de TOD.[76]

Para fazer o diagnóstico, é suficiente que a criança apresente sintomas em apenas um ambiente (tem problemas na escola, mas não em casa, p. ex.), mas o mais comum é que os sintomas se apresentem em vários ambientes.[76] A associação com outros diagnósticos é frequente, sendo a comorbidade com TDAH a mais comum, ocorrendo em até 40% das crianças com diagnóstico de TOD.[78]

## Transtorno da conduta

A prevalência do TC é de cerca de 3% em crianças em idade escolar, e é 2 vezes maior em meninos. O transtorno da conduta não tem uma característica episódica como a depressão. Ele se assemelha mais a um transtorno de personalidade, sendo uma característica de funcionamento do indivíduo.

Os critérios diagnósticos incluem comportamentos que constantemente violam as regras e os direitos dos outros (agressividade física, violação de propriedade e regras). Em alguns casos, os sintomas comportamentais podem estar associados à falta de empatia e de remorso. A intensidade e a gravidade dos sintomas é amplamente variável.[79,80]

Uma das grandes críticas ao diagnóstico de TC é o fato de que os critérios diagnósticos são exclusivamente comportamentais, não explicando questões emocionais e cognitivas subjacentes. Além disso, é um diagnóstico extremamente heterogêneo.[79,80]

## Intervenções psicossociais

As intervenções psicossociais mais estudadas para tratar agressividade na infância têm suas raízes nas teorias cognitivo-comportamentais. Tanto o treinamento de habilidades parentais quanto intervenções cognitivo-comportamentais para a criança têm efeitos moderados, e são considerados as intervenções de primeira linha para comportamento agressivo.

→ **Treinamento de habilidades parentais (TE = −0,44 a −0,47)** B. O princípio dessa intervenção é o condicionamento operante, ou seja, de que a repetição de um comportamento depende das consequências geradas por ele. Por exemplo, se depois de uma crise de birra a criança consegue escapar das exigências parentais, a chance de repetir esse comportamento aumenta. Ao mesmo tempo, as respostas parentais aos comportamentos infantis precisam ser ajustadas.[72]

Agressão física, gritos e xingamentos por parte dos pais reforça o comportamento violento da criança. Elogios para comportamentos desejados devem ser encorajados. Ao mesmo tempo, é importante que os pais aprendam a dedicar tempo e atenção para a criança. Outra questão de extrema importância é a consistência e a coerência das atitudes dos pais. Os pais também precisam aprender a aceitar os sentimentos das crianças – por exemplo, aceitar que ela sinta raiva –, mas não aceitar que essa raiva se manifeste em forma de agressividade dirigida aos outros.[72]

→ **Terapia cognitivo-comportamental (TE = −0,82 e remissão em 32,4%; TE = −0,98 e remissão em 48% quando também houve tratamento dos pais)** B. O alvo da intervenção é ajudar a criança a entender e regular as emoções e, ao mesmo tempo, desenvolver habilidades sociais mais adaptativas.[81] É importante mapear com a criança quais são as situações que desencadeiam episódios de agressividade, além de entender quais são as consequências negativas dos episódios. Uma vez identificados os gatilhos, a técnica ajuda a criança a reconhecer a raiva ainda no começo e a pensar em outras formas de reagir. Técnicas de relaxamento são utilizadas para os momentos de raiva intensa. A participação dos pais no processo é fundamental, mesmo que as intervenções sejam dirigidas à criança. Os pais criam um ambiente propício ao aprendizado entre as sessões.[72]

## Tratamento farmacológico

A intervenção farmacológica deve levar em conta os possíveis diagnósticos associados. Diante de um caso de agressividade excessiva, o primeiro passo deve ser avaliar a existência de TDAH. Quando presente, o uso de psicoestimulantes é a terapia de primeira linha, mostrando grande benefício (TE = −0,84) na redução da impulsividade e da agressividade B. A resposta ao uso de psicoestimulantes é dose-dependente; portanto, antes de considerar a troca de medicamento, é importante otimizar a dose.[73,80] Se descartado TDAH, segue-se para o passo seguinte: a procura por outros diagnósticos como depressão, ansiedade, traumas e transtornos disruptivos.

A abordagem da criança apresentando sintomas depressivos ou de ansiedade e trauma é discutida nos capítulos específicos. Para os transtornos disruptivos, a intervenção farmacológica é secundária, sendo realizada principalmente com antipsicóticos. Pode ser usada quando não há resposta à abordagem psicossocial, quando há comorbidade com outros transtornos mentais, ou quando a situação é suficientemente grave a ponto de justificar os efeitos adversos.

Os estudos de uso de antipsicóticos para manejo de agressividade ainda são limitados, e mostram um grande efeito para uso de curto prazo. A maioria deles testou a risperidona, em doses de 1 a 2 mg (TE = −1,12 a −1,30) **B**. Existe uma grande preocupação com o uso de médio e longo prazo de antipsicóticos pelos efeitos metabólicos, principalmente ganho ponderal. O uso de outros agentes, como lítio, ácido valproico e carbamazepina, foi pouco estudado e não mostra benefícios significativos.[80,82]

## AUTOLESÃO

Autolesão não suicida é caracterizada pela lesão intencional do corpo, sem intenção suicida. É importante diferenciá-la de práticas como tatuagem, *piercing* ou rituais religiosos, já que estas estão tradicionalmente inseridas em um contexto cultural.[83] Esse tema vem ganhando progressivamente maior evidência nos últimos anos. As informações e os estudos sobre a autolesão datam do início dos anos 2000, havendo poucos dados anteriores a esse período.

Os métodos mais comuns dessas automutilações incluem cortes, arranhões ou batidas contra uma superfície rígida. É uma prática extremamente comum entre adolescentes. Na comunidade, a prevalência fica em torno de 15% (pelo menos um episódio), enquanto em populações clínicas de adolescentes pode chegar a 60%. Tende a diminuir significativamente com o fim da adolescência e começo da vida adulta, e o pico de prevalência ocorre por volta dos 15 anos de idade.[83]

Apesar de a autolesão não ter, por si, intenção suicida, o indivíduo que a pratica pode estar em risco para suicídio. Até 70% dos adolescentes com história de automutilação já realizaram ao menos uma tentativa de suicídio. Alta frequência, cronicidade e gravidade das lesões chamam atenção para maior risco. Os dois fenômenos podem ter a mesma origem: dificuldade para regular e tolerar as emoções. Considera-se também que a autolesão leva à habituação da sensação dolorosa e desafia os limites corporais, reduzindo o medo relacionado à dor de uma tentativa de suicídio.[84]

O ato de provocar lesões em si mesmo pode ter diferentes motivações e significados. Entre estes, podem-se destacar:[85,86]

→ regulação emocional (escapar de um estado de dor psíquica, trocar a dor psíquica por uma dor física mais tolerável);
→ autopunição ou punição de terceiros;
→ comunicação e expressão de um sofrimento;
→ evitação de situações das quais não deseja participar;
→ identificação com grupos sociais que tenham essa prática;
→ busca por diferentes sensações (até mesmo prazer).

Vale ressaltar que, na maioria das vezes, a autolesão está associada com algum transtorno mental (especialmente ansiedade, estresse pós-traumático, depressão e transtorno bipolar), mas pode ocorrer também de forma isolada.[83]

O entendimento da função que a automutilação exerce para cada indivíduo, além da identificação e do tratamento do transtorno mental (que pode estar subjacente), são primordiais para o desenvolvimento de um plano terapêutico efetivo.[85] A abordagem com remissão dos sintomas de ansiedade ou depressão, por exemplo, pode levar à remissão completa do comportamento autolesivo.

Para a grande maioria dos adolescentes, a autolesão tem um papel regulador das emoções, e intervenções psicoterápicas têm como objetivo a regulação emocional ou a possibilidade de tornar as emoções mais toleráveis, sendo a terapia dialética (RRR = 54%; NNT = 4-21) **B** a mais estudada até o momento.[87] Durante uma crise, enquanto as emoções estão muito intensas, pode ser difícil para o adolescente pensar em estratégias para lidar com os sentimentos. Para tanto, a construção de um plano simples de enfrentamento, construído conjuntamente, tem grande validade. Na APS, algumas medidas simples podem ser recomendadas (TABELA 178.9).[88]

## ESTRESSE PARENTAL

Os sintomas e os comportamentos das crianças e dos adolescentes podem tensionar as relações interpessoais e estão associados a aumento de disfunção familiar.[89] Pais de crianças com TDAH, autismo e deficiência intelectual, por exemplo, convivem com altos níveis de estresse.[90,91] Esse estresse é exacerbado quando há comorbidade com transtornos disruptivos e quando essas crianças não são adequadamente tratadas.[92]

Sendo um desequilíbrio desadaptativo, o estresse parental ocorre quando o pai/mãe considera que os recursos que possui são insuficientes para lidar com as demandas e as exigências relacionadas ao seu papel parental.[93] Ele também já foi relacionado a diversos desfechos negativos, tanto para as crianças quanto para seus cuidadores, incluindo agravamento dos sintomas dessas crianças, menor resposta às intervenções terapêuticas, piora da relação dos pais com a criança e diminuição da qualidade de vida/saúde mental desses cuidadores.[94] O estresse parental também impacta no cuidado dispensado à criança: menos acompanhamento da rotina, mais uso de punição e controle da criança pelo uso de violência.[95]

**TABELA 178.9** → Recomendações para um plano de enfrentamento à autolesão na atenção primária à saúde

→ Garantir ambiente seguro para que o adolescente expresse sensações e sentimentos
→ Evitar críticas e julgamentos (equipe de saúde e família)
→ Estimular (e, se necessário, intermediar) cuidadosamente o diálogo do adolescente com os pais
→ Traduzir para os pais as possíveis motivações relacionadas à autolesão
→ Reduzir o acesso às ferramentas usadas nas lesões
→ Intensificar a supervisão pelos pais
→ Tratar insônia quando associada
→ Investigar exposição à violência
→ Intervir no ambiente escolar em caso de *bullying*
→ Construir com o adolescente alternativas para lidar com o sofrimento (busca por ajuda externa, atividades que mudem o foco)

Em estudos qualitativos, cuidadores de crianças com TDAH, por exemplo, descreveram amar, mas disseram ter dificuldade para apreciar a companhia de seus filhos. Expressaram também sentimentos de tristeza, culpa, raiva, desespero, desamparo, frustração, isolamento e incômodo com o fato de serem frequentemente julgados.[96,97]

Tão importante quanto identificar as limitações dos cuidadores e suas consequências para as crianças é oferecer ajuda e suporte a eles. É importante considerar também a alta herdabilidade de alguns desses transtornos, como autismo e TDAH, e a possibilidade de que esses pais/mães tenham o mesmo diagnóstico dos filhos e não tenham recebido o tratamento adequado.[94]

# REFERÊNCIAS

1. American Psychiatric Association. Diagnostic and statistical manual of mental disorders. 5th ed. Washington: American Psychiatric Pub; 2013.
2. Santos L de F, Vasconcelos LA. Transtorno do déficit de atenção e hiperatividade em crianças: uma revisão interdisciplinar. Psicol teor pesqui. 2010;26(4):717–24.
3. Palladino VS, McNeill R, Reif A, Kittel-Schneider S. Genetic risk factors and gene-environment interactions in adult and childhood attention-deficit/hyperactivity disorder. Psychiatr genet. 2019;29(3):63–78.
4. Topczewski A. Transtorno do déficit de atenção e hiperatividade : uma vertente terapêutica. Eistein. 2014;12(3):310–3.
5. O'Neill S, Rajendran K, Mahbubani SM, Halperin JM. Preschool predictors of ADHD symptoms and impairment during childhood and adolescence. Curr Psychiatry Rep. 2017;19(12):1–15.
6. Fontiveros MÁM, Vera MJM, González AT, Igeño VG, Resa OG. Actualización en el tratamiento del trastorno del déficit de atención con / sin hiperactividad ( TDAH ) en Atención Primaria. Rev clín med fam. 2015;8(3):231–9.
7. Taylor E. Attention deficit hyperactivity disorder: overdiagnosed or diagnoses missed? Arch Dis Child. 2017;102(4):376–9.
8. Ruiz-goikoetxea M, Cortese S, Aznarez-sanado M, Magallón S, Alvarez N, Luis EO, et al. Neuroscience and biobehavioral reviews risk of unintentional injuries in children and adolescents with ADHD and the impact of ADHD medications : a systematic review and meta-analysis. Neurosci Biobehav Rev. 2018;84(September):63–71.
9. Sayal K, Prasad V, Daley D, Ford T, Coghill D. ADHD in children and young people: prevalence, care pathways, and service provision. Lancet Psychiatry. 2018;5(2):175–86.
10. Jangmo A, Stålhandske A, Chang Z, Chen Q, Almqvist C, Feldman I, et al. Attention-deficit/hyperactivity disorder, school performance, and effect of medication. J Am Acad Child Adolesc Psychiatr. 2019;58(4):423–32.
11. Upadhyay N, Chen H, Mgbere O, Bhatara VS, Aparasu RR. The impact of pharmacotherapy on substance use in adolescents with attention-deficit/hyperactivity disorder: variations across subtypes. Subst Use Misuse. 2017;52(10):1266–74.
12. Weed ED. ADHD in school-aged youth: management and special treatment considerations in the primary care setting. Int j psychiatry med. 2016;51(2):120–36.
13. Dalsgaard S, Østergaard SD, Leckman JF, Mortensen PB, Pedersen MG. Mortality in children, adolescents, and adults with attention deficit hyperactivity disorder: a nationwide cohort study. Lancet. 2015;385(9983):2190–6.
14. Aduen PA, Kofler MJ, Sarver DE, Wells EL, Soto EF, Cox DJ. ADHD, depression, and motor vehicle crashes: a prospective cohort study of continuously-monitored, real-world driving. J Psychiatr Res. 2018;101:42–9.
15. Machado A, Rafaela D, Silva T, Veigas T, Cerejeira J. ADHD among offenders: prevalence and relationship with psychopathic traits. J Affect Disord. 2020;24(14):2021–9.
16. Baggio S, Fructuoso A, Guimaraes M, Fois E, Golay D, Heller P, et al. Prevalence of attention deficit hyperactivity disorder in detention settings: A systematic review and meta-analysis. Front Psychiatry. 2018;9:331.
17. Moreira-Maia CR, Massuti R, Tessari L, Campani F, Akutagava-Martins GC, Cortese S, et al. Are ADHD medications under or over prescribed worldwide? Medicine. 2018;97(24).
18. Rashid A, Llanwarne N, Lehman R. Prescribing for ADHD in primary care. Br J Gen Pract. 2018;68(669):170–1.
19. Thomas R, Sanders S, Doust J, Beller E, Glasziou P. Prevalence of attention-deficit/hyperactivity disorder: a systematic review and meta-analysis. Pediatrics. 2015;135(4):1–12.
20. Polanczyk G, Lima de MS, Horta BL, Biederman J, Rohde LA. The worldwide prevalence of ADHD: a systematic review and metaregression analysis. Am J Psychiatry. 2007;164(June):942-8.
21. Polanczyk VG, Willcutt EG, Salum GA, Kieling C, Rohde LA. ADHD prevalence estimates across three decades: an updated systematic review and meta-regression analysis. Int J Epidemiol. 2014;43(2):434–42.
22. Thapar A. Discoveries on the genetics of ADHD in the 21st century: new findings and their implications. Am J Psychiatry. 2018;175(10):943–50.
23. National Institute for Health and Care Excellence. Attention deficit hyperactivity disorder: diagnosis and management. London: NICE; 2018.
24. Reale L, Bartoli B, Cartabia M, Zanetti M, Costantino MA, Canevini MP, et al. Comorbidity prevalence and treatment outcome in children and adolescents with ADHD. Eur child adolesc psychiatry. 2017;26(12):1443–57.
25. Caye A, Swanson J, Thapar A, Sibley M, Arseneault L, Hechtman L, et al. Life span studies of ADHD—conceptual challenges and predictors of persistence and outcome. Curr Psychiatry Rep. 2016;18(12):1–18.
26. Mowlem F, Agnew-Blais J, Taylor E, Asherson P. Do different factors influence whether girls versus boys meet ADHD diagnostic criteria? Sex differences among children with high ADHD symptoms. Psychiatry Res. 2019;272:765–73.
27. Posner J, Polanczyk VG, Sonuga-Barke E. Attention-deficit hyperactivity disorder. Lancet. 2020;395(10222):450–62.
28. Rimvall MK, Jeppesen P, Verhulst F. The problem of same-rater bias. J Am Acad Child Adolesc Psychiatry. 2018;57(9):700–1.
29. Hall CL, Guo B, Valentine AZ, Groom MJ, Daley D, Sayal K, et al. The validity of the SNAP-IV in children displaying ADHD symptoms. Assessment. 2020;27(6):1258–71.
30. Jensen CM, Steinhausen HC. Comorbid mental disorders in children and adolescents with attention-deficit/hyperactivity disorder in a large nationwide study. Atten Defic Hyperact Disord. 2015;7(1):27–38.
31. Mao AR, Findling RL. Comorbidities in adult attention-deficit / hyperactivity disorder : a practical guide to diagnosis in primary care. Postgrad med. 2014;126(5):42–51.
32. Pham VA, Riviere A. Specific learning disorders and ADHD: current issues in diagnosis across clinical and educational settings. Curr Psychiatry Rep. 2015;17(6):1–7.
33. Becker SP, Langberg JM, Eadeh HM, Isaacson PA, Bourchtein E. Sleep and daytime sleepiness in adolescents with and without ADHD: differences across ratings, daily diary, and actigraphy. J Child Psychol Psychiatry. 2019;60(9):1021–31.
34. Kirov R, Brand S. Sleep problems and their effect in ADHD. Expert Rev Neurother. 2014;14(3):287–99.
35. Hvolby A. Associations of sleep disturbance with ADHD: implications for treatment. Atten Defic Hyperact Disord. 2015;7(1):1–18.

36. Wolraich ML, Chan E, Froehlich T, Lynch RL, Bax A, Redwine ST, et al. ADHD diagnosis and treatment guidelines: a historical perspective. Pediatrics. 2019;144(4):319–27.

37. Sprich SE, Safren SA, Finkelstein D, Remmert JE, Hammerness P. A randomized controlled trial of cognitive behavioral therapy for ADHD in medication-treated adolescents. J child psychol psychiatry allied discipl. 2016;57(11):1218–26.

38. Dahl V, Ramakrishnan A, Spears AP, Jorge A, Lu J, Bigio NA, et al. Psychoeducation interventions for parents and teachers of children and adolescents with ADHD: a systematic review of the literature. J Dev Phys Disabil. 2020;32(2):257–92.

39. Sukhodolsky DG, Martin A. Parent management training: treatment for oppositional, aggressive, and antisocial behavior in children and adolescents. J Am Acad Child Adolesc Psychiatry. 2006;45(2):256–7.

40. Bhat V, Sengupta SM, Grizenko N, Joober R. Therapeutic response to methylphenidate in ADHD: role of child and observer gender. J Can Acad Child Adolesc Psychiatry. 2020;29(1):44–52.

41. Morkem R, Patten S, Queenan J, Barber D. Recent trends in the prescribing of ADHD medications in canadian primary care. J Atten Disord. 2020;24(2):301–8.

42. Caye A, Swanson JM, Coghill D, Rohde LA. Treatment strategies for ADHD: an evidence-based guide to select optimal treatment. Mol Psychiatry. 2019;24(3):390–408.

43. Maldonado R. Comparison of the pharmacokinetics and clinical efficacy of new extended-release formulations of methylphenidate. Expert Opin Drug Metab Toxicol. 2013;9(8):1001–14.

44. Stahl SM. Fundamentos de psicofarmacologia de Stahl: guia de prescrição. 6. ed. Porto Alegre: Artmed;2018.

45. Ching C, Eslick GD, Poulton AS. Evaluation of methylphenidate safety and maximum-dose titration rationale in attention-deficit/hyperactivity disorder: a meta-analysis. JAMA Pediatr. 2019;173(7):630–9.

46. Groenman AP, Schweren LJS, Dietrich A, Hoekstra PJ. An update on the safety of psychostimulants for the treatment of attention-deficit/hyperactivity disorder. Expert Opin Drug Saf. 2017;16(4):455–64.

47. Ibrahim K, Donyai P. Drug holidays from ADHD medication: international experience over the past four decades. J Atten Disord. 2015;19(7):551–68.

48. Ougrin D, Chatterton S, Banarsee R. Attention deficit hyperactivity disorder (ADHD): review for primary care clinicians. London J Prim Care. 2010;3:45–51.

49. Wolraich ML, Bickman L, Lambert EW, Simmons T, Doffing MA. Intervening to improve communication between parents, teachers, and primary care providers of children with ADHD or at high risk for ADHD. J Atten Disord. 2005;9(1):354–68.

50. Universidade Federal do Rio Grande do Sul. Faculdade de Medicina. Programa de Pós-Graduação em Epidemiologia. Protocolos de encaminhamento para psiquiatria pediátrica. Porto Alegre: TelessaúdeRS; 2018.

51. Halperin JM, Marks DJ. Practitioner review: assessment and treatment of preschool children with attention-deficit/hyperactivity disorder. J Child Psychol Psychiatry. 2019;60(9):930–43.

52. Childress AC, Stark JG. Diagnosis and treatment of attention-deficit/hyperactivity disorder in preschool-aged children. J Child Adolesc Psychopharmacol. 2018;28(9):606–14.

53. McCormack G, Dillon AC, Healy O, Walsh C, Lydon S. Primary care physicians' knowledge of autism and evidence-based interventions for autism: a systematic review. Rev J Autism Dev Disord. 2020;7(3):226–41.

54. Lord C, Elsabbagh M, Baird G, Veenstra-Vanderweele J. Autism spectrum disorder. Lancet. 2018;392(10146):508–20.

55. Masi A, DeMayo MM, Glozier N, Guastella AJ. An overview of autism spectrum disorder, heterogeneity and treatment options. Neurosci bull. 2017;33(2):183–93.

56. Sanchack K, Thomas CA. Primary care for children with autism spectrum disorder. Am Fam Physician. 2016;94(12):972–80.

57. Lyall K, Croen L, Daniels J, Fallin MD, Ladd-Acosta C, Lee BK, et al. The changing epidemiology of autism spectrum disorders. Annu Rev Public Health. 2017;38:81–102.

58. Brian JA, Zwaigenbaum L, Ip A. Standards of diagnostic assessment for autism spectrum disorder. Paediatr Child Health. 2019;24(7):444–51.

59. Beggiato A, Peyre H, Maruani A, Scheid I, Rastam M, Amsellem F, et al. Gender differences in autism spectrum disorders: divergence among specific core symptoms. Autism Research. 2017;10(4):680–9.

60. Hyman SL, Levy SE, Myers SM. Identification, evaluation, and management of children with autism spectrum disorder. Pediatrics. 2020;145(1).

61. Lyra L, Rizzo LE, Sunahara CS, Pachito DV, Cruz Latorraca C de O, Martimbianco ALC, et al. O que as revisões sistemáticas Cochrane falam sobre intervenções para os transtornos do espectro autista? Sao Paulo Med J. 2017;135(2):192–201.

62. Howes OD, Rogdaki M, Findon JL, Wichers RH, Charman T, King BH, et al. Autism spectrum disorder: consensus guidelines on assessment, treatment and research from the British Association for Psychopharmacology. J Psychopharmacol. 2018;32(1):3–29.

63. Vasudevan P, Suri M. A clinical approach to developmental delay and intellectual disability. Clin Med. 2017;17(6):558–61.

64. Marrus N, Hall L. Intellectual disability and language disorder. Child Adolesc Psychiatr Clin N Am. 2017;26(3):539–54.

65. Peters L, Ansari D. Are specific learning disorders truly specific, and are they disorders? Trends Neurosci Educ. 2019;17:1–8.

66. McDowell M. Specific learning disability. J Paediatr Child Health. 2018;54(10):1077–83.

67. Margari L, Buttiglione M, Craig F, Cristella A, de Giambattista C, Matera E, et al. Neuropsychopathological comorbidities in learning disorders. BMC Neurol. 2013;13(198):1–6.

68. Sahu A, Patil V, Sagar R, Bhargava R. Psychiatric comorbidities in children with specific learning disorder-mixed type: a cross-sectional study. J Neurosci Rural Pract. 2019;10(4):617–22.

69. de Wit E, van Dijk P, Hanekamp S, Visser-Bochane MI, Steenbergen B, van der Schans CP, et al. Same or different: the overlap between children with auditory processing disorders and children with other developmental disorders: a systematic review. Ear Hear. 2018;39(1):1–19.

70. Wit de E, Visser-Bochane MI, Steenbergen B, Dijk van P, Schans van der CP, Luingea MR. Characteristics of auditory processing disorders: a systematic review. J Speech Lang Hear Res. 2016;59:384–413.

71. Moore DR. Editorial: auditory processing disorder. Ear Hear. 2018;39(4):617–20.

72. Sukhodolsky DG, Smith SD, McCauley SA, Ibrahim K, Piasecka JB. Behavioral interventions for anger, irritability, and aggression in children and adolescents. J Child Adolesc Psychopharmacol. 2016;26(1):58–64.

73. Gorman DA, Gardner DM, Murphy AL, Feldman M, Bélanger SA, Steele MM, et al. Canadian guidelines on pharmacotherapy for disruptive and aggressive behaviour in children and adolescents with attention-deficit hyperactivity disorder, oppositional defiant disorder, or conduct disorder. Can J Psychiatry. 2015;60(2):62–76.

74. Magalotti SR, Neudecker M, Zaraa SG, McVoy MK. Understanding chronic aggression and its treatment in children and adolescents. Curr Psychiatry Rep. 2019;21(123):1–12.

75. Labella MH, Masten AS. Family influences on the development of aggression and violence. Curr Opin Psychol. 2018;19(17):11–6.

76. Riley M, Ahmed S, Locke A. Common questions about oppositional defiant disorder. Am Fam Physician. 2016;93(7):586–91.

77. Demmer DH, Hooley M, Sheen J, McGillivray JA, Lum JAG. Sex differences in the prevalence of oppositional defiant disorder during middle childhood: a meta-analysis. J Abnorm Child Psychol. 2017;45(2):313–25.

78. Ghosh A, Ray A, Basu A. Oppositional defiant disorder: current insight. Psychol Res Behav Manag. 2017;10:353–67.

79. Frick PJ. Early identification and treatment of antisocial behavior. Pediatr Clin North Am. 2016;63(5):861–71.
80. Fairchild G, Hawes DJ, Frick PJ, Copeland WE, Odgers CL, Franke B, et al. Conduct disorder. Nat Rev Dis Primers. 2019;5(43):1–25.
81. Riise EN, Wergeland GJH, Njardvik U, Öst L-G. Cognitive behavior therapy for externalizing disorders in children and adolescents in routine clinical care: a systematic review and meta-analysis. Clin Psychol Rev. 2021;83:101954.
82. Loy JH, Merry SN, Hetrick SE, Stasiak K. Atypical antipsychotics for disruptive behaviour disorders in children and youths. Cochrane Database Syst Rev. 2012;(9):CD008559.
83. Brown RC, Plener PL. Non-suicidal self-injury in adolescence. Curr Psychiatry Rep. 2017;19(3):1–8.
84. Hornor G. Nonsuicidal self-injury. J Pediatr Child Health Care. 2016;30(3):261–7.
85. Taylor PJ, Jomar K, Dhingra K, Forrester R, Shahmalak U, Dickson JM. A meta-analysis of the prevalence of different functions of non-suicidal self-injury. J Affect Disord. 2018;227:759–69.
86. Jarvi S, Jackson B, Swenson L, Crawford H. The impact of social contagion on non-suicidal self-injury: a review of the literature. Arch Suicide Res. 2013;17(1):1–19.
87. Turner BJ, Austin SB, Chapman AL. Treating nonsuicidal self-injury: a systematic review of psychological and pharmacological interventions. Can J Psychiatry. 2014;59(11):576–85.
88. Clarke S, Allerhand LA, Berk MS. Recent advances in understanding and managing self-harm in adolescents. F1000Res. 2019;8:F1000 Faculty Rev-1794.
89. Theule J, Wiener J, Tannock R, Jenkins JM. Parenting stress in families of children with ADHD: a meta-analysis. J emot behav disord. 2013;21(1):3–17.
90. Gupta VB. Comparison of parenting stress in different developmental disabilities. J dev phys disabil. 2007;19(4):417–25.
91. Craig F, Operto FF, De Giacomo A, Margari L, Frolli A, Conson M, et al. Parenting stress among parents of children with neurodevelopmental disorders. Psychiatry res. 2016;242:121–9.
92. Moen ØL, Hedelin B, Hall-Lord ML. Family functioning, psychological distress, and well-being in parents with a child having ADHD. SAGE Open. 2016;6(1):2158244015626767.
93. Brito de A, Faro A. Estresse parental: revisão sistemática de estudos empíricos. Psicol pesq. 2016;10(1):64–75.
94. Leitch S, Sciberras E, Post B, Gerner B, Rinehart N, Nicholson JM, et al. Experience of stress in parents of children with ADHD: a qualitative study. Int J Qual Stud Health Well-being. 2019;14(1):1–12.
95. Wirth A, Reinelt T, Gawrilow C, Schwenck C, Freitag CM, Rauch WA. Examining the relationship between children's ADHD symptomatology and inadequate parenting: the role of household chaos. J Atten Disord. 2019;23(5):451–62.
96. Mofokeng M, van der Wath AE. Challenges experienced by parents living with a child with attention deficit hyperactivity disorder. J Child Adolesc Ment Health. 2017;29(2):137–45.
97. Davis CC, Claudius M, Palinkas LA, Wong JB, Leslie LK. Putting families in the center: family perspectives on decision making and ADHD and implications for ADHD care. J Atten Disord. 2012;16(8):675–84.

## LEITURA RECOMENDADA

Siegel M, McGuire K, Veenstra-VanderWeele J, Stratigos K, King B. Practice Parameter for the assessment and treatment of psychiatric disorders in children and adolescents with intellectual disability (intellectual developmental disorder). J Am Acad Child Adolesc Psychiatry. 2020;59(4):468–96.
*Diretrizes detalhadas para o manejo de deficiência intelectual.*

# Capítulo 179
# PROBLEMAS DE SAÚDE MENTAL EM ADOLESCENTES E ADULTOS JOVENS

Christian Kieling

Pedro Mario Pan

Marcelo Rodrigues Gonçalves

O período que se estende da 2ª até o início da 3ª década de vida é marcado por grandes mudanças, como o estabelecimento de uma identidade própria e a busca por uma maior independência em relação à família. Múltiplas definições existem para designar essa etapa do ciclo vital, que geralmente inicia com a puberdade e termina com a transição para papéis da vida adulta. Neste capítulo, utilizaremos o termo "jovens" para nos referirmos a indivíduos na faixa dos 10 aos 24 anos de idade. A pirâmide populacional do Brasil atualmente inclui cerca de 50 milhões de pessoas nessa faixa etária.

O foco deste capítulo será as características do atendimento em saúde mental dessa população. Para uma orientação mais geral sobre o acompanhamento da saúde da população adolescente, que inclui também elementos de saúde mental, ver Capítulo Acompanhamento de Saúde do Adolescente. A abordagem de problemas específicos de saúde mental será descrita em outros capítulos desta seção.

## EPIDEMIOLOGIA DOS PROBLEMAS DE SAÚDE MENTAL NA POPULAÇÃO JOVEM

Entre os jovens, os problemas de saúde mental representam a principal carga de doença.[1] No Brasil, dados epidemiológicos sugerem que, aos 22 anos de idade, 1 a cada 5 jovens preenche critérios para o diagnóstico de ao menos um transtorno mental. Além disso, há uma alta proporção de jovens que apresentam transtornos mentais comórbidos: mais de um terço entre aqueles afetados preenchem critérios para dois ou mais transtornos mentais simultaneamente.[2]

O custo social associado com transtornos mentais em jovens é muito significativo. Dados de dois grandes estudos de coorte britânicos apontam que 90% do custo social recaem particularmente no setor da educação, uma vez que o desempenho escolar é afetado pelo transtorno mental, além de a escola ser um importante cenário de intervenções terapêuticas na realidade daquele país. Os demais 10% ficam divididos entre os serviços de saúde da atenção primária à saúde (APS), serviços pediátricos especializados, serviço social e tratamento especializado em saúde mental.[3] No Brasil, um estudo conduzido por Fatori e colaboradores[4] avaliou o custo dos transtornos mentais no início da adolescência, estimando que o impacto nacional da soma dos custos associados com transtornos mentais foi de 11,6 bilhões de dólares. Além disso, a falta ou o atraso no início do tratamento adequado aumenta substancialmente os custos dessas condições. Dados brasileiros indicam que somente 1 a cada 5 pré-adolescentes diagnosticados com um transtorno mental recebem algum tipo de tratamento, seja psicológico ou médico.[5] Por fim, jovens com transtornos mentais apresentam uma probabilidade 8 vezes maior de ter algum contato com o sistema de justiça, o que constitui um custo pessoal, familiar e social ainda não contabilizado nos dados expostos anteriormente.

As gerações mais recentes enfrentam novos desafios na transição entre a adolescência e o início da vida adulta, resultando em fenômenos sociais como a exclusão dos processos da educação, do emprego e da qualificação profissional. O conceito, que deriva do inglês NEET[6] (*not in education, employment, or training*), tomou uma conotação pejorativa no português ("nem-nem"). A investigação do NEET começou a partir da percepção de que, em crises econômicas, o desemprego e o desamparo aumentavam mais rapidamente nos jovens. Um estudo britânico feito com jovens de 16 a 25 anos apontou que a prevalência de NEET em pessoas com transtornos mentais é de 27%, em comparação com 16% na população geral. Há evidências, por exemplo, que ligam a falta de oportunidades de trabalho ou de formação com desfechos negativos de saúde mental, como depressão. Por outro lado, transtornos mentais geram incapacidade funcional. Quando a incapacidade ocorre em períodos de formação acadêmica ou treinamento profissional, há um aumento ainda maior na desigualdade de oportunidades futuras entre jovens com e sem transtorno mental. Portanto, existe uma relação complexa entre desenvolvimento pessoal e profissional e problemas de saúde mental.

No contexto nacional, a Pesquisa Nacional por Amostra de Domicílios (PNAD) contínua do Instituto Brasileiro de Geografia e Estatística (IBGE) aponta que 23% dos 47,3 milhões de jovens brasileiros com idades entre 15 e 29 anos não estavam nem ocupando vagas no mercado de trabalho e nem estudando ou realizando algum tipo de profissionalização. Dados da PNAD também apontam que mais de 10 milhões de jovens abandonaram os estudos antes de completar o ensino médio. O abandono começa a aumentar a partir dos 15 anos, com uma taxa desproporcionalmente maior em jovens negros e pardos. Ainda, um estudo conduzido pelo Banco Interamericano de Desenvolvimento colocou o Brasil como tendo a terceira maior taxa de NEET em jovens com idades de 15 a 24 anos entre 7 países da América Latina e Caribe – 23% –, superada apenas pelo México, com 25%, e por El Salvador, com 24%. Abaixo do Brasil apareceram Haiti (19%), Colômbia (16%), Paraguai (15%) e Chile (14%), sendo a taxa geral para a região de 21%.[7] A escassez de programas de avaliação e rastreio, tratamento e reinserção vocacional voltados para jovens com problemas de saúde mental pode ter como consequência a perpetuação do círculo vicioso dos transtornos mentais e exclusão social.

A adolescência e o início da idade adulta representam um período de pico em relação à incidência de transtornos mentais.[8] Mais do que isso, é importante lembrar que problemas de saúde mental nessa etapa do desenvolvimento estão associados a outros desafios, incluindo uma maior independência em relação às suas famílias de origem, relacionamentos amorosos e interpessoais, conquistas educacionais e inserção no mercado de trabalho, bem como a experimentação ou o uso de substâncias psicoativas. Apesar desses desafios, essa etapa do desenvolvimento também representa um período crucial para o estabelecimento de hábitos de vida que diminuam fatores de risco e aumentem fatores de proteção – hábitos estes que serão levados pelas décadas seguintes, influenciando não apenas a saúde mental, mas a saúde geral como um todo. Promover uma boa saúde mental e a prevenção de problemas de saúde mental nos jovens é, portanto, uma questão relevante, tanto em termos de bem-estar individual quanto do ponto de vista de saúde pública.[9]

# PARTICULARIDADES DO DESENVOLVIMENTO COGNITIVO DA POPULAÇÃO JOVEM

A abordagem em saúde mental deve levar em conta as mudanças cognitivas que ocorrem na adolescência e na transição para a idade adulta. Por exemplo, os adolescentes experimentam mudanças significativas em sua capacidade de pensar – ao passar do pensamento concreto para o pensamento abstrato, eles são cada vez mais capazes de compreender ideias abstratas, de pensar no futuro, de pensar sobre possibilidades, de pensar sobre o próprio pensamento e de colocar-se no lugar de outra pessoa.

Além disso, estruturas cerebrais ligadas à busca por recompensa e prazer estão bastante ativas já no início da adolescência, enquanto áreas ligadas ao planejamento e ao controle cognitivo terminam seu amadurecimento somente no início da vida adulta. Esse descompasso entre a avidez por recompensa e o controle e planejamento das ações faz os jovens agirem de maneira mais impulsiva – muitas vezes, justificando a analogia de um "motor pronto com freios ainda em desenvolvimento".

Nesse contexto do neurodesenvolvimento, os aspectos associados à vida social dos jovens assumem especial relevância.[8] Relacionamentos com a família e com os amigos podem mudar significativamente durante a transição da adolescência para a idade adulta. Há uma crescente busca por autonomia, autodeterminação e identificação com o grupo social. Ao mesmo tempo, os jovens frequentemente seguem buscando apoio contínuo de seus pais. É também durante esse estágio que os jovens tendem a envolver-se em seu primeiro relacionamento romântico significativo. Assim, aspectos do neurodesenvolvimento relacionados com a maturidade e o contexto social do jovem são fatores relevantes para a busca de avaliação de problemas de saúde mental e, quando necessário, para o seu tratamento.

## PROMOVENDO ABERTURA PARA A ABORDAGEM DE PROBLEMAS DE SAÚDE MENTAL

Para poder avaliar e manejar problemas de saúde mental em jovens, é fundamental promover um bom engajamento do paciente com o profissional ou a equipe. Muitas vezes, os problemas são suspeitados e identificados pelo profissional durante o atendimento por outros motivos, e deve haver sensibilidade para explorar a possibilidade de sofrimento emocional quando essa não foi a queixa que motivou a consulta. Particularmente em adolescentes, é comum haver certa ambivalência para receber cuidados de saúde, em especial de saúde mental, com aumento da recusa quando há a percepção de que suas crenças e preferências não são consideradas. Nesse caso, estreitar primeiramente o vínculo por meio da abordagem de queixas consideradas mais relevantes pelo paciente (p. ex., acne em adolescentes) pode ser um bom caminho a perseguir. Por outro lado, quando o paciente busca ajuda motivado diretamente pelo problema de saúde mental, esse movimento pode ser uma importante demonstração de vontade e interesse em abordar o assunto.

Como forma de aumentar o engajamento do jovem, recomenda-se dar prioridade à sua visão sobre o problema, iniciando a abordagem somente com esse indivíduo, a menos que ele peça para ser visto com outra pessoa. É muito importante construir o relacionamento exibindo flexibilidade, cordialidade, empatia, escuta ativa e uma abordagem colaborativa, solicitando permissão antes de abordar assuntos delicados. Também é fundamental explicar o funcionamento do ambiente de avaliação e tratamento, assim como todos os passos do processo. O jovem deve saber o que esperar. Além disso, solicitar e oferecer *feedbacks* com frequência, incentivando que o jovem faça perguntas sempre que sinta vontade, pode ser bastante útil.[10,11]

O acrônimo HEEADSSS (**h**abitação, **e**ducação e emprego, **e**xercício e alimentação, **a**tividades, **d**rogas, **s**exualidade e gênero, **s**uicídio e depressão, **s**egurança) **(TABELA 179.1)** é uma excelente ferramenta para ser usada com jovens, especialmente adolescentes, como forma de "quebrar o gelo" e explorar o seu contexto psicossocial de forma dirigida. Muitas vezes, o paciente tem mais dificuldade ou receio de expressar-se no início da consulta, respondendo às perguntas abertas com respostas curtas, frequentemente monossilábicas. Nesse caso, iniciar com perguntas focadas sobre esses domínios, que permitam respostas mais objetivas e fáceis para o adolescente, facilita o início da conversa e o engajamento com o profissional, permitindo identificar áreas relevantes para posterior aprofundamento com perguntas abertas (ver técnica do funil invertido, no Capítulo Modelo de Consulta e Habilidades de Comunicação).

## AVALIAÇÃO DE PROBLEMAS DE SAÚDE MENTAL EM JOVENS

Um processo de avaliação amplo, abrangente e biopsicossocial deve ser utilizado para determinar a gravidade e a complexidade dos eventuais problemas de saúde mental que possam estar ocorrendo – possibilitando, assim, desenvolver uma formulação de caso e um planejamento de cuidados. O processo de avaliação tem como objetivo não apenas determinar a presença de fatores de risco ou de problemas de saúde mental, mas também incentivar o engajamento do jovem na promoção de saúde e nos cuidados e tratamentos, quando necessários.

A avaliação pode ser um processo terapêutico em si: propicia, muitas vezes, a primeira oportunidade que um jovem tem de dar sentido ao seu próprio sofrimento psíquico. Quando é avaliado a partir de uma escuta empática e livre de julgamentos, consegue entender que, embora sua experiência seja única, há ajuda disponível. A avaliação habilidosa e empática aumenta o engajamento, pois comunica interesse, compreensão e esperança ao jovem. O uso de técnicas como fazer perguntas abertas, compreender o contexto das dificuldades e resumir os problemas-alvo trazidos a partir do relato do jovem também pode favorecer o engajamento.

As informações obtidas acerca dos diferentes domínios podem ser operacionalmente integradas por meio da formulação de caso, que reúne todas essas informações e estabelece conexões entre aspectos da história e dos sintomas atuais. A formulação nada mais é do que uma hipótese sobre como os problemas atuais se desenvolveram, sendo útil para elaborar um plano de tratamento que incorpora pontos fortes e fatores de proteção para lidar com o sofrimento psíquico. Como não é estática, a formulação deve ser atualizada ao longo do tempo, à medida que mais informações são coletadas, incluindo a resposta ao tratamento inicialmente proposto. Frequentemente, utiliza-se a estratégia dos "5 Ps" para o processo de formulação: *problema atual*, incluindo a evolução temporal de sinais e sintomas (p. ex., ansiedade, tristeza); *fatores predisponentes*, como aspectos da história do jovem que o tornam vulnerável (p. ex., história familiar de transtornos mentais); *fatores precipitantes*,

**TABELA 179.1** → A entrevista psicossocial HEEADSSS

| | |
|---|---|
| **H**abitação | Onde, com quem, mudanças recentes, vizinhança, institucionalização, uso de eletrônicos |
| **E**ducação e emprego | Onde, em que ano, frequência, desempenho, relacionamentos, *bullying*, apoio, problemas disciplinares, planos futuros, ambiente de trabalho |
| **E**xercício e alimentação | Hábitos de atividade física e alimentação, peso e altura, alterações recentes |
| **A**tividades | Extracurriculares, grupos sociais, festas, televisão, computador, telefone, mídias sociais |
| **D**rogas | Tabaco, álcool, maconha, outras drogas ilícitas; primeiro uso, frequência, padrão de uso, forma de compra/pagamento, arrependimentos, consequências negativas |
| **S**exualidade e gênero | Identidade de gênero, relacionamentos amorosos, sexualidade e experiências sexuais, situações de abuso, uso de contraceptivos, proteção contra infecções sexualmente transmissíveis, gravidez |
| **S**uicídio e depressão | Sintomas de tristeza e anedonia: frequência e intensidade, situações de automutilação, pensamentos de morte; ideação, plano e/ou tentativas de suicídio |
| **S**egurança | Lesões corporais, segurança *on-line* (p. ex., risco de exposição), exposição a situações de violência, acidentes de trânsito, acesso/uso de armas |

ou seja, problemas ou eventos imediatos que serviram como gatilho para que o jovem apresentasse sintomas neste momento (p. ex., estressores recentes de vida como *bullying*); *fatores* **perpetuadores**, os quais fazem os sintomas ou problemas do jovem persistirem ou piorarem progressivamente (p. ex., baixo suporte social); e *fatores* **protetores**, que ajudam a melhorar a situação ou reduzir os impactos dos sintomas (p. ex., rede de amizades).

É boa prática clínica que tanto a formulação quanto o plano de tratamento sejam revisados e aprovados pelo jovem, de modo a proporcionar uma verdadeira colaboração terapêutica.

Nos últimos anos, modelos de estadiamento clínico vêm fornecendo uma nova estrutura para a compreensão da apresentação clínica dos problemas de saúde mental.[12] Além disso, algumas propostas procuram também orientar intervenções adequadas para cada estágio, a partir de um paradigma transdiagnóstico e interdisciplinar. Assim, a avaliação engloba toda a gama de dificuldades de saúde mental que um jovem pode apresentar, incluindo também a presença de fatores de risco e apresentações subsindrômicas, ou seja, que ainda não se enquadram em uma categoria diagnóstica. Essa abordagem pode ser bastante útil para compreender situações em que o jovem apresenta sintomas abaixo do limiar para um diagnóstico formal, mas que já acarretam significativos níveis de sofrimento e queda no funcionamento (p. ex., na escola, no trabalho, nas relações interpessoais). A FIGURA 179.1 apresenta um modelo de estadiamento clínico que se baseia em informações sobre sintomas, funcionamento psicossocial e busca por ajuda. A partir desses domínios, o clínico pode classificar o jovem em um dos 6 estágios, desde a ausência de sintomas (estágio 0) até um transtorno mental grave, incapacitante e sem remissão completa entre os episódios de doença (estágio 4). Espera-se que uma parcela substancial dos jovens que teriam demanda por cuidados de saúde mental em APS estejam nos estágios 1b (em risco para um transtorno) e 2 (primeiro episódio). Contudo, o cuidado continuado na APS e as ações em ambientes como escola e trabalho proporcionam ações ainda no estágio 0, a partir de medidas de prevenção universal como incentivo a hábitos saudáveis de alimentação e atividade física.

## CUIDADOS EM SAÚDE MENTAL DE JOVENS

A maioria dos problemas de saúde mental pode ser identificada e tratada na APS. Ao mesmo tempo, sabe-se que muitos problemas de saúde mental em adolescentes e adultos jovens não são adequadamente identificados, o que pode refletir barreiras de acesso ou a falta de estruturação adequada dos serviços e de capacitação dos profissionais para atender demandas de saúde mental nessa população.

Esse cenário pode ser melhorado com uma maior integração entre os serviços de APS e os serviços de saúde mental. Internacionalmente, vêm sendo experimentados diferentes modelos de organização para essa integração,[13,14] que pode funcionar por meio de consultorias, coordenação do cuidado entre diferentes serviços em uma rede estruturada de atenção à saúde, implementação de centros com atendimento multidisciplinar voltado exclusivamente para a população jovem ou por meio da inclusão de profissionais de saúde mental dentro das unidades de APS. Este último modelo, da inclusão dos profissionais de saúde mental nas equipes de APS, é chamado internacionalmente de cuidados colaborativos, possuindo no Brasil uma versão denominada matriciamento (ver Capítulo Avaliação de Problemas de Saúde Mental na Atenção Primária). Uma revisão sistemática identificou que o modelo de cuidados colaborativos produz melhores resultados em comparação com os sistemas tradicionais.[15] No Sistema Único de Saúde (SUS), a principal implementação do modelo de cuidados colaborativos é por meio dos Núcleos Ampliados de Saúde da Família e Atenção Básica (NASF-AB).

Para muitos jovens, há pouco conhecimento sobre a possibilidade de buscar avaliação e, se for o caso, tratamento para transtornos mentais nas unidades de APS. Nesse sentido, estratégias como oferecer informações sobre problemas de saúde mental e sobre como procurar ajuda por meio de páginas na internet e mídias sociais podem ser relevantes. Mais do que isso, muitos jovens não sabem – até por anteriormente dependerem de seus pais – como agendar uma consulta em sua unidade de APS. Muitas vezes, também podem ter dúvidas sobre a confidencialidade da consulta em relação a seus pais. Essas barreiras podem dificultar o encontro do jovem com a equipe de APS. Outros

| ESTÁGIO CLÍNICO | Assintomático com ou sem fatores de risco | Sintomas leves + busca por ajuda | Estado mental de risco (subsindrômico) | Primeiro episódio do transtorno mental | Transtorno mental recorrente | Transtorno mental persistente |
|---|---|---|---|---|---|---|
| | 0 | 1a | 1b | 2 | 3 | 4 |
| NÍVEL DE INTERVENÇÃO | Prevenção universal | Prevenção seletiva | Prevenção indicada | Identificação e intervenção precoce | Prevenção de recidivas | Cuidado contínuo e reabilitação |

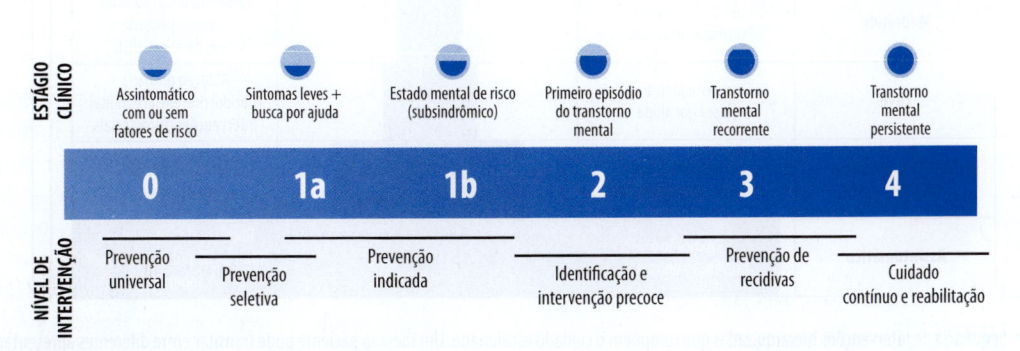

**FIGURA 179.1** → Modelo de estadiamento clínico.
Fonte: Adaptada de Orygen.[12]

aspectos que devem ser levados em consideração para reduzir as barreiras em relação ao acesso a cuidados em saúde mental incluem como o jovem se sente durante a utilização do serviço de saúde – por exemplo, a experiência na sala de espera (como o jovem se vê e como acredita que os demais pacientes o veem)[16] **(TABELA 179.2)**.

Assim, serviços que ofereçam cuidados em saúde mental de jovens devem prover uma abordagem flexível para o acompanhamento dessas queixas, idealmente permitindo aos jovens liberdade para iniciar e suspender o tratamento a partir do seu julgamento, sem prejuízos para futuros contatos e atendimentos com o equipamento de saúde. Entre os principais pontos a serem levados em consideração estão compreender as necessidades locais, definindo o tipo de atendimento necessário, desenvolver e manter uma equipe suficientemente treinada e abordar o estigma associado aos problemas de saúde mental. Esses desafios certamente são relevantes para todas as faixas etárias, mas são particularmente importantes entre jovens.

Buscar ajuda para problemas de saúde mental não é fácil, e pode ser especialmente difícil para pessoas jovens. Um serviço inclusivo, organizado de acordo com as necessidades dessa população, pode ter um impacto considerável.

**TABELA 179.2** → Atitudes de profissionais de saúde que podem atrapalhar ou ajudar no ponto de vista de jovens com problemas de saúde mental[18]

| O QUE ATRAPALHA | O QUE AJUDA |
|---|---|
| Usar jargão médico, especialmente sem explicar o que cada termo significa | Fazer contato visual direto e ser cordial na interação com o jovem |
| Agir de modo muito formal – o que pode ser percebido como intimidador | Falar ativamente sobre emoções e comportamentos – se o profissional de saúde puxar o assunto, acaba autorizando o jovem a falar sobre isso |
| Não valorizar os problemas emocionais trazidos pelo jovem durante a consulta | Demonstrar interesse genuíno pelo que o jovem tem a dizer |
| Pressupor características do jovem com base em estereótipos ligados à idade (p. ex., em relação ao uso de substâncias ou à vida sexual) | Respeitar opiniões dos jovens, apresentando opções terapêuticas e envolvendo-os ativamente no processo de tomada de decisões |

**TABELA 179.3** → Princípios que devem guiar a organização de serviços voltados para a saúde mental de jovens

→ Intervenção precoce, utilizando estratégias para identificar indivíduos com sintomas subsindrômicos e abordar fatores de risco e de proteção
→ Abordagem otimista, na qual os diferentes componentes do serviço passam uma mensagem focada no objetivo de ajudar os jovens a retomar uma trajetória saudável de desenvolvimento
→ Atendimento holístico e centrado na pessoa, no qual os cuidados vão além dos sintomas de saúde mental, focando na saúde como um todo e no funcionamento geral do jovem
→ Serviço abrangente, flexível e com uma abordagem integrada, ofertando para jovens e suas famílias uma série de intervenções em um mesmo local
→ Abordagem escalonada, na qual problemas leves, moderados e graves podem ser manejados de forma integrada pelo sistema de saúde
→ Reconhecimento das necessidades específicas do jovem e de suas famílias (p. ex., jovens de minorias, jovens que se identificam como LGBTI+, jovens com deficiências, jovens abrigados ou moradores de rua)
→ Serviço organizado de modo amigável e inclusivo – quando necessário e apropriado, amigos e familiares estão envolvidos de forma colaborativa no tratamento e nos cuidados
→ Participação ativa dos jovens no planejamento e na governança do serviço, incluindo programas de apoio por pares e iniciativas de avaliação contínua
→ Conscientização e educação da comunidade, com disseminação e estratégias de conscientização para reduzir o estigma e promover o acesso aos serviços quando necessário
→ Acesso a atendimento especializado quando necessário, de forma responsiva e integrada

Alguns princípios gerais devem guiar as iniciativas nesse sentido e estão listados na **TABELA 179.3**. A partir da experiência internacional de serviços com esse enfoque, destaca-se a importância do envolvimento dos jovens em todas as etapas de planejamento e avaliação dos serviços. Isso inclui, por exemplo, questões ligadas ao uso das diferentes formas de comunicação (de cartazes a mídias sociais), à organização do espaço físico onde o atendimento será realizado, bem como à participação em conselhos e comitês de organização dos serviços.

Em sintonia com o modelo de estadiamento, a organização dos cuidados de forma escalonada pode ser de grande valia na medida em que permite uma oferta de intervenções precoces que também sejam proporcionais ao nível de gravidade daquele momento. O cuidado escalonado (*stepped care*) **(FIGURA 179.2)** engloba uma sequência de intervenções

| TRANSTORNO MENTAL | OBJETIVOS PRIMÁRIOS | PARCELA DA POPULAÇÃO | SERVIÇOS |
|---|---|---|---|
| Grave | Melhorar o acesso Reabilitação Proteção social | | Atendimento presencial Equipe multidisciplinar Serviços especializados |
| Moderado | Ampliar o acesso Prevenção secundária | | Atendimento presencial Atenção primária (apoio de especialista) |
| Leve | Oferecer e promover busca por ajuda | | Atenção primária Híbrido: presencial e digital Intervenções psicossociais |
| Em risco, sintomas subsindrômicos | Identificação precoce e intervenções preventivas | | Foco em digital Autocuidado |
| Assintomático | Promoção e prevenção universal | | Recursos de autocuidado Informação pública de acesso aberto |

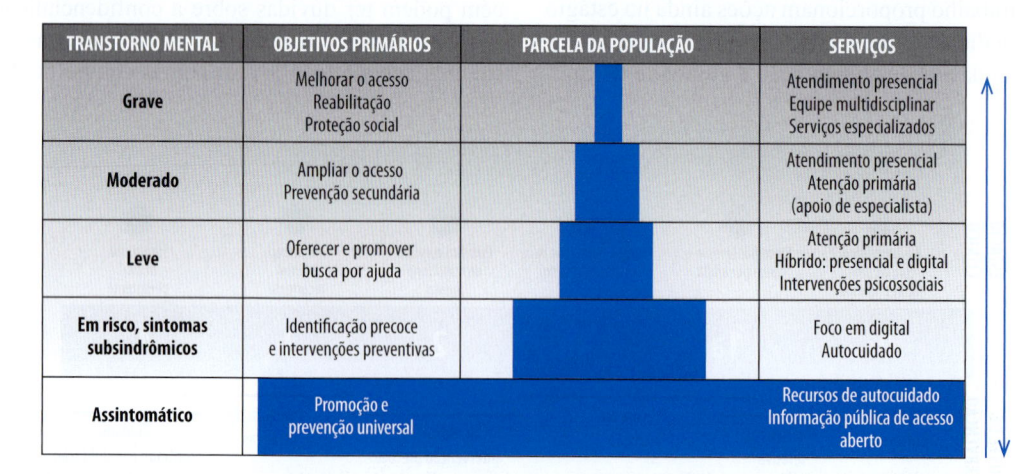

**FIGURA 179.2** → Sequência de intervenções hierarquizadas que compõem o cuidado escalonado. Um mesmo paciente pode transitar entre diferentes apresentações clínicas e contextos de cuidado.

hierarquizadas, em um *continuum* do menos para o mais intensivo, de acordo com as necessidades do indivíduo.

Por fim, há que se destacar a importância da articulação intersetorial, por meio de parcerias entre equipe de saúde e escolas (p. ex., no Brasil, por meio do Programa Saúde na Escola), bem como pelo acionamento de recursos do território que podem ser relevantes para o cuidado de saúde mental, como o conselho tutelar e outras estruturas da assistência social, centros de atividades esportivas e organizações não governamentais (ONGs).

## FORÇA DE TRABALHO, NÍVEIS DE CUIDADO E USO DE TECNOLOGIA

A Rede de Atenção Psicossocial (Raps) vem sendo implementada no Brasil ao longo das últimas décadas, trazendo modificações no cenário do cuidado aos transtornos psiquiátricos na população jovem. Uma inovação importante foi a implementação dos Centros de Atenção Psicossocial (Caps), com experiências pioneiras desde a década de 1980, voltadas para a população adulta com transtornos graves de saúde mental, mas posteriormente complementados a partir de 2002 com os Caps – Álcool e Drogas (Caps-AD), voltados para pessoas com transtornos relacionados ao uso de álcool e outras drogas, e os Caps Infantojuvenil (Caps-IJ), voltados para o acompanhamento dos transtornos mentais na infância e na adolescência.[17] Infelizmente, essa divisão entre serviços "pediátricos/da infância e da adolescência" de um lado e "de adultos" de outro lado parece fazer pouco sentido no que diz respeito à epidemiologia e à demanda por cuidados de saúde mental, na medida em que a necessidade de transição torna os cuidados mais frágeis justamente no momento em que se fazem mais necessários.[18]

Nos Caps, o atendimento é prestado por equipe multidisciplinar, geralmente composta por médicos psiquiatras (ou, nos Caps-IJ, também neurologista ou pediatra com formação em saúde mental); enfermeiros; outros profissionais de nível superior (psicólogo, assistente social, terapeuta ocupacional, fonoaudiólogo, pedagogo, etc.); e profissionais de nível médio (técnico e/ou auxiliar de enfermagem, técnico administrativo, técnico educacional e artesão), os quais prestam diversas modalidades de atendimento, entre eles: individual; em grupos (psicoterapia, grupo operativo, atividades de suporte social); oficinas terapêuticas executadas por profissional de nível superior ou nível médio; visitas e atendimentos domiciliares; atendimento à família; entre outros.[19]

O acesso a essas estruturas se dá, prioritariamente, mas não exclusivamente, por meio de encaminhamento proveniente da APS, especialmente da Estratégia Saúde da Família (ESF) e/ou unidades básicas de saúde (UBSs) tradicionais. Esses encaminhamentos, de forma geral, são feitos após discussão de caso com equipes matriciadoras, as quais são responsáveis pelo acompanhamento de um número variável de equipes de ESF/UBS, de acordo com a disponibilidade de recursos humanos e de infraestrutura. O tipo de atendimento varia conforme o serviço de saúde e a pactuação com o gestor local, podendo ser apenas consultivo, diretamente assistencial ou híbrido – este último, podendo trazer enormes ganhos para os profissionais da APS e para a população atendida.

O atendimento dos adolescentes não ocorre apenas no âmbito dos Caps-IJ, ele também está estruturado em ambulatórios especializados em policlínicas e hospitais gerais e universitários, os quais estão divididos em sua maioria pelo tipo de transtorno (p. ex., transtornos alimentares, transtorno do espectro autista, transtornos de humor, etc.). Assim como nos Caps, a entrada para esses serviços dá-se pelas centrais de regulação de consultas ambulatoriais.

O acesso à atenção secundária tem sido um dos maiores desafios do SUS. Apesar das importantes melhorias nos últimos anos nos fluxos de regulação, a oferta de vagas para atendimento especializado em saúde mental continua insuficiente. Isso faz casos complexos e de potencial risco de agravamento serem mantidos em equipes de ESF/UBS com qualidade extremamente heterogênea e, diversas vezes, sobrecarregadas.[20,21] Entre as possíveis causas para essa dificuldade de acesso aos serviços de atenção secundária estão a falta de ambulatórios e profissionais especializados para essa população, lotação das estruturas existentes, com baixo número de altas ambulatoriais, além de aumento na demanda por cuidados em relação a transtornos mentais entre jovens. Para reversão desse quadro, as medidas devem ser multifatoriais: transição de cuidado; adequação da população adscrita por ESF/UBS; equipes multidisciplinares de suporte, desenvolvendo uma agenda híbrida, com atendimento e consultoria; e expansão de serviços remotos, tanto de consultoria como consulta, no âmbito regional e nacional.

A telemedicina, ou telessaúde, representa uma ferramenta que pode gerar grandes benefícios à população adolescente e jovem, desde os formatos já conhecidos e utilizados em larga escala, como é o caso das consultorias e da educação à distância, até a consulta e o monitoramento remotos, recentemente autorizados pelo Governo Federal brasileiro. Entretanto, é importante que todas essas ações sejam colocadas no planejamento de telessaúde e e-saúde para crianças e adolescentes,[22] pois apenas dessa forma medidas concretas e infraestrutura adequada para seu desenvolvimento poderão ser cobradas de nossos gestores.

As consultorias remotas, realizadas entre profissionais de saúde da APS (médicos e enfermeiros) e teleconsultores, auxiliam na resolução dos mais diversos problemas de saúde do adolescente e do adulto jovem. Um dos principais exemplos em nível nacional é o Projeto TelessaúdeRS,[23] vinculado ao Programa de Pós-Graduação em Epidemiologia da Universidade Federal do Rio Grande do Sul, o qual, em 15 anos de apoio clínico aos serviços de APS brasileiros, já respondeu mais de 239 mil consultorias. Em 2020, das 68.592 consultorias, 2% tinham relação com saúde mental. Outras ferramentas que também têm sido disponibilizadas são as de tele-educação, com cursos à distância focados em saúde mental. Diversas outras experiências mundiais têm sido desenvolvidas ao longo dos anos, como o *Michigan Child Collaborative Care*,[24] o qual realiza suporte em telepsiquiatria para provedores de APS, alcançando 58% de casos graves e moderados entre os acompanhados. Outra iniciativa norte-americana é o *eHealth Famílias Unidas Primary Care* (Miami, Estados Unidos),[25] que dispõe de suporte para famílias hispânicas por meio de intervenções relacionadas à prevenção do uso de drogas e comportamento sexual de risco. Na Austrália,[26] psiquiatras e clínicos experientes em abordagem de saúde mental reduziram em 31% o número de transferências para centros especializados de tratamento, mantendo os jovens em acompanhamento por seus médicos de APS, por meio do uso de videoconferência. Há também ações que apoiam, de forma remota, famílias com adolescentes portadores de condições crônicas[27] (p. ex., diabetes tipo 1), ou até mesmo fóruns *on-line* para jovens com problemas específicos e potencial estigmatizante, como é o caso do HIV/Aids (*HealthMpowerment*).[28]

No Brasil, o grande avanço deu-se a partir de março de 2020, com a autorização da realização de consultas remotas, entre outras atividades, no período em que permanecer a pandemia de doença pelo coronavírus 2019. Com isso, o País ingressou, ainda que com atraso, no século XXI, pois diversos outros países ao redor do mundo já vinham utilizando tecnologia para intermediar a relação médico-paciente, sendo ampliada de forma exponencial com a pandemia. A consulta remota para adolescentes constitui mais uma das tantas ferramentas digitais utilizadas em seu dia a dia, pois as novas gerações, "nativas digitais", já nasceram plugadas, interagindo com telas de modo bastante natural. As experiências internacionais têm mostrado engajamento dessa população aos formatos de consulta remota, por praticidade[29] e maior usabilidade de ferramentas, bem como aos aplicativos,[30] contribuindo para reduzir iniquidades entre áreas rurais e urbanas, com qualificação do cuidado prestado em áreas remotas, assim como reduzindo transferências para grandes centros.[31,32] O uso de telemonitoramento após alta hospitalar de adolescentes por tentativa de suicídio tem-se mostrado promissor na França,[33] sendo visto como uma ferramenta de suporte e possível prevenção de reincidências, abandono escolar e apoio a populações de imigrantes.

## CONSIDERAÇÕES FINAIS

Neste capítulo, foram apresentados alguns aspectos relevantes para os cuidados na APS relacionados a problemas de saúde mental. A continuidade em um período de múltiplas transições deve ser um elemento central dos cuidados em saúde mental de jovens. Além dos pontos apresentados aqui, cabe destacar a importância da adaptação em relação ao contexto local – nesse sentido, a avaliação de resultados e a busca ativa em relação às necessidades e às preferências dos jovens tornam-se ferramentas de grande utilidade. Considerando o grande impacto que os transtornos mentais representam na vida de adolescentes a adultos jovens, é imprescindível que o profissional que atua na APS esteja preparado para lidar com essas situações. Diversos desafios podem se apresentar; entretanto, os benefícios também podem ser múltiplos: para o jovem no momento em que está vivendo; para o adulto que um dia ele será, tendo em vista a possibilidade de evitar a cronificação de hábitos não saudáveis; e para as próximas gerações, na medida em que os jovens de hoje serão (muitos já são) os pais das gerações futuras.

## REFERÊNCIAS

1. Gore FM, Bloem PJN, Patton GC, Ferguson J, Joseph V, Coffey C, et al. Global burden of disease in young people aged 10–24 years: a systematic analysis. Lancet. 2011;377(9783):2093–102.
2. Gomes AP, Soares ALG, Kieling C, Rohde LA, Gonçalves H. Mental disorders and suicide risk in emerging adulthood: the 1993 Pelotas birth cohort. Rev Saúde Pública. 2019;53:96.
3. Knapp M, Ardino V, Brimblecombe N, Evans-Lacko S, Iemmi V, King D, et al. Youth mental health: new economic evidence. London: London School of Economics and Political Science; 2016.
4. Fatori D, Salum G, Itria A, Pan P, Alvarenga P, Rohde LA, et al. The economic impact of subthreshold and clinical childhood mental disorders. J Ment Health. 2018;27(6):588-94.
5. Fatori D, Salum GA, Rohde LA, Pan PM, Bressan R, Evans-Lacko S, et al. Use of mental health services by children with mental disorders in two major cities in Brazil. Psychiatr Serv. 2019;70(4):337–41.
6. Scott J, Fowler D, McGorry P, Birchwood M, Killackey E, Christensen H, et al. Adolescents and young adults who are not in employment, education, or training. BMJ. 2013;347:f5270.
7. Novella R, Repetto A, Robino C, Rucci G. Millenials na América Latina: trabalhar ou estudar? Sumário executivo. São Paulo: Banco Interamericano de Desenvolvimento; 2018.
8. Paus T, Keshavan M, Giedd JN. Why do many psychiatric disorders emerge during adolescence? Nat Rev Neurosci. 2008;9(12):947–57.
9. Patton GC, Sawyer SM, Santelli JS, Ross DA, Afifi R, Allen NB, et al. Our future: a Lancet commission on adolescent health and well-being. Lancet. 2016;387(10036):2423–78.
10. Rickwood D, Deane FP, Wilson CJ, Ciarrochi J. Young people's help-seeking for mental health problems. Australian e-Journal for the Advancement of Mental Health. 2005;4(3):218–51.
11. Brown A, Rice SM, Rickwood DJ, Parker AG. Systematic review of barriers and facilitators to accessing and engaging with mental health care among at-risk young people. Asia Pac Psychiatry. 2016;8(1):3–22.
12. Orygen, The National Centre of Excellence in Youth Mental Health. Youth mental health service models and approaches: Considerations for primary care [Internet]. Parkville: Orygen; 2018 [capturado em 29 mar. 2021]. Disponível em: https://www.orygen.org.au/About/Service-Development/Youth-Enhanced-Services-National-Programs/Primary-Health-Network-resources/Youth-mental-health-service-models-and-approaches.
13. Tyler ET, Hulkower RL, Jd M. Behavioral health integration in pediatric primary care. New York: Milbank Memorial Fund; 2017. [capturado em 29 mar 2021]. Disponível em: http://co-invest.exedor.us/wp-content/uploads/Behavioral-Health-Integration-In-Pediatric-MMF-2.pdf.
14. Hetrick SE, Bailey AP, Smith KE, Malla A, Mathias S, Singh SP, et al. Integrated (one-stop shop) youth health care: best available evidence and future directions. Med J Aust. 2017;207(S10).
15. Asarnow JR, Rozenman M, Wiblin J, Zeltzer L. Integrated Medical-Behavioral Care Compared With Usual Primary Care for Child

and Adolescent Behavioral Health: A Meta-analysis. JAMA Pediatr. 2015;169(10):929–37.
16. Mental Health Foundation. Right here [Internet]. London: Mental Health Foundation; 2014 [capturado em 29 mar. 2021]. Disponível em: https://www.mentalhealth.org.uk/projects/right-here.
17. Leitão IB, Dias AB, Tristão KG, Ronchi JP, Avellar LZ. Dez anos de um CAPSi: comparação da caracterização de usuários atendidos. Psicol USP. 2020;31: e190011.
18. Patel V, Flisher AJ, Hetrick S, McGorry P. Mental health of young people: a global public-health challenge. Lancet. 2007;369(9569):1302–13.
19. Brasil. Ministério da Saúde. Portaria nº 336, de 19 de fevereiro de 2002. Brasília: MS; 2002 [capturado em 29 mar. 2021]. Disponível em: http://bvsms.saude.gov.br/bvs/saudelegis/gm/2002/prt0336_19_02_2002.html.
20. Tasca R, Massuda A, Carvalho WM, Buchweitz C, Harzheim E. Recomendações para o fortalecimento da atenção primária à saúde no Brasil. Rev Panam Salud Publica. 2020;44:e4.
21. Giovanella L, Moraes SME, Mendonça MHM. Estudo de caso sobre a implementação da Estratégia de Saúde da Família em quatro centros urbanos: relatório final Aracaju. Rio de Janeiro: Fiocruz; 2009 [capturado em 29 mar. 2021]. Disponível em: http://www6.ensp.fiocruz.br/repositorio/resource/369039.
22. Rigby MJ, Kühne G, Majeed A, Blair ME. Why are children's interests invisible in European National E-Health Strategies? Stud Health Technol Inform. 2017;235:58–62.
23. TelessaúdeRS-UFRGS [Internet]. Porto Alegre: TelessaúdeRS-UFRGS; c2021 [capturado em 29 mar 2021]. Disponível em: https://www.ufrgs.br/telessauders/.
24. Marcus S, Malas N, Dopp R, Quigley J, Kramer AC, Tengelitsch E, et al. The Michigan Child Collaborative Care Program: Building a Telepsychiatry Consultation Service. Psychiatr Serv. 2019;70(9):849–52.
25. Prado G, Estrada Y, Rojas LM, Bahamon M, Pantin H, Nagarsheth M, et al. Rationale and design for eHealth Familias Unidas Primary Care: a drug use, sexual risk behavior, and STI preventive intervention for hispanic youth in pediatric primary care clinics. Contemp Clin Trials. 2019;76:64–71.
26. Buckley D, Weisser S. Videoconferencing could reduce the number of mental health patients transferred from outlying facilities to a regional mental health unit. Aust N Z J Public Health. 2012;36(5):478–82.
27. Whittemore R, Zincavage RM, Jaser SS, Grey M, Coleman JL, Collett D, et al. Development of an eHealth program for parents of adolescents with type 1 diabetes. Diabetes Educ. 2018;44(1):72–82.
28. Bauermeister JA, Muessig KE, LeGrand S, Flores DD, Choi SK, Dong W, et al. HIV and sexuality stigma reduction through engagement in online forums: results from the HealthMPowerment Intervention. AIDS Behav. 2019;23(3):742–52.
29. Ray M, Dayan PS, Pahalyants V, Chernick LS. Mobile health technology to communicate discharge and follow-up information to adolescents from the emergency department. Pediatr Emerg Care. 2016;32(12):900–5.
30. Cordova D, Alers-Rojas F, Lua FM, Bauermeister J, Nurenberg R, Ovadje L, et al. The Usability and Acceptability of an Adolescent mHealth HIV/STI and Drug Abuse Preventive Intervention in Primary Care. Behav Med. 2018;44(1):36–47.
31. Pignatiello A, Teshima J, Boydell KM, Minden D, Volpe T, Braunberger PG. Child and youth telepsychiatry in rural and remote primary care. Child Adolesc Psychiatr Clin N Am. 2011;20(1):13–28.
32. Nelson E-L, Bui T. Rural telepsychology services for children and adolescents. J Clin Psychol. 2010;66(5):490–501.
33. Normand D, Colin S, Gaboulaud V, Baubet T, Taieb O. How to stay in touch with adolescents and young adults after a suicide attempt? Implementation of a 4-phones-calls procedure over 1 year after discharge from hospital, in a Parisian suburb. Encephale. 2018;44(4):301–7.

# Capítulo 180
## INTERVENÇÕES PSICOSSOCIAIS NA ATENÇÃO PRIMÁRIA À SAÚDE

Daniel Almeida Gonçalves
Dinarte Ballester
Luiz Fernando Chazan
Naly Soares de Almeida
Sandra Fortes

É muito comum que os profissionais da atenção primária à saúde (APS), em sua rotina de trabalho, deparem-se com pessoas com algum grau de sofrimento emocional.[1,2] Esse sofrimento varia desde questões mais pontuais, como dificuldades para lidar com suas doenças e reações de ajustamento aos problemas de suas vidas, até transtornos mentais graves e dependência química. Os profissionais de APS são chamados a oferecer apoio e espaços de elaboração nesses momentos, dentro dos modelos que embasam a prática integral do cuidado e a abordagem centrada no paciente.

Uma vez identificado um problema de saúde mental ou mesmo apenas uma situação de sofrimento emocional, o desafio que se segue consiste em identificar qual é a melhor forma de manejo. Os profissionais de APS, pela intensidade de vínculo, modelo integral de abordagem e estruturação interdisciplinar de suas equipes, atuarão de forma diferenciada, dispondo de uma ampla gama de intervenções psicossociais que podem ser realizadas, mesmo que não sejam consideradas modelos psicoterápicos específicos.

Assim, desde o primeiro contato com a pessoa em sofrimento, os profissionais de saúde exercem, muitas vezes sem saber, ações terapêuticas. Ao reconhecer que todas as interações relacionais sempre produzem um efeito psicológico, o profissional de saúde pode ampliar seus instrumentos para caminhar na direção da saúde e reduzir a chance de intervir causando algum dano às pessoas.

Na APS, os pacientes buscam apoio para seus problemas psicossociais de várias formas, em grande parte das vezes por meio de queixas físicas, associadas ao sofrimento emocional ou mesmo à presença de transtornos mentais (ver Capítulo Abordando os Sintomas Físicos de Difícil Caracterização). E eles se sentem bem em falar de seus problemas com os seus cuidadores, sejam eles médicos ou enfermeiros da Estratégia Saúde da Família (ESF), ou mesmo outros profissionais de APS,[3] embora, muitas vezes, não apresentem demandas de tratamento psicoterápico em especial, nem desejem psicoterapias estruturadas de longo prazo.

Outras vezes, porém, os problemas apresentados exigem uma abordagem mais estruturada e complexa, mais bem realizada por profissionais com treinamento específico em psicoterapias. Nesses casos, o papel do profissional de APS é identificar a necessidade desse acompanhamento especializado, preparar o paciente para esse tipo de abordagem e coordenar a integração dessa intervenção com o restante do processo de cuidado. As principais modalidades de psicoterapias individuais são a terapia cognitivo-comportamental (TCC) e a terapia psicodinâmica, bem como suas variantes.

Este capítulo contém os aspectos terapêuticos da relação entre profissionais de saúde e pacientes, bem como os fenômenos psicodinâmicos que advêm dessa relação, além de descrever algumas técnicas de intervenções psicoterapêuticas possíveis de serem utilizadas por profissionais da APS, em especial médicos e enfermeiros. Algumas técnicas não são abordadas neste capítulo pois já foram aprofundadas em outros, como psicoeducação (ver Capítulo Avaliação de Problemas de Saúde Mental na Atenção Primária), ativação comportamental (ver Capítulo Depressão) e terapia de reatribuição (ver Capítulo Abordando os Sintomas Físicos de Difícil Caracterização). Mesmo não esgotando o conhecimento necessário para que cada uma das intervenções psicossociais apresentadas seja adequadamente aplicada, os conteúdos aqui apresentados oferecem um panorama do processo terapêutico e de como ele é efetivo. Aspectos específicos a cada transtorno mental são abordados nos capítulos correspondentes.

## BASES CONCEITUAIS PARA AS INTERVENÇÕES

Duas bases conceituais são as mais utilizadas na compreensão desses pacientes e na elaboração de intervenções psicossociais: a TCC e a terapia psicodinâmica. Não sendo de forma alguma antagônicas, mas sim complementares, representam as bases a partir das quais se estruturam intervenções mais específicas.

### Bases cognitivo-comportamentais

A importância das técnicas de base cognitivo-comportamental para os profissionais de APS é ampla. Elas inserem-se na construção de modelos de cuidado centrados na pessoa. Mediante abordagem cognitiva,[4] essas técnicas capacitam os profissionais a lidar melhor com as narrativas de seus pacientes e a trabalhar com as crenças, os raciocínios, as ideias e as representações que eles trazem. O processo permite que as emoções sejam acolhidas, elaboradas e transformadas, empoderando os pacientes e reestruturando a maneira de lidar com os problemas que eles costumam trazer para as consultas. As técnicas utilizam-se do método socrático, centrando sua ação em perguntas que permitem um reposicionamento crítico do paciente em relação às suas dificuldades.

Na sua forma tradicional, a TCC, por ser geralmente empregada por profissionais com formação específica, não é abordada neste capítulo. Quando realizada por profissionais de saúde mental inseridos na APS, ela mostra resultados positivos para os transtornos mentais comuns, com melhora importante em pacientes com ansiedade (TE = 1,06) **B** e moderada em pacientes com depressão (TE = 0,33) **B**.[5]

Algumas técnicas específicas têm sido adaptadas e desenvolvidas para utilização pelos médicos e enfermeiros na APS. Entre estas, destacam-se a terapia de resolução de problemas (apresentada neste capítulo), além das técnicas de ativação comportamental (ver Capítulo Depressão) e reatribuição (ver Capítulo Abordando os Sintomas Físicos de Difícil Caracterização). Algumas ferramentas cognitivo-comportamentais específicas aos transtornos de ansiedade são abordadas no Capítulo Transtornos Relacionados à Ansiedade.

### Bases psicodinâmicas

Aspectos psicodinâmicos estão presentes em todos os momentos de uma relação médico-paciente, e os profissionais devem estar atentos para a sua presença. Alguns conceitos, como catarse e *insight*, são hoje parte da cultura geral, mas é necessário entender como eles atuam no dia a dia das consultas de um profissional de APS. Independentemente da técnica de intervenção usada, o conhecimento dos fenômenos mentais do ponto de vista psicodinâmico pode ajudar na compreensão das atitudes das famílias e dos pacientes.

*Catharsis*, palavra grega que significa purificação ou purgação, implica uma forte descarga emocional com continente relacional criada em uma boa relação terapêutica; muitas vezes, traz uma vivência de liberdade em relação a uma opressão interna, como quando um segredo angustiante pode ser revelado/compartilhado livremente.

*Insight* pode ser entendido como a capacidade de "ver" uma realidade psicológica. Ocorre em um momento de profunda integração emocional e cognitiva e tem como resultado a possibilidade de mudança psicológica, acarretando maior contato com a realidade da própria vida.

Intervenções com base psicodinâmica aprofundam-se na análise desses dois aspectos e na instrumentalização da transferência como principal elemento terapêutico. Como na psicanálise, as terapias de base psicodinâmica reconhecem fenômenos mentais como o inconsciente dinâmico, a transferência, a contratransferência e o fato de a vida pregressa estruturar padrões repetitivos que influem diretamente no curso da vida e de seus conflitos. Como, psicanaliticamente, disse o poeta Mário Quintana, "o passado não reconhece o seu lugar: está sempre presente".[6] Diferentemente da psicanálise, essas terapias de base psicodinâmica não exigem frequência intensa nem a interpretação dos fenômenos transferenciais.

Existem várias abordagens psicoterápicas de base psicodinâmica, mas sete características são comuns a todas elas:[7]

1. foco nos afetos e na expressão das emoções;
2. exploração das tentativas de evitar pensamentos e sentimentos que causam desprazer;
3. identificação de temas e padrões recorrentes (pensamentos, sentimentos, autoconceito, relacionamentos e experiências de vida);

4. discussão de experiências passadas (foco no desenvolvimento);
5. foco nas relações interpessoais;
6. foco na relação terapêutica;
7. exploração das fantasias.

Transferência é o conjunto de emoções e sentimentos que o paciente vive na relação terapêutica que correspondem aos padrões infantis de relacionamento. A posição de autoridade de um profissional de saúde, por exemplo, pode levar o paciente a (re)vivenciar com esse profissional o modelo das suas relações reais ou fantasiadas com os representantes de autoridade da sua infância. O paciente pode ver no profissional de saúde uma figura idealizada que traz todas as soluções ou todos os males. Como dizem alguns pacientes, "é Deus no céu e o médico na Terra". Ou ao contrário, o paciente já chega "raivoso" desde o primeiro contato, sem ter na raiva por esse profissional qualquer base na realidade, mas sim na sua relação emocional com as figuras do passado.

Contratransferência é o conjunto das reações inconscientes do profissional em relação ao paciente e, mais particularmente, à transferência deste. Por exemplo, alguns pacientes despertam nos profissionais, às vezes antes até de qualquer comunicação verbal, sentimentos amorosos (como o desejo de colocar no colo) ou de aversão.

Os sentimentos, que advêm da transferência e/ou da contratransferência, influenciam as atitudes e o estabelecimento do vínculo, em ambos os extremos. Pode-se gerar um sentimento de exagerada responsabilidade ou preocupação, que vai trazer sofrimento ao profissional de saúde, ou mesmo descaso perante a pessoa sob cuidado.

# INTERVENÇÕES PSICOSSOCIAIS PARA A ATENÇÃO PRIMÁRIA À SAÚDE

## Ação terapêutica do vínculo

Uma intervenção psicossocial baseada na teoria psicodinâmica com excelente aplicabilidade em APS é a ação terapêutica do vínculo. A relação, ou vínculo, que o médico e outros profissionais estabelecem com as pessoas, portadoras ou não de transtorno mental, constitui um elemento fundamental para a construção dos projetos terapêuticos. Quatro pilares podem embasar e sustentar a ação terapêutica do vínculo, a saber:
→ **acolhimento:** estabelece o vínculo e permite o cuidado;
→ **escuta:** permite o desabafo e cria espaços para que o paciente reflita sobre seu sofrimento e suas causas;
→ **suporte:** representa continente para os sentimentos envolvidos, reforçando a segurança daquele que sofre, empoderando-o na busca de soluções para seus problemas;
→ **esclarecimento:** desfaz fantasias e aumenta a informação, reduzindo a ansiedade e a depressão. Facilita a reflexão e permite uma reestruturação do pensamento com repercussões nos sintomas emocionais e até mesmo físicos.

No decorrer da relação entre o profissional de saúde e a pessoa, mecanismos psicológicos são trazidos às consultas por meio desses pilares da ação terapêutica. O acolhimento adequado propicia sustentação física e emocional entre a pessoa e o profissional de saúde, o que foi descrito por Winnicott com o termo *holding*. A escuta qualificada torna possível a catarse. O suporte e o esclarecimento possibilitam maior capacidade de lidar com as dificuldades trazidas na consulta, prática e emocionalmente, o que foi designado como *coping*.[8]

Para entender os mecanismos psicológicos envolvidos, é importante considerar que eles tratam de aspectos emocionais e não cognitivos da vida mental, embora sejam aspectos que se influenciam mutuamente. A nossa vida emocional sofre forte influência dos nossos padrões relacionais infantis.

Uma dificuldade frequente no manejo de condições que envolvem sofrimento psíquico é a tendência dos profissionais de saúde de concentrar suas intervenções em soluções e conselhos, ignorando que motivações culturais, sociais, familiares e inconscientes compõem o sofrimento. Outras dificuldades são o manejo do tempo de cuidado e de expectativa de melhora do quadro, e o não reconhecimento dos fenômenos de transferência e de contratransferência que advêm da relação de cuidado.

## Terapia interpessoal

A terapia interpessoal (TIP) baseia-se em um modelo biopsicossocial para a compreensão do sofrimento emocional. Ela parte do pressuposto de que os sintomas que o paciente apresenta estão associados a estressores interpessoais, e, assim, resolver esses problemas levará à melhora no quadro clínico.[9] Sua grande aplicabilidade na APS consiste em fornecer uma tipologia para compreender a origem interpessoal dos sintomas.

A TIP mostrou efeitos moderados a grandes para depressão de fase aguda (TE = 0,60) **B** sem diferença em relação a outras terapias e farmacoterapia.[10] O tratamento em combinação com outras terapias foi mais eficaz do que a TIP isoladamente. Em transtornos de ansiedade, a TIP mostrou grande efeito (TE = 0,89) **C/D**, mas não há evidências de que seja mais eficaz do que a TCC.[10]

Em estudos originários da APS de Uganda, a TIP mostrou-se eficaz para o tratamento de depressão. Em grupo, a TIP apresenta importante redução nos escores de disfunção (TE = 0,71) e de gravidade dos sintomas depressivos (TE = 2,21), e sua aplicação reduziu em 30% o número de indivíduos com critérios para depressão maior ao final do tratamento (RRR = 87%; NNT = 4), com resultados semelhantes 6 meses após a terapia **C/D**.[11,12]

O objetivo da TIP é a diminuição dos sintomas psíquicos que interferem na socialização da pessoa, reestruturando o funcionamento interpessoal por meio do trabalho em focos determinados. Estes são definidos junto ao indivíduo e encontram-se em quatro áreas interpessoais-problema:[13]
→ **luto:** associado à perda de pessoas significativas (ver Capítulo Abordagem da Morte e do Luto);
→ **disputas interpessoais:** os sintomas estão associados a conflitos com pessoas relacionadas ao círculo de

convivência do paciente (p. ex., conflitos familiares, no trabalho ou com vizinhos);
→ **transição de papéis:** envolvem situações de mudança na vida de uma pessoa ou a expectativa de que deveria haver alguma mudança (p. ex., saída dos filhos de casa, separação, aposentadoria);
→ **déficit interpessoal (solidão, isolamento social):** caracterizado por sentimentos de isolamento social, tédio e distanciamento emocional de outras pessoas.

Tendo feito a leitura interpessoal do sofrimento do paciente, as intervenções podem ser adaptadas para incorporar ferramentas já de domínio dos profissionais de APS, como entrevista familiar, ampliação da rede de apoio e estímulo à participação em grupos de convivência. Essas ferramentas podem ser usadas inclusive na avaliação. Por exemplo, a avaliação de disputas interpessoais na família pode ser aprofundada usando genograma; o déficit interpessoal pode ser avaliado usando genograma e ecomapa.

A terapia interpessoal apresenta três fases, a saber:
1. **fase inicial:** levanta-se a história do sofrimento psíquico/emocional, incluindo um inventário interpessoal; mediante ações psicoeducativas, busca-se maior clareza dos problemas associados e determina-se o foco da intervenção;
2. **fase intermediária:** o indivíduo e o profissional concentram-se na área interpessoal-problema com a finalidade de melhorar o funcionamento interpessoal que desencadeia ou mantém o sofrimento;
3. **fase final:** término da intervenção, quando é feito um levantamento dos progressos e das mudanças ocorridas; é um momento de consolidação de ganhos, no qual se discutem estratégias e cuidados de prevenção contra problemas futuros.

A Organização Mundial da Saúde (OMS), por meio da iniciativa *Mental Health Gap* (mhGAP), desenvolveu um manual para aplicação da TIP em grupo por profissionais de APS sem treinamento prévio em saúde mental.[13] (Ver QR code.)

## Terapia de solução de problemas

A terapia de solução de problemas é efetiva na depressão (TE = 0,34) **B**, sendo uma das terapias mais estudadas no contexto da APS.[15-18] Sua aplicabilidade foi estudada com médicos e enfermeiros da APS, sendo bem aceita pelos pacientes e profissionais, isenta de efeitos colaterais, breve e de fácil aplicação.

Os objetivos principais da terapia de solução de problemas são ajudar o paciente a identificar problemas ou conflitos como uma causa de sofrimento emocional; ensiná-lo a reconhecer os recursos que possui para resolver suas dificuldades; aumentar a sua sensação de controle com as circunstâncias negativas; e, por último, ensinar um método para apoio na resolução de problemas futuros.

O principal critério para indicação da terapia de solução de problemas é a presença de transtornos psiquiátricos leves a moderados, como transtornos depressivos leves a moderados, transtornos de ansiedade e transtornos de ajustamento. Essas condições devem estar associadas às seguintes situações:
→ perda real ou temida (financeira, propriedade, *status*, relacionamentos, etc.);
→ adoecimento físico;
→ dificuldades nas relações conjugais, familiares ou interpessoais;
→ problemas de trabalho ou estudo;
→ adaptação às situações de doença mental ou psicológica.

A terapia de solução de problemas não está indicada para os transtornos mentais graves na APS, como os quadros psicóticos, abuso e/ou dependência de substâncias ou transtornos de personalidade. Pode ser aplicada dentro da rotina de atendimento dos profissionais da APS ou por meio de consultas especialmente dedicadas a essa intervenção, seguindo as seguintes etapas:

1. **identificar a necessidade e a aplicabilidade (indicações e contraindicações):** essa etapa diz respeito ao diagnóstico do paciente e à identificação das situações antes enumeradas, além do reconhecimento dos sintomas emocionais e de que há problemas reais para serem abordados. Além disso, identificam-se os recursos do paciente e a disposição para participar do tratamento;
2. **explicar o tratamento:** primeiramente, explica-se a base do tratamento e, então, propõe-se o tratamento. O profissional deve ser claro em especificar o compromisso para comparecimento nas consultas e para realização das tarefas acordadas. Realiza-se claramente um contrato de tratamento. Uma vez que esse acordo seja estabelecido, pede-se que o paciente pense nos problemas e nas situações que o angustiam para que possam ser trabalhados em conjunto;
3. **listar e eleger problemas:** nessa etapa, é importante deixar o paciente falar livremente sobre seus problemas, e o profissional o auxilia a agrupá-los em categorias (interpessoal, familiar, saúde, financeiro, profissional). A listagem e a definição dos problemas devem ser feitas de forma clara e concreta, isto é, estabelecendo qual é o problema, onde e quando ele ocorre e quem está envolvido. Tendo-se um panorama dos problemas, define-se qual será o prioritário. Esse problema será, então, focalizado, podendo ser dividido em partes menores e manejáveis. Por exemplo, quando o principal problema é "meu marido", procura-se entender as dificuldades vivenciadas com ele: seu alcoolismo, violência, desemprego, desatenção, etc. Na sequência, elege-se uma prioridade entre essas partes menores. É importante frisar que o problema não pode estar centrado em algo fora do paciente, pois ele precisa ter condições de construir as soluções, o que não ocorre se o problema estiver no outro;
4. **pensar em metas alcançáveis:** nessa etapa, é fundamental que o profissional não imponha metas e sim deixe a pessoa considerar suas possibilidades. O profissional de saúde deve confrontar o paciente quando as metas forem inalcançáveis ou irreais no momento – por

exemplo, "quero que meu marido pare de beber". Uma meta mais ao alcance dessa paciente seria "quero conseguir falar com meu marido a respeito do seu problema com o álcool";

5. **gerar soluções:** nesse momento, o terapeuta convida o paciente a pensar em soluções para os problemas em partes menores. Para tanto, alguns princípios devem ser usados:
   → princípio da quantidade: quanto mais soluções forem geradas, maior o número de ideias de qualidade;
   → princípio da variedade: quanto maior a variedade de alternativas, melhor a chance de encontrar soluções factíveis;
   → princípio do adiamento do juízo: primeiro imaginar, depois julgar;
   → princípio dos extremos: sempre identificar as soluções extremas; não tomar nenhuma atitude pode ser um extremo.

   É importante que o terapeuta devolva questões quando questionado sobre o que fazer. Na terapia em grupo, outros participantes geralmente apresentam sugestões de soluções;

6. **eleger uma solução:** após as possíveis soluções listadas, realiza-se uma reflexão dos prós e contras de cada solução. Para tanto, devem-se considerar três aspectos fundamentais: grau de resolução do conflito, grau de satisfação geral e relação custo/benefício. Após essas reflexões, a pessoa é convidada a escolher uma solução e a colocá-la em prática;

7. **colocar a solução em prática:** com a solução definida, identificam-se os passos necessários para implementá-la de forma concreta. A solução também deve ser dividida em pequenos passos acessíveis e realistas. A não precipitação é importante, pois os pacientes podem perder a autoconfiança. Cada recomendação deve ser muito específica e pouco ambiciosa;

8. **avaliar e repetir o ciclo:** é importante avaliar sistematicamente o progresso do paciente em função das tarefas e das reflexões. Deve-se realçar sempre o progresso obtido, evitando-se visões negativas e soluções do tipo tudo ou nada. Se há dificuldade, verificar se os problemas foram pouco definidos, se as metas são realistas e as soluções praticáveis, se surgiram novos obstáculos ou mesmo se o paciente cumpriu as tarefas acordadas.

## Terapia PM+: terapia de solução de problemas e estratégias comportamentais específicas

É uma forma de terapia breve para adultos chamada de *Problem Management Plus* (PM+), proposta pela OMS. Seu manual de treinamento pode ser acessado pelo QRcode. A terapia consiste em 2 avaliações seguidas de sessões semanais por 5 semanas. As sessões são individuais, mas permitem o envolvimento de familiares ou amigos se o cliente assim desejar. A abordagem envolve um aconselhamento para solução de problemas, combinado a uma estratégia comportamental – daí o símbolo "+" no nome. O objetivo é abordar os problemas psicológicos (estresse, medo, desamparo) e, quando possível, problemas práticos como subsistência, conflitos familiares, etc.

## Terapia focada em solução

Outra técnica de base cognitiva que demonstrou grande valia para profissionais de APS é a terapia focada em solução (TE = 0,28-0,34) **B**.[19-21] Ela foi desenvolvida na década de 1970 por terapeutas de família interessados em desviar o foco dos problemas para as soluções. Segundo seus proponentes, muitas vezes a solução está mais próxima do que parece, não sendo necessário remover os problemas para chegar até ela. O paciente frequentemente já sabe qual é a solução, e essa modalidade terapêutica se aproveita das fortalezas, das habilidades e dos recursos do paciente para alcançar a solução.

Um componente importante dessa intervenção é elaborar perguntas que estimulem o paciente a vislumbrar um cenário melhor do que o atual, que muitas vezes pode estar próximo. É particularmente útil quando pensamentos negativos estão limitando o alcance das soluções. Entre essas perguntas, um exemplo clássico é solicitar ao paciente que imagine que um milagre aconteceu enquanto estava dormindo, e ao acordar todos os problemas estavam solucionados. A partir daí, explora-se como seria a vida sem os problemas e como ele agiria. Então, estimula-se o paciente a adotar os comportamentos imaginados.

Outras técnicas incluem (ver QR code):
→ analisar momentos da vida do paciente em que soluções foram encontradas para problemas semelhantes aos atuais;
→ identificar períodos no episódio atual em que os problemas parecem menos intensos e avaliar quais fatores levam a essa menor intensidade, tentando potencializar esses fatores;
→ quando tudo parece difícil, identificar forças nas pequenas ações (p. ex., explorar os fatores que permitiram ao paciente se levantar da cama para ir à consulta);
→ ao longo de uma sequência de consultas, estabelecer uma nota para os problemas, que permita comparar sua evolução e identificar fatores que contribuíram para uma melhora, a fim de potencializá-los.

## *Mindfulness*

Intervenções baseadas em *mindfulness* (atenção plena), originadas na filosofia budista, têm-se espalhado rapidamente no mundo ocidental, compondo as intervenções em saúde mental. *Mindfulness* pode ser definido como um processo que leva a um estado mental de não julgamento da experiência presente, incluindo as sensações corporais, os estados mentais e o ambiente. Ao mesmo tempo, estimula a abertura, a curiosidade e a aceitação.[22]

A atenção plena atua por alguns mecanismos, como o aumento da autorregulação (emocional e atenção) e a modificação da autopercepção (reduzindo pensamentos ruminativos e aumentando a consciência corporal). Propõe um novo tipo de atenção, já que, no dia a dia, os indivíduos passam pelas tarefas praticamente sem consciência do momento presente, no "piloto automático". *Mindfulness* é, ao mesmo tempo, uma prática e uma habilidade.

Intervenções baseadas na atenção plena são usadas para tratar sintomas de ansiedade (TE = 0,39-0,46) **B** e de depressão (TE = 0,41-0,42) **B**[23] e para prevenir recorrência de episódios depressivos (RRR = 27%) **B**.[24,25] Algumas psicoterapias incorporaram práticas de *mindfulness* ao seu repertório, como a terapia dialética e a terapia cognitiva baseada em *mindfulness*.

Algumas dicas práticas podem ser incorporadas ao dia a dia, e são facilmente aplicáveis na APS:
→ dar atenção às sensações cotidianas, como o sabor da comida, a brisa no corpo. Essa atitude simples tem o poder de interromper o "piloto automático";
→ escolher um horário do dia para exercitar mais a atenção. É um momento escolhido para perceber as sensações (caminho para o trabalho ou em um intervalo breve);
→ experimentar coisas novas, um caminho novo, sentar-se em uma cadeira diferente do habitual, experimentar alimentos diferentes;
→ não "embarcar" nos pensamentos. Muitas vezes, *mindfulness* é confundido com a habilidade de não ter pensamentos. Na prática de *mindfulness*, os pensamentos podem ser encarados, metaforicamente, como vários ônibus passando em uma parada, sendo simplesmente observados, deixando-os passar sem a necessidade de neles embarcar;
→ dar nome aos sentimentos e às sensações vivenciadas (frustração, raiva, fome, expectativa, frio, etc.).

## INTERVENÇÕES COLETIVAS/FAMILIARES: OS GRUPOS ENQUANTO INTERVENÇÃO DE APOIO PSICOSSOCIAL

A prática diária das equipes de APS utilizam intervenções em grupo como estratégia terapêutica de empoderamento, aumento de autonomia e participação, e estruturação de rede social de apoio para os indivíduos. Muitos dos grupos formados, originalmente, não têm um propósito terapêutico em saúde mental, mas representam intervenções bastante eficazes em termos de promoção e de prevenção nessa área.

Além disso, os grupos possibilitam a redução da demanda por consultas individuais, propiciando desenvolvimento de ações de educação em saúde, com socialização, integração e aumento da rede de apoio, além de troca de experiências, aumento do conhecimento sobre a doença e o tratamento, e realização de projetos coletivos, construindo, dessa forma, ações psicossociais na APS.

Diversas experiências de grupos têm sido implementadas na APS, embora estudos mais robustos ainda sejam escassos. A maioria dessas intervenções apresenta poucas evidências de sua eficácia, embora tenham revelado ser excelentes espaços de apoio **C/D**.

Entre os exemplos mais comuns de grupos de apoio realizados na APS, podem-se destacar as seguintes experiências:
→ **grupos de mulheres:** possibilitam espaços de acolhida e escuta, promovendo reflexão e reforço da autoestima e fortalecendo o vínculo com a equipe. Em geral são grupos abertos, sem temas definidos, nos quais normalmente problemas, tensões e dificuldades da vida diária são discutidos, muitas vezes com a utilização de trabalhos manuais como parte do processo terapêutico;[26]
→ **grupos de terceira idade:** têm demonstrado efeito positivo em termos de melhora do estado emocional, socialização, redução da solidão e autopercepção de mente ativa.[27] Também nesses grupos os trabalhos manuais costumam ser parte importante da rotina, assim como atividades sociais como passeios e festas;
→ **grupos de exercício:** as atividades físicas, intervenções que já fazem parte do cotidiano terapêutico das equipes de APS, podem fazer parte do leque terapêutico a ser oferecido aos pacientes com sofrimento psíquico, em especial aqueles portadores de quadros depressivo-ansiosos, muitas vezes subclínicos e com muitas queixas físicas. Essas atividades podem ser incorporadas como intervenções a serem indicadas para esses pacientes, pois reduzem o estresse, aumentam a sensação física de bem-estar, ampliam a gama de atividades prazerosas e oferecem um novo espaço de socialização.

Várias experiências interessantes com terapias grupais para tratamento e acompanhamento de pacientes com transtornos mentais na APS têm sido realizadas em outros países, utilizando diferentes técnicas, associadas ou não à terapia medicamentosa.

Um dos exemplos é a terapia desenvolvida por Araya e colaboradores e Rojas e colaboradores no Chile,[28,29] que é efetiva na redução de sintomas depressivos **B**. Eles centram a intervenção terapêutica em quatro aspectos: informação, incentivo a atividades prazerosas, redução de pensamentos negativos com resgate da autoestima e terapia de solução de problemas. Sendo realizados por profissionais da APS, enfermeiros e médicos, muitas vezes com auxílio ou supervisão da saúde mental, têm frequência geralmente semanal ou quinzenal e número limitado de sessões, embora possam terminar em grupos mensais de suporte. Utilizando técnicas de base cognitiva, interessantes e resolutivas, esses trabalhos grupais têm tido resultados excelentes na área de saúde mental, permitindo resolução de casos de média complexidade dos transtornos mentais comuns na APS, principalmente da depressão.

Essa intervenção grupal chilena foi adaptada para a realidade brasileira, para ser implementada na ESF, e estudos qualitativos confirmaram impacto não apenas na melhora dos pacientes, mas também na capacidade e na confiança dos profissionais da ESF para cuidar de pacientes com transtornos depressivos e de ansiedade.[30] A intervenção envolve 9 sessões, com duração de 45 a 90 minutos, com grupos de aproximadamente 12 a 15 pessoas, utilizando atividades como listagem e discussão dos sintomas, informação sobre os quadros depressivo-ansiosos e reflexão sobre a situação de vida, focando sobretudo nas atividades prazerosas e nos problemas existentes na rotina de suas vidas. Dentro da técnica cognitivo-comportamental, são analisados os pensamentos negativos e os principais desencadeantes de recaídas ou agravamento do sofrimento emocional e da recorrência dos sintomas. A necessidade de tratamento farmacológico é avaliada previamente ao tratamento e no decorrer dele, e o detalhamento do tratamento medicamentoso é feito em consultas individuais após o grupo.

## TERAPIA COMUNITÁRIA INTEGRATIVA

Entre outras experiências de grupos na APS desenvolvidas no Brasil, destaca-se a terapia comunitária integrativa (TCI).[31] A TCI tem sido usada em escala nacional na ESF. Sua aplicabilidade tem sido descrita com relatos de sucesso; no entanto, não há ensaios clínicos que embasem sua eficácia C/D. Sua teoria é baseada no pensamento sistêmico, na teoria da comunicação, na antropologia cultural e na teoria da resiliência, podendo ser oferecida a qualquer pessoa com sofrimento físico ou mental, independentemente do seu diagnóstico.

A TCI pode ocorrer em qualquer espaço físico onde pessoas possam se reunir e conversar – unidade básica de saúde/ESF, salas de espera, escolas, praças, casas dos usuários, etc. Para tanto, é necessária apenas a presença de um ou mais terapeutas comunitários com formação, podendo ser qualquer profissional de saúde, líder comunitário ou pessoa capacitada.

A TCI tem os seguintes objetivos:
→ reforçar a dinâmica interna de cada um, para que este possa descobrir seus valores, suas potencialidades e tornar-se mais autônomo;
→ reforçar a autoestima individual e coletiva;
→ valorizar o papel da família e da rede de relações;
→ valorizar todas as práticas culturais;
→ suscitar, em cada pessoa, família e grupo social, seu sentimento de união;
→ promover a identificação com seus valores culturais e tornar possível a comunicação entre as diferentes formas do "saber popular" e do "saber científico".

O decurso da TCI se dá em cinco etapas bem distintas que facilitam a compreensão e o andamento do grupo, favorecendo, de forma educativa, a reflexão do tema escolhido:
1. acolhimento dinâmico e regras da TCI;
2. escolha do tema;
3. contextualização do tema escolhido;
4. problematização do tema pelo grupo;
5. rituais de agregação e conotação positiva.

## PERSPECTIVAS

As abordagens psicossociais seguem um contínuo desenvolvimento, à medida que também evolui o pensamento das escolas psicológicas e surgem novos modelos adaptados ou originais para aplicação na APS. Os desafios trazidos pela pandemia da doença pelo coronavírus 2019, iniciada em dezembro de 2019 e que impediu temporariamente a realização de grupos presenciais, possibilitaram novos experimentos. Abriu-se a possibilidade de aplicação virtual de intervenções psicossociais, ampliando os formatos/veículos de intervenção.[32,33]

## REFERÊNCIAS

1. Gonçalves DM, Kapczinski F. Mental disorders in a community assisted by the Family Health Program. Cad Saude Publica. 2008;24(7):1641–50.
2. Fortes S, Villano LAB, Lopes CS. Nosological profile and prevalence of common mental disorders of patients seen at the Family Health Program (FHP) units in Petropolis, Rio de Janeiro. Braz J Psychiatry. 2008;30:32–7.
3. Frateschi MS, Cardoso CL. Saúde Mental na Atenção Primária à Saúde: avaliação sob a ótica dos usuários. Physis. 2014;24(2):545–65.
4. David L. Using CBT in general practice: the 10 minute CBT handbook. 2nd. ed. London: Scion; 2013.
5. Cape J, Whittington C, Buszewicz M, Wallace P, Underwood L. Brief psychological therapies for anxiety and depression in primary care: meta-analysis and meta-regression. BMC Med. 2010;8:38.
6. Quintana M. Mario Quintana: poesia completa. São Paulo: Nova Aguilar; 2008.
7. Shedler J. The efficacy of psychodynamic psychotherapy. Am Psychol. 2010;65(2):98–109.
8. Winnicott DW. Desenvolvimento emocional primitivo. In: Winnicott DW. Da pediatria à psicanálise: obras escolhidas. Rio de Janeiro: Imago; 2000. p. 218-232.
9. Weissman MM, Markowitz JC, Klerman GL. The guide to interpersonal psychotherapy: updated and expanded edition. Oxford: Oxford University; 2017. 224 p.
10. Cuijpers P, Donker T, Weissman MM, Ravitz P, Cristea IA. Interpersonal psychotherapy for mental health problems: a comprehensive meta-analysis. Am J Psychiatry. 2016;173(7):680–7.
11. Bass J, Neugebauer R, Clougherty KF, Verdeli H, Wickramaratne P, Ndogoni L, et al. Group interpersonal psychotherapy for depression in rural Uganda: 6-month outcomes: randomised controlled trial. Br J Psychiatry. 2006;188:567–73.
12. Bolton P, Bass J, Neugebauer R, Verdeli H, Clougherty KF, Wickramaratne P, et al. Group interpersonal psychotherapy for depression in rural Uganda: a randomized controlled trial. JAMA. 2003;289(23):3117–24.
13. Rothberg B. Group Interpersonal Therapy (IPT) for Depressionby the World Health Organization (WHO) and Columbia University. Geneva: WHO; 2016.
14. Cuijpers P, de Wit L, Kleiboer A, Karyotaki E, Ebert DD. Problem-solving therapy for adult depression: An updated meta-analysis. Eur Psychiatry. 2018;48:27–37.
15. Hassink-Franke LJA, van Weel-Baumgarten EM, Wierda E, Engelen MW, Beek MM l., Bor HHJ, et al. Effectiveness of problem-solving treatment by general practice registrars for patients with emotional symptoms. J Prim Health Care. 2011;3(3):181–9.
16. Hassink-Franke LJA, olde Hartman TC, Beek MM, van Weel C, Lucassen PLBJ, van Weel-Baumgarten EM. Problem-solving treatment in general practice residency: a focus group study of registrars' views. Patient Educ Couns. 2011;85(1):106–12.
17. Campayo JG, Vega LMC, Tazón P, Aseguinolaza L. Terapia de resolución de problemas: psicoterapia de elección para atención primaria. Atención primaria: Publicación oficial de la Sociedad Española de Familia y Comunitaria. 1999;24(10):594–601.

18. Chibanda D, Mesu P, Kajawu L, Cowan F, Araya R, Abas MA. Problem-solving therapy for depression and common mental disorders in Zimbabwe: piloting a task-shifting primary mental health care intervention in a population with a high prevalence of people living with HIV. BMC Public Health. 2011;11:828.
19. Greenberg G, Ganshorn K, Danilkewich A. Solution-focused therapy. Counseling model for busy family physicians. Can Fam Physician. 2001;47:2289–95.
20. Zhang A, Franklin C, Currin-McCulloch J, Park S, Kim J. The effectiveness of strength-based, solution-focused brief therapy in medical settings: a systematic review and meta-analysis of randomized controlled trials. J Behav Med. 2018;41(2):139–51.
21. Solution-focused therapy (SFT) in primary care [Internet]. Toronto: eMentalHealth.Ca; 2020. [capturado em 12 ago. 2021]. Disponível em: https://www.ementalhealth.ca/index.php?m=fpArticle&ID=61120
22. Hofmann SG, Gómez AF. Mindfulness-Based Interventions for Anxiety and Depression. Psychiatr Clin North Am. 2017;40(4):739–49.
23. Breedvelt JJF, Amanvermez Y, Harrer M, Karyotaki E, Gilbody S, Bockting CLH, et al. The effects of meditation, yoga, and mindfulness on depression, anxiety, and stress in tertiary education students: a meta-analysis. Front Psychiatry. 2019;10:193.
24. McCartney M, Nevitt S, Lloyd A, Hill R, White R, Duarte R. Mindfulness-based cognitive therapy for prevention and time to depressive relapse: Systematic review and network meta-analysis. Acta Psychiatr Scand. 2021;143(1):6–21.
25. Goldberg SB, Tucker RP, Greene PA, Davidson RJ, Kearney DJ, Simpson TL. Mindfulness-based cognitive therapy for the treatment of current depressive symptoms: a meta-analysis. Cogn Behav Ther. 2019;48(6):445–62.
26. Aragão EIS, Florenzano AP, Gonzaga AS, Borges EMSS, Fortes SLCL. Saúde mental na Atenção Primária, apoio as mulheres em grupos de convivência. Anais do Congresso Sul-Brasileiro de Medicina de Família e Comunidade; 2014. [S.l.: s.n.]; 2014. p. 34.
27. Martins FTM, Camargo FC, Marques ALN, Guimarães HPN, Felipe LRR, Marques M, et al. Vivências socioeducativas para promoção da saúde em idosos: avaliando a intervenção. REFACS. 2019;7(2):175–85.
28. Araya R, Rojas G, Fritsch R, Gaete J, Rojas M, Simon G, et al. Treating depression in primary care in low-income women in Santiago, Chile: a randomised controlled trial. Lancet. 2003;361(9362):995–1000.
29. Rojas G, Fritsch R, Solis J, Jadresic E, Castillo C, González M, et al. Treatment of postnatal depression in low-income mothers in primary-care clinics in Santiago, Chile: a randomised controlled trial. Lancet. 2007;370(9599):1629–37.
30. Pimenta DT. Avaliando a capacitação de profissionais de saúde da atenção primária em saúde mental: para além do tratamento de transtornos mentais. [dissertação]. Rio de Janeiro: Universidade Federal do Rio de Janeiro; 2009.
31. Barreto A de P. Terapia comunitária passo a passo. Fortaleza: LCR; 2005.
32. Brog NA, Hegy JK, Berger T, Znoj H. An internet-based self-help intervention for people with psychological distress due to Covid-19: study protocol for a randomized controlled trial. Trials. 2021;22(1):171.
33. Mari JJ, Gadelha A, Kieling C, Ferri CP, Kapczinski F, Nardi AE, et al. Translating science into policy: mental health challenges during the Covid-19 pandemic. Braz J Psychiatry. 2021.

## LEITURAS RECOMENDADAS

Robinson PJ, Gould DA, Strosahl KD. Real behavior change in primary care: improving patient outcomes and increasing job satisfaction. Oakland: New Harbinger; 2011.

*Livro escrito conjuntamente por uma psicóloga que trabalha com cuidados colaborativos na APS nos Estados Unidos, uma médica de família e um dos psicólogos cofundadores da terapia de aceitação e compromisso (ACT). Adapta o modelo da terapia de aceitação e compromisso focada (FACT) para consultas breves por profissionais generalistas na APS.*

Stuart MR, Lieberman JA. The fifteen minute hour: efficient and effective patient-centered consultation skills. 6th. ed. Boca Raton: CRC; 2018.

*Livro clássico sobre habilidades de comunicação focadas na abordagem de problemas de saúde mental por médicos de família.*

# SEÇÃO XIV

**Coordenador:** Marcos Paulo Veloso Correia

# Dor e Cuidados Paliativos

**181.** Abordagem Geral da Dor .................................................. 2006
*Marcos Paulo Veloso Correia, Michael Schmidt Duncan*

**182.** Dor Crônica e Sensibilização Central ................................ 2020
*Wolnei Caumo*

**183.** Dor Miofascial e Outras Dores Mecânicas ....................... 2032
*Marcos Paulo Veloso Correia*

**184.** Oligoartrites e Poliartrites ................................................ 2044
*Blanca Elena Rios Gomes Bica, Carla Gottgtroy*

**185.** Osteoartrite ....................................................................... 2054
*Carla Gottgtroy, Ricardo André Vaz*

**186.** Gota e Outras Monoartrites ............................................. 2064
*João Henrique Godinho Kolling, Rafael Mendonça da Silva Chakr, Charles Lubianca Kohem*

**187.** Cefaleia .............................................................................. 2073
*Rodrigo Caprio Leite de Castro, Martha Farias Collares*

**188.** Cervicalgia ......................................................................... 2092
*Janete Shatkoski Bandeira, Leonardo Botelho*

**189.** Lombalgia .......................................................................... 2103
*Alessandra E. Dantas, Bruno Alves Brandão, Letícia Renck Bimbi, Marcos Paulo Veloso Correia*

**190.** Dor em Ombro e Membro Superior ................................. 2123
*Ari Ojeda Ocampo Moré, João Eduardo Marten Teixeira*

**191.** Dor em Membros Inferiores ............................................. 2146
*Alfredo de Oliveira Neto, Caio César Bezerra da Silva, Marcos Paulo Veloso Correia, Rebeca Mathias de Queiroz Ribeiro*

**192.** Problemas Musculoesqueléticos em Crianças e Adolescentes .................. 2170
*Sandra Helena Machado, Ilóite M. Scheibel, Sergio Roberto Canarim Danesi*

**193.** Cuidados Paliativos ........................................................... 2182
*Ricardo Moacir Silva, Patrícia Lichtenfels, Milton Humberto Schanes dos Santos, Gabriel Alves Ferreira, Ana Cláudia Magnus Martins*

# Capítulo 181
## ABORDAGEM GERAL DA DOR

Marcos Paulo Veloso Correia
Michael Schmidt Duncan

A dor é uma experiência fundamental à sobrevivência e à funcionalidade. Quando circunstâncias externas ameaçam lesão, ou excedemos limites seguros de contração, pressão ou estiramento, a dor complementa os mecanismos automáticos neuroimunes de defesa e reparo, convocando nossa atenção, memória, inferências e raciocínio, e estimulando empatia e apoio social.

Por outro lado, a dor mal controlada é uma das mais importantes fontes de sofrimento e limitação, prejudicando atividades profissionais, relacionais, de lazer e de autocuidado, o acesso à rede de apoio, e a qualidade desse apoio, por disfunções familiares e na relação médico-paciente, como estigma e negligência.

O objetivo deste capítulo é apresentar conceitos e ferramentas importantes para a avaliação e a abordagem de pessoas em dor no contexto da atenção primária à saúde (APS).

## EPIDEMIOLOGIA

No Brasil, entre adultos, a prevalência pontual de dor musculoesquelética e/ou sintomas musculoesqueléticos não relacionados a trauma (dos quais a dor é o principal) é em torno de 30%.[1,2] Os sítios mais comuns, tomando por base 16 capitais brasileiras, são coluna (77%), joelho (50%) e ombro (36%).[2]

Em estudos populacionais de adultos brasileiros, a dor crônica, definida como aquela contínua ou recorrente há mais de 3 ou 6 meses, tem prevalência de 40%; a dor crônica diária, aproximadamente 25%; a dor crônica pontualmente intensa, 10%; a dor crônica generalizada, 5%; e em estágio de fibromialgia, 2,5%.[3-5] A região lombar é a mais acometida, seguida, em ordens variadas, por joelho, ombro, cabeça, dorso e membros inferiores.[3-5]

Em 2017, entre adultos brasileiros, a lombalgia foi a maior causa de anos de vida perdidos por incapacidade (DALYs, do inglês *disability-adjusted life years*); a cefaleia, a 2ª; e outras desordens musculoesqueléticas, a 5ª; enquanto, para comparação, o diabetes foi a 6ª causa. Em 2019, mesmo incluindo mortalidade na forma de DALYs, dor lombar e cefaleia (respectivamente a 7ª e a 9ª causas) permaneceram próximas de diabetes, a 5ª maior causa.[6]

Entre jovens (10-19 anos) de escolas privadas de São Paulo, no Estado de São Paulo (SP), e adolescentes (14-19 anos) de escolas públicas de Recife, no Estado de Pernambuco (PE), a frequência pontual de dor musculoesquelética em meses prévios foi de 40 a 60% e 65%, respectivamente. O sítio mais acometido foi a coluna toracolombar, com 60 e 70% dos casos, respectivamente.[7,8]

Entre crianças e adolescentes no mundo, a prevalência de dor crônica é estimada entre 20 e 35%;[9] e a prevalência de dor crônica intensa e limitante, entre 5 e 8%. Dor musculoesquelética, cefaleia e dor abdominal são as mais frequentes dores crônicas primárias. Entre 10 e 19 anos, "lombalgia e cervicalgia" e migrânea foram a 5ª e a 10ª maiores causas de DALYs em 2013.[10] Mais de 40% dos adolescentes com dor crônica permanecem com dor crônica na idade adulta.

O custo social da dor crônica musculoesquelética é evidente,[11] possivelmente sobrepujando o de diabetes, cardiopatias e câncer.[12,13] Na população com idades entre 15 e 64 anos, é o mais frequente problema de saúde e a principal causa de liberação trabalhista de longo prazo e aposentadoria precoce. Em idosos, é o 2º principal motivo de tratamento de longo prazo, atrás de hipertensão arterial,[14] e a maior causa de incapacidade. O estigma e a negligência relacionados à dor crônica a destacam entre as demais condições crônicas não transmissíveis.

## DOR COMO EXPERIÊNCIA

De 1979 a 2020, a dor foi definida pela International Association for the Study of Pain (IASP) como a experiência sensitiva e emocional desagradável associada ou descrita em termos de uma lesão tecidual real ou potencial. A definição foi revista em 2020,[15] substituindo-se a expressão "descrita em termos de" por "semelhante àquela associada a", já que nem sempre o paciente pode se manifestar.

Vários grupos corroboram e expandem essa definição, destacando componentes sensitivos,[16] motores,[17] de sono e fadiga (entre outros neurovegetativos), afetivos e cognitivos,[16] espirituais (ver conceito de "dor total", no Capítulo Cuidados Paliativos) e sociais.

Definir dor como experiência subjetiva pode parecer, à primeira vista, uma desnecessária fonte de erros ou distrações; mas não poderia ser diferente, uma vez que a finalidade do tratamento é a qualidade de vida – e, portanto, a experiência. Além disso, o exame complementar desvinculado da experiência não é tão objetivo quanto parece, nem boa referência para o tratamento, por duas principais razões.

Primeiro, porque a nocicepção – ou "percepção do nocivo" – é apenas um contribuinte para a sensação física. A informação codificada e transmitida é complexamente modulada (amplificada ou reduzida) pela medula e por centros supramedulares a caminho do cérebro, e pelo próprio cérebro, podendo sequer se tornar consciente. Centros superiores constroem a experiência de dor a partir desses estímulos, seus contextos, memórias e fatores genéticos, tornando a resposta absolutamente pessoal. Lesões insidiosas vão sendo "acomodadas" ao longo da vida, a exemplo de discopatias, meniscopatias, lesões de manguito rotador, osteoartrite, e mesmo sinovites brandas em primeiras metatarsofalângicas, amplamente assintomáticas na população em geral. Em contrapartida, estímulos álgicos suficientemente intensos ou frequentes podem sensibilizar o sistema nervoso a ponto de respostas desproporcionais manterem sozinhas a sensibilização e a dor – parte do processo de dor crônica primária.[18]

Em segundo lugar, porque a experiência do paciente pode alertar sobre componentes não identificados nos exames. Fontes nociceptivas podem ser sugeridas pela história, corroboradas pelo exame físico, e abordadas por procedimentos ambulatoriais simples, com a resposta guiando o raciocínio (ver Capítulo Dor Miofascial e Outras Dores Mecânicas) – ver pontos-gatilho musculares na dor miofascial, ou ligamentos supraespinhosos e interespinhosos na sensibilização medular. Ou a história pode revelar contextos psicossociais complexos em que priorizar exames pode ser iatrogênico, como burnout e disfunções familiares crônicas.

Ademais, o conceito de dor como experiência estimula a prática orientada à pessoa, à família e ao contexto social, centrais para o tratamento de condições crônicas e de sofrimento psicossocial; e destaca a relevância de ferramentas cognitivo-comportamentais, de prática clínica baseada em narrativa, e de abordagens familiares sistêmicas, adequadas à APS.

## COMPONENTES DA DOR

A experiência de dor inclui componentes sensitivo-avaliativos (nociceptivos, neuropáticos e nociplásticos), motores, neurovegetativos (como fadiga e alterações de sono) e psicossociais (como cognitivo-avaliativos, afetivo-motivacionais, comportamentais e sociais) (FIGURA 181.1).

### Componentes sensitivos

#### Dor nociceptiva

Dor nociceptiva é aquela cujo componente sensitivo decorre da nocicepção, ou "percepção do nocivo" – a codificação de estímulos derivados de lesões iminentes ou já em andamento. As terminações livres de fibras finas (Aδ e C) dos nervos nociceptivos distribuem-se ricamente nas interfaces com o meio externo, como epiderme e mucosas, e com o meio interno, como periósteos e fáscias. Essas terminações participam de processos de defesa, como reflexos de retirada e contração nocidefensiva, e de reparo e adaptação, como inflamação neurogênica (ver a seguir).

Dores nociceptivas crônicas são implicitamente classificadas pela IASP e pela *Classificação estatística internacional de doenças e problemas relacionados à saúde* (CID-11) em musculoesqueléticas, viscerais, e "cefaleias e/ou orofaciais".[20] Dor crônica musculoesquelética é aquela entendida como proveniente do sistema locomotor, quer por um diagnóstico específico ("secundária"), quer por ser nele sentida, na ausência de diagnósticos específicos ("primária"). Dores viscerais e "cefaleias e/ou dores orofaciais" são definidas de modo semelhante. Dores relacionadas a "traumas físicos ou cirurgias" e dores relacionadas a neoplasias são destacadas à parte.[20]

Dores viscerais diferem de musculoesqueléticas de várias maneiras. Os órgãos internos (ou vísceras) têm musculatura e inervação diferentes dos órgãos que os sustentam e os protegem (sistema musculoesquelético). Possuem um sistema nervoso intrínseco, relacionado ao movimento e à secreção – por exemplo, o ritmo de cólica (ver adiante) é fruto desse automatismo. A inervação nociceptiva caminha nos nervos da inervação autonômica, interagindo com vários gânglios e segmentos medulares (e/ou com o bulbo, no caso dos nervos vago e glossofaríngeo), o que favorece sintomas autonômicos, dor referida, sensibilização medular e reações emocionais. Parte da aferência vagal contribui para o controle da dor, fato utilizado em acupuntura.

#### Dor neuropática

Dor neuropática é aquela cujo componente sensitivo decorre de "lesão ou doença" do sistema nervoso somatossensitivo, em contrapartida à dor nociceptiva. Para diagnóstico, a IASP preconiza uma classificação em possível, provável e definitiva, conforme a qualidade da evidência.[21]

O diagnóstico de dor neuropática é considerado "possível" quando há suspeita pela história clínica, incluindo evolução temporal e distribuição compatíveis. Questionários de suspeição de dor neuropática não são suficientes, embora sejam úteis quando negativos.[21] Um grau de "dor neuropática provável" requer demonstração de outras anormalidades sensitivas ao exame físico local, preferencialmente perda sensitiva. "Dor neuropática definitiva" requer a confirmação de lesão por exame complementar, como eletroneuromiografia, exceto em caso de amputação ou lesão intraoperatória. Ainda assim, o termo "definitiva" significa apenas "confirmação clínica de uma neuropatia capaz de explicar a dor", e as dores nociceptivas podem ser o principal componente sensitivo em um dado paciente, apesar da neuropatia.[21]

#### Sensibilização e dor nociplástica

Sensibilização é definida como uma "responsividade aumentada de neurônios nociceptivos a estímulos usuais"

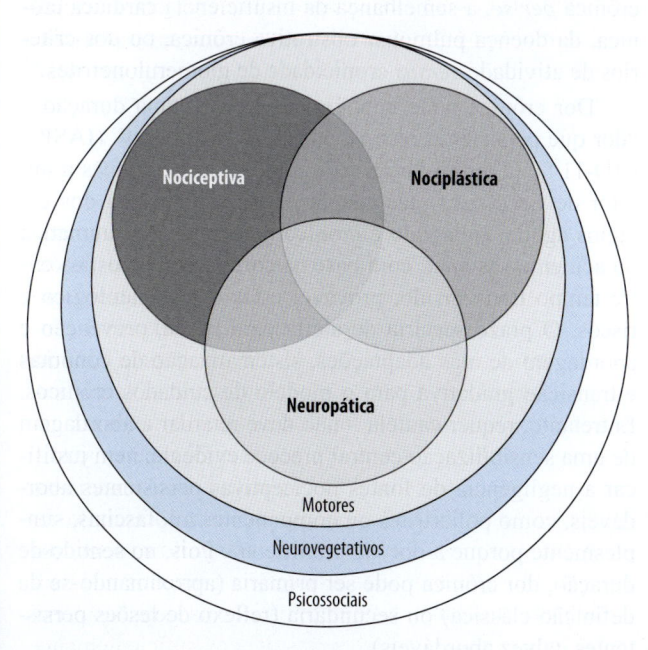

**FIGURA 181.1** → Componentes da experiência de dor.
Fonte: Adaptada de Chimenti e colaboradores.[19]

(hiperalgesia) e/ou "recrutamento de uma resposta a estímulos usualmente não dolorosos" (alodinia).[22] É um processo fisiológico, geralmente regulado por sistemas inibitórios centrais (ver Capítulo Dor Crônica e Sensibilização Central). Refere-se a uma hiperatividade do sistema e, portanto, a uma fonte de dor diferente de nocicepção ou neuropatias.

Em 2017, a IASP propôs contemplar essa contribuição em uma terceira divisão – "dor nociplástica" (de "plasticidade", ou adaptação) – definida em termos de uma "nocicepção alterada",[22] cujo texto ainda é alvo de críticas.[23]

Inflamação neurogênica é um conceito importante em sensibilização.[24] Refere-se à inflamação oligocelular mediada por neuropeptídeos liberados pelas terminações livres nociceptivas, como substância P (SP) e peptídeo relacionado com o gene da calcitonina (CGRP, do inglês *calcitonin gene-related peptide*), em resposta a potenciais de ação disparados em direção à periferia em vez da medula. Esses potenciais podem vir de outra terminação livre do mesmo nervo (nocicepção próxima), de um ponto de contato entre fibras C (não isoladas por mielina), ou de segmentos medulares sensibilizados a ponto de despolarizarem os nervos nociceptivos a eles relacionados (reflexo de raiz dorsal[25]). Na periferia, esses peptídeos geram vasodilatação, aumento da permeabilidade vascular, ativação de mastócitos e estímulo das placas motoras (importante para a contração nocidefensiva e para a dor miofascial). É a inflamação predominante em processos fisiológicos de autorreparo tendíneo, remodelação óssea e, provavelmente, tendinoses e bursopatias; e tem início muito mais rápido que a resposta imune clássica, por ser mediada bioeletricamente.[26] Na medula, os mesmos peptídeos contribuem para a sensibilização medular. Por sua vez, o componente imune da sensibilização central ligado à glia é chamado de neuroinflamação.

A sensibilização pode ser dividida em periférica e central, e esta, em medular (ou segmentar) e supramedular (ou suprassegmentar). Estímulos periféricos persistentes sensibilizam inicialmente seu próprio segmento medular, e daí progressivamente segmentos vizinhos, com implicação prática no diagnóstico e no tratamento (ver Capítulo Dor Miofascial e Outras Dores Mecânicas). Um segmento medular suficientemente sensibilizado pode, por sua vez, gerar inflamação neurogênica em sua região de aferência (dermátomo, miótomo e esclerótomo) pelo reflexo de raiz dorsal. A sensibilização supramedular, em contraste, teria caráter mais difuso e sensível a questões psicossociais, pela ligação entre o subsistema relacionado à experiência de dor (*pain matrix*) e os responsáveis por concentração, memória, humor, sono e energia/motivação.

Várias morbidades envolvem a sensibilização central – e, possivelmente, inflamação neurogênica – em sua fisiopatologia (COPCs, condições de dor crônica sobrepostas, do inglês *chronic overlapping pain conditions*). Citem-se as síndromes de dor miofascial, de fadiga crônica, de cólon irritável, de dor regional complexa, de cefaleia tensional, de migrânea, de bexiga dolorosa e de refluxo gastresofágico, e a hipersensibilidade química múltipla. A nocicepção amplificada é bem descrita em algumas destas; por exemplo, as síndromes do cólon irritável e de bexiga dolorosa respondem, respectivamente, a anestésicos intrarretais e vesicais. Componentes nociplásticos não significam ausência de nocicepção.[22]

## Componentes motores, neurovegetativos e psicossociais

Como já comentado, a classificação em nociceptiva, neuropática e nociplástica refere-se ao componente sensitivo da dor. Toda experiência, entretanto, tem componentes psicológicos (cognitivos e afetivos), comportamentais e sociais. Além disso, todo sofrimento (ameaça ao ego) obriga à revisão do entendimento de si, do mundo e de valores e propósitos, componentes simultaneamente afetivos e cognitivos chamados de espirituais. A dor, em especial, por sua função inicial de alerta, tem também componentes motores (pontos-gatilho miofasciais, densificações fasciais, disfunções dinâmicas), componentes relacionados à "ativação" (disfunções de sono, fadiga, motivação) e outros componentes neurovegetativos (autonômicos, imunes, viscerais). Todos, como o nociplástico, influenciam e são influenciados pela experiência, em círculos viciosos, com implicações no entendimento, no impacto, no prognóstico e na terapêutica.

## DOR CRÔNICA COMO DOENÇA CRÔNICA

Dor crônica foi tradicionalmente definida como a "persistente para além do tempo de restauração normal do tecido" – originalmente um paradoxo, a sugerir más adaptações, possivelmente sequelas. De fato, más adaptações nociplásticas, motoras, neurovegetativas e psicossociais têm sido implicadas. Dor crônica seria, portanto, uma condição ou doença crônica *per se*, à semelhança da insuficiência cardíaca crônica, da doença pulmonar obstrutiva crônica, ou dos critérios de atividade *versus* cronicidade de glomerulonefrites.[27]

Dor crônica pode também se referir a uma duração – "dor que persiste ou recorre por mais de 3 meses" (IASP e CID-11[28]). O termo "crônico", aqui, refere-se apenas a um fator de risco para más adaptações, à semelhança dos estágios agudo, subagudo e crônico de uma lesão traumática ou acidente vascular, com base na correlação estatística entre tempo transcorrido, provável estágio histopatológico e riscos. O prazo serviria de alerta para busca, prevenção e abordagem de más adaptações, sistematização de condutas e transição gradativa para o modelo de cuidados crônicos. Entretanto, requer cautela – não deve retardar a abordagem de uma sensibilização central precoce evidente, nem justificar a negligência de fontes nociceptivas persistentes abordáveis, como poliartrites ou componentes miofasciais, simplesmente porque a dor "já cronificou". Pois, no sentido de duração, dor crônica pode ser primária (aproximando-se da definição clássica) ou secundária (reflexo de lesões persistentes, talvez abordáveis).

Definições alternativas para dor crônica foram propostas em estratégias nacionais, variando de 1 a 6 meses, algumas delas incorporando critérios de recorrência e/ou intensidade.[29-31]

Síndrome de dor miofascial (SDM) e fibromialgia (FM) são as principais síndromes clínicas relacionadas à dor crônica primária. A SDM marca um estágio de sensibilização no qual pontos de hipercontração nos músculos causam dor, disfunções motoras ou outros sintomas à distância (ver Capítulo Dor Miofascial e Outras Dores Mecânicas). A FM marca um estágio de sensibilização difusa com dor crônica e alterações somáticas, viscerais, cognitivas, emocionais e de relacionamento social (ver Capítulo Dor Crônica e Sensibilização Central).

## DOR EM POPULAÇÕES ESPECIAIS

### Dor em crianças e adolescentes

A abordagem de crianças com dor é desafiadora. A quantificação é difícil, pela grande variação do limiar de dor à palpação conforme idade, sexo e região anatômica em indivíduos normais, e, naturalmente, pela pouca cooperação. Aspectos psicossociais são particularmente importantes, incluindo a reação dos pais. Medicamentos são muito menos estudados, têm muito mais efeitos colaterais, e o metabolismo varia com o amadurecimento biológico pessoal. O impacto de meses ou anos perdidos de interação social ou acadêmica marcarão a personalidade e a família e limitarão oportunidades mais que em licenças profissionais em adultos. Dores persistentes ou recorrentes na infância podem modular os sistemas de resposta neuroimune, contribuindo para dor crônica e distúrbios de humor na fase adulta.

Crianças estão sujeitas a condições dolorosas diferentes de adultos. "Dores de crescimento" ("dor noturna benigna do membro [inferior]") são um bom exemplo, acometendo até 37% das crianças entre 4 e 6 anos de idade. Caracterizam-se por serem não articulares, recorrentes (dias a meses), em ambos os membros inferiores (coxa, joelho posterior, panturrilha ou região pré-tibial), ao fim da tarde ou à noite (principalmente após dias de maior atividade ou estresse), e ausentes pela manhã, possivelmente por sobrecarga de trechos ósseos de menor densidade e limiar para dor. Dores de dente têm prevalência variável conforme nível socioeconômico, atingindo até 42% das crianças com idades entre 6 e 12 anos. Alterações de eixo, como valgismo ou escoliose, devem ser interpretadas conforme faixa etária; e osteocondrose (lesão da placa epifisária) e osteocondrite (osteonecrose subcondral) são diagnósticos diferenciais em dor articular (ver Capítulo Problemas Musculoesqueléticos em Crianças e Adolescentes).[32] Febre reumática pode ser manejada na APS, mas artrite idiopática juvenil, diagnóstico diferencial importante, merece identificação e encaminhamento precoces à reumatologia pediátrica.

Os serviços de APS estão pouco preparados para identificação e abordagem dos casos de dor, particularmente crônica, em crianças e adolescentes. Poucos são acompanhados, tecnologias digitais são pouco utilizadas, e a abordagem em grupo em escolas têm formato frequentemente informativo, embora um modelo biopsicossocial seja ainda mais necessário nessa faixa etária.

### Dor em gestantes

Dor é um tema importante no pré-natal. Dor lombar é comum na gestação, pelas alterações mecânicas, mas exercícios durante a gravidez têm benefício discreto. A dor pode persistir após o parto, e cronificar-se, particularmente em mulheres com sobrepeso prévio, depressão, sobrecarga laboral durante a gestação, ou dor em cintura pélvica (sacroilíaca, sínfise púbica). Cerca de 20% das gestantes têm dor importante em cintura pélvica, das quais um terço terá dor persistente após o parto, podendo ser limitante.[33] Exercícios (aquáticos ou em terra), terapia de relaxamento muscular progressivo, *kinesiotaping*, acupuntura, manipulação e educação sobre dor, potencialmente benéficos na dor lombar, têm menor evidência em dor pélvica em gestantes.[34]

Pacientes com dor crônica que engravidam devem rever esquemas terapêuticos, enfatizando terapias psicossociais e físicas e/ou medicamentosas de ação local. (Para orientações sobre uso de analgésicos na gestação, ver Apêndice Uso de Medicamentos na Gestação e na Lactação.)

### Dor em idosos e em pacientes com alto limiar para dor

Idosos costumam ter dificuldades em comunicar adequadamente sua dor, por questões contextuais (autoimagem, autonomia), culturais ("dor é da idade") e cognitivas; têm menos acesso a tratamentos, e menor tolerância; e apresentam maior número de lesões degenerativas, cujos estímulos nociceptivos são geralmente "escondidos" sob um limiar para dor crescente ao longo dos anos.

Como já mencionado, alterações insidiosas são comumente indolores, devido a adaptações nervosas centrais, motoras-comportamentais e psicossociais, e sua mera presença não as implica como causa da dor. Quando vêm a provocar dor, em alguns casos, mesmo pequenos ganhos podem permitir a readaptação do sistema a uma situação manejável ou sem dor. Uma avaliação crítica e abordagem adequada são necessárias antes de conclusões.

Por outro lado, o acúmulo de lesões e más adaptações sob um limiar elevado pode dificultar o tratamento em casos em que as alterações estão coerentemente associadas à dor do paciente. Um dos motivos é por favorecem um padrão "em crises", oscilando entre dores intensas, em caso de estímulos acima do limiar para dor, e nenhuma dor, em caso de estímulos abaixo do limiar. Esse padrão é geralmente interpretado como devido a problemas novos, não acumulados por anos. Uma sugestão possivelmente útil à mudança dessa percepção é a autopalpação de pontos-gatilho latentes (dolorosos ao toque, embora não espontaneamente) ou o autoalongamento suave, percebido como dolorido (ver Capítulo Dor Miofascial e Outras Dores Mecânicas).

Na presença de muitos pontos-gatilho latentes ou de sensibilização medular importante, sugere-se postergar abordagens mais dolorosas, como agulhamentos de pontos-gatilho, em favor de outras, como medicamentos, bloqueios anestésicos, acupuntura tradicional e orientações fisioterápicas leves, que gerem "espaço para manobra" sob o limiar, e daí progressão indolor das abordagens, mantendo vínculo (ver Capítulo Dor Miofascial e Outras Dores Mecânicas).

### Dor no fim da vida

Dor é um aspecto fundamental dos cuidados no fim da vida, mas o tratamento nesse contexto difere daquele da dor crônica usual. A principal diferença está nos objetivos. Em dor crônica, a qualidade de vida estará relacionada ao retorno da funcionalidade, à expansão do convívio social e à realização de sonhos; e, no fim da vida, à resolução de últimas pendências, ao conforto e à preparação pessoal e familiar para a morte. Por exemplo, a "escada analgésica para dor oncológica", que enfatiza opioides, continua adequada à "dor no fim da vida", embora seja bastante criticada no contexto de dor crônica em geral. (Ver Capítulos Cuidados Paliativos e Dor Crônica e Sensibilização Central.)

## AVALIAÇÃO CLÍNICA

Na APS, onde quadros inespecíficos e crônicos são a regra, a categorização das queixas dolorosas com base em doenças bem-definidas costuma ser pouco útil, além de levar à solicitação desnecessária e iatrogênica de exames, além de uma abordagem centrada no médico, e não no trabalho em equipe e no empoderamento do paciente. Uma categorização que sugira hipóteses de trabalho a partir da história e do exame físico, incluindo possivelmente testes diagnóstico-terapêuticos de pronta resposta, é frequentemente mais útil, e menos abstrata para a equipe. Em casos indiferenciados e sem sinais de alarme, o tempo também servirá de ferramenta semiológica (ver Capítulo Abordagem Geral da Dor), corroborando, refutando ou sugerindo hipóteses. Exames complementares devem idealmente ser solicitados somente se a epidemiologia, os dados clínicos ou a evolução exigirem.

Este capítulo sugere uma estrutura de raciocínio para diagnóstico, quantificação e prognóstico que será utilizada na maioria dos capítulos relacionados a queixas dolorosas deste livro. O roteiro e as discussões foram, em sua maioria, retirados do protocolo-piloto do "Projeto para Dor Mecânica (PDM)", iniciado em 2006 e atualmente (2014-2021) apoiado pelo Grupo de Trabalho em Dor da Sociedade Brasileira de Medicina de Família e Comunidade (SBMFC).[35] O leitor é convidado a contatar o Grupo de Trabalho quanto a estas e outras iniciativas.

### Explorando a história

A anamnese da dor segue a mesma lógica da avaliação descrita nos Capítulos Abordagem de Sinais e Sintomas e Modelo de Consulta e Habilidades de Comunicação: inicialmente, deixa-se o paciente discorrer sobre o que lhe parece "estranho", explora-se a história com perguntas abertas, delimita-se o escopo das queixas com perguntas fechadas, e busca-se categorizar as informações em grupos de relevância diagnóstica, para planejar o exame, a abordagem e os desdobramentos.

Como auxílio à categorização, diversos roteiros mentais foram propostos, os quais frequentemente dialogam entre si. Um acrônimo bastante utilizado é o PQRST (**p**rovoca/**p**alia, **q**ualidade, **r**egião, **s**everidade, **t**empo), preconizado pela IASP e por outros grupos.[36] Por concisão e fluência, este capítulo reorganiza o PQRST a partir das metas de uma consulta: qualificação, quantificação e prognóstico (este último incluindo exploração de sinais de alarme e fatores perpetuantes).

### Qualificação (PQR): do paciente às hipóteses

Paciente e profissional devem ter em acordo quais "dores" o paciente apresenta. Cabe destacar que um mesmo local pode apresentar dores com padrões diferentes, e daí provavelmente razões diferentes, com implicação clínica. A circunstância, a qualidade (i.e., descrição) e o local/irradiação (PQR, de PQRST) são bons parâmetros para definição dos padrões, além de pistas diagnósticas para hipóteses de trabalho, a serem testadas no exame físico (FIGURA 181.2).

#### Circunstâncias (e ritmo)

O estudo de um fenômeno em ciência sempre inicia com a busca das circunstâncias nas quais mais (e menos) ocorre e/ou se intensifica; e com as quais guarda relação ou contribuintes em comum. Essa variação de um fenômeno com dada circunstância recorrente é denominada ritmo. Além de sugerir ou desafiar hipóteses de trabalho, o ritmo convenientemente relembra os principais alertas clínicos em um paciente com dor (TABELA 181.1).

O ritmo mecânico, aqui definido como "dor que piora ao movimento, ou a posturas prolongadamente mantidas", sugere como fonte o sistema locomotor ou estruturas por ele comprimidas. "Dor mecânica", neste sentido, difere conceitualmente de "dor musculoesquelética". A dor originada ou percebida no sistema musculoesquelético pode não ter ritmo mecânico, como no caso de artrites, de ritmo inflamatório ou da claudicação intermitente, com dor aos esforços. Por outro lado, a dor pode ter ritmo mecânico e não ser sequer nociceptiva, como nas neuropatias compressivas. O conceito de dor mecânica tem especial relevância para o profissional de APS. É o ritmo mais comum,[37] podendo também acompanhar qualquer outro ritmo, pela contração muscular nocidefensiva em torno da região dolorosa (ver Capítulo Dor Miofascial e Outras Dores Mecânicas).

O ritmo inflamatório contrapõe-se ao mecânico, como a dor "com piora à imobilização prolongada, melhorando gradualmente à atividade" no contexto de dores articulares[36] e/ou como "a dor com piora noturna" em dores articulares ou ósseas, conforme definição. O paradoxo, em que "o repouso e/ou a noite" não aliviam a dor, mas sim a mobilização e o dia, sugerem como causa o acúmulo de edema e fibrina pela imobilização e/ou pela queda noturna do cortisol plasmático. Em artrites, rigidez matinal é associação comum.

Há que se ter cautela, entretanto, com o critério de piora noturna. Fatores mecânicos também podem levar a uma piora noturna pela posição, como ocorre na síndrome do manguito rotador ao dormir sobre o ombro afetado ou o braço caído, ou na síndrome do túnel do carpo ao dormir com o punho fletido. Além disso, fatores como rinite alérgica ou apneia do sono podem levar a uma má qualidade do

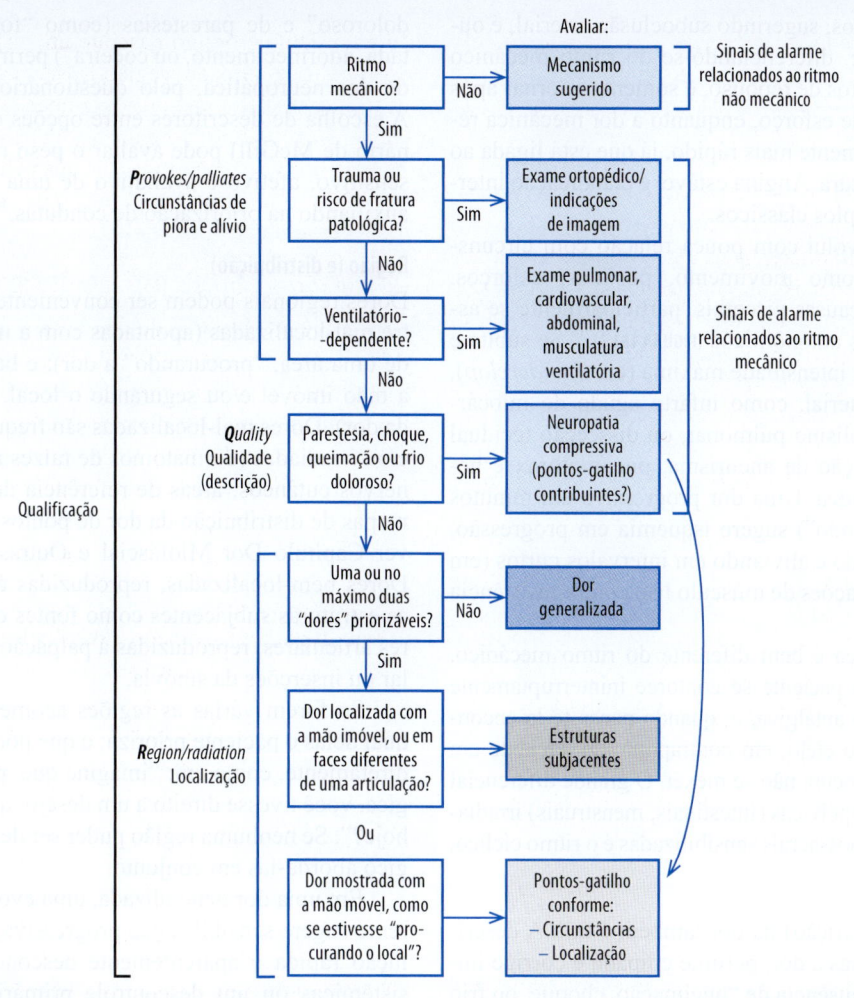

**FIGURA 181.2** → Qualificação da dor.

Fluxograma — Qualificação da dor:

- **Provokes/palliates** — Circunstâncias de piora e alívio
  - Ritmo mecânico? → Não → Avaliar: Mecanismo sugerido (Sinais de alarme relacionados ao ritmo não mecânico)
  - Sim ↓
  - Trauma ou risco de fratura patológica? → Sim → Exame ortopédico/indicações de imagem
  - Não ↓
  - Ventilatório-dependente? → Sim → Exame pulmonar, cardiovascular, abdominal, musculatura ventilatória (Sinais de alarme relacionados ao ritmo mecânico)
  - Não ↓
- **Quality** — Qualidade (descrição)
  - Parestesia, choque, queimação ou frio doloroso? → Sim → Neuropatia compressiva (pontos-gatilho contribuintes?)
  - Não ↓
  - Uma ou no máximo duas "dores" priorizáveis? → Não → Dor generalizada
  - Sim ↓
- **Region/radiation** — Localização
  - Dor localizada com a mão imóvel, ou em faces diferentes de uma articulação? → Estruturas subjacentes
  - Ou
  - Dor mostrada com a mão móvel, como se estivesse "procurando o local"? → Pontos-gatilho conforme: – Circunstâncias – Localização

sono e à maior percepção das queixas dolorosas durante e após a noite. Dores de crescimento têm classicamente surgimento noturno, após dias de maior atividade diurna ou estresse em crianças. Neuropatias não compressivas têm comumente piora noturna, por razão desconhecida. Por estes e outros motivos, parâmetros de lombalgia inflamatória (ver Capítulo Lombalgia) apenas raramente correlacionam-se com a espondiloartrite.

**TABELA 181.1** → Principais ritmos e componentes nociceptivos e/ou neuropáticos possivelmente subjacentes

| RITMO | DEFINIÇÃO | SISTEMA/MECANISMO POSSIVELMENTE ENVOLVIDO |
|---|---|---|
| Mecânico | Dor que piora ao movimento, ou em posturas prolongadas | Sistema locomotor (p. ex., dor miofascial, tendinopatias, bursopatias) ou elementos comprimidos por estes (p. ex., neuropatia compressiva) |
| Ventilatório-dependente | Caso particular de dor mecânica, relacionada à inspiração e/ou à expiração | Sistema motor respiratório, sistema respiratório e elementos adjacentes (p. ex., pleurite, pericardite, abscessos subfrênicos) |
| Inflamatório | Dor que piora à noite, ou com imobilização prolongada (poucas horas), melhorando gradualmente com atividade | Relação com o descenso natural dos níveis de cortisol, e/ou retenção de edema por inflamação; p. ex., poliartrites, neoplasia óssea |
| Aos esforços (claudicante) | Dor que ocorre ao mesmo nível de esforço | Limite fixo para perfusão sanguínea (suboclusão arterial); p. ex., claudicação intermitente de panturrilhas, angina estável |
| Em crescendo ou em *thunderclap* | Dor progressiva (em crescendo) ou de início súbito em intensidade máxima (em *thunderclap*) | Oclusão arterial/necrose em curso (p. ex., infarto agudo do miocárdio, tromboembolismo pulmonar importante); ou dissecção rápida de tecidos (p. ex., dissecção de aneurisma, hemorragia subaracnóidea, pneumotórax) |
| Em cólica | Dor que aumenta e reduz ciclicamente | Contração de víscera oca contra obstáculo ou por estímulo irritativo (p. ex., ureteral, intestinal, menstrual) |
| Pós-prandial precoce | Dor que inicia minutos após uma refeição | Questões associadas ao início do processo digestivo (p. ex., úlcera gástrica, cólica biliar) |
| Pós-prandial tardia | Dor que inicia horas após uma refeição | Questões associadas a consequências ou prosseguimento do processo digestivo (p. ex., úlcera duodenal, isquemia mesentérica) |
| Perimenstrual | Dor relacionada a período do ciclo menstrual | Questões ligadas ao ciclo hormonal (p. ex., endometriose [pré-menstrual], dor mamária cíclica [pós-menstrual]) |

A dor aos esforços, sugerindo suboclusão arterial, é outro ritmo importante, diferenciando-se do ritmo mecânico por ceder após minutos de repouso, e somente retornar após níveis semelhantes de esforço, enquanto a dor mecânica retornaria progressivamente mais rápido, já que está ligada ao movimento ou à postura. Angina estável e claudicação intermitente são os exemplos clássicos.

Uma dor que evolui com pouca relação com circunstâncias externas (como movimento, posturas, esforços, amanhecer) sugere causas viscerais, particularmente se associada a fenômenos autonômicos (FIGURA 181.3).[38] Se súbita e já aparentemente em intensidade máxima (em *thunderclap*), sugere obstrução arterial, como infarto agudo do miocárdio ou tromboembolismo pulmonar, ou dissecção tecidual rápida, como dissecção de aneurisma, pneumotórax e hemorragia subaracnóidea. Uma dor progressiva em minutos a horas (em "crescendo") sugere isquemia em progressão. Se cíclica, agudizando e aliviando em intervalos curtos (em cólica), sugere contrações de músculo liso contra resistência e/ou agente irritante.

O ritmo de cólica é bem diferente do ritmo mecânico. Na cólica ureteral, o paciente se contorce ininterruptamente em busca de posição antálgica, e, quando pensa tê-la encontrado, inicia um novo ciclo, em contraponto ao paciente em dor mecânica, que procura não se mexer. O grande diferencial das cólicas abdominopélvicas (intestinais, menstruais) irradiadas para regiões lombossacrais sensibilizadas é o ritmo cíclico.

### Qualidade

A qualidade (ou descrição) da dor também é útil. A descrição facilita referências à dor, permite empatia e corrige impressões iniciais. A ausência de "queimação, choque, ou frio doloroso" e de parestesias (como "formigamento, alfinetada, adormecimento, ou coceira") permite afastar a suspeita de dor neuropática, pelo questionário DN4[39] (TABELA 181.2). A escolha de descritores entre opções específicas (questionário de McGill) pode avaliar o peso relativo dos aspectos sensitivo, afetivo e avaliativo de uma dor, potencialmente auxiliando na priorização de condutas.[16]

### Região (e distribuição)

Dores regionais podem ser convenientemente divididas entre mal-localizadas (apontadas com a mão móvel, ao longo de uma área, "procurando" a dor); e bem-localizadas (com a mão imóvel e/ou segurando o local, "achando" a região da dor). Dores mal-localizadas são frequentemente referidas e/ou irradiadas (dermátomos de raízes nervosas e mapas de nervos cutâneos; áreas de referência de visceropatias; e os mapas de distribuição da dor de pontos-gatilho miofasciais, ver Capítulo Dor Miofascial e Outras Dores Mecânicas). Dores bem-localizadas, reproduzidas à palpação, sugerem as estruturas subjacentes como fontes da dor, como em dores articulares, reproduzidas à palpação da interlinha articular ou inserções da sinóvia.

Se forem várias as regiões acometidas, importa saber qual delas o paciente prioriza; o que pode ser perguntado indiretamente, como em: "imagine que, por um passe de mágica, você tivesse direito a um desejo: qual 'dor' você tiraria hoje?". Se nenhuma região puder ser destacada, será estratégico abordá-las em conjunto.

Em uma dor generalizada, uma evolução gradual e coerente sugere sensibilização progressiva, enquanto uma evolução rápida e aparentemente desconexa sugere afecções sistêmicas ou um descontrole primário da sensibilização central – como em significativa porção dos pacientes de FM. Por outro lado, a distribuição das artrites é a base do diagnóstico diferencial e do manejo (ver Capítulo Oligoartrites e Poliartrites).

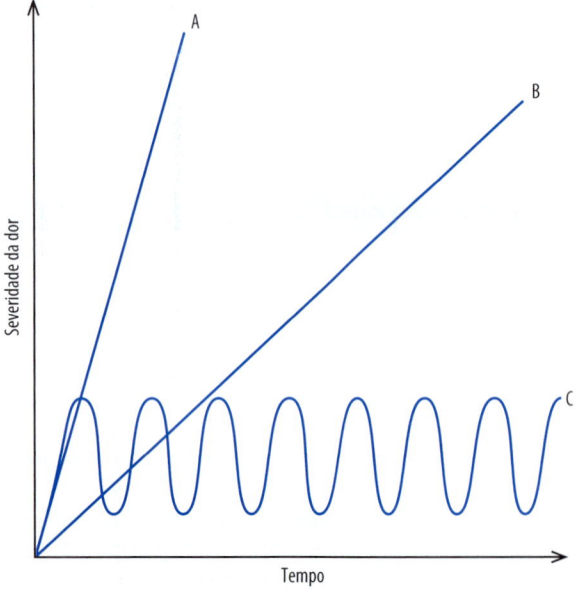

**FIGURA 181.3** → Ritmos "autônomos" (independentes de circunstâncias externas): **(A)** em *thunderclap*; **(B)** em crescendo; **(C)** em cólica.
Fonte: Adaptada de Mayer e colaboradores.[38]

**TABELA 181.2** → Questionário DN4 (Douleur Neuropathique 4 Questions) de suspeição de dor neuropática em português brasileiro

| DN4 |
|---|
| **CARACTERÍSTICAS DA DOR** |
| → Queimação<br>→ Sensação de frio doloroso<br>→ Choque elétrico |
| **SINTOMAS NÃO DOLOROSOS NA ÁREA DE DOR** |
| → Formigamento<br>→ Alfinetada e agulhada<br>→ Adormecimento<br>→ Coceira |
| **EXAME FÍSICO NA ÁREA DE DOR** |
| → Hipoestesia ao toque<br>→ Hipoestesia ao estímulo da agulha<br>→ Alodinia à escovação |
| **PONTO DE CORTE: 4 OU MAIS POSITIVOS** |

Fonte: Adaptada de Santos e colaboradores.[39]

## Quantificação (ST): avaliando impacto

O paciente que vive a dor em geral não está preocupado em medi-la (ou defendê-la), mas apenas em que ela termine. A quantificação pode ser difícil ao paciente, e deve ser feita com empatia. Em uma dor nitidamente intensa, provavelmente a quantificação deverá ser postergada para após o alívio inicial, a caminho do plano conjunto.

Elementos que podem ser quantificados incluem a severidade (intensidade e experiência com a doença) e o tempo (TABELA 181.3).

### Severidade (intensidade e experiência de doença)

Quanto maior a intensidade, mais importante é avaliar outros parâmetros. A tentativa de tornar a intensidade da dor um "quinto sinal vital" que ditasse a dose analgésica, ampliando a "escada analgésica de dor oncológica" para dores crônicas não oncológicas, mostrou-se equivocada e contribuiu para a "epidemia de opioides" em países anglo-saxões. O foco na intensidade (componente sensitivo) deixava em segundo plano os demais componentes da dor (motores, neurovegetativos, psicossociais), frequentemente perpetuantes fundamentais. Na presença de limitação significativa, intensidades menores podem ser reflexos de hipomobilidade, e daí de uma pior qualidade de vida e prognóstico.[40] Em dor crônica, as abordagens mais eficazes reduzem a intensidade apenas posteriormente – e talvez secundariamente – à resposta da limitação funcional, sono e humor.[41]

Como opção à mensuração isolada de intensidade, a CID-11 e alguns questionários multidimensionais de dor com foco na APS[27,40,42] trazem o termo "severidade" (o "S" do PQRST). Severidade inclui intensidade e experiência de doença, a qual é classicamente descrita segundo quatro dimensões – limitação funcional, sentimentos, ideias e expectativas. A limitação funcional (que inclui o componente motor) pode ser formalmente avaliada por questionários gerais ou para dores regionais específicas. Entre os sentimentos, destacam-se, por exemplo, as questões de sono (como componente neurovegetativo) e humor (como componente afetivo); e, entre as ideias e as expectativas, o enfrentamento ou *coping* (como componentes cognitivos e sociocomportamentais). Esses subitens são, em parte, efeitos e, em parte, perpetuantes da dor (ver tópico Prognóstico, adiante).

### Tempo

O "T" do PQRST refere-se à duração e à recorrência. Importam, por exemplo, a duração total, a duração e recorrência aproximadas das crises até a crise atual (com respectivos fatores deflagradores e de alívio), e a duração e recorrência aproximada de episódios intensos na crise atual. Exceto por poucas datas e circunstâncias relevantes, ordens de grandeza (horas, dias, meses) são, em geral, suficientes, como "durante poucos dias, com resposta ao anti-inflamatório" e "recorrendo em algumas semanas a vários meses, conforme estresse". Perguntas como "Horas sem dor são (eram) comuns? E dias?", diferenciam, por exemplo, uma dor diária de uma dor contínua.

### Questionários multidimensionais e outros

Os questionários multidimensionais de dor, em sua maioria, conjugam severidade, evolução temporal, doses de medicamentos e intensidade/frequência de outras intervenções. Citem-se a escala graduada de dor crônica, orientada à APS,[40] recentemente modificada;[42] o inventário para rastreamento do perfil de dor crônica;[43] o questionário de McGill;[16] o inventário breve de dor, com validação parcial;[44] e os códigos de extensão para quantificação da dor crônica, da CID-11.[27] Questionários específicos estimam sensibilização central ou qualidade de vida relacionada à dor (ver Capítulo Dor Crônica e Sensibilização Central).

## Prognóstico: olhando para os lados e adiante

Severidade, duração e grau de recorrência também são importantes para o prognóstico, mas outros fatores devem ser lembrados para plano e monitoramento.

### Fatores perpetuantes

Fatores perpetuantes retroalimentados pela dor, formando círculos viciosos, requerem abordagem prioritária. Disfunções nociplásticas, motoras, neurovegetativas e psicossociais tanto estimulam quanto são estimuladas pelo processo doloroso. Terapias voltadas para uma mobilidade funcional, *versus* imobilismo e medo de movimento, ocupam papel central em dor crônica.[17] Distúrbios de fadiga e/ou sono predizem evolução para dor crônica generalizada independentemente da saúde mental.[45] Enfrentamentos disfuncionais (pessoais e familiares), incluindo catastrofização, medo e evitação de movimento, perseverança de atividades a despeito de dor progressiva, tabagismo, etilismo abusivo e uso inadequado de opioides são elementos essenciais que devem ser levados em conta na abordagem da dor. O termo "bandeiras amarelas", referindo-se ao valor prognóstico e terapêutico dos aspectos psicossociais em semelhança e oposição às "bandeiras vermelhas" biomédicas, talvez pudesse (e devesse) incluir todo o grupo, contemplando os vários componentes da dor.

Fatores como catastrofização e medo de movimento têm-se corroborado como preditores de má evolução, embora mereçam uma palavra de cautela. Catastrofização não foi fator de risco em um estudo prospectivo na rede de saúde espanhola, melhorando conforme a melhora da dor,[46] e apenas um quarto dos pacientes com fibromialgia parecem ter níveis altos (*Pain Catastrophizing Scale* [PCS] > 30/52).[19] O medo de movimento em níveis altos (*Tampa Scale of Kinesiophobia* [TKS] > 37/68) acomete apenas metade dos

**TABELA 181.3** → Quantificação da dor

| DOMÍNIO DO PQRST | COMPONENTES | DESCRIÇÃO |
|---|---|---|
| Severidade | Intensidade | Variação da intensidade na presente crise |
| | Experiência com a doença | Limitação funcional, sentimentos (p. ex., humor, sono, fadiga) e ideias e expectativas (p. ex., *coping*) |
| Tempo | Duração/recorrência | Duração das crises e quais tratamentos foram utilizados |
| | | Recorrência das crises, e seus deflagradores |

pacientes com FM.[19] Um padrão de perseverança, apesar de níveis altos de dor, parece ser mais comum que o de medo do movimento; e o padrão de perseverança, apesar de níveis altos de dor e de estresse, tem prognóstico semelhante ao de medo do movimento.[47,48] Enfrentamentos disfuncionais devem implicar adaptação da abordagem, mas não estigma ou desesperança pela equipe de saúde.

Fatores perpetuantes não estimulados pela dor também são estratégicos. Exemplos são a ergonomia inadequada, movimentos repetitivos, e comorbidades não estimuladas pela dor. Abordar tais comorbidades requer cautela, pois, embora alguns testes terapêuticos sejam simples, como a reposição de levotiroxina em um hipotireoidismo limítrofe na ausência de problemas cardíacos, outras comorbidades têm abordagem complexa, como a de lesões degenerativas (ver o tópico de Dor em Idosos). Além disso, abordar simultaneamente vários possíveis contribuintes pode desviar a ênfase do paciente nos pontos principais, reduzir sua qualidade de vida, e estimular posturas passivas e inseguras.

### Excluindo sinais de alarme

O modelo adaptado de Calgary-Cambridge proposto no Capítulo Modelo de Consulta e Habilidades de Comunicação posiciona a exclusão de sinais de alarme como tarefa da segunda parte da coleta de dados, centrada no profissional, junto ao exame físico.

Bandeiras vermelhas (ou sinais de alarme) são sintomas ou sinais que sugerem condições de urgência, gravidade ou reconhecida vantagem da instituição precoce de um tratamento específico. Trata-se da pronta suspeita, diagnóstico diferencial (principalmente à história e ao exame físico) e, possivelmente, abordagem inicial e ampliação do plano e da rede de apoio, para casos que precisarão de um maior suporte externo, além de muito suporte interno (equipe, família, amigos, trabalho).

Do ponto de vista biomédico, poucos parâmetros são suficientes, e o foco está em condições mecânicas, inflamatórias, isquêmicas e neurológicas, e perfis epidemiológicos de risco. A avaliação supradescrita pode auxiliar bastante nesse processo. A qualidade e a irradiação podem sugerir neuropatias, e a dor bem-localizada pode se referir a lesões estruturais. Ritmos não mecânicos são sinais de alarme, e altas intensidades, perda funcional, velocidade de instalação, ou recorrência pós-abordagem, indicam atendimento precoce per se. Entretanto, muitas condições graves são indolores, dentre as quais estão cerca de 50% dos cânceres e lesões cardiovasculares. Sintomas e sinais além da dor devem ser lembrados.[49-51]

Causas mecânicas podem ser urgentes. Citem-se as lesões estruturais agudas, traumáticas ou atraumáticas (agudização de cifose em pessoas em risco de osteoporose, ou abaulamentos sugerindo neoplasia); as ventilatório-dependentes; e as neuropatias compressivas agudas com sintomas negativos. Dores mecânicas com recorrência rápida e injustificada também devem ser revistas com prioridade, podendo, por exemplo, ser miofasciais secundárias a causas ocultas graves, embora estas sejam, por si só, indolores.

Causas inflamatórias (infecciosas, autoimunes ou neoplásicas) são sugeridas por febre, perda de peso anormal, fadiga precoce (a partir de dado momento do dia) ou lesões de pele sugestivas. Rigidez articular matinal prolongada sugere artrite.

Causas isquêmicas são sugeridas por sintomas aos esforços e declínio funcional em pacientes de alto risco. A dor referida em ombro, face medial de membro superior, maxilar inferior ou abdome superior, e/ou associada a sintomas autonômicos (sudorese fria, náusea, hipotensão), e/ou dispneia, e/ou ocorrência matinal ou sob estresse, e/ou alto risco cardíaco, se não facilmente explicada e controlada, merece investigação.

Causas neurológicas podem ter sintomas positivos (dor, hiperestesia, parestesias, movimentos involuntários, hiper-reflexia, agitação psicomotora) ou negativos (perdas sensitivas, motoras, de controle esfincteriano, visão, raciocínio e/ou consciência). Consideram-se bandeira vermelha apenas os sintomas negativos, mas sintomas positivos também podem requerer ficar alerta.

Rigidez (matinal ou não), sono, fadiga, sensação subjetiva de edema, calor, desvios e abaulamentos, ou alterações de cor são exemplos de sintomas relevantes, mesmo quando não associados a sinais objetivos. Impactam a interpretação e a qualidade de vida do paciente, devendo ser contemplados na construção do entendimento e plano comuns.

Perfis epidemiológicos de risco, como idade, trauma, câncer prévio, uso de certos medicamentos (como corticoides e imunossupressores) e história familiar positiva, implicarão frequentemente em estratégias de prevenção.

Sinais de alarme podem não ser biomédicos. O exame pode levantar suspeita de violência doméstica, por forma e distribuição de lesões, por exemplo. Vulnerabilidade é a estimativa da dificuldade do paciente e de sua rede primária de responderem eficazmente em uma má evolução, quer por quantidade e qualidade de recursos, quer por baixa resiliência ("jogo de cintura"). Pode ser inferida pelo modo como responderam a adoecimentos prévios, e como parecem estar respondendo desta vez. A situação e a evolução do perfil socioeconômico, educacional, familiar, filosófico e religioso da pessoa e de seu grupo também são informativas. Transcendência é a presença de ramificações sérias e previsíveis – o adoecimento do provedor financeiro e emocional de uma família com adolescentes em risco ou idosos frágeis certamente requer maior prioridade e rede de apoio. Alarmes não biomédicos têm, na APS, a principal referência.

### Explorando o exame físico

Na APS, o exame físico deve ser orientado pela história, deve ser conciso e orientar a abordagem.

Manobras especiais ortopédicas são úteis em traumas agudos, lesões recorrentes (como em esportes) e/ou falha terapêutica por suspeita de complicações, quando a cirurgia precoce pode ser a melhor opção. Entretanto, são, em geral, desenvolvidas e estudadas em unidades terciárias – e, portanto, para seu perfil de pacientes.[52] A reprodutibilidade, a sensibilidade e a especificidade variam bastante, requerendo associações de manobras e, então, treinamento e tempo para execução. Em geral, desdobram-se em exames de imagem, apesar da prevista má correlação entre dor e imagem em lesões insidiosas,[53-55] ou em avaliações cirúrgicas, apesar da usual não superioridade da correção cirúrgica em casos crônicos.[56]

O exame da articulação, por sua vez, é útil quando a história sugere uma dor articular. Por exemplo, quando os movimentos da articulação são dolorosos em todas as direções, quando a dor é percebida em faces diferentes da articulação (pois seriam da responsabilidade de segmentos medulares distintos), ou quando se suspeita de etiologia compatível com artrite (p. ex., história prévia de gota ou poliartrites).

O exame neurológico formal está indicado na suspeita de sintomas neurológicos negativos ou positivos. A área de alteração sensitiva e o grau de força e reflexos devem ser anotados em um mapa corporal, para avaliar a evolução.

A identificação da sensibilização medular é importante em dor crônica. Um estímulo periférico sensibiliza a medula a partir de seu respectivo segmento, de modo que a sensibilização auxilia a localização do estímulo. A identificação permite confirmar objetivamente à equipe e à família que o paciente não está simulando sua dor. O exame pode ser formalmente realizado por teste sensitivo quantitativo (geralmente em centros de pesquisa), ou clinicamente pelos testes de "pinçamento e rolamento" e do "clipe [de papel]" (ver Capítulo Dor Miofascial e Outras Dores Mecânicas).

Procedimentos ambulatoriais razoavelmente específicos, embora normalmente abordados sob uma perspectiva terapêutica, podem ser bastante úteis para fins diagnósticos, devido à sua pronta resposta, facilitando o raciocínio clínico e o entendimento e plano conjuntos. Procedimentos relacionados à dor miofascial[57] e à sensibilização medular são particularmente relevantes (ver Capítulo Dor Miofascial e Outras Dores Mecânicas). O Currículo Baseado em Competências para Medicina de Família e Comunidade[58] prevê o agulhamento de pontos-gatilho (ver Capítulo Dor Miofascial e Outras Dores Mecânicas), a anestesia subacromial (ver Capítulo Dor em Ombro e Membro Superior), a artrocentese e infiltração de joelho (ver Capítulo Dor em Membros Inferiores), as infiltrações periarticulares (como de túnel do carpo e dedo em gatilho, no Capítulo Dor em Ombro e Membro Superior) e a manipulação osteopática de coluna (ver Capítulo Lombalgia).

## ABORDAGEM (VISÃO GERAL)

A abordagem deve ser orientada pela história e pelo exame físico e terminar em empoderamento e construção de entendimento e plano comuns. Ela deve ser sensível às particularidades de cada paciente, o que inclui comorbidades, preferências e contexto familiar e social. Componentes ativos devem ser priorizados, embora os passivos possam ser necessários por períodos. Muitas intervenções potencialmente úteis na abordagem da dor podem ser realizadas na APS por profissionais generalistas, na dependência de formação adequada (TABELA 181.4).

O monitoramento é parte da abordagem. Casos de alto risco, gravidade, vulnerabilidade ou transcendência devem ser revistos com prioridade. Grupos com limitação funcional significativa podem ser monitorados por questionários multidimensionais (ver Capítulo Dor Crônica e Sensibilização Central).

**TABELA 181.4** → Intervenções terapêuticas para dor

| | COMPONENTES PASSIVOS | COMPONENTES ATIVOS |
|---|---|---|
| **Potencialmente realizados na APS** | → Técnicas manuais<br>→ Procedimentos ambulatoriais<br>→ Medicamentos<br>→ Neuromodulação (acupuntura, TENS, etc.)<br>→ Órteses (p. ex., palmilhas, bengalas) | → Técnicas cognitivas e comportamentais<br>→ Educação em neurociência da dor<br>→ Exercícios e adaptações de atividades diárias<br>→ Intervenções familiares<br>→ Grupos terapêuticos |
| **Realizados em outro nível de atenção** | → Acupuntura, assistência social, fisioterapia, ortopedia/neurocirurgia | → Educação física, fisioterapia, psicologia, terapia ocupacional |

APS, atenção primária à saúde; TENS, estimulação elétrica nervosa transcutânea.

## Abordagens específicas

Dores de ritmos (e, presumivelmente, causas) não mecânicos serão discutidas nos capítulos correspondentes, como o Capítulo Oligoartrites e Poliartrites. Dores mecânicas regionais e sensibilização medular serão discutidas no Capítulo Dor Miofascial e Outras Dores Mecânicas e ilustradas nos capítulos de dores regionais. Dores mecânicas difusas e sensibilização supramedular serão discutidas no Capítulo Dor Crônica e Sensibilização Central. Somente a abordagem inespecífica da dor aguda, como ponte e/ou complemento às abordagens dos próximos capítulos, será discutida a seguir.

## Abordagem inespecífica da dor aguda (ou agudizações de dor crônica)

### Medicamentos

Dipirona e paracetamol são os principais analgésicos não opioides. Ambos inibem cicloxigenase (COX) em tecidos pouco inflamados, e, portanto, a produção de prostaglandina E2, o principal mediador de febre (o que explica a ação antitérmica). Apesar da pouca ação sobre tecidos inflamados, ambos estimulam o sistema inibitório descendente (explicando sua ação analgésica).

Dipirona (mas não paracetamol) interfere na ação antitrombótica do ácido acetilsalicílico. Em pacientes de alto risco cardiovascular que requeiram ácido acetilsalicílico, a dipirona deve ser evitada ou usada apenas 30 minutos depois. Agranulocitose por dipirona é rara no Brasil – menos de 0,17 caso a cada 1 milhão de usuários ao ano[59] –; por exemplo, se os 12 milhões de moradores da cidade de São Paulo usassem dipirona em 1 ano, esperaríamos 2 casos ao fim do ano.

Paracetamol, por outro lado, é o segundo medicamento mais ligado a intoxicações em alguns estados (após clonazepam), podendo levar à insuficiência hepática aguda, particularmente se associado a etilismo, rifampicina ou isoniazida, anticonvulsivantes, ou em doses altas (principalmente dose > 10 g). A hepatopatia é responsiva à N-acetilcisteína, se tratada precocemente.

Dipirona é mais potente que paracetamol, sendo cogitada em contextos (como dor neoplásica) nos quais o paracetamol é questionado.[60,61] Paracetamol tem eficácia semelhante a anti-inflamatórios não esteroides (AINEs) em traumas agudos menores **B**,⁶² mas não é mais eficaz que placebo em lombalgia⁶³,⁶⁴ **B** ou osteoartrite⁶⁵ **B**.

Os AINEs são a segunda classe de medicamentos mais usada para dor no Brasil.⁶⁶ Dividem-se em inibidores preferenciais de COX-1 (como ibuprofeno e naproxeno), inibidores preferenciais de COX-2 (como diclofenaco) e inibidores seletivos de COX-2 (como celecoxibe). Inibidores preferenciais ou seletivos de COX-2 têm menos paraefeitos gastrintestinais que inibidores preferenciais de COX-1, mas semelhante risco cardiovascular e renal **A**.⁶⁷

Inibidores da bomba de prótons (IBPs) aumentam a tolerância gastrintestinal alta, devendo ser associados no uso prolongado de AINEs não seletivos (inclusive ibuprofeno, em caso de doses > 1.200 mg/dia) e até mesmo de AINEs seletivos, se houver alto risco de sangramento **C/D** (TABELA 181.5).⁶⁷ A associação de ácido acetilsalicílico aumenta esse risco em cerca de 2 vezes⁶⁸ **B**. Por outro lado, AINEs, ácido acetilsalicílico e IBPs favorecem lesões gastrintestinais baixas.⁶⁹ Considerando todo o trato gastrintestinal, celecoxibe parece ter o menor efeito deletério **B**.⁷⁰

Os AINEs inibem mais a prostaciclina endotelial (antitrombótica) que o tromboxano (pró-trombótico), aumentando o risco de eventos cardiovasculares trombóticos. Exceções são naproxeno em dose plena, pelo efeito persistente sobre plaquetas, devido à longa meia-vida, e ácido acetilsalicílico em baixas doses, de ação apenas plaquetária. Mas naproxeno em dose plena (como qualquer preferencial de COX-1, incluindo ibuprofeno) inibe o efeito plaquetário de ácido acetilsalicílico, não devendo ser associados. Diclofenaco em dose baixa e celecoxibe têm pequeno risco cardiovascular (exceto em insuficiência cardíaca, ver a seguir) e não têm interação com ácido acetilsalicílico **C/D**.⁷¹

AINEs também devem ser evitados pós-IAM ou na insuficiência cardíaca (IC) por outras razões. Podem descompensar a IC por ação miocárdica direta, por retenção de sódio, e por piores paraefeitos renais na presença de inibidores da enzima conversora de angiotensina (IECAs), bloqueadores do receptor de angiotensina (BRAs) ou diuréticos de alça (DA), geralmente necessários. Em pacientes que toleram o risco gastrintestinal, naproxeno parece ser o AINE mais seguro nesse contexto, sendo também cogitado celecoxibe até 100 mg, de 12/12 horas, associado a ácido acetilsalicílico.⁷²

Nefropatia por AINEs é mais comum em depurações de creatinina estimadas (CKD-EPI [*Chronic Kidney Disease Epidemiology Collaboration*]) < 60 mL/min/1,73 m², particularmente em idosos, em portadores de IC ou de hipoalbuminemia (pela depleção volumétrica) e em usuários de IECA, BRA, DA, lítio ou medicamentos nefrotóxicos. Piúria, hematúria, proteinúria ou hipertensão de difícil controle na presença de AINEs devem levantar suspeita de nefropatia.

AINEs são o grupo farmacológico mais envolvido com hipersensibilidade. Hipersensibilidade a AINEs ocorre em cerca de 10% de adultos asmáticos, um quarto de adultos com polipose nasal e asma, e um terço de pacientes com urticária crônica, com alta frequência de angioedema e anafilaxia.

Alguns AINEs foram ligados a deslocamento de sulfonilureias de seu carreador proteico, aumentando o efeito hipoglicêmico, e geralmente deslocam cumarínicos do carreador albumina, com aumento do risco de sangramento. O risco de sangramento intestinal também aumenta com inibidores seletivos da recaptação da serotonina (ISRSs).

AINEs parecem ser pouco eficazes em lombalgia aguda **B**,⁶²,⁷³ com possível vantagem de associação com analgésicos não opioides **B** e opioides,⁷⁴,⁷⁵ mas não com miorrelaxantes.⁷⁶ A eficácia em osteoartrite, desconsiderando a presença ou não de agudizações inflamatórias, também é modesta (ver Capítulo Osteoartrite). AINEs tópicos são preferíveis em traumas e, embora sejam eficazes somente em uma minoria dos pacientes, em osteoartrite, por menos paraefeitos sistêmicos **A**.⁷⁷

Os miorrelaxantes são uma categoria heterogênea. A ciclobenzaprina tem estrutura e paraefeitos semelhantes a tricíclicos, com benefício em FM mesmo em doses baixas⁸² **C/D**. O baclofeno é um agonista GABA-B indicado para espasticidade e uso abusivo de álcool. O carisoprodol é um agonista GABA-A, o que lhe confere risco de adicção, sendo controlado nos Estados Unidos. A orfenadrina é um anti-histamínico anticolinérgico com pouco efeito sedativo, banido de alguns países pela mortalidade em superdosagens como antiparkinsoniano (arritmias e convulsões) e cujo efeito analgésico possivelmente decorre de ação sobre o receptor NMDA (*N*-metil-D-aspartato), relacionado à sensibilização. A tizanidina é um $\alpha_2$-agonista de ação central (mesma família da clonidina), porém útil em espasticidade, cefaleia crônica diária e abstinência à retirada de opioides.⁸³ Ciclobenzaprina, baclofeno e tizanidina não têm efeito aditivo ao AINE, e a tizanidina tem efeito pouco significativo em lombalgia aguda⁷⁶,⁸⁴ **B**.

Opioides podem ser prejudiciais em dor crônica, ao interferirem em sistemas internos de busca e satisfação por contato social e atividade física e induzirem tolerância e adicção, pela ação sobre hedonia, ainda que o efeito pareça menor se a dose restringir-se à mínima suficiente para bom controle da dor. Opioides serão detalhados no Capítulo

**TABELA 181.5** → Anti-inflamatórios não esteroides conforme risco

| RISCO GASTRIN-TESTINAL | RISCO CARDIOVASCULAR | |
|---|---|---|
| | BAIXO | ALTO |
| Baixo | Ibuprofeno, inibidores preferenciais ou seletivos de COX-2<br>Inibidores preferenciais de COX-1 (que não ibuprofeno) + IBP | Naproxeno (de preferência, ≤ 500 mg/dia) + IBP<br>Ou ibuprofeno ≤ 1.200 mg/dia + ácido acetilsalicílico<br>Ou celecoxibe 100 mg, de 12/12 horas + ácido acetilsalicílico<br>Ou diclofenaco + ácido acetilsalicílico (exceto pós-IAM) |
| Alto | Celecoxibe 100 mg, de 12/12 horas + IBP<br>Ibuprofeno ≤ 1.200 mg/dia + IBP | Evitar<br>(ou celecoxibe 100 mg, de 12/12 horas + ácido acetilsalicílico + IBP) |

COX, ciclogenase; IAM, infarto agudo do miocárdio; IBP, inibidor da bomba de prótons.
Fonte: Adaptada de Brune e Patrignani,⁷¹ Schimdt e colaboradores,⁷⁸ Ho e colaboradores,⁷⁹ Scarpignato e colaboradores⁸⁰ e Alqahtani e Jamali.⁸¹

Cuidados Paliativos, mas tramadol e codeína merecem menção como opioides fracos.

Tramadol é um opioide atípico, com ação serotoninérgica e menos efeitos colaterais opioides, o que pode explicar seu efeito em FM, em que opioides têm pouca indicação. A associação de tramadol a ISRSs ou duais exige cautela, por aumentar o risco de convulsões ou crise serotoninérgica. Recentemente, tem-se questionado seu efeito em osteoartrite ou lombalgia (como também outros opioides[85,86]), dor neuropática C/D[87] e câncer.[88] Entretanto, é ainda condicionalmente recomendado em osteoartrite, lombalgia crônica irresponsiva a AINEs, particularmente associado a paracetamol, e em FM. A codeína, por outro lado, é convertida em morfina no fígado (120 mg de codeína equivalem a 18 mg de morfina oral), com poucos estudos de médio e longo prazo.[89] Tem significativo potencial de dependência, sendo o opioide mais indevidamente usado na Europa, enquanto tramadol tem evidência no tratamento de dependência opioide,[90] e é o menos indevidamente usado.[91] Estudos recentes em indivíduos com idade > 50 anos com osteoartrite sugerem taxa de mortalidade geral maior e risco cardiovascular semelhante entre tramadol e codeína em comparação a diclofenaco e celecoxibe, mesmo após pareamento.[92,93]

Uma proposta medicamentosa de apoio a outras intervenções, por exemplo, seria:

→ dipirona em dose plena – ou, em caso de intolerância prévia, paracetamol;
→ associação de analgésicos não opioides a AINE na menor dose e tempo necessários, se o risco/benefício permitir;
→ associação de analgésicos não opioides a miorrelaxantes (AINEs e miorrelaxantes não tendo efeito aditivo), preferencialmente ciclobenzaprina, pela evidência em FM (exceto em idosos, pelo risco de sedação e quedas,[94] ou em pacientes com alto risco de glaucoma ou arritmia, ou em pacientes com doses altas de tramadol, tricíclicos, ISRS ou duais – nesses casos, carisoprodol seria preferível);
→ associação de analgésicos não opioides (e/ou AINEs, na ausência de contraindicações) a tramadol ou codeína – preferencialmente tramadol, exceto em pacientes com doses altas de ciclobenzaprina, tricíclicos, ISRS ou duais, ou risco de convulsão.

A **TABELA 181.6** apresenta as posologias para cada fármaco citado neste capítulo.

**TABELA 181.6** → Medicamentos para dor aguda

| MEDICAMENTO | POSOLOGIA* | CORREÇÃO POR DCr (mL/MIN) | PRECAUÇÕES |
|---|---|---|---|
| Dipirona | 500 mg, 1-2 comprimido, de 6/6 horas | Não estabelecida; porém eliminação predominante renal | Se ácido acetilsalicílico for necessário, evitar ou postergar dose para > 30 minutos após ácido acetilsalicílico |
| Paracetamol | 500 mg, 1 e ½ comprimido; ou 750 mg, 1 comprimido, de 8/8 horas | Sem correção | Em superdosagem: carvão ativado em caso de ingesta há menos de 4 horas; N-acetilcisteína oral 140 mg/kg + 70 mg/kg, de 4/4 horas (ou intravenosa, 100 mg/kg em 2 horas + 200 mg/kg em 10 horas) |
| Ibuprofeno | 300-400 mg, de 8/8 horas ou de 6/6 horas | Evitar em DCr < 50 | Se ácido acetilsalicílico for necessário, evitar ou postergar dose para > 30 minutos após ácido acetilsalicílico; baixo risco gastrintestinal em doses usuais, mas alto risco em 800 mg, de 8/8 horas;[67] aumento de risco de sangramento com varfarina, ISRS ou venlafaxina; evitar associação com IECA, BRA e furosemida |
| Diclofenaco | 50 mg, 1 e ½ comprimido, de 12/12 horas, ou 1 comprimido, de 8/8 horas | Evitar em DCr < 20 | Compatível com ácido acetilsalicílico; aumento de risco de sangramento com varfarina, ISRS ou venlafaxina; evitar associação com IECA, BRA e furosemida |
| Naproxeno | 500 mg, 1 comprimido, de 12/12 horas | Evitar em DCr < 50 | Aumento de risco de sangramento com varfarina, ISRS ou venlafaxina; evitar associação com IECA, BRA e furosemida |
| Celecoxibe | 200 mg | Evitar em DCr < 30 | Compatível com ácido acetilsalicílico; aumento de risco de sangramento com varfarina, ISRS ou venlafaxina; evitar associação com IECA, BRA e furosemida |
| Ciclobenzaprina | 5-10 mg, ½ comprimido, à noite, até 8/8 horas | Sem correção | Risco de glaucoma, e ampliação QT/arritmias; cautela no uso concomitante de tramadol, tricíclicos, ISRS ou duais |
| Orfenadrina | 35 mg, 1 comprimido, até 6/6 horas | Sem correção | Risco de glaucoma, e ampliação de QT/arritmias; aumento da meia-vida com uso regular prolongado |
| Carisoprodol | 125-150 mg (em associações), até 6/6 horas | Não estabelecida; porém, eliminação renal e hepática | Risco de adicção aumenta com doses mais altas |
| Baclofeno | 10 mg, ½-1 comprimido, de 8/8 horas | 10 mg, ½ comprimido, de 12/12 horas, se DCr < 20 | Risco de encefalopatia, e arritmias em doses > 270 mg/dia ou doença renal |
| Tizanidina | 2 mg, 1-2 comprimidos, de 8/8 horas | 2 mg/dia; subir devagar se DCr < 25 | Contraindicada com ciprofloxacino (entre outros inibidores potentes da CYP1A2) |
| Codeína | 7,5-30 mg, 1 comprimido, de 4/4 horas ou de 6/6 horas | 75% se DCr < 50<br>50% se DCr < 10 | Hepatopatia pode prejudicar ou prolongar efeito; paraefeitos opioides (constipação, sedação, etc.) |
| Tramadol | 50 mg, 1-2 comprimidos, de 6/6 horas; ou 100 mg retard, 1-2 comprimidos, de 12/12 horas | 50 mg, 1-2 comprimidos, de 12/12 horas, se DCr < 30 | Possível aumento de efeito de ISRS e ISRSN (evitar associação se houver risco de convulsão); efeito reduzido com carbamazepina; aumento de risco de sangramento com varfarina |

*Via oral, adultos.
BRA, bloqueador do receptor da angiotensina; DCr, depuração de creatinina; IECA, inibidor da enzima conversora da angiotensina; ISRS, inibidor seletivo da recaptação da serotonina; ISRSN, inibidor seletivo da recaptação da serotonina e da noradrenalina.

### Acupuntura tradicional

A acupuntura tradicional é comumente utilizada em dor aguda e crônica na APS. É segura, prática e eficaz em vários contextos. Mostrou efeito superior à morfina intravenosa em dores intensas em uma unidade de urgência;[95] é comparável a bloqueios anestésicos associados à pregabalina em neuralgia herpética com dor aguda intensa B;[96] e obteve redução média de 6 pontos na escala numérica pré-procedimentos dentários C/D.[97] Em lombalgia aguda, teve eficácia semelhante a AINE B.[98]

Acupunturas de microssistemas (orelha, crânio, punho-tornozelo) são simples, não requerem leito, e podem ser usadas em grupos. A auriculoterapia vem sendo crescentemente incorporada na APS brasileira.[99] Tem evidência positiva em diversos desfechos,[100] como dor aguda e crônica, alterações do sono e tabagismo, porém geralmente em estudos de baixa qualidade metodológica C/D. A nova craniopuntura de Yamamoto (técnica japonesa de cerca de 50 anos, porém mais usada em dor que em afecções neurológicas, em contrapartida à craniopuntura chinesa, justificando o termo) também usa inserção superficial, 8 grupos básicos de pontos, e 20 a 30 minutos C/D. A acupuntura de punho-tornozelo usa inserção horizontal de 1 cm em subcutâneo, 6 pontos em punho ou tornozelo, e 20 a 30 minutos C/D. A associação das técnicas pode ser benéfica C/D.

# REFERÊNCIAS

1. Senna ER, De Barros ALP, Silva EO, Costa IF, Pereira LVB, Ciconelli RM, et al. Prevalence of rheumatic diseases in Brazil: a study using the COPCORD approach. J Rheumatol. 2004;31(3):594–7.
2. Dos Reis-Neto ET, Ferraz MB, Kowalski SC. Prevalence of musculoskeletal symptoms in the five urban regions of Brazil—the Brazilian COPCORD study (BRAZCO). Clin Rheumatol. 2016;35(5):1217-23.
3. Sá KN, Baptista AF, Matos MA, Lessa Í. Chronic pain and gender in Salvador population, Brazil. Pain. 2008;139(3):498-506.
4. Vieira ÉB de M, Garcia JBS, Silva AAM da, Araújo RLTM, Jansen RCS, Bertrand ALX. Dor crônica, fatores associados e influência na vida diária: existe diferença entre os sexos? Cadernos de Saúde Pública. 2012;28(8):1459–67.
5. Cabral DMC, Bracher ESB, Depintor JDP, Eluf-Neto J. Chronic Pain Prevalence and Associated Factors in a Segment of the Population of São Paulo City. J Pain. 2014; 15(11): 1081-91.
6. IHME Measuring. What Matters Brazil [Internet]. Washington: IHME; c2020 [capturado em 7 jul. 2021]. Disponível em: http://www.healthdata.org/brazil?language=129
7. Queiroz LB, Lourenço B, Silva LEV, Lourenço DMR, Silva CA. Musculoskeletal pain and musculoskeletal syndromes in adolescents are related to electronic devices. J Pediatr. 2018;94(6):673–9.
8. Silva GRR, Pitangui ACR, Xavier MKA, Correia-Júnior MAV, De Araújo RC. Prevalence of musculoskeletal pain in adolescents and association with computer and videogame use. J Pediatr. 2016;92(2):188–96.
9. Walters CB, Kynes JM, Sobey J, Chimhundu-Sithole T, McQueen KAK. Chronic pediatric pain in low- and middle-income countries. children. 2018;5(9):113. http://dx.doi.org/10.3390/children5090113
10. Global Burden of Disease Pediatrics Collaboration, Kyu HH, Pinho C, Wagner JA, Brown JC, Bertozzi-Villa A, et al. Global and national burden of diseases and injuries among children and adolescents between 1990 and 2013: findings from the Global Burden of Disease 2013 Study. JAMA Pediatr. 2016;170(3):267–87.
11. Bevan S. Economic impact of musculoskeletal disorders (MSDs) on work in Europe. Best Pract Res Clin Rheumatol. 2015;29(3):356–73.
12. Gaskin DJ, Richard P. The economic costs of pain in the United States. J Pain. 2012 Aug;13(8):715–24.
13. Henschke N, Maher CG, Refshauge KM, Herbert RD, Cumming RG, Bleasel J, et al. Prevalence of and screening for serious spinal pathology in patients presenting to primary care settings with acute low back pain. Arthritis Rheum. 2009;60(10):3072–80.
14. Lima MG, Barros MB de A, César CLG, Goldbaum M, Carandina L, Ciconelli RM. Impact of chronic disease on quality of life among the elderly in the state of São Paulo, Brazil: a population-based study. Rev Panam Salud Publica. 2009;25(4):314–21.
15. Raja SN, Carr DB, Cohen M, Finnerup NB, Flor H, Gibson S, et al. The revised International Association for the Study of Pain definition of pain: concepts, challenges, and compromises. Pain. 2020;161(9):1976–82.
16. Varoli FK, Pedrazzi V. Adapted version of the McGill Pain Questionnaire to Brazilian Portuguese. Braz Dent J. 2006;17(4):328–35.
17. Sullivan MD, Vowles KE. Patient action: as means and end for chronic pain care. Pain. 2017;158(8):1405–7.
18. Nicholas M, Vlaeyen JWS, Rief W, Barke A, Aziz Q, Benoliel R, et al. The IASP classification of chronic pain for ICD-11: chronic primary pain. Pain. 2019;160(1):28–37.
19. Chimenti RL, Frey-Law LA, Sluka KA. A Mechanism-Based Approach to Physical Therapist Management of Pain. Phys Ther. 2018;98(5):302–14.
20. Perrot S, Cohen M, Barke A, Korwisi B, Rief W, Treede R-D, et al. The IASP classification of chronic pain for ICD-11: chronic secondary musculoskeletal pain. Pain. 2019;160(1):77–82.
21. Finnerup NB, Haroutounian S, Kamerman P, Baron R, Bennett DLH, Bouhassira D, et al. Neuropathic pain: an updated grading system for research and clinical practice. Pain. 2016;157(8):1599.
22. International Association for the Study of Pain. IASP Task Force on Taxonomy. Classification of Chronic Pain. 2nd ed. Washington: IASP; 2017
23. Aydede M, Shriver A. Recently introduced definition of "nociplastic pain" by the International Association for the Study of Pain needs better formulation. Pain. 2018;159(6):1176.
24. Sorkin LS, Eddinger KA, Woller SA, Yaksh TL. Origins of antidromic activity in sensory afferent fibers and neurogenic inflammation. Semin Immunopathol. 2018;40(3):237–47.
25. Silva F, Adams T, Feinstein J, Arroyo RA. Trochanteric Bursitis: Refuting the Myth of Inflammation. JCR: Journal of Clinical Rheumatology. 2008;14(2):82.
26. Treede R-D, Rief W, Barke A, Aziz Q, Bennett MI, Benoliel R, et al. Chronic pain as a symptom or a disease: the IASP Classification of Chronic Pain for the International Classification of Diseases (ICD-11). Pain. 2019;160(1):19–27.
27. Treede R-D, Rief W, Barke A, Aziz Q, Bennett MI, Benoliel R, et al. A classification of chronic pain for ICD-11. Pain. 2015;156(6):1003–7.
28. U.S. Department of Health & Human Services. National Pain Strategy: a comprehensive population health-level strategy for pain. Washington: NIH, Interagency Pain Research Coordinating Committee; 2016.
29. Australia. The National Strategic Action Plan for Pain Management. Canberra: Department of Health, Australian Government; 2019.
30. Brasil. Ministério da Saúde. Portaria SAS/MS nº 1.083, de 02 de outubro de 2012. Dor Crônica. Protocolo Clínico e Diretrizes Terapêuticas. Brasília: MS; 2012.
31. Weiss JE, Stinson JN. Pediatric pain syndromes and noninflammatory musculoskeletal Pain. Pediatr Clin North Am. 2018;65(4):801–26.
32. Mackenzie J, Murray E, Lusher J. Women's experiences of pregnancy related pelvic girdle pain: A systematic review. Midwifery. 2018;56:102–11.

33. Liddle SD, Pennick V. Interventions for preventing and treating low-back and pelvic pain during pregnancy. Cochrane Database Syst Rev. 2015;(9):CD001139.
34. Correia MPV. Projeto de construção de protocolo de abordagem de dor mecânica para (e por) médicos de família: projeto para dor mecânica. Rio de Janeiro: Sociedade Brasileira de Medicina de Família e Comunidade; 2012. https://www.sbmfc.org.br/wp-content/uploads/2019/03/Projeto-de-Construc%CC%A7a%CC%83o-de-Protocolo-de-Abordagem-de-Dor-Meca%CC%82nica-para-e-por-Me%CC%81dicos-de-Fami%CC%81lia.pdf
35. Kopf A, Patel NB. Guia para o tratamento da dor em contextos de poucos recursos. Seattle: International Association for the Study of Pain; 2010.
36. Miguel R de CC, Machado LA, Costa-Silva L, Telles RW, Barreto SM. Performance of distinct knee osteoarthritis classification criteria in the ELSA-Brasil musculoskeletal study. Clin Rheumatol. 2019;38(3):793–802.
37. Mayer EA, Gupta A, Wong HY. A Clinical perspective on abdominal pain. In: McMahon SB, Koltzenburg M, Tracey I, Turk D, editors. Wall & Melzack's textbook of pain. 6th ed. Philadelphia: Elsevier Health Sciences; 2013. p.734-57.
38. Santos JG, Brito JO, de Andrade DC, Kaziyama VM, Ferreira KA, Souza I, et al. Translation to Portuguese and Validation of the Douleur Neuropathique 4 Questionnaire. J Pain. 2010;11(5):484-90
39. Bracher ESB. Adaptação e validação da versão em português da escala graduada de dor crônica para o contexto cultural brasileiro [Tese]. São Paulo: Universidade de São Paulo; 2008.
40. Sullivan MD, Ballantyne JC. Must we reduce pain intensity to treat chronic pain? Pain. 2016;157(1):65–9.
41. Von Korff M, DeBar LL, Krebs EE, Kerns RD, Deyo RA, Keefe FJ. Graded chronic pain scale revised: mild, bothersome, and high-impact chronic pain. Pain. 2020;161(3):651–61.
42. Caumo W, Ruehlman LS, Karoly P, Sehn F, Vidor LP, Dall-Ágnol L, et al. Cross-cultural adaptation and validation of the profile of chronic pain: screen for a Brazilian population. Pain Med. 2013;14(1):52–61.
43. Ferreira KA, Teixeira MJ, Mendonza TR, Cleeland CS. Validation of brief pain inventory to Brazilian patients with pain. Support Care Cancer. 2011;19(4):505–11.
44. Aili K, Andersson M, Bremander A, Haglund E, Larsson I, Bergman S. Sleep problems and fatigue as predictors for the onset of chronic widespread pain over a 5- and 18-year perspective. BMC Musculoskelet Disord. 2018;19(1):390.
45. Kovacs FM, Seco J, Royuela A, Corcoll-Reixach J, Peña-Arrebola A, Spanish Back Pain Research Network. The prognostic value of catastrophizing for predicting the clinical evolution of low back pain patients: a study in routine clinical practice within the Spanish National Health Service. Spine J. 2012;12(7):545–55.
46. Hasenbring MI, Hallner D, Klasen B, Streitlein-Böhme I, Willburger R, Rusche H. Pain-related avoidance versus endurance in primary care patients with subacute back pain: psychological characteristics and outcome at a 6-month follow-up. Pain. 2012;153(1):211–7.
47. Titze C, Hasenbring MI, Kristensen L, Bendix L, Vaegter HB. Patterns of Approach to Activity in 851 Patients With Severe Chronic Pain: Translation and Preliminary Validation of the 9-item Avoidance-Endurance Fast-Screen (AEFS) Into Danish. Clin J Pain. 2021;37(3):226–36.
48. Everdingen MHJ van den B, van den Beuken-van Everdingen MHJ, Hochstenbach LMJ, Joosten EAJ, Tjan-Heijnen VCG, Janssen DJA. Update on prevalence of pain in patients with cancer: systematic review and meta-analysis. J Pain Symptom Manage. 2016;51(6):1070-1090.e9
49. McDermott MM. Lower extremity manifestations of peripheral artery disease: the pathophysiologic and functional implications of leg ischemia. Circ Res. 2015;116(9):1540–50.
50. Soliman EZ. Silent myocardial infarction and risk of heart failure: Current evidence and gaps in knowledge. Trends Cardiovasc Med. 2019;29(4):239–44.
51. Hanchard NCA, Lenza M, Handoll HHG, Takwoingi Y. Physical tests for shoulder impingements and local lesions of bursa, tendon or labrum that may accompany impingement. Cochrane Database Syst Rev. 2013;(4):CD007427.
52. Brinjikji W, Luetmer PH, Comstock B, Bresnahan BW, Chen LE, Deyo RA, et al. Systematic literature review of imaging features of spinal degeneration in asymptomatic populations. AJNR Am J Neuroradiol. 2015;36(4):811–6.
53. Minagawa H, Yamamoto N, Abe H, Fukuda M, Seki N, Kikuchi K, et al. Prevalence of symptomatic and asymptomatic rotator cuff tears in the general population: From mass-screening in one village. J Orthop. 2013;10(1):8–12.
54. Guermazi A, Niu J, Hayashi D, Roemer FW, Englund M, Neogi T, et al. Prevalence of abnormalities in knees detected by MRI in adults without knee osteoarthritis: population based observational study (Framingham Osteoarthritis Study). BMJ. 2012;345:e5339.
55. Karjalainen TV, Jain NB, Heikkinen J, Johnston RV, Page CM, Buchbinder R. Surgery for rotator cuff tears. Cochrane Database Syst Rev. 2019;12:CD013502.
56. Fogelman Y, Carmeli E, Minerbi A, Harash B, Vulfsons S. Specialized Pain Clinics in Primary Care: Common Diagnoses, Referral Patterns and Clinical Outcomes – Novel Pain Management Model. Adv Exp Med Biol. 2018;1047:89–98.
57. Sociedade Brasileira de Medicina de Família e Comunidade. Currículo baseado em Competências para Medicina de Família e Comunidade. Rio de Janeiro: SBMFC; 2015.
58. Huber M, Andersohn F, Sarganas G, Bronder E, Klimpel A, Thomae M, et al. Metamizole-induced agranulocytosis revisited: results from the prospective Berlin Case-Control Surveillance Study. Eur J Clin Pharmacol. 2015;71(2):219–27.
59. Wiffen PJ, Derry S, Andrew Moore R, McNicol ED, Bell RF, Carr DB, et al. Oral paracetamol (acetaminophen) for cancer pain. Cochrane Database Syst Rev Cochrane Database of Systematic Reviews. 2017; 4:CD01263.
60. Gaertner J, Stamer UM, Remi C, Voltz R, Bausewein C, Sabatowski R, et al. Metamizole/dipyrone for the relief of cancer pain: a systematic review and evidence-based recommendations for clinical practice. Palliat Med. 2017;31(1):26–34.
61. Jones P, Lamdin R, Dalziel SR. Oral non-steroidal anti-inflammatory drugs versus other oral analgesic agents for acute soft tissue injury. Cochrane Database Syst Rev. 2020;8:CD007789.
62. Saragiotto BT, Machado GC, Ferreira ML, Pinheiro MB, Abdel Shaheed C, Maher CG. Paracetamol for low back pain. Cochrane Database Syst Rev. 2016;(6):CD012230.
63. Williams CM, Maher CG, Latimer J, McLachlan AJ, Hancock MJ, Day RO, et al. Efficacy of paracetamol for acute low-back pain: a double-blind, randomised controlled trial. Lancet. 2014;384(9954):1586–96.
64. Leopoldino AO, Machado GC, Ferreira PH, Pinheiro MB, Day R, McLachlan AJ, et al. Paracetamol versus placebo for knee and hip osteoarthritis. Cochrane Database Syst Rev. 2019;2:CD013273.
65. da Silva Dal Pizzol T, Turmina Fontanella A, Cardoso Ferreira MB, Bertoldi AD, Boff Borges R, Serrate Mengue S. Analgesic use among the Brazilian population: Results from the National Survey on Access, Use and Promotion of Rational Use of Medicines (PNAUM). PLoS One. 2019;14(3):e0214329.
66. Coxib and traditional NSAID Trialists' (CNT) Collaboration, Bhala N, Emberson J, Merhi A, Abramson S, Arber N, et al. Vascular and upper gastrointestinal effects of non-steroidal anti-inflammatory drugs: meta-analyses of individual participant data from randomised trials. Lancet. 2013;382(9894):769–79.
67. Laine L, Curtis SP, Cryer B, Kaur A, Cannon CP. Risk factors for NSAID-associated upper GI clinical events in a long-term prospective study of 34 701 arthritis patients. Aliment Pharmacol Ther. 2010;32(10):1240–8.
68. Watanabe T, Fujiwara Y, Chan FKL. Current knowledge on non-steroidal anti-inflammatory drug-induced small-bowel damage: a comprehensive review. J Gastroenterol. 2020;55:481–95.

69. Cryer B, Li C, Simon LS, Singh G, Stillman MJ, Berger MF. GI-REASONS: a novel 6-month, prospective, randomized, open-label, blinded endpoint (PROBE) trial. Am J Gastroenterol. 2013;108(3):392–400.
70. Brune K, Patrignani P. New insights into the use of currently available non-steroidal anti-inflammatory drugs. J Pain Res. 2015;8:105–18.
71. Solomon DH, Husni ME, Libby PA, Yeomans ND, Lincoff AM, Löscher TF, et al. The risk of major nsaid toxicity with celecoxib, ibuprofen, or naproxen: a secondary analysis of the PRECISION trial. Am J Med. 2017;130(12):1415–22.e4.
72. Gaag WH van der, van der Gaag WH, Roelofs PD, Enthoven WTM, van Tulder MW, Koes BW. Non-steroidal anti-inflammatory drugs for acute low back pain. Cochrane Database Syst Rev. 2020;4:CD013581.
73. Shah DD, Sorathia ZH. Tramadol/diclofenac fixed-dose combination: a review of its use in severe acute pain. Pain Ther. 2020;9(1):113–28.
74. Moore RA, Wiffen PJ, Derry S, Maguire T, Roy YM, Tyrrell L. Non-prescription (OTC) oral analgesics for acute pain – an overview of Cochrane reviews. Cochrane Database Syst Rev. 2015;(11):CD010794.
75. Friedman BW, Irizarry E, Solorzano C, Zias E, Pearlman S, Wollowitz A, et al. A randomized, placebo-controlled trial of ibuprofen plus metaxalone, tizanidine, or baclofen for acute low back pain. Ann Emerg Med. 2019;74(4):512–20.
76. Derry S, Conaghan P, Da Silva JAP, Wiffen PJ, Moore RA. Topical NSAIDs for chronic musculoskeletal pain in adults. Cochrane Database Syst Rev. 2016;4:CD007400.
77. Schmidt M, Lamberts M, Olsen A-MS, Fosbøll EL, Niessner A, Tamargo J, et al. Cardiovascular safety of non-aspirin non-steroidal anti-inflammatory drugs: review and position paper by the working group for cardiovascular pharmacotherapy of the European Society of Cardiology. Eur Heart J Cardiovasc Pharmacother. 2016;2(2):108–18.
78. Ho KY, Cardosa MS, Chaiamnuay S, Hidayat R, Ho HQT, Kamil O, et al. Practice Advisory on the appropriate use of NSAIDs in primary care. J Pain Res. 2020;13:1925–39.
79. Scarpignato C, Lanas A, Blandizzi C, Lems WF, Hermann M, Hunt RH, et al. Safe prescribing of non-steroidal anti-inflammatory drugs in patients with osteoarthritis--an expert consensus addressing benefits as well as gastrointestinal and cardiovascular risks. BMC Med. 2015;13(1):55.
80. Alqahtani Z, Jamali F. Clinical outcomes of aspirin interaction with other non-steroidal anti-inflammatory drugs: a systematic review. J Pharm Pharm Sci. 2018;21(1s):29854.
81. Moldofsky H, Harris HW, Archambault WT, Kwong T, Lederman S. Effects of bedtime very low dose cyclobenzaprine on symptoms and sleep physiology in patients with fibromyalgia syndrome: a double-blind randomized placebo-controlled study. J Rheumatol. 2011;38(12):2653–63.
82. Gowing L, Farrell M, Ali R, White JM. Alpha$_2$-adrenergic agonists for the management of opioid withdrawal. Cochrane Database Syst Rev. 2016;(5):CD002024.
83. Abdel Shaheed C, Maher CG, Williams KA, McLachlan AJ. Efficacy and tolerability of muscle relaxants for low back pain: systematic review and meta-analysis. Eur J Pain. 2017;21(2):228–37.
84. Abdel Shaheed C, Maher CG, Williams KA, Day R, McLachlan AJ. Efficacy, tolerability, and dose-dependent effects of opioid analgesics for low back pain: a systematic review and meta-analysis. JAMA Intern Med. 2016;176(7):958–68.
85. Toupin April K, Bisaillon J, Welch V, Maxwell LJ, Jüni P, Rutjes AW, et al. Tramadol for osteoarthritis. Cochrane Database Syst Rev. 2019;5:CD005522.
86. Duehmke RM, Derry S, Wiffen PJ, Bell RF, Aldington D, Moore RA. Tramadol for neuropathic pain in adults. Cochrane Database Syst Rev. 2017;6:CD003726.
87. Wiffen PJ, Derry S, Moore RA. Tramadol with or without paracetamol (acetaminophen) for cancer pain. Cochrane Database Syst Rev. 2017;5:CD012508.
88. Abdel Shaheed C, Maher CG, McLachlan AJ. Efficacy and safety of low-dose codeine-containing combination analgesics for pain: systematic review and meta-analysis. Clin J Pain. 2019;35(10):836–43.
89. Shah K, Stout B, Caskey H. Tramadol for the management of opioid withdrawal: a systematic review of randomized clinical trials. Cureus. 2020;12(7):e9128.
90. Reines SA, Goldmann B, Harnett M, Lu L. Misuse of tramadol in the United States: an analysis of the National Survey of Drug Use and Health 2002-2017. Subst Abuse. 2020;14:1178221820930006.
91. Zeng C, Dubreuil M, LaRochelle MR, Lu N, Wei J, Choi HK, et al. Association of tramadol with all-cause mortality among patients with osteoarthritis. JAMA. 2019;321(10):969–82.
92. Wei J, Wood MJ, Dubreuil M, Tomasson G, LaRochelle MR, Zeng C, et al. Association of tramadol with risk of myocardial infarction among patients with osteoarthritis. Osteoarthritis Cartilage. 2020;28(2):137–45.
93. Long-term use of cyclobenzaprine for pain: a review of the clinical effectiveness. Ottawa: Canadian Agency for Drugs and Technologies in Health; 2015.
94. Grissa MH, Baccouche H, Boubaker H, Beltaief K, Bzeouich N, Fredj N, et al. Acupuncture vs intravenous morphine in the management of acute pain in the ED. Am J Emerg Med. 2016;34(11):2112–6.
95. Ursini T, Tontodonati M, Manzoli L, Polilli E, Rebuzzi C, Congedo G, et al. Acupuncture for the treatment of severe acute pain in herpes zoster: results of a nested, open-label, randomized trial in the VZV Pain Study. BMC Complement Altern Med. 2011;11:46.
96. Grillo CM, Wada RS, da Luz Rosário de Sousa M. Acupuncture in the management of acute dental pain. J Acupunct Meridian Stud. 2014;7(2):65–70.
97. Lee J-H, Choi T-Y, Lee MS, Lee H, Shin B-C, Lee H. Acupuncture for acute low back pain: a systematic review. Clin J Pain. 2013;29(2):172–85.
98. Tesser CD, Moré AOO, Santos MC, da Silva EDC, Farias FTP, Botelho LJ. Auriculotherapy in primary health care: A large-scale educational experience in Brazil. J Integr Med. 2019;17(4):302–9.
99. Vieira A, Reis AM, Matos LC, Machado J, Moreira A. Does auriculotherapy have therapeutic effectiveness? An overview of systematic reviews. Complement Ther Clin Pract. 2018;33:61–70.

# Capítulo 182
## DOR CRÔNICA E SENSIBILIZAÇÃO CENTRAL

### Wolnei Caumo

A dor crônica é aquela que perdura além de 3 meses, de modo contínuo ou intermitente. Pode ser primária ou secundária, na dependência de ser ou não explicada por outra condição. A dor crônica que decorre de mudanças nos circuitos neurais de processamento, com consequente percepção amplificada mesmo na ausência do estímulo, é considerada mal-adaptativa, constituindo uma doença em si.

A sensibilização é um processo fundamental em dor crônica primária. A sensibilização periférica é a ampliação da resposta e/ou redução no limiar dos receptores sensoriais primários de dano tecidual (nociceptores) – por exemplo, após exposição a um processo inflamatório persistente. A sensibilização central é o aumento da excitabilidade e/ou da eficiência sináptica, ou a redução da inibição dos neurônios das vias nociceptivas medular e supramedular.

O sistema nociceptivo supramedular integra-se aos centros responsáveis por emoções, concentração, memórias, inferências, motivação, sono-vigília e funções autonômicas. A sensibilização do sistema nociceptivo pode estimular e/ou ser estimulada por disfunções desses outros sistemas, compondo a chamada síndrome de sensibilização central (SSC).

Por definição, dor é uma experiência e, portanto, um fenômeno biopsicossocial. Assim sendo, os avanços no estudo das moléculas, das sinapses, dos circuitos e dos sistemas neurobiológicos envolvidos na dor crônica devem ser integrados ao contexto do paciente, o que permite otimizar o diagnóstico e o plano terapêutico.

Este capítulo visa contribuir para um entendimento prático da SSC. Inicialmente, são apresentados conceitos e informações fisiopatológicas sobre sensibilização central, incluindo aspectos do indivíduo e seu contexto. A seguir, são apresentados instrumentos e estratégias que auxiliam no diagnóstico da SSC, incluindo critérios diagnósticos para fibromialgia. Por fim, são apresentadas técnicas neuromodulatórias que podem ser úteis na atenção primária à saúde (APS). Discutem-se os alvos da abordagem, que passam a ser a reabilitação e a qualidade de vida, em vez da cura.

# SENSIBILIZAÇÃO CENTRAL

A sensibilização central envolve vários fenômenos. Ocorre aumento progressivo da intensidade (somação temporal) e/ou expansão da área dolorosa (somação espacial) em resposta a estímulos repetidos. Neurônios medulares de "amplo alcance dinâmico", que respondem a estímulos nociceptivos e não nociceptivos, são ativados, justificando sensações dolorosas a partir de estímulos, a princípio, não dolorosos (alodinia). Mecanismos inibitórios centrais, como a hipoalgesia induzida por exercício e o controle inibitório difuso (ativação difusa do sistema inibitório descendente por estímulos dolorosos, conhecido como fenômeno de "dor inibe dor", à distância), tornam-se ineficazes e até disfuncionais.[1]

A vulnerabilidade ao desenvolvimento da sensibilização central está associada a polimorfismos genéticos relacionados a processos de neuroplasticidade – por exemplo, os polimorfismos de certas neurotrofinas, como o fator neurotrófico derivado do cérebro (BDNF, do inglês *brain-derived neurotrophic factor*), que regula a sobrevida celular, a proliferação, o crescimento sináptico e as mudanças sinápticas.[1] Essa suscetibilidade genética pode ter relevância em certas condições de dor: em relação à fibromialgia, parentes de primeiro grau de pacientes com fibromialgia têm probabilidade 8 vezes maior de desenvolvê-la do que familiares de controles saudáveis; maior risco foi observado também para outras condições de dor crônica.[2]

## Mecanismos ascendentes e descendentes de sensibilização central

Os mecanismos de sensibilização central são de dois tipos: ascendentes (*bottom-up*, por estímulos periféricos contínuos) ou descendentes (*top-down*, a partir de estruturas supramedulares). Mecanismos ascendentes requerem redução do impulso nociceptivo periférico, e mecanismos descendentes requerem terapias direcionadas ao sistema nervoso central (SNC). A **FIGURA 182.1** descreve esses tipos e seus fatores predisponentes.

O sistema modulatório descendente da dor (SMDD) é o principal sistema de controle da sensibilização central. Origina-se de distintas áreas encefálicas, identificadas na **FIGURA 182.2**. O sistema emite projeções descendentes para o corno dorsal da medula espinal, por vias serotoninérgicas, GABAérgicas, adenosinérgicas, opioidérgicas, noradrenérgicas e canabinoides. Estas atuam na medula, modulando a transmissão do sinal.

O controle inibitório difuso nociceptivo (DNIC, do inglês *diffuse noxious inhibitory control*) é um fenômeno fisiológico, estudado inicialmente em animais sedados, em que estímulos dolorosos podem desempenhar efeitos inibitórios sobre outros estímulos por meio do sistema inibitório descendente.

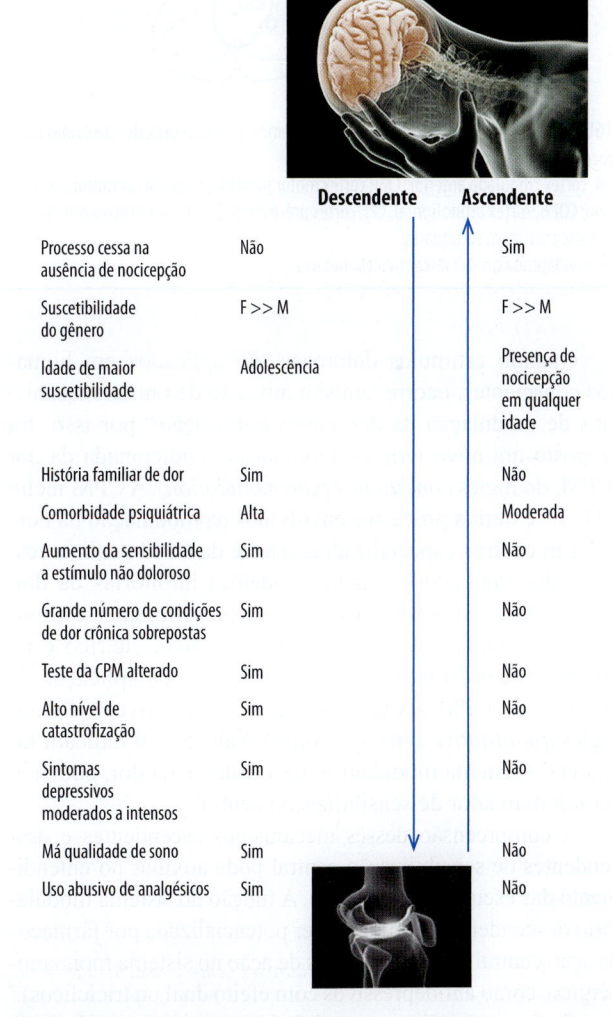

|  | Descendente | Ascendente |
|---|---|---|
| Processo cessa na ausência de nocicepção | Não | Sim |
| Suscetibilidade do gênero | F >> M | F >> M |
| Idade de maior suscetibilidade | Adolescência | Presença de nocicepção em qualquer idade |
| História familiar de dor | Sim | Não |
| Comorbidade psiquiátrica | Alta | Moderada |
| Aumento da sensibilidade a estímulo não doloroso | Sim | Não |
| Grande número de condições de dor crônica sobrepostas | Sim | Não |
| Teste da CPM alterado | Sim | Não |
| Alto nível de catastrofização | Sim | Não |
| Sintomas depressivos moderados a intensos | Sim | Não |
| Má qualidade de sono | Sim | Não |
| Uso abusivo de analgésicos | Sim | Não |

**FIGURA 182.1** → Sistema de modulação da dor – ascendente (*bottom-up*) e descendente (*top-down*). Diferenças entre as formas de sensibilização central com mecanismos causais com efeitos ascendente e descendente.
CPM, modulação condicionada da dor; F, feminino; M, masculino.
Fonte: Adaptada de Harte, Harris e Clauw.[1]

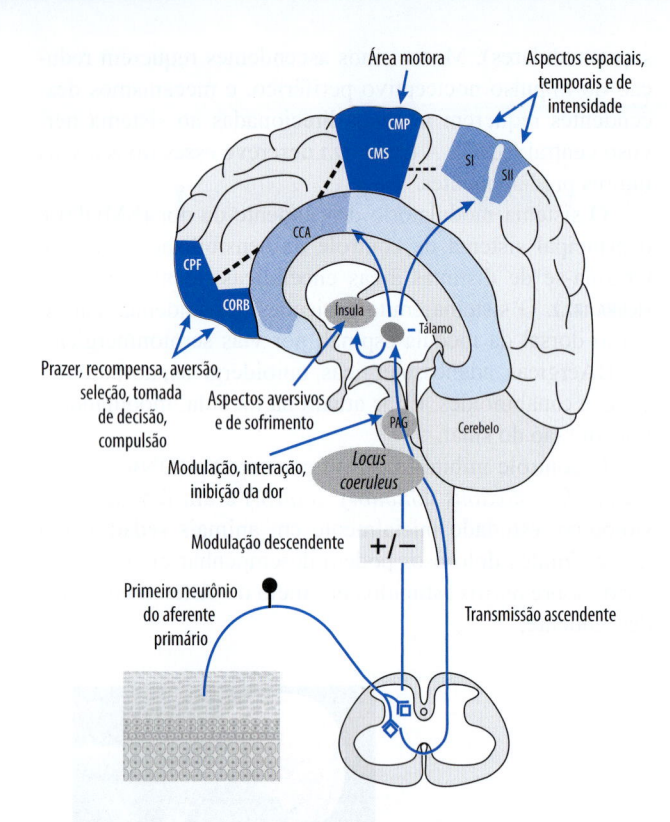

**FIGURA 182.2** → Processamento da dor e da emoção. Áreas corticais envolvidas no processamento da dor.
CCA, córtex cingulado anterior; CMP, córtex motor primário; CMS, córtex motor secundário; CORB, córtex orbitofrontal; CPF, córtex pré-frontal; SI, córtex sensitivo primário; SII, córtex sensitivo secundário.
Fonte: Adaptada de Shirvalkar e colaboradores.[3]

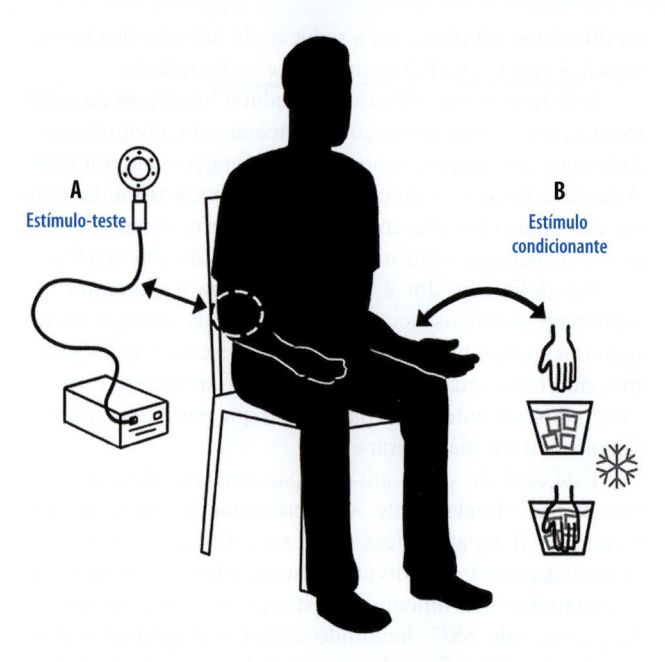

**FIGURA 182.3** → Teste da modulação condicionada da dor. Avaliação da função do sistema modulatório descendente de dor com uso do teste quantitativo sensitivo (QST). **(A)** Exemplo de estímulo-teste – QST. **(B)** Exemplo de estímulo condicionante – estímulo térmico ao frio.
Fonte: Imagem gentilmente elaborada pelo autor no Grupo Dor & Neuromodulação.

Quando estímulos dolorosos são aplicados em humanos conscientes, ocorre também ativação de outros mecanismos de modulação da dor, como a distração;[4] por isso, foi proposto um novo termo – modulação condicionada da dor (CPM, do inglês *conditioned pain modulation*). A CPM inclui o DNIC e outros processos envolvidos na modulação da dor.

Em centros especializados, o teste da CPM avalia a resposta das vias endógenas descendentes inibitórias da dor, por meio de testes psicofísicos diante de diferentes estímulos condicionantes, como estímulos térmico, elétrico e isquêmico. A FIGURA 182.3 ilustra um protocolo de aplicação de um teste da CPM via teste quantitativo sensitivo (QST, do inglês *quantitative sensory testing*). Valores ≥ 0 indicam falência do sistema modulatório descendente da dor, podendo ser um marcador de sensibilização central.

A compreensão desses mecanismos ascendentes e descendentes de sensibilização central pode auxiliar no entendimento das escolhas terapêuticas. A função do sistema modulatório descendente da dor pode ser potencializada por fármacos de ação central (p. ex., fármacos de ação no sistema monoaminérgico, como antidepressivos com efeito dual ou tricíclicos).[5]

O sistema pode ser modulado "de cima para baixo", usando abordagens para estimular as áreas do cérebro envolvidas na via modulatória descendente da dor, pelo controle inibitório descendente da dor – por exemplo, a terapia comportamental, a estimulação transcraniana por corrente contínua (ETCC) e a estimulação magnética transcraniana (TMS, do inglês *transcranial magnetic stimulation*). Ou pode ser modulado de forma "ascendente" pela estimulação nervosa periférica – por exemplo, acupuntura, eletroacupuntura, eletroneuroestimulação transcutânea (TENS, do inglês *transcutaneous electrical nerve stimulation*).

Ressalta-se também que o uso abusivo de analgésicos opioides pode desencadear ou potencializar a disfunção desse sistema.

## Questões emocionais

Estudos de neuroimagem permitem estabelecer conexões neurobiológicas sobre dor e emoção. Entre pacientes com a síndrome do intestino irritável, a indução de dor por distensão do reto ativou o córtex cingulado anterior. O grau de ativação se correlacionou positivamente com ansiedade, estresse da vida diária e história de abuso,[6] e a melhora da dor e da ansiedade com terapia psicológica foi concorrente com a redução da atividade do córtex cingulado e giro para-hipocampal.[7] Estudos demonstraram que sentir dor e observar as lesões dolorosas de outra pessoa ativaram o córtex cingulado anterior e a ínsula anterior, e essas respostas foram correlacionadas com a intensidade da dor. Praticantes de meditação transcendental de longa data mostraram 40 a 50% menos atividade no tálamo e no cérebro total, em resposta à dor experimental, do que controles.[8]

O medo e a ansiedade influenciam a dor, mas de maneiras diferentes. O medo, provocado por uma ameaça presente ou iminente, motiva respostas defensivas, frequentemente ativas. A ansiedade, decorrente da antecipação de uma ameaça, gera hipervigilância e respostas defensivas passivas. O medo de um estímulo externo pode inibir a dor em humanos e animais pela ativação de opioides endógenos, enquanto a ansiedade aumenta a dor. Por outro lado, experiências repetidas de medo podem provocar ansiedade antecipatória, contribuindo para a dor persistente. Estudos mostram aumento da sensibilidade quando as pessoas esperam sentir dor (efeito nocebo).

Emoções negativas prejudicam as vias inibitórias descendentes da dor.[9] O DNIC tende à disfunção em pacientes com dor e depressão. Ao contrário, estados emocionais positivos geralmente reduzem a dor.

Há evidências crescentes de que o trauma emocional esteja associado à persistência da dor e, provavelmente, seja fator predisponente à dor crônica. A relação entre dor crônica e adversidades na infância é conhecida (p. ex., divórcio, conflito familiar, abuso sexual, abuso físico), mas vários confundidores têm de ser considerados. A maioria dos estudos sofre efeito do viés de recordação, que é seletivo pela atenção direcionada ao evento. Pacientes que buscam tratamento têm níveis de estresse mais elevados (viés de seleção). E dor persistente também pode aumentar a exposição a eventos estressantes, como perdas laborais, separação conjugal e procedimentos médicos e cirúrgicos, dificultando a interpretação. Entretanto, a relação entre abuso na infância e negligência como preditores de dor crônica na vida adulta foi avaliada em metanálise,[10] e parece se manter mesmo quando os pacientes com dor são comparados a controles saudáveis ou com dor persistente sem tratamento.

A catastrofização pode ser mensurada pela escala de catastrofização da dor.[11] Esse instrumento possui três dimensões: ruminação (pensamentos repetidos de dor); ampliação (aumenta a gravidade e a importância da dor); e desamparo (um sentimento geral de que não é possível escapar do sofrimento relacionado à dor). A versão para uso no Brasil está disponibilizada no QR code.[12] O nível de catastrofização é um potente preditor de resultados negativos relacionados à dor em geral,[13] e foi associado a distúrbios do sono[13] e índices de sensibilização central.[14]

O risco de suicídio deve ser avaliado nos pacientes com dor crônica. Indivíduos com dor crônica apresentam pelo menos 2 vezes maior risco de comportamentos suicidas ou suicídio. Outros potenciais fatores de risco para suicídio devem ser identificados (TABELA 182.1).

## Questões sociais

O apoio social é um dos fatores mais citados nos desfechos relacionados à saúde. Evidências cumulativas demonstram que laços sociais e sentir-se cuidado por outras pessoas são fatores positivamente associados à saúde mental, à saúde física e à expectativa de vida.

Na SSC, a influência do apoio social e do condicionamento à doença não é direta. A maioria das evidências indica que o padrão de apoio aos pacientes com dor está associado à redução do sofrimento, à dor menos intensa e à melhora na capacidade adaptativa.[16,17] O reforço positivo (de que a dor vai melhorar) contribui para a supressão da dor, um fenômeno conhecido como "analgesia afetiva".[18]

**TABELA 182.1** → Fatores de risco de suicídio em pacientes com dor crônica

| CARACTERÍSTICAS SOCIODEMOGRÁFICAS |
|---|
| → Estar desempregado |
| → Receber indenização por invalidez |
| **HÁBITOS DE CONSUMO E USO DE MEDICAMENTOS** |
| → Tabagismo |
| → Abuso de álcool ou de drogas ilícitas |
| → Avaliação de segurança antes da prescrição de antidepressivos, antiepilépticos e opioides |
| **DESCRIÇÃO DOS FATORES DE RISCO RELACIONADOS À DOR** |
| → Categorias de dor crônica: todas as condições de dor crônica |
| → Características da dor crônica: frequência de dor intermitente (p. ex., enxaqueca) |
| → Fatores físicos: problemas de sono |
| → Qualidade de vida relacionada à saúde: percepção ruim da condição de saúde mental |
| → Fatores psicossociais: catastrofização da dor (ampliação e desamparo), desesperança, sensação de fracasso, sobrecarga emocional |

Fonte: Racine.[15]

No entanto, os resultados são contraditórios, e mostram que um maior apoio social pode estar associado ao relato de dor mais intensa e a um enfrentamento disfuncional. A principal explicação oferecida é o tipo do apoio social disponibilizado. Em estudos que mostram efeitos deletérios do apoio social, ele é muitas vezes conceituado como aquele com maior atenção e solicitude, que pode reforçar os sintomas e comportamentos de dor.[19] Em uma análise mais ampla da literatura, depreende-se que a assistência apropriada de outras pessoas auxilia no controle da dor.

Por outro lado, problemas profissionais são importantes fatores de mau prognóstico. A falta (ou sentimento de falta) de apoio social e/ou trabalhista são fatores de mau prognóstico para retorno ao trabalho. Um estudo prospectivo encontrou um risco 4 vezes maior de fibromialgia entre trabalhadores expostos a assédio moral no local de trabalho, e 2 vezes maior entre aqueles com alta demanda e baixa capacidade de decisão.[20]

## Modelo da carga alostática

Alostase é o processo de busca de estabilidade (homeostase) por meio de mudanças fisiológicas, como as mediadas pelo eixo hipotálamo-hipófise-suprarrenal e sistema nervoso autônomo, ou psicocomportamentais, como as mediadas por respostas psicológicas e interações sociais. Essas adaptações, geralmente eficazes em curto prazo, podem não ser adequadas em longo prazo, quer pelo custo acumulado de sua manutenção (chamado de carga alostática), quer por disfunções dos moderadores. Quando suplantada a capacidade de adaptação dos sistemas, surge o adoecimento.

A FIGURA 182.4 ilustra a integração dos mecanismos que geram a carga alostática, os mecanismos moderadores e possíveis desajustes em cadeia. Indivíduos pobres e mais propensos às doenças (maior carga alostática), e com pouca escolaridade, rede de apoio e/ou acesso a sistemas assistenciais (menor capacidade de moderação) estariam duplamente penalizados.[21]

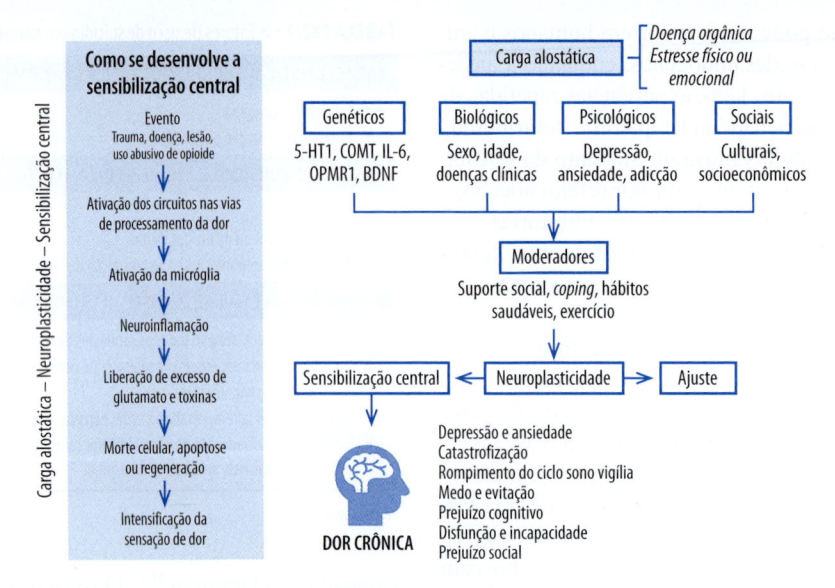

**FIGURA 182.4** → Modelo integrativo do processo saúde-doença. Esse modelo integra o efeito da carga alostática como fator desencadeante ou mediador dos quadros de dor crônica.
Fonte: Caumo, Segabinazi e Stefani.[21]

## Principais sintomas de dor crônica com sensibilização central

Os principais sintomas associados à dor crônica com sensibilização central são transtornos do humor, de concentração, de memória, de sono e fadiga.[22]

Outros sintomas estão particularmente ligados a um enfrentamento (cognitivo-emocional-comportamental) disfuncional. Medo de dor ao movimento, levando a imobilismo, ou um estresse emocional diante da limitação funcional que impeça a gradação de atividades (*pacing*), com persistência a despeito de dor importante, têm mau prognóstico em dor crônica. A catastrofização, um conjunto de pensamentos negativos exagerados durante experiências dolorosas reais ou previstas, é fator de mau prognóstico para dor crônica e em ampla gama de condições de dor.[23]

Outros ainda caracterizam "condições de dor crônica sobrepostas", um termo criado pelo National Institutes of Health (NIH) quanto a condições de dor crônica comumente coincidentes, em que a SSC é um processo comum. Entre elas, citam-se as síndromes de dor miofascial, de fadiga crônica, de cólon irritável e de dor regional complexa, a cefaleia tensional, a migrânea, a cistite intersticial, o refluxo gastroesofágico, a dor temporomandibular inespecífica, a dor lombar inespecífica e a hipersensibilidade química múltipla.

As condições de dor crônica incluídas segundo o sistema de classificação *ACTTION-American Pain Society Pain Taxonomy* (AAPT) são listadas na **TABELA 182.2**.

## DIAGNÓSTICO AMPLIADO

O objetivo do diagnóstico clínico é fornecer uma explicação válida que integre os sinais e sintomas para orientar o tratamento e informar o prognóstico. Entretanto, apesar do considerável progresso em ferramentas diagnósticas nas últimas décadas, os sistemas mais comuns de classificação da dor falham em cumprir o objetivo principal do diagnóstico: orientar o tratamento.

Os desafios para a orientação do tratamento foram discutidos no Capítulo Abordagem Geral da Dor. Por exemplo, há necessidade de considerar diferenças individuais e ao longo do tempo no processamento de *inputs* nociceptivos, base da fraca associação entre medidas de dano tecidual e gravidade de sintomas. Além disso, a abordagem típica de dor crônica, voltada à capacitação, à reabilitação funcional e à qualidade de vida, requer contemplação dos componentes motores, neurovegetativos e psicossociais da dor, pouco

**TABELA 182.2** → Condições de dor crônica de acordo com o sistema de classificação AAPT

| SISTEMA NERVOSO CENTRAL E SISTEMA NERVOSO PERIFÉRICO |
|---|
| → Dor neuropática periférica |
| → Dor neuropática central |
| **DOR DO SISTEMA MUSCULOESQUELÉTICO** |
| → Osteoartrites |
| → Artrites (reumatoide, gota, doenças do tecido conectivo) |
| → Dor lombar baixa |
| → Miofascial, dor crônica difusa e fibromialgia |
| → Outras dores musculoesqueléticas |
| **DOR CRANIOFACIAL** |
| → Cefaleia |
| → Dor cervicomandibular |
| → Dor orofacial |
| **DORES VISCERAL, PÉLVICA E UROGENITAL** |
| → Dor visceral, abdominal, pélvica e urogenital |
| **DOR ASSOCIADA A OUTRAS DOENÇAS NÃO CLASSIFICADAS** |
| → Dor associada ao câncer, anemia falciforme, doença de Lyme |

AAPT, *ACTTION-American Pain Society Pain Taxonomy*.

abordados nos sistemas de classificação mais comuns, limitados a aspectos sensitivos/neurobiológicos.

## Classificação da dor crônica

A International Association for the Study of Pain (IASP), em cooperação com a Organização Mundial da Saúde (OMS), desenvolveu, para a 11ª edição da *Classificação estatística internacional de doenças e problemas relacionados à saúde* (CID-11), um sistema de classificação de dor crônica sob uma perspectiva biopsicossocial. A proposta classifica dor crônica em sete grupos: primária, musculoesquelética, relacionada a câncer, pós-traumática e/ou pós-operatória, visceral, cefaleia e/ou orofacial, e neuropática.[24] Também atribui códigos de extensão ou especificadores que são úteis no acompanhamento, como visto adiante.

Paralelamente, a *Analgesic, Anesthetic, and Addiction Clinical Trial Translations, Innovations, Opportunities, and Networks* (ACTTION) e a American Pain Society (previamente o capítulo estadunidense da IASP, hoje US Association for the Study of Pain [USASP]) preconizam uma padronização para critérios classificatórios de condições dolorosas específicas. A sistematização da *ACTTION-APS Pain Taxonomy* (AAPT) se baseia nas seguintes dimensões: critérios diagnósticos centrais (como sintomas, sinais e exames complementares característicos, de uma doença ou grupo de doenças); padrão de dor (como circunstância, localização, descritores e evolução); consequências (neurobiológicas, psicossociais e funcionais); comorbidades (como depressão maior e doenças metabólicas); e fatores de risco ou proteção (como sensibilização central, disfunção do sistema inibitório descendente da dor, sexo e idade) (FIGURA 182.5).[25]

## Classificação da fibromialgia

Fibromialgia é uma síndrome caracterizada por dor musculoesquelética generalizada e sintomas e sinais de uma SSC avançada, como fadiga, sono não reparador, alterações cognitivas, sintomas depressivos e outros correlatos de disfunção autonômica, como a síndrome do cólon irritável e o tenesmo vesical. Neuropatia de fibras nervosas finas é encontrada em uma porcentagem significativa dos pacientes, sendo explicação alternativa para sensações de formigamento, queimação e alodinia.[26]

A classificação clínica da fibromialgia pode ser feita segundo os critérios recomendados pelo American College of Rheumatology (ACR)[27] ou pelo AAPT.[28] A seguir, são descritas brevemente essas recomendações, ilustradas pelos *links* em QR codes correspondentes.

### Critérios diagnósticos do American College of Rheumatology

Os critérios do ACR foram revisados em 2016[27] e independem da presença de outros diagnósticos. Requerem as seguintes condições (ver Tabela 3 no QR code):

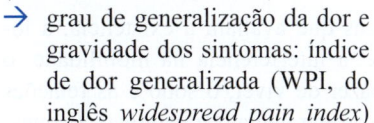

→ grau de generalização da dor e gravidade dos sintomas: índice de dor generalizada (WPI, do inglês *widespread pain index*) ≥ 7 e escala de gravidade de sintomas (SSS, do inglês *symptom severity scale*) ≥ 5, ou, então, WPI ≥ 4 e SSS ≥ 9. O WPI é a contagem simples (0-19) das regiões acometidas na última semana: 7 bilaterais (mandíbula, ombro, braço, antebraço, quadril, coxa e perna) e 5 centrais (cervical, dorso, tórax, lombar e abdome). A SSS é a soma de escores de gravidade (0-12). Graduam-se (0-3; de ausentes até contínuos que prejudicam a vida) cada um dos três sintomas observados **na última semana** (fadiga, sono não reparador e sintomas cognitivos [memória, raciocínio]). Somam-se, ainda, queixas de cefaleia, dor abdominal baixa ou depressão **nos últimos 6 meses** (1 ponto para cada);
→ dor generalizada em pelo menos 4 de 5 regiões (axial, região superior esquerda, região superior direita, região inferior esquerda e região inferior direita);
→ sintomas há pelo menos 3 meses.

### Critérios diagnósticos de fibromialgia do APPT

Os critérios diagnósticos de fibromialgia do APPT são de 2019 (ver QR code). Eles requerem as seguintes condições:

→ dor multissítio (*multisite pain*), definida como presente em pelo menos 6 de 9 regiões (membros superiores e inferiores de cada lado, além de cabeça, tórax, dorso, abdome e lombar, incluindo glúteo);
→ problemas de sono ou fadiga moderados a severos;
→ sintomas presentes há pelo menos 3 meses.

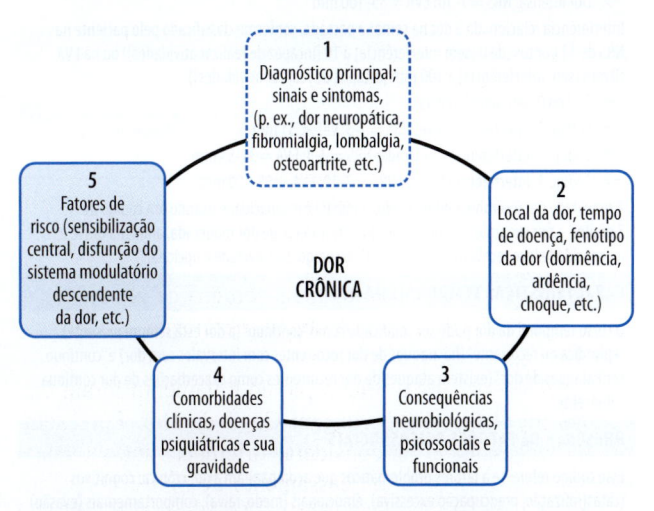

**FIGURA 182.5** → Perspectiva biopsicossocial da abordagem diagnóstica. A abordagem multidimensional é baseada em evidências para classificar as condições de dor crônica.
Fonte: Fillingim e colaboradores.[25]

## Avaliação e acompanhamento de dor crônica

Três instrumentos foram validados para português brasileiro para avaliação de componentes multidimensionais da dor crônica: o perfil de dor crônica, o inventário breve de dor (BPI, do inglês *brief pain inventory*) e a escala graduada de dor crônica.

O inventário para rastreamento do perfil de dor crônica, composto por 15 itens,[29] pode ser visualizado em um *link*, no QR code ao lado. Possui três domínios: intensidade (4 itens, escore de 0-32), interferência nas atividades (6 itens, escore de 0-36) e carga emocional (5 itens, escore de 0-25).[30] A importância dessas três dimensões foi destacada pela Iniciativa sobre Métodos, Aferição e Avaliação da Dor em Ensaios Clínicos (PedIMMPACT, do inglês *Pediatric Initiative on Methods, Measurement, and Pain Assessment in Clinical Trials*).[31]

O BPI inclui 15 itens que avaliam a existência, a localização, a intensidade, a interferência na mobilidade, o trabalho, o humor, o prazer de viver, o sono e as relações pessoais, além do efeito de estratégias terapêuticas. O questionário foi validado no Brasil[32] e tem versões validadas em mais de 10 idiomas.

A escala graduada de dor crônica, orientada para a APS, avalia a dor crônica segundo parâmetros de intensidade e interferência (limitação funcional).[33] A escala foi revisada recentemente,[34] estimando a gravidade pela média simples entre os valores para intensidade usual, interferência em atividades em geral e interferência no aproveitamento da vida (*enjoyment of life*) em escalas numéricas de 0 a 10. Essa revisão mais recente ainda não está validada no Brasil.

Além dessas escalas para avaliar a natureza multidimensional da dor crônica, pode ser utilizado também o inventário de sensibilização central (CSI, do inglês *central sensitization inventory*), validado para o português brasileiro.[14,35] O questionário avalia sintomas psicológicos (ansiedade, depressão, pânico, transtorno de estresse pós-traumático e trauma na infância) e síndromes clínicas ligadas à sensibilização central, como dor pélvica idiopática e cistite intersticial. Pode ser utilizado como um critério clínico de sensibilização central em pacientes cuja experiência de dor pareça desproporcional.[36] O CSI se correlaciona a uma maior extensão, intensidade e limitação, e a pior prognóstico. Seu valor acompanha também a resposta ao tratamento.[37] Uma versão curta, com apenas 9 dos 25 itens, foi avaliada recentemente,[38] mas não no Brasil.

Pode ser útil, ainda, integrar ao diagnóstico ampliado de SSC uma medida que avalia o enfrentamento diante da doença, como a escala de catastrofização da dor (PCS, do inglês *pain catastrophizing scale*), validada para uso no Brasil. A PCS tem três subescalas (desamparo, magnificação e ruminação). É autoaplicável, constando de 13 itens, em que o paciente relata o grau com que apresenta qualquer pensamento ou sentimento descrito, segundo uma graduação de 5 pontos.[12]

A CID-11 inclui códigos de extensão úteis na avaliação (TABELA 182.3), como pode ser visto no QR code ao lado.

# ABORDAGEM TERAPÊUTICA

## Tratamento não farmacológico

### Intervenções psicológicas

Enfrentamentos disfuncionais frequentemente exigem abordagens de ordem cognitiva e comportamental, incluindo elementos de terapia cognitivo-comportamental (TCC), terapia de aceitação-compromisso (ACT, do inglês *acceptance and*

---

**TABELA 182.3** → Especificadores ou "códigos de extensão" da dor crônica, conforme a CID-11 (versão beta)

| GRAVIDADE DA DOR |
|---|
| A intensidade da dor pode ser avaliada verbalmente ou em uma escala de avaliação numérica, ou escala visual analógica (EVA); para a codificação da gravidade, solicita-se ao paciente para relatar a intensidade média da dor na última semana em uma escala de avaliação numérica (NRS) de 11 pontos (variando de 0 [sem dor] a 10 [pior dor imaginável]) ou uma EVA de 100 mm |
| → Dor leve: NRS = 1-3; EVA < 31 mm |
| → Dor moderada: NRS = 4-6; EVA 31-54 mm |
| → Dor intensa: NRS = 7-10; EVA 55-100 mm |
| O sofrimento relacionado à dor pode ser avaliado solicitando ao paciente para classificar o sofrimento relacionado à dor que experimentou na última semana (experiência emocional desagradável, multifatorial de natureza cognitiva, comportamental, emocional, social ou espiritual devido à experiência persistente, ou recorrente de dor) em uma NRS de 11 pontos ou uma EVA de "não sofrimento relacionado à dor" até "sofrimento relacionado a uma dor extrema" ("termômetro de sofrimento") |
| → Dor leve: NRS = 1-3; VAS < 31 mm |
| → Dor moderada: NRS = 4-6; EVA = 31-54 mm |
| → Dor intensa: NRS = 7-10; EVA = 55-100 mm |
| Interferência relacionada à dor na semana passada, conforme classificado pelo paciente na NRS de 11 pontos (de 0 [sem interferência] a 10 [incapaz de realizar atividades]) ou na EVA (0 mm [sem interferência] a 100 mm [incapaz de realizar atividades]) |
| → Código 0: sem interferência |
| → Código 1: interferência leve; NRS = 1-3; VAS < 31 mm |
| → Código 2: interferência moderada; NRS = 4-6; EVA = 31-54 mm |
| → Código 3: interferência severa; NRS = 7-10; EVA = 55-100 mm |
| A gravidade geral combina intensidade, angústia e incapacidade usando um código de 3 dígitos – por exemplo: um paciente com intensidade de dor moderada, angústia grave e incapacidade leve receberá o código "231"; o código de gravidade é opcional |
| **CARACTERÍSTICAS TEMPORAIS DA DOR** |
| O curso temporal da dor pode ser codificado como "contínuo" (a dor está sempre presente), "episódica ou recorrente" (há ataques de dor recorrentes com intervalos sem dor) e "contínuo com ataques de dor" (existem ataques de dor recorrentes como exacerbações de dor contínua subjacente) |
| **PRESENÇA DE FATORES PSICOSSOCIAIS** |
| Esse código refere-se a fatores problemáticos que acompanham a dor crônica: cognitivos (catastrofização, preocupação excessiva) emocionais (medo, raiva), comportamentais (evasão) e/ou fatores sociais (trabalho, relacionamentos); seu uso é apropriado se houver evidência positiva de que fatores psicossociais contribuem para a causa, a manutenção e/ou a exacerbação da dor e/ou incapacidade associada e/ou quando a dor crônica resulta em consequências psicocomportamentais negativas (p. ex., desmoralização, desesperança, evitação, abstinência) |

CID, Classificação estatística internacional de doenças e problemas relacionados à saúde.

*commitment therapy*), técnica meditativa de atenção plena (*mindfulness*) e educação em neurociência da dor (END).

A TCC prossegue como a abordagem mais estudada em dor crônica, embora com efeito considerado bastante pequeno contra intervenções-controle, e pequeno contra tratamento usual (TE = −0,09) **B**.[39,40] A ACT tem, ainda, evidência conflitante, embora promissora **C/D**.[39] A técnica meditativa de atenção plena (*mindfulness*) é superior ao tratamento usual quanto à dor e à limitação em fibromialgia (TE [dor] = −0,46 a −1,1) e lombalgia, mas não é superior à TCC em lombalgia **B**.[41] Outras habilidades que podem ser ensinadas ao paciente para autocontrole da dor incluem relaxamento e auto-hipnose, com técnicas de *biofeedback*.

Uma das consequências comuns da dor crônica é o medo de sentir dor, que favorece o imobilismo, e consequente limitação funcional, hipotrofia e participação limitada em fisioterapia e exercícios. Programas de END visam reduzir o medo e a ansiedade, pela ressignificação das percepções individuais da dor e discussão de mitos.[42] Entretanto, o benefício da abordagem quanto à melhora da dor, limitação, cinesiofobia e catastrofização, e como adjuvante ao exercício ou à fisioterapia, ainda é pequeno (TE [dor] = −0,32 a −0,40) **B**.[43,44]

Outras orientações importantes incluem enfrentamento funcional familiar, adaptações ergonômicas e posturais, e a abordagem de hábitos capazes de agravar a dor. Embora o tabagismo seja fator de risco para dor persistente, maior intensidade de dor e maior reatividade à dor, a retirada pode ser dificultada pelo efeito analgésico da nicotina. A cessação (vs. continuação) do tabagismo não se associa a melhores resultados de dor em longo prazo **C/D**.[45]

Terapias psicológicas reduzem a dor crônica em idosos (TE = −0,32) **B**,[46] uma população em que os tratamentos farmacológicos são limitados por multimorbidade, potenciais interações medicamentosas e efeitos colaterais.

## Exercícios físicos

Exercícios são atividades físicas planejadas, estruturadas e repetitivas, que visam melhorar ou manter um ou mais componentes de aptidão física. Eles abordam o componente motor da dor; o psicossocial, em questões como medo do movimento, distúrbios de humor e catastrofização; e também o nociplástico, pela analgesia endógena mediada por exercício. Também tratam de ações de longo prazo sobre a neuroplasticidade, sugeridas pela redução sérica de BDNF por exercício habitual e regular, em contrapartida ao exercício temporário.[47-49]

A analgesia endógena mediada por exercício é a inibição nociceptiva difusa, com predomínio regional, induzida pelo exercício em pessoas saudáveis e em muitos pacientes com condições dolorosas crônicas. O efeito ainda não está devidamente quantificado na dor crônica **C/D**,[50] tendo sido observado na dor lombar, na dor muscular de ombro e na artrite reumatoide.

Pacientes com dor crônica requerem certos cuidados. A progressão do exercício deve ser gradual e permitir tempo de recuperação adequado. Isso é particularmente importante em fibromialgia, síndrome de fadiga crônica, ou *whiplash*, em que a analgesia mediada por exercícios está reduzida. Codeflagradores devem ser evitados, como frio. Se houver dor à execução ou nos dias seguintes, o esforço deve ser reduzido ou retornado a um nível confortável até a progressão mais gradual. Técnicas de inibição muscular e o exercício de músculos não dolorosos aumentam a tolerância; e o exercício de músculos indolores próximos pode ser preferível, porque a analgesia induzida por exercícios tem ação regional maior que a ação global. Qualquer mobilidade é melhor que imobilismo.[51,52]

A prescrição de exercícios deve considerar o objetivo principal, a categoria, o referencial teórico e a dose. O objetivo pode ser flexibilidade, coordenação, força, capacidade aeróbica ou equilíbrio. As categorias podem ser caminhadas ou corridas que geram impacto; concêntricos ou excêntricos, conforme a contração favoreça o movimento ou haja resistência e controle; dinâmicos ou isométricos, conforme haja ou não movimento; exercícios funcionais, se o foco é nas tarefas diárias; ou aquáticos, se usando o apoio e a resistência da água. Alguns exemplos de referenciais teóricos são: pilates, reeducação postural global (RPG), Mckenzie e *tai chi*. A dose contemplará dificuldade, repetição, duração e frequência semanal, conforme o exercício.[53-55]

Exercícios de flexibilidade, ou alongamento, caracterizam-se pelo estiramento lento conjugado a técnicas de inibição muscular, buscando ganho de arco de movimento. Aumentam a tolerância à distensão miofascial e articular (limiar de dor). Pela possibilidade de reduzirem significativamente a força de resistência ao estiramento e a sensibilidade ao reflexo de estiramento, são atualmente indicados depois, não antes, de atividades vigorosas. Os benefícios isolados são modestos em dor crônica, orientando-se associação a outros exercícios **C/D**.[49,56]

Exercícios de controle motor caracterizam-se pela associação de *feedback*, propriocepção, estabilização e coordenação do movimento.[57] Priorizam músculos estabilizadores, mas, eventualmente, também mobilizadores com dificuldade de recuperação trófica por agonistas contraindo em seu lugar. Músculos estabilizadores são os caracteristicamente profundos, monoarticulares, ricos em inervação proprioceptiva, compostos predominantemente por fibras adaptadas para contrações lentas e longas. Músculos mobilizadores são mais superficiais, mono ou pluriarticulares, com fibras adaptadas para contrações rápidas, fadigando-se com facilidade. Alguns músculos são mistos, e, de maneira interessante, as fibras mais exigidas aumentam suas reservas de mioglobina e glicogênio, adaptando-se ao perfil mais resistente, e vice-versa. O *autofeedback* permite exercícios focados, além de ganho muscular com pouca carga e poucas semanas, favorecendo entendimento comum e vínculo. Exercícios de controle motor têm efeito semelhante ou levemente maior (TE [incapacidade] = −0,28) que fortalecimento global em dor crônica **B**.[58,59]

Exercícios de fortalecimento, ou resistidos, caracterizam-se pela imposição de carga. Estimulam a microestrutura e a massa óssea, tendínea e muscular sendo a evolução natural de exercícios que anulam a gravidade (como mobilizações no plano do leito) ou a utilizam como apoio (como movimentos pendulares). Exercícios excêntricos, controlando o movimento ao invés de causá-lo, possibilitam maior ganho trófico por gasto energético, e são seguros para idosos e doentes crônicos.[60,61]

Exercícios de condicionamento aeróbico, ou *endurance*, caracterizam-se por movimentos rítmicos sustentados por um período. Intensidade moderada é definida como gasto energético entre 3 e 6 equivalentes metabólicos (METs, do inglês *metabolic equivalent*), ou 5 a 6 em uma escala numérica de 10.

Exercícios de equilíbrio, ou balanço, caracterizam-se pelo estímulo à adaptação rápida a instabilidades, evitando quedas e entorses. Podem ser inseridos em tarefas usuais em ortostase prolongada – por exemplo, na mobilização lenta da carga do corpo de um a outro pé, afastados lateralmente ou um à frente do outro, mudando-se a posição dos pés ao longo do tempo. Também podem ser utilizados como parte de terapias de movimento (*tai chi, qi gong*, ioga). O *tai chi* melhora a dor e a limitação (TE = −0,66) **C/D**, inclusive em idosos[62-64] e em pacientes de fibromialgia.[51,65] O aspecto associado de integração corpo-mente pode ter efeito significativo no componente psicossocial.

### Neuroestimulação visando neuromodulação

O sistema inibitório descendente pode ser ativado por estimulação nervosa periférica – por exemplo, TENS, acupuntura e eletroacupuntura.

Uma recente revisão de revisões sistemáticas pelo Instituto Cochrane concluiu acerca da segurança e da eficácia da TENS, bem como sobre a necessidade de melhores estudos, e estabeleceu recomendações para preencher as lacunas.[66-68]

A acupuntura estimula o sistema endógeno opioide. É uma competência reconhecida pelo Currículo Baseado em Competências da Sociedade Brasileira de Medicina de Família e Comunidade (SBMFC) e cursos básicos para profissionais da APS são disponibilizados no Brasil.[69]

A acupuntura prossegue sendo um tratamento controverso em dor crônica (TE [dor] = −0,24 a −0,57 para osteoartrite, dor no ombro e dor musculoesquelética), a despeito de avanços em estudos usando melhores controles (acupuntura *sham*), parâmetros mais reprodutíveis (p. ex., a frequência e a intensidade de estímulo em eletroacupuntura) e melhor entendimento do efeito da técnica (com uso de QST e outros parâmetros).[70-77] Por outro lado, a relativa segurança do procedimento e a frequente boa resposta contra placebo (embora nem sempre contra *sham*) favorecem tentativas com a técnica em pacientes dispostos, em quem outros tratamentos foram ineficazes ou mal tolerados.

O efeito da estimulação magnética transcraniana repetida (rTMS, do inglês *repetitive transcranial magnetic stimulation*) com alta frequência (> 5 Hz) aplicada sobre o M1 foi associada a uma melhora na qualidade de vida de pacientes com fibromialgia. O tamanho de efeito da rTMS ativa comparada à estimulação simulada foi moderado (TE [dor] = −0,47).[78] O uso de rTMS sobre M1 do hemisfério dominante também melhorou a eficácia do tratamento farmacológico em pacientes com outras dores crônicas, como dor do membro-fantasma e dor neuropática pós-cirúrgica.[79] O efeito benéfico de 5 sessões de rTMS de alta frequência sobre o M1 manteve-se por pelo menos 1 mês em dores neuropáticas diversas.[80]

Outra técnica com resultados promissores no tratamento de diversas condições de dor crônica é a estimulação transcraniana por corrente contínua (ETCC) anódica. O maior número de estudos foi com estimulação sobre o M1 do hemisfério dominante, embora a estimulação sobre o córtex pré-frontal dorsolateral (CPFDL) esquerdo também tenha apontado efeito benéfico.[81] Estudo recente demonstrou que 60 sessões de ETCC autoaplicada em domicílio sobre o CPFDL esquerdo, durante 3 meses, foram benéficas aos níveis de dor, à capacidade funcional para atividades da vida diária e à redução de analgésicos.[82]

Mesmo considerando que essa área de pesquisa é emergente, seu potencial impacto na saúde pública é promissor, especialmente considerando a limitação das intervenções farmacológicas quanto a seus benefícios e efeitos adversos.

## Tratamento farmacológico

O impacto do tratamento farmacológico da dor tem sido amplamente demonstrado em ensaios clínicos randomizados duplo-cegos. Digno de nota, o efeito placebo responde por boa parte do seu benefício, em especial na fibromialgia. Aspectos para a prescrição do tratamento farmacológico são apresentados na **TABELA 182.4**.

### Antidepressivos

Os antidepressivos tricíclicos e os inibidores seletivos da recaptação da serotonina e da noradrepinefrina (duais) facilitam a inibição descendente, mecanismo disfuncional em pacientes com dor crônica e SSC.[83] Os antidepressivos tricíclicos são efetivos na redução da dor crônica (número necessário para tratar [NNT] = 4) **B**.[84] Entre os antidepressivos duais, a duloxetina é efetiva em condições dolorosas caracterizadas por SSC, como fibromialgia,[85] osteoartrite,[86] neuropatia diabética e dor lombar baixa[87,88] (NNT = 5-8 para redução ≥ 50% da dor) **B**. Efeitos adversos são comuns, particularmente em tricíclicos.[88]

A milnaciprana é efetiva na fibromialgia (NNT = 7 para redução > 30% da dor).[89]

### Anticonvulsivantes

Anticonvulsivantes gabapentinoides incluem a pregabalina e a gabapentina. Ligam-se à subunidade α2δ de canais de cálcio voltagem-dependentes, e reduzem a despolarização e a liberação de neurotransmissores e neuropeptídeos excitatórios no corno dorsal da medula.[90] No *locus coeruleus*, a gabapentina e outros ligantes α2δ reduzem o GABA pré-sináptico e induzem a liberação de glutamato dos astrócitos, estimulando os neurônios noradrenérgicos das vias inibitórias descendentes.[91]

**TABELA 182.4** → Medicamentos para dor crônica

| MEDICAMENTO | POSOLOGIA* | CORREÇÃO POR DCr (mL/MIN) | PRECAUÇÕES |
|---|---|---|---|
| Amitriptilina | 25 mg, ½ comprimido à noite, a 75 mg, 2 comprimidos à noite | Sem correção | Sedação, glaucoma, boca ou olho seco, retenção urinária ou fecal, turvação visual, tonteira; evitar em caso de aumento de QT, ou uso de amiodarona, citalopram, escitalopram ou haloperidol; risco de síndrome serotoninérgica com tramadol, ISRSs e duais; evitar varfarina |
| Nortriptilina | 10 mg, 1 comprimido à noite, a 75 mg, 1 comprimido à noite | Sem correção | Idem às descritas para a amitriptilina (metabolizada para nortriptilina no fígado), mas menor sedação e efeitos anticolinérgicos |
| Duloxetina | 30-60 mg, 2 comprimidos, 1×/dia | Contraindicada se DCr < 30 mL/min | Sedação ou insônia, cefaleia, boca seca, constipação, tontura; risco de síndrome serotoninérgica com tramadol, tricíclicos e ISRSs |
| Gabapentina | 300 mg, 1 comprimido, de 8/8 horas, a 600 mg, 2 comprimidos, de 8/8 horas | 300 mg em dias alternados, aumentando como tolerado, se DCr < 30 mL/min | Sedação, tontura/distúrbio de marcha, ganho ponderal, edema; potencial abusivo |
| Pregabalina | 75 mg, 1 comprimido, de 12/12 horas, a 150 mg, 2 comprimidos, de 12/12 horas | Se DCr = 30-60 mL/min, iniciar com 75 mg/dia; se DCr < 30 mL/min, iniciar com 25-50 mg/dia | Idem às descritas para a gabapentina |

*Via oral, adultos.
DCr, depuração de creatinina; ISRSs, inibidores seletivos da recaptação da serotonina.
Fonte: Ashley e Dunleavy.[96]

A gabapentina e a pregabalina são efetivas na dor neuropática e na fibromialgia (NNT = 7 para redução ≥ 50% da dor),[92,93] mas não em lombalgia.[94] Têm potencial para uso abusivo e dependência.[95]

## Opioides

Os opioides não apresentam benefício no tratamento da SSC e não oferecem benefícios na melhora da qualidade de vida e na redução da incapacidade B. O uso em longo prazo pode resultar em desmotivação para contato social e atividade física, hiperalgesia induzida por opioides, problemas associados com dependência e adicção e, consequentemente, agravamento da SSC.[81] A hiperalgesia induzida por opioides deve-se à ativação de vias pronociceptivas, com aumento da facilitação ou redução da inibição nas vias de processamento da dor. Poucos opioides têm sido usados em casos especiais, como tramadol, tapentadol, buprenorfina e metadona, este último com atenção à farmacocinética própria.

# REFERÊNCIAS

1. Harte SE, Harris RE, Clauw DJ. The neurobiology of central sensitization. Journal of Applied Biobehavioral Research. 2018;23(2):e12137.
2. Lumley MA, Cohen JL, Borszcz GS, Cano A, Radcliffe AM, Porter LS, et al. Pain and emotion: a biopsychosocial review of recent research. J Clin Psychol. 2011;67(9):942–68.
3. Shirvalkar P, Veuthey TL, Dawes HE, Chang EF. Closed-Loop Deep Brain Stimulation for Refractory Chronic Pain. Front Comput Neurosci. 2018;12:18.
4. Yarnitsky D. Conditioned pain modulation (the diffuse noxious inhibitory control-like effect): its relevance for acute and chronic pain states. Curr Opin Anaesthesiol. 2010;23(5):611–5.
5. Pertovaara A. Noradrenergic pain modulation. Prog Neurobiol. 2006;80(2):53–83.
6. Ringel Y, Drossman DA, Leserman JL, Suyenobu BY, Wilber K, Lin W, et al. Effect of abuse history on pain reports and brain responses to aversive visceral stimulation: an FMRI study. Gastroenterology. 2008;134(2):396–404.
7. Lackner JM, Lou Coad M, Mertz HR, Wack DS, Katz LA, Krasner SS, et al. Cognitive therapy for irritable bowel syndrome is associated with reduced limbic activity, GI symptoms, and anxiety. Behav Res Ther. 2006;44(5):621–38.
8. Orme-Johnson DW, Schneider RH, Son YD, Nidich S, Cho Z-H. Neuroimaging of meditation's effect on brain reactivity to pain. Neuroreport. 2006;17(12):1359–63.
9. Bushnell MC, Ceko M, Low LA. Cognitive and emotional control of pain and its disruption in chronic pain. Nat Rev Neurosci. 2013;14(7):502–11.
10. Davis DA, Luecken LJ, Zautra AJ. Are reports of childhood abuse related to the experience of chronic pain in adulthood? A meta-analytic review of the literature. Clin J Pain. 2005;21(5):398–405.
11. Galambos A, Szabó E, Nagy Z, Édes AE, Kocsel N, Juhász G, et al. A systematic review of structural and functional MRI studies on pain catastrophizing. J Pain Res. 2019;12:1155–78.
12. Sehn F, Chachamovich E, Vidor LP, Dall-Agnol L, de Souza ICC, Torres ILS, et al. Cross-cultural adaptation and validation of the Brazilian Portuguese version of the pain catastrophizing scale. Pain Med. 2012;13(11):1425–35.
13. Campbell CM, Edwards RR. Mind-body interactions in pain: the neurophysiology of anxious and catastrophic pain-related thoughts. Transl Res. 2009;153(3):97–101.
14. Caumo W, Antunes LC, Elkfury JL, Herbstrith EG, Busanello Sipmann R, Souza A, et al. The Central Sensitization Inventory validated and adapted for a Brazilian population: psychometric properties and its relationship with brain-derived neurotrophic factor. J Pain Res. 2017;10:2109–22.
15. Racine M. Chronic pain and suicide risk: a comprehensive review. Prog Neuropsychopharmacol Biol Psychiatry. 2018;87(Pt B):269–80.
16. Lackner JM, Brasel AM, Quigley BM, Keefer L, Krasner SS, Powell C, et al. The ties that bind: perceived social support, stress, and IBS in severely affected patients. Neurogastroenterol Motil. 2010;22(8):893–900.
17. López-Martínez AE, Esteve-Zarazaga R, Ramírez-Maestre C. Perceived social support and coping responses are independent variables explaining pain adjustment among chronic pain patients. J Pain. 2008;9(4):373–9.
18. Franklin KB. Analgesia and abuse potential: an accidental association or a common substrate? Pharmacol Biochem Behav. 1998;59(4):993–1002.
19. Romano JM, Jensen MP, Turner JA, Good AB, Hops H. Chronic pain patient-partner interactions: Further support for a behavioral model of chronic pain. Behavior Therapy. 2000;31(3):415–40.
20. Kivimäki M, Leino-Arjas P, Virtanen M, Elovainio M, Keltikangas-Järvinen L, Puttonen S, et al. Work stress and incidence of newly diagnosed fibromyalgia: prospective cohort study. J Psychosom Res. 2004;57(5):417–22.
21. Caumo W, Segabinazi JD, Stefani LPC. Reply: allostatic load as an approach to support the theoretical assumptions of the Brief

Measure of Emotional Preoperative Stress (B-MEPS). Br J Anaesth. 2017;118(4):638–40.

22. Davis KD, Flor H, Greely HT, Iannetti GD, Mackey S, Ploner M, et al. Brain imaging tests for chronic pain: medical, legal and ethical issues and recommendations. Nat Rev Neurol. 2017;13(10):624–38.

23. Wertli MM, Eugster R, Held U, Steurer J, Kofmehl R, Weiser S. Catastrophizing-a prognostic factor for outcome in patients with low back pain: a systematic review. Spine J. 2014;14(11):2639–57.

24. Treede R-D, Rief W, Barke A, Aziz Q, Bennett MI, Benoliel R, et al. Chronic pain as a symptom or a disease: the IASP Classification of Chronic Pain for the International Classification of Diseases (ICD-11). Pain. 2019;160(1):19–27.

25. Fillingim RB, Bruehl S, Dworkin RH, Dworkin SF, Loeser JD, Turk DC, et al. The ACTTION-American Pain Society Pain Taxonomy (AAPT): an evidence-based and multidimensional approach to classifying chronic pain conditions. J Pain. 2014;15(3):241–9.

26. Koroschetz J, Rehm SE, Gockel U, Brosz M, Freynhagen R, Tölle TR, et al. Fibromyalgia and neuropathic pain--differences and similarities. A comparison of 3057 patients with diabetic painful neuropathy and fibromyalgia. BMC Neurol. 2011;11:55.

27. Wolfe F, Clauw DJ, Fitzcharles M-A, Goldenberg DL, Häuser W, Katz RL, et al. 2016 revisions to the 2010/2011 fibromyalgia diagnostic criteria. Semin Arthritis Rheum. 2016;46(3):319–29.

28. Arnold LM, Bennett RM, Crofford LJ, Dean LE, Clauw DJ, Goldenberg DL, et al. AAPT diagnostic criteria for fibromyalgia. J Pain. 2019;20(6):611–28.

29. Caumo W, Ruehlman LS, Karoly P, Sehn F, Vidor LP, Dall-Ágnol L, et al. Cross-cultural adaptation and validation of the profile of chronic pain: screen for a Brazilian population. Pain Med. 2013;14(1):52–61.

30. Ruehlman LS, Karoly P, Newton C, Aiken LS. The development and preliminary validation of a brief measure of chronic pain impact for use in the general population. Pain. 2005;113(1–2):82–90.

31. Dworkin RH, Turk DC, Farrar JT, Haythornthwaite JA, Jensen MP, Katz NP, et al. Core outcome measures for chronic pain clinical trials: IMMPACT recommendations. Pain. 2005;113(1–2):9–19.

32. Ferreira KA, Teixeira MJ, Mendonza TR, Cleeland CS. Validation of brief pain inventory to Brazilian patients with pain. Support Care Cancer. 2011;19(4):505–11.

33. Bracher ESB. Adaptação e validação da versão em português da escala graduada de dor crônica para o contexto cultural brasileiro [tese]. São Paulo: Universidade de São Paulo; 2008.

34. Von Korff M, DeBar LL, Krebs EE, Kerns RD, Deyo RA, Keefe FJ. Graded chronic pain scale revised: mild, bothersome, and high-impact chronic pain. Pain. 2020;161(3):651–61.

35. Cuesta-Vargas AI, Neblett R, Chiarotto A, Kregel J, Nijs J, van Wilgen CP, et al. Dimensionality and reliability of the central sensitization inventory in a pooled multicountry sample. J Pain. 2018;19(3):317–29.

36. Nijs J, Goubert D, Ickmans K. Recognition and treatment of central sensitization in chronic pain patients: not limited to specialized care. J Orthop Sports Phys Ther. 2016;46(12):1024–8.

37. Neblett R. The central sensitization inventory: A user's manual. Journal of Applied Biobehavioral Research. 2018;23(2):e12123.

38. Nishigami T, Tanaka K, Mibu A, Manfuku M, Yono S, Tanabe A. Development and psychometric properties of short form of central sensitization inventory in participants with musculoskeletal pain: a cross-sectional study. PLoS One. 2018;13(7):e0200152.

39. Williams AC de C, Fisher E, Hearn L, Eccleston C. Psychological therapies for the management of chronic pain (excluding headache) in adults. Cochrane Database Syst Rev. 2020;8:CD007407.

40. Williams AC de C, Fisher E, Hearn L, Eccleston C. Evidence-based psychological interventions for adults with chronic pain: precision, control, quality, and equipoise. Pain. 2021;162(8):2149–53.

41. Pardos-Gascón EM, Narambuena L, Leal-Costa C, van-der Hofstadt-Román CJ. Differential efficacy between cognitive-behavioral therapy and mindfulness-based therapies for chronic pain: Systematic review. Int J Clin Health Psychol. 2021;21(1):100197.

42. Rondon-Ramos A, Martinez-Calderon J, Diaz-Cerrillo JL, Rivas-Ruiz F, Ariza-Hurtado GR, Clavero-Cano S, et al. Pain neuroscience education plus usual care is more effective than usual care alone to improve self-efficacy beliefs in people with chronic musculoskeletal pain: a non-randomized controlled trial. J Clin Med. 2020;9(7):E2195.

43. Wood L, Hendrick PA. A systematic review and meta-analysis of pain neuroscience education for chronic low back pain: short-and long-term outcomes of pain and disability. Eur J Pain. 2019;23(2):234–49.

44. Bülow K, Lindberg K, Vaegter HB, Juhl CB. Effectiveness of pain neurophysiology education on musculoskeletal pain: a systematic review and meta-analysis. Pain Med. 2021;22(4):891–904.

45. Saragiotto BT, Kamper SJ, Hodder R, Silva PV, Wolfenden L, Lee H, et al. Interventions targeting smoking cessation for patients with chronic pain: an evidence synthesis. Nicotine Tob Res. 2020;22(1):135–40.

46. Niknejad B, Bolier R, Henderson CR, Delgado D, Kozlov E, Löckenhoff CE, et al. Association between psychological interventions and chronic pain outcomes in older adults: a systematic review and meta-analysis. JAMA Intern Med. 2018;178(6):830–9.

47. Wewege MA, Jones MD. Exercise-induced hypoalgesia in healthy individuals and people with chronic musculoskeletal pain: a systematic review and meta-analysis. J Pain. 2021;22(1):21–31.

48. Bonello C, Girdwood M, De Souza K, Trinder NK, Lewis J, Lazarczuk SL, et al. Does isometric exercise result in exercise induced hypoalgesia in people with local musculoskeletal pain? A systematic review. Phys Ther Sport. 2021;49:51–61.

49. Forsgren S, Grimsholm O, Dalén T, Rantapää-Dahlqvist S. Measurements in the blood of BDNF for RA patients and in response to anti-TNF treatment help us to clarify the magnitude of centrally related pain and to explain the relief of this pain upon treatment. Int J Inflam. 2011;2011:650685.

50. García-Correa HR, Sánchez-Montoya LJ, Daza-Arana JE, Ordoñez-Mora LT. Aerobic physical exercise for pain intensity, aerobic capacity, and quality of life in patients with chronic pain: a systematic review and meta-analysis. J Phys Act Health. 2021;1–17.

51. Andrade A, Dominski FH, Sieczkowska SM. What we already know about the effects of exercise in patients with fibromyalgia: an umbrella review. Semin Arthritis Rheum. 2020;50(6):1465–80.

52. Ferro Moura Franco K, Lenoir D, Dos Santos Franco YR, Jandre Reis FJ, Nunes Cabral CM, Meeus M. Prescription of exercises for the treatment of chronic pain along the continuum of nociplastic pain: a systematic review with meta-analysis. Eur J Pain. 2021;25(1):51–70.

53. Daenen L, Varkey E, Kellmann M, Nijs J. Exercise, not to exercise, or how to exercise in patients with chronic pain? Applying science to practice. Clin J Pain. 2015;31(2):108–14.

54. Geneen LJ, Moore RA, Clarke C, Martin D, Colvin LA, Smith BH. Physical activity and exercise for chronic pain in adults: an overview of Cochrane Reviews. Cochrane Database Syst Rev. 2017;4:CD011279.

55. Skelly AC, Chou R, Dettori JR, Turner JA, Friedly JL, Rundell SD, et al. Noninvasive Nonpharmacological Treatment for Chronic Pain: a systematic review update [Internet]. Rockville: Agency for Healthcare Research and Quality; 2020 [capturado em 10 ago. 2021]. (AHRQ Comparative Effectiveness Reviews). Disponível em: http://www.ncbi.nlm.nih.gov/books/NBK556229/.

56. Ambrose KR, Golightly YM. Physical exercise as non-pharmacological treatment of chronic pain: why and when. Best Pract Res Clin Rheumatol. 2015;29(1):120–30.

57. Ganesh GS, Kaur P, Meena S. Systematic reviews evaluating the effectiveness of motor control exercises in patients with non-specific low back pain do not consider its principles – a review. J Bodyw Mov Ther. 2021;26:374–93.

58. Lafrance S, Ouellet P, Alaoui R, Roy J-S, Lewis J, Christiansen DH, et al. Motor control exercises compared to strengthening exercises for upper- and lower-extremity musculoskeletal disorders: a systematic review with meta-analyses of randomized Controlled Trials. Phys Ther. 2021;101(7):pzab072.

59. Zhang C, Li Y, Zhong Y, Feng C, Zhang Z, Wang C. Effectiveness of motor control exercise on non-specific chronic low back pain, disability and core muscle morphological characteristics: a meta-analysis of randomized controlled trials. Eur J Phys Rehabil Med. 2021.
60. Quinlan JI, Narici MV, Reeves ND, Franchi MV. Tendon adaptations to eccentric exercise and the Implications for Older Adults. J Funct Morphol Kinesiol. 2019;4(3):E60.
61. Girgis B, Duarte JA. Physical therapy for tendinopathy: an umbrella review of systematic reviews and meta-analyses. Phys Ther Sport. 2020;46:30–46.
62. Kong LJ, Lauche R, Klose P, Bu JH, Yang XC, Guo CQ, et al. Tai chi for chronic pain conditions: a systematic review and meta-analysis of randomized controlled trials. Sci Rep. 2016;6:25325.
63. Hall A, Copsey B, Richmond H, Thompson J, Ferreira M, Latimer J, et al. Effectiveness of tai chi for chronic musculoskeletal pain conditions: updated systematic review and meta-analysis. Phys Ther. 2017;97(2):227–38.
64. Urits I, Schwartz RH, Orhurhu V, Maganty NV, Reilly BT, Patel PM, et al. A comprehensive review of alternative therapies for the management of chronic pain patients: acupuncture, tai chi, osteopathic manipulative medicine, and chiropractic care. Adv Ther. 2021;38(1):76–89.
65. Wang C, Schmid CH, Fielding RA, Harvey WF, Reid KF, Price LL, et al. Effect of tai chi versus aerobic exercise for fibromyalgia: comparative effectiveness randomized controlled trial. BMJ. 2018;360:k851.
66. Martimbianco ALC, Porfírio GJ, Pacheco RL, Torloni MR, Riera R. Transcutaneous electrical nerve stimulation (TENS) for chronic neck pain. Cochrane Database Syst Rev. 2019;12:CD011927.
67. Gibson W, Wand BM, Meads C, Catley MJ, O'Connell NE. Transcutaneous electrical nerve stimulation (TENS) for chronic pain – an overview of Cochrane Reviews. Cochrane Database Syst Rev. 2019;4:CD011890.
68. Travers MJ, O'Connell NE, Tugwell P, Eccleston C, Gibson W. Transcutaneous electrical nerve stimulation (TENS) for chronic pain: the opportunity to begin again. Cochrane Database Syst Rev. 2020;4:ED000139.
69. Bedin F, Moré AOO, de Oliveira JC, Tesser CD, Min LS. Profile of acupuncture use among primary care physicians working in the Brazilian public healthcare system. Acupunct Med. 2020;38(5):319–26.
70. Leite PMS, Mendonça ARC, Maciel LYS, Poderoso-Neto ML, Araujo CCA, Góis HCJ, et al. Does electroacupuncture treatment reduce pain and change quantitative sensory testing responses in patients with chronic nonspecific low back pain? a randomized controlled clinical trial. Evid Based Complement Alternat Med. 2018;2018:8586746.
71. Vickers AJ, Vertosick EA, Lewith G, MacPherson H, Foster NE, Sherman KJ, et al. Acupuncture for chronic pain: update of an individual patient data meta-analysis. J Pain. 2018;19(5):455–74.
72. Huang J-F, Zheng X-Q, Chen D, Lin J-L, Zhou W-X, Wang H, et al. Can acupuncture improve chronic spinal pain? A systematic review and meta-analysis. Global Spine J. 2020;2192568220962440.
73. Lv Z-T, Shen L-L, Zhu B, Zhang Z-Q, Ma C-Y, Huang G-F, et al. Effects of intensity of electroacupuncture on chronic pain in patients with knee osteoarthritis: a randomized controlled trial. Arthritis Res Ther. 2019;21(1):120.
74. Patel M, Urits I, Kaye AD, Viswanath O. The role of acupuncture in the treatment of chronic pain. Best Pract Res Clin Anaesthesiol. 2020;34(3):603–16.
75. Kong J-T, Puetz C, Tian L, Haynes I, Lee E, Stafford RS, et al. Effect of electroacupuncture vs sham treatment on change in pain severity among adults with chronic low back pain: a randomized clinical trial. JAMA Netw Open. 2020;3(10):e2022787.
76. National Guideline Centre (UK). Evidence review for acupuncture for chronic primary pain: chronic pain (primary and secondary) in over 16s: assessment of all chronic pain and management of chronic primary pain: evidence review G [Internet]. London: National Institute for Health and Care Excellence; 2021 [capturado em 7 set. 2021]. Disponível em: http://www.ncbi.nlm.nih.gov/books/NBK569984/.
77. Mao JJ, Liou KT, Baser RE, Bao T, Panageas KS, Romero SAD, et al. Effectiveness of Electroacupuncture or auricular acupuncture vs usual care for chronic musculoskeletal pain among cancer survivors: the PEACE randomized clinical trial. JAMA Oncol. 2021;7(5):720–7.
78. Knijnik LM, Dussán-Sarria JA, Rozisky JR, Torres ILS, Brunoni AR, Fregni F, et al. Repetitive transcranial magnetic stimulation for fibromyalgia: systematic review and meta-analysis. Pain Pract. 2016;16(3):294–304.
79. Goudra B, Shah D, Balu G, Gouda G, Balu A, Borle A, et al. Repetitive transcranial magnetic stimulation in chronic pain: a meta-analysis. Anesth Essays Res. 2017;11(3):751–7.
80. Jin Y, Xing G, Li G, Wang A, Feng S, Tang Q, et al. High Frequency repetitive transcranial magnetic stimulation therapy for chronic neuropathic pain: a meta-analysis. Pain Physician. 2015;18(6):E1029-46.
81. Zortea M, Ramalho L, Alves RL, Alves CF da S, Braulio G, Torres IL da S, et al. Transcranial direct current stimulation to improve the dysfunction of descending pain modulatory system related to opioids in chronic non-cancer pain: an integrative review of neurobiology and meta-analysis. Front Neurosci. 2019;13:1218.
82. Brietzke AP, Zortea M, Carvalho F, Sanches PRS, Silva DPJ, Torres IL da S, et al. Large treatment effect with extended home-based transcranial direct current stimulation over dorsolateral prefrontal cortex in fibromyalgia: a proof of concept sham-randomized clinical study. J Pain. 2020;21(1–2):212–24.
83. Clauw DJ, Essex MN, Pitman V, Jones KD. Reframing chronic pain as a disease, not a symptom: rationale and implications for pain management. Postgrad Med. 2019;131(3):185–98.
84. Finnerup NB, Attal N, Haroutounian S, McNicol E, Baron R, Dworkin RH, et al. Pharmacotherapy for neuropathic pain in adults: a systematic review and meta-analysis. Lancet Neurol. 2015;14(2):162–73.
85. Lunn MPT, Hughes RAC, Wiffen PJ. Duloxetine for treating painful neuropathy, chronic pain or fibromyalgia. Cochrane Database Syst Rev. 2014;(1):CD007115.
86. Chappell AS, Ossanna MJ, Liu-Seifert H, Iyengar S, Skljarevski V, Li LC, et al. Duloxetine, a centrally acting analgesic, in the treatment of patients with osteoarthritis knee pain: a 13-week, randomized, placebo-controlled trial. Pain. 2009;146(3):253–60.
87. Pergolizzi JV, Raffa RB, Taylor R, Rodriguez G, Nalamachu S, Langley P. A review of duloxetine 60 mg once-daily dosing for the management of diabetic peripheral neuropathic pain, fibromyalgia, and chronic musculoskeletal pain due to chronic osteoarthritis pain and low back pain. Pain Pract. 2013;13(3):239–52.
88. Skljarevski V, Desaiah D, Liu-Seifert H, Zhang Q, Chappell AS, Detke MJ, et al. Efficacy and safety of duloxetine in patients with chronic low back pain. Spine (Phila Pa 1976). 2010;35(13):E578-585.
89. Geisser ME, Palmer RH, Gendreau RM, Wang Y, Clauw DJ. A pooled analysis of two randomized, double-blind, placebo-controlled trials of milnacipran monotherapy in the treatment of fibromyalgia. Pain Pract. 2011;11(2):120–31.
90. Goldenberg DL. Pharmacological treatment of fibromyalgia and other chronic musculoskeletal pain. Best Pract Res Clin Rheumatol. 2007;21(3):499–511.
91. Hayashida K-I, Obata H. Strategies to treat chronic pain and strengthen impaired descending noradrenergic inhibitory system. Int J Mol Sci. 2019;20(4):E822.
92. Wiffen PJ, Derry S, Moore RA, Aldington D, Cole P, Rice ASC, et al. Antiepileptic drugs for neuropathic pain and fibromyalgia – an overview of Cochrane reviews. Cochrane Database Syst Rev. 2013;(11):CD010567.
93. Derry S, Cording M, Wiffen PJ, Law S, Phillips T, Moore RA. Pregabalin for pain in fibromyalgia in adults. Cochrane Database Syst Rev. 2016;9:CD011790.

94. Mathieson S, Lin C-WC, Underwood M, Eldabe S. Pregabalin and gabapentin for pain. BMJ. 2020;369:m1315.
95. Driot D, Jouanjus E, Oustric S, Dupouy J, Lapeyre-Mestre M. Patterns of gabapentin and pregabalin use and misuse: Results of a population-based cohort study in France. Br J Clin Pharmacol. 2019;85(6):1260–9.
96. Ashley C, Dunleavy A. The renal drug handbook: the ultimate prescribing guide for renal practitioners. 4th ed. London: CRC; 2017.

# Capítulo 183
## DOR MIOFASCIAL E OUTRAS DORES MECÂNICAS

Marcos Paulo Veloso Correia

Dor miofascial é aquela causada por pontos-gatilho (PGs) miofasciais, entendidos como focos intensamente contraídos de músculos estriados cujo estímulo mecânico é capaz de "disparar" sintomas e sinais locais e à distância. A identificação desses "pontos" remonta ao começo do século XX, e discussões resistiram ao teste do tempo, sedimentando-se entre o entusiasmo e o ceticismo.

A síndrome de dor miofascial não enfrenta mais tanto o dilema de ser reconhecida, mas sim de como deve ser interpretada. PGs existem, têm características histoquímicas próprias à microdiálise e à biópsia (FIGURA 183.1), têm palpação reprodutível quando avaliados por profissionais treinados, são reconhecidos por métodos de imagem e respondem a técnicas manuais ou agulhamento.[1]

A questão principal hoje é sobre a importância clínica dos PGs – o quanto são contribuintes, epifenômenos ou consequências da dor persistente em um dado paciente, e se (ou quando) abordá-los diretamente é a melhor estratégia.

Ocorre que o PG miofascial sustenta e sustenta-se em outros processos típicos da dor crônica, como más adaptações nociplásticas (sensibilização central e periférica), motoras (hipotrofia muscular, acionamento preferencial de músculos adjuvantes, densificações fasciais), neurovegetativas (distúrbios de sono e autonômicos, fadiga) e psicossociais. Além disso, várias questões persistem, por exemplo, sobre como PGs musculares se inativam, como geram hipoestesias e outros sintomas, como diferem de PGs não musculares, como se inserem no modelo maior de síndrome dolorosa miofascial, ou qual a melhor sequência de abordagem. A falta de consenso sobre quais variáveis devem ser acompanhadas prejudica, em especial, a geração de evidências de longo prazo.

Entretanto, a dor miofascial teve papel de destaque nos consensos em dor crônica do Institute for Clinical Systems Improvement (ICSI) até 2013 (ICSI, 2013), e foi incluída nos Arcabouços Curriculares Interdisciplinares em Dor da International Association for the Study of Pain (IASP) (IASP, 2018). O agulhamento de PGs miofasciais é uma competência reconhecida pelo Currículo Baseado em Competências da Sociedade Brasileira de Medicina de Família e Comunidade (SBMFC).

As discussões a seguir foram, em grande parte, retiradas do protocolo-piloto do "Projeto para Dor Mecânica (PDM)", apoiado pelo Grupo de Trabalho em Dor da SBMFC.

## EPIDEMIOLOGIA

Estudos em dor miofascial raramente envolveram grandes populações. Infelizmente, os únicos estudos populacionais conhecidos não detalham adequadamente a definição usada. No Brasil, dois estudos em escolas privadas na cidade de São Paulo, somando cerca de 1.000 alunos com idades entre 10 e 14 anos, apontaram dor miofascial como a 1ª ou 2ª condição musculoesquelética mais comum, com PGs ativos em 70% dos alunos sintomáticos examinados. Como apenas músculos predefinidos foram avaliados, a frequência de PGs ativos é provavelmente maior, mas os PGs encontrados não foram tratados, para confirmar sua contribuição à dor.[2]

PGs ativos são descritos em diversas condições.[2] Todos os examinados por cervicalgia crônica inespecífica em três centros da atenção primária à saúde (APS) da Espanha[3] e todos os examinados por ombralgia crônica não traumática em uma clínica de fisioterapia da Holanda tinham PGs ativos.[4]

Dores miofasciais são frequentes e potencialmente manejáveis pelos profissionais da APS na dependência de capacitação adequada. Um recente trabalho multicêntrico israelense com pacientes referenciados a médicos de família com treinamento em dor encontrou, na dor miofascial, o diagnóstico mais comum (82%). O tratamento baseou-se em agulhamento de PGs (82%) e técnicas de liberação

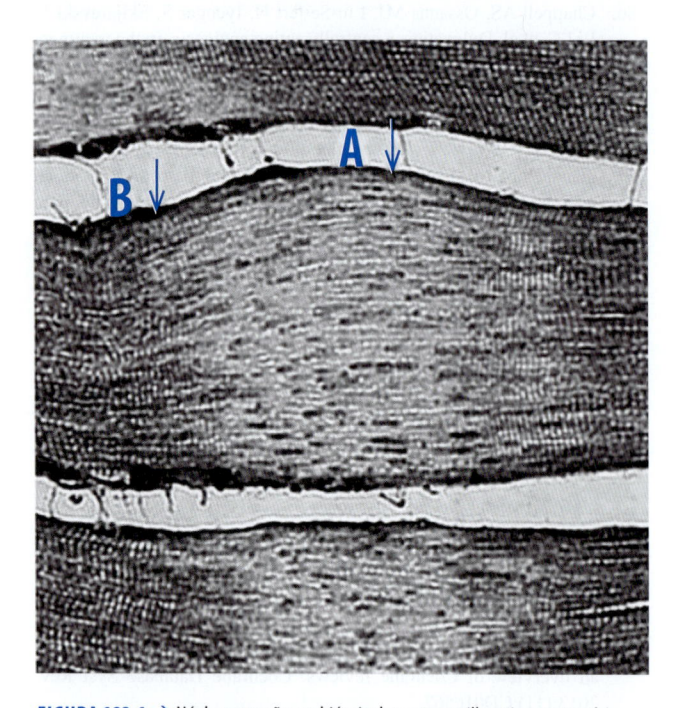

FIGURA 183.1 → Nó de contração em biópsia de ponto-gatilho ativo em trapézio humano. (A) Trecho contrátil. (B) Trecho alongado, adjacente ao trecho A.
Fonte: Jin e colaboradores.[1]

miofascial (23%), com média de 2,7 consultas por paciente. Apenas 38% receberam medicamentos, 6% foram encaminhados para imagens, 5% para outros especialistas, e 4% para clínicas terciárias de dor; mas 75% dos casos tiveram redução de pelo menos 70% da intensidade à escala visual analógica até 1 mês do início de seu tratamento, e 72% ainda após 6 meses do término. Houve resolução completa em menos de 1 mês em 46% dos casos, e em 53% após 6 meses. Casos com 6 ou mais meses de dor prévia tiveram resultado semelhante aos demais – 69% de resposta significativa, com remissão de 44% no primeiro mês (FIGURA 183.2).[5] C/D.

## DO PONTO-GATILHO À SÍNDROME DOLOROSA MIOFASCIAL

### Pontos-gatilho

O PG miofascial foi por muito tempo definido como "um foco 'hiperirritável' de um músculo estriado, associado a uma nodulação palpável 'hipersensível' em uma 'banda tensa muscular'". "Irritável" significa reativo, referindo-se à intensa contração reflexa da banda tensa (*twitch*) e à dor e outros sintomas à distância ao estímulo mecânico do PG. "Hipersensível" refere-se à hiperestesia local. "Banda tensa" é a porção permanentemente contraída que contém o PG muscular (FIGURA 183.3).[6,7]

Partindo dessas três características, um painel de especialistas propôs critérios formais para o diagnóstico de um PG em 2018. Um PG seria definido por 2 dos seguintes 3 critérios: uma dor ou sensação referida; um ponto hipersensível; ou uma banda tensa muscular. O PG seria **ativo** caso reproduzisse uma sensação usual do paciente, e **latente** caso o sintoma não lhe parecesse familiar. Destaca-se que a identificação da banda tensa não seria, de acordo com esses critérios, obrigatória – o que é coerente com não ser, em músculos profundos, sequer possível –, bastando a identificação de um ponto hipersensível e sua sensação referida. Além disso, sintomas como hipoestesia[9] ou vertigem,[10] desde que sejam sensações usuais, também definiriam o PG como ativo.[7,11]

O PG também pode ser **primário** ou **secundário**. Será primário quando persistente apesar da resolução da condição que o originou; e secundário, ou satélite, quando mantido por um foco nociceptivo persistente. PGs podem ser epifenômenos, sem importância para a dor em questão, ou responsáveis diretos pela dor, quando sua inativação a resolve prontamente. Porém, pela definição, persistindo o foco primário, a dor de um PG secundário retornará.

PGs podem ser não musculares (ou não miofasciais,[6] um termo talvez inapropriado). O fenômeno de sintomas à distância ao estímulo mecânico de pontos dolorosos, com pronta resposta ao agulhamento local, também foi identificado quanto a fáscias, ligamentos, cápsulas articulares, periósteo, ênteses, pele e cicatrizes.[12] A nova definição de 2018, apresentada anteriormente, de fato permite a inclusão destes. Não serão, entretanto, o foco deste capítulo.

### Modelo fisiopatológico

Propõe-se que PGs musculares resultam de placas motoras hiperestimuladas, gerando uma contração local persistente em prejuízo da própria perfusão sanguínea, com retenção

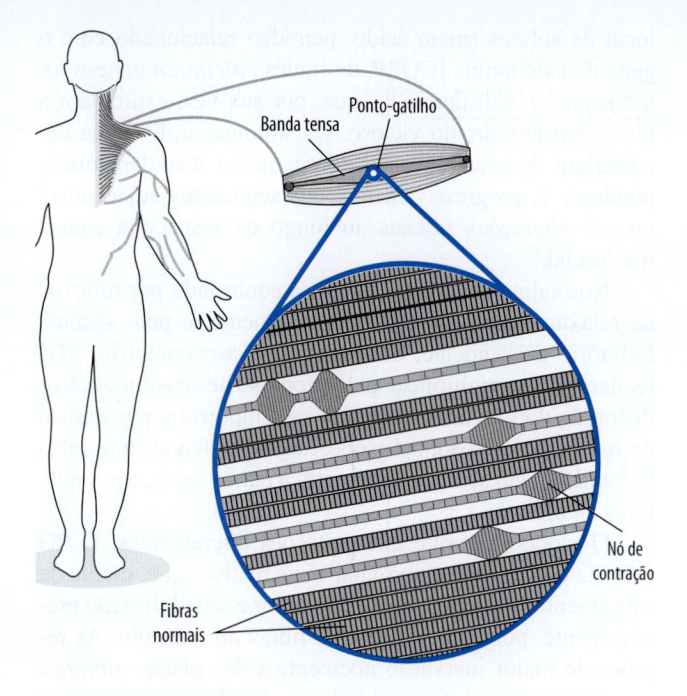

FIGURA 183.3 → O ponto-gatilho miofascial e sua banda tensa. Fonte: Shah e colaboradores.[8]

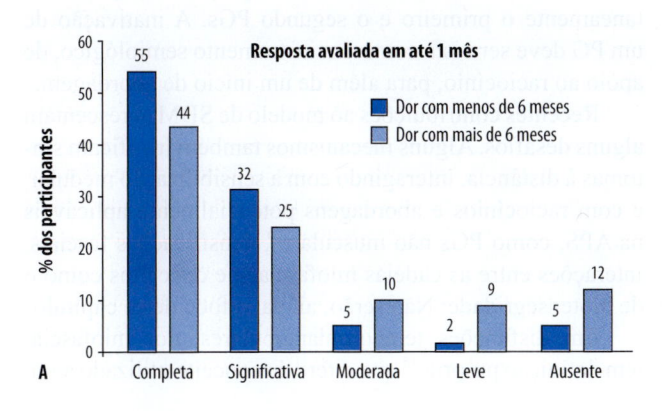

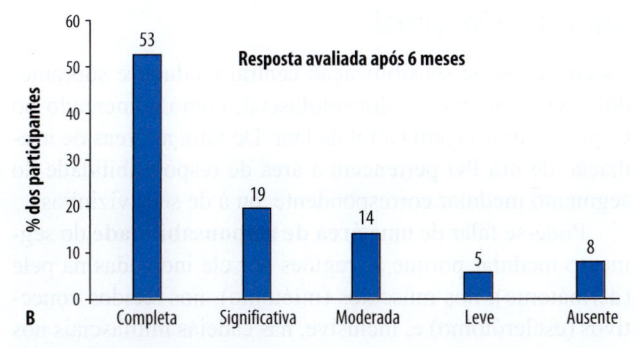

FIGURA 183.2 → **(A)** Resposta em 1 mês, conforme duração prévia maior ou menor que 6 meses (n = 507). **(B)** Resposta após 6 meses do início do tratamento (n = 466). Fonte: Fogelman e colaboradores.[5]

local de solutos (meio ácido, peptídeo relacionado com o gene da calcitonina [CGRP, do inglês *calcitonin gene-related peptide*], substância P), que, por sua vez, estimulam a placa, em um círculo vicioso. Os sintomas à distância decorreriam da sensibilização do segmento medular correspondente e, progressivamente, dos segmentos adjacentes,[7] ou por alterações fasciais ao longo da respectiva cadeia miofascial.[13]

Normalmente, o processo seria controlado por reflexos de relaxamento muscular, perifericamente, e pelo sistema inibitório descendente, centralmente. Caso contrário, PGs tenderiam a se multiplicar, pelo processo de sensibilização e distorção do movimento fascial, pela hipotrofia por desuso do músculo doloroso, pela sobrecarga dos demais músculos trabalhando em seu lugar ou contra a banda tensa, e por posturas antálgicas.

O modelo permite interpretações interessantes. O PG serviria de um trecho muscular mais reativo, que, diante de estiramentos ou sobrecarga, geraria dor e sensibilização precocemente, poupando as demais fibras do músculo. As regiões de maior inervação nociceptiva das placas motoras, e variações de pressão e circulação devidas à anatomia do músculo, explicariam a localização anatômica. Passado o insulto, o PG passaria a latente, permanecendo como uma memória local. Músculos com menor reserva de mioglobina e glicogênio (e daí oxigênio e glicose), por pouco treinamento aeróbico ou de força, estariam mais suscetíveis a PGs. A dor miofascial estimularia a sensibilização medular, e esta facilitaria a formação de PGs em sua região de aferência nociceptiva, via reflexo de raiz dorsal.

A dor miofascial poderia acompanhar qualquer outra dor, e até mesmo lesões indolores, já que o reflexo natural de defesa de um músculo é contrair-se – ver o reflexo de retirada, ou a contração protetora que se antecipa a um trauma físico, o aumento do tônus em estados de ansiedade, ou o abdome agudo secundário a uma infecção. Músculos podem ser vistos como parte de um grande sistema integrado de defesa – álgico-endócrino-mio-neuro-imunológico.

### Padrões de irradiação de pontos-gatilho

Dores miofasciais irradiam para "faces" de uma estrutura, geralmente com sensação mais profunda (miótomo/fasciótomo) que a pele (dermátomo). Por outro lado, lesões da própria estrutura (p. ex., artrites) tendem a doer em toda a estrutura (p. ex., à palpação de toda a linha articular).

A musculatura que anterioriza um membro refere dor para sua face anterior (acompanhando o miótomo/fasciótomo); a que o lateraliza refere dor para a face lateral; e assim sucessivamente. Como o movimento natural em membros é em espiral, associando flexão com rotação interna, e extensão com rotação externa, os rotadores internos (incluindo pronadores) irradiam para a face flexora; e seus antagonistas, para a extensora. Uma dor mecânica maldelimitada na face correspondente à direção do movimento sugere PGs ativados pela contração (geralmente à contrarresistência) e, no lado oposto, PGs ativados pela distensão do músculo.

PGs irradiam dentro da área de responsabilidade do segmento medular correspondente, ou para a de segmentos medulares vizinhos. Por exemplo, dos 10 músculos que irradiam dor até a mão, todos os inervados acima de C5 o fazem para o polegar (dermátomo C6, o mais próximo), e os abaixo de T1, para o dedo mínimo (C8, o mais próximo), reduzindo o raciocínio clínico a dois grandes grupos.

### Síndrome dolorosa miofascial

Um desafio para a definição da síndrome dolorosa miofascial (SDM) é que, ainda que a palpação de um PG reproduza a dor usual do paciente, sua importância em relação a esta dor no dia a dia somente pode ser estimada inativando-o.

De fato, uma vez facilitada, uma via nociceptiva pode ser ativada por PGs não relacionados, cuja abordagem pouco contribuirá para a dor. PGs ativos foram encontrados em 100% dos casos de dores regionais crônicas de três estudos, o que questiona sua relevância clínica (ver tópico Epidemiologia). Em um desses estudos, com pacientes em lista de espera para artroplastia de joelho, apenas 70% dos pacientes tiveram a intensidade da dor reduzida em mais que 50% após a inativação dos PGs ativos, e 10% não melhoraram mais que 20%.[14]

A inativação do PG é importante na avaliação de sua relevância clínica. A resposta imediata da dor às posições e aos movimentos que a deflagravam, após inativação do PG, informa paciente e profissional da real contribuição do PG àquela dor, corroborando ou não a hipótese inicial. Ainda assim, se a dor retornar rapidamente, ou outros PGs retornarem em seu lugar, um fator perpetuante ou causa oculta não abordada merecem ser buscados, que justifiquem simultaneamente o primeiro e o segundo PGs. A inativação de um PG deve ser vista como um instrumento semiológico, de apoio ao raciocínio, para além de um início de abordagem.

Recentes contribuições ao modelo de SDM acrescentam alguns desafios. Alguns mecanismos também justificam sintomas à distância, interagindo com a sensibilização medular, e com raciocínios e abordagens potencialmente aplicáveis na APS, como PGs não musculares, densificações fasciais, interações entre as cadeias miofasciais, e conceitos como o de biotensegridade. Não serão, ainda, o foco deste capítulo.

Em disfunções temporomandibulares, dor miofascial tem definição própria,[15] que difere do conceito utilizado aqui.

### Sensibilização central

Os conceitos de sensibilização central medular e supramedular são centrais em dor miofascial, como comentado no Capítulo Abordagem Geral da Dor. De fato, as áreas de irradiação de um PG pertencem à área de responsabilidade do segmento medular correspondente, ou à de seus vizinhos.

Pode-se falar de uma **área de responsabilidade** do segmento medular porque as regiões por ele inervadas na pele (dermátomo), nos músculos (miótomo), nos tecidos conectivos (esclerótomo) e, inclusive, nas cadeias miofasciais nos membros (fasciótomos) são bastante semelhantes.[13]

À medida que a sensibilização progride e novas conexões são criadas ou facilitadas, cada segmento passa a receber *inputs* de regiões maiores, de modo que mapas segmentares são dinâmicos. Os dermátomos vislumbrados no mapa de Keegan e Garrett são apenas uma extrapolação didática (FIGURA 183.4).

## AVALIAÇÃO CLÍNICA

### História

Dores miofasciais têm ritmo mecânico, isto é, pioram ao movimento ou em posturas prolongadas que exijam contração ou distensão muscular, aliviando com o repouso. Frequentemente, a dor só é percebida espontaneamente à distância, e de modo impreciso, o que é característico da dor irradiada.

Entretanto, poucos músculos correlacionam-se ao mesmo tempo com o movimento suspeito e a irradiação descrita, facilitando hipóteses de trabalho para o exame físico. É importante conhecer os deflagradores e as irradiações mais comuns em cada região, o que é descrito em mais detalhes nos Capítulos Cervicalgia, Lombalgia, Dor em Ombro e Membro Superior e Dor em Membros Inferiores. Mapas e aplicativos podem ser úteis nos casos menos comuns (ver QR codes).

A história também pode sugerir um alto limiar para dor (por oscilação frequente entre dores intensas e nenhuma dor, particularmente em idosos), sensibilização central (por vários outros fatores) ou enfrentamentos disfuncionais, influenciando a estratégia de abordagem dos PGs (ver Capítulo Abordagem Geral da Dor).

### Exame físico

#### Exame miofascial

Apesar das variações técnicas, a lógica por trás do exame miofascial é simples. O primeiro passo é delimitar o músculo sob suspeita. Aplica-se pressão contra a estrutura sólida subjacente (se presente) na região esperada para o PG suspeito, em intensidade suficiente para delimitar a borda dos músculos sob os dedos. Músculos superficiais podem eventualmente ser pinçados entre o polegar e os demais dedos, que servirão de estrutura sólida.

O segundo passo é identificar a banda tensa ou, em músculos profundos, o ponto mais doloroso da possível banda tensa. Em um músculo palpável, o dedo examinador desliza transversalmente às fibras, mantendo-se a pressão, carregando consigo a pele. Se houver uma banda tensa, ela resistirá ao deslizamento, escapando por sob o dedo como a corda de um violão, gerando dor.

Então, a banda é palpada ao longo de seu comprimento, a intervalos de 1 cm ou menos ("O que dói mais: o ponto 'um' ou o ponto 'dois'? Ou o ponto 'três'?"), até que se localize o ponto mais doloroso, ou que melhor reproduza a dor usual, que será o PG. Em músculos não palpáveis, pode ser estratégico começar a palpação em torno da estrutura em que o músculo profundo se fixa, já que a inserção é geralmente dolorosa. A partir daí, a palpação se afasta radialmente, ao longo de uma região mais sensível que o tecido ao redor (a banda tensa, profundamente), em busca do ponto mais doloroso.

Em todo caso, a compressão do PG deve lembrar ao paciente a qualidade e a distribuição da dor usual, não a intensidade ("Sim, esta é a minha dor, doutor"; "A mesma música, só que com volume mais baixo [ou alto]").

Daí em diante, a abordagem semiológica varia entre autores. Sugere-se aqui:

→ se a história sugerir alto limiar para dor e/ou sensibilização central significativa – ou se a palpação do PG for mais dolorosa que o esperado –, estimar a sensibilização medular e abordá-la, por exemplo, por bloqueio paraespinhoso (BPE), como a seguir;

→ se a opção for por inibição ou inativação do PG, e havendo pronta resposta local, importa reavaliar a postura ou movimento deflagrador, para confirmar e estimar a contribuição do PG à dor usual. A dor residual seria, então, avaliada e abordada de modo semelhante. Neste processo, os procedimentos são entendidos como **semiologia armada**, em apoio ao raciocínio, entendimento e plano comuns, e à progressão de abordagens ativas, mais que o centro do tratamento.

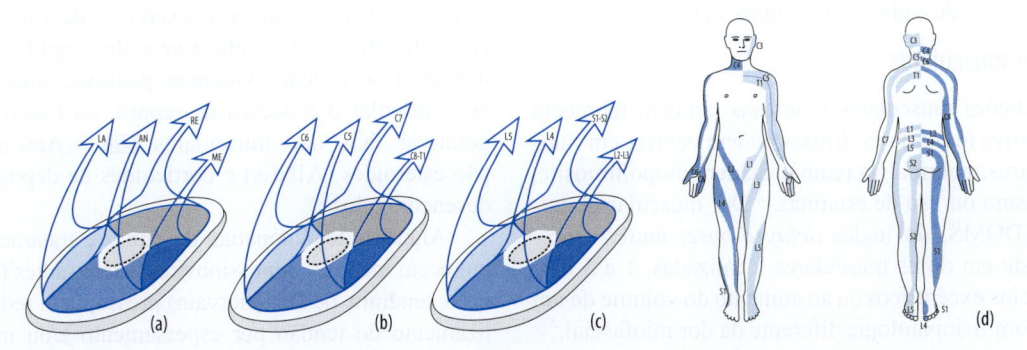

**FIGURA 183.4** → Comparação entre cadeias miofasciais segundo linha de movimento e a inervação medular. **(A)** Linha de movimento: anteposição (AN; em geral, flexão); lateroposição (LA; abdução); retroposição (RE; em geral, extensão); medioposição (ME; adução). **(B)** Distribuição radicular nos membros superiores. **(C)** Distribuição radicular nos membros inferiores. **(D)** Dermátomos segundo Keegan e Garrett.
Fonte: Adaptada de Stecco e colaboradores[13] e Lee e colaboradores.[16]

### Exame da sensibilização medular/segmentar

Se a história sugerir alto limiar para dor ou sensibilização central, ou se a palpação do PG for surpreendentemente dolorosa, será útil examinar a sensibilização medular. Uma sensibilização mais intensa ou extensa que a esperada sugere revisão da história, ampliação do exame físico, preferência por abordagens indolores e conscientização do paciente. O exame da sensibilização medular também permite reiterar objetivamente à equipe e à família que o paciente não está simulando ou imaginando sua dor, só porque exames de imagem não mostram lesões compatíveis.[17-19]

Na prática, a sensibilização medular pode ser identificada pela técnica de **pinçamento e rolamento** de uma dobra de pele sobre a outra (alodinia), ou pelo leve arrastar de um objeto agudo, como a ponta de um **clipe de papel**, inclinado cerca de 45 graus com relação à superfície cutânea (hiperestesia). O movimento é transversal aos dermátomos, vislumbrados como faixas paralelas transversais à coluna, seguindo em espiral pelos membros, como nos mapas de Keegan e Garrett (FIGURA 183.5).

Os testes são positivos quando o paciente, instruído a avisar prontamente quando perceber o estímulo de modo diferente ou mais intenso ("Diga-me quando muda"), percebe-o consistentemente ao mudar de dermátomo, demarcando-o (ver FIGURA 183.5).[20] A compressão dos espaços interespinhosos, se dolorosa, pode corroborar a impressão.

## Diagnóstico diferencial

### Cãibras

Cãibras são contrações espásticas, involuntárias e transitórias de todo um músculo. Têm fisiopatologia diferente, embora o tratamento de PGs possa reduzir sua frequência, e exercícios de alongamento, sua intensidade.[21] Distúrbios eletrolíticos, apesar de frequentemente mencionados na literatura, são pouco prováveis em cãibras localizadas. Técnicas de relaxamento muscular, como expiração prolongada e contração de antagonista, podem ser úteis ao controle do episódio, como discutido mais adiante no tópico Tratamento. Suplementações de magnésio em gestantes com cãibras em membros inferiores mostraram resultados inconsistentes. O miorrelaxante orfenadrina (100 mg, de 12/12 horas) foi eficaz na redução de cãibras em pacientes cirróticos.

### Outras dores musculares

Outras condições musculares dolorosas também merecem destaque. Dores musculares difusas podem ocorrer em miopatias por vírus, polimialgia reumática, dermatopolimiosite, hipotireoidismo ou uso de estatinas.[22] Dor muscular de início tardio (DOMS, do inglês *delayed-onset muscle soreness*) consiste em dores musculares localizadas, 1 a 3 dias após exercícios excêntricos ou ao aumento do volume de um exercício, com fisiopatologia diferente da dor miofascial.[23]

### Tendinopatias

Tendinopatias são definidas por dor e disfunção tendínea persistentes, em resposta à imposição de carga. Apresentam dor localizada e reproduzida à palpação do tendão, sem um ponto específico. Caracterizam-se por anormalidades na microestrutura, na composição e na celularidade do tendão. Pode haver ritmo inflamatório associado, com dolorimento e rigidez pela manhã ou após imobilização prolongada; porém, em geral, a inflamação assemelha-se à neurogênica. O principal tratamento é o exercício de carga, com atenção para progressão lenta e sem dor significativa.[24] Agulhamento seco tem evidência positiva, presumivelmente por estimular o processo de reparo, ou possivelmente por desativar PGs não musculares C/D.[25] Anti-inflamatórios não esteroides (AINEs) e corticoides de depósito têm sido desencorajados.[26]

Algumas tendinopatias de curso e tratamento próprios merecem menção. Tenossinovites estenosantes (dedo em gatilho, tendinite de De Quervain) pressupõem redução do deslizamento do tendão por espessamento e/ou metaplasia de um túnel fascial, corroborada por manobras deflagradoras. Têm associação estatística com diabetes e hipotireoidismo, ritmo predominantemente mecânico, e, em geral, têm boa resposta à infiltração, sendo a cirurgia uma opção. A tendinite

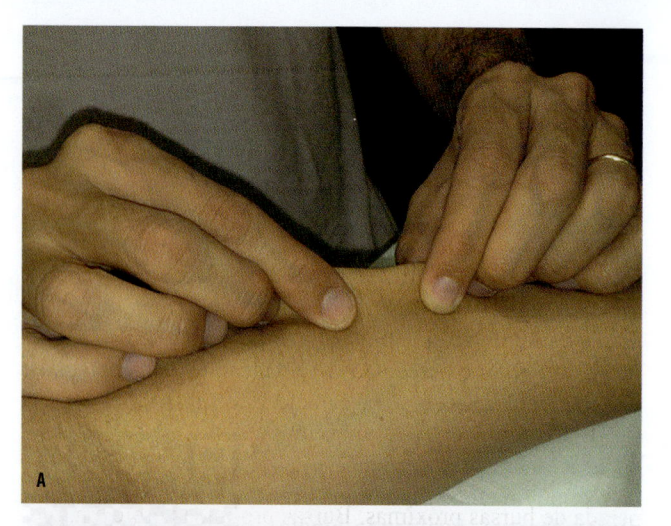

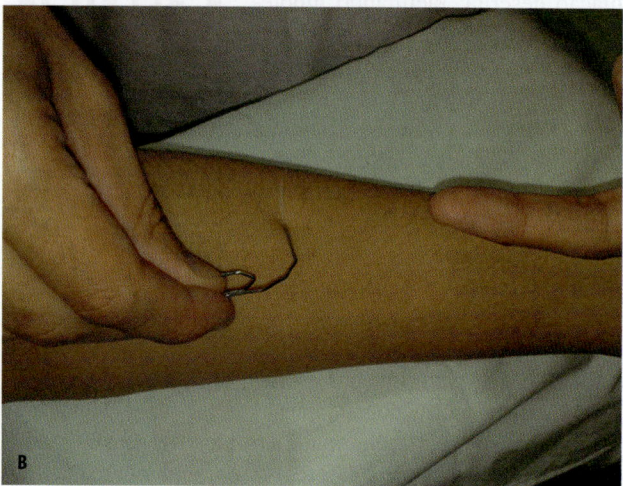

**FIGURA 183.5** → Técnicas de pinçamento e rolamento (**A**) e do clipe de papel (**B**), para avaliação de sensibilização medular.

calcificante refere-se ao quadro inflamatório secundário à absorção de cristais de hidroxiapatita, depositada em uma região de metaplasia degenerativa do tendão, mais comumente o do músculo supraespinal (ver Capítulo Dor em Ombro e Membro Superior).

### Entesopatias

Entesopatias caracterizam-se por dor bem-localizada à palpação dos pontos de inserção tendínea (ênteses). Podem refletir a presença de bandas tensas, quando respondem prontamente ao tratamento do PG; ou, particularmente se em múltiplos sítios, podem refletir entesites, associadas a espondiloartrites.

### Bursopatias

Bursopatias são diagnóstico diferencial, pela presença esperada de bursas próximas. Bursas profundas protegem tendões, e as superficiais, o tecido subcutâneo, do atrito com estruturas ósseas. Bursopatias costumam acompanhar tendinopatias, provavelmente também sem infiltrado inflamatório típico. A presença de edema periférico e aumento de fluido na bursa são achados largamente assintomáticos (p. ex., em 65-88% de bursas trocantéricas à ressonância magnética [RM]), requerendo-se correlação clínica para valorização.[27]

### Dores ósseas

Dores ósseas são geralmente bem delimitadas (como em fraturas periféricas), mas podem ser mal delimitadas em ossos profundos ou no caso de dor miofascial associada.

O termo "intensidade de sinal semelhante à de edema de medula óssea" (ELMSI, do inglês *edema-like marrow signal intensity*) descreve áreas subcondrais maldelimitadas à RM, com sinal aumentado em sequências sensíveis a fluidos como T2, STIR ou contraste paramagnético. Poucas modalidades de tomografia também a identificam, como a de dupla energia. Quando sintomáticas, as condições que cursam com ELMSI têm, em geral, ritmo mecânico (à imposição de carga), distribuição restrita à estrutura ou ao seu entorno, e resposta transitória da dor miofascial relacionada. Podem ter ritmo inflamatório ("dor que acorda à noite" ou "após inatividade prolongada") no caso de infiltração neoplásica, infecção ou artrite adjacente. Fatores de risco para algumas dessas condições (p. ex., diabetes ou uso crônico de corticoide para osteonecrose, ou esforço físico desacostumado para fraturas de estresse) em pacientes com pouca resposta a tratamento conservador também justificam investigação. Algumas das principais indicações de RM osteoarticular na APS têm na ELMSI o principal parâmetro – como osteonecrose, sacroileíte, fraturas de estresse ou artropatia de Charcot precoces.

A ELMSI pode corresponder a edemas ósseos reais (por hiperemia e congestão, como em osteoartrite, ou infiltrados inflamatórios, como em osteítes e periartrites), sangue e tecido de granulação (em traumas), ou necrose medular (em osteonecrose), sugeridos conforme achados associados. Por exemplo, uma linha hipointensa em todas as sequências sugere fratura. Uma linha hipointensa adjacente a uma intensa, em T2, sugere isquemia envolta por tecido de granulação, e daí osteonecrose. Em crianças ou em articulações sacroilíacas de puérperas, a ELMSI é esperada e transitória.

## TRATAMENTO

### Procedimentos diagnóstico-terapêuticos

Procedimentos ambulatoriais de pronta resposta podem servir como instrumento semiológico, auxiliando o raciocínio; como terapia inicial, apoiando a fisioterapia e os exercícios; e como facilitadores do entendimento e do plano conjuntos entre profissional e paciente.

### Técnicas manuais de inativação de pontos-gatilho

Terapias manuais podem ser realizadas por profissionais não médicos, são seguras e simples o suficiente para serem ensinadas ao paciente, e podem ter eficácia semelhante à de técnicas mais invasivas (ver QR code). Devem ser evitadas sobre a carótida ou outras artérias com suspeita de ateroma ou coágulo, pelo risco de deslocamento.

Compressão isquêmica (CI) é a compressão do PG contra uma estrutura firme subjacente, como um osso ou os outros dedos, com o objetivo de inativá-lo. Sugere-se compressão por 1 a 2 minutos, associada a técnicas de relaxamento muscular (ver o tema proteção: prevenção e manejo de agudizações em Orientações de Base Motora, adiante), mantendo dor tolerável (< 6 em uma escala de 10). A pressão pode ser aumentada à medida que a dor e a resistência do PG reduzem. O efeito da CI aplicada 1 a 2 vezes por semana é comparável ao do agulhamento em médio prazo C/D;[28-30] e a associação de CI após agulhamento parece benéfica C/D.[31]

A CI pode ser ensinada para autoaplicação, com aumento do limiar de dor sobre o PG e da flexibilidade.[32] Em estruturas de difícil alcance pelo paciente (p. ex., dorso), uma bola de borracha maciça pequena dentro de uma meia pode ser posicionada sobre o PG e comprimida pelo peso do paciente contra a parede, segurando-se a outra ponta da meia. Se os dedos forem usados como instrumento, as articulações interfalângicas distais devem ser estabilizadas pelo polegar, pelos dedos vizinhos ou pela outra mão. Outras sugestões estão disponíveis na literatura.[33]

*Deep stroking* (DS) é uma variante da CI. É a compressão longitudinal à banda tensa, mantida sobre o PG até que ele ceda, ou a "ordenha" lenta, unidirecional e repetida do PG, em movimentos curtos. Sugerem-se 3 a 4 ordenhas a cada expiração forçada lenta, carregando-se a pele a cada ordenha; três expirações lentas durante aproximadamente 1 minuto. A DP assim definida tem, como vantagem, as pausas sucessivas para reposicionamento da pele, sendo uma opção para pacientes resistentes ou intolerantes à compressão ininterrupta do lugar doloroso C/D. Comparações formais com CI ou outras técnicas, no entanto, não foram realizadas.

### Agulhamento de pontos-gatilho

O agulhamento dos PGs pode ser indicado em dores antigas ou na falha de métodos manuais B,[34] precedido ou não pela abordagem da sensibilização medular (ver tópico Bloqueio

Paraespinhoso e Agulhamento de Músculos Paravertebrais, adiante).

O objetivo do agulhamento é a destruição mecânica dos PGs, além de mecanismos de modulação nervosa relacionados à inserção da agulha, conhecidos da acupuntura tradicional.[12] A infiltração simultânea de pequena quantidade de anestésico interrompe a dor pelo contato com o PG, e evita, ao menos nas primeiras horas pós-agulhamento, o dolorimento pelo extravasamento das substâncias concentradas no PG. A súbita redução ou ausência de dor à palpação e ao movimento deflagrador após o agulhamento frequentemente auxiliam o paciente a reavaliar suas convicções sobre a causa da dor, e daí o entendimento e plano comuns. Exceto nesse sentido, a aplicação de anestésico não tem efeito aditivo em longo prazo. De fato, esta é a razão pela qual termos que enfatizam o anestésico, como "bloqueio" ou "anestesia", são evitados, em favor de "agulhamento úmido" (contraposto a "agulhamento seco").[12] Agulhas de acupuntura são opção para músculos profundos, inacessíveis às agulhas hipodérmicas, comumente mais curtas, ou para trechos próximos a feixes vasculonervosos, por terem pontas não cortantes, não lesivas a nervos.

Apesar de haver variações individuais, o procedimento de agulhamento é simples:

→ explica-se o procedimento ao paciente, para que aguarde sua dor usual ao contato da agulha com o PG como um sinal "positivo" de que o alcançamos, e o avise prontamente, para o "desligarmos";
→ em bandas tensas grossas ou muito dolorosas (mesmo após BPE), a anestesia em leque do entorno do PG pode reduzir a banda tensa e a dor relacionada ao agulhamento;
→ a banda tensa muscular é palpada e fixada entre dedos (FIGURA 183.6) e, com técnica estéril, agulhada na região do PG, contra as estruturas ósseas ou contra o outro lado do músculo pinçado – nunca contra órgãos nobres;
→ a reprodução da dor usual (com ou sem *twitch* perceptível) confirma o contato com o PG. Neste momento, após tentar aspiração, para descartar movimentação para dentro de vaso sanguíneo, infiltra-se pequena quantidade (0,1-0,2 mL) de lidocaína a 1%, visando à interrupção da dor local;
→ a agulha é trazida ao subcutâneo e, se for tolerável prosseguir, discretamente angulada e reinserida, buscando-se um novo contato com o PG, a menos de 0,5 cm do original. Um PG pode ter cerca de 2 cm × 0,5 cm de extensão, requerendo algumas inserções para completa destruição. Repete-se a infiltração de anestésico a cada contato, até que o agulhamento seja indolor em todas as direções; ou, em caso de agulhamento seco (em que é previsível alguma dor residual), até que não gere dor à distância. Entretanto, a extinção total do PG pode não ser necessária (ver o tema miofascial: a continuidade da abordagem após consulta em Orientações de base motora, adiante);
→ após o agulhamento, preconiza-se mover o músculo abordado algumas vezes em todo o arco de movimento,

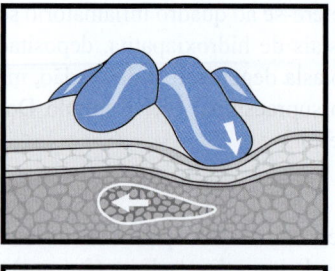

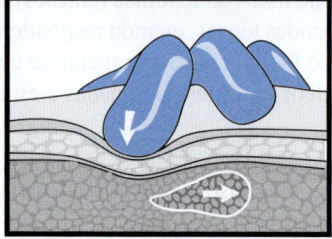

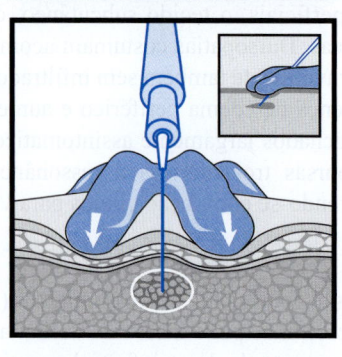

**FIGURA 183.6** → Fixação de um ponto-gatilho entre dedos para agulhamento.
Fonte: Adaptada de Donnelly e colaboradores.[35]

para alongá-lo, e para que o paciente perceba e se recondicione à amplitude recuperada.

### Bloqueio paraespinhoso e agulhamento de músculos paravertebrais

O bloqueio paraespinhoso (BPE) é a anestesia em leque dos ligamentos interespinhosos e supraespinhosos, que ligam os processos espinhosos entre si e com a fáscia toracolombar. É realizado no plano sagital paramediano que tangencia os processos espinhosos, justificando o termo "paraespinhoso" (FIGURA 183.7). A redução significativa e imediata da sensibilização medular foi relatada como ocorrendo em mais de 80% dos casos.[36] Um ensaio clínico recente mostrou redução da dor e melhora da funcionalidade no grupo que recebeu BPE, que se manteve após 3 meses do procedimento C/D.[37]

O BPE não tem ação direta sobre a musculatura paravertebral, que é inervada mais lateralmente. Nesse sentido, o BPE difere do bloqueio paravertebral, ou do bloqueio do ramo medial (facetário), ou do bloqueio do plano fascial do eretor da espinha, realizados mais lateralmente, sob orientação ultrassonográfica ou radioscópica. Age somente nos ligamentos interespinhosos e supraespinhosos e processos espinhosos que lhe são mediais. Provavelmente, a inflamação neurogênica nesses ligamentos, uma vez iniciada pelo reflexo de raiz dorsal, tenha difícil resolução pela vascularização terminal, e pela continuidade com a fáscia toracolombar

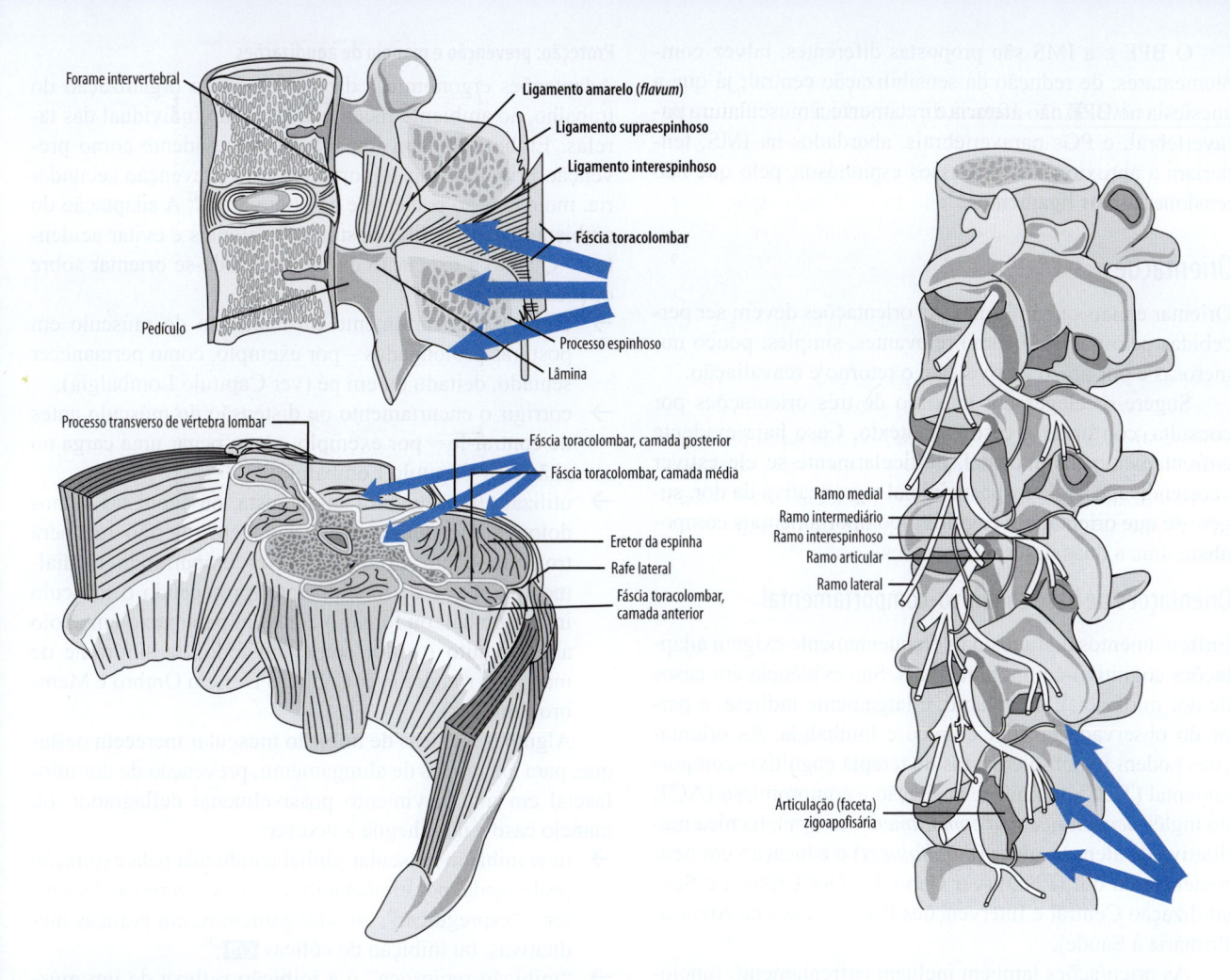

**FIGURA 183.7** → Bloqueio paraespinhoso.
Fonte: Adaptada de Standring.[38]

sempre tensionada. Os ligamentos serviriam de fonte nociceptiva persistente à medula, perpetuando sua sensibilização, o que é interrompido pelo BPE.

O BPE foi originalmente proposto como o passo inicial de uma sequência que levou o nome de seu proponente e maior divulgador (técnica de Fisher). Na técnica completa, o BPE seria seguido pelo agulhamento úmido dos ligamentos interespinhosos, da musculatura paravertebral e dos PGs restantes.

O BPE cervical deve ser preferencialmente guiado por ultrassonografia (US), pelo maior risco e necessidade de adaptação de técnica.

Para as demais regiões, os passos são:
→ determina(m)-se o(s) segmento(s) sensibilizado(s), conforme o tópico Exame da Sensibilização Medular/Segmentar, anteriormente;
→ penetra-se a pele com técnica estéril e agulha de 30 mm × 0,7 mm, lateral e adjacentemente ao processo espinhoso adjacente aos níveis mais sensibilizados, e avança-se até a lâmina óssea, ou os 3 cm da agulha, o que marcará a profundidade máxima do procedimento;
→ após aspiração, para descartar punção sanguínea ou liquórica, deixa-se pequena quantidade (0,1-0,2 mL) de lidocaína diluída a 1%, tanto em eventuais zonas de resistência fasciais dolorosas encontradas, facilitando penetração indolor, quanto na profundidade máxima determinada, retornando-se ao subcutâneo em seguida;
→ no subcutâneo, altera-se o ângulo de penetração, com ou sem mobilização de pele, e repete-se o procedimento, visando que as infiltrações de lidocaína distem entre si aproximadamente 0,5 cm, até cobrir a extensão dos ligamentos acima e abaixo do processo espinhoso escolhido, contemplando dois níveis medulares sensibilizados por ponto de perfuração da pele;
→ testa-se novamente a sensibilização medular. Se ainda for significativa, avalia-se proceder à técnica original de Fischer, completa.

O agulhamento seco dos músculos paravertebrais, com ou sem rotação recorrente ou estímulo elétrico pelas agulhas de acupuntura (eletroestimulação muscular), faz parte da técnica de **estimulação intramuscular** (IMS, do inglês *intramuscular stimulation*),[39] preconizada a médicos de família em Israel.[40]

O BPE e a IMS são propostas diferentes, talvez complementares, de redução da sensibilização central; já que a anestesia no BPE não afetaria diretamente a musculatura paravertebral, e PGs paravertebrais, abordados na IMS, tenderiam a aproximar os processos espinhosos, pelo que não tensionariam os ligamentos.

## Orientações

Orientar é mais que informar. As orientações devem ser percebidas pelo paciente como relevantes, simples, pouco numerosas e por prazo factível, até o retorno e reavaliação.

Sugere-se eleger um máximo de três orientações por consulta, conforme o caso e contexto. Caso haja evidente enfrentamento disfuncional, particularmente se ele estiver ocorrendo apesar de resposta inicial significativa da dor, sugere-se que orientações cognitivo-comportamentais componham uma a duas destas orientações.

### Orientações de base cognitivo-comportamental

Enfrentamentos disfuncionais frequentemente exigem adaptações cognitivo-comportamentais. Sua evidência em casos de dor miofascial, no entanto, é largamente indireta, a partir do observado em dor crônica e lombalgia. As orientações podem incluir elementos de terapia cognitivo-comportamental (TCC), terapia de aceitação e compromisso (ACT, do inglês *acceptance and commitment therapy*), técnica meditativa de atenção plena (*mindfulness*) e educação em neurociência da dor (END) (ver Capítulos Dor Crônica e Sensibilização Central e Intervenções Psicossociais na Atenção Primária à Saúde).

As orientações também incluem enfrentamento funcional familiar, adaptações ergonômicas e posturais, e cessação de tabagismo.

### Orientações de base motora

Caso os PGs tenham sido abordados na consulta, o que fazer em prosseguimento ou manutenção da abordagem talvez seja a prioridade seguinte. Na sequência, merecem atenção a prevenção e o manejo de agudizações (adaptações ergonômicas, técnicas de inibição muscular) e a prescrição de exercícios.

#### Miofascial: a continuidade da abordagem após consulta

O paciente com dor miofascial significativa deve ter parte ativa na inativação de seus PGs. Caso a opção na consulta tenha sido pela inibição manual, sugere-se que o paciente seja treinado a prosseguir o tratamento, a saber:
→ localizar o PG, e comprimi-lo ou ordenhá-lo adequadamente, durante expiração longa. Uma sugestão seriam 3 a 4 ordenhas lentas por expiração, por 3 expirações longas (cerca de 1 minuto), 5 × por dia (2 × pela manhã, 2 × à tarde e 1 × antes de dormir), totalizando 5 minutos ao dia C/D. Omite-se a execução se não houver dor à palpação do PG, o que resulta em redução gradativa;
→ idealmente, a inibição deve ser seguida por alongamento.

Caso tenha-se procedido a agulhamento, preconiza-se calor úmido nas primeiras horas a dias, seguido também de alongamento.

#### Proteção: prevenção e manejo de agudizações

Adaptações ergonômicas dizem respeito à organização do trabalho, ao ambiente físico e à execução individual das tarefas. Embora tenham impacto pouco evidente como prevenção primária, são importantes para prevenção secundária, moldadas ao paciente e ao contexto.[41,42] A adaptação do ambiente deve facilitar posturas funcionais e evitar acidentes.[43] Quanto à execução de tarefas, pode-se orientar sobre opções para:
→ corrigir o encurtamento ou distensão do músculo em posturas prolongadas – por exemplo, como permanecer sentado, deitado ou em pé (ver Capítulo Lombalgia);
→ corrigir o encurtamento ou distensão do músculo antes de contraí-lo – por exemplo, como pegar uma carga no chão (ver Capítulo Lombalgia);
→ utilizar a musculatura antagonista, ou agonistas menos dolorosos, enquanto o músculo em questão recupera trofismo – por exemplo, varrer empurrando medialmente em vez de lateralmente, protegendo o músculo infraespinhal, ou forçar o cotovelo para baixo em apoio ao manguito rotador como um todo, na síndrome de manguito rotador (ver Capítulo Dor em Ombro e Membro Superior).

Algumas técnicas de inibição muscular merecem destaque, para exercícios de alongamento, prevenção de dor miofascial em um movimento possivelmente deflagrador, ou manejo caso a dor chegue a ocorrer:
→ uma inibição muscular global é induzida pela expiração prolongada, por efeitos autonômicos – como ao "suspirar", "espreguiçar", em alongamentos, em práticas meditativas, ou inibição de cólicas C/D;[35]
→ "inibição recíproca" é a inibição reflexa de um músculo pela contração de seu antagonista, permitindo o movimento. Por exemplo, o alongamento de um músculo é facilitado pela contração de seu antagonista ("alongamento ativo") C/D. Uma cãibra é prontamente interrompida pelo comando consciente de contração da musculatura antagonista. PGs podem prejudicar essa inibição recíproca, gerando respostas anormais de coativação do antagonista, o que requer tratamento prévio;
→ relaxamento pós-isométrico é a inibição que se segue à interrupção consciente de uma contração isométrica. Em alongamentos, faz-se uma leve contração do músculo sendo estirado, em oposição ao estiramento, e relaxa-o conscientemente C/D. O músculo cede ao alongamento, retém-se o ganho obtido, e repete-se o processo, até não haver novo ganho.

Outras orientações para manejo transitório da dor miofascial, uma vez iniciada, são o pinçamento da pele sobre o PG, para alívio rápido (inibição do "portal da dor"); aplicação de calor; e analgesia medicamentosa (ver a seguir).

#### Exercícios

Em dor miofascial, exercícios de flexibilidade, de fortalecimento e aeróbicos reduzem a intensidade e aumentam o limiar de dor, enquanto os voltados à propriocepção, à estabilização e à coordenação (como em exercícios de controle motor) abordam a hipotrofia e a incoordenação (tamanho de efeito [TE, intensidade da dor] = −0,47; TE [incapacidade] = −0,18) B.[35,44]

Na fase inicial – primeiras poucas semanas após a abordagem do PG –, é prudente evitar atividades que previamente gerariam dor. O músculo acometido pode ter sofrido hipotrofia por desuso (exceto pela banda tensa, agora tratada), e a redução da dor o torna vulnerável a sobrecargas e nova piora. Exercícios de flexibilidade, de controle motor, de mobilidade sem carga (evoluindo gradualmente) ou aeróbicos moderados e sem impacto (evoluindo gradualmente) e/ou terapias de movimento (*tai chi chuan*, *qi gong*) são preferíveis durante essa recuperação trófica. A vantagem dos dois primeiros é demonstrar ao paciente disfunções residuais em que trabalhar, potencialmente evitando abusos devidos à ausência de dor espontânea (TABELA 183.1).

Em dor miofascial, exercícios de flexibilidade (alongamento) já foram preconizados para inativação direta de PGs, após 5 a 10 minutos de *spray* refrigerante sobre os músculos e suas áreas de irradiação; no entanto, a associação foi pouco estudada após proibição do fluorimetano por prejuízo à camada de ozônio, com pouca divulgação de *sprays* alternativos. São preconizados imediatamente após a inativação do PG, buscando restaurar os sarcômeros encurtados, e em longo prazo, buscando reduzir posturas encurtadas, hipomotilidade e sensibilização central C/D.[7,35,45]

Exercícios de controle motor, com base em contrações conscientes orientadas a *biofeedback*, usam pouca carga e são simples, seguros e provavelmente eficazes em dor miofascial (ver exercício de controle motor para vasto medial após tratamento do PG no Capítulo Dor em Membros Inferiores).

Exercícios de fortalecimento excêntricos (resistindo ao movimento, ao invés de causando-o) podem ser úteis em dor miofascial, embora exijam cautela. O risco de agudização da dor parece ser pequeno com um início gradual e diminuir ao longo do tempo. O menor gasto energético pode ser benéfico.[35] Entretanto, esses exercícios são conhecidos por gerarem dor miofascial e DOMS em músculos desacostumados se a progressão for rápida. Sugere-se que exercícios resistidos progridam menos de 2,5 a 10% por semana, mantendo frequência de 2 a 3 vezes por semana, em dor crônica e miofascial.[35]

Exercícios de condicionamento aeróbico, ou *endurance*, caracterizam-se por movimentos rítmicos sustentados por um período de tempo. Intensidade moderada é definida como gasto energético entre 3 e 6 equivalentes metabólicos (METs, do inglês *metabolic equivalent*), ou 5 a 6 em uma escala numérica de 10. É importante progressão gradual.

## Meios físicos

O calor causa vasodilatação superficial e profunda, e relaxamento muscular. Os métodos mais comuns são compressa quente úmida, radiação infravermelha e US terapêutica (esta última alcançando maior profundidade). Em dor miofascial, o calor úmido é preconizado imediatamente após o agulhamento, para estimular aporte sanguíneo e de neutrófilos, possivelmente ampliando sua ação.[35] A US terapêutica B[46] e a aplicação de células de calor C/D[47] têm efeito imediato sobre o limiar de dor, mas a radiação infravermelha não tem resposta superior ao placebo C/D.[48]

O frio causa vasoconstrição superficial e vasodilatação profunda, e inibe a nocicepção superficial. Reduz edema, inibição muscular artrogênica (em articulações periféricas); e causa relaxamento muscular, de início mais tardio que o calor C/D. O método mais comum é a bolsa de gel resfriada, ou contendo água e gelo. Alguns autores sugerem massagem com gelo (congelando-se um copo de papel com água e retirando o papel em uma face para expor o gelo) como alternativa ao *spray* refrigerante, evitando o contato prolongado e possível contração muscular defensiva.[35]

Eletroneuroestimulação transcutânea (TENS, do inglês *transcutaneous electrical nerve stimulation*) é uma técnica analgésica tradicional segura. Em dor miofascial, parece ter efeito de curto prazo sobre a dor (TE [intensidade da dor] = −0,16) C/D, mas não sobre o limiar pressórico no PG.[49] Pode ser mais útil em associação a outras técnicas.[50,51]

A acupuntura é reconhecida pelo Currículo Baseado em Competências da SBMFC, e cursos básicos para profissionais da APS são disponibilizados no Brasil.[52] A acupuntura *sham* (controle) tem maior efeito se executada em dermátomo idêntico ou vizinho da acupuntura *verum* (intervenção), com potencial aplicação clínica e em pesquisa.[53] Em dor miofascial, as evidências ainda são conflitantes sobre dor e limiar pressórico de dor sobre o PG C/D.[34,54]

A manipulação vertebral é uma competência reconhecida pelo Currículo Baseado em Competências da SBMFC. Contempla tanto movimentos de alta velocidade e pequena amplitude (*thrusts*) aplicados ao tecido ósseo e articular, quanto movimentos suaves ("mobilização" ou manipulação

**TABELA 183.1** → Categorias de exercícios por fase de tratamento da dor miofascial (sugestão)

| FASE DE TRATAMENTO | FLEXIBILIDADE | ESTABILIZAÇÃO/ COORDENAÇÃO | FORÇA | CAPACIDADE AERÓBICA | EQUILÍBRIO |
|---|---|---|---|---|---|
| 24 horas após agulhamento | Alongamento regional | – | Mobilização sem carga | – | – |
| Recuperação trófica (1-2 semanas após inativação do ponto-gatilho) | Alongamento regional | Controle motor | Mobilização sem carga | Intensidade leve, sem impacto | *Tai chi, qi gong*, funcional |
| Manutenção inicial (agudizações previstas) | Alongamento geral após exercícios | Controle motor | Intensidade moderada | Intensidade moderada, sem impacto | *Tai chi, qi gong*, funcional |
| População em geral | Alongamento geral após exercícios | | Intensidade progressiva | Intensidade progressiva | Desafios progressivos |

sem *thrust*) aplicados também ao tecido nervoso, visceral ou miofascial, geralmente dentro do referencial teórico conhecido como "osteopatia". Em dor miofascial, um estudo de manipulação lombopélvica sem *thrust versus* agulhamento seco em lombalgia crônica apontou resultados semelhantes de curto prazo C/D, exceto pelo limiar de dor sobre o PG.[55] Outro estudo de manipulação lombopélvica com *thrust* apontou resultados inferiores à CI de vasto medial oblíquo em síndrome patelofemoral, incluindo menor resposta do limiar de dor, em até 3 meses C/D.[56] A CI pode ser ensinada ao paciente, ao contrário da manipulação.

Outros tratamentos por meio físico com evidência em dor miofascial potencialmente acessíveis à APS conforme local são o *kinesiotape* (*tape* funcional),[57] o *laser*,[58-63] as ondas de choque[64,65] e as técnicas de neuromodulação.[66]

## Medicamentos

Poucos medicamentos foram testados formalmente em dor miofascial. O diclofenaco tópico (diferença de 1,4 em escala visual de dor) B, a lidocaína tópica C/D e a ciclobenzaprina oral C/D obtiveram resposta da dor, porém não do limiar pressórico de dor sobre o PG. Isso sugere que a inativação do PG ocorreu no sentido de torná-lo latente, e não indolor, como em técnicas manuais e agulhamento.

AINEs tópicos têm boa tolerância, baixa interação medicamentosa e boa absorção, obtendo concentrações poucos centímetros abaixo da pele, bem mais altas que com absorção oral.[67] Além da ação anti-inflamatória, podem inibir a sensibilização de neurônios periféricos, por ação sobre a prostaglandina E2. Em dor miofascial, um estudo com adesivo de diclofenaco *versus* placebo mostrou melhora da dor espontânea, mas não do limiar de dor sobre o PG C/D.[68] Outros estudos não usaram grupos-controle.[69-71]

Comparação de adesivos de lidocaína *versus* agulhamento de PGs em dor miofascial aguda demonstrou resposta semelhante, exceto pelo limiar para dor no PG e em sua área de irradiação, afetados somente no grupo agulhado C/D.[72] Dois outros pequenos estudos mostraram eficácia do adesivo contra placebo, em PGs de trapézio C/D.[73,74]

Cremes de capsaicina causam um hiperestímulo dos receptores TRPV1 (do inglês *transient receptor potential vanilloid type 1*) dos nervos nociceptivos periféricos, tornando-os disfuncionais. São comercialmente disponíveis em concentrações de 0,025% e 0,075%. Capsaicina a 0,1% não teve vantagem sobre placebo em dor miofascial C/D.[75]

Analgésicos e anti-inflamatórios sistêmicos, apesar de frequentemente sugeridos como adjuvantes, não foram testados em dor miofascial. Uma revisão sistemática encontrou apenas um estudo de ciclobenzaprina em dor miofascial, apontando efeito semelhante em 1 mês de uma única sessão de agulhamento úmido de PGs em trapézio e 15 dias de ciclobenzaprina 10 mg C/D. A tizanidina foi alegadamente testada em dor miofascial, mas não no sentido pretendido por Travell e seguido neste capítulo.[76]

Clonazepam foi testado em um estudo aberto, porém, com efeito somente em doses altas (média de 2,5 mg/dia para resposta parcial), o que o torna uma má opção C/D.[77]

Medicações injetáveis no PG têm mostrado questionável ou pouca ação aditiva em médio ou longo prazo, incluindo toxina botulínica, corticoides e anestésicos C/D.

## REFERÊNCIAS

1. Jin F, Guo Y, Wang Z, Badughaish A, Pan X, Zhang L, et al. The pathophysiological nature of sarcomeres in trigger points in patients with myofascial pain syndrome: A preliminary study. Eur J Pain. 2020;24(10):1968–78.
2. Fernández-de-Las-Peñas C, Arendt-Nielsen L. Myofascial pain and fibromyalgia: two different but overlapping disorders. Pain Manag. 2016;6(4):401–8.
3. Cerezo-Téllez E, Torres-Lacomba M, Mayoral-Del Moral O, Sánchez-Sánchez B, Dommerholt J, Gutiérrez-Ortega C. Prevalence of myofascial pain syndrome in chronic non-specific neck pain: a population-based cross-sectional descriptive study. Pain Med. 2016;17(12):2369–77.
4. Bron C, Dommerholt J, Stegenga B, Wensing M, Oostendorp RAB. High prevalence of shoulder girdle muscles with myofascial trigger points in patients with shoulder pain. BMC Musculoskelet Disord. 2011;12:139.
5. Fogelman Y, Carmeli E, Minerbi A, Harash B, Vulfsons S. Specialized pain clinics in primary care: common diagnoses, referral patterns and clinical outcomes – novel pain management model. Adv Exp Med Biol. 2018;1047:89–98.
6. Travell JG, Simons DG. Myofascial pain and dysfunction: the trigger point manual. Baltimore: LWW; 1992.
7. Dommerholt J, Gerwin RD, Courtney CA. Pain sciences and myofascial pain. In: Donnelly J, Fernández de Las Peñas C, Finnegan M, Freeman JL. Travell, Simons & Simons' myofascial pain and dysfunction: the trigger point manual. 3rd. ed. Philadelphia: Wolters Kluwer Health; 2018.
8. Shah JP, Thaker N, Heimur J, Aredo JV, Sikdar S, Gerber L. Myofascial trigger points then and now: a historical and scientific perspective. PM R. 2015;7(7):746–61.
9. Moriwaki K, Shiroyama K, Yasuda M, Uesugi F. Reversible tactile hypoesthesia associated with myofascial trigger points: a pilot study on prevalence and clinical implications. Pain Rep. 2019;4(4):e772.
10. Escaloni J, Butts R, Dunning J. The use of dry needling as a diagnostic tool and clinical treatment for cervicogenic dizziness: a narrative review & case series. J Bodyw Mov Ther. 2018;22(4):947–55.
11. Fernández-de-Las-Peñas C, Dommerholt J. International consensus on diagnostic criteria and clinical considerations of myofascial trigger points: a Delphi study. Pain Med. 2018;19(1):142–50.
12. Dommerholt J, Fernández-de-Las-Peñas C, Petersen SM. Needling: is there a point? J Man Manip Ther. 2019;27(3):125–7.
13. Stecco C, Pirri C, Fede C, Fan C, Giordani F, Stecco L, et al. Dermatome and fasciatome. Clin Anat. 2019;32(7):896–902.
14. Henry R, Cahill CM, Wood G, Hroch J, Wilson R, Cupido T, et al. Myofascial pain in patients waitlisted for total knee arthroplasty. Pain Res Manag. 2012;17(5):321–7.
15. Schiffman E, Ohrbach R, Truelove E, Look J, Anderson G, Goulet J-P, et al. Diagnostic Criteria for Temporomandibular Disorders (DC/TMD) for clinical and research applications: recommendations of the International RDC/TMD Consortium Network* and Orofacial Pain Special Interest Group†. J Oral Facial Pain Headache. 2014;28(1):6–27.
16. Lee MWL, McPhee RW, Stringer MD. An evidence-based approach to human dermatomes. Clin Anat. 2008;21(5):363–73.
17. Dor A, Vatine J-J, Kalichman L. Proximal myofascial pain in patients with distal complex regional pain syndrome of the upper limb. J Bodyw Mov Ther. 2019;23(3):547–54.

18. Nakamine TN, Ventosilla PR. El síndrome de sensibilización espinal segmentaria: nueva propuesta de criterios diagnósticos para la investigación. Rev Mex Med Fis Rehab. 2019;31(1–2):6–12.
19. Suputtitada A. Myofascial pain syndrome and sensitization. Phys Med Rehabil Res. 2016;1(5):1-4.
20. Imamura M, Imamura ST. Síndorme dolorosa miofascial. In: Lopes AC, organizador. Tratado de clínica médica. 2. ed. São Paulo: Roca; 2009. p. 1673–2.
21. Hawke F, Sadler SG, Katzberg HD, Pourkazemi F, Chuter V, Burns J. Non-drug therapies for the secondary prevention of lower limb muscle cramps. Cochrane Database Syst Rev. 2021;5:CD008496.
22. Glaubitz S, Schmidt K, Zschüntzsch J, Schmidt J. Myalgia in myositis and myopathies. Best Pract Res Clin Rheumatol. 2019;33(3):101433.
23. Markus I, Constantini K, Hoffman JR, Bartolomei S, Gepner Y. Exercise-induced muscle damage: mechanism, assessment and nutritional factors to accelerate recovery. Eur J Appl Physiol. 2021;121(4):969–92.
24. Millar NL, Silbernagel KG, Thorborg K, Kirwan PD, Galatz LM, Abrams GD, et al. Tendinopathy. Nat Rev Dis Primers. 2021;7(1):1.
25. Stoychev V, Finestone AS, Kalichman L. Dry Needling as a Treatment Modality for Tendinopathy: a Narrative Review. Curr Rev Musculoskelet Med. 2020;13(1):133–40.
26. Bittermann A, Gao S, Rezvani S, Li J, Sikes KJ, Sandy J, et al. Oral ibuprofen interferes with cellular healing responses in a murine model of achilles tendinopathy. J Musculoskelet Disord Treat. 2018;4(2):049.
27. Pianka MA, Serino J, DeFroda SF, Bodendorfer BM. Greater trochanteric pain syndrome: Evaluation and management of a wide spectrum of pathology. SAGE Open Med. 2021;9:20503121211022584.
28. Cagnie B, Castelein B, Pollie F, Steelant L, Verhoeyen H, Cools A. Evidence for the use of ischemic compression and dry needling in the management of trigger points of the upper trapezius in patients with neck pain: a systematic review. Am J Phys Med Rehabil. 2015;94(7):573–83.
29. Charles D, Hudgins T, MacNaughton J, Newman E, Tan J, Wigger M. A systematic review of manual therapy techniques, dry cupping and dry needling in the reduction of myofascial pain and myofascial trigger points. J Bodyw Mov Ther. 2019;23(3):539–46.
30. Lew J, Kim J, Nair P. Comparison of dry needling and trigger point manual therapy in patients with neck and upper back myofascial pain syndrome: a systematic review and meta-analysis. J Man Manip Ther. 2021;29(3):136–46.
31. Gallego-Sendarrubias GM, Rodríguez-Sanz D, Calvo-Lobo C, Martín JL. Efficacy of dry needling as an adjunct to manual therapy for patients with chronic mechanical neck pain: a randomised clinical trial. Acupunct Med. 2020;38(4):244–54.
32. Kalichman L, Ben David C. Effect of self-myofascial release on myofascial pain, muscle flexibility, and strength: a narrative review. J Bodyw Mov Ther. 2017;21(2):446–51.
33. Gulick DT. Instrument-assisted soft tissue mobilization increases myofascial trigger point pain threshold. J Bodyw Mov Ther. 2018;22(2):341–5.
34. Wang R, Li X, Zhou S, Zhang X, Yang K, Li X. Manual acupuncture for myofascial pain syndrome: a systematic review and meta-analysis. Acupunct Med. 2017;35(4):241–50.
35. Donnelly JM, Fernández-de-Las-Peñas C, Finnegan Mi, Freeman JL. Travell, Simons & Simons' myofascial pain and dysfunction: the trigger point manual. 3rd ed. Philadelphia: LWW; 2018. 968 p.
36. Lennard TA, Fischer AA, Imamura M. New concepts in the diagnosis and management of musculoskeletal pain. In: Lennard TA, Vivian DG, Walkowski SD, Singla AK. Pain procedures in clinical practice. 2nd. ed. Philadelphia: Hanley & Belfus; 2000. p. 213–29.
37. Imamura M, Imamura ST, Targino RA, Morales-Quezada L, Onoda Tomikawa LC, Onoda Tomikawa LG, et al. Paraspinous lidocaine injection for chronic nonspecific low back pain: a randomized controlled clinical trial. J Pain. 2016;17(5):569–76.
38. Standring S, editor. Gray's anatomy: the anatomical basis of clinical practice. 41th ed. New York: Elsevier; 2015.
39. Botelho LM. Síndrome dolorosa miofascial, função do sistema descendente da dor e eficácia da estimulação elétrica intramuscular: ensaio clínico randomizado duplo-cego sham controlado exploratório. [tese]. Porto Alegre: UFRGS; 2019.
40. Ratmansky M, Minerbi A, Kalichman L, Kent J, Wende O, Finestone AS, et al. Position statement of the Israeli Society for Musculoskeletal Medicine on Intramuscular Stimulation for Myofascial Pain Syndrome-A Delphi Process. Pain Pract. 2017;17(4):438–46.
41. Ting JZR, Chen X, Johnston V. Workplace-based exercise intervention improves work ability in office workers: a cluster randomised controlled trial. Int J Environ Res Public Health. 2019;16(15):E2633.
42. Sweeney K, Mackey M, Spurway J, Clarke J, Ginn K. The effectiveness of ergonomics interventions in reducing upper limb work-related musculoskeletal pain and dysfunction in sonographers, surgeons and dentists: a systematic review. Ergonomics. 2021;64(1):1–38.
43. Parry SP, Coenen P, Shrestha N, O'Sullivan PB, Maher CG, Straker LM. Workplace interventions for increasing standing or walking for decreasing musculoskeletal symptoms in sedentary workers. Cochrane Database Syst Rev. 2019;2019(11):CD012487.
44. Guzmán-Pavón MJ, Cavero-Redondo I, Martínez-Vizcaíno V, Fernández-Rodríguez R, Reina-Gutierrez S, Álvarez-Bueno C. Effect of physical exercise programs on myofascial trigger points-related dysfunctions: a systematic review and meta-analysis. Pain Med. 2020;21(11):2986–96.
45. Kostopoulos D, Rizopoulos K. Effect of topical aerosol skin refrigerant (spray and stretch technique) on passive and active stretching. J Bodyw Mov Ther. 2008;12(2):96–104.
46. Xia P, Wang X, Lin Q, Cheng K, Li X. Effectiveness of ultrasound therapy for myofascial pain syndrome: a systematic review and meta-analysis. J Pain Res. 2017;10:545–55.
47. Petrofsky J, Laymon M, Lee H. Local heating of trigger points reduces neck and plantar fascia pain. J Back Musculoskelet Rehabil. 2020;33(1):21–8.
48. Lai Y-T, Chan H-L, Lin S-H, Lin C-C, Li S-Y, Liu C-K, et al. Far-infrared ray patches relieve pain and improve skin sensitivity in myofascial pain syndrome: A double-blind randomized controlled study. Complement Ther Med. 2017;35:127–32.
49. Ahmed S, Haddad C, Subramaniam S, Khattab S, Kumbhare D. The effect of electric stimulation techniques on pain and tenderness at the myofascial trigger point: a systematic review. Pain Med. 2019;20(9):1774–88.
50. Dissanayaka TD, Pallegama RW, Suraweera HJ, Johnson MI, Kariyawasam AP. Comparison of the effectiveness of transcutaneous electrical nerve stimulation and interferential therapy on the upper trapezius in myofascial pain syndrome: a randomized controlled study. Am J Phys Med Rehabil. 2016;95(9):663–72.
51. Azatcam G, Atalay NS, Akkaya N, Sahin F, Aksoy S, Zincir O, et al. Comparison of effectiveness of transcutaneous electrical nerve stimulation and kinesio taping added to exercises in patients with myofascial pain syndrome. J Back Musculoskelet Rehabil. 2017;30(2):291–8.
52. Bedin F, Moré AOO, de Oliveira JC, Tesser CD, Min LS. Profile of acupuncture use among primary care physicians working in the Brazilian public healthcare system. Acupunct Med. 2020;38(5):319–26.
53. Ots T, Kandirian A, Szilagyi I, DiGiacomo SM, Sandner-Kiesling A. The selection of dermatomes for sham (placebo) acupuncture points is relevant for the outcome of acupuncture studies: a systematic review of sham (placebo)-controlled randomized acupuncture trials. Acupunct Med. 2020;38(4):211–26.
54. Farag AM, Malacarne A, Pagni SE, Maloney GE. The effectiveness of acupuncture in the management of persistent regional myofascial head and neck pain: a systematic review and meta-analysis. Complement Ther Med. 2020;49:102297.
55. Griswold D, Wilhelm M, Donaldson M, Learman K, Cleland J. The effectiveness of superficial versus deep dry needling or acupuncture for reducing pain and disability in individuals with spine-related

painful conditions: a systematic review with meta-analysis. J Man Manip Ther. 2019;27(3):128–40.
56. Behrangrad S, Kamali F. Comparison of ischemic compression and lumbopelvic manipulation as trigger point therapy for patellofemoral pain syndrome in young adults: A double-blind randomized clinical trial. J Bodyw Mov Ther. 2017;21(3):554–64.
57. Zhang X-F, Liu L, Wang B-B, Liu X, Li P. Evidence for kinesio taping in management of myofascial pain syndrome: a systematic review and meta-analysis. Clin Rehabil. 2019;33(5):865–74.
58. Ilbuldu E, Cakmak A, Disci R, Aydin R. Comparison of laser, dry needling, and placebo laser treatments in myofascial pain syndrome. Photomed Laser Surg. 2004;22(4):306–11.
59. Sumen A, Sarsan A, Alkan H, Yildiz N, Ardic F. Efficacy of low level laser therapy and intramuscular electrical stimulation on myofascial pain syndrome. J Back Musculoskelet Rehabil. 2015;28(1):153–8.
60. Manca A, Limonta E, Pilurzi G, Ginatempo F, De Natale ER, Mercante B, et al. Ultrasound and laser as stand-alone therapies for myofascial trigger points: a randomized, double-blind, placebo-controlled study. Physiother Res Int. 2014;19(3):166–75.
61. Uemoto L, Nascimento de Azevedo R, Almeida Alfaya T, Nunes Jardim Reis R, Depes de Gouvêa CV, Cavalcanti Garcia MA. Myofascial trigger point therapy: laser therapy and dry needling. Curr Pain Headache Rep. 2013;17(9):357.
62. Carrasco TG, Guerisoli LDC, Guerisoli DMZ, Mazzetto MO. Evaluation of low intensity laser therapy in myofascial pain syndrome. Cranio. 2009;27(4):243–7.
63. Rayegani S, Bahrami M, Samadi B, Sedighipour L, Mokhtarirad M, Eliaspoor D. Comparison of the effects of low energy laser and ultrasound in treatment of shoulder myofascial pain syndrome: a randomized single-blinded clinical trial. Eur J Phys Rehabil Med. 2011;47(3):381–9.
64. Taheri P, Vahdatpour B, Andalib S. Comparative study of shock wave therapy and Laser therapy effect in elimination of symptoms among patients with myofascial pain syndrome in upper trapezius. Adv Biomed Res. 2016;5:138.
65. Király M, Bender T, Hodosi K. Comparative study of shock-wave therapy and low-level laser therapy effects in patients with myofascial pain syndrome of the trapezius. Rheumatol Int. 2018;38(11):2045–52.
66. Medeiros LF, Caumo W, Dussán-Sarria J, Deitos A, Brietzke A, Laste G, et al. Effect of deep intramuscular stimulation and transcranial magnetic stimulation on neurophysiological biomarkers in chronic myofascial pain syndrome. Pain Med. 2016;17(1):122–35.
67. Leppert W, Malec-Milewska M, Zajaczkowska R, Wordliczek J. Transdermal and topical drug administration in the treatment of pain. Molecules. 2018;23(3):E681.
68. Hsieh L-F, Hong C-Z, Chern S-H, Chen C-C. Efficacy and side effects of diclofenac patch in treatment of patients with myofascial pain syndrome of the upper trapezius. J Pain Symptom Manage. 2010;39(1):116–25.
69. Kim D-H, Yoon KB, Park S, Jin TE, An YJ, Schepis EA, et al. Comparison of NSAID patch given as monotherapy and NSAID patch in combination with transcutaneous electric nerve stimulation, a heating pad, or topical capsaicin in the treatment of patients with myofascial pain syndrome of the upper trapezius: a pilot study. Pain Med. 2014;15(12):2128–38.
70. Boonruab J, Nimpitakpong N, Damjuti W. The distinction of hot herbal compress, hot compress, and topical diclofenac as myofascial pain syndrome treatment. J Evid Based Integr Med. 2018;23:2156587217753451.
71. Affaitati G, Costantini R, Tana C, Lapenna D, Schiavone C, Cipollone F, et al. Effects of topical vs injection treatment of cervical myofascial trigger points on headache symptoms in migraine patients: a retrospective analysis. J Headache Pain. 2018;19(1):104.
72. Affaitati G, Fabrizio A, Savini A, Lerza R, Tafuri E, Costantini R, et al. A randomized, controlled study comparing a lidocaine patch, a placebo patch, and anesthetic injection for treatment of trigger points in patients with myofascial pain syndrome: evaluation of pain and somatic pain thresholds. Clin Ther. 2009;31(4):705–20.
73. Lin Y-C, Kuan T-S, Hsieh P-C, Yen W-J, Chang W-C, Chen S-M. Therapeutic effects of lidocaine patch on myofascial pain syndrome of the upper trapezius: a randomized, double-blind, placebo-controlled study. Am J Phys Med Rehabil. 2012;91(10):871–82.
74. Firmani M, Miralles R, Casassus R. Effect of lidocaine patches on upper trapezius EMG activity and pain intensity in patients with myofascial trigger points: a randomized clinical study. Acta Odontol Scand. 2015;73(3):210–8.
75. Cho J-H, Brodsky M, Kim E-J, Cho Y-J, Kim K-W, Fang J-Y, et al. Efficacy of a 0.1% capsaicin hydrogel patch for myofascial neck pain: a double-blinded randomized trial. Pain Med. 2012;13(7):965–70.
76. Manfredini D, Romagnoli M, Cantini E, Bosco M. Efficacy of tizanidine hydrochloride in the treatment of myofascial face pain. Minerva Med. 2004;95(2):165–71.
77. Fishbain DA, Cutler RB, Rosomoff HL, Rosomoff RS. Clonazepam open clinical treatment trial for myofascial syndrome associated chronic pain. Pain Med. 2000;1(4):332–9.

# Capítulo 184
# OLIGOARTRITES E POLIARTRITES

Blanca Elena Rios Gomes Bica
Carla Gottgtroy

A artrite (inflamação articular) caracteriza-se clinicamente por ao menos dois aspectos entre os seguintes: dor, edema, calor, rubor e disfunção articular. Monoartrite é o acometimento isolado de uma articulação (ver Capítulo Gota e Outras Monoartrites). Oligoartrite é o acometimento de 2 a 4 articulações sinoviais periféricas. O envolvimento das articulações sacroilíacas e zigapofisárias é considerado como comprometimento axial. Poliartrite refere-se a cinco ou mais articulações sinoviais periféricas inflamadas.

Várias doenças inflamatórias acometendo articulações são suficientemente prevalentes para que as abordagens inicial e de primeira linha devam caber à atenção primária à saúde (APS), sob pena de insuficiência e ineficiência dos demais níveis de atenção. A APS está geográfica e epistemologicamente mais bem posicionada para reconhecimento precoce, acompanhamento de condições indiferenciadas, empoderamento do paciente e sua família, e coordenação do cuidado prestado aos moradores adstritos na rede de atenção à saúde, todos fatores essenciais na abordagem das artrites.

## CONDIÇÕES CLÍNICAS COMUNS E QUESTÕES ESPECÍFICAS

Caracterizado um quadro de oligoartrite ou poliartrite, os objetivos principais são:
→ manejo da dor e da disfunção articular;

→ avaliação do acometimento de órgãos nobres;
→ avaliação de morbidades e contextos complicadores;
→ avaliação sindrômica e da causa etiológica;
→ atualização vacinal em pacientes de risco com indicação de imunossupressão.

A anamnese e o exame físico são de extrema importância para o raciocínio clínico. Na anamnese, os principais norteadores são: distribuição, grau de inflamação, padrão temporal/velocidade de instalação, idade e gênero, e fatores extra-articulares.

Dois padrões de distribuição são particularmente importantes: as poliartrites periféricas, razoavelmente simétricas, afetando pequenas e grandes articulações, principalmente em membros superiores ("síndrome reumatoide"); e as oligoartrites com componente axial, assimétricas, com predomínio em grandes articulações e em membros inferiores (sugestivas de espondiloartrite). Em geral, as articulações metacarpofalângicas, interfalângicas proximais e interfalângicas distais são acometidas em sequência; entretanto, a artrite psoriásica pode acometer primeiro as distais, e depois as proximais, de modo semelhante à osteoartrite de mãos.

A intensidade da inflamação também é uma pista importante. De fato, "artrite inflamatória" não é mera redundância, referindo-se a um grau de atividade inflamatória de modo a sugerir infecção ou doença imunomediada. Classicamente, um líquido sinovial com menos de 5 mil neutrófilos por campo é considerado "não inflamatório". Graus discretos e localizados de inflamação, com pouca alteração dos marcadores séricos, são comuns a várias condições como "artralgia clinicamente suspeita" (para progressão para artrite reumatoide ou outras doenças reumáticas) e osteoartrite.

A duração dos sintomas pode ser usada para definir (ou presumir) estágios agudos e crônicos. Artrites com duração > 6 semanas são consideradas crônicas, em contrapartida à definição usual de dor crônica, ligada a 3 meses.

A FIGURA 184.1 mostra algumas causas de artrites inflamatórias ou não inflamatórias, agudas ou crônicas.

Fatores extra-articulares são outro ponto importante:
→ Há comprometimento sistêmico associado?
→ O quadro tem causa infecciosa, imune ou outra?

Os principais indicadores de comprometimento sistêmico são: febre, emagrecimento, fadiga e lesões de órgãos específicos (pele, pulmões, rins e sistema nervoso central). Muitas vezes, a presença de febre baixa e sintomas sistêmicos se apresentam de forma insidiosa, dificultando que o paciente a relacione ao quadro articular. Por outro lado, poliartrites de início súbito, com febre > 38 °C e *rash* inespecífico, sugerem artrites virais, como Chikungunya ou Mayaro. Lesões de pele auxiliam muito o diagnóstico, como o eritema nodoso nas artrites enteropáticas, a psoríase na artrite psoriásica, o ceratoderma blenorrágico na artrite reativa, as lesões vesicopustulares e pápulas hemorrágicas na artrite gonocócica, o *rash* fotossensível no lúpus eritematoso sistêmico, e as telangiectasias na esclerose sistêmica.

A TABELA 184.1 resume os padrões de acometimento poliarticular das principais poliartrites.

## ARTRALGIA CLINICAMENTE SUSPEITA E POLIARTRITE INDIFERENCIADA

Passado o período de 6 semanas de sintomas, a busca por causas inflamatórias articulares é imperiosa. O termo "artrite indiferenciada" é utilizado quando temos pacientes com sinovite que não atendem a nenhum critério diagnóstico, e na maioria das vezes há remissão espontânea dos sintomas. Os quadros poliarticulares crônicos são comuns e muitas vezes são tratados de forma sindrômica, podendo levar anos sem um diagnóstico etiológico preciso.

O tratamento das artrites indiferenciadas precocemente com metotrexato retarda erosões ósseas (número necessário para tratar [NNT] = 7) e atrasa o desenvolvimento de artrite reumatoide, havendo redução da sua incidência em 12 meses (redução do risco relativo [RRR] = 87%), mas não em 30 meses. Assim, oferece uma janela de oportunidade para atrasar o desenvolvimento de artrite reumatoide B.[3] O uso crônico de anti-inflamatórios não esteroides (AINEs) e glicocorticoides não é boa prática sem tratamento poupador de corticoide ou fármaco antirreumático modificador do curso da doença (DMARD, do inglês *disease-modifying antirheumatic drug*), em nenhum cenário clínico na atualidade.

O encaminhamento ao reumatologista está indicado em todas as artrites crônicas inflamatórias e infecciosas, no diagnóstico e nas descompensações. Porém, na atualidade, se viabilizássemos todos esses pacientes para os especialistas disponíveis na realidade do Sistema Único de Saúde (SUS), seria impossível fazer o tratamento precoce e o acompanhamento desses pacientes. Diante dessa realidade, a TABELA 184.2 indica características de pacientes com maior necessidade de encaminhamento.

## POLIARTRITES PÓS-INFECCIOSAS

Artrites pós-infecciosas devem ser pesquisadas em pacientes com menos de 6 semanas de sintomas.

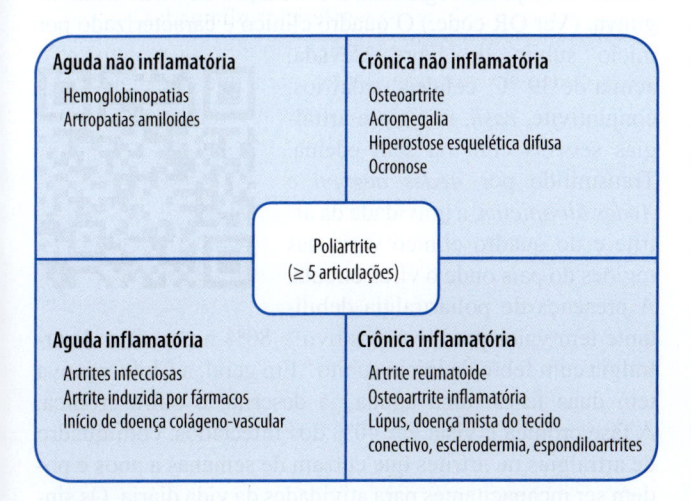

| Aguda não inflamatória | Crônica não inflamatória |
|---|---|
| Hemoglobinopatias<br>Artropatias amiloides | Osteoartrite<br>Acromegalia<br>Hiperostose esquelética difusa<br>Ocronose |
| **Poliartrite** (≥ 5 articulações) | |
| Aguda inflamatória | Crônica inflamatória |
| Artrites infecciosas<br>Artrite induzida por fármacos<br>Início de doença colágeno-vascular | Artrite reumatoide<br>Osteoartrite inflamatória<br>Lúpus, doença mista do tecido conectivo, esclerodermia, espondiloartrites |

FIGURA 184.1 → Exemplos de poliartrites inflamatórias e não inflamatórias, agudas e crônicas.
Fonte: Adaptada de Firestein e colaboradores.[1]

**TABELA 184.1** → Padrões de acometimento poliarticular por doença

| DOENÇA | INÍCIO | RIGIDEZ MATINAL | ARTICULAÇÕES COMUMENTE ENVOLVIDAS | SIMETRIA | ARTICULAÇÕES COMUMENTE POUPADAS |
|---|---|---|---|---|---|
| Artrite gonocócica | Agudo | Rigidez pela dor; grande impotência funcional | Joelhos, punhos, tornozelos, IFP | Não | Coluna |
| Artrites virais | Agudo | Variável; Chikungunya e Mayaro com maior rigidez, hepatites e HIV com menor rigidez | Mãos, punhos, joelhos, tornozelos, pés | Sim | Coluna |
| Artrite reumatoide | Insidioso, ao longo de semanas (em idosos, pode iniciar de forma mais aguda) | Muito característica da artrite reumatoide; duração > 30 minutos, ao acordar e após inatividade | Punhos, MCF, IFP, cotovelos, glenoumeral, cervical, quadril, joelhos, tornozelos, 1ª MTF, IFP dos pés | Sim | IFD, coluna toracolombar |
| Osteoartrite | Insidioso | Rápida; duração < 30 minutos, no início do movimento | 1ª carpometacarpal, IFP, IFD, colunas cervical, torácica e lombar, quadril, joelho, 1ª MTF, IFP dos pés | Não | Punhos, MCF, cotovelos, glenoumeral, tornozelos, tarso |
| Artrite reativa | Agudo | Duração > 30 minutos, ao acordar e após inatividade | Joelhos, tornozelos, tarso, MTF, 1a IFP dos pés, cotovelos, coluna | Não | |
| Artrite psoriásica | Insidioso | Duração > 30 minutos, ao acordar e após inatividade | Joelhos, tornozelos, MTF, 1ª IFP dos pés, punhos, MCF, IFP, coluna | Sim (forma poliarticular) e não (forma oligoarticular) | |
| Artrite enteropática | Insidioso | Duração > 30 minutos, ao acordar e após inatividade | Joelhos, tornozelos, cotovelos, ombros, MCF, IFP, punhos, coluna | Não | |
| Gota poliarticular | Agudo com períodos assintomáticos ou oligossintomáticos intercrises | Rápida e moderada em intensidade ao acordar | 1ª MTF, tarso, subtalar, tornozelos e joelhos | Não | Coluna |
| Artrite crônica por cristais de pirofosfato de cálcio | Agudo com períodos assintomáticos ou oligossintomáticos intercrises | Rápida e moderada em intensidade ao acordar | Joelhos, punhos, ombros, tornozelos, MCF, IFP, quadris, cotovelos | Sim | Coluna |
| Artrites das colagenoses | Insidioso | Duração > 30 minutos, ao acordar e após inatividade | Mãos, punhos, cotovelos, ombros, pés, tornozelos, joelhos | Sim | Coluna |

HIV, vírus da imunodeficiência humana; IFP, interfalângicas proximais; IFD, interfalângicas distais; MCF, metacarpofalângicas; MTF, metatarsofalângicas.
Fonte: Adaptada de West.[2]

**Sugere-se solicitar hemograma completo, função hepática e provas inflamatórias, como proteína C-reativa e velocidade de hemossedimentação, e considerar sorologias específicas conforme situação clínica.**

As avaliações de imagem com radiografias e ultrassonografias (USs) são interessantes no contexto do diagnóstico diferencial com artrites iniciais inflamatórias. Essas avaliações devem ser solicitadas nos quadros atípicos ou naqueles nos quais não se observa a resposta à terapêutica instituída.

Os vírus de RNA (FIGURA 184.2), em especial os alfavírus, têm grande potencial artritogênico. No Brasil, a Chikungunya e o vírus Mayaro são diagnósticos a serem avaliados rotineiramente. Entre os flavivírus, dengue, Zika e febre amarela podem causar artrite, embora artralgias e mialgias sejam mais comuns.

**TABELA 184.2** → Pacientes que precisam de encaminhamento

| CARACTERÍSTICAS DO PACIENTE | POSSÍVEL ENCAMINHAMENTO |
|---|---|
| Poliartrites e acometimento sistêmico grave, em especial renal (proteinúria, hematúria) e neurológico | Internação em hospital de referência terciária |
| Quadro de poliartrite refratário ao uso de sintomáticos e com fatores de mau prognóstico: provas inflamatórias elevadas, tabagistas, fator reumatoide ou anti-CCP positivo | Atenção secundária |
| Com comorbidades que interagem com a doença de base – psoríase cutânea, retocolite ulcerativa, doença de Crohn, osteoporose secundária a glicocorticoides | Atenção secundária |

anti-CCP, teste para anticorpo antipeptídeo citrulinado cíclico.

A seguir, serão abordadas as situações clínicas relativas a queixas comuns de artralgia e artrite no meio ambulatorial: Chikungunya, Mayaro, hepatites B e C, vírus da imunodeficiência humana (HIV, do inglês *human immunodeficiency virus*) e gonococemia.

## Chikungunya

Desde 2014 já era registrada a circulação do vírus Chikungunya. (Ver QR code.) O quadro clínico é caracterizado por início súbito de febre elevada, acima de 39 °C, cefaleia, calafrios, conjuntivite, *rash*, mialgia e artralgias severas com ou sem edema. Transmitido por *Aedes aegypti* e *Aedes albopictus*, a gravidade da artrite e do quadro clínico varia nas regiões do país onde o vírus circula. A presença de poliartralgia debilitante tem valor preditivo positivo > 80% no cenário de artralgia com febre de início súbito.[6] Em geral, a Chikungunya tem duas fases: uma aguda, já descrita, e outra crônica. A fase crônica é vista em 40% dos infectados, com quadro de artralgias ou artrites que cursam de semanas a anos e podem ser incapacitantes para atividades da vida diária. Os sintomas comuns associados aos quadros crônicos de Chikungunya, além de artralgia e mialgia, foram fadiga, cefaleia, prurido, alopecia, exantema, bursite, tenossinovite,

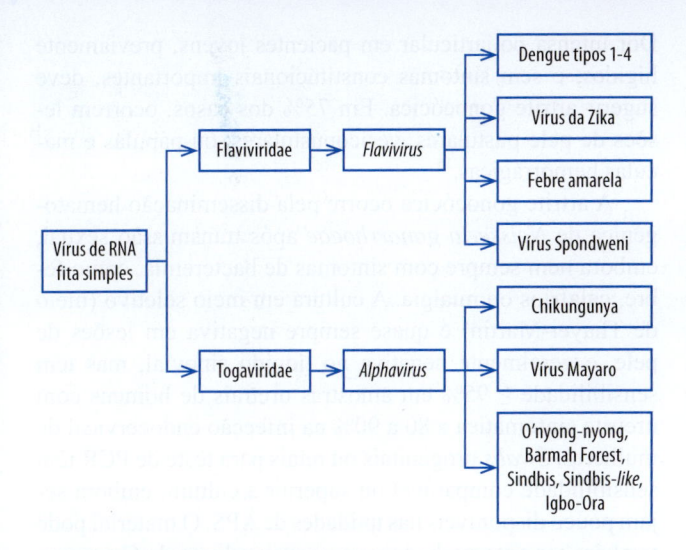

**FIGURA 184.2** → Relação das principais arboviroses causadoras de poliartralgia e poliartrites transmitidas por mosquitos-vetores de ciclos majoritariamente silvestres. Fonte: Valentine, Murdock e Kelly[4] e Toivanen.[5]

disestesias, parestesias, dor neuropática, fenômeno de Raynaud, alterações cerebelares, distúrbios do sono, alterações da memória, déficit de atenção, alterações do humor, turvação visual e depressão.[7] O diagnóstico pode ser realizado pela pesquisa de sorologia viral IgM e IgG para Chikungunya.

Na fase aguda – até 14 dias do início dos sintomas –, analgésicos como dipirona 1 g, de 6/6 horas, e/ou paracetamol 500 mg, de 6/6 horas, devem ser utilizados com doses fixas e não sob demanda C/D. Evitar AINEs pelo risco de sangramento C/D. Nos casos articulares severos, considerar associar codeína 30 mg, de 6/6 horas, tramadol 50 mg, de 6/6 horas, ou oxicodona 10 mg, de 12/12 horas, lembrando do risco de dependência e que a analgesia obtida não é muito superior às demais opções.

No período entre as fases aguda e crônica (entre 14 dias e 3 meses), pode ser necessário instituir tratamento com anti-inflamatórios, conforme a apresentação e a gravidade do quadro articular. A Sociedade Brasileira de Reumatologia (SBR) recomenda o uso de AINEs (ibuprofeno 600 mg, de 6/6 horas) ou corticoide oral (5-20 mg),[8] enquanto o Ministério da Saúde recomenda prednisona até 0,5 mg/kg/dia com dose máxima de 40 mg/dia C/D.[7] (Ver QR code.) É importante avaliar o aparecimento de dor neuropática associada, podendo-se acrescentar amitriptilina 25 a 50 mg/dia ou gabapentina 300 mg, 2 ×/dia, ao esquema terapêutico C/D. Reavaliações periódicas para manejo dos fármacos são imprescindíveis para evitar uso crônico e doses excessivas. Recomenda-se redução do corticoide em até um quarto da dose semanalmente após remissão da dor por 3 a 7 dias, retornando-se à última dose eficaz em caso de recidiva da inflamação.

Já o tratamento da fase crônica (ver Figura 3 do QR code) acrescenta, ao arsenal terapêutico, o uso de hidroxicloroquina 5 mg/kg/dia, metotrexato 15 mg/semana acrescido de ácido fólico 5 mg no dia seguinte à tomada do metotrexato, ou sulfassalazina na dose de 1 a 2 g/dia, podendo chegar a 3 g/dia C/D. Os casos mais graves com acometimento de múltiplas articulações e edema acentuado devem ser manejados preferencialmente com metotrexato C/D.[9]

Os cuidados com metotrexato se relacionam à mielotoxicidade e à hepatotoxicidade, sendo hemograma e hepatograma essenciais para acompanhamento, com 1 mês e periodicamente a cada 3 meses, além do rastreio infeccioso de hepatites B e C, HIV e radiografia de tórax para início do tratamento.

No caso do uso da sulfassalazina, há preocupação com anemia hemolítica em pacientes com deficiência de glicose-6-fosfato-desidrogenase (G6PD); assim, há necessidade de dosagem da enzima para início da terapia. A prescrição deve orientar aumento gradual da dose utilizando 1 g/dia na primeira semana, com aumento na segunda semana para 2 g/dia C/D. Rastreios infecciosos também são preconizados, assim como o acompanhamento de hemograma e hepatograma similar ao metotrexato. A sulfassalazina é uma opção interessante em pacientes gestantes, mas seu uso não é recomendado na amamentação.

## Mayaro

O Mayaro é um vírus artritogênico que se caracteriza clinicamente por febre, *rash*, dor retro-orbital, mialgia, cefaleia e dor articular, que costuma ter intensidade menor que a da Chikungunya, porém também pode ser incapacitante e comumente confundida com a dengue. De dezembro de 2014 a janeiro de 2016, foram notificados 343 casos no Brasil, sendo 50% deles em Goiás.[10] (Ver Figura 1 no QR code.) *Haemagogus* é o vetor clássico, porém há evidências de que *Aedes* pode transmitir o vírus. O diagnóstico vem pela pesquisa da reação em cadeia da polimerase com transcriptase reversa (RT-PCR, do inglês *reverse transcriptase polymerase chain reaction*) do Mayaro. Há relatos de cronificação, embora não seja comum ou imprima gravidade semelhante à Chikungunya. O tratamento se restringe ao manejo dos sintomas.

## Hepatites B e C

Apesar de os vírus da hepatite B e C raramente causarem artrite na população em geral, sua pesquisa se torna importante, já que o quadro clínico e laboratorial pode se confundir com as artrites inflamatórias, em especial com a artrite reumatoide. Assim, é protocolar o rastreio dessas hepatites para início de qualquer terapia com DMARDs.

Em geral, pacientes com artrite por hepatite B aguda cursam com poliartralgia ou poliartrite. Pode ocorrer *rash* macular ou maculopapular e, em 18 a 43% dos casos, fator reumatoide positivo. Rastreio com antígeno de superfície da hepatite B (HBsAg, do inglês *hepatitis B surface antigen*) e anti-HBc IgM é indicado se as transaminases se elevarem. A artrite tende a ser autolimitada (poucas semanas), requerendo somente tratamento sintomático.

Artrites são descritas em menos de 5% das infecções crônicas pelo vírus da hepatite C. Os pacientes possuem poliartrite simétrica de pequenas articulações simulando artrite reumatoide, ou quadro de mono ou oligoartrite. O fator reumatoide pode ser positivo em 10 a 54% dos casos. O manejo deve ser feito com analgésicos e corticoides em baixa dose, prednisona em dose < 10 mg/dia C/D. A vasculite crioglobulinêmica, quadro associado 90% das vezes com infecção crônica por hepatite C, pode manifestar-se com artralgias, púrpura, neuropatia periférica e glomerulonefrite, porém ocorre em menos de 5% dos casos dessa infecção.[11,12] O tratamento depende da gravidade do estado clínico do paciente. Em casos leves, podemos associar uso de antivirais à corticoterapia; já em casos graves (úlceras distais, quadros neurológicos ou intestinais e glomerulonefrite), o manejo deve ser realizado pelo especialista por envolver uso de altas doses de corticoide e rituximabe.[13]

## HIV

São várias as manifestações reumáticas associadas ao HIV, classicamente divididas em pré-terapia antirretroviral, pós-terapia antirretroviral, e relacionadas à terapia antirretroviral. A artralgia e a mialgia são comuns nesses pacientes, aqui cabendo a discussão dos quadros artríticos relacionados.

A síndrome de reconstituição imunológica, que ocorre em média 9 meses após a instituição do esquema antirretroviral, é caracterizada por exacerbações ou aparecimento de novas patologias imunes, como sarcoidose, artrite reumatoide, lúpus eritematoso sistêmico e doença de Still, que podem se apresentar com quadro de poliartrite inicial.

A artrite associada ao HIV aparece em até 15% dos casos. Tem comportamento parecido com outras artrites virais, incluindo caráter poliarticular agudo, não erosivo ou deformante, com duração < 6 semanas. No entanto, é geralmente assimétrica, predomina em membros inferiores e é mais prevalente em homens. Na maioria das vezes, é autolimitada, requerendo somente tratamento sintomático.

As espondiloartrites (ver adiante) têm maior gravidade clínica, e possivelmente maior prevalência, quando associadas ao HIV. O rastreamento para HIV é principalmente mandatório em artrites associadas à psoríase cutânea. O tratamento nos pacientes tratados para HIV é semelhante ao de não infectados, embora haja preocupação com efeitos colaterais devido à polifarmácia comum nesse contexto.[14]

## Gonococo

A artrite gonocócica, se tratada adequadamente, tem boa resolutividade e prognóstico. Acomete principalmente jovens sexualmente ativos, particularmente mulheres. Pode ser monoarticular (joelho, punho, tornozelo e cotovelo, em ordem decrescente) ou poliarticular com tenossinovite importante. Dor intensa poliarticular em pacientes jovens, previamente hígidos, e sem sintomas constitucionais importantes, deve sugerir artrite gonocócica. Em 75% dos casos, ocorrem lesões de pele pustulares, vesicopustulares, ou pápulas e máculas hemorrágicas.[15]

A artrite gonocócica ocorre pela disseminação hematogênica de *Neisseria gonorrhoeae* após transmissão sexual, embora nem sempre com sintomas de bacteremia, como febre, calafrios ou mialgia. A cultura em meio seletivo (meio de Thayer-Martin) é quase sempre negativa em lesões de pele, e geralmente negativa no líquido sinovial, mas tem sensibilidade ≥ 95% em amostras uretrais de homens com uretrite sintomática e 80 a 90% na infecção endocervical de mulheres. *Swabs* urogenitais ou retais para teste de PCR têm sensibilidade comparável ou superior à cultura, embora sejam pouco disponíveis nas unidades de APS. O material pode também ser encaminhado para pesquisa direta de Gram, em busca de diplococos gram-negativos característicos.

No caso de testes negativos ou indisponíveis, um teste terapêutico pode ser realizado com ceftriaxona 1 g, intramuscular (IM) ou intravenoso (IV), por 2 dias. Se a resposta ao quadro articular for rápida, como esperado, completa-se o esquema por mais 5 dias, totalizando 7 dias, associado à azitromicina 1 g, por via oral (VO), dose única.[16]

Diante do diagnóstico, é necessário avaliar e abordar outras infecções sexualmente transmissíveis presentes, discutir o risco de novas infecções, e buscar e tratar os parceiros. Todos os que tiveram relações sexuais com o paciente-índice desde 60 dias antes dos sintomas devem ser rastreados (ver Capítulo Infecções Sexualmente Transmissíveis: Abordagem Sindrômica).

## ARTRITE REUMATOIDE

O diagnóstico de artrite reumatoide é feito com base em achados clínicos e exames complementares (FIGURA 184.3). Entre eles, considerar o tempo de evolução da artrite, a elevação de provas de atividade inflamatória (geralmente velocidade de hemossedimentação e proteína C-reativa), a presença de autoanticorpos (quando disponíveis) e a compatibilidade com alterações em exames de imagem (quando disponíveis). Nenhum exame isolado, seja laboratorial, de imagem ou histopatológico, confirma o diagnóstico. Os critérios de classificação, como do American College of Rheumatology (ACR) de 1987 e do ACR/European League Against Rheumatism (ACR/Eular) de 2010, podem auxiliar no diagnóstico.[17]

Em quadros iniciais de artrite reumatoide, o fator reumatoide é comumente negativo, e, em caso de dúvida diagnóstica, a dosagem de anti-CCP (teste para anticorpo anti-peptídeo citrulinado cíclico) pode auxiliar. A dosagem de anti-CCP é mais sensível e específica que a de fator reumatoide em casos iniciais (sensibilidade de 75% e especificidade de 95%), com importância prognóstica.

A presença desse anticorpo, que pode estar presente anos antes do aparecimento da doença clínica, tem-se associado também a uma doença mais erosiva, que, nesse caso, também é sugerido pela presença de nódulos subcutâneos característicos de doença mais agressiva.

movimento que pode causar prejuízo à articulação.[21] A melhora do condicionamento físico, envolvendo atividade aeróbica **B**,[22] exercícios resistidos **B**,[23] alongamento e relaxamento, deve ser estimulada, observando-se os critérios de tolerância de cada paciente.

O tratamento medicamentoso da artrite reumatoide inclui o uso de AINEs, glicocorticoides, DMARDs – sintéticos e biológicos – e imunossupressores (FIGURA 184.4).[24,25] O uso seguro desses fármacos exige o conhecimento de suas contraindicações absolutas e relativas e a monitorização clínico-laboratorial a cada 3 meses do paciente a fim de avaliar a resposta ao tratamento e detectar possíveis efeitos colaterais. Em qualquer das etapas do tratamento dos pacientes com artrite reumatoide, analgésicos, glicocorticoides ou AINEs podem ser prescritos para o controle sintomático, tendo sempre em mente o uso da menor dose pelo menor tempo possível. Qualquer AINE pode ser utilizado, e este deve ser escolhido de acordo com as características clínicas de cada paciente, considerando suas comorbidades e preferências.

Recomenda-se uma estratégia de buscar alvos (*treat-to-target*) em vez de uma abordagem não direcionada, independentemente do nível de atividade da doença. Baixa atividade da doença ou remissão são alvos ideais. Podem ser considerados outros alvos com base no risco, na tolerância ou nas comorbidades do paciente.[25]

A primeira etapa de tratamento inclui o uso de DMARDs **A**, como metotrexato, leflunomida, sulfassalazina e

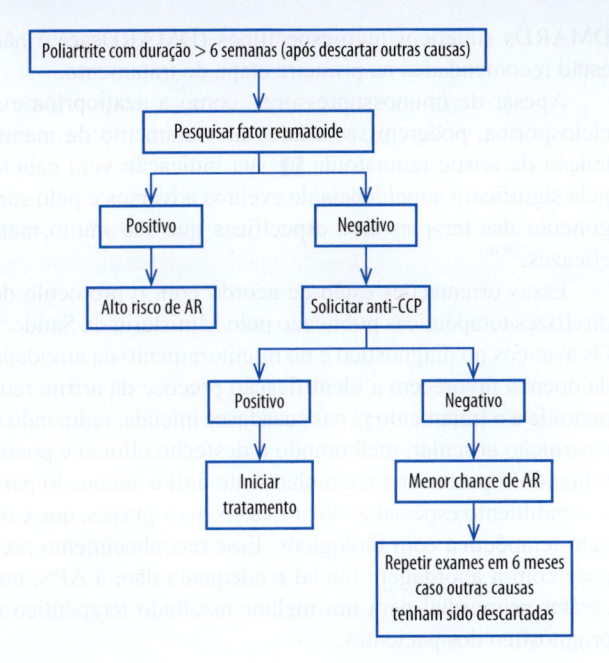

**FIGURA 184.3** → Algoritmo para diagnóstico da artrite reumatoide (AR). anti-CCP, teste para anticorpo antipeptídeo citrulinado cíclico.

Os exames de imagem são complementares ao diagnóstico e ao monitoramento da atividade da artrite reumatoide. As radiografias simples têm baixo custo e são acessíveis, mas são incapazes de identificar inflamação de tecidos moles e alterações ósseas iniciais da artrite reumatoide.[18,19] A ressonância magnética (RM) é mais sensível que o exame clínico e que a radiografia simples para detectar alterações inflamatórias e destruição articular nas fases iniciais da artrite reumatoide, entretanto, tem alto custo e, algumas vezes, não é tolerada pelos pacientes.[18] A US se apresenta como excelente método de imagem, permitindo detectar as alterações inflamatórias e estruturais da artrite reumatoide. O Doppler avalia em tempo real a neovascularização das articulações que apresentam correlação com alterações histopatológicas. Como desvantagem, os resultados são altamente dependentes do operador (treinamento e habilidade).[20]

Várias possibilidades devem ser consideradas no diagnóstico diferencial de artrite reumatoide. Entre elas, a osteoartrite, a fibromialgia, outras doenças sistêmicas autoimunes e síndromes paraneoplásicas. Entre as infecções virais, aquelas mais comumente associadas à poliartrite são: parvovírus B19, rubéola, HIV e vírus das hepatites B e C. Síndrome de Sjögren e lúpus eritematoso podem ser confundidos com artrite reumatoide, especialmente se o fator reumatoide for positivo. Em pacientes idosos com quadro de poliartrite, devemos considerar o diagnóstico de polimialgia reumática.

O tratamento do paciente baseia-se em medidas medicamentosas e não medicamentosas que incluem fisioterapia, terapia ocupacional e educação do paciente.[5] Fisioterapia e terapia ocupacional contribuem para que o paciente possa continuar a exercer as atividades da vida diária. A proteção articular visa garantir o fortalecimento da musculatura periarticular e adequar a flexibilidade, evitando o excesso de

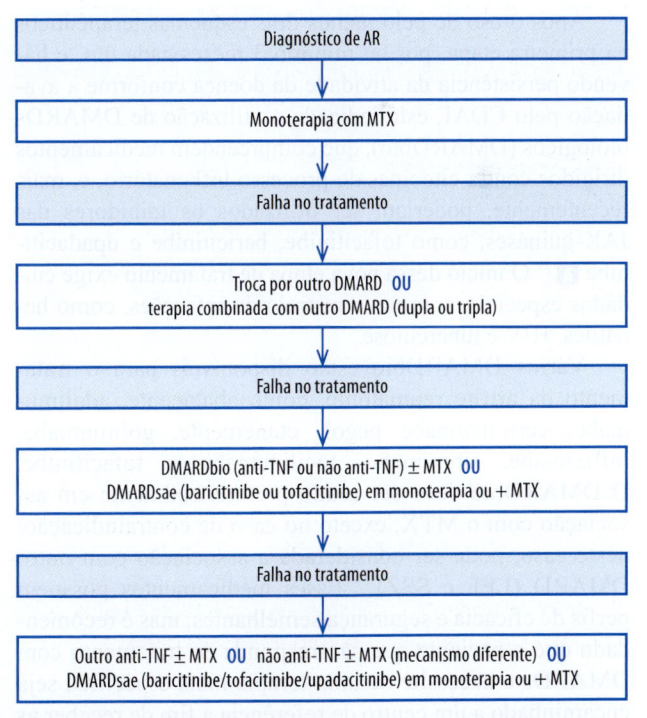

**FIGURA 184.4** → Algoritmo de tratamento da artrite reumatoide (AR). DMARD, fármaco antirreumático modificador do curso da doença; DMARDbio, DMARD biológico; DMARDsae, DMARD sintético alvo-específico; MTX, metotrexato; TNF, fator de necrose tumoral.
Fonte: Brasil.[30]

hidroxicloroquina (ou cloroquina, embora hidroxicloroquina seja preferível pelo melhor perfil de eficácia e segurança). O metotrexato (MTX) deve ser a primeira escolha terapêutica (NNT = 7) B.[26] Seu efeito é geralmente aparente em 4 a 6 semanas, mas pode levar vários meses. Em casos de intolerância ao MTX VO, deve-se tentar dividir a administração por via oral ou empregar o MTX injetável. Pode ser usada a via IM ou subcutânea (SC). Na impossibilidade de uso do MTX por intolerância digestiva ou efeito adverso, pode-se utilizar a leflunomida (LEF) B ou a sulfassalazina (SSZ) B, sendo a terapia isolada com hidroxicloroquina (HCQ) B pouco efetiva. Para diminuir o risco de toxicidade pelo MTX, deve-se fazer uso de ácido fólico, na dose de 5 mg, 1 ×/semana, 24 a 36 horas após o tratamento com MTX (NNT = 4-5) B.[27]

Em caso de falha da monoterapia inicial (MTX, LEF ou SSZ), com persistência da atividade de doença após 3 meses de tratamento otimizado (dose máxima tolerada e adesão adequada) do medicamento usado na primeira linha, podem-se associar os medicamentos A: combinação dupla ou tripla de DMARDs. As associações de medicamentos mais comumente recomendadas são MTX ou LEF com HCQ ou SSZ. O alvo que deve ser atingido é a baixa atividade de doença ou doença inativa com 6 meses de tratamento. Sugere-se utilizar um índice para a medida da atividade da doença, como o CDAI (do inglês *clinical disease activity index*).[28] (Ver QR code.)

Após o uso de pelo menos dois esquemas terapêuticos na primeira etapa, por no mínimo 3 meses cada um, e havendo persistência da atividade da doença conforme a avaliação pelo CDAI, está indicada a utilização de DMARDs biológicos (DMARDbio), que compreendem medicamentos dirigidos contra citocinas do processo inflamatório, e, mais recentemente, poderiam ser utilizados os inibidores das JAK-quinases, como tofacitinibe, baricitinibe e upadacitinibe A.[29] O início dessa nova etapa de tratamento exige cuidados especiais, com novo rastreio de infecções, como hepatites, HIV e tuberculose.

Vários DMARDbio estão disponíveis para o tratamento da artrite reumatoide, como abatacepte, adalimumabe, certolizumabe pegol, etanercepte, golimumabe, infliximabe, rituximabe, tocilizumabe e tofacitinibe. O DMARDbio deve ser usado preferencialmente em associação com o MTX, exceto no caso de contraindicação; neste caso, pode ser considerada a associação com outro DMARD (LEF e SSZ).[29] Esses medicamentos possuem perfis de eficácia e segurança semelhantes, mas é recomendado que o paciente que não responda ao tratamento com DMARDs e necessite de uma terapia mais específica seja encaminhado a um centro de referência a fim de receber as orientações adequadas.

Os medicamentos inibidores das JAK-quinases (tofacitinibe, baricitinibe e upadacitinibe) têm como vantagens a possibilidade de serem usados por via oral e não necessitarem de refrigeração para armazenamento. São chamados de DMARDs sintéticos alvo-específicos (DMARDsae) e não estão recomendados na primeira etapa de tratamento.

Apesar de imunossupressores, como a azatioprina e a ciclosporina, poderem ser usados no tratamento de manutenção da artrite reumatoide B, sua indicação vem caindo pela significativa incidência de eventos adversos e pelo surgimento das terapias-alvo específicas que são muito mais eficazes.[29,30]

Essas orientações estão de acordo com o protocolo de diretrizes terapêuticas publicado pelo Ministério da Saúde.[30] Os avanços no diagnóstico e no monitoramento da atividade da doença favorecem a identificação precoce da artrite reumatoide e o tratamento já nas suas fases iniciais, reduzindo a destruição articular, melhorando o desfecho clínico e possibilitando o posterior encaminhamento ágil e adequado para o atendimento especializado nos casos mais graves, que exigem terapêutica com biológicos. Esse reconhecimento precoce com a abordagem inicial e adequada dão, à APS, um caráter primordial para um melhor resultado terapêutico e prognóstico dos pacientes.

# ESPONDILOARTRITES

As espondiloartrites constituem um grupo de doenças diferentes entre si que acometem indivíduos com predisposição genética (ligada ao antígeno de histocompatibilidade B27), e que apresentam características clínicas e radiológicas em comum (FIGURA 184.5).

Entre as manifestações em comum, destacam-se a dor axial inflamatória associada à artrite periférica, principalmente em grandes articulações de membros inferiores, e as entesopatias periféricas.[31] A dor inflamatória se caracteriza pelo seu aparecimento ou exacerbação no repouso e melhora com a atividade física. Entesite é a inflamação das inserções dos tendões, dos ligamentos e das cápsulas no osso, conferindo dor nas regiões onde essa estrutura se insere no osso.

Esse conjunto de doenças inclui a espondilite anquilosante, a artrite psoriásica, as artrites reativas, a artrite enteropática (associada às doenças inflamatórias intestinais) e as espondiloartrites indiferenciadas. A espondiloartrite axial

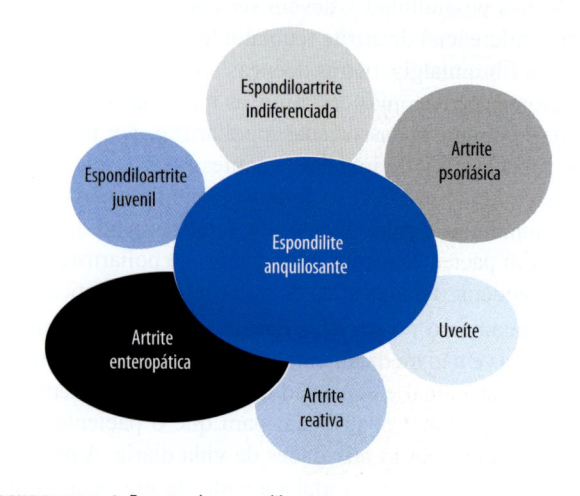

**FIGURA 184.5** → Espectro das espondiloartrites.

compreende a espondilite anquilosante e a espondiloartrite axial não radiológica. Embora esta última tenha características comuns com a espondilite anquilosante, o dano articular grave das articulações sacroilíacas e a anquilose vertebral estão ausentes.

Outras manifestações, como a uveíte anterior aguda, geralmente unilateral, e a psoríase e doença inflamatória intestinal, podem ocorrer concomitantemente. A dactilite, edema de um dedo do pé ou da mão, com aspecto "em salsicha", está fortemente associada à artrite psoriásica ou à artrite reativa (FIGURA 184.6). Esse aspecto é causado pela inflamação dos tendões e, em alguns casos, da sinóvia adjacente. A espondiloartrite axial pode comprometer seriamente a mobilidade do paciente, levando a problemas sociais, com dificuldades no trabalho e na vida em geral. Embora as espondiloartrites partilhem inúmeras características, cada uma tem aspectos epidemiológicos e clínicos distintos, e alguns pacientes na sua fase inicial não podem ser nitidamente colocados em uma categoria e são considerados como portadores de espondiloartrite indiferenciada.

## Espondilite anquilosante

A espondilite anquilosante é o protótipo das espondiloartrites e acomete 0,5 a 1% da população. Caracteriza-se por artrite do esqueleto axial (articulações sacroilíacas e coluna), oligoartrite das articulações periféricas e entesite.[31,32] No início, a espondilite anquilosante costuma causar dor nas nádegas, possivelmente se espalhando pela parte de trás das coxas e pela parte inferior da coluna. Geralmente, um lado fica mais doloroso que o outro. Outros sintomas incluem rigidez matinal da coluna, que diminui de intensidade durante o dia, comprometimento progressivo da mobilidade da coluna, que vai enrijecendo (anquilose), e aumento da curvatura da coluna na região dorsal.

O paciente apresenta dor lombar de caráter inflamatório, sacroileíte radiográfica, acometimento vertebral que pode evoluir com anquilose e alta prevalência de HLA-B27.[32] A intensidade da artralgia, da rigidez e da limitação da flexibilidade varia largamente entre os pacientes e durante o curso da doença. Nenhum exame laboratorial é diagnóstico de espondiloartrite. Apenas a metade dos pacientes apresentará elevação das provas de atividade inflamatória, e isso parece estar mais associado ao envolvimento periférico do que à atividade da doença esquelética axial. Não há associação com autoanticorpos, como fator antinuclear, fator reumatoide ou anti-CCP. A herança do HLA-B27 está fortemente associada à espondilite anquilosante, porém ele não é indispensável para o diagnóstico.

Os exames de imagem podem estar normais nas fases precoces da espondilite anquilosante, embora a RM possa demonstrar a presença de edema ósseo nas articulações sacroilíacas já nos primeiros anos da doença.

O diagnóstico diferencial da espondilite anquilosante repousa na combinação de dor nas costas de caráter inflamatório e evidências radiográficas de sacroileíte bilateral. A natureza bilateral da sacroileíte, o acometimento do esqueleto axial e a ausência de manifestações mucocutâneas ajudam a distinguir a espondilite anquilosante da artrite reativa e da artrite psoriásica. A presença de sintomas gastrintestinais em paciente com espondilite anquilosante deve estimular a busca por uma doença inflamatória intestinal.

O tratamento da espondilite anquilosante visa reduzir a inflamação e a dor e melhorar a função, a mobilidade e a força. A abordagem multidisciplinar associando fisioterapia e exercício físico (TE = −0,72 a −0,9 para disfunção)[33] ao tratamento farmacológico fornece os melhores resultados. Os AINEs continuam sendo a pedra fundamental da terapia inicial C/D.[34,35] Pode haver necessidade de tentar vários deles de maneira sequencial até obter uma resposta satisfatória, ditada pelas características individuais de cada paciente. Os glicocorticoides sistêmicos não devem ser rotineiramente usados C/D, pois podem provocar perda de massa óssea, e as infiltrações intra-articulares podem provocar alívio sintomático. Os DMARDs têm utilidade limitada na espondilite anquilosante. A sulfassalazina e o metotrexato têm eficácia modesta no tratamento da artrite periférica e não têm ação na doença crônica do esqueleto axial C/D.[34] Os agentes biológicos atualmente são os fármacos mais potentes e eficazes no tratamento da espondilite anquilosante (TE [rigidez matinal] = −1,04; diminuição de 0,9 ponto em uma escala visual de dor de 10 pontos, e hoje estão disponíveis vários agentes com diferentes alvos terapêuticos (medicamentos anti-TNF, anti-IL17, anti-IL12/IL23).[34,36-40] Contudo, esses fármacos devem ser utilizados por reumatologistas ou médicos experientes no manuseio dessa classe de medicamentos.

## Artrite enteropática

A artrite enteropática que se desenvolve em aproximadamente 20% dos pacientes com doença de Crohn ou colite ulcerativa pode apresentar-se de duas formas: artrite periférica, cuja atividade em geral se correlaciona com a inflamação intestinal, ou artrite do esqueleto axial, cuja atividade é independente da doença intestinal.[41] A artrite periférica pode manifestar-se com artralgias migratórias ou oligoartrite assimétrica de membros inferiores. Eritema nodoso e pioderma gangrenoso

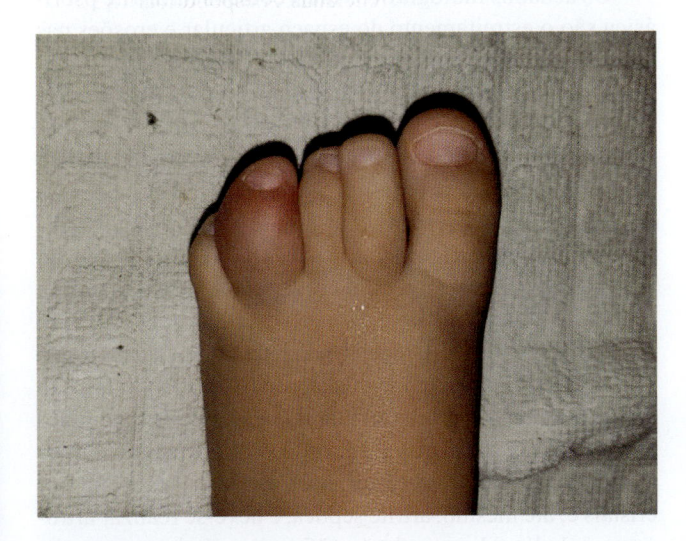

**FIGURA 184.6** → Dactilite.

podem ocorrer nesses casos. O tratamento da doença inflamatória intestinal subjacente pode melhorar a artrite periférica.

As alterações radiológicas da espondilite anquilosante e da espondiloartrite associada à doença inflamatória intestinal são indistinguíveis. Em caso de sacroileíte unilateral, devem-se afastar causas infecciosas como tuberculose e brucelose, além da infecção por *Staphylococcus aureus*. Os AINEs, que podem exacerbar a doença inflamatória intestinal, devem ser evitados C/D. O tratamento deve ser discutido com o gastrenterologista de modo a combinar estratégias de controle da doença intestinal e articular com uso de corticoides e DMARDs sintéticos. Alguns pacientes necessitarão de medicamentos imunobiológicos para controle do quadro intestinal e/ou articular.

## Artrite reativa

A artrite reativa é uma enfermidade inflamatória desencadeada por infecções bacterianas do trato gastrintestinal ou urogenital. Apesar da associação com infecção, as culturas do líquido sinovial são estéreis. A apresentação clínica é geralmente uma oligoartrite inflamatória de articulações periféricas e entesite, podendo ocasionalmente ocorrer artrite do esqueleto axial. Alguns pacientes apresentam a tríade artrite, conjuntivite e uretrite, mas nem todos apresentam as três manifestações no início da doença.[41] Anteriormente conhecida com síndrome de Reiter, esse epônimo caiu em desuso devido a revelações recentes relativas a crimes de guerra durante a Segunda Guerra Mundial cometidos por Reiter. Em geral, a artrite reativa se desenvolve após um intervalo de 1 a 4 semanas depois de um episódio de gastrenterite causado por *Shigella*, *Salmonella*, *Yersinia* ou *Campylobacter*, ou depois de uma infecção do trato urogenital por *Chlamydia trachomatis*. Algumas vezes, não conseguimos detectar quadro de infecção prévia, sugerindo que a artrite reativa possa ocorrer subsequentemente a infecções subclínicas. Adultos jovens com idade entre 20 e 40 anos são os indivíduos mais acometidos. Fatores genéticos têm papel na suscetibilidade à artrite reativa. O HLA-B27 pode estar presente, mas não tem associação tão forte como na espondilite anquilosante.

A artrite reativa pode consistir em um único ataque que segue sua evolução por meses, ou pode apresentar-se com ataques autolimitados que duram semanas a meses e recorrem durante anos após o início dos sintomas. É geralmente autolimitada e se resolve espontaneamente.

Não há indicadores confiáveis para a previsão do prognóstico em longo prazo.

O diagnóstico diferencial deve basear-se na exclusão de causas infecciosas de artrite, como artrite gonocócica, artrite séptica não gonocócica, endocardite bacteriana e infecções virais agudas (p. ex., parvovírus) que geralmente causam uma poliartrite aguda. A artrite reativa pós-estreptocócica deve ser lembrada quando existe história de faringoamigdalite prévia. Gota e pseudogota podem causar oligoartrite aguda, e o exame do líquido sinovial pode elucidar o diagnóstico com o achado dos cristais.

Seu manejo envolve o tratamento das manifestações de doenças articulares/extra-articulares. O tratamento deve ser projetado para reduzir a dor, o edema e a sensibilidade. Os AINEs são a base do tratamento das artrites reativas C/D. Injeções intra-articulares de corticoide podem ser utilizadas C/D. Nos casos mais resistentes, pode ser necessário o uso de DMARDs, como sulfassalazina e metotrexato C/D. Os antibióticos não melhoram os sintomas na maioria dos pacientes com artrite reativa e parecem aumentar o risco de eventos adversos gastrintestinais B,[42] mas um curso de 6 meses de antibióticos combinados pode melhorar os sintomas da artrite reativa crônica induzida por *Chlamydia* C/D.[43]

## Artrite psoriásica

A artrite psoriásica é uma doença inflamatória que ocorre associada à doença cutânea psoríase. Faz parte das espondiloartrites e pode ter várias apresentações clínicas. A artrite ocorre em 10 a 30% dos pacientes que têm psoríase. Embora a etiologia seja desconhecida, existem algumas associações clínicas da psoríase, como em pacientes portadores de HIV que têm maior chance de desenvolver psoríase. Em geral, a manifestação cutânea precede o quadro articular, mas em 10 a 20% dos casos a artrite antecede o aparecimento da lesão cutânea.

O quadro clínico mais comum é o surgimento de uma oligoartrite assimétrica, mas as manifestações articulares variam desde uma monoartrite isolada, a poliartrite, até uma forma grave, destrutiva e mutilante. Pode haver comprometimento axial caracterizando a apresentação espondilítica e, também, uma forma muito característica de envolvimento das articulações interfalângicas distais. A dactilite (ver **FIGURA 184.6**) está fortemente associada à artrite psoriásica.

Não há testes laboratoriais característicos, mas os reagentes de fase aguda podem estar elevados nas fases de atividade da artrite. Os anticorpos estão ausentes na maioria dos pacientes, mas 10 a 20% podem apresentar positividade para o fator antinuclear.

Os achados radiográficos mais comuns na artrite psoriásica são o estreitamento do espaço articular e erosões nas articulações interfalângicas proximais e distais. Os achados são geralmente assimétricos e poupam os punhos e as articulações metacarpofalângicas. Não se observa osteopenia justa-articular como na artrite reumatoide. Podem ocorrer alterações destrutivas graves das articulações na doença de longa duração, com osteólise acentuada, resultando em alargamento dos espaços articulares e evolução para a desorganização total da arquitetura articular (forma mutilante).[44]

O diagnóstico diferencial pode ser difícil quando não estão presentes as lesões cutâneas, ou quando estas são muito discretas. A artrite reumatoide e as outras espondiloartrites são os principais diagnósticos diferenciais. Formas muito agudas de oligoartrite podem simular artropatia por cristais e, até mesmo, artrite séptica, e deve-se realizar artrocentese do líquido articular para fins diagnósticos.

O tratamento da artrite psoriásica é individualizado, e baseia-se na utilização de AINEs e DMARDs não biológicos e biológicos. Em geral, a maioria dos pacientes apresenta alívio dos sintomas articulares com o uso de anti-inflamatórios.

Os anti-inflamatórios constituem o tratamento inicial **B** (porém, deve-se atentar para seus riscos cardiovasculares e gastrintestinais) e, caso não controlem o quadro articular, podem ser associados a DMARDs não biológicos **B**, como metotrexato, sulfassalazina, azatioprina, antimaláricos (hidroxicloroquina) e ciclosporina. Geralmente, o metotrexato é o agente de escolha inicial para os pacientes refratários aos AINEs e tem a vantagem de ser eficaz na doença cutânea e articular **B**. A monitorização da função hepática deve ser realizada periodicamente. Corticoides sistêmicos precisam ser usados com cautela, na menor dose eficaz (< 7,5 mg/dia equivalente à prednisona) e por curtos períodos para minimizar os efeitos adversos, incluindo exacerbação da psoríase após a retirada **C/D**.

A introdução do uso de agentes biológicos – ou terapia imunobiológica –, que atuam diretamente nas células e nas proteínas alteradas da artrite psoriásica, tem mostrado excelentes resultados (risco relativo [RR; resolução de entesite] ≅2, NNT = 3-16; RR [dactilite] ≅2, NNT = 1-11) **B**, melhorando, de forma significativa, a doença articular e cutânea.[45] Para o tratamento da psoríase, podemos utilizar fármacos anti-TNF-α e terapias biológicas inibidoras de interleucinas (anti-IL-17, anti-IL12/IL23).[46]

Ainda como parte do tratamento da artrite psoriásica, devem ser recomendadas atividades físicas regulares de baixo impacto, como caminhada, ioga, fisioterapia e hidroterapia (exercícios na água) **C/D**.

# REFERÊNCIAS

1. Firestein GS, Budd RC, Gabriel SE, McInnes IB, O'Dell JR. Kelley's textbook of rheumatology. 9th ed. Philadelphia: Elsevier; 2012. 2345 p.
2. West S. Rheumatology secrets. 4th ed. Philadelphia: Elsevier; 2019. 859 p.
3. Lopez-Olivo MA, Kakpovbia-Eshareturi V, des Bordes JK, Barbo A, Christensen R, Suarez-Almazor ME. Treating early undifferentiated arthritis: a systematic review and meta-analysis of direct and indirect trial evidence. Arthritis Care Res (Hoboken). 2018;70(9):1355-65.
4. Valentine MJ, Murdock CC, Kelly PJ. Sylvatic cycles of arboviruses in non-human primates. Parasit Vectors. 2019;12(1):463.
5. Toivanen A. Alphaviruses: an emerging cause of arthritis? Curr Opin Rheumatol. 2008;20(4):486-90.
6. Goupil BA, Mores CN. A review of chikungunya virus-induced arthralgia: clinical manifestations, therapeutics, and pathogenesis. Open Rheumatol J. 2016;10:129-40.
7. Brasil. Ministério da Saúde. Secretaria de Vigilância em Saúde. Departamento de Vigilância das Doenças Transmissíveis. Chikungunya: manejo clínico. Brasília: MS; 2017.
8. Marques CDL, Duarte ALBP, Ranzolin A, Dantas AT, Cavalcanti NG, Gonçalves RSG, et al. Recomendações da Sociedade Brasileira de Reumatologia para diagnóstico e tratamento da febre chikungunya. Parte 2 – Tratamento. Rev Bras Reumatol. 2017;57:s438-51.
9. Brito CAA de, Marques CDL, Falcão MB, Cunha RV da, Simon F, Valadares LD de A, et al. Update on the treatment of musculoskeletal manifestations in chikungunya fever: a guideline. Rev Soc Bras Med Trop. 2020;53:e20190517.
10. Estofolete CF, Mota MTO, Vedovello D, Góngora DVN de, Maia IL, Nogueira ML. Mayaro fever in an HIV-infected patient suspected of having Chikungunya fever. Rev Soc Bras Med Trop. 2016;49(5):648-52.
11. Vassilopoulos D, Calabrese LH. Viral hepatitis: review of arthritic complications and therapy for arthritis in the presence of active HBV/HCV. Curr Rheumatol Rep. 2013;15(4):319.
12. Zengin O, Yıldız H, Demir ZH, Dağ MS, Aydınlı M, Onat AM, et al. Rheumatoid factor and anti-cyclic citrullinated peptide (anti-CCP) antibodies with hepatitis B and hepatitis C infection: review. Adv Clin Exp Med. 2017;26(6):987-90.
13. Desbois AC, Comarmond C, Saadoun D, Cacoub P. Cryoglobulinemia vasculitis: how to handle. Curr Opin Rheumatol. 2017;29(4):343-7.
14. Fox C, Walker-Bone K. Evolving spectrum of HIV-associated rheumatic syndromes. Best Pract Res Clin Rheumatol. 2015;29(2):244-58.
15. García-De La Torre I, Nava-Zavala A. Gonococcal and nongonococcal arthritis. Rheum Dis Clin North Am. 2009;35(1):63-73.
16. Brasil. Ministério da Saúde. Secretaria de Vigilância em Saúde. Departamento de Doenças de Condições Crônicas e Infecções Sexualmente Transmissíveis. Protocolo clínico e diretrizes terapêuticas para atenção integral às pessoas com infecções sexualmente transmissíveis (IST) [Internet]. Brasília: MS; 2020 [capturado em 9 set. 2021]. Disponível em: http://www.aids.gov.br/pt-br/pub/2015/protocolo-clinico-e-diretrizes-terapeuticas-para-atencao-integral-pessoas-com-infeccoes.
17. Aletaha D, Neogi T, Silman AJ, Funovits J, Felson DT, Bingham CO, et al. 2010 Rheumatoid arthritis classification criteria: an American College of Rheumatology/European League Against Rheumatism collaborative initiative. Arthritis Rheum. 2010;62(9):2569-81.
18. Teh J, Østergaard M. What the rheumatologist is looking for and what the radiologist should know in imaging for rheumatoid arthritis. Radiol Clin North Am. 2017;55(5):905-16.
19. van der Heijde DM. Plain X-rays in rheumatoid arthritis: overview of scoring methods, their reliability and applicability. Baillieres Clin Rheumatol. 1996;10(3):435-53.
20. Walther M, Harms H, Krenn V, Radke S, Faehndrich TP, Gohlke F. Correlation of power doppler sonography with vascularity of the synovial tissue of the knee joint in patients with osteoarthritis and rheumatoid arthritis. Arthritis Rheum. 2001;44(2):331-8.
21. Vliet Vlieland TPM, van den Ende CH. Nonpharmacological treatment of rheumatoid arthritis. Curr Opin Rheumatol. 2011;23(3):259-64.
22. Baillet A, Zeboulon N, Gossec L, Combescure C, Bodin L-A, Juvin R, et al. Efficacy of cardiorespiratory aerobic exercise in rheumatoid arthritis: meta-analysis of randomized controlled trials. Arthritis Care Res (Hoboken). 2010;62(7):984-92.
23. Baillet A, Vaillant M, Guinot M, Juvin R, Gaudin P. Efficacy of resistance exercises in rheumatoid arthritis: meta-analysis of randomized controlled trials. Rheumatology (Oxford). 2012;51(3):519-27.
24. Smolen JS, Aletaha D, Barton A, Burmester GR, Emery P, Firestein GS, et al. Rheumatoid arthritis. Nat Rev Dis Primers. 2018;4:18001.
25. Singh JA, Saag KG, Bridges SL, Akl EA, Bannuru RR, Sullivan MC, et al. 2015 American College of Rheumatology guideline for the treatment of rheumatoid arthritis. Arthritis Rheumatol. 2016;68(1):1-26.
26. Lopez-Olivo MA, Siddhanamatha HR, Shea B, Tugwell P, Wells GA, Suarez-Almazor ME. Methotrexate for treating rheumatoid arthritis. Cochrane Database Syst Rev. 2014;(6):CD000957.
27. Shea B, Swinden MV, Tanjong Ghogomu E, Ortiz Z, Katchamart W, Rader T, et al. Folic acid and folinic acid for reducing side effects in patients receiving methotrexate for rheumatoid arthritis. Cochrane Database Syst Rev. 2013;(5):CD000951.
28. Aletaha D, Nell VPK, Stamm T, Uffmann M, Pflugbeil S, Machold K, et al. Acute phase reactants add little to composite disease activity

indices for rheumatoid arthritis: validation of a clinical activity score. Arthritis Res Ther. 2005;7(4):R796-806.
29. Mota LMH da, Kakehasi AM, Gomides APM, Duarte ALBP, Cruz BA, Brenol CV, et al. 2017 recommendations of the Brazilian Society of Rheumatology for the pharmacological treatment of rheumatoid arthritis. Adv Rheumatol. 2018;58(1):2.
30. Brasil. Ministério da Saúde. Secretaria de Atenção à Saúde. Portaria conjunta nº 14, de 31 de agosto de 2020 [Internet]. Brasília: DOU; 2020 [capturado em 9 set. 2021]. Disponível em: https://www.in.gov.br/web/dou.
31. Taurog JD, Chhabra A, Colbert RA. Ankylosing spondylitis and axial spondyloarthritis. N Engl J Med. 2016;374(26):2563–74.
32. Wang R, Ward MM. Epidemiology of axial spondyloarthritis: an update. Curr Opin Rheumatol. 2018;30(2):137–43.
33. Pécourneau V, Degboé Y, Barnetche T, Cantagrel A, Constantin A, Ruyssen-Witrand A. Effectiveness of exercise programs in ankylosing spondylitis: a meta-analysis of randomized controlled trials. Arch Phys Med Rehabil. 2018;99(2):383-389.e1.
34. Ward MM, Deodhar A, Gensler LS, Dubreuil M, Yu D, Khan MA, et al. 2019 Update of the American College of Rheumatology/Spondylitis Association of America/Spondyloarthritis research and treatment network recommendations for the treatment of ankylosing spondylitis and nonradiographic axial spondyloarthritis. Arthritis Rheumatol. 2019;71(10):1599–613.
35. Haibel H, Brandt HC, Song IH, Brandt A, Listing J, Rudwaleit M, et al. No efficacy of subcutaneous methotrexate in active ankylosing spondylitis: a 16-week open-label trial. Ann Rheum Dis. 2007;66(3):419–21.
36. Escalas C, Trijau S, Dougados M. Evaluation of the treatment effect of NSAIDs/TNF blockers according to different domains in ankylosing spondylitis: results of a meta-analysis. Rheumatology (Oxford). 2010;49(7):1317–25.
37. Yun H, Xie F, Delzell E, Chen L, Levitan EB, Lewis JD, et al. Risk of hospitalised infection in rheumatoid arthritis patients receiving biologics following a previous infection while on treatment with anti-TNF therapy. Ann Rheum Dis. 2015;74(6):1065–71.
38. Chen J, Lin S, Liu C. Sulfasalazine for ankylosing spondylitis. Cochrane Database Syst Rev. 2014;(11):CD004800.
39. Baeten D, Sieper J, Braun J, Baraliakos X, Dougados M, Emery P, et al. Secukinumab, an interleukin-17A inhibitor, in ankylosing spondylitis. N Engl J Med. 2015;373(26):2534–48.
40. Rudwaleit M, Van den Bosch F, Kron M, Kary S, Kupper H. Effectiveness and safety of adalimumab in patients with ankylosing spondylitis or psoriatic arthritis and history of anti-tumor necrosis factor therapy. Arthritis Res Ther. 2010;12(3):R117.
41. Dougados M, van der Linden S, Juhlin R, Huitfeldt B, Amor B, Calin A, et al. The European Spondylarthropathy Study Group preliminary criteria for the classification of spondylarthropathy. Arthritis Rheum. 1991;34(10):1218–27.
42. Barber CE, Kim J, Inman RD, Esdaile JM, James MT. Antibiotics for treatment of reactive arthritis: a systematic review and metaanalysis. J Rheumatol. 2013;40(6):916–28.
43. Carter JD, Espinoza LR, Inman RD, Sneed KB, Ricca LR, Vasey FB, et al. Combination antibiotics as a treatment for chronic chlamydia-induced reactive arthritis: a double-blind, placebo-controlled, prospective trial. Arthritis Rheum. 2010;62(5):1298–307.
44. Anandarajah AP, Ritchlin CT. The diagnosis and treatment of early psoriatic arthritis. Nat Rev Rheumatol. 2009;5(11):634–41.
45. Mourad A, Gniadecki R. Treatment of dactylitis and enthesitis in psoriatic arthritis with biologic agents: a systematic review and metaanalysis. J Rheumatol. 2020;47(1):59–65.
46. Gottlieb A, Korman NJ, Gordon KB, Feldman SR, Lebwohl M, Koo JYM, et al. Guidelines of care for the management of psoriasis and psoriatic arthritis: section 2. psoriatic arthritis: overview and guidelines of care for treatment with an emphasis on the biologics. J Am Acad Dermatol. 2008;58(5):851–64.

# Capítulo 185
## OSTEOARTRITE

Carla Gottgtroy

Ricardo André Vaz

A osteoartrite, antiga osteoartrose, é a doença articular mais comum no mundo e importante causa de incapacidade funcional em indivíduos com idade > 65 anos, levando a grande perda de qualidade de vida e gastos para a saúde pública. Permanece como uma doença desafiadora, tanto em definição quanto no manejo clínico, ainda paliativo e reativo apesar dos avanços teóricos.[1]

Trata-se de uma doença heterogênea em localização, gravidade e sintomatologia. Antes entendida como uma doença degenerativa restrita ao desgaste da cartilagem, hoje é vista como uma doença complexa de todo o órgão articular (cartilagem articular, osso subcondral, membrana sinovial, cápsula articular e ligamentos) e suas inter-relações com mecanismos de dor crônica e comorbidades.

## EPIDEMIOLOGIA

A prevalência da doença varia com a definição utilizada e o sítio articular acometido. No Brasil, a prevalência de osteoartrite radiográfica sintomática é de aproximadamente 5%.[2,3] Estudos europeus mostram prevalências de osteoartrite sintomática de menos de 1% (homens) e 3% (mulheres) para mãos, menos de 1% (homens) e 2% (mulheres) para quadris, e 3% (homens) e 9% (mulheres) para joelhos.[1]

O fardo econômico do custo médico com a doença é estimado mundialmente em 1 a 5% do produto interno bruto dos países.[4] No Brasil, dados da previdência social demonstram que a doença é responsável por 7,5% de todos os afastamentos do trabalho.

## FATORES DE RISCO

### Sistêmicos

Entre fatores de risco não preveníveis para osteoartrite, destacam-se idade, sexo e história familiar. Sem dúvida, a idade é o fator de risco mais bem estabelecido para todos os sítios da osteoartrite. O surgimento do conceito de *inflammaging* – processo pró-inflamatório crônico que leva o fenótipo da senescência[5] – ajuda a entender os componentes inflamatórios articular e miopático que acompanham tanto o envelhecimento quanto a doença. Em todos os sítios, o sexo feminino é o mais acometido. Fatores genéticos contribuem para o risco de osteoartrite de mãos e quadris.

Entre fatores de risco preveníveis, destaca-se a síndrome metabólica, que se entrelaça com a osteoartrite por vários mecanismos.[6,7] Obesidade é fator de risco para osteoartrite, principalmente em joelhos e mãos, com fraca associação em quadril. Isso ocorre tanto pela sobrecarga mecânica articular (no caso de joelhos e quadril), quanto pelo fato de a obesidade contribuir para um estado inflamatório crônico de baixo grau, via adipocinas como a leptina. Nesse processo, ocorre a ativação de um perfil catabólico em condrócitos, substituição gordurosa da musculatura, sarcopenia e agravamento do estado funcional.[8] Diabetes melito é fator de risco independente para osteoartrite em todos os sítios, e hiperlipidemia, para osteoartrite de mãos.[9]

## Articulares

Lesões articulares são importante fator de risco para osteoartrite. No joelho, as lesões de ligamento anterior e meniscos aumentam em 2,5 vezes o risco de desenvolvimento da doença.[10] Atividades laborais de sobrecarga articular e esportes de alto impacto são fatores de risco especialmente nos quadris e nos joelhos.[11] Desalinhamentos articulares contribuem para o desbalanço da articulação e para a progressão da perda cartilaginosa.

## FISIOPATOLOGIA

A osteoartrite, antes vista como fruto do desgaste da cartilagem articular, é, na verdade, multicausal, e envolve todas as estruturas do órgão articular sinovial. Os mecanismos fisiopatogênicos incluem sobrecarga mecânica, sensibilização, alterações metabólicas e inflamação, e se inter-relacionam, acumulando disfunção e dor (FIGURA 185.1).

A cartilagem articular é avascular e aneural. Assim, os primeiros danos e microfissuras locais não geram dor. A ausência de irrigação impede a participação usual do sistema imune no processo de reparo. Os condrócitos, caracteristicamente dispersos, inicialmente se proliferam em *clusters*, reagindo às alterações da matriz de colágeno com a produção de uma matriz de características biomecânicas inferiores, e enzimas de degradação voltadas à matriz danificada. A sinóvia adjacente reage aos *debris* moleculares com proliferação e citocinas inflamatórias (sinovite proliferativa localizada),

contribuindo para o dano.[12] Fatores de crescimento induzem células-tronco na linha de contato entre periósteo e sinóvia a sofrerem diferenciação condrogênica, dando início a osteófitos. O afilamento da cartilagem superficial com expansão da zona calcificada responde pela diminuição do espaço articular à radiografia.

Com a progressão, ocorre a morte de condrócitos, e fissuras eventualmente alcançam a região subcondral. A falha no reparo de fraturas subcondrais pode resultar em cistos de tecido mixoide ou fibrocartilaginoso, transparentes à radiografia. A multiplicação das trabéculas subcondrais em resposta à sobrecarga mecânica pela perda condral é percebida à radiografia como esclerose subcondral. Na verdade, a densidade óssea reduz significativamente, já que as novas trabéculas não se mineralizam de modo adequado. As alterações subcondrais são acompanhadas da migração de tecido vascular e neural, e a reparação, a fibrose ou a necrose podem ser identificadas à ressonância magnética (RM) como áreas de intensidade de sinal medular semelhante à de edema (ELMSI, do inglês *edema-like marrow signal intensity*). Alterações subcondrais podem também contribuir para a perda cartilaginosa, por redução da capacidade subcondral de absorção do impacto.

Alterações periarticulares influenciam e são influenciadas pelo processo articular. Questões musculares prejudicam a estabilidade e o movimento articular, e a articulação inflamada inibe reflexamente a contração muscular (inibição artrogênica), favorecendo hipotrofia. As sobrecargas musculares e tendíneas podem contribuir para dor miofascial, tendinopatias e bursites, que se somam ao processo de dor e disfunção.

Há potencial associação entre condrocalcinose – calcificação da cartilagem por cristais de pirofosfato de cálcio – e osteoartrites de padrões peculiares (previamente chamadas de pseudo-osteoartrite), além de quadros agudos de pseudogota (ver Capítulo Gota e Outras Monoartrites). Osteoartrite de joelhos aumenta em 3 vezes o achado de condrocalcinose.[13]

## CLASSIFICAÇÃO

A osteoartrite pode ser classificada como primária ou secundária, conforme a existência ou não de um fator causal bem-definido, como traumas, cirurgias, malformações congênitas ou doenças endócrinas ou inflamatórias articulares. Há, ainda, classificações radiológicas por estágio, grau ou sítio articular (joelhos, mãos, coluna e quadris).

Antigos critérios classificatórios para diversos sítios articulares da osteoartrite não têm relevância na prática clínica atual.

## MECANISMOS DA DOR

Uma parte importante do manejo dos pacientes com osteoartrite passa pelo entendimento das múltiplas origens da dor.

Sinovite e ELMSI são as principais alterações crônicas associadas à dor na osteoartrite. Alterações musculares têm resultados conflitantes. Outras alterações, como

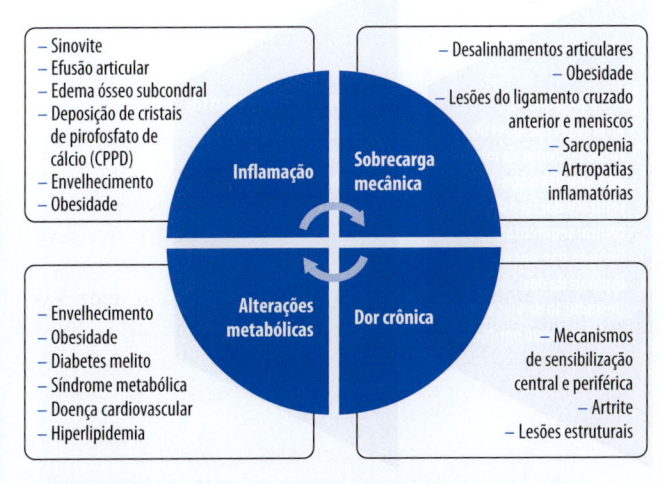

**FIGURA 185.1** → Inter-relações dos mecanismos envolvidos na osteoartrite.

Inflamação:
- Sinovite
- Efusão articular
- Edema ósseo subcondral
- Deposição de cristais de pirofosfato de cálcio (CPPD)
- Envelhecimento
- Obesidade

Sobrecarga mecânica:
- Desalinhamentos articulares
- Obesidade
- Lesões do ligamento cruzado anterior e meniscos
- Sarcopenia
- Artropatias inflamatórias

Alterações metabólicas:
- Envelhecimento
- Obesidade
- Diabetes melito
- Síndrome metabólica
- Doença cardiovascular
- Hiperlipidemia

Dor crônica:
- Mecanismos de sensibilização central e periférica
- Artrite
- Lesões estruturais

meniscopatias e osteófitos, não têm correlação significativa em trabalhos científicos, como seria esperado pela modulação preferencialmente negativa pelo sistema nervoso nociceptivo ao longo dos anos. Por outro lado, condições capazes de um *input* significativo o suficiente para gerar sensibilização favorecem dor crônica (ver Capítulo Abordagem Geral da Dor).

A **FIGURA 185.2** resume as etapas envolvidas no processamento da dor crônica nesses indivíduos.

Fatores psicológicos, comportamentais e familiares podem atuar como gatilhos da sensibilização suprassegmentar. Logo, fica evidente a necessidade da abordagem desses pacientes para além da inflamação local. A frequente associação com sensibilização central tem contribuído para a evolução do conceito de osteoartrite de uma condição puramente biomédica e nociceptiva para uma condição que inclui o indivíduo, suas comorbidades e fatores psicossociais, incluindo socioeconômicos (ver Capítulos Abordagem Geral da Dor e Dor Crônica e Sensibilização Central).

# QUADRO CLÍNICO

As queixas de dor podem variar conforme o estágio e o momento clínico da doença. Em geral, a dor é descrita como de ritmo mecânico, ou seja, com piora de dor à movimentação ativa e melhora com o repouso articular. A rigidez matinal, quando presente, geralmente tem duração < 30 minutos. Os sítios acometidos são em geral assimétricos, ocorrendo mais frequentemente em mãos, joelhos, quadris e coluna.

Crepitação é um sintoma comum, caracterizado por uma sensação ou som no movimento articular, e alerta para avaliação da estabilidade articular e limitação de movimento.

A artrite é percebida ao exame físico como calor e derrame articular, e à imagem por achados de inflamação sinovial como derrame articular e (à RM) de ELMSI (antigamente chamada de edema ósseo subcondral).

Quadros inflamatórios mais intensos podem sugerir associação com deposição de cristais de pirofosfato de cálcio (CPPD, do inglês *calcium pyrophosphate deposition*) (incluindo pseudogota) ou requerer diagnóstico diferencial com as chamadas artrites inflamatórias (ver Capítulo Oligoartrites e Poliartrites).

## Sítios articulares

### Mãos

Nas mãos, os locais mais comuns de osteoartrite são as articulações interfalângicas distais e proximais, além das articulações carpometacarpais (rizartrose). O caráter familiar é bem marcante, além da relação com obesidade. Alterações hipertróficas das articulações interfalângicas distais recebem o nome de nódulos de Heberden, e as alterações das interfalângicas proximais, nódulos de Bouchard. O acometimento isolado das interfalângicas proximais deve alertar para a possibilidade de artrite reumatoide, requerendo investigação atenta de punhos e articulações metacarpofalângicas, as quais são poupadas na osteoartrite. Outro diagnóstico diferencial importante no acometimento das interfalângicas distais é a artrite psoriásica. A rigidez matinal pode ser um dos primeiros sintomas da osteoartrite de mãos, porém é de curta duração, costumeiramente não ultrapassando 15 minutos.

### Quadris

A dor na osteoartrite de quadril é raramente descrita pelo paciente no seu sítio coxofemoral. É geralmente sentida como lombar ou glútea, e acompanhada por limitação à rotação interna da articulação coxofemoral. Deve-se avaliar a síndrome de dor em grande trocânter, bem como dor miofascial (ver Capítulo Dor em Membros Inferiores).

### Joelhos

A dor em joelhos, ou gonalgia, é, sem dúvida, uma das principais queixas e motivos de visita médica na osteoartrite. Dor à movimentação ativa, crepitação, edema articular, calor

**Local**
- Osteíte
- Sinovite
- Lesão do ligamento cruzado anterior
- Meniscopatia
- Bursites
- Tendinites
- Pseudogota

**Neuropático periférico**
- Dano neuronal local
- Sensibilização periférica

**Corno posterior**
- Alterações plásticas do corno posterior da medula
- Aumento da resposta central à dor (sensibilização central segmentar)
- Inibição das vias inibitórias espinais da dor
- Desinibição de vias sensíveis ao calor nocivo periférico e central

**Sistema nervoso central**
- Sensibilização central suprassegmentar
- Gatilhos psicossociais e comportamentais da dor

**FIGURA 185.2** → Mecanismos envolvidos na dor no paciente com osteoartrite.

local e instabilidade do caminhar são sintomas comuns. Cisto de Baker é epônimo comum para cistos sinoviais poplíteos, geralmente indolores, exceto no caso de complicações.[14]

A avaliação da musculatura do quadríceps nos dá um bom estado sobre o prognóstico de disfunção articular.

No exame físico dos joelhos, deve-se avaliar a presença de sinais de inflamação, como calor local e derrame articular, além da situação dos meniscos e dos ligamentos colaterais e cruzados, avaliando a estabilidade da articulação.

A osteoartrite patelar é avaliada pela mobilidade patelar dolorosa com presença de crepitações na movimentação ativa. A crepitação na contratura do quadríceps com fixação da patela é uma manobra pouco específica, mas que sinaliza o acometimento patelar da doença.

### Pés

A presença de dor na primeira articulação metatarsofalângica, com edema – hálux rígido – ou o seu desvio em deformidade – hálux valgo –, popularmente chamado de joanete, deve ser verificada. Edema das outras articulações metatarsofalângicas ou acometimento de tornozelos sugerem artrite reumatoide, e devem ser investigados.

## EXAMES DIAGNÓSTICOS

O diagnóstico de osteoartrite é clínico. Quando a radiografia é associada à história clínica e ao exame físico, a sensibilidade é de 91%, e a especificidade, de 86% na articulação do joelho.

Exames laboratoriais, como provas inflamatórias (proteína C-reativa e velocidade de hemossedimentação [VHS]), só são úteis no diagnóstico diferencial com patologias inflamatórias sistêmicas como a polimialgia reumática e a artrite reumatoide. Para esse diagnóstico diferencial, também podem estar indicados exames para avaliação de autoimunidade, como fator reumatoide, fator antinuclear (FAN) e outros autoanticorpos. A avaliação da creatinina é importante principalmente para avaliação das possibilidades terapêuticas.

A radiografia simples não mostra achados na doença inicial, mas é amplamente utilizada para diagnóstico e diagnósticos diferenciais. Na osteoartrite, primeiro há a diminuição do espaço articular, e, com o avançar da doença, aparecem cistos ósseos, esclerose óssea subcondral e, por fim, erosões e osteófitos (FIGURA 185.3). A diminuição do espaço tende a ser assimétrica; simetrias articulares e erosões marginais devem alertar mais uma vez para artrite reumatoide.

A dor é independente da severidade do dano radiográfico – menos de 50% dos pacientes com osteoartrite radiográfica dos joelhos têm dor associada –;[15] porém, sinovite e edema ósseo na RM estão correlacionados com dor.[16]

A ultrassonografia (US) pode ser usada como ferramenta na tomada de decisão de punções e infiltrações articulares e periarticulares, sendo extensão e confirmação do exame físico articular.

A RM pode ser útil na avaliação de meniscopatias agudas e de lesões ligamentares e na indicação cirúrgica da osteoartrite, mas não deve ser realizada rotineiramente para diagnóstico ou acompanhamento.

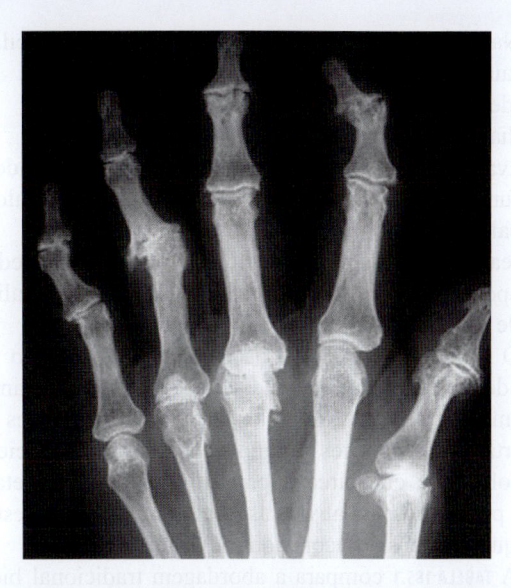

**FIGURA 185.3** → Radiografia de osteoartrite de mãos. Acometimento das articulações interfalângicas distais e proximais: note a redução importante do espaço articular e esclerose na quarta interfalângica proximal esquerda. A presença de osteófitos e cistos subcondrais é bem evidente na terceira articulação interfalângica distal, e há desarranjo articular e erosões na segunda interfalângica distal.
Fonte: Acervo da Dra. Clarissa Canella.

## PLANO DE AÇÃO

### Níveis de prevenção na osteoartrite

Uma vida ativa, incluindo atividades que permitam ganho e manutenção de massa muscular e proteção das articulações, é uma das bases da prevenção da osteoartrite **C/D**.[17]

Tanto em termos de prevenção primária quanto secundária, a abordagem dos indivíduos com obesidade e a prevenção/orientações após lesões articulares são importantes. Quanto às últimas, é importante mapear pacientes sob risco ocupacional, atletas e portadores de síndrome de hipermobilidade articular, para que tenham consciência de potenciais danos articulares e consequências futuras.

A prevenção terciária muitas vezes fica restrita a grandes centros em pacientes pós-cirúrgicos, mas garantir o fortalecimento muscular e a capacidade funcional do indivíduo é de extrema importância. Profissionais de fisioterapia devem atuar no pré e pós-operatório e principalmente nos pacientes não elegíveis à terapia de substituição articular, introduzindo a prática da atividade física, mesmo que inicialmente sob supervisão.

A prevenção quaternária corresponde à conscientização quanto aos inúmeros assédios nas mídias para compra e uso de suplementos alimentares e medicamentos com fins de alívio ou resolução da osteoartrite. É extremamente necessário orientar quanto à cronicidade da doença e aos possíveis malefícios da auto e polimedicação.

### Plano terapêutico

O sucesso do plano terapêutico na osteoartrite está intimamente relacionado à abordagem da cronicidade e das estratégias de automanejo da doença.

Na primeira consulta, alguns tópicos podem facilitar a estruturação de um plano de ação:
1. identificar o sítio da osteoartrite;
2. diagnosticar comorbidades;
3. avaliar a situação clínica do paciente em termos de dor, função, rigidez, sinais de inflamação (edema/calor local), instabilidade e desalinhamentos;
4. realizar abordagem emocional e ambiental: rede de apoio, expectativas com tratamento, humor e qualidade de sono.

O caráter motivacional da entrevista deve ser o foco, entendendo que a abordagem da obesidade e o engajamento em um programa de exercícios físicos são os fatores mais importantes em termos prognósticos para esses pacientes. Ao colocar-se em parceria para atingimento de metas de curto prazo, a escuta ativa e as questões abertas são estratégias que devem ser encorajadas nessa abordagem.

A TABELA 185.1 compara a abordagem tradicional biomédica com uma abordagem ancorada na entrevista motivacional (ver Capítulo Abordagem para Mudança no Estilo de Vida).

É importante reavaliar continuamente com o paciente a situação do seu tratamento, visando reajustar o plano terapêutico.

## TRATAMENTO

### Tratamento não farmacológico

As terapias não farmacológicas são a base do plano terapêutico e visam diminuir a progressão da doença, a dor e o uso de medicamentos analgésicos e anti-inflamatórios, além de manter a funcionalidade do paciente.

Podemos dividir as modalidades em:
→ abordagens de educação e autogestão da dor – grupos, programas de automanejo da dor;
→ perda de peso;
→ exercícios físicos;
→ terapias corpo-mente;
→ uso de órteses e próteses;
→ modalidades de fisioterapia;
→ tratamentos integrativos e complementares.

Ver TABELA 185.2 para mais detalhes em relação aos sítios articulares mão, joelho e quadril.

**TABELA 185.1** → Abordagem biomédica *versus* entrevista motivacional

| ABORDAGEM BIOMÉDICA | ENTREVISTA MOTIVACIONAL | COMENTÁRIOS |
|---|---|---|
| Como seu profissional de saúde, eu realmente acho que você deve se exercitar diariamente. | O que acha de se exercitar? | O foco está nas preocupações dos pacientes. |
| Há muitas maneiras de se exercitar. Você poderia caminhar, andar de bicicleta, nadar ou ir a uma academia. | De quais tipos de atividades você gosta? | Parceria igualitária. |
| Você diz que não tem tempo para se exercitar, mas o exercício é tão importante para suas articulações que você deve tirar um tempo para isso. | Você diz que o tempo é uma barreira para você se exercitar. Quais ideias você tem para encaixar a atividade física em sua rotina diária? | O foco está nas preocupações dos pacientes. Combine a intervenção ao nível de motivação. |
| Escrevi alguns objetivos para você sobre aumentar seu exercício. | Diga-me no que você gostaria de trabalhar nos próximos 3 meses. | A ênfase é na escolha pessoal. As metas são definidas de forma colaborativa. |
| Você diz que quer ser mais ativo, mas não faz o programa de exercícios caseiros que eu lhe propus. Isso me diz que você não está interessado. | Sua ambivalência sobre exercício é normal. Diga-me como você gostaria de seguir em frente. | Ambivalência é uma parte normal do processo de mudança. |

Fonte: Ehrlich-Jones e colaboradores.[18]

**TABELA 185.2** → Recomendações para abordagens físicas, psicossociais e mente-corpo para o tratamento da osteoartrite da mão, do joelho e do quadril (em geral, níveis de evidência B para recomendações fortes; ver artigo para detalhes)

| ABORDAGEM | SÍTIO ARTICULAR* | | |
|---|---|---|---|
| | MÃO | JOELHO | QUADRIL |
| Exercício | | | |
| Treino de equilíbrio | | | |
| Perda de peso | | | |
| Programas de autoeficácia e autogestão | | | |
| Tai chi | | | |
| Ioga | | | |
| Terapia cognitivo-comportamental | | | |
| Bengala | | | |
| Joelheiras tibiofemorais | | (Tibiofemoral) | |
| Chaves femoropatelares | | (Patelofemoral) | |
| Bandagem funcional (kinesiotaping) | (Primeira carpometacarpal) | | |
| Órtese de mão | (Primeira carpometacarpal) | | |
| Órtese de mão | (Outras articulações da mão) | | |
| Sapatos modificados | | | |
| Palmilhas laterais e mediais em cunha | | | |
| Acupuntura | | | |
| Intervenções térmicas | | | |
| Parafina | | | |
| Ablação por radiofrequência | | | |
| Massoterapia | | | |
| Terapia manual com/sem exercício | | | |
| Iontoforese | (Primeira carpometacarpal) | | |
| Terapia de vibração pulsada | | | |
| Estimulação nervosa elétrica transcutânea (TENS) | | | |

*Legenda das cores: ■ fortemente recomendado, □ recomendado condicionalmente, ■ forte recomendação contrária, □ recomendado contra condicionalmente, □ sem recomendação.
Fonte: Kolasinski e colaboradores.[22]

## Abordagem de educação e autogestão da dor

Investir em grupos para abordar a autogestão da dor e desmistificar a doença é uma estratégia de sucesso para evitar idas desnecessárias ao médico[19] e modificar hábitos de vida e crenças limitantes sobre a doença B. Discursos como "nada ajuda", "é parte do envelhecimento" e "vou ficar entrevado" são falas comuns, e devem ser combatidas.

Estão disponíveis ferramentas *on-line*, destacando-se os programas da Arthritis Foundation,[20] e os *Arthritis Programs* do Centers for Disease Control and Prevention (CDC);[21] porém, estes possuem a barreira da língua inglesa, tornando-se pouco acessíveis ao público brasileiro. O baixo nível de escolaridade, baixa renda mensal e baixa adesão dos usuários e familiares são barreiras que dificultam o sucesso da implementação de grupos.

## Perda de peso

A perda de peso é fator importante nas articulações de joelhos e quadris (tamanho de efeito [TE; dor] = −0,32; número necessário para tratar [NNT; > 50% de redução da dor] = 4) B.[22] Uma perda ≥ 5% do peso corporal do paciente já está associada a mudanças clínicas e melhora dos desfechos da mecânica articular. Assim, um paciente com 80 kg já percebe a melhora da dor a partir do 4º kg perdido, e esse benefício aumenta à medida que aumenta a perda de peso.

O referenciamento a serviços especializados de emagrecimento nos casos de pessoas com obesidade mórbida pode ser importante para evitar danos articulares irreversíveis pela sobrecarga articular.

## Exercícios físicos

Programas estruturados de exercício físico são parte do manejo para todas as formas de osteoartrite, sendo mais bem estudados em joelhos e quadris (TE [dor] = −0,45 para exercício aeróbico [joelho] e TE = −0,47 a 1,41 para exercício de resistência [joelhos e quadris]) que em mãos B.[22] O foco holístico em exercícios aeróbicos, fortalecimento muscular e treinamento neuromuscular e equilíbrio é ideal, mas uma hierarquia específica do melhor exercício a ser prescrito ainda não foi elencada, devendo-se individualizar o treino conforme possibilidades e preferências de cada indivíduo.

Programas de exercício são mais efetivos quando supervisionados do que quando feitos individualmente em casa, sendo indicada uma combinação desses dois modelos.[22]

## Terapias corpo-mente

*Tai chi* é recomendado para pacientes com doença de joelhos e quadris (TE [dor] = −0,59) B.[22] É uma modalidade de terapia corpo-mente com movimentos articulares leves e coordenados.

Além da melhora física, a modalidade parece atuar também na depressão e na qualidade de vida relacionadas à doença.[23] A prática regular da ioga também parece ter efeito benéfico na redução de sintomas, na melhora física e no bem-estar geral nos pacientes com osteoartrite de joelhos.[24]

## Órteses e próteses

O uso de bengalas é recomendado aos pacientes com disfunção e dificuldade de deambulação nas osteoartrites de joelhos e quadris, ajudando na prevenção de quedas e fraturas B.[22]

A bengala deve ter altura igual à distância entre o chão e o punho do paciente quando em semiflexão do cotovelo a 20 a 30 graus. A empunhadura curva não facilita a distribuição da carga, devendo ser preferida uma empunhadura retilínea com conforto para o encaixe das mãos. As bengalas podem ter base única ou até quatro pontos de apoio ("base alargada"), esta última facilitando o apoio, mas comprometendo a velocidade da passada.

As órteses tibiofemorais aliviam a dor em pacientes com osteoartrite de joelhos e são indicadas principalmente nos pacientes que têm instabilidade articular associada B. As órteses patelofemorais são indicadas nos casos de osteoartrite patelar, porém são de difícil adesão pelo incômodo associado C/D.[25]

As órteses para mãos, em especial para rizartrose – acometimento da primeira articulação carpometacarpal – e para nódulos de Bouchard e de Heberden, são recomendadas por diminuir a dor e melhorar a função na articulação C/D.[22]

Antes recomendadas, atualmente o uso de palmilhas em cunha e sapatos modificados é contraindicado por modificar a biomecânica da marcha, o que aumenta chance de quedas C/D.

## Fisioterapia

A fisioterapia tem papel essencial na reabilitação e na melhora dos sintomas álgicos dos pacientes. Os treinos devem englobar força, coordenação e propriocepção e são uma ponte para a prática de exercícios físicos.

As modalidades como cinesioterapia (tratamento terapêutico de doenças por movimentos musculares passivos e ativos) são indicadas, principalmente para joelhos e primeira articulação carpometacarpal C/D.[26] Diversas formas de massagem e outras terapias manuais parecem benéficas (TE [dor] = −0,61) C/D. Quanto à prática de reabilitação aquática, ela parece ser tão eficaz quanto as terrestres, devendo ser ofertada quando disponível, por ter maior adesão e satisfação terapêutica C/D.[27]

O uso de parafina, método de aplicação de calor supervisionado, para osteoartrite de mãos, pode ser benéfico principalmente para pacientes com doença de múltiplas articulações nas mãos C/D.

O uso de TENS (neuroestimulação elétrica transcutânea), massagens terapêuticas e terapias manuais não é indicado para a inflamação articular C/D, podendo ser usadas como adjuvantes em síndromes dolorosas correlatas.

A aplicação de frio ou calor, sob forma de bolsas térmicas, pode ser usada para analgesia (intensidade da dor = −0,69 em uma escala de 10)[22] C/D, com efeito de curta duração. Apesar da fraca evidência de eficácia, deve ser encorajada no sentido do automanejo da dor e para evitar abuso de medicamentos analgésicos. A aplicação deve cobrir toda a articulação por 15 a 20 minutos sem estar em contato direto com a pele. Bolsas térmicas caseiras para aplicação de frio podem ser feitas usando sacos plásticos com lacre e três quartos de 1 copo de álcool para 3,5 copos de água.[28] Alguns pacientes, com comprometimento da via dolorosa sensível ao calor, podem não tolerar essas modalidades.

### Tratamentos integrativos e complementares

Terapia cognitivo-comportamental é amplamente utilizada para condições de dor crônica, com resultados na melhora da dor (TE = −0,11),[22] na qualidade de vida, no humor, na fadiga e na capacidade funcional, apesar da pouca evidência em estudos específicos para dor crônica da osteoartrite **C/D**.

Acupuntura é indicada para manejo da dor em todos os sítios articulares, com bons resultados práticos (TE [intensidade da dor] = −0,06 a −0,44 [joelho] e 0,13 [quadril] contra acupuntura simulada) **C/D**.[22,29] A magnitude dos efeitos é de difícil mensuração pela heterogeneidade de técnica.

## Tratamento farmacológico

A conduta em relação à osteoartrite ainda se baseia em aliviar as dores e melhorar a funcionalidade e diminuir a rigidez do indivíduo, já que não há nenhum medicamento aprovado para modificar a progressão da doença. A seguir, serão apresentados os medicamentos utilizados e a eficácia de cada um deles na literatura atual.

### Analgésicos

#### Paracetamol

Analgésicos comuns, como paracetamol, são amplamente utilizados para osteoartrite. Estima-se que 6% dos norte-americanos usem diariamente doses acima da recomendada (4 g), causando 30 mil internações anuais por hepatotoxicidade ligada a esse fármaco. O paracetamol (na dose de até 3 g/dia) fornece quase nenhum benefício para a dor na osteoartrite (intensidade da dor = −3,2 em uma escala de 100 [joelho e quadril]) **A**.[30] Deve-se ter cuidado com efeitos colaterais, principalmente em idosos com idade > 65 anos, cuja depuração provavelmente se encontra reduzida.[31] Sua utilização é preferencial em pacientes que possuem contraindicação a anti-inflamatórios, sendo recomendado em dose máxima diária de 3 g.

#### Dipirona

Apesar da falta de estudos com dipirona, no Brasil, há uma ampla utilização desse medicamento, com segurança, para controle da dor **C/D**, sendo utilizada a dose de 1 g por via oral dividida de até 6/6 horas. Assim como o paracetamol, pode ser combinada com opioides em quadros de dor refratária.

#### Opioides

Estudos demonstram baixa eficácia dos opioides em pacientes com osteoartrite, sendo o mais estudado e mais utilizado o tramadol (dor = −0,97 em uma escala de 20 [joelho e quadril]) **B**.[22] Existe recomendação do seu uso (tramadol 100 mg, até 6/6 horas – apresentações de 50 e 100 mg) quando o paciente apresenta refratariedade a outra abordagem e quando existe impossibilidade do uso de anti-inflamatórios **C/D**. Não há estudos do seu uso por mais de 1 ano, e há risco de dependência, embora menor do que de outros opioides.

Deve-se evitar o uso de outros opioides como metadona, oxicodona ou morfina, sendo reservados a casos extremos, em especial nos pacientes em preparo pré-operatório, como tratamento-ponte até a substituição articular. Sua utilização deve ser feita pelo menor tempo e dose possíveis, devido à possibilidade de toxicidade e dependência.[22]

### Anti-inflamatórios

#### Não esteroides tópicos

São medicamentos de primeira escolha no tratamento de osteoartrite de mãos e joelhos (~50% dos pacientes com 50% de melhora na dor), sendo pouco utilizados em quadril, devido à profundidade da articulação. Apresentam boa evidência de melhora na dor, na funcionalidade e na rigidez, com menos efeitos colaterais se comparados a anti-inflamatórios orais **B**.[32] Diclofenaco sódico em pomada, gel ou *spray* é o mais utilizado. Não há estudos demonstrando diferença entre as apresentações.

#### Não esteroides orais

Também são utilizados como medicamentos de primeira linha (dor = −11,7 em uma escala de 100 [joelho e quadril]), porém seu uso deve ser restrito e por um curto período de tempo **B**.[22] Devido ao fato de a osteoartrite ser uma comorbidade de idosos, sua prescrição e uso inadvertidos cursam com complicações renais, gástricas, hepáticas e cardiovasculares; assim, o uso tópico é a escolha pelo melhor perfil de segurança.[33]

#### Esteroides intra-articulares

Existe eficácia em curto prazo da injeção de triancinolona em joelhos (intensidade da dor na semana 12 = −0,7 a −2,4 em uma escala de 10), quadris e articulações interfalângicas proximais e distais de mãos **B**.[22] Estudos divergem sobre o possível papel de múltiplas infiltrações na progressão da osteoartrite em longo prazo, havendo resultados conflitantes quanto à piora do desgaste da cartilagem articular após a exposição repetida de glicocorticoides; portanto, deve-se utilizar a infiltração pelo menor número de vezes possível no mesmo sítio articular.[34]

A infiltração pode ser guiada por US quando disponível, porém isso não é mandatório em casos de acometimento de mãos e joelhos, enquanto no quadril é preferível pela dificuldade de abordagem.[35]

Apesar de não haver estudos *head-to-head*, o corticoide se mostrou mais eficaz que outras substâncias injetáveis, sendo preferível ao uso de ácido hialurônico, plasma rico em plaquetas ou terapia com células-tronco, que ainda apresentam pouca evidência na literatura.

#### Esteroides orais

Em crises agudas de osteoartrite de mãos, o uso de 10 mg de prednisolona por 6 semanas, seguido de 1 semana com 5 mg e 1 semana com 2,5 mg diminuiu a dor (intensidade da dor = −16 em uma escala de 100) **B**.[36] Não se devem prescrever corticoides por um período maior, devido aos seus múltiplos efeitos colaterais, como osteoporose, hipertensão arterial e piora do perfil metabólico.

### Capsaicina tópica

A capsaicina é um componente ativo das pimentas *chili* que, assim como os anti-inflamatórios tópicos, apresenta eficácia em mãos e joelhos (intensidade da dor = −1,9 em uma escala de 20),[22] não sendo indicada para o quadril devido à sua anatomia **B**. Deve ser aplicada na área afetada 3 ou 4 ×/dia, não excedendo 4 aplicações/dia, devendo-se lavar as mãos com água e sabão após a aplicação. Apesar do efeito para doença articular nas mãos, o uso deve ser criterioso, pois existe risco de intoxicação ocular.[37]

### Agentes de ação central

O único medicamento com estudos evidenciando resposta positiva em osteoartrite foi a duloxetina (30-60 mg/dia, ambas as apresentações disponíveis), com eficácia em joelhos (NNT = 8 para 30% de redução na dor **B**;[38] intensidade da dor = −6 em uma escala de 100 quando adicionado ao AINE **C/D**).[22] Porém, sua utilização acaba sendo extrapolada para doença de mãos e quadris.[38-41]

Apesar de não haver estudos evidenciando eficácia, outros fármacos como pregabalina, gabapentina, antidepressivos tricíclicos, inibidores seletivos da recaptação da serotonina e outros inibidores seletivos da recaptação da serotonina e da norepinefrina **C/D** podem ser utilizados em decisão compartilhada com o paciente. Eles agem nos mecanismos que exacerbam o processo álgico crônico. (Ver Capítulo Dor Crônica e Sensibilização Central.)

### Fármacos sintomáticos de ação lenta na osteoartrite (SYSADOAs, do inglês *symptomatic slow-acting drugs for osteoarthritis*)

Existem três classes de fármacos amplamente utilizados como lentificadores de progressão de doença, porém os estudos demonstram que elas podem ser eficazes em melhora da dor, sem melhora em funcionalidade e progressão de doença.

A diacereína é um medicamento oral que age combatendo a interleucina (IL)-1, que produz pequena redução em dor de joelho e quadril (intensidade da dor = −8,6 em uma escala de 100) **C/D** em pacientes com idade < 65 anos. A European Medicines Agency recomenda que, devido a paraefeitos como diarreia, dor abdominal, colite e perda sanguínea gastrintestinal, só deve ser administrada por médicos com experiência no tratamento da osteoartrite, preferindo-se iniciar com doses mais baixas (50 mg).[42]

O sulfato de glicosamina apresenta pequeno benefício em joelhos e quadris (intensidade da dor = −0,55 em uma escala de 20) **B**.[22]

A condroitina isoladamente ou em combinação com glicosamina não demonstrou efeito **B** na osteoartrite de joelhos e quadril, havendo possível benefício da condroitina isolada na osteoartrite de mãos.[22]

A fração insaponificável do óleo de abacate também é um medicamento seguro. Alguns estudos sugerem efetividade no tratamento do joelho (intensidade da dor = −17 em uma escala de 100), mas não do quadril **C/D**.[43]

### Fármacos antirreumáticos modificadores do curso da doença (DMARDs, do inglês *disease-modifying antirheumatic drugs*)

A hidroxicloroquina e o metotrexato, fármacos imunomoduladores, têm sido usados na tentativa de diminuir inflamação aguda em pacientes com osteoartrite mais grave, em que encontramos erosão e destruição articular mais importante. No entanto, a hidroxicloroquina não reduz dor **B**.[22] Agentes biológicos, como os anti-TNF, também não apresentam evidência para o uso nessa patologia **C/D**.[22]

As recomendações para o tratamento medicamentoso da osteoartrite da mão, do joelho e do quadril são sumarizadas na TABELA 185.3.

**TABELA 185.3** → Recomendações para o manejo farmacológico da osteoartrite da mão, do joelho e do quadril

| INTERVENÇÃO | SÍTIO ARTICULAR* | | |
|---|---|---|---|
| | MÃO | JOELHO | QUADRIL |
| AINEs tópicos | | | |
| Capsaicina tópica | | | |
| AINEs orais | | | |
| Infiltração de corticoide | | | |
| Infiltração de corticoide guiada por US | | | |
| Paracetamol† | | | |
| Duloxetina | | | |
| Tramadol | | | |
| Outros opioides | | | |
| Colchicina | | | |
| Óleo de peixe | | | |
| Vitamina D | | | |
| Bifosfonatos | | | |
| Glicosamina | | | |
| Sulfato de condroitina | | | |
| Hidroxicloroquina | | | |
| Metotrexato | | | |
| Infiltração de ácido hialurônico | Primeira articulação carpometacarpal | | |
| Aplicação de toxina botulínica intra-articular | | | |
| Fototerapia | | | |
| Plasma rico em plaquetas | | | |
| Infiltração de células-tronco | | | |
| Biológicos (inibidores de TNF/antagonistas de IL-1R) | | | |

*Legenda das cores: ■ fortemente recomendado, ■ recomendado condicionalmente, ■ fortemente recomendado contra, □ recomendado contra condicionalmente, □ sem recomendação.
†Ver texto.
AINEs, anti-inflamatórios não esteroides; IL-1R, receptor de interleucina-1; TNF, fator de necrose tumoral; US, ultrassonografia.
Fonte: Kolasinski e colaboradores.[22]

### Outros medicamentos

Outros medicamentos, como colchicina, óleo de peixe, vitamina D e bifosfonatos, também não são recomendados, de modo geral, para osteoartrite C/D.

Na doença por CPPD associada à osteoartrite, o uso da colchicina associado a anti-inflamatórios orais, esteroides ou não esteroides, está bem empregado para crise aguda inflamatória nesses pacientes. Radiografias evidenciando condrocalcinose em joelhos (FIGURA 185.4) ou até mesmo em ligamento triangular dos punhos (FIGURA 185.5) são achados muito característicos para estabelecermos essa associação.[44]

### Terapia de substituição articular

A indicação de artroplastia total de quadril e joelhos é individualizada seguindo o racional da falha da terapia conservadora mantendo dor intratável, diminuição da funcionalidade nas atividades da vida diária ou presença de deformidades graves.

É importante avaliar que obesidade mórbida, infecções (sistêmicas ou locais), comorbidade cardiovascular grave, quadriplegia e perda muscular ou atrofia muscular importante impossibilitam a modalidade terapêutica.

Nos pacientes elegíveis à terapia de substituição articular, é importante esclarecer que até 23% dos pacientes que operam quadril e 34% dos portadores de osteoartrite de joelhos permanecem com dor em longo prazo apesar da terapia de substituição articular.[25] Porém, a terapia de substituição articular ainda é o tratamento mais eficaz na osteoartrite, em especial de quadril e joelhos, e prorrogar uma indicação cirúrgica pode piorar os resultados em longo prazo. O momento da intervenção deve ser discutido com o paciente e com o ortopedista caso a caso.

## QUANDO REFERENCIAR

Devido ao fato de a doença ter caráter multidimensional, a equipe multidisciplinar contribui para o atingimento de metas como emagrecimento e manutenção dos exercícios físicos.

A TABELA 185.4 resume as principais indicações de referenciamento por especialidade.

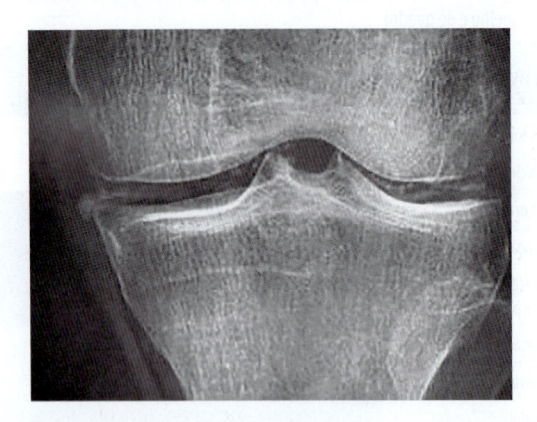

**FIGURA 185.4** → Radiografia em incidência anteroposterior de joelho. Visualização de linhas tênues intra-articulares mostrando deposição de cristais de pirofosfato de cálcio na cartilagem do joelho.
Fonte: Acervo do Dr. Ricardo André Vaz.

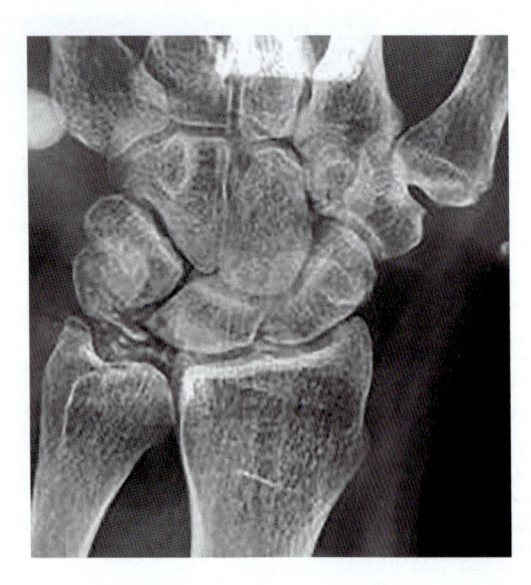

**FIGURA 185.5** → Radiografia em incidência anteroposterior de punho esquerdo. Visualiza-se a deposição de cristais de pirofosfato de cálcio no ligamento triangular do punho, altamente sugestiva de CPPD associada.
Fonte: Acervo do Dr. Ricardo André Vaz.

**TABELA 185.4** → Profissionais envolvidos no cuidado do paciente portador de osteoartrite – indicações de referenciamento

| | |
|---|---|
| Fisioterapeutas | → Preparo pré e pós-cirúrgico<br>→ Avaliação funcional e melhora da estabilidade e da postura e ganho de massa muscular em pacientes atrofiados ou com limitações funcionais<br>→ Medidas de proteção articular e conservação de energia |
| Terapeuta ocupacional | → Prescrição de órteses e dispositivos articulares<br>→ Auxílio no ganho de funcionalidade nas atividades da vida diária<br>→ Treinamento de estratégias de proteção articular |
| Nutricionista | → Emagrecimento e plano alimentar para manejo de comorbidades (síndrome metabólica) |
| Profissionais de educação física | → Emagrecimento, fortalecimento muscular; trabalho com equilíbrio e melhora da propriocepção |
| Profissionais de saúde mental | → Enfrentamento disfuncional e transtornos de ansiedade e/ou depressão relacionados à dor crônica |
| Reumatologista | → Diagnóstico diferencial de outras artrites inflamatórias e no manejo relacionado às artrites secundárias |
| Ortopedista | → Pacientes elegíveis à substituição articular, principalmente de quadril e joelho |

## REFERÊNCIAS

1. Hunter DJ, Bierma-Zeinstra S. Osteoarthritis. Lancet. 2019;393(10182):1745–59.
2. Senna ER, De Barros ALP, Silva EO, Costa IF, Pereira LVB, Ciconelli RM, et al. Prevalence of rheumatic diseases in Brazil: a study using the COPCORD approach. J Rheumatol. 2004;31(3):594–7.

3. Pereira AM, Valim V, Zandonade E, Ciconelli RM. Prevalence of musculoskeletal manifestations in the adult Brazilian population: a study using copcord questionnaires. Clin Exp Rheumatol. 2009;27(1):42–6.

4. Hunter DJ, Schofield D, Callander E. The individual and socioeconomic impact of osteoarthritis. Nat Rev Rheumatol. 2014;10(7):437–41.

5. Vina ER, Kwoh CK. Epidemiology of osteoarthritis: literature update. Curr Opin Rheumatol. 2018;30(2):160–7.

6. Valdes AM. Metabolic syndrome and osteoarthritis pain: common molecular mechanisms and potential therapeutic implications. Osteoarthritis Cartilage. 2020;28(1):7–9.

7. Suter LG, Smith SR, Katz JN, Englund M, Hunter DJ, Frobell R, et al. Projecting Lifetime Risk of Symptomatic Knee Osteoarthritis and Total Knee Replacement in Individuals Sustaining a Complete Anterior Cruciate Ligament Tear in Early Adulthood. Arthritis Care Res. 2017;69(2):201–8.

8. Godziuk K, Prado CM, Woodhouse LJ, Forhan M. The impact of sarcopenic obesity on knee and hip osteoarthritis: a scoping review. BMC Musculoskelet Disord. 2018;19(1):271.

9. Gao Y-H, Zhao C-W, Liu B, Dong N, Ding L, Li Y-R, et al. An update on the association between metabolic syndrome and osteoarthritis and on the potential role of leptin in osteoarthritis. Cytokine. 2020;129:155043.

10. Harris EC, Coggon D. HIP osteoarthritis and work. Best Pract Res Clin Rheumatol. 2015;29(3):462–82.

11. Ezzat AM, Li LC. Occupational physical loading tasks and knee osteoarthritis: a review of the evidence. Physiother Can. 2014;66(1):91–107.

12. Martel-Pelletier J, Barr AJ, Cicuttini FM, Conaghan PG, Cooper C, Goldring MB, et al. Osteoarthritis. Nat Rev Dis Primers. 2016;2:16072.

13. Wang Y, Wei J, Zeng C, Xie D, Li H, Yang T, et al. Association between chondrocalcinosis and osteoarthritis: A systematic review and meta-analysis. Int J Rheum Dis. 2019;22(7):1175–82.

14. Guermazi A, Hayashi D, Roemer FW, Niu J, Yang M, Lynch JA, et al. Cyst-like lesions of the knee joint and their relation to incident knee pain and development of radiographic osteoarthritis: the MOST study. Osteoarthritis Cartilage. 2010;18(11):1386–92.

15. Hannan MT, Felson DT, Pincus T. Analysis of the discordance between radiographic changes and knee pain in osteoarthritis of the knee. J Rheumatol. 2000;27(6):1513–7.

16. O'Neill TW, Felson DT. Mechanisms of Osteoarthritis (OA) Pain. Curr Osteoporos Rep. 2018;16(5):611–6.

17. Ciolac EG, Rodrigues-da-Silva JM. Resistance Training as a Tool for Preventing and Treating Musculoskeletal Disorders. Sports Med. 2016;46(9):1239–48.

18. Ehrlich-Jones L, Mallinson T, Fischer H, Bateman J, Semanik PA, Spring B, et al. Increasing physical activity in patients with arthritis: a tailored health promotion program. Chronic Illn. 2010;6(4):272–81.

19. Coleman S, Briffa NK, Carroll G, Inderjeeth C, Cook N, McQuade J. A randomised controlled trial of a self-management education program for osteoarthritis of the knee delivered by health care professionals. Arthritis Res Ther. 2012;14(1):R21.

20. Arthritis Foundation. Health care providers [Internet]. Atlanta: Arthritis Foundation; c2021 [capturado em 18 ago. 2021]. Disponível em: https://www.arthritis.org/.

21. Osteoarthritis Action Aliance. OACareTools: Osteoarthritis Prevention & Management in Primary Care [Internet]. Chapel Hill: OA Action Aliance; c2021 [capturado em 18 ago. 2021]. Disponível em: https://oaaction.unc.edu/resource-library/modules/.

22. Kolasinski SL, Neogi T, Hochberg MC, Oatis C, Guyatt G, Block J, et al. 2019 American College of Rheumatology/Arthritis Foundation Guideline for the Management of Osteoarthritis of the Hand, Hip, and Knee. Arthritis Rheumatol. 2020;72(2):220–33.

23. Wang C, Schmid CH, Hibberd PL, Kalish R, Roubenoff R, Rones R, et al. Tai Chi is effective in treating knee osteoarthritis: a randomized controlled trial. Arthritis Rheum. 2009;61(11):1545–53.

24. Wang Y, Lu S, Wang R, Jiang P, Rao F, Wang B, et al. Integrative effect of yoga practice in patients with knee arthritis: A PRISMA-compliant meta-analysis. Medicine (Baltimore). 2018;97(31):e11742.

25. Silva PG, de Carvalho Silva F, da Rocha Corrêa Fernandes A, Natour J. Effectiveness of nighttime orthoses in controlling pain for women with hand osteoarthritis: a randomized controlled trial. Am J Occup Ther. 2020;74(3):7403205080p1–10.

26. Xu Q, Chen B, Wang Y, Wang X, Han D, Ding D, et al. The Effectiveness of Manual Therapy for Relieving Pain, Stiffness, and Dysfunction in Knee Osteoarthritis: A Systematic Review and Meta-Analysis. Pain Physician. 2017;20(4):229–43.

27. Dong R, Wu Y, Xu S, Zhang L, Ying J, Jin H, et al. Is aquatic exercise more effective than land-based exercise for knee osteoarthritis? Medicine (Baltimore). 2018;97(52):e13823.

28. Pearson SH. Proactive Wellness Care for Patients with Osteoarthritis. Nurs Clin North Am. 2020;55(2):133–47.

29. Corbett MS, Rice SJC, Madurasinghe V, Slack R, Fayter DA, Harden M, et al. Acupuncture and other physical treatments for the relief of pain due to osteoarthritis of the knee: network meta-analysis. Osteoarthritis Cartilage. 2013;21(9):1290–8.

30. Leopoldino AO, Machado GC, Ferreira PH, Pinheiro MB, Day R, McLachlan AJ, et al. Paracetamol versus placebo for knee and hip osteoarthritis. Cochrane Database Syst Rev. 2019;2:CD013273.

31. Roberts E, Delgado Nunes V, Buckner S, Latchem S, Constanti M, Miller P, et al. Paracetamol: not as safe as we thought? A systematic literature review of observational studies. Ann Rheum Dis. 2016;75(3):552–9.

32. Derry S, Conaghan P, Da Silva JAP, Wiffen PJ, Moore RA. Topical NSAIDs for chronic musculoskeletal pain in adults. Cochrane Database Syst Rev. 2016;4:CD007400.

33. Bannuru RR, Schmid CH, Kent DM, Vaysbrot EE, Wong JB, McAlindon TE. Comparative effectiveness of pharmacologic interventions for knee osteoarthritis: a systematic review and network meta-analysis. Ann Intern Med. 2015;162(1):46–54.

34. Conaghan PG, Hunter DJ, Cohen SB, Kraus VB, Berenbaum F, Lieberman JR, et al. Effects of a Single Intra-Articular Injection of a Microsphere Formulation of Triamcinolone Acetonide on Knee Osteoarthritis Pain: A Double-Blinded, Randomized, Placebo-Controlled, Multinational Study. J Bone Joint Surg Am. 2018;100(8):666–77.

35. Kloppenburg M, Kroon FP, Blanco FJ, Doherty M, Dziedzic KS, Greibrokk E, et al. 2018 update of the EULAR recommendations for the management of hand osteoarthritis. Ann Rheum Dis. 2019;78(1):16–24.

36. Kroon FPB, Kortekaas MC, Boonen A, Böhringer S, Reijnierse M, Rosendaal FR, et al. Results of a 6-week treatment with 10 mg prednisolone in patients with hand osteoarthritis (HOPE): a double-blind, randomised, placebo-controlled trial. Lancet. 2019;394(10213):1993–2001.

37. De Silva V, El-Metwally A, Ernst E, Lewith G, Macfarlane GJ, Arthritis Research UK Working Group on Complementary and Alternative Medicines. Evidence for the efficacy of complementary and alternative medicines in the management of osteoarthritis: a systematic review. Rheumatology. 2011;50(5):911–20.

38. Wang G, Bi L, Li X, Li Z, Zhao D, Chen J, et al. Efficacy and safety of duloxetine in Chinese patients with chronic pain due to osteoarthritis: a randomized, double-blind, placebo-controlled study. Osteoarthritis Cartilage. 2017;25(6):832–8.

39. Abou-Raya S, Abou-Raya A, Helmii M. Duloxetine for the management of pain in older adults with knee osteoarthritis: randomised placebo-controlled trial. Age Ageing. 2012;41(5):646–52.

40. Chappell AS, Desaiah D, Liu-Seifert H, Zhang S, Skljarevski V, Belenkov Y, et al. A double-blind, randomized, placebo-controlled study of the efficacy and safety of duloxetine for the

treatment of chronic pain due to osteoarthritis of the knee. Pain Pract. 2011;11(1):33–41.
41. Chappell AS, Ossanna MJ, Liu-Seifert H, Iyengar S, Skljarevski V, Li LC, et al. Duloxetine, a centrally acting analgesic, in the treatment of patients with osteoarthritis knee pain: a 13-week, randomized, placebo-controlled trial. Pain. 2009;146(3):253–60.
42. Fidelix TSA, Macedo CR, Maxwell LJ, Fernandes Moça Trevisani V. Diacerein for osteoarthritis. Cochrane Database Syst Rev. 2014;(2):CD005117.
43. Simental-Mendía M, Sánchez-García A, Acosta-Olivo CA, Vilchez-Cavazos F, Osuna-Garate J, Peña-Martínez VM, et al. Efficacy and safety of avocado-soybean unsaponifiables for the treatment of hip and knee osteoarthritis: a systematic review and meta-analysis of randomized placebo-controlled trials. Int J Rheum Dis. 2019;22(9):1607–15.
44. Firestein GS, Budd RC, Gabriel SE, McInnes IB, O'Dell JR. Kelley and Firestein's textbook of rheumatology. 10th. ed. Philadelphia: Elsevier; 2016. 2288 p.

# Capítulo 186
## GOTA E OUTRAS MONOARTRITES

João Henrique Godinho Kolling
Rafael Mendonça da Silva Chakr
Charles Lubianca Kohem

## GOTA

A gota, ou artropatia por deposição de cristais de monourato de sódio, é uma doença metabólica e inflamatória, caracterizada por crises recorrentes de mono ou oligoartrite, geralmente autolimitadas, que podem evoluir para artrite persistente. Essa condição, conhecida pelo menos desde 2.600 a.C. em registros egípcios, é resultado do aumento persistente dos níveis séricos de ácido úrico e sua deposição em cristais de monourato de sódio nas articulações e em diversos outros tecidos, como trato urinário e tecidos moles. Embora existam diversos fatores relacionados com sua etiologia, há reduzida excreção renal do ácido úrico na grande maioria dos pacientes (90%), podendo também estar relacionada à hiperprodução e/ou a defeitos enzimáticos no metabolismo das purinas.[1]

O aumento do ácido úrico sérico > 7 mg/dL pode levar à sua supersaturação e consequente deposição tecidual em cristais de monourato de sódio. Esses cristais podem desencadear respostas inflamatórias, geralmente monoarticulares e de rápida instalação, e, ao longo dos anos, o surgimento de tofos e nódulos, em geral subcutâneos, mas que podem ocorrer em qualquer órgão ou tecido. A gota tofácea crônica é a apresentação tardia da doença na forma de artropatia crônica, por vezes poliarticular e simétrica, com predomínio em membros superiores, à semelhança da artrite reumatoide. A hiperuricemia crônica também pode causar nefropatia por urato e urolitíase.

Estima-se que a prevalência de gota na população adulta da América Latina fique entre 0,3 e 0,4%,[2] enquanto, em países desenvolvidos, oscile entre 2,5 e 4%,[3,4] com prevalência crescente nas últimas décadas, acompanhando o envelhecimento populacional e o crescimento da síndrome metabólica e da obesidade. Considerando que, na pirâmide etária média brasileira, 75% da população é adulta,[5] pode-se estimar que o médico responsável por uma população de 3 mil pessoas acompanhará cerca de 7 a 9 pacientes com gota.

O principal fator de risco para gota é a hiperuricemia. Entretanto, pode haver crise de artrite gotosa com medidas normais de ácido úrico sérico, e a maioria das pessoas com hiperuricemia nunca terá um episódio clínico resultante do seu aumento. Em um estudo de homens inicialmente assintomáticos, mesmo entre aqueles com ácido úrico > 9 mg/dL, apenas 22% desenvolveram gota em 5 anos. Após quase 15 anos, a incidência anual de gota variou de 5% dos homens com uricemia > 9 mg/dL a 0,5% dos homens com ácido úrico entre 7 e 8,9 mg/dL e 0,1% daqueles com valores < 7 mg/dL.[6] Resultados semelhantes também foram observados em estudo na coorte de Framingham, incluindo mulheres, sendo que estas apresentaram menor associação da incidência de gota, conforme variação de valores de uricemia, do que os homens.[7]

Fatores de risco associados ao desenvolvimento de hiperuricemia e gota incluem comportamentos alimentares, comorbidades e uso de medicamentos (TABELA 186.1).[8-10] A gota é rara em homens com idade < 25 anos e em mulheres pré-menopáusicas, e, nesses casos, investigações mais aprofundadas, incluindo doenças hiperproliferativas e causas genéticas, devem ser consideradas.

Os principais objetivos diante de um paciente com suspeita de gota são, inicialmente, afastar artrite séptica e aliviar a crise de artrite de forma imediata (FIGURA 186.1). Após o episódio agudo ter sido abordado, deve-se procurar firmar o diagnóstico, afastando causas secundárias. Em seguida, planejar mudanças de estilo de vida, considerando o tratamento

TABELA 186.1 → Fatores de risco para hiperuricemia e gota

| COMPORTAMENTOS ALIMENTARES | COMORBIDADES | MEDICAMENTOS |
| --- | --- | --- |
| → Bebidas alcoólicas<br>→ Bebidas ricas em frutose (refrigerantes e sucos)<br>→ Carnes vermelhas<br>→ Vísceras<br>→ Peixes e frutos do mar | → Hipertensão<br>→ Insuficiência renal crônica<br>→ Doença arterial coronariana<br>→ Hiperlipidemia<br>→ Psoríase<br>→ Apneia obstrutiva do sono<br>→ Hipo e hipertireoidismo | → Diuréticos tiazídicos<br>→ Diuréticos de alça<br>→ Betabloqueadores<br>→ Inibidores da enzima conversora da angiotensina<br>→ Bloqueadores do receptor de angiotensina II (exceto losartana)<br>→ Insulina<br>→ Ácido acetilsalicílico em baixas doses<br>→ Pirazinamida<br>→ Etambutol |

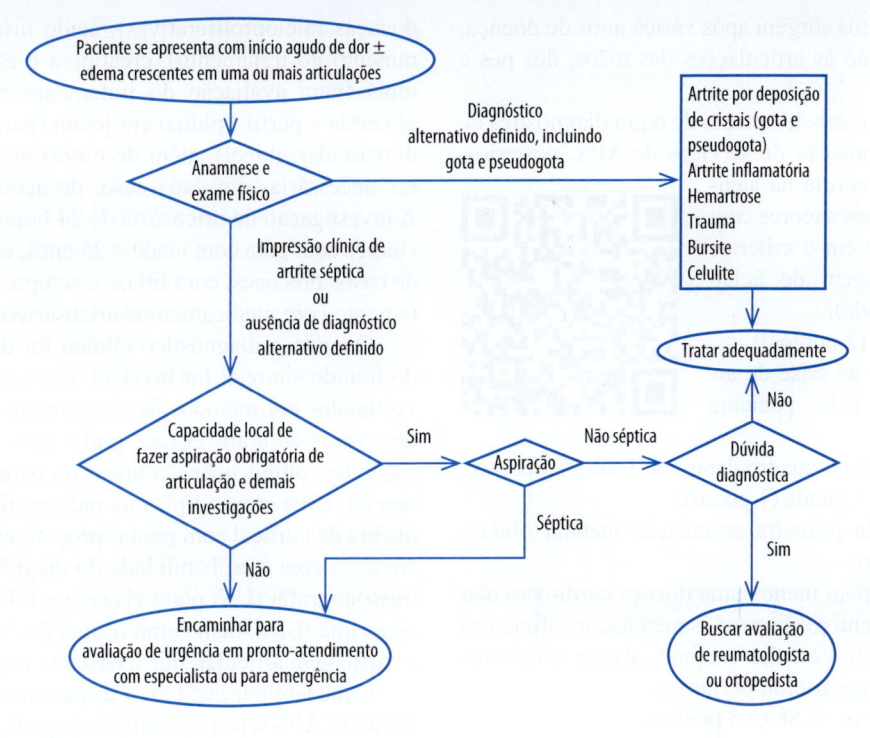

**FIGURA 186.1** → Avaliação do paciente com artrite aguda.
Fonte: Adaptada de Coakley e colaboradores.[12]

farmacológico da hiperuricemia para prevenção de novas crises e de complicações crônicas. Por último, é muito importante considerar que o diagnóstico de gota deve levar a uma abordagem do risco cardiovascular, em geral aumentado diante da associação da doença com hipertensão, dislipidemia, obesidade, hiperglicemia, insuficiência renal e síndrome metabólica.

## Diagnóstico

Uma anamnese abrangente deve permitir estabelecer o perfil do paciente, a partir de idade, sexo e outros fatores de risco antes descritos, como comorbidades, padrões alimentares e de consumo de álcool, medicamentos em uso e história ocupacional. A identificação de episódios prévios semelhantes, a evolução de crises agudas e o acometimento de outros sistemas são muito importantes no diagnóstico diferencial (ver Capítulos Abordagem Geral da Dor e Oligoartrites e Poliartrites).

Em atenção primária à saúde (APS), é importante realizar um diagnóstico clínico presuntivo imediato para iniciar o alívio na crise de gota.[1,11] Destaca-se a importância da suspeição de artrite séptica, diante das potenciais graves repercussões quando esta não é diagnosticada e tratada (ver **FIGURA 186.1**).[12]

A crise típica de gota é caracterizada por episódio de dor intensa monoarticular em membro inferior, com rápida instalação, chegando à dor máxima em 6 a 12 horas, associada a edema e eritema. A dor pode acordar, na madrugada, o paciente que foi dormir assintomático. Pode haver grande sensibilidade da articulação acometida, mesmo ao toque do lençol, e dificuldade de sustentar o peso sobre essa articulação. Os episódios são autolimitados, durando até 2 semanas.[13]

O primeiro episódio de gota é monoarticular em pelo menos 80% dos pacientes.[13] A primeira articulação metatarsofalângica é acometida em cerca de metade dos pacientes com gota (43-75%),[14] condição conhecida como podagra **(FIGURA 186.2)**. As outras regiões acometidas são, em ordem de frequência, tornozelo ou joelho (37%), cotovelos, punhos ou mãos (15%) e apresentação poliarticular (9%).[15] Crises simultâneas em mais de uma região são mais frequentes em

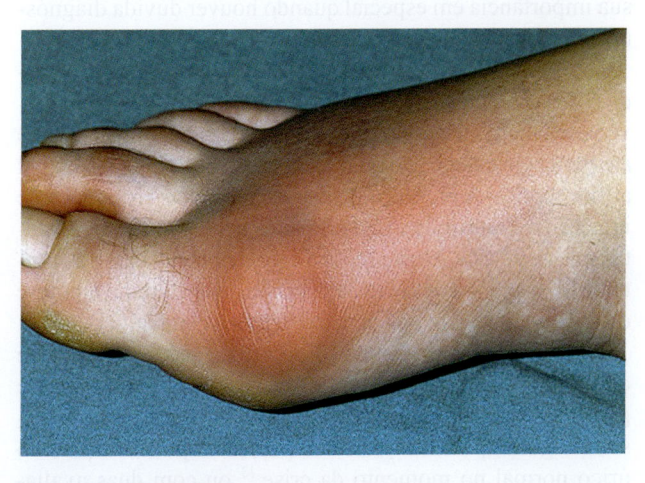

**FIGURA 186.2** → Podagra: inflamação da primeira articulação metatarsofalângica.

pacientes idosos. Tofos surgem após vários anos de doença, nas orelhas e próximo às articulações das mãos, dos pés e dos cotovelos.

Um estudo para estabelecimento de regra diagnóstica de gota a partir de população de serviços de APS, posteriormente validada em coorte na atenção secundária, propôs escores com base essencialmente em 6 critérios clínicos e na dosagem de ácido úrico[16,17] (ver QR code):

1. sexo masculino (2 pontos);
2. episódio prévio de crise de artrite relatado pelo paciente (2 pontos);
3. desenvolvimento do quadro dentro de 1 dia (0,5 ponto);
4. articulação hiperemiada (1 ponto);
5. envolvimento da primeira articulação metatarsofalângica (2,5 pontos);
6. hipertensão ou pelo menos uma doença cardiovascular (1,5 ponto) – inclui cardiopatia isquêmica, insuficiência cardíaca, acidente vascular cerebral, ataque isquêmico transitório, doença arterial periférica;
7. ácido úrico sérico > 5,88 (3,5 pontos).

Pacientes com escore ≤ 4 têm baixa probabilidade de terem gota (valor preditivo negativo de 95%). Pacientes com escore > 4 e < 8 têm probabilidade intermediária. Pacientes com escore ≥ 8 têm alta probabilidade (valor preditivo positivo de 87%).

O padrão-ouro do diagnóstico da artrite por gota é o achado de cristais de monourato de sódio no líquido sinovial, visto à microscopia de luz polarizada. A diretriz diagnóstica de 2020 da European League Against Rheumatism (Eular)[11] recomenda a avaliação do líquido sinovial, mesmo no período intercrítico, encaminhando a um profissional especializado, quando necessário. Essa recomendação, baseada em metodologia Delphi com painel de especialistas, baseia-se no argumento de que a identificação de cristais de monourato de sódio fecha um diagnóstico definitivo. Apesar de pouco prática, e possivelmente de difícil implementação atual no contexto brasileiro de forma rotineira, reforça-se sua importância em especial quando houver dúvida diagnóstica e/ou suspeição de artrite séptica.

A suspeição de artrite séptica deve sempre levar o médico de APS a encaminhar o paciente prontamente a um serviço de emergência ou unidade de pronto-atendimento, onde a espera pelo exame não retarde o tratamento de uma eventual artrite séptica. A presença de sintomas e sinais sistêmicos de infecção e quadros de instalação mais insidiosa devem levantar sua suspeição. Artrite séptica e gota podem coexistir; portanto, o diagnóstico prévio de gota não deve afastar a hipótese de artrite séptica em paciente com clínica compatível.

Quando não há suspeição de artrite séptica, sugere-se que a investigação laboratorial do paciente com crise de gota seja realizada de preferência após o término do episódio agudo, pois até 43% dos pacientes podem ter ácido úrico normal no momento da crise,[13] ou com duas avaliações – a primeira na apresentação da crise e outra 2 semanas após. Essa avaliação deve incluir hemograma (para afastar doenças mieloproliferativas), ácido úrico (útil no monitoramento do tratamento), creatinina e estimativa de função renal (para avaliação do tratamento e de comorbidade), glicemia e perfil lipídico em jejum (para calcular risco cardiovascular global), além de outras avaliações que podem ser necessárias em cada caso, de acordo com a suspeita. A investigação de uricosúria de 24 horas fica limitada a pacientes com gota com idade < 25 anos, com história familiar de casos precoces, com litíase e sempre antes de iniciar tratamento com medicamentos uricosúricos.

Quando o diagnóstico clínico for duvidoso e a análise do líquido sinovial for inviável, os pacientes devem ser investigados por métodos de imagem em busca de deposição de cristais de urato. A radiografia pode ser útil na identificação de complicações crônicas ou para o diagnóstico diferencial. Uma erosão típica na radiografia, caracterizada por quebra de cortical com pontas proeminentes, pode aumentar em 6,7 vezes a probabilidade do diagnóstico de gota. A ultrassonografia (US) pode visualizar tofos não identificados ao exame físico, bem como o sinal do duplo-contorno sobre a cartilagem articular, que é bastante específico de gota.[11,15]

Cabe lembrar que talvez a causa mais comum de monoartrite na APS seja a osteoartrite de joelho. A osteoartrite frequentemente se manifesta como uma doença autoinflamatória, com agudizações e remissões recorrentes. Contudo, volumoso derrame e eritema articular não fazem parte da clínica habitual de osteoartrite, devendo-se considerar, no diagnóstico diferencial, outra condição concomitante, como doença por deposição de cristais de pirofosfato de cálcio (CPPD, do inglês *calcium pyrophosphate deposition*), gota e artrite séptica (ver Capítulo Osteoartrite).

## Tratamento

O tratamento da gota inclui o alívio imediato em uma crise aguda, a prevenção de recorrências e a abordagem do risco cardiovascular associado (FIGURA 186.3).[18,19]

### Tratamento da crise aguda

**As três principais opções do tratamento da crise aguda de gota incluem o uso de colchicina, anti-inflamatórios não esteroides (AINEs) e glicocorticoides (TABELA 186.2). Não há estabelecida diferença na eficácia entre esses medicamentos, e a escolha depende, sobretudo, do perfil de efeitos adversos.**

#### Colchicina

É efetiva na redução e no controle da dor no episódio agudo (número necessário para tratar [NNT] = 2-30 para > 50% de redução na dor) **B**.[20-22] A colchicina deve ser iniciada preferencialmente até 12 horas do início dos sintomas, sendo recomendável oferecer ao paciente um plano para, em caso de nova crise, iniciar o quanto antes o medicamento. Recomenda-se iniciar tratamento com 1 mg de colchicina seguido por 0,5 mg em 1 hora, no primeiro dia; e 0,5 mg, 2 ×/dia, daí em diante, até resolução da crise.[18]

O perfil de pacientes com gota – idosos e com perda de função renal – traz maior preocupação quanto aos riscos de

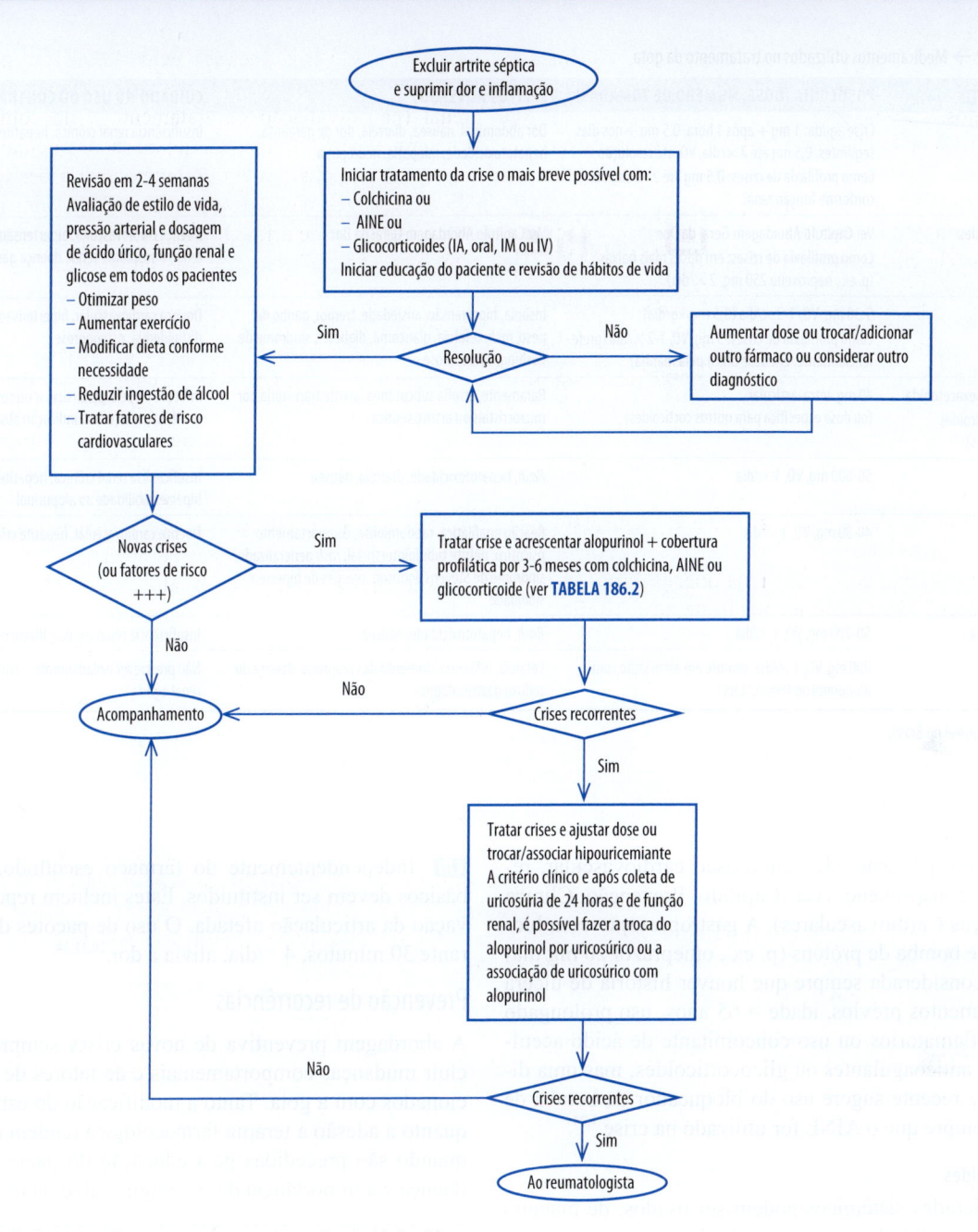

**FIGURA 186.3** → Fluxograma do tratamento da gota em atenção primária à saúde.
*Titular dose do alopurinol conforme medida do ácido úrico sérico, podendo chegar a até 800 mg/dia. Não suspender o alopurinol nas novas crises agudas.
AINE, anti-inflamatório não esteroide; IA, intra-articular; IM, intramuscular; IV, intravenoso.
Fonte: Modificada de Jordan.[19]

efeitos adversos como diarreia, vômitos e neuropatia, recomendando-se o ajuste para função renal e hepática, cuidados com interação medicamentosa com inibidores ou indutores das enzimas CYP3A4 ou glicoproteína-P (fluoxetina, azitromicina, carvedilol, verapamil, entre outros – checar interações). Suspender em caso de surgimento de diarreia, parestesias ou fraqueza.

**Anti-inflamatórios**

Anti-inflamatórios podem ser a primeira opção na crise, salvo em caso de contraindicações, mantendo-se o tratamento em dose-alvo até melhora significativa da dor (2-3 dias) com posterior redução de 50% da dose até o fim da crise (geralmente 7 dias no total) **A**.[1,11,20,23] Não há superioridade definida de um anti-inflamatório sobre os outros, o que permite o uso desses medicamentos conforme sua disponibilidade (NNT = 3) **B**.[11,20]

Na prescrição de um anti-inflamatório, devem-se considerar os riscos de sangramento gastrintestinal e de evento cardiovascular (no uso crônico, em especial nos pacientes que apresentam outros fatores de risco), além do seu efeito de perda de função renal e descompensação de insuficiência

TABELA 186.2 → Medicamentos utilizados no tratamento da gota

| MEDICAMENTO | POSOLOGIA (DOSE, NÚMERO DE TOMADAS) | EFEITOS ADVERSOS | CUIDADO NO USO OU CONTRAINDICAÇÃO |
|---|---|---|---|
| Colchicina | Crise aguda: 1 mg + após 1 hora, 0,5 mg + nos dias seguintes, 0,5 mg até 2 ×/dia, VO, até resolução<br>Como profilaxia de crises: 0,5 mg até 2 ×/dia, VO, conforme função renal | Dor abdominal, náusea, diarreia, dor de garganta, hepatotoxicidade, miopatia, neuropatia | Insuficiência renal crônica, hepatite crônica |
| Anti-inflamatórios | Ver Capítulo Abordagem Geral da Dor<br>Como profilaxia de crises: em doses mais baixas (p. ex., naproxeno 250 mg, 2 ×/dia) | Ver Capítulo Abordagem Geral da Dor | Doença cardiovascular, hipertensão, insuficiência renal, transplante renal, doença gastresofágica |
| Prednisona | 5-30 mg, VO, 1-3 ×/dia (0,5 mg/kg/dia)<br>Como profilaxia de crises: 5 mg, VO, 1-2 ×/dia (preferencialmente, em dose única pela manhã) | Insônia, hipertensão, ansiedade, tremor, ganho de peso, *rash*, cefaleia, glaucoma, diabetes, síndrome de Cushing, osteoporose | Doença cardiovascular, hipertensão, diabetes, dislipidemia, osteoporose |
| Triancinolona hexacetonida (ou outros corticoides intra-articulares) | 40 mg, intra-articular (ou dose específica para outros corticoides) | Raramente, atrofia subcutânea, artrite transitória por microcristais ou artrite séptica | Infecção da pele periarticular ou suspeita de artrite séptica (contraindicação absoluta!) |
| Alopurinol | 50-800 mg, VO, 1 ×/dia | *Rash*, hepatotoxicidade, diarreia, náusea | Insuficiência renal crônica, hepatite crônica, hipersensibilidade ao alopurinol |
| Febuxostate* | 40-80 mg, VO, 1 ×/dia | Reação anafilática, rabdomiólise, comportamento psicótico, nefrite tubulointersticial, *rash* generalizado, síndrome de Stevens-Johnson, reações de hipersensibilidade | Doença cardiovascular, hepatite crônica |
| Benzbromarona | 50-200 mg, VO, 1 ×/dia | *Rash*, hepatotoxicidade, náusea | Insuficiência renal crônica, litíase renal |
| Lesinurade | 200 mg, VO, 1 ×/dia, sempre em associação com alopurinol ou febuxostate* | Cefaleia, *influenza*, aumento da creatinina, doença do refluxo gastresofágico | Não prescrever isoladamente – risco de lesão renal aguda |

*Ainda não disponível no Brasil.
VO, via oral.

cardíaca. Em pacientes de maior risco cardiovascular, recomenda-se naproxeno (ver Capítulo Prevenção Clínica das Doenças Cardiovasculares). A gastroproteção com bloqueador de bomba de prótons (p. ex., omeprazol 20 mg/dia) deve ser considerada sempre que houver história de úlcera ou sangramentos prévios, idade > 65 anos, uso prolongado de anti-inflamatórios ou uso concomitante de ácido acetilsalicílico, anticoagulantes ou glicocorticoides, mas uma diretriz mais recente sugere uso do bloqueador de bomba de prótons sempre que o AINE for utilizado na crise.[1,24]

### Glicocorticoides

Glicocorticoides sistêmicos podem ser usados, de maneira alternativa aos AINEs, após exclusão de artrite séptica, possuindo eficácia semelhante à dos AINEs **A**.[25-29] Ensaios clínicos avaliaram o uso de prednisolona 30 a 35 mg/dia, por via oral (VO), por 5 dias,[25,26] o uso de triancinolona acetonida 60 mg, intramuscular (IM), e o uso de betametasona 7 mg; todos são possíveis opções.[28,30] O risco de sangramento gastrintestinal do uso isolado de glicocorticoides não é tão significativo quanto o do uso combinado com AINEs.[31]

A infiltração intra-articular de corticoides pode ser usada nos casos de mono ou oligoartrite, desde que tenha sido excluída artrite séptica **C/D**. O uso intra-articular de corticoide minimiza seus eventuais efeitos adversos sistêmicos.[32]

### Outras abordagens

A adição de analgésicos simples ou opioides (estes últimos pelo menor período necessário) pode ser considerada em casos especiais, enquanto se otimiza o controle da inflamação **C/D**. Independentemente do fármaco escolhido, cuidados básicos devem ser instituídos. Estes incluem repouso e elevação da articulação afetada. O uso de pacotes de gelo durante 30 minutos, 4 ×/dia, alivia a dor.[20,33,34]

### Prevenção de recorrências

A abordagem preventiva de novas crises sempre deve incluir mudanças comportamentais e de fatores de risco relacionados com a gota. Tanto a modificação do estilo de vida quanto a adesão à terapia farmacológica tendem a melhorar quando são precedidas pela educação do paciente sobre a doença e a importância de se atingir o alvo na uricemia.[35,36]

Entre as medidas comportamentais, uma abordagem prática e holística deve incluir:[1,20,37]
→ redução do peso de forma gradual, evitando dietas muito restritivas ou de alto teor de proteína **C/D**;[18,20]
→ aumento de exercício **C/D**;
→ mudanças dietéticas conforme necessário **C/D**:[18,20]
  → dieta DASH (*Dietary Approach to Stop Hypertension*) **B**;[38]
  → redução no consumo de carne e frutos do mar **C/D**;
  → redução de bebidas ricas em açúcar, como refrigerantes e sucos **C/D**;
  → aumento no consumo de derivados do leite com baixo teor de gordura **C/D**;
  → redução no consumo de álcool, sobretudo cerveja e destilados, e especialmente se além do moderado **C/D**;[39]
→ abordagem de outros fatores de risco cardiovascular, como tabagismo **C/D**.

O início de profilaxia anti-inflamatória e a terapia hipouricemiante estão indicados em caso de:
→ ≥ 2 crises de gota;[20]
→ necessidade de manter o uso de diuréticos (em pacientes com insuficiência cardíaca ou hipertensão de difícil controle);
→ perda de função renal (taxa de filtração glomerular [TFG] < 80 mL/min) (ver Capítulo Doença Renal Crônica);
→ litíase urinária;
→ presença de tofos;
→ sinais radiográficos de alterações relacionadas com gota/artropatia crônica;
→ preferência do paciente.[20]

**A profilaxia anti-inflamatória busca prevenir as recorrências de artrite gotosa aguda induzidas pela queda da uricemia e decorrente dissolução de depósitos de cristais, expondo-os a uma nova reação inflamatória. Deve ser mantida enquanto se ajusta a dose do hipouricemiante conforme meta de uricemia, em geral por 3 a 6 meses.[40] Em pacientes com gota tofácea mais grave, esse período de profilaxia pode ser estendido. Recomendam-se colchicina 0,5 mg, 1 a 2 ×/dia; ou AINEs em doses baixas (p. ex., naproxeno 250 mg, 2 ×/dia); ou glicocorticoide em doses baixas (p. ex., prednisona 5 mg, 1-2 ×/dia).[41] Considerando o risco-benefício da corticoterapia prolongada, o uso profilático de prednisona deve ser excepcional e, preferencialmente, pela manhã, em uma única tomada diária.**

A terapia farmacológica hipouricemiante de primeira linha é o alopurinol **C**.[20,42] Atuando sobre a síntese de ácido úrico, sua disponibilidade, facilidade de uso em tomada única diária, baixo custo, efeito hipouricemiante em pacientes independentemente do mecanismo da gota e segurança[43] fazem dele a primeira opção tanto em pacientes hipouricosúricos como em normo/hiperuricosúricos, embora a redução do risco de crises em adultos com gota crônica ainda seja controversa.

**Tradicionalmente, o uso de alopurinol é iniciado após o fim de uma crise aguda de gota; contudo, o risco de aumento da duração da crise ou de agravamento dos sintomas pelo início concomitante de alopurinol parece não ser tão significativo quanto se imaginava. Por isso, novas recomendações têm sugerido considerar o início de alopurinol ainda durante a crise de gota, embora esta seja uma decisão que deve levar em consideração fatores individuais, como perfil de adesão ao tratamento e preferências do paciente. Novas crises, se ocorrerem, devem ser tratadas sem a interrupção do alopurinol.**

Para chegar a um ácido úrico alvo < 6 mg/dL, a dose do alopurinol costuma ser 300 a 400 mg/dia. Deve ser iniciado em dose de 50 a 100 mg e aumentado gradativamente (p. ex., cada 1-2 semanas), a partir de controles mensais do ácido úrico sérico, até uma dose máxima de 800 mg/dL. Em pacientes com insuficiência renal (estágio ≥ 3), a dose inicial deve ser 50 mg/dia, e o aumento gradativo pode ser feito com segurança.[20,44]

Além dos problemas de má adesão do paciente ao tratamento, a tendência de prescrição de doses insuficientes de alopurinol, uma vez resolvida a crise aguda, com falha na busca pelo alvo da uricemia, está relacionada à progressão da doença e deve ser combatida. Um estudo comparando a estratégia "*treat to target*" com uricemia-alvo de 6 mg/dL com a terapia-padrão, em protocolo britânico de atendimento com enfermeiros, mostrou benefícios com o controle mais rigoroso da uricemia.[45]

Uma preocupação com o uso do alopurinol é sua toxicidade, que em 2% dos pacientes se manifesta por síndrome cutânea, normalmente no 1º mês após o início, mas que pode se apresentar em 0,1 a 0,4% dos pacientes com uma grave síndrome de hipersensibilidade, mais comum em algumas subpopulações do Leste Asiático, com até 20% de letalidade descrita.[46] Há dúvida sobre se a dose do alopurinol é fator de risco, mas a insuficiência renal crônica é um fator muito claro, assim como o uso de diuréticos. Quando um paciente apresenta *rash* (ou prurido, que geralmente se segue ao *rash*), está indicada a suspensão do alopurinol (trocando-o, se possível, por benzbromarona). Ampicilina e amoxicilina desencadeiam *rash* em até 1 a cada 5 pacientes em uso de alopurinol.

Considerando outras interações medicamentosas relevantes na APS, podemos citar inibidores da enzima conversora da angiotensina (IECAs) e diuréticos tiazídicos, que também podem aumentar o risco de reação alérgica ou hipersensibilidade ao alopurinol. Além deles, os diuréticos de alça e tiazídicos também podem aumentar os níveis séricos de alopurinol e potencializar o risco de toxicidade. O alopurinol, por sua vez, pode aumentar o efeito anticoagulante dos antagonistas de vitamina K (p. ex., varfarina).

Outro inibidor da xantina-oxidase, ainda não disponível no Brasil, o febuxostate é opção na contraindicação ou falha com alopurinol, mas alertas de segurança em 2019 relacionam seu uso com maior número de mortes por complicações cardiovasculares, sendo desencorajado seu uso em pacientes com insuficiência cardíaca ou cardiopatia isquêmica.[20,47]

Outra classe de fármacos indicada em pacientes hipouricosúricos são os hipouricemiantes uricosúricos. O medicamento mais potente, a benzbromarona, parece ter um efeito hipouricemiante ainda maior que o alopurinol e ser eficaz até em pacientes com TFG de pelo menos 20 mL/min. A benzbromarona pode ser associada ao alopurinol com efeito aditivo na redução de uricemia. Uma suspeita de maior hepatotoxicidade, hoje questionável, tirou a benzbromarona do mercado de alguns países europeus.[48,49] A dose comum do medicamento é de 100 mg/dia em tomada única, podendo chegar à dose máxima de 200 mg/dia. No Brasil, o remédio ainda pode ser usado com cautela em hepatopatias e com monitorização de provas de função hepática. Os outros fármacos uricosúricos, como probenecida e sulfimpirazona, são de difícil disponibilidade. Seu uso é limitado a pacientes com função renal preservada, e eles têm menor efeito sobre a uricemia[20] **C/D**.

Em 2015, um novo medicamento uricosúrico – lesinurade – surgiu com aprovação exclusiva para uso em combinação com inibidores da xantina-oxidase, como o alopurinol, na dose de 200 mg, 1 ×/dia, tomado conjuntamente, proporcionando uma maior proporção de pacientes que atingiram o alvo do ácido úrico < 6 mg/dL, mas não benefícios clínicos na redução de crises ou de tofos C/D, e com risco relacionado a dano renal.[50]

Os uricosúricos não devem ser usados em pacientes com urolitíase ou nefropatia por urato. Nefrolitíase foi encontrada em 35% dos pacientes com gota em um estudo brasileiro, sendo assintomática em 18,7% dos casos.[51] Deve ser recomendado o aumento da ingesta hídrica (2 L/dia) C/D. Podem ser associados agentes alcalinizantes da urina (p. ex., com 30-80 mEq/dia de citrato de potássio, com o objetivo de manter o pH urinário entre 6,1-7), evitando a formação de cálculos. Contudo, essa recomendação perde força quando se consideram os aspectos práticos envolvidos, tanto que as diretrizes mais recentes têm sido contrárias à alcalinização urinária C/D.

Vale destacar que, antes de realizar o ajuste de dose ou troca do alopurinol, ou de associá-lo a uricosúricos, é fundamental revisar e trabalhar com o paciente a adesão, que não passou de 50% em revisões sistemáticas sobre o tema.[52,53]

### Manejo de comorbidades

É importante ressaltar que o surgimento de gota sempre deve ser um alerta para avaliação do risco cardiovascular global e da função renal, bem como da eventual necessidade de afastar causas secundárias, como distúrbios mieloproliferativos ou linfoproliferativos (ver Capítulos Prevenção Clínica das Doenças Cardiovasculares, Doença Renal Crônica e Câncer).

Os diuréticos (tiazídicos ou de alça) apresentam contraindicação relativa, uma vez que seu emprego se associou a um pequeno aumento do risco (número necessário para causar dano [NNH, do inglês *number needed to harm*] = 17 ao longo de um período de 10 anos de uso). Quando necessários, como no paciente com insuficiência cardíaca dependente de diuréticos e nos pacientes com hipertensão de difícil controle, deveriam ser mantidos.

Entre os anti-hipertensivos, os bloqueadores do canal de cálcio (anlodipino, nifedipino, diltiazém) e a losartana (mas não outros bloqueadores do receptor de angiotensina [BRAs] II) têm efeito uricosúrico. A associação de losartana ou bloqueadores do canal de cálcio, no entanto, não diminui o risco observado no uso de diuréticos.[10] Outros anti-hipertensivos, como betabloqueadores, IECAs e demais BRAs II, resultam em um aumento irrisório no risco de novas crises (NNH entre 50-100 ao longo de 10 anos de uso).[10] Diante do benefício de tratamento adequado de hipertensão, o risco de um anti-hipertensivo piorar o quadro de gota pode ser considerado pequeno.[10]

Na prevenção de eventos cardiovasculares, o uso do ácido acetilsalicílico em baixas doses, quando bem indicado, não deve ser suspenso em pacientes com gota, diante de terapias hipouricemiantes efetivas e dos benefícios em pacientes com alto risco cardiovascular ou em prevenção secundária.[20] Já entre hipolipemiantes, a atorvastatina (mas não outras estatinas) e o fenofibrato têm efeito uricosúrico leve.

Apesar de o controle do peso corporal ser importante, a perda muito rápida de peso pode desencadear crises. A prática esportiva, se realizada de forma intensa e com desidratação, também pode desencadear crises, assim como os impactos e pequenos traumas de determinados esportes.

A urolitíase complicando a gota pode indicar a necessidade, dependendo da função renal e do tamanho dos cálculos, de encaminhamento ao nefrologista ou ao urologista.

## Situações de emergência

A crise de gota é uma situação que se manifesta mais frequentemente à noite e demanda rápida resposta, pela característica incapacitante da dor, mas que pode ser resolvida sem visita à emergência em pacientes com diagnóstico prévio e que tenham sido bem orientados a iniciar terapia anti-inflamatória precoce. No entanto, diante de um paciente com monoartrite, sempre se deve lembrar da possibilidade de artrite séptica, uma condição de apresentação clínica semelhante que pode mimetizar ou, muito raramente, complicar a crise de gota (ver **FIGURA 186.1**) e cujo tratamento deve ser instituído o mais cedo possível em serviço hospitalar de internação ou emergência.

## Acompanhamento

O paciente com uma crise aguda deve ser instruído para retornar se os sintomas piorarem ou se não houver melhora progressiva. Nesse caso, devem-se considerar outras hipóteses diagnósticas, aumentar a dose do medicamento anti-inflamatório já em uso, trocar ou adicionar outro fármaco (associação de colchicina + glicocorticoide ou colchicina + AINE).

Com a resolução do quadro agudo, o acompanhamento recomendado na gota inicialmente é a cada 2 a 4 semanas[54,55] quando há necessidade de usar medicamento hipouricemiante com controle sérico do ácido úrico e ajuste de dose. No início do acompanhamento, consultas para ajuste de dose podem ser intercaladas ou feitas de forma sequencial no mesmo dia com enfermeiro e, quando disponível, com nutricionista, além do aconselhamento com farmacêutico. Depois, pode ser espaçado para trimestral e, com a obtenção do alvo de uricemia, e conforme risco cardiovascular, semestral ou anual. Dentro da abordagem integral do paciente, esse acompanhamento deve levar em conta as comorbidades como hipertensão, dislipidemia, diabetes, insuficiência renal crônica e obesidade, sendo importante o envolvimento de uma equipe multidisciplinar.

A suspensão do tratamento hipouricemiante pode ser considerada, especialmente em casos mais leves com longo período de normouricemia e livre de crises. Contudo, a maioria dos pacientes em remissão com terapia hipouricemiante experimenta recidivas de crises ou surgimento de tofos com a suspensão do tratamento.[56] Diante do surgimento de crises repetidas ou intensas, o tratamento deve ser reiniciado.

As principais causas de óbito em pacientes com gota são as doenças cardiovasculares, além de doenças renais, doenças do trato digestivo e infecções.[57]

## Encaminhamento

Sugere-se encaminhar ao reumatologista pacientes com apresentação atípica, quando a gota surge precocemente no homem ou antes da menopausa na mulher, ou quando há casos familiares precoces de gota. A dificuldade no tratamento está mais relacionada com má adesão e permanência de fatores de risco. Em pacientes que não responderam ao alopurinol e à benzbromarona, nos quais a associação de outros fármacos ou infiltração com glicocorticoides esteja indicada (na ausência de profissional capacitado na APS), a consulta com reumatologista pode ser útil. A litíase urinária e a perda importante de função renal (TFG < 60 mL/min) podem indicar o apoio de urologista, dependendo do tipo de complicação, e a avaliação metabólica por nefrologista.[20] Por fim, quando há tofos causando muita dor ou alteração funcional, em que o tratamento hipouricemiante tenha pouca chance de modificar o quadro, pode-se considerar excisão cirúrgica com ortopedista.

## DOENÇA POR DEPOSIÇÃO DE CRISTAIS DE PIROFOSFATO DE CÁLCIO

A doença por deposição de cristais de pirofosfato de cálcio[58-60] merece ser citada neste capítulo, pois pode ser causa de crises de monoartrite aguda simulando a gota. Existem várias formas de apresentação da doença, e o nome "pseudogota" deriva exatamente dessa forma que mimetiza a artrite gotosa aguda, mas não deveria ser usado para referir-se a todas as outras manifestações clínicas da doença.

A deposição de cristais de pirofosfato de cálcio (CPPD) na cartilagem hialina ou fibrocartilagem não é propriamente uma doença, sendo assintomática na maioria dos casos. A CPPD tem clara correlação com idade, osteoartrite, e trauma ou cirurgia articular, mas menor correlação com o estágio da osteoartrite ou, em geral, com sua progressão.

De fato, a condrocalcinose – presença de opacidades lineares na zona central de tecidos como menisco do joelho, fibrocartilagem triangular do punho ou sínfise púbica, na maioria das vezes refletindo CPPD – é um achado radiográfico frequentemente incidental, em indivíduos assintomáticos que fizeram radiografia por outra razão.

Cerca de 25% dos pacientes com doença por CPPD apresentam crises de monoartrite aguda autolimitada ("pseudogota") acometendo o joelho em metade dos casos, mas a doença pode afetar outras articulações, inclusive raramente a primeira articulação metatarsofalângica ("pseudopodagra"). A estimativa refere-se a ambulatórios terciários. Os pacientes são assintomáticos entre as crises.

Em cerca de 5% dos pacientes, o acometimento poliarticular e simétrico da doença por CPPD pode simular artrite reumatoide.

> Quase 50% dos pacientes com a doença por CPPD em ambulatórios terciários apresentam uma forma particular de doença articular degenerativa, cuja distinção da osteoartrite primária se dá pelo acometimento de articulações como metacarpofalângicas, punhos, cotovelos, ombros e tornozelos, que são atípicas na forma primária de osteoartrite. Os pacientes com esse padrão de "pseudo-osteoartrite" podem sofrer crises de "pseudogota".

O diagnóstico de doença por CPPD pode ser feito a partir da observação dos cristais no líquido sinovial (formato romboide, ao contrário do formato em agulha dos cristais de ácido úrico) à microscopia de luz polarizada, em um quadro clínico compatível. A punção articular é mandatória em crise de "pseudogota" para diagnóstico diferencial com gota e/ou artrite séptica. O achado de condrocalcinose à radiografia simples pode ser suficiente para o diagnóstico da doença em pacientes com sintomas típicos, e três incidências são recomendadas: anteroposterior (AP) de joelhos (FIGURA 186.4), AP da pelve (condrocalcinose da sínfise púbica e/ou coxofemorais) e AP das mãos e dos punhos (condrocalcinose da fibrocartilagem triangular radiocarpal). A US pode revelar condrocalcinose com sensibilidade superior à da radiografia, identificando agregados de cristais em estruturas articulares ou periarticulares.[61]

Tendo em vista que a doença por CPPD pode associar-se a condições metabólicas como hiperparatireoidismo, hemocromatose, hipomagnesemia e hipofosfatasia, pode estar justificada a dosagem sérica de cálcio livre, fósforo, magnésio, fosfatase alcalina e ferritina, particularmente em caso de indivíduos com idade < 55 anos e/ou com quadros poliarticulares.

O tratamento das crises de pseudogota é semelhante ao da crise aguda de gota, podendo ser utilizados AINEs, colchicina, ou glicocorticoides sistêmicos ou intra-articulares **C/D**. Nos pacientes com crises recorrentes, a colchicina por via oral profilática (0,5 mg, 1-2 ×/dia) pode ser empregada **C/D**. Os pacientes com doença por CPPD podem, portanto, ser diagnosticados e tratados adequadamente em nível de APS, e deveriam ser encaminhados à emergência apenas quando se julgar necessário excluir artrite séptica em uma crise de monoartrite aguda.

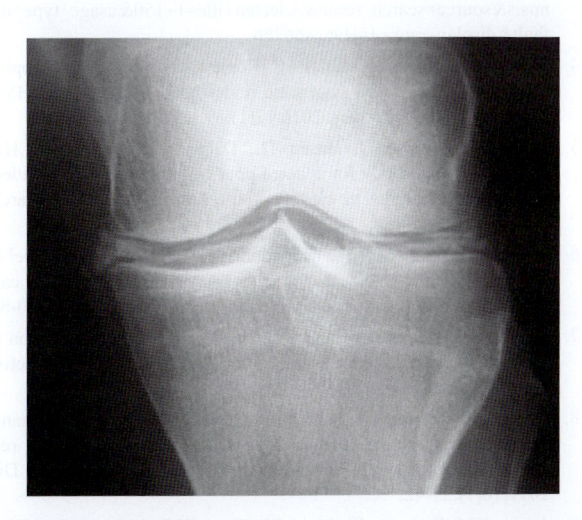

**FIGURA 186.4** → Radiografia em incidência anteroposterior de joelho com extensa calcificação da cartilagem hialina (condrocalcinose) e de meniscos.

# REFERÊNCIAS

1. Hui M, Carr A, Cameron S, Davenport G, Doherty M, Forrester H, et al. The British Society for Rheumatology Guideline for the Management of Gout. Rheumatology (Oxford). 2017;56(7):e1-e20.
2. Kuo CF, Grainge MJ, Zhang W, Doherty M. Global epidemiology of gout: prevalence, incidence and risk factors. Nat Rev Rheumatol. 2015;11(11):649-62.
3. Kuo CF, Grainge MJ, Mallen C, Zhang W, Doherty M. Rising burden of gout in the UK but continuing suboptimal management: a nationwide population study. Ann Rheum Dis. 2015;74(4):661-7.
4. Zhu Y, Pandya BJ, Choi HK. Prevalence of gout and hyperuricemia in the US general population: the National Health and Nutrition Examination Survey 2007-2008. Arthritis Rheum. 2011;63(10):3136-41.
5. Instituto Brasileiro de Geografia e Estatística. Pirâmide etária. Rio de Janeiro: IBGE; 2019 [capturado em 20 out. 2020]. Disponível em: https://educa.ibge.gov.br/jovens/conheca-o-brasil/populacao/18318-piramide-etaria.html.
6. Campion EW, Glynn RJ, DeLabry LO. Asymptomatic hyperuricemia. Risks and consequences in the Normative Aging Study. Am J Med. 1987;82(3):421-6.
7. Bhole V, de Vera M, Rahman MM, Krishnan E, Choi H. Epidemiology of gout in women: Fifty-two-year followup of a prospective cohort. Arthritis Rheum. 2010;62(4):1069-76.
8. Roddy E, Choi HK. Epidemiology of gout. Rheum Dis Clin North Am. 2014;40(2):155-75.
9. Keenan RT, Krasnokutsky S, Pillinger MH. Etiology and pathogenesis of hyperuricemia and gout. In: Firestein G, Budd R, Gabriel SE, McInnes IB, O'Dell J. Kelley and Firestein's textbook of rheumatology. 10th ed. Philadelphia: Elsevier; 2017. p. 1597-619.
10. Choi HK, Soriano LC, Zhang Y, Rodríguez LA. Antihypertensive drugs and risk of incident gout among patients with hypertension: population based case-control study. BMJ. 2012;344:d8190.
11. Richette P, Doherty M, Pascual E, Barskova V, Becce F, Castaneda J, et al. 2018 updated European League Against Rheumatism evidence-based recommendations for the diagnosis of gout. Ann Rheum Dis. 2020;79(1):31-8.
12. Coakley G, Mathews C, Field M, Jones A, Kingsley G, Walker D, et al. BSR & BHPR, BOA, RCGP and BSAC guidelines for management of the hot swollen joint in adults. Rheumatology. 2006;45(8):1039-41.
13. Gaffo AL. Clinical manifestations and diagnosis of gout 2019. [Internet]. Uptodate. Waltham, MA: UpToDate; 2020 [capturado em 20 out. 2020]. Disponível em: https://www.uptodate.com/contents/clinical-manifestations-and-diagnosis-of-gout?search=gout%20diagnosis&source=search_result&selectedTitle=1~150&usage_type=default&display_rank=1#H962466786.
14. Stewart S, Dalbeth N, Vandal AC, Rome K. The first metatarsophalangeal joint in gout: a systematic review and meta-analysis. BMC Musculoskeletal Disorders. 2016;17(1):69.
15. Taylor WJ, Fransen J, Jansen TL, Dalbeth N, Schumacher HR, Brown M, et al. Study for updated gout classification criteria: identification of features to classify gout. Arthritis care & research. 2015;67(9):1304-15.
16. Janssens HJ, Fransen J, Van de Lisdonk EH, van Riel PL, van Weel C, Janssen M. A diagnostic rule for acute gouty arthritis in primary care without joint fluid analysis. Arch Intern Med. 2010;170(13):1120-6.
17. Kienhorst LB, Janssens HJ, Fransen J, Janssen M. The validation of a diagnostic rule for gout without joint fluid analysis: a prospective study. Rheumatology. 2015;54(4):609-14.
18. Richette P, Doherty M, Pascual E, Barskova V, Becce F, Castaneda-Sanabria J, et al. 2016 updated EULAR evidence-based recommendations for the management of gout. Ann Rheum Dis. 2017;76(1):29-42.
19. Jordan KM, Cameron JS, Snaith M, Zhang W, Doherty M, Seckl J, et al. British Society for Rheumatology and British Health Professionals in Rheumatology guideline for the management of gout. Rheumatology. 2007;46(8):1372-4.
20. FitzGerald JD, Dalbeth N, Mikuls T, Brignardello-Petersen R, Guyatt G, Abeles AM, et al. 2020 American College of Rheumatology Guideline for the Management of Gout. Arthritis Rheumatol. 2020;72(6):879-95.
21. Terkeltaub RA, Furst DE, Bennett K, Kook KA, Crockett RS, Davis MW. High versus low dosing of oral colchicine for early acute gout flare: Twenty-four-hour outcome of the first multicenter, randomized, double-blind, placebo-controlled, parallel-group, dose-comparison colchicine study. Arthritis Rheum. 2010;62(4):1060-8.
22. van Echteld I, Wechalekar MD, Schlesinger N, Buchbinder R, Aletaha D. Colchicine for acute gout. Cochrane Database Syst Rev. 2014;(8):CD006190.
23. van Durme CM, Wechalekar MD, Buchbinder R, Schlesinger N, van der Heijde D, Landewé RB. Non-steroidal anti-inflammatory drugs for acute gout. Cochrane Database Syst Rev. 2014;(9):CD010120.
24. Burmester G, Lanas A, Biasucci L, Hermann M, Lohmander S, Olivieri I, et al. The appropriate use of non-steroidal anti-inflammatory drugs in rheumatic disease: opinions of a multidisciplinary European expert panel. Ann Rheum Dis. 2011;70(5):818-22.
25. Janssens HJ, Lucassen PL, Van de Laar FA, Janssen M, Van de Lisdonk EH. Systemic corticosteroids for acute gout. Cochrane Database Syst Rev. 2008;(2):CD005521.
26. Man CY, Cheung IT, Cameron PA, Rainer TH. Comparison of oral prednisolone/paracetamol and oral indomethacin/paracetamol combination therapy in the treatment of acute goutlike arthritis: a double-blind, randomized, controlled trial. Ann Emerg Med. 2007;49(5):670-7.
27. Billy CA, Lim RT, Ruospo M, Palmer SC, Strippoli GFM. Corticosteroid or nonsteroidal antiinflammatory drugs for the treatment of acute gout: a systematic review of randomized controlled trials. J Rheumatol. 2018;45(1):128-36.
28. Zhang YK, Yang H, Zhang JY, Song LJ, Fan YC. Comparison of intramuscular compound betamethasone and oral diclofenac sodium in the treatment of acute attacks of gout. Int J Clin Pract. 2014;68(5):633-8.
29. Rainer TH, Cheng CH, Janssens HJ, Man CY, Tam LS, Choi YF, et al. Oral prednisolone in the treatment of acute gout: a pragmatic, multicenter, double-blind, randomized trial. Ann Intern Med. 2016;164(7):464-71.
30. Alloway JA, Moriarty MJ, Hoogland YT, Nashel DJ. Comparison of triamcinolone acetonide with indomethacin in the treatment of acute gouty arthritis. J Rheumatol. 1993;20(1):111-3.
31. Saag KG BF. Systemic glucocorticoids in rheumatology. In: Hochberg MC GE, Silman AJ, Smolen JS, Weinblatt JE, Weisman MH. Rheumatology. 7th ed. Philadelphia: Elsevier; 2018. p. 488–98.
32. Fernández C, Noguera R, González JA, Pascual E. Treatment of acute attacks of gout with a small dose of intraarticular triamcinolone acetonide. J Rheumatol. 1999;26(10):2285-6.
33. Moi JH, Sriranganathan MK, Falzon L, Edwards CJ, van der Heijde DM, Buchbinder R. Lifestyle interventions for the treatment of gout: a summary of 2 Cochrane systematic reviews. J Rheumatol Suppl. 2014;92:26–32.
34. Schlesinger N, Detry MA, Holland BK, Baker DG, Beutler AM, Rull M, et al. Local ice therapy during bouts of acute gouty arthritis. J Rheumatol. 2002;29(2):331-4.
35. Abhishek A, Jenkins W, La-Crette J, Fernandes G, Doherty M. Long-term persistence and adherence on urate-lowering treatment can be maintained in primary care-5-year follow-up of a proof-of-concept study. Rheumatology (Oxford). 2017;56(4):529-33.
36. Rees F, Jenkins W, Doherty M. Patients with gout adhere to curative treatment if informed appropriately: proof-of-concept observational study. Ann Rheum Dis. 2013;72(6):826-30.
37. Singh JA, Reddy SG, Kundukulam J. Risk factors for gout and prevention: a systematic review of the literature. Curr Opin Rheumatol. 2011;23(2):192-202.
38. Rai SK, Fung TT, Lu N, Keller SF, Curhan GC, Choi HK. The Dietary Approaches to Stop Hypertension (DASH) diet, Western diet, and risk of gout in men: prospective cohort study. BMJ. 2017;357:j1794.

39. Neogi T, Chen C, Niu J, Chaisson C, Hunter DJ, Zhang Y. Alcohol quantity and type on risk of recurrent gout attacks: an internet-based case-crossover study. Am J Med. 2014;127(4):311-8.
40. Khanna D, Khanna PP, Fitzgerald JD, Singh MK, Bae S, Neogi T, et al. 2012 American College of Rheumatology guidelines for management of gout. Part 2: therapy and antiinflammatory prophylaxis of acute gouty arthritis. Arthritis Care Res. 2012;64(10):1447-61.
41. Latourte A, Bardin T, Richette P. Prophylaxis for acute gout flares after initiation of urate-lowering therapy. Rheumatology (Oxford). 2014;53(11):1920-6.
42. Seth R, Kydd AS, Buchbinder R, Bombardier C, Edwards CJ. Allopurinol for chronic gout. Cochrane Database Syst Rev. 2014;(10):CD006077.
43. Castrejon I, Toledano E, Rosario MP, Loza E, Pérez-Ruiz F, Carmona L. Safety of allopurinol compared with other urate-lowering drugs in patients with gout: a systematic review and meta-analysis. Rheumatol Int. 2015;35(7):1127-37.
44. Stamp LK, O'Donnell JL, Zhang M, James J, Frampton C, Barclay ML, et al. Using allopurinol above the dose based on creatinine clearance is effective and safe in patients with chronic gout, including those with renal impairment. Arthritis Rheum. 2011;63(2):412-21.
45. Doherty M, Jenkins W, Richardson H, Sarmanova A, Abhishek A, Ashton D, et al. Efficacy and cost-effectiveness of nurse-led care involving education and engagement of patients and a treat-to-target urate-lowering strategy versus usual care for gout: a randomised controlled trial. Lancet. 2018;392(10156):1403-12.
46. Hamburger M, Baraf HS, Adamson TC, 3rd, Basile J, Bass L, Cole B, et al. 2011 Recommendations for the diagnosis and management of gout and hyperuricemia. Postgrad Med. 2011;123(6 Suppl 1):3-36.
47. U. S. Food & Drugs Administration. FDA adds Boxed Warning for increased risk of death with gout medicine Uloric (febuxostat) Washington: FDA Drug Safety Communication; 2017 [capturado em: 20 out. 2020]. Disponível em: https://www.fda.gov/drugs/drug-safety-and-availability/fda-adds-boxed-warning-increased-risk-death-gout-medicine-uloric-febuxostat.
48. Azevedo VF, Kos IA, Vargas-Santos AB, da Rocha Castelar Pinheiro G, dos Santos Paiva E. Benzbromarone in the treatment of gout. Advances in Rheumatology. 2019;59(1):37.
49. Zhang M-Y, Niu J-Q, Wen X-Y, Jin Q-L. Liver failure associated with benzbromarone: a case report and review of the literature. World J Clin Cases. 2019;7(13):1717-25.
50. Bardin T, Keenan RT, Khanna PP, Kopicko J, Fung M, Bhakta N, et al. Lesinurad in combination with allopurinol: a randomised, double-blind, placebo-controlled study in patients with gout with inadequate response to standard of care (the multinational CLEAR 2 study). Ann Rheum Dis. 2017;76(5):811-20.
51. Hoff LS, Goldenstein-Schainberg C, Fuller R. Nephrolithiasis in gout: prevalence and characteristics of Brazilian patients. Adv Rheumatol. 2020;60(2).
52. Scheepers L, van Onna M, Stehouwer CDA, Singh JA, Arts ICW, Boonen A. Medication adherence among patients with gout: A systematic review and meta-analysis. Semin Arthritis Rheum. 2018;47(5):689-702.
53. De Vera MA, Marcotte G, Rai S, Galo JS, Bhole V. Medication adherence in gout: a systematic review. Arthritis Care Res (Hoboken). 2014;66(10):1551-9.
54. Fuller A, Jenkins W, Doherty M, Abhishek A. Nurse-led care is preferred over GP-led care of gout and improves gout outcomes: results of Nottingham Gout Treatment Trial follow-up study. Rheumatology (Oxford). 2020;59(3):575-9.
55. Reach G, Chenuc G, Maigret P, Elias-Billon I, Martinez L, Flipo RM. Implication of character traits in adherence to treatment in people with gout: a reason for considering nonadherence as a syndrome. Patient Prefer Adherence. 2019;13:1913-26.
56. Perez-Ruiz F, Atxotegi J, Hernando I, Calabozo M, Nolla JM. Using serum urate levels to determine the period free of gouty symptoms after withdrawal of long-term urate-lowering therapy: a prospective study. Arthritis Rheum. 2006;55(5):786-90.
57. Vargas-Santos AB, Neogi T, da Rocha Castelar-Pinheiro G, Kapetanovic MC, Turkiewicz A. Cause-specific mortality in gout: novel findings of elevated risk of non–cardiovascular-related deaths. Arthritis Rheum. 2019;71(11):1935-42.
58. Maravic M, Ea HK. Hospital burden of gout, pseudogout and other crystal arthropathies in France. Joint Bone Spine. 2015;82(5):326-9.
59. Foreman SC, Gersing AS, von Schacky CE, Joseph GB, Neumann J, Lane NE, et al. Chondrocalcinosis is associated with increased knee joint degeneration over 4 years: data from the osteoarthritis initiative. Osteoarthritis Cartilage. 2020;28(2):201-7.
60. Zhang W, Doherty M, Bardin T, Barskova V, Guerne PA, Jansen TL, et al. European League Against Rheumatism recommendations for calcium pyrophosphate deposition. Part I: terminology and diagnosis. Ann Rheum Dis. 2011;70(4):563-70.
61. Wu Y, Chen K, Terkeltaub R. Systematic review and quality analysis of emerging diagnostic measures for calcium pyrophosphate crystal deposition disease. RMD Open. 2016;2(2):e000339.

## LEITURAS RECOMENDADAS

Roberts JR. Gout [Internet]. DynaMed. Ipswich: EBSCO Information Services; 2019 [capturado em 25 jun. 2020]. Disponível em: https://www.dynamed.com/condition/gout.

*Excelente fonte de consulta para atualizações regulares, com* links *para descrição detalhada dos estudos. Necessita registro com* login.

Rosenthal AK. Calcium pyrophosphate deposition disease (pseudogout). In: Hochberg MC, Gravallese EM, Silman AJ, Smolen JS, Weinblatt ME, Weisman MH, organizadores. Rheumatology. 7th ed. Philadelphia: Elsevier; 2019. p. 1621-1631.

*Capítulo bastante completo e bem-ilustrado em livro-texto básico de reumatologia clínica.*

# Capítulo 187
# CEFALEIA

Rodrigo Caprio Leite de Castro
Martha Farias Collares

A cefaleia é um problema frequente, com uma prevalência na vida de 66%.[1] Está entre os principais motivos de consulta na atenção primária à saúde (APS), respondendo por 2,9% das consultas em diagnóstico de demanda em Betim, no Estado de Minas Gerais, e 5,4% em um estudo holandês.[2] Tem elevada resolutividade, com uma taxa média de encaminhamento de 2 a 3%.[2]

## AVALIAÇÃO CLÍNICA DO PACIENTE COM CEFALEIA

### História

A história fornece o maior número de informações para o diagnóstico da cefaleia. Nos primeiros minutos, deve-se oferecer uma escuta empática, deixando o paciente falar livremente e mantendo-se atento para compreender as pistas diagnósticas fornecidas, verbal e não verbalmente. Nesse momento da consulta, a intervenção médica deve limitar-se a perguntas abertas, como "Você poderia descrever a sua dor de cabeça?". Muitos pacientes podem ter mais de um tipo de cefaleia, e, nesses casos, é melhor iniciar pela dor de cabeça mais importante para o paciente, coletando uma história para cada uma delas. Duas ou mais consultas podem ser necessárias para fazer o diagnóstico. As informações a seguir são úteis para a caracterização da cefaleia e seu diagnóstico diferencial.

**Questões relativas ao tempo da cefaleia.** Avaliar se o início é súbito ou de horas ou dias, se a cefaleia é aguda ou crônica, se é episódica ou contínua, se é a primeira vez que o paciente sente esse tipo de dor, o horário em que sente a dor, se a dor o desperta durante a noite, a duração dos episódios e a frequência com que ocorrem. Quando a cefaleia teve início há dias, meses ou anos, a pergunta sobre o porquê de buscar ajuda agora pode ser útil para entender não apenas o atual episódio, mas também outros fatores possivelmente relacionados com o sintoma e/ou a motivação/expectativa com a consulta.

**Características e localização da dor.** Questionar sobre como é a dor (em aperto, pressão ou ardência, latejante ou como se estivessem batendo), qual é a intensidade (nota de 0-10 para a ausência de dor até a dor mais intensa que já sentiu; ou, ainda, como a dor atual se compara com a dor de episódios anteriores ou mesmo com a de outras situações anteriores), e qual é o local exato da dor e, se for o caso, a sua irradiação.

**Sintomas associados.** Descobrir se existem sintomas de aviso da ocorrência de um episódio de dor, se existe sensibilidade aumentada para luz ou som, e náuseas ou vômitos. Deve-se perguntar também sobre sintomas neurológicos, como diplopia ou outros sintomas visuais, tonturas, vertigens, parestesias, perda de força ou de consciência, e sobre sintomas infecciosos, como febre, congestão nasal, tosse, disúria, etc.

**Fatores associados.** Determinar se existem fatores desencadeantes da dor, como álcool, determinados tipos de alimentos, medicamentos, drogas ilícitas, período menstrual, estresse, etc. Perguntar sobre fatores agravantes ou de alívio, como posição do corpo ou da cabeça, esforço ou repouso, calor ou frio, uso ou suspensão de medicamento.

**Episódios prévios.** Esclarecer se há semelhanças e diferenças entre a dor atual e os episódios anteriores, o que costuma fazer nas crises, quais medicamentos usa e como é a sua resposta a eles, como se sente entre os episódios, se persistem os sintomas ou se permanece ansioso ou preocupado com novos episódios.

**História familiar.** Avaliar se existe história familiar de cefaleia ou se convive com pessoas que também sentem ou estão sentindo, no momento, dor de cabeça.

**Situação de saúde do paciente.** Questionar sobre uso de medicamentos, presença de outras patologias, como hipertensão, diabetes melito, transtornos psiquiátricos, oftalmopatias, cirurgias, acidentes/traumas, etilismo, neoplasias, síndrome da imunodeficiência adquirida (Aids, do inglês *acquired immunodeficiency syndrome*), situação psicossocial, ocupação e presença de problemas/crises familiares.

> A abordagem do paciente com cefaleia inclui, além do sintoma e/ou doença subjacente (*disease*), a experiência do paciente com a dor (*illness*), que, em muitos casos, pode revelar o verdadeiro motivo da consulta (p. ex., a preocupação acerca da causa da cefaleia). Pacientes que consultaram por cefaleia com médicos de família e comunidade, quando lhes foi dada oportunidade para contar tudo o que queriam dizer sobre a sua dor de cabeça, tiveram melhor desfecho (medido 6 semanas após a consulta).[3]

Uma consulta bem-sucedida muitas vezes requer o entendimento do significado da dor de cabeça e um diagnóstico que seja suficiente para tranquilizar a pessoa de que ela não apresenta doença grave. O método clínico centrado na pessoa pode ser útil, abordando os sentimentos, as ideias (preocupações), a maneira como a dor interfere no dia a dia do paciente e também as suas expectativas com a consulta e o tratamento. É preciso ser capaz de abordar não somente o sintoma/doença, mas também a experiência da pessoa com o sintoma/doença, oferecendo tempo de escuta e uma boa relação médico-pessoa ao longo do tempo. Além disso, é fundamental construir um plano de cuidado em conjunto, especialmente nos casos de cefaleia crônica, em que a confiança e a adesão ao tratamento são decisivas para a prevenção e o manejo das crises (ver Capítulos Método Clínico Centrado na Pessoa e Antropologia e Atenção Primária à Saúde).

O padrão diurno da cefaleia (FIGURA 187.1) pode ajudar no seu diagnóstico.[4] Cefaleias cervicogênicas e migrâneas (ou

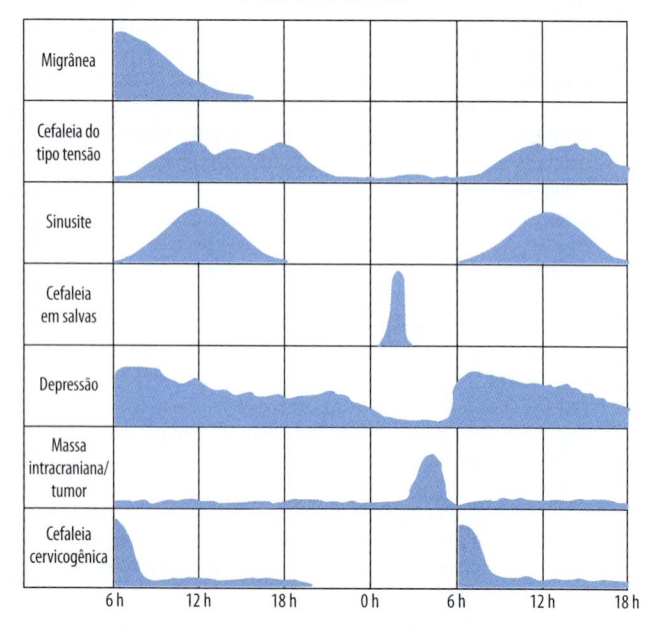

**FIGURA 187.1** → Padrão diurno de diferentes causas de cefaleia.
Fonte: Almostadoctor.[4]

enxaquecas) costumam iniciar ao acordar, aquelas do tipo tensão iniciam e aumentam ao longo do dia. Massas intracranianas apresentam dor de maior intensidade em decúbito e, assim, são mais comuns durante a noite.

Para o auxílio diagnóstico em casos difíceis (que não respondem ao tratamento ou que envolvem mais de um tipo de cefaleia) ou para o acompanhamento dos pacientes quando se quer registrar ou quantificar a evolução clínica, pode-se utilizar o diário de dor. Por meio desse diário, é possível calcular o índice de dor a cada mês, multiplicando o número de crises fracas por 1, o número de crises moderadas por 2 e o número de crises fortes por 3, e, após, somam-se os pontos obtidos (ver QR code). O acompanhamento desse índice ao longo dos meses permite avaliar se o tratamento está sendo eficaz ou não.

## Exame físico

Ao terminar a anamnese, muitas vezes o médico já terá uma hipótese diagnóstica consistente, mas, mesmo assim, o exame físico pode ser útil. Na maioria das vezes, o exame pode afastar a possibilidade de uma doença neurológica estrutural, confirmando, assim, a hipótese de cefaleia primária. Para o paciente com medo de que sua cefaleia se trate de uma doença grave, o exame físico pode ser uma intervenção positiva, trazendo alívio e tranquilidade, desenvolvendo confiança no diagnóstico médico e intensificando a relação terapêutica.

O exame físico pode seguir uma sistemática pessoal que permita realizá-lo rotineiramente em poucos minutos. No entanto, a rotina não necessariamente precisa ser aplicada a todas as pessoas com cefaleia. Uma parte do exame será determinada pelas hipóteses levantadas na anamnese. Por exemplo, em pessoas cuja cefaleia é parte de um quadro infeccioso respiratório com tosse e dispneia, o exame incluirá a frequência respiratória e a ausculta pulmonar. Os seguintes itens são importantes:

- → **medida da pressão arterial:** a hipertensão arterial crônica não costuma causar cefaleia, mas picos hipertensivos podem causá-la, às vezes em situações potencialmente graves, como as emergências hipertensivas;
- → **inspeção cervical e do crânio:** observar a posição da cabeça com relação ao tronco, se existe lateralidade ou torção da cabeça, bem como a presença de ferimentos ou cicatrizes, por trauma ou cirurgia, na cabeça;
- → **palpação cervical e do crânio:** observar a presença de hipertonia muscular cervical e de pontos dolorosos. Palpar a região paravertebral e apófises vertebrais, os seios da face, a articulação temporomandibular e a região temporal superficial, no trajeto da artéria temporal superficial (pensar em arterite temporal, principalmente em pacientes com idade > 50 anos);
- → **ausculta:** auscultar, com a campânula do estetoscópio, a região da articulação temporomandibular e também as carótidas, a região temporal, occipital e ocular.

A presença de sopros cranianos sugere malformações vasculares;
- → **oroscopia:** observar a presença de processos inflamatórios, periodontite ou bruxismo;
- → **otoscopia:** a otite média ou externa pode provocar dor referida na cabeça;
- → **fundo de olho:** principalmente para descartar a presença de papiledema, sugestivo de hipertensão intracraniana consequente de tumor cerebral ou hidrocefalia;
- → **sinais meníngeos:** a rigidez de nuca pode estar presente na meningite e também na hemorragia subaracnóidea;
- → **exame neurológico sumário:** testes de força e sensibilidade em membros inferiores e superiores, marcha e coordenação, além de pares cranianos selecionados, como o terceiro e o quinto pares. Sinais neurológicos focais são sugestivos de tumor cerebral, crise epiléptica ou hematoma subdural. Dor ou hipersensibilidade em face pode ser causada por neuralgia do trigêmeo, e paralisia do terceiro par é observada em aneurisma intracraniano;
- → **exame do estado mental sumário:** alterações no nível de consciência, orientação ou cognição sugerem infecção, neoplasia ou hemorragia subaracnóidea.

## Sinais e sintomas de alarme e investigação com exames complementares

Certos sinais e sintomas indicam avaliação complementar e/ou encaminhamento para o neurologista ou emergência clínica pela possibilidade de causa estrutural subjacente. A **TABELA 187.1**[5] relaciona esses sinais e/ou sintomas de alarme para adultos, bem como os respectivos diagnósticos diferenciais e exames complementares necessários.

Para adultos com cefaleia não aguda, as recomendações da American Academy of Neurology (AAN)[6,7] para solicitação de exame de neuroimagem são: achado inexplicável anormal no exame neurológico; pacientes com características atípicas de dor de cabeça ou que não cumprem os critérios diagnósticos para migrânea ou outras cefaleias primárias; ou pacientes que tenham algum fator de risco adicional, como imunodeficiência. A AAN conclui, ainda, que a solicitação de neuroimagem não se justifica em pacientes com migrânea e exame neurológico normal; que a evidência é insuficiente para que se façam recomendações acerca da solicitação de neuroimagem na presença ou ausência de sintomas neurológicos e na cefaleia do tipo tensão; e que não há evidências para orientar a escolha entre ressonância magnética (RM) ou tomografia computadorizada (TC) na avaliação da migrânea ou de outra dor de cabeça não aguda.

As neoplasias intracranianas, a hemorragia subaracnóidea e o hematoma subdural incidem em 12 a cada 100 mil pacientes por ano, e, destes, apenas metade tem dor de cabeça. A solicitação rotineira de TC em pacientes com cefaleia é, por essa razão, de benefício duvidoso e de alto custo, e os pacientes devem ser selecionados pelo médico de acordo com dados da história e do exame físico.

As seguintes características clínicas foram úteis para predizer a presença de uma anormalidade grave intracraniana:[8] cefaleia em salvas (ou do tipo *cluster*) (razão de

**TABELA 187.1** → Sinais e sintomas de alarme, diagnósticos diferenciais e exames complementares na avaliação do paciente com cefaleia

| SINAIS E SINTOMAS DE ALARME | DIAGNÓSTICOS DIFERENCIAIS | EXAMES COMPLEMENTARES |
| --- | --- | --- |
| Início súbito da cefaleia | Hemorragia subaracnóidea, hemorragia em neoplasia ou malformação vascular, neoplasia | Neuroimagem, punção lombar em caso de neuroimagem negativa* |
| Maior frequência e/ou intensidade da cefaleia | Neoplasia, hematoma subdural, uso excessivo de medicamento | Neuroimagem |
| Início da cefaleia após os 50 anos | Arterite temporal, neoplasia | VHS, neuroimagem |
| Início recente de cefaleia em paciente com infecção pelo HIV ou neoplasia | Meningite, abscesso cerebral, metástase | Neuroimagem, punção lombar em caso de neuroimagem negativa,* sorologias |
| Cefaleia com sinais infecciosos (febre, rigidez de nuca) | Meningite, encefalite, infecções sistêmicas, doenças vasculares do colágeno | Neuroimagem, punção lombar,† sorologias, avaliação de doenças do colágeno (incluindo anticorpos antifosfolipídeos) |
| Sinais ou sintomas focais neurológicos | Neoplasia, malformação vascular, acidente vascular cerebral, doenças vasculares do colágeno | Neuroimagem, avaliação de doenças do colágeno (incluindo anticorpos antifosfolipídeos) |
| Papiledema | Neoplasia, pseudotumor cerebral, meningite | Neuroimagem, punção lombar† |
| Cefaleia devida a trauma | Hemorragia intracraniana, hematoma subdural ou epidural | Neuroimagem e, se necessário, imagem de coluna cervical |

*A punção lombar pode ser realizada após exame de neuroimagem negativo se a suspeita de hemorragia, infecção do sistema nervoso ou malignidade permanecer elevada.
†Na suspeita de infecções do sistema nervoso ou de hipertensão intracraniana, a punção lombar (com análise do líquido cerebrospinal e medição da pressão) deve ser realizada.
HIV, vírus da imunodeficiência humana; VHS, velocidade de hemossedimentação.
Fonte: Adaptada de Clinch.[5]

verossimilhança [RV] = 10,7; intervalo de confiança [IC] 95,% 2,2-52); achados anormais no exame neurológico (RV = 5,3; IC 95%, 2,4-12); dor de cabeça indefinida (i.e., sem critérios para cefaleia em salvas, migrânea ou cefaleia do tipo tensão) (RV = 3,8; IC 95%, 2-7,1); dor de cabeça com aura (RV = 3,2; IC 95%, 1,6-6,6); dor de cabeça agravada pelo esforço ou manobra de Valsalva (RV = 2,3; IC 95%, 1,4-3,8); e dor de cabeça com vômito (RV = 1,8; IC 95%, 1,2-2,6).

O eletrencefalograma (EEG) não é útil na avaliação rotineira de pacientes com cefaleia,[9] mas pode ser usado em pacientes com cefaleia e sintomas sugestivos de epilepsia, como aura atípica ou perda de consciência episódica.

### Avaliação do impacto da cefaleia na qualidade de vida

O impacto da cefaleia na vida das pessoas pode ser avaliado por meio do *Headache Impact Test* (HIT).[10] (Ver, no QR code, FIGURAS S187.1 e S187.2.) O instrumento é de rápido preenchimento e permite avaliar a severidade da dor e o impacto na qualidade de vida, o progresso individual ao longo do tempo e o efeito dos tratamentos realizados. Além disso, proporciona melhor entendimento de como a dor de cabeça afeta a vida da pessoa e facilita a comunicação entre paciente e médico. Ao entender exatamente como a dor de cabeça afeta o paciente, o médico pode oferecer um plano de tratamento mais efetivo (ver, no QR code, FIGURA S187.3).

Outra ferramenta é o questionário *Migraine Disability Assessment* (MIDAS), também validada para o português, que permite medir o grau de incapacidade provocado pela migrânea na vida dos pacientes.[11] O MIDAS permite estadiar a incapacidade em mínima (escore entre 0-5), leve (escore entre 6-10), moderada (escore entre 11-20) e severa (escore ≥ 21).

## CLASSIFICAÇÃO

A International Headache Society (IHS) propôs a Classificação Internacional de Cefaleias, cuja 3ª edição foi publicada em 2018 (*International Classification of Headache Disorders*, ICHD-3).[12] Esses critérios são amplamente aceitos e implementados tanto na prática clínica como na pesquisa. A classificação é hierárquica, do primeiro ao quinto nível. O primeiro nível indica o grupo ao qual o paciente pertence; por exemplo, migrânea, cefaleia do tipo tensão ou trigeminoautonômica. O detalhamento desejado dependerá da finalidade, basicamente se para a prática clínica ou para a pesquisa. Na prática clínica geral e em APS, são empregados habitual e suficientemente os diagnósticos do primeiro e do segundo níveis.

As cefaleias são classificadas como primárias, definidas pelos sintomas, quando possuem natureza disfuncional e não há participação de processos estruturais na etiologia da dor; e secundárias, definidas pela etiologia. Em APS, as cefaleias primárias são as mais prevalentes e, entre elas, a migrânea e a cefaleia do tipo tensão.

Na prática clínica, é possível também classificar as cefaleias com relação ao modo de instalação e evolução, podendo ser classificadas como agudas, que atingem seu pico máximo em minutos ou poucas horas (tanto as cefaleias primárias como as secundárias podem apresentar esse tipo de instalação); subagudas, que possuem instalação insidiosa, atingindo o ápice de dias até 3 meses (ocorrem, principalmente, nas cefaleias secundárias, decorrentes de hematomas subdurais, tumores de crescimento rápido); e crônicas, que persistem por mais de 3 meses e, em geral, são primárias. As cefaleias crônicas podem ser recidivantes, ocorrendo por período variável e reaparecendo, e persistentes, aparecendo diariamente, por um período mínimo de 4 horas, com a intensidade da dor permanecendo a mesma ao longo dos meses (como na cefaleia crônica diária).

## ACOMPANHAMENTO DO PACIENTE COM CEFALEIA

O entendimento da natureza da dor pode requerer várias consultas. Nas reconsultas, é importante avaliar a evolução do quadro da dor e do impacto que ela está trazendo para a qualidade de vida dos pacientes.

É importante também monitorar o uso de analgésicos para evitar que estes sejam utilizados em excesso e estimular o autocuidado para que o paciente possa manejar sua cefaleia no dia a dia.

A classificação da cefaleia é importante para que seja estabelecido o plano terapêutico mais adequado para o paciente. Como as causas primárias, especialmente a migrânea e a cefaleia do tipo tensão, são as mais comuns, e como o entendimento da dor poderá levar várias consultas, é importante revisar a possibilidade de causas secundárias frequentes nas reconsultas, sobretudo em casos que não respondem bem ao plano terapêutico inicial. Dependendo da causa secundária, reconhecida no acompanhamento, outros profissionais de saúde (fisioterapeuta, dentista, psiquiatra, psicólogo) poderão auxiliar no plano terapêutico.

# CEFALEIAS PRIMÁRIAS

## Migrânea (ou enxaqueca)

A ICHD-3[12] propõe dois subtipos principais: a migrânea sem aura (também conhecida como migrânea comum ou hemicrania simples) e a migrânea com aura (também conhecida como migrânea clássica). A migrânea sem aura é o subtipo mais comum. Tem uma frequência de crises maior e em geral é mais incapacitante do que a migrânea com aura. Na **TABELA 187.2**, são apresentados os critérios diagnósticos para a migrânea sem aura, e, na **TABELA 187.3**, para a migrânea com aura.

A aura é um sintoma neurológico focal temporário que acontece imediatamente antes ou no início da cefaleia; em geral se desenvolve gradualmente em 5 a 20 minutos e dura menos de 60 minutos. Pacientes que têm crises com aura costumam apresentar também crises sem aura. A aura visual é o tipo mais comum de aura, ocorrendo em mais de 90% dos pacientes com migrânea com aura, ao menos em algumas crises. A seguir, em frequência, estão os sintomas sensoriais na forma de parestesias. Alguns pacientes experimentam sintomas prodrômicos, que não incluem a aura,

**TABELA 187.2** → Critérios diagnósticos da migrânea sem aura

| | |
|---|---|
| A. | Pelo menos 5 crises preenchendo os critérios B a D |
| B. | Cefaleia durando 4-72 horas (sem tratamento ou com tratamento ineficaz) |
| C. | A cefaleia preenche ao menos 2 das seguintes características:<br>→ Localização unilateral<br>→ Caráter pulsátil<br>→ Intensidade da dor moderada ou forte<br>→ Exacerbada por, ou levando o indivíduo a evitar, atividades físicas rotineiras (p. ex., caminhar ou subir escada) |
| D. | Durante a cefaleia, pelo menos 1 dos seguintes:<br>→ Náusea e/ou vômitos<br>→ Fotofobia e fonofobia |
| E. | Não mais bem explicada por outro diagnóstico da ICHD-3 |

Notas:
→ Quando o paciente adormece durante a crise de migrânea e acorda sem ela, considera-se a duração da crise como sendo até o momento do despertar.
→ A cefaleia da migrânea é geralmente frontotemporal.
→ Pulsátil significa latejante ou variando com os batimentos cardíacos.
ICHD-3, *International Classification of Headache Disorders*, 3ª edição.
Fonte: Headache Classification Committee of the International Headache Society.[12]

**TABELA 187.3** → Critérios diagnósticos da migrânea com aura

| | |
|---|---|
| A. | Pelo menos 2 crises que preencham os critérios B e C |
| B. | Um ou mais dos seguintes sintomas de aura completamente reversíveis:<br>→ Visual<br>→ Sensorial<br>→ Fala e/ou linguagem<br>→ Motor<br>→ Tronco encefálico<br>→ Retiniano |
| C. | Pelo menos 3 dos seguintes:<br>→ Ao menos 1 sintoma de aura alastra-se gradualmente por 5 minutos ou mais<br>→ Dois ou mais sintomas de aura ocorrem em sucessão<br>→ Cada sintoma de aura dura 5 a 60 minutos<br>→ Ao menos 1 sintoma de aura é unilateral<br>→ Ao menos 1 sintoma de aura é positivo (cintilações e parestesias)<br>→ A aura é acompanhada, ou seguida dentro de 60 minutos, por cefaleia |
| D. | Não mais bem explicada por outro diagnóstico da ICHD-3 |

ICHD-3, *International Classification of Headache Disorders*, 3ª edição.
Fonte: Headache Classification Committee of the International Headache Society.[12]

antecedendo em horas ou dias o aparecimento da dor (geralmente de 2-48 horas). Os sintomas prodrômicos ocorrem antes da aura na migrânea com aura e antes do início da dor na migrânea sem aura. Os sintomas prodrômicos mais comuns são fadiga ou hipoatividade, dificuldade de concentração, euforia ou hiperatividade, apetite específico para determinados alimentos, aumento do apetite, náusea, visão borrada e bocejos repetidos. Além disso, os pacientes podem experimentar também os sintomas posdrômicos, mais comumente fadiga, dificuldade de concentração e rigidez cervical, que podem persistir por até 48 horas da resolução da cefaleia.

A migrânea pode apresentar complicações, como as descritas na **TABELA 187.4**, que exigem rápido reconhecimento e manejo, sendo razões para o encaminhamento ao serviço de atenção secundária ou emergência clínica.

## Tratamento da migrânea

As expectativas dos pacientes com o tratamento da migrânea podem variar, mas o alívio da dor e o rápido retorno às atividades diárias são os resultados mais desejados.

**TABELA 187.4** → Principais complicações da migrânea

| |
|---|
| **Migrânea crônica:** migrânea ocorrendo em 15 ou mais dias por mês por mais de 3 meses; os casos de migrânea crônica, em sua maioria, iniciam como migrânea sem aura (ver os tópicos Cefaleia Crônica Diária e Cefaleia por Uso Excessivo de Medicamento) |
| **Estado migranoso:** é definido como uma crise debilitante de migrânea durando mais de 72 horas; para a avaliação do número de horas, a interrupção da dor durante o sono e o alívio de curta duração por uso de medicamento não são considerados |
| **Aura persistente sem infarto:** sintomas de aura persistindo por mais de 1 semana sem evidência de infarto em exame de neuroimagem; essa condição é rara; os sintomas são frequentemente bilaterais e podem persistir por meses ou anos |
| **Infarto migranoso:** aura associada a uma lesão cerebral isquêmica demonstrada por exame de neuroimagem; um acidente vascular cerebral isquêmico em um paciente com migrânea pode ser classificado em uma das seguintes possibilidades: um infarto cerebral por outra causa coexistindo com migrânea, um infarto cerebral por outra causa manifestando-se com sintomas da migrânea ou um infarto cerebral ocorrendo durante o curso de uma crise típica de migrânea com aura; somente o último preenche os critérios para infarto migranoso |
| **Crise epiléptica desencadeada por migrânea:** uma crise epiléptica desencadeada por uma aura de migrânea |

O tratamento pode ser iniciado de duas maneiras. Na primeira, o plano terapêutico é instituído "passo a passo", iniciando com um fármaco menos potente e ajustando a dose e/ou realizando a troca ou a associação de outros medicamentos ao longo do tratamento. Em alguns casos, o tempo de ajuste pode ser longo, expondo o paciente a um tempo de dor desnecessário. Na segunda, o tratamento baseia-se na intensidade da crise, oferecendo um esquema de manejo de acordo com a gravidade dos sintomas.[13] A segunda maneira possibilita um cuidado centrado no paciente, estratificando o cuidado conforme a gravidade da doença. Três etapas são importantes: medir o nível de incapacidade associada; individualizar e planejar o tratamento de acordo com esse nível; e acompanhar o paciente para avaliar a eficácia e a tolerabilidade do tratamento.

Para avaliar o nível de incapacidade associada, pode-se usar o diário de dor por um período de 2 a 4 semanas, ou os instrumentos HIT e MIDAS, abordados no tópico Avaliação do Impacto da Cefaleia na Qualidade de Vida, anteriormente. As ferramentas HIT e MIDAS são de fácil e rápida aplicação e interpretação. Para seu preenchimento, deve-se orientar o paciente a considerar os piores episódios de dor. Dessa forma, o tratamento ideal depende da gravidade conhecida ou esperada das crises.

A abordagem estratificada fornece melhores resultados clínicos do que a estratégia "passo a passo", embora tenha mostrado maior incidência de eventos adversos de intensidade leve a moderada.[14]

### Terapia abortiva

A terapia abortiva visa ao alívio da dor.[15] O US Headache Consortium fez as seguintes orientações para o manejo da crise de migrânea em APS:[16]

→ educar os pacientes sobre sua condição e tratamento, incentivando-os a participarem na elaboração do plano de cuidado;
→ usar triptanos ou ergotamina em pacientes com quadros mais graves de migrânea e naqueles cuja dor de cabeça responde mal aos anti-inflamatórios não esteroides (AINEs) ou analgésicos;
→ não utilizar a via oral em pacientes que se apresentam com náuseas ou vômitos nas crises;
→ considerar uma medicação de resgate autoadministrada para pacientes com migrânea severa que não respondem bem aos tratamentos propostos;
→ proteger contra o uso excessivo de medicamento, frequentemente responsável pela cronificação da dor.

Observando essas recomendações e seguindo uma abordagem estratificada, pode-se, por exemplo, para um paciente em crise cuja migrânea provoca incapacidade leve, iniciar com analgésicos comuns ou AINEs, oferecendo um triptano no caso de o tratamento inicial não ser efetivo; para outro paciente, com uma migrânea de incapacidade severa, está indicado iniciar o tratamento de uma crise com triptanos.

As crises de migrânea podem ser tratadas com medicamentos inespecíficos, como paracetamol, dipirona ou AINEs **B**, ou específicos (antimigranosos), como a ergotamina e os triptanos.[13,16,17] Os medicamentos mais utilizados em APS, com suas respectivas doses, vias de administração e posologias, podem ser consultados na TABELA 187.5.

A dipirona e o paracetamol são efetivos para o tratamento da dor, assim como os AINEs, incluindo ácido acetilsalicílico, ibuprofeno, naproxeno, cetoprofeno e diclofenaco, representando todos uma boa alternativa de manejo **B**. Os AINEs são efetivos no alívio agudo da migrânea, promovendo alívio dos sintomas (número necessário para tratar [NNT] = 6-10 para resolução da dor em 2 horas) **A**; apresentações solúveis parecem ter maior eficácia.

O paracetamol (NNT = 12) **B**[18] e a dipirona intravenosa **C/D**[15] mostraram-se efetivos. A adição de cafeína (≥ 100 mg) a uma dose-padrão de analgésicos comumente usados fornece um aumento pequeno, mas importante, na proporção de participantes que experimentam um bom nível de alívio

**TABELA 187.5** → Tratamento abortivo das crises de migrânea

| MEDICAMENTO | DOSE INICIAL (mg) | VIA | INTERVALO PARA A SEGUNDA DOSE | DOSE MÁXIMA DIÁRIA (mg) | INTENSIDADE DA CRISE (L/M/F)* |
|---|---|---|---|---|---|
| **ANALGÉSICOS** | | | | | |
| Paracetamol | 750-1.000 | VO | 4-6 horas | 4.000 | L/M |
| Dipirona | 500-1.000 | VO | 4-6 horas | 3.000 | L/M |
| | 1.000 | IV | 4-6 horas | 3.000 | M/F |
| **AINEs** | | | | | |
| Ácido acetilsalicílico | 500-1.000 | VO | 4 horas | 4.000 | L/M |
| Ibuprofeno | 600-1.200 | VO | 4-6 horas | 2.400 | L/M |
| Diclofenaco sódico | 50-100 | VO | 4-6 horas | 150 | L/M |
| Naproxeno | 750 | VO | 30 minutos† | 1.500 | L/M |
| Cetoprofeno | 50-100 | IM | 4 horas | 200 | L/M |
| **ERGÓTICOS** | | | | | |
| Ergotamina | 1-2 | VO | 30-60 minutos | 6‡ | M/F |
| Di-hidroergotamina | 1-2 | VO | 30-60 minutos | 6‡ | M/F |
| | 0,5 | SN§ | 15-30 minutos | 4¦ | M/F |
| **TRIPTANOS** | | | | | |
| Sumatriptana | 25, 50, 100 | VO | 2 horas | 200 | M/F |
| | 5, 10, 20 | SN | 2 horas | 40 | M/F |
| | 4, 6 | SC | 2 horas | 12 | F |
| Naratriptana | 1, 2,5 | VO | 4 horas | 5 | M/F |
| Almotriptana | 6,25, 12,5 | VO | 2 horas | 25 | M/F |
| Zolmitriptana | 2,5-5 | VO | 2 horas | 10 | M/F |
| | 5 | SN | 2 horas | 10 | F |
| Rizatriptana | 5, 10¶ | VO | 2 horas | 30 | M/F |
| Eletriptana | 20, 40, 80 | VO | 2 horas | 80 | M/F |

*L, leve; M, moderada; F, forte.
†Dose adicional de 250-500 mg.
‡A dose máxima semanal é de 10 mg.
§Dose para ser administrada em cada narina.
¦A dose máxima para o tratamento de uma crise é de 2 mg (4 pulverizações). Deve-se observar um intervalo mínimo de 8 horas antes de tratar outra crise de migrânea. A dose máxima do *spray* nasal permitida em 24 horas é de 4 mg (8 pulverizações), e a dose máxima semanal é de 12 mg (24 pulverizações).
¶Pacientes que usam propranolol devem usar dose de 5 mg (dose máxima diária de 15 mg).
IM, intramuscular; IV, intravenosa; SC, subcutânea; SN, *spray* nasal; VO, via oral.

da dor (NNT = 14)[19] **B**. A combinação de paracetamol, ácido acetilsalicílico e cafeína em pacientes com migrânea mostrou-se efetiva para o tratamento da dor, promovendo alívio dos sintomas em 60% dos pacientes em 2 horas e em 79% em 6 horas (NNT = 4) **A**.[19] A combinação de dipirona (300 mg), isometepteno (50 mg) e cafeína (30 mg) foi superior a paracetamol (200 mg) no tratamento de cefaleia leve a moderada em termos do tamanho e da velocidade da redução na intensidade da cefaleia.[20]

Os opioides promovem alívio da dor, mas são associados a uso excessivo e dependência, sendo, de maneira geral, desencorajados em APS. Devem ser considerados, porém, nos pacientes com migrânea infrequente e incapacitante, mas com contraindicações para o tratamento específico (p. ex., doença cardiovascular).[21]

A ergotamina e a di-hidroergotamina podem ser utilizadas no tratamento da migrânea com incapacidade moderada a severa **B**.[17] O medicamento deve ser usado no início dos sintomas prodrômicos, para que tenha o máximo de benefício, podendo ser usadas doses adicionais após 30 e 60 minutos da primeira dose, caso a dor não tenha cedido. A dose não deve ultrapassar 6 mg por dia ou 10 mg por semana. Efeitos adversos comuns são náuseas, vertigem e diarreia; os menos comuns, síncope, tremor, angina e claudicação. A ergotamina é contraindicada em pacientes com cardiopatia isquêmica, doença vascular periférica, hipertensão não controlada, dano hepático ou renal, hipertireoidismo, porfiria e na gestação. Além disso, não deve ser utilizada em combinação com triptanos (dentro de 24 horas). A di-hidroergotamina, também efetiva no tratamento da migrânea, por via intravenosa ou intramuscular, não é comumente utilizada em APS, sendo seu uso limitado ao tratamento da migrânea complicada em emergência. Por via oral ou *spray* nasal, a di-hidroergotamina é uma alternativa para o manejo da crise em APS.

Os triptanos são agonistas serotoninérgicos seletivos e podem ser administrados em qualquer momento da crise de migrânea, embora seu uso também seja recomendado preferencialmente no início da crise. Podem aliviar também os sintomas associados, incluindo náuseas, fotofobia e fonofobia. Podem-se oferecer doses adicionais, em caso de persistência da dor, após a primeira administração, em 2 horas após o uso por via oral ou inalatória e em 1 hora após o uso por via subcutânea.

Entre os fármacos utilizados para crise aguda de migrânea, os triptanos são aqueles que apresentam maior evidência científica de efetividade **A**.

Em uma metanálise que avaliou a efetividade dos triptanos na crise aguda de migrânea, a taxa de alívio da cefaleia em 2 horas foi de 44,5% com naratriptana, 49,7% com sumatriptana, 50% com zolmitriptana, 57,1% com rizatriptana e 60,4% com eletriptana. A taxa de remissão completa da dor em 2 horas foi de 17,5% com naratriptana, 27,1% com zolmitriptana, 27,7% com sumatriptana, 36,6% com rizatriptana e 39,2% com eletriptana. O *spray* nasal de sumatriptana mostrou 52,6% de alívio da cefaleia em 2 horas, e a sua injeção subcutânea, o melhor resultado encontrado na referida metanálise – 75,7%. Em resumo, com relação aos triptanos, os melhores resultados, considerando o alívio e a remissão completa da dor em 2 horas, foram encontrados com sumatriptana em injeção subcutânea, seguida por rizatriptana e zolmitriptana, ambas em comprimidos orodispersíveis, e eletriptana em comprimidos. As associações de triptanos com AINEs e paracetamol se mostraram mais efetivas do que o uso de triptano somente, com 62,3% e 79,9%, respectivamente, de melhora da cefaleia em 2 horas **B**.[22]

Alguns pacientes podem responder melhor a um triptano do que a outro. Alguns triptanos estão disponíveis como injeção subcutânea ou *spray* nasal, também permitindo seu uso preferencial em pacientes com náuseas e vômitos. Além disso, a escolha do triptano pode ser feita considerando-se a situação clínica do paciente, como mostrado na TABELA 187.6.[23] Os efeitos adversos são similares entre os triptanos e incluem parestesia ou formigamento, tontura, sonolência, náuseas e sensação de calor ou pressão na cabeça e no pescoço. São contraindicados na presença de doença cardíaca isquêmica, doença cerebrovascular, doença vascular periférica, hipertensão não controlada e insuficiência hepática. Além disso, não devem ser utilizados em combinação com ergotamina (dentro de 24 horas).

Nos pacientes que apresentam náuseas e vômitos nas crises, a utilização de antieméticos (como metoclopramida) deve ser associada **A**.[24]

### Terapia profilática

A profilaxia é um dos mais importantes aspectos do manejo da migrânea. Ao diminuir a frequência das crises e melhorar a resposta do paciente à terapia abortiva, a terapia profilática também evita a exposição do paciente ao uso excessivo de medicamentos, prevenindo a cronificação da dor por esse motivo. A TABELA 187.7 apresenta as suas indicações.[25] Para a prevenção da dor, podem ser utilizados recursos não farmacológicos e farmacológicos.

Entre os não farmacológicos, a abordagem educativa é fundamental e tem como objetivo promover o entendimento do paciente a respeito da migrânea, o autocuidado e a adesão ao tratamento. O paciente deve ser estimulado a identificar possíveis fatores desencadeantes das crises. Esses fatores aumentam a probabilidade de crise e incluem fatores alimentares (p. ex., álcool, chocolate, alimentos com tiramina, aditivos alimentares como glutamato monossódico e aspartato), medicamentos (p. ex., nitratos), estresse psicossocial,

**TABELA 187.6** → Escolha do triptano conforme a situação clínica

| SITUAÇÃO CLÍNICA | TRIPTANO DE ESCOLHA |
| --- | --- |
| Rápida instalação da crise, crises fortes/incapacitantes | Sumatriptana 4 ou 6 mg, SC; zolmitriptana 5 mg, SN |
| Crises fortes/incapacitantes em pacientes que preferem triptanos orais | Rizatriptana 10 mg; eletriptana 40 mg; sumatriptana/naproxeno 85 mg/500 mg |
| Impossibilidade de deglutição, náuseas fortes | Sumatriptana 4 ou 6 mg, SC; zolmitriptana 5 mg, SN; sumatriptana 20 mg, SN |
| Triptanos maltolerados | Almotriptana 6,25 ou 12,5 mg; naratriptana 2,5 mg; sumatriptana 25 mg |

SC, subcutâneo; SN, *spray* nasal.
Fonte: Adaptada de Young e colaboradores.[23]

**TABELA 187.7** → Indicações de início da terapia profilática na migrânea

→ Migrânea que interfere significativamente no dia a dia do paciente, apesar das terapias abortivas
→ Crises frequentes (≥ 1 ×/semana ou ≥ 3 ×/mês)
→ Uso excessivo de medicamentos (em razão de crises frequentes, incapacitantes ou de longa duração)
→ Os medicamentos utilizados na terapia abortiva são inefetivos, contraindicados ou causam efeitos adversos intoleráveis
→ Preferência do paciente
→ Presença de condições incomuns de migrânea (potencialmente graves), incluindo migrânea hemiplégica, basilar, com aura prolongada ou infarto migranoso

mudanças climáticas e eventos hormonais nas mulheres (ver tópico Cefaleia Menstrual, adiante). Quando algum fator desencadeante for identificado, um plano de manejo específico de atenuação ou eliminação do fator deve ser elaborado. A acupuntura é ligeiramente mais eficaz (tamanho de efeito [TE] = 0,37) e muito mais segura do que a medicação para a profilaxia da migrânea B.[26]

As técnicas de relaxamento e *biofeedback* e acupuntura são métodos úteis para a profilaxia da migrânea. As abordagens psicoterápica e fisioterápica também podem ser utilizadas em casos selecionados. A homeopatia não é recomendada.

Para a terapia profilática farmacológica,[25] é importante seguir estes princípios: escolher o medicamento mais adequado para o paciente (considerando efetividade, condições coexistentes e efeitos adversos); começar com uma dose baixa, aumentando-a gradualmente até alcançar o resultado esperado e interrompendo-a na ocorrência de efeito adverso; se a primeira escolha falhar, escolher uma segunda opção de outra classe medicamentosa; preferir a monoterapia (embora a combinação de terapias possa ser necessária); ao alcançar o controle esperado, manter o tratamento por 6 meses, podendo-se, então, iniciar a redução gradual do medicamento até sua retirada.[23] Terapias profiláticas com betabloqueadores e amitriptilina são as abordagens farmacológicas de primeira linha.[25]

Os medicamentos com maior efetividade profilática são os antidepressivos, os anticonvulsivantes e os anti-hipertensivos. A **TABELA 187.8** mostra os fármacos, as doses e os efeitos adversos dos medicamentos utilizados.

Entre os antidepressivos, os tricíclicos, como a amitriptilina, apresentam maior evidência de benefício, reduzindo o número e a intensidade das crises B. A nortriptilina é o tricíclico menos sedativo. Os anticonvulsivantes também são efetivos, reduzindo o número mensal de crises em cerca de 1,3 episódio (NNT = 4 para diminuição de crises em 50%) B. A gabapentina e o topiramato apresentam menos paraefeitos que o ácido valproico.[25]

Com relação aos anti-hipertensivos, os betabloqueadores têm reconhecida efetividade, sendo utilizados o propranolol, o metoprolol, o atenolol, o timolol e o nadolol B, dos quais o propranolol é aquele com maior evidência de benefício A. Os antagonistas do receptor da angiotensina II e os inibidores da enzima conversora da angiotensina, em especial a candesartana B, parecem reduzir os episódios de migrânea B. Esses fármacos podem ser considerados, particularmente,

**TABELA 187.8** → Tratamento profilático das crises de migrânea

| MEDICAMENTO | DOSE (mg) | NÚMERO DE TOMADAS/DIA | CONTRAINDICAÇÕES | EFEITOS ADVERSOS COMUNS |
|---|---|---|---|---|
| **ANTIDEPRESSIVOS TRICÍCLICOS** | | | | |
| Amitriptilina | 12,5-75 | 1 (à noite) | Infarto agudo do miocárdio recente (3-4 semanas) Distúrbios da condução cardíaca Prostatismo ou retenção urinária Íleo paralítico Glaucoma de ângulo fechado | Sedação, boca seca, constipação, ganho de peso, hipotensão postural, tontura |
| Nortriptilina | 10-75 | 1 (à noite) | | |
| **INIBIDORES SELETIVOS DA RECAPTAÇÃO DA SEROTONINA** | | | | |
| Fluoxetina | 10-40 | 1 (pela manhã) | | Náuseas, diminuição do apetite, dor abdominal, insônia, sudorese, nervosismo |
| **ANTICONVULSIVANTES** | | | | |
| Ácido valproico | 250-1.000 | 2-3 | Hepatite, insuficiência hepática | Ganho de peso, náuseas, vômitos, alteração do apetite, tremores, confusão mental |
| Topiramato | 25-200 | 1 (à noite) | Insuficiência renal ou hepática Predisposição para nefrolitíase | Alteração das funções cognitivas, sonolência ou agitação, fadiga, perda de peso, confusão mental |
| Gabapentina | 300-900 | 3 | | Ganho de peso |
| **ANTI-HIPERTENSIVOS BETABLOQUEADORES** | | | | |
| Propranolol | 20-120 | 2-3 | Bradicardia sinusal, bloqueio atrioventricular de segundo ou terceiro grau, insuficiência cardíaca ou vascular periférica, asma, broncospasmo | Hipotensão, fadiga, bradicardia |
| Metoprolol | 25-100 | 2 | | |
| Atenolol | 25-100 | 1 | | |
| Timolol | 5-20 | 1-2 | | |
| Nadolol | 20-80 | 1-2 | | |
| **BLOQUEADORES DOS CANAIS DE CÁLCIO** | | | | |
| Verapamil | 40-120 | 3 | Bloqueio atrioventricular de segundo ou terceiro grau, bloqueio sinoatrial, insuficiência cardíaca congestiva, infarto agudo do miocárdio com complicações | Hipotensão, arritmia, bloqueio cardíaco, náuseas, constipação, fadiga, tontura |
| Diltiazém | 60-180 | 3-4 | Bloqueio atrioventricular de segundo ou terceiro grau, bloqueio sinoatrial, insuficiência cardíaca congestiva, infarto agudo do miocárdio com complicações | Hipotensão, bloqueio cardíaco, náuseas, fadiga, tontura, edema |
| Nimodipino | 30-90 | 3-4 | | Hipotensão, náuseas, fadiga, tontura, edema, arritmia |

*(continua)*

**TABELA 187.8** → Tratamento profilático das crises de migrânea *(Continuação)*

| MEDICA-MENTO | DOSE (mg) | NÚMERO DE TOMADAS/DIA | CONTRA-INDICAÇÕES | EFEITOS ADVERSOS COMUNS |
|---|---|---|---|---|
| Flunarizina | 5-10 | 1 | Fase aguda de acidente vascular cerebral, cardiopatias descompensadas, insuficiência hepática ou renal, depressão grave | Fadiga, ganho de peso, sonolência, depressão, parkinsonismo, distúrbios gastrintestinais |
| **INIBIDORES DA ENZIMA CONVERSORA DA ANGIOTENSINA/ANTAGONISTAS DO RECEPTOR DA ANGIOTENSINA** | | | | |
| Lisinopril | 2,5-10 | 1 | | Hipotensão, tontura, tosse, diarreia, náuseas, vômitos, dor abdominal, fadiga, alteração da função renal |
| Candesartana | 4-8 | 1 | | Hipotensão, tontura, tosse, diarreia, náuseas, vômitos, dor abdominal, fadiga, alteração da função renal |

em pacientes com contraindicação ao uso de betabloqueadores.[25] A adesão à terapia profilática em geral é baixa – entre 35 e 56% em 12 meses. A adesão é maior para propranolol do que para amitriptilina ou topiramato **B**.[27]

## Cefaleia do tipo tensão (ou de tensão, tensional, de estresse ou comum)

É o tipo mais comum de cefaleia primária; sua prevalência ao longo da vida na população geral varia, em diferentes estudos, de 30 a 78%. A cefaleia do tipo tensão pode ser episódica ou crônica. A episódica pode ser classificada nos subtipos infrequente e frequente.[12] O subtipo infrequente tem um impacto muito pequeno na vida da pessoa, mas o subtipo frequente pode provocar considerável incapacidade. A cefaleia do tipo tensão crônica gera incapacidade e elevado ônus pessoal e socioeconômico.

A cefaleia do tipo tensão pode apresentar dolorimento pericraniano, que aumenta com a intensidade e a frequência da dor, e acentua-se ainda mais durante a crise. O dolorimento pericraniano e os pontos-gatilho são facilmente pesquisados por meio da palpação manual com o segundo e o terceiro dedos sobre os músculos frontal, temporal, masseter, pterigóideo, esternocleidomastóideo, esplênio e trapézio.

### Cefaleia do tipo tensão episódica infrequente e frequente

Nas **TABELAS 187.9** e **187.10**, são mostrados, respectivamente, os critérios diagnósticos das cefaleias do tipo tensão episódica infrequente e frequente, segundo a ICHD-3.[12]

### Cefaleia do tipo tensão crônica

A cefaleia do tipo tensão crônica evolui ao longo do tempo a partir da episódica, mantendo as mesmas características, porém com crises diárias ou muito frequentes de cefaleia que podem durar horas ou ser contínuas. O uso abusivo de medicamento é uma causa de cronificação e, uma vez constatado, deve-se orientar sua suspensão. Nesses casos, se após 2 meses o paciente seguir apresentando dor, o diagnóstico de cefaleia do tipo tensão crônica poderá ser feito. Na **TABELA 187.11**, estão os critérios diagnósticos da cefaleia do tipo tensão crônica.[12]

### Tratamento da cefaleia do tipo tensão

O plano terapêutico da cefaleia do tipo tensão envolve o tratamento abortivo, principalmente farmacológico, e profilático, farmacológico e não farmacológico.[28]

O tratamento abortivo medicamentoso, sobretudo nas formas episódicas, é realizado com AINEs ou com analgésicos comuns **B**.[13,28] Os AINEs – ibuprofeno, naproxeno, cetoprofeno, ácido acetilsalicílico e diclofenaco – e os analgésicos – paracetamol e dipirona – são eficazes e considerados fármacos de primeira linha no tratamento **B**.[28-30]

Embora a combinação de cafeína com ibuprofeno ou com paracetamol aumente a efetividade de ambos (NNT = 13) **B**,[19,30] o seu uso é restrito na prática clínica, não somente em razão do fato de a sua retirada ser associada com cefaleia, mas também pelos relatos da associação entre produtos

---

**TABELA 187.9** → Critérios diagnósticos da cefaleia do tipo tensão episódica infrequente

| | |
|---|---|
| A. | Pelo menos 10 crises ocorrendo em média em < 1 dia por mês (< 12 dias por ano) e preenchendo os critérios B a D |
| B. | Cefaleia durando 30 minutos a 7 dias |
| C. | A cefaleia tem pelo menos 2 das seguintes características:<br>→ Localização bilateral<br>→ Caráter em pressão/aperto (não pulsátil)<br>→ Intensidade fraca ou moderada<br>→ Não agravada por atividade física rotineira, como caminhar ou subir escadas |
| D. | Ambos os seguintes:<br>→ Ausência de náusea ou vômito<br>→ Fotofobia ou fonofobia (apenas uma delas pode estar presente) |
| E. | Não mais bem explicada por outro diagnóstico da ICHD-3 |

ICHD-3, *International Classification of Headache Disorders*, 3ª edição.
Fonte: Adaptada de Headache Classification Committee of the International Headache Society.[12]

**TABELA 187.10** → Critérios diagnósticos da cefaleia do tipo tensão episódica frequente

| | |
|---|---|
| A. | Pelo menos 10 crises que ocorrem em média em 1-14 dias por mês por > 3 meses (≥ 12 dias e < 180 dias/ano), preenchendo os critérios B a D |
| B. | Cefaleia durando 30 minutos a 7 dias |
| C. | A cefaleia tem pelo menos 2 das seguintes características:<br>→ Localização bilateral<br>→ Caráter em pressão/aperto (não pulsátil)<br>→ Intensidade fraca ou moderada<br>→ Não agravada por atividade física rotineira, como caminhar ou subir escadas |
| D. | Ambos os seguintes:<br>→ Ausência de náusea ou vômito<br>→ Fotofobia ou fonofobia (apenas uma delas pode estar presente) |
| E. | Não mais bem explicada por outro diagnóstico da ICHD-3 |

ICHD-3, *International Classification of Headache Disorders*, 3ª edição.
Fonte: Adaptada de Headache Classification Committee of the International Headache Society.[12]

| TABELA 187.11 → Critérios diagnósticos da cefaleia do tipo tensão crônica |
|---|
| A. Cefaleia que ocorre em média em ≥ 15 dias/mês por > 3 meses (≥ 180 dias/ano), preenchendo os critérios B a D |
| B. A cefaleia dura horas a dias, ou sem remissão |
| C. A cefaleia tem pelo menos 2 das seguintes características:<br>→ Localização bilateral<br>→ Caráter em pressão/aperto (não pulsátil)<br>→ Intensidade fraca ou moderada<br>→ Não agravada por atividade física rotineira, como caminhar ou subir escadas |
| D. Ambos os seguintes:<br>→ Não mais do que 1 dos seguintes sintomas: fotofobia, fonofobia ou náusea leve<br>→ Ausência de náusea moderada ou intensa ou vômito |
| E. Não mais bem explicada por outro diagnóstico da ICHD-3 |

ICHD-3, *International Classification of Headache Disorders*, 3ª edição.
Fonte: Adaptada de Headache Classification Committee of the International Headache Society.[12]

com cafeína e cefaleia crônica diária. Considerando-se, assim, provável que combinações de analgésicos simples ou AINEs com cafeína tenham maior probabilidade de induzir cefaleia por uso excessivo de medicamento do que analgésicos simples ou AINEs isoladamente, recomenda-se que analgésicos simples ou AINEs sejam fármacos de primeira escolha e que combinações de um desses fármacos com cafeína sejam fármacos de segunda escolha para o tratamento agudo da cefaleia do tipo tensão.

O uso de opioides não é recomendado para o tratamento da cefaleia do tipo tensão, estando o seu uso também relacionado com a cefaleia por uso excessivo de medicamento. Com relação aos relaxantes musculares, não há evidência para o seu uso, não sendo, assim, recomendados.[28,30] É importante evitar o uso de ansiolíticos, pois eles podem mascarar situações de vida causadoras de estresse e ainda favorecer o uso excessivo de medicamento com consequente risco de adicção.[13] Se o paciente estiver passando por estresse, crise familiar ou do ciclo de vida ou mesmo se sintomas de transtorno de ansiedade ou de humor estiverem presentes, uma abordagem dirigida aos problemas identificados deve ser realizada. Em pacientes com tensão muscular, procedimentos não medicamentosos podem ser empregados, como massoterapia na musculatura cervical, aplicação de calor úmido local, banhos quentes de imersão e técnicas de relaxamento (ver Capítulo Dor Miofascial e Outras Dores Mecânicas).

No tratamento profilático, indicado para a cefaleia do tipo tensão crônica, os antidepressivos tricíclicos são os fármacos de primeira linha, sendo efetivos na diminuição da frequência e da intensidade das crises (−4,8 cefaleias/mês; −21 doses de analgésicos/mês) **B**.[31]

A amitriptilina é a primeira escolha e o mais frequentemente usado, embora a nortriptilina e a clomipramina também possam ser utilizadas. A dose inicial deve ser baixa (10-25 mg antes de dormir); porém, a dose média efetiva de amitriptilina para pacientes com cefaleia do tipo tensão crônica é de 50 a 75 mg/dia. Após 6 meses, o tratamento pode ser descontinuado, e uma redução na dose diária de 20 a 25% a cada 2 a 3 dias pode evitar a recidiva da dor.

Outras opções incluem a mirtazapina, na dose de 15 a 30 mg/dia – embora esteja associada à fadiga e ao ganho de peso –, a venlafaxina, na dose de 75 a 150 mg/dia **B**, o topiramato **C/D** e a tizanidina **C/D**, um relaxante muscular que, na dose de 4 mg/dia, associada à amitriptilina (20 mg/dia) mostrou-se mais efetivo (alívio mais rápido dos sintomas durante a primeira semana de tratamento da cefaleia do tipo tensão crônica) do que a amitriptilina sozinha.[28]

Na abordagem inicial da cefaleia do tipo tensão, somada ao plano medicamentoso, é importante esclarecer o contexto de origem do sintoma e/ou, se possível, identificar fatores desencadeantes, buscando-se, em seguida, a atenuação ou a eliminação desses fatores – por exemplo, se está associada a conflitos do ciclo vital ou familiares ou ao trabalho (má postura ou outros problemas ergonômicos).

Medidas não farmacológicas incluem o manejo do estresse, a higiene do sono e a cessação do tabagismo. Intervenções de autocuidado têm efeito pequeno (TE [intensidade da dor] = −0,36; TE [incapacidade] = −0,32), com benefício maior nas intervenções com componentes educacionais (TE = −0,51), de *mindfulness* (TE = −0,50), e nas intervenções realizadas em grupos em vez de individualmente (TE = −0,56).[32] As melhorias produzidas pelo tratamento comportamental podem aparecer lentamente em comparação com as produzidas farmacologicamente; no entanto, a melhoria é mantida por períodos mais prolongados, de até vários anos.[28] A combinação de manejo do estresse e antidepressivos tricíclicos é mais efetiva do que qualquer terapia comportamental ou tratamento medicamentoso sozinho **B**. As técnicas físicas, incluindo educação postural, instrução ergonômica, massagem e aplicação de calor ou frio, são mais úteis nas cefaleias episódicas, não tendo sido demonstrado o seu benefício em longo prazo ou na profilaxia.[28]

A acupuntura é uma opção terapêutica para a prevenção de crises, exercendo discreto, mas significativo, benefício (diminuição de 1,6 dia com cefaleia/mês) **B**.[33]

A cefaleia do tipo tensão episódica coexiste muitas vezes com a migrânea sem aura, podendo ser identificada, por exemplo, pelo diário da dor. Como o tratamento da migrânea difere consideravelmente daquele da cefaleia do tipo tensão, é importante orientar os pacientes para diferenciar esses tipos de dor. Isso permite selecionar o tratamento mais adequado para cada tipo de dor, evitando o uso excessivo de medicamento que pode cronificar a dor. Alguns pacientes com cefaleia do tipo tensão crônica desenvolvem características semelhantes às da migrânea, quando apresentam dor intensa e, reciprocamente, alguns migranosos podem desenvolver dor cada vez mais frequente com características de cefaleia do tipo tensão no intervalo entre as crises.

## Cefaleias trigeminoautonômicas

Os aspectos clínicos compartilhados pelas cefaleias trigeminoautonômicas são a cefaleia unilateral e, habitualmente, as manifestações autonômicas parassimpáticas cranianas proeminentes, as quais são lateralizadas e ipsilaterais à cefaleia. Estudos de imagem funcional sugerem que essas síndromes ativam o reflexo trigeminoparassimpático.[12]

As cefaleias trigeminoautonômicas (a cefaleia em salvas, a hemicrania paroxística, as crises de cefaleia neuralgiforme, unilateral, breve e a hemicrania contínua) são pouco prevalentes, merecendo destaque, para a prática clínica geral e da APS, a cefaleia em salvas.[12]

A cefaleia em salvas ocorre em 0,2 a 0,4% da população. A idade de início é, em geral, entre os 20 e os 40 anos, e a prevalência é 3 a 4 vezes maior em homens do que em mulheres. Em 5% dos pacientes ela pode ser herdada como um traço autossômico dominante. A ICHD-3 classifica a cefaleia em salvas nos subtipos episódica e crônica.[12]

A crise é caracterizada por séries (salvas) de dor unilateral muito intensa, em geral na região periorbital e temporal, com início súbito e duração de 15 a 180 minutos, habitualmente entre 45 e 90 minutos. Outras regiões da cabeça podem ser afetadas com menos frequência. As crises tendem a repetir-se sempre do mesmo lado da cabeça, embora por vezes possam mudar de lado ou raramente ser bilaterais. As salvas duram entre 1 semana e 1 ano, em geral de 2 semanas a 3 meses. Nesse período, a crise pode ocorrer de 1 vez a cada 2 dias até 8 vezes por dia, quase sempre no mesmo horário, normalmente durante a madrugada.

O subtipo episódico ocorre em períodos que duram de 7 dias a 1 ano, separados por períodos de remissão livres de dor que duram 3 meses ou mais. O subtipo crônico ocorre por mais de 1 ano sem remissão ou com períodos de remissão que duram menos de 3 meses. A cefaleia em salvas pode manifestar-se de forma crônica desde o início ou evoluir a partir do subtipo episódico; a forma crônica pode passar para a forma episódica. Cerca de 80% dos pacientes apresentam a forma episódica, e 20%, a forma crônica. As crises associam-se a um ou mais dos seguintes aspectos, todos ipsilaterais à dor: hiperemia conjuntival, lacrimejamento, congestão nasal, rinorreia, sudorese na fronte e na face, miose, ptose e edema palpebral. Durante as crises, a maioria dos pacientes fica inquieta ou agitada, o paciente em geral é incapaz de deitar-se e caracteristicamente fica andando de um lado para o outro. A TABELA 187.12 apresenta os critérios diagnósticos da cefaleia em salvas segundo a ICHD-3.[12]

### Tratamento da cefaleia em salvas

O manejo da cefaleia em salvas inicia com a orientação sobre a doença e o seu tratamento, que pode ser sintomático (da crise) ou profilático (de manutenção). Na crise, tendo em vista a intensidade e o tempo de duração da dor, o tratamento deve ser instituído o mais rápido possível.

A inalação de oxigênio puro, a 100%, por cânula nasal, 5 a 7 litros/minuto durante 5 a 15 minutos, pode debelar uma crise rapidamente (NNT = 2-4) **B**.[34] Os triptanos são a primeira escolha para o tratamento farmacológico, aliviando a intensidade da dor em grande parte dos pacientes em até 15 minutos (NNT = 3) **B**. Sugere-se o uso de sumatriptana 6 mg, por via subcutânea, ou zolmitriptana 10 mg, por via inalatória nasal, pois há maior documentação do benefício. A segunda opção no tratamento abortivo da crise é a ergotamina, de preferência por via sublingual, 2 mg a cada 30 minutos, até 6 mg/dia ou 10 mg/semana **C/D**. Os potenciais efeitos adversos e as contraindicações ao uso dos triptanos e da ergotamina devem ser observados (ver tópico Tratamento da Migrânea, anteriormente).

Quando as crises de cefaleia são muito frequentes ou apresentam-se na forma crônica, deve ser instituído o tratamento profilático. Alguns possíveis fatores desencadeantes devem ser investigados: ingestão de bebidas alcoólicas, que desencadeia a crise minutos após a ingestão; mudanças de clima; alterações da pressão atmosférica; uso de vasodilatadores (nitratos); e atividade física. Esses fatores não desencadeiam crises durante os períodos de remissão.

O tratamento farmacológico profilático de primeira escolha é o verapamil, em dose de 240 a 320 mg (NNT = 2) **B**. Como a profilaxia não age imediatamente, pode ser receitada profilaxia de transição de curto prazo de corticoides, podendo-se utilizar prednisona (p. ex., em dose de 60-80 mg/dia, por 3 dias, com redução gradual por 2 semanas) **C/D**.[35] Se o paciente não responder ao verapamil, outra opção é o uso de carbonato de lítio, em dose de 300 a 900 mg **C/D**. Outros medicamentos incluem ácido valproico, topiramato, metisergida e gabapentina, mas as evidências são insuficientes para recomendar seu uso rotineiro **C/D**.

## Cefaleia crônica diária

Embora a maioria das dores de cabeça sejam episódicas, estima-se que 3 a 4% da população tenha cefaleia crônica diária (CCD).[36] A incapacidade associada a esse transtorno é substancial e inclui uma diminuição da qualidade de vida relacionada com a saúde física e mental. Fatores de risco para a CCD incluem obesidade, história de dor de cabeça frequente (mais de 1 por semana), consumo de cafeína e uso excessivo de medicamentos para cefaleia (mais de 10 dias por mês). Mais da metade dos pacientes com CCD têm distúrbios do sono e do humor e problemas como depressão ou ansiedade, e esses distúrbios podem exacerbar a dor.[37]

O termo CCD designa um grupo heterogêneo de cefaleias, mas apenas alguns são vistos comumente na prática de APS. As três formas mais comuns são a migrânea crônica, a cefaleia do tipo tensão crônica (CTTC) e a cefaleia crônica por uso excessivo de medicamento.[12]

**TABELA 187.12** → Critérios diagnósticos da cefaleia em salvas

| | |
|---|---|
| A. | Pelo menos 5 crises preenchendo os critérios B a D |
| B. | Dor forte ou muito forte unilateral, orbitária, supraorbitária e/ou temporal, durando 15-180 minutos, se não tratada |
| C. | A cefaleia acompanha-se de pelo menos 1 dos seguintes:<br>→ Hiperemia conjuntival e/ou lacrimejamento ipsilaterais<br>→ Congestão nasal e/ou rinorreia ipsilaterais<br>→ Edema palpebral ipsilateral<br>→ Sudorese frontal e facial ipsilateral<br>→ Miose e/ou ptose ipsilateral<br>→ Sensação de inquietude ou agitação |
| D. | As crises têm frequência de 1 a cada 2 dias a 8 crises/dia |
| E. | Não mais bem explicada por outro diagnóstico da ICHD-3 |

ICHD-3, *International Classification of Headache Disorders*, 3ª edição.
Fonte: Adaptada de Headache Classification Committee of the International Headache Society.[12]

A migrânea crônica é responsável por um terço das cefaleias crônicas diárias. Para o diagnóstico, é preciso afastar a possibilidade de uso excessivo de medicamento (uso de medicamento sintomático por mais de 10 dias por mês). Nesse caso, por exemplo, se o paciente parar de usar medicamento sintomático e retornar para um padrão de dor de migrânea episódica, pode ser feito o diagnóstico de cefaleia por uso excessivo de medicamento. Os pacientes com migrânea crônica costumam referir história de migrâneas episódicas que, em torno dos 30 ou 40 anos, tornam-se mais frequentes, passando a ocorrer todos os dias ou quase diariamente. A migrânea sem aura é a doença mais propensa a cronificar com o abuso de medicamento sintomático. Paralelamente ao aumento da frequência, ocorre diminuição na intensidade da cefaleia, às vezes assemelhando-se às características da cefaleia do tipo tensão, mas também ocorrendo episódios de dor mais intensa.

Mais de metade dos casos de CCD são devidos à CTTC. A CTTC muitas vezes coexiste com a migrânea. O diário de dor é uma ferramenta importante para caracterizar bem o sintoma, auxiliando o diagnóstico e o impacto na vida do paciente.[36]

A dor de cabeça por uso excessivo de medicamento pode resultar do uso frequente e prolongado de quase todos os analgésicos, incluindo paracetamol, ácido acetilsalicílico, AINEs, cafeína, codeína, ergotaminas e triptanos (ver tópico Cefaleia por Uso Excessivo de Medicamento, adiante). O uso frequente desses medicamentos, mais do que 2 a 3 vezes por semana ou por mais de 10 dias por mês, pode resultar em uma dor crônica que não responde à profilaxia. A abordagem consiste em orientar os pacientes sobre o uso excessivo de medicamentos e efeito-rebote. Sugere-se um período de 2 meses de observação, após a cessação de um padrão de uso excessivo de medicamento, para estabelecer o diagnóstico da cefaleia subjacente. Não há evidência para sugerir que uma determinada estratégia de retirada seja superior a outras.

É importante avaliar a presença de comorbidades psiquiátricas, incluindo ansiedade e depressão, frequentemente associadas a dores de cabeça crônicas, pois o seu tratamento pode melhorar a evolução da CCD. Terapias manuais podem ser benéficas C/D.[38]

## Abordagem multidisciplinar no tratamento das cefaleias primárias

Abordagens multidisciplinares estão ganhando aceitação no tratamento da cefaleia, principalmente no plano terapêutico de pacientes com cefaleia crônica, de difícil tratamento, ou nos casos mais graves, com comorbidades importantes ou maior incapacidade. Embora os estudos disponíveis apontem para uma redução da frequência das crises e da carga de doença, além da diminuição do risco do desenvolvimento da cefaleia por uso excessivo de medicamento C/D, ainda faltam evidências sobre a efetividade das estratégias multiprofissionais.[39,40] Nessa abordagem, médicos, enfermeiros, psicólogos e fisioterapeutas têm, cada um, o seu papel, sendo muitas as possibilidades de combinação entre esses profissionais e também de intensidade das terapias.

## Quando encaminhar para outro nível de atenção

O encaminhamento para o nível secundário pode ser apropriado nos pacientes com cefaleia primária que não respondem ao tratamento, nos pacientes com diagnóstico obscuro ou, ainda, quando as necessidades dos pacientes forem superiores às que podem ser atendidas na APS. O encaminhamento deve ser realizado prontamente quando houver sintomas ou sinais de alarme e na suspeita de cefaleia secundária que exija investigação complementar ou tratamento em emergência.[41]

# CEFALEIA SECUNDÁRIA

Segundo a ICHD-3,[12] quando uma cefaleia ocorre concomitantemente a outro transtorno reconhecidamente capaz de causá-la, ela é classificada como cefaleia secundária (mesmo que a cefaleia tenha as características de migrânea, cefaleia do tipo tensão ou cefaleia em salvas). Pacientes com diagnóstico de cefaleia primária, que pioram em estreita relação temporal com outro transtorno que é causa reconhecida de cefaleia, podem receber os dois diagnósticos (primária e secundária). Os seguintes fatores apoiam o duplo diagnóstico: relação temporal muito estreita com o transtorno, evidência sobre a relação causal entre o transtorno e a cefaleia primária, piora acentuada da cefaleia primária e melhora ou acentuada redução ou remissão dentro de 3 meses (ou menos, para alguns transtornos) após a cura ou melhora do transtorno causador.

## Cefaleia atribuída a trauma cefálico e/ou cervical

A cefaleia é um sintoma que pode ocorrer após trauma cefálico ou em região cervical em decorrência de contusão ou de súbita aceleração e/ou desaceleração do pescoço (na maioria dos casos, por acidentes de trânsito) ou, ainda, de suas complicações, como hematoma epidural ou subdural. Uma variedade de padrões de dor pode seguir-se a um trauma cefálico, sendo o padrão mais comum o da cefaleia do tipo tensão. Mulheres têm risco maior de cefaleia pós-traumática, e o aumento da faixa etária está associado a uma recuperação mais lenta e incompleta. Conforme a ICHD-3, a cefaleia atribuída à lesão cefálica traumática se desenvolve dentro de 7 dias após o trauma. Quando a cefaleia persistir por mais de 3 meses após o trauma, será considerada persistente. O tratamento da cefaleia pós-traumática pode ser realizado da mesma forma que o da cefaleia cervicogênica, discutido a seguir.

## Cefaleia atribuída à doença vascular craniana ou cervical

As doenças vasculares mais comumente implicadas com cefaleia são a arterite de células gigantes (ACG), ou arterite temporal, a hemorragia intracraniana não traumática, a malformação vascular não rota e o acidente vascular cerebral isquêmico.

Reconhecer a associação entre a cefaleia e a causa vascular é fundamental para o rápido diagnóstico da doença subjacente e o tratamento apropriado. Um paciente com cefaleia nova, súbita e intensa (podendo ou não ser acompanhada de sinais focais neurológicos ou de qualquer alteração do exame neurológico e/ou mental) deve ser encaminhado a um serviço de emergência, para que seja realizada investigação complementar e tratamento, se necessário.

### Cefaleia atribuída à arterite de células gigantes (ou arterite temporal)

A ACG é uma vasculite sistêmica, cujo sintoma mais comum é a cefaleia temporal, devido ao envolvimento da artéria temporal superficial (por isso também chamada de arterite temporal). Como a variabilidade das características da dor é alta, qualquer cefaleia recente e persistente em um paciente com idade > 50 anos deve sugerir ACG e levar à investigação diagnóstica apropriada. A incidência é maior em mulheres do que em homens (4:1). Ela representa a vasculite mais comum em adultos. Quase 40% dos pacientes com polimialgia reumática também têm arterite temporal.

A ACG apresenta-se com sintomas inespecíficos, como febre, mal-estar, dor nas costas e nos ombros e claudicação da mandíbula, sintoma que é fortemente sugestivo dessa condição. Ao exame físico, a artéria temporal apresenta-se edemaciada e dolorosa. A velocidade de hemossedimentação (VHS) e/ou proteína C-reativa estão elevadas. A biópsia da artéria temporal demonstra a ACG. As plaquetas também podem estar elevadas, bem como os testes da função hepática (fosfatase alcalina, especialmente). Segundo a ICHD-3,[12] a cefaleia atribuída à ACG é uma cefaleia nova associada temporalmente com a ACG, que piora ou melhora acompanhando também a evolução da doença.

O maior risco da ACG é a cegueira uni ou bilateral causada por neurite óptica isquêmica. O intervalo de tempo entre a perda da visão de um olho e de outro costuma ser menor que 1 semana. A perda da visão pode ser prevenida com o imediato tratamento com corticoides, de preferência prednisona por via oral. Porém, quando existirem sintomas oculares, o tratamento deve ser instituído por via intravenosa, com metilprednisolona, passando-se para via oral em 5 dias. A cefaleia desaparece ou apresenta grande melhora dentro de 3 dias após o início do tratamento com corticoides em altas doses. Uma dose de manutenção de prednisona, por 2 anos, é geralmente recomendada.[42]

### Cefaleia atribuída à hemorragia intracraniana não traumática

A cefaleia da hemorragia intracraniana não traumática é súbita e muito intensa e incapacitante. A hemorragia subaracnóidea (HSA) tem essas características e é uma condição grave (50% dos pacientes morrem após uma HSA, muitas vezes antes de chegar ao hospital, e 50% dos sobreviventes ficam incapacitados). A prevalência de HSA aumenta com a idade, em uma relação linear. A idade média é de 50 anos.

A ruptura de aneurismas saculares é responsável por 80% dos casos.

A cefaleia da HSA é abrupta, com frequência unilateral no seu início e acompanhada por náuseas e vômitos, podendo haver progressão dos déficits neurológicos focais para perda de consciência e alteração do estado mental. Em alguns casos, porém, a cefaleia aguda pode ser precedida por dor semelhante, porém menos intensa, que inicia em dias ou semanas antes devido a lento sangramento. O diagnóstico é confirmado por TC sem contraste que possui sensibilidade > 90% nas primeiras 24 horas. Se o exame de imagem for negativo, duvidoso ou tecnicamente inadequado, uma punção lombar deve ser realizada. O paciente com suspeita de HSA deve ser encaminhado à emergência neurocirúrgica (ver Capítulo Doenças Cerebrovasculares).

### Cefaleia atribuída à malformação vascular não rota

A cefaleia é relatada por aproximadamente 18% dos pacientes com aneurisma cerebral não roto. Em geral, não apresenta características específicas, mas cefaleia intensa pode ocorrer antes de uma HSA por aneurisma em 50% dos pacientes. Cefaleia por aneurisma sacular deve ser suspeitada em qualquer cefaleia nova súbita e intensa e também na paralisia aguda do terceiro nervo craniano acompanhada de dor retro-orbitária e dilatação pupilar. Da mesma forma, a cefaleia atribuída à malformação arteriovenosa também se apresenta como uma cefaleia nova súbita e intensa. Os aneurismas e as malformações arteriovenosas devem ser investigados por métodos não invasivos apropriados (angiotomografia ou angiorressonância).

### Cefaleia atribuída ao acidente vascular cerebral isquêmico

A cefaleia do acidente vascular cerebral (AVC) isquêmico é acompanhada por sinais neurológicos focais e/ou alterações da consciência e não possui características específicas. A cefaleia acompanha o AVC isquêmico em 17 a 34% dos casos. O diagnóstico diferencial entre um AVC isquêmico com cefaleia e uma crise de migrânea com aura pode ser difícil, sendo a forma de instalação fundamental para a diferenciação. No AVC isquêmico, o déficit focal é súbito e mais frequentemente progressivo que na migrânea com aura. Além disso, os fenômenos positivos (p. ex., escotoma cintilante) são muito mais comuns na aura da migrânea do que no AVC isquêmico.

## Cefaleia atribuída a transtorno intracraniano não vascular

Neste tópico, são incluídas as cefaleias atribuídas às mudanças da pressão intracraniana, às neoplasias intracranianas e às crises epilépticas.

### Cefaleias atribuídas às mudanças da pressão

A cefaleia pode ser causada por hiper ou hipotensão liquórica. O aumento da pressão liquórica, com consequente cefaleia, ocorre na hipertensão intracraniana idiopática (HII), na hipertensão intracraniana secundária a causas metabólicas, tóxicas ou hormonais, e na hipertensão intracraniana secundária à hidrocefalia. A diminuição da pressão liquórica também pode causar cefaleia, como a que ocorre na dor pós-punção dural. A cefaleia atribuída à HII, também conhecida como hipertensão intracraniana benigna (HIB) ou pseudotumor cerebral, ocorre com mais frequência em mulheres jovens e obesas. Os sinais de hipertensão intracraniana constituem importante sinal de alarme, sendo que o papiledema está presente na maioria dos pacientes. Na sua presença, é necessário realizar investigação complementar e diagnóstico imediatos, para que possa ser feito o plano de tratamento. Após o atendimento em emergência, o paciente seguirá em acompanhamento em atenção secundária com neurologista e oftalmologista.

### Cefaleia atribuída a neoplasias intracranianas

Esse tipo de cefaleia pode ser atribuído diretamente a neoplasias ou, ainda, à hipertensão intracraniana ou à hidrocefalia causada por neoplasia. De maneira geral, é uma cefaleia localizada e progressiva, que piora pela manhã e é agravada pela tosse ou pela inclinação da cabeça para a frente.

### Cefaleia atribuída à crise epiléptica

Na hemicrania epiléptica, a cefaleia aparece sincronicamente com a crise epiléptica e é ipsilateral à descarga ictal, desaparecendo logo após a crise epiléptica. O diagnóstico requer o início simultâneo da cefaleia com a descarga ictal demonstrada por EEG. Também pode ocorrer a cefaleia pós-crise epiléptica, caso em que a dor tem início em 3 horas após a crise epiléptica, desaparecendo dentro de 72 horas após a crise.

## Cefaleia atribuída a substâncias

A cefaleia pode ser induzida pelo uso ou exposição aguda a uma substância ou pelo uso excessivo de medicamento ou pode ser um efeito adverso atribuído ao uso crônico de medicamento.

### Cefaleia induzida pelo uso ou exposição aguda a uma substância

A cefaleia induzida pelo uso ou exposição aguda a uma substância pode ser causada por álcool, cocaína, maconha, componentes alimentares ou, ainda, por efeito adverso de medicamentos. Na cefaleia induzida por álcool, a dor aparece entre 5 e 12 horas após a ingestão alcoólica e desaparece dentro de 72 horas. A cefaleia que ocorre após a diminuição ou a redução a zero dos níveis sanguíneos de álcool é chamada de cefaleia tardia induzida por álcool ou cefaleia da ressaca, e é um dos tipos mais comuns de cefaleia. Ambos os tipos de dor possuem as mesmas características, devendo apresentar pelo menos um dos seguintes critérios: bilateral, localização frontotemporal, caráter pulsátil e piora com a atividade física.

A cefaleia induzida pela cocaína inicia em 1 hora após o uso, e a cefaleia induzida pela maconha, em 12 horas. Ambas desaparecem dentro de 72 horas. A cefaleia induzida por componentes alimentares aparece em 12 horas após a ingestão do desencadeador alimentar e desaparece dentro de 72 horas após sua ingestão. A feniletilamina, a tiramina e o aspartame têm sido responsabilizados por esse tipo de cefaleia.

Na cefaleia por efeito adverso agudo atribuído ao uso de medicamento utilizado para outras indicações, a dor deve aparecer dentro de minutos a horas depois do uso do medicamento e desaparecer dentro de 72 horas. Muitos fármacos podem causar cefaleia: a **TABELA 187.13** apresenta uma lista desses medicamentos.

### Cefaleia por uso excessivo de medicamento

A cefaleia por uso excessivo de medicamento, também chamada de cefaleia-rebote, na maioria das vezes se sobrepõe a uma cefaleia primária, frequentemente à migrânea ou à cefaleia do tipo tensão, que, por crises frequentes ou crônicas, expõe o paciente ao uso excessivo de analgésicos ou antimigranosos, levando a esse tipo de cefaleia. Por efeito-rebote, o uso excessivo de medicamento pode cronificar uma cefaleia primária, de maneira, por exemplo, que o uso de triptanos pode aumentar a frequência da migrânea até o ponto da migrânea crônica. A identificação desse tipo de cefaleia tem fundamental importância clínica, pois os pacientes com cefaleia crônica não respondem bem ao tratamento profilático da dor enquanto durar o uso excessivo de medicamentos para o tratamento abortivo.[43]

A cefaleia por uso excessivo de medicamento ocorre em 15 dias ou mais por mês em um paciente com cefaleia primária preexistente e se desenvolve como consequência do uso excessivo e regular de medicamentos para a dor, em 10 dias ou mais ou em 15 dias ou mais por mês, dependendo do medicamento, por mais de 3 meses.[11] Enquanto a cefaleia

**TABELA 187.13** → Fármacos que podem induzir cefaleia ou agravar cefaleia preexistente

| | |
|---|---|
| → Acetazolamida | → Guanetidina |
| → Ácido nalidíxico | → Imunoglobulinas |
| → Amantadina | → Interferon e β-interferon |
| → Antagonistas dos canais de cálcio | → Isoniazida |
| → Anti-histamínicos | → Metaqualona |
| → Anti-inflamatórios não esteroides | → Metronidazol |
| → Barbitúricos | → Morfina e derivados |
| → Bromocriptina | → Nifedipino |
| → Cafeína | → Nitratos |
| → Carbimazol | → Nitrofurantoína |
| → Cimetidina | → Octreotida |
| → Clofibrato | → Omeprazol |
| → Cloroquina | → Ondansetrona |
| → Codeína | → Paroxetina |
| → Didanosina | → Pentoxifilina |
| → Di-hidralazina | → Primidona |
| → Di-hidroergotamina | → Prostaciclina |
| → Dipiridamol | → Quinidina |
| → Disopiramida | → Ranitidina |
| → Dissulfiram | → Rifampicina |
| → Ergotamina | → Sildenafila |
| → Estrogênios | → Sulfametoxazol + trimetoprima |
| → Etofibrato | → Teofilina e derivados |
| → Gestágenos | → Tiamazol |
| → Glicosídeos | → Triptanos |
| → Griseofulvina | → Vitamina A |

Fonte: Adaptada de Headache Classification Committee of the International Headache Society.[12]

por uso excessivo de paracetamol e AINEs requer o uso desses medicamentos por 15 dias ou mais por mês por mais de 3 meses, a cefaleia por uso excessivo de ergotamina, triptanos e opioides requer o uso desses medicamentos por 10 dias ou mais por mês por mais de 3 meses.

O tratamento consiste na suspensão do uso do medicamento implicado na dor, sendo esperado que a dor desapareça ou reassuma o padrão prévio dentro de 2 meses após a interrupção da medicação; porém, ela pode persistir em alguns casos C/D. O uso de medicamento preventivo para a descontinuação precoce levou a um resultado melhor do que apenas a descontinuação precoce C/D.[44]

### Cefaleia como efeito adverso atribuído ao uso crônico de medicamento ou à sua retirada

Para o diagnóstico desse tipo de cefaleia, o paciente deve fazer uso crônico de medicamento para qualquer indicação terapêutica e a dor deve aparecer durante a vigência da medicação e desaparecer após sua interrupção, podendo levar meses. A hipertensão intracraniana é uma complicação do uso crônico de esteroides anabolizantes, amiodarona e carbonato de lítio. Outro exemplo é o uso de hormônios exógenos, como os usados para contracepção. O uso crônico desses medicamentos pode aumentar a frequência de uma cefaleia primária preexistente ou ser causa de uma nova.

A retirada de medicamentos de uso crônico também pode ser causa de dor. São exemplos de substâncias ou medicamentos que podem causar cefaleia em sua retirada: cafeína, opioides, estrogênios, corticoides, antidepressivos tricíclicos, inibidores seletivos da recaptação da serotonina e AINEs.[12] Nesses casos, a dor pode persistir por meses após a suspensão do medicamento.

### Cefaleia atribuída à infecção sistêmica ou intracraniana

A cefaleia é um sintoma comum em infecções sistêmicas, virais, bacterianas ou fúngicas, de menor a maior gravidade. Por essa razão, em uma nova dor de cabeça, deve-se incluir, na anamnese, uma investigação infecciosa, como a ocorrência ou não de, por exemplo, mal-estar, fraqueza, mialgia, febre, sudorese noturna, perda de peso, tosse, congestão nasal, odinofagia, otalgia, disúria, náuseas, vômitos ou diarreia.

A cefaleia atribuída à infecção sistêmica, viral, bacteriana ou fúngica tem pelo menos uma das seguintes características: dor difusa, intensidade aumentando gradualmente até moderada ou forte e associada a febre, mal-estar geral ou outros sintomas de infecção sistêmica. A cefaleia aparece durante a infecção sistêmica e desaparece dentro de 72 horas após o tratamento da infecção. Em infecções intracranianas, encefalites ou meningites, a cefaleia é um sintoma invariavelmente encontrado, sendo súbita, difusa e associada a sintomas como febre, alteração de consciência, náuseas e vômitos. O meningismo é caracterizado por cefaleia, fotofobia e rigidez de nuca, pesquisada pelos sinais de Kernig e Brudzinski, sendo indicativa de meningite. Na suspeita de infecções intracranianas, o paciente deve ser encaminhado a um serviço de emergência.

### Cefaleias atribuídas a transtornos da homeostase

Segundo a ICHD-3,[12] neste tópico são incluídas as cefaleias associadas à doença sistêmica ou metabólica. No contexto da APS, são relevantes as cefaleias atribuídas à crise hipertensiva, à doença cardíaca e ao hipotireoidismo.

A cefaleia atribuída à crise hipertensiva, definida como um aumento paroxístico da pressão arterial sistólica (para valor > 180 mmHg) e/ou diastólica (para valor > 120 mmHg), comumente é bilateral e de caráter pulsátil. A cefaleia aparece durante a crise hipertensiva e desaparece dentro de 1 hora após a normalização da pressão arterial. É importante observar que a hipertensão arterial crônica parece não causar cefaleia.

Na cefaleia causada por doença cardíaca, a dor aparece concomitantemente com a isquemia miocárdica aguda e desaparece após o seu tratamento. No paciente cardiopata, é importante reconhecer esse tipo de cefaleia, diferenciando-a da migrânea, por exemplo, que também pode ser desencadeada pela atividade física, pois o uso de antimigranosos específicos está contraindicado no paciente com cardiopatia isquêmica.

Com relação à cefaleia atribuída ao hipotireoidismo, estima-se que 30% dos pacientes com essa patologia tenham esse tipo de dor de cabeça, sendo mais frequente em mulheres. A cefaleia desaparece dentro de 2 meses após o tratamento eficaz do hipotireoidismo.

### Cefaleia ou dor facial atribuída a distúrbio do crânio, do pescoço, dos olhos, dos ouvidos, do nariz, dos seios da face, dos dentes, da boca ou de outras estruturas faciais ou cranianas

Os transtornos da coluna cervical e de outras estruturas do pescoço e da cabeça são causas comuns de cefaleia. Na cefaleia cervicogênica, a dor é percebida na cabeça, mas é efetivamente produzida a partir da coluna cervical.

Cefaleia cervicogênica é caracterizada por dor que começa no pescoço ou na região occipital que pode se mover para outras áreas da cabeça.[45] Acredita-se que seja causada por dor referida nos nervos cervicais e nas articulações cervicais superiores. Em geral, a dor é não latejante, não é lancinante, de intensidade moderada a grave e de duração variável. Pacientes podem ter restrição da amplitude de movimento do pescoço e podem ter dor no pescoço, no ombro ou no braço ipsilateral. A maioria dos pacientes também apresenta sintomas concomitantes de náusea, zumbido, tontura, fonofobia, fotofobia, visão turva ou sono perturbado. A intensidade frequentemente é aumentada pelo movimento da cabeça e irradia das regiões occipital para frontal.

É diagnosticada por evidência clínica, laboratorial e/ou de imagem de um distúrbio ou lesão na coluna cervical ou em tecidos moles do pescoço, que pode causar dor de cabeça. Pode também ser diagnosticada por demonstração de pelo menos dois dos seguintes achados:

→ dor de cabeça desenvolvida em relação temporal ao início do distúrbio cervical ou aparecimento da lesão;

→ dor de cabeça que melhorou significativamente ou se resolveu junto com uma melhora ou resolução do distúrbio ou lesão cervical;
→ a amplitude de movimento cervical é reduzida e a dor de cabeça é significativamente agravada por manobras provocativas;
→ a cefaleia desaparece após o bloqueio diagnóstico para a suspeita estrutura da coluna cervical ou seu nervo supridor.[11]

A terapia manual de cefaleia cervicogênica é eficaz (TE [intensidade da dor] = −1,7; TE [frequência da dor] = −0,33; TE [em medida de incapacidade cervical] = −0,59) e segura B.[46-48]

A cefaleia também pode ser causada por transtornos dos olhos, incluindo a inflamação ocular (p. ex., conjuntivite, irite, coroidite), os erros de refração e o glaucoma agudo. Deve-se pensar nessa possibilidade quando forem observados sinais inflamatórios oculares ou quando o paciente referir dor no olho ou sintomas visuais, incluindo diminuição da acuidade visual. Da mesma forma, doenças do ouvido que causam otalgia também podem causar cefaleia concomitante.

Em APS, as infecções de vias aéreas superiores são frequentes causas de cefaleia. A sinusite provoca cefaleia em intensidade e localização variáveis, esta última dependendo do seio da face acometido. Por exemplo, a sinusite maxilar causa dor abaixo dos olhos, nos dentes, nas gengivas e na região malar; a sinusite frontal provoca dor na área frontal; a sinusite etmoidal anterior apresenta dor parietal, temporal ou retro-orbital; a sinusite etmoidal posterior pode causar dor em região occipital; e a sinusite esfenoidal, em região frontal, retro-orbital ou facial. A sinusite crônica não é considerada uma causa de cefaleia ou dor facial, a não ser que ocorra uma agudização.

Outra causa comum de cefaleia ou dor facial é o transtorno da articulação temporomandibular (ATM). Caracteriza-se por dor e contratura nos músculos da mastigação e na região da ATM, com crepitação da articulação e diminuição da amplitude de movimento. É mais comum em mulheres (70-90% dos casos), entre 24 e 40 anos. Múltiplos fatores podem levar ao transtorno, entre eles o estresse e o bruxismo. Terapia de abordagens musculoesqueléticas manuais são efetivas no tratamento (TE [dor na abertura da boca] = 1,69) B.[49]

Nos transtornos dentários, a dor originada nos dentes pode ser referida e causar cefaleias difusas. A causa mais comum de cefaleia é a periodontite ou a pericoronite. Pacientes com sintomas característicos de transtorno da ATM ou com problemas dentários devem ser encaminhados para avaliação odontológica.

## NEURALGIA DO TRIGÊMEO

A neuralgia do trigêmeo é a mais frequente das neuralgias cranianas; estima-se que sua incidência seja de 2,1 a 4,3 casos a cada 100 mil indivíduos por ano, com início, na maioria das vezes, após os 40 anos. Caracteriza-se por episódios breves de dor facial em choque, lancinante e unilateral. Os ataques de dor duram de segundos a 2 minutos, mas são muito intensos, geralmente referidos como em pontada. Uma de suas principais características é a presença de fatores desencadeantes da dor, como estímulos cutâneos da face ou lábios, exposição ao vento, escovação dos dentes, conversação normal ou mastigação. Os períodos livres de dor podem durar dias a meses, mas persistem a ansiedade e o medo de novos ataques. Pode afetar qualquer uma das três divisões do nervo trigêmeo, de preferência as regiões maxilar ou mandibular, sendo menos comum a divisão oftálmica.

A ICHD-3[12] subdivide a neuralgia do trigêmeo em clássica, secundária e idiopática. Os três subtipos apresentam o mesmo padrão de dor e características clínicas, mas, no subtipo secundário, a neuralgia é causada por lesão estrutural demonstrável, e, no subtipo idiopático, os exames de eletrofisiologia e RM são negativos. A idade de início precoce, o envolvimento da primeira divisão do nervo trigêmeo e a insensibilidade ao tratamento são características úteis para identificar, de maneira precisa, os pacientes com o subtipo secundário. O tratamento farmacológico da dor na neuralgia do trigêmeo envolve o uso de carbamazepina, podendo ser usada na dose de 200 a 1.200 mg/dia, e de oxcarbazepina, na dose de 600 a 1.800 mg/dia (NNT = 1-5) B.[50]

Outras possibilidades incluem baclofeno 40 a 80 mg/dia, lamotrigina 400 mg/dia, e pimozida 4 a 12 mg/dia B. Para pacientes com sintomas refratários à terapêutica farmacológica ou com efeitos adversos intoleráveis ou com contraindicações ao uso de medicamentos, o tratamento cirúrgico pode ser considerado.[51]

## ABORDAGEM DA CEFALEIA EM SITUAÇÕES ESPECÍFICAS

### Cefaleia menstrual

Cerca de 60% das mulheres com migrânea associam o início da crise ao período menstrual. Para as cefaleias não migranosas, essa relação é menos evidente. A maioria dos casos é classificada como migrânea sem aura, de intensidade severa no primeiro dia de dor, com redução gradativa nos dias seguintes e predominantemente latejante. A maioria começa 2 dias antes do início do ciclo menstrual. Náuseas e/ou vômitos são os sintomas associados mais frequentes.

A ICHD-3[12] estabelece critérios para a migrânea sem ou com aura menstrual pura e para a migrânea sem ou com aura relacionada com a menstruação. Na migrânea sem ou com aura menstrual pura, as crises devem preencher os critérios para a migrânea sem ou com aura, mas ocorrer exclusivamente nos dias 1 ± 2 (dias −2 a +3) da menstruação (considerando que o primeiro dia da menstruação é o dia 1 e o dia anterior é o dia −1, e que não há dia 0), em pelo menos 2 de 3 ciclos menstruais e em nenhuma outra época do ciclo. Na migrânea sem ou com aura relacionada com a menstruação, os critérios diagnósticos são os mesmos do subtipo menstrual puro, com a diferença de que, na migrânea relacionada com a menstruação, as crises podem ocorrer adicionalmente em outras épocas do ciclo.

A importância na diferenciação entre a migrânea sem ou com aura menstrual pura e a migrânea sem ou com aura relacionada com a menstruação é que a profilaxia hormonal parece ser mais eficaz na migrânea menstrual pura C/D.[52] Para confirmar o diagnóstico, é necessária a evidência fornecida por meio de registros prospectivos por, no mínimo, 3 meses. Na migrânea menstrual, o tratamento abortivo é semelhante ao da migrânea não associada à menstruação. Na migrânea menstrual pura, pode ser feita profilaxia hormonal com contraceptivo oral combinado de baixa dosagem contínuo, sem intervalo entre uma cartela e outra. Outra opção para mulheres com ciclos regulares é o uso de AINEs ou triptanos entre os dias −3 e +3.

## Cefaleia na gestante e na lactação

Cerca de 70% das mulheres com migrânea apresentam remissão das crises durante a gestação, desde melhora até o desaparecimento da dor. Espera-se pela recidiva no período pós-parto, com até 60% das pacientes relatando uma nova crise na primeira semana pós-parto. A melhora na gravidez é atribuída ao aumento dos níveis de estrogênio. No entanto, um pequeno número de mulheres pode experimentar um agravamento das crises, e raramente a migrânea tem início durante a gestação.[53]

A ICHD-3[12] define também critérios para a cefaleia atribuída à pré-eclâmpsia e à eclâmpsia. Em ambas, é preciso que a cefaleia tenha relação temporal com o diagnóstico de pré-eclâmpsia e eclâmpsia, respectivamente, e duas das seguintes características: bilateral, caráter pulsátil e agravada por atividade física.

A abordagem inicial da gestante com cefaleia não difere da orientação geral, da história e do exame físico dirigidos, com especial atenção aos sinais de alarme, que, se presentes na gestante, indicarão a necessidade de avaliação em emergência. O uso de fármacos na gestação deve ser evitado, de maneira geral. Quando forem necessários, devem ser usados com cautela; a mulher e a parceria devem participar da decisão e conhecer os benefícios e os riscos do tratamento, sendo o consentimento imprescindível para o uso[54] (ver Apêndice Uso de Medicamentos na Gestação e na Lactação).

Com relação ao uso de medicamentos abortivos na gestação e à sua segurança, pode-se adotar a classificação da Food and Drug Administration (FDA), que utiliza cinco categorias conforme a análise de evidências. O paracetamol, os AINEs (somente nos 2 primeiros trimestres) e a metoclopramida são classificados na categoria B, considerada como de uso seguro. Os AINEs são classificados na categoria D (alto risco para o feto) no 3º trimestre, pelo fato de causarem o fechamento do canal arterial e o desenvolvimento de hipertensão pulmonar fetal, motivos pelos quais seu uso deve ser evitado. Os triptanos são classificados na categoria C; o risco de triptanos ainda é desconhecido e controverso. A ergotamina e a di-hidroergotamina são contraindicadas na gestação (categoria X).[53]

Algumas mulheres, contudo, continuam a apresentar crises intensas, frequentes e refratárias aos tratamentos instituídos, por vezes associadas a náuseas e vômitos e ainda com o risco de desidratação em certos casos, colocando em perigo a saúde da paciente e do feto. O tratamento profilático pode ser considerado quando houver mais do que 3 a 4 crises graves por mês ou se a frequência de crises for menor do que 3 a 4 por mês, porém muito graves e sem resposta ao tratamento abortivo. Propranolol, metoprolol e timolol são os betabloqueadores mais comumente recomendados para a profilaxia da migrânea. Os betabloqueadores são considerados seguros, mas pode haver toxicidade fetal, com consequentes complicações, como retardo do crescimento intrauterino, bradicardia, hipoglicemia e depressão respiratória.[54] Medidas não farmacológicas podem ser úteis, como manejo do estresse, técnicas de relaxamento e evitação dos fatores desencadeantes.

Na lactação, os medicamentos também são classificados em categorias de risco, de maneira que os de nível 1 (L1) são os mais seguros, enquanto os de nível 5 (L5) são contraindicados. Os níveis 2 (L2), 3 (L3) e 4 (L4) são considerados, respectivamente, seguros, moderadamente seguros e potencialmente perigosos. O paracetamol e os AINEs (ibuprofeno, diclofenaco e piroxicam) são considerados seguros para uso durante a lactação (níveis L1 e L2). A ergotamina é considerada potencialmente perigosa na lactação (L4), sendo contraindicada. A respeito dos triptanos, a eletriptana é considerada segura para uso na lactação, em dose de 20, 40 ou 80 mg/dia (L2), enquanto os demais triptanos (sumatriptana, almotriptana, naratriptana e rizatriptana) são considerados moderadamente seguros (L3), faltando evidências sobre o uso. Se o uso de triptano for necessário, em caso, por exemplo, de crise de migrânea severa durante a lactação, a exposição da criança pode ser minimizada evitando-se a amamentação nas 24 horas após o tratamento.[54]

## Cefaleia na infância e na adolescência

A dor de cabeça é um sintoma frequente em crianças e adolescentes; a prevalência do sintoma, em 1 ano, pode variar de 40,7 a 82,9%. Assim como nos adultos, as cefaleias crônicas mais comuns na infância são a cefaleia do tipo tensão e a migrânea. As outras formas de cefaleias primárias e as cefaleias secundárias, principal motivo de preocupação por parte dos médicos e dos familiares, são causas raras de cefaleia em crianças e adolescentes. Sua prevalência varia de acordo com o desenho do estudo, havendo, em geral, predomínio da cefaleia do tipo tensão em estudos populacionais. A cefaleia do tipo tensão (prevalência de 20-25%) é a causa mais comum de cefaleia primária, seguida pela migrânea (prevalência de 8%).[55] Crianças com migrânea e CCD apresentam escores de qualidade de vida inferiores aos de crianças sem cefaleia e semelhantes aos de crianças e adolescentes com artrite e câncer.

É importante reparar os entendimentos a respeito da cefaleia em crianças e adolescentes que são comumente observados na prática clínica, mas que não são sustentados por evidências científicas. O primeiro se refere à relação causal entre cefaleia e erros de refração na infância, diagnosticados excessivamente como sendo responsáveis pela dor, embora exista na literatura um consenso de que os erros de refração representam uma causa rara de cefaleia na infância.

O segundo se refere à relação entre sinusites crônicas e cefaleia, também considerada inconsistente, embora possa ocorrer dor nas sinusites agudas ou agudizações (nos casos crônicos) como parte do quadro infeccioso.

Quanto mais nova a criança e menor o tempo de evolução de sua cefaleia, maiores são as dificuldades na obtenção dos dados. Por isso, na abordagem de crianças, é frequente o uso de informações indiretas. Por exemplo, a ocorrência de fotofobia ou fonofobia pode ser inferida pela informação de que a criança procura um lugar escuro e silencioso para ficar; a intensidade da dor pode ser avaliada, de maneira geral, por meio do comportamento da criança, considerando intensidade leve quando a criança continua brincando, moderada quando a criança mantém suas atividades, mas reclama de dor, e forte quando a criança para de brincar.

Outras informações úteis para o diagnóstico são o horário preferencial de ocorrência da cefaleia, a presença ou não de fatores desencadeantes (p. ex., ingestão de determinados alimentos, jejum prolongado, sono excessivo, sono não reparador, esforço físico), comorbidades psiquiátricas e uso de medicamentos. Para a avaliação diagnóstica e para fins de acompanhamento, o diário de dor pode ser uma ferramenta muito útil no tratamento de crianças e adolescentes.

Embora seja, em geral, descrita pelo adulto que acompanha a criança na consulta, a cefaleia da infância deveria ser informada pelo próprio paciente. No grupo de crianças de 7 a 11 anos estudado, as informações foram obtidas sem dificuldade quando se permitiu à criança que usasse suas próprias palavras, no tempo que fosse necessário.

Da mesma forma como no adulto, quanto à classificação, o primeiro passo é diferenciar entre cefaleia primária e cefaleia secundária.[56] Nas cefaleias primárias, a história fornece as principais informações para o diagnóstico, ao passo que a ausência de anormalidades no exame físico ajuda a afastar a possibilidade de uma cefaleia secundária subjacente. Os sinais de alarme para cefaleia secundária na infância são, de maneira geral, os mesmos sinais do adulto, destacando-se os seguintes: dor intensa de início abrupto, aumento na frequência/intensidade das crises ou mudança no padrão da dor, dor diária desde sua instalação, presença de comorbidades (epilepsia, doença sistêmica ou neoplásica, vírus da imunodeficiência humana [HIV, do inglês *human immunodeficiency virus*], traumatismo craniencefálico), alterações no exame clínico (presença de sinais meníngeos, sinais de disfunção endócrina, febre, sinais focais, papiledema) e dor que não responde a analgésicos comuns.

As cefaleias do tipo tensão, as mais comuns na infância, são consideradas cefaleias de baixa intensidade, têm localização bilateral e frontotemporal, em pressão ou aperto, e não impedem a criança de estudar ou brincar.

A migrânea é a causa mais comum de cefaleia crônica em crianças. As diferenças com relação à migrânea do adulto são as seguintes: em crianças, as crises podem durar de 1 a 72 horas, e a dor costuma ser bilateral (um padrão semelhante ao do adulto, com dor unilateral, normalmente surge no final da adolescência ou início da vida adulta) e frontotemporal (em crianças, a cefaleia occipital é rara e requer cautela no diagnóstico, pois muitos casos são atribuíveis a lesões estruturais); além disso, a fotofobia e a fonofobia podem ser inferidas por meio do comportamento das crianças.

Não há evidências suficientes que justifiquem a realização de exames laboratoriais de rotina ou punção lombar em crianças e adolescentes com cefaleia recorrente. O EEG e a neuroimagem não são recomendados como exames de rotina em crianças e adolescentes com cefaleia recorrente e exame neurológico normal. A neuroimagem deve ser considerada nas seguintes situações:

→ déficits neurológicos focais;
→ convulsões;
→ vômitos (independentemente da hora do dia);
→ achados de exame neurológico anormais (p. ex., papiledema);
→ cefaleias graves de início recente;
→ cefaleias que pioram com a manobra de Valsalva, ao inclinar-se ou ao tossir.

Nesta última situação, é importante diferenciar entre sensibilidade ao movimento e dores de cabeça posicionais. A sensibilidade ao movimento, que piora a dor com qualquer tipo de movimento, é uma característica comum observada na migrânea e por si só não deve justificar uma avaliação posterior. Por outro lado, uma cefaleia que piora com Valsalva ou na posição deitada pode sugerir aumento da pressão intracraniana.[56]

Nas crianças, existe uma série de manifestações chamadas de intercríticas, de relação desconhecida com a migrânea, que são designadas "síndromes periódicas da infância" ou "equivalentes de migrânea". São elas a vertigem paroxística benigna da infância (VPBI), a migrânea abdominal e os vômitos cíclicos.

A VPBI se caracteriza por episódios de vertigem intensa associada a nistagmo ou vômitos, que ocorrem em crianças saudáveis. O início ocorre entre 2 e 4 anos de idade e tem associação considerável com migrânea na evolução. Suas crises duram minutos a horas e têm resolução espontânea. Dores abdominais recorrentes funcionais são uma queixa frequente na infância, e um diagnóstico diferencial muito importante, porém pouco lembrado, é a migrânea abdominal, síndrome periódica da infância que se caracteriza por dores de intensidade forte a moderada, localizadas na linha média do abdome, com completo desaparecimento dos sintomas entre as crises. Os sintomas podem iniciar a partir do 1º ano de vida, com pico entre 5 e 10 anos, acometendo com mais frequência crianças do sexo feminino. A síndrome dos vômitos cíclicos possui a característica marcante de crises recorrentes de vômitos pronunciados com completo desaparecimento dos sintomas entre as crises. Boa parte dessas crianças substitui as crises de vômitos por episódios típicos de migrânea com o avançar da idade.

## Tratamento da migrânea em crianças e adolescentes

Da mesma forma que no adulto, as opções de tratamento incluem o uso de terapias abortivas, para crises agudas, terapias profiláticas e abordagens não farmacológicas ou intervenções biocomportamentais (modificação do estilo de vida, exercícios regulares, relaxamento do estresse, intervenção biocomportamental e psicoterápica).[55] A abordagem educativa é fundamental, de maneira que o paciente e os familiares devem compreender o que é o sintoma/doença e também o seu tratamento e acompanhamento, além de serem encorajados a identificar e evitar/eliminar fatores desencadeantes das crises.

Terapia farmacológica para crianças com idade > 6 anos consiste, na primeira linha, em ibuprofeno (7,5-10 mg/kg) e paracetamol (15 mg/kg) B, sendo ambos considerados seguros para o tratamento agudo da migrânea. Para adolescentes com idade > 12 anos, a sumatriptana *spray* nasal (5 ou 20 mg) é efetiva B e deve ser considerada, sobretudo quando a dor não ceder com ibuprofeno e paracetamol. Considerando ainda que, também em crianças e adolescentes, o abuso de analgésicos é causa conhecida de cronificação das cefaleias episódicas, o monitoramento do uso de medicamento deve ser sempre realizado.[57]

Na infância, não existem critérios específicos para iniciar a medicação profilática, sendo utilizados os critérios empregados para adultos. Em geral, é recomendada uma estratégia mais defensiva do que ofensiva em relação à farmacoprofilaxia. Primeiramente, medidas não farmacológicas devem ser estabelecidas, com profilaxia farmacológica sendo indicada apenas se essas ações forem ineficazes ou insuficientes. Para a terapia profilática, flunarizina (5 mg/dia), propranolol e amitriptilina são opções estabelecidas B.[57]

# REFERÊNCIAS

1. Stovner L, Hagen K, Jensen R, Katsarava Z, Lipton R, Scher A, et al. The global burden of headache: a documentation of headache prevalence and disability worldwide. Cephalalgia. 2007;27(3):193–210.
2. Frese T, Druckrey H, Sandholzer H. Headache in General Practice: Frequency, Management, and Results of Encounter. Int Sch Res Notices. 2014;2014:169428.
3. Predictors of outcome in headache patients presenting to family physicians--a one year prospective study. The Headache Study Group of The University of Western Ontario. Headache. 1986;26(6):285–94.
4. Almostadoctor. Headache [Internet]. London: Almostadoctor;2020 [capturado em 12 ago. 2021]. Disponível em: https://almostadoctor.co.uk/encyclopedia/headache.
5. Clinch CR. Evaluation of acute headaches in adults. Am Fam Physician. 2001;63(4):685–92.
6. Frishberg B, Rosenberg J, Matchar D, Mccrory D. Evidence-based guidelines in the primary care setting: neuroimaging in patients with nonacute headache. Saint Paul: American Academy of Neurology; 2000.
7. Silberstein SD. Practice parameter: evidence-based guidelines for migraine headache (an evidence-based review): report of the Quality Standards Subcommittee of the American Academy of Neurology. Neurology. 2000;55(6):754-62.
8. Detsky ME, McDonald DR, Baerlocher MO, Tomlinson GA, McCrory DC, Booth CM. Does this patient with headache have a migraine or need neuroimaging? JAMA. 2006;296(10):1274–83.
9. Langer-Gould AM, Anderson WE, Armstrong MJ, Cohen AB, Eccher MA, Iverson DJ, et al. The American Academy of Neurology's top five choosing wisely recommendations. Neurology. 2013;81(11):1004–11.
10. Ware Jr JE, Kosinski M, Dahlof C, Bjorner JB. Validity of HIT-6, a paper-based short form for measuring headache impact. [Internet] Cephalalgia, 2001 [capturado em 17 ago. 2021]; 21:333. Disponível em: http://rimas.uc.pt/instrumentos/33/.
11. Fragoso YD. MIDAS (Migraine Disability Assessment): a valuable tool for work-site identification of migraine in workers in Brazil. Sao Paulo Med J. 2002;120(4):118–21.
12. Headache Classification Committee of the International Headache Society. The International Classification of Headache Disorders, 3rd ed. Cephalalgia. 2018;38(1):1–211.
13. Sociedade Brasileira de Medicina da Família e Comunidade, Associação Brasileira de Medicina Física e Reabilitação, Academia Brasileira de Neurologia. Cefaleias em Adultos na Atenção Primária À Saúde: Diagnóstico e Tratamento. 2009;14.
14. Lipton RB, Stewart WF, Stone AM, Láinez MJ, Sawyer JP, Disability in Strategies of Care Study group. Stratified care vs step care strategies for migraine: the Disability in Strategies of Care (DISC) Study: a randomized trial. JAMA. 2000;284(20):2599–605.
15. Ramacciotti AS, Soares BGO, Atallah AN. WITHDRAWN: Dipyrone for acute primary headaches. Cochrane Database Syst Rev. 2014;(7):CD004842.
16. Matchar D, Young W, Rosenberg J, Pietrzak M, Silberstein S. Evidence-based guidelines for migraine headache in the primary care setting: pharmacological management of acute attacks. Neurology. 2000;55:1-11.
17. VanderPluym JH, Halker Singh RB, Urtecho M, Morrow AS, Nayfeh T, Torres Roldan VD, et al. Acute Treatments for Episodic Migraine in Adults: A Systematic Review and Meta-analysis. JAMA. 2021;325(23):2357–69.
18. Derry S, Moore RA. Paracetamol (acetaminophen) with or without an antiemetic for acute migraine headaches in adults. Cochrane Database Syst Rev. 2013;(4):CD008040.
19. Derry CJ, Derry S, Moore RA. Caffeine as an analgesic adjuvant for acute pain in adults. Cochrane Database Syst Rev. 2014;(12):CD009281.
20. Kowacs PA, Roveda F, Tosetto NJ, Carvalho D de S. Dipyrone, isometheptene and caffeine association in mild to moderate primary headache: a randomized comparative double-blind study with paracetamol and placebo [Uso da associação de dipirona, isometepteno e cafeína na cefaleia primária leve a moderada: estudo randomizado, cruzado e duplo-cego comparativo com paracetamol e placebo]. Arq Med Hosp Fac Cienc Med Santa Casa São Paulo. 2019;64(3):199–207.
21. Cragg A, Hau JP, Woo SA, Kitchen SA, Liu C, Doyle-Waters MM, et al. Risk Factors for Misuse of Prescribed Opioids: A Systematic Review and Meta-Analysis. Ann Emerg Med. 2019;74(5):634–46.
22. Cameron C, Kelly S, Hsieh S-C, Murphy M, Chen L, Kotb A, et al. Triptans in the acute treatment of migraine: a systematic review and network meta-analysis. Headache. 2015;55 Suppl 4:221–35.
23. Young WB, Silberstein SD, Nahas SJ, Marmura MJ. Jefferson Headache Manual. New York: Demos Medical; 2010. 224 p.
24. Scottish Intercollegiate Guidelines Network. SIGN 155. Pharmacological management of migraine: a national clinical guideline. Edinburgh: SIGN; 2018.
25. Pringsheim T, Davenport W, Mackie G, Worthington I, Aubé M, Christie S, et al. Canadian Headache Society guideline for migraine prophylaxis. The Canadian journal of neurological sciences Le journal canadien des sciences neurologiques. 2012;39:S1-59.
26. Giovanardi CM, Cinquini M, Aguggia M, Allais G, Campesato M, Cevoli S, et al. Acupuncture vs. Pharmacological prophylaxis of migraine: a systematic review of randomized controlled trials. Front Neurol. 2020;11:576272.
27. Hepp Z, Bloudek LM, Varon SF. Systematic review of migraine prophylaxis adherence and persistence. J Manag Care Pharm. 2014;20(1):22–33.
28. Fumal A, Schoenen J. Tension-type headache: current research and clinical management. Lancet Neurol. 2008;7(1):70–83.
29. Bigal ME, Bordini CA, Speciali JG. Intravenous metamizol (Dipyrone) in acute migraine treatment and in episodic tension-type headache--a placebo-controlled study. Cephalalgia. 2001;21(2):90–5.

30. Bendtsen L, Evers S, Linde M, Mitsikostas DD, Sandrini G, Schoenen J, et al. EFNS guideline on the treatment of tension-type headache – report of an EFNS task force. Eur J Neurol. 2010;17(11):1318–25.
31. Jackson JL, Mancuso JM, Nickoloff S, Bernstein R, Kay C. Tricyclic and tetracyclic antidepressants for the prevention of frequent episodic or chronic tension-type headache in adults: a systematic review and meta-analysis. J Gen Intern Med. 2017;32(12):1351–8.
32. Probyn K, Bowers H, Mistry D, Caldwell F, Underwood M, Patel S, et al. Non-pharmacological self-management for people living with migraine or tension-type headache: a systematic review including analysis of intervention components. BMJ Open. 2017;7(8):e016670.
33. Linde K, Allais G, Brinkhaus B, Fei Y, Mehring M, Shin B-C, et al. Acupuncture for the prevention of tension-type headache. Cochrane Database Syst Rev. 2016;4:CD007587.
34. Bennett MH, French C, Schnabel A, Wasiak J, Kranke P, Weibel S. Normobaric and hyperbaric oxygen therapy for the treatment and prevention of migraine and cluster headache. Cochrane Database Syst Rev. 2015;(12):CD005219.
35. Brandt RB, Doesborg PGG, Haan J, Ferrari MD, Fronczek R. Pharmacotherapy for cluster headache. CNS Drugs. 2020;34(2):171–84.
36. Dodick DW. Clinical practice. Chronic daily headache. N Engl J Med. 2006;354(2):158–65.
37. Natoli JL, Manack A, Dean B, Butler Q, Turkel CC, Stovner L, et al. Global prevalence of chronic migraine: a systematic review. Cephalalgia. 2010;30(5):599–609.
38. Chaibi A, Russell MB. Manual therapies for primary chronic headaches: a systematic review of randomized controlled trials. J Headache Pain. 2014;15:67.
39. Gaul C, Liesering-Latta E, Schäfer B, Fritsche G, Holle D. Integrated multidisciplinary care of headache disorders: a narrative review. Cephalalgia. 2016;36(12):1181–91.
40. Sahai-Srivastava S, Sigman E, Uyeshiro Simon A, Cleary L, Ginoza L. Multidisciplinary team treatment approaches to chronic daily headaches. Headache. 2017;57(9):1482–91.
41. Becker WJ, Findlay T, Moga C, Scott NA, Harstall C, Taenzer P. Guideline for primary care management of headache in adults. Can Fam Physician. 2015;61(8):670–9.
42. Becske T. Subarachnoid hemorrhage: practice essentials, background, pathophysiology [Internet]. Medscape; 2018 [capturado em 12 ago. 2021]. Disponível em: https://emedicine.medscape.com/article/1164341-overview.
43. Wakerley BR. Medication-overuse headache. Pract Neurol. 2019;19(5):399–403.
44. Chiang C-C, Schwedt TJ, Wang S-J, Dodick DW. Treatment of medication-overuse headache: a systematic review. Cephalalgia. 2016;36(4):371–86.
45. Xiao H, Peng B-G, Ma K, Huang D, Liu X-G, Lv Y, et al. Expert panel's guideline on cervicogenic headache: the Chinese Association for the Study of Pain recommendation. World J Clin Cases. 2021;9(9):2027–36.
46. Jin X, Du H-G, Qiao Z-K, Huang Q, Chen W-J. The efficiency and safety of manual therapy for cervicogenic cephalic syndrome (CCS): A systematic review and meta-analysis. Medicine. 2021;100(8):e24939.
47. Fernández-de-Las-Peñas C, Cuadrado ML. Physical therapy for headaches. Cephalalgia. 2016;36(12):1134–42.
48. Luedtke K, Allers A, Schulte LH, May A. Efficacy of interventions used by physiotherapists for patients with headache and migraine-systematic review and meta-analysis. Cephalalgia. 2016;36(5):474–92.
49. Martins WR, Blaszczyk JC, Aparecida Furlan de Oliveira M, Lagôa Gonçalves KF, Bonini-Rocha AC, Dugailly P-M, et al. Efficacy of musculoskeletal manual approach in the treatment of temporomandibular joint disorder: a systematic review with meta-analysis. Man Ther. 2016;21:10–7.
50. Wiffen PJ, Derry S, Moore RA, Kalso EA. Carbamazepine for chronic neuropathic pain and fibromyalgia in adults. Cochrane Database Syst Rev. 2014;(4):CD005451.
51. Di Stefano G, Truini A, Cruccu G. Current and innovative pharmacological options to treat typical and atypical trigeminal neuralgia. Drugs. 2018;78(14):1433–42.
52. Nierenburg HDC, Ailani J, Malloy M, Siavoshi S, Hu NN, Yusuf N. Systematic Review of Preventive and Acute Treatment of Menstrual Migraine. Headache. 2015;55(8):1052–71.
53. Maggioni F, Alessi C, Maggino T, Zanchin G. Headache during pregnancy. Cephalalgia. 1997;17(7):765–9.
54. Negro A, Delaruelle Z, Ivanova TA, Khan S, Ornello R, Raffaelli B, et al. Headache and pregnancy: a systematic review. J Headache Pain. 2017;18(1):106.
55. Faedda N, Cerutti R, Verdecchia P, Migliorini D, Arruda M, Guidetti V. Behavioral management of headache in children and adolescents. J Headache Pain. 2016;17(1):80.
56. Dao JM, Qubty W. Headache diagnosis in children and adolescents. Curr Pain Headache Rep. 2018;22(3):17.
57. Bonfert M, Straube A, Schroeder AS, Reilich P, Ebinger F, Heinen F. Primary headache in children and adolescents: update on pharmacotherapy of migraine and tension-type headache. Neuropediatrics. 2013;44(1):3–19.

## LEITURAS RECOMENDADAS

Sociedade Brasileira de Cefaleia.
*Página eletrônica da Sociedade Brasileira de Cefaleia: https://sbcefaleia.com.br. Disponibiliza uma série de informações e ferramentas clínicas, incluindo as últimas diretrizes nacionais acerca do manejo da cefaleia. Além disso, disponibiliza a versão do diário de dor utilizada no presente capítulo e outros* links *úteis sobre o tema.*

International Headache Society (IHS).
*Página eletrônica da International Headache Society (IHS): http://www.ihs-headache.org/. Disponibiliza uma série de informações, artigos e diretrizes sobre cefaleia, além de fornecer* links *úteis sobre o tema, incluindo o* link *para a edição* on-line *da International Classification of Headache Disorders (ICHD-3), com acesso livre a todo o conteúdo da classificação, em português.*

# Capítulo 188
# CERVICALGIA

Janete Shatkoski Bandeira
Leonardo Botelho

Dor cervical, ou cervicalgia, é definida como a dor sentida na região delimitada pela linha nucal superior e mandíbula, superiormente, e pelas espinhas escapulares e clavículas, inferiormente.

Sua prevalência na população mundial foi estimada em torno de 3,5% em 2017, sendo que a taxa de incidência no mesmo ano foi de 8 novos casos a cada 1.000 habitantes.[1] É mais prevalente em mulheres, sendo a faixa dos 45 aos 54 anos a mais acometida.[1] No Brasil, estima-se uma prevalência de 5,5%.² Em 2019, foi responsável por 2% de toda a morbidade na população brasileira, medida por meio de anos vividos com incapacidade (YLD, do inglês *years lived with disability*).³

## ANATOMIA

A cervical é a parte da coluna vertebral com maior amplitude de movimento, o que é importante para captação de estímulos visuais, auditivos, olfativos e de equilíbrio, mas a torna mais vulnerável a lesões e disfunções. É uma unidade funcional interligada à cabeça, à cintura escapular e ao tronco, sofrendo influência dessas áreas dentro de uma visão funcional e de acordo com a biomecânica regional. Ela é composta por 7 vértebras, sendo dividida em segmento alto (C1-C2), que se articula com o osso occipital, e segmento baixo (C3-C7), que se articula com a coluna dorsal.

O atlas (C1) e o áxis (C2) possuem conformação anatômica diferente das demais vértebras cervicais, para apoiar o crânio e fazê-lo rodar em grande amplitude (cerca de 50% da rotação horizontal).

As vértebras do segmento cervical baixo diferem do resto do esqueleto pela inclinação entre 30 e 45 graus com relação à horizontal, formando uma lordose fisiológica, o que favorece os movimentos de flexão/extensão, rotação axial e lateralização. Uma característica típica das vértebras cervicais de C3 a C7 é a presença de uma concavidade superior, formando extensões verticais nas bordas, como pequenos "ganchos", chamados de processos uncinados, que permitem a flexão e a extensão mas limitam a lateralização da coluna cervical, o que aumenta sua estabilidade. Esses processos dão origem às articulações uncovertebrais (articulações de Luschka), que, ao sofrerem alterações degenerativas, podem causar estenose foraminal no nervo cervical correspondente[4] (FIGURA 188.1).

Todas as vértebras cervicais possuem um forame em seu processo transverso, chamado de forame transverso, por onde passa a artéria vertebral.

Uma rede formada por cerca de 58 músculos, além de ligamentos estabilizadores, é necessária para a complexa atividade de movimentação desse segmento do corpo em conjunto com o crânio. A musculatura pode ser dividida em flexora, extensora, rotadora e estabilizadora da coluna cervical. Todas essas estruturas recebem ampla inervação nociceptiva e autonômica do plexo neurovegetativo simpático. Além das estruturas osteomusculares, a região cervical contém partes dos sistemas respiratório, digestório e endócrino, como esôfago, laringe, traqueia, glândula tireoide, artérias carótidas e veias jugulares, redes e gânglios nervosos, como o gânglio estrelado (ao nível de C7), e rede linfática (cadeias de linfonodos).

## FATORES DE RISCO E FATORES PROTETORES

Algumas profissões parecem ter maior prevalência de cervicalgia, como trabalhadores que usam continuamente o computador como ferramenta de trabalho, ou trabalhadores manuais como operadores de máquinas, dentistas e enfermeiros, com até 57% de incidência em 1 ano.[5]

De fato, existe forte associação entre dor cervical aguda e fatores de risco ocupacionais.[6] Entre eles, destacam-se os fatores psicossociais (razão de chances [RC] ≥ 2), como

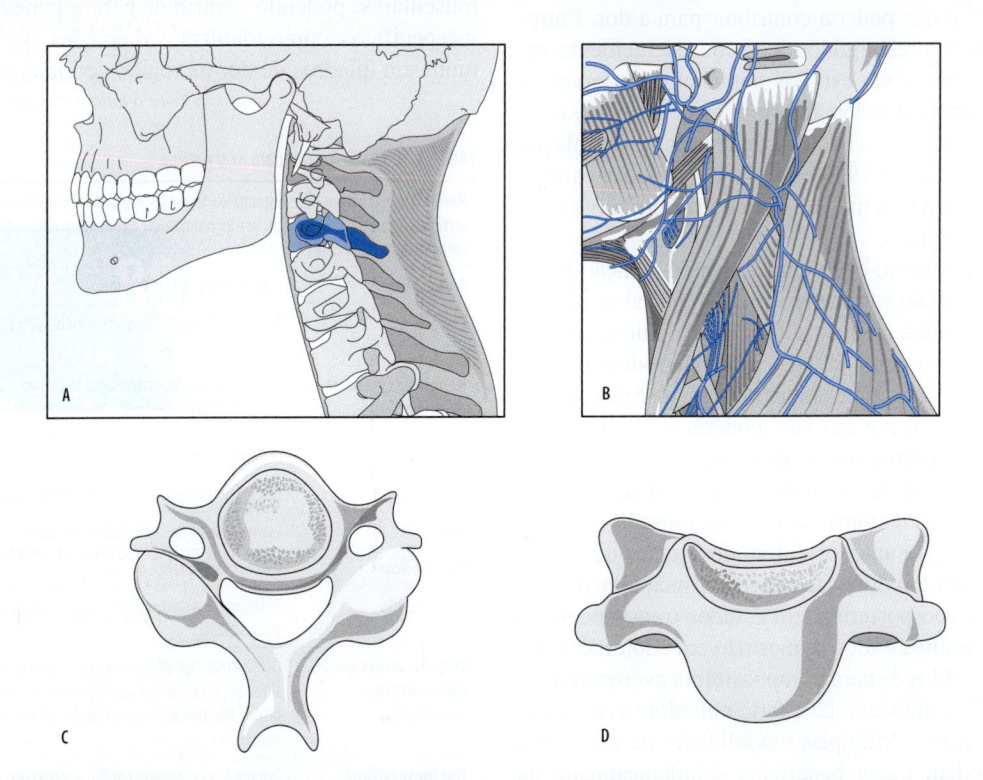

**FIGURA 188.1** → Coluna cervical: **(A)** vértebras e estruturas capsuloligamentares; **(B)** principais estruturas nervosas e musculares; **(C)** e **(D)** conformação peculiar de uma vértebra cervical típica (C4), com o forame vertebral e os processos uncinados.

percepção de demanda excessiva no trabalho e baixo apoio de colegas; e os fatores ergonômicos (RC = 1,5-2), como impossibilidade de ajustar a posição para sentar, trabalhar em posição desfavorável ou sustentada, e manter o teclado próximo ao corpo.[6,7]

Entre outros fatores de risco apontados, citam-se os familiares e sociais (RC = 1,5-2), como baixa renda, viuvez e ter 3 ou mais filhos; e lesão cervical prévia, como síndrome do chicote (RC = 1,5-2).[6]

Entre os fatores psicossociais protetores no trabalho, citam-se o fato de sentir-se empoderado pela chefia (RC = 0,32) e a interação produtiva com colegas (RC = 0,45). Entre os fatores protetores não ocupacionais, um importante aspecto a ser promovido na população geral é a atividade física no lazer (RC = 0,6).[6]

Apesar de a maior parte dos casos ser autolimitada, com um índice de remissão que varia de 33 a 65% em 1 ano, recidivas ocorrem em cerca de 50%.[8] Fatores associados à recorrência e à cronificação são sexo feminino; questões psicossociais como catastrofização, sedentarismo e insatisfação no trabalho; e dores em outros sítios, como lombalgia e cefaleia.[8]

Tradicionalmente, dedica-se grande atenção aos fatores ergonômicos na abordagem de pacientes com cervicalgia. Essa preocupação vem sendo reforçada pelo estilo de vida atual, com estresse, sedentarismo e sobrecarga mecânica da coluna axial por posturas não ergonômicas, o que poderia acarretar um aumento progressivo da prevalência da cervicalgia em faixas etárias cada vez mais jovens. O uso de *notebooks*, *tablets* e *smartphones*, para estudo, trabalho e entretenimento, mantém a cervical flexionada por longos períodos,[9-11] o que poderia contribuir para a dor. Entretanto, os únicos fatores ergonômicos consistentemente associados à cervicalgia em estudos populacionais foram os fatores ocupacionais listados anteriormente. Além disso, a prevalência ajustada por idade de cervicalgia na população manteve-se estável entre 1990 e 2017,[1] o que sugere que as mudanças sociais citadas tiveram pouco impacto sobre a incidência dessa condição.

Um aspecto postural que vem recebendo atenção na literatura é a associação entre anteriorização da cabeça e cervicalgia. Dificuldades no foco visual, principalmente para uso de telas (computador, celular e *tablets*), podem induzir a uma postura inadequada de anteriorização da cabeça (protração cervical). Esta, por sua vez, poderia sobrecarregar a musculatura que sustenta o peso da cabeça, principalmente o músculo levantador da escápula, o músculo semiespinal da cabeça, o esternocleidomastóideo e os músculos escalenos (principalmente o anterior), além dos músculos suboccipitais, resultando em dores de cabeça, principalmente occipital e no pescoço posterior. Em estudos transversais, há associação em adultos e idosos, mas não em adolescentes.[12] A escassez de estudos de coorte impossibilita averiguar a associação causal. Um estudo de coorte em adolescentes não mostrou associação.[13] Múltiplas modalidades de exercícios terapêuticos podem trazer benefícios simultaneamente na anteriorização da cabeça e na dor cervical, porém a associação causal entre esses fatores segue em aberto.[14]

# COMPONENTES SENSITIVOS DA DOR CERVICAL

A dor cervical pode ter múltiplas causas, categorizadas na TABELA 188.1 por grupos etiológicos.

Além disso, é possível classificar a origem da dor, conforme seus mecanismos, em nociceptiva (musculoesquelética e visceral), neuropática ou nociplástica.

## Dor nociceptiva musculoesquelética

### Componente miofascial

A síndrome dolorosa miofascial (SDM) é uma importante causa de cervicalgia. A dor local pode originar-se da isquemia por contração sustentada, liberação de substâncias pró-inflamatórias (bradicinina, histamina, substância P), com irritação das terminações nervosas sensitivas, promovendo ativação simpática e manutenção da atividade da placa motora, com sinais inflamatórios mais evidentes ou não. Lesões por hiperextensão, estiramento e espasmo muscular podem irritar as estruturas nervosas, causando dor e inflamação, gerando pontos-gatilho miofasciais (PGs) em resposta (ver Capítulo Dor Miofascial e Outras Dores Mecânicas). É bom lembrar que contraturas musculares podem ser causa primária de dor ou consequência de lesões discais com ou sem compressão radicular, por reflexo segmentar protetivo.

Estresse, depressão e ansiedade podem causar disfunção autonômica (disautonomia), geralmente evidenciada por aumento do tônus simpático, gerando vasoconstrição e perpetuação dos fatores desencadeantes de contraturas musculares, podendo contribuir para a gênese de sintomas inespecíficos, como tonturas e alterações visuais, muito comuns em quadros de dor na região cervical, principalmente

**TABELA 188.1** → Causas para a cervicalgia

| | |
|---|---|
| **Reumáticas (sintomas sistêmicos ou relacionados à derme)** | Espondiloartropatias, espondilite anquilosante, síndrome de Reiter, artrite reumatoide e psoriásica, outras doenças reumáticas |
| **Traumáticas** | Subluxação, luxação, fraturas |
| **Congênitas** | Torcicolo congênito, fusão de vértebras cervicais (síndrome de Klippel-Feil) |
| **Neoplasia (primária ou secundária)** | Mieloma múltiplo, osteossarcoma, linfoma, tumores neurológicos, doença de Pancoast, metástases ósseas (mama, pulmão, próstata, tireoide), tumores benignos (hemangiomas, osteocondromas) |
| **Infecciosas** | Discite, osteomielite, herpes-zóster, tuberculose (mal de Pott) |
| **Vasculares** | Doença falciforme, hematoma, aneurisma |
| **Metabólicos** | Osteoporose, doença de Paget |
| **Dor referida** | Relacionada a um órgão interno ou outra região (p. ex., vasculite de carótidas) |
| **Degenerativas discais, ligamentares e articulares** | Osteoartrite, osteófitos, distensão capsular, sinovite, cistos sinoviais, espessamento do ligamento amarelo, desidratação discal, subluxação atlantoaxial, desidratação, fissuras e rupturas, herniações |
| **Dor inespecífica/mecânica** | Dor miofascial (pontos-gatilho miofasciais) |

Fonte: Adaptada de Von Roenn e colaboradores.[15]

relacionados a movimentos rotacionais do pescoço. Há indícios de que a respiração curta, torácica, onde se acentua a fúrcula esternal (como na crise de asma), está ligada a estresse e ansiedade. Pode ser geradora de pontos-gatilho (PGs) em musculatura acessória, como os escalenos, e é de difícil controle devido à reativação comportamental.[16]

A TABELA 188.2 apresenta os principais músculos que desenvolvem PGs em região cervical.

### Componente de degeneração/osteoartrite

Processos degenerativos, como discos intervertebrais desidratados, aumento da carga sobre os processos uncinados e facetários, formação de osteófitos, irritação das terminações nervosas articulares e diminuição da amplitude do forame vertebral, podem sensibilizar nociceptores e provocar dor e restrição da amplitude de movimento cervical. A osteoartrite facetária diminui o movimento vertebral, podendo provocar instabilidade, rigidez e dor em movimentos rotacionais e de extensão.[17]

Os processos degenerativos mais comumente encontrados em exames de imagem são em nível de C4-C7, acometendo mais as raízes C5, C6 e C7, embora essas alterações degenerativas geralmente não se correlacionem bem com a gravidade dos sintomas (ver Capítulo Abordagem Geral da Dor). As estenoses foraminais podem exercer ações mecânicas sobre as raízes (tração e compressão), além de microalterações vasculares, como edema, isquemia e irritação química, promovendo manifestações clínicas diversas. Nessas condições, a hiperextensão do pescoço aumenta a estenose, podendo desencadear dor (ver adiante, no tópico Exame Físico, sobre o teste de Spurling).

Pacientes idosos com poucas queixas podem apresentar fusão vertebral dos segmentos mais acometidos. Existe maior prevalência de estenose vertebral em qualquer segmento da coluna nos idosos, com dor que melhora com o repouso e piora à extensão da coluna. A estenose geralmente é secundária a alterações degenerativas, formação de osteófitos, calcificação de ligamentos, estreitamento do canal e, algumas vezes, espondilolistese.

### Componente inflamatório

Entre as causas inflamatórias, a artrite reumatoide costuma acometer o segmento cervical alto, a articulação atlanto-occipital. Nesses casos, o movimento rotacional é restrito, pode haver dor suboccipital e dor referida para têmporas e retro--orbital bilateralmente, e devem ser solicitados exames de imagem, como radiografia e ressonância magnética (RM).

### Dor nociceptiva visceral

As estruturas viscerais que trafegam pela parte anterior da região cervical também podem ser alvo de processos inflamatórios infecciosos e traumáticos, provocando dor visceral nessa região, incluindo linfadenopatias infecciosas ou neoplásicas. Além disso, a síndrome coronariana aguda também pode provocar dor visceral referida para a região cervical. Portanto, diante de um paciente com dor cervical, devem ser considerados também diagnósticos como tireoidite, faringite, carcinoma de laringe, traqueíte, doenças esofágicas, aneurisma dissecante da aorta, inflamação da carótida, infarto do miocárdio, angina de peito e pericardite.

### Dor neuropática

#### Dor cervical com radiculopatia

A dor pode ocorrer predominantemente na região cervical, porém pode afetar também a cabeça (síndrome cervicocraniana) ou continuar em direção ao braço (síndrome cervicobraquial ou cervicobraquialgia). Ambas podem ter componentes radiculares e/ou miofasciais. A cervicobraquialgia pode ocorrer nas protrusões posterolaterais ou foraminais do disco intervertebral ou por síndrome dolorosa miofascial relacionada à musculatura cervical, que pode gerar sintomas em braço, punho e mão, exigindo diagnóstico diferencial com compressão radicular verdadeira. A dor radicular cervical segue o padrão dermatômico somente em 54% dos casos,[18] portanto não pode ser usada como único parâmetro para o diagnóstico diferencial.

#### Mielopatia cervical degenerativa

A mielopatia cervical degenerativa (MCD) abrange uma série de patologias degenerativas que podem danificar a medula espinal cervical cronicamente. Doença degenerativa discal, espondilolistese, osteofitose, espessamento e ossificação do ligamento amarelo e do longitudinal posterior são os achados mais comuns que acabam por estreitar demasiadamente o canal medular, causando dano neurológico crônico e progressivo.

Os sinais e sintomas relacionados podem variar bastante, dependendo da gravidade do caso: déficit motor, parestesias nos membros superiores, atrofia tenar, hiper-reflexia, espasticidade, enfraquecimento da marcha e incontinência urinária. Ao exame, podem estar presentes sinais neurológicos positivos: reflexo supinador invertido (resposta contrátil inversa), sinal de Hoffmann (contração indicador e polegar), sinal de Babinski (na sola do pé) e sinal de Romberg (oscilação do tronco de olhos fechados em pé). O diagnóstico é clínico e radiológico, com preferência para a ressonância magnética, e o tratamento é cirúrgico, visando descompressão e estabilização do segmento cervical.[19,20]

### Sensibilização e dor nociplástica

No decurso da cronificação, vários processos neuroplásticos mal-adaptativos ocorrem nos sistemas nervosos

**TABELA 188.2** → Músculos envolvidos nas dores cervicais

| DOR NA PARTE POSTERIOR DA CABEÇA E PESCOÇO | DOR NA OROFARINGE E PARTE ANTERIOR DO PESCOÇO |
|---|---|
| → Trapézio | → Esternocleidomastóideo |
| → Levantador da escápula | → Digástrico |
| → Cervicais posteriores (semiespinal da cabeça, semiespinal do pescoço, esplênio da cabeça, esplênio do pescoço, suboccipitais, multífidos) | → Pterigóideo medial |
| | → Escalenos |

periférico e central, os quais mantêm e amplificam a intensidade da dor. Quando esses processos de sensibilização periférica e central estão presentes, o quadro clínico normalmente não responde aos medicamentos analgésicos usuais, e seu tratamento deve incluir medicamentos e medidas não farmacológicas específicas para esses processos (ver Capítulos Dor Miofascial e Outras Dores Mecânicas e Dor Crônica e Sensibilização Central).

## ABORDAGEM DIAGNÓSTICA PARA A QUEIXA DE DOR CERVICAL

Este capítulo segue o modelo de algoritmo diagnóstico proposto no Capítulo Abordagem Geral da Dor, adaptando-o para compatibilizá-lo com os principais protocolos de avaliação da dor cervical (FIGURA 188.2). Ele segue uma lógica muito semelhante ao algoritmo da dor lombar (ver Capítulo Lombalgia).

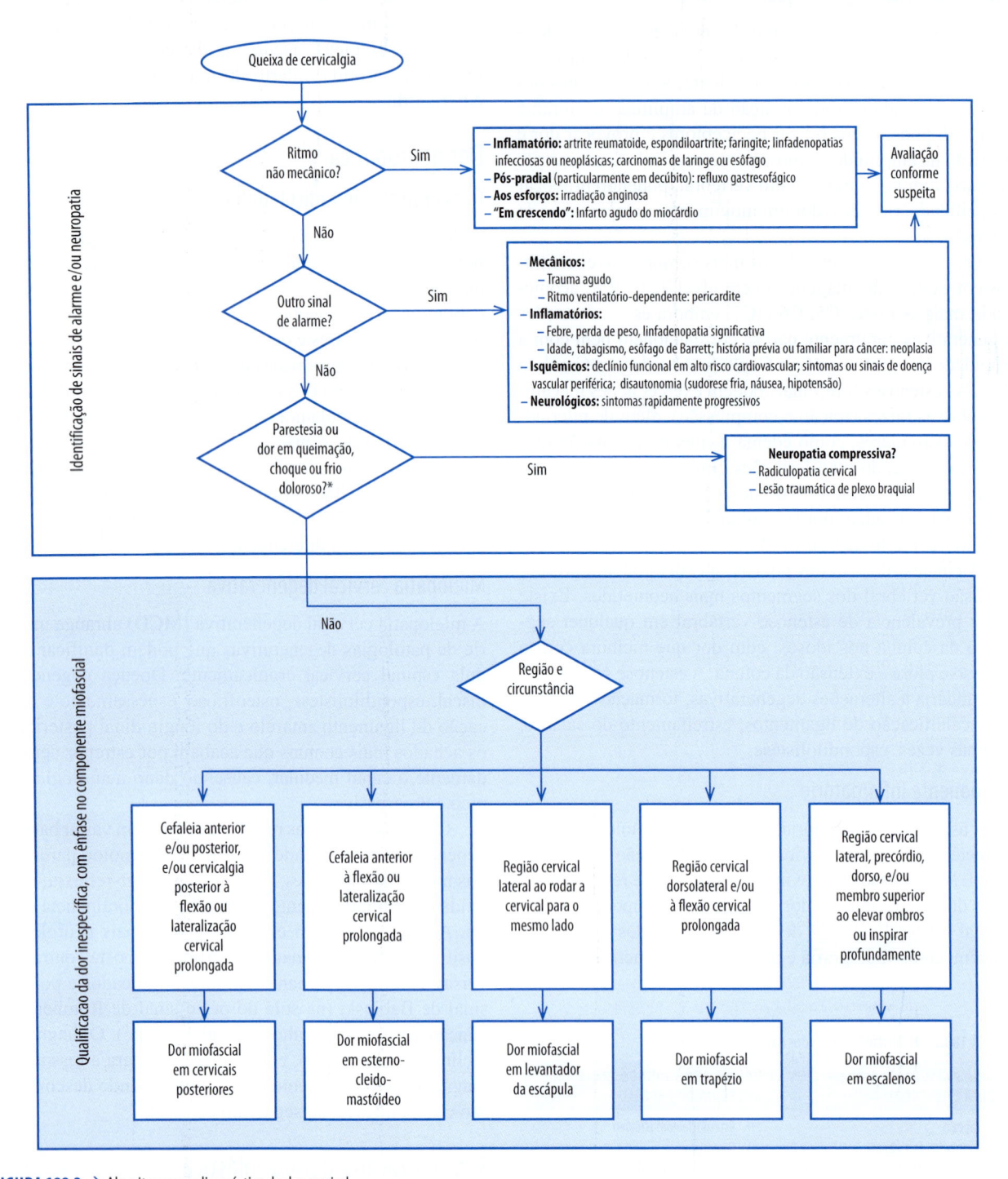

**FIGURA 188.2** → Algoritmo para diagnóstico da dor cervical.
*A ausência de parestesia ou dor em queimação, choque ou frio doloroso a princípio afasta a suspeita de dor neuropática, segundo o questionário DN4.

## História clínica

A coleta da história geralmente segue uma sequência cronológica (p. ex., por meio da pergunta "Conte-me a história da sua dor cervical"), explorando primeiramente o escopo dos sintomas e, após, caracterizando aqueles considerados relevantes, com um progressivo direcionamento para as estruturas do raciocínio clínico.

## Caracterização do ritmo e exclusão de sinais de alarme

Um elemento muito útil já em uma etapa precoce do raciocínio diante de um paciente com dor cervical é caracterizar as circunstâncias em que a dor ocorre – isto é, quais situações a desencadeiam ou aliviam. A identificação das circunstâncias permite classificar o ritmo da dor (TABELA 188.3).

O principal ritmo na dor cervical (assim como nas demais dores regionais) é o ritmo mecânico, caracterizado por uma dor que piora com o movimento da estrutura afetada (e ao longo do dia) ou com posturas prolongadamente mantidas e melhora com o repouso. A identificação de um ritmo não mecânico permite levantar a suspeita de causas inflamatórias e infecciosas, bem como fazer o diagnóstico diferencial com causas viscerais.

Os ritmos viscerais e vasculares devem seguir avaliação própria e não serão abordados neste capítulo. (Ver Capítulos Dor Torácica e Dispepsia e Refluxo.)

Alguns fatores que apontam para causas graves, e que não estão relacionados ao ritmo, ou sequer à dor, também devem ser pesquisados (TABELA 188.4). Em conjunto, a presença de ritmo inflamatório e esses demais fatores compõem os sinais de alarme.

Apesar de serem frequentemente citados nas principais diretrizes, os sinais de alarme (ou bandeiras vermelhas) para a dor cervical foram pouco estudados na sua capacidade preditiva e se baseiam em características esperadas para as causas graves, e não em estudos clínico-epidemiológicos. Foram extensamente estudados na dor lombar, que guarda forte semelhança com a dor cervical, e se mostraram preditores ruins das causas graves, devido à baixa sensibilidade e à baixa especificidade (ver Capítulo Lombalgia). Assim, a presença de sinais de alarme deve apenas servir de precaução para ampliar a avaliação em busca de corroboração, alternativas e planos, sendo importante considerar também a evolução clínica da dor, ampliando a investigação na ausência de resposta terapêutica.

## Identificação de sinais de neuropatia

A presença de sintomas neuropáticos (parestesia, dor em queimação, choque ou frio doloroso) deve levantar a suspeita de neuropatias compressivas, lesão de plexo braquial ou mielopatia cervical degenerativa. Geralmente têm ritmo mecânico, uma vez que os sintomas são desencadeados pela compressão de nervo ou raiz nervosa secundária ao movimento.

Na dor cervical com ou sem irradiação para o braço, alguns sintomas com elevada sensibilidade para radiculopatia são irradiação abaixo do cotovelo (sensibilidade = 77%, especificidade = 46%), formigamento (sensibilidade = 83%, especificidade = 41%) e combinação de formigamento com dormência (sensibilidade = 88%, especificidade = 37%).[21]

## Dor cervical inespecífica e sua qualificação pelo componente miofascial

A maioria dos casos de cervicalgia é considerada inespecífica, termo utilizado quando não há identificação de patologia diretamente associada com os sintomas. Múltiplas fontes nociceptivas podem estar envolvidas, como disco vertebral, articulações facetárias, músculos, fáscia, ligamentos e cápsulas articulares. As intervenções para a dor cervical inespecífica geralmente são avaliadas para todo o grupo, motivo pelo qual as principais diretrizes dedicam pouca ênfase à determinação das fontes de nocicepção.

Entre as dores cervicais inespecíficas, uma fonte de nocicepção facilmente abordável é a dor miofascial, que é discutida em mais detalhes no Capítulo Dor Miofascial e Outras Dores Mecânicas, e será explorada a seguir nos seus aspectos relacionados à dor cervical.

Em ambulatórios especializados em dor miofascial, a abordagem diagnóstica costuma ser focada em uma exploração minuciosa dos músculos de uma região a partir dos mapas de dor associados a cada PG. Para fins de avaliação na atenção primária à saúde (APS), é suficiente atentar para os

**TABELA 188.3** → Ritmos associados à dor cervical

| RITMO | CIRCUNSTÂNCIAS | CAUSAS |
|---|---|---|
| Mecânico | A dor piora com movimento (ou com posturas prolongadamente mantidas) e ao longo do dia e melhora com o repouso | Dor miofascial, osteoartrite, neuropatias compressivas, dor cervical inespecífica |
| Inflamatório | A dor piora à imobilização prolongada, melhorando gradualmente à atividade, no contexto de dores articulares; e/ou piora à noite em dores articulares ou ósseas | Artrites inflamatórias, neoplasias, osteomielite, tuberculose vertebral |
| Aos esforços | A dor ocorre sempre ao mesmo nível de esforço | Irradiação anginosa |
| "Em crescendo" | A dor é progressiva | Infarto agudo do miocárdio |
| Pós-prandial | A dor inicia ou se acentua após a refeição | Doença do refluxo gastresofágico |

**TABELA 188.4** → Sinais de alarme não relacionados ao ritmo da dor

| SINAIS DE ALARME | CAUSAS |
|---|---|
| Febre, uso crônico de corticoide, imunodeficiência | Osteomielite |
| Cefaleia, febre, rigidez de nuca, vômitos | Meningite |
| Diarreia, uveíte, uretrite asséptica, psoríase ou outras lesões de pele compatíveis | Espondiloartrite |
| Declínio funcional em paciente de alto risco cardiovascular; sintomas ou sinais de doença vascular periférica | Angina ou infarto agudo do miocárdio, em paciente com manifestações compatíveis |
| Trauma agudo, idoso frágil, uso crônico de corticoides, osteoporose conhecida | Fratura |
| Diagnóstico prévio de câncer, perda de peso, fadiga importante, sintomas relacionados ao órgão primário do câncer | Neoplasia metastática (especialmente mama, próstata e pulmão), mieloma múltiplo |

pontos-gatilho (PG) mais frequentes que, na cervicalgia, podem ser didaticamente classificados de acordo com seu padrão de irradiação.

Os PGs do músculo trapézio costumam provocar dor na região posterolateral do pescoço, região temporal e retroauricular, acompanhada ou não de cefaleia. Já os PGs do músculo levantador da escápula se associam à dor na base do pescoço (em sua própria localização), acompanhada ou não de dor na escápula ou no ombro, podendo produzir rigidez cervical e torcicolo. Músculos multífidos e rotadores estão relacionados à dor localizada no segmento, mais comumente em nível de C4.

Os PGs em esternocleidomastóideo podem ser ativados por posturas com a cabeça anteriorizada, respiração paradoxal (padrão torácico), lesão por chicote cervical ou marcha disfuncional, podendo causar dor referida fora do pescoço (cabeça e face) e tonturas.

A dor cervical com padrão de irradiação para região torácica anterior e região lateral do braço até o polegar corresponde geralmente a um PG em escaleno (ver Capítulo Dor em Ombro e Membro Superior), frequentemente associado à respiração paradoxal e à hiperventilação.

Alterações sistêmicas, como distúrbios de marcha, podem requerer ajuste na biomecânica do tronco para manter o equilíbrio, ativando PGs em esternocleidomastóideo, escalenos e levantador da escápula.

## Quantificação e avaliação de fatores contribuintes e do prognóstico da dor cervical inespecífica

Tradicionalmente, a quantificação da dor cervical tem como foco sua intensidade, que pode ser adequadamente medida por uma escala numérica (p. ex., "De 0 a 10, que nota você daria para a sua dor hoje?"). Essa medida pode ser útil para avaliar a evolução da dor no tempo, seja na primeira consulta, para explorar a história prévia, seja ao longo de uma sequência de consultas, para acompanhar a resposta ao tratamento.

Entretanto, como discutido no Capítulo Abordagem Geral da Dor, um foco excessivo na intensidade pode negligenciar outros aspectos mais importantes relacionados à experiência com a doença. Mais relevante em termos de impacto e prognóstico da dor cervical é avaliar a sua repercussão funcional, bem como as ideias, as preocupações e as expectativas que o paciente tem a respeito dela. Isso pode ser feito por meio de perguntas abertas, integradas à consulta, organizadas por meio dos acrônimos IPE (ideias, preocupações e expectativas) e PSO (impactos psicológicos, sociais e ocupacionais), como descrito no Capítulo Modelo de Consulta e Habilidades de Comunicação.

Além disso, é importante explorar outros elementos que podem estar contribuindo para a dor e constituir fatores de pior prognóstico ou de potencial intervenção. Esses elementos incluem ergonomia no ambiente de trabalho, hábitos de uso de *smartphones* e computadores, sedentarismo, história de traumas, acidentes e cirurgias, patologias pregressas e atuais, além do uso rotineiro ou esporádico de medicamentos. A avaliação global do paciente deve incluir dados sobre a acuidade visual e auditiva e a história odontológica pregressa e atual do paciente, pela inter-relação desses sistemas entre si e com a mobilidade cervical.[22]

Na anamnese, é fundamental coletar informações sobre os aspectos emocionais e afetivos do paciente, devido à grande prevalência de comorbidade psiquiátrica na população de pacientes com dor, principalmente a dor crônica.

Também de igual importância é a avaliação do padrão de sono, com informações como latência, número e tempo de despertares noturnos, motivo dos despertares, hora em que acorda, funcionalidade diurna, hábitos disfuncionais e uso de medicamentos que interfiram na arquitetura do sono. A correção do padrão do sono e o manejo adequado do estado emocional do paciente são primordiais no tratamento de qualquer condição dolorosa.

Doenças respiratórias crônicas, apneia obstrutiva do sono e hiperventilação devido a transtornos de ansiedade podem ativar PGs em esternocleidomastóideo e escalenos.

## Exame físico

O exame físico da região cervical é indissociável daquele da região craniana e dos membros superiores devido à contiguidade das estruturas anatômicas. Idealmente, deve-se avaliar a marcha e a amplitude geral de movimentos do esqueleto axial; em especial, os movimentos da cabeça, a abertura mandibular e o estado geral da boca e dos dentes (ver QR code). Os ombros também devem ser avaliados, pois podem estar rígidos e dolorosos, tanto em quadros de dor cervical inespecífica como em síndromes radiculares cervicais (ver Capítulo Dor em Ombro e Membro Superior).

A seguir, será descrita uma estrutura geral para o exame físico da coluna vertebral; porém, na prática, o exame deve ser direcionado para avaliação das hipóteses identificadas a partir da história clínica, o que otimiza o tempo para sua realização.

A inspeção estática inicia observando as características biomecânicas desse segmento, à procura de retificação da lordose cervical, anteriorização da cabeça e dos ombros e presença de cifose cervicotorácica. Presença de tumorações, edema e atrofias também pode ser pesquisada. Observar a respiração, identificando a ativação excessiva da musculatura acessória durante a respiração basal (escalenos, esternocleidomastóideo).

Inicia-se a inspeção dinâmica avaliando a amplitude dos movimentos da coluna cervical. Na APS, não está indicado quantificar precisamente a amplitude de movimento; porém, na inspeção, pode-se comparar grosseiramente com os seguintes parâmetros normais: flexão de 45°, extensão de 85°, rotação para cada lado de 90° e flexão lateral de 40°. Além disso, a comparação com o lado oposto pode ser um bom parâmetro adicional. Redução das amplitudes de movimento sugere processo degenerativo da coluna cervical, mas também pode ser um achado normal do envelhecimento sem necessariamente ser causa de dor.

A palpação da região cervical deve iniciar de forma delicada, procurando sinais de alodinia e de hiperalgesia localizada, principalmente nos processos espinhosos, transversos e ênteses musculares (junções do tendão ao osso). Um pouco mais de pressão pode ser exercida, à procura das referências anatômicas locais e para avaliação do tônus muscular. Imediatamente abaixo do occipito, o primeiro processo espinhoso palpável é o de C2. O processo transverso de C1 está localizado logo abaixo da mastoide, perto do pavilhão auricular. O processo espinhoso mais proeminente que se palpa no segmento inferior é o de C7, por vezes T1; se houver dificuldade para diferenciar, pode-se rodar ou flexionar a cabeça do paciente, pois T1 é fixa e C7 é móvel.

Para uma melhor análise da região cervical, uma avaliação esclerotômica, miotômica e dermatômica da região pode ser realizada, incluindo o teste de pinçamento e rolamento (ver Capítulo Dor Miofascial e Outras Dores Mecânicas). Deve-se conhecer os territórios de inervação dermatômica, que estão sob controle de determinadas raízes, pois isso facilita o entendimento das manifestações clínicas, diagnóstico e tratamentos propostos (FIGURA 188.3). Na região cervical, salienta-se a importância das raízes C1, C2 e C3 – principalmente C2 –, pois possuem conexões com o núcleo trigeminal caudal e áreas do cérebro relacionadas ao sistema límbico e ao sistema descendente inibitório da dor. Além disso, as raízes cervicais estão relacionadas aos últimos pares cranianos, principalmente a raiz espinal do nervo acessório (XI), que inerva dois dos mais importantes músculos da região cervical – o esternocleidomastóideo e o trapézio. Também são ricas as conexões com o sistema autonômico, principalmente com os gânglios simpáticos: C2, com o gânglio cervical superior; C6, com o gânglio cervical médio; e C8, com o gânglio estrelado.

Ao palpar as estruturas da região cervical, o examinador deve ter em mente a rede muscular dessa região e as suspeitas de envolvimento de músculos específicos identificadas a partir da história. Os PGs identificados podem ser a causa primária de dor ou epifenômenos que amplificam a intensidade de uma dor originada em outra estrutura anatômica. As técnicas de palpação de PGs são descritas em mais detalhes no Capítulo Dor Miofascial e Outras Dores Mecânicas,

e os mapas das dores associadas a cada PG estão disponíveis em aplicativos e *sites* na internet. Destaca-se que as técnicas de abordagem do PG (p. ex., agulhamento e compressão isquêmica). (Ver QR code.) tradicionalmente pensadas sob uma perspectiva terapêutica, também podem ter finalidade semiológica, sendo, assim, consideradas procedimentos diagnóstico-terapêuticos.

Caso a história aponte para a presença de características de dor neuropática ou outros sintomas neurológicos, torna-se importante examinar força, reflexos tendinosos profundos e sensibilidade dos membros superiores (ver QR code). Déficits podem sugerir radiculopatia ou mielopatia cervical, requerendo exames complementares (TABELA 188.5). Ao suspeitar de radiculopatia (sintomas sugestivos como parestesias e perda de força em membros superiores), manobras de rotação e de compressão podem ser realizadas, como o teste de Spurling (ver QR codes). Porém, sugere-se que o examinador tenha cuidado ao efetuar a manobra para não piorar a condição álgica do paciente. Reflexos alterados também podem sinalizar comprometimento de raízes cervicais (C5: bíceps, C6: braquiorradial, C7: tríceps).

No teste de Spurling, o examinador exerce uma compressão vertical sobre a cabeça do paciente, que permanece sentado com a cabeça inclinada para o lado afetado. Exacerbação dos sintomas com dor

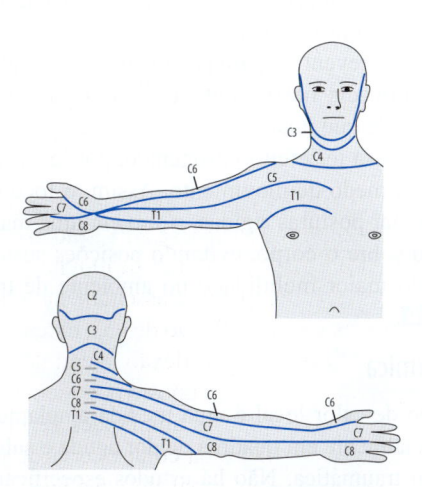

**FIGURA 188.3** → Dermátomos cervicais, segundo Keegan e Garrett.

**TABELA 188.5** → Sinais e sintomas de dor radicular/radiculopatia

| RAIZ | DOR | PARESTESIA | FRAQUEZA | REFLEXOS |
|---|---|---|---|---|
| C5 | Pescoço, ombro, escápula | Braço lateral (nervo axilar) | Abdução do ombro, rotação externa, flexão do cotovelo, supinação do antebraço | Bíceps e braquiorradial (estilorradial) |
| C6 | Pescoço, ombro, escápula, braço lateral, antebraço lateral, mão lateral | Antebraço lateral, polegar, indicador | Abdução do ombro, rotação externa, flexão do cotovelo, supinação e pronação do antebraço | Bíceps e braquiorradial (estilorradial) |
| C7 | Pescoço, ombro, dedo médio e mão | Indicador, dedo médio e palma da mão | Extensão radial do cotovelo e do punho, pronação do antebraço, flexão do punho | Tríceps |
| C8 | Pescoço, ombro, antebraço medial, 4º e 5º dedos, mão medial | Antebraço e mão medial, 4º e 5º dedos | Extensão dos dedos, extensão ulnar do punho, flexão das falanges distais e do polegar, adução e abdução dos dedos | Nenhum |
| T1 | Pescoço, braço e antebraço medial | Braço anterior, antebraço medial | Abdução do polegar, flexão distal do polegar, abdução e adução dos dedos | Nenhum |

irradiada para o membro superior sugere compressão das raízes nervosas cervicais. É um teste com baixa sensibilidade e alta especificidade para radiculopatia cervical.

## Exames complementares

### Exames de imagem

Os exames de imagem não são sensíveis nem específicos para o diagnóstico de cervicalgia, como ocorre com qualquer síndrome dolorosa relacionada ao sistema musculoesquelético. Isso significa que esses exames podem evidenciar alterações degenerativas prévias ao surgimento da dor que não são a causa direta dos sintomas. Alguns estudos inclusive apontam os exames de imagem como contribuintes para estresse relacionado com o "diagnóstico" encontrado, além de sedentarismo desencadeado por medo do movimento e pior prognóstico. Dessa forma, os exames de imagem devem ser valorizados somente quando a história e o exame físico forem compatíveis com o diagnóstico.

Na presença de sinais de alarme, a radiografia deve ser o exame inicial quando não se suspeita de radiculopatia. A radiografia simples nas incidências anteroposterior e perfil permite avaliar fraturas ósseas grosseiras. Entretanto, a tomografia computadorizada permite avaliar melhor a suspeita de fraturas vertebrais, pois tem melhor acuidade para alterações ósseas. Para avaliar tecidos moles, o exame mais indicado é a RM, em especial na presença de déficits neurológicos, quando há sinais de radiculopatia ou mielopatia. Ela permite melhor visualização de alterações discais e neurais, bem como alterações vasculares e neoplasias.

Na presença de trauma agudo, a regra de predição clínica *Canadian C-Spine Rule* ajuda a avaliar a necessidade de radiografia em pacientes estáveis e alertas.[23] (Ver QR code.)

### Exames laboratoriais

Exames laboratoriais devem ser solicitados se houver suspeita de processo infeccioso ou autoimune ou para outro diagnóstico diferencial.

### Eletroneuromiografia

A eletroneuromiografia tem papel secundário na avaliação da radiculopatia cervical, especialmente por sua baixa sensibilidade, sendo mais indicada para diagnóstico diferencial com neuropatias periféricas. Pode estar indicada também no contexto de avaliação para indicação de cirurgia.

## TRATAMENTO

A maioria dos quadros de dor cervical é autolimitada, evoluindo com melhora clínica significativa dentro de 2 semanas. Para esses casos, medidas não farmacológicas e farmacológicas focadas no curto prazo podem ser suficientes para alívio sintomático. Os próprios procedimentos diagnóstico-terapêuticos para dor miofascial discutidos no tópico e no Capítulo Dor Miofascial e Outras Dores Mecânicas podem ser de grande utilidade nessa perspectiva de curto prazo. Entretanto, parte considerável dos pacientes evolui para um curso crônico ou recorrente, requerendo acompanhamento de longo prazo.

Não existe protocolo-padrão aplicável a todos os pacientes, preferindo-se uma abordagem personalizada. A escolha das intervenções a serem empregadas deve levar em consideração o treinamento dos profissionais, a preferência dos pacientes e os recursos disponíveis na rede de atenção à saúde.

De forma geral, o repouso deve ser desaconselhado. Além disso, a imobilização com colar cervical pode retardar a recuperação **B**.

Considerações sobre a lesão por efeito-chicote serão apresentadas no final do capítulo.

## Tratamento não farmacológico conservador

### Orientações gerais

O paciente deve ser orientado sobre o prognóstico geralmente favorável da dor cervical e encorajado a manter-se tão fisicamente ativo quanto a dor permitir, mesmo que suas atividades precisem ser adaptadas. Deve-se esclarecer que a dor geralmente não significa lesão, que lesões degenerativas frequentemente não são dolorosas e que o movimento costuma preceder a melhora da dor. O repouso prolongado deve ser desencorajado.

### Orientações ergonômicas

A consulta de um paciente com cervicalgia é uma boa oportunidade para revisar fatores modificáveis que podem estar contribuindo para a dor, incluindo questões ergonômicas relacionadas ao trabalho e a tarefas diárias. O paciente pode ser orientado a observar a posição da cabeça ao trabalhar, ao dormir e no uso das telas (televisão, computador, celular ou *tablet*), bem como em trabalhos manuais como tricô ou crochê.

Existe uma grande lacuna de evidências na literatura sobre como fazer essas orientações em contexto clínico e sobre a eficácia de diferentes modalidades de orientações. A maioria dos estudos que avaliaram a eficácia de modificações ergonômicas ocorreu em ambientes ocupacionais, como medida preventiva para pacientes assintomáticos, não mostrando eficácia nesse contexto.[24] Além disso, existe a preocupação de que uma ênfase em medidas prescritivas de ergonomia possa ter efeito iatrogênico, por levar à hipervigilância e ao medo de movimento. Assim, o foco não deve ser em orientar posturas rígidas, e sim em uma maior conscientização sobre o corpo, evitando posições sustentadas e promovendo maior mobilidade no ambiente de trabalho e em casa **C/D**.

### Terapia térmica

A aplicação de calor local é uma medida amplamente utilizada, especialmente em quadros de dor aguda e subaguda de origem não traumática. Não há estudos especificamente no manejo da dor cervical, porém é possível extrapolar que há potencial benefício a partir de evidências de qualidade moderada em pacientes com dor lombar aguda e subaguda[25] C/D. A compressa gelada tem indicação mais estabelecida para casos agudos com processo inflamatório exuberante,[26] podendo também ser usada em quadros crônicos para analgesia C/D.

Tanto o calor local como as compressas geladas podem ser aplicados por 15 minutos a cada vez, com um intervalo de 2 a 3 horas, ajustando conforme a resposta. O frio também pode ser aplicado sob a forma de *spray* gelado, com início rápido de efeito analgésico.

### Exercícios físicos

O exercício físico é um importante componente do tratamento de pessoas com cervicalgia crônica, bem como da prevenção de recorrências em pacientes com história de dor cervical. Diferentes modalidades de exercícios vêm sendo estudadas, parecendo não haver diferença clínica em relação ao alívio da dor e à melhora da limitação funcional entre exercícios de controle motor, ioga/pilates/*tai chi*/*qi gong* e exercícios de fortalecimento muscular[27] C/D. Outras modalidades de exercício também podem ser eficazes, apesar de haver menos estudos que as corroborem.

O mais importante é escolher exercícios do agrado do paciente, para facilitar a adesão. Evidências preliminares sugerem que o fator mais importante para o efeito analgésico do paciente é a frequência. De modo geral, deve-se, em conjunto com o paciente, encontrar uma modalidade de atividade física em que o paciente inicie a prática com alta frequência (4-5 ×/semana), com o tempo e a intensidade titulados para sua tolerância. Após o aparecimento do efeito analgésico, deve-se incrementar o tempo e a intensidade a fim de melhorar a funcionalidade[28] C/D.

Pacientes com anteriorização postural da cabeça e dor mecânica crônica se beneficiam significativamente com exercícios posturais para correção do ângulo craniovertebral[14,29] B.

### Técnicas de manipulação e mobilização da coluna cervical

Para pacientes com maior intensidade de dor, existe evidência moderada de que técnicas de manipulação e mobilização feitas por especialistas treinados (quiropraxista, osteopata ou fisioterapeuta) possam melhorar a dor e a funcionalidade em casos de cervicalgia crônica, com especial cuidado em pacientes com diagnóstico de estenose vertebral cervical.

A tração cervical gentil pode ser cuidadosamente aplicada, mas o alívio é momentâneo, sem sustentação ao longo do tempo, além de ser controverso por seus riscos.

### Desativação de pontos-gatilho: técnicas manuais, acupuntura/eletroacupuntura, agulhamento e intervenções complementares

Medidas para desativação de PGs ativos estão indicadas em casos crônicos e em casos subagudos que não responderam ao tratamento inicial. Liberação miofascial, acupuntura/eletroacupuntura, agulhamento seco e infiltração com anestésico local podem ser indicados (ver Capítulo Dor Miofascial e Outras Dores Mecânicas) C/D.

Apesar de os conceitos sobre a diferença dessas técnicas serem motivo de muita controvérsia internacional, algumas considerações sobre o tema são importantes para o médico da APS. Tanto a acupuntura quanto o agulhamento seco estão sendo usados no tratamento dos PGs, com bons resultados, mas que ainda necessitam ser mais bem estudados. Os mecanismos de ação implicados incluem a desativação mecânica do PG e a ação em cascata de vários mecanismos que explicam a efetividade da acupuntura no tratamento da dor, que incluem liberação de opioides endógenos, ação anti-inflamatória e vasodilatadora, *washout* de substâncias álgicas, ativação do sistema descendente da dor e regularização da atividade do sistema autônomo, entre outras ações demonstradas em animais e humanos.[30-32]

Pode ser indicado o treino de respiração diafragmática para controlar a ansiedade e a ativação de PGs na região cervical[16] C/D.

Um ensaio clínico randomizado demonstrou que a estimulação elétrica da raiz espinal do nervo acessório e do nervo occipital maior associada à estimulação intramuscular do músculo semiespinal do pescoço ao nível de C4 reduziu em mais de 73% a intensidade de dor diária em pacientes com cervicalgia crônica[33] C/D.

## Medidas farmacológicas

O uso de analgésicos simples associado ou não a anti-inflamatórios não esteroides e relaxantes musculares pode ajudar a acelerar o processo de recuperação, manter a funcionalidade e/ou melhorar a qualidade de vida. Em caso de não haver melhora ou resolução do quadro, deve ser realizada nova avaliação, possivelmente agregando outras modalidades terapêuticas.

Em radiculopatia aguda discal, a prescrição de corticoides (número necessário para tratar [NNT] = 8 para 50% de redução em índice de incapacidade, sem resposta sobre a dor) B e gabapentinoides (gabapentina e pregabalina) pode ser necessária para o controle dos sintomas, diminuindo o estresse sobre a raiz, tanto em casos de conduta conservadora quanto cirúrgica. Alguns relaxantes musculares têm alto poder sedativo, devendo ser ministrados somente à noite e posteriormente titulados conforme a tolerância do paciente.

Ver Capítulos Abordagem Geral da Dor e Dor Crônica e Sensibilização Central.

## Métodos intervencionistas

Pacientes que não responderem ao tratamento conservador por um período de pelo menos 6 meses podem ser encaminhados a centros especializados em tratamento da dor, fisiatria ou coluna. Nesses centros, após complementação da avaliação, podem ser realizados procedimentos intervencionistas visando à redução de processos nociceptivos mantenedores do quadro, como bloqueios de raízes nervosas, discos e facetas articulares, com ou sem corticoides. Em um estudo com 120 pacientes submetidos ao bloqueio do ramo medial para as facetas articulares com ou sem corticoide acompanhados por 1 ano, houve resposta satisfatória em 83% dos casos de cervicalgia crônica de origem facetária.[34] Também podem ser realizados ablação por radiofrequência, descompressão radicular, discectomia com ou sem artrodese, ou implante de neuroestimulador medular.

## PREVENÇÃO

Ao contrário do que se poderia esperar, programas de educação parecem não ser efetivos em prevenir cervicalgia.[35] Programas de incentivo à caminhada preveniram a incidência de cervicalgia em pacientes com alto risco.[36] Uma metanálise demonstrou redução de novas crises de cervicalgia (RC = 0,32; intervalo de confiança [IC] 95%, 0,12-0,86) em pacientes que realizaram programas de exercícios físicos, enquanto programas ergonômicos não alcançaram diferença estatisticamente significativa.[24]

## SITUAÇÕES ESPECIAIS

### Síndrome do chicote cervical (whiplash)

É geralmente causada por acidente automobilístico, em que forças de aceleração/desaceleração são jogadas sobre a cabeça e o pescoço, causando lesões por hiperflexão/hiperextensão. Podem ser colisões frontais ou traseiras, com diferenças nos vetores de força aplicados. Classicamente, as lesões por hiperextensão são mais graves, podendo danificar inclusive os órgãos viscerais do pescoço.

Em torno de 50% dos pacientes seguem com dor 1 ano após o acidente.[37] Pode haver espasmos musculares protetivos do esternocleidomastóideo e dos escalenos e dano nos ligamentos que dão sustentação ao pescoço. Estão envolvidos mecanismos de sensibilização central.[38]

Aspectos relacionados à fase aguda têm grande impacto no prognóstico. Os fatores mais fortemente relacionados ao desenvolvimento de sintomas persistentes incluem forte intensidade da dor na fase inicial, bem como grande impacto funcional.[39] Em relação ao tratamento na fase aguda, durante muitos anos esteve indicado o uso de colar cervical, porém seu uso não melhora a dor nem a amplitude de movimento, havendo inclusive tendência de piora nesses parâmetros[40] C/D.

Não há evidências consistentes sobre estratégias terapêuticas na fase crônica, podendo ser indicados fisioterapia, agulhamento de PGs e exercícios físicos C/D.

## REFERÊNCIAS

1. Safiri S, Kolahi A-A, Hoy D, Buchbinder R, Mansournia MA, Bettampadi D, et al. Global, regional, and national burden of neck pain in the general population, 1990-2017: systematic analysis of the Global Burden of Disease Study 2017. BMJ. 2020;368:m791.
2. Dos Reis-Neto ET, Ferraz MB, Kowalski SC, Pinheiro G da RC, Sato EI. Prevalence of musculoskeletal symptoms in the five urban regions of Brazil-the Brazilian COPCORD study (BRAZCO). Clin Rheumatol. 2016;35(5):1217–23.
3. Institute for Health Metrics and Evaluation. GBD compare data visualization [Internet]. Washington: IHME; 2017 [capturado em 9 set. 2021]. Disponível em: https://vizhub.healthdata.org/gbd-compare/.
4. Neumann DA. Cinesiologia do aparelho musculoesquelético: fundamentos para reabilitação. 2. ed. Rio de Janeiro: Elsevier; 2010. 743 p.
5. Côté P, van der Velde G, Cassidy JD, Carroll LJ, Hogg-Johnson S, Holm LW, et al. The burden and determinants of neck pain in workers: results of the Bone and Joint Decade 2000-2010 Task Force on Neck Pain and Its Associated Disorders. J Manipulative Physiol Ther. 2009;32(2 Suppl):S70–86.
6. Kim R, Wiest C, Clark K, Cook C, Horn M. Identifying risk factors for first-episode neck pain: a systematic review. Musculoskelet Sci Pract. 2018;33:77–83.
7. Jun D, Zoe M, Johnston V, O'Leary S. Physical risk factors for developing non-specific neck pain in office workers: a systematic review and meta-analysis. Int Arch Occup Environ Health. 2017;90(5):373–410.
8. Cohen SP. Epidemiology, diagnosis, and treatment of neck pain. Mayo Clin Proc. 2015;90(2):284–99.
9. Lee R, James C, Edwards S, Snodgrass SJ. Posture during the use of electronic devices in people with chronic neck pain: a 3D motion analysis project. Work. 2021;68(2):491–505.
10. Al-Hadidi F, Bsisu I, AlRyalat SA, Al-Zu'bi B, Bsisu R, Hamdan M, et al. Association between mobile phone use and neck pain in university students: a cross-sectional study using numeric rating scale for evaluation of neck pain. PLoS One. 2019;14(5):e0217231.
11. Lee S, Kang H, Shin G. Head flexion angle while using a smartphone. Ergonomics. 2015;58(2):220–6.
12. Mahmoud NF, Hassan KA, Abdelmajeed SF, Moustafa IM, Silva AG. The relationship between forward head posture and neck pain: a systematic review and meta-analysis. Curr Rev Musculoskelet Med. 2019;12(4):562–77.
13. Richards KV, Beales DJ, Smith AL, O'Sullivan PB, Straker LM. Is neck posture subgroup in late adolescence a risk factor for persistent neck pain in young adults? a prospective study. Phys Ther. 2021;101(3).
14. Sheikhhoseini R, Shahrbanian S, Sayyadi P, O'Sullivan K. Effectiveness of therapeutic exercise on forward head posture: a systematic review and meta-analysis. J Manipulative Physiol Ther. 2018;41(6):530–9.
15. Von Roenn JH, Paice JA, Preodor ME. Dor: Current medicina diagnóstico e tratamento. Porto Alegre: AMGH; 2008. 346 p.
16. Yeampattanaporn O, Mekhora K, Jalayondeja W, Wongsathikun J. Immediate effects of breathing re-education on respiratory function and range of motion in chronic neck pain. J Med Assoc Thai. 2014;97 Suppl 7:S55–9.
17. Bogduk N. The anatomy and pathophysiology of neck pain. Phys Med Rehabil Clin N Am. 2011;22(3):367–82, vii.
18. McAnany SJ, Rhee JM, Baird EO, Shi W, Konopka J, Neustein TM, et al. Observed patterns of cervical radiculopathy: how often do they differ from a standard, "Netter diagram" distribution? Spine J. 2019;19(7):1137–42.
19. Gibson J, Nouri A, Krueger B, Lakomkin N, Nasser R, Gimbel D, et al. Degenerative Cervical Myelopathy: A Clinical Review. Yale J Biol Med. 2018;91(1):43–8.
20. Cook C, Brown C, Isaacs R, Roman M, Davis S, Richardson W. Clustered clinical findings for diagnosis of cervical spine myelopathy. J Man Manip Ther. 2010;18(4):175–80.
21. Sleijser-Koehorst MLS, Coppieters MW, Epping R, Rooker S, Verhagen AP, Scholten-Peeters GGM. Diagnostic accuracy of patient interview items and clinical tests for cervical radiculopathy. Physiotherapy. 2021;111:74–82.
22. Irving G, Squire P. Evaluation of the chronic pain patient. In: Ballantyne JC, Fishman SM, Rathmell JP, editors. Bonica's management of pain. 5th ed. Philadelphia: Lippincott Williams & Wilkins; 2018. p. 225-42.

23. Michaleff ZA, Maher CG, Verhagen AP, Rebbeck T, Lin C-WC. Accuracy of the Canadian C-spine rule and NEXUS to screen for clinically important cervical spine injury in patients following blunt trauma: a systematic review. CMAJ. 2012;184(16):E867–76.
24. de Campos TF, Maher CG, Steffens D, Fuller JT, Hancock MJ. Exercise programs may be effective in preventing a new episode of neck pain: a systematic review and meta-analysis. J Physiother. 2018;64(3):159–65.
25. French SD, Cameron M, Walker BF, Reggars JW, Esterman AJ. Superficial heat or cold for low back pain. Cochrane Database Syst Rev. 2006;(1):CD004750.
26. Malanga GA, Yan N, Stark J. Mechanisms and efficacy of heat and cold therapies for musculoskeletal injury. Postgrad Med. 2015;127(1):57–65.
27. de Zoete RM, Armfield NR, McAuley JH, Chen K, Sterling M. Comparative effectiveness of physical exercise interventions for chronic non-specific neck pain: a systematic review with network meta-analysis of 40 randomised controlled trials. Br J Sports Med. 2020; bjsports-2020-102664.
28. Moustafa IM, Diab AA, Hegazy F, Harrison DE. Does improvement towards a normal cervical sagittal configuration aid in the management of cervical myofascial pain syndrome: a 1- year randomized controlled trial. BMC Musculoskelet Disord. 2018;19(1):396.
29. Zhang R, Lao L, Ren K, Berman BM. Mechanisms of acupuncture-electroacupuncture on persistent pain. Anesthesiology. 2014;120(2):482–503.
30. Seo SY, Lee K-B, Shin J-S, Lee J, Kim M-R, Ha I-H, et al. Effectiveness of acupuncture and electroacupuncture for chronic neck pain: a systematic review and meta-analysis. Am J Chin Med. 2017;45(8):1573–95.
31. Sun M-Y, Hsieh C-L, Cheng Y-Y, Hung H-C, Li T-C, Yen S-M, et al. The therapeutic effects of acupuncture on patients with chronic neck myofascial pain syndrome: a single-blind randomized controlled trial. Am J Chin Med. 2010;38(5):849–59.
32. Botelho L, Angoleri L, Zortea M, Deitos A, Brietzke A, Torres ILS, et al. Insights about the neuroplasticity state on the effect of intramuscular electrical stimulation in pain and disability associated with Chronic Myofascial Pain Syndrome (MPS): a double-blind, randomized, sham-controlled trial. Front Hum Neurosci. 2018;12:388.
33. Manchikanti L, Singh V, Falco FJE, Cash KM, Fellows B. Cervical medial branch blocks for chronic cervical facet joint pain. Spine. 2008;33(17):1813–20.
34. Ainpradub K, Sitthipornvorakul E, Janwantanakul P, van der Beek AJ. Effect of education on non-specific neck and low back pain: a meta-analysis of randomized controlled trials. Man Ther. 2016;22:31–41.
35. Sitthipornvorakul E, Sihawong R, Waongenngarm P, Janwantanakul P. The effects of walking intervention on preventing neck pain in office workers: A randomized controlled trial. J Occup Health. 2020;62(1):e12106.
36. Carroll LJ, Holm LW, Hogg-Johnson S, Côté P, Cassidy JD, Haldeman S, et al. Course and prognostic factors for neck pain in whiplash-associated disorders (WAD): results of the Bone and Joint Decade 2000-2010 Task Force on Neck Pain and Its Associated Disorders. Spine. 2008;33(4 Suppl):S83–92.
37. Stone AM, Vicenzino B, Lim ECW, Sterling M. Measures of central hyperexcitability in chronic whiplash associated disorder--a systematic review and meta-analysis. Man Ther. 2013;18(2):111–7.
38. Walton DM, Macdermid JC, Giorgianni AA, Mascarenhas JC, West SC, Zammit CA. Risk factors for persistent problems following acute whiplash injury: update of a systematic review and meta-analysis. J Orthop Sports Phys Ther. 2013;43(2):31–43.
39. Ricciardi L, Stifano V, D'Arrigo S, Polli FM, Olivi A, Sturiale CL. The role of non-rigid cervical collar in pain relief and functional restoration after whiplash injury: a systematic review and a pooled analysis of randomized controlled trials. Eur Spine J. 2019;28(8):1821–8.

# Capítulo 189
## LOMBALGIA

Alessandra E. Dantas
Bruno Alves Brandão
Letícia Renck Bimbi
Marcos Paulo Veloso Correia

A lombalgia é majoritariamente definida como a dor percebida entre as últimas costelas e a prega glútea. Alguns autores consideram a região glútea à parte, por sua maior associação com condições da pelve e quadril.[1]

Lombalgia é a mais frequente dor regional. Estudos em cidades brasileiras de médio e grande porte evidenciaram prevalência pontual de lombalgia crônica entre 14 e 22% na população adulta,[2] correspondendo, em uma população de 3 mil habitantes (tamanho típico para a população adstrita a uma equipe de saúde da família), a cerca de 400 indivíduos. A "coluna" foi o principal sítio de sintomas musculoesqueléticos em estudo cobrindo 16 capitais brasileiras;[3] "problema de coluna ou costas", a primeira ou segunda condição crônica mais comum, ao lado de hipertensão arterial, nas Pesquisas Nacionais por Amostra de Domicílios (PNADs) de 2003, 2008 e 2013;[4,5] e a região toracolombar foi o sítio mais comum de dor entre jovens de 10 a 19 anos em escolas brasileiras estudadas.[6,7]

Grande parte dos pacientes não apresenta limitações significativas. Em uma das cidades estudadas, apenas 30% dos moradores com lombalgia por 3 ou mais meses no último ano faltaram ao trabalho.[2] Em outra cidade, 50% dos indivíduos com lombalgia, na maior parte dos dias nos últimos 3 meses, não apresentaram dificuldade para realizar suas atividades de trabalho ou tarefas diárias no último ano, e somente 20 a 25% faltaram ao trabalho ou escola.[8] No entanto, uma parcela é significativamente impactada, tendo sido a lombalgia a maior causa de anos vividos com incapacidade (YLDs, do inglês *years lived with disability*) entre brasileiros, responsável por 8% de toda a morbidade na população em 2019.[9]

A lombalgia acomete todas as faixas etárias, mas tem pico de prevalência entre 40 e 50 anos em homens e entre 60 e 70 anos em mulheres.[10] O processo natural de modulação negativa da dor ao longo dos anos, a acomodação de atividades para evitar a dor e, possivelmente, a aposentadoria contribuem para a redução de prevalência em idades maiores. A relevância de fatores relacionados à ocupação e ao estilo de vida é bem estabelecida, embora mais complexa do que era percebido anteriormente. O envelhecimento da população e as mudanças socioeconômicas advindas da modernização e industrialização tornam o problema cada vez mais relevante.[11]

A dor lombar frequentemente se associa a dores em outros sítios, e essa forma "associada" é bem mais comum, grave, recorrente e duradoura que a forma isolada. Sua relação ocupacional é diferente, sugerindo que seja considerada à parte.[12] É provável que ela reflita a forte relação das estruturas lombares com a sensibilização medular, influenciando e sendo influenciada por esta, para além da função lombar de suporte e estabilização dos movimentos. A lombalgia sem evidências de causa neurológica, visceral, isquêmica, inflamatória ou traumática aguda (chamada lombalgia "inespecífica") é considerada uma das "condições de dor crônica sobrepostas" relacionadas à sensibilização central.

A lombalgia irradiada abaixo do joelho, geralmente chamada "ciatalgia", é comumente interpretada como consequência de radiculopatia discal; mas, entre pacientes com forte suspeita de radiculopatia, 4 a cada 5 no âmbito da atenção primária à saúde (APS) e 1 a cada 4 no ambiente hospitalar apresentam no máximo prolapsos à ressonância magnética (RM),[13,14] o que sugere outros fatores contribuintes. Mesmo nos casos com herniação discal compatível, a resposta após 1 ano não se correlaciona com a melhora da configuração do disco, no tratamento cirúrgico ou no conservador, sugerindo que outros fatores, como a inflamação da lesão aguda ou a sensibilização do quadro crônico, sejam necessários para sua instalação.[15]

## ANATOMIA

A região lombar é caracterizada por (geralmente) cinco vértebras, conectadas pelos discos intervertebrais e articulações facetárias (zigapófises). A estrutura óssea interapofisária liga-se anteriormente ao corpo vertebral pelo pedículo, emite lateralmente os processos transversos e se estende dorsalmente como placas ósseas, que se fundem formando os processos espinhosos. A medula ocupa o canal entre corpos e discos vertebrais, à frente, e placas ósseas, atrás. O ligamento amarelo cobre internamente as placas ósseas. Os nervos espinais deixam esse canal geralmente protegido do disco, entre o pedículo e o corpo da vértebra, mas são vulneráveis, no trajeto, à compressão pelo disco imediatamente superior, caso ele esteja herniado (FIGURA 189.1). Herniações entre L5 e S1 comprimem a raiz S1, que sairá logo abaixo, muito mais comumente que a raiz L5, que sai no mesmo nível.

A musculatura paravertebral lombar, exceto pelo iliopsoas (IP), pode ser percebida palpando-se, de anterior para posterior, a partir do abdome, o que fica facilitado pelo decúbito lateral. A porção mais anterior é constituída pelo quadrado lombar (QL), que liga a crista ilíaca às vértebras lombares e últimas costelas. Cranialmente, esconde-se profundamente ao músculo vizinho, o iliocostal (IC), exigindo palpação "em gancho". O IC é palpável lateralmente, ligando a crista ilíaca posterior às várias costelas. O terceiro músculo, percebido como uma "lombada" dorsal saliente a partir da espinha ilíaca posterossuperior, é o longuíssimo torácico (LT). O IC e o LT (e o músculo espinal, com importância menor na região lombar) compõem o músculo "eretor da espinha", ou sacroespinal. Profundamente a este, segue o multífido (MF), um dos principais estabilizadores vertebrais. Em conjunto, QL, IC e LT estendem a coluna, e o QL a lateraliza (FIGURA 189.2).

A função do IP é flexionar a coluna, em oposição a QL, IC e LT, ou, se a coluna estiver fixa, flexionar a coxa. A porção psoas parte lateralmente de T12 a L4 e se une ao músculo ilíaco vindo da face interna do ílio, para se fixarem anteriormente no pequeno trocanter (ver FIGURA 189.2).

A bacia deve seu nome ao formato e à função de abrigar a pelve. Apoiada bilateralmente pelas articulações coxofemorais (quadril), pode bascular lateralmente, para a frente e para trás. Báscula anterior é o movimento em que, se a bacia estivesse "cheia de água", derramaria para a frente; e báscula posterior, o contrário. Cada parede lateral (ílio) liga-se à região sacra pela articulação sacroilíaca (SI); ao púbis, anteriormente; e inferiormente, ao ísquio, o ramo curvo que sustenta o corpo ao sentar. A SI é, em parte, sinovial (superiormente) e, em parte, fibrosa (inferiormente). O ponto mais alto da crista ilíaca fica a nível de L4, e o ponto mais posterior, a espinha ilíaca posterossuperior, é geralmente palpável sob a "depressão de Vênus", a nível de S1 ou S2 (ver FIGURA 189.2).

A maior parte dos músculos da bacia e sacro se fixa no grande trocanter, a porção mais proximal, ainda palpável, do fêmur. Por exemplo, entre a crista ilíaca e o trocanter, encontra-se o glúteo médio e, sob sua metade distal, o glúteo mínimo (FIGURA 189.3). Eles dividem a difícil tarefa de evitar a queda lateral da bacia quando o outro membro deixa o chão, como na marcha. Abaixo da linha que liga a espinha ilíaca posterossuperior e o grande trocanter, segue o piriforme, sob cujo terço proximal passa o nervo ciático. O piriforme é rotador lateral em posição neutra e um dos principais estabilizadores do quadril. O glúteo máximo cobre todos, desde espinha ilíaca, sacro e ísquio, para se fixar no fêmur e na banda iliotibial, a qual seguirá, como o nome diz, até a tíbia (ver FIGURA 189.3). A função do glúteo máximo é a extensão da coxa.

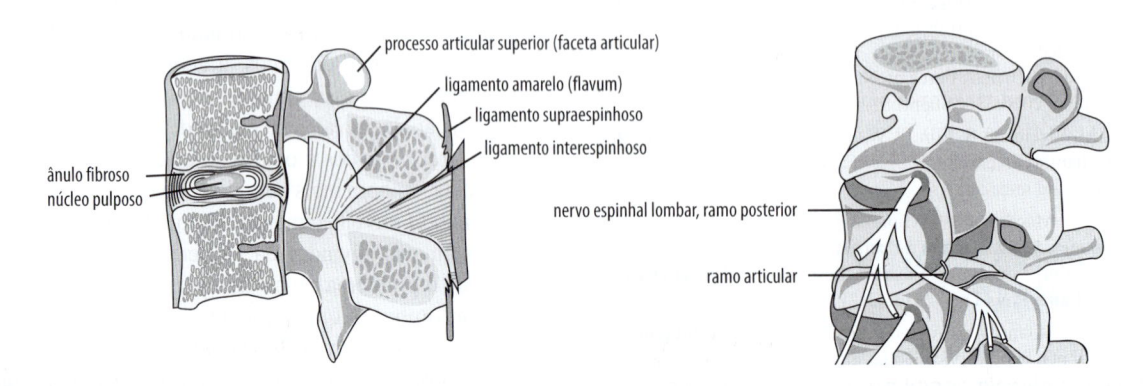

**FIGURA 189.1** → Anatomia da coluna vertebral.

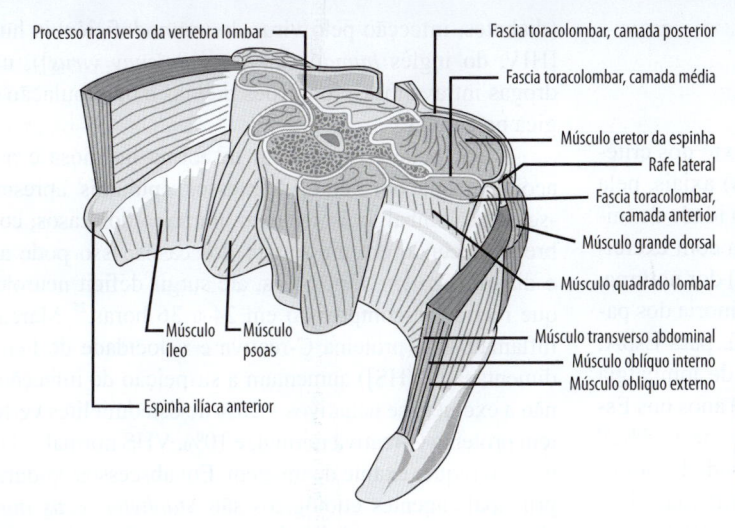

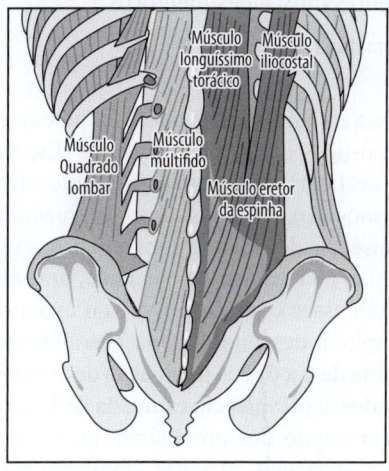

**FIGURA 189.2** → Anatomia paravertebral.

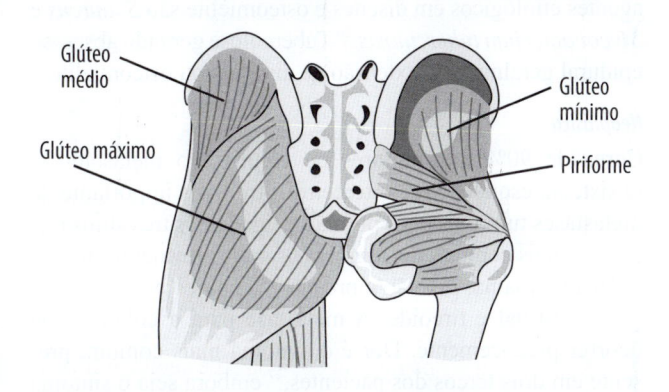

**FIGURA 189.3** → Anatomia glútea.

## FATORES DE RISCO E FATORES PROTETORES

Há uma gama ampla de condições clínicas, ocupacionais e socioeconômicas que se associam à lombalgia. A baixa qualidade do sono confere maior risco, gravidade e tendência à cronificação. Posições estáticas prolongadas parecem estar associadas a maior risco de surgimento; e, em populações economicamente ativas, dor prévia em outros sítios associa-se ao desenvolvimento de lombalgia incapacitante. Entre os fatores puramente ocupacionais, destacam-se movimentos repetitivos, longas jornadas, insatisfação e insegurança no trabalho e estresse nas relações interpessoais.[16] A variação significativa na prevalência de lombalgia em populações e nacionalidades diferentes sugere fortes componentes ambientais e culturais.[17]

A atividade física é um fator protetor para o desenvolvimento de lombalgia e está associada a menor intensidade e limitação.

## COMPONENTES SENSITIVOS DA DOR LOMBAR

Como discutido no Capítulo Abordagem Geral da Dor, a dor é uma experiência complexa, com componentes sensitivos, motores, neurovegetativos e psicossociais. Inúmeras estruturas anatômicas podem estar envolvidas na lombalgia. Nesta seção, as diferentes causas serão resumidas conforme sua contribuição para os componentes sensitivos da dor lombar. Como a dor lombar inespecífica e a dor miofascial receberão maior destaque na abordagem diagnóstica e terapêutica no restante deste capítulo, esta seção abordará os elementos essenciais do diagnóstico e o manejo das causas específicas, que são menos comuns.

Os componentes sensitivos da dor lombar são classificados conforme seu mecanismo predominante, em nociceptivos, neuropáticos ou nociplásticos.

### Componentes nociceptivos

Os componentes nociceptivos da dor lombar podem ser viscerais ou musculoesqueléticos.

#### Viscerais

**Causa vascular**

Raramente, a dor lombar ou abdominal pode ser causada por dissecção de aneurisma de aorta abdominal. A dor costuma ser intensa, aguda, "em crescendo" ou em *thunderclap* (ver ritmos de dor, adiante), sem alívio com posição ou movimento, e associada a náusea e outros sintomas autonômicos. O exame físico pode mostrar sopro e massa pulsátil abdominal e pressão arterial nos membros inferiores igual ou menor que nos superiores (contrariamente ao usual). Outra causa vascular de lombalgia é a insuficiência aortoilíaca, que se apresenta como dor aos esforços (ver Capítulo Dor em Membros Inferiores).

**Cólica nefrética**

A passagem de um cálculo pelo trato urinário normalmente causa lombalgia com ritmo de cólica, podendo ser intensa e incapacitante, e irradiada para a região pélvica ou inguinal. Outros sintomas associados são náuseas, hematúria e disúria. A dor muda de localização à medida que o cálculo se move, e a resolução se dá com a expulsão (ver Capítulo Problemas Urológicos Comuns).

## Componentes musculoesqueléticos

### Causa inflamatória

*Autoimune*

"Lombalgia inflamatória" é definida, no contexto dos critérios diagnósticos das espondiloartrites (EspAs) axiais, pela presença de 4 entre os seguintes 5 critérios: (a) idade de início < 40 anos; (b) início insidioso; (c) melhora com exercício; (d) ausência de melhora com repouso; e (e) dor noturna, com melhora ao levantar.[18] No entanto, uma minoria dos pacientes com esses critérios possui, ou evoluirá, para EspA. Por exemplo, a despeito de uma prevalência de lombalgia inflamatória de 5 a 6% na população de 20 a 69 anos nos Estados Unidos, a prevalência estimada de EspA é de 1,35%.[19] Segundo o estudo dos prontuários de um condado norte-americano, somente 30% das "lombalgias inflamatórias" evoluem para EspA, enquanto 40% remitem em 10 anos.[20]

O grupo das EspAs axiais engloba espondilite anquilosante (EA), EspA indiferenciada, artrite psoriásica (Apso), artrite reativa, EspAs associada a doenças inflamatórias intestinais, artrite associadas à uveíte anterior e artrite idiopática juvenil com espondiloartrite. A maioria das publicações e estudos sobre o tema se refere à EA, considerada o protótipo das EspAs axiais (ver Capítulo Oligoartrites e Poliartrites).

A prevalência de EspA em adultos na América Latina foi estimada em 0,52%, na Europa, em 0,54% e, nos Estados Unidos, em 1,35%. As prevalências de EA e Apso, no mesmo estudo, foram de 0,14% e 0,07% na América Latina, 0,25% e 0,19% na Europa, e 0,2% e 0,13% nos Estados Unidos.[19] No Brasil, em que 75% da população são adultos, isso corresponderia a 12 casos de EspA e 3 casos de EA a cada 3 mil habitantes, uma população adstrita típica de uma equipe de saúde da família.

A EspA indiferenciada pode ser destacada, indiretamente, pelos seguintes dados. Em coortes universitárias, EspA indiferenciada é geralmente o terceiro subtipo mais comum, atrás de EA e Apso;[21,22] mas, nas pesquisas populacionais nas Américas, as prevalências de EA e Apso somadas alcançam menos da metade dos casos, sugerindo que a EspA indiferenciada seja mais comum.[19] É esperado que a maior parte desses pacientes esteja apenas na APS, à semelhança do que ocorre na EA. Na Escócia, a prevalência de EA na APS é 3 vezes maior que na atenção secundária.[23]

A evolução de EspA indiferenciada para uma EspA específica, geralmente EA, ocorre em menos de 40% dos pacientes em 10 anos, e a remissão, em cerca de 20%; reforçando ser um subtipo em si, mais que uma transição.[24] O impacto da EspA indiferenciada na qualidade de vida, no risco de uveíte ou de doença inflamatória intestinal e no risco coronariano parece semelhante ao das outras EspAs, e isso também ocorre em relação à resposta terapêutica (ver Capítulo Oligoartrites e Poliartrites).

*Infecciosa*

Processos infecciosos na coluna, como abscesso epidural, discite e osteomielite vertebral, são raros, estando associados aos seguintes fatores de risco: imunossupressão (diabetes, infecção pelo vírus da imunodeficiência humana [HIV, do inglês *human immunodeficiency virus*]), uso de drogas intravenosas, infecções prévias e manipulação cirúrgica na coluna.

A dor pode se apresentar de forma insidiosa e não ser acompanhada por febre. Abscessos epidurais apresentam-se como lombalgia isolada em um terço dos casos, com febre aparecendo em um quarto dos casos. Isso pode atrasar o diagnóstico em vários dias, até surgir déficit neurológico, que requer descompressão em 24 a 36 horas.[25] Marcadores inflamatórios (proteína C-reativa e velocidade de hemossedimentação [VHS]) aumentam a suspeição de infecção, mas não a excluem se negativos – 20% de osteomielites vertebrais têm proteína C-reativa normal, e 10%, VHS normal.[26] O diagnóstico requer exame de imagem. Em abscessos epidurais, os principais agentes etiológicos são *Staphylococcus aureus* e estreptococos, seguidos de bactérias gram-negativas, particularmente em usuários de drogas intravenosas. Os principais agentes etiológicos em discites e osteomielite são *S. aureus* e *Mycobacterium tuberculosis*.[26] Tuberculose gerando abscesso epidural geralmente é extensão de discite e/ou osteomielite.

*Neoplásica*

Cerca de 90% dos tumores de coluna são metastáticos. O sistema esquelético é o terceiro filtro mais importante de metástases tumorais após pulmão e fígado. Os três sítios primários mais comuns são também os mais prevalentes na população – mama, pulmão e próstata, seguidos por rim, trato gastrintestinal e tireoide. A metástase para a coluna pode ocorrer precocemente. Dor é o sintoma mais comum, presente em dois terços dos pacientes,[27] embora seja o sintoma inicial em apenas 10%. Isoladamente, entre uma lista de 20 sinais de alarme (ou bandeiras vermelhas), apenas história pessoal de neoplasia maligna e perda de peso inexplicada parecem aumentar a probabilidade pós-teste para > 1% em pacientes com dor lombar na APS.

A dor relacionada a metástases é geralmente dividida em três grupos: dor "local", com agravamento à palpação e percussão, piora noturna e melhor resposta a corticoide ou anti-inflamatório não esteroide (AINE); dor regional, menos localizada, de ritmo mecânico, isto é, piorando com movimentos e melhorando ao decúbito; e dor irradiada para abdome e/ou membros inferiores, com ritmo menos definido e características neuropáticas.[28] A divisão espelha componentes inflamatórios, mecânicos (miofasciais nocidefensivos) e mecânicos compressivos (pelo tumor ou fratura).

Cerca de um terço das metástases evolui com fratura, e 15% com compressão medular.[29] O envolvimento medular, com déficit neurológico, exige avaliação de urgência para cirurgia e/ou radioterapia e possivelmente corticoide para redução de sintomas nesse ínterim (p. ex., dexametasona 10 mg, intravenoso [IV], em *bolus*, seguidos de 4 mg, de 6/6 horas; sendo 3 mg de dexametasona equivalente a 20 mg de prednisona, embora com duração mais longa).

Mieloma múltiplo (MM) é um câncer típico de idosos (> 85% têm idade > 65 anos), cuja prevalência tem aumentado por novos tratamentos e pelo envelhecimento da população.[30] Ele tem múltiplas repercussões orgânicas, como dor óssea noturna, hipercalcemia, insuficiência renal, anemia, osteoporose e/ou lesões osteolíticas, infecções e sintomas de hiperviscosidade, como dispneia, tromboses e coronariopatia. O prognóstico é sensível ao diagnóstico precoce, o que pode ser buscado pelo acompanhamento de situações clínicas com grande probabilidade de evoluir para MM, como hiperglobulinemia monoclonal de significado indeterminado (um terço evoluem em 10 anos para gamopatias como MM) ou MM *smoldering* (10% evolui para MM a cada ano). A proteína monoclonal (de Bence Jones) na urina de 24 horas deve ser medida especificamente, não contabilizando como proteinúria no exame usual.

### Causa estrutural
#### Alterações estruturais agudas (fraturas)
Fraturas do corpo vertebral podem ocorrer como complicação de osteoporose, precipitadas ou não por trauma, ou, menos frequentemente, por neoplasia. São identificadas pela redução de mais de 20% de uma das dimensões vertebrais (anterior, média ou posterior), com comprometimento da placa vertebral. As apresentações mais comuns em fraturas osteoporóticas são o "encunhamento" (redução da dimensão anterior) e o "colapso vertebral" (dimensão média), ambos poupando o canal. Outra fratura vertebral relevante, por ser fator de risco para anterolistese precoce, é a da porção óssea entre zigapófises por estresse mecânico ("espondilólise"), em geral pouco sintomática e em idade jovem. É demonstrável à radiografia oblíqua.

As populações mais frequentemente acometidas por fraturas de corpo vertebral são as mulheres na pós-menopausa e os usuários crônicos de corticoide, pela osteoporose associada, e os pacientes suscetíveis a quedas, particularmente se com agilidade ou força prejudicados. Quedas são um fator de risco para fratura mais importante que osteoporose, requerendo orientações e adaptações voltadas à sua prevenção. De fato, entre os sinais de alarme em lombalgia aguda, apenas três estão associados a risco significativo de fraturas vertebrais: idade > 74 anos, uso crônico de corticoides e trauma significativo. Fraturas vertebrais prévias são, em si, fator de risco para (novas) fraturas, vertebrais ou não vertebrais, tornando o diagnóstico precoce ainda mais relevante.[31,32]

Fraturas vertebrais são comumente assintomáticas, mas requerem prevenção secundária. Mais de dois terços das fraturas de corpo vertebral são encontradas em exames por outro motivo, ou em pacientes cuja única queixa é a progressão da cifose ao longo dos anos;[33] mas a identificação de uma fratura de corpo vertebral atraumática é suficiente para diagnóstico de osteoporose, e indica tratamento, geralmente com bisfosfonatos, pelo risco de novas fraturas. A progressão da cifose, em si, contribui para o descondicionamento, imobilismo, dificuldade para desempenhar tarefas diárias, problemas de respiração, sono e alimentação, e internações. Fraturas vertebrais estão associadas a uma mortalidade 8 vezes maior.

Na fratura aguda e dolorosa, a dor é em geral mecânica e paravertebral, no nível da vértebra acometida. Havendo dúvida se a fratura encontrada é recente, a RM pode ser útil em busca de sinais inflamatórios. Para a dor, bisfosfonatos podem também ser úteis, bem como calcitonina, abordagem miofascial e analgésicos (mesmo opioides, por curto período). Em dor refratária, se a fratura não tiver se consolidado, uma opção é a reexpansão e preenchimento da vértebra com cimento líquido (*vertebral augmentation*), devendo-se avaliar o risco de complicações e a condição cirúrgica do paciente. Duas técnicas são possíveis: cifoplastia (por balão ou implantes expansíveis) e vertebroplastia. Na cifoplastia, um balão ou implante expande a vértebra antes do preenchimento por cimento, o que permite maior expansão e alívio da dor, e reduz o risco de o cimento atravessar a parede vertebral para o canal ou discos adjacentes. O National Institute for Health and Care Excellence (Nice) orienta cifoplastia ou vertebroplastia em pacientes com dor no nível correspondente à fratura, fratura não resolvida e tratamento otimizado, mencionando 6 a 12 semanas como referência de janela terapêutica.

#### Alterações estruturais inespecíficas (escolhidas)
A lombalgia sem evidências de causa neurológica, visceral, isquêmica, inflamatória ou traumática aguda é geralmente classificada como "inespecífica". O termo não significa ausência de fontes nociceptivas, mas provável envolvimento de múltiplas fontes inter-relacionadas, envolvidas em más adaptações mecânicas, estruturais e neuroimunes. Essas questões são mais bem avaliadas ao exame clínico que em exames de imagem e laboratório, exigindo que a história, o exame físico e a evolução guiem o tratamento, e que o entendimento e o plano sejam divididos com o paciente. Dores regionais são majoritariamente "inespecíficas" – em lombalgia, compreendem 90 a 95% dos casos.[34]

A seguir, são apresentadas algumas fontes nociceptivas que podem estar envolvidas na lombalgia inespecífica:

→ **osteoporose:** osteoporose parece contribuir para a dor na ausência de fratura. Estudos demonstram que tratamentos para osteoporose, como risedronato e teriparatida, reduzem dor lombar crônica na ausência de fraturas, à semelhança do efeito analgésico em neoplasias ósseas. Calcitonina, por outro lado, não teve efeito significativo, apesar do efeito analgésico bem-estabelecido em fraturas agudas. Em pacientes com fatores de risco para osteoporose e dor lombar recorrente apesar de tratamento otimizado, a avaliação e o tratamento da osteoporose podem ser úteis;

→ **osteoartrite (OA):** como toda condição degenerativa, o estágio da OA de coluna avaliado por parâmetros como osteofitose ("bicos de papagaio"), redução de espaço discal e alterações articulares crônicas (discopatias degenerativas, facetárias e listese moderada) tem pouca correlação com presença ou intensidade da dor crônica em estudos populacionais. Também à semelhança da OA em outros sítios, alguns trabalhos apontam como exceções (possivelmente mais ligadas à atividade que à degeneração) parâmetros como sinovite, intensidade de sinal semelhante à de edema de medula óssea (ELMSI, do inglês *edema-like marrow signal intensity*) (lesões Modic I) e alterações da musculatura estabilizadora (em lombalgia, principalmente os MFs);[35]

→ **zigapófises:** as zigapófises, ou articulações facetárias, são as articulações sinoviais da coluna lombar, à semelhança da glenoumeral no ombro, e femorotibial ou tibiofibular no joelho. Desajustes mecânicos entre as faces articulares são o alvo de abordagens como "mobilização e manipulação (osteopáticas)". O bloqueio guiado do ramo espinal medial, que inerva a zigapófise, visa estimar sua contribuição à dor do paciente, mas o ramo também inerva os ligamentos supra e interespinais, cujo bloqueio tem efeito segmentar (ver bloqueio paraespinhoso, no Capítulo Dor Miofascial e Outras Dores Mecânicas). A boa resposta ao bloqueio do ramo medial aumenta a chance de resposta à lesão por radiofrequência do ramo medial, mas que, no entanto, tem efeito possivelmente pequeno e de curta a média duração;

→ **sacroilíacas:** a sacroilíaca (SI) é a articulação sinovial entre o sacro e a bacia. A dor é particularmente desencadeada por mudanças de posição, como levantar-se, e geralmente na região glútea, embora possa irradiar para abaixo do joelho, possivelmente por pontos-gatilho (PGs) não musculares. Não é um sítio clássico de OA, portanto imagens de esclerose subcondral, ELMSI e particularmente erosões e anquilose articular devem levantar a possibilidade de sacroileíte; mesmo assim, alterações degenerativas estão presentes à tomografia computadorizada (TC) em 17% das pessoas com idade < 25 anos e mais de 50% daquelas com idade > 50 anos. Em sacroileítes ligadas às EspAs, a infiltração de corticoide pode ser útil, apesar de a corticoterapia sistêmica não ter efeito em doses usuais. Na suspeita de dor sacroilíaca por microtraumas, anestesia articular guiada é o padrão-ouro, e uma resposta anestésica positiva (2-3 anestesias) aumenta a chance de resposta à infiltração de corticoide, ou radiofrequência, ou fusão sacral; porém, a eficácia e indicação desses tratamentos permanecem controversos. Por exemplo, infiltração de corticoide dentro ou anexa à capsula articular parece ter resposta semelhante;[36] e cintos de estabilização sacroilíaca são seguros e eficazes em curto prazo em gestantes com dor sacroilíaca, particularmente se em uso intermitente para evitar hipotrofia muscular;

→ **miofascial:** dor miofascial é aquela causada pelo estímulo mecânico de um PG miofascial, definido por duas entre as seguintes características: hiperestesia local, dor referida à distância e presença de uma banda tensa muscular. Em músculos estriados, o PG corresponde a uma pequena região de contração persistente, mantendo uma banda tensa, devido a placas motoras hiperativas, estimulando e estimuladas por uma sensibilização medular (ver Capítulo Dor Miofascial e Outras Dores Mecânicas). A lombalgia inespecífica tem importantes componentes de sensibilização central e, não por acaso, de dor miofascial. Na lombalgia não irradiada ("axial"), os músculos mais comumente relacionados à dor miofascial são os paravertebrais posterolaterais (LT, IC, MF, QL, IP) e, abaixo da cintura, o glúteo médio e o glúteo máximo. Na lombalgia irradiada para membro inferior, os músculos mais comumente envolvidos são, posteriormente, o glúteo mínimo e o piriforme, e, para coxa anterior, o IP.

## Componentes neuropáticos

### Radiculopatia discal

Alguns autores fazem diferença entre dor radicular e radiculopatia discal dolorosa, esta última associada à perda de função radicular (sintomas negativos). Aqui os termos serão usados como sinônimos.

A dor por radiculopatia discal caracteriza-se, como toda neuropatia compressiva, por um ritmo mecânico, qualidades neuropáticas e distribuição típica. A radiculopatia agudiza-se na posição sentada (quando a pressão sobre o disco aumenta cerca de 40%); ao flexionar o tronco (comprimindo o disco para trás); e ao anteriorizar coxa e perna, particularmente se com o pé também em dorsiflexão (estirando o nervo ciático e, então, as raízes L5 e S1 que o compõem). Uma dor devida ao ciático teria presumivelmente irradiação posterolateral, e não segmentar, como no caso radicular.

Os sintomas acompanham a área inervada pela raiz afetada (dermátomo, miótomo, esclerótomo), que, usualmente, é a que sairá pelo forame inferior ao do disco herniado. A raiz do mesmo nível costuma deixar o canal medular por um triângulo formado pelo pedículo, no meio da vértebra, e a parede inferior da vértebra, cranialmente ao disco. Cerca de 90% das herniações ocorrem entre L4 e L5 (geralmente comprimindo a raiz L5) e entre L5 e S1 (comprimindo S1).

PGs no QL, por contração nocidefensiva perante uma hérnia discal, podem "pinçar" o disco, caso em que seu tratamento pode aliviar ou resolver os sintomas. Raramente, uma herniação massiva pode resultar em síndrome de cauda equina (ver adiante).

Entre 75 e 90% dos pacientes melhoram nos primeiros 3 meses,[37] e a própria herniação tem maior chance de regredir espontaneamente. Um programa de exercícios supervisionados nesses primeiros meses traz melhora em curto prazo para aqueles que não estejam melhorando espontaneamente, porém sem diferença em médio e longo prazo (tamanho de efeito [TE] para incapacidade em 4 semanas = −0,54) **B**.[38] Na ausência de déficits neurológicos graves, a abordagem cirúrgica nessa fase não tem desfechos superiores em longo prazo, apesar do alívio geralmente mais rápido. Já entre 4 e 12 meses de sintomas, a microdiscectomia está associada à redução significativa da dor em 12 meses, se comparada a tratamento conservador (TE = 5,25 para intensidade da dor) **B**.[39]

### Estenose de canal

Estenose de canal também se caracteriza por ritmo mecânico (nesse caso, com piora à extensão da coluna e melhora à flexão), características neuropáticas e distribuição típica (nesse caso, sintomas bilaterais nos membros inferiores, porém menos definidos). A redução do canal medular deve-se a vários fatores, como desidratação do disco, OA facetária com osteofitose e anterolistese, e espessamento do ligamento amarelo. À extensão da coluna, o ligamento amarelo protrui anteriormente, provavelmente causando os sintomas.

A dor relacionada à estenose de canal é geralmente chamada de claudicação neurogênica (de "claudicar", mancar), em semelhança e contraste com a claudicação intermitente de panturrilhas, fruto de suboclusão arterial. Ambas acometem principalmente idosos, podem ocorrer bilateralmente e têm frequentemente sintomas maldefinidos, devido à sobreposição de um alto limiar para dor, típica da idade, e à sensibilização, pelo estímulo contínuo. As lesões causadoras são frequentemente assintomáticas, de modo que encontrá-las aos exames complementares não as implica como causa da dor. O diagnóstico diferencial se faz pelas circunstâncias e resposta ao tratamento. A claudicação intermitente dói ao mesmo nível de esforço, e a neurológica, à extensão lombar. A estenose de canal é caracteristicamente menos dolorosa à marcha apoiada, por exemplo, em um carrinho de supermercado, com tronco flexionado; e, ao subir uma ladeira, apesar de aparentemente maior esforço, terá menos sintomas que ao descer, pela maior extensão necessária. Levantar da cadeira já pode gerar sintomas, se houver flexão inicial e extensão final; isso geralmente não ocorrerá se o paciente antes mover-se para a parte anterior da cadeira e, então, "levantar para cima". Suboclusão arterial não explicaria o quadro.

A maioria dos pacientes estabilizará ou melhorará dos sintomas com o tempo. Manter a bacia em báscula posterior durante movimentos de extensão pode evitar sintomas e prevenir quedas. Fisioterapia e exercícios têm possivelmente eficácia semelhante à cirurgia em curto prazo C/D e, mesmo nos casos que evoluem para cirurgia, favorecem o pré e o pós-operatório.

Caso os sintomas persistam, infiltrações epidurais de corticoide têm efeito benéfico em curto prazo, e possivelmente também em longo prazo, podendo ser repetidas C/D.[40] Espaçadores implantados entre os processos interespinhosos para evitar a extensão, mas não outros movimentos, foram uma grande aposta; embora casos de fratura do processo espinhoso e deslocamento do implante tenham reduzido o entusiasmo, novos implantes parecem ser superiores à laminectomia em longo prazo e com taxa cirúrgica decrescente.[41]

Abordagens cirúrgicas minimamente invasivas, como a minilaminectomia para ressecção do ligamento amarelo, parecem demonstrar melhor controle da dor, menor perda sanguínea e estadia hospitalar, e taxas de complicações e reoperação semelhantes à cirurgia aberta; mas não é opção em caso de uma listese maior que 50% e sinais de instabilidade.[41] A descompressão cirúrgica, preferencialmente sem fusão, é uma opção na indisponibilidade ou falha de outras modalidades. A fusão pode ser requerida em listeses grandes e instáveis, entre outras questões anatômico-cirúrgicas.[42]

### Síndrome da cauda equina

A síndrome da cauda equina é composta por anestesia em sela, dor ou déficits motores relacionáveis a mais de uma raiz, retenção ou incontinência urinária, ou incontinência fecal. Espelha uma herniação maciça e grave, que, embora rara, indica remoção de urgência para hospital com suporte neurocirúrgico.

### Componentes nociplásticos

A lombalgia inespecífica é considerada uma das "condições de dor crônica sobrepostas" relacionadas à sensibilização central, destacando a importância do componente nociplástico (ver Capítulo Abordagem Geral da Dor).

## AVALIAÇÃO DIAGNÓSTICA GERAL

### História clínica

Qualquer avaliação da história clínica deve partir da narrativa livre do paciente, por meio de perguntas abertas, evitando interrupções. Uma pergunta útil é "Conte-me a história da sua dor lombar desde o início". Progressivamente, percebem-se na história do paciente as estruturas de raciocínio diagnóstico discutidas a seguir (FIGURA 189.4). Neste momento, perguntas mais fechadas podem ser úteis para elucidar algum ponto menos claro (ver Capítulo Abordagem Geral da Dor).

### Sinais de alarme

A caracterização das circunstâncias que desencadeiam ou aliviam o sintoma é um elemento muito útil ao início do raciocínio. Essas circunstâncias frequentemente podem ser organizadas em padrões (ritmos) que sugerem processos subjacentes.

Em lombalgia, o ritmo mais comum é o mecânico, caracterizado por pioras com o movimento ou posturas prolongadas, e melhora com o repouso. Outros ritmos levantam a suspeita de causas viscerais (vasculares, contrações cíclicas de músculo liso) ou inflamatórias (autoimunes, infecciosas, neoplásicas) (TABELA 189.1).

Outros fatores corroboram ou complementam o ritmo (TABELA 189.2) na sedimentação de sinais de alarme em um quadro de dor. Sinais de alarme não têm valor isoladamente, mas em conjunto.

Importa alertar que o termo "lombalgia mecânica" é comumente usado como sinônimo de "lombalgia inespecífica"; e o termo "lombalgia inflamatória", como um ente específico no contexto de espondiloartrites. Nesses sentidos, não se referem a ritmos. Neuropatias compressivas, como radiculopatia e estenose de canal, têm ritmo mecânico, embora não consideradas "lombalgias mecânicas". Fraturas, semelhantemente, têm ritmo mecânico, e evidente causa mecânica, mas não são comumente incluídas em "lombalgia mecânica" nessa definição. A piora ao repouso e/ou à noite, com melhora à mobilização e ao amanhecer, é suficiente para definir um ritmo como inflamatório, mas não para o diagnóstico de "lombalgia inflamatória" no contexto de espondiloartrites (ver anteriormente).

### Neuropatia

Cabe ao médico avaliar se sintomas descritos indicam presença de dor neuropática. A ausência de parestesias, queimação, choque ou frio doloroso afasta, *a priori*, o diagnóstico de dor neuropática, pelo questionário DN4 (ver Capítulo Abordagem Geral da Dor). Na presença de algum desses

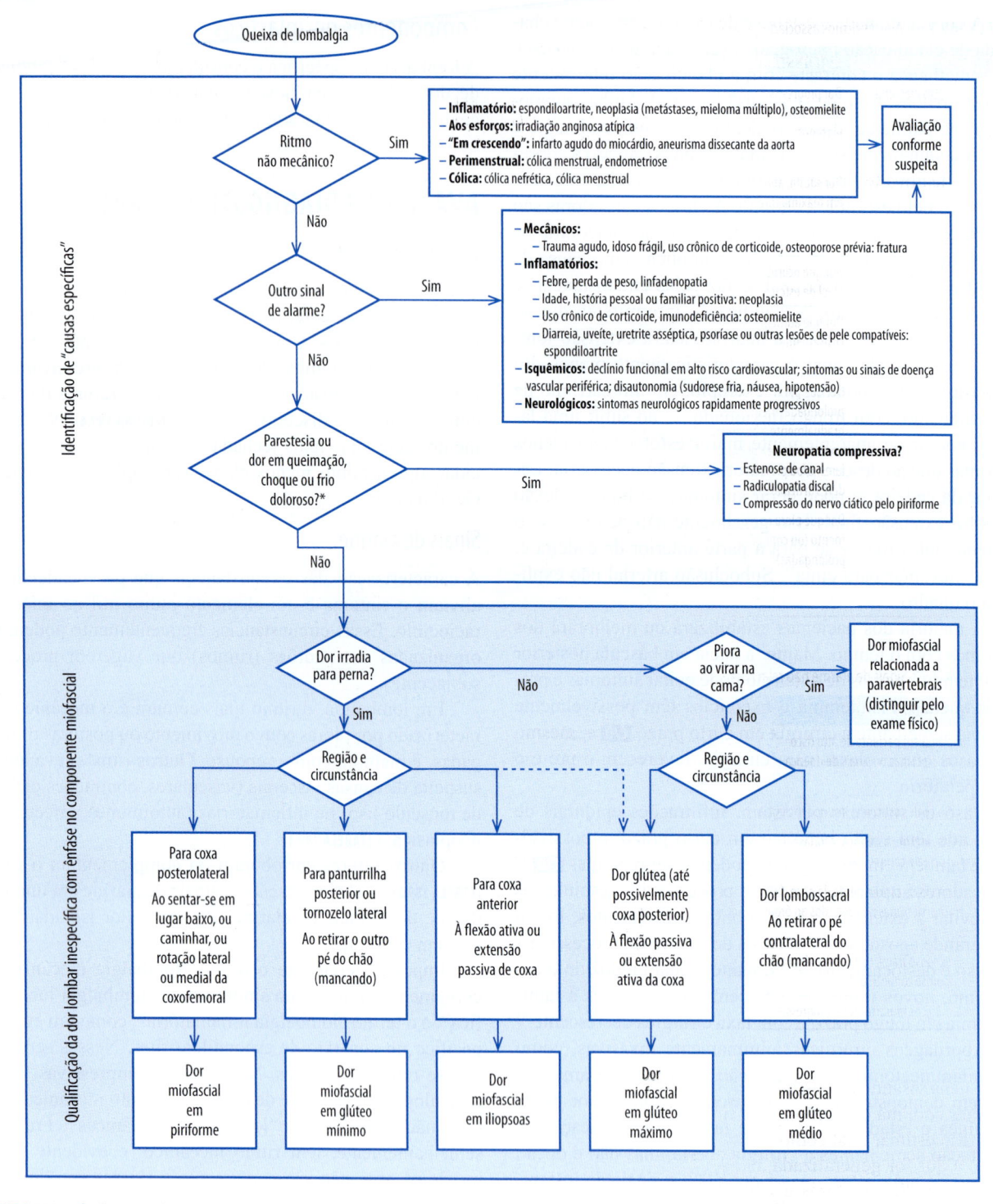

**FIGURA 189.4** → Algoritmo diagnóstico da lombalgia.
*A ausência de parestesia ou dor em queimação, choque, ou frio doloroso a princípio afasta a suspeita de dor neuropática, segundo o questionário DN4.

sintomas, cabe o exame neurológico formal (ver tópico Exame Físico, adiante). Uma neuropatia de ritmo mecânico sugere compressão pelo sistema locomotor, em contraste com neuropatias por outras causas, que têm ritmo indefinido ou noturno (ver tópico Componentes Neuropáticos – Radiculopatia Discal e Estenose de Canal –, anteriormente).

## Lombalgia inespecífica e o componente miofascial

A maioria dos casos de lombalgia é "inespecífica".[34] Como já comentado, "inespecífico" não significa ausência de fontes nociceptivas, mas provável envolvimento de múltiplas fontes inter-relacionadas, justificando intervenções que sirvam a todo o grupo, como orientações gerais, analgésicos e

**TABELA 189.1** → Alguns ritmos associados à dor lombar

| RITMOS | | CIRCUNSTÂNCIAS | CAUSAS |
|---|---|---|---|
| Viscerais | "Em crescendo" | Dor progressiva, independentemente de fatores externos | Oclusão arterial ou dissecção de espaço virtual; infarto coronariano, aneurisma dissecante da aorta |
| | Em *thunderclap* | Dor súbita, aparentemente já em máxima intensidade | Oclusão arterial ou dissecção de espaço virtual; infarto coronariano, aneurisma dissecante da aorta |
| | Aos esforços | Dor que ocorre ao mesmo nível de esforço | Suboclusão arterial; coronariopatia estável |
| | Cólica | Dor que aumenta e reduz ciclicamente | Contrações por músculo liso, autônomo; ureterais, menstruais |
| Inflamatório | | Dor que piora à imobilização prolongada, melhorando gradualmente à atividade, no contexto de dores articulares; e/ou piora à noite, em dores articulares ou ósseas | Espondiloartrite, osteomielite, discite, neoplasias (mieloma múltiplo, metástases) |
| Mecânico | | Dor que piora com movimento (ou com posturas prolongadas) | Lesão do (ou compressão pelo) sistema locomotor; dor miofascial, osteoartrite, osteonecrose, radiculopatia discal, estenose de canal |

**TABELA 189.2** → Sinais de alarme não relacionados ao ritmo da dor

| SINAIS DE ALARME | CAUSAS |
|---|---|
| Declínio funcional em paciente de alto risco cardiovascular, sintomas ou sinais de doença vascular periférica | Cardiopatia isquêmica |
| Febre, uso crônico de corticoide, imunodeficiência | Osteomielite |
| Diarreia, uveíte, uretrite asséptica, psoríase ou outras lesões de pele compatíveis | Espondiloartrite |
| Diagnóstico prévio de câncer, perda de peso, fadiga importante, sintomas relacionados ao órgão primário do câncer | Neoplasia metastática (especialmente mama, próstata e pulmão), mieloma múltiplo |
| Trauma agudo, idoso frágil, uso crônico de corticoides, osteoporose conhecida | Fratura |
| Déficits neurológicos importantes e progressivos | Causas neurológicas graves |

abordagens visando à sensibilização central. Entretanto, para pacientes com má evolução a despeito da abordagem geral, é necessário estimar qual componente priorizar.

Se a dor for generalizada, convém afastar causas sistêmicas ou medicamentosas e intensificar o tratamento inespecífico, até que uma ou duas dores regionais se destaquem. Em uma dor bem-localizada (i.e., "encontrada" pelo paciente com o dedo ou mão fixos sobre alguma região), as estruturas sob o local devem ser exploradas (ósseas, tendíneas, sinoviais, miofasciais). Em uma dor mal-localizada, fontes à distância devem ser lembradas (viscerais, neuropáticas ou miofasciais), o diagnóstico diferencial sendo auxiliado pelo ritmo (se visceral, inflamatório ou mecânico) e características (se neuropáticas ou não).

Uma fonte de nocicepção usualmente abordável e útil ao diagnóstico diferencial é a dor miofascial, discutida em detalhes no Capítulo Dor Miofascial e Outras Dores

Mecânicas. Se, após inativação do PG, a dor retornar rapidamente (em horas a dias) e na ausência de fatores perpetuantes evidentes, isso justifica buscar causas primárias, levando em conta o padrão prévio, a evolução e o novo padrão. Embora o diagnóstico da dor miofascial em ambulatórios especializados geralmente passe pela exploração sistemática dos músculos que referem dor para a região, sugere-se na APS primeiro identificar quais movimentos ou posturas se repetem nas circunstâncias que pioram ou melhoram a dor, reduzindo as possibilidades (TABELAS 189.3 e 189.4).

Os músculos paravertebrais posterolaterais são extensores da coluna (ver tópico Anatomia, anteriormente), à exceção do IP. Seus PGs são ativados por atividades que requeiram postura em semiflexão (resistindo à gravidade), como lavar louça (inclinando-se sobre a pia) ou passar roupa (inclinando-se sobre a tábua de passar); ou por movimentos em rotação axial, como virar-se na cama (com tronco e quadril dessincronizados, ao invés de "em bloco"). Os PGs geram dor principalmente local.

Quando há PGs no IP, a extensão da lombar ou da coxa costuma ser dolorosa, de modo que o paciente tende a andar inclinado para a frente, como se estivesse buscando apoio, semelhante ao que ocorre na estenose de canal. A extensão pode ser ainda mais difícil após longo período de flexão,

**TABELA 189.3** → Músculos selecionados em lombalgia axial (não irradiada para membro inferior)

| MÚSCULOS | IRRADIAÇÃO | CIRCUNSTÂNCIAS | MIÓTOMO |
|---|---|---|---|
| Paravertebrais posterolaterais (exceto iliopsoas)* | Lombar e nádega | → Extensão lombar (ou sustentação contra a gravidade de postura fletida)<br>→ Rotação axial da coluna | Conforme nível vertebral |
| Iliopsoas | Lombar (longitudinalmente) e inguinal/coxa anterior | → Flexão ativa (ou extensão passiva) de lombar ou coxa | L1-L4 |
| Glúteo médio | Lombossacral e nádega | → Caminhar (fase de apoio)<br>→ Abdução contra resistência | L4-S1 |
| Glúteo máximo | Lombossacral e nádega | → Posição sentada prolongada em báscula posterior de bacia<br>→ Caminhar (fase de retirada)<br>→ Extensão ativa de coxa | L5-S2 |

*Longuíssimo torácico, multífido, iliocostal e quadrado lombar.

**TABELA 189.4** → Músculos selecionados em lombalgia irradiada para membro inferior

| MÚSCULO | IRRADIAÇÃO | CIRCUNSTÂNCIAS | MIÓTOMO |
|---|---|---|---|
| Glúteo mínimo | Tornozelo lateral ou panturrilha posterior | → Caminhar (fase de apoio)<br>→ Abdução contra resistência<br>→ Decúbito lateral (sobre o ponto-gatilho) | L4-S1 |
| Piriforme | Coxa posterolateral | → Dirigir em banco inadequado<br>→ Sentar com pernas cruzadas | L5-S2 |
| Iliopsoas | Lombar (longitudinalmente) e inguinal | → Flexão | L1-L4 |

como em decúbito lateral ou sentado em banco baixo, e o movimento de sentar pode ser também doloroso, por requerer estabilização. A dor pode ser irradiada para a região lombar, verticalmente; ou, mais frequentemente, para a região inguinal e coxa anterior (ver tópico Exame Físico).

O glúteo médio (Gméd) divide com o glúteo mínimo (Gmín) a responsabilidade de estabilização da pelve durante o apoio unipodal, e a presença de PG nesse músculo faz a pessoa "mancar" durante o passo com o lado não afetado. Como o Gméd não se fixa à coluna, uma dor à rotação axial da coluna ("virar-se na cama") deve sugerir os músculos paravertebrais. O PG mais proximal irradia para região lombossacral, e o mais próximo ao trocanter, para a coxa lateral.

O glúteo máximo (Gmáx) estende a coxa, ou, com a coxa fixa, contribui com a báscula posterior da bacia. Nesse último sentido, é agonista da musculatura abdominal, e antagonista dos extensores da coluna; isso pode parecer contraintuitivo, já que, como estes últimos, "move as costas para trás". De fato, o Gmáx move as costas para trás, mas poupando extensão lombar (dado importante na estenose de canal). Na presença de PGs em Gmáx, o paciente tende a evitar empurrar o chão para trás ao andar, preferindo inclinar-se para a frente, encurtando e sobrecarregando o IP, que, não raro, tem de ser tratado simultaneamente. Um dos PGs do Gmáx, bem próximo ao ísquio, é trazido para baixo deste ao sentar em báscula posterior de bacia, "desleixadamente", sendo ativado pela pressão prolongada do osso nessa posição (ver tópico Adaptações Motoras Gerais/Posição Sentada, adiante).

PGs no Gmín são a principal causa de lombalgia irradiada para a perna na APS. São ativados nas mesmas situações que o Gméd e, ao decúbito lateral, por compressão direta do PG.

PGs no piriforme são ativados em posições em que a estabilização do tronco dependa da estabilização coxofemoral (como ao dirigir em um banco baixo ou sentar com pernas cruzadas). Podem irradiar do glúteo à face posterolateral da coxa, mas geralmente não até o joelho. A compressão do ciático pelo piriforme, que pode gerar dor para todo o membro inferior posterolateral, não parece ser comum na APS.

## Exame físico

O exame físico deve ser direcionado pela história.

Dor relacionada à sacroilíaca é geralmente testada por pelo menos três manobras. As manobras mais comuns são a de flexão, abdução e rotação externa (FABERE), a de distração, a de compressão lateral, a de extensão de quadril, a de mobilização sacral (*sacral thrust*) e a de mobilização axial da coxa (*thigh thrust*). O teste de FABERE também testa a coxofemoral; nesse caso, a dor será no quadril, e não posterior. Uma metanálise recente, no entanto, aponta que essas manobras são mais úteis em afastar que confirmar o diagnóstico.[43,44] A pronta resposta à estabilização por um cinto sacroilíaco não foi testada como teste terapêutico (ver QR code).

Fraturas vertebrais devem ser suspeitadas em populações em risco ou com história compatível, como trauma ou cifose progressiva. A presença de dor à palpação paravertebral e de processos espinhosos é esperada, mas inespecífica, podendo estar presente, por exemplo, em infecção ou neoplasia, sendo necessário exame de imagem (radiográfico) para o diagnóstico.

O exame físico em dor facetária, incluindo OA facetária, é inespecífico, conforme discutido anteriormente no tópico Componentes Sensitivos.

Alguns testes avaliam a função de músculos específicos. O principal exemplo é o teste de Trendelenburg, em que se solicita ao paciente em ortostase tentar erguer do chão o pé do lado não doloroso. O teste é positivo se gerar a dor usual, e/ou a rotação do quadril para o lado sem apoio, e/ou o corpo mover-se para o lado da perna com apoio, buscando equilíbrio, que sugerem disfunção dos glúteos médio ou mínimo (ver tópico Anatomia, anteriormente).

A técnica geral de avaliação de PGs miofasciais é descrita no Capítulo Dor Miofascial e Outras Dores Mecânicas, mas alguns comentários úteis são feitos a seguir para músculos específicos. Os mapas de dor miofascial podem auxiliar na identificação (ver QR code).

Os PGs dos músculos paravertebrais posterolaterais geralmente se encontram nas regiões de maior sensibilização medular identificadas ao exame. A palpação em decúbito lateral diferencia o músculo acometido, se QL (anterior), IC (lateral) ou LT (a "lombada" mais dorsal [ver tópico Anatomia]).

O IP tem três PGs principais: um profundamente à porção ileal, localizável à palpação em "gancho" (ver tópico Anatomia, anteriormente); outro logo após a porção ileal deixar o ílio para se juntar à porção psoas, na região inguinal; e um no psoas, profundamente à borda do reto abdominal, na altura do umbigo. Os inferiores irradiam para região inguinal e coxa anterior, e o superior (menos comum na APS) para a região lombar, verticalmente.

Os PGs do Gméd encontram-se próximos à origem, na crista ilíaca, ou próximo à inserção, medial e superiormente ao grande trocanter. Os mais próximos da crista irradiam para região lombossacral, e o do grande trocanter, mais localmente. Os do Gmín seguem a mesma lógica, com PGs a meio caminho entre crista ilíaca e trocanter, na linha lateral ou pouco posterior; ou próximos, superiormente, ao trocanter. O PG a meio caminho entre crista e trocanter, na linha lateral, irradia lateralmente, até o tornozelo, e o mais posterior irradia posteriormente, até a panturrilha. O PG insercional causa dor local. Os PGs do Gmáx são proximais: ou ao lado do sacro, ou pouco lateral, ou (o mais comum) medial ao ísquio. O PG parassacral gera dor mais medial; o medial ao ísquio, dor em cóccix e o lateral ao ísquio, em todo o glúteo.

Os PGs do piriforme encontram-se próximos à região sacral, que é a origem profunda do piriforme, ou próximos à sua inserção, medial ao grande trocanter. A espinha ilíaca posterossuperior marca o fim da crista ilíaca (e, portanto, da inserção do Gméd), e o ponto de referência para S1 ou S2 (lateral e inferior ao qual se inicia a busca do piriforme). Sob esse PG mais proximal, passa o nervo ciático.

Manobras para radiculopatias de L5 e S1 procuram estender o nervo ciático, que segue posteriormente até o joelho, onde se divide pela perna e pé posterolateral. A distensão do ciático também distende as raízes L5 a S2, das quais ele se deriva; e, se a dor gerada tiver distribuição segmentar, intui-se que a causa esteja na raiz, não no nervo. Entretanto, essas manobras (*straight leg raise test*/Lasegue e variantes), também estendem a cadeia muscular posterior, e dores regionais podem ser devidas a músculos ou fáscias dolorosas ou retraídas. A execução em posição sentada sensibiliza o exame, no caso de discopatia. Testes neurológicos de sensibilidade, reflexos e força (embora força de modo menos específico, na presença de dor) completam o exame, caso a suspeita persista.

Os testes do clipe e do pinçamento/rolamento (ver Capítulo Dor Miofascial e Outras Dores Mecânicas) são úteis para avaliar sensibilização medular, porém não buscam especificamente radiculopatia.

## Exames complementares

Exames laboratoriais e de imagem não têm lugar na avaliação da dor lombar inespecífica com boa resposta ao tratamento. Não estão associados a melhores desfechos, sobrecarregam a rede e expõem o paciente a estresse, iatrogenias e, dependendo do exame, radiação e efeitos colaterais de contrastes venosos. Em caso de resposta insuficiente ou transitória a tratamento otimizado por um período adequado, podem ser solicitados de acordo com a maior suspeita clínica.

O profissional deve ter em mente que estudos de TC e de RM lombar em populações assintomáticas mostram incidência alta e idade-dependente de protrusões, degenerações discais e facetárias, e listeses, à semelhança de condições degenerativas em outros sítios (TABELA 189.5). A prevalência de hérnias discais assintomáticas em indivíduos com idade > 40 anos é de cerca de 1%.[45] Achados isolados não devem desviar o raciocínio clínico para cirurgias desnecessárias.[46]

Indica-se encaminhamento imediato para exame de imagem e eventual conduta na suspeita de neoplasia (dor lombar nova com múltiplos fatores de risco, história prévia de câncer ou suspeita clínica), de causa infecciosa (dor lombar nova com história de imunossupressão ou drogas injetáveis, infecção recente ou febre), de síndrome de cauda equina (retenção urinária, incontinência fecal e/ou anestesia em sela) ou em déficits neurológicos graves ou progressivos (fraqueza motora ou hipoestesia progressiva, ou déficits em vários níveis segmentares). Nos demais casos, em que o exame contribui para o diagnóstico e o plano terapêutico, mas pouco interfere na conduta inicial, pode-se iniciar o teste terapêutico prontamente, enquanto aguarda-se o exame. Exemplos seriam fraturas vertebrais por compressão, radiculopatia ou estenose de canal sem sinais negativos ou progressivos.[47]

A RM é o melhor exame para avaliação de lesões em tecidos moles, componentes inflamatórios e ELMSI; e a TC para demais lesões anatômicas. No entanto, esses exames, na maioria dos casos, não mudarão a conduta; ao contrário, iniciam frequentemente cascatas de pesquisas, encaminhamentos e tratamentos infrutíferos e possivelmente iatrogênicos, sobrecarregando as redes pública e privada, com atraso e insegurança do paciente quanto aos tratamentos mais indicados.[48] A radiografia simples (geralmente em incidências anteroposterior e lateral) costuma ser adequada se houver suspeita de fratura vertebral por compressão e, também, quando associada ao exame VHS, se houver suspeita de neoplasia.

Como a maioria dos casos de lombalgia inflamatória não terá diagnóstico de EspA, importa que os exames de triagem iniciais, à suspeita clínica, sejam de baixo custo. proteína C-reativa ou VHS elevadas sugerem atividade inflamatória, e a radiografia de bacia e coluna lombar podem mostrar achados tardios, como esclerose subcondral e diminuição do espaço articular, erosões ou fusão ósseas, e sindesmófitos. Se o quadro clínico for fortemente sugestivo de EspA axial, mas com radiografia normal, o diagnóstico deve ser confirmado por RM (EspA não radiográfica). O HLA-B27 está presente na maioria dos casos de EA, mas não exclui o diagnóstico caso ausente, e não deve ser pedido sem outros sinais sugestivos, embora seja parte dos critérios classificatórios de EspA.

## QUANTIFICAÇÃO E PROGNÓSTICO

Tradicionalmente, a quantificação de uma dor prioriza a intensidade, registrada, por exemplo, por uma escala numérica (p. ex., "De 0 a 10, que nota você daria para a sua dor hoje?"). Essa medida é útil para avaliar a evolução no tempo, seja explorando a história prévia na primeira consulta, seja ao longo de uma sequência de consultas.

Entretanto, um foco excessivo na intensidade pode negligenciar aspectos relevantes ao impacto e prognóstico, como a limitação funcional, ideias, sentimentos, expectativas, sono e fadiga. Esses itens podem ser (ao menos parcialmente) organizados por meio dos acrônimos IPE (ideias, preocupações e expectativas) e PSO (psicológico, social e ocupacional), descritos no Capítulo Modelo de Consulta e Habilidades de Comunicação. Identificá-los e acompanhá-los permite planejar o tratamento. Por exemplo, catastrofização, medo de movimento, insistência em atividades a

**TABELA 189.5** → Prevalência estimada de achados de degeneração da coluna em exames de imagem, por idade, em pacientes assintomáticos

| ACHADO DE IMAGEM | IDADE | | | | | | |
|---|---|---|---|---|---|---|---|
| | 20 ANOS | 30 ANOS | 40 ANOS | 50 ANOS | 60 ANOS | 70 ANOS | 80 ANOS |
| Degeneração discal | 37% | 52% | 68% | 80% | 88% | 93% | 96% |
| Protrusão discal | 29% | 31% | 33% | 36% | 38% | 40% | 43% |
| Degeneração facetária | 4% | 9% | 18% | 32% | 50% | 69% | 83% |
| Espondilolistese | 3% | 5% | 8% | 14% | 23% | 35% | 50% |

Fonte: Adaptada de Brinjikji e colaboradores.[45]

despeito de dor intensa e alto estresse emocional, e baixa autoeficácia (confiança na própria capacidade de controle da dor) são padrões de enfrentamento relacionados a pior prognóstico em lombalgia, mas sensíveis a abordagens psicofamiliares (ver Capítulo Abordagem Geral da Dor).

A avaliação pode ser feita por meio de perguntas abertas, integradas à consulta usual, por meio de questionários específicos para certos itens ou por questionários multidimensionais, como o *STarT Back Screening Tool* (SBST; 9 questões) e o *Örebro Musculoskeletal Pain Questionnaire* (10 questões), validados para o português brasileiro.[49,50] Metanálises mostraram que o SBST e o *Örebro* são capazes de predizer absenteísmo e incapacidade,[51] e que o *Örebro* é capaz de medir limitação funcional de modo semelhante ao *Roland-Morris Disability Questionnaire*, questionário específico para esse fim, com 24 questões.[52,53] (Ver QR code.)

## ABORDAGEM TERAPÊUTICA GERAL

A dor lombar aguda inespecífica costuma ter prognóstico favorável, embora heterogêneo. Em um estudo com mais de 1.650 pacientes com lombalgia aguda na APS de Sidney, na Austrália, 36% tiveram resolução em até 2 semanas, e 70% em até 3 meses. No entanto, 14% obtiveram somente melhora parcial; 11%, melhora inicial, mas nova piora; e 5%, dor intensa mantida em 3 meses.[54]

Diferentes estratégias podem ser usadas para o manejo agudo da dor: tratamento farmacológico, inativação de PGs por agulhamento ou técnicas manuais e orientação de exercícios específicos. A escolha das ferramentas terapêuticas a serem utilizadas depende das preferências do paciente e dos conhecimentos e habilidades dos profissionais que estão realizando o atendimento.

### Tratamento não farmacológico conservador

#### Orientações gerais

Independentemente do plano terapêutico escolhido, todos os pacientes devem ser aconselhados a se manterem tão ativos quanto a dor permitir, sem que se torne intensa ou progressiva. A retomada do movimento normalmente precede a melhora da dor. Os pacientes devem ser esclarecidos que a dor geralmente não significa lesão, e que lesões degenerativas na maioria dos casos não significam dor (há um sistema nervoso no meio do caminho; ver Capítulo Abordagem Geral da Dor). Exames de imagem mostram comumente "alterações" típicas da idade, e um bom raciocínio clínico é necessário para interpretar e mesmo indicar exames, sob o risco de conduzirem mal o tratamento. O automanejo da dor é um foco central de toda a abordagem.

Outras orientações são menos consensuais. Adaptações posturais, por exemplo, não se mostraram importantes para prevenção primária ou secundária de lombalgia no caso geral,[55,56] embora adaptações posturais possam ser importantes para prevenção secundária no caso específico de essas posturas serem deflagradoras e se músculos relacionados estiverem acometidos. Da mesma forma, o uso de mochilas pesadas por crianças e adolescentes não foi confirmado como fator de risco para dor lombar.[57,58] Alguns autores argumentam contra a interrupção de exercícios com base em dor intensa, com a preocupação de que essa orientação leve a medo da dor e imobilismo; porém outros alertam que o padrão de persistência de atividades, apesar de dor intensa e estresse significativo, é também bastante comum e está associado a grande incapacidade e sofrimento.[59] Em anos recentes, houve grandes avanços nas discussões sobre esse tema.

Como parte de sua campanha "Global Year Against Pain", em 2021, sobre lombalgia, a International Association for the Study of Pain (IASP) produziu e reuniu materiais relevantes para apoiar orientações gerais, discussões e divulgação (ver QR code).

### Abordagem psicossocial

A educação em dor deve cobrir temas relevantes à narrativa do paciente, em linguagem e comparações que lhe sejam simples e em quantidade que ele possa absorver. Um tema seria a diferença entre lesão e dor, contemplando, por um lado, lesões degenerativas assintomáticas e a necessidade de a dor fazer sentido para interpretar a imagem e, por outro, a possibilidade de intensificação da dor na ausência de lesão grave ou progressiva. Outro tema seria o motivo e a importância da orientação para se manter ativo, contemplando, por exemplo, a relevância do trofismo, da analgesia relacionada ao exercício, e do foco na qualidade de vida, mais que na dor.[52] Educação em dor teve eficácia semelhante a uma adaptação da terapia cognitivo-comportamental (TCC). Ambos os métodos se mostraram superiores ao tratamento usual quanto a limitação e depressão em 6 meses, em pacientes que não sabiam ler.[60]

As abordagens em grupo são importantes, pela socialização, troca de vivências, responsabilização coletiva e possibilidade de uso de instrumentos presentes no território. A técnica meditativa baseada em atenção plena (*mindfulness*) também é superior ao tratamento usual quanto a dor e limitação (diminuição de aproximadamente 1 ponto em escala de 0 a 10 de dor, mas apenas 2,5 pontos em escala de 0 a 100 de funcionamento físico) **B**,[61] embora sem superioridade em relação à TCC.[62] Escolas de coluna têm mudado quanto às ênfases das orientações fornecidas, embora a qualidade de evidência ainda seja baixa.[63] A técnica de Alexander (autopercepção de tensão, dor e movimentos para melhor controle dos movimentos em tarefas habituais) tem comprovada melhora de longo prazo,[64] mas requer motivação por parte do paciente **B**.

Terapia cognitivo-funcional, uma associação entre elementos de TCC, exercícios orientados a tarefas, educação em dor baseada em neurociência e estímulo a um estilo de vida saudável, foi semelhante a exercícios de estabilização em curto prazo⁶⁵ e superior a técnicas manuais mais exercícios quanto a autoeficácia e limitação em longo prazo.⁶⁶,⁶⁷

## Inativação de pontos-gatilho miofasciais

Caso reproduzam a dor do paciente, PGs podem ser abordados por técnicas manuais ou agulhamento **(TABELA 189.6)**, conforme técnicas detalhadas no Capítulo Dor Miofascial e Outras Dores Mecânicas. A localização dos PGs da região lombar foi descrita no tópico Exame Físico anteriormente, e os mapas de dor miofascial, disponíveis em outras referências e na internet, podem auxiliar na identificação dos PGs.

Na abordagem terapêutica dos PGs dos músculos paravertebrais posterolaterais, exceto IP, caso se opte por agulhamento, a agulha deve apontar para a placa óssea, posterior ao processo transverso. Para o agulhamento do QL, recomendam-se agulhas de acupuntura, pelo maior tamanho e ponta não cortante no caso de acesso intraperitoneal. Calor úmido e alongamento pós-agulhamento estão indicados. Caso a opção tenha sido a inibição manual, cabe treinar o paciente para realizar a autocompressão isquêmica, usando uma pequena bola de tênis ou borracha maciça contra a parede. Orientações posturais e motoras podem ser úteis se orientadas às situações deflagradoras usuais, e também podem facilitar o engajamento do paciente no movimento em direção a uma gradual maior liberdade de movimento (ver tópico Adaptações Motoras Gerais, adiante).

Exercícios de alongamento – e, após as primeiras semanas, fortalecimento – dos músculos paravertebrais posterolaterais, exceto IP, são exemplificados, respectivamente, nas **FIGURAS 189.5** e **189.6**.

**TABELA 189.6** → Técnicas para inativação de pontos-gatilho em região lombar

| MÚSCULOS | TÉCNICAS MANUAIS | AGULHAMENTO ÚMIDO | AGULHAMENTO SECO |
|---|---|---|---|
| Paravertebrais posterolaterais (exceto QL e IP) | Sim | Sim | Sim |
| QL | Sim | Evitar | Sim |
| IP | Sim | Não | Não |
| Glúteo médio | Sim | Sim | Sim |
| Glúteo mínimo | Sim | Sim | Sim |
| Glúteo máximo | Sim | Se palpável | Sim |
| Piriforme | Sim | Se proximal | Sim |

IP, iliopsoas; QL, quadrado lombar.

Técnicas manuais são preferíveis no manejo de PGs no IP, pela posição anatômica, possivelmente associadas a bloqueio paraespinhoso de T12 a L4, conforme sensibilização (ver Capítulo Dor Miofascial e Outras Dores Mecânicas). Orientações posturais focam em evitar flexão significativa ou prolongada da coxa. Por exemplo, pode-se orientar que, para dormir, o paciente prefira o decúbito dorsal, com travesseiro sob os joelhos, se necessário, evitando o decúbito lateral em posição fetal; ou andar empurrando o chão para trás (alongando o IP). Exercícios de alongamento – e, após as primeiras semanas, fortalecimento – do IP são exemplificados, respectivamente, nas **FIGURAS 189.7** e **189.8**.

A inativação manual é geralmente eficaz na abordagem de PGs em Gméd e Gmín. Se a opção for por agulhamento, o uso de agulhas hipodérmicas usuais (30 × 0,7 mm)

**FIGURA 189.5** → Alongamento dos músculos paravertebrais posterolaterais, exceto iliopsoas.

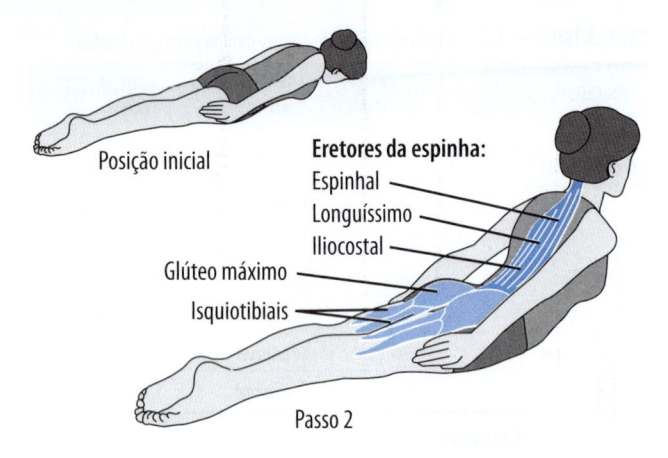

**FIGURA 189.6** → Fortalecimento dos músculos paravertebrais posterolaterais, exceto iliopsoas. Sugere-se inicialmente apenas a extensão dos membros superiores, mantendo o tronco em contato com o chão, para evitar agudização da dor.

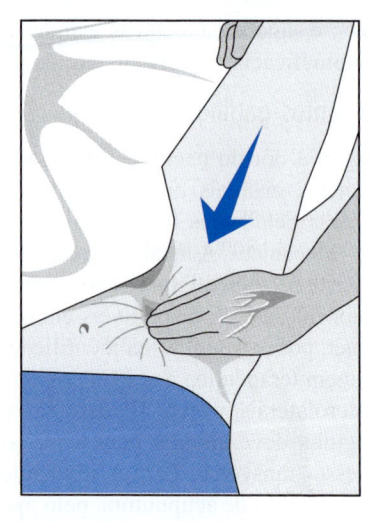

**FIGURA 189.8** → Fortalecimento de iliopsoas. Solicita-se ao paciente que puxe/"sugue" seu quadril para dentro do encaixe, sem mover a coluna ou pelve. Isso é mais fácil se alguém puxar suavemente a perna ou se a perna estiver pendurada em um degrau.

é seguro, pela placa óssea subjacente e ausência de feixes vasculonervosos próximos, mas agulhas de acupuntura podem ser necessárias, particularmente no Gmín, pela profundidade. Orientações úteis durante a fase de recuperação trófica inicial podem ser o aumento da base (pernas ligeiramente abertas enquanto em ortostase ou caminhando, forçando adutores em vez de Gméd e Gmín), a pré-ativação do glúteo (contrair o glúteo como um todo antes de colocar o peso no lado em tratamento) e apoiar da perna ao pé no decúbito lateral, para que, por uma bacia mais larga, o Gmín não fique em alongamento durante toda a noite. O exercício de alongamento mostrado na **FIGURA 189.9** pode também ser o de fortalecimento, em fase subsequente, pela repetição do movimento, algumas vezes, com o lado alongado (em tratamento) "cedendo" lentamente à gravidade, em vez de

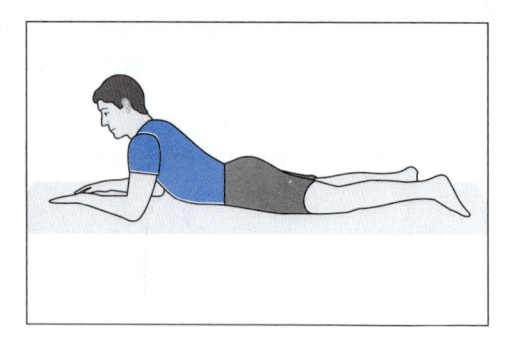

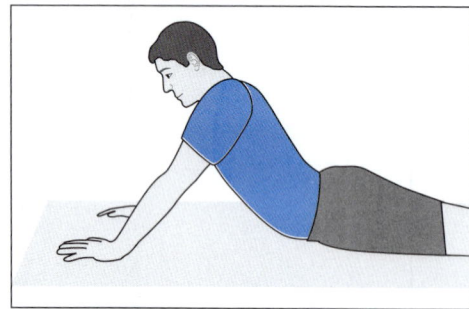

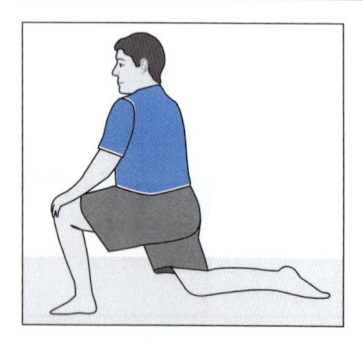

**FIGURA 189.7** → Alongamento de iliopsoas.

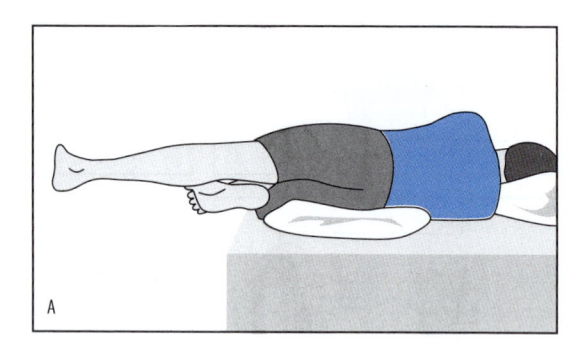

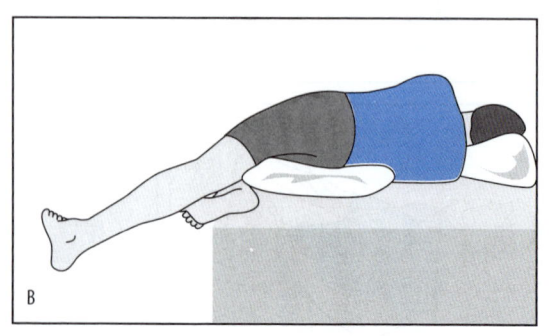

**FIGURA 189.9** → Alongamento de glúteos médio e mínimo. (**A**) Posição inicial; (**B**) posição final.

completamente passivo (exercício excêntrico; ver Capítulo Dor Miofascial e Outras Dores Mecânicas).

Se superficiais e pinçáveis (particularmente parassacrais e mediais ao ísquio), PGs de Gmáx podem ser inibidos manualmente ou agulhados com agulha hipodérmica comum; porém, os PGs laterais ao ísquio podem ser mais profundos, com risco de contato com feixe nervoso, requerendo agulha de acupuntura. Sentar mais à frente da cadeira, de preferência com um pequeno apoio posterior ao ísquio que dificulte a báscula posterior, pode ser útil para prevenir reativação. O alongamento do Gmáx pode ser feito abraçando os joelhos em decúbito ou em posição de prece maometana. Uma sequência de retreinamento é ilustrada na FIGURA 189.10.

A inativação manual pode ser tentada em PGs do piriforme e ensinada ao paciente com o uso de uma bola de tênis ou borracha comprimida contra a parede. Caso a opção seja por agulhamento, o PG proximal requererá agulha de acupuntura, tanto pela profundidade, quanto pela presença próxima do nervo ciático, o que exige ponta não cortante. Já o PG insercional é acessível com agulha de 30 × 0,7 mm. O alongamento e o fortalecimento do piriforme são ilustrados na FIGURA 189.11.

## Adaptações motoras gerais

As adaptações a seguir são sugeridas como estratégias para facilitar o movimento ou a postura que antes deflagrava dor. À medida que a dor vai melhorando, é possível progredir para uma maior liberdade de movimento.

### Decúbito

Dormir em posição supina ou do lado oposto ao músculo acometido pode trazer conforto. Em decúbito dorsal, pode-se

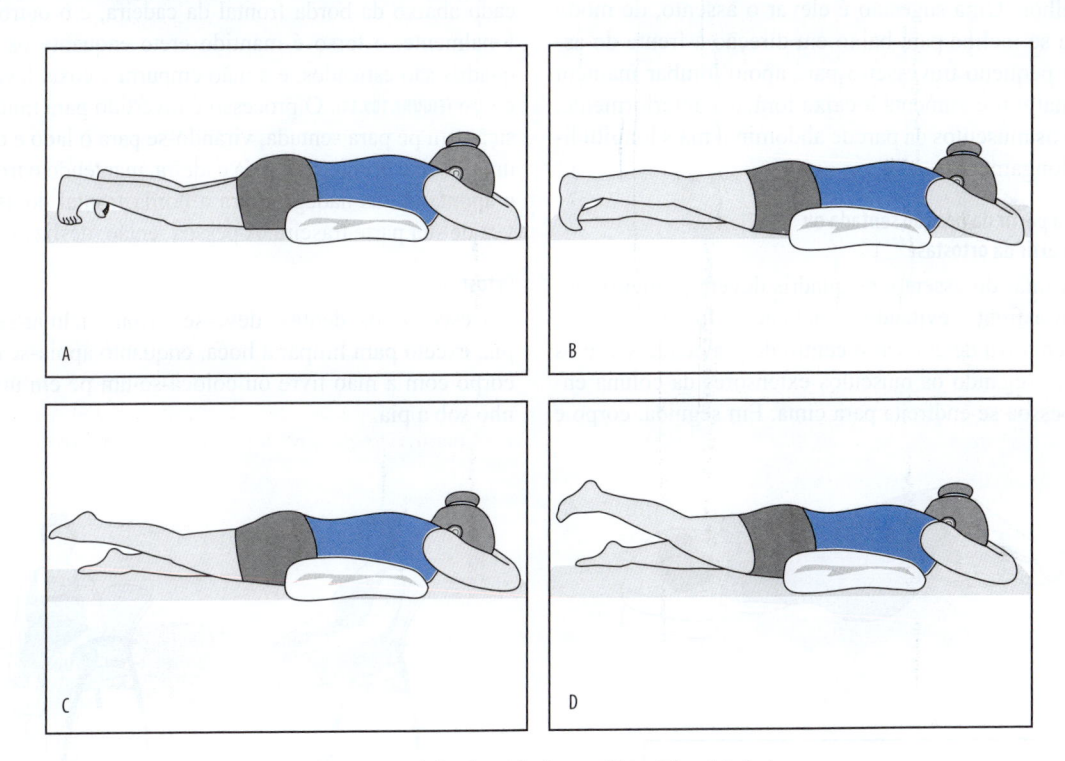

FIGURA 189.10 → Retreinamento de glúteo máximo. (A) Posição inicial; (B e C) posições intermediárias; (D) posição final.

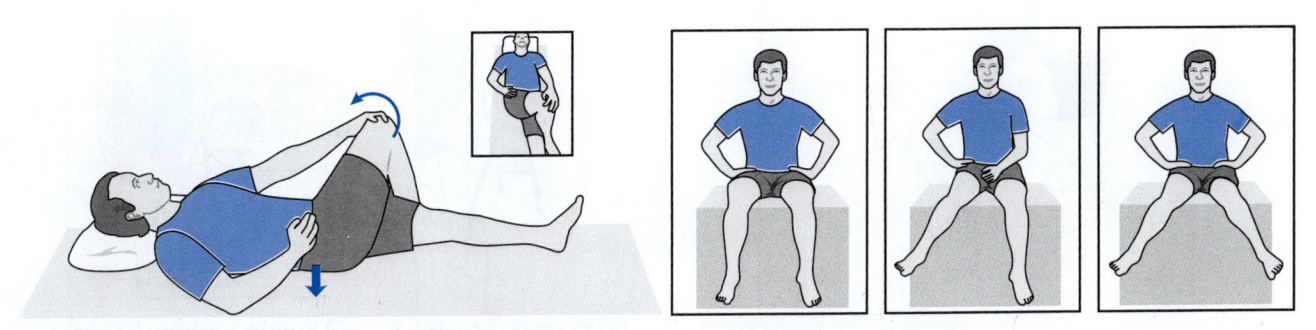

FIGURA 189.11 → Alongamento e fortalecimento do piriforme.

colocar um pequeno travesseiro sob os joelhos. No decúbito lateral, deve-se colocar um travesseiro entre as pernas, evitando a adução do quadril e o alongamento doloroso de glúteos médio ou mínimo (FIGURA 189.12).

### Trocar de decúbito/sentar-se a partir do decúbito

O paciente com dor relacionada ao QL e aos paravertebrais posteriores que queira movimentar-se na cama deve rolar os quadris e o tronco simultaneamente ("virar em bloco"), o que é facilitado esticando braços e pernas para a frente (criando um torque que gira quadris e tronco). Também é importante, para sentar, inicialmente deitar de lado com os pés para fora da cama, e usar o braço que ficar por cima para empurrar a cama, girando o corpo para a posição sentada (FIGURA 189.13). O movimento oposto é usado para deitar.

### Posição sentada

Ao sentar, os quadris devem ficar ligeiramente mais altos do que os joelhos. Uma sugestão é elevar o assento, de modo que a coxa se incline para baixo em direção à frente do assento. Um pequeno travesseiro para apoio lombar mantém a lordose natural e aumenta a caixa torácica anteriormente, colocando os músculos da parede abdominal mais longitudinais sob alongamento suave.

### Levantar-se a partir da posição sentada ou sentar-se a partir da ortostase

Para se levantar do assento, os quadris devem primeiro mover-se para a frente, evitando a inclinação do corpo para a frente na tentativa de colocar o centro de gravidade sobre os pés, sobrecarregando os músculos extensores da coluna enquanto a pessoa se endireita para cima. Em seguida, corpo e quadris são ligeiramente virados para o lado e um pé é colocado abaixo da borda frontal da cadeira, e o outro, adiante. Finalmente, o torso é mantido ereto enquanto os joelhos e quadris são esticados, e a mão empurra a coxa, levantando o corpo (FIGURA 189.14). O processo é invertido para mudar da posição em pé para sentada, virando-se para o lado e colocando um pé sob a borda frontal da cadeira, mantendo o tronco ereto e apontando as nádegas para a borda frontal do assento em vez de sua parte traseira. A pessoa, então, desliza para trás.

### Ortostase

Ao escovar os dentes, deve-se evitar inclinar-se sobre a pia, exceto para limpar a boca, enquanto apoia-se o peso do corpo com a mão livre ou coloca-se um pé em um banquinho sob a pia.

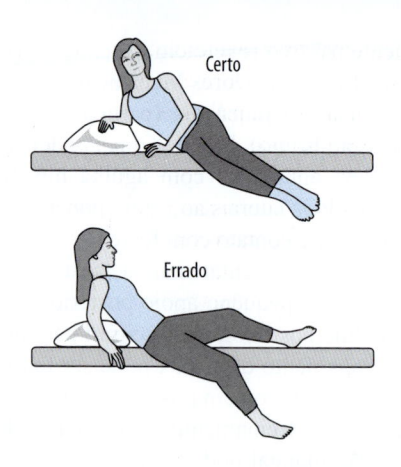

FIGURA 189.13 → Orientações para sentar-se a partir do decúbito.

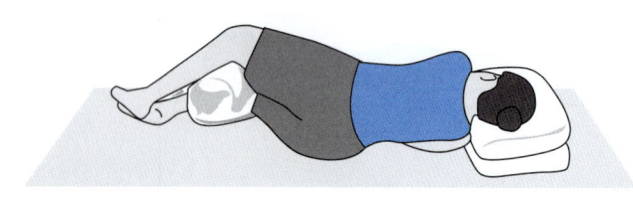

FIGURA 189.12 → Posição para dormir.

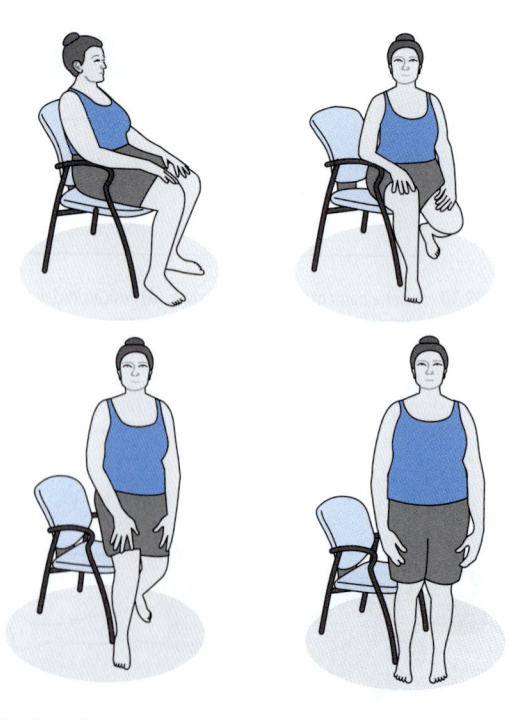

FIGURA 189.14 → Sequência de imagens mostrando como levantar-se a partir da posição sentada.

O tronco deve permanecer entre os dois pés ("base de apoio"). Em atividades normalmente exigindo inclinação para a frente (lavar louça, passar roupa), deve-se tentar adaptar o ambiente (evitar pias ou tábuas de passar muito baixas). Alternar um dos pés sobre um apoio fornece *feedback* sobre a inclinação e facilita a contração glútea, corrigindo a inclinação e/ou auxiliando os paravertebrais.

Ao vestir-se, o risco de queda e sobrecarga/tensão da coluna é reduzido sentando ou encostando-se em uma parede ou móvel para colocar meias, saia ou calça comprida.

### Levantamento de carga do chão

Para elevar um objeto do chão, ele deve ser preferencialmente trazido junto ao tronco, sobre a "base de apoio" (o espaço entre os pés), com joelhos semiflexionados, e as costas um pouco alongadas à frente (p. ex., fazendo-se uma báscula anterior de quadril – "empinando-se o glúteo" – para reduzir a flexão excessiva, antes de estender a coluna com a carga). Se um dos braços puder ser usado, pode empurrar a coxa ou apoiar em uma mesa. Deve-se evitar o movimento combinado de flexão-rotação com inclinação anterior ou lateral do tronco para erguer ou puxar algo (FIGURA 189.15).

### Exercícios

A realização de exercícios físicos tem um papel importante no tratamento da dor lombar crônica não específica, geralmente englobando componentes de fortalecimento muscular, flexibilidade e condicionamento aeróbico.[68] Nenhum tipo de exercício tem-se mostrado claramente mais eficaz que os demais, portanto sua indicação deve levar em conta principalmente as preferências do paciente e sua disponibilidade.[69] Exercícios para músculos específicos, percebidos por ocasião da história, exame físico e abordagem miofascial como diretamente relacionados à dor em um dado paciente, já foram exemplificados anteriormente.

Exercícios de estabilização segmentar (TE [dor] = −0,46; TE [incapacidade] = −0,44) **B**,[70] pilates (dor: redução de 14 pontos em escala de dor de 100),[71] ioga (TE [dor] = −0,83 em 4-8 semanas e −0,56 em 6 meses em escala de 0 a 10; TE [incapacidade] = −0,30 a 0,36) **B**,[72] método McKenzie (TE [dor] = sem diferença de outras terapias; TE [incapacidade × apenas exercício] = −0,45) **B**[73] e caminhada **B**[74] parecem semelhantes a exercícios gerais quanto a dor e incapacidade, com os dois primeiros talvez ligeiramente superiores. Estudos, vários com maior risco de viés, sobre *tai chi* (TE [dor] = −1,72; TE [itens de incapacidade] = −1,7 a −3) sugerem benefício maior **C/D**.[75,76]

### Aplicação de calor e/ou frio

Autoaplicação de calor ainda é uma das terapias mais comuns em lombalgia e, havendo resposta individual, é segura em longo prazo **C/D**. Um pequeno estudo apontou calor como melhor associação que frio, e ambos melhores que AINE isolado em pacientes com lombalgia aguda.[77] Aplicação de calor profundo por ultrassom, entretanto, não tem evidência bem-estabelecida (benefício pequeno) **C/D**.[78]

### Acupuntura e estimulação neural elétrica transcutânea

A evidência sobre acupuntura em lombalgia permanece conflitante, na direção de um efeito de curto prazo sobre dor e função comparada a tratamento usual, mas menos nítido contra acupuntura *sham* (placebo) (TE = −0,43) **C/D**.[79,80] Auriculoterapia é opção, associada ou não a outras acupunturas de microssistema **C/D**.[81,82]

No caso da estimulação neural elétrica transcutânea (TENS, do inglês *transcutaneous electrical nerve stimulation*), há ainda evidência contraditória em lombalgia crônica **B**.[83,84] Na única metanálise favorável, apenas estudos que usaram TENS por menos de 5 semanas tiveram resposta significativa na dor.[84]

### Manipulação e mobilização osteopática

A manipulação vertebral osteopática tem eficácia semelhante a outras abordagens preconizadas em lombalgia crônica e bom perfil de segurança **B**.[85]

## Tratamento farmacológico

Devido ao prognóstico favorável da lombalgia aguda, com alta probabilidade de melhora no primeiro mês independentemente do tratamento, recomendam-se como primeira escolha os tratamentos não farmacológicos (alguns deles já citados aqui). Na lombalgia crônica, o tratamento de escolha é o focado em terapias não farmacológicas, por apresentarem menos efeitos colaterais, e as medicações ficam reservadas para apoio eventual a essas terapias (aumentando tolerância) e para aqueles que não apresentam resposta.

O paracetamol teve sua eficácia avaliada, em metanálise de 2016, para uso na dor lombar inespecífica. Há evidência forte de que não é melhor que placebo no alívio da dor lombar aguda **B**. Além disso, não se mostrou eficaz na melhora de outros desfechos avaliados, como qualidade do sono e qualidade de vida.[86] A associação de paracetamol com AINEs também não demonstrou melhora no controle da dor em pacientes com lombalgia aguda inespecífica, quando comparada com uso apenas de AINEs, após 1 semana em pacientes avaliados em uma emergência.[87]

**FIGURA 189.15** → Orientações para levantamento de carga do chão.

Os AINEs constituem a primeira linha de tratamento farmacológico para lombalgia aguda e crônica, embora o benefício seja pequeno (−3,3 em escala de dor de 0 a 100) **B**.[88] Diferentes tipos de AINEs foram igualmente eficazes, incluindo inibidores da cicloxigenase 2 (COX-2), estes últimos com menos efeitos adversos em lombalgia crônica.[89] Em pacientes com dor lombar e ciatalgia, AINEs não parecem ter diferença no controle da dor, mas sim na melhora global do paciente quando comparados a placebo **C/D**.[90]

Os AINEs apresentam efeitos adversos potencialmente graves. Há recomendação de evitar seu uso em populações de risco, principalmente pacientes com hipertensão, insuficiência cardíaca ou doença renal crônica, pois há aumento de retenção hídrica, diminuição do efeito de fármacos anti-hipertensivos e piora da função renal nesses indivíduos[91] (ver Capítulo Abordagem Geral da Dor). Devem ser usados pelo menor tempo possível e na menor dose eficaz, principalmente em pessoas com comorbidades.

Miorrelaxantes benzodiazepínicos (redução do risco relativo [RRR; alívio de dor] = 18%) e não benzodiazepínicos (RRR [alívio de dor] em 2-4 dias = 20%; 5-7 dias = 42%) foram eficazes no controle de lombalgia inespecífica em curto prazo. Houve aumento significativo de efeitos colaterais, principalmente relacionados ao sistema nervoso central, como sonolência e tontura. Não benzodiazepínicos devem ser preferidos, pelo maior potencial aditivo dos benzodiazepínicos e similar eficácia entre classes.[92]

A eficácia de opioides na dor lombar aguda é pouco estudada, e, devido ao potencial de efeitos colaterais e adicção, não são recomendados como primeira linha de tratamento **C/D**. Além disso, 50% dos pacientes cessam o uso por efeitos colaterais ou ausência de melhora.[93] Na dor lombar crônica, opioides têm melhor resposta que placebo, mas não que outros analgésicos, tendo mais efeitos adversos.[94]

Corticoides, apesar de utilizados na prática em cenários de emergência, não demonstram benefícios na dor lombar aguda não radicular, quando comparados a placebo **B**.[95] Também não parece haver benefício em radiculopatia discal **C/D**.[96]

Antidepressivos não demonstraram benefícios na dor lombar aguda **B**. Antidepressivos tricíclicos têm possível benefício em ciatalgia, entre 3 semanas e 1 ano **C/D**, e antidepressivos duais mostram pequena redução da dor e melhora funcional, porém clinicamente não significativa e somente até 3 meses **B**.[97] Efeitos colaterais são comuns.

Anticonvulsivantes não demonstraram benefícios na dor lombar aguda **B**. O uso de gabapentina e pregabalina em pacientes com dor lombar crônica não demonstrou benefício quando comparado com placebo ou outros analgésicos e está associado a efeitos colaterais significativos com um número necessário para causar dano (NNH, do inglês *number needed to harm*) entre 6 e 8, dependendo do efeito adverso avaliado.[98]

## Tratamento multidisciplinar

Os múltiplos componentes envolvidos na dor crônica, particularmente na dor crônica inespecífica e relacionada a contextos biopsicossociais complexos, frequentemente exigirão abordagem multimodal. O desafio é discernir quais componentes priorizar com o paciente a cada momento, capacitando-o como parte essencial da equipe e como seu principal cuidador. Embora o tratamento multidisciplinar conjugue várias *expertises*, poderá ser iatrogênico se não for interdisciplinar e bem coordenado, dificultando o desafio principal. Além disso, é um recurso custoso e limitado, diante da enorme pressão assistencial relacionada à dor crônica. Ganhos e riscos devem ser pesados caso a caso.

Reabilitação biopsicossocial multidisciplinar tem geralmente bons resultados em lombalgia crônica, porém requer interdisciplinaridade, e a dose ideal não é conhecida. Pode ser semelhante a tratamento usual quanto a efeitos sobre o trabalho.[99-101] A decisão de espaçar o tratamento interdisciplinar deve ser tomada também em equipe, reconhecendo o paciente como membro dela.

O questionário SBST, originalmente, visava orientar o encaminhamento a profissionais de referência. Pacientes com menos de 3 pontos teriam indicação de orientações gerais e tratamento sintomático, aqueles com 4 a 5 pontos entre os psicossociais teriam indicação de abordagem psicossocial, e os restantes, indicação de fisioterapia. A abordagem pareceu ter custo-benefício adequado na Inglaterra, mas não teve aceitação ou eficiência semelhante nos Estados Unidos[102,103] ou Dinamarca,[104] e uma adaptação para ciatalgia não foi efetiva na Inglaterra.[51] No Brasil, em um estudo no departamento de fisioterapia de um hospital particular, os pacientes de alto risco foram os que melhor responderam ao tratamento fisioterápico, e a capacidade do questionário de prever resposta foi apenas um pouco melhor que a isoladamente apontada à apresentação por idade, dor e limitação.[105] A indicação de encaminhamento deve avaliar preferências do paciente e disponibilidade local.

## REFERÊNCIAS

1. King W BN. Chronic low back pain. In: Ballantyne JC, Fishman SM, Rathmell JP, editors. Bonica's management of pain. New York: Lippincott Williams & Wilkins; 2018.

2. Saes-Silva E, Vieira YP, Saes M de O, Meucci RD, Aikawa P, Cousin E, et al. Epidemiology of chronic back pain among adults and elderly from Southern Brazil: a cross-sectional study. Braz J Phys Ther. 2021;25(3):344–51.

3. Dos Reis-Neto ET, Ferraz MB, Kowalski SC, Pinheiro G da RC, Sato EI. Prevalence of musculoskeletal symptoms in the five urban regions of Brazil-the Brazilian COPCORD study (BRAZCO). Clin Rheumatol. 2016;35(5):1217–23.

4. Barros MB de A, Francisco PMSB, Zanchetta LM, César CLG. [Trends in social and demographic inequalities in the prevalence of chronic diseases in Brazil. PNAD: 2003- 2008]. Cien Saude Colet. 2011;16(9):3755–68.

5. Instituto Brasileiro de Geografia e Estatística. Pesquisa Nacional de Saúde 2013: indicadores de saúde e mercado de trabalho. Rio de Janeiro: IBGE; 2016.

6. Silva GR, Pitangui AC, Xavier MK, Correia-Júnior MA, De Araújo RC. Prevalence of musculoskeletal pain in adolescents and association with computer and videogame use. J Pediatr (Rio J). 2016;92(2):188-96.

7. Queiroz LB, Lourenço B, Silva LEV, Lourenço DMR, Silva CA. Musculoskeletal pain and musculoskeletal syndromes in adolescents are related to electronic devices. J Pediatr . 2018;94(6):673–9.

8. Silva MC da, Fassa AG, Valle NCJ. [Chronic low back pain in a Southern Brazilian adult population: prevalence and associated factors]. Cad Saude Publica. 2004;20(2):377–85.

9. Institute for Health Metrics and Evaluation. GBD Compare [Internet]. Washington: IHME; 2021 [capturado em 8 ago. 2021]. Disponível em: http://vizhub.healthdata.org/gbd-compare

10. Hartvigsen J, Hancock MJ, Kongsted A, Louw Q, Ferreira ML, Genevay S, et al. What low back pain is and why we need to pay attention. Lancet. 2018;391(10137):2356–67.

11. Coggon D, Ntani G, Palmer KT, Felli VE, Harari R, Barrero LH, et al. Disabling musculoskeletal pain in working populations: is it the job, the person, or the culture? Pain. 2013;154(6):856–63.

12. Coggon D, Ntani G, Walker-Bone K, Palmer KT, Felli VE, Harari R, et al. Epidemiological Differences Between Localized and Nonlocalized Low Back Pain. Spine . 2017;42(10):740–7.

13. Konstantinou K, Dunn KM, Ogollah R, Vogel S, Hay EM, ATLAS study research team. Characteristics of patients with low back and leg pain seeking treatment in primary care: baseline results from the ATLAS cohort study. BMC Musculoskelet Disord. 2015;16:332.

14. Porchet F, Wietlisbach V, Burnand B, Daeppen K, Villemure J-G, Vader J-P. Relationship between severity of lumbar disc disease and disability scores in sciatica patients. Neurosurgery. 2002;50(6):1253–9; discussion 1259–60.

15. el Barzouhi A, Vleggeert-Lankamp CLAM, Lycklama à Nijeholt GJ, Van der Kallen BF, van den Hout WB, Jacobs WCH, et al. Magnetic resonance imaging in follow-up assessment of sciatica. N Engl J Med. 2013;368(11):999–1007.

16. McPhee M, Klyne D, Graven-Nielsen T. Environmental contributors to back pain [Internet]. Washington: IASP; 2021 [capturado em 19 set. 2021]. Disponível em: https://www.iasp-pain.org/resources/fact-sheets/environmental-contributors-to-back-pain/

17. Coggon D. Prevention of musculoskeletal disability in working populations: The CUPID Study. Occup Med. 2019;69(4):230–2.

18. Sieper J, Rudwaleit M, Baraliakos X, Brandt J, Braun J, Burgos-Vargas R, et al. The Assessment of SpondyloArthritis international Society (ASAS) handbook: a guide to assess spondyloarthritis. Ann Rheum Dis. 2009;68 Suppl 2:ii1–44.

19. Stolwijk C, van Onna M, Boonen A, van Tubergen A. Global prevalence of spondyloarthritis: a systematic review and meta-regression analysis. Arthritis Care Res. 2016;68(9):1320–31.

20. Wang R, Crowson CS, Wright K, Ward MM. Clinical evolution in patients with new-onset inflammatory back pain: a population-based cohort study. Arthritis Rheumatol. 2018;70(7):1049–55.

21. Paramarta JE, De Rycke L, Ambarus CA, Tak PP, Baeten D. Undifferentiated spondyloarthritis vs ankylosing spondylitis and psoriatic arthritis: a real-life prospective cohort study of clinical presentation and response to treatment. Rheumatology. 2013;52(10):1873–8.

22. Casals-Sánchez JL, García De Yébenes Prous MJ, Descalzo Gallego MÁ, Barrio Olmos JM, Carmona Ortells L, Hernández García C, et al. Characteristics of patients with spondyloarthritis followed in rheumatology units in Spain. emAR II study. Reumatol Clin. 2012;8(3):107–13.

23. Dean LE, Macfarlane GJ, Jones GT. Differences in the prevalence of ankylosing spondylitis in primary and secondary care: only one-third of patients are managed in rheumatology. Rheumatology. 2016;55(10):1820–5.

24. Xia Q, Fan D, Yang X, Li X, Zhang X, Wang M, et al. Progression rate of ankylosing spondylitis in patients with undifferentiated spondyloarthritis: A systematic review and meta-analysis. Medicine. 2017;96(4):e5960.

25. Sharfman ZT, Gelfand Y, Shah P, Holtzman AJ, Mendelis JR, Kinon MD, et al. Spinal epidural abscess: a review of presentation, management, and medicolegal implications. Asian Spine J. 2020;14(5):742–59.

26. Beronius M, Bergman B, Andersson R. Vertebral osteomyelitis in Göteborg, Sweden: a retrospective study of patients during 1990-95. Scand J Infect Dis. 2001;33(7):527–32.

27. van den Beuken-van Everdingen MH, Hochstenbach LM, Joosten EA, Tjan-Heijnen VC, Janssen DJ. Update on prevalence of pain in patients with cancer: systematic review and meta-analysis. J Pain Symptom Manage. 2016;51(6):1070-90.e9.

28. Sutcliffe P, Connock M, Shyangdan D, Court R, Kandala N-B, Clarke A. A systematic review of evidence on malignant spinal metastases: natural history and technologies for identifying patients at high risk of vertebral fracture and spinal cord compression. Health Technol Assess. 2013;17(42):1–274.

29. Challapalli A, Aziz S, Khoo V, Kumar A, Olson R, Ashford RU, et al. Spine and non-spine bone metastases – current controversies and future direction. Clin Oncol . 2020;32(11):728–44.

30. Turesson I, Bjorkholm M, Blimark CH, Kristinsson S, Velez R, Landgren O. Rapidly changing myeloma epidemiology in the general population: Increased incidence, older patients, and longer survival. Eur J Haematol. 2018:10.1111/ejh.13083.

31. Wasnich RD, Davis JW, Ross PD. Spine fracture risk is predicted by non-spine fractures. Osteoporos Int. 1994;4(1):1–5.

32. Lindsay R, Silverman SL, Cooper C, Hanley DA, Barton I, Broy SB, et al. Risk of new vertebral fracture in the year following a fracture. JAMA. 2001;285(3):320–3.

33. McCarthy J, Davis A. Diagnosis and management of vertebral compression fractures. Am Fam Physician. 2016;94(1):44–50.

34. Li W, Gong Y, Liu J, Guo Y, Tang H, Qin S, et al. Peripheral and central pathological mechanisms of chronic low back pain: a narrative review. J Pain Res. 2021;14:1483–94.

35. Kalichman L, Carmeli E, Been E. The association between imaging parameters of the paraspinal muscles, spinal degeneration, and low back pain. Biomed Res Int. 2017;2017:2562957.

36. Fouad AZ, Ayad AE, Tawfik KAW, Mohamed EA, Mansour MA. The success rate of ultrasound-guided sacroiliac joint steroid injections in sacroiliitis: are we getting better? Pain Pract. 2021;21(4):404–10.

37. Deyo RA, Mirza SK. CLINICAL PRACTICE. Herniated lumbar intervertebral disk. N Engl J Med. 2016;374(18):1763–72.

38. Fernandez M, Hartvigsen J, Ferreira ML, Refshauge KM, Machado AF, Lemes ÍR, et al. Advice to stay active or structured exercise in the management of sciatica: a systematic review and meta-analysis. Spine.2015;40(18):1457–66.

39. Bailey CS, Rasoulinejad P, Taylor D, Sequeira K, Miller T, Watson J, et al. Surgery versus conservative care for persistent sciatica lasting 4 to 12 months. N Engl J Med. 2020;382(12):1093–102.

40. Manchikanti L, Kaye AD, Manchikanti K, Boswell M, Pampati V, Hirsch J. Efficacy of epidural injections in the treatment of lumbar central spinal stenosis: a systematic review. Anesth Pain Med. 2015;5(1):e23139.

41. Diwan S, Sayed D, Deer TR, Salomons A, Liang K. An Algorithmic approach to treating lumbar spinal stenosis: an evidenced-based approach. Pain Med. 2019;20(Suppl 2):S23–31.

42. Shen J, Wang Q, Wang Y, Min N, Wang L, Wang F, et al. Comparison between fusion and non-fusion surgery for lumbar spinal stenosis: a meta-analysis. Adv Ther. 2021;38(3):1404–14.

43. Mekhail N, Saweris Y, Sue Mehanny D, Makarova N, Guirguis M, Costandi S. Diagnosis of sacroiliac joint pain: predictive value of three diagnostic clinical tests. Pain Pract. 2021;21(2):204–14.

44. Saueressig T, Owen PJ, Diemer F, Zebisch J, Belavy DL. Diagnostic accuracy of clusters of pain provocation tests for detecting sacroiliac joint pain: systematic review with meta-analysis. J Orthop Sports Phys Ther. 2021;51(9):422–31.

45. Brinjikji W, Luetmer PH, Comstock B, Bresnahan BW, Chen LE, Deyo RA, et al. Systematic literature review of imaging features of spinal degeneration in asymptomatic populations. AJNR Am J Neuroradiol. 2015;36(4):811–6.

46. American Academy of Family Physicians. Imaging for low back pain [Internet]. Leawood: AAFP; 2018 [capturado em 9 ago. 2021].

Disponível em: https://www.aafp.org/family-physician/patient-care/clinical-recommendations/all-clinical-recommendations/cw-back-pain.html

47. Chou R, Qaseem A, Owens DK, Shekelle P, Clinical Guidelines Committee of the American College of Physicians. Diagnostic imaging for low back pain: advice for high-value health care from the American College of Physicians. Ann Intern Med. 2011;154(3):181–9.

48. Morgan T, Wu J, Ovchinikova L, Lindner R, Blogg S, Moorin R. A national intervention to reduce imaging for low back pain by general practitioners: a retrospective economic program evaluation using Medicare Benefits Schedule data. BMC Health Serv Res. 2019;19(1):983.

49. Pilz B, Vasconcelos RA, Marcondes FB, Lodovichi SS, Mello W, Grossi DB. The Brazilian version of STarT Back Screening Tool – translation, cross-cultural adaptation and reliability. Braz J Phys Ther. 2014;18(5):453–61.

50. Fagundes FRC, Costa LOP, Fuhro FF, Manzoni ACT, de Oliveira NTB, Cabral CMN. Örebro Questionnaire: short and long forms of the Brazilian-Portuguese version. Qual Life Res. 2015;24(11):2777–88.

51. Karran EL, McAuley JH, Traeger AC, Hillier SL, Grabherr L, Russek LN, et al. Can screening instruments accurately determine poor outcome risk in adults with recent onset low back pain? A systematic review and meta-analysis. BMC Med. 2017;15(1):13.

52. Newman ANL, Stratford PW, Letts L, Spadoni G. A systematic review of head-to-head comparison studies of the roland-morris and oswestry measures' abilities to assess change. Physiother Can. 2013;65(2):160–6.

53. Chiarotto A, Maxwell LJ, Terwee CB, Wells GA, Tugwell P, Ostelo RW. Roland-Morris disability questionnaire and oswestry disability index: which has better measurement properties for measuring physical functioning in nonspecific low back pain? Systematic review and meta-analysis. Phys Ther. 2016;96(10):1620–37.

54. Downie AS, Hancock MJ, Rzewuska M, Williams CM, Lin C-WC, Maher CG. Trajectories of acute low back pain: a latent class growth analysis. Pain. 2016;157(1):225–34.

55. O'Sullivan PB, Caneiro JP, O'Sullivan K, Lin I, Bunzli S, Wernli K, et al. Back to basics: 10 facts every person should know about back pain. Br J Sports Med. 2020;54(12):698–9.

56. Ernstzen D, Stander J, Nkhata LA.Back pain education [Internet]. Washington: IASP; 2021 [capturado em 19 set. 2021]. Disponível em: https://www.iasp-pain.org/resources/fact-sheets/back-pain-education/

57. Yamato TP, Maher CG, Traeger AC, Wiliams CM, Kamper SJ. Do schoolbags cause back pain in children and adolescents? A systematic review. Br J Sports Med. 2018;52(19):1241–5.

58. Rabbits JA, Wager J, Frosch M. Back pain in children and adolescents. [Internet]. Washington: IASP; 2021 [capturado em 19 set. 2021]. Disponível em: https://www.iasp-pain.org/resources/fact-sheets/back-pain-in-children-and-adolescents/

59. Hasenbring MI, Andrews NE, Ebenbichler G. Approach to activity, biomechanical loads, and flare-ups of back pain [Internet]. Washington: IASP; 2021 [capturado em 19 set. 2021]. Disponível em: https://www.iasp-pain.org/resources/fact-sheets/approach-to-activity-biomechanical-loads-and-flare-ups-of-back-pain/

60. Thorn BE, Eyer JC, Van Dyke BP, Torres CA, Burns JW, Kim M, et al. Literacy-adapted cognitive behavioral therapy versus education for chronic pain at low-income clinics: a randomized controlled trial. Ann Intern Med. 2018;168(7):471–80.

61. Anheyer D, Haller H, Barth J, Lauche R, Dobos G, Cramer H. Mindfulness-based stress reduction for treating low back pain: a systematic review and meta-analysis. Ann Intern Med. 2017;166(11):799–807.

62. Pardos-Gascón EM, Narambuena L, Leal-Costa C, van-der Hofstadt-Román CJ. Differential efficacy between cognitive-behavioral therapy and mindfulness-based therapies for chronic pain: systematic review. Int J Clin Health Psychol. 2021;21(1):100197.

63. Zaina F, Negrini S. Are Back Schools beneficial for patients with chronic non-specific low back pain? – a Cochrane review summary with commentary. Musculoskelet Sci Pract. 2019;44:102060.

64. Little P, Lewith G, Webley F, Evans M, Beattie A, Middleton K, et al. Randomised controlled trial of Alexander technique lessons, exercise, and massage (ATEAM) for chronic and recurrent back pain. BMJ. 2008;337:a884.

65. Khodadad B, Letafatkar A, Hadadnezhad M, Shojaedin S. Comparing the effectiveness of cognitive functional treatment and lumbar stabilization treatment on pain and movement control in patients with low back pain. Sports Health. 2020;12(3):289–95.

66. Vibe Fersum K, Smith A, Kvåle A, Skouen JS, O'Sullivan P. Cognitive functional therapy in patients with non-specific chronic low back pain-a randomized controlled trial 3-year follow-up. Eur J Pain. 2019;23(8):1416–24.

67. O'Neill A, O'Sullivan K, O'Sullivan P, Purtill H, O'Keeffe M. Examining what factors mediate treatment effect in chronic low back pain: A mediation analysis of a Cognitive Functional Therapy clinical trial. Eur J Pain. 2020;24(9):1765–74.

68. Gordon R, Bloxham S. A systematic review of the effects of exercise and physical activity on non-specific chronic low back pain. Healthcare (Basel). 2016;4(2):22

69. Nijs J. Exercise and chronic low back pain [Internet]. Washington: IASP; 2021 [capturado em 19 set. 2021]. Disponível em: https://www.iasp-pain.org/resources/fact-sheets/exercise-and-chronic-low-back-pain/

70. Niederer D, Mueller J. Sustainability effects of motor control stabilisation exercises on pain and function in chronic nonspecific low back pain patients: A systematic review with meta-analysis and meta-regression. PLoS One. 2020;15(1):e0227423.

71. Yamato TP, Maher CG, Saragiotto BT, Hancock MJ, Ostelo RWJG, Cabral CMN, et al. Pilates for low back pain. Cochrane Database Syst Rev. 2015;(7):CD010265.

72. Tilbrook HE, Cox H, Hewitt CE, Kang'ombe AR, Chuang L-H, Jayakody S, et al. Yoga for chronic low back pain: a randomized trial. Ann Intern Med. 2011;155(9):569–78.

73. Lam OT, Strenger DM, Chan-Fee M, Pham PT, Preuss RA, Robbins SM. Effectiveness of the McKenzie method of mechanical diagnosis and therapy for treating low back pain: literature review with meta-analysis. J Orthop Sports Phys Ther. 2018;48(6):476–90.

74. Sitthipornvorakul E, Klinsophon T, Sihawong R, Janwantanakul P. The effects of walking intervention in patients with chronic low back pain: A meta-analysis of randomized controlled trials. Musculoskelet Sci Pract. 2018;34:38–46.

75. Qin J, Zhang Y, Wu L, He Z, Huang J, Tao J, et al. Effect of Tai Chi alone or as additional therapy on low back pain: systematic review and meta-analysis of randomized controlled trials. Medicine . 2019;98(37):e17099.

76. Hall A, Copsey B, Richmond H, Thompson J, Ferreira M, Latimer J, et al. Effectiveness of tai chi for chronic musculoskeletal pain conditions: updated systematic review and meta-analysis. Phys Ther. 2017;97(2):227–38.

77. Dehghan M, Farahbod F. The efficacy of thermotherapy and cryotherapy on pain relief in patients with acute low back pain, a clinical trial study. J Clin Diagn Res. 2014;8(9):LC01–4.

78. Ebadi S, Henschke N, Forogh B, Nakhostin Ansari N, van Tulder MW, Babaei-Ghazani A, et al. Therapeutic ultrasound for chronic low back pain. Cochrane Database Syst Rev. 2020;7(7):CD009169.

79. Li Y-X, Yuan S-E, Jiang J-Q, Li H, Wang Y-J. Systematic review and meta-analysis of effects of acupuncture on pain and function in non-specific low back pain. Acupunct Med. 2020;38(4):235–43.

80. Mu J, Furlan AD, Lam WY, Hsu MY, Ning Z, Lao L. Acupuncture for chronic nonspecific low back pain. Cochrane Database Syst Rev. 2020;12(12):CD013814.

81. Luo Y, Yang M, Liu T, Zhong X, Tang W, Guo M, et al. Effect of hand-ear acupuncture on chronic low-back pain: a randomized controlled trial. J Tradit Chin Med. 2019;39(4):587–98.

82. Moura C de C, Chaves E de CL, Cardoso ACLR, Nogueira DA, Azevedo C, Chianca TCM. Auricular acupuncture for chronic back pain

in adults: a systematic review and metanalysis. Rev Esc Enferm USP. 2019;53:e03461.
83. Gibson W, Wand BM, Meads C, Catley MJ, O'Connell NE. Transcutaneous electrical nerve stimulation (TENS) for chronic pain – an overview of Cochrane Reviews. Cochrane Database Syst Rev. 2019;2019(4):CD011890.
84. Jauregui JJ, Cherian JJ, Gwam CU, Chughtai M, Mistry JB, Elmallah RK, et al. A meta-analysis of transcutaneous electrical nerve stimulation for chronic low back pain. Surg Technol Int. 2016;28:296–302.
85. Rubinstein SM, de Zoete A, van Middelkoop M, Assendelft WJJ, de Boer MR, van Tulder MW. Benefits and harms of spinal manipulative therapy for the treatment of chronic low back pain: systematic review and meta-analysis of randomised controlled trials. BMJ. 2019;364:l689.
86. Saragiotto BT, Machado GC, Ferreira ML, Pinheiro MB, Abdel Shaheed C, Maher CG. Paracetamol for low back pain. Cochrane Database Syst Rev. 2016;(6):CD012230.
87. Friedman BW, Irizarry E, Chertoff A, Feliciano C, Solorzano C, Zias E, et al. Ibuprofen plus acetaminophen versus ibuprofen alone for acute low back pain: an emergency department-based randomized study. Acad Emerg Med. 2020;27(3):229–35.
88. Enthoven WTM, Roelofs PDDM, Deyo RA, van Tulder MW, Koes BW. Non-steroidal anti-inflammatory drugs for chronic low back pain. Cochrane Database Syst Rev. 2016;2:CD012087.
89. Roelofs PDDM, Deyo RA, Koes BW, Scholten RJPM, van Tulder MW. Nonsteroidal anti-inflammatory drugs for low back pain: an updated Cochrane review. Spine. 2008;33(16):1766–74.
90. Rasmussen-Barr E, Held U, Grooten WJ, Roelofs PD, Koes BW, van Tulder MW, et al. Non-steroidal anti-inflammatory drugs for sciatica. Cochrane Database Syst Rev. 2016;10:CD012382.
91. ABIM Foundation. American Society of Nephrology: five things physicians and patients should question [Internet]. Philadelphia: Choosing Wisely; 2015 [capturado em 29 set. 2021]. Disponível em: https://www.choosingwisely.org/societies/american-society-of-nephrology/
92. van Tulder MW, Touray T, Furlan AD, Solway S, Bouter LM. Muscle relaxants for non-specific low back pain. Cochrane Database Syst Rev. 2003;(2):CD004252.
93. Abdel Shaheed C, Maher CG, Williams KA, Day R, McLachlan AJ. Efficacy, tolerability, and dose-dependent effects of opioid analgesics for low back pain: a systematic review and meta-analysis. JAMA Intern Med. 2016;176(7):958–68.
94. Tucker H-R, Scaff K, McCloud T, Carlomagno K, Daly K, Garcia A, et al. Harms and benefits of opioids for management of non-surgical acute and chronic low back pain: a systematic review. Br J Sports Med. 2020;54(11):664.
95. Friedman BW, Holden L, Esses D, Bijur PE, Choi HK, Solorzano C, et al. Parenteral corticosteroids for Emergency Department patients with non-radicular low back pain. J Emerg Med. 2006;31(4):365–70.
96. Friedman BW, Esses D, Solorzano C, Choi HK, Cole M, Davitt M, et al. A randomized placebo-controlled trial of single-dose IM corticosteroid for radicular low back pain. Spine. 2008;33(18):E624–9.
97. Ferreira GE, McLachlan AJ, Lin C-WC, Zadro JR, Abdel-Shaheed C, O'Keeffe M, et al. Efficacy and safety of antidepressants for the treatment of back pain and osteoarthritis: systematic review and meta-analysis. BMJ. 2021;372:m4825.
98. Shanthanna H, Gilron I, Rajarathinam M, AlAmri R, Kamath S, Thabane L, et al. Benefits and safety of gabapentinoids in chronic low back pain: A systematic review and meta-analysis of randomized controlled trials. PLoS Med. 2017;14(8):e1002369.
99. Kamper SJ, Apeldoorn AT, Chiarotto A, Smeets RJEM, Ostelo RWJG, Guzman J, et al. Multidisciplinary biopsychosocial rehabilitation for chronic low back pain: Cochrane systematic review and meta-analysis. BMJ. 2015 Feb 18;350:h444.
100. Dragioti E, Björk M, Larsson B, Gerdle B. A meta-epidemiological appraisal of the effects of interdisciplinary multimodal pain therapy dosing for chronic low back pain. J Clin Med. 2019;8(6):871
101. Monticone M, Ambrosini E, Portoghese I, Rocca B. Multidisciplinary program based on early management of psychological factors reduces disability of patients with subacute low back pain. Results of a randomised controlled study with one year follow-up. Eur J Phys Rehabil Med. 2021.
102. Magel J, Fritz JM, Greene T, Kjaer P, Marcus RL, Brennan GP. Outcomes of patients with acute low back pain stratified by the start back screening tool: secondary analysis of a randomized trial. Phys Ther. 2017;97(3):330–7.
103. Cherkin D, Balderson B, Wellman R, Hsu C, Sherman KJ, Evers SC, et al. Effect of low back pain risk-stratification strategy on patient outcomes and care processes: the MATCH randomized trial in primary care. J Gen Intern Med. 2018;33(8):1324–36.
104. Riis A, Rathleff MS, Jensen CE, Jensen MB. Predictive ability of the start back tool: an ancillary analysis of a low back pain trial from Danish general practice. BMC Musculoskelet Disord. 2017;18(1):360.
105. Medeiros FC, Salomão EC, Costa LOP, Freitas DG de, Fukuda TY, Monteiro RL, et al. Use of the STarT Back Screening Tool in patients with chronic low back pain receiving physical therapy interventions. Braz J Phys Ther. 2021;25(3):286–95.

# Capítulo 190
## DOR EM OMBRO E MEMBRO SUPERIOR

Ari Ojeda Ocampo Moré

João Eduardo Marten Teixeira

As queixas de dores relacionadas ao membro superior têm alta prevalência na população brasileira, sendo o ombro o terceiro sítio mais frequente de dor.[1] Já no contexto ocupacional, as disfunções relacionadas ao membro superior são a principal categoria das doenças relacionadas ao trabalho,[2] o que pode ser explicado pela exposição a cargas anormais sustentadas e/ou forças.

Este capítulo aborda a dor em ombro e membro superior, dividindo didaticamente, de forma topográfica, nas seguintes regiões: ombro e terço proximal do membro superior; terço médio do membro superior; e terço distal do membro superior, incluindo mão e punho.

## PRINCÍPIOS GERAIS DO RACIOCÍNIO DIAGNÓSTICO

Para orientar o raciocínio diagnóstico e a abordagem terapêutica, este capítulo dá grande ênfase à história clínica, colhida inicialmente com perguntas abertas, de forma cronológica, aprofundando progressivamente cada queixa e, por fim, categorizando o quadro clínico de acordo com grupos de relevância diagnóstica.

Um elemento importante desse algoritmo diagnóstico consiste em avaliar as circunstâncias que desencadeiam, pioram ou aliviam a dor, o que permite classificar o seu ritmo, conforme descrito na **TABELA 190.1**.

**TABELA 190.1** → Ritmos associados à dor no membro superior

| RITMOS | | CIRCUNSTÂNCIAS | CAUSAS |
|---|---|---|---|
| Mecânico | | A dor piora com o movimento ou posturas prolongadas, e melhora gradualmente com o repouso | **Ombro e terço proximal do membro superior:** síndrome do impacto, síndrome do manguito rotador, bursites, tendinite bicipital, lesões labrais do ombro, capsulite adesiva, osteoartrite de articulações do complexo do ombro, radiculopatia cervical, síndrome do desfiladeiro torácico, mononeuropatia do nervo supraescapular<br>**Terço médio do membro superior:** epicondilites lateral ou medial, alterações degenerativas das articulações radioulnar e/ou umeroulnar, lesão do ligamento colateral ulnar, bursite de olécrano, radiculopatia cervical, síndrome do desfiladeiro torácico, mononeuropatias dos nervos ulnar ou radial<br>**Terço distal do membro superior (incluindo mão e punho):** rizartrose, tendinopatia de De Quervain, necrose avascular do semilunar, lesão da fibrocartilagem triangular, tendinopatias do punho, dedo em gatilho, radiculopatia cervical, mononeuropatia dos nervos ulnar, radial ou mediano |
| Mecânico ventilatório-dependente | | | Embolia pulmonar, irritação diafragmática (abscesso subfrênico), pneumonia, pleurites |
| Inflamatório | | Dor que piora à imobilização prolongada, melhorando gradualmente à atividade, no contexto de dores articulares; e/ou piora à noite, em dores articulares ou ósseas | Polimialgia reumática, artrites inflamatórias e tendinite calcárea (fase de reabsorção), capsulite adesiva (primeiros meses), bursite de olécrano (séptica ou secundária à atividade de doença reumatológica de base) |
| Viscerais | Cólica | A dor aumenta e reduz ciclicamente | **Ombro e terço proximal do membro superior:** distúrbio das vias biliares (cólica biliar) |
| | Aos esforços | A dor ocorre sempre ao mesmo nível de esforço | **Ombro e terço proximal do membro superior:** síndromes anginosas |
| | "Em crescendo" | A dor é progressiva | **Ombro e terço proximal do membro superior:** oclusão arterial aguda, síndromes anginosas, tromboembolismo pulmonar em progressão |
| | Em *thunderclap* | A dor é súbita e de forte intensidade | **Ombro e terço proximal do membro superior:** infarto agudo do miocárdio, pneumotórax, tromboembolismo pulmonar maciço |

Além da identificação do ritmo da dor, é importante identificar outros sinais de alarme que podem apontar para causas graves ou com manejo específico (TABELA 190.2).

## DOR EM OMBRO E TERÇO PROXIMAL DO MEMBRO SUPERIOR

Consultas relacionadas à dor em ombro são comuns, envolvendo aproximadamente 1% da população anualmente.[3] Uma boa avaliação clínica é essencial para o adequado manejo. Além disso, destaca-se a frequente dissociação clínico-radiológica;[4] exames de imagem muitas vezes demonstram lesão de manguito rotador em pessoas que não têm queixa de dor no ombro.[5,6]

### Aspectos anatômicos

O complexo articular do ombro é formado por quatro principais articulações: glenoumeral, acromioclavicular, esternoclavicular e escapulotorácica.[7] Do ponto de vista clínico, as três primeiras articulações citadas são as mais passíveis de lesão direta por processos traumáticos (principalmente luxações ou subluxações) e de processos degenerativos. Por outro lado, as disfunções da articulação escapulotorácica geram repercussões biomecânicas relacionadas a alterações da cinética da atividade muscular da região conhecida como cintura escapular.[8] Essa região tem uma porção óssea composta pela escápula e clavícula, uma porção muscular constituída pelos músculos que têm origem ou inserção nessas duas porções ósseas, o tecido conectivo adjacente a estas estruturas e uma rede neurovascular e linfática.[7,8]

Os músculos que formam a cintura escapular têm alta complexidade de funções cinemáticas, pois, além de exercerem funções de estabilização da escápula e da articulação glenoumeral, também estão envolvidos em movimentos do ombro e do pescoço.[8] Nesse sentido, as disfunções estruturais (p. ex., lesões de tendões) e funcionais (p. ex., encurtamento da musculatura, atrofia por desuso, alteração da contração muscular por pontos-gatilho [PGs] primários ou secundários a processos nocidefensivos – ver Capítulo Dor Miofascial e Outras Dores Mecânicas) são extremamente comuns em pacientes com síndromes dolorosas do terço proximal do membro superior que procuram por atendimento na atenção primária à saúde (APS).[9,10]

Entre os músculos que formam a cintura escapular, destacam-se aqueles do manguito rotador: infraespinal, redondo menor, supraespinal e subescapular. Estes são frequentemente acometidos por disfunções dolorosas associadas a patologias com ritmo mecânico, como a síndrome do impacto, a síndrome do manguito rotador e a síndrome dolorosa miofascial.[11,12] Além do manguito rotador, músculos

**TABELA 190.2** → Sinais de alarme não relacionados ao ritmo da dor

| SINAIS DE ALARME | CAUSAS |
|---|---|
| Febre, uso crônico de corticoide, imunodeficiência | Osteomielite |
| Declínio funcional em paciente de alto risco cardiovascular; sintomas ou sinais de doença vascular periférica | Angina ou infarto agudo do miocárdio, em paciente com manifestações compatíveis |
| Trauma agudo, idoso frágil, uso crônico de corticoides, osteoporose conhecida | Fratura |
| Diagnóstico prévio de câncer, perda de peso, fadiga importante, sintomas relacionados ao órgão primário do câncer | Neoplasia metastática |
| Dor no membro superior associada a síndrome de Horner (miose, ptose e anidrose ipsilateral) e síndrome de veia cava superior (cianose e edema do membro ipsilateral) | Tumor de ápice de pulmão (tumor de Pancoast) |

que auxiliam tanto na estabilização da escápula quanto na movimentação cervical (principalmente trapézio e levantador da escápula) são fontes frequentes de disfunções miofasciais do complexo do ombro e do pescoço.[12] Outros músculos também merecem atenção no contexto da dor do membro superior: escaleno médio (associado a síndromes compressivas do plexo braquial e dor miofascial que pode mimetizar a dor anginosa), peitoral maior (associado a uma dor que mimetiza o trajeto da dor do infarto do miocárdio), bíceps braquial (associado a dores referidas no ombro e no braço), latíssimo do dorso (dores na região posterior do ombro) e deltoide (associado a dores mal-localizadas na região do ombro).[12-14]

Por fim, temos as bursas (ou bolsas) localizadas na região proximal do membro superior. Essas estruturas estão localizadas em zonas de maior tensão entre tendões, ligamentos e pele, e se deslocam sobre proeminências ósseas. É interessante notar que algumas bursas comunicam-se com a cavidade articular, como a bursa subescapular.[7] Na prática clínica, a inflamação dessas bursas (bursite) também pode ser uma fonte de dor na região do ombro.

Quanto aos componentes nervosos que podem ser acometidos por neuropatias compressivas, destacam-se as raízes cervicais de C4 e C5, o nervo supraescapular e as regiões do trajeto cervical do plexo braquial.

## Abordagem diagnóstica da dor no ombro e no terço proximal do membro superior

A **FIGURA 190.1** apresenta o fluxograma que estrutura o raciocínio diagnóstico diante de um paciente com dor no terço proximal do membro superior.

### História clínica

#### Caracterização do ritmo e exclusão de sinais de alarme

A caracterização de um ritmo não mecânico para a dor (ver **TABELA 190.1**) permite identificar a maioria dos pacientes com sinais de alarme que requerem avaliação diferenciada. A presença de ritmo inflamatório deve alertar para artrites inflamatórias (ver Capítulo Oligoartrites e Poliartrites), polimialgia reumática e tendinite calcificante do ombro. Ritmos viscerais permitem identificar dores não diretamente associadas às estruturas anatômicas do ombro e que geralmente constituem causas graves, em especial:

→ o ritmo de dor em cólica no ombro direito sugere acometimento de vias biliares (ver Capítulo Avaliação Inicial da Dor Abdominal Aguda);
→ o ritmo de dor aos esforços pode indicar irradiação de angina;
→ o ritmo de dor em crescendo ou em *thunderclap* pode indicar síndrome coronariana aguda (ver Capítulo Dor Torácica).

Além disso, deve-se perguntar sobre sinais de alarme gerais, como febre, perda ponderal e dor que acorda o paciente à noite, e correlacionar ao quadro descrito do paciente a fim de verificar a necessidade de investigação de doenças de maior gravidade (p. ex., neoplasias, infecções, etc.) (ver **TABELA 190.2**).

O ritmo mecânico pode também estar associado a sinais de alarme. Por exemplo, o ritmo mecânico ventilatório-dependente deve levantar a suspeita de patologias pulmonares e/ou pleurais, embora na APS seja muito frequente a ocorrência de dores de origem muscular (p. ex., em serrátil anterior e romboides) que provocam dor ventilatório-dependente. Ainda relacionada aos sinais de alarme de ritmo mecânico, temos a história de trauma agudo. Os traumas agudos, de forma geral, já são descritos inicialmente na escuta inicial do paciente, mas caso não sejam mencionados, devem ser questionados ao longo da consulta.

#### Identificação de sinais de neuropatia

Na avaliação das causas de dor de ritmo mecânico no terço proximal do membro superior, sugere-se que o primeiro passo seja a exploração de sintomas de dor neuropática. O questionário *Douleur Neuropathique 4 Questions* (DN4) de suspeição de dor neuropática, corroborado em vários contextos,[15,16] propõe que se uma dor não possui queimação, choque, frio doloroso ou parestesias, o diagnóstico de dor neuropática pode ser afastado com segurança.[15,16] Caso contrário, o paciente necessitará de um exame físico mais detalhado, incluído o exame neurológico completo do aparelho locomotor guiado pela queixa principal que permeia o sintoma descrito pelo paciente (ver QR code). De forma geral, dores neuropáticas de ritmo mecânico serão neuropatias compressivas.

#### Avaliação e qualificação dos demais padrões de dor no terço proximal do membro superior

Afastadas as suspeitas de causas graves e de dor neuropática, devem-se avaliar outras causas mecânicas que podem provocar dor no terço proximal do membro superior. As classificações tradicionalmente utilizadas na ortopedia foram desenvolvidas e validadas em populações distintas daquela atendida na APS, predominantemente pacientes aguardando cirurgia. Na maioria das vezes, diferentes causas se sobrepõem. Sendo assim, a avaliação mais voltada para identificar padrões que orientem o manejo prova-se mais lógica e didática.

Um aspecto útil para diferenciar as causas é o padrão de localização. Dores demonstradas pelo paciente com a mão móvel (como se estivesse procurando a dor) são muito frequentes,[13] sendo geralmente classificadas como "inespecíficas". Em grande parte das vezes, têm origem miofascial.[12,17,18] Já as dores localizadas, geralmente mostradas com a mão fixa (imóvel) em uma determinada região do ombro, frequentemente se devem a etiologias não miofasciais, como o acometimento de estruturas como tendões, ligamentos, ênteses, periósteo, sinóvia, bursa, lábio articular (*labrum*), etc. Esta diferenciação, sobre se a dor é bem ou mal localizada, auxilia a guiar os próximos passos do exame físico, no sentido de se iremos proceder inicialmente

# Medicina Ambulatorial

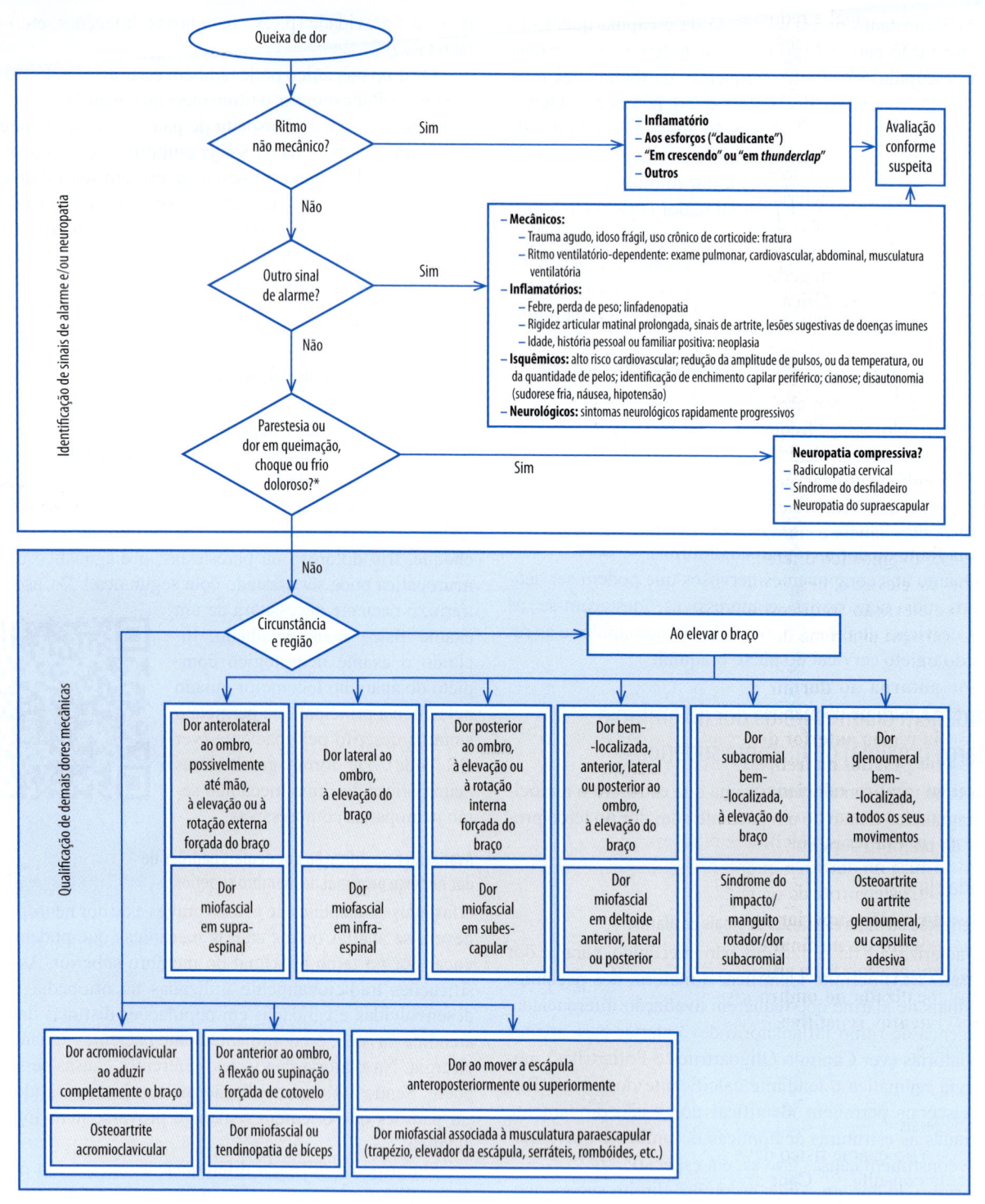

**FIGURA 190.1** → Algoritmo diagnóstico da dor no ombro e no terço proximal do membro superior.
*A ausência de parestesia ou dor em queimação, choque, ou frio doloroso a princípio afasta a suspeita de dor neuropática, segundo o questionário DN4.

à palpação de PGs (dor mal-localizada) ou à realização de algumas manobras provocativas (dor bem-localizada).

Os músculos a serem investigados como origem da dor miofascial podem ser inferidos a partir das circunstâncias que provocam ou aliviam a dor, bem como pela localização da dor.

Diferindo dos pacientes com padrão de dor de origem miofascial, pessoas cujas queixas dolorosas predominam de forma mais localizada em torno do ombro são frequentemente acometidas por condições que afetam tendões, bursas, ligamentos, estruturas intra-articulares e outros tecidos não miofasciais.[19-21] A localização da dor na região anterior do ombro pode indicar tendinite da cabeça longa do bíceps, lesão labral e osteoartrite do ombro; na região lateral (em torno do deltoide), as síndromes do impacto e do manguito rotador; na região posterior, tendinopatia dos rotadores externos (infraespinal e redondo menor); e, na região superior, alterações da articulação acromioclavicular.[22]

Essa noção de localização da dor é apenas um guia, uma vez que estudos de mapeamento de dor verificam que sua localização pode variar entre os pacientes.[21] Pacientes identificados com síndrome do impacto, lesões de manguito rotador, capsulite adesiva e osteoartrite do ombro também cursam com dores de característica distinta da dor principal do ombro (dor fraca, dor em dormência) e que atinjam braço, antebraço e mão.[21] Essa expansão da área de dor para além da região do ombro em geral está associada a componentes de sensibilização periférica e/ou central, bem como a componentes miofasciais.[23] Assim, é importante que o médico tenha uma visão global da queixa trazida pelo paciente e que, a partir da história clínica, verifique possíveis componentes primários de dor, além de possíveis coocorrências de disfunções dolorosas,[24] frequentes nas síndromes álgicas do ombro e da região cervical.[12]

É importante utilizar outros elementos da história do paciente, como quais movimentos desencadeiam dor e outras circunstâncias, sinais e sintomas adicionais que podem nos auxiliar no diagnóstico diferencial (ver FIGURA 190.1):

→ **dor ao elevar o braço ou associada a trabalho que exige elevação frequente do membro superior acima da cabeça:** síndrome do impacto ou lesão do manguito rotador;
→ **dor noturna ao dormir de lado sobre o ombro afetado:** síndrome do manguito rotador;
→ **dor na região anterior do ombro ao elevar ou segurar objetos pesados na frente do tronco:** tendinite bicipital;
→ **dor no ombro relacionada à prática de esportes que realizam movimentos de alta velocidade sobre a cabeça (p. ex., tênis, vôlei):** lesão labral;
→ **dor difusa no ombro a qualquer movimento:** capsulite adesiva, osteoartrite do ombro;
→ **dor na região superior do ombro no final do arco do movimento ou no final do movimento de adução do ombro:** patologias da articulação acromioclavicular;
→ **dor localizada no ombro associada a atividades com movimentos repetitivos e com dor à palpação local:** bursites.

## Exame físico

### Princípios gerais

O processo do exame físico deve ser visto como parte terapêutica da consulta.[25,26] Cabe ao examinador, à medida que testa algumas prováveis origens de nocicepção, compartilhar alguns dos achados semiológicos com o paciente. Essa abordagem servirá como base para desconstrução de entendimentos e crenças prévias que muitas vezes limitam o engajamento do paciente no plano terapêutico (p. ex., "meu ombro dói por causa da bursite", "minha dor nunca vai melhorar porque tenho um tendão rompido no ombro", "só cirurgia vai melhorar a minha dor", etc.).

### Exame neurológico

Quando se identifica a provável origem neuropática de dor, conforme as características clínicas, é recomendável proceder ao exame neurológico do membro superior nos seguintes passos:

→ avaliação de sensibilidade seguindo dermátomos de raízes cervicais e torácicas altas (C4-T2);
→ reflexos tendinosos bicipital (C5), tricipital (C6) e estilorradial (C7);
→ teste de força muscular;
→ avaliação de trofismo muscular e presença de fasciculações.

A presença de hipoestesia ou disestesia em dermátomos específicos sugere radiculopatia, enquanto a presença de reflexos tendinosos exacerbados sugere síndrome de neurônio motor superior (neste caso, o mais comum seria uma mielopatia cervical compressiva). A presença de hiporreflexia e/ou presença de fasciculação muscular sugerem síndrome do neurônio motor inferior (em quadros dolorosos, o mais comum são as radiculopatias cervicais). O teste de Spurling e suas variações[27] (compressão axial com pescoço em posição de maior tensionamento das raízes cervicais, em geral posicionado lateralmente e em extensão) são testes provocativos que, quando positivos (reprodução da dor do paciente), também podem indicar radiculopatia cervical. Os testes de força muscular, quando alterados (redução de força), podem complementar as hipóteses diagnósticas, mas muitas vezes têm difícil interpretação, pois a redução da força também pode estar associada à presença de uma disfunção miofascial ou de dor que dificulta o movimento testado.[17] É importante ressaltar que outros elementos de exame neurológico devem ser acrescentados na suspeita de outras patologias sistêmicas ou disfunções neurológicas específicas conforme o quadro clínico.

### Exame miofascial

O exame miofascial consiste principalmente na busca dos três principais critérios que definem a presença da dor miofascial:

1. presença de bandas musculares tensas;
2. sensibilidade dolorosa à palpação das bandas tensas;
3. reprodução da dor do paciente à palpação de uma região específica do músculo (PG).

É importante ressaltar que é necessária uma palpação firme sobre a musculatura para que o PG seja identificado. Além disso, cabe lembrar que os músculos acometidos pela dor miofascial também podem apresentar encurtamento (reduzindo a amplitude de movimento) e redução de força (para mais detalhes, ver Capítulo Dor Miofascial e Outras Dores Mecânicas). O QR code apresenta os músculos que devem ser inicialmente palpados, as zonas de ocorrência dos PGs nos músculos e as principais áreas de sensação referida.

### Manobras para síndrome do impacto e síndrome do manguito rotador

Várias manobras semiológicas, geralmente com epônimos de quem as descreveu incialmente, são utilizadas no diagnóstico das síndromes dolorosas do ombro. Os resultados dessas manobras devem ser sempre contextualizados com o quadro clínico e a queixa relatada pelo paciente.[20] Dessa maneira, em vez de o teste indicar a patologia (p. ex., teste de Jobe positivo significa tendinopatia do supraespinal), permite, em conjunto com uma noção básica de anatomia e biomecânica dos movimentos do ombro, entender qual estrutura está sendo estressada com determinadas posições do membro ou manobras semiológicas (p. ex., em quais posições e tipos de esforços do membro superior há maior tensão no tendão do músculo supraespinal).

O teste de impacto de Neer positivo indica dor no ombro à elevação do membro entre 60 e 120 graus (posição de maior tensão subacromial) e alívio da dor após 120 graus (redução da tensão). O teste de impacto de Hawkins-Kennedy é descrito como positivo quando a dor do ombro do paciente é reproduzida quando o membro superior é colocado em 90 graus de elevação (em rotação neutra) e cotovelo fletido em 90 graus, e, em seguida, o examinador faz um movimento passivo e rápido de rotação interna do ombro[28] (FIGURA 190.2). Este e vários outros testes para avaliação de dor em ombro e membro superior estão demonstrados em vídeos curtos (ver QR code ao lado).

Na avaliação do manguito rotador, alguns testes semiológicos podem auxiliar a verificar se há perda de amplitude de movimento, dor a uma manobra provocativa e redução de força. O teste de Apley do ombro auxilia a verificar se há alteração (encurtamento) nos movimentos de rotação externa e rotação interna do ombro. Os testes do supraespinal (Jobe), do infraespinal e do subescapular (*belly press*) auxiliam a testar se há reprodução da dor do paciente e/ou redução de força ao exercer resistência contra os movimentos que esses músculos exercem (FIGURA 190.3).[28]

Para investigar a tendinite bicipital, deve-se começar palpando o sulco bicipital (região anterior do ombro, ao lado do tubérculo maior do úmero) e verificar se esta é a dor típica relatada pelo paciente. O teste de Speed pode complementar o exame físico e é realizado com o paciente flexionando o braço anteriormente contra resistência, com o cotovelo estendido e o antebraço supinado (FIGURA 190.4). O teste é positivo quando a dor é localizada no sulco bicipital.[29]

O teste de O'Brien é uma das manobras de exame físico que, apesar de não ter especificidade e sensibilidade altas, pode auxiliar na verificação da presença de dor relacionada à lesão labral do ombro (SLAP, do inglês *superior labral anterior and posterior*).[30] No teste, o paciente flexiona o ombro em 90 graus e mantém o cotovelo em extensão total, e o braço é, então, aduzido (cerca de 15 graus em direção ao tronco). O ombro é rodado internamente de forma que o polegar aponte para o chão. Aplica-se, então, uma força dirigida inferiormente no braço do paciente enquanto o paciente resiste. Esse procedimento é repetido na mesma posição, mas com o braço do paciente em rotação externa e o

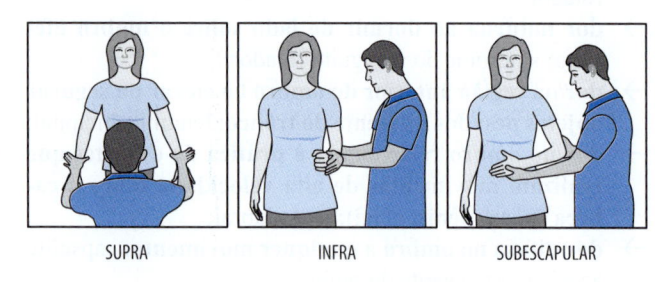

SUPRA   INFRA   SUBESCAPULAR

**FIGURA 190.3** → Testes semiológicos para avaliação de dor e alteração de força dos músculos do manguito rotador.

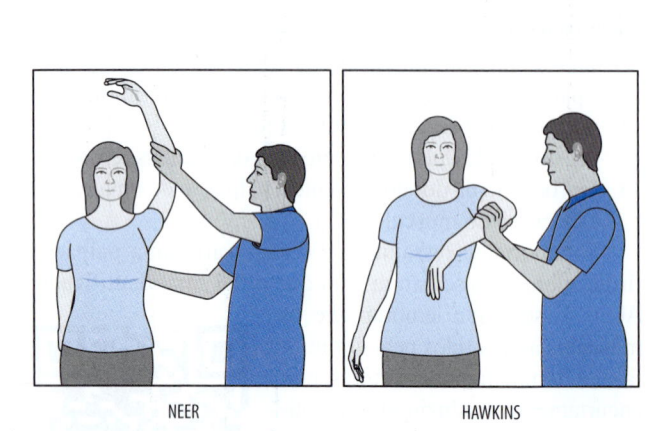

NEER   HAWKINS

**FIGURA 190.2** → Testes provocativos que avaliam a presença de síndrome do impacto do ombro.

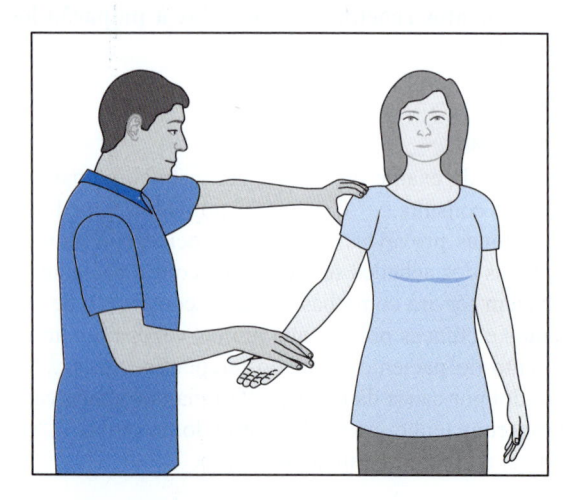

**FIGURA 190.4** → Teste de Speed: manobra semiológica que auxilia na identificação da tendinite bicipital.

polegar apontado para o teto. O teste é positivo se a dor do paciente for reproduzida quando o ombro está em rotação interna e houver alívio da dor quando o ombro está em rotação externa (FIGURA 190.5).

## Principais causas de dor no terço proximal do membro superior

### Dores neuropáticas

#### Radiculopatia cervical

As radiculopatias de raízes espinais cervicais constituem as causas mais comuns de neuropatias compressivas que provocam dor no ombro e no terço proximal do membro superior.[31] Nesses casos, é comum a apresentação da queixa clínica na forma de cervicobraquialgia. As raízes cervicais com maior frequência de acometimento são C5, C6 e C7, que geralmente estão associadas à hérnia de disco ou a lesões degenerativas da coluna cervical, e provocam sintomas de dor na região do antebraço e da mão. Contudo, hérnias na altura de C4 e C5 também cursam com sintomas de dor neuropática no território do ombro e da região proximal do membro superior. É importante ressaltar que a dor radicular cervical segue o padrão dermatômico somente em 54% dos casos;[32] portanto, não pode ser usada como único parâmetro para o diagnóstico diferencial. Além disso, vale lembrar que um exame neurológico com característica de síndrome do neurônio motor superior pode indicar sinais de mielopatia cervical, um sinal de alarme. Até o momento, não existe um padrão-ouro que defina o diagnóstico da dor de origem radicular cervical.[31] Os achados semiológicos de dor unilateral no membro superior com características de choque elétrico, dor no pescoço e déficits sensoriais, motores ou reflexos são, em geral, suficientes para o diagnóstico clínico de radiculopatia cervical.[31] Os exames de imagem, preferencialmente a ressonância magnética (RM) cervical, estão indicados em três principais situações:[31,33,34]

1. não melhora dos sintomas após 4 a 6 semanas de tratamento conservador;
2. déficit neurológico progressivo;
3. presença de sinais de alarme (principalmente de mielopatia cervical ou abscesso espinal, e para descartar tumoração, infecção ou fratura).

O tratamento passa pela avaliação e pela correção de fatores posturais e medidas de tratamento conservador e eventual necessidade de intervenção cirúrgica, conforme descrito no Capítulo Cervicalgia.

#### Síndrome do desfiladeiro torácico

É uma condição clínica caracterizada por sinais e sintomas atribuíveis à compressão de estruturas neurais do plexo braquial e/ou vasos localizados entre a primeira costela e a clavícula (desfiladeiro torácico). Existem quatro variantes descritas dessa síndrome:[35]

1. **neurogênica (mais comum, responsável por cerca de 90% dos casos):** manifestada com dor neuropática do membro superior;
2. **arterial:** cursa com sinais de isquemia do membro superior;
3. **venosa:** associada a sinais de trombose;
4. **mista:** envolve componentes neurais e vasculares.

A localização mais comum da dor relacionada à síndrome do desfiladeiro torácico é a região medial do antebraço e mão. Contudo, as regiões cervical e do ombro também podem ser afetadas.[35]

Alterações congênitas, como presença de costela cervical ou vértebra C7 com processo transverso proeminente, são causas associadas a essa síndrome. Além da compressão por alterações ósseas, o plexo braquial pode ser comprimido por alterações anatômicas da fixação óssea dos músculos escalenos, bem como por hipertrofia desses músculos.[35] Assim, a presença de pontos-gatilho miofasciais (PGs) do músculo escaleno médio pode provocar um padrão de dor referida maldistribuída por todo o membro superior (principalmente na face medial do membro).[14]

Existem muitos testes provocativos que buscam investigar a síndrome e que apresentam resultados falso-positivos. Assim, o papel dessas manobras provocativas (como a manobra de Adson) é incerto.[13] O diagnóstico da síndrome é essencialmente clínico. Pode ser complementado por exames de imagem e por estudos de eletroneuromiografia para diferenciá-la de outras patologias neurológicas.[35]

Em geral, o prognóstico é excelente. Pacientes submetidos à terapia conservadora apresentam remissão dos sintomas em cerca de 90% dos casos.[36] O manejo da síndrome é inicialmente conservador e inclui medidas farmacológicas (p. ex., analgésicos sintomáticos de resgate de exacerbação de sintomas, e antidepressivos tricíclicos ou anticonvulsivantes para sintomas persistentes de dor neuropática) e não farmacológicas de suporte (medidas posturais, fisioterapia e desativação de PGs de escalenos e peitoral menor) C/D. Terapias infiltrativas na região dos músculos escalenos com uso de anestésicos locais ou de toxina botulínica têm resultado variado na literatura.[37]

#### Neuropatia do nervo supraescapular

Os pacientes com neuropatia do nervo supraescapular, uma condição pouco frequente, apresentam dor de característica

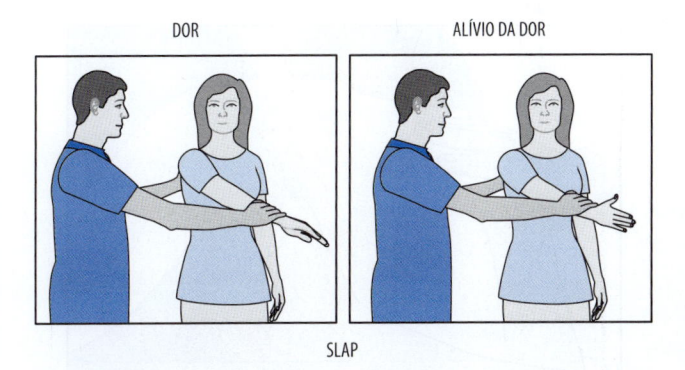

**FIGURA 190.5** → Teste de O'Brien: manobra semiológica que auxilia na identificação da lesão labral do ombro (SLAP).

neuropática na região posterolateral do ombro, podendo ser irradiada para o pescoço ou para a região lateral do braço. Pode haver história de trauma penetrante, cirurgia prévia do ombro e atividade repetitiva com o ombro em elevação. Os pacientes também descrevem fraqueza muscular durante movimentos do ombro. Ao exame, é comum observar atrofia de músculos do manguito rotador (secundária à neuropatia do nervo supraescapular, que pode ser compressiva ou secundária a uma neurite que, em geral, também envolve o plexo braquial). O tratamento inicial da neuropatia supraescapular isolada consiste em fisioterapia e analgesia C/D. Se houver persistência da dor e evolução para atrofia da musculatura, considera-se a intervenção cirúrgica.[38]

## Dores de origem miofascial da cintura escapular

A cintura escapular é uma região frequentemente acometida por PGs, os quais podem ser fonte de dor para diversas regiões do pescoço e do membro superior. A disfunção miofascial dos músculos trapézio (superior, médio e inferior) e levantador da escápula é causa frequente de dor na região cervical posterior, na cintura escapular e na região posterior do ombro.[39]

Os principais músculos acometidos por dor miofascial em pacientes com dor no ombro são os músculos trapézio superior (58%) e infraespinal (77%).[12] Este último, além de ser fonte primária de dores no membro superior, é um dos principais músculos acometidos por PGs, em conjunto com a síndrome do manguito rotador.[12] Há frequente coocorrência de disfunção miofascial dos músculos infraespinal e supraespinal e diversas síndromes dolorosas do ombro, incluindo a síndrome do impacto e a síndrome do manguito rotador.[12] O controle do componente miofascial dos músculos do manguito rotador é um elemento-chave no tratamento de pacientes com diferentes patologias articulares e periarticulares do ombro.[12]

O agulhamento seco de músculos do quadrante superior do corpo pode diminuir a dor de etiologia miofascial no curto prazo (diminuição de 1,1-1,9 em uma escala de 10)[10,40] C/D, e possivelmente reduz a tensão das estruturas subacromiais (frequentemente já sensibilizadas em paciente com dores no ombro), o que favorece a recuperação da força e da coordenação dos movimentos do complexo do manguito rotador.[12,41] O agulhamento seco do músculo infraespinal é um dos procedimentos mais realizados no tratamento das dores do ombro. (Ver Capítulo Dor Miofascial e Outras Dores Mecânicas.)

Outros músculos da cintura escapular, como subescapular, romboides e serrátil anterior, também são acometidos pela dor miofascial, mas com menos frequência. Cabe destacar que esses três músculos requerem um nível mais avançado de treinamento para abordagem devido à complexidade técnica e de segurança dos procedimentos.[42-44] Também é importante lembrar que os músculos da cintura escapular, com destaque para os romboides e o serrátil anterior, são responsáveis por padrões de discinesia escapular e consequente posicionamento disfuncional da escápula (tanto estático quanto dinâmico).[8] Assim, pacientes com acometimento miofascial que persistem ou recorrem com padrões de dor no membro superior após algumas intervenções de desativação de PGs devem ser encorajados a realizar cinesioterapia desses músculos, preferencialmente orientados por um fisioterapeuta que oriente a intervenção.

## Dores de origem miofascial de outras regiões do membro superior

Outros músculos que merecem destaque nas dores do terço proximal do membro superior são o deltoide (três porções: anterior, médio e posterior), o latíssimo do dorso e o bíceps braquial. O músculo deltoide pode ser fonte de dor miofascial na região anterior, lateral ou posterior do ombro, e suas porções devem ser palpadas na suspeita do acometimento da região correspondente. O músculo latíssimo do dorso provoca padrão de sensação referida na região posterior do ombro. A palpação desse músculo geralmente é feita utilizando-se a técnica em pinça (FIGURA 190.6), e *twitches* vigorosos são observados quando o agulhamento atinge seu PG. O bíceps braquial desencadeia um padrão de dor e sensação referida para a região anterior do ombro e é um importante diagnóstico diferencial da própria tendinite da cabeça longa do bíceps.

## Causas de dor bem-localizada em torno do ombro

### Síndrome do impacto

A síndrome do impacto é caracterizada por uma disfunção dolorosa cuja origem é a irritação mecânica de estruturas abaixo do acrômio e acima da cabeça do úmero.[45] Pacientes com essa condição geralmente queixam-se de dor na região anterolateral do ombro que piora ou é desencadeada pela elevação do membro superior acima da altura do ombro. Essa condição é mais frequente em pessoas que têm atividades laborais com o membro superior elevado (p. ex., pintores, professores que escrevem em lousa, eletricistas, pedreiros, limpadores de vidro, etc.). A etiologia da síndrome do impacto está associada a dois principais fatores: a fraqueza ou desbalanço muscular do manguito rotador (que estabilizam a cabeça do úmero e não permitem que esta seja comprimida contra o acrômio) e questões estruturais anatômicas (como a morfologia do acrômio, que pode tornar o espaço subacromial mais estreito e sujeito a maiores tensões e colisão dessas estruturas).[46]

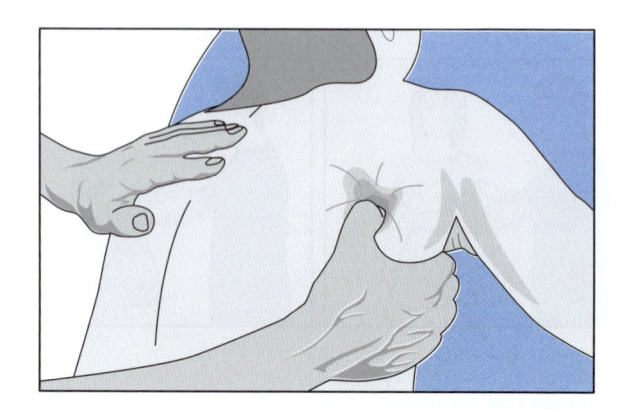

**FIGURA 190.6** → Técnica em pinça de palpação do músculo lateral do cotovelo e antebraço.

Do ponto de vista semiológico, há três critérios importantes que aumentam a suspeita diagnóstica da síndrome do impacto:[46]
1. dor agravada por atividades realizadas acima da cabeça;
2. dor localizada na face lateral do ombro;
3. presença de um arco de movimento doloroso observado durante a abdução do ombro, geralmente entre 60 e 120 graus.

Infelizmente, não há evidências suficientes da seleção de manobras de exame físico essenciais na identificação da síndrome do impacto do ombro e lesões associadas de bursa, tendão ou *labrum*.[47]

Do ponto de vista de evolução clínica, Neer descreveu três principais estágios de evolução da síndrome do impacto:[45]

→ **estágio 1 (edema e hemorragia):** ocorre geralmente uma bursite aguda (por compressão excessiva subacromial), e esta é desencadeada por movimentos excessivos e repetitivos do ombro, associados geralmente a atividades laborais ou a esportes. É frequente em pacientes jovens e autorresolvida (sem deixar sequelas) com repouso, analgésicos de resgate e medidas não farmacológicas de tratamento[46] **C/D**;

→ **estágio 2 (fibrose e tendinite):** caso episódios recorrentes ou contínuos de inflamação das estruturas subacromiais continuem a ocorrer, alterações estruturais são observadas na bursa subacromial (que se torna fibrótica e espessada) e nos tendões do manguito rotador (geralmente no tendão supraespinal). Esse estágio é comum em pacientes com idade entre 25 e 40 anos, e a opção inicial é o tratamento conservador. Caso não haja resposta adequada ao tratamento conservador após um período ≥ 18 meses, considera-se a abordagem cirúrgica;[46]

→ **estágio 3:** nesse estágio, já se observam rupturas parciais ou completas dos tendões do manguito rotador ou do bíceps braquial, o que gera dor e fraqueza dos movimentos do ombro. Além das alterações nos tendões, podem ocorrer alterações ósseas reativas na região anterior do acrômio e na tuberosidade maior do úmero. Esse estágio geralmente acomete pacientes com idade > 40 anos, e a presença de dor e de alterações funcionais persistentes mesmo após o tratamento conservador é indicativa de necessidade de intervenção cirúrgica.[46]

Na abordagem diagnóstica da síndrome do impacto, em pacientes com sintomas compatíveis com o estágio 1 de evolução, a solicitação de exames complementares na primeira avaliação não é recomendada. Em pacientes com sintomas e contexto compatíveis com o estágio 2, opta-se pela solicitação da radiografia de ombro (anteroposterior, axilar e túnel, para identificação de alterações estruturais relacionadas) para complementar a avaliação inicial caso o paciente tenha falha ao tratamento conservador, idade > 50 anos e apresente dor e fraqueza à elevação do membro.[48,49] A ultrassonografia (US) pode complementar a investigação principalmente em pacientes com perda funcional importante (o que pode estar associado a uma ruptura completa de tendões do manguito rotador).[49] Exames de RM do ombro (associada ou não à artrografia) podem ser úteis para a diferenciação de lesões de manguito relacionadas à síndrome de impacto, contudo estes não são recomendados na primeira avaliação do paciente e são considerados na complementação diagnóstica caso se cogite intervenção cirúrgica.[49]

O tratamento de pessoas com quadro de síndrome do impacto tem objetivo de reduzir a dor e o processo inflamatório local, melhorar a funcionalidade e a amplitude de movimento e promover o retorno da pessoa às suas atividades desejadas. Na grande maioria dos casos, o tratamento conservador com medidas não farmacológicas é a primeira escolha para o tratamento dessa condição[50] **B**. O uso de gelo sobre o local de dor (20 minutos repetido diversas vezes ao dia com intervalo mínimo de 2 horas entre cada aplicação) auxilia no controle de dor inicial (o calor superficial é uma opção caso o uso inicial de gelo seja inócuo)[50] **C/D**. Exercícios terapêuticos direcionados para a melhora da funcionalidade dos movimentos do ombro estão associados à redução da dor e à melhora da função (tamanho de efeito [TE; exercício] = −0,94; TE [exercícios terapêuticos direcionados vs. exercício genérico] = −0,65).[51] A adição de *kinesiotaping* à cinesioterapia também tem mostrado ser uma medida efetiva na redução da dor e na melhora da função em curto prazo **C/D**. Também há evidências que demonstram que o *laser* de baixa intensidade (TE = −0,65) **B** e o tratamento com acupuntura **C/D** auxiliam no controle de dor e no ganho funcional de pacientes com síndrome do impacto.[50] Por outro lado, os estudos com US terapêutica não mostraram melhora dos sintomas nesses pacientes.[50]

O uso de anti-inflamatórios não esteroides (AINEs) tópicos (como diclofenaco e cetoprofeno) pode auxiliar no controle inicial dos sintomas **B**. No entanto, geralmente o controle da dor é de curto prazo com baixo tamanho de efeito (TE = −0,29), e há descrição de potenciais efeitos indesejáveis para o tratamento, como alterações tróficas de tendões e comprometimento da cicatrização local.[51] Dessa forma, o uso desses medicamentos deve ser considerado com cautela.

O uso de terapias infiltrativas com aplicação de doses únicas de corticoides (metilprednisolona) associado a anestésico local na região subacromial tem evidências moderadas na melhora parcial da dor e na função no curto prazo (TE = −0,65, duração do efeito de 4-8 semanas)[52] **B**. Recomenda-se o uso de outras alternativas de tratamento menos invasivas antes do uso do corticoide injetável. Em pacientes com dor intensa aguda, a infiltração local de corticoide pode ser considerada como terapia de primeira linha no controle da dor. Não são recomendadas infiltrações repetidas de corticoide, já que a intervenção compromete a integridade do manguito rotador e pode prejudicar um possível procedimento de reparo cirúrgico.[52]

Em adultos, a cirurgia de descompressão subacromial não melhora a dor no ombro (−0,4 em uma escala de 10), a função do ombro (TE = −0,1) ou a qualidade de vida em 1 a 2 anos em comparação com apenas fisioterapia.[18,53] A indicação cirúrgica varia individualmente conforme idade, atividade laboral/esportiva e estágios de progressão dos sintomas.

### Síndrome do manguito rotador

A síndrome do manguito rotador é uma condição que afeta os tendões dos músculos do manguito rotador e gera dor e incapacidade funcional.[54]

Os pacientes acometidos relatam dor no ombro agravada por atividades do membro acima da cabeça e que piora à noite, com dificuldade de dormir sobre o ombro afetado.[11] A exploração semiológica das características da dor, a verificação de fraqueza/limitação funcional e a pesquisa de outros fatores que estejam contribuindo para a dor no ombro (como coocorrência de disfunções miofasciais ou de alterações neuropáticas) são fundamentais no manejo dos pacientes com suspeita de síndrome do manguito rotador.[55] Exames de imagem são pouco úteis, uma vez que a prevalência de lesão do manguito rotador nesses exames é de cerca de 40% em pessoas assintomáticas e de 64% em indivíduos sintomáticos.[55]

De forma geral, dois tipos de disfunções estão associados à síndrome do manguito rotador: as extrínsecas e as intrínsecas.[56] As disfunções extrínsecas são alterações dinâmicas da musculatura do manguito rotador e outros músculos periescapulares, o que gera alteração da estabilidade da cabeça do úmero na glenoide, podendo comprimir os tendões do manguito rotador. As disfunções intrínsecas são decorrentes de lesões parciais ou completas, traumáticas ou degenerativas, que acometem os tendões do manguito rotador.[56] Em geral, ambas estão presentes e a fisiopatologia da dor de origem do manguito rotador é multifatorial.[56]

Em caso de falha terapêutica, a radiografia de ombro é o exame de escolha para documentar possíveis alterações degenerativas, registrando alterações císticas na cabeça do úmero e esclerose na região inferior do acrômio.[11] Devido à dissociação clínico-radiológica frequente nas patologias do manguito rotador, os exames de US e RM devem ser solicitados criteriosamente e embasados em uma hipótese clínica específica. Em geral, a solicitação de US (mais barata, mais bem tolerada, operador-dependente e dinâmica) e RM do ombro (mais cara, menos tolerada pelos pacientes e com maior sensibilidade de identificação de lesões) visa explorar a presença de lesões extensas do manguito rotador que podem explicar perda funcional significativa.[49,57]

O tratamento da síndrome do manguito rotador envolve medidas iniciais de controle da dor e intervenções para a recuperação funcional do paciente. As medidas de controle de dor se assemelham às terapias já descritas anteriormente no tratamento da síndrome do impacto do ombro, consistindo em terapias não farmacológicas, como cinesioterapia assistida e programa de exercícios domiciliares **C/D**, além de terapias farmacológicas para controle sintomático em curto prazo, com AINE oral e injeção local de corticoides[55] **B**. O tratamento conservador beneficia jovens com lesões parciais do manguito rotador e pacientes com idade > 60 anos com ruptura completa de tendões do manguito que se mantêm funcionais de acordo com a atividade que exercem.[58] O encaminhamento para avaliação cirúrgica é realizado quando os pacientes mantêm sintomas após 6 meses de tratamento conservador, se há uma lesão traumática com ruptura extensa e perda funcional em pacientes jovens, se há persistência de dor e redução funcional em pacientes idosos com ruptura completa de tendões do manguito e em pacientes que realizaram pelo menos 4 meses de tratamento conservador.[57,58] Há redução da dor (−1,1 em uma escala de 10) e melhora de função (6 em uma escala de 100) após 1 ano, mas nenhuma diferença na dor após 2 anos.[59,60]

### Bursites

As bursas são estruturas compostas por tecido sinovial; quando acometidas por processo inflamatório, desencadeiam uma condição conhecida como bursite. Foram mapeadas no corpo humano cerca de 160 bursas, geralmente localizadas em zonas de maior tensão mecânica entre pele e osso, entre tendões/ligamentos e osso, sendo as bursas subacromial, subescapular e do olécrano as três mais acometidas por processos inflamatórios.[61] Os padrões de apresentação clínica das bursites podem seguir ritmos inflamatórios (geralmente associados a doenças autoimunes, quadros infecciosos ou depósito de cristais). Mas, na maioria das vezes, têm características de ritmo mecânico.

As bursites do ombro geralmente são secundárias à síndrome do impacto subacromial, em que a bursa subacromial torna-se mais espessa e com aumento de volume devido à irritação do tecido sinovial por excesso de pressão.[62] Em geral, a bursite subacromial é um processo autolimitado e que alivia com repouso e redução de movimentos repetidos acima da altura do ombro. A dor geralmente é bem localizada e piora aos esforços. Gelo local, analgésicos ou AINEs por curto período são utilizados para controle da dor aguda[63] **C/D**. A bursite pode cronificar caso medidas corretivas para o manejo da síndrome do impacto não sejam utilizadas (p. ex., correção ergonômica e laboral do uso do membro superior acima da altura do ombro, exercícios de fortalecimento do manguito rotador – ver QR code). Embora as injeções de corticoides intrabursais às vezes sejam usadas para tratar a bursite com características de ritmo mecânico, evidências do benefício dessa intervenção são, até o momento, inconclusivas[64] **C/D**. Pacientes com bursites crônicas de ritmo inflamatório (p. ex., secundárias à artrite reumatoide e à gota) são mais frequentemente submetidos a procedimentos de aspiração de alívio (retirada de líquido sinovial devido a acúmulo doloroso) e infiltração intrabursal,[64] mas esses procedimentos devem ser indicados de forma criteriosa devido ao risco de bursite séptica.

### Tendinite bicipital

Os pacientes com queixa localizada na região anterior do ombro e que é agravada ao realizar atividades com o membro superior acima da cabeça, ou carregando cargas pesadas com o cotovelo em flexão, têm a tendinite bicipital como uma das possíveis origens de dor. O músculo bíceps braquial tem duas cabeças: a cabeça curta (com origem no processo coracoide) e a cabeça longa (com origem no tubérculo supraglenoidal e *labrum* superior). Esta última, quando acometida por processo de sobrecarga, gera uma dor de ritmo mecânico que, em muitos casos, pode ser diagnosticada erroneamente como síndrome do impacto. Por outro lado, a tendinite do bíceps e a síndrome do impacto podem coexistir, e, além disso, dores de origem miofascial do músculo bíceps braquial também podem ser confundidas e coocorrer com a tendinite bicipital.[29]

No tratamento da tendinite bicipital, opta-se inicialmente por medidas não farmacológicas, como gelo e fisioterapia C/D. O uso de analgésicos e AINEs, apesar de não mostrarem evidências de benefício, são possíveis medidas para controle inicial dos sintomas C/D. No caso de persistência ou agravamento dos sintomas dolorosos, a injeção local de corticoide na bainha do tendão bicipital é uma das opções terapêuticas,[52,65] produzindo benefício no mínimo em curto prazo[29] C/D. (ver QR code).

### Lesões labrais do ombro

O *labrum* é uma estrutura de tecido fibrocartilaginoso que se localiza entre a glenoide e a cabeça do úmero. Entre as lesões labrais do ombro, a mais comum é conhecida como SLAP (do inglês *superior labrum anterior and posterior*), e envolve a parte superior do *labrum*.[30]

Assim como na síndrome do impacto, na síndrome do manguito rotador e na tendinite bicipital, pacientes com lesões labrais queixam-se frequentemente de dor que piora ao realizar atividades com o membro superior acima do nível do ombro ou da cabeça. As dores são descritas como ocorrendo na região anterior e/ou como uma "dor profunda" no ombro. Adicionalmente, o paciente pode queixar-se de uma sensação de estalido ou de travamento ao movimentar o ombro. A história de queda da própria altura com o braço estendido é uma associação causal frequente. Pacientes que praticam esportes que exigem movimentos explosivos sobre a cabeça, como tênis, vôlei, *squash* e outros, são frequentemente acometidos por esse tipo de lesão.[30]

As queixas relacionadas às lesões labrais podem assemelhar-se muito à síndrome do impacto. Portanto, um dos passos iniciais da investigação é buscar excluir evidência clínico-semiológica de impacto subacromial (como testes de Neer e Hawkins-Kennedy negativos).

Na complementação diagnóstica, a radiografia de ombro pode auxiliar a excluir outras patologias do ombro caso a história e o exame clínico não sejam esclarecedores. Pacientes jovens ou de meia-idade que persistem com dor e/ou fraqueza após 4 a 6 semanas de tratamento conservador são candidatos a realizar uma RM do ombro com contraste para identificação do tipo e do grau de lesão (o que pode determinar uma conduta cirúrgica).[30]

O tratamento consiste em fisioterapia e em uso de analgésicos/AINEs por curtos períodos no caso de exacerbação de dor C/D. A intervenção cirúrgica geralmente é considerada para os pacientes que não respondem ao tratamento conservador por 3 a 6 meses.[30] A cirurgia produz diminuição de dor (3 pontos em uma escala de 10) e melhor funcionamento do ombro (32 em uma escala de 100).[66]

### Capsulite adesiva

As pessoas com queixa de dor no ombro insidiosa, que inicia à noite e evolui para uma dor contínua associada aos mínimos esforços e leves movimentos do ombro (como pentear o cabelo, escovar o dente e usar papel higiênico), são suspeitas de estarem evoluindo com um quadro conhecido como capsulite adesiva ("ombro congelado"). A capsulite pode ocorrer de forma idiopática (geralmente associada a fatores de risco como diabetes, hipertireoidismo e história prévia de cirurgia de ombro, mama ou coluna cervical) ou após trauma/cirurgia do ombro. A doença tende a acometer pessoas com idade entre 40 e 70 anos, mulheres e pacientes com doença de Parkinson.[67]

A história natural da capsulite adesiva é descrita como uma progressão em três fases: dor, rigidez e recuperação. A resolução espontânea dos sintomas da capsulite é esperada para a maioria dos pacientes ao longo de 1 a 2 anos após o início do quadro. Contudo, há pacientes que não alcançam total recuperação da mobilidade articular. A primeira fase, em que ocorrem as principais queixas de dor, pode evoluir durante 6 a 9 meses. A fase de rigidez (ou congelamento) dura entre 6 meses e 1 ano e é caracterizada pela redução ou cessação dos sintomas de dor e evolução com redução importante da amplitude de movimento do ombro. A seguir, na fase de recuperação (ou resolução), o paciente passa a ter ganho progressivo de amplitude de movimento que geralmente volta ao normal em até 2 anos a partir do início dos sintomas.[68]

Na grande maioria dos casos, o diagnóstico é clínico e não são necessários exames complementares, sendo estes indicados somente em caso de dúvida diagnóstica. O tratamento é conservador e depende da fase de evolução. Ele busca promover o controle da dor e o ganho de amplitude de movimento do ombro. O tratamento fisioterápico e o uso de analgésicos/AINEs (de resgate e em curtos períodos) são as primeiras medidas de tratamento C/D. O bloqueio do nervo supraescapular com anestésico local (1 bloqueio por semana por 3 semanas ou 2 bloqueios por semana por 2 semanas consecutivas)[69,70] pode promover redução das queixas álgicas (TE [dor] = −0,75)[71] B. O bloqueio tem sido utilizado no contexto da APS e indica ter mais benefícios do que a injeção intra-articular de corticoides em termos de controle de dor e menor risco de complicações.[72] Acupuntura, técnicas de eletroterapia, abordagens de distensão capsular, terapia por ondas de choque e radiofrequência pulsada guiada por US também são medidas com potencial de controle álgico em pacientes com capsulite adesiva[73-76] C/D. Nas pessoas que evoluem com dor e incapacidade funcional importante, intervenções cirúrgicas (liberação capsular artroscópica) são consideradas.[68]

### Artrites de articulações do complexo do ombro

As duas principais formas de osteoartrite do complexo do ombro são a artrite acromioclavicular e a artrite glenoumeral.[77] Em casos de artrite acromioclavicular, os pacientes queixam-se de dor na região superior do ombro (sobre a região da articulação acromioclavicular) que é exacerbada por movimentos que envolvem a adução do ombro. Adicionalmente, podem apresentar história de trauma prévio na articulação do ombro com luxação da articulação acromioclavicular, o que predispõe à evolução para a osteoartrite. Um achado típico é a dor à palpação local. Além disso, o examinador muitas vezes consegue reproduzir a dor ao aduzir passivamente o membro superior sobre o tórax do paciente (teste de coalizão ou *cross-body test*).[28] É importante ressaltar que algumas manobras utilizadas na semiologia do ombro (p. ex., o teste de O'Brien para verificar uma lesão SLAP – ver **FIGURA 190.5**) podem reproduzir dor na região da articulação acromioclavicular. Por isso, o examinador deve estar atento ao local da dor descrito pelo paciente durante as manobras e, principalmente, se as manobras reproduzem a sua dor usual.

Em geral, o diagnóstico da artrite acromioclavicular é clínico, mas, em casos de evolução crônica de dor ou dúvida diagnóstica com outras condições, a radiografia de ombro pode revelar sinais de osteoartrite da articulação, como redução do espaço acromioclavicular e esclerose marginal. O manejo é conservador e consiste no controle de exacerbações de dor com gelo local e AINEs **B** por curto intervalo de tempo. O tratamento com fisioterapia pode melhorar tanto a dor quanto a funcionalidade **C/D**. Em casos refratários ao tratamento conservador, com persistência de dor incapacitante, técnicas cirúrgicas são consideradas.[78]

Diferentemente de pacientes com dor bem-localizada na região acromioclavicular, pessoas em geral com idade > 50 anos, queixa de dor difusa localizada na região do ombro há mais de 6 meses com características de ritmo mecânico e que progridem gradualmente para dor aos mínimos esforços associada à limitação da amplitude de movimento do ombro (principalmente por dor e desuso) têm, na osteoartrite glenoumeral, um dos seus diagnósticos diferenciais. A osteoartrite glenoumeral pode ser primária, geralmente associada a fatores relacionados à sobrecarga e à obesidade, ou secundária a traumas, infecções ou doenças autoimunes.[79] No exame físico, geralmente é percebida crepitação articular associada à dor durante a mobilização passiva do ombro. Em estágios mais longos de evolução, observa-se hipotrofia da musculatura do deltoide e do manguito rotador. O diagnóstico é confirmado pela radiografia do ombro, que evidencia redução do espaço da articulação glenoumeral, osteófitos e esclerose subcondral.[79]

O tratamento consiste inicialmente em medidas fisioterápicas que geralmente auxiliam no alívio da dor e uso de AINEs por curtos intervalos de tempo. Estudos sugerem que, no caso da osteoartrite glenoumeral, os AINEs exercem melhor controle da dor do que analgésicos como paracetamol[80] **B**. Terapias injetáveis e uso de corticoides intra-articulares têm evidência limitada **C/D**, enquanto o bloqueio do nervo supraescapular produz resultados favoráveis no controle de dor em curto prazo[81] **B**. Terapias injetáveis de viscossuplementação intra-articular também apresentam resultados favoráveis no alívio das queixas álgicas[82] **C/D**. Para pacientes com osteoartrite avançada do ombro e que não alcançaram bom controle da dor e recuperação da funcionalidade com tratamentos conservadores, a cirurgia, geralmente artroplastia total da articulação glenoumeral, pode ser uma opção.[83]

### Tendinite calcária

Pessoas que se queixam de dor agonizante localizada na região do ombro (muitas vezes, com características de ritmo inflamatório), mesmo em repouso, têm, como uma das hipóteses a ser consideradas, a tendinite calcária. Contudo, nem todos os pacientes apresentam essas características, e a apresentação e a evolução dos sintomas podem ser desafiadoras para o médico, uma vez que o curso e a duração da doença não são previsíveis.[84] Enquanto muitos pacientes com tendinite calcária sofrem com sintomas recorrentes, às vezes durante anos, em outros casos há recuperação espontânea após um único episódio de dor aguda intensa. Essa patologia, cuja etiologia ainda é desconhecida, caracteriza-se pela deposição de sais de cálcio em tendões do manguito rotador, principalmente do supraespinal. Em geral, a fase da calcificação é assintomática, e a fase dolorosa ocorre quando se inicia a fase da reabsorção do cálcio. O quadro geralmente evolui à resolução espontânea a partir da reabsorção dos depósitos de cálcio e regeneração do tendão (mais de 70% dos pacientes evoluem para resolução após 4 anos). O tratamento conservador, com fisioterapia e uso de analgésicos/AINES ou infiltração subacromial de corticoide, é utilizado no controle inicial da dor **C/D**. Na persistência dos sintomas, o agulhamento e a lavagem dos depósitos de cálcio guiados por ultrassom, ou a terapia extracorpórea por ondas de choque, são alternativas. Em casos refratários às medidas anteriores, a cirurgia (atualmente realizada por via artroscópica) é uma opção para casos selecionados.[84]

### Ombro doloroso relacionado à hemiplegia

Estudos epidemiológicos indicam que mais da metade dos pacientes com história de acidente vascular cerebral (AVC) evoluem com ombro doloroso. Esse quadro pode surgir a partir das primeiras 2 semanas pós-AVC, embora inicie mais frequentemente entre 2 e 4 meses após o evento.[85] O ombro doloroso geralmente está associado a três principais etiologias: subluxação glenoumeral, capsulite adesiva e alterações relacionadas à espasticidade. Devido a essa diversidade de patologias, não existe uma melhor abordagem terapêutica estabelecida. Medidas preventivas devem ser adotadas logo após a instalação da hemiplegia. Na fase flácida (início do quadro), opta-se por medidas de prevenção da subluxação e lesão de tecidos moles, com o uso de órteses específicas (ver Leituras Recomendadas) associado à cinesioterapia **C/D**. Na fase espástica (evolução comum em boa parte dos casos), busca-se manter a amplitude de movimento do membro superior com medidas fisioterápicas. O quadro álgico pode ser controlado com medicamentos, eletroterapia e acupuntura[85] **C/D**.

### Traumas

Traumas na região cervical e do ombro podem ser causas de dor no terço proximal do membro superior. Entre as lesões traumáticas mais comuns que provocam algias nessa região estão a luxação glenoumeral, a luxação acromioclavicular, as fraturas do terço proximal do úmero, as fraturas de clavícula, a lesão de plexo braquial e a ruptura da cabeça longa do bíceps **(TABELA 190.3)**.[86] Seguindo o fluxograma de avaliação do paciente com dor na região proximal do membro superior, lembramos que essas condições devem ser consideradas

**TABELA 190.3** → História clínica e abordagem das principais condições traumáticas que evoluem com quadro de dor no terço proximal do membro superior

| HISTÓRIA CLÍNICA/SINTOMA | CONDIÇÃO | ABORDAGEM |
| --- | --- | --- |
| Paciente com dor aguda no ombro após trauma, deformidade na região do ombro e incapacidade de movimentar o membro<br>História de instabilidade do ombro e dor aguda após movimentação forçada do membro superior<br>Dor no ombro após crise epiléptica | Luxação glenoumeral | Abordagem em urgência/emergência médica com recursos para procedimentos diagnósticos necessários, redução da luxação e imobilização temporária (geralmente com tipoia tipo Velpeau) |
| Queda da própria altura com braço em adução (junto ao corpo) e ombro em rotação interna (antebraço junto à região do tórax ou do abdome) | Luxação acromioclavicular | Avaliação em urgência médica para avaliação do grau da luxação; em geral, o tratamento é conservador |
| Queda da própria altura, queda de bicicleta ou acidente automobilístico seguido de dor e deformidade na região da clavícula | Fratura de clavícula | Avaliação em urgência médica para avaliação do tipo de fratura; em geral, o tratamento é conservador |
| Trauma de alta energia (p. ex., acidente automobilístico) com dor à movimentação do ombro<br>Idoso com história de osteoporose que teve queda da própria altura ou da cama que evolui com dor em ombro | Fratura do terço proximal do úmero | Investigação em urgência médica para avaliação do tipo de fratura e avaliação da necessidade de conduta cirúrgica |
| Dor aguda na região anterior do ombro e braço após esforço físico mais intenso; presença de deformidade (nodulação) na região do músculo bíceps | Ruptura da cabeça longa do bíceps | Em geral, a abordagem é conservadora (paciente supre movimentos com outros músculos), com alguns casos eventuais necessitando de cirurgia por dor residual ou por fins estéticos |
| Dor intensa em ombro, associada a disestesia, sensação de choque que inicia após trauma de alta energia (p. ex., acidente automobilístico), trauma direto na região anterolateral do pescoço | Lesão de plexo braquial | Avaliação neurológica para acompanhamento do grau da lesão (eletroneuromiografia geralmente recomendada depois da fase aguda da lesão); uso de medicamentos para dor neuropática e programa de reabilitação |

quando a história clínica do paciente está relacionada a um trauma e, por isso, são consideradas como sinais de alarme de origem mecânica.

## DOR NOS TERÇOS MÉDIO E DISTAL DO MEMBRO SUPERIOR

Na porção distal do membro superior, as afecções musculoesqueléticas têm significativo impacto funcional e, em geral, são desproporcionais à extensão da lesão, uma vez que a mão e o membro superior como um todo são fundamentais para qualquer atividade funcional e laboral.

Anatomicamente, múltiplas estruturas funcionam nas porções média e distal do membro superior, o que torna particularmente desafiador isolar disfunções únicas. Na verdade, os sintomas são frequentemente atribuíveis a fontes múltiplas. Além disso, estratégias de movimento que um indivíduo pode usar para evitar ou compensar a dor de um diagnóstico primário podem resultar em padrões de sobrecarga sobre outras estruturas musculoligamentares (ver QR code).

Uma vez afastadas características clínicas e sinais de alarme de ritmos não mecânicos (FIGURA 190.7), passamos para a identificação de sinais de alarme para o ritmo mecânico. Os traumas agudos, de forma geral, já são descritos na escuta inicial do paciente, mas caso não sejam mencionados, devem ser questionados ao longo da consulta. Nesse contexto, cabe uma ressalva a dois contextos específicos que necessitam de uma consideração especial.

O primeiro é a ocorrência de fraturas de baixo impacto de rádio distal em pacientes com idade > 50 anos. Em geral, essas fraturas são diagnosticadas em sua fase aguda; porém, a avaliação do risco de osteoporose e as medidas de prevenção de novas fraturas podem não ser abordadas adequadamente no acompanhamento ambulatorial desses casos.[87]

O segundo diz respeito à fratura de escafoide. Esta é a fratura mais comum entre os ossos carpais.[88] Pacientes com história de trauma, queda com a mão espalmada, e que não foram examinados de maneira apropriada após o trauma podem ter seu diagnóstico realizado tardiamente.[89] As fraturas de escafoide, quando não tratadas corretamente, possuem uma grande chance de evoluir para pseudoartrose e consequente osteoartrite secundária do punho.[90] Agudamente, o sinal clínico mais sensível (porém, pouco específico) de fratura do escafoide é a sensibilidade à palpação óssea da região da tabaqueira anatômica.[89] A investigação de primeira linha requer radiografias, e as indicações para encaminhamento incluem:[89]

→ fratura do escafoide proximal;
→ deslocamento > 2 cm;
→ presença de instabilidade ou luxação do carpo;
→ não união presente.

Para pacientes com suspeita clínica de fratura do escafoide, mas radiografias normais, a próxima etapa é a imobilização do punho e outras imagens, de preferência o estudo por RM. Pacientes com fraturas do escafoide que não foram diagnosticadas agudamente podem apresentar-se com dor crônica em punho devido à osteoartrite pós-traumática do punho, secundária à pseudoartrose[90] (a chance de pseudoartrose nesse tipo de fratura é de 5%[89]).

Após avaliados ritmos não mecânicos e possíveis sinais de alarme do ritmo mecânico, a investigação das demais condições comuns pode ser guiada pelas seis sub-regiões mais comumente reportadas pelos pacientes:

1. aspecto lateral do cotovelo e antebraço;
2. aspecto medial do cotovelo e antebraço;
3. região posterior do cotovelo;
4. região radial do punho e polegar;
5. região ulnar do punho;
6. mão.

## Diferenciação de ritmos mecânicos com e sem características de dor neuropática

### Região lateral do cotovelo e antebraço

As disfunções do terço superior do membro superior, e do quadrante superior do corpo, que inclui estruturas ligadas à cintura escapular e à região cervical, podem, com

## Algoritmo diagnóstico

**Queixa de dor**
↓
**Ritmo não mecânico?** — Sim →
- Inflamatório
- Aos esforços
- Em crescendo
- Outros

→ **Avaliação conforme suspeita**

↓ Não

**Outro sinal de alarme?** — Sim →
- Mecânico
- Inflamatório
- Isquêmico
- Neurológico

→ Avaliação conforme suspeita

↓ Não

**Parestesia ou dor em queimação, choque ou frio doloroso?*** — Sim → **Neuropatia compressiva**

↓ Não

**Circunstância e região**

Ramos da neuropatia compressiva:

**Região lateral do cotovelo e antebraço**
- Radiculopatia de C5, C6 ou C7
- Síndrome do túnel radial

**Região medial do cotovelo e antebraço**
- Radiculopatia de C7, C8 ou T1
- Desfiladeiro torácico
- Síndrome do túnel cubital (nervo ulnar)

**Região radial do punho e polegar**
- Síndrome de Wartenberg (nervo radial)

**Região ulnar do punho**
- Síndrome do canal de Gyuon (nervo ulnar)

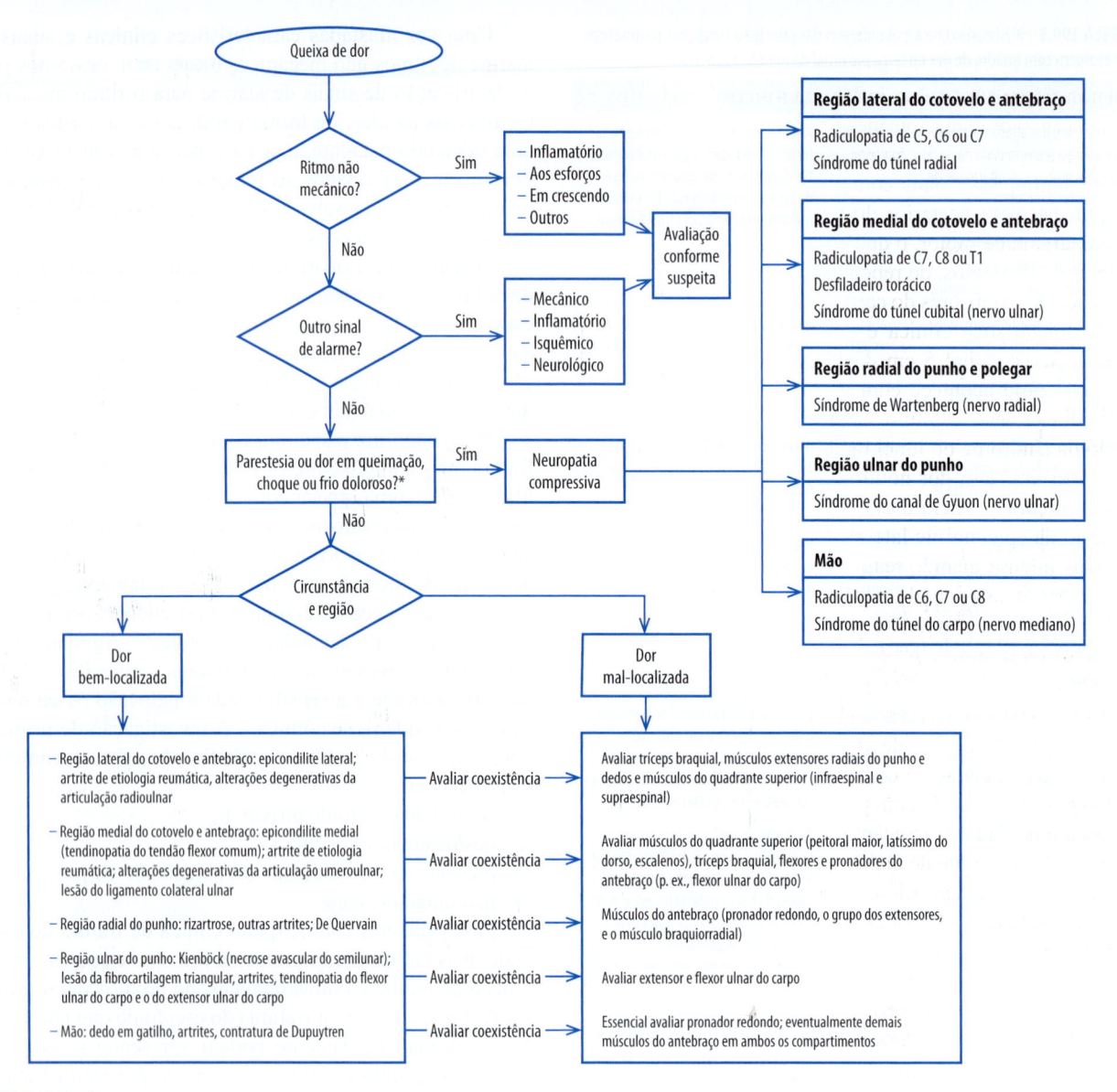

**Mão**
- Radiculopatia de C6, C7 ou C8
- Síndrome do túnel do carpo (nervo mediano)

De "Circunstância e região":

**Dor bem-localizada**
- Região lateral do cotovelo e antebraço: epicondilite lateral; artrite de etiologia reumática, alterações degenerativas da articulação radioulnar
- Região medial do cotovelo e antebraço: epicondilite medial (tendinopatia do tendão flexor comum); artrite de etiologia reumática, alterações degenerativas da articulação umeroulnar; lesão do ligamento colateral ulnar
- Região radial do punho: rizartrose, outras artrites; De Quervain
- Região ulnar do punho: Kienböck (necrose avascular do semilunar); lesão da fibrocartilagem triangular, artrites, tendinopatia do flexor ulnar do carpo e o do extensor ulnar do carpo
- Mão: dedo em gatilho, artrites, contratura de Dupuytren

← Avaliar coexistência →

**Dor mal-localizada**
- Avaliar tríceps braquial, músculos extensores radiais do punho e dedos e músculos do quadrante superior (infraespinal e supraespinal)
- Avaliar músculos do quadrante superior (peitoral maior, latíssimo do dorso, escalenos), tríceps braquial, flexores e pronadores do antebraço (p. ex., flexor ulnar do carpo)
- Músculos do antebraço (pronador redondo, o grupo dos extensores, e o músculo braquiorradial)
- Avaliar extensor e flexor ulnar do carpo
- Essencial avaliar pronador redondo; eventualmente demais músculos do antebraço em ambos os compartimentos

**FIGURA 190.7** → Algoritmo diagnóstico da dor nos terços médio e distal do membro superior.
*A ausência de parestesia ou dor em queimação, choque, ou frio doloroso a princípio afasta a suspeita de dor neuropática, segundo o questionário DN4.

---

frequência, contribuir para a ocorrência de dor nos terços médio e distal do membro superior.

Assim, a **radiculopatia cervical** é um diagnóstico diferencial importante e caracterizado por dor que irradia para o membro superior em um padrão neuroanatomicamente típico (distribuição dermatômica), e pode estar associado à perda de sensibilidade e/ou fraqueza muscular, respeitando uma distribuição neuroanatômica compatível.

É importante ressaltar que a radiculopatia cervical pode mimetizar ou coexistir com sintomas de outras condições neuropáticas, osteoligamentares e miofasciais. Não existe um padrão-ouro para o diagnóstico de dor radicular cervical.[91,92] A característica da dor e os achados de exame físico de dor em choque elétrico unilateral no membro superior, cervicalgia associada e déficits sensoriais, motores e/ou de reflexos profundos podem ser suficientes para o diagnóstico de radiculopatia cervical.[91] No exame físico, os testes clínicos para a detecção de radiculopatia cervical incluem o teste de Spurling e suas variações, fornecido no *link* no tópico Abordagem Diagnóstica da Dor no Ombro e no Terço Proximal do Membro Superior.[27] (Ver também Capítulo Cervicalgia.)

Outra possível condição neuropática é a **compressão do nervo radial**, em especial na região chamada de túnel radial. O nervo radial origina-se do fascículo posterior do plexo braquial para inervar os músculos tríceps braquial, extensores do carpo e extensores dos dedos e do polegar.[93] O nervo divide-se em ramos superficiais e profundos imediatamente proximais à borda superior da camada superficial do músculo supinador (a arcada de Frohse). Anatomicamente, o túnel radial estende-se desde a cabeça do rádio até a borda inferior do músculo supinador.[94] A compressão intermitente do nervo radial através do túnel radial produz a síndrome do túnel radial, que pode ocorrer secundariamente a algum trauma, processo inflamatório ou degenerativo da articulação radioulnar, ou mesmo devido a cargas funcionais que exigem supinação repetitiva.[94,95] Em geral, nos sítios de compressão mais comuns, o nervo radial já se ramificou na parte posterior do nervo interósseo, que é um nervo puramente motor, o que em geral reflete na ausência, na maioria dos casos, de repercussões sobre a força motora de músculos extensores do carpo e dos dedos. Assim, a principal característica clínica é uma sensibilidade localizada sobre o nervo radial 5 cm distalmente ao epicôndilo lateral,[95] tal como acontece com a epicondilite lateral tratada mais adiante neste capítulo. Características úteis para a distinção da síndrome do túnel radial em oposição à epicondilite lateral incluem dor noturna e dor que às vezes irradia para o antebraço. Além disso, o local da dor é ligeiramente distal ao da epicondilite lateral. A dor também pode tornar-se mais intensa quando realizamos um aumento da tração sobre o nervo, estendendo o cotovelo, pronando o antebraço ou flexionando o punho. Outros dois testes clínicos podem exacerbar os sintomas: a supinação resistida do antebraço e a extensão resistida do dedo médio.[96]

O tratamento conservador da compressão do nervo radial inclui modificações de atividades e uso de órtese (ver Leituras Recomendadas) com intuito de limitar a extensão prolongada do cotovelo com pronação do antebraço e extensão do punho **C/D**.[94,95] Injeção de anestésico local associado a corticoides no ponto de máxima sensibilidade pode ser utilizada com fins diagnósticos e terapêuticos **C/D**.[97] Embora seja recomendado, o tratamento conservador tende a não ser significativamente eficaz.[95,98] O tratamento cirúrgico pode ser cogitado após um período de 3 a 12 meses de abordagem conservadora, com uma série de casos sugerindo resultado excelente em aproximadamente 50% dos pacientes.[95,98]

Para as dores de ritmo mecânico sem características neuropáticas, temos a **epicondilite lateral** como a mais importante condição a ser mencionada. A tendinopatia lateral do cotovelo, ou "cotovelo de tenista", afeta o tendão extensor comum no epicôndilo lateral.[99] Estima-se que 1 a 3% da população terá essa condição dentro da faixa etária de 35 a 50 anos.[99] Acredita-se que esteja relacionada ao esforço excessivo do tendão extensor comum, geralmente devido à supinação e à extensão repetitiva do punho em situações laborais e em práticas esportivas.[99,100] Seu diagnóstico é clínico, na maioria dos casos, e baseado na presença de dor na face lateral do cotovelo com referência para o antebraço, especialmente durante a extensão do punho (p. ex., durante a preensão de objetos), sensibilidade aumentada do epicôndilo lateral e resposta positiva a testes de provocação, como o teste de Cozen. Nesse teste, o paciente é solicitado a estender totalmente o cotovelo, pronar o antebraço e cerrar o punho. Então, o examinador mantém o polegar de uma de suas mãos exercendo uma leve pressão sobre o epicôndilo lateral do paciente e, com a outra mão, resiste à tentativa do paciente de estender e desviar radialmente o punho.

A dor sobre o epicôndilo lateral representa um teste positivo, e esse resultado sugere a presença de epicondilite lateral.[101]

A força de preensão palmar do lado afetado pode estar diminuída devido à dor. A ocorrência de edema, eritema ou calor na origem do extensor comum são achados incomuns.[102] O tratamento não cirúrgico pode incluir educação do paciente, modificação de atividades, AINEs, fisioterapia e órteses.[102] O American College of Occupational and Environmental Medicine (ACOEM) recomenda restringir temporariamente o trabalho a tarefas que não envolvam força excessiva, preensão manual estereotipada ou excessiva, ou uso de ferramentas manuais vibratórias[103] **C/D**. Recomendam-se, também, exercícios domiciliares para os casos agudos, subagudos e crônicos, e esses regimes terapêuticos devem envolver exercícios de alongamento e fortalecimento, embora o benefício seja questionável[103] **B**. Fortalecimento com exercícios excêntricos parece oferecer o melhor resultado (TE [dor] = −1,1; TE [funcionalidade] = 1,2)[104] **C/D**. Além disso, US terapêutica e infiltrações locais são opções terapêuticas, mas sem benefício documentado[105] **C/D**. As injeções de corticoide na região peritendínea podem prover alívio temporário, mas em longo prazo sua eficácia é questionável[103] **B**. A doença tem um curso autolimitado de 12 a 18 meses, mas em alguns pacientes os sintomas podem ser persistentes e refratários ao tratamento.[102] Considera-se intervenção cirúrgica em casos refratários ao manejo conservador por 6 a 12 meses, se outras causas de dor lateral do cotovelo forem descartadas.[103]

Pacientes com **artrite reumatoide** envolvendo o cotovelo geralmente queixam-se de dor durante todo o arco de movimento, e a limitação na amplitude de movimento do cotovelo e pronossupinação do antebraço é observada em estágios avançados da doença. Pode ocorrer instabilidade severa e sintomática devido à sinovite prolongada.[106]

A **osteoartrite primária do cotovelo** é rara. Mais comumente, é secundária a trauma, sinovite previa ou microtrauma persistente, como em operadores de britadeiras.

A **artrite pós-traumática** pode ocorrer após qualquer insulto traumático no cotovelo, independentemente da gravidade.[107] A avaliação de pacientes com rigidez pós-traumática do cotovelo deve incluir uma revisão da cirurgia anterior, o posicionamento do material de síntese e a história de infecção.[107] Modificações da atividade, AINEs e a eventual injeção intra-articular de corticoides podem fornecer alívio adequado da dor em estágios iniciais **C/D**.

Como algumas características clínicas, e mesmo os testes clínicos provocativos, tendem a apontar para além das estruturas nervosas, articulares e tendíneas, é importante considerar o papel do tecido **miofascial**. A avaliação deve incluir o exame para a presença de bandas tensas e PGs no grupo de músculos do compartimento extensor do antebraço, como os músculos extensores radiais curto e longo do carpo, extensor comum dos dedos e braquiorradial, além de músculos proximais como o tríceps braquial, o infraespinal e o supraespinal ipsilaterais.

### Região medial do cotovelo e antebraço

Além da possibilidade de irradiação de dor a partir de quadros de **radiculopatia cervical de níveis mais baixos**, como C7, C8 e T1, a compressão nervosa a partir da **síndrome do desfiladeiro torácico** também pode referir dor para a região medial do cotovelo e antebraço.

A compressão do nervo ulnar no cotovelo (**síndrome do túnel ulnar**) é a segunda síndrome compressiva de nervo periférico mais comum e geralmente caracterizada por parestesia no 4º e no 5º dedos e perda de força de preensão nesse mesmo território.[108] A fraqueza dos músculos adutor do polegar e lumbricais ulnares, que ocorre com a doença avançada, pode causar postura característica na mão (sinal de Froment [FIGURA 190.8] e deformidade em garra).[109] A compressão do nervo ulnar no cotovelo pode ser por hipertrofia ou fibrose do retináculo ou músculos próximos, alterações artríticas ou pós-traumáticas, tumores, entre outros; ou até mesmo associada à subluxação recorrente do nervo ulnar sobre o epicôndilo medial com ou sem compressão.[109,110] Está bem estabelecida a correlação entre condições de trabalho e o desenvolvimento da síndrome do túnel ulnar.[111] Em geral, opta-se pelo tratamento conservador para casos leves a moderados, que inclui modificação de atividade, posicionamento (uso de órtese noturna mantendo o cotovelo flexionado em aproximadamente 45 graus por até 6 semanas; ver Leituras Recomendadas) e fisioterapia ou terapia ocupacional[108,112] C/D. Ocasionalmente, são utilizados AINEs e injeções de corticoides C/D, conforme necessário, para a dor. O tratamento cirúrgico é indicado quando há associação de fraqueza motora pronunciada e nenhuma resposta ao tratamento conservador.[108,112]

Assim como ocorre com a epicondilite lateral, a **epicondilite medial** refere-se à tendinopatia da origem tendinosa comum dos músculos do compartimento flexor do antebraço, que são músculos com ação flexora de punho e dedos, além de pronação do antebraço.[114] Em geral, a dor manifesta-se ligeiramente anterior e distal ao epicôndilo medial. A dor é exacerbada com atividades que envolvam pronação ativa do antebraço e flexão do punho, como ocorre ao usar uma chave de fenda ou ao torcer um pano. Ao progredir, a dor torna-se mais pronunciada com atividades menos vigorosas, como em um aperto de mãos.[115] A presença de parestesia e formigamento estendendo-se até o 4º e o 5º dedos deve gerar a suspeita de compressão do nervo ulnar, como citado previamente. O diagnóstico da epicondilite medial é clínico e baseado nos achados de dor ou sensibilidade no epicôndilo medial ou próximo a ele (sensibilidade máxima geralmente observada 5 a 10 mm anterior e distal ao epicôndilo medial), dor agravada pela resistência à pronação do antebraço e flexão do punho, e redução da força de preensão palmar em comparação com o lado contralateral.[114,115] Assim como na epicondilite lateral, o tratamento de escolha é conservador. Como medidas iniciais, aconselha-se que o paciente se abstenha de atividades que exacerbem os sintomas, particularmente aquelas que exigem pronação repetitiva do antebraço, flexão do punho e estresse em valgo no cotovelo C/D. Considerar gelo e AINEs para ajudar a reduzir a dor e a inflamação conforme necessário[103] C/D. A imobilização ou inatividade completa não são recomendadas.[103] Se o paciente não responder às medidas iniciais, considerar tratamentos adicionais para aliviar a dor e os sintomas, incluindo injeções de corticoides e a indicação de um programa de fisioterapia e reabilitação após a melhora da dor[103] C/D. O tratamento cirúrgico é normalmente reservado para pacientes que não respondem a 4 a 6 meses de tratamento não cirúrgico disciplinado e nos quais não existe coocorrência de outras origens de dor.[103]

Assim como na região lateral do cotovelo, os achados de dor durante todo o arco de movimento, limitação na amplitude de movimento associado à dor localizada ou instabilidade articular podem sugerir, quando combinados a outros aspectos da história, a existência de artrite de etiologia reumática, alterações degenerativas da articulação umeroulnar primárias ou secundárias, ou mesmo lesões ligamentares, como a lesão do ligamento colateral ulnar.[114]

A avaliação da dor referida na região medial do cotovelo e antebraço, quando de característica mal-localizada, demanda a avaliação rápida de músculos tanto locais quanto proximais em relação à existência de PGs ativos e **dor miofascial**. Avaliar músculos do quadrante superior, como o peitoral maior, o latíssimo do dorso e os escalenos, e músculos locais, como tríceps braquial e flexores e pronadores do antebraço da região medial do antebraço (p. ex., flexor ulnar do carpo).

### Região posterior do cotovelo

Comumente referido como "cotovelo do estudante", a **bursite do olécrano** envolve a inflamação e o aumento de volume da bursa que recobre a extremidade do cotovelo posteriormente e encontra-se subcutaneamente sobre o olécrano.[116] Ela pode ocorrer agudamente por trauma direto ou por período prolongado de pressão sobre a bursa (daí o nome cotovelo do estudante).[116] (Ver QR code.)

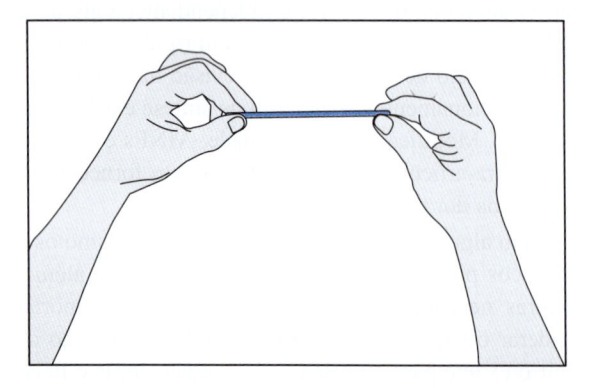

**FIGURA 190.8** → Sinal de Froment: quando solicitado a segurar um papel entre o polegar e o indicador, o paciente com nervo ulnar íntegro é capaz de usar o músculo adutor do polegar (à direita); quando há déficit no território do nervo ulnar, o paciente faz compensação com o músculo flexor longo do hálux, território de inervação do nervo mediano (à esquerda).
Fonte: Richardson.[113]

Essa bursopatia pode cronificar secundariamente a esses mesmos fatores, ou devido a doenças sistêmicas, como gota e artrite reumatoide.[64] O tratamento conservador envolve modificação de atividade, gelo, compressão e AINEs **C/D**. A aspiração com agulha, a infiltração de corticoide ou a bursectomia são opções em casos sem resolução espontânea que gerem repercussões funcionais ou sociais/estéticas.[117] A presença de sinais flogísticos pode apontar para a ocorrência de infecção secundária ou atividade da doença de base.[64] A bursite séptica pode ocorrer como resultado de uma doença localizada ou infecção sistêmica. Está associada a edema significativo, eritema e hipertermia na área, e é frequentemente acompanhada por sintomas sistêmicos de infecção.[64,116]

## Região radial do punho e polegar

Além de síndromes compressivas proximais e síndromes radiculares, uma das possíveis origens de dor neuropática nessa região é a chamada **síndrome de Wartenberg**, que consiste na lesão ou compressão do nervo sensitivo radial ao nível do antebraço distal (ramo superficial do nervo radial). Depois de passar pelo punho, o ramo superficial do nervo radial provê inervação sensorial para a parte lateral da região dorsal da mão, polegar e regiões dorsais das falanges proximais do 2º, do 3º e do 4º dedos. Devido à localização superficial dos ramos terminais, o nervo radial corre risco de trauma local por compressão, ferimentos cortocontusos, fragmentos de fraturas ou até cistos ganglônicos.[118]

Três tipos principais de **artrites** podem envolver o punho. O acometimento de punho por osteoartrite é raro, devendo sugerir artrite por depósito de pirofosfato de cálcio (ver Capítulo Gota e Outras Monoartrites) ou artrite imunomediada. Em pacientes com doenças autoimunes, como a artrite reumatoide, essa articulação é comumente afetada. Por fim, artrite pós-traumática pode desenvolver-se após uma fratura ou lesão ligamentar, ao longo de muitos anos a partir da lesão inicial. Apesar do tratamento adequado, uma articulação submetida a um trauma (p. ex., a fratura de escafoide) tem maior probabilidade de tornar-se artrítica com o tempo.[90]

Para auxiliar a descartar um quadro de artrite, deve-se palpar e avaliar a sensibilidade nas articulações trapézio-metacarpal e escafoide-trapézio-trapezoidal, e realizar o teste de cisalhamento da articulação carpometacarpal, que consiste no movimento da articulação sob compressão axial.[119]

A osteoartrite da articulação da base do polegar, chamada de articulação trapézio-metacarpal, é comumente chamada de **rizartrose**. O paciente típico é mulher, de 50 a 70 anos de idade, que se apresenta com dor no aspecto radial do punho ou no polegar, de início insidioso, com duração variando de vários meses a vários anos. A dor é exacerbada por atividades comuns, como escrever, girar maçanetas e outras atividades manuais,[120] como fazer bordados e usar tesouras. A dor é atenuada com repouso e analgésicos.[121] O tratamento inicial deve seguir as recomendações gerais de abordagem de quadros de osteoartrite de mão,[121] e incluem modificações de atividade, um curso de 2 a 3 semanas de AINEs tópicos (dor = −0,7 em uma escala de 10) **B** e orais **B** e uso de imobilização com órtese[121] **B**. Na prática, o uso de órtese pode ser efetivo para alguns pacientes, contudo não há diretrizes e evidências claras sobre sua custo-efetividade[122,123] **B**. A órtese para rizartrose impede a hiperextensão da articulação metacarpofalângica e promove o repouso articular com consequente analgesia. A falange distal e o punho não estão incluídos na órtese. Alguns autores advogam que injeções intra-articulares de corticoides, empregadas criteriosamente, podem ajudar a reduzir a inflamação articular em pacientes selecionados.[120] Porém, não há evidências conclusivas em relação à sua eficácia[124] **B**.

A ocorrência de **cistos ganglônicos** parece ser mais frequente na região radial e volar do punho, embora não seja exclusiva dessa região.[125] Cistos ganglônicos são as tumorações mais comuns da região da mão e punho. Em geral medindo 1 a 2 cm de tamanho, um gânglio pode formar-se repentinamente ou desenvolver-se gradualmente.[126] Acredita-se que os gânglios surjam devido ao microtrauma repetitivo das estruturas capsulares e ligamentares da articulação.[127] As indicações para o tratamento incluem dor, rigidez, fraqueza e repercussão social em relação à aparência da tumoração. Os pacientes devem receber orientação e ser tranquilizados quanto ao diagnóstico benigno da condição, pois estudos sugerem que até 58% dos casos regridem espontaneamente; assim, a conduta expectante é uma opção razoável na maioria dos casos. Outros tratamentos podem ser oferecidos, como aspiração em geral combinada com a injeção de várias substâncias ou excisão.[127] A aspiração é uma opção simples com baixo risco de complicações, porém, se comparada ao tratamento conservador, não parece trazer benefício adicional à resolução do quadro (recorrência em 59%).[128] A excisão cirúrgica oferece menor taxa de recorrência em relação à aspiração (recorrência em 6-21%), porém não é livre de eventos adversos.[128]

O primeiro compartimento dorsal do punho contém os tendões dos músculos abdutor longo do polegar e extensor curto do polegar. Esses tendões correm sob uma bainha sobre o aspecto dorsal do processo estiloide radial, ao longo da porção inferior da tabaqueira anatômica.[129] Forças de cisalhamento e microtraumas repetitivos nessa área podem resultar em uma tenossinovite estenosante, a **síndrome de De Quervain**. Esta é a tendinopatia mais comum do punho e é mais observada em pacientes que realizam atividades que exigem preensão com desvio ulnar do punho ou mesmo que exijam uso repetitivo do polegar.[130] A suspeita para essa condição ocorre quando o paciente relata uma dor insidiosa na região radial e dorsal do punho, com sensação reportada de crepitação e discreto edema local sobre o primeiro compartimento extensor no punho.[131]

O diagnóstico da síndrome de De Quervain é clínico. Os testes clínicos patognomônicos dessa condição envolvem o estresse do primeiro compartimento extensor,[132] e o teste que oferece a maior acurácia é realizado solicitando-se ao paciente que flexione totalmente o punho (dentro dos limites da dor) e mantenha o polegar totalmente estendido e abduzido enquanto o examinador aplica uma resistência gradualmente crescente à abdução do polegar (teste WHAT [do inglês *wrist hyperflexion and abduction of the thumb*]).[133]

(Ver QR code.) O teste é positivo se o paciente sentir dor com a aplicação de resistência. Quando o paciente não consegue manter a força contra o examinador, o paciente fica livre para liberar a pressão e o teste é concluído **(FIGURA 190.9)**. Exames de imagem só são necessários quando for preciso descartar outras condições, como as associadas a trauma ou artrites.[134]

O tratamento é conservador e baseado na modificação de atividades, ergonomia e exercícios de autotratamento.[135] As opções terapêuticas incluem uso de AINEs e injeção de corticoides, o que pode aumentar a chance de resolução do quadro no curto prazo,[136,137] com ou sem uso de adjuvante de órtese de posicionamento (AAR; corticoides + órtese] = 47%)[138] **B**. A órtese, quando indicada, deve promover estabilização do carpo, da 1ª articulação metacarpal e da 1ª articulação metacarpofalângica, deixando a falange distal do polegar livre para função (ver Leituras Recomendadas). O uso da órtese em tempo integral por 6 semanas pode não ser mais eficaz para melhorar a dor e a função do que o uso de tala conforme a demanda do paciente pelo efeito analgésico do repouso articular.[135] A fisioterapia pode ser indicada como terapia adjuvante, dependendo da situação única do paciente e de suas preferências pessoais[135] **C/D**. A indicação cirúrgica é uma opção de tratamento em pacientes com sintomas moderados a graves por um período > 2 meses.[135]

Há poucos estudos sobre o papel da identificação e do tratamento de dor miofascial com dor referida para essa região.[139] Contudo, a palpação de músculos do antebraço, como o pronador redondo, o grupo dos extensores, e o músculo braquiorradial, pode revelar a coexistência dessa condição em alguns casos.

### Região ulnar do punho

Além de síndromes compressivas proximais e síndromes radiculares, uma das possíveis origens de dor neuropática nessa região é a **síndrome do canal de Guyon**, a qual resulta da neuropatia ulnar no nível do punho. Contudo, sua ocorrência é menos comum do que a compressão do nervo ulnar no cotovelo.[110]

Assim como em outras regiões do punho e da mão, deve-se atentar aos três tipos principais de **artrites** que podem envolver o punho: artrite por depósito de pirofosfato de cálcio, pós-traumáticas e artrites por doença autoimune. Outras condições pós-traumáticas e degenerativas, como as lesões do complexo da fibrocartilagem triangular,[140] também podem ser fonte de nocicepção nessa região.

Em relação ao possível componente **miofascial**, deve-se dar especial atenção aos músculos extensor e flexor ulnar do carpo para quadros de dor referida para a região ulnar do punho.[39]

### Mão

Além dos já mencionados quadros de dor radicular (nesse caso, provenientes dos segmentos C6, C7 e C8) e de dor secundária a quadros artríticos, nessa região daremos especial ênfase a três condições: síndrome do túnel do carpo, dedo em gatilho e contratura de Dupuytren.

Na **síndrome do túnel do carpo**, o nervo mediano é comprimido dentro do canal do carpo. É mais comum em mulheres e costuma ser bilateral.[141] Embora a etiologia precisa em geral não seja identificada, e provavelmente tenha origem multifatorial, diversas condições estão associadas ao surgimento dessa síndrome, incluindo diabetes, hipotireoidismo, artrite reumatoide, obesidade e gestação, além de fatores mecânicos óbvios, como deformidades artríticas, irregularidades ósseas, tenossinovites, entre outros[142] **(TABELA 190.4)**. A apresentação típica da síndrome inclui parestesias, dormência ou dor em queimação no 1º, no 2º e no 3º dedos e na metade lateral do 4º dedo. Porém, na maioria das vezes, o paciente terá queixas mais difusas, em toda a mão. Ocasionalmente, os pacientes se queixam de dor que irradia até o antebraço ou mesmo até o ombro.[141] Normalmente, a sensibilidade cutânea da eminência tenar será poupada, já que o ramo cutâneo palmar origina-se proximalmente ao canal do carpo. Os sintomas são classicamente piores à noite,

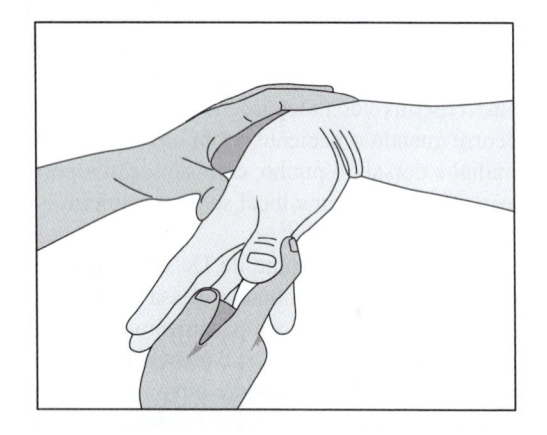

**FIGURA 190.9** → Teste de estresse sobre o primeiro compartimento extensor do punho. A dor à abdução resistida do examinador significa um resultado positivo.
Fonte: Goubau.[133]

**TABELA 190.4** → Principais diagnósticos diferenciais da síndrome do túnel do carpo

| | |
|---|---|
| Radiculopatia cervical (C6) | Cervicalgia, parestesia apenas em polegar e indicador, teste de Spurling positivo |
| Neuropatia compressiva do nervo ulnar | Parestesia no 4º e no 5º dedos, teste de Tinel positivo na passagem do nervo ulnar no cotovelo ou punho |
| Síndrome de Raynaud | Sintomas relacionados à exposição ao frio com mudanças típicas de coloração dos dedos |
| Osteoartrite de punho | Movimento doloroso do punho, que piora com a compressão axial, achados radiográficos |
| Rizartrose | Movimento doloroso do polegar, teste de cisalhamento positivo, achados radiográficos |
| Tendinopatia de De Quervain | Dor espontânea, à palpação e com manobras de estresse distalmente ao processo estiloide do rádio |
| Dor miofascial | Dor de difícil caracterização, não respeita território de nervo ou raiz nervosa, dor referida de pontos-gatilho de músculos à distância (p. ex., infraspinal, trapézio superior, flexor radial do carpo) |

Fonte: Adaptada de Wipperman.[153]

e os pacientes costumam referir espontaneamente alívio ao sacudir as mãos.[142] Múltiplas atividades manuais tendem a exacerbar os sintomas, seja com punho fletido ou estendido. A depender da gravidade e da cronicidade da condição, pode haver acometimento da musculatura inervada pelo nervo mediano, em forma de atrofia da eminência tenar e fraqueza muscular (p. ex., músculos adutor e oponente do polegar), o que é percebido pela dificuldade em abrir frascos, abotoar a camisa, segurar objetos, entre outros. Ao exame físico, testes clássicos como Phalen e Tinel e o teste de discriminação de 2 pontos não devem ser utilizados isoladamente para o diagnóstico da síndrome do túnel do carpo.[143] Assim, recomenda-se basear o diagnóstico clínico em achados característicos no exame físico de punho e mão, especialmente o exame neurológico, incluindo testes sensoriais e provocativos em conjunto.[143] Embora algumas regras de predição clínica tenham mostrado sensibilidade e especificidade aceitáveis, como os questionários CTS-6[144] e Kamath-Stothard,[145,146] seu uso demanda tempo e não tende a ser viável na maioria dos contextos.

Sugere-se a realização de teste eletrofisiológico principalmente se o paciente estiver considerando a opção cirúrgica, já que os estudos de condução nervosa são considerados o padrão-ouro para a confirmação diagnóstica.[143,146] A US do túnel do carpo só terá utilidade se as respostas à eletroneuromiografia estiverem ausentes ou para identificar fatores anatômicos específicos e suspeitos pela história clínica e pelo exame físico,[143] e que interfiram no planejamento do cuidado.

O diagnóstico diferencial da síndrome do túnel do carpo inclui, além de outras causas neuropáticas já citadas neste capítulo, a compressão proximal do próprio nervo mediano na altura de sua passagem através das cabeças do músculo pronador redondo, na região proximal do antebraço.[147] Porém, essa é uma condição rara,[148] ao contrário, por exemplo, da ocorrência ou coexistência de PGs que piorem ou simulem a síndrome.[149] A palpação de músculos como o infraespinal,[150] o trapézio superior[151,152] e o flexor radial do carpo[151] devem fazer parte da avaliação clínica de pacientes com suposto diagnóstico de síndrome do túnel do carpo.

A modificação de atividades, com a orientação de restringir a extensão e a flexão máximas do punho, reduzir atividades de trabalho pesado e evitar movimentos repetitivos, é o primeiro passo do tratamento C/D.[141,143] Em pacientes com síndrome do túnel do carpo leve a moderada, a maioria dos sintomas melhora espontaneamente ou responde à terapia conservadora,[154,155] em geral entre 2 e 6 semanas, atingindo o benefício máximo em 3 meses.[153] Se não houver melhora após 6 semanas, outra abordagem deve ser considerada.[153] Existem diversas modalidades de tratamento conservador. No entanto, ortetização e corticoides são mais comumente usados e possuem suporte de evidências.[156] O objetivo da ortetização é aliviar os sintomas ao reduzir a quantidade de carga mecânica sobre o nervo por meio da imobilização dos tendões e do nervo mediano no túnel do carpo. A órtese antebraquiopalmar (com o punho mantido em neutro e os dedos livres; FIGURA 190.10; ver Leituras Recomendadas) deve ser usada por 4 a 12 semanas, apenas à noite, ou à noite e durante o dia, ao realizar atividades agravantes, e orienta-se ajustar ou interromper o tratamento se o paciente estiver livre de sintomas[157] B.

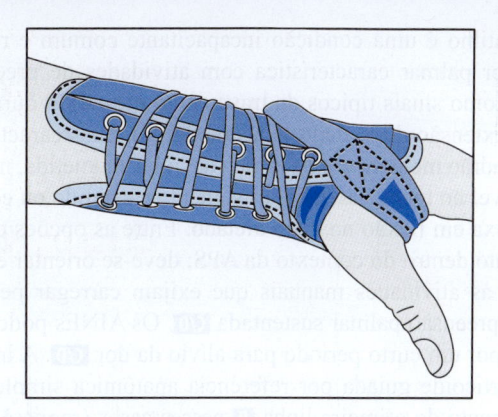

**FIGURA 190.10** → Órtese para síndrome do túnel do carpo.
Fonte: Sprouse.[158]

O tratamento por injeção local de corticoides diretamente no túnel do carpo visa reduzir a sintomatologia. Utiliza-se preferencialmente metilprednisolona ou triancinolona, com ou sem anestésico local, em um máximo de 3 aplicações com intervalos de 2 a 3 meses[157] B. Após o procedimento, o paciente deve realizar repouso do membro por 24 a 48 horas.[157] O uso de corticoide oral por 10 a 30 dias é uma alternativa, e pode trazer melhora de sintomas em 2 a 8 semanas.[156]

A partir da experiência do médico e preferências do paciente, pode-se realizar uma combinação que envolva orientações, ortetização e injeção de corticoide, podendo-se lançar mão das três abordagens concomitantemente.[157] Técnicas manuais em fisioterapia, exercícios de mobilização neural e US terapêutica são opções de tratamento adjuvante[141,153] C/D. A descompressão cirúrgica é o tratamento de escolha para pacientes com compressão grave do nervo mediano, caracterizada por perda sensorial ou motora permanente, ou perda axonal contínua, ou denervação em estudos eletrofisiológicos.[156,157]

Outra afecção comum na região da mão é o **dedo em gatilho**. O dedo em gatilho ocorre quando existe uma discrepância de tamanho entre o tendão e a polia ou bainha através da qual o tendão passa. Ela ocorre mais comumente na polia A1, ou seja, a polia localizada na altura da articulação metacarpofalângica.[159] Essa condição pode ocorrer porque a bainha ou polia torna-se estreita, ou devido ao aumento do tamanho do tendão secundário à degeneração ou à tendinose.[159] Essa distorção impede o deslizamento fácil e suave do tendão. A fisiopatologia pode ser variada, variando de uso excessivo até alguma doença inflamatória, como artrite reumatoide ou gota, além de distúrbios sistêmicos, como diabetes melito, em que a prevalência aumenta para até 20%,[160] ou doença da tireoide, que resulta em aderências ou espessamento do tendão.[161] (Ver QR code.) O dedo em gatilho é uma condição incapacitante comum e resulta em dor palmar característica com atividades de preensão, bem como sinais típicos de travamento e estalido durante a flexoextensão do(s) dedo(s) acometido(s). Suas características-padrão incluem dor na região da polia acometida, nódulo palpável no tendão afetado, travamento e estalido ou contratura fixa em flexão no dedo afetado. Entre as opções de tratamento dentro do contexto da APS, deve-se orientar em relação às atividades manuais que exijam carregar peso ou fazer preensão palmar sustentada C/D. Os AINEs podem ser úteis por um curto período para alívio da dor C/D. A injeção de corticoide guiada por referência anatômica simples é o tratamento de primeira linha B nesses casos (remissão permanente em 48% com 1 injeção, 68% com 2 injeções, e 69% com 3 injeções) C/D. Sugere-se utilizar a regra dos três:[162] repouso relativo do dedo por um período de 3 dias, evitar preensão palmar intensa nas próximas 3 semanas (a ortetização do dedo em extensão por esse mesmo período pode auxiliar nesse processo), realizar nova infiltração em 3 meses caso não haja melhora completa e realizar no máximo 3 infiltrações em 1 ano.[163] Esperar melhora da dor em dias, e do bloqueio e rigidez em semanas. Para prevenção futura, sugerir luvas acolchoadas e, se possível, limitar o uso de ferramentas elétricas vibratórias que exijam preensão firme.[161] Pacientes com mais de 6 meses de duração do quadro possuem menor chance de melhora com a infiltração de corticoide.[159] Os procedimentos de liberação cirúrgica da polia são uma alternativa razoável para pacientes que não melhoraram com múltiplas injeções de corticoides, e particularmente aqueles com alto risco de falha contínua.[163,164]

Já a **contratura de Dupuytren** é uma doença fibroproliferativa benigna progressiva da fáscia palmar caracterizada por nódulos e cordões palmares, bem como contraturas em flexão dos dedos (mais comumente de 4º e 5º dígitos). (Ver QR code.) A fibromatose palmar está associada a etilismo, tabagismo, trauma vibracional e trabalho pesado, além de diversas doenças sistêmicas, como diabetes melito e doença cardiovascular.[165] A fibromatose palmar frequentemente se apresenta com nódulos subcutâneos na face palmar da mão que tracionam a pele sobrejacente à medida que progridem. O processo leva a uma contratura em flexão, inicialmente dolorosa, envolvendo mais comumente o 4º e o 5º dedos. Estruturas mais profundas, como tendões e músculos, não estão envolvidas no processo de contratura. A conduta expectante é uma opção, enquanto a excisão da faixa de contratura pode ser necessária se esta resultar em incapacidade funcional, o que em geral ocorre em deformidades > 30 graus de flexão.[166,165] (Ver QR code.) Alternativas terapêuticas incluem injeção de colagenase de *Clostridium histolyticum* (ARR = 900-2.300%) e fasciotomia com agulha percutânea.[167]

## QUESTÕES LABORAIS

Um dos fatores que aumenta a complexidade da abordagem de pacientes com dor no membro superior e, mais especificamente, no ombro são possíveis questões laborais associadas. A literatura descreve que é muito frequente a presença de dores/lesões no ombro em pacientes que exercem trabalhos braçais, em especial aqueles que trabalham com movimentos repetitivos.[168] A incapacidade laboral temporária (às vezes, até definitiva) é um fator que traz angústias para os pacientes e que exige do médico da APS uma atenção especial sobre como melhor coordenar o cuidado dessas pessoas. O afastamento temporário das atividades que desencadeiam a dor do paciente muitas vezes faz parte do plano terapêutico e, por isso, deve ser conversado com o paciente para avaliação de questões psicossociais relacionadas a um possível afastamento.[169] Uma vez identificada a necessidade de afastamento, o médico da APS deve atentar para a necessidade de preenchimento de CAT (Comunicação de Acidente de Trabalho), fornecimento de atestados de afastamento e outros documentos associados (como um relatório médico descritivo do acompanhamento que o paciente tem feito no centro de saúde), que serão eventualmente utilizados no contexto da perícia médica. (Ver Capítulo Atendimento ao Trabalhador na Atenção Primária.)

## REFERÊNCIAS

1. Dos Reis-Neto ET, Ferraz MB, Kowalski SC, Pinheiro Gda R, Sato EI. Prevalence of musculoskeletal symptoms in the five urban regions of Brazil-the Brazilian COPCORD study (BRAZCO). Clin Rheumatol. 2016; 35(5):1217–23.
2. Harrington JM, Carter JT, Birrell L, Gompertz D. Surveillance case definitions for work related upper limb pain syndromes. Occup Environ Med. 1998; 55(4):264–71.
3. Tekavec E, Jöud A, Rittner R, Mikoczy Z, Nordander C, Petersson IF, et al. Population-based consultation patterns in patients with shoulder pain diagnoses. BMC Musculoskelet Disord. 2012;13:238.
4. Cuff A, Parton S, Tyer R, Dikomitis L, Foster N, Littlewood C. Guidelines for the use of diagnostic imaging in musculoskeletal pain conditions affecting the lower back, knee and shoulder: a scoping review. Musculoskeletal Care. 2020;18(4):546–54.
5. Tempelhof S, Rupp S, Seil R. Age-related prevalence of rotator cuff tears in asymptomatic shoulders. J Shoulder Elbow Surg. 1999; 8(4):296–99.
6. Yamaguchi K, Ditsios K, Middleton WD, Hildebolt CF, Galatz LM, Teefey SA. The demographic and morphological features of rotator cuff disease. A comparison of asymptomatic and symptomatic shoulders. J Bone Joint Surg Am. 2006; 88(8):1699–1704.
7. Cardinot TM, Almeida JS. Anatomia e cinesiologia do complexo articular do ombro. Rev Científica Multidiscip Núcleo Conhecimento. 2020;16:5–33.
8. Ludewig PM, Reynolds JF. The association of scapular kinematics and glenohumeral joint pathologies. J Orthop Sports Phys Ther. 2009;39(2):90–104.
9. Kalichman L, Vulfsons S. Dry needling in the management of musculoskeletal pain. J Am Board Fam Med. 2010; 23(5):640–6.
10. Kietrys DM, Palombaro KM, Azzaretto E, Hubler R, Schaller B, Schlussel JM, et al. Effectiveness of dry needling for upper-quarter myofascial pain: a systematic review and meta-analysis. J Orthop Sports Phys Ther. 2013;43(9):620–34.

11. Burbank KM, Stevenson JH, Czarnecki GR, Dorfman J. Chronic shoulder pain: part I. Evaluation and diagnosis. Am Fam Physician. 2008; 77(4):453–60.
12. Bron C, Dommerholt J, Stegenga B, Wensing M, Oostendorp RA. High prevalence of shoulder girdle muscles with myofascial trigger points in patients with shoulder pain. BMC Musculoskelet Disord. 2011;12:139.
13. Sergienko S, Kalichman L. Myofascial origin of shoulder pain: a literature review. J Bodyw Mov Ther. 2015;19(1):91–101.
14. Gerwin RD. Myofascial pain syndromes in the upper extremity. J Hand Ther Off J Am Soc Hand Ther. 1997;10(2):130–6.
15. Bouhassira D, Attal N, Alchaar H, Boureau F, Brochet B, Bruxelle J, et al. Comparison of pain syndromes associated with nervous or somatic lesions and development of a new neuropathic pain diagnostic questionnaire (DN4). Pain. 2005; 114(1-2):29–36.
16. Haanpää M, Attal N, Backonja M, Baron R, Bennett M, Bouhassira D, et al. NeuPSIG guidelines on neuropathic pain assessment. Pain. 2011;152(1):14–27.
17. Shah JP, Thaker N, Heimur J, Aredo JV, Sikdar S, Gerber L. Myofascial trigger points then and now: a historical and scientific perspective. PM R. 2015;7(7):746–61.
18. Greenberg DL. Evaluation and treatment of shoulder pain. Med Clin North Am. 2014; 98(3):487–504.
19. Singh S, Mohammad F, Gill S, Kumar D, Kumar S. Utility of pain mapping in shoulder disorders. Int J Orthop. 2015;2(3):323-7.
20. Ford B, Cohen M, Halaki M, Diong J, Ginn KA. Experimental shoulder pain models do not validly replicate the clinical experience of shoulder pain. Scand J Pain. 2019;20(1):167–74.
21. Bayam L, Arumilli R, Horsley I, Bayam F, Herrington L, Funk L. Testing shoulder pain mapping. Pain Med Malden Mass. 2017;18(7):1382–93.
22. Lotke PA, Abboud JA, Ende J. Lippincott's primary care orthopaedics. Philadelphia: Lippincott Williams & Wilkins, 2008.
23. Graven-Nielsen T, Arendt-Nielsen L. Assessment of mechanisms in localized and widespread musculoskeletal pain. Nat Rev Rheumatol. 2010; 6(10):599–606.
24. Affaitati G, Costantini R, Tana C, Cipollone F, Giamberardino MA. Co-occurrence of pain syndromes. J Neural Transm(Vienna). 2020;127(4):625–46.
25. Costanzo C, Verghese A. The physical examination as ritual: social sciences and embodiment in the context of the physical examination. Med Clin North Am. 2018; 102(3):425–31.
26. Hyman P. The disappearance of the primary care physical examination-losing touch. JAMA Intern Med. 2020; 180(11):1417–8.
27. Park J, Park WY, Hong S, An J, Koh JC, Lee YW, et al. Diagnostic accuracy of the neck tornado test as a new screening test in cervical radiculopathy. Int J Med Sci. 2017;14(7):662–7.
28. Woodward TW, Best TM. The painful shoulder: part I. Clinical evaluation. Am Fam Physician. 2000; 61(10):3079–88.
29. Churgay CA. Diagnosis and treatment of biceps tendinitis and tendinosis. Am Fam Physician. 2009;80(5):470–6.
30. Popp D, Schöffl V. Superior labral anterior posterior lesions of the shoulder: current diagnostic and therapeutic standards. World J Orthop. 2015;6(9):660–71.
31. Van Zundert J, Huntoon M, Patijn J, Lataster A, Mekhail N, van Kleef M, et al. 4. Cervical radicular pain. Pain Pract. 2010; 10(1):1–17.
32. McAnany SJ, Rhee JM, Baird EO, Shi W, Konopka J, Neustein TM, et al. Observed patterns of cervical radiculopathy: how often do they differ from a standard, 'Netter diagram' distribution? Spine J. 2019;19(7):1137–42.
33. Childress MA, Becker BA. Nonoperative management of cervical radiculopathy. Am Fam Physician. 2016;93(9):746–54.
34. Bono CM, Ghiselli G, Gilbert TJ, Kreiner DS, Reitman C, Summers JT, et al. An evidence-based clinical guideline for the diagnosis and treatment of cervical radiculopathy from degenerative disorders. Spine J. 2011;11(1):64–72.
35. Jones MR, Prabhakar A, Viswanath O, Urits I, Green JB, Kendrick JB, et al. Thoracic outlet syndrome: a comprehensive review of pathophysiology, diagnosis, and treatment. Pain Ther. 2019;8(1):5–18.
36. Kaplan J, Kanwal A. Thoracic outlet syndrome. In: StatPearls [Internet]. Treasure Island: StatPearls;2021 [capturado em 24 set. 2021]. Disponível em: http://www.ncbi.nlm.nih.gov/books/NBK557450/.
37. Povlsen B, Hansson T, Povlsen SD. Treatment for thoracic outlet syndrome. Cochrane Database Syst Rev. 2014;(11):CD007218.
38. Strauss EJ, Kingery MT, Klein D, Manjunath AK. The evaluation and management of suprascapular neuropathy. J Am Acad Orthop Surg. 2020; 28(15):617–27.
39. Donnely JM, Fernández-de-Las-Peñas C, Finnegan M, Freeman JL. Dor e disfunção miofascial de Travell, Simons & Simons: manual de pontos-gatilho. 3. ed. Porto Alegre: Artmed; 2020.
40. Liu L, Huang Q-M, Liu Q-G, Ye G, Bo CZ, Chen MJ, et al. Effectiveness of dry needling for myofascial trigger points associated with neck and shoulder pain: a systematic review and meta-analysis. Arch Phys Med Rehabil. 2015; 96(5):944–55.
41. Hughes PC, Green RA, Taylor NF. Measurement of subacromial impingement of the rotator cuff. J Sci Med Sport. 2012;15(1):2–7.
42. Cummings M, Ross-Marrs R, Gerwin R. Pneumothorax complication of deep dry needling demonstration. Acupunct Med J Br Med Acupunct Soc. 2014; 32(6):517–9.
43. McCutcheon L, Yelland M. Iatrogenic pneumothorax: safety concerns when using acupuncture or dry needling in the thoracic region. Phys Ther Rev. 2011;16(2):126–32.
44. Uzar T, Turkmen I, Menekse EB, Dirican A, Ekaterina P, Ozkaya S. A case with iatrogenic pneumothorax due to deep dry needling. Radiol Case Rep. 2018;13(6):1246–8.
45. Neer CS 2nd. Impingement lesions. Clin Orthop Relat Res. 1983;(173):70–7.
46. Escamilla RF, Hooks TR, Wilk KE. Optimal management of shoulder impingement syndrome. Open Access J Sports Med. 2014;5:13–24.
47. Hanchard NCA, Lenza M, Handoll HHG, Takwoingi Y. Physical tests for shoulder impingements and local lesions of bursa, tendon or labrum that may accompany impingement. Cochrane Database Syst Rev. 2013;2013(4):CD007427.
48. Feder OI, Levy BJ, Gruson KI. Routine plain radiographs in the setting of atraumatic shoulder pain: Are they useful? J Am Acad Orthop Surg. 2018;26(8):287–93.
49. Expert Panel on Musculoskeletal Imaging:, Small KM, Adler RS, Shah SH, Roberts CC, Bencardino JT, et al. ACR Appropriateness Criteria® Shoulder Pain-Atraumatic. J Am Coll Radiol. 2018;15(11S): S388–402.
50. Dong W, Goost H, Lin X-B, et al. Treatments for shoulder impingement syndrome: a PRISMA systematic review and network meta-analysis. Medicine (Baltimore) 2015; 94: e510.
51. Steuri R, Sattelmayer M, Elsig S, Kolly C, Tal A, Taeymans J, et al. Effectiveness of conservative interventions including exercise, manual therapy and medical management in adults with shoulder impingement: a systematic review and meta-analysis of RCTs. Br J Sports Med. 2017;51(18):1340–7.
52. Tallia AF, Cardone DA. Diagnostic and therapeutic injection of the shoulder region. Am Fam Physician. 2003;67(6):1271–78.
53. Nazari G, MacDermid JC, Bryant D, Athwal GS. The effectiveness of surgical vs conservative interventions on pain and function in patients with shoulder impingement syndrome. A systematic review and meta-analysis. PLoS One. 2019;14(5):e0216961.
54. Bodin J, Ha C, Petit Le Manac'h A, Sérazin C, Descatha A, Leclerc A, et al. Risk factors for incidence of rotator cuff syndrome in a large working population. Scand J Work Environ Health. 2012;38(5):436–46.
55. Bishay V, Gallo RA. The evaluation and treatment of rotator cuff pathology. Prim Care 2013;40(4):889–910, viii.
56. Seitz AL, McClure PW, Finucane S, Boardman ND 3rd, Michener LA. Mechanisms of rotator cuff tendinopathy: intrinsic, extrinsic, or both? Clin Biomech (Bristol, Avon). 2011;26(1):1–12.

57. Matthewson G, Beach CJ, Nelson AA, Woodmass JM, Ono Y, Boorman RS, et al. Partial Thickness rotator cuff tears: current concepts. Adv Orthop. 2015; 2015:458786.
58. Codsi M, Howe CR. Shoulder conditions: diagnosis and treatment guideline. Phys Med Rehabil Clin N Am. 2015; 26(3):467–89.
59. Piper CC, Hughes AJ, Ma Y, Wang H, Neviaser AS. Operative versus nonoperative treatment for the management of full-thickness rotator cuff tears: a systematic review and meta-analysis. J Shoulder Elbow Surg. 2018;27(3):572–6.
60. Longo UG, Risi Ambrogioni L, Candela V, Berton A, Carnevale A, Schena E, et al. Conservative versus surgical management for patients with rotator cuff tears: a systematic review and META-analysis. BMC Musculoskelet Disord. 2021;22(50).
61. Salzman KL, Lillegard WA, Butcher JD. Upper extremity bursitis. Am Fam Physician. 1997;56(7):1797–1806,1811–2.
62. Draghi F, Scudeller L, Draghi AG, Bortolotto C. Prevalence of sub-acromial-subdeltoid bursitis in shoulder pain: an ultrasonographic study. J Ultrasound. 2015;18(2):151.
63. VanBaak K, Aerni G. Shoulder conditions: rotator cuff injuries and bursitis. FP Essent 2020;491:11–6.
64. Khodaee M. Common superficial bursitis. Am Fam Physician. 2017; 95(4):224–31.
65. Cushman DM, Carefoot A, Lisenby S, Caragea M, Fogg B, Conger A. A systematic review of the efficacy of corticosteroid injections of tendon sheaths, excluding stenosing tenosynovitis of the wrist and hand. Am J Phys Med Rehabil. 2021;100(7):683–8.
66. Feng S, Song Y, Li H, Chen J, Chen J, Chen S. Outcomes for arthroscopic repair of combined bankart/slap lesions in the treatment of anterior shoulder instability: a systematic review and meta-analysis. Orthop J Sports Med. 2019;7(10):2325967119877804.
67. Ramirez J. Adhesive capsulitis: diagnosis and management. Am Fam Physician. 2019; 99(5):297–300.
68. Neviaser AS, Neviaser RJ. Adhesive capsulitis of the shoulder. J Am Acad Orthop Surg. 2011;19(9): 536–42.
69. Dahan TH, Fortin L, Pelletier M, Petit M, Vadeboncoeur R, Suissa S. Double blind randomized clinical trial examining the efficacy of bupivacaine suprascapular nerve blocks in frozen shoulder. J Rheumatol. 2000; 27(6):1464–9.
70. Wassef MR. Suprascapular nerve block. A new approach for the management of frozen shoulder. Anaesthesia. 1992;47(2):120–4.
71. Chang K-V, Hung C-Y, Wu W-T, Han DS, Yang RS, Lin CP. Comparison of the effectiveness of suprascapular nerve block with physical therapy, placebo, and intra-articular injection in management of chronic shoulder pain: a meta-analysis of randomized controlled trials. Arch Phys Med Rehabil. 2016; 97(8):1366–80.
72. Jones DS, Chattopadhyay C. Suprascapular nerve block for the treatment of frozen shoulder in primary care: a randomized trial. Br J Gen Pract. 1999;49(438):39–41.
73. Schröder S, Meyer-Hamme G, Friedemann T, Kirch S, Hauck M, Plaetke R, et al. Immediate pain relief in adhesive capsulitis by acupuncture-a randomized controlled double-blinded study. Pain Med. 2017;18(11):2235–47.
74. Page MJ, Green S, Kramer S, Johnston RV, McBain B, Buchbinder R. Electrotherapy modalities for adhesive capsulitis (frozen shoulder). Cochrane Database Syst Rev 2014;(10):CD011324.
75. Wu Y-T, Ho C-W, Chen Y-L, Li TY, Lee KC, Chen LC. Ultrasound-guided pulsed radiofrequency stimulation of the suprascapular nerve for adhesive capsulitis: a prospective, randomized, controlled trial. Anesth Analg. 2014;119(3):686–92.
76. Lee S, Lee S, Jeong M, Oh H, Lee K. The effects of extracorporeal shock wave therapy on pain and range of motion in patients with adhesive capsulitis. J Phys Ther Sci. 2017; 29(11):1907–9.
77. Mitchell C, Adebajo A, Hay E, Carr A. Shoulder pain: diagnosis and management in primary care. BMJ. 2005; 331(7525):1124–8.
78. Farrell G, Watson L, Devan H. Current evidence for nonpharmacological interventions and criteria for surgical management of persistent acromioclavicular joint osteoarthritis: a systematic review. Shoulder Elb. 2019;11(6):395–410.
79. Millett PJ, Gobezie R, Boykin RE. Shoulder osteoarthritis: diagnosis and management. Am Fam Physician. 2008;78(5):605–11.
80. Chou R, McDonagh MS, Nakamoto E, Griff J. Analgesics for osteoarthritis: an update of the 2006 comparative effectiveness review. Rockville: Agency for Healthcare Research and Quality; 2011 [capturado em 20 ago. 2021]. Disponível em: http://www.ncbi.nlm.nih.gov/books/NBK65646/.
81. Shanahan EM, Ahern M, Smith M, Wetherall M, Bresnihan B, FitzGerald O. Suprascapular nerve block (using bupivacaine and methylprednisolone acetate) in chronic shoulder pain. Ann Rheum Dis. 2003;62(5):400–6.
82. Merolla G, Sperling JW, Paladini P, Porcellini G. Efficacy of Hylan G-F 20 versus 6-methylprednisolone acetate in painful shoulder osteoarthritis: a retrospective controlled trial. Musculoskelet Surg. 2011;95(3):215–24.
83. Craig RS, Goodier H, Singh JA, Hopewell S, Rees JL. Shoulder replacement surgery for osteoarthritis and rotator cuff tear arthropathy. Cochrane Database Syst Rev. 2020;(4):CD012879.
84. Umamahesvaran B, Sambandam SN, Mounasamy V, Gokulakrishnan PP, Ashraf M. Calcifying tendinitis of shoulder: a concise review. J Orthop. 2018;15(3):776–82.
85. Vasudevan JM, Browne BJ. Hemiplegic shoulder pain: an approach to diagnosis and management. Phys Med Rehabil Clin N Am. 2014;25(2):411–37.
86. Luqmani R, Porter D, Robb J, Joseph B, editors. Textbook of orthopaedics, trauma, and rheumatology. 2nd. ed. Philadelphia: Elsevier; 2013.
87. Silverstein R, Khurana S, Talley-Bruns R, Lundy A, Brownstein M, Kavookjian H. Distal radius fractures in patients aged 50 years or older: obstacles to bone health analysis and follow-up in a community setting. J Hand Surg Glob Online. 2021;3(2):88–93.
88. Dy CJ, Kazmers NH, Baty J, Bommarito K, Osei DA. An epidemiologic perspective on scaphoid fracture treatment and frequency of nonunion surgery in the USA. HSS J. 2018; 14(3):245–50.
89. Ballas MT, Tytko J, Mannarino F. Commonly missed orthopedic problems. Am Fam Physician. 1998;57(2):267.
90. Berber O, Ahmad I, Gidwani S. Fractures of the scaphoid. BMJ. 2020;369:m1908.
91. Iyer S, Kim HJ. Cervical radiculopathy. Curr Rev Musculoskelet Med. 2016;9(3):272–80.
92. Thoomes EJ, van Geest S, van der Windt DA, Falla D, Verhagen AP, Koes BW, et al. Value of physical tests in diagnosing cervical radiculopathy: a systematic review. Spine J. 2018; 18(1):179–89.
93. Hazani R, Engineer NJ, Mowlavi A, Neumeister M, Lee WP, Wilhelmi BJ. Anatomic landmarks for the radial tunnel. Eplasty. 2008;8:e37.
94. Moradi A, Ebrahimzadeh MH, Jupiter JB. Radial tunnel syndrome, diagnostic and treatment dilemma. Arch Bone Jt Surg. 2015; 3(3):156–62.
95. Levina Y, Dantuluri PK. Radial tunnel syndrome. Curr Rev Musculoskelet Med. 2021;14(3):205–13.
96. Bolster M a. J, Bakker XR. Radial tunnel syndrome: emphasis on the superficial branch of the radial nerve. J Hand Surg Eur. 2009;34(3):343–47.
97. Sarhadi NS, Korday SN, Bainbridge LC. Radial tunnel syndrome: diagnosis and management. J Hand Surg Br. 1998;23(5):617–19.
98. Moradi A, Ebrahimzadeh MH, Jupiter JB. Radial Tunnel syndrome, diagnostic and treatment dilemma. Arch Bone Jt Surg. 2015;3(3):156–62.
99. Shiri R, Viikari-Juntura E, Varonen H, Heliövaara M. Prevalence and determinants of lateral and medial epicondylitis: a population study. Am J Epidemiol. 2006;164(11):1065–74.
100. Lassen CF, Mikkelsen S, Kryger AI, Brandt LP, Overgaard E, Thomsen JF, et al. Elbow and wrist/hand symptoms among 6,943 computer

operators: a 1-year follow-up study (the NUDATA study). Am J Ind Med. 2004; 46(5):521–33.

101. Karanasios S, Korakakis V, Moutzouri M, Drakonaki E, Koci K, Pantazopoulou V, et al. Diagnostic accuracy of examination tests for lateral elbow tendinopathy (LET) – A systematic review. J Hand Ther Off J Am Soc Hand Ther. 2021:S0894-1130(21)00039-9.

102. Vaquero-Picado A, Barco R, Antuña SA. Lateral epicondylitis of the elbow. EFORT Open Rev. 2016;1(11):391–7.

103. Hegmann KT, Hoffman HE, Belcourt RM, Byrne K, Glass L, Melhorn JM, et al. ACOEM practice guidelines: elbow disorders. J Occup Environ Med. 2013;55(11):1365–74.

104. Chen Z, Baker NA. Effectiveness of eccentric strengthening in the treatment of lateral elbow tendinopathy: A systematic review with meta-analysis. J Hand Ther. 2021;34(1):18–28.

105. Johns N, Shridhar V. Lateral epicondylitis: current concepts. Aust J Gen Pract. 2020; 49(11):707–9.

106. Soojian MG, Kwon YW. Elbow arthritis. Bull NYU Hosp Jt Dis. 2007;65(1):61–71.

107. Ravalli S, Pulici C, Binetti S, Aglieco A, Vecchio M, Musumeci G. An overview of the pathogenesis and treatment of elbow osteoarthritis. J Funct Morphol Kinesiol. 2019; 4(2):E30.

108. Boone S, Gelberman RH, Calfee RP. The management of cubital tunnel syndrome. J Hand Surg. 2015; 40(9):1897–1904.

109. Elhassan B, Steinmann SP. Entrapment neuropathy of the ulnar nerve. J Am Acad Orthop Surg. 2007;15(11):672–81.

110. Karvelas KR, Walker FO. Clinical and ultrasonographic features of distal ulnar neuropathy: a review. Front Neurol. 2019;10:632.

111. van Rijn RM, Huisstede BMA, Koes BW, Burdorf A. Associations between work-related factors and specific disorders at the elbow: a systematic literature review. Rheumatol (Oxford). 2009; 48(5):528–36.

112. Thakker A, Gupta VK, Gupta KK. The anatomy, presentation and management options of cubital tunnel syndrome. J Hand Surg Asian-Pac. 2020;25(4):393–401.

113. Richardson C, Fabre G. Froment's sign. J Audiov Media Med 2003;26(1):34.

114. Barco R, Antuña SA. Medial elbow pain. EFORT Open Rev. 2017;2(8):362–71.

115. Amin NH, Kumar NS, Schickendantz MS. Medial epicondylitis: evaluation and management. J Am Acad Orthop Surg. 2015;23(6):348–55.

116. Blackwell JR, Hay BA, Bolt AM, Hay SM. Olecranon bursitis: a systematic overview. Shoulder Elbow. 2014; 6(3):182–90.

117. Nchinda NN, Wolf JM. Clinical management of olecranon bursitis: a review. J Hand Surg. 2021; 46(6):501–6.

118. Doughty CT, Bowley MP. Entrapment neuropathies of the upper extremity. Med Clin North Am. 2019;103(2): 357–70.

119. Darowish M, Sharma J. Evaluation and treatment of chronic hand conditions. Med Clin North Am. 2014; 98(4):801–15, xii.

120. Barron OA, Glickel SZ, Eaton RG. Basal joint arthritis of the thumb. J Am Acad Orthop Surg. 2000; 8(5):314–23.

121. Kloppenburg M, Kroon FP, Blanco FJ, Doherty M, Dziedzic KS, Greibrokk E, et al. 2018 update of the EULAR recommendations for the management of hand osteoarthritis. Ann Rheum Dis. 2019;789(1): 16–24.

122. Adams J, Barratt P, Rombach I, Arden N, Barbosa Bouças S, Bradley S, et al. The clinical and cost effectiveness of splints for thumb base osteoarthritis: a randomized controlled clinical trial. Rheumatology. 2021;60(6): 2862–77.

123. Buhler M, Chapple CM, Stebbings S, Sangelaji B, Baxter GD. Effectiveness of splinting for pain and function in people with thumb carpometacarpal osteoarthritis: a systematic review with meta-analysis. Osteoarthritis Cartilage. 2019;27(4):547–59.

124. Riley N, Vella-Baldacchino M, Thurley N, Hopewell S, Carr AJ, Dean BJF. Injection therapy for base of thumb osteoarthritis: a systematic review and meta-analysis. BMJ Open. 2019;9:e27507.

125. Zhang A, Falkowski AL, Jacobson JA, Kim SM, Koh SH, Gaetke-Udager K. Sonography of wrist ganglion cysts: which location is most common? J Ultrasound Med. 2019;38(8):2155–60.

126. Strike SA, Puhaindran ME. Tumors of the hand and the wrist. JBJS Rev. 2020;8(6):e0141.

127. Gant J, Ruff M, Janz BA. Wrist ganglions. J Hand Surg. 2011;36(3):510–2.

128. Head L, Gencarelli JR, Allen M, Boyd KU. Wrist ganglion treatment: systematic review and meta-analysis. J Hand Surg. 2015;40(3):546-53.e8.

129. Goel R, Abzug JM. de Quervain's tenosynovitis: a review of the rehabilitative options. Hand (NY). 2015;10(1):1–5.

130. Wagner ER, Gottschalk MB. Tendinopathies of the forearm, wrist, and hand. Clin Plast Surg. 2019; 46(3):317–27.

131. Satteson E, Tannan SC. De Quervain Tenosynovitis [Internet]. In: StatPearls. Treasure Island: StatPearls; 2021 [capturado em 7 ago. 2021]. Disponível em: http://www.ncbi.nlm.nih.gov/books/NBK442005/.

132. Wu F, Rajpura A, Sandher D. Finkelstein's Test is superior to Eichhoff's Test in the investigation of de Quervain's Disease. J Hand Microsurg. 2018;10(2):116–8.

133. Goubau JF, Goubau L, Van Tongel A, Van Hoonacker P, Kerckhove D, Berghs B. The wrist hyperflexion and abduction of the thumb (WHAT) test: a more specific and sensitive test to diagnose de Quervain tenosynovitis than the Eichhoff's Test. J Hand Surg Eur. 2014; 39(3):286–92.

134. Ilyas AM, Ilyas A, Ast M, Thoder J. De quervain tenosynovitis of the wrist. J Am Acad Orthop Surg. 2007;15(12):757–64.

135. Huisstede BMA, Coert JH, Fridén J, Hoogvliet P; European HAND-GUIDE Group. Consensus on a multidisciplinary treatment guideline for de Quervain disease: results from the European HANDGUIDE study. Phys Ther. 2014; 94(8):1095–1110.

136. Richie CA, Briner WW. Corticosteroid injection for treatment of de Quervain's tenosynovitis: a pooled quantitative literature evaluation. J Am Board Fam Pract. 2003;16(2):102–6.

137. Peters-Veluthamaningal C, Winters JC, Groenier KH, Meyboom-DeJong B. Randomised controlled trial of local corticosteroid injections for de Quervain's tenosynovitis in general practice. BMC Musculoskelet Disord. 2009;10:131.

138. Cavaleri R, Schabrun SM, Te M, Chipchase LS. Hand therapy versus corticosteroid injections in the treatment of de Quervain's disease: a systematic review and meta-analysis. J Hand Ther Off J Am Soc Hand Ther. 2016; 29(1):3–11.

139. Villafañe JH, Herrero P. Conservative treatment of Myofascial Trigger Points and joint mobilization for management in patients with thumb carpometacarpal osteoarthritis. J Hand Ther. 2016;29(1):89–92; quiz 92.

140. Wu W-T, Chang K-V, Mezian K, Naňka O, Yang YC, Hsu YC, et al. Ulnar wrist pain revisited: ultrasound diagnosis and guided injection for triangular fibrocartilage complex injuries. J Clin Med. 2019;8(10):1540.

141. Padua L, Coraci D, Erra C, Pazzaglia C, Paolasso I, Loreti C, et al. Carpal tunnel syndrome: clinical features, diagnosis, and management. Lancet Neurol. 2016; 15(12):1273–84.

142. Urits I, Gress K, Charipova K, Orhurhu V, Kaye AD, Viswanath O. Recent advances in the understanding and management of carpal tunnel syndrome: a comprehensive review. Curr Pain Headache Rep. 2019;23(10):70.

143. Mooar PA, Doherty WJ, Murray JN, Pezold R, Sevarino KS. Management of carpal tunnel syndrome. J Am Acad Orthop Surg. 2018; 26(6):e128–30.

144. Makanji HS, Becker SJE, Mudgal CS, Jupiter JB, Ring D. Evaluation of the scratch collapse test for the diagnosis of carpal tunnel syndrome. J Hand Surg Eur. 2014;39(2):181–6.

145. Bridges MJ, Robertson DC, Chuck AJ. Predicting the result of nerve conduction tests in carpal tunnel syndrome using a questionnaire. Hand Surg. 2011;16(1):39–42.

146. Wang WL, Buterbaugh K, Kadow TR, Goitz RJ, Fowler JR. A prospective comparison of diagnostic tools for the diagnosis of carpal tunnel syndrome. J Hand Surg. 2018;43(9):833-6.e2.
147. Dang AC, Rodner CM. Unusual compression neuropathies of the forearm, Part II: median nerve. J Hand Surg. 2009;34(10):1915–20.
148. Adler JA, Wolf JM. Proximal median nerve compression: pronator syndrome. J Hand Surg. 2020; 45(12):1157–65.
149. Lo JK, Finestone HM, Gilbert K, Woodbury MG. Community-based referrals for electrodiagnostic studies in patients with possible carpal tunnel syndrome: What is the diagnosis? Arch Phys Med Rehabil. 2002;83(5):598–603.
150. Qerama E, Kasch H, Fuglsang-Frederiksen A. Occurrence of myofascial pain in patients with possible carpal tunnel syndrome – a single-blinded study. Eur J Pain. 2009;3(6):588–91.
151. Oh S, Kim HK, Kwak J, Kim T, Jang SH, Lee KH, et al. Causes of hand tingling in visual display terminal workers. Ann Rehabil Med. 2013;37(2):221–8.
152. Azadeh H, Dehghani M, Zarezadeh A. Incidence of trapezius myofascial trigger points in patients with the possible carpal tunnel syndrome. J Res Med Sci. 2010;15(5):250–5.
153. Wipperman J, Goerl K. Carpal tunnel syndrome: diagnosis and management. Am Fam Physician. 2016;94(12):993–9.
154. Chammas M, Boretto J, Burmann LM, Ramos RM, Dos Santos Neto FC, Silva JB. Carpal tunnel syndrome – part I (anatomy, physiology, etiology and diagnosis). Rev Bras Ortop. 2014; 49(5):429–36.
155. Ghasemi-Rad M, Nosair E, Vegh A, Mohammadi A, Akkad A, Lesha E, et al. A handy review of carpal tunnel syndrome: from anatomy to diagnosis and treatment. World J Radiol. 2014; 6(6):284–300.
156. American Academy of Orthopaedic Surgeons. Management of carpal tunnel syndrome evidence-based clinical practice guideline [Internet]. Rosemont: AAOS; 2016[capturado em 21 ago. 2021]. Disponível em: https://aaos.org/globalassets/quality-and-practice-resources/carpal-tunnel/management-of-carpal-tunnel-syndrome-7-31-19.pdf
157. Huisstede BM, Fridén J, Coert JH, Hoogvliet P; European HAND-GUIDE Group. Carpal tunnel syndrome: hand surgeons, hand therapists, and physical medicine and rehabilitation physicians agree on a multidisciplinary treatment guideline—results from the European HANDGUIDE Study. Arch Phys Med Rehabil. 2014;95(12):2253–63.
158. Sprouse RA, McLaughlin AM, Harris GD. Braces and splints for common musculoskeletal conditions. Am Fam Physician. 2018; 98(10):570–76.
159. Adams JE, Habbu R. Tendinopathies of the hand and wrist. J Am Acad Orthop Surg. 2015;23(12):741–50.
160. Koh S, Nakamura S, Hattori T, Hirata H. Trigger digits in diabetes: their incidence and characteristics. J Hand Surg Eur. 2010;35(4):302–5.
161. Gil JA, Hresko AM, Weiss A-PC. Current concepts in the management of trigger finger in adults. J Am Acad Orthop Surg. 2020;28(15):e642–50.
162. Merry SP, O'Grady JS, Boswell CL. Trigger finger? Just shoot! J Prim Care Community Health. 2020;11:2150132720943345.
163. Pruzansky JS, Goljan P, Lundmark DP, Shin EK, Jacoby SM, Osterman AL. Treatment preferences for trigger digit by members of the American Association for Hand Surgery. Hand (NY). 2014;9(4):529–33.
164. Bruijnzeel H, Neuhaus V, Fostvedt S, Jupiter JB, Mudgal CS, Ring DC. Adverse events of open A1 pulley release for idiopathic trigger finger. J Hand Surg. 2012; 37(8):1650–56.
165. Bogdanov I, Rowland Payne C. Dupuytren contracture as a sign of systemic disease. Clin Dermatol. 2019; 37(6):675–8.
166. Denkler KA, Vaughn CJ, Dolan EL, Hansen SL. Evidence-based medicine: options for dupuytren's contracture: incise, excise, and dissolve. Plast Reconstr Surg. 2017;139(1): 240e–55.
167. Soreide E, Murad MH, Denbeigh JM, Lewallen EA, Dudakovic A, Nordsletten L, et al. Treatment of Dupuytren's contracture: a systematic review. Bone Joint J. 2018; 100-B(9):1138–45.
168. Sarquis LMM, Coggon D, Ntani G, Walker-Bone K, Palmer KT, Felli VE, et al. Classification of neck/shoulder pain in epidemiological research: a comparison of personal and occupational characteristics, disability and prognosis among 12,195 workers from 18 countries. Pain. 2016;157(5):1028–36.
169. Mayer J, Kraus T, Ochsmann E. Longitudinal evidence for the association between work-related physical exposures and neck and/or shoulder complaints: a systematic review. Int Arch Occup Environ Health. 2012;85(6):587–603.

## LEITURAS RECOMENDADAS

Donnelly JM, Fernández-de-las-Peñas CF, Finnegan M, Freeman JL. Dor e disfunção miofascial de Travell, Simons & Simons: manual de pontos-gatilho. 3. ed. Porto Alegre: Artmed; 2020.

Physiotutors. Playlist [vídeos]. In: YouTube; c2021 [capturado em 7 set. 2021]. Disponível em: https://www.youtube.com/c/Physiotutors/playlists
*Lista extensiva de curtos vídeos demonstrando, entre outros, testes ortopédicos (vídeos em inglês).*

Sprouse RA, McLaughlin AM, Harris GD. Braces and splints for common musculoskeletal conditions. Am Fam Physician. 2018; 98(10):570–76.
*Discussão de órteses para condições comuns.*

# Capítulo 191
## DOR EM MEMBROS INFERIORES

Alfredo de Oliveira Neto
Caio César Bezerra da Silva
Marcos Paulo Veloso Correia
Rebeca Mathias de Queiroz Ribeiro

Dor em membros inferiores pode ser definida como dor abaixo da prega glútea, posteriormente, e abaixo do ligamento inguinal, anteriormente. Neste capítulo, as causas serão divididas conforme o local de apresentação, separando-as em dores em quadril, joelho e pé.

No Brasil, o primeiro estudo COPCORD de abrangência nacional, publicado em 2016, apontou o joelho como o segundo sítio mais comum de sintomas musculoesqueléticos (50% dos adultos acometidos), atrás apenas de coluna dorsolombar (77%). Neste estudo, tornozelo (28%) foi o quarto sítio mais comum, e quadril (19%), o oitavo. Em estudo de base populacional na cidade de São Paulo, dor nas pernas – à parte de dor em coxas, joelhos e pés – foi o segundo mais importante sítio de dor crônica após lombalgia, e o terceiro mais comum após joelhos.

A dor em membros inferiores prejudica a ortostase e a deambulação, e, portanto, as tarefas diárias e profissionais e o acesso a serviços de saúde. Além disso, favorece quedas e as fraturas associadas. Em estudo nos Estados Unidos, 45%

dos adultos com dor crônica em membros inferiores haviam sofrido queda nos últimos 12 meses, e 33% nos últimos 3 meses. Dores em membros inferiores acompanham lombalgias, arteriopatias e insuficiências venosas, diagnósticos diferenciais próprios à sua condição de extremidade inferior.

Fatores ocupacionais e de estilo de vida contribuem para surgimento e persistência de dores em membros inferiores. Em estudo europeu com mais de 35 mil trabalhadores, mais da metade dos casos de dor em membros inferiores tinham relação com o trabalho exercido. Em Quebec, no Canadá, estudo de base populacional mostrou associação de dor em membros inferiores com trabalhos em que não é permitido sentar quando desejado, trabalhos repetitivos, carregamento de peso (mulheres) e vibração de todo o corpo (homens). O tipo de calçado em alguns perfis profissionais pode estar associado a maior ou menor frequência de dor em pés. A prática profissional de esportes como futebol é outro fator de risco importante, particularmente entre jovens atletas.[1,2] Obesidade está relacionada à dor em pés, e adiposidade, à dor em joelhos e pés.[3] Dor glútea irradiada para o membro inferior é tradicionalmente incluída na definição de lombalgia, sendo discutida no Capítulo Lombalgia.

## PRINCÍPIOS GERAIS DO RACIOCÍNIO DIAGNÓSTICO

Embora inúmeras estruturas anatômicas possam estar envolvidas na etiologia da dor, a maioria das patologias de membros inferiores descritas em livros-texto de ortopedia também é prevalente entre indivíduos assintomáticos, correlacionando-se pouco com a dor na ausência de traumas agudos. Um foco exagerado em afastá-las, ou a sobrevalorização ao encontrá-las, pode levar a iatrogenias e dificultar o manejo.

Por esse motivo, este capítulo prioriza, mais que exames complementares, um raciocínio direcionado às características da dor, à avaliação de sinais de alarme, e à evolução. Na presença de sinais de alarme ou ausência de resposta ao manejo inicial, o raciocínio também orientará a indicação e interpretação de exames e/ou encaminhamentos (ver Capítulo Abordagem Geral da Dor).

Um elemento útil à lembrança e à identificação das principais causas graves são as circunstâncias que pioram ou aliviam a dor. Essas circunstâncias são frequentemente agrupáveis conforme grandes padrões, ou "ritmos" (TABELA 191.1). A maioria dos casos terá ritmo mecânico, cujos principais sinais de alarme relacionam-se a fraturas ou neuropatia compressiva. Outros ritmos alertam para questões inflamatórias ou de origem isquêmica ou visceral. Sinais de alarme não relacionados ao ritmo da dor são exemplificados na TABELA 191.2.

Outro elemento útil ao raciocínio é a sensibilização medular, e, nesse sentido, os dermátomos e miótomos do membro inferior. Identificar o segmento medular sensibilizado fornece dicas sobre estruturas envolvidas, estima a extensão da sensibilização e orienta condutas (ver Capítulo Dor Miofascial e Outras Dores Mecânicas). Didaticamente, os dermátomos são estimados por faixas espirais aproximadamente paralelas, de forma que L1 a L3 cobrem inguinal e

**TABELA 191.1** → Ritmos associados à dor em membros inferiores

| RITMO | CIRCUNSTÂNCIAS | CAUSAS |
|---|---|---|
| "Em crescendo" | Dor rapidamente progressiva, independente de fatores externos | Hérnia inguinal encarcerada; síndrome compartimental |
| Aos esforços | Relacionada a um nível fixo de esforço | Insuficiência aortoilíaca, claudicação intermitente de panturrilhas |
| Cólica | Piora e melhora ciclicamente, em segundos/minutos | Cólica nefrética, dismenorreia |
| Perimenstrual | Relacionada a período do ciclo menstrual | Endometriose |
| Inflamatório | Piora à noite, ou com imobilização prolongada, melhorando gradualmente com atividade | Artrite, infecção, neoplasia. Observação: neuropatias não compressivas, como herpes-zóster e diabética, podem ter piora noturna; a fasciite plantar é mais dolorosa aos primeiros passos |
| Mecânico | Piora ao movimento ou posturas prolongadas | Dor miofascial, osteoartrite, osteonecrose, tendinopatia, bursopatia, fratura de estresse, neuropatia compressiva (radiculopatia, estenose de canal, meralgia parestésica, síndrome do túnel do tarso) |

**TABELA 191.2** → Exemplos de sinais de alarme não relacionados ao ritmo da dor

| SINAIS DE ALARME | CAUSAS |
|---|---|
| Declínio funcional em paciente de alto risco cardiovascular; sintomas ou sinais de doença vascular periférica; disautonomia de início agudo (sudorese fria, náusea, hipotensão) | Isquêmicas |
| Febre, perda de peso, fadiga importante | Inflamatórias (infecciosas, imunes ou neoplásicas) |
| Uso crônico de corticoide, idade avançada, imunodeficiência | Infecção |
| Diagnóstico prévio de câncer, história familiar positiva para câncer | Neoplasia |
| Trauma agudo, idoso frágil, uso crônico de corticoides | Fratura |
| Sintomas neurológicos rapidamente progressivos | Neurológicas |

coxa, L4 passa sobre o joelho, L5 sobre o hálux, S1 sobre o maléolo lateral, e S2 pela metade medial posterior do membro inferior. Mais adiante neste capítulo, nos tópicos referentes à dor miofascial em joelho e pé, as tabelas mostram os segmentos medulares considerados responsáveis por cada músculo citado, podendo-se perceber uma correspondência próxima com os dermátomos sobrejacentes.

## DOR EM QUADRIL E COXA SUPERIOR

De todas as 291 condições relacionadas à carga global de doenças, osteoartrite (OA) de quadril e joelho ficou em 11º lugar entre as condições que mais contribuíram no mundo para quadros de invalidez.[4] Entre 2010 e 2019, houve um aumento de 32,4% de anos perdidos por invalidez relacionados apenas à OA de quadril.[5] Estima-se que 25% das pessoas que viverão até os 85 anos sofrerão de OA de quadril sintomática.[6] Ademais, a presença de OA de quadril está associada a um aumento no risco de morte por evento cardiovascular.[7]

A osteonecrose de quadril também possui relevância na saúde pública, pois, como é mais prevalente na faixa etária com idade < 50 anos, na população acometida a média de idade para os que possuem indicação de artroplastia de quadril cai para 40 anos, diferentemente da média geral de idade de 66 anos para todas as outras causas.[8]

Em idosos, a dor no quadril possui uma prevalência de 12 a 15%, sendo a OA de quadril a condição associada mais comum.[9] Em jovens, afeta sobretudo atletas, como corredores e jogadores de futebol, acompanhando cerca de metade dos traumas em jogadores homens.[10]

Em gestantes, a dor no quadril é a quarta causa mais comum de dor musculoesquelética, perdendo apenas para lombalgia, dorsalgia e dor em mãos/punhos.[11]

## Aspectos anatômicos

Neste capítulo, o quadril será considerado como a região localizada lateral e anteriormente à região glútea, entre crista ilíaca e limite inferior do grande trocanter, embora o termo também possa se referir à "articulação do quadril" (coxofemoral ou femoroacetabular, e ao "osso do quadril" (ou bacia, formada pelos ossos ílio, ísquio e púbis). A região glútea é abordada no Capítulo Lombalgia, e problemas relacionados à pelve, no Capítulo Dor Pélvica.

A coxofemoral é uma articulação sinovial do tipo "bola e soquete", multiaxial e esferoide. A cabeça do fêmur se articula com o acetábulo, em forma de taça. O lábio (*labrum*) do acetábulo é um aro fibrocartilaginoso que auxilia na estabilização **(FIGURA 191.1)**.

O músculo iliopsoas é o principal flexor da articulação coxofemoral, e o glúteo máximo é o principal extensor. Os principais abdutores são o glúteo médio e glúteo mínimo, responsáveis por manterem a bacia estável, sustentando o peso do corpo, quando o membro inferior contralateral a deixa de apoiar, como na marcha. Os principais adutores são o magno, mínimo, longo e curto, auxiliados pelos músculos grácil e pectíneo.

O músculo piriforme, posteriormente, auxilia a rotação lateral do quadril quando a coxa está em posição neutra e é um dos principais estabilizadores do quadril e articulação sacroilíaca (ver Capítulo Lombalgia). O tensor da fáscia lata, palpável em sua origem no ílio anterior, é um rotador medial, e divide com o glúteo máximo a função de tensionar a fáscia lata (e seu trecho mais espesso, a banda iliotibial; vide adiante).

A coxa é um cilindro compacto formado pela diáfise femoral, envolvida por grupos musculares, atravessados por importantes estruturas neurovasculares. Ancorados na bacia e na tíbia para mobilização do joelho, temos, anteriormente, o quadríceps femoral, extensor, e, posteriormente os isquiotibiais, flexores. O sartório também parte da bacia (espinha ilíaca anterior) à tíbia ("pata de ganso"; ver adiante), seguindo superficialmente ao limite entre quadríceps e adutores até a metade distal da coxa medial, antes de completar o percurso.

Quanto à irrigação e à inervação da região, os destaques são a artéria femoral e o nervo ciático (ou isquiático), advindo do plexo lombossacral.

## Abordagem diagnóstica geral

### História

A **FIGURA 191.2** apresenta uma sugestão do raciocínio diagnóstico diante do paciente com dor no quadril e coxa superior (ver Capítulo Abordagem Geral da Dor), orientada ao ritmo, sinais de alarme, sintomas neuropáticos e região/circunstância.

### Exame físico

No cenário da atenção primária à saúde (APS), o exame físico deve ser direcionado à história e ao perfil epidemiológico.

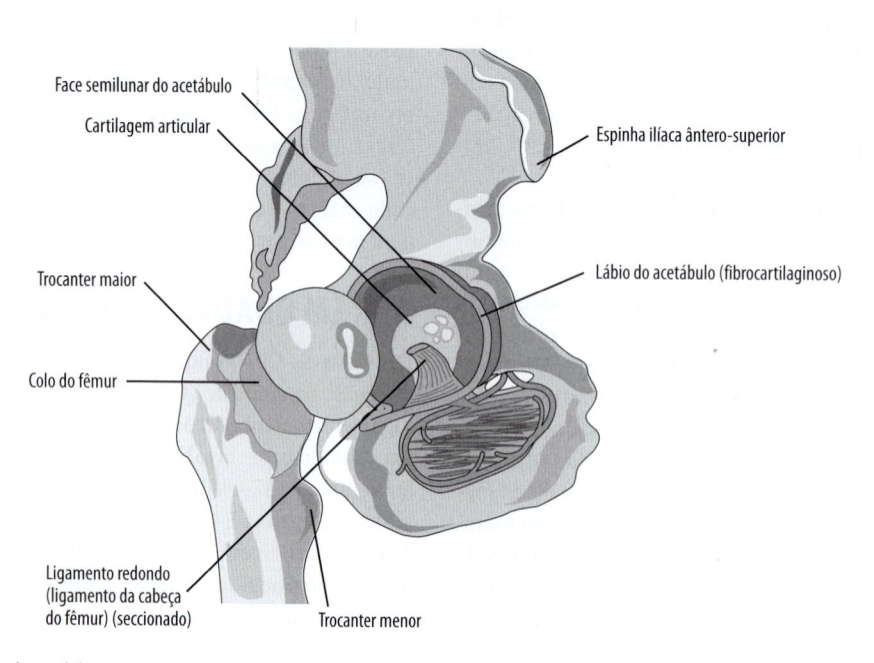

**FIGURA 191.1** → Anatomia do quadril.

```
┌─────────────────────────┐
│  Queixa de dor em quadril│
│        e/ou coxa         │
└─────────────────────────┘
              │
              ▼
```

**Identificação de sinais de alarme e/ou neuropatia**

- **Ritmo não mecânico?** — Sim →
  - **Inflamatório:** artrite (oligoartrites, poliartrites), herpes-zóster (piora noturna)
  - **Aos esforços:** insuficiência aortoilíaca
  - **"Em crescendo":** hérnia inguinal encarcerada
  - **Perimenstrual:** endometriose
  - **Cólica:** dismenorreia (perimenstrual), cólica nefrética

  → Avaliação conforme suspeita

- Não ↓

- **Outro sinal de alarme?** — Sim →
  - **Mecânicos:**
    - Trauma agudo, idoso frágil, uso crônico de corticoide, osteoporose prévia: fratura ou outra lesão aguda
    - Trauma repetitivo (p. ex., atletas): fratura de estresse, impacto femoroacetabular, impacto isquiofemoral, lesão labral
    - Uso prolongado de corticoides, etilismo importante, diabetes, anemia falciforme: ON de quadril
  - **Inflamatórios:**
    - Febre, perda de peso, imunodeficiência: artrite séptica, osteomielite
  - **Isquêmicos:**
    - Declínio funcional em alto risco cardiovascular; sintomas ou sinais de doença vascular periférica; disautonomia (sudorese fria, náusea, hipotensão)
  - **Neurológicos:** sintomas neurológicos rapidamente progressivos

- Não ↓

- **Parestesia ou dor em queimação, choque ou frio doloroso?*** — Sim →
  - **Neuropatia compressiva:**
    - Meralgia parestésica, síndrome do piriforme

↓

**Região e circunstância**

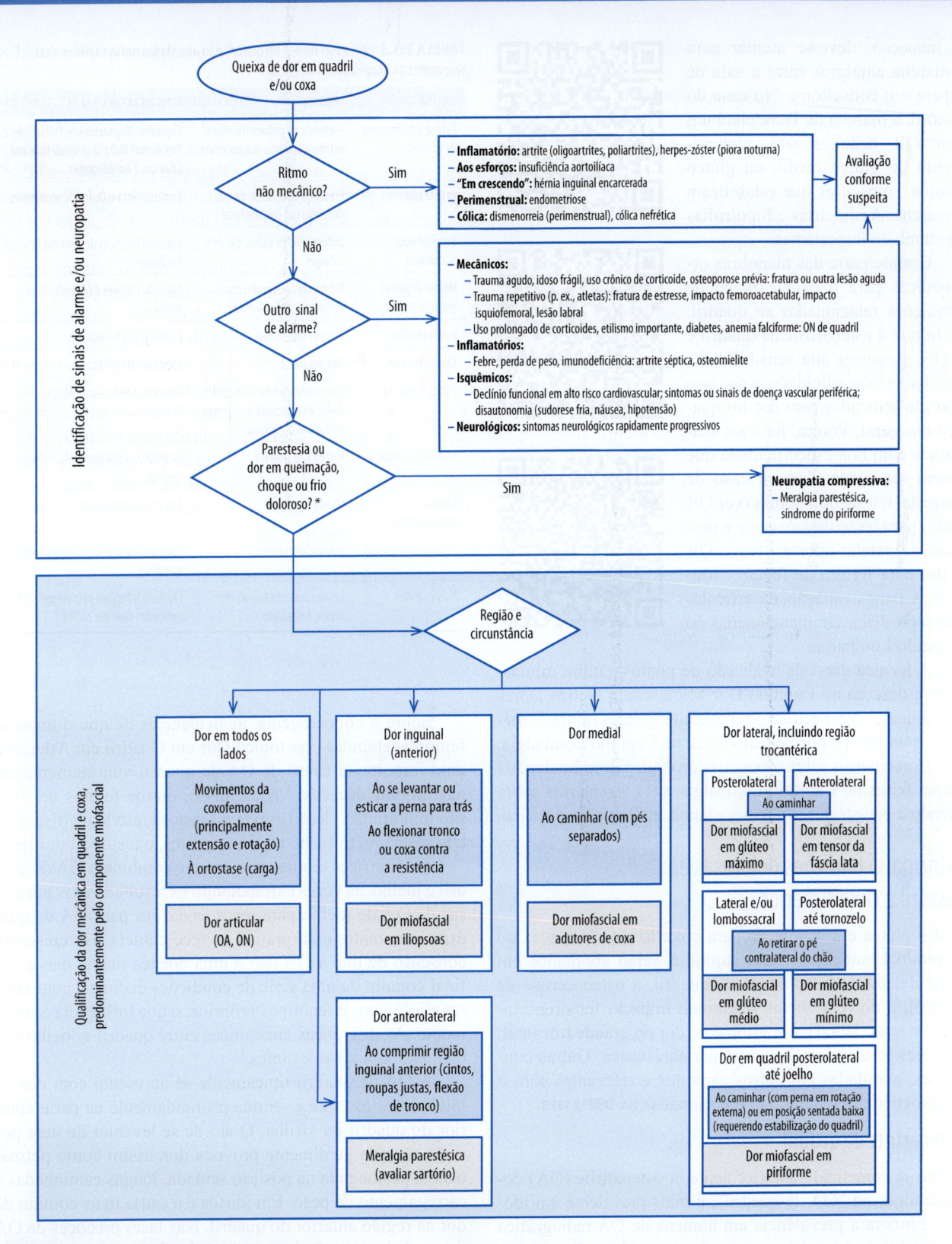

**Qualificação da dor mecânica em quadril e coxa, predominantemente pelo componente miofascial**

- **Dor em todos os lados**
  - Movimentos da coxofemoral (principalmente extensão e rotação)
  - À ortostase (carga)
  - → Dor articular (OA, ON)

- **Dor inguinal (anterior)**
  - Ao se levantar ou esticar a perna para trás
  - Ao flexionar tronco ou coxa contra a resistência
  - → Dor miofascial em iliopsoas

  - **Dor anterolateral**
    - Ao comprimir região inguinal anterior (cintos, roupas justas, flexão de tronco)
    - → Meralgia parestésica (avaliar sartório)

- **Dor medial**
  - Ao caminhar (com pés separados)
  - → Dor miofascial em adutores de coxa

- **Dor lateral, incluindo região trocantérica**
  - Posterolateral / Anterolateral
    - Ao caminhar
    - Dor miofascial em glúteo máximo / Dor miofascial em tensor da fáscia lata
  - Lateral e/ou lombossacral / Posterolateral até tornozelo
    - Ao retirar o pé contralateral do chão
    - Dor miofascial em glúteo médio / Dor miofascial em glúteo mínimo
  - **Dor em quadril posterolateral até joelho**
    - Ao caminhar (com perna em rotação externa) ou em posição sentada baixa (requerendo estabilização do quadril)
    - Dor miofascial em piriforme

**FIGURA 191.2** → Algoritmo diagnóstico da dor no quadril e coxa.
OA, osteoartrite; ON, osteonecrose.
*A ausência de parestesia ou dor em queimação, choque ou frio doloroso a princípio afasta a suspeita de dor neuropática, segundo o questionário DN4.

À inspeção, deve-se atentar para a marcha antálgica entre a sala de espera e o consultório. No caso do quadril, a marcha de Trendelenburg (ver QR code) sugere acometimento do glúteo médio ou glúteo mínimo, músculos que estabilizam a marcha. Assimetrias e hipotrofias são também importantes.

Grande parte das manobras ortopédicas para o exame físico de condições relacionadas ao quadril, incluindo a osteoartrite de quadril e a ON, possuem alta sensibilidade, mas baixa especificidade, e por isso não são indicadas para dor no quadril em geral. Porém, há duas manobras com boa especificidade que valem ser executadas em caso de suspeita: o teste de Thomas (ver QR code) para lesão de *labrum*; e a percussão patelar-púbica (ver QR code) para fratura de fêmur.[13] Manobras para avaliação da articulação sacroilíaca são mencionadas no Capítulo Lombalgia.

A técnica geral de avaliação de pontos-gatilho miofasciais é descrita no Capítulo Dor Miofascial e Outras Dores Mecânicas, e a específica dos músculos glúteos mínimo, médio e máximo, piriforme e iliopsoas, no Capítulo Lombalgia.

Comentários sobre o exame neurológico de radiculopatia foram feitos no Capítulo Lombalgia. Os comentários sobre meralgia parestésica são feitos adiante, em tópico específico.

## Principais condições dolorosas em quadril e coxa superior

A dor glútea e a irradiação para coxa foram abordadas no Capítulo Lombalgia. Neste capítulos serão abordados em mais detalhes a osteoartrite de quadril, a osteonecrose de quadril, a dor em atletas (incluindo impacto femoroacetabular e lesão labral), a síndrome de dor do grande trocanter, as dores miofasciais, e a meralgia parestésica. Outras condições, abordadas em outros capítulos e relevantes para o diagnóstico diferencial, são mencionadas na **TABELA 191.3**.

### Osteoartrite de quadril

Como já comentado anteriormente, a osteoartrite (OA) coxofemoral, ou "OA de quadril", é mais prevalente em idosos. Embora a prevalência em homens de OA radiográfica do quadril assintomática seja maior que a de mulheres, não há diferença significativa de sintomas ou severidade entre homens e mulheres.[14] Quanto à etnia, existe uma menor prevalência em descendentes asiáticos[15] e uma maior prevalência sintomática entre os afrodescendentes.[16] A prática de futebol, handebol e atletismo aumenta o risco de OA de quadril,[17] mas a corrida recreativa diminui o risco de OA de quadril e joelho.[18]

**TABELA 191.3** → Causas de dor no quadril não abordadas neste capítulo, mas relevantes ao diagnóstico diferencial

| CAUSA | PISTAS | COMENTADOS EM |
|---|---|---|
| Artrite inflamatória de quadril | Presença de poliartrite/oligoartrite e de ritmo inflamatório | Capítulos Oligoartrites e Poliartrites e Problemas Musculoesqueléticos em Crianças e Adolescentes |
| Artrite séptica | Presença de prótese de quadril, infecção de pele local | Capítulo Gota e Outras Monoartrites |
| Insuficiência aortoilíaca | Diminuição de pulso, dor aos esforços | Capítulo Doenças do Sistema Arterial Periférico |
| Hérnia inguinal encarcerada | Ritmo em crescendo, dor intensa, emergência médica | Capítulo Hérnias da Parede Abdominal |
| Endometriose | Dor perimenstrual | Capítulo Dor Pélvica |
| Dismenorreia | Dor em cólica | Capítulo Dor Pélvica |
| Cólica nefrética | Dor em cólica intensa e súbita; pode ser associada a urgência urinária e/ou disúria | Capítulo Problemas Urológicos Comuns |
| Fratura traumática | História de trauma | Capítulo Traumatismo Musculoesquelético |
| Fratura osteoporótica | Queda em idosos | Capítulo Osteoporose |
| Fratura de estresse | Atletas/corredores | Capítulo Traumatismo Musculoesquelético |
| Herpes zoster | Lesão característica obedecendo dermátomo | Capítulo Infecções pelo Herpesvírus e pelo Vírus Varicela-zóster |

Sobre a etiopatogenia, as evidências de que o impacto femoroacetabular (ver tópico Dor em Quadril em Atletas) é uma importante causa de OA de quadril vêm aumentando nas últimas décadas.[19] Além disso, outros fatores de risco são importantes: lesão prévia do quadril, atividade física intensa, seja no trabalho ou nos esportes, e história familiar.[20]

As diretrizes clínicas geralmente combinam OA de quadril e joelho, às vezes extrapolando os resultados das pesquisas de OA de joelho para recomendações para OA de quadril. Entretanto, essa prática merece cautela. Há crescente consenso de que a OA não é uma doença única, mas a via final comum de uma série de condições distintas, com fatores etiológicos e fenótipos próprios, o que influencia o tratamento. As diferenças anatômicas entre quadril e joelho podem também ser relevantes.[21]

A OA de quadril tipicamente se apresenta com dor de início insidioso que é sentida profundamente na parte anterior do quadril ou virilha. O ato de se levantar de uma posição sentada geralmente provoca dor, assim como permanência prolongada na posição sentada, longas caminhadas e carregamento de peso. Em idosos é a causa mais comum de dor na região anterior do quadril. Nas fases precoces da OA de quadril, a rotação interna é o primeiro movimento que se torna restrito, seguido da flexão.[22]

A abordagem usualmente começa somente após o início dos sintomas, ponto no qual a doença está geralmente bem estabelecida e já ocorreu dano articular significativo. O foco está no controle dos sintomas, que em geral é apenas moderadamente eficaz. Uma melhor maneira de pensar o manejo é incluir prevenção primária, com ênfase nos controles de risco modificáveis para populações específicas, como abordagem de obesidade em pessoas com história familiar.[20] Outros aspectos importantes da prevenção são a identificação, o acompanhamento e a abordagem precoce das condições articulares capazes de evolução para OA, como artrites, impacto femoroacetabular, ou osteonecrose. A indicação cirúrgica é ponderada pelo raciocínio clínico (dada a dissociação usual entre clínica e lesão), pelos estudos comparativos com abordagem fisioterápica e pela janela terapêutica para abordagens que poupem a articulação.[23]

Educação, exercício e perda de peso são os pilares do tratamento não farmacológico da OA de quadril.[24] Exercícios aquáticos podem resultar em pequena melhora da dor, da incapacidade e da qualidade de vida em OA de quadril e joelho C/D.[25] Já exercícios em solo, como treinamento funcional e programas de condicionamento aeróbico, resultaram em melhora da função motora imediatamente após o treino e em redução da dor.[26] Entre exercícios em solo ou aquáticos, nenhum tipo de atividade demonstrou resultados superiores às demais, e por isso é recomendado que os programas de exercícios sejam personalizados para refletir as necessidades de cada paciente.[24]

Quanto ao tratamento farmacológico, o paracetamol isolado A, independentemente da dose, não parece ter benefício significativo,[27,28] apesar do bom perfil de segurança e possível utilidade em um subgrupo de pacientes.[29] Anti-inflamatórios não esteroides (AINEs), especificamente diclofenaco e etoricoxibe B[27] mostram benefício, mas seu perfil de segurança é limitado, devendo ser prescritos nas menores doses e duração possíveis.[30] O uso tópico de AINEs é inadequado para OA de quadril, apesar de proporcionarem alívio da dor local na OA das mãos e joelhos.[31] A utilização de opioides também não é indicada.[32] Injeção intramuscular com triancinolona obteve bons resultados, mantidos até 12 semanas.[33]

Quanto às outras classes de medicamentos, o uso de condroitina e glicosamina, em comparação com o placebo, não reduziu a dor nas articulações e não teve impacto no estreitamento do espaço articular.[34] O uso da diacereína resultou em um pequeno efeito na dor geral e nenhum efeito na função física.[35] O extrato de óleo insaponificável de abacate e soja (Piascledine®) resultou em redução de sintomas e do uso de AINEs, em até 1 ano de uso.[36]

A infiltração anestésica guiada por ultrassom pode ser útil para diferenciar a dor por OA de quadril de causas extra-articulares. Infiltração de corticoide também guiada por ultrassom pode ser terapêutica, com melhora em até 3 meses (intensidade da dor na semana 12 =, –0,7 a –2,4 em escala de 10) B[37] (ver Capítulo Osteoartrite). A infiltração com ácido hialurônico (viscossuplementação) não é recomendada.[38] Dores miofasciais estão frequentemente associadas e o agulhamento seco de PGs ativos pode produzir alívio C/D.[39]

A artroplastia de quadril é indicada apenas quando não há resposta adequada da dor com terapia conservadora, visando melhor qualidade de vida.[40] O tempo para troca da prótese de quadril depende de muitas variáveis; em um estudo, a prótese total de quadril se manteve viável por 20 anos de acompanhamento em 82% dos casos.[41] Cerca de 10% dos pacientes terão resposta inadequada da dor apesar da cirurgia,[42] sendo fatores de risco um maior índice de massa corporal (IMC), número de comorbidades, nível de dor e função antes do procedimento, ou estágio menos avançado de OA à época do procedimento.[43]

## Osteonecrose de quadril

Osteonecrose (ON), também chamada de necrose avascular ou necrose asséptica, é o estágio final comum de várias desordens, sendo caracterizada por morte celular, alterações estruturais subcondrais e, em sequência, colapso da superfície articular e OA avançada. Os principais fatores de risco são uso crônico de corticoide, uso abusivo de álcool, anemia falciforme, lúpus eritematoso sistêmico e fratura.[44,45]

A articulação coxofemoral (ou "de quadril") é o sítio mais comum de ON, seguido do joelho. A ON de quadril é responsável por 10% de todas as próteses de quadril nos Estados Unidos.[46] É três vezes mais comum em homens, acometendo principalmente adultos entre 30 e 60 anos, sendo a maioria com idade < 50 anos.[44,45]

Deve ser suspeitada nos casos de dor articular ou periarticular em pacientes com fatores de risco e/ou sem melhora após manejo inicial, com radiografias normais ou sugestivas. A dor geralmente afeta a virilha (45% dos casos) ou nádega (40%), ou o membro inferior difusamente (30%, provavelmente por sensibilização medular). Em geral, a dor piora à mobilização do quadril ou carga (ritmo mecânico), podendo evoluir com piora em repouso em fases avançadas (ritmo inflamatório). Metade dos pacientes é assintomática até o colapso, a partir do qual quase todos têm dor. O exame físico é normal em metade dos casos sem colapso, e, quando há limitação, costuma ser inicialmente à rotação interna, e depois à flexão, como em OA. A bilateralidade (mesmo que assintomática) está presente em cerca de 2 a cada 3 casos de causa sistêmica, e deve ser pesquisada. Alterações radiográficas, como o aplainamento focal da curva articular, são tardias. A tomografia computadorizada (TC) é o melhor exame para detecção de pequenas fraturas subcondrais, embora a ressonância magnética (RM) ainda seja o padrão-ouro para diagnóstico precoce, com sensibilidade e especificidade de 99%.[44,47]

O médico da APS deve ficar atento à janela terapêutica. O tempo entre início de sintomas e colapso em ON de quadril depende de vários fatores, como intensidade e manutenção do fator de risco, variando de alguns meses a poucos anos.[48] Tratamentos farmacológicos (enoxaparina, bisfosfonatos, estatinas, iloprosta, ácido acetilsalicílico) não demonstraram benefício até o momento para evitar colapso C/D; e fisioterapia, associada à evitação de carga (muletas) e uso de anti-inflamatórios e analgésicos, é útil para aliviar a dor,[45] mas não retarda significativamente a evolução C/D. Entretanto, há estratégias cirúrgicas eficazes em prevenir o colapso, se precoces. O período entre a primeira fratura subcondral e um colapso da cabeça femoral de 2 mm, chamado estágio pericolapso, representa a janela de oportunidade para essas intervenções.[48] Após colapso, a indicação é de artroplastia de quadril.

## Dor em quadril em atletas

As cinco causas mais comuns de dor em quadril em atletas são: impacto femoroacetabular (32%), pubalgia de atletas (24%), patologias relacionadas a adutores (12%), patologia inguinal (10%) e patologia labral (5%).[49] O diagnóstico é eminentemente clínico, já que impactos femoroacetabulares tipo Cam, tipo Pincer, e lesões labrais, por exemplo, são encontrados em 22%, 57% e 54% de casos assintomáticos, respectivamente.[23,50,51]

O impacto femoroacetabular (IFA) é uma das condições mais comumente implicadas na dor de quadril em atletas adultos jovens. É causada por uma deformidade de crescimento ósseo em cabeça de colo de fêmur e/ou deformidade no acetábulo,[10] na morfologia de tipo Cam e/ou Pincer durante a infância e adolescência. A deformidade tipo Cam está mais associada à OA de quadril no futuro (ver tópico Osteoartrite de Quadril, anteriormente). (Ver QR code.) Como toda lesão de evolução insidiosa, é comumente assintomática, requerendo raciocínio clínico para sua interpretação.[50]

A lesão labral, causada por uma lesão de impacto ou rompimento do lábio acetabular devido a movimentos repetitivos, também é mais comum em jovens, principalmente do sexo masculino e atletas. Como toda lesão de evolução insidiosa, é comumente assintomática, requerendo raciocínio clínico para sua interpretação.[52]

Os testes de impacto de quadril, FADIR e FABER/Patrick são comumente descritos no manejo clínico de IFA e lesão labral. Possuem boa sensibilidade, porém baixa especificidade. O teste de Thomas (ver tópico Exame Físico, anteriormente), no entanto, possui uma sensibilidade de 89% e uma especificidade de 92%.[13]

Sobre a investigação por imagem, a artrorressonância magnética de quadril com contraste vem se mostrando superior à RM de quadril simples em casos de lesão labral.[53] Para o IFA, a radiografia com incidência de Dunn é indicado como primeiro passo, e a RM é reservada para avaliação de casos sintomáticos suspeitos com radiografia normal e o eventual planejamento pré-operatório.[54]

O tratamento é conservador com anti-inflamatórios e fisioterapia. A infiltração articular de corticoide pode ser utilizada na lesão labral C/D.[55] É comum que ambas as lesões estejam associadas em jovens atletas. A cirurgia é a última opção.[10]

## Síndrome de dor do grande trocanter

A dor na região lateral da coxa englobando o grande trocanter costuma ser chamada de síndrome de dor do grande trocanter, na tentativa de destacar que não é sinônimo de bursopatia ou tendinopatia. Frequentemente são implicados o glúteo mínimo, glúteo médio, piriforme e/ou o atrito de uma banda iliotibial excessivamente tensionada pelo glúteo máximo e tensor da fáscia lata,[56] com possível inclusão da meralgia parestésica (ver a seguir),[57] aspectos frequentemente manejáveis pelo componente miofascial. Estudos com imagens revelaram que a presença de inflamação na bursa pode ser menos comum do que se pensava,[58] e o agulhamento seco da musculatura relacionada foi não inferior à infiltração de corticoide na bursa trocantérica[59] B.

## Dor miofascial

Os principais músculos acometidos por pontos-gatilho (PGs) com irradiação para membros inferiores foram descritos no Capítulo Lombalgia, a saber: glúteo mínimo, médio, glúteo máximo, iliopsoas e piriforme. Neste capítulo, comentaremos sobre os músculos tensor da fáscia lata e sartório.

O músculo tensor da fáscia lata, mencionado quanto à síndrome de dor do grande trocanter, é facilmente identificado abaixo da crista ilíaca, proximal e anteriormente ao grande trocanter, ao pedir ao paciente que rode medialmente o quadril (FIGURA 191.3). Ele auxilia na abdução, flexão e rotação medial do quadril. Pode doer na posição sentada prolongada, ao andar e/ou ao virar para o lado acometido na cama ao dormir, se a perna rodar antes para "trazer o tronco", em vez de rotação em bloco (ver Capítulo Lombalgia). A dor irradia para coxa lateral, e deve ser diferenciada daquela por PGs da própria banda iliotibial.

O sartório (FIGURA 191.4) é o músculo com maior comprimento do corpo (ver tópico Aspectos Anatômicos, anteriormente). Auxilia na flexão, abdução e rotação externa do quadril. Em geral, seus PGs referem dor localmente, ao cruzar a perna, mas podem gerar meralgia parestésica (ver a seguir).

O tensor da fáscia lata e o sartório são finos e superficiais, e uma palpação quase tangencial à pele auxilia na identificação e na fixação das bandas tensas. Os PGs podem ser inibidos manualmente, mas, se a opção for agulhamento, a penetração deve ser também quase tangencial (ver Capítulo Dor Miofascial e Outras Dores Mecânicas).

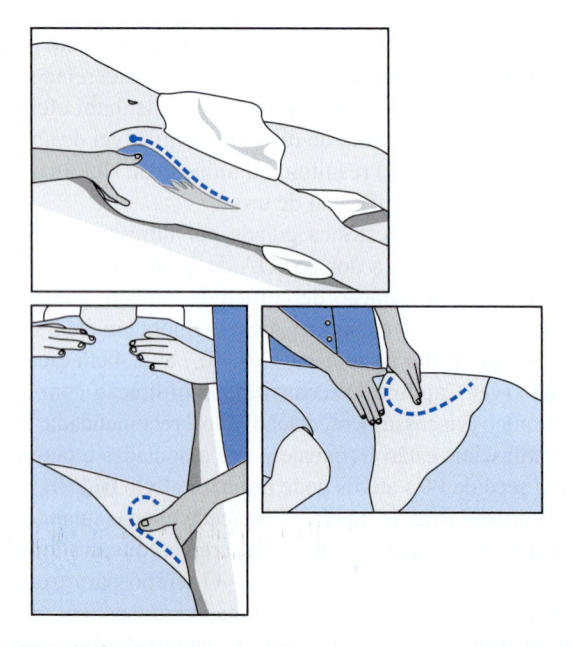

**FIGURA 191.3** → Palpação do tensor da fáscia lata.

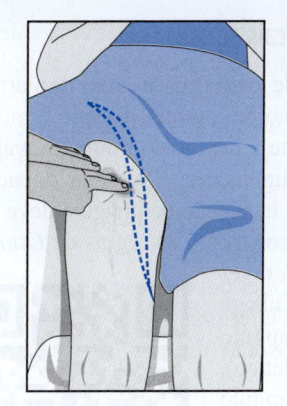

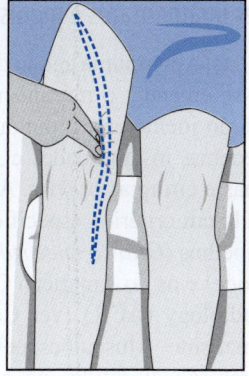

**FIGURA 191.4** → Palpação de sartório.

### Meralgia parestésica

Meralgia parestésica é a dor em queimação e parestesias em coxa anterolateral causada pela compressão ou lesão do nervo cutâneo femoral lateral da coxa. Esse nervo passa entre os músculos ilíaco e psoas posteriormente, contorna a pelve sobre o músculo ilíaco, e passa entre o ligamento inguinal e o sartório fixados na crista ilíaca anterior. A compressão se dá usualmente neste último ponto, quer por cintos ou roupas apertadas, abdome em avental (obesidade, gravidez), espessamento do ligamento inguinal (diabetes melito) ou PGs no sartório.[60]

Como toda neuropatia compressiva, o ritmo é mecânico, neste caso piorando à extensão do quadril, e melhorando com a flexão. Caso PGs no sartório reproduzam o sintoma, podem ser inibidos manualmente, ou agulhados com penetração quase tangencial à pele, pois o músculo é fino e superficial C/D. Caso não sejam encontrados, mas a compressão da inserção do ligamento inguinal na espinha ilíaca reproduza os sintomas, indica-se infiltração local com corticoide (resolução de 22-83%)[61,62] C/D. Eletroacupuntura, *taping* funcional (*kinesiotape*) e radiofrequência são outras opções, antes do tratamento cirúrgico C/D.

## DOR EM JOELHO E TERÇO MÉDIO DO MEMBRO INFERIOR

No Brasil, o joelho é o 2º sítio mais comum de dor,[63] perdendo apenas para a região lombar. Considerando que entre adultos brasileiros a prevalência de sintomas musculoesqueléticos (sem trauma) seja em torno de 30% (ou até maior, a depender de fatores demográficos),[64] podendo haver envolvimento do joelho em até 50% dos casos, estima-se que em uma população adstrita de 3 mil pessoas adultas com 75% de adultos (supostamente a população de uma equipe de APS) haja cerca de 340 adultos com queixas relacionada a joelho.

Vários estudos demonstram que a dor crônica no joelho ou a OA do joelho estão associadas ao absenteísmo,[65] podendo chegar a até 22% dos pacientes com dor crônica de joelho, em um período de 12 meses. Também é possível haver associação entre dor crônica de joelho e perda de produtividade mesmo estando no trabalho (presenteísmo), podendo chegar a 66% das pessoas que apresentam dor crônica de joelho.[65]

### Aspectos anatômicos

O joelho é a maior articulação sinovial do corpo e um dos sistemas biomecânicos mais complexos conhecidos (FIGURA 191.5). Sua função é aceitar, redirecionar e dissipar as cargas transferidas entre fêmur, patela, tíbia e fíbula.

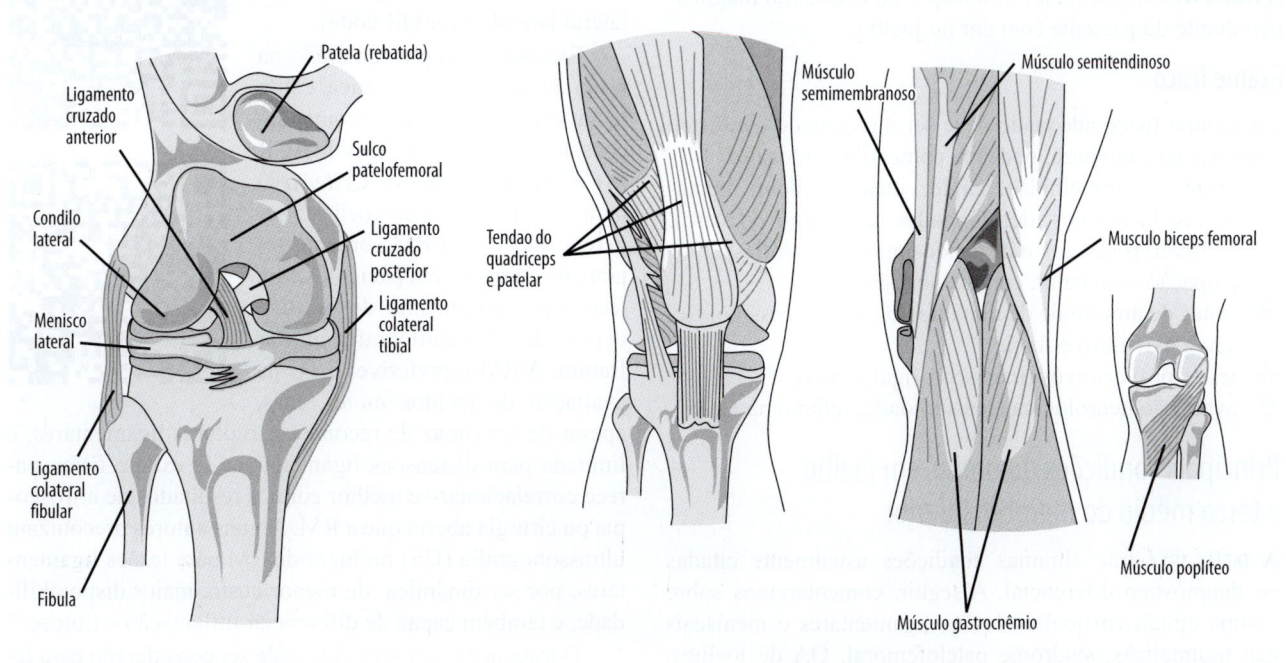

**FIGURA 191.5** → Anatomia do joelho.

A dor localizada em joelho e terço médio do membro inferior deve considerar as estruturas internas do joelho, as periarticulares e aquelas à distância que irradiam dor para a região. As principais estruturas internas são fêmur, tíbia e patela, com respectivas cartilagens articulares; os ligamentos cruzados anterior (LCA) e posterior (LCP); os ligamentos colaterais tibial (LCT) e fibular (LCF); e os meniscos lateral e medial. Entre as estruturas periarticulares, destacam-se a fíbula (a articulação tibiofibular é externa ao joelho) e os músculos regionais. Algumas estruturas à distância irradiam para regiões incluindo joelho (ver Capítulo Lombalgia), embora raramente para o joelho em si.

À palpação medial ou lateral, a coxa inferior pode ser dividida em três trechos: o anterior (ocupado pelos músculos vastos, medial e lateral, mencionados a seguir), o posterior (ocupado pelos isquiotibiais, medial e lateral, como a seguir), e um trecho intermediário, medial e lateral. Os músculos vastos, reto femoral e intermédio compõem o músculo quadríceps, em cujo tendão se localiza a patela. O isquiotibial lateral é o bíceps femoral. O "músculo" isquiotibial medial é o conjunto dos músculos "semis" – semimembranoso e semitendinoso. O conjunto das inserções tendíneas de semitendinoso, grácil e sartório, medial à tuberosidade tibial, é conhecido como "pata de ganso". O trecho intermediário medial é ocupado pelo grácil e sartório, e o lateral, pela banda iliotibial, citada quanto à anatomia de quadril.

Originando-se no fêmur, os gastrocnêmios medial e lateral passam entre os isquiotibiais, demarcando com estes o "oco" poplíteo e o feixe vasculonervoso subjacente. Os gastrocnêmios se juntam ao solear para formar o tendão de Aquiles (ver adiante).

## Abordagem diagnóstica geral

### História

A FIGURA 191.6 apresenta a estruturação do raciocínio diagnóstico diante do paciente com dor no joelho.

### Exame físico

Um exame físico adequado deve ser direcionado conforme suspeitas na anamnese, podendo conter elementos de:[67]
→ inspeção: vermelhidão, palidez, cianose, edema, hematomas, lacerações, deformidades (em valgo ou varo), assimetrias (óssea ou de tecidos moles) e atrofias;
→ palpação: dor, calor, consistência, PGs;
→ testes de amplitude de movimento (ativo e passivo, flexão e extensão) e força;
→ testes provocativos (meniscos, ligamentos);
→ avaliação neurológica (sensibilidade, reflexo patelar).

## Principais condições dolorosas em joelho e terço médio do membro inferior

A TABELA 191.4 traz algumas condições usualmente citadas no diagnóstico diferencial. A seguir, comentaremos sobre trauma agudo em joelho, lesões ligamentares e meniscais não traumáticas, síndrome patelofemoral, OA de joelhos, doença de Osgood-Schlatter e dor mecânica miofascial.

## Lesões ligamentares e meniscais agudas

A avaliação do trauma agudo de joelho busca sinais de alarme. Deve-se entender o mecanismo de trauma (posição e movimento do joelho antes, durante e depois do trauma), avaliar dor, edema, instabilidades e limitações, e resgatar doenças, traumas e cirurgias prévias. A indicação de imagem deve ser baseada em critérios específicos, como as regras de Ottawa para joelhos (Ottawa knee rules, ver QR code) e os do American College of Radiology (ACR) (ver Capítulo Traumatismo Musculoesquelético). Fraturas são discutidas no capítulo Traumatismo Musculoesquelético, e lesões ligamentares e meniscais são discutidas a seguir.

As lesões ligamentares ocorrem com maior frequência durante atividades físicas extenuantes, sendo possível, algumas vezes, identificar um som de "pop" (ou clique) na articulação quando a lesão ocorre. Dor, edema, instabilidade e incapacidade de suportar peso são comuns, não sendo necessário trauma ou início imediato.[68] O ligamento deve ser avaliado o mais breve possível, pois a dor e o edema limitarão o exame físico.[69]

O exame físico de cada ligamento baseia-se em sua função e localização. Lesões no LCA podem ser avaliadas com os testes de gaveta anterior, e lesões no LCP, com os de gaveta posterior (ver QR code).[68] O teste de Lachman (ver QR code) parece ser o mais sensível para lesões de LCA.[69] O teste de valgo avalia limitações no ligamento colateral medial, enquanto o teste de varo avalia o ligamento colateral lateral[68] (ver QR code).

Exames complementares na lesão ligamentar traumática é um tema controverso. As recomendações de exames de imagens do ACR (ACR Appropriateness Criteria®) para trauma agudo do joelho[70] sugerem que TC ou RM somente sejam considerados em pacientes com lesões por mecanismo de twisting depois de uma radiografia afastar fratura. A RM é preferível à TC na avaliação de tecidos moles, mas, apesar de ser capaz de reconhecer rupturas ligamentares, é limitada para distensões ligamentares. O exame físico parece correlacionar-se melhor com os resultados de artroscopia ou cirurgia aberta que a RM. Alguns autores preconizam ultrassonografia (US) no lugar de RM para lesões ligamentares, por ser dinâmica, de menor custo, maior disponibilidade, e também capaz de diferenciar inflamação e fibrose.[68]

O tratamento conservador pode ser considerado para lesões ligamentares se o paciente tiver poucos episódios de

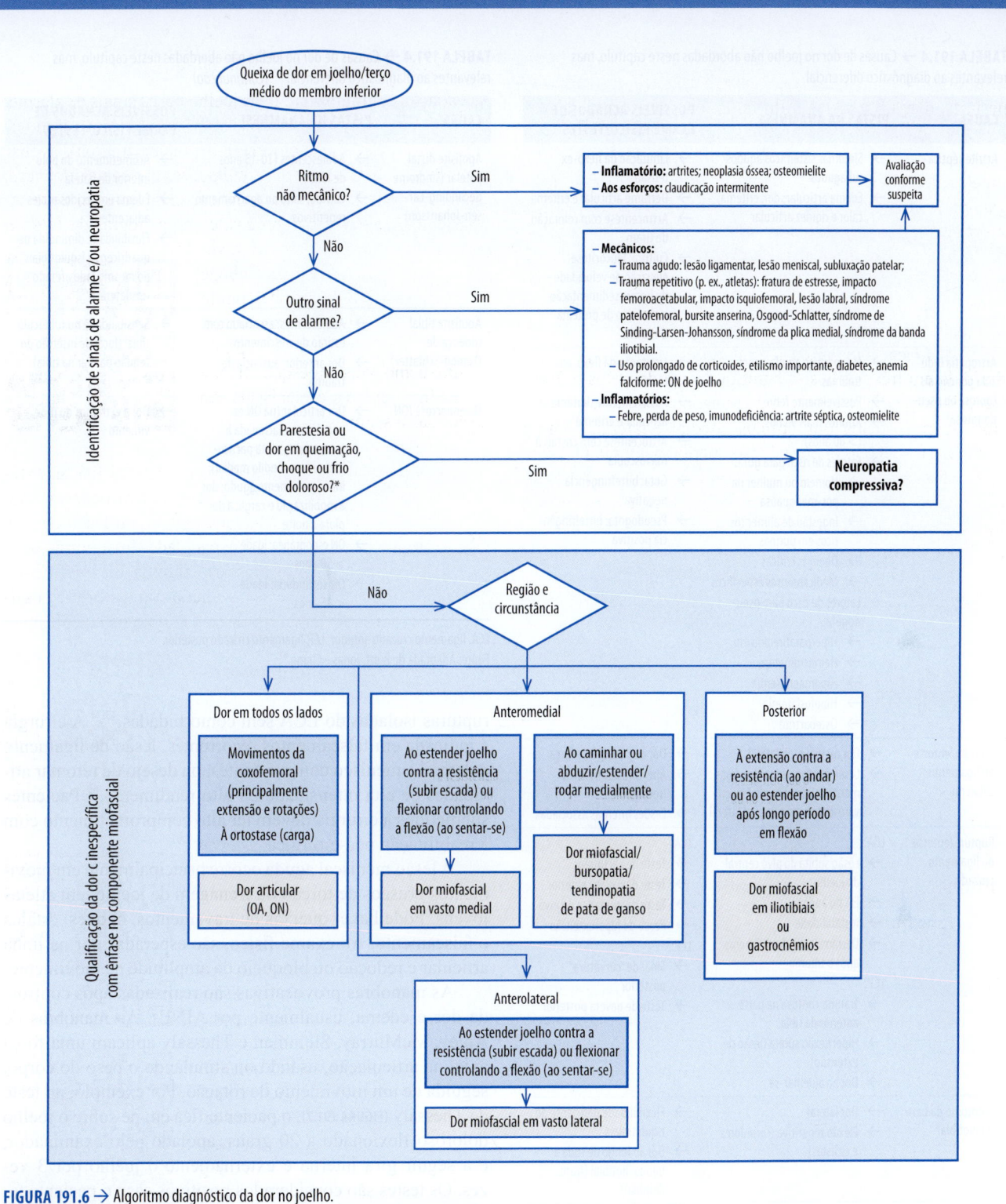

**FIGURA 191.6** → Algoritmo diagnóstico da dor no joelho.
*A ausência de parestesia em queimação, choque, ou frio doloroso a princípio afasta a suspeita de dor neuropática, segundo o questionário DN4.

falseamento, extensão do joelho próxima do normal, mínimo dano meniscal e força preservada em quadríceps femoral. São preconizados bolsa de gelo **C/D**, retomada gradual da atividade física e fortalecimento muscular com exercícios isométricos **B**. O reinício precoce e monitorado das atividades estimula o reparo, e o repouso prolongado pode atrasar a recuperação **B**. O uso de AINEs e injeções de corticoides é recomendado apenas em casos restritos e pelo menor tempo e dose possível, pois, embora eficazes na redução da inflamação e dor, podem inibir a cicatrização ligamentar.[68]

O tratamento cirúrgico é controverso, pois o ligamento reconstruído permanece com a capacidade de tração reduzida, e um trabalho de abrangência nacional na Suécia não mostrou proteção quanto à evolução para OA. Fisioterapia pré-cirúrgica está indicada[71,72] e pode reduzir a necessidade de correção cirúrgica do LCA em até 50% dos casos com

**TABELA 191.4** → Causas de dor no joelho não abordadas neste capítulo, mas relevantes ao diagnóstico diferencial

| CAUSA | PISTAS NA ANAMNESE | POSSÍVEIS ACHADOS DE EXAME FÍSICO/TESTES |
|---|---|---|
| Artrite séptica | → Sintomas sistêmicos agudos/subagudos<br>→ Edema articular; dor, eritema, calor e rigidez articular | → Limitação da flexo-extensão<br>→ Derrame articular e eritema<br>→ Artrocentese com coloração de Gram<br>→ Cultura: leucocitose, elevação de velocidade de hemossedimentação e elevação de proteína C-reativa |
| Artropatia induzida por cristais (gotosa ou pseudogotosa) | → Monoartrite aguda e sem traumas<br>→ Possivelmente febre<br>→ Adultos mais velhos (> 60 anos)<br>→ Fatores de risco para gota:<br>→ Homem ou mulher na pós-menopausa<br>→ Ingestão de alimentos ricos em purinas<br>→ Doenças críticas<br>→ Medicamentos específicos<br>→ Fatores de risco para pseudogota:<br>→ Hiperparatireoidismo<br>→ Hemocromatose<br>→ Hipomagnesemia<br>→ Hipofosfatemia<br>→ Osteoartrite | → Limitação da flexo-extensão<br>→ Possivelmente derrame articular e eritema<br>→ Artrocentese com cristais à microscopia<br>→ Gota: birrefringência negativa<br>→ Pseudogota: birrefringência positiva |
| Ruptura/entorse do ligamento colateral | → Dor medial e/ou lateral<br>→ Lesão por força em valgo ligamento colateral medial ou em varo ligamento colateral lateral | → Dor à aplicação de força<br>→ Abertura assimétrica/frouxidão<br>→ Lesões internas associadas |
| Ruptura/entorse do ligamento cruzado | LCA:<br>→ Lesão súbita do pivô central do joelho<br>→ Estalo audível<br>→ Instabilidade<br>→ Derrame articular 1-2 horas após o trauma<br>LCP:<br>→ Trauma contuso na parte anterior da tíbia<br>→ Hiperflexão súbita (lesão de extensão)<br>→ Dor ao ajoelhar-se | LCA:<br>→ Teste de Lachman<br>→ Teste de gaveta anterior<br>→ Teste de mudança de pivô<br>→ Perda de hiperextensão<br>LCP:<br>→ Sinal de "curvatura" posterior<br>→ Teste de gaveta posterior |
| Síndrome da banda iliotibial | → Dor lateral<br>→ Flexão repetitiva (corredores e ciclistas) | → Flexibilidade deficiente de isquiotibiais<br>→ Dor ao longo de toda a banda iliotibial (trato iliotibial) |
| Síndrome da plica medial | → Dor medial aguda (ou crônica)<br>→ Uso excessivo/repetitivo; início de novas atividades<br>→ Sintomas mecânicos podem estar presentes (como captura ou clique) | → Faixa de tecido mole ao longo da linha articular medial |
| Bursite anserina | → Dor medial (ou anteromedial)<br>→ Uso excessivo | → Abaulamento sensível sobre a tíbia proximal anteromedial |
| Subluxação patelar | → Dor na parte anterior<br>→ Criança/adolescente<br>→ História prévia de subluxação | → Apreensão<br>→ Frouxidão<br>→ Derrame articular |
| Apofisite distal patelar (síndrome de Sinding-Larsen-Johansson) | → Adolescentes (10-13 anos de idade)<br>→ Corrida, salto ou agachamento repetitivos | → Acometimento do polo inferior de patela<br>→ Edema em tecidos moles adjacentes<br>→ Flexibilidade diminuída de quadríceps e isquiotibiais do mesmo lado afetado (ipsilateral) |
| Apofisite tibial (doença de Osgood-Schlatter) | → Adolescentes; associado com estirão de crescimento<br>→ Dor anterior; ausência de trauma | → Sensibilidade no tubérculo tibial (local de inserção do tendão patelar na tíbia) |
| Osteonecrose (ON) | → Dor articular (na ON espontânea, relacionada à osteoartrite, afeta particularmente o côndilo medial); início geralmente agudo; dor à mobilização e carga; a dor piora à noite<br>→ ON espontânea: idade > 50 anos<br>→ ON secundária: idade < 45 anos | → Dor a extremos do movimento |

LCA, ligamento cruzado anterior; LCP, ligamento cruzado posterior.
Fonte: Adaptada de Bunt, Jonas e Chang.[67]

rupturas isoladas do LCA sem comorbidades.[73,74] A cirurgia é indicada em falseamentos recorrentes, lesão de ligamento colateral e menisco concomitantes, ou desejo de retomar atividades de alta intensidade ou alto rendimento.[69] Pacientes submetidos à cirurgia devem ter alto comprometimento com a reabilitação pós-cirúrgica.[69]

A lesão meniscal aguda ocorre principalmente em movimentos bruscos de torção ou frenagem de joelho, em atletas jovens. Pode haver queixas de travamentos, cliques, estalos e falseamento. Ao exame físico, são esperadas dor na linha articular e redução ou bloqueio da amplitude de movimento.

As manobras provocativas são realizadas após controle da dor e edema, usualmente por AINEs. As manobras de Apley, McMurray, Steinman e Thessaly aplicam uma força axial na articulação, usando ou simulando o peso do corpo, seguida de um movimento de rotação. Por exemplo, no teste de Thessaly (FIGURA 191.7), o paciente fica em pé sobre o joelho doloroso flexionado a 20 graus, apoiado pelo examinador, e a seguir gira interna e externamente o joelho por 3 vezes. Os testes são considerados positivos caso o paciente tenha sua dor reproduzida na linha articular medial ou lateral. Embora isoladamente tenham baixa sensibilidade e acurácia interobservador, a combinação de testes provocativos com elementos da anamnese parece ser capaz de diagnosticar ou excluir lesões meniscais.[75,76]

Na ausência de hemartrose ou instabilidade importante, a abordagem inicial da lesão meniscal aguda se baseia em repouso do joelho, bolsa de gelo, analgésicos (ou AINEs, locais ou orais) e muletas, até que a dor e edema diminuam C/D, e, em sequência, progressão de exercícios fisioterápicos C/D. No entanto, a persistência de sintomas incapacitantes é

**FIGURA 191.7** → Teste de Thessaly.

indicativa da necessidade de encaminhamento à ortopedia e exame de imagem, preferencialmente RM. Interrupção forçada da atividade ("joelho travado"), dor à mínima flexão no teste de McMurray, suspeita de lesão associada de ligamento cruzado, ou pouca melhora após 3 a 6 semanas de tratamento conservador são indicativos da necessidade de tratamento cirúrgico C/D.

### Lesões ligamentares e meniscais insidiosas

Lesões ligamentares parecem ser raras na ausência de trauma. Metanálise sobre achados de imagem em pessoas assintomáticas encontrou 0% de prevalência em 16 dentre 20 estudos, com os demais reportando 1 a 30%, principalmente de lesões parciais de LCA ou colateral.[77] Entretanto, quando presentes, lesões não traumáticas de LCA podem contribuir significativamente para a degeneração articular.[78] A frouxidão ligamentar ligada a síndromes de hipermobilidade não se associa à OA de joelho, quadril ou lombar na ausência de lesão aguda.[79,80]

Lesões meniscais degenerativas, ao contrário das ligamentares, são muito comuns em OA. Desalinhamento, obesidade e atividades laborais com sobrecarga articular são, ao mesmo tempo, fatores de risco para progressão e agudizações de OA e para lesões degenerativas de menisco. A insuficiência meniscal sobrecarrega a cartilagem, contribuindo para o desenvolvimento de OA, e a inflamação relacionada à OA afeta o menisco. Cerca de 80% das OAs e 95% das OAs graves têm lesão meniscal.[81] Entretanto, ao contrário das lesões agudas, pouco mais de metade das lesões insidiosas de menisco não se associam à dor;[81] opções cirúrgicas são mais limitadas, e a meniscectomia parcial pode não ser benéfica para a articulação (ver adiante).

O tratamento conservador da meniscopatia insidiosa, encontrada ao acaso e associada à OA, é o mesmo que para a OA: gelo + exercícios terapêuticos + AINEs C/D. É possível a associação de corticoide intrartricular C/D. Presença de cliques, estalidos, travamento intermitente, falseamento ou edema não indica benefício da abordagem artroscópica sobre a fisioterápica.[82]

Meniscectomia parcial artroscópica não é superior ao tratamento fisioterápico ou por programas de exercícios para lesões meniscais por OA B,[83] sendo, ao contrário, fator de risco para progressão da OA.[84] O tratamento cirúrgico só está indicado na falha do tratamento conservador, excluídas outras causas tratáveis e, possivelmente, no caso de extrusões meniscais mediais acima de 2,7 mm.[85]

### Síndrome patelofemoral (condromalácia patelar)

A síndrome patelofemoral é a dor em torno ou profundamente à patela que piora com o joelho em flexão durante atividades de carga. A dor ao agachar e à palpação das facetas da patela é considerada manobra sensível para o diagnóstico. A síndrome sugere o envolvimento da patela, tendão patelar e/ou de seus anexos, e está mais relacionada a atletas ou adultos com sobrecargas crônicas. O prognóstico geral é favorável, com a maioria dos pacientes apresentando apenas sintomas ocasionais e leves em 2 a 8 anos.

O tratamento na fase aguda baseia-se na modificação temporária/parcial das atividades (evitando atividades dolorosas durante a reabilitação) C/D, uso de AINEs por curto período de tempo C/D e a aplicação de gelo C/D, e, na fase de recuperação (crônica), exercícios terapêuticos de fortalecimento muscular de joelho e quadril (dor: –40 a –65 em escala de 100)[86] B. Intervenções combinadas (exercícios + órteses para os pés, bandagem patelar e terapia manual) também são indicadas em consensos. A abordagem de PGs em vasto medial, frequentemente presentes, pela função do vasto medial oblíquo de estabilização da patela, tem resultados positivos C/D.[87]

Não há evidências de que o tratamento cirúrgico seja superior ao conservador, devendo ser considerado apenas após falha terapêutica de um programa completo de reabilitação[88] e exclusão de outras causas.

### Osteoartrite de joelhos

A dor em OA de joelho tem diagnóstico eminentemente clínico. Em revisões sistemáticas, sinovite e intensidade de sinal semelhante à de edema de medula óssea (ELMSI, do inglês *edema-like marrow signal intensity*) são os achados que melhor se associam à intensidade da dor.[89] Além disso, a perda de força em quadríceps ocorre concomitantemente à piora da dor e é fator de risco para piora da dor e da função.[90] Outros parâmetros de imagem têm menor correlação.[89]

A pouca correlação da maioria dos parâmetros com a dor está diretamente ligada à modulação negativa de estímulos insidiosos, típica da idade (ver Capítulo Abordagem Geral da Dor). Por exemplo, entre adultos com idade > 40 anos assintomáticos, são esperados à RM defeitos meniscais em um quinto, ELMSI em um quarto, osteofitose em um terço, e defeitos cartilaginosos em metade dos casos. Todos tornam-se mais comuns com o passar das décadas, exceto talvez por ELMSI (aumento médio estimado de –0,4 a 9%), que tem forte relação com esportes de impacto, mais comum entre jovens[77] **(TABELA 191.5)**. Como essas lesões são comumente assintomáticas, valorizá-las exige raciocínio clínico.

Embora a OA tenha curso usualmente gradual, 1 a cada 7 pacientes terá uma forma acelerada, evoluindo do estágio pré-radiográfico ao avançado em até 4 anos – um terço em apenas 1 ano.[91] Obesidade e idade avançada são fatores de

TABELA 191.5 → Prevalência de alterações degenerativas em joelho à ressonância magnética entre assintomáticos

| ALTERAÇÃO | < 40 ANOS* | > 40 ANOS* | AUMENTO MÉDIO DA PREVALÊNCIA POR FAIXA ETÁRIA |
|---|---|---|---|
| Meniscal | 7% | 19% | 3,2% a cada 10 anos |
| ELMSI | 14% | 26% | 4,3% a cada 10 anos (ver texto) |
| Osteofitose | 19% | 35% | 10,2% a cada 10 anos |
| Cartilaginosa | 14% | 55% | 14,4% a cada 10 anos |

*Apenas estudos com > 50 joelhos.
Fonte: Culvenor e colaboradores.[77]

risco. Ainda está em estudo a relação com subgrupos de OA conhecidos pela evolução mais rápida, como a OA poliarticular, particularmente envolvendo mãos; a ligada a lesões ligamentares ou meniscais agudas prévias, possivelmente a extrusões meniscais mediais acima de 2,7 mm;[85] a ligada à deposição de cristais de pirofosfato de cálcio (CPPD) (ver Capítulo Gota e Outras Monoartrites); e a ligada à ON, após colapso articular.[92] Uma piora monoarticular aguda, entretanto, deve ser investigada à parte: sinais flogísticos (calor local, edema e, principalmente, hiperemia) indicam pronta avaliação para artrite séptica ou por cristais; instabilidade, travamento ou incapacidade de suportar o próprio peso, para lesão ligamentar ou meniscal; e uma piora funcional aguda sem outros comemorativos, para ON.

A abordagem geral da OA é discutida no Capítulo Osteoartrite. A seguir, serão destacados alguns aspectos mais relevantes à APS.

Exercícios têm benefícios de médio prazo sobre a dor (tamanho de efeito [TE; dor] = 0,26) e de curto prazo sobre função (TE [função] = –0,45).[93] Até o momento, não há evidências conclusivas de superioridade de uma modalidade,[94] sugerindo-se, pelo maior número de estudos, exercícios aeróbicos e/ou de fortalecimento de baixo impacto, entre os que a pessoa possa considerar parte de uma rotina prazerosa. Em caso de sobrepeso, exercícios aeróbicos são priorizados. O *tai chi* tem benefícios em dor (TE [dor] = –0,69), rigidez, função (TE [função] = –0,92) e equilíbrio (TE [equilíbrio] = 0,69) B,[95] e parece tão eficaz quanto um programa de fisioterapia na melhora da dor, função, e redução de uso de analgésicos, sintomas depressivos, e risco de quedas em idosos, com dose-resposta semelhante C/D.[96] Ioga, em estudos preliminares, também oferece benefícios em termos de dor (TE [dor] = –1,82) e função (TE = –6,1) C/D.[93] Exercícios de controle motor por *biofeedback* podem ser úteis na hipotrofia persistente de vasto medial após inativação de PG. O paciente deve ser ensinado a sentir com o dedo a contração do vasto medial, e insistir nessa contração (contra seu dedo) pelo máximo de segundos que puder, em algumas séries ao longo do dia. Embora exercícios em piscina tenham pequenos benefícios quanto à dor, à função e à rigidez,[25] podem ser úteis pela tolerabilidade e baixo risco, em caso de baixo condicionamento físico.

A educação em saúde também é considerada tratamento de primeira linha (TE [dor] = –0,35)[97] B, ao lado de exercícios e perda ponderal em obesos.[98] Ela deve promover o entendimento sobre dor crônica e OA, e técnicas de autocuidado.[99,100] A terapia cognitivo-comportamental (TCC) pode reduzir insônia, sintomas depressivos, dor e incapacidade.[101,102] Elementos da TCC são comumente utilizados por profissionais da APS.

Os métodos físicos mais utilizados na APS são termoterapia, eletroneuroestimulação transcutânea (TENS, do inglês *transcutaneous electrical nerve stimulation*) e acupuntura. A crioterapia por 20 minutos reduz significativamente a inibição muscular artrogênica pela OA por cerca de 30 minutos, favorecendo o exercício nesse período, melhorando a amplitude de movimento, força e edema.[103] Calor melhora dor, limitação e qualidade de vida, embora sugira-se que seja evitado durante agudizações inflamatórias, indicadas pela piora de calor, rigidez matinal (na OA, tipicamente de poucos minutos, chamada *gelling*), edema e/ou dor em interlinha articular C/D.[104,105] TENS (particularmente de alta frequência) tem efeito de curto prazo sobre a dor (dor: –16,6 em escala de 100), com possibilidade de utilização de aparelhos portáteis aplicados pelo próprio paciente B.[106] A acupuntura apresenta benefícios com a aplicação de diferentes técnicas isoladas ou associadamente, mas particularmente em curto prazo.[107] Eletroacupuntura diminuiu dor (TE = –1,1) C/D.[108] Agulhamento seco de PGs resulta em pequena diminuição de dor em OA, especialmente no curto prazo (TE = –0,37), com pouco efeito em médio (TE = –0,21) e longo prazo (TE = –0,07) C/D.[87] O agulhamento seco não é recomendado como terapia única ou sem o controle paralelo do componente inflamatório quando presente.

A terapia farmacológica pode ser um significativo apoio às terapias não farmacológicas. Não há benefício demonstrado por tratamentos medicamentosos como AINEs, condroitina ou injeção intra-articular de corticoides ou ácido hialurônico em longo prazo (> 1 ano) e apenas pequeno benefício (TE [dor] = –4,1 em escala de 100) para sulfato de glicosamina.[109] Analgésicos comuns, AINEs, miorrelaxantes, opioides[110] e medicamentos neuromoduladores (tricíclicos, duais e gabapentinoides) podem ser considerados para alívio de curto prazo. A pomada de capsaicina também pode ser considerada[111] C/D (ver Capítulos Osteoartrite e Abordagem Geral da Dor).

Na agudização inflamatória da OA de joelho, AINEs tópicos podem ser tentados como primeira linha, uma vez que, embora funcionem adequadamente para uma minoria de pacientes, seu desempenho nestes é semelhante ao dos AINEs orais,[31] com a vantagem de menor risco, pela pouca absorção sistêmica. AINEs orais devem ser usados com cautela (preferir inibidores seletivos da cicloxigenase-2 (COX-2) e/ou associação com inibidores da bomba de prótons (IBPs) na vigência de comorbidades). A infiltração de corticoide é considerada em agudizações inflamatórias não responsivas a AINE, com benefício em até 3 meses sobre dor e função B[112,113] e pouco efeito sistêmico, mas risco progressivo de redução da cartilagem e evolução para artroplastia.[114,115] Metotrexato tem trabalhos recentes demonstrando pequeno benefício em populações não selecionadas por agudizações inflamatórias C/D.[116]

Na falha terapêutica, artroplastia de joelho está indicada. Entretanto, estima-se que 20% dos pacientes persistirão com dor após artroplastia.[42]

## Doença de Osgood-Schlatter

Doença de Osgood-Schlatter é a osteocondrose do tubérculo tibial, relatada como causa comum de dor em joelho anterior em atletas com esqueleto imaturo, particularmente basquete, vôlei, ginástica e futebol americano. Está associada a início insidioso, sensibilidade e proeminência na inserção patelar na tuberosidade tibial e ausência de trauma. A maioria dos casos tem resolução espontânea com a maturidade esquelética.[117] O tratamento conservador, com uso de gelo e AINEs, é recomendado a todos os pacientes, associados a repouso relativo, alongamento e afastamento ou modificação temporários das práticas esportivas e outras atividades de impacto C/D.[118] Exercícios de fortalecimento são importantes após diminuição dos sintomas agudos[119] C/D. O tratamento cirúrgico é reservado à falha terapêutica, após o desenvolvimento da maturidade esquelética.

## Dor mecânica miofascial

O músculo quadríceps (em particular as "cabeças", chamadas vasto medial e vasto lateral), anteriormente, e os gastrocnêmios e isquiotibiais, posteriormente, são os principais músculos a considerar na dor miofascial em joelho na APS (TABELA 191.6).

A porção final do vasto medial (chamada vasto medial oblíquo) é a principal estrutura muscular responsável pela estabilização medial da patela. A ativação de PGs do vasto medial pode ocorrer por sobrecarga (função dupla de extensor e estabilizador), como em OA; por quedas ou trauma direto; ou por pronação excessiva do pé (tornozelo valgo), como ocorre no mediopé hipermóvel, tornozelo equino ou atividade física vigorosa. A perpetuação e/ou piora desses PGs pode ocorrer à posição ajoelhada sobre superfície dura, como ao dar banho em crianças e/ou limpar embaixo de armários, quando o quadríceps em extensão deve auxiliar na estabilização do tronco. Os PGs mais comuns estão a cerca de 1 cm e 10 cm da patela.

O vasto lateral cobre toda a parte anterolateral da coxa. A ativação dos PGs do músculo vasto lateral costuma ocorrer por sobrecarga brusca ou traumas diretos (quedas, movimentos de balanços diretos em alguns esportes) e se perpetua por imobilização em posição encurtada (sentar-se por longos períodos com o joelho totalmente estendido). Os PGs mais comuns também costumam ficar a cerca de 1 cm e 10 cm da patela.

Ao contrário do quadríceps, o gastrocnêmio (e isquiotibiais) flexiona(m) o joelho, impulsionando o corpo em diversos movimentos, como pular, escalar, subir e estabilizar o joelho o suficiente para descer escadas. Além disso, como veremos a seguir, o gastrocnêmio ajuda a estabilizar o tornozelo e o pé, pelo tendão de Aquiles e fáscia plantar. Os PGs de sua parte mais alta, a cerca de 1 cm e 10 cm da inserção, irradiam dor para a parte posterior do joelho.

Os músculos isquiotibiais, apesar de finos, são muito fortes e cobrem a parte posterior da coxa. São eles: o bíceps femoral, lateralmente, e os "semis" (semitendinoso e semimembranoso), medialmente. Os PGs nesses músculos são comuns em crianças e adultos, e irradiam dor para joelho ou coxa superior, abaixo da prega infraglútea, dependendo da localização.

A TABELA 191.6 provê uma visão geral dos principais músculos na dor de joelho, além de breves orientações

**TABELA 191.6** → Principais músculos envolvidos na dor miofascial em joelho

| MÚSCULO | IRRADIAÇÕES | CIRCUNSTÂNCIAS E FATORES PERPETUANTES | DERMÁTOMOS SENSIBILIZADOS | ORIENTAÇÕES DE AUTOABORDAGEM |
|---|---|---|---|---|
| Reto femoral | Dentro do joelho (sob a patela) | → Subir escadas<br>→ Permanecer muito tempo sentado<br>→ Flexionar repetidamente o joelho (pedalar, correr) | L2, L3, L4 | Automassagem com os polegares emparelhados (sentado ou de pé) ou com auxílio de uma ferramenta (bengala)<br>Liberação do PG com auxílio de bola de tênis contra a parede |
| Vasto medial | → Parte inferior do joelho<br>→ Parte anteromedial (interna) da coxa | → Descer escadas<br>→ Descer em aclive acentuado rapidamente<br>→ Sobrecarregar o joelho<br>→ Fazer flexões profundas e repetidas do joelho<br>→ Correr | L2, L3, L4 | Automassagem com os polegares emparelhados ou com o cotovelo (sentado na beira da cama ou cadeira) |
| Vasto lateral | Múltiplas (quadril, lateral da coxa, lateral do joelho) | → Caminhar<br>→ Apoiar-se sobre a perna afetada<br>→ Correr<br>→ Pedalar<br>→ Ficar imobilizado por longo período | L2, L3, L4 | Liberação do PG com auxílio de bola de tênis ou rolinho (deitado lateralmente sobre a coxa ou de pé contra a parede) |
| Isquiotibiais | → Parte posterior (mais lateral) do joelho<br>→ Parte superior do posterior da coxa (logo abaixo da prega infraglútea) | → Jogar futebol<br>→ Usar cadeira inadequadamente<br>→ Manter posição com a perna dobrada por longos períodos | L5, S1, S2 | Sentar-se e massagear toda a parte posterior da coxa com cabo de vassoura<br>Liberação do PG pressionando bola de tênis contra banco de madeira (evitar área atrás do joelho) |
| Gastrocnêmios | Múltiplas (tornozelo, arco plantar do pé, fossa poplítea, panturrilha) | → Caminhar<br>→ Correr<br>→ Pedalar<br>→ Manter-se de pé e inclinado para a frente por longos períodos<br>→ Nadar<br>→ Dirigir por longos períodos<br>→ Ficar imobilizado por longo período | S1, S2 | Automassagem (deitado ou sentado com o membro apoiado) |

PG, ponto-gatilho.

de autoabordagem (ver Capítulo Dor Miofascial e Outras Dores Mecânicas).

## DOR EM PÉ E PERNA INFERIOR

Segundo o *Framingham Foot Study*, dor no pé é mais comum em idosos, com prevalência de 19% para idosos e 25% para idosas. Quanto aos fatores predisponentes estudados, entre eles obesidade, tabagismo e depressão, apenas a redução da mobilidade foi significativa para ambos os sexos.

Uma revisão sistemática demonstrou uma maior frequência de dor nos pés e tornozelos em mulheres, comumente atribuída a diferenças relacionadas ao gênero nas características dos calçados. Os calçados femininos normalmente apresentam saltos e um espaço mais estreito para o antepé do que os calçados masculinos, o que pode aumentar a chance de dor e, ao longo do tempo, deformidades como hálux valgo (joanete), dedo em martelo e dedo em garra. Essa mesma revisão sistemática estimou uma prevalência de 20% de dor frequente no pé e tornozelo em pessoas de meia-idade e idosas.

### Aspectos anatômicos

Em comparação com a mão, o pé é especializado em uma função, que é permitir que o corpo fique em pé, ande e corra, enquanto a mão é pouco especializada e, portanto, capaz de realizar infinitas tarefas.

A articulação tibiotalar é a dobradiça que permite a flexão ("flexão plantar") e extensão ("dorsiflexão") do pé. A articulação subtalar, por sua vez, permite a inversão (tornozelo varo, com a planta voltando-se medialmente) e eversão (tornozelo valgo, com a planta voltando-se lateralmente). Como no membro superior, os movimentos são geralmente em espiral, com a flexão (p. ex., apoiar na ponta do pé) associada à inversão, e a extensão (p. ex., apoiar no calcanhar), à eversão.

Entre a tíbia e fíbula, anteriormente, destacam-se o músculo tibial anterior (extensor do tornozelo) e o extensor longo dos pododáctilos, e, posteriormente, o tibial posterior, principal responsável pela inversão e manutenção do arco longitudinal, profundamente, e o tríceps sural, principal flexor do tornozelo, superficialmente. O tríceps sural é composto pelos gastrocnêmios ("batatas da perna") e o sóleo, que possuem um tendão único, o tendão de Aquiles. Lateralmente, destacam-se os músculos fibulares (longo, curto e terceiro), responsáveis pela eversão (FIGURA 191.8).

Existem, além disso, os músculos intrínsecos, que adaptam o pé a superfícies irregulares que escapam ao controle dos músculos longos. O abdutor do hálux está na camada mais superficial e pode ser localizado à palpação da borda medial plantar, logo anterior ao calcâneo, ao contrair a ponta do hálux contra o solo ou cerca de 1 cm acima, ao "espraiar os dedos do pé", afastando o hálux dos demais.

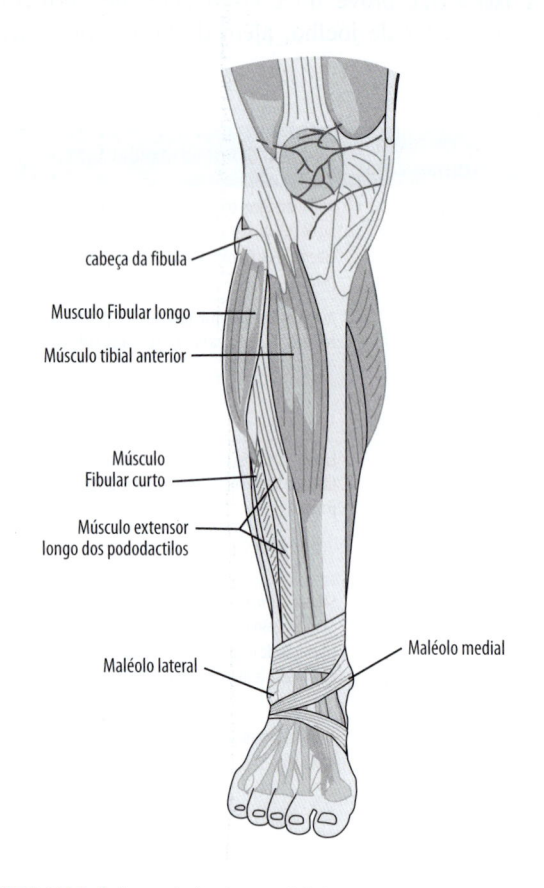

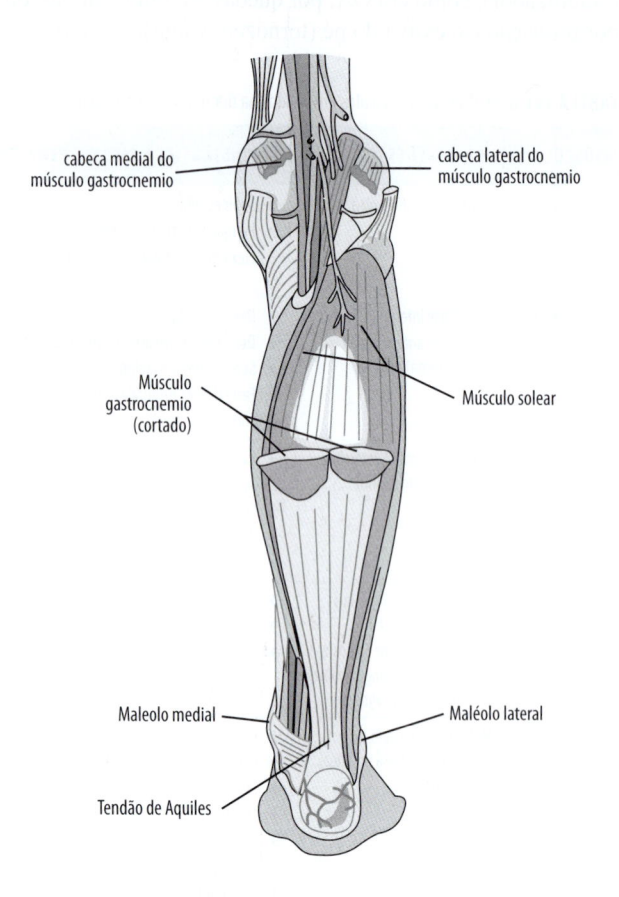

**FIGURA 191.8** → Anatomia de pé e perna inferior.

## Abordagem diagnóstica geral

### História

A **FIGURA 191.9** apresenta a estruturação do raciocínio diagnóstico diante do paciente com dor no tornozelo e pé. A presença de dor de ritmo não mecânico ou de sinais de alarme do ritmo mecânico (fraturas, neuropatias compressivas) permite identificar a maioria das causas menos comuns, incluindo as de maior gravidade.

### Exame físico

À inspeção, deve-se avaliar a marcha do paciente, atentando, por exemplo, para a marcha escarvante associada ao pé caído. Observar edema restrito a alguma articulação ou tendão, ou presente em todo o pé/perna; calor; descoloração, cianose ou eritema; alterações de sensibilidade; cicatrizes, úlceras ou calosidades. Com o paciente em pé, observar desvios de eixo e assimetrias. Na mobilização, iniciar com a mobilização ativa, pedindo que o paciente realize dorsiflexão, flexão plantar, inversão, e eversão e comparar ambos os lados.[120]

## Principais condições dolorosas em pé e perna inferior

A **TABELA 191.7** traz algumas condições geralmente citadas no diagnóstico diferencial. A seguir, comentaremos sobre cãibras, tendinopatia aquileana, fasciite plantar, síndrome do tibial posterior, hálux valgo, entorse de tornozelo, dor mecânica miofascial, neuroma de Morton, e as neuropatias compressivas de fibular comum e tibial posterior.

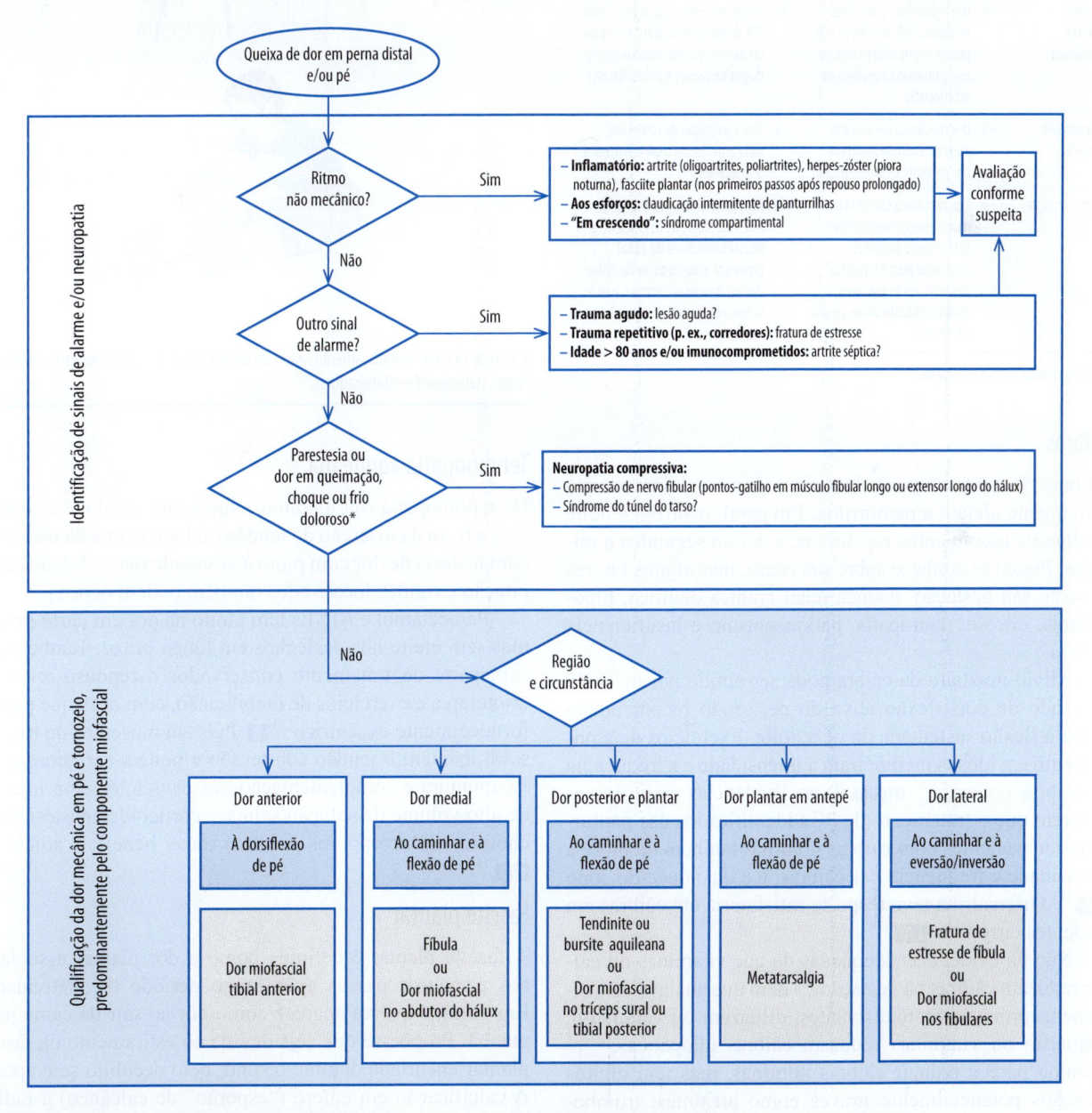

**FIGURA 191.9** → Algoritmo diagnóstico da dor no pé e tornozelo.
*A ausência de parestesia ou dor em queimação, choque ou frio doloroso a princípio afasta a suspeita de dor neuropática, segundo o questionário DN4.

TABELA 191.7 → Causas de dor em pé não abordadas neste capítulo, mas relevantes ao diagnóstico diferencial

| CAUSA | PISTAS NA ANAMNESE | POSSÍVEIS ACHADOS DE EXAME FÍSICO/TESTES |
|---|---|---|
| Artrite séptica | → Sinais e sintomas sistêmicos agudos/subagudos<br>→ Edema articular; dor, eritema, calor e rigidez articular | → Derrame articular e eritema<br>→ Artrocentese com coloração de Gram<br>→ Cultura: leucocitose, elevação de velocidade de hemossedimentação e elevação de proteína C-reativa |
| Artropatia induzida por cristais (gotosa ou pseudogotosa) | → Monoartrite aguda e sem traumas<br>→ Possivelmente febre<br>→ Adultos mais velhos (> 60 anos)<br>→ Fatores de risco para gota ou pseudogota | → Sinais flogísticos<br>→ Tofo gotoso<br>→ Artrocentese com cristais à microscopia<br>→ Gota: birrefringência negativa<br>→ Pseudogota: birrefringência positiva |
| Doença arterial periférica | → Dor recorrente a um determinado nível de esforço, não presente em esforços menores; sintomas sugestivos de arteriopatia | → Sinais sugestivos de arteriopatia (PA de membros inferiores igual ou menor que em superiores; redução de pulsos e pelos distais) |
| Fratura por estresse | → Dor mecânica persistente após período de atividade em paciente desacostumado | → Dor à palpação de navicular, tíbia anterior ou maléolo medial, 5º metatarso |
| Metatarsalgia | → Dor mecânica sob uma ou mais cabeças metatarsiais (definição); divididas conforme fase da marcha: balanço, apoio calcâneo, apoio completo do pé, apoio de antepé | → Arco plantar longitudinal planificado, sinais de insuficiência musculotendínea de tibial posterior e/ou abdutor do hálux, dor miofascial no antepé, hálux valgo, hiperceratose sob cabeças metatarsais |

Fonte: Adaptada de Tu e Bytomsky.[121]

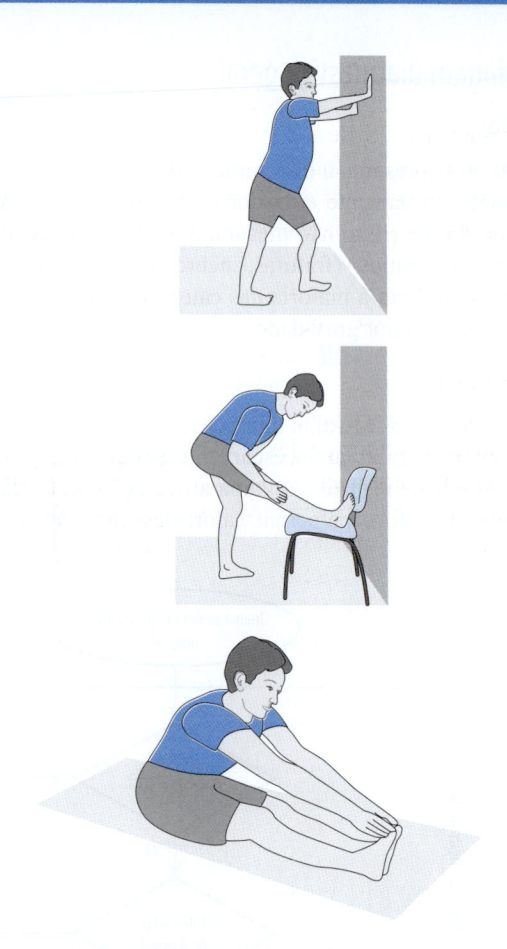

FIGURA 191.10 → Alongamentos antes de dormir reduzem cãibras noturnas em idosos.
Fonte: Hallegraeff e colaboradores.[122]

## Cãibras

Cãibras são contrações involuntárias, súbitas e dolorosas que comumente afetam a panturrilha. Em geral, ocorrem à noite ou durante movimentos repetitivos, e duram segundos a minutos. Pouco se conhece sobre sua causa, mas alguns fatores de risco são gestação, doença renal crônica dialítica, hipocalemia, cirrose, neuropatia, parkinsonismo e insuficiência venosa.

Alívio imediato da cãibra pode ser obtido por meio do comando de dorsiflexão ativa do pé, sendo recomendado evitar a flexão sustentada do pé à noite. Exercícios de alongamento em idosos melhoraram a intensidade e a frequência de cãibras noturnas[122] (FIGURA 191.10). Evidências preliminares sugerem que o tratamento de PGs identificados nas panturrilhas de pacientes com cãibras noturnas também melhore a intensidade e frequência das cãibras, e a qualidade do sono C/D.[123] Orfenadrina teve resposta satisfatória em cãibras em pacientes cirróticos C/D.[124]

Não há evidências adequadas de que vitaminas ou cálcio reduzam cãibras na gestação,[125] nem que analgésicos, ciclobenzaprina, anticonvulsivantes, diltiazém ou verapamil, magnésio ou vitaminas reduzam cãibras idiopáticas.[126-128] Quinina parece reduzir cãibras noturnas, mas tem efeitos adversos potencialmente graves como arritmias, trombocitopenia e teratogenicidade, pelo que não tem mais sido recomendada.

## Tendinopatia aquileana

Na tendinopatia (ou tendinite) aquileana, há dor localizada de 2 a 6 cm da inserção do tendão ou logo acima da inserção, com história de dor com piora à atividade física. Edema, crepitação e rigidez localizados também podem ocorrer.

Paracetamol e AINEs têm efeito na dor em curto prazo, mas sem efeito nos desfechos em longo prazo. Também fazem parte do tratamento conservador o repouso relativo, crioterapia e exercícios de reabilitação, com destaque para o fortalecimento excêntrico[129] B. PGs em músculos do tríceps sural mantêm o tendão sob tensão e podem ser abordados. Acupuntura e complementação dos exercícios com injeção de alto volume de solução salina + corticoide/anestésico ou choques extracorpóreos parecem trazer benefício adicional C/D.[130]

## Fascite plantar

A fascite plantar é definida como a dor plantar associada aos primeiros passos após longo período de inatividade. Em geral, a queixa aparece como dor ao sair da cama pela manhã. Propõe-se que seja devida ao estiramento da fáscia plantar encurtada durante o sono, pelo decúbito sem apoio. A calcificação em êntese ("esporão" de calcâneo) à radiografia, embora mais comum entre pacientes com fascite plantar, tem significado incerto, por também ser comum em pacientes assintomáticos. Sobrepeso e obesidade são fatores de risco importantes em não atletas.

Particularmente se a dor na região também tiver piora com o caminhar, ao longo do dia, deve-se pesquisar PGs miofasciais em abdutor do hálux, gastrocnêmio e/ou sóleo, os quais tensionam a fáscia plantar e referem dor para a região. A fáscia aquileana se continua com a fáscia plantar.

O alongamento específico da fáscia plantar parece ser melhor que o alongamento da panturrilha ou de ambas para controle da dor[131] C/D. Sugere-se orientar ao paciente o alongamento manual da fáscia plantar, puxando os pododáctilos com o pé flexionado e executando massagem de fricção cruzada, antes dos primeiros passos da manhã, por 1 minuto, 3 vezes, com 30 segundos de descanso entre alongamentos (ver QR code).

Órteses para pé parecem melhorar dor em calcâneo por até 12 semanas, porém o benefício geralmente não é relevante em longo prazo.[132] Outros tratamentos também podem ser efetivos, como o agulhamento seco, que promove melhora da dor (TE = –1,3) e funcionalidade (TE = –1,8) C/D; a infiltração de corticoide[133,134] B; e a injeção de toxina botulínica A C/D.[135] Terapias adicionais por ondas de choque, injeções de plasma rico em plaquetas e eletrólise percutânea intratecido mostram resultados[135] às vezes melhores quando comparados a apenas injeções de corticoides C/D.

### Tendinopatia tibial posterior

O tendão do músculo tibial posterior passa posterior ou superficialmente ao maléolo medial em direção à sua inserção no osso navicular (FIGURA 191.11). A tendinopatia é comum na APS, chegando a afetar 10% dos idosos. A tendinopatia dificulta o apoio, pelo tibial posterior, ao arco longitudinal do pé; e o "desabamento" do arco e valgismo do tornozelo mantêm tensionados tendão e músculo, prejudicando a função, em um círculo vicioso. A região perimaleolar do tendão é também a menos irrigada, dificultando reparação. Ao longo dos anos, pode ocorrer colapso estrutural e deformidade fixa.

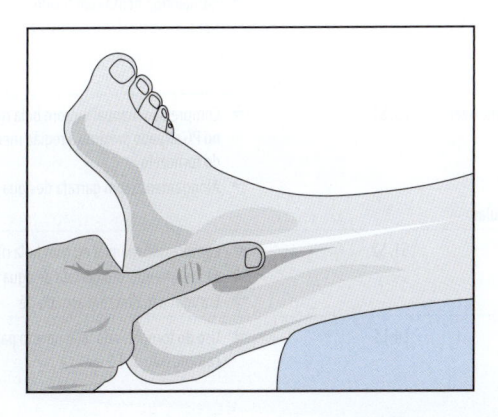

**FIGURA 191.11** → Tendão tibial posterior; neste caso, superficial ao maléolo lateral.

O quadro clínico consiste em dor e edema tendíneo posteriormente ao maléolo medial. Avaliando-se por trás o alinhamento do pé e tornozelo, mais que 2 podáctilos podem ser visíveis em ortostase ("sinal dos muitos dedos") e/ou pode-se identificar um tornozelo valgo, refletindo aplainamento do arco longitudinal ("pé plano"). Ficar na ponta dos pés pode ser doloroso, já que requer flexão acompanhada de inversão, e/ou a varização do tornozelo, comum nessa postura, pode não ocorrer.

O tratamento conservador deve ser iniciado em todas as fases.[135] Agudizações inflamatórias devem ser abordadas com gelo, repouso relativo e AINEs tópicos ou orais (ou corticoide oral em baixa dose) C/D, pelo menor tempo necessário. A infiltração de corticoide deve ser evitada, pelo risco de ruptura. Órteses reduzem a dor, mas devem ser usadas de modo intermitente e associadas a exercícios, para evitar hipotrofia. Exercícios de alongamento e fortalecimento muscular são a base do tratamento, mas devem ser introduzidos gradualmente, com possível vantagem de exercícios excêntricos (ver Capítulo Dor Miofascial e Outras Dores Mecânicas para discussão) (TE [dor] = –0,6 a –1,2)[137] B. Se PGs forem identificados, devem ser abordados por inibição manual ou agulhamento seco, já que também manterão o tendão sob tensão e o músculo inibido para exercícios.

A abordagem cirúrgica é reservada para deformidades dolorosas irreversíveis, ou falha do tratamento conservador por mais de 3 meses, em uma deformidade fixa. Uma deformidade fixa provavelmente requer artrodese, mas a reversível pode ter bom auxílio com transferência de tendões e osteotomia, entre outras técnicas.

### Hálux valgo

Hálux valgo (ou "joanete") é a subluxação progressiva da articulação metatarsofalângica devido ao desvio lateral do hálux e varismo do 1º metatarso. Afeta aproximadamente um terço dos idosos, e frequentemente se acompanha de pé plano. As características radiológicas básicas e tratamentos de autocuidado podem ser encontrados no QR code ao lado. O tratamento conservador não corrige a deformidade, mas pode melhorar os sintomas. É composto pelo uso de calçados de forma larga e protetor de joanete, e por exercícios de flexão e extensão ativa dos pododáctilos[138] C/D. O tratamento cirúrgico visa corrigir a deformidade, mas há risco de recidiva, maior em pacientes com hipermobilidade, lassidão ligamentar ou desordens neuromusculares. Doença arterial periférica é contraindicação.

### Entorse de tornozelo

O entorse de tornozelo é uma queixa comum em consultas na APS, devendo ser questionados o mecanismo de lesão, dor e demais sintomas, e a história de entorses prévios com respectivos tratamentos e evoluções. Uma injúria por inversão brusca levando a dor, edema e equimose/hematoma lateral, e teste da gaveta positivo, terá provavelmente lesão ligamentar associada, confirmável à US. (Ver QR code.) Para avaliar a necessidade de radiografia para exclusão de fratura, sugere-se aplicar as regras de Ottawa para tornozelo (Ottawa ankle rules, ver QR code; ver Capítulo Traumatismo Musculoesquelético), que consistem em: o paciente ser incapaz de dar 4 passos sem ajuda imediatamente após a lesão e mais tarde na sala de exame; dor à palpação da borda posterior dos últimos 6 cm do maléolo medial ou lateral; ou dor à palpação da base do 5º metatarso, ou do osso navicular. Caso o entorse seja seguido por neuropatia fibular, devem ser investigados PGs em fibular longo e/ou extensor longo dos pododáctilos (ver a seguir).

Crioterapia é adequada para reduzir a dor e melhorar o tempo de recuperação durante os primeiros 3 a 7 dias, assim como analgesia de acordo com a intensidade da dor com analgésicos, AINEs tópicos ou orais, ou opioides fracos. Os pacientes podem usar um suporte de tornozelo para reduzir o edema e a dor, acelerar a recuperação e proteger os ligamentos lesados à medida que se tornam mais móveis. A mobilização precoce acelera a cura e reduz a dor de forma mais eficaz do que o repouso prolongado. Suportes de tornozelo e bandagens, assim como exercícios regulares de aquecimento específicos para esportes, podem proteger contra lesões no tornozelo e devem ser considerados para pacientes que retornam aos esportes ou outras atividades de alto risco (ver Capítulo Traumatismo Musculoesquelético).

### Dor mecânica miofascial

Os PGs dos músculos posteriores usualmente referem dor para tornozelo posterior e planta do pé, os anteriores, para o dorso de pé, e os laterais, para a região lateral do tornozelo. Exceções existem, como os PGs proximais do gastrocnêmio, que geram dor em fossa poplítea (ver anteriormente). Na musculatura do pé, o abdutor do hálux gera dor na face plantar e medial do pé.

Todos os músculos citados podem ser trabalhados por autocompressão com polegar ou uma bola maciça. Gastrocnêmios podem ser pinçados, para agulhamento seguro; e os PGs de tibial anterior e fibulares podem ser agulhados contra a base óssea, também com segurança. Em particular, o PG proximal do fibular longo está 1 a 2 cm distal da cabeça da fíbula; junto desta passa o nervo fibular comum, dando segurança ao procedimento. Os demais músculos citados (sóleo, tibial posterior, abdutor do hálux, extensor longo dos pododáctilos) não devem ser agulhados com agulha hipodérmica, pelos feixes vasculonervosos próximos (ver, em especial, neuropatia fibular e síndrome do túnel do tarso, a seguir).

A **TABELA 191.8** oferece uma breve visão sobre os músculos envolvidos na dor do terço distal do membro inferior, com os principais fatores perpetuantes. Para mais detalhes sobre o diagnóstico e tratamento, ver Capítulo Dor Miofascial e Outras Dores Mecânicas.

### Pé de Morton e neuroma de Morton

Pé de Morton é o pé em que o 1º metatarso é mais curto que o 2º, proposto como importante fator perpetuante para dor em membros inferiores. A insuficiência (de tamanho) do primeiro raio ainda é reconhecida como hipótese ou contribuinte de metatarsalgias. O tratamento conservador da hipermobilidade do primeiro raio inclui o uso de uma pequena elevação sob a cabeça do 1º metatarso mais curto, entre outras adaptações de palmilha e calçados.[139,140] Entretanto,

**TABELA 191.8** → Músculos envolvidos em dor miofascial em tornozelo e pé

| MÚSCULO | IRRADIAÇÕES | CIRCUNSTÂNCIAS E FATORES PERPETUANTES | DERMÁTOMOS SENSIBILIZADOS | ORIENTAÇÕES E AÇÕES CORRETIVAS |
|---|---|---|---|---|
| Sóleo | → Face posterior da panturrilha<br>→ Dor posteroinferior em tornozelo/pé | → Andar em superfícies inclinadas<br>→ Subir escadas<br>→ Correr<br>→ Andar de salto alto<br>→ Sapato apertado | S1-S2 | → Alongamento através da dorsiflexão do pé<br>→ Compressão de PG usando o joelho do lado oposto |
| Gastrocnêmio | → Dor referida no aspecto posterior do joelho e panturrilha<br>→ PG na cabeça medial causando dor referida na porção medial do pé<br>→ Cãibra noturna | → Ciclismo, escalada, corrida<br>→ Caminhada em superfícies inclinadas<br>→ Dormir em posição supina<br>→ Meia apertada, compressão local ao sentar<br>→ Pressão excessiva em pedal; salto alto | S1, S2 | → Manter membros aquecidos à noite<br>→ Autoalongamento com tecido |
| Abdutor do hálux | → Face medial do tornozelo em direção ao maléolo<br>→ Possível irradiação para 1º metatarso (menos comum) | → Sapatos excessivamente justos e com sola inflexível<br>→ Imobilização prolongada<br>→ Pronação excessiva do pé<br>→ Hipermobilidade e hipomobilidade do pé<br>→ Caminhar/correr em areia fofa/terreno irregular | L5, S1 | → Compressão manual ou com bola rígida no PG situado próximo à região medial do tornozelo<br>→ Alongamento com garrafa de água gelada |
| Quadrado plantar | → Dor na face plantar do calcâneo | → Pé pronado | S1, S2 | → Compressão manual ou com bola rígida<br>→ Alongamento com garrafa de água gelada<br>→ Enrugar a toalha com arco do pé |
| Tibial anterior | → Dor no 1º pododáctilo e na face anterior do tornozelo | → Corrida<br>→ Caminhada<br>→ Subir escadas<br>→ Longo período com pé no acelerador | L4-L5 | → Uso do tornozelo do lado oposto para compressão do PG |

PG, ponto-gatilho.

atualmente, várias outras alterações são entendidas como possíveis contribuintes, como o próprio hálux valgo.

Já o neuroma de Morton é uma fibrose do nervo digital, não sendo de fato um neuroma apesar do nome. Afeta mais comumente o 3º espaço intermetatarsal, podendo muitas vezes ser assintomático ou não ser a causa da dor do paciente. A dor ocasionada deve ter caráter neuropático. O tratamento geralmente é conservador, envolvendo mudança de calçados (preferir, sempre que possível, calçados sem saltos e mais largos na frente), uso de almofadas metatarsais imediatamente proximais às cabeças do metatarso, e/ou infiltração local com anestésico ou corticoide[141] C/D. Apenas na falha desses métodos o tratamento cirúrgico deve ser considerado.

### Neuropatia compressiva de fibular comum

O nervo fibular comum passa entre o músculo fibular longo e a cabeça da fíbula, dividindo-se logo após em ramos superficial e profundo. O ramo superficial desce entre os músculos fibular longo e o extensor longo dos pododáctilos (ELP), inervando os fibulares longo e curto (eversores do pé) e a região dorsal do pé; e o profundo desce sob o ELP, inervando o próprio ELP e o tibial anterior (extensores do pé) e uma pequena região de pele entre 1º e 2º pododáctilos (ver FIGURA 191.12). Uma neuropatia do fibular comum ou do ramo profundo dificulta a extensão, aumentando consideravelmente risco de queda.

A neuropatia pode ser causada, por exemplo, por hanseníase. Nesse caso, outros nervos, como o tibial posterior, poderiam estar comprometidos, e o ritmo da dor não seria marcadamente mecânico. Ou pode ser compressiva, como no caso de PGs musculares em fibular longo ou ELP, quando os sintomas pioram à inversão ou flexão do pé.

Um PG em fibular longo pode comprimir o nervo fibular comum, resultando em um "pé caído" incapaz de extensão e eversão, com hipoestesia em dorso de pé; e um PG em ELP pode comprimir o ramo fibular profundo, resultando em um "pé caído" incapaz de extensão, com hipoestesia do espaço entre hálux e 2º pododáctilo. Em ambos os casos, os reflexos são normais.

Os PGs podem ser abordados por agulhamento. No caso do fibular longo, é possível o "agulhamento úmido", devido ao fato de o PG ficar 1 a 2 cm distante da cabeça da fíbula e, portanto, do nervo fibular. O ELP, entretanto, requer agulha de acupuntura (sem ponta cortante), pela presença de feixe vasculonervoso profundamente. A entrada na pele deve ser próxima à borda lateral do músculo fibular anterior, direcionando a agulha ao PG com a fíbula por trás.

### Neuropatia compressiva do tibial posterior (síndrome do túnel do tarso)

Síndrome do túnel do tarso é a neuropatia compressiva do (nervo) tibial posterior, caracterizada por dor em queimação ou dormência na região posteromedial do calcâneo e pé, até possivelmente pododáctilos, que piora ao ficar em pé ou caminhar. O nervo tibial posterior passa sob o abdutor do hálux, e PGs nesse músculo são eventualmente causas da síndrome, de pronto tratamento.

### Outros

A síndrome dolorosa miofascial de gastrocnêmio não deve ser confundida com a distensão muscular do gastrocnêmio, que pode ter dor intensa e repentina, e aspecto traumático, sendo referida como "síndrome da pedrada".

É necessário estar atento à dor em panturrilha e possíveis diagnósticos alarmantes, como trombose venosa profunda – edema, dor localizada em panturrilha, calor – ou claudicação intermitente. Esta última associa-se à doença arterial obstrutiva periférica e alto risco cardiovascular. A dor piora em situações de mesmo gasto energético, como em distância semelhante de caminhada ou subida, melhorada logo após repouso, que costuma ser descrita como constritiva (em peso ou em cãibra).

Um diagnóstico diferencial de dor neuropática, diferente da neuropatia compressiva, é a polineuropatia, que costuma ter ritmo noturno e distribuição "em bota". Uma das principais causas é o diabetes. (Ver Capítulo Diabetes melito: Cuidado Longitudinal.)

Uma complicação grave é a neuroartropatia de Charcot (ou pé de Charcot), caracterizada por quadro inflamatório agudo afetando os tecidos periarticulares do pé e tornozelo, resultando em subluxação óssea, deslocamento e fratura se não for realizada imobilização. Ela pode levar a rigidez e deformidade, aumentando risco de infecções e ulcerações subsequentes. Cerca de 1 a cada 4 casos é confundido com outro diagnóstico, como celulite, gota, entorse ou trombose. (Ver Capítulo Diabetes melito: Cuidado Longitudinal.)

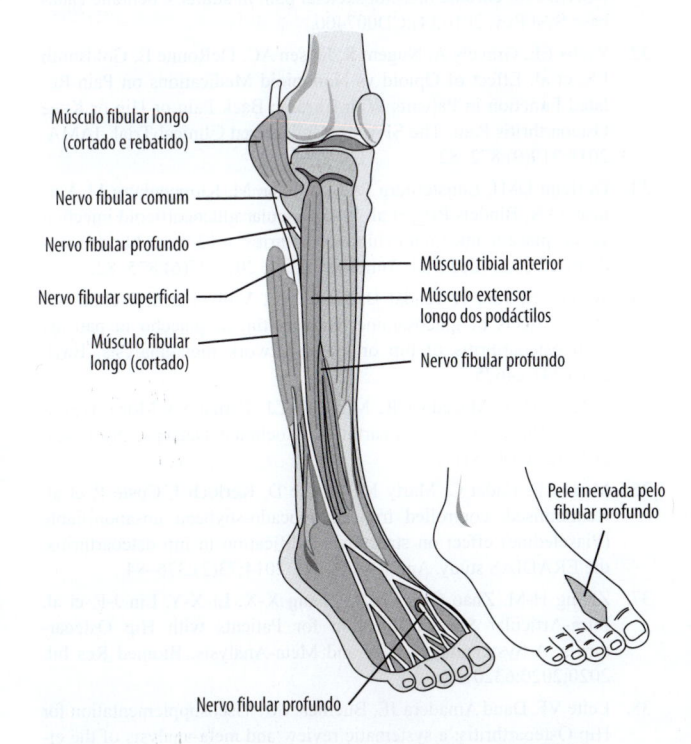

**FIGURA 191.12** → Neuropatia compressiva de fibular comum ("pé caído").
Fonte: Simons, Simons e Travell.[139]

# REFERÊNCIAS

1. Read PJ, Oliver JL, De Ste Croix MBA, Myer GD, Lloyd RS. A prospective investigation to evaluate risk factors for lower extremity injury risk in male youth soccer players. Scand J Med Sci Sports. 2018;28(3):1244–51.
2. Le Gall F, Carling C, Reilly T, Vandewalle H, Church J, Rochcongar P. Incidence of injuries in elite French youth soccer players: a 10-season study. Am J Sports Med. 2006;34(6):928–38.
3. Peiris WL, Cicuttini FM, Hussain SM, Estee MM, Romero L, Ranger TA, et al. Is adiposity associated with back and lower limb pain? A systematic review. PLoS One. 2021;16(9):e0256720.
4. Cross M, Smith E, Hoy D, Nolte S, Ackerman I, Fransen M, et al. The global burden of hip and knee osteoarthritis: estimates from the global burden of disease 2010 study. Ann Rheum Dis. 2014;73(7):1323–30.
5. Institute for Health Metrics and Evaluation. Global Burden of Disease Collaborative Network. Global burden of disease study 2019 (GBD 2019) results [Internet]. Washington: IHME; 2020 [capturado em 4 out. 2021]. Disponível em: http://www.healthdata.org/results/gbd_summaries/2019/osteoarthritis-hip-level-4-cause
6. Murphy LB, Helmick CG, Schwartz TA, Renner JB, Tudor G, Koch GG, et al. One in four people may develop symptomatic hip osteoarthritis in his or her lifetime. Osteoarthritis Cartilage. 2010;18(11):1372–9.
7. Hawker GA, Croxford R, Bierman AS, Harvey PJ, Ravi B, Stanaitis I, et al. All-cause mortality and serious cardiovascular events in people with hip and knee osteoarthritis: a population based cohort study. PLoS One. 2014;9(3):e91286.
8. Hungerford DS. Osteonecrosis: avoiding total hip arthroplasty. J Arthroplasty. 2002;17(4 Suppl 1):121-4.
9. Christmas C, Crespo CJ, Franckowiak SC, Bathon JM, Bartlett SJ, Andersen RE. How common is hip pain among older adults? Results from the Third National Health and Nutrition Examination Survey. J Fam Pract. 2002;51(4):345–8.
10. Chamberlain R. Hip Pain in Adults: Evaluation and Differential Diagnosis. Am Fam Physician. 2021;103(2):81–9.
11. Kesikburun S, Güzelküçük Ü, Fidan U, Demir Y, Ergün A, Tan AK. Musculoskeletal pain and symptoms in pregnancy: a descriptive study. Ther Adv Musculoskelet Dis. 2018;10(12):229–34.
12. Netter FH. Atlas de anatomia humana. 2. ed. Porto Alegre: Artmed; 2000.
13. Reiman MP, Goode AP, Hegedus EJ, Cook CE, Wright AA. Diagnostic accuracy of clinical tests of the hip: a systematic review with meta-analysis. Br J Sports Med. 2013;47(14):893-902.
14. Kim C, Linsenmeyer KD, Vlad SC, Guermazi A, Clancy MM, Niu J, et al. Prevalence of radiographic and symptomatic hip osteoarthritis in an urban United States community: the Framingham osteoarthritis study. Arthritis Rheumatol. 2014;66(11):3013–7.
15. Nevitt MC, Xu L, Zhang Y, Lui L-Y, Yu W, Lane NE, et al. Very low prevalence of hip osteoarthritis among Chinese elderly in Beijing, China, compared with whites in the United States: the Beijing osteoarthritis study. Arthritis Rheum. 2002;46(7):1773–9.
16. Vina ER, Kwoh CK. Epidemiology of osteoarthritis: literature update. Curr Opin Rheumatol. 2018;30(2):160–7.
17. Vigdorchik JM, Nepple JJ, Eftekhary N, Leunig M, Clohisy JC. What is the association of elite sporting activities with the development of hip osteoarthritis? Am J Sports Med. 2017;45(4):961–4.
18. Alentorn-Geli E, Samuelsson K, Musahl V, Green CL, Bhandari M, Karlsson J. The association of recreational and competitive running with hip and knee osteoarthritis: a systematic review and meta-analysis. J Orthop Sports Phys Ther. 2017;47(6):373–90.
19. Kowalczuk M, Yeung M, Simunovic N, Ayeni OR. Does femoroacetabular impingement contribute to the development of hip osteoarthritis? A systematic review. Sports Med Arthrosc. 2015;23(4):174–9.
20. Murphy NJ, Eyles JP, Hunter DJ. Hip Osteoarthritis: etiopathogenesis and implications for management. Adv Ther. 2016;33(11):1921–46.
21. Lane NE, Brandt K, Hawker G, Peeva E, Schreyer E, Tsuji W, et al. OARSI-FDA initiative: defining the disease state of osteoarthritis. Osteoarthritis Cartilage. 2011;19(5):478–82.
22. Cyriax J. Textbook of orthopaedic medicine: diagnosis of soft tissue lesions. 8th ed. London: Bailliere Tindall; 1983. v. 1.
23. Heerey JJ, Kemp JL, Mosler AB, Jones DM, Pizzari T, Souza RB, et al. What is the prevalence of imaging-defined intra-articular hip pathologies in people with and without pain? A systematic review and meta-analysis. Br J Sports Med. 2018;52(9):581-93.
24. Gay C, Chabaud A, Guilley E, Coudeyre E. Educating patients about the benefits of physical activity and exercise for their hip and knee osteoarthritis. Systematic literature review. Ann Phys Rehabil Med. 2016;59(3):174–83.
25. Bartels EM, Juhl CB, Christensen R, Hagen KB, Danneskiold-Samsøe B, Dagfinrud H, et al. Aquatic exercise for the treatment of knee and hip osteoarthritis. Cochrane Database Syst Rev. 2016;(3):CD005523.
26. Fransen M, McConnell S, Hernandez-Molina G, Reichenbach S. Exercise for osteoarthritis of the hip. Cochrane Database Syst Rev. 2014;(4):CD007912.
27. da Costa BR, Reichenbach S, Keller N, Nartey L, Wandel S, Jüni P, et al. Effectiveness of non-steroidal anti-inflammatory drugs for the treatment of pain in knee and hip osteoarthritis: a network meta-analysis. Lancet. 2017;390(10090):e21–33.
28. Leopoldino AO, Machado GC, Ferreira PH, Pinheiro MB, Day R, McLachlan AJ, et al. Paracetamol versus placebo for knee and hip osteoarthritis. Cochrane Database Syst Rev. 2019;2(2):CD013273.
29. Onakpoya IJ. Paracetamol as first line for treatment of knee and hip osteoarthritis. BMJ Evid Based Med. 2020;25(1):40.
30. Kolasinski SL, Neogi T, Hochberg MC, Oatis C, Guyatt G, Block J, et al. 2019 American College of Rheumatology/Arthritis Foundation Guideline for the Management of Osteoarthritis of the Hand, Hip, and Knee. Arthritis Rheumatol. 2020;72(2):220–33.
31. Derry S, Conaghan P, Da Silva JAP, Wiffen PJ, Moore RA. Topical NSAIDs for chronic musculoskeletal pain in adults. Cochrane Database Syst Rev. 2016;(4):CD007400.
32. Krebs EE, Gravely A, Nugent S, Jensen AC, DeRonne B, Goldsmith ES, et al. Effect of Opioid vs Nonopioid Medications on Pain-Related Function in Patients With Chronic Back Pain or Hip or Knee Osteoarthritis Pain: The SPACE Randomized Clinical Trial. JAMA. 2018;319(9):872–82.
33. Dorleijn DMJ, Luijsterburg PAJ, Reijman M, Kloppenburg M, Verhaar JAN, Bindels PJE, et al. Intramuscular glucocorticoid injection versus placebo injection in hip osteoarthritis: a 12-week blinded randomised controlled trial. Ann Rheum Dis. 2018;77(6):875–82.
34. Wandel S, Juni P, Tendal B, Nuesch E, Villiger PM, Welton NJ, et al. Effects of glucosamine, chondroitin, or placebo in patients with osteoarthritis of hip or knee: network meta-analysis. BMJ. 2010;341:c4675.
35. Fidelix TSA, Macedo CR, Maxwell LJ, Fernandes Moça Trevisani V. Diacerein for osteoarthritis. Cochrane Database Syst Rev. 2014;(2):CD005117.
36. Maheu E, Cadet C, Marty M, Moyse D, Kerloch I, Coste P, et al. Randomised, controlled trial of avocado-soybean unsaponifiable (Piascledine) effect on structure modification in hip osteoarthritis: the ERADIAS study. Ann Rheum Dis. 2014;73(2):376–84.
37. Zhong H-M, Zhao G-F, Lin T, Zhang X-X, Li X-Y, Lin J-F, et al. Intra-Articular Steroid Injection for Patients with Hip Osteoarthritis: A Systematic Review and Meta-Analysis. Biomed Res Int. 2020;2020:6320154.
38. Leite VF, Daud Amadera JE, Buehler AM. Viscosupplementation for Hip Osteoarthritis: a systematic review and meta-analysis of the efficacy on pain and disability, and the occurrence of adverse events. Arch Phys Med Rehabil. 2018;99(3):574–83.e1.

39. Ceballos-Laita L, Jiménez-Del-Barrio S, Marín-Zurdo J, Moreno-Calvo A, Marín-Boné J, Albarova-Corral MI, et al. Effectiveness of dry needling therapy on pain, hip muscle strength, and physical function in patients with hip osteoarthritis: a randomized controlled trial. Arch Phys Med Rehabil. 2021;102(5):959–66.

40. Gademan MGJ, Hofstede SN, Vliet Vlieland TPM, Nelissen RGHH, Marang-van de Mheen PJ. Indication criteria for total hip or knee arthroplasty in osteoarthritis: a state-of-the-science overview. BMC Musculoskelet Disord. 2016;17(1):463.

41. Evans JT, Evans JP, Walker RW, Blom AW, Whitehouse MR, Sayers A. How long does a hip replacement last? A systematic review and meta-analysis of case series and national registry reports with more than 15 years of follow-up. Lancet. 2019;393(10172):647–54.

42. Beswick AD, Wylde V, Gooberman-Hill R, Blom A, Dieppe P. What proportion of patients report long-term pain after total hip or knee replacement for osteoarthritis? A systematic review of prospective studies in unselected patients. BMJ Open. 2012;2(1):e000435.

43. Lungu E, Maftoon S, Vendittoli P-A, Desmeules F. A systematic review of preoperative determinants of patient-reported pain and physical function up to 2 years following primary unilateral total hip arthroplasty. Orthop Traumatol Surg Res. 2016;102(3):397–403.

44. Moya-Angeler J, Gianakos AL, Villa JC, Ni A, Lane JM. Current concepts on osteonecrosis of the femoral head. World J Orthop. 2015;6(8):590–601.

45. Lespasio MJ, Sodhi N, Mont MA. Osteonecrosis of the hip: a primer. Perm J. 2019;23:18-100.

46. Petek D, Hannouche D, Suva D. Osteonecrosis of the femoral head: pathophysiology and current concepts of treatment. EFORT Open Rev. 2019;4(3):85–97.

47. Hauzeur J-P, Malaise M, de Maertelaer V. A prospective cohort study of the clinical presentation of non-traumatic osteonecrosis of the femoral head: spine and knee symptoms as clinical presentation of hip osteonecrosis. Int Orthop. 2016;40(7):1347–51.

48. Zhang Q-Y, Li Z-R, Gao F-Q, Sun W. Pericollapse stage of osteonecrosis of the femoral head: a last chance for joint preservation. Chin Med J. 2018;131(21):2589–98.

49. de Sa D, Hölmich P, Phillips M, Heaven S, Simunovic N, Philippon MJ, et al. Athletic groin pain: a systematic review of surgical diagnoses, investigations and treatment. Br J Sports Med. 2016;50(19):1181–6.

50. Mascarenhas VV, Rego P, Dantas P, Morais F, McWilliams J, Collado D, et al. Imaging prevalence of femoroacetabular impingement in symptomatic patients, athletes, and asymptomatic individuals: A systematic review. Eur J Radiol. 2016;85(1):73–95.

51. Heerey JJ, Kemp JL, Mosler AB, Jones DM, Pizzari T, Scholes MJ, et al. What is the prevalence of hip intra-articular pathologies and osteoarthritis in active athletes with hip and groin pain compared with those without? A systematic review and meta-analysis. Sports Med. 2019;49(6):951–72.

52. Tresch F, Dietrich TJ, Pfirrmann CWA, Sutter R. Hip MRI: Prevalence of articular cartilage defects and labral tears in asymptomatic volunteers. A comparison with a matched population of patients with femoroacetabular impingement. J Magn Reson Imaging. 2017;46(2):440–51.

53. Arirachakaran A, Boonard M, Chaijenkij K, Pituckanotai K, Prommahachai A, Kongtharvonskul J. A systematic review and meta-analysis of diagnostic test of MRA versus MRI for detection superior labrum anterior to posterior lesions type II-VII. Skeletal Radiol. 2017;46(2):149–60.

54. Domayer SE, Ziebarth K, Chan J, Bixby S, Mamisch TC, Kim YJ. Femoroacetabular cam-type impingement: diagnostic sensitivity and specificity of radiographic views compared to radial MRI. Eur J Radiol. 2011;80(3):805–10.

55. Woyski D, Mather RC 3rd. Surgical treatment of labral tears: debridement, repair, reconstruction. Curr Rev Musculoskelet Med. 2019;12(3):291–9.

56. Speers CJ, Bhogal GS. Greater trochanteric pain syndrome: a review of diagnosis and management in general practice. Br J Gen Pract. 2017;67(663):479–80.

57. Koulischer S, Callewier A, Zorman D. Management of greater trochanteric pain syndrome: a systematic review. Acta Orthop Belg. 2017;83(2):205–14.

58. Mallow M, Nazarian LN. Greater trochanteric pain syndrome diagnosis and treatment. Phys Med Rehabil Clin N Am. 2014;25(2):279–89.

59. Brennan KL, Allen BC, Maldonado YM. Dry Needling Versus Cortisone Injection in the Treatment of Greater Trochanteric Pain Syndrome: A Noninferiority Randomized Clinical Trial. J Orthop Sports Phys Ther. 2017;47(4):232–9.

60. Cheatham SW, Kolber MJ, Salamh PA. Meralgia paresthetica: a review of the literature. Int J Sports Phys Ther. 2013;8(6):883–93.

61. Khalil N, Nicotra A, Rakowicz W. Treatment for meralgia paraesthetica. Cochrane Database Syst Rev. 2012;(12):CD004159.

62. Lu VM, Burks SS, Heath RN, Wolde T, Spinner RJ, Levi AD. Meralgia paresthetica treated by injection, decompression, and neurectomy: a systematic review and meta-analysis of pain and operative outcomes. J Neurosurg. 2021;1–11.

63. Sá KN, Baptista AF, Matos MA, Lessa Í. Chronic pain and gender in Salvador population, Brazil. Pain. 2008;139(3):498–506.

64. Vieira EB de M, Garcia JBS, Silva AAM da, Araújo RLTM, Jansen RCS, Bertrand ALX. Chronic pain, associated factors, and impact on daily life: are there differences between the sexes? Cad Saude Publica. 2012;28(8):1459–67.

65. Agaliotis M, Mackey MG, Jan S, Fransen M. Burden of reduced work productivity among people with chronic knee pain: a systematic review. Occup Environ Med. 2014;71(9):651–9.

66. Tandeter HB, Shvartzman P, Stevens MA. Acute knee injuries: use of decision rules for selective radiograph ordering. Am Fam Physician. 1999;60(9):2599–608.

67. Bunt CW, Jonas CE, Chang JG. Knee pain in adults and adolescents: the initial evaluation. Am Fam Physician. 2018;98(9):576–85.

68. Hauser RA. Ligament injury and healing: a review of current clinical diagnostics and therapeutics. Open Rehabilit J. 2013;6:1–20.

69. Cimino F, Volk BS, Setter D. Anterior cruciate ligament injury: diagnosis, management, and prevention. Am Fam Physician. 2010;82(8):917–22.

70. Tuite MJ, Daffner RH, Weissman BN, Bancroft L, Bennett DL, Blebea JS, et al. ACR appropriateness criteria(®) acute trauma to the knee. J Am Coll Radiol. 2012;9(2):96–103.

71. Giesche F, Niederer D, Banzer W, Vogt L. Evidence for the effects of prehabilitation before ACL-reconstruction on return to sport-related and self-reported knee function: A systematic review. PLoS One. 2020;15(10):e0240192.

72. Pedersen M, Grindem H, Johnson JL, Engebretsen L, Axe MJ, Snyder-Mackler L, et al. Clinical, functional, and physical activity outcomes 5 years following the treatment algorithm of the Delaware-Oslo ACL cohort study. J Bone Joint Surg Am. 2021;103(16):1473–81.

73. Goldstein J, Bosco JA 3rd. The ACL-deficient knee: natural history and treatment options. Bull Hosp Jt Dis. 2001;60(3-4):173–8.

74. Frobell RB, Roos HP, Roos EM, Roemer FW, Ranstam J, Lohmander LS. Treatment for acute anterior cruciate ligament tear: five year outcome of randomised trial. BMJ. 2013;346:f232.

75. Décary S, Fallaha M, Frémont P, Martel-Pelletier J, Pelletier J-P, Feldman DE, et al. Diagnostic Validity of Combining History Elements and Physical Examination Tests for Traumatic and Degenerative Symptomatic Meniscal Tears. PM R. 2018;10(5):472–82.

76. Blyth M, Anthony I, Francq B, Brooksbank K, Downie P, Powell A, et al. Diagnostic accuracy of the Thessaly test, standardised clinical history and other clinical examination tests (Apley's, McMurray's and joint line tenderness) for meniscal tears in comparison with magnetic resonance imaging diagnosis. Health Technol Assess. 2015;19(62):1–62.

77. Culvenor AG, Øiestad BE, Hart HF, Stefanik JJ, Guermazi A, Crossley KM. Prevalence of knee osteoarthritis features on magnetic resonance imaging in asymptomatic uninjured adults: a systematic review and meta-analysis. Br J Sports Med. 2019;53(20):1268–78.

78. Gersing AS, Schwaiger BJ, Nevitt MC, Joseph GB, Feuerriegel G, Jungmann PM, et al. Anterior cruciate ligament abnormalities are associated with accelerated progression of knee joint degeneration in knees with and without structural knee joint abnormalities: 96-month data from the Osteoarthritis Initiative. Osteoarthritis Cartilage. 2021;29(7):995–1005.

79. Flowers PPE, Cleveland RJ, Schwartz TA, Nelson AE, Kraus VB, Hillstrom HJ, et al. Association between general joint hypermobility and knee, hip, and lumbar spine osteoarthritis by race: a cross-sectional study. Arthritis Res Ther. 2018;20(1):76.

80. Gullo TR, Golightly YM, Flowers P, Jordan JM, Renner JB, Schwartz TA, et al. Joint hypermobility is not positively associated with prevalent multiple joint osteoarthritis: a cross-sectional study of older adults. BMC Musculoskelet Disord. 2019;20(1):165.

81. Englund M, Guermazi A, Gale D, Hunter DJ, Aliabadi P, Clancy M, et al. Incidental meniscal findings on knee MRI in middle-aged and elderly persons. N Engl J Med. 2008;359(11):1108–15.

82. MacFarlane LA, Yang H, Collins JE, Brophy RH, Cole BJ, Spindler KP, et al. Association between baseline "meniscal symptoms" and outcomes of operative and non-operative treatment of meniscal tear in patients with osteoarthritis. Arthritis Care Res. 2021;10.1002/acr.24588.

83. Abram SGF, Hopewell S, Monk AP, Bayliss LE, Beard DJ, Price AJ. Arthroscopic partial meniscectomy for meniscal tears of the knee: a systematic review and meta-analysis. Br J Sports Med. 2020;54(11):652–63.

84. Smoak JB, Matthews JR, Vinod AV, Kluczynski MA, Bisson LJ. An up-to-date review of the meniscus literature: a systematic summary of systematic reviews and meta-analyses. Orthop J Sports Med. 2020;8(9):2325967120950306.

85. Liu Y, Joseph GB, Foreman SC, Li X, Lane NE, Nevitt MC, et al. Determining a threshold of medial meniscal extrusion for prediction of knee pain and cartilage damage progression over 4 years: data from the osteoarthritis initiative. AJR Am J Roentgenol. 2021;216(5):1318–28.

86. Saltychev M, Dutton RA, Laimi K, Beaupré GS, Virolainen P, Fredericson M. Effectiveness of conservative treatment for patellofemoral pain syndrome: a systematic review and meta-analysis. J Rehabil Med. 2018;50(5):393–401.

87. Rahou-El-Bachiri Y, Navarro-Santana MJ, Gómez-Chiguano GF, Cleland JA, López-de-Uralde-Villanueva I, Fernández-de-Las-Peñas C, et al. Effects of trigger point dry needling for the management of knee pain syndromes: a systematic review and meta-analysis. J Clin Med Res. 2020;9(7):2044.

88. Gaitonde DY, Ericksen A, Robbins RC. Patellofemoral pain syndrome. Am Fam Physician. 2019;99(2):88–94.

89. Barr AJ, Campbell TM, Hopkinson D, Kingsbury SR, Bowes MA, Conaghan PG. A systematic review of the relationship between subchondral bone features, pain and structural pathology in peripheral joint osteoarthritis. Arthritis Res Ther. 2015;17:228.

90. Kemnitz J, Wirth W, Eckstein F, Ruhdorfer A, Culvenor AG. Longitudinal change in thigh muscle strength prior to and concurrent with symptomatic and radiographic knee osteoarthritis progression: data from the Osteoarthritis Initiative. Osteoarthritis Cartilage. 2017;25(10):1633–40.

91. Driban JB, Bannuru RR, Eaton CB, Spector TD, Hart DJ, McAlindon TE, et al. The incidence and characteristics of accelerated knee osteoarthritis among women: the Chingford cohort. BMC Musculoskelet Disord. 2020;21(1):60.

92. Mont MA, Marker DR, Zywiel MG, Carrino JA. Osteonecrosis of the knee and related conditions. J Am Acad Orthop Surg. 2011;19(8):482–94.

93. Zampogna B, Papalia R, Papalia GF, Campi S, Vasta S, Vorini F, et al. The role of physical activity as conservative treatment for hip and knee osteoarthritis in older people: a systematic review and meta-analysis. J Clin Med Res. 2020;9(4):1167.

94. Messier SP, Mihalko SL, Beavers DP, Nicklas BJ, DeVita P, Carr JJ, et al. Effect of high-intensity strength training on knee pain and knee joint compressive forces among adults with knee osteoarthritis: the START randomized clinical trial. JAMA. 2021;325(7):646–57.

95. Hu L, Wang Y, Liu X, Ji X, Ma Y, Man S, et al. Tai Chi exercise can ameliorate physical and mental health of patients with knee osteoarthritis: systematic review and meta-analysis. Clin Rehabil. 2021;35(1):64–79.

96. Yan J-H, Gu W-J, Sun J, Zhang W-X, Li B-W, Pan L. Efficacy of Tai Chi on pain, stiffness and function in patients with osteoarthritis: a meta-analysis. PLoS One. 2013;8(4):e61672.

97. Goff AJ, De Oliveira Silva D, Merolli M, Bell EC, Crossley KM, Barton CJ. Patient education improves pain and function in people with knee osteoarthritis with better effects when combined with exercise therapy: a systematic review. J Physiother. 2021;67(3):177–89.

98. Mazzei DR, Ademola A, Abbott JH, Sajobi T, Hildebrand K, Marshall DA. Are education, exercise and diet interventions a cost-effective treatment to manage hip and knee osteoarthritis? A systematic review. Osteoarthritis Cartilage. 2021;29(4):456–70.

99. Jönsson T, Eek F, Dell'Isola A, Dahlberg LE, Ekvall Hansson E. The Better Management of Patients with Osteoarthritis Program: Outcomes after evidence-based education and exercise delivered nationwide in Sweden. PLoS One. 2019;14(9):e0222657.

100. Kraus VB, Sprow K, Powell KE, Buchner D, Bloodgood B, Piercy K, et al. Effects of Physical Activity in Knee and Hip Osteoarthritis: A Systematic Umbrella Review. Med Sci Sports Exerc. 2019;51(6):1324–39.

101. Smith MT, Finan PH, Buenaver LF, Robinson M, Haque U, Quain A, et al. Cognitive-behavioral therapy for insomnia in knee osteoarthritis: a randomized, double-blind, active placebo-controlled clinical trial. Arthritis Rheumatol. 2015;67(5):1221–33.

102. Selvanathan J, Pham C, Nagappa M, Peng PWH, Englesakis M, Espie CA, et al. Cognitive behavioral therapy for insomnia in patients with chronic pain – A systematic review and meta-analysis of randomized controlled trials. Sleep Med Rev. 2021;60:101460.

103. Brosseau L, Yonge KA, Robinson V, Marchand S, Judd M, Wells G, et al. Thermotherapy for treatment of osteoarthritis. Cochrane Database Syst Rev. 2003;(4):CD004522.

104. Dantas LO, Moreira R de FC, Norde FM, Mendes Silva Serrao PR, Alburquerque-Sendín F, Salvini TF. The effects of cryotherapy on pain and function in individuals with knee osteoarthritis: a systematic review of randomized controlled trials. Clin Rehabil. 2019;33(8):1310–9.

105. Karadağ S, Taşci S, Doğan N, Demir H, Kiliç Z. Application of heat and a home exercise program for pain and function levels in patients with knee osteoarthritis: A randomized controlled trial. Int J Nurs Pract. 2019;25(5):e12772.

106. Zeng C, Li H, Yang T, Deng Z-H, Yang Y, Zhang Y, et al. Electrical stimulation for pain relief in knee osteoarthritis: systematic review and network meta-analysis. Osteoarthritis Cartilage. 2015;23(2):189–202.

107. Li S, Xie P, Liang Z, Huang W, Huang Z, Ou J, et al. Efficacy comparison of five different acupuncture methods on pain, stiffness, and function in osteoarthritis of the knee: a network meta-analysis. Evid Based Complement Alternat Med. 2018;2018:1638904.

108. Chen N, Wang J, Mucelli A, Zhang X, Wang C. Electro-acupuncture is beneficial for knee osteoarthritis: the evidence from meta-analysis of randomized controlled trials. Am J Chin Med. 2017;45(5):965–85.

109. Gregori D, Giacovelli G, Minto C, Barbetta B, Gualtieri F, Azzolina D, et al. Association of pharmacological treatments with long-term pain control in patients with knee osteoarthritis: a systematic review and meta-analysis. JAMA. 2018;320(24):2564–79.

110. Li Y, Argáez C. Codeine for pain related to osteoarthritis of the knee and hip: a review of clinical effectiveness. Ottawa: Canadian Agency for Drugs and Technologies in Health; 2021.

111. Altman RD, Aven A, Holmburg CE, Pfeifer LM, Sack M, Young GT. Capsaicin cream 0.025% as monotherapy for osteoarthritis: a double-blind study. Semin Arthritis Rheum. 1994;23(6):25–33.

112. Saltychev M, Mattie R, McCormick Z, Laimi K. The magnitude and duration of the effect of intra-articular corticosteroid injections on pain severity in knee osteoarthritis: a systematic review and meta-analysis. Am J Phys Med Rehabil. 2020;99(7):617–25.

113. van Middelkoop M, Arden NK, Atchia I, Birrell F, Chao J, Rezende MU, et al. The OA Trial Bank: meta-analysis of individual patient data from knee and hip osteoarthritis trials show that patients with severe pain exhibit greater benefit from intra-articular glucocorticoids. Osteoarthritis Cartilage. 2016;24(7):1143–52.

114. Zeng C, Lane NE, Hunter DJ, Wei J, Choi HK, McAlindon TE, et al. Intra-articular corticosteroids and the risk of knee osteoarthritis progression: results from the Osteoarthritis Initiative. Osteoarthritis Cartilage. 2019;27(6):855–62.

115. Wijn SRW, Rovers MM, van Tienen TG, Hannink G. Intra-articular corticosteroid injections increase the risk of requiring knee arthroplasty. Bone Joint J. 2020;102-B(5):586–92.

116. Enteshari-Moghaddam A, Isazadehfar K, Habibzadeh A, Hemmati M. Efficacy of Methotrexate on Pain Severity Reduction and Improvement of Quality of Life in Patients with Moderate to Severe Knee Osteoarthritis. Anesth Pain Med. 2019;9(3):e89990.

117. Circi E, Atalay Y, Beyzadeoglu T. Treatment of Osgood-Schlatter disease: review of the literature. Musculoskelet Surg. 2017;101(3):195–200.

118. Smith JM, Varacallo M. Osgood Schlatter Disease [Internet]. Treasure Island: StatPearls; 2021[capturado em: 11 out. 2021]. Disponível em: https://www.ncbi.nlm.nih.gov/books/NBK441995/

119. Ladenhauf HN, Seitlinger G, Green DW. Osgood-Schlatter disease: a 2020 update of a common knee condition in children. Curr Opin Pediatr. 2020;32(1):107–12.

120. Alazzawi S, Sukeik M, King D, Vemulapalli K. Foot and ankle history and clinical examination: A guide to everyday practice. World J Orthop. 2017;8(1):21–9.

121. Tu P, Bytomski JR. Diagnosis of heel pain. Am Fam Physician. 2011;84(8):909-16.

122. Hallegraeff JM, van der Schans CP, de Ruiter R, de Greef MHG. Stretching before sleep reduces the frequency and severity of nocturnal leg cramps in older adults: a randomised trial. J Physiother. 2012;58(1):17–22.

123. Kim D-H, Yoon DM, Yoon KB. The effects of myofascial trigger point injections on nocturnal calf cramps. J Am Board Fam Med. 2015;28(1):21–7.

124. Abd-Elsalam S, Ebrahim S, Soliman S, Alkhalawany W, Elfert A, Hawash N, et al. Orphenadrine in treatment of muscle cramps in cirrhotic patients: a randomized study. Eur J Gastroenterol Hepatol. 2020;32(8):1042–5.

125. Luo L, Zhou K, Zhang J, Xu L, Yin W. Interventions for leg cramps in pregnancy. Cochrane Database Syst Rev. 2020;12(12):CD010655.

126. Herzberg J, Stevermer J. Treatments for nocturnal leg cramps. Am Fam Physician. 2017;96(7).

127. Garrison SR, Korownyk CS, Kolber MR, Allan GM, Musini VM, Sekhon RK, et al. Magnesium for skeletal muscle cramps. Cochrane Database Syst Rev. 2020;9(9):CD009402.

128. Hawke F, Sadler SG, Katzberg HD, Pourkazemi F, Chuter V, Burns J. Non-drug therapies for the secondary prevention of lower limb muscle cramps. Cochrane Database Syst Rev. 2021;5(5):CD008496.

129. Murphy MC, Travers MJ, Chivers P, Debenham JR, Docking SI, Rio EK, et al. Efficacy of heavy eccentric calf training for treating mid-portion Achilles tendinopathy: a systematic review and meta-analysis. Br J Sports Med. 2019;53(17):1070–7.

130. Rhim HC, Kim MS, Choi S, Tenforde AS. Comparative efficacy and tolerability of nonsurgical therapies for the treatment of midportion achilles tendinopathy: a systematic review with network meta-analysis. Orthop J Sports Med. 2020;8(7):2325967120930567.

131. Siriphorn A, Eksakulkla S. Calf stretching and plantar fascia-specific stretching for plantar fasciitis: A systematic review and meta-analysis. J Bodyw Mov Ther. 2020;24(4):222–32.

132. Trojian T, Tucker AK. Plantar fasciitis. Am Fam Physician. 2019;99(12):744–50.

133. Grice J, Marsland D, Smith G, Calder J. Efficacy of foot and ankle corticosteroid injections. Foot Ankle Int. 2017;38(1):8–13.

134. Chen C-M, Lee M, Lin C-H, Chang C-H, Lin C-H. Comparative efficacy of corticosteroid injection and non-invasive treatments for plantar fasciitis: a systematic review and meta-analysis. Sci Rep. 2018;8(1):4033.

135. Al-Boloushi Z, López-Royo MP, Arian M, Gómez-Trullén EM, Herrero P. Minimally invasive non-surgical management of plantar fasciitis: A systematic review. J Bodyw Mov Ther. 2019;23(1):122–37.

136. Vulcano E, Deland JT, Ellis SJ. Approach and treatment of the adult acquired flatfoot deformity. Curr Rev Musculoskelet Med. 2013;6(4):294–303.

137. Ross MH, Smith MD, Mellor R, Vicenzino B. Exercise for posterior tibial tendon dysfunction: a systematic review of randomised clinical trials and clinical guidelines. BMJ Open Sport Exerc Med. 2018;4(1):e000430.

138. Hurn SE, Matthews BG, Munteanu SE, Menz HB. Effectiveness of non-surgical interventions for hallux valgus: a systematic review and meta-analysis. Arthritis Care Res. 2021.

139. Simons DG, Travell JG, Simons LS. Travell & Simons' myofascial pain and dysfunction: upper half of body. 2nd ed. Baltimore: Lippincott Williams & Wilkins; 1999. 1038 p. v. 1.

140. Walker AK, Harris TG. The role of first ray insufficiency in the development of metatarsalgia. Foot Ankle Clin. 2019;24(4):641–8.

141. Valisena S, Petri GJ, Ferrero A. Treatment of Morton's neuroma: a systematic review. Foot Ankle Surg. 2018;24(4):271–81.

## LEITURAS RECOMENDADAS

Al Nezari NH, Schneiders AG, Hendrick PA. Neurological examination of the peripheral nervous system to diagnose lumbar spinal disc herniation with suspected radiculopathy: a systematic review and meta-analysis. Spine J. 2013;13(6):657-74.

Derry S, Wiffen PJ, Kalso EA, Bell RF, Aldington D, Phillips T, et al. Topical analgesics for acute and chronic pain in adults – an overview of Cochrane Reviews. Cochrane Database Syst Rev. 2017;5(5):CD008609.

Hartvigsen L, Hestbaek L, Lebouef-Yde C, Vach W, Kongsted A. Leg pain location and neurological signs relate to outcomes in primary care patients with low back pain. BMC Musculoskelet Disord. 2017;18(1):133.

Kigozi J, Konstantinou K, Ogollah R, Dunn K, Martyn L, Jowett S. Factors associated with costs and health outcomes in patients with Back and leg pain in primary care: a prospective cohort analysis. BMC Health Serv Res. 2019;19(1):406.

Kongsted A, Kent P, Albert H, Jensen TS, Manniche C. Patients with low back pain differ from those who also have leg pain or signs of nerve root involvement – a cross-sectional study. BMC Musculoskelet Disord. 2012;13:236.

Poulsen E, Overgaard S, Vestergaard JT, Christensen HW, Hartvigsen J. Pain distribution in primary care patients with hip osteoarthritis. Fam Pract. 2016;33(6):601-6.

Stynes S, Konstantinou K, Dunn KM. Classification of patients with low back-related leg pain: a systematic review. BMC Musculoskelet Disord. 2016;17:226.

# Capítulo 192
## PROBLEMAS MUSCULOESQUELÉTICOS EM CRIANÇAS E ADOLESCENTES

Sandra Helena Machado
Ilóite M. Scheibel
Sergio Roberto Canarim Danesi

As queixas musculoesqueléticas em crianças e adolescentes são muito comuns, ocorrendo em cerca de 25% da população dessa faixa etária (2-18 anos). Em grande parte, essas queixas são recorrentes e muitas vezes não são corretamente valorizadas pelo médico.[1-3] Muitas dessas crianças/adolescentes não têm uma causa ou processo patológico facilmente identificável que facilite o diagnóstico. A dor musculoesquelética de evolução aguda ou crônica é causa frequente de visita aos serviços de saúde e pode gerar desgaste emocional na criança/adolescente e em seus familiares, causando um impacto negativo tanto em seu bem-estar físico como psicológico.[2]

O objetivo primário no manejo das queixas musculoesqueléticas na população infanto-juvenil é seu diagnóstico diferencial. É importante que o clínico avalie se o processo é agudo ou crônico, se o crescimento e desenvolvimento da criança/adolescente estão afetados, se os sintomas são localizados ou difusos e se existe envolvimento sistêmico (p. ex., febre, anorexia, perda de peso).

## DIAGNÓSTICO DIFERENCIAL E MANEJO DA DOR MUSCULOESQUELÉTICA

A dor é a expressão de uma sensação desagradável associada ou não a danos teciduais. Na maioria dos casos, a dor reflete algum problema de ordem emocional, sendo comum haver mudança do local da queixa ao longo da evolução e do acompanhamento da criança. A dificuldade na caracterização da dor, como na localização e na intensidade, pode gerar ainda mais ansiedade, sobretudo nas crianças menores.

As crianças que apresentam sintomas crônicos devem ser avaliadas cuidadosamente para que seja descartada a possibilidade de doenças orgânicas graves, como neoplasias. É importante lembrar que crianças não são pequenos adultos e que apresentam diferenças individuais na sensibilidade e na tolerância à dor.

Alguns estudos mostram que 35 a 45% das crianças podem apresentar dor musculoesquelética de origem benigna na infância.[4,5] Destas, cerca de 10% podem estar relacionadas com alguma patologia crônica da infância. A dor musculoesquelética pode ser a primeira queixa em cerca de 50% das neoplasias na infância, entre elas as leucemias e os tumores musculoesqueléticos.[5,6] As causas mais comuns de dor musculoesquelética estão apresentadas de acordo com a faixa etária na TABELA 192.1 e com a região anatômica acometida na TABELA 192.2.[1]

## Avaliação inicial da dor

**A anamnese e o exame físico minuciosos são fundamentais e, muitas vezes, são necessárias várias consultas para elucidação diagnóstica.**

Deve-se evitar um comportamento conservador em demasia, levando ao retardo no diagnóstico. Uma vez excluídas causas mais graves, o clínico poderá planejar um tratamento que permita a reabilitação da criança.

### Anamnese

**O primeiro passo é tentar categorizar se a dor é aguda ou crônica (evolução menor ou maior que 6 semanas, respectivamente), difusa ou localizada, se é uma dor de característica "benigna" ou não (TABELA 192.3),[7] a fim de excluir doenças subjacentes, como artrite idiopática juvenil, leucemia, lúpus eritematoso sistêmico (LES) e tumores ósseos.**

A TABELA 192.4 exemplifica as questões relativas à anamnese e que poderão ajudar no diagnóstico diferencial e no manejo inicial.[1-3,6,8]

### Exame físico

Deve ser realizado não somente o exame do sistema musculoesquelético, mas também dos outros sistemas (ausculta cardíaca e pulmonar, palpação abdominal, avaliação dos olhos, dos ouvidos e da orofaringe e exame da pele), além da avaliação do crescimento e do desenvolvimento da criança

**TABELA 192.1** → Causas mais comuns de dor musculoesquelética na infância e na adolescência (de acordo com a faixa etária)

| PRÉ-ESCOLARES (3-6 ANOS) |
|---|
| → Mecânicas (trauma e lesões não acidentais) |
| → Infecção (artrite séptica, osteomielite) |
| → Congênitas (distúrbios do desenvolvimento; p. ex., displasia do quadril) |
| → Neurológicas (paralisia cerebral) |
| → Neoplasias (leucemia, neuroblastoma) |
| → Artrite idiopática juvenil |
| **ESCOLARES (6-11 ANOS)** |
| → Traumas/excesso de uso (esportes) |
| → Doença de Legg-Calvé-Perthes |
| → Sinovite transitória do quadril |
| → Artrite reacional |
| → Infecção (artrite séptica, osteomielite) |
| → Neoplasias |
| → Artrite idiopática juvenil |
| **PRÉ-ADOLESCENTES E ADOLESCENTES (> 11 ANOS)** |
| → Traumas/excesso de uso (esportes) |
| → Epifisiólise |
| → Infecção (artrite séptica, osteoartrite) |
| → Osteocondrite dissecante |
| → Osteocondroses |
| → Neoplasias (leucemia, linfoma, tumor ósseo primário) |
| → Artrite idiopática juvenil |

**TABELA 192.2** → Causas de dor musculoesquelética em crianças e adolescentes (de acordo com a região anatômica)

### QUADRIL DOLOROSO
- → Doença de Legg-Calvé-Perthes
- → Epifisiólise proximal do fêmur
- → Sinovite transitória do quadril

### DOR NOS JOELHOS
**Causas mecânicas**
- → Trauma/lesões do excesso de uso
- → Síndrome patelofemoral
- → Doença de Osgood-Schlatter
- → Lesões do menisco
- → Osteocondrite dissecante

**Causas infecciosas**
- → Viral e pós-viral
- → Infecções bacterianas
- → Infecções por micobactérias

**Causas inflamatórias**
- → Artrite idiopática juvenil
- → Doença inflamatória intestinal
- → Osteomielite recorrente crônica multifocal

**Miscelânea**
- → Tumores benignos e malignos
- → Displasias ósseas
- → Dor referida

### DOR NAS COSTAS
- → Postural
- → Escoliose
- → Espondilolisteses
- → Doença de Scheuermann
- → Espondiloartrites
- → Tumores

### PÉS
- → Pés planos
- → Doença de Sever (osteocondrite)
- → Doença de Köhler
- → Joanetes
- → Trauma
- → Artrite idiopática juvenil

### SÍNDROMES DE AMPLIFICAÇÃO DA DOR
- → "Dor em membros"
- → Síndrome da hipermobilidade
- → Fibromialgia juvenil
- → Distrofia simpático-reflexa

---

**TABELA 192.3** → Características da dor musculoesquelética em crianças e adolescentes (distinção entre dor de característica benigna e dor não benigna)

| DOR DE CARACTERÍSTICA BENIGNA | DOR NÃO BENIGNA (CAUSAS GRAVES) |
|---|---|
| Dor alivia com repouso e piora com atividade | Dor é aliviada, mas está presente no repouso |
| Dor no final do dia | Dor e rigidez matinal |
| Dor noturna aliviada com analgésicos simples e/ou massagem nas áreas afetadas | Dor noturna que não alivia com analgésicos simples |
| Sem achado de edema e calor articular | Pode haver edema e calor articular |
| Hipermobilidade articular | Achado de rigidez articular |
| Ausência de sensibilidade óssea | Sensibilidade óssea |
| Força preservada | Fraqueza muscular |
| Crescimento normal | Atraso no crescimento, perda de peso |
| Ausência de sintomas constitucionais | Sintomas constitucionais presentes: febre, mal-estar, anorexia |
| Exames laboratoriais normais (hemograma, VHS, proteína C-reativa) | Hemograma anormal (anemia, leucocitose) Aumento de proteína C-reativa ou VHS |
| Radiologia normal | Alterações radiológicas: osteopenia, edema de tecidos moles, erosões, elevação do periósteo, lesões líticas |

VHS, velocidade de hemossedimentação.
Fonte: Adaptada de Malleson e Beauchamp.[7]

- → movimentos de extensão e flexão articulares;
- → tônus e força muscular.

Deve-se observar o comportamento da criança durante o exame. Apresenta fácies de dor ou é indiferente? Tem sensibilidade exacerbada ao toque? Há alteração na cor e na temperatura das extremidades? Há reforço familiar para a dor durante o exame? Há inconsistência no exame?

O achado de linfadenomegalias ou hepatoesplenomegalia pode estar associado a neoplasias ou doenças inflamatórias sistêmicas (LES, artrite idiopática juvenil sistêmica).

**TABELA 192.4** → Aspectos importantes na anamnese inicial de criança/adolescente com dor musculoesquelética

| ASPECTO | CARACTERÍSTICAS |
|---|---|
| Início da dor | → Tempo de início<br>→ Causa: infecção, trauma, cirurgia<br>→ Modo de início: súbito?<br>→ Fatores precipitantes |
| Características da dor | → Horários preferenciais (tempo e duração)<br>→ Fatores provocativos<br>→ Fatores paliativos (mecanismos físicos, medicamentos)<br>→ Comportamento ao longo do dia |
| Intensidade e gravidade da dor | → Afeta as atividades normais da criança?<br>→ Falta à escola?<br>→ Atividade nos momentos interdor<br>→ Alteração do sono<br>→ Alteração do humor |
| Envolvimento sistêmico concomitante | → Febre, anorexia, perda de peso, vômitos<br>→ Fadiga extrema<br>→ Perda de força<br>→ Outras dores concomitantes: cefaleia, dor abdominal |
| História familiar | → Dor crônica em familiares próximos<br>→ Separação dos pais<br>→ História de depressão em familiares |

ou do adolescente. Seu objetivo é excluir doenças graves, como infecções, lesões traumáticas (p. ex., maus-tratos) e doenças oncológicas.[1-4,6,8]

O atendimento clínico da criança deve ser amigável, e o profissional de saúde deve tentar estabelecer desde o início da consulta uma relação de harmonia com ela. A avaliação física das crianças menores deve iniciar quando começa a consulta, observando-se a maneira como entram no consultório: se no colo ou caminhando, seu aspecto geral e o comportamento durante a anamnese. Nem sempre o exame físico pode ser realizado na primeira consulta.[4]

O exame musculoesquelético deve incluir movimentos passivos e ativos:
- → inspeção e palpação de articulações, músculos, tendões e ênteses;

*Rashes* de pele são encontrados na vasculite por IgA (púrpura de Henoch-Schönlein), no LES, na artrite idiopática juvenil sistêmica e na dermatopolimiosite.[1]

Na TABELA 192.5, estão relacionados alguns achados do exame físico associados às doenças de maior gravidade nessa faixa etária.

### Investigação laboratorial

Alguns exames laboratoriais podem ser úteis, dependendo dos achados da anamnese e do exame físico. Os exames laboratoriais e radiológicos podem ajudar a confirmar o diagnóstico em uma criança com alta probabilidade de apresentar doença inflamatória, e podem excluir quadros de infecção e malignidade (TABELA 192.6).

**Hemograma completo, velocidade de hemossedimentação (VHS) e proteína C-reativa (marcadores da resposta inflamatória) normais reduzem a chance de a criança apresentar doença inflamatória, neoplasias ou infecções. A solicitação de fator antinuclear (FAN), fator reumatoide (FR) e antiestreptolisina O (ASLO) na maioria das vezes é desnecessária, e só deve ser feita se houver suspeita clínica a partir da história e do exame físico completos.**

Um FAN positivo pode sugerir a presença de doença reumática sistêmica ou de outras doenças autoimunes. No entanto, deve ser levado em conta o título e o padrão da imunofluorescência, pois um percentual significativo de crianças hígidas poderá apresentar um exame falso-positivo.[4] A maioria dos pacientes com doença autoimune apresenta títulos de FAN de moderado (1/160 e 1/320) a elevado (> 1/640). Títulos de 1/40 e 1/80 são encontrados em crianças hígidas.[9] Da mesma forma, o FR também tem pouco valor,

**TABELA 192.5** → Anormalidades no exame físico associadas a problemas musculoesqueléticos de maior gravidade em crianças e adolescentes

| ACHADOS | CONSIDERAR |
|---|---|
| Artrite (edema, calor, dor) | → Artrite idiopática juvenil<br>→ Febre reumática aguda<br>→ LES<br>→ Púrpura de Henoch-Schönlein<br>→ Artrite reativa<br>→ Neoplasia |
| Artrite + vermelhidão | → Infecção<br>→ Artrite reativa<br>→ Neoplasia |
| Hipermobilidade | → Síndrome da hipermobilidade benigna<br>→ Síndrome de Marfan<br>→ Síndrome de Ehlers-Danlos |
| Rash | → LES (fotossensibilidade, *rash* malar)<br>→ Artrite idiopática juvenil sistêmica<br>→ Púrpura de Henoch-Schönlein<br>→ Dermatopolimiosite (pápulas de Gottron)<br>→ Febre reumática aguda (*eritema marginatum*) |
| Linfadenomegalia<br>Hepatoesplenomegalia | → Leucemia<br>→ Artrite idiopática juvenil sistêmica<br>→ LES |

LES, lúpus eritematoso sistêmico.

**TABELA 192.6** → Alterações laboratoriais e radiológicas no diagnóstico dos problemas musculoesqueléticos

| EXAME | RESULTADO ANORMAL | CONDIÇÃO ASSOCIADA |
|---|---|---|
| Hemograma | → Leucocitose ou trombocitose<br>→ Citopenias (anemia, leucopenia, plaquetopenia) | → Inflamação, infecção<br>→ LES, neoplasias |
| VHS<br>Proteína C-reativa | → Elevadas | → Inflamação, infecção<br>→ Neoplasias |
| FAN | → Positivo (> 1:320) | → LES, AIJ |
| Radiografia | → Fraturas<br>→ Osteopenia, lesões osteolíticas, erosões | → Traumas<br>→ Neoplasias<br>→ AIJ |
| RM, TC | → Inflamações periarticulares | → Tumores, AIJ |
| Ecocardiografia | → Pericardite<br>→ Cardite | → LES, AIJ sistêmica<br>→ Febre reumática |

AIJ, artrite idiopática juvenil; FAN, fator antinuclear; LES, lúpus eritematoso sistêmico; RM, ressonância magnética; TC, tomografia computadorizada; VHS, velocidade de hemossedimentação.

pois raras vezes é positivo em crianças e só deve ser solicitado na suspeita de artrite idiopática juvenil. A ASLO somente deve ser valorizada no diagnóstico de febre reumática aguda se a criança preencher os critérios diagnósticos de Jones (ver Capítulo Febre Reumática e Prevenção de Endocardite Infecciosa).[8]

**Uma radiografia pode ser solicitada para excluir fraturas e algumas neoplasias, principalmente em crianças com história não esclarecedora e achados anormais ao exame físico.**

O achado de radiografias normais exclui fraturas e algumas neoplasias ósseas. Outros exames de imagem podem ajudar no diagnóstico, como a ressonância magnética (RM), que apresenta boa sensibilidade aos processos inflamatórios, mas seu custo-benefício deve ser bem avaliado.[4] A tomografia computadorizada (TC) e a RM são exames úteis para caracterizar a patologia em articulações profundas e de difícil exame clínico (p. ex., quadril, sacroilíacas). Na suspeita de febre reumática aguda, deve-se considerar a obtenção de ecocardiograma para exclusão de cardite (ver TABELA 192.6)[4] (ver Capítulo Febre Reumática e Prevenção de Endocardite Infecciosa).

### Manejo

Ao ser identificada uma causa para a dor, esta deve ser pronta e adequadamente tratada. A primeira conduta diante da criança com dor crônica sem achados de doença orgânica consiste em tranquilizar a própria criança e os familiares. É importante orientar os pais que, embora a criança não apresente uma doença específica, a dor é real e pode ser uma forma de ela exteriorizar seus conflitos, temores ou situações de ansiedade. As dores, nesse caso, estão relacionadas a uma condição benigna e tendem a ter curso autolimitado. Exercícios de relaxamento e a prática de esportes podem ser úteis. O uso de analgésicos deve ser reservado para dores intensas e de difícil controle.

# SÍNDROMES DA AMPLIFICAÇÃO DA DOR (SÍNDROMES DA DOR NÃO INFLAMATÓRIA)

Existe um grupo de causas de dores musculoesqueléticas crônicas, geralmente intensas e que não são acompanhadas por manifestações sistêmicas, com exame físico normal e sem alterações radiológicas e laboratoriais. Para o diagnóstico desse tipo de dor, é preciso sua presença por pelo menos 1 mês, se a dor for localizada, ou por 3 meses nos casos de dor difusa. Não é incomum a dor iniciar em uma área do corpo e irradiar para outra área. Esse tipo de dor pode estar associado a fatores emocionais, como hipervigilância e fadiga crônica.[10]

## Síndrome da hipermobilidade articular

Cerca de 75% das crianças com hipermobilidade terão dores musculoesqueléticas difusas. A prevalência entre as meninas é de aproximadamente 20%, e 10% entre os meninos antes ou durante a adolescência. Acomete principalmente crianças com idade > 5 anos e caracteriza-se por dores musculoesqueléticas associadas à hipermobilidade articular generalizada, mas não associada a alterações congênitas. Essa condição está associada à artralgia em membros inferiores, a dores nas porções anteriores dos joelhos e a dores nas costas. As dores costumam ser difusas, mas podem ser periarticulares ou articulares localizadas. A queixa é mais frequente após os exercícios e alivia com o repouso.

A síndrome da hipermobilidade articular é diagnosticada a partir da história de dor crônica musculoesquelética, associada a alterações no exame físico, compatíveis com mobilidade articular exagerada. Os critérios de Carter e Wilkinson modificados por Beighton são fáceis de aplicar e atualmente aceitos para o diagnóstico de hipermobilidade (TABELA 192.7). A presença de 5 ou mais critérios faz o diagnóstico de hipermobilidade.[4,11,12]

As crianças com hipermobilidade apresentam ótimo desempenho em atividades físicas que requerem amplitude de movimentos, mas têm história de quedas frequentes. Muitas crianças com hipermobilidade não apresentam queixas dolorosas.[10]

O tratamento é conservador. É importante tranquilizar os pais e a criança sobre a benignidade da síndrome, e que não acarretará maiores consequências para o futuro da criança, evitando investigações e tratamentos desnecessários. Nas situações dolorosas, podem ser utilizados analgésicos comuns, como paracetamol C/D, e tratamento com exercícios isométricos, treinamento de propriocepção e minimização de alongamento C/D. Em casos extremos, podem ser usados anti-inflamatórios não esteroides (AINEs), como ibuprofeno ou naproxeno, por curto período C/D. Podem ser orientados esportes de baixo impacto, como natação C/D.[11-13]

## Dor em membros (dores do crescimento)

São também chamadas de dor em membro noturna benigna da infância. São mais comuns que as dores de origem inflamatória. Ocorrem em 3 a 47% das crianças entre 3 e 12 anos de idade. Caracteristicamente, são dores recorrentes, intensas, sobretudo em membros inferiores, bilaterais, mas não necessariamente no mesmo momento, não articulares, relacionadas, na maioria das vezes, ao uso excessivo das pernas nas atividades diárias da criança[5] (TABELA 192.8). Ocorrem no final da tarde ou podem acordar a criança no meio da noite. Em geral, são localizadas nos membros inferiores, nas panturrilhas, nas coxas ou na superfície anterior das tíbias.[4] Podem durar minutos a horas. No dia seguinte, a criança desperta sem dor, realizando todas as suas atividades normais. Não está associada a outras doenças e melhora espontaneamente com a idade. Não se identificou etiologia; no entanto, estudos observaram que essas crianças tendem a apresentar hipermobilidade em 20% das vezes e baixo limiar para dor. Pode acompanhar outras queixas de dor, como cefaleia, dor abdominal e dor nas costas.[1,4,5]

O exame físico deve ser normal, sem alteração à inspeção, à palpação e à mobilização das pernas. Exames laboratoriais serão solicitados se houver dúvida na avaliação clínica, com achados não característicos.

O manejo mais importante é a tranquilização da família acerca da inexistência de doença orgânica e do curso benigno e limitado do quadro.[14] As dores tendem a reduzir gradualmente, cessando em 1 a 2 anos, mas podem estender-se até a adolescência. Em geral, a dor melhora com massagens e alongamento; contudo, em casos mais severos e prolongados, pode-se prescrever analgésicos simples ou AINEs C/D.[5,15]

A atividade física focada no fortalecimento muscular pode ser benéfica, uma vez que sua etiologia pode estar relacionada com a fadiga muscular.[14]

## Síndrome da dor idiopática difusa (fibromialgia juvenil)

O termo "síndrome de dor idiopática difusa" é atualmente utilizado para descrever síndromes de dor crônica sem

**TABELA 192.7** → Critérios de Carter e Wilkinson modificados por Beighton para diagnóstico de hipermobilidade

| ITEM | ESCORE |
|---|---|
| Hiperextensão do 5º dedo em ângulo > 90 graus | 2 |
| Aproximação passiva do polegar sobre a região anterior do antebraço até encostá-lo | 2 |
| Hiperextensão dos cotovelos em ângulo > 10 graus | 2 |
| Hiperextensão dos joelhos em ângulo > 10 graus | 2 |
| Flexão da coluna, mantendo os joelhos estendidos, até encostar as palmas das mãos no chão | 1 |

**TABELA 192.8** → Características das dores do crescimento

- → Idade entre 3-11 anos
- → A dor nunca se apresenta no início do dia ou após acordar
- → A dor é simétrica
- → A marcha não é afetada
- → O exame físico é normal (o achado de hipermobilidade é comum)
- → A atividade física não é limitada pelos sintomas
- → A criança sistemicamente está bem
- → O desenvolvimento motor é normal

diagnóstico preciso, como fibromialgia, síndrome de dor regional complexa ou dor musculoesquelética complexa.[16-19]

A prevalência dessa síndrome na população pediátrica não é bem definida; estima-se que 1 a 6% das crianças apresentem fibromialgia.[17] Esses quadros são mais comumente vistos em crianças mais velhas e adolescentes do sexo feminino. Em crianças e adolescentes com a síndrome, os sinais de dor são intensificados; assim, estímulos levemente dolorosos ou não dolorosos são registrados pelo corpo como muito dolorosos. Isso leva a tentativas de evitar a dor, levando à incapacidade funcional. Costumam estar debilitadas por sua dor e fadiga e por distúrbios do sono. Sintomas dolorosos estão presentes durante o dia, e os pacientes frequentemente faltam às atividades escolares. A dor pode ser extrema e incapacitante e, quando perguntada, a criança frequentemente gradua sua dor no lado máximo da escala visual analógica (EVA) de dor. O início da dor em geral é gradual. Pode ter havido um insulto desencadeante, como um trauma, mas frequentemente o paciente não sabe precisar o tempo de existência da dor.

As queixas dolorosas podem estar presentes em uma mesma família por muitas gerações, podendo estar relacionadas com mecanismos genéticos, ambientais e comportamentais. O mecanismo de gatilho para o início do processo doloroso crônico pode estar ligado a diversos fatores, como esforços repetitivos, pós-trauma, pós-cirúrgicos, processos infecciosos, artrite idiopática juvenil ou fatores psicológicos (vivência com dor crônica, perdas familiares, separação dos pais).[18,19]

O diagnóstico de fibromialgia é clínico, baseado em uma história clínica e exame físico detalhados. Em geral, não é reconhecida precocemente pelos profissionais de saúde, podendo haver atraso no início do tratamento.[13,19] Baseia-se na pesquisa dos pontos dolorosos padronizados associados a uma história detalhada da dor, história médica pregressa, alterações no sono, no humor e na atividade escolar. Os critérios de Yunus e Masi (1985), embora nunca tenham sido validados, são os utilizados para o diagnóstico de fibromialgia juvenil pela maioria dos reumatologistas pediátricos[19] (TABELA 192.9). De acordo com esses critérios, a fibromialgia em crianças é diagnosticada quando todos os principais critérios maiores são atendidos, mais 3 dos critérios menores, ou quando houver 4 pontos sensíveis e 5 critérios menores estiverem presentes.

Os critérios para adultos redefinidos pelo American College of Rheumatology (ACR) em 2010/2011, nos quais os pontos-gatilho não são contados, mas sim o número de regiões doloridas do corpo, bem como um escore de gravidade responsável pela gravidade e pelo número de queixas somáticas, ainda não foram validados para uso em crianças e adolescentes.

Os pontos dolorosos (*tender points*) correspondem às inserções tendíneas no osso ou a ventres musculares. São padronizados os seguintes pontos (FIGURA 192.1):[18]

→ músculos suboccipitais bilaterais;
→ paravertebrais cervicais (entre os processos transversos de C5 a C7);
→ borda superior do trapézio (ponto médio);

**TABELA 192.9** → Critérios diagnósticos de Yunus e Masi (1985) para fibromialgia em crianças

| CRITÉRIOS MAIORES |
|---|
| → Dor musculoesquelética em 3 ou mais pontos por 3 meses ou mais |
| → Ausência de outra causa ou doença de base |
| → Achados laboratoriais normais |
| → Achados de 5 ou mais pontos dolorosos |

| CRITÉRIOS MENORES |
|---|
| → Tensão ou ansiedade crônica |
| → Fadiga |
| → Distúrbio do sono (sono não reparador ou dificuldades no sono) |
| → Cefaleia crônica |
| → Síndrome do cólon irritável |
| → Edema subjetivo de tecidos moles |
| → Sensação de dormência |
| → Dor com atividade física |
| → Dor por fatores climáticos |
| → Dor por ansiedade/estresse |

Fonte: Coles e colaboradores.[19]

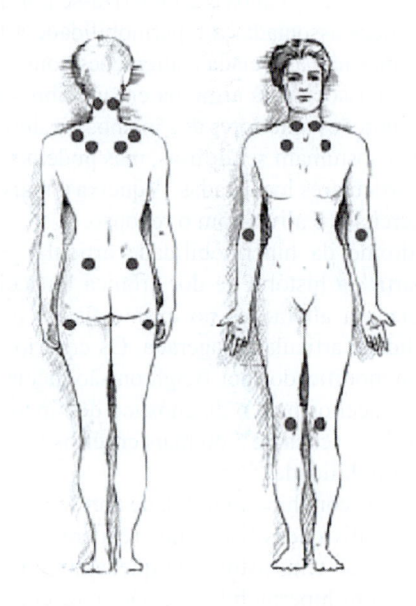

**FIGURA 192.1** → Pontos de dor padronizados na fibromialgia.

→ músculos supraespinais (na borda medial);
→ segunda junção condrocostal (superfície das costelas);
→ epicôndilos laterais bilaterais (2 cm distalmente dos cotovelos);
→ glúteos médios (no quadrante superior externo);
→ trocanter maior posterior à proeminência trocantérica (fêmur bilateral);
→ interlinhas mediais dos joelhos (coxim gorduroso medial).

Devem-se pesquisar quadros associados como cefaleia, dor nas costas, tensão pré-menstrual, síndrome do cólon irritável, síndrome da fadiga crônica e distúrbios da articulação temporomandibular. Os exames laboratoriais e radiológicos são normais.[13]

O objetivo principal do tratamento é o alívio da dor e o estímulo à volta às atividades e à reintegração social. As estratégias terapêuticas consistem em estímulo à prática de atividades físicas (exercícios aeróbicos, ioga, *tai chi*) B,[13,20,21] terapia cognitiva B,[13,21] melhora do sono e do humor e, quando indicado, tratamento farmacológico (TABELA 192.10). Os pais devem ser orientados a participar ativamente do tratamento.

Em relação ao tratamento farmacológico, em geral isoladamente é pouco eficaz C/D; não há estudos adequados em crianças, sendo a maioria das evidências provenientes de estudos realizados em adultos (ver Capítulos Abordagem Geral da Dor e Dor Crônica e Sensibilização Central).[13]

O tratamento, portanto, deve iniciar com medidas não farmacológicas, incluindo medidas educativas e terapia cognitivo-comportamental.

## PROBLEMAS ORTOPÉDICOS COMUNS EM CRIANÇAS E ADOLESCENTES

### Desvios rotacionais e angulares dos membros inferiores (anteversão, *intoeing* e joelho varo e valgo)

Trata-se de uma causa frequente de consulta e que traz preocupação aos pais de crianças de diversas faixas etárias.

As deformidades rotacionais (ou torcionais) consistem na rotação do membro inferior, geralmente fazendo os pés ficarem voltados para dentro (*intoeing*). Essa rotação pode ocorrer na altura do quadril (anteversão ou torção femoral), do joelho (torção tibial medial) ou do antepé (metatarso aducto). Os desvios angulares são alterações do eixo longitudinal dos membros inferiores e incluem o joelho varo (pernas arqueadas) e o joelho valgo (pernas em X).

No desenvolvimento normal, as crianças nascem com pernas arqueadas, rotação externa do quadril de 70 a 90 graus e pés pronados até o início da marcha. Essas alterações ficam acentuadas com o início da marcha, ao redor de 12 a 18 meses. Cabe ao médico reconhecer a ausência de patologias congênitas do quadril, como displasia do desenvolvimento (antes conhecida como luxação congênita do quadril) ou fêmur curto congênito, caracterizado pelo encurtamento do membro de diversas magnitudes, associado ou não à ausência parcial ou total de sua porção proximal.

Aos 2 anos, observam-se a retificação e o alinhamento dos membros inferiores, que permanecem alinhados até os 3 anos, quando ocorre o desvio em X, ou joelho valgo, com rotação interna dos pés compensatória. Essa etapa do desenvolvimento é marcante para os familiares, pois novas "deformidades" aparecem e preocupam pais e avós. Nessa fase,

também há a transição do caminhar para o correr, o que provoca aumento das quedas nesse grupo etário. São importantes a avaliação e a orientação médicas, pois ocorre um aumento do desvio em valgo até os 4 anos, quando começa o alinhamento fisiológico, que vai até os 6 anos.

A FIGURA 192.2 apresenta a evolução do ângulo tibiofemoral e das distâncias intermaleolar e intercondilar, conforme a faixa etária. Ambas servem para a avaliação dos desvios em varo e valgo.[22] O ângulo tibiofemoral é o ângulo entre o eixo da tíbia e o eixo do fêmur. A distância intercondilar mede o grau de joelho varo e é a distância entre os côndilos mediais femorais quando os membros inferiores são posicionados lado a lado, com um maléolo medial tocando o outro. A distância intermaleolar avalia o joelho valgo e é a distância entre os maléolos mediais quando os membros inferiores são posicionados lado a lado, com um côndilo femoral medial tocando o outro. Essas distâncias são afetadas pelo tamanho da criança.

### Anamnese e exame físico

Na anamnese, é importante identificar as principais preocupações dos pais, para poder orientá-los sobre o caráter benigno do quadro e sobre a história natural. Alguns elementos da história, como a forma de sentar da criança, podem direcionar para a causa da deformidade. Além disso, a história obstétrica, perinatal e do desenvolvimento neuropsicomotor

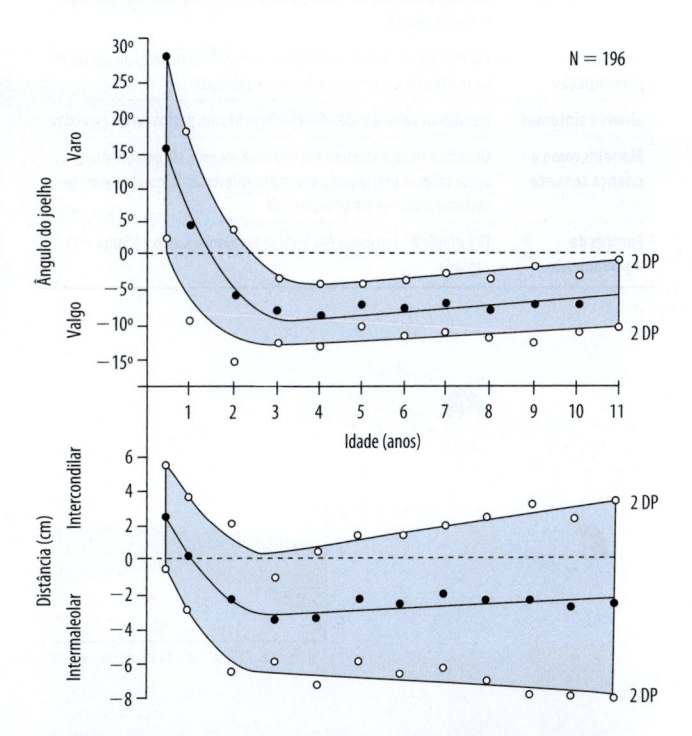

**FIGURA 192.2** → Gráfico mostrando a evolução do ângulo tibiofemoral e da distância intermaleolar e intercondilar. Os bebês têm joelho varo que normalmente corrige por volta de 18-24 meses de idade. Os membros inferiores depois, gradualmente, desenvolvem joelho valgo, com pico entre 3-4 anos de idade. O joelho valgo depois diminui para atingir o alinhamento tibiofemoral normal do adulto de 7 graus de valgo por volta de 7-8 anos de idade.
DP, desvio-padrão.
Fonte: Staheli.[22]

**TABELA 192.10** → Tratamento farmacológico para fibromialgia juvenil (atendimento primário)

| | |
|---|---|
| Anti-inflamatórios não esteroides | Ibuprofeno, naproxeno, diclofenaco sódico |
| Antidepressivos tricíclicos | Amitriptilina: 0,2-0,5 mg/kg antes de dormir |
| Inibidores seletivos da recaptação da serotonina | Fluoxetina: iniciar com 10 mg/dia |
| Relaxantes musculares (utilizar somente em adolescentes) | Ciclobenzaprina: 5-20 mg/dia |

podem sugerir que a deformidade se deve à paralisia cerebral. Os elementos mais importantes da anamnese estão listados na TABELA 192.11.[23]

O exame físico deve compreender o exame dos pés e o perfil rotacional dos membros inferiores (ângulo de progressão do pé, eixo pé-coxa e grau de rotação femoral):

→ **exame dos pés:** a borda lateral deve ser retilínea e flexível. Se houver convexidade na borda lateral do pé, isso sugere metatarso aducto, que, conforme visto adiante, pode ser flexível ou rígido;
→ **eixo pé-coxa** (FIGURA 192.3): é o ângulo entre o eixo do pé e o eixo da coxa, permitindo avaliar o alinhamento rotacional do membro inferior. Quando os pés estão voltados para dentro, o ângulo é negativo, e quando voltados para fora, positivo. Valores negativos indicam torção tibial interna;
→ **ângulo de progressão da marcha** (FIGURA 192.4): é o ângulo do pé em relação a uma linha reta desenhada na direção em que a criança está caminhando. Quando os pés estão voltados para dentro (*intoeing*), o ângulo é negativo, e quando os pés estão voltados para fora (*outoeing*), o ângulo é positivo. Esse teste mostra que existe a rotação, porém não identifica o segmento afetado (pé, joelho ou quadril);
→ **ângulo rotacional do fêmur** (FIGURA 192.5): é o grau de rotação interna e externa do quadril. A rotação interna é medida fazendo uma abdução máxima do membro, enquanto a rotação externa é medida fazendo uma adução máxima. Os graus de rotação interna e externa em geral são iguais, estando em torno de 45 graus. Em crianças com anteversão femoral, a rotação interna será muito

**TABELA 192.11** → Principais elementos da anamnese em crianças com desvios torcionais ou angulares dos membros inferiores

| | |
|---|---|
| Queixa principal | Saber o que mais preocupa os pais permite fornecer orientações prognósticas e discutir a história natural |
| Dados sobre gestação, parto e desenvolvimento | Questionar sobre eventos perinatais e desenvolvimento motor pode revelar um diagnóstico de paralisia cerebral |
| Duração e progressão da queixa | A alteração já estava presente no nascimento ou começou antes ou depois do início da marcha? Houve mudanças nos últimos meses? |
| História familiar | Alterações nos membros inferiores frequentemente mostram tendência familiar; conhecer a experiência prévia dos pais com esse problema pode auxiliar na discussão posterior; pais que tiveram as mesmas alterações na infância podem esperar tratamentos que hoje estão em desuso |
| Motivo da preocupação | Por que os pais levaram a criança à consulta? Por motivos de alteração na marcha ou por preocupação com a aparência? |
| Sinais e sintomas | Questionar sobre dor, claudicação, marcha com passos curtos e quedas |
| Maneira como a criança se senta | Quando a criança apresenta torção tibial interna, ela geralmente se senta sobre os pés; quando apresenta anteversão femoral aumentada, costuma sentar-se em posição de W |
| Fatores de agravamento | Deformidades torcionais em geral se agravam quando a criança está cansada |

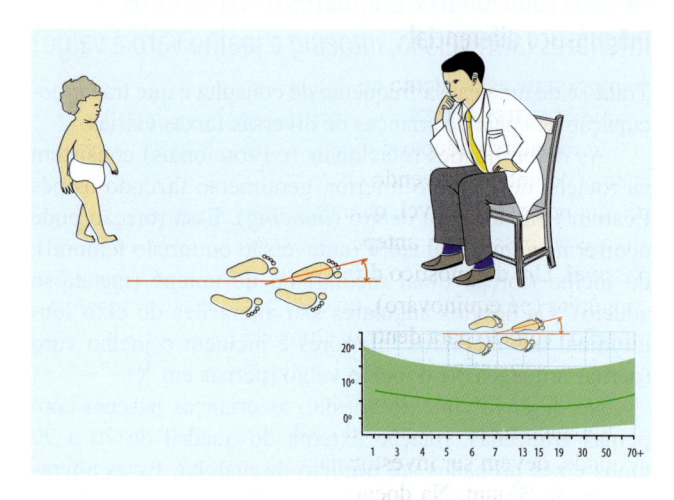

**FIGURA 192.4** → Avaliação do ângulo de progressão da marcha. Avalia a presença de rotação do membro inferior, porém não indica o local.
Fonte: Staheli.[22]

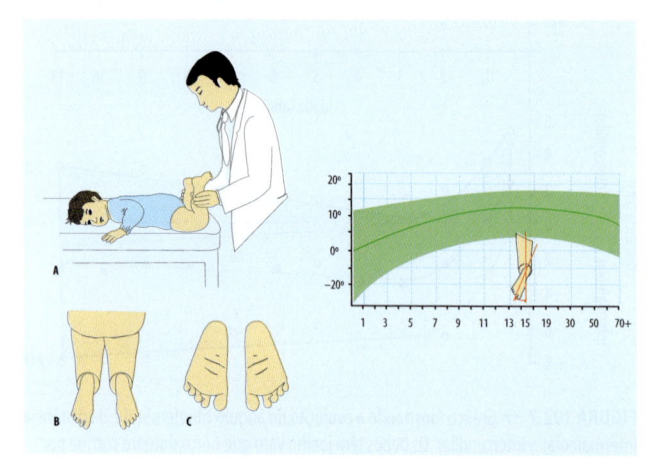

**FIGURA 192.3** → Avaliação do eixo pé-coxa. **(A)** É avaliado com a criança em decúbito ventral e os joelhos fletidos a 90 graus. **(B)** Mede-se o ângulo entre o eixo do pé e o eixo da coxa. **(C)** Quando os pés estão voltados para dentro, o eixo é negativo, e quando estão voltados para fora (como no exemplo da figura), é positivo.
Fonte: Staheli.[22]

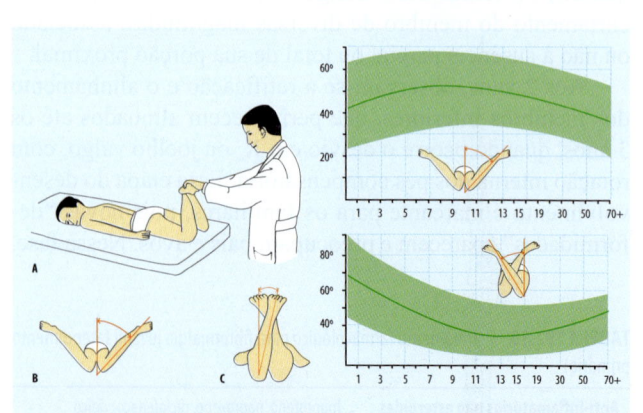

**FIGURA 192.5** → Avaliação do ângulo rotacional do fêmur. **(A)** É medido com o paciente em decúbito ventral e os joelhos fletidos a 90 graus. **(B)** Inicialmente, avalia-se a abdução completa do membro (rotação interna), medindo-se o ângulo formado. **(C)** Em seguida, avalia-se a adução completa (rotação externa).
Fonte: Staheli.[22]

maior do que a rotação externa, ocorrendo o oposto na retroversão femoral;
→ **avaliação do joelho varo e do joelho valgo:** é feita pelo ângulo tibiofemoral e pelas distâncias intermaleolar e intercondilar, como visto antes, na FIGURA 192.2.

## Exames complementares

Quando o exame físico é compatível com o desenvolvimento, não há indicação de exames complementares. Estes são restritos à presença de exame físico anormal, assimétrico, ou suspeita de patologia associada.

O exame de escolha é a radiografia simples em duas incidências, o qual é importante para ajudar a orientar o tratamento ao permitir analisar o eixo mecânico. Na radiografia em incidência anteroposterior (AP), reconhecem-se as seguintes regiões (FIGURA 192.6): a zona 1 corresponde às espinhas tibiais; a zona 2, ao platô tibial; e a zona 3, à parte externa do platô. Se o eixo mecânico estiver na zona 3 ou na zona 2 associado a sintomas de dor, indica-se tratamento cirúrgico.

## Diagnóstico diferencial

É importante estar atento ao diagnóstico diferencial das deformidades (TABELA 192.12).

O metatarso aducto é diagnosticado quando há adução apenas do antepé, havendo convexidade da borda lateral do pé. Ele pode ser flexível, quando é possível fazer a abdução ativa e/ou passiva do antepé, ou rígido, quando isso não é possível. Um diagnóstico diferencial importante é o pé torto congênito (pé equinovaro), no qual o pé inteiro está em supinação (voltado para dentro). Outro diagnóstico diferencial é o pé em serpentina (pé em Z), no qual estão presentes adução do antepé e valgo do retropé.

Quando há persistência do joelho varo além dos 2 anos de idade, devem ser investigadas causas como raquitismo e doença de Blount. Na doença de Blount, há acometimento da epífise proximal e medial da tíbia, podendo provocar o fechamento da placa de crescimento e desvio em varo da perna. Nesse caso, o desvio angular é mais proeminente na tíbia proximal, ao contrário do joelho varo fisiológico, em que o desvio é mais difuso. Além disso, no joelho varo fisiológico há frequentemente hiperlassidão ligamentar, o que não costuma ser visto na doença de Blount. Pode ser uni ou bilateral e é mais frequente em crianças negras. Pode ocorrer entre 1 e 3 anos de idade ou posteriormente na adolescência, em geral exigindo tratamento cirúrgico. Na radiografia, há fragmentação da epífise medial da tíbia, com a formação de um "bico" e perda de comprimento nessa região.

A torção tibial medial e a torção femoral podem estar associadas à paralisia cerebral, sendo necessário, nesse caso, pesquisar a presença de outros elementos que apoiem esse diagnóstico. A torção femoral também tem como diagnóstico diferencial a displasia de desenvolvimento do quadril, que deve ser suspeitada quando há assimetria no comprimento dos membros inferiores.

## Tratamento

O tratamento ativo dessas alterações raramente é indicado, não havendo qualquer indicação de palmilhas, órteses derrotatórias ou calçados ortopédicos. Inclusive, a prescrição destes pode ser deletéria à família e à criança, pois se rotula uma criança saudável como doente.

Em casos extremos de desvios angulares (i.e., grau 3 ou grau 2 associado à dor), deve-se referenciar ao especialista para tratamento definitivo.

O metarso aducto deve ser tratado quando for rígido, e o tratamento deve iniciar aos 8 meses, com gessos seriados.

A torção tibial deve ser tratada se aos 8 anos de idade não houver alinhamento adequado, sendo, nesses casos, corrigida com osteotomia da tíbia distal.

## Encaminhamento

Em geral, encaminha-se ao ortopedista pediátrico nas seguintes situações:
→ joelho varo que persiste além dos 2 anos de idade, devido à necessidade de descartar condições como doença de Blount e raquitismo;
→ joelho valgo que persiste além dos 6 anos ou torção tibial medial ou torção femoral que persistem além dos 8 anos;
→ suspeita de doença neuromuscular;
→ metatarso aducto rígido;

**TABELA 192.12** → Diagnóstico diferencial das deformidades torcionais

| METATARSO ADUCTO |
|---|
| → Pé equinovaro congênito |
| → Pé em serpentina |
| **TORÇÃO TIBIAL MEDIAL** |
| → Neuromuscular |
| → Metabólica (raquitismo) |
| → Doenças genéticas, displasias, encurvamento congênito da tíbia |
| → Doença de Blount |
| **TORÇÃO FEMORAL** |
| → Paralisia cerebral |
| → Displasia do quadril |

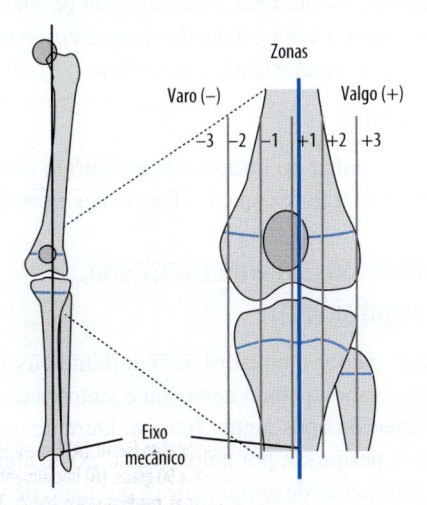

**FIGURA 192.6** → Avaliação do eixo mecânico, para indicação de tratamento cirúrgico.
Fonte: Staheli.[22]

→ deformidade severa;
→ condição não corrigível passivamente.

## Pé plano

O pé plano ("chato") é outra preocupação comum, sendo causa frequente de encaminhamento desnecessário ao ortopedista pediátrico. A abordagem deve levar em consideração a faixa etária do paciente.

Normalmente, assim que a criança inicia a marcha, os pais observam a queda do arco longitudinal do pé e levam-na para consulta com preocupações sobre futuros problemas ortopédicos na coluna e nos pés. Espera-se que o arco se forme dentro da primeira década, sendo que cerca de 70% das crianças irão desenvolvê-lo até em torno dos 4 anos de idade, podendo, porém, haver persistência do pé plano até a vida adulta. O pé plano pode também ser adquirido na vida adulta, em geral associado à disfunção do tendão tibial posterior (ver Capítulo Dor em Membros Inferiores). Estima-se que 23% da população geral (incluindo crianças e adultos) tenham arco plantar diminuído.

Em crianças pequenas, outro fator que pode contribuir para a queda do arco plantar é a presença de coxim gorduroso plantar que provoca um pé plano fisiológico e costuma desaparecer aos 3 a 4 anos.

Quando o pé plano persiste após os 5 anos de idade, deve-se realizar uma avaliação mais cuidadosa. Uma forma de avaliar funcionalmente se a queda do arco plantar é suficiente para trazer repercussões é por meio do teste do apoio monopodal. Com o paciente em pé, próximo à mesa de exame, pede-se que ele eleve um dos pés, flexionando o joelho, sem apoiar-se, com toda a planta do outro pé tocando o solo. Considera-se o teste positivo quando o paciente não consegue ficar em pé e negativo quando mantém a posição ortostática. Na presença de pé plano idiopático, o tálus está rodado medial e plantarmente, perdendo a estrutura do arco medial, o que dificulta o apoio monopodal. Entretanto, esse teste não informa a causa.

O primeiro passo na avaliação da causa é diferenciar o pé plano flexível do rígido. A criança com pé plano flexível costuma apresentar hipermobilidade articular, com pés flexíveis, que ficam com o arco caído quando em ortostatismo, mas que voltam a formar o arco quando sentadas ou na ponta dos pés. Deve-se estar atento à história familiar, devido à possibilidade de associação com síndromes genéticas de hiperlassidão ligamentar, como Ehlers-Danlos. Além disso, o pé plano flexível é mais comum em pessoas negras. Deve-se ter atenção para a data do início da marcha e para o uso de andadores, que acentuam a queda do arco. O pé plano rígido pode ser causado por traumatismo, doenças neuromusculares (p. ex., paralisia cerebral) e malformações congênitas (p. ex., tálus vertical e coalizão tarsal).

Um teste bastante útil para diferenciar o pé plano flexível do rígido é o teste de Jack, no qual se realiza a dorsiflexão do hálux. Quando o pé plano é flexível, essa manobra resulta na formação do arco plantar. Nesse caso, devem-se pesquisar outras manifestações associadas ao pé plano flexível, como hiperlassidão ligamentar. No pé plano flexível, ambos os pés costumam estar afetados de forma simétrica. Na presença de assimetria, deve-se pensar em outras causas. Deve-se também observar se há encurtamento do tendão calcâneo, pois isso pode estar associado a lesões neurológicas ou ser uma causa de pé plano remediável por alongamentos do tendão.

Sobretudo em crianças maiores e em adolescentes, devem-se pesquisar manifestações de coalizão tarsal, uma fusão parcial ou total de 2 ossos do tarso, geralmente congênita, mas que só começa a apresentar sintomas após certo grau de ossificação, a partir da 2ª década de vida. Os sintomas podem iniciar de forma abrupta e tornar-se persistentes. Muitas vezes, manifestam-se como episódios recorrentes de entorses no tornozelo. Quando houver suspeita de coalizão tarsal, deve-se solicitar que o paciente fique na ponta dos pés. Quando a articulação subtalar está preservada, há formação do arco ativamente e movimento do calcâneo medialmente (varização). Quando o paciente não consegue ficar na ponta dos pés, deve-se prosseguir a avaliação com exames de imagem (radiografia e TC do tarso).

Sinais que indicam necessidade de maior avaliação são:
→ pé plano no adolescente (pensar em coalizão tarsal);
→ pés rígidos (p. ex., tálus vertical);
→ espasticidade e hiper-reflexia, para descartar pé plano de origem neurológica (pensar em paralisia cerebral motora isolada).

Não há indicação de exames radiológicos na presença de exame físico normal, mas estes deverão ser solicitados na presença de rigidez e/ou deformidade plantar. Nos casos de suspeita de tálus vertical, a radiografia com apoio é útil em AP, lateral e flexão plantar. Nos adolescentes com suspeita de coalizão tarsal, a TC do tarso deve acompanhar a radiografia.

O tratamento do pé plano flexível é somente de observação. Não há evidência de que o uso de órteses (palmilhas e calçados) modifique a história natural B.[24,25] Na presença de encurtamento do tendão calcâneo, podem ser orientados alongamentos e fisioterapia. Nos casos de pé plano severo, em geral associado à dor e a quedas frequentes, o tratamento é cirúrgico após a maturidade esquelética.

### Encaminhamento

Deve-se encaminhar ao ortopedista pediátrico quando houver deformidade, rigidez, quedas frequentes e pés dolorosos.

## Quadril doloroso (sinovite transitória, Perthes e epifisiólise)

Na avaliação da dor no quadril, é importante ouvir a queixa do paciente e saber quando começou o sintoma e se o início foi espontâneo ou após algum trauma. Durante o exame físico, deve-se pesquisar, por palpação, se existe algum ponto doloroso, alterações de temperatura e aumento de volume, e verificar a mobilidade articular do quadril ao pé. É importante fazer a comparação do membro afetado com o membro sadio. O exame deve incluir a avaliação da força muscular e dos reflexos e a medida do comprimento dos membros.

Causas de claudicação e dor no quadril em crianças ocorrem:

→ **do início da marcha até o final do 3º ano:** luxação congênita do quadril, coxa vara congênita, artrites infecciosas;

→ **dos 4 aos 10 anos:** sinovite transitória, doença de Legg-Calvé-Perthes e artrites infecciosas;

→ **dos 10 anos ao final da adolescência:** epifisiólise proximal do fêmur, tumores da região do joelho (em particular o osteossarcoma).

Também há causas menos frequentes, descritas na TABELA 192.13.

## Exames

Em crianças com claudicação, solicita-se hemograma, VHS e proteína C-reativa. Além disso, todo adolescente que claudica e sente dor no quadril e/ou no joelho deve ser radiografado na articulação coxofemoral para melhor investigação das doenças que acometem essa articulação.

## Condições específicas

### Sinovite transitória do quadril

A sinovite transitória do quadril se manifesta como uma dor autolimitada no quadril, devido à inflamação sinovial e ao derrame articular. É a causa mais frequente de dor em quadril em crianças de 3 a 10 anos, com pico de incidência entre os 5 e os 6 anos de idade e predominância no sexo masculino. Pode ocorrer em até 3% das crianças, sendo extremamente rara em adultos.[26]

Sua etiologia é desconhecida, mas frequentemente é precedida por infecção de vias aéreas superiores ou gastrenterite. As crianças acometidas queixam-se de dor de início agudo no quadril, na região inguinal ou na coxa, bem como de claudicação ou incapacidade de apoiar o peso. Raras vezes acompanha febre, e, quando ela ocorre, costuma ser baixa. A presença de febre alta deve levantar a suspeita de artrite séptica. Deve-se investigar história de trauma ou de problemas prévios no quadril, bem como de artropatias inflamatórias ou de doenças que estão associadas a espondiloartropatias, como psoríase, uveítes e doença inflamatória intestinal.

No exame físico, em geral não é detectado o derrame articular, visto que o quadril é uma articulação profunda. No exame físico, devem-se pesquisar outras doenças que estão no diagnóstico diferencial, como patologias do joelho ou intra-abdominais, que podem provocar dor referida.

O diagnóstico pode ser presuntivo em crianças em bom estado geral, afebris, com boa mobilidade e com início de sintomas há menos de 48 horas. Após um acompanhamento de 48 horas, se houver melhora parcial, o diagnóstico passa a ser altamente provável. Se houver resolução espontânea completa em até 1 semana, o diagnóstico presuntivo é confirmado. Caso contrário, são necessários exames complementares (hemograma, VHS e proteína C-reativa).

Deve-se ter maior suspeita de artrite séptica em idade < 3 anos, em crianças que não conseguem apoiar o peso, febris ou em mau estado geral (ver tópico Artrite Séptica, adiante).

O manejo envolve repouso até a cessação dos sintomas e uso de AINEs conforme necessidade e ausência de contraindicações.

### Doença de Legg-Calvé-Perthes

É uma necrose avascular idiopática da cabeça femoral. É mais comum nos meninos, geralmente entre 4 e 10 anos, sobretudo entre aqueles que são pequenos para a idade, hiperativos e obesos. Também tem sido associada ao atraso da maturação óssea e a alterações hormonais. Sua causa é desconhecida.

A patogênese pode estar associada a infarto arterial ou anormalidades da drenagem venosa. Isso inclui as hemoglobinopatias, como talassemia e anemia falciforme. O fumo passivo também pode ser considerado um fator de risco.

A dor é de início insidioso, sendo aliviada com repouso e piorada com a atividade. É bilateral em 10% dos casos. Inicia, em muitos casos, com dor referida na articulação do joelho, mas também pode ser referida na coxa. Não costuma haver dor no quadril na apresentação do quadro. Apresenta claudicação e dor nos movimentos de rotação interna do quadril (em geral, unilateral). Quanto mais cedo ocorrer, melhor é o prognóstico. O prognóstico é pior principalmente após os 8 anos de idade.

Deve-se ter alto índice de suspeição na presença de dor no quadril entre 4 e 10 anos de idade, de início insidioso, visto que no princípio a radiografia é normal. Quando o diagnóstico é suspeitado, deve ser encaminhado para confirmação e acompanhamento. O tratamento, orientado por ortopedista, é longo e necessita de colaboração dos pais. Tem como objetivo restabelecer a amplitude de movimento e manter a cabeça femoral contida. O uso de órteses não está indicado, pois elas mantêm um único plano de movimento, trazendo deformidade à cabeça femoral.

A história natural mostra que os casos com início após os 8 anos de idade ou com comprometimento de 50% da cabeça femoral evoluirão para artrose do quadril.

**TABELA 192.13** → Diagnóstico diferencial da dor no quadril

| UNILATERAL | BILATERAL |
| --- | --- |
| Sinovite transitória | Displasia epifisária |
| Doença falciforme | Hipotireoidismo |
| Artrite infecciosa | Artrite idiopática juvenil |
| Condrólise | Mucopolissacaridoses |
| Leucemia e linfoma | Doença de Gaucher |
| Osteomielite do fêmur proximal | |

**Devem ser encaminhadas ao ortopedista pediátrico crianças com idade entre 4 e 8 anos com dor de início insidioso na região inguinal, na coxa ou no joelho, especialmente se forem meninos e apresentarem baixa estatura, afastadas outras causas evidentes para os sintomas. Antes devem fazer radiografias do joelho e do quadril para confirmação diagnóstica e diagnóstico diferencial, mas o encaminhamento deve ser feito mesmo com radiografia normal.**

### Epifisiólise proximal do fêmur

É o descolamento do fêmur proximal, que pode ser agudo, subagudo ou crônico. A cabeça do fêmur fica no acetábulo e o fêmur desloca-se anterior e lateralmente. O biotipo mais comum é o do adolescente, sexo masculino e obeso, com atraso da maturação sexual. O pico de incidência em meninos é aos 13 anos e, em meninas, aos 11 anos. É sazonal, ocorrendo sobretudo nos meses de verão.

Costuma manifestar-se com claudicação e dor no quadril, na coxa ou no joelho. Nem sempre há trauma evidente antecedente, e, quando este ocorre, pode ser trauma leve.

A avaliação do quadril é necessária em toda criança com 9 a 15 anos com dor no joelho. Crianças com epifisiólise proximal do fêmur têm perda da rotação interna do quadril e obrigatoriamente da rotação externa com flexão do quadril. A radiografia é diagnóstica na maioria dos casos, sendo a posição "em rã" a mais útil (incidência de Lowenstein).

Quando ocorrer fora dessa faixa etária, deve-se investigar osteodistrofia renal, doenças endócrinas ou outras causas secundárias.

O tratamento é cirúrgico. O uso de muletas sem apoiar o membro é indicado até a cirurgia.

## Escoliose e outras alterações posturais

A idade mais recomendada para fazer o exame de coluna é próxima ao estirão, entre 10 e 14 anos, já que é nessa idade que ocorre o maior número de casos. São inúmeras as causas de alterações posturais, e estas quase sempre acontecem simultaneamente. Entre elas, estão atividades físicas básicas insuficientes no desenvolvimento, deficiência proteica na alimentação, alterações respiratórias, vícios posturais, excesso de peso corporal, alongamento ou encurtamento muscular exagerados, anomalias ósseas congênitas ou adquiridas.

Escoliose idiopática é o desvio lateral (plano coronal) da coluna, com deformidade > 10 graus. Vista no plano frontal, tem como característica principal o desnivelamento dos ombros, das escápulas, a acentuação da prega lombar e a inclinação lateral da pelve. A escoliose idiopática do adolescente é a mais frequente e pode evoluir até o crescimento se completar. As meninas são as mais acometidas. A escoliose não é dolorosa.

Cifose é o aumento da curva posterior convexa da coluna (aumento da curvatura fisiológica existente), sendo que a mais comum na adolescência é a doença de Scheuermann, com incidência de 1 a 8%.

Lordose é a curva fisiológica da região lombar; quando essa curva está aumentada, chama-se de hiperlordose. Deve-se ter atenção em meninas que praticam esportes, pois podem desenvolver escorregamento vertebral (espondilolistese).

### Diagnóstico

O exame da coluna deve ser feito com o paciente despido. Realiza-se a inspeção estática de frente e de lado. Após, passa-se à inspeção dinâmica, fazendo as manobras de inclinações laterais e flexão do tronco à frente (prova de Adams), nas quais se pode observar a elevação do lado do desvio, se presente.

A radiografia deve ser feita em ortostatismo, em AP e perfil, sendo importante mencionar o objetivo (p. ex., avaliar a escoliose) na solicitação.

Existem também os critérios radiológicos para o diagnóstico:

→ **escoliose:** curva > 10 graus no plano coronal;
→ **cifose idiopática juvenil:** cifose torácica causada por acunhamento de 3 vértebras torácicas consecutivas, > 5 graus;
→ **espondilolistese:** escorregamento anterior de uma vértebra sobre a inferior, mais comum na região lombar.

Na escoliose, o tratamento não cirúrgico está indicado na maioria das situações e é guiado pelo momento na história natural da doença em que o paciente se encontra. Para curvas < 20 graus (3-10 anos) ou 25 graus (> 10 anos), está indicada apenas observação. Para curvas entre 25 e 45 graus, o tratamento é com colete (*brace*),[27] em pacientes com esqueleto imaturo, 16 a 23 horas por dia até completar a maturidade esquelética **B**. O uso de coletes não corrige a escoliose, mas impede sua progressão. O colete mais eficiente é o TLSO (do inglês *thoracic lumbar sacral orthosis* [órtese toracolombossacral]), quando a curva é na 7ª vértebra dorsal ou abaixo. Para curvas > 45 graus, o tratamento é cirúrgico.

Na cifose, o tratamento em geral é sintomático **C/D**, indicando-se o uso de coletes apenas se a curva estiver entre 50 e 70 graus, com ápice em T7 ou inferior, e a criança ainda tiver pelo menos 1 ano para crescer antes de atingir a maturidade óssea. Deve ser usado por pelo menos 18 meses, porém a adesão costuma ser baixa.

Na espondilolistese, escorregamentos de até 50%, em pacientes assintomáticos, não exigem tratamento **C/D**, devendo ser feito acompanhamento clínico anual até a maturidade esquelética, e exame radiológico somente se aparecerem sintomas (dor lombar, perda de força). Nos casos sintomáticos, usa-se colete lombossacral por 4 a 6 meses.

Deve-se encaminhar em caso de:
→ déficit neurológico;
→ curva severa ou progressiva;
→ disfunção pulmonar;
→ dor intensa ou resistente a medidas conservadoras;
→ indicação clínica de uso de colete quando o médico não está capacitado para prescrevê-lo.

## Artrite séptica

Artrite séptica é a inflamação associada à infecção que envolve a articulação sinovial. Tem por característica o comprometimento sistêmico, apresentando-se, na maioria das vezes, com dor, febre, letargia e impotência funcional. Em cada faixa etária, tem características próprias e prognóstico variável de acordo com o microrganismo causador, tempo de instituição do tratamento e defesas orgânicas do paciente.

A faixa etária de maior incidência em crianças é de 1 a 5 anos. É monoarticular em cerca de 94% dos casos, sendo o quadril acometido em 41% dos casos de artrite séptica da criança. *Staphylococcus aureus* é o patógeno mais frequente. Nos neonatos, estreptococos do grupo B e gram-negativos são os mais comuns; e, em pacientes com doença falciforme, *Salmonella*.

## Diagnóstico

O diagnóstico é clínico – anamnese e exame físico –, sendo confirmado pelo isolamento do microrganismo patogênico a partir da cultura do líquido sinovial. Exames laboratoriais e de imagem têm caráter complementar, não devendo retardar o tratamento definitivo.

A dor é o sintoma mais comum e piora com a mobilização articular, que está limitada, sendo associada à febre alta (> 38,5 °C). Membro inferior em posição antálgica (rotação externa, abdução e flexão), pseudoparalisia ou em descarga, além de claudicação, frequentemente estão presentes; em neonatos, há irritabilidade.

O diagnóstico diferencial mais frequente é com a sinovite transitória do quadril. Esta tem curso clínico autolimitado e o tratamento é não invasivo (ver tópico Sinovite Transitória do Quadril, anteriormente). Para essa diferenciação, em casos de dúvida, deve-se fazer hemograma, PCR, VHS, hemocultura e exame radiográfico de quadril em AP. Os critérios de Kocher (TABELA 192.14) permitem o uso de variáveis de fácil aplicação e baixo custo para avaliar a probabilidade de artrite séptica.[28] Dois dos critérios são de avaliação clínica: a temperatura axilar e a capacidade de deambular. Esses critérios, somados à VHS e ao hemograma, indicam a necessidade de intervenção com urgência. Se todos os critérios forem preenchidos, a probabilidade de artrite é superior a 95%.

## Exames de imagem

A radiografia é um exame útil, demonstrando alargamento do espaço articular e edema de tecidos moles. Os demais exames de imagem (ultrassonografia [US], TC, RM e cintilografia óssea) têm aplicabilidade limitada. A US, embora seja examinador-dependente, permite identificação de derrame articular no quadril de qualquer causa e auxilia na punção diagnóstica. A RM é útil apenas na identificação de osteomielite do fêmur proximal concomitante. A cintilografia óssea tem papel diante da suspeita de foco primário oculto. A hipercaptação, no entanto, não diferencia a localização do processo infeccioso entre fêmur, acetábulo ou espaço articular. A cintilografia é alterada na presença de qualquer processo inflamatório, como sinovite transitória. A cintilografia com gálio não apresenta vantagem diagnóstica em relação a outros radiofármacos (tecnécio-99m e índio[111]), além de submeter o paciente à radiação aumentada.

## Encaminhamento

Deve-se encaminhar o paciente para internação e tratamento cirúrgico. São absolutamente necessários debridamento e lavagem local, a fim de conter a lesão lítica estabelecida com o início do processo infeccioso. Além disso, deve ser administrada antibioticoterapia inicialmente parenteral e empírica de acordo com os microrganismos mais prováveis, sendo o esquema ajustado mais tarde conforme a cultura e o antibiograma.

# REFERÊNCIAS

1. Weiss JE, Stinson JN. Pediatric pain syndromes and noninflammatory musculoskeletal pain. Pediatr Clin North Am. 2018;65(4):801–26.
2. Clinch J, Eccleston C. Chronic musculoskeletal pain in children: assessment and management. Rheumatology. 2009;48(5):466–74.
3. Stinson J, Connelly M, Kamper SJ, Herlin T, Toupin April K. Models of care for addressing chronic musculoskeletal pain and health in children and adolescents. Best Pract Res Clin Rheumatol. 2016;30(3):468–82.
4. Junnila JL, Cartwright VW. Chronic musculoskeletal pain in children: part I. Initial evaluation. Am Fam Physician. 2006;74(1):115–22.
5. Kanta P, Gopinathan NR. Idiopathic growing pains in pediatric patients: review of literature. Clin Pediatr. 2019;58(1):5–9.
6. O'Sullivan P, Beales D, Jensen L, Murray K, Myers T. Characteristics of chronic non-specific musculoskeletal pain in children and adolescents attending a rheumatology outpatients clinic: a cross-sectional study. Pediatr Rheumatol Online J. 2011;9(1):3.
7. Malleson PN, Beauchamp RD. Rheumatology: 16. Diagnosing musculoskeletal pain in children. CMAJ. 2001;165(2):183–8.
8. Weiser P. Approach to the patient with noninflammatory musculoskeletal pain. Pediatr Clin North Am. 2012;59(2):471–92.
9. Francescantonio PLC, Cruvinel W de M, Dellavance A, Andrade LEC, Taliberti BH, von Mühlen CA, et al. IV Brazilian guidelines for autoantibodies on HEp-2 cells. Rev Bras Reumatol. 2014;54(1):44–50.
10. Ragnarsson S, Myleus A, Hurtig A-K, Sjöberg G, Rosvall P-Å, Petersen S. Recurrent pain and academic achievement in school-aged children: a systematic review. J Sch Nurs. 2020;36(1):61–78.
11. Revivo G, Amstutz DK, Gagnon CM, McCormick ZL. Interdisciplinary pain management improves pain and function in pediatric patients with chronic pain associated with joint hypermobility syndrome. PM R. 2019;11(2):150–7.
12. Davis PJC, McDonagh JE. Principles of management of musculoskeletal conditions in children and young people. Best Pract Res Clin Rheumatol. 2006;20(2):263–78.
13. Coles ML, Uziel Y. Juvenile primary fibromyalgia syndrome: a review- treatment and prognosis. Pediatr Rheumatol Online J. 2021;19(1):74.
14. Mohanta MP. Growing pains: practitioners' dilemma. Indian Pediatr. 2014;51(5):379–83.
15. Tinkle BT. Symptomatic joint hypermobility. Best Pract Res Clin Rheumatol. 2020;34(3):101508.
16. Anthony KK, Schanberg LE. Juvenile primary fibromyalgia syndrome. Curr Rheumatol Rep. 2001;3(2):165–71.
17. De Sanctis V, Abbasciano V, Soliman AT, Soliman N, Di Maio S, Fiscina B, et al. The juvenile fibromyalgia syndrome (JFMS): a poorly defined disorder. Acta Biomed. 2019;90(1):134–48.
18. Wolfe F, Häuser W. Fibromyalgia diagnosis and diagnostic criteria. Ann Med. 2011;43(7):495–502.

**TABELA 192.14** → Critérios de Kocher para o diagnóstico de artrite séptica

| ITEM | ACHADO |
| --- | --- |
| Temperatura | > 38 °C |
| História de deambulação | Não consegue apoiar membro afetado |
| Leucograma | > 12.000 células/mL |
| VHS | > 40 mm/hora |

VHS, velocidade de hemossedimentação.
Fonte: Kocher e colaboradores.[28]

19. Coles ML, Weissmann R, Uziel Y. Juvenile primary Fibromyalgia Syndrome: epidemiology, etiology, pathogenesis, clinical manifestations and diagnosis. Pediatr Rheumatol Online J. 2021;19(1):22.
20. Black WR, Kashikar-Zuck S. Exercise interventions for juvenile fibromyalgia: current state and recent advancements. Pain Manag. 2017;7(3):143–8.
21. Kashikar-Zuck S, Ting TV, Arnold LM, Bean J, Powers SW, Graham TB, et al. Cognitive behavioral therapy for the treatment of juvenile fibromyalgia: a multisite, single-blind, randomized, controlled clinical trial. Arthritis Rheum. 2012;64(1):297–305.
22. Staheli LT. Ortopedia pediátrica na prática. 2. ed. Porto Alegre: Artmed; 2007.
23. Sass P, Hassan G. Lower extremity abnormalities in children. Am Fam Physician. 2003;68(3):461–8.
24. Rome K, Ashford RL, Evans A. Non-surgical interventions for paediatric pes planus. Cochrane Database Syst Rev. 2010;(7):CD006311.
25. Evans AM, Rome K. A Cochrane review of the evidence for non-surgical interventions for flexible pediatric flat feet. Eur J Phys Rehabil Med. 2011;47(1):69–89.
26. Nouri A, Walmsley D, Pruszczynski B, Synder M. Transient synovitis of the hip: a comprehensive review. J Pediatr Orthop B. 2014;23(1):32–6.
27. Negrini S, Minozzi S, Bettany-Saltikov J, Chockalingam N, Grivas TB, Kotwicki T, et al. Braces for idiopathic scoliosis in adolescents. Cochrane Database Syst Rev. 2015;(6):CD006850.
28. Kocher MS, Mandiga R, Zurakowski D, Barnewolt C, Kasser JR. Validation of a clinical prediction rule for the differentiation between septic arthritis and transient synovitis of the hip in children. J Bone Joint Surg Am. 2004;86(8):1629–35.

# Capítulo 193
# CUIDADOS PALIATIVOS

Ricardo Moacir Silva

Patrícia Lichtenfels

Milton Humberto Schanes dos Santos

Gabriel Alves Ferreira

Ana Cláudia Magnus Martins

Na década de 1960, Dame Cicely Saunders fundou o St. Christopher's Hospice, em Londres, na Inglaterra, e descreveu a filosofia do cuidado de pessoas que estão morrendo, hoje conhecida como cuidados paliativos ou filosofia do *hospice*. Ao descrever o sofrimento das pessoas com doença terminal, ela identificou quatro dimensões: física, psíquica, social e espiritual. A compreensão dessas dimensões pode auxiliar a equipe de atenção primária à saúde (APS) a organizar o cuidado de pacientes terminais.

> **A dimensão física é abordada mediante monitoramento e manejo dos sintomas físicos. A dimensão psíquica é abordada pelo acompanhamento empático do sofrimento do paciente, observando os estágios diante da morte em que ele se apresenta e a presença de sintomas de sofrimento, ansiedade e/ou depressão. A dimensão social implica envolver a família e demais pessoas próximas no cuidado e atentar para os impactos da doença nessas pessoas, seja quanto aos aspectos emocionais, laborais ou legais-previdenciários. A dimensão espiritual envolve abordar e respeitar as necessidades e as dúvidas espirituais que o paciente apresenta.**

Na década de 1970, esse movimento foi trazido para a América por meio dos trabalhos de Elisabeth Kübler-Ross, psiquiatra suíça que passou a viver e trabalhar, nos Estados Unidos, com pacientes com doenças avançadas e na fase final da vida.

## CUIDADOS PALIATIVOS E SEUS PRINCÍPIOS

Em 1990, a Organização Mundial da Saúde (OMS) definiu pela primeira vez o conceito e os princípios de cuidados paliativos, os quais sofreram revisões entre os anos 2002 e 2004. Atualmente, o conceito amplia o horizonte de ação dos cuidados paliativos, podendo ser adaptado às realidades locais, aos recursos disponíveis e ao perfil epidemiológico dos pacientes.

Cuidados paliativos são uma abordagem para melhoria da qualidade de vida de pacientes e familiares que enfrentam uma doença ameaçadora da vida, mediante a prevenção e o alívio do sofrimento, por meio da identificação precoce e impecável avaliação e tratamento da dor e de outros problemas físicos, psicossociais e espirituais.[1]

Os seus princípios norteadores são:

→ considerar a morte como um processo natural e afirmar a vida;
→ não acelerar nem adiar a morte dos pacientes;
→ integrar aspectos psicológicos e espirituais ao cuidado;
→ promover o alívio da dor e de outros sintomas;
→ oferecer um sistema de suporte que possibilite ao paciente viver tão ativamente quanto possível até o momento da sua morte;
→ realizar o acolhimento dos familiares durante o progresso da doença e o processo de luto;
→ oferecer abordagem multiprofissional com foco nas necessidades dos pacientes e de seus familiares;
→ melhorar a qualidade de vida do paciente e influenciar positivamente o progresso da doença;
→ iniciar cuidados paliativos o mais precocemente possível, em conjunto com outras terapias curativas e de prolongamento da vida, como quimioterapia ou radioterapia, e incluir todas as investigações necessárias para melhor compreender e controlar situações clínicas angustiantes.

## POR QUE E QUANDO INICIAR CUIDADOS PALIATIVOS

Os cuidados paliativos são indicados para qualquer paciente que convive ou está em risco de desenvolver uma doença que ameaça a vida, independentemente do diagnóstico, do prognóstico ou da idade, podendo complementar e até melhorar o tratamento modificador da doença. Nesse sentido, a abordagem paliativista engloba doenças crônico-degenerativas neoplásicas e não neoplásicas, como demências, pneumopatias crônicas, neuropatias progressivas como esclerose lateral amiotrófica, esclerose múltipla, além das sequelas de acidentes vasculares cerebrais (AVCs).

Muitas doenças – como câncer, síndrome da imunodeficiência adquirida (Aids, do inglês *acquired immunodeficiency syndrome*), doenças cardíacas e renais em estágio final e doença de Alzheimer – podem causar dor muito intensa e sintomas físicos, além de sofrimentos emocional e espiritual tão profundos que tornam a vida insuportável. Nesse contexto, os cuidados paliativos apresentam tratamentos e abordagens de cuidado e apoio que podem melhorar significativamente a qualidade de vida dos pacientes e de suas famílias com a utilização de técnicas nem sempre sofisticadas e onerosas.

Os cuidados paliativos devem ser iniciados o mais breve possível, concomitantemente aos cuidados curativos, utilizando-se todos os esforços necessários para melhorar a compreensão e o controle dos sintomas.

> Quando pacientes se apresentam com uma condição limitante ou ameaçadora à vida, uma pergunta que pode ajudar a identificar quais se beneficiarão da abordagem paliativista é: "Você ficaria surpreso se esse paciente morresse nos próximos 12 meses?". Outras situações que sugerem início de cuidados paliativos são: internações hospitalares frequentes pela mesma condição, dor intensa ou dificuldade de controlar sintomas físicos e psicológicos, e necessidades complexas de cuidado (dependência ou declínio funcional, assistência domiciliar complexa, dificuldade de alimentação e perda de peso).[2]

## A EQUIPE DE ATENÇÃO PRIMÁRIA À SAÚDE E OS CUIDADOS PALIATIVOS

Para suprir as necessidades de pacientes com doenças avançadas e de suas famílias, é importante o trabalho em equipe multiprofissional, com atuação interdisciplinar, propiciando uma visão mais completa do paciente, de sua família e da realidade social em que vivem. Podem ser utilizadas ferramentas e dinâmicas da APS para o cuidado dos pacientes e de seus familiares, como genograma, abordagem do ciclo vital, entrevista familiar, grupos de cuidadores e discussão de caso na equipe multidisciplinar, com elaboração conjunta da lista de problemas e do plano de manejo.[3]

Apesar das especificidades de cada área profissional, ao trabalhar com cuidados paliativos em APS, todos que atuam devem ser capazes de identificar sintomas e conhecer técnicas básicas para seu manejo e/ou seus encaminhamentos. Saber ouvir, apoiar e orientar as famílias são ações inerentes aos cuidados. Um fator fundamental para um bom cuidado paliativo em APS é a manutenção de um canal aberto e ativo entre equipe, paciente e família, proporcionando a disponibilidade de informações por meio da verdade lenta e progressivamente suportável.[4]

## O PROFISSIONAL DE SAÚDE E OS CUIDADOS PALIATIVOS

O cuidado de pacientes terminais é uma das atividades mais trabalhosas, desgastantes e demandantes de atenção e energia por parte dos profissionais de saúde. Os pacientes terminais em geral se encontram em condição de dependência física para atividades básicas, necessitam e pedem atitudes mais afetuosas e empáticas e apresentam muitas intercorrências clínicas que, além de frequentes e debilitantes, quase sempre ocorrem de forma concomitante. Quando existem familiares presentes, estes também solicitam mais atenção e tempo de contato com o profissional na busca de entendimento sobre o que está acontecendo e de redução do grau de ansiedade.

O contato com o sofrimento físico, psíquico e espiritual desses pacientes, de uma forma consciente ou inconsciente, lembra-nos da finitude do ser humano a todo momento e, como consequência, da certeza de que pessoas que amamos também morrerão, de que existe a possibilidade real de que isso aconteça com muito sofrimento e, finalmente, de que também morreremos um dia. Saber separar onde começa o nosso sofrimento e onde começa o sofrimento do paciente não é tarefa fácil, mas é fundamental e não deve ser encarado como atitude egoísta, e sim desejável – inclusive para um melhor atendimento às necessidades do paciente e de seus familiares.

## ESTÁGIOS POSSÍVEIS DIANTE DA MORTE

Elisabeth Kübler-Ross, no livro *Sobre a morte e o morrer*,[5] descreve sua vasta experiência no acompanhamento de pacientes terminais em níveis hospitalar e domiciliar. Ao longo do seu trabalho à beira do leito de pacientes gravemente enfermos e do acompanhamento de suas famílias, ela observou que doentes que vivenciam a proximidade da morte passam por diversos estágios, assim como seus familiares. A maneira como cada paciente e sua família vivenciam esses estágios – isto é, o número deles, a sequência e o tempo de cada um deles – é extremamente variável e pessoal.

### Primeiro estágio: negação e isolamento

"Não, eu não." "Houve algum engano." Essas são reações típicas de um paciente diante da comunicação de uma doença grave e terminal. A negação ajuda a aliviar o impacto da notícia, servindo como uma defesa necessária para o equilíbrio. Essa reação ocorre com maior rigor em pacientes informados de maneira abrupta e prematura. A equipe assistencial e a família devem respeitar o doente, ouvir suas angústias, evitar a censura, porém, tendo o cuidado de não compactuar com a negação ou reforçá-la. Quando uma pessoa não consegue mais se enganar, ela se livra do pânico inicial e admite estar gravemente enferma, passando, então, a viver uma fase de muitos sentimentos.

### Segundo estágio: raiva

"Pois é comigo, não foi engano." O paciente olha para os outros e pensa: "Por que não é com ele?". A realidade é que os outros estão com saúde e ficarão vivos enquanto ele morrerá, e isso irrita e revolta o doente. Deus é um alvo especial dessa cólera. Familiares e amigos também podem ser alvo de agressividade e inveja porque ele se revolta por "ter sido o escolhido". Geralmente se mostra muito queixoso e exigente com a equipe assistencial, procurando ter certeza de não estar sendo esquecido. Surgem pacientes-problema – aqueles que sempre controlaram tudo, pessoas com muito poder ou dinheiro, que não aceitam a condição de fragilidade extrema. Nessa fase, deve-se tentar compreender o momento emocional do paciente, dando espaço para que ele expresse seus sentimentos, não tomando as explosões de humor como agressões pessoais.

### Terceiro estágio: barganha

Muitos doentes, quando percebem que a morte é inevitável, optam por negociar o tempo restante. Essa negociação costuma ser com Deus, mesmo no caso de pessoas que antes não mantinham laços de fé. Os doentes prometem bondade a pessoas pobres, doação de riquezas, doação de órgãos ou chegar a participar de algum evento importante, como casamento ou nascimento. É uma fase que exige atenção e sensibilidade por parte dos familiares e da equipe que assiste o paciente. Pode estar associada a alguma culpa por acontecimentos anteriores em sua vida, e o doente pode necessitar de apoio interdisciplinar.

### Quarto estágio: depressão

"Sim, eu." No início, a pessoa sofre pelas perdas, pelas coisas que não fez ou deixou de fazer e pelos erros que cometeu. Acontecem momentos de amargura e desalento; muitos têm grandes perdas financeiras, exigências de cuidados especiais dispendiosos. A família é muito exigida e o doente geralmente percebe isso. Em muitas situações, ele expressa um sentimento de culpa por todo o auxílio prestado e tempo despendido no seu cuidado. Atitudes como ficar ao seu lado, tocar suas mãos com carinho, fazer um afago, rezar ou ler aquilo que lhe é significativo são importantes para ajudar o paciente a se ocupar com o que está para vir e não mais com o que ficou para trás. Kübler-Ross[5] enfatizava que, quando um paciente terminal diminui sua necessidade de comunicação, na maioria das vezes isso sinaliza que finalizou essa etapa e que pode se desapegar das coisas em paz.

### Quinto estágio: aceitação

"Meu tempo de vida é muito curto e isso é assim mesmo." A pessoa espera a evolução natural de sua doença. É uma fase nem feliz nem infeliz. Poderá ter alguma esperança de sobreviver, mas não há angústia e revolta. Procura terminar o que deixou pela metade, fazer suas despedidas e se preparar para morrer. As garantias da presença, da mão estendida e do não abandono são altamente valorizadas.

## PRINCIPAIS SINTOMAS CLÍNICOS E SEU MANEJO

### Problemas relacionados com nutrição e hidratação

O suporte nutricional apresenta diferentes objetivos nas diversas fases de uma doença. Nos estágios iniciais, quando o paciente está em tratamento, o objetivo é garantir que ele receba nutrientes em quantidade suficiente para restaurar ou manter seu estado nutricional, visando adequar-se às demandas metabólicas geradas pela doença e pelo tratamento, reparar tecidos, prevenir infecções e promover uma sensação de bem-estar e qualidade de vida. À medida que o fim da vida se aproxima, os alimentos continuam sendo ofertados, mas agora com ênfase no alívio do sofrimento e na promoção da qualidade de vida. Quando a terapia nutricional já não consegue alcançar esses objetivos, ela pode tornar-se fútil.

### Orientações gerais

Alimentar-se ajuda o indivíduo a manter sua autonomia, dá sentido à vida, além de ser uma fonte de afeto e carinho. Em um sentido contrário, a piora do estado nutricional do doente é uma frequente fonte de tensão entre paciente, familiares e equipe de saúde. A grande maioria dos pacientes em cuidados paliativos passa por redução da ingesta oral à medida que a doença progride ou na fase terminal antes da morte, voluntariamente ou porque eles são incapazes de ingerir nutrientes por causa da perda de apetite, náuseas, vômitos, disfagia, fraqueza generalizada, obstrução do trato gastrintestinal ou cognição prejudicada.

Os alimentos estão intrinsecamente ligados ao conceito de saúde, e, portanto, um paciente enfraquecido e desnutrido que passa a não aceitar ou tolerar líquidos e alimentos por via oral pode gerar um intenso sentimento de culpa em seus familiares e cuidadores, levando a altos níveis de estresse emocional. Nessas situações, é comum o temor de que a desidratação e a desnutrição contribuam para o sofrimento ou acelerem a morte do paciente, além da preocupação com a sensação de fome.

Os pacientes e suas famílias devem ser esclarecidos de que a alimentação artificial não é capaz de reverter o processo subjacente na doença avançada, e de que a perda de interesse em alimentos é uma ocorrência natural com os avanços da doença. Estudos com pacientes perto do fim da vida indicam que normalmente eles não sentem fome e desidratação, mesmo na ausência de suplementação nutricional, e que isso não é motivo de sofrimento.[6] Os benefícios sociais de comer com outros membros da família na mesa de jantar, bem como o prazer de degustar os alimentos, devem ser enfatizados sobre os benefícios nutricionais.

Embora a suplementação nutricional possa parecer ideal para controlar ou reverter a desnutrição, para a grande maioria de pacientes em estado terminal, não há evidência de que a nutrição artificial prolongue a vida ou melhore o estado funcional, e não deve ser indicada de rotina.[7]

Pode haver vantagens em diminuir o aporte nutricional e de hidratação em pacientes terminais. Por exemplo, a cetose relacionada com o jejum ajuda a aliviar o desconforto do paciente, inclusive aquele relacionado com a dor, provocando sensação de euforia. A diminuição da alimentação reduz o desconforto associado ao processo digestivo, como náuseas, vômitos, eructação, distensão abdominal e flatulência. Um certo grau de desidratação também está associado à diminuição de secreções e a um melhor controle da dor, devido à liberação de opioides endógenos.

**A opinião do paciente ao longo do tratamento ou anteriormente a ele deve sempre ser devidamente documentada e respeitada. Os profissionais devem levar em conta o estado pré-mórbido e o prognóstico do paciente, assim como fatores culturais e religiosos do seu contexto de vida.**

No Brasil, a prática de documentar a decisão do paciente em cuidados paliativos ainda não está formalizada. O paciente deve estar ciente de que o suporte nutricional e de hidratação artificial é uma terapêutica médica, e ainda assim apresenta benefícios incertos, além de considerável risco (como aumento das dores e secreções). Caso o paciente nunca tenha apresentado seus desejos em relação ao final de sua vida, as pessoas responsáveis pela decisão devem basear-se na vontade do paciente ou naquilo que seria de seu maior interesse. É necessária a participação da família nesse processo de nutrição, e ela deve ser orientada sobre o fato de que não há rejeição pessoal, falta de afeto ou abandono quando o paciente não aceita mais alimentar-se.

Nos casos de doença avançada, pode-se optar por manter a via oral e incentivar a boa apresentação dos alimentos com base nas preferências do paciente, bem como adotar algumas medidas comportamentais, como ingestão de pequenas quantidades com mais frequência, alimentar-se em ambiente calmo e em boa companhia, além de utilizar pequenas quantidades de álcool para melhorar o apetite e aumentar calorias.[8] As restrições alimentares relacionadas com as doenças de base tornam-se fúteis nesse contexto. Caso se opte por não oferecer hidratação, a xerostomia pode ser aliviada com cuidados orais adequados, bem como pelo umedecimento da boca com pequenas quantidades de água ou com pedras de gelo.

## Vias de administração

O suporte nutricional e a hidratação podem ser oferecidos de várias formas:
- **via oral:** sempre deve ser a via preferencial. Devem ser reforçadas as medidas comportamentais mencionadas no tópico anterior;
- **via intravenosa:** em geral, é capaz de suprir as necessidades de líquidos, porém nem sempre consegue garantir o aporte de nutrientes;
- **via subcutânea (hipodermóclise):** permite a administração de soluções parenterais, reposição de eletrólitos e medicamentos analgésicos quando a aceitação oral está comprometida, sempre em situações não emergenciais. Trata-se de uma técnica simples, rápida, barata, segura e confortável para o paciente. Pacientes idosos e em cuidados paliativos que possuem veias finas, frágeis, que se rompem facilmente, são os mais beneficiados;
- **sonda nasoentérica de calibre fino:** recomendada para pacientes que precisam dessa modalidade de nutrição por períodos curtos (4-6 semanas), em situações de agudização de doença. O uso mais prolongado é desaconselhado em função do desconforto associado e dos riscos de infecção. Contudo, antes de tentar outras vias de dieta enteral, deve-se avaliar cada caso em relação à doença de base, ao prognóstico, aos riscos do procedimento e ao custo;
- **gastrostomia ou jejunostomia:** são indicadas quando o paciente necessita desse suporte por tempo mais prolongado, devendo-se dar preferência para a gastrostomia, sempre que possível. Quando a incapacidade for transitória, a sonda nasoentérica e a gastrostomia são equivalentes e possuem morbidades semelhantes nas primeiras 2 semanas de utilização.[9,10] As especificidades do uso de gastrostomia são: presença de obstrução esofagiana, presença de disfagia mesmo sem obstrução, dificuldades de ingestão sem a caracterização de uma doença terminal e descompressão intra-abdominal em pacientes que não desejam ter uma sonda nasogástrica.

## Indicações gerais de suporte nutricional

O impacto da hidratação e da nutrição artificiais depende da situação clínica específica. Pode haver melhora de sobrevida **B** e da qualidade de vida em pacientes com esclerose lateral amiotrófica **C/D**,[11] e diminuição da mortalidade em pacientes na fase aguda de um AVC **B**.[12]

Em pacientes com câncer, o uso de gastrostomia endoscópica pode prolongar a vida quando o contexto é de recuperação de um agravo agudo (infecção, quimioterapia, radioterapia), e também pode servir em situações selecionadas como forma de controlar os sintomas, aumentando o conforto e diminuindo o sofrimento do paciente. Situações que apresentam provável benefício de nutrição artificial são pacientes em perioperatório de cirurgia do câncer, pacientes que se submeterão a transplante de medula óssea e pacientes em tratamento para câncer de cabeça e pescoço – em que há potencial cura da doença ou um longo período de controle do tumor. Estudos sugerem que as intervenções nutricionais podem melhorar alguns aspectos da qualidade de vida em pacientes desnutridos selecionados, mas sem mudança na mortalidade **B**.[13] Porém, em pacientes com câncer em fase terminal, podem levar a sintomas indesejáveis, como aumento do débito urinário, diarreia, náuseas, dor e problemas respiratórios.

Em pacientes com demência, a nutrição e a hidratação artificiais estão associadas a riscos significativos: maior necessidade de restrição ao leito, pneumonia aspirativa, diarreia e problemas com a remoção do tubo pelo paciente. Em pacientes com demência avançada ou terminais, sua utilização é muito controversa, pois parece não existir real benefício terapêutico.[14-16]

Uma alternativa possível à colocação de gastrostomia endoscópica em pacientes demenciados graves é a adoção de medidas comportamentais, como:
- evitar distrações na hora da refeição, mantendo contato verbal e visual com o paciente;
- mudar a rotina alimentar, de forma a oferecer refeições no horário em que o paciente esteja menos fatigado, nauseado ou com menos dor;
- mudar o processo de preparação. Usar cozimento e forno de micro-ondas pode minimizar odores que possam ser aversivos;
- assegurar que o paciente receba sua alimentação em um contexto agradável e psicologicamente confortável;

→ utilizar equipamento simples para oportunizar condições para que o paciente se alimente de forma independente. Por exemplo: adaptar colheres com angulação adequada a eventuais limitações de movimentos, ou utilizar canudos com válvula unidirecional para evitar que uma debilidade de sucção possa impossibilitar a ingestão;
→ dar o tempo adequado para que o paciente possa se alimentar, respeitando seu ritmo de ingestão;
→ selecionar os alimentos de forma adequada. Oferecer, quando adequado, suplementos nutricionais sob diferentes formas: pirulitos, musses, sopas, cremes;
→ atentar para temperatura, consistência e paladar do alimento;
→ ofertar alimentos que sejam preferidos e com sabor marcante.

Essas medidas, apesar de simples, podem ser de difícil aplicação cotidiana. Não há evidências de que essas técnicas sejam plausíveis, custo-efetivas ou capazes de mudar o prognóstico.

## Disfagia

A disfagia pode ocorrer devido a doenças neurológicas congênitas ou em decorrência de eventos agudos, como traumatismo craniano e AVC. Os problemas de deglutição também podem surgir no início ou no final de uma doença neurológica degenerativa, como é o caso dos quadros demenciais, agravando-se conforme a evolução da patologia.[10]

O tratamento da disfagia em pacientes com doença neurológica degenerativa requer mudanças progressivas, modificação ou restrição de determinados alimentos (geralmente devido à consistência) e, em algumas situações, a recomendação de uma dieta mista (via oral e enteral) ou até mesmo uma dieta exclusiva por via enteral. Na maioria das vezes, uma pequena dieta por via oral é mantida para satisfazer o desejo do paciente. Nesse caso, deve-se reavaliar com regularidade a capacidade de deglutição para evitar o risco de broncoaspiração (ver Capítulo Doenças Cerebrovasculares). Para pacientes com disfagia, recomenda-se uma dieta pastosa, apesar de essa mudança estar associada à piora da qualidade de vida em alguns estudos B.[17] Alguns alimentos que podem ser utilizados incluem gelatina, farinha láctea, sagu, aveia e gelatina ou espessante nas bebidas.

## Síndrome da caquexia/anorexia

A síndrome da caquexia/anorexia (SCA) é uma associação de sinais e sintomas decorrentes de alterações metabólicas e inflamatórias que incluem perda de peso, anorexia, náusea e fadiga. Anorexia significa perda de apetite com ingesta alimentar abaixo do normal. Caquexia é definida como perda involuntária de mais de 10% do peso pré-mórbido em 6 meses, associada à perda de proteína muscular e visceral e de tecido gorduroso.

Ela pode ser classificada em primária e secundária, de acordo com a etiologia e a fisiopatologia. A primária tem como causa a própria doença de base (p. ex., câncer, Aids e insuficiência cardíaca avançada), que desencadeia uma resposta inflamatória sistêmica. A secundária é consequência de alterações potencialmente reversíveis, como estomatites, disfagia, náuseas/vômitos, constipação/obstrução intestinal, depressão, dispneia e infecções. Nas doenças avançadas, é comum a associação entre as duas.

A avaliação é feita pela anamnese, por antropometria e, às vezes, por alguns exames complementares. É necessário avaliar o apetite, que pode ser medido por escalas semelhantes às da dor, vistas mais adiante, e a ingesta calórica, por meio de recordatório ou diário alimentar. Os parâmetros antropométricos mais utilizados são peso, espessura da prega cutânea (gordura corporal) e circunferência do braço (musculatura média do braço). O peso é a medida mais fácil, mas a retenção hídrica e as grandes massas tumorais podem prejudicar a sua avaliação.[18] Dosagens de albumina (estado proteico muscular – pouco específico), creatinina urinária e índice creatinina/peso (massa muscular) e proteína C-reativa (marcador de citocinas pró-inflamatórias – pouco específico) podem auxiliar em alguns casos. Outros exames inespecíficos, como dosagem de hemoglobina, potássio, magnésio e ácido láctico, raramente são necessários.

A abordagem nutricional nos casos de SCA em doença avançada costuma ser considerada fútil, isto é, sem evidência clínica de benefício para o paciente.[7] Porém, se utilizada em fases iniciais da doença ou quando a SCA for secundária e potencialmente reversível, ela pode prolongar a vida e melhorar sua qualidade.[19] Sempre que possível, a via oral deve ser mantida, e, quando o paciente está com SCA potencialmente reversível, se necessário, pode-se optar por outras vias de reposição.

### Manejo farmacológico

O principal objetivo do tratamento farmacológico é a melhora da náusea crônica e da anorexia. Somente uma minoria dos pacientes consegue um aumento de peso significativo.

Os agentes progestágenos (p. ex., acetato de megestrol e acetato de medroxiprogesterona) aumentam o apetite e o ganho de peso B em pacientes com câncer e caquexia.[20,21] Porém, o aumento de peso parece ser devido ao aumento da massa gorda (gorduras) ao invés da massa magra (muscular). Não há benefício direto demonstrado em relação à sobrevida ou à qualidade de vida; além disso, apresentam custo elevado e aumentam o risco de desenvolver eventos tromboembólicos, edema periférico, hiperglicemia, hipertensão, hipogonadismo e supressão suprarrenal.[20] Para minimizar esses paraefeitos, o acetato de megestrol deve ser iniciado na dose de 160 mg/dia com um aumento a cada 2 semanas, podendo chegar à dose máxima de 800 mg/dia, observando-se sempre os resultados do tratamento. Parece não haver benefício no uso de progestágenos para tratamento da SCA em pacientes não oncológicos.[22]

Os corticoides também promovem melhora do apetite B[21] com efetividade semelhante à do megestrol C/D.[23] Devido aos significativos paraefeitos, devem ser reservados para pacientes com doença avançada ou quando um duplo benefício é esperado, como alívio da dor e das náuseas/vômitos. As opções mais utilizadas são dexametasona (4 mg/dia) e prednisona (20-40 mg/dia), podendo ser empregadas doses equivalentes de outros corticoides.[8]

A metoclopramida tem efeito procinético, aumentando o esvaziamento gástrico e diminuindo a náusea crônica C/D.[24,25] A administração frequente e contínua parece ter maior eficácia. Em situações específicas, como na depressão, um efeito positivo sobre a melhora do apetite e o ganho de peso pode ser obtido com mirtazapina.[26]

## Náuseas e vômitos

Náuseas e vômitos podem ser extremamente debilitantes para pacientes com câncer, Aids, doenças hepáticas e doenças renais. As causas incluem uso de medicamentos, quadros obstrutivos intestinais, uremia, estresse psicológico e estímulos vestibulares. Na maioria dos casos, a etiologia é múltipla, e a compreensão do processo emético e dos neurotransmissores envolvidos é de grande auxílio para avaliar e conduzir o tratamento (ver Capítulo Náusea e Vômitos). Nos pacientes oncológicos, nem sempre a doença neoplásica de base é a causa direta das náuseas e dos vômitos.

Deve-se identificar e tratar causas específicas. Quando a constipação é o fator desencadeante, ela pode ser tratada com medidas dietéticas e terapêutica laxativa. Quando o paciente apresenta ansiedade e/ou náusea antecipatória, uma simples explicação tranquilizadora pode ser bastante útil. Na náusea desencadeada pelo uso de opioides, o rodízio de fármacos pode melhorar o quadro e inclusive levar a uma melhor resposta no alívio da dor C/D.[27] Nos pacientes com hipertensão intracraniana de origem tumoral, sugerida pela presença de vômitos em jato, não precedidos por náusea, o uso de corticoides e/ou radioterapia pode aliviar a pressão intracraniana e, consequentemente, os vômitos. Na presença de distúrbio hidreletrolítico, como na hipercalcemia da malignidade (comum em mieloma múltiplo, câncer de pulmão e de mama), deve-se dar ênfase à correção da causa da náusea; nesse caso, deve-se priorizar o uso de bisfosfonatos e de corticoide, e não apenas de antieméticos. Em pacientes com quadro infeccioso, o tratamento específico pode melhorar o estado hiperemético. Quando há obstrução mecânica do cólon, suspeitada pela presença de vômitos fecaloides e/ou distensão abdominal, deve-se considerar encaminhamento para avaliação cirúrgica.[28]

Medidas não farmacológicas podem ser empregadas, e a terapêutica medicamentosa deve ser dirigida ao provável mediador que estaria causando a náusea, isto é, à dopamina, à serotonina, à histamina ou às vias colinérgicas (ver Capítulo Náusea e Vômitos).

Quando todas as medidas terapêuticas já foram empregadas e o paciente continua apresentando náuseas e vômitos, a sedação paliativa deve ser considerada. Ela é introduzida com o objetivo de melhorar a qualidade de vida e deve ser mantida até que o sintoma seja superado ou até o falecimento do paciente.[28]

## Constipação

A constipação é, geralmente, multifatorial em pacientes terminais, destacando-se: idade avançada, efeitos diretos do câncer (neuropatias, hipercalcemia, compressão intestinal ou medular pelo tumor), efeitos secundários da doença (imobilidade, desnutrição, alimentação pobre em fibras, constrangimento e falta de privacidade para evacuar), uso de medicamentos (opioides, escopolamina, ondansetrona, fenotiazinas, antidepressivos tricíclicos [ADTs], antiparkinsonianos, anticonvulsivantes, sulfato ferroso, diuréticos e antiácidos que contenham cálcio e alumínio) ou outras doenças concomitantes (hipocalemia, diabetes melito, hipotireoidismo, fissura anal e hemorroidas, depressão).

Na anamnese, é importante questionar a frequência e a consistência das fezes, bem como a presença de náuseas, vômitos, dor abdominal, distensão abdominal e qualidade e quantidade da dieta. Na avaliação, sempre perguntar quando foi a última vez que o paciente evacuou. Se a última evacuação foi há mais de 3 dias, prosseguir com uma avaliação mais detalhada e excluir impactação fecal.[29] É importante salientar que mesmo pacientes que não estão se alimentando continuam evacuando, pois as fezes são formadas majoritariamente por água (75%), e o restante, por componentes sólidos, entre eles secreções, *debris* celulares, microrganismos e, somente uma pequena parte, por restos alimentares. Constipação persistente e tenesmo (sensação de ocupação retal apesar da defecação) sempre devem ser avaliados com toque retal para excluir a hipótese de impactação fecal. Se a constipação for acompanhada de diarreia em pequena quantidade, na forma de escape de fezes líquidas, a hipótese de impactação fecal com sobrefluxo líquido fecal ao redor do fecaloma também deve ser obrigatoriamente excluída com exame de toque retal. No exame físico abdominal, pode-se encontrar distensão abdominal ou cólon com massas fecais móveis e denteadas. A presença de distensão abdominal, dor em cólicas e ausência de conteúdo fecal no reto, principalmente em um paciente com neoplasia gastrintestinal ou pélvica, deve aventar a suspeita de obstrução intestinal maligna, com necessidade de manejo emergencial.

Situações em que haja modificação do regime de opioides com consequente desenvolvimento ou piora da constipação não exigem investigação adicional; entretanto, nos casos em que não exista um claro fator causal, a investigação subsequente com anamnese, exame físico, toque retal, exames laboratoriais, exames de imagem e colonoscopia pode (e deve) ser utilizada.

Além de tentar controlar as causas da constipação, o foco do tratamento é alcançar uma evacuação não forçada a cada 24 a 48 horas. Alguns pacientes resolvem o trânsito intestinal apenas com aumento da quantidade de líquidos (2 litros de líquidos por dia, se possível) e de fibras alimentares; porém, o volume de fibras alimentares não deve ser aumentado se houver suspeita de obstrução intestinal ou se existir dificuldade para manter uma hidratação adequada. Outras medidas úteis são adicionar um banco para elevar os joelhos no momento da evacuação das fezes (facilita o relaxamento esfincteriano), reeducar o hábito intestinal estimulando os pacientes a evacuarem no mesmo horário e evitar inibir o desejo evacuatório. Estimular atividade física e oferecer privacidade e conforto durante a defecação também devem sempre ser lembrados.

A constipação persistente e não responsiva a medidas não farmacológicas pode ser tratada com a adição de um laxativo ou associação entre laxativos (ver Capítulo Problemas Digestivos Baixos). Algumas particularidades de pacientes terminais interferem na escolha do laxativo. Pacientes com baixa ingesta hídrica não respondem bem aos laxativos formadores de bolo fecal, podendo, inclusive, piorar a constipação. Além disso, o uso de óleo mineral deve ser evitado em pacientes com risco de aspiração devido à possibilidade de pneumonia lipídica.

Caso se observe impactação fecal, devem ser utilizados supositórios glicerinados, enemas ou desimpactação fecal manual. Devido ao desconforto associado, a evacuação manual é considerada o último recurso terapêutico e pode necessitar de pré-medicação com analgésicos e ansiolíticos ou, até mesmo, sedação para procedimento em ambiente hospitalar.[30]

Nos pacientes com dor crônica, principalmente aqueles com doença neoplásica avançada, a constipação é uma das complicações mais frequentes e debilitantes do uso de opioides. Cerca de 90% dos pacientes que usam opioides fortes necessitam de uso de laxativos, em geral um laxativo catártico, para aumentar a peristalse intestinal (p. ex., bisacodil), associado ou não a um laxativo amolecedor de fezes (p. ex., lactulose).[31] Em casos refratários, pode-se usar metilnaltrexona ou naloxegol, antagonistas opioides com eficácia estabelecida na constipação induzida por opioides B. Entretanto, ambos devem ser evitados em casos de suspeita de obstrução intestinal.[32-34] Costumam ter início de ação rápido e induzir evacuação algumas horas após o uso, sem reversão do efeito analgésico.[35]

## Dor

A dor pode ser definida como uma "experiência sensitiva e emocional desagradável associada a, ou lembrando aquela causada por, uma lesão tecidual real ou potencial".[36] Sua intensidade é afetada por fatores como sexo, idade, etnia e suporte social e cultural, não dependendo somente do estímulo nociceptivo. Portanto, para avaliar a dor, é preciso acreditar no paciente.

Alguns estudos envolvendo pacientes com câncer avançado ou em estágio terminal mostram uma prevalência de dor moderada ou intensa > 51%.[37] Embora seja mais comum em pacientes com neoplasias terminais, a prevalência de dor no final da vida pode chegar a 50% nos pacientes com Aids e é, muitas vezes, negligenciada em pacientes portadores de cardiopatias crônicas e doenças pulmonares avançadas. Nas doenças neurológicas, como a demência e os AVCs, a dor de causa musculoesquelética é a mais comum, sendo raramente tratada de modo satisfatório.

### Avaliação da dor

A dor deve ser avaliada de forma detalhada com relação a fatores desencadeantes e de alívio, ritmo, qualidade, intensidade e duração. Naqueles que não têm condições de descrevê-la, a observação de seu comportamento e a impressão de seu cuidador direto são ferramentas importantes para identificar a presença de dor. Por exemplo, observar as reações corporais do paciente durante procedimentos possivelmente dolorosos (p. ex., banho, troca de fraldas, mudança de decúbito e curativos) pode melhorar muito a tomada de decisões terapêuticas.

Existem diversas escalas de mensuração da intensidade da dor, que devem ser usadas tanto para avaliar a presença de dor quanto para monitorar a resposta ao tratamento. As mais utilizadas são a escala visual numérica (EVN) e a escala de faces. A EVN é recomendada para crianças com idade > 7 anos e adultos com cognição preservada. Na EVN, solicita-se, em uma escala de 0 a 10 (em que 0 significa nenhuma dor e 10 significa a pior dor já experimentada), que o paciente atribua uma nota para a dor que está sentindo. A escala de faces é mais adequada para crianças com idade entre 2 e 6 anos e para adultos que não podem falar, mas que conseguem compreender a escala. Na escala de faces (FIGURA 193.1), o paciente aponta para a face que melhor reflete a dor que está sentindo.[38]

## Tipos de dor

### Dores musculares e articulares

São muito frequentes em pacientes com doenças degenerativas reumáticas e ósseas ou com sequelas de doenças neurológicas graves (p. ex., AVCs e demência). As dores miofasciais são comuns e requerem abordagem específica (ver Capítulo Dor Miofascial e Outras Dores Mecânicas).

### Dor óssea

Nos pacientes com metástases ósseas, sua etiologia está associada ao processo inflamatório ósseo, à remodelação e à destruição tecidual por ação dos osteoclastos e à compressão e ao sofrimento de estruturas neurais e vasculares do tecido ósseo e do periósteo. O tratamento farmacológico da dor secundária às metástases ósseas consiste na associação de anti-inflamatórios não esteroides (AINEs) ou inibidores seletivos da ciclixogenase-2 (COX-2), opioides fracos e inibidores da reabsorção óssea (bisfosfonatos ou denosumabe).[39] Apesar de não exercer efeitos imediatos, a adjuvância com bisfosfonatos confere bom controle sintomático em médio prazo B (número necessário para tratar [NNT] = 7).

**FIGURA 193.1** → Escala de faces.
Fonte: World Health Organization.[38]

No contexto de tratamento oncológico paliativo, a redução da massa tumoral pode fornecer alívio das dores ósseas. Portanto, como melhor estratégia terapêutica, pacientes que têm dor óssea localizada seriam candidatos à radioterapia convencional antálgica, e aqueles com dores ósseas difusas teriam melhor resultado com tratamentos sistêmicos como quimioterapia, bisfosfonatos e denosumabe ou terapia com radioisótopos sistêmicos, como o samário-153. O tratamento com radioisótopos sistêmicos é eficaz em aliviar a dor de metástases ósseas, com efeito inicial após 1 a 4 semanas do tratamento e duração de até 18 meses **B** (NNT = 4), mas requer centro especializado para sua realização.[40]

### Dor visceral

Ocorre pela ativação de nociceptores localizados nas vísceras mediante distensão, compressão ou infiltração visceral abdominal ou torácica. A dor é mal localizada, profunda e em aperto, causando desconforto visceral e podendo ser referida em pontos distantes do local de afecção primária, já que as vísceras possuem inervação confluente com territórios cutâneos e grupamentos musculares específicos. Quando aguda, a dor pode vir acompanhada de reações neurovegetativas como náuseas e vômitos. Inicialmente, podem ser usados AINEs e opioides fracos, sendo escalonados para opioides fortes (morfina, metadona ou fentanila) se a dor não ceder ou se a dor inicial for de grande intensidade.

### Dor neuropática

Ocorre pela presença de estímulos de origem inflamatória, degenerativa ou compressiva sobre as vias neurais sensitivas e sobre receptores de dor ou pela destruição do sistema supressor da dor. É geralmente descrita como "em queimação", "em choque", "sensação de facada" ou "sensação de agulhada", mal delimitada e em um determinado segmento do corpo, e muitas vezes associada a sensações anormais, como parestesias, hiperalgesia ou alodinia. Podem ser referidos paroxismos de dor intensa "em choque". Pacientes com grande número de paroxismos beneficiam-se de altas doses de anticonvulsivantes, enquanto aqueles com predomínio de dor contínua "em queimação" respondem melhor a ADTs.[41] Além disso, as combinações de analgésicos costumam ser mais eficazes, sendo que os índices de resposta esperados para tratamento isolado, em geral, não ultrapassam 50% para qualquer monoterapia.

### Dor mista

É típica de neoplasias cujo crescimento pode induzir inflamação, compressão e destruição de estruturas adjacentes, causando dor de múltiplas características. Um bom exemplo é o tumor de pulmão localmente avançado (p. ex., tumor de Pancoast), que pode produzir dor mista por invasão de pleura parietal (dor visceral), destruição óssea por invasão de costelas ou clavícula (dor óssea), invasão de músculos intercostais (dor muscular) e compressão de plexo braquial ou nervos intercostais (dor neuropática).

## Tratamento da dor

A OMS estabelece alguns princípios para o tratamento da dor oncológica.[42]

Segundo esses princípios, a dor deve ser tratada:

→ **pela boca:** sempre que possível, usar a via oral, seguida pelas vias transdérmica, subcutânea, intravenosa e retal. A via intramuscular deve ser evitada;

→ **pelo relógio:** os medicamentos devem ser administrados em intervalos regulares de acordo com o tempo de ação de cada medicamento, para que o paciente não sinta dor. Devem ser evitados testes do tipo suspender o medicamento para ver se a dor passou. Além disso, as reduções de doses precisam ser graduais e cuidadosas para que se evite o rebote da dor;

→ **pela escada:** a escada analgésica da OMS para dor oncológica (FIGURA 193.2)[43] teve sua primeira versão lançada em 1986, e utiliza uma abordagem em três passos sequenciais para manejo da dor oncológica. Embora tenha alguns pontos em debate, é um instrumento simples, claro, facilmente lembrado e ensinado, globalmente disponível, eficaz e custo-efetivo no tratamento da dor oncológica.[44-46] Junto com a EVN, deve ser usada de acordo com a intensidade da dor, buscando a escolha do melhor esquema analgésico. A dor fraca requer o emprego de analgésicos não opioides. A dor média ou não responsiva deve ser tratada com o acréscimo de um opioide fraco ou com um opioide forte em baixas doses (p. ex., morfina ≤ 30 mg/dia). As dores fortes exigem um opioide forte associado ou não a um analgésico não opioide. O emprego de fármacos adjuvantes deve ser considerado em todos os degraus e desde o início do tratamento;

→ **pelo indivíduo:** o tratamento é focado na pessoa com dor e, por isso, devem ser consideradas as características individuais do paciente, sua tolerância e adaptação aos medicamentos.

Como visto na escada analgésica da OMS, para a escolha do esquema analgésico mais adequado e após definida a intensidade e o tipo de dor, quatro grandes grupos de medicamentos podem ser utilizados isoladamente ou em associação: analgésicos não opioides (analgésicos simples e anti-inflamatórios), opioides fracos, opioides fortes e adjuvantes.

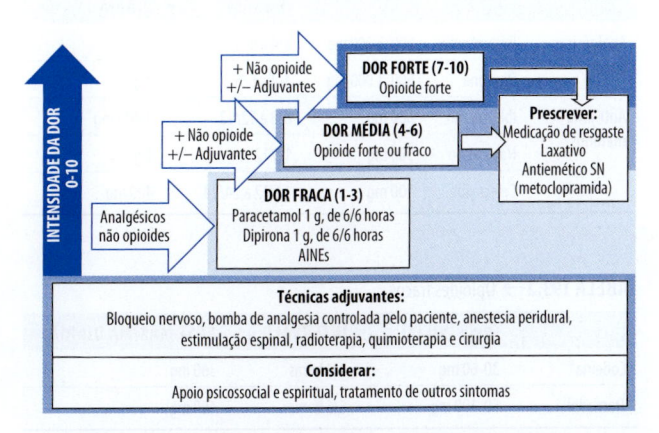

**FIGURA 193.2** → Escada analgésica da Organização Mundial da Saúde (OMS).
AINEs, anti-inflamatórios não esteroides; SN, se necessário.
Fonte: Ferreira e Mendonça.[43]

## Analgésicos não opioides

Para dores mais leves, podem ser usados analgésicos não opioides ou AINEs (TABELA 193.1). Eles também podem ser usados concomitantemente aos opioides, com o objetivo de combinar mecanismos de ação e permitir uso de doses mais baixas de analgésicos opioides. Esses fármacos apresentam efeito-teto – ou seja, acima de uma determinada dose, o aumento dela não está associado a efeito mais forte. Quando se faz uso prolongado de AINEs, especialmente em pacientes idosos, com história prévia de doença ulcerosa péptica e/ou uso concomitante de medicamentos que aumentam risco de complicações gastrintestinais (ácido acetilsalicílico, corticoide oral, anticoagulantes, inibidores seletivos da recaptação da serotonina [ISRSs]), recomenda-se associar inibidores da bomba de prótons.

## Analgésicos opioides

O analgésico opioide deve ser escolhido por sua intensidade e tempo de ação, comodidade de via de administração, e efeitos adicionais e colaterais. A eficácia é semelhante com as diferentes vias de administração **C/D**.[47] Em geral, não existe benefício em usar mais de um opioide em associação. Nunca se deve suspender abruptamente uma prescrição de opioide sob pena de levar o paciente a uma desagradável e perigosa síndrome de abstinência. Os opioides como grupo não estão indicados no tratamento da dor crônica (ver Capítulo Dor Crônica e Sensibilização Central).

> Pela potente ação obstipante que os opioides possuem, todo paciente em uso de opioide fixo é candidato ao uso de laxativo catártico também fixo (p. ex., bisacodil), associado ou não a laxativo amolecedor de fezes (p. ex., lactulose).

Os opioides fracos incluem a codeína e o tramadol (TABELA 193.2). Os principais opioides fortes são a morfina (TABELA 193.3) e a metadona (TABELA 193.4). Por possuir efeito analgésico de curta duração, elevado risco de adicção, risco de desencadear convulsões e múltiplas interações medicamentosas, a meperidina não é um fármaco recomendado **B**.

Durante o uso de opioides, embora pouco frequente, pode ocorrer uma reação paradoxal de hiperalgesia por aumento da sensibilidade da via nociceptora. A redução de dose com associação de outro fármaco não opioide (p. ex., AINE) ou a troca por outro opioide é o mais indicado. Quando ocorre tolerância ao uso de um opioide, pode-se trocar para formulação de liberação controlada ou para outro

**TABELA 193.1** → Analgésicos não opioides

| CATEGORIA | FÁRMACO | DOSE INICIAL | INTERVALO (HORAS) | DOSE MÁXIMA DIÁRIA |
|---|---|---|---|---|
| Analgésicos fracos | Paracetamol | 500-1.000 mg | 4/4 a 6/6 | 4 g |
| | Dipirona | 500-1.000 mg | 4/4 a 6/6 | 4 g |
| Anti-inflamatórios | Ibuprofeno | 600 mg | 8/8 a 12/12 | 2.400 mg |
| | Naproxeno | 500 mg | 12/12 | 1 g |
| | Celecoxibe | 100 mg | 12/12 a 24/24 | 400 mg |

**TABELA 193.2** → Opioides fracos

| | DOSE INICIAL | INTERVALO | DOSE MÁXIMA DIÁRIA |
|---|---|---|---|
| Codeína* | 30-60 mg | 4/4 horas | 360 mg |
| Tramadol† | 50-100 mg | 6/6 horas | 400 mg |

*A codeína pode ser utilizada isoladamente ou em associação com paracetamol ou diclofenaco. Tem ação antitussígena e é potente fármaco constipante.
†O tramadol é mais nauseante do que a codeína, não tem ação antitussígena e é menos constipante. Também pode ser encontrado no mercado em associação com paracetamol.

**TABELA 193.3** → Morfina

| | FORMA DE APRESENTAÇÃO | INÍCIO DE EFEITO | PICO DE EFEITO | DURAÇÃO DO EFEITO |
|---|---|---|---|---|
| **Oral** | | | | |
| Morfina de liberação imediata | Cápsulas: 10 ou 30 mg Solução oral: 10 mg/mL (1 mL = 32 gotas) | 20 minutos | 1-1,5 hora | 4 horas |
| Morfina de liberação controlada | Cápsulas: 30, 60 ou 100 mg | 1-2 horas | 3-5 horas | 12 horas |
| **Parenteral** | | | | |
| Subcutânea ou intravenosa (evitar intramuscular) | 10 mg/mL (1 ampola = 1 mL) | | | |

Para administração oral, inicia-se com 5-10 mg de morfina de liberação imediata (2-5 mg em idosos). Para administração parenteral, administra-se metade dessa dose. O intervalo entre as doses deve ser de 4 horas, devido à meia-vida curta. Intervalos maiores estão associados a mau controle analgésico. Atingem-se níveis séricos constantes após 12-15 horas, quando é possível avaliar a eficácia analgésica do esquema vigente.

Se necessário, administram-se doses de resgate a cada 1-4 horas, calculadas como um sexto da dose diária total fixa de morfina. Se o paciente necessitar regularmente de 2 ou mais doses de resgate por dia, aumenta-se a dose diária total após 2-3 dias, incorporando as doses médias de resgate dos dias anteriores. Outra opção é aumentar a dose diária total em 20-30% de cada vez.

Após atingir dose analgésica satisfatória, para facilitar a posologia, pode-se converter para morfina de liberação controlada, mantendo-se a dose diária total, dividida em 2 tomadas de 12/12 horas. A primeira administração é feita 4 horas após a última dose de liberação imediata.

Estudos recentes mostram que a morfina também pode ser usada em baixas doses (≤ 30 mg/dia) no 2º degrau da escada analgésica (ver FIGURA 193.2), no lugar de opioides fracos como codeína e tramadol.

**TABELA 193.4** → Metadona

| FORMA DE APRESENTAÇÃO | INÍCIO DE EFEITO | PICO DE EFEITO | DURAÇÃO DO EFEITO |
|---|---|---|---|
| Comprimidos: 5 ou 10 mg | 0,5-1 hora | 3-5 dias (de uso contínuo) | Inicialmente: 4-8 horas Com doses repetidas: 22-48 horas |

A metadona é um medicamento barato que oferece excelente controle analgésico. Seu uso principal é na rotação de opioides, mas também pode ser a primeira opção em pacientes com insuficiência renal e hepática, por acumular-se no tecido adiposo e ter excreção intestinal. Seu emprego deve ser cauteloso, de preferência por médicos com experiência no seu uso, pois frequentemente interage com outros medicamentos e tem meia-vida variável (13-100 horas), o que impossibilita saber quando o paciente atingiu níveis séricos estáveis. Além disso, pode prolongar o intervalo QT, predispondo a *torsades de pointes*. É recomendável solicitar eletrocardiograma antes de iniciar o uso, principalmente em pacientes com doença estrutural cardíaca e história de arritmia, e repetir o exame após 1 mês.

Em pacientes que não estavam usando outro opioide, pode-se iniciar com 2,5 mg, de 8/8 horas. Em pacientes idosos frágeis, a dose inicial pode ser 2,5 mg, 1 ×/dia. O ajuste deve ocorrer a cada 5-7 dias, conforme a resposta terapêutica, sempre com aumento de, no máximo, 20% de cada vez. Quando se converte para metadona a partir de morfina, deve-se usar o fator de conversão adequado à dose diária (ver TABELA 193.6). Por exemplo, para doses diárias de morfina de até 100 mg, o fator é de 1 mg de metadona para cada 3 mg de morfina, e a dose é dividida em 3 tomadas diárias, de 8/8 horas. O monitoramento para sinais adversos deve ser cuidadoso nos primeiros dias (de preferência, diário), e a dose só deve ser aumentada após 5-7 dias.

opioide, o que é denominado rodízio ou rotação de opioides. Nesse caso, em geral a dose inicial equipotente do novo fármaco deve ser 30% menor para titular os efeitos adversos mais comuns do novo medicamento.[41] Essa estratégia também pode ser usada para minimizar os efeitos adversos. Na troca de um opioide por outro, recomenda-se considerar a equipotência entre os fármacos (TABELAS 193.5 e 193.6),[48] evitando o risco de uso de doses aberrantes.

Outros opioides fortes ainda são pouco utilizados em nosso meio devido ao custo mais elevado: a oxicodona de longa duração, a fentanila transdérmica e a buprenorfina transdérmica. O maior benefício da oxicodona é o fato de que os comprimidos têm uma dupla camada de liberação, uma imediata e uma lenta, o que possibilita o seu uso de 12/12 horas.[42] A fentanila é administrada sob a forma de adesivo, proporcionando liberação lenta e contínua do medicamento ao longo de 72 horas. É menos sedativo, nauseante e constipante do que a morfina. É muito cômodo e útil para pacientes com via oral difícil, portadores de insuficiência hepática ou renal, usuários de sondas entéricas e aqueles que necessitam de altas doses de morfina. A buprenorfina também tem apresentação transdérmica, costuma ser muito bem tolerada e tem a comodidade de ser trocada apenas a cada 7 dias.

### Fármacos adjuvantes

Os ADTs (amitriptilina, imipramina e nortriptilina) inibem a recaptação da serotonina e da noradrenalina no sistema inibitório descendente, o que impede a condução de potenciais de ação nociceptivos no corno posterior da medula. As doses analgésicas são inferiores às usadas com ação antidepressiva, em geral sendo iniciadas em doses de 10 a 25 mg. O início da ação ocorre entre 3 e 7 dias, com efeito máximo em 2 a 3 semanas de uso em mesma dose. A maioria dos pacientes obtém resposta satisfatória com doses entre 50 e 150 mg, sendo que, na dor neuropática não oncológica, a maioria tem bons resultados com doses de 10 a 75 mg. Os efeitos colaterais mais comuns (sonolência, confusão mental, boca seca e retenção urinária) são de liberação anticolinérgica, o que explica a sua contraindicação em pacientes com glaucoma, prostatismo e arritmias cardíacas. Os efeitos adversos são menos comuns com a nortriptilina.

Outros antidepressivos, como os inibidores da recaptação da serotonina e da noradrenalina (venlafaxina na dose de 75-225 mg/dia e duloxetina na dose de 60-120 mg/dia), também têm eficácia comprovada, além de tolerabilidade diferenciada quando comparados com os ADTs, principalmente em casos de dor neuropática C/D.[49–51]

Os anticonvulsivantes (gabapentina, pregabalina e carbamazepina) são muito úteis em alguns casos de pacientes com dor neuropática; entretanto, podem induzir sonolência e raciocínio lento nos primeiros dias de uso. A gabapentina é, em geral, iniciada na dose de 300 mg, 1 a 3 ×/dia, e aumentada gradualmente até 1.200 mg, 3 ×/dia C/D.[52] A pregabalina é iniciada na dose de 50 a 75 mg, 2 ×/dia, até a dose máxima de 600 mg/dia C/D.[53,54] A carbamazepina é iniciada na dose de 100 mg, de 12/12 horas, com aumento gradual até 400 mg, de 8/8 horas, e tem a peculiaridade de ser a melhor alternativa para pacientes com neuralgia do trigêmeo (p. ex., pacientes com tumor de cabeça e pescoço) e algumas outras neuropatias de caráter lancinante.[55]

Os corticoides são úteis no tratamento adjuvante da dor principalmente quando ela é relacionada a lesões tumorais com efeito de massa, como cefaleia relacionada a aumento da pressão intracraniana, distensão de cápsula hepática, obstrução intestinal maligna, invasão nervosa e de outros tecidos. Eles agem reduzindo a inflamação e edema peritumoral B.[42] As opções mais usadas são dexametasona 1 a 2 mg/dia, de 12/12 horas, e prednisona 5 a 10 mg, de 12/12 ou 24/24 horas. Doses iniciais maiores podem ser usadas para atingir um efeito mais rápido em 1 a 3 dias, e depois reduzidas à dose mínima que mantém benefício. A dexametasona é preferida por ter menos efeitos mineralocorticoides.[56]

## Outras considerações

A maioria dos médicos concorda que os pacientes terminais precisam de controle adequado da dor, em níveis leves a moderados, a um ponto considerado adequado também pelo paciente. Entretanto, muitos acabam não tratando adequadamente a dor pelo receio de complicações legais, sobremaneira pela possibilidade de precipitação da morte (p. ex., depressão respiratória durante uso de opioides). Na verdade, a depressão respiratória é pouco frequente quando o médico tem bom treinamento no uso de opioides e raramente é vista em pacientes com dor, já que a dor é um potente estímulo para o centro respiratório no sistema nervoso central. Além disso, e a favor do uso mais amplo dos opioides, existe a possibilidade, ainda não comprovada, mas bem lógica, de que o correto uso de morfina poderia, inclusive, prolongar a vida do paciente por mantê-lo em maior repouso e livre de dor, o que pode melhorar o sono, o apetite e as saídas do leito. O risco de depressão respiratória com consequente encurtamento da vida do paciente em alguns dias é real, mas

**TABELA 193.5** → Conversão de opioides

| FÁRMACO | VO (mg) | PARENTERAL (mg) | MEIA-VIDA (HORAS) | TEMPO DE AÇÃO (HORAS) |
|---|---|---|---|---|
| Morfina | 30 | 10 | 2-3 | 2-4 |
| Codeína | 200 | 130 | 2-3 | 3-6 |
| Tramadol | 150 | 75 | 5-7 | 6 |
| Oxicodona | 10-15 | – | 7-8 | 8-12 |

**TABELA 193.6** → Conversão de morfina para metadona

| DOSE ORAL DIÁRIA DE MORFINA | FATOR DE CONVERSÃO (MORFINA:METADONA) |
|---|---|
| < 100 mg | 3:1 |
| 101-300 mg | 5:1 |
| 301-600 mg | 10:1 |
| 601-800 mg | 12:1 |
| 801-1.000 mg | 15:1 |
| > 1.000 mg | 20:1 |

Fonte: Old e Swagerty.[48]

pequeno, se levarmos em conta os benefícios da medicação; e, se ocorrer, sem dúvida nenhuma, estará em conformidade moral com a busca e a manutenção da dignidade humana, uma medida amplamente amparada pelo Código de Ética Médica.

Casos resistentes ao tratamento farmacológico sempre devem ser encaminhados para avaliação de procedimento invasivo de controle da dor (p. ex., estabilização cirúrgica de fraturas patológicas, ressecção de metástases de fácil abordagem cirúrgica, etc.) ou interrupção de vias de condução com bloqueios anestésicos.

Sendo a dor um sintoma multifatorial e considerando os seus aspectos físicos, psicológicos, espirituais e sociais, além do arsenal medicamentoso, medidas não farmacológicas para o controle da dor podem e devem ser utilizadas em adjuvância, visando ao maior conforto do paciente e, talvez, à redução do volume e/ou quantidade de analgésicos e seus respectivos efeitos colaterais. Fisioterapia, hidroterapia, estimulação cutânea (calor vs. frio), ultrassom, acupuntura, massagem e técnicas de relaxamento e visualização associadas à terapia cognitiva são algumas das técnicas úteis. Além disso, deve-se sempre atentar para o conceito de "dor total" – a dor que é modulada por fatores emocionais, espirituais, sociais e culturais vividos pelo paciente. A abordagem desses fatores é imprescindível para entender o paciente como um todo e, assim, diminuir a sua dor e o seu sofrimento.[57]

## Dispneia

Definida como uma sensação subjetiva de falta de ar, a dispneia acompanha diversas situações clínicas em pacientes terminais. A incidência em pacientes com câncer avançado varia de 19 a 90%, sendo mais comum em pacientes com neoplasia de pulmão ou com metástases pulmonares, observada em 70 a 90% dos casos na última semana de vida.[58] Parece ser o sintoma mais estressante para os familiares dos pacientes que estão morrendo.[59]

Quando a dispneia se instala de forma súbita, pode sugerir embolia pulmonar, pneumotórax espontâneo ou comprometimento cardiovascular (arritmias ou infarto agudo do miocárdio). Quando ela tem duração de horas a dias, sugere possível infecção respiratória, derrame pleural ou mesmo agudização de insuficiência cardíaca. A dispneia de evolução crônica pode indicar doenças pulmonares crônicas como asma, enfisema, bronquite crônica, fibrose pulmonar ou até mesmo anemia grave. Se evoluir de forma intermitente, devem-se investigar circunstâncias e relação com exercícios físicos.

O exame físico pode auxiliar no diagnóstico da situação subjacente: a presença de cianose exclui causa psicológica; febre sugere processo infeccioso; turgência jugular indica insuficiência cardíaca ou tamponamento cardíaco ou mesmo embolia pulmonar maciça; palidez mucocutânea pode sugerir anemia; percussão torácica maciça indica derrame pleural volumoso; hipertimpanismo indica pneumotórax; e dados da ausculta pulmonar podem identificar processos localizados ou difusos como pneumonia ou asma.

Ressalta-se, entretanto, que a gravidade da dispneia não é predita por dados da oximetria ou pela frequência respiratória, uma vez que esse sintoma resulta de vários fatores.[2] A escala categórica numérica – que consiste em uma linha graduada de 0 a 5 ou de 0 a 10, na qual 0 expressa nenhum sintoma e 5 ou 10, sintoma insuportável – parece ser a ferramenta de avaliação mais simples de ser aplicada.[60]

### Fisiopatologia da dispneia

Geralmente, a dispneia decorre de três alterações principais: aumento do esforço respiratório para vencer algum problema mecânico (doença pulmonar obstrutiva ou restritiva, derrame pleural); aumento da proporção de fibras musculares para manter o funcionamento normal (doenças neuromusculares, caquexia por câncer); e aumento na necessidade ventilatória (hipoxemia, hipercapnia, anemia, acidose láctica). O tratamento dependerá da causa subjacente. A seguir, são classificadas as causas da dispneia:

→ **causas pulmonares:** broncospasmo, derrame pleural, tumor em via aérea, metástase ou obstrução de via aérea, edema pulmonar, linfangite carcinomatosa;
→ **causas cardiovasculares:** embolia pulmonar, síndrome da veia cava superior, derrame pericárdico;
→ **causas sistêmicas:** hipóxia, hipercapnia (ambas como mecanismo causal), anemia, ansiedade.

### Tratamento da dispneia

O tratamento da dispneia deve concentrar-se na correção da causa subjacente, se possível. O tratamento não farmacológico tem papel crucial no manejo do sintoma, e pode incluir reposicionamento do paciente, cabeceira elevada, abertura de janelas propiciando circulação do ar, fluxo de ar direcionado para o rosto do paciente (usar um pequeno ventilador ou ventilador de mão), diminuição da temperatura do quarto, ventilação mecânica não invasiva com uso de pressão positiva, orientações adequadas ao paciente e aos seus familiares, suporte psicológico ou mesmo uso de técnicas de relaxamento e distração.[61] Ter um plano escrito para momentos de crise, descrevendo ações para diminuir a dispneia, pode ajudar o paciente e o cuidador a não se sentirem paralisados pela agonia ou medo de morrer em uma crise grave de dispneia.[62] A terapia farmacológica inclui opioides, ansiolíticos e oxigênio.

Os opioides, tratamento de escolha da dispneia, podem reduzir a resposta à hipóxia e à hipercapnia, diminuindo a ansiedade e a sensação de dispneia sem induzir hipoxemia.[2] Os opioides são efetivos para melhora da dispneia, mas não há melhora na tolerância ao exercício C/D. A morfina é o opioide mais usado para esse fim; ela é segura (tem baixo risco de induzir depressão respiratória) e tem evidência comprovada de benefício quando administrada pelas vias oral e parenteral. Deve ser iniciada em doses baixas e com horários fixos, tituladas adequadamente. Por via oral, a dose inicial é de 2,5 mg, de 4/4 horas, incluindo dose de resgate a cada 60 minutos, até obter alívio dos sintomas. Por via subcutânea ou intravenosa, a dose é de 2 a 3 mg, de 4/4 horas, com dose de resgate de 1,5 mg a cada hora. Para os pacientes que já estavam recebendo opioides, o aumento da dose em

25% é adequado. Geralmente, a dose de opioide para alívio da dispneia é menor do que a dose para analgesia C/D.[63,64] O uso de opioides inalatórios não está indicado, uma vez que não há benefício observado com esses medicamentos C/D.[65]

Os benzodiazepínicos (BZDs) são considerados segunda ou terceira linha de tratamento para dispneia, e estão indicados nos pacientes em que a dispneia resulte de ansiedade C/D. Pode ser administrado lorazepam 1 mg, por via sublingual, ou midazolam 2,5 mg, por via subcutânea.[63] A combinação de BZDs e opioides exige monitorização, para evitar sedação.[2,66]

O oxigênio suplementar visa à qualidade de vida e à melhora sintomática. Não há comprovação de aumento da sobrevida em pacientes terminais com dispneia não elegíveis para oxigenoterapia em longo prazo (não hipoxêmicos) B.[67] Deve ser indicado para alívio sintomático nos pacientes com hipoxemia e pode ser usado de forma intermitente em pacientes que experimentam dispneia em certas atividades. Em pacientes com doença pulmonar obstrutiva crônica (DPOC) não hipoxêmicos, não há evidência de que o uso de oxigênio melhore a qualidade de vida ou as atividades da vida diária, embora possa ter discreto benefício na dispneia induzida por exercício.[68,69] Também não há benefício consistente do uso de oxigênio quando comparado a ar ambiente para pacientes não hipoxêmicos com insuficiência cardíaca ou neoplasia.[67]

Beta-agonistas de longa duração e corticoides podem ser benéficos em pacientes com DPOC (ver Capítulo Doença Pulmonar Obstrutiva Crônica).

A dispneia, junto com o *delirium*, são os sintomas mais comumente refratários a tratamento no contexto de final de vida. Quando esses sintomas refratários aos múltiplos esforços se instalam, prejudicando o bem-estar e gerando sofrimento intenso no processo de morrer, a sedação paliativa é a melhor alternativa de tratamento. A decisão para realizá-la deve envolver a equipe que presta assistência, o paciente e sua família, considerando as indefinições sobre o momento ideal de início desse tratamento, a seleção apropriada dos pacientes, o local mais adequado para efetivá-la ou mesmo a manutenção de hidratação e nutrição. Também se impõe a questão bioética pela indicação de um estado de inconsciência a um paciente próximo de sua morte, procedimento que deve ser distinguido de eutanásia e suicídio assistido. Midazolam é o fármaco de escolha, e neurolépticos podem ser requeridos, se houver *delirium*. A monitorização do paciente deve focar exclusivamente o conforto e o alívio dos sintomas causadores de sofrimento. Suporte psicológico e/ou espiritual aos familiares e à equipe assistente pode ser necessário.[70]

# ASPECTOS PSICOLÓGICOS

O processo de morrer faz o paciente, os familiares e os profissionais de saúde que estão prestando o atendimento refletirem sobre sua trajetória de vida, seus valores, suas relações e vínculos familiares e suas realizações e frustrações. Esse processo demanda, assim, grande carga emocional e predispõe as pessoas aos mais diversos sintomas psicológicos, que podem, em determinado nível, caracterizar transtorno psiquiátrico. Destacam-se, neste capítulo, a ansiedade e a depressão, por sua elevada frequência nessa fase da vida. Cabe ressaltar que esses sintomas não se referem às fases diante da morte descritas anteriormente.

## Ansiedade e depressão

Esses transtornos são mais comuns em pacientes terminais do que em pessoas saudáveis. A prevalência de ansiedade em pacientes com câncer pode chegar a 32%, em pacientes em cuidados paliativos com DPOC, a 75%, e em pacientes com insuficiência renal, a 70%. Eles podem afetar negativamente a qualidade de vida, a adesão ao tratamento e a maneira como o paciente lida com a progressão da doença. Também podem causar sintomas como insônia, náuseas, dispneia e dor, ou até mesmo exacerbar quadros de ansiedade preexistentes. Imprimem angústia aos familiares e aos amigos do paciente, pois reduzem o diálogo, tão valioso no fim da vida.

### Ansiedade

Quadros de ansiedade podem ser decorrentes de medos do processo de morrer, de dependência, da impotência diante da morte, do desamparo familiar, da preocupação com familiares e de preocupações espirituais. A ansiedade também pode ser consequência de disfunções clínicas, como dor maltratada, distúrbios metabólicos, hipóxia, embolia pulmonar, síndromes coronarianas, abstinência por álcool, opioides ou BZDs, abstinência sexual, tumores secretores de hormônios, quimioterapia ou radioterapia ou, ainda, devido a medicamentos (p. ex., corticoides, psicoestimulantes, broncodilatadores, antieméticos, sedativos, antidepressivos, etc.). É obrigação da equipe tratar a doença-causa, atentando sempre para os princípios da não maleficência e da futilidade terapêutica e tratar agressivamente a dor.

É importante ressaltar que, independentemente da terapia escolhida, o foco da intervenção deve ser o paciente e sua família. Qualquer membro da equipe deve estar preparado para ouvir, acolher e agir com empatia, por meio de conversas sinceras sobre o medo e a ansiedade, e prestar esclarecimentos sobre a doença, sua evolução, procedimentos diagnósticos e terapêuticos, assim como dificuldades psicossociais.

O tratamento não farmacológico tem como opções: psicoterapia, terapia comportamental, técnicas de relaxamento, acupuntura, musicoterapia, cuidado espiritual e grupos de suporte. As psicoterapias de grupo têm vantagem adicional de proporcionar a relativização do sofrimento e oferecem a chance de o apoio vir de várias direções.[43]

O controle farmacológico da ansiedade deve ser iniciado com a menor dose que proporcione o alívio dos sintomas, e a escolha do medicamento deve basear-se no diagnóstico, na gravidade dos sintomas, nos potenciais efeitos colaterais e no prognóstico do paciente. O tratamento com ISRSs, como fluoxetina, sertralina, paroxetina e citalopram, costuma ser usado nos casos de ansiedade crônica ou associada a sintomas depressivos. Os BZDs podem ser prescritos junto aos ISRSs, nas primeiras semanas, devido ao seu rápido início de ação. Quando o paciente apresenta baixa expectativa de vida ou é necessário alívio imediato dos sintomas, uma opção é usar apenas BZDs. Os BZDs de meia-vida curta e intermediária são preferidos, pois têm menos chance de acúmulo e toxicidade que os de meia-vida longa, como diazepam **C/D**.[71] O lorazepam e o alprazolam estão entre as opções de fármacos de meia-vida mais curta (entre 10-20 horas) (ver Capítulo Transtornos Relacionados à Ansiedade). O lorazepam pode ser usado na dose de 0,5 a 2 mg, na frequência de até 8/8 horas, e é preferido em idosos e hepatopatas, pois não tem metabólitos ativos. O alprazolam é recomendado na dose de 0,25 a 2 mg, na frequência de até 8/8 horas. Uma minoria de pacientes tem agitação paradoxal com o uso de BZDs.[2] O uso de neurolépticos, como haloperidol, pode ser uma alternativa em casos de agitação, *delirium* e inquietude em pacientes nos últimos dias de vida.

## Depressão

**Embora muitas pessoas acreditem que a depressão seja uma característica do fim da vida, a maioria dos doentes terminais não fica deprimida.[72] A diferenciação entre o sofrimento ligado ao processo de fim de vida normal e a depressão (TABELA 193.7) requer uma entrevista mais aprofundada.**

Pacientes com diagnóstico de câncer são particularmente vulneráveis à depressão; nos quadros avançados, a incidência pode chegar a 75%, e aqueles com dor não controlada são candidatos potenciais. A depressão, pelo sofrimento psicológico que causa, é um fator de risco maior para suicídio e está associada a um risco maior de morte em pacientes com neoplasias, assim como a menor adesão aos tratamentos propostos, as hospitalizações mais prolongadas e a baixa qualidade de vida.[73]

Sintomas somáticos para o diagnóstico de depressão em pacientes terminais, como fadiga, insônia e anorexia, podem ser causados pela própria doença subjacente ou pelo sofrimento esperado, mas sintomas psicológicos como apatia, anedonia, desesperança e desvalia podem sugerir o diagnóstico.

Para ajustar os critérios diagnósticos ao perfil de pacientes em cuidados paliativos, Endicott (1984) propôs os seguintes itens: aparência depressiva; silêncio durante a maior parte do tempo, chegando ao isolamento social; lamentações constantes; pessimismo; falta de objetivos ou perspectivas; pena de si mesmo; e baixa resposta a estímulos psíquicos.[74]

É uma condição que deve ser tratada idealmente por abordagem psicossocial, educação do paciente e dos familiares, além de terapêutica farmacológica, tendo como objetivo o alívio do sofrimento e a melhora na qualidade de vida **B** (ver Capítulo Depressão). Terapia de apoio realizada por qualquer profissional de saúde treinado e experiente para tal ou mesmo terapia cognitiva ou de orientação interpessoal realizada por especialista podem auxiliar no manejo da depressão.[75] Outras formas de terapias têm sido utilizadas e consideradas benéficas no tratamento de pacientes em cuidados paliativos, com evidência de melhora de sintomas em curto prazo e promoção de bem-estar, como acupuntura, tratamento coadjuvante para alívio da dor **B**, musicoterapia **B**, arteterapia **C/D** e massagens.[76–78]

O apoio espiritual ao paciente e à sua família é de extrema importância nessa fase da vida, assim como o apoio ao luto e o suporte para elaboração das várias mortes que são vivenciadas ao longo do processo de adoecimento e terminalidade.

Quando se opta por um tratamento farmacológico em cuidados paliativos, alguns critérios devem ser respeitados: iniciar o esquema terapêutico com pelo menos a metade da dosagem inicial para pacientes íntegros ou jovens; progredir com dosagem mais lentamente do que o habitual; atentar para o grau de insuficiência renal ou hepática e recalcular doses; usar positivamente os efeitos colaterais e fazer a escolha do agente terapêutico em função desses efeitos.

Os antidepressivos podem conferir melhora sintomática, mas seu benefício segue incerto em pacientes terminais **B**.[79] Os ISRSs são os fármacos de escolha por serem relativamente seguros mesmo em pacientes idosos e frágeis. Porém, seu início de ação ocorre em 2 a 4 semanas. A paroxetina e a sertralina, em geral, parecem ser mais bem toleradas, porque têm menos metabólitos ativos. Nos casos em que 2 a 4 semanas constituem um prazo muito longo, há necessidade de medicamentos com início de ação mais imediato, como os psicoestimulantes (p. ex., metilfenidato 2,5-10 mg/dia). Estes têm início de ação < 2 horas, são bem tolerados em pacientes idosos, frágeis e debilitados, podem melhorar o ânimo, a fadiga e o apetite, além de poderem ser coadjuvantes na analgesia **B**. Em pacientes com expectativa de vida um pouco maior, um psicoestimulante pode ser usado em associação com um ISRS.[72]

Os ADTs, pelos seus efeitos deletérios anticolinérgicos (constipação, boca seca, *delirium*) e cardíacos (contraindicados em pacientes com bloqueios atrioventriculares),

**TABELA 193.7** → Comparação entre sofrimento e depressão em pacientes terminais

| | SOFRIMENTO ASSOCIADO AO FIM DA VIDA | DEPRESSÃO |
|---|---|---|
| Caracterização ou não de transtorno psiquiátrico | Os sentimentos, as emoções e os comportamentos resultam de perdas | Os sentimentos, as emoções e os comportamentos preenchem critérios para doença psiquiátrica, e o sofrimento é generalizado para todas as facetas da vida |
| Evolução | Os pacientes conseguem superar sua angústia | Os pacientes precisam de auxílio profissional para superar sua angústia |
| Sintomas | Os pacientes apresentam sintomas somáticos como alteração de sono, agitação, perda de apetite, isolamento social e concentração diminuída | Os pacientes apresentam sintomas somáticos junto com sentimentos de desesperança, desvalia, culpa e ideação suicida |
| Capacidade de sentir prazer | Os pacientes retêm a capacidade de sentir prazer | Os pacientes não têm prazer em nenhuma atividade (anedonia) |
| Variação temporal | Evolui de forma intermitente | Geralmente é constante e não remite |
| Pensamento de morte | Os pacientes percebem a iminência da morte e se preparam para ela | Ideação suicida persistente |

Fonte: Adaptada de Block.[72]

sobretudo a amitriptilina e a nortriptilina, são reservados como adjuvantes no tratamento da dor neuropática e, normalmente, em doses menores do que as que promovem efeito antidepressivo.[80]

## ASPECTOS LEGAIS E PREVIDENCIÁRIOS

O paciente com doença terminal tem direito a requerer, na Previdência Social, benefícios que garantam a sua subsistência e de sua família; entre eles, cita-se o Benefício de Prestação Continuada (BPC), que não exige contribuição prévia à Previdência. Para auxílio-doença ou aposentadoria por invalidez, também não é necessário período de carência quando a doença terminal é considerada grave pela legislação. Além disso, o trabalhador em estágio terminal em razão de doença grave ou que possuir dependente em estágio terminal por igual razão pode sacar o Fundo de Garantia do Tempo de Serviço (FGTS). Para isso, o médico deverá declarar expressamente no atestado que o paciente se encontra em estágio terminal, especificando o código CID da doença. A lista completa das doenças consideradas graves está disponível na internet.[81]

## OS ÚLTIMOS DIAS E HORAS DE VIDA

Embora, em geral, não seja possível prever o momento exato da morte, várias pistas apontam quando a morte está iminente:[2]

- → *delirium*, normalmente manifestado por inquietação, confusão, agitação, alucinações e mudanças frequentes de posição;
- → ausência de participação ativa nas atividades sociais;
- → aumento dos períodos de sono e de letargia;
- → diminuição da ingesta alimentar e hídrica ou mesmo incapacidade de ingerir líquidos, com vômitos frequentes;
- → apneias em vigília ou durante o sono, períodos de taquipneia ou mudanças cíclicas no padrão respiratório (respiração de Cheyne-Stokes);
- → o paciente relata enxergar pessoas que já morreram;
- → o paciente afirma estar morrendo;
- → o paciente solicita a presença de familiares para resolver questões pendentes e resolver conflitos antigos;
- → ferimentos que não cicatrizam ou infecções arrastadas;
- → aumento do edema de extremidades ou anasarca;
- → coma ou semicoma;
- → aumento da congestão respiratória e dispneia;
- → incontinência urinária ou fecal em paciente antes continente;
- → diminuição do débito urinário;
- → redução importante da pressão arterial (> 20-30 mmHg), frequentemente com pressão arterial sistólica < 70 mmHg e pressão arterial diastólica < 50 mmHg;
- → extremidades frias ou parestesias em membros inferiores;
- → febre;
- → cianose em extremidades;
- → rigidez do corpo.

Nesse momento, é importante informar os familiares sobre a iminência da morte e suspender tratamentos que não estejam contribuindo para aumentar o conforto. O tempo até ocorrer a morte é difícil de prever, mas é importante deixar claro para os familiares que se trata de horas a dias, e não semanas a meses.

## O QUE FAZER QUANDO O PACIENTE MORRE EM CASA

Quando a equipe percebe que existe a possibilidade de o paciente falecer nas próximas semanas ou meses, deve-se orientar a família sobre os passos a serem seguidos na ocasião da morte. O médico deve fornecer um laudo completo sobre as patologias e a situação atual do paciente, orientar a família a organizar uma pasta com os documentos (p. ex., carteira de identidade, notas de alta, exames complementares, receitas) e instruir os familiares sobre como proceder em caso de falecimento do paciente. Caso o óbito ocorra em casa e a equipe esteja disponível, o médico assistente ou seu substituto deve fornecer o atestado de óbito (ver Capítulo Registros Médicos, Certificados, Atestados e Laudos). Se o óbito ocorrer fora do horário de funcionamento da equipe de atenção básica ou atenção domiciliar e esta não estiver disponível no momento da morte, orientar os familiares a contatar o Serviço de Verificação de Óbito (SVO) ou o Serviço de Atendimento Móvel de Urgência (Samu) para orientações quanto aos procedimentos. Em municípios pequenos, rurais ou sem SVO, a responsabilidade da emissão da declaração de óbito pode variar conforme pactuações do município. O médico da estratégia de saúde da família não deve se ausentar da responsabilidade quando ele é o único médico disponível e não houver indícios de morte por causa externa.

## REFERÊNCIAS

1. World Health Organization. Palliative care [Internet]. Geneva: WHO Health topics; 2021 [capturado em 30 jan. 2020]. Disponível em: https://www.who.int/westernpacific/health-topics/palliative-care.
2. Institute for Clinical Systems Improvement. Health care guideline: palliative care for adults. 6th ed. Bloomington: ICSI; 2020.
3. World Health Organization. Why palliative care is an essential function of primary health care. Geneva: WHO; 2018.
4. Gomes ALZ, Othero MB. Cuidados paliativos. Estud av. 2016;30(88):155-66.
5. Kübler-Ross E. Sobre a morte e o morrer. São Paulo: Martins Fontes; 1981.
6. Vullo-Navich K, Smith S, Andrews M, Levine AM, Tischler JF, Veglia JM. Comfort and incidence of abnormal serum sodium, Bun, creatinine and osmolality in dehydration of terminal illness. Am J Hosp Palliat Care. 1998;15(2):77–84.
7. Good P, Richard R, Syrmis W, Jenkins-Marsh S, Stephens J. Medically assisted nutrition for adult palliative care patients. Cochrane Database Syst Rev. 2014;(4):CD006274.
8. Aires EM. Síndrome da caquexia/anorexia. In: Cuidado paliativo. São Paulo: CREMESP; 2008. p. 484–97.
9. Fay DE, Poplausky M, Gruber M, Lance P. Long-term enteral feeding: a retrospective comparison of delivery via percutaneous endoscopic gastrostomy and nasoenteric tubes. Am J Gastroenterol. 1991;86(11):1604–9.
10. Logemann JA. Swallowing disorders caused by neurologic lesions from which some recovery can be antecipated. In: Evaluation

and treatment of swallowing disorders. Austin: PRO-ED; 1998. p. 307-27.

11. Katzberg HD, Benatar M. Enteral tube feeding for amyotrophic lateral sclerosis/motor neuron disease. Cochrane Neuromuscular Group, organizador. Cochrane Database Syst Rev. 2011;(1):CD004030.pub3.

12. Powers WJ, Rabinstein AA, Ackerson T, Adeoye OM, Bambakidis NC, Becker K, et al. 2018 guidelines for the early management of patients with acute ischemic stroke: a guideline for healthcare professionals from the American Heart Association/American Stroke Association. Stroke. 2018;49(3):e46-110.

13. Baldwin C, Spiro A, Ahern R, Emery PW. Oral nutritional interventions in malnourished patients with cancer: a systematic review and meta-analysis. J Natl Cancer Inst. 2012;104(5):371-85.

14. ABIM Foundation. Feeding tubes for people with Alzheimer's [Internet]. Choosing Wisely. 2013 [capturado em 21 jun. 2021]. Disponível em: https://www.choosingwisely.org/patient-resources/feeding-tubes-for-people-with-alzheimers/.

15. American Geriatrics Society Ethics Committee and Clinical Practice and Models of Care Committee. American Geriatrics Society feeding tubes in advanced dementia position statement. J Am Geriatr Soc. 2014;62(8):1590-3.

16. Sampson EL, Candy B, Jones L. Enteral tube feeding for older people with advanced dementia. Cochrane Database Syst Rev. 2009;(2):CD007209.

17. Swan K, Speyer R, Heijnen BJ, Wagg B, Cordier R. Living with oropharyngeal dysphagia: effects of bolus modification on health-related quality of life--a systematic review. Qual Life Res. 2015;24(10):2447-56.

18. Ferrigno D, Buccheri G. Anthropometric measurements in non-small-cell lung cancer. Support Care Cancer. 2001;9(7):522-7.

19. Holmes S, Dickerson JWT. Food intake and quality of life in cancer patients. J Nutr Med. 1991;2(4):359-68.

20. Ruiz Garcia V, López-Briz E, Carbonell Sanchis R, Gonzalvez Perales JL, Bort-Marti S. Megestrol acetate for treatment of anorexia-cachexia syndrome. Cochrane Database Syst Rev. 2013;(3):CD004310.

21. Yavuzsen T, Davis MP, Walsh D, LeGrand S, Lagman R. Systematic review of the treatment of cancer-associated anorexia and weight loss. J Clin Oncol. 2005;23(33):8500-11.

22. Taylor JK, Pendleton N. Progesterone therapy for the treatment of non-cancer cachexia: a systematic review. BMJ Support Palliat Care. 2016;6(3):276-86.

23. Loprinzi CL, Kugler JW, Sloan JA, Mailliard JA, Krook JE, Wilwerding MB, et al. Randomized comparison of megestrol acetate versus dexamethasone versus fluoxymesterone for the treatment of cancer anorexia/cachexia. J Clin Oncol. 1999;17(10):3299-306.

24. Bruera ED, MacEachern TJ, Spachynski KA, LeGatt DF, MacDonald RN, Babul N, et al. Comparison of the efficacy, safety, and pharmacokinetics of controlled release and immediate release metoclopramide for the management of chronic nausea in patients with advanced cancer. Cancer. 1994;74(12):3204-11.

25. Bruera E, Belzile M, Neumann C, Harsanyi Z, Babul N, Darke A. A double-blind, crossover study of controlled-release metoclopramide and placebo for the chronic nausea and dyspepsia of advanced cancer. J Pain Symptom Manage. 2000;19(6):427-35.

26. Riechelmann RP, Burman D, Tannock IF, Rodin G, Zimmermann C. Phase II trial of mirtazapine for cancer-related cachexia and anorexia. Am J Hosp Palliat Care. 2010;27(2):106-10.

27. Laugsand EA, Kaasa S, Klepstad P. Management of opioid-induced nausea and vomiting in cancer patients: systematic review and evidence-based recommendations. Palliat Med. 2011;25(5):442-53.

28. Chiba T. Náusea e vômito. In: Cuidado paliativo. São Paulo: CREMESP; 2008. p. 221-57.

29. Larkin PJ, Sykes NP, Centeno C, Ellershaw JE, Elsner F, Eugene B, et al. The management of constipation in palliative care: clinical practice recommendations. Palliat Med. 2008;22(7):796-807.

30. Badke A, Rosielle DA. Opioid induced constipation part I: established management strategies #294. J Palliat Med. 2015;18(9):799-800.

31. Fallon MT. Constipation in cancer patients: prevalence, pathogenesis, and cost-related issues. Eur J Pain. 1999;3(Suppl 1):3-7.

32. Dume R, Shuman M. Naloxegol: a review of clinical trials and applications to practice. Orthop Nurs. 2019;38(3):209-11.

33. Thomas J, Karver S, Cooney GA, Chamberlain BH, Watt CK, Slatkin NE, et al. Methylnaltrexone for opioid-induced constipation in advanced illness. N Engl J Med. 2008;358(22):2332-43.

34. Candy B, Jones L, Larkin PJ, Vickerstaff V, Tookman A, Stone P. Laxatives for the management of constipation in people receiving palliative care. Cochrane Database Syst Rev. 2015;(5):CD003448.

35. McNicol E, Boyce DB, Schumann R, Carr D. Efficacy and safety of mu-opioid antagonists in the treatment of opioid-induced bowel dysfunction: systematic review and meta-analysis of randomized controlled trials. Pain Med. 2008;9(6):634-59.

36. International Association for the Study of Pain. Pain [Internet]. Washington: IASP Terminology; 2017 [capturado em 21 jun. 2021]. Disponível em: https://www.iasp-pain.org/Education/Content.aspx?ItemNumber=1698#Pain.

37. van den Beuken-van Everdingen MHJ, Hochstenbach LMJ, Joosten EAJ, Tjan-Heijnen VCG, Janssen DJA. Update on prevalence of pain in patients with cancer: systematic review and meta-analysis. Journal of Pain and Symptom Management. 2016;51(6):1070-1090.e9.

38. World Health Organization. Palliative care: symptom management and end-of-life care. Geneva: WHO; 2004.

39. Stopeck AT, Lipton A, Body J-J, Steger GG, Tonkin K, de Boer RH, et al. Denosumab compared with zoledronic acid for the treatment of bone metastases in patients with advanced breast cancer: a randomized, double-blind study. J Clin Oncol. 2010;28(35):5132-9.

40. Roqué i Figuls M, Martinez-Zapata MJ, Scott-Brown M, Alonso-Coello P. Radioisotopes for metastatic bone pain. Cochrane Database Syst Rev. 2017;2017(3):CD003347.

41. Watson M, Ward S, Vallath N, Wells J, Campbell R, organizadores. Oxford handbook of palliative care. 3rd ed. Oxford Handbook of Palliative Care. Oxford: Oxford University Press; 2019.

42. World Health Organization. WHO guidelines for the pharmacological and radiotherapeutic management of cancer pain in adults and adolescents. Geneva: WHO; 2018.

43. Ferreira GD, Mendonça GN. Cuidados paliativos: guia de bolso. São Paulo: Academia Nacional de Cuidados Paliativos; 2017.

44. Carlson C. Effectiveness of the World Health Organization cancer pain relief guidelines: an integrative review. J Pain Res. 2016;9:515-34.

45. Vargas-Schaffer G, Cogan J. Patient therapeutic education: placing the patient at the centre of the WHO analgesic ladder. Can Fam Physician. 2014;60(3):235-41.

46. Vargas-Schaffer G. Is the WHO analgesic ladder still valid? Can Fam Physician. 2010;56(6):514-7.

47. Radbruch L, Trottenberg P, Elsner F, Kaasa S, Caraceni A. Systematic review of the role of alternative application routes for opioid treatment for moderate to severe cancer pain: an EPCRC opioid guidelines project. Palliat Med. 2011;25(5):578-96.

48. Old JL, Swagerty Jr DL. A practical guide to palliative care. Philadelphia: Lippincott Williams & Wilkins; 2007.

49. Aiyer R, Barkin RL, Bhatia A. Treatment of neuropathic pain with venlafaxine: a systematic review. Pain Med. 2017;18(10):1999-2012.

50. Lunn MPT, Hughes RAC, Wiffen PJ. Duloxetine for treating painful neuropathy, chronic pain or fibromyalgia. Cochrane Database Syst Rev. 2014;(1):CD007115.

51. Jara C, Del Barco S, Grávalos C, Hoyos S, Hernández B, Muñoz M, et al. SEOM clinical guideline for treatment of cancer pain (2017). Clin Transl Oncol. 2018;20(1):97-107.

52. Wiffen PJ, Derry S, Bell RF, Rice AS, Tölle TR, Phillips T, et al. Gabapentin for chronic neuropathic pain in adults. Cochrane Pain, Palliative and Supportive Care Group, organizador. Cochrane Database Syst Rev. 2017;(6):CD007938.

53. Stacey BR, Barrett JA, Whalen E, Phillips KF, Rowbotham MC. Pregabalin for postherpetic neuralgia: placebo-controlled trial of fixed and flexible dosing regimens on allodynia and time to onset of pain relief. J Pain. 2008;9(11):1006–17.
54. Derry S, Bell RF, Straube S, Wiffen PJ, Aldington D, Moore RA. Pregabalin for neuropathic pain in adults. Cochrane Database Syst Rev. 2019;1:CD007076.
55. Gronseth G, Cruccu G, Alksne J, Argoff C, Brainin M, Burchiel K, et al. Practice parameter: the diagnostic evaluation and treatment of trigeminal neuralgia (an evidence-based review): report of the Quality Standards Subcommittee of the American Academy of Neurology and the European Federation of Neurological Societies. Neurology. 2008;71(15):1183–90.
56. Haywood A, Good P, Khan S, Leupp A, Jenkins-Marsh S, Rickett K, et al. Corticosteroids for the management of cancer-related pain in adults. Cochrane Pain, Palliative and Supportive Care Group, organizador. Cochrane Database Syst Rev. 2015;(4):CD010756.
57. Middleton-Green L. Managing total pain at the end of life: a case study analysis. Nursing Standard. 2008;23(6):41–6.
58. Lara Solares A, Tamayo Valenzuela AC, Gaspar Carrillo SP. Manejo del paciente terminal. Cancerologia. 2006;1(4):283–95.
59. Ross DD, Alexander CS. Management of common symptoms in terminally ill patients: Part II. Constipation, delirium and dyspnea. Am Fam Physician. 2001;64(6):1019–26.
60. Sera CTN, Meireles MHC. Dispnéia em cuidados paliativos. In: Cuidado paliativo. São Paulo: CREMESP; 2008. p. 499–520.
61. Garcia E, Ciochetta CI, Mendes D de S, Souza SP e, Bezerra OS, organizadores. Essências em geriatria clínica. Porto Alegre: ediPUCRS; 2018.
62. Maddocks M, Lovell N, Booth S, Man WD-C, Higginson IJ. Palliative care and management of troublesome symptoms for people with chronic obstructive pulmonary disease. Lancet. 2017;390(10098):988–1002.
63. Freitas EV de, Mohallem KL, Gamarski R, Pereira SRM, organizadores. Manual prático de geriatria. 2. ed. Rio de Janeiro: Guanabara Koogan; 2017.
64. Bruera E, Higginson I, von Gunten CF, Morita T, organizadores. Textbook of palliative medicine and supportive care. 2nd ed. London: CRC Press; 2015.
65. Barnes H, McDonald J, Smallwood N, Manser R. Opioids for the palliation of refractory breathlessness in adults with advanced disease and terminal illness. Cochrane Pain, Palliative and Supportive Care Group, organizador. Cochrane Database Syst Rev. 2016;(3):CD011008.
66. Clemens KE, Klaschik E. Dyspnoea associated with anxiety--symptomatic therapy with opioids in combination with lorazepam and its effect on ventilation in palliative care patients. Support Care Cancer. 2011;19(12):2027–33.
67. Abernethy AP, McDonald CF, Frith PA, Clark K, Herndon JE, Marcello J, et al. Effect of palliative oxygen versus room air in relief of breathlessness in patients with refractory dyspnoea: a double-blind, randomised controlled trial. Lancet. 2010;376(9743):784–93.
68. Ekström M, Ahmadi Z, Bornefalk-Hermansson A, Abernethy A, Currow D. Oxygen for breathlessness in patients with chronic obstructive pulmonary disease who do not qualify for home oxygen therapy. Cochrane Database Syst Rev. 2016;11:CD006429.
69. Ameer F, Carson KV, Usmani ZA, Smith BJ. Ambulatory oxygen for people with chronic obstructive pulmonary disease who are not hypoxaemic at rest. Cochrane Database Syst Rev. 2014;(6):CD000238.
70. Menezes MS, Figueiredo M das GM da C de A. O papel da sedação paliativa no fim da vida: aspectos médicos e éticos – Revisão. Rev Bras Anestesiol. 2019;69(1):72–7.
71. Salt S, Mulvaney CA, Preston NJ. Drug therapy for symptoms associated with anxiety in adult palliative care patients. Cochrane Database Syst Rev. 2017;5:CD004596.
72. Block SD. Assessing and managing depression in the terminally ill patient. ACP-ASIM end-of-life care consensus panel. American College of Physicians – American Society of Internal Medicine. Ann Intern Med. 2000;132(3):209–18.
73. Block SD. Psychological issues in end-of-life care. J Palliat Med. 2006;9(3):751–72.
74. Endicott J. Measurement of depression in patients with cancer. Cancer. 1984;53(10 Suppl):2243–9.
75. Sheard T, Maguire P. The effect of psychological interventions on anxiety and depression in cancer patients: results of two meta-analyses. Br J Cancer. 1999;80(11):1770–80.
76. Kutner JS, Smith MC, Corbin L, Hemphill L, Benton K, Mellis BK, et al. Massage therapy versus simple touch to improve pain and mood in patients with advanced cancer: a randomized trial. Ann Intern Med. 2008;149(6):369.
77. Kim KH, Lee MS, Kim T-H, Kang JW, Choi T-Y, Lee JD. Acupuncture and related interventions for symptoms of chronic kidney disease. Cochrane Kidney and Transplant Group, organizador. Cochrane Database Syst Rev. 2016;(6):CD009440.
78. Bradt J, Dileo C, Magill L, Teague A. Music interventions for improving psychological and physical outcomes in cancer patients. Cochrane Gynaecological, Neuro-oncology and Orphan Cancer Group, organizador. Cochrane Database Syst Rev. 2016;(8):CD006911.pub3.
79. Ly KL, Chidgey J, Addington-Hall J, Hotopf M. Depression in palliative care: a systematic review. Part 2. Treatment. Palliat Med. 2002;16(4):279–84.
80. Figueiredo MGMA. Ansiedade, depressão e delirium. In: Cuidado paliativo. São Paulo: CREMESP; 2008. p. 499–512.
81. Caixa Econômica Federal. Condições e documentos para saque do FGTS [Internet]. Benefícios do trabalhador; 2020 [capturado em 17 fev. 2021]. Disponível em: https://www.caixa.gov.br/beneficios-trabalhador/fgts/condicoes-e-documentos-para-saque-do-FGTS/Paginas/default.aspx.

# LEITURAS RECOMENDADAS

Integrating palliative care and symptom relief into primary health care: a WHO guide for planners, implementers and managers. Geneva: World Health Organization; 2018.

Universidade Federal do Rio Grande do Sul. Programa de Pós-Graduação em Epidemiologia. TelessaúdeRS-UFRGS. Pergunta da semana: Como iniciar morfina para tratamento de dor oncológica na APS? [Internet]: Porto Alegre: TelessaúdeRS-UFRGS; 2019 [acesso em 22 maio 2021]. Disponível em: https://www.ufrgs.br/telessauders/perguntas/como-iniciar-morfina-para-tratamento-de-dor-oncologica-na-aps/.

# SEÇÃO XV

**Coordenadora:** Renata Rosa de Carvalho

# Situações de Emergência

**194.** Papel da Atenção Primária à Saúde em Urgências e Emergências............... 2200
*Fábio Duarte Schwalm, Rosangela Amaral de Almeida, Ney Bragança Gyrão*

**195.** Acidentes por Animais Peçonhentos.................. 2214
*João Batista Torres, José Alberto Rodrigues Pedroso, Gloria Jancowski Boff*

**196.** Envenenamentos Agudos........................... 2228
*José Alberto Rodrigues Pedroso, Julio Cesar Razera, João Batista Torres, Gloria Jancowski Boff*

**197.** Ressuscitação Cardiopulmonar....................... 2241
*Ari Timerman, Andre Feldman, William Jones Dartora*

**198.** Antídotos e Antagonistas em Intoxicações Exógenas.................. 2246
*Carlos Augusto Mello da Silva, Julio Cesar Razera, Marcos Vinícios Razera*

# Capítulo 194
## PAPEL DA ATENÇÃO PRIMÁRIA À SAÚDE EM URGÊNCIAS E EMERGÊNCIAS

Fábio Duarte Schwalm
Rosangela Amaral de Almeida
Ney Bragança Gyrão

Os profissionais da atenção primária à saúde (APS) são, via de regra, o primeiro contato das pessoas com o sistema de saúde.[1] Muitas vezes, eles recebem casos que exigem cuidados críticos, configurando uma emergência médica. É necessário, portanto, que o médico de APS tenha conhecimentos adequados para reconhecer os casos de gravidade, prestar o primeiro atendimento e referir ao serviço especializado da melhor forma.

O vínculo e o conhecimento do histórico do paciente podem facilitar a compreensão e o manejo do quadro. Todas as unidades de saúde devem ter um espaço devidamente abastecido com medicamentos e materiais (TABELA 194.1) essenciais ao primeiro atendimento/estabilização de casos graves que aparecem até a viabilização da transferência para uma unidade de suporte, se necessário.[2]

Em áreas remotas e de difícil acesso, serviços de APS são a única forma de cuidado existente. Assim, nessas localidades, os profissionais generalistas proveem a maior parte dos cuidados médicos de urgência e emergência.[3] O acesso aos cuidados de saúde nas comunidades rurais depende do número de prestadores de cuidados primários.[4] Os cuidados de emergência são parte integrante dessa relação. Os médicos de família nas áreas rurais geralmente cuidam de seus pacientes do berço ao túmulo, durante doenças agudas e crônicas, além de eventos com risco à vida. Os pacientes das comunidades rurais geralmente têm fortes laços com os médicos de família locais e desejam vê-los quando se apresentam na sala de emergência. Nas comunidades rurais, a confiança nos cuidados médicos está diretamente relacionada ao tempo de relacionamento entre o provedor e o paciente.[5]

**Emergência** é definida como um evento que requer atenção médica imediata por tratar-se de situação de risco iminente à vida do paciente ou pela possibilidade de dano grave à sua saúde. A demanda, em geral determinada pelo paciente ou por pessoas próximas, algumas vezes é reclassificada pelo profissional, pois, às vezes, a fonte do sofrimento vivenciado é de origem emocional ou social, não existindo risco à vida em curto prazo. Assim, o médico deve estar preparado para entender os sentimentos dos pacientes e capacitado para realizar uma avaliação rápida e segura sobre sua situação clínica e de saúde mental, classificar o caso dentro de uma escala de gravidade e atuar rapidamente sobre a situação, quando necessário.

**TABELA 194.1** → Medicamentos e materiais utilizados no atendimento às urgências e emergências

**MATERIAIS**
- 1 torpedo de oxigênio de 1 m³, com válvula, fluxômetro, umidificador de 250 mL e 2 m de tubo intermediário de silicone
- 1 laringoscópio adulto com tubo endotraqueal (três tamanhos)
- 1 bisturi com cabo
- 1 maleta tipo de "ferramentas" de 16" com alça para carregar
- 1 caixa organizadora com pelo menos oito divisórias
- 10 pacotes de gazes estéreis
- 10 ampolas de água destilada de 10 mL
- 5 seringas de 5 mL sem agulha
- 5 seringas de 10 mL sem agulha
- 10 agulhas 40 × 12
- 2 cateteres para punção periférica tipo Abocath de cada tamanho (14-24G)
- 1 rolo de esparadrapo comum
- 1 garrote
- 3 equipos para soro simples
- 3 conexões de duas vias
- 3 frascos de soro fisiológico a 0,9% de 500 mL
- 1 sistema bolsa-máscara autoinflável adulto com máscara transparente (AMBU)
- 1 sistema bolsa-máscara autoinflável pediátrico com máscara transparente (AMBU)
- 1 sistema bolsa-máscara autoinflável neonatal com máscara transparente (AMBU)
- 2 máscaras de nebulização para adulto e 2 máscaras pediátricas
- 3 cateteres para oxigênio (tipo óculos e cateter nasal) + máscara Venturi a 50%
- 1 aparelho para nebulização
- 2 medidores de pico de fluxo (peak flow) reutilizáveis
- 1 colar cervical adulto e 1 colar cervical infantil

**MEDICAMENTOS**
- 10 ampolas de adrenalina
- 10 ampolas de atropina
- 1 frasco de hidrocortisona de 100 mg
- 1 frasco de hidrocortisona de 500 mg
- 5 ampolas de glicose a 50%
- 5 ampolas de soro fisiológico a 0,9%
- Frascos de soro fisiológico a 0,9% e soro glicosado a 5%
- 3 ampolas de terbutalina
- 3 frascos de prometazina
- 2 ampolas de diazepam
- 1 ampola de haloperidol
- 1 frasco de ipratrópio
- 1 frasco de fenoterol
- 1 cartela de dinitrato de isossorbida 5 mg, via sublingual
- 1 cartela de ácido acetilsalicílico
- 5 ampolas de tiamina
- Medicamentos anti-hipertensivos
- Antibióticos (para administrar primeira dose nos casos de pneumonia em crianças)
- Analgésicos (enteral e parenteral), incluindo morfina
- Antitérmicos (enteral e parenteral)

Fonte: Adaptada de Brasil.[6]

**Urgência** significa uma situação de saúde potencialmente grave, ou seja, que pode tornar-se crítica ao longo de um curto período, mas de menor risco imediato. Assim, o tratamento desses casos, algumas vezes, pode ser inteiramente realizado em APS, mediante correta avaliação e manejo do problema, e utilizando a longitudinalidade como ferramenta, com reavaliação do paciente nas horas e dias seguintes.

Neste capítulo, são abordadas questões de organização do serviço para atendimento de emergências e quatro situações específicas de emergência e urgência: trauma craniencefálico, afogamento, reações alérgicas graves e urgências psiquiátricas. Além disso, há indicação da localização, neste livro, de outras abordagens de emergência.

O primeiro passo, portanto, é identificar os casos graves (TABELAS 194.2 e 194.3), que acarretarão uma mudança na rotina da equipe.

## ORGANIZAÇÃO DO SERVIÇO PARA ATENDIMENTO DE EMERGÊNCIAS

Para que a postura ampliada para a detecção de pacientes graves tenha resultados satisfatórios, a equipe deve ser capacitada a agir sobre essas situações, a fim de ter mais agilidade e resolutividade nas condutas. Com o objetivo de facilitar a identificação e o manejo inicial dos casos graves, o Ministério da Saúde traçou critérios para adoção de protocolos para classificação de risco que sistematizam a avaliação do enfermeiro. É uma forma dinâmica de organizar a demanda espontânea, com base na necessidade de atenção (prioridade clínica), contribuindo para um atendimento mais adequado e equânime.

Existem diversos protocolos desenvolvidos no Brasil e no mundo, porém o mais utilizado é o protocolo de Manchester (adaptado para APS), no qual, a partir do primeiro contato com o paciente, já se estabelece a prioridade clínica para ele por meio da identificação de sinais e sintomas representados por diferentes cores.[6] Esses protocolos são úteis e, muitas vezes, necessários, mas não suficientes. Eles não pretendem capturar os aspectos subjetivos, afetivos, sociais e culturais, cuja compreensão é fundamental para uma efetiva avaliação do risco e da vulnerabilidade de cada pessoa que procura o serviço. Portanto, não substituem a interação, o diálogo, a escuta e o respeito – enfim, o acolhimento do cidadão e de sua queixa para a avaliação do seu potencial de agravamento.[7]

> Diante de uma situação real de emergência, o médico de APS deve adotar uma postura diferente da abordagem tradicional: em vez da coleta de uma história e exame físico rotineiros, utiliza-se uma técnica de rápido acesso às informações e imediato manejo.[8]

Nos casos de trauma, existe o conceito de *golden hour*, período imediatamente posterior ao incidente, no qual se determina o desfecho daquele paciente, destacando a importância da ação rápida.[9] A equipe deve ser treinada também para lidar com situações específicas que surgem no contexto do atendimento de urgências e emergências, como a orientação dos familiares, evitando tumultos e dificuldades na prestação da assistência ao doente, e a preservação de informações, como nos casos de acidentes com animais peçonhentos.

O atendimento de situações de emergência requer saber estabelecer prioridades. O conceito de prioridades envolve desde saber identificar corretamente quem deve ser atendido primeiro, passando por quais dados da história e do exame físico devem ser procurados antes, até qual conduta deve ser tomada inicialmente.[10] Assim, é necessária uma abordagem sindrômica da situação com foco nas rotinas de suporte avançado de vida (SAV) (ver Capítulo Ressuscitação Cardiopulmonar) e no tratamento inicial, buscando estabilização clínica do paciente.

Como se trata de casos de maior gravidade, o atendimento inicial é apenas o primeiro passo do cuidado, exigindo transferência para serviço de referência de urgência e emergência dentro de um plano preestabelecido local ou regional.[11,12] O médico deve conhecer a rede de que dispõe em uma determinada localidade e saber como efetuar o transporte dos casos para agilizar o processo de transferência no momento em que for necessário. Dependendo da dificuldade em acessar esse nível de cuidado, deve haver uma adaptação da equipe para oferecer o atendimento adequado aos pacientes graves, pelo tempo necessário, até a chegada ao serviço de referência. Assim, devem estar claramente definidos os fluxos e mecanismos de transferência dos pacientes que necessitarem de outros níveis de atenção da rede assistencial.[2]

Os casos de maior gravidade não são frequentes em APS, o que causa insegurança nos profissionais quando surgem. Dessa forma, deve existir um processo de educação continuada para capacitar as equipes conforme preconizado pela Política Nacional de Atenção às Urgências, a fim de que haja um aumento na efetividade da atuação nesses casos. Na esfera pública, esse processo é de responsabilidade conjunta das Secretarias Estaduais e Municipais de Saúde, apoiadas pelo Ministério da Saúde.[6]

**TABELA 194.2** → Achados clínicos fundamentais na identificação de situações de emergência

| REBAIXAMENTO DO NÍVEL DE CONSCIÊNCIA |
|---|
| → Queda na escala de coma de Glasgow > 2 pontos |
| **ALTERAÇÕES IMPORTANTES DOS SINAIS VITAIS** |
| → Frequência respiratória > 36 ou < 8 ipm ou uso de musculatura acessória |
| → Saturação arterial de oxigênio < 90% |
| → Frequência cardíaca > 130 ou < 40 bpm |
| → Pressão arterial sistólica < 90 mmHg |
| → Enchimento capilar > 3 segundos |
| **PACIENTES COM ACHADOS POTENCIALMENTE EMERGENCIAIS** |
| → Precordialgia ou dor torácica |
| → Febre com suspeita de neutropenia |
| → Suspeita de obstrução de vias aéreas |
| → Alterações neurológicas agudas: déficits motores, afasias, convulsões, *delirium* |
| → Intoxicações exógenas agudas |
| → Hematêmese, enterorragia ou hemoptise |
| → Dor intensa |

bpm, batimentos por minuto; ipm, incursões por minuto.
Fonte: Fortes e colaboradores.[10]

**TABELA 194.3** → Referências para diagnóstico de taquipneia em crianças

| INCURSÕES RESPIRATÓRIAS | IDADE DA CRIANÇA |
|---|---|
| > 60/minuto | ≤ 2 meses |
| > 50/minuto | 3-12 meses |
| > 40/minuto | 13 meses-5 anos |
| > 30/minuto | 6-8 anos |
| > 25/minuto | ≥ 8 anos |

Fonte: Brasil.[6]

# EMERGÊNCIAS MÉDICAS

Emergências existem em quase todas as áreas de atuação médica. As abordagens apropriadas em diversas situações de emergência e condutas decorrentes adequadas estão descritas nos demais capítulos deste livro. Conforme citado antes, quatro situações de grande importância – trauma craniencefálico, afogamento, reações alérgicas graves e urgências psiquiátricas – são abordadas a seguir.

## Trauma craniencefálico

Trauma craniencefálico pode ser definido como história de trauma ou presença de sinais de lesão no escalpo ou casos com evidência de alteração de nível de consciência após injúria relevante. Apesar de a incidência de trauma craniencefálico ser alta, a incidência de morte por essa causa é baixa,[13] e somente 0,2% de todos os pacientes atendidos em emergência por trauma craniencefálico irão morrer por esse motivo.[14,15]

No entanto, o trauma craniencefálico responde por uma proporção significativa do trabalho em departamentos de emergência e pré-hospitalar (APS e serviços de ambulância). O nível de consciência, avaliado pela escala de coma de Glasgow (TABELAS 194.4 e 194.5), tem sido usado também para categorizar a gravidade do trauma craniencefálico. Desses atendimentos, a maioria (93%) apresenta escore de Glasgow 15 na apresentação, e apenas 1% tem Glasgow ≤ 8.[16]

Trauma craniencefálico leve ou concussão é uma lesão cerebral causada por um mecanismo externo direto ou indireto com um claro vínculo temporal do início dos sintomas,[17] sendo responsável por 80 a 90% das injúrias cerebrais. Os sintomas podem afetar vários domínios clínicos – físico, cognitivo, emocional e comportamental –, manifestando-se de forma aguda, prolongada ou persistente. Os sinais e sintomas são não específicos, sendo a cefaleia o mais comum, com prevalência de 86 a 96%.[18] Tonturas, distúrbios de equilíbrio e desorientação também são comuns. Embora a perda de consciência e a amnésia já tenham sido consideradas as marcas da concussão, não são necessárias para o diagnóstico.[19]

Um paciente adulto com trauma craniencefálico deve inicialmente ser avaliado e manejado de acordo com os princípios gerais descritos no SAV,[20,21] ou seja, ênfase na prevenção de lesões cerebrais secundárias por meio de oxigenação adequada e manutenção da pressão arterial. Assim, após a aplicação do Suporte Básico de Vida (SBV) (ver Capítulo Ressuscitação Cardiopulmonar), é crucial identificar lesões de massa que exijam intervenção cirúrgica.

Crianças devem ser avaliadas e manejadas de acordo com o SAV Pediátrico,[22] com prioridade no acesso e na estabilização das vias aéreas, respiração e circulação, seguido de uma rápida avaliação do nível de consciência. É importante obter uma história detalhada, incluindo informações de como a injúria ocorreu, quais sintomas estão presentes ou têm sido experimentados desde o incidente e se houve ingesta de álcool ou drogas.

O exame físico deve concentrar-se na aferição do nível de consciência (escala de coma de Glasgow – ver TABELA 194.4), na presença de déficits neurológicos focais e em sinais de trauma em cabeça e pescoço.

O médico da APS deve estar atento a fatores que aumentam a chance de o trauma craniencefálico apresentar uma repercussão intracraniana importante, o que exige atenção em nível superior de complexidade e exames diagnósticos mais sofisticados. Pacientes adultos com qualquer um dos sinais ou sintomas da TABELA 194.6 devem ser referenciados a um hospital apropriado para melhor avaliação de potencial lesão cerebral.[23-27]

Sinais de fratura de crânio incluem líquido cerebrospinal no nariz e no ouvido, hemotímpano, hematoma retroauricular ou periorbital contundente. São preditores importantes

**TABELA 194.5** → Definição do grau de trauma craniencefálico de acordo com o escore de Glasgow

| GRAU DE TRAUMA CRANIENCEFÁLICO | ESCORE DE GLASGOW |
| --- | --- |
| Leve | 13-15 |
| Moderado | 9-12 |
| Grave | ≤ 8 |

Fonte: Scottish Intercollegiate Guidelines Network.[16]

**TABELA 194.4** → Escala de coma de Glasgow e seu escore

| CARACTERÍSTICA | RESPOSTA | ESCORE |
| --- | --- | --- |
| Abertura ocular | → Espontânea | 4 |
| | → À voz | 3 |
| | → À dor | 2 |
| | → Sem resposta | 1 |
| Resposta verbal | → Orientado, interagindo | 5 |
| | → Confuso | 4 |
| | → Palavras inapropriadas | 3 |
| | → Sons incompreensíveis | 2 |
| | → Sem resposta | 1 |
| Resposta motora | → Obedece a comandos | 6 |
| | → Localiza a dor | 5 |
| | → Retirada à dor | 4 |
| | → Flexão à dor | 3 |
| | → Extensão à dor | 2 |
| | → Sem resposta | 1 |
| | Total: | 3/15 a 15/15 |

**TABELA 194.6** → Sinais ou sintomas que indicam a necessidade de encaminhamento a um hospital apropriado para melhor avaliação de potencial lesão cerebral

- → Escala de coma de Glasgow < 15
- → Sinal neurológico focal (inclui convulsão)
- → Sinal de fratura de crânio
- → Perda de consciência
- → Dor de cabeça intensa e persistente
- → Vômitos persistentes (≥ 2 episódios)
- → Amnésia anterógrada (pós-traumática) > 5 minutos
- → Amnésia retrógrada > 30 minutos
- → Injúria de alto risco (acidente de trânsito, queda de grande altura)
- → Coagulopatia (anticoagulação)

Fonte: Dunning e colaboradores, Ibañez e colaboradores, Stiell e colaboradores, Dunning e colaboradores, e Mower e colaboradores.[23-27]

de lesão intracraniana em adultos. O vômito perde seu poder preditivo em crianças pela predisposição prévia delas a esse reflexo. Em crianças, os mecanismos de injúria de alto risco incluem acidente de trânsito, queda de altura maior que 3 metros e lesão por projétil.[28]

Também se considera o encaminhamento ao hospital se a pessoa tem idade ≥ 65 anos, situação social precária, irritabilidade ou alteração de comportamento, cirurgia cerebral prévia ou suspeita de uso de drogas ou álcool.[29]

Além dos critérios citados, crianças que sofreram trauma craniencefálico devem ser referenciadas ao hospital sempre que existir suspeita de injúria não acidental[28] quando o mecanismo do trauma não for conhecido ou for acompanhado das seguintes situações:

→ explicação inconsistente;
→ presença de outras lesões, como fratura de ossos longos, costela ou hemorragia ocular (ver Capítulo Atenção à Saúde da Criança e do Adolescente em Situação de Violência).

Deve-se sempre estar atento à possibilidade de lesão adicional cervical quando existe trauma craniencefálico. A TABELA 194.7 mostra as indicações para a colocação de um colar cervical até o afastamento de uma lesão trazendo instabilidade à coluna cervical. Por outro lado, o uso de rotina do colar cervical como terapia deve ser desencorajado (ver Capítulo Cervicalgia).

O trauma craniencefálico pode causar hemorragia intracraniana. As formas mais comuns são:

→ **hematoma extradural:** sangramento arterial entre a calota craniana e a dura-máter, de rápida evolução, causando perda de consciência e morte se não tratado cirurgicamente;
→ **hematoma subdural:** sangramento venoso entre as duas meninges (dura-máter e aracnoide), podendo ter evolução aguda, subaguda ou crônica, mesmo após trauma leve (sobretudo em idosos). Os pacientes com essa alteração podem apresentar mudança de personalidade, lentificação, instabilidade dos movimentos, dor de cabeça, irritabilidade ou flutuação do nível de consciência. É necessário realizar exame de imagem (tomografia computadorizada [TC] ou ressonância magnética) e avaliação neurocirúrgica.

### Exames complementares

Dos pacientes com trauma craniencefálico leve apresentando Glasgow 15, apenas 5% têm alterações radiológicas (TC de crânio); 30% dos pacientes com Glasgow 13 apresentam alterações em exame de neuroimagem. Apenas 1% dos indivíduos com trauma craniencefálico precisam de alguma intervenção cirúrgica. Os achados clínicos predizem com segurança os pacientes que podem precisar de intervenção neurocirúrgica.

Não é recomendada TC de rotina para avaliação de trauma craniencefálico menor em adultos e crianças (concussão não complicada).[30]

Na avaliação aguda de trauma craniencefálico leve de adultos (Glasgow 13-15), está indicada TC de crânio sem contraste se algum dos seguintes itens estiver presente:[30]

→ Glasgow < 15;
→ suspeita de fratura de crânio (laceração importante de escalpo, hematomas ou desnível ósseo);
→ sinal de fratura basilar (hemotímpano, hematoma periorbitário ou retroauricular, otorreia ou rinorreia);
→ dois ou mais episódios de vômitos;
→ déficit neurológico focal;
→ distúrbio de coagulação ou uso de anticoagulantes;
→ convulsão;
→ idade > 65 anos;
→ amnésia retrógrada > 30 minutos;
→ trauma de alto impacto (atropelamento, ejeção do veículo, queda de altura);
→ intoxicação, dor de cabeça persistente ou alteração de comportamento (critérios de validação menor).

Além desses, perda de consciência prolongada (> 30 minutos) também é apontada como um critério para realização de TC por alguns autores.[19] A ausência desses fatores exclui com quase 100% de certeza a necessidade de intervenção neurocirúrgica decorrente do trauma.[31]

Em pacientes com lesão encefálica menor (Glasgow 13-15), a sensibilidade dos achados radiográficos (radiografia de crânio) para diagnóstico de hemorragia intracraniana foi de 38% e a especificidade, de 95%.[17] A TC de crânio é o método diagnóstico mais indicado para avaliação de alterações cerebrais em trauma craniencefálico, apresentando sensibilidade e especificidade próximas de 100%.[17] Se esse exame não estiver disponível e existir necessidade de avaliação de um paciente com trauma craniencefálico menor, sem indicação de referência no momento, a radiografia de crânio pode ser considerada,[16] principalmente se o mecanismo de lesão for trauma penetrante.

### Tratamento

Deve-se prover analgesia quando necessário, dando-se preferência para o uso de paracetamol e evitando anti-inflamatórios não esteroides (AINEs) e ácido acetilsalicílico, bem como analgésicos sedativos como morfina nas primeiras 72 horas **C/D**. No entanto, pacientes com dor importante devem ser tratados com pequenas doses de opioides intravenosos (IV), tituladas de acordo com a resposta clínica, e medidas cardiorrespiratórias **C/D**.[17] Os benzodiazepínicos também devem ser evitados, pois prejudicam a avaliação neurológica **C/D**.

Indivíduos com concussão não complicada devem ser encorajados a realizar repouso cognitivo e físico, por um período de 24 a 48 horas, com retorno gradativo às atividades normais, se bem tolerado.[17] Esportistas não devem retornar às atividades até recuperação completa dos sintomas.

**TABELA 194.7** → Indicações para uso de colar cervical no trauma craniencefálico

→ Alteração do nível de consciência (escala de coma de Glasgow ≤ 14)
→ Déficit neurológico focal
→ Dor cervical ou rigidez de nuca
→ Suspeita clínica de lesão cervical

Fonte: National Institute for Health and Clinical Excellence.[57]

A avaliação inicial de pacientes com trauma craniencefálico, particularmente em áreas rurais e de difícil acesso, requer cuidado adicional com o transporte daqueles que necessitam de centros especializados. Entre os fatores listados na TABELA 194.6, redução do nível de consciência, sinal neurológico focal e fratura de crânio são fortes indicadores da necessidade de intervenção cirúrgica em adultos e crianças.[16] Dessa forma, essas situações exigem encaminhamento para centros especializados com brevidade e, se possível, com transporte equipado para tratamento de possíveis complicações e acompanhamento médico.

Após avaliação, o paciente pode ser liberado ao domicílio se:[29]

→ a história clínica e o exame físico indicam baixo risco para lesão cerebral e os critérios para referência não são preenchidos;
→ o paciente tem suporte adequado e supervisão competente em domicílio;
→ o paciente recebeu orientação verbal e escrita dos cuidados (ver no QR code a TABELA S194.1):
   → permanecer em lugar de fácil acesso e com contato telefônico pelas próximas 48 horas;
   → não realizar exercícios físicos vigorosos ou operar máquinas até recuperação completa;
   → retornar à emergência se houver alteração do nível de consciência, saída de secreção em ouvido ou nariz, sonolência excessiva, problemas de compreensão, alteração de fala, falta de sensibilidade ou alteração motora em braços ou pernas, alteração de visão, piora da cefaleia, vômitos ou convulsões.

Se o paciente retornar à unidade referindo sintomas após um trauma craniencefálico menor, deve-se coletar uma história detalhada e realizar exame minucioso. Se o paciente apresentar sinais de alerta (listados antes), ele deve ser encaminhado à emergência para avaliação.

## Afogamento

Afogamento é definido como o processo do qual resulta prejuízo primário da respiração por imersão em meio líquido. É um importante problema de saúde pública.[32] É a terceira causa de morte por injúria não intencional em todo o mundo, causando cerca de 7% das mortes por esse motivo.[33] Aproximadamente 10% de todas essas mortes ocorrem no ambiente doméstico (banhos, lagos de jardim, recipientes cheios d'água, etc.).[34]

A maior frequência de afogamento ocorre do nascimento aos 4 anos de idade, e um segundo grupo de risco encontra-se na faixa etária dos 15 aos 34 anos.[35] No Brasil, o afogamento é a principal causa de morte por lesão não intencional em crianças de 1 a 4 anos.[36]

Em geral, o afogamento ocorre de maneira silenciosa e rápida. As principais consequências fisiológicas são a prolongada hipoxemia, a acidose e suas implicações para os órgãos vitais. Isso ocorre, primariamente, devido ao laringoespasmo e à injúria pulmonar resultante da imersão em líquido.

A hipoxemia cerebral é o desfecho final das vítimas de afogamento. Enquanto cerca de 15% delas apresentam laringoespasmo agudo resultando em afogamento seco por profunda asfixia obstrutiva, a maioria das vítimas aspira líquidos.[37] Tanto a água doce como a água salgada lavam o surfactante alveolar, desenvolvendo um potencial que propicia a formação de edema agudo não cardiogênico.[37]

A aspiração de água doce (hipotônica) causa rápida passagem desse líquido para o meio intravascular, causando hiponatremia, hipercalemia e hemólise. Já a água salgada provoca efeito contrário, com saída de líquido do meio intravascular para os alvéolos. Apesar de o edema pulmonar resultante ocorrer por diferentes mecanismos fisiológicos, a conduta e o prognóstico são semelhantes tanto na imersão em meio hipotônico quanto em meio hipertônico.

A contaminação da água também influencia no desenvolvimento de complicações como pneumonias. A morte pode ocorrer como resultado de outros efeitos fisiológicos além da simples asfixia, como a massiva e rápida mudança no balanço de fluidos e eletrólitos, ou por parada cardíaca.[35] A síndrome de imersão é a parada cardíaca súbita por imersão em meio gelado. Isso decorre, provavelmente, de resposta vagal associada à vasoconstrição, o que pode resultar em inibição vagal, levando à súbita cessação dos batimentos do coração.[35]

### Fatores de risco

Epilepsia[38] e arritmias cardíacas,[39] entre outras condições clínicas (TABELA 194.8),[40] aumentam o risco de mortes por afogamento em todos os meios aquáticos, incluindo banho, natação em piscinas e outras fontes naturais de água. O comportamento de risco está fortemente associado a casos de afogamento não intencional, em particular entre adolescentes. O uso de álcool tem sido ligado a 25 a 50% das mortes em adultos e adolescentes associadas à recreação em água.[41]

### História e exame físico

São fatores relevantes: a idade das vítimas, o tempo de submersão, a temperatura da água, o grau de contaminação, os sintomas, as injúrias associadas (especialmente na coluna cervical e no crânio), a presença de coingestantes (álcool), as condições médicas de base, o tipo e o tempo de resgate e os esforços de ressuscitação, bem como a resposta a essas medidas iniciais.

O exame físico deve concentrar-se nos sistemas cardiorrespiratório e neurológico, com ausculta pulmonar minuciosa e aferição de frequência respiratória, frequência cardíaca,

**TABELA 194.8** → Condições médicas que predispõem ao afogamento

→ Convulsões (epilepsia)
→ Arritmias, especialmente *torsades de pointes* associado a intervalo QT longo
→ Doença coronariana
→ Depressão
→ Miocardiopatia, dilatada ou hipertrófica
→ Hipoglicemia
→ Hipotermia
→ Intoxicações
→ Trauma

Fonte: Moon e Long.[40]

temperatura corporal, oximetria (se disponível) e nível de consciência. A apresentação clínica das pessoas que experimentam injúrias por submersão varia amplamente e pode ser dividida em quatro grupos:[39] assintomático, sintomático, com parada cardíaca e com morte óbvia.

Os pacientes sintomáticos, além de apresentarem acidose metabólica, podem exibir os seguintes sinais:

→ alteração dos sinais vitais (hipotermia, taquicardia ou bradicardia);
→ aparência ansiosa;
→ taquipneia, dispneia ou hipoxia;
→ alteração do nível de consciência;
→ tosse;
→ sibilos;
→ vômito/diarreia.

## Atendimento às vítimas

A maioria dos sobreviventes é salva por ação imediata dos espectadores da cena, tanto por pessoas leigas quanto por profissionais treinados. Os cuidados pré-hospitalares otimizados têm papel determinante.[42] Na ausência de atendimento imediato, incluindo SBV de ressuscitação cardiopulmonar, subsequentes técnicas de SAV parecem ter mínimo valor na maioria dos casos.[43]

A vítima deve ser removida da água o mais depressa possível. Respirações de resgate devem ser realizadas enquanto o indivíduo ainda está no meio líquido, mas compressões torácicas são inadequadas por causa da flutuabilidade dos tecidos. Deve-se ter atenção especial com a coluna cervical ao remover as vítimas; se houver suspeita de injúria, deve-se realizar a elevação da mandíbula para abertura das vias aéreas, evitando inclinação da cabeça.[37]

Quando o paciente é resgatado, pode ocorrer saída de água pela boca. Essa água provém do estômago e deve ser drenada livremente. Não está indicado forçar a saída desse líquido porque isso pode causar vômitos e aspiração subsequente do conteúdo C/D.[34] A manobra de Heimlich (compressão súbita da base diafragmática) está indicada apenas se as ventilações não forem eficientes, pois isso sugere obstrução da via aérea por corpo estranho C/D.[35]

As principais medidas no momento do resgate são:

→ restaurar a respiração;
→ manter o aquecimento corporal;
→ providenciar atendimento.

Deve-se auxiliar a vítima a deitar horizontalmente (posição prona) em um casaco ou em um tapete com a cabeça mais baixa que o corpo, pois isso ajuda a drenar fluidos da boca e preservar o calor. Devem-se realizar as manobras de ressuscitação cardiopulmonar (ver Capítulo Ressuscitação Cardiopulmonar) se forem necessárias e não desistir até que o paciente receba SAV. Nos pacientes vítimas de afogamento, a ordem dos esforços de ressuscitação deve ser via aérea, respiração e compressões torácicas (ABC, do inglês *airway, breathing, circulation*) em vez de CAB (compressões torácicas, via aérea, respiração), pois arritmias cardíacas são quase exclusivamente secundárias à hipoxemia. O paciente não deve ser considerado sem vida até que esteja aquecido.[44] O pulso pode ser difícil de aferir em consequência da bradicardia e da queda da temperatura corporal. É importante remover as roupas molhadas, se possível, e oferecer líquidos aquecidos (se o paciente estiver consciente) para diminuir a chance de hipotermia.[35]

Hipotermia é a condição na qual a temperatura corporal central cai abaixo de 35 °C, o que pode causar arritmia cardíaca. A hipotermia pode ser insidiosa, e sua prevenção é mais fácil do que seu tratamento. As bases para a prevenção contra hipotermia são isolamento térmico adequado e proteção contra o vento. O volume de água aspirada é importante, uma vez que grandes quantidades de líquido, se absorvidas antes que ocorra parada cardíaca, podem provocar hipotermia central rapidamente.

De um lado, o afogamento em água com baixa temperatura pode desempenhar papel protetor contra o dano cerebral causado pela hipoxemia, uma vez que diminui a necessidade de oxigenação tecidual. Por outro, a água fria pode contribuir para o acidente se a hipotermia acontecer antes da submersão, pois pode desencadear incoordenação e fraqueza muscular ou arritmia cardíaca severa e igualmente fatal.

A principal medida para tratamento dos casos de insuficiência respiratória é a ventilação com pressão positiva contínua nas vias aéreas (CPAP, do inglês *continuous positive airway pressure*), que diminui o *shunting* pulmonar e aumenta a capacidade residual funcional. A intubação traqueal com ventilação mecânica é recomendada para os pacientes obnubilados. Pacientes levemente afetados e com sensório preservado podem ser manejados de modo adequado com uso de suplementação simples de oxigênio C/D.[45] As vítimas com broncospasmo são tratadas com β-adrenérgicos inalatórios, à semelhança dos casos de asma aguda C/D.

Todos os casos de afogamento devem ser observados, preferencialmente em departamentos de emergência, por pelo menos 4 a 6 horas. Após um episódio trivial de submersão, o exame físico e a oximetria de pulso costumam ser suficientes. Pacientes com história de apneia, cianose ou perda de consciência ou que, inicialmente, necessitaram de ressuscitação cardiopulmonar têm mais risco de deterioração e complicações tardias.[35] Estudos mostram que crianças que se apresentam com escala de coma de Glasgow > 13, com exame físico normal, sem esforço respiratório e com saturação > 95% em ar ambiente têm excelente prognóstico.[45]

Há carência de estudos que estabeleçam condutas para atendimento ambulatorial às vítimas de afogamento, mas acredita-se que os pacientes que se apresentam assintomáticos ou com sintomas leves (como ansiedade), que rapidamente se recuperam e têm exame físico normal, possam ser liberados após 4 a 6 horas de observação, com orientações de retorno se desenvolverem sintomas. Todos os demais casos devem ser encaminhados para realização de avaliação adicional com exames complementares (radiografia de tórax, eletrocardiograma, função renal, eletrólitos e gasometria).

As medidas de manejo dos casos de afogamento mais graves, em que há hipoxemia cerebral como consequência da aspiração pulmonar, são indicadas a seguir para utilização hospitalar:[46]

→ adequada oxigenação e ventilação;
→ sonda nasogástrica para descompressão do estômago;

→ infusão IV de solução coloide e dopamina 5 a 20 µg/kg/min;
→ manitol 0,25 a 0,5 g/kg, IV, em caso de edema cerebral;
→ correção dos distúrbios hidreletrolíticos (hipocalemia);
→ penicilina profilática.

### Prognóstico

O tempo de submersão é o fator prognóstico mais importante após um episódio de afogamento. Não existe um ponto de corte bem estabelecido para o tempo de imersão, apesar de considerar-se 10 minutos como limite para sobrevivência. A temperatura da água é outro aspecto a considerar. A água gelada, como descrito antes, desempenha um fator protetor contra a hipoxemia cerebral, explicando o aumento da chance de sobrevivência após ressuscitação cardiopulmonar entre vítimas de afogamento em comparação com outras etiologias.[46]

Tanto a escala de coma de Glasgow quanto a resposta pupilar refletem o grau de injúria cerebral pela hipoxemia.

Preditores pré-hospitalares de um bom desfecho são tempo de submersão ≤ 5 minutos, início das manobras de ressuscitação em menos de 10 minutos e presença de taquicardia sinusal e pupilas reativas.[42] O nível de consciência na chegada ao hospital se correlaciona fortemente com o desfecho. Pacientes que chegam andando para atendimento têm desfecho favorável. Pacientes comatosos, pelo contrário, têm risco de mortalidade que varia de 34 a 68%, com sequela cerebral severa em 13 a 47% dos sobreviventes.[46] O exame físico na apresentação (TABELA 194.9) também tem alto valor prognóstico.

### Medidas preventivas

Ao identificar os riscos relacionados com as faixas etárias de afogamento, as comunidades podem afetar as taxas desse evento. O uso rotineiro de equipamento de proteção aquático (salva-vidas) é uma medida profilática importante. Os bebês devem ser cuidadosamente supervisionados em todos os momentos. Banheiras, vasos sanitários e baldes de limpeza representam perigos domésticos. A instalação de uma cerca ao redor das piscinas tem demonstrado diminuir a incidência de afogamento em pelo menos 50%.[47]

**TABELA 194.9** → Preditores de hospitalização e mortalidade em 1.831 casos de afogamento

| APRESENTAÇÃO | N | HOSPITALIZAÇÃO (%) | MORTALIDADE (%) |
|---|---|---|---|
| Tosse com ausculta pulmonar normal | 1.189 | 2,9 | 0 |
| Ausculta anormal com crepitantes | 338 | 14,8 | 0,6 |
| Edema pulmonar agudo sem hipotensão | 58 | 44,8 | 5,2 |
| Edema pulmonar agudo com hipotensão | 36 | 88,9 | 19,4 |
| Apneia com pulso arterial | 25 | 84 | 44 |
| Apneia sem pulso arterial | 185 | 12,4 | 93 |

Fonte: Szpilman.[37]

O consumo de álcool deve ser evitado por pessoas que realizarão esportes aquáticos ou natação. Pessoas com condições médicas predisponentes (ver TABELA 194.8) nunca devem nadar sozinhas. Programas de instrução para natação beneficiam pacientes de todas as idades. Adultos e adolescentes devem ser encorajados a realizar treinamentos de reanimação cardiopulmonar. O médico generalista deve estar sensível a esse problema de saúde pública para poder instruir medidas profiláticas em sua comunidade.[47]

## Reações alérgicas graves

As reações alérgicas são mediadas por anticorpos em resposta a antígenos exógenos, e podem ser localizadas ou sistêmicas, agudas ou tardias, leves, moderadas ou graves, como apresentado na TABELA 194.10.

As manifestações dermatológicas de reações alérgicas envolvem erupções cutâneas de diferentes tipos, localização, causas e gravidades (TABELA 194.11).

### Quadros específicos

#### Manifestações cutâneas

As manifestações cutâneas de reações alérgicas respondem à retirada do agente causal e à aplicação de corticoide tópico de diferentes potências (ver Capítulos Eczemas e Reações Cutâneas Medicamentosas, Prurido e Lesões Papulosas e Nodulares, e Fundamentos de Terapêutica Tópica). Quando houver melhora da reação dermatológica, os cremes de corticoides devem ser suspensos lentamente. Esteroides sistêmicos são necessários em quadros agudos, generalizados e graves.[48]

#### Anafilaxia

É uma reação alérgica sistêmica, de rápida evolução (dentro da primeira hora de exposição), causada principalmente por ativação de imunoglobulina E (IgE) e subsequente liberação maciça de histamina (ver QR codes). É rara e tem taxa de mortalidade de 1%.[49] No entanto, é provável que esse número seja subestimado por falta de testes confirmatórios, baixa notificação, entre outros.

Alimentos, picadas de insetos e medicamentos são as causas mais comuns de reações anafiláticas.[50] Entre os fármacos com maior risco estão alopurinol, inibidores da enzima conversora da angiotensina, antibióticos (sobretudo β-lactâmicos), ácido acetilsalicílico, interferona, AINEs e opioides. Radiocontrastes são a causa mais comum de reação anafilática não imune (antiga reação anafilactoide), que ocorre por ativação direta dos mastócitos. Ambas as reações alérgicas desse grupo têm o mesmo quadro clínico e tratamento, ocorrendo, em geral, minutos após a exposição. Asma progressa aumenta o risco de anafilaxia em 2 a 3 vezes, e o uso de β-bloqueadores pode prejudicar o tratamento dessa patologia.

**TABELA 194.10** → Tipos de reações alérgicas

| TIPO DE REAÇÃO | QUADRO CLÍNICO | AGENTES CAUSAIS |
|---|---|---|
| Tipo I – hipersensibilidade imediata | → Atópico,* asma, rinite†<br>→ Anafilaxia | Pelos de animais, pólen, ácaros, drogas, derivados do sangue, vacinas, venenos animais, alimentos |
| Tipo II – citotóxica | → Farmacodermia*<br>→ Anemia hemolítica<br>→ Nefrite intersticial<br>→ Púrpura | Drogas, infecções, doenças imunológicas |
| Tipo III – imunocomplexo | → Doença do soro<br>→ Reação de Arthus | Drogas, infecções, doenças imunológicas, vacinas |
| Tipo IV – hipersensibilidade tardia | → Dermatite de contato* | Cosméticos, plantas, fármacos de uso tópico, luvas e preservativos de látex |
| Reações anafilactoides | → Urticária‡<br>→ Síndrome do homem vermelho | Contrastes radiológicos, D-tubocurarina, morfina e opioides, vancomicina |

*Ver Capítulo Eczemas e Reações Cutâneas Medicamentosas.
†Ver Capítulos Rinite e Asma.
‡Ver Capítulo Prurido e Lesões Papulosas e Nodulares.

**TABELA 194.11** → Manifestações dermatológicas de reações alérgicas*

| MANIFESTAÇÃO CUTÂNEA | FÁRMACOS |
|---|---|
| Urticária | Antibióticos (sulfas, penicilinas, cefalosporinas, aminoglicosídeos, vancomicina); analgésicos anti-inflamatórios (salicilatos), inibidores da enzima conversora da angiotensina também podem produzir angioedema; meios iodados de contraste radiológicos; vacinas com soros animais ou proteínas de ovos; agentes anestésicos, relaxantes musculares, dextranos |
| Exantema maculopapular | Os antibióticos (sulfas, penicilinas, isoniazida) são a causa mais comum dessas reações; outros agentes causais podem ser anticonvulsivantes (fenitoína, carbamazepina, fenobarbital), antirreumáticos (ouro, alopurinol), diuréticos (tiazídicos), anti-hipertensivos (captopril, β-bloqueadores), sulfonilureias, carbimazol, bismuto |
| Eczemas | Podem ser dermatites de contato, ou fotodermatites por antibióticos (sulfas, penicilinas, cefalosporinas); anticonvulsivantes (fenitoína, carbamazepina, lamotrigina); anti-hipertensivos (metildopa, β-bloqueadores), diuréticos (tiazídicos), clorpromazina, quinino, sulfonilureias |
| Eritrodermia | Antibióticos (sulfas, nitrofurantoína, penicilinas, isoniazida, pirazinamida, rifampicina); anticonvulsivantes (fenitoína, carbamazepina); analgésicos (ácido acetilsalicílico, opioides); diuréticos (furosemida); fenotiazinas, quinino, sulfonilureias, progestagênios, omeprazol |

*Ver Capítulos Eczemas e Reações Cutâneas Medicamentosas, e Prurido e Lesões Papulosas e Nodulares.

Cerca de 1 a 20% dos pacientes apresentam reação bifásica, com recorrência de sintomas dentro das primeiras 8 horas, podendo também ocorrer mais tarde (24-72 horas após a exposição).[50-52]

As manifestações incluem insuficiência respiratória (edema laríngeo, laringospasmo, broncospasmo), sintomas cardiovasculares (hipotensão, colapso cardiovascular, arritmias cardíacas), reações dermatológicas (prurido, urticária, angioedema), reações gastrintestinais (vômitos, cólicas, diarreia) e conjuntivite. As manifestações dermatológicas ocorrem em 90% dos casos e as respiratórias, em 70%.[52]

A causa mais comum de morte é a insuficiência respiratória, seguida de hipotensão. Essas reações adversas podem ser leves a graves; no entanto, quando não tratadas, têm o potencial de se tornarem graves muito rapidamente, motivo pelo qual não é apropriado retardar o tratamento para confirmar o diagnóstico. Os médicos de família e os pacientes precisam estar preparados para reconhecer e rapidamente tratar anafilaxia para prevenir uma potencial catástrofe clínica.

O tratamento das reações anafiláticas está detalhado na **TABELA 194.12**.[50,53,54]

**A adrenalina é a base do tratamento de reações alérgicas, e sua aplicação não deve ser retardada diante de um episódio de anafilaxia grave B.**[52] **Recomenda-se a aplicação de adrenalina 0,3 a 0,5 mg (0,01 mg/kg em crianças com peso < 30 kg), via intramuscular (IM), no músculo vasto lateral da coxa (preferencialmente), ou subcutânea (SC), a cada 5 a 10 minutos, até controle dos sintomas ou melhora da pressão arterial B.**

**Glicocorticoides e anti-histamínicos sistêmicos não devem ser administrados como primeira linha no tratamento de anafilaxia, mas podem ser utilizados em associação com a adrenalina no manejo agudo e também na prevenção de anafilaxia grave tardia C/D. Os anti-histamínicos são úteis no tratamento de urticária, mas não são efetivos no alívio dos demais sintomas, como estridor, dispneia e hipotensão/choque, e não devem substituir a adrenalina.**[55,56]

### Dessensibilização

Os pacientes com história de anafilaxia podem ser encaminhados para tratamento de dessensibilização. A comprovação da eficácia desses tratamentos na prevenção da anafilaxia por medicamentos ou picadas de insetos é variável.

A dessensibilização a fármacos, como as cefalosporinas e penicilinas, é realizada em ambiente hospitalar, para garantir as medidas de tratamento caso haja anafilaxia. O fármaco que precisa ser administrado é aplicado em doses baixas (p. ex., 1 UI de penicilina), e, se não houver reação alérgica,

**TABELA 194.12** → Tratamento da anafilaxia

→ Administrar adrenalina[53,54] em solução aquosa a 1:1.000, 0,3-0,5 mL, IM (preferencialmente) ou SC; repetir a cada 5-15 minutos de acordo com a necessidade

→ Estabelecer e manter a via aérea; se necessário, usar tubo endotraqueal com ventilação a 100% de oxigênio; se isso não for possível, mesmo após o uso de adrenalina, considerar traqueostomia

→ Monitorar a função cardiovascular

→ Para tratar a hipotensão, pode-se administrar solução fisiológica (infusão rápida de 2 L de solução em dois acessos venosos calibrosos) e/ou noradrenalina nos casos que não toleram volume; colocar o paciente deitado em posição de Trendelenburg

→ Considerar o uso de corticoides ou anti-histamínicos sistêmicos; embora os corticoides (hidrocortisona 100 mg ou dexametasona 4 mg, IM ou IV de forma lenta, 6/6 h) não sejam úteis para a anafilaxia aguda, eles impedem o desenvolvimento de anafilaxia grave tardia; os anti-histamínicos (prometazina 25 mg ou difenidramina 25-50 mg, 6/6 h) podem prevenir uma evolução arrastada; pacientes que fazem uso crônico de β-bloqueadores e não respondem à terapia inicial podem beneficiar-se da administração de glucagon (3,5-5 mg, IV), repetida em 10 minutos, se a hipotensão persistir;[50] os anti-histamínicos não devem ser utilizados de maneira isolada

→ Realizar vigilância permanente, por 12-24 horas, ou enquanto perdurar a instabilidade dos sinais vitais

→ Para broncospasmo grave, usar salbutamol (5 mg/mL aerossol; 2-4 mg, VO, 6/6 h; 8 μg/kg, SC ou IM) ou terbutalina (0,5-1 mg/inalação, 6/6 h; 2,5-5 mg, VO, 6/6 h; 0,25 mg, SC)*

→ Identificar o agente desencadeante da hipersensibilidade para evitar futuras exposições

*Ver Capítulo Asma.
IM, intramuscular; IV, intravenoso; SC, subcutâneo; VO, via oral.

são aplicadas doses crescentes, a cada 15 a 20 minutos, até que tenha sido administrado a dose necessária para o início do tratamento da patologia de base. Para assegurar a dessensibilização, é necessário garantir a adesão perfeita ao tratamento. Esse procedimento tem efeito limitado a 8 a 48 horas ou enquanto o medicamento estiver sendo administrado.[55]

A imunoterapia vem sendo utilizada no tratamento de doenças como rinite alérgica e asma, apresentando resultados variáveis.[57] A imunoterapia para dessensibilização a picadas de insetos parece ser efetiva na redução de crises de anafilaxia C/D. Nesse tratamento, é administrada a proteína dos insetos, e o efeito é obtido desde o início da administração; os pacientes ficam protegidos das reações sistêmicas geradas por picada de insetos enquanto estiver sendo administrada a proteína.[55]

A imunoterapia deve ser administrada por um longo período de tempo, de 3 a 5 anos, no tratamento clássico, podendo ser suspensa quando os testes cutâneos de sensibilidade ficam negativos. A imunoterapia rápida, em poucos dias, pode ser realizada sem aumentar os riscos para os pacientes. Além de o benefício dessas terapias ser incerto, provavelmente não são custo-efetivas, e não devem ser recomendadas de rotina.[55]

### Treinamento para uso precoce de adrenalina (epinefrina)

Caso não seja possível evitar o contato com os alérgenos, os pacientes que apresentaram quadros múltiplos de anafilaxia por reexposição aos alimentos ou à picada de insetos devem ser treinados a usar adrenalina.[58]

Nesses casos, os pacientes devem carregar o necessário para administração de adrenalina em todos os momentos, ou seja, devem ter seringa descartável de 1 mL, com agulha tipo insulina, e ampola de adrenalina aquosa 1:1.000 (ampolas de 1 mg de adrenalina em 1 mL de solução). Se houver sinais cutâneos, respiratórios ou gastrintestinais indicativos de reação alérgica, o paciente adulto ou seu acompanhante deverão colocar 0,2 a 0,3 mL de adrenalina da ampola (1 mg/mL) na seringa e aplicar via IM na face lateral da coxa.[58]

Caso o paciente esteja inconsciente e com reação grave, pode ser aplicado até 0,5 mL de adrenalina por via IM ou SC. O paciente deve ser orientado a nunca aplicar essa preparação de adrenalina por via intravenosa. Em casos de urgência, não é preciso retirar a roupa do paciente. Crianças de até 30 kg devem receber metade da dose. O paciente deve ser encaminhado rapidamente a um hospital após a primeira aplicação de adrenalina. Enquanto não recebe atendimento médico, a dose de adrenalina deve ser repetida a cada 5 a 15 minutos pelo tempo em que persistirem os sintomas.[58]

## Urgências psiquiátricas

Urgências psiquiátricas não são raras e a maioria das situações podem ser manejadas na APS.[59] Muitos casos que costumam chegar às emergências psiquiátricas podem ser manejados pelo médico da APS.[60-62] Os casos mais comumente atendidos apresentam sintomatologia psicótica, agitação psicomotora e/ou comportamento violento, comportamento suicida, ansiedade, dissociação e conversão.[59] Casos de agitação psicomotora e/ou agressividade graves devem ser encaminhados para emergência psiquiátrica.

O atendimento da urgência psiquiátrica deve orientar-se por quatro eixos: estabilização do quadro, estabelecimento de hipótese diagnóstica, exclusão de causa orgânica e plano de seguimento/encaminhamento, pois raramente o atendimento encerra-se em si mesmo.[59,61,63] A equipe deve ter formação sobre o tema e estar atenta ao paciente que se apresenta ansioso, chorando, beligerante, intimidador ou com comportamento bizarro (falando sozinho, discurso incoerente, comportamento estereotipado, fantasiado). Deve haver um local com privacidade para o paciente falar livremente sem expor-se moralmente, com facilidade de acesso à equipe (caso torne-se violento), sem objetos que permitam auto e heteroagressão. As condutas a serem tomadas, como uso de medicação, apoio dos seguranças e contenção mecânica, já devem estar preparadas.[59,61,63]

### Psicose, agitação psicomotora, comportamento violento

A sintomatologia psicótica pode ser expressão de um primeiro episódio psicótico, reagudização de sintomas em paciente portador de transtorno mental, intoxicação ou abstinência por drogas e descompensação orgânica, especialmente em pacientes idosos e portadores de síndromes plurimetabólicas (p. ex., *delirium*).[59,61,63,64]

No primeiro episódio psicótico, a procura por atendimento costuma ser por isolamento, ideação paranoide (p. ex., fechar janelas, não comer por achar que está sendo envenenado), risos imotivados, falar sozinho (alucinações auditivas), comportamento bizarro (p. ex., juntar lixo), insônia, agitação psicomotora, descontrole de impulsos ou oscilações de humor. Deve-se descartar doença orgânica e uso de substâncias psicoativas. A identificação de estressores atuais, padrão de funcionamento prévio, história familiar e quadro claro da sintomatologia permitem estabelecer hipótese diagnóstica do transtorno de base e tratamento mais adequado.[59] Em casos de crianças ou adolescentes, a causa primária de urgência psiquiátrica pode ser a piora do funcionamento familiar como um todo, agravamento de um transtorno prévio ou ambos. Auto e heteroagressão podem ser expressões de inúmeras doenças e de abuso infantil, sendo as primeiras mais encontradas em portadores de retardo mental. Muitas vezes, os sintomas psicóticos são subvalorizados pela família.[65] Possibilidade de vínculo terapêutico, adesão, esbatimento de riscos e suporte familiar definem se o tratamento será ambulatorial ou hospitalar. Caso se defina que o acompanhamento será feito na APS, o paciente deve ter acesso à avaliação psiquiátrica (presencial ou por matriciamento) para confirmação diagnóstica e ajuste de medicação e acompanhamento intensivo na equipe até esbatimento de sintomas agudos. Haloperidol 2,5 a 10 mg/dia associado ou não a benzodiazepínicos costuma ser eficaz C/D.[66,67] Quanto maior for o tempo de psicose não tratada, menor é a resposta aos antipsicóticos. Os casos de comportamento violento ou de vítimas de violência têm sido um problema crescente nos serviços de saúde. Intoxicação por álcool e drogas, fissura e abstinência são mais comuns em pacientes que se apresentam beligerantes. Esquizofrenia, transtornos de personalidade, mania e depressão com sintomas psicóticos, *delirium* e demência também estão associados ao comportamento violento.

Em geral, a violência surge após um período de tensão e é comum o paciente ficar irritado, resistir à autoridade e buscar confronto. A rápida identificação de pacientes ansiosos, irritados, agitados, mudando de posição, de punhos fechados ou falando em voz alta pode evitar que uma situação mais grave se desenvolva.[68]

Os casos de agitação psicomotora com ou sem violência costumam ser os mais mobilizadores para a equipe de APS, pois é necessário reunir técnicos rapidamente para a condução do paciente a um local adequado, onde possa ser medicado e contido se for o caso. Também é necessário identificar se há risco de haver reféns e/ou porte de armas. Nesse momento, enquanto um grupo tenta tranquilizar o paciente, convencendo-o a colaborar[59,69] e relatar o que está sentindo, outro técnico entrevista o acompanhante, buscando compreender o que desencadeou a crise, se há histórico de crises prévias, uso de medicação, alergias, diagnóstico de transtorno mental ou orgânico ou descontinuidade de tratamento psiquiátrico. Na maioria dos casos, o paciente tranquiliza-se quando percebe que está protegido pela equipe e aceita os manejos propostos. Deve-se evitar postura investigativa direta para não reforçar conteúdo paranoide de pensamento. O uso IM de haloperidol associado com prometazina favorece a sedação e promove tranquilização mais rápida. Em geral, haloperidol 2 a 10 mg e prometazina 25 a 50 mg são suficientes para efeito antipsicótico, sedativo e ansiolítico. Não se recomenda clorpromazina IM pelo risco de lesão e hipotensão, nem diazepam pelo risco de absorção errática e parada respiratória. Pode-se usar midazolam 10 mg, IM, nos casos em que há a informação de extrapiramidalismo severo com uso de antipsicóticos típicos ou síndrome neuroléptica maligna.[67] Antipsicóticos atípicos, como risperidona, olanzapina e ziprasidona, que provocam menos efeitos colaterais como extrapiramidalismo, sedação e hipotensão, não estão disponíveis pelo Sistema Único de Saúde, mas a literatura não evidenciou diferença significativa entre seu uso e haloperidol no tratamento da agitação psicomotora.[70,71] Benzodiazepínicos são mais usados em casos de intoxicação e abstinência por álcool e drogas e são mais efetivos na diminuição de *delirium* e de mortalidade, podendo ser usados por via oral (VO). Pacientes tratados com midazolam (5 mg, IM) têm sedação mais rápida, mas será necessária medicação adicional para quadro delirante em comparação ao droperidol (15 mg, IM) ou à ziprasidona (20 mg, IM).[71-74] Após a administração de psicofármacos, o paciente deve ficar em observação na unidade para verificar estabilização do quadro. O uso de haloperidol IM a cada 30 minutos pode ser necessário na persistência de agitação. Em geral, a agitação diminui em 60 minutos.[75] Não sendo possível a estabilização do quadro em 1 hora, o paciente deve ser encaminhado para um serviço de emergência psiquiátrica acompanhado de um familiar e de um técnico da equipe C/D.

## Comportamento suicida

Suicídio é um fenômeno complexo, multifacetado e de múltiplas determinações, impactando o indivíduo, sua família e comunidade sob vários aspectos. Pode ocorrer em indivíduos de várias origens, classes sociais, idades, orientações sexuais e identidades de gênero. É mais prevalente no sexo feminino, em adultos jovens, indivíduos com baixa escolaridade ou baixo nível econômico, pessoas que vivem em situações de vulnerabilidade social e àquelas que possuem morbidades psiquiátricas.[76,77] Entre 2007 e 2016, foram registrados 106.374 óbitos por suicídio no Sistema de Informação sobre Mortalidade. Em 2016, a taxa chegou a 5,8 a cada 100 mil habitantes, com a notificação de 11.433 mortes por essa causa.[77]

Os fatores de risco mais importantes no comportamento suicida são: história prévia de tentativa de suicídio ou presença de transtorno mental (depressão, bipolaridade, abuso de álcool e outras substâncias, esquizofrenia, transtorno de personalidade, ansiedade, pânico, estresse pós-traumático e *delirium*). A associação de depressão com ansiedade aumenta o risco de suicídio. Sentimentos como desesperança, rompimento de relações afetivas, desemprego, prestação de serviço militar, doença crônica, dor crônica, trauma craniencefálico, abusos físicos, sexuais e morais na infância, bagagem genética, morar em regiões rurais, ter acesso a armas, ter acesso a antidepressivos, conjuntura socioeconômica de crise, regimes políticos autoritários e violência policial também são condições de agravamento do comportamento suicida. A criação de leis que restringiram o porte de armas não aumentou o número de suicídios por métodos alternativos.

O comportamento suicida (ideação, plano e tentativa) mobiliza a equipe de outra maneira, pois são necessários tempo e escuta atenta para que o paciente se sinta confortável e confiante para falar e se expor e para a detecção de riscos que apresenta. Frequentemente os pacientes buscam um serviço de APS, antes de cometer suicídio, com queixas vagas como fadiga, perda de peso, cefaleia, mal-estar, dor lombar ou diminuição da autoestima.[78,79] A gravidade do caso é reforçada se há um plano factível, proposição de método letal e acesso a esse método (p. ex., portar arma de fogo, ter estoque de medicações, morar em andar alto). O paciente deve ser encaminhado para internação nos casos em que o grau de risco de suicídio é alto, o suporte familiar está desgastado ou nulo, as tentativas são progressivamente mais graves, há recusa em fazer planos futuros (incluindo tratamento), há uso concomitante de álcool e/ou outras drogas e substâncias e/ou outros transtornos mentais, há incongruência entre relato subjetivo e objetivo e há presença de sintomas como delírios ou alucinações.[80] Nos casos em que há ideação, mas não há plano, a família é cooperativa, o paciente possui vínculo terapêutico e consegue fazer um pacto de não tentativa de suicídio, deve-se providenciar consulta psiquiátrica de emergência (para asseguramento do diagnóstico e pertinência do tratamento), reinstituir antidepressivo e estabilizador de humor em caso de descontinuidade de tratamento e acompanhar intensivamente o paciente até esbatimento da ideação. A medicação deve ser administrada pela família para evitar abuso (no caso de benzodiazepínicos) e intoxicação medicamentosa (nova tentativa de suicídio).[81] A investigação de pensamentos ligados ao suicídio (planos, tentativas), a adesão ao tratamento farmacológico, a psicoterapia – quando disponível – e o acompanhamento pelo médico da APS melhoram o prognóstico do paciente: há diminuição do risco de suicídio e melhora da sintomatologia.[82-84] A avaliação do risco de suicídio e manejo inicial está sintetizado na FIGURA 194.1.[85]

O uso de lítio está ligado à redução do risco de suicídio, embora ainda de forma não bem esclarecida.[86] Antidepressivos inibidores da serotonina estão associados à diminuição em até 25% do número de suicídios. Antidepressivos tricíclicos devem ser utilizados com cautela, pois podem ser fatais em altas doses.

A atenção e a preocupação com sintomatologia depressiva em crianças e adolescentes são temas que vêm preocupando os serviços de emergência psiquiátrica, as escolas e os serviços de saúde em geral. As taxas de tentativa de suicídio e de suicídio nessas populações têm crescido, mobilizando profissionais, autoridades e comunidades a buscar alternativas de prevenção e tratamento, bem como o diagnóstico seguro dos casos.

Nos Estados Unidos, em 2014, o suicídio foi a segunda causa de morte entre adolescentes com idade de 15 a 19 anos. Os fatores de risco são semelhantes aos encontrados nos adultos. Na APS, pode-se usar as diretrizes da American Academy of Pediatrics.[87] É importante lembrar que crianças nem sempre sabem avaliar adequadamente a letalidade dos métodos, tornando-se fundamental avaliar a motivação, a finalidade e o desejo de morrer. Os elementos de avaliação do estado mental infantil incluem: aparência, atitude, comportamento, funcionamento motor e intelectual, atenção, concentração, orientação, memória, linguagem, afeto, ideias, planos e tentativas de suicídio, contexto, processo de pensamento, percepção da realidade, capacidade de julgamento e *insight*.[88] Os cuidados, o tratamento e os critérios de internação são semelhantes aos realizados com adultos.

Os espaços comunitários como a escola, os centros de convivência e as oficinas têm-se revelado importantes na prevenção. Deve-se instruir sobre os riscos, as modificações de comportamento, o efeito desinibidor do uso de álcool e drogas e como distrair o pensamento da ideação suicida.[89,90]

No Brasil, desde 2006, o Ministério da Saúde tem criado uma série de portarias para o enfrentamento do comportamento suicida. Em destaque estão a Portaria nº 1.876/2006, que dispõe sobre as Diretrizes Nacionais para Prevenção do Suicídio; a Portaria nº 3.088/2011, que cria a Rede de Atenção Psicossocial; a Portaria nº 1.271/2014, que cria a Lista Nacional de Notificação Compulsória de doenças, agravos e eventos nos serviços de saúde pública e privada; a criação do Boletim Epidemiológico de tentativas e óbitos por suicídio em 2017; a parceria com o Centro de Valorização da Vida;

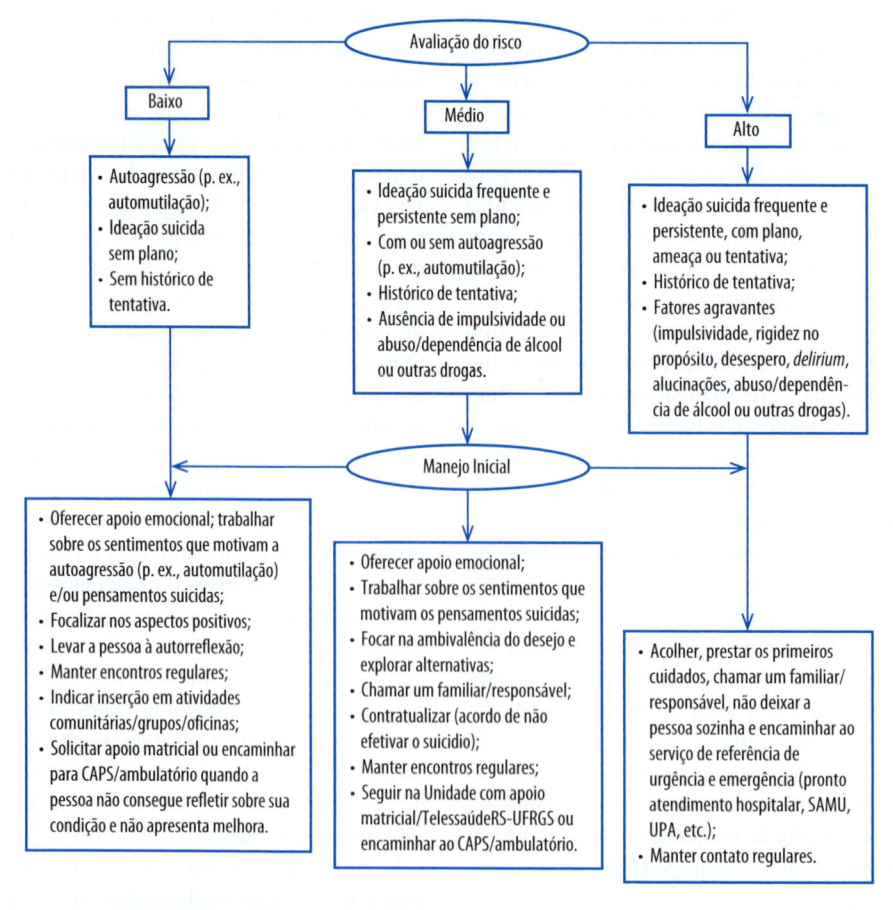

FIGURA 194.1 → Avaliação e manejo inicial do paciente com comportamento suicida na atenção primária à saúde. CAPS, Centro de Atenção Psicossocial; SAMU, Serviço de Atendimento Móvel de Urgência; UPA, Unidade de Pronto Atendimento.
Fonte: TelessaúdeRS-UFRGS.[85]

e a Portaria nº 3.491/2017, que institui apoio financeiro, iniciando nos 5 Estados com as maiores taxas de morte por suicídio, sendo o Rio Grande do Sul o primeiro da lista.[80]

### Ansiedade

As crises de ansiedade podem apresentar-se como agitação, nas quais se combinam ansiedade intensa, inquietação motora e crises de pânico. O paciente sofre um ataque agudo, episódico e intenso de ansiedade associado a sintomas opressivos de pavor e descarga autonômica. Devem ser descartados uso de medicamentos que podem produzir efeitos colaterais similares, como β-bloqueadores, broncodilatadores, alguns antidepressivos, corticoides e fitoterápicos.[60] A presença de sintomas atípicos durante a crise deve atentar para a existência de condições orgânicas subjacentes, especialmente em pacientes de risco, como obesos e hipertensos. Anamnese, exame clínico para descartar doença orgânica, tranquilização, diminuição da hiperventilação, evitamento de enfoques punitivos aliados ao uso de benzodiazepínicos como clonazepam 0,5 a 2 mg, VO, ou diazepam 5 a 10 mg ajudam a controlar as crises. Os pacientes devem realizar avaliação psiquiátrica para ajuste de dose e verificar necessidade de antidepressivo. A acatisia, caracterizada por sentimentos de inquietação interna e incapacidade de manter-se quieto – efeito colateral do uso de antipsicóticos típicos e, menos comumente, de antidepressivos tricíclicos e estabilizadores de humor –, deve ser investigada. Nos pacientes com acatisia, sugere-se diminuição das doses ou troca do medicamento e prescrição de propranolol 30 a 90 mg/dia ou biperideno 2 a 4 mg/dia C/D.[91] O ajuste medicamentoso deve ser revisado com consulta ou consultoria psiquiátrica.

A persistência da sintomatologia pode levar ao diagnóstico de transtorno de ansiedade generalizada. Esse quadro é mais comum em mulheres e caracteriza-se por preocupações desproporcionais com situações ou circunstâncias de risco reduzido ou mesmo inexistente, com ao menos 6 meses de duração. Adultos apresentam três ou mais destes sintomas: tensão muscular, fadiga, perturbação do sono, inquietação ou sensação de "estar no limite", irritabilidade e capacidade de concentração reduzida. Em crianças, apenas um dos sintomas já pode definir o quadro.[64] O tratamento visa reduzir sintomas e diminuir a incapacidade. Psicoterapia cognitivo-comportamental e psicodinâmica mostraram-se eficazes. Exercício físico e meditação podem ser adjuvantes. A farmacoterapia pode ser realizada com inibidores seletivos de recaptação da serotonina ou inibidores de recaptação da serotonina-noradrenalina. Quetiapina, benzodiazepínicos e pregabalina também podem ser considerados. Os benzodiazepínicos devem ser usados com cautela por conta de seus efeitos colaterais como sedação, alteração da memória e dependência. O tratamento com antidepressivos deve ser mantido pelo menos por 1 ano, visando diminuição de recidivas[94] (ver Capítulo Transtornos Relacionados à Ansiedade).

Os transtornos conversivos e dissociativos apresentam-se como súbita alteração ou perda de função sensório-motora ou de outra função corporal, sugerindo doença orgânica, mas com etiologia associada a fatores psicológicos. A incidência é maior em zonas rurais, em populações com menos anos de estudo e de maior vulnerabilidade social. Presença de ganho primário ou secundário pode agravar o caso. A prevalência de depressão associada é alta, bem como caracteres de personalidade como imaturidade, dependência, ansiedade, comportamento histriônico, baixa tolerância à frustração e tendência a autocentrar-se. Em casos de agitação psicomotora, recomendam-se manejo amistoso e uso de haloperidol 2 a 5 mg, IM, com ou sem prometazina 50 mg. O paciente deve ser encaminhado para avaliação psiquiátrica quando o médico de APS não estiver seguro sobre sua conduta.[92,93]

### Considerações finais sobre as urgências psiquiátricas

Cuidados primários intensivos como consultas, visitas domiciliares e telefonemas a pacientes psiquiátricos não diminuem a presença desses casos nas emergências psiquiátricas, mas diminuem a gravidade das crises, o número de internações psiquiátricas e o tempo nas internações de curta duração.[63] O médico da APS, pelo tipo de formação e pela larga gama de atendimentos que realiza, tem, na maioria das vezes, melhores condições de avaliar o paciente e acompanhá-lo, garantindo elo e suporte para a equipe especializada e a família. A rápida e competente atuação nessas situações de urgência contribui para a prevenção ou diminuição da gravidade de outras situações e reduz o impacto da crise sobre o indivíduo, sua família e sua comunidade.

## REFERÊNCIAS

1. Starfield B. Atenção primária: equilíbrio entre necessidades de saúde, serviços e tecnologia [Internet]. 2002 [capturado em 19 mar. 2020]. Disponível em: https://www.nescon.medicina.ufmg.br/biblioteca/imagem/0253.pdf
2. Brasil, Ministério da Saúde, organizadores. Política nacional de atenção às urgências. 3. ed. Brasília: MS; 2006. (Série E--Legislação de saúde).
3. Family physicians help meet the emergency care needs of rural America. Am Fam Physician. 2006;73(7):1163.
4. Norris TE. A fast track for rural family physicians. J Am Board Fam Pract. 2003;16(2):182–3.
5. Donahue KE, Ashkin E, Pathman DE. Length of patient-physician relationship and patients' satisfaction and preventive service use in the rural south: a cross-sectional telephone study. BMC Fam Pract. 2005;6:40.
6. Brasil. Ministério da Saúde. Atenção à demanda espontânea na APS. Brasília: MS; 2013.
7. Brasil. Ministério da Saúde. Acolhimento e classificação de risco nos serviços de urgência. Brasília: MS; 2009.
8. Murtagh J, Rosenblatt J, Coleman J, Murtagh C. Murtagh's general practice. 7. ed. New York: Mc Graw Hill; 2018.
9. Consoli RJM. Emergency medicine [Internet]. In: Rakel R. Textbook of family medicine. 7. ed. Philadelphia: Saunders-Elsevier; 2007 [capturado em 19 mar. 2020]. Disponível em: https://www.elsevier.com/books/textbook-of-family-medicine/rakel/978-1-4160-2467-5.
10. Forte, DN, Jr. Nassar, AP, Martins, HS. Abordagem inicial do paciente grave. In: Martins HS, Brandão Neto RA, Scalabrini Neto A, Velasco IT, organizadores. Emergências clínicas: abordagem prática. 10. ed. São Paulo: Manole; 2015.
11. Martin JC, Avant RF, Bowman MA, Bucholtz JR, Dickinson JR, Evans KL, et al. The future of family medicine: a collaborative project of the family medicine community. Ann Fam Med. 2004; 2(Suppl 1):S3-32.

12. Williams JM, Ehrlich PF, Prescott JE. Emergency medical care in rural America. Ann Emerg Med. 2001;38(3):323–7.
13. Kay A, Teasdale G. Head injury in the United Kingdom. World J Surg. 2001;25(9):1210–20.
14. Swann IJ, MacMillan R, Strong I. Head injuries at an inner city accident and emergency department. Injury. 1981;12(4):274–8.
15. Johnstone AJ, Zuberi SH, Scobie WG. Skull fractures in children: a population study. J Accid Emerg Med. 1996;13(6):386–9.
16. Scottish Intercollegiate Guidelines Network. Early management of patients with a head injury: a national clinical quideline. Edinburgh: Scottish Intercollegiate Guidelines Network; 2009.
17. McCrea MA, Nelson LD, Guskiewicz K. Diagnosis and management of acute concussion. Phys Med Rehabil Clin N Am. 2017;28(2):271–86.
18. Scorza KA, Raleigh MF, O'Connor FG. Current concepts in concussion: evaluation and management. Am Fam Physician. 2012;85(2):123–32.
19. Scorza KA, Cole W. Current concepts in concussion: initial evaluation and management. Am Fam Physician. 2019;99(7):426–34.
20. American College of Surgeons. ATLS student course manual: advanced trauma life support. 9th ed. Chicago: ACS; 2012.
21. Neumar RW, Shuster M, Callaway CW, Gent LM, Atkins DL, Bhanji F, et al. Part 1: Executive Summary: 2015 American Heart Association Guidelines Update for Cardiopulmonary Resuscitation and Emergency Cardiovascular Care. Circulation. 2015;132(18 Suppl 2):S315-67.
22. Advanced Life Support Group (ALSG). Advanced paediatric life support: a practical approach to emergencies. 6th. ed. Hoboken: Wiley-Blackwell; 2016.
23. Dunning J, Batchelor J, Stratford-Smith P, Teece S, Browne J, Sharpin C, et al. A meta-analysis of variables that predict significant intracranial injury in minor head trauma. Arch Dis Child. 2004;89(7):653–9.
24. Dunning J, Stratford-Smith P, Lecky F, Batchelor J, Hogg K, Browne J, et al. A meta-analysis of clinical correlates that predict significant intracranial injury in adults with minor head trauma. J Neurotrauma. 2004;21(7):877–85.
25. Mower WR, Hoffman JR, Herbert M, Wolfson AB, Pollack CV, Zucker MI, et al. Developing a decision instrument to guide computed tomographic imaging of blunt head injury patients. J Trauma. 2005;59(4):954–9.
26. Stiell IG, Wells GA, Vandemheen K, Clement C, Lesiuk H, Laupacis A, et al. The Canadian CT Head Rule for patients with minor head injury. Lancet. 2001;357(9266):1391–6.
27. Ibañez J, Arikan F, Pedraza S, Sánchez E, Poca MA, Rodriguez D, et al. Reliability of clinical guidelines in the detection of patients at risk following mild head injury: results of a prospective study. J Neurosurg. 2004;100(5):825–34.
28. Dunning J, Daly JP, Lomas J-P, Lecky F, Batchelor J, Mackway-Jones K, et al. Derivation of the children's head injury algorithm for the prediction of important clinical events decision rule for head injury in children. Arch Dis Child. 2006;91(11):885–91.
29. National Institute for Health and Clinical Excellence. Head injury: assessment and early management. Guidance NICE [Internet]. London: NICE; 2019 [capturado em 19 mar. 2020]. Disponível em: https://www.nice.org.uk/guidance/cg176.
30. Shetty VS, Reis MN, Aulino JM, Berger KL, Broder J, Choudhri AF, et al. ACR Appropriateness criteria head trauma. J Am Coll Radiol. 2016;13(6):668–79.
31. McCrory P, Meeuwisse W, Dvořák J, Aubry M, Bailes J, Broglio S, et al. Consensus statement on concussion in sport-the 5th international conference on concussion in sport held in Berlin, October 2016. Br J Sports Med. 2017;51(11):838–47.
32. van Beeck EF, Branche CM, Szpilman D, Modell JH, Bierens JJLM. A new definition of drowning: towards documentation and prevention of a global public health problem. Bull World Health Organ. 2005;83(11):853–6.
33. World Health Organization. Drowning [Internet]. 2020 [capturado em 19 mar. 2020]. Disponível em: https://www.who.int/news-room/fact-sheets/detail/drowning.
34. Dean R, Mulligan J. Management of water incidents: drowning and hypothermia. Nurs Stand. 2009;24(7):35–9.
35. Bross MH, Clark JL. Near-drowning. Am Fam Physician. 1995;51(6):1545–55.
36. Stock A. Afogamento é maior causa de mortes acidentais de crianças no Brasil; saiba como evitar. BBC News Brasil [Internet]. 2018 [capturado em 3 abr. 2020]. Disponível em: https://www.bbc.com/portuguese/brasil-44504539.
37. Szpilman D, Bierens JJLM, Handley AJ, Orlowski JP. Drowning. N Engl J Med. 2012;366(22):2102–10.
38. Nei M, Bagla R. Seizure-related injury and death. Curr Neurol Neurosci Rep. 2007;7(4):335–41.
39. Vanden Hoek TL, Morrison LJ, Shuster M, Donnino M, Sinz E, Lavonas EJ, et al. Part 12: cardiac arrest in special situations: 2010 American Heart Association Guidelines for Cardiopulmonary Resuscitation and Emergency Cardiovascular Care. Circulation. 2010;122(18 Suppl 3):S829-61.
40. Moon RE, Long RJ. Drowning and near-drowning. Emerg Med (Fremantle). 2002;14(4):377–86.
41. Howland J, Hingson R. Alcohol as a risk factor for drownings: a review of the literature (1950-1985). Accid Anal Prev. 1988;20(1):19–25.
42. Youn CS, Choi SP, Yim HW, Park KN. Out-of-hospital cardiac arrest due to drowning: An Utstein Style report of 10 years of experience from St. Mary's Hospital. Resuscitation. 2009;80(7):778–83.
43. Mott TF, Latimer KM. Prevention and treatment of drowning. Am Fam Physician. 2016;93(7):576–82.
44. Skinner D, Driscoll PA, editors. ABC of major trauma. 4th ed. Hoboken: Wiley-Blackwell; 2013.
45. Causey AL, Tilelli JA, Swanson ME. Predicting discharge in uncomplicated near-drowning. Am J Emerg Med. 2000;18(1):9–11.
46. Ballesteros MA, Gutiérrez-Cuadra M, Muñoz P, Miñambres E. Prognostic factors and outcome after drowning in an adult population. Acta Anaesthesiol Scand. 2009;53(7):935–40.
47. Denny SA, Quan L, Gilchrist J, McCallin T, Shenoi R, Yusuf S, et al. Prevention of drowning. Pediatrics. 2019;143(5): e20190850.
48. Pollack CV, Romano TJ. Outpatient management of acute urticaria: the role of prednisone. Ann Emerg Med. 1995;26(5):547–51.
49. Simons FER, Ebisawa M, Sanchez-Borges M, Thong BY, Worm M, Tanno LK, et al. 2015 update of the evidence base: World Allergy Organization anaphylaxis guidelines. World Allergy Organ J [Internet]. 2015 [capturado em 18 mar. 2020]8:32. Disponível em: https://www.worldallergyorganizationjournal.org/action/showPdf?pii=S1939-4551%2819%2930226-1
50. Arnold JJ, Williams PM. Anaphylaxis: recognition and management. Am Fam Physician. 2011;84(10):1111–8.
51. Oswalt ML, Kemp SF. Anaphylaxis: office management and prevention. Immunol Allergy Clin North Am. 2007;27(2):177–91.
52. Campbell RL, Li JTC, Nicklas RA, Sadosty AT, Members of the Joint Task Force, Practice Parameter Workgroup. Emergency department diagnosis and treatment of anaphylaxis: a practice parameter. Ann Allergy Asthma Immunol. 2014;113(6):599–608.
53. Simons FE, Chan ES, Gu X, Simons KJ. Epinephrine for the out-of-hospital (first-aid) treatment of anaphylaxis in infants: is the ampule/syringe/needle method practical? J Allergy Clin Immunol. 2001;108(6):1040–4.
54. Simons FE, Gu X, Simons KJ. Epinephrine absorption in adults: intramuscular versus subcutaneous injection. J Allergy Clin Immunol. 2001;108(5):871–3.
55. Lieberman P, Nicklas RA, Randolph C, Oppenheimer J, Bernstein D, Bernstein J, et al. Anaphylaxis--a practice parameter update 2015. Ann Allergy Asthma Immunol. 2015;115(5):341–84.

56. Choosing Wisely Australia [Internet]. [capturado em 19 mar. 2020]. Disponível em: https://www.dynamed.com/quality-improvement/choosing-wisely-australia#AUSTRALASIAN_SOCIETY_OF_CLINICAL_IMMUNOLOGY_AND_ALLERGY.

57. Sobczak JA. Managing high-acuity-depressed adults in primary care. J Am Acad Nurse Pract. 2009;21(7):362–70.

58. National Institutes of Health and Care Excellence. Anaphylaxis: assessment and referral after emergency treatment: guidance. [Internet]. London: NICE; 2011 [capturado em 19 mar. 2020]. Disponível em: https://www.nice.org.uk/guidance/cg134.

59. Mavrogiorgou P, Brüne M, Juckel G. The management of psychiatric emergencies. Dtsch Arztebl Int. 2011;108(13):222–30.

60. Ramírez J, Sepúlveda R, Zitko P, Ortiz AM. Consulta de urgencia psiquiátrica y modelo comunitario de atención en salud mental. Rev Chil Salud Pública. 2010;14(1):18–25.

61. Gold KJ, Kilbourne AM, Valenstein M. Primary care of patients with serious mental illness: your chance to make a difference: a primary care visit may lead to regular care of side effects and comorbidities, especially if you coordinate care. J Fam Pract. 2008;57(8):515–26.

62. Greenfield TK, Stoneking BC, Humphreys K, Sundby E, Bond J. A randomized trial of a mental health consumer-managed alternative to civil commitment for acute psychiatric crisis. Am J Community Psychol. 2008;42(1–2):135–44.

63. American Psychiatric Association. Manual diagnóstico e estatístico de transtornos mentais: DSM-5. 5.ed. Porto Alegre: Artmed; 2014.

64. Marco CA, Vaughan J. Emergency management of agitation in schizophrenia. Am J Emerg Med. 2005;23(6):767–76.

65. Guerrero AP. General medical considerations in child and adolescent patients who present with psychiatric symptoms. Child Adolesc Psychiatr Clin N Am. 2003;12(4):613–28.

66. Wilson MP, Pepper D, Currier GW, Holloman GH, Feifel D. The Psychopharmacology of Agitation: Consensus Statement of the American Association for Emergency Psychiatry Project BETA Psychopharmacology Workgroup. West J Emerg Med. 2012;13(1):26–34.

67. Zaman H, Sampson SJ, Beck AL, Sharma T, Clay FJ, Spyridi S, et al. Benzodiazepines for psychosis-induced aggression or agitation. Cochrane Database Syst Rev. 2017;12:CD003079.

68. Wynn R. Medicate, restrain or seclude? Strategies for dealing with violent and threatening behaviour in a Norwegian university psychiatric hospital. Scand J Caring Sci. 2002;16(3):287–91.

69. De Fruyt J, Demyttenaere K. Rapid tranquilization: new approaches in the emergency treatment of behavioral disturbances. Eur Psychiatry J Assoc Eur Psychiatr. 2004;19(5):243–9.

70. Garriga M, Pacchiarotti I, Kasper S, Zeller SL, Allen MH, Vázquez G, et al. Assessment and management of agitation in psychiatry: expert consensus. World J Biol Psychiatry. 2016;17(2):86–128.

71. American College of Emergency Physicians Clinical Policies Subcommittee (Writing Committee) on the Adult Psychiatric Patient, Nazarian DJ, Broder JS, Thiessen MEW, Wilson MP, Zun LS, et al. Clinical Policy: Critical Issues in the Diagnosis and Management of the Adult Psychiatric Patient in the Emergency Department. Ann Emerg Med. 2017;69(4):480–98.

72. Zeller SL, Rhoades RW. Systematic reviews of assessment measures and pharmacologic treatments for agitation. Clin Ther. 2010;32(3):403–25.

73. Mendoza R, Djenderedjian AH, Adams J, Ananth J. Midazolam in acute psychotic patients with hyperarousal. J Clin Psychiatry. 1987;48(7):291–2.

74. Martel M, Sterzinger A, Miner J, Clinton J, Biros M. Management of acute undifferentiated agitation in the emergency department: a randomized double-blind trial of droperidol, ziprasidone, and midazolam. Acad Emerg Med. 2005;12(12):1167–72.

75. Klein LR, Driver BE, Miner JR, Martel ML, Hessel M, Collins JD, et al. Intramuscular midazolam, olanzapine, ziprasidone, or haloperidol for treating acute agitation in the Emergency Department. Ann Emerg Med. 2018;72(4):374–85.

76. Huf G, Coutinho ESF, Adams CE. TREC-Rio trial: a randomised controlled trial for rapid tranquillisation for agitated patients in emergency psychiatric rooms [ISRCTN44153243]. BMC Psychiatry. 2002;2:11.

77. Borges G, Nock MK, Haro Abad JM, Hwang I, Sampson NA, Alonso J, et al. Twelve-month prevalence of and risk factors for suicide attempts in the World Health Organization World Mental Health Surveys. J Clin Psychiatry. 2010;71(12):1617–28.

78. Brasil. Ministério da Saúde. Prevenção do suicídio: sinais para saber e agir [Internet]. 2020 [capturado em 19 mar. 2020]. Disponível em: https://www.saude.gov.br/saude-de-a-z/suicidio.

79. Currier GW, Fisher SG, Caine ED. Mobile crisis team intervention to enhance linkage of discharged suicidal emergency department patients to outpatient psychiatric services: a randomized controlled trial. Acad Emerg Med. 2010;17(1):36–43.

80. Ougrin D, Banarsee R, Dunn-Toroosian V, Majeed A. Suicide survey in a London borough: primary care and public health perspectives. J Public Health. 2011;33(3):385–91.

81. Gensichen J, Teising A, König J, Gerlach FM, Petersen JJ. Predictors of suicidal ideation in depressive primary care patients. J Affect Disord. 2010;125(1–3):124–7.

82. Mann JJ, Apter A, Bertolote J, Beautrais A, Currier D, Haas A, et al. Suicide prevention strategies: a systematic review. JAMA. 2005;294(16):2064–74.

83. Blashki G, Pirkis J, Morgan H, Ciechomski L. Managing depression and suicide risk in men presenting to primary care physicians. Prim Care. 2006;33(1):211–21.

84. Raja M, Azzoni A, Koukopoulos AE. Psychopharmacological treatment before suicide attempt among patients admitted to a psychiatric intensive care unit. J Affect Disord. 2009;113(1–2):37–44.

85. TelessaúdeRS-UFRGS. Como realizar avaliação e manejo inicial do paciente com comportamento suicida na APS? [Internet]. Porto Alegre: TelessaúdeRS-UFRGS; 2019 [capturado em 18 mar. 2020]. Disponível em: https://www.ufrgs.br/telessauders/perguntas/como-realizar-avaliacao-e-manejo-inicial-do-paciente-com-comportamento-suicida-na-aps/.

86. Zalsman G, Hawton K, Wasserman D, van Heeringen K, Arensman E, Sarchiapone M, et al. Suicide prevention strategies revisited: 10-year systematic review. Lancet Psychiatry. 2016;3(7):646–59.

87. Zuckerbrot RA, Cheung A, Jensen PS, Stein REK, Laraque D, GLAD-PC STEERING GROUP. Guidelines for Adolescent Depression in Primary Care (GLAD-PC): Part I. Practice Preparation, identification, assessment, and initial management. Pediatrics. 2018;141(3):e20174081.

88. Rudd MD, Berman AL, Joiner TE, Nock MK, Silverman MM, Mandrusiak M, et al. Warning signs for suicide: theory, research, and clinical applications. Suicide Life Threat Behav. 2006;36(3):255–62.

89. Hawton K, Witt KG, Taylor Salisbury TL, Arensman E, Gunnell D, Townsend E, et al. Interventions for self-harm in children and adolescents. Cochrane Database Syst Rev. 2015;(12):CD012013.

90. Brent DA, McMakin DL, Kennard BD, Goldstein TR, Mayes TL, Douaihy AB. Protecting adolescents from self-harm: a critical review of intervention studies. J Am Acad Child Adolesc Psychiatry. 2013;52(12):1260–71.

91. Pary R, Matuschka PR, Lewis S, Caso W, Lippmann S. Generalized anxiety disorder. South Med J. 2003;96(6):581–6.

92. Quevedo J, organizador. Emergências psiquiátricas. 4. ed. Porto Alegre: Artmed; 2020.

93. Schatzberg A, DeBattista C. Manual de psicofarmacologia clínica. 8. ed. Porto Alegre: Artmed; 2017.

94. Batelaan NM, Bosman RC, Muntingh A, Scholten WD, Huijbregts KM, van Balkom AJLM. Risk of relapse after antidepressant discontinuation in anxiety disorders, obsessive-compulsive disorder, and post-traumatic stress disorder: systematic review and meta-analysis of relapse prevention trials. BMJ. 2017;358:j3927.

## LEITURAS RECOMENDADAS

Kleinman ME, Brennan EE, Goldberger ZD, Swor RA, Terry M, Bobrow BJ, et al. Part 5: adult basic life support and cardiopulmonary resuscitation quality. 2015 American Heart Association Guidelines Update for Cardiopulmonary Resuscitation and Emergency Cardiovascular Care. Circulation. 2015;132:S414–35.

Ibanez B, James S, Agewall S, Antunes MJ, Bucciarelli-Ducci C, Bueno H, et al. 2017 ESC Guidelines for the management of acute myocardial infarction in patients presenting with ST-segment elevation: The Task Force for the management of acute myocardial infarction in patients presenting with ST-segment elevation of the European Society of Cardiology (ESC). Eur Heart J. 2018;39(2):119–77.

Stiell IG, Macle L. Canadian Cardiovascular Society Atrial Fibrillation Guidelines 2010: Management of Recent-Onset Atrial Fibrillation and Flutter in the Emergency Department. Can J Cardiol. 2011;27(1):38–46.

*Publicações sumarizando as recomendações atuais de sociedades de cardiologia.*

# Capítulo 195
# ACIDENTES POR ANIMAIS PEÇONHENTOS

João Batista Torres
José Alberto Rodrigues Pedroso
Gloria Jancowski Boff

Os acidentes por animais peçonhentos constituem um problema de relevância na saúde pública por conta de sua frequência e gravidade. Esses acidentes ocorrem principalmente devido ao aumento das atividades humanas próximo aos locais onde esses animais habitam, tanto em zonas urbanas quanto rurais. Essas ocorrências são, muitas vezes, consideradas acidentes de trabalho (ATs), pois acometem muitas pessoas ocupadas em atividades econômicas relacionadas ao campo, à floresta e às águas, o que configura um dos grupos mais suscetíveis a esse evento. No Brasil, há uma heterogeneidade de hábitat que favorece uma diversidade de espécies de animais peçonhentos, entre as quais as serpentes, os escorpiões e as aranhas possuem respectivamente maior relevância quanto aos ATs, cujas causas podem estar associadas a fatores como: diversidade zoológica e ecológica locorregional, trabalho com proximidade com os meios naturais, altos índices pluviométricos, diferenças culturais (como a percepção do animal pela população), modificações antrópicas do meio ambiente, condições de trabalho precárias, dificuldade de atuação das equipes de vigilância em saúde do trabalhador onde essas atividades econômicas são desenvolvidas, e baixa escolaridade do trabalhador. Embora sejam termos frequentemente utilizados de forma intercambiável, cabe aqui a diferenciação entre animais peçonhentos e venenosos. Animais peçonhentos são aqueles que produzem peçonha (veneno) e têm condições naturais para injetá-la. São capazes de inocular a substância tóxica a partir de uma estrutura especializada para esse fim (aparelho inoculador), como é o caso de serpentes, aranhas, escorpiões, abelhas e arraias. Essa condição é dada naturalmente por meio de dentes modificados, quelíceras, ferrão aguilhão e cerdas urticantes, no caso das lagartas. Os animais venenosos são aqueles que produzem veneno, mas não possuem um aparelho inoculador provocando envenenamento passivo por contato (taturana), por compressão (sapo) ou por ingestão (peixe baiacu). No Brasil, os acidentes por animais peçonhentos são a segunda causa de envenenamento humano, ficando atrás apenas da intoxicação por uso de medicamentos.[1-3]

Os acidentes de maior interesse toxicológico no Brasil podem ser causados por:

→ ofídios (TABELA 195.1);
→ aranhas (TABELA 195.2);
→ escorpiões (TABELA 195.3);
→ lagartas urticantes, das quais *Lonomia* sp. é de maior interesse toxicológico, em função da gravidade (TABELA 195.4);
→ abelhas, em acidentes envolvendo múltiplas picadas, discutidos na seção Acidentes com Animais de Menor Interesse Toxicológico;
→ peixes peçonhentos (TABELA 195.5);
→ celenterados e cnidários (TABELA 195.6).

O diagnóstico e o manejo dos acidentes causados por esses animais estão sumarizados nas referidas tabelas, sendo que as recomendações se baseiam, em geral, nas diretrizes do Ministério da Saúde.[1] Existem poucos ensaios clínicos randomizados avaliando as condutas recomendadas. Pela frequência e pelo potencial de gravidade dos acidentes com ofídios, seu manejo é detalhado a seguir.

## ACIDENTES POR OFÍDIOS

O Brasil possui uma riquíssima fauna de serpentes e, apesar de contar com tradicionais instituições e especialistas no tema, muitas espécies dessa fauna são ainda pouco conhecidas ou pouco estudadas, embora essa situação venha se modificando ao longo dos anos.[4] Acidente ofídico ou ofidismo é o quadro de envenenamento decorrente da inoculação de uma peçonha/veneno através do aparelho inoculador (presas) de serpentes/ofídios.[1] A Organização Mundial da Saúde (OMS), em 2009, incluiu o ofidismo na lista de Doenças Tropicais Negligenciadas,[5] estimando que, no mundo todo, anualmente, 2,7 milhões de pessoas possam ser picadas por serpentes venenosas, com 81 mil a 138 mil pessoas morrendo como resultado desse evento. Para cada pessoa que morre após uma picada, outras quatro ou cinco apresentam incapacidades, como cegueira, mobilidade restrita ou amputação, além de transtorno de estresse pós-traumático.[6] Dados publicados entre os anos de 2007 a 2017 relatam que, no Brasil, os envenenamentos por serpentes representam aproximadamente 29 mil casos por ano, e uma média de 125 óbitos por ano.[3] Publicações do Centro de Informação Toxicológica da Secretaria Estadual da Saúde do Estado do Rio Grande do Sul reportam que, somente no ano de 2018, foram registrados 7.139 acidentes com animais peçonhentos. Destes, 582 acidentes foram causados por ofídios peçonhentos (2 causados por *Micrurus* sp., 6 por *Crotalus* sp., 574 por *Bothrops* sp.), que resultaram em 1 óbito por *Bothrops* sp.[7]

Em todo o mundo, são conhecidas, atualmente, 3.496 espécies de serpentes; no Brasil, estão catalogadas 386 espécies de serpentes peçonhentas de interesse toxicológico em saúde pública, sendo 62 pertencentes às famílias Elapidae

**TABELA 195.1** → Diagnóstico e manejo de acidentes por serpentes

| AGENTE CAUSAL, IDENTIFICAÇÃO, DISTRIBUIÇÃO E VENENO | SINAIS E SINTOMAS | AVALIAÇÃO DO QUADRO CLÍNICO | TRATAMENTO |
|---|---|---|---|
| **GÊNERO *BOTHROPS* e *BOTHROCOPHIAS*[8]**<br>→ Jararaca, cruzeira, cotiara, caiçara e outras<br>→ Fosseta loreal presente; cauda sem particularidades<br>→ Distribuído por todo o Brasil<br>→ Veneno de ação proteolítica, coagulante e hemorrágica | → Marcas do implante de presas; um ou dois sinais de picada evidentes; dor local, edema endurecido, calor e eritema de instalação precoce; após 6 horas, podem surgir bolhas, equimoses, necrose, oligúria e anúria; pode ocorrer hemorragia no local da picada ou distante dela, como gengivorragia, epistaxe, hematúria, etc.; choque nos casos graves | → *Caso leve*: edema local leve, ausência de outros sinais; tempo de coagulação normal (até 10 minutos)<br>→ *Caso moderado*: edema local evidente, presença ou não de hemorragia; tempo de coagulação prolongado (10-30 minutos)<br>→ *Caso grave*: edema local intenso, flictenas, hemorragia local, oligúria, anúria e choque; tempo de coagulação prolongado ou incoagulável (> 30 minutos) | → O soro deve ser administrado preferencialmente diluído em soro glicosado a 5% ou soro fisiológico (NaCl a 0,9%), por meio de gotejo rápido intravenoso (IV); o teste de sensibilidade intradérmico não é preditivo de reação alérgica<br>→ Dose: *caso leve*, 3 ampolas de soro antibotrópico (SAB) IV; *caso moderado*, 6 ampolas de SAB IV; *caso grave*: 12 ampolas de SAB IV;[16] realizar profilaxia do tétano; soro antibotrópico-crotálico (SABC) na ausência de soro antibotrópico<br>→ **FIGURA 195.8** |
| **GÊNERO *CROTALUS*[8]**<br>→ Cascavel, maracaboia<br>→ Fosseta loreal presente; ponta da cauda com chocalho ou crepitáculo<br>→ Encontrado em zonas secas e pedregosas de uma vasta extensão territorial (cerrados do Brasil Central, áreas semiáridas e áridas do Nordeste, campos e áreas abertas do Sul, Sudeste e Norte)<br>→ Veneno de ação neurotóxica, miotóxica e coagulante | → Ausência de alterações inflamatórias ou discreto edema no local da picada<br>→ Náuseas, mal-estar, sudorese ou boca seca podem estar presentes após 2 horas; fácies miastênica (neurotóxica): ptose palpebral, oftalmoplegia com ou sem diplopia, visão turva<br>→ Sintomas menos comuns: paralisia da musculatura respiratória, sialorreia, reflexo de vômito diminuído; mialgias, urina cor de lavado de carne (mioglobinúria), aumento da creatinofosfoquinase (CPK) e da lactato desidrogenase (LDH); insuficiência renal aguda (necrose tubular renal); tempo de coagulação alterado em 40-50% dos casos | → Não existem casos leves<br>→ *Caso moderado*: fácies neurotóxica, tempo de coagulação normal<br>→ *Caso grave*: fácies neurotóxica, tempo de coagulação alterado, mialgias, mioglobinúria, insuficiência renal aguda | → *Caso moderado*: 10 ampolas de soro anticrotálico (SAC) ou de SABC IV<br>→ *Caso grave*: 20 ampolas de SAC ou de SABC IV; realizar profilaxia do tétano |
| **GÊNERO *MICRURUS* e *LEPTOMICRURUS*[8]**<br>→ Coral-verdadeira<br>→ Fosseta loreal ausente; ponta da cauda sem particularidades; presas anteriores presentes<br>→ Distribuído por todo o Brasil; tríades de anéis completos pretos e vermelhos no corpo; na região amazônica, existem corais de coloração escura<br>→ Veneno de ação neurotóxica | → Sinais e sintomas de surgimento precoce (30-60 minutos após a picada): ptose palpebral, diplopia, anisocoria, oftalmoplegia, paralisia flácida dos membros, insuficiência respiratória por paralisia da musculatura intercostal e do diafragma | → Todo acidente é grave devido à rápida evolução para insuficiência respiratória | → 10 ampolas de soroantielapídico IV; assistência respiratória; em caso de paralisia respiratória, usar anticolinesterásicos: 1 ampola de neostigmina 0,5 mg IV com intervalos de 30 minutos até completar 5 administrações, sendo cada injeção precedida do uso de sulfato de atropina 0,5 mg IV; realizar profilaxia do tétano |
| **GÊNERO *LACHESIS*[8]**<br>→ Surucucu, pico-de-jaca<br>→ Fosseta loreal e presas anteriores presentes; cauda com pequenas escamas arrepiadas<br>→ Encontrado na região da mata atlântica nordestina e região amazônica<br>→ Veneno de ação proteolítica, coagulante, hemorrágica e neurotóxica | → Manifestações clínicas semelhantes às do acidente botrópico, acrescidas de estimulação vagal (cólicas abdominais e diarreia, bradicardia, hipotensão arterial e choque) | → Os acidentes são classificados em moderados e graves, segundo os sinais locais e a intensidade dos sinais e sintomas sistêmicos | → *Caso moderado*: 10 ampolas de soro antilaquético (SAL) ou soro antibotrópico-laquético (SABL) IV<br>→ *Caso grave*: 20 ampolas de SAL ou SABL IV; realizar profilaxia do tétano |
| **COLUBRÍDEOS**<br>→ Cobra-cipó, parelheira-do-mato, falsa-coral, cobra-verde, mussurana, papa-pinto<br>→ Ausência de fosseta loreal e de presas anteriores; corpo de coloração variável conforme a espécie; comportamento agressivo<br>→ Distribuídos por todo o Brasil | → Aspecto da picada: lesão serrilhada em arco<br>→ Reações de hipersensibilidade; acidentes com alguns colubrídeos, como a *Phylodrias* sp., podem causar dor, edema e hemorragia local ou sistêmica; esses sintomas estão baseados no mecanismo de ação do veneno que possui atividades hemorrágicas sobre o endotélio vascular de microcirculação | → Crianças com idade < 7 anos devem ser observadas por, no mínimo, 12 a 24 horas em ambiente hospitalar | → *Tratamento sintomático*: antissepsia local, analgésicos, anti-histamínicos e anti-inflamatórios; profilaxia do tétano |

Fonte: Brasil,[1,16] e Galvão-Alves.[19]

**TABELA 195.2** → Diagnóstico e manejo de acidentes por aranhas

| AGENTE CAUSAL, IDENTIFICAÇÃO, DISTRIBUIÇÃO E VENENO | SINAIS E SINTOMAS | TRATAMENTO |
|---|---|---|
| **FONEUTRIA**<br>→ Aranha-armadeira, aranha-dos-mercados-de-fruta, aranha-das-bananeiras<br>→ Mede 3-5 cm de corpo, 15 cm ou mais de envergadura de patas; corpo coberto por pelos cinzentos curtos, manchas claras no dorso do abdome, formando dupla fila longitudinal mediana; agressiva; não tece teia<br>→ Os acidentes ocorrem em todo o Brasil<br>→ Veneno neurotóxico periférico | → Dor imediata de intensidade variável, podendo irradiar até a raiz do membro afetado; pode haver sudorese e edema local, presença de dois sinais de picada, fasciculações musculares<br>→ *Quadro leve*: dor local, às vezes acompanhada de taquicardia e agitação<br>→ *Quadro moderado*: dor intensa associada aos seguintes eventos – sudorese, vômitos, agitação, hipertensão arterial, sialorreia, priapismo em crianças do sexo masculino<br>→ *Quadro grave*: quadro moderado acompanhado de uma ou mais das seguintes manifestações – vômitos intensos, convulsões, coma, bradicardia, arritmia cardíaca, choque e/ou edema pulmonar; pode ser fatal em crianças; os casos graves devem ser manejados em centros de tratamento intensivo | → *Tratamento sintomático*: a dor local deve ser tratada com infiltração local ou troncular com lidocaína a 2% sem vasoconstritor nas doses de 3 ou 4 mL em adultos e de 1 ou 2 mL em crianças; se houver recorrência da dor, deve-se repetir a infiltração após 60 a 90 minutos do primeiro procedimento; também é útil no controle da dor a imersão do local em água morna<br>→ *Tratamento específico*:<br>  → *Casos leves*: tratamento sintomático<br>  → *Casos moderados*: 5 ampolas de soro antiaracnídico IV<br>  → *Casos graves*: 10 ampolas IV; também existe a alternativa de uso de analgésicos potentes, como opiáceos nas seguintes doses: meperidina (Dolantina®) para crianças, 1 mg/kg por via intramuscular (IM) e, para adultos, 50 a 100 mg IM |
| **LOXOSCELES**<br>→ Aranha-marrom<br>→ Mede 1 cm de corpo, 2-4 cm de envergadura de pernas, patas finas e longas<br>→ Os acidentes predominam nas regiões Sul e Sudeste do Brasil<br>→ Veneno proteolítico e hemolítico | → O acidente geralmente ocorre ao vestir roupas, quando as aranhas são esprimidas contra o corpo; A picada não costuma ser valorizada por ser pouco dolorosa nas primeiras horas e, às vezes, passa até despercebida<br>→ *Loxoscelismo cutâneo*: 12-24 horas após o acidente, o paciente refere dor local em queimação, edema, mal-estar e febre; quando o paciente procura atendimento, a necrose em geral é evolutiva e caracteriza-se pela tríade cutânea: 1) bolha de conteúdo hemorrágico ou equimose ou pequena necrose, circundada por 2) halo isquêmico (claro) seguido de 3) área eritematosa; aos poucos, a ulceração tende a atingir toda a área<br>→ *Loxoscelismo cutâneo-visceral*: além do quadro cutâneo, em 12 a 24 horas observam-se febre, calafrios, cefaleia, náuseas e vômitos, urina cor de "lavado de carne" (hemoglobinúria macroscópica), icterícia, anemia aguda; pode evoluir para coagulação intravascular disseminada e insuficiência renal aguda; não há relação entre o quadro cutâneo e a intensidade da atividade hemolítica; deve-se solicitar sempre hemograma, exame comum de urina, ureia e creatinina, mesmo para casos cutâneos puros | → Soro antiaracnídico ou soro antiloxoscélico IV: 5 ampolas para casos de quadro cutâneo ou 10 ampolas para casos de quadro cutaneo-visceral; a soroterapia pode ser usada até 72 horas após o acidente ou enquanto a lesão cutânea estiver em evolução; medidas de profilaxia do tétano<br>→ *Tratamento para as manifestações locais*: analgésico, anti-histamínico, antisséptico local e limpeza periódica da ferida para que haja rápida cicatrização, antibiótico sistêmico se houver infecção secundária; a remoção da escara deverá ser realizada após estar delimitada a área de necrose, o que ocorre, em geral, após 1 semana do acidente<br>→ *Tratamento para as manifestações sistêmicas*: transfusão de sangue ou concentrado de hemácias nos casos de anemia intensa; nos casos de insuficiência renal aguda, hemodiálise<br>→ *Outros*: corticoterapia (embora não existam estudos controlados, tem sido utilizada a prednisona, por via oral, na dose de 40 mg/dia para adultos e 1 mg/kg/dia para crianças durante 5 dias)<br>→ A dapsona tem sido citada na literatura, mas, em nosso meio, não temos experiência de uso |
| **LYCOSA**<br>→ Tarântula, aranha-de-jardim<br>→ Mede até 3 cm de corpo e até 5 cm de envergadura de patas; no dorso do abdome, há um desenho negro em formato de seta; ventre geralmente negro e quelíceras (ferrões) avermelhados<br>→ Os acidentes ocorrem em todo o Brasil<br>→ Veneno levemente proteolítico | → Picada geralmente com dor discreta ou ausência de dor no momento do atendimento médico; raras vezes evolui para pequena necrose superficial; são comuns manifestações alérgicas locais; a picada é de caráter benigno; em caso de picada recente, em que não se identificou o agente, fazer diagnóstico diferencial com *Loxosceles*, reavaliando a lesão 12 a 24 horas após o acidente | → *Tratamento sintomático*: curativo local com corticoide de uso tópico; não está indicada soroterapia |
| **LATRODECTUS**<br>→ Viúva-negra, flamenguinha<br>→ Abdome globoso, com manchas vermelhas irregulares em fundo negro dispostas simetricamente no dorso, formando um desenho em formato de ampulheta; mede 8 a 15 mm de corpo<br>→ Os acidentes predominam na Bahia e no Rio Grande do Norte, mas já foram identificados no Rio de Janeiro, em São Paulo e no Rio Grande do Sul<br>→ Veneno neurotóxico, levando à liberação de neurotransmissores adrenérgicos e colinérgicos | → O quadro clínico inicia com dor local pouco intensa que progride para sensação de queimação após 1 hora da picada; no local, pode surgir pápula eritematosa; com a progressão do caso, surgem contraturas musculares generalizadas com mialgia intensa, dor abdominal (simula abdome agudo)<br>→ *Caso leve*: dor local, edema local discreto, sudorese local, dor nos membros inferiores, tremores e contraturas; *caso moderado*: além dos já referidos, dor abdominal, sudorese generalizada, ansiedade, agitação, mialgia, dificuldade de deambulação, cefaleia e tontura; *caso grave*: todos os recém-referidos, além de bradicardia, hipertensão arterial, dispneia, náuseas e vômitos, priapismo, retenção urinária<br>→ *Exames*: são comuns leucocitose com neutrofilia, hiperglicemia e hiperuricemia<br>→ Nos casos graves, podem ocorrer alterações hemodinâmicas, choque, insuficiência renal aguda, priapismo, hiperemia facial, conjuntivite, trismo; a morte, quando ocorre, deve-se à parada respiratória e ao choque | → *Tratamento sintomático*: compressas mornas podem ser úteis; limpeza do local atingido e profilaxia do tétano; benzodiazepínicos têm sido usados para sedação e espasmos musculares, mas não demonstraram melhores resultados do que gluconato de cálcio a 10% (doses de 0,2-10 mL administrados IV lentamente); espasmos musculares generalizados com mialgia intensa podem responder ao uso intramuscular (IM) de opiáceos, como meperidina (doses: crianças, 1 mg/kg IM; adultos, 50-100 mg IM); deve-se estar atento para o risco de depressão respiratória<br>→ *Tratamento específico*:<br>  → *Casos leves*: devem receber tratamento sintomático e observação clínica; quadro clínico autolimitado<br>  → *Casos moderados*: tratamento sintomático e 1 ampola IM de soro antilatrodético (SALtr)<br>  → *Casos graves*: tratamento sintomático e 1-2 ampolas de SALtr IM |
| **ARANHAS-CARANGUEJEIRAS**<br>→ Exemplares grandes medem mais de 20 cm de envergadura de patas; corpo coberto de pelos escuros; quelíceras com movimentos longitudinais ao eixo do corpo, diferentes das outras aranhas; ocorrem em todo o Brasil; acidente sem interesse toxicológico | → Acidentes por picada de caranguejeiras são pouco frequentes e desprovidos de interesse médico; quando ocorre picada, há discreta dor local, de curta duração, podendo ser acompanhada por hiperemia local; pode ocasionar dermatite pruriginosa em razão do contato com os pelos da região dorsal da aranha, bem como manifestações das vias aéreas superiores, decorrentes da ação irritativa ou alérgica em pacientes previamente sensibilizados | → *Tratamento sintomático*: corticoide tópico; analgésicos e anti-histamínicos por via oral podem ser usados, conforme o quadro clínico |

Fonte: Brasil,[1] Instituto Vital Brasil,[15] Brasil[16] e Galvão-Alves.[19]

**TABELA 195.3** → Diagnóstico e manejo de acidentes por escorpiões

| AGENTE CAUSAL, DISTRIBUIÇÃO, IDENTIFICAÇÃO E VENENO | SINAIS E SINTOMAS | TRATAMENTO |
|---|---|---|
| **BOTHRIURUS**<br>*Bothriurus bonariensis*<br>→ Escorpião geralmente preto; formas jovens podem apresentar coloração mais clara; pedipalpos (garras), volumosos<br>→ Escorpião comum na Região Sul do Brasil<br>→ Veneno de baixa toxicidade | → Manifestações locais de hipersensibilidade; ocasionalmente dor local; quadro clínico benigno | → *Tratamento sintomático*: corticoide de uso tópico no local da picada; analgésicos por via oral se houver dor |
| **TITYUS**<br>Pedipalpos (garras), em formato de pinças<br>→ *Tityus serrulatus* (escorpião-amarelo)<br>→ Distribuição geográfica: Minas Gerais, Espírito Santo, Bahia, Rio de Janeiro e São Paulo<br>→ Trata-se do acidente mais grave, por sua ação neurotóxica e cardiotóxica<br>→ *Tityus bahiensis* (escorpião-preto)<br>→ Distribuição geográfica: desde a Bahia até Santa Catarina<br>→ *Tityus stigmurus*, *T. cambridgei* e *T. trivitatus* têm veneno de menor toxicidade do que os supracitados | → *Quadro leve*: dor local e parestesias<br>→ *Quadro moderado*: dor local intensa, sudorese, náuseas e vômitos, agitação, sialorreia, taquipneia e taquicardia<br>→ *Quadro grave* (mais comum em crianças): estão presentes também manifestações cardiovasculares com bradicardia grave, arritmias, insuficiência cardíaca, edema agudo de pulmão e choque<br>→ *Exames complementares*: eletrocardiograma, radiografia de tórax, ecocardiografia, glicemia e creatinofosfoquinase<br>→ *Observação*: os quadros moderados e graves são mais frequentes em crianças picadas pelo *T. serrulatus* | → *Tratamento sintomático*: consiste no alívio da dor pela infiltração local ou troncular de lidocaína a 2% sem vasoconstritor nas doses de 1-2 mL para crianças e 3-4 mL para adultos, ou dipirona na dose de 10 mg/kg 6/6 h, VO, IM ou IV<br>→ *Tratamento específico*: soro antiescorpiônico ou soro antiaracnídico; em *casos moderados*, 3 ampolas IV; em *casos graves*, 6 ampolas IV; os casos graves necessitam de cuidados intensivos em centro de tratamento intensivo |

Fonte: Brasil,[1] Instituto Vital Brasil,[15] Galvão-Alves[19] e Centro de Operações de Emergência em Saúde.[36]

**TABELA 195.4** → Diagnóstico e manejo de acidentes por *Lonomia*

| AGENTE CAUSAL, DISTRIBUIÇÃO, IDENTIFICAÇÃO E VENENO | SINAIS E SINTOMAS | TRATAMENTO |
|---|---|---|
| → *Lonomia obliqua* (Rio Grande do Sul, Santa Catarina e Paraná): 6-7 cm de comprimento, cor verde-musgo ou verde-oliva que contrasta com manchas brancas na região dorsal; corpo coberto por espinhos ramificados e pontiagudos<br>→ *Lonomia achelous* (Amazônia): 4,5-5 cm de comprimento, marrom-esverdeado ou marrom-amarelado, com mancha amarelo-ocre, corpo coberto por espinhos negros no ápice ou de cor cinza na base; apresenta listras longitudinais castanho-escuras; cabeça de cor caramelo com manchas negras irregulares, mas simétricas; veneno de ação fibrinolítica/hemorrágica | → Dor local em queimação, eritema, prurido, urticária; seguem-se desconforto, cefaleia e mialgias; manifestações hemorrágicas podem surgir até 72 horas após o contato, com equimoses extensas nas áreas de contato, hematomas, hematêmese, melena, hematúria, hemorragia gengival e uterina; a gravidade do quadro hemorrágico varia de acordo com a intensidade do contato; pode ocorrer insuficiência renal aguda, acidente vascular cerebral hemorrágico, choque<br>→ *Exames*: tempo de coagulação prolongado ou infinito, tempo de protrombina e tempo de tromboplastina parcial prolongados, hemograma com hematócrito e hemoglobina diminuídos, redução dos fatores de coagulação I (fibrinogênio), II (protrombina) e VIII; exame comum de urina com hematúria macro ou microscópica<br>→ *Observações*:<br>→ A correção da anemia deve ser instituída mediante administração de concentrado de hemácias; sangue total ou plasma fresco são contraindicados, pois podem acentuar a coagulopatia de consumo<br>→ Com a introdução do soro antilonômico na terapêutica, está superado o uso de agentes antifibrinolíticos (ácido épsilon-aminocaproico) | → *Tratamento sintomático*: compressas frias com solução fisiológica, corticoide tópico, analgésicos e anti-histamínicos por via oral; evitar salicilatos<br>→ *Tratamento específico*:<br>→ *Casos leves*: pacientes com manifestação local e sem alterações da coagulação ou sangramento até 72 horas após o acidente confirmado com a identificação do agente – tratamento apenas sintomático<br>→ *Casos moderados*: pacientes com manifestação local e alteração da coagulação ou manifestações hemorrágicas em pele e/ou mucosas (gengivorragia, equimose, hematoma, hematúria), sem alterações hemodinâmicas (sangramento visceral ou choque), com ou sem a identificação do agente – tratamento sintomático e soroterapia com 5 ampolas de soro antilonômico IV<br>→ *Casos graves*: pacientes com alteração da coagulação, com manifestações hemorrágicas em vísceras (hematêmese, sangramento pulmonar, hemorragia intracraniana), com alterações hemodinâmicas e/ou falência de múltiplos órgãos ou sistemas com ou sem a identificação do agente – tratamento sintomático e 10 ampolas de soro antilonômico IV; observar balanço hidreletrolítico; na presença de insuficiência renal aguda, realizar hemodiálise |

Fonte: Brasil,[1] Cardoso e colaboradores[4] e Brasil.[13]

**TABELA 195.5** → Diagnóstico e manejo de acidentes com peixes peçonhentos

| AGENTE CAUSAL | SINAIS E SINTOMAS | TRATAMENTO |
|---|---|---|
| → Arraias marinhas (*Dasyatis guttatus*, *D. americana*, *Gymnura micrura*), arraias fluviais (*Pamotrygon hystrix*, *P. motoro*), bagres, mandi, peixe-escorpião e outros<br>→ Os acidentes podem ocorrer em água doce ou salgada durante o manuseio desses exemplares ou durante a invasão do hábitat natural dessas espécies | → No acidente, pode haver um ferimento puntiforme ou lacerante acompanhado por dor imediata e intensa no início, durando horas ou dias<br>→ O eritema e o edema são regionais; em alguns casos, acometem todo o segmento atingido; nos casos graves, segue-se linfangite, reação ganglionar, abscesso e necrose dos tecidos do local do ferimento; as lesões, quando não tratadas, podem evoluir para infecção bacteriana secundária, levando semanas para curar e deixando cicatrizes indeléveis; podem ocorrer manifestações gerais, como fraqueza, sudorese, náuseas e vômitos, vertigens, hipotensão, choque e até óbito | → No Brasil, não existe antiveneno para o tratamento dos acidentes causados por peixes; o ferimento deve ser lavado prontamente com água ou solução fisiológica; em seguida, imergir em água quente ou colocar sobre a lesão compressa quente até temperatura tolerável; a finalidade é aliviar a dor e neutralizar o veneno, que é termolábil; fazer bloqueio local com lidocaína a 2% sem vasoconstritor para alívio da dor, bem como remoção de epitélio do peixe e de outros corpos estranhos; deve-se deixar dreno e indicar profilaxia do tétano, antibióticos e analgésicos, quando necessário |

Fonte: Brasil,[1] Moreira,[17] e Galvão-Alves.[19]

TABELA 195.6 → Diagnóstico e manejo de acidentes com celenterados/cnidários

| AGENTE CAUSAL, DISTRIBUIÇÃO, IDENTIFICAÇÃO E VENENO | SINAIS E SINTOMAS | TRATAMENTO |
| --- | --- | --- |
| → *Physalia physalis* (caravelas), *Chiropsalmus quadrumanus*, *Tamoya haplonema*, *Cyanea* sp. (medusas ou águas-vivas)<br>→ Veneno com ações tóxicas e enzimáticas na pele, podendo levar à inflamação extensa e até necrose; também tem ação sistêmica neurotóxica<br>→ Os acidentes ocorrem no Oceano Atlântico: no verão, os animais chegam à praia, provocando acidentes em banhistas | → *Locais*: ardência e dor locais, que podem durar de 30 minutos a 24 horas; placas e pápulas urticariformes lineares aparecem precocemente, podendo dar lugar a bolhas e necrose importante em cerca de 24 horas; nesse ponto, as lesões urticariformes dos acidentes leves regridem, deixando lesões eritematosas lineares, que podem persistir no local por meses<br>→ *Sistêmicos*: nos casos mais graves, há relatos de cefaleia, mal-estar, náuseas e vômitos, espasmos musculares, febre, arritmia cardíaca; a gravidade depende da área comprometida; o óbito pode ocorrer por efeito do envenenamento (insuficiência respiratória e choque) ou por anafilaxia | → *Retirada de tentáculos aderidos*: a descarga de nematocistos (órgãos que contêm o veneno) é contínua, e a manipulação errônea aumenta o grau de envenenamento; não usar água doce para lavar o local (descarrega nematocistos por osmose); não esfregar panos secos (rompe nematocistos); os tentáculos devem ser retirados suavemente, levantando-os com a mão enluvada ou pinça; o local deve ser lavado com água do mar; o uso de ácido acético a 5% (vinagre comum) no local, por pelo menos 30 minutos, inativa o veneno<br>→ *Retirada de nematocistos remanescentes*: deve-se aplicar uma pasta de bicarbonato de sódio, talco e água do mar no local; esperar secar e raspar; bolsa de gelo ou compressas de água do mar fria por 5-10 minutos e corticoides tópicos 2×/dia aliviam os sintomas locais; a dor deve ser tratada com analgésicos |

Fonte: Brasil[1] e Galvão-Alves.[19]

(32 espécies) e Viperidae (30 espécies).[8] A família Viperidae é representada pelos gêneros *Bothrops*, *Crotalus* (cascavel) e *Lachesis* (surucucu-pico-de-jaca) e a família Elapidae é representada pelo gênero *Micrurus* (coral-verdadeira).[9]

Os acidentes estão divididos em quatro tipos: acidentes botrópicos (serpentes dos gêneros *Bothrops* e *Bothrocophias* – jararaca, jararacuçu, urutu, caiçaca, comboia e outras); acidentes crotálicos (serpentes do gênero *Crotalus* – cascavel); acidentes laquéticos (serpentes do gênero *Lachesis* – surucucu-pico-de-jaca); e acidentes elapídicos (serpentes dos gêneros *Micrurus* e *Leptomicrurus* – coral-verdadeira). A padronização de condutas no diagnóstico e tratamento é imprescindível para um adequado manejo, devido ao risco de complicações e morte.[1,8] Dados publicados informam que, no Brasil, 86,23% dos acidentes foram ocasionados por ofídios dos gêneros *Bothrops* e *Bothrocophias*, 9,17% foram ocasionados por ofídios do gênero *Crotalus*, 3,72% por ofídios do gênero *Lachesis* e 0,86% pelo gênero *Micrurus*. A taxa de letalidade dos acidentes ofídicos é de 0,44%, sendo que existe uma associação entre a gravidade dos casos com a idade (crianças com idade < 10 anos e idosos).[6,7,10] Indivíduos do sexo masculino com idade entre 20 a 59 anos representaram as principais vítimas nos acidentes ofídicos, demonstrando a importância do ofidismo como problema de saúde ocupacional, principalmente em atividades agrícolas.[6] Estudos confirmam que o tempo decorrido entre a picada e o início do atendimento médico está associado ao prognóstico do envenenamento ofídico. Portanto, é necessário prover, às vítimas de acidentes ofídicos, acesso rápido à atenção médica especializada, sobretudo o acesso ao tratamento com soro antiofídico.[11]

## Cuidados imediatos ao acidentado

Após um acidente por ofídio, os cuidados imediatos são:
→ o paciente deve ser tranquilizado e removido para o hospital ou centro de saúde mais próximo;
→ o local da picada deve ser lavado com água e sabão;
→ na medida do possível, deve-se evitar que a pessoa ande ou corra, ela deve ficar deitada com o membro picado elevado;
→ não se deve fazer uso de torniquetes (garrotes), incisões ou perfurações, ou passar substâncias (folhas, pó de café, couro de cobra, etc.) no local da picada. Essas medidas interferem negativamente, aumentando a chance de complicações, como infecções, necrose e amputação do membro;
→ não fazer sucção com a boca. Essa conduta não é suficiente para retirar o veneno e aumenta a chance de infecção local;
→ não administrar bebidas alcoólicas;
→ sempre que possível, capturar o ofídio para sua identificação e seleção do antiveneno.[1,8,12]

## Cuidados imediatos de ambulatório

Se o ofídio for trazido pelo acidentado, pode-se identificá-lo por meio das informações constantes nas **FIGURAS 195.1** a **195.5** e na **TABELA 195.1**. Nos demais casos, o diagnóstico diferencial pode ser feito a partir do coagulograma (p. ex., tempo de coagulação [TC], tempo de protrombina [TP], tempo de tromboplastina parcial ativada [TTPa], entre outros) e

**FIGURA 195.1** → Fosseta loreal: sensor térmico das serpentes, situado entre o olho e a narina.
Fonte: Bernarde.[8]

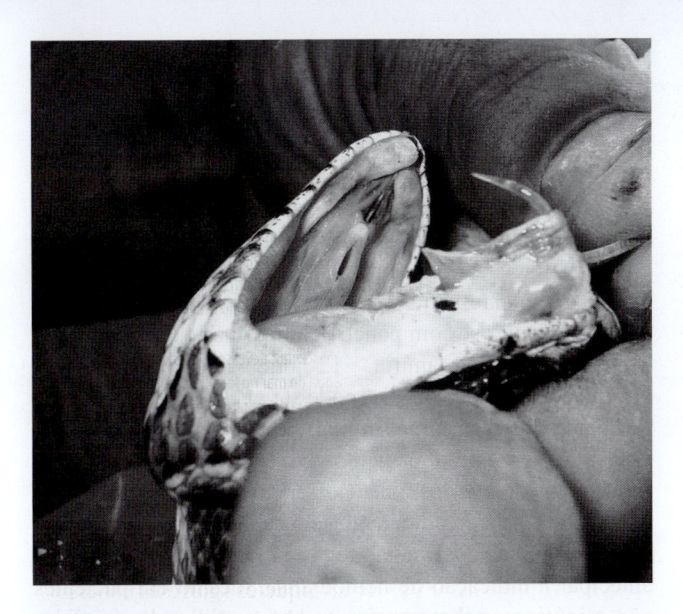

**FIGURA 195.2** → Presas anteriores inoculadoras de veneno.
Fonte: Fotografia de Gloria Jancowski Boff.

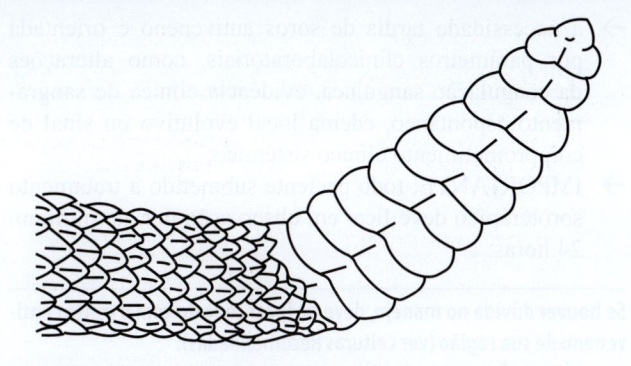

**FIGURA 195.4** → Cauda com guizo ou chocalho (gênero *Crotalus*).

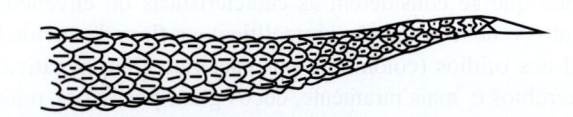

**FIGURA 195.5** → Cauda lisa (gêneros *Bothrops* e *Bothrocophias*).

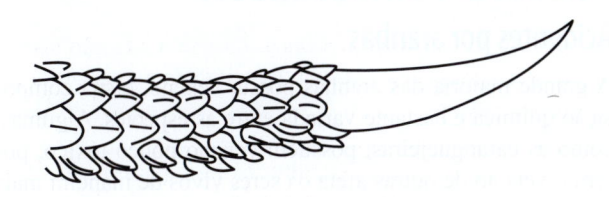

**FIGURA 195.3** → Cauda com escamas arrepiadas (gênero *Lachesis*).

exame físico dirigido, de acordo com as seguintes apresentações clínicas:

→ **acidente botrópico:** presença de edema volumoso estabelecido a partir de 1 hora da picada, sinais puntiformes de implantação de presas e alteração do tempo de coagulação (> 10 minutos) são compatíveis com hipótese de acidente causado por *Bothrops* ou *Bothrocophias* (gêneros específicos da região amazônica, sendo os demais gêneros distribuídos em todo o Brasil);

→ **acidente crotálico:** edema localmente discreto e presença de alterações neurológicas como ptose palpebral bilateral, visão dupla (diplopia), mialgias intensas nas primeiras 2 horas de pós-picada são compatíveis com acidente crotálico (cascavel);

→ **acidente elapídico:** quadro clínico de evolução precoce (1 hora) com paralisia dos músculos elevadores das pálpebras, insuficiência ventilatória, hipotensão arterial grave, sialorreia e dificuldade de deglutição é compatível com acidente elapídico (coral-verdadeira);

→ **acidente laquético:** manifestações locais semelhantes às do acidente botrópico acrescidas de sinais de estimulação vagal;

→ **acidente por colubrídeo:** apenas sinais locais de lesões superficiais tipo arranhaduras em forma de serrilhado ou erosões de pele, associados à ausência de alterações na coagulação sanguínea, sem alterações neurológicas,

dirigem a hipótese diagnóstica para acidentes com ofídios não peçonhentos (colubrídeos).[1,4,8,13,14]

São aconselhadas as seguintes condutas, de preferência em ambiente hospitalar ou de pronto-socorro:

→ administrar líquidos, mantendo boa hidratação;
→ controlar os sinais vitais e medir a diurese diária;
→ fazer a antissepsia do local da picada;
→ manter repouso no leito nas primeiras 24 horas com segmento anatômico atingido elevado;
→ coletar amostras para exames de laboratório (hemograma, exame qualitativo de urina, ureia, creatinina, eletrólitos e creatinofosfoquinase). Realizar de rotina o coagulograma (na admissão do paciente e, depois, a cada 12 horas);
→ instalar equipo de soro e manter acesso venoso;
→ aplicar soro antiveneno específico (soro antibotrópico, anticrotálico, antibotrópico-crotálico, antibotrópico-laquético ou antielapídico), conforme o diagnóstico;
→ se o número de ampolas imediatamente disponível for inferior ao recomendado para o acidente em questão, iniciar a soroterapia enquanto se providencia o tratamento complementar;
→ a necessidade tardia de soros é orientada por parâmetros clinicolaboratoriais;
→ administrar analgésicos e anti-inflamatórios, evitando-se os salicilatos;
→ a experiência brasileira com acidentes ofídicos mostra contraindicação para incisões cirúrgicas ou para sucção no local do ferimento, bem como para garroteamento ou para torniquete no segmento anatômico atingido;
→ acidentes com filhotes de *Bothrops*, por não terem a fração proteolítica desenvolvida, não apresentam edema, porém apresentam alteração na coagulação;
→ aplicar medidas de profilaxia do tétano (ver Capítulo Ferimentos Cutâneos);

→ a necessidade tardia de soros antiveneno é orientada por parâmetros clinicolaboratoriais, como alterações da coagulação sanguínea, evidência clínica de sangramento espontâneo, edema local evolutivo ou sinal de comprometimento clínico sistêmico;
→ IMPORTANTE: todo paciente submetido a tratamento soroterápico deve ficar em observação por, no mínimo, 24 horas.

Se houver dúvida no manejo, deve-se fazer contato com o centro antiveneno de sua região (ver Leituras Recomendadas).

## Infecções secundárias nos acidentes por ofídios

Ainda que se considerem as características do envenenamento (veneno com ação proteolítica) e a flora da cavidade oral dos ofídios (colonizada por bactérias gram-negativas, anaeróbios e, mais raramente, cocos gram-positivos), o uso profilático empírico de antibióticos não tem suporte na literatura. A manipulação indevida do local da picada com contaminantes (cortes, aplicação inadequada de borra de café ou esterco de gado, etc.) pode aumentar a ocorrência relativamente frequente de complicações infecciosas. É importante lembrar-se da necessidade de revisar o esquema vacinal antitetânico em qualquer acidente.

A antibioticoterapia deve ser implementada apenas se houver infecção secundária (10-20%), detectada por suspeita clínica e/ou confirmação laboratorial (cultura positiva de secreção do local da picada), de acordo com o resultado do antibiograma. A ocorrência de abscesso local exige drenagem cirúrgica (ver Capítulo Infecções Não Traumáticas de Tecidos Moles).

## Outras complicações locais e sistêmicas

A ocorrência de necrose tecidual no local exige desbridamento cirúrgico e, às vezes, plástica reparadora posterior. Nos edemas volumosos, deve-se estar atento a sinais de sofrimento de feixe vasculonervoso do membro atingido (síndrome compartimental). Nesses casos, embora raros, há indicação de fasciotomia. Devido à ação proteolítica, associada à isquemia local decorrente de lesão vascular e de outros fatores como infecção, trombose arterial, síndrome compartimental ou uso de torniquetes, com risco maior em picadas em extremidades (dedos), pode ocorrer, em alguns casos, evolução para gangrena com necessidade de amputação do segmento, sobretudo em acidentes botrópicos. Choque é raro, podendo ocorrer em casos graves. Costuma ser multifatorial, por liberação de substâncias vasoativas, sequestro de líquido na área do edema ou perdas por hemorragias.

Insuficiência renal aguda pode ocorrer nos acidentes botrópicos, sendo de origem multifatorial, seja por ação direta do veneno sobre os rins, por isquemia renal secundária a microtrombos em capilares, bem como por desidratação ou hipotensão arterial e choque. Nos acidentes crotálicos, é importante assinalar que a insuficiência renal é hipercatabólica e caracteriza-se pela rápida elevação de ureia e creatinina e pela hipercalemia, devido à rabdomiólise provocada por esses venenos. O substrato anatomopatológico encontrado nos pacientes que apresentam insuficiência renal é a necrose tubular renal. Em pacientes com rabdomiólise (suspeita pela mioglobinúria macroscópica), a alcalinização urinária atua como prevenção, devendo-se manter pH > 6,5, com controle por gasometria arterial. Deve haver cautela na reposição hídrica de pacientes que já se apresentam oligoanúricos ou com creatinina elevada, em função do risco de congestão vascular. Se o paciente não apresenta resposta à hidratação (diurese), mantendo-se com pouco débito urinário (adultos < 100 mL/6 horas ou com anúria > 12 horas) e/ou com creatinina em elevação > 1 mg/dL/dia, pode ser necessária a realização de hemodiálise (costuma ser mais precoce em acidentes crotálicos) para manter o paciente vivo enquanto ele recupera a função renal, o que costuma ocorrer em até 4 semanas do acidente. Deve-se solicitar a avaliação de um nefrologista. É essencial vigiar acidose metabólica e hipercalemia, que podem antecipar a indicação de hemodiálise, mesmo em pacientes não oligúricos, sobremaneira se houver falha das medidas conservadoras de manejo de hipercalemia e acidose.[1]

# ACIDENTES POR ARACNÍDEOS

## Acidentes por aranhas

A grande maioria das aranhas possui veneno, e sua composição química é bastante variada entre as espécies. Algumas, como as caranguejeiras, possuem veneno pouco tóxico, porém o veneno de outras afeta os seres vivos de maneira mais grave. Quando se sentem ameaçadas, as aranhas picam para defender-se. No Brasil, existem três gêneros de aranhas de importância toxicológica: *Phoneutria*, *Loxosceles* e *Latrodectus*. No ano de 2018, o Centro de Informações Toxicológicas do Rio Grande do Sul (CIT/RS) registrou 2.977 acidentes causados por aranhas, das quais as maiores causadoras de acidentes foram as *Phoneutrias*, totalizando 1.015 casos. Destes, 0,3% necessitou da utilização de soro antiveneno. Os acidentes mais preocupantes são os causados pela *Loxosceles*, que representaram um total de 581 casos, dos quais 310 receberam soro antiveneno, representando 53,4% dos casos. Acidentes com outras aranhas podem ser comuns, como os causados por *Lycosa* (aranha-de-grama ou dos gramados e jardins) e pelas caranguejeiras – muito temidas – porém destituídos de maior importância toxicológica. As aranhas são animais carnívoros, que se alimentam principalmente de insetos, como grilos e baratas, entre outros. Muitas têm hábitos domiciliares e peridomiciliares. Apresentam o corpo dividido em cefalotórax e abdome (FIGURA 195.6). No cefalotórax, articulam-se os quatro pares de pernas, um par de pedipalpos e um par de quelíceras. Nas quelíceras, estão os ferrões utilizados para inoculação do veneno. Os aracnídeos, além de suas características morfológicas, podem ser identificados pela fórmula ocular (posição dos olhos na região do cefalotórax).[7,15]

## Acidentes por escorpiões

Atualmente, há 19 famílias de escorpiões distribuídas em todo o mundo. No Brasil, os acidentes com escorpiões são importantes em virtude da frequência com que ocorrem e da

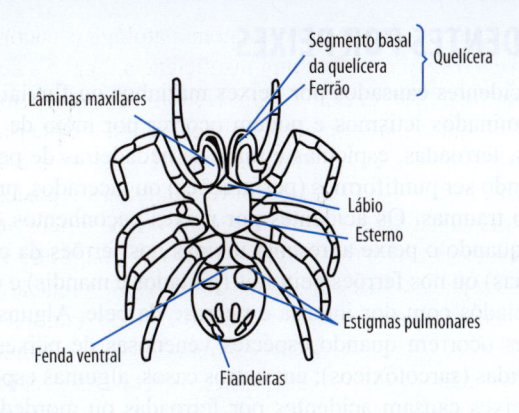

**FIGURA 195.6** → Aspecto morfológico ventral externo de uma aranha.
Fonte: Brasil.[1]

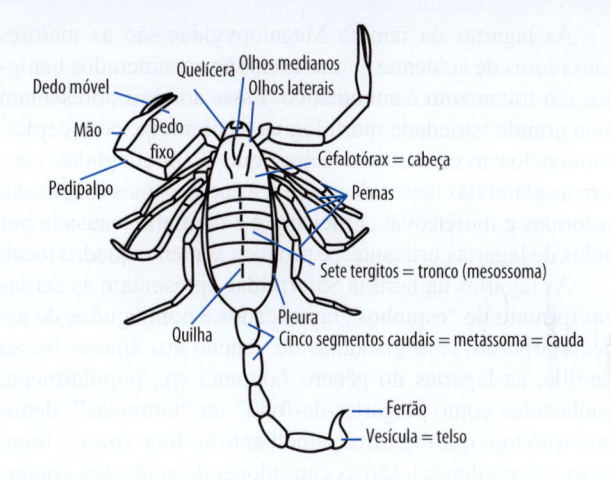

**FIGURA 195.7** → Aspecto morfológico dorsal externo de um escorpião.
Fonte: Brasil.[1]

sua potencial gravidade. Os escorpiões de importância em saúde pública são as seguintes espécies do gênero *Tityus*: *T. serrulatus* (escorpião-amarelo), *T. bahiensis* (escorpião-marrom), *T. stigmurus*, entre outros. Observa-se, atualmente, uma disseminação territorial de escorpiões da espécie *T. serrulatus* (escorpião-amarelo) e, consequentemente, o aumento no número de acidentes. De 2000 a 2017, no Brasil, foram registrados 951.727 ocorrências de acidentes causados por escorpiões, sendo as regiões Nordeste e Sudeste onde ocorreu o maior número de acidentes. Nesse mesmo período, ocorreram 1.233 óbitos. A letalidade foi de 0,13%.[7,15] No ano de 2018, o CIT/RS registrou 691 acidentes com escorpiões, sendo 14,5% (338) causados pelo *Bothriurus bonariensis* (escorpião-preto), 33,7% (233) pelo *T. costatus* e 1,9% (13) pelo *T. serrulatus*. Essa ocorrência de acidentes por *T. serrulatus* é crescente no Brasil e obedece a fatores associados à urbanização desordenada com acúmulo de resíduos sólidos (lixo) e proliferação de pragas urbanas (baratas, aranhas), associada ao transporte generalizado de cargas (onde o escorpião ocorre como passageiro ocasional e indesejado), e ao tipo de reprodução da espécie sem necessidade de acasalamento (reprodução por partenogênese). Os grupos mais vulneráveis são trabalhadores da construção civil, crianças e pessoas que permanecem maiores períodos dentro de casa ou nos arredores, como quintais (intra ou peridomicílio). Ainda nas áreas urbanas, estão sujeitos os trabalhadores de madeireiras, transportadoras e distribuidoras de hortifrutigranjeiros, por manusear objetos e alimentos onde os escorpiões podem estar alojados.[16] Os escorpiões apresentam o corpo formado pelo tronco (prossoma e mesossoma) e pela cauda (metassoma). Dorsalmente, o prossoma é coberto por uma carapaça, o cefalotórax, e nele se articulam quatro pares de pernas, um par de quelíceras e um par de pedipalpos. A cauda é formada por cinco segmentos, e, no fim dela, situa-se o telso, composto por vesícula e ferrão (aguilhão). A vesícula contém duas glândulas de veneno que é inoculado pelo ferrão (FIGURA 195.7).

São animais carnívoros que se alimentam principalmente de insetos. Possuem hábitos noturnos, escondendo-se durante o dia embaixo de pedras, em troncos em decomposição, entulhos, telhas ou tijolos, entre outros. Muitas espécies vivem em áreas urbanas, onde encontram abrigo dentro e próximo das casas. Os escorpiões podem sobreviver vários meses sem alimento e sem água, o que torna seu combate muito difícil. A gravidade do acidente depende de fatores como a espécie e o tamanho do escorpião, a quantidade de veneno inoculado, a massa corporal do acidentado e a sensibilidade do paciente ao veneno. Acidentes com crianças devem despertar atenção especial em função da alta. Para o manejo de acidentes com escorpiões, ver o fluxograma da FIGURA 195.9.

## Cuidados imediatos ao acidentado por aracnídeos

Após um acidente com aracnídeos, os cuidados imediatos são:
→ limpar o local com água e sabão;
→ aplicar compressa morna no local em caso de acidentes com *Phoneutria* e escorpiões;
→ procurar orientação imediata e mais próxima do local da ocorrência do acidente (unidade básica de saúde [UBS], posto de saúde, hospital de referência);
→ atualizar-se regularmente na secretaria estadual de saúde para saber quais os pontos de tratamento com o soro específico em sua região;
→ seguem os mesmos cuidados dos acidentes ofídicos;
→ se for possível, capturar o animal e levá-lo ao serviço de saúde.

## ACIDENTES POR LEPIDÓPTEROS

As lagartas urticantes são conhecidas por: taturana, marandová, mandorová, mondrová, ruga, oruga, bicho-peludo e outros. São a forma larval do ciclo biológico de mariposas e borboletas (lepidóptero). Os acidentes provocados por lagartas, popularmente chamados de "queimaduras", têm evolução benigna na maioria dos casos. Somente a fase larval (lagartas) desses animais é capaz de produzir efeitos sobre o organismo. Esse tipo de acidente é conhecido como erucismo (*erucae* = larva). As demais fases (pupa, ovo e adulto) são inofensivas, exceto as mariposas adultas do gênero *Hylesia* (Saturniidae), que apresentam cerdas que, em contato com a pele, podem causar dermatite papulopruriginosa. As principais famílias de lepidópteros causadoras de acidentes são Megalopygidae, Saturniidae e Arctiidae (TABELA 195.4).

As lagartas da família Megalopygidae são as maiores causadoras de acidentes,[11] mas estes são considerados benignos e o tratamento é sintomático. Esses animais apresentam uma grande variedade morfológica e coloração, com cerdas, como pelos: as cerdas verdadeiras, que são pontiagudas, contêm as glândulas basais de veneno; as cerdas mais longas são coloridas e inofensivas. Erucismo é a dermatite causada por pelos de lagartas urticantes, e provoca somente quadro local.

As lagartas da família Saturniidae apresentam as cerdas em formato de "espinhos" ramificados e pontiagudos de aspecto arbóreo, com glândulas de veneno nos ápices. Nessa família, as lagartas do gênero *Lonomia* sp., popularmente conhecidas como "lagartas-de-fogo" ou "taturanas", denominação tupi que significa semelhante ao fogo (*tata* = fogo, *rana* = semelhante), são as causadoras de acidentes graves, com óbitos, devido à síndrome hemorrágica. As Saturniidae (com cerdas ramificadas tipo arbóreo, como *Automeris* sp. e *Lonomia obliqua*, esta última com risco de acidente grave – ver TABELA 195.4) e as Arctiidae (*Premolis semirufa*) produzem quadro local ao contato. Esta última é responsável pela pararamose, ou reumatismo dos seringueiros, restrita ao Estado do Pará, em geral produzindo tumefação e deformidade na articulação interfalângica distal do dedo médio, pelo contato crônico durante a extração da seiva da seringueira; ocorre devido à reação granulomatosa crônica, e não há tratamento específico. O Brasil é o único país produtor do soro antilonômico (SALon), específico para o tratamento dos envenenamentos moderados e graves causados por essas lagartas.

Os lepidopterismos (acidentes com mariposas adultas) ocorrem a partir do contato com *Hylesia* sp. ou mariposa-da-coceira (cerdas urticantes; tratamento sintomático).

### Cuidados imediatos ao acidentado por lepidópteros

Após um acidente com lepidópteros, os cuidados imediatos são:
→ limpar o local com água fria ou gelada e sabão;
→ levar o indivíduo imediatamente ao serviço de saúde mais próximo para que possa receber o tratamento em tempo oportuno;
→ a identificação da lagarta causadora do acidente pode ajudar no diagnóstico. Portanto, se for possível, é recomendado levar o animal ao serviço de saúde;
→ atualizar-se regularmente na secretaria estadual de saúde para saber quais são os pontos de tratamento com o soro específico na sua região;
→ não fazer torniquete ou garrote, furar, cortar, queimar, espremer, fazer sucção no local da ferida e nem aplicar folhas, pó de café ou terra sobre ela, para não provocar infecção;
→ não coçar o local;
→ não aplicar qualquer tipo de substância sobre o local da picada (fezes, álcool, querosene, fumo, ervas, urina), nem fazer curativos que fechem o local, pois podem favorecer a ocorrência de infecções;
→ não dar bebidas alcoólicas ao acidentado ou outros líquidos como álcool, gasolina ou querosene, pois não têm efeito contra o veneno e podem causar problemas gastrintestinais na vítima.

## ACIDENTES POR PEIXES

Os acidentes causados por peixes marinhos ou fluviais são denominados ictismos e podem ocorrer por meio de mordidas, ferroadas, espículas e raios de nadadeiras de peixes, podendo ser puntiformes (perfurações) ou lacerados, produzindo traumas. Os acidentes por peixes peçonhentos ocorrem quando o peixe apresenta toxinas nos ferrões da cauda (arraias) ou nos ferrões peitorais (pintados e mandis) e estão associados com dor intensa e necrose da pele. Alguns acidentes ocorrem quando espécies venenosas de peixes são ingeridas (sarcotóxicos); em outros casos, algumas espécies de peixes causam acidentes por ferroadas ou mordeduras, produzindo, além de lesões mecânicas, inoculação de veneno (acantotóxicos)[17] (TABELA 195.5).

### Cuidados imediatos ao acidentado por peixes

Após um acidente com peixes, os cuidados imediatos são:
→ nos acidentes traumáticos, lavar muito bem o local com água e sabão e procurar uma unidade de saúde. Pode ser necessário realizar sutura e administrar antibiótico, em razão das infecções;
→ nos acidentes por peixes peçonhentos, a medida mais importante é controlar a dor que o veneno causa. Nesses casos, deve-se imergir o local afetado em água quente a 50 °C de 30 a 90 minutos;
→ fazer a vacina antitetânica;
→ no caso de necrose da pele e úlceras, principalmente nos acidentes por arraias, é necessário que sejam feitos curativos diários até a cicatrização total.[17]

## ACIDENTES POR CELENTERADOS

Os celenterados são animais de estrutura radial simples que apresentam tentáculos inseridos em volta da cavidade oral com a função de capturar presas. Esses tentáculos apresentam células portadoras de um minúsculo corpo oval chamado nematocisto, capazes de injetar veneno por um microaguilhão que é disparado quando a célula é tocada. A caravela *Physalia physalis* pode atingir 30 cm de comprimento do corpo e ter tentáculos de até 30 metros (TABELA 195.6). *Physalia physalis* é, sem dúvida, a responsável pelo maior número de acidentes desse gênero no Brasil. No ano de 2018, o CIT/RS registrou 19 acidentes com animais aquáticos (4 com mãe-d'água, 12 por peixes peçonhentos e 3 por peixes venenosos).[7]

## ACIDENTES COM ANIMAIS DE MENOR INTERESSE TOXICOLÓGICO

Existem, ainda, outros tipos de acidentes que merecem ser citados pela frequência com que ocorrem e pela pouca gravidade, em geral exigindo apenas tratamento sintomático com corticoides tópicos e analgesia por via oral. Alguns têm importância regional.

São exemplos:[2,9,12,18-33]
→ **acidentes causados por escolopendra (lacraia):** provocam quadro de dor intensa local imediata após a picada, que pode exigir compressas quentes, analgesia

intensa e, por vezes, bloqueio anestésico local sem vasoconstritor. Não confundir lacraia (quilópode) com centopeia (diplópode, sem interesse toxicológico);
→ **acidentes com coleópteros (besouros):** podem produzir quadros vesicantes (geralmente dermatite linear, por atrito ou compressão), secundários ao efeito cáustico do veneno cantaridina e pederina. Estão envolvidos besouros do gênero *Paederus* (são encontrados nas regiões Norte, Nordeste e Centro-Oeste, conhecidos como potó, trepa-moleque, pela-égua, fogo-selvagem) ou *Epicauta* (potó-grande, potó-pimenta, caga-fogo). O contato múltiplo pode ser mais grave, com febre, dor, artralgia, vômitos e eritema por meses. O tratamento na esfregadura acidental (que pode deixar manchas hipercrômicas por meses) consiste em lavar com água e sabão e inativar a pederina com permanganato de potássio diluído em 1:40.000, com uso de creme de neomicina profilático e corticoides tópicos. O contato ocular, além da lavagem com água limpa, requer encaminhamento para oftalmologista.

Nos casos em que há infecção secundária, o tratamento é semelhante ao do impetigo (ver Capítulo Piodermites). Em todos esses acidentes, dependendo da sensibilidade individual, podem ocorrer também manifestações alérgicas com consequências graves, como choque anafilático (ver Capítulo Papel da Atenção Primária à Saúde em Urgências e Emergências).

## Ataques de himenópteros (abelhas ou vespas)

Himenopterismos são os acidentes causados por insetos que possuem ferrões verdadeiros, englobando abelhas, vespas e formigas. As picadas únicas têm interesse pela reação alérgica, mas os acidentes de maior interesse tóxico são os causados por múltiplas picadas ou ataque de enxames de abelhas ou vespas, sobretudo quando envolvem abelhas africanizadas, mais agressivas. Entre os anos de 2000 a 2018, ocorreram no Brasil 159.520 casos de acidentes com abelhas ou vespas. Nesse mesmo período, foram registrados 466 óbitos.[13] O CIT/RS registrou, no ano de 2018, 174 acidentes com himenópteros (128 com abelhas e 46 por vespas), e 2 casos evoluíram para óbito.[11] As abelhas, ao picarem, deixam o ferrão e parte de seu conteúdo abdominal contendo a glândula de veneno. Por esse motivo, não se deve remover o ferrão com os dedos, pois isso facilita a inoculação de maior quantidade do veneno. Especialmente em acidentes múltiplos, deve-se raspar com uma lâmina sem fio, em sentido paralelo ao plano da pele, tentando "levantar" os ferrões, sem esprimê-los. Já as vespas (ou marimbondos) podem picar mais de uma vez por não deixarem seu ferrão na picada. Tanto as abelhas como as vespas possuem veneno contendo diversas enzimas como hialuronidase e fosfolipase (PLA2; principal alérgeno), melitina (75% dos constituintes químicos atuam como bloqueador neuromuscular que produz paralisia respiratória, além de hemólise), apamina (2% do veneno; neurotoxina de ação motora), cardiopeptídeo não tóxico (semelhante aos β-adrenérgicos; propriedades antiarrítmicas) e MCD (fator degranulador de mastócitos; com liberação de histamina e serotonina nos indivíduos picados).

Após uma única picada, ocorre reação alérgica local; habitualmente há dor aguda, vermelhidão, prurido e edema por várias horas ou dias. As manifestações podem ser regionais, com início lento, eritema e prurido, edema flogístico, induração local de 24 a 48 horas, com redução gradual, podendo limitar a mobilidade de um membro acometido. Manifestações sistêmicas podem ocorrer com uma única picada, produzindo anafilaxia (início rápido em 2-3 minutos após a picada), sintomas gerais de cefaleia, vertigem, calafrios, agitação psicomotora, opressão torácica, prurido, eritema, urticária, angioedema, rinite, até casos mais graves com edema de laringe, rouquidão, estridor, broncospasmo, hipotensão, choque, arritmias, infarto cardíaco/cerebral. Tardiamente, há descrição de raros casos em que, vários dias após a picada, desenvolvem-se artralgias, febre e encefalite, semelhante à doença do soro.

O ataque múltiplo de abelhas (enxame, > 500 picadas) produz uma síndrome do envenenamento, com hemólise intravascular e rabdomiólise, torpor e coma, hipotensão arterial, oligúria/anúria, insuficiência renal aguda, distúrbio hidreletrolítico e acidobásico. Complicações ocorrem devido à hipersensibilidade por única picada e morte por edema de glote ou choque anafilático em acidentes maciços. São necessárias medidas de suporte como hidratação e manutenção hidreletrolítica e acidobásica. Atualmente, não há soro antiveneno. O manejo deve ser voltado para o choque anafilático e para a insuficiência respiratória e renal. A síndrome do envenenamento pode exigir suporte dialítico.

Pesquisadores do Centro de Estudos de Venenos e Animais Peçonhentos (Cevap) da Universidade Estadual Paulista (Unesp) de Botucatu, no Estado de São Paulo, em parceria com o Instituto Vital Brazil, de Niterói, no Estado do Rio de Janeiro, após anos de pesquisa enviaram para o Ministério da Saúde e para a Agência Nacional de Vigilância Sanitária (Anvisa), em 2019, os estudos das pesquisas farmacológicas com protocolo positivo, realizados para a produção do soro antiapílico. A previsão é de que esteja disponível entre os anos de 2021 e 2022. Cerca de 20 mL, administrados por via intravenosa, serão capazes de neutralizar 90% dos problemas causados pelas picadas de abelhas africanizadas.[34]

## Cuidados imediatos ao acidentado por abelhas e vespas

Após um acidente com múltiplas picadas de abelhas e vespas, os cuidados imediatos são:
→ levar o acidentado rapidamente ao hospital, junto com alguns dos insetos que provocaram o acidente;
→ remover os ferrões por raspagem com lâminas, e não com pinças, pois esse procedimento resulta na inoculação do veneno ainda existente no ferrão.[41]

# SOROTERAPIA EM ACIDENTES COM ANIMAIS PEÇONHENTOS

Os soros antiveneno são soros heterólogos, concentrados de imunoglobulinas em geral obtidos por sensibilização de equinos, que conferem a neutralização do veneno presente na circulação sistêmica. A via de administração recomendada é a intravenosa (IV), exceto para o soro antilatrodético (uso intramuscular [IM]). A infusão do soro IV, diluído ou não, deve ser feita em dose única, sob vigilância estrita da equipe médica e de enfermagem. Os soros antivenenos são fornecidos ao Ministério da Saúde pelos laboratórios produtores oficiais brasileiros – Instituto Butantan, Instituto Vital Brazil, Fundação Ezequiel Dias e Centro de Produção e Pesquisa de Imunobiológicos. Esses soros são: soro antiaracnídico (SAA) (*Loxosceles*, *Phoneutria* e *Tityus*); soro antibotrópico (pentavalente) (SAB); soro antibotrópico (pentavalente) e antilaquético (SABL); soro antibotrópico (pentavalente) e anticrotálico (SABC); soro anticrotálico (SAC); soro antielapídico (bivalente) (SAEla); soro antiescorpiônico (SAEsc); soro antilonômico (SALon); soro antiloxoscélico (trivalente) (SALox).[12] Por ser o tratamento primário dos acidentes, em 2010, a OMS definiu os soros como "medicamentos essenciais".

Tratamentos efetivos dependem de atitudes em cadeia, vinculadas à ação do estado nos investimentos em Ciência e Tecnologia. A distribuição de produtos eficazes e qualificados, em um sistema em rede que atenda pontos de difícil acesso, é decisiva para a crise de confiança sobre a soroterapia, comparada a terapias alternativas, via de regra ineficazes e prejudiciais à saúde individual, coletiva e social. Investimentos em treinamento profissional para identificar, gerenciar e tratar acidentes peçonhentos são fundamentais na diminuição de mortes, sequelas, aposentados por invalidez e sobrecarga nos sistemas de saúde e previdenciário. No Brasil, o Programa Nacional de Ofidismo, criado na década de 1980, tentou ampliar a disponibilidade dos soros, mas sua finalidade, abrangência e sustentabilidade ficaram comprometidas, particularmente para os venenos elapídicos e laquético. A liofilização dos faboterápicos, evitando a adição de antimicrobianos e a necessidade de cadeia de frio, ainda é um desafio. Em 2017, resultados promissores de um estudo pioneiro de segurança, eficácia e estabilidade termal de soro trivalente (antibotrópico-laquético-crotálico) brasileiro liofilizado indicam caminhos para a viabilização de produtos mais longevos.[35] As novas indicações de tratamento soroterápico recomendam um número fixo de ampolas para tratamento dos casos leves (3 ampolas), dos moderados (6 ampolas) e dos graves (12 ampolas) de acidente botrópico, segundo consta no fluxograma da FIGURA 195.8. Essa medida poderá reduzir em aproximadamente 21% o uso anual das ampolas indicadas para o tratamento

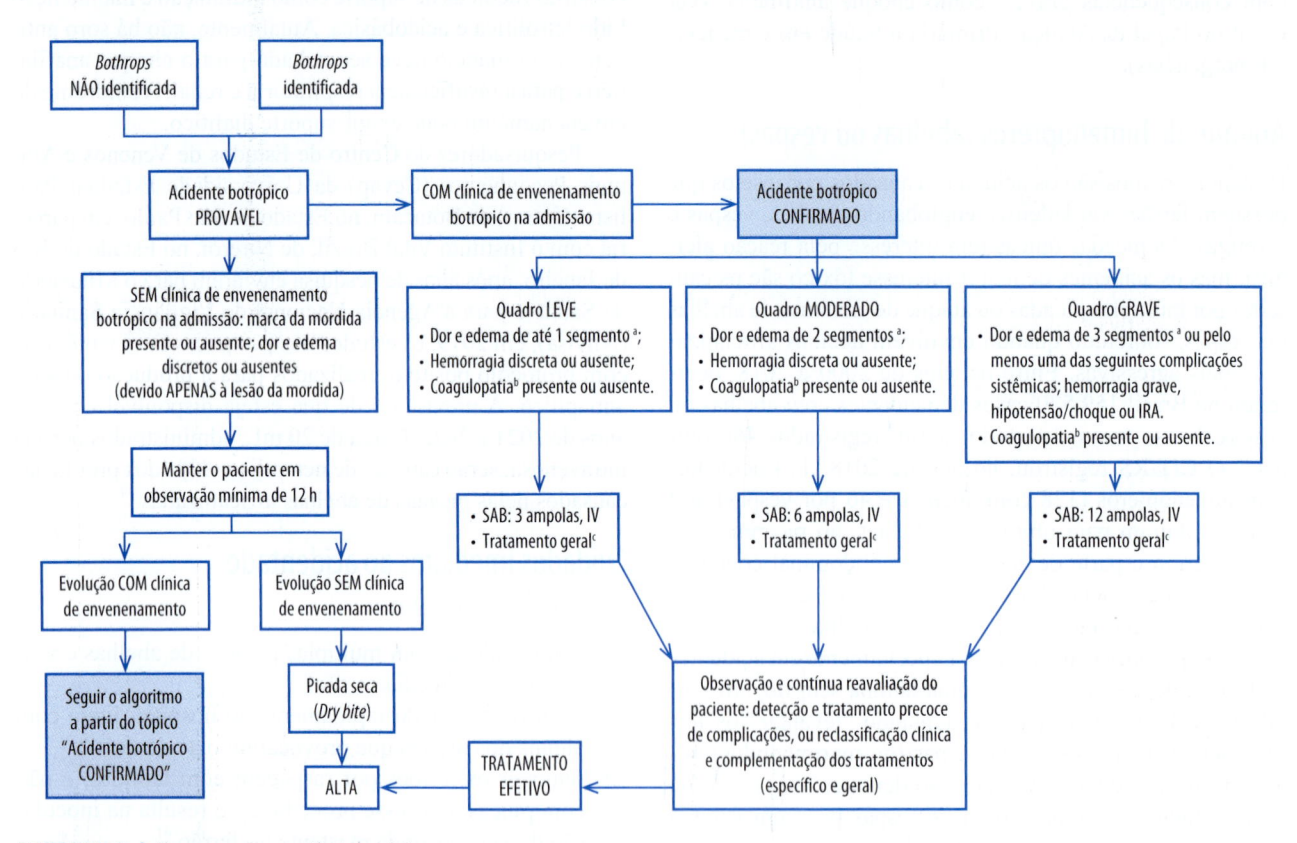

**FIGURA 195.8** → Fluxograma de um acidente botrópico.
OBSERVAÇÃO: Na falta do SAB, utilizar o SABC (soro antibotrópico [pentavalente] e anticrotálico) ou o SABL (soro antibotrópico [pentavalente] e antilaquético).
[a]O membro picado é dividido em 3 segmentos: em relação ao membro superior: 1. Mão e punho; 2. Antebraço e cotovelo; 3. Braço. Do mesmo modo, divide-se o membro inferior em 3 segmentos: 1. Pé e tornozelo; 2. Perna e joelho; 3. Coxa.
[b]Coagulopatia: pode ser detectada através da realização do Tempo de Coagulação (TC), do Coagulograma ou da dosagem do Fibrinogênio.
[c]Tratamento geral: abordagem da dor, hidratação adequada, drenagem postural, analgesia e profilaxia do tétano.
IMPORTANTE: Todo paciente submetido a tratamento soroterápico deve ficar em observação por, no mínimo, 24 horas.
SAB, soro antibotrópico (pentavalente); IV: intravenoso; IRA, insuficiência renal Aguda.
Fonte: Brasil.[16]

de acidentados por jararacas (*Bothrops*): SAB, SABC, e SABL, sem prejuízo para o acidentado que necessitar de tratamento soroterápico.[16]

## Reações à soroterapia

As reações à soroterapia podem variar desde quadros urticariformes leves a choque anafilático (ver Capítulo Papel da Atenção Primária à Saúde em Urgências e Emergências).

# PREVENÇÃO DOS ACIDENTES

## Serpentes

→ Usar calçados fechados, de preferência de cano alto, ao andar ou trabalhar no mato. O uso de botas de cano alto ou perneira de couro, botinas e sapatos pode evitar cerca de 80% dos acidentes.
→ Usar luvas grossas para manipular folhas secas, lixo, lenha, palhas, etc. Não colocar as mãos em buracos e tomar cuidado ao revirar cupinzeiros. Cerca de 15% das picadas atingem mãos ou antebraços.
→ Evitar acúmulo de lixo e entulho próximo a moradias, impossibilitando, assim, locais de abrigo para serpentes e diminuindo a proliferação de roedores. Onde há rato, há serpente. Limpar paióis e terreiros, não deixar lixo acumulado. Fechar buracos de muros e frestas de portas.
→ Serpentes se abrigam em locais quentes, escuros e úmidos. Cuidado ao mexer em pilhas de lenha, palhadas de feijão, milho ou cana. Evitar folhagens densas próximo a paredes e muros das casas e manter a grama aparada.
→ Evitar andar fora de trilhas em matas.
→ Evitar andar à noite no campo, pois é o horário de maior atividade das serpentes peçonhentas.

## Aranhas, escorpiões e lacraias

→ Não colocar as mãos em buracos, sob pedras e em troncos podres.
→ Usar calçados e luvas grossas nas atividades de jardinagem.
→ Vedar ralos, frestas, buracos em paredes, vão entre o forro e a parede, e soleiras de portas e janelas.
→ Afastar as camas e berços das paredes. Evitar que roupas de cama e mosquiteiros encostem no chão. Sacudir e verificar roupas e sapatos antes de usá-los.
→ Evitar folhagens densas (plantas ornamentais, trepadeiras, arbusto, bananeiras e outras) próximo a paredes e muros das casas. Manter a grama aparada. Limpar periodicamente os terrenos baldios vizinhos, pelo menos, em uma faixa de 1 a 2 metros junto das casas. Evitar o acúmulo de entulhos, folhas secas, lixo doméstico e materiais de construção nas proximidades das casas.
→ Sacudir roupas e sapatos antes de usá-los, pois as aranhas podem se esconder neles e picar ao serem comprimidas contra o corpo.
→ Combater a proliferação de insetos, para evitar o aparecimento das aranhas e escorpiões que deles se alimentam. Verificar a presença de escorpiões em hortifrutigranjeiros.
→ Limpar periodicamente os terrenos baldios vizinhos, pelo menos, em uma faixa de 1 a 2 metros próximo às casas.
→ Não pôr as mãos em buracos, sob pedras e troncos podres. É comum a presença de escorpiões sob dormentes da linha férrea.
→ Usar calçados e luvas de raspas de couro.
→ Como muitos desses animais apresentam hábitos noturnos, a entrada nas casas pode ser evitada vedando-se as soleiras das portas e janelas quando começar a escurecer.
→ Usar telas em ralos do chão, pias ou tanques.
→ Evitar que roupas de cama e mosquiteiros encostem no chão. Não pendurar roupas nas paredes. Examinar roupas antes de vestir, principalmente camisas, blusas e calças.
→ Acondicionar lixo domiciliar em sacos plásticos ou outros recipientes que possam ser mantidos fechados, para evitar baratas, moscas ou outros insetos de que se alimentam os escorpiões.
→ Preservar os inimigos naturais de escorpiões e aranhas: aves de hábitos noturnos (coruja, joão-bobo), lagartos, sapos, galinhas, gansos e quatis.

## Taturana (lagarta)

→ Tomar cuidado ao tocar em troncos de árvores e plantas no jardim.
→ Verificar se existem folhas roídas nos galhos das árvores, casulos e fezes de lagarta no solo.
→ Usar luvas de borracha ao manusear plantas.
→ Manter jardins e quintais limpos, evitando acúmulo de lixo ou entulho, de pedras, tijolos, telhas e madeiras, bem como não deixar mato alto ao redor das casas. Isso atrai e serve de abrigo para pequenos animais, que servem de alimentos às serpentes.[1,8,12-14]

## Abelhas

→ A remoção das colônias de abelhas situadas em lugares públicos ou residências deve ser efetuada por profissionais devidamente treinados e equipados, preferencialmente à noite ou ao entardecer, quando os insetos estão calmos.
→ Evite aproximar-se de colmeias de abelhas africanizadas *Apis mellifera* sem estar com vestuário e equipamento adequados (macacão, luvas, máscara, botas, fumigador, etc.).
→ Evite caminhar e correr na rota de voo das abelhas.
→ Barulhos, perfumes fortes, desodorantes, o próprio suor do corpo e cores escuras (principalmente preta e azul-marinho) desencadeiam o comportamento agressivo e, consequentemente, o ataque de abelhas.
→ Sons de motores de aparelhos de jardinagem, por exemplo, exercem extrema irritação em abelhas. Isso também ocorre com som de motores de popa.
→ No campo, o trabalhador deve ficar atento para a presença de abelhas, principalmente no momento de arar a terra com tratores.[13]

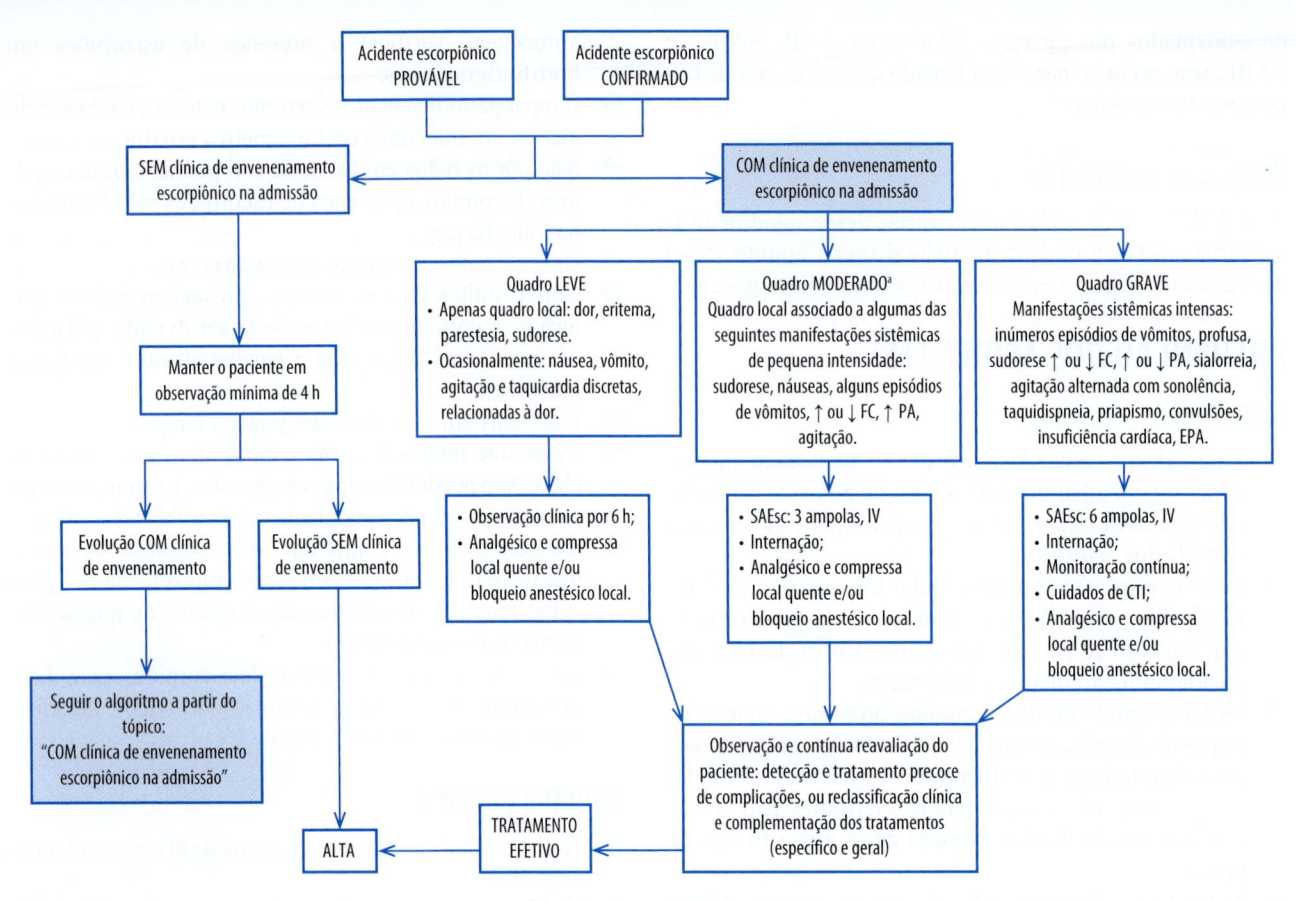

```
                    ┌─────────────────────┐   ┌─────────────────────┐
                    │ Acidente escorpiônico│   │ Acidente escorpiônico│
                    │      PROVÁVEL        │   │     CONFIRMADO       │
                    └──────────┬──────────┘   └──────────┬──────────┘
                               └───────────┬─────────────┘
                    ┌──────────────────────┴──────────────────────┐
                    ▼                                             ▼
     ┌──────────────────────────────┐              ┌──────────────────────────────┐
     │ SEM clínica de envenenamento │              │ COM clínica de envenenamento │
     │    escorpiônico na admissão  │              │   escorpiônico na admissão   │
     └──────────────────────────────┘              └──────────────────────────────┘
```

**FIGURA 195.9** → Fluxograma de um acidente com escorpião.
OBSERVAÇÃO: Na falta do SAEsc, utilizar o SAA (soro antiaracnídico [Loxosceles, Phoneutria e Tityus]).
ᵃO membro picado é dividido em 3 segmentos: em relação ao membro superior: 1. Mão e punho; 2. Antebraço e cotovelo; 3. Braço. Do mesmo modo, divide-se o membro inferior em 3 segmentos: 1. Pé e tornozelo; 2. Perna e joelho; 3. Coxa.
SAEsc, soro antiescorpiônico; IV, intravenoso; PA, pressão arterial; FC, frequência cardíaca; EPA, edema pulmonar agudo; CTI - Centro de Terapia Intensiva.
Fonte: Brasil.[16]

**Quadro LEVE**
- Apenas quadro local: dor, eritema, parestesia, sudorese.
- Ocasionalmente: náusea, vômito, agitação e taquicardia discretas, relacionadas à dor.

**Quadro MODERADO**ᵃ
Quadro local associado a algumas das seguintes manifestações sistêmicas de pequena intensidade: sudorese, náuseas, alguns episódios de vômitos, ↑ ou ↓ FC, ↑ PA, agitação.

**Quadro GRAVE**
Manifestações sistêmicas intensas: inúmeros episódios de vômitos, profusa, sudorese ↑ ou ↓ FC, ↑ ou ↓ PA, sialorreia, agitação alternada com sonolência, taquidispneia, priapismo, convulsões, insuficiência cardíaca, EPA.

- Observação clínica por 6 h;
- Analgésico e compressa local quente e/ou bloqueio anestésico local.

- SAEsc: 3 ampolas, IV
- Internação;
- Analgésico e compressa local quente e/ou bloqueio anestésico local.

- SAEsc: 6 ampolas, IV
- Internação;
- Monitoração contínua;
- Cuidados de CTI;
- Analgésico e compressa local quente e/ou bloqueio anestésico local.

Manter o paciente em observação mínima de 4 h
- Evolução COM clínica de envenenamento
- Evolução SEM clínica de envenenamento

Seguir o algoritmo a partir do tópico: "COM clínica de envenenamento escorpiônico na admissão"

Observação e contínua reavaliação do paciente: detecção e tratamento precoce de complicações, ou reclassificação clínica e complementação dos tratamentos (específico e geral)

TRATAMENTO EFETIVO → ALTA

## Cnidários

→ Em casos de acidentes com águas-vivas e caravelas, para alívio da dor inicial, devem ser utilizadas compressas geladas (pacotes fechados de gelo – "*cold packs*" –, envoltos em panos) ou água do mar.

→ Lavar o local da lesão com ácido acético a 5% (vinagre, p. ex.), sem esfregar a região acometida, e, posteriormente, compressa do mesmo produto deve ser aplicada por cerca de 10 minutos, para alívio dos sintomas. Observação: é importante que não seja utilizada água doce para lavagem do local da lesão, nem para aplicação das compressas geladas, pois a água doce pode piorar o quadro do envenenamento.

→ Em casos de acidentes com águas-vivas e caravelas, os pacientes devem procurar assistência médica para avaliação clínica do envenenamento e, se necessário, realização de tratamento complementar.

→ A remoção dos tentáculos aderidos à pele deve ser realizada de forma cuidadosa, preferencialmente com uso de pinça ou lâmina.

# REFERÊNCIAS

1. Brasil. Fundação Nacional de Saúde. Manual de diagnóstico e tratamento de acidentes por animais peçonhentos. Brasília: MS; 2001.
2. Cupo P, Azevedo-Marques MM, Hering SE. Acidentes por animais peçonhentos: escorpiões e aranhas. Medicina (Ribeirão Preto). 2003;36(2/4):490–7.
3. OPAS Brasil. Assembleia Mundial da Saúde termina com aprovação de resoluções sobre diversos temas. [Internet]. Brasília: OPAS; 2018 [capturado em 25 mar. 2020]. Disponível em: https://www.paho.org/bra/index.php?option=com_content&view=article&id=5684:assembleia-mundial-da-saude-termina-com-aprovacao-de-resolucoes-sobre-diversos-temas&Itemid=875
4. Cardoso J, Franca F, WEN FH, Malaque C, Junior V. Animais peçonhentos no Brasil: biologia, clínica e terapêutica dos acidentes. Rev Inst Med Trop São Paulo. 2003;45(6):338.
5. Vianna EES, Brandão RK, Brum JGW. Ocorrência de acidentes em humanos causados por Epicauta Excavata Klug, 1825 (Coleoptera, Meloidae) no sul do Rio Grande do Sul, BRASIL. Arq Inst Biol. 2007;74(1):47–8.
6. Silva AM, Bernarde PS, Abreu LC. Acidentes com animais peçonhentos no Brasil por sexo e idade. J Human Growth Develop. 2015;25(1):54–62.

7. Sebben, VC, Lessa, CAS. Relatório anual 2018: dados de atendimento [Internet]. Porto Alegre: CIT/RS; 2018 [capturado em 25 mar. 2020]. Disponível em: https://drive.google.com/file/d/1fpBaEP-fR9MPzRrfnTvZNvbjijFcUeOk/view?usp=embed_facebook

8. Bernarde PS. Serpentes peçonhentas e acidentes ofídicos no Brasil. São Paulo: Anolis Books; 2014.

9. Centro de Informação Toxicológica do Estado do Rio Grande do Sul. Serpentes [Internet]. Porto Alegre: CIT/RS; 2019 [capturado em 25 mar. 2020]. Disponível em: http://www.cit.rs.gov.br/index.php?option=com_content&view=article&id=53:serpentes&catid=4:animais-peconhentos&Itemid=31

10. Bochner R, Struchiner CJ. Epidemiologia dos acidentes ofídicos nos últimos 100 anos no Brasil: uma revisão. Cad Saúde Pública. 2003;19(1):07-16.

11. Mise YF, Lira-da-Silva RM, Carvalho FM. Time to treatment and severity of snake envenoming in Brazil. Rev Panam Salud Publica. 2018;42:e52.

12. Instituto Butantan. Primeiro socorros [Internet]. São Paulo: Butantan; c2020 [capturado em 25 mar. 2020]. Disponível em: http://www.butantan.gov.br/atendimento-medico/primeiro-socorros

13. Brasil. Ministério da Saúde. Acidentes por animais peçonhentos: serpentes [Internet]. Brasília: MS; 2018 [capturado em 25 mar. 2020]. Disponível em: http://www.saude.gov.br/saude-de-a-z/acidentes-por-animais-peconhentos-serpentes

14. Lopes AC. Diagnóstico dos acidentes por animais peçonhentos [Internet]. Campinas: UNICAMP; 2019 [capturado em 25 mar. 2020]. Disponível em: http://www.hospvirt.org.br/enfermagem/port/peconh-prof.htm

15. Instituto Vital Brazil. Aranhas: animais peçonhentos [Internet]. Rio de Janeiro: Governo do Rio de Janeiro; 2019 [capturado em 25 mar. 2020]. Disponível em: http://www.vitalbrazil.rj.gov.br/aranhas.html

16. Brasil. Ministério da Saúde. Nova abordagem ao tratamento em situação de escassez de antivenenos [Internet]. Brasília: MS; 2016 [capturado em 25 mar. 2020]. Disponível em https://antigo.saude.gov.br/saude-de-a-z/chikungunya/970-saude-de-a-a-z/animais-peconhentos-aranha/24972-nova-abordagem-ao-tratamento-em-situacao-de-escassez-de-antivenenos

17. Moreira ISR. Acidentes com pescadores por peixes traumatizantes e peçonhentos no baixo curso do rio Tietê, Estado de São Paulo [Internet]. São Paulo: UNESP; 2016 [capturado em 25 mar. 2020]. Disponível em: https://repositorio.unesp.br/handle/11449/143889

18. São Paulo. Secretaria da Saúde. Divisão de Zoonoses. Acidentes por animais peçonhentos [Internet]. São Paulo: CVE-SES/SP; 2003 [capturado em 25 mar. 2020]. Disponível em: http://www.cve.saude.sp.gov.br/htm/zoo/peco_aulas.html

19. Galvão-Alves J. Emergências Clínicas [Internet]. Rio de Janeiro: Rubio; 2007 [capturado em 25 mar. 2020]. Disponível em: https://www.rubio.com.br/livro-emergencias-clinicas-9788587600783-ga5934.html

20. Fiszon J, Bochner R. Underreporting of accidents with venomous animals registered by SINAN in the State of Rio de Janeiro from 2001 to 2005. Rev Bras Epidemiol. 2008;11(1):114–27.

21. Sonne L, Rozza DB, Wolffenbüttel AN, Meirelles AEWB, Pedroso PMO, Oliveira EC, et al. Toad venom intoxication in a dog. Ciênc Rural. 2008;38(6):1787–9.

22. Brasil. Ministério da Saúde. Guia de vigilância epidemiológica. 6. ed. Brasília: MS; 2006. (Série A Normas e manuais técnicos).

23. Canter HM, Knysak I, Candido DM. Escorpiões, aranhas e lacraias [Internet]. São Paulo: Infobibos; 2008 [capturado em 25 mar. 2020]. Disponível em: http://www.infobibos.com/Artigos/2008_1/MD4/Index.htm

24. Canter HM, Santos MF, Salomão, MG, Puorto G, Perez JA Júnior. Animais peçonhentos: serpentes [Internet]. São Paulo: Infobibos; 2008 [capturado em 25 mar. 2020]. Disponível em: http://www.infobibos.com/Artigos/2008_3/Serpentes/Index.htm

25. Canter HM, Santos MF, Nunes EJ, Moraes RHP, Kelen EMA, Cardoso JLC. Taturanas [Internet]. São Paulo: Infobibos; 2008 [capturado em 25 mar. 2020]. Disponível em: http://www.infobibos.com/Artigos/2008_3/Taturanas/Index.htm

26. Bochner R, Struchiner CJ. Acidentes por animais peçonhentos e sistemas nacionais de informação. Cad Saúde Pública. 2002;18(3):735–46.

27. Hansen DTK. Prevalência de intoxicações de cães e gatos em Curitiba [dissertação] [Internet]. Curitiba: UFPR; 2006 [capturado em 25 mar. 2020]. Disponível em: http https://acervodigital.ufpr.br/handle/1884/10284

28. Pardal PP de O, Silva CLQ da, Hoshino S do SN, Pinheiro M de FR. Acidente por cascavel (Crotalus sp) em Ponta de Pedras, Ilha do Marajó, Pará: relato de caso. Rev Paraense Med. 2007;21(3):69–73.

29. Gutiérrez JM, Theakston RDG, Warrell DA. Confronting the neglected problem of snake bite envenoming: the need for a global partnership. PLOS Medicine. 2006;3(6):e150.

30. Pardal PPO, Bezerra IS, Rodrigues LS, Pardal JSO, Farias PHS. Acidente por Surucucu (Lachesis muta muta) em Belém-Pará: relato de caso. Rev Paraense Med. 2007;21(1):37–42.

31. Moreira SC, Lima JC de, Silva L, Haddad Junior V. Descrição de um surto de lepidopterismo (dermatite associada ao contato com mariposas) entre marinheiros, ocorrido em Salvador, Estado da Bahia. Rev Soc Bras Med Trop. 2007;40(5):591–3.

32. Neira O P, Jofré M L, Oschilewski L D, Subercaseaux S B, Muñoz S N. Snake bite by Philodryas chamissonis. A case presentation and literature review. Rev Chilena Infectol. 2007;24(3):236–41.

33. Ribeiro LA, Albuquerque MJ, Pires de Campos V a. F, Katz G, Takaoka NY, Lebrão ML, et al. Óbitos por serpentes peçonhentas no Estado de São Paulo: avaliação de 43 casos, 1988/93. Rev Assoc Med Bras. 1998;44(4):312–8.

34. Centro de Estudos de Venenos e Animais Peçonhentos da UNESP. Soro contra picadas de abelhas será testado em humanos na Unesp [Internet]. Botucatu: CEVAP/UNESP; 2016 [capturado em 25 mar. 2020]. Disponível em: http://cevap.org.br/soro-contra-o-veneno-de-abelhas/

35. Souza CMV, Sierra TARBM, Nascente LS, Moreira MLF, Machado C, et al., organizadores. Livro de resumos do seminário sobre vigilância de acidentes por animais peçonhentos [Internet] Niterói: Vital Brasil; 2017 [capturado em 25 mar. 2020]. Disponível em: http://www.vitalbrazil.rj.gov.br/arquivos/seminarioanimaispeconhentosms.pdf

36. Centro de Operações de Emergência em Saúde. Acidentes escorpiônicos no Brasil, 2018. Bol epidemiol [Internet]. 2019 [capturado em 25 mar. 2020];50(28). Disponível em: http://portalarquivos2.saude.gov.br/images/pdf/2019/outubro/04/BE-multitematico-n28.pdf

## LEITURAS RECOMENDADAS

Abbas AK, Lichtman AH, Pillai S. Cellular and molecular immunology. 7th ed. Philadelphia: Saunders Elsevier; 2012.
*Discorre sobre os mecanismos envolvidos nas reações à soroterapia.*

Boff GSJ. Incidentalidad de los accidentes producidos por ofidios ponzoñosos en el Estado de Rio Grande do Sul (Brasil) [tese]. León: Universidad de León; 2003.
*Tese de doutorado abordando aspectos de acidentes com ofídios peçonhentos no Estado do Rio Grande do Sul, Brasil.*

Brasil. Ministério da Saúde. Acidentes por animais peçonhentos. Serpentes: aspectos epidemiológicos [Internet]. Brasília: MS; 2010 [capturado em 25 mar. 2020]. Disponível em: https://www.saude.gov.br/saude-de-a-z/acidentes-por-animais-peconhentos-serpentes
*Apresenta dados obtidos do registro de acidentes por ofídios.*

Brasil. Ministério da Saúde. Manual de diagnóstico e tratamento de acidentes por animais peçonhentos [Internet]. Brasília: MS; 2001 [capturado em 25 mar. 2020]. Disponível em: https://www.icict.fiocruz.br/sites/www.icict.fiocruz.br/files/Manual-de-Diagnostico-e-Tratamento-de-Acidentes--por-Animais-Pe--onhentos.pdf

Cardoso JLC, França FOS, Wen FH, Málaque CMS, Haddad JR. Animais peçonhentos no Brasil: biologia, clínica e terapêutica dos acidentes. São Paulo: Sarvier; 2003.

*Publicação que apresenta rotinas atualizadas de atendimento médico, baseadas nas manifestações clínicas dos acidentes. Inclui textos com conteúdo histórico referente aos acidentes com animais de interesse toxicológico no Brasil e sua inserção na cultura popular.*

Haddad V Jr. Atlas de animais aquáticos perigosos no Brasil: guia médico de diagnóstico e tratamento de acidentes. São Paulo: Roca; 2000.

*Publicação ricamente ilustrada com fotografias coloridas sobre casos de pacientes acidentados por animais marinhos.*

Bernarde PS. Serpentes peçonhentas e acidentes ofídicos no Brasil. São Paulo: Anolisbook; 2014.

*Publicação ricamente ilustrada com fotografias coloridas sobre serpentes e casos de pacientes acidentados.*

Schonwald S. Medical toxicology: a synopsis and study guide. Philadelphia: Lippincott Williams & Wilkins; 2001.

*Discute aspectos controversos na terapêutica de acidentes com Loxosceles, Latrodectus e animais aquáticos. Reafirma a necessidade de profilaxia do tétano nos ferimentos por animais peçonhentos.*

Tu AT, editor. Reptile venoms and toxins. New York: Marcel Dekker; 1991.

*Obra em língua inglesa que aborda com profundidade os aspectos complexos das toxinas naturais, como imunologia, fabricação de soros antiveneno e aplicação médica de componentes de venenos ofídicos.*

Ministério da Saúde (MS). Disponível em: https://saude.gov.br/

Sistema Nacional de Informações Tóxico-Farmacológicas (SINITOX). Disponível em: sinitox.icict.fiocruz.br/

Centros de Toxicologia Nacionais. ABRACIT. Disponível em http://abracit.org.br/wp/lista-dos-centros/

Locais de Soros Antivenenos no Estado do Rio Grande do Sul – CIT/RS. Disponível em: http://www.cit.rs.gov.br/index.php?option=com_content&view=article&id=45&Itemid=68

# Capítulo 196
## ENVENENAMENTOS AGUDOS

José Alberto Rodrigues Pedroso
Julio Cesar Razera
João Batista Torres
Gloria Jancowski Boff

Intoxicações acidentais ou intencionais, bem como superdosagens de medicamentos, constituem uma fonte significativa de morbimortalidade agregada e de gastos em serviços de saúde. Durante muitos anos, a notificação de acidentes tóxicos no Brasil foi baseada principalmente no Sistema Nacional de Informações Tóxico-Farmacológicas (Sinitox), vinculado à Fundação Oswaldo Cruz (Fiocruz), que conta com o apoio de 35 Centros de Informação e Assistência Toxicológica (Ciats).[1] No Brasil, em 2017, o Sinitox contabilizou 76.115 casos e registrou 200 mortes (letalidade de 0,26%).[1] Em seu *site*, a Fiocruz, responsável pela compilação, observa que houve uma redução no número de casos registrados nas séries dos últimos anos, mas que a leitura desses dados deve ser cautelosa porque isso não reflete uma real redução na incidência de casos. Portanto, a verdadeira incidência ainda permanece desconhecida. A própria Organização Mundial da Saúde (OMS) estima que, para cada caso notificado, até 50 outros não tenham sido comunicados.[2,3]

Ações de vigilância sanitária devem ser desenvolvidas com base nas práticas de promoção, proteção, prevenção e controle sanitário dos riscos à saúde para o fortalecimento da atenção primária à saúde (APS) como elemento estruturante do Sistema Único de Saúde (SUS).[4] Dessa forma, essas ações devem inserir-se na construção das redes de atenção à saúde, coordenadas pela APS.

Já o papel dos Ciats encontra-se definido dentro daquele previsto como pertinente ao Sistema Nacional de Vigilância Sanitária (SNVS), auxiliando o profissional de saúde no diagnóstico e no manejo clínico dos envenenamentos, bem como notificando essas intoxicações.

O Sistema de Informação de Agravos de Notificação (Sinan), concebido para a notificação compulsória de determinadas doenças infectocontagiosas,[5-8] prevê o registro de circunstâncias específicas de intoxicações exógenas (medicamentos, raticidas, agrotóxicos, produtos veterinários, domissanitários, metais pesados, drogas de abuso e outros) e de casos de acidentes com animais peçonhentos. Esse sistema permite a geração de relatórios *on-line*, úteis como instrumento de planejamento de saúde, auxiliando na avaliação do impacto de determinadas intervenções. Em 2017, houve 135.441 casos registrados no Sinan Net no Brasil, com 338 óbitos informados (letalidade de 0,24%, muito semelhante aos dados do Sinitox).

Outra fonte de dados epidemiológicos importante para análise do impacto dos acidentes tóxicos no Brasil é o Sistema de Informações sobre Mortalidade (SIM). Entre 2010 e 2015, foram registrados 18.247 óbitos, sendo os principais agentes causais os agrotóxicos, os medicamentos e as drogas de abuso, todos com percentuais semelhantes (25, 24 e 23%, respectivamente), com os medicamentos apresentando percentual semelhante (23%). O suicídio foi a principal circunstância descrita entre os óbitos envolvendo medicamentos e agrotóxicos.[9] Entre homens, os óbitos foram devidos principalmente a drogas de abuso e agrotóxicos (51%). Em mulheres, medicamentos e agrotóxicos foram as principais causas de óbitos (60%). A maioria dos óbitos (61%) ocorreu entre adultos jovens (20-49 anos). O número estimado de anos potenciais de vida perdidos (APVP) foi, em média, de 33 anos/óbito, demonstrando significativo impacto social e econômico.[9]

## ASSISTÊNCIA TOXICOLÓGICA NO CONTEXTO DA ATENÇÃO PRIMÁRIA À SAÚDE

As urgências e emergências toxicológicas constituem parte da realidade da APS e do atendimento pré-hospitalar e hospitalar. Qualquer um desses serviços pode ser porta de entrada de pacientes com quadros tóxicos que costumam exigir manejo inicial imediato. A maioria das medidas gerais em casos de envenenamentos agudos pode ser iniciada mesmo em ambiente de APS. Isso vale principalmente para medidas de descontaminação cutânea, descontaminação ocular e uso de carvão ativado. Esse manejo inicial, na maioria das vezes, é fundamental para o desfecho do quadro.

> De maneira particular, entende-se que a APS, como estratégia de saúde, possa ter melhores condições de identificar, nos eventos tóxicos, fatores e circunstâncias que podem estar envolvidos na ocorrência registrada, porque sua atenção em tal estratégia está focada em uma base territorial bem determinada.

Acidentes individuais podem envolver um amplo espectro de causas, desde um simples "acidente" tóxico (muitas vezes, prevenível) até a violência como manifestação de sociopatia ou de comportamento autodestrutivo. Casos sistemáticos de intoxicação, sobretudo envolvendo crianças, podem caracterizar situações infantis de negligência dos familiares e, em adultos, devem servir de alerta para algum transtorno psiquiátrico não diagnosticado ou não adequadamente manejado, como nas situações em que um agente tóxico esteja envolvido em uma única ou em múltiplas tentativas de suicídio pelo mesmo paciente. Além disso, faz parte do trabalho do médico da APS instruir sobre o armazenamento adequado, fora do alcance de crianças, de medicamentos e outras substâncias com potencial tóxico.

A maioria dos atendimentos notificados no mundo é de casos leves e manejáveis, pelo menos no início, em APS. No entanto, se o manejo inicial não puder ser prontamente estabelecido, também não se deve protelar o encaminhamento a um centro de maior complexidade, como um pronto atendimento ou hospital.

> Na dúvida, caberá sempre o contato telefônico com um Ciat, informando se estão presentes ou ausentes sinais e sintomas, uma vez que o atendimento destes é feito a distância, sem as evidências clínicas presentes na cena do acidente e à disposição do contactante, para orientar as medidas específicas para cada agente, dose, tempo, circunstância e dados antropométricos do indivíduo envolvido, e fazer o registro do acidente.

Também deve haver contato com o Serviço de Atendimento Móvel de Urgência (Samu) local (ver QR code abaixo), no caso de necessidade de transferência para serviço de maior complexidade.

Considerando a agilidade necessária para evitar a absorção sistêmica da maioria dos agentes, nota-se a importância do primeiro atendimento por profissionais atentos ao seu papel na minimização dos riscos após a exposição tóxica já ter ocorrido. Um dos limitadores dessa abordagem descentralizada aos eventos tóxicos é justamente a necessidade de capacitação dos profissionais envolvidos no manejo inicial desses eventos, o que vem sendo abordado dentro do Programa Nacional Telessaúde Brasil Redes.[10] Como exemplo, o Centro de Informação Toxicológica (CIT) do Rio Grande do Sul lançou, em 2010, cursos de educação a distância sobre o assunto (ver Leituras Recomendadas).

## MANEJO CLÍNICO DE PACIENTES COM ENVENENAMENTOS AGUDOS

Cabe recordar que mesmo que um paciente não se apresente como agudamente doente, todos os pacientes devem ser avaliados e tratados se estiveram em contato com um agente tóxico, em especial se a intoxicação apresentar um risco de vida potencial. Salienta-se, nesse contexto, que, até o momento, poucas das intervenções disponíveis foram testadas por ensaios clínicos randomizados, sendo que, para a maioria delas, a melhor evidência disponível provém de séries de casos e opinião de especialistas.[11,12]

O manejo clínico de pacientes intoxicados atendidos em ambiente de APS obedece às etapas geralmente empregadas em semiologia e clínica médica, que podem permitir um diagnóstico etiológico.[13] A tentativa de enquadramento em uma síndrome (ver mais adiante) é adjuvante na tentativa de identificação do agente quando este é ignorado ou não informado. Ainda assim, reitera-se a necessidade de uma adequada anamnese com o paciente ou, na sua impossibilidade, uma conversa com familiares, com testemunhas ou com o responsável pelo primeiro atendimento.

O exame físico adequado, de particular importância no caso de agente ignorado com paciente sintomático, mas não colaborativo, pode facilitar ao profissional toxicologista ou ao médico regulador a identificação da complexidade da intervenção, analisando se a medida terapêutica pode ser iniciada ou realizada em um serviço de APS ou se o paciente deve ser encaminhado diretamente para um hospital ou pronto atendimento.

Por ser uma área de atuação essencialmente aplicativa e não restritiva, a toxicologia exige raciocínio clínico, em vez de memorização. Informações como a toxicocinética (vias de contato, absorção, distribuição, biotransformação, excreção), a toxicodinâmica (efeitos tóxicos ou letais) e as rotinas em toxicologia (mecanismos para diminuir a absorção, ações que aumentam a eliminação, antídotos) são essenciais para o manejo adequado dos pacientes. Como já foi comentado, o diagnóstico em toxicologia não é adivinhação e requer amplo conhecimento para a elaboração de hipóteses e diagnósticos diferenciais.[14]

Na anamnese (TABELA 196.1),[15] deve-se:

→ questionar informações subjetivas, sobretudo sintomatologia; objetivas, como agente envolvido, se conhecido; e, cronologia de eventos desde a suposta exposição, buscando definir a qual agente tóxico o paciente foi exposto;
→ se possível, obter recipientes ou embalagens, frascos usados ou íntegros de medicamentos ou produtos químicos à disposição, prescrições médicas do paciente ou de outros moradores no mesmo domicílio, ou eventualmente outras evidências descobertas na cena do evento

**TABELA 196.1** → Os cinco Ws da anamnese em toxicologia

| | |
|---|---|
| Who (identificação) | Informações como nome do paciente, sexo, idade, peso, presença de gestação, comorbidades, ocupação, procedência, entre outros |
| What (agente) | Princípio ativo (se conhecido), apresentação, excipientes, concentração, quantidade, via de administração, clandestinidade do produto, etc. |
| Where (local) | Ocorrência em ambiente urbano ou rural, residência ou trabalho, ambiente externo, entre outros |
| When (quando) | Há quanto tempo* e por quanto tempo[†] se deu a intoxicação? |
| Why (circunstâncias) | A intoxicação foi acidental, ocupacional, tentativa de suicídio, erro de administração e afins?[‡] |

\* Grande influência no manejo do paciente.
[†] Crônica *versus* aguda.
[‡] Forte impacto no prognóstico do caso.
Fonte: Adaptada de Turini.[15]

tóxico, como cartas ou mensagens com ideação suicida, por exemplo, que possam sugerir o agente;
→ lembrar que as informações testemunhais coletadas (anamnese indireta), como tais, podem ser valorizadas mas devem ser utilizadas com cautela (isso também pode ocorrer em alguns casos de tentativa de suicídio, em que o paciente pode tentar induzir a equipe ao erro, informando um agente diverso do ingerido);
→ procurar estabelecer uma correlação das informações obtidas na anamnese com o quadro clínico, a dose informada e o tempo da exposição, pois o agente informado, ainda que envolvido, não necessariamente corresponde ao agente causal ou ao agente mais tóxico ingerido.

No exame físico, é necessário identificar sinais e sintomas que favoreçam o enquadramento em alguma das síndromes tóxicas (TABELA 196.2). O reconhecimento dessas alterações

**TABELA 196.2** → Síndromes tóxicas

| SÍNDROMES | ESTADO NEUROLÓGICO ||||| APRESENTAÇÃO PUPILAR || SINAIS VITAIS |||| OUTRAS MANIFESTAÇÕES | AGENTES ENVOLVIDOS |
|---|---|---|---|---|---|---|---|---|---|---|---|---|---|
| | HIPERALERTA OU AGITADO | ALUCINAÇÕES | CONFUSÃO | DEPRESSÃO DO SISTEMA NERVOSO CENTRAL | COMA | MIDRÍASE | MIOSE | TEMPERATURA | FREQUÊNCIA CARDÍACA | PRESSÃO ARTERIAL | FREQUÊNCIA RESPIRATÓRIA | | |
| Simpaticomimética | • | • | | | | • | | ▲ | ▲ | ▲ | ▲ | Paranoia, diaforese, tremores, hiper-reflexia, convulsões | Cocaína, anfetaminas, efedrina, pseudoefedrina, fenilpropanolamina, teofilina, cafeína |
| Anticolinérgica | • | • | • | | | • | | ▲ | ▲ | ▲ | ▲ | Delírio com fala murmurante, pele e mucosas secas, redução de ruídos intestinais, retenção urinária, mioclonia, coreoatetose, convulsões (raras) | Anti-histamínicos, ADT, ciclobenzaprina, orfenadrina, antiparkinsonianos, antiespasmódicos, fenotiazinas, atropina, escopolamina, alcaloides da beladona |
| Alucinógena | • | •* | | | | •* | | ▲ | ▲ | ▲ | ▲ | Distorção de percepção, despersonalização, sinestesia, nistagmo | Fenciclidina, LSD, mescalina, psilocibina, drogas "desenhadas" (*ecstasy* – MDMA, MDEA) |
| Opioide | | | | • | • | | • | ▼ | ▼ | ▼ | ▼ | Hiporreflexia, edema pulmonar, marcas de drogadição intravenosa | Opioides (heroína, morfina, metadona, oxicodona, hidromorfona), difenoxilato |
| Sedativo-hipnótica | | | • | • | • | | •* | ▼ | ▼ | ▼ | ▼ | Hiporreflexia | Benzodiazepínicos, barbitúricos, carisoprodol, meprobamato, glutetimida, álcool, zolpidém |
| Colinérgica | | | • | | • | | • | | ▼/▲ | ▼/▲ | ▲ | Salivação, incontinência fecal ou urinária, diarreia, êmese, diaforese, lacrimejamento, cólicas gastrintestinais, broncoconstrição, fasciculações musculares, fraqueza, convulsões | Inseticidas organofosforados e carbamatos, nicotina, pilocarpina, fisostigmina, edrofônio, betanecol, urecolina |
| Serotoninérgica | • | • | • | | | | | ▲ | ▲ | ▲ | | Tremor, mioclonia, hiper-reflexia, clono, diaforese, *flushing*, trismo, rigidez, diarreia | Inibidores da monoaminoxidase isolados ou em associação com inibidores seletivos da recaptação da serotonina, meperidina, dextrometorfano, ADT, L-triptofano |
| Antidepressivos tricíclicos (ADT) | • | • | | | | | | ▲ | ▲ | ▲/** | ▼ | Convulsões, mioclonia, coreoatetose, arritmias cardíacas, distúrbios de condução | Amitriptilina, nortriptilina, imipramina, clomipramina, desipramina, doxepina |

Legenda dos símbolos utilizados:
•: a condição ou alteração pode estar habitualmente presente; ▲: aumento do parâmetro considerado; ▼: redução do parâmetro considerado; *: apresentação mais usual; **: hipertensão inicial, seguida de hipotensão.
LSD: dietilamina do ácido lisérgico; MDMA, 3,4-metilenodioximetanfetamina; MDEA, 3,4-metilenodioxi-N-etilanfetamina.
Fonte: Adaptada de Pedroso e colaboradores,[3] Olson,[13] e Pedroso e Silva.[26]

nem sempre permite um diagnóstico diferencial preciso, pois alguns são sobreponíveis em várias síndromes. Por outro lado, mesmo que determinadas intoxicações possam não se apresentar com todos os sinais e sintomas característicos, as alterações identificadas podem ser úteis na construção de uma hipótese diagnóstica.

Intervenções terapêuticas visam diminuir o dano ao organismo determinado pelo agente tóxico, usando medidas para descontaminação (diminuindo a absorção do produto), eliminação do produto e neutralização dos efeitos tóxicos pela utilização de antídotos e antagonistas, ou, ainda, medidas sintomáticas e de suporte.

Em caso de exposição a agentes que possam ser tóxicos ao socorrista, por via cutânea ou inalatória, deve-se lembrar da necessidade de uso de equipamentos de proteção individual apropriados para a circunstância. Se a fonte suspeita ou confirmada for uma atmosfera contaminada, deve-se remover o paciente do ambiente antes do início do atendimento. É importante avaliar se há segurança para ação do socorrista. No caso de solventes ou toxinas voláteis impregnadas no paciente, deve-se promover o arejamento amplo do ambiente de atendimento e mesmo durante a descontaminação, para evitar riscos ocupacionais aos profissionais de saúde encarregados do atendimento.

Embora exames laboratoriais em geral sejam solicitados somente durante atendimento hospitalar ou em pronto-socorro, os Ciats costumam dispor de exames de rastreamento toxicológico ou análises quantitativas para muitos agentes tóxicos que podem subsidiar o raciocínio clínico.

Essas etapas podem ser alteradas conforme a apresentação clínica do caso, em especial nos pacientes com distúrbios que representem risco iminente de vida. Nessas situações, a prioridade é a correção dos distúrbios associados (p. ex., arritmias, convulsões, depressão respiratória, choque). Em casos de parada cardiorrespiratória, deve-se obviamente empregar os algoritmos próprios de suporte vital imediato (ver Capítulo Ressuscitação Cardiopulmonar), que, no caso, podem também incluir administração de antídotos, utilizados de maneira específica ou como teste terapêutico. Somente após a estabilização do quadro deve-se iniciar o manejo específico da intoxicação aguda.

## MEDIDAS GERAIS EM CASOS DE ENVENENAMENTOS AGUDOS

### Descontaminação cutânea

Agentes corrosivos provocam dano cutâneo imediato, e muitos outros agentes são prontamente absorvidos pela pele; portanto, esses produtos devem ser removidos de forma rápida C/D.

A descontaminação cutânea deve ser feita por meio de lavagem copiosa (15-20 minutos) da área afetada com água ou soro fisiológico após a retirada de roupas e outros adereços. Em casos de contaminação de áreas extensas, pode-se colocar o paciente sob uma ducha de água (chuveiro). Deve-se evitar água quente, pois a vasodilatação aumenta a absorção cutânea do agente tóxico. A neutralização química não deve ser realizada, pois a reação tipo exotérmica libera calor, piorando o dano tecidual na área exposta. O socorrista deve proteger-se com luvas de borracha, avental e calçados impermeáveis.

### Descontaminação ocular

A córnea é muito sensível ao contato com agentes químicos, cáusticos, solventes de petróleo e corpos estranhos metálicos.

Em caso de contato com agentes químicos, a conduta é remover lentes de contato, se presentes, e lavar os olhos abundantemente com água ou solução fisiológica durante 15 a 20 minutos C/D.

Nos acidentes cáusticos, a irrigação ocular deve ser prolongada (3 horas) e há indicação do uso de fita reagente para medir o pH da lágrima C/D. Deve-se proceder eversão palpebral completa e dirigir o fluxo no sentido mediolateral do olho. Se necessário, usa-se um colírio anestésico. O paciente deve piscar, com o intuito de manter a hidratação ocular e evitar o ressecamento; em algumas situações, indica-se até o uso de lágrimas artificiais. É importante não realizar neutralização química e encaminhar o paciente ao oftalmologista, sobremaneira em casos de déficit visual, acidente com agentes corrosivos e persistência dos sintomas irritativos após a descontaminação.

### Descontaminação inalatória

Nos casos de contaminação por agentes inalatórios, indica-se a remoção imediata do paciente do local da exposição, avaliação precoce de eventuais manifestações respiratórias (estridor laríngeo, rouquidão, tosse, dispneia) e medição da saturação com oximetria de pulso. Se indicado pela necessidade de medidas de suporte, tratamento sintomático e/ou avaliação da gasometria arterial, deve-se oferecer oxigênio (gás umidificado a 100%) e encaminhar o paciente a um serviço de maior complexidade.

### Remoção de tóxicos ingeridos

A mortalidade por ingestão de tóxicos é inferior a 1%; em vista disso, o desafio para médicos que se deparam com pacientes intoxicados é identificar prontamente aqueles que têm maior risco de desenvolver complicações graves e que podem potencialmente se beneficiar da descontaminação gastrintestinal (esvaziamento gástrico).

### Diluição e demulcentes

A diluição e os demulcentes são bastante utilizados em acidentes leves – quando a quantidade ingerida é substancialmente menor que a dose tóxica do produto –, apesar de não haver estudos clínicos comprobatórios relevantes. Acredita-se que, além da proteção direta sobre a mucosa do trato gastrintestinal, ocorra uma alteração dos gradientes de membrana e, como consequência, uma diminuição da absorção.

Como agentes de diluição, recomenda-se o uso de água ou leite (200-300 mL) em doses fracionadas. Em crianças, sugere-se a metade da quantidade. O diluente é mais eficaz nos primeiros 30 minutos após a ingestão, e o excesso pode resultar em vômitos.

Demulcentes são substâncias emolientes ou suavizantes. As mais utilizadas na prática clínica são leite, água albuminosa (clara de ovos batida com água), solução de gelatina (diluída em metade do volume de água indicado na embalagem) e hidróxido de alumínio.

### Esvaziamento gástrico

O esvaziamento gástrico é a remoção mecânica do conteúdo estomacal, feito, em geral, logo após a ingestão. Pode ser realizado por indução de vômitos ou por lavagem gástrica.[16]

Há poucas evidências de ensaios clínicos avaliando o benefício de métodos de esvaziamento gástrico. A maioria dos estudos consiste em experimentos não controlados – ou, então, em ensaios em voluntários, avaliando-se predominantemente desfechos substitutos, como concentrações séricas das substâncias ingeridas. Parece haver benefício com seu uso durante a primeira hora de ingestão da substância C/D, mas as evidências são insuficientes para recomendar sua utilização de rotina.[17]

### Indução de vômitos

A maioria dos serviços de emergência tem abandonado a indução de vômitos com xarope de ipeca, por tratar-se de procedimento sem comprovação adequada de eficácia.[2] O procedimento teria validade nos primeiros instantes (até 30 minutos) após a ingestão, porém um dos efeitos colaterais mais descritos recentemente são os vômitos persistentes.

As contraindicações absolutas ao método são comprometimento dos reflexos protetores de via aérea, substâncias corrosivas, hidrocarbonetos com potencial aspirativo e pacientes idosos ou debilitados. A dose preconizada é de 15 a 30 mL do xarope de ipeca, com ingestão de 240 mL de água após cerca de 15 minutos (para indivíduos com idade > 12 anos). A utilização de água com sal, o uso de detergentes líquidos ou a estimulação da retrofaringe com espátula também são consideradas intervenções que podem piorar a situação do paciente. O uso de apomorfina na indução de vômitos foi proscrito.

### Lavagem gástrica

A lavagem gástrica não deve ser considerada rotineiramente em casos de intoxicações agudas, uma vez que a evidência disponível sugere que não há benefício clinicamente relevante.[2] Além disso, como se sabe que a eficácia da remoção de conteúdo gástrico diminui com o tempo, a lavagem deve ser considerada apenas se o paciente ingeriu uma quantidade potencialmente tóxica de um produto até 1 hora. Como exceções a essa regra, pode-se considerar o esvaziamento gástrico tardio (entre 2-4 horas) em casos de ingestão de agrotóxicos de alta toxicidade (p. ex., organofosforados e paraquat) e de fármacos que retardam o tempo de esvaziamento gástrico (p. ex., anticolinérgicos, barbitúricos). O procedimento de eleição é a aspiração do conteúdo gástrico. O aspirado gástrico deve ser coletado e refrigerado para fins médico-legais.

A lavagem gástrica é feita com o paciente em decúbito lateral esquerdo. Inicialmente, faz-se a passagem da sonda, orogástrica ou nasogástrica, de maior calibre possível, com orifício distal ou orifícios laterais (sonda 30-40 F para adultos e 16-28 F para crianças). Introduz-se o líquido de lavagem (soro fisiológico ou água) por meio de funil; em crianças menores, pode-se utilizar seringa de grande volume (em adultos, deve-se introduzir 150-200 mL e, em crianças, 50-100 mL de cada vez). Deve-se retirar o líquido por sifonagem e repetir o procedimento até a saída de líquido claro ou sem conteúdo estomacal. O volume mínimo em crianças é de 2 L e, em adultos, de 5 L.

A sonda nasogástrica deve ser utilizada apenas em crianças que oferecem resistência à sonda orogástrica. Em pacientes que ingeriram derivados de petróleo, como solventes de venenos altamente tóxicos (p. ex., organofosforados), e em pacientes comatosos, cabe proceder à lavagem gástrica apenas após intubação orotraqueal prévia, devido ao perigo de aspiração.

As contraindicações para lavagem gástrica são convulsões, agitação psicomotora, coma, arritmias cardíacas, discrasias sanguíneas, ingestão de tabletes ou plantas muito grandes, ingestão de derivados do petróleo e ingestão de cáusticos. Em faixas extremas de idade, deve-se avaliar com cautela a indicação da lavagem gástrica com o intuito de evitar iatrogenias, uma vez que está relatada a ocorrência de pneumonia aspirativa e de perfuração de esôfago com seu uso.[17]

### Carvão ativado

**O carvão ativado, em contato direto com os produtos tóxicos no trato gastrintestinal, acaba por adsorvê-los e, assim, diminui sua absorção. A administração de carvão ativado pode ser considerada eficaz até 1 hora após a ingestão de um produto potencialmente tóxico C/D,[17-19] não havendo dados disponíveis para confirmar ou excluir seu benefício após uma hora de ingestão.**

O uso de múltiplas doses de carvão ativado parece ser superior na promoção de melhora clínica C/D. A literatura diverge sobre o assunto, mas alguns estudos demonstraram melhora em parâmetros clínicos, como redução de tempo de coma ou de ventilação mecânica, redução de internação hospitalar e diminuição até mesmo de mortalidade.[17,20-23] É menos eficaz com agentes cáusticos, metais pesados, alcoóis, hidrocarbonetos alifáticos e produtos de absorção rápida. Cabe salientar que o carvão vegetal apresenta características adsortivas muito inferiores quando comparadas às do carvão ativado.

Em adultos, recomenda-se 1 g/kg de peso corporal (50-100 g) diluído em água ou solução fisiológica isotônica (dose única). Em crianças, utilizam-se 10 a 25 g de carvão diluídos em sucos ou refrigerantes (para melhor aceitação). Deve-se evitar a formação de grumos na preparação com água ou solução fisiológica. A administração pode ser por via oral ou sonda orogástrica ou nasogástrica, levando-se em consideração os aspectos anteriormente citados. O paciente deve estar com o nível de consciência preservado e ser cooperativo para o uso da suspensão por via oral.

Na impossibilidade do uso precoce, o carvão ativado pode, ainda, ser empregado até 36 a 48 horas após a ingestão de substâncias tóxicas, atuando, assim, na diminuição dos níveis séricos de substâncias com ciclo êntero-hepático ou circulação enteroentérica, como o fenobarbital e a teofilina. Dados experimentais indicam a possibilidade de aumento da eliminação de outras substâncias, como carbamazepina, fenilbutazona, dapsona, metotrexato, espironolactona e antidepressivos tricíclicos.

O esquema de uso tardio do carvão ativado é 0,25 a 0,5 g/kg de peso corporal a cada 2 a 4 horas. O tempo de emprego do carvão ativado em doses repetidas é empírico e, em geral, pode ser interrompido após 24 a 48 horas do início do uso. No uso tardio, a eliminação do carvão ativado é feita pelas fezes, e o processo pode ser acelerado pela utilização de catárticos salinos. O uso do carvão é contraindicado quando as vias aéreas não estiverem protegidas, como nos casos de alteração do nível de consciência.

## Catárticos

O uso de catárticos pode reduzir o tempo de trânsito de agentes tóxicos no trato gastrintestinal, diminuindo o efeito constipante de doses múltiplas de carvão ativado. Não há demonstrações, porém, de que reduza a morbimortalidade ou o tempo de internação hospitalar; estudos clínicos limitaram-se a demonstrar modesta redução (geralmente, de 10-20%) na absorção sistêmica de agentes, possuindo, assim, benefício limitado **C/D**.

Suas principais indicações são a remoção de tóxicos adsorvidos pelo carvão ativado (aceleração do trânsito intestinal) e de cápsulas de liberação entérica ou de sal ferroso. Para esses fins, os seguintes agentes podem ser administrados por via oral ou por sonda, de preferência em dose única:[13]

→ **manitol a 20%:** 1 g/kg ou 5 mL/kg de peso corporal;
→ **sulfato de magnésio ou sais de sódio:** 25 a 30 g em adultos ou 250 mg/kg dissolvidos em água (solução final a 25%) em crianças;
→ **hidróxido de magnésio (leite de magnésia [cada mL contém 85 mg]):** administrar 2 a 10 mL em crianças e 20 a 40 mL em adultos.

Existem controvérsias quanto ao benefício da administração de catárticos para eliminação de tóxicos ingeridos, tendo em vista seus potenciais paraefeitos. Repetidas doses podem provocar desidratação e hipernatremia, principalmente em crianças e idosos. Deve-se considerar que, muitas vezes, a ingestão de agentes químicos, por si só, pode provocar diarreia por irritação e aumento do peristaltismo do trato gastrintestinal.

## Encaminhamento

Existem outros métodos, de indicação restrita, para a excreção ou remoção de agentes tóxicos. A irrigação intestinal total tem sido aceita como eficaz na eliminação de alguns agentes tóxicos ingeridos. A técnica é semelhante à usada em videocolonoscopias, com utilização de uma solução de polietilenoglicol por sonda orogástrica ou nasogástrica. Em razão de o produto não ser absorvido pelo trato gastrintestinal, não ocorre desequilíbrio hidreletrolítico no paciente. As principais indicações são intoxicações por ferro, carbonato de lítio e drogas empacotadas.[13]

A remoção cirúrgica apresenta importante papel na remoção de drogas ingeridas (a ingestão é feita por indivíduos chamados popularmente de "mulas" ou *body packers*). A visualização dos pacotes normalmente é possível com a radiografia simples de abdome. Quando acondicionadas em preservativos ou sacos plásticos, há indicação de uma abordagem cirúrgica na ineficácia do esvaziamento gástrico e da lavagem gastrintestinal total. A laparotomia exploradora deve ser indicada preferencialmente por um Ciat.[13]

Outras técnicas utilizadas para aumentar a eliminação de agentes tóxicos são a lavagem alveolobrônquica, a modificação do pH urinário (alcalinização ou acidificação), a depuração renal (diurese iônica, diurese osmótica), a hemodiálise, a hemoperfusão, a hemofiltração, o circuito de recirculação adsorvente molecular, a plasmaférese e a exsanguinotransfusão.

Uma consulta telefônica com o Ciat pode identificar a necessidade de emprego desses tratamentos em centro de referência.

## ENVENENAMENTOS DE MAIOR FREQUÊNCIA OU GRAVIDADE

### Produtos de uso domiciliar

Alguns produtos, quando não armazenados de maneira adequada, são fonte de envenenamentos, principalmente em crianças. Também devem ser lembradas as tentativas de suicídio em adultos e a exposição crônica no trabalho (causando, sobretudo, dermatites).

A **TABELA 196.3** aborda, de forma resumida, os raticidas, solventes e domissanitários de maior interesse toxicológico.

**TABELA 196.3** → Produtos de uso domiciliar potencialmente tóxicos

| GRUPOS/PRODUTOS/USO | MECANISMO DE TOXICIDADE | SINAIS E SINTOMAS | TRATAMENTO |
|---|---|---|---|
| **Arsênico**<br>Raticida de uso clandestino<br>Preservante da madeira em alguns países, inclusive no Brasil | Inibição de reações enzimáticas vitais ao metabolismo celular; indução de estresse oxidativo; efeito carcinogênico em longo prazo | Intoxicação aguda: disfagia, gastrenterite hemorrágica, náuseas e vômitos, dor abdominal, diarreia aquosa, hipotensão, taquicardia, miocardiopatia, edema pulmonar, choque, rabdomiólise, hematúria, anúria, pancitopenia, *rash* maculopapular, letargia, agitação ou *delirium*<br>Dosagem do arsênico na urina: > 0,2 mg/L é considerada suspeita | → Sintomático<br>→ Hidratação<br>→ Monitoração cardíaca<br>→ Lavagem gástrica<br>→ Evitar catárticos<br>→ Uso de quelantes parenterais ou orais conforme a clínica (dimercaprol [ou BAL], DMSA – ver Capítulo Antídotos e Antagonistas em Intoxicações Exógenas)<br>→ Atenção hospitalar em casos graves (coma, choque, arritmias) |

*(continua)*

**TABELA 196.3** → Produtos de uso domiciliar *(Continuação)*

| GRUPOS/PRODUTOS/USO | MECANISMO DE TOXICIDADE | SINAIS E SINTOMAS | TRATAMENTO |
|---|---|---|---|
| **Cumarínicos**<br>Anticoagulantes utilizados como raticidas comerciais<br>Varfarina, supervarfarinas de longa ação (brodifacum e bromadiolona)<br>Apresentações comerciais mais comuns: iscas de coloração rósea e bloco parafinado azul-escuro | Inibição da síntese hepática dos fatores dependentes da vitamina K (II, VII, IX, X), o que pode protelar o início dos sintomas até a degradação dos fatores de coagulação circulantes (48-72 horas) | Fenômenos hemorrágicos: hematúria, petéquias, hematomas, hemoptise, melena; anorexia, náuseas e vômitos, aumento do TP<br>Maior risco em exposições intencionais repetidas e em pacientes desnutridos ou com hepatopatia prévia<br>Se assintomático e não utilizou antídoto profilaticamente, TP normal em 48 horas afasta exposição | → Sangramento significativo pode exigir tratamento do choque com transfusão sanguínea e de plasma fresco congelado<br>→ Carvão ativado pode ser administrado se as condições permitirem<br>→ Lavagem gástrica não indicada em pequenas ingestas, devendo ser evitada em anticoagulados<br>→ Vitamina K$_1$ (Kanakion®; ver Capítulo Antídotos e Antagonistas em Intoxicações Exógenas)<br>→ Se o paciente não apresentar a embalagem comercial do produto ou não souber identificá-la, suspeitar dos raticidas clandestinos<br>→ Controlar TP até 72 horas após a ingestão |
| **Estricnina**<br>Raticida clandestino utilizado também como "bola para matar cães"<br>Eventual adulterante de drogas ilícitas (cocaína, heroína)<br>Derivado da semente da *Nux vomica* | Antagonismo competitivo da glicina, facilitando a excitabilidade neuronal, com contrações musculares tipo convulsão | Hipertonia muscular, rabdomiólise, mioglobinúria e insuficiência renal aguda; contrações musculares tônicas, hiper-reflexia, *risus sardonicus*, cianose e óbito por parada respiratória<br>Envenenamentos graves apresentam níveis séricos > 1,6 mg/L após 4 horas da ingestão | → Tratamento sintomático e de suporte<br>→ Isolamento acústico e luminoso<br>→ Oxigenoterapia e VM, se necessário<br>→ Tratamento da hipertermia, acidose metabólica e rabdomiólise, se houver<br>→ Carvão ativado em dose única, se houver condições apropriadas<br>→ NÃO induzir vômitos<br>→ A lavagem gástrica não é necessária se carvão ativado for administrado prontamente em ingestas pequenas (lavagem somente após controle das convulsões)<br>→ Evitar qualquer estímulo<br>→ Tratamento agressivo para controle de espasmos musculares com benzodiazepínicos ou agentes anestésicos (risco de depressão respiratória)<br>→ Sem antídoto específico |
| **Etilenoglicol**<br>(agente anticongelante e solvente industrial) | Ação direta do agente e complicações pelo acúmulo dos metabólitos resultantes da oxidação do composto | *Ingestão*: náuseas, vômitos, dor abdominal, diarreia, sintomas oftalmológicos e síndrome nefroneural (acidose metabólica, distúrbios eletrolíticos, insuficiência renal, sonolência, ataxia, paresia, acometimento bulbar e respiratório) | → Estabilização (medidas de suporte como hemodiálise e intubação em caso de rebaixamento do sensório)<br>→ Correção da acidose e dos distúrbios eletrolíticos<br>→ Não há indicação de descontaminação com lavagem gástrica ou carvão ativado<br>→ Antídotos (mais efetivos nas primeiras 12 h):<br>  → Etanol: 0,8 g/kg a 10% (parenteral) ou a 20% (VO, diluído em suco) como dose de ataque + 80-150 mg/kg/h como manutenção, dependendo da dose ingerida<br>  → Fomepizol: antídoto mais específico, porém não disponível no Brasil (15 mg/kg como dose de ataque + 4 doses de 10 mg/kg 12/12 h como manutenção) |
| **Hidróxido de sódio**<br>Soda cáustica<br>Utilizado em limpa-fornos, desentupidores, desengordurantes e processos de galvanização | Base forte, com potencial corrosivo (toxicidade grave) | *Ingestão*: dor em queimação, sialorreia, edema, vômitos e lesões inicialmente hiperêmicas que evoluem para placas recobertas por pseudomembranas (cinza); pode resultar em perfuração do trato gastrintestinal, hemorragia e choque<br>*Inalação*: tosse, dispneia e pneumonite<br>*Contato cutâneo*: queimaduras dolorosas<br>*Contato ocular*: conjuntivite, edema e ulcerações de córnea | → Ingestão<br>  → Diluição imediata<br>  → NÃO induzir êmese<br>  → Tratamento de suporte (assistência respiratória, fluidoterapia)<br>  → Tratamento sintomático (protetores de mucosa, antieméticos e analgésicos)<br>  → Observação de sinais de hemorragia digestiva e peritonite<br>  → Avaliação endoscópica e radiológica se necessário (de preferência nas primeiras 12 horas)<br>→ Pele<br>  → Descontaminação cutânea<br>→ Olhos<br>  → Descontaminação ocular<br>  → Avaliação oftalmológica |
| **Hipoclorito de sódio**<br>Alvejantes (produtos de limpeza doméstica, concentração de 3-5%)<br>As soluções clandestinas geralmente são mais tóxicas (possuem concentração superior à das apresentações comerciais)<br>Limpeza industrial: 20%<br>A apresentação em escamas e para limpeza de piscinas pode chegar a concentrações de 70% | Irritante de pele e mucosas; corrosão em olhos, pele ou trato gastrintestinal quando em elevadas concentrações | Ardência, náuseas, vômitos, diarreia, eritema ou edema nos lábios e na orofaringe; dor abdominal, disfagia; lesões cáusticas no esôfago e no estômago, em caso de elevada concentração, até hematêmese e perfuração esofágica; conjuntivite química em contato ocular<br>Alguns pacientes podem permanecer assintomáticos | → Lavagem da cavidade oral, diluir com água ou leite<br>→ Não induzir vômitos, não administrar carvão ativado<br>→ Administração de antiulcerosos (p. ex., omeprazol 20 mg/dia, VO)<br>→ Aspiração com sonda fina e flexível em caso de ingesta de soluções líquidas concentradas<br>→ Se houver disfagia, encaminhar para endoscopia digestiva alta<br>→ Olhos: lavar abundantemente por 15 minutos; se necessário, fazer avaliação oftalmológica |

*(continua)*

**TABELA 196.3** → Produtos de uso domiciliar  *(Continuação)*

| GRUPOS/PRODUTOS/USO | MECANISMO DE TOXICIDADE | SINAIS E SINTOMAS | TRATAMENTO |
|---|---|---|---|
| **Querosene e outros solventes**<br>Hidrocarbonetos derivados do petróleo; podem ser diluentes de outros produtos químicos<br>Elevada viscosidade e pouco efeito sistêmico: óleo para motores<br>Baixa viscosidade sem efeitos sistêmicos: querosene, gasolina<br>Baixa viscosidade, efeitos sistêmicos desconhecidos: terebentina, óleo de pinho<br>Baixa toxicidade com efeitos sistêmicos: cânfora, fenol, hidrocarbonetos aromáticos (com anel benzênico) ou compostos halogenados (cloreto, brometo, fluoreto) | Lesão direta pulmonar na aspiração; intoxicação sistêmica na ingestão, na inalação ou no contato cutâneo; irritante de olhos e pele | *Ingestão*: náuseas e vômitos, bem como depressão do SNC, que pode ser precedida por estimulação; pneumonite química com febre, taquipneia, cianose, taquicardia e edema pulmonar; a inalação produz tosse e dispneia; possível lesão hepática<br>*Aspiração pulmonar*: a pneumonite química depende da viscosidade; raramente ocorre com alta viscosidade; mais comum em hidrocarbonetos com pouca viscosidade<br>Efeitos sistêmicos esperados na ingestão de cânfora, fenóis, alifáticos e aromáticos (coma, convulsões, arritmias cardíacas) | → Contaminação cutânea: lavar abundantemente com água<br>→ Ingestão: não provocar vômitos; promover repouso gástrico e jejum por 4 horas; após, administrar líquidos de forma fracionada e em pequenas quantidades: 5 mL/kg de peso corporal<br>→ Assistência respiratória: oxigênio<br>→ Catárticos salinos<br>→ Controle clínico e radiológico no 2º e no 10º dias após ingestão<br>→ A lavagem gástrica aumenta o risco de aspiração; a lavagem gástrica e/ou o carvão ativado estão indicados na ingestão de hidrocarbonetos com efeitos sistêmicos (ver ao lado), quando solvente de produtos altamente tóxicos (p. ex., pesticidas) e quando houver suspeita de ingestão pelo paciente de quantidades > 2 mL/kg de peso; deve-se proceder à proteção da via aérea |
| **Surfactantes aniônicos**<br>Xampus, sabonetes, cremes dentais, sabões para lava-roupa, detergentes para lava-louça e alguns cosméticos | Ação irritante de mucosas (toxicidade leve a moderada) | *Ingestão*: irritação de orofaringe, náuseas, vômitos, diarreia, dor abdominal<br>*Contato ocular*: irritação conjuntival e hiperemia | → Ingestão<br>  → Diluição com água ou leite<br>  → Não é necessário esvaziamento gástrico<br>  → Medidas sintomáticas<br>→ Olhos<br>  → Descontaminação ocular |
| **Surfactantes catiônicos**<br>Amaciantes de roupas, condicionadores de cabelo, desengraxantes, sabões para lava-louça | Ação irritante de mucosa e corrosiva (toxicidade moderada a grave) | *Ingestão*: irritação de orofaringe, náuseas, vômitos, dor abdominal, diarreia, lesões profundas em mucosas, sialorreia, hematêmese e alterações do SNC<br>*Contato cutâneo*: irritação local, reações alérgicas<br>*Contato ocular*: irritação conjuntival, conjuntivite alérgica | → Ingestão<br>  → Diluição e demulcentes<br>  → Considerar esvaziamento gástrico em grandes ingestas<br>  → Medidas sintomáticas<br>→ Pele<br>  → Descontaminação cutânea<br>→ Olhos<br>  → Descontaminação ocular |

BAL, do inglês *British anti-Lewisite*; DMSA, ácido dimercaptossuccínico; SNC, sistema nervoso central; TP, tempo de protrombina; VM, ventilação mecânica; VO, via oral.

## Medicamentos

Na **TABELA 196.4**, estão listadas as manifestações clínicas observadas em casos de intoxicações, bem como as medidas terapêuticas mais indicadas para os grupos farmacológicos e/ou terapêuticos frequentes no rol de ocorrências.

É cada vez mais frequente, conforme mostra a casuística, a associação de diversos medicamentos (polifarmacointoxicações), em especial nas tentativas de suicídio. Nessas situações, é fundamental avaliar individualmente os efeitos de cada princípio ativo e considerar a possibilidade de interações farmacológicas. Além disso, deve-se ficar atento ao fato de o mesmo agente poder estar presente em diversos fármacos, o que propicia, muitas vezes, a obtenção da dose tóxica ou letal com relativa facilidade.

Além dos acidentes com crianças na faixa etária pré-escolar, cabe destacar a ocorrência de intoxicações agudas por medicamentos, de modo significativo, entre adolescentes que buscam a "experimentação" de algum efeito alucinógeno ou entre adultos que tentam suicídio. Cabe aos profissionais de saúde promover atitudes preventivas visando evitar essas ocorrências, dedicando uma parte da consulta

**TABELA 196.4** → Intoxicações medicamentosas frequentes

| GRUPOS FARMACOLÓGICOS E SUBSTÂNCIAS MAIS COMUNS | SINAIS E SINTOMAS | TRATAMENTO | OBSERVAÇÕES |
|---|---|---|---|
| **Ácido valproico**<br>Depakene®, Depakote® (divalproato de sódio) | Depressão do SNC, agitação psicomotora, alucinações, convulsões, bloqueios cardíacos e tremores | → Descontaminação gástrica<br>→ Tratamento sintomático e de suporte<br>→ Manejo das convulsões com BZDs | |
| **Anfepramonas**<br>Dualid®, Inibex® | Agitação, convulsões, hipertensão, arritmias cardíacas, hipertermia, sudorese, náuseas, midríase e tremores | → Descontaminação gástrica<br>→ Avaliação cardíaca<br>→ Tratamento sintomático e de suporte | Meia-vida prolongada em apresentações de liberação lenta |
| **Anticolinérgicos**<br>Homatropina (Novatropina®), biperideno (Akineton®), diciclomina (Bentyl®), clomipramina (Anafranil®),* amitriptilina (Tryptanol®),* imipramina (Tofranyl®)*<br>Tintura e extratos de beladona | Mucosas secas, midríase, visão borrada, eritema facial, constipação intestinal, retenção urinária, taquicardia, confusão mental, alternância entre excitação e depressão do SNC, alucinações, convulsões e coma | → Esvaziamento gástrico e carvão ativado<br>→ Diazepínicos para tratamento de convulsões<br>→ Tratamento da hipertermia com métodos físicos (compressas frias e bolsas de gelo); antídoto: neostigmina (Prostigmine® – ver Capítulo Antídotos e Antagonistas em Intoxicações Exógenas) | Dose letal mínima de atropina: em crianças, 10 mg e, em adultos, 100 mg<br>Compostos sintéticos: 10-100 mg/kg |

*(continua)*

**TABELA 196.4** → Intoxicações medicamentosas frequentes *(Continuação)*

| GRUPOS FARMACOLÓGICOS E SUBSTÂNCIAS MAIS COMUNS | SINAIS E SINTOMAS | TRATAMENTO | OBSERVAÇÕES |
|---|---|---|---|
| **Antidepressivos inibidores seletivos da recaptação da serotonina (ISRSs)** Fluoxetina, paroxetina | Midríase, sonolência, xerostomia, irritabilidade, náuseas, diarreia, vômitos, taquicardia, alterações do segmento ST e tremores | → Descontaminação gástrica <br> → Avaliação cardíaca <br> → Tratamento sintomático e de suporte | Não há antídoto específico |
| **Antidepressivos tricíclicos (ADTs)** Imipramina, amitriptilina, nortriptilina | Sedação, midríase, pele quente e seca, retenção urinária, abolição de ruídos hidroaéreos, mioclonias e coma; também pode ocorrer hiperatividade muscular, hipertermia e rabdomiólise; a presença de bradicardia e bloqueio atrioventricular são sinais de mau prognóstico; a toxicidade cardiovascular pode apresentar-se com alterações típicas no ECG – complexo QRS > 0,12 segundo e prolongamento de intervalo PR | → Carvão ativado em doses contínuas (25-30 g, a cada 4 ou 6 horas) <br> → A lavagem gástrica tem indicação na ingestão de grande quantidade do medicamento <br> → Em pacientes com intervalo QRS prolongado, hipotensão arterial ou arritmia cardíaca, administrar bicarbonato de sódio (1-2 mEq/kg, IV) e repetir a dose, se necessário <br> → Cuidados hospitalares em caso de maior intoxicação <br> → Contraindicado o uso de neostigmina, fisostigmina ou flumazenil | A ingestão de 10-20 mg/kg é potencialmente fatal; no atendimento em APS, a história de ingestão de ADTs mais ECG com QRS prolongado e manifestações clínicas permitem o diagnóstico |
| **Anti-histamínicos** Bronfeniramina (Dimetapp®), ciproeptadina (Periatin®), dexclorfeniramina (Polaramine®), difenidramina (Benadryl®), dimenidrinato (Dramin®), prometazina (Fenergan®), fexofenadina (Allegra®) | Sonolência, sedação, náuseas e vômitos, tremores, convulsões, secura das mucosas, midríase, retenção urinária, alucinações e hipertermia ou hipotermia; efeitos paradoxais, como insônia e agitação psicomotora; apresentam também efeito aditivo com depressores do SNC | → Esvaziamento gástrico <br> → Medidas de suporte e manutenção <br> → Se ocorrerem efeitos anticolinérgicos graves: neostigmina ou fisostigmina (ver Capítulo Antídotos e Antagonistas em Intoxicações Exógenas) | |
| **Barbitúricos** Fenobarbital (Gardenal®, Luminal®), tiopental (Thiopental®, Thionembutal®) | Vários graus de depressão do SNC, desde sonolência até coma profundo, com abolição de todos os reflexos | → Esvaziamento gástrico <br> → Medidas de suporte e manutenção | Dose letal mínima: 1-6 g <br> Dose hipnótica para crianças de 5-8 mg/kg e para adultos de 100-200 mg <br> Intoxicação grave: > 10 vezes a dose hipnótica |
| **Benzodiazepínicos (BZDs)** Clonazepam (Rivotril®), diazepam (Dienpax®), flurazepam (Dalmadorm®), lorazepam (Lorax®), nitrazepam (Nitrazepol®), midazolam (Dormonid®), alprazolam (Frontal®) | Sonolência, apatia, nistagmo, hipotensão arterial, depressão respiratória; coma por diazepínicos é raro e normalmente está associado à ingestão simultânea de outros depressores do SNC, como barbitúricos, álcool e ADTs | → Esvaziamento gástrico <br> → Medidas de suporte e manutenção, além de carvão ativado | Antídoto: flumazenil (ver Capítulo Antídotos e Antagonistas em Intoxicações Exógenas) <br> Fármacos com alto índice terapêutico (são necessárias grandes ingestões para efeitos significativos) |
| **Butirofenona** Haloperidol (Haldol®), droperidol (Inoval®), pimozida (Orap®) | Sonolência, extrapiramidalismo medicamentoso caracterizado por hipertonia generalizada, tremores perioriais e movimentos distônicos do pescoço e dos membros | → Biperideno (ver Capítulo Antídotos e Antagonistas em Intoxicações Exógenas) <br> → Opção: difenidramina | |
| **Cafeína** | Anorexia, tremores, náuseas, vômitos, taquicardia e confusão | → Descontaminação gástrica <br> → Avaliação cardíaca <br> → Tratamento sintomático e de suporte | Em grandes ingestões, pode-se usar carvão ativado em múltiplas doses |
| **Carbamazepina** Tegretol®, Trileptal® (oxcarbazepina) | Nistagmo, midríase, mioclonias, convulsões, coma e alterações no ECG (prolongamento do QT/PR e aumento do QRS) | → Descontaminação gástrica <br> → Avaliação cardíaca <br> → Tratamento sintomático e de suporte <br> → Manejo das convulsões com BZDs | Pode-se usar carvão ativado em múltiplas doses nas superdosagens |
| **Descongestionantes nasais sistêmicos** Descon®, Naldecon®, Fluviral®, Dimetapp®, Resfenol®, Decongex®, entre outros | SNC: depressão ou estimulação, principalmente em crianças, com efeitos atropínicos (secura da boca, midríase, rubor, hipertermia e íleo paralítico); os simpaticomiméticos podem determinar disfunção respiratória, taquicardia ou hipertensão arterial com bradicardia reflexa | → Esvaziamento gástrico <br> → Carvão ativado <br> → Diazepínicos para convulsões <br> → Cuidados respiratórios <br> → Crise hipertensiva (ver Capítulo Hipertensão Arterial Sistêmica) | Álcool, tranquilizantes e hipnóticos sedativos potencializam a depressão sobre o SNC; inibidores da monoaminoxidase e β-bloqueadores aumentam os efeitos simpaticomiméticos <br> Os efeitos tóxicos ocorrem devido aos simpaticomiméticos, mas podem ser potencializados pelos anti-histamínicos (depressão do SNC), presentes nas formulações |
| **Dipirona** Novalgina® | Náuseas, vômitos, dor abdominal, tonturas, hipotermia e efeitos de hipersensibilidade | → Descontaminação gástrica <br> → Tratamento sintomático e de suporte | Não há antídoto específico |
| **Fenoterol** Berotec® | Hipotensão, taquicardia, arritmias, tremores e agitação | → Descontaminação gástrica <br> → Avaliação cardíaca <br> → Tratamento sintomático e de suporte | Na maioria dos acidentes, há ingestão do fármaco preparado para nebulizações |
| **Lítio (carbonato)** Carbolitium® | Tremores, tontura, disartria, sonolência, visão borrada, convulsões, rigidez de nuca, náuseas, vômitos, diarreia, dor abdominal e alterações no ECG (onda T) | → Descontaminação gástrica <br> → Avaliação cardíaca <br> → Tratamento sintomático e de suporte <br> → Avaliação de litemia e função renal <br> → Diálise, se necessário | Carvão ativado não adsorve lítio; usuários crônicos do fármaco apresentam quadros de intoxicação mais grave (efeito por deposição) |

*(continua)*

**TABELA 196.4** → Intoxicações medicamentosas frequentes  *(Continuação)*

| GRUPOS FARMACOLÓGICOS E SUBSTÂNCIAS MAIS COMUNS | SINAIS E SINTOMAS | TRATAMENTO | OBSERVAÇÕES |
|---|---|---|---|
| **Metoclopramida** Plasil®, Eucil® | Reações extrapiramidais podem ocorrer mesmo com doses terapêuticas em crianças suscetíveis; intoxicações em idosos podem provocar sequela neurológica com persistência de distonias e movimentos involuntários nos lábios (*rabbit syndrome*); torcicolo, protrusão da língua, trismo, bradicinesia e sinal da roda denteada | → A reação de idiossincrasia (extrapiramidalismo) com doses terapêuticas normalmente é autolimitada e pode ser controlada com BZDs <br> → Para casos de sintomas acentuados, utilizar biperideno (ver Capítulo Antídotos e Antagonistas em Intoxicações Exógenas) | |
| **Nafazolina** Sorine®, Sorinan® | Depressão do SNC, hipotermia, bradicardia, náuseas e vômitos | → Descontaminação gástrica <br> → Avaliação cardíaca <br> → Tratamento sintomático e de suporte | Na maioria dos acidentes, há ingestão acidental das soluções nasais <br> As apresentações pediátricas geralmente contêm apenas solução fisiológica |
| **Opiáceos/opioides** Codeína (Codein®, Belacodid®), morfina (Dimorf® – solução oral de 10 mg/mL e cápsulas de 30, 60 e 100 mg), loperamida (Imosec®), meperidina (Demerol®, Dolantina®), dextrometorfano (Dextro Pulmo®, Vick 44E®), difenoxilato (Lomotil®); tintura de ópio (Elixir Paregórico® – morfina anidra) e tramadol (Tramal®) | Tríade clássica: depressão neurológica (coma), pupilas puntiformes e depressão respiratória | → Naloxona (ver Capítulo Antídotos e Antagonistas em Intoxicações Exógenas) | |
| **Paracetamol** Paracetamol e fenacetina, utilizados como analgésicos e antitérmicos Tylenol®, Dórico® | A superdosagem pode provocar dano hepático, náuseas e vômitos; alterações de enzimas hepáticas em 24-48 horas; pode ocorrer insuficiência renal aguda; a presença de acidose metabólica, encefalopatia e alteração do tempo de protrombina indicam mau prognóstico | → Carvão ativado <br> → A lavagem gástrica somente é eficaz até 1 hora após a ingestão <br> → Se houver ingestão de dose potencialmente hepatotóxica, deve-se iniciar com *N*-acetilcisteína (ver Capítulo Antídotos e Antagonistas em Intoxicações Exógenas) | A ingestão de 140 mg/kg em crianças ou de 6-7 g em adultos pode ser potencialmente hepatotóxica <br> Exames de laboratório: concentrações plasmáticas de paracetamol de 200 μg/mL após 4 horas e de 100 μg/mL após 8 e 12 horas, respectivamente, são compatíveis com provável dano hepático |

*ADTs estão listados aqui por apresentarem, dentro de seu quadro tóxico, um componente importante ligado às manifestações anticolinérgicas.
APS, atenção primária à saúde; BZDs, benzodiazepínicos; ECG, eletrocardiograma; IV, intravenoso; SNC, sistema nervoso central.

ou do atendimento para educar os pacientes e as famílias em relação aos riscos da utilização inadequada e sem prescrição médica dos produtos farmacêuticos.

Por outro lado, existem vários medicamentos e outros agentes comumente ingeridos de risco toxicológico irrisório **(TABELA 196.5)**. Nesses casos, a conduta é assegurar ao paciente e aos familiares que o baixo risco de complicações torna desnecessárias as intervenções médicas.

## Drogas de abuso

Para intoxicações agudas relacionadas com o consumo de álcool e drogas ilícitas, ver Capítulos Problemas Relacionados ao Consumo de Álcool e Drogas: Uso, Uso Nocivo e Dependência.

## Outros venenos específicos

### Plantas tóxicas

Geralmente, as propriedades terapêuticas de plantas em geral são observadas quando ingeridas na forma de chás

**TABELA 196.5** → Agentes de baixa toxicidade frequentemente ingeridos

- → Cristais de sílica (utilizados como adsorvente de umidade)
- → Anticoncepcionais orais (podem causar sangramento de privação em pacientes do sexo feminino)
- → Fitoterápicos (na sua maioria, causam apenas manifestações gastrintestinais)
- → Antibióticos (na sua maioria, causam apenas manifestações gastrintestinais)
- → Materiais escolares atóxicos (cola, tinta de caneta, massa de modelar, etc.)

(mediante infusão ou decoto) ou no uso tópico em curativos ou emplastros de extratos, partes maceradas ou mesmo íntegras da planta. Da mesma forma, acidentes tóxicos podem ocorrer mediante ingestão direta de partes de plantas tóxicas, de suas infusões ou de contato. Do ponto de vista epidemiológico, a maior incidência de acidentes com plantas tóxicas ocorre em crianças com idade < 5 anos. Também existe a utilização de plantas com fins sabidamente ilegais, como alucinógenos (p. ex., *Atropa belladonna*), ou abortivos.

Dentro da nova tendência mundial de utilização de produtos naturais, é importante saber que, algumas vezes, eles podem conter princípios ativos tóxicos. Como exemplo disso, pode-se citar o chá de kava-kava (*Piper methysticum*), que induziu cirrose hepática em usuários crônicos na Inglaterra.

As plantas tóxicas de maior importância em nosso meio são abordadas na **TABELA 196.6**.

### Pesticidas

Desde 2008, o Brasil ocupa o lugar de maior consumidor do mundo de agrotóxicos; eles podem provocar graves e diversificados danos à saúde.[24] Os produtos de maior toxicidade e mortalidade são os inseticidas organofosforados e carbamatos, além dos herbicidas bipiridílicos (paraquat).

A **TABELA 196.7** mostra os princípios ativos, os sinais e sintomas e o tratamento para os pesticidas de maior interesse, incluindo piretroides e glifosato.

## TABELA 196.6 → Plantas tóxicas

| PLANTA TÓXICA/NOME CIENTÍFICO/CARACTERÍSTICAS | SINAIS E SINTOMAS | TRATAMENTO |
|---|---|---|
| **Comigo-ninguém-pode**<br>*Dieffenbachia picta*<br>Planta cultivada em vasos; apresenta caule espesso e folhas grandes, verde-escuras, com manchas geralmente esbranquiçadas | A ingestão de qualquer parte da planta ou o simples ato de mastigá-la são seguidos de intensas manifestações irritativas, como edema de lábios, língua e palato com dor em queimação, cólicas abdominais, náuseas e vômitos<br>Pode ocorrer edema de glote<br>O contato com os olhos provoca irritação de mucosa ocular | → Administração de demulcentes<br>→ A indução de vômitos é contraindicada<br>→ Nos casos de edema volumoso e cólicas, administrar corticoides e antiespasmódicos, por via oral<br>→ Contato ocular: lavagem abundante com água; procurar oftalmologista |
| **Saia-branca, trombeteira, erva-dos-mágicos e dama-da-noite**<br>*Datura spp.*<br>Apresentam-se como ervas, arbustos ou árvores; folhas solitárias soltas, flores e cálice longo e tubuloso; o fruto é uma cápsula espinhosa ou lisa com inúmeras sementes; uso difundido como alucinógeno | Náuseas, vômitos e, logo a seguir, sintomatologia anticolinérgica: pele quente e seca, rubor facial, midríase, disúria, retenção urinária e distúrbios do comportamento, que incluem agitação psicomotora e alucinações visuais<br>Nos casos mais graves, a morte é precedida por depressão neurológica e distúrbios cardiovasculares | → Encaminhamento para esvaziamento gástrico por lavagem com sonda de calibre suficiente para passagem dos restos de vegetal<br>→ Antídoto: neostigmina (ver Capítulo Antídotos e Antagonistas em Intoxicações Exógenas) se houver síndrome anticolinérgica grave<br>→ Combater a hipertermia com medidas físicas (bolsas de gelo, compressas úmidas)<br>→ Benzodiazepínicos podem ser usados na agitação psicomotora intensa |
| **Cinamomo**<br>*Melia azedarach*<br>Árvore de folhas pequenas e flores de coloração lilás; fruto ovoide que, quando maduro, apresenta-se de cor amarela | Náuseas, vômitos, cólicas e diarreia intensa, podendo evoluir para graves distúrbios hidreletrolíticos; a seguir, observa-se confusão mental, ataxia, torpor, convulsões e coma | → Esvaziamento gástrico<br>→ Demulcentes e antiespasmódicos<br>→ Hidratação adequada<br>→ Controle de convulsões com benzodiazepínicos |
| **Mandioca-brava**<br>Espécies de *Manihot*<br>Arbusto que pode atingir até 2 m de altura; raízes com massa branca e oblonga, utilizadas como alimento e responsáveis pelas intoxicações | Náuseas, vômitos, cólicas e diarreia; distúrbios neurológicos, incluindo torpor e coma, convulsões tônicas com opistótono, contratura dos masseteres e midríase<br>Os distúrbios respiratórios iniciam com dispneia e acúmulo de secreções, sendo seguidos por uma fase de asfixia com bradipneia, apneia, cianose e perturbação cardiocirculatória, com alterações de ritmo cardíaco, hipotensão arterial e óbito | → A conduta é similar à do envenenamento por cianeto<br>→ Antídoto específico: hidroxocobalamina (ver Capítulo Antídotos e Antagonistas em Intoxicações Exógenas)<br>→ O esvaziamento gástrico está indicado somente após a melhora das condições clínicas do paciente<br>→ A administração de oxigênio pode ser útil, mas sempre associada aos itens anteriores do tratamento |
| **Pinhão de purga, pinhão paraguaio**<br>Espécies de *Jatropha*<br>Arbusto com folhas lobadas; flores esverdeadas; fruto verde semelhante a uma ameixa, contendo sementes oleaginosas de ação purgativa | Náuseas, vômitos, dor abdominal tipo cólica e diarreia intensa<br>O quadro neurológico e a insuficiência renal aguda podem ser decorrentes dos graves distúrbios hidreletrolíticos | → Na ingestão de sementes, os vômitos normalmente contribuem para o esvaziamento gástrico<br>→ Se vômitos não estiverem presentes, fazer lavagem gástrica<br>→ Tratamento sintomático: antiespasmódicos e antieméticos<br>→ A correção dos distúrbios hidreletrolíticos deve ser precoce para evitar complicações cardiovasculares, neurológicas e renais |
| **Mamona**<br>*Ricinus communis*<br>Ocorre em terrenos baldios; arbustos atingem até 2 m de altura; folha palmiforme, de cor verde ou vermelho-escura; o fruto é uma noz redonda, geralmente espinhosa, com três lojas, cada uma contendo uma semente | Logo após a ingestão, náuseas e vômitos; diarreia, a princípio aquosa e após sanguinolenta, podendo levar a hipotensão arterial e choque, manifestações alérgicas; sintomas neurológicos como prostração, sonolência e convulsões<br>A oligúria ou anúria nas primeiras horas é sinal de mau prognóstico<br>Às vezes, a sintomatologia pode surgir tardiamente | → Lavagem gástrica com sonda de calibre suficiente para permitir a passagem de fragmentos do vegetal<br>→ Hidratação parenteral, antiespasmódicos, antieméticos e alcalinização da urina com bicarbonato de sódio para prevenir a precipitação da hemoglobina nos túbulos renais |

## TABELA 196.7 → Pesticidas

| CLASSE/ALGUNS PRINCÍPIOS ATIVOS/MECANISMO DE AÇÃO | SINAIS E SINTOMAS | TRATAMENTO |
|---|---|---|
| **Bipiridílicos**<br>Vias de absorção: cutânea, respiratória, digestiva (mais importante sob o ponto de vista toxicológico)<br>Paraquat (Gramoxone®), especificamente, tem alta toxicidade e letalidade por ingestão | Náuseas, vômitos, diarreia e irritação da orofaringe que evolui para ulcerações são as consequências imediatas da ingestão do produto<br>Altas doses podem comprometer o SNC, causando tremores, convulsões e alucinações<br>1-3 dias após ingestão: necrose hepática e insuficiência renal<br>Sinais e sintomas de insuficiência respiratória aparecem gradativamente após o envenenamento e decorrem de fibrose pulmonar (5-7 dias da ingestão), que normalmente é a causa determinante de óbito nesses casos | → Casos de ingestão: lavagem gástrica com terra de Füller, se disponível, ou carvão ativado<br>→ Laxativos salinos<br>→ Tratamento hospitalar intensivo incluindo hemoperfusão contínua com filtro de carvão, que é uma medida eficaz desde que instalada precocemente<br>→ Antioxidantes (vitamina C, vitamina E) e N-acetilcisteína têm sido utilizados, porém sem evidência científica clara<br>→ Contato ocular: lavagem copiosa com água ou soro fisiológico; avaliação oftalmológica |
| **Carbamatos**<br>Vias de absorção: cutânea, respiratória e digestiva<br>Carbaril, dioxacarb, propoxur e sevimol (Sevin®)<br>Inibidores reversíveis da colinesterase<br>Deve-se lembrar do raticida clandestino conhecido como "chumbinho" (bolinhas de coloração acinzentada) | Semelhante à intoxicação por organofosforados, porém de menor intensidade e duração | → Idêntico ao dos organofosforados<br>→ Contraindicado o uso de pralidoxima (Contrathion®) |

*(continua)*

**TABELA 196.7** → Pesticidas  *(Continuação)*

| CLASSE/ALGUNS PRINCÍPIOS ATIVOS/MECANISMO DE AÇÃO | SINAIS E SINTOMAS | TRATAMENTO |
|---|---|---|
| **Glifosatos (fosfonato)**<br>Via de absorção de interesse tóxico: oral (Roundup®, Glifonox®, Glion®)<br>Trata-se de herbicidas, não de inibidores da colinesterase<br>Baixa toxicidade, porém existem outros componentes na formulação, como a polioxietilenoamina, um surfactante catiônico que pode ser responsável pela gravidade das intoxicações | Irritação cutânea ou ocular<br>A ingestão de doses elevadas pode ocasionar hemorragia digestiva, edema pulmonar, hipotensão arterial e oligúria<br>Na exposição ocupacional, pode ocorrer dermatite aguda | → O carvão ativado é pouco eficaz<br>→ Esvaziamento gástrico até 2 horas após a ingestão<br>→ No contato dérmico, descontaminação com água e sabão neutro<br>→ No contato ocular, descontaminação com soro fisiológico e avaliação específica oftalmológica, em caso de olho vermelho |
| **Organoclorados**<br>Vias de absorção: cutânea, respiratória e digestiva<br>Aldrina, hexaclorobenzeno (BHC), diclorodifeniltricloroetano (DDT), dieldrina<br>Agem principalmente sobre o SNC<br>O uso agrícola foi banido; no momento, os organoclorados são usados no Brasil apenas como formicidas e em campanhas de saúde, por se tratarem de poluentes orgânicos persistentes nos animais e no meio ambiente | Náuseas, vômitos, sonolência, ansiedade, parestesias na face, tremores, ataxia, convulsões alternadas por períodos de coma<br>Devido à sensibilização do miocárdio a catecolaminas endógenas, pode haver arritmias<br>A morte geralmente ocorre por insuficiência respiratória | → Contraindicado o uso de simpaticomiméticos<br>→ Encaminhamento para lavagem gástrica com atenção para solventes dos inseticidas, que são frequentemente derivados de petróleo e podem produzir intoxicação<br>→ Administração de catárticos salinos (não usar leite ou purgantes oleosos) e instituição de cuidados respiratórios<br>→ Em casos de contato com a pele, lavagem com água e sabão<br>→ Tratamento das crises convulsivas com diazepínicos, barbitúricos ou hidantoinatos |
| **Organofosforados**<br>Vias de absorção: cutânea, respiratória e digestiva<br>Parathion®, Demecron®, Diazinon®, monocrotofós, formotion, triazofós, diclorvós, triclorfon e clorpirifós<br>Inibidores irreversíveis da colinesterase | Efeitos colinérgicos incluem aumento generalizado de secreções (brônquica, salivar e lacrimal); miose; dor abdominal, diarreia; dispneia<br>Efeitos nicotínicos incluem tremores e fasciculações musculares<br>A taquicardia e a hipertensão arterial, quando presentes, devem-se ao efeito nicotínico<br>Efeitos no SNC: ansiedade, agitação psicomotora, convulsões e coma<br>Efeitos no sistema nervoso periférico (síndrome intermédia): podem ocorrer alguns dias após a intoxicação aguda com produtos muito lipofílicos, caracterizando-se por fraqueza muscular intensa ou paralisia da musculatura respiratória<br>Neurotoxicidade tardia induzida por organofosforados pode ocorrer, normalmente, 1-3 semanas após a ingestão de compostos como o clorpirifós; pode produzir parestesias dolorosas e transitórias tipo "meia" e "luva" nas extremidades, seguidas de um quadro de polineuropatia motora simétrica (fraqueza flácida das extremidades inferiores, podendo ascender às superiores); o risco é dependente do agente e independente da intensidade do quadro colinérgico inicial, porque não envolve bloqueio da acetilcolinesterase | → Assistência hospitalar precoce nos casos de insuficiência ventilatória<br>→ Há elevada tolerância à atropina, o que exige doses maciças desses fármacos<br>→ Antídoto específico: pralidoxima (frasco-ampola de 200 mg), que deve ser administrado sob atropinização máxima<br>→ Descontaminação corporal com água e sabão<br>→ Proteger-se com luvas de borracha<br>→ Lavagem gástrica cuidadosa (risco de pneumonite química) quando o diluente do inseticida se tratar de solvente derivado do petróleo<br>→ Carvão ativado<br>→ Dieta hipogordurosa (inseticidas são lipossolúveis)<br>→ Não administrar aminofilina ou morfina: risco de arritmia cardíaca grave |
| **Piretroides**<br>Vias de absorção: cutânea, respiratória e digestiva<br>Deltametrina, aletrina, resmetrina, etc.<br>Os piretroides são alergênicos e apresentam baixa toxicidade aguda | Dermatite, rinite, conjuntivite e broncospasmo decorrentes da ação alergênica dos piretroides<br>Distúrbios digestivos e neurológicos quando ingeridos em altas doses | → Afastamento da exposição<br>→ Esvaziamento gástrico em caso de ingestão de altas doses<br>→ Anti-histamínicos<br>→ Benzodiazepínicos se houver convulsões<br>→ No contato ocular, fazer descontaminação com soro fisiológico |
| **Sulfluramida**<br>Agente formicida de baixa toxicidade | Alterações gastrintestinais (náuseas, vômitos, diarreia e dor abdominal) | → Descontaminação gástrica em superdosagens<br>→ Tratamento sintomático |

SNC, sistema nervoso central.

## Tóxicos inalados

A inalação de gases é mais comum em ambientes de trabalho, como indústrias, armazéns de cereais e outros, nos quais podem ocorrer incêndios e onde a inalação é facilitada por fatores como galerias subterrâneas, poços e sistemas de refrigeração.

A amônia e o cloro são gases rapidamente absorvidos e produzem irritação de mucosas, olhos, narinas e traqueia. O fosfogênio e a fosfina são irritantes alveolares e venenos sistêmicos; nos casos graves, pode ocorrer evolução para edema agudo de pulmão.

O gás sulfídrico é mais denso que o ar e tem cheiro de ovo podre; é encontrado em fossas, esgotos, minas abandonadas e poços profundos. Nos casos de exposição intensa, há perda da consciência, convulsões e morte por insuficiência ventilatória.

O monóxido de carbono é um gás asfixiante que resulta da queima de material orgânico ou do uso de aquecedores de ambiente do tipo braseiro ou de aquecedores a gás ou querosene, bem como da fumaça de descarga de automóveis não dotados de catalisadores. O gás de cozinha não contém monóxido de carbono (CO), mas sua queima em ambiente fechado gera níveis ambientais de CO perigosos. Exposições leves determinam tonturas, cefaleia intensa, astenia e rubor facial. Exposições intensas levam à inconsciência e a convulsões que precedem o óbito.

O gás cianídrico ou cianeto é liberado pela queima de plásticos (é importante lembrar que gases tipo fluoralcanos também são liberados na queima de plásticos e são arritmogênicos). Em sínteses químicas e galvanoplastia, a intoxicação cianídrica pode levar à síndrome da angústia respiratória, à hipotensão arterial, ao choque, ao coma e à morte.

O diagnóstico baseia-se na história de exposição e no quadro clínico específico – disfunção respiratória associada a sinais de irritação precoce do trato respiratório. A radiografia de campos pulmonares pode apresentar sinais de pneumonite química ou de edema pulmonar.

Nesses casos, as seguintes condutas são adequadas:
- remover o paciente do local contaminado;
- tratar o broncospasmo com nebulização e broncodilatadores;
- para monóxido de carbono, administrar oxigênio a 100% (a meia-vida da carboxiemoglobina é de 6 horas)[25] e nos casos graves considerar encaminhamento para utilização de oxigênio hiperbárico (cerca de 2-3 atmosferas reduzem a meia-vida de eliminação da carboxiemoglobina para 20-30 minutos);
- em vítimas que inalaram fumaça de incêndios, deve-se considerar exposição a agentes múltiplos (monóxido de carbono, cianetos, fluoralcanos) e avaliar a possibilidade de queimaduras em via aérea (ver Capítulo Queimaduras);
- em caso de intoxicação por cianetos ou gás cianídrico, ver Capítulo Antídotos e Antagonistas em Intoxicações Exógenas.

# REFERÊNCIAS

1. Fundação Oswaldo Cruz. Tabela 2. Casos, Óbitos e Letalidade de Intoxicação Humana por região e centro [Internet]. 2017 [capturado em 13 mar. 2021]. Disponível em: https://sinitox.icict.fiocruz.br/sites/sinitox.icict.fiocruz.br/files/Brasil2_1.pdf
2. Watson WA, Litovitz TL, Belson MG, Wolkin ABF, Patel M, Schier JG, et al. The Toxic Exposure Surveillance System (TESS): risk assessment and real-time toxicovigilance across United States poison centers. Toxicol Appl Pharmacol. 2005;207(2 Suppl):604–10.
3. Pedroso JR, Veronese FV, Silva CM. Intoxicações exógenas. In: Nasi LA, organizador. Rotinas em pronto-socorro. 2. ed. Porto Alegre: Artmed; 2004.
4. Brasil. Ministério da Saúde. Portaria nº 1.378, de 9 de julho de 2013. Regulamenta as responsabilidades e define diretrizes para execução e financiamento das ações de Vigilância em Saúde pela União, Estados, Distrito Federal e Municípios, relativos ao Sistema Nacional de Vigilância em Saúde e Sistema Nacional de Vigilância Sanitária. [Internet]. Brasília: MS; 2009 [capturado em 13 mar. 2021]. Disponível em: http://bvsms.saude.gov.br/bvs/saudelegis/gm/2013/prt1378_09_07_2013.html
5. Brasil. Ministério da Saúde. Portaria nº 1.399, de 15 de dezembro de 1999. Regulamenta a NOB SUS 01/96 no que se refere às competências da União, estados, municípios e Distrito Federal, na área de epidemiologia e controle de doenças, define a sistemática de financiamento e dá outras providências. [Internet]. Brasília: MS; 2013 [capturado em 13 mar. 2021]. Disponível em: http://www.funasa.gov.br/site/wp-content/files_mf/Pm_1399_1999.pdf
6. Brasil. Ministério da Saúde. Portaria nº 95, de 26, de janeiro de 2001 [Internet]. Aprova a Norma Operacional da Assistência à Saúde – NOAS-SUS 01/2001 que amplia as responsabilidades dos municípios na Atenção Básica; define o processo de regionalização da assistência; cria mecanismos para o fortalecimento da capacidade de gestão do Sistema Único de Saúde e procede à atualização dos critérios de habilitação de estados e municípios. Brasília: MS; 2001 [capturado em 13 abr. 2020]. Disponível em: https://bvsms.saude.gov.br/bvs/saudelegis/gm/2001/prt0095_26_01_2001.html
7. Brasil. Ministério da Saúde. Instrução normativa nº 2, de 22 de novembro de 2005. [Internet]. Regulamenta as atividades da vigilância epidemiológica com relação a coleta, fluxo e a periodicidade de envio de dados da notificação compulsória de doenças por meio do Sistema de Informação de Agravos de Notificação – Sinan. Diário Oficial da União. 2005;223(Seção 1): 46.
8. Brasil. Ministério da Saúde. Intoxicação Exógena – Notificações Registradas SINAN NET – Brasil. Notificações Segundo evolução. Período de 2017 [Internet]. Brasília: DATASUS; 2020 [capturado em 13 abr. 2020]. Disponível em: http://tabnet.datasus.gov.br/cgi/tabcgi.exe?sinannet/cnv/Intoxbr.def.
9. Bochner R, Freire MM, Bochner R, Freire MM. Análise dos óbitos decorrentes de intoxicação ocorridos no Brasil de 2010 a 2015 com base no Sistema de Informação sobre Mortalidade (SIM). Ciênc Amp Saúde Coletiva. 2020;25(2):761–72.
10. Brasil. Ministério da Saúde. Portaria nº 35, de 4 de janeiro de 2007 [Internet]. Institui, no âmbito do Ministério da Saúde, o Programa Nacional de Telessaúde. Brasília: MS; 2007 [capturado em 13 abr. 2020]. Disponível em: https://atencaobasica.saude.rs.gov.br/upload/arquivos/201510/01114726-20141104150856br-portaria-35-2007.pdf
11. Mokhlesi B, Leikin JB, Murray P, Corbridge TC. Adult toxicology in critical care: part II: specific poisonings. Chest. 2003;123(3):897–922.
12. Nelson LS, Hoffman RS, Howland MA, Lewin NA, Smith SW, Goldfrank LR. Goldfrank's toxicologic emergencies. 11. ed. New York: McGraw-Hill Education; 2019. 2096 p.
13. Olson KR, Anderson IB, Benowitz NL, Blanc PD, Clark RF, Kearney TE, et al. Poisoning and drug overdose. 7. ed. New York: McGraw-Hill Education; 2017. 960 p.
14. Fuchs F danni, Wannmacher L. Farmacologia clínica e terapêutica. 5. ed. Rio de Janeiro: Guanabara Koogan; 2017.
15. Turini CA. Curso de Toxicologia – Módulo IV: Atendimento inicial ao paciente intoxicado. Brasília: ANVISA, RENACIAT, OPAS, NUTES-UFRJ, ABRACIT; 2020.
16. Pond SM, Lewis-Driver DJ, Williams GM, Green AC, Stevenson NW. Gastric emptying in acute overdose: a prospective randomised controlled trial. Med J Aust. 1995;163(7):345–9.
17. Albertson TE, Owen KP, Sutter ME, Chan AL. Gastrointestinal decontamination in the acutely poisoned patient. Int J Emerg Med. 2011;4:65.
18. Cooper GM, Le Couteur DG, Richardson D, Buckley NA. A randomized clinical trial of activated charcoal for the routine management of oral drug overdose. QJM Mon J Assoc Physicians. 2005;98(9):655–60.
19. Merigian KS, Blaho KE. Single-dose oral activated charcoal in the treatment of the self-poisoned patient: a prospective, randomized, controlled trial. Am J Ther. 2002;9(4):301–8.
20. Pond SM, Olson KR, Osterloh JD, Tong TG. Randomized study of the treatment of phenobarbital overdose with repeated doses of activated charcoal. JAMA. 1984;251(23):3104–8.
21. Brahmi N, Kouraichi N, Thabet H, Amamou M. Influence of activated charcoal on the pharmacokinetics and the clinical features of carbamazepine poisoning. Am J Emerg Med. 2006;24(4):440–3.
22. de Silva HA, Fonseka MMD, Pathmeswaran A, Alahakone DGS, Ratnatilake GA, Gunatilake SB, et al. Multiple-dose activated charcoal for treatment of yellow oleander poisoning: a single-blind, randomised, placebo-controlled trial. Lancet. 2003;361(9373):1935–8.
23. Eddleston M, Juszczak E, Buckley NA, Senarathna L, Mohamed F, Dissanayake W, et al. Multiple-dose activated charcoal in acute self-poisoning: a randomised controlled trial. Lancet. 2008;371(9612):579–87.
24. Associação Brasileira de Saúde Coletiva. Dossiê Abrasco – Os impactos dos agrotóxicos na saúde [Internet]. Rio de Janeiro:

ABRASCO; 2015[capturado em 13 abr. 2020]. Disponível em: https://abrasco.org.br/dossieagrotoxicos/.

25. Pedroso JAR, Silva CAM da. O nefrologista como consultor ante a intoxicação aguda: epidemiologia das intoxicações graves no Rio Grande do Sul e métodos de aumento da depuração renal. J Bras Nefrol. 2010;32(4):342–51.

## LEITURAS RECOMENDADAS

Buckingham R, editor. Martindale: the complete drug reference. 40th. ed. London: Pharmaceutical; 2020.
*Obra de referência, com relato abrangente dos paraefeitos de fármacos.*

Brunton LL, Hilal-Dandan R, Knollmann BC. As bases farmacológicas da terapêutica de Goodman e Gilman. 13. ed. Porto Alegre: AMGH; 2019.
*Livro-texto que resume os princípios pelos quais as substâncias químicas causam efeitos tóxicos e também os princípios gerais da terapêutica dos envenenamentos.*

Centro de Informação Toxicológica do Rio Grande do Sul. Disponível em: www.cit.rs.gov.br
*Portal com amplas informações, fotografias e outras materiais educacionais, e também número 0800 para ajudar na resolução de casos de intoxicação.*

Evidence-Based Toxicology Collaboration (EBTC). Disponível em: http://ebtox.com/.
*Plataforma desenvolvida pela Escola de Saúde da John Hopkins (EUA) que traz abordagens baseadas em evidências para a tomada de decisões nos casos de envenenamentos agudos, visando reduzir o impacto de tais acidentes na saúde pública e no meio ambiente.*

Flanagan RJ, Taylor A, Watson ID, Whelpton R. Fundamentals of analytical toxicology. Chichester: Wiley-Interscience; 2008.
*Fornece conceitos fundamentais sobre o tema e informações práticas de análises clínicas.*

Hoffmann S, Hartung, T. Diagnosis: toxic! Trying to apply approaches of clinical diagnostics and prevalence in toxicological considerations. Toxicol Sci. 2005;85:422-8.
*Estudo que faz referência à importância de obter abordagens diagnósticas e terapêuticas em toxicologia baseada em evidências científicas.*

Larini L. Toxicologia dos praguicidas. São Paulo: Manole; 2013.
*Livro que apresenta uma classificação dos principais compostos químicos utilizados como agrotóxicos e aborda de forma didática mecanismo de ação, sinais/sintomas e tratamento específico.*

Oga S, Camargo MA, Batistuzzo J. Fundamentos de toxicologia. 4. ed. São Paulo: Atheneu; 2014.
*Referência consagrada na área de toxicologia, com temais atuais como ecotoxicologia, dentre outros.*

Rio Grande do Sul. Secretaria da Saúde. Fundação Estadual de Produção e Pesquisa em Saúde. Centro de Informação Toxicológica. Manual de identificação e tratamento de intoxicações por plantas. Porto Alegre: CIT/RS; 2002.
*Pequeno manual que aborda de maneira simples e fácil as principais plantas tóxicas do sul do Brasil com seus nomes populares e com ilustração colorida para facilitar a identificação.*

Schonwald S. Medical toxicology: a synopsis and study guide. Philadelphia: Lippincott Williams & Wilkins; 2001.
*Apresenta uma sinopse da toxicologia de drogas, produtos químicos e plantas tóxicas, com abordagem de aspectos controversos.*

Silva CAM, Pedroso JAR. Intoxicações agudas. In: Ferreira JP, organizador. Pediatria: diagnóstico e tratamento. Porto Alegre: Artmed; 2005. p. 233-50.
*Emergências toxicológicas, em obra voltada aos atendimentos pediátricos.*

# Capítulo 197
## RESSUSCITAÇÃO CARDIOPULMONAR

Ari Timerman
Andre Feldman
William Jones Dartora

Em 2020, as manobras de ressuscitação cardiopulmonar (RCP) completam 60 anos de existência. A observação sistemática mostra que indivíduos submetidos às manobras de ressuscitação apresentam melhor prognóstico do que aqueles não submetidos, cuja mortalidade é de cerca de 100%.

O campo da ressuscitação desenvolve-se há mais de 2 séculos. A Academia de Ciência de Paris iniciou a recomendação da ventilação boca a boca para vítimas de afogamento em 1740.[1] Em 1891, Dr. Friedrich Maass ministrou a primeira manobra de compressão torácica em humanos.[2] A American Heart Association (AHA) endossou formalmente as manobras de RCP em 1963 e, em 1966, foram adotadas as diretrizes de RCP para socorristas leigos.[3] O Suporte Avançado de Vida em Cardiologia (ACLS, do inglês *Advanced Cardiovascular Life Support*), publicado sob a forma de diretrizes, evoluiu de forma significativa nas últimas décadas, com base em evidências científicas de graus de recomendação variados e do consenso de especialistas na área. A AHA e o Conselho Europeu de Ressuscitação.[4-9] Os pilares fundamentais desse processo podem ser definidos pela realização de compressões torácicas de alta qualidade associada à desfibrilação precoce em ritmos chocáveis.

**Hoje, existe um consenso de que compressões torácicas de alta qualidade, ou seja, na frequência correta (entre 100-120 compressões/minuto), com a profundidade preconizada (5-6 cm) e completo retorno do tórax, em associação com a minimização das interrupções dessas compressões, são medidas fundamentais que garantem um atendimento que otimiza as chances de retorno à circulação espontânea com qualidade de vida.**

Entre as medidas de atendimento pré-hospitalar, o processo de compressões torácicas é provavelmente o mais importante, podendo ser realizado sozinho, sem as ventilações de resgate, em especial por pessoas não treinadas, uma vez que a necessidade de ventilações por vezes é uma barreira para que as manobras de ressuscitação sejam iniciadas.[10] O processo de RCP depende de uma sistematização no atendimento à vítima de parada cardiorrespiratória (PCR). Essa sistematização preconiza a realização de passos fundamentais, conhecidos como cadeia de sobrevivência de atendimento cardiovascular de emergência. Os profissionais devem receber capacitação específica e atualização periódica para estarem aptos a conduzi-la (FIGURA 197.1).

**FIGURA 197.1** → Cadeia de sobrevivência do atendimento cardiovascular de emergência.

Os passos fundamentais na RCP incluem reconhecimento imediato e acionamento do serviço de emergência, RCP precoce com ênfase nas compressões torácicas, rápida desfibrilação, suporte avançado de vida eficaz e cuidados pós-parada integrados.[4]

A sobrevida em pacientes ressuscitados de PCR extra-hospitalar é baixa, com aproximadamente 10% de pacientes atendidos por equipes de emergência sobrevivendo para alcançar alta hospitalar.[11] A sobrevida aumentou (de 6,4 para 13,5%), em especial se realizada por equipe de atendimento emergencial (de 4,9 para 18,2%), se o paciente recebeu RCP por uma testemunha ali presente (de 3,9 para 16,1%) ou se tinha ritmo de fibrilação ou taquicardia ventricular (de 14,8 para 23,0%).[12] Em um estudo excluindo pacientes com fibrilação ventricular persistente, todos os sobreviventes alcançaram um retorno à circulação espontânea em até 25 minutos após serem atendidos por equipe treinada.[13] Sistemas de atendimento em emergência que implantam efetivamente a cadeia de sobrevivência podem conseguir sobrevida de 50% dos pacientes acometidos por fibrilação ventricular presenciada.[14]

## SUPORTE BÁSICO DE VIDA

Serviços de atenção primária, ainda que não trabalhem prioritariamente com pacientes críticos, também podem ser o primeiro contato de pessoas nessa situação. Seja em visitas domiciliares ou a partir da busca de socorro por doentes ou seus familiares, a equipe deve estar preparada para realizar sua parte no cuidado de pessoas em PCR.

O suporte básico contempla ações fundamentais no atendimento a um paciente vítima de PCR, seja no ambiente intra ou extra-hospitalar. Pelo seu caráter fundamental, o suporte básico de vida deve sempre ser realizado no atendimento inicial do paciente. O algoritmo de suporte básico foi simplificado com o objetivo de priorizar as ações mais efetivas e importantes, como as compressões torácicas, fazendo o atendimento adquirir a sequência C-A-B (*compression, airway, breathing*; ou seja, compressões torácicas, via aérea, respiração). O intuito do algoritmo é simplificar os passos em uma sequência lógica e concisa de modo a torná-la fácil de aprender, lembrar e aplicar.

Ao abordar uma vítima de mal súbito, o socorrista, depois de verificar a segurança do local, deve (FIGURA 197.2) C/D:

→ verificar o nível de consciência. Inicialmente, chama-se o paciente em voz alta com estímulo vigoroso (p. ex., tocando os ombros da vítima). Pode-se dizer: "O senhor está bem?". Este primeiro passo contempla a identificação da inconsciência da vítima;

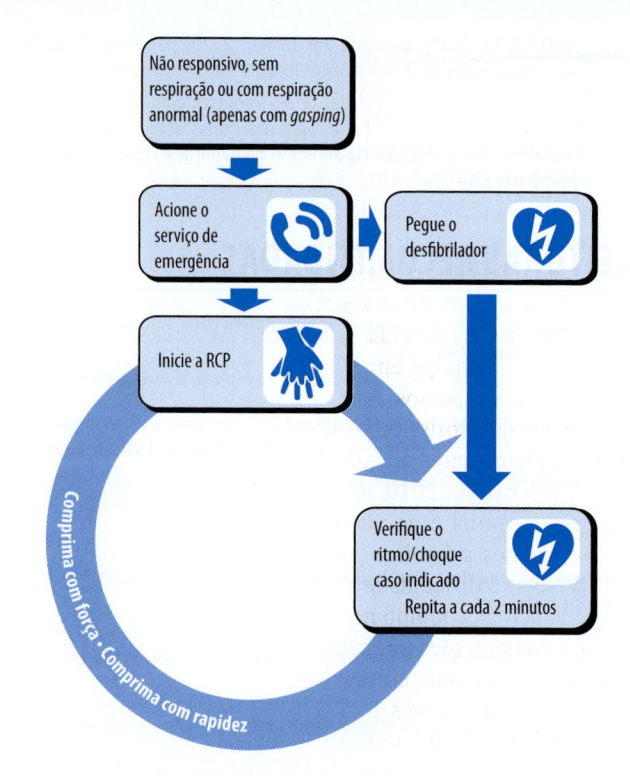

**FIGURA 197.2** → Algoritmo C-A-B (compressões torácicas, via aérea, respiração) de suporte básico.
Fonte: Adaptada de Field e colaboradores.[4]

→ como segundo passo, solicitar ajuda. É essencial pedir a ajuda de outros profissionais. Em caso de PCR extra-hospitalar, sugere-se ligar para 192 e solicitar um desfibrilador externo automático, pois este pode ser a única chance de reverter uma parada em fibrilação ventricular ou taquicardia ventricular sem pulso;

→ em seguida, observar sinais de respiração efetiva do paciente junto com a palpação do pulso. Verificar a ausência de respiração ou somente respirações agônicas *gasping*. Deve-se atentar para a possibilidade de respirações agônicas que não são consideradas como movimentos respiratórios efetivos. Para otimizar o tempo e minimizar o intervalo até o início das compressões, pode aproveitar este momento para realizar a checagem de pulso carotídeo (entre 5-10 segundos) B[1] e, na ausência de ambos, iniciar a RCP.[11]

Inicia-se a RCP por meio da técnica de compressões torácicas efetivas C/D, que contemplam:

→ frequência de compressões de 100 a 120 por minuto;
→ profundidade de 5 a 6 cm;
→ recolhimento completo do tórax;
→ minimização do tempo de interrupções das compressões, com tempo máximo de até 10 segundos entre cada ciclo de compressões;
→ ausência de ventilação excessiva.

Realizar 30 compressões intercaladas com duas ventilações (duração de 1 segundo para cada ventilação com volume corrente suficiente para permitir elevação torácica visível) até a chegada do desfibrilador. Em caso de atendimento por leigos ou profissionais treinados que apresentem receio de proceder com a ventilação, recomenda-se a realização de compressões somente.

Realizar desfibrilação precoce. À chegada do desfibrilador, recomenda-se sua colocação imediata para avaliação da possibilidade de desfibrilação rápida. Em caso de PCR não presenciada ou com retardo no atendimento superior a 4 minutos, pode-se realizar 2 minutos de compressões torácicas antes da utilização do desfibrilador.

Como se pode observar, a diretriz da AHA permite que o suporte básico de vida seja adaptado à realidade do socorrista ou da equipe em atividade. Socorristas sem treinamento aplicam passos fundamentais, enquanto socorristas avançados ou profissionais de saúde devem realizar medidas complementares no atendimento (FIGURA 197.3).

A diretriz de 2010 retirou a abertura das vias aéreas (ver-ouvir-sentir) e as ventilações de resgate inicialmente realizadas nos primeiros passos do algoritmo antigo. Esse fato deve-se à dificuldade de realizar essas manobras, o que acarreta perda de tempo no atendimento com retardo do início das compressões torácicas. Outro ponto importante consiste no fato de que, em adultos, a principal causa de PCR não é hipoxia, e esses passos não apresentam implicação prognóstica evidente, tornando-os dispensáveis.[15,16]

Após um atendimento de RCP bem-sucedido, com retorno à circulação espontânea, recomenda-se colocar a vítima em posição de resgate (FIGURA 197.4). O objetivo desse passo consiste em manter patente a via aérea e reduzir o risco de aspiração pulmonar. Existem muitas variações da posição de resgate, e nenhuma delas é perfeita para todas as vítimas. A manobra ideal contempla uma posição estável, em decúbito lateral, sem pressão no tórax que dificulte a respiração. Estudos em voluntários saudáveis mostraram que o decúbito lateral com a extensão de um dos braços, aliado ao posicionamento do outro membro superior fletido embaixo da cabeça e com as pernas flexionadas, é efetivo para manter a estabilidade do paciente.

Resumidamente, os passos fundamentais do suporte básico de vida consistem em reconhecimento e acionamento do serviço de emergência, compressões torácicas precoces e efetivas e desfibrilação rápida.

## SUPORTE AVANÇADO DE VIDA EM CARDIOLOGIA (ACLS)

O suporte avançado de vida implica intervenções avançadas que permitem a prevenção de uma PCR, seu tratamento e cuidados que melhorem a sobrevida dos pacientes, com retorno à circulação espontânea após um episódio de parada cardíaca.

Intervenções em suporte avançado de vida que previnem uma PCR incluem garantia de via aérea avançada com suporte ventilatório e tratamento de bradiarritmias ou taquiarritmias. Quanto ao tratamento da PCR, incluem-se as medidas de suporte básico aliadas à terapia medicamentosa, utilização de via aérea avançada e monitoração cardíaca. Após retorno à circulação espontânea, a melhora da sobrevida e do prognóstico neurológico pode ser otimizada com os cuidados pós-parada cardíaca.

Depois da realização adequada do suporte básico, recomenda-se que as medidas de suporte avançado de vida sejam iniciadas sempre que possível, ou seja, na chegada da equipe de emergência no ambiente extra-hospitalar.

Os passos do suporte avançado de vida incluem controle invasivo da via aérea e ventilação, manejo da parada cardíaca e monitoração da RCP.

### Controle invasivo da via aérea e ventilação

A possibilidade de implementar uma via aérea avançada permite uma ventilação mais efetiva. É fundamental que o processo de colocação de um dispositivo de via aérea avançada não ocasione interrupções prolongadas das compressões torácicas ou retardo da desfibrilação. A decisão da colocação de uma via aérea avançada deve ser individualizada para cada situação. Nos primeiros minutos de um episódio de PCR em fibrilação ventricular (FV) ou taquicardia ventricular (TV) sem pulso, quando a ventilação não invasiva está efetiva, a instalação de uma via aérea avançada pode ser postergada. Por outro lado, em pacientes em PCR com ritmo de atividade elétrica sem pulso (AESP) ou assistolia, ou mesmo nos atendimentos em que a ventilação com máscara não está sendo efetiva, recomenda-se a instalação de via aérea definitiva.

Durante a intubação orotraqueal, a realização de pressão cricoide (manobra de Sellick) não é mais recomendada como rotina, estando reservada para pacientes selecionados. A colocação correta do tubo orotraqueal deve ser verificada – mediante ausculta das regiões epigástrica e torácica (verificação primária) e capnografia em forma de onda (verificação secundária), se disponível.

É fundamental ressaltar que, após a utilização de uma via aérea definitiva, as compressões devem ser contínuas (100-120 por minuto) sem sincronização com a ventilação, que deve ser realizada a uma frequência de 10 incursões por minuto. Deve-se trocar o socorrista a cada 2 minutos.

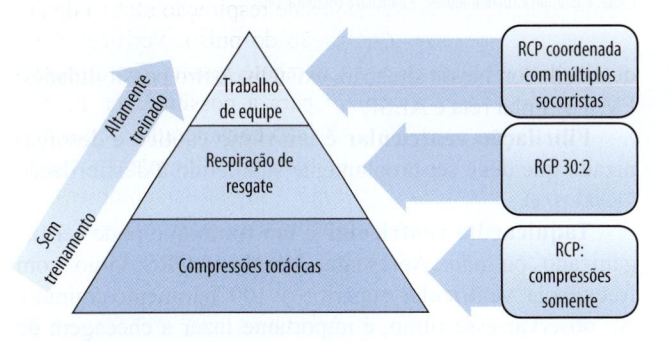

**FIGURA 197.3** → Suporte básico de vida de acordo com a equipe em ação. RCP, ressuscitação cardiopulmonar.

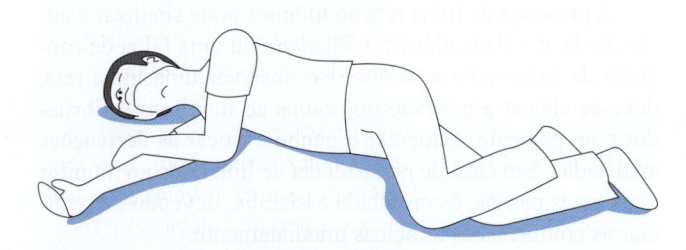

**FIGURA 197.4** → Posição de resgate ou recuperação.

## Manejo da parada cardíaca

Apesar de habitualmente não ser possível detectar a atividade cardíaca elétrica em serviços de atenção primária, já existe certo grau de incorporação dessa tecnologia em alguns ambientes, o que poderá ampliar-se com o tempo. Entretanto, na maioria das situações, são usados equipamentos automáticos ou aqueles trazidos e manejados pela equipe de emergência pré-hospitalar. Nas situações mais raras, em que essa tecnologia estiver disponível em atenção primária à saúde, é decisivo conhecer as diferenças na conduta de acordo com o padrão de atividade elétrica.

Pacientes em PCR podem apresentar-se com quatro diferentes ritmos: fibrilação ventricular, taquicardia ventricular sem pulso, atividade elétrica sem pulso e assistolia. Vale ressaltar que o tratamento para os ritmos de fibrilação ventricular ou taquicardia ventricular sem pulso é a desfibrilação, ao passo que, na assistolia ou na AESP, o tratamento é identificar a causa da PCR ("Hs e Ts", TABELA 197.1, adiante) e manejá-la adequadamente.

Quando o ritmo da PCR for fibrilação ventricular ou taquicardia ventricular sem pulso, as medicações a serem administradas consistem em adrenalina (1 mg) **A**[17,18] e amiodarona (300 mg como dose inicial e 150 mg como segunda dose) ou lidocaína (1-1,5 mg/kg e 0,5-0,75 mg/kg como segunda dose)[18] a cada 3 a 5 minutos **B**.[6,18] No entanto, o benefício de amiodarona e lidocaína é menos claro.[19] Quando o ritmo for AESP ou assistolia, deve ser administrada apenas adrenalina (1 mg) a cada 3 a 5 minutos **B**.[6] É importante salientar que, durante o atendimento da PCR, após a administração de qualquer medicação, deve-se seguir um bólus de soro fisiológico de 20 mL e proceder com a elevação do braço no qual a medicação foi aplicada. Em ritmo de FV, após o primeiro choque, no primeiro ciclo de RCP, não é administrado nenhum fármaco, sendo iniciada a adrenalina apenas após o segundo choque. Na assistolia/AESP, a adrenalina já é administrada no primeiro ciclo de RCP.

Cada ciclo de compressões torácicas deve ter a duração de 2 minutos, período após o qual se segue com a checagem do ritmo cardíaco e decisão sobre a conduta a ser adotada no momento, isto é, checagem do pulso (se ritmo organizado ou TV), desfibrilação (FV ou TV sem pulso), retorno às compressões torácicas (após assistolia, confirmada por checagem dos cabos, aumento do ganho e troca da derivação ao monitor, ou AESP) ou cardioversão (TV com pulso) (FIGURA 197.5).

Durante os procedimentos de reanimação, torna-se necessário respeitar alguns princípios básicos mostrados na TABELA 197.1.

As mais recentes diretrizes[5-9] enfatizam a minimização do intervalo de tempo em que as compressões não estão sendo realizadas. Procedimentos como checagem do ritmo no monitor, checagem de pulso, carregamento do desfibrilador e ventilações devem ser breves para que o tempo de compressão torácica seja otimizado ao máximo.

Assim que o suporte básico chega ao fim e inicia-se o suporte avançado, recomenda-se a instalação de monitoração cardíaca e acesso venoso periférico. A cada 2 minutos de ressuscitação, o ritmo deve ser checado no monitor ou desfibrilador. Nessa situação, existem quatro possibilidades: FV, TV, linha reta e AESP.

**Fibrilação ventricular** é um ritmo caótico e desorganizado que deve ser prontamente submetido à desfibrilação (FIGURA 197.6).

**Taquicardia ventricular** é um ritmo que pode ser organizado ou não. Apresenta complexo QRS largo com frequência ventricular superior a 100 batimentos/minuto. Ao observar esse ritmo, é importante fazer a checagem de pulso, pois, em caso de pulso presente, deve-se efetuar cardioversão sincronizada. Em caso de pulso ausente, procede-se com a desfibrilação (FIGURA 197.7).

A presença de linha reta ao monitor pode sinalizar a ausência de atividade elétrica verdadeira ou uma falha de captação de ritmo pelo aparelho. Ao observar uma linha reta, deve-se checar a conexão dos cabos ao monitor/desfibrilador e ao paciente, aumentar o ganho e trocar as derivações analisadas. Em caso de persistência de linha reta ao monitor após esses passos, é constatada assistolia, devendo-se reiniciar as compressões torácicas imediatamente.

**Atividade elétrica sem pulso** é definida como qualquer atividade elétrica na ausência de pulso, excetuando-se os

**TABELA 197.1** → Princípios básicos de uma ressuscitação cardiopulmonar (RCP) de qualidade

| QUALIDADE DE RCP |
|---|
| → Compressões fortes (5-6 cm) e rápidas (100-120 compressões/min) |
| → Recolhimento completo do tórax |
| → Ausência de ventilação excessiva |
| → Rodízio de compressão a cada 2 minutos |
| → 30:2 para via aérea não avançada |

| RETORNO À CIRCULAÇÃO ESPONTÂNEA |
|---|
| → Verificação da pressão arterial, exame físico |

| DESFIBRILAÇÃO |
|---|
| → Desfibrilador bifásico: recomendação do fabricante (120-200 J); se desconhecido, aplicar o máximo disponível; próximos choques com energia equivalente |
| → Desfibrilador monofásico: 360 J |

| TERAPIA MEDICAMENTOSA |
|---|
| → Adrenalina (epinefrina) IV/IO: 1 mg a cada 3-5 minutos |
| → Amiodarona IV/IO: primeira dose de 300 mg, segunda dose de 150 mg (em FV/TV refratárias, intercalado com adrenalina) |
| → Lidocaína IV/IO: primeira dose de 1-1,5 mg/kg, segunda dose de 0,5-0,75 mg/kg **B** |

| VIA AÉREA AVANÇADA |
|---|
| → Confirmação da posição adequada do tubo |
| → 10 ventilações/minuto com compressões torácicas contínuas |
| → Evitar ventilação excessiva |

| TRATAMENTO DE CAUSAS REVERSÍVEIS |
|---|
| → **H**ipotermia |
| → **H**ipovolemia |
| → **H**ipoxia |
| → **H**idrogênio (acidose) |
| → **H**ipo/**h**ipercalemia |
| → **T**ensão no tórax (pneumo**t**órax) |
| → **T**amponamento cardíaco |
| → **T**oxinas |
| → **T**rombose coronariana |
| → **T**romboembolia pulmonar |

FV, fibrilação ventricular; IO, intraósseo; IV, intravenoso; TV, taquicardia ventricular.
Fonte: Kleinman e colaboradores[11] e Panchal e colaboradores.[18]

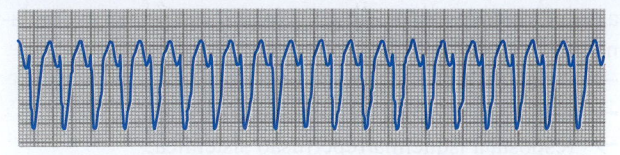

**FIGURA 197.7** → Taquicardia ventricular tipo monomórfica.

de RCP bem-sucedidas. Os pacientes sobreviventes a um episódio de PCR apresentam uma condição clínica particular, única e complexa, resultante da combinação de um processo que inclui potenciais danos cerebrais, disfunção miocárdica aguda e resposta sistêmica ao processo isquemia/reperfusão. Essa síndrome ocorre após o retorno à circulação espontânea, o que indica o sucesso das manobras de ressuscitação e o início de uma nova condição clínica não menos grave.

As fases da síndrome pós-PCR (**FIGURA 197.8**) são didaticamente divididas em cinco fases. A fase imediata consiste nos primeiros 20 minutos após o retorno à circulação espontânea, e a fase precoce, no período compreendido entre 20 minutos e 12 horas após o retorno à circulação espontânea. Nesse período, as intervenções precoces seriam mais efetivas. Sabe-se que, tanto na fase imediata quanto na precoce, há grande benefício das intervenções avançadas. O atraso ou a não instituição de medidas agressivas nessas fases iniciais, após o retorno à circulação espontânea, resultam em grandes chances de nova PCR e maior morbidade e mortalidade para o doente.

Depois vêm a fase intermediária e a fase de recuperação, tratadas em ambiente hospitalar. Finalmente, há a fase de reabilitação, desde a alta hospitalar até o indivíduo recuperar sua função neurológica máxima.

As características únicas da fisiopatologia da síndrome pós-PCR são, na maioria das vezes, superpostas pela doença de base que levou à parada cardíaca, assim como

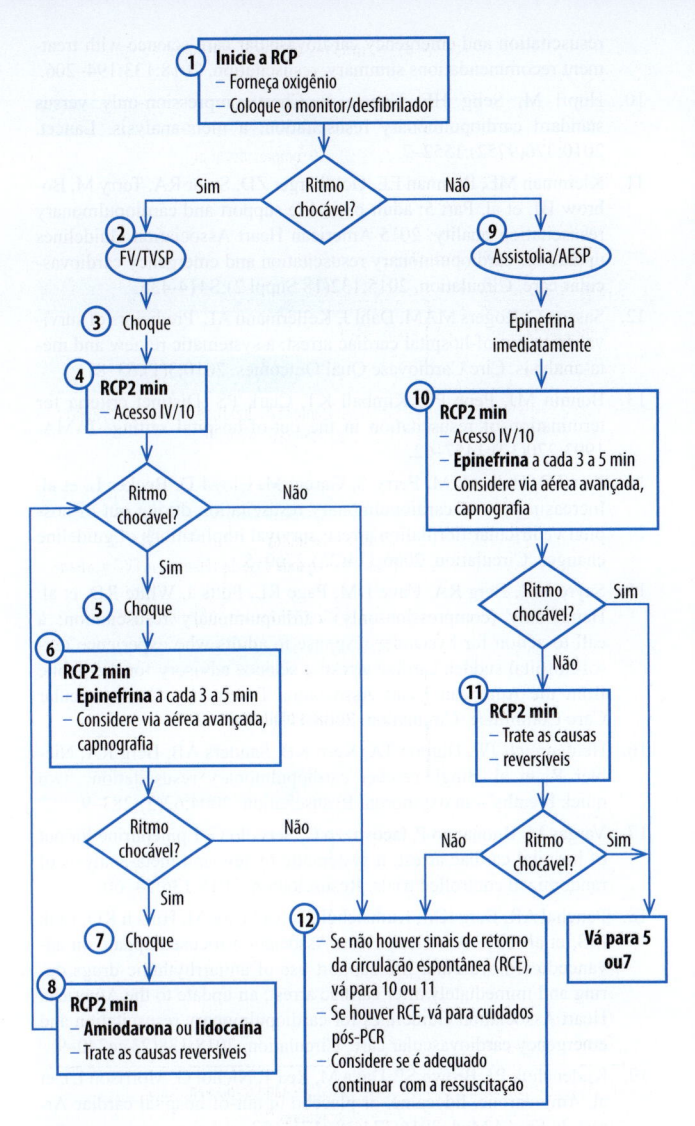

**FIGURA 197.5** → Algoritmo de atendimento avançado.
AESP, atividade elétrica sem pulso; IOT, intubação orotraqueal; FV, fibrilação ventricular; IV, intravenoso; PCR, parada cardiorrespiratória; RCP, ressuscitação cardiopulmonar; SBV, suporte básico de vida; TV, taquicardia ventricular.
Fonte: American Heart Association.[20]

ritmos de FV ou TV. Deve-se, nessa situação, reiniciar de imediato as compressões torácicas.

# CUIDADOS PÓS-PARADA CARDIORRESPIRATÓRIA

A síndrome pós-PCR é o conjunto de sinais e sintomas originados da reperfusão tecidual que ocorre após um período de isquemia orgânica, de duração variável, revertida com manobras

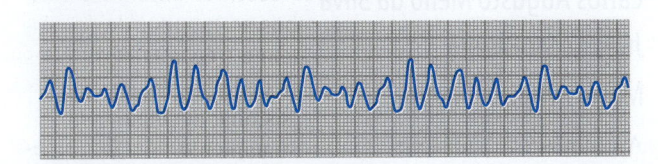

**FIGURA 197.6** → Ritmo de fibrilação ventricular.

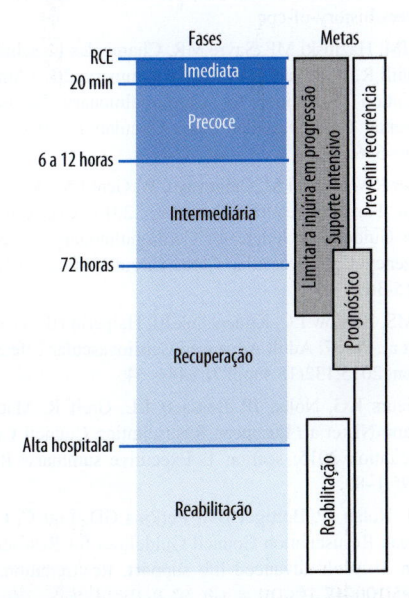

**FIGURA 197.8** → Fases da síndrome pós-parada cardiorrespiratória.
RCE, retorno da circulação espontânea.

as comorbidades associadas. Os quatro componentes fundamentais da síndrome pós-parada são:
→ dano cerebral pós-parada cardíaca;
→ disfunção miocárdica pós-parada cardíaca;
→ resposta à isquemia/reperfusão sistêmica;
→ doença persistente que precipitou a parada cardíaca.

O manejo adequado dos pacientes deve contemplar todos os quatro componentes fundamentais da síndrome pós-PCR. Essa abordagem é principalmente realizada em ambiente hospitalar de terapia intensiva.

## CONSIDERAÇÕES FINAIS

O atendimento à PCR consiste em medidas de ação sistematizadas de forma a priorizar os pontos fundamentais que garantem uma melhor evolução do paciente. Os profissionais de atenção primária devem ser capacitados e receber atualização periódica para estarem aptos a isso. Esses pontos estão representados na cadeia de sobrevivência do atendimento e consistem em chamar por ajuda, realizar compressões torácicas de maneira adequada, desfibrilação precoce, se indicada, suporte avançado de vida eficaz e cuidados pós-PCR integrados. O treinamento fornecido pelos cursos presenciais de suporte básico e suporte avançado de vida garante uma melhoria no atendimento das vítimas e na propagação desses conhecimentos pelos profissionais de saúde no mundo inteiro.

## REFERÊNCIAS

1. DeBard ML. The history of cardiopulmonary resuscitation. Ann Emerg Med. 1980;9(5):273–5.
2. Hermreck AS. The history of cardiopulmonary resuscitation. Am J Surg. 1988;156(6):430–6.
3. American Heart Association. History of CPR: highlights from the 16th century to the 21st century [Internet]. Dallas: AHA; c2020 [capturado em 25 mar. 2020]. Disponível em: https://cpr.heart.org/en/resources/history-of-cpr
4. Field JM, Hazinski MF, Sayre MR, Chameides L, Schexnayder SM, Hemphill R, et al. Part 1: executive summary: 2010 American Heart Association Guidelines for Cardiopulmonary Resuscitation and Emergency Cardiovascular Care. Circulation. 2010;122(18 Suppl 3):S640-656.
5. Neumar RW, Shuster M, Callaway CW, Gent LM, Atkins DL, Bhanji F, et al. Part 1: Executive Summary: 2015 American Heart Association Guidelines Update for Cardiopulmonary Resuscitation and Emergency Cardiovascular Care. Circulation. 2015;132(18 Suppl 2):S315-367.
6. Link MS, Berkow LC, Kudenchuk PJ, Halperin HR, Hess EP, Moitra VK, et al. Part 7: Adult Advanced Cardiovascular Life Support. Circulation. 2015;132(18 suppl 2):S444–64.
7. Monsieurs KG, Nolan JP, Bossaert LL, Greif R, Maconochie IK, Nikolaou NI, et al. European Resuscitation Council Guidelines for Resuscitation 2015: section 1. Executive summary. Resuscitation. 2015;95:1–80.
8. Soar J, Nolan JP, Böttiger BW, Perkins GD, Lott C, Carli P, et al. European Resuscitation Council Guidelines for Resuscitation 2015: section 3. Adult advanced life support. Resuscitation. outubro de 2015;95:100–47.
9. Soar J, Donnino MW, Maconochie I, Aickin R, Atkins DL, Andersen LW, et al. 2018 International consensus on cardiopulmonary resuscitation and emergency cardiovascular care science with treatment recommendations summary. resuscitation. 2018;133:194–206.
10. Hüpfl M, Selig HF, Nagele P. Chest-compression-only versus standard cardiopulmonary resuscitation: a meta-analysis. Lancet. 2010;376(9752):1552–7.
11. Kleinman ME, Brennan EE, Goldberger ZD, Swor RA, Terry M, Bobrow BJ, et al. Part 5: adult basic life support and cardiopulmonary resuscitation quality: 2015 American Heart Association Guidelines update for cardiopulmonary resuscitation and emergency cardiovascular care. Circulation. 2015;132(18 Suppl 2):S414-435.
12. Sasson C, Rogers MAM, Dahl J, Kellermann AL. Predictors of survival from out-of-hospital cardiac arrest: a systematic review and meta-analysis. Circ Cardiovasc Qual Outcomes. 2010;3(1):63–81.
13. Bonnin MJ, Pepe PE, Kimball KT, Clark PS. Distinct criteria for termination of resuscitation in the out-of-hospital setting. JAMA. 1993;270(12):1457–62.
14. Rea TD, Helbock M, Perry S, Garcia M, Cloyd D, Becker L, et al. Increasing use of cardiopulmonary resuscitation during out-of-hospital ventricular fibrillation arrest: survival implications of guideline changes. Circulation. 2006;114(25):2760–5.
15. Sayre MR, Berg RA, Cave DM, Page RL, Potts J, White RD, et al. Hands-only (compression-only) cardiopulmonary resuscitation: a call to action for bystander response to adults who experience out-of-hospital sudden cardiac arrest: a science advisory for the public from the American Heart Association Emergency Cardiovascular Care Committee. Circulation. 2008;117(16):2162–7.
16. Heidenreich JW, Higdon TA, Kern KB, Sanders AB, Berg RA, Niebler R, et al. Single-rescuer cardiopulmonary resuscitation: 'two quick breaths'--an oxymoron. Resuscitation. 2004;62(3):283–9.
17. Vargas M, Buonanno P, Iacovazzo C, Servillo G. Epinephrine for out of hospital cardiac arrest: a systematic review and meta-analysis of randomized controlled trials. Resuscitation. 2019;136:54–60.
18. Panchal AR, Berg KM, Kudenchuk PJ, Del Rios M, Hirsch KG, Link MS, et al. 2018 American Heart Association focused update on advanced cardiovascular life support use of antiarrhythmic drugs during and immediately after cardiac arrest: an update to the American Heart Association Guidelines for cardiopulmonary resuscitation and emergency cardiovascular care. Circulation. 2018;138(23):e740–9.
19. Kudenchuk PJ, Brown SP, Daya M, Rea T, Nichol G, Morrison LJ, et al. Amiodarone, lidocaine, or placebo in out-of-hospital cardiac Arrest. N Engl J Med. 2016;374(18):1711–22.
20. American Heart Association. Destaques das diretrizes de RCP e ACE de 2020 da American Heart Association. 2020. https://cpr.heart.org/-/media/cpr-files/cpr-guidelines-files/highlights/hghlghts_2020eccguidelines_portuguese.pdf

# Capítulo 198
# ANTÍDOTOS E ANTAGONISTAS EM INTOXICAÇÕES EXÓGENAS

Carlos Augusto Mello da Silva
Julio Cesar Razera
Marcos Vinícios Razera

Antídotos são substâncias utilizadas para anular ou amenizar os efeitos de um tóxico no organismo, por diferentes ações farmacológicas, podendo reduzir a morbidade e a mortalidade em certas intoxicações. O número de medicamentos que atuam sobre agentes tóxicos é pequeno se comparado com os milhares de produtos químicos potencialmente venenosos. Diferentemente do pensamento leigo, cada veneno não corresponde de forma específica a um antiveneno. Alguns antídotos não estão disponíveis no mercado brasileiro, enquanto outros devem ser aviados em farmácias de manipulação. Os agentes mais comuns de intoxicação e seus respectivos antídotos ou antagonistas estão descritos na TABELA 198.1, a qual não esgota todos os produtos disponíveis.

Cabe salientar que são fundamentais a confirmação da intoxicação e a identificação do agente para a administração do antídoto específico. Além disso, ressalta-se que as doses propostas podem merecer adequação a situações clínicas especiais e que até mesmo os antagonistas podem apresentar efeitos tóxicos.

> Para o manejo adequado de envenenamentos agudos graves, é fundamental consultar a bibliografia especializada, o Centro de Assistência Toxicológica da região e o profissional com experiência em toxicologia clínica. Esses centros funcionam em regime de plantão permanente e podem orientar sobre onde conseguir antídotos e antagonistas específicos com mais rapidez.

O Sistema Nacional de Informações Tóxico-Farmacológicas (Sinitox) fornece dados descritivos sobre intoxicações no Brasil, materiais educativos e outras informações e notícias (ver QR code).

**TABELA 198.1** → Agentes comuns de intoxicação com seus antídotos

| AGENTE | ANTÍDOTO | APRESENTAÇÃO COMERCIAL | DOSES | OBSERVAÇÕES |
|---|---|---|---|---|
| Paracetamol[1,2] | Acetilcisteína ou N-acetilcisteína | Fluimucil® – envelopes com 100, 200 ou 600 mg para uso VO; ampolas para uso IV de 100 mg/mL | → 140 mg/kg de dose de ataque e 17 doses de 70 mg/kg, VO, 4/4 horas<br>→ Se a concentração plasmática de paracetamol estiver abaixo do risco de dano hepático, deve-se suspender o uso do antídoto<br>→ Como alternativa, pode-se utilizar a via IV (dose inicial de 150 mg/kg, IV, por 15 minutos, seguida de infusão de 50 mg/kg em 500 mL de soro glicosado por 4 horas e, a seguir, 100 mg/kg em 1.000 mL de soro glicosado nas próximas 16 horas) | → Dosar nível plasmático 4 horas após a ingestão do agente<br>→ Indicação guiada pelo nomograma de Rumack-Matthew (ver Referências) |
| Antidepressivos tricíclicos (ADTs) | Bicarbonato de sódio | | → 1-2 mEq/kg em bólus IV; pode ser repetido s/n | → Indicado se QRS > 120 ms ao ECG<br>→ Manter pH sanguíneo entre 7,45-7,55 |
| Benzodiazepínicos (BZDs) | Flumazenil | Lanexat® – ampolas de 5 mL com 0,1 mg/mL | → Crianças: 0,01 mg/kg, dose inicial em infusão lenta (15 segundos)<br>→ Adolescentes/adultos: 0,2 mg, IV, infusão lenta (30 segundos)<br>→ Vida-média curta: pode ser necessária infusão contínua (0,2-1 mg/hora) | → Uso restrito a casos graves, por doses muito elevadas ou por BZDs mais tóxicos (midazolam/alprazolam), com insuficiência respiratória aguda/necessidade de ventilação mecânica<br>→ **Atenção:** há risco aumentado de convulsão em pacientes epilépticos ou dependentes de BZDs<br>→ Não administrar se houver ingestão simultânea de ADTs |
| β-Bloqueadores (propranolol) | Glucagon<br>Atropina | | → Crianças: 0,03-0,15 mg/kg, IV, dose inicial<br>→ 0,07 mg/kg/hora, IV, em infusão contínua (máximo de 5 mg/hora)<br>→ Adolescentes/adultos: 5-10 mg, IV, infusão lenta<br>→ 1-5 mg/hora, infusão contínua<br>→ Adultos: 0,5-1 mg a cada 3-5 minutos (dose: 0,03-0,04 mg/kg) | → Indicado em caso de hipotensão, bradicardia e distúrbios de condução cardíaca<br>→ Efeitos colaterais: náuseas, vômitos (retardo do esvaziamento gástrico)<br>→ Indicado em caso de hipotensão ou bradicardia sintomáticas |
| Bloqueadores de canais de cálcio | Gliconato de cálcio a 10%<br>Glucagon | | → 0,6 mL/kg, IV, infusão lenta (5-10 minutos)<br>→ Adolescentes/adultos: 10-30 mL, IV, infusão lenta (10 minutos)<br>→ Repetir em 10-20 minutos, se necessário (até 3-4 doses)<br>→ Crianças: 0,03-0,15 mg/kg, IV, dose inicial<br>→ 0,07 mg/kg/hora, IV, em infusão contínua (máximo de 5 mg/hora)<br>→ Adolescentes/adultos: 5-10 mg, IV, infusão lenta<br>→ 1-5 mg/hora, infusão contínua | → Realizar monitoramento cardíaco<br>→ Evitar extravasamento por risco de necrose tecidual |

*(continua)*

**TABELA 198.1** → Agentes comuns de intoxicação com seus antídotos *(Continuação)*

| AGENTE | ANTÍDOTO | APRESENTAÇÃO COMERCIAL | DOSES | OBSERVAÇÕES |
|---|---|---|---|---|
| Ferro, sais de[3] | Desferroxamina | | → 15 mg/kg/hora, IV<br>→ Máximo de 6 g em 24 horas | → Indicado se ferro sérico > 500 μg/dL ou se houver sinais clínicos/laboratoriais de gravidade: diarreia com sangue, choque, acidose metabólica ou muitos comprimidos visíveis à radiografia de abdome |
| Antidiabéticos orais (sulfonilureias) | Glicose a 25%<br>Octreotida<br>Glucagon | | → Crianças: 2-4 mL/kg, IV<br>→ Adolescentes/adultos: glicose a 50%<br>→ Crianças: 4-5 μg/kg/dia, divididos de 6/6 horas (1 μg/kg/dose inicial)<br>→ 5 mg, IM | → Manter glicemia no mínimo em 80 mg/dL<br>→ Pode ser administrado enquanto se obtém acesso IV para administração de glicose |
| Raticidas cumarínicos (supervarfarinas) | Vitamina K$_1$ (fitomenadiona) | | → Crianças: 1-5 mg, IV, dose inicial ou 5-10 mg (0,4 mg/kg/dose), VO, 6/6 ou 12/12 horas<br>→ Adolescentes/adultos: 5-10 mg, IV, dose inicial<br>→ Manutenção: 10-20 mg, VO, com monitoramento do TP; pode ser necessário aumento de dose e uso de concentrado de protrombina para normalizar coagulação | → Indicada apenas em caso de ingestão ≥ 1 mg de supervarfarinas<br>→ Em crianças, na maioria dos casos não é necessário administrar antídoto; somente monitorar TP até 72 horas<br>→ Adultos com ingestão de altas doses de supervarfarinas podem manter TP prolongado por 3-6 meses, e necessitar de doses diárias de até 100 mg de vitamina K, VO |
| Cianeto[4] | Hidroxocobalamina | Cyanokit® (Meridian, USA) | → Crianças: 70 mg/kg, IV, infusão lenta<br>→ Adolescentes/adultos: 2 frascos de 2,5 g (5 g); diluir em SF, infusão lenta (15-30 minutos), IV | → Administrar também O$_2$ complementar 100%<br>→ Produz coloração vermelha ou rosada da urina (cromatúria) e da pele (por 2-7 dias)<br>→ Náuseas, vômitos, hipertensão e tremores podem ocorrer |
| Opioides (morfina, codeína, fentanila, heroína)[5] | Naloxona | | → Crianças: 0,1 mg/kg, IV; máximo: 2 mg; se necessário, manter infusão contínua de 0,04-0,16 mg/kg/hora, IV<br>→ Adolescentes/adultos: 0,4-0,2 mg, IV; repetir a cada 2 ou 3 minutos, se necessário | → Pode ser administrada por via IM e intratraqueal (tubo), se necessário<br>→ Não tem ação agonista nos receptores opioides e, por isso, não causa depressão respiratória |
| Metemoglobinemia (nitritos, benzocaína, dapsona, fenazopiridina) | Azul de metileno a 1% | | → 1-2 mg/kg (0,1-0,2 mL/kg), IV, infusão lenta (5 minutos), se metemoglobina > 30%; pode ser repetido em 30-60 minutos | → Fornecimento de oxigênio complementar é essencial<br>→ Agentes de ação mais longa (dapsona) podem precisar de doses de 8/8 horas por até 3 dias<br>→ Efeitos colaterais: hemólise (em deficiência de G6PD) e metemoglobinemia (doses > 7 mg/kg) |
| Inseticidas inibidores da aceticolinesterase (Achase) Organofosforados ou carbamatos[6] | Atropina<br>Pralidoxima | Contrathion® – frascos de 200 mg | → Crianças: 0,02-0,05 mg/kg, IV, a cada 5-10 minutos até sinais de atropinização<br>→ Adolescentes/adultos:<br>  1. Dose de ataque: bólus de 0,6-3 mg, IV, infusão rápida<br>  2. Após: administrar repetidas doses até atropinizar (doses sempre 2 × a dose anterior)<br>  3. Uma vez que o paciente esteja atropinizado, administrar 10-20% da dose final TOTAL necessária para atropinizar o paciente de hora em hora em SF<br>  4. Avaliar o paciente constante e cuidadosamente para recorrência de síndrome colinérgica ou intoxicação por atropina<br>  5. Se o paciente voltar a apresentar síndrome colinérgica: a qualquer momento, reiniciar a dose em bólus até atropinizar o paciente de novo; após, iniciar a infusão com 20% da dose final por hora<br>  6. Se o paciente apresentar intoxicação por atropina (taquicardia, ruídos hidroaéreos ausentes, hipertermia, *delirium*, retenção urinária): interromper a infusão por 30 minutos e reiniciar com dose 20% menor<br>→ Crianças: 25-50 mg/kg/dia, divididos em 4 doses<br>→ Adultos: 400 mg como dose inicial dissolvidos em 20 mL de água destilada ou solução fisiológica administrada por via IV no ritmo de 1 mL/minuto; a seguir, administrar 25-50 mg/kg, 6/6 horas, de acordo com a evolução do quadro clínico e dos níveis de colinesterase; dose diária entre 1-2 g; o paciente deve estar plenamente atropinizado | → Monitorar eficácia pela redução da secreção brônquica e da sibilância<br>→ Pode ser necessária administração contínua mínima por mais de 48-72 horas (em bomba de infusão)<br>→ A atropina não deve ser suspensa abruptamente, mas sim de modo gradual, monitorando se há retorno de manifestações colinérgicas<br>→ Tratamento não indicado nos casos de envenenamento por inseticidas carbamatos (inibidores reversíveis da colinesterase) |

*(continua)*

**TABELA 198.1** Agentes comuns de intoxicação com seus antídotos *(Continuação)*

| AGENTE | ANTÍDOTO | APRESENTAÇÃO COMERCIAL | DOSES | OBSERVAÇÕES |
|---|---|---|---|---|
| Ácido valproico | L-Carnitina | Carnitor® – ampolas de 1 g/5 mL | → 100 mg/kg, IV, infusão lenta (2-3 minutos); após, 50-100 mg/kg, 8/8 horas, se necessário, até normalização dos níveis de amônia | → Uso restrito a casos graves de intoxicação aguda por ácido valproico (coma associado à hiperamoniemia) |
| Fenotiazínicos, butirofenonas, metoclopramida | Difenidramina Biperideno | Difenidrin® – ampolas de 50 mg/mL Akineton® – ampolas de 5 m/mL | → Crianças: 0,5-1 mg/kg IM ou IV<br>→ Adolescentes/adultos: 50 mg, IM ou IV<br>→ Crianças: 0,04 mg/kg, IM ou IV<br>→ Adultos: 2 mg, IM ou IV<br>→ Repetir até melhora clínica | → Repetir em 30-60 minutos<br>→ Pode causar sedação ou agitação paradoxal em crianças<br>→ Efeitos anticolinérgicos: > 100 mg |
| Digoxina ou demais digitálicos | Anticorpo antidigoxina | Apresentado na forma de fragmentos Fab – anticorpo antidigoxina (Digibind® Wellcome – ampolas de 40 mg) | → A dose preconizada, equimolar, é de 68 mg/mg de digoxina ingerida | → Tratamento reservado para casos graves<br>→ Custo extremamente elevado |
| Arsênico, ouro, sais inorgânicos de mercúrio | Dimercaprol | Demetal® ou BAL® – ampolas de 1 mL com 100 mg; no mercado internacional, há análogos para uso oral (DMPS, DMSA) com menor toxicidade | → 2-4 mg/kg, 4/4 horas, por 2 dias; no 3º dia, 6/6 horas; após, 2 ×/dia até completar 10 dias; administração IM profunda com aplicação dolorosa; atenção para efeitos colaterais sistêmicos | → O uso de dimercaprol é controverso nos envenenamentos por tálio, bismuto e sais orgânicos de mercúrio |
| Álcool metílico (metanol) ou etilenoglicol | Álcool etílico | | → Preparar solução a 5% de etanol (álcool absoluto a 96%) e solução glicosada a 5% para uso IV; bebida alcoólica a 40%, uísque ou vodca, VO<br>→ Dose inicial: 15 mL/kg, IV; manutenção: 2-3 mL/kg/hora, IV; OU 150 mL de bebida alcoólica a 40% VO ou por sonda gástrica<br>→ Em ambos os casos, o objetivo terapêutico é manter alcoolemia de 100 mg/dL; monitorar alcoolemia | |
| Chumbo | EDTA (dissódico-cálcio) Penicilamina | Cuprimine® – cápsulas com 250 mg | → 30-50 mg/kg/dia divididos em 2 infusões IV – diluídos em 250 mL de solução fisiológica ou solução glicosada a 5%; utilizar em série de 3 ou 5 dias, com intervalos de 2 dias entre as séries; usar tantas séries quantas forem necessárias para o caso, até a melhora clínica e laboratorial (monitorar plumbemia)<br>→ Nos casos de encefalopatia saturnina, utilizar esquema terapêutico duplo com EDTA e dimercaprol BAL (Demetal®); nesse caso, a via de eleição é IM<br>→ Crianças: 20-40 mg/kg/dia, divididos em 4 doses diárias<br>→ Adultos: 1 g/dia, dividido em 4 doses diárias | |
| Atropina | Neostigmina | Prostigmine® – ampolas de 1 mL com 0,5 mg | → Crianças: 0,02 mg/kg como dose inicial, IV<br>→ Adultos: 0,5-2 mg, IV, infusão lenta<br>→ A fisostigmina antagoniza os efeitos centrais e periféricos dos agentes anticolinérgicos (a neostigmina antagoniza apenas os efeitos periféricos)<br>→ O produto deve ser utilizado somente em centros bem equipados, devido às reações adversas, como bradicardia severa e disfunção respiratória (broncospasmo) | → Usar quando houver predomínio de manifestações anticolinérgicas |
| Paraquat (Gramoxone®) | Terra de Füller | Füller Earth® (Zeneca Agrochemicals, Reino Unido) – terra de Füller pode ser obtida no Brasil, sem ônus, com a filial do fabricante | → 2 g/kg dissolvidos na água, máximo de 150 g, VO ou por sonda nasogástrica | → Boa efetividade até 1-3 horas após a ingestão do herbicida Paraquat (Gramoxone®) |
| Antipsicóticos (haloperidol, clorpromazina, risperidona, olanzapina) e antieméticos (metoclopramida, prometazina) causando síndrome neuroléptica maligna | Bromocriptina | Parlodel® – comprimidos de 2,5 mg | → Crianças: não há dose estabelecida; relatos de caso utilizando 0,08 mg/kg e de 0.53 mg/kg, dividido em três doses/dia<br>→ Adultos: 2,5-10 mg (média: 5 mg), VO ou por sonda nasogástrica, a cada 6 ou 8 horas; máximo de 20 mg/dose | |

ECG, eletrocardiograma; G6PD, glicose-6-fosfato-desidrogenase; IM, intramuscular; IV, intravenoso; SC, subcutâneo; SF, soro fisiológico; TP, tempo de protrombina; VO, por via oral.

Fonte: Adaptada de Marraffa e colaboradores,[7] Olson e colaboradores,[8] Fuchs e colaboradores,[9] Veronese e colaboradores,[10] Dart e colaboradores,[11] Papadakis e colaboradores[12] e Oliveira e Pedroso.[13]

# REFERÊNCIAS

1. Lancaster EM, Hiatt JR, Zarrinpar A. Acetaminophen hepatotoxicity: an updated review. Arch Toxicol. 2015;89(2):193–9.
2. Yoon E, Babar A, Choudhary M, Kutner M, Pyrsopoulos N. Acetaminophen-induced hepatotoxicity: a comprehensive update. J Clin Transl Hepatol. 2016;4(2):131–42.
3. Manoguerra AS, Erdman AR, Booze LL, Christianson G, Wax PM, Scharman EJ, et al. Iron ingestion: an evidence-based consensus guideline for out-of-hospital management. Clin Toxicol. 2005;43(6):553–70.
4. Agency for Toxic Substances & Disease Registry. Medical management guidelines for hydrogen cyanide [Internet]. Toxic Substances Portal – Cyanide. Atlanta; 2014 [capturado em 14 abr. 2020]. Disponível em: https://www.atsdr.cdc.gov/MMG/MMG.asp?id=1073&tid=19.
5. Boyer EW. Management of opioid analgesic overdose. N Engl J Med. 2012;367(2):146–55.
6. Eddleston M, Buckley NA, Eyer P, Dawson AH. Management of acute organophosphorus pesticide poisoning. Lancet. 2008;371(9612):597–607.
7. Marraffa JM, Cohen V, Howland MA. Antidotes for toxicological emergencies: a practical review. Am J Health Syst Pharm. 2012;69(3):199–212.
8. Olson KR, Anderson IB, Benowitz NL, Blanc PD, Clark RF, Kearney TE, et al. Poisoning and drug overdose. 7th ed. New York: McGraw-Hill Education / Medical; 2017.
9. Fuchs F danni, Wannmacher L. Farmacologia clínica e terapêutica. 5. ed. Rio de Janeiro: Guanabara Koogan; 2017.
10. Veronese FJV, Silva CAM da, Pedroso JAR. Intoxicações exógenas. In: Rotinas em pronto-socorro [Internet]. 2º ed Porto Alegre: Artmed; 2008 [capturado em 14 abr. 2020]. p. 224–53. Disponível em: https://bibliotecadebiomedicina.blogspot.com/2019/02/livro-rotinas-em-pronto-socorro-nasi-2.html.
11. Dart RC, Goldfrank LR, Chyka PA, Lotzer D, Woolf AD, McNally J, et al. Combined evidence-based literature analysis and consensus guidelines for stocking of emergency antidotes in the United States. Ann Emerg Med. 2000;36(2):126–32.
12. Papadakis MA, McPhee SJ, Rabow MW. CURRENT medical diagnosis and treatment 2020. 59th ed. New York: McGraw-Hill Education; 2019.
13. Oliveira RG de, Pedroso ÊRP. Blackbook: clínica médica. 2. ed. Belo Horizonte: Black Book; 2014.

# Apêndice 2
## TABELAS DE VALORES DE PRESSÃO ARTERIAL EM CRIANÇAS E ADOLESCENTES

**TABELA A2.1** → Níveis de pressão arterial para meninos conforme percentil de idade e altura

| IDADE (ANOS) | PERCENTIL DE PA | PAS (mm Hg) PERCENTIL DE ALTURA OU ALTURA MEDIDA | | | | | | | PAD (mm Hg) PERCENTIL DE ALTURA OU ALTURA MEDIDA | | | | | | |
|---|---|---|---|---|---|---|---|---|---|---|---|---|---|---|---|
| | | 5% | 10% | 25% | 50% | 75% | 90% | 95% | 5% | 10% | 25% | 50% | 75% | 90% | 95% |
| 1 | Altura (pol) | 30,4 | 30,8 | 31,6 | 32,4 | 33,3 | 34,1 | 34,6 | 30,4 | 30,8 | 31,6 | 32,4 | 33,3 | 34,1 | 34,6 |
| | Altura (cm) | 77,2 | 78,3 | 80,2 | 82,4 | 84,6 | 86,7 | 87,9 | 77,2 | 78,3 | 80,2 | 82,4 | 84,6 | 86,7 | 87,9 |
| | 50% | 85 | 85 | 86 | 86 | 87 | 88 | 88 | 40 | 40 | 40 | 41 | 41 | 42 | 42 |
| | 90% | 98 | 99 | 99 | 100 | 100 | 101 | 101 | 52 | 52 | 53 | 53 | 54 | 54 | 54 |
| | 95% | 102 | 102 | 103 | 103 | 104 | 105 | 105 | 54 | 54 | 55 | 55 | 56 | 57 | 57 |
| | 95% + 12 mm Hg | 114 | 114 | 115 | 115 | 116 | 117 | 117 | 66 | 66 | 67 | 67 | 68 | 69 | 69 |
| 2 | Altura (pol) | 33,9 | 34,4 | 35,3 | 36,3 | 37,3 | 38,2 | 38,8 | 33,9 | 34,4 | 35,3 | 36,3 | 37,3 | 38,2 | 38,8 |
| | Altura (cm) | 86,1 | 87,4 | 89,6 | 92,1 | 94,7 | 97,1 | 98,5 | 86,1 | 87,4 | 89,6 | 92,1 | 94,7 | 97,1 | 98,5 |
| | 50% | 87 | 87 | 88 | 89 | 89 | 90 | 91 | 43 | 43 | 44 | 44 | 45 | 46 | 46 |
| | 90% | 100 | 100 | 101 | 102 | 103 | 103 | 104 | 55 | 55 | 56 | 56 | 57 | 58 | 58 |
| | 95% | 104 | 105 | 105 | 106 | 107 | 107 | 108 | 57 | 58 | 58 | 59 | 60 | 61 | 61 |
| | 95% + 12 mm Hg | 116 | 117 | 117 | 118 | 119 | 119 | 120 | 69 | 70 | 70 | 71 | 72 | 73 | 73 |
| 3 | Altura (pol) | 36,4 | 37 | 37,9 | 39 | 40,1 | 41,1 | 41,7 | 36,4 | 37 | 37,9 | 39 | 40,1 | 41,1 | 41,7 |
| | Altura (cm) | 92,5 | 93,9 | 96,3 | 99 | 101,8 | 104,3 | 105,8 | 92,5 | 93,9 | 96,3 | 99 | 101,8 | 104,3 | 105,8 |
| | 50% | 88 | 89 | 89 | 90 | 91 | 92 | 92 | 45 | 46 | 46 | 47 | 48 | 49 | 49 |
| | 90% | 101 | 102 | 102 | 103 | 104 | 105 | 105 | 58 | 58 | 59 | 59 | 60 | 61 | 61 |
| | 95% | 106 | 106 | 107 | 107 | 108 | 109 | 109 | 60 | 61 | 61 | 62 | 63 | 64 | 64 |
| | 95% + 12 mm Hg | 118 | 118 | 119 | 119 | 120 | 121 | 121 | 72 | 73 | 73 | 74 | 75 | 76 | 76 |
| 4 | Altura (pol) | 38,8 | 39,4 | 40,5 | 41,7 | 42,9 | 43,9 | 44,5 | 38,8 | 39,4 | 40,5 | 41,7 | 42,9 | 43,9 | 44,5 |
| | Altura (cm) | 98,5 | 100,2 | 102,9 | 105,9 | 108,9 | 111,5 | 113,2 | 98,5 | 100,2 | 102,9 | 105,9 | 108,9 | 111,5 | 113,2 |
| | 50% | 90 | 90 | 91 | 92 | 93 | 94 | 94 | 48 | 49 | 49 | 50 | 51 | 52 | 52 |
| | 90% | 102 | 103 | 104 | 105 | 105 | 106 | 107 | 60 | 61 | 62 | 62 | 63 | 64 | 64 |
| | 95% | 107 | 107 | 108 | 108 | 109 | 110 | 110 | 63 | 64 | 65 | 66 | 67 | 67 | 68 |
| | 95% + 12 mm Hg | 119 | 119 | 120 | 120 | 121 | 122 | 122 | 75 | 76 | 77 | 78 | 79 | 79 | 80 |
| 5 | Altura (pol) | 41,1 | 41,8 | 43,0 | 44,3 | 45,5 | 46,7 | 47,4 | 41,1 | 41,8 | 43,0 | 44,3 | 45,5 | 46,7 | 47,4 |
| | Altura (cm) | 104,4 | 106,2 | 109,1 | 112,4 | 115,7 | 118,6 | 120,3 | 104,4 | 106,2 | 109,1 | 112,4 | 115,7 | 118,6 | 120,3 |
| | 50% | 91 | 92 | 93 | 94 | 95 | 96 | 96 | 51 | 51 | 52 | 53 | 54 | 55 | 55 |
| | 90% | 103 | 104 | 105 | 106 | 107 | 108 | 108 | 63 | 64 | 65 | 65 | 66 | 67 | 67 |
| | 95% | 107 | 108 | 109 | 109 | 110 | 111 | 112 | 66 | 67 | 68 | 69 | 70 | 70 | 71 |
| | 95% + 12 mm Hg | 119 | 120 | 121 | 121 | 122 | 123 | 124 | 78 | 79 | 80 | 81 | 82 | 82 | 83 |

*(continua)*

**TABELA A2.1** → Níveis de pressão arterial para meninos conforme percentil de idade e altura *(Continuação)*

| IDADE (ANOS) | PERCENTIL DE PA | PAS (mm Hg) PERCENTIL DE ALTURA OU ALTURA MEDIDA | | | | | | | PAD (mm Hg) PERCENTIL DE ALTURA OU ALTURA MEDIDA | | | | | | |
|---|---|---|---|---|---|---|---|---|---|---|---|---|---|---|---|
| | | 5% | 10% | 25% | 50% | 75% | 90% | 95% | 5% | 10% | 25% | 50% | 75% | 90% | 95% |
| 6 | Altura (pol) | 43,4 | 44,2 | 45,4 | 46,8 | 48,2 | 49,4 | 50,2 | 43,4 | 44,2 | 45,4 | 46,8 | 48,2 | 49,4 | 50,2 |
| | Altura (cm) | 110,3 | 112,2 | 115,3 | 118,9 | 122,4 | 125,6 | 127,5 | 110,3 | 112,2 | 115,3 | 118,9 | 122,4 | 125,6 | 127,5 |
| | 50% | 93 | 93 | 94 | 95 | 96 | 97 | 98 | 54 | 54 | 55 | 56 | 57 | 57 | 58 |
| | 90% | 105 | 105 | 106 | 107 | 109 | 110 | 110 | 66 | 66 | 67 | 68 | 68 | 69 | 69 |
| | 95% | 108 | 109 | 110 | 111 | 112 | 113 | 114 | 69 | 70 | 70 | 71 | 72 | 72 | 73 |
| | 95% + 12 mm Hg | 120 | 121 | 122 | 123 | 124 | 125 | 126 | 81 | 82 | 82 | 83 | 84 | 84 | 85 |
| 7 | Altura (pol) | 45,7 | 46,5 | 47,8 | 49,3 | 50,8 | 52,1 | 52,9 | 45,7 | 46,5 | 47,8 | 49,3 | 50,8 | 52,1 | 52,9 |
| | Altura (cm) | 116,1 | 118 | 121,4 | 125,1 | 128,9 | 132,4 | 134,5 | 116,1 | 118 | 121,4 | 125,1 | 128,9 | 132,4 | 134,5 |
| | 50% | 94 | 94 | 95 | 97 | 98 | 98 | 99 | 56 | 56 | 57 | 58 | 58 | 59 | 59 |
| | 90% | 106 | 107 | 108 | 109 | 110 | 111 | 111 | 68 | 68 | 69 | 70 | 70 | 71 | 71 |
| | 95% | 110 | 110 | 111 | 112 | 114 | 115 | 116 | 71 | 71 | 72 | 73 | 73 | 74 | 74 |
| | 95% + 12 mm Hg | 122 | 122 | 123 | 124 | 126 | 127 | 128 | 83 | 83 | 84 | 85 | 85 | 86 | 86 |
| 8 | Altura (pol) | 47,8 | 48,6 | 50 | 51,6 | 53,2 | 54,6 | 55,5 | 47,8 | 48,6 | 50 | 51,6 | 53,2 | 54,6 | 55,5 |
| | Altura (cm) | 121,4 | 123,5 | 127 | 131 | 135,1 | 138,8 | 141 | 121,4 | 123,5 | 127 | 131 | 135,1 | 138,8 | 141 |
| | 50% | 95 | 96 | 97 | 98 | 99 | 99 | 100 | 57 | 57 | 58 | 59 | 59 | 60 | 60 |
| | 90% | 107 | 108 | 109 | 110 | 111 | 112 | 112 | 69 | 70 | 70 | 71 | 72 | 72 | 73 |
| | 95% | 111 | 112 | 112 | 114 | 115 | 116 | 117 | 72 | 73 | 73 | 74 | 75 | 75 | 75 |
| | 95% + 12 mm Hg | 123 | 124 | 124 | 126 | 127 | 128 | 129 | 84 | 85 | 85 | 86 | 87 | 87 | 87 |
| 9 | Altura (pol) | 49,6 | 50,5 | 52 | 53,7 | 55,4 | 56,9 | 57,9 | 49,6 | 50,5 | 52 | 53,7 | 55,4 | 56,9 | 57,9 |
| | Altura (cm) | 126 | 128,3 | 132,1 | 136,3 | 140,7 | 144,7 | 147,1 | 126 | 128,3 | 132,1 | 136,3 | 140,7 | 144,7 | 147,1 |
| | 50% | 96 | 97 | 98 | 99 | 100 | 101 | 101 | 57 | 58 | 59 | 60 | 61 | 62 | 62 |
| | 90% | 107 | 108 | 109 | 110 | 112 | 113 | 114 | 70 | 71 | 72 | 73 | 74 | 74 | 74 |
| | 95% | 112 | 112 | 113 | 115 | 116 | 118 | 119 | 74 | 74 | 75 | 76 | 76 | 77 | 77 |
| | 95% + 12 mm Hg | 124 | 124 | 125 | 127 | 128 | 130 | 131 | 86 | 86 | 87 | 88 | 88 | 89 | 89 |
| 10 | Altura (pol) | 51,3 | 52,2 | 53,8 | 55,6 | 57,4 | 59,1 | 60,1 | 51,3 | 52,2 | 53,8 | 55,6 | 57,4 | 59,1 | 60,1 |
| | Altura (cm) | 130,2 | 132,7 | 136,7 | 141,3 | 145,9 | 150,1 | 152,7 | 130,2 | 132,7 | 136,7 | 141,3 | 145,9 | 150,1 | 152,7 |
| | 50% | 97 | 98 | 99 | 100 | 101 | 102 | 103 | 59 | 60 | 61 | 62 | 63 | 63 | 64 |
| | 90% | 108 | 109 | 111 | 112 | 113 | 115 | 116 | 72 | 73 | 74 | 74 | 75 | 75 | 76 |
| | 95% | 112 | 113 | 114 | 116 | 118 | 120 | 121 | 76 | 76 | 77 | 77 | 78 | 78 | 78 |
| | 95% + 12 mm Hg | 124 | 125 | 126 | 128 | 130 | 132 | 133 | 88 | 88 | 89 | 89 | 90 | 90 | 90 |
| 11 | Altura (pol) | 53 | 54 | 55,7 | 57,6 | 59,6 | 61,3 | 62,4 | 53 | 54 | 55,7 | 57,6 | 59,6 | 61,3 | 62,4 |
| | Altura (cm) | 134,7 | 137,3 | 141,5 | 146,4 | 151,3 | 155,8 | 158,6 | 134,7 | 137,3 | 141,5 | 146,4 | 151,3 | 155,8 | 158,6 |
| | 50% | 99 | 99 | 101 | 102 | 103 | 104 | 106 | 61 | 61 | 62 | 63 | 63 | 63 | 63 |
| | 90% | 110 | 111 | 112 | 114 | 116 | 117 | 118 | 74 | 74 | 75 | 75 | 75 | 76 | 76 |
| | 95% | 114 | 114 | 116 | 118 | 120 | 123 | 124 | 77 | 78 | 78 | 78 | 78 | 78 | 78 |
| | 95% + 12 mm Hg | 126 | 126 | 128 | 130 | 132 | 135 | 136 | 89 | 90 | 90 | 90 | 90 | 90 | 90 |
| 12 | Altura (pol) | 55,2 | 56,3 | 58,1 | 60,1 | 62,2 | 64 | 65,2 | 55,2 | 56,3 | 58,1 | 60,1 | 62,2 | 64 | 65,2 |
| | Altura (cm) | 140,3 | 143 | 147,5 | 152,7 | 157,9 | 162,6 | 165,5 | 140,3 | 143 | 147,5 | 152,7 | 157,9 | 162,6 | 165,5 |
| | 50% | 101 | 101 | 102 | 104 | 106 | 108 | 109 | 61 | 62 | 62 | 62 | 62 | 63 | 63 |
| | 90% | 113 | 114 | 115 | 117 | 119 | 121 | 122 | 75 | 75 | 75 | 75 | 75 | 76 | 76 |
| | 95% | 116 | 117 | 118 | 121 | 124 | 126 | 128 | 78 | 78 | 78 | 78 | 78 | 79 | 79 |
| | 95% + 12 mm Hg | 128 | 129 | 130 | 133 | 136 | 138 | 140 | 90 | 90 | 90 | 90 | 90 | 91 | 91 |

*(continua)*

**Apêndice 2** → Tabelas de Valores de Pressão Arterial em Crianças e Adolescentes

**TABELA A2.1** → Níveis de pressão arterial para meninos conforme percentil de idade e altura *(Continuação)*

| IDADE (ANOS) | PERCENTIL DE PA | PAS (mm Hg) PERCENTIL DE ALTURA OU ALTURA MEDIDA | | | | | | | PAD (mm Hg) PERCENTIL DE ALTURA OU ALTURA MEDIDA | | | | | | |
|---|---|---|---|---|---|---|---|---|---|---|---|---|---|---|---|
| | | 5% | 10% | 25% | 50% | 75% | 90% | 95% | 5% | 10% | 25% | 50% | 75% | 90% | 95% |
| 13 | Altura (pol) | 57,9 | 59,1 | 61 | 63,1 | 65,2 | 67,1 | 68,3 | 57,9 | 59,1 | 61 | 63,1 | 65,2 | 67,1 | 68,3 |
| | Altura (cm) | 147 | 150 | 154,9 | 160,3 | 165,7 | 170,5 | 173,4 | 147 | 150 | 154,9 | 160,3 | 165,7 | 170,5 | 173,4 |
| | 50% | 103 | 104 | 105 | 108 | 110 | 111 | 112 | 61 | 60 | 61 | 62 | 63 | 64 | 65 |
| | 90% | 115 | 116 | 118 | 121 | 124 | 126 | 126 | 74 | 74 | 74 | 75 | 76 | 77 | 77 |
| | 95% | 119 | 120 | 122 | 125 | 128 | 130 | 131 | 78 | 78 | 78 | 78 | 80 | 81 | 81 |
| | 95% + 12 mm Hg | 131 | 132 | 134 | 137 | 140 | 142 | 143 | 90 | 90 | 90 | 90 | 92 | 93 | 93 |
| 14 | Altura (pol) | 60,6 | 61,8 | 63,8 | 65,9 | 68,0 | 69,8 | 70,9 | 60,6 | 61,8 | 63,8 | 65,9 | 68,0 | 69,8 | 70,9 |
| | Altura (cm) | 153,8 | 156,9 | 162 | 167,5 | 172,7 | 177,4 | 180,1 | 153,8 | 156,9 | 162 | 167,5 | 172,7 | 177,4 | 180,1 |
| | 50% | 105 | 106 | 109 | 111 | 112 | 113 | 113 | 60 | 60 | 62 | 64 | 65 | 66 | 67 |
| | 90% | 119 | 120 | 123 | 126 | 127 | 128 | 129 | 74 | 74 | 75 | 77 | 78 | 79 | 80 |
| | 95% | 123 | 125 | 127 | 130 | 132 | 133 | 134 | 77 | 78 | 79 | 81 | 82 | 83 | 84 |
| | 95% + 12 mm Hg | 135 | 137 | 139 | 142 | 144 | 145 | 146 | 89 | 90 | 91 | 93 | 94 | 95 | 96 |
| 15 | Altura (pol) | 62,6 | 63,8 | 65,7 | 67,8 | 69,8 | 71,5 | 72,5 | 62,6 | 63,8 | 65,7 | 67,8 | 69,8 | 71,5 | 72,5 |
| | Altura (cm) | 159 | 162 | 166,9 | 172,2 | 177,2 | 181,6 | 184,2 | 159 | 162 | 166,9 | 172,2 | 177,2 | 181,6 | 184,2 |
| | 50% | 108 | 110 | 112 | 113 | 114 | 114 | 114 | 61 | 62 | 64 | 65 | 66 | 67 | 68 |
| | 90% | 123 | 124 | 126 | 128 | 129 | 130 | 130 | 75 | 76 | 78 | 79 | 80 | 81 | 81 |
| | 95% | 127 | 129 | 131 | 132 | 134 | 135 | 135 | 78 | 79 | 81 | 83 | 84 | 85 | 85 |
| | 95% + 12 mm Hg | 139 | 141 | 143 | 144 | 146 | 147 | 147 | 90 | 91 | 93 | 95 | 96 | 97 | 97 |
| 16 | Altura (pol) | 63,8 | 64,9 | 66,8 | 68,8 | 70,7 | 72,4 | 73,4 | 63,8 | 64,9 | 66,8 | 68,8 | 70,7 | 72,4 | 73,4 |
| | Altura (cm) | 162,1 | 165 | 169,6 | 174,6 | 179,5 | 183,8 | 186,4 | 162,1 | 165 | 169,6 | 174,6 | 179,5 | 183,8 | 186,4 |
| | 50% | 111 | 112 | 114 | 115 | 115 | 116 | 116 | 63 | 64 | 66 | 67 | 68 | 69 | 69 |
| | 90% | 126 | 127 | 128 | 129 | 131 | 131 | 132 | 77 | 78 | 79 | 80 | 81 | 82 | 82 |
| | 95% | 130 | 131 | 133 | 134 | 135 | 136 | 137 | 80 | 81 | 83 | 84 | 85 | 86 | 86 |
| | 95% + 12 mm Hg | 142 | 143 | 145 | 146 | 147 | 148 | 149 | 92 | 93 | 95 | 96 | 97 | 98 | 98 |
| 17 | Altura (pol) | 64,5 | 65,5 | 67,3 | 69,2 | 71,1 | 72,8 | 73,8 | 64,5 | 65,5 | 67,3 | 69,2 | 71,1 | 72,8 | 73,8 |
| | Altura (cm) | 163,8 | 166,5 | 170,9 | 175,8 | 180,7 | 184,9 | 187,5 | 163,8 | 166,5 | 170,9 | 175,8 | 180,7 | 184,9 | 187,5 |
| | 50% | 114 | 115 | 116 | 117 | 117 | 118 | 118 | 65 | 66 | 67 | 68 | 69 | 70 | 70 |
| | 90% | 128 | 129 | 130 | 131 | 132 | 133 | 134 | 78 | 79 | 80 | 81 | 82 | 82 | 83 |
| | 95% | 132 | 133 | 134 | 135 | 137 | 138 | 138 | 81 | 82 | 84 | 85 | 86 | 86 | 87 |
| | 95% + 12 mm Hg | 144 | 145 | 146 | 147 | 149 | 150 | 150 | 93 | 94 | 96 | 97 | 98 | 98 | 99 |

Usar valores percentuais para interpretar as leituras de pressão arterial (PA) de acordo com o seguinte esquema: **Crianças de 1 a 13 anos:** PA normal (< percentil 90); PA elevada (> percentil 90 a < percentil 95 ou 120/80 mmHg a < percentil 95 [o que for menor]); Hipertensão estágio I (> percentil 95 a < percentil 95 + 12 mm Hg ou 130/80 a 139/89 [o que for menor]); Hipertensão estágio II (> percentil 95 + 12 mm Hg, ou > 140/90 mm Hg [o que for menor]). **Crianças > 13 anos:** PA normal (< 120/< 80 mm Hg); PA elevada (120/< 80 a 129/< 80 mm Hg); Hipertensão estágio I (130/80 a 139/89); Hipertensão estágio II (> 140/90 mm Hg).
Fonte: Flynn e colaboradores.[2]

**TABELA A2.2** → Níveis de pressão arterial para meninas conforme percentil de idade e altura

| IDADE (ANOS) | PERCENTIL DE PA | PAS (mm Hg) PERCENTIL DE ALTURA OU ALTURA MEDIDA | | | | | | | PAD (mm Hg) PERCENTIL DE ALTURA OU ALTURA MEDIDA | | | | | | |
|---|---|---|---|---|---|---|---|---|---|---|---|---|---|---|---|
| | | 5% | 10% | 25% | 50% | 75% | 90% | 95% | 5% | 10% | 25% | 50% | 75% | 90% | 95% |
| 1 | Altura (pol) | 29,7 | 30,2 | 30,9 | 31,8 | 32,7 | 33,4 | 33,9 | 29,7 | 30,2 | 30,9 | 31,8 | 32,7 | 33,4 | 33,9 |
| | Altura (cm) | 75,4 | 76,6 | 78,6 | 80,8 | 83 | 84,9 | 86,1 | 75,4 | 76,6 | 78,6 | 80,8 | 83 | 84,9 | 86,1 |
| | 50% | 84 | 85 | 86 | 86 | 87 | 88 | 88 | 41 | 42 | 42 | 43 | 44 | 45 | 46 |
| | 90% | 98 | 99 | 99 | 100 | 101 | 102 | 102 | 54 | 55 | 56 | 56 | 57 | 58 | 58 |
| | 95% | 101 | 102 | 102 | 103 | 104 | 105 | 105 | 59 | 59 | 60 | 60 | 61 | 62 | 62 |
| | 95% + 12 mm Hg | 113 | 114 | 114 | 115 | 116 | 117 | 117 | 71 | 71 | 72 | 72 | 73 | 74 | 74 |
| 2 | Altura (pol) | 33,4 | 34 | 34,9 | 35,9 | 36,9 | 37,8 | 38,4 | 33,4 | 34 | 34,9 | 35,9 | 36,9 | 37,8 | 38,4 |
| | Altura (cm) | 84,9 | 86,3 | 88,6 | 91,1 | 93,7 | 96 | 97,4 | 84,9 | 86,3 | 88,6 | 91,1 | 93,7 | 96 | 97,4 |
| | 50% | 87 | 87 | 88 | 89 | 90 | 91 | 91 | 45 | 46 | 47 | 48 | 49 | 50 | 51 |
| | 90% | 101 | 101 | 102 | 103 | 104 | 105 | 106 | 58 | 58 | 59 | 60 | 61 | 62 | 62 |
| | 95% | 104 | 105 | 106 | 106 | 107 | 108 | 109 | 62 | 63 | 63 | 64 | 65 | 66 | 66 |
| | 95% + 12 mm Hg | 116 | 117 | 118 | 118 | 119 | 120 | 121 | 74 | 75 | 75 | 76 | 77 | 78 | 78 |
| 3 | Altura (pol) | 35,8 | 36,4 | 37,3 | 38,4 | 39,6 | 40,6 | 41,2 | 35,8 | 36,4 | 37,3 | 38,4 | 39,6 | 40,6 | 41,2 |
| | Altura (cm) | 91 | 92,4 | 94,9 | 97,6 | 100,5 | 103,1 | 104,6 | 91 | 92,4 | 94,9 | 97,6 | 100,5 | 103,1 | 104,6 |
| | 50% | 88 | 89 | 89 | 90 | 91 | 92 | 93 | 48 | 48 | 49 | 50 | 51 | 53 | 53 |
| | 90% | 102 | 103 | 104 | 104 | 105 | 106 | 107 | 60 | 61 | 61 | 62 | 63 | 64 | 65 |
| | 95% | 106 | 106 | 107 | 108 | 109 | 110 | 110 | 64 | 65 | 65 | 66 | 67 | 68 | 69 |
| | 95% + 12 mm Hg | 118 | 118 | 119 | 120 | 121 | 122 | 122 | 76 | 77 | 77 | 78 | 79 | 80 | 81 |
| 4 | Altura (pol) | 38,3 | 38,9 | 39,9 | 41,1 | 42,4 | 43,5 | 44,2 | 38,3 | 38,9 | 39,9 | 41,1 | 42,4 | 43,5 | 44,2 |
| | Altura (cm) | 97,2 | 98,8 | 101,4 | 104,5 | 107,6 | 110,5 | 112,2 | 97,2 | 98,8 | 101,4 | 104,5 | 107,6 | 110,5 | 112,2 |
| | 50% | 89 | 90 | 91 | 92 | 93 | 94 | 94 | 50 | 51 | 51 | 53 | 54 | 55 | 55 |
| | 90% | 103 | 104 | 105 | 106 | 107 | 108 | 108 | 62 | 63 | 64 | 65 | 66 | 67 | 67 |
| | 95% | 107 | 108 | 109 | 109 | 110 | 111 | 112 | 66 | 67 | 68 | 69 | 70 | 70 | 71 |
| | 95% + 12 mm Hg | 119 | 120 | 121 | 121 | 122 | 123 | 124 | 78 | 79 | 80 | 81 | 82 | 82 | 83 |
| 5 | Altura (pol) | 40,8 | 41,5 | 42,6 | 43,9 | 45,2 | 46,5 | 47,3 | 40,8 | 41,5 | 42,6 | 43,9 | 45,2 | 46,5 | 47,3 |
| | Altura (cm) | 103,6 | 105,3 | 108,2 | 111,5 | 114,9 | 118,1 | 120 | 103,6 | 105,3 | 108,2 | 111,5 | 114,9 | 118,1 | 120 |
| | 50% | 90 | 91 | 92 | 93 | 94 | 95 | 96 | 52 | 52 | 53 | 55 | 56 | 57 | 57 |
| | 90% | 104 | 105 | 106 | 107 | 108 | 109 | 110 | 64 | 65 | 66 | 67 | 68 | 69 | 70 |
| | 95% | 108 | 109 | 109 | 110 | 111 | 112 | 113 | 68 | 69 | 70 | 71 | 72 | 73 | 73 |
| | 95% + 12 mm Hg | 120 | 121 | 121 | 122 | 123 | 124 | 125 | 80 | 81 | 82 | 83 | 84 | 85 | 85 |
| 6 | Altura (pol) | 43,3 | 44 | 45,2 | 46,6 | 48,1 | 49,4 | 50,3 | 43,3 | 44 | 45,2 | 46,6 | 48,1 | 49,4 | 50,3 |
| | Altura (cm) | 110 | 111,8 | 114,9 | 118,4 | 122,1 | 125,6 | 127,7 | 110 | 111,8 | 114,9 | 118,4 | 122,1 | 125,6 | 127,7 |
| | 50% | 92 | 92 | 93 | 94 | 96 | 97 | 97 | 54 | 54 | 55 | 56 | 57 | 58 | 59 |
| | 90% | 105 | 106 | 107 | 108 | 109 | 110 | 111 | 67 | 67 | 68 | 69 | 70 | 71 | 71 |
| | 95% | 109 | 109 | 110 | 111 | 112 | 113 | 114 | 70 | 71 | 72 | 72 | 73 | 74 | 74 |
| | 95% + 12 mm Hg | 121 | 121 | 122 | 123 | 124 | 125 | 126 | 82 | 83 | 84 | 84 | 85 | 86 | 86 |
| 7 | Altura (pol) | 45,6 | 46,4 | 47,7 | 49,2 | 50,7 | 52,1 | 53 | 45,6 | 46,4 | 47,7 | 49,2 | 50,7 | 52,1 | 53 |
| | Altura (cm) | 115,9 | 117,8 | 121,1 | 124,9 | 128,8 | 132,5 | 134,7 | 115,9 | 117,8 | 121,1 | 124,9 | 128,8 | 132,5 | 134,7 |
| | 50% | 92 | 93 | 94 | 95 | 97 | 98 | 99 | 55 | 55 | 56 | 57 | 58 | 59 | 60 |
| | 90% | 106 | 106 | 107 | 109 | 110 | 111 | 112 | 68 | 68 | 69 | 70 | 71 | 72 | 72 |
| | 95% | 109 | 110 | 111 | 112 | 113 | 114 | 115 | 72 | 72 | 73 | 73 | 74 | 74 | 75 |
| | 95% + 12 mm Hg | 121 | 122 | 123 | 124 | 125 | 126 | 127 | 84 | 84 | 85 | 85 | 86 | 86 | 87 |

*(continua)*

**TABELA A2.2** → Níveis de pressão arterial para meninas conforme percentil de idade e altura  *(Continuação)*

| IDADE (ANOS) | PERCENTIL DE PA | PAS (mm Hg) PERCENTIL DE ALTURA OU ALTURA MEDIDA | | | | | | | PAD (mm Hg) PERCENTIL DE ALTURA OU ALTURA MEDIDA | | | | | | |
|---|---|---|---|---|---|---|---|---|---|---|---|---|---|---|---|
| | | 5% | 10% | 25% | 50% | 75% | 90% | 95% | 5% | 10% | 25% | 50% | 75% | 90% | 95% |
| 8 | Altura (pol) | 47,6 | 48,4 | 49,8 | 51,4 | 53 | 54,5 | 55,5 | 47,6 | 48,4 | 49,8 | 51,4 | 53 | 54,5 | 55,5 |
| | Altura (cm) | 121 | 123 | 126,5 | 130,6 | 134,7 | 138,5 | 140,9 | 121 | 123 | 126,5 | 130,6 | 134,7 | 138,5 | 140,9 |
| | 50% | 93 | 94 | 95 | 97 | 98 | 99 | 100 | 56 | 56 | 57 | 59 | 60 | 61 | 61 |
| | 90% | 107 | 107 | 108 | 110 | 111 | 112 | 113 | 69 | 70 | 71 | 72 | 72 | 73 | 73 |
| | 95% | 110 | 111 | 112 | 113 | 115 | 116 | 117 | 72 | 73 | 74 | 74 | 75 | 75 | 75 |
| | 95% + 12 mm Hg | 122 | 123 | 124 | 125 | 127 | 128 | 129 | 84 | 85 | 86 | 86 | 87 | 87 | 87 |
| 9 | Altura (pol) | 49,3 | 50,2 | 51,7 | 53,4 | 55,1 | 56,7 | 57,7 | 49,3 | 50,2 | 51,7 | 53,4 | 55,1 | 56,7 | 57,7 |
| | Altura (cm) | 125,3 | 127,6 | 131,3 | 135,6 | 140,1 | 144,1 | 146,6 | 125,3 | 127,6 | 131,3 | 135,6 | 140,1 | 144,1 | 146,6 |
| | 50% | 95 | 95 | 97 | 98 | 99 | 100 | 101 | 57 | 58 | 59 | 60 | 60 | 61 | 61 |
| | 90% | 108 | 108 | 109 | 111 | 112 | 113 | 114 | 71 | 71 | 72 | 73 | 73 | 73 | 73 |
| | 95% | 112 | 112 | 113 | 114 | 116 | 117 | 118 | 74 | 74 | 75 | 75 | 75 | 75 | 75 |
| | 95% + 12 mm Hg | 124 | 124 | 125 | 126 | 128 | 129 | 130 | 86 | 86 | 87 | 87 | 87 | 87 | 87 |
| 10 | Altura (pol) | 51,1 | 52 | 53,7 | 55,5 | 57,4 | 59,1 | 60,2 | 51,1 | 52 | 53,7 | 55,5 | 57,4 | 59,1 | 60,2 |
| | Altura (cm) | 129,7 | 132,2 | 136,3 | 141 | 145,8 | 150,2 | 152,8 | 129,7 | 132,2 | 136,3 | 141 | 145,8 | 150,2 | 152,8 |
| | 50% | 96 | 97 | 98 | 99 | 101 | 102 | 103 | 58 | 59 | 59 | 60 | 61 | 61 | 62 |
| | 90% | 109 | 110 | 111 | 112 | 113 | 115 | 116 | 72 | 73 | 73 | 73 | 73 | 73 | 73 |
| | 95% | 113 | 114 | 114 | 116 | 117 | 119 | 120 | 75 | 75 | 76 | 76 | 76 | 76 | 76 |
| | 95% + 12 mm Hg | 125 | 126 | 126 | 128 | 129 | 131 | 132 | 87 | 87 | 88 | 88 | 88 | 88 | 88 |
| 11 | Altura (pol) | 53,4 | 54,5 | 56,2 | 58,2 | 60,2 | 61,9 | 63 | 53,4 | 54,5 | 56,2 | 58,2 | 60,2 | 61,9 | 63 |
| | Altura (cm) | 135,6 | 138,3 | 142,8 | 147,8 | 152,8 | 157,3 | 160 | 135,6 | 138,3 | 142,8 | 147,8 | 152,8 | 157,3 | 160 |
| | 50% | 98 | 99 | 101 | 102 | 104 | 105 | 106 | 60 | 60 | 60 | 61 | 62 | 63 | 64 |
| | 90% | 111 | 112 | 113 | 114 | 116 | 118 | 120 | 74 | 74 | 74 | 74 | 74 | 75 | 75 |
| | 95% | 115 | 116 | 117 | 118 | 120 | 123 | 124 | 76 | 77 | 77 | 77 | 77 | 77 | 77 |
| | 95% + 12 mm Hg | 127 | 128 | 129 | 130 | 132 | 135 | 136 | 88 | 89 | 89 | 89 | 89 | 89 | 89 |
| 12 | Altura (pol) | 56,2 | 57,3 | 59 | 60,9 | 62,8 | 64,5 | 65,5 | 56,2 | 57,3 | 59 | 60,9 | 62,8 | 64,5 | 65,5 |
| | Altura (cm) | 142,8 | 145,5 | 149,9 | 154,8 | 159,6 | 163,8 | 166,4 | 142,8 | 145,5 | 149,9 | 154,8 | 159,6 | 163,8 | 166,4 |
| | 50% | 102 | 102 | 104 | 105 | 107 | 108 | 108 | 61 | 61 | 61 | 62 | 64 | 65 | 65 |
| | 90% | 114 | 115 | 116 | 118 | 120 | 122 | 122 | 75 | 75 | 75 | 75 | 76 | 76 | 76 |
| | 95% | 118 | 119 | 120 | 122 | 124 | 125 | 126 | 78 | 78 | 78 | 78 | 79 | 79 | 79 |
| | 95% + 12 mm Hg | 130 | 131 | 132 | 134 | 136 | 137 | 138 | 90 | 90 | 90 | 90 | 91 | 91 | 91 |
| 13 | Altura (pol) | 58,3 | 59,3 | 60,9 | 62,7 | 64,5 | 66,1 | 67 | 58,3 | 59,3 | 60,9 | 62,7 | 64,5 | 66,1 | 67 |
| | Altura (cm) | 148,1 | 150,6 | 154,7 | 159,2 | 163,7 | 167,8 | 170,2 | 148,1 | 150,6 | 154,7 | 159,2 | 163,7 | 167,8 | 170,2 |
| | 50% | 104 | 105 | 106 | 107 | 108 | 108 | 109 | 62 | 62 | 63 | 64 | 65 | 65 | 66 |
| | 90% | 116 | 117 | 119 | 121 | 122 | 123 | 123 | 75 | 75 | 75 | 76 | 76 | 76 | 76 |
| | 95% | 121 | 122 | 123 | 124 | 126 | 126 | 127 | 79 | 79 | 79 | 79 | 80 | 80 | 81 |
| | 95% + 12 mm Hg | 133 | 134 | 135 | 136 | 138 | 138 | 139 | 91 | 91 | 91 | 91 | 92 | 92 | 93 |
| 14 | Altura (pol) | 59,3 | 60,2 | 61,8 | 63,5 | 65,2 | 66,8 | 67,7 | 59,3 | 60,2 | 61,8 | 63,5 | 65,2 | 66,8 | 67,7 |
| | Altura (cm) | 150,6 | 153 | 156,9 | 161,3 | 165,7 | 169,7 | 172,1 | 150,6 | 153 | 156,9 | 161,3 | 165,7 | 169,7 | 172,1 |
| | 50% | 105 | 106 | 107 | 108 | 109 | 109 | 109 | 63 | 63 | 64 | 65 | 66 | 66 | 66 |
| | 90% | 118 | 118 | 120 | 122 | 123 | 123 | 123 | 76 | 76 | 76 | 76 | 77 | 77 | 77 |
| | 95% | 123 | 123 | 124 | 125 | 126 | 127 | 127 | 80 | 80 | 80 | 80 | 81 | 81 | 82 |
| | 95% + 12 mm Hg | 135 | 135 | 136 | 137 | 138 | 139 | 139 | 92 | 92 | 92 | 92 | 93 | 93 | 94 |

*(continua)*

**TABELA A2.2** → Níveis de pressão arterial para meninas conforme percentil de idade e altura  *(Continuação)*

| IDADE (ANOS) | PERCENTIL DE PA | PAS (mm Hg) ||||||| PAD (mm Hg) |||||||
| --- | --- | --- | --- | --- | --- | --- | --- | --- | --- | --- | --- | --- | --- | --- | --- |
| | | PERCENTIL DE ALTURA OU ALTURA MEDIDA |||||||  PERCENTIL DE ALTURA OU ALTURA MEDIDA |||||||
| | | 5% | 10% | 25% | 50% | 75% | 90% | 95% | 5% | 10% | 25% | 50% | 75% | 90% | 95% |
| 15 | Altura (pol) | 59,7 | 60,6 | 62,2 | 63,9 | 65,6 | 67,2 | 68,1 | 59,7 | 60,6 | 62,2 | 63,9 | 65,6 | 67,2 | 68,1 |
| | Altura (cm) | 151,7 | 154 | 157,9 | 162,3 | 166,7 | 170,6 | 173 | 151,7 | 154 | 157,9 | 162,3 | 166,7 | 170,6 | 173 |
| | 50% | 105 | 106 | 107 | 108 | 109 | 109 | 109 | 64 | 64 | 64 | 65 | 66 | 67 | 67 |
| | 90% | 118 | 119 | 121 | 122 | 123 | 123 | 124 | 76 | 76 | 76 | 77 | 77 | 78 | 78 |
| | 95% | 124 | 124 | 125 | 126 | 127 | 127 | 128 | 80 | 80 | 80 | 81 | 82 | 82 | 82 |
| | 95% + 12 mm Hg | 136 | 136 | 137 | 138 | 139 | 139 | 140 | 92 | 92 | 92 | 93 | 94 | 94 | 94 |
| 16 | Altura (pol) | 59,9 | 60,8 | 62,4 | 64,1 | 65,8 | 67,3 | 68,3 | 59,9 | 60,8 | 62,4 | 64,1 | 65,8 | 67,3 | 68,3 |
| | Altura (cm) | 152,1 | 154,5 | 158,4 | 162,8 | 167,1 | 171,1 | 173,4 | 152,1 | 154,5 | 158,4 | 162,8 | 167,1 | 171,1 | 173,4 |
| | 50% | 106 | 107 | 108 | 109 | 109 | 110 | 110 | 64 | 64 | 65 | 66 | 66 | 67 | 67 |
| | 90% | 119 | 120 | 122 | 123 | 124 | 124 | 124 | 76 | 76 | 76 | 77 | 78 | 78 | 78 |
| | 95% | 124 | 125 | 125 | 127 | 127 | 128 | 128 | 80 | 80 | 80 | 81 | 82 | 82 | 82 |
| | 95% + 12 mm Hg | 136 | 137 | 137 | 139 | 139 | 140 | 140 | 92 | 92 | 92 | 93 | 94 | 94 | 94 |
| 17 | Altura (pol) | 60,0 | 60,9 | 62,5 | 64,2 | 65,9 | 67,4 | 68,4 | 60,0 | 60,9 | 62,5 | 64,2 | 65,9 | 67,4 | 68,4 |
| | Altura (cm) | 152,4 | 154,7 | 158,7 | 163,0 | 167,4 | 171,3 | 173,7 | 152,4 | 154,7 | 158,7 | 163,0 | 167,4 | 171,3 | 173,7 |
| | 50% | 107 | 108 | 109 | 110 | 110 | 110 | 111 | 64 | 64 | 65 | 66 | 66 | 66 | 67 |
| | 90% | 120 | 121 | 123 | 124 | 124 | 125 | 125 | 76 | 76 | 77 | 77 | 78 | 78 | 78 |
| | 95% | 125 | 125 | 126 | 127 | 128 | 128 | 128 | 80 | 80 | 80 | 81 | 82 | 82 | 82 |
| | 95th + 12 mm Hg | 137 | 137 | 138 | 139 | 140 | 140 | 140 | 92 | 92 | 92 | 93 | 94 | 94 | 94 |

Usar valores percentuais para interpretar as leituras de pressão arterial (PA) de acordo com o seguinte esquema: **Crianças de 1 a 13 anos:** PA normal (< percentil 90); PA elevada (> percentil 90 a < percentil 95 ou 120/80 mmHg a < percentil 95 [o que for menor]); Hipertensão estágio I (> percentil 95 a < percentil 95 + 12 mm Hg ou 130/80 a 139/89 [o que for menor]); Hipertensão estágio II (> percentil 95 + 12 mm Hg, ou > 140/90 mm Hg [o que for menor]). **Crianças > 13 anos:** PA normal (< 120/< 80 mm Hg); PA elevada (120/< 80 a 129/< 80 mm Hg); Hipertensão estágio I (130/80 a 139/89); Hipertensão estágio II (> 140/90 mm Hg).
Fonte: Flynn e colaboradores.[2]

# LEITURAS RECOMENDADAS

1. Rosner B, Cook N, Portman R, Daniels S, Falkner B. Determination of blood pressure percentiles in normal-weight children: some methodological issues. Am J Epidemiol. 2008;167(6):653–66.
2. Flynn JT, Kaelber DC, Baker-Smith CM, Blowey D, Carroll AE, Daniels SR, et al. Clinical Practice Guideline for Screening and Management of High Blood Pressure in Children and Adolescents. Pediatrics. 2017;140(3):e20171904. Erratum in: Pediatrics. 2018;142(3).

# Apêndice 3
## USO DE MEDICAMENTOS NA GESTAÇÃO E NA LACTAÇÃO

Maria Teresa Vieira Sanseverino
Lavinia Schuler-Faccini
Camila Giugliani

| AGENTE | CONSIDERAÇÕES SOBRE USO NA GESTAÇÃO[1,2] | CONSIDERAÇÕES SOBRE USO NA AMAMENTAÇÃO[3-7] |
|---|---|---|
| **Analgésicos e anestésicos** | | |
| Analgésicos e anti-inflamatórios | O paracetamol é o analgésico de escolha durante a gravidez, respeitando-se a dose máxima recomendada, pelo potencial hepatotóxico<br><br>O ácido acetilsalicílico não tem potencial teratogênico, mas costuma ser evitado por sua interferência na hemostasia; em doses baixas (60-100 mg/dia), é recomendado para a prevenção de pré-eclâmpsia em gestantes com risco aumentado para essa condição<br><br>Os inibidores da prostaglandina-sintetase (AINEs) têm a propriedade de diminuir a atividade uterina e prolongar a gestação, sendo utilizados também como tocolíticos em trabalhos de parto prematuros; quando usados no 3º trimestre, estão associados a fechamento prematuro do ducto arterioso e hipertensão pulmonar no feto ou no neonato; portanto, a recomendação é que não sejam utilizados durante o 3º trimestre<br><br>Os analgésicos opioides e a dipirona não são considerados como potencialmente teratogênicos<br><br>Relaxantes musculares: estudos em humanos, ainda que limitados, e estudos em animais sobre ciclobenzaprina sugerem que seu uso seja seguro na gestação; faltam dados para definir sobre a segurança de carisoprodol e orfenadrina, de modo que é preferível usar ciclobenzaprina | AINEs e paracetamol são compatíveis com a amamentação e devem ser as opções preferenciais; a dipirona deve ser usada com cautela, pois existe controvérsia em torno de sua segurança para o lactente<br><br>O ácido acetilsalicílico deve ser usado com critério: evitar uso prolongado e doses altas; observar petéquias e sinais de sangramento no lactente; risco em potencial de síndrome de Reye; uso em doses baixas (até 325 mg/dia) pode ser considerado<br><br>Opioides (codeína, tramadol, morfina): a maioria, em doses isoladas e/ou ocasionais, é excretada em pequenas quantidades no leite materno; deve-se procurar usar em doses baixas e por curtos períodos; evitar combinação com outros opioides; observar sedação no lactente e reavaliar constantemente a necessidade de usar o opioide<br><br>Relaxantes musculares: ciclobenzaprina, carisoprodol, baclofeno e orfenadrina são considerados possivelmente compatíveis com a amamentação; atentar para sinais de sedação no lactente |
| Anestésicos | Os anestésicos inalatórios, em geral, não foram relacionados com teratogênese, em doses anestésicas ou subanestésicas<br><br>O óxido nitroso foi relacionado com efeitos teratogênicos após exposições prolongadas<br><br>Os anestésicos locais, como a lidocaína, não possuem potencial teratogênico | Anestésicos compatíveis com a amamentação: benzocaína, bupivacaína, lidocaína, propofol, ropivacaína |
| **Antiácidos e antiulcerosos** | | |
| | Os antiácidos à base de alumínio, cálcio ou magnésio não parecem aumentar o risco de malformações congênitas quando usados nas doses apropriadas<br><br>O uso de bicarbonato de sódio deve ser evitado, pelo risco de alcalose metabólica e sobrecarga hídrica<br><br>Omeprazol e ranitidina: com base em estudos experimentais em animais e nos dados disponíveis em humanos, seu uso durante a gestação não parece aumentar o risco de anomalias congênitas | Compatíveis com a amamentação: omeprazol e pantoprazol; cimetidina e ranitidina; hidróxido de alumínio, hidróxido de magnésio e bicarbonato de sódio |
| **Antiasmáticos[8]** | | |
| Broncodilatadores | Os simpaticomiméticos, como salbutamol e aminofilina, são considerados de uso seguro durante a gravidez | Salbutamol, aminofilina, fenoterol e salmeterol são compatíveis com a amamentação |
| Corticoides[9] | Estudos em roedores associam os corticoides à ocorrência de fenda palatina; em humanos, mesmo que a possibilidade da existência de efeito teratogênico causando fissuras palatinas não esteja completamente descartada, esse efeito é, na pior das hipóteses, muito pequeno quando o corticoide é usado por via sistêmica<br><br>Por via inalatória e tópica, os corticoides são considerados seguros<br><br>Ver Capítulo Atenção à Gestante com Problema Crônico de Saúde | Budesonida, beclometasona, flunisolida e fluticasona são compatíveis com a amamentação, assim como prednisona e prednisolona |

*(continua)*

*(Continuação)*

| AGENTE | CONSIDERAÇÕES SOBRE USO NA GESTAÇÃO[1,2] | CONSIDERAÇÕES SOBRE USO NA AMAMENTAÇÃO[3-7] |
|---|---|---|
| **Antibióticos** | | |
| Antimicrobianos | As penicilinas e as cefalosporinas são consideradas seguras na gestação | As penicilinas são compatíveis com a amamentação; podem alterar o gosto do leite materno |
| | A amicacina, a gentamicina e outros aminoglicosídeos costumam ser evitados na gestação pelo risco teórico de ototoxicidade e nefrotoxicidade fetal; no entanto, essa precaução não impede o uso desses fármacos, quando indicado, para infecções graves | Cefalosporinas: cefalexina, cefadroxila, cefaclor, cefalotina, cefuroxima e ceftriaxona são compatíveis com a amamentação; oferecem pouco risco para o lactente devido à elevada ligação com proteínas plasmáticas maternas; observar moniliase e diarreia no lactente |
| | Sulfametoxazol + trimetoprima: deve-se evitar o uso das sulfas no 3º trimestre pelo risco de deslocamento de bilirrubinas do sítio de ligação plasmático e desenvolvimento de querníctero nos neonatos expostos; a trimetoprima, que é um antagonista do ácido fólico, deve ser evitada no 1º trimestre, pela existência de relatos de sua associação com fendas orais e anomalias cardiovasculares | Aminoglicosídeos: amicacina e gentamicina são compatíveis com a amamentação; a absorção no trato gastrintestinal do lactente é insignificante; deve-se dar preferência aos antibióticos que já são liberados para uso em RNs |
| | As quinolonas, apesar de induzirem defeitos esqueléticos em modelos animais experimentais, não se mostraram teratogênicas em humanos | Sulfonamidas: a excreção no lactente varia muito; interferem na ligação da bilirrubina com a albumina, aumentando o risco de querníctero; o risco diminui com a idade; o uso deve ser criterioso no RN pré-termo no 1º mês de vida e nas crianças com hiperbilirrubinemia e/ou deficiência de G6PD; deve-se observar icterícia, exantema e diarreia no lactente; sulfametoxazol pode alterar o gosto do leite materno; primeira escolha: sulfafurazol |
| | A grande maioria dos estudos sobre o uso de metronidazol na gestação não mostra risco de teratogênese ou de outros efeitos adversos, mas o uso tópico é preferencial, quando disponível e adequado | |
| | As tetraciclinas devem ser evitadas durante o 2º e 3º trimestres, pelo potencial de causar coloração amarelo-escura nos dentes durante a vida pós-natal | Quinolonas: estudos recentes têm assinalado a segurança das quinolonas na faixa etária pediátrica; a dose excretada no leite materno é muito baixa para causar artropatia; primeira escolha: ofloxacino e levofloxacino; ciprofloxacino pode alterar o gosto do leite materno |
| | | Tetraciclinas: se usadas por período < 3 semanas, são consideradas compatíveis com a amamentação, pela transferência muito baixa do fármaco para o leite materno; o uso mais prolongado pode determinar manchas dentárias permanentes e redução do crescimento ósseo |
| | | Macrolídeos: compatíveis com a amamentação; podem alterar o gosto do leite materno |
| | | Metronidazol: compatível com a amamentação; o leite pode adquirir gosto metálico, podendo prejudicar sua aceitação pela criança |
| | | Outros anti-infecciosos compatíveis com a amamentação: clavulanato, nitrofurantoína, trimetoprima |
| | | Doxiciclina: possivelmente compatível, mas pela meia-vida longa e possibilidade de manchas nos dentes, não é considerada primeira opção; pode alterar o gosto do leite materno |
| | | Cloranfenicol: uso criterioso |
| Antifúngicos | Fluconazol:[10] quando em altas doses (400 mg/dia) e em tratamento prolongado, foi associado a quadro clínico similar à síndrome de Antley-Bixler; em doses usuais para tratamento de candidíase vaginal, mostra-se seguro | Uso compatível com a amamentação: fluconazol, itraconazol, cetoconazol, griseofulvina, nistatina, terbinafina |
| | Os demais antifúngicos não parecem ter efeito teratogênico | Uso criterioso: anfotericina B |
| Anti-helmínticos | Em razão de sua baixa absorção gastrintestinal, têm seu uso justificado durante a gravidez, quando indicados; até o momento, não há relatos de teratogênese associada ao seu uso | Em geral, são compatíveis com a amamentação; deve-se preferir o albendazol; mebendazol, ivermectina e nitazoxanida são considerados possivelmente compatíveis |
| Antituberculosos | A tuberculose pulmonar pode ser fator de risco para vários desfechos materno-fetais adversos, incluindo abortamento e mortalidade perinatal; o diagnóstico precoce e o tratamento adequado minimizam os potenciais efeitos negativos da tuberculose sobre a gestação | Em caso de tuberculose bacilífera, deve-se orientar a mãe a amamentar usando máscara ou similar; nenhum fármaco tuberculostático é formalmente contraindicado durante a amamentação |
| | O esquema terapêutico baseado em isoniazida, rifampicina, etambutol e pirazinamida não é considerado teratogênico | |
| Antivirais | Sem evidência de risco teratogênico de maneira geral; o aciclovir é o mais bem estudado | Uso compatível com a amamentação: aciclovir, idoxuridina, interferon, lamivudina, oseltamivir, valaciclovir |
| | Os antirretrovirais são considerados seguros; em relação ao efavirenz, foram observados defeitos congênitos em estudos em macacos, mas os estudos disponíveis em humanos não sugerem risco teratogênico | As publicações mais recentes consideram o ganciclovir possivelmente compatível (antes contraindicado) |
| | | Efavirenz, lopinavir, indinavir, zidovudina, nevirapina e ritonavir são contraindicados |

*(continua)*

*(Continuação)*

| AGENTE | CONSIDERAÇÕES SOBRE USO NA GESTAÇÃO[1,2] | CONSIDERAÇÕES SOBRE USO NA AMAMENTAÇÃO[3-7] |
|---|---|---|
| **Anticoagulantes** | A síndrome da varfarina fetal é bem conhecida e se caracteriza por distúrbio ósseo (condrodisplasia *punctata*), hipoplasia nasal e defeitos de crânio, sendo relacionada com exposição a cumarínicos da 6ª à 9ª semana de gestação; os defeitos de SNC, apesar de menos frequentes, apresentam maior significância clínica<br><br>Devido ao risco descrito com uso de varfarina, indica-se a sua troca por heparina (que não cruza a placenta) durante o 1º trimestre; deve-se evitar também o uso de varfarina no último mês de gestação<br><br>Rivaroxabana e apixabana: estudos em animais e relatos em humanos não apontam esses medicamentos como teratogênicos em humanos; há um alerta teórico de risco de sangramento na gravidez por sua ação anticoagulante, efeito que ainda não foi observado na prática | A varfarina e a heparina são compatíveis com a amamentação<br><br>Enoxaparina e rivaroxabana são consideradas possivelmente compatíveis<br><br>Fenindiona: contraindicada em função de relato de hemorragia escrotal em lactente exposto |
| **Antidiarreicos** | Em gestantes com diarreia, a modificação na dieta, com redução da ingesta de gorduras, pode melhorar os sintomas; embora os estudos em humanos sejam limitados, tanto a loperamida quanto o difenoxilato são considerados de baixo risco e podem ser usados com moderação | A loperamida é considerada segura<br><br>Difenoxilato: uso criterioso; recomenda-se a observação de efeitos anticolinérgicos (boca seca, retenção urinária e constipação) no lactente |
| **Antieméticos** | A maioria dos agentes antieméticos não costuma estar associada a potencial teratogênico<br><br>Os anti-histamínicos, como dimenidrinato, doxilamina, difenidramina, meclozina e ciclizina, são considerados fármacos de primeira escolha para o tratamento de náuseas e vômitos durante a gestação<br><br>Ondansetrona: estudos associaram o uso da ondansetrona durante a gravidez com ocorrência de fenda palatina ou defeitos cardíacos na prole, mas esses achados não foram confirmados em outros estudos; até que a segurança desse fármaco na gravidez seja mais bem estabelecida, seu uso em gestantes fica indicado para náuseas e vômitos que não respondam aos antieméticos utilizados há mais tempo em obstetrícia | Dimenidrinato, domperidona, metoclopramida e ondansetrona são compatíveis com a amamentação; a prometazina também é considerada segura, mas devem-se evitar doses repetidas e observar sonolência no lactente |
| **Anti-hipertensivos** | A metildopa é considerada o anti-hipertensivo de escolha na gravidez; nifedipino também tem sido recomendado como primeira escolha<br><br>Os diuréticos, por potencialmente interferirem na perfusão placentária, devem ser evitados, sempre que possível<br><br>Betabloqueadores: não parecem ter efeito teratogênico; entretanto, seu uso crônico durante a gravidez pode levar à RCIU e bradicardia neonatal; os betabloqueadores tipo $\beta_2$ seletivos (pindolol, labetalol, carvedilol) são boas opções para tratamento, isolados ou em associação com metildopa ou nifedipino<br><br>Bloqueadores do canal de cálcio: apesar de não haver evidência epidemiológica de teratogênese em fetos expostos, recomenda-se restrição de seu uso no início da gravidez, pois se acredita que vários processos da embriogênese sejam cálcio-dependentes, com exceção do nifedipino, cuja segurança já foi demonstrada; quanto ao anlodipino, ainda não há evidência de segurança e eficácia<br><br>IECAs: podem causar insuficiência renal fetal e oligúria quando usados na segunda metade da gravidez, devendo ser evitados nesse período | Diuréticos: a maioria é ácido fraco, pouco excretado no leite materno; o uso prolongado e em doses elevadas, em especial dos diuréticos de alça, pode teoricamente reduzir a produção de leite; porém, a evidência existente até o momento não comprova essa hipótese; sugere-se monitorar o ganho de peso do lactente; hidroclorotiazida pode alterar o gosto do leite materno<br><br>Betabloqueadores: em geral, são excretados no leite materno em pequenas concentrações, não prejudiciais ao lactente; sugere-se monitorar a criança para ocorrência de bradicardia, hipotensão e letargia<br><br>Compatíveis com a amamentação: hidroclorotiazida e espironolactona; propranolol, labetalol e mepindolol; metildopa; nifedipino e verapamil; hidralazina; benazepril, captopril e enalapril<br><br>Uso criterioso: clortalidona e furosemida; acebutolol, atenolol, metoprolol, nadolol e sotalol; clonidina e doxazosina; minoxidil; anlodipino (observar hipotensão e bradicardia no lactente em caso de uso prolongado pela mãe); ramipril; losartana e valsartana (não há dados sobre sua transferência para o leite materno; usar somente se não for possível utilizar um IECA) |
| **Anti-histamínicos** | É uma classe de agentes sem evidências de risco teratogênico | Devem-se preferir anti-histamínicos não sedativos (2ª geração) àqueles com propriedades sedativas (1ª geração)<br><br>Primeira escolha: loratadina<br><br>Compatíveis com a amamentação: desloratadina, difenidramina, dimenidrinato, hidroxizina, fexofenadina, cetirizina<br><br>Uso criterioso: prometazina, dexclorfeniramina (não há dados sobre sua segurança) |

*(continua)*

*(Continuação)*

| AGENTE | CONSIDERAÇÕES SOBRE USO NA GESTAÇÃO[1,2] | CONSIDERAÇÕES SOBRE USO NA AMAMENTAÇÃO[3-7] |
|---|---|---|
| **Antiagregantes plaquetários** | | |
| | Ácido acetilsalicílico: ver *Analgésicos e anti-inflamatórios*, anteriormente | Ácido acetilsalicílico: ver *Analgésicos e anti-inflamatórios*, anteriormente |
| | | O clopidogrel não é o fármaco de escolha na amamentação, devido ao seu moderado peso molecular, baixa ligação a proteínas e alta biodisponibilidade oral, mas não deve ser contraindicado em caso de necessidade |
| **Fármacos de ação no SNC** | | |
| Anticonvulsivantes[11] | Fenitoína: leva a um padrão de malformações conhecido como síndrome da fenitoína fetal, que se caracteriza por dismorfias faciais (hipertelorismo, microftalmia, pregas epicânticas, ptose palpebral, orelhas com implantação baixa), além de restrição de crescimento pré ou pós-natal, retardo mental, hipoplasia ungueal e de falanges distais e malformações cardíacas | Uso criterioso quando em doses elevadas ou uso prolongado; podem provocar sedação, sucção fraca e ganho ponderal insuficiente no lactente |
| | Fenobarbital: é um anticonvulsivante que deve ser evitado na gravidez; diversos estudos têm apontado riscos de alterações cognitivas e neurocomportamentais nas crianças de mães que usaram esse medicamento na gravidez | Preferir carbamazepina, lamotrigina ou levetiracetam (se possível, em monoterapia) |
| | Ácido valproico: está na categoria dos medicamentos de efeito teratogênico comprovado; além de defeitos de fechamento do tubo neural, pode causar microcefalia, anomalias cardíacas e faciais e retardo mental; a síndrome do valproato fetal foi descrita em humanos, apresentando muitas características semelhantes às da síndrome da fenitoína fetal, incluindo RCIU, dismorfias faciais, defeitos cardíacos e de membros; além disso, existe risco maior de complicações perinatais | Considerados compatíveis com a amamentação: carbamazepina, fenitoína, gabapentina, lamotrigina, levetiracetam |
| | | Uso criterioso: ácido valproico, etossuximida, fenobarbital, oxcarbazepina, primidona, topiramato |
| | Carbamazepina: é um dos anticonvulsivantes de escolha durante a gravidez; apesar de estar associada à ocorrência de meningomielocele quando usada no 1º trimestre de gravidez, não produz retardo mental ou outros efeitos neurocomportamentais | Observação: apesar de a fenitoína ser considerada compatível com a amamentação, seu uso na gravidez é contraindicado, por isso, se usada, deve ser iniciada APENAS no período da amamentação |
| | Oxcarbazepina: apesar de ser um análogo da carbamazepina, até o momento não foi associada a defeitos de fechamento do tubo neural | |
| | Lamotrigina: atualmente é o anticonvulsivante de escolha durante a gravidez; até o momento, não foi associada a defeitos congênitos nem a danos neuropsicomotores | |
| | Levetiracetam: é um dos medicamentos de escolha para tratamento da epilepsia durante a gravidez, não estando associado a aumento de malformações ou alterações no desenvolvimento | |
| | **Importante:** durante o tratamento com anticonvulsivantes, a suplementação de ácido fólico deve ser de 4 mg/dia, o que comprovadamente reduz o risco de defeitos de fechamento do tubo neural | |
| | Ver Capítulo Atenção à Gestante com Problema Crônico de Saúde | |
| Antidepressivos[12] | Os antidepressivos tricíclicos não estão associados a defeitos congênitos, mas podem levar a quadro neonatal reversível caracterizado por irritabilidade, dificuldade de sono e de sucção | Os ISRSs são considerados os fármacos de escolha na amamentação |
| | ISRSs: alguns estudos sugerem uma associação entre uso de ISRS no 1º trimestre e defeitos cardíacos, sobretudo com relação à paroxetina; para exposições de 3º trimestre e de longo prazo, há evidências de síndrome de abstinência neonatal, como dificuldades respiratórias, irritabilidade, letargia e tremores; embora não exista consenso a respeito dos efeitos do uso de ISRS durante a gestação, sabe-se que, se existir um risco teratogênico, este deve ser baixo pelo grande número de gestações já avaliadas, estando ainda entre os antidepressivos de escolha durante a gravidez; a decisão sempre deve ser embasada em uma avaliação abrangente dos benefícios *versus* riscos | Considerados compatíveis com a amamentação: amitriptilina, citalopram, escitalopram, fluoxetina, imipramina, nortriptilina, paroxetina, sertralina, venlafaxina |
| | | Uso criterioso: bupropiona, trazodona, desvenlafaxina, mirtazapina, duloxetina |
| | | Na prática, recomenda-se, em primeiro lugar, o uso dos fármacos mais bem estudados e considerados seguros na amamentação; porém, devido às chances remotas de efeitos adversos no bebê, é aconselhável manter o tratamento que vem funcionando bem para a mãe |
| Antipsicóticos | As fenotiazinas são consideradas seguras em doses baixas e por curto período; em doses altas no final da gravidez, ou por períodos prolongados, podem levar ao aparecimento de sinais extrapiramidais no RN | Uso criterioso quando em doses elevadas ou uso prolongado; podem aumentar os níveis séricos de prolactina por bloqueio dos receptores de dopamina; podem provocar sonolência e letargia no lactente; há evidências de associação entre uso de fenotiazinas e risco de apneia e síndrome da morte súbita do lactente |
| | O haloperidol não está associado a defeitos congênitos | |
| | Outros antipsicóticos, como clozapina e risperidona, também não se mostraram teratogênicos, podendo ser usados quando houver indicação precisa | Considerados compatíveis com a amamentação: olanzapina, quetiapina, risperidona |
| | | Haloperidol, aripiprazol e clorpromazina são considerados possivelmente compatíveis |
| | | Os demais antipsicóticos exigem uso criterioso, conforme já comentado |

*(continua)*

*(Continuação)*

| AGENTE | CONSIDERAÇÕES SOBRE USO NA GESTAÇÃO[1,2] | CONSIDERAÇÕES SOBRE USO NA AMAMENTAÇÃO[3-7] |
|---|---|---|
| Benzodiazepínicos | Não estão associados a defeitos morfológicos; efeitos adversos neonatais são observados para todos os medicamentos dessa classe, quando usados no 3º trimestre de gravidez; o uso de doses altas por tempo prolongado pode levar ao aparecimento de sintomas de abstinência no neonato (hipertonia, hiper-reflexia, irritabilidade, inquietação, choro inconsolável, tremores de extremidades, bradicardia, cianose, dificuldade de sucção, apneia, diarreia, vômitos); se usados próximo ao parto, podem levar à síndrome *"floppy baby"* (hipotonia, hipotermia, letargia, depressão respiratória e dificuldades de alimentação) | De forma geral, deve-se escolher um fármaco com meia-vida curta e usar a menor dose efetiva pelo menor período possível; com o uso de qualquer medicamento sedativo, recomenda-se observar a criança quanto à sedação e à habilidade para mamar<br>Considerados possivelmente compatíveis com a amamentação: clonazepam, alprazolam, diazepam, bromazepam, buspirona, lorazepam, zolpidem<br>Possivelmente perigoso: flunitrazepam |
| Carbonato de lítio | Existe associação entre o uso de lítio durante o 1º trimestre e anomalias cardíacas do tipo anomalia de Ebstein, mas apenas entre 0,05-0,1% dos fetos expostos<br>O uso do lítio no final da gravidez pode resultar em toxicidade do RN, incluindo cianose, hipotonia, bradicardia, etc.; a maioria desses efeitos é autolimitada, desaparecendo até a completa excreção renal, no período de 1-2 semanas | Uso criterioso: monitorizar níveis séricos no lactente; observar inquietação, fraqueza e hipotermia no lactente; preferir outros estabilizadores do humor; o lítio deve ser utilizado apenas se for considerado o medicamento mais adequado para a situação e se o bebê for a termo e saudável |
| Metilfenidato | Relatos de caso de mulheres que usaram o metilfenidato durante a gravidez, inclusive no 1º trimestre, não mostraram aumento de anomalias congênitas; porém, alguns RNs apresentaram prematuridade, retardo de crescimento e sinais de abstinência neonatal | Não há relatos de efeitos adversos em bebês amamentados; porém, seu uso, assim como o de outros estimulantes, deve ser criterioso; recomenda-se observar insônia, agitação, anorexia e ganho ponderal insuficiente no lactente; pico de concentração no plasma materno entre 1-3 horas após o uso |
| **Hormônios** | | |
| Corticoides | Ver *Corticoides*, em *Antiasmáticos*, anteriormente | Hidrocortisona, prednisona e prednisolona são compatíveis com a amamentação |
| Anticoncepcionais orais | Não estão associados a defeitos congênitos quando usados inadvertidamente durante a gravidez, inclusive em casos de contracepção de emergência | Os anticoncepcionais orais combinados têm uso contraindicado durante a amamentação; o componente estrogênico (etinilestradiol, mestranol, estradiol) diminui a produção de leite materno; se utilizado, evitar as primeiras 4 semanas pós-parto, para não prejudicar o estabelecimento da amamentação, e monitorizar o crescimento do lactente |
| Hormônios tireoidianos | Tanto $T_4$ como $T_3$ são de uso seguro na gravidez<br>O hipotireoidismo materno durante a gravidez é causa importante de retardo mental na prole, devendo sempre ser tratado | Considerados seguros na amamentação |
| Antitireoidianos | No tratamento do hipertireoidismo, são utilizados fármacos com atividade tireostática; são eles: propiltiouracila, carbimazol e tiamazol; a propiltiouracila é o fármaco de escolha, principalmente no 1º trimestre da gestação; a dose deve ser mantida no nível mínimo para manter a função materna um pouco acima do normal<br>Ver Capítulo Atenção à Gestante com Problema Crônico de Saúde | Propiltiouracila e tiamazol são compatíveis com a amamentação |
| Anabolizantes e andrógenos | Dependendo do período gestacional e da dose utilizada, podem causar virilização da genitália externa de um feto feminino | Uso contraindicado durante a amamentação; existe risco teórico de masculinização em meninas; altas doses podem suprimir a lactação |
| Antidiabéticos | Ver Capítulo Diabetes na Gestação | Glibenclamida, metformina e insulinas são compatíveis com a amamentação |
| **Misoprostol[13]** | | |
| | Frequentemente usado para provocar aborto no 1º trimestre; nos casos em que não leva à perda da gravidez, em geral por uso incorreto do medicamento, pode ocasionar malformações, sobretudo sequência de Moebius (paralisia congênita do VII par craniano, associada ou não a paralisias de outros pares cranianos), artrogripose, defeitos de redução de membros e diversas anomalias do SNC; o provável mecanismo de teratogênese é a disrupção vascular envolvendo a região da artéria subclávia em um período crítico da vida embrionária, entre a 6ª e a 8ª semana pós-concepção; o risco desses defeitos não pode ser determinado, mas estima-se grosseiramente que seja menor do que 10% | Não administrar em lactantes grávidas, pois pode causar aborto |
| **Talidomida[14]** | | |
| | Utilizada principalmente para tratamento da reação tipo II da hanseníase, condição ainda muito prevalente no Brasil; casos de embriopatia por talidomida ainda têm sido registrados; como a talidomida é teratogênica em um período precoce da gestação, quando a gravidez é diagnosticada, em geral já é tarde para suspender o medicamento; assim, a anticoncepção para mulheres que usam talidomida deve ser muito rigorosa, assim como a dispensação do fármaco | O uso deve ser criterioso, devido à falta de dados sobre transferência do fármaco para o leite materno |

AINEs, anti-inflamatórios não esteroides; G6PD, glicose-6-fosfato-desidrogenase; IECA, inibidor da enzima conversora da angiotensina; ISRS, inibidor seletivo da recaptação da serotonina; RCIU, restrição de crescimento intrauterino; RN, recém-nascido; SNC, sistema nervoso central; $T_3$, tri-iodotironina; $T_4$, tiroxina.

As referências completas para uso de medicamentos na amamentação podem ser acessadas nos QR Codes.

→ Uso de medicamentos e outras substâncias pela mulher durante a amamentação
→ Amamentação e uso de medicamentos e outras substâncias

A base de dados LactMed pode ser acessada para detalhes sobre o mecanismo de cada medicamento na amamentação.

As diferentes bases de dados podem conter informações distintas com relação a alguns medicamentos, cabendo ao profissional avaliar as circunstâncias e ponderar riscos e benefícios.

# REFERÊNCIAS

1. Schuler-Faccini L, Sanseverino MTV, Abeche A, Vianna FSL, Silva AA. Manual de teratogênese. São Paulo: Febrasgo; 2011.
2. Reprotox [Internet]. Washington: The Reproductive Toxicology Center; 2019 [capturado em 25 jul. 2021]. Disponível em: http://www.reprotox.org
3. Hale TW. Medications and mother's milk. 15th ed. Amarillo: Hale; 2012.
4. Brasil. Ministério da Saúde. Amamentação e uso de medicamentos e outras substâncias. Brasília: MS; 2010.
5. Rowe H, Baker T, Hale TW. Maternal medication, drug use, and breastfeeding. Pediatr Clin North Am. 2013;60(1):275-94.
6. Sociedade Brasileira de Pediatria. Uso de medicamentos e outras substâncias pela mulher durante a amamentação [Internet]. Rio de Janeiro: SBP; 2017 [captutado em 13 set. 2021]. Disponível em: https://www.sbp.com.br/fileadmin/user_upload/Aleitamento_-_Uso_Medicam_durante_Amament.pdf
7. Drugs and Lactation Database (LactMed) [Internet]. Bethesda: National Library of Medicine; 2006 [capturado em 13 set. 2021]. Disponível em: https://www.ncbi.nlm.nih.gov/books/NBK501922/
8. Murphy VE, Gibson PG. Asthma in pregnancy. Clin Chest Med. 2011;32(1):93-110.
9. Pradat P, Robert-Gnansia E, Di Tanna GL, Rosano A, Lisi A, Mastroiacovo P. First trimester exposure to corticosteroids and oral clefts. Birth Defects Res A Clin Mol Teratol. 2003;67(12):968-70.
10. Mastroiacovo P, Mazzone T, Botto LD, Serafini MA, Finardi A, Caramelli L, et al. Prospective assessment of pregnancy outcomes after first-trimester exposure to fluconazole. Am J Obstet Gynecol. 1996;175(6):1645-50.
11. Crawford PM. Managing epilepsy in women of childbearing age. Drug Saf. 2009;32(4):293-307.
12. Gentile S. Drug treatment for mood disorders in pregnancy. Curr Opin Psychiatry. 2011;24(1):34-40.
13. Pastuszak AL, Schüler L, Speck-Martins CE, Coelho KE, Cordello SM, Vargas F, et al. Use of misoprostol during pregnancy and Möbius' syndrome in infants. N Engl J Med. 1998;338(26):1881-5.
14. Schuler-Faccini L, Soares RCF, De Sousa ACM, Maximino C, Luna E, Schwartz IVD, et al. New cases of thalidomide embryopathy in Brazil. Birth Defects Res A Clin Mol Teratol. 2007;79(9):671-2.

# Índice

## A

Abordagem familiar, 180
  anatomia da família, 181
    ecomapa ou mapa de rede, 183
    genograma, 181
    otimização genograma e ecomapa no ambulatório, 185
  consulta individual, lente familiar, 191
  crises acidentais, 188
    não previsíveis do desenvolvimento, 188
  desenvolvimento familiar, 185
    ciclo vital e crises previsíveis, 185
      fases do ciclo vital, 185
        adulto jovem independente, 185
        casamento, 185
        família com filhos adolescentes, 186
        família com filhos pequenos, 186
        nascimento primeiro filho, 186
        ninho vazio, 187
        particularidades das famílias de classe popular, 187
  diversidade das estruturas familiares, 188
    estendidas, 189
    LGBT, 189
    monoparentais, 189
    processo de separação, 188
    reconstituídas, 190
  entrevista familiar, 191
  funcionamento familiar, 190
    aparecimento e manutenção de sintomas, 191
    capacidade de autonomia e intimidade, 191
    capacidade de lidar com perdas e mudanças, 190
    divisão do poder, 190
    expressão e manejo dos sentimentos, 190
    flexibilidade, 190
    natureza das relações, 190
    padrão de comunicação, 190
  o que é família, 181
  mobilização da família, recurso terapêutico, 191
    doença aguda frequente, 192
    doença crônica, 192
    gestação e amamentação, 192
    outras situações, 193
    psicossomáticos, 193
    sugestões às famílias, 193
    transtorno psiquiátrico, 193
    violência familiar, 193
  modelo para equipes de atenção primária, 181
  relevância para a atenção primária, 181
Abordagem integral da sexualidade, 195
  cuidados específicos da população LGBTI+, 195
    acolhimento e abordagem, 197
      habilidades de comunicação, 197
        atendimento integral e não excludente, 197
      redes de cuidados, 198
    conceitos e atributos, 195
      características do corpo e "sexo", 196
      desejo reprodutivo, 197
      estrutura de relacionamento(s), 197
      expressão de gênero, 196
      gênero, 195
      gênero designado ao nascimento, 196
      identidade de gênero, 196
      orientação sexual, afetiva e romântica, 196
      papéis sociais de gênero, 196
      práticas sexuais, 197
    cuidados preventivos população LGBTI+, 205
      HIV/Aids, 205
      imunização, 206
      prevenção/rastreamento de infecções sexualmente transmissíveis, 205
      rastreamentos, 206
        câncer colo uterino, 207
        câncer de mama, 207
        uso tabaco, álcool e outras drogas, 207
    diretos em saúde sexual e reprodutiva, 202
    identidades LGBTI+, algumas, 198
      assexualidade, 201
      homens *gays*, 198
      mulheres lésbicas, 198
      pessoas bissexuais, 199
      pessoas intersexo, 201
      pessoas trans, 199
        homens transexuais, 199
        mulheres transexuais, 199
        pessoas com variações de gênero, 199
        pessoas não binárias, 199
        travestis, 199
  violência, sofrimento mental e marginalização, 202
    ciclos de vida de pessoas LGBTI+, 204
    estigma social, 203
    estresse de minorias sexuais e de gênero, 203
    interseccionalidade, 203
    risco de suicídio, 204
    transtornos ansiosos e depressivos, 204
    violência familiar, 204
Abordagem morte e luto, 210
Abortamento, 1304
  definições, 1304
  mortalidade materna, 1307
  prática, 1308
    acompanhamento, 1310
    medicamentoso, 1309
      fator Rh, 1310
      sangramento, 1309
      tratamento da dor, 1310
    métodos cirúrgicos, 1309
  princípios da bioética, 1307
    autonomia, 1308
    não maleficiência, beneficência e justiça, 1308
  riscos de abortamento inseguro na APS, 1311
    abortamento legal na APS, 1312
    prevenção, 1311
    prevenção primária, evitando a gravidez não desejada, 1311
    prevenção secundária, abortamento que não se pode evitar seja seguro, 1311
    prevenção terciária, tratamento das complicações e anticoncepção pós-abortamento, 1311
  saúde pública, 1307
  tipos, 1304
    ameaça de abortamento, 1304
    completo, 1305
    habitual ou recorrente, 1305
    incompleto, 1305
    infectado, 1305
    retido, 1305
    seguro e inseguro, 1305
      menos seguros, 1305
      totalmente seguros, 1305
Ação climática, 52
  saúde planetária, 52
Acompanhamento de saúde da gestante e da puérpera, 1223
Acompanhamento de saúde da mulher na atenção primária, 1190
Acompanhamento de saúde do adolescente, 1139
Acompanhamento do crescimento da criança, 1032
Adesão aos tratamentos, 129, 133
  diagnóstico da não adesão, 134
  prevenção da não adesão, 134
    aplicativos, 134
  tratamento da não adesão, 134
  retornos e encaminhamentos, 136
Adolescente, 1139
  acompanhamento de saúde, 1139
    abordagem do adolescente na era digital, 1142
    conversando com o adolescente, 1140
    entrevista do adolescente e acompanhante, 1143
    exame físico, 1144
    exames complementares, 1145

identificação de situação de risco e vulnerabilidade, 1141
prevenção em saúde, 1145
  álcool, tabaco e outras drogas, 1146
  alimentação saudável, 1146
  atividade física, 1146
  *bullying*, 1146
  infecções sexualmente transmissíveis, 1146
  planejamento reprodutivo, 1146
  racismo, 1146
  segurança no trânsito, 1147
  utilização de televisão, computadores e *videogames*, 1146
  vacinas, 1145
problemas comuns de saúde, 1148
  acne, 1152
  alterações desenvolvimento puberal, 1149
    atraso puberal, 1150
      alteração da função hipotálamo-hipofisária, 1150
      conduta, 1150
      constitucional, 1150
    puberdade precoce, 1151
      conduta, 1152
  dismenorreia, 1155
    avaliação, 1155
    tratamento, 1156
  dor escrotal, 1152
    epididimite, 1153
    testículo retido, 1152
    torção testicular, 1153
    tumores testiculares, 1154
    varicocele, 1154
  ginecomastia puberal, 1154
    avaliação, 1155
    tratamento, 1155
  obesidade e síndrome metabólica, 1156
    diagnóstico, 1157
    manejo, 1158
      atividade física, 1159
      mudanças hábitos alimentares, 1158
      prognóstico adesão plano terapêutico, 1159
  problemas musculoesqueléticos, 1156
Adolescentes e adultos jovens, problemas de saúde mental, 1990
  abertura para abordagem, 1992
  avaliação de problemas, 1992
  cuidados saúde mental, 1993
  epidemiologia população jovem, 19905
  força de trabalho, 1995
  níveis de cuidado, 1995
  particularidades do desenvolvimento cognitivo, 1991
  uso de tecnologia, 199
Adulto, 242, 346
  alimentação saudável, 242
  anemias, 800
  febre, 776
  infecção do trato respiratório, 1597
  infecção pelo HIV, 1705
  promoção de saúde do adulto, 223
  rastreamento para tratamento preventivo, 346
  tosse, 691
Agentes comunitários de saúde, 112
  carreira em construção, 115
    mediador, 119
  cotidiano das equipes, 125
  desafios atuais, 125
    pilares para política, 125
      consolidação, 126
      formação profissional e continuada, 126
      integração com equipe, 127
      plano de carreira, 127
      remuneração, 127
      supervisão, 126
  evidências, 122
    impacto do agente, 122
    políticas de saúde pública, 122
      contexto internacional, 123
  formação, 121
    curso introdutório, 121
    curso técnico, 121
    educação permanente, 121
    fundamentos e métodos, 121
  perfil e atribuições, 116
  no Brasil, 114
    definição, 114
    histórico, 114
      bases para o surgimento, 114
      Programa de Agentes Comunitários de Saúde, início, 114
      legislação, 115
  no mundo, 113
    definição, 113
    histórico, 113
  novas tecnologias, 127
  seleção, 119
Álcool, problemas relacionados ao consumo, 276
  conceitos, 276
  conduta, 281
    consumo de risco e transtorno uso leve, 281
    transtorno uso moderado a grave, 282
    tratamento, 283
  diagnóstico, 278
    anamnese, 279
    instrumentos de rastreamento, 279
    investigação adicional, 281
    marcadores biológicos, 280
  etiologia e fatores de risco, 278
  metabolismo do etanol, 277
  intoxicação aguda, 278
  prevenção comunitária, 286
  prevenção em jovens, 286
    escola, 286
    família, 286
  síndrome de abstinência, 283
    manejo, 285
    manejo das complicações, 285
    prognóstico, 284
Aleitamento materno, 1054, 1075
  aspectos gerais, 1054
    aconselhamento em amamentação, 1062
      fase inicial da amamentação, 1063
        choro do bebê, 1064
        frequência e duração das mamadas, 1063
        suplementação do leite materno, 1064
        técnica da amamentação, 1064
        uso de mamadeira ou chupeta, 1064
      manutenção da amamentação, 1064
        alimentação da mulher durante amamentação, 1065
        retorno mãe ao trabalho, 1066
          extração manual, armazenamento e utilização, 1067
      pré-natal, 1062
    bases anatômicas e fisiológicas da amamentação, 1058
      estágios da lactação, 1059
    composição e aspecto do leite materno, 1060
    contraindicações e restrições à amamentação, 1069
      mulheres fumantes, 1069
      usuárias de álcool, 1069
      usuárias de drogas ilícitas, 1071
    definições, 1054
    duração, recomendações, 1055
    importância da amamentação, 1056
      impacto econômico, 1058
      impacto saúde da criança, 1056
        promoção do desenvolvimento cognitivo, 1057
        promoção do desenvolvimento orofacial, 1057
        redução de diabetes tipo 1, 1057
        redução de diabetes tipo 2, 1057
        redução de leucemia, 1057
        redução de sobrepeso ou obesidade, 1057
        redução morbidade por asma ou sibilância, 1057
        redução morbidade por diarreia, 1056
        redução morbidade por infecção respiratória, 1056
        redução morbidade por otite média aguda, 1057
        redução morbidade por rinite alérgica, 1057
        redução mortalidade, 1056
      impacto saúde da mulher, 1057
        amenorreia lactacional, 1057
        câncer de mama, 1057
        câncer de ovário, 1057
        câncer de útero, 1057
        depressão pós-parto, 1058
        diabetes tipo 2, 1058
      impacto saúde do planeta, 1058
    prática no mundo e no Brasil, 1055
      continuado até dois anos, 1055
      exclusivo até seis meses, 1055
      início precoce, 1055
      misto até seis meses, 1055
    proteção legal no Brasil, 1068
      creche, 1068
      garantia do emprego, 1068
      Lei 11.264, 1068
      licença-maternidade, 1068
      licença-paternidade, 1068
      pausas para amamentar, 1068
      sala de apoio à amamentação, 1068
    redes de apoio na amamentação, 1067
    término da amamentação, 1072
  dificuldades e manejo, 1075
    abscesso mamário, 1079
      manejo, 1079
    aleitamento situações especiais, 1083
      amamentação duas crianças idades diferentes, 1086

criança com freio de língua curto, 1083
    manejo, 1084
crianças recusam um dos peitos, 1083
gemelaridade, 1085
    manejo, 1085
mulheres cirurgia redução mama, 1084
    manejo, 1085
mulheres implante de mama, 1085
    manejo, 1085
nova gravidez, 1086
relactação, 1087
bloqueio de ductos lactíferos, 1077
    manejo, 1077
candidíase, 1080
    manejo, 1080
excesso de leite, 1081
    criança, 1081
        manejo, 1081
    mulher, 1081
fenômeno de Raynaud, 1081
    manejo, 1081
galactocele, 1079
ingurgitamento mamário, 1076
    manejo, 1077
    prevenção, 1080
mamilos doloridos/trauma mamilar, 1079
    manejo, 1080
mamilos planos ou invertidos, 1076
    manejo, 1076
        auxiliar a moldar a mama, 1076
        auxiliar a pega, 1076
        ensinar manobras protrair mamilo antes das mamadas, 1076
        orientar extração manual ou com bomba, 1076
        promover confiança e empoderar a mulher, 1076
mastite, 1077
    manejo, 1078
        antibioticoterapia, 1078
        eritromicina, 1078
        esvaziamento adequado e frequente da mama, 1078
        identificação e tratamento da causa estagnação leite, 1078
        outras medidas de suporte, 1078
        probióticos, 1078
        suporte emocional, 1078
produção insuficiente de leite, 1082
    manejo, 1082

Alimentação saudável do adulto, 242
    alimentos ultraprocessados, 243
        riscos associados ao consumo, 243
    apoio do profissional da atenção primária, 248
        habilidades culinárias e tempo, 248
        informação e publicidade, 248
        oferta e custo, 248
    recomendações e estratégias na atenção primária à saúde, 243
        avaliação práticas alimentares, 244
        Guia Alimentar para a População Brasileira, 244
            alimentos *in natura* ou minimamente processados, 244
            alimentos processados, limitar, 246
            alimentos ultraprocessados, evitar, 246
            comer com regularidade e atenção, 247
            óleo, sal e açúcar, pequenas quantidades, 246
        orientações, cuidados, 244
Amenorreia, 1322
    consequências, 1328
    definições, 1323
    encaminhamento, 1328
    investigação, 1323
        amenorreia primária, 1323
        amenorreia secundária, 1326
    manejo, 1328
        identificação de fatores de risco cardiovascular, 1329
        prevenção da perda da massa óssea e baixa estatura, 1329
        restabelecimento da menstruação, 1329
        tratamento da infertilidade, 1329
Anemias no adulto, 800
    abordagem da anemia no idoso, 814
        anemia da doença crônica, 814
        anemia inexplicada, 814
        anemia por deficiência nutricional, 814
    anemias macrocíticas, 810
        álcool e hepatopatias, 810
        anemias megaloblásticas, 811
            deficiência de ácido fólico, 813
            deficiência de vitamina $B_{12}$ (anemia perniciosa), 812
        síndrome mielodisplásica, 813

        toxicidade por fármacos, 811
    anemias microcíticas, 803
        por deficiência de ferro, 804
            diagnóstico clínico, 805
            diagnóstico laboratorial, 805
            investigação etiológica, 805
            quadro clínico, 805
        talassemias, 807
    anemias normocíticas, 807
        hiperproliferativas, 807
            anemias hemolíticas, 808
            perdas sanguíneas agudas, 807
        hipoproliferativas, 809
            carência de ferro, 810
            efeito inadequado da eritropoetina, 810
                anemia de inflamação, 810
                doença renal crônica, 810
                endocrinopatias, 810
            patologias intrínsecas da medula óssea, 809
                anemia aplásica, 809
                leucemias, 809
                linfomas, 809
                mielodisplasia, 810
                neoplasias sólidas com invasão da medula óssea, 809
    definição, 800
        anemia relativa, 800
        anemia verdadeira, 800
        diminuição da produção de hemácias, 801
        diminuição da sobrevida das hemácias, 801
        perda excessiva de sangue, 801
    diagnóstico, 801
        exames complementares, 802
            capacidade ferropéxica, 803
            eletroforese da hemaglobina, 803
            ferritina e ferro sérico, 802
            hemograma, 802
            índice de saturação da transferrina, 803
            mielograma, 803
            reticulócitos, 802
            teste de falcização, 803
        sinais e sintomas, 801
        probabilidades pré-teste diferentes causas, 803
            mulheres na pós-menopausa e homens, 803
            mulheres na pré-menopausa, 803
            pacientes com idade > 70 anos, 803

Anestesia regional, 896
    anestésicos locais, 896
        bupivacaína, 896
        lidocaína, 896
        rapivacaína, 897
        toxicidade, 896
        vasoconstritores, 897
    técnicas de realização, 898
        anestesia tópica, 898
            anestesia tópica da pele, 898
        bloqueio de campo, 899
        bloqueio de nervo, 899
            nervos periféricos do membro superior, 899
                nível do punho, 899
                nível dos dedos, 899
        infiltração local, 898
    tipos de anestesia regional, 897
Animais peçonhentos, acidentes, 2214
    animais de menor interesse toxicológico, 2222
        acidentes com coleópteros (besouros)
        acidentes por escoloprndra (lacraia), 2223
        ataques de himenópteros (abelhas ou vespas), 2223
            cuidados imediatos, 2223
    aracnídeos, 2220
        acidentes por aranhas, 2220
        acidentes por escorpiões, 2220
        cuidados imediatos, 2221
    celenterados, 2222
    lepidópteros, 2221
        cuidados imediatos, 2222
    ofídios, 2214
        cuidados imediatos ao acidentado, 2218
        cuidados imediatos de ambulatório, 2218
            acidente botrópico, 2219
            acidente crotálico, 2219
            acidente elapídico, 2219
            acidente laquético, 2219
            acidente por colubrídeo, 2219
        diagnóstico e manejo, 2215
        infecções secundárias acidentes por ofídios, 2220
        outras complicações locais e sistêmicas, 2220
    peixes, 2222
        cuidados imediatos, 2222
    prevenção de acidentes, 2225
        abelhas, 2225
        aranhas, 2225
        cnidários, 2226
        escorpiões, 2225
        lacraias, 2225
        serpentes, 2225
        taturana (lagarta), 2225
    soroterapia, 2224
        reações, 2225

# Índice

Ansiedade, transtornos relacionados, 1858
  abordagem por transtorno, 1868
    acompanhamento do tratamento, 1876
    ansiedade em crianças e adolescentes, 1868
    encaminhamento, 1876
    manejo imediato ataque de pânico, 1873
    transtornos ajustamento humor ansioso, 1868
  abordagens terapêuticas, 1862
    alternativas manejo casos refratários tratamento, 1867
      adição e combinação antidepressivos, 1868
      otimização da dose e duração, 1867
      outros tratamentos, 1868
      terapia cognitivo-comportamental casos refratários, 1868
      troca antidepressivos mesma classe ou diferentes, 1868
    manejo comorbidades frequentes, 1867
      dependência benzodiazepínicos, síndrome abstinência, 1867
      disfunção sexual associada ao uso de ISRS, 1867
    monitoramento da resposta clínica, 1867
    principais psicoterapias utilizadas, 1865
    psicoeducação e intervenções psicossociais em APS, 1862
    psicofármacos utilizados, 1862
      antidepressivos tricíclicos, 1864
      benzodiazepínicos, 1864
      betabloqueadores, 1864
      inibidores seletivos recaptação serotonina, 1862
      inibidores seletivos recaptação serotonina e noradrenalina, 1862
    tratamento combinado, 1867
  avaliação clínica, 1859
    classificação dos transtornos de ansiedade, 1860
    diagnóstico diferencial, 1860
    identificação comorbidades e riscos, 1860
    rastreamento e detecção de casos, 1859
  etiopatogenia, 1859
  prevalência e impacto, 1859
  prognóstico, 1859
Antropologia, 162
  atenção primária à saúde, 162
  crenças e práticas, 163
  corpo, 163
  doença, 163
  saúde, 163
  competência cultural, 166
  família e comunidade, 165
  pessoa, 165
    método clínico, 165
Arritmias cardíacas, 435
  manejo no nível primário, 436
    arritmia sinusal, 436
    bloqueios cardíacos, 443
    bradiarritmias, 436
    extrassístoles, 442
    intoxicação digitálica, 443
    taquiarritmias, 437
      fibrilação atrial, 437
        antiagregantes plaquetários, 440
        novos anticoagulantes, 440
        prevenção de eventos tromboembólicos, 439
        seleção de terapia antitrombótica, 440
        qual terapia antitrombótica escolher?, 440
        tratamento, 437
        varfarina, 440
      *Flutter* atrial, 442
      taquicardias supraventriculares, 441
Asma, 491
  cuidados compartilhados, 514
  diagnóstico, 494
    anamnese, 494
    exames complementares, 495
      exames de imagem, 496
      outros testes, 496
      testes de função pulmonar, 495
  diagnóstico diferencial, 496
    adultos, 497
      doenças cardiovasculares, 498
      doenças das vias aéreas inferiores, 497
      doenças das vias aéreas superiores, 498
    crianças, 498
      aspiração de corpo estranho, 500
      cardiopatias, 500
      doença respiratória crônica neonatal, 500
      fibrose cística, 499
      infecções respiratórias virais, 498
      malformações congênitas na via aérea, 500
      refluxo gastresofágico, 499
      síndromes aspirativas devido a distúrbios da deglutição, 499
      tuberculose, 500
    fatores de risco e desencadeantes, 492
  manejo da asma aguda, 501
    avaliação da exacerbação, 501
    emergências, 504
    tratamento, 502
  manejo da asma em longo prazo, 504
    adesão ao tratamento, 513
    controle ambiental, 513
    controle de outros fatores desencadeantes, 514
    definição de controle da asma, 504
    educação do paciente, 512
    objetivos, 504
    revisando a resposta ao tratamento, 511
    situações especiais, 512
    tratamento, 505
      medicamentoso, 506
      não farmacológico, 505
  padrão de gravidade, 500
Atenção à saúde da criança e do adolescente, 975
  acompanhamento de saúde da criança, 976
  acompanhamento de saúde do adolescente, 1139
  adolescência, problemas comuns de saúde, 1148
  aleitamento materno, 1054
    aspectos gerais, 1054
    principais dificuldades e seu manejo, 1075
  atendimento ginecológico na infância e adolescência, 1161
  crescimento da criança, acompanhamento, 1032
  deficiência de ferro e anemia em crianças, 1097
  déficit de crescimento, 1088
  excesso de peso em crianças, 1123
  febre em crianças, 1129
  primeiros meses de vida, problemas comuns, 1107
  desenvolvimento da criança, promoção, 994
  saúde mental na primeira infância, promoção, 1008
  segurança da criança e do adolescente, promoção, 1022
  situação de violência, atenção à saúde da criança e do adolescente, 1173
Atenção à saúde da mulher, 1189
  abortamento, 1304
  acompanhamento de saúde da mulher na APS, 1190
  amenorreia, 1323
  câncer genital feminino e lesões precursoras, 1353
  climatério, 1367
  diabetes na gestação, 1267
  doenças da mama, 1315
  dor pélvica, 1346
  gestante com problema crônico de saúde, atenção, 1246
  gestante e puérpera, acompanhamento de saúde, 1223
  hipertensão arterial na gestação, 1260
  infecções na gestação, 1277
  infecções pelo HIV em gestantes, 1291
  infertilidade, 1219
  medicamentos e outras exposições na gestação e lactação, 1297
  planejamento reprodutivo, 1202
  sangramento uterino anormal, 1330
  secreção vaginal e prurido vulvar, 1339
  situação de violência, 1378
Atenção à saúde do idoso, 579
  avaliação multidimensional, 591
  comprometimento cognitivo leve, 617
  cuidado do paciente, 580
  doença de Parkinson, 609
  doenças cerebrovasculares, 639
  osteoporose, 600
  síndromes demenciais, 617
Atenção primária à saúde, intervenções psicossociais, 1997
  bases conceituais para intervenções, 1998
    cognitivo-comportamentais, 1998
    psicodinâmicas, 1998
  intervenções coletivas familiares, 2002
    grupos de exercícios, 2002
    grupos de mulheres, 2002
    grupos de terceira idade, 2002
  intervenções psicossociais, 1999
    ação terapêutica do vínculo, 1999
      acolhimento, 1999
      esclarecimento, 1999
      escuta, 1999
      suporte, 1999
    *mindfulness*, 2001
    terapia de solução de problemas, 2000
      avaliar e repetir o ciclo, 2001
      colocar solução em prática, 2001
      eleger uma solução, 2001
      explicar o tratamento, 2000
      gerar soluções, 2001
      identificar necessidade e aplicabilidade, 2000
      listar e eleger problemas, 2000

# Índice

pensar metas alcançáveis, 2000
terapia focada em solução, 2001
terapia interpessoal, 1999
   déficit interpessoal, 2000
   disputas interpessoais, 1999
   luto, 1999
   transição de papéis, 2000
terapia PM+, 2001
terapia comunitária integrativa, 2003

Atenção primária à saúde em urgências e emergências, papel, 2200
  atendimento de emergências, organização do serviço, 2201
  emergências médicas, 2202
    afogamento, 2204
      atendimento às vítimas, 2205
      fatores de risco, 2204
      história e exame físico, 2204
      medidas preventivas, 2206
      prognóstico, 2206
    reações alérgicas graves, 2206
      quadros específicos, 2206
        anafilaxia, 2206
          dessensibilização, 2207
          tratamento, 2207
          treinamento para uso precoce de adrenalina, 2208
          manifestações cutâneas, 2206
    trauma craniencefálico, 2202
      exames complementares, 2203
      hematoma extradural, 2203
      hematoma subdural, 2203
      tratamento, 2203
    urgências psiquiátricas, 2208
      ansiedade, 2211
      agitação psicomotora, 2208
      comportamento suicida, 2209
      comportamento violento, 2208
      psicose, 2208

Atenção primária à saúde no Brasil, 1
  ferramentas, prática clínica, 57
  informação, 147
  medicina rural, 44
  organização de serviços, 21
    análise da situação, 28
      dados primários, 28
      dados secundários, 28
    atenção do sistema de saúde, 24
      atributos, 25
        coordenação, 26
        integralidade, 26
        longitudinalidade, 25
        primeiro contato, 25
      redes, 27
    atenção primária, o que é?, 24
    consequência, 33
    fundamentos, 22
      encaminhamentos, 23
      estimativas, 23
      problemas frequentes, 23
    local, 27
      adequação, 28
      território, 27
    modelo, 24
      atributos, 24
      princípios, 24
      valores, 24
    necessidades, 22
    planejamento local, 30
      avaliação, 30
      contrato, 32
      etapas, 30
    sistemas de informação, 30
  prontuário eletrônico, 147
  saúde da família, 34
  saúde da população, condições, 2
    carga geral de doenças, 3
      causas externas, 8
      crônicas não transmissíveis, 4
      deficiências nutricionais, 5, 7
        desnutrição infantil, 7
        mortalidade, 7
      fatores de risco, 10
      maternas, 5, 7
        mortalidade, 8
      neonatais, 5, 7
      transmissíveis, 5
        crônicas, 7
        doenças emergentes, 6
        doenças reemergentes, 6
        infecções sexualmente transmissíveis, 7
    desafios e perspectivas, 11
  saúde planetária, 52
  telemedicina, 147

Atendimento ginecológico na infância e adolescência, 1161
  ciclo menstrual na adolescência, 1170
    ciclo menstrual com distúrbio, 1171
      avaliação, 1171
      tratamento, 1171
    ciclo menstrual típico, 1170
  exame ginecológico, 1161
    das 8 semanas aos 7 anos, 1162
    dos 7 aos 10 anos, 1162
    dos 10 aos 13 anos, 1162
    primeiras 8 semanas, 1162
  motivos da consulta, 1163
  puberdade típica e patológica, 1165
    puberdade precoce, 1166
      avaliação, 1167
        anamnese, 1168
        avaliação laboratorial, 1168
        avaliação radiológica, 1168
        exame físico, 1168
      central ou verdadeira, 1166
      formas incompletas, 1166
      periférica, 1166
      tratamento, 1168
    puberdade tardia, 1169
      avaliação, 1169
        exames gerais, 1169
        testes genéticos, 1170
        testes hormonais, 117
      classificação, 1169
        hipogonadismo hipergonadotrófico, 1169
        hipogonadismo hipogonodotrófico, 1169
      tratamento, 1170
    puberdade típica, 1165
  vulvovaginites na infância, 1163
    crianças pré-púberes, 1163
      abordagem diagnóstica, 1164
      classificação, 1163
        vulvovaginite específica, 1163
        vulvovaginite inespecífica, 1163
      fatores de risco, 1163
        anatômico/hormonais, 1163
        doenças subjacentes/medicações, 1163
        hábitos/costumes, 1163
      quadro clínico, 1163
      tratamento, 1164
        exames complementares, 1165
        vulvovaginite específica, 1164
        vulvovaginite inespecífica, 1164

Atendimento ao trabalhador, 167

Atestados, 138
  aspectos legais, 142
  doença, 139
  informações que devem constar, 141
  médico administrativo, 139
  médico judicial, 140
  modelo, 141
  óbito, 140
    causa morte, 140
  saúde, 139
    avaliação saúde mental, 139
    outros tipos, 139
    realização atividade física, 139
  vacina, 139

Atividade física, promoção da, 250
  atenção primária à saúde, 252
    barreiras individuais, 254
  atividades comunitárias, 262
    médico de atenção primária à saúde, 262
  avaliação clínica pré-participação em programas, 255
    aptidão física, 256
      flexibilidade e força, 256
      periódica, 256
      resistência, condicionamento, 256
    nível de atividade física, 256
  educador físico, papel do, 256
  fisiologia do exercício, princípios básicos, 251
    aptidão física, 252
    metabolismo energético, 251
    nível de esforço, 252
    testes de condicionamento físico, 251
    tipos de exercícios, 252
  lesões musculoesqueléticas menores, 262
  prescrição de exercícios, 256
    recomendações específicas, 258
      atividades e protocolos, 258
      crianças e adolescentes, 259
      gestantes, 260
      idosos, 260
      pacientes com obesidade, 261
    recomendações gerais, 257

## C

Câncer, 531
  epidemiologia, 532
  diagnóstico em atenção primária à saúde, 533
    detecção precoce pacientes assintomáticos, 533
    investigação paciente com suspeita e/ou sintomático, 534
      comunicado ao paciente, 536
      planejamento do cuidado, 536
      sinais de alerta, 534
  fatores de risco para desenvolvimento, 532
  sobrevivente do câncer, 541
    acompanhamento recorrência, 541
    acompanhamento segunda neoplasia primária, 541
    avaliação efeitos tardios médicos e psicossociais, 542
    coordenação de cuidado, 541

intervenções específicas, 542
consequências e tratamento, 542
prevenção de recorrência e novas neoplasias, 542
atividade física, 542
cessação do uso de tabaco, 552
dieta adequada, 552
tratamento, 536
avanços no tratamento, 538
emergências oncológicas, 540
estadiamento, 536
eventos adversos agudos, 538
toxidades mais relevantes, 539
objetivos tratamento oncológico, 537
adjuvante, 537
curativo ou definitivo, 538
neoadjuvante, 538
paliativo, 538
síndromes paraneoplásicas, 541
Câncer genital feminino e lesões precursoras, 1353
colo do útero, 1354
acompanhamento e detecção de recidivas, 1359
epidemiologia, 1354
gravidez, 1359
prevenção e orientação terapêutica, 1357
rastreamento e diagnóstico, 1355
captura híbrida, 1356
citologia oncótica, 1355
colposcopia, 1355
exame especular, 1355
histologia, 1356
corpo do útero, 1359
acompanhamento e detecção de recidivas, 1361
epidemiologia, 1359
prevenção e orientação terapêutica, 1361
rastreamento e diagnóstico, 1360
ovário, 1361
acompanhamento e detecção de recidivas, 1362
epidemiologia, 1361
prevenção e orientação terapêutica, 1362
rastreamento e diagnóstico, 1362
tumores genitais mais raros, 1365
câncer de tubas uterinas, 1365
neoplasia trofoblástica gestacional, 1365
sarcomas do aparelho genital feminino, 1365
vulva, 1363
acompanhamento e detecção de recidivas, 1364
epidemiologia, 1363
prevenção e orientação terapêutica, 1364
rastreamento e diagnóstico, 1363
histologia, 1363
inspeção e vulvoscopia, 1363
teste com azul de toluidina, 1363
Cânceres da pele, 1477
carcinoma basocelular, 1477
avaliação clínica, 1478
encaminhamento, 1478
seguimento, 1479
carcinoma epidermoide, 1479
clínica e diagnóstico, 1479
encaminhamento, 1480
seguimento, 1480
melanomas, 1481
clínica e diagnóstico, 1481
encaminhamento, 1482
seguimento, 1483
Cansaço ou fadiga, 790
abordagem, 792
acompanhamento, 793
anamnese, 792
exame físico, 793
exames complementares, 793
fadiga crônica idiopática, 791
síndrome da fadiga crônica, 791
encefalomielite miálgica, 791
processos fisiopatológicos, 790
prognóstico, 795
quando encaminhar, 795
tratamento, 793
fadiga crônica, 794
Cardiopatia isquêmica, 408
acompanhamento ambulatorial, 416
avaliação diagnóstica, 408
exames complementares, 409
encaminhamento, 417
fatores exacerbantes e descompensação, 417
fatores prognósticos, 411
manejo, 411
atividade física, 412
dieta, 412
escolha do regime terapêutico, 415
fármacos, 412
antiagregantes plaquetários, 412
betabloqueadores, 413
bloqueadores de cálcio, 413
nitratos, 413
outros agentes antianginosos, 414
fatores de risco, 411
indicações de procedimentos de revascularização, 415
manejo pós-infarto do miocárdio, 416
manejo de comorbidades frequentes, 417
Cavidade oral, problemas, 879
ardência bucal, 887
cárie dentária, 880
disfunções temporomandibulares, 887
medidas não farmacológicas, 887
tratamento medicamentoso, 888
doença periodontal, 881
doença periodontal necrosante, 882
gengivite, 881
pericoronarite, 882
periodontite, 882
exame clínico, 879
halitose, 890
higiene bucal, 880
lesões estomatológicas, 882
eritema migratório, 882
fibroma traumático, 885
língua fissurada, 882
língua pilosa, 883
mucocele, 883
sialadenite, 883
ulceração aftosa recorrente, 884
lesões relacionadas a infecções, 888
condiloma acuminado oral, 889
doença mão-pé-boca, 888
herpes, 888
gengivoestomatite herpética primária, 888
infecção secundária do herpes, 888
sífilis, 888
neoplasias bucais, 885
fatores de risco, 885
lesões malignas e pré-malignas, 886
carcinoma espinocelular, 886
eritroplasia, 886
leucoplasia, 886
próteses dentárias, problemas associados, 889
estomatite protética, 889
medidas não farmacológicas, 889
tratamento medicamentoso, 889
quelite angular, 889
medidas não farmacológicas, 890
pulpite, 881
traumatismo dentário, 891
xerostomia, 886
Cefaleia, 2073
abordagem em situações específicas, 2088
cefaleia menstrual, 2088
cefaleia na gestante e na lactação, 2089
cefaleia na infância e na adolescência, 2089
tratamento da migrânea, 2090
acompanhamento do paciente, 2076
avaliação clínica do paciente, 2073
avaliação impacto cefaleia qualidade de vida, 2076
exame físico, 2075
ausculta, 2075
exame do estado mental sumário, 2075
exame neurológico sumário, 2075
fundo de olho, 2075
inspeção cervical e crânio, 2075
oroscopia, 2075
palpação cervical e crânio, 2075
pressão arterial, 2075
história, 2073
episódios prévios, 2074
história familiar, 2074
localização da dor, 2074
sintomas associados, 2074
situação de saúde, 2074
tempo da cefaleia, 2074
sinais e sintomas de alerta, exames complementares, 2075
cefaleias primárias, 2077
abordagem multidisciplinar no tratamento, 2084
cefaleia crônica diária, 2083
cefaleia do tipo tensão, 2081
tensão crônica, 2081
tratamento, 2081
tensão episódica infrequente e frequente, 2081
cefaleias trigeminoautonômicas, 2082
tratamento, 2083
migrânea, ou enxaqueca, 2077
tratamento, 2077
terapia abortiva, 2078
terapia profilática, 2079
quando encaminhar para outro nível de atenção, 2084
cefaleia secundária, 2084
cefaleia atribuída à doença vascular craniana ou cervical, 2084
acidente vascular cerebral isquêmico, 2085

artrite de células gigantes, ou arterite temporal, 2085
hemorragia intracraniana não traumática, 2085
malformação vascular não rota, 2085
cefaleia atribuída à infecção sistêmica ou intracraniana, 2087
cefaleia atribuída a substâncias, 2086
efeito adverso atribuído uso crônico medicamentos ou retirada, 2087
uso ou exposição aguda a uma substância, 2086
uso excessivo de medicamento, 2086
cefaleia atribuída a transtorno intracraniano não vascular, 2085
crise epiléptica, 2086
mudanças da pressão, 2085
neoplasias intracranianas, 2086
cefaleia atribuída a trauma cefálico e/ou cervical, 2084
cefaleia ou dor facial atribuída a estruturas da face ou cranianas, 2087
cefaleias atribuídas a transtornos da homeostase, 2087
classificação, 2076
neuralgia do trigêmeo, 2088
Cervicalgia, 2092
abordagem diagnóstica para queixa dor cervical, 2096
dor inespecífica e qualificação componente miofacial, 2097
caracterização ritmo e exclusão sinais alerta, 2097
exame físico, 2098
exames complementares, 2100
eletroneuromiografia, 2100
exames de imagem, 2100
exames laboratoriais, 2100
história clínica, 2097
identificação sinais de neuropatia, 2097
quantificação e avaliação de fatores e prognóstico da dor inespecífica, 2098
anatomia, 2093
componentes sensitivos da dor cervical, 2094
dor neuropática, 2095
dor cervical com radiculopatia, 2095
mielopatia cervical degenerativa, 2095

dor nociceptiva musculoesquelética, 2094
componente degeneração/ osteoartrite, 2095
componente inflamatório, 2095
componente miofascial, 2094
dor nociceptiva visceral, 2095
sensibilização e dor nociplástica, 2095
fatores de risco e proteção, 2093
prevenção, 2102
situações especiais, 2102
síndrome do chicote cervical, 2102
tratamento, 2100
medidas farmacológicas, 2101
métodos intervencionistas, 2101
não farmacológico conservador, 2100
desativação de pontos-gatilho, 2101
exercícios físicos, 2101
orientações ergonômicas, 2100
orientações gerais, 2100
técnicas manipulação e mobilização coluna cervical, 2101
terapia térmica, 2100
Cirurgia da unha, 914
anatomia, 914
panarício, 918
paroníquia, 916
aguda, 916
crônica, 917
trauma ungueal, 918
avulsão parcial traumática, 918
hematoma subungueal, 918
unha encravada, 915
classificação, 915
tratamento, 915
técnica da cantoplastia, 916
Climatério, 1367
aspectos clínicos, 1368
irregularidade menstrual, 1368
osteoporose, 1369
pele, 1369
síndrome geniturinária da menopausa, 1369
sintomas vasomotores e psicológicos, 1369
atendimento da mulher, 1370
orientações gerais, 1370
definições, 1367
climatério, 1367
menopausa, 1367
modificações hormonais, 1367
perimenopausa, 1367

tratamento, 1371
doença cardiovascular, 1374
irregularidade menstrual, 1371
osteoporose, 1374
problemas relacionados com a sexualidade, 1373
riscos da terapia de reposição hormonal, 1374
câncer de mama, 1375
câncer de ovário, 1375
ganho de peso e diabetes, 1375
hiperplasia endometrial e carcinoma de endométrio, 1374
risco de tromboembolismo, 1375
síndrome geniturinária da menopausa, 1373
sintomas vasomotores e de humor, 1371
inibidores seletivos da recaptação seratonina, 1373
inibidores seletivos da recaptação seratonina e noradrenalina, 1373
outros medicamentos, 1373
Condições crônicas, atenção, 156
conceito, 156
crise do modelo, 157
sistema único de saúde, 157
desafio, 157
modelo, 158
atuação clínica, 160
pirâmide de riscos, 159
Sistema Único de Saúde, 160
redes de atenção à saúde, 157
resposta social, 157
situação da saúde no Brasil, 157
Condições crônicas, cuidados longitudinais e integrais a pessoas, 358
agudas e crônicas, 358
autocuidado, 366
estratégias de educação em saúde, 367
facilitadores e barreiras, 366
aspectos cognitivos, 367
aspectos psicológicos, 367
barreiras econômicas e sociais, 367
barreiras físicas, 367
letramento em saúde, 367
mudanças de estilo de vida, 368
plano de ação, 369
comorbidades, 359
episódios de cuidado e de doença, 358
impacto psicossocial, 360
multimorbidades, 359
perspectiva sistêmica, 360

qualificação atendimento na atenção primária à saúde, 361
abordagem familiar, 364
acionamento da rede de apoio social, 364
consultas coletivas, 363
coordenação do cuidado, 365
definição dos serviços, 361
divisão de tarefas, 361
gestão população em risco, 362
gestão populacional, 362
intervenções específicas, 365
populações com elevada morbidade, 365
organização do acesso, 362
registro orientado por problema, 361
Controle infecções relacionadas à assistência à saúde, 1525
definições, 1525
precauções de isolamento, 1532
principais síndromes, 1536
*clostridioides difficile* e outras gastrintestinais, 1531
corrente sanguínea associada a cateteres vasculares, 1528
outras infecções, 1532
pneumonias associadas à assistência, 1526
associadas à ventilação mecânica, 1527
não associadas à ventilação mecânica, 1526
sítio cirúrgico, 1530
trato urinário, 1530
vigilância das infecções, 1532
controle na atenção básica, 1533
Covid-19, doença pelo coronavírus 2019, 1632
definição de caso, 1633
diagnóstico, 1634
diagnóstico clínico, 1634
diagnóstico laboratorial, 1635
biologia molecular, 1635
RT-LAMP, 1635
RT-PCR em tempo real, 1635
teste imunológico, 1635
teste rápido pesquisa antígeno viral, 1635
diagnósticos diferenciais, 1638
exames complementares, 1636
exames laboratoriais, 1638
exames radiológicos, 1636
interpretação dos testes, 1636
etiopatogenia, 1632
imunidade e risco de reinfecção, 1652

lições para o futuro, 1656
manejo clínico, 1639
   anticoagulantes, 1641
   casos moderados ou graves, 1640
   classificação clínica, 1639
   corticoides, 1641
   identificação de grupos de risco, 1639
   manejo de casos leves, 1639
   outros medicamentos, 1642
      anti-inflamatórios não esteroides, 1642
      bloqueadores de receptores da angiotensina, 1642
      inibidores da enzima conversora da angiotensina, 1642
      nebulização, 1642
      plasma convalescente, 1642
      rendesivir, 1642
      tocilizumabe, 1641
   tratamentos farmacológicos, 1641
medidas de isolamento, 1647
   afastamento laboral pessoas fatores de risco, 1648
   identificação e quarentena contatos próximos/domiciliares, 1648
   orientações isolamento domiciliar, 1647
medidas prevenção e controle populacionais, 1649
   cessação do tabagismo, 1650
   etiqueta respiratória, 1649
   lavagem de mãos, 1649
   limpezas de superfícies, 1649
   medidas distanciamento social, 1649
   uso de máscara pela população, 1649
medidas prevenção e controle profissionais da saúde, 1645
   agentes comunitários saúde, 1646
   profissionais saúde, 1645
   unidades saúde, 1645
notificação, 1634
óbito, 1643
   codificação da Covid-19, 1643
   investigação após óbito, 1643
organização dos serviços de saúde em APS, 1653
   organização demanda e acesso, 1653
   outros atributos da APS, trabalho em equipe e proximidade território, 1653
quadro clínico, 1633
recomendações grupos específicos, 1643
   crianças e adolescentes, 1643

   gestantes, 1643
   lactentes, 1644
   portadores de doenças crônicas, 1645
   povos indígenas, 1645
sintomas persistentes e síndrome pós-covid-19, 1652
telemedicina, uso da, 1655
transmissão, 1632
vacinação, 1650
   coadministração com outras vacinas, 1651
   grupos prioritários, 1650
   vacinação e infecção, 1652
   vacinas heterológicas, 1651
Criança, 994, 1032, 1097, 1123, 1129, 1569, 1581
   acompanhamento do crescimento, 1032
   índices, pontos de corte e população de referência na APS, 1036
   índices para monitoramento, 1033
      comprimento ou altura/idade, 1034
      índice de massa corporal, 1035
      perímetro cefálico, 1034
      peso ao nascer, 1033
      peso/idade, 1034
   ponte de corte para índices, 1035
   população de referência, 1035
   primeiros anos de vida, 1039
deficiência de ferro e anemia, 1097
   determinantes da anemia, 1098
      ambiente imediato, 1098
         consumo alimentar de ferro, 1098
         outros fatores, 1099
      estruturais, 1098
      individuais, 1099
   diagnóstico, 1100
      amplitude de distribuição das hemácias, 1101
      concentração de hemoglobina no reticulócito, 1101
      ferritina sérica, 1101
      receptor 1 transferrina sérica, 1101
      saturação da transferrina, 1100
      volume corpuscular médio, 1101
   epidemiologia, 1097
   etiologia/fisiopatologia, 1097
   prevenção deficiência de ferro, 1102
      educação nutricional, 1102
      fortificação das farinhas de trigo e milho, 1103

      fortificação alimentos preparados crianças micronutrientes em pó, 1103
      suplementação com ferro, 1104
   rastreamento da anemia, 1105
   repercussões clínicas, 1100
   tratamento da anemia, 1102
diarreia aguda, 1569
   abordagem e manejo, 1571
   classificação, 1570
      aquosa, 1570
      com sangue (disenteria), 1570
   cólera, 1578
      manifestações clínicas, tratamento e prevenção, 1578
      orientações viajantes áreas afetadas, 1579
      vacina contra cólera, 1579
   definição, 1569
   epidemiologia, 1570
   etiologia e manifestações clínicas, 1570
   prevenção, 1577
      orientação coletiva, 1578
      vacina contra rotavírus, 1578
   transmissibilidade da doença, 1570
      direta, 1571
      indireta, 1570
   tratamento, 1572
      manejo nutricional, 1575
      reidratação oral, 1575
      tratamento ativo, 1576
         antibióticos, 1576
         antidiarreicos, 1577
         antieméticos, 1576
         probióticos e prebióticos, 1576
         vitamina A, 1577
         zinco, 1577
excesso de peso, 1123
   avaliação e diagnóstico, 1124
   conceito, 1123
   epidemiologia, 1123
   etiologia, 1123
   fisiopatologia, 1123
   manejo e prevenção, 1125
febre, 1129
   avaliação da criança com febre, 1131
      protocolos de investigação por faixa etária, 1134
         idade entre 3 e 36 meses, 1134
         primeiro 90 dias de vida, 1134
         sem sinais de localização, 1133
            doença bacteriana grave, 1134

            lactentes febris de baixo risco, 1134
            sem localização, 1134
         sinais de localização, 1132
      sinais de toxemia, 1131
   como medir temperatura, 1130
      avaliação subjetiva pelo toque de pele, 1131
      axilar, 1130
      oral, 1130
      retal, 1130
      timpânica, 1130
   temperatura habitual e suas variações, 1129
   tratamento sintomático da febre, 1135
      como tratar a febre, 1135
infecção respiratória aguda, 1581
   avaliar e classificar, 1582
   bronquilite, 1586
      diagnóstico, 1587
      fatores de risco piores desfechos, 1587
      manifestações clínicas, 1587
      prevenção, 1587
      tratamento, 1587
   coqueluche, 1588
      diagnóstico, 1589
         leucograma, 1590
         radiologia de tórax, 1590
      etiologia, fisiopatologia e formas de contágio, 1589
      prevenção, 1591
         controle dos comunicantes e profilaxia, 1591
         imunização, 1591
      quadro clínico, 1589
         fase catarral, 1589
         fase de convalescença, 1589
         fase paroxística, 1589
      tratamento, 1590
   *influenza*, 1583
      complicações, 1584
      prevenção, 1585
      tratamento, 1584
   laringite, laringotraqueíte viral e epiglote aguda, 1585
      tratamento, 1586
      epiglote aguda, 1585
   manifestações clínicas, 1581
   pneumonia adquirida na comunidade, 1592
      complicações, 1594
      diagnóstico, 1593
      etiologia, 1592
      fisiopatologia, 1592
      manifestações clínicas, 1593
      tratamento, 1594
      prevenção, 1595

resfriado comum, 1582
  complicações, 1582
    doença do trato respiratório inferior, 1583
    exacerbação da asma, 1583
    otite média, 1583
    tratamento, 1583
  promoção do desenvolvimento, 994
    avaliação diagnóstica, 1004
    caderneta de saúde da criança, instrumento de vigilância, 998
    intervenções efetivas, 1004
    papel da APS, 996
    primeira infância, prioridade, 995
    teste de triagem, 1000
    vigilância, triagem e avaliação desenvolvimento infantil, 996
Criança e adolescente, 1022, 1173, 2170
  atenção à saúde em situação de violência, 1173
    abordagem, 1183
    definições, 1175
    formas de violência, 1175
      negligência/abandono, 1180
      violência física, 1176
        traumas torácicos e abdominais, 1178
      violência psicológica, 1181
        síndrome de Münchausen por procuração, 1181
      violência sexual, 1178
    prevenção, 1185
  problemas musculoesqueléticos, 2170
    diagnóstico diferencial e manejo da dor, 2170
      avaliação inicial da dor, 2170
        anamnese, 2170
        exame físico, 2170
        investigação laboratorial, 2172
        manejo, 2172
    problemas ortopédicos comuns, 2175
      artrite séptica, 2180
        diagnóstico, 2181
        encaminhamento, 2181
        exames de imagem, 2181
      desvios rotacionais e angulares dos membros inferiores, 2175
        anamnese e exame físico, 2175
          ângulo de progressão da marcha, 2176
          ângulo rotacional do fêmur, 2176
          avaliação do genuvaro e do genuvalgo, 2177
          eixo pé-coxa, 2177
          exame dos pés, 2177
        diagnóstico diferencial, 2177
        encaminhamento, 2177
        exames complementares, 2177
        tratamento, 2177
      escoliose e outras alterações posturais, 2180
        diagnóstico, 2180
          cifose idiopática juvenil, 2180
          escoliose, 2180
          espondilolistese, 2180
      pé plano, 2178
        encaminhamento, 2178
      quadril doloroso, 2178
        condições específicas, 2179
          doença de Legg-Calvé-Perthes, 2179
          epifisiólise proximal do fêmur, 2180
          sinovite transitória do quadril, 2179
        exames, 2179
    síndrome da amplificação da dor, 2173
      dor em membros, 2173
      síndrome da dor idiopática difusa, 2173
      síndrome da hipermobilidade articular, 2173
  promoção da segurança, 1022
    fatores de risco e resiliência, 1023
      injúrias por causas externas, 1023, 1024
        álcool, 1024
        condições socioambientais, 1023
        controle injúrias, 1025
          princípios fundamentais, 1025
          controle injúrias físicas, 1026
            atendimento primário e serviço de emergência, 1028
            comunidade segura, conceito, 1026
            educação para segurança, 1026
              aconselhamento em segurança, 1027
            normas e legislação, 1026
        idade, 1023
        medidas específicas no controle, 1028
        sexo, 1024
        supervisão, 1024
      saúde pública, 1022
Cuidados paliativos, 2182
  aspectos legais e previdenciários, 2195
  aspectos psicológicos, 2193
    ansiedade e depressão, 2193
      ansiedade, 2193
  equipe de atenção primária à saúde, 2183
  estágios possíveis diante da morte, 2183
    primeiro estágio: negação e isolamento, 2183
    segundo estágio: raiva, 2183
    terceiro estágio: barganha, 2184
    quarto estágio: depressão, 2184
    quinto estágio: aceitação, 2184
  por que e quando iniciar, 2182
  principais sintomas clínicos e seu manejo, 2184
    problemas com nutrição e hidratação, 2184
      constipação, 2187
      disfagia, 2186
      dispneia, 2192
        fisiopatologia, 2192
          causas cardiovasculares, 2192
          causas pulmonares, 2192
          causas sistêmicas, 2192
        tratamento, 2192
      dor, 2188
        avaliação da dor, 2188
        outras considerações, 2191
        tipos de dor, 2188
          dor mista, 2189
          dor neuropática, 2189
          dor óssea, 2188
          dor visceral, 2189
          dores musculares e articulares, 2188
        tratamento da dor, 2189
          analgésicos não opioides, 2190
          analgésicos opioides, 2190
          fármacos adjuvantes, 2191
          pela boca, 2189
          pela escada, 2189
          pelo indivíduo, 2189
          pelo relógio, 2189
      indicações gerais de suporte nutricional, 2185
      náuseas e vômitos, 2187
      orientações gerais, 2184
      síndrome da caquexia/anorexia, 2186
        manejo farmacológico, 2186
        vias de administração, 2185
          gastrostomia ou jejunostomia, 2185
          sonda nasoentérica de calibre fino, 2185
          via intravenosa, 2185
          via oral, 2185
          via subcutânea, 2185
  princípios, 2182
  profissional da saúde, 2183
  quando o paciente morre em casa, o que fazer, 2195
  últimos dias e horas de vida, 2195

# D

Decisões clínicas, 67
  epidemiologia clínica, 67
    avaliação de tecnologias em saúde, 77
    decisões diagnósticas, 72
      raciocínio causal, 72
      raciocínio determinístico, 75
      raciocínio probabilístico, 72
        métricas, acurácia, 73
        teste ou estratégia, 73
          probabilidade de doença, 74
    decisões preventivas, 69
      análises econômicas, 71
        estudos de custo-efetividade, 71
        estudos de custo-minimização, 72
        estudos de custo-utilidade, 71
      efetividade, 69
      eficácia, 69
      eficiência, 69
      medidas de impacto, 70
      medidas relativas, 70
    decisões terapêuticas, 76
      comparações do tipo "não inferioridade", 77
      medidas de benefício, 76
        baseada em variáveis contínuas, 76
        relativas e absolutas, 76
      medidas para expressar dano, 76
    fator de risco, avaliação, 68
      medidas de associação, 68
        absolutas, 69
        relativas, 68
      por que e como avaliar, 68
Deficiência de ferro e anemia em crianças, 1097
Déficit de crescimento, 1088
  diagnóstico, 1090
  efeitos no longo prazo, 1093

epidemiologia, 1089
fatores etiológicos e fisiopatologia, 1089
prevenção, 1094
    intervenções à criança, 1094
    intervenções à mulher/mãe, 1094
tratamento, 1092
Dengue, Chikungunya e Zika, 1776
    diagnóstico, 1779
        Chikungunya, 1780
            métodos diretos, 1780
            métodos indiretos, 1780
        dengue, 1779
            bioquímica, 1780
            cultura viral, 1780
            detecção antígeno NSI, 1780
            hemograma, 1780
            imuno-histoquímica, 1780
            radiografia de tórax, 1780
            relação IgM/IgG, 1780
            teste sorológico anticorpo, 1779
            testes moleculares, 1780
            testes rápidos anticorpos, 1780
            ultrassonografia de abdome, 1780
        Zika, 1780
            métodos diretos, 1781
            métodos indiretos, 1781
    epidemiologia, 1777
    etiopatogenia, 1778
        dengue, 1779
            hipótese de análise integral, 1779
            imunidade mediada por células T, 1770
            imunoamplificação, 1778
    prevenção e controle, 1782
        combate ao vetor, 1783
            controle biológico, 1783
            controle químico, 1783
            manejo ambiental, 1783
            método Wolbachin, 1783
        educação em saúde e participação comunitária, 1783
        notificação, 1782
    quadro clínico, 1777
        Chikungunya, 1778
        dengue, 1777
        dengue com sinais de alerta, 1778
        dengue grave, 1778
        Zika, 1778
    tratamento, 1781
        Chikungunya, 1781
            fase aguda, 1781
            fase subaguda, 1781
        dengue, 1781
        Zika, 1782
Depressão, 1881
    diagnóstico, 1882
        questões centrais após diagnóstico, 1883
            avaliação história prévia episódio maníaco, 1883

efeitos colaterais fármacos, sintomas depressivos, 1883
sintomas depressivos, outra condição médica, 1883
risco de suicídio, 1883
encaminhamento, 1891
etiopatogenia, 1881
impacto, 1881
manejo comorbidades frequentes, 1891
    abuso álcool e outras substâncias, 1891
    ansiedade, 1891
população especiais, 1889
    crianças e adolescentes, 1890
    gestantes e puérperas, 1889
        tratamento depressão gestação e lactação, 1890
            escolha do fármaco antidepressivo gestação, 1890
            escolha do fármaco antidepressivo lactação, 1890
    idosos, 1889
prognóstico, 1881
situação de emergência, 1890
    risco de suicídio, 1890
        avaliação e intervenção, 1891
tratamento, 1883
    atividade física, 1887
    descontinuidade do medicamento, 1889
    duração, 1888
    monitoramento ativo, 1888
    paciente não responde, 1888
        associação de antidepressivos, 1888
        aumento de dose, 1888
        potencialização, 1889
        troca antidepressivo, 1889
    psicoeducação, 1887
    psicoterapia, 1884
        psicoterapia resolução problemas, 1887
        terapia cognitivo-comportamental, 1887
        terapia interpessoal, 1884
    tratamento baseado em medida, 1888
    tratamento do transtorno depressivo persistente, 1888
    tratamento farmacológico, 1884
        escolha do fármaco, 1884
Dermatoses eritematoescamosas, 1410
    dermatite seborreica, 1410
        encaminhamento, 1413
        manifestações clínicas, 1412
        tratamento, 1413
    eritrodermia, 1418
        encaminhamento, 1419
        manifestações clínicas, 1418

pitiríase rósea de Gilbert, 1417
    manifestações clínicas, 1417
    tratamento, 1417
pitiríase rubra pilar, 1417
psoríase, 1414
    manifestações clínicas, 1414
    tratamento, 1414
        abordagem nutricional e estilo de vida, 1415
        encaminhamento, 1416
        fototerapia e laserterapia, 1416
        tratamento sistêmico, 1416
        tratamentos específicos, 1415
        tópico, 1415
Diabetes melito, 371
avaliação inicial, 371, 374
    paciente recém-diagnosticado, 374
avaliação multidimensional, 374
    aspectos relacionados, 374
        grau de hiperglicemia, 375
        idade de início do tipo 2 e duração, 375
        presença de complicações crônicas, 375
        risco de hipoglicemia, 375
        tipo de diabetes, 374
    comprometimento psicológico, 376
    excesso de peso, 375
    risco cardiovascular, 376
    vulnerabilidade biopsicossocial, 376
classificação, 371, 373
    formas híbridas, 373
    hiperglicemia na gestação, 374
    não classificados, 374
    outros tipos, 374
    tipo 1, 373
    tipo 2, 373
coordenação do cuidado na rede, 378
cuidado longitudinal, 379
    complicações agudas, prevenção e manejo, 391
        descompensação hiperglicêmica aguda, 391
        prevenção de cetoacidose, 391
        prevenção de síndrome hiperosmolar hiperglicêmica não cetótica, 391
        hipoglicemia, 391
    complicações crônicas, prevenção, 392
        doença cardiovascular aterosclerótica, 393
            ácido acetilsalicílico, 394
            controle glicêmico, 393

            controle hipertensão arterial sistêmica, 393
            estatinas, 394
        doença renal, 395
            acompanhamento e manejo, 396
            controle metabólico e anti-hipertensivo, 396
            encaminhamento, 396
            outras intervenções, 396
            prognóstico, 396
            rastreamento e diagnóstico, 395
        insuficiência cardíaca, 394
        neuropatia diabética, diagnóstico e manejo 396
            formas focais ou multifocais assimétricas, 397
            localização em membros inferiores, mãos e punhos, 397
            neuropatia autonômica, 397
            neuropatia associada ao tratamento, 397
            neuropatia do plexo radicular, 397
            rastreamento e diagnóstico, 398
                exame físico, 398
            tratamento, 398
                neuropatias sensitivas, 398
                sistema cardiovascular, 399
                trato gastrintestinal, 399
                trato urogenital, 400
        outras alterações oculares, 405
        pé diabético, 400
            avaliação de risco, 401
            diagnóstico, 400
            manejo de pacientes com úlcera, 402
                cuidados imediatos, 402
                prognóstico, 403
            manejo de pacientes em risco, 401
                alto risco, 402
                risco baixo ou moderado, 401
                risco muito baixo, 401
        retinopatia diabética, 403
            consulta oftalmológica, 405
            rastreamento, 403
            tratamento, 404
    detecção e suporte problemas psicossociais, 383

educação e suporte para autocuidado, 380
educação e suporte para mudanças estilo de vida, 380
   alimentação saudável, 380
   atividade física, 381
   orientações doença cardiovascular, 382
   orientações para outra complicação do diabetes, 382
   risco de hiperglicemia, 382
   risco de hipoglicemia, 382
   cessação do tabagismo, 383
   suporte nutricional, 381
   tipo 1, 381
   tipo 2, 381
educação e suporte para perda de peso, 383
hiperglicemia diabetes tipo 2, tratamento, 384
   avaliação multidimensional, 384
      características do fármaco, 385
      características do tipo 2, 384
      doença renal, 385
      duração da doença, 384
      grau de hiperglicemia, 384
      idade início, 384
      outras complicações, 385
      presença de DCV, 385
      risco cardiovascular, 385
      risco de hipoglicemia, 385
      sobrepeso ou obesidade, 385
      vulnerabilidade biopsicossocial, 385
      preferências pessoais, 385
   escalonamento, 385
   intensificação e "desintensificação", 390
   primeira etapa: mudança estilo de vida e metformina, 385
   segunda etapa: mudança estilo de vida e acréscimo outro fármaco, 387
   terceira etapa e etapas subsequentes, 389
      combinação com insulina, 390
      esquemas intensivos, 390
      insulina basal, 389

monitoramento riscos cardiovasculares, 384
diagnóstico, 371
   como diagnosticar, 372
      critérios diagnósticos, 372
      exames de glicemia, 372
   como suspeitar de diabetes, 371
      elementos críticos, 371
      recomendações de rastreamento, 372
monitoramento, 376
   detecção de complicações crônicas, 377
   glicemia, 376
      metas de controle glicêmico, 376
      metas de serviço, 377
   risco cardiovascular, 377
Diabetes na gestação, 1267
   gestacional e detectada na gravidez, 1268
      acompanhamento, 1272
      assistência ao parto, 1273
      encaminhamento, 1272
      período após a gestação, 1273
      rastreamento diagnóstico, 1268
      tratamento, 1269
         dieta e atividade física, 1269
         medicamentos, 1270
            acarbose, 1272
            glibenclamida, 1272
            insulina, 1270
            metformina, 1271
         monitoração metabólica, 1270
Diabetes tipo 2, prevenção, 309
   detecção do diabetes desconhecido, 314
   estratégias clínicas, 309
      detecção de alto risco, 309
      intervenções farmacológicas, 313
      intervenções intensivas, prevenção, 310
         estilos de vida, 310
      intervenções menos intensivas, prevenção, 311
      monitoramento da efetividade das intervenções, 313
      outros fármacos que reduzem ou aumentam conversão bioquímica, 313
      programas nacionais, prevenção, 311
      recomendações, 313
      suporte para mudança estilo de vida, 313
         espaços para prevenção, 313
         grupos especiais, 313
         parceiro, 313
         tecnologias, 313
   estratégias populacionais, 309

Diagnóstico clínico, 84
   estratégia e táticas, 84
      achado casual, 89
      demora permitida, 87
      exames complementares, 91
         ansiedade, 92
         atraso no diagnóstico, 92
         custo, 91
         diagnóstico equivocado, 92
         engarrafamento, 92
         menosprezo pelo exame clínico, 92
      exemplo final, 93
Diarreia aguda na criança, 1569
   abordagem e manejo, 1571
   classificação, 1570
      aquosa, 1570
      com sangue (disenteria), 1570
   cólera, 1578
      manifestações clínicas, tratamento e prevenção, 1578
      orientações viajantes áreas afetadas, 1579
      vacina contra cólera, 1579
   definição, 1569
   epidemiologia, 1570
   etiologia e manifestações clínicas, 1570
   prevenção, 1577
      orientação coletiva, 1578
      vacina contra rotavírus, 1578
   transmissibilidade da doença, 1570
      direta, 1571
      indireta, 1570
   tratamento, 1572
      manejo nutricional, 1575
      reidratação oral, 1575
      tratamento ativo, 1576
         antibióticos, 1576
         antidiarreicos, 1577
         antieméticos, 1576
         probióticos e prebióticos, 1576
         vitamina A, 1577
         zinco, 1577
Dificuldade de aprendizagem e agressividade, transtornos relacionados, 1977
   agressividade, 1985
      intervenções psicossociais, 1986
         terapia cognitivo-comportamental, 1986
         treinamento habilidades parentais, 1986
      transtorno de conduta, 1986
      transtorno de oposição desafiante, 1985
      tratamento farmacológico, 1986
   autolesão, 1987
   deficiência intelectual, 1984
   estresse parental, 1987

   transtorno de déficit de atenção e hiperatividade, 1978
      abordagens terapêuticas, 1980
         abordagem comportamental, 1980
         psicoeducação, 1980
         tratamento farmacológico, 1980
      comorbidades, 1979
         perturbações do sono, 1980
         transtornos disruptivos, 1979
         transtornos do neurodesenvolvimento, 1979
      diretriz cuidado escolares com TDAH, 1982
         TDAH em pré-escolares, 1982
      epidemiologia, 1978
      impacto, 1978
      intersetorialidade, integração com escola, 1981
      quadro clínico, 1979
   transtorno do espectro autista, 1982
   transtornos específicos da aprendizagem, 1984
Dispepsia e refluxo, 729
   dispepsia, 729
      associada ao *Helicobacter pylori*, 732
      cirurgia antirrefluxo, 740
      doença do refluxo gastresofágico, 734
      doença do refluxo gastresofágico refratária ao tratamento, 740
      exames complementares, 735
         endoscopia digestiva alta, 735
         exames radiológicos, 735
         pHmetria de 24 horas e manometria esofágica, 737
      funcional, 732
      não investigada, 729
         manejo inicial sem sinais de alerta, 731
      secundária, 733
         tratamento, 734
      tratamento, 738
         educação do paciente, 738
         tratamento farmacológico, 738
            inibidores da bomba de prótons, 739
Dispneia, 696
   abordagem clínica integrada, 701
      situações específicas, 702
   avaliação diagnóstica, 697
      causas típicas, 698
      entrevista clínica, 698
      exame físico, 698

exames complementares, 700
encaminhamento, 702
tratamento, 702
Doença de Chagas, 1770
  complicações, 1773
  diagnóstico, 1773
    diagnóstico diferencial, 1774
    método parasitológico, 1773
    métodos sorológicos, 1773
  quadro clínico, 1771
  situação epidemiológica, 1770
  transmissão, 1771
    acidental, 1771
    oral, 1771
    transfusional/transplante, 1771
    vertical, 1771
    vetorial, 1771
  tratamento, 1774
  vigilância epidemiológica e medidas de controle, 1775
Doença de Parkinson, idoso, 609
  abordagem sintomas não motores, 614
    ansiedade, 614
    constipação, 615
    demência, 615
    depressão, 614
    disfunção sexual, 615
    disfunção urinária, 615
    distúrbios do sono, 615
      distúrbio comportamental do sono REM, 615
      síndrome das pernas inquietas, 615
    dor, 616
    hiperidrose, 615
    hipotensão postural, 615
    olfação, 616
    psicose e alucinações visuais, 614
    sialorreia, 615
  abordagem terapêutica sintomas motores, 614
    manejo complicações motoras, 614
    tratamentos modificadores de doença, 614
    tratamentos sintomáticos, 614
  diagnóstico, 610
    diagnóstico diferencial, 611
      formas de parkinsonismo, 611
      medicamentos manifestações clínicas semelhantes, 611
      principais achados, 611
    exames complementares, 612
  encaminhamento, 616
  etiopatogenia, 610
  modalidades terapêuticas, 612
    medidas não farmacológicas, 612
    tratamento cirúrgico, 613

    tratamento farmacológico, 612
      atividade profissional exercida, 613
      custo, 613
      diagnóstico correto, 612
      estado cognitivo, 613
      fármacos disponíveis, 613
      gravidade, 613
      idade do paciente, 612
  prognóstico, 610
  seguimento, 616
  tremor essencial, 612
Doença febril exantemática, 1553
  enterovírus, 1565
    diagnóstico laboratorial, 1566
    epidemiologia, 1565
    quadro clínico e complicações, 1566
    tratamento, 1566
  eritema infeccioso, 1563
    epidemiologia, quadro clínico e complicações, 1563
    diagnóstico, 1563
    diagnóstico diferencial, 1563
    prevenção e controle, 1563
    tratamento, 1563
  escarlatina, 1562
    complicações, 1562
    diagnóstico, 1562
    diagnóstico diferencial, 1562
    epidemiologia, 1562
    prevenção e controle, 1563
    quadro clínico, 1562
    tratamento, 1562
  exantema maculopapular, 1553
    escarlatiforme, 1553
    morbiliforme, 1553
    papulovesicular, 1553
    petequial ou purpúrico, 1553
    rubeoliforme, 1553
    urticariforme, 1553
  exantema súbito, 1563
    diagnóstico, 1563
    diagnóstico diferencial, 1563
    epidemiologia, 1563
    quadro clínico e complicações, 1563
    tratamento, 1563
  febre tifoide, 1566
    diagnóstico laboratorial, 1566
    epidemiologia, 1566
    prevenção e controle, 1566
    quadro clínico e complicações, 1566
    tratamento, 1566
  monocleose infecciosa, 1565
    diagnóstico, 1565
    epidemiologia, 1565
    quadro clínico e complicações, 1565

    tratamento e prevenção, 1565
  outras doenças a serem consideradas, 1566
    adenovírus, 1567
    Chikungunya, 1567
    dengue, 1567
    doença de Kawasaki, 1568
    febre maculosa brasileira, 1566
    micoplasma, 1567
    reações medicamentosas, 1568
    toxoplasmose, 1567
    vírus Zika, 1567
  rubéola, 1559
    complicações, 1560
    diagnóstico, 1560
    diagnóstico diferencial, 1560
    epidemiologia, 1559
    prevenção e controle, 1560
    quadro clínico, 1561
    tratamento, 1561
  sarampo, 1553
    complicações, 1555
    diagnóstico, 1555
    diagnóstico diferencial, 1556
    epidemiologia, 1554
    prevenção e controle, 1557
    quadro clínico, 1554
    tratamento, 1556
  varicela, 1564
    diagnóstico, 1564
    diagnóstico diferencial, 1565
    epidemiologia, 1564
    prevenção e controle, 1565
    quadro clínico e complicações, 1564
    tratamento, 1565
Doença pelo coronavírus 2019, Covid-19, 1632
  definição de caso, 1633
  diagnóstico, 1634
    diagnóstico clínico, 1634
    diagnóstico laboratorial, 1635
      biologia molecular, 1635
      RT-LAMP, 1635
      RT-PCR em tempo real, 1635
      teste imunológico, 1635
      teste rápido pesquisa antígeno viral, 1635
    diagnósticos diferenciais, 1638
    exames complementares, 1636
    exames laboratoriais, 1638
    exames radiológicos, 1636
    interpretação dos testes, 1636
  etiopatogenia, 1632
  imunidade e risco de reinfecção, 1652

  lições para o futuro, 1656
  manejo clínico, 1639
    anticoagulantes, 1641
    casos moderados ou graves, 1640
    classificação clínica, 1639
    corticoides, 1641
    identificação de grupos de risco, 1639
    manejo de casos leves, 1639
    outros medicamentos, 1642
      anti-inflamatórios não esteroides, 1642
      bloqueadores de receptores da angiotensina, 1642
      inibidores da enzima conversora da angiotensina, 1642
      nebulização, 1642
      plasma convalescente, 1642
      rendesivir, 1642
      tocilizumabe, 1641
    tratamentos farmacológicos, 1641
  medidas de isolamento, 1647
    afastamento laborar pessoas fatores de risco, 1648
    identificação e quarentena contatos próximos/domiciliares, 1648
    orientações isolamento domiciliar, 1647
  medidas prevenção e controle populacionais, 1649
    cessação do tabagismo, 1650
    etiqueta respiratória, 1649
    lavagem de mãos, 1649
    limpezas de superfícies, 1649
    medidas distanciamento social, 1649
    uso de máscara pela população, 1649
  medidas prevenção e controle profissionais da saúde, 1645
    agentes comunitários saúde, 1646
    profissionais saúde, 1645
    unidades saúde, 1645
  notificação, 1634
  óbito, 1643
    codificação da Covid-19, 1643
    investigação após óbito, 1643
  organização dos serviços de saúde em APS, 1653
    organização demanda e acesso, 1653
    outros atributos da APS, trabalho em equipe e proximidade território, 1653
  quadro clínico, 1633
  recomendações grupos específicos, 1643
    crianças e adolescentes, 1643

gestantes, 1643
lactentes, 1644
portadores de doenças crônicas, 1645
povos indígenas, 1645
sintomas persistentes e síndrome pós-covid-19, 1652
telemedicina, uso da, 1655
transmissão, 1632
vacinação, 1650
coadministração com outras vacinas, 1651
grupos prioritários, 1650
vacinação e infecção, 1652
vacinas heterológicas, 1651
Doença pulmonar obstrutiva crônica, 516
comorbidades, 528
prevalência, 529
diagnóstico, 518
anamnese, 518
classificação, 520
exame físico, 518
função pulmonar, 519
outros exames, 520
radiologia, 519
diagnóstico diferencial, 521
encaminhamento para especialista, 529
fatores de risco, 517
história natural, 517
prevalência e impacto, 516
tratamento, 521
avaliação e monitorização da doença, 522
manejo da doença estável, 522
tratamento farmacológico, 522
broncodilatadores, 522
corticoides, 523
oxigenoterapia, 525
reabilitação pulmonar, 525
tratamento cirúrgico, 526
ventilação não invasiva, 526
manejo das exacerbações da DPOC, 526
exames, 526
eletrocardiograma, 527
gasometria arterial, 527
outros testes laboratoriais, 527
radiografias de tórax, 526
hospitalização, 527
tratamento ambulatorial, 527
antibióticos, 527
broncodilatadores, 527
redução dos fatores de risco, 522
Doença renal crônica, 480
acompanhamento clínico, 484
classificação prognóstico para orientar intervenções, 485

intervenções para casos em estágio 1 a 3, 484
intervenções para situações de potencial insulto renal, 485
manejo de alguns problemas específicos estágios 1 a 3 na APS, 485
acidose metabólica, 486
anemia, 486
doença mineral óssea, 486
diabetes, 485
estado nutricional, 486
hipertensão e/ou albuminúria, 485
risco cardiovascular, 486
vacinação, 486
avaliação da função renal, 481
taxa de filtração glomerular, 481
definição e estágios prognósticos, 480
detecção da doença, 482
diagnóstico clínico, 483
encaminhamentos, 487
etiologia, 480
marcadores de lesão renal, 482
terapia renal substitutiva, 488
diálise, 488
transplante renal, 489
Doenças cardiovasculares, prevenção clínica, 315
classificação de risco, 316
critérios indicativos, 316
desfechos coronarianos duros, 319
fatores agravantes, 318
fluxograma para estratificação, 317
intensidade preventiva, 316
escolha de intervenções, 327
ações de intensidade alta, 328
ações de intensidade baixa, 327
ações de intensidade moderada, 327
intervenções, 321
ácido acetilsalicílico, 323
álcool, 322
alimentação saudável, 321
alimentos cardioprotetores, 321
dietas hipocolesterolêmicas e anti-hipertensivas, 321
anti-hipertensivos, 323
anti-inflamatórios não esteroides, 326
atividade física, 322
padrão típico de atividades diárias, 322
estatinas, 324
fármacos hipolipemiantes, 324
outras intervenções, 326
agentes antioxidantes, 326

suplementação de cálcio, 326
terapia de reposição hormonal, 326
vitaminas, 326
perda e manutenção do peso, 322
tabagismo, 322
tratamento farmacológico combinado, 325
risco global, conceito, 315
tomada de decisão, 326
Doenças cerebrovasculares, idoso, 639
abordagens complicações crônicas AVC, 649
AVC e condução de veículos, 651
demência, 651
depressão, 651
desnutrição, 650
disfagia, 650
dor/subluxação no ombro, 651
dor crônica, 650
epilepsia pós-AVC, 652
incontinência urinária, 650
insatisfação sexual, 652
limitação funcional, 649
reabilitação de marcha, 650
reabilitação motora, 649
transtorno cognitivo leve de origem vascular, 651
tromboembolismo pulmonar, 652
anatomia cerebrovascular, 640
classificação etiológica AVCE e AIT, 642
AVC hemorrágico, 644
hemorragia intraparenquimatosa, 644
hemorragia subaracnóidea, 645
AVC isquêmico, 642
AVC aterotrombótico, 642
AVC cardioembólico, 643
AVC lacunar ou aterotrombótico de pequenos vasos, 643
outras etiologias e causa indeterminada, 644
cuidados imediatos AVC agudo, 645
diagnóstico AVC e AIT, 640
avaliação clínica, 640
exame neurológico, 641
exames complementares, 642
exames de imagem, 642
manifestações clínicas, 640
diagnóstico diferencial do AVC, 645
encaminhamento, 652
epidemiologia, 639
fatores de risco, 640
médico de APT, papel, 639

prevenção primária e secundária, 647
aneurisma de septo interatrial, 649
antiagregantes plaquetários, 647
anticoagulação oral, 648
dislipidemia, 647
doença carotídea, 648
fibrilação atrial, 648
forame oval patente, 649
indicação de endarterectomia/angioplastia, 648
outras cardiopatias, 648
transição cuidado hospital-domicílio, 649
Doenças crônicas não transmissíveis, 224, 357
arritmias cardíacas, 435
asma, 491
câncer, 531
cardiopatia isquêmica, 408
cuidados longitudinais e integrais, 358
diabetes melito, 371, 379
avaliação manejo clínico, 371
classificação, 371
cuidado longitudinal, 379
doença pulmonar obstrutiva crônica, 516
doença renal crônica, 480
doenças da tireoide, 554
doenças do sistema arterial periférico, 445
doenças venosas dos membros inferiores, 453
epilepsia, 566
estratégias preventivas, 224
ações clínicas complementares, 231
ações populacionais, 225
determinantes sociais e DCNTs, 226
intervenções e estrutura causal, 225
alimentação saudável e sustentável, 228
bebidas alcoólicas, redução do uso danoso, 226
enfrentamento global e nacional, 224
envelhecimento saudável, 230
hábitos ativos de vida, 227
obesidade, epidemia, 230
enfrentamento, 230
políticas antipoluição, 229
sinergia para controle de DCNTs, 229
saúde mental, promoção de, 229
sedentarismo, redução, 227
tabagismo, controle do, 226
insuficiência cardíaca, 420
paciente anticoagulado, manejo ambulatorial, 460

Doenças da mama, 1314
　alterações fisiológicas, 1315
　métodos diagnósticos, 1316
　principais doenças e tratamento, 1318
　　alterações funcionais benignas da mama, 1318
　　câncer de mama, 1319
　　　diagnóstico e tratamento, 1320
　　　hereditariedade, 1321
　　　prevenção e diagnóstico precoce, 1321
　　　sinais e sintomas, 1320
　　processos inflamatórios mais frequentes, 1318
　　　abscesso subareolar crônico recidivante, 1318
　　　ectasia ductal, 1318
　　　eczema areolar, 1318
　　　galactocele, 1318
　　　mastite aguda, 1318
　　tumores benignos, 1318
　　　fibroadenoma, 1318
　　　papiloma intraductal único, 1319
　sinais e sintomas, 1315
　　aumento da sensibilidade, 1315
　　descamação e erosão do mamilo e aréola, 1316
　　descarga papilar espontânea, 1316
　　dor em uma ou ambas as mamas, com ou sem queixa de nódulos, 1315
　　nódulos palpáveis, 1316
　　retração da pele, 1316
　　retração do mamilo, 1316
　　sinais de inflamatórios da mama, 1316
Doenças da tireoide, 554
　exame físico, 555
　exames laboratoriais e de imagem, 555
　　anticorpo antiperoxidase (anti-TPO), 555
　　anticorpo antirreceptor do TSH (TRAb), 555
　　anticorpo antitireoglobulina, 555
　　captação de iodo, 556
　　cintilografia, 556
　　hormônios estimulantes da tireoide (TSH), 555
　　tireoglobulina, 555
　　tiroxina livre ($T_4L$), 555
　　tiroxina total ($T_4T$), 555
　　tri-iodotironina total ($T_3T$), 555
　　ultrassonografia, 556
　hipertireoidismo, 559
　　cirurgia, 562
　　diagnóstico, 560
　　　anamnese, 560
　　　exame físico, 560
　　　exames complementares, 560
　　fármacos antitireoidianos, 561
　　iodo radiativo, 562
　　tratamento e acompanhamento, 561
　doença multinodular atóxica, 564
　　diagnóstico, 564
　　　anamnese, 564
　　　exame físico, 564
　　　exames complementares, 565
　　encaminhamento, 565
　　tratamento e acompanhamento, 565
　doença nodular tireoidiana, 563
　　diagnóstico, 563
　　　anamese, 563
　　　exame físico, 563
　　　exames complementares, 563
　　encaminhamento, 564
　　tratamento e acompanhamento, 564
　etiologias, 559
　　adenoma tóxico, 559
　　bócio multinodular tóxico, 559
　　doença de Graves, 559
　　　condições associadas, 559
　　　sinais e sintomas, 559
　　ingestão de hormônios tireoidianos, 559
　hipertireoidismo subclínico, 562
　　encaminhamento, 562
　hipotireoidismo, 556
　　diagnóstico, 556
　　　anamnese e exame físico, 556
　　　exames complementares, 556
　　tratamento e acompanhamento, 557
　　　medicamentos que interferem na função tireoidiana, 558
　hipotireoidismo subclínico, 558
　　encaminhamento, 558
　rastreamento das disfunções, 556
　tireoidites, 562
Doenças do sistema arterial periférico, 445
　aneurismas arteriais, 450
　　aorta abdominal, 450
　　　avaliação, 450
　　　manifestações clínicas, 450
　　　tratamento, 450
　　artéria poplítea, 450
　doença arterial periférica, 446
　　oclusão arterial aguda, 449
　　　manifestações clínicas, 449
　　　tratamento emergencial e encaminhamento, 449
　　oclusão arterial crônica, 446
　　　avaliação clínica, 447
　　　diagnóstico por imagem, 447
　　　manifestações clínicas, 447
　　　prognóstico, 448
　　　tratamento, 448
　　doenças vasoespásticas, 451
　　　acrocianose, 451
　　　doença de Raynaud, 451
　　　eritromelalgia, 451
　　　livedo reticular, 451
Doenças transmissíveis, condutas preventivas na comunidade, 1508
　abordagem das doenças, medidas preventivas, 1513
　　estratégias de prevenção e controle, 1513
　　　lavagem de mãos, 1513
　　　lençóis e tecidos, 1513
　　　limpeza e desinfecção, 1513
　　　　desinfecção, 1513
　　　　desinfecção concorrente, 1513
　　　　desinfecção terminal, 1513
　　　　limpeza, 1513
　　　louça, copos, talheres, utensílios de cozinha, 1513
　　　precauções padronizadas, 1513
　　　　isolamento, 1514
　definições, 1508
　　ação, 1508
　　agente etiológico, 1508
　　fonte de infecção, 1508
　　período de incubação, 1509
　　período de transmissibilidade, 1509
　　porta de entrada, 1509
　　portador, 1508
　　reservatório, 1508
　　transmissão aérea, 1509
　　transmissão indireta, 1509
　　veículo, 1509
　　vetor, 1509
　medidas preventivas específicas, 1514
　　doenças transmissão fecal-oral, 1515
　　doenças transmissão sexual ou sanguínea, 1515
　　doenças transmitidas contato direto, 1515
　　doenças transmitidas por vetor, 1515
　　doenças transmitidas via respiratória, 1514
　vigilância em saúde, 1509
Doenças venosas dos membros inferiores, 453
　insuficiência venosa crônica, 457
　　manifestações clínicas, 457
　　tratamento, 458
　tromboflebite superficial, 454
　　tratamento, 454
　trombose venosa profunda, 455
　　exames diagnósticos, 455
　　sinais e sintomas, 455
　　tratamento, 456
　varizes, 453
　　diagnóstico, 453
　　sinais e sintomas, 453
　　tratamento, 454
Dor, abordagem geral, 2006
　abordagem, 2015
　　abordagens específicas, 2015
　　abordagens inespecíficas da dor aguda, 2015
　　　acupuntura tradicional, 2018
　　　medicamentos, 2015
　avaliação clínica, 2010
　　explorando a história, 2010
　　　prognóstico, 2013
　　　　excluindo sinais de alerta, 2014
　　　　fatores perpetuantes, 2013
　　　qualificação (PQR), do paciente à hipótese, 2010
　　　　circunstâncias (e ritmo), 2010
　　　　qualidade, 2012
　　　　região (e distribuição), 2012
　　　qualificação (ST), avaliando impacto, 2013
　　　　questionários multidimensionais e outros, 2013
　　　　severidade, 2013
　　　　tempo, 2013
　　explorando exame físico, 2014
　componentes da dor, 2007
　　motores, nerovegetativos e psicossociais, 2008
　　sensitivos, 2007
　　　dor neuropática, 2007
　　　dor nociceptiva, 2007
　　　sensibilização e dor nociplástica, 2007
　dor como experiência, 2006
　dor crônica como doença crônica, 2008
　dor em populações especiais, 2009
　　crianças e adolescentes, 2009
　　gestantes, 2009
　　idosos e pacientes com alto limiar para dor, 2009

no fim da vida, 2010
epidemiologia, 2006
Dor abdominal aguda, avaliação inicial, 721
　acompanhamento, 728
　condições clínicas menos graves, 722
　correlação clínica e fisiopatológica, 721
　diagnóstico diferencial com afecções clínicas, 728
　quadro clínico, 725
　　afecções ginecológicas, 728
　　afecções urológicas, 727
　　dor abdominal central, 725
　　　e hipotensão, 725
　　　isquemia mesentérica aguda, 725
　　dor abdominal em cólica com distensão abdominal progressiva, 725
　　　obstrução colônica, 725
　　　obstrução gastrojejunal proximal, 725
　　　obstrução ileojejunal, 725
　　dor em fossa ilíaca direita, 727
　　　apendicite aguda, 727
　　　diverticulite de Meckel, 727
　　dor em fossa ilíaca esquerda, 727
　　　diverticulite aguda, 727
　　dor em hipocôndrio direito, 726
　　　colecistite aguda, 726
　　dor em hipocôndrio esquerdo, 726
　　dor epigástrica, 726
　　　pancreatite aguda, 726
　　　úlcera péptica perfurada, 726
　referência imediata ao cirurgião, 728
　sequência diagnóstica, 722
　　exame físico, 722
　　exames complementares, 724
　　história clínica, 722
Dor crônica e sensibilização central, 2020
　abordagem terapêutica, 2026
　　tratamento farmacológico, 2028
　　　anticonvulsivantes, 2028
　　　antidepressivos, 2028
　　　opioides, 2029
　　tratamento não farmacológico, 2026
　　　exercícios físicos, 2027
　　　intervenções psicológicas, 2026
　　　neuroestimulação visando neuromodulação, 2028
　diagnóstico ampliado, 2024
　　avaliação e acompanhamento, 2026
　　classificação da dor, 2025
　　classificação da fibromialgia, 2025
　　critérios diagnósticos do APPT, 2025
　　critérios diagnósticos do American College of Rheumatology, 2025
　sensibilização central, 2021
　　mecanismos ascendentes e descentes, 2021
　　modelo da carga alostática, 2023
　　principais sintomas de dor crônica, 2024
　　questões emocionais, 2022
　　questões sociais, 2023
Dor de garganta, 872
　alergia à penicilina, 876
　diagnóstico, 873
　　clínico, 873
　　laboratorial, 873
　　quando tratar com antibióticos, 874
　diagnóstico diferencial, 877
　　difteria, 877
　　faringites pelo vírus Coxsackie, 878
　　infecção retroviral aguda, 878
　　mononucleose infecciosa, 877
　　uvulite aguda, 977
　etiologia, 872
　manifestações clínicas, 873
　　faringite estreptocócica, 873
　　faringite viral, 873
　tratamento, 875
　　antibiótico, 875
Dor em membros inferiores, 2146
　dor em joelho e terço médio do membro inferior, 2153
　　abordagem diagnóstica geral, 2154
　　　exame físico, 2154
　　　história, 2154
　　aspectos anatômicos, 2153
　　principais condições dolorosas, 2154
　　　doença de Osgood Schiatter, 2159
　　　dor mecânica miofascial, 2159
　　　lesões ligamentares e meniscais agudas, 2154
　　　lesões ligamentares e meniscais insidiosas, 2157
　　　osteoartrite de joelhos, 2157
　　　síndrome patelofemoral, 2157
　dor em pé e perna inferior, 2160
　　abordagem diagnóstica geral, 2161
　　　exame físico, 2161
　　　história, 2161
　　aspectos anatômicos, 2160
　　principais condições dolorosas, 2161
　　　cãibras, 2162
　　　dor mecânica miofascial, 2164
　　　entorse de tornozelo, 2163
　　　fascite plantar, 2162
　　　hálux valgo, 2163
　　　neuropatia compressiva de fibular comum, 2165
　　　neuropatia compressiva do tibial posterior, 2165
　　　outros, 2165
　　　pé de Morton e neuroma de Morton, 2164
　　　tendinopatia aquileana, 2162
　　　tendinopatia tibial posterior, 2163
　princípios gerais do raciocínio diagnóstico, 2147
　quadril e coxa superior, 2147
　　abordagem diagnóstica geral, 2148
　　　exame físico, 2148
　　　história, 2148
　　principais condições dolorosas, 2150
　　　dor em quadril em atletas, 2152
　　　dor miofascial, 2152
　　　meralgia parestésica, 2153
　　　osteoartrite de quadril, 2150
　　　osteonecrose de quadril, 2151
　　　síndrome dolorosa do grande trocânter, 2152
　　aspectos anatômicos, 2148
Dor em ombro e membro superior, 2123
　dor em ombro e terço proximal do membro superior, 2124
　　abordagem diagnóstica, 2125
　　　exame físico, 2127
　　　　exame miofascial, 2127
　　　　exame neurológico, 2127
　　　　manobras síndrome do impacto e síndrome do manguito rotador, 2128
　　　　princípios gerais, 2127
　　　história clínica, 2125
　　　　avaliação e qualificação dos demais padrões de dor, 2125
　　　　caracterização do ritmo e exclusão de sinais de alerta, 2125
　　　　identificação de sinais de neuropatia, 2125
　　aspectos anatômicos, 2124
　　principais causas de dor, 2129
　　　dor bem-localizada em torno do ombro, 2130
　　　　artrites de articulações do complexo do ombro, 2133
　　　　bursites, 2132
　　　　capsulite adesiva, 2133
　　　　lesões labrais do ombro, 2133
　　　　ombro doloroso relacionado à hemiplegia, 2134
　　　　síndrome do impacto, 2130
　　　　síndrome do manguito rotador, 2132
　　　　tendinite bicipital, 2132
　　　　tendinite calcária, 2134
　　　　traumas, 2134
　　　dores origem miofascial da cintura escapular, 2130
　　　dores origem miofascial de outras regiões do membro superior, 2130
　　　dores neuropáticas, 2129
　　　　neuropatia do nervo supraescapular, 2129
　　　　radiculopatia cervical, 2129
　　　　síndrome do desfiladeiro torácico, 2129
　　　　　arterial, 2129
　　　　　mista, 2129
　　　　　neurogênica, 2129
　　　　　venosa, 2129
　dor nos terços médios e distal do membro superior, 2135
　　diferenciação ritmos mecânicos com e sem dor neuropática, 2135
　　mão, 2140
　　região lateral do cotovelo e antebraço, 2135
　　região medial do cotovelo e antebraço, 2138
　　região posterior do cotovelo, 2138
　　região radial do punho e polegar, 2139
　　região ulnar do punho, 2140
　princípios gerais do raciocínio diagnóstico, 2123
　questões laborais, 2142
Dor miofascial e outras dores mecânicas, 2032
　avaliação clínica, 2035
　　diagnóstico diferencial, 2036
　　　bursopatias, 2037
　　　cãibras, 2036
　　　dores ósseas, 2037
　　　entesopatias, 2037
　　　outras dores musculares, 2036

tendinopatias, 2036
exame físico, 2035
   exame da sensibilização medular/segmentar, 2036
   exame miofascial, 2035
história, 2035
epidemiologia, 2032
ponto-gatilho à síndrome dolorosa miofascial, 2033
   pontos-gatilho, 2033
      modelo fisiopatológico, 2033
      padrões de irradiação de pontos-gatilho, 2034
   sensibilização central, 2034
   síndrome dolorosa miofascial, 2034
tratamento, 2037
   medicamentos, 2042
   meios físicos, 2041
   orientações, 2040
      base cognitivo-comportamental, 2040
      base motora, 2040
         exercícios, 2040
         miofascial, abordagem após consulta, 2040
         proteção, prevenção e manejo agudização, 2040
   procedimentos diagnóstico-terapêuticos, 2037
      agulhamento de músculos paravertebrais, 2038
      agulhamento de pontos-gatilho, 2037
      bloqueio paespinhoso, 2038
      técnicas manuais inativação pontos-gatilho, 2037
Dor pélvica, 1346
   aguda, 1346
      cistos ovarianos, 1349
      doença inflamatória pélvica, 1347
      gestação ectópica, 1347
      *mittelschmerz* ou dor da ovulação, 1348
   crônica, 1349
      adenomiose, 1351
      aderências e congestão pélvica, 1351
      dismenorreia primária, 1351
      doença inflamatória pélvica crônica, 1351
      endometriose, 1350
         tratamento, 1350
            análogos do GnRH, 1350
            cirurgia, 1351
            contraceptivos hormonais orais combinados, 1350
            danazol e gestrinona, 1350
            progestogênios por via oral, subcutânea, intramuscular, 1350
   massas pélvicas, 1351

Dor torácica, 703
   causas, 704
      condições musculoesqueléticas, 709
      dissecção de aorta e aneurisma de aorta, 707
      doenças gastresofágicas, 708
      embolia pulmonar, 708
      herpes-zóster, 709
      origem cardíaca, 704
         pericardite, 707
         por isquemia e lesão miocárdica, 704
            angina de peito, 704
            angina instável e infarto agudo do miocárdio, 706
         outras causas cardíacas, 707
      pneumonia e pleurisia, 708
      pneumotórax, 708
      transtornos emocionais e psiquiátricos, 709
   estratégias diagnósticas, 710
Drogas: uso, uso nocivo e dependência, 1948
   abordagem do paciente, 1952
      centro de atenção psicossocial – álcool e drogas, 1956
      comunidade terapêutica, 1957
      família e adicções, 1956
      grupos de autoajuda, 1956
      inicial, 1952
      intervenção breve, 1954
      instrumento de avaliação, 1953
      prevenção de recaída, 1954
      quando encaminhar, 1955
      redução de danos, 1956
   classificação das substâncias de abuso, 1949
      alucinógenas, 1949
      depressoras, 1949
      estimulantes, 1949
   comorbidades, 1951
   conceitos, padrões de uso e diagnóstico dos transtornos por uso de substância, 1949
   efeitos das substâncias, 1949
   rede de atenção à saúde para pessoas com transtorno por uso de substância, 1948
   sistema recompensa cerebral e mecanismos da dependência, 1949
   tratamento farmacológico, 1957
      benzodiazepínicos, 1957
         intoxicação, 1957
         síndrome de abstinência, 1957
      cocaína e *crack*, 1957
         intoxicação e síndrome de abstinência, 1957
         manutenção, 1957
      intoxicação, 1957

      maconha, 1958
      manutenção da abstinência, 1957
      opioides, 1958
      outras substâncias, 1958
      síndrome de abstinência, 1957

# E

Eczemas e reações cutâneas medicamentosas, 1420
   dermatite atópica, 1421
      classificação gravidade, 1423
      diagnóstico clínico, 1421
      diagnóstico diferencial, 1423
      encaminhamento, 1425
      epidemiologia, 1421
      etiologia, 1421
      quadro clínico, 1421
         fase do adolescente e do adulto, 1422
         fase infantil ou do lactente, 1422
         fase juvenil, 1422
         quadros não clássicos, 1423
            ceratose pilar, 1423
            eczema de mamilo, 1423
            eczema de pés e mãos, 1423
            eczema numular ou discoide, 1423
            eczema palpebral, 1423
            eczema vulvar, 1423
            eritrodermia, 1423
            fissura, 1423
            hiperlinearidade palmoplantar, 1423
            palidez facial, 1423
            pigmentação priorbital, 1423
            pitiríase alba, 1423
            queilite, 1423
      seguimento, 1425
      terapêutica, 1423
         cuidados gerais, 1424
         manejo de infecção, 1424
         tratamento sistêmico, 1424
         tratamento tópico, 1424
   dermatite de contato, 1426
      diagnóstico diferencial, 1427
      encaminhamento, 1427
      quadro clínico, 1426
      tratamento, 1427
         tratamento sistêmico, 1427
         tratamento tópico, 1427
   eczema asteatótico, 1429
      tratamento, 1430
   eczema de estase, 1429
      quadro clínico, 1429
      tratamento, 1429

   eczema disidrótico, 1428
      encaminhamento, 1428
      quadro clínico, 1428
      tratamento, 1428
         tratamento sistêmico, 1428
         tratamento tópico, 1428
   reações cutâneas medicamentosas, 1430
      encaminhamento, 1432
      situações de emergência, 1431
      tratamento, 1431
Edema em membros inferiores, avaliação, 772
   apresentação clínica, 773
   edema bilateral, 773
      apneia obstrutiva do sono e hipertensão pulmonar, 774
      edema idiopático, 775
         edema induzido por uso de diuréticos, 776
         realimentação, 775
         vazamento capilar, 775
      edemas em gestantes, 774
      endocrinopatias, mixedema, 775
      fármacos, 775
      glomerulopatias, 774
      hipoproteinemia, 774
      insuficiência cardíaca e hipertensão pulmonar, 773
      insuficiência venosa crônica, 774
      linfedema, 775
      reações alérgicas, 774
   edema pré-menstrual, 776
   edema unilateral, 776
   mecanismos associados, 772
Eletrocardiograma, A1-1
   interpretação, principais alterações e uso na prática ambulatorial, A1-1
      condições clínicas comuns, A1-9
         doença de Chagas, A1-13
         fibrilação atrial e *flutter* atrial, A1-12
         hipertensão arterial sistêmica, A1-9
         síndromes insquêmicas, A1-10
      eletrocardiografia ambulatorial, A1-17
         aspectos gerais, A1-17
         indicações e interpretação, A1-17
      outras alterações eletrocardiográficas, A1-14
      principais alterações eletrocardiográficas, A1-5
         bloqueios intraventriculares, A1-7
         bradicardias, A1-8
         extrassíntoles, A1-7
         sobrecargas, A1-5
         taquicardias, A1-8
      principais indicações, A1-2

sistematização da interpretação, A1-2
teste de esforço, A1-14
   aspectos gerais, A1-14
   indicações, A1-16
      diagnóstico de doença arterial coronariana, A1-16
      outras indicações ambulatoriais, A1-16
      prognóstico e manejo paciente portador DAC, A1-16
   interpretação, A1-14
      alterações clínicas e hemodinâmicas, A1-14
      alterações eletrocardiográficas, A1-15
      avaliação da capacidade funcional, A1-15
      limitações e contraindicações, A1-16
      orientações ao paciente, A1-17
Endocardite infecciosa, prevenção, 1670
   critérios diagnósticos, 1671
Envenenamentos agudos, 2228
   assistência toxicológica da APS, 2228
   envenenamentos de maior frequência ou gravidade, 2233
      drogas de abuso, 2237
      medicamentos, 2235
      outros venenos específicos, 2237
         pesticidas, 2237
         plantas tóxicas, 2237
         tóxicos inalados, 2239
      produtos de uso domiciliar, 2233
   manejo clínico de pacientes, 2229
      anamnese, 2230
      síndromes tóxicas, 2230
   medidas gerais, 2231
      descontaminação cutânea, 2231
      descontaminação inalatória, 2231
      descontaminação ocular, 2231
      encaminhamento, 2233
      remoção de tóxicos ingeridos, 2231
         carvão ativado, 2232
         catárticos, 2233
         diluição e demulcentes, 2231
         esvaziamento gástrico, 2232
         indução de vômitos, 2232
         lavagem gástrica, 2232
Epilepsia, 566
   atenção primária à saúde, problemas, 574
      amamentação, 577
      anticoncepção, 577
      crises febris, 575
      epilepsia no alcoolista, 576
      gravidez e puerpério, 576
      tratamento emergencial das crises e de mal epilético, 574
   classificação dos distúrbios, 566
   diagnóstico, 570
      diagnóstico diferencial, 570
      exames complementares, 570
   encaminhamento, 574
      cirurgia, 574
   epidemiologia, 569
   etiologia, 568
      crises sintomáticas agudas, 569
   tratamento, 570
      efeitos cognitivos e comportamentais, 572
      esclarecimentos ao paciente, 573
      escolha do medicamento, 571
      início, indicação, 570
      manejo de casos refratários, 571
      modo de administração, 572
      retirada do tratamento, 574
      tempo de tratamento, 574
      verificação concentração plasmática, 572
Epistaxe, 830
   abordagem diagnóstica, 831
      anamnese, 832
      exame físico, 832
      exames complementares, 832
   anatomia, 830
   condutas gerais, 832
      cauterização, 834
         elétrica, 834
         química, 834
      fármacos, 836
      tamponamento nasal, 834
         anterior, 835
         complicações, 835
         posterior, 835
   encaminhamento, 836
   etiologia, 831
Estilo de vida, abordagem para mudança, 234
   ambivalência, 236
   autorização para dar informações, 235
   conversa para manter como está, 237
   conversa sobre mudança, 237
      usar DARN-CAT, 240
      usar OARS, 238
   entrevista motivacional, 236
      envolver, 236
      evocar, 236
      orientar, 236
      planejar, 236
   escuta do paciente sobre si, 236
   exercícios baseados em técnicas cognitivas e comportamentais, 240
      mudar comportamento não saudável, 241
      preparar para lidar com sentimentos que dificultem e/ou afastem, 241
      recaída ao estilo não saudável, 241
      reforço na reconsulta, 241
      trabalhar planejamento e tomada de decisão, 240
   profissional de saúde, "consertar as coisas", 236
   relação paciente/profissional da saúde, 234
   vivência do paciente sem sentir vergonha ou culpa, 235
Excesso de peso em criança, 1123

## F

Febre amarela, 1798
   diagnóstico, 1802
      diagnóstico diferencial, 1802
      diagnóstico laboratorial, 1802
   epidemiologia, 1798
      ciclos de transmissão, 1799
      hospedeiros, 1798
      sazonalidade, 1800
      suscetibilidade, 1799
      vetores reservados, 1798
   quadro clínico, 1801
   patogenia e patologia, 1800
   prevenção e controle, 1804
      controle de vetores, 1808
      notificação, 1805
      vacina antiamarílica, 1806
      vigilância epidemiológica, 1804
   tratamento, 1803
Febre em adultos, 776
   acompanhamento na APS, 780
   avaliação, 778
   etiologia, 777
   febre de origem indeterminada, 778
   tratamento, 779
      antibioticoterapia paciente febre de origem indeterminada, 780
Febre reumática e prevenção de endocardite infecciosa, 1662
   febre reumática, 1662
      alergia à penicilina, 1670
      acompanhamento, 1670
      conceito e etiopatogenia, 1662
      diagnóstico, 1662
         comprovação de infeção estreptocócica prévia, 1666
         critérios maiores, 1663
            artrite, 1663
            cardite, 1664
            coreia de Sydenham, 1664
            eritema marginado, 1664
            nódulos subutâneos, 1665
         critérios menores, 1665
         diagnóstico de recorrência, 1666
      epidemiologia, 1662
      prevenção, 1668
         profilaxia primária, 1668
         profilaxia secundária, prevenção de recorrências, 1669
      tratamento, 1667
   prevenção de endocardite infecciosa, 1670
      critérios diagnósticos, 1671
Ferimentos cutâneos, 901
   cicatrização, 902
      fatores que influenciam, 902
         locais, 902
         sistêmicos, 902
      tipos, 902
   classificação dos ferimentos, 903
      áreas irradiadas, 903
      médico-legal, 903
      quanto à contaminação, 903
      quanto à profundidade, 903
      úlceras de pressão, 903
      úlceras pré-malignas e malignas, 903
   cuidados pós-operatórios tardios, 913
      hidratação cicatrizes e pele, 913
      malhas compressivas pós-cirúrgicas, 913
      massagem, 913
      prevenção dos distúrbios fibroproliferativos, 913
         cicatriz hipertrófica e queloidiana, 913
      proteção solar, 913
      revisão cirúrgica das cicatrizes, 914
   definições, 901
   panorama atual, 902
      cuidados para o profissional da saúde, 901
      proteção jurídica, 902
   tratamento cirúrgico, 904
      cuidados pós-operatórios imediatos, 910
         analgesia, 910
         curativos, 910
            aplicação, 910
            gaze e soro fisiológico, 910
            oleoso e/ou não aderente, 910
         retirada dos pontos, 911
      enxertos, 907

manejo de ferimentos contaminados, 906
manejo de ferimentos crônicos, 909
manejo de ferimentos especiais, 907
  amputações, 909
  cavidade oral, 908
  face, 907
  membro superior, 909
  mordeduras, 909
  pescoço, 908
manejo de ferimentos limpos, 905
princípios gerais, 904
tétano, 911
tratamento não cirúrgico, 912
Ferramentas para a prática clínica, 57
  atenção primária à saúde, 57
  abordagem da morte e do luto, 210
  abordagem familiar, 180
  abordagem integral da sexualidade, 197
  adesão aos tratamentos, 129
  agentes comunitários de saúde, 112
  antropologia, 162
  atenção às condições crônicas, 156
  atendimento ao trabalhador, 167
  atestados, 138
  certificados, 138
  cuidados específicos da população LGBTI+, 195
  decisões clínicas, 67
  diagnóstico clínico, 84
  habilidades de comunicação, 102
  informação, 147
  método clínico centrado na pessoa, 94
  modelo de consulta, 102
  prática da medicina ambulatorial, 58
  prescrição de medicamentos, 129
  prontuário eletrônico, 147
  registros médicos, 138
  saúde pública, 78
  telemedicina em APS, 147
Ferro e anemia em crianças, deficiência, 1097

# G

Gestação, 1260, 1267, 1277
  diabetes, 1267
    gestacional e detectada na gravidez, 1268
      acompanhamento, 1272
      assistência ao parto, 1273
      encaminhamento, 1272
      período após a gestação, 1273
      rastreamento diagnóstico, 1268
      tratamento, 1269
        dieta e atividade física, 1269
        medicamentos, 1270
          acarbose, 1272
          glibenclamida, 1272
          insulina, 1270
          metformina, 1271
        monitoração metabólica, 1270
    pré-gestacional, 1273
      acompanhamento durante a gestação, 1274
      após gestação, 1274
      planejamento da gravidez, 1274
  hipertensão arterial, 1260
    aconselhamento e prognóstico pós-parto, 1266
    complicações, 1265
    definições, 1260
      hipertensão arterial, 1260
      hipertensão arterial crônica, 1261
      hipertensão do avental branco, 1261
      hipertensão gestacional, 1261
      pré-eclâmpsia, 1261
        grave e eclampsia, 1261
      proteinúria gestacional, 1260
    diagnóstico, 1262
      diagnóstico diferencial pré-eclâmpsia e hipertensão arterial sistêmica crônica, 1263
      hipertensão arterial na gestação, 1262
      pré-eclâmpsia, 1262
    encaminhamento ao serviço especializado, 1263
    epidemiologia, 1250
    etiologia e fatores de risco, 1261
    prevenção, 1266
    tratamento, 1264
      hipertensão crônica, 1264
      hipertensão persistente pós-parto, 1265
      pré-eclâmpsia, 1264
  infecções, 1277
    citomegalovirose, 1286
      diagnóstico, 1286
      quadro clínico, 1286
      repercussões no feto, 1286
      tratamento e prevenção, 1287
    estreptococo do grupo B, 1280
    hepatites, 1279
    herpética, 1284
      diagnóstico, 1285
      quadro clínico, 1285
      repercussões no feto, 1285
      tratamento, 1285
    rubéola, 1278
      diagnóstico, 1279
      infecção fetal, 1278
      prevenção, 1279
      tratamento, 1279
    sexualmente transmissíveis, 1282
      sífilis, 1283
        acompanhamento, 1284
        diagnóstico, 1283
        quadro clínico, 1283
        tratamento, 1284
    toxoplasmose, 1277
      diagnóstico, 1277
      quadro clínico, 1277
      tratamento, 1278
    urinária, 1288
      bacteriúria assintomática, 1288
      cistite, 1289
      pielonefrite aguda, 1289
    vaginites, 1287
      candidíase, 1287
      tricomoníase, 1287
      vaginose bacteriana, 1287
    varicela, 1281
      acometimento fetal, 1281
      diagnóstico, 1281
      quadro clínico, 1281
      tratamento, 1281
    vírus Zika, 1282
      infecção congênita no Brasil, 1282
      prevenção em gestantes, 1282
Gestação e lactação, medicamentos e outras exposições, 1297
  amamentação, 1299
    adoçantes, 1303
    álcool, 1302
    biodisponibilidade, 1300
    cafeína, 1303
    compostos herbais, 1303
    dose administrada, 1300
    duração do tratamento, 1300
    frequência das mamadas, 1300
    grau de ionização, 1300
    idade da criança, 1300
    intervalo entre doses, 1300
    ligação a proteínas, 1300
    maconha e cocaína, 1302
    medicamentos de uso tópico, 1301
    medicamentos que podem alterar gosto do leite, 1301
    meia-vida do fármaco, 1300
    onde encontrar mais informações, 1303
    peso molecular, 1300
    pH do meio, 1300
    questões importantes ao prescrever um medicamento, 1300
    solubilidade, 1300
    substâncias que interferem na produção e ejeção do leite, 1301
    tabagismo, 1302
    tempo entre a tomada do medicamento e a mamada, 1300
    vacinas, 1301
    via de administração, 1300
  gestação e agentes teratogênicos, 1297
    adoçantes, 1299
    álcool, 1298
    cafeína, 1299
    infecções congênitas, 1298
    maconha e cocaína, 1298
    medicamentos ou cosméticos de uso tópico, 1299
    onde encontrar mais informações, 1299
    radiação, 1298
    tabagismo, 1299
    vacinas, 1298
Gestante com problema crônico de saúde, atenção, 1246
  asma na gestação, 1246
    acompanhamento, 1247
    diagnóstico, 1247
    encaminhamento, 1248
    tratamento, 1247
      avaliação e monitorização, 1247
      controle desencadeadores da asma, 1247
      educação gestante, 1247
      exacerbação aguda da asma, 1247
      terapia farmacológica, 1247
  cardiopatias, 1254
    comunicação interatrial, 1256
      acompanhamento, 1256
      diagnóstico, 1256
      tratamento, 1256
    comunicação interventricular, 1257
      acompanhamento, 1257
      diagnóstico, 1257
      tratamento, 1257
    doença arterial coronariana, 1257
      acompanhamento, 1258
      diagnóstico, 1257
      tratamento, 1258
    estenose aórtica, 1255
      acompanhamento, 1256
      diagnóstico, 1255
      tratamento, 1256
    estenose mitral, 1255
      acompanhamento, 1255
      diagnóstico, 1255
      tratamento, 1255
  doença renal crônica, 1249
    acompanhamento, 1250
    diagnóstico, 1250
    encaminhamento, 1250

prognóstico, 1250
tratamento, 1250
doenças da tireoide, 1251
  hipertireoidismo, 1251
    acompanhamento, 1251
    diagnóstico, 1251
    encaminhamento, 1252
    tratamento, 1251
  hipotireoidismo, 1252
    acompanhamento, 1252
    diagnóstico, 1252
    encaminhamento, 1252
    tratamento, 1252
epilepsia na gestação, 1248
  acompanhamento, 1249
  diagnóstico, 1248
  encaminhamento, 1249
  tratamento, 1248
obesidade, 1252
  acompanhamento, recomendações, 1254
  cirurgia bariátrica em obesas e gravidez, 1254
  complicações perinatais, 1253
  encaminhamento, 1254
  obesidade materna e riscos obstétricos, final da gestação, 1253
  obesidade maternal e riscos obstétricos, início da gestação, 1253
  obesidade pré-gravidez e ganho de peso na gravidez, 1253
Gestante e puérpera, acompanhamento de saúde, 1223
  acompanhamento pré-natal, 1226
    acolhimento e orientação da gestante, 1227
    amamentação, 1243
    avaliação de risco gestacional, 1228
    avaliação ginecológica, 1230
    avaliação laboratorial, 1231
      eletroforese de hemoglobina, 1231
      exame comum de urina e urocultura, 1232
      glicemia de jejum, 1233
      hematócrito/hemoglobina, 1231
      outros exames, 1234
        citomegalovírus, 1234
        covid-19, 1235
        estreptococo do grupo B, 1234
        função da tireoide, 1236
        hepatite C, 1234
        malária, 1234
        rubéola, 1234
        testes rastreamento alterações fetais cromossômicas, 1236
        tuberculose, 1235
        Zika vírus, 1235
      sorologia anti-HIV, 1233
      sorologia para hepatite B, 1234
      sorologia para sífilis, 1231
      sorologia para toxoplasmose, 1233
    avaliação obstétrica, 1230
    cálculo idade gestacional e data provável do parto, 1230
    cinto de segurança, 1239
    componentes básicos de assistência, 1227
    dieta, suplementação com ferro e vitaminas, 1238
    direitos assistenciais, sociais e trabalhistas, 1239
    exercícios físicos, 1239
    ganho de peso na gestação, 1229
    imunizações, 1237
    medicamentos, 1239
    medida da pressão arterial, 1230
    orientações sobre trabalho de parto e parto, 1239
      cesariana a pedido, 1242
      indicações de cesariana, 1241
    problemas comuns na gravidez, 1237
      cãibras, 1238
      cefaleia, 1238
      cloasma, 1238
      mudanças corporais, 1238
      pirose, náuseas e vômitos, 1237
      sangramento vaginal e dor em cólica, 1238
      varizes e dor nas pernas, 1237
    saúde bucal, 1238
    ultrassonografia, 1236
    viagens aéreas, 1239
  diagnóstico de gestação, 1226
  pré-concepção, 1225
  puerpério, 1243
    abordagem atividade sexual e contracepção, 1244
    abordagem condições médicas prévias, sinais de alerta e prevenção, 1243
    abordagem estado saúde mental e intervenções apoio psicossocial, 1243
    alimentação bebê e apoio aleitamento materno, 1244
Gestantes, infecção pelo HIV, 1291
  diagnóstico, 1292
  manejo, 1292
    antirretrovirais na gestação, 1293
      esquema preferencial, 1293
    cuidados com o recém-nascido, 1295
    cuidados pós-parto, 1295
    esquema vacinal para gestantes com HIV, 1296
    exames laboratoriais, 1293
    princípios gerais, 1292
    profilaxia antirretroviral intraparto, 1294
    via de parto, 1294
  vigilância epidemiológica, 1292
Gota e outras monoartrites, 2064
  doença por deposição de cristais de pirofosfato de cálcio, 2071
  gota, 2064
    acompanhamento, 2070
    diagnóstico, 2065
    encaminhamento, 2071
    situação de emergência, 2070
    tratamento, 2066
      manejo de comorbidades, 2070
      prevenção de recorrências, 2068
      tratamento da crise aguda, 2066
        anti-inflamatórios, 2067
        colchicina, 2066
        glicocorticoides, 2068
        outras abordagens, 2068

## H

Habilidade de comunicação, 102
  comunicação clínica, 102
  descrição, 103
  habilidades específicas, 103
    contexto de aplicação, 103
    exemplos, 104
      paciente, 104
      profissional da saúde, 104
Hanseníase, 1809
  diagnóstico, 1811
    baciloscopia, 1812
    classificação, 1813
    histopatologia, 1812
    sorologia, 1813
    teste de sensibilidade, 1811
  diagnóstico diferencial, 1815
    dermatológico, 1815
    neurológico, 1815
  educação em saúde, 1821
  formas clínicas, 1813
    dismorfa, 1813
    episódios reacionais, 1814
    indeterminada, 1813
    tuberculoide, 1813
    virchowiana, 1814
  prevenção e controle, 1818
  prevenção e tratamento incapacidades, 1819
    autocuidado apoiado, 1820
    reabilitação, 1820
  transmissão, 1810
  tratamento, 1815
    cirúrgico das neurites, 1818
    condutas efeitos adversos, 1817
    efeitos adversos medicamentos e condutas, 1816
      clofazimina, 1816
      dapsona, 1816
      rifampicina, 1816
    específico dos episódios reacionais, 1817
      reação crônica ou subintrante, 1818
      reação tipo 1 ou reação reversa, 1817
      reação tipo 2, 1817
Hepatites virais, 1718
  agentes virais, 1719
  aspectos gerais, 1718
  considerações epidemiológicas, 1720
    hepatite A, 1720
    hepatite B, 1721
    hepatite C, 1722
    hepatite D, 1722
    hepatite E, 1723
  prevenção, 1730
    hepatite A, 1732
      imunização ativa, vacinação, 1733
      imunização passiva, 1732
    hepatites B e D, 1733
    hepatite C, 1734
    hepatite E, 1734
  quadro clínico e diagnóstico, 1723
    hepatite A, 1724
    hepatite B, 1725
    hepatite C, 1726
    hepatite D, 1727
    hepatite E, 1727
  tratamento, 1728
    hepatites agudas, 1728
    hepatites crônicas, 1730
      hepatite B crônica, 1730
      hepatite C crônica, 1731
Hérnias da parede abdominal, 937
  tipos de hérnias, 938
    epigástricas, 940
      diagnóstico e manejo, 940
      encaminhamento, 941
    incisional, 941
      diagnóstico e manejo, 941
      encaminhamento, 941
    inguinais e femorais, 938
      diagnóstico e manejo, 939
      encaminhamento, 939
    outros tipos, 941
    umbilicais, 940
      diagnóstico e manejo, 940
      encaminhamento, 940
Hipertensão arterial na gestação, 1260
  aconselhamento e prognóstico pós-parto, 1266
  complicações, 1265

definições, 1260
   hipertensão arterial, 1260
   hipertensão arterial crônica, 1261
   hipertensão do avental branco, 1261
   hipertensão gestacional, 1261
   pré-eclâmpsia, 1261
     grave e eclampsia, 1261
   proteinúria gestacional, 1260
diagnóstico, 1262
   diagnóstico diferencial pré-eclâmpsia e hipertensão arterial sistêmica crônica, 1263
   hipertensão arterial na gestação, 1262
   pré-eclâmpsia, 1262
encaminhamento ao serviço especializado, 1263
epidemiologia, 1250
etiologia e fatores de risco, 1261
prevenção, 1266
tratamento, 1264
   hipertensão crônica, 1264
   hipertensão persistente pós-parto, 1265
   pré-eclâmpsia, 1264
Hipertensão arterial sistêmica, 331
   aferição da pressão arterial, 333
     caracterização da pressão normal, 334
     interpretação conjunta de PA aferida, 334
        consultório, 334
        fora consultório, 334
     métodos auscultatório e oscilométrico, 333
   avaliação do paciente hipertenso, 335
     hipertensão secundária, 336
        achados clínicos, 336
     métodos complementares para avaliar, 336
     rotina complementar mínima, 335
   diagnóstico e classificação, 332
   encaminhamento, 343
   medidas não medicamentosas, 336
   prevenção primária e tratamento, 336
   prescrição de anti-hipertensivos, 341
   seguimento, 342
     efeitos adversos, 342
     efeitos terapêuticos, 342
     interações medicamentosas, 343
   situações especiais, 340
     crianças e adolescentes, 341
     diabetes, 341
     doença cardiovascular prévia, 341
     gestação, 341
     idosos, 340
     insuficiência renal, 341
   tratamento medicamentoso, 337
     agentes anti-hipertensivos, 338
        representantes, doses, intervalos, 338
     estratégias para aumento da adesão, 340
     hipertensão resistente, 339
     manejo PA muito elevada, 340
        em emergências, 340
        em pronto-atendimento, 340
     risco redução excessiva, 340
        fenômeno da curva J, 340
Humor bipolar, transtorno, 1895
   comorbidades, 1905
     comorbidades clínicas, 1906
     transtornos alimentares, 1906
     transtornos de ansiedade, 1905
     transtornos por uso de substâncias, 1906
   diagnóstico, 1896
     abordagem multidimensional, 1898
     avaliação diagnóstica inicial, 1898
        como investigar?, 1898
        diagnósticos alternativos, 1899
        quem deve ser investigado?, 1898
     quadro clínico, 1896
        estados mistos, ciclagem rápida e espectro bipolar, 1897
        humor, afeto e pensamento, 1897
        sintomas comportamentais, 1897
   diagnóstico diferencial, 1899
     depressão unipolar, 1899
     outros diagnósticos, 1900
     transtorno de personalidade *borderline*, 1899
   encaminhamento, 1906
   epidemiologia, 1896
   evolução e curso, 1906
   manejo inicial, 1900
   tratamento medicamentoso, 1901
     episódio depressivo, 1901
     episódio maníaco, 1903
     episódios com características mistas, 1904
     outros tratamentos, 1905
     tratamento de manutenção, 1904

# I

Icterícia, transaminase, problemas hepáticos, 750
   biópsia hepática, 756
   fígado nas doenças sistêmicas, 761
     manejo de comorbidade em pacientes com hepatopatia, 761
   gravidade doenças hepáticas, avaliação, 761
   outras doenças hepáticas, 759
     colangite biliar primária, 760
     colangite esclerosante primária, 760
     doença de Wilson, 760
     hemocromatose, 760
     hepatite autoimune, 760
     síndrome de Gilbert, 759
   paciente assintomático, abordagem, 751
     albumina, 752
     aminotransferases, 751
        alteração de transaminases, 751
     bilirrubinas, 752
     fosfatase alcalina, 752
     gamaglutamiltransferase, 752
     tempo de protrombina, 752
     ultrassonografia com alteração hepática, 752
   paciente sintomático, abordagem, 753
     ascite, 754
     dor abdominal, 754
     encefalopatia hepática, 755
     hepatopatia crônica, 756
        sinais, sintomas e alterações laboratoriais, 756
     icterícia, 753
   problemas hepáticos comuns, 756
     cirrose hepática, 757
     doença hepática gordurosa não alcoólica, 756
     hepatite medicamentosa, 757
     hepatites virais, 757
     lesões hepáticas focais, 759
        adenoma hepático, 759
        carcinoma hepatocelular, 759
        cistos, 759
        hemangiomas, 759
        hiperplasia nodular focal, 759
        metástases hepáticas, 759
Idoso, atenção à saúde, 579
   avaliação multidimensional, 591
     atividades diárias, 592
     audição, 597
     avaliação do humor, 596
     continência urinária, 596
     estado mental, 596
     função membros inferiores, 594
     função membros superiores, 594
     nutrição, 597
     promoção da saúde, 598
        atividade sexual, 599
        exercícios físicos, 598
        imunização, 598
     risco de queda, 595
     suporte social, 598
     visão, 597
   cuidado do paciente, 580
   cuidado domiciliar e cuidador, 582
     apoio ao cuidador, 583
     capacitação do cuidador, 583
   exame clínico, peculiaridades, 581
     anamnese, 581
     avaliação capacidade funcional, 581
     exame físico, 581
   situações especiais, 584
     *delirium*, 584
     incontinência urinária, 585
        classificação, 585
        diagnóstico, 587
        interconsulta, 587
        tratamento, 587
           atividade insuficiente do músculo detrusor, 588
           incontinência de estresse, 588
           incontinência de sobrefluxo por obstrução vesical, 588
           incontinência de urgência, 587
     violência contra idoso, 589
        autonegligência, 589
        financeira, 589
        física, 589
        manejo, 590
        negligência psicológica, 589
        sexual, 589
        situações de risco, 590
doença de Parkinson, 609
   abordagem sintomas não motores, 614
     ansiedade, 614
     constipação, 615
     demência, 615
     depressão, 614
     disfunção sexual, 615
     disfunção urinária, 615
     distúrbios do sono, 615
        distúrbio comportamental do sono REM, 615
        síndrome das pernas inquietas, 615
     dor, 616

# Índice

hiperidrose, 615
hipotensão postural, 615
olfação, 616
psicose e alucinações visuais, 614
sialorreia, 615
abordagem terapêutica sintomas motores, 614
   manejo complicações motoras, 614
   tratamentos modificadores de doença, 614
   tratamentos sintomáticos, 614
diagnóstico, 610
   diagnóstico diferencial, 611
      formas de parkinsonismo, 611
      medicamentos manifestações clínicas semelhantes, 611
      principais achados, 611
   exames complementares, 612
encaminhamento, 616
etiopatogenia, 610
modalidades terapêuticas, 612
   medidas não farmacológicas, 612
   tratamento cirúrgico, 613
   tratamento farmacológico, 612
      atividade profissional exercida, 613
      custo, 613
      diagnóstico correto, 612
      estado cognitivo, 613
      fármacos disponíveis, 613
      gravidade, 613
      idade do paciente, 612
prognóstico, 610
seguimento, 616
tremor essencial, 612
doenças cerebrovasculares, 639
   abordagens complicações crônicas AVC, 649
      AVC e condução de veículos, 651
      demência, 651
      depressão, 651
      desnutrição, 650
      disfagia, 650
      dor/subluxação no ombro, 651
      dor crônica, 650
      epilepsia pós-AVC, 652
      incontinência urinária, 650
      insatisfação sexual, 652
      limitação funcional, 649
      reabilitação de marcha, 650
      reabilitação motora, 649
      transtorno cognitivo leve de origem vascular, 651
      tromboembolismo pulmonar, 652
   anatomia cerebrovascular, 640
   classificação etiológica AVCE e AIT, 642
      AVC hemorrágico, 644
         hemorragia intraparenquimatosa, 644
         hemorragia subaracnóidea, 645
      AVC isquêmico, 642
         AVC aterotrombótico, 642
         AVC cardioembólico, 643
         AVC lacunar ou aterotrombótico de pequenos vasos, 643
         outras etiologias e causa indeterminada, 644
   cuidados imediatos AVC agudo, 645
   diagnóstico AVC e AIT, 640
      avaliação clínica, 640
         exame neurológico, 641
      exames complementares, 642
         exames de imagem, 642
      manifestações clínicas, 640
   diagnóstico diferencial do AVC, 645
   encaminhamento, 652
   epidemiologia, 639
   fatores de risco, 640
   médico de APT, papel, 639
   prevenção primária e secundária, 647
      aneurisma de septo interatrial, 649
      antiagregantes plaquetários, 647
      anticoagulação oral, 648
      dislipidemia, 647
      doença carotídea, 648
      fibrilação atrial, 648
      forame oval patente, 649
      indicação de endarterectomia/angioplastia, 648
      outras cardiopatias, 648
   transição cuidado hospital-domicílio, 649
osteoporose, 600
   avaliação, 602
      anamnese, 602
      diagnóstico, 603
      exames complementares, 603
      exame físico, 602
      FRAX, 603
   classificação, 601
   fatores de risco, 602
   fisiopatologia, 601
   tratamento, 605
      farmacológico, 606
         agentes anabólicos, 607
         bisfosfonatos, 607
         denosumabe, 608
         raloxifeno, 608
         terapia de reposição hormonal, 608
      não farmacológico, 605
         dieta, 605
         cálcio, 605
         vitamina D, 606
         exercício, 606
síndromes demenciais e comprometimento cognitivo leve, 617
   abordagem ao paciente com suspeita de demência, 620
      exame clínico, 620
         anamnese, 620
         avaliação cognitiva breve, 623
            miniexame estado mental, 623
            teste desenho relógio, 623
            teste lista de palavras, 624
         exame neurológico dirigido, 621
      exames complementares, 623
   classificação das demências, 627
      causa, 627
      estática, 627
      evolutiva, 627
      potencialmente reversíveis, 627
   demência com corpúsculo de Lewy, 631
   demência frontotemporal, 632
      variante comportamental, 632
      variante da linguagem, 633
         critérios diagnósticos, 633
   demência mista, 631
      doença de Alzheimer com demência vascular, 631
   demência parkinsoniana, 631
   demência vascular: prevenível e negligenciada, 629
      etipatogenia, 629
      manifestações clínicas, 630
         apraxia de marcha do tipo pequenos passos, 630
         exame de imagem, 630
         história de AVC, 630
         sinal de lesão cortical focal, 630
      profilaxia e tratamento, 631
   demências potencialmente reversíveis, 624
   doença de Alzheimer, 627
      manifestações clínicas, 628
      tratamento, 628
   etiologia, 627
      alcoólica, 627
      degenerativa, 627
      infecciosa, 627
      neoplásica, 627
      reversível, 627
      traumática, 627
      vascular, 627
   hidrocefalia de pressão normal, 633
   outras causas de demência, 634
   classificação evolutiva do declínio cognitivo, 634
      avaliação clínica da demência, 634
      comprometimento cognitivo leve, 625
   demência extrema, cuidados paliativos paciente acamado, 636
      integridade da pele, 636
      nutrição, 636
      prevenção de escaras, 636
      sugestões de encaminhamento, 637
         emergência clínica, 637
         emergência psiquiátrica, 637
         geriatra, 637
         neurologista, 637
         psiquiatra, 637
   diagnóstico diferencial de demência, 624
      *delirium*, 624
      depressão com comprometimento cognitivo, 624
      pseudodemência depressiva, 624
   epidemiologia das demências, 618
   domínios e síndromes neurocognitivas, 618
      principais domínios, 619
   fatores de risco, 619
   manejo dos sintomas neuropsiquiátricos, 635
      medidas comportamentais, 635
      tratamento farmacológico, 635
         antipsicóticos, 635
         neurolépticos, 635
         psicotrópicos não neurolépticos, 636

Imunizações, 1535
  calendários de imunizações, 1539
  conceitos, 1536
    cadeia ou rede de frio, 1536
    imunização, 1536
    toxoide, 1536
    vacina atenuada, 1536
    vacina inativada, 1536
    vacina polissacarídica, 1537
    vacina posissacarídica conjugada, 1537
    vacina recombinante, 1537
    vacinas combinadas, 1537
    vacinologia reversa, 1537
  considerações gerais, 1537
    atraso, esquecimento ou antecipação de doses, 1537
    contraindicações e precauções, 1538
    estado imunológico desconhecido ou duvidoso, 1538
    eventos adversos, 1538
    intercâmbio vacinas diferentes fabricantes, 1537
    intervalos administração diferentes vacinas e prova tuberculínica, 1538
    vias administração e alívio da dor, 1539
  particularidades das vacinas, 1543
    outras vacinas de interesse, 1550
      contra febre tifoide, 1550
        indicações, 1550
        via, doses e esquema vacinal, 1550
      contra raiva, 1550
        indicações, 1550
    vacina BCG, 1543
      indicações, 1543
      via, doses e esquema vacinal, 1544
    vacina contra dengue, 1550
      indicações, 1550
      via, doses e esquema vacinal, 1550
    vacina contra febre amarela, 1548
      indicações, 1548
      via, doses e esquema vacinal, 1548
    vacina contra hepatite A, 1549
      indicações, 1549
      via, doses e esquema vacinal, 1549
    vacina contra hepatite B, 1544
      via, doses e esquema vacinal, 1544
    vacina contra herpes-zóster, 1550
      indicações, 1550
      via, doses e esquema vacinal, 1550
    vacinas contra difteria, tétano, coqueluche a partir 7 anos, inclusive adultos, 1545
      indicações, 1545
      via, doses e esquema vacinal, 1545
    vacinas contra difteria, tétano, coqueluche em crianças menores 7 anos, 1545
      indicações, 1545
      via, doses e esquema vacinal, 1545
    vacinas contra *Haemophilus influenzae* tipo b, 1546
      indicações, 1546
      via, doses e esquema vacinal, 1546
    vacinas contra *influenza* (gripe), 1548
      indicações, 1548
      via, doses e esquema vacinal, 1548
    vacinas contra papilomavírus humano, 1549
      indicações, 1549
      via, doses e esquema vacinal, 1550
    vacinas contra poliomielite, 1544
      indicações, 1544
      via, doses e esquema vacinal, 1545
    vacinas contra rotavírus, 1546
      indicações, 1546
      via, doses e esquema vacinal, 1546
    vacinas contra sarampo, caxumba e rubéola (tríplice viral), 1548
      indicações, 1549
      via, doses e esquema vacinal, 1549
    vacinas contra sarampo, caxumba, rubéola e varicela (tetraviral), 1548
      indicações, 1549
      via, doses e esquema vacinal, 1549
    vacinas contra varicela, 1549
      indicações, 1549
      via, doses e esquema vacinal, 1549
    vacinas meningocócicas, 1547
      indicações, 1547
      vias, doses e esquema vacinal, 1547
    vacinas pneumocócicas, 1546
      apresentações, 1546
      indicações, 1547
      via, doses e esquema vacinal, 1547
  situações especiais, 1539
    amamentação, 1540
    crianças nascidas pré-termo, 1539
    gestação, 1540
    imunobiológicos pós-exposição a doenças, 1541
    pessoas alteração imunidade e seus contatos, 1542
    uso corticoides e outros fármacos imunossupressores, 1543
    uso recente de imunoglobulinas ou sangue e derivados, 1541
    vacina ocupacional, 1543
    viajantes, 1543
Infância, abordagem da saúde mental, 1960
  avaliação queixas específicas com apoio de escalas, 1976
  caracterização da queixa, 1965
    antecedentes desenvolvimentais e psicopatológicos, 1966
    antecedentes familiares, 1966
    contexto familiar e social, 1966
    determinação temporalidade dos sintomas, 1965
    formulação narrativa da queixa, 1965
    problema interpretado criança, familiares, escola, 1965
    repercussão funcional, 1965
    surgimento, agravamento ou melhora dos sintomas, 1965
  como problemas se manifestam nas consultas, 1964
    ajudar pais identificar como a criança demonstra sofrimento, 1967
    apoiar sem superproteger, 1966
    identificados em consultas por outros motivos, 1964
    manter e intensificar rotinas, 1967
    queixa emocional ou comportamental, 1965
    pais devem verificar como a criança está, 1967
    pais precisam enfrentar o problema, 1966
    solicitação da escola, 1964
    triagem consultas de puericultura, 1964
  eventos estressantes e transições difíceis, 1966
    estágio desenvolvimental, 1966
    história prévia criança e família, 1966
    temperamento, 1966
  intersetoriais para promoção da saúde mental, 1961
    atividades culturais e esportivas, 1961
    intervenções pré-escola ou escola, 1961
    programas de transferência de renda, 1961
  modelo transacional e desenvolvimento da criança, 1960
  problemas comportamentais comuns, 1970
    alterações do sono, 1970
      despertar confusional, 1971
      terror noturno, 1971
    birras, 1973
    *bullying*, 1974
    encoprese, 1973
    enurese, 1972
    seletividade alimentar, 1971
    sucção do polegar, 1971
  temperamento e autorregulação, 1962
    desenvolvimento da autorregulação, 1962
    temperamento e suas variações, 1962
  transdiagnóstica para todas as queixas, 1967
    educação parental positiva, 1968
    educação sobre emoções e regulação emocional, 1968
      autorregulação emocional, 1969
      educação sobre emoções, 1968
    estratégias comportamentais simples, 1969
    mudança estilo de vida, 1967
      atividades física e extracurricular, 1968
      rotinas de sono, 1967
      rotinas e rituais, 1967
    treinamento parental estruturado, 1970
Infância, práticas alimentares saudáveis, 1041
  alimentação complementar criança amamentada, 1042
    apresentação e consistência dos alimentos, 1045
    escolha dos alimentos, 1042
      alimentos orgânicos, 1044
      comida da família, 1043
      dieta variada, 1043
      *in natura* ou minimamente processados, 1042
      não oferecer açúcar até dois anos de idade, 1043
      não oferecer ultraprocessados, 1042
      não recomendados até dois anos de idade, 1044
        adoçante, 1044
        alimentos que podem engasgar, 1044
        café, 1044
        frituras, 1044
        mel, 1044

# Índice

papinhas industrializadas, 1044
esquema alimentar, 1046
frequência das refeições, 1046
   sal na quantidade mínima, 1043
   vitamina D, exposição ao sol, 1044
   quando iniciar, 1042
   quantidade de alimentos, 1045
alimentação criança não amamentada, 1046
alimentação em situações especiais, 1048
   criança doente, 1050
   criança que não quer comer, 1050
   fora de casa, 1049
   vegetarianismo, 1048
doze passos para alimentação saudável, 1051
formas de cuidar e oferecer as refeições, 1048
higiene e manipulação dos alimentos, 1048
proteção à publicidade de alimentos, 1050
Infância e adolescência, atendimento ginecológico, 1161
  ciclo menstrual na adolescência, 1170
   ciclo menstrual com distúrbio, 1171
    avaliação, 1171
    tratamento, 1171
   ciclo menstrual típico, 1170
  exame ginecológico, 1161
   das 8 semanas aos 7 anos, 1162
   dos 7 aos 10 anos, 1162
   dos 10 aos 13 anos, 1162
   primeiras 8 semanas, 1162
  motivos da consulta, 1163
  puberdade típica e patológica, 1165
   puberdade precoce, 1166
    avaliação, 1167
     anamnese, 1168
     avaliação laboratorial, 1168
     avaliação radiológica, 1168
     exame físico, 1168
    central ou verdadeira, 1166
    formas incompletas, 1166
    periférica, 1166
    tratamento, 1168
   puberdade tardia, 1169
    avaliação, 1169
     exames gerais, 1169
     testes genéticos, 1170
     testes hormonais, 117
    classificação, 1169
     hipogonadismo hipergonadotrófico, 1169
     hipogonadismo hipogonodotrófico, 1169
    tratamento, 1170
   puberdade típica, 1165
vulvovaginites na infância, 1163
  crianças pré-púberes, 1163
   abordagem diagnóstica, 1164
   classificação, 1163
    vulvovaginite específica, 1163
    vulvovaginite inespecífica, 1163
   fatores de risco, 1163
    anatômico/hormonais, 1163
    doenças subjacentes/medicações, 1163
    hábitos/costumes, 1163
   quadro clínico, 1163
   tratamento, 1164
    exames complementares, 1165
    vulvovaginite específica, 1164
    vulvovaginite inespecífica, 1164
Infecção do trato urinário, 1674
  infecção em adultos, 1674
   classificação, 1675
    anatômica, 1675
    complicada, 1675
    presença de alterações estruturais ou funcionais, 1675
    recorrência da infecção, 1674
    sintomas, 1675
   diagnóstico, 1676
    avaliação clínica, 1676
     exame físico completo, 1676
     história clínica, 1676
     infecção complicada, 1677
      associada a cateter, 1677
      bacteriúria na gravidez, 1678
      cálculo urinário, 1677
      uropatia obstrutiva e nefropatia do refluxo, 1678
     infecção não complicada, 1677
      cistite, 1677
      infecção urinária recorrente em mulheres, 1677
      pielonefrite, 1677
      prostatite, 1677
      síndrome uretral, 1677
      uretrite, 1677
    avaliação laboratorial, 1678
     exame qualitativo de urina e urocultura, 1678
     exames de imagem, 1678
      cintilografia renal com DMSA, 1678
      radiografia simples de abdome, 1678
      tomografia computadorizada, 1678
      ultrassonografia de vias urinárias, 1678
      uretrocistografia retrógrada e miccional, 1678
      urografia venosa, 1678
   etiopatogenia, 1675
    antígeno de grupo sanguíneo, 1676
    colonização da uretra distal e região periuretral, 1676
    eliminação de bactérias, 1676
    fatores do hospedeiro, 1676
    osmolaridade e pH, 1676
    resposta imune, 1676
    uroepitélio, 1676
    virulência agente infeccioso, 1676
   fatores de risco, 1675
   profilaxia, 1682
   prognóstico, 1682
   tratamento, 1679
    bacteriúria assintomática, 1680
    cistite, 1679
    infecção em homens, 1681
    infecção na gestação, 1681
    infecção urinária associada a cateter, 1681
    infecção urinária complicada, 1680
    infecção urinária recorrente não complicada em mulheres, 1682
    pielonefrite, 1680
  infecção em crianças, 1683
   diagnóstico, 1683
    exames complementares, 1683
     exame de urina, 1683
     exames de imagem, 1684
      cintilografia com DMSA, 1684
      ultrassonografia do aparelho urinário, 1684
      uretrocistografia miccional, 1684
     outros exames laboratoriais, 1684
    quadro clínico, 1683
   disfunção miccional, 1686
   fisiopatogenia, 1683
   profilaxia, 1686
   tratamento, 1685
    cistite, 1685
    pielonefrite, 1685
Infecção pelo HIV, 1291, 1705
  em adultos, 1705
   avaliação clínico-laboratorial, tratamento e acompanhamento, 1708
    comorbidades, 1712
     alterações metabólicas e doenças cardiovasculares, 1712
     doenças neurocognitivas, 1714
      alterações de memória, 1714
      falhas na atenção, 1714
      lentificação psicomotora, 1714
     outras comorbidades, 1714
    imunizações, 1712
     vacina anual da *influenza*, 1712
     vacina da hepatite B, 1712
     vacina do papilomavírus humano, 1712
     vacina meningocócica, 1712
     vacina pneumocócica, 1712
    princípios do tratamento, 1708
    profilaxias, 1708
     primária, 1711
      complexo *Mycobacterium avium*, 1711
      *Mycobacterium tuberculosi*, 1711
      *Pneumocystis jiroved*, 1711
      *Toxoplasma gandii*, 1711
     secundária, 1711
    terapia antirretroviral, 1708
   considerações epidemiológicas e modelo de cuidado, 1705
   diagnóstico, 1707
   prevenção, 1714
  em gestantes, 1291
   diagnóstico, 1292
   manejo, 1292
    antirretrovirais na gestação, 1293
     esquema preferencial, 1293
    cuidados com o recém-nascido, 1295
    cuidados pós-parto, 1295
    esquema vacinal para gestantes com HIV, 1296
    exames laboratoriais, 1293

## Índice

princípios gerais, 1292
    profilaxia antirretroviral intraparto, 1294
    via de parto, 1294
    vigilância epidemiológica, 1292
Infecção respiratória aguda na criança, 1581
    avaliar e classificar, 1582
    bronquilite, 1586
        diagnóstico, 1587
        fatores de risco piores desfechos, 1587
        manifestações clínicas, 1587
        prevenção, 1587
        tratamento, 1587
    coqueluche, 1588
        diagnóstico, 1589
            leucograma, 1590
            radiologia de tórax, 1590
        etiologia, fisiopatologia e formas de contágio, 1589
        prevenção, 1591
            controle dos comunicantes e profilaxia, 1591
            imunização, 1591
        quadro clínico, 1589
            fase catarral, 1589
            fase de convalescença, 1589
            fase paroxística, 1589
        tratamento, 1590
    *influenza*, 1583
        complicações, 1584
        prevenção, 1585
        tratamento, 1584
    laringite, laringotraqueíte viral e epiglote aguda, 1585
        tratamento, 1586
        epiglote aguda, 1585
    manifestações clínicas, 1581
    pneumonia adquirida na comunidade, 1592
        complicaões, 1594
        diagnóstico, 1593
        etiologia, 1592
        fisiopatologia, 1592
        manifestações clínicas, 1593
        tratamento, 1594
    prevenção, 1595
    resfriado comum, 1582
        complicações, 1582
            doença do trato respiratório inferior, 1583
            exacerbação da asma, 1583
            otite média, 1583
            tratamento, 1583
Infecções, controle, 1525
Infecções de trato respiratório em adultos, 1597
    bronquite aguda, 1600
        tratamento, 1601
    exacerbações agudas doença pulmonar obstrutiva crônica, 1601
        tratamento, 1601

infecções virais, 1597
    gripe, 1598
        manejo, 1599
        prevenção, 1600
        quadro clínico e diagnóstico, 1598
            alterações laboratoriais, 1599
            outras amostras clínicas, 1599
            radiografia de tórax, 1599
            sangue, 1599
            secreção nasofaríngea, 1599
        quimioprofilaxia, 1600
    resfriado comum, 1597
pneumonia, 1602
    diagnóstico, 1603
        avaliação da gravidade, 1603
        diagnóstico etiológico, 1604
        diagnóstico laboratorial, 1605
        diagnóstico radiológico, 1604
    epidemiologia, 1602
    etiologia, 1602
    manejo terapêutico, 1605
        medidas gerais, 1605
        tratamento antimicrobiano, 1605
    prevenção, 1606
Infecções na gestação, 1277
    citomegalovirose, 1286
        diagnóstico, 1286
        quadro clínico, 1286
        repercussões no feto, 1286
        tratamento e prevenção, 1287
    estreptococo do grupo B, 1280
    hepatites, 1279
    herpética, 1284
        diagnóstico, 1285
        quadro clínico, 1285
        repercussões no feto, 1285
        tratamento, 1285
    rubéola, 1278
        diagnóstico, 1279
        infecção fetal, 1278
        prevenção, 1279
        tratamento, 1279
    sexualmente transmissíveis, 1282
        sífilis, 1283
            acompanhamento, 1284
            diagnóstico, 1283
            quadro clínico, 1283
            tratamento, 1284
    toxoplasmose, 1277
        diagnóstico, 1277
        quadro clínico, 1277
        tratamento, 1278
    urinária, 1288
        bacteriúria assintomática, 1288

        cistite, 1289
        pielonefrite aguda, 1289
    vaginites, 1287
        candidíase, 1287
        tricomoníase, 1287
        vaginose bacteriana, 1287
    varicela, 1281
        acometimento fetal, 1281
        diagnóstico, 1281
        quadro clínico, 1281
        tratamento, 1281
    vírus Zika, 1282
        infecção congênita no Brasil, 1282
        prevenção em gestantes, 1282
Infecções pelo herpesvírus e vírus varicela-zóster, 1489
    herpes simples, 1489
        diagnóstico, 1490
        manifestações clínicas, 1488
            complicações, 1490
            infecção primária, 1488
            infecção recorrente, 1490
        tratamento, 1490
            sistêmico, 1490
            tópico, 1490
    herpes-zóster, 1492
        diagnóstico, 1493
        manifestações clínicas, 1492
        prevenção, 1493
        tratamento, 1493
Infecções sexualmente transmissíveis, abordagem sindrômica, 1689
    abordagem sindrômica, 1691
        cancro mole, cancroide, 1694
            diagnóstico, 1694
            manejo, 1695
        corrimento uretral masculino, 1697
            diagnóstico para clamídia e gonorreia, 1698
            manejo, 1698
                uretrite gonocócica e clamídia não complicada, 1698
                uretrite por clamídia, 1698
                uretrite por *Mycoplasma genitalium*, 1699
        donovanose, granuloma inguinal, 1695
            diagnóstico, 1695
            manejo, 1695
        dor pélvica/corrimento vaginal, 1699
        edema ou dor escrotal, 1699
            manejo, 1699
        herpes genital simples, 1696
            diagnóstico, 1696
            manejo, 1697
        linfogranuloma venéreo, 1696
            diagnóstico, 1696
            manejo, 1696

        outras infecções, 1702
            hepatites virais, 1702
            HTLV, 1702
        sífilis, 1693
            diagnóstico, 1693
            manejo e acompanhamento, 1693
        úlcera genital, 1692
        verrugas genitais, 1700
            imunoterapia, 1702
                imiquimode 5%, 1702
                interferon, 1702
            outras modalidades terapêuticas, 1702
                cirurgia, 1702
                crioterapia, 1702
                eletrocauterização, 1702
                *laser*, 1702
            tratamento com métodos citodestrutivos, 1701
                ácido tricloroacético, 1701
                5-fluoruracila 5%, 1701
                podofilotoxina, 1701
    anamnese, 1689
    exame físico, 1690
    prevenção das infecções, 1702
    rastreamento das infecções, 1703
    serviços de saúde, 1689
    vigilância epidemiológica, 1702
Infertilidade, 1219
    etiologia, 1220
    investigação diagnóstica, 1220
        investigação na mulher, 1220
            anamnese, 1220
            exame físico, 1220
            exames complementares, 1220
        investigação no homem, 1221
            anamnese, 1221
            exame físico, 1221
    prevenção, 1222
        consumo de álcool, 1222
        idade da mulher, 1222
        infeções sexualmente transmissíveis, 1222
        obesidade, 1222
        tabagismo, 122
    tratamento, 1221
Informação em saúde, 147
    futuro dos sistemas, 152
        dispositivos móveis, 153
        inteligência artificial, 153
Insuficiência cardíaca, 419
    acompanhamento, 430
        autocuidado, 430
        ecocardiograma, 430
        frequência cardíaca, 430
        intervalo entre as consultas, 430
        monitoramento de eletrólitos e da função renal, 430
        pressão arterial, 430

diagnóstico, 421
  avaliação clínica, 421
    anamnese, 421
    exame físico, 422
    estratégia para avaliação diagnóstica, 424
    exames complementares, 423
      ecocardiografia, 423
      eletrocardiograma, 423
      exames diagnósticos adicionais, 424
      exames laboratoriais, 424
      radiografia de tórax, 423
etiopatogenia, 420
insuficiência aguda e avançada, 431
manejo de comorbidades frequentes, 432
  anemia e ferropenia, 432
  apneia do sono, 432
  depressão maior, 432
  dificuldades sexuais, 432
  doença pulmonar obstrutiva crônica, 432
  doença renal crônica, 432
  gota, 432
  hipotensão postural, 433
  incontinência urinária, 432
prevenção, 430
prognóstico, 420
tratamento, 425
  medidas não farmacológicas, 426
  tratamento medicamentoso, 427
Intoxicações exógenas, antídotos e antagonistas, 2246
  agentes comuns de intoxicação com seus antídotos, 2247

**L**

Leishmaniose, 1762
  apresentação clínica, 1763
    leishmaniose tegumentar, 1765
    leishmaniose visceral, 1763
      pessoas com HIV, 1764
  epidemiologia, 1762
  patogenia, 1762
  prevalência, 1768
  tratamento, 1766
    leishmaniose tegumentar, 1766
    leishmaniose visceral, 1766
  vigilância epidemiológica, 1768
Leptospirose, 1822
  diagnóstico, 1825
    diagnóstico clínico, 1826
    diagnóstico diferencial, 1827
    diagnóstico laboratorial, 1826
  etiologia e ciclo de vida, 1823
  notificação, 1829
  patogenia, 1823

prevenção, 1829
prognóstico, 1829
quadro clínico, 1824
  formas autolimitadas, anictéricas, 1824
  formas graves, 1825
tratamento, 1828
  antimicrobiano, 1828
  medidas de suporte, 1828
Lesões de pele, abordagem diagnóstica, 1398
  algoritmo diagnóstico, 1398
  distribuição das doenças dermatológicas, 1401
    corpo, 1401
    segmento cefálico, 1401
Linfadenopatias, avaliação, 781
  abordagem diagnóstica, 782
    biópsia, 785
    exame físico, 782
    exames complementares, 784
    história clínica, 782
    raciocínio diagnóstico, 782
      algoritmos diagnósticos, 784
      considerações sobre idade, 782
      é realmente linfadenopatia?, 782
      localizada versus generalizada, 783
      sinais de alerta neoplasia geral, 783
      sinais de alerta neoplasias hematológicas, 783
  anatomia do sistema linfático, 781
  fisiopatologia do sistema linfático, 781
  quadro clínico de causas selecionadas, 785
    doença da arranhadura do gato, 786
    doença de Kawasaki, 788
    escrófulo (linfadenite tuberculosa), 788
    infecção aguda pelo vírus da imunodeficiência humana, 786
    leishmaniose, 787
    leucemias, 789
    linfadenite estafilocócica ou estreptocócica, 786
    linfadenopatia no paciente HIV-positivo, 789
    linfadenopatia reativa, 785
    linfomas, 788
    micoses, 788
    mononucleose infecciosa, 787
    neoplasia metastática, 789
    outras causas, 789
    toxoplasmose, 787
Lombalgia, 2103
  abordagem terapêutica geral, 2114
    tratamento farmacológico, 2119

    tratamento multidisciplinar, 2120
    tratamento não farmacológico conservador, 2114
      abordagem psicossocial, 2114
      acupuntura e estimulação neural elétrica transcutânea, 2119
      adaptações motoras gerais, 2117
        decúbito, 2117
        levantamento de carga do chão, 2119
        levantar-se a partir da posição sentada ou sentar-se a partir da ortostase, 2118
        ortostase, 2118
        posição sentada, 2118
        troca de decúbito/sentar-se a partir do decúbito, 2118
      aplicação de calor e/ou frio, 2119
      exercícios, 2119
      inativação de pontos-gatilho miofasciais, 2115
      orientações gerais, 2114
  anatomia, 2103
  avaliação diagnóstico geral, 2109
    exame físico, 2112
    exames complementares, 2113
    história clínica, 2109
      bandeiras vermelhas, 2109
      lombalgia inespecífica e componente miofascial, 2110
      neuropatia, 2109
  componentes sensitivos, 2105
    componentes neuropáticos, 2108
      estenose de canal, 2108
      radiculopatia distal, 2108
      síndrome da cauda equina, 2109
    componentes nociplásticos, 2109
    musculoesqueléticos, 2106
      causa estrutural, 2107
        alteração estrutural aguda, 2107
        alterações estruturais inespecíficas, 2107
        miofascial, 2108
        osteoartrite, 2107
        osteoporose, 2107
        sacroilíacas, 2108
        zigapófise, 2107
      causa inflamatória, 2106
        autoimune, 2106
        infecciosa, 2106
        neoplásica, 2106

      nociceptivos, 2105
        viscerais, 2105
          causa vascular, 2105
          cólica nefrética, 2105
    fatores de risco e proteção, 2105
    quantificação e prognóstico, 2113

**M**

Malária, 1784
  ciclo evolutivo do plasmódio, 1784
    hospedeiro invertebrado, mosquito, 1785
    hospedeiro vertebrado, homem, 1784
  diagnóstico diferencial, 1791
  diagnóstico laboratorial, 1790
  epidemiologia, 1786
  etiologia, 1784
  medidas preventivas, 1796
    ações nacionais prevenção e controle, 1796
    quimioprofilaxia, 1796
  patogenia, 1787
    lesão celular induzida por imunocomplexos, 1788
    multiplicação dos parasitos e destruição das hemácias, 1787
    resposta inflamatória aguda com disfunção endotelial, 1787
    sequestro hemácias parasitadas e obstrução microvascular, 1787
  quadro clínico, 1788
    malária grave e complicada por *Plasmodium falciparum*, 1789
      acidose láctica, 1789
      anemia, 1790
      coagulação intravascular disseminada, sangramento espontâneo, 1790
      edema pulmonar agudo, 1789
      febre hemoglobinúrica, 1789
      hipertermia contínua, hiperpirexia, 1790
      hipoglicemia, 1789
      icterícia e disfunção hepática, 1789
      insuficiência renal aguda, 1789
      malária cerebral, 1789
    malária por *Plasmodium malariae*, 1790
    malária por *Plasmodium vivax*, 1788
  transmissão dos parasitos, 1786
  tratamento, 1791
    acompanhamento pacientes, 1796

efeitos colaterais, 1795
infecções mistas, 1794
malária grave e complicada, 1794
malária na gravidez, 1794
malária por *P. falciparum*, 1793
malária por *P. vivax, P. ovale, P. malariae*, 1793
notificação, 1796
Mama, doenças, 1314
alterações fisiológicas, 1315
métodos diagnósticos, 1316
principais doenças e tratamento, 1318
alterações funcionais benignas da mama, 1318
câncer de mama, 1319
diagnóstico e tratamento, 1320
hereditariedade, 1321
prevenção e diagnóstico precoce, 1321
sinais e sintomas, 1320
processos inflamatórios mais frequentes, 1318
abscesso subareolar crônico recidivante, 1318
ectasia ductal, 1318
eczema areolar, 1318
galactocele, 1318
mastite aguda, 1318
tumores benignos, 1318
fibroadenoma, 1318
papiloma intraductal único, 1319
sinais e sintomas, 1315
aumento da sensibilidade, 1315
descamação e erosão do mamilo e aréola, 1316
descarga papilar espontânea, 1316
dor em uma ou ambas as mamas, com ou sem queixa de nódulos, 1315
nódulos palpáveis, 1316
retração da pele, 1316
retração do mamilo, 1316
sinais de inflamatórios da mama, 1316
Manchas, 1459
eritrasma, 1463
hiperpigmentação pós-inflamatória, 1462
encaminhamento, 1463
malformações vasculares, 1464
mancha salmão, 1464
mancha "vinho do Porto", 1464
mancha mongólica, 1463
manchas café com leite, 1463
melasma, 1461
diagnóstico, 1462
tratamento, 1462

nevo hipocrômico, 1460
hipomelanose macular progressiva, 1461
leucodermia *gutata*, 1461
pitiríase versicolor, 1461
quadro clínico, 1461
tratamento, 1461
púrpuras, 1463
diagnóstico e tratamento, 1464
quadro clínico, 1464
vitiligo, 1459
diagnóstico diferencial, 1460
encaminhamento, 1460
quadro clínico, 1459
padrão focal, 1459
padrão generalizado, 1459
padrão segmentar, 1459
tratamento, 1460
Manejo ambulatorial do paciente anticoagulado, 460
Medicina ambulatorial, prática, 58
baseada em evidências, 58
níveis e graus de recomendações, 58
clínico-epidemiológica, 58
hierarquizando, 58
sistema GRADE, 59
grau de recomendação, 60
nível de evidência, 59
qualidade de evidência, 61
prática, 62
analisar criticamente, 64
aplicar as evidências, 64
localizar as evidências, 62
fontes de diretrizes, 63
fontes de sumários eletrônicos, 63
fontes para buscas integradas, 63
questões clínicas, 62
decisões clínicas, publicações, 61
artigos originais, 61
diretrizes, 61
revisões sistemáticas, 61
sinopses, 61
sistemas eletrônicos, 62
sumários de informação, 61
prática institucional, 65
Medicina rural, 44
características da atenção primária, 47
acesso, 47
centralização na comunidade, 48
centralização na família, 48
competência cultural, 48
coordenação, 48
integralidade, 48
longitudinalidade, 47
porta de entrada, 47

defasagem, 45
distribuição, 45
rural-urbana, 49
como melhorar, 49
fatores relacionados, 49
o que é rural, 44
prática, 46
Membros inferiores, doenças venosas dos, 453
Método clínico, 94
centrado na pessoa, 94
evidências, 95
como ser centrado, 97
componente 1, 97
aspectos subjetivos, 97
aspirações com relação à saúde, 97
conceitos, 97
objetivos do problema, 97
componente 2, 98
contexto individual e ambiental, 98
componente 3, 98
lugar-comum, 98
componente 4, 98
relação profissional e pessoa, 98
o que é ser centrado?, 96
dimensões, 96
objetivos de abordagem, 97
pessoas em situações especiais, 99
lidando com incerteza, 99
más notícias, 100
diagnóstico e prognóstico, 100
entendimento, 100
quadro do paciente, 100
mudanças no estilo de vida, 101
riscos e benefícios, 99
Micoses superficiais, 1495
candidíase, 1498
manifestações clínicas, 1499
tratamento, 1499
dermatofitoses, 1496
etiopatogenia, 1496
manifestações clínicas, 1496
tinha crural, 1497
tinha da mão e do pé, 1497
tinha de couro cabeludo, 1496
tinha do corpo, 1496
medidas preventivas, 1497
tratamento, 1497
onicomicose, 1498
tratamento, 1498
Modelo de consulta, 102, 106
consultas reais, 110
etapas e tarefas, 106
apresentação da demanda, 108

checagem de sinais de alerta, 109
complementação da narrativa, 108
encerramento, 110
exame físico, 109
impacto PSO, 109
IPE – ideias, preocupações e expectativas, 108
pactuação do tema da consulta, 108
plano, 110
problema, 109
transição para segunda etapa da consulta, 109
Morte e luto, 210
cuidados às pessoas e famílias enlutadas, 215
abordagem com crianças, 217
luto dos profissionais da saúde, 218
luto em pandemias, 218
mortes perinatais, 217
mortes por suicídio, 217
mortes súbitas, 218
tragédias e catástrofes, 218
evolução processo de luto, 212
impacto sobre a dinâmica familiar, 211
impacto sobre a saúde individual, 211
luto complicado, como identificar, 214
luto na consulta, 212
tarefas luto normal, 213
aceitar a realidade da morte, 213
ajustar-se ao mundo sem a pessoa que morreu, 214
processar a dor da perda, 213
reinvestir em outras relações e projetos de vida, 214
Mulher, acompanhamento saúde na atenção primária, 1190
anamnese, 1190
exame físico, 1191
exames prevenção cânceres colo útero e mama, 1198
autoexame de mamas, 1199
citologia oncótica, 1198
colposcopia, 1198
outros exames colo do útero, 1198
prevenção de infecções sexualmente transmissíveis, 1197
clamídia, 1197
promoção da saúde e prevenção de doenças, 1194
anticoncepção, 1195
cálcio, importância da ingestão 1195
orientações pré-concepcionais, 1195
vacinação, 1196
contra HPV, 1196

Mulher em situação de violência, atenção à saúde, 1378
  avaliação e manejo psicológico e psiquiátrico na APS, 1385
    aspectos que podem ser avaliados, 1386
      culpa, 1387
      deve-se falar sobre o que ocorreu?, 1386
      melhor conduta do profissional da saúde?, 1386
      prescrição sedativos, 1387
      psicoeducação, 1387
    tratamento farmacológico do transtorno de estresse agudo, 1388
    tratamento farmacológico do transtorno de estresse pós-traumático, 1388
    tratamento medicamentoso quadros psiquiátricos agudos desencadeados pela violência, 1387
  violência, 1378
    aspectos éticos e acolhimento solidário/empático, 1380
      sinais de alerta no atendimento médico, 1380
    doméstica, 1378
    familiar, 1378
    Lei Maria da Penha, 1379
  violência sexual, 1381
    atendimento médico, 1382
      aborto previsto em lei, 1384
        parecer técnico, 1384
        termo aprovação procedimento interrupção da gestação, 1385
        termo consentimento livre e esclarecido, 1384
        termo relato circunstanciado, 1384
        termo responsabilidade, 1384
      acompanhamento, 1385
      consequências, 1383
      primeiro atendimento, 1383
    lei, 1382

# N

Náuseas e vômitos, 741
  anamnese, 743
    conteúdo e odor do material eliminado, 743
    duração dos sintomas, 743
    horário, 743
    outros sintomas associados, 743
    relação com alimentação, 743
  avaliação clínica, 742
  diagnóstico diferencial, 744
  emergências em APS, 747
  exame físico, 743
  exames complementares, 743
    patologias agudas, 743
      enema opaco, 744
      exames laboratoriais, 743
      radiografia de abdome agudo, 744
      tomografia computadorizada de crânio, 744
      tomografia computadorizada de abdome, 744
      ultrassonografia abdominal, 744
    patologias crônicas, 744
      endoscopia digestiva alta, 744
      estudos da motilidade esofágica, 744
      exame parasitológico de fezes de *Giardia lamblia*, 744
      exames laboratoriais, 744
      tomografia computadorizada de crânio, 744
      ultrassonografia abdominal, 744
  fisiopatologia, 742
    neurológico, 742
    periférico, 742
  indicações de referência e internação hospitalar, 748
  situações específicas, 748
    crianças, 748
    gestantes, 749
  tratamento, 745
    farmacológico, 746
      antieméticos, 746
      efeitos adversos, 747
      orientações posológicas, 746
    não farmacológico, 745
      aromaterapia, 745
      acupuntura, 745
      dieta, 745
      modificação de hábitos, 745

# O

Obesidade, prevenção e tratamento, 288
  abordagem terapêutica, 293
    alteração do balanço energético e perda de peso, 298
      intervenções alimentares, 299
      intervenções alimentares mais intensivas, 300
      manutenção peso perdido, 301
      orientações com déficit calórico aproximado, 299
      orientações com dietas hipocalóricas específicas, 300
      planos para aumento de atividade física, 301
    avaliação clínica inicial, 294
      exames complementares, 295
      lista de problemas, 296
    comportamento alimentar, ganho de peso, 302
    contexto social e familiar, 304
    metas e plano individualizado, 297
    motivacional, 296
    multidimensional e cuidado longitudinal, 294
    transtornos alimentares, 302
      bulimia nervosa, 303
        tratamento, 303
      compulsão alimentar, 303
        tratamento, 303
      transtornos mentais comuns, 303
        ansiedade, 303
        depressão, 303
  classificação clínica do sobrepeso e obesidade, 291
  complicações e comorbidades, 290
  manejo cirúrgico, 305
  manejo farmacológico, 304
  organização dos serviços de saúde, 293
  patogenia, 289
    adiposidade, 289
    balanço energético, 289
    comportamento alimentar, 290
    compreensão sistêmica e planetária, 290
    interocepção, 290
    padrões emocionais de alimentação, 290
    regulação do peso corporal, 289
  prevenção populacional e clínica, 292
    alimentação saudável, 292
    atividade física regular, 293
    monitoramento de peso, 293
Olho vermelho, 818
  abordagem diagnóstica, 818
  conjuntivite, 818
  corpo estranho, 820
  erosão de córnea, 821
  glaucoma agudo, 820
  hemorragia subconjuntival, 821
  iridociclite, 820
  quadro clínico e manejo, 819
  queimaduras físicas, 821
  queimaduras químicas, 821
  síndrome do olho seco, 822
Oligoartrites e poliartrites, 2044
  artralgia clinicamente suspeita, 2045
  artrite reumatoide, 2048
  condições clínicas comuns, 2044
  espondiloartrites, 2050
    artrite enteropática, 2051
    artrite psoriásica, 2052
    artrite reativa, 2052
    espondilite anquilosante, 2051
  poliartrite indiferenciada, 2045
  poliartrites pós-infecciosas, 2045
    Chikungunya, 2046
    gonococo, 2048
    hepatites B e C, 2047
    HIV, 2048
    Mayaro, 2047
  questões específicas, 2044
Organização de serviços, 21
  análise da situação, 28
    dados primários, 28
    dados secundários, 28
  atenção do sistema de saúde, 24
    atributos, 25
      coordenação, 26
      integralidade, 26
      longitudinalidade, 25
      primeiro contato, 25
    redes, 27
  atenção primária, o que é?, 24
  consequência, 33
  fundamentos, 22
    encaminhamentos, 23
    estimativas, 23
    problemas frequentes, 23
  local, 27
    adequação, 28
    território, 27
  modelo, 24
    atributos, 24
    princípios, 24
    valores, 24
  necessidades, 22
  planejamento local, 30
    avaliação, 30
    contrato, 32
    etapas, 30
  sistemas de informação, 30
Osteoartrite, 2054
  classificação, 2055
  epidemiologia, 2054
  exames diagnósticos, 2057
  fatores de risco, 2054
    articulares, 2055
    sistêmicos, 2054
  fisiopatologia, 2055
  mecanismos da dor, 2055
  plano de ação, 2057
    níveis de prevenção na osteoartrite, 2057
    plano terapêutico, 2057
  quadro clínico, 2056
    sítios articulares, 2056
      joelhos, 2056
      mãos, 2056
      pés, 2057
      quadris, 2056
  tratamento, 2058
    farmacológico, 2060
      agentes de ação central, 2061

analgésicos, 2060
  dipirona, 2060
  opioides, 2060
  paracetamol, 2060
 anti-inflamatórios, 2060
  capsaicina tópica, 2061
  esteroides intra-articulares, 2060
  esteroides orais, 2060
  não esteroides orais, 2060
  não esteroides tópicos, 2060
 fármacos antirreumáticos modificadores de atividade de doença, 2061
 fármacos sintomáticos de ação lenta na osteoartrite, 2061
 outros medicamentos, 2062
não farmacológico, 2058
 educação e autogestão da dor, 2059
 exercícios físicos, 2059
 fisioterapia, 2059
 órteses e próteses, 2059
 perda de peso, 2059
 terapia corpo-mente, 2059
 tratamentos integrativos e complementares, 2060
quando referenciar, 2062
terapia de substituição articular, 2062
Osteoporose, idoso, 600
 avaliação, 602
  anamnese, 602
  diagnóstico, 603
  exames complementares, 603
  exame físico, 602
  FRAX, 603
 classificação, 601
 fatores de risco, 602
 fisiopatologia, 601
 tratamento, 605
  farmacológico, 606
   agentes anabólicos, 607
   bisfosfonatos, 607
   denosumabe, 608
   raloxifeno, 608
   terapia de reposição hormonal, 608
  não farmacológico, 605
   dieta, 605
    cálcio, 605
    vitamina D, 606
   exercício, 606
Otite externa, 865
 bolhosa, 869
 circunscrita aguda, 865
 crônica, 868
 diagnóstico diferencial, 870
 difusa aguda, 866
  encaminhamento, 867
  prevenção, 867
  tratamento, 866
 eczematosa, 869

fúngica, 868
maligna, 870
 encaminhamento, 870
orelha externa na AIDS, 871
Otite média, 855
 definições, 855
 diagnóstico, 858
 exames complementares, 859
 fisiopatologia e patogênese, 855
  fator de proteção, 857
  fatores de risco ambientais e sociais, 856
   água contaminada, 857
   baixa higiene, 857
   baixo nível socioeconômico, 857
   chupetas, 857
   creches e berçários, 856
   desnutrição, 857
   dificuldade de acesso a sistemas de saúde, 857
   estação do ano, 857
   fumante passivo, 856
   irmãos mais velhos, 856
   malária, 857
   moradias pequenas e superlotadas, 857
   poluição ambiental, 857
   tuberculose, 857
   vírus da imonodeficiência humana, 857
  fatores de risco do hospedeiro, 856
   anomalias craniofaciais, 856
   fatores emocionais, 856
   genética, 858
   hipertrofia e infecções das adenoides, 856
   história familiar de otite média recorrente, 856
   imunodeficiência, 856
   obesidade, 856
   raça e etnia, 856
   reflexo laringofaríngeo, 856
  infecção das vias aéreas superiores, 856
 incidência/prevalência, 855
 manifestações clínicas, 858
 microbiologia, 857
  biofilmes, 858
 prevenção da otite média aguda recorrente, 862
  fatores de risco para dificuldades de desenvolvimento, 862
  imunoprofilaxia, 862
  prevenção cirúrgica, 862
 tratamento da otite média aguda, 860
  antibióticos, 861
   tempo de tratamento e acompanhamento, 861
  expectante com prescrição antecipada, 860

tratamento da otite média com efusão, 862
 adenoidectomia, 863
 timpanotomia para colocação de tubo de ventilação, 863
tratamento da otite média aguda recorrente, 861

P
Paciente anticoagulado, manejo ambulatorial, 460
 anticoagulantes, uso de, 460
 anticoagulantes orais, 462
  antagonistas da vitamina K, 462
   administração e acompanhamento, 463
   alvo terapêutico, 463
   complicações, 466
    manejo do sangramento associado aos AVKs, 466
    necrose cutânea, 467
   monitoração do uso, 463
   outros efeitos adversos, 467
  anticoagulantes orais diretos, 467
   inibidores diretos da trombina, 468
   inibidores diretos do fator Xa, 468
   manejo do sangramento associado aos ACODs, 469
 anticoagulantes parentais, 469
 contraindicações, 462
 encaminhamento, 475
 indicações, 461
 orientação aos pacientes, 475
 qualidade da anticoagulação, estratégias, 470
 situações especiais, 471
  eventos tromboembólicos na Covid-19, 474
  gestação e lactação, 471
  manejo perioperatório, 471
  procedimentos dentários, 473
  reinício de anticoagulante após sangramento, 474
  troca de anticoagulante durante o sono, 473
Parasitoses, 1736
 intestinais, 1736
  diagnóstico, 1737
   colorações Ziehl-Neelsen modificada, 1738
   método Baermann-Moraes, 1738
   método Faust ou centrífugo-flutuação, 1738
   método Graham, 1738
   método Hoffman, Pons e Janer ou sedimentação espontânea, 1738

método Kato-Katz, 1738
método tamisação fezes, 1738
pesquisa trofozoitas fezes frescas, 1738
etiologia, 1737
parasitoses, 1739
 amebíase, 1746
  diagnóstico laboratorial, 1747
  quadro clínico, 1746
   extraintestinal, 1746
   intestinal assintomática, 1746
   intestinal sintomática, 1746
  tratamento, 1747
  transmissão e ciclo de vida, 1746
 ancilostomíase, 1741
  diagnóstico, 1742
  quadro clínico, 1742
  transmissão e ciclo de vida, 1741
  tratamento, 1742
 ascaridíase, 1739
  diagnóstico, 1740
  quadro clínico, 1739
  transmissão e ciclo de vida, 1739
  tratamento, 1740
 enterobíase, oxiuríase, 1741
  diagnóstico, 1741
  quadro clínico, 1741
  transmissão e ciclo de vida, 1741
  tratamento, 1741
 estrongiloidíase, 1742
  diagnóstico, 1743
  quadro clínico, 1742
  transmissão e ciclo de vida, 1742
  tratamento, 1743
 giardíase, 1744
  diagnóstico, 1745
   exames complementares, 1745
  quadro clínico, 1744
  transmissão e ciclo de vida, 1744
  tratamento, 1745
 teníase, 1743
  diagnóstico, 1744
  quadro clínico, 1744
  transmissão e ciclo de vida, 1743
  tratamento, 1744
 tricuríase, 1740
  diagnóstico, 1741
  quadro clínico, 1741
  transmissão e ciclo de vida, 1741
  tratamento, 1741
prevenção e controle, 1738
 tratamento empírico regular, 1738
quadro clínico, 1737

teciduais, 1749
 angiostrongiloidíase abdominal, 1758
 cisticercose, 1749
  ciclo de vida e transmissão, 1749
  diagnóstico, 1750
  prevenção e controle, 1752
  quadro clínico, 1750
  tratamento, 1751
 esquistossomose mansônica, 1752
  ciclo de vida e transmissão, 1753
  diagnóstico, 1755
  diagnóstico laboratorial, 1755
  prevenção e controle, 1756
  quadro clínico, 1754
   doença aguda, 1754
   doença crônica, 1754
  tratamento, 1756
 hidatidose, 1758
  diagnóstico, 1759
  prevenção e controle, 1760
  quadro clínico, 1759
   cerebral, 1759
   hepática, 1759
   óssea, 1759
   pulmonar, 1759
  tratamento, 1760
   cirúrgico, 1760
   medicamentoso, 1760
   PAIR (punção, aspiração, injeção e reaspiração do cisto), 1760
  transmissão e ciclo de vida, 1758
 larva *Migrans* viceral, 1756
  diagnóstico, 1757
  quadro clínico, 1757
  transmissão e ciclo de vida, 1756
  tratamento, 1757
Partes moles, infecções não traumáticas, 919
 abscesso cutâneo, 920
  incisão e drenagem, 920
   anestesia, 920
   antissepsia e colocação de campos estéreis, 920
   curativo, 920
   drenagem, 920
   incisão, 920
  encaminhamento, 922
  princípios gerais do tratamento, 919
  terapêutica específica, 921
   carbúnculo ou antraz, 921
   flegmão, 921
   hidrosadenite, 921
Patologias oculares, 826
 blefarite, 829
  encaminhamento, 829
  tratamento, 829

hordéolo e calázio, 828
 encaminhamento, 829
 tratamento, 828
olho seco, 826
 encaminhamento, 828
 tratamento, 827
  lubrificantes disponíveis, 827
pterígio, 828
 encaminhamento, 828
 tratamento, 828
Pele, cânceres, 1477
 carcinoma basocelular, 1477
  avaliação clínica, 1478
  encaminhamento, 1478
  seguimento, 1479
 carcinoma epidermoide, 1479
  clínica e diagnóstico, 1479
  encaminhamento, 1480
  seguimento, 1480
 melanomas, 1481
  clínica e diagnóstico, 1481
  encaminhamento, 1482
  seguimento, 1483
Pele, exame, 1392
 definições, 1393
  cabelos e pelos, 1396
   alopecia, 1396
   canície, 1396
   eflúvio, 1396
   hipertricose, 1396
   hirsutismo, 1396
   madarose, 1396
   poliose, 1396
  exame dermatológico e etnias, 1397
  formato, 1387
   distribuição, 1397
    hipetiforme, 1397
    linear, 1397
    zosteriforme, 1397
  gerais, 1393
  lesões cutâneas especiais, 1396
   comedões, 1396
   *milium*, 1396
   poiquiloderma, 1396
   túnel, 1396
  lesões elementares, 1393
   alterações com conteúdo líquido, 1395
    bolha, 1395
    pústula, 1395
    seropápula, 1395
    vesícula, 1395
   alterações da coloração, 1393
    manchas de origem pigmentar, 1394
    manchas de origem vascular, 1393
     anêmica, 1394
     cianótica, 1393
     enantema, 1393
     eritematosa, 1393
     exantema, 1393
     lívida, 1393
     púrpura, 1394

telangiectasia, 1394
 vascular, 1394
alterações de continuidade, 1395
 erosão ou exulceração, 1395
 escoriações, 1395
 fissura, 1395
 úlceras/ulceração, 1395
alterações sólidas, 1394
 atrofia, 1394
 ceratose, 1395
 cicatriz, 1394
 cistos, 1394
 edema, 1395
 esclerose, 1394
 goma, 1395
 infiltração, 1394
 liquenificação, 1394
 nódulos, 1395
 pápulas e placas, 1394
 tubérculos, 1395
 tumorações, 1395
 urtica, 1395
perdas teciduais, 1395
 escamas, 1395
 escaras, 1396
sinais cutâneos específicos, 1396
 Auspitz, 1396
 Crowe, 1397
 Darier, 1397
 Köebner ou isomorfismo, 1397
 Léser-Trelat, 1397
 Nikolski, 1397
 patergia, 1397
 Sampaio, 1397
 Zireli, 1397
unhas, 1396
 anoníquia, 1396
 coiloníquia, 1396
 leuconiquia, 1396
 linhas Beau, 1396
 melanoníquia, 1396
 microníquia, 1396
 onicólise, 1396
 onicomadase, 1396
 onicomalácia, 1396
 onicorrexe, 1396
 paroníquia, 1396
 traquioníquia, 1396
exame clínico, 1392
 distribuição das lesões, 1393
 estudos de laboratório, 1393
 exames instrumentais, 1393
  curetagem metódica de Brocq, 1393
  digitopressão, 1393
  estudos de laboratório, 1393
  testes de sensibilidade, 1393
história clínica, 1392

morfologia das lesões, 1392
Pele, ressecamento, 1453
 xerodermia, 1453
  principais causas, 1454
  tratamento, 1454
  hidratantes, 1454
Pequenos procedimentos em atenção primária, 923
 anel preso no dedo, 925
 biópsia em *shaving*, 926
 corpo estranho na orelha externa, 925
 corpo estranho na orofaringe, 925
 corpo estranho nasal, 925
 corpo estranho no subcutâneo, 923
 excisões elípticas, 925
 lavagem otológica, 924
 remoção de anzol, 924
 zíper preso, 924
Perda de peso involuntária, 796
 avaliação diagnóstica, 798
  anamnese, 798
  exame físico, 798
  exames subsidiários, 798
 definições, 797
 etiologia, 797
 tratamento, 799
Piodermites, 1484
 celulite e erisipela, 1486
 ectima, 1485
 foliculite, 1486
  profunda, 1486
   furúnculo, 1486
   hordéolo ou terçol, 1486
   sicose da barba, 1486
  superficial, impetigo de Bockhart, 1486
 impetigo, 1484
  bolhoso, 1485
  cistoso, 1484
 tratamento, 1485
Planejamento reprodutivo, 1201
 anticoncepção em períodos especiais, 1215
  adolescência, 1215
  climatério, 1215
  mulheres amamentando, 1216
  pessoas com deficiências, 1215
 contracepção masculina reversível, 1214
 dispositivo intrauterino, 1211
  contraindições de uso, 1213
  de cobre, 1212
  populações especiais e uso de DIU, 1212
   mulheres com HIV, 1212
   mulheres nulíparas, 1212
   puérperas, 1213
  sistema intrauterino de levonorgestrel, 1212
  técnica de inserção, 1213
   gestação com DIU intraútero, 1214

esterilização, 1214
    ligadura tubária, 1214
    vasectomia, 1215
métodos contraceptivos de barreira, 1205
    diafragma (com ou sem espermicida), 1205
    espermicida, 1205
    preservativo feminino, 1205
    preservativo masculino, 1205
métodos contraceptivos hormonais, 1206
    contraceptivo de emergência, 1211
    contraceptivos de progestogênio isolado, 1210
        implantes subdérmicos, 1210
        pílula de progestogênio isolado, 1210
        progestogênio injetável, 1210
    contraceptivos hormonais combinados, 1206
        adesivo transdérmico (patch), 1209
        anel vaginal, 1209
        injetável combinado, 1209
        oral combinado, 1206
            escolha, 1206
            instruções para uso, 1209
            riscos associados, 1207
métodos contraceptivos naturais, 1201
    aplicativos para computadores e celulares, 1204
    coito interrompido, 1201
    ritmo ou abstinência periódica, 1203
        método sintotérmico, 1204
        muco cervical (Billings), 1204
        Ogino-Knaus (tabelinha), 1204
        temperatura basal corporal, 1204
Prática clínica, ferramentas, 57
    atenção primária à saúde, 57
    medicina ambulatorial, 58
        baseada em evidências, 58
Práticas alimentares saudáveis na infância, 1041
Prescrição de medicamentos, 129
    conflitos de interesse, 133
    farmácia popular, 131
    normas gerais, 132
    polifarmácia e desprescrição, 133
    práticas inadequadas, 130
    recomendações específicas, 130
    recomendações gerais, 130
    substâncias controladas, 132
    tipos de receitas, 132

Primeira infância, promoção da saúde mental, 1008
    amamentação, 1017
        conduta diante problemas emocionais, 1018
        para a criança, 1017
        para a mãe, 1017
        transtornos, 1018
    criança de zero a três anos, 1019
    fatores de risco desenvolvimento criança, 1013
    gravidez, 1008
        bebê, 1010
        gestante, 1009
        homem, 1010
    parto, 1011
    pós-parto imediato, 1012
    puerpério, 1012
    transtornos psiquiátricos pós-parto, 1014
        ansiedade pós-parto, 1016
        depressão pós-parto, 1015
        disforia puerperal, 1015
        psicose pós-parto, 1016
Primeiros meses de vida, problemas comuns, 1107
    cólicas do lactante, 1109
        tratamento, 1109
    constipação intestinal, 1108
        tratamento, 1108
    displasia do desenvolvimento do quadril, 1118
    fimose e parafimose, 1121
    hábitos intestinais, 1107
    hérnia inguinal e hidrocele, 1118
        hérnia inguinal, 1119
        hidrocele, 1119
    identificação doença grave até dois meses idade, 1107
    monilíase oral, 1112
        prevenção, 1113
        tratamento, 1112
    pele, problemas, 1113
        dermatite das fraldas, 1113
            prevenção e tratamento, 1114
                controle de infecções, 1114
                higiene diária, 1114
                troca frequente de fraldas, 1114
                uso fraldas descartáveis superabsorventes, 1114
                uso fraldas de pano, 1114
                uso preparações tópicas, 1115
        dermatite seborreica, 1116
        icterícia, 1116
        impetigo, 1115
        miliária, 1113
    regurgitação e vômitos, 1110
        infecções, 1110
        intolerância alimentar, 1110
        mecânicas, 1110

metabólicas, 1110
refluxo gastresofágico, 1110
    avaliação e manejo, 1110
        história e exame físico, 1110
        lactentes apneia crises sufocação, 1111
        lactentes asma, 1111
        lactentes idade > 18 meses regurgitação crônica vômito, 1111
        lactentes vômitos recorrentes e irritabilidade, 1111
        lactentes vômitos recorrentes ganho peso insuficiente, 1111
        lactentes vômitos recorrentes sem complicação, 1110
    manejo, 1111
        cirurgia, 1112
        estilo de vida, 1111
            alimentação, 1111
            manejo dietético, 1111
            posição da criança, 1112
        tratamento farmacológico, 1112
            antagonistas receptores histamina 2, 1112
            inibidores bomba prótons, 1112
    métodos diagnósticos, 1111
        endoscopia e biópsia esofágica, 1111
        pHmetria esofágica, 1111
        radiografia esôfago, estômago e duodeno com bário, 1111
        tratamento empírico, 1111
testículo retido, 1119
    tratamento, 1120
umbigo do recém-nascido, 1117
    tratamento, 1120
Problemas comuns de saúde na adolescência, 1148
Problemas de olho, ouvido, nariz, boca e garganta, 817
    alteração da visão, 822
    dor de garganta, 872
    epistaxe, 830
    olho vermelho, 818
    otite externa, 865
    otite média, 855
    outras patologias oculares, 825
    problemas cavidade oral, 879
    rinite, 837
    rinossinusite, 847
Problemas de pele, 1391
    cânceres da pele, 1477

dermatoses eritematoescamosas, 1411
eczemas e reações cutâneas medicamentosas, 1420
exame de pele, 1392
infecções pelo herpesvírus e pelo vírus varicela-zóster, 1489
lesões de pele, abordagem diagnóstica, 1398
manchas, 1459
micoses superficiais, 1495
piodermites, 1484
prurido e lesões papulosas e nodulares, 1434
reações actínicas, 1467
ressecamento da pele e sudorese excessiva, 1453
terapêutica tópica, fundamentos, 1402
tumores benignos e cistos cutâneos, 1472
zoodermatoses, 1500
Problemas digestivos baixos, 763
    constipação, 763
        avaliação clínica, 764
            anamnese, 764
            diagnóstico diferencial, 764
            exame físico, 764
            exames complementares, 764
        primária (idiopática, funcional), 763
            disfunção do assoalho pélvico, 763
            trânsito lento, 763
            trânsito normal, 763
        secundária, 763
            anormalidades estruturais, 763
            condições gastrintestinais, 763
            condições neurológicas, 763
            condições psicogênicas, 763
            distúrbios endócrinos, 763
            estilo de vida, 763
            medicamentos, 763
        tratamento, 765
            medidas farmacológicas, 766
            medidas não farmacológicas, 765
                atividade física, 765
                *biofeedback*, 765
                ingesta de fibras, líquidos e alimentos ricos em sorbitol, 765
                reeducação intestinal, 766
    doença diverticular, 769
        avaliação clínica, 769
        fatores de risco, 769
        tratamento, 769

flatulência, 766
pólipos de cólon, 769
   prevenção, 770
sangramento gastrintestinal baixo, 768
   avaliação clínica, 768
      exames complementares, 768
      encaminhamento/hospitalização, 768
Problemas e procedimentos cirúrgicos, 895
   anestesia regional, 896
   cirurgia da unha, 914
   ferimentos cutâneos, 901
   hérnias da parede abdominal, 937
   infecções não traumáticas de partes moles, 919
   problemas orificiais, 959
   queimaduras, 927
   traumatismo musculoesquelético, 865
Problemas infecciosos, 1507
   doenças transmissíveis, 1508
      condutas preventivas na comunidade, 1508
      controle de infecções relacionadas à assistência à saúde, 1525
      dengue, Chikungunya e Zika, 1776
      diarreia aguda na criança, 1569
      doença de chagas, 1770
      doença febril exantemática, 1553
      doenças pelo coronavírus 2019 (Covid-19), 1632
      febre amarela, 1798
      febre reumática e prevenção de endocardite infecciosa, 1662
      hanseníase, 1809
      hepatites virais, 1718
      infecção do trato urinário, 1674
      infecção respiratória aguda na criança, 1581
      infecções de trato respiratório em adultos, 1597
      infecções pelo HIV em adultos, 1705
      infecções sexualmente transmissíveis, 1689
         abordagem sindrômica, 1689
      imunizações, 1535
      leishmaniose, 1762
      leptospirose, 1822
      malária, 1784
      parasitoses intestinais, 1736
      parasitoses teciduais, 1749
      raiva, 1831
      saúde do viajante, 1837
      tuberculose, 1608

Problemas musculoesqueléticos em crianças e adolescentes, 2170
   diagnóstico diferencial e manejo da dor, 2170
      avaliação inicial da dor, 2170
         anamnese, 2170
         exame físico, 2170
         investigação laboratorial, 2172
         manejo, 2172
   problemas ortopédicos comuns, 2175
      artrite séptica, 2180
         diagnóstico, 2181
         encaminhamento, 2181
         exames de imagem, 2181
      desvios rotacionais e angulares dos membros inferiores, 2175
         anamnese e exame físico, 2175
            ângulo de progressão da marcha, 2176
            ângulo rotacional do fêmur, 2176
            avaliação do genuvaro e do genuvalgo, 2177
            eixo pé-coxa, 2177
            exame dos pés, 2177
         diagnóstico diferencial, 2177
         encaminhamento, 2177
         exames complementares, 2177
         tratamento, 2177
      escoliose e outras alterações posturais, 2180
         diagnóstico, 2180
            cifose idiopática juvenil, 2180
            escoliose, 2180
            espondilolistese, 2180
      pé plano, 2178
         encaminhamento, 2178
      quadril doloroso, 2178
         condições específicas, 2179
            doença de Legg-Calvé-Perthes, 2179
            epifisiólise proximal do fêmur, 2180
            sinovite transitória do quadril, 2179
         exames, 2179
   síndrome da amplificação da dor, 2173
      dor em membros, 2173
      síndrome da dor idiopática difusa, 2173
      síndrome da hipermobilidade articular, 2173
Problemas orificiais, 959
   abscesso anal, 961
      diagnóstico, 962
      tratamento, 962

   doença pilonidal, 962
      diagnóstico, 963
      tratamento, 963
   fissura anal, 960
      diagnóstico, 961
      tratamento, 961
   hemorroidas, 959
      diagnóstico, 959
      emergências, 960
         crise hemorroidária, 960
         trombose hemorroidária, 960
      encaminhamento, 960
      tratamento, 960
   prurido anal, 963
      tratamento, 963
Problemas urológicos comuns, 942
   doenças órgãos geniturinários, 943
      bexiga, 947
         bexiga neurogênica, 948
         câncer de bexiga, 947
         cistite intestinal/síndrome da bexiga dolorosa, 947
         incontinência urinária, 948
         infecção do trato urinário/ bacteriúria assintomática, 947
         vesicolitíase, 948
      bolsa escrotal, 953
         câncer de testículo, 953
         cisto de epidídimo, espermatocele, 954
         hidrocele, cisto de cordão espermático, 954
         microlitíase testicular, 954
         varicocele, 955
      glândulas suprarrenais, 943
         incidentaloma de suprarrenal, 943
      pênis, 952
         balanopostite, 952
         doença de Peyronie, 953
         fimose e freio curto, 952
      próstata, 948
         câncer de próstata, 948
         hiperplasia prostática benigna, 949
            sintomas de armazenamento, 949
            sintomas de esvaziamento, 949
         prostatites, 950
            prostatite bacteriana aguda, 950
            prostatite bacteriana crônica, 951
         PSA elevado, 949
      rim e ureter, 945
         litíase, 945
         massas renais sólidas e císticas, 945
      uretra, 953
         estenose de uretra, 953

   problemas geniturinários em APS, 942
   sinais e sintomas agudos, 942
      dor, 942
      hematospermia, 943
      hematúria, 942
      sintomas do trato urinário inferior, 943
   urgências urológicas, 955
      escroto agudo, 955
         gangrena de Fournier, 956
         orquiepididimite, 955
         outras causas de escroto agudo, 956
         torção testicular, 955
      priapismo, 956
      retenção urinária, 956
Promoção da saúde do adulto e prevenção de doenças crônicas, 223
   abordagem para mudança de estilo de vida, 234
   álcool, problemas relacionados ao consumo, 276
   alimentação saudável do adulto, 242
   diabetes tipo 2, prevenção, 309
   doenças cardiovasculares, prevenção clínica, 315
   estratégias preventivas para doenças crônicas não transmissíveis, 224
   hipertensão arterial sistêmica, 331
   obesidade, prevenção e tratamento, 288
   promoção da atividade física, 250
   tabagismo, 265
   tratamento preventivo, rastreamento de adultos, 346
Promoção da saúde mental na primeira infância, 1008
Promoção da segurança da criança e do adolescente, 1022
Prontuário eletrônico, 148
   na APS, 149
      características, 149
      implantação, 152
      requisitos de segurança, 152
   registro eletrônico, 148
Prurido e lesões papulosas e nodulares, 1433
   acne vulgar, 1449
      diagnóstico, 1449
         acne comedônica ou grau I, 1449
         acne nodular severa, conglobata ou grau IV, 1450
         acne papulopustulosa ou grau II, 1450
         acne papulopustulosa moderada ou grau III, 1450
      seguimento, 1452
      tratamento, 1450
         antibioticoterapia sistêmica, 1451

terapia antiandrogênica, 1451
    tratamento tópico, 1450
ceratose seborreica, 1449
    diagnóstico, 1449
    tratamento, 1449
eritema nodoso, 1443
    diagnóstico, 1443
    tratamento, 1444
escrofuloderma, 1445
    diagnóstico, 1446
    sugestões quando referenciar, 1446
    tratamento, 1446
esporotricose, 1446
    diagnóstico, 1446
    tratamento, 1447
lesões papulosas e nodulares, 1438
líquen plano cutâneo, 1444
    diagnóstico, 1444
    tratamento, 1445
molusco contagioso, 1442
    diagnóstico, 1442
    prognóstico, 1442
    tratamento, 1442
prurido, 1433
    condições clínicas, 1434
        pele doente, dermatose pruriginosa primária, 1434
        prurido com doença sistêmica, 1434
            colestático, 1435
            doenças endócrinas, 1436
            infecção pelo HIV e na Aids, 1436
            neoplasias, 1436
            renal, 1435
        prurido crônico sine materia, 1434
        prurido doenças neurológicas, 1437
        prurido induzido por medicações, 1437
        prurido no idoso, 1435
        prurido psicogênico, 1437
    encaminhamento, 1438
    investigação clínica, 1434
prurigo, 1440
    classificação, 1440
        agudo, 1440
        crônico, 1440
            fatores associados, 1440
    diagnóstico, 1440
    tratamento, 1441
        medicamentoso, 1441
urticária, 1438
    causas, 1438
    classificação, 1439
    diagnóstico, 1438
        urticária aguda, 1438
        urticária crônica induzida, 1438
    seguimento, 1439
    situações de emergência, 1439
    sugestões quando referenciar, 1439
    tratamento, 1439
    verrugas cutâneas, 1447
        diagnóstico, 1447
        tratamento, 1448
Prurido vulvar, 1339, 1344
    causas, 1343
        alérgicas, 1343
        alterações hormonais, 1343
        doenças dermatológicas, 1343
        infecciosas, 1343
        neoplasias, 1343
        neurológicas, 1343
        traumáticas, 1343
    dermatite vulvar, 1344
    herpes genital, 1344
    líquen escleroso vulvar, 1344
    neoplasia intraepitelial vulvar, 1344
Psicoses, 1908
    abordagens terapêuticas, 1912
        idosos, 1915
        gestação e amamentação, 1915
        manutenção, 1916
        medicamento de depósito, 1914
        psicoeducação, 1912
        psicoterapia, 1913
        tratamento farmacológico, 1913
            efeitos adversos, 1914
    agitação psicomotora, 1917
    avaliação, 1910
    categorias diagnósticas, 1910
    comorbidades, 1909
    cuidados comunitários, 1912
    desafio da adesão, 1916
    prevalência e impacto, 1909
    primeiros episódios e intervenção precoce, 1911
Puericultura, do nascimento à adolescência, 976
    diagnóstico de saúde acurado e flexibilidade, 978
    fundamentos, 976
        continuidade e seus fatores, 977
        domicílio "médico", cuidados coordenados, 977
        evidências científicas, ações preventivas, 976
        olhar ecológico e equidade, 976
        saúde colaborativa, 978
    procedimentos clínicos, 979
        anemia por deficiência de ferro, 985
        comportamento e autismo, 985
        conjuntivite gonocócica, 985
        consulta pré-natal, 980
        desenvolvimento, 984
        exame físico, 980
        frequência das consultas de puericultura, 980
        história, 980
        imunização contra doenças infectocontagiosas, 985
        monitorização do crescimento e obesidade, 984
        orientação antecipatória, 982
        prevenção de cárie dentária, 985
        procedimentos de triagem não prioritários, 987
            câncer de colo do útero, 988
            câncer de pele, 988
            dislipidemia, 988
            exames de fezes, urina e sangue, 987
            intoxicação por chumbo, 988
        procedimentos de triagem prioritários, 986
            audição, 986
            depressão, 987
            dispositivos segurança passageiros veículos automotores, 987
            infecções sexualmente transmissíveis, 986
            tabaco, álcool e outras drogas, 987
            triagem neonatal, 986
            visão, 986
    puericultura, saúde colaborativa, 976

## Q

Queimaduras, 927
    avaliação inicial do paciente, 928
        determinação da superfície queimada, 929
        profundidade da queimadura, 928
            espessura parcial profunda, 928
            espessura parcial superficial, 928
            espessura total, 928
            profunda, 928
            superficial, 928
    cuidados tardios, 935
    manejo ambulatorial paciente pequena queimadura, 933
        cuidados com as lesões, 933
        bolhas e vesículas, 933
        curativos e antimicrobianos tópicos, 934
        limpeza, 933
        outros cuidados, 933
    manejo inicial do paciente, 930
        critérios de internação, 930
        cuidados imediatos em caso encaminhamento, 930
        analgesia, 932
        cobertura inicial, 933
        escarotomia, 932
        fasciotomia, 932
        lesão inalatória, 933
        ressuscitação volêmica, 931
            manejo ajustado, 931
            manejo inicial, 931
        cuidados imediatos do ferimento, 930
        encaminhamento centro de queimados, 930
    seguimento, 935

## R

Raciocínio clínico na APS, 656
    definições da consulta, estratégias, 662
        demora permitida, 663
        prova terapêutica, 663
    início da consulta, 658
        exploração indutiva, 658
        questionamento elucidativo, 658
        refinamento das hipóteses, 659
            diagnósticos diferenciais por categorias, 659
            condições mascaradas, 659
            pistas anatomopatológicas, 659
        raciocínio hipotético-dedutivo ou pensamento probabilístico, 660
            abordagem prática, 660
            limiares de decisão, 660
            características-chave, 662
            razões de verossimilhança, 661
        regras de predição clínica, 662
    rotinas de avaliação, 659
    metacognição, 664
    problemas clínicos, 656
        organização da rede de saúde, 656
        prevalência de problemas, 656
        queixas indiferenciadas, 656
    tomada de decisão, 657
        teoria dupla e sua aplicação, 657
    vieses no raciocínio clínico, 663
        ancoragem, 663
        artefato de especialistas, 664
        consulta de exame, 664
        diagnóstico de exclusão, 664
        disponibilidade, 663
        encerramento prematuro, 663
        erro de atribuição, 663
        falácia do jogador, 664

guarda-chuva de problemas, 664
incidentalomas, 664
inércia diagnóstica, 664
negligência da taxa-base, 663
sobrediagnóstico, 664
viés da retrospectiva, 664
viés de comprometimento, 663
viés de determinação, 663
vieses decorrentes de preconceitos, 664
Raiva, 1831
ciclos de transmissão, 1831
epidemiologia, 1831
medidas de prevenção e controle, 1835
patogenia e quadro clínico, 1832
profilaxia da raiva humana, 1832
pós-exposição, 1832
pré-exposição, 1835
testes diagnósticos, 1832
tratamento, 1832
vigilância epidemiológica, 1836
Reações actínicas, 1467
dermatoses pré-malignas, 1470
cicatrizes de radiação, 1471
classificação, 1470
ceratose actínica, 1470
corno cutâneo, 1471
quelite actínica ou solar, 1471
tratamento, 1470
5-fluoruracila creme 5%, 1471
crioterapia, 1471
imiquimode creme 5%, 1471
mebutato de ingenol, 1471
terapia fotodinâmica, 1471
fotodermatoses, 1467
dermatite crônica actínica, 1469
encaminhamento, 1470
fotoenvelhecimento cutâneo, 1469
fototoxicidade e fotoalergia, 1468
fitodermatose, 1468
queimadura solar e bronzeamento, 1467
Reações cutâneas medicamentosas, 1430
encaminhamento, 1432
Registros médicos, 138
atestados, 138
aspectos legais, 142
doença, 139
informações que devem constar, 141
médico administrativo, 139
médico judicial, 140

modelo, 141
óbito, 140
causa morte, 140
saúde, 139
avaliação saúde mental, 139
outros tipos, 139
realização atividade física, 139
vacina, 139
certificados, 138
laudo médico, 143
prontuário médico, 144
aspectos legais, 145
definição, 144
documentos, 145
o que não deve ser feito, 146
Ressecamento da pele, 1453
xerodermia, 1453
principais causas, 1454
tratamento, 1454
hidratantes, 1454
Ressuscitação cardiopulmonar, 2241
cuidados pós-parada cardiorrespiratória, 2245
suporte avançado de vida em cardiologia, 2243
controle invasivo da via aérea e ventilação, 2243
manejo da parada cardíaca, 2244
atividade elétrica sem pulso, 2245
fibrilação ventricular, 2244
taquicardia ventricular, 2244
suporte básico de vida, 2242
Rinite, 837
aspectos diagnósticos, 837
encaminhamento, 846
rinite alérgica, 837
diagnóstico, 838
avaliação complementar, 838
avaliação por imagem, 838
manifestações clínicas, 838
rinoscopia, 838
diagnóstico diferencial, 839
miscelânea, 841
rinite atrófica e síndrome do nariz vazio, 840
rinite autoimune, granulomatosa ou vasculítica, 840
rinite do idoso ou rinite senil, 840
rinite eosinofílica não alérgica, 840
rinite gustatória, 840
rinite hormonal e rinite da gestação, 840
rinite induzida por fármacos, 839

rinite infecciosa, 839
rinite medicamentosa, 839
rinite ocupacional, 839
rinite vasomotora, 840
fatores desencadeantes, 838
manejo, 841
cirurgia, 846
controle ambiental, 841
farmacoterapia, 841
imunoterapia, 845
Rinossinusite, 847
diagnóstico, 847
diagnóstico diferencial, 849
diagnóstico laboratorial, 848
diagnóstico por imagem, 849
radiografia simples, 849
ressonância magnética, 849
tomografia computadorizada, 849
exame clínico, 848
manifestações clínicas, 847
encaminhamento, 853
fatores predisponentes, 847
microbiologia, 847
tratamento, 849
abordagem terapêutica de rinossinusite aguda, 852
rinossinusite aguda viral, 852
abordagem terapêutica de rinossinusite crônica, 853
opções terapêuticas, 849
antibióticos, 850
corticosteroides, 849
medidas adjuvantes, 852
solução salina, 849
rinossinusite aguda pós-viral, 853
aguda bacteriana, 853

## S

Sangramento uterino anormal, 1330
causas, 1333
adenomiose, 1335
causas iatrogênicas, 1335
causas não classificadas, 1335
disfunções do ovário e do endométrio, 1335
leiomioma, 1335
malignidades e hiperplasia endometrial, 1335
pólipo endometrial, 1333
encaminhamento, 1338
escolha melhor investigação, evidências, 1332
investigação, 1331
exame clínico-ginecológico, 1331
exames complementares, 1332
biópsia de endométrio, 1332

citologia endometrial, 1332
dilatação e curetagem, 1332
endoscopia associada à histologia, 1332
exames de imagem, 1332
história clínica, 1331
terminologia, 1330
tratamento, 1336
clínico, 1336
clínico *versus* cirúrgico, 1337
Saúde da família, estratégia, 34
definição, 34
estrutura, 36
equipes, 36
unidades, 37
evolução e resultados, 41
cobertura, 43
financiamento, 40
históricos desafios, 40
modelo, 41
objetivos, 34
organização do trabalho, 37
equipes de atenção primária, 37
acesso, 37
coordenação do cuidado, 39
integralidade, 38
longitudinalidade, 38
rede de atenção, 39
Sistema Único de Saúde, 35
atributos, 35
Saúde do viajante, 1837
aconselhamento pós-viagem, 1841
aconselhamento pré-viagem, 1838
condições de saúde, 1838
indicação vacinas necessárias, 1841
itinerário, 1838
recomendações gerais e específicas, 1838
água, alimentos, diarreia, 1838
*kit* básico de saúde, 1840
outros cuidados, 1841
prevenção doenças por animais peçonhentos, 1840
prevenção doenças por picadas insetos, 1839
prevenção infecções respiratórias virais, 1840
Saúde mental, 1845
avaliação de problemas de saúde mental na atenção primária, 1846
apresentação das demandas na APS, 1851
crise, 1852
infância e adolescência, 1852
sintomas físicos, 1852

uso problemático de álcool, 1852
avaliação na APS, 1853
cuidados na APS, 1853
  atuação sobre determinantes sociais, 1855
  cuidados colaborativos, matriciamento, 1854
  cuidados comunitários, 1854
  psicoeducação, 1855
por que saúde mental na APS?, 1847
sofrimento mental, papel do diagnóstico, 1846
vulnerabilidade e adoecimento mental, 1848
  personalidade, 1849
  pobreza, causa ou consequência?, 1849
  situações de opressão, 1849
    mulheres, 1851
    população LGBTI+, 1849
    população negra, 1850
depressão, 1881
drogas, 1948
  uso, uso nocivo e dependência, 1948
infância, abordagem da saúde mental, 1960
  avaliação queixas específicas com apoio de escalas, 1976
  caracterização da queixa, 1965
    antecedentes desenvolvimentais e psicopatológicos, 1966
    antecedentes familiares, 1966
    contexto familiar e social, 1966
    determinação temporalidade dos sintomas, 1965
    formulação narrativa da queixa, 1965
    problema interpretado criança, familiares, escola, 1965
    repercussão funcional, 1965
    surgimento, agravamento ou melhora dos sintomas, 1965
  como problemas se manifestam nas consultas, 1964
    ajudar pais identificar como a criança demonstra sofrimento, 1967
    apoiar sem superproteger, 1966
    identificados em consultas por outros motivos, 1964
    manter e intensificar rotinas, 1967
    queixa emocional ou comportamental, 1965
    pais devem verificar como a criança está, 1967
    pais precisam enfrentar o problema, 1966
    solicitação da escola, 1964
    triagem consultas de puericultura, 1964
  eventos estressantes e transições difíceis, 1966
    estágio desenvolvimental, 1966
    história prévia criança e família, 1966
    temperamento, 1966
  intersetoriais para promoção da saúde mental, 1961
    atividades culturais e esportivas, 1961
    intervenções pré-escola ou escola, 1961
    programas de transferência de renda, 1961
  modelo transacional e desenvolvimento da criança, 1960
  problemas comportamentais comuns, 1970
    alterações do sono, 1970
      despertar confusional, 1971
      terror noturno, 1971
    birras, 1973
    *bullying*, 1974
    encoprese, 1973
    enurese, 1972
    seletividade alimentar, 1971
    sucção do polegar, 1971
  temperamento e autorregulação, 1962
    desenvolvimento da autorregulação, 1962
    temperamento e suas variações, 1962
  transdiagnóstica para todas as queixas, 1967
    educação parental positiva, 1968
    educação sobre emoções e regulação emocional, 1968
      autorregulação emocional, 1969
      educação sobre emoções, 1968
    estratégias comportamentais simples, 1969
    mudança estilo de vida, 1967
      atividades física e extracurricular, 1968
      rotinas de sono, 1967
      rotinas e rituais, 1967
    treinamento parental estruturado, 1970
  problemas em adolescentes e adultos jovens, 1990
  psicoses, 1908
  sexualidade e suas alterações, abordagem, 1931
  sintomas físicos de difícil caracterização, abordagem, 1919
  transtorno de humor bipolar, 1895
  transtornos relacionados à ansiedade, 1858
  transtornos relacionados a dificuldades de aprendizagem, 1977
    problemas associados à agressividade, 1977
Saúde no Brasil, Atenção primária, 1
  organização de serviços, 21
  sistema de saúde, 13
Saúde planetária, 52
  ação climática, 52
  educação em saúde, 53
  mudanças climáticas, 53
    cobenefícios, 53
  profissionais da atenção primária, 54
  recomendações, 55
Saúde pública, 78
  baseada em evidências, 78
    abordagens para intervenções, 81
      quadro EtD, 82
      quadro RE-AIM, 81
        adoção, 82
        eficácia, 82
        implementação, 82
        manutenção, sustentabilidade, 82
        *reach*, alcance, 82
    ações, 80
    conceitos, 79
    fontes de evidências, 82
    tipos de evidências, 80
Secreção vaginal, 1339
  cervicites, 1340
  mucorreia, 1339
  vulvovaginites, 1340
Sexualidade e suas alterações, abordagem, 1931
  ciclo de resposta sexual, 1931
    desejo, 1932
    excitação, 1932
    orgasmo, 1932
    resolução, 1932
  classificação dos transtornos da sexualidade, 1932
    disfunções sexuais, 1932
    transtornos parafílicos, 1933
  disfunções sexuais, 1936
    avaliação e diagnóstico, 1936
      roteiro para investigação, 1937
        avaliação estilo de vida, 1938
        avaliação saúde mental, 1938
        exame físico, 1938
        fatores ambientais, 1939
        história pregressa, 1937
        história psicossexual, 1939
        investigação laboratorial, 1938
        queixa, 1937
          causa, 1937
          descrição, 1937
          desenvolvimento, 1937
          expectativa parceiro, 1937
      questionário para diagnóstico disfunção sexual na clínica, 1939
    encaminhamento, 1944
      ausência de resposta à intervenção inicial, 1945
      condições complexas, 1944
      condições emocionais/mentais, 1944
      condições físicas, 1944
    intervenções terapêuticas, 1939
      orientação e aconselhamento, 1939
      técnicas comportamentais, 1939
        disfunção erétil, 1940
        ejaculação precoce, 1939
        manejo depressão e uso antidepressivos, 1943
          aguardar tolerância, 1943
          interromper uso antidepressivo finais de semana, 1943
          reduzir dose, 1943
          substituir antidepressivo por outro menor prejuízo função sexual, 1943
          utilizar outro antidepressivo associado, 1943
        psicoterapia, 1943
        tratamento medicamentoso, 1941
        transtornos da excitação e do desejo sexual, 1940
        transtornos do orgasmo, 1940
        vaginismo e dispareunia, 1940
  investigação atividade sexual em APS, 1933
    abordagem paciente homossexual e bissexual, 1935
    anamnese sexual, 1934
    como conduzir a entrevista, 1935
  transtornos parafílicos, 1943
    avaliação e diagnóstico, 1943

## Índice

intervenções terapêuticas, 1944
Sinais, sintomas e alterações laboratoriais comuns, 655
   alterações do sono, 665
   anemias no adulto, 800
   cansaço ou fadiga, 790
   dispepsia e refluxo, 729
   dispneia, 696
   dor abdominal aguda, avaliação inicial, 721
   dor torácica, 703
   edema em membros inferiores, avaliação, 772
   febre em adultos, 776
   icterícia, alteração de transaminase e problemas hepáticos comuns, 750
   linfadenopatias, avaliação, 781
   náusea e vômitos, 741
   perda de peso involuntária, 796
   problemas digestivos baixos, 763
   raciocínio clínico na APS, 656
   sopros cardíacos, 713
   tosse subaguda e crônica, avaliação, 690
   vertigens e tonturas, 680
Síndromes demenciais e comprometimento cognitivo leve, idoso, 617
   abordagem ao paciente com suspeita de demência, 620
      exame clínico, 620
         anamnese, 620
         avaliação cognitiva breve, 623
            miniexame estado mental, 623
            teste desenho relógio, 623
            teste lista de palavras, 624
         exame neurológico dirigido, 621
         exames complementares, 623
   classificação das demências, 627
      causa, 627
         estática, 627
         evolutiva, 627
         potencialmente reversíveis, 627
      demência com corpúsculo de Lewy, 631
      demência frontotemporal, 632
         variante comportamental, 632
         variante da linguagem, 633
            critérios diagnósticos, 633

demência mista, 631
   doença de Alzheimer com demência vascular, 631
demência parkinsoniana, 631
demência vascular: prevenível e negligenciada, 629
   etipatogenia, 629
   manifestações clínicas, 630
      apraxia de marcha do tipo pequenos passos, 630
      exame de imagem, 630
      história de AVC, 630
      sinal de lesão cortical focal, 630
   profilaxia e tratamento, 631
demências potencialmente reversíveis, 624
doença de Alzheimer, 627
   manifestações clínicas, 628
   tratamento, 628
   etiologia, 627
      alcoólica, 627
      degenerativa, 627
      infecciosa, 627
      neoplásica, 627
      reversível, 627
      traumática, 627
      vascular, 627
   hidrocefalia de pressão normal, 633
   outras causas de demência, 634
classificação evolutiva do declínio cognitivo, 634
   avaliação clínica da demência, 634
comprometimento cognitivo leve, 625
demência extrema, cuidados paliativos paciente acamado, 636
   integridade da pele, 636
   nutrição, 636
   prevenção de escaras, 636
   sugestões de encaminhamento, 637
      emergência clínica, 637
      emergência psiquiátrica, 637
      geriatra, 637
      neurologista, 637
      psiquiatra, 637
diagnóstico diferencial de demência, 624
   *delirium*, 624
   depressão com comprometimento cognitivo, 624
   pseudodemência depressiva, 624
epidemiologia das demências, 618

domínios e síndromes neurocognitivas, 618
   principais domínios, 619
   fatores de risco, 619
   manejo dos sintomas neuropsiquiátricos, 635
      medidas comportamentais, 635
      tratamento farmacológico, 635
         antipsicóticos, 635
         neurolépticos, 635
         psicotrópicos não neurolépticos, 636
Sintomas físicos de difícil caracterização, abordando, 1919
   apresentação clínica, 1921
      grupo 1: associados a sofrimento mental inespecífico, 1922
      grupo 2: associados a transtornos mentais comuns, 1922
      grupo 3: associados a síndromes específicas, 1922
         conversão e dissociação, 1923
         hopocrondria e ansiedade com a saúde, 1923
         síndromes funcionais, 1922
   avaliação multidimensional, 1924
      curso e grau de incapacitação dos sintomas, 1925
      eventos desencadeantes, 1924
      fatores de risco, história de vida e doenças do paciente, 1924
      padrão de atribuição etiológica, 1924
      transtornos de ansiedade ou depressivos, 1924
   desafios classificação nosológica, 1923
      classificação internacional de atenção primária, 1924
      DSM e CID, 1923
   grupos Balint qualificar atendimento médico dos paciente, 1929
   processo etiológico, 1919
      agregação diferentes sintomas, 1920
         síndrome corporal do estresse, 1920
         transtorno do desconforto corporal, 1920
      desencadeantes sensações corporais anormais, 1920
      fatores de risco associados e cronificação, 1920
      modelo fisiopatológico, 1920
      padrões explicativos sobre sensações corporais, 1920

      sensações corporais normais e anormais, 1919
   tratamento, 1925
      princípios, 1926
         cuidado paciente em acompanhamento especializado, 1929
            tratamento especializado somatização crônica, 1929
         evitar somatizar consulta médica, 1926
            abordagem familiar, 1928
            espaços de apoio psicossocial, 1927
            grupos terapêuticos, 1928
            *mindfulness*, 1928
            retribuindo e recodificando o sintoma, 1927
               ampliando a agenda, 1927
               negociando o tratamento, 1927
               sentindo-se compreendido, 1927
               vínculo e modelo explicativo, 1927
            técnicas de relaxamento/exercício físico, 1928
         superar modelo doença-lesão, 1926
         tratamento medicamentoso, 1928
Sistema arterial periférico, doenças, 445
Sistema de saúde no Brasil, aspectos histórico-conceituais, 13
   projetos em disputa, 16
      mundo e Brasil, 16
   Sistema Único de Saúde, 14
      diretrizes, 15, 17
         controle social, 19
         descentralização, 19
         equidade, 17
         hierarquização e regionalização, 18
         integralidade, 18
         universalidade, 17
      estrutura, 16
      princípios, 15
      recursos humanos, 20
      setor privado, 20
Situações de emergência, 2199
   acidentes por animais peçonhentos, 2214
   antídotos e antagonistas em intoxicações exógenas, 2246
   envenenamentos agudos, 2228
   ressuscitação cardiopulmonar, 2241
   urgências e emergências, papel da APS, 2200

Sono, alterações, 665
  avaliação diagnóstica, 668
    insônia, 669
    narcolepsia, 671
    síndrome da apneia obstrutiva do sono, 670
    síndrome das pernas inquietas, 671
    transtornos do ritmo circadiano, 671
    transtornos do sono, 668
  classificação dos transtornos do sono, 666
    estágios do sono, 666
    insônia, 666
    síndrome da apneia obstrutiva do sono, 667
    síndrome das pernas inquietas, 668
    transtornos do ritmo circadiano, 667
  comorbidades e planejamento terapêutico, 672
    comorbidades clínicas e condições fisiológicas, 672
    comorbidades psiquiátricas, 672
  exames complementares, 671
    actimetria, 672
    polissonografia, 671
  tratamento integral, abordagens, 673
    manejo da insônia, 673
      manejo farmacológico, 674
        hipnóticos benzodiazepínicos, 675
        hipnóticos não benzodiazepínicos, 675
      tratamento não farmacológico, 673
        intervenções cognitivas, 674
        intervenções educacionais e comportamentais, 673
          higiene do sono, 673
          técnicas de relaxamento, 674
          terapia de controle de estímulos, 673
          terapia de restrição de sono, 673
    manejo da síndrome da apneia obstrutiva do sono, 676
    manejo da síndrome das pernas inquietas, 677
    manejo dos transtornos do ritmo circadiano, 677
Sopros cardíacos, 713
  ecocardiografia, 720
  exame clínico, 714
    foco aórtico, 715
    foco mitral, 714
    foco pulmonar, 715
    foco tricúspide, 714
  fisiopatologia, 714

sopros contínuos, 720
sopros em crianças, 719
sopros em idosos, 719
sopros inocentes, 715
sopros na gravidez, 718
sopros patológicos, 716
Sudorese excessiva, 1453, 1455
  hiperidrose, 1455
    encaminhamento, 1457
    etiologias, 1456
    focal idiopática ou primária, 2455
      critérios diagnósticos, 1456
      pacientes a serem encaminhados, 1457
        glicopirrolato 0,5 a 2%, 1457
        iontoforese, 1458
        medicações sistêmicas, 1458
        procedimentos cirúrgicos, 1458
        procedimentos emergentes, 1458
        toxina botulínica, 1458
      seguimento, 1457
      tratamento, 1457
        fatores desencadeantes, 1457
        produtos de limpeza, 1457
        roupas, 1457
  hiperidrose secundária, 1458
    encaminhamento, 1458

# T

Tabagismo, 265
  abordagem e tratamento do fumante, 269
    abordagem clínica, 269
    abordagem cognitivo-comportamental, 271
    aconselhamento, 271
    avaliação da motivação, 270
    modalidades de intervenção, 271
    programa, 269
  comportamento do profissional da saúde, 268
  custos econômicos, 267
  dependência da nicotina, 267
  epidemia tabágica, 265
    grupos de alto risco, 266
    tabagismo passivo, 267
  iniciação e prevalência entre jovens, 267
  impacto na saúde, 265
  intervenção em grupo, 272
    abordagens para minimizar ganho de peso, 273
    farmacoterapia, 273
    prevenção de recaída, 274
  síndrome de abstinência, 267
Tabelas de valores de pressão arterial em crianças e adolescentes, A2-1

Telemedicina, 153
Telessaúde, 153
Terapêutica tópica, fundamentos, 1402
  antibioticoterapia tópica, 1409
    ácido fusídico, 1409
    associação neomicina e bacitracina, 1410
    mupirocina, 1409
  barreira cutânea e absorção de fármacos, 1403
  corticoterapia tópica, 1407
    crianças, 1408
    efeitos adversos, 1407
      acne, 1407
      atrofia, 1407
      estria, 1407
      hipopigmentação, 1407
      outros, 1408
      sinais da síndrome de Cushings, 1408
      supressão do eixo hipotálamo-hipófise-suprarrenal, 1408
      telangiectasia, 1407
    gestantes, 1408
    orientação de uso, 1408
  fatores alteram absorção percutânea, 1403
    características físico-químicas do fármaco, 1403
    condições da pele, 1403
      hidratação, 1403
      idade, 1403
      local da aplicação, 1403
      outros aspectos, 1403
      pele lesada ou intacta, 1403
      temperatura e umidade, 1403
      tipo de lesão, 1403
    efeito do veículo, 1403
  formulações na prática clínica, 1410
  parâmetros da terapêutica dermatológica, 1402
    base ou veículo fármaco, 1402
    conhecimento capacidade cedência dos fármacos, 1402
    diagnóstico correto, 1402
    escolha adequada do veículo, 1402
    necessidades e preferências, 1402
    possíveis intercorrências, 1402
  tipos de veículos, 1404
    apropriado de acordo condição dermatológica, 1406
    efeito curativo com oclusão plástica, 1406
    líquidos, 1404
      loções, 1404
      soluções, 1404
      solventes orgânicos, 1404
      tinturas, 1404

xampus, sabonetes líquidos e espumas, 14-4
semissólidos, 1404
  emulsões, cremes e loções cremosas, 1404
    acnegenicidade, 1405
    comedogenicidade, 1405
    extensibilidade, 1405
    oclusividade, 1405
    sensação ao tato, 1405
    suavidade ou eliminação da sensação de aspereza, 1405
  géis, 1405
    hidrogéis, 1405
    lipogéis, 1405
  pastas, 1405
  pomadas/unguentos, 1405
    pomadas não oleosas, 1405
    pomadas oleosas, 1405
sólidos, 1405
  aerossóis, 1405
  inertes, 1405
  medicamentosos, 1405
toxicidade, 1406
Tosse subaguda e crônica, avaliação, 690
  avaliação da tosse, 691
  complicações, 695
  etiopatogenia, 690
  tosse na criança, 693
    agentes ambientais, 694
    asma, 694
    avaliação, 694
    doença do refluxo gastroesofágico, 694
    infecções, 694
    síndrome de tosse das vias aéreas superiores, 694
    tosse pós-infecciosa, 694
    tosse psicogênica, 695
    tratamento sintomático, 695
  tosse no adulto, 691
    encaminhamento, 693
    exames complementares, 693
      espirometria, 693
      exame de escarro, 693
      radiografia de tórax, 693
    tosse crônica, 691
      asma induzindo tosse crônica, 693
      bronquite eosinofílica não asmática, 693
      doença do refluxo gastresofágico induzindo tosse, 693
      sinais e sintomas, 692
      síndrome de tosse das vias aéreas superiores, 692
      tratamento inicial, 692
    tosse subaguda, 691
    tratamento, considerações importantes, 693

Trabalhador, atendimento, 167
 atenção primária, 168
  adoecimento relacionado ao trabalho, 170
   coerência, 171
   doença do trabalho, 171
   doença profissional, 171
   especificidade, 171
   estudos de intervenção, 171
   gradiente biológico, 171
   intensidade da associação, 171
   plausibilidade biológica, 171
   relação ou sequência temporal, 171
  anamnese ocupacional, 169
   história doença atual, 170
   história médica pregressa, 170
   história ocupacional, 169
   história psicossocial, 170
  comunicação do acidente de trabalho, 171
  legislação trabalhista, 173
   atestado ao médico do trabalho, 177
   atestado de aptidão laborativa, 177
   atestado médico a seguradoras, 177
    laudo médico para pessoas com deficiência, 178
    para trabalhadoras gestantes, 178
   atestado médico ao perito do INSS, 177
   atestado médico na APS, 176
    informações que devem constar, 176
   benefícios previdenciários, 174
    curto prazo, 175
     auxílio-acidente, 175
     auxílio-doença, 175
     auxílio-reclusão urbano, 175
     pensão por morte rural, 175
     pensão por morte urbana, 175
     salário maternidade rural, 175
     salário maternidade, 175
     salário-família, 175
    longo prazo, aposentadoria, 174
     especial por tempo de contribuição, 174
     idade rural, 174
     idade urbana, 174
     invalidez, 174
     pessoa com deficiência por idade, 174
     tempo de contribuição, 174
   nexo técnico doença/trabalho, 175
    profissional ou do trabalho, 175
    doença equiparada acidente de trabalho, 175
    técnico individual, 175
    epidemiológico previdenciário, 175
   previdência social no Brasil, 173
  notificação de agravos, 172
   acidentes de trabalho grave, 172
   acidentes exposição material biológico, 172
   câncer de origem ocupacional, 172
   dermatoses ocupacionais, 172
   distúrbio osteomuscular, 173
   intoxicações exógenas, 172
   lesão por esforço repetitivo, 173
   perda auditiva induzida por níveis de pressão sonora elevados, 173
   pneumoconioses, 173
   transtornos mentais e do comportamento, 173
  queixas ocupacionais, 168
  números do trabalho no Brasil, 168
  quem são trabalhadores?, 168
Transtorno do humor bipolar, 1895
Tratamento preventivo, rastreamento de adultos, 346
 avaliação da evidência, 347
  vieses estudos de rastreamento, 347
 critérios, 347
 prevenção quaternária, 348
 recomendações, 349
  alto risco de diabetes, 350
  avaliação geral anual, 349
  câncer, 351
   de cólon, 353
   de mama, 351
   outros cânceres, 353
  fatores de risco, 349
  hipertensão, 350
  outras doenças, 353
   depressão, 353
   osteoporose, 353
  risco global cardiovascular, 350
Trato urinário, infecção, 1674
 infecção em adultos, 1674
  classificação, 1675
   anatômica, 1675
   complicada, 1675
   presença de alterações estruturais ou funcionais, 1675
   recorrência da infecção, 1674
   sintomas, 1675
  diagnóstico, 1676
   avaliação clínica, 1676
    exame físico completo, 1676
    história clínica, 1676
    infecção complicada, 1677
     associada a cateter, 1677
     bacteriúria na gravidez, 1678
     cálculo urinário, 1677
     uropatia obstrutiva e nefropatia do refluxo, 1678
    infecção não complicada, 1677
     cistite, 1677
     infecção urinária recorrente em mulheres, 1677
     pielonefrite, 1677
     prostatite, 1677
     síndrome uretral, 1677
     uretrite, 1677
   avaliação laboratorial, 1678
    exame qualitativo de urina e urocultura, 1678
    exames de imagem, 1678
     cintilografia renal com DMSA, 1678
     radiografia simples de abdome, 1678
     tomografia computadorizada, 1678
     ultrassonografia de vias urinárias, 1678
     uretrocistografia retrógrada e miccional, 1678
     urografia venosa, 1678
  etiopatogenia, 1675
   antígeno de grupo sanguíneo, 1676
   colonização da uretra distal e região periuretral, 1676
   eliminação de bactérias, 1676
   fatores do hospedeiro, 1676
   osmolaridade e pH, 1676
   resposta imune, 1676
   uroepitélio, 1676
   virulência agente infeccioso, 1676
  fatores de risco, 1675
  profilaxia, 1682
  prognóstico, 1682
  tratamento, 1679
   bacteriúria assintomática, 1680
   cistite, 1679
   infecção em homens, 1681
   infecção na gestação, 1681
   infecção urinária associada a cateter, 1681
   infecção urinária complicada, 1680
   infecção urinária recorrente não complicada em mulheres, 1682
   pielonefrite, 1680
 infecção em crianças, 1683
  diagnóstico, 1683
   exames complementares, 1683
    exame de urina, 1683
    exames de imagem, 1684
     cintilografia com DMSA, 1684
     ultrassonografia do aparelho urinário, 1684
     uretrocistografia miccional, 1684
    outros exames laboratoriais, 1684
   quadro clínico, 1683
  disfunção miccional, 1686
  fisiopatogenia, 1683
  profilaxia, 1686
  tratamento, 1685
   cistite, 1685
   pielonefrite, 1685
Traumatismo musculoesquelético, 965
 fraturas, 965
  exame clínico, 965
  exame radiográfico, 966
  manejo, 966
   acompanhamento, 969
   imobilizações gessadas, 969
   urgências e emergências, 968
    lesão arterial, 968
    lesão nervosa, 968
    síndrome compartimental, 968
 recuperação funcional do trauma, 972
 traumas de partes moles, 971
  profundos, 971
  ruptura de músculo, tendão, nervo ou ligamento, 972
  superficiais, 971
 traumatismos articulares, 969
  contusões articulares, 969

entorses, 970
ferimentos articulares, 970
luxações, 971
subluxações, 971
Tuberculose, 1608
  diagnóstico, 1612
    diagnóstico tuberculose extrapulmonar, 1618
    diagnóstico laboratorial específico, 1612
    diagnóstico presumido tuberculose pulmonar, 1618
    diagnóstico radiológico/diagnóstico imagem, 1615
    ensaio liberação interferon-gama, 1615
    exames complementares, 1612
    prova tuberculínica, 1613
  exame físico, 1610
  prevenção e controle, 1626
    exames de contatos, 1628
    informações adicionais, 1629
    tratamento infecção latente, 1627
      prevenção ou quimioprofilaxia primária, 1627
      tratamento ou quimioprofilaxia secundária, 1628
    vacinação BCG, 1626
  quadro clínico, 1608
    tuberculose extrapulmonar, 1609
    tuberculose pulmonar, 1609
  situações especiais, 1623
    coinfecção HIV/Aids, 1623
    crianças, tuberculose na infância, 1623
    diabetes melito, 1626
    doença hepática, 1625
    doença renal, 1625
    gestação, 1624
    idosos, 1626
  tratamento, 1619
    bases bacteriológicas e farmacológicas, 1619
    efeitos adversos, 1621
    esquemas recomendados, 1620
    princípios gerais, 1619
    resiste múltiplos fármacos e extensivamente resistente, 1622
Tumores benignos e cistos cutâneos, 1472
  cistos cutâneos, 1476
    cisto epidérmico, 1476
      diagnóstico, 1476
      prognóstico, 1476
      tratamento, 1476
  tumores cutâneos benignos, 1472
    dermatofibroma, 1475
      diagnóstico, 1475
      tratamento, 1475
    lipoma, 1475
      diagnóstico, 1475
      prognóstico, 1476
      tratamento, 1476
    nevos melanocíticos, 1472
      aconselhamento e encaminhamento, 1474
      classificação, 1472
        adquiridos, 1473
        congênitos, 1472
        displásicos, 1473
      prognóstico e tratamento, 1473
        adquiridos, 1474
        congênitos, 1473
        displásicos, 1474
    pólipos fibroepiteliais, 1475
      diagnóstico, 1475
      tratamento, 1475

## U

Unha, cirurgia, 914
  anatomia, 914
  panarício, 918
  paroníquia, 916
    aguda, 916
    crônica, 917
  trauma ungueal, 918
    avulsão parcial traumática, 918
    hematoma subungueal, 918
  unha encravada, 915
    classificação, 915
    tratamento, 915
      técnica da cantoplastia, 916
Uso de medicamentos na gestação e na lactação, A3-1

## V

Vertigens e tonturas, 680
  pré-síncope e síncope, 685
    abordagem diagnóstica, 685
    encaminhamento, 688
    quadros clínicos, principais, 687
      causas cardíacas, 688
      hipotensão ortostática, 687
        idade, 687
      medicamentos, 687
      outras, 687
      pós-repouso prolongado, 687
      vasovagal, 687
  tonturas, outras, 688
    desequilíbrio, 688
    tontura inespecífica, 688
    tontura na infância, 689
    tontura no idoso, 688
  vertigem, 680
    abordagem diagnóstica, 680
      exame físico, 681
        avaliação neurológica, 681
        HINTS, 682
          teste de impulso de cabeça, 682
          teste de *skew*, 683
          teste do nistagmo, 683
        otoscopia, 682
        pesquisa de nistagmo, 682
        teste de Dix-Hallpike, 682
        teste de equilíbrio, 682
          de Babinski-Weil, 682
          de Romberg, 682
      exames complementares, 683
        audiometria total e vocal, 683
        eletronistagmografia ou videonistagmografia, 683
        ressonância magnética de crânio, 683
      história clínica, 681
    principais quadros clínicos, 683
      vestibulopatias centrais, 685
        insuficiência vertebrobasilar, 685
        migrânea vestibular, 685
        outras causas raras, 685
      vestibulopatias periféricas, 683
        cinetose, 685
        fístula labiríntica, 685
        labirintopatias hormonais e metabólicas, 685
        neuronite vestibular e labirintites, 684
        síndrome de Ménière, 685
        vertigem posicional paroxística benigna, 683
Visão, alteração, 822
  classificação, 823
    defeitos ópticos, 823
    doença do globo ocular, 823
    doenças associadas à limitação da visão, 824
  detecção, 825
  diagnóstico, 824
    principais causas de perda visual, 825
  manejo, 826

## Z

Zoodermatoses, 1500
  escabiose, 1500
    diagnóstico, 1500
      epidemiologia, 1501
      lesões cutâneas, 1501
      sintomatologia, 1501
      topografia das lesões, 1501
    etiopatogenia, 1500
    terapêutica, 1502
      medidas gerais, 1502
      tratamento adjuvante, 1502
      tratamento específico, 1502
        benzoato de benzila 5%, 1502
        deltametrina, 1502
        enxofre 5 a 10% creme Lanette, 1502
        ivermectina, 1502
        permetrina 5%, 1502
  *larva migrans*, 1505
    diagnóstico, 1505
    etiopatogenia, 1505
    terapêutica, 1505
  miíases, 1504
    etiopatogenia e diagnóstico, 1504
    terapêutica, 1504
  pediculoses, 1502
    diagnóstico, 1503
    etiopatogenia, 1502
    terapêutica, 1503
      medidas gerais pediculose do couro cabeludo, 1503
  tungíase, 1504
    diagnóstico, 1504
    etiopatogenia, 1504
    terapêutica, 1504